WHO IS WHO IN ÖSTERREICH – AUSGABE 1995

European Head Office:
"Who is Who, Verlag für Prominentenenzyklopädien AG"
Alpenstraße 16, CH-6304 Zug

ISBN 3-7290-0019-5

WHO IS WHO IN ÖSTERREICH
mit Südtirolteil

Begründet von Ralph Hübner

12. Ausgabe
1995

Eine Prominentenenzyklopädie mit
ca. 25.000 Biographien,
teilweise mit Fotos von Prominenten
in Österreich mit einem eigenen Südtirolteil.

Zusammengestellt und herausgegeben
von Georg Alexander Angelides

Who is Who, Verlag für Prominentenenzyklopädien AG
Alpenstraße 16, CH-6304 Zug
Schweiz

BIOGRAPHIEN
TEIL 2: M - Z
und
SÜDTIROLTEIL

Maad Raimund

B.: Geschäftsltr. Raiffeisenbank. DA.: 7082 Donnerskirchen, Hauptstr. 39. PA.: Schützen, Hauptstr. 107. G.: Schützen, 31. Juli 1967. El.: Helmut u. Maria. S.: 1986 HAK. K.: 1987 Raiffeisenbank Donnerskirchen, Oggau, Schützen am Gebirge, 1993 Geschäftsltr. M.: Musikver., Fußballver. H.: Fußball, Blasmusik, Lesen, Skifahren. (T.T.)

Maak Renate Mag. art.

B.: freischaff. Tapisseriekünstlerin, Lehrtätigkeit an d. HTBL Graz. DA. u. PA.: 8055 Graz, Am Leopoldsgrund 4. G.: Stralsund, 3. Apr. 1936. V.: Wilhelm. El.: Willy u. Emma. S.: VS, mittlere Reife, Kunst-HS Dresden, 1958 Abitur, HS f. ind. Formgestaltung, 1963 Dipl. f. Design. K.: 1963-81 freischaff. u. lehrend als Dipl.Designer in Dresden, 1982 Übersiedlung nach Österr., seit 1983 Lehrtätigkeit an HTBL Graz u. freischaff. tätig, seit 1984 künstler. Ltr. d. jährl. Intern. Tapisserie Symposiums im Raiffeisenhof Graz, zahlr. Ausstellungen im In- u. Ausland. E.: Ehrennadel d. Stadt Dresden, Leningrader Dipl., 1992 Gold. EZ d. Landes Stmk. M.: Werkbund Graz, Künstlerhaus Wien. H.: Webtechniken anderer Völker. (H.Z.)

Maan Ali Jabor

B.: Journalist. PA.: 1010 Wien, Weihburgg. 4/2. G.: Bagdag, 1. Juli 1953. V.: Faus. El.: Jabur u. Senja. S.: Univ. Bagdad, Stud. Dt. Literatur u. Engl., 1974 Abschluß, seit 1979 in Wien Germanistikstud. K.: 1970 Iraqi News Agency als Inlandsreporter f. Politik u. Wirtschaft, journalist. Tätigkeit f. OPEC, Akkred. Repr. d. Voice of America Washington DC, Arabic Service 1985. M.: Auslands Presse Verb. im Vorst., UN-Correspond., Gen.Sekr. f. Ver. arab. Journalisten Österr. H.: Tennis, Fußball, Lesen. (A.K.)

Mace Ralph

B.: Pressesprecher d. Hauptverb. d. Österr. Sozialversicherungsträger. DA.: 1030 Wien, Kundmanng. 21. PA.: 1140 Wien, Heinrich-Collin-Str. 8-14/1/13. G.: Wien, 6. Febr. 1952. V.: Elisabeth, geb. Eichhorn. S.: 1970 Matura, Med.-Stud. K.: 1970-72 Hrsg. div. Jugendmagazine, 1972 Mitarb. im Min.-Büro Dr. Ingrid Leodolter: betraut m. d. Verfassung v. Konzepten etc., 1978 Ang. in d. Wr. Gebietskrankenkasse, 1986 Wechsel in d. Hauptverb. d. Österr. Sozialversicherungsträger: Pressereferat u. Red. d. Fachzeitschrift "Soziale Sicherheit", 1988 Chefred. dieser Fachzeitschrift u. Pressesprecher. P.: zahlr. Fachart. M.: BSA Sekt. Journalisten. (M.M.)

Macek Jürgen Mag.

B.: Ltr. Marketing, Controlling, Prok. FN.: Gerhard Sulzbacher GmbH & Co KG. DA.: 4050 Traun, Kremstalstr. 99. PA.: 4600 Wels, Römerstraße. G.: Wels, 7. Nov. 1964. V.: VS, BRG, 1983 Matura, BWL-Stud., 1990 Spons. K.: seit 1989 b. Sulzbacher, Ass. d. Geschäftsltg., seit 1994 Aufbau d. Tochterfirma Opel Morava Olmütz. H.: Tauchen, Surfen, Squash, Reisen. (W.B.)

Mach Franz J.

B.: Gschf. Dir. FN.: Francesco Parisi Ges.m.b.H. Intern. Spedition. GT.: Dir. d. Enrico Sperco & Sohn Ges.m.b.H., Redereivertretungen, 1010 Wien, Kärntnerstr. 23. DA.: 1100 Wien, Sonnwendg. 21. PA.: 1210 Wien, Skrauptstr. 24/42/2. G.: Wien, 2. Dez. 1940. V.: Margarete, geb. Ried. Ki.: Franz Christian (1970). El.: Anna u. Franz. S.: RG, Lehre Industrie-Kfm. K.: seit 1961 Mitarb. d. Enrico Sperco & Sohn Ges.m.b.H., 1969 Ernennung z. Prok., 1978 parallel z. Tätigk. b. d. Fa. Sperco Konsuiltententätigk. f. d. Fa. Francesco Parisi, kurze Zeit später Erteilung d. Prokura, seit 1982 Mtgl. d. Gschf. Ltg. b. Parisi, 1987 Ernennung z. alleinigen Gschf. Dir. d. Fa. Parisi, 1990 zusätzl. Ernennung z. Dir. f. Verwaltungsaufgeben d. Fa. Sperco. E.: 1986 zum Cavaliere ernannt. H.: Musik, Videofilmen, Briefmarkensammeln. (F.S.)

Mach Kurt Dr. techn. Dipl.-Ing.

B.: Gschf. FN.: SZA. DA.: 1030 Wien, Arsenal, Objekt 207. G.: Wien, 5. Febr. 1944. V.: Eva, geb. Brunner. Ki.: Martin. S.: 1962 Matura, TU Wien, 1969 Dipl., 1970 Diss., 1972 Prom. K.: 1970 Simmering-Graz-Pauker, 1974 Ltr. d. Abt. Qualitätssicherung, 1980 Betr.-Ltr. f. d. Apparate- u. Ind.-Anlagenbau sowie f. d. Ber. Schweißtechnik, 1984 Ltr. d. Abt. Prod.-Technologie, 1987 Ltr. d. Abt. Werkstoffe u. Prüfwesen, 1987 SZA, Ltr. d. Versuchsanst. u. d. Forsch.-Abt., seit 1991 Gschf. d. Schweißtechn. Zentralanst. Wien. P.: mehrere Publ. auf d. Gebiet d. Maschinenbaus, d. Werkstoffkunde u. d. Schweißtechnik. M.: Unteraussch. "Schweißen" im Werkstoffaussch. d. Eisenhütten Österr. Inst. f. Eisenhüttenkunde Montanuniv. Leoben, Arbeitsaussch. "Werkstoff u. Schweißung" im Österr. Stahlverb. (J.E.)

Mach Wilhelmine Dr. Mag. OStR.

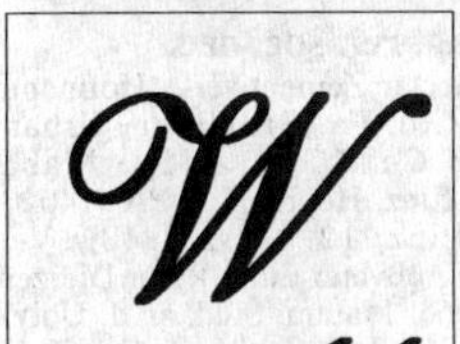

B.: AHS-Dir. Gymn. u. wirtschaftskundl. RG d. Dominikanerinnen. DA.: 1130 Wien, Schloßbergg. 17. G.: Wien, 9. Sep. 1940. El.: Anton u. Wilhelmine Mach. S.: VS, 1950-58 RG, Stud. Geschichte u. Geographie Univ. Wien, 1965 Prom. K.: Erzieherin, dann Prof. f. Geschichte u. Geographie Gymn. Wien 15, 1967 Lehramtsprüf., 1967/68 Probej. BRG Diefenbachgasse, 1968/69 Erzieherin u. Lehrerin BRG Diefenbachgasse, seit 1969 Prof. Gymn. d. Dominikanerinnen, seit 1975 Administratorin, seit 1991 Dir. E.: 1991 OStR. M.: 1972-86 Bundesltg. d. Gewerkschaft, Ltg. d. Arbeitsgruppe d. Historiker in Wien, Ges. d. Musikfreunde, Ges. d. Museumsfreunde, Geograph. Ges., Ges. f. Geschichte u. Sozialkunde u. Inst. f. Österr.-Kunde. H.: Theater, Konzert, Ausstellungen, Reisen, Lesen. (J.M.)

Mach Kurt S.C. Dr.

B.: o.Univ.-Prof., FA f. Dermatologie u. Venerologie. GT.: seit 1980 Gen.Kons. v. Barbados DA. u. PA.: 1040 Wien, Brucknerstr. 4. G.: Wien, 12. Juli 1927. V.: Olive, geb. Moorefield. El.: Ing. Walter u. Emy. S.: BRG, Univ. Graz u. Wien, Dr. med. univ., WU Wien, Prom. 1959. K.: Habil. an d. Univ. Wien (Univ.Doz.), AufsR. d. Franz Waldmann AG, FA f. Haut- u. Geschlechtskrankheiten, FA f. Med. u. Chem. Labordiagnostik, gerichtl. beeid. Sachv. F.: Franz Waldmann

AG, Universale Labordiagnostik GmbH. P.: Über 70 wiss. Publ. med. Thematik in versch. wiss. Zeitschriften, Co-Autor d. Handbuches: "Spezielle Path. Anatomie, Haut u. Anhangsgebilde, Spezielle Histo-Path.". E.: Kardinal Innitzer-Preis 1965, 1984 Silver-crown of Merit. M.: American Association for the Advancement of Science, Österr. u. dt. Dermatolog. Ges., Ges. d. Ärzte in Wien, Hon.Konsul v. Barbados. H.: Motorbootsport, Golf.

Machacek Robert Dir.

B.: Gschf. u. Dir. FN.: Österr. Buchklub d. Jugend, Bibliotheks- u. Medienzentrum f. Kinder- u. Jugendliteratur, Lesen u. einem Dach GmbH. DA.: 1040 Wien, Mayerhofg. 6. PA.: 2331 Strasshof. G.: Wien, 30. Nov. 1946. V.: Inge, geb. Goralik. Ki.: Petra (1979), Michael (1981), Sandra (1987). El.: Stefanie u. Alois. S.: Matura 1964 i. Wien, anschl. i. Wirt., Marketing u. Werbung tätig, 1967-69 Ausb. z. VS-Lehrer a. d. Päd. Akad. Wien, Hauptschullehrerprüf. K.: 10 J. Hauptschullehrer, Ltr. zahlr. Arb.-Gem. m. Schwerpunkt Dt., Gesch. u. Geographie, Ersteller v. Lehrbehelfen, Mitarb. a. Lehrbüchern, Mitaufbau d. VS Donaustadt, 1980 Eintritt i. d. Direktorium d. Österr. Buchklubs d. Jugend, s. 1987 alleiniger Gschf., 1990 Grdr. d. Bibliotheks- u. Medienzentrums, 1993 Grdr. d. KinderLiteraturHaus. P.: zahlr. Publ. E.: mehrere berufsspez. Ausz. f. päd. Leistungen. H.: Lesen, Sport, Schulentwicklung, int. Kontakte, Reisen u. Geschichte. (J.S.)

Machanek Max Ignaz Mag. rer. soc. oec.

B.: Gschf. u. Ges. FN.: Kirchdorfer Zementwerk Hofmann GmbH & Co KG. GT.: BeiR. d. Fa. Brevillier Urban Schreibwarenfbk. GmbH & Co KG u. d. Fa. Maba Betonwaren GmbH. DA.: 4020 Linz, Hopfeng. 3. PA.: 4020 Linz, Auf d. Gugl 40. G.: Linz, 12. März 1948. V.: Margarete, geb. Gatner. BV.: Urgroßvater Emil Ritter Dierzer v. Traunthal. S.: Ak. Gymn., 1966 Matura, Stud. an d. Univ. Wien Nat.Ökonomie, Spon. K.: 3 J. Gschf. d. Dr. Karl Kummer-Inst. f. Sozialpolitik u. Sozialreform Wien, 3 J. I. Österr. Sparcasse, 1980 Kirchdorfer Zementwerke, 1983 Kauf d. Fa. Brevillier-Urban Schreibwarenfbk. GmbH & Co KG, 1985 Kauf d. Fa. Maba Betonwaren GmbH. M.: Präs. d. Kulturrings d. OÖ Wirtschaft, Vorst.Mtgl. d. Ver. österr. Industrieller, LGruppe OÖ, Rotary-Club. H.: Jagd, Fischerei. (A.W.)

Machata Gottfried Dr. Univ.-Prof. i.R.

B.: Sachv. am Inst. f. gerichtl. Medizin. Mitgl. d. INCB (UNO) (Int. Narcotics Control Board) seit 1992 A.: 1020 Wien, Böcklinstr. 80/20. G.: Wien, 6. Juli 1925. V.: Gertrude, geb. Kollesch. El.: Josef u. Theresia. S.: VS, Oberschule, Univ. K.: 3 J. pharm. Ind., ab 1955 Ass. am Inst. f. ger. Med. Wien, ab 1956 Ltr. d. chem. Abt., 1962 Doz., 1968 Prof. P.: 137 Arb. auf d. Gebiet d. Toxikologie, Analytik, Kriminal-Technik, Arbeitsmed., 7 Buchbeiträge, 2 Filme. E.: Preis d. österr. Ak. d. Wiss. 1976, Theodor-Körner-Preis 1961, Intern. Widmark-Award 1980, Stas-Preis 1985, Gold. EZ d. Rep. Österr. 1991. M.: Österr. Ges. f. ger. Med., Ges. f. toxikol. u. forensische Chemie, Am.Ass. of Forensic Sciences (Fellow), Dt. Ges. f. Rechtsmed., TIAFT, Ges. Dt. Chemiker. H.: Photographie, Heimwerken.

Machatschek Siegmund

B.: VPräs. d. Rieger Bank. DA.: 1190 Wien, Peter-Jordan-Str. 50. PA.: 1010 Wien, Spiegelg. 1. G.: St. Gilgen, 8. Dez. 1959. El.: Herbert u. Franziska. S.: VS, HS, HASCH, Bankausbild. K.: Prok. b. Rieger Bank seit 1985. BL.: Mitaufbau d. 5 Filialen, Radrennfahrer. E.: nat. Erfolge als Radrennfahrer. M.: Präs. d. Radclubs Wolfgangsee. H.: Sport, Briefmarken sammeln. (H.P.)

Machatschke Roland

B.: Ressortltr. f. Außenpolitik d. aktuellen Dienstes d. ORF, Journalist. GT.: seit 1988 Univ.Lektor am Inst. f. Kommunikationswiss. d. Univ. Wien. DA.: 1040 Wien, Argentinierstr. 30a. PA.: 1050 Wien, Garteng. 9-11. G.: Wien, 7. Dez. 1940. V.: Pia, geb. Nell. Ki.: Ivo, Alexander. El.: KommR. Josef u. Gertrude. S.: 1959 Matura, Stud. Chemie u. Germanistik. K.: 1965-68 Beginn b. d. BBC in London als Journalist, seit 1969 aktueller Dienst b. ORF in Wien, vorerst Red. u. Moderator, seit 1972 Ressortltr. f. Journale, seit 1979 Ressorltr. f. Außenpolitik. P.: "Raumfahrt" (1989), "Der Islam" (1990), "Radio - Journalismus", "Prakt. Journalismus". M.: Mtgl d. Arge Kath. Journalisten Österr., Journalist. Gewerkschaft. H.: Lesen, Fotografieren. (M.B.)

Macheiner Leopold

B.: Gschf. FN.: Stereoland Sänze Ekecctronik GmbH. DA.: 5020 Salzburg, Wiener-Philharmoniker-G. 3. PA.: 5020 Salzburg, Heubergstr. 2. G.: Salzburg, 5. März 1960. S.: HS, 1975-78 Lehre Firma Stereoland. K.: seit 1990 Gschf. u. Ges. Stereoland. H.: Firma, Radfahren, Tennis. (N.M.)

Machek Guido Arthur Dr. Univ.-Prof.

A.: 6020 Innsbruck, Müllerstr. 16/II. G.: Innsbruck, 30. Jan. 1900. V.: Elisabeth, geb. v. Obwurzer. El.: Ludwig u. Klothilde. S.: Pädagogium, Realschule, Univ. Innsbruck, Prom. 1923, Lehramtsprüf. 1926. K.: Habil. 1933, a.o.Univ.-Prof., Chef d. chem. Forschungsabt. d. Biochemie Kundl, Dir. d. Kontrollabt. d. Biochemie Kundl u. d. Alpine Chem. Schaftenau. P.: Insges. ca. 40 Veröff. auf d. Gebiet d. organ. Chemie u. d. Analyt. Chemie in einschlägigen Zeitschriften, Mitverfasser d. Buches "Bergland in d. Arktis", Mitarb. u. Mithrsg. d. dreibändigen Handbuches "Die Antibiotica". M.: Ver. österr. Chemiker, Ehrenmtgl. d. Zweiges Innsbruck d. Österr. Alpenver., d. Ak. Alpenklubs Innsbruck. H.: Landschaftsfotografie.

Machenschalk Rudolf Dr. techn. Dipl.-Ing. BauR. h.c.

B.: Gen.-Dir., Vors. d. Vorst. FN.: Plansee AG (früher Metallwerk Plansee GmbH). DA.: 6600 Reutte/Tir. PA.: 6600 Reutte/Tir., Haus an d. Sonne. G.: Reutte, 8. Nov. 1928. Ki.: Dipl.-Ing. Bernhard, Christa. S.: Oberschule Freising/BRD, Militärdienst als Luftwaffenhelfer, Oberrealschule Innsbruck, 1947 Matura, Stud. an d. TH Graz u. Wien Fak. f. Naturwiss., Abt. techn. Chemie, 1952 2. Staatsprüf., Dipl.-Ing., 1953 Prom. z. Dr. techn. K.: 1954 Forschungs- u. Entwicklungsass. d. Ver. Aluminiumwerke Ranshofen (VAW), 1955 Eintritt in d. Metallwerk Plansee AG Reutte, 1974 Betriebsdir.Stellv. d. Metallwerk Plansee AG Reutte sowie Techn. Gschf. d. Metallwerk Plansee GmbH Lechbruck/BRD, seit 1976 Mtgl. d. Vorst. d. Metallwerk Plansee AG Reutte Ressort Technik, 1978-81 Sprecher d. Vorst. d. Metallwerk Plansee AG Reutte, seit 1981 Gen.-Dir. u. Vors. d. Vorst. d. Metallwerk Plansee GmbH Reutte, seit 1989 d. Plansee Metall AG, Int. Beirat VIAG, München, P.: ca. 50 Veröff., Vorträge u. Patente im In- u. Ausland auf d. Gebiet d. Pulvermetallurgie E.: EZ d. Landes Tir. M.: Mtgl. mehrerer AufsR. z.B.: -österr. Forschgs.zentr. Seibersd. Gmb, Voest Alpinestahl AG (Kolbenschmidt AG), Schwarzkopf Techn. Corp. USA, LJägermstr.Stellv. v. Tir. H.: Bergsteigen, Jagd, Natur. (Schm.)

Macher Friedrich
B.: stellv. Gen.-Dir.(Einzelprokura). FN.: Digital Equipment Österr. AG, Wien. DA.: 1230 Wien, Ziedlerg. 21. G.: Ladendorf/NÖ, 17. Nov. 1952. S.: 2. Bild.-Weg erworbene Qualifikationen in Betriebswirtschaft, Industrial-Engineering, Informatik,Permanentes Executive-Training. K.: stellv. Gen.-Dir. Digital Equiment Österr. AG Wien. BL.: Extrembergsteiger, Alpenver.-Funktionär, Alpinausbildner. P.: mehrere Dutzend Fachart. u. Lehrunterlagen zu Unternehmensführung, Logistik, Informationmanagement, Ltg./Durchführung v. über 40 Tagungen u. Seminaren, Ref. d. ÖAF, Koordinator b. MBA Krems. Ausl.tätigkeiten: Country Group Manager Logistikinformatik, Digital Deutschland/Österreich/Schweiz. M.: Grdg.-Präs. der BVL (vorm. IAL) Österr.,Mitglied des Präsidiums d. WdF, Mtgl. d. Board of Trustees d. wiss. Landesak. Krems, Mtgl. d. bild. u. ges.-polit. Aussch. d. VÖI, Österr. Alpenklub, Österr. Bergrettungsdienst. H.: Extrembergsteiger, Alpenvereinsausbildner, Alpinausbildner.

Macher Siegfried
B.: Konditormstr. DA.: 8600 Bruck, Theodor-Körner-G. 6. G.: Zeltweg, 17. Dez. 1947. V.: Liane, geb. Fixl. Ki.: Silke. El.: Alfred u. Elisabeth. S.: Unterst. Mittelschule Bruck, HAK Graz, Berufslehre im elterl. Betrieb, 1 J. Praktikum in Deutschland, 1973 Mstr.Prüf., 1977 Übernahme d. seit 1905 im Fam.Bes. bef. Betriebes. E.: Gold. Med. b. d. Intern. Konditorausstellung 1978 in Wien, Obm. d. Fremdenver. Ver. Bruck. M: Lions Club. H.: Schwimmen, Skifahren.

Macho Heinrich Dipl.-Ing.
B.: Ltr. d. Boden- u. Baustoffprüfstelle b. Amt d. OÖ Landesrg., Landesbaudir. DA.: 4020 Linz, Kärntner Str. 12. PA.: 4020 Linz, Schultestr. 19. G.: Linz, 9. März 1931. V.: Anneliese, geb. Denk. Ki.: Sabine (1964), Thomas (1969). El.: Heinrich u. Margarete. S.: VS, RG, 1950 Matura, b. 1960 Stud. Bauing.-Wesen TU Wien. K.: 1960 Eintritt Landesbaudir. Boden- u. Baustoffprüfstelle, ab 1982 Ltr. d. Prüfstelle. P.: Mitautor v. Heft 39 d. Reihe Straßenforsch. d. Bundesmin. f. Bauten u. Technik. E.: 1982 w.HofR. M.: Österr. Ing. u. Arch.-Ver., Mitarb. b. versch. Fachaussch. d. Forsch.-Ges. f. Verkehrs- u. Straßenwesen im ÖIAV. H.: klass. b. mod. Musik, Klavier, Chorgesang, Wandern. (U.A.)

Machtl Josef Dr. iur.
B.: Gen.-Dir. A.: 1190 Wien, Obkircherg. 4/9. K.: Gschf. d. Wr. Allg. Beteiligungs u. Vw. GmbH Wien, Aufs.R.Vors. d. Wien-Kredit Ankaufsfinanzierungen GmbH Wien, Aufs.R. d. Gemeinnützigen Wohnungs AG Wohnpark Alt-Erlaa Wien, d. Linzer Glasspinnerei Franz Haider AG Stockerau, d. Wr. Porzellanmanufaktur Augarten AG Wien, d. Simmering-Graz-Pauker AG f. Maschinen-, Kessel- u. Waggonbau Wien, d. Wr. Messe AG Wien.

Machu Otto Dipl.-Ing.
B.: Techn. Dir. A.: Birmingham 29, B294NL, 92 Presthope Road, Weoley Hill. G.: Wien, 30. Sept. 1939. V.: Jutta, geb. Paschek. El.: Prof. Dipl.-Ing. Dr. Willibald u. Dipl.-Ing. Pauline. S.: Abitur an d. dt. ev. Oberschule Kairo, Dipl.-Ing. d. Maschinenbaus an d. TU Wien, Offz.Kurs b. Österr. BH, OLt d. Res. d. höheren techn. Dienstes, 4 J. Managementtraining an d. Aston Univ. Birmingham. K.: Ass. d. Betriebsltrs. b. Fa. Reichert Wien, Projekting. b. Hoerbiger Ventilwerke Wien, Techn. Ltr. b. Fa. Compressor Accessories Ltd Birmingham (Zweigwerk d. Hoerbiger Ventilwerke Wien), techn. Dir. b. Compressor Accessories Ltd. H.: Tennis, Computing, Bergsteigen.

Mack Ingrid
B.: Kauffrau, Inh. FN.: Erste Condomerie in Wien. DA.: 1060 Wien, Otto-Bauer-G. 24. G.: Wels, 15. März 1965. El.: Jakob u. Rosalia Mack. S.: VS, HS, HASCH. K.: Kellnerin in Konditorei Urban in Wels, WIFI Lehrausbild. als Kellnerin, Saisonarb., Serviceltr. b. vegetar. Restaurant Wrenkh, 1994 Eröff. einer Condomerie, seit 15 J. Partner Condomerie in Köln. E.: positive Ressonanz in d. Presse. H.: Wandern, Tennis, Schwimmen, Radfahren, Tanzen, Musik, Familie. (J.M.)

Mack Kurt
B.: Gschf. Ges. FN.: Alois Lechner GmbH & Co KG. DA.: 4100 Ottensheim, Hostauerstr. 87. PA.: 4100 Ottensheim, Höflein 48. G.: Traunstein, 13. Dez. 1943. V.: Sonja, geb. Wimmer. Ki.: Angelika (1968), Silvia (1972). El.: Gustav u. Anna. S.: VS, Berufsschule Maschinenbau, Facharbeiterabschl. K.: 1962 Praktikum Brückenbau, 1964 Praktikum Landmaschinen, 1968 Betriebsübern. (U.Z.)

Mack Otto F.
B.: Schriftsteller. PA.: 1030 Wien, Rüdeng. 13/21. G.: Hromitz/CR, 8. Nov. 1918. V.: Martha, geb. Mraz. Ki.: 2. El.: Hubert u. Maria. BV.: General Mack (Freiherr v. M.). S.: VS, RG, Stud. Germanistik, Theater- u. Zeitungswiss. a. d. Univ. Wien, priv. Stud. Bereich Geschichte, Biologie, Anthropologie, Med., Psych., Soz., Zoologie, experiment. Verhaltensforsch. b. Mensch u. Tier, Physik, Chemie, Math., Phil., vergl. Rechtswiss., Geld- u. Kreditwesen, Staatswiss., Astronomie, Geologie, Parapsych., Theol. K.: Truppenoffz. im 2. Weltkrieg, 1946 1. Preis b. Short-Story-Wettbewerb m. "Der Staatsstreich", 1947 Lektor d. ORF, Red. b. mehreren Zeitschriften, zahlr. Veröff. b. heute, 1952 Verlagskonzession, 1953 Kfm. Ltr. d. Kellertheaters Caleidoscop Wien, 1957 Co-Produzent d. Carnuntum-Festspiele, ab 1958 Verfasser zweier Opernlibrettos, mehrere Hörspiele, Monodramen, Fernsehspiele, ab 1965 Vorst.Mtgl. d. Ges. f. Musiktheater, 1967 1. Preis Hörspielwettbewerb ORF m. "Tod unter Birken", 1968 Dichterlesung im ORF u.v.a.m., 1974 Kuratoriumsmtgl. d. I.T.I. (Intern. Theater-Institut) b. d. UNESCO, Sekt. Österr., 1975 Europa-Nadel durch d. Europa-Union d. Reisejournalisten, 1976 Dichterlesung im Österr. P.E.N.-Club, 1977 Vorträge u. Forumsdiskussionen in Akademikergruppen, 1978 Autorenlesung literar. Abend in d. Josefstadt, 1979 im Intern. Kulturzentrum Wien, 1980 Ersch. Kurzgeschichtenband "Die Brücke", 1986 Grdg. Video-Film-Produktionsgemeinschaft "Progreß", 1987 Werbefilm "Naschkatzen u. Tanzbären". E.: Gold. EZ d. Wiener Messe AG, Ehrenkreuz f. d. Verd. um d. Rep. Österr. M.: Vorst.Mtgl. d. Ges. f. Musiktheater, Kuratoriumsmtgl. d. I.T.I., Vorst.Mtgl. d. Österr. Schriftstellerverb., Vorst.Mtgl. d. Intern. Liga f. Menschenschutz, Verl. d. Titels "Prof." . (P.R.)

Mackh Gloria Doris Marina Irena Johanna Ellen
B.: Hotelier Sporthotel Marietta. DA.: 9081 Maria Wörth, Reifnitz. PA.: 5061 Salzburg, Michael-Ruppe-Str. 9. G.: Klagenfurt, 15. Aug. 1943. V.: 1. Ehe Dr. J. Wegroster, Wolf Mackh. Ki.: Claudia (1968), Peter (1969). El.: Kurt u. Marietta Mackh. BV.: b. ins 16. Jhdt. nachweisbares bayr. Rittergeschlecht. S.: VS, HS, Hotelfachschule Wien u. Reinhardt-Seminar. K.: Mitwirkung b. Wasserskishows u. Kunstschwimmen in d. USA "Cypres Gardens" u. auch f.

Spielfilme, Organ. d. Wasserskishow auf d. Bahamas "Paradise Island", Skilehrerin f. amerikan. Prominenz, Werbefilme u. Werbeaufträge, Plattenaufnahmen, 1965 Ausbild. z. Skilehrer u. Tätigkeit in Obertauern, Skilehrerin in Vermont u. Colorado f. VIP's, 1984-88 Aerobic Studio Sbg., Mitarb. in elterl. Betrieben in Reifnitz u. Obertauern, 1988 Übernahme d. Hotels in Reifnitz. E.: Staatsmstr. im Wasserskilauf, Amerikan. Mstr. im Wasserskilauf, Staatsmstr. i. Drachenfliegen, 1964 Miss Austria, 1964 Teilnahme b. Miss Universum - 7. Rang, Ehrenbürger v. Miami Beach, 1969 Skikönigin v. Amerikan, Mitwirkung b. Filmen "Help" m. d. Beatles. H.: Musik, Malen. (G.L.)

Macku Eduard Prof.

B.: Musikdir., Kapellmstr., Intendant. PA.: 1236 Wien, Martin-Schneider-G. 3. G.: Linz, 30. Juni 1901. V.: Vera, geb. Svoboda (Sängerin). El.: Eduard u. Anna. S.: Gymn., Musikschule u. Konservatorium Linz, priv. b. Prof. R. Semmler, Prof. Haböck, Olga Seelo, Dr. Hübner u.a. K.: Beamter, dann Lehrer an d. Musikschule Linz, Chor-Ltr., Schauspieler an versch. Bühnen, Orchester-Ltr. d. Wr. Konzertorchester, s. 1945 Ltr. d. F.-Lehar-Orchester Wien, Tourneen in Europa u. Übersee, s. 1961 Ltr. u. Intendant d. Bad Ischler Operetten-Festwochen. P.: 60 versch. Kompositionen. E.: Prof., Gold. EZ d. Stadt Wien, Gr. Silb. EZ d. Landes OÖ, Gr. Silb. Ehrenmed. d. Landes Wien (1980), Gr. VK 1. Kl. f. Kunst u. Wiss. (1988), Gold. Ehrenmed. d. AK, Silb. EZ d. Öst. Ärztekammer, gr. Feierlichkeiten anläßl. d. 90. Geburtstages. M.: Komponistenbund, Operettengem. Wien u. Ischl, IGOMU, Vizepräs. d. Lehar-Ges. (J.M.)

Mackwitz Hanswerner Dipl.-Chem.

B.: Umweltwissenschaftler, Unternehmensberater, Journalist, Filmemacher,. Geschf. FN.: "Concerned People" GmbH Rat & Tat. f. Ökolog. Visionen u. Projekte. DA.: 1040 Wien, Graf Starhembergg. 4/12. G.: Weiden, 24. Aug. 1945. El.: Kurt u. Dorothea, geb. Hommel. S.: Grundschule, 6 J. Gymn. Berchtesgaden, 1969 Abendmat. am Gymn. f. Berufstätige Salzburg, 1975 Studium d. Chemie u. Polit. Philosophie Univ. Basel, Chemie-Diplom d. Naturwiss. Fakultät. . K.: freiberufl. journ. Tätigkeit b. d. Schweizerische Finanzzeitung, Basler Zeitung, St. Galler Nachrichten,.. 1978-80 München u. Wien: Tätigkeit als freier Wissenschaftsjourn. i. Hörfunk u. TV, 1980-86 freier Mitarbeiter am Inst. f. Umweltwiss. u. Naturschutz d. Österr. Akad. d. Wiss., 1984 Forschungsaufenthalt i. USA, 1987 wissenschaftl. Mitarbeiter u. Berater der Fraktion DIE GRÜNEN im Dt. Bundestag Bonn, 1987 Forschungsaufenthalt in Nicaragua, 1988-92 Filmemacher, Wissenschaftspublizist, 1992 Gündung der Fa. "Concerned People" m. Schwerpunkt Film-Video-Verlag, Sanfte Chemie F&E, ÖKO-INFORM, 1992 Grdg. OSCAR Verband ökologischer Consumenten und Hersteller. P.: zahlr. wissenschaftl. Publ., Sachbücher u. a. Bestseller "Zeitbombe Giftmüll", "Werden u. Sein der Sanften Chemie",.. M.: Initiator u. Mtgl. d. Privatrechtsstiftung "Naturstoff", ÖKO-SOFT Institut f. naturnahe Stoffe u. Verfahren. H.: Medienbeobachtung u. Analyse, Geruchswahrnehmung i. d. Provence. (N.A.)

Maczek Alfred

B.: Gschf. Ges. FN.: Maczek GmbH Zahntechn. Labor. DA.: 1050 Wien, Siebenbrunneng. 21. PA.: 3400 Klosterneuburg, Rolandsbergg. 21. G.: Vorau, 9. Apr. 1955. V.: Dr. Karin, geb. Schmit. Ki.: Gregor (1992). El.: Otto u. Edith. S.: VS, HS, Zahntechnikerlehre. K.: Tätigkeit in versch. Labors, 1986 selbst., Grdg. eines eigenen Zahntechn. Labors in Wien 12, Aichholzgasse, 1988 Übersiedlung. H.: Gartenarb., Schach. (F.S.)

Mader Angelika

B.: Prok. FN.: Vereinigte Kellereien Marsoner & Gutmann GmbH. DA.: 6020 Innsbruck, Andreas-Hofer-Str. 44. PA.: 6410 Telfs, Kirchstr. 19. G.: Wildermieming, 15. Jän. 1955. El.: Josef u. Paula Mader. S.: Grundschule, HAK, 1975 Abschluß. K.: 5 J. Buchhalterin in Installationsbetrieben, 9 J. Treuhandbüro in d. Schweiz, seit 3 J. Prok. Vereinigte Kellereien Marsoner & Gutmann GmbH Innsbruck, Kundenbetreuung, Rechnungswesen, Einkauf. H.: Literatur, Musik, Tennis. (M.W.)

Mader Dietger Dr. merc. Dkfm.

B.: Landtagsabg., VBgm. d. Landeshauptstadt Bregenz. DA.: 6900 Bregenz, Rathaus. PA.: 6900 Bregenz, Belruptstr. 3. G.: Bregenz, 30. Nov. 1939. Ki.: Gerd, Sabine. El.: Ernst u. Elisabeth. BV.: Urgroßonkel Skipionier Oberst Georg Bilgeri. S.: 1958 HAK-Matura Bregenz, 1959-66 HS f. Welthdl. Wien, 1963 Dkfm., 1966 Dr. merc. K.: 1966-71 Schadensliquidator in d. Vers.-Wirtschaft, 1970-79 StadtR. in Bregenz f. Wohnungswesen, Sport, Liegenschaften, Musikschule u. Konservatorium, 1974 Einzug in d. Vbg. Landtag, Obm. d. Kulturaussch., 1983-91 Klubobm. d. FPÖ Frakt. im Vbg. Landtag, seit 1990 VBgm. M.: Ambassador Club. H.: Radfahren, Skifahren, Schwimmen, Philatelie. (A.K.)

Mader Gary

B.: Kulturjournalist, Dir., Gschf. Ges. "Residenztheater". DA.: 1070 Wien, Mariahilfer Str. 2. G.: Wien, 15. März 1940. El.: Felix u. Erna. S.: Stud. Psych., Theaterwiss. u. Zeitungswiss. Univ. Wien m. Abschluß als abs. phil. K.: Journalist f. engl.-sprachige Fachzeitschriften, Autor dreier Ballettbücher in engl. Sprache, viele J. Gastlektor f. Ballettgeschichte u. über d. Literatur d. Jhdt.-Wende in Wien an d. Stanford Univ., Rückkehr nach Wien, journalist. Fachgebiet: Oper, Ballett u. Konzert, 1987 Gründer d. Bilderbogen-, Filmproduktion- u. Publikationen GmbH Idee, tägl. Touristen einen Film über Wien zu präsentieren, 1991 Verwirklichung d. Idee u. Fertigstellung d. Films "Rendezvous m. Wien", 1992 zusätzl. Gründer d. Residenztheaters. (J.S.)

Mader Gerd Dr. iur.

B.: Wirtschaftsprüfer u. Steuerberater. Gschf. DGM Treuhand BmbH, 1130 Wien, Wensg. 24. PA.: 1130 Wien, Wenzg. 24. G.: Wien, 31. Jan. 1944. V.: Margarethe, geb. Gregori. Ki.: Wolfgang, Laura. S.: Realschule Schottenbastei, 1964 Matura, Jusstud. Univ. Wien, 1968 Dr., Prüf. f. d. Höheren Betriebsprüf.Dienst, Steuerberaterprüf., Buchprüferprüf. u. Wirtschaftsprüferprüf. K.: selbst. als Wirtschaftsprüfer u. Steuerberater seit 1976, 1978 Grdg. d. Mader Fellmann & Co KG, 1981 Grdg. d. IGV Beteiligungs u. Vermögenstreuhand GmbH, Gschf. d. WKG Wasserkraftwerke GmbH. M.: Inst. d. Österr. Wirtschaftsprüfer. (C.K.)

Mader Helmut Ing.

B.: Präs. d. Tiroler Landtages DA.: 6020 Innsbruck, Fischnaler Str. 24. G.: Innsbruck, 3. Dez. 1941. V.: Edeltraud. Ki.: Gerhard (1963), Wolfgang (1965), Christian (1968). S.: VS Mieders/Stubaital, RG Innsbruck, 1956-61 HTL Innsbruck, Matura, Ing. f. Elektrotechnik. K.: 1961-89 Ang. d. Tir. Wasserkraftwerke AG, 1964-88 BetriebsR. d. Hauptverw. d. Tir. Wasserkraftwerke AG, 1974-88 im ZentralbetriebsR. u. ZBR-Vors. sowie v. d. Belegschaft in d. AufsR. delegiert, 1978-89 Obm. d. großen AAB-Betriebsgruppe TIWAG, seither deren Ehrenmtgl., 4. April 1989 Eintritt in d. Tiroler LReg. u. 1. LHauptmannstellv. v. Tirol b. 1994, s. 1994 Präs. d. Tiroler Landestages, seit 1960 in zahlr. Positionen d. außerschul. Jugendarbeit tätig, ab 1960 Mtgl. d. Jungen ÖVP, 1963-67 stellv. Stadtobm. in Innsbruck, 1967-73 Bez.-Obm. d. Jungen ÖVP Innsbruck, ab 1965 Mtgl. d. LVorst. u. ab 1968 stellv. LVors. bis z. altersbedingten Ausscheiden 1976, seither Mtgl. d. Forchtensteiner Kreises (Alt-JVPler), Mtgl. d. Stadtparteivorst. in Innsbruck seit 1967, seit 1961 AAB, seit 1988 Landesobm. d. AAB-Tirol, 1971 Gründer d. Polit. Akad. Tirol u. Polit. Jugendakad. u. deren Präs., 1974-79 LSchulungsreferent d. ÖVP-Tirol, d. AAB u. d. JVP sowie langj. Mtgl. d. BBild.-Aussch., 1970-75 Mtgl. d. BundesR., 1972 Vors. d. BundesR., s. 1975 Abg. Tir. Landtag. E.: 1973 Gold. EZ d. Jungen ÖVP, Silb. VZ d. AAB, 1986 Gold. VZ d. AAB, 1982 VK d. Landes Tir., 1985 Silb. EZ d. ITV u. Gold. EZ d. ASVÖ, 1977 Gold. EZ d. FC Veldidena, 1985 ÖLV-EZ in Gold, Landessport-EZ u. Stadtsport-EZ v. Innsbruck, Gold. EZ d. ÖTSU, 1992 Gold. EZ d. Tiroler Turnverb., Gr. Gold. EZ m. Stern f. Verd. um d. Rep. Österr., 1992 Ehren-Oberleutnant d. Wiltener Schützen, 1993 Ehrenring d. Pfarre Mariahilf, Ehrenring d. TanzSK-Tirol, Gold. VDM Judoverb., u.v.a. M.: 1972-85 Präs. d. Tir. Leichtathletikverb. (TLV) u. seit 1977 Präs. d. FC Veldidena, 1976-83 VPräs. d. Österr. Tae-Kwon-Do-Verb. H.: Familie, Lesen, seit 30 J. außerschul. Jugendarb., Sport (passiv).

Mader Johann Dr. phil. o.Univ.-Prof.

B.: Vorst. d. Inst. f. Phil. d. Univ. Wien. DA.: 1010 Wien, Universitätsstr. 7. PA.: 1180 Wien, Dr.-Heinrich-Maier-Str. 46. G.: Wiedergrün/Schlesien, 15. Sep. 1926. V.: Maria, geb. Petzer. Ki.: Mag. Dr. iur. Maria (1960), Dipl.-Ing. Dr. techn. Johanna (1963). El.: Johann u. Margarete, geb. Dostal. S.: VS, 1946 Gymn.-Matura, Stud. Phil. Freiburg u. Wien, 1953 Prom. K.: 1957 Univ.-Ass. am Inst. f. Phil., 1965 Habil., 1968 a.o.Univ.-Prof. u. 1970 o.Univ.-Prof., 1981/82-1984/85, 1988/89 u. 1994/95 Dekan. P.: 7 Bücher: Moral, Phil. u. Wiss. (1979), Fichte, Feuerbach, Marx (1968), Phil. in d. Revolte (1993), Aurelius Augustinus (1991), Von Parmenides zu Hegel u. Von d. Romantik z. Postmoderne (1992), zahlr. Publ. u. Vorträge. E.: Ehrenmed. in Gold d. Stadt Wien. (M.M.)

Mader Konrad

B.: Inh. Tir. Glasmalerei u. Mosaikanst. Innsbruck. DA. u. PA.: 6020 Innsbruck, Müllerstr. 10. G.: Innsbruck, 14. Juni 1930. V.: Erika, geb. Riffeser. Ki.: Georg, Maria. El.: Rudolf u. Irmgard. BV.: Urgroßvater Georg Mader Gründer d. Unternehmens 1861, bedeutender Maler. S.: RG Innsbruck, 1948 Matura, Eintritt in elterl. Betrieb, Gesellen- u. Mstr.Prüf. im Glasergewerbe. K.: 1970 Übernahme d. elterl. Betriebes. E.: Humanitätsmed. d. Stadt Innsbruck. M.: seit 1950 b. Österr. Bergrettungsdienst, Ortsstelle Innsbruck, s. 1980 Ortsstellenltr. H.: Bergsteigen, Klettern, Skifahren.

Mader Peter Dir.

B.: Dir. d. Hauptschule 2 in 6263 Fügen/Bez. Schwarz. PA.: 6263 Fügen/Bez. Schwar, Marienberg 347. G.: Schwaz, 4. Mai 1946. V.: Wiltrud, geb. Ilg. Ki.: Günter, Helmut, Daniel. El.: Friedrich u. Leokadia. BV.: s. 13 Gen. Lehrer, Vater war 30J. Dir. an VS in Fügen. S.: VS, HS, 5J. Bundeslehrerbild.-Anstalt Innsbr., 1965 Matura, 1966 Fachprüf. f. Engl., 1967 Lehrbefähigungsprüf., 1968 Fachprüf. f. Dtsch., 1969 Fachprüf. f. Werkerzieh. u. Hauptschulprüf., 1974 Prüf. f. Polytechn. Lehrgang, Anerkenn. d. Fächer: Dtsch., Werkerzieh., GZ, Sprachstud. in Ital. (Sommerkurse). K.: 22J. Lehrertätigk.: 2J. VS, 20J. HS, ab 1987 Ltr. d. HS 2 in Fügen, Ltr. d. Erwachsenenschule Fügen, Vors. d. Gewerkschaft Öffentl. Dienst-Pflichtschullehrer Bez. Schwarz, Kuratoriumsmtgl. d. Seraphischen Liebeswerkes Tirol. P.: Mitarb. beim Dorfbuch über Fügen, Fachart. (Zillertaler Heimatstimme). M.: Vorst.-Mtgl. Tennisclub Fügen, Vorst.-Mtgl. im Heimatver. Fügen, 1974-80 u. 1986-92 aktiv. GemR. (M.G.)

Mader Rudolf Dr.

B.: Prim., Vorst.d. Anton Proksch-Inst. Stiftung Genesungsheim Kalksburg. GT.: Kons. im BMG. DA.: 1237 Wien-Kalksburg, Mackg. 7-9. G.: Wien, 23. Juni 1934. V.: Hannelore, geb. Steinbauer. Ki.: Nina, Thomas. El.: Dr. Rudolf u. Margarete. BV.: Vater Dr. Rudolf Mader Generalarzt d. Luftwaffe, Großvater General. S.: Matura, Stud. d. Med. an d. Univ. Wien, 1961-73 Ausbild. an d. psychiatr. neurolog. Univ.Klinik Wien. K.: 1973-76 stellv. Ltr. d. Anton Proksch-Inst., seit 1976 Anst.Ltr., zuständig u.a. f. Organ., Management, eigene wiss. Abt., eigene Zeitungsherausgabe. P.: 60 Publ. betreffend Suchtproblematik, Hrsg. einiger Bücher f. Suchtforsch. M.: versch. BeiR. im Gesundheitsmin., Alkohol- u. DrogenbeiR., DrogenbeiR. d. Gem. Wien. H.: Tennis (hat lange in d. Landesliga gespielt), Bauernhof im Waldviertel, Reisen, Bergsteigen. (E.L.)

Mader Theodor Ing.

B.: Geschäftsinh. FN.: Anton Mader Bau- u. Kunstschlosserei. DA.: 6900 Bregenz, Rheinstr. 50. PA.: 6900 Bregenz, Stoppelfeldg. 28. G.: Bregenz, 23. Febr. 1950. V.: Irmgard, geb. Stumpp. Ki.: Christoph, Judith, Gerold. El.: Ing. Theodor u. Lydia. S.: 1969 Matura HTL Bregenz Maschinenbau. K.: seit 1970 im elterl. Schlossereibetrieb, 1977 Übernahme d. Geschäftsführung. M.: Turnerschaft Lauterach, Pfarrgem.-Amt St. Gebhard. H.: Segeln, Badminton, Bergsteigen, Modelleisenbahn. (A.K.)

Mader-Schwab Hellia Dipl. Ing.

B.: Gschf. FN.: Projekta Bauvorbereitungsges.m.b.H. u. Tochterges. d. Fa. Konstruktiva AG. DA.: 1020 Wien, Venediger Au 2. PA.: 1130 Wien, St. Veitg. 68. G.: Wien, 5. März 1956. Ki.: Harald (1989). El.: Hannes Witzmann (+) u. Ingeborg. BV.: Urgroßvater Ing Robert Michel Kosice, Erfinder u. Inh. versch. Patente; Mitwirkender b. d. Elektrifizierung v. Kaschau/Slowakei (heute Koschitze) um d. Jh. wende. S.: VS, RG f. Mädchen, Matura, 1974-80 Techn. Univ. Wien Arch., 1979 Dipl. K.: 1979-84 Arch. Büro Mag. Arch. R. Falkner, Mitarb. b. ZVG-Projekt, Linz, 1984 Ziviltechn. Prüf. zu Bundesbaudir. Wien, 1986 zu Abt. Ltr. f. Hochbau (Gsch. Bereich BM f. wirtsch. Angelegenheiten), Zuständig f. Bundespolizeidir. am Liechtenwerdenpl., Unter anderen: Arsenal: neue Kaserne f. Gendamerieeinheit Cobra, Arsenal: Verw. d. Heeresgeschichtlichen Museums Archeologische Grabungen auf d. Insel Ägina m. Prof. H. Walter Univ. Sbg., 1991 zu Konstruktiva AG zur Föderung d. Bauwesens, seit Juni 1991 Gschf. b. Projekta Bauvorbereitungsges.m.b.H. H.: Baukunst u. KUnst im Allgem., Kunstreisen, Archeologie. (M.A.)

Maderna Günter

B.: Bäckermstr., Inh. d. Arthur Grimm-Bäckerei. DA. u. PA.: 1010 Wien, Kurrentg. 10. G.: St. Pölten, 19. Nov. 1939. V.: Hermine, geb. Stockinger. Ki.: Brigitte (1960), Andreas (1967). El.: Franz u. Anna, geb. Schelberger. S.: VS, HS, 1953-56 Bäckerlehre, 1956 Lehrabschluß. K.: 1956-59 im Betrieb d. Vaters in Karlstetten, 1959 BH, 1960 Mstr.-Prüf. in Baden, 1960-62 Fa. Richard Hartner St. Pölten, ab März 1962 Bäckerei Grimm, Inh. u. Bäckermstr., 1991 Eröff. d. Bäckerei "PEKO" in Bratislawa. BL.: 90% d. Gebäckssorten werden manuell endgefertigt, seit 10 J. intensive Beschäftigung m. Diätbackwaren, seit 1979 Zöliakiebackwarenerzeugung, kontrollierter umweltfreundl. Getreidebau, Einsatz v. Elektroauto im Bereich d. Zustellung. P.: Informationsreisen u. -tagungen über Zöliakiediät in d. Bdl., div. Art. in Diätfachzeitschriften. E.: Austria Gütesiegel f. Diätprodukte. M.: Innungsmstr.-Stellv. Wien, VPräs. Richmond-Club (Bäcker- u. Konditorver.), Vorst.-Mtgl. v. BÄKO (Bäcker- u. Konditoreinkaufsgen.). H.: Garten, Sport. (N.A.)

Madersbacher Helmut Dr. med. HofR. tit.a.Univ.-Prof.

B.: FA f. Urologie, ärztl. Dir. d. AKH Innsbruck. GT.: Konsilarius d. Urolog. Univ.Klinik, Konsilarius im Rehabilitationszentrum d. AUVA Bad Häring. DA.: 6020 Innsbruck, Anichstr. 35. PA.: 6020 Innsbruck, Kirschentalg. 33. G.: Innsbruck, 23. Juli 1938. V.: Dr. med. Mechthild, geb. Wartha. Ki.: Stefan, Georg, Ursula. El.: Dr. Ernst u. Anna. S.: Gymn. Innsbruck, Med.Stud. in Innsbruck. K.: FA-Ausbild. in Wien u. Innsbruck, anschl. mehrmonatige Studienaufenthalte im Ausland. P.: 168 wiss. Arb. Schwerpunkt Neurourologie u. Urodynamik, Beiträge in zahlr. Lehrbüchern, Fachbüchern u. Handbüchern. M.: korresp. Mtgl. d. amerikan. Ges. f. Urologie, VPräs. d. Intern. medical Society of Paraplegia, Past Prof. d. intern. Continence. H.: Skifahren, Bergsteigen. (H.T.)

Maderthaner Franziska Mag.

B.: Künstlerin, Kunstpäd. an d. HS f. angew. Kunst; Inh. d. Fa. "Art Work". DA.: 1060 Wien, Stumperg. 62/1. PA.: 1090 Wien, Badg. 14. G.: Wien, 18. Juni 1962. El.: Dipl.-Ing. Dr. Ferdinand u. Renate, geb. Hameister. S.: Akad. Gymn., 1980 Matura, 1980-84 Stud. Kunstpäd. u. Malerei an d. HS f. angew. Kunst. K.: 1985-87 freischaffend als Theater-,

Bühnen- u. Illustrationsmalerin, freie Mitarb. b. d. Kunstzeitschr. "Falter" u. "Parnass", Unterrichtstätigk. am Piaristen-Gymn., s. 1987 Ass. an d. HS f. angew. Kunst, ab 1984 Ausstellungstätigk. im In u. Ausland, u.a.: 1988 "Stilleben", Walter Buchebner Ges. Mürzzuschlag; 1989 "Museum d. 21. Jhdts." Wien; "Junge Szene Wien", Sezession Wien; 1990 Kunst RAI Amsterdam, Intern. Kunstmesse; Kunstbaustelle MAK, Museum f. angew. Kunst, Wien; 1992 Grdg. v. ART WORK, 1994 Gastprofessur am Amsterdamer "Inst. f. Malerei". (N.A.)

Maderthaner Fritz Mag. phil.

B.: Red., freier Mitarb. d. ORF Unterhaltungsabt. GT.: Chorltr. d. Mödlinger Männergesangsver. PA.: 1140 Wien, Penzingerstr. 33/8/6. G.: Steyr, 6. März 1938. V.: Ulrike, geb. Popovic. Ki.: Gerhard, Marianne, Barbara, Christoph. BV.: Urgroßvater: Ludwig Maderthaner StadtR. in Brixen. S.: 1957 Matura Admont, Stiftsgymn., Stud. Med. Univ. Graz u. Wien, 1960-63 Militärak. Wr. Neustadt, 1963-72 aktiver Offz., 1970-72 Ausbild. z. VS-Lehrer in Baden, 1973-78 Stud. Univ. Sbg., 1978 Spons. K.: 1972-86 HS, BG u. BRG Stainach, 1978-88 Stud. d. Psych., Psychopathologie u. Psychiatrie in Sbg., seit 1986 ORF Unterhaltungsabt., Red. Musikantenstadl, Wie die Alten sungen, Grand Prix d. Volksmusik. H.: Familie, Musik, Schwimmen, Skifahren, Langlaufen. (A.W.)

Maderthaner Josef Dir.

B.: Dir. d. Volksbank Alpenvorland. PA.: 3300 Amstetten, Wagmeisterstr. 6. G.: Amstetten, 1. Febr. 1937. V.: Gertrude, geb. Kutschera. Ki.: Anita, Gernot, Sonja. El.: Florian u. Maria. S.: 1956 Matura. K.: 1956 in d. Gewerbebank Amstetten eingetreten, div. Fachseminare, Prok., seit 1981 Geschäftsltr. d. Volksbank Alpenvorland. M.: Hauptamtl. Vorst.-Mtgl. d. Volksbank Alpenvorland, Ltr. einer Laienspielgruppe (Theatergruppe St. Stephan). H.: Theaterregie u. -spiel, Fotografieren, Filmen, Bergwandern. (Kern)

Maderthaner Leopold Ing.

B.: Präs. d. Bundeswirtschaftskammer, Mtgl. d. NatR., Elektrotechniker. DA.: 1040 Wien, Wiedner Hauptstr. 63. G.: Hausmening, 9. Sept. 1935. S.: VS, Gymn.-Unterstufe, HTL St. Pölten (Fach: Elektrotechn.) (1959 Ing.). K.: 1955-1959 b. d. Fa. Siemens Linz, seit 1959 selbst. (Fa. NEON-Maderthaner Amstetten), 1973-84 Stadtgruppenobm. u. seit 1984 Hauptbez.Gruppenobm. d. Österr. Wirtschaftsbundes, seit 1968 Mtgl. d. LGruppenvorst. d. Österr. Wirtschaftsbundes f. NÖ, seit 1984 Hauptbez.Parteiobm. d. ÖVP Amstten, in d. Kam. d. gewerbl. Wirtschaft f. NÖ, 1965-85 Aussch.Mtgl. d. Allg. Fachgruppe d. Gewerbes, 1970-86 Aussch.Mtgl. d. LInnung d. Elektrotechniker u. Radiomechaniker, 1975-86 LInnungsmstr.Stellv. d. LInnung d. Kunststoffverarbeiter, 1977-80 Mtgl. d. Sekt.Ltg. Gewerbe, seit 1980 Aussch.Mtgl. d. BInnung d. Kunststoffverarbeiter, 1986-90 Präs. d. Kam. d. gewerbl. Wirtschaft f. NÖ, 1972-85 StadtR. v. Amstetten, 1979-89 Mtgl. d. Bundesrates, s. 1989 Abg. z. NatR., s. 1989 Präs. d. ÖWB, s. 1990 Präs. d. BWK. E.: GrSE, Silb. Ehrenmed. d. Kam. d. gewerbl. Wirtschaft f. NÖ.

Madetschlaeger Peter Dr.
B.: RA. DA.: 1070 Wien, Bahnstr. 35A. PA.: 1070 Wien, Siebensterng. 20. G.: Wien, 20. Aug. 1948. El.: Dr. Walter u. Hermine. S.: 1967 Matura, Stud. d. Rechtswiss., 1972 Prom. K.: Gerichtsj., Eintritt in d. RA-Kzl. d. Bundes. H.: Tennis, Skifahren, Reisen. (P.R.)

Madile Axel Dipl.-Ing.
B.: Gschf., Bauing. FN.: Bauuntern. Madile GmbH & Co KG. GT.: Kfm. Gschf. u. Miteigentümer d. Möbelhdl. M. & P., Gschf. u. Miteigentümer d. Allputz Süd. DA.: 9020 Klagenfurt, Kotschatstr. 5. PA.: 9020 Klagenfurt, Konradweg 15. G.: Amstetten, 22. Juli 1950. V.: Eva, geb. Prause. Ki.: Maximilian, Daniel. El.: Maximilian u. Adelheid. S.: VS, Gymn. m. handwerkl. Ausbild. u. gleichzeitig Gesellenprüf. f. Radiomechanik, Stud. f. Wirtschaftsing.Wesen an d. TU Innsbruck, 1976 Dipl.-Ing. K.: 1977 Baultr. f. Professionisten, 1977-78 Ass. Baultr. b. Bauwerk in d. UNO City, seit 1978 b. d. Fa. Madile, ab 1979 Gschf. d. Fa. Madile, 1987 Gschf. d. Möbelhdl. M. & P. u. d. Fa. Allputz Süd. BL.: Projekte ohne Förderung. M.: Rotary Club, Ktn. Sparkassenver. u. Sportver. H.: Skifahren, Golfspielen, Tennis, Wirtschaftsmagazine, Musik. (M.Br.)

Madile Maximilian Robert Dipl.-Ing. KommR.
B.: Bauunternehmer. DA.: 9201 Krumpendorf, Strandweg 105. PA.: 9020 Klagenfurt, Koschatstr. 5. G.: Klagenfurt, 15. Mai 1922. V.: Adelheid, geb. Douschan. Ki.: Axel u. Gabriela. El.: Dipl.-Ing. Robert u. Reneè. S.: VS, RG, TU Graz. K.: Arbeitsdienst b. Militär, Baultr. d. Fa. Ast & Co. BL.: Gr. Bauobjekt (Büro-, Wohnungs- u. Geschäftshaus) am Pers. Golf, Kelag-Gebäude, Industriebauten, Lederfbk. Hans Neuner, Schuhfbk. Christof Neuner. F.: Massiv-Bau, Transbeton. E.: EK 1 u. EK 2. M.: Österr. Ing. u. Arch. Ver., Mtgl. d. Ktn. Sparkassenrates, Rotary-Club. H.: Tennis, Skifahren, Schwimmen. (Hat.)

Madjera Wolfgang Dr. iur. Mag.
B.: Wirtschaftstreuhänder, Steuerberater, Firmenges. A.: 1180 Wien, Gentzg. 117. G.: 11. Dez. 1937. V.: Friedlinde. El.: KommR. Dr. Heinrich u. Hilda. S.: Hum. Gymn., Matura, Rechtswiss. Fak. d. Univ. Wien, Prom. z. Dr. iur. (nach vorherigem Absolutorium - Mag.). K.: Während Stud. Praxis b. Großhdls.Kfm., danach Wirtschaftstreuhand-, Rechts- u. Steuerberatungspraxis, nach Prüf. Wirtschaftstreuhand- u. Steuerberatungskzl. sowie EDV-Bereich. F.: Novacount, Wirtschaftstreuhand GmbH, Austrocount, Wirtschaftsprüfungs GmbH, H. Madjera & Co GmbH. P.: Div. Art. u. Abhandlungen in d. Fachpresse. E.: Award of Lions International. M.: Alma mater Rudolfphina, UTC. H.: Tennis, Theater, Musik, Phil.

Madl Helmut Dr. theol.
B.: Univ.Ass. am Inst. f. alttestamtl. Bibelwiss. an d. Univ. Graz. DA.: 8010 Graz, Bürgerg. 2. PA.: 8042 Graz, Flurerweg 7. G.: Öblarn, 14. Nov. 1942. V.: Gertrude, geb. Lichtenegger. Ki.: Tobias, Ruth, Andreas. El.: Johann u. Berta. BV.: Johannes Madl ak. Maler 19. Jhdt. S.: VS, HS, hum. Gymn. im bischöfl. Seminar Graz, Stud. d. Theol. Graz, 1965-67 Bonn, 1967 Dipl. Bonn, 1974 Prom. Bonn. K.: 1974 Bibl. im Priesterseminar Graz, seit 1977 Univ.Ass. P.: "Literarkritische und Formanalytische Untersuchungen zu 1 Sam 14" (1974), "Wenn Ihr den Bund haltet" (1975), Art. in: "Die Bibel und ihre Welt" (1969), "Bausteine biblischer Theologie" (1977), 37-70, "Theologie im Dialog" (1985), 227-242, "Anfänge der Theologie. FS Bauer" (1987), 41-59, "Theologisches Wörterbuch zum Alten Testament" Bd. 5 (1986), 424-432, 432-436, 1074-1079. (C.H.S.)

Madl Michael Dr. iur.
B.: Richter am BG Neumarkt. DA. u. PA.: 5202 Neumarkt, Hauptstr. 16. G.: Wien, 11. Nov. 1944. V.: Maria, geb. Dal-Bianco. Ki.: Johanna, Florian, Leonhard, Clara, Margherita. El.: Dr. Heinrich u. Elisabeth. S.: Gymn., Jusstud. Univ. Wien, 1969 Prom. K.: Gerichtsj., Richteramtsanw., 1972 Ernennung z. Richter, b. 1976 Richter b. BG Wien-Floridsdorf, 1976-79 Richter b. BG Sbg., seit 1979 Vorst. d. BG Neumarkt b. Sbg. H.: Sport. (Foed.)

Mädl Christian Dr. med.
B.: Gem.Arzt. PA.: 2100 Leobendorf, Hanz-Wilczek-Str. 5. G.: Lilienfeld, 1. März 1948. V.: Eva, geb. Gruvman. Ki.: Jenny, Linda. El.: Dr. Otto u. Dr. Inge. BV.: Ururgroßvater Fischer v. Röslerstamm entwickelte Bremsen f. d. erste Lokomotive d. Semmeringbahn, Ururgroßvater Dr. Joseph Székely war k.u.k. Hoffotograf. S.: Theresianum, Gymn. in Stockerau, 2 J. Stud. WU, Univ. Wien, 1975 Prom., 1979 Jus practicandi. K.: 1980 Eintritt in väterl. Praxis, seit 1984 alleinige Führung d. Praxis. M.: Sportver., FF (Feuerwehrarzt), OLt. d. Res. (Arzt). H.: Camping, Surfen, Skifahren, Tennis, Laufen. (Bauer)

Mädl Robert Gen.-Dir.
B.: Vors. d. Vorst. d. Österr. Volksbanken AG. DA.: 1090 Wien, Peregring. 3. G.: Neusiedl/See, 13. Nov. 1939. V.: Hannelore, geb. Bergmann. K.: Tätigk. in Banken, b. 1985 Vors. d. Geschäftsltg. d. Ver. Volksbanken Baden, s. 1985 Vors. d. Vorst. d. Österr. Volksbanken AG, Funktionen: VPräs. d. Österr. Gen.Verb., ab 1985 Vors. d. AufsR. d. Bank f. Wirtschaft u. Freie Berufe AG, ab 1985 Mtgl. d. BSekt.Ltg. d. BSekt. Geld-, Kredit- u. Vers.Wesen, ab 1985 stv. AufsR.Vors. d. Victoria-Volksbanken Vers. AG, s. 1983 stellv. Obm. d. Sekt. Geld-, Kredit- u. Vers.Wesen d. HK NÖ, s. 1985 im Börserat d. Wr. Börsek., ab 1988 KamR. f. d. Statistik d. Außenhdls. P.: versch. Veröff. in Fachzeitschriften. M.: Mtgl. versch. Ver. H.: Jagd, Sport.

Madlener Herbert Dr. med.
B.: Arzt f. Allg.-Med. i.R. PA.: 6900 Bregenz, Riederg. 38. G.: Innsbruck, 7. März 1913. V.: Inge, geb. Mulley. Ki.: Monika, Gitta, Ursula. El.: Otto u. Wilhelmine. BV.: Schwiegervater Oskar Mulley Ak. Maler, 1927 Staatspreisträger, Vater Otto Madlener war bekannt als Sportler (Schwer- u. Leichtathletik, Rad), 1905 Goldmed. Amateur-WM Wien. S.: 1931 Matura Bregenz, 1931-37 Med.-Stud. Wien u. Innsbruck. K.: ab 1937 Hilfsarzt an Innsbrucker Klinik, 1939-45 Arzt b. einer Gebirgsdivision d. Dt. Wehrmacht, 1947-92 ärtl. Tätigkeit in Bregenz (selbst.), 1957-74 KamR. b. d. Vbg. Ärztekam., 1957 Mitbegründer d. intern. Bodensee Ärztetagung, 1969 MedR., 1992 OMedR. E.: 1978 Ernst v. Bergmann-Med. durch d. Dt. Ärztekam. f. Verd. um d. ärztl. Fortbild. H.: Beruf, Familie, Reisen. (A.K.)

Madler Herbert Peter Dr.
B.: Prof., Dir. d. Europa-Programmes d. Univ. of Redlands. A.: 5023 Salzbur, Zeisigstr. 12. G.: Graz, 13. Dez. 1931. V.: Gerlind, geb. Nitsche. El.: Adolf u. Albertine. S.: VS, Gymn., Univ., Dr. phil. u. Mag. phil. d. Karl Franzens-Univ. Graz. K.: Seit 1956 Lehrtätigkeit an österr. Gymn., österr. Univ., amerikan. Univ., Fächer: Dt. Literatur, Dt. Sprache, Europ. Geschichte. P.: "Das Bildungsgut in Albrecht Schaeffers Helianth", "Schulproblem in d. USA", "Dürrenmatts mutiger Mensch", "Wortwitz u. Aphorismus im Drama Friedrich Dürrenmatts". M.: Intern. Ver. d. Germanistik, Association of American Univ. Prof. H.: Sport, Theater, Literatur.

Maeckel Jürgen

B.: Prok. FN.: Sichelschmidt GesmbH. DA.: 2100 Korneuburg, Kreuzensteinerstr. 62. G.: Schwelm (D), 21. Apr. 1944. V.: Gerda, geb. Meyringer. Ki.: Sascha (1972). El.: Willi u. Else. S.: Grundschule, Lehre Ind.-Kfm., kfm. Ausbild. Wuppertal. K.: Ab 1962 krfm. Angestellter Verkauf, 1965 Einkäufer Werkzeugmaschinenfabrik, 1969 verkauf Außendienst Autozubehör, 1970 Niederlassungsleiter München, Firma Sichelschmidt, 1975 Prok. d. Tochterfa. Sichelschmidt GesmbH Österreich. M.: Wirtschaftsclub d. Dt. HK, FachbeiR. d. Sbg. Fachmesse VFL. H.: Lesen, Kulturreisen, Relaxen. (R.T.)

Maegle Rudolf Mag. phil.

B.: Kunsthändler u. Galerist, Kunsthistoriker. FN.: Galerie Maegle. DA.: 1010 Wien, Freyung 1/Eing. Strauchg. 2. PA.: 1060 Wien, Linke Wienzeile 112. G.: Wien, 25. Juni 1936. El.: Rosina S.: VS, Matura Wien, Stud. d. Sologesangs HS f. darst. Kunst, Ausb. Ind.-Kfm. K.: 1972 Eröffnung e. Galerie i. 15. Bez., 1990 Übersiedlg. 1. Bez. M.: Vorst.-Mtgl. d. Verb. d. Österr. Antiquäten u. Kunsthändler. H.: Beruf, Musik. (R.T.)

Maekelburger Gert-Peter

B.: Vize-Präs., Vorst. f. Finanz u. Kontroll. FN.: IR3 Video Intern. GmbH. DA.: 1230 Wien, Gutheil-Schoderg. 17. PA.: 2500 Baden, Emil Raab-Str. 32. G.: Kleinquern/Dtl., 14. Mai 1951. V.: Rita, geb. Ebeler. Ki.: Sara, Birga. S.: VS, HASCH, Ausbild. Ind.-Kfm., Betriebsw. Stud. in Münster. K.: 1975 Control. Manager f. versch. Art.-Gruppen Fa. Philips, 1986 Control. Manager Fa. Grundig, ab 1992 Vorst. f. Control., Finanz Fa. IR3, (Joint-Venture zwischen Philips u. Grundig), Vertr. v. Video, Standorte in Ungarn, Dtl., Österr. (W.J.)

Mafi Zabiholla Dr. Mag. Dipl.-Ing.

B.: Einzelprok. in Führungsebene. FN.: SWG Steuerberatungs u. Wirtschaftstreuhand GmbH. DA.: 1010 Wien, Wipplingerstr. 18. PA.: 1010 Wien, Wipplingerstr. 18, 1170 Wien, Lacknerg. 6. G.: Noshahr/Iran, 14. Juli 1945. V.: Nasrin, geb. Nourian. Ki.: Nasim (1973), Pedram (1979), Purang (1982). El.: Rahmatolla u. Ezat. BV.: Nezam Elsaltane Mafi ehemaliger Rg.-Chef. S.: Matura Teheran, seit 1970 in Österr., 1 J. Vorstud.-Lehrgang f. Ausländer, Abschluß m. Ausz., ab 1971 Stud. Maschinenbau TU Wien, 1977 Dipl., 1979 Doktorat, 1977-80 Stud. Betriebswirtschaft WU Wien, 1980 Spons. K.: nach d. Stud. 3 J. b. d. Firma Siemens, 3 J. b. d. Firma Waagner-Birò u. anschl. b. d. Firma Nano, 1987 Grdg. d. Firma Dr. Mafi & Co Management, Marketing u. Betriebsberatungs GmbH, 1988 Grdg. d. SWG Steuerberatungs u. Wirtschaftstreuhand GmbH, seitdem Einzelprok. M.: Vorst.-Mtgl. d. UWICR. H.: Joggen, Tischtennis, Schwimmen, Reisen, Städtebesichtigungen, Lesen. (J.S.)

Magauer Friedrich Ing.

B.: Gschf. Ges. FN.: Ing. Friedrich Magauer GmbH. DA. u. PA.: 4713 Gallspach, Hoheneggstr. 9. G.: Gallspach, 30. Mai 1937. V.: Waltraud, geb. Peterson. Ki.: Dipl.-Ing. Andreas, Silvia, Ruth. El.: Josef u. Pauline, geb. Märzendorfer. S.: VS, RG, BGS, 1956 Matura. K.: 1957 AEG Nürnberg, seit 1958 Ang. im väterl. Betrieb, seit 1961 Alleininh., seit 1981 Gschf. Ges. M.: Obm. d. Wirtschaftsbundes Gallspach, seit 1985 GemR., Bez.-Obermstr. H.: Skifahren, Jagd. (W.B.)

Magdanz Kurt

B.: Gschf. FN.: EGD-Gebäudereinigungs- u. Dienstleistungs GmbH. DA.: 1160 Wien, Neulerchenfelderstr. 32/1. PA.: 3413 Hintersdorf, Arzgrub 7. G.: Wien, 15. Dez. 1958. V.: Eva, geb. Schefer. El.: Kurt u. Hedwig. S.: VS, HS, Polytechn. Lehrgang, 1972-76 Berufsschule f. Werkzeugmacher u. Formenbauer, 1977-78 2. Bild.-Weg WIFI, Karosseriespengler, KFZ-Mech. K.: 1978-80 Eisenbieger b. Fa. VOEST, 1980-92 Kellner, 1982-86 Techn. Betriebsltr. f. Italien b. Fa. Dussmann, Gebäudereinig., s. 1986 eigene Fa., s. 1992 gewerberechtl. Gschf. Fa. Neon-Clean u. Gschf. EGD-Caligo. H.: Tennis. (L.S.)

Magedler Gustav Mag.

B.: Prok. d. Volksbank Bgld. Mitte AG. DA.: 7350 Oberpullendorf, Hauptpl. 1. PA.: 7361 Lutzmannsburg, Neustiftg. 48. G.: Oberpullendorf, 9. April 1948. V.: Margarete, geb. Huber. Ki.: Peter (1976), Werner (1977), Thomas (1985). El.: Karl u. Rosa. S.: VS, landwirts. Mittelschule, 1968 Matura, Stud. d. Landwirts. an d. BOKU Wien, Stud. Betriebswiss. WU Wien, 1979 Spons. K.: während Stud.-Zeit tätig im In- u. Ausland, u.a.: Tabakpflücker in Canada, Walzwerk in Leverkusen, 1979-84 Sozialversich. d. Gewerbl. Wirtschaft in Wien tätig, anschl. Angestellter d. Rechnungswesen d. Volksbank Bgld. Mitte, ab 1985 Ltr. d. Rechnungswesen in Oberpullendorf, 1987 Schalterltg., 1988 Erhalt d. Prok., s. 1991 Bereichsltr. f. d. Filialen d. Bezirks. BL.: Mitinitiator d. Entwickl. d. Thermalbades Lutzmannsburg, Mitarb. b. Sanierung u. Fusionierung d. Volksbank Bgld. Mitte. M.: s. 1987 GemR. d. ÖVP in Lutzmannsburg, KirchenR. d. evangl. Kirchengem., Tourismusverb., Sportver. H.: Lesen, Radfahren, Fußball. (I.J.)

Magenbauer Franz Peter

B.: Inh., Kfm. FN.: Franz P. Magenbauer Büroorganisation, Büroplanung, Büroeinrichtung. DA.: 3002 Purkersdorf, Kaiser Josef-Str. 4. PA.: 3002 Purkersdorf, Groß A.W. Pragerg. 13. G.: Friedeberg, 8. Dez. 1944. V.: Frieda, geb. Urbaschek. Ki.: Michael (1970), Bernhard (1973). El.: Franz u. Hedwig. S.: 1958-60 Hasch i. Wien, 1960-65 Lohnverrechner i. einer Maschinenfabrik i. Wien. K.: 1965-84 i.d. Büroorg. Branche tätig, 1984 selbst., Grdg. eig. Fa. i. Purkersdorf. M.: s. 1981 Sportfunktionär, Grdr. u. Präs. d. NÖ Karate Landesverb., i. Vorst. d. Österr. Karate Bundes u. i. Vorst. d. europ. Karatebundes. E.: Sportehrenzeichen d. NÖ Landesregierung i. Silber. H.: Karate, Fotografieren. (I.K.)

Magenschab Hans Dr. Mag.

B.: Chefred. d. Nachrichtenmagazin "Wochenpresse". DA.: 1072 Wien, Lindeng. 52. G.: Wien, 16. Okt. 1939. V.: Christione, geb. Weis. El.: Johann u. Irma. S.: Matura, Univ. Wien, Mag. iur., Dr. rer. pol. K.: Profilierung im Stab einer Werbeagentur, Chefred. d. "Furche" (Aufgabengebiet: Wirtschaftsangelegenheiten), seit 1980 Chefred. d. Nachrichtenmagazin "Wochenpresse". P.: "Demokratie u. Rundfunk", "Josef II, Revolutionär v. Gottes Gnaden", "Erzherzog Johann" (Styria Verlag 1981), "Andreas Hofer" (Styria Verlag 1984). H.: Antiquitäten. (Sei.)

Mager Gerhard Dipl. Ing.

B.: Ltr. d. Gruppe Tiefbau u. Verkehr d. Magistrates d. Stadt Wien, MD-Stadtbaudirektion. DA.: 1082 Wien, Rathaus. PA.: 1170 Wien, Czartoryskig. 159/9. G.: Wien, 26. März 1941. Ki.: Miriam (1972). El.: Mathias u. Maria, geb. Jeanplong. S.: 1959 Matura, Stud. Bauingenieurwes. a.d. TU Wien, 1968 abeschl. K.: 1968 Eintritt bei d. Gemeinde Wien zur Straßenverwaltung u. Straßenbau (Ma 28), 1984 Abateilungsltr./Stv., 1986 Abteilungsltr.. ab 1989 i.d. obenerwähnten Pos., seit 1992 Vertretung in Verhinderungsfällen f. Stadtbaudirektor. Vortragstätigkeit im Rahmen d. GESTRATA (Gesellsch. z. Pflege d. Straßenbaus u. Asphalt). E.: 1989 Verleihung d. Titels "Obersenatsrat" (Dienstklasse (IX). M.: GESTRATA u. ÖIAV. H.: Skifahren, Tennis, Theater.

Magerl Rudolf Dr.

B.: selbst. Unfallchir. DA.: 4020 Linz, Mozartstr. 44. PA.: 4020 Linz, Johannesg. 11. G.: Graz, 27. Dez. 1950. V.: Dr. Elfriede, geb. Fahler. El.: Dipl.-Ing. Rudolf u. Anna. S.: RG Steyr 1960-69, Stud. Univ. Wien 1970-76, FA-Ausbild. M.: Round-Table 15. (Mayr)

Magerovski Boris

BM

B.: Mitinh. FN.: Transportunternehmen Gordona Magerovski. DA.: 1100 Wien, Sonnwendg. 21. PA.: 1120 Wien, Schönbrunnerstr. 194-196. G.: Sloestica/Mazedonien, 21. Jän. 1957. V.: Gordona, geb. Ristev. Ki.: Toni (1980), Stefan (1989). S.: 4 J. Polizeiakad. in Mazedonien. K.: 1975-81 Polizist in Mazedonien, 1981 nach Österr. gekommen u. versch. Tätigk., 1989 gemeinsam mit Gattin Grdg. eines eig. Transportunternehmens. H.: Motorrad, Familie, Firma, Grillen, Org. u. Veranstaltungen f. Landsleute. (F.S.)

Magerovsky Gordona

B.: Inh. FN.: Transportunternehmen Gordona Magerovski. DA.: 1100 Wien, Sonnwendg. 21. PA.: 1120 Wien, Schönbrunnerstr. 194-196. G.: Bitola/Mazedonien, 27. März 1961. V.: Boris. Ki.: Toni (1980), Stefan (1989). El.: Milica u. Petar Ristev. S.: Gymn., Ausbildung zur zahnärztl. Ass. K.: 1981-88 Tätigk. als zahnärztl. Ass., s. 1989 selbst. u. Grdg. einer eig. Transportunternehmen. H.: Familie, Kochen, Backen. (F.S.)

Magic Christian

B.: Inh., Zauberkünstler. FN.: "Promotion Magic". DA.: 1060 Wien, Stiegeng. 9. G.: Mauthausen, 17. Juli 1945. V.: Karin, geb. Burka. Ki.: Maria-Lisa (1984), Philipp (1986). El.: Ernst u. Monika, geb. Ernst. S.: Akad. Gymn. Stubenbastei, 1964 Matura, 1964-68 Stud. Industr.-Design an d. HS f. angewandte Kunst. K.: 1969-76 tätig als Industr.-Designer, ab 1977 hauptberufl. Zauberkünstler, Auftritte in d. ganzen Welt, laufend weltweit anerkannte Vortrags- u. Seminartätigkeit, Fernsehshows in d. ganzen Welt. P.: Fachart., Bücher über Zauberkunst, u.a.: "Johann Nepomuk Hofzinser". E.: zahlr. nat. u. intern. Auszeichn., 3x Weltmeister d. Manipulation b. FISM-Kongress, Preisträger f. Erfindungen, Lektor d. Jahres 1976 d. Akad. f. Magische Kunst d. Magic Castle in Los Angeles USA, Gold. Zauberstab d. Stadt Mendoza Argentinien, Ehrenmtgl. d. Ges. d. Magier Argentiniens, Ehrenpräs. d. Israel. Magischen Ges., Ehrenmtgl. u. Präs. d. Magischen Klub Wien, u.v.a., 1993 silb. EZ f. Verdienste um die Rep. Österr. H.: Musik, Kabarett, Zeichnen, Bridge, Skifahren, Tennis. (N.A.)

Magits Gerda

B.: Freie Schriftstellerin u. Komponistin. PA.: 1130 Wien, Fichtnerg. 2. G.: Wien, 24. Aug. 1925. V.: Kult.Rat Magits Avraham. Ki.: Wolfgang, Michael, Thomas-Leonard. El.: Nowak Franz u. Josefa. S.: VS, HS, HASCH, div. Fachkurse. K.: b. 1945 Sped.Ang., ab 1949 Buchhalterin in d. USIA, ab 1955 Textilgeschäft, ab 1972 Textilgroßhdl., begann bereits als Kind zu schreiben, Künstlername Gerda Joan u. Luci Fer, seit 1955 Mtgl. Künstlerbd. b. z. Auflösung, öff. Lesung im Libresso, div. Lesungen in Künstlerkaffees, Vortragsabende in d. künstl. Volks-HS, Mundart-Lesungen in allen ORF LStudios, Teilnahme an Liederwettbewerben in Irland, Gibraltar u. Tokio, vielfältige Kompositionen wie Friedenslieder, Cantaten, Musicals, Volks- u. Wienerlieder. P.: 1974/75 Intern. Sammlung zeitgenöss. Poesie. M.: Mtgl. Freier Wirtschaftsverb. Wien u. Gewerkschaft Kunst, Medien, freie Berufe, Inst. f. Friedensforsch. Schlaining, Bgld. Interessensgemeinschaft Autoren Wien, Mtgl. Österr. Ges. f. Parapsychologie. H.: Ombudsfrau f. Arme, Kranke u. Schwache, Parapsychologie. (C.K.)

Magnus Josef Prof.

B.: Ak. Bildhauer. PA.: 5020 Salzburg, Hellbrunn 18. G.: Heidenoldendorf, 26. Mai 1909. V.: Prof. Rosita, geb. Hoevel. Ki.: Mag. Vasitti (1946). El.: Rudolf (Bildhauer) u. Margarethe. S.: 1924-28 b. Prof. Adlhart, Hallein, freischaff. Künstler, 1938-44 Staatl. HS Berlin, Romstipendium. K.: Hauptwerke: "Ehrenmal" Kaprun Mooserboden, "Start" Flughafen Sbg., "Strömung" Autobahn Sbg.-Golling, "Baumplastik" Ettlingen, "Freude im Wasser" Sbg., zahlr. Brunnen u. Plastiken im In- u. Ausland, Großplastiken f. öff. Bauten, Reliefs in Metall u. Stein, Holz, Bronze, Marmor u. Mischmaterialien, zahlr. Kleinplastiken, Porträts bek. Persönlichkeiten, etwa 680 Charakterköpfe f. d. Sbg. Marionettentheater. P.: "Das kleine Welttheater" 1988, "Magnus, Magnus, Magnus" 1982, "Josef Magnus Zeichnungen u. Kleinplastiken" 1984, "Kleine Wunder in Holz" 1989, "Das Gute" (1980), "Alte u. neue Brunnen in Sbg.", "Sbg. Kulturlexikon" 1987, "die waage" 1970, "Opernwelt" 1966, "Schweizer Mosaik" (1974), "Das Wunder d. Phantasie" 1982 u.v.a. Ausstell. in Österr., Italien, Deutschld., Luxemburg, Niederlande. E.: Ring d. Stadt Sbg., Silb. u. Gold. VZ d. Landes Sbg., Österr. Ehrenkreuz f. Wiss. u. Kunst, Ehrenbecher d. Landes Sbg, Goldmed. Recherche de la Qualité, zahlr. Preise b. öff. Wettbewerben. M.: Berufsver. f. bild. Künstler Sbg., BVÖ Wien. H.: Bauen. (M.S.)

Magnus Rosita Prof.

B.: Ak. Malerin, Schriftstellerin. DA.: Künstlerhaus, 5020 Salzburg, Hellbrunner Str. 3. PA.: 5020 Salzburg, Hellbrunn 18. G.: Meseritz, 18. Okt. 1917. V.: Prof. Josef Magnus. Ki.: Mag. Vasitti (1946). El.: Paul u. Martha Hoevel. S.: Schule "Kunst u. Werk" Berlin u. Staatl. HS f. Bild. Künste Berlin

1938-44, Sommerak. b. O. Kokoschka 1953. K.: künstler. Wandgestaltungen f. öff. Gebäude, Schulen u. Kindergärten, außerdem Ölbilder, Aquarelle, Pastelle, Glasmalereien u. Zeichnungen. P.: "Magnus, Magnus, Magnus" 1982, "Künstlerinnen in Sbg." 1991, "Sbg. Literatur-Handbuch" 1990, Festschrift Meisel-Verlage, Berlin, "Das Gute" 1981/82, "die waage" 1970, Veröff. im ORF, Tageszeitungen, Zeitschriften u. Antologien, Bücher: "Hellbrunner Impressionen" 1984, "Verlorene Blumen" 1987, "Kleine Wunder in Holz" 1989, Ausstell. in Österr., Deutschld., Italien, Luxemburg, Niederlande. E.: Theodor-Körner-Preis, Ehrenpreise d. Sbg. Kunstver., Prof., Dramatikerpreis Linz f. Schauspiel, Rauriser Förd.-Preis f. Jugendstück, Goldmed. Recherche de la Qualité, zahlr. Preise b. öff. Wettbewerben. M.: Österr. Autorenverb., AKM, Verb. Österr. Textautoren, Österr. Schriftstellerverb. Wien, Künstlergilde e.V. Esslingen, Sbg. Kunstver., BVÖ Wien, Berufsver. d. Bild. Künstler Österr. Sbg. H.: Blumen. (M.S.)

Magnus Toni Ing.

B.: Unternehmer. FN.: Fahrschule & Schiffsführerschule Toni Magnus. DA.: 5020 Salzburg, Franz-Josef-Strasse 31. G.: Salzburg, 26.11.1956. V.: Andrea, geb. Allnoch. Ki.: Simona (1980), Valerie (1983). EL.: Anton (gest.), Liselotte. BV.: Anton Magnus war ein bek. Rennfahrer. S.: 1976-81 Techn. HS f. Maschinenbau (Bozen), Lehre im elterl. Betrieb als Fahrschullehrer. K.: 1987 Betriebsvergrößerung und Übersiedelung, LKW-Ausbildung auf Fernlastwägen, Schiffsführerschule f. Binnen- u. Küstenmeere, Schiffsfunkerkurse, Charterfirma f. Boote in Kroatien. H.: Tennis, Motorradfahren, Musik. (S.P.)

Magreiter Andreas Ing.

B.: Werbegrafiker. FN.: Computer Promotion Art. DA.: 1150 Wien, Alberichg. 5. PA.: 5020 Salzburg, Henri-Dunant-Str. 18. G.: Salzburg, 21. Okt. 1965. El.: Heinz u. Maria, geb. Damoser. S.: 1986 Matura HTL Sbg., ab 1986 Arch.Stud. TU Wien. K.: 1990 Aufenthalt in Amerika, freier Regieass. f. "Skrine-films", 1990 Grdg. d. eigenen Fa. Computer Promotion Art. H.: Sport, Reisen, Fotografie. (N.A.)

Magyer Wilhelm

B.: Gschf. FN.: Transportunternehmen Magyer. DA. u. PA.: 2284 Untersiebenbrunn, Neuhofstr. 28. G.: Untersiebenbrunn, 19. Feb. 1942. V.: Katharina. Ki.: Werner (1963), Karin (1967), Gerhard (1968), Angela (1969). El.: Josef u. Helene. S.: VS, HS. K.: seit 1956 Kiesgrube, 1973 1. LKW gekauft, 1961 Gewerbe Sand- u. Schottergewinnung, 1971 Kauf Transportunternehmen. BL.: Sponsor u. Erbauer d. Marchfelder Stadions Untersiebenbrunn. E.. Sportförd.-Zeichen d. Landes NÖ in Gold. M.: SC Untersiebenbrunn. H.: Fußball, Reisen. (R.T.)

Mahlknecht Eduard Dr.

B.: Gschf. Leiter des Diözesankonservatorats und Kustos des Diözesanmuseums Klagenfurt. DA.: Marianengasse 2, 9020 Klagenfurt. G.: Bruneck/Südtirol 8.3.1950. V.: Renate, geb. Vinatzer. El.: Johann, Hedwig. S.: VS, Klass. Gymn. Lyzeum in Brunekc (1956-69), MAtura, Studium der Elektrotechn. a.d. Grazer Technik, ab 1974 Studium d. Geschichte, Romanistik u. Kunstgeschichte, Promotion im Fach Kunstgeschichte 1986, Tätigkeitsbereiche in div. Galerien, Ausstellungen und Museen in Graz, ab 1989 in der Diözese Gurk tätig, Schwerpunkt Erfassung des bewelichen Kunstinventars und konservatorischen Agenden. P.: div. Ausstellungen (1989 Verborgene Kunst, Burg Straßburg; 1990 Zerstören-Bewahren-Retten, Burg Straßburg; 1991 Wiedererrichtung des Volkskundemuseum, Burg Straßburg; 1993 Franz Xaver Salm, Bischöfl. Palais in Klagenfurt). H.: Musik, Literatur. (G.L.)

Mähner Georg Dr.

B.: Dir. d. Austria Versicherungen, LDion. Ktn. u. Osttir. DA.: 9020 Klagenfurt, Salmstr. 1. G.: Pischelsdorf, 19. Jan. 1930. V.: Martha, geb. Marchhart. Ki.: Dr. Ulrike Hold, Doris. S.: Pflichtschulen, Matura. M.: Vors. d. Fachbeirates f. d. KH-Wesen. P.: Zahlr. Zeitungsart., Veröff. in d. Fachliteratur. E.: Gr. EZ d. Landes Ktn. (D.M)

Mahnert Renate Mag.

B.: AHS Dir. FN.: GRG u. WKV 19. DA.: 1190 Wien, Billrothstr. 26. PA.: 1180 Wien, Gentzg. 10. G.: Wien, 6. Mai 1942. V.: Dieter Dipl.Ing. Ki.: Ingrid (1972), Kurt (1971). EL.: Nelly u. Georg Kahl. S.: VS, Gym., Matura 1960, Stud. Englisch u. LÜ, 1962-63 intern. School, 1963-64 BHS f. Textilgewerbe, HTBLA Wiedner Gürtel, 1963-75 Inst. f. Heimerziehung, 1974-75 Lehrauftrag f. Didaktik Pädagog. Ak., 1975 Krottenbachstr. RG19, s. Sep. 1992 Dir. i. d. Billrothstr. H.: Skifahren, Schwimmen, Rafting, Theater, Lesen, Musik, Reisen, kreat. Tätigk. (M.D.)

Mahnik Manfred Ing.

B.: Verkaufsltr. FN.: Pumpenfabrik Ernst Vogel. DA.: 2345 Brunn am Gebirge, Johann-Steinböck-Str. 2. PA.: 233 Leopoldsdorf/Wien, Friedhofstr. D. G.: Wien, 3. März 1943. V.: Christine, geb. Gruber. Ki.: Susanne (1977), Nina (1980). S.: Gymn., HASCH, Matura an Hum. Abendschule, Matura an Techn. HTL, Ing. K.: seit 1960 Ang. in Pumpenfabrk Ernst Vogel, seit 1985 Verkaufsltr. Bereich Nord. M.: 1979-89 Mtgl. d. Prüf.-Kmsn. H.: Skifahren, Filmen, Reisen, Familie, Garten. (M.M.)

Mahr Herwig Ing.

B.: Gschf. Ges. FN.: Ing. Herbert Tiefenbacher Elektrounternehmen GmbH. DA.: 4050 Traun, Trauner Str. 111. PA.: 4050 Traun, Moospoint 48. G.: Linz, 20. Juli 1959. V.: Christine, geb. Mayrbäurl. Ki.: Sebastian (1982). El.: Guido u. Martha. S.: VS, Gymn., b. 1979 HTL Maschinenbau, 1980 BH. K.: 1982-92 Firma Tannpapier, seit 1992 selbst. als Gschf. Ges., seit 1991 VBgm. v. Traun. P.: Art. in Gem.-Zeitschriften. H.: Tennis, Politik, Lesen (Fachliteratur, Zeitgeschichte), Beruf. (U.A.)

Mähr Gert Dr. Prof.

B.: Prim. f. Innere Med. LKH Feldkirch. DA.: 6800 Feldkirch, Carinastr. 47. PA.: 6800 Feldkirch, Blasenbergg. 18a. G.: Feldkirch, 17. Ot. 1928. V.: Rosemarie, geb. Schulz. Ki.: Elgar, Lothar, Georgia. El.: Berta u. Hans. S.: Gymn., Univ. Wien, Prom. 1953. K.: FA-Ausbild. in Lainz u. Rom, 1962-66 Med. Poliklinik Gießen, 1966 Praxis u. Belegarzt, s. 1972 Ltr. d. internen Abt. LKH Feldkirch. P.: Ca. 70 Veröff. über Hämatol. u. Diabetes. H.: Musik, Wandern, Skifahren, Schwimmen. (I.D.)

Mähr Heinrich Mag. pharm.
B.: Apotheker, Inh. Humanitas-Apotheke. DA.: 1210 Wien, Jedlerseer Str. 66-94/18. PA.: 1010 Wien, Predigerg. 5. G.: Feldkirch, 29. Nov. 1927. V.: Johanna, geb. Wokrina. Ki.: Wolfgang, Ulrike, Martin. El.: Josef u. Rosa. S.: VS u. Gymn. Feldkirch, 1947 Matura, bis 1954 Stud. Pharmazie Univ.Wien. K.: bis 1957 Ang. d. Herz-Jesu-Apotheke Wien 5., bis 1967 Apotheke d. Barmherzigen Brüder Wien 2., bis 1970 Pächter d. Hubertus-Apotheke Wien 9., seit 1970 Inh. Humanitas-Apotheke (9 Mitarb.). M.: Österr. Apothekerkam., Österr. Apothekerverb. H.: Klass. Musik (Beethoven), Theater, Bergsteigen. (M.G.).

Mährenhorst Wilhelm Dr.
B.: RA. DA.: 1010 Wien, Singerstr. 6. PA.: 1090 Wien, Alserstr. 20/11. G.: Wien, 8. Dez. 1949. Ki.: Wilhelm. El.: OStR. Wilhelm u. Katharina. S.: Gymn., Stud. d. Rechtswiss. an d. Univ. Wien, 1974 Prom. K.: Gerichtspraxis, Konzession, 1980 eigene Anw.Kzl., lfd. Fortbild. in Seminaren, Managementführung u. Rhetorik, Sprachstudien in ital., span. u. portugies. H.: Sportschießen, mehrfacher Staatsmstr. im Tontaubenschießen.

Mahrer Eva
B.: Inh. FN.: Mara-Music-Service. DA. u. PA.: 1140 Wien, Mauerbachstr. 139a. G.: Wien, 17. Juli 1942. Ki.: Monica (1961), Claudia (1964). El.: Dietholm Alois u. Emma, geb. Höckermayer. S.: 1956-59 HASCH Wien. K.: 1969-72 Disc-Jockey in Österr., Deutschland u. Schweiz, 1973-84 Vermittlerin f. Disc-Jockey u. Künstler, 1984 Grdg. d. eigenen Agentur f. intern. Künstler. P.: div. Art. in Zeitungen. H.: Arbeit, Garten, Schwimmen. (N.A.)

Mahringer Anton Dr. iur.
B.: Ltr. d. Agrar- u Forstrechtsabt. im Amt d. OÖ Landesrg. DA.: 4020 Linz, Promenade 31. PA.: 4111 Walding, Kapellenweg 13. G.: St. Martin, 30. Nov. 1943. V.: Elisabeth, geb. Heller. Ki.: Maria-Luise, Florian. El.: Franz u. Anna. S.: Gymn., 1962 Matura, Jusstud. Wien, 1968 Prom. K.: Gerichtsj., Landesdienst, BH Grieskirchen u. Rohrbach, seit 1972 stellv. Ltr. d. Abt. Agrar- u. Forstrecht, seit 1986 Ltr., seit 1986 w.HofR. M.: Landes- u. Verkehrskmsn. H.: Natur, Sport. (U.A.)

Mahringer Werner Dr. phil. Prof.
B.: Ltr. d. Wetterdienststelle f. OÖ u. Sbg., Meteorologe. GT.: gerichtl. beeid. Sachv. f. Wetter u. Lawinenkunde, wiss. Mitarb. d. Sbg. Lawinenwarndienstes. DA.: 5020 Salzburg, Freisaalweg 16. PA.: 5020 Salzburg, Guritzerstr. 64. G.: Linz, 26. Febr. 1937. V.: Gertraud, geb. Brunmayr. Ki.: Mag. Günter, Walter, Helmut, Hannes. El.: Hans u. Maria. S.: 1956 Matura, Stud. Univ. Wien, 1960 Prom. K.: 1957 Eintritt in d. Zentralanst. f. Meteorologie u. Geodynamik, Bioklimatologe, 2. J. Ltr. d. Forsch.Projektes z. Untersuchung d. Neusiedlersees, seit 1968 Ltr. d. Wetterdienststelle in Sbg., 1971-87 Ltr. d. Lawinenwarndienstes, seit 1973 Lehrbeauftragter an d. Univ. Sbg. E.: 1976 Österr. EK f. Wiss. u. Kunst, 1983 Gold. VZ d. Landes Sbg., 1984 Med. f. Katastrophenhilfe d. Landes Sbg., 1990 Berufstitel Prof. M.: Österr. Ges. f. Meteorologie, Sonnblickver. H.: Bergsteigen, Tourenskifahren. (A.W.)

Maida Eva-Maria Dr.
B.: Doz. an d. Med. Fak. d. Univ. Wien, OA d. neurolog. Klinik d. Univ. Wien. DA.: 1090 Wien, Währinger Gürtel 18-20. PA.: 1040 Wien, Belvedereg. 39. G.: Wien, 21. Nov. 1946. Ki.: Martina (1978). El.: Dr. Karl u. Edith, geb. Nikowitz. S.: 1965 Matura, 1965-72 Med.-Stud. an d. Univ. Wien, 1972 Prom. z. Dr. med. univ. K.: Ab 1974 FA-Ausbild. an d. neurol. Klinik Wien u. dort tätig als Ass., OA, ab 1978 Ltr. d. Neurologie-spezif. Labors, s. 1980 Ltr. d. Multiple Sklerose Ambulanz, s. 1982 Ltr. d. selbstgegr. Entzündungsambulanz, 1984 Habil. BL.: Aufbau e. Behandlungskonzeptes f. MS-Kranke. P.: zahlr. Publ. in in- u. ausländ. Zeitschr., u.a. 2 Bücher ü. MS. M.: Vizepräs. d. Österr. Multiple Sklerose Ges. H.: Musik, Theater, Literatur. N.A.)

Maier Ernst Alexander
B.: Gschf. FN.: Emco-Maier GmbH. DA.: 5400 Hallein, Friedmann-Maier-Str. 9. (V)

Maier Ferdinand Ing.
B.: Gschf. FN.: Ruwido Austria GesmbH & Co KG. DA.: 5202 Neumarkt, Köstendorfer Str. 8. PA.: 5162 Obertrum, Huberbergstr. 23. G.: Salzburg, 26. Juni 1960. V.: Brigitte, geb. Scharber. Ki.: Maria (1989). El.: Ferdinand u. Maria. S.: 1 J. Landwirtschaftsschule, Werkzeugmacherlehre in Firma Ruwido, Werkmstr. d. Maschinenbau ausgelernt, 1981 Mstr.-Prüf. Maschinenbau, Abends HTL f. Maschinenbau begonnen, 1986 Matura, Reparaturabt. d. Hauses übernommen. K.: 1987 techn. Ltr., 1992 Gschf. d. Fa. Ruwido, 1993 Ruwido Elektronik i. Deutschland eröff. H.: Radfahren (Marathon). (D.E.)

Maier Franz
B.: Kriminalbmtr., Bez.Insp. FN.: BMI. DA.: 8010 Graz, Paulustorg. 8-12. PA.: 8522 Groß St. Florian, Grünau 51. G.: Groß St. Florian, 17. Juli 1961. El.: Franz u. Margarethe. S.: Kfz-Mechaniker. K.: 1980 Eintritt in d. Polizeidienst, 1986 Kriminalbeamtenschule, seit 1987 Kripo Graz. E.: Gold. Med. am roten Band f. Verd. um d. Rep. Österr. (P.R.)

Maier Franz KommR. Ing.
B.: Ges. d. Fa. Franz Maier & Sohn, Installationstechnik GmbH. DA.: 9400 Wolfsberg, Huthg. 2. G.: Wolfsberg, 18. Juni 1925. V.: Elisabeth, geb. Benedikt. Ki.: Dipl.-Ing. Günther. El.: Franz u. Anna. S.: VS, HS Wolfsberg, Ing.-Schule Aue/Sachsen, Wehrdienst, russ. Gefangenschaft. K.: 1945 Eintritt in d. 1924 gegr. väterl. Betrieb, s. 1948 Teilhaber in d. Maier & Sohn OHG, s. 1967 Alleininh. d. Fa., 1. Obm.Stellv. d. Ktn. GKK. E.: 1984 Gold. EZ d. Rep. Österr., Gr. Gold. EZ d. Landes Ktn., Wappenring d. Stadt Wolfsberg. M.: Rotary-Club Wolfsberg. H.: Schwimmen, Golf, Skifahren. (D.M.)

Maier Gabriele
B.: Inh. d. Boutique "Tiziana". DA.: 1070 Wien, Kaiserstr. 51-53. PA.: 1210 Wien, Gerasdorfer Str. 61/19/3. G.: Wien, 13. Febr. 1953. V.: Helmut Maier. Ki.: Susanne (1974), Bettina (1975). El.: Wilhelm u. Elfriede Schieder, geb. Scherz. S.: VS, RG, Ausbild. z. Kindergärtnerin. K.: 1971-75 Kindergärtnerin in Wien, 1977-80 Arb. in einem Textilgeschäft, 1990 Grdg. d. eigenen Geschäftes. H.: Literatur. (N.A.)

Maier Hans Ing.
B.: Gschf. Ges., Gschf. FN.: UTG Universaltechnik Maier Ind.-Anlagenbau GmbH, Metalna Metallbau GmbH. DA.: 8051 Graz, Thalstr. 14/II. PA.: 8401 Kalsdorf, Roseggerg. 3. G.: Lang b. Lebring, 4. Apr. 1951. V.: Margret, geb. Herold. Ki.: Markus (1980), Kerstin (1983). El.: Johann u. Ottilie. S.: Pflichtschule, HTL f. Maschinenbau, 1970 Matura, b. 1978 Praxis in Deutschland. K.: zurück nach Österr., techn. Sachbearb. Firma Proplan, 1980 BH, 1981 Grdg. Firma

Unitechnik, 1989 Grdg. UTG u. Übernahme d. Personals d. Firma Unitechnik, 1990 Grdg. Metalna Metallbau GmbH. H.: Lesen, Tennis, Skifahren. (F.K.)

Maier Hellwig Dr. phil.

B.: ltd. Ang. d. Österr. Produktivitäts- u. Wirtschaftlichkeitszentrums. DA.: 1014 Wien, Rockhg. 6. PA.: 3253 Erlauf, Schulg. 62. G.: Wien, 23. Febr. 1943. V.: Brigitte, geb. Weber. Ki.: Elke (1977), Ralf (1979). El.: Dr. med. Hellmuth u. Justine. BV.: Großvater Dr. Kunnibald Maier, Pastor u. Arzt, Gründer d. Kurzentrums in Weißbriach Ktn. S.: RG, Stud. Med. in Graz u. Innsbruck, Päd., polit. Wiss., Phil. in Sbg., 1972 Prom. K.: 1973 Eintritt in ÖPWZ (überparteil. Managementinst.), zunächst Durchlauf aller Abt., 1973 Übernahme d. Abt. Personalausbild., später: Klein- u. Mittelbetriebe, Unternehmensrecht, verantwortl. f. 5 Arge (Personal, Ltr. d. Rechtsabt., Ausbild.Ltr., Lohn- u. Gehaltsverrechnung, Klein- u. Mittelbetriebsak.), ca. 180 Erfahrungsaustauschtreffen in Österr., ca. 100 Seminare, Tagungen, Kongresse, Delegierter f. Österr. b. d. Europ. Personalltr.Ver. (EAPM), Mithilfe u. Aufbau Arb.-Gem. f. Personalwesen in Ungarn, Tschechien, Slowenien, Polen, Slowakei, regelm. Treffen mit österr. Personalltr., 1995 erstmals Durchführ. Personalakad. in Tschechien (ÖPWZ-Muster), ca. 300 Seminare in Reformländern. P.: "Einstellgehälter f. Schulentlassene" (erscheint jährlich), "Freiwillige Sozialleistungen", "Werksküchenvergleich", "Werkszeitung", "Pensionsvergleiche", "Fluktuationskennziffern", "Neue Technologienauswirkung auf Personalführung". M.: Personalltr.Treffen Österr.-Italien, 3-Länder-Treffen (Schweiz, BRD, Österr.), EAPM (Mtgl. u. Delegierter). H.: Schachspielen, Reisen (Kultur), Lesen. (Bauer)

Maier Helmut

B.: Unternehmr. FN.: Werbestudio West. DA.: 6500 Landeck, Malser Str. 24. PA.: 6500 Landeck, Prandtauersiedlung 4. G.: Landeck, 12. Dez. 1941. Ki.: Helmut, Thomas, Doris, Christine. El.: Benedikt u. Notburga. S.: HTL f. Malerei, Ausbild. an d. Bad. Fachschule f. Werbetechnik, 1959 BH. K.: 1 J. Mitarb. in einem Werbebüro, 1986 selbst. m. Werbestudio West Grafik u. Design, Prospekt f. Hoteltourismus. E.: Landespreis f. Werbung, jährl. Teilnahme am Tir. Landespreis f. Werbung. M.: Bruderschaft St. Christoph, Tennisclub, Surfclub. H.: Tennis, Surfen, Tauchen, Skifahren, Reisen, Fotografieren. (I.D.)

Maier Helmut Dr. med. univ.

B.: Prakt. Arzt in Igls. DA.: 6080 Igls, Gletscherblick 32. PA.: 6080 Igls, Patscherstr. 16. G.: Grieskirchen, 28. Mai 1957. V.: Elisabeth, geb. Gröger. Ki.: Marlene, Tanja, Sandra. El.: Franz u. Irmfried. S.: Gymn., 1975 Matura, Stud. Med. an d. Univ. Innsbruck, 1981 Prom., BH. K.: 3 J. Turnusausbild. im KH Kufstein, während d. Ausbild. priv. Weiterbild. in naturheilkundl. Verfahren, 1 1/2 J. Zusammenarb. in d. Naturheilpraxis Dr. Lothar v. Kolitscher, seit 1987 Weiterführung d. Naturheilpraxis. BL.: einer d. ersten Behandler in Österr. m. Colon-Hydro-Therapie. M.: Ges. f. Elektroakkupunktur, Inst. f. Bioenerget. Analysis NY. H.: Skifahren, Surfen, Bergsteigen, Laufen, Tanzen.

Maier Heribert Dr. Dkfm.

B.: Stellv. Gen.-Dir. d. Intern. Arbeitsorganisation (ILO). DA.: CH-1211 Genf 22, 4, Route des Morillons. PA.: CH-1213 Genf, 23, Chemin des Laz. G.: 7. Febr. 1932. V.: Renée Simone. Ki.: Christina. El.: Josef u. Johanna. S.: BRG Graz, HS f. Welthdl. Wien. K.: Wirtschaftsabt. d. Österr. Gewerkschaftsbund Wien, Intern. Bund Freier Gewerkschaften (Brüssel, Genf): Wirtschaftsref., Ltr. d. Wirtschafts, Sozial u. Polit. Abt., stellv. Gen.Sekr., Gen.Sekr. d. Intern. Bund d. Privatang. FIET (Genf). P.: Intern. Regelungen v. multinationalen Konzernen, regelmäßige Beiträge über intern. Normen z. Verteidigung v. Gewerkschafts- u. Menschenrechten. M.: Österr. Gewerkschaftsbund (GPA), SPÖ. H.: Tennis, Skifahren, klass. Musik.

Maier Josef OSR.

B.: Bgm., HS-Dir. i.R. DA.: 3830 Waidhofen/Thaya, Hauptpl. 1. PA.: 3830 Waidhofen/Thaya. G.: Wien, 30. Juni 1923. V.: Christine, geb. Franz. Ki.: Ilse (1947), Kurt (1949). El.: Josef u. Rosa, geb. Tiefenthaller. S.: VS, HS, LBA Wien. K.: 1946 Eintritt in d. Schuldienst: VS Pfaffenschlag, 1950-60 HS Groß-Siegharts, ab 1960 HS Waihofen/Thaya, ab 1966 Ltr. d. Schule d. Polytechn. Lehrganges, ab 1974 Dir. d. HS I., 1988 Eintritt in d. Ruhestand, ab 1959 GemR. ÖVP Dorfgem. Ulrichsberg, ab 1972 GemR. Waidhofen/Thaya, ab 1974 StadtR., 1980-85 VBgm., 1985-95 Bgm., Gem.-Parteiobm. d. ÖVP. P.: freier Mitarb. d. Waldviertler Nachrichten. E.: Gold. u. Silb. EZ f. Verd. um d. Rep. Österr. M.: Ehrenpräs. d. SV Sparkasse Waidhofen/Thaya, Ehrenmtgl. d. Modellflug-Clubs Union Waidhofen, Kameradschaftsbund, Protektor d. Waidhofner Bürgerkorps, Obm. d. Abfallwirtschaftsverb. Waidhofen/Thaya. H.: Skifahren, Modellflug. (M.M.)

Maier Josef

B.: Spenglermeister, Wasser- u. Gasinstallationsmeister. FN.: Ing. Josef Maier GmbH & Co KG. DA. u. PA.: 4794 Kopfing, Hauptstr. 72. G.: Kopfing, 12. März 1933. V.: Hilde, geb. Samhaber. Ki.: Mag. Herlinde (1961), Ing. Josef (1963). El.: Josef u. Cäcilia. S.: Pflichtschule, 1947-50 Spenglerlehre. K.: 2 J. Tätigkeit als Spengler, 2 J. Installateurlehre, Geselle in Vöcklabruck, Kurse Firma Herbsthofer Linz, 1957 Meisterprüf. als Spengler, 1959 selbst. als Spengler, 1960 Meisterprüf. f. Zentralheizungsbau u. Wasserinstallation. M.: 1961-93 Vorst. d. Raika. H.: Jagd, Bergsteigen. (J.L.)

Maier Karl E. KommR.

B.: Unternehmer. FN.: Karl E. Maier OHG, Sägewerk, Holzexport u. Forstwirtschaft. DA. u. PA.: 9463 Reichenfels - Taxwirt. G.: Winterleithen/Stmk., 5. März 1928. V.: Hanna, geb. Kern. Ki.: Anita. El.: Karl Gast- u. Ldw., Sägewerk u. Lohwerk u. Franziska geb. Köberl. S.: VS, HS Wolfsberg, HAK Graz bis 1947, anschl. 1 J. Praktikum in Deutschland u. Italien. K.: ab 1. Jan. 1950 m. 40 % beteiligt in d. Ges. bürgerl. Rechtes betr. Sägewerk Karl Maier & Söhne (damals wurden jährl. ca. 8.000 FM eingeschnitten), seit 1. Jan. 1954 OHG-Vertrag (55 % Karl E. Maier, 45 % Bruder Ernst Maier), 1950-1970 beträchtl. Waldbesitzungen zugekauft u. d. Betrieb organ. vergrößert auf d. derzeit. Stand v. 78.000 FM Einschnitt jährl. (Umsatz ca. 125 Mill. S), das Sägewerk zählt zu d. bestmechanisierten Gatterbetrieben

Österreichs u. exportiert nach Italien, BRD, Griechenland u. div. Levanteländer. H.: Radfahren, Landlauf, Bergwandern, Münzensammeln. (Trabe).

Maier Kurt

B.: Bäcker- u. Konditormstr. FN.: Bäckerei u. Konditorei Maier. DA. u. PA.: 6343 Erl, Dorf 10. G.: Erl, 13. Feb. 1957. V.: Martha, geb. Kronthaler. Ki.: Eva-Maria, Martin, Michael. El.: Hermann u. Anna. S.: VS, HS, Konditorlehre, 1975 Gesellenprüf. K.: b. 1983 Konditor im In- u. Ausland, zurück nach Österr., Mstr.-Prüf., b. 1991 Deuschland, Konzessionsprüf. f. d. Gastgewerbe in Kufstein, 1991 Bäckermstr.-Prüf., seit 1991 Tätigkeit u. 1992 Übernahme d. elterl. Betriebes. H.: Sport, Lesen, Kultur. (A.W.)

Maier Leopold Dipl.-Ing.

B.: Chemiker. FN.: Adria Wien Pipeline GmbH. PA.: 9020 Klagenfurt, Hauserg. 14. G.: Wien, 3. Sept. 1929. V.: Waltraud, geb. Rath. Ki.: Wolfgang, Reinhard. S.: VS, Gymn., 1947 Matura, TH Wien, 1960 Dipl.-Ing. K.: während d. Stud. Mitarb. im Familienbetrieb, 1955 Beginn in d. ÖMV, vorerst Praktikant u. anschl. ab 1956 Pumpenanw., 1958-81 Prod.Ltr., seit 1981 Techn. Gschf. P.: Publ. in Fachzeitschriften. E.: Gold. EZ f. Verd. um d. Rep. Österr. M.: ÖAB. H.: Basteln. (M.B.)

Maier Michael Dr.

B.: Chef v. Dienst "Die Presse". DA.: 1010 Wien, Parkring 12A. G.: Klagenfurt, 21. März 1958. V.: Verena, geb. Tautschnig. Ki.: Bernhard (1986), Susanna (1987), Ruth u. Anna (1992). El.: Dr. Kurt u. Anna, geb. Kollegger. S.: 1976 Matura, Stud. Rechtswiss. Univ. Graz, Stud. Kirchenmusik u. Orgel HS f. Musik u. Darstell. Kunst Graz, 1982 Prom., 1986 künstler. Dipl. K.: 1982/83 Wirtschaftsltr. im Afro-Inst. Graz, 1983-88 Gen.-Sekr. d. Kath. Aktion in Ktn., 1988-93 Chefred. b. d. Ktn. Kirchenzeitung, 1992-93 Ass.-Dir. b. Design Research Intern. in Indianapolis/USA, 1993 Eintritt "Presse", zuständig f. Graf. Gestaltung, Ressortltr. Medien, seit 1994 o.g. Position, gelegentl. Kompositions- u. Konzerttätigkeit (Orgel). P.: Hrsg. d. Buches ""Geografie d. Menschen". H.: Kultur. (N.A.)

Maier Peter

B.: Ltr. d. ADV-Abt. d. Johannes Kepler-Univ. Linz. DA.: 4040 Linz, Altenberger Str. 69. PA.: 4040 Linz, Hagenstr. 50. G.: Engelhartszell, 13. Jan. 1946. V.: Aurelia, geb. Labuda. Ki.: Astrid, Petra, Ulrike. S.: VS, HS, kfm. Lehre b. BGL-Baumaschinen Ges., Ausbild. in Datenverarbeitung. K.: 1964-74 Ang. d. Fa. Quelle Linz, Buchhaltung u. Budgetüberw., Datenverarb. u. Programmierung, Analyse u. Projektltg. bei Aufbau einer neuen Vertriebsorgan. (Vertrauenskunden), 1975 Eintritt in d. Johannes Kepler-Univ. Linz als Ltr. d. EDV-Abt., Spez. f. Unterstützung v. Verw.Agenden m. EDV (Dialoglösungen), Mitbetreuung auch d. Kunst-HS Linz, seit 1983 Personalvertreter, Kmsn. f. österr.weites Verbandkonzept, weiters Beratung bei EDV-Einführ. u. Umstellung etc. P.: Mehrere Art. in internen Zeitschr. (EDV-Einführ.), soz. Engagement f. d. Jugend (Drogen, Sekten, Arbeitslosigkeit, etc.) M.: Lions-Club Linz Delta, Grdg. d. Leo-Clubs, Arbeitsloseninitiative. H.: Campen, Bergwandern, Surfen, Tiere, Esoterik. (Deu.)

Maier Thomas

B.: Gschf. FN.: Achsenfbk. Rinner KG. DA. u. PA.: 4864 Attersee, Werksweg 3. G.: Salzburg, 24. Apr. 1967. El.: Franz u. Klothilde. S.: VS, HS, HTL f. Maschinen- u. Kfz-Bau Steyr. K.: 1987 Einstieg in d. Betrieb. H.: Nutzfahrzeuge, Messen, Ausstellungen. (D.E.)

Maier Ulrich Dr. med. a.o. Univ.-Prof.

B.: FA f. Urologie. FN.: Univ. Klinik f. Urologie d. AKH. DA.: 1090 Wien, Währinger Gürtel 18-20. PA.: 1080 Wien, Lange Gasse 76. G.: Salzburg, 28. Jän. 1948. V.: Eva, geb. Grünberger. El.: Dr. Kurt u. Dr. Irmgard, geb. Werner. S.: 1966 Matura, Stud. d. Med. a. d. Univ. Wien, 1972 Prom. z. Dr. med., 1972-75 Turnusausb. i. Hanusch-KH, 1975 Beginn d. Fachausb. a. d. urolog. Univ. Klinik. K.: s. 1979 FA f. Urologie u. o. A. a. d. Univ. Klinik f. Urologie, 1987 Habil., 1990 Ernennung z. a.o. Prof., Forschungsgebiete: Urologische Onkologie u. Andrologie, intensive Vortragstätigk. i. In- u. Ausland. P.: ca. 140 wiss. Publ. auf o. erw. Gebiet. M.: b. 12 versch. int. u. nationalen wiss. Ges. H.: Basketball u. Urologie. (N.A.)

Maier Uwe Dr. med. univ.

B.: Gem.Arzt in Pöchlarn. GT.: Betriebsarzt HITIAG Neuda u. StÖLZLE Oberglas, BSchulungsarzt d. Samariterbundes f. Gesamtösterr. DA. u. PA.: 3380 Pöchlarn, Oskar-Kokoschka-Str. 22. G.: Wien, 7. Sept. 1941. V.: Anita, geb. Lagger. Ki.: Rosemarie, Verena. El.: MedR. Dr. Helmut u. Justine. BV.: Großvater Dr. Wunibald Maier Pastor u. Arzt, Gründer d. Kurzentrums in Weißbriach/Kärnten. S.: RG Wien, Med.-Stud. Graz u. Innsbruck, Prom. K.: Turnusausbild. im KH Scheibbs, anschl. Übernahme d. väterl. Praxis in Pöchlarn, 1976 Gruppenarzt Samariterbund Pöchlarn-Neuda, 1977 Errichtung einer Physikotherapeut. Ambulanz, 1978 Gem.Arzt f. d. Sanitätssprengel Pöchlarn, 1979/80 Ausb. zum Betriebsarzt (f. gesundheitsgefährdete Betriebe - Staub, Hitze, Allergien u.sw.), seit 1981 Mtgl. d. Samariter Bundesvorst., ab 1982 BSchulungsarzt f. Gesamtösterr. u. Betriebsarzt b. HITIAG u. STÖLZLE Oberglas. BL.: 1979 Feuerwehrarzt d. FF-Pöchlarn, ab 1982 Bez.Feuerwehrarzt Melk, 1984 Errichtung d. 1. FF-Diagnosestraße in Österr. f. Feuerwehrmänner (nach arbeitsmed. Gesichtspunkten). P.: div. Publ. in Erste Hilfe f. d. Rettungswesen, Vorträge im In- u. Ausland f. d. Österr. Produktivitäts- u. Wirtschaftlichkeitszentrum (ÖPWZ). E.: LRettungsrat v. Samariterbund, Gold. Plakette am Rot-Weiß-Roten Band v. Samariterbund, Bronzemed. am Blauen Band v. Samariterbund. M.: Ärzteges. f. Sauerstoff-Mehrschnitt-Therapie e.V. H.: Fischen, Fachliteratur. (Kern).

Maierhofer Wolfgang Mag.

B.: Gschf. FN.: "Welldone" Marketing- u. Kommunikationsberatungs GmbH. DA.: 1090 Wien, Marianneng. 14/12. PA.: Laab im Wald, Karl-Kühmayer-G. 33. G.: Salzburg, 8. Jän. 1961. V.: Friederike, geb. Antl. Ki.: Maximilian (1990). El.: Karl u. Helga, geb. Hinterleitner. S.: VS, HS, HAK, Stud. Betriebswirtschaft Innsbruck, Wien u. England, 1986 Abschluß in Wien. K.: 1986-88 Marketingass.-Produktmanager b. "Unilevel" ("Elida"), 1988-89

Marketing- u. Verkaufsltr. f. "Rex" b. d. Firma "Erdaal", 1989-90 Produktmanager b. d. Firma "S.B.", 1990-91 Etatdir. b. "Ogilvy & Matner Medical", 1991 Grdg. d, Firma "Welldone". M.: Round Table 5. H.: Fliegenfischen, Squash, Tennis, Skifahren. (N.A.)

Mailänder Josef

B.: Kfm. A.: CH-8610 Uster, Ackerstr. 3. G.: Waltra, 7. Aug. 1929. V.: Ida, geb. Sundl. S.: VS, Berufsschule (div. eigene Weiterbild., ohne Schule). K.: Lehre als Hdl.Ang. b. 1955 in Österr. tätig, dann in die Schweiz, Eintritt in eine Maschinenfbk., tätig als Monteur, Vorarbeiter, Abt.Ltr., Arbeitsvorbereitung, Einkauf, Betriebsltr. E.: Gold. Ehrennadel d. Auslandsösterr.Werkes Wien, f. langjährige Tätigkeit als Pr. u. Vorst.Mtgl. d. Österr.Ver. Uster, Ver. d. Österr. in d. Schweiz u. Lichtenstein.. M.: 1970-74 Pr. d. Österr. Ver. Uster-Schweiz 1981/82, Passivmtgl. d. Männerchor Bad Gleichenberg - Österr., Aktivmtgl. d. Männerchor Niederuster - Schweiz. H.: Reisen, Filmen, Fotografieren, Münzen.

Mailáth-Pokorny de Székhely Paul Dkfm. KommR.

B.: Präs. d. Hdls.-Verb.: Verb. Österr. Mittel- u. Großbetriebe d. Einzelhdls. GT.: Präs. d. Verb. d. Österr. Brotind., AufsR.-Vors. d. AGA-Werke GmbH Wien, Präsidiumsmtgl. d. AIBI Brüssel u. d. FEMGED Brüssel. DA.: 1080 Wien, Alserstr. 45. PA.: 1010 Wien, Schubertring 6. G.: Levice/Slowakei, 14. Jän. 1923. V.: Hildegard, geb. Hintersteiner. Ki.: Dr. Georg (1954), Dr. Paul Andreas (1959). El.: Johann u. Helene. S.: HAK-Matura Wien u. Budapest, Stud. Vw. Univ. Budapest, Stud. Finanzwiss. HS f. Welthdl. Wien, Stud. Economics Univ. Oxford. K.: Beginn d. Karriere b. Hammerbrot Werke GmbH b. z. Gschf., 1970 Fusion v. Hammerbrot u. Ankerbrot: VNI AG, ab 1970 Gen.-Dir. d. VNI AG, gleichzeitig Gschf. d. Marietta Großkonditorei GmbH, ab 1983 Gschf. d. ABRO GmbH, seit 1986 im Ruhestand. E.: Gr. VK f. Verd. um d. Rep. Österr. M.: Rotary Club, 1989/90 Governor u. Sonderbeauftragter f. Ungarn u. Jugoslawien. H.: Reiten, Schwimmen. (J.S.)

Mair Alfred

B.: Pächter Delta Sportplatz Restaurant. DA.: 4800 Attnang-Puchheim, Badg. 34. PA.: 4840 Vöcklabruck, Kaplanstr. 1/2. G.: Vöcklabruck, 19. Sept. 1955. V.: Katharina, geb. Wallner. Ki.: Silke (1978), Sabrina (1980), Christian (1982), Alfred (1985). El.: Alfred u. Katharina. S.: 1971-74 Lehre als Koch im Hotel Mozart Badgastein. K.: Tätigkeit in Kitzbühel, Elmau, Lech am Arlberg, Gstaad/Schweiz, Hotel Atrium Braunschweig/Deutschland, 1976-81 Kur- u. Kongreßzentrum Badgastein, 1978 Gault Millau, 1982-85 Partiechef Hotel Europa Badgastein, 1986-87 Küchenchef Hotel Bischofsmütze Filzmos, 1988-90 Restaurant zum Stadtkeller Vöcklabruck, seit 1990 selbst. m. Delta Sportplatz Restaurant Attnang-Puchheim. H.: Fußball Schwimmen, Schallplatten sammeln. (E.Hö.)

Mair Andreas

B.: Gastronom. FN.: Restaurant "Zum Griechen". DA.: 4020 Linz, Hofberg 8. PA.: 4081 Hartkirchen, Kellnering 9. G.: Wels, 2. Okt. 1967. El.: Josef u. Herta. S.: Lehre als Koch u. Kellner b. 1986, Bundesheer. K.: 1987 Spezialitätenrestaurant "Zum Griechen", 1992 Kauf d. Lokals. E.: Chaine de Rotissier. H.: Restaurieren v. Biedermeiermöbeln, Briefmarken, Hochalpinsport, Rennrad. (N.A.)

Mair Franz-Josef Dr. Mag.

B.: Veterinär, prakt. Tierarzt. GT.: Berater einer Futtermittelfirma f. Biotechnik. DA. u. PA.: 6380 St. Johann, Lärchenweg 6. G.: Schwaz, 24. Apr. 1943. V.: Johanna. Ki.: Regina (1968), Alexandra (1970), Martin (1975), Ines (1980), Tobias (1983), Sabrina (1984), Jeanette (1985), Yasmin (1987). El.: Franz u. Maria. BV.: Vater Franz Mair Tierzuchtinsp. in Innsbruck. S.: Hum. Gymn. Schwaz, 1962 Matura, 1963 BH, 1963-68 Stud. Vet.-Univ., Vors. d. Hochschülerschaft, 1968 Mag. K.: 1969 Praktikum, 1969 Eröff. d. eigenen Praxis, 1972 Prom., Kurse u. Ausbild. auf Homöopathie, Akupunktur u. Neuraltherapie, Schwerpunkte: Sterilitätsprobleme b. Rind. BL.: Aufgrund d. eigenen Forsch. führender Besamungsspezialist im Land Tir. P.: Art. in Fachzeitschriften z. Thema Veterinärmed. H.: Lesen, Schreiben (Art.), Natur, Schmetterlinge züchten, Archäologie, Reisen, Familie. (G.P.)

Mair Franz Dr. med. univ.

B.: FA f. Zahn, Mund u. Kieferheilkunde. DA./PA: 9900 Lienz, Alleestr. 23a. G.: Lienz, 11. März 1949. V.:Mag. Gertrud, geb. Schnetzer. Ki.: Maria (19839, Clara (1985). El.: Dr. Anton u. Maria. S.: VS, Gymn., Matura, 1979 Prom., 1981 FAprüf. m. Ausz. K.: 1982 Praxis v. Vater übernommen, 1992 erweitert. H.: Skifahren, Oldtimer, Reisen, Fischen. (A.W.)

Mair Josef Ing.

B.: Gschf. Ges. FN.: Eisenkies GmbH & Co KG. DA.: 6060 Hall/Absam, Breitweg 2. PA.: 6060 Gnadenwald 74c. G.: Hall/Tir., 2. März 1955. V.: Elisabeth, geb. Rainer. Ki.: Alexandra (1976), Annegret (1983), Christian (1987). El.: Josef u. Maria. S.: Grundschule, HTL, 1974 Abschluß, 1977 Konzessionsprüf. f. Zimmereigewerbe, 1990/92 Univ.-Lehrgang f. Unternehmensführung Innsbruck. K.: Baultg., 8 J. Führung eines Zimmereibetriebes, seit 1982 Ges. d. Firma Eisenkies, 1986 Umgrdg. d. Ernst Kieslinger OHG in Eisenkies GmbH & Co KG. M.: seit 12 J. GemR., Obm. d. Sportver. Absam. H.: Familie, Sport, Beruf. (M.W.)

Mair Leopold

B.: Stadtbaumeister u. Inh. FN.: Franz Hauer OHG. DA.: 1100 Wien, Reumannpl. 19. G.: Wien, 2. April 1940. V.: Gertraud, geb. Hauer. Ki.: Manfred (1963), Gerlinde (1967). El.: Leopold u. Hermine. S.: VS, HS, Maschinenschlosser, Baumeister i. Betr. d. Schwiegerv. K.: 1972 OHG gegründ., 1977 Fa. übernommen. H.: Briefmarkensammler, Reisen. (J.M.)

Mair Karl Dir.

B.: Geschäftsltr. d. Raiffeisenkasse St. Johann. DA.: 6380 St. Johann/Tirol, Speckbacherstr. 11. PA.: 6380 St. Johann/Tirol, Mozartweg 5. G.: Eberschwang, 12. Dez. 1930. V.: Berti, geb. Schrenk. Ki.: Karin (1960), Gerlinde (1963), Herbert (1965). El.: Karl u. Helene. S.: VS, Gymn. K.: 1950-59 Mitarb. Sbg. Kredit- u. Wechselbank, seit 1960 Raiffeisenkasse St. Johann, seit 1960 Geschäftsltr. M.: Vorst.-Mtgl. d. Raiffeisen Zentralkasse Tirol, Vorst.-Mtgl. d. Geschäftsltr.-

Ver. d. Tir. Raiffeisenkasse, exekutives Aussch.-Mtgl. d. Raiffeisenverb. Tir. H.: Sport (Langlaufen, Bergsteigen), Musik, Amateurastronomie. (M.W.)

Mair Ursula
B.: Vergoldermstr., Stoffierer, Denkmalpfleger, Stadtrestauratorin f. d. Stadt Sbg. u. eigene Werkstätte. FN.: U. Mair, Spez.-Werkstätte f. Restaur. u. Neuvergold. kirchl. u. prof. Kunstgegenstände. DA.: 5020 Salzburg, Kirchenstr. 37A. G.: Salzburg, 2. Mai 1943. El.: Franz u. Cäcilie Mair, geb. Verlende. BV.: Vater Franz Mair mehrfacher Preisträger f. künstler. Arb. S.: 1967 Mstr.-Prüf. K.: 1974-79 Tätigkeit f. Bundesdenkmalamt in Wien. BL.: Blattvergoldung jeder Art auf Holz, Eisen, Stein, Stuck, Figuren, Kirchturmuhrzeiger, Restaurierung v. Ölgemälden u. Bauernmöbeln. M.: Intern. Restauratorenverb., Intern. Inst. f. conservation of historic a. artistic works. (E.Hö.)

Mairböck Siegfried
B.: Dir. FN.: Energie Ried GesmbH. DA.: 4910 Ried/Innkr., Kellerg. 10. PA.: Ried/Innkr., Achleitnerstr. 10. G.: Ried/Innkr. 8. Sep. 1930. V.: Angela, geb. Baier. Ki.: Harald, Siegfried, Claudia. El.: Gottlieb u. Rosa. S.: Gymn., 1945-49 HAK Sbg., BWL-Stud. Wien. K.: Tätigk. i. Lederind., Wirtsch.-Treuh.-Büro, s. 1956 bei Energie Ried, s. 1982 Dir., s. 1958 b. Wohnbaugen., s. 1973 Vorsitzender. M.: Rotary-Club Ried. H.: Ski, Gymnastik, Rad, Musik, Theater. (P.H.)

Maireder Karlheinz

B.: Grafikdesigner. FN.: Grafik-Design Maireder. DA.: 1180 Wien, Antonig, 78/20. PA.: 1170 Wien, Lacknerg. 54. G.: Wien, 27. Feb. 1951. V.: Monika, geb. Reiermann. Ki.: Axel (1980), Judith (1982). El.: Karl u. Christine. S.: HS, Schriftsetzerlehre, Wr. Kunstschule Gebrauchsgrafik b. Prof. Fabigan, 1968-72 7 Sem. Druckerei. K.: ab 1976 selbst. Atelier im 2. Bez., seit 1989 im 18. Bez. P.: Mitteilungen Design Austria, Art. über Papierproduktion. M.: Vorst.-Mtgl. v. Design Austria. H.: Zeichnen, Malen, Reisen. (J.M.)

Mairinger Franz
B.: Kfm. FN.: Franz Mairinger Hdls.Agentur Import u. Großhdl. GT.: Vertrieb Marco Polo f. Österr., Vertrieb ESPRIT f. Österr. DA.: 4910 Ried, Kasernstr. 21. PA.: 4910 Ried, Achleitner Str. 8. G.: Waldzell, 23. Sept. 1941. V.: Waldtraut, geb. Guttmair. Ki.: Marion, Martin. El.: Franz u. Cäcilia. S.: VS, HS, 1955-58 kfm. Lehre im elterl. Betrieb. K.: b. 1960 Kfm., ab 1960 Außendienst Kosmetik, ab 1964 Außendienst Textil u. Disponent, ab 1965 eigene Hdls.-Agentur, ab 1970 Import v. Marco Polo, ab 1980 Import v. ESPRIT. M.: Präs. SV MARC O POLO Ried. H.: Tennis, Golf, Skifahren, Wasserski, Segeln. (J.G.)

Mairinger Franz Dr. phil. o.HS-Prof.
B.: Chemiker, Vorst. d. Inst. f. Farbenchemie an d. Ak. d. Bild. Künste Wien, Prorektor. A.: 1030 Wien, Daponteg. 12. G.: Schärding, 24. Juni 1930. S.: Hum. Gymn. Stud. d. Chemie an d. Univ. Wien, Diss. am Inst. f. Anorgan. Chemie d. TU Wien, Prom. z. Dr. phil. an d. Univ. Wien, 1962-63 Univ. of Illionois, Urbana, Ill. (Prof. Gutowsky), 1964-67 Ltr. d. Abt. f. Magnetische Kernresonanz am Inst. f. Anorgan. Chemie d. TU Wien, 1967 Berufung an d. Inst. f. Farbenchemie an d. HS "Ak. d. Bild. Künste" Wien als o.Prof., 1976-84 Rektor dieser HS. P.: Zahlr. Publ. auf d. Gebiet d. Kunsttechnologie bzw. Archäometrie, Buch: "Untersuchungen v. Kunstwerken m. sichtbaren u. unsichtbaren Strahlen". M.: phys. chem. Ges., ICOM.

Mairinger Herbert

B.: Gschf. FN.: Mairinger Ges.m.b.H. DA. u. PA.: 4840 Vöcklabruck, Industriestr. 30. G.: Attnang Puchheim, 5. Nov. 1944. V.: Waltraud, geb. Lausenhammer. Ki.: Markus, Joachim. El.: Hermann u. Justine. S.: Schlosserlehre i. Attnang Puchheim, BH. K.: s. 1965 im Betrieb Lausenhammer tätig als Kraftfahrer u. Zollwesen, 1969 geheiratet, Geschf. Ges., s. 1970 Gschf. Spedition u. Transport d. Mairinger u. Lausenhammer GesmbH. BL.: Bez.-Vertrauensmann d. Transportuntern. v. Bez. Vöcklabruck. H.: Reitsport. (D.E.)

Mairinger Markus Pater KonsistorialR.
B.: Franziskanerpater, Stadtpfarrer, Dechantstellv. DA. u. PA.: 9500 Villach, Nikolaipl. 1. G.: Englfing, 21. Juni 1929. El.: Josef u. Pauline. S.: Gymn., 1950 Matura, Stud. Theol. Lehranst. in Schwaz/Tir. K.: 1957-65 Jugendseelsorger in Villach, ab 1965 Stadtpfarrer. M.: Franziskanerorden, div. örtl. Ver. H.: Kreuzworträsel auflösen, Skifahren. (S.G.)

Mairinger Waltraud

B.: Gschf. FN.: Mairinger Ges.m.b.H. DA. u. PA.: 4840 Vöcklabruck, Industriestr. 30. G.: Seekirchen, 31. März 1949. V.: Herbert. Ki.: Markus, Joachim. El.: Gertraud u. Martin Hausenhammer. S.: HAK, Lehre Sped.-Kfm. v. 1964-68, 1969 geheiratet u. gleichzeitig Gschf. v. Lausenhammer OHG übernommen, s. 1979 Mairinger-Lausenhammer Ges.m.b.H., s. 1988 Mairinger Ges.m.b.H. H.: Garten, Reitsport, Pferde. (D.E.)

Mairitsch Markus Dr. phil. Mag.
B.: Stadthauptpfarrer v. St. Egid in Klagenfurt. GT.: Religionsprof. am Gymn., Vortragender an d. RPA u. am RPI, Familienpastoral f. d. Bereich Klagenfurt Stadt. DA.: 9020 Klagenfurt, Pfarrhofg. 4. G.: Grafenbach, 8. März 1944. El.: Markus u. Gertrud. S.: VS, Gymn., 1964 Matura, Stud. d. Theol. u. Phil. an d. Theol. Univ. Innsbruck, Intern. Priesterseminar Canisianum, 1975 Prom. K.: 1971 Priesterweihe, 1972-74 Kaplan in Völkermarkt, 1974-85 Domzeremoniär in d. Domkirche in Klagenfurt, seit 1985 Stadthauptpfarrer v. St. Egid. BL.: Familienseelsorge, Beginn d. Initiative u. d. Realisierung d. Alleinerzieherseelsorge f. Ktn. 1978. M.: Mtgl. d. PriesterR., Mtgl. d. Vorst. d. PriesterR. d. Diözese Gurk-Klagenfurt. H.: Musik, Kunst. (M.B.)

Mairitsch Sabine

B.: Kapitän d. Österr. Volleyballnationalmannschaft, Personalverrechnerin Teleges. DA.: 3003 Gablitz, Linzer Str. 91. PA.: 1170 Wien, Clemens-Hofbauer-Pl. 8/16. G.: Villach, 10. Sep. 1970. El.: Eduard u. Waltraud Mairitsch. S.: Polytechn. Lehrgang, Lehre als Bürokauffrau b. d. Firma Teleges, 1990 Dipl. K.: m. 12 J. Beginn d. sportl. Karriere: Schülerliga d. HS Spittal/Drau, 1985 Eintritt Post Wien u. seither Mtgl. d. Nationalmannschaft, seit 1990 Kapitän, bisherige Erfolge: 7x Österr. Staatsmeister, 3x Österr. Cup-Sieger, 1x Donaupokalsieger, 2x Meister d. intern. Liga, 2x Österr. Juniorenmeister, 1985 Teilnahme an d. Junioren-WM in Italien. E.: Silb. Ehrennadel m. Gold d. ASVÖ. H.: Katzen, Tanzen. (J.S.)

Mairitsch Waltraud

B.: Gastwirtin. FN.: Restaurant Zur Alten Post. DA.: 6840 Hohenems, Schloßpl. 2. PA.: 6840 Hohenems, Schloßpl. 1. G.: Bregenz, 20. Nov. 1955. V.: Friedrich Mairitsch. Ki.: Thomas (1972), Martin (1986). El.: Alois u. Afra Jaritz. S.: VS, HS, HASCH. K.: 1972 sämtl. Bereiche im Gastgewerbe, 1979 selbst. m. Weinschenke in Hohenems, 1982 Pacht d. alten Postamtsgebäudes u. Ausbau z. heutigen Restaurant u. Wirtshaus. E.: 4. Pl. "Vbg. Wirtshaus 1994". M.: Viceobfrau Vbg. Verkehrsver. Hohenems, Wirtever. Hohenems. H.: Beruf, Skifahren. (I.D.)

Mairleitner Fritz Dr. phil. Mag.

B.: Dir. Haydn-Gymn. DA.: 1050 Wien, Reinprechtsdorfer Str. 24. G.: Wien, 28. Juni 1944. V.: Brigitta, geb. Pukl. Ki.: Barbara (1984). El.: Alois u. Margareta. S.: VS, Gymn., Stud. Germanistik u. Romanistik Univ. Wien, 1969 Lehramtsprüf., Prom. z. Dr. phil. K.: 1970-88 Prof. f. Deutsch u. Franz. Gymn. Wien 11, Auslandserfahrung durch Tätigkeit b. Sommerkursen Univ. Rennes u. Lilles, Erstellung v. Auslandsprojektaufenthalten, ab 1981 Mitarb. an Ausbild. v. AHS-Prof. Univ. Wien, ab 1978 Mtgl. d. Zentralen Arbeitsgruppe f. Polit. Bild. z. Erarb. v. Unterrichtsmitteln f. Franz. an HS u. AHS, seit 1982 Kulturreferent des Vereins der Oberösterreicher in Wien, seit 1985 Gen.-Sekr. d. Sekt. Österr. d. Europ. Erzieherbundes, seit 1986 planender Mitarb. im Zentrum f. d. Schulpraktikum a.o.Univ.-Prof. Dr. Oswald Univ. Wien, seit 1988 Dir. Haydn-Gymn. Wien. E.: Silb. VZ d. Landes OÖ, Palmenorden f. Verd. um d. Franz. Sprache u. Kultur. H.: Skifahren, Wandern, Ausflüge m. d. Familie. (J.M.)

Mairoll Felix Alois

B.: Journalist. FN.: Braunauer Lokalspiegel. DA. u. PA.: Stadtplatz 41, 5280 Braunau. G.: Braunau, 26. Okt. 1955. V.: Adelheid. Ki.: Christian (1974), Florian (1984), Melanie (1989). El.: Alois u. Maria. S.: HASCH, Bäckerlehre, 8 J. Gesellenzeit, 1977-80 HAK f. Berufstätige Sbg., 1980 Matura, 1980-84 1. Abschnitt Jus, glz. Erzieher u. Maschinschreiblehrer HTL, Jugendherbergswerk. K.: Journalismus u. Pressewesen: "Sbg. Woche" 1983-84, "Sbg. Fenster" 1984-87, 1988 Gründ. "Braunauer Lokalspiegel", seit 1992 Bez.-Magazin "Der neue Braunauer". M.: Gründ.-Mtgl. GAL-OÖ (1985-87 GemR.), Greenpeace, Tierschutzver. H.: Handball (seit 1974 Mannsch.-Mtgl.), Liebe z. Natur (Wandern). (E.H.)

Maislinger Georg

B.: Wärme-, Kälte-, Schallisolierer, Kfm. FN.: Georg Maislinger Isoliertechnik. DA.: 5270 Mauerkirchen, Wollöster 58. PA.: 5261 Uttendorf, Direktor-Mayr-Str. 41. G.: Burgkirchen, 26. Feb. 1955. Ki.: Christian (1975), Georg (1979), Mario (1984). El.: Alois u. Theresia. S.: Grundschule, 1970-73 Lehre als Wärme-, Kälte-, Schall- u. Brandschutzisolierer. K.: 1974-85 Montageltr. Braunau u. Uttendorf, 1 J. Isolierfirma in d. BRD, 1986 Meisterprüf., 1986 selbst., 1989 Grdg. Isolierfirma in Simbach, seit 1993 heutiger Betriebsstandort. H.: Auto (SL-Cabrio). (J.L.)

Maislinger Matthäus

B.: BGM. FN.: Marktgem. Mattsee. DA.: 5163 Mattsee 127. PA.: 5163 Mattsee, Passauerstr. 47. G.: Mattsee, 29. Jänner 1947. V.: Emma, geb. Webersdorfer. Ki.: Christian, Magdalena, Anna, Barbara. El.: Matthias, Dorothea. S.: VS, Gymn., Lehrzeit als Drogist. K.: 24 J. lang als Drogist in SBG tätig, 1962 Meisterprüfung, ab 1971 selbst. Drogist in Mattsee und Obertrum 1984 aufgehört, ab 1984 Verkaufsleiter i. Pharmagroßhandel, s. 1984 BGM v. Mattsee. BL.: Marktpl.gestaltung, neue VS, Einsatzzentrale d. FW Recyclinghof, Gemeindeamt, Kindergarten, Umbau i. Planung d. Seniorenheimes. M.: Handelskammer. H.: Familie, Tennis. (D.E.)

Maitz Herbert

B.: Gschf. FN.: Ch. Demel's Söhne Ges.m.b.H. K.u.K. Hofzuckerbäcker. GT.: Gschf. Cafe Restaurant Griensteidl, 1010 Wien, Michaelerpl. 2. DA.: 1010 Wien, Kohlmarkt 14. PA.: 2232 Deutsch Wagram, Speckbacherg. 1. G.: Graz, 5. März 1957. V.: Ingrid geb. Maier. Ki.: Christian (1983), Julia (1985). El.: August u. Maria. S.: Absolvent d. Hotel-FS Bad Gleichenberg i. d. Stmk. K.: Praxis i. div. Saisonbetrieben u. a. Hotel Imperial Wien, Restaurant Marchfelderhof, 1984 Eintritt b. d. Wigast, zuletzt Betriebsltr., 1989-91 Gschf. e. priv. Restaurants i. Wien, 1991 Aufb. u. Neueröffn. d. Cafe Restaurants Griensteidl u. Gschf., s. 1993 Gschf. d. Ch. Demel's Söhne Ges.m.b.H. H.: Skifahren, Tennis, Kochen, klassische Musik u. Geschichte. (J.S.)

Maitz Karl Dr.

B.: Gschf., Abg. z. Stmk. Landtag. A.: 8010 Graz, Körblerg. 72. G.: Graz, 3. Dez. 1939. V.: Annemarie. Ki.: Karl-Maria (1965), Christine (1966). El.: w.HofR. Dr. Karl u. Sofie. S.: VS, 2. BRG Graz, HAK, Jusstud. K.: Präsenzdienst, Gerichtspraxis, Revisionsass. (Wirtschaftsprüf.Ges.), Verwaltungsdienst b. Land Stmk., Dir. d. Steir. Bauernbund, 1973-81 LParteisekr. d. ÖVP-Stmk., 1982-88 Gschf. d. Österr. Verlages, seit 1988 Gschf. d. Betriebsservice GmbH d. Grazer Wechselseitigen Vers.,1974-1994 Abg. z. Stmk. Landtag, Obm. d. Verfassungsaussch., Klubobm. d. ÖVP-Fraktion, seit 1994 Abgeordneter z. Österr. Nat.Rat. E.: Förderungspreis 1972 d. Barthold-Stürgkh-Stiftung, EZ f. Sport d. Landes Stmk. u. d. Stadt Graz, EZ in Silb. d. KdEÖ, d. ÖKB Stmk. u. d. VDK (BRD), EZ in Gold d. UOG-Stmk. M.: ÖVP Stmk. (Mtgl. d. LVorst.), Turn- u. Sportunion Stmk. (LLtg.Mtgl.). H.: Skifahren, Tischtennis, Wandern, Jazz.

Maitz Stefan

B.: freischaff. Künstler. PA.: 8344 Bad Gleichenberg, Wiesenthal 169. G.: Höflach, 9. Okt. 1921. V.: Monika, geb. Bauer. Ki.: Stefan (1948), Herbert (1955), Gerhard (1956). S.: VS, Arbeitsdienst, 1941-45 Militärdienst. K.: während d. Krieges ständige Beschäftigung m. d. Zeichnen, 1. Ausstellungsbeteiligung in Narvik, Anerkennungspreis, nach d. Krieg Stud. Staatl. Mstr.-Schule f. Angew. Kunst, 1949 1. Arb. Deckenmalerei in d. Kapelle in Schiefer, weitere Arb.: Bildstöcke, zahlr. Aufträge v. öff. u. priv. Stellen, zahlr. Sgraffitoarb., Beschäftigung m. Keramik u. Glasmalerei, Ausstellungen in Graz, Hartberg, Kulturtage in Fehring, Bad Gleichenberg u.a., aktive Betätigung in d. Pfarrgemeinschaft, 1958 PfarrkirchenR., ab 1970 1. DiözesarenR. f. 1 Periode. E.: 1984 EZ d. Diözese Graz-Seckau, 1992 Österr. EK f. Wiss. u. Kunst. H.: Theaterspielen, Gestalten v. Veranstaltungen, Schreiben v. Sketches. (M.Gr.)

Maitzen Hans Michael Dr. phil. Univ.-Prof.

B.: Oberrat am Inst. f. Astronomie d. Univ. Wien. DA.: 1180 Wien, Türkenschanzstr. 17. PA.: 1238 Wien, Endemanng. 6-18/1/24. G.: Graz, 28. März 1943. V.: Olga, geb. Lebedeff. Ki.: Lydia, Sonja, Nina, Stella. El.: Dr. Hugo u. Irmgard. S.: Matura in Graz 1961, Stud. d. Math., Physik u. Astronomie, Prom. 1967 in Graz. K.: Ab 1964 wiss. Hilfskraft, dann HS-Ass., ab 1969 wiss. Mitarb. an d. Univ. Bochum, ab 1976 am Inst. f. Astronomie d. Univ. Wien, zahlr. Forschungsaufenthalte in Chile (Europ. Südsternwarte), Forschungsschwerpunkt: magnet. Sterne, interstellare Materie, galakt. Struktur. P.: 110 wiss. Publ. M.: Vors. d. österr. Arge Esperanto, Mtgl. d. Intern. Astronom. Union, d. Astronom. Ges. u. d. Intern. Ak. d. Wiss. San Marino. (P.R.)

Maiwald Willi Dr. rer. merc. Dkfm. KamR. KommR.

B.: Druckereibes. A.: 1180 Wien, Pötzleinsdorfer Höhe 27. G.: Wien, 17. Sept. 1915. S.: Matura, Dkfm., Dr. rer. merc., Lehrausbild. z. Schriftsetzer u. Druckfachmann. K.: Dir. einer Buch- u. Schallplattengem., Druckereibes., Präs. d. Hpt.-Verb. d. Graph. Unternehmungen Österr., Präs. d. Kuratoriums d. Höheren Graph. BLehr- u. Versuchsanst., Bundes- u. LInnungsmstr., Sekt.Obm.Stellv., Ges. einer Satzfbk. P.: Zeitschriftenbeiträge. E.: Gold. EZ f. Verd. um d. Rep. Österr., Gr. Silb. Ehrenmed. d. Kam. d. Gewerbl. Wirtschaft Wien, Gold. Ehrennadel u. Ehrenring d. Hpt.Verb. d. Graph. Unternehmungen Österr.

Majcan Josef Mag.

B.: Bezirksstellenltr. d. Wirtschaftskammer Steiermark. GT.: Lehrbeauftragter b. WIFI, Ltr. d. Unternehmertraining in Bad Radkersburg u. Leibnitz. DA.: 8490 Bad Radkersburg, Langg. 26. G.: Graz, 11. Aug. 1959. V.: Gabriele, geb. Domittner. Ki.: Olivia (1987), Klemens (1993), Julia (1994). El.: Josef u. Barbara. S.: Hasch in Leibnitz, BORG Radkersburg, 1978 Matura, Stud. Betriebswirtschaftslehre in Graz, Abschluß mit Mag. K.: bis 1989 in Steuerberatungskanzlei, 1989-91 Wirtschaftskammer Graz, s. 1991 Bezirksstellenltr. in Bad Radkersburg. M.: 1979-86 b. Hochschülerschaft Studentenvertreter, Aktionsgem. Studentenforum, Verein f. Wirtschafts- u. Arbeitsmarktoffensive Bezirk Radkersburg, Kollegium d. Bezirksschulrates Ratkersburg, Arbeitsmarktservice, Reg. Planungsbeirat, Verein z. Förd. d. BORG Bad Radkersburg, ÖVP Bezirksparteivorst., Feuerwehr Goritz. H.: Lesen, Politik, Öffentlichkeitsarbeit. (I.G.)

Majcen Ferdinand Ing.

B.: Inh. d. Fa. Druckhaus Thalerhof. DA.: 8073 Feldkirchen, Gmeinerg. 13. PA.: 8045 Graz, Rainleiten 66. G.: Schröttersburg/Weichsel, 29. Okt. 1942. V.: Monika, geb. Strobl. El.: Ferdinand u. Christine. S.: VS, Gymn., Schriftsetzerlehre, Höhere Graph. Lehr- u. Versuchsanst. Wien, Matura 1966, anschl. BH. K.: Praktikum in div. Großdruckereien, ab 1970 Auftrag d. BMU z. Aufbau einer graph. Fachschule in Persien, ab 1976 im graph. Fachhdl., ab 1980 Eröff. u. Neubau d. eig. Druckerei, 1983 Erweiterung. F.: Als gschf. Ges. an einer Fotosatzfa. M.: Mtgl. d. Wirtschaftsbundes, Yacht-Club, Alpenver. H.: Tennis, Skifahren, Theater, Briefmarken. (War.)

Majer Johann Dr. techn. Dipl.-Ing.

B.: em. o.Univ.-Prof. am Inst. f. Festigkeitslehre u. Flächentragwerke d. Univ. Innsbruck. GT.: Ing.Kons. u. gerichtl. beeid. Sachv. DA.: 6020 Innsbruck, Technikerstr. 13. PA.: 6020 Innsbruck, Tschiggfreystr. 27/5. G.: Wien, 12. Nov. 1920. V.: Wilhelmine, geb. Cicha. Ki.: (aus 1. Ehe): Johannes u. Michael. El.: Johann u. Maria. S.: Realschule, 1938 Matura, Stud. u. Doktorat TH Wien. K.: Ass. a. d. Lehrkanzel f. allg. Mechanik TH Wien, 1950 Eintritt b. ÖBB, 1954 Versetzung z. Gen.Dion. ÖBB Elektrodienst, 1968 Übertritt i. d. Wasserbausekt. d. BM f. Forst- u. Landwirtschaft, Min.Rat, 1971 Berufung z. o.Univ.-Prof. an d. Univ. Innsbruck, Fak. f. Bauing.Wesen u. Arch., Grdg. u. Aufbau d. Inst. m. Labor f. Experim. Spannungsanalyse. BL.: ÖBB: Sondergründungen Leitungsbau, u.a. Bhf. Selzthal. Büro Krapfenbauer: Mitwirk. b. gr. Ing.Bauwerken, u.a. Donauturm u. Arsenalturm Wien (Grdg., Statik). Freiberufl.: Techn. Sanierungen zahlr. histor. Kirchenbauten. Gutachten. P.: 35 wiss. Veröff., einsem. Gastprof. Univ, Chulalongkorn, Bangkok, 1989, zahlr. Vortr. im In- u. Ausland (Padua, Aachen), Hrsg. d. "Mitteil. d. Institutes". M.: ÖIAV LGruppe Tirol, Vors. ab 1989, IVBH, WC I bis 1983, IASS, Österr. Professorenverb., ÖGB. H.: Skifahren, Lesen, Baukunstgeschichte.

Majer Karl Albrecht Dr.
B.: Pensionist. A.: 1010 Wien, Grillparzerstr. 7.G.: Wien, 7. Apr. 1911. V.: Eva, geb. Sztankovanszky de Nagy-Lévárd. El.: Sekt.Chef Dr. Alfred u. Paula. S.: Schottengymn., Univ. Wien Dr. iur., Abs. rer. pol. K.: RA. P.: Lizenzvergabe im Ausland, BWirtschaftskam.Taschenbuch 1972. E.: Gold. Schlüssel d. Stadt New York. M.: VPräs. Revisionssenat d. ev. Kirche. A. u. H.B. in Österr., Prés. d'honneur de la Conféderation Intern. d. Accordéonistes, Ehrenpräs. d. Harmonika Verb. Östrr., PastPr. d. Rotary Club Wien Süd, Präs. d. Maria Weindl-Stiftung f. behinderte Kinder, VPräs. d. Hilfswerks d. Order of Saint John of Jerusalem in Österr., Obm.Stellv. d. Ver. d. Freunde d. HS f. Musik u. darst. Kunst in Wien, Österr. Alpenver., Sektion Austria. H.: Bergsteigen, Skilaufen, Filmen.

Majer Manfred Dipl.-Vw. Dr. rer. oec.

B.: Inh., Gschf. FN.: Dr. Manfred Majer Maschinenbau GesmbH. GT.: Einzelfirma Dr. Majer. DA. u. PA.: 4810 Gmunden, Münzfeld 1. G.: Salzburg, 17. April 1940. V.: Edith, geb.Schweiger. Ki.: Verena (1974), Richard (1983). El.: Ing. Eduard u. Maria, geb. Schramm. BV.: Bankdir. Heinrich Majer (Österr.-Ungar. Bank). S.: VS, Realschule, 1954-59 HTL f. Maschinenbau, ab 1959 Wirtschaftsuniv. Innsbruck u. Wien, BH. K.:Genossensch. Prüfungsverband Frankfurt, 1967-70 Porsche Sbg. Revision, 1970-72 Gschf. Textilmaschinen Dr. Fehrer, 1973-74 Einzelfirma Zaunbau/Gitter, 1974-75 Krauss-Maffei Asten, 1976 Beginn Maschinenbau vorerst in gemiet. Räumen, 1981-82 Bau d. Firmengebäudes, 1992 Umwandl. in GesmbH, 1994 Komponenten u. Sondermaschinenbau. BL.: Erfolgreicher Aufbau u. Betrieb d. Untern. M.: Mtgl. d. akad. Corps "Rhaetia" u. " Athesia" Innsbruch, GemR., Kammerfunktion,. H.: Schifahren, Computer. (C.D.)

Majerotto Walter Dr. Univ.-Prof.
B.: Physiker am Inst. f. Hochenergiephysik d. Österr. Ak. d. Wiss. GT.: Gschf. Dir. obigen Inst. DA.: 1050 Wien, Nikolsdorferg. 16. PA.: 1210 Wien, Patrizig. 14. G.: Innsbruck, 6. Nov. 1940. El.: Dipl.-Ing. Erwin u. Hilde. S.: Stud. d. Math. u. Physik in Innsbruck, 1965 Forsch.-Auftrag am Laboratoire de Physique Nucléaire in Grenoble. K.: Ind.-Tätigkeit b. Interatom in Bensberg, seit 1967 Inst. f. Hochernergiephysik in Wien, 1971-73 b. Dt. Forsch.-Zentrum DESY in Hamburg tätig, 1976 Habil., seit 1975 Dir. d. Inst. f. Hochenergiephysik in Wien, 1979 Forsch.Auftrag b. CERN in Genf, 1982 a.o.Prof., 1976-85 österr. Vertreter in ECFA (Europ. Comm. for Future Accelerators) Genf, 1985 Gastprof. in Rio de Janeiro am Zentrum f. physikal. Forsch., seit 1985 Österr. Delegierter im CERN Council. BL.: Arb. auf d. Geb. d. theoret. Elementarteilchenphysik. P.: ca. 60 wiss. Publ. auf d. Gebiet d. Theoret. Elementarteilchenphysik. E.: Erwin-Schrödinger-Preis d. Österr. Ak. d. Wiss. M.: Mtgl. d. Österr. Physikal. Ges., 1978-80 deren Gschf., 1981-82 stellv. Vorst.-Mtgl. d. Europ. Physikal. Ges. EPS, Österr. Deleg. z. CERN-Rat Genf. H.: Lit., Sprachen, Reisen. (N.A.)

Majewski Stefan Mag. phil.
B.: Gschf. d. LS Handelsges.m.b.H. DA.: 1040 Wien, Brahmspl. 1/3. PA.: 1050 Wien, Straußeng. 7/8. G.: Warschau, 14. Okt. 1953. V.: Susanne, geb. Wakulinski. El.: Thaddeus u. Christine. S.: Matura 1972 in Warschau, 1972-77 Stud. d. Phil., Spns. 1977. K.: 1978-80 als Journalist u. Moderator am poln. Rundfunk, 1981-82 Aufenthalt in Österr., 1982 Grdg. einer poln.-österr. Produktionsfirma in Polen, 1982-87 Gschf. dieser Fa., 1986 Grdg. d. Textilfa. LS Handelsges.m.b.H. in Wien. H.: Skifahren, Tennis. (P.R.)

Makarczuk Georg
B.: Gschf. FN.: Krantechnik GmbH. DA.: 4800 Attnang-Puchheim, Am Höribach 1. PA.: 4690 Schwanenstadt, Handel-Mazzetti-Str. 10. G.: Schwanenstadt, 16. Nov. 1956. V.: Klaudia. Ki.: Theresa (1985), Gloria (1992). El.: Georg u. Maria. S.: 1978 Schulabschluß HTL Vöcklabruck. K.: Tätigkeit im Maschinenbau, 1989 Grdg. Krantechnik GmbH. M.: Rotary Club Haag am Hausruck. H.: Tennis, Skifahren. (E.Hö.)

Makeev Viatcheslav Dipl.-Ing.
B.: Gen.-Dir. FN.: Transnautic Überseeschiffahrtsagentur. DA.: 1020 Wien, Freudenauer Hafenstr. 8-10, 4020 Linz, Regensburger Str. 9. PA.: 1170 Wien, Promenadeg. 22. G.: Ulianovsk/Cherdakly, 13. Sept. 1927. Ki.: Natascha, Boris. El.: Yakow u. Maria. S.: 1946-50 Marine School in Baku, 1950 Dipl. of Navigator, 1950-56 Höhere Marineschule in Leningrad, 1956 Dipl. of Engineer of Fleet operation, 1970-73 Stud. Academy for Foreign Trade, 1973 Dipl. of economist. K.: 1956-62 Schiffmaat, 1963-70 Dienst im Büro d. Fa. Murmansk Shipping Co Murmansk als Manager f. disposing, operating u. commercial f. Hochseeschiffe, Dipl. z. aktiven Kapitän z. See, 1971-73 Dir. of Agency Dept. d. Fa. Sovinflot d. Ministry of Merchant Marine in Moskau, 1973-76 Sowjetdir. d. N.V. Transworld Marine Agency CY. S.A. in Antwerpen/Belgien, 1976-79 director of Inflot dept. d. Fa. Sovinflot d. Ministry of MM. in Moskau, 1979-81 Manager of Representation Anglo Sowjet Shipping Company in Moskau, 1981 Dir. of Agency Dept. d. Fa. VVO Sovfracht Moskau, seit 1986 Gen.-Dir. d. Transnautic Überseeschiffahrtagentur. E.: 1965 Staatsmstr. im Tauchen. H.: Tauchen, Langlaufen. (M.B.)

Makovec Jan
B.: Kunsttischler, Restaurator antiker Möbel. DA.: 1030 Wien, Landstraßer Hauptstr. 90. PA.: 3003 Gablitz, Schönbauerg. 1. G.: Wien, 14. Feb. 1948. V.: Charlotte, geb. Müllner. Ki.: Caroline Maria Luise (1979). El.: Jaroslav u. Maria, geb. Samec. S.: Privatschule, HTL Mödling, Praxis b. div. Kunsttischlereien. K.: ab 1969 im väterl. Betrieb, ab 1972 selbst., ab 1979 Sachv. f. Kunsttischlerei u. Restaurierung. BL.: Restaur.-Arb. Stiftskirche Melk u. Dom v. St. Pölten, Arb. f. d. Uhrenmuseum u. d. Hermesvilla sowie Privataufträge aus Ind., Wirtschaft u. Künstlerkreisen. M.: MSCCA. H.: Familie, Sammeln v. antiken Uhren u. alten Autos, Bergsteigen. (N.A.)

Markowetz Christian Mag.
B.: Architekt. FN.: Büro f. künstl. Gestaltung i. Architekturbereich. DA. + PA.: 4654 Bad Wimsbach, Brückenweg 7. G. Linz, 1.5.1957. Ki.: Max, Klara. EL.: Ludwig, Anna. S.: 1977 Gesellenprüf. f. Gürtler, Gold- u. Silberschmiede, 1978-84 Stud. a. d. HS., Mag. art. absolviert, K.: 1985 Büro f. Gestaltung i. Wimsbach, 1987-88 HS-Ass., 1992 Mitbegründer d. Kiesel Baukunst Ges.m.b.H. u. d. Fluh Bauges. m.b.H., div. Ausstellungen. E.: 1992 Architekturpreis d. österr. Zementind. H.: Skifahren. (W.B.)

Makula Angelo
B.: Inh. FN.: California Fitneßcenter in Klagenfurt, Sport-Wear-Boutique Sbg. GT.: Reiseltr. f. USA-Reisen. DA.: 9020 Klagenfurt, Rosentalerstr. 119. PA.: 9073 Klagenfurt-Viktring, Bogenweg 9. G.: Salzburg, 5. Nov. 1960. El.: Prof. Umberto u. Margit. S.: Pflichtschulen, HASCH Sbg. K.: seit d. 8. Lebensj. sehr erfolgreich im Sport, Schwimm-LMstr.,

zweifacher Österr. Mstr. im Kampfsport-Karate (1976, 1977), 1984 u. 1986 Österr. Mstr. im Body-Building, 1978 Eröff. d. Fitneßcenter in Sbg., 1982 Grdg. Fitneßcenter in Klagenfurt. P.: Art. in d. Tagespresse, Seminare, Ernährungstraining. E.: Gold. EZ f. d. Verd. um Body Building. M.: Präs. v. Österr. Body Building Verb. H.: Malen, Zeichnen, Lesen. (D.M.)

Makula Peter Michael

B.: Gastronom. FN.: Restaurant Knes. GT.: Vors. d. Prüf.-Kommission f. Lehrabschl. Beruf Koch. DA.: 9061 Wölfnitz, Feldkirchner Str. 303. PA.: 9061 Wölfnitz, Feldkirchner Str. 305. G.: Klagenfurt, 21. Sep. 1955. V.: Waltraud, geb. Nott. Ki.: Carina (1983), Michael (1985). El.: Friedrich u. Edeltraud. S.: Hotelfachschule, Konzessionsprüf. K.: 1974-80 Praxisj. i. England, Zürs/Arlbrg, Ossiachersee, Wörthersee, s. 1981 selbst. m. eig. Restaurant, stilvolles Lokal m. reg. u. int. Küche m. Räumlichk. f. Sem., Hochzeiten, Veranst. H.: Tennis, Skifahren. (F.S.)

Malak Andreas

B.: Inh. FN.: Workline Andreas Malak. DA.: 1010 Wien, Bartensteing. 4. PA.: 1120 Wien, Mandlg. 28. G.: Wien, 15. Nov. 1961. El.: Arthur u. Hildegard, geb. Margerl. S.: HAK. K.: 1979-80 Tätigkeit in einer Wirtschaftstreuhandges., 1980-81 Ass. d. Geschäftsführung im Restaurant Motto, 1982 Eintritt in elterl. Betrieb Lebensmittel-Einzelhdl., 1983 Übernahme d. Geschäftes, 1985 Eröff. d. Ateliers f. Berufskleidung, Anfang d. Workline- u. Ausstattungstätigkeit, 1987 Erweiterung d. Unternehmens, Eröff. d. Schauraumes in d. Bartensteingasse, Entwurf d. Berufsbekleidung d. Corporate Identity entsprechend. (N.A.)

Malak Lisa

B.: Gschäftsleiterin,Touristikkauffrau. FN.: Reisebüro Restplatzbörse Körösszegi GmbH. DA.: 1060 Wien, Mariahilferstr. 77. G.: Wien, 5. Feb. 1961. El.: Gerhard u. Gerda. S.: 1980 Matura i. Modul. K.: 1980-82 Mitarbeit b. Reisebüro KUONI u. Reisebüro American Express, 1982-83 Rezeptionistin, 1983-88 Visagisten Ausb. i. Paris, anschl. als Marketing Assistentin b. Lancôme Austria tätig, hielt Seminare u. Schulungen f. Parfümerie Verkäufer, 1988 Eröff. d. Restplatzbörse, Gschf., 1990-92 General Vertretung v. Mauricius u. Madagascar i. Österr. H.: Reisen, Wasserski, Squash, Katzen. (I.K.)

von Malchus Leila

B.: Schriftstellerin. PA.: 1040 Wien, Weyringerg. 31/14. G.: Bonn, 22. Okt. 1913. V.: MinR. Dr. Alexander v. Müller-Wandau. El.: Frhr. von Malchus u. Freifrau v. Dungern. BV.: Urgroßvater Graf Malchus: Finanzmin. in Westfalen, Urgroßvater Frhr. Vincke: Oberpräs. v. Westfalen. S.: Matura, Ausbild. in künstler. Tanz, 1936 Diplom. K.: Solotänzerin an d. Deutschen Bühne Berlin, 1940 Burgtheater: "Junge Rollen", 1950 Mitarb. im Österr. Institut. P.: Bücher: "Das Wunder kommt morgen", "Jede Nacht derselbe Traum", "Die Fürstin", "Zwischenlandung in Saigon", "Im Flug um die Welt" u.a.m. E.: 1959 Preis Lesertest dt. Büchereien, 1970 II. Preis Kurzgeschichtenwettbewerb Krefeld, 1977 Silb. Feder d. IGDA, 1987 Gold. Verdienstz. d. Rep. Österr. M.: Öst. Schriftstellverb., Öst. Autorenverb. H.: Reisen, Bergwandern. (A.K.)

Maleh Rabih Dr. med.

B.: Prakt. Arzt. GT.: Ass. d. plast. Chir. DA.: 1190 Wien, Saileräckerg. 26/2. PA.: 1190 Wien, Raffelsbergerg. 12. G.: Damaskus, 3. Febr. 1947. V.: Margaretha, geb. Egger. Ki.: Nadya, Mazen. El.: Suad u. Zuharia. BV.: Cousin Khaldon Reg. in Damaskus, Cousin Yaser Reg. in Kuwait, Onkel Wasfi Schriftsteller u. Schauspieler. S.: Matura in Damaskus, 1966 Vorstudienlehrgang in Mödling, 1976 Prom. K.: Ausbild.: KH Horn, Kaiserin Elisabeth Spital, Kinderklinik Glanzing, 1979 eigene Praxis. M.: Arab. Kulturclub. H.: Schwimmen, Tischtennis. (A.K.)

Malek Friedrich

B.: Geschäftsinh. FN.: Type & Print Friedrich Malek. DA.: 8010 Graz, Wickenburgg. 22, 8020 Graz, Langeg. 96a. G.: Graz, 27. Dez. 1956. V.: Andrea, geb. Hotter. Ki.: Martin Paul (1990), Thomas Arnold (1992). El.: Hermann u. Maria. S.: Pflichtschule, Lehre als Hoch- u. Flachdrucker, Wehrdienst. K.: Umschulung in d. BRD auf Typografiker, b. 1981 Praxis in Deutschland u. Wien, Rückkehr nach Graz, 1985 Grdg. d. bestehenden Firma. BL.: spezieller Auftrag Broschüre aus Anlaß d. 125-jährigen Bestehens d. Baudion. Graz, Titel Techn. Umweltschutz, Fachabt. 1a. H.: Sport (Fußball, Skifahren, Tennis, Langlaufen). (F.K.)

Malek Peter

B.: Inh. d. Automobilmuseum Stockerau, Inh. d. Agentur Import u. Export v. Südfrüchten u. Gemüse. DA.: 2000 Stockerau, Schießstattg. 9, 2000 Stockerau, Belvedereg. 27. G.: Wien, 2. Nov. 1939. V.: Margitta, geb. Höflinger. Ki.: Christian (1963), Philipp (1973), Petra (1979). El.: Maximilian u. Philippine. S.: VS, 1957 BRG-Matura. K.: 1958-89 Tätigkeit in Firmen im Bereich d. Im- u. Export v. Südfrüchten, ab 1989 eigene Agentur u. Firma f. Im- u. Export v. Südfrüchten u. Gemüse. BL.: ausgelöst durch d. jahrelange Sammeln alter histor. Automobile kam es 1986 z. Eröff. d. Automobilmuseums Stockerau durch Hrn. Malek, im Museum sind Sportwagen ab d. Jahre 1904 ausgestellt u. es werden wechselnde Sonderausstellungen abgehalten, d. K.I.T.T.-Auto aus d. TV-Serie "Knight Rider" wurde v. Hrn. Malek nach Europa gebracht u. hier v. ihm vermarktet. E.: Silb. EZ d. HK Wien. M.: Jaguar Drivers Club Austria. (M.M.)

Malek Werner

B.: Polizeiabt.-Insp., StadtR. DA.: 8700 Leoben, J.-Heißl-Str. 14; 8700 Leoben, Erzherzog-Johann-Str. 2. PA.: 8700 Leoben, Alpenstr. 1. G.: Leoben, 2. Apr. 1935. V.: Gertrude, geb. Stögbauer. Ki.: Gabriele (1962). S.: VS, HS, Spenglerlehre, 1952 Abschluß. K.: b. 1953 Firma Laczkovic, 1953-55 Alpine Donauwitz, seit 1955 prov. Wachmann Polizei Leobn, 1968-69 Grundlehrgang f. dienstführende Beamte Wien, seit 1987 Kontroll- u. Permanenzdienst, Kontrollinsp. BL.: seit 1959 prov. Personalvertreter d. Gewerkschaft, 1967-92 gewählter Personalvertreter b. Polizei, ÖGB Bez. Leoben, seit 1967 Mtgl. d. Bez.-Aussch. d. GÖD, seit 1963 aktiver Mitarb. d. SPÖ, seit 1969 Hauptkassier d. SPÖ Leoben-Göss, seit 1980 Mtgl. d. soz. GemR.-Klub, seit 1988 gewählter GemR., seit 1990 Vors. d. Umweltaussch. d. GemR. Leoben, Bild.-Ref. im öff. Dienst. E.: Gold. u. Silb. EZ d. Rep. Österr., Verd.-Abz. d. Strahlenschutz, Gold. Corpsabz. d. Polizei. M.: Vorst.-Mtgl. d. Polizeimusik, Vorst.-Mtgl. d. Unterstützungsver., Bez.-Aussch. d. Kinderfreunde, Rechnungsprüfer Oberlandhallegen. H.: Bergwandern, Fotografie, steir. Mundart. (I.G.)

Maler Peter George Mag. art.

B.: Maler u. Objektkünstler. FN.: IBM. DA.: 1020 Wien, Lassallestr. 1; PA.: 1030 Wien, Schützeng. 27-29/1/18. G.: New York, 21. Apr. 1954. V.: Gerda, geb. Biegler. Ki.: Karla (1982), Peter (1984). El.: Peter Maximilian u. Harriet Maler. BV.: Großonkel Gustav Mahler. S.: Stud. HS f. Angew Kunst Wien, Mstr.-Kl. f. Malerei b. Prof. Hutter, b. Prof. Unger: Malerei u. Grafik, b. Prof. Bahner: Grafik, 1981 Dipl. b. Prof. Hutter.Zahlr. Ausstell. im In u.Ausland K.: Initiator d. Österr. Gruppe v. Malern "Die neuen Alten" z. Pflege d. klass. Maltechnik (Öl-Tempera-Malerei d. Renaissanca), ohne alte Kunstwerke zu imitieren, Gründer d. Gruppe "Künstler f.

Natur"(Ende 1994 auf "Künstler helfen " umgeändert) m. Benefizveranstaltungen zugunsten d. Natur sowie notleidenden Menschen, Wechsel zu neuen Techniken: Versteinerungen v. Objekten d. Gegenwart u. Eingießen v. neuen u. antiken Gegenständen in Kunstharz als fossile Spuren f. d. Zukunft, dzt. Computergrafik,Deskop- Publishing ,Illustration u. Interface-Design als Ang. d. IBM im Softwareentwicklungslabor. M.: Obm. d. Ver. "Künstler helfen" H.: Schreiben u. Komponieren v. Liedern, Kampfsport wie Silat, Naturschutz. (J.S.)

Malin Hubert Dipl.-Ing.

B.: Forstbetriebsltr., Forsting. DA.: 6780 Schruns, Gerichtsweg 8. PA.: 6713 Ludesch 36. G.: Ludesch, 2. Juli 1959. Ki.: Johannes (1987). El.: Josef u. Klara. S.: 1979 Matura, Stud. Univ. f. Bdk. Wien Studienrichtung Forstwirtschaft, 1986 Grad. K.: 1984-85 ÖBIG Wien, 1986 Eintritt als Ltr. in d. Forstbetrieb Stand Montafon. P.: Veröff. in Fachzeitschriten. E.: Waldschutzpreis v. Inst. f. Waldbau. M.: Waldbesitzerverb. Vbg., Vbg. Waldver., Kulturver. Illlitz. H.: Jagd, Bergwandern, Klettern, Lesen, Fotografieren, Musik, Reisen. (I.D.)

Malin Richard

B.: Inh. FN.: Elektrotechnik Germa, Hugo Niedermaier. DA. u. PA.: 6800 Feldkirch, Rudigierstr. 4. G.: Feldkirch, 19. Okt. 1955. El.: Gebhard u. Gertrud. S.: HTL Bregenz, Abschluß 1977, Militär 1978. K.: 1979 kurze Zeit Ang. in väterl. Betrieb, 1979 Neubeginn m. eig. Fa., 1981 Filialgründ. in Götzis, 1989 Übern. d. elterl. Betriebes, 1990 Kauf d. Fa. Niedermaier. H.: Tauchen, Tennis, Schifahren, Lesen, Brieffreundschaften aus aller Welt. (I.D.)

Malina-Altzinger Clemens Dr. Dipl.-Ing.

B.: Gschf. Ges. FN.: Reform-Werke Bauer & Co GmbH. GT.: AufsR. A. Stadlbauer GmbH Wels. DA.: 4600 Wels, Haidestr. 40. G.: Wels, 17. Jan. 1954. V.: Dipl.-Ing. Ulrike. El.: KommR. Eugen u. Ingeborg. BV.: bedeutende Kfm.Familie. S.: Matura, TU Wien, 1982 Diss. K.: seit 1984 Reformwerke Bauer & Co, vorher BMW Deutschland u. versch. Auslandsaufenthalte, BMW Steyr. M.: Round Table Linz. H.: Skifahren, Langlaufen, Bergsteigen, mod. Kunst.

Mall Edgar

B.: Inh. FN.: Grafik Design Mall. DA.: 6580 St. Anton, Fußgängerzone 305. PA.: 6580 St. Anton, Nasserein 565a. G.: St. Anton, 20. Feb. 1961. El.: Edi u. Erna. BV.: Vater Edi Mall weltbekannter Skirennläufer. S.: VS, HS, Lehre Nachrichtentechniker, 1980 Abschluß, 1982 BH. K.: Nachrichtenbereich b. Innsbrucker Firma, Abendschule f.

Computer u. Grafik, Auslandsaufenthalt in Australien, 5 J. Apple Computer Innsbruck, Schulungen u. Weiterbild. in München, Wien, Zürich u. San Franzisko, 1989 Grdg. Agentur f. Grafik u. Design St. Anton. P.: Kurse u. Seminare im graf. Bereich, Art. in Fachzeitschriften. M.: AufsR.-Mtgl. Paragleitschirmclub. H.: Kunst u. Kultur, Musik (Gitarre), Malen, Fotografieren, Mountainbike, Skifahren, Paragleiten. (I.D.)

Malli Walter

B.: Musiker: Saxophonist, Komponist, Maler u. Grafiker, Ang. d. Verw. Schloß Schönbrunn. PA.: 1232 Wien, Gutheil-Schoder-G. 74/17/33. G.: Graz, 13. Juli 1940. Ki.: Albert (1965). El.: Roman u. Anna. S.: Stud. Kunst- u. Musikak. Wien. K.: Ausstellungen d. Grafiken im In- u. Ausland, später Schwerpunkt d. Tätigkeit in d. Musik: Soloauftritte u. Auftritte m. intern. Jazzgruppen b. Jazzfestivals u. in Kulturzentren im In- u. Ausland, zahlr. Eigenkompositionen, seit 1976 zusätzl. Ang. d. Verw. Schloß Schönbrunn, 1993/94 Dokumentarfilm über d. gesamte Persönlichkeit Walter Malli´s als Maler, Musiker u. Komponist. P.: ca. 15 Schallplattenaufnahmen u. CD´s. E.: Theodor Körner-Preis f. Grafik, Würdigungspreis f. Musik d. BMU, mehrere Förderungspreise d. Stadt Wien. H.: Haustiere. (J.S.)

Mallin Erich

B.: Grafiker, Maler, Plastiker. PA.: 6700 Bludenz, Haldenweg 30. G.: Bludenz, 1. Juni 1930. V.: Herlinde, geb. Scherr. Ki.: Monika, Erich, Birgit, Markus u. Roman. El.: Leopoldine u. Alfred. S.: Kunststud. in München, Abschluß m. Ausz., Privatschuldipl. K.: 1. Ausst. in d. Galerie "Zentrum 107" in Innsbruck, Ankauf d. d. Kulturamt d. Tir. LRg., Bilder in öff. u. priv. Besitz. E.: Dr. h.c. d. Kunst d. Interamerican Univ. of Humanistic Studies, 1982 u. 1988 Premio "Centauro d'Oro" d. Academia Italia, 1983 Weltpreis d. Kultur v. Centro Studi e Ricerche della Nazione Calvalone, 1986 Premio d'Italia, Targo d'Oro d. Accademia Italia, ak. Mstr. d. Accademia Bedriacense Calvatone (CR). M.: Accademia Italia Calvatone (CR). H.: Fachliteratur. (I.D.)

Mallinger Margit Mag.

B.: BHS-Direktorin. FN.: HBLA-Wolfsberg. DA.: 9400 Wolfsberg, Gartenstr. 1. PA.: 9400 Wolfsberg, St. Michaelerstr. 28. G.: Wolfsberg, 16. Dez. 1943. Ki.: Bernhard (1969), Peter (1972). El.: Max u. Hilde Joham. S.. VS, HS, Lehrerbild. Anst. Klagenfurt, Matura, Stud. Englisch u. Geographie, 1969 Spon. K.: währ. d. Stud. Tätigk. als VS-Lehrerin, 1969-77 am Mus. pädagog. BRG, 1977-78 1. BG Klagenfurt, 1978-83 Höhere Lehranst. f. wirstsch. Berufe Wolfsberg, s. 1983 Dir. d. HBLA, Teiln. am Europa-Rat Seminare f. d. Bereich Schulwesen u. mitarb. an div. Stud. u. intern. Vortragstätigk. Schulwesen u. Kultur. H.: Freiheit in Verbindung mit Kunst u. Kultur. (G.L.)

Mallmann Alfred Dr.
B.: Gen.-Dir., Vors. d. Vorst. FN.: Sanpaolo Bank (Austria) AG. DA.: 1090 Wien, Türkenstr. 9. G.: Florenz, 17. Jan. 1951. V.: Tina-Maria, geb. Thost. Ki.: Flavia (1985), Phillip (1987), Sophia (1989). El.: Dr. Wilhelm u. Franca. S.: VS, Gymn., Stud. Jur. Fak. Sbg., 1977/78 Training b. Schweizer Bankver. in Zürich. K.: 1978/79 Gerichtsj. in Sbg., 1980-81 CA Wien, b. 1983 European Banking Company Limited London, 1984-92 Hambros Bank Limited, seit 1986 im BOARD, seit 1992 Vorst.-Dir. Sanpaolo Bank Österr., seit 1993 Vors. d. Vorst. u. Gen.-Dir., seit 1993 Mtgl. d. Vorst. d. Intereuropa Bank RT Budapest, Gschf. Freyberg-Hambros Beratungs- u. BeteiligungsgesmbH. M.: KamR., Mtgl. d. Exekutionskomitee u. VPräs. d. Ital. HK. H.: Tennis, Geschichte, Musik. (J.M.)

Mally Edda Mag.
B.: freischaff. ak. Malerin am 1. Wr. Inst. f. Farbberatung Mag. E. Mally u. Dipl.-Ing. H. Czezik-Müller. DA. u. PA.: 1090 Wie, Spitalg. 25/19. G.: Wien, 19. Juli 1938. V.: Dipl.-Ing. H. Czezik-Müller. Ki.: Anja, Tina. El.: Dr. Franz u. Mag. Elisabeth Mally. S.: VS, Gymn., 1957 Matura, Ak. d. Bild. Künste in Wien, Lehramtsprüf., 1962 Mag., 1964 Dipl. f. Malerei, 1960-64 Schülerin v. Oskar Kokoschka, 1966-67 Spezialseminare in Italien. K.: 1962-65 mehrere Stipendien f. Malerei u. Mosaik, 1969 Sommerak., 1970-74 Ausbild. z. Farbberater in Sbg., zahlr. kulturelle Fernreisen, seit 1965 Einzelausstellungen im In- u. Ausland, 1984 Beginn m. d. wiss. Arb. auf d. Gebiet d. Farbberatung, seit 1987 eigenes Inst. P.: Bellehrophon - Fachl. u. kompositor. Untersuchungen am spätantiken Mosaik aus Bardorf (1974), Irak Buch (1981), engl. Beitrag zu: Colour and Housing. Die Farbe im Wohnbereich (1986), Farbenwelt u. Lichterspiel (1988). E.: versch. Med. f. Ausstellungen, 1979 Ehrenkreuz f. Wiss. u. Kunst, 1983 Mitarb. im Friedenspark in Ravenna "Flügel d. Friedens". M.: BV, VPräs. f. Österr. b. Bund Europ. Farbberater, Österr. Akademikerver., IHS. H.: Malen, Reisen, Kunst, Musik, Theater, Literatur. (M.B.)

Mally Hildegard
B.: Inh., Schneidermstr. DA. u. PA.: 4040 Linz-Urfahr, Pfeifferstr. 15. G.: Linz, 2. Nov. 1931. Ki.: Evita, Ingrid. El.: Julius u. Hilde. S.: Berufsausbild. z. Schneiderin, 1950 Gesellenprüf. m. Ausz., Praxis in Modellsalon, 1960 Mstr.-Prüf. K.: 1961 selbst., 1985-91 Erstellung d. Kollektion f. Firma Giallo Linz, dzt. Privatkunden. H.: Musik, Radfahren. (P.H.)

Malojer Franz Mag. oec.
B.: Steuerberater, allg. beeid. gerichtl. Sachv. f. Buch- u. Rechnungsprüfer, Buchführung u. Bilanz, Kalkulat. u. Kostenrechnung. DA.: 6020 Innsbruck, Pradlerstr. 23. G.: Innsbruck, 24. Jan. 1947. V.: Margrit, geb. Fiby. Ki.: Gerhard, Christina, Elisabeth. S.: HASCH, Abend-HAK, Stud. in Innsbruck. K.: Betriebsprüfer b. Finanzamt, Steuerberaterprüf., seit 1982 selbst., seit 1987 Aufbau d. Heil- u. Mineralwasserquellen "Aqua-Vital" (Sulzegg/Stmk.), seit 1988 Mitarb. b. Privatkliniken. P.: Veröff. in Fachzeitschriften. H.: Beruf.

Malus Hans Dr. med.
B.: Vors. d. BSekt. Turnusärzte d. Österr. Ärztekam., stellv. Vors. d. Wr. Spitalsärzte. DA.: 1010 Wien, Weihburgg. 10-12. G.: Wien, 26. Okt. 1959. El.: Johann u. Aloisia. S.: 1978 Matura, 1984 Prom., 1984-85 BH. K.: 1985-86 Gastarzt u. wiss. Mitarb. II. Med. Abt. d. KH Lainz, 1986-88 Ass. am Inst. f. Med. Physiologie d. Univ. Wien, 1978 Turnusarzt I. Med. Abt. Pulmolog. Zentrum Baumgartner Höhe, 1987-88 6 Mon. Auslandsstipendium d. BMin. f. Wiss. u. Forsch. z. Organ. v. Austauschprojekten in Zentral- u. Südamerika, 1988-91 Turnusausbild. im Kaiserin Elisabeth-Spital u. Krankenanst. Rudolfstiftung d. Stadt Wien, 1991 Prakt. Arzt, 1991 FA-Ausbild. f. Physikal. Med., seit 1989 Turnusarzt in d. Krankenanst. Rudolfstiftung, seit 1989 Obm. d. Sekt. Turnusärzte d. Ärztekam. f. Wien, seit 1990 Vors. d. BSekt. Turnusärzte d. Österr. Ärztekam., seit 1990 Delegierter d. Österr. Ärztekam. zu d. EG/EFTA-Verhandlungen in Genf u. Brüssel. P.: wiss. Publ. H.: Tennis, Theater, Wein. (M.M.)

Maly Rudolf J.
B.: Gschf., Chefred. FN.: Filmprogramm Verlags GmbH. DA.: 1070 Wien, Lindeng. 43. G.: Wien, 28. März 1936. V.: Elisabeth, geb. Pistol. El.: Josef u. Rosa. S.: Graf. Lehr- u. Versuchsanst. K.: Praxis in Graph. Betrieben als Abt.-Ltr. u. Verkaufsltr., 1964 Grdg. Zeitschrift "Top Film Magazin", Übersiedlung in d. Filmwirtsch. als Publicity and Advertising Manager b. US Filmfirmen: Rank, Disney, Warner Bros., Warner-Columbia, 1983 Verlagsübernahme, Gschf. u. Hrsg. d. weltweit größten Filmprogramm-Serie. E.: Auszeichnungen u. Preise d. Stadt Wien. H.: Computertechnik, Animation, Film, Video. (J.E.)

Maly Wilhelm
B.: Gschf. FN.: Franz Svagr. DA.: 1160 Wien, Speckbacherg. 47. PA.: 1210 Wien, Gerichtsg. 3/1/5. G.: Wien, 20. März 1942. V.: Christine, geb. Breyer. Ki.: Daniela. El.: Johann u. Aloisia. S.: VS in Wien u. Portugal, HS in Wien, Berufsschule f. Installation-Gas-Wasser, 1959 Gesellenprüf. K.: Kurs f. Innenbau d. Fa. Knauf m. Abschlußdipl., seit 1973 im Gastgewerbe tätig, seit 1985 Gschf. "Gaststube Zum Schwoga". H.: Fußball, Motorsport. (A.W.)

Malzacher Hans Michael Dipl.-Ing. ETH
B.: Gen.-Dir., Vors. d. Vorst. d. Steyr-Daimler-Puch Spezialfahrzeug AG, Wien, Gschf. Ges. d. Malzacher GmbH, Wien, AufsR.-Präs. d. Eternit Werke Ludwig Hatschek AG, Vöcklabruck, d. Tiroler Röhren- u. Metallwerke AG, Hall in Tirol, d. Martin Miller AG, Traismauer, AufsR.-Vizepräs. d. Steyr Mannlicher AG, Wien, AufsR. d. Hoval GmbH, Marchtrenk, BeiR. d. Wiener Allianz Versicherung, Wien, d. Interunfall Versicherung AG, Wien. DA.: 1238 Wien, Gebirgsg. 31. E.: Großkommandeurkreuz d. griech. Phönix-Ordens, Großkreuz d. Ordens v.Al-Istigal (Jordanien), Kommandeurkreuz d. franz. Ordre National du Mérite, d. ital. VO, Procer de la Liberdad General Division Jose Miguel Lanza (Bolivien): El grado de Caballero u. El grado de Oficial-Comendador, Komandoria Ordeni Zasugi (Polen). M.: VÖI, Präs. d. Österr. Offiziersges. (Hauptmann d. Res.).

Manahl Robert Andreas Dipl.-Ing.

B.: Ziviling. f. Bauwesen. DA.: 6900 Bregenz, Arlbergstr. 139. PA.: 6900 Bregenz, Arlbergstr. 103. G.: Bludenz, 9. Dez. 1931. V.: Roswitha, geb. Boss. Ki.: Mag. Marielle, Daniel, Mirabelle, Michael, Christof, Angelika. El.: Richard u. Maria. S.: HTL, 1952 Mat., TU Graz Stud. Bauwesen, 1956 Grad., 1960 Ziviltechn.-Prüf. K.: 1957-61 versch. Ing.-Büros Graz u. Schweiz, 1961 selbst. in Bregenz als Dipl.-Ing. f. Bauwesen, Kläranlagen, Wasserversorgung, Straßenplanung, Statik, 1961 Ziviltechn. f. Bauwesen. F.: Ges. Fa. Rundstahlbau. P.: über Alternativenergie, eig. Entwicklungen u. Patente, einige J. Unterrichtstätigkeit HTL Rankweil. M.: Jachtclub Bregenz, Lions Club Bregenz. H.: Lesen, Musik, Segeln, Schifahren. (I.D.)

Manahl Richard Dipl.-Ing.
B.: Arch. im ARTEC-Arch.Büro. DA.: 1050 Wien, Rüdigerg. 22. PA.: 1060 Wien, Joanellig. 7. G.: Bludenz, 23. Aug. 1955 V.: Bettina, geb. Götz. El.: Heinrich u. Rosmarie, geb. Fritz. S.: 1973 Matura, 1973-82 Stud. d. Arch. TU Graz, Dipl.-Ing. K.: 1985 Grdg. d. Büros Lang-Manahl in Wien, 1987 Grdg. d. Büros ARTEC. BL.: Installation b. steir. Herbst (1984), "K2" Bar in Wien (1988), Haus in Nüziders (1988), Umbau Pakesch (1990). P.: div. Art. in Fachzeitschriften. E.: 1. Preis b. Wettbewerb zentrales Bauamtsgebäude in Graz (1988), 3. Preis b. städtebaul. Wettbewerb Bahnhofsplatz Linz (1988). M.: Vorst.Mtgl. d. Österr. Ges. f. Arch. (N.A.)

Manak Michael
B.: Gschf. Ges. FN.: Reisebüro Allround Travel Intern. GmbH Der Spezialist f. Fernreisen. GT.: Präs. d. Österr. Togolesischen Ges. DA.: 1030 Wien, Reisnerstr. 18. G.: Wien, 13. Mai 1948. Ki.: Michaela (1980). El.: Johann u. Margarethe. S.: Matura Wien, Reisebürokonzessionsprüf. K.: Musiker, Sänger u. Gittarist d. Rock-Band "The Sirs", Tourneen in ganz Europa, zahlr. Plattenaufnahmen, größter Hit "Sunshine Girl", 1974 Gründer d. Reisebüros Allround Travel Intern. Spezialist f. Fernreisen, Veranstalter f. Ostafrika u. Fernost. E.: zahlr. Ausz. f. vorbildl. Prospektgestaltung u. "Top Travel Agent-Austria". H.: Musik, Tennis, Reisen. (J.S.)

Mandel Oswald
B.: Küchenchef d. Restaurants Himmelsstube d. Hotels Am Parkring. DA.: 1010 Wien, Parkring 12. PA.: 1210 Wien, Podererg. 2/6/27. G.: Paris, 20. März 1939. V.: Evelyn, geb. Kappelmüller. Ki.: Andreas (1962). El.: Jacob u. Pauline, geb. Pfeffenstein. S.: Gastronomielehre in Wien (1 J. Hotel de France, 2 J. Ottakringer Bräu, Hietzing). K.: 1959-62 Griechenbeisl, 1962-72 Deutsches Haus am Stephansplatz, 1972-73 Schloß Laudon, 1973-75 Restaurantltr. Kaufhaus Konsum, 1975-78 Restaurant b. Gerngross, 1978-80 Stadtbeisl Wien I, ab 1980 Küchenchef Restaurant Himmelsstube. H.: Fotografieren, Tauchen, Schifahren. (N.A.)

Mandic Alexander
B.: Grafikdesigner, Art Dir. FN.: Ogilvy & Mather Werbeagentur. DA.: 1030 Wien, Reisnerstr. 55-57. PA.: 1220 Wien, Bojannsg. 19. G.: Wien, 24. Mai 1963. El.: Maximilian u. Johanna. S.: 1981 Matura, 1982-84 Stud. Gebrauchsgrafik Wr. Kunstschule, 1984-87 Stud. Gebrauchsgrafik Graf. Lehr- u. Versuchsanst. K.: parallel b. GGK als Layouter tätig, 1991-93 Art Dir. b. d. GGK, seit 1994 Art Dir. b. Ogilvy & Mather. P.: u.a. Kika-Kampagne, Projekte f. Raiffeisen, Gösser, Ford. H.: Sport (Squash). (I.K.)

Mandl Dieter Dr. rer. soc. oec. Mag. o.Univ.-Prof.
B.: Vorst. d. Inst. f. Wirtschaftspäd. DA.: 8010 Graz, Universitätspl. 3. G.: Irdning, 24. Apr. 1942. V.: Ingrid, geb. Hofer. Ki.: Claudia. El.: Franz-Xaver u. Maria. BV.: Univ.-Prof. Dr. Franz X. Maier Leibarzt v. Henri Ford, Schöpfer d. "Maier-Kur". K.: 1962 Matura, Mithilfe in elterl. Betrieben, 1967 Präsenzdienst, 1968-72 Stud. d. Betriebswirtschaften Univ. Graz, 1972 Univ.Ass. Inst. f. Revision, Treuhand u. Rechnungswesen d. Univ. Graz, 1979 Prom., ab 1973 Lehrbeauftragter d. Univ. Graz, wiss. Mitarb. an versch. Projekten in d. öff. u. priv. Wirtschaft, wiss. Vortragender b. versch. Institutionen, 1984 Habil., Lehrbefugnis f. Allg. BWL, 1984-85 Gastdoz. Sozial- u. Wirtschaftswiss. Fak. d. Univ. Innsbruck, seit 1985/86 Lehrbeauftragter d. Rechtswiss. Fak. d. Univ. Graz, seit 1986 auch Lehrbeauftragter an d. WU Wien, seit 1988 Vorst. d. Inst. f. Wirtschaftspäd. Univ. Graz. P.: 6 Buchveröff., 30 Aufsätze. M.: Verb. d. HS-Lehrer, Betriebswirtschaft e.V.

Mandl Erika
B.: Verwalt. FN.: Orthopäd. Spital Speising. DA.: 1130 Wien, Speisingerstr. 109. G.: St. Martin/Raab, 23. Nov. 1938. El.: Josef u. Theresia. S.: VS, HS, Kfm. Ausbild., 1963-66 HAK. K.: b. 1959 Kfm. Angest., 1960 Eintr. in Missionskongregation d. Dienerinnen d. Hl. Geistes, 1. Profeß 1963, ewiger Profes 1969; s. 1969 Spital Speising versch. Verwalt.-Bereiche, 1983 Verwalt. d. Orthopäd. Spitals, 1983-86 Managementkurs, Dipl.-KH-Betriebswirt. H.: Lesen, Musik, Organistin. (M.D.-H.)

Mandl Franz
B.: HS-Dir. d. HS Möllbrücke. GT.: Bgm. d. Gem. Lurnfeld. DA.: 9813 Möllbrücke, Mölltalstr. 75, 9813 Möllbrücke, Hauptstr. 2. PA.: 9813 Möllbrücke, Lenzstr. 47. G.: Gerlamoos, 7. Mai 1930. V.: Annelies, geb. Weigant. Ki.: Monika, Annelies. S.: VS, HS, LBA, Ausbild. z. HS-Lehrer. K.: 1950-52 VS-Lehrer in Asten, 1953 VS-Lehrer in Möllbrücke, 1953-73 HS-Lehrer in Greifenburg u. Spittal, 1974-80 Dir. d. HS II in Spittal/Drau, seit 1980 Dir. d. HS in Möllbrücke, seit 1963 Ortsobm. d. SPÖ, ab 1964 GemR. in Möllbrücke, 1970-85 VBgm., seit 1985 Bgm. d. Gem. Lurnfeld. E.: Silb. Verd.Med. d. Rep. Österr., 1988 OSR. M.: sportl. u. kulturelle Ver. H.: Sport, Radfahren, Skifahren. (M.B.)

Mandl Herbert Dr. med. Univ.Doz.
B.: Ltr. d. Abt. f. Plast. Chir. d. KH Sanatorium Hera Wien. A.: 1140 Wien, Wolfersbergg. 4. G.: Wien, 27. Apr. 1942. V.: Gerda, geb. Pilz. El.: Dr. Karl u. Rosa. S.: RG 1952-60, Matura 1960, Med.Stud. 1960-67, Prom. 1968 u. Dr. med. Univ. K.: Seit 1968 Chir. Ausbild. an d. 2. Chir. Univ.Klinik Wien, 1975 FA f. Chir., 1978 FA f. Plast. Chir., 1981 Habil. f. Chir. (plast. Chir.). P.: ca. 65 wiss. Arb. E.: Kardinal Innitzer-Förderungspreis 1980 f. Med., Förderungspreis f. Med. d. Ersten Österr. Sparkasse 1980. M.: Intern. Society of Reconstructive Microsurgery, Dt.sprachige Arbeitsgem. f. Handchir., Dt.Sprachige Arge f. Mikrochir., Österr. Ges. f. Chir., Österr. Ges. f. plast., ästhet. u. rekonstr. Chir.

Mandl Robert
B.: Marketingltr. FN.: Almdudler A. & S. Klein. DA.: 1190 Wien, Hackhoferg. 13. PA.: 1040 Wien, Weyringerg. 13. G.: Wien, 27. Mai 1949. El.: Alfred u. Gertrude. S.: VS, hum. Gymn., 1967 Matura. K.: b. 1969 Verw.Bmtr. d. Stadt Wien, 1971-78 Persil GmbH (Henkel) Einstieg als Verkaufsass., 1978-81 Marketingass. Eskimo-Iglo (Unilever), 1981-84 Produktmanager Th. & G. Mautner Markhof AG, 1984-86 Marketingltr. Braun Elektrik Austria, 1987 Marketingltr. b. Almdudler A. & S. Klein. BL.: b. Persil Aufbau eines Diversifikationsprojektes, 1974-75 Mitarb. m. Mag. Grabner am Aufbau d. Humanis GmbH, einige d. Werbefilme, d. er leitete erhielten Ausz. M.: Marketing Club Austria. H.: Fernreisen, Literatur, Theater, Tennis, Segeln, Golf. (S.S.)

Manessinger Konrad
B.: Gschf. u. gewählter Obm. d. Bau-, Wohn- u. Siedlungsgen. HEIMAT Villach. DA.: 9500 Villach, Zeno-Goess-Str. 13a. PA.: 9500 Villach, Gottfried-Timmerer-Str. 13. G.: Ferlach, 28. März 1933. V.: Liselotte, geb. Oblak. Ki.: Mario, Susanne. El.: Ambros u. Josefine. S.: VS, HS, Herrenkleidermacher m. Gesellenprüf. K.: über d. Roten Falken z. Kinderfreundeorgan. dann LFalke, Verkehrsbetriebe d. Stadtwerke Klagenfurt, Staßenbahnschaffner u. Autobusfahrer, heute noch Bez.Obm. d. Kinderfreunde in Villach u. LObm.Stellv. f. Ktn., LSekr. d. soz. Jugend, Bez.Parteisekr. d. SPÖ Villach, jetzt Gschf. d. Bau-, Wohn- u. Siedlungsgen. HEIMAT Villach, SPÖ Sekt.Obm. in Villach-Fellach, Obm.Stellv. d. SPÖ Stadtorgan. Vilach, 1965-70 GemR. d. Stadt Villach, 1970-89 Abg. z. Ktn. Landtag, Obm.Stellv. d. SPÖ Landtagsclubs u. Obm. d. Schul-, Jugend- u. Kultur-

aussch. d. Ktn. Landtag, Präs. d. Ges. z. Förd. Neuer Kunst, Präs. d. Motorsportclubs Villach, Präs. d. Leichtathletikclubs Villach, Obm. d. Ver. Volkshäuer Villach. BL.: Durch seine Initiative wurde v. Ver. Volkshäuser Villach d. Volkshaus Landskron erbaut, welches als Kommunikationszentrum d. Bevölkerung d. Stadtteiles Landskron z. Verfügung steht. E.: Gr. EZ f. Verd. um d. Rep. Österr., Gold. EZ d. Verb. d. gemeinn. Bauver. Österr. M.: Mtgl. b. 27 Ver. f. Kultur, Sport u. Sozialver. H.: Skifahren, Alpin, Tourengehen, Tennis. (D.M.)

Manfrin Gottfried

B.: Verkaufslagerltr. FN.: Austria Tabak. DA.: 3504 Krems/Stein, Dr.-Karl-Dorrek-Str. 32. PA.: 3500 Krems Kasernstr. 32/3. G.: Walkersdorf/Krems, 5. Sept. 1946. V.: Margareta, geb. Brunnthaler. El.: Ignaz u. Maria. S.: VS, Hum. Gymn., kfm. Lehre Einzelhdl. K.: 1965-67 Verkäufer in Lebensmittelbranche, 1967-80 Kraftfahrer (Ausland) f. Lebensmittelfirma, ab 1980 Ang. b. Austria Tabak Wien: Rohtabakbuchhaltung u. Ökonomie, 1981-87 Dekorateur b. Austria Tabak Stein, ab 1987 Verkaufslagerltr. H.: Aquaristik, Radfahren, Garten, Lesen. (M.M.)

Mang Christian

B.: Gschf. Ges. FN.: Mang & Partner Werbeagentur. GT.: Ges. d. Fa. Merchandising, Hrsg. d. "SB-Magazins", Gschf. Ges. d. Fa. Professional Coaching. DA.: 1090 Wien, Garnisong. 7. PA.: 1190 Wien, Sarpl. 17. G.: Wien, 16. Febr. 1944. V.: Veronika, geb. Pternos. Ki.: Katharina. El.: Franz u. Berta. BV.: "Manger" im 17. Jhdt. aus Nürnberg in Wachau übersiedelt, Weinbauern. S.: VS, Mittelschule, HAK, WU (Werbung, Verkauf). K.: Werbeagentur Ogilvy & Mather, Crawford & Dorland, London, Wirz (je 2 J.), seit 1974 selbst., Grdg. d. Werbeagentur Mang & Partner. F.: Bes. d. Wasserskidorfes "Aquarium" auf d. Donauinsel. H.: Springreiten, Tennis, Wasserskifahren. (R.A.)

Mang Helmuth Dipl.-Ing.

B.: Inh., Gschf., Vermess.-Ing. FN.: Staatl. befug. u. beeid. Ing.-Konsulent f. Vermess.-Wesen. DA.: 2340 Mödling, Freiheitspl. 7. PA.: 2344 Maria Enzersdorf, Grenzg. 15. G.: Wien, 8. Mai 1939. V.: Elisabeth, geb. Jaroschik. Ki.: Monika (1971), Sigrid (1975). El.: Eugen u. Hedwig. S.: 1957 Mat. Reals. Wien, 1958-66 Stud. TU Wien, 1966 Prom. Dipl.-Ing. K.: 1967-72 Dr. Zelisko Mödl., Ing.-Kons.-Anwärter, Angest., 1972 Ziviling.-Prüf., Befug. Ing.-Kons. f. Vermess.-Wesen, 1972-76 Partner Arb.-Gem. Dr. Zelisko, 1976 Übern. Vermess.-Büro, Inh. u. Gschf. M.: Ing.-Kammer f. NÖ, Bgl., Wien. H.: Segeln, Camping, Tennis, Skifahren, Radfahren. (I.K.)

Mang Herbert Prof. Dr. techn. Dipl.-Ing. PhD.

B.: o.Univ.-Prof. f. Elastizitäts- u. Festigkeitslehre Fak. f. Bauing.Wesen d. TU Wien. DA.: 1040 Wien, Karlspl. 13. PA.: 1130 Wien, Tolstojg. 5. G.: Wien, 5. Jan. 1942. V.: Barbara, geb. Antonik. Ki.: Johannes, Thomas. El.: Dipl.-Ing. Bruno u. Helene. S.: 1952-60 BRG XII Wien, 1960-67 TU Wien, Bauing.Wesen, 1971-74 Fulbright Fellow Texas Techn. Univ. USA. K.: 1967 Dipl.-Ing. f. Bauwesen TU Wien, 1970 Dr. techn. TU Wien, 1974 Ph.D. Texas Techn. Univ. USA, 1975-76 Max Kade Fellow Cornell Univ. (New York), 1977 Univ.-Doz. TU Wien, 1979 Gastprof. Tokyo Univ., 1981 Unido Field Expert, VR China, Zhengzhou Research Inst. for Mechanical Engineering, 1967-79 Univ.-Ass. (m. Karenzierungen), 1981 Ruf als Ordinarius f. Festigkeitslehre TU Graz, 1983 Ernenn. z. o.Univ.-Prof. f. Elastizitäts- u. Festigkeitslehre TU Wien, 1989-91 Vorst. d. EDV-Zentrums d. TU Wien, 1991 Dekan Fak. f. Bauing.-Wesen, TU Wien. P.: 135 wiss. Publ., Patent. Mtgl. d. Hrsg.Stabes d. Fachzeitschriften: Int. J. for Num. Meth. in Engng., Engng. Structures, Communications in Appl. Num. Meth., Int. J. for Comput. Meth., Finite Elements in Analysis and Design, Int. J. of Mechanics A-Solids, European J. of Hech. A-Solids, Eng. Comp., Engng. Computations, Science and Technology, Int. J. of Computer Appl. in Technology, Acta Mechanica, Construction a. Building Materials. E.: Kardinal-Innitzer-Förd.-Preis f. Naturwiss., Theodor-Körner-Förd.-Preis f. Naturwiss., Förd.-Preis d. Stadt Wien f. Naturwiss., Technikpreis d. Wr. Wirtschaft, korr. Mtgl. d. Österr. Ak. d. Wiss., Fellow American Society of Civil Engineers. M.: ACI, ASCE, CEB, GAMM, IABEM, IABSE, IASS, ÖGE, ÖIAV, Grdg.Mtgl. u. Mtgl. d. Congress Comittee d. intern. Council f. Computat. Mechanics. H.: Lesen (Geschichte), Musik. (J.S.)

Mang Otto Dr.

B.: Präs. u. GF d. Hauptverb. d. österr. Buchhandels. DA.: 1010 Wien, Grünangerg. 4. PA.: 1190 Wien, Flotowg. 18. G.: Wien, 3. Apr. 1926. V.: Christa, geb. Stark. Ki.: Florian (1976). El.: Maria u. Josef. S.: VS, Piaristengymn., 1944 Matura, 1945-51 Stud. d. Theaterwissensch. u. Germanistik a. d. Univ. Wien, 1951 Promotion, 1946 Buchhandelslehre, 1953-62 Dir. d. Ueberreiter Verlages, s. 1964 Präs. d. Hauptverb. d. österr. Buchhandels. H.: Lesen, Reisen, Tennis. (E.J.)

Mang Robert

B.: Ges. FN.: ROMA Sportstätten u. Gartenbau GmbH. GT.: Obm. d. SV Horn. DA.: 1030 Wien, Seidlg. 2; 3580 Horn, Altbachweg 10. PA.: 3580 Frauenhofen, Föhrenstr. 20. G.: Mödring, 22. Dez. 1947. V.: Christa, geb. Schlotter. Ki.: Nina (1981). El.: Alois u. Franziska, geb. Schlotter. S.: VS, HS, 1968 HAK-Matura. K.: 1970-74 Bmtr. BH Horn, 1974-93 Bankang. u. ab 1975 Ltr. d. Hypo-Bank Horn, seit 1990 Ges. d. Firma ROMA. BL.: 1957-88 aktiver Fußballer d. SV Horn. M.: seit 1969 Obm. d. SV Horn, Lions-Club Horn. H.: Fußball, Skifahren. (M.M.)

Manganelli Roberta

B.: Gschf. Ges. FN.: Stella Models & Talents Management. DA. u. PA.: 1060 Wien, Kaunitzg. 9/6. G.: Siena/I., 18. Aug. 1964. El.: Mario u. Maria. BV.: Schwester Elena: in Italien bekannte Bildhauerin, Bruder Filippo: in Italien bekannter Restaurateur v. Fresken u. Strukturen. S.: Matura in Siena, 1985 Master of Marketing am Stud.-Center d. EG in Reggio Emilia. K.: ab 1985 im Innen- u. Wirtschaftsmin. tätig, Marketing u. Strategienforsch. f. Groß- u. Mittelbetriebe, Ausbild. f. Arbeitskräfte im Managementbereich, anschl. Aufbau v. Shopping-Center in Italien, 8 Mon. in GR., Inh. einer American Bar, s. 1990 in Österr., Mitarb. bei den Modellagenturen "Wilhelmina Wien" u. "Tausendsassa", s. 1992 selbst., Grdg. d. Stella Models & Talents Management f. Vermittl. v. Fotomodellen im Bereich Video u. Fotoprod., Zusammenarb. mit Schauspielern f. Film u. Fernsehen. P.: Publ. f. das ital. Innenmin. "Dienstleistungen in d. Toscana" 1987. H.: Kochen, Lesen, Musik, Malen, Reisen, Mode. (J.S.)

Manger Horst

B.: Inh. FT.: Software Büro Horst Manger. DA.: 1140 Wien, Linzer Str. 16. G.: Wien, 15. Jan. 1940. V.: Ilse, geb. Ferstl. Ki.: Christian, Susanne, Oliver. El.: Oswald u. Katharina. S.: VS, RG, Musikak., Univ. Wien. K.: Wiss. Rechenbüro b.

Reichert, EDV-Fa. in Wien (Ltr. d. Programmierabt.), seit 1976 selbst., Software Büro. E.: Gold. Qualitätssiegel f. Fa. M.: Arge f. Qualitätsarb. H.: Jazz (v. Jahren aktiv). (R.A.)

Mangl Martin

B.: Tourismusdir., Gschf. d. Tourismusregion Mostviertel. DA.: 3250 Wieselburg, Volksfestpl. 3. PA.: 3100 St. Pölten, Josefstr. 112. G.: St. Pölten, 7. Juni 1955. V.: Elisabeth, geb. Dangl. Ki.: Maria Teresa (1979). El.: Erich u. Elfriede. S.: AHS, Matura, Fremdenverkehrs-Kolleg Innsbruck. K.: 1977 Ass. d. Gschf. Tourismusverb. Ötscherland, seit 1978 Gschf. d. Tourismusregion Mostviertel. P.: Mitarb. an zahlr. Prospekten u. Publ., Mitarb. am Verlagswerk d. Firma Schubert u. Franzke St. Pölten: Radwandern im Mostviertel. M.: VPräs. d. Bundesverb. Österr. Kur- u. Tourismusdir., Vorst.-Mtgl. d. Mostgalerie Stift Ardagger. H.: Reisen, Musik (aktiv u. passiv), Autofahren, Skifahren. (F.S.)

Mangold Erni o.Prof.

B.: Schauspielerin. G.: Groß Weikersdorf, 26. Jan. 1927. El.: Goldmann Severin u. Maria. BV.: Großvater war Bildhauer, Aufträge f. Kaiser Franz Josef. S.: Pflichtschulen, Gymn., Theaterschule Helmut Kraus. K.: 1946-56 engagiert am Theater in d. Josefstadt, 1955-63 Hamburger Schauspielhaus b. Gustav Gründgens, 1965-72 Engagements in Wien u. Deutschland, 1972 Mozarteum, 1972-74 Lehrtätigkeit in d. Theaterschule Kraus, ab 1974 Seminare an d. HS f. Musik u. darst. Kunst, 1983 o.HS-Prof., ca. 35 Filme u. TV. E.: "Inselpreis" v. Kritikern verliehen, Kainz-Med. (Lar.)

Mangold Michael

B.: geprüft. Rechentechn., Gschf. Ges. FN.: Casa del Vino GesmbH. DA.: 1160 Wien, Panikeng. 3-5. PA.: 1180 Wien, Canong. 14/16. G.: Wien, 5. Mai 1951. V.: Mag. Adelheid, geb. Renner. Ki.: Marie-Therese (1984). El.: Michael u. Erika. S.: RG Wien, 1969 Mat., TU Wien, abgeschl. als gepr. Rechentechn. K.: währ. Stud. Mitarb. b. Studiengr. f. intern. Analysen, 1979 Hevlett Packatt, 1994 selbst. m. Herrn Steinbrecher Casa del Vino gegrdt. M.: Fliegerclub "Motorflugunion Wien". H.: Fliegen, Musik, Wein. (J.M.)

Manhardt Helmut Dipl.-Ing.

B.: Abt.-Ltr. f. d. Bereich Milch u. Milchprodukte. FN.: Agrarmarkt Austria. DA.: 1200 Wien, Dresdner Str. 70. G.: Wien, 13. Nov. 1942. V.: Erna, geb. Riegler. Ki.: Claudia (1971). El.: Kurt u. Grete. BV.: Väterlicherseits v. Mannstein 7. Juni 1815, an Sicherstellung d. Kronschatzes gegen Napoleonstruppe beteiligt, persönl. Einsatz, Adelstitel "Mannstein". S.: 1960 Matura, BH, Stud. Ldw. an d. HS f. Bdk., 1967 Dipl., Werkstudent. K.: 1968 Eintritt in d. Milchwirtschaftsfonds, Abt.-Ltr. f. Betriebswirtschaft, seit 1991 stellv. Gschf., seit 1992 Hauptabt.-Ltr. f. Statistik, Verrechnung u. Datenverarb. P.: div. Fachart. u.a. gemeinsam m. Prof. W. Schneeberger z. Thema Transportmodelle u. regionale Gleichgewichtsmodelle, Vorträge u. Veröff. zu betriebswirtschaftl. Themenbereichen d. Molkereiwirtschaft, insbes. über Kostenrechnung u. Strukturfragen. H.: Tanzen, Bergwandern, handwerkl. Tätigkeiten. (J.S.)

Manhardt Peter

B.: Dir., Gschf. Kuratorium f. Verkehrssicherheit. G.: Wien, 24. Aug. 1936. V.: Ingrid, geb. Korinek. Ki.: Christoph Robert, Eva Isabella, Sonja Alexandra. El.: Ing. Eduard u. Annemarie. BV.: Väterl. Seite v. Mannstein 7. Juni 1815, an Sicherstellung d. Kronschatzes d. Napoleonstruppe beteiligt, persönl. Einsatz Adelstitel "Mannstein". S.: Hum. Gymn. Wien, 3 Sem. TU Maschinenwesen, 4 Sem. Rechenwiss. P.: Versch. fachl. Veröff. E.: Silb. EZ Wien, Gold. EZ d. Rep. Österr. M.: Verkehr wiss. Ges. (VWG), Kraftfahrbeirat d. Verkehrsmin., WDF. H.: Motorclub Presse Austria, 1970 Bridge Weltmstr., Modelleisenbahn. (Fels.)

Manigatterer Martin

B.: Tischlermstr. FN.: Manigatterer GmbH & Co KG, Bank- u. Büroeinrichtungen. DA.: 4722 Peuerbach, Fuchshub 5. PA.: 4722 Peuerbach, Fuchshub 17. G.: Bruck, 13. März 1936. V.: Anna, geb. Ecker. Ki.: Maria (1961), Anna (1962), Stefan (1964), Markus (1967), Martha 1970. El.: Martin u. Cäcilia. BV.: s. d. 17 Jh. Fam. Manigatterer. S.: VS, HS. K.: 1951 Tischlerlehre, 1957 Mstr.-Schule, Bundesfachschule f. Holzarbeitung in Hallstatt, 1958 Mstr.-Prüf., als Werkmstr. in Neumarkt/Wallersee tätig, 1961 Neubau u. Grdg. e. Tischlerei, 1963 Beginn m. eirichtungen f. Geldinstitute,1970 zweite Bauetappe, 1975 dritte Bauetappe, 1978 vierte Ausbauetappe, s. 1994 GmbH & Co KG. P.: Bankeinrichten in Österr., BRD, Rußland, Tschechei angefertigt. E.: 1979-94 Gold. Gütersiegel erhalten. M.: Kirchlichen Bereich tätig, in d. Gem. Aktiv, Landesinnung tätig, Ausbild. v. Tischlermstr., Mtgl. im Kirchenchor. H.: Fotografieren, Zeichnen, Skifahren, Singen. (J.L.)

Mank Friedrich

B.: Bau- u. Möbeltischler. DA.: 1110 Wien, Rappachg. 24. PA.: 2534 Alland 5. G.: Preßburg, 4. Juli 1943. El.: Friedrich u. Elisabeth. S.: VS, HS, Mstr.Prüf. Innenarch. K.: Holzbildhauer, Tischlermstr., selbst. H.: Oldtimer-Sammler, Autos, Ski, Tennis. (Fels.)

Manker Paulus

B.: Schauspieler, Reg. PA.: 1130 Wien, Am Pl. 4. G.: Wien, 1958. El.: Gustav Manker u. Hilde Sochor. K.: Filmregie: 1985 Schmutz, 1989 Weiningers Nacht, 1992 Das Auge d. Taifun, 1992/93 Der Kopf d. Mohren, 1993/94 Die Klavierspielerin, Filme (als Schauspieler): 1979 Lemminge, 1980 Exit - nur keine Panik, 1982 Die Ausgesperrten, 1983 Die Macht d. Gefühle, 1984 Wer war Edgar Allan?, 1987 Das weite Land, 1988 Sternberg - Shooting, 1988 My 20th Century, 1989 Weiningers Nacht, 1990 Landläufiger Tod, 1991 Tödl. Entscheidung, Theaterregie: 1988 Weiningers Nacht, 1993 Liliom, Engagements: 1979/80 Burgtheater Wien, 1980/81 Schauspielhaus Frankfurt, 1981/82 Thalia-Theater Hamburg, 1983/84 Residenz-Theater München, 1986-89 Dt. Schauspielhaus Hamburg, 1988/89 Dt. Volkstheater Wien, 1990 Burgtheater Wien (Dir. Claus Peymann), Arb. m. Peter Zadek (Der Kaufmann v. Venedig), C. Peymann (Clavigo), Cesare Levi (Warten auf Godot).

Mann Brigitte Dr. med

B.: Prakt. Ärztin. DA. u. PA.: 3423 St. Andrä-Wördern, Hauptstr. 29. G.: Tulln, 18. Nov. 1951. V.: Dr. Gerhard. Ki.: Martina u. Christoph. El.: Alfred u. Gertrude. S.: BRG Tulln, Matura 1970, Stud. an d. Univ. Wien, med. Fak., Prom. 1976. K.: Turnus im Mautner Markhof Kinderspital u. Wilhelminenspital, 1981 Eröff. d. Privatpraxis in Tulln, 1982-85 HV-Arzt in Kaserne Langenlebarn, seit 1985 Kassenpraxis. H.: Tennis, Skifahren, Kinder. (A.W.)

Mann Christian Dr. med.

B.: Ass.-Arzt Abt. Pädiatrie d. LKH Bregenz. DA.: 6900 Bregenz, C.-Pedenz-Str. 2. PA.: 6830 Rankweil, Habsburgerstr. 1. G.: Wien, 6. März 1956. V.: Dr. med. Eva, geb. Baldauf. Ki.: Anna-Maria (1983), Samuel (1990). El.: Dipl.-Ing. Johannes u. Ilse. S.: 1974 Matura Schottengymn. Wien, 1974-78 Stud. Univ. Wien, 1978-82 Stud. Univ. Innsbruck,

Absolvent d. Oberstufe im Fach Querflöte Konservatorium d. Stadt Wien, 1982 Prom. sub auspiciis praesidentis. K.: 1976-78 Demonstrator am Anatom. Inst. Wien, 1982-85 Turnusarzt LKH Bregenz, 1985-86 Militär, 1986-92 prakt. Arzt in Rankweil, Neuraltherapeut, 1992 Ass.-Arzt Abt. Pädiatrie LKH Bregenz, Studienaufenthalte in Zürich u. Dallas/Texas. M.: Mentlbergerchor, Ges. d. Ärzte Vorarlbergs, Arbeitskreis f. Vorsorge- u. Sozialmedizin. H.: Kunstgesch., Religionsgesch., Bergsteigen, Skifahren. (I.D.)

Mann Ferdinand Mag. art. Prof.

B.: Prof., Ak. Maler. A.: 1050 Wien, Reinprechtsdorfer Str. 62/9. G.: Wien, 9. Febr. 1925. V.: Matilde, geb. Bernat. S.: RG, Univ. Wien, Ak. d. Bild. Künste. K.: Teilnahme an Ausstellungen in d. Secession Wien, Privatgalerien (Würthle). P.: “Egon Schiele”, “Pablo Picasso”, “Neue Galerie” u.a. E.: Div. Kriegsausz.

Mann Kurt

B.: Bäcker- u. Konditiormstr., Inh. u. Gschf. d. Fa. Mann KG. DA.: 1235 Wien, Perchtoldsdorfer Str. 25, Tel. 86 97 69. G.: Wien, 27. Jan. 1951. V.: Anita, geb. Wieninger. Ki.: Michael u. Philipp. S.: Pflichtschule, HASCH, 1968-72 Bäcker- u. Konditiormstr., Gesellenprüf. m. Ausz., 1973 Mstr.Brief, 1974 Mstr.Brief Konditor. K.: 1972 Umwandlung d. Einzelunternehmung Mann zu einer KG, seit 1972 Inh. u. Gschf. E.: zahlr. Brotwettbewerbe m. Ausz., Österr. Staatswappen (einzige Bäckerei m. Staatswappen in Wien). M.: Lions-Club, Wirtschaftsbund. H.: Fa. u. Familie. (Lar.)

Mann Peter Thomas

B.: Inh. FN.: AdPro Computerschulung GesmbH. DA.: 1070 Wien, Bernardg. 36. G.: 9. Juni 1959. El.: Georg u. Agnes. S.: 4 J. Gymn., 5 J. HTL Biochemie u. Schädlingsbekämpfung, 1980-88 Chemiestud. K.: 1988 Firmengrdg. d. Fa. AdPro Computerschulungen. H.: Musik, Sport, Leichtathletik, Literatur. (M.N.)

Manndorff Hans Dr. phil. HofR.

B.: Dir. d. Museum f. Völkerkunde Wien. DA.: 1014 Wien, Heldenplatz, Neue Hofburg. PA.: 2371 Hinterbrühl, Johannestr. 3. G.: Hinterbrühl, 26. Apr. 1928. V.: Elisabeth, geb. Bauer, 3 Kinder. El.: Dr. Max u. Albertine. BV.: Ing. Ferdinand Mannlicher Waffenerfinder, Rudolf Manndorff Schrifsteller u. polit. Publizist. S.: Gymn. Mödling, Univ. Wien, 1953 Dr. School of Oriental and African Studies London, postgraduate research 1955-56, 1959 Univ. London. K.: 1953-54, 1956-57 ethnol. Feldforsch. (UNESCO) Indien, seit 1959 am Museum f. Völkerkunde Wien, Abt. Süd- u. Südostasien, Feldforsch. im Dienst d. UNO, Asia-Foundation, in Nordthailand 1961-62, 1963-65, weitere Feldforsch. f. d. Museum f. Völkerkunde in Wien in Indien, 1973-75, desgleichen in Nahost (Israel) 1980, 1982, 1985, Univ.-Prof. Univ. Wien seit 1971, Univ.-Doz. 1965, Dir. d. Museums f. Völkerkunde seit 1976. BL.: hat als Ethnologe Österr. im intern. Dienst b. UNO-Organ. mehrfach vertreten. P.: einige Bücher u. Handbücher, weit mehr als 100 Art. u. Beiträge in wiss. Fachzeitschriften u. Periodika, über ethnolog. Themen, wird lfd. fortgesetzt, ethnolog. Dokumentarfilme, hauptsächl. Sachgebiet: Ind. u. südostasiatische Ethnologie, Anthropologie u. Kulturgeschichte. E.: Brasil. Orden v. Kreuz d. Südens im Offz.-Rang 1972, Ehrenkreuz f. Wiss. u. Kunst I. Kl. 1978, Gr. EZ f. Verd. um d. Rep. Österr. 1986, Silb. Komturkreuz d. EZ f. Verd. um d. Bdl. NÖ 1992. M.: Präs., VPräs. u. Vorst.-Mtgl. einiger nat. u. intern. wiss. Ges., hauptsächl. auf d. Gebiet d. Ethnologie, Anthropologie u. Urgeschichte. H.: Skifahren, Bergsteigen, klass. Musik. (N.A.)

Manner Arno Divisionär

B.: Militärkommandant v. Steiermark. DA.: 8054 Graz, Straßganger Str. 360. PA.: 8020 Graz, Vinzenzg. 74. G.: Klagenfurt, 26. Okt. 1939. V.: Elfriede, geb. Amtmann. Ki.: Boris Roland (1961) u. Birgit (1970). El.: Ing. Anton u. Ella. S.: Fachschule f. Maschinenbau (BGewerbeschule Klagenfurt) K.: 1957 Einberufung z. BH (BAA 7 Klagenfurt), 1957-66 Charge u. Truppen-Unteroffz./Artillerie, 1966-72 Truppen-Offz./Artillerie, ab 1975 Generalstabsoffz., 1960-63 BOberrealschule an d. TherMilAk., 1963-66 TherMilAk. Wr. Neustadt, 1972-75 Generalstabkurs an d. LVAk. Wien, 1975-80 AusbRef. b. KpsKdo. I, ab 1980 AbtLtr. u. in weiterer Folge Chef d. Stabes b. MilKdo. Stmk. E.: Gold. EZ f. Verd. um d. Rep. Österr., BH-Dienstz. I.-III. Kl., Gr. EZ d. Landes Stmk., sonst. VZ: MilPfarre, ÖKB, ÖRK FFw. M.: ÖKB. H.: Zeitgeschichte, Musik. (C.H.S.)

Manner Josef Ing.

B.: Techn. Dir. FN.: Josef Manner & Co AG. DA.: 1170 Wien, Wilhelminenstr. 6. PA.: 1170 Wien, Rosenackerstr. 64. G.: Perg, 5. Juli 1921. V.: Josefine, geb. Stahl. Ki.: Dipl.-Ing. Josef. El.: Josef u. Maria. BV.: Großvater Josef Manner Gründer d. Fa. S.: HS, Gymn., HAK, Staatsgewerbeschule in Linz, 1941 Matura. K.: Militär, 1945 Sägewerk Perg, 1949 Fa. Manner Wien. BL.: Rationalisierung u. Entwicklung eigener Maschinen. P.: Familiengeschichte. H.: Schwimmen, Wandern, Radfahren, Skifahren, Fotografieren, Familienchronik, Modellbau. (A.K.)

Mannhart Ruth C.

B.: Malerin. DA.: 1130 Wien, Wolterg. 2b/8. El.: Alfred u. Anna Mannhart. BV.: Vater Alfred Mannhart, anerkannter Maler in Ungarn u. Deutschld. S.: Gymn., höh. HASCH, HS f. angew. Kunst in Budapest. K.: S. 1947 freisch. Malerin in Wien, Werke: Wandteppiche u.a. f. d. sakralen Bereich, 1962/63 Glasbetonwand d. Pfarrkirche Hochwolkersdorf/NÖ, 1966 Glasbetonwand d. Pfarrkirche St. Hemma Wien XIII, 1967/68 Mosaik Kreuzweg f. d. Kirche St. Johann im Walde/Osttir., 1982/83 Portrait d. Österr. BPräs. Dr. Rudolf Kirchschläger, 1984 Kreuzweg Wien-Siebenhirten, Ausgestaltung einer Kapelle (Sbg.-Taxam), Rosenkranzzyklus f. d. Franziskanerkloster Wien, Bild f. d. Vatikan-Museum Rom,, Fresken f. eine Kapelle auf Sardinien, zahlr. Ausstellungen im In- u. Ausland, Arb. in d. wichtigsten in- u. ausl. Museen. P.: Veröff. in Kunstbüchern u. Zeitschr. im In- u. Ausld.E.: Silb. Med. v. Johannes XXIII, Gr. Silb. EZ f. Verd. um d. Rep. Österr. (1985). M.: SIAG, Künstlergr. “Die Spirale”. H.: Schwimmen, Segeln, Reisen. (M.B.)

Manninger Peter

B.: Photograph, Theaterphotograph. DA: 8010 Graz, Rechbauerstr. 63A. PA.: 8042 Graz, Dr.-Pfaff-G. 20. G.: Graz, 18. Jan. 1958. El.: Peter u. Elfriede. S.: 1976 Matura, Abiturientenkurs HAK, Autodidakt d. Photographie, 1977 Filmförd.Preis d. Landes Stmk., ernsthafter Beginn d. photograph. Laufbahn, erste Fotoausstellungen in Graz, 1979 Fotopreis d. Stadt Graz, in folgenden J. zahlr. erfolgreiche Ausstellungen in Graz u. Paris, 3-jährige photograph. Tätigkeit im Journalismus, Veröff. v. Modeserien in bedeutenden intern. Magazinen, 1976 Mstr.Prüf., 1977 Grdg. d. eigenen Ateliers, Beginn d. Theaterphotographie, als Schwarz-Weis-Photograph f. d. Österr. Fremdenverkehrswerbung tätig. ambitioniert in d. Allround-Photographie m. Schwerpunkt künstl. Schwarz-Weiß.

Mannsbart Herbert Dr. iur.

B.: Vorst.Dir. d. Gara Real u. Personalkreditbank AG. DA.: 1060 Wien, Theobaldg. 19. PA.: 2500 Baden, Prinz-Solm-Str. 23. G.: Wien, 17. Okt. 1943. Ki.: Florian, Marlies, Johannes. El.: Willibald u. Elisabeth. S.: Gymn., Univ. Wien

1970. K.: 1972-1974 Vorst.Sekr. Gerngroß, 1980 Vorst. d. Gara u. Tochterges. H.: Musik, Bücher, Jagd, Bergwandern. (Fels.)

Manousek Gerhard Ing.
B.: Gschf. Ges. FN.: Johann Schneider Maschinenbau GmbH & Co KG. DA.: 1120 Wien, Bonyg. 48. PA.: 1030 Wien, Schlachthausg. 14. G.: Wien, 30. Okt. 1942. V.: Helga, geb. Winter. Ki.: Ing. Michael (1967), Andrea (1970). El.: Hanns u. Friedl. S.: HTL Maschinenbau, 1962 Abschluß, 1983 Mstr.-Prüf. f. Elektromechaniker u. Maschinenbaugewerbe, 1991 Mstr.-Prüf. f. d. Mechanikergewerbe. K.: 20 J. Betriebsltr. u. Konstrukteur Firma Johann Schneider, 1984 Übernahme d. Firma f. Konstruktion u. Fertigung v. Montage- u. Zuführanlagen m. Österr. Generalvertretung f. RNA Zuführtechnik, seit 1992 Führung d. Firma als Familiebetrieb. BL.: innovative Konstruktionen. H.: Motorradfahren. (J.S.)

Mansouri Nasser Dr.
B.: MS. Ph D. in Business Administration, CPA. DA.: 1050 Wien, Krong. 7. G.: Damghan, 1945. V.: Turan, geb. Ahmadian. Ki.: Mahdis, Amir. El.: Hassan u. Sedigeh. K.: Member of Board of directors, I.E.S., Managing Dir. of ELLB Co Ltd., Chairman Nama Teh Co Ltd., seit 1980 Managing Dir. NAMA GmbH, seit 1982 Chairman Ozalprint Factories, Member of financial commite of Damgan Univ. H.: Skifahren, Schwimmen.

Mantl-Mussak Walter
B.: Konditormstr., Inh. FN.: Café-Konditorei Mantl-Mussak. DA. u. PA.: 1200 Wien, Marchfeldstr. 12. G.: Wien, 6. Juni 1938. V.: Gertrude, geb. Hawlik. Ki.: Walter (1963), Michael (1964), Andrea (1966). El.: Franz u. Maria. S.: Konditorlehre, Gesellen- u. Mstr.-Prüf. K.: mehrere Saisonaufenthalte, anschl. im väterl. Betrieb Konditormstr., seit 1973 selbst., Übernahme u. Renovierung d. Familienbetriebes, Spezialisierung auf Festtagstorten u. handgemachte Marzipanfiguren, Organisator d. jährl. stattfindenden Tortenausstellung in d. Ersten Österr. Spar-Casse im Bez.-Amt Brigittenau. BL.: Erfinder d. Brigittenauer Torte, d. Brigittenauer Kipferl u. d. Konfekts Brigittenauer Fingerhütchen. M.: Aussch.-Mtgl. d. Innung: Lehrlingswart, Vors. b. Gesellen- u. Mstr.-Prüf. H.: klass. Musik, Lesen. (J.S.)

Mantler Anton Dr. phil.
B.: Bibl. d. Stadt u. Land Wien. DA.: 1082 Wien, Rathaus, MA 9. PA.: 1070 Wien, Myrtheng. 14/7. G.: Großriedenthal, 6. Febr. 1947. V.: Dr. Eva-Maria, geb. Vicari. El.: Anton u. Maria. S.: VS, hum. Gymn., 1969 Matura, Univ. Wien Theaterwiss., Kunstgeschichte, Germanistik, 1976 Prom. K.: während d. Stud. f. div. Zeitungen journal. betätigt, (Tir. Tageszeitung, Kulturberichte aus Wien, etc.), Beiträge im Rundfunk, literar. Beiträge in Kultur- u. Literaturzeitschriften, seit 1983 in d. Wr. Stadt- u. LBibl. (Fachref. f. Theater) beschäftigt, Ausstellungen über Bäuerle u. Ferd. Raimund , Paul Hörbiger u. Hans Moser,Mitarb. an einer Enzyklopädie über d. Biedermeierzeit, sowie über die Zeit von 1848-1916. P.: kulturelle Beiträge in Tageszeitungen u. Fachzeitschriften u. ein Band Gedichte 1993. E.: Literaturstipendium 1982. M.: Wr. Ges. f. Theaterforshung, Adalbert Stifter-Ges. (R.A.)

Mantlez Kurt
B.: Tischlermstr. d. Fa. Mantlez Möbel. DA. u. PA.: 6143 Matrei, Mühlbachl 43-Statz. G.: Matrei, 15. Juni 1942. V.: Helga, geb. Grünauer. Ki.: Werner, Alexandra, Harald. El.: Adolf u. Aloisia. S.: VS, HS, Fachschule, Tischlermstr.Prüf. K.: 3 J. Lehre, 3 J. Geselle, 1965 jüngster selbst. Tischlermstr. in Österr. E.: seit 1985 Verleihung d. Österr. Gütesiegels f. anerkannte Qualitäts-Möbelerz. f. gehobene Ansprüche im In- u. Ausland. M.: Sportver., Alpenver. H.: Lesen, Reisen, Familie, Ski-Langlauf, Wandern. (W.G.)

Manzenreiter Helmut
B.: Bgm. DA.: 9500 Villach, Rathaus. PA.: 9500 Villach, Sonnrain 55. G.: Knittelfeld, 10. Juli 1946. V.: Heidemarie, geb. Wachter. Ki.: Thomas. El.: Emil u. Hertha. S.: VS, HS, Facharb.Ausbild. Knittelfeld Lokführer, Personalvertr. b. ÖBB, 1979 GemR. Villach, 1984 Finanzref., 1987 Bgm. M.: Naturfreunde, ARBÖ, ÖGB, SPÖ, Volkshilfe. H.: Bergsteigen, Skifahren, Lesen. (U.A.W.)

Manzl Sebastian Msgr.
B.: Caritasdir., Domkapitular. DA.: 5020 Salzburg, Universitätspl. 7. PA.: 5020 Salzburg, Gaisbergstr. 4. G.: Hopfgarten, 28. Mai 1936. El.: Leonhard u. Maria. S.: Sbg. Borromäum, 1955 Matura, 1955-61 Stud. Univ. Sbg. K.: 1960 Priesterweihe, 1961-63 Cooperator in Uttendorf-Pinzgau, 1963-64 Cooperator in Kufstein, 1964-69 Erzieher u. Religionslehrer im Borromäum, 1969-82 Pfarrer in Reith im Alpbachtal, seit 1982 Caritasdir. (A.W.)

Mar Alfred Dipl.-Ing.
B.: Gesamtverkaufsltr., Dir., Prok. FN.: Ankerbrot AG. DA.: 1100 Wien, Absbergg. 35. S.: 1968 Matura, Stud. Lebensmitteltechnologie BOKU Wien, 1975 Abschluß. K.: 1975 Eintritt Ankerbrot AG, 1976 Ltr. d. Abt. f. Produktentwicklung, 1984 Betriebsbereichsltr., 1991 Verkaufsdir., seit 1990 Univ.-Lektor f. Getreidetechnologie. P.: zahlr. Publ. über Sauerteigtechnologie, Feinbackwaren u. allg. Fragen d. Backwaren. M.: Mtgl. einiger Codexunterkmsn. (N.A.)

Mara Erich
B.: Vorst.-Dir., Flugkapitän. FN.: Austrian Airlines. GT.: AufsR.-Mtgl. Austrian Air Services Flugges., Austrian Beteiligungsges. DA.: 1107 Wien, Fontanastr. 1. PA.: 2100 Korneuburg, Eberleg. 18. G.: Wien, 2. Mai 1937. V.: Margot, gb. Habacz. Ki.: Stefan (1975). El.: Erich u. Cäcilia. S.: 1955 Matura. K.: ab 1956 im Amt d. NÖ Landesrg., 1959-60 Flugzeugabfertigung Flughafen Wien, seit 1960 b. d. AUA zunächst als Flugdienstberater, gleichzeitig Berufspilotenausbild., seit 1965 Pilot gegenwärtig f. Airbus, seit 1990 Vorst.-Dir. H.: Zeitgeschichte, Tennis, Skifahren, Segeln. (J.S.)

Marandiuk Erwin
B.: Gschf. Ges. FN.: Kroneisl Stahl Handels GmbH. DA.: 4030 Linz, Wiener Str. 322. G.: Linz, 21. Juli 1955. V.: Brigitte, geb. Wödlinger. Ki.: Michael (1984). S.: Hauptschule, Lehre Fa. Felix Waldner. K.: b. 1983 Türen- u. Torfbk. in Linz, 1983-89 Fa. Leitenberger + Kroneisl GmbH & Co KG Traun, Ende 1989 Grdg. Fa. Kroneisl als Gschf. Ges. H.: Tennis, Golf, Schifahren. (U.A.)

Maras-Egermann Barbara
B.: Fernseh-Moderatorin d. ORF LStudio Bgld. DA.: 7000 Eisenstadt, Buchgraben 51. G.: Wien, 8. Mai 1964. V.: Mag. Klaus Maras. El.: Gottfried u. Gertrude Egermann. S.: VS, Gymn., Jusstud., 2 J. Sprachtechn. Ausbild. K.: seit 1987 freie Mitarb. b. ORF LStudio Bgld. H.: Skifahren, Lesen, Sonne liegen, Klavierspielen.

Marberger Florian Dr. Prim. HofR.
B.: ärztl. Dir. d. LKH Kirchdorf. DA.: 4560 Kirchdorf, Hausmanningerstr. 8. PA.: 4560 Kirchdorf, Krankenhausstr. 1. G.: Seefeld, 14. April 1944. V.: Maria Magdalena, geb. Zilling. Ki.: Jakob (1973), Anderea (1974), Sebastian (1975). El.: Hans u. Eva-Maria. S.: VS, 1953-55 GS i. Iowa City USA, 1955-56 HS Innsbruck, 1956-64 Gymn. Innsbruck, Matura, 1964-70 Med. Stud. Innsbruck u. Wien, Prom. Uni Innsbruck. K.: 1970-73 Turnus: Barmherzige Schwestern, Bh. Brüder, Bezirks KH i. Hall i. Tirol. 1973-78 Ausbild. Assistent Uni Klinik f. Frauenheilkunde i. Innsbr., 1979 FA

Anerkennung f. Frauenheilkunde, 1979-85 Oberassistenzartz a. d. Geb.-Gyn.Abt. LKH Vöcklabruck, s. 1986 Ltr. d. Geb.-Gyn.Abt. d. LKH. Kirchdorf. M.: OÖ Wirtsch.bund, Almthaler Reit u. Fahrverein, Ö. Gynäkologenges. H.: Reiten, Kutschenfahren. (G.E.)

Marböck Johannes Dr. theol. lic. bibl. Univ.-Prof.

B.: Vorst. d. Inst. f. alttestamentl. Bibelwiss. d. Kath.-Theol. Fak. d. Karl Franzens-Univ. Graz. DA.: 8010 Graz, Parkstr. 1. PA.: 8010 Graz, Sparbersbachg. 58. G.: Natternbach, 8. Febr. 1935. El.: Matthias u. Maria. S.: 1954 Matura, 1954-59 Stud. Theol. Diözesanlehranst. Linz, 1962 Prom. Dr. theol., 1965-67 Stud. Bibelwiss. am Päpstl. Bibelinst. Rom u. 1967/68 an d. Ecole biblique et archéologique d. Dominikaner in Jerusalem, 1970 Habil. K.: 1959-65 Kaplan an versch. Orten OÖ, 1970-76 Prof. f. alttestamentl. Bibelstud. Phil.-Theol. HS d. Diözese Linz, seit 1976 o.Prof. f. Altes Testament Graz. P.: Weisheit im Wandel. Untersuchungen z. Weisheitstheologie b. Ben Sira (1971), Memoria Jerusalem. Freundesgabe Franz Sauer (1977), Menschen d. Bibel-Zeugen d. Glaubens (1986),Gottes Weisheit unter uns. Studien z. Theol. d. Buches Sirach (1995), zahlr. Beiträge f. Zeitschriften u. Sammelwerke, Redaktion d. Theol. prakt. Quartalschrift (seit 1972). M.: seit 1972 Mtgl. d. Theol. Kmsn. d. Österr. Bischofskonferenz. E.: Landeskulturpreis für OÖ (Theologie) 1993. H.: Literatur, Kunst, fachbezogene Studienreisen. (P.M.)

Marcati Luigi

B.: Untern. FN.: Hotel Eden. DA. u. PA.: 6100 Seefeld, Münchnerstr. 136. G.: Bruneck, 21. Apr. 1952. V.: Elfriede Geiger. Ki.: Romina, Mario. El.: Alessandro Marcati u. Annie Albrecht. S.: VS, HS, Hotelfachschule Cortina u. Gardone, 1 J. Großbritannien, dan. Paris le Francese u. Sorbonne, BH, erneut Großbritannien, Ausbild. a.d. International School. K.: 1974 Rückkehr n. Seefeld, Erbe d. Seefelder Stube, 1976 Kauf d. Südtiroler Stube, 1967 Erwe. e. Hotel u.e.Supermarktes in Leutasch, dan. Aufbau e. Drop In in Seefeld u. Madeus, 1988 Pachtg. d. Haus Eden, 1991 Kauf d. Gschwandkopf Hütte, 1991 Ltg. d. Kongreßzentrums, 1992 Pachtg. d. Pizzeria, 1992 in Florida Bau v. Ferienhäusern, 1993 in Florida tätig, 1993 Luigi und Lois Restaurant, 1994 Eröffn. Grahams Pub. H.: Jagd, Reisen, Tennis, Skifahren. (A.W.)

Marchand Susanna

B.: Schauspielerin. FN.: Burgtheater. G.: Wien, 2. Nov. 1963. S.: 1987-90 Ausb. b. Jaques Lecoq u. b. Yves Pignot i. Paris. K.: 1990-92 Aufenthalt i. Paris, Film- u. Fernsehaufn., Engagement a. Theater Bologne-Billancourt unter d. Ltg. v. Yves Pignot, 1992 Rückkehr n. Österr, Rollen: Hauptrolle Olga i. Olga - die Rache, Regie v. Zipora Sichrovsky-Fried, Mord i. Wald i. d. Serie Tatort, Regie Wolfgang Glück, 1993 Rolle d. Valentine i. Theaterstück Das Schwache Geschlecht v. Flaubert, Regie Kurt Palm, Engagement a. Burgtheater, 1992 Choreographie d. Modeschau i. U-4, Mitwir. b. Viennale, Interpretation e. Textes m. Musik auf LP "Mo", African Flower. (N.A.)

Marchand Trudy

B.: Malerin, Komponistin, Autorin. PA.: 1050 Wien, Reinprechtsdorfer Str. 3/25. G.: Wien. V.: Roger Marchand. K.: bereits m. 5 J. musikal. Talent u. Tätigkeit in Jugendgruppen, Theatervorführungen, Akrobatiktanz, Edelsteinschleiferin, Keramikmalerin, Klavierunterricht u. gesangspäd. Ausbild., zahlr. Reisen m. ihrem Mann u. künstler. vielseitige Tätigkeit: Begleitpianistin b. bunten Abenden, Auftritte in franz. Clubs, Liederinterpretin im franz. Rundfunk, auch b. Zirkus AMAR m. Equilibristen u. Jongleur in Frankreich unterwegs, musikal. Tourneen, Auftritte in Casinos u. Clubs, 1970-85 Sped. Gebrüder Weiss Verkehrsltr., Wiederaufnahme d. komposit. Arb. in Österr., d. Trend d. musikal. Arb. geht z. gehobenen Konzertblasmusik, Schaffung d. Werke u.a. f. Jahreskonzerte, Teilnahme als Malerin an kulturellen Veranstaltungen, jährl. werden d. Bilder v. Fr. Marchand f. d. Aktion "Licht ins Dunkel" gespendet. P.: Hrsg. v. Kompositionen u. Schallplatten m. Adler Musikverlag - Bad Aussee - Österr. Spezial f. Blasmusik, Mundart-, Lyrik- u. Prosaband "Kunterbunt" 1980. H.: Fischen, Radfahren, avancierte gastronom. Kultur. (N.A.)

Marchart Wolfgang Dr. iur. HofR.

B.: Bez.Hptm. Klagenfurt-Land. DA.: 9020 Klagenfurt, Völkermarkterring 19. PA.: 9020 Klagenfurt, Koschatstr. 5. G.: Radmannsdorf/Jugoslawien, 7. März 1945. V.: Prof. Mag. Christa, geb. Oberleitner. Ki.: Kerstin. El.: HofR. Dr. Wolfgang u. Elisabeth. S.: Gymn., Stud. d. Rechtswiss. in Wien u. Graz, 1969 Prom. K.: 1971 Eintritt in d. Dienst d. Ktn. LRg., 1972-84 Sekr. u. Protokollchef d. LHptm. v. Ktn., seit 1985 Bez.Hptm. Klagenfurt-Land. M.: pen. Corps Arminia zu Klagenfurt, ak. Corps Posonia zu Wien u. Joannea Graz, Österr. Ges. "Rettet d. Kind" LVerb. Ktn., KAC, Ktn. Jur. Ges., ÖAV Sekt. Klagenfurt. H.: Sport, Reisen. (S.G.)

Marcher Gernot

B.: Kfm. FN.: Norbert Marcher Fleischgroßhdl. Import-Export. DA.: 9500 Villach, Kaserneng. 12. PA.: 9500 Villach, St. Magdalen, Föhrenweg. G.: Klagenfurt, 24. Aug. 1964. El.: Norbert u. Melitta. S.: HAK Villach, 1983 Matura, Fleischhauerlehre. K.: ab 1984 im elterl. Betrieb tätig. (S.G.)

Marcher Hans

B.: Bundesvors. d. Jungen Generation d. SPÖ, Sekr. f. Finanzen. DA.: 8020 Graz, Hans-Resel-G. 6. G.: 24. Juni 1956. Ki.: Oliver (1981), Doreen (1985). El.: Johann u. Gabriela. S.: HASCH Voitsberg, 1988 Studienberechtigungsprüf. f. BWL, div. Lehrgänge u. Seminare innerhalb d. Partei. K.: 1973-75 Betriebsbuchhalter b. Stölzle Oberglas Köflach, 1976-78 Tätigkeit in Wirtschaftsprüf.-Kzl. Voitsberg, ab 1978 b. SPÖ Stmk. als Ltr. d. Buchhaltung, 1990 Sekr. f. Finanzen, 1978-82 Vors. d. SJ-Stmk., 1981-85 stellv. Bundesvors. d. SJÖ, ab 1987 Mtgl. d. Bundesvorst. d. Jungen Generation in d. SPÖ, seit 1991 Bundesvors. d. Jungen Generation in d. SPÖ. M.: seit 1986 VPräs. d. Österr. Jugendherbergsverb. H.: Lesen, Reisen, Sport, Skifahren, Tennis, Radwandern. (P.M.)

Marchetti Hermann

B.: Hotelier Strandhotel Marchetti. GT.: Gschf. Ges. Millstätter Schiffahrts GmbH. DA. u. PA.: 9872 Millstatt, Seemühlg. 83. G.: Millstatt, 14. Apr. 1960. V.: Andrea, geb. Pichlmayer. Ki.: Mariella (1983), Sabrina 81987), Hermann-Massimo (1991). El.: Hermann u. Maria. S.: VS, HS, Hotelfachschule Villach, 3 J. praxisbezogene Ausbild. im In- u. Ausland, Militär. K.: 1981 Übernahme d. elterl. Betriebes. M.: Freiwillige Feuerwehr Millstatt, privilegierte uniformierte Bürgergarde Millstatt, Sportclub, Ver. d. Millstätter Fremdenverkehrswirtschaft, mehrere örtl. Ver. H.: Schnitzen, Kunst. (M.T.)

Marchhart Helmut Ing.

B.: Unternehmer. FN.: Ing. Helmut Marchhart. DA.: 3106 St. Pölten, Mariazeller Str. 182. G.: St. Pölten, 19. Aug. 1957. V.: Edith, geb. Wutzl. Ki.: Michelle, René. El.: Josef u. Theresia. S.: VS, HS, HTL St. Pölten Fachrichtung Betriebstechnik, 1976 Matura, BH. K.: 1977 Übernahme einer AGIP-Tankstelle in St. Pölten, 1980 Übernahme einer BP-Großtankstelle u. Modernisierung, Aus- u. Umbau auf Service, 1982 Eröff. einer Fachwerkstätte auf d. großzügig angelegten Betriebsareal, 1982 Trafik, 1984 Vergrößerung v. Shop, 1985 Inst. einer Videothek, 1986 Übernahme v. Espresso/Rasthaus, dzt. Umbau, Modernisierung desselben. E.: seit 1980 BP intern. Ausz. "TOP TEN", seit 1983 umsatzstärkste Tankstelle Österr. M.: seit 1985 Präs. v. Fußballclub BP-Marchhart-Gansbach. H.: Betrieb, Ldw. (Kern)

Marchhart Wolfgang

B.: Gschf. FN.: Lohberger Heiz- u. Kochgeräte GmbH. DA.: 5230 Mattighofen. PA.: 5164 Seeham 275b. G.: Wien, 1. Nov. 1952. V.: Angelika, geb. Zauner. Ki.: Alexander (1982). El.: Stefan u. Stefanie. S.: VS, HS, Gymn., Matura, Abiturientenlehrgang HAK, HASCH, 1979 Matura. K.: Ausbild. in d. Steuerbranche als Steuerberater, Managementzentrum St. Gallen, 1981-88 gschf. Ges. d. FA. Gamma, seit 1990 Gschf. d. Firma Lohberger. E.: Staatsausz. saubester Produzent in d. Holzverbrennung. M.: Präs. d. Verb. d. Österr. Großküchenhersteller, Österr. Kesselverb. (D.E.)

Marchi Bernhard

B.: Betriebsltr. FN.: Achenseebahn AG. DA.: 6200 Jenbach, Bahnhofstr. 3. PA.: 6212 Eben 15. G.: Innsbruck, 30. Aug. 1956. V.: Margot, geb. Schatz. Ki.: Daniel (1977), Armin (1981). El.: Josef u. Hertha. S.: Grundschule, HTL, 1976 Abschluß Ing., 1989 Betriebsltr.-Prüf. BMV. K.: Anlagenbau f. Wasserkraft, Anlagen-Maschinenbau, Heizungs-Lüftungs-Sanitärtechnik u. Maschinenbau, seit 1989 alleiniger Betriebsltr. d. Achenseebahn AG u. Vorst. d. AG. M.: Museumsver. Jenbach, div. Sportver. H.: Radfahren, Wandern, Joggen, Langlaufen. (M.W.)

Marchl Georg

B.: Tischlermeister u. Raumausstatter. FN.: Georg Marchl Bau u. Möbeltischlerei. DA. u. PA.: 5071 Wals, Bauernschmiedg. 48. G.: Salzburg, 22. Jän. 1964. V.: Birgit, geb. Seiringer. Ki.: Florian (1990), Georg (1992), Katharina (1994). El.: Georg u. Maria. S.: VS, HS, 1977-81 Holzfachschule, BH, 1985-86 Meisterklasse. K.: 1986-94 Firmenaufb. u. Neubau, Eröff. 2. Filiale. M.: sämtl. Vereine, Club 35. H.: Alle Sportarten (23. Mal Österr. Staatsmstr. i. Ringsport). (M.G.)

Marcik Marion

B.: Modedesignerin. FN.: Modedesign Marion Marcik. DA.: 1010 Wien, Wipplingerstr. 7/1. G.: Wien, 30. Nov. 1964. S.: 1984 Matura a. d. HBLA f. Mode- u. Bekleidungstechnik Wien, 1986 Mstr.-Prüf. f. Damenkleidermacher. K.: s. 1987 selbst., bis 1990 gleichzeitig freie Mitarb. ORF Ö3, s. 1989 Individualentwürfe u. Maßanfertigungen, 1990 Präsentation d. ersten Kollektion im Parkhotel Schönbrunn Wien und 1. Teilnahme a. d. Offline-Vienna i. d. Wiener Hofburg, 1991 "Igedo Düsseldorf", Teilnahme an Gruppenausstellung f. Österr. Jungdesigner, erster Exportauftrag in die BRD, "Igedo Düsseldorf", "Paris sur mode", seither Export nach Frankreich, "Offline-Vienna", "CPD-Düsseldorf", Teilnahme an "Vienna International Pret", "Espace Pierre Cardin" in Paris, 1993 Konzentration auf Endverbraucher u. Österr. Boutiquen, 1994 Modeschau in Schloß Schönbrunn. E.: 1991 1. Preis d. "Offline-Vienna" für die beste Österr. Kollektion, 1991 Förderungspreis für Mode, BM für Kunst. H.: Tai-Chi, Skifahren. (J.S.)

Marckhgott Gottfried Dr. iur.

B.: Ltr. d. Marketingabt. d. BWK. DA.: 1045 Wien, Wiedner Hauptstr. 63. PA.: 1180 Wien, Gymnstr. 175. G.: Linz, 24. Apr. 1946. V.: Elfriede, geb. Platzer. Ki.: Bernhard (1971), Pia (1978). El.: Hans u. Mathilde, geb. Bischofreiter. S.: 1966 Matura, Stud. Rechtswiss. Univ. Linz, 1974 Prom. z. Dr. iur., parallel Ausbild. z. Red. b. d. Sbg. Nachrichten. K.: 1971-75 Presseref. v. Landeshptm. v. OÖ Dr. Wenzl, 1975-79 Büroltr. b. Bundesparteiobm. d. ÖVP Dr. Taus, 1979-81 Pressesprecher v. ÖVP Parlamentsclub, 1982-90 Pressesprecher d. Verb. d. Elektrizitätswerke Österr., seit 1991 in d. BWK als PR-Ref. v. Präs. Ing. Maderthaner, ab 1992 Ltr. d. Marketingabt. M.: 1988-90 Präs. d. Hauptverb. d. Kath. Elternver. Österr. H.: Musik, Skifahren, Segeln, Lesen. (N.A.)

Marckhgott Heinrich Christian Dr. HofR.

B.: Bez.-Hptm. d. BH Sbg.-Umgebung. DA.: 5020 Salzburg, Kaig. 14. PA.: 5412 Puch, Raschlstr. 503. G.: Linz, 25. Okt. 1950. V.: Gisela, geb. Weiglhofer. Ki.: Angelika. El.: Dr. Heinrich u. Franziska. BV.: Onkel Prälat Dr. Eberhard Marckhgott in Enns hat frühchristl. Ausgrabungen gemacht, durch ihn wurde Enns-Lorch ein Titularbistum. S.: 1969 Matura, 1970 BH, Milizoffz., b. 1975 Stud. Rechts- u. Politikwiss. Univ. Linz u. Sbg. K.: wiss. Mitarb. b. Prof. Kaser Sbg., b. 1978 Justizdienst im OLG-Sprengel Linz, seit 1978 im Landesdienst, zunächst im Rechtsref. d. Abt. 4, 1978 Versetzung z. BH Sbg.-Umgebung, zunächst Naturschutzref., seit 1979 Gewerberef., seit 1989 Bez.-Hptm.-Stellv., seit 1992 Bez.-Hptm. (M.C.)

Marcovich Marina Dr. med.

B.: FA f. Kinderheilkunde/ Neonatologie, OArzt am Mautner Markhof Kinderspital. DA.: 1190 Wien, Iglaseestr. 14 (Ord.). G.: Wien, 11. Mai 1952. El.: Dipl.-Kfm. Rolf u. Hedy, geb. Wirtinger. BV.: Urgroßv. mütterl.: Prof. Wilhelm Wirtinger, bekannter Physiker, Mathematiker u. Anatom, Rektor d. Univ. Bonn u. Wien. S.: 1970 Matura, Stud. Med. Univ. Wien, 1976 Prom., 1976-84 FA-Ausbild. Kinderklinik Glanzing. K.: 1984 Eintritt Mautner Markhof-Kinderspital, Schwerp. Frühgeborenen-Intensivmed., seit 1986 eig. Ordination. BL.: Entwickl. d. Wiener Methode d. Frühgeborenen-Intensivmed. P.: zahlr. Fachpubl. im In- u. Ausland. M.: 2. Vors. d. Dt.-

Österr. Ges. f. Neonatologie u. Pediatr. Intensivmed., Vorst.-Mtgl. d. Österr. Ges. f. Perinatalmed. H.: Beruf, Sammeln v. Oldtimern u. alten Büchern, Fotografie. (N.A.)

Marcovich Rolf Dkfm.

B.: Fachmann f. Audiovision, Fremdenverkehrsfragen u. Public Relations. A.: 3370 Ybbs, Rathausg. 6. G.: Graz, 24. Mai 1920. V.: Hedy, geb. Wirtinger (Wiss.Familie). El.: Dr. Rudolf Marcovich. S.: Theresian. Ak. u. HS f. Welthdl. in Wien. K.: Manager prominenter Firmen u. Hotelier. F.: Hotelbesitz im Alleineigentum. M.: Ver. ehemaliger Theresianisten.

Marcovici Michael

B.: Gschf. Ges. FN.: Guttmann & Marcovici GmbH. DA.: 1010 Wien, Fischhof 3/4. G.: Wien, 27. Sept. 1969. El.: Rafuel u. Ruth. S.: Lycée Francais de Vienne, HTL, Externistenmatura. K.: 1987 Grdg. d. Firma Guttmann & Marcovici gemeinsam m. Partner Davies Guttmann, Haupttätigkeit Finanzierungsprojekte, private Placements u. Going-Public-Vorbereitungen sowie Consulting im Rahmen v. Mergers and Aquisitions. F.: Hrsg. d. "Austria-Börsenbrief" d. größten Anlegerzeitschrift Österr., Hrsg. d. "Öko-Invest" d. Zeitschrift f. Ethisch-Ökolog. Vermögensanlagen, Stock-Exchange: weltweit d. erste Fachgeschäft f. Finanz u. Börse. H.: Modellbau, Lesen. (J.S.)

Marek Günther Dr. iur. HofR.

B.: VPräs. d. BPol.Dion. Wien. DA.: 1010 Wien, Schottenring 7-9. G.: Wien, 30. März 1938. V.: Hannelore, geb. Lojda. Ki.: Dr. Günther, Mag. Martin, Clemens. El.: Fritz u. Maria. S.: 1956 Matura, Stud. d. Rechtswiss. Univ. Wien, 1960 Prom., BH. K.: 1961 Eintritt in d. Pol.Dienst, 1975 stellv. Ltr. d. Koats Penzing, 1984 Ltr. d. Koats Wieden m. gleichzeitiger Ernennung z. HofR., seit 1986 Pol.VPräs. E.: Silb. EZ f. Verd. um d. Rep. Österr., Gr. EZ f. Verd. um d. Rep. Österr. M.: Vorst.Mtgl. b. d. Wr. Austria, Mtgl. d. österr. israel. Ges., Vorst.Mtgl. d. Ferienhorts f. Mittelschüler am Wolfgangsee. H.: Fußball, Oper, Wandern. (G.E.)

Marek Hellmuth Dr. OMedR.

B.: prakt. Arzt. DA. u. PA.: 2491 Neufeld, Dr.-Karl-Renner-Str. 2. G.: Klosterneuburg, 17. Aug. 1921. V.: Hannelore, geb. Rothenpieler. Ki.: Dr. med. Reinhard, Dr. phil. Heide. S.: Josef u. Auguste. BV.: Ritter v. Peichl (Großonkel) Fregattenkapitän, 1841 geadelt, Kaiser Franz Josef, diente unter Tegethoff, 1883 Ritterstand, Erfinder d. Navigationskompasses, Ritterstandorden d. Eisernen Krone. S.: VS, RG, 1939 Matura, RAD Heeresdienst, Med.-Stud. Wien u. Leipzig, 1942 aktiver Militärdienst, 1946 Prom. Wien. K.: Hilfsarzt 2. Chir. Univ.-Klinik Wien b. Prof. Denk, Sekundararzt Korneuburg, b. 1949 Univ.-Klinik Zwettl, 1950-61 Arzt u. Zahnarzt in Stoob, ab 1961Gem.-Arzt, 1973 MedR., 1981 OMedR., 1991 Pensionierung als Gem.-Arzt, weiterhin prakt. Arzt. P.: ab 1990 lfd. med. journalist. Beiträge in div. Zeitschriften u. Zeitungen, unzählige Gem.-Vorträge über div. Themen, RK-Kurse. E.: 1978 Gold. Verd.-Med. d. Roten Kreuzes u. EZ d. Landes Bgld., 1981 Gold. Ehrenring d. Gem. Neufeld, 1982 30-jähriges Gold. Dienstjahresabz. d. Österr. Roten Kreuzes, 1990 Österr. Rotes Kreuz Jubiläumsmed. in Silber, 1991 40-jähr. Gold. Dienstjahresabz. d. Österr. Roten Kreuz, Gold. EZ f. Verd. um d. Rep. Österr. M.: ab 1990 Österr. Herzverb., Bgl./Ärztlicher Beirat, Pensionistenverband Bgl. im Vorstand als Gesundheitsreferent, Van Swieten-Ges. d. Österr. Ärzte, Vorst. d. Künstlerver. v. Neufelden. H.: Malen, klass. Musik, Geige. (I.J.)

Marek Helmut

B.: Vorst.-Dir. FN.: Citicorp Investment Bank, Citibank (Austria) AG. DA.: 1010 Wien, Lothringerstr. 7. G.: Weidenau/BRD, 10. Dez. 1942. V.: Cathrin, geb. Peck, 2 Kinder. El.: Dr. Herbert u. Adolfine. S.: VS, RG, Univ. Wien Med., WU. K.: seit 1965 b. Intern. Investitions u. Finanzierungsbank AG, seit 1981 Vorst.Dir. d. Citibank (Austria) AG. H.: Skifahren, Tennis, Rudern, Surfen, Radfahren. (R.A.)

Marek Herbert

B.: Expert f. Arbeitsrecht u. Personalverrechnung. FN.: Wiener Holding GmbH. DA.: 1010 Wien, Universitätsstr. 11. PA.: 2340 Mödling, Schichtg. 17/15/8. G.: Wien, 19. Apr. 1930. V.: Anna, geb. Seidl. Ki.: Christine (1956), Nicole (1959). El.: Rudolf u. Henriette, geb. Haider. BV.: Vater Rudolf Marek Mitbegründer d. Musikorchesters d. Wr. Gaswerke. S.: VS, HS, 1944-48 Instrumentenoptikerlehre, 1948-51 Praxis in d. Firma Reichert. K.: 1951-63 Aufenthalt in d. Schweiz, Tätigkeit in d. Optikerbranche, Ausbild. z. Buchhalter m. Fernkurse am Ak. Inst. Zürich, 1961 Buchalterprüf., 1961-62 Buchhalter b. Laitterie rèanies, 1962-67 Chemosan Union, zuerst b. d. Buchhaltung dann b. d. Lohn- u. Gehaltsverrechnung, 1966 HAK-Matura, 1967-70 Ltr. d. Lohnverrechnung Anker-Brot, 1971-84 Personalltr. Heizbetriebe Wien, 1984 Personalverrechnung u. konzernweite Personalaufgaben Wr. Holding GmbH, Vortragstätigkeit im WIFI Wien u. b. ÖPWZ, seit 1980 Laienrichter b. Arbeitsgericht Wien, lfd. Organ. v. Tagungen u. Schulungen in d. Firma. M.: Prüf.-Kmsn. b. WIFI Wien, 10 J. Dienstgeberdelegation d. jährl. Kollektivvertragsverhandlungen d. Privatang. u. d. Gruppe Metallbergbauenergie. H.: Tennis, Skifahren, Videofilmen, Reisen. (N.A.)

Marek Norbert

B.: Gschf. FN.: MM-Immobilien GmbH (Immobilienvertrieb u. Immobilienvermittlung). GT.: MM-Bau GmbH (Planungen, Projektmanagement im MRG-Sanierungsbereich), Stadt-Land Immobilien GmbH (Maklerfirma). DA.: 8010 Graz, Merang. 75. G.: Voitsberg, 28. Febr. 1956. Ki.: Nicole (1976). El.: Willibald u. Anna. S.: VS, HS, 4 J. Bundesfachschule f. Holzbau Hallein/Sbg. K.: 1975-83 elterl. Betrieb Zimmerei, Säge- u. Hobelwerk Hitzendorf, 1983 Zimmermstr.-Vorbereitungsschulung Wien, 1984 Konzessionsprüf. f. d. Zimmermstr.-Gewerbe in Wien, ab 1985 Ltr. f. techn. Abt. b. MM-Bau, 1986 Prok., 1989 Gschf. MM-Bau u. MM-Immobilien GmbH, 1991 Vorbereitungsschulung f. d. Erlangung d. Konzessionen d. Immobilienverwalters u. d. Immobilienmaklers, 1992 Ablegung d. Konzessionprüf. f. d. Immobilienverw.- u. -maklergewerbe. M.: Tennis Union Max/St. Stefan b. Stainz, div. Sportver. in Graz. H.: Sport, Auto, Beruf. (R.S.)

Marek Thomas

B.: Komplementär. FN.: Interpan - Marek & Co. DA.: 1030 Wien, Untere Weißgerberstr. 17. G.: Wien, 14. Feb. 1965. El.: Robert u. Maria. S.: 1970-83 Lycée Francais de Vienne, Matura, 1983 lfd WU , BWL nicht abgeschl. K.: 1991 Ang. i. väterl. Untern., 1992 Gschf. übern., Umwandl. i. Kommanditges. H.: Motororadfahren, Skifahren. (M.A.)

Graf Marenzi Heinrich Dr. iur.

B.: Gschf. A.: 1040 Wien, Argentinierstr. 20 A. G.: Wien, 26. Dez. 1930. V.: Hemma, geb. Gräfin v. Goess. El.: Graf Marenzi Franz Dr. iur. u. Daisy, geb. Gräfin Bigot de Saint-Quentin. S.: Gymn. in Österr. u. Deutschland, Dr. iur. an d. Univ. Wien. K.: Gschf. Ges. d. GTM CENTRON Gruppe u.

d. CONSTANTIA Ind.Vw. GmbH Wien, AufsR. d. ARICONSTANTIA Privatbank AG. Wien. CONSTTIA Verpackungen AG. Wien. F.: CENTRON Techn. Handels-Ges.m.b.h. GTM Holding Ges.m.b.h. Ysselbach Umwelt u. Meditintechn. Ges.m.b.h. Alle i. Wien. . M.: St. Johanns Club Wien.

Mares Franz Wenzel Dr. phil. o.Prof.

B.: o.Prof. an d. Univ. Wien, Inst. f. Slavistik. DA.: 1010 Wien, Liebigg. 5. PA.: 1190 Wien, Bauernfeldg. 9/1/2/6. G.: Beneschau, 20. Dez. 1922. V.: Dagmar, geb. Kolár. El.: Franz Alois u. Johanna. S.: Gymn., 1941 Matura, Stud. an d. Karlsuniv. Prag Slavistik, Prof. Tschech., Russ. 1948, 1950 Prom. K.: 1948-50 Mittelschulprof. in Prag, 1949-68 Tschechoslow. Ak. d. Wiss., 1967 Berufung nach Wien, 1968 ao.Prof., 1972 o.Prof. P.: aus d. Gebiet d. slav. Sprachwiss. u. Philol., Vortragstätigkeit im In- u. Ausland u.a. Rußland, Polen, Tschechoslowakei, Bulgarien, Rumänien, Jugoslawien, BRD, Schweiz, Frankreich, Italien, Griechenland, Israel, GB u. USA. E.: Ehrenmed. d. Inst. f. Makedon. Sprache. M.: Österr. Ak. d. Wiss., 1972 korr. Mtgl., 1984 w.Mtgl., 1980 auswärtiges Mtgl. d. makedon. Ak. d. Wiss. u. Künste, 1986 auswärtiges Mtgl. d. Südslav. Ak. d. Wiss. u. Künste, seit 1972 Vorst. d. Kmsn. f. kirchenslav. Wörterbücher b. Intern. Slavistenkomitee. H.: Orgelspielen, Ornithologie, Bogenschießen. (A.W.)

Marés Andreas

B.: Gschf. Ges., Art Dir. FN.: Strobl & Marés Werbeges. DA.: 4020 Linz, Herrenstr. 20. PA.: 4040 Linz, Lichtenberg 115. G.: Linz, 13. Okt. 1969. El.: Stefan u. Friederike. K.: Ausbild. Meß- u. Regeltechnik VÖEST, Ausbild. im gewerbl. Bereich durch Kurse u. Seminare, 1989 Firmengrdg. M.: Wirtschaftsbund, Managementclub. H.: Malen. (P.H.)

Maresch Johann

B.: Kfm. FN.: Gebrüder Maresch, Obst- u. Gemüsehandel OHG, Import-Export. DA.: 2100 Leobendorf, Stockerauerstr. 151. PA.: 2100 Leobendorf, Kapellenstr. 61. G.: Leobendorf, 2. März 1949. V.: Adelheid, geb. Busch. Ki.: Michael (1976), Andreas (1979). El.: Josef u. Maria. S.: BRG Matura. K.: 1967 Eintritt i. elterl. Gemüsegeschäft als Ang., später Gschf., 1970 Grdg. OHG m. Bruder Karl Maresch, 1. Vergrößerung d. Fa. erfolgte, 1973 Beginn Import- u. Exporthandel m. Kartoffel, Zwiebel u. Knoblauch, 1983 Verlegung d. Betriebes a. dzt. Standplatz m. neuerlicher Vergrößerung, Eröff. Verkaufsgeschäft am Großmarkt Wien Inzersdorf. M.: Gemeinderat i. Leobendorf, Wirtschaftsbund. H.: Tennis, Lesen, Garten, Theater, Skifahren, Surfen. (I.J.)

Maresch Uta

B.: Übersetzerin. GT.: Gschf. d. Sektion Kultur d. Ges. f. Österr.-Arab. Beziehungen. DA.: 1180 Wien, Herbeckstr. 2/1. PA.: 1090 Wien, Seeg. 12/25. G.: Wien, 24. Jan. 1944. V.: Maresch Burkhard, 1 Kind. El.: Schubert Franz u. Hedy. BV.: Franz Schubert, Komponist. K.: 1975-82 Sekr. d. irak. Botschafters, 1982-87 Übersetzerin im Pressebüro d. ägypt. Botschaft. (P.R.)

Margetich Günther Dipl.-Ing.

B.: Alleinvorst. FN.: Stollack AG. GT.: Gschf. Herberts GmbH Wien. DA.: 2353 Guntramsdorf, Mödlinger Str. 15. G.: Fohnsdorf, 15. Nov. 1939. V.: Annelies. Ki.: Jürgen, Gerhard, Birgit. El.: Oskar u. Maria. S.: VS, 1965 Dipl.-Ing. TU Graz. K.: 1965-68 Fa. Semperit Wien, 1958-70 Plana Bauunternehmung Wien, seit 1970 Stollack. M.: Tennis-Club. H.: Segeln, Tennis, Skifahren, Kultur.

Margiol Ilse

B.: Parawiss. Lebensberaterin. DA.: 2100 Korneuburg, Gärtnerg. 8. El.: SchulR. Dir. Otto u. VS-Obl. Ilse, geb. Wladasch. S.: Matura Wien, Stud. Phil. u. Psych., Päd. Akad. K.: Eine d. bekanntesten Hellseherinnen Österr. mit intern. Bekanntheitsgrad. BL.: Ihre außergewöhnl. Fähigkeit ermögl. ein mediales Arbeiten ü. gr. Entfernungen, wobei eine pers. Anwesenheit d. ratsuchenden Klienten nicht erforderl. ist! Erfolgreiches Arb. u. eig. Forsch. auf d. Gebiet d. Astro-Geomantie, Beschäftig. m. parapsych. Phänomenen seit frühester Jugend, bekannt durch "Die Propheten unter uns" v. A. Höhne, erwähnt im Spirituellen Adreßbuch 88/89, "Hellseher, Astrologen u. Geistheiler in D, Ö u. d. Schweiz", Presseberichte. H.: Katzenfan, liebt d. Natur u. alte Bücher. (N.A.)

Margiol Otto SchulR.

B.: Schuldir. i.R. PA.: 2100 Korneuburg, Gärtnerg. 8. V.: VS-Obl. Ilse, geb. Wladasch. Ki.: Dieter, Günter, Otto, Ilse. El.: Leopold u. Eleonore, geb. Ehart. S.: Matura m. Auszeichnung. K.: nach 1945 als Lehrer an VS, HS u. Polytechn. Lehrgang, 1958-80 Schuldir. BL.: bereits während d. Jugendzeit Beschäftigung m. Radiästhesie, Untersuchung v. Erdstrahlen, Starkstromleistungen u. ihr Einfluß auf d. Gesundheit d. Menschen, Suche nach Abschirmmöglichkeiten (Geo-Flies-Univ. Graz), erfolgr. Arb. auch auf große Entfernung, Beratung d. Ärzte in gesundheitl. Belangen d. Patienten, Untersuchung alter Kultstätten u. Gräberfelder, erfolgr. Bau-, Grundstück- u. Störzonenberatung. H.: Musik, Oper, Literatur. (N.A.)

Margreiter Hannes

B.: Maler, Cartoonist, Illustrator. DA.: 1070 Wien, Apollog. 7/12. G.. Wörgl, 10. Nov. 1954. V.: Margit, geb. Rinner. Ki.: Markus Gino (1980), Mario Michael (1984). El.: Hans u. Elisabeth. S.: AHS-Matura, Gesellenprüf. Tischler, Werkschulheim Felbertal Sbg., Stud. Kunstgeschichte Univ. Wien. K.: freischaff. Künstler, div. Aufträge, Gestaltung Briefmarken, Telefonwertkarten,Titelblätter (Tages)Zeitungen, WWF Intern., Tierbilder, Portraitmaler, Cover f. Bücher. M.: Design Austria Interessengruppierung. H.: Volleyball, Fechten, Laienschauspieler, Schlagzeug, Jazzmusik. (W.M.)

Margreiter Helmut Mag. art. Prof.

B.: Ak. Maler. GT.: Lehrauftrag an d. Ak. f. angew. Kunst Wien. DA.: 1080 Wien, Strozzig. 26/17. G.: Hall, 10. Juli 1940. Ki.: Dorit (1967). El.: Josef u. Aloisia, geb. Erler. S.: 1955-59 Ausbild. z. Glasfachmann in Kramsach, ab 1961 an d. Ak. f. angew. Kunst Wien, Abschluß Dipl. K.: ak Maler, 7 J. Ass. in d. Mstr.-Kl. f. Malerei, freie Ateliertätigkeit m. versch. Aufträgen wie Porträtmalerei, zahlr. Persönlichkeiten d. öff. Lebens, Aufträge in d. Kunst u. Arch. wie z.B. Casino Bregenz u. Graz, Stubenbastei, Sezession, Hongkong, Stuttgart, Madrid, seit 1963 Vorlesungen an d. Ak. f. angew. Kunst in Wien über Kunst u. Arch., 1994 Skulpturen v. Gebäude d. 1. Österr. Sparkasse in Wien 1. E.: 1988 Prof. H.: Tennis, Skifahren. (N.A.)

Margreiter Peter
B.: Beeid. Buchprüfer u. Steuerberater. GT.: Ger. beeid. Sachv. f. Buch- u. Rechnungswesen. DA.: 8010 Graz, Katzianerg. 2. PA.: 8020 Graz, Allerheiligenweg 1. G.: Graz, 6. Dez. 1948. Ki.: Klaus u. Andrea. El.: RgR. Josef u. Erika. S.: Gymn. u. Univ. Graz. K.: Seit 1969 Berufsanw., seit 1975 Steuerberater, seit 1980 Kzl.-Gem. m. Dr. Hermann Tischendorf, seit 1984 Buchprüfer, Obstlt. (Bat.Kdt.). P.: Mitautor d. "Tischendorf Steuerforstwirt" u. "Tischendorf - Land- u. Forstwirtschaftl. Einheitsbewertung", mehrere Fachart. in d. Steuernachr. H.: Musik, Sport. (P.R.)

Margreiter Raimund Dr. a.o.Prof.
B.: a.o.Prof., Ltr. d. Abt. f. Transplant. Chir. d. Univ.Klinik Innsbruck. PA.: 6060 Absam, Swarovskistr. 48. G.: Fügen, 16. Mai 1941. V.: Hulda, geb. Schwemberger. Ki.: Florian, Mathias. El.: Hermann u. Marion. S.: AKG Innsbruck, 1959 Matura, Med.Stud., 1965 Prom. K.: 1965-67 Unfallchir. LKH Sbg., ab 1967 Chir. Innsbruck, 1972 Fachchir., 1981 Habil., 1984 a.o.Univ.-Prof., 1985 Ltr. d. Abt. f. Transplant. Chir. BL.: Aufbau d. Transplantationsstation Innsbruck. P.: 347 Publ. auf d. Gebiet d. Chir. E.: Billroth-Preis 1983, Austrotransplant.Preis 1984. M.: zahlr. nat. u. intern. wiss. Ges. H.: Bergsteigen, Wildwassersport, Skifahren, Lesen. (D.S.)

Margula Wilhelm Dr. med.
B.: prakt. Arzt. DA. u. PA.: 1010 Wien, Predigerg. 5. G.: Wien, 17. Nov. 1950. V.: Dalia, geb. Shmueli. Ki.: Aron Itai, Sharon Rivka. S.: Realschule, HAK, 1969 Matura, Stud. an d. HS f. Welthdl., Stud. an d. Univ. Wien med. Fak., 1970 Talmud Stud. in Israel, 1976 Prom. K.: Turnus Sophienspital, Semmelweisklinik, Elisabethspital, 1980 Eröff. d. Praxis, 1981-87 Ltr. d. "Haus d. Ärztinnen Österr.", 1990 Errichtung "Residenz & Medizin". M.: Ges. f. Geriatrie u. Gerontologie, Ges. f. Neuraltherapie. H.: Antiquitäten, E-Musik, Talmud Stud. (A.W.)

Margulies Jean

B.: Abg. z. Landtag. DA.: 1082 Wien, Rathaus. PA.: 1100 Wien, Karmarschg. 51/1/14. G.: Brüssel, 7. Apr. 1939. V.: Ursula, geb. Nettl. Ki.: Peter (1964), Martin (1965). El.: Dr. Moritz u. Dr. Ida. S.: VS, Externistenmatura, Stud. techn. Physik u. Rechtswiss. Univ. Wien. K.: 1965-69 Mtgl. d. ZK d. KPÖ, 1974-90 Bundessekr. d. Alternat. Gewerkschaft, 1981-91 Mtgl. d. Bundesvorst. d. ÖGB, 1986 Grdgs-Mtgl. Grüne Alternative, s. 1991 Abg. z. Landtag. H.: Literatur. (N.A.)

Marhold Julius Dr. Gen.-Dir.
B.: Geschäftsltr. FN.: Raiffeisenlandesbank Bgld. DA.: 7000 Eisenstadt, Raiffeisenstr. 1. G.: Mürzzuschlag, 3. Feb. 1948. V.: Renate, geb Winter. Ki.: Martin (1972), Julia (1981), Silvia (1984), Alexandra, Christina (1991). El.: Felix u. Edith. S.: 1967 Matura HTL Mödling KFZ-Bau, 1974 Prom. WU Wien BW. K.: 1968-1972 Ass. HTL Mödling, 1972-73 Schöller Bleckmann Ternitz, 1974 Raiffeisen Direktionsassistent, 1980 Gschf. Zweigbetrieb, 1982 Gschl. Landesbank Blgd.; AufsR. RZB, AufsR. Bundesländer Vers., AufsR. Blgd. Holding, AufsR. Raiffeisen Bausparkasse, AufsR. Vors. Neue Eisenstädter Wohnbau u. Siedlungsgen, Gschl. Bgld. Raiffeisenbank i. Eisenstadt. M.: Vizepräsident Tischtennisverband Blgd. H.: Tennis, Schifahren, Bergsteigen. (M.G.)

Maria Mercedes (Weidinger)
B.: freiberufl. Modedesignerin. DA. u. PA.: 6380 St. Johann/Tirol, Velbenstr. 21. G.: Barcelona, 25. Dez. 1962. El.: Peter u. Helga Weidinger. S.: VS, HS, 5 Jahre höhere gewerbl. Lehranst. f. Damenkleidermacher, 1983 Abschluß, 1 Jahr Meisterklasse Wien, 1985 Damenkleidermachermeisterin. K.: Mitwirkung auf vielen Modemessen, spez. auf Landhausmode, s. 4 Jahren freiberufl. tätig im In- u. Ausland. E.: Meisterdiplom. H.: Sammlung alter Hüte, Hunde, Mode, Reisen (Asien). (M.W.)

Mariacher Dagobert Dr.
B.: Steuerberater. DA.: 6370 Kitzbühel, Rathauspl. 2, 6300 Wörgl, Pfarrg. 2. PA.: 6300 Wörgl, Ladestr. 34. G.: Wörgl, 3. Jan. 1942. S.: VS, Mittelschule, Matura 1961, Jusstud. an d. Univ. Innsbruck, Prom. 1972. K.: 1961-72 Werkstudent: Buchhalt. Finanzamt, 1977 Steuerberaterprüf., seit 1978 selbst. Kanzlei in Wörgl u. Kitzbühel, seit 1980 GemR. u. Wirtschaftsref. in Wörgl. H.: Beruf. (Schm.)

Mariacher Hans
B.: Gschf., Kfm. Dir. u. Vorst.Obm.Stellv. FN.: DASPIN Ein- u. Verkaufsgen. d. Dachdecker, Spengler u. Installateure rGenmbH. DA.: 5101 Bergheim 317. PA.: 5020 Salzburg, Dornbergg. 11. G.: St. Johann, 8. Okt. 1938. V.: Josefine, geb. Wagner. Ki.: Birgit. El.: Hans u. Gertraud. S.: Kfm. Ausbild., zahlr. Verkaufsschulungen u. betriebsinterne Seminare. K.: 1956-60 Fa. Gollhofer Sbg. Verkaufstätigkeit, 1960-68 selbst. als Lebensmittelkfm. in Sbg., anschl. Gebietsverkaufsltr. d. Fa. Henkel, seit 1972 Gschf. DASPIN rGenmbH, 1974/75 Neubau d. Firmensitzes in Bergheim, Umsatzsteigerung v. 12 auf 100 Mill. Schilling. M.: Verb.-Aussch.-Mtgl. d. Österr. Gen.Verb. Schultze-Delitzsch, Gruppe "Ware u. Dienstleistung", Vors.Stellv. d. BeiR. d. Volksbank Sbg. H.: Skifahren, Schwimmen, Wandern, Malen, Lesen. (Foed.)

Marihart Johann Dipl.-Ing.
B.: Vorst.-Vors. FN.: AGRANA Beteiligungs-AG. G.: Eggenburg, 8. Dez. 1950. S.: 1969 Matura Horn, 1970-75 Stud. Bio- u. Lebensmittelchemie TU Wien, 1975 Dipl.-Ing. K.: 1976 Eintritt als Laborltr. in d. Österr. Agrar-Ind. Werk Gmünd, 1984 Prokura f. d. OÖ Stärke-Industrie GmbH, 1985 Berufung in d. Vorst. d. Österr. Agrar-Industrie GmbH, nunmehr AGENA Stärke-GmbH, Ressort Technik, Forsch. + Entwicklung, Dir. f. d. Werk Gmünd, seit 1988 Vorst.-Mtgl. d. AGRANA Beteiligungs-AG, seit 1.1.92 Vors. d. Vorst., Gschf. d. Tochterunternehmen SUGANA Zucker GmbH u. AGENA Stärke GmbH. (N.A.)

Marin Bernd Dr. Prof.
B.: Dir. d. Europ. Zentrum f. Wohlfahrtspolitik u. Sozialforsch. Wien, Univ.-Prof., Hrsg. d. Journal f. Sozialforsch. DA.: 1090 Wien, Bergg. 17. PA.: 1010 Wien, Börseg. 18/Schottenring 19. G.: 6. Aug. 1948. S.: Theresianum, RG Mödling, Stud. Sozial- u. Wirtschaftswiss. Univ. Wien, Inst. f. Höhere Studien (IHS) u. als Post-Doctoral Fellow Harvard Univ. K.: seit 1972 Lehrtätigkeit in Soz. u. Politikwiss. an österr. Univ. (Univ. Wien, WU, Innsbruck, Linz), 1975-84 Mitarb. u. später stellv. Ltr. d. Inst. f. Konfliktforsch. Wien, seit 1979 Hrsg. d. Journal f. Sozialforsch., 1982 Univ.Doz., 1984 Prof. f. Vergl. Politik- u. Sozialforsch. am Europ. HS-Inst. Florenz, 1986-87 Dekan d. Abt. f. Politik- u. Sozialwiss., Gastprof. u. -vorlesungen Univ. Harvard, Columbia, Cornell, Zürich, Roskilde, Barcelona, Warschau, Budapest, Moskau, Amsterdam, Jerusalem u. Tokio, sowie an außeruniversitären Forsch.Zentren wie d. Inst. f. Höhere Studien Wien, d. Intern. Inst. f. Management am Wiss.Zentrum Berlin oder d. Centre de Sociologie des Organisations Paris, seit 1988 Executive Dir. d. m. d. Vereinten Nationen verbundenen Europ. Zentrums in Wien. P.: Bücher: Policy Networks.

Empirical Evidence and Theoretical Considerations (1991), Generalized Political Exchange. Antagonistic Cooperation and Integrated Policy Ciruits (1990), Governance and Generalized Echange. Self-Organizing Policy Networks in Action (1990), Verfall u. Erneuerung im Bauwesen (1987), Unternehmerorganisation im Verbändestaat (1986), Antisemitismus in Österreich. Sozialhistorische u. soziologische Studien (1983), Die Paritätische Kommission. Aufgeklärter Technokorporatismus in Österreich (1982), Wachstumskrisen in Österreich? (1979), Politische Organisation sozialwiss. Forschungsarbeit (1978). (J.S.)

Marin Simon Ing.

B.: Geschäftsstellenltr. Sozialhilfeverb. Völkermarkt. DA.: 9100 Völkermarkt, Ritzungstr. 31. PA.: 9150 Bleiburg, Loibach 3. G.: Klagenfurt, 26. Okt. 1963. V.: Rebekka, geb. Terbul. Ki.: Anja (1985). El.: Simon u. Hertha. BV.: Vorfahren b. ins 15. Jhdt. im Kanaltal nachweisbar. S.: VS, Gymn., 1978-83 HBLA f. Ldw. Raumberg/Ennstal, 1983 Matura, BH. K.: 1984-92 Tätigkeit im Raiffeisenverb. in div. Funktionen, zuletzt Gschf. d. Lagerhausgen. Bleiburg, seit 1992 Geschäftsstellenltr. d. Sozialhilfeverb. M.: Lions-Club Bleiburg. H.: Jagd, Sport, Familie. (G.L.)

Marincig Harald

B.: Verw.-Bmtr., Ltr. d. Wr. Straßenbahnmuseum u. zuständig f. Filmgenehmigungen d. Wr. Verkehrsbetriebe. DA.: 1030 Wien, Erdbergstr. 109. PA.: 1160 Wien, Sauterg. 47/1. G.: Wien, 18. Aug. 1949. El.: Karl u. Gertrude. S.: AHS Wien, Berufsausbild. z. Ind.-Kfm., 2. Bild.-Weg, Beamtenaufstiegsprüf. K.: Ind.-Kfm., ab 1974 Straßenbahnschaffner, -fahrer, -funktionär, später Instruktor b. d. Wr. Stadtwerken Verkehrsbetriebe, seit 1984 zuständig f. AV-Medien, f. d. histor. Dokumentation, 1984 Begründer d. Straßenbahnmuseums, 1992 Eröff. d. Museums, dzt. 83 Exponate u.a. eine Pferdetramway aus d. Jahre 1868. H.: Straßenbahnen. (N.A.)

Marinelli Elfriede

B.: gschf. Ges. d. Reisebüro Nemetschek GmbH. PA.: 4400 Steyr, Stelzhamerstr. 7b. G.: Linz, 6. Mai 1934. Ki.: Silvia, Gabriela. S.: Gymn., HASCH. K.: 1952-55 Österr. Verkehrsbüro Wien u. OÖ, LReisebüro Linz in der Wintersaison, 1952 Eintritt in d. elterl. Fa. Reisebüro Nemetschek. M.: Österr. Reisebüroverb., SKAL-Club, Ktn. Landsmannschaft, Stelzhamerbund, Ver. Heimatpflege, Verschönerungsver., Schriftführer d. Ver. d. Freunde d. Steyrer Musiknächte, Freunde d. Steyrtalbahn, Österr. Ges. f. Eisenbahngeschichte, Entwicklingshilfe-Club, Aktion 365, Naturfreunde, Österr. Tierschutzver., Freunde d. Flughafens Hörsching, Ehrenpr. d. Gewerkschaft d. Gemeindebediensteten Mag. Steyr, Sekt. Fußball, Kommitee f. Städtefreundschaft. H.: Glaube, Religion, Kontakt mit Menschen, Jugend, Incoming, Musik, Reisen, Fotografieren, Klavierspielen, Harmonikaspielen, Radfahren, Schwimmen, Sport, Kultur. (A.W.)

Marinovic Walter Dr. phil.

B.: Prof. A.: 1180 Wien, Gentzg. 132/3. G.: Wien, 8. Aug. 1929. V.: Herlinde, geb. Mislik. El.: Andreas u. Franziska. S.: RG mit Ergänzungsreifeprüf. aus Griech., Germanistik u. Klass. Philol. an d. Univ. Wien, Lehramt f. höhere Schulen, Doktorat d. Phil. K.: 1952-89 Prof. f. Deutsch u. Latein in Wien, 1969 Obm. d. Arge Klass. Philologen, 1971 Mtgl. d. Fachaussch. Wien f. AHS-Lehrer, 1977 Mtgl. d. Zentralaussch. f. AHS-Lehrer, 1978 Bd.Obm. d. Verb. d. Prof. Österr., 1981 Mtgl. d. Exekutivkommitees d. intern. Prof.Ver. FIPESO, 1992 Gründer d. Bürgerinitiative "Für d. Burgtheater", 1993 Ltr. d. Kulturforums Freie Kunst. P.: Der Witz b. Nestroy (Diss.), Das deutsche Nationalteater, Die Diktatur des Häßlichen, ständig Veröff. in versch. Zeitschriften, 1979-92 Chefred. d. Zeitschrift "Professor". M.: Vorst.Mtgl. d. Wr. Goethever. H.: Kunst, Theater, Wandern.

Maritschnegg Rudolf Dir.

B.: Dir. d. Dorotheum Graz. DA.: 8010 Graz, Jakominipl. 7-9. PA.: 8010 Graz, Münzgrabengürtel 19. G.: Eibiswald, 8. Mai 1956. V.: Isabella Maria, geb. Tschunik. El.: Johann u. Josefa. S.: VS, HS, Mittelschule, 1975 Matura, HAK, Jusstud. K.: 1978 Dorotheum: Bankabt., Buchhaltung, Auktionsltr., seit 1985 Dir. M.: Tennisver. GTC, Tennisclub Lavamünd. H.: Tennis, Radfahren, Joggen, Wandern, Langlaufen, Skifahren, Schwimmen. (R.S.)

Marizzi Peter

B.: Mtgl. d. NatR., Ang. PA.: 2630 Ternitz, Grundackergasse 3. G.: 4. Juni 1947. S.: Pflichtschulen, 1961-64 Schlosserlehre b. Schoeller-Bleckmann in Ternitz, Abendschule. K.: b. Schoeller-Bleckmann-Werk Ternitz seit 1969 als Ang. in versch. Bereichen tätig, seit 1986 Ltr. d. Abt. "Industrieansiedlung u. Aufbau neuer Produktionen", 1968 b. Schoeller-Bleckmann-Werk Ternitz Vertrauensmann d. SPÖ u. Subkassier, 1973 Mtgl. d. BetriebsR. u. 1987-88 BetriebsR.Obm. d. Ang. d. Schoeller-Bleckmann-Werke Ternitz, 1973 Mtgl. d. GemR. v. Ternitz u. 1983 StadtR., Mtgl. d. LLtg. d. Gewerkschaft d. Privatang. NÖ, seit 1987 Mtgl. d. NatR., 1989-95 Zentralsekr. d. SPÖ.

Mark Christian

B.: Kfm. Ang., Bobfahrer, Leichtathlet. PA.: 6020 Innsbruck, Kranebitter Allee 43. G.: Innsbruck, 24. Dez. 1962. Ki.: Denise. S.: Tischlerlehre. K.: geschäftl.: S. 1983 kfm. Ltr. d. Fa. California, Partner Kurt Deutsch, sportl.: s. 1979 aktiv, 1982 Europameister "Skelaton", 8facher Staatsmeister, VEuropa- u. VWeltmeister im Bobfahren. M.: S. 1979 Mtgl. d. Skelaton- u. Bobclub Stubai. (D.S.)

Mark Gertraud

B.: selbst. Kauffrau; Inh. FN.: Agentur "The Models". DA.: 1110 Wien, Thürnlhofstr. 3. PA.: 1190 Wien, Döblinger Hauptstr. 4. G.: Mondsee, 23. Juli 1946. Ki.: Clemens (1967), Philip (1970), Julia (1973). El.: Josef u. Gertraud. S.: 1960-62 Vorschule f. soz. Frauenberufe, 1980 Visagistenausb. i. BRD. K.: 1988 Grdg. Model-Agentur "The Models - Actors & Artists", 1994 Übern. d. Tabak-Trafik d. Vaters. BL.: Make-up, Styling u. Requisits b. 1. Österr. Kinospot mit intern. Auszeichnung, Regie John Mark 1987, Kulturver. "Ich bin o.k.". M.: Mtgl. Kulturverein Ich bin o.k. H.: Reisen, Langlaufen, Radfahren, Eislaufen, Golfspielen. (E.J.)

Mark John

B.: Dipl.-Graph., Gschf. Ges. FN.: Studio Mark & Nevosad. DA.: 1030 Wien, Löweng. 25. PA.: 1190 Wien, Kreindlg. 26. G.: Saalfelden, 1. Dez. 1944. Ki.: Clemens, Philipp, Julia. El.: Richard u. Lavinia. S.: Graph. Lehr- u. Versuchsanst. Wien, 1965 Dipl. K.: Dr. Müller Werbeagentur, 1967-68 Koszler-Werbung, 1968 Grdg. d. Fa. Mark & Nevosad begonnen m. Illustration u. Graphik, Erweiterung auf sämtl. Gebiete d. kommerziellen Kommunikation. E.: div. Staatspreise u. Ausz., Kinospot d. Jahres 1987. M.: Vorst.-Mtgl. d. Creativ Club Austria, Bund Österr. Graphiker. H.: Surfen, Tennis, Musik, Lesen. (J.S.)

Märk-Feuerstein Johanna

B.: Journalistin d. ORF. DA.: 1136 Wien, Würzburgg. 30. PA.: 1100 Wien, Laxenburger Str. 30. G.: Wien, 22. Dez. 1947. V.: Märk Anton. Ki.: Maria, Barbara. El.: Feuerstein Walter Dr. u. Gertrud. S.: VS, Mädchen-RG, Dominikanerinnen, 1967 Matura, Ethnologie, Kunstgeschichte u. Psych. Stud. an d. Univ. Wien, Gasthörer an d. Univ. f. Musik u. darstell. Kunst Opernklasse Wien. K.: ab 1977 als freier Mitarb. b. ORF Wien, Verkehrsmagazin "Unterwegs", ab 1978 in d. Sendung "Wir", hauptsächl. tätig in Themenbereichen wie Erziehung, Kinderpsych., Weiterbild. u. Musik. P.: Beiträge im "Wir" Jahrbuch u. "ORF-Nachlese". H.: Musik, Wandern, Radfahren. (C.K.)

Markaritzer Kurt

B.: Journalist, Chefred. d. Neue Volkszeitung. DA.: 9020 Klagenfurt, Völkermarkter Ring 25. PA.: 9020 Klagenfurt, Ebentaler Str. 54. G.: Graz, 26. Nov. 1945. Ki.: Birgit (1973). El.: Ing. Dr.Erich u. Gertraud. BV.: Dr. Erich Markaritzer (Komponist). S.: Gymn., Stud. Geschichte u. Anglistik an d. Univ. Graz, Stud. Musik am Konservatorium in Graz. K.: 1966-78 Tätigk. b. d. Tageszeit. (u.a. auch als Musikkritiker), b. 1983 Ltr. einer Wirtschaftspresseagentur, seit 1984 Chefred. b. Neue Volkszeitung f. Ktn. u. Osttirol. E.: 2 Österr. Staatspreise, Kardinal Innitzer-Preis. H.: Musik, Sport. (M.Br.)

Marker Erich

B.: Gschf. Ges. FN.: Erich Marker GmbH. DA.: 2563 Pottenstein, Bundesstr. 30. PA.: 2563 Pottenstein, Friedenssiedlung 38. G.: Berndorf, 14. März 1948. V.: Eva, geb. Zagler. Ki.: Pia (1990), David (1993). El.: Richard u. Rosa. S.: VS, HS, 1962-68 Lehre als Maler u. Anstreicher Firma T. Keil, Gesellenprüf., 1965 BH. K.: 1968-69 Firma Ruprecht Herrenstein, b. 1971 Firma Thomas Ladstätter Wörgl, danach wieder Firma Keil, 1975 Mstr.-Prüf., seit 1975 selbst. M.: Freiwillige Feuerwehr, Österr. Touristenklub, SC Weissenbach, SC Pottenstein, SC Berndorf. H.: alte Motorräder sammeln, Skifahren, Segeln. (R.T.)

Markes Gertrude Dr.

B.: Prim. i.R. A.: 1130 Wien, Bergheideng. 8/4/2. G.: Wien, 7. Okt. 1927. El.: Markes Rudolf u. Emilie. S.: VS, RG, Form B, Med.Stud. K.: Ausbild. z. prakt. Arzt, Physikat u. FA f. Interne Med., Abt.Vorst. d. 5. Med. Abt. d. Pflegeheimes d. Stadt Wien-Lainz 1971-86. M.: Ges. f. Geriatrie. H.: Bergsteigen, Bergwandern, Kunstreisen.

Marketz Sabine

B.: Ltr. d. Roseggermuseum. DA.: 8670 Krieglach, Roseggerstr. 44. PA.: 8670 Krieglach, Dr.-Max-Mell-Str. 8. G.: Mürzzuschlag, 13. Dez. 1946. Ki.: Andreas (1966), Holger (1971). El.: Johann Gabriel u. Charlotte Anderle. S.: 1964 Matura, Jusstud. Graz, Abschluß. K.: seit 1976 Ltr. d. Museums. P.: "Peter Rosegger persönlich", div. Veröff. über Museum. M.: Rosegger-Bund Waldheimat. (K.K.)

Markgraf Lothar-Max

B.: Immobilienhändler, Vermögensberater, Mitges. FN.: Immobilien & Kapital Anlagenvermittlungs GmbH. DA.: 4020 Linz, Promenade 16/1. PA.: 4040 Linz, Wolfauerstr. 12. G.: Linz, 22. Aug. 1939. Ki.: Nina-Maria, Simone-Christine. El.: Emma u. Max. S.: RG, HAK Linz u. Wien 1953-58. K.: Mitarb. in Marketing u. Vertrieb b. Olivetti, Epple-Buxbaum, Investitionsgütervertriebsges., Auto u. Ind.-Maschinen Herbert Markgraf, s. 1980 Vermögensberater, s. 1988 Mitges. b. Immobilien & Wert, s. 1992 Tochterfirma in Prag, Repräs. d. Dominikan. Republik f. Industrieansiedl., Kooperationspartner v. Sotheb's f. Immobilien in Florida, Mitbetreiter e. Großfarm in Brasilien, intern. Immobilientätigk. M.: Mtgl. mehrerer Golfclubs. H.: Golf, Tennis, Schifahren, Wandern, Kochen. (P.H.)

Markl Franz Ing.

B.: Inh. FN.: Ing. Franz Markl. GT.: Ges. d. Fa. Bonus GmbH. DA.: 5020 Salzburg, Siebenstädter Str. 20. PA.: 5020 Salzburg, Sigmund-Haffner-G. 8. G.: Salzburg, 18. Nov. 1931. V.: Siglinde, geb. Reinthaler. Ki.: Ing. Thomas, Doris. S.: HTL Sbg., 1952 Matura. K.: 1952-62 Fa. Ing. Max Lechner, 1962 selbst. Grdg. d. Fa. Ing. Franz Markl, seit 1987 Ges. d. Fa. Bonus GmbH. E.: Silb. Kam.Med. M.: Innungsmstr. d. Elektro, Radio u. Fernsehtechniker, Porsche-Club. H.: Autofahren, Skifahren, Fischen, Bergsteigen. (A.W.)

Markl Friedrich Philip Dkfm.

B.: Gschf. A.: 3100 St. Pölten, Fialastr. 3. G.: Stötten, 22. März 1938. V.: Renate, geb. Preiss. El.: Dipl.-Ing. Gerhart u. Josefa. S.: RG, HS f. Welthdl. K.: 1960-61 Wirtschaftsprüferass., 1962 1/2jähriges Seminar in USA (Lebensmitteldistribution), 1963-64 SPAR Vertrieb Schulung, Ladenbau, 1964-73 Werbeltr. SPAR Österr., 1973-75 Präs. SPAR Österr., seit 1975 Gschf. SPAR St. Pölten. P.: Div. Fachart.

Markl Peter Dr.

B.: Doz. f. Analyt. Chemie d. Univ. Wien. DA.: 1090 Wien, Währinger Str. 38. PA.: 1070 Wien, Kandlg. 25/1/1. G.: Laakirchen, 13. Juli 1936. V.: Dr. Ilse, geb. Musyl. Ki.: Matthias (1970), Florian (1975). El.: Dipl.-Ing. Gerhard u. Josefa. S.: 1954 Matura, Chemiestud. Univ. Wien, 1964 Prom. Dr. phil., 1981 Habil. K.: 1965-69 Abt.-Ltr. d. Abt. f. Instrumentelle Analyse im Forsch.-Inst. d. Eurochemic Mol/Belgien, Ass.-Prof. Inst. f. Analyt. Chemie d. Univ. Wien, freiberufl. Tätigkeit als Wiss.-Journalist. E.: 1971 Kardinal Innitzer Förderungspreis, 1972 Staatspreis f. journalist. Leistungen im Interesse v. Wiss. u. Forsch. P.: Exktraktion u. Extraktions-Chromatographie in d. Anorgan. Analytik (1972), 1990-92 freier Mitarb. d. Wochenpresse, Aufbruch in d. Internationalität. Exemplarische Forschungsleistungen in Österr. (1989). M.: Ver. Österr. Wissenschafter, Ges. Österr. Chemiker. H.: Musik. (L.S.)

Marko Gerald-Peter

B.: Presse-, Industrie- u. Werbefotograf, Fotofachhändler. A.: 8010 Graz, Albertstr. 16. G.: Graz, 15. Mai 1948. V.: Dr. phil. Eva, geb. Hoefler v. Szebo-Brachfeld. El.: Alfred J. u. Paula. S.: VS Graz, "Nibelungen-Schule", danach BRG Graz, Matura am Ak. Gymn. in Graz, anschl. Stud. an d. Karl Franzens-Univ. in Graz, Wirtschaftswiss. u. Rechtswiss. K.: Neben d. Stud. berufliche Ausbild. m. Abschlüssen als Fotograf u. Kfm. im Groß- u. Einzelhdl., b. schwerer Erkrankung d. Vaters Einstieg in d. elterliche Foto-Unternehmen, berufl. Engagements in Japan 1970, Deutschland 1971-72, Ltg. eines techn. Kaufhauses in Graz 1977-78, daneben Veröff. v. Fotos in d. in- u. ausländ. Presse. F.: Alleininh. d. Fa. Foto Marko, Presse-, Industrie- u. Werbefotografie, Fotofachhdl. u. Laborbetriebe, Gschf. Ges. d. Fa. Marko Fotobetriebs GmbH, Beteiligungen an mehreren Einzelhdls.Geschäften. P.: Seit 1966 lfd. Bildveröff. in Tageszeitungen, Illustrierten, Journalen u. Architekturzeitschriften, graph. u. bildner. Gestaltung v. Werbeschriften, Plakaten, Messeständen u. Festschriften. H.: Fotografie, Tennis.

Marko Ingrid

B.: Prok. FN.: Spetrans Intern. Speditions KG. DA.: 1020 Wien, Seitenhafenstr. 11-13. PA.: 3423 St. Andrä, Hanselweg 16. G.: Wien, 25. März 1950. V.: Michael. El.: Medardus, Hertha. S.: Grundschule, Kfm. Lehre. K.: 1967-71 Fa. Seiler, 1971-82 Fa. Pirnat, seit 1982 Fa. Spetrans, 1986 Prokura. H.: Radfahren, Schwimmen.

Markov Marko Dipl.-Ing.

B.: Gschf. FN.: NSW Neunkirchner Schraubenwerk GmbH vorm. Breviller Urban. DA.: 2620 Neunkirchen, Wiener Str. 23. PA.: Oberhöflein, Bergknappensiedlung 2/4. G.: Loukovit (Bulgarien). V.: Dipl.-Ing. Malina, geb. Lazarova. Ki.: Jawor. El.: Peter u. Maria. S.: Polytechnik-stud. Sofia, 1954 Dipl.-Prüf., 1974 Karl Marx-Inst. Sofia, Dipl.Folgestud., Außenhdls.Ökonom. K.: 1954-58 Chefenergetiker Werkzeugmaschinenwerke Sofia, 1958-61 VEB Elektroprojekt Ostberlin Projektierungen, 1961-66 Sektorenltr. Export Elektroimpex Sofia, 1966-72 Dir. Rastem N.V. Hilvesum Holland 1973-77

Dir. Balkancarimpex Sofia, 1977-81 Dir. Ardex AG Bern, 1981-85 Stellv. Gen.-Dir. Balkancarservice, ab 1985 Dir. Neunkirchner Schraubenwerke. P.: Art. in d. Fachpresse z. Thema Export Maschinen. H.: Angeln. (C.K.)

Markowitsch Franz

B.: Gschf. Ges. FN.: Arex, Markowitsch. DA.: 2380 Perchtoldsdorf, Brunner Feldstr. 1-15. G.: Wien, 9. Nov. 1940. V.: Martina, geb. Plattner. Ki.: Franz (1986), Franziska (1989), Maximilian (1991). El.: Franz u. Josefine. S.: RG, Welthandel Wien 1961 Dkfm. K.: Fa. Markowitsch, 1979 Gründ. d. Fa. Arex Handelsunt. H.: Tennis, Theater. (J.M.)

Markowitsch Helga

B.: Mtgl. d. Bundesrates seit 1987, kfm. Ang. DA.: 1017 Wien, Dr.-Karl-Renner-Ring 3. G.: Brunn am Gebirge, 17. Nov. 1944. S.: Pflichtschulen, HASCH. K.: 1960-64 LParteisekr. d. SPÖ NÖ, 1964-72 Kam. f. Arb. u. Ang. f. NÖ (Mödling), 1979-80 Fa. Gerlinger Brunn/Gebirge, 1982-87 Ver. "Sichere Energie - sichere Zukunft" Wien, Orts- u. Bez.-Frauenref., Vorst.Mtgl. d. LPartei d. SPÖ NÖ, Bez.-Obm.-Stellv. d. SPÖ Mödling, Mtgl. in sämtl. Orts-, Bez.- u. LParteigremien d. SPÖ Mödling, Mtgl. d. BFrauenkomitees, seit 1979 Mtgl. d. GemR. v. Brunn/Gebirge, Gschf. GemR. f. Kanal, Wasser, Beleuchtung, Kinderspielplätze, Park- u. Grünanlagen, s. 1990 1. Vizebgm. u. gschf. GemR. f. Bürgerservice u. Öffentlichkeitsarbeit.

Markowitsch Robert

B.: Ak. Maler. PA.: 1100 Wien, Wielandpl. 8/32. G.: 21. Aug. 1921. V.: Hedwig, geb. Walter. Ki.: Wolfgang-Maria. El.: Karl u. Ludmilla. S.: Pflichtschule, Ak. d. bild. Künste in Wien. K.: Künstler. Volks-HS in d. Ak., 1951 Aufnahme in d. Secession b. Prof. Elsner, 1953-81 Ltr. d. Malerateliers im Burgtheater. P.: Zeichnung v. Büchern, Einbände, Buchschmuck. E.: Ak. Gold. Fügermed., Meisterklasse-Diplom. M.: Secession. H.: Schnitzen, Wandern, Reisen. (Fels.)

Markowitz Wolfgang

B.: Gschf. FN.: Albert Hagen GmbH. DA.: 6903 Bregenz, Brosswalderg. 12. PA.: 6900 Bregenz, Vorklostg. 41. G.: Lustenau, 4. Juli 1958. V.: Eva Christian. Ki.: Lukas (1987). El.: Heinz u. Rosanna. S.: VS, HS, Textilschule, HASCH, 1978 Abschluß, 1977 Militär. K.: 1977 Sprachaufenthalt in England, 1978 Deutschland Refa-Ausbild., Volontär in Textilbereich, Sprachaufenthalt in Italien, 1980 Eintritt in elterl. Betrieb als Ang., 1987 Neuaufbau d. Betriebes. M.: Segelclub Bregenz, Yachtclub Rheindelta, Bruderschaft St. Christoph. H.: Segeln, Skifahren, Radfahren, Bergwandern. (I.D.)

Markowski Jürgen Dipl.-Ing.

B.: Gschf. d. INA Wälzlager GmbH. DA.: 2331 Vösendorf, Marktstr. 5. PA.: 1190 Wien, Grinzinger Allee 43. G.: Breslau, 21. Nov. 1935. V.: Mag. pharm. Annelies, geb. Ebner. Ki.: Andrea, Rupert. El.: Dir. Dipl.-Ing. Josef u. Melitta. S.: hum. Gymn. Würzburg, Maschinenschlosserkurs, Fach-HS Würzburg, TU Graz u. Wien. K.: 1968 Entwicklung, Konstruktion FAG-KUGELFISCHER-Schweinfurt, 1972 techn. Dir. Neumeyer Hausach, 1975 Handlungsbev. u. OIng. INA Wälzlager-Herzogenaurach, 1982 techn. Vorst. MIBA-SINTERMETALL AG-Vorchdorf, 1984 Gschf. INA-Wälzlager-GmbH. BL.: Einführung d. vollrolligen Zylinderrollenlagers im Getriebebau, Geschäftsbeziehungen weltweit. P.: in div. Fachzeitschriften u. a.: KONSTRUKTION, Antriebstechnik, VDI-Zeitschrift. M.: Grazer ak. Burschenschaft Arminia, VDI. H.: Theater, klass. Musik, Kochen, Bergwandern, Umgang m. Menschen. (M.G.)

Markowski Ulf Dr. techn. Dipl.-Ing.

B.: staatl. befugter u. beeid. Ing.-Kons. f. Vermessungswesen. DA.: 6800 Feldkirch, Reichsstr. 33. PA.: 6811 Göfis, Im Oberfeld 540. G.: Feldkirch, 11. Nov. 1945. V.: Evi, geb. Maier. Ki.: Gert (1971), Klaus (1974). El.: Dipl.-Ing. Franz u. Christa. S.: hum. Gymn. Feldkirch, 1963 Matura, TU Graz, 1968 Grad., 1968-69 Militär, 1992 Prom. z. Dr. d. Technik. K.: 1969 Ang. im Vermessungsbüro d. Vaters in Feldkirch, 1973 Ziviltechnikerprüf. in Graz, 1974 Ing.-Kons. f. Vermessungswesen in Feldkirch, gerichtl. beeid. Sachv. M.: Mtgl. d. Kontaktgremiums f. Vbg. innerhalb d. Ing.-Kam., Mtgl. d. Berufungsssenates b. d. Finanzlandesdion. f. Vbg., Laienrichter b. Sozial- u. Arbeitsgericht, Obm. d. Raiba Feldkirch, Lions Feldkirch-Montfort. H.: Sport, Reisen, Lesen, Theaterbesuche, Pilze sammeln. (I.D.)

Marks Wolfgang Dr. med.

B.: Prakt. Arzt. DA.: 4033 Linz-Ebelsberg, Hillerstr. 10. PA.: 4490 St. Florian, Sattlerweg 3. G.: Linz, 19. April 1950. V.: Jutta, geb. Stogmüller. Ki.: Thomas. El.: Dr. Alfred u. Gertrude. S.: Ak. Gymn. Linz, 1968 Matura, Univ. Innsbruck, 1977 Prom., Turnusausbild. im KH d. Elisabethinen Linz b. Prof. Watschinger. K.: B. 1981 Ass.Arzt f. Interne, 1982 Eröff. einer Praxis als prakt. Arzt, zusätzl. seit 1982 Pol.Arzt, seit 1981 Betriebsarzt b. d. Linz Textil AG. M.: Nephrolog. Ges. Österr. H.: Österr. Literatur d. 20. Jhdts. (Gründer d. Linzer Literaturrunde), Kommunikation m. jungen Künstlern, Musik, Tennis. (Deu.)

Markstein Heinz

B.: Journalist, Schriftsteller. PA.: 1220 Wien, Erzherzog-Karl-Str. 65/6/10. G.: Wien, 9. Apr. 1924. V.: Elisabeth, geb. Koplenig. Ki.: Barbara, Kathrin, Miriam. BV.: künstl. begabte Familie, Onkel Otto Markstein u. Klara Markstein Schauspieler. S.: Gymn. Wien, 1939 Südamerika, 1951 zurück nach Wien, 1961 Red. Volksstimme, Ausländ. Korrespondenz Prag, 1970 freier Journalist u. Schriftsteller, freier Mitarb. d. ORF. BL.: spricht span., engl. u. russ. P.: Also gut, sagte Anna 1973, Salud Pampa mia 1978, Heißer Boden Mittelamerika 1980, ORF Kinderprogramm, Das kalte Dorf 1974, Meister Torrelli 1975, Der sanfte Konquistador (Biogr. Erzählung) 1991. E.: 1982 1. Preis ORF Hörspiel, 1981 UNDA Österr. Preis, 1982 Kinderbuchpreis d. Stadt Wien Mädchen dürfen pfeifen, Buben dürfen weinen. M.: Literar-Mechana seit 1975, LVG 1975, IGÖA seit 1982. H.: Reisen, klass. Musik, Singen, Wandern, Radfahren, Familie. (M.G.)

Marktl Wolfgang Dr. med. Univ.-Prof.

B.: Univ.-Ass. am Inst. f. med. Physiologie d. Univ. Wien. DA.: 1090 Wien, Schwarzspanierstr. 17. PA.: 1080 Wien, Josefstädterstr. 75. G.: Waiern, 14. Mai 1944. V.: Erika, geb. Gantner. Ki.: Sabine (1976). El.: Kurt u. Maria. S.: 1962 Matura, 1962-68 Med.-Stud. Innsbruck u. Wien, 1968 Prom. z. Dr. med. univ. K.: 1968-69 u. 1970-72 Ass.-Arzt Inst. f. allg. u. experimentelle Path. Univ. Wien, 1970 Ass.-Arzt 1. Chir. Univ.-Klinik Wien, seit 1972 Inst. f. Med. Physiologie d. Univ. Wien, 1983 Habil., seit 1986 Ltg. d. Ludwig Boltzmann-Inst. Bad Tatzmannsdorf, 1994 Univ.-Prof. P.: ca. 100 wiss. Publ., wiss. Red. d. Handbuches d. natürl. Heilmittel Österr. (1985), lfd. Vortragstätigkeit im In- u. Ausland, Teilnahme an Sendungen v. Rundfunk u. Fernsehen. M.: Österr. Heilbäder- u. Kurorteverb., 1. Vors. d. Österr. Ges. f. Balneologie u. med. Klimatologie, Grdg.-Mtgl. European Society for Chronobiology, Intern. Society for Chronobiology, Österr. Ges. f. Ernährungsforsch., Group of European Nutritionists, zahlr. wiss. Ges. d. In- u. Auslandes. H.: Musik, Modelleisenbahn, Pfeifenrauchen. (S.H.)

Markum Harald Dr. techn. Dipl.-Ing. Dipl.-Ing. Univ.-Doz.

B.: Ass.-Prof. u. stellv. Vorst. d. Inst. f. Kernphysik d. TU Wien. DA.: 1040 Wien, Wiedner Hauptstr. 8-10. G.: Wien, 11. Feb. 1953. V.: Ulrike, geb. Kling. Ki.: Gilbert (1990). El.: Ludwig u. Hildegard. S.: 1971 Matura, 1972 Stud. Techn. Physik TU Wien, 1974 Stud. Techn. Math., 1977 Dipl. Physik, 1980 Dipl. Math., 1980 Prom. z. Dr. techn. K.: 1988 Habil., Forsch.-Gebiete: Hochspinkerne, Quantenchromodynamik - Quarkeinschluß, Quantengravitation. P.: über 100 Publ. in nat. u. intern. wiss. Zeitschriften u. über 200 Vorträge b. Intern. Tagungen. E.: Wissenschaftsförderungspreis d. Stadt Wien. M.: Österr. Physikal. Ges. H.: Physik, Geschichte, Natur, Reisen. (J.S.)

Markus Georg

B.: Schriftsteller, Journalist d. Kronen Zeitung. PA.: 1010 Wien, Weihburgg. 20. G.: Wien, 2. Febr. 1951. El.: DDr. Josef u. Edith, geb. König. S.: Gymn. K.: 1969-70 Ass. v. Karl Farkas im Carbaret Simpl, 1970-75 Red. b. Kurier, 1975-86 Hör Zu Red., seit 1986 Kolumnist d. Kronen Zeitung ("Zwischen gestern und heute"). P.: 1979 Autor d. Paul Hörbiger Memoiren "Ich hab für euch gespielt", 1980 Hans Moser Biographie "Ich trag im Herzen drin ein Stück vom alten Wien", 1982 Katharina Schratt Biographie "Die heimliche Frau des Kaisers", 1983 Karl Farkas Biographie "Schau'n Sie sich das an", 1983 Maxi Böhm Biographie "Bei uns in Reichenberg", 1984 "Der Fall Redl", 1985 "Der Kaiser. Franz Joseph I. in Bildern u. Dokumenten", 1987 G'schichten aus Österr. (japan. Übersetz.), 1989 Sigmund Freud Biographie (erschien auch in engl., franz., ital., span., poln. u. tschech. Übersetzung), 1990 "Schlagzeilen, d. Österreich bewegten", "Mein Elternhaus", 1991 "Ein Walzer muß es sein" (zusammen m. Henry Grunwald, Marcel Prawy u. Hans Weigel), 1992 "Wiener G'schichten. Die besten Anekdoten z. Nachlesen", "Geschichte der Geschichte", "Kriminalfall Mayerling", Autor zahlr. Fernsehserien u. -dokumentationen. E.: Heinrich-Drimmel-Preis 1985. (N.A.)

Markus Manfred Dr. phil. habil.

B.: Prof. f. engl. Sprache u. Literatur d. Phil. Fak. d. Univ. Innsbruck. DA.: 6020 Innsbruck, Innrain 52. PA.: 6020 Innsbruck, Knappenweg 9. G.: Hagen/BRD, 15. Febr. 1941. V.: Ingrid, geb. Müller. Ki.: Dirk (1971), Ronald (1974). El.: Erich u. Lilly. S.: Gymn. Hagen, 1960 Matura, Stud. d. Anglistik u. Germanistik, Phil. u. Päd. Heidelberg, Göttingen u. Reading (England), 1970 Prom. Regensburg, 1980 Habil. Regensburg. S.: 1968-74 u. 1975-79 wiss. Ass. Univ. Regensburg, 1979-80 AkOR. in Regensburg, 1974-75 Prof. an d. Univ. Massachusetts in Amherst/USA, ab 1981 o.Univ.-Prof. an d. Univ. Innsbruck, ab 1985 Inst.Vorst. P.: Mod. Erzählpersp. in d. Werken d. Gawain-Autors (1971, ²1987), Sir Gawain and the Green Knight (1974, ²1986), Tempus u. Aspekt (1977), Point of View im Erzähltext (1985), Contrastive linguistics English-German (1987), Historical linguistics. On the occasion of Karl Brunner's 100th birthday (1988), Mittelengl. Studienbuch (1990), zahlr. Aufsätze u. Rezensionen in Fachzeitschriften. M.: Dt. Anglistentag e.V., Societas linguistica europea, Sprachwiss. Ges. Innsbruck, Mediävistenverb. H.: Sport, Haus, Garten. (D.S.)

Markuzy Peter KommR. Ing.

B.: behördl. konzessionierter Elektrotechniker, Inh. FN.: Ing. Peter Markuzy GmbH. GT.: Gschf. Vorst. Elektro-Wigo-Wien Wirtschaftsgen. d. Elektrohandwerks rGenmbH. DA.: 1190 Wien, Döblinger Hauptstr. 79; 1080 Wien, Josefstädterstr. 9. PA.: 1190 Wien, Wenckebachg. 45. G.: Wien, 10. Apr. 1936. V.: Helga, geb. Jungwirth. Ki.: Peter (1962), Paul (1967). El.: Karl u. Anna. S.: VS, HS, Fachschule f. Elektrotechnik, 2 J. Werkmstr.-Schule Wien, 5 J. HTL Abendschule f. Elektrotechnik Wien. K.: Betriebselektriker Firma Huber & Drott, Betriebselektriker Firma Gräf & Stift, seit 1959 Gschf. Firma Karl Markuzy, seit 1969 Gschf. Ing. Peter Markuzy, seit 1989 Gschf. Ing. Peter Markuzy GmbH, seit 1990 Bundeswirtschaftskam., seit 1976 HK, 1980-85 Aussch.-Mtgl. d. Elektroeinzelhdl., seit 1990 Ombudsmann, 1985 Gschf. Vorst. Elektro-Wigo-Wien, 1980 fachmänn. Laienrichter d. Präsidiums d. HG, 1985 fachkundiger Laienrichter d. Arbeitsgerichtes, 1985 Lehrlingswart d. Innung d. Elektrotechniker, 1978 Vors. d. Prüf.-Kmsn. d. Elektrotechniker, 1981 VPräs. Ver. Gut gekauft in Döbling, seit 1992 Präs. Ver. Gut gekauft in Döbling. E.: 1986 Gold. Ehrennadel d. Landesinnung Wien, 1991 EZ in Gold 1. Kl. d. Österr. Gen.-Verb., 1993 Silb. Kammermed., 1993 KommR. (N.A.)

Marlovits Josef Ing.

B.: Betriebsstellenltr. FN.: BEGAS Bgld. Erdgasversorgungs AG. DA.: 7400 Oberwart, Linkes Pinkaufer 45. PA.: 7503 Großpetersdorf, Bahnstr. 18. G.: Dürnbach, 23. Feb. 1953. V.: Annemarie. Ki.: Iris (1978), Verena (1981). El.: Josef u. Rosina. S.: VS, HS, 1975 Fachausbild. Heizung u. Lüftung, 5 J. HTL Pinkafeld. K.: Techniker in Wien, BH, 1973 Techniker in d. Planung b. BEGAS Eisenstadt, Gesamtplanung f. Südbgld., 1976 Beriebsstelle aufgebaut, Ltr. d. Technik u. Betriebswirtschaft, Schulwappen f. HTL Pinkafeld entworfen, seit 1981/82 BEGAS-Vorst. M.: seit 1991 GemR. H.:Wirtschaft, Politik, Fliegen - Pilotenschein. (R.T.)

Marolt Heinz-Anton

B.: Inh. Promenaden-Strandhotel Marolt. DA. u. PA.: 9122 St. Kanzian, Am See V/2. G.: Klagenfurt, 19. Mai 1958. V.: Elke, geb. Stampfer. Ki.: Lisa-Marie (1989), Larissa-Antonia (1992). El.: Anton u. Ida. S.: VS, Gymn., Hotelfachschule Villach, 1973-75 Kochlehre, Praktikum. K.: Eintritt in d.

elterl. Betrieb als Hoteldir., 1992 Übernahme d. Betriebes, 1988 Eröff. d. Tanzlokals "Blaue Lagune". M.: Gem.-Vorst.-Mtgl., Planungs- u. Umweltref. St. Kanzian, Ortsparteiobm. FPÖ St. Kanzian, Bez.-Obm.-Stellv., Mtgl. d. Landesparteiltg., Landeskomunalref. FPÖ Ktn., Obm. d. Komunalvertreterverb. Ktn., AufsR.-Mtgl. d. Ktn. Landesreisebüros, Mtgl. HK Ktn. Sekt. Fremdenverkehr, Bez.-Obm.-Stellv. d. Ringes freier Wirtschaftstreibender. Präs. d. Ver. 5000 J. Gradcarcar (Ausgrabungen). H.: Jagd. (I.G.)

Maroscheck Helmut Josef
B.: Kfm., gschf. Ges. DA.: 3106 St. Pölten, Hnilikag. 8. G.: St. Pölten, 21. Febr. 1940. V.: Herta, geb. Rieser. Ki.: Gisela, Werner, Rainer, Barbara. El.: Josef u. Gerda. S.: VS, Gymn. Kalksburg/Wien. K.: 1958 Eintritt in d. elterl. Betrieb, Lüftungstechnik, Klimaanlagen, Installationen. F.: Maroscheck GmbH St. Pölten, Josef Maroscheck St. Pölten. M.: Lions-Club. H.: Segeln, Garten, Fotografieren. (Kern)

Maroschek Werner Oberst
B.: LGendarmeriekdt. DA.: 6900 Bregenz, Bahnhofstr. 45. (Biographie folgt im Loseblattsystem)

Marosevic Peter Dipl.-Ing.
B.: Arch., staatl. befugter u. beeid. Ziviltechniker. DA.: 2340 Mödling, Hauptstr. 40. PA.: 2340 Mödling, Elisabethstr. 13. G.: Allhartsberg, 21. März 1944. V.: Hannelore, geb. Walisch. Ki.: Peter (1970), Margot (1972). S.: 1963 HTL-Matura, Arch.-Stud. TU Wien, 1970 Dipl.-Ing. K.: 1970-87 ltd. Ang. in Arch.-Büro, ab 1987 selbst. m. Arch.-Büro in Mödling, m. vielfältigen Aufgaben in Wien, NÖ u. Bgld. (M.M.)

Marosi Julius Dipl.-Ing. w.HofR.
B.: Vorst. d. Abt. Wasserbau, Gewässerschutz u. Abfallwirtschaft im Amt d. Bgld. LRg. DA.: 7000 Eisenstadt, Freiheitspl. 1. PA.: 7400 Oberwart, Untere Hochstr. 52. G.: Schachendorf, 25. Okt. 1947. V.: Ingrid, geb. Geissler. Ki.: Michaela-Christina, Karin-Elisabeth. El.: Stefan u. Theresia. S.: 1965 Matura, Stud. d. Kulturtechnik u. Wasserwirtschaft Univ. f. Bdk. in Wien, 1972 Dipl.-Ing. K.: 1972-73 Baultr. im LWasserbaubez.Amt Oberwart, BH, 1973 LWBBA Oberwart, 1977 Dienstprüf., 1977 LRg.Baukmsr., 1987 OBauR., 1988 stellv. Vorst. d. Abt. XIII/3, seit 1989 Vorst. d. Abt. XIII/3, seit 1977 Mtgl. d. GemR. v. Oberwart, seit 1987 StadtR. v. Oberwart. M.: Mtgl. d. StadtR. (ÖVP) Oberwart. H.: Sauna, Bergwandern. (M.B.)

Marquant Peter
B.: freischaff. Maler. DA. u. PA.: 1020 Wien, Praterstr. 60/2/32; Es Poas, Llombad, Mallorca, Spanien. G.: Wien. 22. Dez. 1954. El.: Gerhard Marquant u. Elisabeth Schmid. S.: Gymn., 1972-81 Stud. Ak. d. Bild. Künste Wien. K.: großflächige, abstrakte Malerei, Grafiken u. neuerdings auch Eisenskulpturen, Einzelausstellungenn: 1978 Galerie in d. Ballgasse Wien, 1980 u. 1983 Galerie Heike Curtze Wien, 1985, 1988 u. 1991 Galerie Würthle Wien, 1992 Galerie Rhomberg Innsbruck, 1994 Palais Rohan Wien, Gemeinschaftsausstellungen: 1981 Kunstmesse Köln, Galerie Heike Curtze, 1982 Biennale de Paris, 1983 Museum d. 20. Jhdt. Wien, 1987 Kunstmesse Basel, Galerie Würthle, 1990 Kunstmesse Basel, Galerie Würthle. (J.S.)

Marquant Uta
B.: Inh. FN.: en Vogue Uta Marquant. DA.: 4600 Wels, Stadtpl. 39. PA.: 4600 Wels, Herreng. 3b. G.: Wels, 4. Nov. 1940. V.: Werner, geb. Schmid. Ki.: Birgit (1966). El.: Ada u. Emil. S.: VS, HS, 1955-59 Zahntechnikerlehre, Prüf. K.: 1959-66 Krankenkasse Wels, 1967 Familiengründ., 1979 Fa. Gründ. H.: Schwimmen, Skifahren, Radfahren. (G.E.)

Marquart Dorothea
B.: Mitinh., Gastronomin d. Restaurant "Schwarzer Anker" m. Anker Keller. DA. u. PA.: 4020 Linz, Hessenpl. 14. G.: Linz, 31. Dez. 1940. V.: Johann Marquart. Ki.: Elisabeth (1960), Renate (1963). El.: Rumpfhuber Franz u. Maria. S.: RG, 3 J. Kellnerlehre im elterl. Betrieb. K.: 1964 Mitübernahme d. Betriebes d. Gatten, 1969 Übernahme d. elterl. Betriebes, div. Weiterbild.Kurse. P.: div. Veröff. in Tageszeitungen. E.: Gold. Verd.-Med. f. OÖ Gastronomie d. HK, Urkunde f. Betriebsführung u. Ausstattung im Rahmen "Gastl. Österr.", Leistungssschild. H.: Theater, Lesen, Schwimmen, Natur. (P.H.)

Marquart Joh. Maximilian
B.: Teilinh., Gastronom d. Restaurant "Schwarzer Anker" m. Anker Keller. DA. u. PA.: 4020 Linz, Hessenpl. 14. G.: Linz, 26. Jan. 1932. V.: Dorothea, geb. Rumpfhuber. Ki.: Elisabeth (1960), Renate (1963). El.: Johann u. Maria. S.: Realschule, 3 J. Kellnerlehre im "Schwarzen Bär", Praxis in Österr., Deutschland u. England. K.: 1964-77 Übernahme d. elterl. Betriebes "Weinberg", 1969 Übernahme d. "Schwarzen Anker", Laienrichteer. P.: div. Veröff. in Tageszeitungen. E.: 1962 Compagnon de Bordeaux. M.: YCA, Jagdverb., ÖAV, Linzer Bürger, Stelzhamer Bund, Linzer Traber Zucht- u. Rennver. H.: Segeln, Bergsteigen. (P.H.)

Marquet Alois Dr.
B.: a.o. u. bev. Botschafter i.R., Kons. u. Aufs.R.Mtgl. innerhalb d. österr. Fin.- u. Wirtschaftslebens. A.: 1090 Wien, Garnisong. 11. G.: Glanegg, 2. Aug. 1909. V.: Helga, geb. Bardas-Bardenau. El.: Dr. Alois u. Maria. S.: Hum. Gymn., Jusstud. an d. Univ. Wien. K.: 1945: Sekr. d. Kam.Amtsdir. d. BKam. d. gewerbl. Wirtschaft, 1946-54 Tätigkeit in d. handelspolit. Sekt. d. BMin. f. Handel u. Wiederaufbau. 1954 Versetzung in d. BMA, 1954-63 Tätigkeit in d. wirtschaftspolit. Sekt. d. BMA als Länderref., Abt.Ltr. u. Sekt.Ltr., 1964-67 Österr. Botschafter in Schweden, 1967 neuerl. Übernahme d. Ltg. d. wirtschaftspolit. Sekt. im BMA, 1971 zusätzlich m. d. Vertretung d. Gen.Sekr. betraut, seit 1974 in beratender Funktion innerhalb d. österr. Wirtschaft u. Mitarb. an histor. wirtschaftl. u. polit. Studien. E.: Kommandeurkreuz d. Ordens d. Weissen Rose Finnland, Großkreuz d. Ordens v. Oranje-Nassau Holland, Kommandeurkreuz I. Kl. d. Danebrog Ordens Dänemark, Gr. Verd.Kreuz m. Stern d. Verd.Ordens BRD, Großkreuz d. Königl. Nordsternordens Schweden, Ordinul Tudor Vladimirescu Rumänien, Honorary Knight of the Most Distinguished Order of St. Michael and St. George KCMG Großbritannien, Großoffz. d. Verd.Ordens Indonesien, Großoffz.Kreuz d. Leopoldordens Belgien, Großkreuz d. Verd.Ordens Italien, Grand Officier d l'Ordre du Republique du Senegal, Orden v. Aztekischen Adler Mexico, Gr. Gold. EZ f. Verd. um d. Rep. Österr. M.: Ver.

ehemaliger Theresianisten, Ver. ehemaliger Schotten, Rotary Club Wien, Österr. Ak.Bund, Österr. Ges. f. Außenpolitik u. intern. Beziehungen. H.: Sport, Geschichte, Literatur.

Marr Rolf Dr. techn. Dipl.-Ing. o.Prof.

B.: Vorst. d. Inst. f. Thermische Verfahrens- u. Umwelttechnik an d. Techn. Univ. Graz. DA.: 8010 Graz, Inffeldg. 25. G.: Dessau, 27. Mai 1940. V.: Mag. pharm. Annemie, geb. Niedoba. El.: Ing. Ernst u. Else. S.: 1958 Matura, Lehre als Armaturentechniker, 1961 Abschluß, Stud. Verfahrenstechnik Graz, 1968 Abschluß, 1973 Prom., 1976 Habil. K.: 1978 a.o.Prof., 1983 Ordinarius am bestehenden Inst., ab 1991 Dekan d. Fak. f. Maschinenbau d. TU Graz. BL.: 35 Patente weltweit. F.: Ges. d. VTU GmbH, Graz u. d. Inst. f. Bio- u. Umweltverfahrenstechnik d. Joanneum Research Graz. P.: zahlr. Veröff. im Fachgebiet in Fachzeitschriften, Mitarb. an mehreren Fachbüchern in Verfahrens- u. Umwelttechnik. E.: Gr. EZ d. Landes Stmk. (1991), HS-Innovationspreis d. WIFI d. HK Stmk. (1987), Umweltschutzpreis d. Stadt Graz (1986). M.: Vorst.-Mtgl. d. Österr. Ing. u. Arch.-Ver., Vorst.-Mtgl. Ges. Österr. Chemiker, Kuratoriumsmtgl. d. Österr. Fonds z. wiss. Forsch., Dion.-Mtgl. d. Christian Doppler Ges. d. Austrian Industries, Mtgl. in mehreren Fachaussch. d. Ver. Dt. Ing., Vors. d. Rates d. Sachv. f. Umweltfragen d. Landes Stmk. H.: Skifahren, Musik. (F.K.)

Marsalek Franz Ing.

B.: Manager. FN.: Marko Elektro Hdls. GmbH. DA.: 8020 Graz, Brückengasse. G.: Spital/Semmering, 11. Juli 1946. V.: Renee, geb. Marko. Ki.: 3 Söhne, 2 Töchter. El.: Franz u. Gertrude. S.: VS, HS, 2 Berufsabschlüsse in Elektroinstallation u. Radio- u. Fernsehtechnik, Technolog. Gewerbemuseum, Nachrichtentechnik, 1971 Abschluß u. Ing.-Titel, Wirtschaftswiss. Stud. Univ. Hagen/BRD. K.: Tätigkeit b. d. Stadtwerken Mürzzuschlag, Militär, 26 J. b. d. Österr. Philips Ind. GmbH in Wien in versch. Funktionen tätig, z.B. techn. Kommerzabt., Ltg., Marketingmanagement Fernsehen, dann Philips Video-Equipment als Service-Manager f. Vidorecorder u. Cam-Corder f. Europa, ab 1992 in gleicher Funktion b. IR 3-Video Intern. Video GmbH, 1992 Grdg. Alwö Immobilien GmbH, Gschf. Ges., seit 1993 Gschf. b. Marko Elektro Hdls. GmbH. H.: Familie, Skifahren, Segeln, Schwimmen, Wandern. (M.Gr.)

Marsat Werner Ing.

B.: Inh. FN.: Mawekplan-Energietechnik.DA u. PA.: 2542 Kottingbrunn, Ahorng. 9-10. G.: Wien, 7. Feb.1953. V.: Ulla, geb. Habicht. KI.: Andrea (1968), Stefan (1972), Pierre (1973). EL.: August u. Luise. S.: 1966 Matura HTL Elektrotechnik Schelling. K.: 1966-69 BBC, BRD, Projektant f. eletr. Anlagen, 1969-78 selbst. Ingeneurbüro, Planung, Projektierung, Bauleit. d. elektrotechn. Einricht., 1978-86 Exportltr. BBC Österr. f. Elektroanl., 1986 Grdfg. d. Fa. Mawexplan-Energietechnik. E.: Staatl. Anerkennung f. Gasmotoren Elektroheizwerk in BRD. H.: Modellbahn, Kochen. (M.A.)

Marsch Dimitri

B.: Gschf. FN.: UNIMEX. DA.: 1010 Wien, Rotg. 2. PA.: 1070 Wien, Stollg. 5A. G.: Wien, 26. Apr. 1949. V.: Monika, geb. Schweiger. Ki.: Constantin (1971), Philip (1978), Christoph (1988). S.: TGM, Matura, Stud. Welthdl. Wien. K.: 5 J. Betriebsltr. in einem Bergbaubetrieb, 11 J. Verkaufsltr. in einem Bergbaubetrieb, seit 1985 selbst. m. Fa. UNIMEX chem.-techn. Produkte Hdls. GmbH, seit 1988 Fa. ABR Abfallbeseitigung u. Recycling GmbH, seit 1990 Fa. Dico Sportswear. H.: Sport, Basketball. (J.S.)

Marsch Fritz

B.: ehem. Zentralsekr. d. SPÖ u. Mtgl. d. NatR. G.: Graz, 1. Juni 1926. V.: Gertrude, geb. Reitmaier. S.: RG, Matura an d. staatl. HAK, 1. Staatsprüf. an d. HS f. Welthdl. Wien. K.: Delegierter d. Österr. Arbeiterkammertages in Außenhandelsfragen 1948-60, Mtgl. d. Präsidiums d. Österr. BRg. u. d. Verb.Vorst. d. Sozialist. Jugend 1953-59, LParteisekr. d. SPÖ NÖ 1960-70, Abg. z. NÖ Landtag 1964-70, Mtgl. d. Bundesrates 1970-71, Mtgl. d. NatR. 1971-87, Zentralsekr. d. SPÖ, 1983 Obm.Stellv. d. Klubs Soz. Abg. u. Bundesräte. H.: Fußball, Bergsteigen.

Marschalek Christine

B.: Galeristin. DA.: 1030 Wien, Münzg. 1. PA.: 1030 Wien, Salmg. 2. G.: Linz/Donau, 7. März 1941. V.: Dipl.-Ing. Heinz Marschalek. Ki.: Nikola (1965), Viktor (1967), Lukas (1970), Xaver (1975), Julian (1981). El.: Dr. Viktor u. Anna Gruber, geb. Hofstätter. S.: 1960 Matura Linz, 1963 Abschluß d. graph. Lehr- u. Versuchsanst., div. Kurse. K.: während d. Ausbild. erste Konfrontation m. Künstlern u. Galerien in Wien, 1960 Ankauf d. ersten Bildes, 1968 Grdg. d. Arch.-Büros "Marschalek", 1980 Angebot d. Führung einer bedeutenden Galerie, 1987 Grdg. d. eigenen Galerie, 1991 Übersiedlung d. Galerie in neue Räumlichkeiten. BL.: 1989 Organ. d. ersten europ. Kunstausstellung in Kuwait. M.: Zonta-Intern. H.: Reiten, Skifahren, Malen, Musik, Literatur, Stricken, Fotografieren. (N.A.)

Marschik Emanuel Walter

B.: Gschf. FN.: PEMA Handelsges.m.b.H. DA.: 4060 Leonding, Werfelstr. 3. PA.: 4502 St. Marien, Kemmersdorferstr. 19. G.: Linz, 18. Nov. 1949. V.: Monika, geb. Gibold. Ki.: Doris (1969). El.: Johann u. Cäcilia. S.: VS, HS, 1967 Tischler, Fa. Genser, 1969 BH, 1970 Chemie Linz (Angestellter), 1972 Fa. Grub u. Kair, 1979 Fa. Internorm Werkstatt (Außendienst, Verkauf), 1990 Eröffnung d. eigenen Geschäftes. H.: Skifahren, Tennis (N.A.).

Marschitz Herbert Dr.

B.: RA d. Kzl.Gemeinschaft Dr. Zink, Dr. Marschitz, Dr. Petzer. DA.: 6630 Kufstein, Unterer Stadtpl. 24. PA.: 6330 Kufstein, Anton-Karg-Str. 9b. G.: Kufstein, 28. Juli 1953. V.: Gisela, geb. Fagerer. Ki.: Mariella, Bernhard-Johannes. El.: Johann u. Felicitas. S.: VS, Gymn., Stud. Jus Univ. Innsbruck. K.: Gerichtsjahr, 1978-82 Konzipient in Kzl. Dr. Zink, Dr. Petzer, seit 1983 Kzl.Gemeinschaft. M.: ÖVP. H.: allg. Sport, Marathon-Jogging. (W.G.)

Marschitz Rudolf Dipl.-Ing. Hon.-Prof. Dir.

B.:Bereichsleiter f. "Betriebswirtsch. u. Techn." in d. NÖ LLdw. Kammer. A.: 3003 Gablitz, Hamerlingg. 38-40. G.: Hohenau, 2. Okt. 1939. V.: Brigitte, geb. Albrecht, 3 Kinder. El.: Rudolf u. Maria. S.: VS, RG, Univ. f. Bdk. (Ldw.), Befähigungsprüf. f. d. Ldw. Lehr- u. Beratungsdienst. K.: Seit 1964 in d. NÖ LLdw.Kam., seit 1984 Abt.Ltr., seit 1994 Bereichsleiter, seit 1993 Hon.-Prof. "Pannon Agrarwiss. Fak., Mosonmagyaróvar/H.,1994 Berichsleiter f. "Bert.wirtsch. u.

Techn." in d. NÖ LLdw. Kammer. P.: Ungezählte Art. u. Vorträge über d. österr. Landwirtschaft u. d. EU. M.: Div. polit. Teilorgan. d. ÖVP. CV, MKV. H.: Weinkosten, Politologie, Lesen, Reisen.

Marschner Arnulf Mag. phil.
B.: Prof. HTBL Klagenfurt u. Päd. Ak. A.: 9020 Klagenfurt, Karawankenblickstr. 161. G.: Klagenfurt, 23. Febr. 1940. V.: Marta Angela, geb. Wilk. El.: Karl u. Friederike. S.: LBA Klagenfurt, Univ. Wien, Innsbruck, San Francisco State U. K.: Deutsch-Lehrer in England, 1964/65 Univ.Lektor in Swansea, ab 1965 Germanist u. Anglist an HTL Innsbruck, Klagenfurt, Ferlach, ab 1971 Prof. HTL u. Päd. Ak. Klagenfurt, 1971-74 Kulturkonsulent d. Stadt Klagenfurt, Mtgl. v. Prüf.Kmsn. Lektor (Schulpraxis), Univ. Klagenfurt. P.: zahlr. literaturkundl., päd., kulturelle Beiträge in ZSS u. FS.

Marschnig Gernot Ing.

B.: Inh. FN.: Hafnerei u. Heizungstechn. Ing. G. Marschnig GmbH. DA u. PA.: 9300 St. Veit/Glan, Klagenfurterstr. 52. G.: St. Veit/Glan, 18. März 1959. V.: Manuela, geb. Zadnikar. Ki.: Christoph (1980), Johann (1993). El.: Johann. S.: HTL, 3 Mstr.-Prüf., Ausbild. z. Mil.-Offiz. K.: 1980 Eintr. i.d. väterl. Betr., 1986 Übern. nach Tod . Vates, 1986-91 neben Geschf. auch als Berufschullehrer tätig. M.: Burschenschaft Tauriska Klgft. u. Wien, Offiziersges. H.: Skifahren, Schwimmen, Fam. (F.S.)

Marschnig Willy

B.: Museumsltr., ÖBB-Beamt. i.R. FN.: Alpen Adriatisches Verkehrsmuseum. Da.: 9300 St. Veit/Glan, Hauptpl. 29. PA.: 9300 St. Veit/Glan, Glang. 58. G.: St. Martin am Silberberg, 28. Dez. 1930. V.: Christa, geb. Plisch. Ki.: Silvia (1954), Harald (1956), Mag. Gerhard (1959), Petra (1966). El.: Johann u. Christine. S.: VS, HS. K.: s. 1954 im Verkehrsdienst d. ÖBB, 1984 Pensionierung, 1988-93 Geschf Obm., s. 1994 Obm., s. 1988 Museumsltr. BL.: 1982 Mitgrdg. d.v. Bgm. F. Wolte u. GR K. Bodner initierten Museumsverein Eisenbahn, Museumsverein Modellbau St. Veit/Glan. u. Einrichtg. e. Mueseumsraumes im Rathaus, 1986 Adaptierg. u. 1987 Eröffn. d. Mueseums. E.: 1984 Gold. EZ d. Lds. Ktn. f. Verd. um Kultur, 1975 Sild. Verd.-Med. Stadt St. Veit, 1989 Gold. Verd.-EZ Ktn. Blasmusikerverband. P.: Verkehrsmuseum St. Veit, 1992, Stadtkapelle St. Veit, Vereinschronik, 1986, div. Art. in Publ. M.: Stadtkapelle St. Veit, Ehrenobm. H.: Musik, Museum. (G.L.)

Marsik Georg Dipl.-Ing.
B.: Inh., Ziviling. FN.: DDControl. DA.: 2500 Baden, Elisabethstr. 13. PA.: 1030 Wien, Aspangstr. 49. G.: Königinhof an Elbe (Tschechei), 7. Juni 1944. V.: Dr. phil.

Elfriede, geb. Mossek. Ki.: Claudia (1973), Julia (1977), Christian (1978). El.: Josef u. Marie. S.: 1962 Matura an der HTL f. Elektrotechnik Wien, 1962-68 Stud. an d. TU Wien, 1968-71 b. Fa. Elin Union Wien als Projektant d. elektr. Steuerungen bei nation. u. internat. Projekten, 1971-78 als Betriebsing. f. Messtechnik bei Neusiedler AG in Hausmenig (NÖ), ab 1979 selbst. - Gründ. d. DDControl, ab 1982 nach d. Ziviling.-Prüfung Gründung eines Zivilingenieurbüros. M.: Ritterorden O.S.J. H.: Lesen, Arbeit. (I.K.)

Martan Liselotte Dr. med.
B.: FA f. Zahn-, Mund- u. Kieferheilkunde. A.: 1220 Wien, Lessiakg. 3. G.: Haag, 9. Jan. 1926. El.: Hinterdorfer Karl Dipl.-Ing. u. Maria. S.: VS, Gymn., 11 Sem. Med.Stud. Univ. Wien, 2 J. Ausbild. z. FA f. Zahnheilkunde in Wien, Beginn d. Stud. 1945, Prom. 1951 s.c.l. K.: 4 Sem. auf d. Zahnklinik in Wien, FA-Prüf. f. Zahnheilkunde m. ausgezeichnetem Erfolg, Narkosepraxis in Wien XXII. (M.B.).

Marte Christian Dr.
B.: MTgl. d. Geschäftsltg. FN.: Österr. Rotes Kreuz. DA.: 1040 Wien, Wiedner Hauptstr. 32. G.: Feldkirch, 14. Aug. 1964. El.: Fritz u. Eleonore, geb. Schlierenzauer. S.: 1983 Matura, 1984-90 Stud. d. BWL a. d. Univ. Innsbruck m. Prom. zum Dr. rer.soc.oec. K.: 1982-90 freiwillige Tätigk. beim Roten Kreuz, 1991 Ang. b. Österr. Roten Kreuz, b. 1994 Ass. d. Generalsekretärs, danach Mtgl. d. Geschäftsltg., Schwerpunkt-Aktion "Nachbar in Not". H.: Bücher lesen. (N.A.)

Marte Ekkehard J. Prof.
B.: Abt.Ltr. d. ORF, Studio Vbg. DA.: 6850 Dornbirn, Höchster Str. 38. PA.: 6900 Bregenz, Brandg. 7. G.: Bregenz, 24. Okt. 1930. V.: Irmgard, geb. Jäger. Ki.: Cornelia, Brigitte u. Andreas. El.: Josef u. Elsa. S.: Hum. Gymn. P.: Zahlr. Fernseh- u. Hörfunksendungen, fallweise Zeitungsart. E.: Silb. EZ d. FCG. M.: Versch. fachorient. Ver., LObm. d. Gewerkschaft Kunst, Medien u. Freie Berufe. H.: Lesen.

Marte Gerhard
B.: Inh. u. Gschf. d. Marte Electronic. DA.: 6840 Götzis, Vorarlberger Wirtschaftspark. PA.: 6840 Götzis, Unter der Bahn 3. G.: Götzis, 16. Apr. 1946. V.: Monika, geb. Egle. Ki.: Günther (1968), Rainer (1969), Clarissa (1975), Julia (1981). El.: Hans u. Erna, geb. Kulina. S.: HTL Bregenz, Meisterprüf. u. Elektr.-Konzess., lfd. Fortbildungskurse. K.: 1968 Eintritt in d. elterl. Betrieb, 1974 Grdg. d. Gama GmbH (Alarmanl., Hochsicherheitssystem f. viele Kernkraftwerke Europas), Neuentwickl. Skipaß-System (v. Turnauer Gruppe/Skidata Sbg. übern.), 1982 Grdg. d. Marte Electronic (Neuentwickl. e. Chip-Card), 1989 Etablierung in d. Bereichen BDE, DNC u. Deponiekontrolle, Grdg. d. RONA Vertriebs GmbH. P.: Div. Fachart. H.: Segeln, Wandern, Musik (Mundharmonika). (M.G.)

Marte Hannes
B.: Gschf. d. Tourimusverb. DA.: 6382 Kirchdorf, Litzelfeldner Str. 2. PA.: 6380 St. Johann/Tirol, Schwimmbadweg 12. G.: Hohenems, 21. Juli 1940. V.: Marlies, geb. Schindler. Ki.: Christian (1974), Elisabeth (1978). S.: Pflichtschule, HASCH, 1958 Abschluß. K.: Bürokfm. in Ind.-Betrieb, Militär, 1961 Sprachenstud. England, tourist. Ausbild. in d.

Hotel- u. Reisebürobranche in Spanien u. d. Schweiz, 1965 Tourismusbranche St. Johann/Tir., seit 1969 Gschf. d. Tourismusverb. Kirchdorf m. eigenem Incomingreisebüro u. Freizeitzentrum. M.: Bundesverb. d. Kur- u. Tourismusdir., im Aussch. d. Kitzbüheler Alpenver. H.: Fußball, Tennis, Radfahren, Bergsteigen, Wintersport (Langlaufen), Theater, Musik. (M.W.)

Marte Hans Dr.

B.: Gen.-Dir. d. Österr. Nationalbibliothek. DA.: 1015 Wien, Josefspl. 1. PA.: 1140 Wien, Diesterwegg. 28/B/6. G.: Feldkirch, 2. Mai 1935. V.: Marialuise, geb. Titiani. Ki.: Boris (1964), Judit (1966), Nicole (1968). El.: Dr. Johann u. Maria. S.: VS, Gymn. d. Zisterzienser i. Bregenz, 1955 Matura m. Ausz., 1955-60 Studium d. Rechte a. d. Univ. Innbr., 1960 Prom. z. Dr. iur. K.: 1960-63 Rechtspraxis, Richteramtsanwärter i. Feldk. u. b. Obersten Gerichtshof i. Wien, 1963 Richteramtsprüfung, 1963-68 Bezirksrichter a. BG Bregenz, 1963-65 Fernkurs f. theolog. Laienbild. d. Erzdiözese Wien, Erteilung d. missio canonica, 1966-68 Ert. v. Religionsunterr. a. d. gewerbl. Berufssch. i. Bregenz, 1969 Eintr. i. BM f. Unterr., Sek. f. kultur. Auslandsangel., 1971-74 Kulturattaché/Leiter d. Österr. Kulturinst. i. Warschau, 1974-82 Ltr. d. Abt. f. Kultur- u. Wissensch. a. d. ÖB Moskau, 1982-85 Ltr. d. Abt. V/6 i. BM, s. 1986 Ltr. d. Abt. III i. BM, s. 1990 Kurator d. Stiftungsfonds "Pro Oriente", s. 1993 Gen. Dir. d. Österr. Nationalbibliothek. BL.: Reform d. Österr. Bundesmuseen (Generalsanierung). V.: zahlr. Fachart. i. Fachzeitschr. M.: s. 1989 Präs. d. Vereins z. Erforschung d. Juden i. Österr., Mitgl. d. Präsidiums d. Vereinig. österr. Bibliothekarinnen u. Bibliothekare, Präs. d. Österr.-Amerik. Ges. H.: Schwimmen, Tennis, Bergsteigen, Lesen. (E.J.

Marte Klaus-Peter Vizekonsul

B.: Vizekonsul d. BRD in Klagenfurt. DA. u. PA.: 9020 Klagenfurt, Karner Str. 6. G.: Schramberg/Schwarzwald, 8. Mai 1942. Ki.: Yvonne Réka u. Ylfa Jasmin. El.: Helmut u. Leni Marte. S.: Gymn. in Schramberg, Verwaltungsak. d. Bundes. K.: Seit 1968 im Auswärt. Amt d. BRD, 1970-74 Handelsvertr. in Budapest, 1974-77 Botschaft Reykjavik, 1977-81 Botschaft Freetown (ständ. Vertr. d. Botschafters), 1981-88 b. Konsulat d. BRD in Klagenfurt, 1988-91 Ausw. Amt Bonn, ab 1991 Finanzmin. d. Landes Brandenburg in Potsdam. H.: Jagd, Skifahren.

Marte Peter A. Mag. rer. soc. oec.

B.: Ltr. d. Landespressestelle am Amt d. Vbg. Landesregierung. DA.: 6901 Bregenz, Römerstr. 15, Landhaus. PA.: 6900 Bregenz, Quellenstr. 3. G.: Feldkirch, 31. März 1956. Ki.: Veronika (1982), Claudia (1983). El.: Johann u. Lieselotte. S.: HAK Feldkirch, 1975 Matura, Univ. Innsbruck, 1983 grad.,1984 BH. K.:1983 Redakteur b. d. NEUEN Vbg. Tageszeitg., 1985 Landespressestelle im Amt d. Vorarlb. Landesregierung als Redakteur, 1988 Ltr. d. Landespressestelle. P.: Mitherausgeber d. Bregenzer Autorengemeinsch., Histor. Aufz., Textgest. im Bildband "Feldkirch - eine Liebeserklärung". M.: Präs. d. Vlbg. Presseclubs., K.Ö.H.V. Leopoldina, Tennisclub Wolfurt, OM Sportgem. d. Vlbg. Landesbediensteten, Bregenzer Faschingsgesell. H.: Politik, Zeitgeschichte, Tennis, Mountainbike, Jassen. (I.D.)

Martell Karl Heinz

B.: Schauspieler u. Reg. A.: 5453 Werfenweng, Eulersberg 23. "Haus Dorothea". G.: Berlin, 16. März 1928. S.: Abitur. K.: als Bühnenschaffender tätig seit 1945, Engagements: Wien "Studio d. HS", Hannover Städt. Bühnen, Lübeck Städt. Bühnen, Mannheim Nationaltheater, Düsseldorf Schauspielhaus, Wien Theater in d. Josefstadt u. Burgtheater (2 J.). Seit 1975 freischaffend. E.: ehemals Doz. am Reinhardt-Seminar in Wien. H.: Tischlerei u. Elektrotechnik.

Marteny Fred

B.: Ballettdir., Choreograph. A.: 1030 Wien, Rennweg 23/7, z.Z. Goethe Inst. Seoul-Korea, Tokyo, Japan. G.: Prag, 12. Sep. 1931. S.: Staatl. Konservatorium f. Tanz Prag. K.: Ballettdir. Graz Opernhaus 1965-70, 1974-76 Ballettdir. Klagenfurt, 1970-72 Ballettchef Marseille-Opera, Doz. Acad. Nationale di Danza Roma, Gastdoz. Legat Dance Acad. England, als Gast: Santiago de Chile, Opernhaus Köln, Ballett v. Vlaanderen Antwerpen, Spoleto Festival, Grand Theatre Avignon, Sommerkurs Luzen, Ballet Malta, Ballett Roland Petit Marseille. P.: Ballett-Lexikon u.a. E.: Ehrenmtgl. Legat School, Ehrendoz. d. Acad. Nazional Roma. M.: Legat Society. H.: Sport, Reisen, Musik.

Marterbauer Helmut KommR.

B.: Immobilienmakler. DA.: 5020 Salzburg, Getreideg. 50. G.: Wien, 23. Apr. 1923. V.: Susanne, geb. Geischeder. Ki.: Peter, Ernst, Brigitte. El.: Dir. Ernst u. Rosa. S.: VS, Gymn., 1941 Matura, 1 J. TU f. Flugzeugbau in Wien. K.: Kriegsdienst b. 1945, 1945-47 ldw. Betrieb in Bayern, 1947 Immobilienmakler u. Hausverw. in Sbg., seit 1961 Büro in d. Getreideg. 50, seit 1980 zweites Büro in d. Reichenhaller Str. 6, 20 Mitarb. m. ca. 4000 Verw.Einheiten in Stadt u. Land Sbg., seit 1961 ständig gerichtl. beeid. Sachv. f. Immobilien jeder Art, Schätzungen v. Liegenschaften in ganz Österr., Sachv. f. Immobilienverw., Überprüf. v. Hausabrechnungen, Feststellung v. Vers.Werten, sowie Gutachtertätigkeit b. sämtl. Gerichten. P.: Lfd. Vorträge u. Seminare über Schätzungen u. Hausverw.Angelegenheiten. E.: 1983 KommR. M.: 1973-81 Vorst.Mtgl. im Haus- u. Grundbes.Verb., seit 1961 Mtgl. d. Lions-Club Hohen Sbg. (Hat.)

Marterer Anton

B.: Benefiziat, Pfarrer d. Tabor-Kirche. DA. u. PA.: 8160 Weiz, Hauptpl. 1. G.: St. Ruprecht, 16. Okt. 1919. S.: VS, Ak. Gymn. Graz, 1939 Matura, Arbeitsdienst, 2 Sem. Theol. Graz, 5 J. Militärdienst, Weiterführung u. Abschluß d. Stud. Univ. Graz. K.: Kaplan an versch. Orten u.a. Kindberg, Mürzzuschlag, Graz-Eggenberg, Pfarrer in Breitenau b. Mixnitz, Spittal/Semmering, seit 1992 Benefiziat in Weiz. M.: Kriegsopferverb., Kameradschaftsbund, Amateurfunker. H.: Forellenfischen. (M.Gr.)

Martetschläger Johan

B.: Prok., kfm. Ltr., Mtgl. d. Geschäftsltg. FN.: Reich Austria Spezialmaschinen GmbH. GT.: Mtgl. d. Fachgruppe f. Maschinen u. Stahlbau Kam. d. gewerbl. Wirtschaft. DA.: 8570 Voitsberg, Grazer Vorstadt 110. PA.: 8570 Voitsberg, Schubertg. 9. G.: Fohnsdorf, 20. Juni 1933. V.: Maria, geb. Oberdorfer. Ki.: Johannes. El.: Johann u. Anna. S.: VS, AHS, HAK Graz, 1953 Matura. K.: b. 1959 kfm. Ang. in Metall- u. Chemieind., ab 1960 Bilanzbuchhalter, 1968 kfm. Ltr. Fa. Reich, 1972 Prok. H.: Amateurfunker, Schachspielen, Freizeitsport. (H.Z.)

Marth Christian

B.: Landes-Gschf. FN.: FPÖ Bgld. GT.: Selbst. i. Werbebranche. DA.: 7000 Eisenstadt, Johann Permayerstr. 3/1. G.: Güssing, 28. Jan. 1968. V.: Birgit, geb. Stranzl. El.: Josef u. Theresia. S.: 1986 Matura Güssing, K.: 1988-93 Studienabt. Univ. Wien, s. 1993 Landes-Gschf. d. FPÖ Bgld. M.: FPÖ. H.: Partei, Lesen, Sport. (M.G.)

Marth Franz

B.: Amtsstellenltr. d. AK Sbg. DA.: 5700 Zell am See, Mozartstr. 5. PA.: 5760 Saalfelden, Pürstingerstr. 28. G.: Lofer, 14. Apr. 1951. V.: Christine, geb. Pichler. Ki.: Tanja (1979), Andreas (1982). El.: Josef u. Maria. S.: VS, HS, 4 J. Elektroinstallateurlehre, 1 J. Ind.-Ang. in einem Textilbetrieb, 1972/73 BH, 1 J. Sozialak. d. AK Mödling. K.: Elektroinstallateur u. BetriebsR. b. einem Elektrounternehmen in

Saalbach, 1967-76 Funktionär d. Gewerkschaftsjugend, seit 1976 Bediensteter d. AK Sbg., seit 1977 Amtsstellenltr. in Zell am See, 1974-76 Ortsparteiobm. d. SPÖ Lofer, 1979 Kandidat z. GemR.-Wahl, 1980 Mtgl. d. Gem.-Vertretung d. Marktgem. Saalfelden, seit 1986 Mtgl. d. Gem.-Vorstehung u. Obm. d. Rechts-, Personal- u. Wohnungsaussch., 1986-91 SPÖ Ortsvors. v. Saalfelden, seit 1974 Mtgl. d. SPÖ Bez.-Vorst. Zell am See. P.: Ortszeitung d. Gem.-Fraktion "IMPULSE". M.: Naturfreunde, Kinderfreunde, Partei, Gewerkschaft. H.: Skifahren, Wandern, Schwimmen, Lesen, Familie. (M.T.)

Marthe Johannes

B.: Hotelkfm. FN.: Hotel Marthe. DA. u. PA.: 6100 Seeeld, Krins 1. G.: Hall/Tirol, 28. März 1962. V.: Gerlinde. Ki.: Julia, Eva, Lukas. El.: Hans u. Rosemarie. S.: 1977-80 Hotelfachschule Innsbruck Villa Blanca, 1980 Abschl. als Hotelkfm., währ. d. Schulzeit Praxis u. Sprachschule in Frankr. absolv. K.: 1981Eintr. i.d. elterl. Betr., s. 1989 Führg. d. Betr., währ. mehrmals in Frankreich, Castell Naudery. M.: Gem.-Rat, Tourismusverband, Vors. Schafzuchtverein Reith. H.: Motorrad, Landwirtsch., Computer. (A.W.)

Martikke-Jurkovics Sigrid

B.: Opernsängerin d. Wr. Volksoper. PA.: St. Andrä-Wördern, Freiheitsstr. 6. G.: Magdeburg, 8. Okt. 1936. V.: Matyas Jurkovics. S.: Gesangsstud. in Magdeburg. K.: Sängerin b. Walter Felsenstein an d. Komischen Oper Berlin, Diva in Biel-Solothurn, Sängerin f. Oper u. Operette am Opernhaus Graz, versch. Gastspiele u.a. Musetta in La Boheme Staatsoper Hamburg, Gräfin im Figaro Staatsoper München, seit 1974 Engagement an d. Volksoper Wien, div. Gastspiele u. Konzertreisen USA, Japan, Israel, China, Skandinavien, England, Belgien, Holland, Monaco, Argentinien usw., Schallplatten, CD, Rundfunk- u. Fernsehaufnahmen in Österr., Deutschland, Dänemark u. Japan, seit 1982 Kammersängerin. H.: Lesen, Garten, Tiere, Natur. (T.T.)

Martin Franz

B.: Ltr. d. Büros. FN.: AMA Agrar Markt Austria. DA.: 6900 Bregenz, Römerstr. 28. PA.: 6690 Buch, Risar 36. G.: 7. März 1963. El.: Eduard u. Anna. S.: Pflichtschulen, Ldw. Fachschule Hohenems, Ldw.-Mstr. K.: Mitarb. in d. elterl. Ldw., seit 1990 VBgm. v. Buch, seit 1994 Ltr. d. Büros AMA Bregenz. M.: gerichtl. beeid. Sachv., Regional Planungsaussch., div. regionale Organ. u. Gem.-Aussch. H.: Agrarfragen, EDV, Motorradfahren. (I.D.)

Martin Gunther Prof.

B.: Schriftsteller u. Übersetzer. PA.: 1230 Wien, Altmannsdorfer Str. 164/12/17, 5020 Salzburg, Höglwörthweg 55. G.: Rodaun, 12. Dez. 1928. V.: Ottilie, geb. Haltrich. Ki.: Rüdiger, Gudrun. El.: Hans u. Maria. BV.: Großonkel Josef Schretter, Portraitist. S.: Gymn., Graph. Lehr- u. Versuchsanst., Fotoklasse m. Dipl., einige Sem. Germanistik u. Kunstgeschichte. K.: Filmind., Filmpresse, Journalistik, Hörfunk, Übersetzungen, Sachbuchautor, Publizist, Theaterkritiker der "Wiener Zeitung". P.: Fast 40 Übersetzungen aus d. engl., franz. u. niederländ., Mitarb. b. vielen Sachbüchern, ca 800 Rundfunksendungen, eigene Bücher: Schnapsbrevier, Das silb. Vlies, Werkstatt NÖ, Zu Gast in Wien, Als Victorianer in Wien, Wien - Gesicht einer Stadt, Das ist Österr. Militärmusik, Hietzinger Geschichten, Damals in Währing Lodenbrevier, In den Spuren der Habsburger, u.a. Copact Disc "Schönbrunn", Bearb., Hrsg. u. Mitarb. versch. österr. Werke, z.B.: Ferd. Sauter, Hrsg. v. "Der Adler v. Triest" u. v. Ludwig Hevesis "Das Große Keinmalkeins", Mitarb. u. Beiträge "Das größere Österr.", "Musik auf d. See", "Stadtchronik Wien", Vortragstätigkeit. E.: Med. f. Verd. um d. Denkmalschutz, Gold. EZ v. NÖ. M.: British Council Vienna. H.: Kulturgeschichte d. Militärs. (E.L.)

Martin Klaus Dr. rer. oec. Dipl.-Vw. HofR.

B.: Vorst. d. Abt. Gebarungskontrolle im Amt d. Vbg. Landesrg. GT.: AufsR. Montafoner Bahn AG u. VOGEWOSI Dornbirn, Treuhänderstellv. b. LVL (Lebensvers.), Vors. d. Prüf.-Kmsn. f. d. Konzessionierte Gastgewerbe. DA.: 6900 Bregenz, Römerstr. 15. PA.: 6800 Feldkirch-Altenstadt, Kirchg. 32. G.: Rankweil, 3. Febr. 1944. V.: Herta, geb. Selb. Ki.: Simone, Christoph. S.: 1964 Matura, 1964-69 Stud. Wirtschaftswiss. Univ. Innsbruck, 1979 Prom. K.: seit 1971 im Landesdienst, 1974 Landesrevisionsstelle (Finanzabt.), seit 1978 Ltr. d. Revisionsstelle, seit 1981 1. Vorst. d. neugeschaffenen Gebarungskontrollabt. M.: CV. H.: Lesen, Sport, Pfadfinderbewegung. (A.K.)

Martin Peter

B.: Inh. FN.: Franz Martin - Martin GesmbH in Gastein. DA. u. PA.: 5020 Salzburg, Ganshofstr. 8a-10. G.: Salzburg, 6. Okt. 1940. V.: Anneliese, geb. Schwaiger. Ki.: Franz (1967), Thomas (1970). El.: Franz u. Edeltraud. BV.: Großv., Michael Martin, Bäckermstr. d. Hoflieferanten in Graz, Luxus- u. Zimtbäckerei. S.: VS, HS, HASCH, Bäckerlehre, 1957 Gesellenprüf., 1965 Meisterprüf. K.: in d. Schweiz in einer Bäckerei tätig, Einfuhr v. Confisserie u. Patiserie, im Inland Einfuhr v. handelsübl. Brot- u. Gebäckwaren, Feinbäckerei, danach im elterl. Betrieb in versch. Detailbereichen, ab 1968 Einzelprok., 1971 Erweiterungsausbau d. Bäckerei u. techn. Neueinricht., 1977 Übern. d. Bäckerei u. Aufbau v. Filialen, 1977 Ergänzung mit Cafe. M.: Innungsmstr., s. 1962 im österr. Wirtschaftsbund, 1966 Organisationsref. d. Wirtschaftsbundes Maxglan, 1980 Wirtschaftsobm. d. österr. Wirtschaftsbundes, Parteivorsitz. in Maxglan, 1985 angelobt als Prüf. f. Berufsausbild., 1985-88 Landesinnungsmstr.-Stellv., ab 1988 Landesinnungsmstr. v. Slbg. E.: 1989 Silb. EM f. Wirtschaft d. Stadt Slbg. H.: Technik, Reisen. (D.E.)

Martin Rainer

B.: Gschf. Ges., Goldschmied. FN.: Martin Schmuckstücke GmbH. DA.: 6840 Götzis, Vlbg. Wirtschaftspark. PA.: 6714 Nüziders, Sennereiweg 8. G.: Nenzing, 16. Mai 1964. V.:

Sonja geb. Steiner. Ki.: Rahpael (1991), Daniel (1993). El.: Karl u. Marlies. S.: HS, Goldschmiedlehre Bregenz, 1984 Abschluß, Meisterschule Wien, 1988 Meisterprüf., Studienaufenth. in Florenz, 1984-85 BH. K.: selbständig in Feldkrich f. namhafte Juweliere entwerfen u. anfertig., 1991 Gründung Design Atelier Götzis, Entw. u. Anfertig. v. Schmuckstücken, ansprech. u. eigenw. Arbeiten m. versch. Materialien, Teiln. b. 1. Österr. Staatspreis f. Schmuckgestaltung; Ausstellungen in Tokio, NY, Manhatten. H.: Klettern, Schifahren, Fotografieren.(I.D.)

Martin Wolf

B.: Autor, freier Mitarb. FN.: Kronen-Zeitung. PA.: 1210 Wien, Franklinstr. 20/12/7. G.: Wien, 31. Juli 1948. El.: Dipl.-Ing. Ernst u. Emanuela, geb. Hanzik. S.: 1966 AHS Matura Wien, Stud. Germanistik, Geschichte, Kunstgeschichte u. Wirtschaftswiss. Univ. u. WU Wien. K.: erste Veröff. m. 18 J. in Wr. Zeitungen (Gedichte u. Prosa), Tätigk. als Maler, 5 Einzelausstellungen in Wien, 1988-90 freier Mitarb. "Neues Forum", ab 1989 regelmäßige Tätigk. b. d. Kronen-Zeitung, wiss.-Kritiker tätigk. auf dem Gebiet d. Astrologie: Vorträge, Publ. P.: lfd. Art. i. wiss. Zeitschr. Mitautor v. 2 Büchern, Minihoroskop u. "Evolution in d. Partnerschaft", Buch: "In d. Wind gereimt". H.: Klavier, Schach, Fotografieren. (J.S.)

Martinek Peter Dr. Dipl.-Ing.

B.: Prok., Verkaufsltr. FN.: Solvay Österr. AG. DA.: 1015 Wien, Parkring 12.PA.: 1190 Wien, Springsiedelg. 30. G.: Wien, 6. Apr. 1959. El.: Paul u. Gertrude. S.: Naturwiss. RG, Stud. Techn. Chemie TU Wien Richtung Organ. Chemie. K.: 1988 Chemiker im techn.-kommerziellen Dienst b. Solvay Österr., Tätigkeit in d. Werken Ebensee, Hallein, in d. Zentrale in Brüssel u. in anderen Werken in Frankreich, 1990 zuständig f. mehrere Produktbereiche im techn.-chem. Bereich b. Solvay Wien, zugleich Aufbaustudium Betriebs-, Rechts- u. Wirtschaftswissenschaft TU Wien, 1992 stellv. Verkaufsltr., 1993 Verkaufsleitung, 1994 Prokura. BL.: 1965-87 Eishockey als Leistungssport, 5 J. Österr. Nationalteam. E.: 1982 Silbermed. b. d. Gruppe B-WM. H.: Tennis, Snowboarding, Computer, Cineast. (F.S.)

Martinek Herbert Dr. Sektionschef

PA.: 1010 Wien, Hofburg, Leopoldinischer Trakt 32. G.: Wien, 15. Sept. 1930. El.: August u. Elsc. S.: 1948 Matura, Stud. Rechtswiss. Univ. Wien m. Prom. z. Dr. iur., Gerichtspraxis. K.: 1958 Eintritt in d. damalige Bundesmin. f. Hdl. u. Wiederaufbau Abt. Rechtsangelegenheiten d. Straßenbau, seit 1971 Abt.-Ltr., ab 1973 MinR., ab 1964 f. d. Straßensonderges. zuständig, seit 1989 Gruppenltr. P.: Fachart. E.: Gr. EZ f. Verd. um d. Rep. Österr., Österr. Olympiamed., VK d. Landes Tir. M.:Dir. im ASECAP, Vergabekontrollkmsn. H.: Hobbyzoologe. (N.A.)

Martini Horst

B.: Einkaufsltr. d. Stadtwerke Innsbruck. DA.: 6020 Innsbruck, Salurner Str. 11. PA.: 6080 Igls, Pertingerweg 11. G.: Kufstein, 7. Sept. 1944. V.: Eva, geb. Filzer. Ki.: Doris (1975), Karin (1980). El.: Leo u. Anna. S.: Grundschule, HAK, 1963 Matura. K.: 1963 Eintritt Stadtwerke Innsbruck, 2 J. Einkauf, 21 J. in Datenverarb. tätig, ab 1987 Einkaufsltr., 1988 zusätzl. Ltg. d. Material- u. Lagerwirtschaft. M.: Vorst. d. Österr. Tischtennisverb., VPräs. d. Tir. Tischtennisverb., Beschaffungsaussch. d. Verb, E-Werke Österr. H.: Tischtennis, Bergsteigen. (M.W.)

Martini Louise

B.: Schauspielerin. G.: Wien, 10. Nov. 1931. V.: Heinz Wilhelm Schwarz. El.: Leopold u. Anna Chiba, geb. Martini. S.: Matura, Max Reinhardt-Seminar. K.: Theater in Wien, ab 1962 in d. BRD, in Berlin, Hamburg, Düsseldorf, Frankfurt (Kammerspiele, Residenztheater), Salzburger Festspiele, 150 Hauptrollen im Fernsehen, Chansonportraits, Gastgeberin v. Club 2 u. "Notenspiele", viele Hörspiele, Schallplatten, eigene Radiosendung "Mittags Martini". E.: 1978 Gold. Kamera Österr., 1987 Gold. Ehrenmed. d. BHpt.Stadt Wien. H.: Musik jeder Art, Kochen.

Martinis Carla

B.: Kammersängerin. A.: 1060 Wien, Otto-Bauer-G. 3/2/11. G.: Zagreb, 19. Jan. 1924. El.: Balic Jelena u. Milan. S.: VS, Gymn., Gesangstud. an d. Ak. in Zagreb. K.: Debut m. d. Mimi aus "La Boheme" in Zagreb (1944), Gewinn d. Intern. Gesang-Wettbewerb in Genf. 1950 Turandot in New-York. 1951 Sbg. Festspiele: Die Desdemona, Wr. Festpiele d. Aida. "Con Carlo" u. Donna Anna an d. Mailänder Scala. Gastspiele in Rom in d. Therme Caracalle Aida, In Oper v. Rom Donna Ann. Opern Haus "San Carlo di Napolit", Tosca, Maskenball, Aida, "Othello" Desdemona. Grand Oper Paris: Amelia in "Maskenball", Tourneen in Kopenhagen, München, Berlin, Stuttgart, Prag, Florenz, Triest, Chicago, New York, San Francisco, Los Angeles, Rio de Janeiro ect. Konzerte u. Liederabende in vielen Städten Amerikas u. Europas. E.: Österr. Ehrenkreuz f. Kunst- u. Wiss. H.: Garten, Handarbeiten (z. B. Gobelin).

Martinkovics Günter

B.: Gschf. FN.: Österr. Armaturen GmbH. DA.: 1110 Wien, Schemmerlstr. 66-68. G.: 16. Juni 1941. (V)

Martinovich Friedrich

B.: Gschf. Ges. FN.: B & C EDV-Systeme GmbH. DA.: 1040 Wien, Favoritenstr. 74. G.: Wien, 9. März 1960. V.: Susanna. Ki.: Thomas. El.: Dir. Friedrich u. Aurelia. S.: 1978 Matura, Stud. Med. u. Datentechnik. K.: 1988 Grdg. B & C EDV-Systeme GmbH m. Schwerpunkt Videobereich, digitale Videobearb. P.: div. Fachmagazine. H.: Segeln, Surfen, Musik. (J.E.)

Martins Rudolf Dr.

B.: Botschafter d. Rep. Österr. i.R. A.: 1130 Wien, Schloß Schönbrunn 39. G.: Zürich, 9. Feb. 1915. El.: Dipl.-Ing. Martin u. Carola. S.: Hum. Gymn. Wien, Univ. Wien, Doktorat d. Rechte 1939 (rechts- u. staatswiss. Fak. 1934-38). Zusätzl. mehrere Sem. Sprachwiss. (Univ. Wien). K.: Privatwirtschaft (b. 1945), Österr. Patentamt (ab Juli 1945), BKam. d. Gew. Wirtschaft, Wien (1946-59), zuständig f. intern. Wirtschaftsbeziehungen, Zolltarifpolitik. BMA, Wien, 1959-80, zuständig f. mulilaterale Wirtschaftspolitik u. -beziehungen. Abt.Ltr. im BMH Wien 1963-65, Ständiger Vertreter Österr. b. Büro d. Vereinten Nationen in Genf u. Botschafter b. d. EFTA 1965-68, Abt.Ltr. im BMA 1968-72, Ständiger Vertreter Österr. b. Büro d. Vereinten Nationen in Genf u. Botschafter b. d. EFTA 1972-76, Ref. f. Fragen d. Wirtschaftskmsn. d. UNO f. Europa im BMA 1977, Generalkons. d. Rep. Österr. f. Kroatien u. Bosnien-Herzegowina 1978-80. P.: D. GATT-Abkommen als Wirtschaftsordung (1955), d. Entwicklungsgedanke im GATT-Abkommen (1958), A Dualism in Multilateral Economic Policies - GATT u. UNCTAD (1981), Acht Gedichte (1981), Meditation über Pr. Manuel Azana (1982), Gedanken z. bosn.-herzegowin. Mittelalter (1983), Veröff. a.d. literarischen Nachlaß des Vaters: "Der Arlberg u. seine Straße", Pseudonym "Wegmacher" (1992). E.: Gold. EZ f. Verd. um d. Rep. Österr., EZ d. "Arge Sonnenzug", Wien. M.: Ver. d. Alt-Hietzinger, 1130 Wien. H.: Violinspiel, literar. Arb., Sprachstudien.

Martinschitz Herbert

B.: Filmproduzent, Gschf. Ges. FN.: Cinevision TV & Videoprod. GesmbH & Co KG, Dragon-Film-Austria. DA.: 8010 Graz, Schillerstr. 60. G.: Graz, 24. Aug. 1952. V.: Mag. Christina, geb. Landschützer. Ki.: Catherina (1992). El.: Veronika. S.: Volks- u. Mittelschule u. Matura. K.: 1970-74 versch. Tätigk. i. Landesstudio Stmk., 1974 Ausb. z. Kameramann b. ORF, 1975 jüngster Kameramann Österr. (f. Sport, Aktuelle), 1976 Regieassistent b. Prof. Davy u. Ausb. z. Regisseur, 1977-78 Anstellung a. ORF-Kameramann, 1979 Grdg. d. Dragon-Film, 1981 Grdg. d. Cinevision, 1984 Grdg. d. Fa. Cinevision GesmbH & Co KG. E.: 1984 Papst Johannes d. 23. Preis, 1991-92 Green Panther. M.: Club M Managementclub, Ind.-Verein, Handelskammer. H.: Familie, Filmen, Skifahren, Golf. (R.T.)

Martinu Elfriede

B.: Bes. Intercoiffeur Martinu. DA.: 1190 Wien, Grinzinger-Str. 81. PA.: 2100 Korneuburg, Jochingerg. 23. G.: Wien, 26. Okt. 1948. V.: Kurt. Ki.: Helmut (1966), Katharina (1988). El.: Augustin u. Elfriede Reithmayer. S.: Friseurlehre in Wien, 1979 Mstr.-Prüf., weitere Ausb. im Ausland. K.: 1981 erstes Gschf. in Wien 3. Bez., 1983 zweites Gschf. in Wien 13. Bez., 1987 drittes Gschf. in Wien 19. Bez., 1989 Erweiterung in Wien 19. Bez. auf Tages-Schönheitsfarm, Hochwertige Kosmetik f. Haut u. Haar mit intensiver Beratung, "Alles rund um Schlank, Schön und Gesund", Generalvertrieb von Unique Cosmetic Österr. H.: Beruf, Literatur, Reisen. (J.S.)

Martinuzzi Evelyn

B.: Chefred. FN.: Interverlag u. Zeitschrift "Bierfassl". DA.: 1070 Wien, Neustiftg. 96/28. G.: Wien, 4. Juni. S.: VS, HS, HAK, staatl. geprüfte Kindergärtnerin u. Hortlehrerin. K.: 2 J. b. div. Firmen tätig, Aspirantin b. Wochenzeitung, Redaktion nach 4 Wochen übernommen (10 J.), anschl. freiberufl. als Chefred. u. f. Werbung tätig. E.: Gold. Gourmet-Karte. P.: "Tafelfreuden", "Bierfassl" - Stammtischnachrichten. H.: Reisen, Lesen, Sport (Wasserski, Tischtennis, Bergsteigen). (R.A.).

Martischang Serge Dipl.-Ing.

B.: Dir. FN.: Schlumberger & Cie GmbH. DA.: 1060 Wien, Mollardg. 20. PA.: 1040 Wien, Wiedner Hauptstr. 15. G.: Mulhouse, 27. März 1928. V.: Mireille. Ki.: Pascale, Eric, Jean-Christophe, Annik, Cecile. El.: Oscar u. Marguerite. S.: 1945 Matura Mulhouse, 1946-47 Textiling.-HS, Dipl.-Ing. K.: Dir. einer Weberei, 1949-54 Kammgarnspinnerei Erstein, 1955-60 Kammgarnspinnerei Malmersbach, ab 1960 b. Fa. Schlumberger zunächst im Stammhaus Guebwiller, ab 1968 Grdg. d. Fa. Schlumberger GmbH Wien, spezielle Bearb. d. Ostmarktes. M.: Union Yachtclub Neusiedl, Lions-Club Mödling, Conseiller du commerce extérieur de la France en Austriche. H.: Segeln, Tennis. (P.R.)

Martischnig Erwin Dr. med.

B.: em. Primararzt, FA f. Kinderheilkunde. G.: Villach, 10. März 1914. El.: Rudolf. u. Johanna. S.: VS, Gymn., Univ.Stud. Graz u. Wien. K.: Prom. 1938, ärztl. Tätgikeit in versch. KH u. Lazaretten, Univ.Kinderklinik Wien, 1953-81 Primararzt im Kinderspital Schwarzach, ab 1981 freie Praxis. M.: Mtgl. versch. in- u. ausländ. Ver. u. priv. Ak. Ver. H.: Musik, Sport, Reisen, Sprachen.

Martischnig Ilse Dkfm.

B.: Chefred. A.: 1190 Wien, Peter-Jordan-Str. 18/II. G.: Wien, 27. Sep. 1915. El.: Krautschneider Raimund u. Helene. S.: RG, HS f. Welthdl. K.: Chefass. in d. Wr. Neustädter Flugzeugwerken, Freie Mitarb. b. d. Tageszeitung "Neues Österr.", Chefred. d. populärpolit. Magazins "Österr. Blitz". F.: Inh. d. Pionier-Verlag. P.: Zahlr. Feuilletons, Kommentare u. Reportagen. M.: Mitbegründerin d. "Gemeinschaft freier Selbständiger", Gründerin d. "Protestpartei".

Maruna Rene F. L. DDr. HofR. i. R.

B.: Dipl.-Chemiker; Biochemie-Labor/Strahlenabt. d. I. u. II. Univ.-Frauenklinik Wien. A.: 1180 Wien, Wallrißstr. 58. G.: Prachatitz, 22. Jan. 1914. V.: Liselotte, geb. Greger. El.: Franz u. Leopoldine. S.: RG, Stud. d. Chemie, Nebenfach Physik an d. Univ. Wien - Dipl.Chem. u. Dr. phil., Univ. Djakarta/Java - Dr. sc. K.: 1940 Tropenhygiene-Inst. Berlin, Feldlabor in Nordafrika, Ass. am Pharmakologischen Inst. d. Univ. Franfurt/Main, 1944 L. Med. d. Univ. Wien, 1945 Ltr. d. neuerrichteten Abt. Chemie am LKH Sbg., Prosektur u. staatl. Untersuchungsanst., 1952-59 Ltr. d. Abt. Chemie, ab 1956 stellv. Dir. d. Ejkman-Inst. (Zentr.Labor d. Min. f. Volksgesundheit in Djakarta/Jaya - Indonesien), ab 1960-72 O.Ass. am Univ.Inst. f. Med. Chemie, ab 1972 Ltr. d. Abt. Biochemie am Univ.Hygieneinst. Wien, Wiss. OR., 1978 HofR. d. Med. Fak., 1960 u. -62 Ltr. d. Laborgruppe d. Österrn. UNO-Sanitärskontingent f. d. Kongo. P.: 94 wiss. Publ. in intern. Zeitschriften u. Ref. v. intern. Ges., bes. Arbeitsgebiete: Knochenstoffwechsel, Stoffwechsel b. gynäkologischen Turmorerkrankungen, Schadstoff-Untersuchungen. E.: For Service on Peace (2x), 1983 Theodor Körner-Preis f. Wiss. u. Kunst, 1984 Gold EZ f. Verd. um d. Land Wien. M.: Österr. Ges. f. Tropenmed., Regional-VPräs.

d. S.I.R.M.C.E. (Soc. intern. pour la recherche d. maladies de la civilisation et d. l'environnement), m. d. Sitz in Brüssel. Ges. f. Biochemie u.v.a.

Marwan-Schlosser Peter Dkfm. Mag.

B.: Dir. d. HAK. DA.: 2700 Wr. Neustadt, Ungarg. 29. PA.: 2700 Wr. Neustadt, Kaisersteing. 101. G.: Wr. Neustadt, 9. Aug. 1940. V.: Christine, geb. They. Ki.: Barbara (1974). El.: Rudolf u. Margarethe. S.: 1959 Matura, Stud. HS f. Welthdl. Wien., 1966 Dkfm. K.: während d. Stud. tätig im Betrieb d. Eltern, 1970 Lehramtsprüf. f. kfm. Fächer f. HAK, seit 1966 Lehrtätigkeit an d. HAK Wr. Neustadt, 1978 Steuerberaterprüf. , -Ges. einer WT-Ges. Mattersburg, seit 1982 selbst. m. Steuerberatungs- u. Wirtschaftstreuhandkzl. Wr. Neustadt, seit 1991 Dir. HAK Wr. Neustadt, OStR. P.: Mitautor d. Lehrbücher "Öff. Verw.", "Betriebswirtschaft", "BWL-Industrie". M.: seit 1975 ÖVP-GemR., Obm.Stv. d. Kontrollaussch., Präs. d. Lions Club Wr. Neustadt. H.: Fußball, klass. Musik. (I.J.)

Marx Erich Dr. techn. Dipl.-Ing. o.Univ.-Prof.

B.: Inst.Vorst. d. Inst. f. Verkehrswesen d. Univ. f. Boku. GT.: Ziviling. f. Bauwesen. DA.: 1180 Wien, Gregor-Mendel-Str. 33, 1040 Wien, Schelleing. 41. PA.: 1040 Wien, Johann-Strauß-G. 4. G.: Wien, 30. Nov. 1926. Ki.: Mag. Wolfgang, Mag. Eva, Mag. Susanne. El.: Dr. Julius u. Rosa. BV.: Dr. Julius Marx, Privatwissenschaftler, Geschichte über d. Jahr 1848. S.: Goethe Realschule Wien, Stud. Bauing.Wesen, Dipl.-Ing., Dr. techn. K.: HS-Ass. am Inst. f. Straßen- u. Bahnbau an d. TU Wien, BM f. Hdl. u. Wiederaufbau, oberste BStraßenverw., Prof. an d. HTBLVA Mödling f. Verkehrswegebau u. städt. Tiefbau, ab 1977 o.Univ.-Prof. f. Erd-, Straßen- u. Bahnbau an d. Univ. f. Boku, seit 1980 Inst.Vorst. d. Inst. f. Geotechnik u. Verkehrswesen, jetzt Inst. f. Verkehrswesen. E.: Österr. EK f. Kunst u. Wiss. I. Kl. M.: Forsch.Ges. f. Straßenwesen in Österr., Ing. u. Arch.Ver.: stellv. Vors., Mtgl. d. Vorst. d. Leitungsaussch. u. d. Forsch.BeiR., Arbeitsgruppenltr. d. Arbeitsgruppe Planung u. Verkehr, Arbeitsaussch.Ltr. d. Arbeitsaussch. Knotenpunkte, Vizepräs. d. Österr. Nat.Komitees d. AIPCR (Assoc. intern. permanente des Cougré de la Route). H.: Schwimmen, Wandern. (E.L.)

Marx Helmut R. Dir.

B.: Hoteldir. FN.: Schloß Prilau Betriebsges. DA.: 5700 Zell am See, Hofmannstalstr. PA.: 5700 Maishofen, Unterreit 146. G.: Schlesien, 5. Mai 1943. V.: Helga, geb. Wittig. Ki.: Manuel Felipe (1975), Karoline (1977). El.: Helmut u. Maria. S.: Gymn. i. Mindelhein u. Ingoldstadt, Kellnerlehre i. Bad Würrishofen u. Augsburg, 1964 Abschluß, Auslandspraxis i. USA, Großbritannien, Schweiz u. Frankreich, nach Abschluß d. Hotel-FS i. Heidelberg m. Dipl. i. sämtl. Bereich d. Hotelerie tätig, 1986-87 Planung Hotelprojekt i. Tirol, 1983-84 i. USA f. Hotelmanagement-Personalagentur weltweit tätig, s. 1988 Gschf. d. Schloß Prilau BetriebsgesmbH. M.: Golfclub, Intern. HSMA, Mtgl. d. Europa Sportregion. H.: Golf, Motoren, Natur.

Marx Hans

B.: Techn. Ltr., Gschf. FN.: Pammer-Film GmbH & Co KG. DA.: 1070 Wien, Neubaug. 1. PA.: 2751 Matzendorf, Elsterweg 11. G.: Bratelsbrunn, 6. März 1944. V.: Dorothea, geb. Karlusch. Ki.: Richard (1965), Roman (1977). El.: Franz u. Theresia, geb. Branowitzer. S.: VS, HS, Elektromechanikerlehre. K.: 1968 Eintritt Otto Pammer-Fox-tönende Wochenschau als Ass., ab 1971 selbst. Kameramann f. Wochenschau, seit 1974 Kameramann f. Sport am Montag f. d. ORF, bedeutendste Filme: "Hockeynight in Canada", Olympia Berichterstattung in Lac Placid, Hans Orsolic-Portrait, "24 Stunden Rennen Lemans", über WM in Fallschirm-Figurenspringen, seit 1976 1. Kameramann f. d. Sendung "Seinerzeit", 1988 1. Sendung "Seitenblicke", seither Chefkameramann u. techn. Ltr. M.: Journalistenverb., Kameramannverb. H.: Beruf. (N.A.)

Marx Herbert Dir.

B.: Mtgl. d. Vorst. FN.: Sanpaolo Bank AG. GT.: Gschf.: ICT Hdls. GmbH, Sanpaolo Leasing GmbH u. Sanpaolo Vermögensverw. GmbH. DA.: 1090 Wien, Türkenstr. 9. G.: Wien, 29. Febr. 1940. V.: Helga, geb. Bursik. Ki.: Alexander, Bettina, Peter. El.: August u. Maria. S.: VS, RG, HAK, Theres. Militärak. K.: b. 1973 aktiver Offz. d. BH, 1974 Eintritt Conill-Bank, 1974-85 CA-BV (u.a. in Brüssel, London), seit 1986 Vorst.Mtgl. d. Sanpaolo Bank AG. H.: Reiten. (M.B.)

Marx Joachim Dr. i.R.

B.: FA f. Augenheilkunde. GT.: Konsiliararzt am KH Kitzbühel. PA.: 6370 Kitzbühel, Jochbergerstr. 18. G.: Klagenfurt, 9. März 1926. V.: Dr. Emanuela, geb. Sina. Ki.: Dr. Sonja, Daniela, Florentine. El.: Helmuth u. Margareta. BV.: E.V. Rauscher-Steinberg Heimatdichter. S.: VS, Gymn., Univ. Graz, Med. u. Phil. Stud. K.: Turnusausbild., FA-Ausbild. Univ.Augenklinik Graz, 1964-1991 selbst. Praxis als Augen-FA in Kitzbühel, anschl. wohlverd. Ruhestand. P.: Veröff. auf d. Gebiet d. Neuro-Anatomie u. Augenheilkunde. H.: Musik, Malerei, Literatur, Reisen. (W.G.)

Marx Richard Dipl.Psych.

B.: Psycholanalytiker. A.: 6335 Tiersee/Tirol 274, 8000 München 40, Ungererstr. 65. G.: München, 29. Dez. 1924. V.: Elisabeth Micheline, geb. Graßl. El.: Justin u. Rosa. S.: Univ., Ak. f. Psycholanalyse u. Psychotherapie München. K.: Dipl. Ps. München 1950, im Auftrag d. Psychol. Inst. d. Univ. Modelleinrichtung d. 1. Probation-Office (1. Bewährungshelfer) in d. BRD, dadurch Dissert. über "Individuationsprozeß im Sinn v. C. G. Jung" abgebrochen. Gleichzeitung Mitarb. d. wiss. Seite d. amerk. "Neuen Zeitung" 1954. 1955 Abschluß d. Ausbildung als Psychotherapeut. Selbst. Praxis. Als Hobby Fortbildung d. Bewährungshelfer in München. Seit 1962 Doz. u. Ausbildung-(Lehr-), Analytiker d. Ak. f. Psychoanalyse u. Psychotherapie in München, speziell Ärzteweiterbildung. Daneben Vorträge, Aufsätze, Arbeit an Büchern. P.: "Die Heilung durch d. Wort" (1952), "Sie träumen sich gesund" (1953) u.a. "Thersienstadt" (1964) - "Der psychoanlaytische Prozeß als die Empirie d. dialektischen Prozesses" (1977), "Die Philosophie Schellings u. C. G. Jung" (1955), "Der Mann hat recht, aber es gibt die Frau (Heraklit)" (1978), "Die dialektische Beziehung zwischen Trieb- u. Ich-Entwicklung" (1979). M.: DGPPT (Dt. Ges. f. Psychotherapie, Psychosomatik, Tiefenpsychologie), BDP (Berufsverb. dt. Psychologen), DAGG (Dt. Arbeitskreis f. Gruppentherapie, Gruppentherapie), Sigmund-Freud-Ges. Wien, Vorst.Mtgl. Mental Health-Gruppe München, Ak. f. Psychoanalyse u. Psychotherapie München.

März Leopold o. Univ. Prof. Dr.

B.: Rektor. FN.: Univ. f. Bodenkultur. GT.: Mtgl. d. Hörer- u. Sehervertretung d. ORF, Mtgl. d. ORF-Kuratoriums, Österr. Repräsentant i. int. Ges. DA.: 1180 Wien, Gregor-Mendel-Str. 33. G.: Brünn, 5. Feb. 1944. V. Katharina. Ki.: Bernhard (1975), Gerald (1967). S.: 1962 Matura, 1962-63 Präsenzdienst, 1963-69 Stud. Lebenmittel- u. Biotechn., 1969 Absch.,

1972 Dr. rat. K.: 1972-74 Fulbright Stipendiat USA, 1979 Habil. f. Biochemie, 1983 a.o. Prof., 1990 o. Prof., 1983-92 Vorst. d. Inst. f. Chemie, 1986-89 Präs. d. Österr. Ges. f. Biotechn., s. 1993 Rektor d. Univ. f. Bodenkultur. P.: ca. 60 int. wiss. Beiträge, zahlr. hochschulpol. Veröff. M.: Österr. Ges. f. Biochemie, Ernst Schrödinger Ges. f. Mikrowiss., Ver. Österr. Lebensmittel- u. Biotechn. H.: Garten, Musik, Angeln, Lesen. (E.J.)

Marzi Manfred
B.: Gschf. FN.: Beiersdorf GmbH. DA.: 1100 Wien, Laxenburger Str. 151 (V)

Marzi Paul Dr.
B.: Hofrat d. Unabhängigen Verwaltungssenates d. Landes NÖ, Oberrat d. BPD Wien. DA.: 3100 St. Pölten, Neugebäudepl. 1. G.: Wien, 23. März 1948. El.: Walther u. Emma. S.: Kalksburg, Jesuiteninternat als Werkstudent nebenbei Erzieher, Jus-Stud. a. d. Univ. Wien, Ass. am Inst. f. Staats- u. Verwaltungsrecht unter bes. Berücksichtigung d. Wirtschaftsverwaltungsrechtes, Rechtspraktikum beim Handelsgericht Wien. K.: 1973 Eintritt i. d. Polizeidienst a. Polizeijurist i. Wien, 1991 Ernennung zum Mtgl. d. Unabhängigen Verwaltungssenates im Land NÖ. M.: Niederösterr. juristische Ges. H.: Basketball, Segeln, Bierflaschen-Sammlung aus der ganzen Welt, Theater-Besuche.

Marzi Wilfried Dkfm.
B.: Steuerberater. DA.: 1238 Wien, Ketzerg. 354/2/1. PA.: 2380 Perchtoldsdorf, Pirquetstr. 20. G.: Mödling, 7. Jan. 1943. V.: Christa, geb. Gubik. Ki.: Nadja (1968). El.: Dr. Wilhelm u. Friederike. S.: 1961 Matura Kalksburg, Stud. an d. HS f. Welthdl., 1964 Dipl. K.: 1966 Steuerberaterprüf., seit 1968 selbst. M.: Vorst.Mtgl. b. SC Rapid. H.: Sport (Fußball, Tennis, Skifahren). (P.R.)

Marzik Trud
B.: Schriftstellerin. PA.: 1060 Wien, Theobaldg. 5. G.: Wien, 6. Juni 1923. S.: VS, Mittelschule, Univ. P.: Bücher: Aus d. Kuchlkredenz, A bissl Schwarz a bissl Weiß, Parallelgedichte, Trude Marziks Wunschbüchl, Zimmer, Kuchl, Kabinett, Das g'wisse Alter, A Jahr is bald um, Die Zeit ändert viel, Hochzeitsreise '45, Hin und wieder, Mizzi, Ehrlich gestanden, Wiener Melange. M.: P.E.N.-Club.

Märzinger Rupert

B.: Inh. FN.: Tischlerei Rupert Märzinger. DA.: 4153 Peilstein 115. PA.: 4153 Peilstein 71. G.: Linz, 10. Jan. 1961. Ki.: Sabrina 81991). El.: Rupert u. Angela. S.: VS, HS, 1976 Tischlerlehre, 1982 Mstr.-Kl. f. Holzbearb. Hallstatt, 1983 Msr.-Prüf. K.: Praktikum im Familienbetrieb, 1991 Übernahme des. Betriebes. BL.: EDV-Pilotprojekt f. Tischlereiwirtschaft. E.: Mstr.-Prüf. m. Ausz. H.: EDV, Skifahren. (U.Z.)

Masakazu Kashibe Dipl.-Ing.
B.: Gschf. FN.: Fuji GmbH & Co KG. DA.: 1220 Wien, Hosnedlg. 20. PA.: 1190 Wien, Nußbergg. 7/6/28. G.: Hyogo, 5. März 1944. V.: Nahomi. Ki.: Yusuke (1978), Mio (1989). El.: Shoji u. Teruko. S.: Univ. K.: b. 1966 Dipl.-Ing. Ind.-Produktion, 1966-68 Tsuda Ind., Automobil Asahi-Chiyoda-Kogy, 1968-72 Praktikum Degussa Frankfurt/Main, 1976 Betriebsltr., 1978 Gschf. u. Vorst., 1982 Grdg. Pöltner Co KG, 1985 Tochterfirma entwickelt, 1989 umlernen auf Fuji, 1989 Japan. Qualitätssicherheitsmanagement, seit 1985 in Österr. P.: zahlr. Vorträge über Qualitätsmanagement. E.: 1980 Staatswappen. M.: Golfclub Ebreichsdorf. H.: Familie, Golfspielen, Familienreisen, Camping. (R.T.)

Masarik Josef Dr. MedR.
B.: FA f. Psychiatrie u. Neurologie. GT.: b. 1987 Prim. d. Genesungsheim Kalksburg. DA.: 1010 Wien, Riemerg. 1. G.: Cachtice/CSFR, 27. Jan. 1921. V.: Dr. Tatjana, geb. Puskar. Ki.: Josef, Tatjana. El.: Josef u. Maria. BV.: Slowak. Familienursprung. S.: Matura in Nitra, 1942-49 Stud. d. Med. in Bratislava, 1946 an d. med. Fak. an d. Sorbonne Paris, 1949 Prom. in Bratislava. K.: 1 J. Präsenzdienst in d. CSSR, 1950-64 an d. Univ. Bratislava an d. Psych./Neurolog. Univ.Klinik als Ass.Arzt, stellv. Chefarzt, 1964 Emigration nach Österr., Gastarzt an d. Univ.Kliniken in Wien, seit 1965 Arzt im Genesungsheim Kalksburg, seit 1971 Primararzt, ab 1969 eigene Ordination f. Psychiatrie u. Neurologie. BL.: Hypnose u. psych. Einzel- u. Gruppentherapie b. Alkoholkranken u. Neurotikern. P.: div. wiss. Publ. auf d. Gebiet d. Psychotherapie u. Alkoholkrankheiten. E.: 1984 MedR., versch. spez. Ausz. f. Verd. in Kalksburg, f. Alkholkrankheiten in Österr. unter Min. Leodolter. M.: Mtgl. v. 20 Ver. auf d. Gebiet d. Psychiatrie u. Neurologie. H.: Psychotherapie, Hypnose b. Rauchern, Sport u. Zeitschwimmer, Autofahren (2 Mio km.). (M.B.)

Mascher Hermann Ing.
B.: Chemiker; Teilges. u. Unternehmens-Ltr. FN.: Pharm-Analyt Labor GmbH. DA.: 2500 Baden, Ferd.-Pichler-G. 2. PA.: 2514 Traiskirchen, Gregor-Mendel-Str. 11/2. G.: Kramsach, 18. März 1952. V.: Christiane, geb. Streilein. Ki.: Daniel (1976), Heidi (1978), Klaus (1985). El.: Hermann u. Magdalena. S.: 1962-66 Gymn. in Sbg., 1967-71 Berufsausbild. als Chemielaborant b. "Biochemie" in Kundl, ab 1971 Abendschule (Bundesgymn. f. Berufstätige) in Innsbruck, parallel dazu Chemielaborant b. "Biochemie" u. am Chem. Inst. d. Univ. Innsbruck, 1975 Matura in Wien. K.: 1974-75 tätig im Ber. Pestizide in Lebensmitteln im Forsch.-Inst. f. Ernährungswirtschaft, 1975-83 Chemotechniker b. Pharmak. Untersuchungsges. in Wien, 1985 Titel Ing., 1983-86 wiss. Ang. u. einige Zeit gewerberechtl. Gschf. b. Fa. "Biokinet", 1986 Grdg. d. Pharm-Analyt in Traiskirchen. BL.: Methodenentwickl. z. Nachweis v. versch. Medikamenten aus d. biolog. Matrix auf nat. u. intern. Ebene; spez. im Ber. d. Pharmakokinetik u. Forsch.-Arb. im Ber. Strukturaufklärung f. Phytopharmaka. P.: div. Veröff. in intern. Fachjournalen, u.a. in Neurology, Epilepsia, Chromatographia, u.w., J. of Chromatography, J. of Pharmacent, Sciences, Vorträge b. nat. Kongressen. M.: evang. Kirche u. ökumen. Ber. d. Kirch. H.: Familie, Wandern, Reisen. (I.K.)

Maschkan Walter
B.: Dir. d. Sbg. Tourismusschulen Bischofshofen. DA.: 5500 Bischofshofen, Südtiroler Str. 75. PA.: 5630 Bad Hofgastein, Schloßg. 43. G.: Baden, 1. Feb. 1939. V.: Eleonora. Ki.: Hannes Walter (1977). El.: Maximilian u. Helene. BV.: alte Gastwirtefamilie in Baden/Hainburg an d. Donau. S.: 1953-56 Lehre Hotel Sacher. K.: 1957-58 Hotelerie Schweiz, 1959 Hotel Ritz Paris, 1959-61 Country Club New York, 1961-66 Führung d. elterl. Cafes in Wien, 1967 Expo Montreal, 1968 u. 1969 Vertragslehrer Hotelfachsch. Wien, b. 1969 Toronto Royal York Hotel, Hilton, Carlyle-Hotel Manhattan, b. 1975 in d. USA, Sommer 74 u. 75 Sommerschule-Cornell-Univ. Ithacan/New York, seit 1976 Sbg. Tourismusschulen, 1984 Schulltr. Tourismusschule Bischofshofen, Eintragung d. Tourismusschule Bischofshofen ins Buch d. Rekorde (Flambieren). P.: Fachart. f. d. Österr. Gastwirteverb. E.: Gold. EZ f. bes. Verd. d. Sbg. Gastwirteverb., Ehrenmtgl. d. Österr.

Praxislehrerverb. an österr. Fremdenverkehrsschulen. M.: Liedertafel Bad Hofgstein, Österr. Hotelfachschuldir.-Verb., EUHOFA. (G.P.)

Maschke Bertram Dr. iur.

B.: RA. DA.: 5550 Radstadt, Stadtpl. 3. PA.: 5550 Radstadt, Schloßstr. 2. G.: Wien, 26. Jän. 1941. V.: Juliane. Ki.: Michaela (1977), Fabian (1983). El.: Paul u. Lucia. BV.: Vater Paul Maschke RA in Radstadt. S.: 1959 Matura Hum. Gymn. Sbg., BH (OLt.), Stud. Rechtswiss. Wien, 1967 Prom. K.: 1973 Einstieg u. 1983 Übernahme d. väterl. Kzl. M.: Aussch.-Mtgl. Sbg. RA-Kam., Obm. d. örtl. Skiclubs, Lions Club St. Johann. H.: Wandern, Skifahren, Griech. u. Röm. Kultur. (G.P.)

Mäser Manfred Ing.

B.: Inh. FN.: Ing. Manfred Mäser, Video & Tonstudio. DA/PA.: 6850 Dornbirn, Höchsterstr. 47. G.: Dornbirn, 21. Feb. 1958. V.: Dr. Angelika, geb. Böhler. El.: Johann u. Martha. S.: Gymn., HTL Elektrotechn., Abiturentenlehrgang HAK, 1978 Mat., 1979-80 BH. K.: 1979 Elektroakustik Bregenzer Festspiele, 1979 Grdg. Vidoe & Tontechnik, Ing. Manfred Mäser Dornbirn, Film u. Videoprod., Tonstudio, Computergrafik. M.: Fachverb. Audivision u. Filmindustrie, Rotary Club Vlbg. H.: Segeln, Schifahren, Bergwandern, gepflegt Essen u. Trinken. (I.D.)

Mäser Manfred Mag.

B.: Werbekfm., Alleininh. FN.: Mäser Werbeagentur. GT.: Teilhaber Mäser Werbung Druck GmbH. DA.: 6850 Dornbirn, Dr.-A.-Schneider-Str. 40. PA.: 6850 Dornbirn, Grabenweg 3A. G.: Dornbirn, 13. Febr. 1949. El.: Herbert u. Maria. S.: HAK Bregenz, 1969 Matura, Stud. BWL Univ. Innsbruck, 1975 Mag. K.: 1975-80 Marketing u. Verkauf in div. Unternehmen in Vbg., 1 J. Praxis in Paris, seit 1981 selbst. im Direktmarketing u. d. Werbe- u. Marketingberatung. M.: Gen.-Sekr. d. Ambassador Clubs Österr. (NAC), Presseref. d. Österr. Wirtschaftsakademiker. H.: Reiten, Tauchen, Golf, Skifahren. (W.R.)

Mäser Othmar R. Dr. med. Dipl.-Ing.

B.: Prakt. Arzt u. FA f. Psychiatrie u. Neurologie. A.: 6800 Feldkirch, Bahnhofstr. 6b. G.: Dornbirn, 1. Juli 1952. V.: Trevisani Lucretia V. El.: Theodor u. Rosa. S.: Grundschule, BRG Dornbirn, 1970-75 ETH Zürich - Abt. Maschineninq.Wesen (techn. Studienaufenthalt Frankreich, England), 1975-81 Univ. Innsbruck - Med. Fak. (Med. Studienaufenthalt USA, Schweiz). M.: Österr. Ärztekam. H.: Entwicklung v. med. Behelfsartikeln, Biologie, med. Psychologie, Psychiatrie.

Mäser Udo Markus Mag. rer. soc. öc.

B.: Inh., Gschf. FN.: Mäser Autohandels Ges.mbH & Co. DA.: 6900 Bregenz, Arlbergstr. 113. G.: Bregenz, 16. Jan. 1965. El.: Kurt, Ing. u. Hedda. S.: Gymn. Bregenz, 1984 Mat. HTL Maschinenbau, 1991 Spon. Uni Innsbr., BW. K.: Einarbeitungszeit, Übern. d. Autohandelsbetr. Bregenz (Fiat u. Lancia), 1993 diverse Verkaufs-Schulungen, Lehrberechtigungsprüfung H.: Zeichnen, Malen, Oldtimer restaurieren.(I.D.)

Mäser Willi Mag.

B.: Betriebswirt, Gschf. Ges. FN.: Josef Mäser GmbH Dornbirn. GT.: Josef Mäser Handels GmbH & Co KG, 6850 Dornbirn, Eiseng. 4, Josef Mäser GmbH, Wien, Tonfabrikgasse, Josef Mäser GmbH Lindau. PA.: 6850 Dornbirn, Moosmahdstr. 4. G.: Bregenz, 24. Sept. 1960. El.: Josef u. Ulrike. BV.: Urgroßvater Josef Mäser 1879 Begründer d. Familienunternehmen. S.: Gymn. Dornbirn, 1980 Matura, Abiturentenlehrgang HAK Bregenz, Stud. BWL Univ. Innsbruck, 1986 Spons. z. Mag. K.: 1 J. Berufspraxis in Holland, 1986 Eintritt in elterl. Unternehmen. H.: Segelfliegen, Wandern, Lesen, Skiwandern, kulturelles Interesse. (W.R.)

Maskowan Karl

B.: Dir., Geschäftsltr. v. Raiffeisenbank Klosterneuburg. DA.: 3400 Klosterneuburg, Rathauspl. 7. PA.: 3400 Kierling, Doppelng. 28/B. G.: Neunkirchen, 6. Jan. 1944. V.: Renate, geb. Heilig. Ki.: Karin, Sandra, Nina. El.: Karl u. Theresia. K.: Raiffeisenzentralkasse f. NÖ-Wien, 1962 Vertr. d. Geschäftsltr. NÖ., 1967 Geschäftsltr. in Klosterneuburg, 1972 Dir. v. Raiffeisenbank. M.: Tennisver.-Kassier, Fußballver. Klosterneuburg, Lionsclub-Klosterneuburg, Babenberg, Tierschutzver., Mstr.Konzerte Klosterneuburg, Rechnunsprüfer. H.: Tennis, Skifahren. (Fels.)

Masri Jasin Dr. med. univ.

B.: Prakt. Arzt, Sprengelarzt d. Gem. Feld am See, Afritz u. Arriach. GT.: Flugrettung Klagenfurt, ärztl. Hubschrauberdienst. DA. u. PA.: 9542 Afritz, Gassen 20. G.: Damaskus-Sakba/Syrien, 29. Juni 1941. V.: Josefine, geb. Lessiak. Ki.: Jasmin, Nadim, Nadja, Riem. El.: Salah u. Amina. S.: Pflichtschule, Mittelschule, Gmyn., 1960 Matura in Dmaskus, 1961-62 Univ. Damaskus Stud. Med., 1963-70 Univ. Wien Stud. Med., 1970 Prom. in Wien. K.: 1970-74 Berufsausbild. Elisabethinen KH u. LKH Klagenfurt, 1974 Praxiseröff. in Afritz m. eigener Hausapotheke. BL.: Akupunktur, Sauerstofftherapie, Frischzellentherapie u. Neuraltherapie, Psychoanalyse u. Autogenes Training, Gesunde natürl. Ernährung. P.: lfd. Fachvorträge. M.: Feuerwehrarzt u. Mtgl., Tennisclub "Lärchenhof". H.: Tennis, Jagd, Schwimmen, Skifahren, Kartenspielen. (Hatt.)

Masser Werner Dr. iur.

B.: RA. DA.: 1010 Wien, Singerstr. 27. PA.: 1030 Wien, Strohg. 35. G.: Graz, 2. Mai 1929. V.: Elisabeth, geb. Fiala. Ki.: Maria, Florian, Veronika. S.: 1947 Matura, Stud. d. Rechtswiss. in Graz, 1951 Prom. K.: Gerichtsjahr in Graz, Konzipientenzeit in Leibnitz, 1954-55 Notariatspraxis in Graz, 1955 nach Wien zu Dr. Hans Gürtler, seit 1960 eingetragener RA in Wien m. drei Partnern, Schwerpunkt: Zivil- u. Presserecht. E.: Commander of the Order of Makarios III. M.: Gen.Kons. d. Rep. Zypern in d. Rep. Österr. u. im Fürstentum Liechtenstein, Mtgl. d. kath.-österr. Studentenverb. "Traungau". (P.R.)

Massing Dorothea

B.: Unternehmerin. FN.: Dorothea u. Gernot Massing Damen- u. Herrenmoden. DA.: 1130 Wien, Hietzinger Hauptstr. 145, 1130 Wien, Lainzer Str. 27. G.: Salzburg, 19. Juni 1960, Heimatgemeinde: Obertraun. V.: Gernot Massing. Ki.: Geraldine (1990). El.: Johann u. Theresia Zauner. S.: 1979 Matura Bad Aussee, einige Sem. Betriebswirtschaft WU Wien. K.: während d. Studienzeit Mitarb. in d. Handelsagentur d. Ehemannes, 1986 Eröff. d. 1. Geschäftes in d. Hietzinger Hauptstraße f. exklusive, hochwertige u. tragbare Mode f. Damen u. Herren, 1991 Eröffnung des Zweitgeschäftes in der Lainzer Straße. H.: Sport, Mode, Bücher, Musik, Kochen, gut Essen. (J.S.)

Massing Gernot

B.: Unternehmer. FN.: Handelsagentur Massing. DA.: 1130 Wien, Hietzinger Hauptstr. 145. G.: Wien, 1. Nov. 1954. V.: Dorothea, geb. Zauner. Ki.: Geraldine (1990). El.: Anton u. Gertrud. S.: Berufsausbild. z. Einzelhdls.-Kfm. im Familienbetrieb. K.: 1980 Grdg. d. Handelsagentur f. Textilien, seit 1982 Schwerpunkt Österr. Produkte, 1986 Eröff. d. 1. Geschäftes in d. Hietzinger Hauptstraße, 1991 Eröff. d. Zweitgeschäftes in d. Lainzer Straße. BL.: jahrl. Mtgl. d. Leichtathletik Nationalmannschaft, mehrfacher Österr. Mstr. im Sprint, damaliger Mitinh. Österr. Rekorde u.a. 60 Meter - 6,6 Sekunden, 50 Meter - 5,7 Sekunden, mehrfache Teilnahme an EM, jüngster Teilnehmer an d. Hallen-EM in Rotterdam, Teilnahme am Letzigrund Zürich. F.: Dorothea u. Gernot Massing Damen- u. Herrenmoden 1130 Wien, Hietzinger Hauptstr. 145 u. 1130 Wien, Lainzer Str 27 f. exklusive, hochwertige u. tragbare Mode f. Damen u. Herren. H.: Sport, Mode, Musik, Lesen, Kochen, gut Essen, Tiere. (J.S.)

Massinger Alfred

B.: Gastwirt "Dom Beisl". DA.: 1010 Wien, Schulerstr. 4. PA.: 2823 Pitten, Franz-Schubert-Weg 127. G.: Wien, 31. Okt. 1949. V.: Margarethe, geb. Svoboda. El.: Emmerich u. Anna, geb. Wagner. S.: VS, HS, Hotelfachschule Schloß Kleßheim Sbg. K.: 1968-69 Schloßhotel Velden, 1979-72 Casino Werzer Pörtschach, 1972-76 Chattanooga Am Graben, 1976-86 selbst. in Pitten, danach Gastwirt "Dom Beisl". H.: Radfahren, Sauna. (N.A.)

Mastny Adolf

B.: Gschf. Ges. FN.: TOPREIN Reinigungs GmbH & Co KG, ALL-Reinigungsbedarf, Umweltpflege u. Hygiene GmbH. DA.: 4020 Linz, Ignaz-Mayer-Str. 6a. PA.: 4203 Altenberg, Mitterweg 8. G.: Linz, 10. Febr. 1940. Ki.: Alexandra, Christian. S.: kfm. Lehre, Buchhändler. K.: 1955-59 Fa. Veritas, 1960 Sozialvers., 1962 ÖVP-Parteisekr. Linz, 1969 Sozialvers., 1974 selbst. Grdg. d. Fa. TOPREIN, 1977 selbst. Grdg. d. Fa. ALL-Reinigungsbedarf, 1984 selbst. Grdg. d. Fa. Umweltpflege u. Hygiene GmbH. E.: 1984 Gold. Verdienstz. d. Landes OÖ, 1985 Umweltschutzpreis d. Landes OÖ, 1980 LSport-EZ., 1978 Unionehrenz. in Silb., Wirtsch.-Med. d. Stadt Linz 1988, 1990 Umweltschutzpreis d. LVerb. OÖ f. Tourismus. M.: Kam.Funktionär, seit 1980 Aussch.Mtgl. Innung Chem. Gewerbe u. Innung Allg. Gewerbe, seit 1985 Fachgruppenvorst. d. Allg. Gewerbes u. BAussch.Mtgl. d. Allg. Gewerbes, Kiwanis-Kepler-Linz, Marketing Club Linz, Berufsgruppenvors. d. Gebäudereinigung in OÖ u. BAussch.Mtgl., seit 1992 Präs. d. Diözesansportgem. OÖ. H.: Lesen, Sport (Tennis, Tischtennis). (A.W.)

Mastny Christian

B.: Reisebürokfm. A.: 1010 Wien, Seilergasse 14. G.: Wien, 31. Jan.1947. E.: Otto u. Herta. S.: Matura, je 4 Sem. Welthdl. u. Jusstud. an HS u. Univ. K.: 1970 Büroltg. eines Wr. Reisebüros, 1973 Grdg. v. Commerz-Reisen, Ges. u. Gschf. F.: Vertretung d. Leipziger Messe i. Österr. P.: "System d. Anbotes d. österr. Beherbergungsbetriebe auf Grund d. Nachfrage. M.: Dt. HK in Österr. H.: Opern, Klavierkonzerte, Wandern u. Langlauf.

Masud Fazelneya

B.: Orientteppich-Kfm. FN.: Fa. Masud Fazelneya, Orientteppich-Fachgeschäft. DA.: 4400 Steyr, Grünmarkt 4. G.: Arak/Iran, 21. März 1939. V.: Jutta Karin. Ki.: Atussa-Christiane. S.: 1962 nach Österr., 2 1/2 J. Med.-Stud., anschl. b. 1972 BWL-Stud. Linz. K.: seit 1972 selbst., Direktimport u. Verk. v. Orientteppichen (Reinigung u. Reparatur). P.: Buch: "Der Orientteppich". M.: Verb. d. Österr. Orientteppichfachhdl. H.: Volleyball, Krafttraining, Tischtennis, Perserteppiche. (P.H.)

Matejcek Dietmar

B.: Designer. DA./PA.: 1060 Wien, Gumpendorfer Str. 26/11. G.: Villach, 6. März 1945. V.: Edda geb. Müller. Ki.: Jan (1975), Alma (1979). El.: Heinrich u. Erna, geb. Pomaroli. S.: VS, HTL, Stud. Arch. HS f. angew. Kunst. K.: s. 1969 eigenes Atelier, Tätigk. a. div. Wiener Theatern, Ausstattung v. Geschäften, Boutiquen sow. Wohnungen u. Villen. P.: Fachartikel i. Fachjournalen. H.: Radfahren, Tennis, Kajak. (N.A.)

Matejka Alfred KommR.

B.: Immobilienverw., Immobilienmakler, all. gerichtl. beeid. Sachv. DA.: 1010 Wien, Getreidemarkt 14. G.: Wien, 6. Dez. 1917. V.: Josefine, geb. Röder. El.: Leopold u. Klara. S.: Techn. Gewerbeschule. K.: Mitarb. einer Hausverw.-Kzl., Kzl.-Ltr., Eröff. einer Kzl.-Gemeinschaft "Sodoma & Matejka", ab 1954 Alleininh. d. Fa. Alfred Matejka Wien I., Beisitzer f. d. Arb.-Ger. in Wien, Zangsverw. f. d. Immobilienwesen. E.: Silb. Ehrenmed. d. Kam. d. gewerbl. Wirtschaft f. Wien. M.: Präs. d. Ver. d. gerichtl. beeid. Sachv. f. d. Realitätenwesen, Mtgl. d. FIABCI, Ver.-Mtgl. d. Ersten österr. Sparkasse, Mtgl. d. Prüf.-Kmsn. in Wien z. Abnahme d. Befähigungsprüf. d. Immoblienberufe. (J.E.)

Matejka Marlen

B.: selbst. Modedesignerin. DA.: 1020 Wien, Untere Augartenstr. 26. G.: Wien, 31. Okt. 1962. El.: Franz Karl u. Inge Matejka, geb. Christoph. S.: VS, Gymn., 1977-82 Modeschule Hetzendorf. K.: 1983 Aufenthalt in Paris b. "Eurostyle", seit 1984 selbst.: Ind.-Design, 1989 1. Kollektionen b. d. "Off line" in d. Hofburg, Schwerpunkte: Ind.-Design u. eigene Kollektionen. E.: 1982 Förderpreis "Modeteam Wien", 1990 1. Preis f. d. beste Design b. d. "Off line". H.: Spazierengehen. klass. Musik, Tennis. (N.A.)

Matejovsky Georg

B.: Ges. FN.: Hotel Mate. DA.: 1160 Wien, Ottakringer Str. 34-36. PA.: 1170 Wien, Montig. 13. G.: Wien, 15. Mai 1953. V.: Claudia, geb. Wallner. Ki.: Georg (1983). El.: KommR. Georg u. Maria. S.: Matura, 3 1/2 Jahre Fremdenverkehrsak. K.: 1971 Einst. i. d. Familienbetrieb Hotel Mate. M.: Skalclub, ASMA-Hotel Sales marketing and hospitality, Golfclub Wien. H.: Golf, Basketball, Malen, Esoterik, Sprachen. (M.N.)

Matern Peter

B.: Antiquar u. Kunsthändler. DA.: 5024 Salzburg, Linzer G. 5. G.: Wien, 8. Sept. 1938. El.: Josef u. Edith. S.: VS, HS, HASCH, Externistenmatura 1965-66, Berufsausbild. als Antiquar in Innsbruck u. Wien, ab 1970 als selbst. Antiquar in Sbg. tätig, 1973 Geschäftseröff. in Sbg. BL.: Einer d. wenigsten Experten in Sbg. f. antiquarische Bücher u. Überprüf. auf Echtheit alter Graphiken. P.: Ständige Teilnahme an d.

Sbg. Antiquitätsmesse u. fallweise öff. Diavorträge über alte Stiche. M.: Aussch.Mtgl. d. HK-Sbg. H.: Heimatgeschichte u. Heimatkunst. (Hat.)

Materna Georg KommR.

B.: Schuhmachermstr. GT.: gerichtl. beeid. Sachv. u. Schätzmstr. DA.: 1010 Wien, Mahlerstr. 5. G.: Wien, 8. Juli 1939. V.: Beatrix, geb. Kalousek. Ki.: Daniela. El.: Josef u. Karoline. S.: VS, HS, Berufsschule, div. Kurse u. Seminare. K.: Lehrling b. Vater, 1962 Mstr.-Prüf., 1964 Übernahme d. Geschäftes v. Vater, 1973 Übernahme d. Geschäftes v. KommR. B. Nagy, seit 1980 gerichtl. beeid. Sachv. u. Schätzmstr. E.: 1984 Österr. staatl. Ausz. b. intern. Ausstellungen 8 Goldmed. u. 3 Ehrenausz. M.: Innungsaussch.-Mtgl., Vors. d. Prüf.-Kmsn. d. Innung. H.: Autofahren, Turnen. (J.S.)

Mathé Hans Josef Dr.

B.: Gesandter, z.Zt. Österr. Botschafter in Buenos Aires. PA.: 1090 Wien, Binderg. 5-9/3. G.: Wien, 30. März 1927. V.: Evelyn, geb. Preyer. El.: Prof. David u. Eugenie. BV.: Vater Prof. David Mathé einer d. Begründer d. Jazz in Österr. S.: Ak. Gymn. u. Schottengymn. Wien, HS f. Musik in Wien, Sussex College England, Dr. iur. (Univ. Wien). K.: 1956 Eintritt in d. österr. auswärtigen Dienst, 1956-58 KA, wirtschaftspolit. Abt., 1958-66 Österr. Botschaft Bogota, 1967-68 BMA, 1968-70 Österr. Botschaft Lima, 1970-72 Österr. Geschäftsträger f. Peru u. Bolivien, 1972-74 Österr. Konsul inTel Aviv, 1974-75 Diplomat. Ak. Wien, 1975-79 BMA, 1979-82 Gesandter-BotschaftsR. in Athen, seit 1982 österr. Botschafter in Buenos Aires. P.: Die Evolution d. Bevölkerung v. Neu Granada, Seifenblasen (Roman). E.: Österr. Verd.Kreuz, Luxemb. Ritterkreuze, Finnländ. Offz.Kreuze, Kommandeurkreuze: Spanien, Griechenland (Phoenix), Peru, Equador, Jordanien (Istiqlal), Schweden (Nordstern), Großoffz.Kreuz: Venezuela (F. Miranda). M.: Golfclub Wien u.a. H.: Golf, Musik, Literatur, Philatelie.

Matheisl Karl Dir.

B.: Ltr., Musikschullehrer Rheintal. Musikschule Lustenau. GT.: Chorltr., überregionale Tätigkeit im kirchenmusikal. Bereich, Dekanatschorltr. d. Dekanates Bregenz. DA.: 6890 Lustenau, Maria-Theresien-Str. 61. PA.: 6890 Lustenau, Im Brand 5. G.: Bludenz, 1. Nov. 1946. V.: Maria Luise, geb. Frei. Ki.: Christine, Michael. El.: Otto u. Johanna. S.: 1964-67 Fachak. f. Kirchenmusik u. Musikerziehung in Regensburg. K.: seit 1968 Tätigkeit an d. Rheintal. Musikschule als Klavierlehrer, seit 1987 Ltr. d. Musikschule. BL.: Ltr. v. Singseminaren u. Kirchenmusikal. Werkwochen, Mitbegründer d. Collegium Vocale Lustenau. P.: Erstaufführung d. Requiems v. Guetano Donizetti im Bodenseeraum, CD, Stabat mater v. Joseph Gabriel Reinberger auf MC, zahlr. Auftritte m. Chor- u. Orchesterwerken im In- u. Ausland. H.: Musik, Natur, Fischen, Bergsteigen. (A.K.)

Mathis Erwin

B.: Vers.-Berater Kontroll- u. Maklerbüro, Elektrotechniker. DA.: 6845 Hohenems, Birkenweg 9. G.: Hohenems, 19. Juni 1950. V.: Sylvia. Ki.: Christoph (1973), André (1976). El.: Erwin u. Anna. S.: HS, Lehre f. Elektrotechnik, ab 1968 Berufsschule, fachbezogene Fortbild. im Vers.-Bereich, 1969 Militär. K.: 1970-71 Tätigkeit im Bereich Elektrotechnik München, 1972-77 Betreuungsinsp. im Vers.-Konzern Dornbirn, 1978 selbst. Vers.-Kfm. im Makler- u. Beratergewerbe. M.: Schützengilde Hohenems. H.: Schießen, Skifahren, Tennis. (I.D.)

Mathis Johannes

B.: Gschf. Dir. Vbg. Hilfsver. f. gehör- u. sprachgeschädigte Kinder u. Erwachsene, Ltr. d. Abt. Vbg. Gehörlosenheim, Beratungsstelle, Kindergarten u. Schule. DA.: 6850 Dornbirn, Feldg. 24. PA.: 6845 Hohenems, Stockenweg 8. G.: Hohenems, 17. Juli 1961. V.: Ulrike, geb. Schwarzer. Ki.: Stefan (1986), Christina (1992). El.: Manfred u. Ferdinanda. BV.: Mutter Ferdinanda Mathis Gründerin d. Vbg. Gehörlosenheimes. S.: VS, HS, Ausbild. z. Bankkfm., Ak. f. Sozialarb. Bregenz, Heilpäd. Seminar Zürich, 1985 Abschluß. K.: 1985 Dipl.-Sozialarb. Inst. f. Sozialdienste Dornbirn, 1986 Sozialamtsltr. d. Stadt Hohenems, parallel Grdg. u. Aufbau d. Vbg. Hilfsver. f. gehörgeschädigte Kinder u. Erwachsene Dornbirn, 1987 Gschf. d. Hilfsver., 1987 Grdg. einer Beratungsstelle f. Gehörgeschädigte, 1989 Gründ. d. ersten Schule f. Hörgeschädigte, 1991 gerichtl. beeid. Dolmetscher f. d. Gehörlosen- u. Gebärdensprache. P.: Fragebögen z. Früherkennung v. Hörschädigungen. M.: Dir.-Kmsn. d. Österr. u. Europ. Gehörlosenschulen, Arge d. Ltr. d. Erziehungseinrichtungen f. Gehörlose u. Schwerhörige. H.: Skifahren, Schach. (I.D.)

Mathis Kurt Ing.

B.: Abg. z. NR. GT.: Inh. Fa. Kuma, Bregenz. DA.: 1017 Wien, Parlament. PA.: 6900 Bregenz-Fluh Nr. 34. G.: Bregenz, 4. Jan. 1946. V.: Reinelde, geb. Pfanner. Ki.: Gabriela (1969), Michael (1972). El.: Engelbert u. Anna. S.: HTL Bregenz, einige Sem. BWL Uni. Ibk. K.: Organ. Ass. intern. Konzerne i. In.- u. Ausl., Vkltr. u. Gschf. i. Hdls. u. Gewerbeunt., s. 1978 selbst. Fa. Kuma, s. 1980 pol. eng. zun. i. d. Bregenzer Stadtvertr., s. 1982 Clubobm. d. Bregenzer ÖVP, ab 1990 Stadtrat f. Wirtsch. Tourismus u. reg. Angel., s. 1993 Abg. z. NR. H.: Tiefschneefahren, Tennis, Jassen. (J.S.)

Mathis Richard

B.: Prok. FN.: Gebrüder Ulmer Ges.m.b.H. & Co. DA.: 6850 Dornbirn, Rathausplatz 4. PA.: 6845 Hohenems, Anton Hopfgartnerstr. 6. G.: Hohenems, 26. Feb. 1944. V.: Helene. Ki.: Daniel (1971), Sonja (1973), Angelika (1978). El.: Josef u. Maria. S.: Abschluß d. kfm. Lehre 1961, Pol. Akad. d. ÖVP i. Wien. K.: 1962-64 Schuhfabrik Sachs i. Hohenems, 1965-67selbst. Handelsvertr., 1967 Eintritt i. d. Außendienst d. Fa. Ulmer, 1984: Leitung d. Initiative "Schnellzugeisenbahnhof Hohenems., 1984: in direkten Verhandlungen mit ÖBB-Generaldirektor Dr. W. Pycha wurde der Bahnhof Hohenems nach 20 jähriger Unterbrechung wieder zum Schnellzugbahnhof erklärt. IC u. D-Züge bleiben in Hohenems stehen. 1991 Bereichsltr., 1992: Landessprecher der initiative für Dr. Thomas Klestil in Vorarlberg, 1993 Prok. d. Bereichsltg., Direktmtgl. d. ÖVP, 1986 Wahlhelfer f. Waldheim i. Hohenems, 1985 Initiator d. Hohenemser Bepflanzungsaktion, 1994 Veranst. d. 1. Hohenemser Hitparade.P.: Ein Staat ohne Arbeitslose M.: Tennisclub Hohenems, Grdg. u. Veranst. d. Nibelungen-Tennisturnieres, OM d. Hohenemser Verkehrsver. H.: Schitouren, Tennis, Lesen, Musik. (I.D.)

Mathuber Alf Mag. Prof.

B.: Dir. BRG u. BORG. DA.: 1220 Wien, Polgarstr. 24. G.: Wien, 19. Okt. 1944. V.: Maria, geb. Varga. El.: Alfred u. Lea, geb. Schmied. S.: RG, 1962 Matura, Stud. Math. u. Physik Univ. Wien, 1969 Abschluß. K.: Tätigkeit b. Firma Siemens, ab 1967 Unterrichtstätigkeit, seit 1987 Dir. BRG u. BORG, 1992 Aufbau d. Schulhausbootes "Bertha von Suttner", Initiator d. einzigen Wr. Schulversuchs - Oberstufen-RG m. Informatik, lfd. Vorlesungen, Ltr. v. Lehrerfortbild. u. Lehrerweiterbild., mehrjährige Tätigkeit in d. Bundesltg. d. GÖD. P.: Autor mehrerer Lehrbücher, Aut. v. Schulserien in Tageszeitg. E.: Dank u. Anerkennung v. StadtschulR. f. Wien, Ltr. d. österr. Lehrplankomm. Physik/Chem. f. AHS u. HS. M.: Vorst.-Mtgl. Wr. AHS-Dir., 1988-90 u. seit 1994 Dir. d. Externistenreifeprüf.-Kmsn., 1988-92 Mtgl. d. Kollegiums d. StadtschulR. f. Wien. H.: Skifahren, Tauchen, Segeln, Surfen. (N.A.)

Mathy Andreas

B.: Gschf. Ges. FN.: Josef Mathy GmbH & Co, Südfrüchteimport Intern. Kühltransporte. DA.: 4020 Linz, Lastenstr. 17a. G.: Linz, 13. Febr. 1964. V.: Sabine, geb. Hurnaus. Ki.: Elisabeth (1992). El.: Josef u. Erna. S.: VS, Oberfachschule f. Wirtschafts- u. Rechtspflege, 1983 Matura. K.: Praktikum in d. Schweiz u. d. USA, seit 1986 in elterl. Firma, 1991 Gschf. Ges. H.: Segeln, Schach, Skifahren. (U.A.)

Mathy Erna

B.: Gschf. Ges. FN.: Josef Mathy GmbH & Co, Südfrüchteimport Intern. Kühltransporte. DA.: 4020 Linz, Lastenstr. 17a. G.: Linz, 18. Sept. 1939. V.: Josef Mathy. Ki.: Josef (1961), Andreas (1964). El.: Franz u. Franziska Ziehlinger. S.: VS, MS, kfm. Lehre. K.: Praktikum im In- u. Ausland, 1959 Eintritt u. Prok. H.: Reisen, Lesen, Arch., Kunst, Antiquitäten. (U.A.)

Mathy Josef sen.

B.: Ges. FN.: Josef Mathy GmbH & Co, Südfrüchteimport Intern. Kühltransporte. DA.: 4020 Linz, Lastenstr. 17a. G.: Marbach/Donau, 27. Juni 1931. V.: Erna, geb. Ziehlinger. Ki.: Josef (1961), Andreas (1964). El.: Karl u. Rosa. S.: VS, Realschule, b. 1950 kfm. Lehre. K.: Kfm., 1955 Betriebsgrdg. als Fruchtimporteur, b. 1991 Gschf. Ges., seit 1962 zusätzl. Sped. f. Tiefkühlwaren. H.: Schach, Skisport, Jagd, Musik. (U.A.)

Mathy Josef jun.

B.: Gschf. Ges. FN.: Josef Mathy GmbH & Co, Südfrüchteimport Intern. Kühltransporte. DA.: 4020 Linz, Lastenstr. 17a. G.: Linz, 21. Apr. 1961. V.: Gabriele, geb. Stegemann. Ki.: Manuela (1989). Stephan (1991). El.: Josef u. Erna. S.: VS, Fachoberschule f. Wirtschafts- u. Rechtspflege, 1980 Matura. K.: Praktikum in Italien u. Deutschland im Frucht- u. Sped.-Wesen, 1986 Eintritt, seit 1991 Gschf. Ges. H.: begeisterter Segler, Sport, Schach. (U.A.)

Matiasek Hellmuth

B.: Schauspieler im Theater in d. Josefstadt. G.: Wien, 15. Mai 1931. S.: Stud. Schauspiel u. Regie am Max Reinhardt-Seminar in Wien sowie Germanistik u. Theaterwiss., 1953 Grdg. d. Kellertheaters "Kaleidoskop" am Naschmarkt, b. 1957 Ltg. d. Theaters, 1957-60 Spielltr. am Landestheater Sbg., 1960-62 Engagement als Reg. an d. Städtischen Bühnen Köln, 1962-64 Int. d. Landestheaters Salzburg, 1964-67 Gen.Int. d. Staatstheaters in Braunschweig, 1967-72 freischaff. Reg., 1972-79 Dir. d. Otto Falckenberg-Ak. in München, 1979-83 Gen.Int. d. Wuppertaler Bühnen, seit 1983 Int. d. Staatstheaters am Gärtnerplatz München, Gastinszenierungen am Burgtheater b. d. Sbg. u. Bregenzer Festspielen sowie in Berlin, Hamburg, München, Stuttgart, Düsseldorf, Essen, Göttingen, Karlsruhe, Stockholm, Barcelona, Zagreb, 1988 Regie b. "Sonny Boys" in d. Kammerspielen.

Matiasek Walter Dipl.-Ing. SenR.

B.: Ltr. d. Bautechn. Gruppe d. Wr. Stadtwerke. DA.: 1031 Wien, Erdbergstr. 202. PA.: 1090 Wien, Widerhoferpl. 3. G.: Wien, 30. Sep. 1939. V.: Heide, geb. Müller. Ki.: Johannes (1980), Anna (1984). El.: Dipl.-Ing. Rudolf u. Maria, geb. Holleck. S.: VS, HS, 1958 Matura, 1958-66 Stud. Bauing.-Wesen TH Wien. K.: 1967 Eintritt als Bauinspizient in d. Wr. Verkehrsbetriebe, 1984 Abt.-Ltr. f. Hochbau u. Gebäudeerhaltung, 1991 Ltr. d. Bautechn. Gruppe. H.: Musik. (M.D.-H.)

Matis Herbert Dr. o.Univ.-Prof.

B.: Univ.-Prof. am Inst. f. Wirtschafts- u. Sozialgeschichte d. WU. GT.: Ltr. d. Ludwig Boltzmann-Inst. f. wirtschaftshistor. Prozeßanalyse. DA.: 1090 Wien, Aug. 2-6. PA.: 1180 Wien, Gregor-Mendel-Str. 1. G.: Wien, 22. Mai 1941. V.: Inge, geb. Andreatta. Ki.: Dr. med. Nicholas, Alexander. El.: Johann-Georg u. Elfriede. S.: RG, 1959 Matura, BH, Lt. d. Res., 1965 Prom. Univ. Wien. K.: Inst. f. höhere Stud., Aufenthalt in Cambridge UK, 1971 Habil. an d. HS f. Welthdl., 1972 Ord., Berufung an versch. in- u. ausländ. Univ., 1984/85 Rektor d. WU, Stellv. Vors. d. Rektorenkonferenz, Korr. Mtgl. Österr. Akad. d. Wiss. P.: 8 Bücher: Österr. Wirtschaft 1848-1913, Der Österr. Schilling, Der Österr. Abg., Unternehmenskultur, Von d. moral. z. polit. Ökonomie, Von d. Glückseligkeit d. Staates, Geburt d. Neuzeit, Das Industriesystem, Die Weltwirtschaft, weiters 150 Aufsätze. E.: 1982 Österr. EK f. Wiss u. Kunst I. Kl., 1988 Gr. Silb. EZ, 1991 Gr. Gold. EZ d. Landes NÖ, 1972 Kardinal-Innitzer-Preis, 1968 Rud.-Diesel-Med., 1985 Gold. Ehrennadel d. dt. Metallind. M.: Dt. Ges. f. Wirtschafts- u. Sozialgeschichte, Quantum, Verb. österr. Wirtschaftsa., Österr. Bankwiss. Ges. H.: Tennis, Segeln. (C.K.)

Matischek Rudolf Mag. Ing.

B.: Gsch. FN.: I.T.C. Trade Company Hdls. GmbH. DA.: 5020 Salzburg, St.-Julien-Str. 7A. PA.: 6300 Wörgl, Jakob-Brandauer-Str. 12. G.: St. Pölten, 1. Nov. 1949. Ki.: Claudia. El.: Rudolf u. Angela. S.: 1969 HTL-Matura, WU Wien, 1976 Abschluß. K.: Rechnungswesen, Einkauf, REFA VÖEST, anschl. Hamburger Unterland, Gschf. Papierfbk. Pöls, seit 1991 Gschf. b. I.T.C. (M.Mo.)

Matl Gottfried Dipl.-Ing. HofR.

B.: Dir. d. Saline Ebensee. A.: 4802 Ebenbesee, Hauptstr. 27. G.: Deutschlandsberg, 12. Dez. 1925. V.: Leanda, geb. Haag. El.: Franz u. Anna. S.: VS, HS, Staatsgewerbeschule f. Maschinenbau, Montan-Univ. Leoben. E.: Gr. EZ f. Verd. um d. Rep. Österr. M.: ÖAV, Sportfliegerklub Salzkammergut. H.: Bergsteigen, Segelfliegen, Skifahren, Lesen.

Matousek Harald
B.: Inh. FN.: D.E.S.I.G.N. Studio Harald Matousek, 2M-Computertechnik Harald Matousek, Medieninh., Hrsg. u. Chefred. d. Eferdinger u. Grieskirchner News. DA. u. PA.: 4070 Eferding, Güttlfeld 82. G.: Linz, 29. Apr. 1970. El.: Johann u. Ingrid. S.: VS, HS, Polytechn. Lehrgang, b. 1988 Lehre als Bürokfm. b. PVA Linz, 1989 BH, Kurse. K.: 1990 Grdg. D.E.S.I.G.N. Studio, 1991 Grdg. "News", 1992 Grdg. 2M-Computertechnik. P.: lfd. Art., Chefred. d. Zeitung "News". H.: Beruf, Paragleiten. (U.A.)

Matscher Franz DDr. Univ.-Prof.
B.: Prof. f. Zivilprozeßrecht an d. Univ. Sbg., Richter am europ. Gerichtshof f. Menschenrechte Straßburg. A.: 1190 Wien, Eroicag. 7/4. G.: Meran, 19. Jan. 1928. V.: Renata Maria, geb. Waitzendorfer. El.: Franz u. Maria. S.: Gymn. in Graz, Rechtswiss. u. Sprachen an d. Univ. Graz u. Paris. K.: Ger.Praxis in Graz, 1953-70 Österr. Auswärtiger Dienst, 1967 Habil. in Innsbruck, seit 1969 Univ.-Prof. in Sbg. 1971-72 Dekan d. Jur. Fak., 1974-75 Rektor Univ. Sbg., 1970-77 Kons. im BMA Wien, seit 1970 Richter am Europ. Gerichtshof f. Menschenrechte in Straßburg. P.: "Zuständigkeitsvereinbarungen im österr. u. im intern. Zivilprozeßrecht", "Die Bedeutung v. Verfahrensregelungen f. d. intern. Beziehungen", Aufsätze in in- u. ausländ. Fachzeitschriften u. polit. Zeitschriften u. Tageszeitungen, Beiträge zu Sammelwerken.

Matschi Christian
B.: Gschf. FN.: Kräuterbau OÖ reg. Gen. mbH. DA.: 4020 Linz, Melissenweg 31. PA.: 4020 Linz, Carloneg. 24. G.: Linz, 4. Sept. 1958. V.: Kornelia, geb. Baumgartner. Ki.: Jasmin (1983), Oliver (1986). El.: Johann u. Friederike. S.: Haupt-, Handels- u. Berufsschule, b. 1976 Großhandelskfm.-Lehre Fa. Stara, 1976-89 Einkaufsltr. Fa. Mickstötter. K.: b. 1992 Deutschland.-Aufenth., 1993 Verkauf Kunststoffbranche, seit 2/93 Fa. Kräuterbau. P.: Vortragender Landwirtschaftskammer, Fachart. in "Der Bauer", Veröff. in Österr. M.: Vorst.-Mtgl. Verb. f. Arznei u. Gewürze im berufl. Rahmen. H.: Tennis, Skifahren, Fußball, Haus u. Garten. (U.A.)

Matschl Wilhelm Ernst Johann KommR. KamR.
B.: selbst. Kfm. Hdl. u. Rep. v. Kfz., KFZ-Mstr. A.: 5061 Elsbethen Glasenbach b. Sbg., Gemeindeweg 14. G.: Salzburg, 24. Juli 1936. V.: Edith, geb. Schmid. El.: Johann u. Margarete. S.: HS, Berufsschule, staatl. Mstr.Schule, KFZ-Mstr.Prüf., Managementausbild., Fremdsprachenausbild. in Englisch, GemR. K.: 1966 Eintritt in d. väterl. Betrieb, 1971 Übernahme d. väterl. Betrieb, Nissan-Händler f. Sbg. M.: Aussch.-Mtgl. d. HK Sbg. Sekt. Hdl., Vors. d. Lehrabschlußprüf.Kmsn., d. Mstr.Prüf.Kmsn., Innungsmstr.Stellv.

Matt Ernst
B.: Gschf. Ges, Wirker u. Stricker. FN.: Jersy Marggraf GmbH. DA.: 6713 Ludesch, Brauentinweg 365. PA.: 6713 Ludesch, Langg. 356. G.: Feldkirch, 27. Apr. 1947. V.: Monika, geb. Sima. Ki.: Judith (1970), Bernd (1972), Birgit (1973). El.: Ernst u. Franziska. BV.: Großvater Andreas einer d. ersten Stricker in Vbg. S.: VS, Textilschule Dornbirn, Textilschule Wattwil/Schweiz. K.: 1963-65 Schichtltr. in Textilbetrieb, 1967 Aufbau einer Rundstrickerei in Liechtenstein, 1968 Wirkerei Maschineneinrichter, 1969-73 Spinnerei Balzers techn. Ltr., 1973 Beginn m. eigener Strickerei in Balzers, wegen damaligen Personalmangel d. Betrieb nach Österr. verlegt, 1974 in Ludesch Betriebsltr., 1982 Übernahme d. Betriebes Marggraf m. Partner, 1989 alleiniger Gschf. M.: Vorst. d. Veteranenclub, Grdg.Mtgl. Alpenver. H.: alte Autos, Motorradfahren, Radfahren, Sport.

Matt Fred
B.: Inh. FN.: Unternehmens- u. EDV-Beratung. DA.: 6900 Bregenz, Rheinstr. 47. PA.: 6900 Bregenz, Sachsenheimstr. 17. G.: Lauterach, 5. Feb. 1941. V.: Brigitte. Ki.: Harald (1965), Thomas (1968), Andrea (1978). El.: Anton u. Rosa. S.: Handelsschule, i. 2. Bildungsweg Ausb. z. Betriebswirt. K.: 1957 kfm. Ang. b. Fa. Benger i. Bregenz, 7 Jahre b. Fa. Liebherr i. BRD, Abt.-Ltr. d. Org. u. Datenverarb., parall. Stud. Betriebswirt., 7 J. Abt.-Ltr. Informatik b. d. Fa. AKO Wangen, Unternehmensberater bei AG Inst. f. Automation Zürich, Düsseldorf, Wien, s. 1986 selbst. m. Unternehmens- u. EDV-Beratung i. Bregenz. P.: Fachref. u. Fachart. im dt.-spr. Raum. M.: Laufsportgemeinschaft Vorlbg. H.: Langstreckenlauf/Marathon, Bergwandern, Musik. Lesen. (I.D.)

Matt Gerold
B.: Inh., Strickermstr. FN.: Matt Gerold Stickerei. DA. u. PA.: 6800 Feldkirch, Brunneng. 4. G.: Feldkirch, 24. Okt. 1948. V.: Elfi, geb. Seybold. Ki.: Silvia (1967), Cornelia (1969), Volker (1974). El.: Ferdinand u. Emma. S.: Stickereifachschule, Meisterklasse 1965, jüngster Stickermstr. Österr. K.: 1965 1 J. in Stickerei in Deutschld., 1966 Eintritt in elterl. Betrieb, 1972 nach Tod d. Vaters Betriebsübernahme, 1979-82 Betriebserweiterg. (Exporte, Entwickl. eig. Design-Lochkarten). M.: Schützengilde Feldkirch, Segelclub. H.: Schießen, Segeln, Tandemfahren. (I.D.)

Matt Werner

B.: Executive Chef (Küchenchef) d. Vienna Plaza, Autor. DA.: 1010 Wien, Schottenring 11. G.: Kematen, 14. Nov. 1942. V.: Elke, geb. Arnhold. S.: 1958-61 Kochlehre. K: 1961 Bayonne-Südwestfrankreich, 2 J. Frankreich, 4 J. Schweiz, Tournant im Istanbul Hilton, 1969-70 Chef Saucier im London Hilton, 1972-75 Eröff. Executive Chef München Hilton, 1975-78 Eröffnung Executive Chef Wien Hilton, 1982 Gastkoch im Weißen Haus b. Präs. Ronald Reagan, 1986-87 Dir. d. Gastronomie d. Imperial Hotels Austria, Eröff. Palais Ferst, seit 1988 Eröff. Executive Chef d. Vienna Plaza Hilton, 1994 Gastkoch auf d. Luxusschiff Queen Elizabeth II., 1994 Gastkoch auf d. "Concorde". P.: Kochbuch "Erlesenes aus Österr. Küche" wurde b. literar. Wettbewerb in Frankfurt m. Goldmed. ausgezeichnet (1982). E.: 1979 Koch d. Jahres verliehen v. d. franz. Fachzeitschrift "Gastronomia Intern.", 1979 erhielt Werner Matt´s "Prnz Eugen" als einziges Hotel-Restaurant in Österr. d. begehrten "Michelin"-Stern, 1980 Küchenchef d. Jahres in Europa verliehen v. franz. "Club Européen de Promotion de Bouche", 1985 Koch d. Jahres verliehen v. Guide Gault Millau Österr., 195 Silb. Rathausmann verleihen f. bes. Verd. um d. Stadt Wien, 1985 Gold. Ehrennmed. f. Verd. um d. Land Tir., 1985 Gold. VZ d. Rep. Österr. verliehen v. Bundespräs. f. Verd. um d. Gastronomie in Österr., 1990 überreichten d. Österr. Bundeskanzler Dr. Franz Vranitzky u. Küchenpapst Paul Bocuse erstmal d. "Ehren-Trophee Gourmet" an Werner Matt im Palais Ferstl, 1992 Gold. VZ d. Landes Wien, Gold. EZ d. Sekt. Fremdenverkehr d. Kam. d. gewerbl. Wirtschaft,

Tourismus-Adler d. Tirol-Werbung, Gold. EZ d. Wr. HK, Gold. Mitarb.-Med. d. Kam. d. gewerbl. Wirschaft. M.: VPräs. "Club des Chefs des Chefs d'Etat", Conseil Culinaire en Gastronomie francaise, Chevalier du Relais de Coteaux de Champagne, Pair de la Chaine. H.: Reisen, neue Rezepte kennenlernen u. finden, Sammeln v. alten Kochbüchern u. Antiquitäten, Dackelin Cilly. (J.S.)

Mattausch Peter

B.: Stadtrat f. Kultur u. Sport. DA.: 2700 Wr. Neustadt, Hauptpl. 1. PA.: 2700 Wr. Neustadt, Roseng. 1. G.: Wr. Neustadt, 16. Aug. 1949. V.: Renate, geb. Eder. Ki.: Oliver (1976). El.: Edeltraud u. Adolf. S.: VS, HS, 1973 Abschl. d. kaufm. Lehre. K.: 1974 Ang. bei Foto Pompe, dann im Außendienst d. Wr. Städt. Vers., seit 1990 Bez.-Dir. M.: Seit 24 J. Mtgl. d. SPÖ, ab 1991 Vors. d. Sekt. 1, 1985 Gemeinder. Mtgl, 1992 Stadtr. f. gemeindeeigene Betriebe u. seit 1993 zuständig f. Kultur, Sport, Museen, Bibl. u. Stadttheater, ab 1988 Vors. d. Tierschutzver. Wr. Neustadt, 1989 Hauptkassier ADV-Sekt. Leichtathletik, 1993 Präs. d. LG-Fußball. (I.J.)

Mattersberger Alois

B.: Küchenchef d. Restaurant "Villa Hans Moser". DA.: 1130 Wien, Auhofstr. 76-78. PA.: 1130 Wien, Geyling. 10. G.: Matrei, 19. März 1961. El.: Johann u. Zita, geb. Niederegger. S.: Kochlehre, Praxis in Deutschland, Schweiz u. in mehreren österr. Betrieben. K.: 1986-87 Sous-chef im Restaurant "Korso", 1988-89 Sous-chef d. Restaurants "Die Ente v. Lehel" in Wiesbaden b. H.P. Wodarz, 1990 Neueröff. d. Restaurants "Vinarium" in Donnerskirchen, Mitwirkung an d. Neueröff. d. "Villa Hans Moser", ab 1991 Küchenchef dieses Restaurants. H.: Golf, Skifahren. (N.A.)

Matthes Ernst KommR.

B.: Pensionist. PA.: 4810 Gmunden, Stelzhammerstr. 11c. G.: Graz, 23. Aug. 1914. V.: Emilie, geb. Rossiwall. Ki.: Heide (1942). S.: 1933 Matura, anschl. Fliegerschule Graz d. ÖLAG u. Ausb. z. Flugzeugführer. K.: 1934 Einzug z. Präsenzdienst d. Österr. Bundesheeres, Sept. 1934 Theresian. Militärakad. in Wr. Neustadt, 1937 z. Leutnant ausgemustert, als Fluglehrer u. ausg. z. Jagdflieger, 1938 versetzt z. Dt. Heer in ein Jagdgeschwader n. Dortmund u. Lipstadt, 1939-45 Kriegseinsatz, 1945-46 engl. Gefangenschaft, anschl. Rückkehr n. Österr., 1946 Eintritt in Maschinenfabrik Linsinger/Steyrmühl als Kfm. Ang., 1953 Voest AG Linz, Verk. Walzware, 1954-63 Gründ. u. Aufbau d.Generalvertr. d. Voest AG in Milano/Italien als Gschf. bis 1963 tätig, 1963 Rückkehr nach Linz u. als Prok. f. Verkauf d. Walzware Abt. Inland tätig, ab 1965 Ltr. d. Verkauf Walzwerk In- u. Ausland, 1967 Dir., Juni 1967 Vorst. d. Voest AG, ab 1977 i.R. P.: zahlr. fachl. Art., nat. u. intern. Vortragstätigkeit. E.: 1977 Gr. Silb. EZ f. Verd. um d. Rep. Österr., 1971 Gr. EZ f. Verd. u. d. Rep. Österr., 1974 Staatsausz. d. Rep. Italien u. Brasilien, 1979 Wirtschaftsmed. d. Stadt Linz, Militär. Ausz.: EK II, EK I, Ehrenbecher d. Luftwaffe u.v.m. H.: Jagen, Bergsteigen. (P.H.)

di Mattio Rudolf

B.: Werksdir. FN.: Danubia Zähler, Meß u. Regelanlagen GmbH. DA.: 1190 Wien, Krottenbachstr. 82-88. PA.: 1020 Wien, Gr. Stadtgutg. 20. G.: Wien, 15. Sept. 1944. V.: Eva, geb. Reinthaler. Ki.: Gerhard, Wolfgang. El.: Albert u. Maria. S.: HTL f. Elektrotechnik. K.: 1962-63 Betriebstechniker Siemens, 1963-65 Schrack, 1965-67 Eumig Konstrukteur, 1967 Danubia Arbeitsvorbereitung, 1974 Ltr. d. Arbeitsvorbereitung, 1975-79 Einkaufsltr. m. Handlungsvollmacht, seit 1980 Produktionsltr. u. Prok. sämtl. Fertigungsabt., techn. Dienst, Gebäudeverw., Werkzeugbau, Arbeitsvorbereitung, Einkauf, Materialwirtschaft u. Lager, verantwortl. f. alle Investitionen, Absolvent versch. Fachseminare u. Ak., ÖPWZ-Einkaufsltr.Ak., AMA-Managementkurs in New York, seit 1989 zusätzl. verantwortl. f. Werksverw. EDV. M.: ÖPWZ Einkauf Materialwirtschaft. H.: Sport, Musik. (A.W.)

Mattioli Federico Dr. rer. oec.

B.: General Manager. FN.: Farmitalia Carlo Erba. DA.: 1010 Wien, Karlspl. 1. PA.: 1180 Wien, Gersthoferstr. 119. G.: Bozzolo, 16. Mai 1938. V.: Adriana, geb. Agosta. Ki.: Angelo (1968), Riccardo (1973). El.: Angelo u. Reiber. S.: 1965 Dr. rer. oec. Kath. Univ. Mailand, 1969 Studienaufenthalt Californien St. Barbara, M.A. K.: während d. Stud. Arb. b. Gruppe Montedison, ab 1970 Farmitalia: Controlling, Organ., verantwortl. f. math. Modelle b. 1977, b. 1978 Ltr. Benelux-Filiale in Brüssel, ab 1978 Koordinator aller europ. Filialen u. Oststaaten, b. 1989 Gschf. Deutschland, 1984-90 Filiale Schweiz u. Österr., 1991 verantwortl. Polen, CSFR, Ungarn, Jugoslawien, Albanien, Bulgarien u. Rumänien. H.: Sport, Lesen. (R.J.)

Mattl Erich

B.: Inh., Gschf. FN.: Intern. Spedition GmbH. DA.: 8054 Graz, Kärntner Str. 501. PA.: 8041 Graz, Am Mühlgraben 5. G.: Graz, 25. Mai 1961. V.: Ursula, geb. Lanz. Ki.: Viktoria (1988), Sebastian (1991). El.: Ernest u. Helene. S.: Berufsschule, Ausbildnerprüf. f. Lehrlinge. K.: 10 J. Praxis Panalpina Sped., Schenker Sped., Versandltr. Mayr-Mellnhof, 1991 Grdg. Sped. m. Hauptgebiet Österr. u. England, seit 1992 Betreuung v. Ungarn u. Rußland in Firma in Marburg. E.: 1992 38. Platz unter d. Top-100 Jungunternehmer, 1992 5. Pl. Top-10-Starter. H.: Familie, Squash, Camping. (R.S.)

Mattweber Fritz

B.: Dir. FN.: Polytechn. Lehrgang Bregenz. DA.: 6900 Bregenz, Holzackerg. 11. PA.: 6900 Bregenz, Riederg. 58a. G.: Bregenz, 22. Feb. 1949. V.: Doris. Ki.: Markus (1972), Carmen (1989). E.: Ferdinand u. Anni. S.: Gymn. i. Bregenz, 1968 Matura, Päd.-Akad. i. Feldkirch, 1970 Lehramtsprüfg f. VS, 1992 HS-Lehrgang f. politische Bildung. K.: 1970-72 VS Buch, 1972 Eintritt Polytechn. Lehrgang Bregenz, Mitarb. i. Gremium f. Reform d. Polytechn. Lehrganges, schuleigene. Berufsinfothek, Ausb. Auto-Suggestopädie z. erlernen d. dt. Sprache. P.: Festschrift 25 J. Polytechn. Lehrgang i. Vlbg., Ref. ü.: Die zivile Landesverteidigung i. Vlbg., Die Kinder v. Ausländern a. d. Pflichtschulen i. Vlbg. u. deren Problem b. Einstieg i. Berufsleben. M.: Rotes Kreuz Vlbg., Kommandant d. Rettungsabt. i.

Bregenz u. Ausb.-Ref. d. Landes Vlbg., OM d. Landesfachgruppe Pflichtschullehrer i. ÖAAB. E.: Stadtsiegel d. Landeshauptstadt Bregenz, Silb. Verd.-Med. d. Roten Kreuzes. H.: Akkordeonspielen, Wandern, Skitouren, Heimwerken u. Gestalten. (I.D.)

Matula Ingeborg

B.: Controllerin, Prok., Personal- u. Finanzltr. FN.: Picker Intern. GmbH. DA.: 1232 Wien, Mosetigg. 1. PA.: 2232 Deutsch Wagram, Viktor-Kaplan-Str. 22. G.: Wien, 21. Febr. 1952. V.: Werner Johann Matula. Ki.: Christian (1971). El.: Alois u. Edith Schmidt. S.: HASCH Wien, div. fortbild. Seminare u.a. Hernstein u. Urgersbach. K.: Bilanzbuchhalterin u. zuständig f. d. Holdingangelegenheiten b. Firma Ploberger, Bilanzbuchhalterin Velux Dachflächenfenster GmbH, zuletzt Verkaufsltr., 1990 Eintritt Picker Intern. GmbH, zunächst Betreuung als Controller d. Finanz- u. Personalagenden d. Domestikbereiches Österr. u. Ungarn, seit 1992 zusätzl. Übernahme d. Verw. d. neu gegründeten European Distribution (alle Westeurop. Länder ausgenommen Deutschland u. Frankreich, inklusive Südafrika u. Israel), ab 1993 zusätzl. m. d. Aufgabenbereich Mittlerer Osten m. Filiale in Athen betraut. F.: CSM Tonstudio 2232 Deutsch Wagram. H.: Musik, Tennis, Skifahren, Lesen. (J.S.)

Matula Werner

B.: Handelsagent, Kmsr. u. Vermittler, Ges. FN.: CSM-Compact Sound Music. GT.: Konsulent Firma Trelleberg Schweden, Geschf. d. Fa. EUCO (Euro Consulting). DA. u. PA.: 2232 Deutsch-Wagram, Viktor-Kaplan-Str. 22. G.: Wien, 5. März 1947. V.: Ingeborg, geb. Schmidt. Ki.: Christian (1971). El.: Johann u. Elisabeth. S.: 1961-65 Facharb.-Ausbild. Firma Puzelik z. Werkzeugmacher, 1963-65 Techn. Zeichner Ausbild. WIFI Wien, 1965 3 Trimester Schwedisch unter Dr. Borg, 1967-68 Theorie d. Kunststofftechnik TGM Wien, 1970-71 Werkmstr. Maschinenbau TGM Wien, 1975 Refa Grundausbild. Stufe 1, weitere Seminarausbild. K.: 1965-66 Werkzeugmacher Schweden, 1967-71 Betriebsass. Kunststofftechnik Firma Dipl.-Ing. Sedelmayer, 1972 Verkaufstechniker f. Kommunalmaschinen Firma Heiz-Bösch, 1973-76 Betriebsass. Futurit Werke AG, 1976-82 Verkaufstechniker Antriebstechnik ABM Adam Baumüller GmbH, 1982-83 Verkaufsltr. Firma Ing. Kollmann, 1983-92 Verkaufsltr. u. Produktmanager einer schwed. Tochterges., 1987 Grdg. u. Ges. d. CSM-Compact Sound Studio, seit 1993 Konsulent d. Firma Trelleborg Schweden. (M.M.)

Matuschek Heinz Mag.

B.: Kfm. GT.: Pächter d. Rest. Rathausstuben, Ges. d. Grothousen KG. DA.:3002 Purkersdorf, Kaiser Josef-Str. 56. G.: Wien, 9. Febr. 1944. V.: Edith, geb. Demel. Ki.: Vera. El.: Ernst u. Barbara. S.: Mittelschule, HTL, Nachrichtentechnik, HS f. Welthdl., 1971 Mag. K.: seit 1971 selbst. H.: Skifahren, Tennis. (Lar.)

von Matuschka-Gablenz Karl Ing. Edler von Wendencron Frhr. von Gablenz

PA.: 4663 Laakirchen, Lindach 4. G.: Brünn, 14. Mai 1904. V.: Anna, geb. Innerebner. Ki.: Dorothea v. Oswald (1923), Ing. Karl v. Matuschka-Gablenz (1941), Marilis v. Schwertzell (1943), Johannes v. Matuschka-Gablenz (1944). BV.: General Feldmarschall Gablenz. S.: Matura, Francisco Josephinum Waidhofen, Agraring. K.: Grdg. einer eigenen Molkerei in Losenstein, Verw. einiger größerer Gutsbetriebe, seit 1937 in Lindach, Gut Lindach (Ldw., Gärtnerei, Kindermilchproduktion f. Kinderspitäler), Patronatsherr d. Lindacher Kirche. M.: Ehrenobm. u. Gründer d. Lindacher Schützenver. u. d. Raika Lindach, Steyrermühl u. Laakirchen, Ehrenmtgl. d. Feuerwehr Lindach u. d. Musikkapelle Lindach, GemR. v. Laakirchen, Ehrenobm. d. Jagdges. Lindach, Obm. u. Mtgl. vieler Ver. u. Inst. H.: Jagd, Musik (Geige, Klavierspiel), Pferde, handwerkl. Tätigkeiten. (E.Hö.)

Matuschka-Gablenz Karl Ing.

B.: Gschf. Ges. PA.: 6020 Innsbruck, Grillparzerstr. 4. G.: Linz, 8. März 1941. V.: Agnes, geb. v. Pechmann. Ki.: Phillip, Jakob, Mathias. El.: Karl u. Anna. BV.: OBauR. Dr. h.c. Dipl.-Ing. Karl Innerebner 1866 General Feldmarschall Gablenz, Karl August Gablenz General Chef d. Lufthansa. S.: 1960 Matura, 4 Sem. Bdk. Wien, Stipendium Ak. Hasse-Antonia Madrid, Praxis England. K.: 1965 Eintritt Fa. Innerebner-Mayer, seit 1982 Gschf. H.: Jagd, Fischerei. (D.S.)

Matz Johanna

B.: Schauspielerin. PA.: 1010 Wien, Opernring 4. G.: Wien, 5. Okt. 1932. V.: Hackenberg Karl. S.: 1940-48 Ak. f. Musik u. darst. Kunst, Wien (Prof. Grete Wiesenthal), 1948-50 Wr. Max Reinhardt-Seminar (Prof. Helene Thimig-Reinhardt). K.: 1950 Engagement am Wr. Burgtheater (unter Berthold Viertel), Auftritte in mehreren Stücken v. Kleist, Anouilh, O. Wilde, Shakespeare, Grillparzer, Nestroy, Raimund u.a. Autoren, zahlr. Bühnenauftritte in Belgien, Kanada, Finnland, Frankreich, Deutschland, Israel, Luxemburg, Holland, UDSSR, Schweiz, USA, Auftritte b. d. Sbg. u. Bregenzer Festspielen, 1951 Beginn einer Filmkarriere unter d. Regie v. Ernst Marischka, danach Schauspielerin in einer großen Zahl v. dt. u. österr. Filmen, herausragender Erfolg m. "Försterchristl", arbeitete m. H. Braun, G. v. Radvany, W. Forst u. auch in Hollywood, dt. Version v. "The Moon is blue" (Regie: Otto Preminger, Drehbuch: C. Zuckmayer), zahlr. Fernsehauftritte u.a. "Die Schwierige", "Stella". E.: Ehrenbürgerin v. Ostende, Titel einer Kammerschauspielerin (1967). M.: Golfklub Wien.

Matza Heinrich KommR.

B.: Bundes- u. LGremialvorst. d. Handelsvertreter. DA.: WHK, 1040 Wien, Schwarzenbergpl. 14. PA.: 1060 Wien, Mariahilfer Str. 105. G.: Wien, 23. Aug. 1918. V.: Erna, geb. Mayr. El.: Heinrich u. Maria. S.: VS, Mittelschule, kfm. Lehre, Berufsausbild. (Drogist). K.: Nach Kriegsende Beginn d. Gew.-Tätigkeit, 1947 Aussch. im Gremium, LAbg. u. GemR. v. Wien a.D., dzt. 1. Obm.Stellv. d. Sozialvers.Anst. d. gewerbl. Wirtschaft, Mtgl. d. Berufungssenats d. Stadt Wien. E.: Gold. EZ d. Rep. Österr., Gold. EZ d. Landes Wien, div. Ehrenmed. u. Abz. M.: Österr. Wirtschaftsbund, ÖVP. H.: Gartenarbeit, Schach. (R.A.)

Matzenauer Hans

B.: Mtgl. d. NatR. seit 1983, Amtsführender Präs. d. StadtschulR. f. Wien. DA.: 1017 Wien, Dr.-Karl-Renner-Ring 3. G.: Wien, 20. Okt. 1933. S.: Pflichtschulen, BLBA, 1953 Reifeprüf., vier Sem. Univ.Stud. (Zeitungswiss.). K.: 1953-64 Lehrer an versch. VS u. HS in Wien, seit 1964 b. d. Österr. Kinderfreunden tätig u. 1966-80 deren BSekr., ebenfalls b. 1980 Ltr. d. Verlages "Jungbrunnen" u. Gen.Sekr. d. Ges. Österr. Kinderdörfer, seit 1980 Amtsführender Präs. d. StadtschulR. f. Wien, seit 1981 BVors. d. Sozialist. Lehrerver. Österr. (SLÖ), 1977-83 Mtgl. d. BundesR.

Matzinger Fritz Dipl.-Ing.

B.: Arch. A.: 4060 Linz/Leonding, Les Paletuviers 1. G.: 11. Juli 1941. V.: Matzinger Irma, geb. Schobert. Ki.: Andreas (1963), Cosima (1976), Sarah (1981). El.: Matzinger Theresia, Kaltenböck Josef. S.: VS Michaelnbach, HS Grieskirchen, HTBL Linz Abt. Hochbau, TU Wien, Studienrichtung Arch.,K.: 1960-65 Atelier Mayr Innsbruck, Wohnbau, Verwaltungsbau, Innenausbau. 1965-68 Atelier Donau Wien, Büroleitung, Schule, Wohnbau, Industriebau. 1969-71 Büro Dittenberger Linz, Schulen, Kaufhaus, Industriebau. Seit 1971 eigenes Büro als freiberufl. Arch. Ab 1968 Forschungen zum kostensparenden Bauem (Raumzellenbauweise). Seit 1974 Forschung kommunikatives u. kooperatives Wohnen. Realisierungen ab 1974: Les Paletuviers 1, 1977-92 Les Palvetuviers-Bauten in Graz/Raaba, Wien/Tulbingerkogel, Salzburg/Bürmoos, Wien/Klosterneuburg, Rif/Sbg., Thürnau/Linz, Offenau/Heilbronn BRD, Wien/Aspern, Berlin/Neukölln, Neuhofen/Krems, 1974-92 Ausstellungsbeteiligungen u. Fernsehberichte A, D. P.: zahlr. Publ. in Fachzeitschriften. E.: Förderungspreis d. Landes NÖ f. Arch. 1981, Österr. Betonpreis "Wohnbeton" 1982, 1983 Das gold. Haus, 1983 Preis b. d. Weltbiennale d. Arch., 1984 Goldmed. "Spielplätze drinnen u. draußen", 1985 7. Intern. Arch.Preis, 1987 Goldmed. Generationenwohnen, 1989 Goldmed. f. d. "Alte Saline" Offenau, 1989 1. Preis Intern. Bewerb "Mietwohnungsbau in Deutschld.", 1991 1. Preis öff. Wettbewerb Anthering. M.: Zentr.Ver. d. Arch. Österr., BIng.Kam. f. OÖ u. Sbg. H.: 3. Welt, Klavier, "Soziales Wohnen", Segeln.

Matzka Hans

B.: Gschf. Ges. d. Fa. JOMA Warenhdls. GmbH. DA.: 2345 Brunn/Geb., Wolfholzg. 14-16. PA.: 2380 Perchtoldsdorf, Bahnzeile 45. G.: Kanitz, 5. Sept. 1937. V.: Gertraud, geb. Klima, 2 Kinder. El.: Johann u. Maria. S.: HS, Büromaschinenmechanikerlehre m. Abschluß, HASCH Weiss, kurze Zeit Stud. f. Welthdl., Eintritt in elterl. Betrieb, Hdl. m. Flaschenverschlüssen, 1960 Vergrößerung d. Betriebes, 1963 Kunststoffverarb. m. Spritzgußmasch., 1970 Umwandlung in GmbH. BL.: Div. Patente auf d. Verschlußsektor. F.: Werkzeugbau Jurca & Matzka (Herst. v. Spritzguß-Werkzeugen). P.: Div. Art. in Fachzeitschriften. H.: Arbeit, Tennis, Theater, Hausbau-Heimwerker, Musik, Gartenarbeit, Schwimmen, Skifahren, Reisen. (M.G.)

Matzka Manfred Dr. iur.

B.: Ltr. d. Sekt. III im BMI. DA.: 1014 Wien, Herreng. 7. G.: Waidhofen/Thaya, 14. Dez. 1950. El.: Walter u. Anna, geb. Niederhofer. S.: 1969 Matura, Stud. Rechtswiss. Univ. Wien, 1974 Prom. z. Dr. iur. K.: 1974-79 Univ.-Ass. am Inst. f. Verfassungsrecht Wien, 1980-87 BKA Verfassungsdienst, 1987-89 Min.-Büro d. Gesundheitsmin., ab 1989 im BMI, seit 1990 Ltr. d. Sekt. III, zuständig f. d. Bereich Grenzkontrolle, Fremdenwesen, Einwanderung, Asyl, Flüchtlingshilfe, Staatsbürgerschaft. P.: zahlr. Publ., Bücher u.a. Sozialdemokratie u. Verfassung (1984), Datenschutzrecht f. d. Praxis (1987), Kommentar z. Nationalratswahlordnung (1990). H.: Klavier spielen. (N.A.)

Matzke Heinrich Dr. SenR.

B.: Ltr. d. Sportamtes d. Stadt Wien b. MA 51. DA.: 1010 Wien, Ebendorfer Str. 4. PA.: 1060 Wien, Gumpendorfer Str. 113/14. G.: Wien, 27. Nov. 1931. Ki.: Barbara, Michael. El.: Wilhelm u. Anna. S.: 5 J. Lehrerbild.Anst., Matur, Jusstud. Univ. Wien, 1968 Prom. K.: VS u. HS Lehrer, 16 J. unterrichtet, 1969 Mag.Dienst, 1969 Bez.Amt Floridsdorf, 1970 Bez.Amt Leopoldsstadt stellv. Bez.Amtsltr., 1970 Dienstprüf., 1971 KulturR., stellv. Ltr., 973 MA 51 Ltr. d. Sportamtes d. Stadt Wien. E.: Österr. Olympiamed. M.: Wr. LSportorgan. LSportR., LSportpräsidium, Vertreter d. Stadt Wien im Kuratorium d. Österr. Inst. f. Schul- u. Sportstättenbau u. Österr. Inst. f. Sportmed., Gschf. d. Wr. LSportorgan. H.: Sportschütze, Jäger, Reisen. (A.K.)

Matzke Willy

B.: Redakteur d. ÖAMTC. DA.: 3400 Klosterneuburg, Hölzlg. 6, 1010 Wien, Schubertring 1. G.: Wien, 2. Juli 1949. V.: Gerhild. Ki.: Angelika, Birgit. El.: Dr. Wilhelm u. Dr. Rosemarie. S.: 1967 Matura, Stud. Musik, Med. u. Technik, Sonderkurs f. Tontechnik, 1974 Tontechniker. K.: ab 1973 b. ÖAMTC Bereich Verkehrsinfo, Mitentwicklung an techn. Einrichtungen d. Österr. Verkehrsfunk, 1974 freier Mitarb. b. Auto Touring - Journalist - Fachbereich Verkehr u. Technik, 1976 Übertritt in d. Auto Touring Bereich Magazinkonzepterstellung, ltd. Red. b. Auto Touring, seit 1992 Ltr. d. Stabstelle f. Verkehr u. Umwelt, 1978 Grdg.-Mtgl. d. Rally Press Assoc. (RPA), Mitarb. am gesamtösterr. Verkehrskonzept u. am Konzept d. gesamtösterr. Radwege, seit 1992 Kons. b. ÖGS. M.: Motorjournalisten (IGM). H.: Musik, Radfahren, Bergsteigen, Reisen. (J.E.)

Mätzler Falko

B.: Art Dir. u. Konzeptionist. FN.: Die Sieber Werbeges. KG, Saatchi & Saatchi Advertising Worldwide. DA.: 1130 Wien, Kopfg. 7. PA.: 1120 Wien, Grünbergstr. 33. G.: St. Gallen/ Schweiz, 1. Sept. 1959. El.: Guntram u. Roswitha. S.: VS, Gymn., Lehrinst. f. graf. Gestaltung in München. K.: 1981 Grafiker im Atelier Wiener, 1982 Grafiker in d. Agentur Baschnegger, 1983-87 Grafiker f. Demner & Merlicek, ab 1987 Art Dir. f. Austria 3 TBWA, 1987-88 Art Dir. u. Konzeptionist in d. Werbeagentur DDB Needham, seit 1988 Art Dir. b. d. Fa. Die Sieber. M.: CCA, Motorflug Union Wien/ Vöslau H.: Fliegen, Schlagzeug spielen, Malen.

Mätzler Guntram Dipl.-Ing.

B.: Arch., Ziviltechniker. DA.: 6900 Bregenz, Weißenreuteweg 6b. G.: Hohenweiler, 27. Juni 1930. V.: Roswitha. Ki.: Frank, Falko, Dipl.-Ing. Igor. El.: Oskar u. Paula. S.: Hum. Gymn., 1950 Matura, TH Wien, 1955 Grad. f. Arch. K.: 1955-64 Praxis in St. Gallen, Bern u. Vbg., 1964 selbst. Arch. in Bregenz, wichtigsten Bauten: Päd. Ak. Feldkirch, VS u. Sporthalle Bregenz-Schendlingen, Hofsteigsaal Lauterach, Messebauten Dornbirn, Gehörlosenheim Dornbirn, Kirche Tosters. E.: zahlr. Preise b. Bundes-, Landes- u. Kommunalwettbewerben in Arch. M.: Ambassador Club, 1967 Faschingsprinz, 1968-86 Red. d. Faschingszeitung "Schnorrapfohl". H.: Fotografieren, Zeichnen, Malen, Skulpturen, Modellbau, Gartenarb. (I.D.)

Mätzler Maria Clarina Dr. phil. Mag. HofR.

B.: Dir. d. Kath. OStufen-RG d. Barmherzigen Schwestern Innsbruck. DA.: 6020 Innsbruck, Rennweg 40. G.: Andelsbuch, 12. Aug. 1935. El.: Dir. Otto u. Elisabeth. S.: VS, Berufsschule, 1951-56 LBA, 1956 Matura, 1956 Ordenseintritt, nach 2 J. Ordensausbild. LA-Stud. an d. Univ. Innsbruck, 1965 LA-Prüf. u. Dr., Diss., Prom., 1961-62 Stud. in Rom. K.: 1965-66 Lehrtätigkeit, ab 1968 Ltr. d. OStufen-RG u. d. damaligen 4jähr. Bild.Anst. f. Arbeitslehrerinnen. P.: Art. in religiösen Zeitschriften, Diss.: Romanisches Wortgut in den Mundarten Vorarlbergs (1968). E.: Preis f. Kultur. Leistungen d. Stadt Innsbruck. M.: Kath. Lehrerver., Ver. christl. Lehrer an höheren Schulen. H.: Sport, Bergwandern, Skifahren.

Maurer Andreas

B.: Präs. d. Bundesländer Vers., LHptm. v. NÖ i.R. DA.: 1020 Wien, Praterstr. 1-7. PA.: 2454 Trautmannsdorf/Leitha, Hauptstr. 85. G.: Trautmannsdorf, 7. Sept. 1919. V.: Hermine, geb. Berger. Ki.: Andreas, Gertrude, Herbert, Hermann, Hermine, Rudolf. El.: Andreas u. Magdalena. S.: VS, LWSFS. K.: 1940-45 Militärdienst, ab 1948 KamR., 1950-55 Gschf. GemR., 1955-70 Obm. d. Bez.Bauernkam. v. Bruck/ Leitha, 1967-80 stellv. Vors. d. Österr. ÖVP NÖ u. seit 1980 Ehrenobm., seit 1980 Vors. d. AufsR. d. Bundesländer Vers., 1960-70 AufsR. d. EVN, 1967-74 Vors. d. NIOGAS, 1959-

64 Abg. z. NÖ Landtag, 1964-66 Landesrat, 1966-81 LHptm. v. NÖ, 1968-69 AufsR. d. Österr. Donaukraftwerke, 1969-89 Vors., 1948-62 AufsR. d. LWS Gen. Schwadorf, seit 1962 Obm., 1966-89 Vorst.Mttgl. d. Verb. Ländl. Gen., 1959-61 AufsR. d. Rübenbauernbundes f. NÖ u. Wien,1961-69 Obm.Stellv., 19644-66 Vors. d. AufsR. d. Raiffeisenkassa Bruck/Leitha, 1966-71 AufsR. u. anschl. Ehrenobm., 1950-70 Obm. d. Ortsbauernrates d. Bauernbundes Trautmannsdorf, 1950-70 Obm.d. Bez.Bauernrates, 1962-70 Obm.Stellv. d. NÖ Bauernbundes, 1970-89 Obm. d. ÖVP Bruck/Leitha, 1967-75 Gschf. LParteiobm., 1975-80 LParteiobm. d. ÖVP, 1961-70 AufsR. d. Tullner Zuckerfbk., 1972-81 Vors. d. ÖVP Landeshauptmänner, 1967-75 AufsR.Mtgl. d. Austria Ferngas, 1965-67 AufsR. d. NÖSIWAG, 1967-77 Vors. d. NÖ NÖSIWAG, 1966-89 Ges. d. Österr. Agrarverlages. E.: mehrere Kriegsausz., 1968 Ehrensen. d. Tierärztl. HS, 1973 Ehrensen. d. HS f. Welthdl., 1967 ÖkR., Buchinger Plakette, 1965 Silb. Komturkreuz m. d. Stern f. Verd. um d. Bld. NÖ, 1966 Gold. Komturkreuz, 1971 Orden d. Bannes d. Ungar. VR, 1975 Ritter d. Großkreuzes d. päpstl. Silvesterordens, 1975 Gr. Verd.Kreuz m. Stern d. BRD, 1980 Schwed. Orden, EZ d. Stadt Sophia 1. Kl., 1969 Gr. Silb. EZ am Bande f. Verd. um d. Rep. Österr., 1981 Gold. Verd.Zeichen, 1966 Gold. Bauernbund-Ehrenabz. H.: Reisen, Jagd, Basteln, Ldw., Motorradfahren, Maschinen reparieren, Musizieren. (M.B.)

Matzner Egon Dr. Univ.-Prof.

B.: Ordinarius f. Finanzwiss. am Inst. f. Finanzwiss. u. Infrastrukturpolitik d. TU Wien. GT.: Ltr. d. Forsch.-Stelle f. Sozioökonomie d. Österr. Ak. d. Wiss. DA.: 1040 Wien, Karlsg. 11. PA.: 1040 Wien, Anton-Burg-G. 1/2/37. G.: Klagenfurt, 2. März 1938. V.: Gabriele. Ki.: Jörg (1959), Robert (1963), Sissela (1983). El.: Heinrich u. Josefine. S.: RG, HS f. Welthdl., Prom., Stud. Univ. Stockholm u. Linz, Habil. K.: 1961-63 Bank f. Arb. u. Wirtschaft, Dion.-Sekr.1963-65 am Inst. f. Höhere Studien, Ass. 1966-67 Gastforscher Univ. Stockholm, 1968-70 Univ. Ass. Univ. Linz, 1970-72 Dir. Kommunalwiss. Dokumentationszentrum Wien, seit 1972 o. Univ. Prof. Inst. f. Finanzwiss. u. Infrastrukturpolitik, 1984-89 Wiss.-Zentrum f. Sozialforsch. Berlin, Dir. P.: u.a. Trade Between East and West (1970), Der Wohlfahrtsstaat v. morgen (1982), The Employment Impact of New Technology (1990), Beyond keynesianism (1991,1994).Der Markt-Schock (1992). Englisch (1992), Russisch(1992), Bulgarisch (1994)

Matzner Erwin Ing.

B.: Gschf. Dir. FN.: NIFE GmbH Austria. DA.: 1235 Wien, Eduard-Kittenberger-G. 56. PA.: 1232 Wien, Anton-Baumgartner-Str. 44/B2/194. G.: Wien, 3. Nov. 1950. Ki.: Markus (1981). El.: Erwin u. Josefine, geb. Turek. S.: 1965-69 Berufsschule f. Fernmeldemonteure, 1971-76 HTL f. Berufstätige Nachrichtentechnik, 1980-82 HAK Abiturientenlehrgang. K.: 1976-77 Techn. Ass. d. Gschf. d. Elamatic Elektron. Geräte Vertriebs GmbH, 1977-79 Abt.Ltr. Schmalbach-Lubeca Austria GmbH, 1979 Projektltr. Schrack Elektrizitäts AG, 1980-81 Abt.Ltr. A. Weiner GmbH, 1981-85 Prok. u. Ltr. Einkauf-Materialwirtschaft, stellv. Techn. Dir. Huyck Austria GmbH, 1985-87 Gschf. Dir. Bauer Lager- u. Fördertechnik GmbH, seit 1988 Gschf. Dir. NIFE GmbH Austria. H.: Reisen, Lesen, Sport. (N.A.)

Matzner Josef

B.: Dachdeckermstr. DA.: 1180 Wien, Schopenhauerstr. 50. G.: Wien, 3. Aug. 1933. V.: Viktoria, geb. Grassinger. Ki.: Josef, Monika u. Brigitte. El.: Josef u. Rosa. S.: BRG, div. Weiterbild.Kurse im Baufach u. Kurse in Archäologie. K.: 1948 Eintr. in d. elterl. Betrieb, 1960-70 Gschf., seit 1970 Inh. d. Fa. Josef Matzner, LInnungsmeister d. LDachdeckerinnung Wien. E.: Gold. Gewerbeabz. 1987. H.: Geschichte, Archäologie. (M.Br.)

Mauch Karl Dipl.-Ing.

B.: Inh. FN.: Mauch GmbH & Co KG. DA. u. PA.: 5274 Burgkirchen 107. G.: Braunau, 20. Dez. 1959. V.: Mag. Barbara, geb. Doppler. Ki.: Susanna (1985), Marie (1989). El.: Karl u. Hilde. S.: VS, Gymn., 1978 Matura, Studium Wirtschaftsing.-Wesen für Maschinenbau TU Graz, 1983 Dipl.-Ing., BH. K.. Einstieg in den elterlichen Landmaschinenbetrieb, 1987 Übernahme des Betriebes. H.: Fischen, Reisen. (D.E.)

Mauernböck Maximilian Dr. KommR.

B.: Mtgl. d. Vorst. d. Elektro-Bau AG Linz. A.: 4020 Linz, Josef-Scheu-Weg 6. G.: Linz, 20. Apr. 1919. V.: Wilhelmine, geb. Aztmüller. El.: Johann u. Maria. S.: Absolvent d. HAK Linz u. d. WU Wien. K.: Mtgl. d. Vorst. d. Elektro-Bau AG, Linz u. Gschf. d. Elektro. E.: Silb. EZ f. Verd. um d. Rep. Österr., Gr. EZ f. Verd. um d. Rep. Österr. M.: Vors. d. Fachvertretung d. Elektroind. OÖ, Fachmännischer Laienrichter

Mauhart Beppo

B.: Gen.-Dir. FN.: Austria Tabak. DA.: 1090 Wien, Porzellang. 51. G.: Enns, 14. Sep. 1933. V.: Ingeborg, geb. Hrdlicka. Ki.: Julian (1975). El.: Johann und Josefa. S.: Gymn., Arbeitermittelschule, 1954 Matura, Stud. Publizistik Univ. Wien. K.: ab 1963 Wirtschaftsjournalist, 1970-77 Pressechef BMF, zugleich in div. AufsR., 1976-79 Vors.-Stellv. d. AufsR. v. Austria Taba, 1979-88 stellv. Gen.-Dir. seit, 1988 Gen.-Dir. P.: Hrsg. einiger Bücher u.a. "Der Winterpalais des Prinzen Eugen". M.: Präs. d. Österr. Fußballbundes. (F.S.)

Maurer Christian

B.: Inh. FN.: Tegee-Chemie Österr. DA.: 3031 Rekawinkel, Hauptstr. 60. PA.: 3031 Rekawinkel, Buchbergstraße 7. G.: Wien, 14. April 1967. V.: Susanne, geb. Leimer. El.: Georg und Ursula. S.: VS, Gymn., kaufmännische. Ausbildung. in Privatkursen. K.: 1986 Einstieg als Angestellter in Firma Tegee, 1991 Firmenübergabe, 1972 General-Vertretung des Deutschen Tegee-Chemie Bremen für Österr., 1992 General-Vertretung des Tegee-Chemie für Ungarn. M.: aktives Mitglied. im Ö-Norm-Ausschuß H.: Tauchen, Musik, Skifahren. (J.M.)

Maurer Edgar

B.: VW u. Audi Händler. FN.: Edgar Maurer. DA.: 2700 Wr. Neustadt, Wiener Str. 51. G.: Klagenfurt, 4. Aug. 1946. V.: Dr. Charlotte, geb. Sailer. Ki.: Franz, Andreas. El.: Dipl.-Ing. Otto u. Dobrila. S.: VS, Realschule, 1967 Matura, BH, Vw.Stud. an d. Univ. Wien, Tätigkeit b. VW Wien b. 1975, Gesellen- u. Mstr.Prüf. Kraftfahrzeugmechaniker, b. 1980 Betriebsltr. in einem Porschebetrieb, b. 1982 Diversifikation b. Porsche. K.: 1982 Erwerb d. Fa. Ing. Julius Gschwind GmbH, eines Hdls.Untern. f. Neu- u. Gebrauchtwagen m. angeschl. Service- u. Reparaturbetrieb, d. schon 50 J. in dieser

Sparte in Wr. Neustadt bekannt ist, 1986 Umwandlung d. Fa. in eine Einzelfa. u. Namensänderung. M.: Obm. v. 1. Wr. Neustädter Sportklub. H.: Tennis, Skifahren, Lesen. (Kern)

Maurer Ernst Dipl.-Ing.

B.: Arch., Staatl. bef. u. beeid. Ziviltechn. DA.: 2020 Hollabrunn, Kutschelmg. 5. PA.: 2020 Hollabrunn, Waldweg 2. G.: Oberfellabrunn, 30. Apr. 1948. V.: Ursula, geb. Lintner. Ki.: Christoph (1972), Julia (1979). El.: Rudolf u. Anna, geb. Strobl. S.: VS, Realgymn., 1966 Mat., Arch.-Stud. TH Wien, 1974 Sponsion - Dipl.-Ing. K.: 1975-81 Mitarb. in div. Arch.-Büros Wien, 1981 Eintritt als Partner bei Arch. Leierer Hollabrunn, 1991 Pension Arch. Leierer - scheidet aus; versch. Proj.: vom Einfamilienhaus b. zu großen öffentl. Gebäuden, KH, Schulen; Stadtplanung u. Erneuerung, Revitalisierung. E.: Dorferneuerungspreis, zahlr. Preise bei Wettbewerben, z.B.: Avance Hotel Krems, Steigenberger Hotel Bad Tatzmannsdorf, Hauptschule Wr. Neustadt. M.: Sektionsvorst. Arch., "Orte-Arch.-Netzwerk f. NÖ", Rotary-Club Hollabrunn-Weinland. H.: Antiquitäten, Reisen, Schifahren. (M.M.)

Maurer Ernst Dkfm. Dr.

B.: Ökonom, Bez.-Vorst.-Stellv. im 10. Bez. d. SPÖ, Abt.-Ltr. f. Kommunalpolitik Kam. f. Arb. u. Ang. Wien. DA.: 1040 Wien, Prinz-Eugen-Str. 20-22. PA.: 1100 Wien, Haseng. 35-41. G.: Wien, 25. Okt. 1947. El.: Johann u. Elsa. S.: 1965 HAK-Matura, 1965-72 Stud. Ind.-Betriebslehre HS f. Welthdl. K.: 1969-91 Tätigkeit in d. Abt. Wirtschaftspolitik d. AK, seit 1991 Ltr. d. Abt. Kommunalpolitik, seit 1978 BezR. im 10. Bez., seit 1993 Bez.-Vorst.-Stellv. im 10. Bez. (SPÖ). H.: Wandern, klass. Musik. (I.K.)

Maurer Franz

B.: Gschf. Ges. FN.: Maurer Maschinenhandelsges.m.b.H u. Maurer & CO Etikettenfabrik GmbH. DA.: 1236 Wien, Kaltenleutgebnerstr. 123. G.: Wien, 12. Jan. 1948. V.: Hildegard. Ki.: Florian (1974). El.: Kurt u. Susanne. S.: VS, HS, Lithografielehre. K.: in d. Lehrzeit f. Gewerbe u. Industrie tätig, später auch im Verkauf, 1979 selbst. Ang., 1985 Gschf. Ges. Maurer Maschinenhdls. Ges.m.b.H., 1991 Gschf. Ges. Maurer & Co Etikettenfabrik GmbH. H.. Tennis, Reisen. (W.M.)

Maurer Erich KommR.

B.: Inh. d. Zahntechn. Laboratorium Erich M. Maurer. DA.: 1080 Wien, Florianig. 5A. PA.: 2353 Guntramsdorf, Berberitzenweg 3. G.: Wien, 31. März 1932. V.: Christiane, geb. Kanduth. Ki.: Sylvia (1959), Michael (1961), Claudia (1963), Peter (1968). El.: Rudolf u. Adelheid. S.: Gymn., Zahntechnikerlehre m. Ausz. K.: 1951-67 Tätigkeit als Zahntechniker, 1967 selbst. m. eigenem Zahntechn. Laboratorium, 1985 KommR. H.: Reisen (Bali), Radfahren, Schwimmen, Video-Filmen. (M.M.)

Maurer Ewald Dr. iur.

B.: Gerichtsvorst., Richter b. BG Hernals. GT.: literar. Tätigkeit. DA.: 1170 Wien, Elterleinpl. 14. PA.: 1140 Wien, Pfadenhauerg. 12. G.: Wien, 16. Mai 1940. V.: Gudrun, geb. Scheidt. S.: RG, 1959 Matura, Jusstud. Univ. Wien, 1964 Prom. K.: 1 J. Reiseltr., Fremdenführer u. Skilehrer, BH, 1965 Gerichtsj. als Rechtspraktikant, Richteramtsanw. 1967, Ernennung z. Richter 1969, 1969 Straf-BG Wien, Gerichte am Land in Pottenstein u. Ebreichsdorf, 1970-81 BG Innere Stadt Wien, seit 1981 Gerichtsvorst. BG Hernals, seit 1983 Tätigkeit in d. Richteramtsanw.Ausbild. P.: ca. 30 Publ. insbes. in d. Richterzeitung, 4 Bücher, Erben, vererben, testieren 1983, Ehe auf Österr. 1984, Sachverwalterrecht 1984, Ehe u. Recht 1985, Unehel. Kind u. Recht 1991, Mitautor: Schimkowsky, Vertragsmuster 1992, weiters Skripten als Lehrbehelfe f. d. Richteramtsanw., Vortragstätigkeit im ORF. M.: Vorst.Mtgl. d. Fachgruppe "Außer Streit" u. "Familienrecht" d. Österr. Richterver. H.: Tennis, Segeln, Tauchen, Skifahren, Beschäftigung m. Biotopen, Fernreisen. (N.A.)

Maurer Gerhard Dr.

B.: RA, Verteidiger in Strafsachen. DA.: 6300 Wörl, Innsbrucker Str. 5. PA.: 6330 Kufstein, Schopperweg 30. G.: Schwaz, 1. Dez. 1950. V.: Barbara, geb. Rottleuthner. Ki.: Andreas, Stefan. El.: Josef u. Theresia. S.: Pflichtschule, ak. Gymn. in Innsbruck, 1969 Matura, Jusstud. an d. Univ. Innsbruck, 1975 Prom. K.: Ger.Praxis in Innsbruck, Konzipientenzeit in Landeck u. Kufstein, seit 1982 selbst. in Wörgl. M.: GKL, überparteil. Zusammenschluss auf Gem.Ebene, "Schlaraffia-Porta-Tiroliae". H.: Musik, Sport (Skifahren), Angeln. (Schm.)

Maurer Hans Peter

B.: Gschf. FN.: POT Datenverarb. GmbH. DA.: 4702 Wallern, Mitterweg 28. PA.: 4724 Neukirchen am Walde, Hasledt 26. G.: Grieskirchen, 25. Dez. 1957. V.: Gabriele Roswitha, geb. Pürethmayr. Ki.: Karoline (1987), Elsa Maria (1992). El.: Johannes u. Hermine. S.: VS, BRG, HS, Gymn., 1973-77 Berufsausbild. Werkzeugmacher/ Maschinenbau, 1977-78 Praxisj., 1978 BH, 1978-81 Werkmstr. Maschinenbau. K.: b. 1985 Consulting im Rahmen eines Ind.-Unternehmens, 1985 Grdg. POT Partner f. Organ. u. Technik GmbH. BL.: 1988 völlig eigenständige Entwicklung eines Mehrachsenrechners. P.: div. Fachart. zu Eigenentwicklungen. M.: Kulturver. "Kultur pur" Eschenau, Gem.-Fraktion Eschenau. H.: Garten, redaktionelle Tätigkeit, Musik (Orgel), Schwimmen. (C.D.)

Maurer Herbert

B.: Pressereferent. FN.: Bundesministerium f. Arbeit- u. Soziales. FA.: Stubenring 1, 1010 wien. PA.: Zirkusgasse 41/11, 1020 Wien. G.: Wien 12.5.1965. V.: veronika, Dipl.Ing.arch., geb. Pollakova. Ki.: Ondrej (85), Eliska (88), Sebastian (94). El.: Stefan, Elfriede, geb. Wimmer. BV.: Großonkel Franz Fritsch, Finanz stadtrat 1905-55. S.: 1975-83 hum. Gymn.. K.: 1983-85 Univ. Wien: Theologie, Sprachwissenschaften, 1984 Akademie Venedig: Altarmenisch, 1986-87 Jerusalem: Altarmenisch, Hebräisch, 1987-88 Novize im Kloster in Seitenstetten, 1988 Univ. Köln: Sprachwissenschaften, 1988-91 Tiflis, Armenien, Univ. Jerevan: Sprachwissenschaften, 1989-91 imn Kaukasus tätig als freier Journalist u. Übersetzer, nebenbei Literatur Lesungen m. versch. Schauspielern, frie improvisiert z.B. im Cafe Landtmann etc., laufend, 1992 Pressereferent im Sozialministerium im Bereich: Vorbereiten d. Redenunterlagen f. minister, Presseunterlagen u. Informationsbrochüren. P.: div. Artikel über Kultur i.d. Wirtschaftswoche und Falter. M.: Journalisten Gewerkschaft. H.: Kammermusik. (C.G.)

Maurer Josef

B.: Bgm. v. Trautmannsdorf/Leitha. DA. u. PA.: 2454 Trautmannsdorf, Hauptstr. 72. G.: Trautmannsdorf, 15. Jänner 1921. V.: Anna, geb. Meyer. Ki.: Anna, Christine, Magdalena, Maria, Theresia, Elisabeth, Josef (gest.). El.: Andreas u. Magdalena. BV.: Der 1. Bgm. v. Trautmannsdorf i. J. 1860 Andreas Maurer. S.: 8 Kl. VS in Trautmannsdorf, ldw. Winterschule in Bruck/Leitha. K.: In d. Ldw. d. Eltern tätig, b. 1945 b. Militär, engl. Gefangenschaft, dann elterl. Hof übernommen, 1950 Heirat m. Anna Meyer, seit 1955 im GemR. tätig, ab 1960 1. ÖVP-Bgm., 25 J. Vertreter zw. Zuckerfbk. u. Bauern, ab 1967 selbst. Bgm., dann Zusammenlegung m. Sarasdorf, Gallbrunn u. Stixneusiedl, seit d. 11. Lebensjahr b. d. Blasmusik, 20 J. Kapellmstr. d. Trachtenkapelle Trautmannsdorf. Bl.: Nach 2x Hochwasser, Bau eines Hochwasserschutzdammes, Kanalisation, Wasserleitung, Straßenbau, Beleuchtung, Kommassierung Siedlungsbau. P.: Gemeindeblatt. E.: Gold. EZ, Silb. EZ, Gold. Med. f. Verd. um d. Bdl. NÖ., versch. Ausz. v. d. Musikkapelle, Gold f. 40.-jähr. Jubiläum b. d. Musikkapelle. M.: Ehrenmtgl. d. FF Trautmannsdorf, Obm. v. Abwasserverb. an d. Leitha. H.: Geigenspielen in d. Kirche, Lesen, Schwimmen. (E.L.)

Maurer Ludwig Dr. Univ.-Doz.

B.: Ltr. d. Ludwig Boltzmann Inst. f. Biol. Landbau u. Angew. Ökologie. GT.: Doz. a. d. Univ. Wien. DA.: 1110 Wien, Rinnböckstr. 15. PA.: 1110 Wien, Simmeringer Haide 8/863. G.: Wien, 17. Apr. 1946. V.: Ing. Ruth, geb. Brantl. Ki.: Eva (1970), Barbara (1972), Marlies (1978), Ivo-Matias (1991). El.: Ludwig u. Maria. BV.: Urgroßv. war Hofopernsolotänzer. S.: Werksstudent, 1967 Externistenmatura, 1967-73 Stud. d. Zoologie, Metereologie u. Biochemie, 1974 Prom. K.: 1970-74 Fr. wiss. Mitarb. a. d. 1. med. Univ.-Klinik, 1974-76 Vertragsass. a. Inst. f. Zoologie, s. 1976 Beamter d. Stadt Wien, 1976-80 Ltr. d. biol. Labors d. Versuchs- u. Forschungsanst. d. Stadt Wien, 1980 Mitbegr. d. Boltzmann Inst., 1987 Habil., s. 1984 Ltr. d. Boltzm.-Inst. BL.: Vorarb. f. d. rechtl. Regel. d. biol. Landbaus i. Österr., Mitw. b. Biotonne Wien. P.: zahlr. Fachart., Bücher: "Umweltreport Österr." 1991, "Bauernopfer", "Prost-Mahlzeit", "Bauern 1992". M.: Forum österr. Wissensch. f. Umweltsch., ÖGUT, ÖGNU, Naturfreunde Österr., Mitgl. d. österr. Lebensmittelkodexkomm., Advisory Board BAH London, Parlamentsexperte i. "§ 7-Komm". H.: Bergwandern, Fotografieren, handwerkl. Arb., Musik. (E.J.)

Maurer Peter

B.: Friseurmstr. FN.: Coiffeur Maurer Peter. DA.: 2700 Wr. Neustadt, Ungarg. 9. G.: Wr. Neustadt, 4. Nov. 1942. V.: Anneliese, geb. Koupek. Ki.: Gernot (1966), Michaela (1967), Barbara (1977). El.: August u. Hildegard. S.: Friseurlehre im mütterl. Geschäft, Gesellenprüf., 1965 Mstr.-Prüf. K.: 1959-60 Firma Kammerer, 1960-62 Firma Danzinger, ab 1962 mütterl. Betrieb Wr. Neustadt u. 1965 Übernahme. BL.: ab 1960 Teilnahme an nat. u. intern. Meisterschaften, 1965 VWeltmstr., 1966 3. d. Europameisterschaften, 2x Österr. Staatsmstr. M.: Haute Couture Francaise, Vors. d. Gesellenprüf. H.: Organ. v. Shows, Tennis, Schwimmen, Skifahren. (I.J.)

Maurer Robert

B.: Gschf., Inh. FN.: Robert Maurer Co KG. DA.: 1010 Wien, Fleischmarkt 14. G.: Wien, 5. Juni 1963. V.: Esther. Ki.: Stephanie. El.: Peter u. Ingeborg. S.: HS, 1987 Abschluß Chemielehre. K.: Übernahme d. väterl. Betriebes, Spezialisierung: Friseurbedarfsprodukte, Kundenbetreuung, Betreuung auf chem. Gebiet. H.: Tennis, Skifahren, Foto. (J.E.)

Maurer Walter Prof.

B.: freischaff. Komponist u. Pädagoge. A.: 1030 Wien, Dietrichg. 51/19. G.: Wien, 6. Mai 1931. V.: Silvia, geb. Topf. El.: Dipl.-Ing. Walter u. Maria. S.: Matura (Lehrerbild.Anst.), 4 Sem. Psych., 2 Sem. Musiktheorie. K.: Lehrbeauftragter an Volks-HS, Lehrer an öff. Schulen, Lehrbeauftragter an d. HS f. Musik Wien, Präs. d. Harmonikaverb. Österr., Gschf. d. Intern. Akkordeonistenverb., Präs. "Int. Akkordeon-Orchester-Verband". P.: "Musikland Österr.", ca. 70 Fachart. in div. in- u. ausländ. Musikzeitschriften, Entwicklungsgeschichte d. Harmonikainstrumente, 27 Vorträge an Musik-HS, Konservatorien in In- u. Ausland, 40 Bandausgaben f. Akkordeon, Bücher "Accordion" (Handbuch), "Akkordeon-Bibliographie", 12-teilige TV-Serie "Spiel mit uns Akkordeon" als Autor u. Moderator. E.: Theodor Körner-Preis, Gold. Verb.Abzeichen d. Harmonika-Verb. Österr., Merit Award d. Intern. Akkordeonisten-Verb., Volksbildungspreis d. Stadt Wien, Verd.Zeichen f. d. Österr. Volksbildung, Verd.Zeichen NÖ Musikschulwerk, Berufstitel "Professor" verliehen v. BPräs. d. Rep. Österr. H.: Kochen, Briefmarkensammeln.

Maurer Wolfgang DDr.

B.: Dir. d. Bundesstaatl. Serumprüfungsinst. DA.: 1160 Wien, Possingerg. 38. DA.: 1238 Wien, Lindauerg. 35 E. G.: Linz, 16. Sep. 1949. S.: 1969 Matura, Stud. Biochemie u. Med. Univ. Wien, 1977 Spons. mag. rer. nat., 1979 Prom. Dr. med, 1984 Prom Dr. rer. nat. K.: s. 1987 FA f. Med.-Chem. Labordiagnostik, s. 1988 Dir. d. Bundesstaatl. Serumprüfungsinst. M.: Inf.-Aussch. d. Obersten Sanitätsrates, Aids-Komm. d. Obersten Sanitätsrates. (N.A.)

Maurer-Löffler Max

B.: Gen.-Dir. d. Plaza Wien, Hilton Intern. Wien GmbH. DA.: 1010 Wien, Schottenring. G.: Wien, 1. Nov. 1942. Ki.: Nicole, Robert. El.: Dr. Fritz u. Hertha. S.: VS, HS. K.: Hotel Sacher Wien, Vier Jahreszeiten München, Hilton Intern. Amsterdam (1966), Cornell Univ. Ithaca New York (1978), Hotel Queen Elisabeth Montreal (1978), anschl. stellv. Wirtschaftsdir. Hilton Mainz (1969-71) u. Rotterdam (1971-72), stellv. Gen.-Dir. u. Wirtschaftsdir. Hilton Athen, verantwotl.

f. Teheran, Istanbul, Cypern, Tel Aviv, Jerusalem, Korfu (1972-77), Gen.-Dir. Hilton Korfu (1977), Gen.-Dir. Hilton Cypern (1979-83), 1983-87 Gen.-Dir. Hilton Intern. Wien, ab 1987 Gen.-Dir. d. Plaza Hotels. M.: Scal-Club, Rotary, Cornell Society of Hotelmen, American Chamber of Commerce, Intern. Hotel Assoc., Chaine de Rotisseure, Ordre des Coteaux de Champagne. H.: Schwimmen, Tennis, Opern. (M.B.)

Mauritsch Alexander

B.: selbst. Zahntechnikermstr. DA.: 1060 Wien, Spörlingg. 6. PA.: 1210 Wien, Stammersdorfer Str. 53. G.: Wien, 29. März 1959. V.: Christine, geb. Glassl. Ki.: Maria Christine (1980), Alexander (1981), Sophie (1990). El.: Alexander u. Maria, geb. Zeller. S.: VS, AHS, Zahntechnikerausbild. K.: seit 1983 selbst., 1983-93 parallel Ausbildner an d. Univ.-Zahnklinik. H.: Reiten. (N.A.)

Mauritz Rainer Dipl.-Kfm.

B.: Gschf. Dir., Ind.-Kfm. FN.: Müller Martini GmbH, Maschinen f.d. Graphische Ind. DA.: 2324 Rannersdorf, Reinhardsdorfg. 1. PA.: 3702 Niederrussbach, Stranzendorf 66. G.: Wien, 23. Nov. 1939. V.: Nana Christine, geb. Fronius. KI.: Merten (1966), Rainer (1968), Merlin (1985). El.: Franz u. Josefine. S.: 1957 Matura a. Realgymn. i. Wien, 1957-63 Stud. Welthandel a. d. HS f. Welthandel i. Wien, 1963-65 Auslandsstudienreisen i. Paris u. Madrid. K.: 1965-67 Presseref. d. Österr. Papierind. i. Wien, 1967-70 Vorstandsass. d. Papierfabrik Steyrer Mühl AG, 1970-73 Vertretung d. Schwedischen Fa. "Finess Papier" i. Österreich, 1973 Grdg. d. Müller Martini GesmbH i. Österr. u. dessen Gschf. Dir. M.: Präs. d. Österr. Fachverb., war 15 J. Mtgl. d. Österr. Nationalmannschaft, Vizepräs. d. europ. Fechtverb. u. Mtgl. d. Exekutiv Komitees d. Welt-Fechtverbandes (FIE), Beirat d. CA-Bankverein. E.: EZ f. d. Verdienste u. d. Republik Österr. i. Gold u. Silber, Sportehrenzeichen d. Stadt Wien. H.: klassische Musik, Hobby-Maler, Fechten. (I.K.)

Maurizio Alfred KommR.

B.: Gschf. FN.: M. Waldmann & Bruder Stahl- u. Rohrengroßhdl. GmbH & Co KG. DA.: 2201 Gerasdorf, Hugo-Mischek-G. 6. PA.: 1190 Wien, Scheibeng. 3/12. G.: Wien, 10. Mai 1942. V.: Marion, geb. Schaffer. Ki.: Michael (1968), Alexandra (1970). El.: Karl-Heinz u. Benediktine. S.: 1961 HAK-Matura, 1961-63 Auslandsaufenthalt. K.: 1963 Eintritt in d. Fa. Waldmann & Bruder KG, Prok., Komm., Kompl., Gschf., Präs. d. Fachver. d. Stahlhdls., seit 1989 KommR. M.: LGremialvorst.Stellv. f. d. Großhdl. m. Stahl, Rohren u. sanitären Installationsbedarf. H.: Golf, Tennis, Skifahren. (P.R.)

Mauser Johann

B.: Ldw.-Mstr., Kam.-Obm. d. Bez.-Bauernkam. GT.: Grdg. d. Ver. z. Förd. v. Sonderkulturen im Steinfeld u. Obm., Vorst.-Mtgl. Raika-Bank Schwarzautal-Mitte. DA.: 2620 Neunkirchen, Triester Str. 14. PA.: 2624 Breitenau, Schwarzaustr. 18. G.: Breitenau, 30. Juni 1949. V.: Leopoldine Maria, geb. Handler. Ki.: Johannes (1968), Andreas (1976). El.: Johann u. Maria. S.: VS, HS. K.: Gruppenltr. d. Kath. Arbeiterjugend, 1967 Gem.-Obm. d. Jungen ÖVP, 1971 Bez.-Obm., 1973 Übernahme d. elterl. ldw. Betriebes, seit 1975 GemR. u. in d. Hauptbez.-Ltg. d. ÖVP, seit 1977 Gem.-Parteiobm., 1980-86 Bez.-Obm.-Stellv., b. 1991 Bez.-Obm., Kam.-Obm. d. Bauernkam. Neunkirchen. BL.: Pionierarb. f. Sonderkulturen im Raum südl. NÖ. M.: Feuerwehr, Raiffeisen-Lagerhaus. H.: Wandern, Kulturreisen, Philatelie, Zigarrenschachteln sammeln. (R.T.)

Mauß Erich ÖkR. Ing.

B.: ehem. Bgm. d. Gem. Etsdorf, Weinbauer. PA.: 3492 Etsdorf, Walkersdorf 14. G.: Walkersdorf, 29. Juli 1926. V.: Herta, geb. Kigler. Ki.: Gabriele, Ing. Gerhard, Ing. Erich, Mag. Franz. El.: Leopold u. Johanna. BV.: Fam. s. 1528 in Walkersdorf ansässig. S.: Weinbaufachschule, versch. Kurse ü. Wein- u. Obstbau, 1970 Ing. K.: 1952 Übern. d. elter. Weinbaubetriebes, 1950 beg. als Funktionär b. d. bäuerl. Jugend, ab 1964 LKamR. d. Ldw.Kam., 1970-86 VPräs. d. Ldw.Kam., 1966-70 Abg. z. NÖ Landtag, 1970-86 Präs. d. österr. Weininst., 1971-86 Präs. d. österr. Weinwirtschaftsfonds, 1965 Bgm. d. Gem. Etsdorf. P.: Mitarb. an versch. fachl. Publ. E.: Gold. Kammermed. 1986, gold. Med. d. Gemeindevertreterverb. 1986, Komturkreuz d. Landes NÖ 1981, Gr. silb. EZ f. Verd. um d. Rep. Österr. 1986, Ehrenbürger v. Etsdorf, Gold. Ehrenring u.a. H.: Jagd, Natur. (M.B.)

Mautendorfer Freddy

B.: Unternehmer. FN.: Mautendorfer PR u. Werbeagentur. DA.: 9020 Klagenfurt, Primoschg. 3. PA.: 9020 Klagenfurt, Waldhofweg 12. G.: Klagenfurt, 27. März 1963. V.: Eva, geb. Baurecht. Ki.: Florian Christopher (1993). S.: VS, HS, HAK, 1982 Matura, BH. K.: 1983-90 Tätigkeit in d. Privatwirtschaft als Werbeltr. eines Ktn. Computerunternehmens, 1990 Firmengrdg. M.: PR-Club Ktn., Marketing Club. H.: Zen-Buddhismus, Musik, Wein. (G.L.)

Mautner Peter jun.

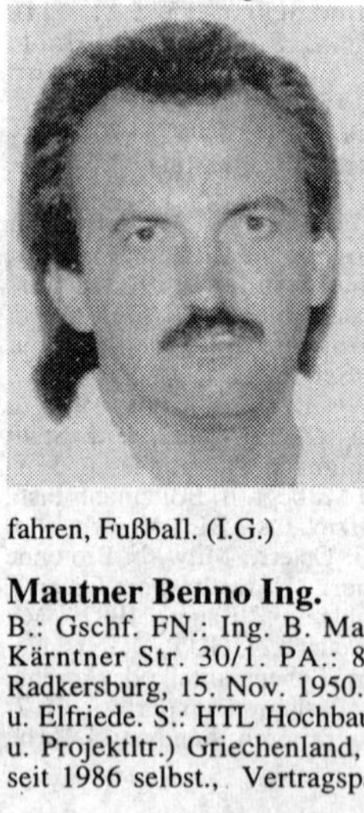

B.: Inh. FN.: Gärtnerei Peter Mautner. GT.: Vorst.-Mtgl. d. Steir. Gartenbaugen. DA. u. PA.: 8020 Graz, Südbahnstr. 62. G.: Graz, 12. Dez. 1957. V.: Monika, geb. Endl. Ki.: Eva-Maria (1983), Peter (1989). El.: Peter u. Hedwig. S.: VS, HS, Gartenbaufachschule Langenlois, 1978 Abschluß. K.: 1978 Eintritt in d. elterl. Betrieb, 1992 Übernahme d. Betriebes. E.: 1979 3 Goldmed. b. Grazer Frühjahrsausstellung, div. Staatspreise in Silber. M.: Arge d. Gärtner u. Floristen. H.: Tennis, Skifahren, Fußball. (I.G.)

Mautner Benno Ing.

B.: Gschf. FN.: Ing. B. Mautner GmbH. DA.: 8020 Graz, Kärntner Str. 30/1. PA.: 8010 Graz, Frankstr. 2/3. G.: Radkersburg, 15. Nov. 1950. Ki.: Michael (1978). El.: Alois u. Elfriede. S.: HTL Hochbau Graz. K.: 1970-86 Ang. (Bau- u. Projektltr.) Griechenland, Saudi Arabien, Irak u. Jemen, seit 1986 selbst., Vertragspartner einer Österr. Barterfirma,

1990 Gründer u. Lizenzgeber einer europaweit tät. Barterfa., d. EBB. P.: Veröff. in div. Wirtschaftsmagazinen. H.: Skifahren, Tennis. (R.S.)

Mautner Erich Maria

B.: Ikonenkfm. FN.: Erich Maria Mautner. DA.: 1010 Wien, Herreng. 2. G.: Wien, 8. Apr. 1920. V.: Lucie, geb. Frankfurter. Ki.: Daniela. El.: Leo u. Gisella. K.: nach erfolgter kfm. Ausbild. in einigen Branchen erfolgreich, als Kfm. selbst. tätig, 1. Ikonenimporteur weltweit aus d. UdSSR. H.: Tennis. (P.R.)

Mautner Markhof Georg J. E. Dkfm.

B.: Industrieller, Gschf., Publizist. Abg. z. NatR. a.D. PA.: 1110 Wien, Simmeringer Hauptstr. 101. G.: Weth, geb. Khoss-Sternegg. El.: Dipl.-Ing. DDr. Georg u. Carmen. S.: Licentiat a. d. Handelshochschule St . Gallen, Stud. an d. Univ. Neuchatel u. Zürich. K.: Vorst.Vors. d.Mautner Markhof Nahrungs- u. Genußmittel Beteiligungs AG, Wien, gschf. Gesellschafter d. Guardaval Hdls. u. Verlags GmbH, Wien, Vors. d. AufsR. d. Buszesz RT, Budapest, AufsR. d. Winterthur AG, 1990-92 Abg. z. NatR. P.: "Bürgertum u. Unternehmer in d. Defensive", "Das unbequeme Wunder", "Verschwörung d. Inquisition", "Wir zahlen immer", Beitrag z. "Liberalen Marktwirtschaft 90". E.: GrE, Cav. Uff. dell' Ordine al Merito della Rep. Italiana. M.: Industriellenver., Schnauzer-u. Pinscherklub, Presseclub Concordia.

Mautner Markhof Heinrich Mag.

HM

B.: Ind.-Designer u. Grafiker. FN.: Arcusdesign H. Mautner Markhof. DA.: 1040 Wien, Goldegg. 29/Trakt III/2. PA.: 1010 Wien, Kärntner Ring 6. G.: Wien, 24. März 1963. El.: Heinrich und Johanna, geb. Rochlitzer. S.: Theresian. Ak., Vienna Intern. School, 1981 Matura, 1983-89 Stud. Produktgestaltung Metall HS f. Angew. Kunst b. Prof. Dipl.-Ing. Carl Auböck. K.: seit 1992 selbst., Schwerpunkt Marketing, Grafik u. Ind.-Design. E.: Preise u. Anerkennungen b. div. intern. u. nat. Wettbewerben. M.: St. Johann Club, seit 1993 Vorst.-Mtgl. d. Österr. Inst. f. Formgebung (ÖIF). H.: Tennis, Jagd, Skifahren. (N.A.)

Mautner Markhof Heinrich

B.: VPräs. d. Versuchsstation f. d. Gärungsgewerbe Wien, VPräs. d. Th. & G. Mautner Markhof AG. GT.: Obm. d. Verb. d. Malzind. Österr. DA.: 1010 Wien, Kärntner Ring 6, 1110 Wien, Mautner-Markhof-G. 39-41. G.: Wien, 30. Jan. 1927. V.: Mag. rer. soc. oec. Johanna, geb. Rochlitzer. Ki.: Dkfm. Viktor, Heinrich. M.: seit 1991 Ehrenvors. d. Eftamalt, AufsR.Mtgl. d. St. Georg Verw. u. Beteiligungs AG Wien, Vorst. d. Brauerei Schwechat AG (Holding) Wien u. Mautner Markhof Nahrungs- u. Genußmittel Beteiligungs AG Wien, AufsR.Vors.Stellv. d. Österr. Brau AG Linz, Mautner Markhof AG u. Österr. Braubeteiligungs AG Linz. (A.W.)

Mautner Markhof Manfred Dr. h.c. Prof.

B.: Mtgl. d. Bundesrates, Vors. d. außenpolit. Aussch. d. Bundesrates, Industrieller. DA.: 1017 Wien, Dr.-Karl-Renner-Ring 3. G.: 6. Febr. 1927. V.: Magharita, geb. Cassis-Faraone. Ki.: 2 Söhne, 2 Töchter. K.: 1952 Grdg. (Alleininh.) d. Hager Ges. KG, Werbung, Präs. d. AufsR. Mautner Markhof NGB-AG u. Mautner Markhof AG, Ehrenpräs. d. Ver. Österr. Industrieller, Landesgruppe Wien, Vizepräs. d. Kam. d. gewerbl. Wirtschaft f. Wien, Vizepräs. d. Österr. Nationalkomitees d. Intern. HK, Präs. d. AufsR. d. Wr. Messen & Congress GmbH, Vizepräs. d. Ges. f. Außenpolitik u. Intern. Beziehungen. E.: Ehrenbürger d. Univ. Wien, Dr. h.c. d. Univ. of Redlands California USA, Prof., Gr. Silb. EZ f. Verd. um d. Rep. Österr., Gr. EZ f. Verd. um d. Land Bgld., Gold. EZ f. Verd. um d. Land Wien, Großkreuz d. portugies. Ord. "Do Mérito Agricola e Industrial", Gr. VK d. VO d. BRD, Niederländ. Orden "Commandeurskreuz d. Oranje-Nassau-Ordens", Japan. Orden v. Hl. Schatz am Halsband, Gold. Strahlen 1991, Commendatore nell'Ordine Al Merito della Rep. Italiana, Niederländ. Orden "Offz.-Kreuz d. Oranje-Nassau-Ordens", Libanes. Orden "Mérite Libanais". (N.A.)

Mautner Markhof Marcus Dr. iur

B.: Stellv. Delegierter d. Mautner Markhof Gruppe. FN.: Mautner Markhof Nahrungs- u. Genußmittel Beteiligungs AG. DA.: 1110 Wien, Mautner Markhof-G. 39-41. PA.: 1110 Wien, Simmeringer Hauptstr. 101. G.: Wien, 30. Sept. 1958. El.: Dipl.-Kfm. Georg J.E. u. Edeltraud. BV.: Ururgroßvater Adolf Ignaz war Ahnherr d. Mautner Markthofschen Dynastie. S.: VS, hum. Gymn., 1977 Matura, Stud. d. Rechtswiss. Univ. Wien, 1984 Prom. K.: 1982-85 div. Funktionen in d. Gruppe Mautner Markhof, 1985-87 Produktmanager b. Nestlé, 1989-91 Gschf. d. Bioquelle Steyr, 1992 Mtgl. d. Vorst. d. Mautner Markhof AG, seit 1.1.1993 Stellv. Delegierter d. Gruppe Mautner Markhof. M.: Mtgl. d. Alten Ordens St. Georg, Tierschutzver., Rotary. (G.E.)

Mautner Markhof Marius Dr. Dkfm.

B.: Kfm. A.: 1030 Wien, Dannebergpl. 14. G: Wien, 10.3.1928. V.: Christine. Ki.: Maximilian (1965). El.: Gerhard u. Elisabeth, geb. Eisl. S.: Volkss., Realgymn., Uni. K.: Ges. d. Fa. Pinschof & Co Wien, AufsR.Vors.Stellv. d. Brauerei Schwechat AG Wien, AufsR.Vors. d. St. Georg Verw. u. Beteiligungs AG Wien, Geschf. d. Brau-Holsting GmbH, Linz. E.: Inh. d. Brasil. Orden "Ordem Nacional do Cruzeiro do Sul", Silb. EZ f. Verd. um d. Rep. Österr., Sport-EZ d. Landes Wien, Gold. EZ f. Verd. um d. Land Wien. M.: VPräs. d. Verb. christl. Unternehmer Wien, Ehrenpräs. d. Trabersportklub-Österr. Amateurfahrerver., VPräs. d. Wr. Trabrenn-Vereins, Ehrenpräs. d. Wr. Ruder-Verb., Präs. d. WADF (World Amateur Drivers Federation), Präs. d. Österr.-Brasil. Ges., Ehrenpräs. d. Ver. f. Völkerkunde Wien, Präs. d. Ges. f. Ballett Hilverding Society u. d. Österr. Tanzrat, Schatzmeister Internationales Forschungsinstitut f. Medien, Kommunikation u. kulturelle Entwicklung (MEDIACULT).

Mautner Markhof Michael Dr.

B.: Landtagsabg. FN.: Club ÖVP. DA.: 1014 Wien, Herrengasse 13. PA.: 2320 Schwechat, Zirkelweg 9. G.: Wien, 10. Dez. 1950. V.: Gertrude, geb. Just. Ki.: Christoph (1981), Katharina (1982), Victoria (1990). El.: Dipl.-Ing. Gustav u. Christine. S.: 1969 am Akad. Gymn. Wien, 1975 Dr. jur. an d. Univ. Wien. K.: 1975-77 Fa. Mautner Markhof in versch. Abtl. tätig, 1977-82 Südost Treuhand, Wirtschaftsprüfungs AG, 1982 Berufsbefugnis als Steuerberater, 1983-87 Fa. Mautner Markhof, Finanz- u. Rechtswesen, ab 1987 freiberufl. tätig, s. 1993 Landtagsclub; Vorst. d. St. Georg Verwaltungs- u. Beteiligungs AG, Vorst. d. Brauerei Schwechat AG, AufsR. Österr. Braubeteiligungs AG, AufsR. Rieger Bank AG,

AufsR. VPM AG, Gschf. v. Mautner Markhof Tennishallen Betriebs GmbH. M.: s. 1994 Präs. d. NÖ Tennisverbandes, Rotaryclub Wien-Schwechat, GemR. d. Stadtgem. Schwechat. H.: Tennis. (L.S.)

Mautner Markhof Theodor

B.: Gschf. FN.: Hager Ges. KG. DA.: 1015 Wien, Seilerstätte 13. G.: Wien, 12. Jan. 1956. V.: Maria Antonia, geb. Clam-Martinic. Ki.: Theodor Georg (1981), Anna (1985), Sophia (1989). El.: Prof. Manfred u. Margharita, geb. Cassis-Faraone. S.: 1962-76 VS, Mittelschule, Matura in Österr., seit 1977 Res.-Offz. (Fähnrich), 1978-82 Betriebswirtschaftsstud. Univ. Wien, parallel dazu Training b. Geveke Niederlande (Verkauf), Skol Spanien (Produktion), SHV Niederlande (Konzernstrategie). K.: 1978-83 Kontakte b. Hager Ges. KG in Wien, seit 1981 Fundraiser d. Noro Group of Companies f. Investitionen in Europa u. d. USA Real Estate u. Venture Capital, 1983-84 Etatdir. b. Troost Campell Ewald in Düsseldorf, 1984-85 Projektmanager f. Neugeschäfte u. Neuproduktentwicklung b. The Marschalk Company in New York, 1985 Etatdir. b. Lowe Marschalk Troost in Düsseldorf f. d. Kunden Henkel KG a.A., 1987-91 Etatdir. b. Lowe Lürzer f. d. Kunden Adam Opel AG u. Schott Glaswerke, ab 1992 Gschf. d. Hager Ges. KG. M.: 1978-83 Mtgl. d. Vorst. d. Jungen Industriellen Österr. H.: Fliegen, Skifahren, Jagd, Musik. (N.A.)

Mautner Peter sen.

B.: Gärtner i.R. FN.: Gärtnerei Peter Mautner. DA. u.PA.: 8020 Graz, Südbahnstr. 62. G.: Graz, 2. Mai 1925. V.: Hedwig. Ki.: Sieglinde (1950), Eleonore (1952), Peter (1957). El.: Peter u. Philipine. S.: VS, HS, Gärtnerlehre Rosenheim/ Deutschland, 1944 Abschluß, 1945 Wehrmacht, 1945 Ital. Gefangenschaft. K.: 1945 Eintritt elterl. Betrieb Gemüseanbau, 1970 Umstieg auf Blumen, 1974 Übernahme d. Betriebes. E.: 1969 u. 1970 Goldmed. in Marburg, 1970 Silber b. Ausstellung in Tulln, 1974 2 Gold u. 1 Silber b. WIG, div. Staatspreise in Silber. H.: Skifahren, Radfahren, Schwimmen. (I.G.)

Maximoff Nikolaus Mag.

B.: Vorst.Dir. FN.: Quelle AG. DA.: 4020 Linz, Industriezeile 47. PA.: 4020 Linz, Robert-Stolz-Str. 20. G.: Bozen, 30. Nov. 1947. V.: Dr. Veronika, geb. Pultar. Ki.: Nikolaus (1979), Caroline (1980), Katharina (1988). El.: Nikolai u. Aloisia. S.: BErziehungsanst., BEA Saalfelden, 1968 Matura, Stud. BWL in Innsbruck, 1974 Spons. K.: 1974-78 Ass. d. Finanzdir. d. Fa. Durst Bozen, 1 J. in d. USA, 1978-80 G.T.E. General telefone electronics Brüssel (Revision), 1980-86 TRW-Nelson GmbH Wuppertal/BRD (Controller), 1968-88 EFFEM GmbH Vorden/Aller (Finanzmanager), seit 1988 Vorst.Dir. d. Quelle AG. H.: Musik, Skifahren. (P.R.)

May Alfred Karl KommR.

B.: Privatier. G.: Linz, 29. Mai 1931. verh., 2 Kinder. BV.: Karl May Schriftstller. S.: 1950 Matura. K.: seit 36 J. b. Ford Motor Company versch. Positionen, v. 1972-1993 Gen.-Dir. E.: Gold. EZ d. Landes Sbg. M.: Motor Presse Club Austria.

May Heinz Mag.

B.: Dir. FN.: Raiffeisenbank Wr. Neustadt. DA.: 2700 Wr. Neustadt, Hauptpl. 28. PA.: 2700 Wr. Neustadt, Suppèg. 7. G.: Wien, 18. Nov. 1950. V.: Mag. Elfriede, geb. Rozsenich. Ki.: Alexandra (1971), Sabine (1980), Michael (1981). El.: Dipl.-Ing. Heinrich u. Hilda. S.: Wirt.-Univ. Wien, 1979 Abschluß. K.: 1979 Tätigk. Raiffeisen-Revision f. NÖ, 1984 Geschäftsltr. in div. Volksbanken-Filialen, s. 1987 Geschäftsltr. u. Dir. d. Raiffeisenbank Wr. Neustadt, 1972 Personalbereitstell.-Fa. f. Olymp. Sommerspiele München tätig, verantw. f. Einsatz u. Org. zahlr. Personen f. Sportstätten in München. E.: Silb u. Bronz. Ehrennadel d. Basketballverb., Silb. Stadtnadel Wr. Neustadt, Ernennung z. Dir. d. Raiffeisenbank. M.: Wettspielref. im Vorst. d. Wr. Basketvallverb., viele J. Funktionär b. Basketballklub Landis & Gyr, s. 1993 Gschf. d. Management Clubs NÖ-Süd. H.: Basketball, Skifahren, Squash. (F.S.)

May Martin KommR. Dir.

B.: Gschf. d. Fa. Dynamit Nobel GmbH. DA.: 1010 Wien, Opernring 3-5. PA.: 4050 Traun, Siebenbürgenstr. 7. G.: Wermesch/Siebenbürgen, 22. März 1929. V.: Gertrude, geb. Eichler. Ki.: Ruth, Renee. El.: Johann u. Maria. S.: 1948 Matura, 4 Sem. Wirtschaftswiss., Welthdl., 2. Staatsprüf. im Saarland. K.: Verkaufschef d. Agrarsparte d. Chemie Linz (Prok.), Titel Ing. v. BMLF, 1982 in München tätig b. Tochterges. d. Chemie Linz, b. Fa. Lenzia, 1983 Beginn b. Fa. Dynamit Nobel. P.: Versch. Publ. in Fachzeitschriften. M.: ÖSVG. H.: Sport, Musik, Theater, Wandern, Bergsteigen, Skifahren. (E.L.)

Maybury Thomas Michael

B.: Dir. d. Vienna Intern. School. GT.: Vors. d. Standing Conference of Heads of Intern. Baccalaureate Schools. DA.: 1220 Wien, Straße d. Menschenrechte 1. G.: Liverpool/GB, 15. Okt.1938. V.: Heather Joyce, geb. Wright. Ki.: Teresa Jane, Ruth Mary, Roger Michael. El.: Gerard Haskayne u. Helena Patricia. S.: Bachelor of Science Liverpool, Advanced Diploma Educational Studies Oxford. K.: Lehrtätigkeit: St. Edward's College Liverpool, Univ. London, Liverpool, Oxford, UK, Arkansas/USA, in priv. u. öff. Schulen in England u. seit 1975 in Privatschulen in Peru, Tanzania u. Wien, 1981-83 Präs. d. Ver. Intern. Schulen in Afrika. M.: Governing Board Intern. Schools Assoc., Council of Foundation and Executive Committee Intern. Baccalaureate Organ. H.: Sport, intern. Erziehung, Reisen. (S.S.)

Mayer Adolf

B.: Stadtrat, Inh. FN.: Fa. Adolf Mayer, Handel m. Büromaschinen und Bürowaren. DA./PA.: 2540 Bad Vöslau, Hochstr. 19. G.: Felixdorf (NÖ), 12. Sep. 1939. V.: Dorit, geb. Lipp. Ki.: Horst (1961), Renate (1963). El.: Adolf u. Theresia. S.: 1953-57 Lehre allg. Mechanik Wr. Neustadt, 1962 Mstrprfg. K.: 1957 Mechaniker Fa. Rheinmetall, 1959-62 Mech. Fa. Friden (Rechenmasch.), 1962-67 Mech. f. Rechen- u. Schreibmasch. Fa. Becicka Bad Vöslau, 1967 Übern. Fa. Becika u. Umbenennung, s. 1988 Stadtparteiobm. d. ÖVP, s. 1991 Stadtrat - Sektor Liegenschaften. M.: Dt. Sammlerverein f. histor. Büromasch. H.: Sammeln u. Rep. v. hist. Büromasch, Sonntagsjäger, Essen u. Trinken. (I.K.)

Mayer Adolf ÖkR.

B.: Gärtnermstr. im Zuchthof Mayer. DA. u. PA.: 5311 Loibichl, Innerschwandt 235. G.: Semlin/Yugoslawien, 21. Dez. 1938. V.: Ingrid. Ki.: Peter, Marion, Michaela, Markus. El.: Josef u. Elisabeth. S.: Grundschule, 1953-57 Gärtnerlehre Schloß Kogel u. Fa. Winter in Wels. K.: in versch. Bundesländern, Hamburg, Stuttgart u. Berlin als Gärtner, Abendkurs Einzelhdls.Kfm. b. 1964, selbst. in Berlin, 1964 Gärtnerei in Neumartk/Wallersee, 1972 m. Pferdzucht begonnen, 1990 Übersiedlung nach Loibichl. P.: Art. in Fachzeitschriften. E.: 1990 Silb. Verd.Kreuz v. SBg., 1989 ÖkR. M.: Gärtnerverb. H.: Sport.

Mayer Alfred Dr.
B.: Sekt.-Chef., Präsidialchef im BKA. GT.: Vors. d. WirtschaftsR. d. Österr. Staatsdruckerei. DA.: 1014 Wien, Ballhauspl. 2. PA.: 1238 Wien, Pflaumeng. 9. G.: Tribuswinkel, 14. Okt. 1938. V.: Ilse. Ki.: Peter, Eva-Maria. El.: Ferdinand u. Karoline. S.: Stud. Rechtswiss. E.: GrGE, GrE, GrK d zypriot VO, GrK d liecht VO, GrVK d d VO, KmdK d norw StOO, KmdK d schw NStO.

Mayer Alfred Dipl.-Ing.
B.: Dir. d. Musikschule "Mittleres Rheintal", Fahrschulltr. A.: 6840 Götzis, Hans-Berchtoldstr. 44. G.: Bregenz, 23. Nov. 1930. V.: Ilse, geb. Gerster. El.: Heinrich u. Reinelde. S.: Hum. Gymn., HS f. Bdk., 8 J. Cellounterricht, Konservatorium Wien Trompete. K.: m. 17 J. Dirigent, ab 1977 Dir. d. Musikschule "Mittleres Rheintal" (Hohenems, Götzis, Koblach, Altach, Klaus, Mäder). F.: Inh. d. Fahrschule Dipl.-Ing. Alfred Mayer, Ges. "Cafe" Dipl.-Ing. Alfred Mayer. M.: Orchesterver. Götzis.

Mayer Ambros Stefan
B.: Inh. FN.: La Donna Fashion, L´UOMO men´s fashion. DA.: 6850 Dornbirn, Marktstr. 9. PA.: 6850 Dornbirn, Am Marktpl. 12 a. G.: Hohenems, 15. Jan. 1962. V.: Sandra, geb. Greber. Ki.: Katharina (1989). El.: Kurt u. Leopoldine-Leonie. S.: HASCH Feldkirch, 1980-81 BH. K.: 1981-82 kfm. Angst. Fa. Perma Götzis, 1982 -85 kfm. Angst. Fa. Stolz Moden Lech, 1985 Eintr. i. d. mütt. Betr. , 1989 Übern. d. Betr. BL.: 1979 Länderkampf Österr. - CSSR 2. Platz Leichtathletik, 1978-80 Vlbg. Juniorenmeister Leichtathletik, Vlbg. Rekord 110 m Hürde, 400 m Hürde, Dreisprung, 4 mal 100 m Staffel. H.: Musik, Skifahren, Familie, Reisen. (I.D.)

Mayer Christa
B.: Volksschuldir. DA.: 1020 Wien, Vorgartenstr. 210. PA.: 1210 Wien, Arnoldg. 2/7/55. G.: Tulln, 5. Juli 1947. V.: Dipl.-Ing. Dr. Franz. El.: Johann u. Anna Pollak. S.: aufgewachsen i. Langenlebarn, Matura a. Gymn. Tulln, anschl. 1 J. Abiturientenlehrgang i. St. Pölten m. Fachmatura z. Lehrberuf, a. 1980 Stud. d. Völkerkunde a. d. Univ. Wien, derzeit Arb. a. d. Diss. K.: Lehrerin i. Mitterndorf/Fischa, a. 1966 a. d. VS Meiselstr. i. Wien 15, 1983-87 VS Stiftg. i. Wien 7, s. 1.9.1987 Dir. d. VS Vorgartenstr. 210. BL.: einige Feldforschungene i. d. Karibik, Interessengebiet u. Schwerpunkt: Naturheilverfahren b. d. Eingeborenen. P.: div. Publ. z. Thema Familienstrukturen i. St. Lucia. H.: Alternativmed. u. Reisen. (J.S.)

Mayer Christiana
B.: Prok. FN.: CATRO GmbH, ARBO GmbH. DA.: 1080 Wien, Lerchenfelder Str. 2. PA.: 1100 Wien, Inzersdorfer Str. 113/2/18. G.: Wien, 7. Okt. 1945. V.: Mayer Helmut. Ki.: Karin, Martin. El.: Glesel Karl u. Stefanie. S.: HASCH, div. Fach- u. Weiterbild.Kurse, hauptsächl. im kfm. Bereich. K.: seit 1969 Zusammenarb. m. Dr. Leissinger, 1980 Eintritt in d. Firmengemeinschaft CATRO-ARBO, 1981 in d. Geschäftsführung tätig, Rechnungswesen f. beide Firmen, im ARBO-Bereich als Agenturltr., Unternehmensziel CATRO Unternehmensberatung v. Betrieben aller Größen u. Branchen, Personalmanagement, ARBO-Werbeagentur. H.: Sport, Weiterbild. (C.K.)

Mayer Constanze
B.: Medialtr. d. DDB Needham. DA.: 1130 Wien, Hietzinger Kai 169. PA.: 1180 Wien, Gentzg. 77. G.: Wien, 28. Febr. 1955. El.: Ernst u. Friederike Mayer. S.: HASCH, Fachschule f. Wirtschaftswebung, div. Spezialausbild. K.: Fa. Grey Austria (Sekr.), Fa. Gruner & Jahn (Marketing Service), Medialtg. b. Puttner & Bates, seit 1984 Medialtr. Fa. DDB. H.: Zeichnen, Malen, Lesen, Hund. (E.L.)

Mayer Eduard
B.: Optikermstr. DA.: 4020 Linz, Gruberstr. 82. PA.: 4020 Linz, Stecherg. 11. G.: Linz, 2. Juni 1950. V.: Helga, geb. Vogl, 3 Kinder. El.: Eduard u. Josefine. S.: VS, HS, Optikerlehre m. Ausz. abgeschlossen, 1973 Mstr.Prüf. als Optiker, jüngster Mstr. Österr. K.: 1973-83 beschäftigt b. Optiker in Linz m. Aufgaben d. Lehrlingsausbild. u. Mitarb.Fortbild., seit 1983 selbst., 1978 ordiniert zum Bischof d. Kirche Jesu Christi d. Heiligen d. letzten Tage, seit 1985 Mitarb. im kirchl. relig. Bildungsprogramm f. Religions-Seminare. H.: Musik, Sport. (J.G.)

Mayer Elisabeth

B.: Inh. FN.: Elektrotechn. Werkstätten J. Jurasek & Co. DA.: 1081 Wien, Bennopl. 8. G.: Wien, 16. Sep. 1939. El.: Ing. Leo u. Maria Mayer. S.: VS, Realsch., Michelbeuernschule, Mstrprfg. f. Damenkleidermachergewerbe, 1958-62 Lehre Elektrotechnik, 1962 Lehre Elektromechanik u. Elektromasch.-Bau, Ges.-Prfg., Mstrprfg., u. Konz.-Prfg. K: 1979 Übern. d. väterl. Betr. H.: Schwimmen, Lesen. (J.M.)

Mayer Elisabeth Dr.

B.: klin. Psychologin, Gesundheitspsychologin, Psychoanalytikerin, Klin. Psychologin. DA.: 1010 Wien, Am Graben 13. G.: Bregenz, 1. März 1925. V.: Dr. med. Erwin Mayer. Ki.: Alexander (1945), Katharina (1951), Carl Michael (1954). El.: Gustav u. Elisabeth Wagner-Wehrborn. S.: Grundschule, BRG-Matura, 1968-75 Stud. Psych., Päd. u. Phil. K.: 1943-44 VS-Lehrerin, 1976-88 Lehraufträge am Psycholog. Institut d. Univ. Wien, 1974-80 Ausbild. z. Psychoanalytikerin, 1982 Lehranalytikerin, 1985-89 Vorst.-Vors. Wr. Arbeitskreis f. Psychoanalyse, seit 1980 Mtgl. d. Ausbild.-Kmsn., 1994 Ltr. d. neueröff. Psychoanalyt. Beratungsstelle. M.: Wr. Arbeitskreis. H.: Kunstgeschichte, Skifahren. (M.N.)

Mayer Elmar
B.: VS-Dir. PA.: 6840 Götis, Im Buch 21A G.: Hohenems, 13. März 1953. V.: Gerlinde, geb. Fleisch. Ki.: Jürgen (1973), Robert (1979), Regina (1983). El.: Karl u. Regina. S.: 1973 Matura, 1975 Lehramtsprüf. Päd. Ak. VS-Lehrer. K.: 1975-89 Lehrtätigkeit VS Götzis, 1980-90 Gem.-Vorst. Götzis, 1985-90 Schulref. Götzis, seit 1983 Landtagsabg., v. 1989-92 Clubobm. d. SPÖ. seit 1994 VS-Dir. BL.: Integration v. Behinderten u. Nichtbehinderten, Initiativen z. Schaffung eines soz. Wohnbauprogrammes. M.: seit 1974 Mtgl. d. SPÖ. H.: Fußball, Langlaufen, Radfahren. (A.K.)

Mayer Ernst Marion Christoph
B.: Gschf. Ges. FN.: Kaltenberger & Co GesmbH & Co KG. DA. u. PA.: 4600 Wels, Ringstr. 39. G.: Linz, 13. Apr. 1951. El.: Georg u. Fridlinde, geb. Kaltenberger. S.: 1966-69 Hasch Wels u. Volantariat Fa. Panzl Bad Ischl, 1970 BH, 1971 Eu-

rop. Bildungsforum Pirmasens, BRD. K.: 1972-77 Fa. Breuninger Stuttgart, 1978 Einstieg i. mütterl. Unternehmen, 1980 Übern. d. Fa., 1989 Vergrößerung d. Geschäftes. F.: Mayer Beteiligungsges.m.b.H. M.: Einkaufsvereinig. Nordwest-Ariston, 1. Welser Squash + Fan Club, Union Tennisclub, Golfclub Wels. H.: Squash, Tennis, Golf, Skifahren, Tourengehen, Musik. (C.D.)

Mayer Ernst

B.: Generaldir. FN.: Holiday Inn Crowne Plaza Pitter, Rainerstraße 6-8, 5020 Salzburg. PA.: Grazer Bundesstr. 36b/17, 5023 Salzburg. G.: Nagelhof-Zwettl/NÖ, 4. März 1955. V.: Geeta Singh. El.:. Ernst u. Hermine. S.: Gymn., 1975 Matura, Hotel-FS Modul Abiturientenlehrgang. K.: 1977-78 Holiday Inn Zürich, 1978-80 Süd-Afrika (Carlton, Maharani, Sun City, Mabatho Sun), 1980-82 Hong Kong Holiday Inn, 1982-89 Resident Manager Holiday Inn Lido, Peking, 4.1.1993 Eröff. d. Holiday Inn Crowne Plaza Pitter in Salzburg. M.: European Hotel Managers Association, Mtgl. d. Chaine des Rotisseurs. H.: Tennis, Videofilmer. (H.S.)

Mayer Ferdinand Dkfm. Dr.

B.: o.Univ.-Prof. am Inst. f. Geographie, Ordinariat f. Geographie u. Kartographie d. Univ. Wien. DA.: 1010 Wien, Universitätsstr. 7. PA.: 3003 Gablitz, Hamerlingg. 51. G.: Ybbs/Donau, 21. Apr. 1927. V.: Sylvia, geb. Fritz. Ki.: Dr. med. Ferdinand (1965), Dipl.-Ing. Christian (1968). El.: Ferdinand u. Pauline, geb. Loskot. S.: VS, HS, HTL, TH Elektrotechnik, 1947 Matura, Ing.-Praxis in Wien u. München, Stud. HS f. Welthdl., 1960 Dipl., 1961 Prom. K.: 1963-67 HS-Ass., 1966 Erdöl-Weltatlas, 1978-81 Ltr. d. Kartograph. Anst. Westermann Braunschweig, b. 1985 wiss. Berater, 1970 Westermann Schulatlas, 1974 Diercke-Weltatlas (Aufl. bis 1988 über 5 Mio.), 1980 Diercke-Weltraumbild-Atlas, ab 1981 Prof. f. Kartographie an d. Univ. Trier, ab 1985 o.Univ.-Prof. f. Geographie u. Kartographie an d. Univ. Wien, Präses d. Studienzweiges Kartographie, Vors. d. österr. Kartogr. Kommission. P.: ca. 170 Publ., Gründer u. Hrsg. d. Wiener Schriften z. Geographie u. Kartographie, Veranstalter v. Kartograph. Fachsymposien u. d. Kartographenkongreß Wien (1989). M.: Korr. Mtgl. d. Akademie f. Raumforschung u. Landesplanung Hannover. E.: 1966 Förderungspreis d. Johann Hampel-Stiftung, 1967 Adolf Schärf-Preis d. Wiss., 1967 Kardinal Innitzer-Preis. H.: Kunsttischlerei. (M.M.)

Mayer Franz

B.: Gschf. FN.: GSH Marketingberatung. DA.: 1010 Wien, Bösendorferstr. 4. PA.: 1220 Wien, Kalmusweg 55/90. G.: Wien, 9. Aug. 1943. V.: Hannelore, geb. Gamper. Ki.: Michaela (1975), Marcus (1977). El.: Franz u. Anna. S.: Gewerbeschule f. Maschinenbau, 1961 Abschluß, 1969-71 Weiterbild. f. Werbung u. Marketing an d. WU Wien, ak. geprüfter Werbekfm. K.: 1961 Hilti, Ass. d. Verkaufsltr. Wien, Tir. u. Vbg., 1984 Gschf. GSH, 1987 Novoform, 1991 Gschf. GSH, 1975-76 Univ.-Lehrgang f. Export WU Wien. H.: Familie, Skifahren, Tennis. (J.E.)

Mayer Franz Dipl.-Ing.

B.: Gschf. FN.: ARP GmbH, ECV GmbH. DA.: 8700 Leoben, Johann-Sackl-G. 65. PA.: 8712 Proleb 317. G.: Leoben, 16. Febr. 1953. V.: Brigitte, geb. Fussi. Ki.: Christoph (1981), Thomas (1983). El.: Franz u Else. S.: 1971 Matura, b. 1978 Stud. TU Graz. K.: Inst. Dampf- u. Wärmetechnik, Vortrag f. Finnland, 1 J. Projektltr. Waagner-Biro, 1979 Tätigkeit in d. Forsch. VOEST, 1985 Österr. Staatspreis f. Energieforsch., 1991 Grdg. d. beiden GmbH u. Teilhaber u. Gschf., gerichtl. beeideter Sachverst. f. Reinhaltg. d. Luft, Müll u. industr. Abfall. V: Handbuch Umweltschutz i. Stahlwerken. P.: 1991 Kons. d. UNIDO. H.: Skifahren, Reisen, Fußball. (K.K.)

Mayer Franz Josef

B.: Obm. d. Ver. "Freie Bühne Mayer". DA.: 2340 Mödling, Kaiserin-Elisabeth-Str. 22. G.: Mödling, 11. Okt. 1928. Ki.: Hannelore, Edda, Eva-Maria. El.: Josef u. Helene. BV.: Urgroßvater Franz Mayer Müllermstr. u. Gründer d. Gasthauses "Mautwirtshaus" in Mödling. S.: Hotelfachschule Wien. K.: 1964-85 Reg. u. Kameramann in d. Kultur- u. Ind.-Filmbranche, gleichzeitig 12 J. Chefred. d. Zeitschrift "Die Österr. Feuerwehr", Journalist b. d. "NÖN" u. freier Mitarb. b. ORF, 1986 Gründer d. "Freien Bühne Mayer" f. Musik-Theater-Kabarett, dzt. Kabaretts u. Multi-Media-Shows, verantwortl. f. d. Gesamtltg., b. 1991 Inh. d. Mautwirtshauses Mödling, 1991 Übergabe an Tochter Edda. E.: 1984 Amateurfilmstaatspreis f. "Beethoven in Mödling". H.: Weingarten, Radfahren, Fotografieren. (J.S.)

Mayer Fredy

B.: Landesrat d. ÖVP, Bankkfm. DA.: 6900 Bregenz, Landhaus. PA.: 6700 Bludenz, Fohrenburgstr. 12. G.: Bregenz, 5. März 1936. V.: Inge, geb. Zimmermann. S.: Matura Bludenz. K.: Bankkfm. Sparkasse Bludenz.

Mayer Friedl

B.: Landesobfrau d. Vbg. Pensionistenverb., stellv. Präs. Österr., Landesobfrau d. Vbg. Volkshilfe. DA.: 6900 Bregenz, Wildeggstr. 2. G.: Bregenz, 14. Juli 1935. Ki.: Dr. med. Elke (1955), Iris (1959), Peter (1962), Thomas (1966). El.: Ferdinand u. Maria Huber. S.: HASCH Marienberg Bregenz, 1953 Abschluß. K.: 30 J. Tätigkeit b. Ver. d. Kinderfreunde, 20 J. Bez.-Obfrau d. Sozialdemokrat. Frauen u. Stadtobfrau, 1988 Obfrau d. Vbg. Pensionistenverb., 1992 VPräs. d. Österr. Pensionistenverb., 1982 Landesobfrau d. Vbg. Wohlfahrts- u. Volkshilfe. E.: Verleihung d. Gold. Verdienstzeichen d. Republik Österr. H.: Bergsteigen, Skifahren, Schwimmen, Reisen, Kontakte pflegen. (I.D.)

Mayer Fritz

B.: Gschf. Ges. FN.: Fritz Mayer Intern. Transporte GmbH. GT.: Sped.-Betrieb Firma Mayer & Co Leoben. DA.: 8740 Zeltweg, Hauptstr. 242. PA.: 8742 Kienberg 1. G.: Kienberg, 4. März 1937. V.: Waltraud, geb. Maier. Ki.: Heidemarie (1962), Elisabeth (1964), Fritz (1967), Peter (1968), Margret (1969). El.: Johann u. Aloisia. S.: VS. K.: 1952 Einstieg in d. elterl. Transportbetrieb, 1962 Übernahme des Betriebes, 1990 Grdg. Intern. Transporte GmbH. M.: Wirtschaftsbund, seit 1972 GemR. v. St. Wolfgang-Kienberg, Kam.-Funktionär. H.: Natur, Fischen. (I.G.)

Mayer Georg Dr. iur. HofR.

B.: Ltr. d. Staatsanw. Krems. DA.: 3500 Krems, Südtiroler Pl. 3. PA.: 3500 Krems, Dr.-Alfred-Nagel-G. 14. G.: Waidhofen/Thaya, 1. Mai 1931. V.: Gertraud, geb. Forstner. Ki.: Georg, Desiree, Stefanie. El.: Dipl.-Ing. Georg u. Edelfrieda. S.: RG, Matura 1949, Jusstud. in Wien, Prom. 1955. K.: Ab 1954 Gerichtspraxis u. Richteramtsanw. an versch. Gerichten, 1959 Richteramtsprüf., 1959-64 Richteramtsanw. in St. Pölten u. Krems, s. 1964 Staatsanw. in Krems, ab 1987 Ltr. d. StA Krems. E.: 1986 Ern. z. HofR. M.: Österr. Juristentag, Richterver., NÖ Juristenges. H.: Lesen, Natur, Geschichte, Wandern. (M.B.)

Mayer Gerhard

B.: Friseurmstr., Weltmstr. d. Damenfriseure, Inh. d. Gerhard Mayer KG. GT.: Ltg. intern. Seminare. DA.: 8010 Graz, Hans-Sachs-G. 14. G.: St. Sebastian, 22. Sep. 1945. V.: Margit, geb. Stauber. El.: Karl u. Luise. S.: Berufsschule, Ausbild. Wien, 1967 Mstr.-Prüf., intern. Seminare. K.: 1964 1. Salon, 1969 Mstr. v. Österr., 1970 Oskar f. Friseure, 1971 Gold-Star-Gewinner in London, Grand-Prix-Sieg u. Europamstr. in Luxemburg, 1972 Weltmstr. in Barcelona, 1973 Intern. Demonstrateur d. EM in Lausanne Loreal, 1979 1. Europatournee als Privatveranst., 1981 Show in Paris, Mailand, Berlin, Wien, 1982 Show Malta, 1983 Weltpremiere "Bügelbrettschnitt" Rom-Mailand, 1984 Präsentation "Dschungel-Look", 1985 Präsentation d. Linie "Kontraste" Paris. BL.: Trendsetter in Sachen Haaren. P.: Fachart. in Zeitungen, Zeitschriften, intern. Journalen. M.: Intercoiffeure, Haute Coiffeure Francaise. H.: Jagd, Bergwanden. (I.G.)

Mayer Gerhard

B.: Inh., Orgelbaumstr. FN.: Gebr. Mayer Orgelbau. DA. u. PA.: 6800 Feldkirch, Reichstr. 81. G.: Feldkirch, 5. Jän. 1947. V.: Monika, geb. Winder. Ki.: Carmen (1973), Gerhard (1975), Julia (1986). El.: Albert u. Maria. BV.: Urgroßvater einziger Orgelbauer in Vbg. S.: HS, Lehre als Tischler, 1969 Abschluß, Lehre als Orgelbauer, 1975 Mstr.-Prüf. K.: 1970 Mitarb. im elterl. Betrieb, 1975 Übernahme d. elterl. Betriebes in 4. Generation, Neubauten u. Restaurierung v. histor. Orgeln. P.: Mitarb. b. Fachpubl. über Werdegang u. Werke d. Firma Mayer. M.: Innungsmstr. d. Musikinstrumentenerzeuger. H.: Musik, Reisen, gepflegtes Essen u. Trinken. (I.D.)

Mayer Gustav

B.: Gschf. Ges. FN.: ATRA GmbH. DA.: 2100 Korneuburg, Wiener Str. 25. PA.: 2120 Bisamberg, Hauptstr. 58. G.: Wien, 7. Aug. 1939. V.: Gerlinde, geb. Anzinger. Ki.: Sabine (1971), Sylvia (1967). El.: Rudolf u. Rosina. S.: HS, Gymn., 3 J. kfm. Lehre Firma Reithoffer Techn. Gummiwaren u. Reifen. K.: 1965-79 im Außendienst f. Reifenfirmen, seit 1977 Beschäftigung m. d. Idee v. spez. Reifenfüllungen f. Ind.-Reifen 1979 b. Firma ATRA Sbg., 1980 Grdg. d. eigenen Firma ATRA GmbH Bisamberg, 1989 Grdg. einer Firma in Ungarn, Übernahme d. Gen.-Vertretung f. Solideal Ind.-Reifen, 1994 Firmensitzverlegung nach Korneuburg u. Grdg. einer Firma in d. Slowakei. M.: Fischereiclub Ungarn. H.: Fischen, Garten, Haus. (I.J.)

Mayer Gustav Prof.

B.: ehem. Dir.Stellv. d. Ktn. LKonservatoriums u. Musikschulwerkes, Prof. f. Musik. PA.: 9063 Maria Saal, Laasdorf 2. G.: Deutschlandsberg, 3. Aug. 1926. V.: Charlotte, geb. Grebin. Ki.: Luitgard (1951, Konzertmstr. in Biel), Elisabeth (1953, Univ.-Prof. in Köln), Herlinde (1958, Cellistin), Gertraud (1962, Mag. f. Wirtschaftswiss.). S.: Musikkonservatorium Graz 1938-43, MH Breslau 1943-45, Musikak. Wien 1946-50 (Prof. Morawetz), 1950 Abschlußprüf. K.: S. 1950: Ausbildungskl. f. Streicher am Konservatorium, 1961-84 Ltr. d. Konservatoriums, Streichquartett-Konzerte in Italien u. Jugoslawien, Rundfunkaufnahmen, Tournee m. d. Wr. Kammerorchester in d. USA, 1957 Grdg.Mtgl. d. ORF Kammerorchester, 1969 Initiator d. Ktn. Musikschulwerkes, 1987 Projektltr. f. Musikschulen f. Ktn., s. 1962 Dion.Beiratmtgl. d. LKonsveratoriums, s. 1972 Dir.Stellv. E.: 1. Preisträger im Violin-Wettbewerb in Engl. (1951). M.: Lions Club St. Veit/Glan, Ehrenmtgl. d. Europ. ESTA-Ver. (Streicher). H.: Musik, Lehrtätigkeit. (A.L.)

Mayer Hans Georg Dr. iur.

B.: RA. DA.: 9020 Klagenfurt, St. Veiter Str. 1. PA.: 9020 Klagenfurt, Klopstockg. 28. G.: Klagenfurt, 8. Mai 1957. V.: Dr. Birgit. Ki.: Maximilian (1986), Moritz (1990). El.: RA Dr. Karl Theodor u. Gertrud, geb. Schulz. S.: VS, Gymn., 1976 Matura, BH, 1977-82 Jusstud. Graz, 1982 Prom. K.: Gerichtsj. u. Mitarb. in d. 1954 eröff. väterl. Kzl., 1987 Übernahme d. Kzl. m. Schwerpunkt Zivilrecht. P.: fachspezifischen Abhandlungen und Beiträge in diversen Kärntner. Printmedien. M.: seit 1992 Obmann Haus- und Grundbesitzerbund Klagenfurt. H.: Eishockey, Familie. (G.L.)

Mayer Harald J.
B.: Gschf. verantwortl. f. Österr. u. Osteurop. Markt. FN.: DURACELL Intern. GmbH. DA.: 2334 Wien-Vösendorf, Eisgrubeng. 2. PA.: 2371 Hinterbrühl, Waldg. 22. G.: Wien, 19. Okt. 1953. V.: Helga, geb. Guttensohn. El.: Harald u. Berta. BV.: Vater Verkaufsltr. d. ISAVOLTA AG. S.: HAK, Univ.Lehrgang f. Werbung u. Verkauf, Managementtraining im Ausland. K.: 1973-78 Trainee American Express I.B.C., 1978-84 Black & Decker versch. Positionen, zuletzt Verkaufsdir. Österr., 1984-86 Gschf. d. VITRA GmbH, ab 1986 Gschf. DURACELL. BL.: Aktion "Kind in Not" Lions Club Hinterbrühl VPr. M.: VPräs. Liony Club Hinterbrühl. H.: Tennis, Skifahren. (A.K.)

Mayer Heinrich Dr. Prim. Prof.
B.: Prim. d. Geburtshilfl. u. Gynäkolog. Abt. d. LKH Leoben. GT.: a.o.Prof. Univ. Graz. DA.: 8700 Leoben, Vordernberger Str. 42. PA.: 8700 Leoben, Dirnböckweg 7/8. G.: Graz, 15. Nov. 1928. V.: Edith, geb. Öfner. Ki.: Renate, Bettina. El.: Dr. Karl u. Maria. S.: 1946 Matura in Graz, Stud. Med. Graz, 1952 Prom. K.: Internship Mountainside Hospital Montclair (USA), Fachausbild. Chir. Prof. H. Brücke, Fachausbild. Geburtshilfe u. Frauenheilkunde Prof. Navratil Graz, 1972 Habil., seit 1973 Prim. am LKH Leoben. P.: ca. 90 wiss. Arb. u. Vorträge über gynäkolog. Urologie u. Ovulationsauslösung. M.: Mtgl. d. dt. u. österr. Ges. f. Gynäkologie u. Geburtshilfe, franz. Arge f. Vaginales Operieren "Club Recamier". H.: Klass. Musik, schöngeist. Literatur. (Tra.)

Mayer Heinz
B.: Präs. d. Bundes d. Opfer d. Polit. Freiheitskampfes in Tir. DA.: 6020 Innsbruck, Haydnpl. 5. PA.: 6020 Innsbruck, Gumppstr. 28. G.: Innsbruck, 12. Juni 1917. V.: Gerda, geb. Krug. Ki.: Brigitte (1946), Ludwig (1949). S.: VS, Gymn. Innsbruck. K.: väterländ. Front, 1938 Widerstandsgruppe "Freies Österr.", 1983 1. Verhaftung, 1939-45 Einlieferung KZ Buchenwald, 1945 Mitgründer d. Bundes d. Opfer d. Polit. Freiheitskampfes in Tir., 1959 Mitbegründer u. Präs. Arge vaterländ. Verb. Tir., 1964 Präsidiumsmtgl. d. Bundesverb. Österr. Widerstandskämpfer u. Opfer d. Faschismus, Vizepräs. d. Aktion gegen Antisemitismus. E.: Gold. EZ f. Verd um d. Rep. Österr., Gold. VZ d. Rep. Österr., EZ um d. Befreiung Österr., EZ, VK u. Verd.-Med. d. Landes Tir., VK d. Stadt Innsbruck, Gr. Gold. EZ u. Ehrenring d. Bundes d. Opfer d. Polit. Freiheitskampfes Tir. H.: Lesen, Zeitzeuge in Schulen. (G.P.)

Mayer Heinz Dr. iur. Dr. rer. pol. o.Univ.-Prof.
B.: o.Univ.-Prof. d. Rechtswiss. Fak. d. Univ. Wien. GT.: Ltr. d. Ludwig-Boltzmann-Inst. f. Gesetzgebungspraxis u. Rechtsanwendung. DA.: 1010 Wien, Schottenbastei 10-16. PA.: 2340 Mödling, An der goldenen Stiege 10. G.: Mürzzuschlag, 22. Sept. 1946. V.: Dr. Evelyn, geb. Deyssig. El.: Josef u. Gerda, geb. Lugbauer. S.: BRG, Stud. d. Rechts- u. Staatswiss. an d. Univ. Wien, 1975 Habil. f. öff. Recht. K.: 1977 hauptberufl. Vortragender an d. Verw.Ak. d. Bundes in Wien, 1979 a.o.Univ.-Prof. an d. Rechtswiss. Fak. d. Univ. Wien. P.: "Kommentar zum Bundes-Verfassungsrecht", "Die Verordnung", "Grundriß d. österr. Bundesverfassung", zahlr. Beiträge in Fachzeitschriften u. Festschriften. E.: 1974 Theodor Körner-Preis. M.: Mtgl. div. jur. Ver. H.: Sport, Theater, mod. Literatur. (P.R.)

Mayer Helmut
B.: Unternehmer, gschf. Ges. d. Fa. Wilhelm Mayer (Kunstmühle). DA.: 3100 St. Pölten, Hammerweg 10. G.: St. Pölten, 8. Juli 1942. V.: Renate, geb. Handelsberger. Ki.: Martin u. Gabriele. El.: Josef u. Maria. S.: Gymn. St. Pölten, Welthdl.Stud. K.: Eintritt in d. elterl. Betrieb 1966, Übernahme 1980. M.: Obm. d. Kartells d. Hdls.Mühlen Österr., Obm.-Stellv. d. Verb. d. Mühlenind., Obm. d. Vorst. d. Mehlunion, Obm. d. Wirtschaftsbundes St. Pölten. H.: Jagd, Familie. (Kern)

Mayer Herbert Dir.
B.: Gschltr. FN.: Betten u. Vorhang Reiter. DA.: 1070 Wien, Mariahilfer Str. 38-40. G.: Graz, 22. Dez. 1943. V.: Gerlinde, geb. Hofbauer. Ki.: Arne (1965), Michael (1975). El.: Erwin u. Josefine. S.: kfm. Berufsausbild. in Graz, Seminare f. Rhetorik, Verkauf, Kommunikation u. Sprachen in Wien, Graz u. Zürich. K.: seit 1980 in Wien, Konzerntätigkeit, seit 1984 Gschltr. b. d. Fa. Betten u. Vorhang Reiter. H.: Tennis, Skifahren, Lesen, Musik. (J.S.)

Mayer Herbert
B.: kfm. Ang. FN.: Musikverlag L. Doblinger. GT.: Pianist, Komponist. DA.: 1010 Wien, Dorotheerg. 10. PA.: 1100 Wien, Eisenstadtpl. 4/2. G.: Wien, 19. Juli 1930. V.: Marie, geb. Nielsen. Ki.: Herbert. El.: Alois u. Hermine. S.: Mittelschule, Wr. Sängerknaben. K.: 1944 Musikverlag L. Doblinger, 8 J. Musiker in Deutschland, Schweiz, Dänemark u. Frankreich. BL.: Wr. Musik f. Auslänger (Tätigkeit als Pianist). P.: ca. 50 Kompositionen u.a. "Blues for Five", "Limitation", "Deine lieben Augen", "Twenty in the box", "Holiday in Vienna". M.: AKM, Komponistenbund. H.: Briefmarken sammeln, Fußball u. Tennis Fan. (A.K.)

Mayer Horst Friedrich Dr. phil.
B.: Journalist, stellv. Chefred. b. ORF. DA.: 1130 Wien, Würzburgg. 36. G.: Wien, 28. Nov. 1936. V.: Hildegund, geb. Schuh. Ki.: Maria Theresia, Mathias u. Maximilian. El.: Franz u. Anna. S.: Stud. d. Rechtswiss., österr. Zeitgeschichte u. Geschichte d. Antike, Germanistik u. Lit., Abschl. m. Doktorat. K.: 1962 Mtgl. d. Red. v. "Hör zu", 1968-69 stellv. Red. "Die Furche", 1969 Chefred. d. "Salzburger Volkszeitung", Red. b. Rundfunk, 1970 Ltr. u. Chefred. d. Auslandsberichterstattung, seit 1980 in ggw. Pos.

Mayer Johann Dipl.-Ing.
B.: Gen.-Dir. FN.: WÖV Mischfutter u. Viehverwertung GmbH. DA.: 1010 Wien, Neuer Markt 2. (V)

Mayer Jörg-Rudolf Dr. jur. HofR.
B.: Landesamtsdir.-Stv. d. OÖ Landesreg., Club-Sekr. d. SPÖ Landtagsfrakt. DA.: 4010 Linz, Klosterstr. 7. PA.: 4020 Linz, Sophiengutstr. 28. G.: Linz, 24. Apr. 1942. V.: Luise, geb. Angermayr. Ki.: Thimo (1973), Peter (1975), Julian (1990). El.: Rudolf u. Maria. S.: RG Linz, Jus-Stud. in Wien u. Innsbruck 1960-65. K.: Notariatstätigk., 2 1/2J. Magistrat Linz, s. 1968 b. OÖ Landesreg. (Sekr. d. LHptm.-Stv.), s. 1970 Club-Sekr., s. 1982 HofR., s. 1991 Landesamtsdir.-Stv., im Landesparteivorst. d. SPÖ, Vizepräs. d. OKA, AR in einigen Wohnbauges. z.B. Neue Heimat. M.: Grdg.-Mtgl. CdB, Naturfreunde, ASKÖ, Vorst. BSA. H.: Reisen, Sport. (P.H.)

Mayer Josef
B.: Unternehmer. FN.: Tevag - Produktions & Vertriebs Ges.m.b.H. DA.: 5303 Thalgau, Enzersberg 129. 5221 Lochen, Gut Ferding. G.: Bremstätten/Stmk., 16. Juli 1951. S.: VS, HS, HTL Masch. Bau, Lehre Masch. Bau in Graz b. Fa. Wagner & Biro. K.: 1970-73 Ing. zur See, 1973-76 Fa. Lappfince in Graz (Betriebswirtschaftl. Stabsstelle, Kosten Verrechnung, Finanzplanung), EDV-Ausbild., 1976-82 Fa. Stieglitz als Betriebsltr., 1982-84 Fa. Reiwag als Betriebsltr., 1984-85 Fa. Estet als Verkaufs- u. Montageltr., 1985-86 selbst. Fa. Tefag Vorladetecn. Einrichtungen. F.: Tevag Immobilien GEs.m.b.H., Zenit Bau Ges.m.b.H. H.: Beruf. (S.P.)

Mayer Josef

B.: Gschf. FN.: Zooma-Handels-GmbH. DA.: 5020 Salzburg, Elisabethstr. 8. PA.: 5082 Grödig, Oberfeldstr. 14. G.: Mondsee, 16. Dez. 1945. V.: Christl, geb. Schruckmayr. Ki.: Jürgen, Claudia. El.: Josef u. Elisabeth. S.: VS, HS, Berufsschule, Lehre im Eisenhandel. K.: 1963 in Berlin im Lebensmittelhandel tätig, Umstieg in Gartenbau u. Rückkehr nach Österr., Neumarkt am Wallersee im Familienbetrieb tätig, danach Verkauf in pharmazeut. Betrieb, 1973 Blumeneinzelhandel, selbst., Expansion in Salzburg Stadt auf 6 Blumengeschäfte in Großmärkten wie Interspar, Forum, PamPam, 1981 Branchenumstieg durch Kauf eines Zoofachgeschäftes, 1991 Grdg. d. Zooma-Handels-GmbH, Alleinvertreter-Recht, Entwickl. v. Eigenmarken. M.: allg. Landesgremium, zool. Zentralverband Dtl., österr. Wirtschaftsbund - zum Gremialvorsteher gewählt, Grdg.-Mtgl. d. EPO, Bundeswirtschaftskammer. (D.E.)

Mayer Josef Mag. Ing.

B.: Vorst.-Vors. FN.: Brigl & Bergmeister Papierfbk. AG. DA.: 8712 Niklasdorf, Proleberstr. 10. G.: 8. Sept. 1950. V.: Eva. Ki.: Andrea. K.: Hamburger-Gruppe, seit 1985 Fa. Brigl & Bergmeister. H.: Jagd.

Mayer Josef Ing.

B.: Ges., Gschf. FN.: IGM Emballagentechnik GmbH. DA.: 1030 Wien, Petrusg. 5. PA.: 2224 Obersulz 309. G.: Mistelbach, 22. Dez. 1951. V.: Marianne, geb. Kindl. Ki.: Monika. S.: 1971 HTL Matura, Auslandsaufenthalt. K.: 1972 Eintritt in d. IGM Maschinenfbk. Wr. Neudorf, 1986 Anteilseigner u. Gschf. d. IGM Emballagentechnik. H.: Familie, Sport. (P.R.)

Mayer Karl Theodor Dr. iur.

B.: RA, Verteidiger in Strafsachen. DA.: 9020 Klagenfurt, St. Veiter Str. 1. PA.: 9020 Klagenfurt, Viktringer Ring. G.: St. Veit/Glan, 15. Aug. 1921. V.: Gertrud, geb. Schulz. Ki.: Gerhard, Brigitte, Dr. iur. Hans-Georg. El.: Oberst a.D. Karl u. Elvira. BV.: Mulle Justinus (Großonkel, Schöpfer d. neuen Ktn. Volksliedes). S.: VS, Gymn., Kriegsdienst, Wachoffz. u. Kdt. auf U-Booten b. Kriegsende, Seeoffz.-Hauptprüf., Berechtigung z. Patent Schiffer auf weiter Fahrt, ab 1946 Jusstud. Karl Franzens-Univ. Graz, 1949 Prom. u. RA-Anw., 1954 RA-Prüf. K.: ab 1954 selbst. RA in Klagenfurt, Vertrauensanw. v. Vers.-Ges. u. Verb., 1987 Sohn Hans Georg Kzl. übernommen, seit 1993 im Ruhestand. P.: lfd. jur. Abhandlungen in Tageszeitungen u. Wochenzeitschriften, 1951 Publ. Thema: "Zur Reform d. Pressegesetzes", ersch. in Jur. Blätter Wien. E.: EK I, EK II, U-Bootkriegsabz. m. U-Bootfrontspange, Silb. EZ f. Verd. um d. Rep. Österr., versch. Ver.-Ehrenabz., Gr. Gold. EZ f. Verd. um d. Land Ktn. M.: 1950 Begründer d. Ktn. Jur. Ges., 1960-64 Präs. d. Offz.-Ges. Ktn., Gründer der Marinekameradschaft Kärnten, seit 1962 Obmann der Gesellschaft für die Heimkehrergedenkstätte Ulrichsberg in Klagenfurt, seit 1973 Mitglied des Gemeinderates d. Landeshauptstadt Klagenfurt, 1971 Landesobm. d. Ktn. Komitees z. Wahl d. Dr. Waldheim als Bundespräs., Vizepräsident des Austro Service Club, im Gemeinderat Obmann des Haupt- und Kontrollausschusses H.: jur. Abhandlungen in d. Medien, Basteln, k.u.k. Marinegeschichte, Wandern, Familie. (G.L.)

Mayer Kurt

B.: freischaff. Reg. u. Filmautor. DA.: 1040 Wien, Karolineng. 7/3. G.: Wien, 22. März 1951. El.: Rudolf u. Rosina. S.: BRG, 1969 Matura, Stud. Psych. u. Soz. Univ. Wien. K.: künstler. Arb. im Bereich Fotografie, 1983 Ausstellung Palais Liechtenstein, Filmgeschichte als Volonteur, Kameraass. b. Ausstatter, lange Zeit Osteuropa, 1980 Tätigkeit f. Japan. Fernsehanst. in Polen, Mitarb. b. österr. Filmproduktionen, 1982 Dokumentarfilme über "Mexiko", 1986 Bildplatte "La Villette, Cite des Sciences Paris", 1987 zahlr. Fernsehproduktionen. E.: 1983 Förderungspreis f. künstler. Fotografie, Preise in Chicago, Helsinki u. Karlsbad. H.: Beruf, Literatur. (J.E.)

Mayer Leopold Dr. Dkfm. Univ.Doz.

B.: Wirtschaftsprüfer. FN.: KPMG Alpen-Treuhand GmbH u. KPMG Austria Wirtschaftsprüfungs GmbH. DA.: 1090 Wien, Koling. 19. PA.: 1190 Wien, Scheibeng. 6. G.: Wien, 14. Nov. 1928. V.: Anke, geb. Dierks. Ki.: Helga. S.: Gymn., 1946 Matura, Stud. HS f. Welthdl., 1950 Prom. K.: 1959 Berufsprüf. als Wirtschaftsprüfer, 1958 Habil., seit 1951 b. d. KPMG Alpen-Treuhand GmbH zunächst als Prüfer, dann Gschf. F.: Beteiligung an versch. m. d. Alpentreuhand verbundenen Wirtschaftsprüf.Ges. P.: Habil.Schrift über "Kartelle, Karellorg. u. Kartellpolitik", Mitautor an versch. betriebswirtschaftl. Werken u. Festschriften, Verfasser v. Aufsätzen in Zeitschriften. E.: 1986 o.Univ.-Prof. M.: Ltr. d. Fachsenats f. Handelsrecht u. Revision u. Mtgl. d. Fachsenats f. Betriebswirtschaft b. d. Kam. d. Wirtschaftstreuhänder. H.: Reisen. (C.K.)

Mayer Mathias "Hias"

B.: Komiker, Gastronom d. "Hias'l Stub'n". PA.: 8953 Donnersbach. G.: Rottenmann, 3. Nov. 1950. V.: Regina. Ki.: Anja, Andrea, Martina, Sabine. El.: Mathias u. Maria. S.: VS, Zimmermann-Lehre. K.: Zuerst Zimmermann, dann Fahrverkäufer, dzt. Komiker (fixes Mtgl.) b. "Musikantenstadl", daneben ca. 120 Auftritte in Österr., BRD u. Schweiz. E.: 5 Gold. u. 1 Diam. Schallplatte. M.: Ehrenmtgl. b. Streckenfunkt. am Sbg.-Ring, Golf-Club Hotel Schloß Pichlarn/ Irdning. H.: Bergsteigen, Ski, Tennis. (R.A.)

Mayer Oskar Dr.

B.: Mtgl. d. NatR. 1987-90, Dir. d. Gymn. d. Inst. Sacré Coeur d. Erzdiözese Wien. DA.: 1030 Wien, Rennweg 31. G.: Wien, 12. Jan. 1941. S.: VS, RG, 1958 Matura, Univ. Wien, 1965-66 Dr. phil., Lehramt f. Deutsch u. Englisch. K.: 1966-87 Lehrer am Gymn. d. Kollegiums d. Ges. Jesu in Kalksburg, 1972-92 Mtgl. d. Zentrums f. Schulversuche u. Schulentwicklung b. BMU, 1979-91 Obm. d. Zentralaussch. b. BMU f. BLehrer an AHS, Päd. Ak., Päd. Inst. sowie d. BErzieher an BKonvikten, seit 1982 Mtgl. d. Zentralvorst. d. Gewerkschaft Öff. Dienst.

Mayer Otto

B.: Vorst.Dir. FN.: Stölzle Oberglas AG Köflach Fabriksstr. 11. GT.: Vorst. d. Österr. Marketing-Club. DA.: 1140 Wien, Keißlerg. 26. G.: Wien, 9. Dez. 1939. Ki.: 2 Kinder. H.: Tennis.

Mayer Paul

B.: Gschf. (Vers.Makler). FN.: Vers.Maklerbüro Paul Mayer GmbH. DA.: 1010 Wien, Schreyvogelg. 3. PA.: 1080 Wien, Skodag. 14-16. G.: Wien, 8. Okt. 1936. V.: Jutta, geb. Braun. Ki.: Nadja, Heliodoro. El.: KommR. Paul u. Stefanie. BV.: Vater: Paul Mayer, Gründer d. Vers.Maklerbüros Paul Mayer, Großvater: Franz Dominikus Kapellmstr. u. Komponist. S.: VS, Schottengymn., HAK, einige Sem. Welthdl. K.: seit 1954 in Versicherungsbranche tätig. M.: Verb. Österr. Vers.-Makler, Club Österr. Vers.-Makler. H.: Skifahren, Segeln. (E.L.)

Mayer Peter Dkfm.

B.: Gschf. FN.: trans-o-flex Schnell-Lieferdienst. DA.: 2353 Guntramsdorf, Triester Str. 94. G.: Wien, 25. Okt. 1946. Ki.: Verena (1977), Lukas (1981). El.: Franz u. Rosa. S.: 1965 RG-Matura, 1965-68 1. Stud.-Abschnitt HS f. Welthandel Wien, 1968-71 3 J. Lehrzeit: Bereiterlehre u.a. Span. Hofreitschule Wien. K.: 1971-72 Reitlehrer u. Bereiter in div. Reitsportzentren, 1972-74 Abschluß d. Stud. an d. HS f. Welthdl. Wien, 1974-76 Trainee b. 3M-Österr. f. d. Bereiche Logistik u. Distribution, 1976-83 Abt.-Ltr. f. Bestellplanung u. Einkauf, 1983-89 Marketing- u. Vertriebsltr. b. 3M, 1988-89 Mtgl. d. Europ. Management-Teams f. strateg. Planung b. 3M, ab 1990 Gschf. "trans-o-flex Austria". H.: Reitsport, Tennis, Fachliteratur (Marketing u. Personalwirtschaft). (M.M.)

Mayer Robert

B.: Hotelier, Koch, Hotelkfm. DA.: 6780 Schruns, Außerlitzstr. 2. PA.: 6780 Schruns, Batloggstr. 13. G.: Innsbruck, 7. April 1935. V.: Brigitte, geb. Stocker. Ki.: Martina (1967), Robert (1970). El.: Wilhelm u. Hedwig. BV.: Verw. väterlicherseits bek. Physiker (verh. m. Maria Goeppert) Nobelpreisträgerin Physik 1963, Großvater Gründer d. Mayer Mühle in Schruns (jetzt St. Pölten), Mg. des Montafoner Elektrizitätswerkes. S.: 2 J. Realgym. Bludenz, 2 J. Stella Matutina in Feldkirch, Hotelfachschule Bad Hofgastein, Abschl. 1959. K.: als Koch in Hamburg (Hotel Vier Jahreszeiten), Kurhotel Pyrmont, Hotel Winkler in Salzburg, im elterl. Betrieb in sämtl. Bereichen, als Rezeptionist in Bad Gastein, Hotel Elisabethpark, Hotel Bellevue St. Christoph, 1960-61 Hotel Scribe in Paris, 1964 Empfangschef im Hotel Panhans (Semmering), 1964-75 Kurhotel Montafon (Empfangschef), 1975-78 Direktor d. Kurhotels Montafon, 1978 Übernahme d. elterl. Hotelbetriebes in Schruns (seit 1847 im Familienbesitz; eine d. ältesten Montafonerstuben), Gemeindevertretung Wintersportverein. H.: Bergwandern, Lesen, Schwimmen, Skifahren. (I.D.)

Mayer Robert

FN.: Wr. Wirt.-Förderungsfonds. DA.: 1082 Wien, Ebendorferstr. 2. PA.: 1210 Wien, Holzmeisterg. 13/2. G.: Wien, 1. Jän. 1961. El.: Hans u. Lisl. S.: 1980 Matura a. d. HAK Wien, Stud. BWL a. d. WU Wien. K.: 1986 Eintritt i. d. Wr. Wirt.-Förderungsfonds, i. div. Bereichen tätig, insbes. Bereich Innovations- u. Techn.-Förderung, s. 1991 Schwerpunkt d. Tätigk. EU Wettbewerbsrecht bzw. EU-Förderungen, 1992 4 Monate Tätigk. b. d. EG-Kommission i. Bereich Wettbewerbsaufsicht i. Brüssel. H.: jede Art v. Sport, allg. Weltgeschehen. (J.S.)

Mayer Robert Ing.

B.: Gschf. FN.: Fa. Dialog Elektrovertriebsgesellschaft mbH. DA.: 1120 Wien, Längenfeldg. 27. G.: Wels/OÖ, 30. Juli 1945. V.: Grete. Ki.: Sabine. El.: Josef u. Beatrix. S.: HTL, 2 J. HS-Lehrgang WU. K.: 1965-73 i. elterl. Betrieb, 1973-83 IC Kleinewefers Wien Verk.-Ltr., 1983-89 Schrack Elektronik, Abt.-Ltr. i. Export, s. Mitte 1989 Dialog Gschf.

Mayer Rudolf Dr. iur.

B.: RA. in d. Kanzleigemeinschaft Doczekal-Mayer. DA.: 1080 Wien, Florianig. 5. PA.: 1060 Wien, Amerlingstr. 19/30. G.: Wien, 3. Okt. 1947. Ki.: Nicole. El.: Rudolf u. Erna. S.: hum. Gymn., 1966 Matura, Jusstud. Univ. Wien, 1976 Prom. K.: RA-Anw. u.a. b. Erhard Doczekal, ab 1987 Kzl.Gemeinschaft. (C.K.)

Mayer Sabine

B.: Inh. FN.: Viva la Diva. DA.: 1180 Wien, Währinger Str. 121. PA.: 1180 Wien, Leschetitzkyg. 35. G.: Wien, 16. Juli 1965. El.: Margarete u. Kurt Mayer. S.: Neulandschule in Wien, FS f. wirt. Frauenberufe Strasserg., Frauenoberschule abgeschlossen. K.: 1983 Eintritt in d. elterl. Betrieb (Kabelerzeugung), 1992 Eröff. d. Damenwäschegeschäftes: exclusive Dessours, Nachtwäsche, Cocktail-Mode; Herren-Unterwäsche, Herren-Nachtwäsche, Bademoden. H.: Motorsegelfliegen, Gymnastik, Arab. Tanzkultur, Tiere (Kater, Yorkshire Terrier), Theater, Musik, Reisen. (J.M.)

Mayer Sigi

B.: Inh. d. Projektagentur, Werbefachmann. DA.: 4020 Linz, Landstr. 22. PA.: 4020 Linz, Glimpfingerstr. 96. G.: Bad Goisern, 29. Sept. 1950. V.: Martha, geb. Schotzger. Ki.: Matthias, Magdalena, Sebastian. El.: Hermann & Paula. S.: Kunstschule, Kunstak. K.: 1981 selbst. (Werbung u. Design). P.: div. Veröff. in intern. Fachzeitschriften, Berichte im Fernsehen. E.: div. Berufsausz. M.: CCA. H.: Radfahren, Oldtimer, Skifahren. (P.H.)

Mayer Stefan

B.: Fotograf. FN.: Fotostudio "Eisenhut & Mayer". DA.: 1070 Wien, Richterg. 4/4. G.: Linz, 22. Nov. 1966. V.: Margarethe, geb. Seidl. El.: Wilhelm u. Ingeborg, geb. Unterscheider. S.: AHS, 1985 Matura, 1985-88 Lehrzeit b. "Foto Frank" Sbg. K.: 1988 Ass. b. Modefotograf Reinhard Loidl, 1989 Eintritt in d. Fotostudio "Wanits", 1991 Kauf dieses Studios, seither selbst., Schwerpunkt: Stillife u. Foodfotografie. H.: Tauchen, gut Essen. (N.A.)

Mayer Walter

B.: Gschf. Ges. FN.: Kfz-Reparaturwerkstätte Walter Mayer GmbH Peugeot-Suzuki Haupthändler. DA.: 2372 Gießhübl, Hauptstr. 59. PA.: 2372 Gießhübl, Hauptstr. 130. G.: Mödling, 10. Febr. 1948. Ki.: Andra (1968), Alexandra (1972). El.: Franz u. Helene. S.: HS, Kfz-Mechanikerlehre. K.: 1962-67 Kfz-Schlosser b. d. ÖBB, 1967-70 Ang. in Finanzlandesdion. Wien, 1970-75 Techn. Ltr. in Hoch- u. Tiefbaufirma, ab 11. Febr. 1975 selbst. m. d. Kfz-Reparaturwerkstätte Walter Mayer GmbH, ab 1986 zusätzl. Ford-Subhändler, Okt. 1987 Errichtung einer neuen Betriebsanl., 1988 zusätzl. Suzuki-Haupthändler, 1909 Abgabe d. Ford-Subhändlers, zusätzl. Peugeot-Haupthändler. BL.: ab 1979 Rallye-Cross-Sportfahrer, 1981 Österr. Staatsmstr. in Divison 3 auf VW-Käfer, 1982-84 Gewinn v. 6 EM-Läufen auf Audi-Quattro, 1982 u. 1984 Österr. Mstr., 1982-86 Testfahrer f. d. Sportabt. im Audi-Werk in Ingolstadt m. Testrallyes in Europa u. Übersee. H.: Joggen, Gymnastik, Rallye-Fahrer. (M.M.)

Mayer Werner Mag.

B.: Dir. d. Freien Wirtschaftsverb. Österr. LOrgan. OÖ. DA.: 4020 Linz, Eisenhandstr. 46/2. PA.: 4040 Linz, Freistädter Str. 60. G.: Linz, 22. Nov. 1949. V.: Ulrike, geb. Neugschwendtner. Ki.: Thomas (1974). El.: Johann u. Paula. S.: b. 1965 kfm. BS Linz, 1979 Matura, b. 1986 Stud. Sozialwiss. K.: 1977 Dir. d. Freien Wirtschaftsverb., Experte im parlamentar. Unteraussch., Sekt.Ltg.Mtgl. in d. SPÖ, fachkundiger Laienrichter d. Arbeitsgerichtes. P.: "Vereine u. Verbände im Jahr 2000", "Wirtschaftsförderung in Österr.", "Das Gewerberecht in d. EG", div. Veröff. in Tageszeitungen. M.: SPÖ, ASKÖ, ARBÖ, Kinderfreunde, BSA, OÖ Presseclub. H.: Lesen, Schreiben, Squash, Skifahren. (P.H.)

Mayer Werner Dr. iur. SenR.

B.: Ltr. d. Bez.-Verw. Mag. Sbg. GT.: Vors. d. Grundverkehrskmsn. d. Stadt Sbg. sowie d. Standesbeamtenprüf.-Kmsn. DA.: 5020 Salzburg, Schloß Mirabell. PA.: 5161 Elixhausen, Ehrenbachstr. 21. G.: Tribuswinkel, 18. März 1944. V.: Dr. Elisabeth, geb. Rodler. Ki.: Susanne (1985). El.: Ferdinand u. Karoline. S.: Hum. Gymn. Baden, 1962-66 Militärak. Wr. Neustadt, 1974-78 Jusstud. Univ. Sbg., 1979 Prom. z. Dr. iur. K.: 1966-78 Berufsoffz. Sbg., abgerüstet als Hptm., 1979-89 Sekr. d. ÖVP-VBgm., 1989 Tätigkeit in d. Bez.-Verw. als rechtskundiger Sachbearb., seit 1990 Ltr. dieses Amtes. E.: Bronz. u. Silb. VZ d. Roten Kreuzes, Bronz. VZ. d. Berg- u. Naturwacht Sbg. H.: Videofilmen, Skifahren, Jogging, Hobbygarten. (M.Mo.)

Mayer Wilfried Dr.

B.: RA. DA.: 4810 Gmunden, Marktpl. 16. PA.: 4810 Gmunden, Satoristr. 77. G.: Gmunden, 23. Dez. 1940. Ki.: Gabriele (1963), Sabine (1965). El.: Willibald u. Friederike. BV.: Bruder Helmut Mayer Dir. d. Firma BIZ Basel. S.: 1959 Matura, Präsenzdienst, Jusstud. Wien, 1964 Doktorat. K.: Gerichtsj. BG Gmunden u. Kreisgericht Wels, Konzipient b. Dr. Kretschy, seit 1971 selbst. RA in Kzl.-Gemeinschaft m. Dr. Schneditz-Bolfras. M.: Tennisclub, Fußballclub. H.: Tennis, Bergsteigen, Skifahren, Hobbygärtnerei, Musik, Literatur, Sportwagen. (E.Hö.)

Mayer Wolfgang Mag.

B.: Gschf. FN.: Trend Commerz GmbH. DA.: 4021 Linz, Pillweinstr. 30 u. UTEC GmbH. 1090 Wien, Türkenstr. 25. G.: Eferding, 29. Mai 1955. V.: Mag. Sonja. Ki.: Lukas Philipp (1982), Markus Clemens (1983), Melanie Desiree (1986). El.: Karl u. Helen. S.: Gymn., 1973 Matura, 1973-77 Stud. Naturwiss. Univ. Wien. K.: seit 1984 Einzelfirma, seit 1987 Trend Commerz GmbH Veranstaltungsorgan., Unternehmensberatung, Kongress- u. Messeveranstaltungen. P.: Vorträge u. Publ. z. Thema Messe- u. Kongresswesen, Management, div. Veröff. in techn. Fachzeitschriften. M.: Österr. Ges. f. Umwelt u. Technik, B.A.U.M. Österr., Schweizer Management Ges. (SMA), WdF. H.: Familie, Thematik. (P.H.)

Mayer Wolfgang

B.: Dipl.-Psych.Inh. d. Unternehmensberatung f. Personalmanagement. DA.: 6830 Rankweil, Alemannenstr. 47. PA.: 6811 Göfis, Badida 143. G.: Göfis, 12. Jän. 1954. V.: Marianne. Ki.: Julia (1983), Stephanie (1985), Lukas (1990). El.: Josef u. Irma. S.: HASCH, Matura, 1986 Dipl.-Psych., 1987 Dipl.-Unternehmensberater. K.: 1973/74 Rechnungswesen u. Verw. b. Baufirma, 1974-77 Personalverw. in Baufirma, 1977-82 Personal- u. Weiterbild.-Ref. b. Befestigungstechnik, 1982 Ltr. Personal- u. Sozialwesen Nahrungsmittelind. Liechtenstein, 1984 Prok., 1989 Grdg. d. Unternehmensberatung Rankweil, Suche u. Auswahl v. Fach- u. Führungskräften, Personalentwicklung u. Schulung, Personalmanagement, Projekte u. Systeme. P.: einschlägige Publ. in Fachliteratur, Lehrbeauftragter Univ. Innsbruck, Trainer in versch. Inst. u. Unternehmungen. M.: Round Table 27 Feldkirch, WDF Vbg., Junge Wirtschaft. H.: Skifahren, Wandern, Tennis. (I.D.)

Mayer Wolfgang Dr. Dkfm.

B.: Bankkfm., Vorst.Dir. d. Ktn. Landes- u. Hypothekenbank. DA.: 9020 Klagenfurt, Domg. 5. PA.: 9500 Villach, Oswaldberg 35. G.: Villach, 28. Juni 1945. V.: Johanna, geb. Wiegele. Ki.: Volker u. Jörn. El.: Walter u. Gertrude. S.: Gymn., HAK, HS f. Welthdl., Dkfm. 1969, Prom. 1974. K.: 1971 zu KELAG Klgft., 1971-76 Gem.Ref. d. FVK-Förd. b. Amt d. Ktn. LRg., seit 1976 b. d. Ktn. Landes- u. Hypothekenbank, 1976-79 innerbetr. Ausbild., 1979 Dion.Ass., ab 1981 Dir.Stellv., seit 1982 Vorst.Mtgl. u. anschl. Vorst.Dir., seit 1980 Gschf. d. Fa. BABEG, seit 1988 Präs. einer Intern. Finanzierungsges. "Hypo Service", seit 1993 Vorst.Mtgl. d. ung. Volksbank Budapest. M.: KamR. d. HK. H.: Reisen, Lesen. (M.Br.)

Mayer Wolfgang

B.: Kompl., gewerberechtl. Gschf. d. Fa. Heinrich Mayer & Sohn KG, Gschf. d. Fa. Limbacher GmbH, gschf. Ges. d. Fa. Steinformtechnik GmbH. DA.: 5020 Salzburg, Nonntaler Hauptstr. 102. PA.: 5020 Salzburg, Prinzingerstr. 11. G.: Salzburg, 3. Apr. 1950. V.: Romana, geb. Thaller. Ki.: Simone, Sebastian. S.: Lehre f. Steinmetz, Gesellenprüf., 1973 Mstr.Prüf. f. Steinmetzmstr. u. Steintechniker. K.: 1964 Eintritt in d. väterl. Betrieb Heinrich Mayer, 1976 Umbenennung in Heinrich Mayer & Sohn KG, 1981 Teilnahme an Auslandsmessen, Erweiterung d. Fertigungsprogrammes in Steinprodukten. BL.: 1980 Beginn d. Entwicklung einer Konturenseilsäge f. Stein, 1981 Anmeldung z. Patent in 15 Ländern, 1986 Bau d. ersten Serienmaschine "Formcut", 1987 Teilnahme an d. intern. Erfindermesse in Wien, 1983 Anmeldung v. weiteren Patenten, 1984 Entwicklung eines neuen Produktes "Sbg. Antikmarmor". P.: div. Art. in Fachzeitschriften. E.: Bayr. Staatspreis. H.: Fischen, Skifahren, Schwimmen, Tennis, Trialfahren. (A.W.)

Edler Mayer von Rosenau Heinrich-Ernst

B.: Konsulent, Anlageberater, Versicherungs-Kfm. FN.: NÖ Versicherung. DA.: 2500 Baden, Braitnerstr. 17. PA.: 1190 Wien, Sieveringer Str. 75a. G.: Wien, 19. Jan. 1939. Ki.: Claudia, Judith, Enkelkinder: Daniel, Jasmin u. Sabrina. El.: Ernst u. Maria. BV.: Großvater Edler Mayer v. Rosenau: Lokalhistoriker (Gesch. v. Atzgersdorf), Titel reicht b. 1703 zurück u. wurde v. Leopold v. Ungarn verliehen. S.: Gymn. in Lambach, BKonvikt Wien 2, HASCH, Schauspielschule b. Kraus. K.: 1958 Eintritt in d. CA, Bankkfm.-Ausbild., 1961 Aufenth. in Paris, Immobiliengeschäft in Krems, 1961-64 CA (Vorber. Comp. Akquistion), 1964 Kandidatur z. NatR., 1984 selbständig als Anlageberater, 1987-89 b. Flugreisedienst, seit 1989 b. NÖ Versicherung. P.: versch. Art. in Reisejournalen über Vers. M.: ÖVP, Österr. Galopprennver. Freudenau, Zentralinst. f. Reise u. Touristik. E.: Silb. EZ v. ÖAAB, Silb. EZ v. d. LParteiltg. H.: Reisen, Pferde, klass. Musik, z.Zt. besch. m. d. Aufarb. d. Werke d. Großvaters. (E.L.)

Mayer-Förster Dietrich Dipl.-Ing. KommR.

B.: Inh. d. Tonstudio, Handelsagentur. DA. u. PA.: 5301 Eugendorf, Reitberg 88. G.: Wien, 23. Jän. 1935. V.: Johanna. Ki.: Thomas, Sabine. El.: Karl u. Hermine. S.: b. z. 14. Lebensj. englischsprachige Grundschule Indien, RG Sbg., TH Wien, Dipl.-Ing. d. Maschinenbau. K.: 11 J. Dt. Ind., Dir.-Ass. u. Techn. Ltr., Rückkehr nach Österr. u. Grdg. Handelsagentur, seit 1971 Gremialvorst. d. Handelsvertreter HAKA Sbg., Bundesgremialvorst.-Stellv. u. Österr. Delegierter d. HV, Laienrichter b. HG, 1990 Grdg. Tonstudio m. Schwerpunkt Jingel-Produktionen f. nat. u. intern. Rundfunk- u. Fernsehanst. P.: 1969-72 Buchautor f. Unterhaltungssendungen im Dt. Fernsehen. E.: KommR. M.: 10 J. Obm. d. Konzertver. Mozartchor Sbg. H.: Kabarettist u. Textautor. (M.Mo.)

Mayer-Förster Thomas

B.: Sound-Designer (Jingle Boys). DA. u. PA.: 5301 Eugendorf, Reitberg 88. G.: Salzburg, 20. Apr. 1969. El.: KommR. Dipl.-Ing. Dietrich u. Johanna. S.: RG, Stud. Mozarteum Sbg. u. Komposition- u. Tontechnik München. K.: Praxis in vesch. Tonstudien, Komponist u. Arrangeur, eigenes Tonstudio -

spezialisiert auf Jingles, Werbemusik, Filmvertonung, Corporate Identity Sound Design f. nat. u. intern. Rundfunk- u. Fernsehanst. (M.Mo.)

Mayer-Hohenwill Peter

B.: Bildhauer, Maler. PA.: 1220 Wien, Hirschstettnerstr. 74. G.: Lend/Pinzgau, 2. Aug. 1939. V.: Gertraud, geb. Bitomsky. Ki.: Nikolaus u. Michael. El.: Otto u. Gertraud. BV.: Urgroßvater Franz Mayer v. Hohenwill, Hptm. b. d. ASIADEN-Leibgarde, mütterlicherseits Adel zurückverfolgbar b. ins 12. Jhdt. (v. Gaupp-Berghausen). S.: ldw. Fachschule, Schule f. Wirtschaftswerbung, 3 Sem. Ak. d. bild. Künste, 2 J. Wr. Kunstschule. K.: Erste Arb. als Maler, parallel dazu bildhauerische Tätigkeit, seit 20 J. als bild. Künstler freischaff. tätig, sporadische Ausstellungen in Wien u. in d. Bundesländern. M.: Berufsvereinigung bild. Künstler Österr. (G.E.)

Mayer-Leitzmann Carola

B.: Firmeninhaberin, HAK-Kaufmann. FN.: Brigitta Webpelzmode, Österr. HAndarbeit. Da.: 1200 Wien, Brigittaplatz 15. G.: Wien, 1. Jän. 1967. El.: Nora u. Otto, Mutter mehrfache österrr. Staatsmeisterin i. Schwimmen, Olympiade i. Rom. S.: VS, AHS 4 Jahre, HAK, Matura 1986. K.: 4 Semester Studium Sparte: Wissenschaft u. Management, 3 Monate ÖAMTC, 1990 selbst. Großhandel m. Webpelzmode, lt. Beilage intern. Tätigkeiten, Belieferung n. Italien, Deutschland, Schweiz, Rußland, eigene Schnittentwicklung, Familienbetrieb. P.: Sendung "Wir", Wurlitzersendung, div. Artikeln i. Verena, Profil,... M.: Tierschutzverein, Reitclub Andlersdorf. H.: Reiten, alte Schlager, Schifahren. (W.M.)

Mayer-Maly Theo Dr. Prof.

B.: Univ.-Prof. A.: 5026 Salzburg, Josef-Thorak-Str. 19. G.: Wien, 16. Aug. 1931. V.: Dorothea, geb. Schwarz. El.: HofR. Dr. Theo u. Rosemarie. S.: Gymn., iur. Fak. Wien, 1954 Prom. Dr. iur. sub auspiciis praesidentis. K.: 1957 a.o.Prof. in Graz, 1959 a.o.Prof. in Wien, 1961 o.Prof. Wien, 1962 o.Prof. Köln, 1966 o.Prof. Sbg. P.: "Österr. Arbeitsrecht", "Rechtswiss.". E.: Theodor Körner-Preis, Leopold Kunschak-Preis.

Mayer-Rieckh Michael Dr.

B.: Niederländ. Hon.Kons. f. Stmk., Ges. d. Fa. Schuhvertrieb Mayer-Rieckh KG Graz. DA.: 8020 Graz, Lastenstr. 11. M.: Vorst.Vors. d. Fa. Leder & Schuh AG Graz, AufsR. d. Bank f. Ktn. u. Stmk. AG Klagenfurt.

Mayer-Skumanz Lene Mag. phil.

B.: Schriftstellerin. PA.: 1020 Wien, Lampig. 15/12. G.: Wien, 7. Nov. 1939. V.: Dr. Josef Mayer. Ki.: Eva Maria, Elisabeth. El.: Axel u. Erna Skumanz. S.: VS, hum. Gymn., Univ. Wien Germanistik, Altphil. K.: Mittelschulprof., freie Schriftstellerin. P.: Kinder- u. Jugendbücher, Theaterstücke u. Hörspiele f. Kinder, ca. 45 Bücher u.a. "Gibt Florian auf?", "Der Bernsteinmond", "Jakob u. Katharina", "Maria", "Hanniel kommt in d. Stadt", "Das Lügennetz", "Der kleine Faun", Lyrik u.a. "So gut möcht'ich hören können". E.: mehrfache Ausz. z.B. mehrmals österr. Kinder- u. Jugendbuchpreis, Wr. Kinder- u. Jugendbuchpreis, f. "Geschichten v. Bruder Franz" dt. kath. Kinderbuchpreis, Österr. Kinderbuchpreis u. Catholic Book Award of U.S.A., 1991 Prof. M.: Österr. Schriftstellerverb., Presseclub Concordia. H.: Theater, Musik, Kochen. (J.S.)

Mayer-König Wolfgang a.o.Prof. Handelsrat

B.: Univ.-Prof. A.: 1170 Wien, Hernalser Gürtel 41. G.: Wien, 28. März 1946. El.: Dipl.-Ing. Ernst u. Hertha. K.: 1970-77 Seminartätigkeit als Gastvortragender an zahlr. führenden Univ. in Frankreich, Italien, Deutschland u. d. USA, Tit. a.o.HS-Prof. (ernannt v. BPräs. d. Rep. Österr., o.Mtgl. d. Accademie Tiberina, d. Ak. d. Wiss. u. Künste Cosentina, 1968 Wahl z. gesamtösterr. Referenten d. Zentralaussch. d. ÖH, Mitarb. in versch. staatl. Kmsn. u. an div. staatl. Reformgrundlagen, 1971-78 Sekr. d. Österr. BKanzlers, Mtgl. d. Kabinetts, 1972 Gen.Sekr. d. intern. Kongresses "Die Zukunft v. Technik u. Wiss.", Autor d. Zivildienst-Bundesgesetzentwurfs, Koordin. d. offiz. österr. humanit. Hilfs- u. Wiederaufbauprogramms f. Indochina, 1973 Vors. d. Österr. Führungskräftetagungen (BfI), Alternierender ständ. Vertreter b. d. Vereinten Nationen, 1978-90 im Betriebsorgan. u. Vertriebsbereich d. Ind. tätig, 1. VPräs. d. Intern. Brenner Konsortiums (Neue Eisenbahnstrecke München-Verona), Gschf. Transportbeton GmbH, AufsR.Mtgl. Porr International AG, AufsR.Mtgl. ALLBAU AG, Vorst.Mtgl. PORR AG. P.: Sichtbare Pavillons 1968, Stichmarken 1969, Psychologie der Literatursprache 1973, Texte u. Bilder 1974, Karl Kraus als Kritiker 1975, Joh. Caspar u. Joh. W. Goethes Italienreisen - Ein Vergleich 1978, Der Begriff d. Mögl. b. R. Musil 1979, Sprache-Politik-Aggression 1979, Zur kommunikat. Poetik 1979, In den Armen unseres Wärters 1979, Zu den Sachen 1983, Hrsg. u. Verl. d. Zeitschrift f. Intern. Literatur "LOG". E.: Österr. EK f. Wiss. u. Kunst, EZ f. bes. Verd. um d. Land NÖ, Alderorden d. Landes Tirol in Gold, Gold. VZ d. ÖRK, Offz.Kreuz d. ägypt. VO, Commendatore S.A.O. d. Rep. San Marino, VK d. Dt. Ordens, Päpstl. Laterankreuz 1. Kl., EZ d. Stiftes Lilienfeld, EZ d. griech.-orthod. Papstpatriarchen N. Alexandreios v. Alexandrien, Ordre des Arts et Lettres d. Rep. Frankreich, Theodor-Körner-Preis, Prometeo d'aureo d. Region Latium. M.: Vizepräs. d. Kurat. "Pro Austria Nostra", Dr. Karl-Renner-Inst., Ges. f. Sozialpsych., Großmstr. d. Orden "Pour le mérite" u. "Merito Navali", Präs. d. Mozart Company.

Mayerböck Josef

B.: Karosseriebaumstr. FN.: Mayerböck Karosserie-Fahrzeugbau GmbH Abschleppdienst. DA.: 4910 Ried, Wildfellnerstr. 6-8 u. 4910 Ried, Dimmelstr. PA.: 4910 Ried, Wildfellnerstr. 6-8. G.: 8. Nov. 1940. V.: Gertraud, geb. Penninger. Ki.: Klaudia (1966), Alexandra (1967), Sylvia (1970). El.: Josef u. Maria. S.: VS, HS, 1955-58 Wagnerlehre b. Großvater, 1959 Karosseriebaufachschule in Wien, Mstr. vorbereitungskurs. 1958. K.: 1961 Betr. v. Großvater weitergef., 1964 Mstr. Prüf. selbst. in einer Pachtwerkstätte, gleichz. Abend HTL-Maschinenebau besucht, 1968-72 Tankstellenpächter, März 1972 in einem Objekt am heutigen Standort d. Betrieb begonnen, seit 1991 Montagebetrieb in d. Dimmelstr. E.: Anläßlich d. 30-jährigen Meisterjubiläums v. d. Handelskammer ausgezeichnet, b. Bundeslehrlingwettbewerbes d. 3. Platz erreicht v. ganz Österr. 1978 v. AIRC f. besondere Leistungen u. Know How ausgezeichnet. M.: Mtgl. im Oldtimer-Club. H.: Skifahren, Segeln, Hochseesegeln.

Mayerhauser Josef
B.: Verkaufsltr. OÖ d. KLM Königl. Niederländ. Luftverkehr. DA.: 4020 Linz, Landstr. 42/1. PA.: 4232 Hagenberg, Kotestraße. G.: Linz, 22. Juni 1950 V.: Ursula-Friederike, geb. Mayr. Ki.: Doris-Cornelia (1976), Birgit-Andrea (1978), Georg-Josef (1982). El.: Josef u. Hedwig. S.: Kfz-Schlosserlehre b. d. Post. K.: 1969-72 Auslandsmontage, davon 2 J. Südafrika, Wechsel in d. Hotelfach, job-rotation in versch. Hotels, Rückkehr nach Österr., Luftfrachtsachbearb. b. d. AUA, weitere Ausbild., Ticket-Verkauf, 1979 Ernennung z. Ticket-office-subadviser, 1982 senior salespromotor f. OÖ, 1988 stellv. Distriktltr., 1989 Wechsel z. KLM als Verkaufsltr. f. OÖ. H.: Fliegen, Hochseesegeln, Computer. (P.R.)

Mayerhofer Christoph Dr. Mag.
B.: Ltr. d. Sekt. Straf- u. Gnadensachen BMJ. DA.: 1070 Wien, Museumstr. 7. G.: Wien, 10. März 1935. V.: Gertrud, geb. Kirchbaumer. Ki.: Mag. Regine (1960), Dr. Thomas (1961), Mag. Lukas (1967), Melitta (1972). El.: Dr. Friedrich u. Edith. BV.: Urgroßvater Franz (1815) k.k. Militärkassadirektor I. Klatte, hat bei d. Schlacht v. Solferino d. österr. Kasse gerettet. Dessen Bruder Ernst (1824) ist Hsg. eines 9bändigen Handbuches f. d. Verwaltungsdienst. S.: Ak. Gymn. Sbg., Univ. Wien. K.: Ass. am Kriminolog. Inst. Wien, Richter, Ministerialbmtr. P.: Mayerhofer-Rieder, Das österr. Strafrecht. E.: Gold. EZ f. Verd. um d. Rep. Österr., Gr. Silb. EZ f. Verd. um d. Rep. Österr. M.: Kath. Laienrat Österr., Präs. d. Neuen Kriminolog. Ges., Frankfurt a. M. H.: Theater, Schifahren, Musik (Violoncello aktiv). (J.S.)

Mayerhofer Helmut KommR. Ing.
B.: Gschf. Ges. d. Fa. Economos. DA.: 1220 Wien, Rennbahnweg 55. G.: Graz, 18. Sept. 1949. V.: Margit, geb. Steiner. Ki.: Philipp, Kathrin. El.: Matthias u. Margarete. S.: HTL, 1969 Matura in Graz, 1973 Ing. K.: 1976 Grdg. d. Fa. Economos Warenhdls. GmbH, 1984 Neugrdg. v. Economos I Warenhdls. GmbH u. Economos II Exportvertriebs GmbH. (A.W)

Mayerhofer Herwig
B.: RA. DA.: 6850 Dornbirn, Bahnhofstr. 9. G.: Feldkirch, 8. Feb. 1962. El.: Konrad u. Melitta. S.: Gymn. Feldkirch, 1980 Matura, Univ. Innsbruck, 1985 Prom. K.: Gerichtspraxis i. Feldkirch, Konzipient i. Bregenz u. Dornbirn, 1992 selbst. RA i. Dornbirn Zivil- u. Handelsrecht, 1994 Sozietät m. Dr. Karl-H. Plankel Verfassungs- u. Verw.-Recht. M.: Vorst. Musikver. Gisingen (aktiver Musiker). H.: Musik, Squash, Skifahren, Reisen. (I.D.)

Mayerhofer Josef
B.: Gschf. FN.: Waldviertel Management. DA.: 3910 Zwettl, Edelhof 3. PA.: 3910 Zwettl, Weitraer Str. 26. G.: Zwettl, 2. Aug. 1956. V.: Christine, geb. Thaler. Ki.: Michael (1987), Edith (1989), Bernhard (1990). El.: Josef u. Anna, geb. Hahn. S.: kfm. Lehre. K.: 1971-80 Lehre u. Verk.-Tätigk. i. Fa. Mengl, 1980-84 Verk.-Gebietsltr. f. Fa. Veritas, Linz f. Westösterr., s. 1984 Gschf. i. "Waldviertel Management" i. Edelhof b. Zwettl. M.: AufsR.-Mtgl. b. d. "Pfadfindergruppe Zwettl". H.: Lesen. (M.M.)

Mayerhofer Karl

B.: Inh. FN.: Karl Mayerhofer GmbH Elektroinstallationen. DA. u. PA.: 2522 Oberwaltersdorf, Hauptstr. 12. G.: Wien, 12. Sep. 1957. V.: Martina, geb. Haidbauer. Ki.: Karl (1982), Philipp (1983), Stephanie (1994). El.: Karl u. Maria. S.: VS, HS, HTL, 3 1/2 J. Lehre Elektroinstallateur im elterl. Betrieb, Konzessionsprüf., Gesellenprüf. f. Einzelhdls.-Kfm. u. Fotokfm., BH. K.: 1978 Übernahme d. väterl. Betriebes, 1989 Umwandlung in GmbH u. seither Alleinges. M.: Prüf.-Kmsn. f. d. Gesellenprüf. d. Elektroinnung, Mitbegründer d. Tennisver. Oberwaltersdorf, aktives Mtgl. d. Herrengilde b. d. Schauspielgruppe, Mtgl. zahlr. örtl. Ver. H.: Sport-Fanatiker, Tennis, Dichten. (F.S.)

Mayerhofer Markus

B.: Gschf. Ges. FN.: Sonnen-Sicht- u. Wetterschutz Giesinger & Mayerhofer GmbH & Co KG. DA.: 6850 Dornbirn, Egeten 7. PA.: 6850 Dornbirn, Schmelzhüttenstr. 30. G.: Dornbirn, 26. Mai 1964. Ki.: Melanie (1992). El.: Franz u. Theresia. S.: Werkzeugmacherlehre Dornbirn, Werkmstr.-Schule Wifi Dornbirn, div. Ausbild. in BWL u. Marketing, 1983 BH. K.: 1984-87 Werkzeugmacher, 1987-90 berufl. Weiterbild. im Marketingbereich, 1991 Grdg. d. Betriebes gemeinsam m. Partner Giesinger Dornbirn. H.: Squash, Skifahren, Musik. (I.D.)

Mayerhofer Raimund
B.: Werbefotograf. FN.: Mayerhofer Fotostudio GmbH. DA.: 1190 Wien, Wallmodeng. 11 A. PA.: 1080 Wien, Lindeng. 8. G.: Wien, 11. Dez. 1942. El.: Raimund u. Maria. S.: Graph. Lehr- u. Versuchsanst., 1962 Abschluß. K.: 1962-70 div. Jobs i. Ind.-Bereich, s. 1970 selbst., s. 1980 Fotostudio Mayerhofer, ausschl. Werbefotografie, Spez. a. Food-Fotografie f. Konzerne w. Unilever, Felix, Gustana, Weiser Wurstererzeugung, a. Werbekampagnen f. Raiffeisenbank, Fotografie f. Kataloge, Prospekte u. Plakate. H.: Bauernhaus. (E.J.)

Mayerhofer Siegfried Dr. med.
B.: FA f. Innere Med., stellv. Pharma Spartenltr. FN.: Schering Wien GmbH. DA.: 1140, Wien, Scheringg. 2. PA.: 1140 Wien, Penzingerstr. 66/10. G.: Langau, 3. Febr. 1950. V.: Liane, geb. Langweil. Ki.: Miriam (1978), Julian (1980). El.: Johann u. Friederike, geb. Polt. S.: Med.-Stud. Univ. Wien, 1976 Prom. K.: Ausbild. z. Prakt. Arzt, FA-Ausbild. f. Innere Med. an d. 1. Med. Abt. d. Allg. Poliklinik Wien, OA in d. Allg. Poliklinik Wien, 1978 Beginn d. Laufbahn in d. Pharmaind., 1985 Übernahme d. Ltg. d. Med. Bereiches d. zentralen Pharmaforsch. b. CL Pharma AG, 1989 Eintritt Schering Wien GmbH als Ltr. d. med.-wiss. Abt., 1990 Ltg. Marketing, 1991 Prokura, Registrierungsabt., Ltg. einer Europ. Marketing-Arbeitsgruppe Schering AG Berlin, Mitarb. in einem Intern. Gremium f. d. klin. Entwicklung v. Projekten d. Fertilitätskontrolle. P.: zahlr. Publ. im In- u. Ausland, Schwerpunkt Innere Med. u. Pharmakologie. M.: nat. u.

intern. Ges. in d. Bereichen klin. Pharmakologie, Pharmakoepidemiologie, Herz-Kreislaufforsch., Reproduktionsmed. H.: Sport, Literatur. (N.A.)

Mayerhofer Viktor Dir.

B.: Dir. d. Musikschule St. Pölten. DA.: 3100 St. Pölten, Maria-Theresia-Str. 23. PA.: 3071 Böheimkirchen, Untere Hauptstr. 15. G.: Böheimkirchen, 17. Aug. 1948. V.: Ilona, geb. Mihaly. Ki.: Viktor (1984). El.: Viktor u. Lydia. S.: VS, HS, MUPÄD, Konservatorium u. Musik-HS Wien, 1975 Dipl.-Prüf. Konzertfach. K.: 1971-73 Substitut als Klarinettist im ORF-Symphonieorchester, 1972-79 Mtgl. d. Stadttheater-Orchester St. Pölten, 1975 Eintritt Musikschule St. Pölten als Lehrer f. Klarinette u. Violoncello, 1979 Ltr. d. Musikschule, 1982 Amtstitel Dir. BL.: Orchesterref. f. Jugendsymphonieorchester NÖ, 1977 Grdg. St. Pöltener Bläserquintetts, seit 1983 Mtgl. d. NÖ Bläseroktett. M.: seit 1989 Kultursen. d. NÖ Landesrg., Päd. BeiR. d. NÖ Musikschulwerkes, Obm. d. Jugend-Blasmusikkapelle d. Landeshauptstadt St. Pölten. H.: Reiten, Tennis, Dirigieren. (R.T.)

Mayerhofer Walter

B.: Dir. d. HS u. Polytechn. Lehrgang. DA.: 3470 Kirchberg/Wagram, Auf der Schanz 5. PA.: 3470 Kirchberg/ Wagram, Stiftungspl. 3. G.: Weitra, 5. Apr. 1948. V.: Eva, geb. Stohandl. Ki.: Martin (1979), Romana (1980). El.: Leopold u. Barbara. S.: Gymn. Horn, 1974 Päd. Ak. Krems, Lehramtsprüf. f. VS, Ausbild. f. HS in Baden, Lehramtsprüf. Engl., Geographie, Informatik. K.: 1979 Lehramt HS Kirchberg/ W., 1987 Dir. d. HS u. Polytechnischer Lehrg. Kirchb.; P.: Mitarb. b. d. Schriftenreihe "Schulman". M.: Obm. d. Gewerk. Pflichtschullehrer im Bez. Tulln, Bez.-Gew. Öffentl. Dienst, Mtgl. d. Lehrervertretung u. Lehrerfortbild. H.: Wandern, Skifahren, Tennis, Lesen, Reisen. (T.T.)

Mayerhofer Werner Dr.

B.: RA. GT.: rechtl. beratende Funktionen f. Firmen, Künstler u. Sportler. DA.: 1040 Wien, Rechte Wienzeile 29. PA.: 1040 Wien, Margaretenstr. 38. G.: Wien, 4. März 1948. V.: Pauletta de Vaughn. Ki.: Wernetta, Stephanie, Franz. El.: Prof. Dipl.-Ing. Franz u. Stefanie. BV.: künstler. Vorfahren u. teilw. adeliges Geschlecht. S.: VS, Gymn., Stud. d. Rechtswiss., nebenbei einige Sem. Psych., WU, Soz., einige Sem. Stud. an d. Standfort Univ. in USA. K.: Anw.Praxis, zwischendurch b. d. Poor AG Rechtsberater, Personal- u. Rechtsberater b. d. Fa. Redymix, 1982 einige Monate in Nigerien in beratender Funktion, anschl. d. Opec Found in d. Grdg. vertreten, seit 1983 eig. RA-Kzl. BL.: entscheidend dazu beigetragen d. d. Deutschmeister Palais renoviert wurde, sowie intern. Grundsatzverträge ausgearb. P.: Fachpubl. u. Berichte f. ausländ. Zeitungen. E.: Orden "Awards". M.: Lions Club, Vorst. f. versch. Ver. H.: Sport, Musik, kultur. Reisen, Archäologie. (M.Br.)

Mayerhofer Paul

B.: Bgm., Bmtr., Nebenerwerbsbauer. DA.: 7311 Neckenmarkt, Rathausg. 1. PA.: 7311 Neckenmarkt, Marieng. 9. G.: Neckenmarkt, 28. Aug. 1957. V.: Waltraud, geb. Hahn. Ki.: Paul, Elisabeth, Barbara. S.: HASCH, HAK Eisenstadt, 1977 Matura. K.: 1 J. Tätigkeit in d. Privatwirtschaft, anschl. Vertragsbediensteter in d. Ldw., 1979 Sekr. in einem polit. Büro in Eisenstadt, 1987 Wahl in d. GemR. Neckenmarkt, VBgm., seit 1988 Bgm. v. Neckenmarkt. M.: Obm. d. örtl. Fußballclubs. H.: Lesen, Sport (Fußball), Ldw. (C.K.)

Mayerl Harald

B.: Alleininh. d. Gasthof Wirt am Bach u. d. Kantinenbetriebs d. Fa. Höller-Eisen. DA. u. PA.: 4664 Oberweis, Am Bach 13. G.: Bad Aussee, 14. Aug. 1944. V.: Erika, geb. Dimmler. Ki.: Claudia. El.: Friedrich u. Ria. S.: gewerbl. Berufsschule f. Gastgewerbe in Sbg., 1961 Gesellenprüf. K.: 1963/64 Hotel Winkler Sbg. Küchenchef, 1965/66 Hotel Rudolfshöhe St. Wolfgang, 1967/68 Autobahnraststättenbetriebe, 1969-71 Hotel Langbadsee, 1971-83 selbst. Pacht d. Gasthofes Hoftaverne in Oberweis, 1978 Beginn d. Baus d. Gasthofes Wirt am Bach, 1983 Bauende u. Eröff. M.: Eisschützenver., Wirtschaftsverb. H.: Eisschießen, Fliegenfischen. (A.W.)

Mayerthaler Willi Dr. M.A. Prof.

B.: o.Univ.-Prof. am Inst. f. Sprachwiss. d. Univ. Klagenfurt. DA.: 9020 Klagenfurt, Universitätsstr. 65-67. PA.: 9020 Klagenfurt, Frodlg. 41. G.: Samerberg/Oberbayern, 5. Jan. 1945. V.: Eva, geb. Wimmer. Ki.: Mario (1976), Anna (1982). El.: Wilhelm u. Cäcilie. S.: Gymn. in Rosenheim, Stud. an d. Ludwig Maximilian-Univ. in München, Auslandsstud. an d. Univ. Oviedo (Spanien), Univ. Lissabon u. Straßburg. K.: 1971 M.A., Lehrbeauftr. f. Romanist. Linguistik an d. Univ. München, 1976 Diss. Univ. München, 1975-79 wiss. Ass. an d. TU Berlin, 1978 Habil. an d. TU (Allg. u. Romanist. Linguistik), 1978-79 Vorst. d. Inst. f. Romanist. Ling. TU Berlin u. Ltr. d. Zentraleinr. Mod. Sprachen (ZEMS), s. 1979 o.Univ.-Prof. an d. Univ. f. Bildungswiss. Klagenfurt. P.: Einführung in d. generative Phonologie. Romanist. Arbeitshefte (Tüb. 1974), Probleme d. theoret. u. französ. Morphologie (Tüb. 1974), Naturalness in Morphology (USA 1987), zahlr. Aufs. in Fachzeitschr., u.a.: Über d. Nicht-Verschiebung des anlautenden p im Bairischen. Ein empir. Exorzismus (in Österr. Namensforsch., 3 Teile 1985, 1986, 1987), Woher stammt d. Name Baiern? (in Österr. Ak. d. Wiss. 1984, Hrsg.). M.: Europ. Linguist. Ver. (SLE), Società Linguistica Italiana. H.: Klettern. (D.M.)

Mayr Anna

B.: Heimatdichterin, Komponistin. PA.: 6330 Kufstein, Weissachstr. 25/19. G.: Innsbruck, 19. Juli 1914. V.: Wilhelm Mayr. El.: Karl u. Anna Hagleitner. S.: VS, Lyzeum St. Anna/Steyr. K.: Antiquitätenhändlerin i.R., seit 1975 im AKM. BL.: Komposition d. Edelweißliedes, Mundart-Gedichtbände, Songs m. div. Kapellen, div. Gedichtlesungen. M.: World Wild Life Found. H.: Lieder, Kompositionen, Mundartgedichte. (W.G.)

Mayr Berthold Erwin Dr. OStR.

B.: Pater, Rektor, Ltr. d. Internats St. Berthold. DA. u. PA.: 4600 Wels, Rainerstr. 15. G.: Gurten, 1. Okt. 1925. El.: Alois u. Josefine. S.: 1946 Matura, 1946 Eintritt b. d. Missionaren v. Mariannhill, b. 1953 Theol.-Stud. Innsbruck, b. 1957 Stud. Germanistik u. Geschichte. K.: seit 1957 in St. Berthold, 21 J. Provinzial d. Ordens, seit 1970 freier Mitarb. d. ORF, seit 20 J. Mitarb. d. Bild.-Werkes d. Diözese Linz, dzt. gstl. Ass. d. Hörfunk- u. FS-Kmsn. d. Diözese Linz, KonsR., 1957-90 Religionsprof. an 2 Gymn. P.: Sendungen im Hörfunk "Einfach z. Nachdenken", "Gedanken z. Tag",

"Glaubensgespräch", TV-Sendung "Christ in d. Zeit", Mitarb. b. versch. Büchern, zahlr. Vorträge. E.: Silb. EZ d. Landes OÖ. H.: Musik, Klavier, Schwimmen. (P.H.)

Mayr Ernst Friedrich Dr.iur.

B.: RA. DA.: 6020 Innsbruck, Anichstr. 42. G.: Innsbruck, 1. Mai 1930. V.: Maria, geb. Eberharter. S.: VS, RG, 1948 Matura, Jusstud. an d. Univ. Innsbruck, 1952 Prom. K.: 1 J. Gerichtspraxis am LG u. BG Innsbruck, 6 J. RA-Anw.Praxis b. RA Dr. Ganahl in Innsbruck, 1959 RA-Prüf. b. OLG Innsbruck, 1959 Eintragung in d. RA-Liste d. Tir. RA-Kam., 1961 Wahl z. Mtgl. d. DisziplinarR. d. Tir. RA-Kam., 1967 Präs. d. DisziplinarR., 1969 VPräs. d. Tir. RA-Kam., 1970-88 Präs. d. Tir. RA-Kam. E.: Verd.Kreuz d. Stadt Innsbruck, EZ d. Landes Tir., Gr. EZ f. Verd. um d. Rep. Österr. M.: AH d. Corps Athesia Innsbruck, Rotary Club Innsbruck. (Schm.)

Mayr Birgit

B.: Baumstr. u. Zimmermstr. FN.: Ing Jörg Mayr Bau u. Zimmermstr. DA.: 4924 Waldzell 61. PA.: 4924 Waldzell 91. G.: Ried, 3. Mai 1966. El.: Jörg u. Herta M. S.: VS, HS, HTL in Sbg. K.: 1987 im elterl. Betr. als Technikerin,1991 Zimmermstr. Prüf., 1992 Baumstr. Prüf. H.: Tauchen, Tanzen, Reiten, Skifahren, Musik. (M.G.)

Mayr Christa Dr.

B.: FA f. Zahn-, Mund- u. Kieferheilkunde. DA.: 4020 Linz-Urfahr, Hauptstr. 58. PA.: 4632 Pichl 56. G.: Wolfsbach, 24. Dez. 1957. V.: Rudolf Mayr. Ki.: Philip (1986), Xaver (1988), Elisabeth (1991). El.: Gottlieb u. Elfriede Halbmayr. S.: VS, HS, Gymn., 1976 Matura, b. 1982 Stud. Wien. K.: b. 1986 Ausbild. z. Prakt. Arzt KH Waidhofen/Ybbs, 1986-88 Ausbild. z. Zahnarzt in Wien, seit 1988 selbst. in Pichl b. Wels, seit 1992 selbst. in Linz. H.: Kinder betreuen, Ausflüge, Wandern, Schwimmen, Baden, Sightseeing. (U.A.)

Mayr Franz OSR.

B.: Museumsltr. d. Museum d. Stadt Köflach, Lehrer, OSR. i.R. DA.: 8580 Köflach, Bahnhofstr. 24. PA.: 8580 Köflach, Grubweg 13. G.: Pinsdorf/Gmunden, 27. Apr. 1920. V.: Annemarie, geb. Dreiseitel. Ki.: Wolfgang, Herbert, Peter. El.: Franz u. Maria. S.: VS, Gymn., 1940 Kriegsmatura, 1948 LBA-Matura, Selbststud. in Volks-HS Buchhaltung, kfm. Fächer. K.: 1948 VS-Lehrer St. Marein/Graz, 1953 VS-Lehrer Voitsberg, 1955 VS-Lehrer Köflach, 1964-68 HS-Lehrer Köflach, 1958-68 nebenberufl. Unterricht an kfm. Berufsschule Voitsberg, 1968-82 Ltr. VS Köflach, seit 1982 Museumsltr., 1965 Mtgl. d. GemR. d. Stadt Köflach, 1975-85 VBgm. BL.: Mitverantwortung am Zubau HS Köflach, Umstellung d. Meldewesens u. Verw. auf EDV, Übersiedlung d. Museums v. Rathaus ins Hans Klöpfer-Haus. E.: Ehrenring d. Stadt Köflach. M.: SPÖ, SLÖ, ÖGB, Obm. ATUS Köflach, Ver. Edelweiß. H.: Kulturgeschichte, Arb. m. Holz, Lesen. (H.Z.)

Mayr Fritz Gerhard Mag. arch

B.: Arch. DA.: 1050 Wien, Gasserg. 38/6. PA.: 1050 Wien, Blechturmg. 13-17/1/35. G.: Raab, 17. Dez. 1931. V.: Annemarie, geb. Horwarth. Ki.: Claudius, Philipp, Maria. El.: Georg u. Franziska. S.: VS, HS, Staatsgewerbeschule f. Hochbau in Sbg., Stud. an d. Ak. d. Bild. Künste in Wien, 1957 Mag. arch. K.: 1957-58 Praxis b. Arch. Prof. DDr. Roland Rainer, 1958-62 Praxis b. Arch. Prof. Hubatsch, seit 1962 selbst. Arch., Projekte: Modellschule Wörgel, VS u. HS Raab, Kirche z. Hl. Dreifaltigkeit gem. m. Prof. Wotruba, Intern. St. Berthold Wels, Filialen f. d. österr. Verkehrsbüro in Wien-Meidling, Südbahnhof u. in Linz Schillerplatz, Siedlung d. Gem. Wien - Rennbahnweg, Filialen d. "Z" in Wien 18 u. Gersthofer Str. 158. P.: Publ. in Fachzeitschriften v. allem über Schulbau. M.: Zentrale Ver. d. Arch. H.: Wandern, Tennis. (M.B.)

Mayr Gerhard Anton

B.: Inh. u. Ltr. d. Hotel Post. GT.: Inh. Post-Cafe Schwarzach. DA. u. PA.: 5620 Schwarzach, Salzleckerplatz. G.: Schwarzach, 6. März 1939. V.: Johanna, geb. Gassner. Ki.: Marianne (1974), Johann (1977). El.: Hans u. Margarethe, geb. Eder. BV.: Gastwirt- u. Hoteleriefamilie. S.: VS, HS, 1956-57 Hotelfachschule Bad Hofgastein, Abschluß: Koch, Kellner, Büro, Rezeption. K.: Praxis 1956 Cattolica Italien, Empfangssekr. Hotel Excelsior, Hotel Schloß Lochau, Hotel Maria Theresia (Empfangschef), Hotel Tirolerhof Nauders, Schloß Münichau Kitzbühel, 1968 Übernahme d. elterl. Betriebes. M.: unterstützendes Mtgl. d. örtl. Ver. H.: Jagd. (G.P.)

Mayr Hans

B.: LHptm.Stellv., VBgm., FinanzstadtR. d. Stadt Wien. DA.: 1082 Wien, Rathaus. G.: Wien, 27. Juni 1928. V.: Edith, geb. Kummerer. Ki.: Dr. Johann. S.: VS, RG, HTL Elektrotechnik. K.: 1949-73 Pens.Vers.Anst. d. Ang., 1963-71 Abg. z. Wr. Landtag, 1971 Abg. z. NatR., ab 1973 amtsführender StadtR. f. Fin. u. Wirtschaftspolitik, seit 1984 LHptm.Stellv. u. VBgm. v. Wien. P.: "Der geschröpfte Städter", "Das zweigeteilte Österr.", "Patient KH?", "Stoppt d. Stadtflucht", "Kreuzen gegen den Wien". M.: Präs. d. Wr. Fremdenverkehrsverb., Präs. d. Wr. Wirtschaftsförd.Fonds, Präs. d. Wr. Zuwandererfonds, Ehrensenator Der Univ. Wien, TU Wien Vet.-Med. Univ. Wien, Mtgl. d. BParteipräsidiums d. SPÖ. (R.A.)

Mayr Helga

B.: Designerin. DA. u. PA.: 1130 Wien, Wattmanng. 30. G.: Wien, 14. Aug. 1940. Ki.: Gabriele. El.: Steiner Franz u. Rosa. BV.: altwr. Kfm.Familie. S.: VS, HS, Modeschule Michelbeuern 1955-58. K.: 1965-74 freie Mitarb. d. Fa. Schoeller Kammgarn Spinnerei Wien, Modellberaterin f. Handstrickgarne u. Erstellung v. Strickheften f. d. Fa. Schoeller, 1974 Eröff. eines eigenen Ateliers in Wien Hietzing, Design v. bedruckten Strickwaren d. Kollektion Lea Lanea. P.: div. Modeart. in Fachzeitschriften, Veranstaltungen v. Modeschauen. M.: HK. H.: Mode Ski Filme, Erstellung eigener Videofilme ihrer Kollektionen. (M.B.)

Mayr Helmut

B.: Hotelier d. Hotel Elefant. DA.: 5020 Salzburg, S.-Haffner-G. 4. G.: Salzburg, 19. Apr. 1944. V.: Monika, geb. Umlauft. Ki.: Bettina. El.: Ing. Felix u. Genovefa. BV.: Ururgroßeltern Josef u. Notburga Schreiner waren Besitzer d. Sbg. Stiegelbrauerei Riedenburg/Maxglan. S.: HS, HAK m. Matura 1963 Sbg., Abiturientenkurs an d. Hotelfachschule Bad Reichenhall. K.: Hotelpraxis in Innsbruck, seit 1966 Mitarb.

u. 1984 Übernahme d. traditionsreichen Sbg. Innenstadthotels Elefant (seit 1919 in Familienbesitz, nachweisl. seit 1606 durchgehend als Gasthaus geführt). BL.: "Salzburger Gaststätte" Ausz. d. Sbg. Landesrg. M.: KamR. d. Sbg. HK u. d. Bundeskam. Sekt. Fremdenverkehr, Obm. d. Sbg. Gastwirteverb., Landesverb. Sbg., Vorst.-Mtgl. d. Sbg. Innenstadtgen. H.: Tennis, Skifahren. (N.M.)

Mayr Hermann

B.: Ak. Restaurator i.R., freischaff. Künstler. PA.: 6370 Kitzbühel, Högl-Rheinmühle 4. G.: Aurach, 14. Jän. 1927. V.: Ludowika, geb. Eder. Ki.: Annemarie, Brigitte. El.: Josef u. Barbara. K.: 1946 Lehre Kunst- u. kunstgewerbl. Dekorationsmalerei, versch. Arb. weltweit z.B. in Amerika ein ganzes im Tir. Stil bemalt, weiters versch. Arb. f. Persönlichkeiten wie Prof. Dr. Ernst Häussermann, Curd Jürgens, usw. P.: Veröff. in versch. Zeitungsart. v. Amerika-Schottland. E.: Höchste Ausz. v. Tir. Landesschützenbund, Gold. EZ d. Stadtgem. Kitzbühel, Gold. Landesmed. v. Tir., Gold. Ehrennadel d. Tir. Landesschützenbundes. M.: Schützengilde Jochberg u. Kitzbühel, 7 J. Berater f. künstler. Tätigkeiten d. Stadt Kitzbühel, Mtgl. d. Heimkehrer u. d. Kaiserjägerbundes, 1. Tir. Trachtenver. Landsturmgruppe 1809 Kitzbühel, 22 J. Obm. d. Trachtenver. H.: Schießen, Fischen, Skifahren, Wandern. (M.T.)

Mayr Horst

B.: freischaff. Bildhauer. DA. u. PA.: 6395 Hochfilzen, Dorfstr. 87. G.: St. Johann/Tir., 27. Dez. 1955. V.: Hildegard, geb. Schell. Ki.: Sylvia (1985), Lukas (1990). El.: Ferdinand u. Hildegard. S.: Grundschule, 1972-76 Fachschule f. Holzbildhauerei Elbigenalp, Spezialausbild. m. Ornamentik Kufstein. K.: seit 1976 freischaff. selbst. Holz- u. Steinbildhauer, 1979 eigenes Atelier m. Ausstellung in Hochfilzen, profane u. religiöse Schnitzereien, Kreuzwegstationen, Tiere aller Art, Masken, Ornamente, Reliefs, Trophäen f. Sportveranstaltungen, Tafeln f. Ehrungen, Gußmodelle, Türschilder, Familienwappen, lebensgroße u. überlebensgroße Figuren, Kirchenstühle u. lebensgroßer Christus in d. Aufbahrungshalle St. Jakob, Kirchenstühle f. Kitzbühel u. Fieberbrunn, Brunnenfiguren im Zentrum v. Kirchberg/Tir. M.: Faschingskomitee, Landesver. f. Höhlenforsch. H.: Höhlenforscher, Fischen, Musik, Tourengehen. (M.W.)

Mayr Hubert Hermann Dr. Dipl.-Ing. Univ.Prof.

B.: Ltr. d. Entwicklung u. Anwendungstechnik Agrarchemikalien. A.: 4060 Leonding, Ortmayrstr. 22. G.: Wels, 19. Juni 1928. V.: Johanna, geb. Repp. El.: Hubert u. Georg. S.: TU Graz 1946-51, Dipl.-Ing. 1951, Dr. techn. 1954. K.: 1951 stellv. Ltr. d. biolog. Forsch. d. Stickstoffwerke AG, Linz, 1961 Ltr. d. biolog. Forsch. d. Stickstoffwerke AG, Linz, 1972 Ltr. d. Entwicklung u. Anwendungstechnik Agrarchemikalien d. Chemie Linz AG, 1981 Prok. d. Chemie Linz AG. P.: Beiträge zu 4 Büchern über Biochemie (1956), Pflanzenernährung (1964), ca. 50 wiss. Publ. in Zeitschriften über Biochemie u. Agrarchemie. M.: Vorst.Mtgl. d. Österr. Bdk. Ges. u. d. Österr. Düngerberatung, Ver. Österr. Chemiker, Intern. u. Österr. Biochem. Ges., Österr. Biophysikal. Ges., korresp. Mtgl. d. Verb. Dt. Ldw. Untersuchungs- u. Forschungsanst. H.: Sportfischen.

Mayr Ilse

B.: ak. Malerin. PA.: 9020 Klagenfurt, Khevenhüllerstr. 23. G.: Baden/Schweiz, 14. Febr. 1921. Ki.: Maurillus, Mag. Dkfm. Wolf Dietrich, Dipl.-Ing. Arch. Gert. S.: Ak. d. Bild. Künste Wien. K.: 1957 1. Kollektivausstellung im LMuseum f. Ktn., 1960 Schule d. Sehens in Sbg., eigene Technik Graphobatik, Ausstellungen in Galerie 61, Ktn. LGalerie, Künstlerhaus, Galerie Slama, in Laibach, Sbg., Luzern, Wiesbaden, Frankfurt/Main, Lustenau, zahlr. Gruppenausstellungen, Bildserien: Karneval in Venedig (1984), Malereien auf Textilien, Wandbehänge, Miniaturen, Tanzstudien, Reisebilder aus Paris, London, New York, Ibiza, Ägypten, Sardinien, Kreta, Entwürfe v. Wandteppichen. M.: seit 1958 Mtgl. d. Ktn. Kunstver. u. d. Berufsver. Bild. Künstler Ktn., Soroptimist-Club. (D.M.)

Mayr Johann

B.: Geschäftsstellenltr. d. Hypobank Bischofshofen. DA.: 5500 Bischofshofen, Bahnhofstr. 3. PA.: 5622 Goldegg, Altenhof 56. G.: Schwarzach, 27. Sept. 1960. V.: Maria-Theresia, geb. Brüggler. Ki.: Alexander (1986), Stefanie (1990). El.: Johann u. Margarethe. S.: 1985-88 HASCH St. Johann, Lehre Finanzwesen. K.: 1980-84 Aufbau Außendienst, 1983 Abschlußprüf., 1984 Ausbild. Marketingtrainer Firma Henke Bankwesen, b. 1986 Verkaufstrainer landesweit, seit 1987 Geschäftsstellenltr. Hypobank Bischofshofen. P.: Art. in regionalen Zeitungen. E.: Bankprüf.-Ausz. M.: Obm. Stockschießver. Goldegg, Vorst.-Mtgl. Trachtenmusik Goldegg. H.: Fußball, Skifahren, Radfahren, Tennis. (G.P.)

Mayr Jörg Ing.

B.: Bausmstr., Zimmermstr. FN.: Bau Mayr GmbH u. Co KG. DA.: 4924 Waldzell 61. G.: Linz, 7. Dez. 1939. V.: herta, geb. Hofpointner. Ki.: Birgit (1966), Christa (1967), Barbara (1969). El.: Franz u. Theresia. S.: Vs, HS, HTL. K.: 1962 im elterl. Betr. als Bautechn. , Mai 1966 Baumstr. u. Zimmerermstr. Prüf.,1970 -Betonwerk Grdg. m. Fertigbeton, 1971 Baufia. übern., 1980-86 ständ. erw. M.: Hundeverein im Gem. Vorst., Tennis-Club. H.: Reiten, Surfen, Skifahren, Tauchen,Fotografie. (U.A.)

Mayr Josef-Franz

B.: Inh. FN.: Reitzentrum Hausruckhof m. Sporthotel Parcours. DA./PA.: 4843 Ampflwang, Hausruckstr. 6. G.: Ampflwang, 6. März 1928. V.: Ingeborg Lucia, geb. Andres. Ki.: Ulrike (1959-+1978), Inge (1961), Eva-Maria (1962). El.: Theresia u. Max. S.: VS, Gymn., 1947 Matura. K.: 1948 elterl. Betr., 1948-49 Lehre a. Fleischhauer, Gesellenprüf., 1951 Fleischhauermeisterpr., b. 1958 Land- u. Forstwi., Gastronomische Ausb., Übern. d. elterl. Betr., s. 1961 Aufbau d. Gutes. M.: Obm. d. Tourismusverb. Ampflwang, Gründungsmtgl. u. Vors. d. Verbände Gemeinschaft Hausruckwald, Bezirksobm. d. Gastwirte, Wirtschaftsbundobm. H.: Reiten, Kutschenfahren, Jagd, Schwimmen. (G.E.)

Mayr Josef Dipl. Ing.

B.: Bürgermstr., Dir. Stellvertr., Lehrer. FN.: Gemeindeamt Stans, Lehranstalt Rotholz.GT.: seit 1990 Dir. Stellvertr. d. Lehranstalt, ab 1992 Bürgermeister in Stans. DA.: 6200 Rotholz Nr. 46. PA.: 6135 Stans Nr. 460. G.: Strassen in Ost Tirol, 28. Mai 1945. V.: Margreth, geb. Steinhammer. Ki.: Peter (1970), Elisabeth (1974), Mariella (1985). El.: Peter u. Sophie. S.: VS, Hum. Gymn. Paulium in Schwaz, 1966 Matura abgeschl. 1967 BHJ, 1967-72 Stud. a.d. BoKuk in Wien. K.: Lehrer a.d. Lehranstalt in Rotholz. 1974 Fahrschullehrprüf. absolv. u. Ltr. d. Fahrschule a.d. Lehranstalt. 1973-90 Gschf. d. Maschinening Bez. Schwaz. 1990 Dir. Stellvertr. d. Lehranstalt. M.: FF Rotholz, Mtgl. zahlr. örtl. Ver. H.: Skifahren, Bergwandern. (J.F.)

Mayr Josef

B.: kfm. Ang., Gschf. Ges. FN.: PROCOM Computertechnik GmbH. DA.: 4040 Linz, Hauptstr. 77. PA.: 4060 Leonding, Moshaimerstr. 2. G.: Linz, 22. Feb. 1951. V.: Margit, geb. Freudenthaler. Ki.: Oliver (1977), Andreas (1984). El.: Hans u. Elisabeth. S.: VS, HS, HTL Informatik. K.: 2 J. Konstrukteur Firma Ebner Ind.-Ofenbau, 5 J. EDV-Abt. Firma Pfeiffer, 10 J. Informations Service Firma General Electric Linz, 2 J. Publishing Firma Rank-Xerox, seit 1989 Firma PROCOM. H.: Fliegen, Tennis, Skifahren, Musik, Garten, Familie. (L.G.)

Mayr Josef Kanonikus

B.: Pfarrer, Dir. d. Caritas d. Diözese Linz. DA.: 4020 Linz, Kapuzinerstr. 84. PA.: 4020 Linz, Zaubertalstr. 9. G.: Peuerbach, 16. Juli 1931. El.: Josef u. Anna. S.: Gymn. Ried/I., Theol. HS Linz 1951-56. K.: Kaplan in Laakirchen, Expositus in Steyrermühl., Diöz.-Seelsorger d. Kath. Arbeiterjugend, Zentralseelsorger d. Kath. Arbeiterjugend, Diözesanjugendseelsorger, Rektor d. Kath. Jugendwerkes Österr., Diöz.-Ref. f. Betriebsseelsorge, ab 1976 Pfarrer in Linz/St. Margarethen, ab 1980 Dechant in Linz/Mitte, s. 1989 Regionaldechant, s. 1991 Dir. d. Caritas d. Diözese Linz, caritat. Tätigk. f. Ver. Jugendzentren, Bischöfl. Arbeitslosenstiftung, Ausländerseelsorge, Pflegevater v. 5 vietnam. Kindern. P.: div. Artikel in kirchl. Zeitschr. E.: Gold. EZ f. Verd. um d. Rep. Österr., EZ "Verdienste f. d. OÖ Jugend". M.: Obm. im Ver. Jugendzentrum, Obm. im Ver. Schuldnerhilfe OÖ, Ver. z. Förd. d. Arbeitnehmerbildung. H.: Schwimmen, Bergwandern, Haus- u. Gartenarbeit, Lesen. (P.H.)

Mayr Josef

B.: Optikermstr., Abg. z. Sbg. Landtag. DA.: 5600 St. Johann H. Kappacherstr. 8; PA.: 5452 Pfarrwerfen 49. G.: St. Johann/Pongau, 8. März 1950. V.: Christine, geb. Huber. Ki.: Marco (1973), Manuel (1981). El.: Johann u. Friederike. S.: VS, HS, 1964-68 Optikerlehre, 1968 Gesellenprüf., 1974 Mstr.-Prüf. K.: 1986 Grdg. Optik Mayr, 1978 Ortsvors. d. SPÖ Pfarrwerfen, 1979 Gem.-Vertreter, 1980 Wahl in d. Bez.-Parteivorst., 1986 Wahl in d. Landtag, Aufgabenbereich: Legislative, Raumordnung, Wohnbauförd. P.: regelmäßig Fraktionszeitungen. E.: Gold. EZ d. Fußballverb., Silb. EZ ASVÖ. M.: mehrere Kulturver., langjährige Funktionstätigkeit in versch. Sportver. H.: Skifahren, Langlaufen. (G.P.)

Mayr Karl OSR.

B.: Schuldir., Obm. d. Agrargemeinschaft. A.: 5261 Uttendorf, Vormarkt 33. G.: Uttendorf, 24. März 1922. V.: Kreszenz, geb. Prenninger. El.: Sebastian u. Lina. S.: VS Uttendorf, HS Sbg., Lehrerbildungsanst. Sbg., 4 Jahre Krieg, 2 1/2 russ. Gefangenschaft. K.: 1947-65 Lehrer in Uttendorf, 1965-77 Dir. in Weng, 1977-79 Dir. in Uttendorf, 1979-82 OSR. F.: Mtgl. u. Obm. d. Agrargemeinschaft Uttendorf, Obm. seit 1960 u. als solcher 40 ha Grund zu Baugrund umgewandelt u. eine Siedlung v. über 200 Wohnhäusern u. 11 Gewerbebetrieben geschaffen, einer davon liefert b. Asien u. Afrika, dazu 106 ha Waldbesitz verwaltet. P.: Mitarb. an einem Bezirkslesebuch, Hrsg. einer Festschrift mit d. ges. Geschichte Uttendorf anläßlich d. 500 Jahre freier Markt - Feierlichkeiten 1981. E.: Straße wurde nach seinem Namen benannt, Ehrenbürger v. Uttendorf. M.: KOV-Bez.Aussch., AAB-Bez.Aussch., Nationalratskandidat f. d. Innviertel, 1971 alle polit. Funktionen zurückgelegt. H.: Elektron. Gerätebau, (Vor-)Geschichte studieren u. schreiben.

Mayr Kurt

B.: Bgm. d. Gem. Birkfeld. PA.: 8190 Birkfeld 259. G.: Pernegg, 3. Apr. 1936. V.: Gertraud, geb. Ulz. Ki.: Gudrun. El.: Rupert u. Karoline. S.: HASCH. K.: s. 1961 kfm. Ang. in Birkfeld, 1970 GemR., 1982 VBgm., s. 1988 Bgm., s. 1986 Ortsparteiobm., s. 1976 Bez.Obm. ÖAAB. E.: Silb. Ehrennadel ÖAAB. H.: Reisen, Schwimmen. (H.Z.)

Mayr Martin Dr.

B.: Abt.Ltr. f. Sozialpolitik im BWK. DA.: 1040 Wien, Wiedner Hauptstr. 63. PA.: 1040 Wien, Momseng. 19. G.: Baumkirchen, 14. Febr. 1933. V.: Christiane, geb. Tomsa. Ki.: Christoph. El.: Karl u. Regina. S.: VS, hum. Gymn., Univ. Innsbruck, Stud. in Paris, 1958 Prom. K.: während d. Stud. an d. Univ. Innsbruck wiss. Hilfskraft, Gerichtsjahr, ab 1960 in d. BKam. (Sozialpolitik) tätig, seit 1978 Ltr. d. Abt. P.: zahlr. Fachpubl. u. Mitarb. an Kommentaren (Arbeitsverfassungsgesetz, Urlaubsgesetz, Entgeltfortzahlungsgesetz, etc.). M.: Ges. f. Arbeits- u. Sozialrecht. H.: Reiten, Tennis, Radfahren. (R.A.)

Mayr Renate

B.: Gschf. Ges. FN.: Ruha Stelzmüller GmbH & Co KG. DA.: 4020 Linz, Sandg. 12-14. G.: Haibach, 27. Jan. 1945. V.: Johann Mayr. Kinder: Marko-Alexander (1969). Eltern: Alois und Cäcilia Straßl. S.: Volksschule, Hauptschule, bis 1962 HASCH. K.: bis 1969 Sekretariat Elektrohandel Firma Schmid & Schmid, bis 1973 Karenz, 1973-77 selbe Firma, 1977 Firma Schäcke Elektrogroß- und -einzelhandel, bis 1984 Tätigkeit im Büro, 1984 Übernahme der heutigen Firma. Hobbies: Tennis, Wandern, Lesen, Unterhaltungsliteratur, Skifahren. (U.A.)

Mayr Max
B.: Journalist, Präs. d. Intern. Städteforum Graz, Chef v. Dienst d. Kleinen Zeitung. DA.: 8010 Graz, Hauptpl. 3, 8010 Graz, Schönaug. 64. G.: Lohnsburg, 19. Aug. 1928. V.: Herta Maria, geb. Sindler. Ki.: Paulus (1961), Markus (1963), Elisabeth (1970). El.: Johann u. Elisabeth. S.: GS, Fachschule (Ldw.) m. Auslandspraxis (Schweiz). K.: 1955-60 Red. d. Jugendzeitung "Die Wende", 1974 1. Congress "Lebensraum Altstadt", ab 1976 Städteforum, 1984 Congress "Lebensraum Europa", 1990 Congress "Ersticken unsere Städte im Verkehr". BL.: Aktionen "Rettet die Grazer Altstadt!", "Glückliches Kind" - SOS Kinderdorf Stübing, "Grüne Mur". P.: "Graz-Lob d. Altstadt, "Josef Krainer - Ein Leben f. d. Steiermark" gemeinsam m. Hanns Koren u. Kurt Wimmer. E.: 2x Staatspreis f. journalist. Leistungen im Interesse d. Jugend, Eduard Hartmann-Preis, Hans Kudlich-Preis, 2x Verkehrssicherheitspreis. H.: Fotografieren, Musikhören. (C.R.)

Mayr Robert Friedrich Dr. med. o.Univ.-Prof.
B.: Anatom. A.: 1140 Wien, Griesingerg. 31. G.: Linz, 9. März 1939. V.: Dr. med. Doris, geb. Fiala. El.: Dr. med. Robert u. Anna. S.: VS St. Florian/Linz, BRG Linz, Matura 1957, Univ. Wien: Med., Prom. 1963 z. Dr. med. K.: 1963-65 Turnusarzt in KH in Wien u. Wels, 1965-69 Ass. am Inst. f. Anatomie d. Ruhruniv. Bochum, 1969 7 Monate "Guest investigator" an d. Rockefeller Univ. in New York, 1969-74 Ass.Arzt bzw. OA an d. II. Anatom. Lehrkanzel d. Univ. Wien, 1972 Univ.Doz. f. Anatomie u. Histologie Wien, 1974 a.o.Univ.-Prof. Wien, 1975 o.Prof. f. Anatomie an d. Univ. Fribourg, 1978 Dir. am Inst. f. Anatomie Fribourg, 1980 o.Prof. f. Anatomie II am Inst. f. Anatomie Wien, 1981 Vorst., Inst. f. Anatomie d. Univ. Wien. P.: 45 Orig. Publ. in wiss. Fachzeitschriften d. Anatomie, Histologie u. Elektronenmikroskopie auf d. Gebieten d. Feinstruktur v. Muskel- u. Nervengewebe, d. Juxtaoralen Organs etc., mehrere Beiträge z. Lehrb. d. Anatomie d. Menschen v. Benninghoff, Band 3 (Nervensystem). E.: 1971 Preis d. Fa. Höechst f. Arbeiten über d. Feinbau d. Muskelspindel. M.: Anatom. Ges., Schweiz. Ver. d. Anatomen, Histologe u. Embryologen, Österr. Ges. f. Elektronenmikroskopie, Intern. Med. Arge IMA.

Mayr Rudolf
B.: Gschf. FN.: Vieh u. Fleisch Nord GmbH. DA.: 4020 Linz, Holzstr. 5. PA.: 4484 Kronstorf, Weißdornstr. 10. G.: Perg, 19. Jän. 1958. V.: Helga, geb. Offenhuber. Ki.: Elke (1984), Clemens (1988). S.: VS, HS, HASCH, BH. K.: Ltr. d. Zahlungsverkehrs Ludwig Engel KG, 1981 Buchhalterprüf., 1984 Bilanzbuchhalterprüf., 1984 Ltr. RW Schärdinger Milchtrockenwerke, Ausbild. Unternehmensberater sowie zahlr. (EDV)-Kurse u. Seminare, 1990 Eintritt Vieh u. Fleisch Nord GmbH, zuständig f. kfm. Bereich, gleichzeitig für Schwesterfirma Landhof GmbH, seit 1991 Prok., 1991-92 Prok. VFG Fleisch u. Wurstwaren GmbH, 1992 Gschf. Vieh u. Fleisch Nord GmbH. H.: Familie, Schach, Wirtschaft. (U.A.)

Mayr Stefanie
B.: Unternehmerin. FN.: Cafe "Etage". DA.: 4860 Lenzing, Hauptpl.6. PA.: 4844 Regau, Preising105. G.: 19.Sep.1954. KI.: Silvia (1977). EL.: Anna u. Johann. S.: VS, HS, KFM-Lehre in Vöcklabruck. K.: bis 1982 Abt.Ltr. in Attnang Puchheim, ab 1982 Wechsel in d. Gastronomie, in div. Betrieben tätig, 1985-86 Saisonarbeit, 1988-90 Hotel Weinberg i. Regau u. Rest. Himmelreich, 1991 Konzessionsprüf. f. Gastgew., 1993 selbst. als Pächter d. Delta Sportparks in Vöcklabruck, 1994 Neueröff. d. Cafe "Etage". H.: Fitness Training, Schwimmen, Musik, Lesen. (G.E.)

Mayr Walter Dr. iur.
B.: Gerichtsvorsteher d. BG Linz, Mtgl. d. Österr. Landesagrarsenats. DA.: 4020 Linz, Museumstr. 10-12. PA.: 4048 Puchenau, Finkengang 11. G.: Wels, 18. Apr. 1939. V.: Monika, geb. Scheucher. El.: Franz u. Maria. S.: Mittelschule Linz, 1963 Matura, Bäckermeisterprüf., Jurastud. b. 1969 in Wien. K.: Gerichtspraxis, Sprengelrichter, 1980-87 Präsidialist b. LG Linz, seit 1987 Gerichtsvorsteher H.: Bergsteigen, Schwimmen. (P.H.)

Mayr Walter
B.: Lds. Gschf. d. NÖ AAB. GT.: Gschf. d. Bildungsstätte Drosendorf. DA.: 1082 Wien, Laudong. 16. PA.: 2301 Großenzersdorf, Mitterweg 16. G.: Retz, 25. Okt. 1943. V.: Hildegard, geb. List. Ki.: Johannes, Christa. El.: Ludwig u. Anna. S.: VS, HS, Berufsschule, Lehre als Konditor, Gesellenprüf. 1960, Präsenzdienst. K.: b. 1962 Diözesansekr. d. kath. Landjugend d. Erzdiözese Wien u. gleichzeitig 1965-70 Zentralführerstellv. d. kath. Landjugend Österr., seit 1970 ehrenamtl. als Vors. d. Entwicklungshilfe d. Erzdiözese Wien, seit 1970 ÖAAB, anfängl. Sekr. u. LSekr.Stellv., ab 10.6.1994 Lds.Gschf. seit 1979 Gschf. d. Bildungsstätte Drosendorf, ab 1980 Obm. d. Fremdenverkehrsver. Drosendorf-Aktiv, seit 1990 StR. in Großenzersdorf. BL.: intensive Arb. auf d. Gebiet d. Entwicklungs- u. Flüchtlingshilfe. E.: Gold. Med. f. Verd. um d. Bundesland NÖ, Silb. EZ f. Verd. um d. Rep. Österr. 1980. M.: Vikariatsvorst. d. kath. Männerbewegung Vikariat unter d. Manhartsberg, Mtgl. in m. d. polit. Tätigkeit verbundenen Gremien. H.: Sauna, Schwimmen, Tennis. (G.E.)

Mayr Wilhelm
B.: Gschf. Ges. FN.: MMS Werbeagentur. GT.: Gschf. Ges. d. Fa. Hiestand Mitterhauser Wels, Taba Warenhaus Steyr u. AVL Inst. St. Martin. DA.: 4020 Linz, Landstr. 18-20. PA.: 4600 Wels, Alois-Auer-Pl. 11. G.: Wels, 31. März 1939. V.: Carolyn, geb. Sonneborn. Ki.: Alexandra-Stephanie, Florian-Bruce, Lisa-Maria. S.: Fachschule f. Graphik Linz, div. Seminare an d. HS f. Welthdl. K.: 1961-67 polit. Engagement, Aufbau d. ÖVP Jugend OÖ, Grdg. d. Fa. MMS. H.: Skifahren, Reisen. (A.W.)

Mayr Wolf Dietrich Dr. med. univ.
B.: FA f. Zahn-, Mund- u. Kieferheilkunde u. Gesichtschir. DA.: 8010 Graz, Tummelpl. 7. PA.: 8010 Graz, Johann-Strauß-Gasse. G.: Graz, 1. März 1935. El.: Dr. Karl u. Margarethe. S.: VS, BRG, 1953 Matura, Med.-Stud., 1959 Prom., 1960/61 zahnärztl. Ausbild. K.: FA f. Zahn- u. Kieferheilkunde, 1962-72 Ass. Univ.-Zahnklinik Graz, 1965 Auslandsstipendium an d. 3 bekanntesten Kliniken in London, 1965-72 Konzilararzt UKH Graz, 1972 Praxiseröff. BL.: Österr. Ärztetennismstr. f. Senioren Einzel u. Doppel, 20 J. Ges.-Turnier Sehesto-Trophy Hobbyentertainer d. Schlußveranstaltung, Hobbyjournalist in steir. Wochenzeitung "Seinerzeit" über alte nicht mehr bestehende Lokale in Graz, gelegentl. freier Mitarb. ORF Stmk. P.: Publ. auf d. Spezialgebiet Wurzelspitzenresektionen, Schallplatte (Dritte Zähne). H.: Wassersport, Schwimmen. (M.Gr.)

Mayr Wolfgang Dr. med. o.Univ.-Prof.
B.: FA f. Blutgruppenserologie u. Transfusionsmed., FA f. Immunologie, Vorst. d. Univ.-Klink f. Blutgruppenserologie u. Transfusionsmed., Ltr. d. klin. Abt. f. Blutgruppenserologie u. Med. Ltr. d. Blutspendezentr. f. Wien, NÖ u. Bgld d. österr. Roten Kreuzes. DA.: 1090 Wien, Währinger Gürtel 18-20. PA.: 1130 Wien, Stuweckeng. 8. G.: Wien, 29. Juli 1944. V.: Doris, geb. Mickerts. El.: Dr. med. Werner u. Grete. S.: 1962 Matura, Med.-Stud. Univ. Wien, 1968 Prom., Fachausbild. f. Blutgruppenserologie u. Immunhämatologie, Studienaufenthalt in d. Blutbank Aarhus Dänemark. K.: b. 1971 Aufbau u. Ltg. d. Gewebstypisierungslaboratoriums d. Univ.

Wien, 1971/72 Aufbau eines HLA Laboratoriums Univ.-Klinik Tübingen, 1972/73 Laboratorium Basel Inst. for Immunology b. Prof. Dr. R. Ceppellini, ab 1973 Ass.-Arzt., ab 1974 OA am Inst. f. Blutgruppenserologie d. Univ.-Klinik Wien, 1974 Habil., 1986 Gastprof. Collège de France, ab 1986 Prof. auf Lebenszeit u. Dir. d. Inst. f. Transfusionsmed. am Klinikum d. RWTH Achen, ab 1992 Ltr. d. Abt. f. Blutgruppenserologie u. Vorst. d. Univ.-Klinik f. Blutgruppenserologie u. Transfusionsmed. d. Univ. Wien. P.: ca. 393 Publ., davon 10 Beiträge f. Lehr- bzw. Handbücher. M.: wiss. BeiR. d. Intern. Histocompatibility Workshops, HLA Nomenklaturkomitee, seit 1992 Präs. d. Österr. Ges. f. Blutgruppenserologie u. Transfusionsmed. H.: Fliegen. (J.S.)

Mayr Wolfgang Dr. techn. Dipl.-Ing.
B.: Dir. d. Geschäftsbereiches Elektromaschinenbau. FN.: Elektro Bau AG. DA.: 4020 Linz, Kraußstr. 1-7. PA.: 4020 Linz, Gürtelstr. 22. G.: Graz, 15. März 1935. V.: Friederike, geb. Andree. Ki.: Peter. El.: Dipl.-Ing. Wolfram u. Hermine. BV.: Großvater Ludwig Mayr Dir. d. Studienbibl. in Sbg. S.: Ak. Gymn. Graz, 1953 Matura, Stud. an d. TH Graz, 1960 Grad., 1964 Prom. K.: 1960-64 HS-Ass. an d. Lehrkanzel. "Bau u. Betrieb elektr. Anlagen" an d. TH Graz, 1964-71 Österr. Verbundges. Studienabt. f. Energieübertragung, 1971-86 Elin Union AG Werk Weiz Gruppenltr. f. Großtransformatoren, 1986 Eintritt in d. Elektro Bau AG. P.: div. Art. in Fachzeitschriften. M.: Österr. Delegierter im techn. Komitee 14 d. IEC u. d. CENELEC, Vors. d. Fachaussch.Mtgl. d. ÖVE, Österr. Ing. u. Arch.Ver. H.: Schwimmen, Bergwandern, Gartenarb. (A.W.)

Mayr-Keber Gert M. Dipl.-Ing.
B.: Arch. DA.: 1050 Wien, Blechturmg. 11. G.: Klagenfurt, 21. Juni 1950. V.: Elisabeth, geb. Malle. Ki.: Franziska (1978), Johanna (1981). El.: w.HofR. Dipl.-Kfm. Maurilius u. Ilse Mayr. S.: Arch.-Stud. TU Wien, 1974 Studienabschluß Dipl. b. Karl Schwanzer. K.: 1976 Namensänderung v. Mayr auf Mayr-Keber, 1974-79 Mitarb. b. Günther Domenig Graz u. Wien, Hans Hollein Wien, 1979 Eröff. d. eigenen Arch.-Büros in Wien, 1981-84 Vorst.-Mtgl. d. Zentralver. d. Arch. Österr., 1981-86 Lehrbauftrager an d. HS f. angew. Kunst Wien, Meisterkl. Hans Hollein, 1985/86 Gastprof. an d. Staatl. Ak. d. Bild. Künste Stuttgart, Gastseminare TU Wien, Spezialtätigkeiten: Innenraumgestaltung, denkmalgeschützte Um-, An- u. Zubauten, Ausstellungsarch., Corporate Identity Entwicklungen insbes. im visuellen Erscheinungsbild, Wohnbauten, Hotelbauten. P.: Monographie, Buchbeiträge insbes. Wohnen unterm Dach - Dachausbau, Architectural Houses, Annual of Commercial Spaces, Interior Design, Corporate Identity, Beiträge in Fachzeitschriften z.B. L'Architecture d'Aujourd'hui, a + u, Architectural Review. E.: Ankäufe u. Preise b. d. versch. Wettbewerben. M.: Ges. f. Arch., Zentralver. d. Arch. Österr., Ges. d. Freunde d. Bild. Kunst. H.: Fliegen. (J.S.)

Mayr-Reisch Markus
B.: Werbekfm. FN.: Werbebüro Mayr-Reisch. GT.: Mitges. d. Kitz-Promotion-Alpenrallye. DA. u. PA.: 6370 Kitzbühel, Lebenbergerweg 46. G.: Salzburg, 7. Okt. 1950. Ki.: Vanessa (1980). El.: Ernst Reisch u. Elfriede Mayr. BV.: Großvater Franz Reisch Skipionier. S.: Kochlehre, Hotelfachschule Bad Wiessee, Auslandspraxis England, Frankreich u. Schweiz. K.: 1982 Wechsel in d. Werbebranche, spezialisiert Werbe- u. Veranstaltungskonzeptionen u.a. auch Direktmarketing. H.: Tennis, Skifahren, Oldtimer. (M.T.)

Mayr-Reisch Rupert
B.: Hotelier d. Sporthotel Reisch. DA. u. PA.: 6370 Kitzbühel, Franz-Reisch-Str. 3. G.: Salzburg, 18. Dez. 1945. V.: Hannelore, geb. Hübner. Ki.: Nina (1978), Mike (1981). El.: Ernst Reisch u. Elfriede Mayr. BV.: Franz Reisch Skipionier, Ernst Reisch war Bgm. in Kitzbühel. S.: Grundschule, Gymn., 1960 Abschluß, HASCH, 1963 Abschluß, Hotelfachschule, 1966 Abschluß. K.: Auslandsaufenthalte u. Tätigkeit in der Gastronomie England u. Frankreich, 1964 Führung Stiftsgasthof Stift St. Peter, seit 1967 selbst. Sporthotel in Kitzbühel. H.: Golf, Reisen, Literatur. (M.W.)

Mayrbäurl Ernst
B.: Optikermstr. u. konzessionierter Kontaktlinsenoptiker. FN.: MS Optik Ges.m.b.H. DA.: 4600 Wels, Pfarrg. 28. PA.: 4614 Marchtrenk, Robert Stolzstr. 5. G.: Marchtrenk, 27. Feb. 1957. V.: Edith, geb. Keller. Ki.: Silke (1980). El.: Franz u. Rosina. S.: VS, HS. K.: Lehre als Optiker, 1977 Gesellenprüf., b. 1981 Optikermstr., anschl. Kontaktlinsenkonzessionsprüf., 1982 Fil. Ltr. v. e. Optikergeschäft, Apr. 1983 selbst. m. einem Optikergeschäft. H.: Fußball, Aphaltschießen, Tennis, Skifahren. (J.L.)

Mayrhofer Alois Mag.
B.: Dir. d. Raiffeisenlandesbank OÖ. DA.: 4020 Linz, Raiffeisenpl. 1. PA.: 3350 Stadt Haag, Jahnstr. 4. G.: Stadt Haag, 17. März 1950. V.: Marianne, geb. Sturm. Ki.: Bernhard (1975), Andrea (1980). El.: Stefan u. Christine. S.: VS, HS, HBLA f. Landtechnik Wieselburg, Steuerlehre u. Rechnungswesen Univ. Linz, b. 1976 BWL-Stud. Univ. Linz, 1970/71 BH. K.: 1976 Eintritt in d. Raiffeisenlandesbank OÖ, zunächst in d. Innenrevision, dann Kostenrechnung, Budgetierung, Planung u. ab 1985 Ltg. d. Rechnungswesen, seit 1990 Aktiv-Passiv-Manager u. damit zuständig f. Bilanzstruktur, Rentabilität, Liquidität u. Erfolgsrisken sowie d. Koordination u. Strategie d. Handelsgeschäfte im Raiffeisen-Händlerzentrum. P.: Verfasser mehrere Fachart. über Planung/Budgetierung, Kredit- oder Leasingfinanzierung u. Eigenkapitalaufbringung. M.: GemR. d. Stadt Haag. H.: Sport (Radfahren, Tennis), Fotografieren. (U.A.)

Mayrhofer Berta RgR. Dir.
B.: RgR. im BMI. DA.: 1010 Wien, Herreng. 7. G.: Wien, 11. Juli 1939. V.: Josef Mayrhofer. Ki.: Josef-Christian. El.: Alois u. Berta. S.: 1957 Matura. K.: Innenmin. Vertragsbediensteter, 1957 Referentin Wirtschaftsabt., Dienstprüf., Pragmatisierung, Revident, ORevident, 1981 AmtsR., 1987 Amtsdir., 1989 RgR., 1992 Übernahme d. Abt. H.: Haus u. Garten, Reisen, Familie, Skifahren, Sport, Literatur, Theater. (J.E.)

Mayrhofer Elisabeth Dr. med. vet. Univ.-Prof.
B.: Vorst. d. Röntgenklinik d. Vet.-Med. Univ. Wien. DA.: 1030 Wien, Linke Bahng. 11. PA.: 2103 Langenzersdorf, Pamesserg. 4. G.: Wien, 20. März 1946. V.: Walter Mayrhofer. Ki.: Margarete (1977), Richard (1979). El.: Dr. Konrad u. Dr. Paula Arbesser, geb. Hilscher. S.: 1964 Abitur, 1964-69 Stud. Tiermed. Vet.-Med. Univ. Wien, 1970 Prom. Dr. med. vet., 1980 Habil. K.: 1990 Berufung z. Univ.-Prof., ab 1969 Röntgendiagnostik b. allen Tierarten, spezielle Arbeitsschwerpunkte: Skelettentwicklung b. Hund, Gelenks- u. Sehnenerkrankungen, seit 1990 Vorst. d. Klinik. P.: ca. 60 Fachpubl. u. Buchbeiträge im In- u. Ausland. E.: Förderungspreis f. wiss. Arb. M.: Österr. Ges. d. Tierärzte, Österr. Radiologenges., Intern. Ges. d. Veterinärradiologen. H.: Familie, Musik, Tennis, Wandern. (N.A.)

Mayrhofer Emil
B.: Verkaufslagerltr. FN.: Brau AG. DA.: 4020 Linz, Poschacherstr. 35. PA.: 4222 St. Georgen/Gusen, Daherbergstr. 14. G.: Linz, 20. Aug. 1940. V.: Hertha, geb. Eder. Ki.: Silvia, Cornelia. S.: Ausbild. z. Großhdls.-Kfm., div. Fortbild.-Kurse. K.: 1961 Fahrverkäufer Brau AG, 1966 Ang. z. Expedit, 1980 Expeditltr., 1990 Verkaufslagerltr. H.: Skifahren, Lesen, Reisen, Schwimmen. (P.H.)

Mayrhofer Ernestine
B.: Inh. FN. Mayrhofer GmbH. DA. u. PA.: 4850 Timelkam, Linzer Str. 51. G.: Unterach/Attersee, 19. Feb. 1938. V.: Harald Mayrhofer. Ki.: Ing. Harald (1957), Manfred (1958), Brigitte (1964). El.: Matthias u. Rosa Steinbichler. S.: VS, HS, Berufsschule, 1952-55 kfm. Ang. K.: seit 1957 selbst.

Mayrhofer Friedrich Dr. SenR.
B.: Dir. im Archiv d. Stadt Linz. DA.: 4041 Linz, Hauptstr. 1-5. PA.: 4020 Linz, Kaiserg. 26. G.: Linz, 23. Aug. 1944. V.: Ingeborg, geb. Brandstetter. Ki.: Wolfgang (1978), Thomas (1979). El.: Johann u. Friederike. S.: 1963 Matura LBA, 1963-68 Stud. Geschichte u. Germanistik Univ. Wien, 1968 Prom., 1971-74 Inst. f. Österr. Geschichtsforsch., 1974 Staatsprüf. K.: ab 1969 Ang. im höheren Archivdienst Linz, seit 1978 Dir. im Archiv d. Stadt Linz. P.: "Geschichte d. Stadt Linz" (2bändig 1990), "Rechtsquellen d. Stadt Linz 799-1493" (1985), zahlr. Arb. z. Linzer Stadtgeschichte in Zeitschriften. M.: Vorst.Mtgl. im Österr. Arbeitskreis f. Stadtgeschichtsforsch., Vorst.Mtgl. d. ITH. H.: Lesen, Musik. (H.B.)

Mayrhofer Friedrich Franz Dipl.-Ing.
B.: Ing.-Konsulent f. Vermessungswesen. DA.: 4400 Steyr, Stadtpl. 34. PA.: 4400 Steyr, Schlühslmayrstr. 91. G.: Steyr, 22. März 1932. Ki.: Monika (1957). El.: Ferdinand u. Rosa. S.: VS u. Gymn. Steyr, 1951 Matura, 1951-56 TU Wien. K.: b. 1968 Ang. Donaukraftwerke, seither selbst., b. heute Konsulent f. Vermessungswesen. M.: seit 1980 Präs. d. Fliegenfischver. Casting Club Steyr, Ing.- u. Arch.-Ver. H.: Fliegenfischen, Radfahren, Skifahren. (U.A.)

Mayrhofer Harald
B.: Inh. FN.: Mayrhofer GmbH. DA. u. PA.: 4850 Timelkam, Linzer Str. 51. G.: Timelkam, 15. Dez. 1935. V.: Ernestine, geb. Steinbichler. Ki.: Ing. Harald (1957), Manfred (1958), Brigitte (1964). El.: Karl u. Maria. S.: VS, HS, Berufsschule. K.: 1950-57 Lehrling u. Monteur b. Firma Schenkel, 1957 Mstr.-Prüf., seit 1957 selbst. E.: 1991 Ausz. v. OKA f. bestes Fernwärme Know-How, Ehrung f. 35 Mstr.-Jahre, Gold. Nadel d. Bundes d. OÖ Blasmusikkapellen. H.: Blasmusik.

Mayrhofer Heinrich Dr. iur. Master of Comparative Law
B.: o.Univ.-Prof. Rechtswiss. Fak. PA.: 6020 Innsbruck, Sadrachstr. 12. G.: Innsbruck, 10. Mai 1935. V.: Dr. Christine, geb. Cornet. Ki.: Caroline, Anton. El.: Dipl.-Ing. Dr. Georg u. Karoline. S.: 1954 Matura, Jusstud., 1959 Prom. 1960 Dipl. Übersetzerprüf. f. Franz., 1959 Stud. d. Franz. Rechts u. Franz. Sprache Poitiers, 1961-62 USA Dallas Texas, 1962 Prom. z. Master of Comparative Law, 1966 Habil. K.: seit 1962 Ass. an d. Univ. Innsbruck, Inst. f. Zivilrecht, 1966 a.o.Prof. Sbg., 1968 o.Prof. Sbg., 1972 o.Prof. Univ. Innsbruck. P.: Bücher: "Das Abzahlungsgeschäft", "Zur neuen Entwicklung der Kreditsicherung d. Fahrnis", "Schuldrecht. Allg. Teil", Neubearbeitung d. Ehrenzweigschen Systems d. Österr. Privatrechts, zahlr. Veröff. in Fachzeitschriften. M.: Österr. Juristentag, Intern. Academy of Commercial and Consumer Law. H.: Bergwandern, Garten, Obstbau. (D.S.)

Mayrhofer Heinz Dr. med. univ.
B.: Prakt. Arzt. DA.: 4020 Linz, Khevenhüllerstr. 23. PA.: 4020 Linz, Margarethenweg 5. G.: 26. Sept. 1947. V.: Ilse Elisabeth, geb. Kollingbaum. Ki.: Alexander, Johannes, Christoph. El.: Dr. Heinz u. Rosa. S.: VS, Gymn., 1966-72 Stud. d. Med. an d. Univ. Wien, 1973 Prom. Dr. med. univ. K.: 1973-76 Spitalsausbild. z. prakt. Arzt KH Elisabethinen Linz, 1976 eigene Praxis, seit 1991 Chefarzt d. Bundesbahndir. Linz, seit 1976 Betriebsarzt d. Baufa. Mayreder, Ing. Kraus & Co Linz. F.: seit 1983 ärztl. Ltr. u. Teilhaber d. Inst. f. phys. Therapie "Medaktiv" Linz. M.: Mtgl. d. Dt. Ges. f. Sauerstoff-Mehrschritt-Therapie, Mtgl. d. Dt. Ges. f. Zelltherapie, Mtgl. d. Dt. Ges. f. Biolog. Krebsbekämpfung, Intern. Ges. f. Thymusforsch., Mtgl. d. Sociedad Naturista De Bolivia, Ges. f. Naturheilverfahren, Mtgl. d. Österr. Ges. f. Zell- u. Ozontherapie. H.: Fischen, Briefmarkensammlung. (J.G.)

Mayrhofer Helmut
B.: Inh. FN.: Foto-Kino-Service Helmut Mayrhofer. DA.: 5020 Salzburg, Petersbrunnstr.8. PA.: 5020 Salzburg, Elsenheimstr. 24. G.: Salzburg, 13. März 1942. Ki.: Gerlinde, Irmtraud, Sigrun. El.: Karl u. Rosa. S.:VS, HS, 3 1/2 J. Lehre als Feinmechaniker, 1964 Mstr.-Prüf. K.: b. 1965 Tätigkeit in einem Gewerbebetrieb, 1966 Werkmstr.-Prüf. f. Maschinenbau, b. 1972 Maschinenbautechniker in einem techn. Büro, 1972 nebenberufl. selbst., seit 1973 hauptberufl. selbst.: Reparatur v. Foto- u. Filmgeräten. M.: Sportver. H.: Skitouren, Bergsteigen, Radtouren. (D.E.)

Mayrhofer Herbert
B.: Gschf. FN.: VWZ Zeitschriftenverlag GmbH. DA.: 1120 Wien, Ruckerg. 40. PA.: 1230 Wien, Jochen-Rindt-Str. 22/4/1. G.: Linz, 12. Dez. 1955. V.: Gabriele, geb. Hofschneider. El.: Ludwig u. Theresia. S.: 1975 Matura, Stud. Politikwiss. u. Publizistik. K.: 1990-91 ORF-Chefred. im Aktuellen Dienst: Hörfunk u. Fernsehen d. LStudios OÖ u. danach LStudio Wien, ab 1991 Gschf. d. VWZ Zeitschriftenverlag GmbH. H.: Windsurfen, Segeln, Squash. (M.M.)

Mayrhofer Hubert sen. Dr. iur.
B.: RA, Ges. d. Tauplitzer Fremdenverkehrs GmbH. DA.: 1010 Wien, Opernring 17. G.: Linz, 8. Febr. 1921. V.: Erika, geb. Kieler. Ki.: Dr. Hubert, Erika. El.: Gen.-Dir. Josef u. Maria. S.: 1939 Matura, Reichsarb.-Dienst, 2. Panzerdivisionsvorrausabt., 1946 Studienabschluß, 1947 Prom. K.: Gerichtsj., Konzipientenzeit b. Dr. Fürst, seit 1951 selbst. E.: Ehrenbürger d. Gem. Tauplitz. H.: Literatur (Neue Geschichte), Skifahren. (J.E.)

Mayrhofer Klaus
B.: Messedir. FN.: Reed Messe Sbg. GmbH. DA.: 5021 Salzburg, Bessarabierstr. 83. G.: Salzburg, 23. März 1947. Ki.: Alexander (1972), Simone (1977), Sebastian (1982). S.: VS, Gymn., 1961-64 Lehre als Textilkfm., Privatschule f. Dekoration u. Grafik Bad Harzburg/BRD. K.: Firma Thalhammer Sbg., 10 selbst. als Dekorateur u. Innenarch., gleichzeitig Kfm. m. 3 Boutiquen, m. 30 J. Einstieg in d. Contact Fachmessen als Gschf. d. Deco Atelier, 2 J. Prok. d. System Standbau, 8 J. Gschf. d. Fach Expo Messe Betriebs GmbH & Co KG, seit 1992 Dir. d. Reed Messe Sbg. M.: Lazarus Orden Österr. H.: Musik, Kultur, Jagd, Ges. (N.M.)

Mayrhofer Lothar Dr. Mag.
B.: Vorst.Vors. FN.: Basler Vers. AG. DA.: 1030 Wien, Lothringerstr. 16. PA.: 2500 Baden, Isabellestr. 18. G.: Feldkirch, 22. Febr. 1949. V.: Angelika, geb. Battlogg. Ki.: Alexander (1975), Stephanie (1988), Maximilian (1991). El.: Rudolf u. Lisi, geb. Ritter. S.: 1970 Matura, 1971-77 Stud. BWL Univ. Innsbruck, 1977 Prom. K.: 1978-81 kfm. Ltr. d. Hilcona GmbH, 1981 Eintritt als Controller Fa. Polaroid

Österr., 1983-87 Gschf., 1987-91 Gschf. f. Osteuropa u. Österr., ab 1991 Vorst.Vors. d. Basler Vers. AG in Österr. P.: Fachart. in Fachzeitschriften, Vortragstätigkeit b. d. Managementseminare. H.: Skifahren, Tennis, Lesen. (N.A.)

Mayrhofer Manfred

B.: Gschf. u. Inh. FN.: Aluminium Portal System Bau GmbH (A.P.S.). DA.: 4844 Regau, Preising 85. PA.: 4800 Attnang-Puchheim, Ahamerstr. 29. G.: Frankenmarkt, 26. Sep. 1954. V.: Irene, geb. Heissl. Ki.: Eveline (1977), Roland (1978). El.: Josef u. Petronella. S.: VS, HS, 2 J. Fachschule Maschinenbau, 1971-74 Lehre als techn. Zeichner Firma Grill & Grossmann, 1974 Gesellenprüf., b. 1984 Exportlehrgang, Verkaufs- u. Dokumentenseminare Ind.-Grafik. K.: 1984-87 Verkauf u. Projektmanagement Firma Hawle Saudi Arabien, 1987-90 Gschf. A.T.S. (Automatik Tür System), 1990-94 Grdg., Gschf. u. Inh. d. Firma A.P.S. E.: seit 1994 Austria Gütezeichen. H.: Meerwasseraquarium, Beruf. (G.E.)

Mayrhofer Manfred Dr. phil. Dr. h.c. Univ.-Prof.

B.: em. o.Prof. an d. Univ. Wien. A.: 1190 Wien, Bauernfeldg. 9/II/6. G.: Linz, 26. Sept. 1926. V.: Ingrid, geb. Gaißmayer. El.: Dipl.-Ing. Josef u. Irma. S.: Hum. Gymn. Linz, Stud. an d. Univ. Graz, 1949 Dr. phil. K.: 1951 Privatdoz. d. Univ. Graz, 1953 Gastdoz., ab 1955 Doz. an d. Univ. Würzburg, 1958 apl.Prof., 1959 o.Prof., 1962 o.Prof. d. Univ. d. Saarlandes (Saarbrücken), 1966 o.Prof. d. Univ. Wien, em. 1988. P.: 12 Bücher, über 100 Aufsätze u. Rezensionen. E.: Offz. d. finnländi. Ordens d. Weißen Rose, Kommandeur d. kaiserl. iran. Humayun-Ordens. Österr. EZ f. Wiss. u. Kunst. M.: w.Mtgl. d. Öster. Ak. d. Wiss, auswärtiges Mtgl. d. Ak. d. Wiss. Moskau, Helsinki, Budapest, Paris, Mailand, Leipzig, Stockholm, München, Warschau, Heidelberg, Kopenhagen, Göttingen, Ehrenmtgl. d. Linguistic Society of India, d. Linguistic Society of America, d. American Oriental Society u. Suomalais-Ugrilainen Seura Helsinki.

Mayrhofer Martin Leopold Mag.

B.: Priester, Künstler, Lehrer f. bildn. Erz, Kustos d. Stiftsammlung. FN.: Stift Seitenstetten. DA./PA.: 3353 Seitenstetten, Am Klosterberg 1. G.: Loosdorf, 22. Jan. 1942. El.: Franz und Christine. S.: 1960 Matura, bis 1966 Stud. Theol., 1971 HS-Prüfg., 1977-82 Haputschule für Künstl. und Ind.-Gest. Linz. K.: 1966-69 Kaplan und Betreuer LKH für Neurologie und Psychiatrie Mauer-Öhling, b. 1977 Erz. Internat, seit 1969 Lehrer für Bildnerische Erziehung Stift Seitenstetten; seit 1966 bildhauerisch tätig, seit 1973 ca. 30 Ausst. Stift Seitenstetten, Wien, St. Pölten. M.: Sportverein, Briefmarkensammlerverein. H.: Sport, Bewegung, Fußball, Basketball, Volleyball. (N.A.)

Mayrhofer Michael Dr.

B.: RA. DA.: 1010 Wien, Fleischmarkt 20. G.: Linz, 31. Mai 1950. El.: Dr. Hans u. Trude. BV.: Großvater Dr. Josef Schwinner Landeshptm.-Stellv. v. OÖ, Onkel Dr. Erich Schwinner RA, ehem. AR-Vors. Denzel AG, Onkel Dipl.-Ing. Heinrich Schwinner ehemaliger Gen.-Dir. Epple-Buxbaum AG u. AufsR.-Mtgl. d. VOEST, Onkel KommR. Kurt Landgraf ehemaliger Abg. z. NatR. u. BundesR. S.: Gymn., 1968 Matura, Jusstud. Univ. Linz, Stud. Jus u. Psych. Univ. Wien, 1973 Prom. K.: Univ.-Ass. b. Univ.-Prof. DDr. Hans W. Fasching, 1 J. Studienaufenthalt in Kalifornien, Konzipient b. Dr. Erich Schwinner, Dr. Wilhelm Rosenzweig, Dr. Erich Zeiner, Dr. Friedrich Willheim, seit 1983 selbst., Schwerpunkt Wirtschafts- u. Umweltsachen. BL.: Teilnahme an d. Hainburgverhandlungen über d. Kraftwerk, Mtgl. d. Kmsn. d. Umweltmin. z. Erstellung einer umfassenden Umweltdoktorin, Prozeßbeobachter f. d. Intern. Helsinki-Föderation. P.: div. Fachvorträge u. Artikel abgedruckt in d. Verhandlungen d. Österr. Juristentages, im Handbuch f. Umwelttechnik: Ökologia, im Österr. Anwaltstag u. in Naturschutzzeitungen. M.: Mtgl. div. AR, Mtgl. d. Forums d. Österr. Wissenschafter f. d. Umweltschutz, Mtgl. d. Kuratoriums "Rettet d. Wald", Grdg.-Mtgl. d. Bürgerinitiative Parlament, Rechnungsprüfer d. Ver. "Humanes Leben u. Wohnen f. psychisch kranke Menschen". H.: Skifahren, Bergwandern, Theater u. Konzerte. (J.S.)

Mayrhofer Robert Dr. iur.

B.: RA. DA.: 4910 Ried/Innkreis, Hauptpl. 28. PA.: 4910 Ried/Innkreis, Stöcklgras 35. G.: Ried/Innkris, 6. Juli 1951. V.: Waltraud, geb. Houfek. Ki.: Florian (1983), Tobias (1992). El.: Josef u. Helga. BV.: alte Rieder Bürgerfamilie, Cousin Rudolf Mayrhofer Mtgl. Orchester d. Österr. Rundfunks. S.: 1969 Matura, Präsenzdienst, Stud. Rechtswiss. u. Geige Sbg. K.: Gerichtsj. Sbg. u. Ried, Tätigkeit als RA-Anw. b. Dr. iur. Hans-Jörg Putz in Ried, 1981-84 Kzl.-Gemeinschaft m. Dr. iur. Hans-Jörg Putz in Ried, 1984 Kzl.-Übernahme. M.: Rotary Club, Vorst.-Mtgl. Bruckner Bund-Orchester, CV, Aussch.-Mtgl. d. OÖ RA-Kam. H.: Geige, Tennis, Surfen, Skifahren, Familie. (E.Hö.)

Mayrhofer Roland

B.: Gschf. FN.: Biofit Naturprodukte Roland Mayrhofer. DA.: 5020 Salzburg, Raschenbergstr. 27A. G.: Seekirchen, 25. Dez. 1945. V.: Liselotte, geb. Roider. Ki.: Hannes (1970), Sandra (1976). El.: Kurt u. Hilde. S.: VS, HS, HAK. K.: ab 1965 kfm. Ang. Elektro- u. Küchenmöbelbranche, 1991 Übernahme d. elterl. Firma. H.: Skifahren, Tennis. (N.M.)

Mayrhofer Rudolf Dr. Dkfm. Mag.

B.: Steuerberater Kzl. Schörfling u. Dir. BHAK Vöcklabruck. DA.: 4840 Vöcklabruck, Englweg 2. PA.: 4861 Schörfling, Fischerstr. 1. G.: Schörfling, 22. Apr. 1942. V.: Mag. Dkfm. Ulrike, geb. Feichtinger. Ki.: Reinhard (1971), Irene (1972), Arnold (1976). El.: Heinrich u. Maria. S.: 1961 HAK-Matura Sbg., 1964 Dkfm. Welthdl. Wien, 1970 Doktorat d. Handelswiss. Welthdl. Wien. K.: 1971 Lehramtsprüf. f. kfm. Fächer, 1972 Steuerberaterprüf. H.: Segeln, Familie. (E.Hö.)

Mayrhofer Rudolf

B.: Dir. FN.: ABV Allg. Bausparkasse rGenmbH. DA.: 1091 Wien, Liechtensteinstr. 111-115. G.: Wien, 22. Sept. 1940. V.: Ingrid, geb. Eilenberger. Ki.: Sabine (1961), Günther (1965). El.: Rudolf u. Elisabeth, geb. Chlup. S.: HS, b. 1959 HAK. K.: 1959 Eintritt in d. ABV, seit 1977 Mtgl. d. Vorst. H.: Familie, Wandern, Langlaufen, Jagd, Fischen. (M.G.)

Mayrhofer Severin Dr. Mag.

B.: Gymn.Prof. f. Biologie Guardian Franziskanerorden Hall in Tir. DA.: 6060 Hall in Tir., Kathreinstr. 6. PA.: 6060 Hall in Tir., Franziskanerkloster, Stadtgraben 7. G.: Linz, 23. Febr.

1943. El.: Franz u. Theresia. S.: Gymn., Matura, Stud. d. Theol., Lehramt u. Doktorat f. Biologie. K.: seit 1976 Gymn.Prof. P.: Diss.: "Wärme- u. Kohlenstoffhaushalt im Piburgersee". M.: Franziskanerorden. H.: Wandern, Radfahren. (W.G.)

Mayrhofer Wilhelm Dr.

B.: Presseref. FN.: Johannes Kepler Univ. Linz. GT.: Konsulent d. OÖ Landesreg. f. Volksbild. u. Heimatpflege. DA.: 4040 Linz, Altenberger Str. 69. G.: Gallneukirchen, 27. Mai 1940. V.: Ernestine geb. Ratzenböck. Ki.: Claudia (1971), Rudolf (1964), Wilhelm (1963). El.: Johann u. Elisabeth. S.: VS, Gymn., 1960 Matura, 1966-71 Stud. Jus. K.: s. 1960 Journ. b. OÖ-Tagblatt, zul. Ressortltr. Wirt., Tagblatt wurde m. AZ OÖ fusioniert, s. 1992 heutige Pos. a. d. Univ. u. Red. d. Univ.-Nachrichten. H.: Lesen, Fotographieren. (U.A.)

Mayrhofer Wolfgang Dipl.-Ing. w.HofR.

B.: Techn. Ltr. d. Agrarbez.Behörde. DA.: 4020 Linz, Kärntnerstr. 16. PA.: 4020 Linz, Darrgutstr. 14. G.: Linz, 20. März 1941. V.: Margit, geb. Hanus. Ki.: Petra u. Wolfgang. El.: Leopold u. Josefine. S.: VS in Eferding, hum. Gymn. in Wilhering, 1959 Matura, Univ. Innsbruck, Univ. f. Bdk. in Wien, 1969 Abschluß. K.: 1970 Eintritt in d. Agrarbez.Behörde Linz, seit 1972 pragm. Beamter, 1982-83 Mtgl. d. LAgrarsenates OÖ, seit 1983 Techn. Ltr. d. Agrarbez.Behörde, seit 1984 wHofR. M.: Ing. u. Arch.Ver. H.: Österr. Geschichte, Tennis. (Deu.)

Mayrhofer Hubert jun. Dr.

B.: RA, Gschf. d. Tauplitzer Fremdenverkehrs GmbH. DA.: 1010 Wien, Opernring 17. G.: Wien, 29. Jän. 1957. V.: Irmgard-Beate, geb. Lanzinger. Ki.: Hubert. El.: Dr. Hubert u. Erika. S.: Ak. Gymn., 1975 Matura, Jusstud., 1980 Prom. K.: b. 1981 Gerichtsj., 1981 Praxis b. Dr. Gaigg, 1982 Übergang in d. väterl. Kzl., Spezialgebiet Fremdenverkehrsrecht. H.: Literatur, Bergwandern, Skifahren, Fischen. (J.E.)

Mayrhofer-Krammel Fred Dr.

B.: Ass. Zahnklinik - Ambulanz. DA.: 1090 Wien, Währinger Str. 25a, Ordination: 1060 Wien, Stumperg. 40. PA.: 1190 Wien, Bauernfeldg. 14. G.: New York, 12. Aug. 1950. V.: Dr. Ursula. Ki.: Bettina, Marietta. El.: Univ.-Prof. Dr. Otto u. Duglore. BV.: seit Generationen Ärztedynastie, Großvater ehemaliger Ltr. d. Gynäkologie im AKH, Vater Ltr. d. Klinik f. Anästhesie im AKH. S.: VS, RG, Univ. Wien, 1980 Prom. K.: Ausbild. z. FA f. Zahn-, Mund- u. Kieferheilkunde, seit 1983 Ass. M.: Mtgl. b. zahnärztl. Interessenverb., Ltr. d. Ass.Schule d. Wr. Ärztekam. H.: Skifahren, Segeln, Windsurfen. (R.A.).

Mayrhofer-Krammel Otto DDr. Prof.

B.: em. o.Univ.-Prof. PA.: 2500 Baden, Germerg. 27. G.: Wien, 2. Nov. 1920. V.: Eleonora, geb. Fried. Ki.: Karl, Angela. S.: Hum. Gymn. Baden, Med.Stud. Univ. Wien. K.: 1945-50 Klin. Fachausbild. in Wien, London u. New York, 1955 Doz. f. Anaesthesiologie, 1961 a.o.Prof., 1967 o.Prof. f. Anaesthesiologie an d. Univ. Wien. P.: ca. 230 Publ. in in- u. ausländ. Fachzeitschriften, "Lehrbuch d. Anaesthesiologie". E.: Ehrendoktorate d. Med.: Med. Univ. Szeged Ungarn, Med. Ak. Poznan Polen, Univ. Reims Frankreich, Ehrenkreuz f. Wiss. u. Kunst I. Kl., Gr. Silb. EZ f. Verd. um d. Rep. Österr., Gold. EZ f. Verd. um d. Land Wien. M.: Ehrenmtgl. u. koresp. Mtgl. in ca. 20 wiss. Ges., w.Mtgl. d. Österr. Ak. d. Wiss., Mitglied d. Dt. Akademie der Naturforscher Leopoldina, Grdg.Präs. d. Österr. Ges. f. Anästhesie, Präsident des Weltverbandes für Anästhesie 1972-76. H.: Musik, Sport, Reisen.

Mayrhofer-Wlaschek Christa

B.: Private. V.: Karl Wlaschek. Ki.: Dr. Eva Mayrhofer. El.: Dr. Georg P. Majer-Mayenbach. BV.: Cousine Grace Kelly (Gracia Patricia Fürstin v. Monaco). S.: VS, Gymn., Matura, Phil.Stud., Dipl.Dolmetsch. F.: Tauplitz Fremdenverkehrsbetriebe, Realitätenhdl. P.: versch. Art. in Zeitungen. E.: versch. Ehrenämter. H.: Reisen, Skifahren, Schwimmen, Wasserski, Golf, Lesen.

Mayrhuber Manfred Dr. rer. soc. oec. Mag. Ing.

B.: Gschf. u. Inh. d. INSTRAT Inst. f. strateg. Unternehmensführung u. Vermarktung GmbH, IMS-Training, Beratung-Software. DA.: 4020 Linz, Figulystr. 32. PA.: 4203 Altenberg, Dornacherstr. 14. G.: Grieskirchen, 4. Apr. 1950. V.: Margot, geb. Vinatzer. Ki.: Constanze (1988). El.: Josef u. Theresia. S.: HTBLA f. Berufstätige, Stud. d. BWL Univ. Linz, 1984 Prom. K.: Lehrling, Facharb., Konstrukteur, Ltr. d. Entwickl. u. Konstruktion, Ltr. d. Abt. Planung u. Organ., Bereichsdir. f. Controlling u. Planung, Gründer u. Ges. d. Inst. f. strateg. Unternehmensführung, Inh. d. Fa. IMS-Training-Beratung-Software, Lehrbeauftr. an d. Univ. Linz f. strateg. Controlling, Berater zahlr. österr. u. ausländ. Mittel- u. Großuntern. in d. Bereichen Unternehmensplanung, Controlling u. Produktmanagement, Trainer b. zahlr. Managementseminaren über strateg. u. operative Unternehmensführung u. strateg. Produktmanagement. M.: Präs. d. "Round Table 15", Mtgl. d. WdF, Managementclub. H.: Segeln, Skifahren, Tennis. (H.B.)

Mayröcker Friederike

B.: Autorin. A.: 1050 Wien, Zentag. 16/40. G.: Wien, 20. Dez. 1924. El.: Mayröcker Franz u. Friederike. S.: Lehrbefähigung aus Englisch. K.: 1946-69 Englischlehrerin an Wr. HS, erste Publ. 1946. P.: "Larifari" (1956), "Tod durch Musen" (1966), "Das Licht in d. Landschaft" (1975), "Ausgew. Gedichte" (1979), "Ein Lesebuch" (1979), "Die Abschiede" (1980), "Gute Nacht, guten Morgen" (1982), "Reise durch d. Nacht" (1984), "Das Herzzerreißende d. Dinge" (1985), "Winterglück" (1986), "Magische Blätter II" (1987), "mein Herz mein Zimmer mein Name" (1988), "Gesammelte Prosa" (1989), "Stilleben" (1991), "Magische Blätter III" (1991), "Das besessene Alter" (Gedichte 1992), "Lection" (Prosa 1994) u.a. Publ., zahlr. Hörspiele: "Bocca della Verita", "So ein Schatten ist der Mensch", "Die Umarmung, nach Picasso", zahlr. Kinderbücher: "Ich, der Rabe und der Mond", "Sinclair Sofokles, der Babysaurier" etc., Bühnentexte. E.: Hörspielpreis d. Kriegsblinden, Österr. Würdigungspreis f. Literatur, Preis d. Stadt Wien, Georg Trakl-Preis f. Lyrik, Gr. Österr. Staatspreis 1982, Anton Wildgans-Preis 1982, Roswitha v. Gandersheim-Preis 1982, Südwestfunkpreis Baden-Baden (1984), Ehrenmed. d. BHpt.Stadt Wien in Gold (1985), EZ d. Rep. Österr. f. Wiss. u. Kunst (1987), Hauptpreis d. Dt. Ind. (1989), 1994: Hölderlin Preis, "mannskripte"-Preis. M.: Dt. Ak. f. Sprache u. Dichtung, Darmstadt, Kurie f. Wiss. u. Kunst, Wien, Ak. d. Künste Berlin, Forum Stadtpark Graz, Grazer Autorenversammlung, Österr. Kunstsen., Intern. Künstlergrem. H.: Musik, Zeichnen, Lesen, Wandern.

Mayrus Wilfried

B.: ak. Maler, Filmer, Fotokünstler. DA.: 1090 Wien, Lustkandlg. 44. G.: Graz, 12. Juli 1953. S.: Ak. d. bild. Künste. K.: 1973 Preis d. ÖBB-Wettbewerb, 1974 Preis d. Neuen Galerie b. LKunstpreis, 1976 Ak. Füger-Preis, 1978 Theodor Körner-Preis, 1979 Preis d. Wr. Kunstfonds, Filmförderungspreis d. Landes Stmk., Staatstipendium f. Italien, 1981 Arbeitsstipendium d. Stadt Wien, Preis d. Konsum, Filmförderungspreis d. Landes Stmk., Auslandstipendium d. stmk. LRg., 1985 Preis d. Landes Stmk. f. Fotografie. Bilder im öff. Besitz: BMU, Mag. Graz, ÖGB, Neue Galerie Graz, Museum d. Stadt Graz, Museum d. Stadt Linz, Mag. Wien, Österr.

Nationalbank etc., Ausstellungen v. Malerei in Wien, Graz, Linz, Sbg., Eisenstadt, München, Ravenna, Darmstadt etc., Fotos in Graz, Wien, Sbg., Filme im ORF u. RAI. E.: 1986 Theodor-Körner-Preis, 1987 u. 1991 Fotoförd.-Preis d. Landes Stmk., 1991 Preis d. Landes Stmk. f. Bild. Kunst u. Förd.-Preis d. Stadt Graz f. Fotografie.

Mayrzett Manfred Dr. med. univ.
B.: Prim. im AKH Horn, Ltr. d. Röntgeninst., FA f. Radiologie. DA.: 3580 Horn, Riedenburgstr. 3. G.: Steyr, 29. Sept. 1943. V.: Edith, geb. Schumann. Ki.: Elisabeth, Michaela, Stefan. S.: VS, Gymn. Steyr, 1961 Matura, Med.Stud. an d. Univ. Wien. K.: 1968 Prom., Turnusausbild. z. prakt. Arzt im KH Steyr, FA-Ausbild. KH Steyr, Linz u. Wien, FA f. Radiologie seit 1975, ab 1977 Prim. u. Abt.Ltr. im KH Horn, Ordinationseröff. im Zentrum v. Horn 1979. P.: 20 einschlägige Publ. in Fachzeitschriften. M.: Österr. Röntgenges., ÖGUM (Österr. Ges. f. Ultraschallmed.). H.: Bergsteigen, Jagd. (Kern)

Mays Rodney James
B.: Gschf. Ges. FN.: RM Touristik-Service. DA.: 5035 Salzburg, Innsbrucker Bundesstr. 95. PA.: 5322 Hof bei Sbg. 266. G.: Halifax, 20. März 1947. V.: Jutta, geb. Meisriemel. Ki.: Jaqueline (1968), Danja (1972). El.: William John u. Jenny. S.: Grundschule, Techn. College. K.: 1967 als Reiseleiter tätig in Österreich (Cosmos-Holidays), 1972-78 Abteilungsltr. Alders in Grajden/England, seit 1978 Leiter des FVV in Fuschl am See, 1.1.83 Gründ. d. RM Touristik-Service GmbH. M.: Schloß Fuschl Golf u. Jagdclub. H.: Golf, Skilaufen, Tennis, Reisen. (M.C.)

Maywald Fritz Ing.
B.: Unternehmensberater. FN.: IFM Betriebsberatungen GmbH. DA.+PA IFM Betriebs GmbH 1060 Wien, Mollardgasse 56/5-6 , 31. März 1948. Ki.: Andrea (1974), Michaela (1978). El.: Fritz u. Steffi. S.: HTL, Chem. Ind. Wien, 1967 Matura. K.: 1968-72 Reichhold Chemie AG Wien, Entwicklung u. Anwendungstechnik, 1972-79 BFGoodrich Chemical Products Wien, Marketing u. Vertrieb f. Mittleren Osten u. Osteuropa, 1979-85 INNOVA Wr. Innovations GmbH Innovationsberatung f. Klein- u. Mittelbetriebe, 1986 Grdg. d. IFM Betriebsberatungen GmbH Wien, Schwerpunkte Innovationsmanagement u. Organ.-Entwicklung, 1989 Grdg. d. Inst. f. Kreativität u. Bewußt-Sein, seit 1974 als freischaff. Künstler tätig, seit 1986 Arb. m. Kleingruppen, Seminartätigkeit. M.: Managementclub, Legato d'onore d. Lega del Chianti. (J.S.)

Mazek Wilhelm Mag. Prof. Hofrat

B.: Ltr. d. Volkshochschule Zwettl. DA.: 3910 Zwettl, Garteng. 3. PA.: 3910 Zwettl, Nordweg 23. G.: Pulkau, 11. Feb. 1927. V.: Marie-Luise, geb. Grefen. Ki.: Alexandra (1962). El.: Wilhelm u. Pauline, geb. Blei. S.: VS, Gymnasium, 1943-46 Dtsch. Kriegsmarine, 1946 Reifeprüf., Stud. Univ. Wien, Spons., 1952 Mag. rer. nat. K.: 1952-73 Lehrtätigk. HAK I. in Wien u. ab 1956 am BG Horn, 1973-89 Dir. d. Gymn. Zwettl, 1980 Verleih. d. Titel "Hofrat", 1983 Päd. Ausbild. an Univ. Wien. BL.: s. 1956 erfolgr. Tätigk. in d. Erwachsenenbild., zunächst als Vortragender an d. VHS Horn, s. 1965 Ltr. d. VHS, s. 1973 Ltr. d. VHS Zwettl, zusätzl. Kursltr. Zwettl u. Seminarltr. Slbg. u. Zwettl. (M.M.)

Mazegger Bernhard Dr. rer. comm. Dkfm. SenR.
B.: Vorst.Dir. d. Innsbrucker Verkehrsbetriebe. DA.: 6020 Innsbruck, Pastorstr. 5. PA.: 6020 Innsbruck, Burghard-Breitner-Str. 13. G.: Innsbruck, 15. Okt. 1939. V.: Christine, geb. Fluckinger. Ki.: Monika, Bernhard. El.: Bernhard u. Elisabeth. S.: Gymn. u. BRG Innsbruck, 1957 Matura, Stud. Wien, 1961 Dkfm., Stud. an d. HS f. Welthdl. in Wien, 1964 Prom., Militär. K.: 1 J. Exportltr. b. einer Tir. Konfektionsfa., 1966-70 Dir.Ass. b. d. Innsbrucker Stadtwerken, ab 1971 im Stadtmag. Innsbruck, 1973-87 Kontrollamtsdir., seit 1988 Vorst.Dir. d. IVB AG. H.: Lesen, Musik, Tennis, Skifahren, Segeln. (H.T.)

Mazsits Manfred
B.: Gschf. Ges. FN.: IME. GT.: Gschf. Ges. u. Inh. d. Fa. Magast. DA.: 5022 Salzburg, Itzlinger Hauptstr. 37. PA.: 5163 Mattsee, Brandstätt 11. G.: Radstadt, 10. Apr. 1938. V.: Christine, geb. Zembacher. Ki.: Daniel, Christine Katherina, Wolfgang u. Manfred. S.: VS, HS, kfm. Lehre, 2 J. Führungslehrgang d. ak. Ges. Stuttgart. K.: 1955-67 Einzelhdls.Kfm., 1967-73 Verkaufsltr., 1973-83 Ndlg.Ltr. in Österr. Stanley Konzern, anschl. Gschf., dann Vertriebsltr. intern., 1983 Gschf. d. Fa. IME, 1986 Fa. IME übernommen als persönl. haft. Ges., 1987 Fa. Magast gegründet Ges. u. Gschf. P.: Publ. in Fachzeitschriften. H.: Jagd. (M.Br.)

Mazzucco Eva Prof. Mag. Art
B.: Freischaff. Künstlerin, ak. Bildhauer. A.: 1220 Wien, Mohnblumenweg 1. G.: Strobl, 21. Nov. 1925. El.: Mazzucco Karl Dr. Prof. u. Maria. S.: Oberschule m. Matura, Sbg., HS f. angewandte Kunst, Wien, Dipl. f. Bildhauerei (1953). Professorentitel 1992. K.: Bisher 67 Personalausst. in Sbg., Wien, Rom, Brescia, Florenz, Paris, Stockholm, Uppsala, Berlin, Montreal, Ottawa, Tokio, Osaka, San Salvador, Prag, Brünn, Göttingen, Shanghai 1994 usw. P.: Alte u. moderne Kunst, 57 Großplastiken an öff. Plätzen in Wien, Sbg., Rom, München, Sofia u.a. E.: 1954 Jugendpreis Wien, 1956-61 vier Ehrenpreise f. Bildhauerei u. Grafik, Sbg. 1961 Kunstförderungspreis d. Wr. Kunstfonds, 1962 Gold. Ehrenmed. Künstlerhaus Wien, 1962 Rompreis, 1968 Erster Preis f. Grafik "Premio UNESCO" Rom, 1969 Silbermed., Biennale Ancona, 1981 Euro Med. in Gold, Baden-Baden. M.: Künstlerhaus Wien, Künstlerhaus Sbg., BVÖ Wien, BV Salzburg, Intern. Künstlergruppe "Die Spirale".

McLellan James Layton
B.: Dir. d. Vienna Intern. School. DA.: 1220 Wien, Straße d. Menschenrechte 1. PA.: 1130 Wien, Josef-Heinzl-G. 6/1. G.: Winnipeg, 18. Apr. 1939. V.: Jackie. Ki.: Jamie, John, Jennifer. K.: 1961-63 Lehrer Parkdale Elementary u. Junior High, 1963-64 VDir. Glendale Elementary, 1964-66 Lehrer Viscount Bennett Senior High, 1966-69 stellv. Dir. Montgomery Junior High, 1970-73 stellv. Dir. Bowness High School, 1973-77 stellv. Gebietsltr. West Area Office, 1977-83 Dir. Sir Winston Churchill Senior High, 1983-84 Ltr. Program Development Department, 194-86 Ltr. Instructional Services Department, z.Zt. Dir. d. Vienna Intern. School. P.: zahlr. Veröff. u.a. A Study of the Value Differential Between Students and Teachers Within the Calgary Public School System (1970), The Concil on School Administration newsletter (1981), The History of Continuing Education in Calgary (1987), Omicron Eyeopener (1987), "Journal of the Alberta Association for Continuing Education" (1988). (J.E.)

Mechtler Hermann Dir.
B.: Gschf. d. Prod. FN.: Schöller Lebensmittel GmbH. DA.: 1140 Wien, Linzer Str. 223-231. PA.: 1020 Wien, Praterstr. 44-46. G.: Hipples, 1. Jan. 1939. V.: Elisabeth, geb. Jokl. Ki.: Corinna, Iris. El.: Franz u. Maria. S.: VS in Hipples, 1948 Pensionat Schulbrüder in Strebersdorf, 1952 zurück zu d. Eltern auf d. Bauernhof, Lehre, 1959 BH, 1960 Weiter-

bild.Kurs an BLehr- u. Versuchsanst. Wolfpassing, 1963 Mstr.Prüf. K.: b. Jopa Speiseeisfbk. Ausbild. in München, dann Prod.Ltr., 1970 Ottakringer Brauerei Prod.Ltr. f. alkoholfreien Bereich, 1972 b. Schöller als Prod.Ltr. eingetreten, 1976 Gschf., 1980 1 Monat Entwicklungsabt. d. japan. Fa. Lotte, 1982 Dir. b. Schöller. BL.: Patent f. Speiseeiskugeln, Patent f. Abfüllung v. Speiseeis in geschlossene Behälter. M.: Österr. Erfinderverb. H.: Jogging, Tennis, Haus u. Garten.

Mechtler Reinhard Dkfm. Ing.

B.: Firmeninh. DA.: 4020 Linz, Harrachstr. 42. PA.: 4040 Linz, Bachlbergweg 61. G.: Aggsbach, 3. März 1945. V.: Theresia, geb. Thun. Ki.: Christian, Axel. El.: Dipl.-Ing. Heribert u. Dr. Isolde. S.: Mittelschule in Graz, 1964 Matura, HTL (Elektrotechn. f. Starkstrom), 1970 HS f. Welthdl. K.: 1971 Eintritt in d. Fa. d. Vaters Mechtler Med.-Techn., seit 1977 Alleininh. F.: Mechtler Med.-Techn. in Linz. M.: Lions-Club Linz Danubius. (Deu.)

Meder Helmut

B.: Gschf. Ges. (kfm. Ltg.), Unternehmer in d. Elektrobranche. DA.: 3106 St. Pölten, Hnilickastr. 6. G.: Prinzersdorf, 7. Apr. 1947. V.: Ingrid, geb. Eder. Ki.: Ralf. El.:Jakob u. Anna. S.: Grundschulen. K.: Lehre als Elektrotechn. in St. Pölten, gemeinsam m. Herbert Klenk 1968 Grdg. d. Elektro Klenk & Meder GmbH, Arbeitsgebiete: Hoch- u. Niederspannungsanlagen, Verteilerbau, E-Installationen, Elektrogeräteverkauf usw., Großbaustellen im In- u. Ausland. F.: Klenk & Meder GmbH & Co KG, Zentrale in St. Pölten, Filialen in Wien u. Krems, Bürofiliale in München. M.: Wirtschaftsbund, VPräs. d. V.S.E. St. Pölten, Gschf. d. Fußballschule St. Pölten, Gschf. d. BLeistungszentrum St. Pölten. H.: Fußball, Skifahren. (Kern)

Medisch Horst

B.: Prok. FN.: Vacek Speditions- u. LagerhausgesmbH. DA.: 4600 Wels, Haidestr. 53. PA.: 4600 Wels, Albert-Schweitzer-str. 39. G.: Linz, 16. Feb. 1960. V.: Inge, geb. Füßlberger. Ki.: Matthias, Maria. S.: AHS, Ausb. Sped.-Kfm., Praxis in versch. Sped. K.: s. 1989 Fa. Vacek, Prok. M.: Gewerkschaft, Fußballverein Union-Edelweiß Linz. H.: Fußball, Ski, Tennis. (P.H.)

Medizade Ali

B.: Gschf. Ges. FN.: Medizade. DA.: 1010 Wien, Himmelpfortg. 7. G.: Teheran, 10. Juli 1973. El.: Mansur u. Parvin. S.: Grundschule Teheran, Intern. School of Ankara. K.: 1990 Aufbau eines Herrenmodengeschäftes, 1990 1. Geschäft Stubenring 10, 1993 2. Geschäft Himmelpfortg. 7, seit 1992 Med.-Stud. H.: neue Musikrichtungen. (J.M.)

Medl Johann

B.: Inh. FN.: Medl Bräu. DA.: 1140 Wie, Linzer Str. 275. G.: Krumau/Kamp, 16. Juni 1956. V.: Eva, geb. Hauer. Ki.: Leopold, Martin. El.: Leopold u. Leopoldine. S.: b. 1974 Fleischhauerlehre, b. 1983 Praxis. K.: b. 1987 Gem.Bediensteter, Aufbau d. Brauerei. (J.E.)

Meditz Hans-Herbert Dr.

B.: Vorst. d. BG Steyr. DA.: 4400 Steyr, Spitalsteyrstr. 1. PA.: 4400 Steyr, Gurkenbergg. 4. G.: Steyr, 19. Jän. 1935. V.: Herta, geb. Holub. Ki.: Albert (1966), Rainer (1968), Ruth (1969), Eva (1975). El.: Hans u. Franziska. BV.: Urgroßvater war Werkmstr. d. Werndl Waffenfbk. S.: VS, Kfm. Ausbild., 1951 HASCH, versch. techn. Berufe: Nürnberg, Köln, München, Holland, 1958 Externistenmatura, 1962 Stud. Wien. K.: 3 J. Ausbild. z. Richter, 1969 Richter in Enns, 1978-79 Kreisgericht, seit 1979 Vorst. d. BG Steyr. BL.: Organ. Schutzwaldaufforstungen m. Alpenver., mehrfache Ausz. M.: Vors. d. Alpenver. Steyr. H.: Bergsteigen, Natur, Umweltschutz. (U.A.)

Medvey August

B.: Optikermstr. FN.: Medvey Optik. DA. u. PA.: 1120 Wien, Edelsinnstr. 2. G.: Wien, 5. Jän. 1944. V.: Ute, geb. Horwath. Ki.: Dieter (1972). El.: August u. Maria, geb. Nekula. S.: Optikerlehre, Meisterprüf., Kontaktlinsenoptiker. K.: seit 1972 selbst., Eröff. d. Geschäftes in Wien 12, Edelsinnstr. 2, 1987 Eröff. d. 2. Geschäftes Am Schöpfwerk 29. H.: Golf, Musik, Literatur. (N.A.)

Medwed Hannes

B.: Inh., Gschf. FN.: Medwed KG Elektrohdl. u. Videothek. DA.: 1160 Wien, Johann-Nepomuk-Berger-Pl. 1; 1160 Wien, Ottakringer Str. 81. G.: Wien, 4. Juli 1965. V.: Renate, geb. Weiner. Ki.: Sebastian Benjamin (1994). El.: Heinz u. Gertrude. S.: VS, HS, Lehre Radio- u. Fernsehtechniker. K.: seit 20 J. im elterl. Betrieb, ab 1992 Inh. u. Gschf. H.: Tennis, Skifahren, Lesen, Musik. (W.J.)

Medwed Heimo KommR.

B.: Inh. FN.: Heimo Medwed Vergnügungsbetriebe. DA.: 8020 Graz, Feuerbachg. 26. PA.: 8101 Gratkorn, Emil Kahr Weg 13. G.: Graz, 25. Sep. 1943. V.: Rosmarie, geb. Schinagl. Ki.: Renee (1973), Marcel (1982). El.: Johann u. Amalia. S.: 4 J. Gymn. i. Graz, KFZ-Schlosserlehre b. Fa. Robinson, 1961 Abschluß. K.: 1962 Eintritt i. elterl. Schaustellerbetrieb, 1968 Übernahme d. Betriebes. M.: Fachverbandsvorsteher d. Vergnügungsbetriebe, Vizepräs. d. ESU/UFE, Obmann d. Wirtschaftsverein Graz-Umgebung Nord. E.: Silb. Ehrenmed. d. Wirtschaftskammer Stmk. H.: Tennis, Golf, Lesen. (I.G.)

Medwed Herwig Dr.

B.: RA u. Verteidiger in Strafsachen. DA.: 9020 Klagenfurt, Sterneckstr. 43. G.: Völkermarkt, 1. Aug. 1941. V.: Dr. Hildegund, geb. Zach. Ki.: Stephan (1968), Katharina (1970). El.: Dr. Hans (HofR. im Amt d. Ktn. LRg.) u. Maria. S.: BRG Klagenfurt, Stud. in Graz 1961-66. K.: Gerichtspraxis in Graz u. Klagenfurt, dann Anw.Tätigkeit, s. 1973 eig. Kzl. M.: Initiator d. Grdg. d. Lions-Clubs Klagenfurt-Carinthia (1977), Funktionär d. Hausbesitzerbundes, Mtgl. d. Sportver. KAC. H.: Klass. Musik, Sport. (D.M.)

Medweschek Heribert Dir.

B.: Gschf. d. Neue Heimat Gemeinn. Wohnungsges. Ktn. GmbH. GT.: Vors. d. gemeinn. Bauver. Ktn., Vors.Stellv. d. Verb. gemeinn. Bauver. Österr., GemR. DA.: 9020 Klagenfurt, Hauptmann-Hermann-Pl. 5. PA.: 9020 Klagenfurt, Richard-Wagner-Str. 47. G.: Klagenfurt, 12. Febr. 1933. V.: Lieselotte, geb. Kurat. Ki.: Heribert, Günther. S.: Lehre als

Elektroinstallateur, Konzessionsprüf., Maturakurse. K.: 1958-81 stellv. LSekr. d. ÖGB, seit 1965 Mtgl. d. Klagenfurter GemR., 1973-81 StadtR. u. VBgm. v. Klagenfurt, seit 1982 Gschf. d. "Neue Heimat". H.: Wandern, Spazierengehen, Schwammerl suchen. (M.Br.)

Meggeneder Günther Ing.

B.: VPräs. d. Sbg. Arbeiterkam. DA.: 5020 Salzburg, Elisabethkai 58. PA.: 5330 Fuschl/See, Hochfeld 102. G.: Wien, 15. Juli 1963. V.: Friederike, geb. Sommerbichler. Ki.: Maximilian (1985), Dominik (1987). BV,: Vater Karl Meggender Gem.-Parteiobm. Fuschl. S.: VS, Gymn., 1977 HBLA f. Ldw. in Ursprung, 1982 Matura, 1983 BH. K.: Betriebsprüfer im Milchwirtschaftsfond, 1985 BetriebsR., 1989 Wahl in d. Kammerrat d. Sbg. AK, Vors. im Aussch. f. Bildungs- u. Kulturpolitik, 1990 VPräs. d. Arbeiterkam. P.: Art. in regionalen Printmedien. M.: ÖAAB, Sportver., Feuerwehr, Trachtenkapelle, Obm.-Stellv. d. Sbg. Pendlerforums. H.: Fußballschiedsrichter (Bundesliga), Linienrichter, Fußball, Tennis. (G.P.)

Megymorecz Christa

B.: Unternehmerin, Gschf. FN.: Etienne Aigner-Leder u. Mode Megymorecz. DA.: 9400 Wolfsberg, Johann-Offner-Str. 3; 9020 Klagenfurt, Bahnhofstr. 12. PA.: 9400 Wolfsberg, Johann-Offner-Str. 10. G.: 23. Dez. 1949. V.: Komm.R. Walter Megymorecz. Ki.: Daniel (1974), Simone (1979). El.: Johann u. Maria Lanz. S.: VS, HS, Apothekenlehre Wien, 1964-67 Kosmetikerin- u. Parfümerieausbild. K.: Tätigkeit in d. Privatwirtschaft, seit 1979 Mitarb. im ehel. Betrieb, 1979 selbst. durch Firmengrdg. in Wolfsberg u. 1990 in Klagenfurt. E.: Wahl in d. intern. Partnerkomm. d. Etienne Aigner AG München als Vertreterin f. Österr. H.: Beruf, Musik, Lesen, Sport. (G.L.)

Mehringer Michael Dr. phil.

B.: Designer. FN.: ENT Design. DA.: 1090 Wien, Tendlerg. 8. G.: Wien, 9. Apr. 1958. S.: RG, 1976 Matura, Stud. Biologie Univ. Wien, 1985 Prom., gleichzeitig einige Semester Arch. TU Wien. K: 1985-91 in d. Grundlagenforsch. f. d. Gen-Technologie in d. Schweiz u. in Österr. tätig, gleichzeitig erste Entwurfstätigkeit im Möbelbereich, seit 1989 freiberufl. Möbeldesigner u. Innenarch., 1992 Grdg. d. Arge ENT Design Dr. Mehringer - H.F. Schöchtner - Innenarch. Schlager. BL.: ehem. Mtgl. d. Nationalmannschaft f. Unterwasserrugby. P.: freiberufl. als Wiss.-Journalist tätig. M.: Österr. Inst. f. Formgebung. H.: Wasserskifahren, Skifahren, Lesen, zeitgenöss. Musik, Film. (J.S.)

Mehrtens Jan Dipl.-Ing.

B.: Arch. A.: 6632 Ehrwald, Alpenhofstr. 56. G.: Hoorn (Niederlande), 13. Sept. 1926. V.: Wynia, geb. Doortje. El.: G. u. F. S.: THS Delft. K.: Arch. v. Altenheimen, Pflegeheimen, Schulbauten, Bürobauten, Restauration v. Denkmälern. F.: Mehrtens arch. en ingenieursbureau bv Den Haag, Entwurfgruppe Mehrtens-Poels Den Haag, Arch.Büro Mehrtens Jan Dipl.-Ing., beeid. Arch. Ehrwald, Ebben ETM Energiebüro Arnheim NL. M.: Bund Niederländ. Arch., Fremdenverkehrsverb. Ehrwald, Witte of Littéraire Societeit "De Witte", "Les Amis de Mautiers - France".

Meidl Franz

B.: Inh. FN.: Franz Meidl Transport u. Sped. GmbH. DA.: u. PA.: 7210 Mattersburg, Wedekindg. 1. G.: 9. Feb. 1928. V.: Margarete, geb. Grafl. Ki.: Annemarie (1949), Franziska (1955). El.: Matthias u. Katharina. S.: 1934-42 VS, Berufsschule, Wehrdienst. K.: 1945-56 Chauffeur und Schlosser, 1965 Grdg. d. Transportunternehmens. E.: 1990 Gold. VK, 1991 KommR. M.: Vorst.-Mtgl. d. Fachgruppenverb. d. Autobusunternehmer Bgld., seit 1986 Laienrichter, Union Flieger Club Eisenstadt. H.: Fliegen (1974 Flugschein). (M.D.-H.)

Meidl Rudolf

B.: Inh. FN.: Jacques Dessange Coiffure Beauté, Meidl Frisur-Make up-Duft. IDA.: 1010 Wien, Kohlmarkt 1, 4400 Steyr, Enge 25. G.: Steyr, 11. März 1950. V.: Sylvia, geb. Huemer. Ki.: Manuel (1977), Lena (1979). El.: Rudolf u. Marianne, geb. Gierer. K.: Berufsausbild. in Steyr als Friseur u. Kfm., 1970-76 Teilnahme an div. Preisfrisieren, Landesmstr., Staatsmstr., Oscar de Paris u. Weltmstr., 1977-78 Produktmanager b. Firma L'Oreal, 1980 Übernahme d. Friseursalons in Steyr, ab 1980 Teilnahme an div. Frisurenshows u. Tourneen, 1990 Master franchise Jacques Dessange f. Österr. u. Grdg. d. Salons am Kohlmarkt. P.: Fachart. in Fachzeitschriften. M.: Intercoiffeur. H.: Frankreich, Musik, Malerei. (N.A.)

Meier Erhard

B.: Mtgl. d. Bundesrates, Hauptschuldir. DA.: 1017 Wien, Dr.-Karl-Renner-Ring 3. G.: Eberswalde, 24. Sept. 1939. S.: BLBA Graz, 1959 Matura, Stud. am Centenary College (USA). K.: 1959-64 Volksschullehrer, 1964/65 Präsenzdienst, 1965-89 Hauptschullehrer, s. 1989 Hauptschuldir., 1970-75 1. Vizebgm. u. 1975-90 Bgm. v. Bad Aussee, s. 6/1990 Mtgl. d. Bundesrates. E.: GV.

Meier Manfred F. Dr. w.HofR.
B.: Bez.-Hptm. i.R. PA.: 8940 Liezen, Rathauspl. 4. G.: Preg, 7. Mai 1925. V.: Deli, geb. Kuss. Ki.: Manfred (1957), Andreas (1965). El.: Gottfried u. Maria. S.: Gymn., Univ., Jusstud. u. Staatswiss. K.: seit 1954 LDienst in Liezen, 1967-70 Bez.Hptm. in Hartberg, 1970-75 Abt.Vorst. b. Amt d. Stmk. LRg., 1975 Bez.-Hptm. in Liezen. P.: Hrsg. eines kommentierten Jagdgesetzes f. Stmk. u. jagdl. Fachart. in d. Fachpresse. E.: Gold. EZ d. Landes Stmk., Gold. EZ d. Steir. LJägerschaft, Silb. Med. d. Kam. f. Land- u. Forstwirtschaft f. Stmk., Gold. EZ d. Blaskapellenverb. f. Stmk., Gr. EZ f. Verd. um d. Rep. Österr. M.: LObm.Stellv. d. Blaskapellenverb. f. Stmk., Mtgl. d. Ordens "Der Silb. Bruch". H.: Tennis, Schifahren, Fischen, Jagen.

Meier Roland Mag.
B.: Fachref.d.BMU. DA.: 1030 Wien, Radetzkystr. 2; 1010 Wien Führichg. 10. PA.: 1080 Wien, Florianig. 19/15a. G.: 8. Jan. 1968. El.: Bernhard und Gisela. S.: VS, Gymn., 1986 Matura, Jusstud. K.: Gerichtspraxis, 1984-86 Landesobmann der Union Höherer Schüler Wiens, 1986-88 Pressesprecher der UHS, 1988-89 Gen.Sekr.d.Hochschülerschaft Univ.-Wien, 1989-91 Vors. d. Hochschülerschaft Univ. Wien, 1991-92 Bundesobmann d. Aktionsgemeinschaft und stellv. Vors. d. ÖH, seit 1992 Vors. d. Kuratoriums der Österreichischen Studentenförderungsstiftung, seit 1993 Umweltref. f. Luft, Energie, Steuern, Verkehr der Umweltministerin. P.: Jahrbuch f. Politik (1992), versch. Artikel. H.: Tennis, Squash, Fußball. (H.S)

de Meijer Walter
B.: freier Journalist, Werbetexter u. Werbegrafiker. PA.: 6845 Hohenems, Hohewies 11. G.: Dornbirn, 20. Feb. 1957. Ki.: Nikita Pamela (1990). El.: Dipl.-Ing. Karl Ludwig u. Herta. S.: 1977 Matura, Stud. Germanistik u. Kunstgeschichte Univ. Innsbruck, 1987 BH. K.: Tätigkeit b. ORF, 2 J. Lokalred. Neue Vbg. Tageszeitung, 1987-91 redaktionelle Ltg. Vbg. Wochenzeitung "Wann u. Wo", 1991 Red. Wochenzeitung "Das Kleine Blatt". M.: Presseclub Vbg. H.: Malen, Fotografieren, Lesen, Mountainbike. (I.D.)

Meikl Georg
B.: Gschf., Heizungs-, Gas- u. Wasserinstallationsmstr. FN.: Meikl Sanitär u. Heizungsbau. DA. u. PA.: 6370 Kitzbühel, Ehrenbachg. 17. G.: Kitzbühel, 1. Sep. 1942. V.: Aloisia. Ki.: Gabi, Christine. El.: Georg u. Josefine. S.: VS, HS, 1956-60 Installateurlehre,1960 Gesellenprüf. f. Gas-, Wasser- u. Heizungsbau. K.: Geselle im Lehrbetrieb, 1962 Militär, einige Saisonen b. d. Bergrettung Kitzbühel, 1967 Mstr.-Prüf. f. Gas, Wasser u. Heizung, Kurse f. Lüftungstechnik Linz. M.: Feuerwehr Kitzbühel, Bergrettung, Alpenver. Kitzbühel. H.: Klettern, Skifahren, Natur, Feuerwehr. (A.W.)

Meier Wolfgang Dkfm.
B.: Kfm. FN.: Prosam Werbe GmbH, Felicitas Werbe GmbH. DA.: 2371 Hinterbrühl, Waldg. 1. PA.: 1130 Wien, Kögelng. 7. G.: Graz, 24. Dez. 1944. V.: Anna, geb. Hutyrova. Ki.: Moritz, Lukas. S.: HAK, 1963 Matura, 1964 BH, HS f. Welthdl., 1964-68 Stud., 1968 Dkfm. K.: 1969-73 Fa. ISTG Intern. Schlafwagen u. Touristikges., 1973-76 Fa. Still GmbH, ab 1977 selbst. als Werbeberater, seit 1980 Fa. Prosam Werbe GmbH, 1983 Kauf d. Fa. Felicitas. P.: Broschüre "Bemustern in Österr." 1984. (C.K.)

de Meijer Ludwig
B.: selbst. Dipl.-Physiotherapeut Physmed Inst. f. physikal.-med. Therapie u. Beratung. DA.: 6890 Lustenau, Steinackerstr. 25. PA.: 6850 Dornbirn, Widag. 6. G.: Dornbirn, 14. Mai 1960. V.: Ruth, geb. Bösch. Ki.: Richard, Robert, Thomas. El.: Karl Ludwig u. Herta. BV.: Stammbaum aus d. belg. Landadel. S.: 1975-81 Textilschule Dornbirn, Matura, Stud. Elektrotechnik u. Physik Univ. Innsbruck, 1982-85 Stud. d. Physiotherapie in d. Klinik u. Univ. Innsbruck. K.: 1985-89 Turnus am Stadtspital Dornbirn, seit 1990 selbst. als Physiotherapeut in Lustenau. M.: Österr. Verb. f. Dipl.-Physiotherapeuten. H.: Computer, Haus, Sport, Musik, Kunst. (A.K.)

de Meijer Manfred Dr.
B.: RA. DA.: 6850 Dornbirn, Riedg. 20. PA.: 6850 Dornbirn, Widag. 6. G.: Dornbirn, 31. Aug. 1952. El.: Arch. Dipl.-Ing. Urban u. Hertha. S.: RG Dornbirn, Jusstud. Univ. Innsbruck, Prom. K.: Gerichtspraxis Innsbruck, Konzipientenj. Kzl. Dr. Lins u. Piccolinaz Bludenz, 1984 Grdg. eigener RA-Praxis in Dornbirn. P.: Reiseberichte, Diavorträge. M.: Gründer d. Yachtclubs Orakel in Höchst. H.: Segeln, Motorradfan. (W.R.)

Meilinger Andreas
B.: Kfm. FN.: Sales Communication Fitz & Meilinger. DA.: 5020 Salzburg, Getreideg. 16. PA.: 5020 Salzburg, Eduard-Heinrich-Str. 1. G.: Salzburg, 22. Juli 1961. V.: Ute, geb. Grothusen. Ki.: Katharina (1985). El.: Franz u. Martha. S.: VS, Gymn., 1979 Matura, 1980-84 div. Studien. K.: 1983-91 freier Mitarb. b. Agenturen u. Grafikbüros, 1991 Grdg. d. Agentur m. Partner. (N.M.)

Meilinger Wilhelm Dir.
B.: Molkereimstr. FN.: AMF Austria Milch- u. Fleischvermarktung rGenmbH. DA.: 6060 Hall, Beheimstr. 2. PA.: 6060 Hall, Milser Heidestr. 7. G.: Jochberg, 22. März 1935. V.: Erika, geb. Koidl. Ki.: Karin (1965), Birgit (1970). El.: Wilhelm u. Katharina. S.: Grundschule, Molkereifach, 1961 Abschluß. K.: Betriebsltg. in d. Molkerei Kufstein, Betriebsltg. b. Alpi, Geschäftsltg. Verbandsbereich Tir., standortsverantwortl. AMF Hall zuständig f. Eigen- u. Pachtbetriebe AMF Bereich Tir., Geschäftsltg. d. Kitzbüheler Alpenmilch, 1979 Dir. E.: VK d. Landes Tir., EZ d. Fachverb., Silber u. Gold, Silb. EZ d. Ldw.-Kam., 1979 Dir. M.: Obm.-Stellv. d. Molkerei u. Käserei Innung, Alpenver., Fachleuteverb. H.: Skifahren, Bergwandern. (M.W.)

Meilink Marko Dipl.-Ing.
B.: Gen.-Dir. FN.: Rohöl Aufsuchungs GmbH. DA.: 1015 Wien, Schwarzenbergpl. 16. G.: Hellendoorn/NL, 27. Aug. 1940. V.: Mariet. S.: 1958 Matura Holland, TU Delft Fachrichtung Bergbau u. Exploration, 1966 Dipl.-Ing. K.: 1966-71 Tätigkeit f. Mobil Canada, 1971 Mobil Oil Deutschland, 1974-84 DSM in Holland, Bearb. neuer Projekte hauptsächl. Auslandsbeteiligungen, 1984 Mobil Producing Netherlands, 1984-87 Exploration Superint., ab 1987 Exploration Manager RAG, ab 1992 Gen.-Dir. H.: Bergfahren, Skifahren, Reisen, Arch.

Meindl Georg Helmut

B.: selbstst. Antiquitätenhändler. FN.: Georg H. Meindl. DA.: 4020 Linz, Steing. 1. G.: 29. Nov. 1957. V.: Regina, geb. Hanaberger. Ki.: Manuel 1993. El.: Helmut u. Antonia. S.: VS, 2 J. Hs, Gymnasium. K.: Indien u. Nepal Aufenthalte, 1980 Kretaaufenthalt, 1980-81 Präsenzdienst, 1981 Afrikareise, 1982 Massageausbildung i. Linz, 1985 Lateinamerikareise, 1985 staatl. geprüfter Heilmasseur, nebenbei als Blattvergolder u. Restaurateur tätig, 1991 Spezialisierung auf Schellackpolituren, s. 1991 selbstst. m. Import v. Antiquitäten aus d. ehem. Monarchie. H.: Aikido, Familie, Beruf. (G.E.)

Meindlhumer Rudolf

B.: Verwaltungsdir., Rechnungsdir. FN.: Landes KH Buchberg, Sonder KH f. Innere Erkrankungen. DA./PA.: 4801 Traunkirchen, Mitterdorf 16. G.: Prambachkirchen, 3. Jän. 1940. V.: Rosa, geb. Kienesberger. Ki.: Bettina (1961). El.: Mathias u. Franziska. S.: VS, Gymn., K.: Zeitsoldat bei UNO, Sanitäter in Zypern u. Kongo. 1968 Schreibkraft i. d. damaligen Lungenheilstätte Buchkirchen. 1977-80 Beamtenmatura Akademie Wien. 1981 Dienstprüf. f. d. gehobenen Rechnungsdienst. 1981-90 Stellvertr. Verwaltungsdir. 11/1989-6/92 ÖIK. (Österr. Inst. f. KH Betriebsführung). ab 1990 Verwaltungsdir. M.: Betriebsrat. H.: Wandern, Lesen, Fußball. (G.E.)

Meinecke Martin Ing.

B.: Nachrichtentechniker, gewerbl. Ges. FN.: Sokkia Vertriebs GmbH. DA.: 1130 Wien, Fichtnerg. 10A. G.: Wien, 25. Jan. 1966. V.: Astrid. El.: Ing. Helmut u. Hildegard. S.: HTL Wien, Abschluß Ing. K.: Produktmanagement in franz. Unternehmen "Merlin Gerin", 1992 Eintritt als Gschf. Firma Sokkia. H.: Sport allg., Reisen, Lesen. (W.M.)

Meinecke Uwe

B.: Ltr. d. Geschäftsstelle Klagenfurt, Handlungbev. FN.: Schindler Aufzüge u. Fahrtreppen AG. DA.: 9020 Klagenfurt, Steing. 102. PA.: 9020 Klagenfurt, Getreideg. 9. G.: Wien, 5. Okt. 1943. V.: Margareta, geb. Herbst. El.: Max u. Theodora. S.: VS, BRG, Matura, 2 J. Stud. Maschinenbau TH Wien, Managementak. WIFI (1978). K.: 1969 Eintritt Konstruktionsbüro d. Firma Wertheim Wien, 1974 Wechsel in d. Verkauf u. Übersiedlung nach Ktn., Übernahme d. Ltg. d. Geschäftsstelle Klagenfurt, verantwortl. f. d. Verkauf u. d. techn. Planung, Betreuungsgebiet Ktn. u. Osttirol. M.: Ambassador-Klub Villach. H.: Klavierspielen, Segeln. (F.S.)

Meingast Karl Dr. techn. Dipl.-Ing.

B.: Gschf. u. techn. Ltr. d. Fa. Purator Wien. A.: 1210 Wien, Schenkendorfg. 11/22. G.: Wien, 17. Dez. 1945. V.: Hedwig, geb. Weiser. El.: Bruno u. Herta. S.: VS, HS, Techn. Mittelschule, TU Wien. K.: Nach TU 2 J. am arbeitswiss. Inst. d. TU Wien, Doktorat auf d. Gebiet d. Betriebswiss., danach 8 J. b. d. Maschinenfbk. Heid als Ltr. d. Unternehmensplanung u. Unternehmensorgan. u. als techn. Ltr. d. Anlagenbaues, seit 1 J. b. d. Fa. Purator als stellv. Gschf. u. techn. Ltr. verantwortl. f. d. gesamten Anlagenbau. P.: Erstellung v. Einheitsfristenplänen f. d. Teilefertigung u. Montage unter bes. Berücksichtigung v. Übergangszeiten. H.: Wandern, Sport.

Meingast Wilhelm Ing.

B.: Firmenges. FN.: Willi Meingast GmbH & Co KG. DA.: 5020 Salzburg, Röcklbrunnstr. 11. PA.: 5020 Salzburg, Robinigstr. 32. G.: Salzburg, 26. Dez. 1949. V.: Elli, geb. Emprechtinger. El.: KommR. Willi u. Josefine. S.: RG, HTL, einige Sem. Welthdl. Univ. Wien. K.: seit 1974 Mitarb. im 1885 gegründeten Familienunternehmen, dzt. Ges., Prok. u. Handlungsbev., d. Fa. gliedert sich in d. Abt. Fahrzeugbau, Camping, Winterdiensttechnik u. Ind.Auslieferungslager. BL.: Ausrüster v. alpinen Weltcuprennen, Weltmeisterschaften u. Olympiaden. M.: Österr. Wirtschaftsverb., Yachtclub St. Gilgen. H.: Segeln, Skifahren, Tennis, Reisen. (Foed.)

Meinhardt Willi

B.: Gschf., Bmstr. FN.: Schu & Co GmbH. DA.: 1110 Wien, Geringerstr. 21. PA.: 1235 Wien, Lechthalerg. 49/43. G.: Halberstadt, 27. Juli 1937. V.: Elfriede, geb. Mörth, 2 Kinder. S.: 1947 Matura. K.: seit 1949 Mitarb. d. Fa. Schu & Co Hannover, ab 1957 Wien, Praxiszeit z. Erwerbung d. Bmstr.Prüf. b. Fa. Andreas Hofer als Baultr., ab 1960 wieder z. Fa. Schu, 1965 Bmstr.Prüf., 1979 Untern. wurde Tochterges. d. UNIVERSALE AG, seit diesem Zeitpunkt Gschf. H.: Schwimmen, Langlaufen, Skibobfahren. (P.R.)

Meinl Thomas

B.: Kfm., AufsR. Julius Meinl AG, AufsR. Meink Bank AG, . DA.: 1171 Wien, Julius-Meinl-G. 3-7. G.: 12. Okt. 1935. BV.: Konsul Julius Meinl Industrieller. S.: Schulausbild. in England, 1954 Matura. K.: 1954 Eintritt in d. Familienuntern., 1954-56 Praxis im Untern. in Wien, 1956-59 Praxis in einer Wirtschaftsprüferkzl. in Montreal, nebenbei Abendkurse an d. McGill Univ. in Montreal, 1960 Rückkehr nach Österr. u. in d. folgenden J. Besuch v. Kursen d. IMEDE Inst. in Lausanne/Schweiz u. d. Hernstein Inst. in Wien. M.: Österr. Schweiz. Ges. H.: Tennis, Skifahren, Bergwandern, Lesen. (A.W.)

Meinrad Josef

B.: Schauspieler. DA.: 1010 Wien, Dr.-Karl-Lueger-Ring 2. PA.: 1060 Wien, Gumpendorferstr. 67. G.: 21. Apr. 1913. V.: Germaine, geb. Clement. El.: Meinrad Franz. S.: Priesterseminar, Ak. f. darstell. Kunst. K.: Mtgl. d. Kabaretts ABC u. d. Wiener Werkels, 1934 erster Bühnenauftritt, Engagements: 1936-40 am Theater "Die Insel" u. "Die Komödie", 1940 am Burgtheater unter Lothar Müthel, nach d. Krieg am Volkstheater Wien und am Wiener Burgtheater, spielte in mehr als 50 Filmen, darunter "Sissi", "Der Tod läuft hinterher", Rolle im Musical "My Fair Lady". E.: Titel eines Kammerschauspielers (1955), Träger d. Iffland-Ringes (1959), Orden am Blauen Band, Kainz-Med. u.a. H.: Holzschnitzerei, Sammler v. Holzstatuetten.

Meints Edo
B.: Gschf. FN.: Österr. Reditune Zentrale Rediffusion Music Bornhauser KG. DA.: 5016 Salzburg, Bayernstr. 11a. PA.: 5020 Salzburg, Kleingmainerg. 13a. G.: Wilhelmshaven, 1. Aug. 1937. Ki.: Frauke, Dirk. El.: Eduard Heinrich u. Helene Margarete. S.: Mittelschule, Ind.-Kfm. K.: 1958 Linde Techn. Werke, 1969 Ltg. Linde Ruhrgebiet, 1971 Ltg. Linde Österr., alleiniger Gschf., ab 1978 Gschf. Reditune. H.: Fußball, Tennis. (M.Mo.)

Meischberger Walter Ing.
B.: Kfm.-, Gen.-Sekr. d. FPÖ, seit 1990 Abg. z. NatR. DA.: 1010 Wien, Kärntner Str. 28. PA.: 6175 Kematen, Dorfstr. 11. G.: Innsbruck, 21. Sept. 1959. V.: Heidi, geb. Hiebl. Ki.: Isabella (1983), Miriam (1988). El.: Johann u. Theresia, geb. Fritz. S.: Pflichtschulen, Fachschule f. Maschinenbau, 1975 HTL Pinkafeld (Fachrichtung Heizung, Sanitär- u. Klimatechnik, 1980 Matura). K.: 1981 Eintritt in d. elterl. Betrieb, 1982 nebenberufl. als Lehrer an d. Berufsschule f. Installateure in Innsbruck tätig, 1985 Grdg. d. eigenen Mineralölhdls. in Innsbruck, 1987 Eintritt in d. FPÖ, seit 1987 Ortsgruppenobm. d. FPÖ/Kematen, 1988-90 Landesgen.-Sekr. d. FPÖ Tir., 1989-90 Mtgl. d. BundesR., Bundesgschf. u. Gschf. d. freiheitl. Bild.-Werkes, seit 1990 Gen.-Sekr. d. FPÖ u. Gschf. d. "Neuen Freien Zeitung". H.: Skifahren, Tennis. (N.A.)

Meisel Bernhard
B.: Kfm., Eigentümer. FN.: Handelshaus Meisel. DA.: 2355 Wr. Neudorf, IZ NÖ-Süd, Str. 7, Objekt 58/C/10. PA.: 2344 Maria Enzersdorf, Johannesstr. 54. G.: Österr., 16. Mai 1946. V.: Lia, geb. Krestan. Ki.: Petra (1970), Tanja (1985). S.: VS, HS. K.: 1971-82 Einkaufs- u. Vertriebsltr. b. Metro, 1982 Grdg. d. eigenen Firma Vertrieb v. Kosmetikprodukten (Haarmode) europaweit. H.: Arb., Familie. (I.K.)

Meisel Hermann-Franz

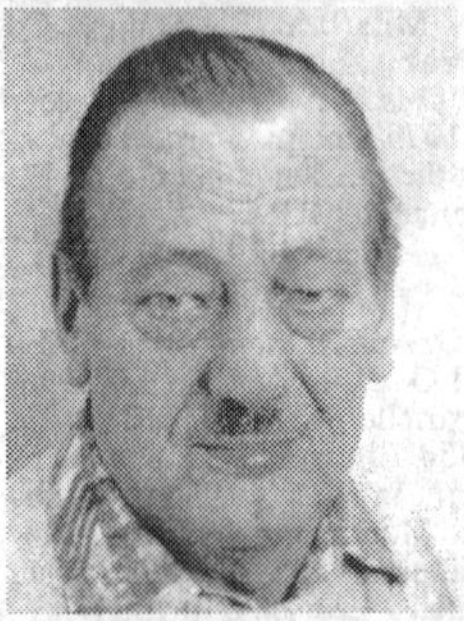

B.: Inh. FN.: Hermann Meisel. DA. u. PA.: 4810 Gmunden, Bahnhofstr. 61. G.: Gmunden, 18. Sep. 1938. V.: Liselotte, geb. Sammer. Ki.: Karin (1963), Hermann - Walter (1970). El.: Hermann-Theodor u. Maria. S.: VS, HS, 1953-57 Lehre als Sattler u. Tapezierer im elterl. Betrieb, 1957 Gesellenprüf., 1966 Mstr.-Prüf. K.: 1977 Übernahme d. Betriebes. M.: F.F. Gmunden, Wasserrettung. H.: Beruf, Schwimmen. (G.E.)

Meisel Hermann-Walter

B.: Juniorchef. FN.: Hermann Meisel. DA./PA.: 4810 Gmunden, Bahnhofstr. 61. G.: Gmunden, 7. Dez. 1970. El.: Hermann-Franz u. Lieselotte. S.: VS, HS, 1986-90 Lehre als Sattler u. Tapezierer im elterl. Betrieb, 1990 Gesellenprüf., 1993 Mstr.-Prüf. BL.: jüngster Tapezierermstr. Österr. M.: F.F. Gmunden, Wasserrettung. H.: Schwimmen, Wasserskifahren, Odtimer, Cabrio fahren. (G.E.)

Meisel Herbert
B.: Dir., Gschf. FN.: M-U-T GmbH & Co KG. DA.: 2000 Stockerau, Schießstattg. 49. PA.: 2000 Stockerau, Grafendorfer Str. 3. G.: Wien, 17. März 1932. V.: Getrude, geb. Hohenegger. Ki.: Monica. El.: Georg u. Hermine. S.: VS, HS, RG, Lehre als Stahlbauschlosser m. Gesellenprüf. K.: 1951-52 BGendarmerie Wien, Rennweg u. Enns, Kfm.Schule f. Abiturenten, 1954 Eintritt in Fa. M-U-T Büro Wien Einkauf, Besuch div. Kurse, 1956 Übernahme Einkaufsltg. Stockerau, 1965 Prokuraerteilung, Übernahme d. Bereiches Finanz- u. Rechnungswesen, Verw., 1975 Gschf.Stellv. m. Hpt. Verantwortung Bereich Verkauf, 1980 Verantwortungsbereiche Verkauf, Finanz u. Rechnungswesen, Verw., 1982 o.Gschf. m. Gewerbeberechtigung. P.: Art. in Fachzeitschriften. M.: Industriellenver., Dt. HK in Österr., Mtgl. d. Aussch. d. Fachgruppe d. Maschinen- u. Stahlbauind. d. HK NÖ, Sekt. Ind., Mtgl. d. Kuratoriums d. HTL Hollabrunn. H.: Bergwandern. (H.P.)

Meisel Wilhelm Dr. iur. MinR.
B.: stellv. Sekt.-Ltr. im Bundesmin. f. Arb. u. Soz. DA.: 1010 Wien, Stubenring 1. PA.: 1190 Wien, An den langen Lüssen 1/6. G.: Wien, 26. Jän. 1930. V.: Agnes, geb. Glebowski. El.: Wilhelm u. Antonia, geb. Gundacker. S.: 1948 Matura, Stud. Rechtswiss. Univ. Wien, 1953 Prom. z. Dr. iur. K.: Gerichtspraxis, 1954 Eintritt in d. Bundesmin. f. Arb. u. Soz. Sekt. Sozialvers., seit 1988 stellv. Sekt.-Ltr. P.: Fachart. in Fachmedien, Vortragstätigkeit. E.: 1979 Gr. EZ. H.: Musik, Literatur. (N.A.)

Meisel-Ortner Gertrud Dr. iur.
B.: Prok., Ltr. Recht u. Vers. FN.: Immorent AG. DA.: 1060 Wien, Windmühlg. 22-24. G.: Klagenfurt, 29. Feb. 1956. V.: Siegfried. El.: Franz u. Maria. S.: VS, 1974 Gymn.-Matura, Stud. Techn. Chemie TU Graz, Jusstud. Univ. Graz, 1982 Prom. z. Dr. iur. K.: 1982/83 Gerichtsj., 1984 Mitarb. in Anw.-Kzl., 1985/86 Tätigkeit in Wohnbaugen.-Vers., ab 1986 Rechtsabt. Immorent AG, ab 1993 Ltr. Recht u. Vers. u. Erteilung d. Prokura. H.: Bergsteigen, Radfahren. (M.M.)

Meisinger Franz Dr. StadtR.
B.: Ltr. d. Pensionsversicherungsanst. f. Arb. in Tirol, Präs. d. Innsbrucker Sozialfonds, StadtR. f. d. Gesundheitswesen (s. 1971 Mtgl. d. Innsbrucker GemR.), stellv. Vors. d. Kuratoriums f. Sozialhilfe d. Landes Tirol, Obm. d. Innsbrucker Pensionistenverb. DA.: 6020 Innsbruck, Meinhardstr. 5a. G.: 17. Juni 1929. V.: Hannelore, geb. Auer. Ki.: Marius u. Carina (Stud. d. Rechtswiss.). El.: Franz u. Maria. S.: VS, HS, HASCH, BRG f. Berufstätige m. Matura, Stud. Geschichte, Wirtschaftsgeschichte, Kunstgeschichte, Prom. z. Dr. phil., Diss.: "Die Wirtschaftsgesetzgebung in Tirol-Vbg. in d. Jahren 1806 bis 1914 im Lichte d. bayer. Regierungsblätter". E.: VK d. Landes Tirol. H.: Musik, Theater, Skifahren, Tennis.

Meisinger Josef
B.: Mtgl. d. NatR., Ang. DA.: 1017 Wien, Dr.-Karl-Renner-Ring 3. G.: Feldkirchen, 11. Sept. 1943. S.: Berufsschule, gelernter Möbeltischler, Präsenzdienst (Fliegerabwehr in Langenlebarn u. Hörsching), Meisterprüf. K.: Möbeltischler b. einigen Firmen, 1972 Ang. d. Voest-Alpine-Stahl (Terminsachbearb.), 1970-72 Vertrauensperson, 1980-90 Obm. d. FPÖ GemR.-Frakt. Feldkirchen/D., 1978 Mtgl. d. Bez.-Partei-Ltg. u. 1990 Mtgl. d. Landespartei-Ltg. d. FPÖ, s. 11/1990 Abg. z. NatR.

Meisl Dietrich
B.: Inh. d. Fa. Glas Meisl. DA. u. PA.: 8042 Graz, Liebenauer Hauptstr. 284. G.: Graz, 17. Juli1942. V.: Brigitte, geb. Connert. El.: Josef u. Sera. S.: VS, HS, Glaserlehre, WIFI-Kurse, Kaufmann- u. Glasermstr.Prüf. m. Ausz. 1963. K.: Ab

1956 im väterl. Betrieb, 1969 Übernahme d. Stadtgeschäftes, 1973 Eröff. d. dzt. Hauptbetriebes, 1978 Installierung d. Isolierglaserz., seit 1981 auch Sicherheits- u. Panzerglaserz., 1982 Ausbau d. Glasschleiferei, Facetten- u. neuartige Brillantschliffe, Wohn-Spiegel-Möbel, 1983 Systementw. f. Glasverbaue u. Acryglas-Verformungen, eig. entw. Systeme f. Zusatzverscheibungen im Schall- u. Wärmeschutz, 1983 Eröff. d. 3. Betriebes in St. Peter (Glashdl., Bilderrahmen). M.: Präs. d. Fußballver. H.: Segeln, Surfen, Tennis, Skifahren, Reiten, Sprachen, Management- u. Unternehmerkurse. (War.)

Meisl Rudi

B.: Ski- u. Rennschulltr. v. Hallein. DA. u. PA.: 5400 Hallein, Egglriedlweg 2. G.: Hallein, 15. März 1956. V.: Sylvia. Ki.: Stephanie, Thomas. El.: Rudolf u. Maria. S.: Gymn., Lehre Radio- u. Fernsehmechaniker m. Abschluß, Skilehrerprüf., Anw. Landes- u. staatl. Prüf., staatl. Trainerprüf. K.: 1985 Übernahme d. Ski- u. Rennschule Hallein, Kindertrainer d. Skiclubs Hallein m. intern. Erfolgen. E.: VWeltmstr. im Slalom d. Masters 1991 USA. (M.Mo.)

Meißl Franz

B.: Bürgermeister. FN.: Gemeindeamt Werfen. DA.: 5450 Werfen, Hauptstr. 24. PA.: 5451 Tenneck, Bundesstr. 17. G.: Werfen, 15. April 1952. V.: Theresia, geb. Rest. Ki.: Sylvia (1975), Andreas (1977), Thomas (1980). El.: Franz u. Irmgard. S.: Vs, HS, Bundesfachschule f. Holzbearbeitung i. Hallein. K.: 1970 Tischlergeselle, i. d. Tischlerei Hasen bichler i. Pfarrwerfen, 1972 Bundesheer, 1973 b. d. ÖBB i. d. Streckenleitung i. Hochbau tätig, 1975 b. Möbelfabrik Albrecht als Verkäufer tätig, 1984-85 b. Fa. Höll i. Bischofshofen als Tischler tätig, 1985 eintritt als Bauhofleiter i. d. Gemeinde Werfen, s. 6. Dez. 1994 Bürgermeister v. Werfen. M.: Schützenhauptmann d. Struberschützenkorps Werfen. H.: Jagd. (J.F.)

Meissl Johann

B.: Schlossermstr., Gschf. Ges. FN.: J. Meissl GmbH Gastronomiekonzepte u. Schlosserei. DA. u. PA.: 5452 Pfarrwerfen 127. G.: Werfen, 14. Juli 1938. V.: Renate, geb. Obermoser. Ki.: Hermine (1968), Anneliese (1969), Hans (1974). El.: Johann u. Anna. S.: VS, 3 J. Schlosserlehre Attnang-Puchheim, 1955 Schlossergesellenbrief. K: b. 1957 Firma Holzer tätig, 1957/58 BH, b. 1965 Postdienst, 1965-72 Fa Pfister Werfen, 1972 Schlossermstr.-Prüf., b. 1978 Werkstättenmstr. Firma Präauer, ab 1978 selbst. M.: Kam. d. Gewerbl. Wirtschaft, Gem.-Vertreter. H.: Familie, Firma. (J.F.)

Meißl Franz

B.: Textilkfm., Firmeninh. FN.: Franz Meißl Mode- u. Bekleidungshaus. DA.: 4910 Ried, Roßmarkt 21-25. PA.: 4910 Ried, Schönauerweg 1. G.: Ried, 12. Sept. 1928. V.: Inge, geb. Pichler, 3 Kinder. El.: Johann u. Maria. S.: Gymn., Kriegsdienst, 1947 Matura, Abiturientenkurs, HAK Graz, 1948 Abschlußprüf. K.: 3 J. Textilhaus Meyr & Neumayr in Sbg. im Einzel- u. Großhdls.Verkauf, seit 1952 im elterl. Betrieb, Aufbau d. Betriebes v. 4 auf 55 Mitarb., 1966 Übernahme d. Betriebes. M.: Textilinteressengemeinschaft (TIG) Österr., seit 5 J. Vorst. d. TIG, Kooperiert m. d. KATAG-AG (Textileinkaufsverb. Bielefeld). H.: Skifahren, Schwimmen, Segeln, Geigenspielen. (H.D.)

Meissl Liesl-Valerie Dr.

B.: Physikerin, Gschf. Ges., Prok. FN.: Hauke Produktions GmbH, Hauke GmbH & Co KG. DA. u. PA.: 4810 Gmunden, Cumberlandstr. 46-50. G.: Berlin, 5. Nov. 1939. V.: Meissl Josef-Peter Ing. Ki.: Siegfried, Astrid. El.: Dipl.-Ing. Rudolf u. Dipl.-Ing. Valerie Hauke. BV.: Großvater war d. berühmte Wr. Apotheker u. Erz. v. Pharmazeutika Rudolph Hauke. S.: Gymn. in Wien, Stud. d. Physik u. Metrologie an d. Univ. Wien, 1966 Prom. K.: seit 1960 in d. 1945 v. Vater gegründeten Spezialproduktionsbetrieb f. Dosierpumpen, Meßgeräte u. wiss. Geräte tätig, 1983 Übernahme d. Geschäftsltg. H.: Sport, Musik, Theater. (Foed.)

Meissl Michael Ernst Dr. med. univ.

B.: FA f. Zahn-, Mund- u. Kieferheilkunde. DA. u. PA.: 1030 Wien, Sechskrügelg. 8. G.: Linz, 22. Febr. 1955. El.: Dr. Hans u. Eva Maria. S.: Grund- u. Mittelschule, Matura m. Ausz., 1973-79 Med.-Stud. Innsbruck, 1979 Prom. K.: Turnusausbild. z. prakt. Arzt an div. Linzer Spitälern, 1983 Jus Practicandi, 1981 Studienaufenthalt Univ. Ulm, 1983-85 Univ.-Ass. Inst. f. Path. Univ. Graz, Ausbild. z. FA f. Zahn-, Mund- u. Kieferheilkunde an d. Univ.-Zahnklinik Wien, 1986 Studienaufenthalt an d. UCLA School of Dentistry, seit 1987 eigene Praxis. M.: div. fachspezifische Ver., Round table Wien. H.: Segeln, Tennis, Skifahren, Musikproduktionen u. -kompositionen, Geisteswiss. Themen. (P.M.)

Meissl Rudolf

B.: Bäckermstr. FN.: Bäckerei u. Feinbackwaren. DA/PA.: 1200 Wien, Leystr. 130. G.: Wien, 21. Sep. 1939. V.: Maria, geb. Paulin. Ki.: Christian, Eva-Maria. El.: Franz u. Maria. S.: VS, HS, Berufss. 1953-56, 1959 Mstr.-Prüf. K.: 1959 Übern. d. elterl. Betr. (besteht seit 1938), zuerst mit d. Mutter, dann Gschf., 1969 allein. Inh.; 1986 Prüfer d. Gesellenprüf.-Kmsn., s. 1990 Beisitz b. Mstr.-Prüf., s. 1993 Vors. d. Mstr.-Prüf. u. Gewerbeprüf., s. 1993 Vorst. d. Wr. Bäckerinnung, seit 1992 Innungsmstr.-Stellv., Veranstalt. für d. Bäckerinnung am Stephansplatz, Nachwuchsschul. H.: Tennis, Schwimmen, Wandern, Philatelist. (J.M.)

Meissl Walter Dr. HofR.

B.: Sicherheitsdir. DA.: 6900 Bregenz, Bahnhofstr. 45.

Meissl Wolfgang Dipl.-Ing.

B.: Ing.-Kons. f. Vermessungswesen. DA.: 4020 Linz, Tummelpl. 3. PA.: 4020 Linz, Stelzhamerstr. 2. G.: Linz, 12. Sept. 1941. V.: Gerhild, geb. Weissenböck. Ki.: Gertraud (1968), Barbara (1969), Florian (1974). El.: Ing. Hubert u. Gertrud. BV.: Großvater war Landeshptm. v. OÖ Dr. Josef Schlegel. S.: VS, Hum. Gymn., 1959 Matura, Stud. Geodäsie TH Wien, 1964 Dipl.-Ing., 1965 BH. K.: 1965 Eintritt in d. väterl. Büro, 1970 Befugnis als Kons. d. Vermessungswesen, Vermessung d. Donaubrücken in OÖ VOEST, Steyregg, Niederrenna, Strahnbahnlinien, heute Arb. auf Computerbasis, kommunales Informationssystem. M.: Ing.-Kammer (Mtgl., Funktionär). H.: 20 J. Mtgl. d. Tanzsportver. "Blau-Gelb", Mineralien sammeln, Zierfischzucht, Aquarium. (Ni.A.)

Meissner Matias Jaakko

B.: Bundessekretär. FN.: Sozialistische Jugend Österr. DA.: 1070 Wien, Neustiftg. 3. PA.: 1080 Wien, Lange Gasse 48. G.: Zürich, 30. Jän. 1973. El.: Hans Werner u. Renate, geb. Jensen. S.: AHS, 1989 Matura, Stud. d. Gesch., Politik u. Volkswirt. a. d. Univ. Wien. K.: 1992-93 i. d. Werbeagentur "Friendly Relations", 1990 i. Landesvorst. d. SJ NÖ, 1991 i. Bez.-Vorst. d. SJ Favoriten, s. 1992 b. dato i. Bez.-Vorst. d. SJ Innere Stadt, 1991-92 Polit. Sekretär d. VVSTÖ Wien, a. Mai 1993 Bundes-Sekr. SJÖ. H.: Lesen, Musik. (N.A.)

Meissner Walter

B.: Gschf. Ges. FN.: Wohndesign Meissner Hdls. GmbH. DA.: 1070 Wien, Westbahnstr. 1. G.: Wien, 27. Okt. 1946. K.: Martina, Michaela. El.: Maximilian u. Elfriede. S.: Kfm. Lehre im Möbelhdl., 1964 Abschluß, Fachfortbild., Innenarch. an d. Künstler. VHS. K.: 1966-68 Gschf. eines Möbelgeschäftes, Firmengrdg. in d. Westbahnstraße, Spezialisierung auf Maßmöbel u. komplizierte Inneneinrichtung. M.: WHK Kammerfunktionär Möbelhdl. H.: Tennis, Skifahren. (J.E.)

Von Meissner Walter Dr.

B.: Gschf. FN.: Künstlerhaus Ges.m.b.H. DA.: 1010 Wien, Karlspl. 5. G.: Zell am See, 2. März 1946. El.: Franz u. Hildegard. S.: AHS Matura, 1964 Stud. Maschinenbau a. d. TU Wien, 1971 Diplom, Stud. Wirtschaftswiss. a. d. WU Wien, 1989 Doktorat. K.: Engeneering u. Managing i. Techn. Bereich, selbst. Unternehmen i. Graz i. Bereich Musiktechnologie, s. 1993 Manager d. Künstlerhaus Ges.m.b.H., wirt. Führung d. Hauses mit allen Betrieben: Kino, Ausstellung, die Theater u. Gastronomie. H.: Tennis, Segeln, Skifahren. (W.J.)

Meissner-Blau Freda

B.: Journalistin, Erwachsenenbildnerin i.P. PA.: 1010 Wien, Bräunerstr. 10. G.: Dresden, 11. März 1927. V.: Prof. Paul Blau. Ki.: Ted (1954), Nicolas (1963), Alexandra (1963). El.: Dr. Ferdinand Meissner-Hohenmeiss u. Maria Stiepel. S.: Gymn., Stud. Med., Soz. u. Psych. K.: 1963-68 Gen.-Sekr., UNESCO Paris, Ass. Int. Council of Social Sciences, Maison des Sciences de l´ Homme, Red. in Social Science Information, ÖMV Ausbild.-Abt., div. Tätigkeiten als freie Journalistin, Gruppendynamik. BL.: engagiert in intern. u. österr. Ökologie-Anti-Atombewegung, Mtgl. d. Österr. Presserats, Präsidium Sekt. Journalisten. P.: Wiss. u. Weltprobleme (1976), Naturhaft gestaltete Umwelt (1974), zahlr. Art. u. Buchbeiträge. E.: 1985 Österr. Naturschutzpreis, 1990 Österr. Staatspreis f. bes. Verd. im Umweltschutz. M.: BeiR. Wuppertal Inst. f. Klima, Umwelt u. Energie, Vors. ECOROPA Intern., World Watch Europe, Senatsmitglied, Wr. Intern. Zukunftskonferenz. H.: Wandern, Skifahren, Schwimmen, Bergsteigen, Lesen. (N.A.)

Meister Emo Dipl.-Ing.

B.: Arch. DA. u. PA.: 8010 Graz, Ziernfeldg. 6. G.: Znaim, 8. Sept. 1928. V.: Helma, geb. Wolfram. El.: Emmerich u. Johanna. S.: VS, Mittelschule, Baufachschule Villach, ab 1948 Stud. TU Graz. K.: 1953 Eröff. eines eigenen Büros, 1955 Abschluß d. Stud. u. Dipl.-Ing., 1967 Büroneubau u. Übersiedlung. BL.: Preisträger b. versch. nat. u. intern. Wettbewerben, Hochbauten versch. Art, darunter f. Olympiade in Innsbruck Axams 1964, techn. Bauten wie Schwimmhallen, Autoreparaturwerkstätte, KH, Schulen u. Revitalisierung v. Altbauten. M.: Lions Club. H.: Zeichnen, Malen, Gärtnerei. (H.J.)

Meister Josef

B.: Musikschulltr. d. Städt. Musikschule Schwaz. DA.: 6130 Schwaz, Lahnbachg. 2. PA.: 6130 Schwaz, Ernst-Knapp-Str. 11. G.: Fürstenfeld, 6. Dez. 1945. V.: Monika, geb. Plank. Ki.: Gabi (1967), Gerhard (1972), Christian (1976). El.: Josef u. Adele. S.: Grundschule, 1964-65 Militärmusik, Stud. HS Graz, 1969 Abschluß, 3 J. Chororchester Bregenz u. Lindau, seit 7. Lebensj. Musik in d. Werksmusik d. Austria Tabakwerke, Jugendkapelle, Konzerttourneen, Weltausstellung Brüssel 1958. K.: 1979 nach Schwaz gezogen, 1972 Übernahme d. Stadtmusik u. d. Städt. Orchester, Lehrer f. Blechblasinstrumente d. Musikschule, seit 1986 Musikschulltr., solist. Tätigkeit m. Orchester Fürstenfeld, Kammerorchester an d. HS, Bläserkreis. M.: Kirchenchor, Städt. Orchester. H.: Musik. (M.W.)

Meister Leopold Anton

B.: Spenglermstr., Gas- u. Wassermstr., Heizungsmstr. FN.: Leopold Meister Gas- und Wasserleitungsinstallateur, Spenglerei, Heizungen. DA. u. PA.: 4870 Vöcklamarkt, Gries 18. G.: Salzburg, 30. Mai 1943. V.: Herta, geb. Schachl. Ki.: Christina (1971), Leopold (1972). El.: Leopold u. Berta. S.: VS, HS, Berufsschule: Spenglerei, Heizung und Wasser, 1968 Mstr.-Prüf. f. Spenglerei, 1971 Mstr.-Prüf. f. Gas u. Wasser, 1973 Mstr.-Prüf. f. Heizung. K.: Tätigkeit im elterl. Betrieb, 1976 Übernahme. M.: Sekt.-Ltr. Eisstockschützen USC Vöcklamarkt, Ersatzmtgl. im GemR. v. Wirtschaftsbund. H.: Eisstockschießen. (J.L.)

Meister Rolf

B.: Gschf. Ges. FN.: BMP, Böttger, Meister & Partner Werbeagentur GmbH. GT.: Gschf. Ges. BMM Böttger, Meister, Münkel & Partner Werbeagentur GmbH, D-8000 München 40, Kaiserpl. 4. DA.: 5020 Salzburg, Griesg. 2. PA.: D-8000 München 40, Mainzer Straße. G.: München, 18. März 1936. S.: Banklehre, Werbefachschule in München. K.: u.a.: 1962-63 Texter b. Carl Gabler Werbeges., 1964-66 Copy-Supervisor b. Young & Rubicam/Frankfurt, 1968-70 Creativ Dir., seit 1969 Mtgl. d. Geschäftsltg. b. Schmid-Preissler/ Grünwald, 1970-74 Creativ Dir. b. Troost/Düsseldorf, seit 1972 Mtgl. d. Geschäftsltg., seit 1975 Creative Ltg. b. JMB, seit 1977 Gschf. Ges. b. BMP u. BMM. H.: Kochen, Geschichtsphil. (R.A.)

Meixner Ernst Mag. pharm.

B.: Apotheker d. St. Georgs Apotheke. DA. u. PA.: 2325 Himberg, Hauptpl. 9. G.: Himberg, 22. Mai 1943. V.: Mag. Gertrude, geb. Slonek. Ki.: Norbert. El.: Mag. Karl u. Theresia. S.: VS, RG, 1961 Matura, Univ. Wien, 1968 Spon. K.: Aspirant in d. eigenen Apotheke, Aspirantenprüf. m. Ausz. 1970, 1975 Ltg. d. ursprüngl. elterl. Apotheke. BL.: Staatsmstr. im Faustball 1961, Betreuung d. Wr. Austria u. d. Nationalteams m. Medikamenten, Vitaminen u. Massagemitteln, Neuaufbau d. Apotheke seit 1965. E.: Ehrenmed. in

Gold d. Marktgem. Himberg. M.: Männergesangsver. Himberg, Turn- u. Sportunion Himberg. H.: Tennis, Skifahren, Violine. (H.P.)

Meixner Hans Mag.

B.: Prok. Wr. Städt. Allg. Vers. AG. GT.: Prok. d. Union Vers. AG. DA.: 1010 Wien, Schottenring 30. PA.: 2344 Maria Enzersdorf, Am Steinfeld 11. G.: Baden, 24. Aug. 1948. V.: Christine, geb. Raidl. El.: Johann u. Eleonore. S.: AHS-Matura, Stud. Betriebswirtschaft WU Wien, 1976 Spons. K.: 1975 Eintritt Wr. Städt. Allg. Vers. AG, Job-Rotation, Schwerpunkt: Finanz- u. Rechnungswesen. H.: Sport (Skifahren, Wassersport), Theater, Konzerte, Opern, Zeitgeschichte. (J.S.)

Meixner Harald Dr. Dipl.-Ing.

B.: Ziviltechniker, Hon.-Konsul d. Rep. Botswana. GT.: Obm. d. Bundesfachgruppe Intern. Consulting d. Bundesing.-Kam., EG-Beauftragter d. Bundesing.-Kam. in Brüssel, Lehrbeauftragter f. Vermessungswesen HS f. Angew. Kunst Wien. DA.: 1060 Wien, Linke Wienzeile 4. G.: Wien, 8. Jän. 1948. V.: Petra, geb. Scheriau. Ki.: Philipp (1981), Marion (1983), Patrick (1989). El.: BauR. h.c. Dipl.-Ing. Dr. Erich u. Maria. S.: 1966 Matura, Stud. Vermessungswesen TU Wien, 1970 Dipl., 1975 Erteilung d. Befugnis eines Ing.-Kons. f. Vermessungswesen. K.: freier Mitarb. an d. TU Stuttgart, 1970 Eintritt Familienunternehmen Vermessungsbüro Meixner m. Schwerpunkt Fotogrammetrie u. digitale Bildverarb. F.: Firma Vexcel Colorado/USA, Agis Hdl. m. Hard- u. Software Computergrafik Wien, Ing.-Büro Dr. Meixner GmbH. P.: Art. u. Vorträg vorwiegend z. Thema Computergrafik u. Satellitenvermessung. H.: Familie, Motorfliegen, Tennis, Skifahren. (J.S.)

Meixner Joachim Dr.

B.: RA. DA.: 1010 Wien, Rotenturmstr. 17/2/15. G.: Wien, 29. Nov. 1942. V.: Renate, geb. Birner. Ki.: Dieter. El.: MedR. Dr. Andreas u. Karoline. S.: VS, RG Wien u. Krems, kfm. Ang. (Schweiz, Spanien), 1965 Externistenmatura, Jusstud. Univ. Wien, RA-Praxis, allg. Vertrags u. Wirtschaftskzl., Insolvenzrecht. (H.P.)

Meixner Thomas

B.: Gschf., Großhandelskfm. u. Werbekfm., Zeichner u. Maler. FN.: Kurt Vogelsang GmbH. DA.: 1230 Wien, Wiegelestr. 4. PA.: 1230 Wien, Packesg. 38. G.: Wien, 28. März 1952. V.: Silvie, geb. Phillip. Ki.: Cornelia (1977). El.: Maria Meixner. S.: 1970 Abschl. d. Berufsschule f. Großhandelskaufleute, 1972-74 Fachschule f. Wirtschaftswerbung in Wien, 1974 Abschl. K.: 1974-88 Werbegrafiker Fa. Napolli u. bei versch. Untern. u. Werbeagenturen, u.a. Stratego u. Weinberger, s. 1989 Werbeass. Fa. Kurt Vogelsang, s. 1992 Einkaufsltr., s. 1993 Gschf. BL.: Aufstieg v. Werbeass. zum Gschf. P.: wiederholte Ausstell. als Zeichner u. Maler, "Ars Mundi"-Ausstell. v. Bunt- u. Bleistiftgrafiken, Akten Portraits, Veröffentl. v. Karriakturen in div. Zeit., 1967-70 freie u. angewandte Malerei bei Fr. Prof. Matejka Felden an d. VHS absolv. H.: Zeichnen, Malen, Reisen. (I.K.)

Mejchar Franz A.

B.: Konsul d. Rep. Mauretanien. GT.: Gschf. Ges. Refra Vermögens u. Beteiligungs GmbH. DA.: 1010 Wien, Opernring 21. PA.: Maria Enzersdorf, Heug. G.: 3. Auf. 1940. V.: Renate, geb. Walkolm. El.: Franz u. Maria, geb. Wurzer. S.: VS, HS, Berufsschule. K.: 1961-70 Tätigk. im Fahrverkauf, seit 1971 selbst., Übernahme e. Esso Tankstelle, Mitte 1973 Übernahme e. Großtankstelle m. Espresso, 1979 Einstieg in d. Unterhaltungselektronik , rege Export-Import, 1980 Grdg. "Gastronomic", 1989 Eröff. d. Restaurants"Robinson" Budapest, 1990 Beteiligung d. Gastronomic a. d. American Firma "Hip", 1990 Grdg. d. gastronom. Betriebe in d. CSFR, 1991 Grdg. d. Beteiligungsges. Refra (Holding), 1991 Eröff. e. Bürohauses in Brünn, 1992 Nominierung z. Konsul d. Bundesmin. f. Auswärtige Angelegenheiten, Grdg. d. Sanotec-Austrabia, Beistellung d. Baumaterialieb u. Kontrolle z. Renovierung d. histor. Kunstdenkmäler im arab. Raum, 1994 Eröff. d. Cafe-Bar "Colubus" auf e. Tankschiff a. d. Donau/Budapest, seit 1994 Visaberechtigung f. Rep. Mauretanien. E.: Wirtschaftstiel "Commendatore" d. Rep. Andora. H.: Fliegerei (Priv. Pilotenschein). (M.A.)

Melbinger Christian

B.: Gschf. Ges. FN.: Autohaus Melbinger. DA.: 2700 Wr. Neustadt, Zehnergürtel 8-10. PA.: 2700 Wr. Neustadt, Bleriotg. 19b. G.: Wien, 26. Nov. 1960. V.: Pia, geb. Schiller. Ki.: Nina (1983), Bernadette (1992). El.: Leopold u. Gertrude. S.: VS, HS, KFZ-Mech.-Lehre b. Fa. Tarbuk, b. 1983 i. Verk. tätig, 1983 Mstr.-Prüfung u. Wechsel z. Fa. Car-Equip, 1988 Gebietsverk.-Ltr. f. NÖ d. Fa. Nissan, 1991 Übern. d. Fa. Sturm GesmbH. Namensänderung zum Autohaus Melbinger. H.: Skifahren, Familie, Tennis. (I.J.)

Meixner Wolfgang Dipl.-Ing.

B.: Ing.Kons. f. Vermessungswesen (Geometer), Staatl. befugter u. beeid. Ziviltechniker, Fotogrammetrie, Allg. beeid. gerichtl. Sachv., Akad. geprüfter Geoinformationstechniker, Hon.-Konsul v. Kap Verde. GT.: Gschf. Ges. d. Fa. Maria Meixner KG. DA.: 1060 Wien, Linke Wienzeile 4. PA.: 1170 Wien, Dornbacher Str. 89. G.: Wien, 10. Aug. 1951. V.: Henriette, geb. Pasching. Ki.: Christina, Markus, Constanze. El.: Dr. Erich u. Maria. S.: Kollegium Kalksburg, 1969 Matura, Stud. an d. TU Vermessungswesen (Fak. Naturwiss.), 1973 Grad., 1977 Ziviltechnikerprüf. K.: 1972 Eintritt in d. väterl. Fa., seit 1978 selbst. Ziviltechniker, 1970-72 Auslandsaufenthalte, Staatl. Vermessungsbüro Stockholm, Fa. Hunting London, Schweiz, 1975-78 Kenia, 1976/79 Saudi-Arabien, 1983/86 Algerien, 1989/93 Sowjetunion/Rußld. u.a. Länder d. ehem. Ostblocks, seit 1991/92 Filialbüros in Deutschld., Ungarn u. Rußld., Hon.-Konsul d. Rep. Cabo Verde (Kap Verd. Inseln). P.: div. Art. u. Veröff. in Fachzeitschriften u. Fachbüchern u.a. in "Ziviltechniker u. Wirtschaft", Vortragstätigkeit in Österr., USA u. Kenia. M.: Ing.Kam., Lions-

Marc-Aurel, Techniker Cercle, Österr. Ver. f. Vermessungswesen u. Fernerkundung, Österr. Delegierter f. FIG-Commission 7, Vorst.Mtgl. d. österr. Ges. d. Freunde Kenias, Intern. Ver. f. Brückenbau u. Hochbau, Jagdverb. H.: Jagd, Sport, Skifahren. (A.W.)

Melchart Heinrich

B.: Inh. FN.: Heinrich Bruno Melchart Obst u. Gemüse. DA. u. PA.: 4070 Eferding, Stadtpl. 12. G.: Linz, 15. März 1948. V.: Gerlinde, geb. Kroisamer. Ki.: Heinz (1975), Harald (1976). El.: Heinz u. Maria. S.: VS, HS, 1962-65 kfm. Lehre im elterl. Betrieb, 1965 Abschluß. K.: 1978 Übernahme d. elterl. Betriebes. H.: Motorradfahren. (G.E.)

Melchart Josef Dipl.-Ing. KommR. HK-Rat BörseR.

B.: Ges. d. Fa. Josef Melchart & Sohn Wien, Vorst.-Vors. d. Bankhaus Schelhammer & Schattera AG Wien, Gschf. d. Commerz Fin. Treuhand u. Vermögensverw. GmbH Wien u. H. Forstner GmbH Wien, VPräs. d. Verb. österr. Banken u. Bankiers Wien. DA.: 1140 Wien Baumgartenstr. 61. E.: Gr. Silb. EZ f. Verd. um d. Rep. Österr., Komturkreuz d. päpstl. Gregorius-Ordens m. d. Stern. M.: Mtgl. d. Sekt.Ltg. Geld-, Kredit- u. Vers.Wesen d. Kam. d. gewerbl. Wirtschaft f. Wien, Vorst.-Vors. d. AG z. Förderung v. wirtschaftl. Unternehmungen u. v. Bauvorhaben Wien, AufsR.-Vors. d. Casinos Austria AG Wien, AufsR. Österr. Autobahnen u. Schnellstraßen AG, AR-Vors.-Stellv. d. Austria Tabakwerke AG u. d. Österr. Lotterien GmbH, VerwR. d. ÖBB Wien, Vizepräs. d. VerwR. d. Österr. Postsparkasse.

Melchart Michael

B.: Inh., Gastronom. FN.: "Sternen Bar". DA.: 1190 Wien, Sieveringer Str. 62. G.: Wien, 22. Juli 1969. EL.: Susanne. S.: Gym., Hotelfachschule Semmering/Panhans. K.: Ferialpraxis Intercontinental u. Hilton, Gasthof zur Lotte, Restaurant Eder, Saison in Gerlos Hotel Platzer, Hotel Ambassador, Waggons Lites, Cafe Melange, Restaurant Maximilian am Gießhübl, 1991 selbst. in Sievering "Sternen Bar". H.: Skifahren, Wassersport, Bücher, Lesen, Beruf. (J.M.)

Melcher Horst

B.: Bahnhofsvorst. d. ÖBB in Rente. DA.: 5700 Zell am See, Bahnhofpl. 1. PA.: 5771 Leogang, Sonnberg 44. G.: Amstetten, 4. Juni 1936. V.: Rosemarie, geb. Martin. Ki.: Birgit, Siegfried. El.: Hans u. Edith. BV.: Karl Moyses Ltr. d. Militärak. Wr. Neustadt, Gen.-Lt. S.: Mittelschule, HASCH, 1955 Abschluß. K.: 1957 Eintritt ÖBB als Fahrdienstltr., ab 1979 Vorst. Bhf. Leogang, ab 1986 Vorst. Bhf. Zell am See. M.: seit 1965 SPÖ, 1967-76 Obm. SPÖ Leogang, 1981-91 Obm. SPÖ Leogang, 1976-80 Obm. d. Verkehrsver. Leogang, seit 1972 VBgm. v. 1972-94 Leogang. H.: Reisen, Tennis, Fotografieren, Skifahren, Literatur. (M.T.)

Melcher Maximilian

A.: 1010 Wien, Schillerpl. 3. PA.: 1030 Wien, Weißgerber Lände 22. G.: 28. Aug. 1922. S.: Graph. Lehr- u. Versuchsanst., Ak. d. bild. Künste Wien. K.: 4 J. Militärdienst Ostfront, 4 J. russ. Kriegsgefangenschaft, seit 1952 als Lehrer an d. Ak. tätig, Ltr. d. Mstr.Schule f. Graphik, 1972-76 Rektor d. Ak. d. bild. Künste, 1984 Rektor. P.: "Das Leben Christi", 16 Radierungen, "Rund um d. Sattelbach", 9 Lithographien, "Der Berlin-Zyklus", 14 Lithographien, "Kreuzigung u. Auferstehung", 24 Radierungen, Ausstellungen im In- u. Ausland, Wien Kollektivausstellung Kupferstichkabinett, Ak. d. bild. Künste, Mstr.Werke Europ. Graphik Arbon, Biennale farbiger Originalgraphik Grenchen, Cultura Intern. Rom, Biennale Carrara. E.: Kulturpreis d. Lds. NÖ, Rompreis, Preis d. Olympiade Helsinki 1952, Bronzemed. Dresdner Kunstausstellung 1969, Graphikpreis d. Gem. Wien, Brera Mailand u. Preis d. dortigen Ak., Kulturpreis d. Stadt Baden, Off.Kreuz d. senegales. nat. Löwenordens, Großoff.Kreuz d. Verd.Ordens d. ital. Rep., Ehrenkreuz f. Wiss. u. Kunst. (R.A.)

Melchersson Ingemar Curt

B.: Stiftsorganist, Musikdoz. A.: 4160 Praemonstratenserabtei Schlägl. G.: Stockholm, 24. Jan. 1946. El.: Sven u. Ingrid. S.: Gymn. in Schweden, Musik-HS in Wien Orgel, Dipl.Prüf. aus Orgel an d. Musik-HS "Mozarteum" Sbg. m. Ausz. K.: 1969-75 Organist d. Sbg. m. Ausz. K.: 1969-75 Organist d. Salvatorianerklosters Wien 10, seit 1975 Stiftsorganist d. Praemonstratenserabtei Schlägl, Gymn.Lehrer 1976-78, Musikdoz., zahlr. Konzerte im In- u. Ausland, Rundfunkproduktionen, Schallplatten, E.: Preis d. "Mozarteums" Sbg.

Melchior Gerda

B.: Gschf. FN.: Bernini-Borse Guida-Handelsges.m.b.H. DA.: 2512 Tribuswinkel, Werksg. 9. PA.: 2512 Tribuswinkel, Schloß Allee 24. G.: Bad Vöslau, 12. Mai 1956. V.: Heinrich. Ki.: Andreas (1976), Alexander (1981). El.: Ing. Edwin u. Friederike Fruth. BV.: Onkel: Heinrich Drimmel war Unterrichtsminister. S.: Gymn. K.: 1974-76 Tätigk. in d. Sparkasse Baden, 1976-91 Ltg. d. Lederwarengeschäftes d. Gatten in Baden, s. 1992 selbst. m. eig. Fa. P.: jährlicher Handtaschenkatalog m. Miss World Ulla Weigersdorfer. H.: Oper, klass. Musik, Lesen, Handarbeiten, Kinderbücher schreiben. (F.S.)

Melchior Wolfgang Mag. Dr.

B.: Sportwiss., Geschf., Exp. f. Leistungs- u. Ernährungsoptimierung. FN.: Ultimate Nutrition Sporternährung, Dr. Melchior Handeslges.m.b.H. Gt.: 1992 Grdg. gem. m. Dr. J. Jakl d. Ges. f. Fitness, Sport u. Gesundheit O.E.G. zur Betr. v. Leistungssportlern, Fitness-Sportlern u.a. DA.: 1080 Wien, Strozzig. 10. PA.: 1100 Wien, Dieselg. 18/20. G.: Wien, 25. Nov. 1954. V.: Mag. Susanna, geb. Schwimmer. Ki.: Christina (1991). El.: Thomas u. Theresia. S.: 1973 Mat., Lehramt f. Leibeserziehung, Germanisik, Phil., Psych. u. Pädag., 1981 Sponsion m. Ausz., anschl. Stud. Sportwiss. Univ. Wien., 1989 Prom. K.: 1981-83 Ass. am Inst. f. Sportwiss., ab 1983 Prof. f. Turnen u. Deutsch a.d. HTL Wien 4, s. 1989 Dir. und Geschf. d. Ulitmate Nutrition Sporternährung. E.: Gaulhofer-Streicher-Preis. H.: Beruf. (J.S.)

Melezinek Adolf Dr. phil. Dipl.-Ing.
B.: o.Univ.-Prof. A.: 9020 Klagenfurt, Akazienhofstr. 79. G.: Wien, 3. Okt. 1932. V.: Dipl.-Ing. Vera, geb. Vysansky. El.: Rudolf u. Franziska. S.: HTL f. Elektrotechnik, TH, Fak. Nachrichtentechnik. Univ. phil. Fak., Habil.. K.: Ind. u. Forsch., parallel Lehre an techn. Lehranst. u. TH, Lehrbeauftragter, bzw. Gastprof. an TU Prag, TU Karlsruhe,TU Wien u. Graz, ETH Zürich, TU Budapst, o.Prof. Univ. Klagenfurt, Vorst. d. Inst. v. Unterrichtstechnologie, Mediendidaktik u. Ing.Päd. . P.: über 100 Veröff. davon mehr als 20 Fachbücher, z.B: "Ingenieurpädagogik" im Springer-Verlag, Wien-New York. E.: Gr. Gold. EZ d. Landes Ktn., Gold. Felber-Med. d. Tschech. TU Prag. Ehrensenator TU Budap., G. Ehrenring d. Intern. Ges.f.Ingenieurpädag., M.: Präs. d. intern. Ges. f. Ing.Päd., Mtgl. d. Society of Motion Picture and Television Engineers, Mtgl. d. österr. UNESCO-Kmsn., Mtgl. d. WissR. d. TU Prag, d. TU Reichenberg etc. H.: Motorflug.

Melichar Erwin Dr.
B.: Präs. d. österr. Verfass.Gerichtshof a.D., em.Univ.-Prof. A.: 1010 Wien, Schulerstr. 20. G.: Wien, 26. Sept. 1913. V.: Frida, geb. Swoboda. El.: Franz Josef u. Leopoldine, geb. Goja. S.: Univ. Wien, Prom. z. Dr. d. Rechte 1936. K.: Bmtr. d. Fin.Vw., zuletzt MinR. 1947 Privatdoz. an. d. Univ. Wien, 1956 o.Univ.-Prof. an d. Univ. Graz, 1963 o.Univ.-Prof. an d. Univ Wien, 1958 Mtgl. d. Verfass.Gerichtshofes, 1977 Präs. d. Verfass.Gerichtshofes. P.: zahlr. über Verfassungsrecht, Finanz- u. Gerichtswesen. E.: Dr. h.c. Univ. Pécs (Ungarn). Gr. Gold. EZ f. Verd. um d. Rep. Österr., Gr. Gold. EZ am Bande f. Verd. um d. Rep. Österr., Gr. Gold. EZ f. Verd. um d. Land Wien, Komturkreuz d. Silvester-Ordens m. d. Stern (Vatikan), Komturkreuz d. Phönix-Ordens (Griechenland). M.: Mtgl. Österr. Ak. d. Wiss., dt. Staatsrechtslehrer, Österr. Sektion d. Intern. Inst. f. Vw.Wiss.

Melichar Wilfried Dr. Prof.
B.: Ltr. d. Förderungsstelle d. Bundes f. Erwachsenenbild. in NÖ. A.: 3390 Melk, Abbé-Stadler-G. 21. G.: Wien, 3. Apr. 1938. V.: Ingrid, geb. Mayer. El.: Dr. Josef u. Dr. Hermi. S.: VS, Gymn, Univ. Wien (Phil., klass. Philol., Anglistik), Abschluß Mag. phil u. Dr. phil., Zertifikatslehrgang d. KEBÖ f. Erwachsenenbild. K.: Prof. d. Stiftsgymn. Melk 1964-77, Lehrbeautragter an d. Päd. Ak. Krems 1974-77. Ltr. d. Förderungsstelle f. Erwachsenenbild. seit 1977. P.: Zeitschriftenart. zum Themenkreis Erwachsenenbildung u. Schulreform. Mitherausgeber "Woran wir leiden" (Tyrol-Verlag), "Modell Medienverbindung (TR Verlagsunion), "Neue Mittelschule" (Verlag Herder). M.: kath. Ak.Verb. Österr. (Pr.Mtgl), Ring Österr. Bildungswerke (Mtgl. d. BLtg.), BArge f. kath. Erwachsenenbild. (Vors. d. Kmsn. f. Mitarb.Ausbild.). H.: Alpinismus, Fotografieren, Briefmarken.

Melicharek Peter Dr. iur.
B.: Gschf. FN.: Melicharek Filzwaren GmbH. GT.: seit 1982 Univ.Lektor an d. WU Wien. DA.: 1200 Wien, Dresdner Str. 22. PA.: 1130 Wien, Maxingstr. 22-24/117. G.: Wien, 18. Febr. 1945. V.: Dr. Hannelore, geb. Walter. Ki.: Peter (1973), Constanze (1976), Astrid (1977). El.: Laurenz u. Maria, geb. Haselböck. S.: 1963 Matura, Stud. d. Rechtswiss. an d. Univ. Wien, 1969 Prom. z. Dr. iur. K.: 1966 Eintritt Melicharek Filzwaren GmbH, seit 1974 Gschf. BL.: Grdg. d. Softwarehauses Arge Univ.-Prof. Hackl Dr. Melicharek, Aufbau d. Filzwaren GmbH z. Marktführer, Entwicklung eines Zahnarztprogrammes. P.: div. Publ. in Fachzeitschriften. M.: Inst.Zentrum d. Kurstadt Baden. H.: EDV. (N.A.)

Melkus Eduard Prof.
B.: Geiger, a.o.Prof. an d. HS f. Musik in Wien. A.: 1020 Wien, Obere Donau-Str. 57/14. G.: Baden, 1928. V.: Maria Elisabeth, geb. Selzer. El.: HofR. Dr. Eduard u. Marie Camilla. S.: Mittelschule m. Matura, Ak. f. Musik (Reifeprüf. 1953), 4 Sem. Musikwiss., Univ. Wien, Studien in Paris u. Zürich. K.: Seit 1953 als Kam.Musiker u. Solist tätig, Schallplattenaufnahmen m. DGG-Archiv u.a., seit 1958 Prof. an d. Wr. HS f. Musik, Gastprof. u. Gasttourneen in USA, Japan, Südamerika, Ltr. d. "Capella Academica Wien". P.: "Die Violine, musikwiss. Art. in div. europ. Musikzeitschriften. E.: Dt. Schallplattenpreis, Prix Academy de Gros, Edison-Preis, Ital. Schallplattenpreis, Körner-Preis, Kulturpreis d. Stadt Baden u.a. M.: Heinrich Schütz-Ges., Johann Josef Fux-Ges., ASTA u.a. H.: Vergleichende Kunstwiss., Sammlung v. Fotos d. bedeutendsten Kunstwerke im In- u. Ausland.

Mellitzer Herbert Ing.
B.: Gschf. u. techn. Ltr. FN.: Dipl.-Ing. Kurzbauer GmbH. DA.: 1140 Wien, Schanzstr. 41. PA.: 1220 Wien, Eipeldauer Str. 38. G.: Wien, 18. Juli 1944. V.: Franziska, geb. Prochazka. Ki.: Michael, Christine. El.: Ernst u. Margareta. BV.: osttir. Familienursprung. S.: VS, RG, HTL Maschinenbau Wien, 1964 Matura, BH. K.: 1965-74 Techniker b. d. Fa. Kurzbauer GmbH im Bereich Heizung, Lüftung, Klimatechnik, 1974-81 b. d. Fa. Thermotechnik Wien im techn. Bereich, 1981-83 b. d. Fa. Euroklima tätig im In- u. Ausland, seit 1984 Wiedereintritt b. d. Fa. Kurzbauer GmbH als techn. Ltr., 1985 Prok., ab 1986 Gschf. M.: BWirtschaftskam. H.: Wandern, Musik. (M.B.)

Melmer Erich
B.: Dir. Tourismusverb. Klostertal, Tourismuskfm., Präs. d. Österr. Berufskilehrerverb. DA.: 6752 Dalaas. PA.: 6752 Dalaas 88. G.: St. Leonhard, 26. März 1946. V.: Elvira. Ki.: Catherine (1976), Christian (1978), Cardine (1981), Corina (1986). El.: Alois u. Rosa. BV.: Vorfahren im 16. Jhdt. Fürstl. Haus- u. Hofmstr. b. Thurn u. Taxis, Urgroßvater 46 J. Bgm. v. St. Leonhard. S.: VS, Ldw. Fachschule Imst, 2 J. Sportschule Obergurgl, Tourismusausbild. Innsbruck, 1970 Abschluß, 1974/75 Militär. K.: 1970-72 Skilehrer Amerika, 1972-78 Skilehrer- u. Bergführerausbild. Bundessportheim Obergurgl, 1978 Eintritt Tourismusverb. Klostertal als Gschf. M.: Österr. Berufsskilehrerverb., Bundesverb. d. Tourismusdir. H.: Lesen, Fotografieren, Reisen. (I.D.)

Melmuka Gerd R. Ing. KommR.
B.: Gschf. FN.: HAERUS. DA.: 1080 Wien, Lange G. 58. PA.: 1080 Wien, Blindeng. 46. G.: Bad Vöslau, 10. Aug. 1944. V.: Friederike, geb. Lang. El.: Rudolf u. Maria. S.: Ausbild. z. Zahntechniker, div. Kurse. K.: 1965 Betriebsgrdg., s. 1971 Allein-Gschf., s. 1984 im Beirat f. d. Statistik d. Außenhdls., Vorst. d. Verb. d. Österr. Dentalhdls. E.: s. 1984 KommR. P.: Div. Artikel in zahlr. zahntechn. Fachzeitungen. (J.E.)

Melnizky Walter Dr. iur.
B.: Präs. d. OGH.i.R. GT.: Ehrenamtl. Präs. d. ÖAMTC. DA.: 1010 Wien, Schubertring 1-3. PA.: 1190 Wien, Hannpl. 4. G.: Wien, 1. Nov. 1928. V.: Dr. Gertrude, geb. Nemec. Ki.: Dr. Peter (1961). El.: Ernst u. Maria. S.: Normal- u. HS-Stud., 1950 Prom. z. Dr. iur. K.: Laufbahn als Richter, Staatsanw., 1969-86 Gen.-Prokuratur, 1985-86 Gen.-Prokurator d. Rep. Österr., 1987-1993 Präs. d. OGH. P.: Publ. strafrechtl. u. verkehrsrechtl. Inhaltes in österr., dt. u. liechtenstein. Fachblättern. E.: 1990 Gr. Gold. EZ am Bande f. Verd. um d. Rep. Österr., 1991 Gr. VK m. Stern u. Schulterband d. VO d. BRD, Komturkreuz d. Bgld. M.: seit 1988

Konsulent d. Hauptverb. d. Österr. Gerichtssachv., s. 1994 Vors. d. Bundesvergabeamtes, s. 1995 Vors. d. Schiedsstelle d. Ärztekammer f. Wien. H.: klass. Musik.

Melzer Wilhelm
B.: Journalist, Schriftst. DA./PA.: 1230 Wien, Rielg. 47B. G.: Wien, 8. Aug. 1941. V.: Gerda Christl, geb. Charusa. Ki.: Michael (1966), Birgit (1970). El.: Dipl.-Ing. Wilhelm u. Hildegard. S.: 1959 Matura Graz, 1960-63 Stud. Arch. TH Graz. K.: 1963-69 Werbetexter b. intern. Agenturen i. Wien, s. 1969 selbst. Werbetexter, s. 1981 Sachbuchautor, s. 1991 journ. Tätigk. u. Red. d. Fachzeitschr. "Farbe Aktuell Plus". P.: 1981 "Der frustrierte Mann", 1982 "Schule f. Eltern", 1983 "Die Freiheit ab 60", 1988 "Hundertwasserhaus". H.: Lesen, Reisen, Skifahren, Fotografieren. (I.K.)

Menapace Karl Ing.
B.: All. Geschf. FN.: Schaffer Ges.m.b.H., Bauunternehmen. DA.: 8121 Deutschfreistritz, E-Werkstr. 199. PA.: 8130 Frohnleiten, Wannersdorf 29. G.: Graz, 31. Juli 1953. V.: Maria, geb. Eisenpass. Ki.: Susanne (1977), Michael (1983), Katharina (1984). El.: Karl u. Anna. S.: HTL Tiefbau, 1972 Mat., BH. K.: 1973 Fa. Teiml & Spitzi Tiefbau, s. 1974 Baultr. Fa. Schaffer, Deutschfeistritz, seit 1982 Geschf., seit 1994 allein. Geschf., Kanal- u. Stahlbetonbau, Betonschneiden, u.a. M.: Finanzchef d. Tourismusverb. Deuschfeistritz. H.: Tanzen, Segeln, Schwimmen, Sifahren. (I.G.)

Menapace Richard Dr. iur. LL.M.
B.: RA. A.: 5020 Salzburg, Paracelsusstr. 2. G.: 24. Aug. 1950. V.: Micheline, geb. Bert. El.: Richard u. Magda. S.: Matura 1968, Dr. jur 1974, College d'Europe 1975, LL.M. (Harvard) 1977. K.: Stagaire EWG Kommission 1976, Mobil Oil Austria AG 1977-78. RA Dres. Kovarbasic, Raits & Partner, Sbg. seit 1978. M.: Offz.Ges. Sbg., Konzertensemble Sbg. H.: Sprachen, Kunstgeschichte, Sport.

Menches Peter
B.: Gschf. FN.: Imprima Werbeagentur GmbH. DA.: 1160 Wien, Thaliastr. 97. G.: Wien, 28. Juni 1947. V.: Katharina. Ki.: Nikolaus (1979), Katharina (1980). S.: Grundschule, Lehre als Schriftsetzer, FS Höhere Graph. Lehr- u. Versuchsanstalt f. Druck- u. Reproduktionstechn. K.: 1971 Producer Sieber Werke KG, 1972 Int. Ass. d. Gschltg. CA Werbeabt., 1973 Werbeberater b. Dr. Rudolf Farner KG, 1974 Grdg. Imprima Druck- u. Verlagsservice WerbegmbH. H.: Tennis, Modellbahnen, Lesen. (L.S.)

Menches Wilhelm
B.: Gschf. FN.: Imprima Werbe GmbH Druck- u. Verlagsservice. DA.: 1160 Wien, Thaliastr. 97. G.: Wien, 14. Dez. 1934. V.: Mathilde. Ki.: Alexander, Barbara. S.: HS, Lehre als Schriftsetzer, Höhere Graph. Lehr- u. Versuchsanst. K.: Tätigkeit b. Christoph Reisser-Söhne, später Prok., 1973 Grdg. einer Werbemittlungsfa., 1974 Grdg. Imprima. H.: Tennis, Radfahren, Lesen. (R.J.)

Mendes Carlos Alberto Jorge da Silva Dr.
B.: Inh. FN.: IMPA Hdls. GmbH Int. Merchants & Purchasing Advisers. DA.: 4650 Lambach, Linzer Str. 30. PA.: 4840 Vöcklabruck, Grillparzerstr. 8. G.: Lissabon/ Portugal, 17. Okt. 1947. V.: Johanna, geb. Buchegger. Ki.: Kathrin (1979), Julia (1980), Manuel (1986). El.: Alberto da Silva Mendes u. Lidia Franco dos Santos Jorge Mendes. BV.: Vater Alberto da Silva Mendes Sieger d. Portug. Nationalmeisterschaft f. Rolling Hockey. S.: 1975 Doktorat an Wirtschaftsinst. d. TU Lissabon. K.: seit 1977 in Österr., 1978 Grdg. d. Firma in Einzelnahme, 1980 Grdg. d. Firma Arsal Import Export GmbH, 1989 Grdg. Impa Hdls. GmbH z. Abwicklung u. Finanzierung v. Exportgeschäften m. Schwerpunkt Portugal. M.: Int. Chambre of Commerce Paris, Wirtschaftsver. Portugal. H.: Familie, Reisen, Sport (portug. Fußball, Rolling Hockey). (E.Hö.)

Menhardt Walther Dr. phil.
B.: Gschf. Ges. FN.: Dr. Walther Menhardt GmbH. GT.: AufsR.Mtgl. d. Fa. Titaceram S.A. Belgien. DA.: 1190 Wien, Hackhoferg. 5. PA.: 1190 Wien, Koschatg. 20. G.: Wien, 18. Dez. 1931. V.: Moje, geb. Wipplinger. Ki.: Wido, Bert, Idis, Herdis. El.: Prof. Dr. Hermann u. Johanna. S.: Hum. Gymn., 1950 Matura, Stud. an d. Univ. Wien, Göttingen u. USA theoret. Physik, 1956 Prom. Wien. K.: 1957-59 Max Plank-Inst. Göttingen u. München, Frankfurt, Atomreaktorbau, 1961-65 Fa. Philips Hamburg, 1965-69 Fa. Eumig Wien, 1970-76 Fa. Philips Holland, 1976 selbst. Grdg. d. Fa. Dr. Walther Menhardt, 1980 Umwandlung in GmbH. M.: Österr. Phys. Ges. H.: Skifahren, Windsurfen. (A.W.)

Menhofer Kurt KommR. Ing.
B.: Ges. d. Ziegelwerk Polsterer. DA. u. PA.: 2544 Leobersdorf, Ziegelhofeng. 10. G.: Wr. Neustadt, 6. Mai 1920. V.: Charlotte, geb. Sulger, 1 Sohn, 1 Tochter. El.: Dipl. Ing. Karl u. Margarete. S.: RG Wr. Neustadt, 1947 Ing. K.: 7 J. Militär, Hptm. d. KRO, 1952 stiller Ges., dann endgültiger Eigentümer. E.: Dt. Kreuz in Gold, Verwundetenabz. in Silber. M.: Rotary-Club, Verb. d. Ziegelwerk, Präsident d. Wr. Neustädter Sparkasse. H.: Jagen, Schwimmen, Oper (Verdi), Theater. (M.G.)

Mennel Günter
B.: Gschf. Ges. FN.: Johann Peter Mennel GmbH & Co Transportunternehmen. DA.: 6951 Lingenau, Hof 331. G.: Lingenau, 19. März 1963. V.: Veronika. Ki.: Anna (1993). S.: HASCH Bezau, 1980 Abschluß, 1980/81 BH. K.: Eintritt in d. elterl. Betrieb, als Fahrer u. zuständig für die Pflege und Lackierung d. Fuhrparkes, 1991 Gschf. Ges. M.: Kameradschaftsbund, Musikver. Lingenau. H.: Harley Davidson fahren. (I.D.)

Mennel Johann Peter
B.: Inh. FN.: Johann Peter Mennel GmbH & Co Transportunternehmen. DA.: 6951 Lingenau, Hof 331. G.: Lingenau, 28. Juni 1931. V.: Irmgard. Ki.: Günter (1963), Renate (1964), Andrea (1966), Peter (1970). El.: Johann Peter u. Ilga. S.: VS, berufsbezogene Weiterbild. K.: 1945-50 Tätigkeit in d. Ldw., 1950-57 sämtl. Bereiche OHG Schwärzler Lingenau, 1957 Grdg. Transportunternehmen gemeinsam m. Bruder Hermann, 1963 selbst. M.: Feuerwehr Lingenau. H.: Gartenarb., Wald, Fischen. (I.D.)

Mennel Oskar Dr. Mag
B.: Gschf. FN.: Verlag Carl Ueberreuter. DA.: 1090 Wien, Alser Str. 24. PA.: 1200 Wien, Leithastr. 24/8. G.: Dornbirn, 14. Mai 1950. El.: Ernst u. Clementine. S.: 1960 HAK-Matura in Bregenz, WU-Stud. in Wien, Prom. 1979. K.: Währ. d. Stud. tätig in Controlling b. Fa. 3M, 1975 Mitbegr. d. Servicebetriebe ÖH GmbH, ab 1988 Carl Ueberreuter Verl., s. 1978 Vortragender b. WIFI, Seminarltr. f. Marketing u. Lehrgang f. Exportmanagement. P.: Verfasser v. WIFI-Skripten "Einführung in das Marketing", Rezensionen d. Managerbibl. f. d. Eco-Journal. M.: 1989-91 Vorst. d. Management-Club. H.: Aerobic, Tennis, Literatur, Sachbücher, Management-Literatur. (R.J.)

Mennert Margit
B.: Geschäftsstellenltr. d. Aids-Hilfe Tirol, Dr. d. Philosophie. DA.: 6020 Innsbruck, Bruneckerstr. 8. G.: Wien, 31. Aug. 1947. V.: Franz. Ki.: Eva (1974), Karin (1976).El.: Erna u. Karl. S.: VS, RG, Haushaltungssch. in Wien, 1971 Besuch d. Abendschule (Externistenmatura)1971-73 Besuch d. Pädagogischen Akademie, 1978 Psychologie Stud. 1987 promoviert in Innsbruck, Psychoterapieausb. K.: 1978 Mitbegründ. v. ersten Integr. Kindergarten f. Behindete u. nicht behinderte Kinder, 1986-93 mitbegründ. Verein Dowas u. mitbegründ. Notruf f. Vergewaltigte Frauen in Tirol. 1993 Ltr. d. Aids-Hilfe in Tirol. H.: Lesen, Klavier, Kontakt m. Leuten. (A.W.)

Mensa Elisabeth Dr. phil. Prof.
B.: Schriftstellerin. PA.: 1020 Wien, Blumauerg. 15. G.: St. Pölten, 12. Sept. 1911. El.: Tintner Rudolf Arch. Stadtbmstr. u. Johanna, geb. Ludwig. BV.: Goldschmied Fr. Matth. Müller aus Hanau (Kelch Maria/Gestade), Dr. Martha Brunner-Orne 1. Ass. v. Wagner Jauregg, Gr. EZ d. Rep. Österr., Ak. Maler Erwin Tintner: Die Geschichte v. Florian, Onkel war k.u.k. Gen.Stabsarzt, Dr. Fr. Tinter m. hohen Ausz. (Erfinder des bewegl. Krankenbahren f. Gebirgstruppen). S.: VS, Realreformgymn., Matura m. Ausz., Univ. Wien, 1936 Prom. K.: wiss. Bibl. in d. Nationalbibl. Wien, danach Zinnen-Verlag, anschl. in chem. Betrieb tätig, 1946-55 eigenen Jugendbuchverlag gegründet, 1955-81 VB im Unterrichtsmin. Aktion "Österr. Jugend lernt Wien kennen", gleichzeitig Mitarb. b. Austria Handpuppenspiele (Fernsehtexte), weiters Theaterstücke geschr. (Aufführungen Stadttheater u. Bürgertheater Wien), gleichzeitig 29 J. Führungen im Kulturwerk Prof. Hofbauer, Wien, 29 J. Vorträge in VHS Wien-West u. weiter tätig, 1985 Grdg. d. Ver. "Du Holde Kunst", Ltr. P.: Art. in mehreren Zeitschriften. E.: 1983 Prof. M.: Ehrenmtgl. ZONTA-Club Wien, Mtgl. Österr. Schriftstellerverb., AKM. H.: Malerei, Musikliteratur, Fotos, Tiere. (P.R.)

Mensch Helmut
B.: Personal-Management. FN.: BAWAG. DA.: 1010 Wien, Tuchlauben 7a. PA.: 1100 Wien, Hollitzerg. 2-6/6/99. G.: Villach, 29. Apr. 1956. V.: Doris, geb. Dillmann. El.: Karl-Gerhard u. Johanna. S.: 1974 HASCH-Abschluß, Supervisions- u. psychoanalyt. Ausbild. K.: 1975-76 Nixdorf Computer-Programmierer, Organ., Rechenzentrum Süd, 1976 Länderbank Villach, 1978 Länderbank Wien, zuständig f. EDV-Implementierung u. Organ., 1988 Umstrukturierung im Personalbereich, dadurch Tätigkeit im Personalbereich, -entwicklung, -planung, -recruiting, sowie Aus- u. Weiterbild., 1989-91 selbst. Personalberater, danach BAWAG: Recruiting, Insertionen, Schwerp. Akademiker. M.: seit 1990 Vors. an d. WHK d. LB Bürokfm. H.: Rudern (Staatsmstr. b. Intern. Regatten), Sport (Skifahren, Schwimmen, Segelfliegen), Lesen. (J.E.)

Menschhorn Johann
B.: freischaff. Graphikdesigner. PA.: 1050 Wien, Jahng. 16/11. G.: Wien, 16. Nov. 1941. V.: Brigitte, geb. Kytka. Ki.: Sebastian (1971). El.: Fridolin u. Maria, geb. Ehm. S.: Graph. Lehr- u. Versuchsanst. m. Dipl. K.: seit 20 J. in d. Werbung tätig u.a. f. "Ford", "Niedermeyer", Kaindl", "Opel". H.: Fahrradfahren, Kunst, Musik. (N.A.)

Mensdorff-Pouilly Alexander ÖkR.
B.: AufsR.Vors. d. Josef Draxler AG. A.: 7522 Strem, Luising 51. G.: Staatz, 19. Apr. 1924, V.: Ilona, geb. Gräfin Erdödy. El.: Mensdorff-Pouilly Eduard Graf u. Gisela Gräfin. S.: Matura, Kavallerieschule Bromberg, Ldw.Schule. K.: Adjunkt, Verwalter, Vermögensverwalter. P.: In Fachzeitungen. E.: Verw. Abz., EK II, Bronze-, Silber- u. Goldmed. Rotes Kreuz, Gold. Fahrabz. m. grünem Kranz, VPräs. d. BFachverb. f. Reiten u. Fahren in Österr. M.: Delegat d. Souv.-Malteser-Ritterordens im Bgld., Kdt. d. Malteser-Hospitaldienst-Austria, Mtgl. d. ständigen Fahrkmsn. d. FEI, Ortvorsteher v. Luising. H.: Geschichte v. 1850-1920, Pferdesport, Jagd, Reisen.

Mentha Dominique
B.: Int. d. Tir. Landestheater. DA.: 6020 Innsbruck, Rennweg 2. PA.: 6020 Innsbruck, Kaiser-Franz-Josef-Str. 12. G.: Bern, 23. Okt. 1955. V.: Brian, geb. Bennett. Ki.: Viktoria (1985). El.: Jacques u. Ruth. S.: 1974 Abitur Bern, 1980 Abschluß Musik-HS München. K.: Sänger auf versch. Dt. u. Schweizer Bühnen, Reg. Bremen, Würzburg, Bern, Wuppertal, Coburg, Münster u. München. Oberspielltr. Würzburg, seit 1992 Int. Tir. Landestheater, Ltg. d. Landestheaters im künstler. Bereich. H.: Reisen, Feste feiern. (M.W.)

Menzel Christian-Rainer Dr. HofR.
B.: Prim., FA f. Frauenheilk. u. Geburtshilfe, Ärztl. Dir. d. LKA Sbg. GT.: Ltr. d. Sonderstation f. Frauenheilk. u. Geburtshilfe d. Frauenklinik. PA.: 5020 Salzburg, Pausingerstr. 11a. G.: Wien, 7. Apr. 1943. V.: Dipl.Dolm. Eva-Marie, geb. Suitner. Ki.: Michael, Christina u. Teresa. BV.: Urgroßvater: Adolf v. Menzel. S.: Hum. Gymn., Matura 1962, Stud. an d. Univ. Innsbruck u. Wien, Prom. 1974. K.: Turnus LKH Sbg., FA-Ausbild. an d. Frauenklinik Sbg., Spezialausbild. in München (Mammachirur.), 1 J. in d. Schweiz, dann Ass. u. OA an d. Frauenklinik Sbg., seit 1987 Ärztl. Dir. u. Prim., seit 1973 LAbg. M.: Rotary Club. (A.W.)

Gräfin v. Meran Katharina
B.: Physiotherapeutin. DA. u. PA.: 1230 Wien, Anton-Baumgartner-Str. 44 B 8-081. G.: Graz, 18. März 1961. V.: Meran-Rothwangl Helmut Obstlt. El.: Meran Hans Graf v., Freiherr v. Brandhofen u. Ingrid Gräfin v. BV.: Erzherzog Johann, Anna Plochl. S.: 1979 Matura, Vorpraktikum im LKH Graz. K.: 1981-83 Ausbild. an d. Schule f. physikal. Med., Dipl., 1/2 J. in Spanien, 2 J. im Sportunfallzentrum Oberndorf b. Sbg., 1 J. Rehabilitationszentrum Großgmain, ab 1986 in Wien selbst. M.: Mtgl. d. souveränen Malteser Ritterorden. H.: Heraldik. (P.R.)

Meran Maximilian Gen.-Dir.
B.: Gen.-Dir., Schwed. Hon.Konsul f. Ktn. PA.: 9064 Pischelsdorf, Freudenberg 1. V.: Colienne, geb. Schwarzenberg. Ki.: Philipp, Johannes-Christoph, Catharina, Isabel. K.: Vorst.Mtgl.: Bank f. Ktn. u. Stmk. AG Klagenfurt, Verb. österr. Banken u. Bankiers Wien, AufsR.Vors.Stellv.: Drei-Banken Vers. AG Linz, Treibacher Chem. Werke AG, AufsR.: Österr. Kontrollbank AG Wien, Bank f. OÖ u. Sbg. Linz, Bank f. Tirol u. Vbg. AG Innsbruck, Österr. Investment GmbH Wien, Wild Kärnten GmbH Völkermarkt, Alfred Wall AG, BeiR. Atlas Copco Österr. GmbH, Vorst.Mtgl. d. VÖI LGruppe Ktn., Österr.-Tunes. Ges., Mtgl. d. LDel. Ktn. d. Dt. HK in Österr., Kuratoriumsmtgl. d. Österr. Bankwiss. Ges. u. d. Steir. Landesmuseum Joanneum, Mtgl. d. WWF-Stiftungsrates u. d. Komitees Ökumen. Stiftungsfonds Pro Oriente. E.: Gr. Gold. EZ d. Landes Ktn., Gr. Silb. Ehrenmed. d. HK Ktn. H.: Fotografie, Jagd, Tennis. (Brod.)

Meran Philipp RgR. Prof.
B.: ehem. Ltr. d. Abt. f. Jagdkunde d. Jagdmuseums Joanneum, Schriftsteller. PA.: 8010 Graz, Elisabethstr. 41. G.: Csákberény/Ungarn, 12. Dez. 1926. El.: Philipp Heinrich u. Marianne. BV.: Ururgroßvater war Erzherzog Johann v. Österr. S.: VS, Gymn., Matura m. Ausz. K.: Seit 1949 Mitarb. d. Joanneums, seit 1952 Ltr. d. Steir. Jagdmuseums. BL.: 4x österr. Mstr. im Wurftaubenschießen. P.: "Zwischen Weckruf u. Strecke", "Und übrig bleibt die Jagd", "Das Abendlicht kennt kein Verweilen", "Die Zeit wirft keine Schatten", "Das Blatt weiß nicht, wohin es fällt", "Der gute Schuß" 1986, "Der Rehruf" 1988, "Das Morgenrot kam un-

verhofft" (1989), "Wenn d. Wolken weiterziehen" (1992), weiters ca. 500 Fachart. E.: Silb. EZ f. Verd. um d. Rep. Österr., Gold. Ehrenring d. Steir. Jägerschaft, Intern. Literaturpreis (1977), Kulturpreis d. Dt. Jagdschutzverb. (1989), RgR. (1983), Gr. Gold. EZ d. Landes Stmk., Gr. EZ d. Landes Stmk. M.: Mtgl. d. intern. Jagdrates, Ehrenpräs. d. steir. Wurftaubenklubs. H.: Fotografieren. (R.A.)

Meraner Peter

B.: Gschf. Ges. FN.: Werbung Meraner & Schneider GmbH & Co KG. DA.: 6900 Bregenz, Quellenstr. 16. G.: Hard, 3. Okt. 1956. V.: Evelyne, geb. Rascher. Ki.: Daniel (1976), Levin (1981). El.: Paul u. Doris. S.: 1972-76 Lehre z. Lithographen, Grafikausbild. u. berufl. Erfahrungen in versch. Werbeagenturen, 1987 Konzessionprüf. f. Werbeberatung u. -mittlung Sbg. K.: 1980-84 Auslandsaufenthalte in Amerika, 1985 Grdg. d. Oberstadt Werbung, 1987 Ausbau z. Full-service-Werbeagentur, 1989 Grdg. d. Schwesternagentur Meraner & Partner, 1991 Zusammenschluß. BL.: Mitorganisierung d. 1. Vbg. Grafikwettbewerbes. E.: 1992 Ausz. v. Art Directors Club of Europe f. d. Blumeninsel Mainau GmbH. M.: Oldtimer Club Vbg. H.: Oldtimer, Paragleiten. (A.K.)

Meren Rena

B.: Malerin, Bildhauerin, Grafik-Designerin. DA. u. PA.: 1020 Wien, Engerthstr. 197/5/32. G.: St. Kathrein/H. (Stmk.), 26. Aug. 1943. Ki.: Oliver (1963). El.: Josef u. Josefa. S.: 1967-69 Ausbild. in Bildhauerei Prof. Josef Pillhofer, 1970-71 Stud. an d. Akad. d. Bild. Künste b. Prof. Ertl u. Prof. Mikl, 1982-83 Ausbild. in Druckgrafik an d. Wr. Kunstschule. K.: über 60 Austellungen im In- u. Ausland. (R.J.)

Markgraf v. Merkenstein u. Nostitz Reichsfrhr. v. Heiker zu Neuschönau Franz Thomas

B.: Chemiker i.R., Gen.Vikar. GT.: Komponist. PA.: 1170 Wien, Wattg. 66/12. Ki.: Franz Thomas, Waltraut, Gerda. El.: Markgraf v. Merkenstein Franz Thomas u. Aloisia v. de Stratten. S.: VS, RG, Stud. an d. Dt. Univ. in Prag Chemie u. Physik, 1938 Dr., Militärak. in Mähren. K.: 1941-44 Kriegsdienst, Oberst i.R., 1944-81 Chemiker in versch. pharm. Fbk. in d. BRD u. in Österr., 1962 Gründer u. Organisator d. Österr. Intern. Flüchtlingshilfe, seither Präs. d. Organ., seit 1986 freier Mitarb. d. ORF, 1962 Beginn Lieder zu komponieren u. zu schreiben, sowie Vorträge f. Völkerverständigung. P.: ca. 384 Lieder geschrieben. E.: Souverän d. Ritterschaft d. Ehrenlegion St. Stephanus. M.: Ritter d. Templerordens, Min. u. Erzbischof of the Life Science Church, Ritter d. St. Ruprecht Ordens. H.: Musik, Lesen.

Merkinger Otto Lukas

B.: Gschf. Ges. FN.: Memory Flock u. Druck GmbH; Okay Sport- u. Modetextilgroßhdl. GmbH. DA.: 5023 Mayerwies, Esch 391. PA.: 5322 Hof 287. G.: Opponitz, 8. Aug. 1952. V.: Ulrike, geb. Schorn. Ki.: Stefan, Yvonne. El.: Anton u. Helene. S.: VS, HS, HTL f. Holz- u. Betriebstechnik in d. BRD, 1967 FHS-Reife. K.: Arbeitsvorbereitung u. selbst. Tätigkeit als Betriebseinrichter, 1982 nebenberufl. Textilbranche m. Stickcomputer, 1985 Grdg. Okay. E.: 1. Pl. Lehrlingswettbewerb f. Tischler. M.: Alpenver., Kajak-Club, Sportver. H.: Wildwasserfahren, Bergsteigen, Motorradfahren, Skitouren. (D.E.)

Merkl Hildebrand Dr. GstlR.

B.: Chorherr d. Stiftes Klosterneuburg, Pfarrer in Wien 19, Heiligenstadt. DA.: 1190 Wien, Pfarrpl. 3. G.: Wien, 6. Mai 1927. El.: Karl u. Elisabeth. BV.: Offz. in Monarchie. S.: RG Klosterneuburg, HS Wien Jusstud., Theol., Theol. Hauslehranst. d. Stiftes Klosterneuburg. K.: 3 J. Richteramtsanw., 1959-68 Kaplan Floridsdorf, Kinder- u. Jugendseelsorger, 1968-72 Kaplan Meidling, ab 1972 in Heiligenstadt, seit 1972 als Pfarrer, 1979-83 Dechant d. Bez. BL.: Rundfunksendungen: 1962-72 Morgenbetrachtungen. P.: 1969 Jugendrechtskunde, Severin-Forsch., Neuaufl. Lebensbeschreibung. M.: Moderator d. Severin Gemeinschaft Heiligenstadt. H.: Hund, Fotografieren, Bergsteigen. (A.K.)

Merkl Klaus

B.: Gschf. d. Optimundus Reisebüros. DA.: 4020 Linz, Bäckermühlweg 59. PA.: 4060 Leonding, Voeststr. 29. G.: Linz, 14. Juli 1958. El.: Helmut u. Margarete. S.: Gymn., 1976 Matura, Tourismusfachschule Bad Leonfelden, Konzessionsprüf. f. Reisebüro- u. Gastgew. K.: Ang. d. Hotel Waldegg Linz (heute Hotel Mercure), 1978 Eintritt in d. Reisebüro Optimundus, 1981 Einzelprokura, seit 1982 Gschf. BL.: Organisator d. Intern. Reise- u. Urlaubsmesse Linz. P.: "Traveller Tips" (Reiseführer), Mitautor von "Betriebswirtschaftslehre d. Reisebüros", div. branchenbezogene Art. M.: Skal-Club, PATA (Pacific Area Travel Association). H.: Musik, Literatur, Reisen. (Deu.)

Merl Harry Dr.

B.: Univ.-Doz., Ltr. d. Inst. f. Psychotherapie d. Wagner-Jauregg-KH. DA.: 4020 Linz, Wagner-Jauregg-Weg 15. PA.: 4201 Gramastetten, Fazenystr. 9. G.: Wien, 11. Nov. 1934. El.: Wilhelm u. Sabine. S.: Gymn., Med.-Stud. in Wien 1953-59, Ausbild. z. prakt. Arzt 1959-62, FA-Ausbild. f. Psychiatrie u. Neurol. 1964-69. K.: ab 1973 im Wagner-Jauregg-KH als Psychotherapeut, Grdg. d. Psychotherapieambulanz 1978, Umwandl. in Inst. 1990, tätig als Psychoanalytiker, Gruppentherapeut u. Familienberater. P.: zahlr. Artikel in Fachzeitschr., Buch: Familientherapie. M.: Österr. Arbeitskreis f. Psychoanalyse, Arbeitskreis f. Gruppentherapie u. Gruppendynamik. H.: Lesen, Menschen, Wandern, Langlaufen. (P.H.)

Merschak Karl

B.: Psychotherap.-Ltr., Tischler. FN.: Pro Mente Infirmis - Psychosoz. Beratungsst. DA.: 4910 Ried i. I., Franz-Höng-Str. 7. PA.: 4714 Meggenhofen, Obergallspach 13. G.: St. Pantaleon, 4. Mai 1955. V.: Leopoldine, geb. Spieler, Ki.: Simon, Christoph. El.: Karl u. Maria. S.: 1970-73 Ausb. z. Vermessungs-Techn., 1977-79 Ausb. z. Werbedesigner, 1979-81 Ausb. z. Tischler u. Bauzeichner, 1983-84 Ausb. z. Stat.-Geh. Wagner-Jauregg Krkh. Linz, 1984-85 Ausb. Sozial- u. Behindertenbetr., 1986-91 Therapieausb. i. ÖTZ für NLP, 1991-93 Hypno-Therapieausb. u. Ausb. z. system. Supervisor. K.: 1973-77 Tätigk. i. Verk.-Aussend., 1982 Aufb. v. Pro Mente Infirmis u. e. Holzwkst. f. Therapiezw., s. 1989 Supervisor, s. 1990 Veranst. v. Seminaren Päd. Ber., Elternschule, Umg. m. verhaltensgest. Kindern, Schulmanagem., Trainer i. Ausbildungsaussch. d. Lebens- u. Sozialarb. WIFI, 1991-93 Tätigk. i. Kriseninterventionszentr., s. 1993 Ltr. Pro Mente Infirmis, eig. Praxis a. Psychotherapeut. , H.: Familie, Beruf, Renovierung d. eig. Vierkanthofes. (P.H.)

Merlingen Weriand

B.: OS-Bibl. i.R. d. Univ.Bibl. Wien. GT.: Sprachwissenschaftler. PA.: 1170 Wien, Rudolf-Bärenhart-G. 15. G.: Lembach, 25. März 1907. V.: Hella, geb. Kramer. Ki.: Dipl.-Ing. Werner, Hedwig. El.: Artur u. Clara. S.: hum. Gymn. in Sbg., 1926-32 Stud. d. Allg. u. Indogerman. Sprachwiss., klass. Philo., Slawistik in Wien. K.: 1937 Eintritt in d. Staatsdienst, 1940-45 Militärdienst, 1960 Habil., b. heute Univ.Doz. an d.

Univ. Wien am Indogerman. Inst., 1937-69 an d. Univ.Bibl. in Wien, Spezialgebiete: Sprachwiss., Sprachentwicklung, Phonematik. P.: div. wiss. Publ. auf diesen Gebieten, Bücher: Eine ältere Lehnwortschicht im Griechischen 1963/67, Artikulation u. Phonematik des H 1973, Laryngaltheorie u. Laryngale, Ablauttheorie u. Ablaut 1983, Aufsätze: Über Ein- u. Zweiphonemigkeit 1960, Nochmals z. Indogermanenfrage 1976, Zur Problematik d. sogenannten Implosive 1978. M.: Intern. Phonetic Society, Wr. Sprachges. usw. H.: Varia. (M.B.)

Merta Wolfgang
B.: Gschf. Ges. FN.: W. MERTA KG, Klaviersalon. DA.: 4020 Linz, Promenade 25. PA.: 4040 Linz, Strindbergweg 2. G.: Linz, 14. Nov. 1953. El.: Walter u. Josefa. S.: Gymn., Lehre als Klavierbauer b. Fa. Bösendorfer Wien bis 1973, 2 J. in Deutschld., 1/2 J. Meisterschule in Ludwigsburg, 1976 Mstr.-Prüf. in Österr. K.: 1976-81 väterl. Betrieb, 1981 Umwandl. d. Fa. in MERTA KG. u. Gschf. Ges., Klavierbauseminare im Linzer Bruckner-Konservatorium u. eig. Werkstatt, Betreuung v. Künstlern in Linz, gerichtl. beeid. Sachv. M.: HK Fachgruppenstellv. f. Musikinstr. f. OÖ. H.: Musik, Golf, Schifahren. (U.A.)

Mertel Ilse Dr.
B.: Mtgl. d. NatR., Landesbedienstete. DA.: 1017 Wien, Dr.-Karl-Renner-Ring 3. G.: Zauchtel/Sudetenland, 8. Sept. 1943. S.: Realschule, 1962 Matura, Stud. Staatswiss. an d. Univ. Graz, Absolv. d. Latinums, Stud. d. Rechtswiss., 1970 Prom. K.: nach d. Matura techn. Zeichnerin, Gerichtspraxis, Ang. e. Versicherungsges., 1971 Verwaltungsjuristin b. d. Ktn. Landesreg., 1975 Mtgl. d. Landesvorst. d. GÖD Ktn., 1983 Mtgl. d. Landesexekutive d. ÖGB Ktn., 1984 Bez.-Frauen-Vors. u. 1989 Landesfrauenvors. d. ÖGB Ktn., 1989 Mtgl. d. Bundesvorst. d. GÖD, Mtgl. d. Bez.- u. Landesfrauenaussch. d. SPÖ Ktn., 1989 Mtgl. d. Landesparteivorst. d. SPÖ Ktn., s. 11/1990 Abg. z. NatR.

Mertl Christian
B.: Ak. geprüfter Werbekfm. FN.: Austria Tabak AG. GT.: Werbeagentur M. Prom. 1100 Wien, Bernhardtstalg. 37/9/10. DA.: 1090 Wien, Porzellang. 51. PA.: 1100 Wien, Bernhardtstalg. 37/9/10. G.: Wien, 8. Juni 1957. El.: Erich u. Gertrude. S.: AHS, 1976 Matura, BH, 1977-79 Univ.Lehrgang f. Werbung u. Verkauf, WU Wien. K.: 1978-81 Werbeagentur Lintas Kontakter, 1981 Werbeagentur Grey Etatdir., seit 1981 Austria Tabak Product Manager, 1985 Gewerbeschein f. Werbung, Werbeberater, Werbemittler, Plakatierer, Marktforscher, 1986 Grdg. d. Werbeagentur M. Prom., 1986 Gewerberechtl. Ges. d. Austria Tabak f. Werbemittlung. H.: Boxen, Wr. VMstr. Schwergewicht 1978, Fallschirmspringen. (C.K.)

Merwald Ingo Erich Dr. Dipl.-Ing. w.HofR.

B.: Gebietsbaultr. Wien, NÖ u. Bgld. d. Forsttechn. Dienstes f. Wildbach- u. Lawinenverbauung, Univ.-Lektor. DA.: 1010 Wien, Dr.-Karl-Lueger-Ring 14. PA.: 1140 Wien, Rosentalg. 11/9. G.: Weyer/Enns, 23. Juli 1937. Ki.: Ulla (1968), Helga (1976). El.: Rudolf u. Justine. S.: BRG Waidhofen/Ybbs, Stud. Forstwirtschaft Univ. f. Bdk., Praxistätigkeit in Österr., England u. Schweden. K.: 1963 Eintritt in d. Forsttechn. Dienst f. Wildbach- u. Lawinenverbauung d. Sekt. Villach, Ablegung d. Staatsprüf. f. d. Höheren Forstdienst, seit 1968 am Inst. f. Wildbach- u. Lawinenverbauung an d. Forstl. BVA Wien, ab 1971 Ltr. d. Abt. Schnee u. Lawinen, fachl. Weiterbild. in Hydrobiologie, 1984 Prom., ab 1986 Lehrauftrag Univ. f. Bdk., seit 1988 Ltr. d. Gebietsbaultg. Wien u. Nördl. NÖ f. Wildbach- u. Lawinenverbauung, zusätzl. allg. beeid. gerichtl. Sachv. am LG f. ZRS: Naturschutz, Landschaftspflege, Alpinistik am HG Wien, Schutzwasserbau, Lawinenverbau, Fischerei u. größere forstwirtschaftl. Liegenschaften, World Bank-Consultant. P.: 30 Publ. auf d. Lawinen- u. Forstsektor, 27 Publ. auf d. Fachgebiet Schutzwasserbau u. Limnologie sowie zahlr. GA f. Kleinkraftwerke, Fischerei- u. Naturschutzfragen, Vorträge im In- u. Ausland, Diss. "Untersuchungen u. Beurteilung v. Bauweisen d. Wildbachverbauung in ihrer Auswirkung auf d. Fischpopulation", "Leitfaden f. ökolog.Schutzwasserbau" (1994). E.: mehrmaliger Landesmstr. im Degen-, Florett- u. Säbelfechten, 2x VStaatsmstr. in d. Säbelmannschaft u.a. H.: Tennis, Segeln, Fischen, Jagd, Hundeführer u. Leistungsrichter f. Dachshunde. (J.S.)

Mery Ernest
B.: Kfm., Gschf. Ges. FN.: Reklagrav Ernest Mery GmbH. DA.: 1203 Wien, Staudingerg. 13. PA.: 1232 Wien, Zwachg. 1. G.: Preßburg, 7. Jän. 1944. Ki.: Robert (1975), Peter (1976). El.: Franz u. Maria, geb. Siegl. S.: 1959-62 kfm. Lehre m. Abschluß. K.: 1963-69 Verkäufer im Eisenhdl.-Fachgeschäft, 1969-74 AFM-Technik, 1974-76 Repräsentant Firma Zimmer, 1976-78 Repräsenant f. Wien b. Jacob-König, 1978-83 Verkaufsltr. Sandvik Austria, 1983-87 Verkaufsltr. Firma Hauco, 1987-88 Gschf. Ges. Guttmann Werkzeugvertrieb, 1988 Grdg. Ernest Mery Import, Export, Hdl., 1992 Übernahme im Alleinbesitz d. Firma Reklagrav in Wien. F.: Inh. Ernest Mery Import, Export, Hdl. M.: Eisenhändler u. Werbemittelhändler Österr. H.: Literatur, Musik, Reisen insbes. Skandinavien. (N.A.)

Meryn Siegfried Dr. Univ.-Doz. Prim.
B.: Ärztl. Ltr. u. Ärztl. Dir. FN.: Neue Wr. Privatklinik u. Ostiologieklinik Wien. GT.: Präs. d. Memory-Clinic, Chairman d. World Academy of Medical Education. DA.: 1090 Wien, Pelikang. 15. PA.: 1190 Wien, Glanzingg. 34. G.: Wien, 6. März 1954. S.: 1972 Matura, 1977 Dr. med. Univ. Wien. K.: 1977-82 FA-Ausbild. f. Innere Med., 1980 Ausbild. z. Strahlenschutzbev. d. I. Univ.-Klinik f. Gastroenterologie u. Hepatologie, 1982-84 Forsch.-Stipendium, 1985-88 Stations- u. ambulanzführender OA d. I. Univ.-Klinik f. Gastroenterologie u. Hepatologie, seit 1986 Kons. Medical Service UNIDO, 1987 Venia docendi f. Innere Med., seit 1988 Ärztl. Ltr. d. Neuen Wr. Privatklinik. P.: Buch "Strategien f. ein persönl. Gesundheitsmanagement", Buch "Fibers" (1993), über 100 intern. Publ., zahlr. Buchbeiträge. E.: 1982 Max Kade Foundation Award and Grant, 1985 Kuner-Stipendium, 1988 Friedrich Wewalka-Preis. M.: 1990 American College of Physicians, 1990 Präs. UPDATE Wr. Intern. Ges. f. Fortbild. u. Vorsorgemed., 1991 Intern. Gastro Surgical Club. H.: Joggen, mod. österr. Malerei, mod. Literatur. (M.M.)

Merzendorfer-Kuhnert Erika
B.: Geschäftsfrau. FN.: Merzendorfer Fischrestaurant. DA.: 2401 Fischamend, Hainburger Str. 1. G.: Wien, 24. März 1958. V.: Armin, 16. Feb. 1958. Ki.: Armin (1986), Fabia (1991). El.: Katharina u. Erich Travnik. S.: Hotelfachschule Wien. K.: 1977-80 Stewardess, 1982-86 Mitinh. Sekt Bar 1080 Wien "Schampus Bar", 1986 Übern. d. elterl. Betriebes, Ältestes Fischrest. Österr. H.: Skifahren, Kung Fu, Reisen. (T.T.)

Mesaric Josip
B.: Gastronom Restaurant zum Wohlleben. DA.: 1040 Wien, Wohllebeng. 10. G.: Kroatien, 16. März 1953. V.: Ivanka, geb. Distrovic. Ki.: Robert (1977), Damir (1978). El.: Pavel u.

Maria. S.: 1968-70 Lehre als Koch in Dubrovnik, 1970-72 Ausbild. Koch/Kellner Bayer. Hof Bad Reichenhall/BRD. K.: 1974-85 Gschf. Antiquitätenkeller, 1985-90 Antiquitätenhdl. Wien, 1990 Pächter v. Restaurant zum Wohlleben. H.: Handwerken. (T.T.)

Meschnig Karl

B.: Hotelier d. Hotel Europapark. DA. u. PA.: 9020 Klagenfurt, Villacher Str. 222. G.: Klagenfurt, 22. Apr. 1935. V.: Luise, geb. Pirker. Ki.: Evelin (1961), Wolfgang (1963). El.: Ernst u. Auguste. BV.: Karl Weissenbacher Begründer d. Hauses. S.: HS, Berufsschule. K.: 1957-60 Fleischer, 1960 2. J. Fleischer in Luxemburg, 1972 Gasthof Weissenbacher, 1972 Eröff. u. Umbau Hotel Europapark. E.: Gold. VZ d. Rep. Österr., versch. Landes- u. Ver.-Sport-EZ. H.: Eisschießen, Skifahren, Schwimmen.

Meschnigg Alfred Dr.

B.: Lehrer, Reg., Gschf. d. gem. Theaterausschusses d. Landes Ktn. DA.: 9020 Klagenfurt, Paradeiserg. 7. DA.: 9201 Krumpendorf, Buchenhain 6. G.: Villach, 25. Jan. 1945. V.: Irmtraud, geb. Glocker. Ki.: Gerhard (1966) u. Karin (1968). S.: Gymn., Abiturientenkurs an d. LBA, Stud. d. Theaterwiss. u. Pädagogik u. Publizistik in Wien, Prom. 1980. K.: 1963-64 Militär, 1964-74 Pflichtschullehrer, 1968 Grdg. d. Studiobühne in Villach, künstler. u. admin. Ltg. b. 1982, 1972-80 Lehraufträge an d. Pädak in Klagenfurt, 1973 Grdg. d. Festivals u. Org. d. Int. Theaterwoche in Villach, seit 1976 Gschf. d. Theaterausschusses d. Arge "Alpen Adria", seit 1982 Regiearb. am Landestheater Linz, seit 1987 künstler. u. admin. Ltg. d. Studiobühne in Villach, Regiearb. im Ausland (Schweden). E.: Gold. EZ d. Rep. Österr. H.: Sport, Lesen. (M.Br.)

Meschwitz Lucia

B.: Regisseurin, Schauspielerin, künstler. Ltr. d. Meisterkl. f. Operette am Konservatorium d. Stadt Wien. PA.: 1180 Wien, Hockeg. 4. G.: Wien, 6. Juli. Ki.: Karin. El.: Matthias u. Barbara Schneider. S.: Solotänzerin, Schauspielerin u. Regisseurin, 1972-83 Wohnsitz in Stockholm Witwe n.d. 1983 verstorbenen Dirigenten u. Komponisten Frieder Meschwitz m. vielen künstler. Unterbrechungen, zahlr. Tourneen (BRD, Belgien, Frankreich, Schweiz, Schweden), letzte Rollen als Schauspielerin u.a. Gräfin Kokozow "Der Graf v. Luxemburg", Tante Fini "Katzenzungen", "Ein schöner Herbst",Zahlreiche Opern-u. Operetteninszenierungen letzte Regierarb. u.a. Stadttheater Baden: Schwarzwaldmädel, Feuerwerk, Die lustige Witwe Sommerarena Baden: Ball im Savoy, Eine Nacht in Venedig, Die Dame v. Maxim, (Europatourne) Happy Swingtime, (Uraufführung) Ltg. d. Meisterkl. f. Operette am Konservatorium d. Stadt Wien, seit 1983 Regie b. Laxenburger Kultursommer u.a. Uraufführung d. Oper "Don Juan u. Figaro" v. Nico Dostal. (J.S.)

Mesko Wolfgang

B.: Ltr. d. Sportred. ORF Bgld., Journalist. DA.: 7001 Eisenstadt, Buchgraben 51. PA.: 7350 Oberpullendorf, Schloßpl. 5, 7000 Eisenstadt, Bahnstr. 18. G.: Pinkafeld, 16. Febr, 1952. El.: Hans u. Brigitta. S.: HASCH, HTL. K.: 7 J. Lehre als Fotograf u. Kfm., anschl. Fotograf u. Kfm. b. d. Fa. Pilz in Oberpullendorf, 1975-80 freier Mitarb. b. Sportred. f. Bgld. b. ORF in Wien, 1978 Übersiedlung ins Bgld., 1980-83 Ang. als Sport-Aspirant, seit 1983 Ang. Sportreporter u. Sportred. u. Ltr. d. Sportred. d. ORF Bgld. in Eisenstadt. P.: Hrsg., Autor u. Red. d. Bgld. Sport Almanach m. Veranstaltungs-Kalender, Mitgestalter v. Buch "Pepi Kamper", Mitautor v. "50 J. Krankenhaus Oberpullendorf" u. "60 J. Krankenhus Oberpullendorf". E.: Gold. EZ d. Bgld. Fußballverb., Silb. Ehrennadel d. Österr. Sportkeglerverb. u. Judomed. 1984. M.: seit 1978 Lions-Club Mattersburg, Begründer u. Initiator d. Ver. d. Freunde d. KH Oberpullendorf. H.: Arbeit, Skifahren, Segeln, Autofahren, Motorsport. (M.B.)

Messer-Krol Ulrike Dr. phil.

B.: ltd. TV-Red. "Seitenblicke" d. ORF. DA.: 1336 Wien, Würzburgg. 30. PA.: 1060 Wien, Barnabiteng. 10/12. G.: Linz, 18. März 1946. V.: Erwin Messer. S.: 1964 Matura, Stud. Theaterwiss., Germanistik u. Romanistik Univ. Wien u. Sorbonne Paris, 1970 Prom. K.: 1971-72 Dramaturgin b. Österr. Telefilm, seit 1972 freie Mitarb. b. ORF Abt. Unterhaltung, Schwerpunkt: Gr. Shows, Alternativszene (Evergreens, Austrohitgala, Schmetterlingsshow, Zukunftswerkstatt, D.O.R.F.), 1975-83 Red. d. Sendung "Trailer", 1976-79 Ltg. d. Jugendred. "Ohne Maulkorb", seit 1980 Ang. b. ORF, ab 1988 Ltg. d. Red. "Seitenblicke" u. "Apropos Film". P.: Drehbücher f. Dokumentationen u. TV-Shows. E.: lobende Erwähnung b. Montreux-Festival v. "Leonardo" u. "Wochenende in Wien". H.: Theater, Film, Weltreisen, Fotografieren, Fischfiguren sammeln, Skifahren. (N.A.)

Messeritsch Leopold

B.: Wirtschaftsjournalist d. Österr. Wirtschaftsverlag. PA.: 1200 Wien, Hellwagstr. 4-8/4/42. G.: St. Pölten, 1. Juni 1943. V.: Rosita, geb. Schmidt. Ki.: Jan-Claudius. El.: Leopold u. Maria. S.: Aufbaumittelschule, 1964 Matura, Stud. an d. Univ. Wien Theaterwiss. K.: 1966-67 Interunfall Vers., Bücher Herzog, 1967-71 Finanzamt, 1971/72 Fachverb. d. Österr. Eisenwarenhändler, 1972-75Red. Aspirant b. "Echo d. Heimat", 1975 Red. im Österr. Wirtschaftsverlag zuerst "Wir u. unsere Welt", Lehrlingszeitschrift d. BKam. d. gewerbl. Wirtschaft, "Metall", "Metallbericht", "Österr. Zimmermeister". E.: Silb. Ehrennadel d. Klubs d. Wr. Schlossermstr.Söhne u. -Töchter, Silb. St. Martins Plakette d. Österr. Bauordens. M.: Mtgl. d. Klubs d. Wr. Schlossermstr.Söhne u. -Töchter, Österr. Bauorden. H.: akt. u. pass. Literatur, Schreiben v. Gedichten, Kurzgeschichten u. Theaterstücken, Griechenland-Fan, Sprachen. (A.W.)

Messerschmidt Marianne Dr. phil.

B.: Prof. A.: 1140 Wien, Linzer Str. 412/2/3/6. G.: Hollabrunn, 25. März 1942. V.: Dipl.-Ing. Oskar. El.: Bauer Karl u. Maria. S.: Univ. Wien. K.: Gymn. Mistelbach, AHS Mödling f. Mädchen. P.: "Geschichte d. Pfarre Mistelbach v. d. Anfängen bis zur Übernahme durch die Barnibaten im Jahre 1661", "Geschichte Mistelbach Band I". M.: MEC Bademesena u.a.

Messinger Johann Dr. iur. HofR.

B.: Ltr. d. LArbeitsamtes NÖ. DA.: 1013 Wien, Hohenstaufeng. 2. PA.: 1030 Wien, Hansalg. 4. G.: Neusiedl/Zaya, 17. Dez. 1922. V.: Annemarie, geb. Köfler. Ki.: Elisabeth, Dr. iur. Rudolf, Susanne. El.: Josef u. Anna. S.: hum. Gymn., 1940 Matura, Stud. an d. Univ. Wien Geschichte, jur. Fak., 1954 Prom. K.: Gerichtspraxis in Wien (OLG), 1956 Eintritt LArbeitsamt NÖ Sachbearb., Abt.Ltr., Hauptabt.Ltr. (Arbeitslosenvers.), 1972/73 Arbeitsvermittlung, 1973 stellv. Ltr. Arbeitsmarktpolitik, 1979 Ltr. LArbeitsamt NÖ. E.: Gold. Med. f. Arbeitsplatzsicherung d. Landes NÖ. H.: Geschichte. (A.W.)

Messinger Marie Claire
B.: freier Mitarb. d. ORF. DA.: 1040 Wien, Argentinier Str. 30A. PA.: 1140 Wien, Penzingerstr. 144/5. G.: Wien, 19. Dez. 1961. Ki.: Maximilian. El.: Messinger Gerhard u. Christine. BV.: Friedl Pfeifer. S.: VS, Gymn., 1980 Matura, Stud. d. Theaterwiss. u. Publizistik. K.: vorerst neben d. Stud. versch. Tätigkeiten, dann ORF, seit 1983 Ges., Jugend u. Familienred. u. Unterhaltung, versch. Sendungen gestaltet, z.B.: Zik Zak u. Music Box, gleichzeitig Tätigkeit b. Radio Holiday, 1983-87 hauptsächl. Moderator u. Red. b. Zik Zak, b. Ö1 als Sprecher u. Moderator tätig. P.: Veröff. in einer Tanzzeitschrift. H.: Tanz, Musik, Lesen.

Messner Bernd
B.: Gastwirt Hotel Stainzerhof. DA. u. PA.: 8510 Stainz, Grazer Str. 2. G.: Stainz, 9. Juli 1942. V.: Annemarie, geb. Högler. Ki.: Silina (1976), Katrin (1983). El.: Alfred u. Rosa. S.: VS, HS, Hotelfachschule Bad Gleichenberg, Praktikum in Österr., erlernter Beruf Metzgerei im elterl. Betrieb, 1962 Mstr.-Prüf. Baden-Baden/ Deutschland. K.: 1967 Übernahme den elterl. Betriebes Gaststätte in Stainz, 1986 Umbau zu einem Hotelbetrieb sowie ein Seminarzentrum m. Konferenzräumen, 1993 4. Stern f. d. Hotel. H.: Schwimmen, Wandern, gut Essen. (M.Gr.)

Messner Bettina
B.: Gschf. Ges. FN.: PCS Computer GmbH. GT.: seit 1993 Tätigkeit f. d. Zeitschrift GACH. DA.: 8700 Leoben, Franz-Josef-Str. 23-25. PA.: 8605 Kapfenberg, Wiener Str. 58. G.: Kapfenberg, 6. Aug. 1968. El.: Rudolf u. Helga Messner. S.: VS, HS, BRG, 1986 Matura, 1986-87 BWL-Lehrgang b. WIFI. K.: 1987-89 Organ., Ein- u. Verkauf Firma Holz Export Straubinger, 1989-91 Metallexport u. Import Firma Eucon, seit 1991 PCS Computer GmbH, seit 1992 Gschf. Ges. BL.: 4 Ausstellungen mod. Malerei. H.: Malerei, Schreiben. (I.G.)

Messner Evelyn Mag. HofR.
B.: Volksanwältin. DA.: 1010 Wien, Singerstr. 17. G.: Wien, 10. Nov. 1938. V.: Prof. Karl Messner. Ki.: Robert (1967), Angelika (1969). El.: Walter-Paul u. Paula Kirsch. S.: VS, Gymn., 1956 Matura, Univ. Wien, 1963 Mag., Lehramt f. Deutsch u. Leibesübungen. K.: seit 1961 Lehrer an d. Bundesfachschule f. Bekleidungsgewerbe in Oberwart und seit 1970 Dir. d. Höheren Bundeslehranst f. Wirtschaftl. Frauenberufe in Oberwart, 1977-89 Mtgl. d. GemR. in Oberwart, seit 1988 Landesfrauenvors. SPÖ Bgld., 1986-89 Mtgl. d. NatR., 1989 Mtgl. d. EuropaR., seit 1989 Volksanwältin. E.: 1989 HofR. M.: SPÖ, BSA, SLÖ, Ev. Lehrerver., Mtgl. v. Zonta, Mtgl. d. Stadtchores Oberwart. H.: Kunst, Konzerte u. Theater, Skifahren, Wandern, Eislaufen. (J.S.)

Messner Gerhard
B.: Friseur. DA.: 1120 Wien, Hetzendorferstr. 97 u. 100. PA.: 1030 Wien, Hofmannsthalg. 18/84. G.: Forchtenstein, 17. Juni 1940. Ki.: Bettina (1963). El.: Georg u. Hanna. S.: Friseurlehre, Praxis im In- u. Ausland. K.: ab 1963 selbst., Spezialgebiet: Haarschnitt u. Naturpflanzenfarben, Damen-, Herren- u. Kindermode. H.: Tennis, Skifahren. (N.A.)

Messner Harald Dr. Dkfm.
B.: Gschf. FN.: Almdudler Limonade A. & S. Klein. DA.: 1190 Wien, Hackhoferg. 13. G.: Wien, 27. Nov. 1939. Ki.: Christiane. El.: Karl u. Adelheid. S.: Nebenberufl. WU Wien, Dkfm., Dr. K.: kfm. Lehre im elterl. Betrieb, Außendienst, Verkauf u. Verkaufsltg., Gschf. Elektrogroßhdl., selbst. Tätigkeit, Marketingberatung, freiberufl. Tätigkeit, Management u. Verkaufstrainer, seit 1982 Gschf. Almdudler. H.: Wassersport, Kultur. (A.K.)

Meßner Herbert Dr. theol.
B.: Priester d. Diözese Graz-Seckau. GT.: Schriftltr. d. Sonntagblattes f. Stmk., Kaplan Pfarre Graz-St. Leonhard. DA.: 8010 Graz, Bischofspl. 4. PA.: 8010 Graz, Leonhardpl. 13. G.: Judenburg, 21. Nov. 1953. El.: Herbert u. Maria. S.: VS, Bischöfl. Gymn. Graz, Univ. Graz. K.: 1980-84 Kaplan in Gleisdorf, seit 1984 Schriftltr. d. "Sonntagblattes", seit 1984 Kaplan in Graz-St. Leonhard. M.: Diözesane Liturgiekmsn., kath. Preßver., Verb. kath. Publizisten. H.: Gesang, Fußball. (P.M.)

Messner Johannes
B.: gschf. Ges. d. Fa. Messner GmbH u. IMG. DA.: 8053 Graz, Pirchäckerg. 36-38. PA.: 8010 Graz, Grazbachg. 13. G.: Graz, 27. Apr. 1929. V.: Dr. Anneliese, geb. Schneditz. El.: Dr. Ernst u. Stefanie. S.: VS, Gymn. Graz u. Königsberg, 1946 Matura. K.: 1951 Geschäftsgrdg. m. Mutter (Ladenbaufa.), 1962 Standortveränderung u. Neubau m. eigener Erz., 1964 Ernennung z. gschf. Ges. M.: Secession, Gruppe 77. H.: bild. Kunst, Literatur. (War.)

Meßner Ulrike
B.: Textilrestauratorin im Kunsthistor. Museum. DA.: 1010 Wien, Burgring 5. PA.: 1060 Wien, Stumperg. 49. G.: Graz, 3. Febr. 1958. V.: Dipl.-Ing. Yavuz Akbiyik. Ki.: Tuna (1991). El.: Ing. Wolfgang u. Gertrude Meßner. S.: Kunstgewerbeschule Graz Fachrichtung Handweberei, Abschluß m. Gesellenprüf., anschl. Textilrestaurierlehrgang HTL Wien, 1980 Fortbild. in d. Konservierung f. mittelalterl. Stoffe in d. Abegg-Stiftung Schweiz. K.: seit 1979 Ang. im Kunsthistor. Museum, 2 J. Arb. an d. Tapisserien, anschl. Schwerpunkt Konservierung mittelalterl. Stoffe in d. Wr. Schatzkammer, dzt. Stoffanalysen in d. Studiensammlung d. Wr. Schatzkammer vorwiegend Paramente. BL.: Mitarb. an d. Konservierung d. Krönungsgewänder in d. Wr. Schatzkammer. H.: Perlenweberei, Schmuckentwürfe, Sprachen. (J.S.)

Messner Walter Mag.

B.: Steuerberater, Wirtschaftstreuhänder. DA.: 8010 Graz, Friedrichg. 29. PA.: 8010 Graz, Pestalozzistr. 6. G.: Villach, 30. Mai 1960. V.: Gabriele, geb. Lang. Ki.: Tanja (1990), Dominik (1992). El.: Walter u. Erna. S.: VS, HS, BRG, 1979 Matura. K.: 1979-81 Tätigkeit in Gastronomie Hotel Seevilla Millstatt, 1981 WU Wien, 1986 Mag. rer. soc. oec., seit 1982 nebenberufl. in Wirtschaftsprüf.-Kzl., 1989-93 Partner d. Gemeinschaft Bergmann-Singer-Messner Graz, seit 1994 selbst. Steuerberatungsbüro. P.: 1986 Dipl.-Arb. "Steueroasen", 1990 "Handbuch f. Gaststätten u. Beherberungsbetriebe", div. Fachart. in d. Steuer- u. Wirtschaftskartei. H.: Tennis, Skifahren, Motorboot. (I.G.)

Messner Wolfgang Dr. Mag.

B.: StadtR. v. Graz. DA.: 8010 Graz, Rathaus. PA.: 8042 Graz, Silberberg 6. G.: St. Veit/Glan, 20. Okt. 1948. V.: Mag. Elgrid, geb. Vollmann. El.: Karl u. Sieglinde. S.: RG, Präsenzdienst, 1968-69 Stud. Erdölwesen Montanist. HS Leoben, 1969-74 Stud. Betriebswirtschaft Univ. Graz m. Schwerpunkten Treuhand u. Rechungswesen sowie Marketing, 1974 Mag., 1977 Dr. K.: 1973-76 Wirtschaftsltr. d. Afro-Asiat. Inst., 1976-83 Ref. d. wirtschaftspolit. Abt. d. Kam. f. Arb. u. Ang. Graz, 1983-85 Ltr. d. Wirtschaftsförderungsref. d. Stadt Graz, 1985-88 Gschf. d. Stmk. Landesholding GmbH, seit 1988 SPÖ-StadtR. in Graz, zuständig f. Finanzabteilung, Stadtrechnungsamt, Steueramt, Hochbauamt, M.: SPÖ, BSA. H.: Reisen, Skifahren, Literatur, Theater. (P.M.)

Mészáros Kurt Dkfm. KommR.

B.: Gen.-Dir.-Stellv. PA.: 1170 Wien, Korng. 44. M.: Vorst.Vors.Stellv. d. ÖMV AG Wien, AufsR. d. CA-BV Wien, Adria Wien Pipeline GmbH Klagenfurt, Donau Allg. Vers. AG Wien, Stuag Straßen- u. Tiefbauunternehmung AG Wien u. Megal Mitteleuropäische Gasleitungs GmbH Essen/BRD, AufsR.Vors. d. ÖMV Handels-AG, Wien.

Metall Elfriede

B.:Kosmetikberaterin DA.+ PA.: 2384 Breitenfurt, Lerchensteig 14. G.: Wien, 17. Apr. 1951. El.: Haidinger Gertrude u. Leopold. S.: Matura, 1 J. Stud. Welthdl. K.: 1971 Eintritt in Sparkasse, 1979 Stellv., 1983 Fil.Ltr., 1993 Austritt a.d. Sparkasse, selbstständig als Kosmetikberaterin, f. Bio-Aktive Körper u. Gesichtspfl.u. als Promotor tätig. BL.: Befähigungsnachweis Gastgewerbe. M.: Sportver., Erste Österr. Sparkasse. H.: Sport, Tiere, Wandern, Musik, Lesen, Kochen, Autofahren, Reisen. (Kest.)

Metek Christa

B.: Unternehmerin. FN.: CM Boutique Christa Metek & Co. DA.: 1010 Wien, Tegetthoffstr. 3. PA.: 1130 Wien, Bossig. 66. G.: Wien, 1. Feb. 1942. V.: Hans Doleschal. Ki.: Stephan (1972), Nikolaus (1975). El.: Johanna u. Kaspar Metek. S.: Gymn., HBLA für gewerbl. Frauenberufe Wien, Gesellenprüf. u. anschl. 1 J. Praxis Haute-Couture-Salon Wien, Mstr.-Prüf., 2 J. Paris (1 J. Haute-Couture-Schule, 6 Mo. b. Jacques Heim, Präs. d. Pariser Haute Couture u. 6 Mo. b. Christian Dior). K.: 1967 Eröff. d. eig. Boutique Wien f. Haute-Couture-Mode n. eig. Entwürfen m. Schwerp. Cocktail- u. Abendmode (Gsch.-Gestaltg. Arch. Prof. Hans Hollein). BL.: perfekte, körpergerechte Modellierg. v. kleinsten b. größten Größen. H.: Familie, Hund, Beruf, Tennis. (J.S.)

Methlagl Norbert Dr. iur.

B.: Dr. d. BHAK u. BHASCH Bludenz. DA.: 6700 Bludenz, Schillerstr. 10. PA.: 6710 Nenzing, Kirchg. 4. G.: Feldkirch, 12. Febr. 1934. V.: Maria, geb. Lutz. Ki.: Gerhard, Monika, Elisabeth, Angelika. El.: Dr. Anton u. Laura. S.: Hum. Gymn. Bregenz, 1953 Matura, Jusstud. Univ. Innsbruck, 1958 Prom. Dr. iur., Finanzakademikerausbild. Wien, 1961 Abschluß m. A-Prüf., 1968 Lehramtsprüf. f. mittlere u. höhere kfm. Schulen in d. Fächern Staatsbürgerkunde, Rechtslehre u. VWL. K.: Gerichtsj. LG Feldkirch, 1958 Ltr. d. Mahn- u. Klageabt. Firma Suchard, Verkaufsleiter in Lebensmittelbranche, 1961 Bewertungsstellenltr., Gruppenltr. in d. Veranlagung u. Ausbild.-Ltr. Finanzamt Feldkirch, 1970 nebenberufl. Lehrtätigkeit HS Feldkirch, 1972 Ltr. d. Expositur Bludenz, d. HASCH u. d. HAK Feldkirch, 1975 Dir. d. HAK u. HASCH Bludenz. F.: Gschf. Ges. Lehrhotel Ratia Betriebs GmbH Bludenz. M.: Obm. VHS Bludenz, Grdg.-Mtgl. Männerchor Nenzing. (I.D.)

Metka Werner

B.: Gschf. Ges. FN.: Metka Veranstaltungstechnik. DA.: 1070 Wien, Neustiftg. 120. G.: Wien, 30. Mai 1944. Ki.: Alexandra (1969). El.: Klaus Ehrmann und Margarethe Mitterbacher. S.: VS, HS, Schlosserlehre. K.: 17 J. Organ.-Ltr. Verlag Firma Schlesinger, 1981 selbst. m. Tabaktrafik, 1989 Hdls.-Geschäft mit Diskothekeneinrichtungen, 94 Produktionsstätte f. Traversen f. Bühnenaufbauten in Siegendorfer Zuckerfbk., Einzelhdls.-Geschäft f. Licht- u. Dekorationseffekte f. Diskotheken, Theater u. Rundfunkanst. P.: Katalog über A.T.C. H.: Beruf, Musik. (J.M.)

Metka Wolfgang Dr. med. Prim.

B.: FA f. Plastische Chirurgie, Ärztl. Ltr. Plast. Chir. Abt. Privatklinik Döbling Wien u. Sanatorium Wels. DA.: 4020 Linz, Hofg. 22, 1190 Wien, Heiligenstädter Str. 57, . PA.: 4813 Altmünster, Nachdemsee 64. G.: Rankweil, 12. Jan. 1945. El.: Ernst u. Agnes. BV.: Wunibald Briem Komponist d. Vbg. Landeshymne, Hermann Briem Züchter u. Erfinder d. Zuckerrübe. S.: 1963 Matura Stella Matutina Gymn., 1963-70 Med.-Stud. Univ. Innsbruck, Wien, Paris u. New York. K.: 1970 Militär-KH Manhattan Wiederherstellungschir. u. New York Univ., 1971-79 Univ. Innsbruck Klinik f. plast. Chir. u. chir. Univ.-Klinik, 1975 LKH Sbg. Chir. Prof. Zängl, 1976 Exper. Chir. München, 1980-82 UKH Linz, 1982-89 Praxis f. plast. Chir. in Linz, Univ.-Klinik Loma Linda Kalifornien, seit 1989 Plast. Chir. Praxis in Wien (Sanatorium Döbling) u. Linz (Sanatorium Wels). M.: Österr. u. Intern. Ges. f. Plast. Chir., Gerichl. beeid. Sachv. H.: Malen. (P.H.)

Mettler Sebastian

B.: Gschf. FN.: Trumer Seen Tourismus GmbH. DA.: 5163 Mattsee, Schlossbergweg 20. PA.: 5162 Obertrum, Jakobipl. 213. G.: St. Ulrich/Tirol, 18. März 1956. V.: Christine. Ki.: Elisabeth, Sarah. El.: Kaspar u. Katharina. S.: VS St. Ulrich, HS Fieberbrunn, HASCH Wörgl. K.: 6 J. Tätigkeit im Reisebüro Nothegger St. Ulrich, 3 J. Ltg. d. Reisebüros, 1975-89 div. Seminare: Buchhalterkurs-Hirt Methode, Königssteiner Ak., Univ. Sbg., Aufbau v. Hochleistungsteams, 1989 Hdl.- u. gewerberechtl. Gschf. Trumer Seen Tourismus GmbH, 4 J. Gschf. Tourismusverb. St. Ulrich, 1984 Konzessionsprüf. Reisebürogewerbe, 4 J. Dir. Tourismusverb., Ltg. Gebietsverb. Pillerseetal, Gschf. Hallenbad Pillerseetal, Gschf. Incoming Reisebüro, Gschf. Pillersee-Fischerei-Bootsverleih-Surfplatz, 1991 Studienberechtigungsprüf., Stud. f. Publizistik u. Kommunikationswiss. (Schwerpunkt: Marketing, Kommunikationswiss., PR), Stud. Politikwiss., 1994 1. Dipl.-Prüf. Publizistik u. Kommunikationswiss., Umwelt-Journalismus, Intern. Kommunikationsstrategien im Tourismus, Einf. in d. Marketing. M.: 1983 Verb. Österr. Kur- u. Tourismusdir. H.: Studieren, bevorzugt ganzzeitl. Lebensform. (E.H.)

Metlewicz Tomasz Dr.

B.: Kunsthändler. DA.: 1010 Wien, Seilerg. 14. PA.: 1040 Wien, Johann-Strauß-G. 4-6. G.: Warschau, 10. Juli 1924. V.: Maria, geb. Boboli. Ki.: Thomas, Mag. Christoph, Beate. El.: Edmund u. Hedwig. BV.: poln. Industriellenfamilie aus Warschau. S.: 1946-52 Stud. an d. Univ. Warschau Kunstgeschichte u. Phil., 1952 Prom. K.: 1946-51 Mitarb. in d. fam. Kunsthdlg. in Warschau (Arkady), 1951-68 Sachv. f. Kunstobjekte b. Gericht in Warschau, 1968 Emigration nach Paris, seit 1969 in Wien, 1970 Grdg. einer eigenen Kunstgalerie in Wien, Spezialgebiete: franz. Malerei d. 19. u. 20. Jhdt. M.: Mtgl. d. Ver. d. Österr. Kunsthändler, Gremium f. Kunsthändler. H.: altes Silber, Angeln. (M.B.)

Metyko Geza

B.: Fluxuskünstler. PA.: 1090 Wien, Widerhoferg. 8/13. G.: Okany/Ungarn, 20. Okt. 1934. V.: Susanne. Ki.: Viktor, Julia. S.: Ak. d. bild. Künste Wien, Ak. f. Film u. Fernsehen Wien. BL.: seit 1963 freischaff. Bilder, Filme, Drehbücher, Projekte u. Interaktionen, Fluxusarbeiten, Schaufensterkunst, Werke im Besitz öff. u. priv. Sammlungen, zahlr. Ausstellungen im In- u. Ausland, 1973 erste "Kunst im Schaufenster" in Wien, Museum f. anonyme Kunst. (Wist.)

Metzeltin Michael Dr. phil.

B.: o.Univ.-Prof. am Inst. f. Romanistik d. Univ. Wien. DA.: 1010 Wien, Universitätsstr. 7. PA.: 1060 Wien, Mariahilferstr. 51/2/16. G.: Sorengo/Schweiz, 8. Juli 1943. S.: Liceo Cantonale Lugano, Univ. Zürich, Basel, Salamanca, Coimbra u. Padua. K.: 1968-72 Ass. Univ. Basel, 1972-73 Ass.-Prof. Univ. Trier, 1973-76 H2-Prof. Univ. Trier, 1975-79 a.o.Prof. Univ. Groningen, 1980-84 o.Prof. Univ. Groningen, 1984-89 o.Prof. Univ. Paderborn, seit 1989 o.Prof. f. Linguistik u. Didaktik Univ. Wien, Gastprof. Univ. Göttingen, Coimbra u. Cosenza. P.: 12 Bücher, über 100 Aufsätze z. Roman. Sprach- u. Literaturwiss., Mithrsg. d. Lexikon d. Romanist. Linguistik u. d. Romanist. Kolloquiums.

Metzenbauer Leopold Prof.

B.: Med. Zeichner am Inst. f. klin. Path. d. Univ. Wien. DA.: 1090 Wien, Spitalg. 4. PA.: 1020 Wien, Nordbahnstr. 24/31. G.: Wien, 15. Jan. 1910. V.: Edith. S.: Lehre d. Ziselier- u. Metallbildhauerei. K.: 1936-38 Textilzeichner, danach selbst. Designer im Textilgewerbe, Kriegsdienst als Karthograph u. Zeichner am anatom. Inst. b. Prof. Pernkopf, 1949 Chefarch. d. "Wien-Film" u. dt. Filmind. Bauten f. 76 Spielfilme, seit 1963 am Inst. f. Path. als med. Zeichner tätig. P.: Hrsg. v. 11 Bücher d. Anatomie, Neurochir., Urologie, Gesichtschir., Herzchir., Beckenbodenchir. E.: Ehrenplatz am Inst. f. klin. Path., Lehrer Univ.-Prof. Gisel u. Univ.-Prof. Holzner, seit 1981 Prof., Ehrenmtgl. d. Wr. Künstlerhauses, Bes. d. Gold. Lorbeers d. Wr. Künstlerhauses, Gold. Ehrenkreuz f. Verd. um d. Rep. Österr., Silb. Ehrenkreuz d. Med. Fak. d. Univ. Wien. (P.R.)

Metzger Gerold

B.: Lebzelter u. Wachszieher, gschf. Ges. d. Fa. Ernst Metzger GmbH. PA.: 2380 Perchtoldsdorf, Marktpl. 9. G.: Perchtoldsdorf, 5. Apr. 1935. V.: Gertraude, geb. Rojik. Ki.: Gabriela, Andreas. El.: Ernst u. Hermine. S.: Berufsschule f. Wachszieher, Lebzelter u. Zuckerbäcker. K.: 1965 Eintritt in d. elterl. Betrieb, seit 1980 gsch. Ges. M.: Jagdclub Perchtoldsdorf. H.: Jagd. (A.W.)

Metzler Erich

B.: Gschf. FN.: ECONOMOS III Kunststoffertigung GmbH. DA.: 8750 Judenburg, Gabelhoferstr. 25. PA.: 8724 Spielberg/Pausendorf, Eigenheimweg 9. G.: Knittelfeld, 6. Juni 1946. V.: Heidelinde, geb. Steiner. Ki.: Birgit (1982). S.: VS, HS, 1959-63 Maschinenschlosser Alpine Zeltweg, 1963-67 HTBLA Maschinenbau Kapfenberg. K.: 1967-71 Konstrukteur Voest Linz, 1971-73 UNO-Soldat, 1973-74 Konstrukteur Voest Linz, 1974-88 Ltr. d. Qualitätsprüf., dann Ltr. der ges. Qualitätssicherung Flender Austria Antriebstechnik AG, seit 1988 Projektmanager Betriebsltr., Prok., techn. Werksltg. Firma ECONOMOS, seit 1994 Gschf. (I.G.)

Metzler Erich Mag.

B.: Betriebswirt, Gschf. d. Brauerei Fohrenburg Bludenz. DA.: Werdenbergstr. 52. PA.: 6714 Nüziders, Hinteroferst 25. G.: Thüringen, 27. Juni 1945. V.: Michèle, geb. Sankalé. Ki.: Marc, Pascal, Alexia. El.: Alwin u. Anna. S.: Aufbaugymn. Horn, 1965 Matura, 1971 Spons. an d. Univ. Linz. K.: Seit 197 Dir. d. Brauerei Fohrenburg Bludenz. M.: Vorst.Mtgl d. Raika Bludenz, Rotary Club Bludenz. H.: Fam., Wandern, Kunst, Lesen. (I.D.)

Metzler Harald Dr. univ. med.

B.: FA f. Zahn-, Mund- u. Kieferheilkunde. DA.: 6800 Feldkirch, Kreuzg. 14. PA.: 6800 Feldkirch, Raiffeisenplatz. G.: Feldkirch, 11. Nov. 1956. V.: Andrea. Ki.: Martina (1986). El.: Dr. med. Winfried u. Mathilde. S.: Gymn. Feldkirch, 1975 Matura, Univ. Innsbruck, 1981 Prom., 1981-82 Militär. K.: 1982 Ausbild. Unfallchir. KH Feldkirch, 1982-84 Univ.-Zahnklinik in Wien, Fachausbild. b. Prof. Keresztesi, 1984 FA-Prüf., 1984 Eröff. d. Ordination als FA f. Zahn-, Mund- u. Kieferheilkunde in Feldkirch. M.: Österr. Ges. f. ZMK, Verein. Vbg. Akademiker, Jachtclub MBSV Rheindelta. H.: Skifahren, Tennis, Bootssport, Oldtimer, Wasserski, Cabriolet. (I.D.)

Metzler Hermann

B.: Gschf. Ges. FN.: Zima Wohnbau GmbH. DA.: 6800 Feldkirch, Marktplatz 7a. PA.: 6840 Götzis, Römerweg. G.: Götzis, 17. Juni 1952. V.: Elisabeth, geb. Koch. Ki.: Daniela (1978), Cornelia (1980), Michael (1981), Markus (1988). El.: Adolf u. Theresia. S.: kfm. u. techn. Zeichnerlehre, 1976 Zivildienst b. Roten Kreuz. K.: 1967-78 kfm. Ang. b. Baufa., 1979 kfm. Ang. b. Zima Wohnbau, 1985 Gschf. u. Ges. M.: Aussch.-Mtgl. d. Innung, Immobilientreuhänder, Gem.-Vertr. in Götzis. H.: Schifahren, Lesen (Sachbücher), Wandern. (I.D.)

Metzler Hubert

B.: Steuerberater. DA.: 6060 Hall in Tirol, Stadtgraben 25. PA.: 6060 Mils, Neufeld 5. G.: Brandberg/Zillertal, 20. Sept. 1948. V.: Anna, geb. Thaler. Ki.: Christof, Beate, Lisa. BV.: Vater ZentralbetriebsR. in Wien b. d. Gewerkschaft f. Land- u. Forstarb., GR in d. Wildschönau, Großvater betrieb d. erste Autobuslinie v. Kundl in d. Wildschönau. S.: HS Mayrhofen/Zillertal, ldw. Mittelschule in Raumberg/Stmk., 1968 Matura, ABI-Kurs, 1972 Matura, 1974 Bilanzbuchhalterprüf., 1977 Steuerberaterprüf. K.: 1979 Eröff. d. eigenen Kzl. M.: Kirchenchor, b. einigen Berufsver. H.: Gartenarb., Schwimmen, Wandern, klass. Musik, Singen.

Metzler Norbert Mag.

B.: Gschf. Ges., Unternehmensberater u. Touristik-Berater. DA.: 6861 Alberschwende, Hof 18. PA.: 6861 Alberschwende 780. G.: Alberschwende, 25. Okt. 1948. V.: Monika, geb. Wallnöfer. Ki.: Christoph (1974), Sonja (1978), Andreas (1982). El.: Pius u. Katharina. S.: Mus.-Päd. Gymn. Feldkirch, 1968 Matura, Univ. Innsbruck, 1974 Sponsion, 1978 Konzessionsprüf. Reisebürogewerbe u. Gastgewerbe, 1983 Unternehmensberaterprüf. K.: i. Sped. Bereich Controlling, 1976 Eintritt i. Hotel u. Gastronomie als Gschf., 1983 Grdg. Metzler GesmbH, Touristikberatung u. Unternehmensberatung, Planung, Beratung, Org., 1991 Grdg. Niederlassung i. Innsbruck, Museumsstr. 28. P.: Vorträge über Touristikthemen, versch. fachbezogene Art., sowie Seminartätigk. M.: Präs. d. Tourismusverb. Bregenzerwald, Mtgl. d. Fremdenverkehrsbeirates u. Raumplanungsbeirates d. Amtes d. Vlbg. Landesregierung, Vlbg. Wirtschaftskammer, Aufs.-Rats-Mtgl. d. gastgewerbl. Fachgruppe, s. 1989 ger. beeid. Sachverst. f. Fremdenverkehrswesen. H.: Skifahren, Tennis, Wandern. (I.D.)

Meusburger Hermann X.

B.: Gschf. FN.: ELAB - Elektrotechnisches Labor. DA.: 6973 Höchst, Paradies 54. G.: Mellau, 20. Sep. 1947. V.: Gertrude, geb. Andic. Ki.: Jürgen, 1978, Michael 1982. El.: Hermann u. Rosina. S.: Lehre Elektroinst. Fa. Riem Hard, 1966 Gesellenprfg., 1971 Dipl.-Prfg. Elektronik, 1976 Konz.-Prfg. Elektroinst., Ausb. Programmierug SPS, Softwareentwicklung PC, 1982 Ausbilder-Prfg. K.: 1966-74 Fa. INEL Schweiz, 1975 b. Hebe & Fördertechnik i. Dornbirn, 1975-89 Techn. LeiterFa. Rupp Lochau, 1983-91 Kursltr. Basic-Programmierung WIFI Dornbirn, s. 1989 selbst. m. Fa. Elab Höchst. H.: Schwimmen, Eislaufen, Radfahren. (I.D.)

Meusburger Peter Ing.

B.: Gschf. Ges. FN.: Mantech Oberflächentechn. m. Vorsprung. DA.: 6900 Bregenz, Brielg. 27. PA.: 6900 Bregenz, AmTannenbach 19. G.: Hard, 6. Sep. 1961. V.: Andrea. Ki.: Daria (1989), David (1984). El.: Richard u. Irmgard. S.: Gymn. Bregenz, Betriebselektrikerlehre i. Bregenz, HTL Maschinenbau i. Bregenz, 1990 Matura. K.: Fa. Alpla i. d. Techn., Konstruktionsbüro d. Fa. Saplar, 1991 Fa. Berkmann i. d. Techn., 1993 Grdg. d. Fa.Mantech Oberflächentechn. m. Vorsprung. P.: Patant i. Absauganl. m. überlegenem Wirkungsgrad. H.: Musik aktiv i. versch. Formationen i. Bereich Rock u. Jazz, Schwimmen, i. d. Jugend Vlbg. Handballmstr. d. Bregenzer Junioren. (I.D.)

Meusburger Walter

B.: Fabrikant. FN.: Meusburger Walter KG, Kunststoffverarbeitung. DA.: 6240 Rattenberg 133. G.: Innsbruck, 23. Feb. 1959. V.: Claudia, geb. Burgkert. Ki.: Romina (1983). El.: Walter u. Martha. S.: VS u. HS in Innsbruck, HTL Wien. K.: 1978 Eintritt in d. väterl. Betrieb, Spezialisierung auf Sonderanfertigung (Maschinen- u. Präzisionsteile), 1988 Übern. d. Betriebes. M.: Segelclub Haldensee, Kiwanisclub. H.: Segeln, Schiffahrtswesen, Sozialengagement. (M.W.)

Mewes Friedrich Ing.

B.: Museumsltr., Ing. f. Radio- u. Kinotechn. FN.: Wiener Phono Museum. DA.: 1060 Mollardg. 8/2. PA.: 1070 Wien, Sigmundsg. 10/7. G.: Wien, 16. Mai 1907. V.: Emma, geb. Zifferer. Ki.: Edith (1941). El.: Max u. Friederike, geb. Tham. S.: Realschule Wien, Matura 1925, 1925-30 Stud. a. d. TH Wien, Elektrotechn. Inst. u. Radiotechn. u. Kinematographie HR Schrott, HR Reithoffer 1929-34 wiss. Hilfskraft a. d. TH Wien Lehrkanzel f. Radiotechn., 1939-40 Servicetechn. b. Radiofirmen, a. 1945 Betriebsing. b. G. Friedl-K. Chaloupka, 1962 Ing.-Titel verliehen, 1961-87 Handel m. Schmalfilm-Foto- u. Kinozubehör i. Wien, Mtgl. d. Tonbandfreunde Österr., Hrsg. d. "Das tönende Filmmagazin", 1983 w. d. Museum i. d. Arge Wr. Bezirks- u. Sondermuseen eingegliedert, s. 1984 Ltr. d. Museums. E.: 1992 Gold EZ d. Stadt Wien. H.: Schiffbau, Modellbau, Eisenbahn, Fotografie, Kinomatographie.

Meyer Christian Dr.

B.: Gschf. FN.: Galerie Metropol. DA.: 1010 Wien, Dorotheerg. 12. G.: 20. Sept. 1948. S.: Univ. Wien, Dr. K.: Journalist b. Galerie Spiegel, dann aktiv im Kunsthdl. New York u. Wien, 1980 Grdg. einer Galerie in New York, 1978 Grdg. Galerie Metropol Wien. H.: Beruf. (H.J.)

Meyer Egon

B.: Bez.-Stellenltr. AKNÖ St. Pölten. DA.: 3100 St. Pölten, Kremser Landstr. 3. PA.: 3107 Viehhofen, Dr.-Schärf-Str. 2. G.: St. Pölten, 1. Jan. 1935. V.: Friederike, geb. Waldherr. Ki.: Astrid Iris (1969). El.: Maximilian u. Margarete, geb. Ramp. K.: 1955-63 ÖBB: Werkmann, Werkführerprüf., Werkmstr.-Prüf., Kzl.-Gehilfenprüf., 1961/62 Sozialak. Mödling, 1964 Eintritt AKNÖ St. Pölten: Sachbearb. f. Jugendschutz, ab 1984 Bez.-Stellenltr. BL.: 1958 u. 1988 Weltmstr. im Mundharmonika-Trio. M.: SPÖ St. Pölten, ab 1972 GemR. St. Pölten, 1984-93 StadtR. H.: Wandern, Laufen, Radfahren. (M.M.)

Meyer Franz Xaver Dr. Mag. OStR. Prof.

B.: Dirigent, Lehrer an BG Wien-Penzing u. Franz-Schubert-Konservatorium. GT.: Chormstr. d. Wr. Männergesangsver. d. Wr. Madrigalchores. PA.: 1130 Wien, Bossig. 28/7. G.: Wien, 28. Aug. 1933. V.: Helga, geb. Wagner. Ki.: Christian, Angelika, Roswitha. El.: Rudolf u. Sophie. BV.: Hofpianist Leopold Meyer. S.: Germ. Doktorat an d. Univ. Wien, Reifeprüf. f. Komposition u. Musiktheorie, Staatsprüf. f. Klavier, Lehramt f. Deutsch u. Musikerziehung. K.: Wr. Sängerknabe, Gründer d. Wr. Madrigalchores, 1956-59 Dirigent d. Wr. Sängerknaben, 1960-84 Dirigent d. Wr. Ak. Kammerchores, 1964-84 Chordir. im Theater an d. Wien, seit 1976 Chormstr. d. Wr. Männergesangsver., Konzerttourneen als Dirigent u. Pianist durch alle fünf Kontinente, Schallplatten, Fernseh- u. Rundfunkaufnahmen, päd. Tätigkeit b. Chorltr. u. Stud. Bildungsseminaren. BL.: zahlr. Ur- u. Erstaufführungen zeitgenöss. Musik, Wiederaufnahme romantischer Chorliteratur in d. Kunstprogramme wurden allg. Trend, Teilnahme an d. Schubertiaden d. Ges. d. Musikfreunde in Wien. P.:

"Chorltg.", "Die beschwerte Hebung im Nibelungenlied" 1956, Beiträge in Fachzeitschriften. E.: Gold. Verdienstz. d. Rep. Österr.

Meyer Gustav KommR.

B.: Vorsteherstellv. FN.: Landesgremium d. Wiener Trafikanten. PA.: 1200 Wien, Jägerstr. 29. G.: Wien, 28. Jun. 1926. V.: Helene, geb. Bauer, 1990 verst. Ki.: Judith (1963), Christine (1973). El.: Gustav u. Hermine. S.: VS, RGymn., Dt. Wehrmacht. K.: Rückkehr nach Salzburg, da selbst 80 % kriegsbeschädigt - setzt sich tätkräftig für kriegsbeschädigte Österr. Soldaten ein, Obm. d. Verb. d. Kriegsamputierten Österr., Präs., später VPräs., hat sich besonders für die Zulassung Kriegsversehrter zur Führerscheinprüf. eingesetzt, s. 1948 Trafikant, Ausschußmtgl. Trafikantengremium, 1953 Beitr. zu Österr. Wirtschaftsbund. Mtgl. d. Gremialaussch. (Kammer.-R., Komm.-R.), Vorst.-Stellv. d. Landesgremium Wien d. Trafikanten, f. den Einzelhandel mit Papier, Büroart., Schreibwaren. Vorsteher d. Wr. Zeitungsaussch., Ltg.-Mtgl. Wirtschaftsbund, Bez.-Vertrauensmann d. Trafikanten, mehr. J. Laienrichter Arb.- u. Soz.-Gericht Wien, s. 1993 Pension. E.: Gold. EZ f. Verd. Rep. Österr., Silb. EN d. Wirtschaftsbundes, Höchst. Auszeichn. d. Kriegsversehrtenverb. H.: Autofahren, Lesen, Schwimmen. (J.M.)

Meyer Hans Bernhard Dr. o.Univ.-Prof.

B.: Vorst. d. Inst. f. Liturgiewiss. d. Univ. Innsbruck. A.: 6020 Innsbruck, Sillg. 6. G.: Mannheim, 23. Dez. 1924. El.: Karl u. Klara. S.: Hum. Gymn. Mannheim, phil. u. theol. Studien in Freiburg/Br., München, Paris, Frankfurt/M., Innsbruck. Studienaufenthalte in Salamanca, Rom, Tübingen, Trier. K.: 1959 Dr. theol. Innsbruck, 1964 Dr. theol. habil. Innsbruck, 1969 o. Univ. Prof. f. Liturgiewiss. Innsbruck, seit 1946 Mtgl. d. Ges. Jesu. P.: Autor u. Mithrsg. v. ca. 40 Buchveröff. u. Autor v. ca. 120 Zeitschr. bzw. Lexikonart. aus dem Bereich d. Moral- u. Pastoraltheol. sowie d. Liturgiewiss. M.: Societas Liturgica, Intern. Arge d. Liturgischen Kmsn.

Meyer Hans Dieter

B.: selbst. Bmstr. DA.: 8700 Leoben, Hauptpl. 7. PA.: 8700 Leoben, Gößerstr. 61. G.: Feistritz/Drau, 30. Nov. 1944. V.: Regina, geb. Lenger. Ki.: Claudia (1968), Marion (1969), Christian (1972), Rene (1976), Hans Dieter (1989). El.: Hans u. Anna. S.: VS, HS, 1958-61 Lehre als Maurer, HTL Hochbau, 1978 Abschluß auf d. Bmstr.-Schule Wien. K.: seit 1980 eigenes Büro in Leoben, Arbeiten u.a. Tennisranche St. Peter, Bauaufsicht in Ekazent Leoben, Pauls Hotel Leoben, Kinderfreundeheim Tollinger Höhe, Stadtkeller Graz, Alte Börse Schottenring Wien, Minor Kloster Bruck, Bausachv. b. Gem. BL.: Vorträge am BFI. F.: AR RA BO Planungs, Bau u. Finanzierungs GmbH. M.: Turn- u. Sport-Union Leoben, Tennisver. SC St. Peter. H.: Tennis, Musik, Lesen, Sport. (K.K.)

Meyer Harald E.

B.: Dir. d. Alba Hotel Accadia, Alba Hotel Palace. DA.: 1050 Wien, Margaretenstr. 53, 1050 Wien, Margaretenstr. 92. PA.: 1130 Wien, Oskar-Jascha-G. 20. G.: Wien, 9. Okt. 1957. V.: Claudia-Beatrix, geb. Schneider. Ki.: Lukas (1987), Tobias (1990). El.: Herbert u. Edith. S.: Gymn. Wien, Matura, BH, 1977-79 Fremdenverkehrscollege Modul d. Kam. d. gewerbl. Wirtschaft Wien, Ausbild. in Marketing, Werbung u. EDV. K.: 1977 Commis de rang Eurotel Les Diablerets Schweiz, 1978 Receptionist Eurotel Les Diablerets Schweiz, 1979 Ass. F&B Manager Eurotel Les Diablerets Schweiz, 1979-80 F&B Manager Eurotel Les Diablerets Schweiz, 1980-82 Management Trainee u. Ass. Steward Hilton Wien, 1982-83 Sales Representant Hilton Wien, 1983-84 Ass. Sales Manager Hilton Wien, 1984-86 F&B Manager Kremslehner Hotels Wien, 1986-91 Dion.-Ass. u. F&B Manager Hotel Bristol Wien, 1991 stellv. Dir. Hotel Bristol Wien, seit Ende 1991 Dir. d. Alba Hotels Wien. H.: Familie, Sport, Fotografieren. (J.S.)

Meyer Karl

B.: Abt.-Ltr. d. Informationsverarb., Handlungsbevollmächtigter. FN.: Kühne & Nagel Ges.m.b.H. DA.: 1110 Wien, Warneckestr. 10. PA.: 1150 Wien, Guntherstr. 13. G.: Wien, 25. Sep. 1963. V.: Susanne, geb. Lenzenhofer. Ki.: Felix (1990), Lukas (1993). El.: Karl u. Franziska. S.: AHS, 1 J. HTL, Lehre Sped.-Kfm. m. Abschluß, innerbetriebliche Seminare i. d. Schweiz u. Dt. K.: s. 1978 b. Kühne & Nagel: b. 1981 Lehrling, b. 1988 Sped.-Kfm. i. Importbereich, im weiteren Verlauf Datenverarb. u. s. 1989 Abt.-Ltr. f. d. Österreichweite Informationsverarb. BL.: innerhalb weniger Jahre Aufstieg von Sped.-Lehrling zum Ltr. d. Datenverarb. H.: sich der Familie widmen, musizieren (Gitarre, Gesang). (F.S.)

Meyer Martin Dr.

B.: öff. Notar. DA. u. PA.: 5450 Werfen, Hauptstr. 20. G.: Wien, 1. Apr. 1949. V.: Carina, geb. Laurick. Ki.: Thomas (1977). El.: Prof. Dr. August u. Marianne. S.: VS, Gymn., 1967 Matura, BH, Jusstud. Sbg., 1976 Abschluß. K.: b. 1993 Notar in St. Johann, seit 1993 Werfen. BL.: literar. Tätigkeit f. versch. Verlage in Österr. u. Deutschland. H.: Musizieren. (D.E.)

Meyer Michael Mag. theol.

B.: Pfarrer d. Ev. Pfarrgem. Krems. DA. u. PA.: 3500 Krems, Martin-Luther-Pl. 1. G.: Lübeck/BRD, 13. Jän. 1935. V.: Sybille Monika, geb. Desch. S.: VS, Hum. Gymn., 1955 Abitur, Theol.-Stud. Hamburg u. Heidelberg, 1960 Theol.-Examen Hamburg. K.: 1960-62 Lehrvikar Wien, 1962-64 Pfarrer in Widweg/Ktn. 1964-78 Pfarrer in Wien, seit 1978 Pfarrer in Krems, 1990 a.o.OberkirchenR. P.: Bücher: Nachdenkl. Gebete im Gottesdienst (1989), Pfingsten, Unterbrochenes Schweigen (1992), Mitarb. im ORF. (M.M.)

Meyer Robert

B.: Schauspieler. FN.: Burgtheater u. Volksoper. DA.: 1010 Wien, Dr, Karl Lueger-Ring 2. G.. Bad Reichenhall, 21. Okt. 1953. V.: Eva. Ki.: Agnes (1982), Lorenz (1985). El.: Simon u. Katharina. S.: Ausbild. z. Baustoffkfm. in Bayern, 1971-74 Schauspielausbild. Mozarteum in Sbg. K.: 1973-74 Stückverträge am Landestheater Sbg., s. Apr. 1974 Mtgl d. Burgtheaters, s. 1977 Hauptrollen in gr. Stücken, am Burgtheater zul. u. a. Talisman (Nestroy), Akad. Theater "Kinder der Sonne" (Gorki), "Die 25ste Stunde" (Tabori), Volksoper: Sancho Pansa in "Der Mann von La Mancha", Sigismung "Im weißen Rössl", Nestroy-Soloabend im Burgtheater, zahlr. Fernsehauftritte z.B.: "Derrick", "Der Alte", div. Filmrollen: "Geschichten aus dem Wienerwald", "Herr Ober", s. 1988 Schauspieler beim Sommerfestival in Reichenau, s. 1993 Regie. P.:

Autor v. Coupletstrophen f. d. Sommerfestival Reichenau u. f. d. Burgtheater. E.: Nestroy-Ring d. Stadt Wien. H.: Bergwandern, Skifahren, Tennis. (J.S.)

Meyer Rolf F. Dkfm. Doz.

B.: Inh. u. Gschf. d. VOA Verhaltensorientierte Ausbildungs- u. Beratungsges., Ges. u. Betr.Ltr. f. Marketing u. Verkauf, Ges., AufsR. u. Betr.Ltr. f. Marketing u. Verkauf. DA.: D-8012 Ottobrunn, Am Bogen 26, A-2500 Baden, Trostg. 23, CH-3186 Düdigen, Peterstr. 1. G.: Duisburg, 17. Nov. 1926. Ki.: Petra, Iska u. Anke. El.: Josef u. Elisabeth. S.: Matura 1943, Stud. d. Betriebswirt. in Nürnberg u. Erlangen bis 1959. K.: Fa. Henkel Düsseldorf (Marketing u. Verk.), Fa. Helmut Horten, Siemens AG München/Erlagen (Marketing u. Ausbild.Ltr.), 1965 Mitbegründer d. Deutsch. Verk.Ak. (gem. m. F. Goldmann u. U. Sievert), Ref. u. Doz. am Dt. Inst. f. Betriebsw. (DIB), 1970 Grdg. d. VOA Schweiz, Doz. am Betriebsw. Inst. in Bern, 1973 Grdg. d. VOA in Baden, 1985 Grdg. d. VOA in Ottobrunn. P.: Zahlr. Publ. u.a. in "Blick durch d. Wirtschaft", Frankfurt, Handelszeitung Schweiz, Trend, Die Furche. M.: Marketing Club Österr. u. Schweiz, VRKS-Ver. f. Reisende Kaufleute d. Schweiz, VMMT-Verb. d. Marketing u. Managment Trainer Österr. H.: Segelfliegen, Tennis, Langlaufen, Jagd, Theater. (M.G.)

Meyer Udo Dipl.-Ing.

B.: Gschf. Ges. FN.: Dipl.-Ing. Udo Meyer AQUACONSULT GmbH. DA.: 2500 Baden, Albrechtsg. 4. PA.: 2500 Baden, Weilburgstr. 44. G.: Wien, 26. März 1942. V.: Brigitte, geb. Haupt. Ki.: Reiner (1966), Iris (1969). El.: Albert u. Erna. S.: 1961 HTL-Matura: Betriebstechnik, Stud. Techn. Physik TU Wien, 1967 Dipl.-Ing. K.: 1961-69 Techniker b. Overhoff, 1969-79 Gschf., ab 1979 selbst. m. AQUACONSULT: Tätigkeit im Umweltschutz m. Schwerpunkt Abwasseraufbereitung, Systemhaus f. CAD-Bereich. BL.: versch. Patente auf d. Gebiet d. Wasser- u. Abwassertechnik. P.: zahlr. Fachart. in in- u. ausländ. Fachzeitschriften. (M.M.)

Meyer Wilfried Dr.

B.: Ltr. d. Stahlwerke u. Schmiedebetriebe. FN.: Böhler Edelstahl GmbH. DA.: 8605 Kapfenberg, Mariazeller Str. 25. PA.: 8605 Kapfenberg, Albert-Böhler-G. 10a. G.: Kapfenberg, 25. Dez. 1941. V.: Renate, geb. Knoll. Ki.: Ursula (1971), Jörg (1974). El.: Dipl.-Ing. Helmut u. Ursula. S.: 1961 Matura, BH, 1962 Stud. Physik Graz, 1969 Prom. K.: 1969-71 HS-Ass. am Physikal. Inst., 1971-78 Gießereiinst. Leoben, ab 1978 Böhler Edelstahl GmbH, 1980 Abt.-Ltr. im Stahlwerk, ab 1984 Ltr. d. Konzernmetallurgie, ab 1986 Ltr. d. Stahlwerkes, ab 1991 auch Ltr. d. Schmiede. P.: ca. 45 Veröff. u.a. Sekundärmetallurg. Verfahren, Gießen u. Erstarren v. Stahl u. Nichteisenlegierungen, Rißbruchzähigkeit v. Edelstählen. M.: Eisenhütte Österr., Electric Steelmakers' Guild, Österr. Physikal. Ges., VDEh H.: Segelfliegen, Wandern, Skitouren, Lesen. (K.K.)

Meyer Wolfgang Dr. jur.

B.: Stadtamtdir. FN.: Stadtgemeinde Zwettl NÖ. DA.: 3910 Zwettl, Gartenstr. 3. PA.: 3970 Weitra, Untere Landstr. 147. G.: Weitra, 13. Dez. 1944. V.: Elisabeth, geb. Krämer. Ki.: Ingeborg (1969), Alexander (1973), Gernot (1974), Michael (1979). S.: BRG, Matura 1962, Jus-Stud. a. d. Univ. Wien, 1969 Prom. Dr. jur. K.: 1969 Gerichtsjahr i. Wien u. Weitra, 1970 Präsenzdienst, Nov. 1970 Eintritt i. NÖ Landesdienst, NÖ-Landesreg.: BH Baden, BH Hollabrunn, BH Zwettl, 1976 Übertritt i. d. Dienst d. Stadtgemeinde Zwettl, s. 1.1.1980 Stadtamtsdir. (M.M.)

Meyer-Helbeck Maria Baronin v. Tschusi

A.: 1010 Wien, Goetheg. 3. G.: Innsbruck, 19. Apr. 1926. V.: Bernardo Calero-Conzalez. Ki.: Amrei u. Heila. El.: Somnitz-Floch Otto u. Luise. BV.: Großeltern Ernst u. Clara Luise Somnitz-Mohrenschild sind beide in Ostindien geboren u. waren dort Missionare. S.: Pflichtschulen, Gymn.-Matura, Ak. d. Bild. u. darst. Kunst. H.: Golf, Schwimmen. (Lar.)

Meyer-Welfing Heidrun

B.: Senior Sales and Promotion Manager-Asia. FN.: Perfums Christian Dior S.A. DA.: 75017 Paris, 33, Avenue de Wagram. PA.: 1070 Wien, Gutenbergg. 21/2. G.: Wien, 29. Sept. 1942. El.: Höfer Ernst Dr. HofR. Prof. u. Ingeborg. BV.: Großvater Hanns Diehl ak. Maler, Prof. Dr. Ernst Höfer war Bgm. v. Zellam See, Obst. Rudolf Höfer RgR. S.: VS, Frauenoberschule, Hotelfachschule Bad Hofgastein. K.: Auslandstätigkeit in Paris, Brüssel, Frankfurt b. ÖFVW, 13 J. b. AUA als Stewardess (Gruppenchef), 1974 Chefkosmetikerin b. Gen.Vertretung Perfums Christian Dior Österr., 1983 ins Stammhaus nach Paris, Betreuung Teile v. Asien, Rotchina, Deutschland, Schweiz, Teile v. Skandinavien u. Osteuropa, vor allem CSFR, seit 1989 Betreuung ganz Asiens m. Schwerpunkt Japan, Korea, Indonesien. M.: Tierschutzver. H.: Katzen, Antiquitäten, Kunst, Literatur, Theater. (E.L.)

Meyndt Manfred Dr. iur

B.: selbst. RA. FN.: HMRS Rechtsanwälte. DA.: 4020 Linz, Landstr. 47. G.: Wels, 29. Feb. 1948. El.: Michael u. Mathilde. S.: Gymn. Linz, 1968 Matura, 1968-69 Bundesheer, Stud. Rechtswiss. Innsbruck, 1976 Prom., Gerichtspraxis Innsbruck u. Linz b. 1977. K.: 1981 eingetr. Anwalt, 1982 Kanzleigemeinsch. m. Dr. Schweiger, 1992 m. Dr. Hasch, Dr. Ransmayr u. Dr. Schweiger. M.: Anwaltskammer. H.: Beruf, Squash, Wandern. (N.A.)

Meyrath Marcel

B.: Schriftsteller. PA.: 1170 Wien, Kalvarienbergg. 35/12. V.: Hildegard, geb. Mokesch. Ki.: Martin, Daniel. El.: Prof. Joseph u. Dipl.-Ing. Anita. S.: VS, HS, Handwerkerausbild., Reifeprüf. am BG f. Berufstätige Wien, Stud. d. Anglistik u. Phil. Univ. Wien. K.: seit 1977 österr. Staatsbürger, 1974-77 freier Mitarb. d. ORF, 1980-85 Red. d. Wr. Literaturzeitschrift Fettfleck, 1981 Nachwuchsstipendium d. BMU, seither freischaff. P.: Erzählungen in Literaturzeitschriften, Anthologien u. im Hörfunk, Roman "Pflocks Glück" 1986, 1 Theaterstück, 1 Hörspiel. E.: Arbeitsstipendium d. Stadt Wien, Dramatikerstipendium d. BMU, Theodor Körner-Förderungspreis, zweiter Max v. d. Grün Förderungspreis f. Literatur d. Arbeitswelt. M.: Grazer Autorenversammlung. (M.Br.)

Meysel Siegfried Dr. KommR.

B.: Gen.-Dir.-Stellv., Gschf. d. "Pavin" Papierveredelungsind. GmbH Frohnleiten, "Wr. Papier" Großhdlg. GmbH Wr. Neudorf, Wr. Papier Großhdlg. Innsbruck GmbH Wr. Neudorf, "Grazer Papier Großhdlg. GmbH Graz u. Klagenfurter Papier Großhdlg. GmbH Klagenfurt. PA.: 2380 Perchtoldsdorf, Heinrich Waßmuth-G. 7. M.: Vorst.Vors.Stellv. d. Leykam Mürztaler Papier u. Zellstoff AG Gratkorn, AufsR. d. Österr. Papierverkaufs GmbH Wien.

Meznik Wolfgang

B.: Inh. d. Restaurant "Zu ebener Erde u. erster Stock". DA.: 1070 Wien, Burgg. 13. PA.: 1070 Wien, Burgg. 19. G.: Wien, 23. Apr. 1958. V.: Ernestine, geb. Wochner. El.: Johann u. Franziska, geb. Jarosik. S.: 1972-76 Hotelfachschule in Bad Gleichenberg, 1977-79 Gastronom. Erfahrung in Genf b. AG "Möwenpick". K.: 1979-80 Nightauditor im Intercontinental Wien, 1981 Ass.-Dir. d. Veranstaltungsbüros im Wr. Konzerthaus, 1982-83 Restaurantltr. im Kaufhaus Gerngross, 1983-86 Gschf. d. Restaurantgruppe Franchis, ab 1987 selbst. E.: 1991 Ausz. f. bes. Verd. um d. Pflege u. Erhaltung d. typisch österr. Küche verliehen v. Gault Millau, 1989 u. 1990 Ausz. d. Falstaff-Magazins. H.: Sport, Familie. (N.A.)

Mhesz Ulli
B.: Sängerin, Sozialarb. PA.: 4600 Wels, Schubertstr. 17/11. G.: Wels, 23. Sept. 1967. El.: Vater Jurist, Mutter Dipl.-Krankenschwester. BV.: Großvater Anton Eidherr, Dichter. S.: Grundschule, HASCH, 2 J. Musikkonservatorium Wien, Deko-Ausbild., Sozialarb.-Ausbild. K.: m. 14 J. erster Liveauftritt m. d. "Ulli Mhesz Group", m. 17 J. b. d. Punkband "Mordbuben AG", "Ulli Mhesz Mirakel" in Wien, Rückkehr nach Wels, Grdg. d. Gruppe "U.M. Paranoia", 1991 Grdg. einer Rockband in Linz, 1991 Single-Erscheinung, 1982 "Der Exorzist" auf d. LP "Traunstadtkinder" veröff., Konzerte m. div. Bands in Wels, Linz u. Wien, Club-Ö3-Auftritte, Radiosendungen, eigene Kompositionen in Engl., Ital. u. Dt. P.: div. Berichte in Tageszeitungen u. Musikzeitschriften. H.: Lesen (Phil., Psychoanalyse), Esotherik, Kundalini Yoga u. Chakra Meditation. (P.H.)

Mican Walter Prof.

B.: Goldschmiedemstr., Gemmologe u. Diamantgutachter, allg. beeid. Gerichtssachv. FN.: Gold-, Silberwaren, Pretiosen sowie Handel m. Edelsteinen. DA.: 1010 Wien, Habsburgerg. 10. G.: Wien, 7. Dez. 1928. V.: Eveline, geb. Mensik. Ki.: Brigitte (1956). El.: Franz u. Rudolfine, geb. Kovar. S.: 1949 Matura, Goldschmiedelehre, 1952 Gesellenprüf., 1954 Meisterprüf. K.: 1953-56 Schätzmstr. im Dorotheum, s. 1964 gerichtl. beeid. Sachv., ab 1976 eig. Pretiosenschätzstelle, Lehrtätigk. am WIFI, im Hauptverb. d. Allg. beeid. Gerichtssachv. Österr. sowie in d. Räume d. eig. Labors. P.: Fachart. in d. Verbandszeitung "Der Sachverständige". E.: 1990 Verleih. d. Prof.-Titels durch d. BPräs. M.: Dt. gemmolog. Ges., Österr. gemmolog. Ges., Innung d. Juweliere, Meisterver. d. Wiener Juweliere, Gold- u. Silberschmiede, Diamantclub, Ehrenmtgl. d. gemmolog. Ges. Brasiliens m. Sitz in Sao Paolo. H.: Aquaristik. (N.A.)

Michael Peter Dr. med.
B.: FA f. Lungenheilkunde. GT.: FA am Pulmolog. Zentrum. DA.: 1080 Wien, Alserstr. 23/21A. PA.: 1080 Wien, Alserstr. 23/19. G.: Beba/Ägypten, 8. Juni 1934. V.: Dr. Ruth (prakt. Ärztin). Ki.: Johannes (1977). S.: 1977 Dr. med. K.: 1980 prakt. Arzt, FA f. Lungenkrankheiten. P.: div. Publ. in intern. Zeitschriften. H.: Kardiologie. (H.P.)

Michaelis Rolf-Dieter Dkfm.
FN.: TEMIC Telefunken electronik Ges.m.b.h. Vöcklabruck, Kretztechnik A. G., Zipf PA.: 4801 Traunkirchen, Mitterndorf 57b. G.: Berlin, 21. Apr. 1931. V.: Ingeborg. Ki.: Dr. techn. Markus, Lutz, Ulrike. S.: Grundschule, Oberschule, TU Berlin. K.: seit 1953 b. Telefunken-Electronic. E.: Silb. EZ d. Landes OÖ. M.: Vereinig. Österr. Industrieller.

Michalek Ludwig Dkfm.
B.: Synodalratsvors. d. Altkath. Kirche Österr. DA.: 1010 Wien, Schottenring 17. PA.: 1190 Wien, Dr.-Eduard-Heinl-G. 2. G.: Karlsbad, 30. Okt. 1924. V.: Dkfm. Hedwig, geb. Hubmann. Ki.: Dr. med. Christine, Dr. med. Karlheinz. El.: Adolf u. Josefine. S.: 1943 Externistenmatura, b. 1946 Soldat u. Kriegsgefangenschaft in Belgien, HS f. Welthdl. Wien, 1948 Dkfm. K.: 1939-58 Tätigkeit im Julius Meinl Konzern, 1958-87 Prok. Österr. Unilever GmbH, gleichzeitig Ausbildner u. Prüfer v. Lehrlingen d. Lebensmittelind., seit 1987 im Ruhestand, seit 1968 Mtgl. d. Synodalrats d. Altkath. Kirche Österr. u. ab 1985 Vors. H.: Musik, Reisen, Wandern, Langlaufen, Radfahren, Fotografieren. (J.S.)

Michalek Nikolaus Dr.

B.: Bundesminister f. Justiz. DA.: 1070 Wien, Museumstr. 7. G.: Wien, 5. Apr. 1940. verh., 3 Kinder. S.: Matura, Stud. Univ. Wien, 1962 Prom. K.: 1962 Notariatskandidat, 1976 öff. Notar Wien-Josefstadt, 1978 VPräs., 1987 Präs. d. Notariatskammer f. Wien, NÖ u. Bgld., 1989 Präs. d. Österr. Notariatskammer, seit 1990 BMin. f. Justiz. M.: 1985 Kassier, 1987-90 Präs. d. Ver. für Sachwalterschaft u. Patientenanwaltschaft. (N.A.)

Michalek Susanne Dr. jur.
B.: RA. DA.: 1010 Wien, Falkestr. 1. PA.: 1030 Wien, Stelzhamerg. 4. G.: Graz, 14. Aug. 1949. Ki.: Gregor (1974), Arthur (1977). El.: Dr. Hausleithner Kurt u. Ingeborg, geb. Renger. S.: Gymn. f. wirt. Frauenberufe, 1967 Matura, Stud. d. Rechtswiss., 1973 Prom. Dr. jur., 1973 Gerichtspraxis. K.: 1974 Eintritt Kanzlei Dr. M. Michalek a. Konzipientin, 1983 Konzipientin Kanzlei Dr. Hoppel, s. 1987 eingetr. RA m. eig. Kanzlei. M.: Ladies Cercle. H.: Malen, Segeln, Moderne Bildende Kunst, Wein sammeln. (N.A.)

Michalica Werner Dr. med. HofR. Prof.
B.: FA f. Frauenheilkunde u. Geburtshilfe, Gyn. Radiotherapeut d. Strahlenabt. f. d. I. u. II. Univ.Frauenklinik Wien. DA.: 1090 Wien, Spitalg. 23, 1080 Wien, Strozzig. 17. G.: Wien, 29. März 1923. S.: Gymn., 1941 Matura, Reichsarb.Dienst, Stud. an d. Univ. Wien Med. Fak., 1942 Dt. Wehrmacht, Verwundung, Gefangenschaft, 1946 Rückkehr, Fortsetzung d. Stud., 1951 Prom. K.: 1951-53 FA-Ausbild. im KH Lainz, 1953 Eintritt in d. I. Univ.Frauenklinik b. Prof. Antoine, 1957 FA-Anerkennung, 1975 Habil., 1981 a.o.Prof., 1984 HofR. P.: 130 Publ. in div. Fachzeitschriften, Hrsg. eines 2bändigen Handbuches f. gyn. Onkologie u. Onkotherapie, Hrsg. d. Fachzeitschrift "Speculum". M.: Ges. d. Ärzte Österr., Österr. Gyn. Ges. H.: Musik (Orgelspiel), Theater, Schriftstellern. (A.W.)

Michalicka Peter-Hans Ing.
B.: Inh. FN.: AIC Advanced Interactive Computing GesbR. DA.: 4040 Linz, Kaarstr. 7. PA.: 4030 Linz, Am Steinbühel 10. G.: Linz, 11. Apr. 1961. El.: Friedrich u. Erika. S.: 1975-80 HTL Tiefbau Linz, ab 1980 Stud. Techn. Physik Linz. K.: 1980-83 Dywidag Österr., 1984-88 AIS GmbH, 1988 Grdg. d. Unternehmens, 1990 Grdg. d. Vertriebsges., Schwerpunkte: C-Technologie, Bildverarb. (Geodäsie, CAD, CAM, CAE), Kooperationsvertrag m. Forsch.-Inst. Risc Linz, Partnerschaft m. intern. Unternehmen, nat. u. intern. Tagungs- u. Vortragstätigkeit z.B. DIF, AGIT. P.: Das große SQL-Buch

(1989), ADS f. Autocard (1990), weiteres Buch in Vorbereitung, zahlr. Publ. in div. Fachzeitschriften. H.: Reiten, Motorsport (1 J. aktiver Rallyefahrer). (P.H.)

Michalicka Werner
B.: Gschf. Ges. FN.: AIC Advances Interactive Computing CAD/CAM Software. DA.: 4040 Linz, Kaarstr. 7. PA.: 4202 Kirchschlag, Rohrach 31. G.: Linz, 11. April 1967. V.: Sigrid, geb. Diesenreither. El.: Herbert u. Herta. S.: VS, Gym., HAK, Mat. 1985, 1986 BH. K.: 1987-89 Programmierer f. Fa. Schachermayer Linz, Eintritt in AIC als Ang., seit 1990 Gesell., seit 1993 Gschf. H.: Sport, Skifahren, Tennis, Familie. (U.A.)

Michalski Krzysztof Dr. Prof.
B.: Ltr. d. Inst. f. d. Wiss. v. Menschen. DA.: 1040 Wien, Goldegg. 2/5. PA.: 1190 Wien, Karthäuserstr. 8. G.: Warschau, 18. Juni 1948. V.: Sofie. Ki.: Kalenia (1977), Julia (1982). S.: Phil.Stud. Univ. Warschau, 1974 Prom. K.: 1977 Humboldt-Stipendiat Heidelberg, 1978 Prof. f. Phil. Univ. Warschau, Ltr. v. postgraduativen Seminaren in Dubrovnik, Thyssen-Stipendiat Univ. Heidelberg, 1983/84 Gastprof. Wr. Univ., 1986 Gastprof. Boston, seit 1990 o.Prof. Boston, 1983 Grdg. d. Inst. f. d. Wiss. v. Menschen in Wien. P.: 1977 Veröff. v. Heidegger-Essays in Poln. Übersetzung, 1981 "Logik u. Zeit" (Hrsg.), Red. d. Zeitschrift "Transit. Die Europäische Revue" u. "Castelgandolfo-Gespräche", 1988 "Logik u. Zeit" (Warschau). (R.J.)

Michejew Viktor J. Dr. phil. Dr. psych.
B.: Büroltr. in Österr. d. TV u. Rundfunk d. UdSSR. DA. u. PA.: 1190 Wien, Straßerg. 8-12/2/1. G.: Moskau, 1. Mai 1924. V.: Agnes, geb. Schlakowa. Ki.: Wladimir. S.: während d. Krieges Schlosser, 1942-47 Dienst in Sowjetarmee, 1947-52 Studien an d. Univ. in Moskau, 1952 post graduated am Inst. d. Phil. d. Ak. d. Wiss. K.: nebenbei Ang. d. Ges. f. kulturelle Beziehungen m. d. Ausland, Aspirant u. Mitarb. d. Ak. d. Wiss., 1958-63 Ang. b. UNESCO in Paris, 1963-68 Doz. u. Prof. am Inst. f. Ges.Wiss., 1968-74 Kons. am Zentralkomitee d. KPdSU, 1974-80 Büroltr., Chefred. u. Botschaftsrat in Ottawa/Canada, 1980-84 Chefkommentator d. sowjet. Fernsehen, ab 1984 Büroltr. d. sowjet. Rundfunks u. Fernsehens in Österr. P.: Publ., 3 Bücher. E.: 11 Orden u. Med. H.: Photo (P.R.)

Michel E. Dr. iur.
B.: öff. Notar. DA.: 6900 Bregenz, Rathausstr. 13. PA.: 6971 Hard, Lehenweg 6c. G.: Wien, 12. März 1944. V.: Marlies, geb. Breuss. Ki.: Constanze (1971), Johannes (1975). S.: 1962 Matura, Jusstud. Innsbruck u. Wien, Gerichtsj. Bregenz u. Feldkirch, 1970 Prom. K.: 20 J. Notariatspraxis in Bludenz u. Bregenz, 1985-90 Mtgl. d. Notariatskam. f. Tir. u. Vbg., seit 1990 öff. Notar in Bregenz m. eigener Kzl. H.: Musik (Barock, Klassik, Romantik), Bergwandern, Soz., Psych. (A.K.)

Michel Helmut Dr. med.
B.: Prakt. Arzt. GT.: Schularzt. DA.: 1010 Wien, Schubertring 9. G.: Wien, 7. Nov. 1947. V.: Rosemarie, geb. Ofenböck. Ki.: Alexander u. Claudia. El.: Dr. med. Helmut u. Auguste. S.: BRG Wien, Matura 1967, Stud. an d. Univ. Wien, Med. Fak., Prom. 1976. K.: Turnusarzt im Rudolfsspital u. im Mautner-Markhof-Kinderspital, 1979 Eröff. d. eigenen Praxis in Wien, seit 1980 Schularzt. H.: Schwimmen, Theater, Fußball, Tennis, Gartenpflege. (A.W.)

Michelitsch Peter

B.: Büchsenmachermeister. FN.: Moderne Jagdwaffen Michelitsch. DA./PA.: 9170 Ferlach, 12. November Straße 2. G.: Klagenfurt, 20. Sept. 1962. Ki.: Pascal (1986). El.: Johann u. Erika. BV.: Großvater Johann Michelitsch entwickelte in Zusammenarbeit mit mehreren anderen Personen den Triumpfbockdrilling: Vater Johann M. hat den Bockdrilling mit separater Kugelspannung entwickelt. S: VS, HS, kFachschule für Büchsenmacher in Ferlach, Meisterprüfung 1986 u. 1991 d. elterl. Betr. übernommen. Lehrlingsprüfungskommission - Wirtsch.kammer f. Ktn. E.: Goldmedaillie in Monte Carlo im Rahmen d. Hunfishow 1982 f. Vertikaldrilling. H.: Bergsteigen, Skifahren, Schießen. (G.L.)

Michels Josef

B.: Akad. Maler. DA./PA.: 7063 Oggau, Weißenböckg. 30. G.: St. Johann, 4. Juli 1928. V.: Maria, geb. Schmidl. Ki.: Maria (1959), Josef (1954). El.: Johann u. Anna. S.: VS, Gymn., Akad. d. Bild. Künste i. Wien, Stud. b. Prof. Andersen u. Prof. Böckl, Dipl. 1954. K.: ab 1954 freisch. Maler, vorw. Arb. i. Aquarell u. Öl m. Vernissagen i. Wien, Budapest, Rankweil, Eisenstadt, Rust sowie einer Dauerausstell. i. Oggau, öff. sowie kirchl. Auftragsarb., wie z.B. Altarbild i. Oggau, Reliefe i. Illmitz u. Podersdorf, Glasfenster i. Illmitz, 1962-89 Unterrichtstätigk. i. bildn. Erz. a. ORG-Eisenstadt. E.: Füger-Med. (M.M.)

Michl Friedrich Karl Mag. iur.
B.: Erster Gschf. d. Nord-West-Ring Austria Schuheinkaufs GmbH. DA.: 5082 Grödig, Oberfeldstr. 22. PA.: 5400 Hallein, Wiesenweg 10. G.: Prachatitz, 28. Juli 1942. V.: Barbara, geb. Pfistershammer. Ki.: Julia, Nicola. El.: StR. Friedrich u. Anna. S.: VS, RG, 1960 Matura, Univ. Wien jur. Fak., 1968 Mag. K.: BH, Lt. d. Res., 1968 Gerichtsjahr in Wien, 1969-72 Berufsanw. b. d. Ges. f. Revision u. treuhändige Verw., 1972-77 Ltr. d. Finanz- u. Rechnungsbereiches d. Spar Österr. Warenhdls. AG Hauptzentrale, seit 1978 erster Gschf. d. Nord-West-Ring Austria Schuheinkaufs GmbH, Tätigkeitsbereich: Ltg. d. Unternehmens, Finanzierung, Rechnungswesen, Behörden- u. Personalwesen, Marketing, Werbung, betriebswirtschaftl. Beratung (Partner) u. d. Repräsentation. F.: Ges. u. AufsR. (Mtgl.) d. Quick Schuh GmbH Graz. P.: Laufende Publ. in einschlägigen Fachzeitschriften. M.: MKV, CV (Studentenverbindung). H.: Tennis, Skifahren, Wandern, Joggen, Lesen (Sachbücher u. Belletristik), Reisen. (Hat.)

Michl Heinz Mag.
B.: Inh. Cafe Restaurant Glockenspiel. DA.: 5020 Salzburg, Mozartpl. 2. PA.: 5164 Seeham. G.: Salzburg, 30. Aug. 1951. V.: Mag. Johanna, geb. Heindl. Ki.: Gunther, Gerald. El.: Dr. Wilhelm u. Katharina. BV.: Großvater KommR. Heinrich

Wannebauer war Sbg. Großgastronm u. Sekt.-Obm. in d. HK Sbg. S.: RG, HS f. Welthdl. Wien, 1974 Spons. K.: ursprüngl. Steuerberater, Berufsanw. in Sbg., ab 1975 Mitarb. im familieneigenen Cafe Restaurant Glockenspiel, 1983 Inh. M.: AufsR.-Mtgl. d. Sbg. Innenstadtgen., Segelclub Seeham. H.: Wassersport, Skifahren, Langlaufen. (N.M.)

Michl Ludwig

B.: Verw.-Dir. im LKH Steyr. DA.: 4400 Steyr, Sierninger Str. 170. PA.: 4400 Steyr, Binderg. 11. G.: Steyr, 17. Juli 1933. V.: Christine. Ki.: Monika (1967), Dorothea (1968), Angela (1971). El.: Ludwig u. Maria. S.: VS u. RG Steyr, 1952 Matura. K.: seit 1952 im LKH Steyr, seit 1977 in jetziger Position, 1960-86 Obm. d. Ang.-BetriebsR., seit 1976 Mtgl. d. ZentralbetriebsR. u. d. Zentralaussch. d. OÖ Landesbediensteten, 1974 wirkl. AR, 1979-86 ZentralbetriebsR.-Obm.-Stellv., 1980 Rechnungsdir., 1983-86 Mtgl. d. Dienstbeurteilungskmsn., 1974-86 Mtgl. d. erweit. Bundessekt. IX d. Gewerksch. öff. Dienst, 1987 Verw.-Dir. im LKH Steyr. E.: 1979 Silb. Ehrennadel d. Österr. Arbeiter- u. Ang.-Bundes, 1984 RegR. M.: Lebenshilfe, OÖ Arbeitsgruppe Steyr. H.: Geige, Belletristik, Biographien, Geigen sammeln. (U.A.)

Michl Walter Hans Dipl.-Ing.

B.: Arch., staatl. befugter u. beeid. Ziviltechniker. DA.: 1010 Wien, Renng. 14. PA.: 1050 Wien, Krong. 4. G.: Wien, 6. Jän. 1953. El.: Johann u. Auguste, geb. Haslauer. S.: 1972 HTL, 1973-80 Stud. Arch. TU Wien, Auslandsaufenthalt in d. Schweiz, 1986 Befugnis als Arch. K.: 1987-93 1. Preis Wettbewerb u. Realisation Wohn- u. Gesch.-Zentrum Linz "Donautor", 1988-92 Wohn- u. Bürohaus in Wien, 1990 1. Preis Ideenwettbewerb Hauptbahnhof Innsbruck, 1991-92 städtebaul. Gutachten in Winterthur/Schweiz u. in Wien, seit 1989 Red. d. "BauArt" gem. m. W. Bohatsch, K. Leitner u. W. Zschokke. (N.A.)

Michl-Bernhard Elfriede

Künstlername: VESNA. B.: Designer. A.: 1010 Wien, Bäckerstr. 2. G.: Wien, 6. März 1935. El.: Sekirnjak Karl u. Elfriede. S.: Mittelschule, Textilschule u. Ak. f. angew. Kunst. K.: 3 J. Praxis als Textilzeichner in Deutschland, Italien u. Frankreich, Gobelinweben in Österr., 1970 Eröff. eigener Werkstatt in Wien, f. Weberei u. Druck, ausgestellt in Deutschland, Italien, Japan u. Mexiko, Werkstatt in Guatalajara (Mexiko), Lehrstelle a. d. Ak. in Wien. F.: Muster in Lizenz bei: Vereinigten Werkstätten München u. Hönel & Baumann in Österr. P.: Textile Gestaltung v. Projekten Hilton-Wien, Botschaft-Tokio, Casino in Baden, Banken u. Diskotheken. E.: Ehrenpreis d. Stadt Wien.

Michler Gerhard

B.: Ges., Gschf. FN.: Michler GmbH Stahlhdl. DA./PA.: 3434 Tulbing, Blümlerg. 10. G.: Ostrava/Tschechien, 29. Aug. 1933. V.: Agnes, geb. Krügler. Ki.: Monika (1953), Dr. Wolfgang (1955), Ing. Bernhard (1958), Mag. Werner (1967). El.: Ing. Josef u. Olga. S.: Abschluß d. kfm. Lehre. K.: Kfm. Ang., 1966 Prok. Firma Gebr. Prager Wien, 1971 Verkaufsltr. Thormetall Tribuswinkel, 1975 Prok. Stahlvertrieb Forstner Wr. Neudorf, 1980 Grdg. Michler Hdls.-Agentur, 1990 Umwidmung Michler GmbH u. Gschf. E.: Stephanus-Orden II.-Kl. M.: Wirtschaftsbund, ÖVP. H.: Beruf, Musik. (T.T.)

Michlits Josef

B.: Gastwirt. FN.: Cafe Restaurant Bartholomäusstüberl. DA.: 7421 Illmitz, Hauptpl. 6. PA.: 7421 Illmitz, Schellg. 20. G.: Illmitz, 1. Jänner 1964. El.: Theresia u. Josef. S.: Fremdenverkehrsschule Modul, Wien. K.: 1981 Eintritt in elterl. Gastbetrieb in Wien im Service, 1982 gemeinsam m. Eltern Rest. Bartholomäusstüberl in Illmitz installiert, 2 J. im Service tätig, anschl. in Kükche; 1987 alleinig. Übernaheme u. Einrichtung v. Spezialitätenwochen, eigene Weingärten u. Kellerwirtschaft. H.: Skifahren, Radfahren. (I.J.)

Michlits Reinhard

B.: Geschäftsltr. FN.: Raiffeisenkasse. DA.: 7100 Neusiedl/See, Untere Hauptstr. 3. PA.: 7100 Neusiedl/See, Josef Reichlg. 2. G.: Kittsee, 27. Dez. 1948. V.: Brigitte, geb. Leitner. Ki.: Alexander (1993). El.: Konrad u. Elisabeth. S.: Gymn. in Eisenstadt u. Wien, Salesianum. K.: 1968 Volksbank Ost im Schalterdienst, v. 1970-84 Filialltr. Volksbank Gols, anschl. Bereichsltr. u. Prok., 1987 Geschäftsltr. u. Vorst.-Mtgl. d. Volksbank Ost, ab 1988 Geschäftsltr. d. Raiffeisenkasse Neusiedl, s. 1993 AufsR. d. Raiffeisen Landesbank Bgld. H.: Jagd, Tennis. (I.J.)

Michlmayer Heribert Dipl.-Ing.

B.: Kfm. FN.: Dipl.-Ing. Michlmayer. DA. u. PA.: 1010 Wien, Dorotheerg. 6-8. G.: Wien, 9. Mai 1937. V.: Lieselotte, geb. Duschek. Ki.: Heribert (1957), Ariane (1958), Andrea (1962), Astrid (1966). El.: Herbert u. Marianne. BV.: b. 1650 zurückreichende Bauernfamilie. S.: VS, Gymn., Ldw.-Stud. HS f. Bdk. K.: 1966-68 Ldw.-Berater d. Österr.-Ind. Ges. in Indien, 1968 Vorträge Univ. Wien, Aufbau Großhdl. m. ind. Seide in Österr., 1971 Chinareise, Chin. Baumwolle an größte Österr. Textilfbk. verkauft, 1974-84 Spitäler u. Hotels in Nigeria gebaut, eingerichtet u. ausgerüstet, 1978 Spitäler u. Labors in Moskau eingerichtet, Grdg. einer priv. Firma, exportmäßige Betreuung einer gr. Phosphatmine in Murmansk, Grdg. Tourismusfirma "Sibirian Tours" zusammen m. Alexander Tichonow, Veranstaltung v. Jagd- u. Erkundungsreisen nach Rußland, 1990 zurück nach Österr., Veranstalter v. Jagdreisen, Revitalisierung d. Slowak. Pferdesports u. d. Pferdezucht, Equipchef im Slowak. Pferdesport, Mithilfe b. d. Vermarktung einer Mineralwasserquelle in ganz Europa. E.: Ehrenpräs. eines Engl. Clubs m. 7 Personen in Tuwa. H.: Arch., Pferdezucht. (J.M.)

Michnig Werner

B.: Gschf., Einzelprok. FN.: Dr. Hans Ludwig & Co Vers.Dienst f. Ind. u. Wirtschaft. DA.: 1030 Wien, Neulingg. 13. PA.: 1190 Wien, Kahlenberger Str. 95. G.: Wien, 13. März 1944. V.: Helga, geb. Kozubik. Ki.: Andreas (1967). El.: Rudolf u. Margarethe. S.: 1958 Lehre Vers.Kfm. b. d. Interunfall. K.: 1967 Eintritt Dr. Hans Ludwig & Co, ab 1984 Einzelprok. M.: Verb. Österr. Vers.Makler. H.: Fischen, Wandern. (N.A.)

Michor Michael Mag. Dr.

B.: RA. GT.: Gasthof, Tankstellen, Pension u. Geschäft. DA.: 9500 Villach, Bahnhofstr. 16. PA.: 9611 Nötsch, Michelhofen 11. G.: Warmbad-Villach, 29. Dez. 1952. V.: Mag. Christiane, geb. Pungerscheg. Ki.: Stefanie, Lukas. El.: Dr. Herbert u. Stefanie. S.: Pflichtschule, Werkschulheim Felbertal, Tischlerlehre mit Abschluß Gesellenprüf., Stud. d. Rechtswiss. an d. Univ. Wien u. Stud. der Betriebswirtschaft an d. WU Wien, RA-Prüf. 1981. K.: Bei d. Gerichten Villach u. Klagenfurt 1 J. als Rechtspraktikant, anschl. als Konzipient b. DDr. Giampaolo Caneppele, eigene Kanzlei 1983 eröffnet. H: Jagd, Tennis, Surfen, Skifahren. (Brd.)

Michtner Klaus Dkfm.

B.: Gschf. d. Kompl. FN.: Optische Werke Rodenstock G. Produktion Österr. GT.: Hugo Michtner & Co KG. DA.: 1061 Wien, Schmalzhofg. 12. PA.: 1180 Wien, Dürwaringstr. 82. G.: 8. Dez. 1938. V.: Dkfm. Christine. Ki.: Alexander, Markus. El.: KommR. Hugo u. Anni. S.: Realschule, Welthdls.Stud. K.: 1961 Familienbetrieb, 1965 Ges., 1978 alleiniger Ges. M.: Präs. Österr. Optikererz., Meisteroptiker, Vorst. d. Kreditschutzverb. 1870, Wr. Kam., Foto-Kino-Optik. H.: Tennis, Skifahren, Basketball, Briefmarken, Beruf, Oper. (K.M.A.)

Michtner Wilhelm J.

B.: Prok. Organ. u. Informationssysteme. FN.: Europapier. DA.: 1210 Wien, Autokaderstr. 86-96. PA.: 3701 Gr. Weikersdorf, Ruppersthal 85, 2346 Maria Enzersdorf-Südstadt, Hohe Wandstr. 4/8. G.: Ruppersthal, 15. Nov. 1945. V.: Helen, geb. Gluchowsky. Ki.: Kerstin (1988), Katrin (1992). El.: Wilhelm u. Leopoldine. S.: AHS. H.: Theater, Literatur.

Miedler Engelbert

B.: Fleischer. DA.: 1030 Wien, Invalidenstr. 2, Markthalle 3. PA.: 1200 Wien, Mortavapl. 3. G.: Litschau, 23. Juli 1936. V.: Ingrid. El.: Engelbert u. Hemine. S.: VS, Fleischerlehre Firma Rössler. K.: 12 J. Firma Braschak, 1971 selbst., 3 J. Prof., Rindfleisch-, Kalbfleisch-, Schweine- u. Pferdefleischimporteur, 1. Juni Joint Venture m. CSFR. E.: 29 Haubenrestaurants , Nr. 1. Rindfleisch. M.: Innungsaussch. H.: Weinbauer. (H.S.)

Michtner Wolfgang MinR. Dr.

B.: Gruppenltr. BM f. Gesundheit, Sport u. Konsumentenschutz. DA.: 1031 Wien, Radetzkystr. 2. PA.: 1130 Wien, Fasangarteng. 101/Obj. 4/30. G.: Wien, 12. Juni 1947. V.: Edna, geb. Tenzer. Ki.: Angelika (1973). El.: Dr. Walter u. Herta, geb. Dolejsi. S.: 1965 Matura Wien, Stud. Rechtswiss. Univ. Wien, Prom. Dr. iur. 1970, Gerichtspraxis. K.: 1971 Bundesdienst, versch. Funktionen im Gesundheitsressort, dzt. Gruppenltr. Grundsatzangelegenht. d. Gesundheitspol., Gesundheitsök., rechtl. u. med. Angeleg. d. Krankenanst., d. Arzneimittel u. übertragb. Krankheiten, rechtl. Angeleg. d. Ärzte, Psychologen u. Psychotherapeuten, Lehrbeauftr. Univ. Wien (Gesetzeskunde f. Pharmazeuten). P.: Fachart. in Fachzeitschr., Bücher: Arzneimittelgesetz (1989), Kommentar z. Arzneimittelgesetz (m. Mayer, Schober 1987). H.: fremde Länder, Video, Bücher zu hist. Themen. (N.A.)

Miedaner Andreas

B.: Art-Director. FN.: Büro X Design GmbH. DA.: 1010 Wien, Salzgries 18. PA.: 1050 Wien, Kettenbrückeng. 13. G.: Salzburg, 3. Sep. 1963. El.: Horst u. Herta. S.: VS, HTL Fachr. Textil, 1983 Ausbild. z. Schriftsetzer. K.: 1984-86 a. Graphiker Creativ Werbeagentur Sbg.; 1986-88 GGK Sbg. als Layouter u. jun. Art-Director; 1988-91 Demner & Merlicek a. Layouter u. Art-Dir.; 1990-91 freiberufl. tätig i. Wien u. Hamburg; s. 1991 Gründ. Werbeag. Büro X Design GmbH, tätig als GF u. Art-Director. H.: Badminton. (E.J.)

Miedler Hans

B.: Kfm., Gschf. Ges. FN.: Hans Miedler GmbH Gastronomie Big Ben Kitzbühel, Big Ben Seefeld, Cafe-Restaurant "Muskat" Kirchberg i. T., Gasthof Wagstätt Jochberg. GT.: "Kitz-Alp" Wohnbau u. Immobilien GmbH, Gschf. Ges. H. Miedler KG. DA.: 6370 Kitzbühel, Vorderstadt 31. PA.: 6370 Kitzbühel, Seebichlweg 46. G.: Kitzbühel, 29. Dez. 1941. V.: Renate, geb. Leo. Ki.: Cornelia (1967), Sandra (1971), Gabriela (1978). El.: Hans u. Luise. BV.: Vater, prominenter Schneidermstr. u. Erfinder d. Keilhose. S.: VS, HS Kitzbühel, Gymn. St. Johann, Schneiderlehre m. Mstr.-Prüf. K.: 17 J. Tätigkeit im Baugewerbe zuletzt als kfm. Ltr. einer größeren Baufirma, vor ca. 20 J. Gastgewerbekonzession, 1982 selbst. in d. Modebranche, 1989 Eröff. Big Ben Kitzbühel, 1990 Eröff. Big Ben Seefeld, 1991 Eröff. Cafe-Restaurant "Muskat" Kirchberg i.T., 1994 Gasthof Wagstätt Jochberg; seit 1981 "Kitz-Alp" Wohnbau u. Immobilien GmbH, 1982 Eröff. H. Miedler KG Herrenausstatter. E.: 1958 Tir. Jugendmstr. Alpinskilauf. M.: Aussch.-Mtgl. Kitzbühler Kaufmannschaft Aktiv, HK Prüf.-Kmsn., Textil-Einzelhdl., Skiclub Kitzbühel. H.: Skifahren, Fahrtensegeln, Tennis, Bergwandern. (M.T.)

Mielniczek Claus

B.: Gschf. FN.: Autolackier-Center Claus Mielniczek. DA.: 1200 Wien, Dresdner Str. 84. G.: Wien, 23. Juni 1967. V.: Susanne. Ki.: Denis (1987), Nicole (1989). El.: Sonja u. Josef. S.: Hasch, Berufsschule KFZ-Lackierer, 1990 Mstr.-Prüf. K.: nach d. Lehre 4 J. im Beruf tätig, 1991 selbst. gemacht, Gründung Lackier-Center, kostenlose Leihwagen, Einbrennlackierungen, Havarieübernahme, Direktverrechnung mit Versicherung. BL.: Mut zur Selbständigkeit. H.: Jagd, Tennis, Golf. (W.M.)

Miesbauer Fritz

B.: Red., Bgm. v. Weißenkirchen. DA.: 3610 Weißenkirchen, Gemeindeamt. PA.: 3610 Joching 20. G.: Krems, 12. Sept. 1938. V.: Heidi, geb. Einzinger. Ki.: Gabi, Gertrude, Fritz. K.: seit 1969 f. ÖVP politisch tätig, ab 1971 GemR. d. Gem. Weißenkirchen, 1980-85 gschf. GemR. u. seit 1985 Bgm. d. Fremdenverkehrsgemeinde Weißenkirchen im Herzen d. Wachau. M.: Vorst.Mtgl. v. "Arbeitskreis zum Schutz der Wachau", Mtgl. div. pol. Bezirks- u. LGremien. H.: Weinbau. (Kern)

Mieth Johann Dipl.-Ing.

B.: Gschf., Unternehmer. FN.: Johann Mieth GmbH. DA.: 8020 Graz, Kapellenstr. 6. PA.: 8043 Graz, Maria Troster Str. 113. G.: Beograd, 4. Juli 1943. V.: Djurdjica, geb. Radlovacki. Ki.: Ivan (1968), Andrej (1972). El.: Hans u. Gisela. S.: VS, 8 J. Mittelschule, 1960 Matura, HTL, Stud. Maschinenbau, Richtung Flugzeugbau in Belgrad, 1969 Dipl. K.: Gießereiltr. in einer Kesselfbk., ab 1970 Tätigkeit in Österr. b. einer Export-Import-Firma in Wien, ab 1973 Eintritt väterl. Firma f. Großhdl., 1977 Teilhaber d. GmbH, 1982 Übernahme d. Firma u. Gschf. Ges. H.: Segeln, Tauchen, Schwimmen. (M.Gr.)

Migl Raimund Dipl.-Ing. w.HofR.

B.: Ltr. d. Abt. Hochbau b. Amt d. OÖ LRg. G.: Obernberg/Inn, 8. Sept. 1922. V.: Martha, geb. Neubacher. Ki.: Mag. Eva, Dr. med. Fritz, cand.ing. Thomas. El.: Raimund u. Christine. S.: Gymn. Wels, 1941 Matura, TU Graz Arch., 1950 Grad. K.: 1950 Eintritt in d. Amt d. OÖ LRg. LLaudion., 1966 Ltg. d. Unterabt. Bundeshochbau, seit 1977 Ltg. d. ges. Hochbauabt, Vertreter d. Landes OÖ im Österr. Inst. f. Bauforschung, Vors. d. Prüf.Kmsn. f. d. Baugew., 1974 Mtgl. d. Kuratoriums, d. Arb.Aussch. u. Kons. d. Linzer HS-Fonds. E.: 1985 Ehrenbürger d. Johann Kepler-Univ. Linz. M.: Rotary-Club. H.: Wandern, Schwimmen, Reisen (bevorzugt Griechenland), bevorzugte Autoren: E. Fromm, Prof. Ringel. (Deu.)

Migl Renate Stephanie

B.: Inh. FN.: Florid Sport. DA.: 1210 Wien, Angererstr. 5b. PA.: 1210 Wien, Schleifg. 1/4. G.: Wien, 26. Dez. 1946. V.: Wilhelm. Ki.: Barbara (1961), Katharina (1965), Alexandra (1974). El.: Johann u. Anna Hofmann. S.: VS, HS, Hauswirtschaftsschule, Skilehrerprüf. K.: 7 J. als Rezeptionistin im Hotel Astoria Wien, 1969-72 Skileherin in Amerika (New York), 1972 eig. Sportgeschäft in Wien eröff., 1974 eröff. v. 3 Fil. in Wien. E.: Gold. Ring d. Gem. Wien f. Staffelrekord. M.: div. Mtgl. im Sportlichen Ver. H.: Reiten, Tanz, Tiere, Musik, Leichtathletik. (I.J.)

Migschitz Otto

B.: Installateurmeister. FN.: Installateur-Notdienst GmbH. DA. + PA.: 5101 Bergheim b. Salzburg, Plainbergweg 30. G.: Zell a. See, 20.3.1948. V.: Johanna Fingernagel. Ki.: Alexander (1974), Christian (1975), Martin (1982), Gerald (1983). EL.: Otto, Maria. S.: Lehre als Monteur und Schweisser in Zell/See, 1973 Meisterprüfung. K.: 1974 Servicemonteur b. Fa. Jäher in Salzburg, seit1981 selbständig, Grdg. d. 1. Salzburger Installationsnotdienstes, 1992 Grdg. d. GmbH.. H.: Jagd, Natur. (D.E.)

Mihalits Stefan

FN.: MIHALITS Innenausbau GmbH. DA.: 7222 Rohrbach, Waldstr. 63. PA.: 7222 Rohrbach, Haydng. 3. G.: Rohrbach, 1. März 1937. V.: Magdalena, geb. Mayer. Ki.: Magdalena (1959), Kurt (1962). El.: Stefan u. Hermine. S.: VS, 1951 Maurerlehre. K.: 1954 Maurergeselle, Baupolier, Baultr., 1976 Grdg. Mihalits Innenausbau. H.: Wandern, Radfahren. (M.D.-H.)

Mihaljevic Irene Dr. med.

B.: Prakt. Ärztin. GT.: seit 1986 Ev. Familienberatung. DA.: 1050 Wien, Hamburger Str. 11/23. PA.: 1050 Wien, Hamburger Str. 25. G.: Wien, 3. Okt. 1948. V.: Mag. Boris. Ki.: Sonja (1972), Mario (1976). S.: RG, 1967 Matura, Med.Stud. an d. Univ. Wien, 1974 Prom. K.: Turnus im KH Lainz b. 1979, 1980 Ordination als Prakt. Arzt. H.: Garten, Reiten, Reisen, Handarb. (C.K.)

Mihokovic Erich Dr.

B.: Gschf. FN.: Schier, Otten & Co GmbH. DA.: 1020 Wien, Obere Donaustr. 17.

Mika Bernhard Dr. phil.

B.: selbst. Psychologe u. Psychotherapeut. DA.: 6900 Bregenz, Weiherstr. 2. PA.: 6858 Schwarzach, Linzenberg 32. G.: Freising, 22. Jän. 1949. V.: Anna, geb. Schindler. Ki.: Anatol (1980), Aglaia (1983). El.: Herbert u. Irmgard. S.: 1970 Matura Gymn. Freising, 1971/72 Zivildienst in psychiatr. Klinik, 1972-83 Stud. Psych. Sbg., 1978/79 Therapieausbild. K.: 1972-82 Krankenpfleger in Klinik u. Hauskrankenpflege, 1983 Umzug nach Vbg., AKS als Psychologe u. Therapeut, seit 1987 eigene Praxis als Psychologe u. Psychotherapeut. M.: seit 1990 Orthodoxe Kirche. H.: Schreinern. (A.K.)

Mika Walter Dkfm.

B.: Gschf. Ges. FN.: DMB Marketingberatung GmbH. DA.: 1070 Wien, Kircheng. 7. G.: Liezen, 18. Febr. 1941. S.: RG, 1959 Matura, Stud. an d. HS f. Welthdl, 1965 Dkfm., BH. K.: Fa. Interplastik, Exportabt., 2 1/2 J. als geprüfter Stadtführer in Wien, Reiseltr., 1969-88 Fa. IBM, zunächst Verkaufsrepräsentant, 1978-80 Marketing-Dir. f. Ostafrika, 1981 Marketing Manager f. Kleincomputer f. Österr., 1982-88 Aufbau d. Direct Marketings innerhalb d. IBM, 1988 Grdg. d. eigenen Fa. DMB Marketingberatung GmbH. P.: Vorträge u. Seminar über Direktmarketing im Rahmen v. Fachverb. u. an Inst. f. Management-Weiterbild. M.: Direct Marketing Verb. H.: Staatsmeister im Motorkunstflug, Lesen. (C.K.)

Mikes Georg

B.: Fotograf, Pressefotograf, Bildagentur. DA. u. PA.: 1020 Wien, Wehlistr. 176/6/40. G.: Wien, 10. März 1944. Ki.: Barbara (1970), Patricia (1972). S.: Berufsausbild. z. Fotografenmstr. in Wien. K.: zunächst b. Tageszeitungen (Express, AZ), seit 1975 selbst., Aussch.-Mtgl. d. Landesinnung Wien d. Fotografen. M.: SPÖ. H.: Sammeln v. Briefmarken u. Biergläsern, Fotografieren. (J.S.)

Mikesch Leopold

B.: Landesvors. OÖ u. stellv. Bundesvors. KPÖ. DA.: 4020 Linz, Melicharstr. 8. PA.: 4600 Wels, Heimstättenweg 39; 4702 Wallern, Brucknerstr. 34. G.: Wels, 4. Jan. 1950. V.: Agnes, geb. Schier. Ki.: Claudia (1971), Tania (1976), Nadia (1985). El.: Leopold u. Elisabeth, geb. Hartinger. S.: VS, HS, 1965-68 kfm. Ausbild. K.: 1968-73 Welser Papierfbk., 1973-75 LKW-Fahrer u. Dachdecker, 1973 BetriebsR., seit 1975 KPÖ Bez.-Sekr. Wels u. Lokalred. "Neue Zeit", b. 1990 Gewerkschaftsarb. KPÖ OÖ, ab 1990 Landesvors. KPÖ OÖ, 1994 stellv. Bundesvors. KPÖ. P.: Red.-Mtgl. "Neue Zeit". M.: seit 1969 KPÖ, seit 1968 Gewerkschaft. H.: Bergwandern, Tiere (Haflinger, Bergziegen), fortschrittl. Literatur (Turini). (C.D.)

Miklas Heinz Franz Alfred Dr. phil. habil. Prof.

B.: Univ.-Prof. am Inst. f. Slawistik d. Univ. Wien. DA.: 1010 Wien, Liebigg. 5. G.: Graz, 28. Okt. 1948. V.: Ivonn, geb. Stegmann. Ki.: Angela (1981). El.: H. Cumburolu u. Dr. H. Miklas. S.: 1967 Abitur, 1968-71 Stud. Slaw. Philol. u. Engl. Philol. Univ. Graz, 1971-72 Stud. Univ. Sofia/ Bulgarien, 1975 Prom. Graz K.: 1972-73 Praktika in d. USA, 1973-75 Diss., 1975-76 wiss. Mitarb. u. Lehrauftrag f. Bulgarisch Univ. Würzburg, 1977 wiss. Mitarb. am Slaw. Seminar Univ. Freiburg, 1977/78 Forsch.-Aufenthalte in Bulgarien u. Griechenland, sowie Moskau u. Leningrad, 1988 Habil., 1989/90 Prof. f. Slawistik Univ. Trier, 1990/91 Lehrauftrag Univ. Basel u. Univ. Zürich, seit 1994 Univ.-Prof. Univ. Wien. P.: ca. 50 wiss. Publ. u. Art. mit sprachwiss. u. philol. Thematik, darunter Edd. ksl. Dmm.,. in Fachzeitschriften. E.: 1982 AkR., 1993 AkOR. Univ. Freiburg, 1993 apl.Prof., 1994 o.Univ.-Prof. Univ. Wien. M.: Societas Linguistica Europaea, Dt. Slawistenverb., Dt. Byzantinistenverb. (F.S.)

Miklau Hans

B.: Gastronom. FN.: Miklau "Jagerwirt" OHG. GT.: Vertriebsltr. d. Fa. Lobbe GmbH Kärnten, in 9020 Klagenfurt, Rampenstr. 13. G.: Haimburg b. Völkermarkt, 21. Okt. 1940. V.: Rosa, geb. Kuster. Ki.: Rosemarie (1967), Hans Jakob (1970), Karin (1972). El.: Jakob u. Käthe. BV.: Vieh- u. Getreidelieferant an K. u. K. Heer, Gasth. u. Landwirt vlg. Jagerwirt s. mehr als 100J. im Familienbesitz. S.: VS, HS, HASCH mit Auszeichn., Maturaschule Roland, Matura, Gastgewerbe-Ausbild. u. Konzessionsprüf. K.: Mitarb. im elterl. Betrieb u. Erweit. d. Entsorgung, 1972 Verkauf d. Entsorgungsbetriebes an dt. Fa. Edelhoff u. Tätigk. als Einsatzltr., 1994 Umbenennung (durch Fam. Edelhoff) d. europaweiten Untern. in Lobbe Kärnten, Einsatz- u. Vertriebsltr. E.: 30jähr. Mtgl. bei MGV Scholle. M.: MGV Scholle. H.: Kegeln, Singen, Weltreisen. (G.L.)

Mikl Alois

B.: Gschf. FN.: Beton- u. Monierbau GmbH. DA.: 6020 Innsbruck, Bernhard-Höfel-Str. 11. G.: Wien, 18. März 1933. (V)

Mikl Robert KommR. KamR.

B.: Finanz-LRef. Wien u. Taxiuntern. FN.: Freier Wirtschaftsverb. Wien. DA.: 1070 Wien, Schottenfeldg. 24. PA.: 1020 Wien, Nordwestbahnstr. 5/14. G.: Wien, 7. Juni 1939. V.: Christine, geb. Scheran. Ki.: Horst, Thomas, Karin. El.: Adalbert u. Leopoldine. S.: HS, 1953-57 Schlosserlehre, 1957-61 Heeresunteroff.Schule, 1960 Taxilenkerberechtigung erworben, 1970 Aussch. des Taxiuntern., 1975 Fachgruppenvorst.Stellv., 1982 Mtgl. d. Prüf.Kmsn. f. Abnahme d. Konzessionsprüf. f. Taxi u. Mietwagen. K.: 1962-64 als Taxilenker tätig, 1966-82 Wr. Automobil, Lohnwagen u. Garagenbetriebs GmbH als Kassier m. Prok., im Vorst. u. Gschf., Vorst. d. WIHUP, seit 1964 selbst. Taxiuntern., 1964 Eintritt als Mtgl. in Freien Wirtschaftsverb. Wien, 1966 Schriftführer, 1968 Obm.Stellv., 1972 Obm., 1974 Wahl in d. LVorst., 1983 KommR., 1983 Fachmänn. Laienrichter b. OLG, 1985 Präs. f. Finanz. P.: div. Fachart. in Fachzeitschriften. E.: BH-Dienstz. 3. Kl. 1982, Silb. Ehrenmed. d. Wr. HK f. Verd. um d. Taxigewerbe 1985, Ehrennadel in Silb. f. Verd. um d. Taxigewerbe 1980. M.: 1985 Mtgl. d. LStellenaussch. Wien d. Soz. Vers.Anst. d. Gewerbl. Wirtschaft, 1985 Aussch.Mtgl. d. verkehrspolit. Aussch. d. BKam. d. Gewerbl. Wirtschaft, 1985 Sekt.Obm.Stellv. d. Sekt. Verkehr in d. Wr. HK u. KamR., Mtgl. d. erweiterten Präs. d. Wr. HK, Mtgl. d. AufsR. d. Kreditver. d. Zentralsparkasse Wien. H.: Tennis. (M.G.)

Miklau Jakob

B.: Bgm. v. Völkermarkt. GT.: Obm. d. Altwasserverb. Jaunsfeld. DA.: 9100 Völkermarkt, Gemeindeamt. PA.: 9100 Völkermarkt, Reifnitz 11. G.: Lippendorf, 8. Nov. 1925. V.: Bibiane, geb. Saga. Ki.: Valentin. El.: Jakob u. Ursula. S.: Pflichtschule, HTL Villach. K.: 1942-45 Kriegsdienst als Jagdflieger, 1954-85 Bautechniker Baufa. Lessiak u. Amt d. Ktn. LRg., 1960-73 Bgm. d. Gem. St. Peter, 1973-85 StadtR. u. VBgm. d. Gem. Völkermarkt, ab 1985 Bgm. d. Gem. Völkermarkt. E.: EK II, EZ in Gold. M.: Kulturkreis Völkermarkt, Heimkehrerbund, Kameradschaftsbund. H.: Wandern, Fliegen. (S.G.)

Miklau Roland Dr.

B.: Sekt.-Chef, Ltr. d. Straflegislativsekt. im BMJ. GT.: Ltr. d. Österr. Delegation im Europ. Leitungskomitee f. Strafrechtsfragen (CDPC) d. EuropaR. DA.: 1016 Wien, Museumstr. 7. G.: Wien, 19. Dez. 1941. El.: Dipl.-Ing. Albert u. Klara. S.: BG Wien, 1959-63 Stud. Rechtswiss. Univ. Wien, Prom. z. Dr. iur. K.: 1964 Konzipient in einer RA-Kzl., 1964/65 Militärdienst, Stud. Staatswiss., 1965/66 Post-graduate Stud. Univ. of Kansas USA, 1966-69 richterl. Vorbereitungsdienst, seit 1970 Bmtr. d. Straflegislativsekt. d. BMJ, 1974-89 Abt.-Ltr., 1977-87 Mtgl. d. Personalvertretung d. BMJ, seit 1987 Ltr. d. Straflegislativsekt. d. BMJ. P.: versch. Aufsätze u.a. Publ. auf d. Gebieten d. Kriminalpolitik, Strafrecht, Strafprozesses u. d. Strafvollzuges. M.: Vorst.-Mtgl. d. Österr. Ges. f. Strafrecht u. Kriminologie sowie d. Landesgruppe Österr. d. Intern. Strafrechtsges. (AIDP), Vorst.-Mtgl. d. Österr. Juristenkmsn. u. d. Österr. Juristentages. H.: Lesen, Politik, Skifahren, Bergwandern. (J.S.)

Miklau Rosa

B.: Gschf., Gastronomin. FN.: Miklau "Jagerwirt" OHG. DA./PA.: 9100 Völkermarkt, St. Ruprechter Str. 5. G.: St. Martin b. Völkermarkt, 20. April 1941. V.: Hans Miklau. Ki.: Rosemarie (1967), Hans Jakob (1970), Karin (1972). El.: Josef u. Maria Kuster. S.: VS, HS, Berufss. u. Lehre als Kfm. K.: Tätigk. in Privatwirts., Auslandsaufenth. in Dtl., 1962-67 Tätigk. in Landwirtschaftskammer f. Ktn., 1967 Mitarb. im ehel. Betrieb, mit Sport- u. Kegelbahn. H.: Familie, Betrieb, Weltreisen. (G.L.)

Miklauc Brigitte

B.: Opernsängerin d. Oper Graz. DA.: 8010 Graz, Kaiser-Josef-Pl. 1. PA.: 8010 Graz, Liebigg. 7. G.: Klagenfurt, 29. Apr. 1959. El.: Emil u. Charlotte. BV.: aus alter Adelsfamilie. S.: 1977 Matura, 1981-85 HS f. Musik u. darstell. Kunst. K.: 1982 Debut in Genf unter Horst Stein, während d. Stud. am Stadttheater Klagenfurt u. Wr. Festwochen, ab 1985 Engagement an d. Grazer Oper. E.: 1982 Förderungspreis b. Intern. Belvederewettbewerb in Wien. H.: Sprachen, Phil. (P.R.)

Miklin Karlheinz Mag. phil. o.Prof.

B.: HS-Prof. an d. HS f. Musik u. Darstell. Kunst. DA.: 8010 Graz, Leonhardstr. 15. PA.: 8052 Graz, Steinbergstr. 44. G.: Klagenfurt, 3. Nov. 1946. V.: Mag. Christine, geb. Prasser. Ki.: Karlheinz (1971), Ines (1974), Eric Mathias (1977). El.: Karl u. Mathilde. S.: VS, RG, Konservatorium, 1964 Matura, 1964-70 Stud. Germanistik u. Geschichte, 1970 Mag. phil., 1966-70 u. 1973-74 Stud. Saxophon-Jazz HS f. Musik u. Darstell. Kunst Graz, 1975 Dipl. u. Abgangspreis d. Bundesmin. K.: 1970-73 Berufsmusiker, Tourneen m. Argentin. Musikern, seit 1974 Lehrbeauftragter an d. HS f. Musik u. Darstell. Kunst, seit 1984 o.HS-Prof. Ausbild.-Kl. f. Saxophon-Jazz, seit 1983 Ltr. d. Jazzabt., Initiator u. künstler. Ltr. d. Konzert- u. Festivalserie "Graz Meeting". M.: Board d. Ass. of Schools of Jazz, Associate Prof. an d. Royal Academy London. (M.Gr.)

Mikoletzky Lorenz Dr. phil.

B.: Generaldirektor d.,Österr. Staatsarchivs. , Hon.-Prof. A.: 1010 Wien, Friedrichstr. 2/23. G.: Wien, 12. Mai 1945. V.: Historikerin Mag. Dr. Juliane, geb. Küppers. El.: Univ.-Prof. Dr.Dr.h.c. Hanns Leo u. Karoline. S.: hum. Gymn., Univ. Wien, Stud. d. Geschichte u. Archäologie, Dr. phil. 1969, 1965-68 Besuch d. Ausbildungskurses am Inst. f. österr. Geschichtsforsch., 1968 Staatsprüf. K.: 1969 Eintritt in d. österr. Staatsarchiv, Abt. Fin. u. HofKam.Archiv, seit 1976 i. d. Abt. Allg. Vw.Archiv tätig, 1991 Dir., HofR., 1993 Hon.-Prof. f. Neuere Gesch. Österr. an d. Univ. Wien, 1994 Generaldirektor. P.: Karl Freiherr v. Krauß - Die Stellung eines österr. Staatsmannes zur Innenpolitik seiner Zeit, Ein kaiserliches Geldgeschenk f. W. A. Mozart Sohn, Der Versuch einer Steuer- u. Urbarialregulierung unter Kaiser Joseph II, Der Hamburg Bankier Johann Gottlieb Gerhard u. d. Versuch d. Staatsschuldentilgung in Österr., Kaiser Joseph II, Herrscher zwischen d. Zeiten, Franz Grillparzer (1791-1872) u.a. E.: Förderungspreis d. Theodor Körner-Stiftungsfonds. M.: Gschf. Vizepräs. d. Verb. Österr. Hitoriker u. Geschichtsver., korresp. Mtgl. d. Comite d. Archives d'entreprises b. Intern. ArchivR., Vorstandsmitglied d. Kommesion f. Neuere Geschichte Österreichs, Mtgl. d. Kuratoriums d. Dokumentationsarchivs d. Österr. Widerstandes. H.: Lesen, Theater u. Reisen.

Mikosch Franz Dkfm.

B.: Ges. FN.: Dkfm. Franz Mikosch Vertriebs GmbH. DA.: 9020 Klagenfurt, Herbertstr. 1. PA.: 9020 Klagenfurt, Rosentaler Str. 76. G.: Klagenfurt, 24. Jan. 1936. Ki.: Thomas (1966), Michael (1968). El.: Ing. Hubert u. Mathilde. S.: VS, Gymn., HAK, 1959-65 Stud. Welthdl. Wien. K.: 1955-70 im Unternehmen Heraklith u. 1970/71 b. Wienerberger als Verkaufsltr., 1971-80 Ltr. d. Rechnungswesen d. Firma Funder, ab 1980 selbst. durch Firmengrdg. m. Schwerpunkt Vertrieb u. Marktbearb. f. versch. Ind. in Österr., Slowenien u. Kroatien u. ab 1991 nach Stillegung d. Firma nur mehr als Ges. tätig. E.: 2x Silb. Edelweiß f. Verd. um d. Ktn. Sport. M.: Lions Club Wörthersee. H.: Markensammeln, Golf. (G.L.)

Miksch Hellmut

B.: Gschf. Ges. FN.: LICO Industrievertretungen GmbH. DA.: 1140 Wien, Felbigerg. 38. PA.: 2431 Enzersdorf, Dreifaltigkeitsplatz 5. G.: Wien, 13. Apr. 1957. V.: Monika. Ki.: Christoph, Florian. El.: Gerhard u. Anna. S.: BRG, Berufsschule f. Radio- u. Fernsehtechnik, Exportlehrgang WU Wien, Meisterprüf. f. Elektromechaniker u. Elektromaschinenbauer. K.: Verkaufsltr. d. Schweiß-Technik GmbH, seit 1988 selbst., 1988 Gründ. d. Miga-Tech Hellmut Miksch, 1989 Gründ. d. Miga-Tech GmbH, 1993 Verkauf d. Miga-Tech GmbH u. Eintritt in d. LICO GmbH als Gschf. Ges. F.: Gschf. u. Inh. d. Hausverw. Miga-Tech Hellmut Miksch Enzersdorf u. Wien. P.: zahlr. Veröff. in Fachzeitschr.; Seminarbücher f. Löttechnik. H.: Familie, Reisen, Arbeit u. Kochen. (J.S.)

Miksch Kurt Ing.

B.: Filmproduzent. FN.: Continental Filmproduktion GmbH. DA.: 1070 Wien, Halbg. 25. PA.: 2304 Orth/Donau, Schiskeg. 1. G.: Wien, 5. Juni 1926. V.: Maria, geb. Fiala. Ki.: Nadja (1962), Rene (1973). El.: Otto u. Blanka, geb. Wlk. BV.: Großmutter Baronin Geczek Edle v. Rittersfeld. S.: 1940-44 Staatsgewerbeschule Wien (Maschinenbau). K.: 1946-50 Mikroton-Ass. Wien-Film, seit 1950 selbst. Produzent v. Dokumentarfilmen (ca. 200), Produzent v. Spielfilmen (8 Filme). E.: Österr. Staatspreis f. d. Film "Signale im Tierreich", zahlr. Wirtschaftspreise. M.: Mitbegründer u. Vorst.-Mtgl. d. staatl. Verwertungsges. H.: Malen, Klavierspielen. (L.S.)

Miksch Robert Dipl.-Ing.

B.: Vertriebsltr., gewerbl. Gschf. FN.: Applied Learning Lernsysteme. DA.: 1040 Wien, Rainerg. 1. PA.: 1180 Wien, Buchleiteng. 6. G.: Wien, 3. Dez. 1942. Ki.: Jan (1981), Heiko (1983). S.: VS, HS, 1957-59 HTL Maschinenbau u. Elektrotechn., Graz, 1959-63 TGM Wien, Starkstromtechn., 1963-71 Techn. Univ. Fakul. Maschinenbau, Wahlplan C, EDV-Sem., Vertr.-Sem., Managementschul., betr.-wirtschl. Schul., Ausl.-Aufenth. BRD, Schweiz, Engl. K.: 1971-74 EDV Systember. Siemens München, 1974-80 EDV Fachber. Siemens Data Österr., 1980-81 Verk.-Repräsendant f. EDV b. NCR Österr., 1981-83 EDV Verk.-Ltr. Direktvertrieb b. NCR, 1983-85 Verk.-Ltr. Bereich indir. EDV-Vertr., Aufbau e. Händlerorganisation b. NCR, s. 1986 Vetr.-Ltr. u. gewerbl. Gschf. b. Advanced System GmbH Wien (Medienunterstütz. Aus.- u. Weiterbild. EDV, Telekommunikation, Management, Sprachen), 1989 erfolg Umwandl. d. Firmenbezeich. auf Applied Learning Lernsysteme (Konzernges. Nat. Education Training Group Nasperville/USA), größter intern. Schul.-Konzern m. weltweit 1700 Mitarb. H.: Tennis, Skifahren, Radfahren, Segeln, eigene Kinder. (F.S.)

Mikschofsky Angelika Dr. med.
B.: FA f. Zahnheilkunde. DA. u. PA.: 9620 Hermagor, Hauptstr. 27a. G.: Hermagor, 30. Apr. 1955. V.: Dr. med. Wolfgang Mikschofsky. Ki.: Laura (1986), Nikolaus (1989). El.: Dr. med. Gerhard u. Anna Prohaska. S.: VS, Gymn., 1973 Matura, 1973-81 Med.-Stud. Univ. Wien. K.: 1981-83 FA-Ausbild., seit 1983 ndlg. Arzt in Kötschach u. seit 1988 in Hermagor. M.: Soroptimisten Club Hermagor. H.: Tennis, Jagd. (G.L.)

Mikschofsky Wolfgang Dr. med.
B.: FA f. Zahnheilkunde. DA. u. PA.: 9620 Hermagor, Hauptstr. 27a. G.: Neuhaus, 6. Apr. 1954. V.: Dr. med. Angelika, geb. Prohaska. Ki.: Laura (1986), Nikolaus (1989). El.: Franz u. Maria. S.: VS, 1964-68 aktiver Wr. Sängerknabe Wien, Gymn., 1972 Matura, 1972-79 Med.-Stud. Wien. K.: 1980-83 Turnus Wien, 1983 Übersiedlung nach Kötschach-Mauthen, 1984-86 Ass.-Arzt LKH, 1986-88 Ausbild. z. FA f. Zahnheilkunde in Wien, seit 1988 gemeinsam m. Gattin eine Zahnärztegemeinschaft in Hermagor. M.: Rotary Club Hermagor. H.: Jagd, Bergwandern. (G.L.)

Miksits Christian

B.: Immobilienmakler, Gschf. Ges. FN.: C.M. Immobilien GmbH; Trend-Fin GmbH; Raster Realitäten GmbH; CB-Leasing GmbH. DA.: 1040 Wien, Favoritenstr. 37; 3100 St. Pölten, Brunng. 18. PA.: 3400 Klosterneuburg, Kernstockg. 6. G.: Wien, 30. Jan. 1955. V.: Karin, geb. Kaminitschek. Ki.: Katharina (1987), Marlene (1990). El.: Karl u. Camilla. S.: AHS. K.: Eintritt in d. Baubranche, 1980 Wechsel in d. Immobilienbranche, 1987 Grdg. d.eigenen Firma. F.: Ges. Lenhart KFT Bauges. u. d. Dolomit KFT Developer. H.: Tennis, Skifahren, Musik. (J.S.)

Mikula Fritz Dipl.-Ing.Dr. Techn.
B.: Ges. FN.: Interowa. DA.: 1050 Wien, Bäuhausgasse 3-5. PA.: 1230 Wien, Rudolf-Waisenhorn-G. 59. G.: Wien, 19. Jan. 1918. V.: Renata, geb. Pfeiffer. Ki.: Renata Dr., Barbara, Marina Dr. El.: Dipl.-Ing. Hans u. Leopoldine. BV.: Vater techn. Dir. d. Korksteinfabrik Fa. Kleiner & Bockmeier, Großvater Klavierbauer . S.: VS, Theresian. Ak. Wien, 1936 Matura, TU Wien techn. Chemie, 1939 Wehrdienst, 1940-41 Dipl. an d. TU, 1991 Promotion Dr. Techn. TU Wien. K.: 1945 Dt. Wehrmacht, Gefangenschaft, 1946 Ang. Sbg. LRg., 1946-1949 Dentalwerke Bürmoos Einkäufer, 1949-1950 Fa. Grengg Braunau, 1950-1953 Fa. Vinciguerra & Cie, seit 1953 Interowa. BL.: Maßgebl. Anteil am Aufbau d. Fa. Interowa u. Einführung d. Polymere in d. österr. Ind. E.: Silb. EZ f. Verd. um d. Rep. Österr. M.: Vorst.Mtgl. d. Ges. f. Chemiewirtschaft, Mtgl. d. Dt. Kautschukges., Mtgl. d. Ver. ehem. Theresianisten. H.: Tennis, Zeichnen u. Malen, Tiere (Papageien, Hunde), Familie. (H.P.)

Mikula Gerold Dr. Univ.-Prof.
B.: a.o.Univ.-Prof., Ltr. d. Abt. f. Sozialpsych. am Inst. f. Psych. d. Univ. Graz. A.: 8010 Graz, Merang. 4. G.: Graz, 14. Juli 1943. V.: Mag. pharm.Veronika, geb. Ritter. Ki.: Astrid (1968), Dorit (1970), Jörg (1975). El.: Dipl.-Ing. Eugen u. Trude. S.: Matura: 1961, Stud.: 1961-66 (Univ. Graz), Psychologie, Zoologie, Prom. z. Dr. phil.: 1966. K.: Habil. f. Psych.: 1972, Ernennung z. a.o.Univ.-Prof.: 1973, Gastprofessuren in Klagenfurt (1977), Mannheim (1979, 1980), Warschau (1980/84), Kattowitz (1984), 1989-93 Vorst. d. Inst. f. Psychologie d. Univ. Graz. P.: Über 50 Zeitschriftenaufsätze, 20 Beiträge in Büchern, Herausgeber v. 4 Büchern. M.: Dt. Ges. f. Psychologie, Präs. d. European Association of Experimental Social Psychology 1987-90, American Psychological Association, Society of Personality and Social Psychology, Society of Experimental Social Psychology.

Mikula Stefan

B.: Bürgermeister/Landwirt. FN.: Gemeinde NEudorf. DA.: 2475 Neudorf , Untere Hauptstr. 2. PA.: 2475 Neudorf am Bergl 20. G.: Neudorf, 10. Okt. 1946. V.: Agnes. Ki.: Stefan, Daniel, Hannes. El.: Stefan u. Maria. S.: VS, HS. K.: in väterl. Landwirtschaft gearbeitet, 1987 Einstieg i. d. Politik, Gemeinderat, Vorstand d. Gemeinderates, Trennung v. d. Gemeinde Gattendorf u. Potzneusiedl. BL.: Verdienst eigene Gemeinde 1.1.1990, Gemeinderatswahlen April 1990 Wahl zum Bürgermeister, kroatische zweisprachige Gemeinde, Gemeinde u. Schule renoviert, 2-sprachige Andschriften, Verleihung d. Titels "Ehrenbürger" an Dr. Franz Sauerzopf, Landeshauptmannstellvertreter a.D., Ehrenring d. Gemeinde Neudorf. M.: Mitglied ÖVP, Obmannstellvertreter Sportverein Neudorf, Urbarialgemeinde Vorstand. (W.M.)

Mikulasek Kurt

B.: Inhaber. FN.: Pizzeria, Taverna Kutr Mikulasek. DA.: 7210 Mattersburg, Michael Kochstr. 30A. G.: Wien 12. Apr. 1957. V.: Dana. El.: Kurt u. Milda. S.: VS, HS, Polytechn., Gastgewerbeberufsschule, Konz. Prüfung 1985 berechtigt zu Lehrlingsausbildung. K.: 3 Jahre Lehrzeit im Imperial Wien, Saison "Goldener Berg" Arlberg Commis de Rang, Bundesheer, Hotel Hilton Demi Chef de Rang, FA. Brunswick Bowling Chef Counter, Rest. Leiter El Dorado Club Vösendorf, 1.9. 1988 selbstst. Mattersburg. E.: 2. Platz Berufswettbewerb ganz Österreich. H.: Bowling, Fußball, Musik, Sport. (W.M.)

Mikuz Dolores Dr. med.
B.: Augenfachärztin. DA.: 6410 Telfs, Eduard-Wallnöfer-Pl. 1. PA.: 6020 Innsbruck, Schneeburgg. 146. G.: Feldkirchen, 27. Juli 1943. V.: Dr. med. Gregor. Ki.: Michael, Thomas. El.: Josef u. Christine Trojer. S.: BRG, Med.Stud. in Laibach, 1967 Doktorat Laibach, 1970 II. Doktorat Innsbruck, 1967-69 Anästhesie-Ausbild., 1969-71 Turnusausbild., 1972-79 FA-Ausbild. K.: OA Augenklinik Innsbruck, in Ambulanz u. Kinderabt. d. Augenklinik Innsbruck, 1979 Praxiseröff. in Telfs. H.: Lesen - Belletristik, Reisen, Ski-Sport, Tennis, Radsport. (W.G.)

Mikuz Gregor Dr. med. o.Univ.-Prof.
B.: Inst.Vorst. f. Path. Anatomie. DA.: 6020 Innsbruck, Müllerstr. 44. PA.: 6020 Innsbruck, Schneeburgg. 146. G.: 26. Sept. 1942. V.: Dr. Doris, geb. Trojer. Ki.: Michael, Thomas. El.: Theophilus u. Maria. BV.: Großvater Anton Mikuz

LAbg. in Görz. S.: 1961 Matura, Stud. Laibach u. Innsbruck, 1967 Prom. Laibach, 1974 Prom. Innsbruck, 1975 BH. K.: 1967-69 Ass. am Inst. f. Anästhesiologie Innsbruck, seit 1969 Inst. f. Path. Univ. Innsbruck, 1977 Habil., 1977 FA f. Path., 1981 a.o.Prof., 1982 Zusatz-FA f. Zytologie, 1986 Lehrstuhl f. Path. Anatomie. P.: 160 Veröff. auf d. Gebieten Path. u. Zytologie, Lehrbuchbeiträge u. Monographien. E.: 1974 Preis d. Farbwerke Hoechst f. d. Arbeit "Granulomatöse Orchitis", 1977 First price award from the intern. society of aesthetic-plastic surgery Mexico City f. Arb. über d. Kunststoffabbau im menschl. Körper. M.: Dt. u. Österr. Ges. f. Path., Österr. Ges. f. angew. Zytologie, Intern. Ak. f. Path., Österr. Ges. f. Elektronenmykroskopie. H.: Fotografie, Lesen.

Milacek Karl W.

B.: Gschf. Ges. FN.: ÖSTAB AbfallbeseitigungsgesmbH. DA.: 1110 Wien, Grillg. 51. PA.: 2201 Gerasdorf, Beethovenweg 12. G.: Wien, 11. Okt. 1947. V.: Jutta, geb. Pichler. Ki.: Christopher (1988). El.: Walter u. Hermine. S.: HAK/ Fachrichtung Buchhaltung, 6 J. Praktikum i. Steuerberatungskanzlei. K.: 1967-74 Tätigk. i. Vertrieb d. Bleiberger Bergwerksunion, 1975-76 Vertriebsltr. b. Schöller Chemie, 1977-82 Vertriebsltr. b. Klöckner Chemie, 1982 selbst., 1988 Aufgabe d. Selbständigkeit u. Eintritt a. Prok. b. ÖSTAB, s. 1991 Gschf. d. ÖSTAB. BL.: Verfahren f. Recycling v. 85 % d. Haushaltsbatterien entw., z. Patant angemeldet. P.: versch. Art. f. Fachzeitschriften, Vorträge. H.: Entemologie, Mineralogie, Fossilien, Wandern, Tennis, Schwimmen, Reiten, Laufen, Skifahren. (F.S.)

Milchram Klaus GemR.

B.: Gschf. Ges. FN.: Modehaus Milchram KG. DA.: 3100 St. Pölten, Kremser G. 33. PA.: 3100 St. Pölten, Roseggerstr. 13. G.: St. Pölten, 6. Juli 1949. V.: Ursula, geb. Acht. Ki.: Michael, Thomas. El.: Michael u. Anna. S.: VS, Gymn., HTL Fachrichtung Verbrennungsmotoren u. Landmaschinen, 1968 Matura, Konzertpianistenausbild., BH, Stud. an d. WU Wien, 2 J. Textilfachschule in Nagold/BRD. K.: 1976 Eintritt in d. elterl. Betrieb d. Modehaus Milchram KG, welcher 1949 in St. Pölten gegründet wurde, seit 1978 gschf. Ges., exklusive Mode v. führenden Modeherstellern u. -zentren, Ausbau d. Stammhauses z. heutigen Größe u. Eröff. d. Fil. in St. Pölten u. Krems, 1986-89 ÖVP GemR. M.: Round Table, im Gremium d. NÖ HK Sekt. Hdl. H.: Jagd. (Kern)

Milesi Richard Dr. phil. HofR. Prof.

B.: Kunsthistoriker, Hon.Prof. an d. Univ. Klagenfurt. PA.: 9020 Klagenfurt, Theaterplatz. G.: Klagenfurt, 18. Dez. 1914. BV.: Großvater Alexander Grawein (Vir clarissimus, o.Univ.-Prof. f. röm. Recht, Ritter d. kaiserl. russ. Annen-Ordens). S.: Stud. am Kunsthistor. Inst. d. Univ. Wien, Prom. 1945, durch schwere Kriegsverletzung Beeinträchtigung d. akad. Laufbahn, Museumsdienst, Habil. 1968 (b. Prof. Sedlmayr). K.: 1950-80 Kunsthistoriker am LMuseum f. Ktn., dan. 1968-80 Lehrtätigk. an d. Univ. Sbg., s. 1971 a.o.Univ.-Prof., s. 1977 Univ. Klagenfurt, 1978 Ern. z. w.HofR. BL.: Trotz schwerster Sehbehinderung überaus reichhaltige wiss. Tätigk., Vorlesungen ü. d. Grafik Picassos als 1. an einer deutschsprach. Lehrkanzel. P.: Zahlr. Aufsätze z. Ktn. Kunstgeschichte, Bücher: Anton Kolig (1954), Franz Wiegele (1957), Grabplastik in Ktn. (2 Bde., 1963, 65), Mantegna u. d. Reliefs d. Brauttruhen Paola Gonzagas (1975), Manierismus in Ktn. (1973), versch. Kataloge zu Ausst. im In- u. Ausland. E.: 1976 Würdigungspreis d. Landes Ktn., 1978 Gold. EZ f. Wiss. u. Kunst, 1985 Gr. Gold. EZ d. Landes Ktn. H.: Literatur- u. Musikgeschichte. (S.G.)

Milfait Otto

B.: Pensionist, Heimatforscher. DA. u. PA.: 4210 Gallneukirchen, Alte Str. 32. G.: Linz, 28. Jän. 1926. V.: Edith, geb. Heisl. Ki.: Roman (1957), Erwin (1959). S.: VS, HS, Lehre als Forstpraktikant, ab 1943 Reichsarbeitsdienst, Dt. Wehrmacht, Kriegsgefangenschaft, 1946 Rückkehr. K.: Berufsjäger in Pachtjagd v. Graf Schallenberg, 1949-86 Zollwache, P.: einige Berichte in OÖ Heimatblättern u. Tageszeitungen, 1988 Autor d. Buches "Vergessene Zeugen d. Vorzeit", 1990 "Verehrung v. Quelle u. Baum im Mühlviertel", 1993 Autor d. Buches "Das Mühlviertel in Sprache, Brauch u. Spruch" (gem. m. Elvira Landgraf). E.: 1989 Kons. f. Volksbild. u. Heimatpflege, 1992 Ehrenring d. Gem. Gallneukirchen. M.: Arbeitskreis f. Flur- u. Kleindenkmalforsch., Obm. d. Verschönerungsver. Gallneukirchen, Imkerver. (U.A.)

Milford Maria Mag.

B.: Chef-Economist. FN.: Girozentrale u. Bank d. Österr. Sparkassen AG. DA.: 1010 Wien, Schubertring 5. PA.: 1090 Wien, Bergg. 20. G.: Wien, 2. Apr. 1949. V.: Milford Karl Dr. El.: Mayrhofer Heinrich Ing. u. Therese. BV.: Onkel Rohracher Erzbischof v. Sbg. S.: Gymn., HAK, Stud. Vw., 1982 Mag., seit 7 J. Stud. am Konservatorium (Klavier), 1 Sem. New Yorker Univ. Vw., Arb. an Diss. K.: 1984 Eintritt Girozentrale, seit 1987 Chef-Economist. P.: Fachart., Zeitungen. M.: Nat. ökonom. Ges., Conference Board. H.: Musik, Lesen, Kunstgeschichte, Sprachen. (A.K.)

Milkovits Franz

B.: Pädagoge u. HS-Lehrer. DA.: 7000 Eisenstadt, Rosentalweg 1. PA.: 7000 Eisenstadt, Dr.-Lorenz-Karall-Str. 21. G.: Hornstein, 11. Sept. 1945. V.: Ingrid, geb. Zsilla. Ki.: Franz, Judith. El.: Franz u. Katharina. BV.: Ivan Milkovic Verfasser v. Büchern, Dr. Miho Milkovits Verfasser v. Latein-Lehrbüchern. S.: 1959-64 LBA Eisenstadt, 1964 Matura, Lehrbefähigungsprüf. K.: 1964-65 VS-Lehrer in Nebersdorf, 1965-66 VS-Lehrer in Großmutschen, 1966-67 HS-Lehrer in Oberpullendorf, 1967-68 HS-Lehrer in Siegendorf, seit 1968 HS-Lehrer in Eisenstadt, seit 1976 freier Mitarb. b. ORF Bgld., vorerst f. Nachrichten u. Interviews (Magazin), danach Kultur, Schulfunk u. Kindersendungen (jeweils kroatisch), Organ. v. Weihnachts- u. Krippenhörspiele f. d. ORF Bgld. in kroatisch, seit 1983 Prof., 1980 Praxisbetreuung, seit 1985 zusätzl. Methodik u. Didaktik, Kroatisch an d. Päd. Ak. in Eisenstadt. P.: Mitautor "Lernziele - Lernzielkontrollen - Mathematik - 5. u. 6. Schulstufe AHS", regelmäßige Publ. in Kroat. Zeitung "Hrvatske Novine" 1973-76, 3 Hörspiele, eigene Kinderliedertexte in Kroatisch. M.: aller Kroat. Ver. im Bgld., ak. Mtgl. f. d. Kroat. Minderheit. H.: Erfinden v. Computerprogrammen, Tischtennis, Sammeln v. Mineralien, Schachspielen. (M.B.)

Miller Markus Mag.

B.: Optiker, Gschf. FN.: Miller Optik OHG. DA.: 6020 Innsbruck, Meraner Str. 3. G.: Innsbruck, 2. Dez. 1949. V.: Hildegard, geb. Mair, 2 Kinder. El.: Dr. Bruno u. Gertrude. BV.: Fritz Miller ehem. HK-Präs. in Innsbruck. S.: 1969 Matura, 1972 Staatl. Augenoptikerprüf. in Deutschland, 1974 Optikermstr. u. Kontaktlinsenoptiker. K.: Gschf. d. Fa. Miller Optik OHG. P.: mehrere wirtschaftl. u. augenopt. Fachart. M.: W.V.A.O. Vors. in Österr., AufsR.Mtgl. b. "Fotoring Austria" u. b. d. Fachoptikergen., Mtgl. d. Berufsbild.Aussch. u. d. wirtschaftl. Aussch. d. Bundesinnung, Mtgl. Round Table. H.: Segeln, Bergsteigen. (J.S.)

Millesi Hanno Dr.med. Univ.-Prof.

B.: Univ.-Prof. f. Chir. unter bes. Berücksichtigung d. Plast. Chir. A.: 1190 Wien, Peter-Jordan-Str. 51 B. G.: Villach, 24. März 1927. V.: Maria, geb. Prenner. El.: Dr. Hans u. Nortraud. S.: BRG Villach, Med. Stud. Univ. Innsbruck, Prom. z. Dr. univ. med. in Innsbruck 1951. K.: 1951-52 Path. Anatomie an d. Prosektur d. Wilhelminenspitals, 1952-53 Interne Med. im Wilhelminenspital, seit 1953 Chir. Ausbild. an d. Klinik Prof. Dr. Schönbauer in Wien, 1955 Stud.Aufenthalt in Schweden, Ausbild. in Plast. Chir, seit 1962 Ltr. d. Abt. f. Plast. Chir. d. I. Chir. Univ.Klinik Wien, 1967 Venia legendi: "Chir. mit bes. Berücksichtigung d. Plast. Chir.", 1971 Verleihung d. Titels a.o.Prof., 1972 Ernennung z. o.Prof. f. Plast. Chir. P.: 150 wiss. Publ. u. Buchbeiträge über versch. Probleme d. Plast. u. Rekonstruktiven Chir. E.: Eiselsbergpreis, Höchst-Preis, Jubiläumspreis d. Dt. Ges. f. Chir., Moberg Lecture, i. Eskilstuna, Kazanjian Lecture in New York. M.: Präs. d. Österr. Ges. f. Plast. Chir., VPräs. d. Section Austria d. Intern. College of Surgeons, korresp. Mtgl. d. Schweiz. Ges. f. Plast. Chir. u.a.

Milletich Franz Günther

B.: Transportunternehmer. DA. u. PA.: 7111 Parndorf, Bahnstr. 16. G.: Parndorf, 21. Apr. 1948. V.: Christa. Ki.: Roland (1972), Evelin (1974). El.: Franz u. Josefa. S.: bereits mit 14 i. elterl. Betrieb mitgearb., 1980 d. Konzessionsprüf. f. Transportunternehmen gemacht u. 1984 den Betrieb übernommen. M.: Pama Sportverein. H.: Beruf, geselliges Beisammensein unter Freunden.

Milletich Helmut Stefan Prof.

B.: Lehrbeauftragter an d. Päd. Ak. Eisenstadt. DA.: 7000 Eisenstadt, Postfach 7001. PA.: 7092 Winden, Franz-Liszt-Str. 16. G.: Winden, 21. Nov. 1943. V.: Leopoldine, geb. Haider. Ki.: Stefan, Sabine. El.: Stefan u. Rosa. S.: 1961 Matura, Stud. Deutsch, Geschichte u. Phil. Univ. Wien, 1967 Mag., Lehramtsprüf. K.: 1966-86 Prof. f. Deutsch u. Geschichte am BG u. BRG in Eisenstadt, seit 1974 Lehrbeauftragter an d. Päd. Ak. in Eisenstadt, seit 1969 Red. b. Volk u. Heimat, 1973-82 Red. d. Zeitschrift "Pannonia". P.: "Dorfmeister" (1980), "Mord auf DIN A4" (1986), "Protokolle z. Steinigung" (1972), "Träume steten Wachens" (1974), Texte geschrieben f.: Oberwarter Mese (1970), Kremsmünster Messe (1977), Fehringer Messe (1977), St. Margarethner Messe (1982), "Du bist d. Herr d. Zeiten" (1989), "Die gold. Gans" (1987), "Legende um Silvia" (1988), Hörspiele: "Die Reise in d. Tod" (1972), "Das Turiner Oratorium" (1973), "Der Trinker" (1974), "Die späte Erkenntnis über d. Totschlag d. Adam Urban" (1979), "Feindberührung" (1984)l, Übersetzungen aus d. Latein. u. Ungar. M.: Österr. P.E.N.-Club, Grdg.Mtgl. u. Präs. d. Bgld. P.E.N.-Clubs, Vorst.Mtgl. d. Bgld. Volksbild.Werkes, Ehrenobm. d. SC Winden.H.: Musik, Fußball, Interesse f. Florence. (M.B.)

Milli Kitty E.

B.: Inh. FN.: C. H. Berger GmbH "Zur engl. Flotte", seit 1877 (3 Generationen) im Familienbes. DA.: 1010 Wien, Kärntnerstr. 36. PA.: 1010 Wien, Walfischg. 15. Ki.: Pierina, Aldo. El.: Berger Carl Hermann u. Friederike. BV.: K. u. K. Hoflieferanten. S.: Gymn., Kunstgew., Sprachstud. im Ausland, Dolmetscherprüf. f. Fanzösisch u. Englisch, 1962 Mstr.Prüf. f. d. Schneiderei. K.: 1961 Eintritt in d. Fa. H.: Literatur. (Fels.)

Millmann Marlies

B.: Kauffrau, Inh. FN.: Hotel Mozart GmbH. DA.: 1090 Wien, Julius-Tandler-Pl. 4. G.: Wien, 17. Feb. 1951. V.: Walter Millmann. Ki.: Denise (1981), Joachim (1984). El.: KommR. Hans Joachim u. Helene Fischer. BV.: schon Ururgroßvater väterlicherseits war Hotelier. S.: 1969 HAK-Matura. K.: 1969-71 Tätigkeit im elterl. Betrieb "Ganslwirt", 1971-75 Sekr. d. Geschäftsltg. in d. Privatwirtschaft, 1975-77 Finanzabt. in einem amerikan. Konzern, seit 1977 Gschf. Hotel Mozart, seit 1992 GmbH. H.: Garten, Handarb., Tiere (Hunde). (I.K.)

Millner Heinz Dipl.-Ing.

B.: Ziviling. f. Maschinenbau. DA/PA.: 6850 Dornbirn, Stieglingen 7a. G.: Graz, 4. Jan. 1956. V.: Andrea. Ki.: Daniela (1978), Monika (1980), Carmen (1981), Helmut (1984). El.: Hellmut u. Esmeralda. S.: HTL Bregenz, 1975 Matura, Militär, TU Graz, Grad. 1983 (Mat. u. Univ.-Abschl. m. Ausz.). K.: 1983 Eintr. in Kzl. d. Vaters, Beginn m. Aufbau d. Schweißtechnik Consulting, 1988 Übern. d. Kzl., techn. Bühnenausrüst. d. Bregenzer Festspiele, Bregenzer Festspielturm; Sachv. b. Gericht, Mtgl. im Akkreditierungsaussch. d. BIng.-Kammer. H.: Wandern, Pilzesuchen, Naturbeobachtung. (I.D.)

Millonig Dietmar

B.: Running-Promotion. FN.: "Nike" Wulf Sport GmbH & Co KG. DA.: 6370 Kitzbühel, Jochbergerstr. 129. PA.: 2340 Mödling, Schichtg. 17/16/4. G.: Villach, 1. Juni 1955. El.: Alois u. Anna. S.: VS, HS, HASCH. K.: seit 1972 aktiver Läufer, 35facher Österr. Mstr., 6. Platz b. Olymp. Spielen 1980 (5000 Meter), 5. Platz Europameisterschaft 1982 (5000 Meter), Österr. Rekordhalter über 3000/5000/10.000 Meter, 25 km Straßenlauf, Halleneuropamstr. 1986 Madrid (3000 Meter). H.: Reisen.

Millonig Franz

B.: Sub-Dir. d. Wr. Allianz. DA.: 4010 Linz, Untere Donaulände 36. PA.: 4030 Linz, Rohrmayrstr. 2. G.: Perg, 4. Nov. 1934. V.: Margarethe, geb. Mayrhauser. Ki.: Romilda, Ronald. El.: Franz u. Rynhilde. S.: 1951-53 Großhdls.-Kfm.-Ausbild., Praxis. K.: seit 1969 b. Wr. Allianz, 1972 OInsp., 1977 Sekr. d. Außendienstes, seit 1978 Sub-Dir. E.: zahlr. firmeninterne Ausz. H.: Reisen, Fußball. (P.H.)

Millwisch Paul

B.: Dir. d. Hotel Kaiserhof. DA.: 1040 Wien, Frankenbergg. 10. PA.: 1190 Wien, Scheimpflugg. 17. G.: Wien, 2. Feb. 1951. V.: Irene. S.: VS, AHS, Hotelfachschule, danach Praxis im Ausland: Ass.-Manager im Hotel Portman in London. K.: seit 1977 Hotel Kaiserhof. M.: Mjr. domus d. österr. Weinbruderschaft, ÖHV, HSMA, Capitano d. Lega d. Chianti f. Österr., Ordre Mondiale d. gourmets degustateurs. (I.K.)

Milnera Stanislav Dr. techn. Dipl.-Ing. Univ.Prof.

B.: Univ.-Prof. S.: RG, phil. u. math.-physikal. Fak. d. Karls-Univ. Prag (Sprachen, Chemie) TH Prag u. Chem.-Technolog. HS in Prag, TH Wien. K.: seit 1957 HS-Leher, seit 1968 Ltr. d. Chemieforsch. in d. Privatind., 1976 Univ.-Prof. f. Polymer-Faser- u. Textilchemie u. -technologie. P.: 55 wiss. Arb., Pat. u. kurze Mitteilungen, 21 Bücher über Allg. Physikal. u. Org. Chemie. M.: Intern. Ges. f. Ing.Päd. in Klagenfurt, Text. Inst. Manchester (F.T.I., C.Tex.), Nat. Res. Comcil. Canada (Guest Res. Scientist 1979).

Milosevic Sylvia Mag.

B.: Gschf. Ges. FN.: Herzog GmbH EDV-Consulting, Data, Export-Import. DA. u. PA.: 2371 Hinterbrühl, Schumacherg. 15. G.: Gmünd/NÖ, 29. Sept. 1953. V.: Dipl.-Ing. Slavko Milosevic. Ki.: Srdjan (1976), Friedrich (1986). El.: Dr. med. Franz u. Helga Klein. S.: 1972 RG-Matura, Stud. Rechentechnik u. Betriebsinformatik TU Wien, 1976 Mag. rer. soc. oec., gepr. Rechentechniker, 1977 Doktoratsstud. K.: 1977 Programmierer in Softwarefirma, 1978 Mitbegrdg. einer eigenen Softwarefirma, 1979 auf Grund eines schweren Autounfalles Ausstieg aus dieser Firma u. Annahme eines Postens als EDV-Ltr., EDV-Organ., Verw.-Organ., 1984 Aufstieg z. Ass. d. Geschäftsltg., 1985 Ausscheiden aus dieser Firma u. Grdg. eines Einzelunternehmens Mag. Sylvia Herzog EDV-Consulting, Juli 1987 Umwidmung d. Firma in Herzog GmbH, 1991 Grdg. einer Tochterfirma Herzog spol.s.r.o. in Bratislava, 1992 Grdg. einer Filiale in Novi Sad, 1992 Grdg. einer Handelsagentur u. eines Künstlerateliers. E.: Urkunde v. Wirtschaftsmagazin "Gewinn" über d. Platz 29 in d. Rangliste d. Top 100 Jungunternehmer 1990. M.: Bez.-Obm. Mödling in d. Fachgruppe Datenverarb. u. Unternehmensberatung. H.: schreiben v. Kinderprosa u. Liedertexten, klass. Musik (aktiv m. komponierendem Sohn). (M.M.)

Milz Karl Rudolf Dir.

B.: Gschf. Ges., Kfm. FN.: Vbg. Verlagsanst. DA.: 6850 Dornbirn, Schwefel 81. PA.: 6923 Lauterach, Feldrain 14. G.: Fußach, 7. Apr. 1929. V.: Gebhardine, geb. Kathan. Ki.: Carmen (1956), Christine (1957), Mag. Renate (1959), Karl-Heinz (1966). S.: HASCH, Kfm. Lehre, 1946 Kfm. Gehilfenprüf. K.: 30 J. ltd. Funktion als Ind.-Kfm., seit 1975 Gschf. Ges. d. Vbg. Verlagsanst. M.: Industriellenvereinigung. H.: Lesen, Wandern. (W.R.)

Mimm Günther Werner

B.: Berg- u. Skiführer, Fluglehrer f. Paragleiter. DA. u. PA.: 6380 St. Johann, Hornweg 15. G.: Lienz, 9. Febr. 1958. V.: Gisela, geb. Noichl. Ki.: Verena (1988), Günther (1990). El.: Hubert u. Karin. S.: VS, HS, Tir. Schülerkader (Ski Alpin), Lehre Bautechn. Zeichner, 1978 Abschluß, 1 J. Aufenthalt in Australien, 1982 staatl. geprüfter Skilehrer, 1983 staatl. geprüfter Bergführer. K.: 1984 Ges. d. Skischule, 1985 Grdg. d. Alpin-Schule St. Johann, 1987 stellv. Ltr. d. Ski-Schule St. Johann (Techn. Dir., Organisator), 1990-91 Ltg. d. Österr. Liga d. Paragleiter (Österr. Nationalmannschaft), 1991 Fluglehrerprüf., 1992 Langlauflehrerprüf., 1992 Konzessionsinh. f. Skischulen, 1991 sportl. Ltr. d. WM im Drachenfliegen d. Damen in Kössen. P.: Berichte f. Fachzeitschriften z. Thema Gleitschirmfliegen, Gutachten über Umwelteinflüsse d. Paragleitens. E.: Weltmstr.-Titel d. Damen im Paragleiter. M.: Lawinenkmsn. in St. Johann, Bergrettung, Alpenver., Skiclub. H.: Paragleiten, Skifahren, Klettern, Tauchen, Malen, Sport allg. (G.P.)

Minar Ingeborg Roswitha

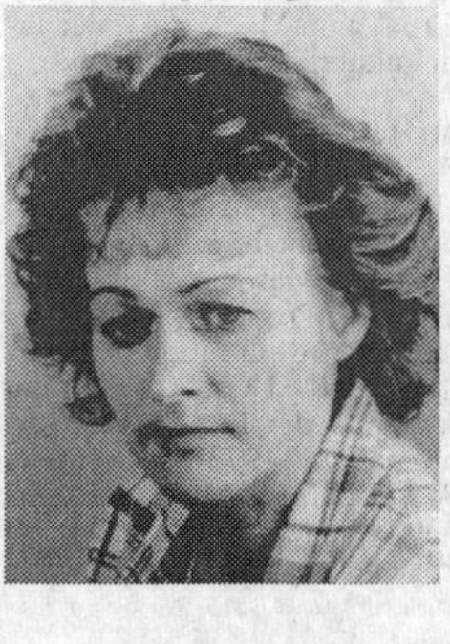

B.: Gastwirtin Hotel-Restaurant Stefanihof. DA. u. PA.: 5330 Fuschl am See 107. G.: Wels, 13. Juli 1956. V.: Werner Minar. Ki.: Daniel (1986), Philipp (1993). El.: Josef u. Berta Zauner, geb. Ollinger. S.: VS, HS, Hotelfachschule Klessheim, Sommersaisonen in Fuschl, Wintersaisonen am Arlberg. K.: 1983-87 Jazzlokal Knittelfeld, 1987 Pächter Stefanihof Fuschl, 1991 selbst. Übernahme. H.: Schwimmen, Radfahren, Musik, Handarb. (S.P.)

Mimra Anton

B.: Unternehmer d. Café Restaurant Wortner. DA.: 1040 Wien, Wiedner Hauptstr. 55. PA.: 8680 Mürzzuschlag, Hammerpark 3. G.: Mürzzuschlag, 27. Mai 1957. V.: Elisabeth, geb. Wolf. Ki.: Raphael (1989). El.: Anton u. Margarete. S.: Urgroßvater mütterlicherseits Toni Schruf Begründer d. Alpinen Skilaufs in Mitteleuropa. S.: Marieninst. V. BG-BRG Graz, 1975 Matura, Koch- u. Kellnerlehre Aflenz, Mstr. u. Konzessionsprüf. K.: Auslandsaufenthalte in d. Schweiz u. Deutschland, seit 1984 in Wien, Übernahme u. Revitalisierung d. Café Restaurant Wortner. M.: MKV. H.: Skifahren, Tauchen, Squash. (J.S.)

Minarik Hans

B.: Schneidermstr., Gschf. Ges. d. Fa. Minarik & Söhne OHG. DA.: 1020 Wien, Praterstr. 60. G.: Wien, 27. Febr. 1941. V.: Erika, geb. Stein. Ki.: Alfred, Hans. El.: Julius u. Maria. S.: 1955 Gesellenprüf., 1963 Mstr.Prüf. K.: 1965 Grdg. einer OHG. H.: Wald- u. Gartenarb., Schwammerlsuchen. (Schm.)

Minarik Harry

B.: Inh. FN.: PR-Agentur Speed Press. DA.: 1160 Wien, Wilhelminenstr. 91a. PA.: s. DA. G.: Wien, 10. Okt. 1962. V.: Michaela geb. Pestenhofer. Ki.: Christian. El.: Franz u. Beatrix. S.: VS, HS, 1978-81 Photographen-Lehre, 1983-87 erl. Beruf d. Journalisten (ÖAMTC). K.: Presseref. ÖAMTC, ORF-Red. (TV) Landesstud. Bgld., Moderator Privatsender Antenne Austr., 1990 Gründ. PR Agentur Speed Press. BL.: 2-facher österr. Rallye-Staatsmstr. (Beifahrer). M.: Fahrtechn.-Instrukt. (ÖAMTC). H.: Motorsport, Schwimmen, Radfahren, Skifahren, Modelleisenbahn. (F.S.)

Minder Dieter Dkfm.

B.: Vors. d. Vorst. FN.: Österr. Sanitätkeramik u. Porzellanind. AG. DA.: 1015 Wien, Goetheg. 3. G.: Wien, 2. Nov. 1938. V.: Ameri. S.: RG, HAK-Matura, IBM-Programmierer. K.: CA, Ltr. Kostenrechnung ÖSPAG, Ltr. EDV ÖSPAG, Chef Administration ÖSPAG, 1986 Vorst.Mtgl., 1989 Vors. d. Vorst. E.: 1990 Gold. Ehrenkreuz f. Verd. um d. Rep. Österr. H.: Garten, Musik. (V)

Minich Karl Ing.

B.: Prok., Maschinenbau-Ing. FN.: KONE Sowitsch AG. DA.: 1231 Wien, Forchheimerg. 34. G.: Wien, 10. Juni 1947. El.: Franz u. Rosa. S.: VS, Mittels., 5J. TGM. K.: 1966 Eintritt Fa. Sowitsch, 1J. freiw. Oberleutnant d. Reserve, 1968 Mtgl. Entwicklungsabtl., 1970 Zusammenkoppl. Fa. Sowitsch u. Fa. Kone, 1973 Betreuung d. Qualitätskoordination, 1978 zuständ. f. Verkauf Wien, 1982 Verkaufsltr. NÖ., 1986 Mtgl. d. Gschltg., Ltr. d. Region West, 1991 Ltr. d. Region Ost, 1992 Bestell. zum Prok., Install. v. Aufzügen z.B.: Donauturm Wien, Uno-City, Pensionsvers. d. Arb., Hotel Marriott, Univ.-Klinik Innsbr., Flughafen Wien, Neubaulandhaus Landeshaupts. St. Pölten. E.: Kärntner VDM f. Katastropheneinsatz. M.: Alpenver. H.: Judo, Skifahren, Laufen, Bergsteigen. (W.M.)

Minich Peter

B.: Schauspieler, Sänger. PA.: 1020 Wien, Vorgartenstr. 160. G.: St. Pölten. V.: Eleonore, geb. Bauer. El.: Minich Gustav. S.: Stud. an d. Musikak. Wien. K.: 1947 Auftritte b. d. Eleven d. Burgtheaters, 1948 Experimente Kellerbühne, 1950 Stadttheater St. Pölten, 1953-55 in St. Gallen/Schweiz, 1955-60 Opernhaus Graz, seit 1960 Mtgl. d. Wiener Volksoper, Auftritte in Rundfunk u. Fernsehen. E.: Prandtauerpreis, Gold. Ehrenmed. d. Stadt Graz, Titel eines Kammersängers, Preis d. Robert Stolz-Stiftung.

Minichberger Alfred

B.: Unternehmer, Inh. FN.: Alfred Minichberger. DA.: 4063 Hörsching, Linzer Str. 32. G.: Linz, 17. Nov. 1960. V.: Maria, geb. Baumgartner. Ki.: Eva Maria (1991). El.: Alfred u. Hildegard. S.: VS, HS, Lehre Großhdls.-Kfm. Linz, 1979 Lehrabschlußprüf. K.: 1979-81 Ein- u. Verkauf im Lehrbetrieb, 1981 Wechsel in d. Baubranche, 1988-91 Außendienstmitarb., 1989 selbst. im Bereich Baumaschinenersatzteilhdl., Grdg. Firma A. Minichberger Hörsching. H.: Skifahren, Radfahren, Lesen. (G.E.)

Minke Werner Karl

B.: Filmhersteller. FN.: Aura Video Film Produktion. DA. u. PA.: 2571 Altenmarkt/Tr. 113. G.: Wien, 19. Mai 1948. V.: Eva, geb. Schwänzl. El.: Karl Werner u. Franziska. S.: Filmkopiermstr.Lehre, 1965 Abschluß, Ausbild. als Kameraass. K.: Jüngster Kameramann Österr., b. 1983 Gschf. d. Minke Film GmbH, gleichzeitig als freiberufl. Kameramann tätig, viele Filme u.a. über Berufsschadensverhütung, seit 1984 selbst. m. Aura Video Film Produktion, Ind.Filme. E.: Preise b. Intern. Ind.Filmwettbewerben. M.: Syndikat d. Pressefotografen, Austrian Assoc. of Cinematographers. H.: Filmen, Segeln, Automodelle sammeln. (J.S.)

Minkus Hugo Dir.

B.: Verkaufsdir. f. Österr. A.: 1020 Wien, Obere Donaustr. 99. G.: Wien, 10. Mai 1928. V.: Evelyn, geb. Kauf. El.: Siegfried u. Josefine. S.: HAK. K.: Filialltr. Wr. Allianz - LDir. Anglo - Lloyd - LDir. Zürich-Kosmos Wien.

Minnich Norbert

B.: Inh., Gschf. FN.: Minnich KG. DA.: 2100 Korneuburg, Hauptpl. 30. G.: Wien, 20. Nov. 1940. V.: Maria, geb. Schwarzböck. Ki.: Andreas (1974), Christine (1977), Martina (1984). El.: Eduard u. Gisela. S.: Gymn., Mittelschule, HASCH, 1 J. Lebensmittelschule Neuwied/Rhein. K.: 1959-60 Filialltr. Nanz Stuttgart, elterl. Betrieb, Aufbau A+O Filiale Korneuburg, 1985 Textilbereich, seit 25 J. KG. H.: Tennis, Schwimmen, Skifahren. (R.T.)

Minowa Ikuzo

B.: Gschf. FN.: Mazda-Austria GmbH. GT.: Vors. AufsR. Mazda-Bank Austria AG. DA.: 9020 Klagenfurt, Ernst-Dietz-Str. 3. G.: 29. Nov. 1943. V.: Yuko, 2 Söhne. S.: Stud. in Japan Univ. Hokaido Jura Dipl. K.: 1972-77 Mazda-Motors BRD, 1978-89 C. Itoh Tokio stellv. Gen.Manager, 1989 Mazda-Austria.

Mirnig Adolf KommR.

B.: Tischlermstr., LInnungsmstr. d. Tischler Ktn. FN.: Bau- u. Möbeltischlerei Adolf Mirnig. DA.: 9020 Klagenfurt, Siebenhügelstr. 72. PA.: 9020 Klagenfurt, Babenbergerstr. 59. G.: St. Veit, 8. Mai 1925. V.: Waltraud, geb. Thaler. Ki.: Waltraud, Ursula. El.: Franz u. Aloisia. S.: HTL Villach, Mstr.Schule. K.: 1949 Betriebsgrdg., 1960-66 Bez. Innungsmstr. v. Klagenfurt, 1966-75 LInnungsmstr.Stellv., ab 1975 LInnungsmstr., seit 1960 Vors. d. Lehrabschlußprüf.Kmsn., seit 1970 Vors. d. Mstr.Prüf.Kmsn. E.: Silb. Ehrenmed. d. Kam. d. Gewerbl. Wirtschaft, Silb. u. Gold. EZ d. Tischlerhandwerkes, Julius Raab-Med. M.: Österr. Wirtschaftsbund. (S.G.)

Mirnig Werner

B.: Gschf. Ges. FN.: KLG Austria. GT.: seit 1984 ständig gerichtl. beeid. Sachv. f. Kälteanlagen. DA.: 8051 Graz, Wiener Str. 338. PA.: 8020 Graz, Theodor-Körner-Str. 152. G.: Klagenfurt, 24. Dez. 1943. V.: Maria Elisabeth, geb. Blasisker. Ki.: Elisabeth (1976), Johannes (1981). El.: Adalbert u. Auguste. S.: VS, HS, 1957-61 Lehre Elektrotechnik Lienz, 4 J. Tätigkeit in Vbg., 2. Lehre Kühlmaschinenmechaniker, 1964 Abschluß. K.: 1967 Mstr.-Prüf. Elektroinstallation u. Elektromechanik, 1972 Mstr.-Prüf. Kühlmaschinenmechanik, 1967-72 Gschf. Elektro- u. Kühlmaschinenbetrieb in Osttir., 1972 Grdg. KLG Austria Kühl-, Möbel- u. Ladenbau GmbH Graz, 1988 alleiniger Ges. H.: Oldtimer, Skifahren, Arb. (I.G.)

Nemeth Ilse Dr. iur.

B.: stellv. Gschf. FN.: Forum Institut f. Management GmgH. GmbH. DA.: 1080 Wien, Josefstädter Str. 51. PA.: 1190 Wien, Wildgrubg. 6. G.: Strem/Bgld., 18. Febr. 1958. El.: Johann u. Angela Nemeth. S.: BRG Güssing, Jusstud. Univ. Graz, 1984 Prom. K.: 1985 Gerichtsj., 1986-88 tätig in einer Management-Fortbild.-Ges., 1989 Eintritt in d. Forum Institut f. Management GmbH, beauftragt m. d. Aufbau d. Forum-Inst. Österr., Projektltr., seit 1990 stellv. Gschf., Organ. v. Fortbild.-Veranstaltungen im Bereich Recht, Finanz u. Pharma d. Oberen Führungsebene. H.: Tennis, Lesen, Handarb. (J.S.)

Mirtl Herbert F.

B.: Geschäftsführender Gesellschafter. FN.: Team Training Austria. DA.: 1140 Wien, Isbaryg. 12. PA.: 2102 Hagenbrunn, Bergstr. 28. G.: Wien, 13. Sept. 1951. V.: Andrea Auguste, geb. Kaiser 18. Juli 1947. Ki.: Margot 1974. S.: 1970 BRG Wien, Lehramtsstudium, 1993 Gewerbeschein für Unternehmensberatung, 1972 Rank Xerox, 1976 Verkaufsleiter, 1980 Regionaldirektor, 1983 Team Training Intern. GmbH u. Team Training Austria GmbH. H.: Natur, Tennis, Bergsteigen. (T.T.)

Mirwald Otto

B.: Bauunternehmer, Gschf. d. Fa. Mirwald. DA.: 2345 Brunn/Geb., Leopold-Gattringer-Str. 121. PA.: 2380 Perchtoldsdorf, Leopold-Kunschak-G. 8. G.: Mödling, 3. Juni 1943. V.: Maria, geb. Immervoll. Ki.: Andrea, Bernd. El.: Otto u. Maria. S.: VS, HS, HTL, Kurse, Bmstr.Prüf. K.: Anfang b. Wr. Baufa., seit 1970 selbst. H.: Jagd. (E.L.)

Mis Heinrich Dr.

B.: Ressortltr. f. kulturelle Spezialprogramme (Kunststücke). FN.: ORF. DA.; 1136 Wien, Würzburgg. 30. S.: Stud. Publizistik u. Politikwiss. K.: 1974-79 Communications Dpt. b. IBM, 1980-81 Public Information Department d. OPEC, 1981-82 Postgroduatz-Studium a. d. Johns Hopkins University Bologna, 1983 Freiw. Journalist u. Regieseur Studio Wien, 1987 Ltg. d. Stadtradios im Studio Wien, ab 1989 Redakteur i. d. Abt. Kultur, seit 1992 Ressortltr. f. kulturelle Spezialprogramme (Ankauf u. Prod. v. in Machart u./oder Inhalt außergewöhnl. Programmen kulturellen Inhalts).

Misak Gerhard Dr. KommR.

B.: Gschf. FN.: Minolta Austria Gesellschaft m.b.H. DA.: 1181 Wien, Amalienstr. 59-61. PA.: 1090 Wien, Sensengasse 5/15. G.: Wien, 14. April 1926. V.: Elisabeth, geb. Kruh. Ki.: HS-Ass. Dr. phil. Silvia. El.: Franz u. Maria. S.: RG, 1944 Matura, Univ. Wien Jusstud. (Dr. jur.), Prom. 1950, 1951-60 Sekr. d. Österr. Gewerbevereines, Sekr. d. Österr. Fotohändler- u. Radio-u. Elektrohändlerverb. 1960-71 Gschf. Fa. Braun Elektrik Austria, 1971-75 Eigentümer der Fa. UNAL Ges. m.b.H., Gen.Vertr. versch. Fotomarken, 1973-75 Gschf. d. Fa. Minolta u. Fa. UNAL, ab 1975 Gschf. Fa. Minolta. E.: Ernennung z. fachm. Laienrichter LG Wien (KommR.). M.: ab 1975 BGremialvorst. f. d. Fotohandel, VPräs. Fotohändlerverb. 1962-78, Vors. d. Importeurgruppe Fotohändlerverb., Vorst.Mtgl. im Verb. Österr. Laienrichter. H.: Klass. Musik, Ältere Geschichte, Fotografie. (C.K.)

Misák Kurt Ing.

B.: Technologe, Medienforscher, Radio-TV- u. Filmunternehmer. A.: 1200 Wien, Brigittenauer Lände 170-172/5/8/27. G.: Wien, 26. Jan. 1927. V.: Margarete, geb. Hank. El.: Hans u. Marie. S.: Musik, Filmwiss. u. Elektrotechnik (Musik an d. VS u. Jugendmusikschule u. am Konservatorium d. Stadt Wien, sowie am Rustin-Konservatorium Potsdam, Filmwiss. durch Literaturstud. u. in Arbeitsgruppen m. Produzenten u. Filmschaffenden, Elektrotechnik am 10-semestrigen Technolog. Gewerbe Museum Wien, Matura 1947). K.: Seit 1945 in d. Medienforsch. u. b. einschlägigen Unternehmensgrdg. aktiv, seit 1947 außerdem unselbst. als Volontär u. Techniker im Forschungsbereich d. TU Wien, in d. Elektroind., E-Wirtschaft, Bauwirtschaft, als Anlagen- u. Betriebsprüfer in d. Textilind u. Vers.Wirtschaft, sowie in zahlr. anderen Bereichen tätig, 1948 Berufsinteresse auf d. Filmind. u. kommerzielle Television ausgerichtet, Entwicklung eines Herstellungsverfahrens f. Kommerzfilme u. eines Verfahrens z. Herstellung u. Verbreitung v. Programmen f. elektron. Medien, 1955 Beginn m. d. Themen- u. Drehbuchproduktion, gleichlaufend Grdg.Aktionen wie Canta-Musikverlag, Projection-Film, Terraphone-Records u. 1972 Infra-Media-Forschungs u. Beratungs GmbH f. Massenmedien, gschf. Ges. f. 1985 zu welchem Zeitpunkt die Umwandlung d. Rechtsform in ein GesnbR erfolgte. Gegenstand d. Ges.: Forsch., Organ., Betriebsführung, Ind. u. Unternehmensplanung nach Großraumaspekten. P.: unveröff. Insiderpapiere u. Patentschriftentwürfe d. Produkt-, Prozeß- u. Standortinnovation, Drehbücher u. wirtschaftsbezogene Korrespondenz f. Auftraggeber, potentielle Investoren, Anwender v. Beschäftigungsprogrammen usw.

Mischek Hugo Konrad Dipl.-Ing. BauR. h.c.

B.: Ziviling., Vorst.Vors. FN.: Mischek Fertigbau AG. GT.: gemeinsam m. Gattin Alleinaktionär d. Fertigbau Mischek AG. DA.: 1010 Wien, Dorotheerg. 7. PA.: 1180 Wien, Naaffg. 38-40. G.: Wien, 5. Aug. 1927. V.: Helga, geb. Herkner. Ki.: Michaela, Hugo Ronald, Angelina. El.: OSenR. Hugo u. Maria. BV.: Vater b. 1955 Ltr. d. Wr. Baupolizei. S.: RG Wien, Stud. an d. TU, 1949 Dipl., 1953 Bmstr.Prüf., 1954 Ziviling.Prüf. K.: seit 1946 Aufbau d. Fa. Bl.: zahlr. Erfindungen (geschützt durch Patentrechte). P.: zahlr. Veröff. in Fachzeitschriften. H.: Skifahren, Wandern. (H.P.)

Mischer Ernst Dr. iur. HofR.

B.: Polizeijurist. DA.: 1010 Wien, Schottenring 7-9. PA.: 2345 Brunn/Geb., Liechtensteinstraße. G.: Wien, 31. Aug. 1937. V.: Erika, geb. Pavlas. Ki.: Gabriele u. Thomas. El.: Franz u. Maria. S.: BRG Wien, Matura 1955, Stud. an d. Univ. Wien, Jur. Fak., Prom. 1960. K.: Während d. Stud. tätig im BMI, 1960 Polizeidion. Wien, 1964 Sicherheitsdion., seit 1984 HofR. M.: IPA. H.: Fotografieren, Reisen. (A.W.)

Mischker Bernd Dipl.-Ing.

B.: Ing.-Konsulent f. Vermessungswesen, Gschf. FN.: Arge Vermessung. Dr. Schelling - Dipl.-Ing. Mischker. DA.: 6850 Dornbirn, Eiseng. 2. PA.: 6850 Dornbirn, Grünau 12. G.: Bad Hall, 27. März 1945. S.: Gymn. Wels, 1963 Matura, Stud. Technik Graz, 1970 Dipl.-Ing. K.: seit 1971 Mitarb. in Firma Arge Vermessung, seit 1981 Teilhaber, Spezialgebiet: Integrales Tunnelvermessungssystem m. Erfassung d. absoluten Hohlraumverformung. P.: 1987-89 div. Veröff. H.: klass. Musik, Skifahren, Bergsteigen. (W.R.)

Mischkulnig Walter

B.: Bautechniker, Künstler. FN.: WIP-Plan Wohnungs- u. Ind.-Planungsges. DA.: 9020 Klagenfurt, Bahnhofstr. 45. PA.: 9072 Ludmannsdorf, Niederdörfl 5. G.: Klagenfurt, 24. Nov. 1961. V.: Gabriela, geb. Kersche. Ki.: David (1986), Fabian (1990). El.: Jakob u. Antonia. S.: Gymn.; Priesterseminar, Ausbild. z. Bautechniker. K.:1978-91 Tätigkeit in versch. Arch.-Büros, seit 1992 b. WIP-Plan Planung v. Wohnungs- u. Ind.-Bau, auch Arb. im künstler. Bereich: Malerei u. Bearb. v. großformatigem, rohem Blech. P.: seit 1987 versch. Ausstellungen u. Vernissagen im Ktn. Raum sowohl m. eigenen Bildern als auch d. Arb. m. Blech. H.: künstler. Bereich, Beruf. (F.S.)

Misja Jasna

B.: VS-Lehrerin, Schriftstellerin. PA.: 9500 Villach, Tafernerstr. 20. G.: Laibach, 24. Apr. 1949. El.: Boris Misja u. Judith Krawagna. S.: VS, Gymn., Päd. Ak. Klagenfurt. K.: seit 1970 Unterricht VS Fürnitz, 1972 erste schriftstellerische Versuche, Erzählungen über ländl. Themen, 1978 Übersetzung d. "Deutschen Gedichte" ins Slowenische. P.: Publ. in d. Ktn. Tagespresse. E.: 1974 Theodor Körner-Preis. M.: seit 1979 Mtgl. d. P.E.N.-Clubs. H.: Lesen, Musik. (D.M.)

Missong Alfred Dr.

B.: Botschafter, gegenwärtig in Wien u. Dir. d. Diplomat. Akademie. DA.: 1040 Wien, Favoritenstr. 15. PA.: 1190 Wien, Hartäckerstr. 71. G.: Wien, 14. Jan. 1934. V.: Roswitha, geb. Kühnert. El.: Dr. Alfred u. Juliane. S.: Gymn. Wien 18, 1952 Matura, Jusstud. in Bern u. Wien, 1959 Dr. iur. BV.: Vater war Schriftsteller u. Publizist, gest. 1965. K.: Journalist. Tätigkeit f. öterr. u. ausländ. Blätter b. 1958, 1959-

60 Außenamt in Wien, 1960-63 österr. Botschaft in Belgrad, 1963-65 Außenamt, 1965-68 Presseattaché in Moskau, 1968-72 Österr. Botschaftsrat in London, 1974-76 Pressechef d. BMA, 1977-82 österr. Botschafter in Mexiko, 1982-85 österr. Botschafter in Caracas, seit 1986 Dir. d. Diplomat. Ak. Wien. (J.S.)

Missoni Herbert Dipl.-Ing.

B.: Arch., staatl. befugter u. beeid. Ziviltechniker. FN.: TEAM A GRAZ. DA.: 8010 Graz, Merang. 35. PA. 8010 Graz, August-Musger-G. 11. G.: Klagenfurt, 8. Aug. 1938. V.: Dipl.-Ing. Gerda, geb. Pischinger. Ki.: Maximilian. S.: VS, HS, 1952-57 Bundesgewerbeschule Villach, 1957-65 Arch.-Stud. TH Graz. K.: 1965-71 HS-Ass. an d. Lehrkanzel f. Raumkunst u. Entwerfen, zahlr. Studienreisen nach Italien, UdSSR, USA, Griechenland, Japan, Jugoslawien, Türkei, Ungarn, Spanien, Frankreich, England, 1971 Forsch.-Stipendium British Council England, erfolgreiche Beteiligung an Schulbauwettbewerben im TEAM A GRAZ, sowie Ausführung zahlr. Schulbauten in d. Stmk., bes. Vorliebe f. d. konstruktive Bauen m. Holz u. Stahl. E.: 1980 Preis d. Landes Stmk. f. Arch. f. d. Schloßschule Gleinstätten, einige Projekte v. 1978-80 wurden m. d "Geramb Gedenkzeichen" f. Gutes Bauen in d. Stmk. ausgezeichnet. M.: Österr. Ges. f. Arch., Zentralver. d. Arch., Forum Stadtpark Graz. H.: Arch.-Fotografie.

Mistelbauer Florian

B.: Hotelier. DA. u. PA.: 3620 Spitz/Donau, Hauptstr. 15. G.: Spitz/Donau, 3. Jan. 1959. V.: Gerlinde. El.: Florian u. Eva. S.: Lehre als Koch u. Kellner. K.: 1982 Konzessionsprüf., Übernahme d. traditionsreichen "Wachauerhofes" im Herzen v. Spitz/Donau, seit 6 Generationen im Fam.Bes. (55 Betten, Hotel- u. Restaurantbetrieb, gr. ruhiger Gastgarten). F.: Hotel Wachauerhof, Florian u. Gerlinde Mistelbauer. H.: Kochen, Skifahren, Handwerken. (Kern)

Mistelbauer Wolfgang Dipl.-Ing.

B.: Arch. A.: 1070 Wien, Myrtheng. 17/4. G.: Villach, 27. Jan. 1935. V.: Nora, geb. Wilfing. El.: Gustav u. Amanda. S.: RG Villach u. Spittal/Drau, Matura 1953, Arch.Stud. TH Wien, Diplom 1964, Sommerak. Sbg., Prof. K. Wachsmann 1958, "Palladio"-Seminar Vicenza 1965, Praxis Arbeitsgruppe 4 (Kurrent, Spalt 1967-69. K.: 1969 Eigenes Büro, 1972-74 Ass. TU Innsbruck, Inst. f. Raumgestaltung Prof. O. Barth, 1974-82 Prof. HTLBA Krems, 1982 Lehrauftrag Ak. f. Angew. Kunst, Mkl. Prof. H. Hollein. P.: Ausstellungsgestaltung "Riccardo Morandi", Katalog u. div. Art. 1966, Publ. "D. Looshaus" m. H. Czech 1968 bzw. 1976 div. Art., Ausstellungsbeitrag "Integrierter Städtebau" mit W. Richter 1971, Ausstellungsbeitrag "Österr. Architektur nach 1945", Projektpublikation Bauforum 8-10, 1968. E.: Stipendium Italien 1965, Stipendium Frankreich 1969. H.: Segeln.

Mistlberger Karl Dr. rer. oec. soc. Mag.

B.: Gschf. FN.: VOEST-ALPINE Intertrading GmbH. DA.: 4020 Linz, Straßerau 6. PA.: 4210 Gallneukirchen, Hangweg 5. G.: Wels, 5. Jan. 1953. V.: Anneliese, geb. Harrer. Ki.: Bernhard. El.: Karl u. Paula. S.: neusprachl. Gymn., 1971 Matura, Stud. d. Hdls.Wiss. in Wien, 1976 Prom. K.: 1977 Eintritt in d. VOEST-ALPINE AG, Finanzwirtschaft, ab 1986 z. Intertrading ebenfalls Finanzabt., Prokura, ab 1987 Gschf. H.: Wandern, Tennis, Skifahren, Segelfliegen. (P.R.)

Mitischka Herbert

B.: Kfm. FN.: Werbestudio Mitischka & Multinorma. DA.: 1020 Wien, Blumauerg. 6. PA.: 2344 Maria-Enzersdorf, Dobrastr. 23. G.: Wien, 12. Apr. 1940. V.: Christa, geb. Trampitsch. Ki.: Brigitte (1966), Andreas (1977). El.: Josef u. Aloisia. S.: Fachschule f. Wirtschaftswerbung. K.: 1960-69 Werbegestalter b. Elektra-Bregenz, 1969 Grdg. u. Eigentümer d. Werbestudio Mitischka, 1980 Grdg. u. Eigentümer d. Fa. Multinorma Alu-Profil System m. Patenten in 20 Ind.Staaten d. Welt. M.: Präs. d. Altwiener Bundes, Sprecher f. Werbegestaltung, Kam. d. Gewerbl. Wirtschaft Wien, BWirtschaftskam., Aussch. f. Messen u. Ausstellungen Intern. H.: Tennis, Skifahren. (M.M.)

Mitlöhner Ewald Dr. med.

B.: FA f. Chir. A.: 4600 Wels, Traunaustr. 4. G.: Wagna/Leibnitz, 29. Nov. 1946. V.: Ingeborg, geb. Rath. El.: Franz u. Elisabeth. S.: VS, Gymn., Med.Stud., Karl Franzens-Univ. Graz. K.: 1964 Beginn d. Stud., nebenbei 5 J. Arb. als wiss. Hilfskraft an d. Univ. Graz, Prom. zum Dr. med. univ. Apr. 1973, HS-Ass. an Hygieneinst. in Graz, Okt. 1973 Abt. d. Präsenzdienstes b. BH, Apr. 1974 Beginn d. Turnusausbild. in KH Wels, Juni 1977 Abschluß d. Turnusausbild. m. Erreichen d. "Jus practicandi". Juli 1972 Beginn d. Ausbild. im Fach Chir., Abschluß d. Ausbild. m. Erreichen d. FA-Titel f. Chir. im März 1982. Freiwilliger FA-Prüf. d. Chir.-Ges. Österr. in Sbg. im Nov. 1981 bestanden. Seit Apr. 1982 als FA f. Chir. in A.Ö.K.H Wels tätig, nebenbei Lehrbeauftragter an d. hiesigen Krankenschwestern-Schule, nebenbei Vorträge f. Turnuskollegen zur med. Fortbild. E.: Mtgl. versch. Med. Ges., wie z.B. d. Chir.-Ges. H.: Musik, Basteln, Sport.

Mitringer Albert Dr.

B.: Textdir., HofR., OSenR. i.R., Dir. d. Wr. Stadtbibl. a.D. GT.: ehem. DirR.Vors. d. Wr. Symphoniker. PA.: 1170 Wien, Dornbacher Str. 86. V.: Dr. Hedwig, geb. Michalek. Ki.: Dipl.-Ing. Albert, Dr. Christian, Mag. Katharina. S.: VS, Realschule, RG, Stud. d. Germanistik u. Psych., 1933 Prom. K.: 1934 Volksbild.Amt d. Stadt Wien, 1940-43 Wehrmacht/Rußland, 1945 Dir. d. Städt. Büchereien Wien, 1950 Dir. d. Wr. Stadtbibl., 1957-76 DirR.Vors. d. Wr. Symphoniker, 1974 OSenR. d. Stadtgem. Wien, 1961 Prof., 1971 HofR., seit 1976 Mitarb. in d. Stiftsbibl. Klosterneuburg. P.: Hochzeit auf dem Lande (Prosaidylle), Sommerspiel, Der Schwarze Koffer, Haus unter dunklem Himmel, 3 Novellen, Ein Mann vom Lande oder Namenlose Zwillingsbrüder (Prosa), Wortsonaten, Lyrik. E.: Ehrenmed. d. Stadt Wien in Gold, Dr. Josef Pick-Ehrenmed., Bruckner Ehrenring d. Wr. Symphoniker, Ehrenring d. Bregenzer Festspielgem. M.: Ehrenmtgl. d. Österr. Schriftstellerverb. u. d. Wr. Symphoniker, Vorst.Mtgl. d. Presseclub Concordia. H.: Schriftsteller, symphon. Musik, Lesungen. (C.K.)

Mitsch Charlotte Maria Mag.

B.: Klinische Psychologin, Gesundheitspsychologin, Psychotherapeutin d. Schulpsycholog. Dienstes. DA.: 1010 Wien, Gonzagag. 11. PA.: 2700 Wr. Neustadt, Gröhrmühlg. 37A. G.. Eisenstadt, 19. Apr. 1963. V.: Ing. Wolfgang Mitsch. El.: Walter Franz u. Maria Magdalena Niederle. BV.: Großvater mütterl.: Lokalhistoriker in Wr. Neustadt, Adolf Höggerl. S.: 1981 Matura am Neusprachl. Gym., Wr. Neustadt, Stud. Psych., Univ. Wien, Mitarb. in Sonderkindertagsheim f. autistische Kinder, 1987-88 Ausb. z. Behandl. lernschwacher u. verhaltensauffälliger Kinder, 1990 Abschluß des Univ.-Stud. m. ausgez. Erfolg. K.: Psycholog. Tätigk. an d. Aids-Station d. Pulmologischen Zentrums Baumgartner Höhe, Wien, ab 1990-93 Unterricht an d. Krankenpflegeschule d. Pulmologischen Zentrums Baumgartner Höhe, ab 1990 Psycholog. Tätigkeit am Kaiser-Franz-Josef-Spital u. am Psychiatrischen Krankenhaus Baumgartner Höhe (jeweils Akut- u. Langzeitstationen, geriatrische Station), Wien. 1991 Abschl. d. Verhaltenstherapieausbildung im Rahmen d. ÖGVT (am AKH Wien), Eintragung in d. Psychotherapeutenliste, Eröff. d. eigenen psychotherap. Praxis in Wr. Neustadt, 1993 Teilzeitanstellung am Schulpsycholog. Dienst f. Krankenpflegerschulen u. Med.-Techn. Ak. Wien, Psycholog. Tätigkeit in d. Waldschule Wr. Neustadt, Sonderschule f. körperbehinderte Kinder, Mitarb. an einem Arbeitskreis z. Thema "gesunder Arbeitsplatz" im Psychiatr. Krankenhaus Baumgartner Höhe. P.:

Vorträge “Alkoholismus”, Symposium “Sucht am Arbeitsplatz” (1994). Veröffentlichung d. Studie “Rauchverhaltern v. Krankenpflegeschülerinnen u. Studentinnen d. med.-techn. Ak.” im Kurier 1994. H.: Radfahren, Schwimmen, Konditionstraining, Bergwandern, Skifahren, Schreiben, Zeichnen. (R.T.)

Mitsche Eduard

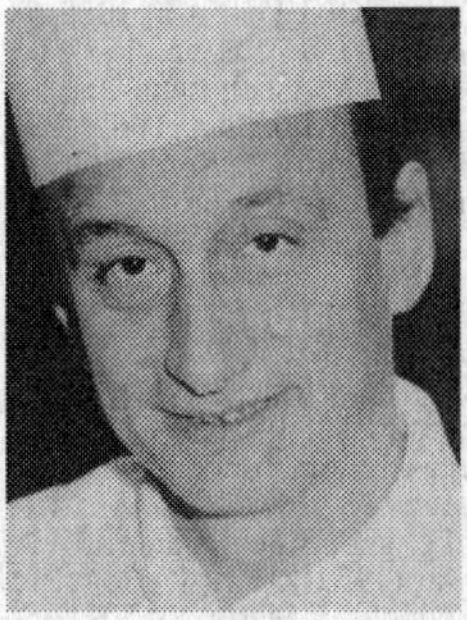

B.: Pächter, Küchenchef. FN.: Kahlenberg-Gastronomie. GT.: Vorst. d. Österr. Kochverb. DA.: 1190 Wien, Josefsdorf 2. PA.: 1200 Wien, Vorgartenstr. 62/1. G.: Eisenkappl, 20. Okt. 1949. V.: Maria, geb. Schopf. Ki.: Martina, Melanie. El.: Franz u. Theresia. S.: Kochlehre i. Alten Rathausstüberl i. Klagenfurt. K.: Saisonen i. Vorarlberg, Salzburg, Schweiz, 1970-72 Hotel Hilton i. London, 1972-73 VIP-Koch Luxusschiff Queen Elisabeth gekocht u.a. f. Prinz. Margarethe, Lord Snowdon, Burt Lancester, Twiggy, 1973-74 Sporthotel Igls i. Tirol, 1974 Hotel Hilton München, 1974-75 Luxusschiff Queen Elisabeth Cote d'Azur, 1975 Hotel Vienna Hilton, 1979 Managementkurs i. Montreal u. Hotel Hilton London, 1986-93 Küchenchef Hotel Vienna Hilton, Silvester 1993 Übern. u. Wiederöffn. d. Kahlenberg-Gastronomie w. Restaurant, Landgasthaus, Cafe-Konditorei, Sekt-Bar, 1994 Eröffn. d. Gipfel-Bar. E.: 1972 Goldmed. b. d. Kocholympiade i. London, 1977 Gold b. d. Int. Kochkunstausstellung. M.: Cordon d'Or, Chaine des Rotisseurs. H.: Radfahren, Skifahren, Tennis, gut essen. (J.S.)

Mitschitz Fritz

B.: BRettungsR., Dir. d. Österr. Rotes Kreuz. GT.: Kons. BW. DA.: 1050 Wien, Am Hundsturm 18. PA.: 2344 Maria Enzersdorf. G.: Wien, 11. Apr. 1930. V.: Irmgard, geb. Schmidt. S.: Matura. K.: 7 J. Wirtschaftsprüfertätigkeit, danach kfm. Ltr. einer Metallwarenfbk., ab 1962 kfm. Gschf. d. Pappes AG Ndlg. Wien (Mercedes), 1979-82 Gschf. d. Getzner AG, seit 1982 Wr. Rotes Kreuz. H.: Literatur, Musik, Bergsteigen. (P.R.)

Mitsuru Tomioka

B.: Gschf. FN.: Yamaha Corp. Yamaha-Music-Austria GmbH. DA.: 1100 Wien, Schleierg. 20. PA.: 1190 Wien, Sieveringerstr. 135. G.: Tokio, 3. Okt. 1952. V.: Terumi. Ki.: Shinichiro (1983), Yoshiki (1989). S.: Grundschule Tokio, Höhere Schule Tokio, 1971-75 Stud. Intern. Beziehungen Univ. Tokio. K.: 1975-85 Eintritt Firma Yamaha Hamatatsu, 1986-92 Abt.-Ltr. Firma in Deutschland, seit 1992 Gschf. in Österr. BL.: Entwicklung eigener Musikschulsysteme. (L.S.)

Mittag Martin Dipl.-Ing. Univ.-Prof.

B.: Arch., Inst.Dir. A.: 9161 Maria Rain, Sipperhof. G.: 26. März 1920. V.: Brigitte, geb. Frenzel. El.: Paul u. Frieda. S.: Gymn. u. Stud. in Dresden, postgrad. Studien in d. USA. K.: Dir. d. Inst. f. Bauplanung u. Bautechnik (seit 1961), Dir. d. Inst. f. Angew. Informatik in Bauplanung, Bautechnik u. Bauökonomie (seit 1979), Vors. d. Interuniversitären Arbeitskreises Curriculum-Entwicklung-Bauwesen (seit 1980), VPräs. Eipos, Europ. Inst. f. postgrad. Bild. an d. TU Dresden (seit 1990). P.: 200 Zeitschriftenveröff., 40 Buchveröff. M.: AKNW, DIN, IGIP.

Mittag Michael

B.: Vorst.-Vors. FN.: AGRA AG. DA.: 1030 Wien, World Trade Center Vienna Airport. PA.:1030 Wien, Hetzg. 29. G.: Graz, 7. Apr. 1952. V.: Eva, geb. Gruber. Ki.: Thomas, Elisabeth, Alexander. El.: Ernst u. Alfonsa. BV.: Großvater mütterlicherseits Dr. Alfons Gorbach BKanzler v. 1961-1964. S.: VS, Mittelschule, 1971 Matura, Stud. d. BWL in Graz, parallel dazu bereits Tätigkeit an d. Österr. Ak. f. Führungskräfte, anfängl. Verw. u. später als Ref., 1985 Wechsel zu Knoll Intern. GmbH als Ndlg.Ltr. u. seit 1987 Gschf. BL.: Aufbau d. Vertriebsnetzes Österr. m. Schwerpunkt auf d. Verkauf v. Systemen im Objektbereich. M.: Wr. Sezession. H.: Reisen, Lesen, Skifahren, Schwimmen, Squash, Tennis. (G.E.)

Mittag-Lenkheym Herbert Dr. Prof.

B.: Pensionist, ehem. Vorst. d. Fachverb. Werbung d. BKam. d. gewerbl. Wirtschaft u. d. Fachgruppe Werbung d. Wr. Hdls.Kam. DA.: 1030 Wien, Salesianerg. 1. PA.: 1140 Wien, Hadikg. 138. G.: Wien, 13. Aug. 1919. V.: Theres, geb. Wild. Ki.: Alexander, Dr. Martn. BV.: Großvater DDr. Wilhelm Mittag-Lenkheym Sektions u. Personalchef d. k.u.k. Außenmin. S.: Matura Stiftsgymn. Kremsmünster, 8 1/2 J. Kriegsdienst, Werksstudent Jus., 1948 Prom. K.: 7 J. pharm. Großhdl., Brauerei Schwechat, 1952 Grdg. Werbeagentur Hager Ges. E.: Gold. EZ f. Verd. um d. Rep. Österr., Prof., Ehrenring d. Werbewiss. Ges., Silb. EZ f. Verd. um d. Land Wien, Komturkreuz d. Ordens Papst Sixtus. M.: Präsidiumsmtgl. d. amerikan. HK in Österr., VPräs. d. Österr.-Amerikan. Ges., VPräs. d. Österr. Bauordens, Vorst.-Mtgl. d. Österr. Multiple-Sklerose-Ges. (P.R.)

Mittelmayr Anton

B.: Inh. FN.: Pizzeria Antonio u. Cafe-Konditorei Toni. DA.: 1210 Wien, Kürschnerg. 9. PA.: 1210 Wien, Dominik Wölfelg. 3/2. G.: Wien, 8. Sep. 1946. V.: Helga, geb. Reitgruber. Ki.: Alexander (1976), Sabine (1979). El.: Margarete. S.: Schlosser-Lehre, Techniker-Ausbildung. K.: 1966-69 Tätigk. als Tankwart, 1969-81 selbst. Tankstellenpächter u. Autohändler, 1982 schwerer Unfall und 1 1/2 J. an den Rollstuhl gefesselt, 1984 Eröff. eines Würstelstandes, zugleich Gastronomieausbildung, 1986 zusätzlich zum bestehenden Würstelstand einen Schnitzelimbiß gegründet, 1989 Übernahme einer bestehenden Cafe-Konditorei, 1990 Neugrdg. u. Eröff. einer Pizzeria Antonio. M.: Ausschuß d. Freien Wirtschaftsverbandes. H.: Musik (4 J. Bassist der “Magic Blue”), Computer. (F.S.)

Mittendorfer Alois

B.: Unternehmer, Ldw. DA. u. PA.: 4813 Altmünster, Neukirchen 12. G.: Altmünster, 11. Aug. 1935. V.: Elisabeth, geb. Gruber. Ki.: Alois, Franz, Josef, Regina, Elisabeth. El.: Josef u. Theresia. S.: VS. K.: Arb. im elterl. Betrieb, Ldw. u. Transportuntern., 1961 Übernahme d. Ldw. u. d. Transportuntern. u. Ausbau auf Baggerungen u. Schottergewinnung. M.: seit 1977 Obm. d. RAIKA Altmünster, seit 1970 Vorst. d. Marktgem. Altmünster, seit 1980 Fremdenverkehrsobm. v. Altmünster. H.: Jagd. (A.W.)

Mittendorfer Gerhard

B.: Gschf. DA.: Mittendorfer GmbH. DA.: 4680 Haag a. H., Starhemberg 15. PA.: 4680 Haag a. H., Lambacherstr. 45. G.: Weibern, 1. Apr. 1959. El.: Pauline u. Franz. S.: 8 J. VS, Polytechn. Lehrgang. K.: Lehre als Landmaschinenmech., 1978 durch laufende Kurse Ausbild. als Kfz-Mech., 1980-84 Betr. Mech. in Wels, 1985 Mstr. Prüf. f. Kfz-Gewerbe, s. 1988 Pächter d. ÖMV Tankstelle m. Kfz-Gewerbe, 1991 Grdg. d. GmbH, 1992 Import u. Verkauf v. Elektroautos. M.: Country-Club Hausruckviertel. H.: Motorradfahren. (G.E.)

Mittendorfer Johann

B.: Kdt. d. II. Korps im BMLV. DA.: 5071 Wals, Schwarzenbergkaserne. G.: Wels, 25. Dez. 1933. V.: Cläre, geb. Aschauer. Ki.: Verena (1955), Joachim (1961). El.: Anton u. Maria. S.: VS, BRG, Militärak. Enns, 1963-66 Generalstabskurs d. LVAk in Wien, 1953 Matura, 1957 ausgemustert z. Fähnrich d. Pioniertruppe. K.: 1976-81 Kdt. d. 4. Panzergrenadierbrigade, 1981-87 G3 d. Armeekdo. in d. Sekt. III. im BMLV, 1987-88 Kdt. d. Panzergrenadierdivision u. seit 1988 Kdt. d. II. Korps. E.: Gold. EZ u. Gold. VZ d. Rep. Österr., Silb. EZ d. Landes OÖ. H.: Sprache (Tschechisch), Skifahren, Wandern. (M.C.)

Mittendorfer Siegfried Dir.

B.: Dir. d. Kurverw. Bad Goisern. DA.: 4823 Bad Goisern 242. PA.: 4830 Hallstatt, Gosaumühlstr. 71. G.: Hallstatt, 3. Aug. 1939. V.: Christiane, geb. Hemetsberger. Ki.: Birgit (1966), Gudrun (1975). El.: Adolf u. Maria. BV.: Großvater Franz Roth Bergsteiger u. Miterschließer d. Dachsteins. S.: 1953 Schulabschluß, anschl. Lehre d. Bäckerei, 1961 Mstr.-Prüf., anschl. BH. K.: 1964-65 Ausbild. f. Berg- u. Skiführer in Österr., Schweiz, Italien, Frankreich u. Skilehrer an American School Schweiz, 1966-67 Pächter d. Simony-Hütte am Dachstein, 1971-74 Verwalter d. Erholungsdorfes Krippenbrunn am Dachstein, 1974-78 Ang. d. Landesverb. f. Tourismus OÖ, 1978-83 FV-Dir. d. Tourismusverb. Altmünster am Traunsee u. Obm.-Stellv. d. FV-Verb. d. Gemeinschaft Traunsee-Ring, 1983-87 Pächter d. Bergrestaurant Rudolfsturm b. Hallstatt, seit 1987 Kurdir. v. Bad Goisern u. Gschf. d. Werbegemeinschaft Dachstein-Hallstätter See. M.: Skal-Club Salzkammergut, Bund Österr. Kur- u. FV-Dir., Alpenver., Österr. Bergführerverb., ASKÖ Hallstatt, Musealver. Hallstatt, Heimatver. Bad Goisern. H.: Familie, Bergsteigen, Wandern, Skifahren, Heimatkunde, Geschichte, Ldw., Schafhaltung. (E.Hö.)

Mittensteger Manfred Ing.

B.: Gschf., Maschinenbauing. FN.: Carilia Kälte-, Klima- u. Heizungsapparate GmbH. DA.: 1110 Wien, Leberstr. 20. G.: Wien, 24. Sep. 1939. V.: Gerlinde. Ki.: Sylvia, Mag. Eva. El.: Leopold u. Ernestine. S.: HTL Maschinenbau, 1966 Ing. K.: Baultr. Bohr- u. Rohrtechnik, Baultr. bei div. Großprojekten, Fa. Austrex Verkauf v. Kälte- u. Klimatechnikzubehör, Ernennung zum Abt.-Ltr., 15.9.1975 Eintritt Contardo, Carilia 1978 Gschf., techn. Beratung u. Führung aller einschlägigen Anlagen u. Komponenten. E.: div. Auszeichnungen, silb. Ehrennadel d. Stadtgemeinde Neusiedl/See. M.: ÖKKV Jachtclub UYCNS Neusiedl. H.: Segeln, AB-Schein, Hochsee-Motorführerschein bis 200 KW, 180 m Länge Seefunk-Lizenz. (W.M.)

Mitter Gerhard Dr. Dipl.-Ing.

B.: Dir. f. Koordination Qualitätsstahl. FN.: Austrian Industries AG. DA.: 4020 Linz, Turmstr. 41. PA.: 4050 Traun, Nelkeng. 15. G.: Wien, 1. Aug. 1934. V.: Sieglinde, geb. Moser. Ki.: Gerhard-Christian (1960). El.: Franz u. Leopoldine. S.: 1952 Matura, 1952-60 Stud. Hüttenwesen an d. Montan-Univ. Leoben, 1985 Prom. Dr. mont. K.: 1961 Betriebs-Ing. d. VÖEST AG, 1970 Betriebs-Ltr., 1976 Betriebschef, 1981 Betriebs-Dir., 1982 Investitionsplaner d. Hüttendivision d. VOEST-ALPINE AG, 1984 Planungs-Dir. Hüttendivision, 1987 Geschäftsber.-Ltr. Hütte Donawitz, 1987 Vors. d. Gschf. d. VA Stahl Donawitz GmbH, 1991 stv. Vorst.-Vors. d. VA-Schienen GmbH, 1993 Dir. d. Austrian Industries AG. M.: versch. Fachver. H.: Skifahren, Schwimmen. (K.K.)

Mitter Heinrich Dr. phil. o.Univ.-Prof.

B.: Prof. am Inst. f. theoret. Physik Univ. Graz. DA.: 8010 Graz, Universitätspl. 5. PA.: 8047 Graz, Rudolfstr. 168. G.: Graz, 27. März 1929. V.: Dr. Marlis, geb. Bierbrodt. S.: 1947 Matura, Stud. d. Physik, 1953 Prom. K.: 1953-54 u. 1955-58 Univ.Ass., 1954-55 Max Planck-Inst. Göttingen, 1958-63 Max Planck-Inst. München, 1963-64 Massachusetts Inst. of Technology, 1964-69 Max Planck-Inst. München, 1965 Habil. TU München, 1969-76 o.Prof. Tübingen, seit 1976 in Graz, 1983-85 Rektor d. K.F. Univ. P.: ca. 70 Veröff.

Mitter Helmut

B.: Inh. FN.: Leinenweberei Helmut Mitter. DA.: 4181 Oberneukirchen, Waxenbergerstr. 10. PA.: 4181 Oberneukirchen, Marktpl. 48. G.: Linz, 28. Jan. 1940. V.: Ulrike, geb. Stockinger. Ki.: Ulrike (1972), Gerd (1973). El.: Leopold u. Maria. S.: VS, HS, 1954 Textilfachschule Wien. K.: 1957 Textil Linz, 1958 Berufspraxis Deutschl., 1962 Mstr. Prüf., 1968 Betr. Übernahme. (U.Z.)

Mitter Horst Dr. med. Prim.

B.: Prim. d. Kinderabt. d. KH Ried. DA.: 4910 Ried/Innkris, Schloßberg 1, 4910 Ried/Innkreis, Kirchenpl. 5. PA.: 4910 Ried, Rennerstr. 35. G.: Bad Aussee, 16. März 1944. V.: Maria, geb. Denk. Ki.: Cornelia (1970), Elisabeth (1973). El.: Ing. Helmut u. Berta. S.: 1962 Matura, 1969 Prom. Innsbruck, Studienaufenthalte in Schottland, Berlin, Basel u. China. K.: Kinderausbild. im Kinder-KH Linz, seit 1975 Prim. d. Kinderabt. d. AKH Ried, Spezialgebiet Neonatologie, Ltr. d. Krankenpflegeschule Ried, seit 1975 freie Praxis in Ried. M.: Ärztekam.-Funktionär, Beratungsarzt d. Bez.-Behörde Ried. H.: Fotografie, Reisen, Familie, Beagle. (E.Hö.)

Mitterbauer Manfred

B.: Korps-Kdt. (III. Korps Österr.). DA.: Martinekkaserne, 2500 Baden, Vöslauer Straße. G.: Wien, 15. Mai 1941. V.: Ingrid, geb. Müller-Elblein. Ki.: Gabriela (1967), Michaela (1969). El.: Anton u. Margarete. S.: 1959-60 Einjähr. Freiw., 1960-63 Offz.-Ausbild. Theresian. MilAk. K.: 1963-65 Truppenverwend. im Rahmen d. 1. JgBrig. (JgZg Kdt, FMZgKdt, Adj, Kdt EF-Kp), 1965-69 Lehroffz. an d. Theresian. MilAk., 1969-72 Generalstabsausbild. m. Truppenverwend. im GrpKdo I, 1972-74 BMLV/Ausbild.-Abt. C, 1974-77 BMLV/Organ.-Abt., 1977 AUSBATT/UNDOF (Golan): stv. BKdt. u. Chief Operations Officer, 1977-82 ChdStb/Kdo 1. PzGrenDiv., 1982-83 Chief of staff, deputy force commander u. acting force commander im Hauptquartier UNDOF (Damaskus), 1983-86 stvDivKdt. u. ChdStb/Kdo PzGrenDiv., 1986-92 Adjudant d. Bundespräs., ab 1993 Kdt. d. III. Korps; absolv. Sonderausbild.: Fallschirmsprunggrundkurs, Jagdkommandokurs, Heeresbergführergehilfe. P.: div. Beiträge in milit. Fachzeitschr. u. Tageszeitungen. E.: GrE, GE, GV, WDZ1, 2 u. 3; WDMB, NÖ GEZ, UNM, Vk-Rk, gVM-Rk, GrOffKdsyrVO, GrOffKdmaltVOmSchw., GrOffKdzypriotVO, GrOffK dliechtVO, GrKdjordUO. M.: Vizepräs. d. Österr. Offz.-Ges., Rotary Club Wien-West. H.: Sport in jeder Form, Zeitgeschichte. (I.K.)

Mitterbauer Albert

B.: Inh., konz. Immobilientreuhänder, Vermögensberater, Fachmakler f. Hdl., Gewerbe u. Ind. FN.: Haus & Grund GmbH. DA. u. PA.: 4020 Linz, Landstr. 84. G.: Burghausen/ Oberbayern, 7. Aug. 1929. V.: Margot, geb. Rover. Ki.: Albert-Christian. S.: HASCH. K.: Verkaufstätigkeit (Auto), 1957-78 selbst. m. Autohdl., seit 1975 selbst. m. Haus & Grund, Schwerpunkte: Ind., Gewerbe u. Hdl. P.: zahlr. Berichte über Firma in Tageszeitungen. H.: Skifahren. (P.H.)

Mitterbauer Peter Dipl.-Ing

B.: Industrieller. DA.: 4663 Laakirchen, Dr.-Mitterbauer-Str. 3. K.: Vorst.-Vors.: Miba AG, Alleinvorst.: Mitterbauer Beteiligungs-AG, AufsR.-Vors.: Miba Gleitlager AG, Miba Sintermetall AG, Alcatel Austria AG, AufsR.-Mtgl.: Creditanstalt-Bankverein, Bank f. OÖ u. Sbg., Strabag Österreich AG, Gmundner Zementwerke Hans Hatschek AG, SCA Laakirchen AG, Teufelberger Holding AG, Board Member: Austria Fund, Präs.: OÖ Industriellenvereinigung, Vizepräs.: OÖ WK.

Mitterböck Kurt Dipl.-Ing.

B.: Vorst. FN.: Neusiedler AG. DA.: 3363 Ulmerfeld-Hausmening. PA.: 3363 Ulmerfeld-Hausmening, Haidmühlstr. 5. G.: Ortmann, 1. März 1952. V.: Gertrude, geb. Müller. Ki.: Helga (1973), Petra (1979), Bettina (1981). El.: Emmerich u. Leopoldine. S.: VS, BRG, Stud. Verfahrenstechnik Graz. K.: Abt. Papiermaschinen Maschinenfbk. Andritz AG, Produktionsltr. PWA Hallein Papier AG, Fabrikationsltr. Feldmühle AG Werk Hagen-Kabel, Ltr. Papier- u. Zellstofferzeugung f. d. Werke in Theresienthal u. Kematen d. Neusiedler AG, seit 1991 Vorst.-Mtgl. d. Neusiedler AG Bereich Produktion u. Technik.

Mitterdorfer Siegfried Mag.

B.: Stadtrat. FN.: Schloß Mirabell. DA.: 5024 Salzburg. PA.: 5020 Salzburg, Wäscherg. 15. G.: Salzburg, 16. Feb. 1942. V.: Veronika, geb. Resch. Ki.: Elisabeth (1976), Siegfried 1978). El.: Josef u. Theresia. S.: 1960 Matura in Sbg., Stud. Jus Univ. Innsbruck. K.: 1972 Ern. z. Richter, s. 1973 am LG Sbg. (Untersuchungsrichter b. 1975, dan. Einzelrichter u. Senatsvors. in Strafsachen), s. Nov. 1992 karenziert. 1975 Eintr. i.d. FPÖ, 1979-82 Gem. Rat in St. Gilgen, dan. Übersiedelung nach Salzburg-Stadt, s. 1979 Mtgl. d. Landesparteiltg. Sbg., 1985 Mtgl. d. Bez.-Parteiltg. Sbg.-Stadt, 1987-91 u. s. 1993 Mtgl. d. Landesparteivorst., 1987-92 Gem.Rat d. Stadt Sbg. (s. 1989 als Klubobmann), s. 1989 Mtgl. d. Bundesparteiltg., Nov. 1989 Wahl z. Stadtrat (Ressorts: Vermögensverwaltg., Wohnungswesen, Bodenpolitik, Heimat- u. Brauchtumspflege sowie Fremdenverkehrsbetriebe mit Kongreßhaus), s. März 1993 Bezirksparteiobmann d. FPÖ Salzburg-Stadt. M.: Ehrenmtgl. d. Sportvereins Justiz in sbg., Österr. WSV St. Gilgen, Wintersport-Verein. H.: sport, Lit. (D.E.)

Mitterecker Hans Dr. phil. Stadtrat

B.: Dir. FN.: BG u. BRG Zwettl. DA.: 3910 Zwettl, Gymnasiumstr. 1. PA.: 3910 Zwettl, Höhenstr. 13. G.: Schweiggers, 20. Juli 1941. V.: Angelika, geb. Zöhrer. Ki.:Claudia (1985), Johannes (1986), Karin (1988). El.: Johann u. Maria, geb. Lehr. S.: Realgymn., Matura 1960, Stud. Geographie u. Gesch. a. d. Univ. Wien, 1967 Sponsion Mag. phil., 1969 Prom. Dr. phil. K.: 1967 Eintritt i. Schuldienst, a. 1969 Lehrer a. BG u. BRG Zwettl, s. 1988 Dir. a. BG u. BRG, s. 1980 Gem.-Rat (ÖVP) d. Gemeinde Zwettl, s. 1989 Stadtrat Ressort Finanzen, Fremdenverkehr u. Personal. M.: Sportklub Zwettl, FF Zwettl. H.: Garten, Lesen, Tennis. (M.M.)

Mitteregger Herbert Dipl.-Ing.

B.: Arch. DA.: 2620 Neunkirchen, Raiffeiseng. 4. G.: Graz, 9. Juni 1941. V.: Monika, geb. Lichtenauer. Ki.: Claudia (1969), Elke (1971). El.: Franz u. Johann. S.: Mittelschule, 1959 Reifeprüf., Arch.-Stud. a. d. TU Wien, Abschluß m. 2. Staatsprüf. 1966, Praxisjahr b. Arch. Prof. Dipl.-Ing. Boltenstern, 1970 Ziviltechn.-Prüf., 1972 Befugnis e. Arch. K.: s. 1972 selbst. i. e. Arb.-Gem. m. Arch. Dipl.-Ing. Heinz Seiser, s. 1976 unter d. Firmennamen Arch.-Büro NÖ-Süd. H.: Segeln, Tennis. (F.S.)

Mitteregger Hermann

B.: Gschf. Ges. FN.: Funktrans Botendienstzentrale GmbH. DA.: 1060 Wien, Hornbostelg. 3/13. PA.: 1060 Wien, Mollardg. 85/17. G.: Graz, 1. Sept. 1946. V.: Karoline, geb. Haböck. Ki.: Barbara (1975). El.: Hermann u. Paula. S.: Berufsausbild. zum Ind.-Kfm. in Graz. K.: 1970 Grdg. d. Transportuntern. Mitteregger München, 1980 Verkauf d. Untern., 1981 Grd. d. Funktrans Botendienstzentrale GmbH Wien einer intern. Sped. H.: Oldtimer. (J.S.)

Mitteregger Werner Ing.

B.: Gschf. FN.: Heraeus GmbH. DA.: 1230 Wien, Patarttg. 34. PA.: 1030 Wien, Kölblg. 26. G.: Wien, 8. Apr. 1958. V.: Eveline, geb. Kossl. S.: Gymn., Techn. Lehranst. K.: 1978 Ing.-Büro, ab 1982 Vertriebstechniker bei Firma Heraeus, seit 1987 Gschf. H.: Musik, Golf. (G.B.)

Mitteregger Werner

B.: Wirtschaftstreuhänder, Steuerberater. GT.: Gschf. d. Karall Mitteregger GmbH. DA.: 2630 Ternitz, Opferg. 12, 2630 Ternitz, Dunkelsteiner Str. 47. PA.: 2630 Ternitz, Opferg. 12. G.: Neunkirchen, 22. Juli 1943. V.: Aloisia, geb. Steger. Ki.: Wolfgang, Katja. El.: Wilhelm u. Ernestine. BV.: Edle v. Edelsberg. S.: VS, HS, HAK, 1961 Matura, WH Wien. K.: seit 1973 VEW Ternitz Kostenrechnung, Betriebsbuchhaltung, 1979 Steuerberaterprüf., seit 1980 Gschf., seit 1984 eigene Kzl. BL.: Beratung v. gefährdeten lokalen Firmen. P.: Vortragender am WIFI. E.: NÖ Jugendlandesmstr. im Tischtennis. M.: Kam. d. Wirtschaftstreuhänder. H.: Schwimmen, Garten, Lesen, Sport. (H.P.)

Mitterer Alois

B.: Bgm., Zimmermstr. GT.: stellv. Gschf. b. Skilift Going. DA. u. PA.: 6353 Going 80. G.: Aurach, 19. Sept. 1920. V.: Anna, geb. Hinterholzer. Ki.: Alois, Anneliese, Helmut, Renate, Gerhard. El.: Alois u. Maria. S.: VS, Berufsschule. K.: 1956 GemR.Vorst., 1960 Übernahme d. Zimmerei v. Schwiegervater, seit 1965 Bgm. P.: div. Veröff. über lokale Ereignisse in d. Bezirkszeitung. E.: Ehrenbürger d. Gem. Going, EZ. in Gold v. Wirtschaftsbund, Silb. Blaues Kreuz v. d. Österr. Wasserrettung. M.: Ortsfeuerwehrkdt., Ehrenmtgl. d. Schützenver., Ehrenkdt. d. Feuerwehr, Heimkehrerverb.Mtgl. (W.G.)

Mitterer Erika

B.: Schriftstellerin. A.: 1040 Wien, Rainerg. 3. G.: Wien, 30. März 1906. V.: Dr. Fritz Petrowsky. El.: Mitterer Rudolf u. Antonie. S.: Lyzeum, Kurse f. Volkspflege. K.: Fürsorgerin, Schriftstellerin. P.: "Dank d. Lebens", "Höhensonne", "Gesang d. Wandernden", "Der Fürst d. Welt", "Begegnung im Süden", "Die Seherin", "Wir sind allein", "Briefwechsel in Gedichten mit R. M. Rilke", "Die nackte Wahrheit", "Kleine Damengröße", "Verdunkelung", "Tauschzentrale", "Klopfsignale", "Entsühnng d. Kain", "Alle unsere Spiele", "Das verhüllte Kreuz". E.: Julius Reich-Preis, Preis d. Stadt Wien, Handel-Mazzetti-Preis, Ehrenkreuz f. Kunst u. Wiss., EZ f. Wiss. u. Kunst, Ehrenmed. d. Stadt Wien in Gold.

Mitterer Felix

B.: Drehbuchautor, Schriftsteller. A.: 6020 Innsbruck, Elisabethstraße. G.: 1948. verh. Ki.: Anna (1981). K.: Zollbmtr., seit 1977 Autor, 1983 Drehbuch Piefke-Saga, 1990 v. ORF Verfilmt, Bühnenstücke "Kein Platz f. Idioten", "Stigma", "Sibirien", "Die Geierwally", Film: "Die Wildnis", "Die Wilde Frau".

Mitterer Peter

B.: Bgm. v. Saalbach, Bankang. GT.: Gschf. d. Hinterglemmer Bergbahnen. DA.: 5753 Saalbach 311. PA.: 5753 Saalbach 221. G.: Zell am See, 3. Febr. 1960. V.: Klara, geb. Schranz. Ki.: Peter (1990). El.: Peter u. Margarethe. S.: VS, HS, 1974-78 HASCH. K.: 1978 Eintritt in d. Raika Saalbach, seit 10. Nov. 1989 Bgm. d. Gem. Saalbach. BL.: in Zusammenarb. Durchführung d. Baues d. Tunnels u. d. Parkgarage, Errichtung d. Kläranlage in Saalbach, Durchführung d. Ski-WM 1991. M.: seit 1976 Brandmstr., ehem. Mtgl. d. Feuerrates, Kampfrichter u. Mtgl. d. Skiclubs Saalbach, seit 1984 ausgebildeter Bergrettungsmann. H.: Skifahren, Bergsteigen. (M.T.)

Mitterer Peter

B.: Gastwirt. GT.: Gem.Vorst., Fremdenverkehrsref., Obm. Stellv. d. FremdenverkehrsbeiR. d. LRg. DA. u. PA.: 9551 Bodensdorf, Deutschberg 6. G.: Villach, 23. Nov. 1946. V.: Barbara, geb. Allesch. Ki.: Bernd, Thomas. El.: Peter u. Doris. S.: VS, HS, Kellnerlehre, berufl. Weiterbild. WIFI. K.: Gschf. d. elterl. Betriebes, seit 1981 selbst., 1973 GemR., Gem.Vorst., VBgm., Fremdenverkehrsref. BL.: Verfasser d. Fremdenverkehrskonzept f. Gem. Treffen. M.: Parteimtgl., Gründer u. Vorst.Mtgl. d. Touristikgemeinschaft Ossiachersee, Sportclub SCO, Kam. d. gewerbl. Wirtschaft. H.: Politik, Öff.Arb., Skifahren, Radfahren, Segeln, Wandern. (U.A.W.)

Mitterer Ruth Brigitta

B.: Kfm. FN.: Hycom Data. DA.: 4861 Schörfling/Attersee, Am Berg 6. PA.: 4800 Attnang, Waldstr. 44. G.: Linz, 12. Okt. 1963. V.: Christian Mitterer. Ki.: Felix (1990). El.: Karl u. Brigitta Stein. S.: VS, HS, 5 J. HAK, 1983 Matura. K.: 2 J. in einer EDV-Firma tätig, 1985 selbst. m. EDV-Firma in Schörfling. H.: Kind, Familie, Esotherik. (J.L.)

Mitterer Sebastian Dipl.-Vw. Mag.

B.: Dir. d. BHAK u. BHASCH. DA.: 6300 Wörgl, Innsbrucker Str. 34. PA.: 6300 Wörgl, Simon-Prem-Str. 2. G.: Wörgl, 4. Dez. 1942. V.: Margarethe. Ki.: Christian (1974). S.: HAK Innsbruck, 1960 Matura, Buchhalter in einem Steuerberaterbüro, 1962 BH, 1962 Stud. Wirtschaftswiss. Innsbruck, 1968 Dipl.-Vw. K.: 1968 Lehrer an d. Städt. HASCH Schwaz, Lehrer an d. Städt. HASCH Wörgl, 1970 Dir. d. HASCH, 1974 GemR., seit 1975 Dir. d. HAK Wörgl, 1977 StadtR., 1986 VBgm. P.: Art. in regionalen Printmedien z. Thema "Die Wirtschaftsstruktur Wörgls". E.: EZ d. Skiclubs Wörgl, EZ d. Tir. Handballverb. M.: VPräs. d. Tir. Skiverb., Bez.-Obm. d. ÖAAB. H.: Lesen, Joggen, Tennis, Surfen. (G.P.)

Mitterer-Kuhn Michael Ing.

B.: Textiling. DA.: 9360 Friesach, Grafendorf 14. PA.: 9360 Friesach, Kärntner Landstr. 1. G.: Parschnitz/CSFR, 1. Juli 1944. V.: Doris, geb. Böhm. Ki.: Sabine, Thomas, Matthias. S.: Pflichtschulen, Höhere Textilfachschule, Matura 1963. K.: ab 1963 Auslandspraxis in Textilbetrieben, ab 1969 Betriebsltr. d. Friesacher Leinenweberei, ab 1981 Gschf. Ges. u. Kompl. d. Friesacher Leinenweberei KG. F.: Automatenstickerei GmbH & Co KG. M.: Rotary-Club. H.: Jagd, Fischen. (Hat.)

Mitterhauser Axel Ing.

B.: Einzelunternehmer. FN.: Arch.-Modellbau Mitterhauser. DA.: 5081 Anif, Fürstenweg 297. G.: Wien, 21. Nov. 1942. V.: Margrit, geb. Huber. Ki.: Kerstin (1967), Carolin (1971). S.: VS, Holzfachschule Hallein, HTL Sbg., 1966 Matura. K.: 4 J. Arch.-Büro, seit 1971 selbst. H.: Fotografieren, Familie. (N.M.)

Mitterhöfer Jakob Dr. theol. Pater

B.: Gen.-Sekr. d. Päpstl. Missionswerke in Österr. u. Missio Austria. DA.: 1010 Wien, Seilerstätter 12. PA.: 2340 Mödling, St. Gabriel. G.: Neustift, 6. Sept. 1936. El.: Jakob u. Anna, geb. Fass. S.: 1948-56 Gymn., 1956-59 Phil.-Stud. Mödling, 1959-65 Theol.-Stud. Rom m. Prom. z. Dr. theol. K.: seit 1966 Gen.-Sekr. d. Päpstl. Missionswerke u. HS-Lehrer d. Theol. in Mödling, Schwerpunkt: Kontextuelle Theol. P.: Bücher: "Christhologie u. Heilslehre" (1969), "Thema Mission" (1974), Art. in Zeitschriften u. Zeitungen, verantwortl. Hrsg. d. Periodik d. päpstl. Mission: "Alle Welt", Jahrbuch "Ferne Länder", "Eine Welt f. alle Kinder". M.: seit 1956 Mtgl. d. Ges. d. gottl. Wortes. H.: Laufen, Radfahren, Theaterbesuche, Literatur in roman. Sprachen. (N.A.)

Mitterhuber Alois

B.: Choreograph. PA.: 1010 Wien, Neuer Markt 9/15. G.: Gösting/Ybbs, 16. Okt. 1932. V.: Ottilie, geb. Bosch. Ki.: Christoph, Markus. El.: Anton u. Blandine. S.: Grundschule, kfm. Wirtschaftsschule. K.: Tanzlehrer, Eistänzer, Judosportler, Kunstspringer, Eistrainer, Anfangskarriere als Solotänzer an d. Wr. Volksoper, weiters Vortänzer an d. Staatsoper in München, in Wien choreograph. Versuche, Mitbegründer d. Kleinen Wr. Balletts, "Die Saat d. Bösen", "Wiener Geschichten", München klass. Tanz, Angebot Wr. Festwochen u. 1967 Angebot ans Theater an d. Wien, 8 J. Ballettmstr., wichtige Choreographien: "Der Golem", "Peter Schlehmil", "Hamlet", "Peter Pan", seitdem freischaff. Choreograph, zahlr. TV-Prod., Film u. div. Veranstaltungen. P.: Librettos f. Ballette: "Pinocchio", "Der gestiefelte Kater". H.: Eistanzen, Skifahren, Fotografieren, Schwimmen, Tauchen, Zeichnen. (E.L.)

Mitterhuber Christoph Dr. med. vet.

B.: Dipl.-TA, Prakt. Tierarzt in d. tierärztl. Ordinationsgemeinschaft Grossfeld. DA u. PA.: 1210 Wien, Oswald-Redlich-Str. 23/24/1. G.: Wien, 6. Sept. 1958. V.: Michaela, geb. Fuhrmann. Ki.: Sebastian (1981), Matthias (1983). El.: Alois u. Ottilie. S.: AHS, 1978 Matura, Veterinärstud. Tierärztl. HS Wien, 1984 Spons. z. Dipl.Tierarzt, 1986 Prom. z. Dr. med. vet. K.: 1985-89 Ass. an d. 1. Med. Klinik d. Einhufer, Fleischfresser u. Geflügel, 1989 Eröff. einer Gemeinschaftspraxis f. Kleintiere. P.: mehrere Art. in Fachzeitschriften. H.: Tennis, Segeln. (M.M.)

Mitterhuemer Peter

B.: Gschf. Ges. FN.: Mitterhuemer Elektro- u. Kältetechnik GmbH. GT.: 1992 Mitterhuemer Gebäudetechnik GmbH 4400 Steyr, Neumannstr. 2. DA.: 4400 Steyr, Dambergg. 2-4. PA.: 4400 Steyr, Neumannstr. 2. G.: Steyr, 12. Juni 1958. Ki.: Peter-Sven (1989). El.: Franz u. Waltrude. S.: VS u. HS Steyr, Lehre als Elektroinstallateur b. 1976 im elterl. Betrieb, BH. K.: b. heute Tätigkeit in Firma Mitterhuemer Elektro- u. Kältetechnik GmbH, 1985 Konzessions- u. Mstr.-Prüf., Fortbild. im WIFI u. ÖPWZ, 1986 Übernahme d. Betriebes, 1975-87 aktiver Motocrosser auf nat. u. intern. Ebene, 1981 Sieger in allen 3 Kl. b. Motocross-Cup. P.: als Sportler lfd. Beiträge in d. Medien. H.: Motocrossfahren, Radfahren, Skifahren, Eishockey, Beruf. (U.A.)

Mitterlechner Werner Mag. Prof.

B.: Dir. BHAK u. BHASCH. DA.: 6706 Bludenz, Schillerstr. 10. PA: 6714 Nüziders, Elsaweg 6. G.: Rankweil, 1. Apr. 1948. V.: Ulrike, geb. Hartmann. Ki.: Matthias (1977), Judith (1982). El.: Franz u. Lydia. S.: HAK Bregenz, 1968 Matura, Stud. Sozial- u. Wirtschaftswiss. Univ. Wien, 1973 Mag., Stud. Wirtschaftspäd. Innsbruck. K.: 1975-76 Management Trainee in Liechtenstein u. England, 1976 Eintritt BHAK Bludenz als Vertragslehrer f. Engl., 1988 Unterrichtstätigkeit sämtl. kfm. Fächer, seit 1994 Dir. P.: Dipl.-Arb.: Einführung d. gleitenden Arbeitszeit im Ind.-Betrieb (1973), Handlungsorientierte Unterrichtspäd. (1987). H.: Fachliteratur, Beletristik, Garten, Holzarb. (I.D.)

Mitterlehner Rudolf Dr. iur. HofR.

B.: Polizeidir. d. BPolizeidion. Linz. DA.: 4010 Linz, Nietschestr. 33. PA.: 4040 Linz, Ferihumerstr. 38. G: Attnang, 8. Febr. 1928. V.: Waltraude, geb. Gföller. Ki.: Rudolf (1964). El.: Ferdinand u. Rosa. S.: 1947 Matura, 1947-51 Jusstud. in Innsbruck, Prom. K.: Gerichtspraxis, 2 J. Privatwirtschaft, seit 1955 b. d. Polizei, seit 1956 BPolizeidion. Linz, seit 1984 Polizeidir. E.: Gr. u. Gold. EZ d. Rep. Österr., Gr. EZ d. Stadt Linz, Silb. EZ d. Landes OÖ, 1979 HofR. M.: Lions-Club. H.: Sport, Skifahren, Reisen. (P.R.)

Mittermann Johann

B.: Betriebsltr. FN.: Silvanus Forstbedarf GmbH. DA.: 4560 Kirchdorf/Krems, Dierzerstr. 10. PA.: 4800 Attnang-Puchheim, Grillparzerstr. 15. G.: Wien, 14. März 1949. V.: Brigitte, geb. Hitsch. Ki.: Christine (1979), Michaela (1982), Daniel (1990). El.: Johann u. Hermine. S.: Gymn., 1967 Matura, 1968-73 Stud. Welthandel, 1973 exmatr. K.: 1971-87 Steyr Daimler Puch AG, Dreher - in Marktforschung tätig, innerbetr. Ausbild. Produktmanagement, Pressewesen im In- u. Ausland, Marktforschung in RKW Importbereich Steyr Daimler Puch AG, ab 1988 Betriebsltr. f. Silvanus Forstbedarf GmbH. H.: Beruf, Garten, Wandern. (G.E.)

Mittermayer Franz KommR. Ing.

B.: Stadtbmstr., Gschf. Ges. FN.: KommR. Ing. Franz Mittermayer Bau GmbH. DA. u. PA.: 2294 Marchegg, Bahnstr. 78. G.: Marchegg, 20. Juli 1924. V.: Karoline, geb. Bacik. El.: Peter u. Gisela. S.: Grundschule, Staatsgewerbeschule Fachrichtung Hochbau, Kriegsdienst u. -gefangenschaft. K.: 1947 Eintritt in d. Baudienst d. NÖ Landesrg., 1970 Übernahme d. väterl. Baubetriebes u. eines Zimmereibetriebes in Marchegg. BL.: Restaurierung d. Marchfelder Schlösser u. v. zahlr. Kirchen. F.: Inh. Ing. Franz Mittermayer Hoch-Tief-Stahlbetonbau Marchegg, Alleininh. Josef Durry GmbH Zimmerei-Sägewerk-Holzhdl. Marchegg. E.: Ausz. v. d. HK NÖ, Ausz. v. Vatikan, seit 1979 KommR., 1991 Ehrenbürger d. Stadt Marchegg, Gold. Verd.-Med. d. Rep. Österr. M.: Lions-Club Marchfeld, Präs. d. Sportclubs Marchegg. H.: Beruf. (R.T.)

Mittermayer Helmut Dr. Univ.-Prof.

B.: Vorst. d. Inst. f. Med. Mikrobiologie u. Hygiene AKH d. Elisbethinen Linz. DA.: 4010 Linz, Fadingerstr. 1. PA.: 4040 Linz, Hoppichlerstr. 12. G.: Linz, 13. Juli 1947. V.: Mag. Liselotte, geb. Ambos. Ki.: Ursula, Fritz, Werner. El.: Dr. Helmut u. Marianne. S: 1957-1965 Ak. Gymn. Linz, 1965-1966 Phil. Fak. Univ. Wien, 1966-1972 Med. Fak. Univ. Wien, 1972 Dr. med., 1972-1975 Hygiene Inst. d. Univ. Wien, 1975 KH d. Elisabethinen Linz, 1975 KH-Hygieniker, 1980 FA f. Med. u. Chem. Laboratoriumsdiagnostik. 1981 FA f. Hygiene u. Mikrobiologie, seit 1984 Prim., Ltr. d. neu errichteten Inst. f. Med. Mikrobiol. u. Hyg., 1987 Habil. als Univ.-Doz. f. Hygiene, Mikrobiol. u. Präventivmed. an d. Univ. Wien, 1991 Univ.-Prof. P: Bisher 164 Publ. (Klinische Mikrobiologie, Infektionskrankheiten, KH-Hygiene). M.: Europ. Soc. for Clinical Microbiol. and Infectious Diseases (Hrsg. Eschid News Mtgl. Europ. Council), Hyg.-Beirat im Bundesministerium f. Sport, Gesundheit u. Konsumentenschutz Vorst.-Mtgl. Österr. Ges. f. Hygiene, Mikrobiol. u. Präventivmed., Österr. Ges. f. Infektionskrankheiten u. d. Med. Ges. f. OÖ, Bundesfachgruppenobm. Hyg.& Mik ÖAK. (Mayr)

Mittermayer Josef HS-Dir. i.R. Kons.
B.: Pensionist, Heimatforscher. A.: 4181 Oberneukirchen, Schaffetschlag 2. G.: Oberneukirchen, 28. Dez. 1923. V.: Marianne, geb. Wöhrer. Ki.: Manfred, Markus, Martin, Manuela. El.: Johann u. Katharina. S.: VS, HS-Kurs, Staats-Lehrerbildungsanst., HS-Fachprüf. K.: Nach d. Reifeprüf. 2 J. (1946-48) VS-Lehrer, dann b. 1972 HS-Lehrer, schließl. HS-Dir., seit 1974 im zeitl., seit 1979 im dauernden Ruhestand, seit 1973 Kons. d. OÖ LRg. f. Volksbild. u. Heimatpflege. Sieben Jahre Volksbildungswerkltr. P.: Zwei heimatgeschichtliche Broschüren (Ottensheim, Waxenberg), mehrere Publ. im Histor. Jahrbuch v. Linz u. im Karl May-Jahrbuch Bamberg, viele Publ. in Kalendern, Zeitschriften u. Zeitungen. E.: Versch. Dank- u. Anerkennungsschreiben d. Schulbehörden u. d. LInst. f. Volksbild. u. Heimatpflege. M.: Mtgl. d. Christl. Lehrerver. f. OÖ, sowie d. Gewerkschaft d. öff. Ang. - beides seit über 30 J., außerdem Mtgl. d. Kameradschaftsbundes. H.: Ortsgeschichtsforsch., Karl-May-Forsch., Zeitungs- u. Kalendermitarb.

Mittermayr Ernestine Dr. rer. oec. Dipl.Vw.
B.: Senior VPräs. St. Petersburg Travel Center Inc. A.: 201 Central Ave., St. Petersburg/Florida 33701 USA. G.: Wien, 7. Dez. 1928. V.: Hannes K. El.: Schilling Joseph u. Eleonore. S.: VS, Oberschule in Wien, Matura, Stud. Univ. Innsbruck, 1950 Prüf. f. Dipl.Vw., 1951 Prom. Dr. rer. oec. K.: 1953-57 Ltd.Ang., Reisebüro Hüber u. Tir. LReisebüro, 1960 Secretary-Treasurer St. Petersburg Travel Center, Inc. St. Petersburg/Fla. 1978 Senior VPräs./St. Petersburg Travel Center, Inc., 1979 Staatl. geprüfter Immobilienmakler, 1982 Ernennung z. öff. Notar. F.: Senior VPräs. v. Sun Tours, St. Petersburg, Florida. P.: versch. Art. in Fachzeitschriften. E.: Ehrenbürger d. Stadt St. Petersburg. M.: St. Petersburg Yacht Club: Museum v. St. Petersburg-Stuart Society, Florida Association of Relators, United States Yacht Racing Union. H.: Segeln, Schwimmen, Golf.

Mittermayr Hannes K. Konsul
B.: Präs. u. Vorst.Vors. d. St. Petersburg Travel Center Inc. A.: 201 Central Ave., St. Petersburg, Florida 33701. G.: Wels, 4. Jan. 1929. V.: Dr. Ernestine, geb. Schilling. El.: Hans u. Leopoldine. S.: VS d. Stadt Wels, BRG Wels, Abitur, Univ. Innsbruck. Absolutorium and staatl. Lehramtsprüf. in Geographie u. Phil. K.: 1953-76 Ltd. Ang., Reisebüro Hüber, Innsbruck, 1957-60 Dir. eines Reisebüros in St. Petersburg, Florida, seit 1960 Präs. u. Vorst.Vors. d. St. Petersburg Travel Center Inc., St. Petersburg, Florida. Seit 1976 Hon.Konsul d. BRD m. Amtsbezirk West- u. Zentral Florida. F.: Präs. v. Sun Tourns, St. Petersburg, Florida. P.: Div. wirtschaftspol. Berichte in Zeitschriften u. Zeitungen. E.: Ehrenbürger d. Stadt St. Petersburg, Kiwanis of the Year 1966. Verd.Med. d. Rep. Österr. f. Verd. um d. Fremdenerkehr, in Silber 1974, in Gold 1975. Versch. berufl. Ausz. M.: Consular Corps of Florida, American Society of Travel Agents, St. Petersburg HK, St. Petersburg Yacht Club, Aussch.Mtgl. d. städt. Kommittees f. Sister Cities. H.: Segeln.

Mittermayr Markus Aurelius Dkfm.
B.: VPräs. v. St. Petersburg Travel Center Inc., St. Petersburg, Florida. A.: 201 Central Ave., St. Petersburg, Florida 33701. G.: Innsbruck, 4. Apr. 1954. V.: Susan, geb. Stroup. El.: Konsul Hannes u. Dr. Ernestine. S.: VS u. Admiral Farragut Military Academy, Erskine Collge u. Univ. of Georgia, 1975 Bachelor of Science Degree, 1976 Master of Business Adminstr. Degree. K.: Seit 1976 Dir. v. St. Petersburg Travel Center Inc., seit 1977 VPräs. v. St. Petersburg Travel Center Inc. F.: Executive VPräs. v. Sun Tours, St. Petersburg, Florida. E.: Betta Gamma Society. M.: American Society of Travel Agents, St. Petersburg HK, St. Petersburg Yacht Club, Dir. v. Boley Manor u. v. St. Petersburg Kiwanis Klub. H.: Tennis, Segeln.

Mitterstöger Max Oberst i.R.
B.: Dir. d. BZentrale d. Österr. Roten Kreuzes. GT.: BRettungsR. d. ÖRK. DA.: 1040 Wien, Wiedner Hauptstr. 32. PA.: 3012 Wolfsgraben, Hauptstr. 42. G.: Wolfsgraben, 11. Juni 1929. V.: Lucia, geb. Rigal. Ki.: Martina (1960), Max (1963). El.: Johann u. Franziska, geb. Weinbauer. S.: 1936-44 HS, 1947-49 Polizeischule, 1954-55 Maturalehrgang, 1956-57 Militärak., 1969-70 LVerteidigungsak. K.: 1944-47 Forstpraktikant d. österr. BForste, 1947-57 Polizeibmtr. d. BPolizeidion. Wien, 1958-71 Offz. im BMLV (Oberst), ab 1971 Dir. u. BRettungskdt.Stellv. im ÖRK. BL.: weiterer Ausbau d. Blutspendedienstes Wien, NÖ u. Bgld., Beschaffung u. Einsatz v. gr. Blutabnahmebussen, Ausstattung d. Einsatzfahrzeuge m. Funkgeräte, Einführung automat. Blutgruppenbestimmungsgeräte, Mitarb. b. d. Planung u. Bau d. neuen Blutspendezentrale in Wien. P.: div. Art. in Fachzeitschriften u.a. "Information to Deferred Donors". E.: Gr. VK d. VO d. BRD, Gr. Gold. EZ d. Bdl. NÖ, Gr. Gold. EZ d. Bdl. Wien, Gr. Silb. EZ d. Bdl. OÖ, EZ d. Bdl. Bgld., BH-Dienstz. 1., 2. u. 3. Kl., VK d. LFeuerwehrverb. NÖ, Verd.Med. d. ÖRK in Silber u. Gold. M.: ÖRK. H.: Lesen, Reisen, Jagd. (N.A.)

Mitterwallner Paul
B.: Ing. d. Elektrotechnik. FN.:Elektroinstallations u. Elektrogerätehdl. DA. u. PA.: 5550 Radstadt, Forstau 150. G.: Forstau, 14. Feb. 1953. V.: Sibylle. Ki.: Manuela, Stefan. El.: Johann u. Theresia. S.: VS, Elektrikerlehre, 4 J. Geselle, HTBL Innsbruck, Schaltschrankbauer f. Ind.-Anlagen, 1981 Matura. K.: 1 J. Ing.-Büro Helmut Maier, seit 1982 selbst. H.: Trachtenmusik (Baßflügelhorn), Skifahren, Radfahren, Berggehen.

Mittl Brigitte Mag.
B.: Inh. FN.: Logistik Service in Forsch. u. Beratung. DA. u. PA.: 8044 Graz, Lichtensternweg 31. G.: Essen, 10. Juli 1941. V.: Dr. Helmut Mittl. Ki.: Jochen (1967), Jan (1969). El.: Dr. Wolfgang u. Lieselotte Karrenbrock. S.: 1961 Abitur, 1 J. Münster, 1 J. Berlin, 2 J. Duisburg, Stud. Kunsterziehung u. Germanistik, 1965 Abschluß f. Lehramt. K.: 1965-82 Dt. Schule Brüssel, 1982 nach Österr., seit 1983 Tätigkeit im Unternehmen. H.: Malen (Aquarell, Portrait), Musik (Geige, Klarinette, Blockflöte), Tennis, Garten, alte Rosen. (R.S.)

Mittmannsgruber Heinz
B.: Gschf. Ges. FN.: Werndl Austria GmbH. DA.: 4020 Linz, Am Winterhafen 1. PA.: 4040 Linz, Leonfeldner Str. 298a. G.: Linz, 14. Juli 1955. V.: Gudrun, geb. Ecker. Ki.: Nina (1989). El.: Michael u. Maria. S.: VS, HS, Politechn. Lehrgang, 1973 Tischlergeselle, 1974 BH. K.: 2 J. Tischler Firma Anderl, Monteur Europa Möbel, 1975 Kurse f. Innenarch. u. Raumgestaltung, 1976-80 Firma Bene, Stud. Innenarch., 1981 Mag., 1981-91 Gschf. d. Filiale OÖ d. Neudorfer Büromöbel, 1992 Grdg. Firma Werndl Austria m. Herrn Seybold als Ges. P.: Reportagen in versch. Zeitschrifen "Cash Flow" u. "Chef Info". E.: 1972-80 mehrfacher Staats- u. Landesmstr. in Karate. M.: Harley Davidson Connection Linz. H.: Sport, Arb., Familie. (Ni.A.)

Mittl Helmut A. Dr.
B.: Inh., Betriebswirt (DAV) f. Außenhdl. u. Verkehr. FN.: Logistik Service in Forsch. u. Beratung. DA. u. PA.: 8044 Graz, Lichtensternweg 31. G.: Oberwart, 29. Dez. 1938. V.: Mag. Brigitte, geb. Karrenbrock. Ki.: Jochen (1967), Jan (1969). El.: Eugen u. Anna. S.: 1961-63 Dt. Außenhdls. u. Verkehrschule Bremen, Stud Transportwirtschaft Univ. Graz. K.: 1970-80 Spezialist f. Material u. Informationsfluß bei "Dupont de Nemours" i. Westeurop. Tochterfirmen, seit 1980 selbst. m. Schwerpunkt Vertriebs- u. Absatzlogistik. P.: Presseart. "Manager z. Sache", Intern. Wirtschaft IW, Prakt. Leitfaden z. Bestandsoptimierung, BWK Wien, M.: Bundesver. Logistik, Arbeitskreis Entsorgungslogistik, Österr. Verkehrswiss. Ges. ÖVG, WdF Wirtschaftsforum d. Führungskräfte, Österr. Weinbruderschaft. H.: Lesen, Klavierspielen, Wandern. (R.S.)

Mitwali Fawzi
B.: Gschf. FN.: Mitwali. GT.: Mineralölgroßhdl., Orient Center, Neferiti-Reisebüro. DA.: 1190 Wien, Heiligenstädter Str. 81-87. PA.: 1238 Wien, Speisinger Str. 135. G.: Kairo, 7. Mai 1935. V.: Maria, geb. Jung. Ki.: Dalida. El.: Mohammed u. Nazira. S.: Matura in Dairo, 1957 Stud. in Wien am pharm. Inst. K.: 1969 selbst. m. Mineralölgroßhdl., 1984 Grdg. Orient Center m. Reisebüro. BL.: Weltsensation AIDA z. ersten Mal am Originalschauplatz in Luxor am Nil 1987. H.: Jäger, Geschichte. (A.K.)

Mitzner Klaus J. Dr. iur. Mag. iur.
B.: RA. DA. u. PA.: 9500 Villach, Hans-Gasser-Pl. 3. G.: Villach, 19. Okt. 1954. V.: Helga, geb. Kollegger. Ki.: Iulia, Marcus. El.: Gustav u. Ines. S.: Jusstud. Univ. Graz, Musikstud., Komposition u. elektron. Musik, 1978 Dr. iur. K.: RA-Anw., Gerichtsj. in Klagenfurt, seit 1984 selbst. P.: Aufführungen mehrerer Werke im "Musikprotokoll" b. "steirischen herbst". E.: Ritter d. Grünen Mark, Tiroler Adler Orden. M.: Ktn. Jur. Ges., Ktn. Offz.-Ges. f. Ktn., Intern. Wirtschaftsjunioren (Senator 39034 Jaycees Intern.), Österr. Versuchssenderverb., Förd. Mtgl. d. Ver. "Carinthischer Sommer", Ver. d. Freunde d. Klosterhofes, Präs. Squash-Club Villach. H.: Musik, Amateurfunk (OE8MKK), Golf, Rotwein. (D.M.)

Mizzaro-Wimmer Maria Prof.
B.: Univ.Lektor f. wiss. Illustration (Zeichnen u. Fotografieren), Grafikerin. A.: 1010 Wien, Drahtg. 2/8. G.: Wien, 23. Feb. 1925. V.: Mizzaro Mario Ing. El.: Wimmer Franziska u. Leopold. S.: VS, HS, Höhere Graphische Lehr- u. Versuchsanst. Wien. K.: Kriegseinsatz als techn. Zeichnerin, ab 1945 wiss. Grafikerin u. Fotografin am Zoolog. Inst. d. Univ. Wien. Zwischendurch Tätigkeit an d. HS f. Bdk. u. an d. Biolog. Station d. Ak. d. Wiss. in Lunz. 1958-59 als Senior Scientific Illustrator am Museum of Natural History in New York. 1982 Lehrauftrag Univ. Wien. P.: Graf. u. fotograf. Abbildungen in mehr als 200 Veröff. E.: Certificate of Appreciation d. Merit Students Encyclopedia New York 1967, Prof.-Titel d. BuPräs. 1976, EZ d. Univ. Wien 1987. M.: World Wildlife Fund, Guild of Natural Science Illustrator, Washington. H.: Beruf, menschl. Kontakte, Musik, Naturstudien.

Mladek Roger
B.: b. 1986 im Red.Kommittee d. CCA-Journals. PA.: 1150 Wien, Robert-Hamerling-G. 15/1/6. G.: Wien, 18. Jan. 1944. V.: Nora, geb. Lindtner. Ki.: Sascha, Marcel. El.: Karl u. Stefanie. S.: Matura 1963. K.: Wr. Städt Vers. Vers.Kfm., 1967-86 ARBÖ, seit 1985 Hpt.Abt.Ltr. Verw., Gschf. d. Camping u. Caravaning Club Austria, seit 1986 Artdir. Danubia Werbung. M.: SPÖ, ARBÖ, CCA, Motorradclub Big Bikes Wienerwald, Modellflugclub Phönix. P.: in Fachzeitschriften. H.: Modellflug, Motorradfahren, Lesen, E-Musik, Kochen. (A.W.)

Mlczoch Felix Dr. med. Univ.-Prof.
B.: Primararzt i.R., FA f. Innere Med. DA.: 1090 Wien, Otto-Wagner-Pl. 4. PA.: 1090 Wien, Schwarzspanierstr. 16. G.: Wien, 24. Okt. 1914. V.: Dorli, geb. Pernter, 4 Kinder. P.: Hrsg. v. 5 Büchern, ca. 160 wiss. Arb. E.: Gold. EZ d. Stadt Wien. M.: Ehrenmtgl. d. Dt. Ges. f. Atemphysiologie, emerit. Regent of the American Coll. Chest Phys., Ehrenmtgl. d. Dt. Ges. f. Lungenkrankheiten, Ehrenmtgl. d. Süddt. Ges. f. Lungenkrankheiten, Ehrenmtgl. d. Ungar. Ges. f. Pneumonologie, Korresp. Mtgl. d. poln. Ak. f. Lungenerkrankungen, Korr. Mtgl. d. Schweizer Ges. f. Pneumologie, Ehrenmtgl. d. Österr. Ges. f. Lungenerkrankungen u. Tuberkulose. (P.R.)

Mlczoch Johannes Dr. a.o.Univ.-Prof.
B.: FA f. Innere Med., Prim. d. IV. Med. Abt. KH Lainz. DA.: 1130 Wien, Wolkersbergenstr. 1. PA.: 1080 Wien, Hamerlingpl. 2. G.: Hochegg, 23. März 1945. V.: Dr. Traudi, geb. Aigner. Ki.: Barbara (1973), Elisabeth (1976), Marie-Theres (1978), Stephan (1990). El.: Univ.-Prof. Dr. Felix u. Dorli, geb. Pernter. S.: Schottengymn, 1963-69 Med.-Stud. Univ. Wien m. Prom. z. Dr. med. K.: 1969-70 Ass. am Inst. f. Med. Physiologie, 1970-71 Med. Univ.-Klinik Innsbruck, 1971-76 Ass. an d. Kardiolog. Univ.-Klinik u. 2. Med. Klinik Wien, 1973 Stipendium in Basel, 1976 Stipendium Research fellow im CVPR Lab. Denver Colorado, 1977 FA f. Innere Med., 1976-91 OA Kardiolog. Univ.-Klinik, 1981 Habil., 1987 a.o.Univ.-Prof., seit 1991 Vorst. d. IV. Abt. P.: über 200 Publ. auf d. Gebiet d. Lungenkreislaufes u. Kardiologie. M.: Vorst.-Mtgl. d. Österr. Kardiolog. Ges., Fellow FCCP, FESC. (N.A.)

Mlczoch Peter Dipl.-Ing.
B.: selbst. Arch. DA.: 1180 Wien, Theresieng. 35/5. PA.: 1220 Wien, Schiffmühlenstr. 116/13/27. G.: Wien, 6. Nov. 1949. Ki.: Miriam (1977), Sebastian (1981). El.: Prof. Dr. Felix u. Dorli, geb. Pernter. S,: Lyceé Francais in Wien, Schottengymn., 1967 Matura, 1968-74 Arch.-Stud. TH Wien. K.: 1974-78 Tätigkeit im Arch.-Büro Harry Glück (Wohnbauten), 1978-79 Postgraduatedipl. in London an d. Architectural Ass., 1979-86 Mitarb., Projektltr. d. Gebietsbetreuung Wilhelmsdorf 1120 Wien, ab 1986 selbst., gemeinsam m. Mag. arch. Michael Mann, Beauftragung durch d. Stadt Wien m. d. mobilen Gebietsbetreuung, seit 1991 auch m. d. Gebietsbetreuung Leopoldstadt 1020 Wien, Schwerpunkte d. Tätigkeit: Gebietsbetreuung u. Wohnhaussanierung, lfd. Beschäftigung m. Möbeldesign. P.: Art. in Fachzeitschriften, Mithrsg. eines Buches über aktuelle Fragen d. Stadterneuerung in memoriam August Fröhlich ("Unermüdlich, unbequem. A. Fröhlich u. d. sanfte Stadterneuerung heute"). M.: Österr. Inst. f. Formgebung. H.: Lesen, Reisen. (N.A.)

Mlekusch Karl Dkfm.
B.: Verkaufsltr. u. Ltr. d. Monopolverw.Stelle Ktn. FN: Austria Tabak. DA.: 9020 Klagenfurt, St. Peter Str. 7. PA.: 9020 Klagenfurt, Reichenbergerstr. 21. G.: Bleiberg-Kreuth, 29. Juli 1940. V.: Gerda, geb. Kröss. Ki.: Gabriele, Irene. El.: Hans u. Maria. S.: VS, HS, BGewerbeschule, 1959 Matura, HAK, 1964-69 Stud. an d. HS f. Welthdl. Wien. S.: seit 1969 b. Austria Tabak tätig (Verlagsprüfer, Prüf. neuer Tochterges., Konzernrevision), seit 1988 Verkaufsltr. u. Ltr. d. Monopolverw.Stelle Ktn. H.: Bergsteigen, Tennis. (S.G.)

Mlenek Hannes

B.: Maler u. Zeichner. DA. u. PA.: 1060 Wien, Strohmayerg. 6/19. G.: Wr. Neustadt, 30. Mai 1949. V.: Gertrude, geb. Flicker. Ki.: Esther (1986). El.: Franz u. Hilda, geb. Wiese. S.: 4 J. Fachschule, 1971 Übersiedlung nach Wien. K.: Autodidakt, Gasthörer an d. HS f. angew. Kunst Wien, zahlr. Ausstellungen u.a. Galerie Basilisk, 1979 Kunstmesse Wien, Galerie im Künstlerhaus Wien, Alpine Gallery London, Galerie Armstorfer Sbg., Galerie Arcadia Paris, Festsaal d. Österr. Länderbank, Galerie Gabriel Wien, Blau-Gelbe Galerie Wien, Galerie Freund Klagenfurt, Pressehausgalerie Wien, Galerie Lang Wien, Buchpräsentation u. 1 Tages-Ausstellung Albertina Wien, Beteiligungen: Dominikanerkloster Krems, Galerie Deutschmann München, Kulturkreis Favoriten, Art Basel, FIAC Paris, 1991 Bericht über d. Künstler im Rahmen d. ORF-Serie "Künstler-Lexikon", 1993 Gestaltung d. Ausstellung "Vorurteil-Verletzung-Menschenrechte" v. Amnesty Instern. im Museumsquartier Wien, Jugendtriennale Nürnberg. E.: 1977 Förd.-Preis "Z", 1982 Jurypreis "Franz v. Assisi - heute", 1984 Förd.-Preis d. Landes NÖ, 1. Preis b. Wettbewerb "Künstler arb. in Betrieben", 1984 1. Preis Galerie Wurthle, 1985 Förd.-Preis d. Stadt Wien. (N.A.)

Mlinar Franz KommR.

B.: Gschf. Ges. FN.: Knecht-Filterwerk GmbH. GT.: Gschf. Knecht-Filterwerk Vertriebs GmbH. DA.: 9143 St. Michael ob Bleiburg 19. PA.: 9143 St. Michael ob Bleiburg 15. G.: Bleiburg, 6. März 1942. V.: Maria. Ki.: Franz, Michaela. El.: Franz u. Ludmilla. S.: Grundschule, HAK, 2 J. in Schweden. K.: Gem.Sekr. in Feistritz ob Bleiburg, 1969 Grdg.Ges. d. Unternehmens Knecht-Filterwerk. M.: Mtgl. d. KraftfahrbeiR. im BMin. f. öff. Wirtschaft u. Verkehr, stellv. Fachgruppenvorst. Sekt. Eisen u. Metall, BeiR. d. Statistik f. Außenhdl. H.: Ldw.

Mnozil Josef

B.: Gastwirt Josef Mnozil´s Gastwirtschaft. DA. u. PA.: 1010 Wien, Seilerstätte 13. G.: Wien, 6. Dez. 1931. V.: Josefine, geb. Hödl. El.: Josef u. Christine, geb. Feistritzer. S.: VS, Mittelschule, 1945-48 Autoelektrikerlehre, 1948-51 Kellnerlehre. K.: 1952 Eintritt in d. elterl. Betrieb, 1965 Übernahme d. Geschäftsführung gemeinsam m. d. Gattin, seit 1971 Volksmusikdarbietungen v. d. Studenten d. HS f. Musik u. Darstell. Kunst "Volksmusikstammtisch". H.: Wandern, Baden. (N.A.)

Möbius Arnold Maria Dr.

B.: Österr. Botschafter in Jordanien. DA.: 5020 Salzburg, Neutorstr. 40, Amman/Jordanien, POB 815368. G.: Mauthen/Kärnten, 19. Nov. 1930. V.: Hélène Catherine Jessica, geb. Rohr. El.: Dr. Reinhold u. Maria. S.: Dr. iur., Univ. Innsbruck 1955. K.: 1956 Eintritt Außenmin., 1956-60 Außenmin., polit. Abt. Europareferent, Uno-Ref., 1961-66 1. Sekr., Österr. Botschaft, Ottawa, Canada, 1961-69 Mtgl. d. Österr. Delegation zu d. jeweiligen Generalversammlungen d. Vereinten Nationen, 1969-70 BM f. Auswärtige Angelegenheiten Interimist. bzw. stellv. Ltr. d. Abt. f. Intern. Organ. in d. polit. Sektion, 1970-83 Gesandter-Botschaftsrat, Österr. Botschaft Paris, 1973 a.o. Gesandter u. bevollm. Min., Österr. Botschaft Peking, 1975-79 a.o. u. bevollm. Botschafter in Südafrika (mitbeglaubigt in Lesotho u. Szwaziland), 1980-81 BM f. Auswärtige Angelegenheiten Ltr. d. Abt. f. konsular. Rechtsschutz in d. Rechts- u. Konsularsektion, 1982 a.o. u. bevollm. Botschafter in Jordanien. F.: Forst- u. Jagdverwaltung Platzwald, Kärnten. E.: Kommandeurkreuz d. franz. Verd.Ordens. M.: Kath. Mittelschüler-Kartellverb. "CIMBRIA", Canadian Owners & Pilots Assoc., Aircraftowners & Pilots Assoc. (USA). H.: Luftfahrt, Reitsport.

Moch Brigitte Mag.

B.: Inh. FN.: Frank & Brigitte Moch GmbH, Leyser GmbH, Dr. Bauer GmbH & Co KG, Catena GmbH. DA.: 1150 Wien, Pelzg. 18. G.: 8. Okt. 1956. V.: Frank-Thomas. Ki.: Thomas (1987), Beate (1988), Stephan (1991). El.: Dr. Erich Bauer u. Dr. Anneliese, geb. Stempfl. S.: 1966-75 AHS, 1981 Prom. Mag. f. Sozial- u. Wirt.-Wiss. WU Wien, 1981 Eintritt Fa.Dr. Bauer KG a. Disponentin, 1987 Grdg. d. Frank & Brigitte Moch GmbH., 1989 Grdg. d. Leyser GmbH, m. dt. Beteiligung m. Aug. 1993, März 1994 Übern. d. Dr. Bauer KG Scheide- u. Legierungsanst., Edelmetallraffinerie, Catena GmbH - Erzeugung v. Edelmetallketten. H.: Reiten, Lesen, Tanzsport, Tennis, Kunst u. Design. (Th. H.)

Mock Alois Dr.

B.: BMin. f. auswärtige Angelegenheiten, BBmtr. GT.: seit 1974 Präs. d. Europ. Demokkrat. Union (EDU), 1983-87 Präs. d. Internat. Demokrat. Union (IDU). DA.: 1014 Wien, Ballhauspl. 2. G.: Euratsfeld, 10. Juni 1934. V.: Dr. Edith, geb. Partik. S.: Gymn., 1952 Matura, Stud. an d. Univ. Wien, Bologna u. Brüssel, 1957 Dr. iur. K.: Bmtr. im BM f. Unterricht, 1960 Bmtr. im Bka, Kabinettchef d. BKanzlers 1966-69, BM. f. Unterr. 1969-70, Bgm. Gem. Euratsfeld 1970-71, 1971-78 BObm. d. ÖAAG, BParteiobm. d. ÖVP 1979-89, 1987-89 VKanzler, seit 1987 BMin. f. auswärtige Angelegenheiten. E.: GrGE/B, GrK ddVO, GrK djordWuF, GrK dMaltVO, GrK ditalOrdAlMer, Päpstl. GrO, slowenFrO/G, GrK dliechtVO, kroat FTO u. a.

Mock Armin

B.: Dir. d. Raiffeisenbank Frastanz-Satteins. DA.: 6820 Frastanz, Bahnhofstr. 2. PA.: 6820 Frastanz, Rainweg 15. G.: Feldkirch, 22. Nov. 1939. V.: Renate. Ki.: Silke (1971), Clemens (1975). El.: Josef u. Josefine. S.: VS, HS, HAK Bregenz, 1961 Matura, 1961/62 Militär. K.: 1962 kfm. Ang. in Papierind., 1964 kfm. Ang. in textilchem. Ind., 1966 Eintritt Raiffeisenbank Frastanz als Geschäftsltr., 1986 Dir. H.: Schwimmen, Reisen, fremde Länder u. Kulturen, Musik. (I.D.)

Mock Gerhard

B.: Bgm. DA.: 9300 St. Veit, Rathaus. PA.: 9300 St. Veit, Postg. 4. G.: St. Veit, 24. Nov. 1953. V.: Helene, geb. Koinig. Ki.: Melanie. El.: Siegfried u. Elisabeth. S.: Lehre als Maschinenbauer. K.: 1972-73 Betriebsschlosser, 1973-89 Verkehrsbediensteter (ÖBB), seit 1979 in d. Kommunalpolitik tätig, 1979-84 GemR., 1985-89 StadtR., ab 1989 Bgm., 1980-

83 Bez.Vors. d. Jungen Generation Bez. St. Veit, ab 1983 LVors. d. Jungen Generation. M.: Mtgl. u. Funktionär versch. örtl. Ver. H.: Sport, Politik. (S.G.)

Mock Helmut Dr.

B.: Gschf. d. Hilti Austria GmbH. DA.: 2344 Maria Enzersdorf, Wienerbruckstr. 83. PA.: 1120 Wien, Jägerhausg. 12. G.: Rankweil, 22. Sept. 1942. V.: Doris, geb. Sturm. Ki.: Marcus. S.: VS, HAK, Univ. Innsbruck (Stud. Vw.), Prom. 1968. K.: 1969-74 BASF Ludwigshafen, 1974-82 Hilti AG Schaan - Intern. Marketing Controller, 1982/83 Hilti AG, Region Zürich (Europa Nord/Mitte), seit 1984 Gschf. d. Hilti Austria GmbH, Doz. f. BWL an d. HS St. Gallen. M. VPräs. d. Kreditschutzverb. 1870. H.: Skifahren, Tennis, Klass. Musik. (R.A.)

Mock Leopold

B.: Bez.-Sekr. d. ÖGB Bez. Amstetten; Vize-Bgm. d. Stadt Waidhofen/Ybbs. DA.: 3300 Amstetten, Wiener Str. 55. PA.: 3340 Waidhofen, Raifberg 41. G.: Waidhofen/Ybbs, 21. Sept. 1941. V.: Renate, geb. Aschauer. Ki.: Claudia (1974). El.: Leopold u. Emma. S.: VS, Rosenau, HS, Lehre als Werkzeugmacher. K.: Fa. Böhler (Betriebsrat), 1970-71 Soz. Th. in Hinterbrühl, seit 1979 beim ÖGB in heutiger Pos., seit 1977-78 Gemeinderat Waidhofen, 1978/81 Stadtrat, seit 1981 Vizebürgermeister. E.: Ehrenplakette f. bes. Verd. der SPÖ 1993, Florianiplakette der NÖ Landesfestwochen 1993. P.: region. Zeitungsartikel, M.: SPÖ, Naturfreunde, Rotes Kreuz. H.: Sport, Skifahren, Joggen. (U.A.)

Möcker Hermann Mag. Prof.

B.: AHS-Lehrer,stv. Vors. d. Inst. f. Österreichkunde. DA.: 1010 Wien, Hanuschg. 3. PA.: 1140 Wien, Lautensackg. 4. G.: Wien, 26. Aug. 1939. V.: Prof. Dr. Christine, geb. Kosnetter. Ki.: Brigitte (1972), Gabriele (1975). El.: Dr. Karl u. Henriette, geb. Leo. S.: 1957 Matura, 1963 Lehramtsprüf. f. Höhere Schulen. K.: 1963-67 Vertragslehrer am BG St. Pölten, 1967-73 Prof. am BG Wien 19, seit 1973 Prof. am BG Wien 15, 1971-94 Gen.-Sekr. d. Inst. f. Österreichkunde u. Red. d. Zeitschrift "Österreich in Geschichte u. Literatur (mit Geographie)" (= ÖGL), seit 1980 Vors. d. Zweiges Wien d. Ges. f. dt. Sprache (Wiesbaden). P.: zahlr. Aufsätze, zuletzt: Wittgensteins Beitrag zu einer Hierarchie d. Buchstaben (ÖGL, 1985/4), Am Krankenbett der Rechtschreibung (ÖGL, 1992/3-4a), Verkehrsgeschichtl. u. Verkehrsgeograph. zuletzt: Zwischen Unter-Drauburg u. Ober-Drauburg, Kärntens Schienenverkehr...(ÖGL, 1994/5-6). E.: Silb. EZ f. Verd. um d. Rep. Österr. 1990 Gold. Ez f. Verd. um d. Budesland Nied.-Ost.1994. M.: mehrere Ver. u. wiss. Kmsn. (N.A.)

Modelhart Herbert Josef

B.: Grafikdesigner. FN.: Kunsthandwerk Modelhart Grafikdesign. DA.: 5600 St. Johann im Pongau, Ing.-Pech-Str. 1. PA.: 5600 St. Johann im Pongau, Pöllnstr. 19. G.: Bischofshofen, 30. März 1919. V.: Edeltraud. Ki.: Herbert (1963), Peter (1968). El.: Rudolf u. Regina. S.: HASCH Sbg., kfm. Ausbild., b. 1947 Dt. Wehrmacht, danach künstler. Ausbild., dazwischen Skilehrer, 1 J. Mstr.-Kl. Grafik (Abendkurse in Sbg.). K.: 4 J. Atelierpraxis in Sbg., danach selbst. Grafiker in St. Johann (Werbegrafik, Wandmalerei, Fresken, Sgraffito), 1960 Grdg. d. Geschäftes "Kunsthandwerk Modelhart Grafikdesign", Arb. in Hamburg, St. Gilgen, Zell/See u.v.m., künstler. Gestaltung handschriftl. Urkunden, Wappen, Schriftgrafiken. E.: Sbg. Jugendmstr. Alpinski. M.: o.Mtgl. d. Verb. d. Österr. Grafikdesigner, versch. örtl. Ver. H.: Sport, Wandern. (G.P.)

Moder Roland P. Dipl.-Ing.

B.: Unternehmer. FN.: ROMO Rehatech, Para Sports, Special Fashion, Therapy & Toys. DA.: 1140 Wien, Mauerbachstr. 40. PA.: 1130 Wien, Auhofstr. 162. G.: Leoben, 26. Jan. 1958. El.: Josef u. Hilde. S.: VS, Gymn., Montan-Univ., Stud. Metallurgie u. Betriebswirtschaft. K.: 1980-86 Projektltr. Voest Alpine Ind.-Anlagenbau, Mitarb. am Aufbau d. Tochterges. m. Schwerpunkt Dienstleistung in d. Bereichen Personal, Sanierungsfälle u. Consulting, ab 1986 Kons. f. Voest Alpine, 1986 Übersiedlung nach Wien u. Eintritt Veitscher Magnesit: Aufbau d. Exportbereiches Europa-Fernost, 1990-92 Verkaufsdir. Anwendungstechnik b. August Rath AG, 1993 NL-Ltr. Voest-Alpine Montage Berlin , 1993 Grdg. Firma ROMO, einer Spezialfirma in d. Bereichen Mode u. Sport f. Behinderte. BL.: 1994 "Club Integrativ", Schaffung eines Verleihparks f. Behindertensportgeräte, Veranstaltungen f. integrative Freizeit- u. Gesundheitssport, Förd. d. Integration speziell f. behinderte Kinder u. junge Menschen, Initiative "Forum Bauernhof" in Zusammenarb. m. Klinik Baumgartnerhöhe. M.: Freier Wirtschaftsverb., BSA, Verb. Dt. Eisenhüttenleute, Eisenhütte Österr. H.: Sport jeder Art, Musik (Geige, Gitarre, Keyboard). (F.S.)

Moder Rosemarie Susi

B.: Gastronom, Gschf., Barchefin d. Eden Bar. DA.: 1010 Wien, Lilieng. 2. G.: Stmk. (Zwillinge). El.: Andreas u. Rosemarie Moder. S.: Gastgewerbeschule, Barmixerlehre. K.: Tätigkeit in Winterskigebieten u. Kurorten in Bayern, Kobenzlbar, Grinzinger Hauermandl, ab 1983 Barchefin d. Eden Bar, seit 1992 Gschf. M.: Freunde d. Wiener Staatsoper. H.: Oper, Theater, Konzerte. (N.A.)

Modrian Franz Dr.

B.: Gschf. FN.: centra bau Verwertungs GmbH & Co. DA.: 5020 Salzburg, Linzer Gasse 10. PA.: 5020 Salzburg, Dornberg 23. G.: Ostermiething, 11. Okt. 1957. Ki.: Stefan (1982), Manuela (1985), Tanja (1992). El.: Franz u. Johanna. S.: Matura 1976, Privatgymn. Salzburg, 4 J. Stud. Jus Salzburg, Gerichtspraxis. K.: 1982 Eintritt Landesreg. Land Salzburg, BH Zell am See, ab 1983 Amt d. Sbg. Landesreg., 1990 centra bau. H.: Fußball, Tennis, Skifahren, Lesen. (N.M.)

Moesli Harald Ottokar

B.: Journalist/Österr.-Korrespondent, Bild am Sonntag u. schweiz. polit. Korrespond. Bern. A.: 4431 Haidershofen 9. G.: Scheibbs, 25. Sep. 1931. V.: Annitta, geb. Bilek. El.: Adolf Wilhelm u. Jutta Julie Anne. S.: VS, 4 J. Gymn. in Österr., Abschluß Lyceum Alpinum in Zuoz (Engadin) Englisch u. Französisch in Zürich, Militärdienst in d. Schweiz.

Als Kfm. im elterl. Betrieb anschl. Überwechseln z. Bildjournalismus danach Wortjournalismus. K.: Seit 1960 Spezialisierung auf Afrikaländer, vorwiegend Weißafrika (Angola, Rhodesien, Mocambique u. Südafrika). Von 1968 als Zentraleuropakorrespondent f. d. Rhodesia Broadcasting & Television Corporation 1977 tätig. Seit 1970 Afrikakorrespondent f. Bild am Sonntag. Seit 1972 Ausdehnung auf Österr. u. Südosteuropa. Zusätzl. seit 1975 Österr.-Korrespondent f. d. schweiz. pl. Korrespondenz in Bern. P.: lfd. in schweiz. u. westdt. Tageszeitungen, Magazinen m. Schwergericht Politik u. Wirtschaft, bezügl. Afrika militärische Analysen. M.: Verb. d. Auslandspresse in Wien, Verb. schweiz. Journalisten in Bern (VSJ) Berufsregister. H.: Phil., Natur u. Umweltschutz, aktiver Amateurfunker.

Mogilewsky Rainer

B.: selbst. Immobilienmakler. DA.: 1050 Wien, Bräuhausg. 40. G.: Waidhofen/Ybbs, 28. Apr. 1947. V.: Christine. El.: Friederike u. Efim. K.: Bankang. in Wien, ab 1970 Immobilienmakler, 1985 Konzessionsprüf., s. 1986 selbst., Mtgl. d. Ehrenschiedsgerichtes. H.: Radfahren, Wandern, Skifahren, Schwimmen, Theater, Heurigenbesuche. (J.S.)

Mohapp Michael Alexander

B.: Dir. d. Graumann Theaters. DA.: 1010 Wien, Wipplingerstr. 24. PA.: 1120 Wien, Karplusg. 12. G.: Wien, 4. März 1958. V.: Alexandra, geb. Wolf. Ki.: Samuel (1989). El.: Emmerich u. Lydia Ludmila, geb. Schleger. S.: Hum. Gymn. Wien. K.: seit 1975 Autor, ab 1976 Journalist, seit 1978 Schauspieler, etwa 80 Rollen, ab 1980 Reg., etwa 40 Inszenierungen, 1978 Wandertheater in d. Stmk. u. Sbg., 1980-81 "Fledermaus" b. Gerhard Bronner, Gastspiel in Österr., Schweiz, Deutschland m. Österr. Länderbühne u. m. d. "Grünen Wagen", 1982-83 Theater am Kornmarkt in Bregenz, 1983-85 eigene Kabarettprogramme, Teilname an Bregenzer Festspielen, 1984 Schauspielhaus Graz, 1985-86 Volkstheater, Theater d. Jugend Wien, 1987-90 Kabarett "Simpl" Wien, 1983 Grdg. d. eigenen Theater, ab 1989 in d. Wipplinger Straße, etwa 30 Inszenierungen, ab 1983 Tätigkeit b. ORF u.a. Serien "Literatur d. Arbeitswelt", "Die Worte d. Poldi Wiener", Beiträge zu "Aktuellen Dienst", Parlamentsredaktion, LStudio Stmk., Fernseh- u. Filmaufnahmen. P.: Kabarettprogramme, zahlr. Art. u. Beiträge. E.: div. Literatur- u. Theaterpreise, 1990 Förderpreis z. Adolf Schärf Fonds. M.: Vorst.Mtgl. d. Fachgruppe Privattheater in d. Wr. HK, Ver. d. Österr. Textautoren, Ver. z. Leistungsschutz d. Sprecher u. Darsteller. H.: Literatur, Musik. (N.A.)

Mohaupt Wilhelm Ing.

B.: Gen.Sekr. d. Österr. Seniorenbundes, Fahrschulinh. DA.: 1010 Wien, Lichtenfelsg. PA.: 2344 Maria Enzersdorf, Donaustr. 45. G.: Temeschburg, 5. Okt. 1936. V.: Ernestine, geb. Fiala. Ki.: Karin, Wilfried, Günther, Wolfgang. El.: Wihelm u. Elisabeth. S.: HTL, Elektroing., Matura 1957. K.: 1957-60 b. Siemens tätig, 1963 Grdg. d. Fahrschule Mohaupt in Wien XV, 1972 Übernahme d. Fahrschule Mohaupt in Wien I, Fraktionsführer d. ÖVP Bez.Räte im 12. Wr. Gem. Bez., ab 196 Fachgruppenaussch.Mtgl. u. später Fachgruppenvorst. Stellv. d. Fachgruppe d. Wr. Kraftfahrschulen, seit 1981 Gen.Sekr. d. Österr. Seniorenbundes, polit. Arb. im Pensionsbereich u. Verkehrssicherheit. (P.R.)

Mohl Gerlinde

B.: Dir. HS St. Paul. DA.: 9470 St. Paul, Hauptstr. 33. PA.: 9470 St. Paul, Buxersiedlung 28. G.. Klagenfurt, 28. Sep. 1937. V.: Gerold Mohl. Ki.: Mag. Gudrun (1961). El.: Prof. Hans u. Gertrud Malloth. S.: Urgroßonkel Ludwig Anzengruber, Tante Dr. Trude Polley. S.: VS, Gymn., 1951-56 LBA Klagenfurt, Matura. K.: 1956-59 VS-Lehrerin, 1959 Befähigungsprüf. f. HS, ab 1963 Tätigkeit HS Wolfsberg, Lavamünd u. seit 1972 in St. Paul, seit 1986 Dir., Mitwirkung b. div. kulturellen Veranstaltungen in St. Paul, 1987 Aufbau u. Ltg. d. VHS St. Paul. P.: Schulische Entwicklung d. Pflichtschulen in d. Gem. St. Paul (1987). E.: div. Ausz. im Rahmen d. schul. Tätigkeit. H.: Garten, Tiere, Jugend. (G.L.)

Mohn-Krieger Eva E. Mag.

B.: freischaf. Arch., staatl. befugter u. beeid. Ziviltechniker. FN.: Architekt Mag.Arch. Eva e. Mohn-Krieger. DA.: 3400 Klosterneuburg, Babenbergerg. 5. G.: St. Pölten, 23. Juli 1955. V.: Dr.jur. Michael. KI.: Maximilian, Katharina. S.: 1973 Matura, Stud. f. angewandte Kunst, Dipl.-Prüf. b. Prof. Arch. Holzbauer 1982. K.: nach Studium in Architekturbüro, Ziviltechnikerprüfung 1985, selbst. seit 1986, seit 1988 Büro in Klosterneuburg, div. Villenbauten in Hietzing, Döbling u. Klosterneuburg, Computerzentrale d. MA 30 in wien umgebaut, Schwerp. Wohnbau u. Dachgeschoßausbau, zahlr. Dachgeschoßausbauten in Wien. H.: Lesen, Kochen. (W.M.)

Mohr Gerhard Friedrich Prof.

B.: Gschf. FN.: Asbach Austria GmbH. DA.: 1010 Wien, Stephanspl. 10. PA.: 1180 Wien, Waldeckg. 6. G.: Bochum, 17. Sept. 1937. V.: Helga, geb. Wurm. Ki.: Martina, Michaela. El.: Friedrich u. Friederike. S.: HASCH Bochum, Abendschule Matura 1958, Stud. an d. FH f. Wirtschafts- u. Sozialwiss., Betriebswirtschaft 1958-61, kfm. Lehre Maschinenbau Bochum. K.: 1962 Fa. Erdal Mainz Ass. d. Marktforsch., 1964 Fa. Eckes Produktmanager, b. 1970 Marketingmanager, 1971 Partner in Werbeagentur Dkfm. Hjalmar Hartenfels, Mainz, 1972 Marketingltr. u. stellv. Gschf. Fa. Tailor Kosmetik Wiesbaden, C.H. Buer, München, b. 1979 Fa. Pfizer Intern. Verbindungen, seit 1979 Gschf. in Wien Fa. Asbach Asbach Austria GmbH. E.: 1989 Titel Prof. M.: seit 1972 Lions Club, Spirituosenverb., Forum Alkohol, Kuratorium d. Dt. HK in Österr. H.: Skifahren, Tennis, Lesen. (M.G.)

Mohr Ingrid Ilse Dr. phil

B.: Psychotherapeutin u. Fachpsychologin f. klin. Psych. DA. u. PA.: 5600 St. Johann im Pongau, Reinbachsiedlung 12. G.: Schwarzach, 9. Okt. 1959. El.: Karl u. Hertha Mohr. S.: 1978 Matura, Stud. Psych., Psychopath. u. Psychiatrie Sbg., 1985 Diss. "Neue Version d. TAT". K.: 1 J. Sozialmed. Dienst, Psychotherapeutenausbild., 1990 Abschluß, seit 1987 eigene Praxis, Lehrtherapeutin f. Kathathymes Bilderleben. BL.: Beitrag z. Verständnis d. Psychotherapie f. d. ländl. Bevölkerung. P.: Öff.-Arb. z. Thema Psychotherapie in regionalen Printmedien. M.: ÖGATAP, ÖBVP (KrankenkassenbeiR.). H.: Haustiere. (G.P.)

Mohr Ursula

B.: Inh. u. Gschf. d. Fa. Reifen Reiner. DA.: 9020 Klagenfurt, Villacher Str. 127. PA.: 9081 Reifnitz 105. G.: Klagenfurt, 5. Mai 1958. V.: Dipl.-Ing. Norbert. El.: Richard u. Adelheid Reiner. S.: Gymn., HS f. Wirtschaftswiss. Wien (n. 8 Sem. abgebrochen). K.: 1982 Übern. d. elterl. Fa., Erweiterung um 4 Fil. in Ktn. u. Stmk. P.: Fachart. in lokalen Zeit. H.: Wassersport, Skifahren, Faulenzen, Lesen, Fischen. (D.M.)

Mohrenberger Ernst

FN.: Weinbau u. Buschenschank Ernst Mohrenberger - Bio-Heuriger. DA. u. PA.: 2380 Perchtolsdorf, Elisabethstr. 1. G.: Mödling, 19. Nov. 1959. V.: Evelyn, geb. Tauchmann. Ki.: Maria (1963), Veronika (1984), Stefanie (1986), Max (1988), Johanna (1990). El.: Ernst u. Rosa. S.: Ldw. Berufsschule Baden, Fachschule Gumpoldskirchen, Mstr.-Schule Krems, 1986 Weinbau- u. Kellermstr. K.: seit 1976 Mitarb. im elterl. Betrieb: Weinbau u. Buschenschank Ernst Mohrenberger, ab 1977 Umstellung d. Betriebes auf Biolog. Weinbau nach Organ.-Biolog. Richtlinien (nach Dr. Müller), 1981 Übernahme d. Betriebes. E.: im Gault Millau 2/92 unter d. 10 besten Naturkostlokalen. M.: Verb. organ.-biolog. wirtschaftender Bauern Österr. H.: Familie, Beruf. (M.M.)

Mohrenberger Evelyn
FN.: Weinbau u. Buschenschank Ernst Mohrenberger - Bio-Heuriger. DA. u. PA.: 2380 Perchtoldsdorf, Elisabethstr. 1. G.: Wien, 17. Apr. 1961. V.: Ernst Mohrenberger. Ki.: Maria (1983), Veronika (1984), Stefanie (1986), Max (1988), Johanna (1990). El.: Josef u. Inge Tauchmann. S.: 1978 Gymn.-Matura, Krankenschwesterschule. K.: 1982 Tätigkeit als Krankenschwester, 1983 Eintritt in d. Betrieb Weinbau u. Buschenschank Ernst Mohrenberger. E.: im Gault Millau 2/92 unter d. 10 besten Naturkostlokalen. M.: Verb. organ.-biolog. wirtschaftender Bauern Österr. H.: Familie, Naturheilkunde. (M.M.)

Mohsenzada Omar Dipl.-Ing.
B.: Geschäftsträger, Botschafter d. Botschaft d. Rep. Afghanistan in Österr., offizieller Vertreter v. Afghanistan b. d. UNO. DA.: 1010 Wien, Doblhoffg. 3/4. PA.: 1130 Wien, Stadlerg. 10. G.: Kabul, 20. Juni 1952. V.: Feriba. Ki.: Emal (1988). El.: G. Nackschband u. Parwin. S.: 1971 Matura, Stud. in Stuttgart. K.: 1980-88 im Außenmin. v. Afghanistan tätig. BL.: Ltg. u. Mtgl. versch. Delegationen b. Intern. Konferenzen, Mtgl. d. 1. Delegegation "Der gute Wille" USA-Lateinamerika. P.: versch. Art., polit. Kommentare u. Analysen in div. Zeitschriften. E.: div. Ausz. im Rahmen d. Tätigkeiten im Außenmin. H.: Lesen, Geschichte, Phil., Joggen, Tischtennis, Musik, Theater, Briefmarken, Münzen, Banknoten, alte Bücher, Antiquitäten.

Moidl Stefan
B.: Sachbearb. FN.: World Wild Fond for Nature. DA.: 1160 Wien, Ottakringer Str. 114/116. PA.: 1030 Wien, Wasserg. 19/5 u. 6. G.: Wr. Neustadt, 11. Nov. 1966. El.: Dipl.-Ing. Werner u. Gunhild, geb. Sundelin. S.: 1966 Matura, HLA f. Forstwirtschaft, seit 1987 Stud. Biologie Univ. Wien. K.: seit 1983 im Umweltschutzver. Pittental tätig, ab 1990 Obm. dieses Ver., ab 1988 Tätigkeit in d. Arge "Freie Donau", seit 1991 im World Wild Fond for Nature tätig, gelegentl. Arb. f. National Park Inst., in versch. Umweltschutzorgan. u. b. Bürgerinitiativen. P.: Fachpubl. H.: Reisen, Wandern, Bergsteigen, Lesen, Tennis, Skifahren, Natur. (N.A.)

Moik Hermann

B.: Kfm., Gschf. Ges. FN.: Moik Restaurant Betriebs Ges mbH. DA.: 2334 Vösendorf, Shopping City Süd. PA.: 2500 Baden, Schimmerg. 20. G.: 31. Jän. 1959. V.: Helga, geb. Hollweger. Ki.: Fabian (1993). El.: Zeno u. Adelheid. S.: 1978-82 Bankpraxis Außenhandelservice, 1983-86 Gschf. e. Planungsbüros. K.: 1986-89 div. Jobs, u. a. Auslandsaufenthalt i. Australien u. Neuseeland, 1989 Grdg. d. Moik Restaurant Betriebs GmbH. u. Übern. d. McDonald Restaurants i. d. SCS. M.: Mtgl. d. Badener Jagd- u. Wurftaubenclubs. H.: Wurftauben-Schießsport. (I.K.)

Moik Johannes Dr. Dipl.-Ing. Dir.
B.: Prok., Univ.Doz. FN.: Österr. Elektrizitätswirtschafts AG. GT.: AufsR. d. Verb. Kraft GmbH, Doz. an d. TU Wien. DA.: 1010 Wien, Am Hof 6A. G.: Bruck/Mur, 17. Apr. 1938. V.: Renate, geb. Suppan. Ki.: Patrick, Albert. El.: Gottfried u. Katharina. S.: Matura, HTL Graz-Gösting, Fachrichtung Maschinenbau, Stud. Elektrotechnik an d. TU Graz, Dipl.-Ing., Dr. techn., Habil. K.: Ass. an d. TU Graz, 1 J. an d. Univ. Grenoble, 8 J. in d. USA: Goddard Space Flight Centre d. Nasa, seit 1979 in d. Verb.Ges., seit 1987 Prok. P.: einige Art. in Fachzeitschriften, Buch: "Digital Processing of Remotely Sensed Images". M.: Vorst. d. Österr. Computerges. H.: Skifahren, Natur, Sprachen.

Moik Karl
B.: Conferencie, Moderator, Showmaster, freier Mitarb. b. ORF. PA.: 5411 Oberalm. G.: Linz, 19. Juni 1938. V.: Edith, geb. Wulz. Ki.: Wolfgang, Evelyne. S.: Lehre f. Werkzeugmacher. K.: 1965 Grdg. einer Musikgruppe ("Trio"), Engagements in ganz Europa, 1970 Hörfunk, Sprechausbild. im Mozarteum Sbg., 1980 d. Harald Windisch f. FS entdeckt. BL.: Gründer 1981 Musikantenstadl (Premiere in Enns), "Plattenstadl" jeden Samstag, "Hereinspaziert" 2x wöchentl. E.: 1983 Gold. Kamera, 1988 Hermann Löhns-Med. in Gold. H.: Filmtechnik, Satellitentechnik. (A.W.)

Moises Adam
B.: Gewerbl. Masseur u. Besitzer. FN.: Fitness-Studio "Fit & Fun". DA.: 5630 Bad Hofgastein, Pyrker Str. 25. PA.: 5630 Bad Hofgastein, Heissinfelding 109. G.: Bad Hofgastein, 28. Aug. 1937. V.: Katharina, geb. Kocher. Ki.: Markus (1968), Monika (1970). El.: Josef u. Rosa. BV.: Vater Josef Moises Ehrenbürger d. Landgem. Bad Hofgastein. S.: VS. K.: Ldw., Aufbau d. Pension "Kindlgut", 1968 Masseurkurs in Sbg., Heilbademstr. u. Heilmasseur, b. 1975 Tätigkeit in versch. Hotels, 1976 selbst. m. "Fit & Fun" u. Massagepraxis. P.: Veröff. in regionalen Printmedien. H.: Skifahren, Bergsteigen, Wandern. (G.P.)

Moises Erich
B.: Ltr. d. Zweigstelle Bischofshofen d. Oberbank. DA.: 5500 Bischofshofen, Bodenlehenstr. 2. PA.: 5621 St. Veit/Pongau, Pichldorf 9. G.: Bad Hofgastein, 28. Juni 1956. V.: Sieglinde, geb. Pirnbacher. Ki.: Erich (1980), Sandra (1987), Florian (1990). El.: Josef u. Erna. BV.: Urgroßvater Bgm. v. Großarl. S.: VS, HS, HASCH St. Johann/Pongau, 1973 Sparkassenkfm. St. Johann/Pongau. K.: 1978-89 Zweigstellenltr., danach z. Oberbank, 1991 Ltr. d. Zweigstelle. P.: Veröff. in regionalen Zeitungen z. Thema Bankwesen. H.: Fußball, Skifahren, Mountainbike. (G.P.)

Moisl Leo

B.: Wirt, Hotelier d. Hotel Moisl GmbH. DA. u. PA.: 5441 Abtenau, Markt 26. G.: Abtenau, 9. Nov. 1962. V.: Veronika, geb. Beil. Ki.: Isaella (1986), Laura (1988). El.: Leo u. Eva. S.: VS, 2 J. Stefaneum Bad Goisern, 2 J. HS Abtenau, 3 J. Gastgewerbefachschule Kleßheim. K.: Praxis Interconti Wien, Kobenzl Sbg., Sprachschule London u. Rambouillet, 1979 Jagdprüf. Marchegg, 1 Saison am Tegernsee Hotel Marina, im Winter Praktikant im Management b. Pucher am Naßfeld, 1 Saison Posthotel Familie Reiter Achenkirchen, 1 Saison Chef de Rang b. Bachmaier am See, 1989-91 Ltg. Familienbetrieb Hotel Rex, ab 1991 Übernahme elterl. Betrieb Hotel Moisl. M.: ÖHV, API, APF, Wirteobm. v. Abtenau. H.: Familie, Hotel, Jagd, Golf. (J.F.)

Mokesch Günter
B.: Musiker, Sänger, Schauspieler. PA.: 2273 Hohenau, Lagerhausg. 3. G.: Wien, 8. Aug. 1959. Ki.: Rosanna Margarita (1990). EL.: Hans u. Anna. K.: versch. Instrumente erlernt, mit 16 J. 1. eig. Band, mit 18 J. Zivildienst b. Roten

Kreuz, 1978 Engagement als Sänger d. "Hallucination Companie", einige Monate Reisen u. Workshops, 1983 zurück nach Wien, Grdg. v. "Mo & The gangsters in love", 1990 Liederabendauftritte, 1991 Support für Brian Adams u. Roxette, 1992 1. Hauptrolle in d. Off - Theater "Askalun", 1993 "Moina" in "Kuß d. Spinnenfrau". P.: 1982 Album "Visionen", 1984 1. eig. Single "Smile", 1985 1. eig. Album "Der erzengel Novotny", 1986 Maxisingle "Make Money", 1987 "Send me Roses", 1988 Album "Face of love", 1991 3. Longplaytonträger "Dancing with an escimo", 1993 Soloalbum "Confession"

Mokry Irene Dr. phil.

B.: Schriftstellerin. PA.: 1010 Wien, Bäckerstr. 16/8. G.: Wien, 11. Juli 1931. V.: HofR. Mag. Walter Mockry. El.: Friedrich u. Margareta Stanzel. S.: RG Wien, Admont, Graz u. Sbg., Matura (summa cum laude), Stud. Phil., Ethnologie u. Sinologie Univ. Wien u. Kath. Univ. Sbg., 1955 Prom. z. Dr. phil., Diss. "Versuch einer Deutung d. Taoismus durch d. Existentialismus". K.: freie Schriftstellerin u. Journalistin b. "Europ. Kulturdienst" München u. "Meyerpress" Kopenhagen, "Voci" Lausanne. P.: zahlr. Veröff. in dt., schweiz. u. österr. Zeitungen u. Zeitschriften, Idee u. Text zu div. Fernsehwerbefilmen im ORF, Buch "Die ethischen Ziele d. Taoismus u. d. Existentialismus" in "Der Mensch als Persönlichkeit u. Problem", Roman "Die verschwundene Ikone", Serien, Reportagen, Kurzromane, Aufsätze, Kurzgeschichten, Humoresken, sowie Buchbesprechungen im "Europ. Kulturdienst", PR-Filme im Österr. Werbefernsehen. M.: Presseref. d. Österr. Touristenclubs. H.: Malen, Reisen, Sprachen. (M.T.)

Molacek Walter

B.: Spediteur, Gschf. Ges. FN.: Texsped Sped. GmbH. DA.: 2355 Wr. Neudorf, IZ NÖ-Süd, Str. 7, Objekt 38. G.: Wien. 14. Nov. 1948. V.: Ursula. El.: Walter u. Agnes. S.: Realschule, 1966-69 Sped.-Ausbild. Continentale AG Wien. K.: 2 J. Tätigkeit in einer namhaften Sped. in Wien, 15 J. Prok., 1990 Grdg. Texsped GmbH u. seither Gschf. Ges. H.: Beruf, Tennis, Skifahren. (I.K.)

Mold Gottfried Dr. iur.

B.: Ltd. Sekr. d. Kam. f. Arb. u. Ang. DA.: 1041 Wien, Prinz-Eugen-Str. 20-22. PA.: 1230 Wien, Anton-Baumgartner-Str. 44 A/3. G.: Wien, 28. Febr. 1942. El.: Anton u. Hedwig. S.: RG, Univ. Wien, 1967 Prom. K.: Nach Stud. 1967 Ref. in d. Kam. f. Arb. u. Ang., anschl. Sekr., dzt. ltd. Sekr. f. Wirtschaft u. Steuerrecht, dazw. auch 4 J. BetriebsR.Obm., seit 1978 BezR. im 2. Bez., Besoldungsref. in d. Gewerkschaft f. öff. Dienst, BSekt. 21. P.: Div. Art. in Gewerkschafts- u. Kam.Zeitungen, insbes. f. Arb. u. Wirtschaft. M.: SPÖ, BSA. H.: Briefmarken. (R.A.)

Molden Ernst Ing.

B.: Inh., Geschäftsmann. FN.: Fahrschule Ing. Molden; Modena Braut- u. Abendmoden. DA. u. PA.: 9800 Spittal/Drau, Kirchg. 6. G.: Spittal/Drau, 6. Apr. 1957. V.: Helene, geb. Wieser. Ki.: Ernst Paul (1986), Christian (1988). El.: Dr. iur. Friedrich u. Edeltrude, geb. Prinster. BV.: Urgroßvater Gründer d. 1. Transportunternehmens in Wien. S.: VS, HS, 1971-75 Fachschule f. Werkzeug- u. Vorrichtungsbau Ferlach, HTL-Maschinenwerkzeug u. Vorrichtungsbau Ferlach, 1978 Matura, BH. K.: 1980 Mitarb. in d. 1958 gegründeten elterl. Fahrschule, 1987 Übernahme, 1991 Eröff. d. Braut- u. Abendmodegeschäftes. M.: 1986 Grdg. FC Molden, Naturfreunde. H.: Fußball, Eislaufen, Skifahren, Schwimmen, Automodellbau u. Sammeln, Fotografieren. (G.L.)

Moldaschl Franz

B.: Gschf. FN.: Reisebüro am Stadtpark GmbH. DA. u. PA.: 1030 Wien, Ziererpl. 4. G.: Wien, 28. Aug. 1949. V.: Elisabeth, geb. Glöckler. Ki.: Raoul (1974), Philip (1977), Max (1986). El.: Adolf u. Elisabeth, geb. Brunner. S.: Gymn., 1967 Matura. K.: 1968-71 Ang. b. d. AUA, 1971-71 Reisebüro Mondial Baden, 1973-79 Ang., ab 1975 Ltr. u. Prok. d. Reisebüros Wilhelm Gärtner St. Pölten, seit 1979 selbst. m. Schwerpunkt: Betreuung d. Ind. H.: Lesen, Radfahren. (N.A.)

Molden Friedrich Peter

B.: Verleger. A.: 1190 Wien, Eroicag. 1. G.: Wien, 8. Apr. 1924. V.: Dr. Hanna, geb. Bernhard. El.: Dr. Ernst u. Paula. S.: Gymn., Stud. d. Rechts- u. Wirtschaftswiss. in Wien, Innsbruck u. Zürich. K.: 1945Sekr. d. Außenmin., 1945 Auslandsred. d. "Presse", 1948/49 b. Österr. Gen.Kons. in New York, Informationsdienst, 1950 Verlagsdir. u. ständiger Leitartikler b. d. "Presse", 1953 Übernahme d. "Presse", bis 1961 Gschf., Hrsg. u. Chef.Red. "Die Presse", Herausgeberrechte an "Wochenpresse", "Express", ab 1961 Druckereibesitzer Pressehaus, 1962 Besitzer Fritz Molden Großdruckerei u. Verlag GmbH, 1964 Gründung d. "Verlag Fritz Molden", Wien, München u. Zürich. P.: "Austria in Facts and Figures", "Ungarns Freiheitskampf", "Fepolinski u. Waschlapski auf d. berstenden Stern". E.: US-Medal of Freedom, Gr. Tir. Adlerorden, EZ um Verd. z. Befreiung d. Rep. Österr., Silb. EZ f. Verd. um d. Rep. Österr. M.: Präs. d. Auslands-Öster.-Werkes, Stellv. Präs. d. Österr. College, Europ. Forum Alpbach u.a.

Molderings Hans Jörg Dietrich Dr. med. univ.

B.: prakt. Arzt, Gem.Arzt. DA. u. PA.: 9125 Kühnsdorf, Kühnsdorf Mitte 53. G.: Linz, 26. März 1943. Ki.: Birgitta, Gernot, Christian, Benjamin El.: Hans u. Hedwig. S.: Pflichtschule, Chemieschule, Ausbild. z. Laborfacharb. b. d. Österr. Stickstoffwerken in Linz, 1965 AHS Matura, Med.Stud. in Graz, 1972 Prom., 1976-80 Ausbild. z. anthroposoph. Arzt. K.: Ausbild. z. prakt. Arzt im LKH Graz, seit 1976 prakt. Arzt in Kühnsdorf, ab 1980 Gem.Arzt. M.: Anthroposoph. Ver., Ges. f. Allg.Med. H.: Segeln, Tennis, Anthroposophie. (S.G.)

Mölg Willie

B.: Gschf. FN.: Autohaus Mölg GesmbH. DA.: 6322 Kirchbichl, Boden 153. G.: Kirchbichl, 15. Juli 1948. V.: Ingrid Scherer. Ki.: Markus (1968), Christian (1974). El.: Willi u. Sophie. S.: KFZ-Mechanikerlehre b. Osegowitsch i. Kirchbichl, Ges.-Prüf. bei Ascher i. Wörgl. K.: KFZ Mechaniker, 1973 Mstr.-Prüf., bis 1988 KFZ Mech., 1988 selbst., 1988-89 Autohalle gebaut. H.: Tennis, Reisen, Skifahren, Musik.

Molin-Pradel Romeo

B.: Zuckerbäcker. FN.: Eissalon Molin-Pradel. GT.: Arb. b. einem ital. Kindernahrungsmitteluntern. DA.: 1160 Wien, Ottakringer Str. 146. PA.: 1160 Wien, Ottakringer Str. 158. G.: Soldoalto, 5. Apr. 1942. V.: Emanuela, geb. Forner. Ki.: Martina (1976), Roberto (1978). El.: Severino u. Lina. S.: Zuckerbäckerlehre im väterl. Eisgeschäft, Zuckerbäckerprüf. 1977, Übernahme d. väterl. Betriebes nach tödl. Unfall im Jahre 1954, dzt. 3. Generation Molin-Pradel. H.: Skifahren. (C.K.)

Mölk Walter Dr. med.

B.: Prakt. Arzt, Präs. d. Österr. Ges. f. Ayurvedische Med. DA. u. PA.: 1010 Wien, Biberstr. 22. G.: Innsbruck, 1. Apr. 1950. El.: Johann u. Engratia. S.: 1968 Matura, Stud. Med. Fak. Univ. Innsbruck, 1977 Prom. K.: Turnus in Wien u. Eisenstadt, Ausbild. z. Lehrer f. d. transzendentale Meditation, 1986 Grdg. Ges. f. Ayurved. Med. sowie Grundausbild. in Holland, 1987-88 Ausbild. in Ayurveda in Indien, 1987 Eröff. d. Maharishi-Ayurveda Gesundheitszentrum in Wien. M.: Schriftführer b. Dachverb. Österr. Ärzte f. Ganzheitsmed., Ltr. v. Ausbild.-Kursen f. Ärzte in Maharishi-Ayurveda f. d. Europ. Bereich. H.: Literatur, Wandern. (S.H.)

Moll Willi Reinhard Dr. med.

B.: Ärztl. Ltr. FN.: Med. Zentrallabor GmbH. DA.: 6800 Feldkirch, Carinag. 49. PA.: 6800 Feldkirch, Schanzweg 14. G.: Innsbuck, 15. Febr. 1950. V.: Johanna. Ki.: Clemens (1981). El.: Dr. Wilhelm u. Franziska. S.: RG, 1968 Matura, Med.-Stud. Univ. Innsbruck, 1975 Prom., 1979 Militär. K.: 1979 Ass.-Arzt Zentralinst. f. Bluttransfusionen u. Immunolog. Abt. b. Prof. Reissigl Innsbruck, Innere Med., Inst. f. Med. Chemie b. Prof. Puschendorf, FA-Ausbild. f. med. u. chem. Labordiagnostik, FA-Ausbild. f. Mikrobiolog.-Serolog. Labordiagnostik, 1988 Übersiedlung nach Feldkirch als Ltr. u. Gschf. d. Med. Zentrallabor GmbH, 1993 kompl. Neuorgan. u. Restrukturier. d. Med. Zentrallaboratoriums u. Aufbau u. Ltg. d. ÖRK Blutspendedienstes f. Vbg. (Konzept f. autologe Bluttransfusion). P.: mehrere Publ. im Bereich Med. Chemie. M.: Lions Club Hohenems. H.: Vinothek, Reisen, Skifahren, klass. Musik. (I.D.)

Mollay Ira Dr.

B.: Gschf. Greenpeace Österr. DA.: 1030 Wien, Auenbruggerstr. 2. G.: Wien, 15. Sep. 1960. El.: Dkfm. Karl u. Dr. Ingrid, geb. Fürnsinn. S.: Gymn., 1978 Matura, Stud. Hdls.-Wiss. WU Wien, 1982 Spons., 1986 Prom. K.: 1978-90 Österr. Kontrollbank, Ass. d. Gen.-Dir., 1990-91 Dt. Bank Austria, 1992/93 Ausbild. z. Ökologieref. AFW Bad Harzburg/Deutschland, danach Gschf. Greenpeace Österr. (N.A.)

Möller Nelly

B.: Mitinh. u. Gschf. d. Brauerei Hirt. DA.: 9322 Hirt. G.: Friesach, 26. Sept. 1924. Ki.: Alexandra (1948), Astrid (1951), Klaus (1959), Michael (1960), Markus (1967). S.: RG Wien. K.: Reichsarbeitsdienst, Stud. Bdk., 1947-52 Englandaufenthalt, s. 1952 b. Brauerei Hirt, 1959 Übern. d. Besitzes zus. m. Frau Riegl-Matchett. H.: Skifahren, Jagd, Schwimmen. (A.L.)

Molling Claudius

B.: ak. Bildhauer u. Maler. PA.: 6020 Innsbruck, Höttinger-Riedg. 37. G.: Innsbruck, 25. Apr. 1933. V.: Herlinde, geb. Duftner, 2 Töchter. El.: Mjr. Alois u. Margarethe. S.: VS, 6 J. Gymn., 1 J. Gewerbeschule in Innsbruck, Ak. d. bild. Künste in Wien unter Santifaller, Wotruba u. Andre, sowie Ak. d. bild. Künste in München b. Oberberger, 1955 Dipl. in Wien, Studienaufenthalte in USA, Ceylon, Thailand, Ägypten, Marokko, Ladakh, Frankreich, Spanien, Italien. K.: seit 1955 freischaff., zahlr. Werke in Stahl, Bronze u. Aluminium u.a.: 1966 Crucifixus Bronze 130 CM, Gefangenenkapelle Innsbruck, 1968 Altarwand Acryl Eleuthera-Bahamas, 1971-73 Portale u. Fries f. d. LG Innsbruck, 1977 Kugelentwicklung, Aluminium 350 CM, Restaurierung d. Stamser Hochaltars, 1982 Altarwand in d. Kapelle d. SOS-Kinderdorfak. in Innsbruck, Wandgestaltung in d. bautechn. Fak. in Innsbruck, Freiplastik f. Univ. Innsbruck, Stahl/Granit, 10 Meter (1987). E.: 1960-85 zwölf 1. Preise b. Wettbewerben. M.: Vors. d. Tir. Künstlerschaft, Lions-Club Innsbruck. H.: bild. Kunst.

Mölls Wolfgang

B.: Gschf. Ges. FN.: esarom Essenzfbk. GmbH. DA.: 2105 Oberrohrbach, Esaromstr. 51. PA.: 2100 Leobendorf, Waldstr. 4. G.: Duisburg/Deutschland, 7. Nov. 1936. V.: Herma, geb. Billwatsch. Ki.: Mag. Susanne-Johanna (1965), Dipl.-Ing. Hans-Stephan. El.: Hans u. Johanna. S.: Hum. Gymn., Fachkfm. u. Destillateurlehre in Dt. Essenzfbk. Nördlingen/Bayern. K.: 1955-57 Ang. als Fachkfm., ab 1957 Prok. u. ab 1961 Gschf. Ges. d. Firma esarom in Oberrohrbach, 1981 Übernahme u. Gschf. Ges. d. Firma Zander & Gohl Wien, 1987 Joint venture Firma Greda in Mirna/Slowenien. E.: Ehrenbürger v. Trebnje in Slowenien. M.: Präs. d. Sportver. Leobendorf. H.: Tennis, Schlaraffia. (M.M.)

Molnar Georg

B.: Kfz-Techniker, gschf. Ges. FN.: MOMAPEX GmbH. GT.: Ind.Planung u. -beratun. DA.: 1180 Wien, Thimigg. 50. PA.: 1180 Wien, Währinger Str. 121/2. G.: Neusatz, 4. Juli 1923. V.: Daniela, geb. Rehak. Ki.: Alexander, Susanne, Mario. El.: Josef u. Juliana. S.: VS, Gymn., 6 Sem. HTL. K.: danach Praxis in einschlägigen Betrieben b. 1961, Grdg. d. eigenen Fa. auf d. Kfz-Sektor. BL.: Entwicklung eines umweltfreundl. u. hautfreundl. Korrosionsschutzmittel. M.: Österr. Wirtschaftsbund. H.: Fliegen. (G.E.)

Molterer Wilhelm Mag.

B.: Bundesminister f. Land- u. Forstwirtschaft. DA.: 1010 Wien, Stubenring 1. G.: Steyr, 14. Mai 1955. S.: Höh. ldw. Bundeslehranst. St. Florian, 1974 Matura, Stud. Sozial- u. Wirtschaftswiss. an d. Univ. Linz, 1980 Mag. rer. soc. oec. K.: 1979-91 Studien- bzw. Vertragsass. an d. Univ. Linz, 1981-84 wirtschaftspolit. Ref. im Österr. Bauernbund, 1985-87 Vertragsbed. im Büro Landesrat Hofinger, 1987-89 Sekr. im Ministerbüro BM Dipl.-Ing. Riegler u. Ltr. d. Ministerbüros BM Dipl.-Ing. Dr. Fischler, 1985-87 Mtgl. d. GemR. v. Sierning, s. 1989-1993 Dir. d. Österr. Bauernbundes, s. 1989 Agrarsprecher d. ÖVP, 1990 Mtgl. d. Bez.-Vorst. u. Bez.-Partei-Ltg. in Steyr Land, s. 11/1990 Abg. z. NatR., Dez. 1993 - Nov. 1994 GenSekr. d. Österr. VP; seit 29. Nov. 1994 Bundesminister f. Land- u. Forstwirtschaft.

Molnár Laszlo

B.: Oberkellner im Restaurant Sailer. DA.: 1180 Wien, Gersthofer Str. 14. G.: Budapest, 6. März 1940. V.: Ilse, geb. Vollmann. El.: Imre u. Eszter. S.: VS, Gymn. Budapest, 1958 Matura, Hotelfachschule Budapest m. Abschluß, 1991 Servicemstr.-Kurs in Sbg. m. Abschluß. K.: Weiterbild. im Grandhotel Margareteninsel u. Hotel Royal in Budapest, seit 1969 in Wien, 8 J. Kellner im Hotel Inter-Continental Wien, 6 J. im Restaurant Rauchkuchl Wien, seit 1983 Oberkellner im Restaurant Sailer. H.: Kochen, Musik. (J.S.)

Mölzer Andreas

B.: Chefred. d. Zeitschrift AULA d. freiheitl. Akademikerverb. PA.: 9520 Annenheim 29. G.: Leoben, 2. Dez. 1952. V.: Dorelies, geb. Roßberg. Ki.: Wendelin, Wolf-Rüdiger. El.: Sepp u. Hermine. S.: Gymn. Knittelfeld, 1971 Matura, 1974-80 Stud. Geschichte u. Volkskunde Univ. Graz. K.: 1979-81 Ass. Inst. f. europ. u. vergleichende Rechtsgeschichte Univ. Graz, 1985-1991 Chefred. d. Ktn. Nachrichten, seit 1986 Gschf. d. Hanns Rader-Bildungswerkes, sowie Kuratoriumsvors. d. Freiheitl. Bildungswerkes, d. Parteiak. d. FPÖ. P.: Autor mehrerer zeitgeschichtl. Beiträge in wiss. Zeitschriften, sowie zahlr. Buch- u. Zeitschriftenbeiträge z. jüngeren österr. u. dt. Geschichte, Mölzer: Das Waffenstudententum in Vergangenheit und Gegenwart (1980), Hrsg. d. Buches: Österreich und die deutsche Nation (1985), Mölzer: Österreich - ein deutscher Sonderfall (1988), "Bausteine Mitteleuropas" (1989), "Jörg! Der Eisbrecher" (1990), "Ktn. Freiheit" (1990), "Der Graue" (1991), "Und wo bleibt Österr." (1991). M.: Mtgl. mehrerer histor.-wiss. Ver. H.: Malen Segeln, Skifahren. (S.G.)

Mölzer Horst

B.: Gastwirt Babypension Bergfried, Wurzenhütte, Skilift Stubeck. DA.: 9853 Gmünd, Treffenboden 13; 9853 Gmünd, Stubeck. PA.: 9583 Gmünd, Treffenboden 13. G.: Spittal/Drau, 14. Jan. 1967. V.: Andrea, geb. Russ. Ki.: Lukas (1993). El.: Horst u. Ingeborg. S.: VS, HS, Berufsschule u. Koch-Kellner-Lehre. K.: 1986-89 Tätigkeit in d. Privatwirtschaft, 1989 Mitarb. im elterl. Betrieb, 1994 Übernahme, 1984 Umstellung auf 1. Babypension Österr. M.: seit 1989 Kinderhotels Österr., Perchtengruppe Treffenerboden. H.: Wandern, Skifahren. (G.L.)

Mömken Peter Mag.

B.: ev. Pfarrer. DA. u. PA.: 2700 Wr. Neustadt, Ferdinand-Porsche-Ring 4. G.: Duisburg, 11. Nov. 1951. V.: Ruthilde, geb. Scheiber. Ki.: Sarina, Anneheide. El.: Wilhelm u. Waltraud. S.: VS, Gymn. Duisburg, 1971 Matura, Theol.Stud. Bochum, Wuppertal, Heidelberg, Bonn, Wien, 1981 Mag. theol. K.: Vikariat in Baden u. Wr. Neustadt, 1983 Pfarramtsprüf. u. seit diesem Zeitpunkt in Wr. Neustadt als Pfarrer tätig, Religionsunterricht an AHS u. BHS Oberstufen. P.: Schriftltr. b. d. "Saat" f. NÖ, allfällige Art. in d. "Saat". H.: Lesen, Musik. (Kern)

Monay Josef

B.: Ltr. d. Außenstelle Klagenfurt Airest Hotel u. Restaurant. DA.: 9020 Klagenfurt, Flughafen. PA.: 9063 Maria Saal, Ankogel 1. G.: Straßburg, 7. Jan. 1951. El.: Raimund u. Ernestine. S.: VS, HS, 1966-69 Kellnerlehre, Hotelfachschule in d. Schweiz, Konzessionsprüf. f. d. Gastgewerbe. K.: 1969-71 Tätigkeit in versch. Saisonorten u. Hotels in d. Schweiz, 1971/72 London, 1972-74 Schiff "Royal Viking Star" (Weltreise), 1974-76 wieder Schweiz, 1976 zurück nach Österr. u. b. 1979 Gschf. d. Altdt. Stuben in Vbg., 1979-84 Gschf. Hotel Alte Post Bad Kleinkirchheim, seit 1984 Gschf. Airest Flughafen Klagenfurt. E.: AESEC Trentennale Trattati di Roma 1988, Coppa d´Oro par le Gastronomia Intern. 1990. M.: Skiclub, Somelierver., Fremdenverkehrsver. Gurk. H.: Lesen, Radfahren, Schwimmen, Skifahren, Reiten. (F.S.)

Mondini Carlo

B.: Pater, Ordenspriester d. Pfarre z. guten Hirten. GT.: Provinzial f. d. Kongregation d. Patres Oblaten d. Jungfrau Maria (OMV). DA.: 1130 Wien, Bossig. 68. G.: Lugano/Schweiz, 11. Apr. 1923. El.: Marco u. Adele. S.: Priesterseminar Lugano. K.: 1936 Eintritt in d. Kongregation in Chiavari (Genua), nach Noviziat Stud. in Pinerolo (b. Turin), Pisa u. Roverato (b. Trient), 1949 Priesterweih in Roverato, 1949-52 Entsendung nach Tropani/Sizilien z. Aufbau d. Priesterseminares, 1952-53 Berufung nach Atri (Abruzzen) als Internatsdir., 1953 Berufung nach Rom als Kaplan in d. Pfarre Parroccia di S. Elena, 1956 Entsendung nach Wien als Seelsorger in d. Wr. Wilhelminenspital, Hanusch-KH, Baumgartner Höhe, Rudolfsspital, ab 1971 Pfarrer in d. "Pfarre z. guten Hirten", 1971 übernimmt d. OMV d. Missionsseelsorge in Amazonien im nördl. Brasilien, unter d. materiellen u. persönl. Engagement d. Bruders, Hr. Saverio Mondini entsteht am Stadtrand u. d. Elendsvierteln v. Manaos Leprastationen u. zahlr. Brunnenbauten, ferner entsteht d. Projekt "Lanteriama", in d. 70 Jugendliche betreut werden (Schule, Tischlerei, Gärtnerei, Brunnenbau). E.: 1985 Ernennung z. GstlR. d. Erzdiözöse Wien. H.: Bild. Kunst, Malerei, Musik. (C.K.)

Mondl Maria Prof.

B.: HS-Prof. i.P. PA.: 2340 Mödling, Josephsg. 24/1/3. G.: Mödling, 16. Mai 1917. Ki.: 1 Tochter. El.: Hans u. Maria. S.: HS, 3 J. Frauengewerbeschule Mödling, Privatunterr. in Gesang, Klavier, Blockflöte, Geige, Chorgesang, Säuglingspflegeschule Wien (St. Anna Kindersp.), Dipl. 1938. K.: 1939-40 Säuglingsheim Wien 14, Rosenthalgasse (Mitaufbau u. Ltg.), ab 1950 Lehrerin an d. Mödlinger Musikschule, 1961-67 Stud. an d. Wr. HS f. Musik, Lehrauftrag an d. Wr. HS f. Musik im letzten Studienjahr 1967, eigene Unterrichtsmethode "Einführung in die Musik", Musikerziehung im Vorschulalter auf breitester Basis. P.: Art. in div. Fachzeitschriften u. Rundfunkbeiträge, 1976 Berufstitel Prof., 1983 Beginn Stud. f. Musiksoz. M.: Museumsver. Mödling, Literar. Ges. Mödling, Wildgans-Ges. Mödling. H.: Musizieren, Oper, Theater, Konzert, Reisen. (M.G.)

Mondschein Helmut

B.: Ltr. d. Ref. Verk.-Förd. & PR. FN.: Wirt.-Kammer Wien. DA.: 1180 Wien, Währinger Gürtel 97. PA.: 1100 Wien, Ettenreichg. 48/1. G.: Güssing/Bgld., 4. Apr. 1961. V.: Rita, geb. Gansfus. Ki.: Christopher (1989). El.: Alois u. Theresia. S.: AHS-Matura i. Güssing, abgebrochenes Jud-Stud. a. d. Univ. Wien, Marketing- u. PR-Ausb. i. Hernstein. K.: Auslandsaufenthalte i. Dt. u. Amerika, s. 1988 i. Wien, Eintritt b. Lauda-Air i. d. Flugbetriebsltg.: Administration Flubegleiter u. Crewplanererstellung, 1991 Eintritt Wifi Wien, s. 1991 Ref.-Ltr. u. Gschf. d. Representative Office of Vienna. BL.: ehemaliger

Jugendstaatsmstr. i. Geländelauf u. Landesmstr. i. Orientierungslauf. H.: jede Art v. Sport besonders laufen u. skifahren, Musik, Akkordeonspieler d. Volkstanzgruppe Glasing. (J.S.)

Monger Peter

B.: Konservenproduzent. FN.: Monger Konserven, Johann u. Peter Monger GnbR. DA./PA.: 5201 Seekirchen, Wallerseestr. 97. G.: Salzburg, 3. Juli 1962. El.: Johann u. Johanna. S.: VS, HS, Poly., Lehre als Großhandelskfm. Sbg., 1980 BH, 1981 im elterl. Betr. H.: Skifahren, Rennradfahren, Faulenzen.

Monghy Richard

B.: Gschf. FN.: Mineralkontor Rohstoffhdls. GmbH. DA.: 1010 Wien, Gartenbaupromenade 2, Hotel "Marriott". PA.: 1190 Wien, Gregor-Mendel-Str. 56. G.: Wien, 16. Mai 1923. V.: Gertrude, geb. Figdor. Ki.: Wolfgang, Peter. El.: Johann u. Mathilde. S.: VS, hum. Gymn. K.: 1946-50 in versch. Bmin. tätig, 1951-59 Gschf. d. Importkohle GmbH, ab 1960 Gschf. d. Mineralkontor Rohstoffhdls. GmbH. F.: Gschf. d. Baustoffimport GmbH Wien, Ind.Keramik Vertriebs GmbH Wien, Baugeologie GmbH Wien, Interminex Hdls. GmbH Wien, Interferrum Stahl- u. Eisenhdl., Berma Ind.Anlagen u. Maschinenhdls. GmbH Wien, Mineralkontor AG Zürich. H.: Foto, Film, Gartenarb. (R.A.)

Monjencs Ingrid Mag.

B.: Marketingltr. FN.: Europapier AG. DA.: 1210 Wien, Autokaderstr. 86-96. G.: Wien, 27. Dez. 1959. El.: Hanspeter u. Erika Monjencs. S.: 1978 Matura, Stud. Hdls.-Wiss. WU Wien, 1986 Spons., während d. Stud. versch. Funktionen innerhalb d. Hochschülerschaft. K.: 1986-91 Product-Management b. d. Firma Henkel, seit 1991 Marketingltr. d. Europapier AG. P.: 1990 Hrsg. d. Buches "Hainburg - 5 J. danach". H.: Lesen, soz. Kontakte, Wirtshäuser. (J.S.)

Monoszlóy Deszö Prof.

B.: Schriftsteller u. Dichter. PA.: 1010 Wien, Fleischmarkt 20/1/2/5. G.: Budapest, 28. Dez. 1923. V.: Katharina, geb. Keresztény. El.: Karoly u. Ilona. S.: Jusstud in Budapest. K.: 1946 Übersiedlung nach Bratislava (CSFR), im "Prager Frühling" Sekr. d. ungar. Sekt. d. tschechoslowak. Schriftstellerverb., seit 1969 in Wien. P.: über 30 Bücher u.a. "Die fünf Jahreszeiten d. Liebe", "Die letzte Jagd", "Der Tod d. Millionärs", "Die Flucht aus Sodom", etwa 40 Hörspiele im dt. Raum, "Die fünf Jahreszeiten d. Liebe", "Japanische Liebe", "Allein nach Marienbad", "Wildweidender Stern". E.: Körner-Preis, Madach-Preis, Prof.-Titel, Gold. VZ d. Stadt Wien. M.: Österr. Schriftstellerverb., P.E.N.-Club. H.: Bridge, Schach. (E.L.)

Montibeller Cordula Mag. art. Prof.

B.: Restauratorin. DA. u. PA.: 1040 Wien, Favoritenstr. 2. G.: Wien, 25. Okt. 1940. Ki.: Caroline (1966). El.: Anton u. Erna Loibl. BV.: Weyringer hat d. Guadelupe Orden erhalten. S.: Sacre-Coeur Wien, Ak. f. angew. Kunst 2 J. b. Prof. Ed. Bäumer, Ak. am Schillerplatz b. Prof. Eigenberger, 1965 Dipl. z. Mag. art. K.: selbst. als Restauratorin f. Ölgemälde, Skulpturen u. Rahmen, dzt. Tätigkeit f. d. Heeresgeschichtl. Museum, Restauratorin f. Feuer- u. Wasserschäden, 1989 Prof. M.: Verb. d. Bild. Künste Schönbrunn. H.: Tiere.

Montscher Kurt

B.: Gschf. Ges. FN.: MHM Intern. Speditionsges.m.b.H. DA.: 1020 Wien, Hellingstr. 2. PA.: 1190 Wien, Ruthg. 7/4. G.: Wien, 9. Dez. 1949. Ki.: Michael (1969), Marion (1974). El.: Rudolf u. Melanie. S.: 1964-67 Lehre a. Sped.-Kfm. K.: 1967-90 Sped.-Kfm. Zollabt. Außendienst Fa. Panalpina, 1991Grdg. Fa. MHM m. 2 Teilhabern m. Aufgabe Ltg. d. Zollabt., sämtl. GF-Tätigk. M.: Tennisclub. H.: Lesen,Tennis, Segeln. (M.N.)

Monz Erich Dr. med. univ.

B.: FA f. Psychiatrie u. Neurologie. DA.: 7551 Stegersbach, Hauptstr. 59. PA.: 8302 Nestelbach b. Graz, Bayernstr. 25. G.: 25. Mai 1956. V.: Ursula, geb. Plendner. Ki.: Stefanie (1983), Sabine (1980). El.: Friederike u. Franz. S.: VS, 1 J. HS, akad. Gymn. Graz, 1975 Matura, Stud.Karl-Franzens-Univ. Graz, Juli 1983 ausbild. zum prakt. Arzt, Erlangung d. jus. Stud. practicandi am 1.Aug. 1987, Fachausbild. f. Psychiatrie u. Neurologie Graz, Beendigung d. Facharztausbild. am 1. aug. 1992, Diplom f. Kurarztmedizin. K.: Nach der Ausbildung Tät. im Sanatorium Lassnitzhöhe b. Graz: 1993 Eröffnung d. neugegründ. Kassenpraxis, weitere Tätigk.: Psychiatrischer Konsiliararzt im Schwerpunkt Krankenhaus Oberwart; prakt. Tät. im psycho-sozialen Dienst d. Burgenlandes; Konsiliararzt an zwei Behinderten-Einrichtungen im Burgenland; Konsiliararzt im Sanatorium Lassnitzhöhe b. Graz; Tät. in Teilbereichen d. Logotherapie u. Hypno-Therapie, Teiln. an versch. Stud. H.: Skilaufen, Vinothek, Pfeifensammlung. (F.S.)

Monz Johannes Dipl.-Ing.

B.: Gschf. Ges. FN.: bhm Ing. Engineering & Consulting GmbH. DA.: 6830 Rankweil, Langg. 108. PA.: 6830 Rankweil, Schanzweg 12. G.: Bludenz, 5. Dez. 1956. V.: Eveline, geb. Viertler. Ki.: Christian (1979), Daniela (1984). El.: Thomas u. Ruth. S.: 1975 Matura, Stud. Bauing.-Wesen TU Innsbruck, 1986 Grad., 1991 Ziviltechnikerprüf., 1975-76 BH. K.:1985 Arbeits- u. Bildungsaufenthalt in USA, 1985-88 Ziviling.-Büro Feldkirch, 1989-91 Partner u. Gschf. einer Bauplanungsges., 1992 Ziviling. f. Bauwesen, 1992 Grdg. d. GmbH, 1993 Eröff.

d. Zweigbüros in Miltenberg u. Leipzig. M.: KÖHV Alpina Innsbruck, Tennisclub Tisis. H.: Gartenarb., Streichen, Reisen, Weinsammlung. (I.D.)

Moor Dieter

B.: Schauspieler. PA.: 1100 Wien, Dampfg. 21. G.: Zürich, 1. Mai 1958. El.: Walter u. Margit, geb. Steheli. S.: 1975-78 Stud. an d. Schauspielak. Zürich. K.: 1978 Engagements in Zürich u. Bern, 1978-80 Landestheater Tübingen, 1980-84 div. Tätigkeit in Zürich, 1984-87 versch. Rollen in Fernsehfilmen u. -serien, ab 1990 Talkradio-Präsentation b. ORF, Gastgeber "Club 2", Kabarett "Hosenträger Unlimited". H.: Reisen, Kultur, Natur. (N.A.)

Moor Ernst

B.: Gen.-Dir. FN.: Schindler Aufzüge u. Fahrtreppen AG. DA.: 1100 Wien, Wienerbergstr. 21-25. (V)

Moore David

B.: Gschf. FN.: Xactoscan Xactoprint Repro u. Andruck Elektron. Druckformherstellung GmbH. DA.: 5201 Seekirchen, Bahnhofstr. 66. PA.: 5020 Salzburg, Johannes-Filzer-Str. 20. G.: Bromley/Kent, 1. Nov. 1948. V.: Brigitte. Ki.: Bianca (1974), Simone (1978), Adam (1980). El.: Skeeter Henry u. Joyce. S.: 1967 Schulabschluß Kapstadt, 1967-71 Litographlehre b. Schweizer Fachgr. Kapstadt, 1971 u. 1972 Kurs im Goethe-Inst. Schwäbisch Hall. K.: Reprofotograf f. Elbemühl Wien, Ende 1972 zurück nach Kapstadt, b. 1979 Tätigkeit in Kapstadt u. Eastlondon, anschl. nach Österr., seit 1986 Österr. Staatsbürger, seit 1982 selbst. tätig, Grdg. d. Firma Xactoscan. M.: Segelclub, Golfclub, Verb. d. Druckformenhersteller, Royal Photografic Society. H.: Golf, Fischen, Radfahren, Fotografieren. (E.Hö.)

Moorefield-Mach Olive

B.: Sängerin. PA.: 1040 Wien, Brucknerstr. 4. V.: Univ.-Prof. Dr. Kurt Mach. Ki.: Oliver Kurt (1970). El.: Joseph u. Roseanne. S.: 1952 Highschool, Carnegie Inst. of Fine Arts, Pennsylv. College for Women, Private Studies and Scholarship. K.: Chor d. Pittsburgh Civic Light Opera, Television u. Radio in Pittsburgh, New York City Broadway, Wintergarden Theatre, ab 1953 2-jährige Tournee in Österr. f. d. United State Department (USIS) m. Prof. Marcel Prawy, 1956 "Kiss me Kate" Volksoper Wien, 1956-60 zahlr. Tourneen in Deutschland, Schweiz, Italien, zahlr. Filme: "Monpti", "Requiem f. eine Nonne", Dt. TV- u. Radioanst.: Musicals u. Fernsehfilme, zahlr. Operetten an d. Wr. Volksoper, 1965 "Porgy and Bess" Wr. Volksoper, Engagements an Dt. Bühnen hauptsächl. m. Stücken v. B. Brecht, Frankfurter Oper: Aufstieg u. Fall d. Stadt Mahagoni, Orangerie Darmstadt: Die 7 Todsünden, Schauspielhaus Zürich: Die Dreigroschenoper, 1970 Ende d. Berufslaufbahn. (M.M.)

Moosbrugger Eva

B.: Gschf. FN.: Der Markt Die Mode GmbH Moosbrugger. DA.: 5730 Mittersill, Lebzelterg. 2. PA.: 5730 Mittersill, Sportweg 17. G.: Salzburg, 19. Juli 1952. V.: Franz Moosbrugger. Ki.: Markus (1978), Christine (1980). S.: VS, HS, 3 J. Kfm. Schule m. Lehrzeit, seit 1978 selbst. Lebensmittelmarkt m. Textilien Bruck, 1980 selbst. Lebensmittelmarkt Kaprun, 1985 Textilgeschäft Bruck, 1988 Jeansladen Mittersill, 1991 Moosbrugger Mittersill. H.: Chorsingen, Skifahren, Mode, Golf.

Moosbrugger Helfried L. Dr. phil. Prof.

B.: Univ.-Prof., Johann Wolfgang Goethe-Univ. Frankfurt, Karl Franzens-Univ. Graz. DA.: 60054 Frankfurt, Mertonstr. 17, 8010 Graz, Universitätsstr. 27. G.: Graz, 3. Jan. 1944. V.: Dr. Gislinde, geb. Knizek. Ki.: Brigitte, cand. arch., Barbara, cand. med., Robert. El.: Dr. Herbert u. Dr.Hedwig. S.: Akad. Gymn. Graz, 1962-69 Stud. Psych., Biol., Phil., Math. an d. Univ. Graz, Marburg/a.d. Lahn u. Innsbruck, 1969 Prom. Innsbruck, 1977 Lehrbefugnis Frankfurt. K.: 1969-71 Univ.Ass. Innsbruck, 1971-77 ltd. Tätigkeit Dt. Inst. f. Intern. Päd. Forsch. Frankfurt, seit 1977 Prof. Inst. f. Psych. Univ. Frankfurt, 1978-79, 1987-88 u. 1991-92 Inst.-Dir., 1980-83 sowie 1993-96 Dekan u. Senator, seit 1985 Gastprof. Univ. Graz, Prüfungskmsr. Rechtswiss. Fak. P.: Multivariate Statist. Analyseverfahren (1978, 2. Aufl. 1993) Psych. Statistik (1981, 2. Aufl. 1990), Regressions- u. Varianzanalysen (1987), Statistik-Arbeitsbuch (1989), Clusteranalytische Methoden in d. Persönlichkeitsforschung (1992), Frankfurter Adaptiver Konzentrationsleistungs-Test FAKT (1993), Lineare Modelle (1994) Frankfurter AufmerksamkeitsL., Inventar FAIR (1995),zahlr. Buch-, Zeitschriften- u. Kongreßbeiträge. E.: Fachgutachter Dt. Forsch.Gemeinschaft. M.: Dt. Ges. f. Psych. H.: klass. Musik, Berge, Geschichte, Reisen.

Moosbrugger Josef Prof. Msgr.

B.: Pfarrer. GT.: Prof. f. Med. Päd. PA.: 6114 Weer. G.: Dornbirn, 9. Okt. 1922. S.: Absolv. Theol. K.: seit 1950 im kirchl. Dienst d. Diözese Innsbruck, seit 1962 Pfarrer in Weer. E.: VK d. Landes Tir.

Moosbrugger Norbert Dr. Dkfm.

B.: Gschf. Ges. FN.: WACO. DA.: 1170 Wien, Carl Reichert-G. 25. G.: Bludenz, 21. Jan. 1926. V.: Edith, geb. Warchalowski. Ki.: Alexandra, Markus. El.: Anton u. Clelia. S.: HAK, HS f. Welthdl. in Wien, Dkfm., Stud. an d. jur. Fak. d. Univ. Innsbruck, Vw., Dr. rer. oec., Stud. an amerikan. Univ.: Post graduate Studies. K.: Tätigkeit in Mailand, seit 1957 Fa. Warchalowski.

Moosburner Rudolf Dr. Dkfm.

B.: beeid. Wirtschaftsprüfer u. Steuerberater. DA.: 6020 Innsbruck, Bozner Pl. 4. G.: Innsbruck, 24. Okt. 1942. V.: Isabel, geb. Robledo-Gonzalez. S.: HAK Innsbruck, Matura 1962, HS f. Welthdl. Wien, 1966 Dkfm., 1970 Prom. Dr. rer. comm., 1968 Wirtschaftsprüf.Kzl. Prof. Dr. Bouffier Wien, 1970 Wirtschaftsprüfer in Wien, 1972 Steuerberatungskzl. in Kitzbühel, 1974 Steuerberaterprüf., b. 1977 Zweigstellenltr., 1977 selbst. in Kitzbühel, seit 1978 selbst. in Innsbruck, 1978 beeid. Buchprüfer, 1981 beeid. Wirtschaftsprüfer, 1974-1982 Vortragender WIFI - Bilanzbuchhalterkurse. Seit 1976 Mtgl. d. Prüf.Kmsn. f. Steuerberater. M.: ITV, Österr. Lateinamerikainst., ehrenamt. Kassier u. Rechnungsprüfer div. Ver. H.: Span. u. lateinamerikan. Folklore, Gitarre, Freizeitsport. (Schm.)

Moosleitner Hugo

B.: Geschäftsstellenltr. d. Filiale Saalbach u. Hinterglemm d. Sbg. Sparkasse. DA.: 5753 Saalbach 560, 5754 Hinterglemm 204. PA.: 5640 Bad Gastein, Hauptschulstr. 12. G.: Bad Gastein, 28. Okt. 1943. Ki.: Marc (1970), Jürgen (1973). El.: Hugo u. Hermine. S.: VS, HS, Gymn., Hotelfachschule in Hofgastein. K.: 3 J. Steward am Schiff, 2 J. Marokko, eigenes Restaurant, Chefportier Hotel Klosterbräu Seefeld, Chefportier Hotel Germany Bad Gastein, Wechsel z. Sbg. Sparkasse, interne Bankprüf. b. M3, 5 J. Böckstein, Springer in ca. 30 versch. Filialen, seit 1986 Filialltr. in Saalbach, seit 1991 zusätzl. Filiale Hinterglemm. BL.: m. 28 J. Kandidatur f. d. NationalR. E.: m. 16 J. Landesmstr. Tennis 3., Landesmstr. Skifahren 3., Schachmstr. in versch. Clubs, versch. Ausz. in Leichtathletik. H.: Schach. (M.T.)

Morak Julius

B.: selbst. Steuerberater. DA.: 2345 Brunn/Gebirge, Bahnstr. 7. PA.: 2345 Brunn/Gebirge, Raabstr. 11. G.: Brunn/Geb., 20. Dez. 1919. V.: Hildegard, geb. Stecker. El.: Julius u. Theresia. S.: RG Mödling, Matura 1937, Stud. Germanistik in Wien, Militär 1938-45, 1947-49 Stud. Staatswiss. K.: Buchhalterprüf., 1949-50 als Buchhalter b. Fa. Narowetz-Autorep., 1951-

59 Steuerberater b. Fa. Flieder, 1957 selbst. E.: 1983 Wappenring d. Gem. Brunn/Gebirge, Bronzemed. der NÖ LRg. f. 25 J. Tätigk. im Rettungswesen. H.: Lesen, Fußball, Tennis, Wandern, Reisen. (M.G.)

Morandell Peter

B.: Kfm., Gschf. Ges. FN.: Alois Morandell & Sohn Weingroßkellerei Im- u. Export GmbH. DA.: 6300 Wörgl, Wörgler Boden 13-15. G.: Innsbruck, 10. Mai 1939. V.: Maria, geb. Riedhart. Ki.: Carina u. Christoph. El.: Rudolf u. Käthe. S.: Unterstufengymn., HASCH in d. Franz. Schweiz, Stud. als Weintechniker in Geißenheim BRD. K.: Gschf. d. Fa. Alois Morandell & Sohn Im- u. Export GmbH. M.: Gremialvorst.Vors. d. Sekt. Hdl. f. Wein- u. Spirituosengewerbe. H.: Jagd, Skifahren. (Schm.)

Morandell Rudolf Mag.

B.: Gschf. Ges. FN.: Alois Morandell & Sohn, Weingroßkellereien, Im- u. Export GmbH. DA.: 6300 Wörgl, Wörgler Boden 13. G.: Wörgl, 15. Okt. 1947. El.: Rudolf u. Käthe. S.: VS Stella-Matutina-Feldkirch, Univ.Stud. Betriebswirtschaft, Weinbauschule Wädenswil. K.: seit 1980 Gschf. Ges. Fa. Alois Morandell & Sohn GmbH. M.: Aussch.Mtgl. d. Außenhdls. d. HK Innsbruck, Tennis- u. Skiclub Wörgl, Rotary Club Kufstein. H.: Familie, Skifahren, Tennis. (Schm.)

Moravec Fritz Ing. Prof.

B.: Gründer u. Ltr. (1962-91) d. Hochgebirgsschule Glockner-Kaprun. A.: 1130 Wien, Küniglbergg. 23. G.: Wien, 27. Apr. 1922. V.: Eva, geb. Parkoz. El.: Friedrich u. Stefanie. S.: Grundschule, Berufs- u. Ing.Schule. K.: Erstbesteigung d. Achttausenders Gasherbrum II (8035 m im Karakorum-Himalaya) geführt. P.: Bücher "Weiße Berge - Schwarze Menschen", "Dhaulagiri - Berg ohne Gnade", "Gefahren u. Gefährten - Abenteuer auf Spitzbergen", zahlr. alpine Fachart. in Büchern, Zeitschriften u. Tageszeitungen. E.: Prof.-Titel eh, Gold. EZ f. d. Verd. um d. Rep. Österr., Sport-EZ d. Stadt Wien. M.: Ehrenmtgl. d. Mountain-Club of Kenya u. d. Dt. Himalaya-Klubs, Österr. Alpenklub, Naturfreunde Österr., Österr. Kuratorium f. alpine Sicherheit. H.: Musik, Literatur, Schach, Tibetologie.

Moravec Josef

B.: Inh. FN.: Druckereibedarf Josef Moravec. DA.: 1120 Wien, Grieshofg. 5. PA.: 2651 Edlach 20. G.: Wien, 26. Apr. 1938. V.: Susanne, geb. Gelany. Ki.: Josef (1961). El.: Josef u. Anna. S.: Waagenmacherlehre. K.: Expedient in Filmverleihfa., 1963 Ang. in Fa. Senefelder, 6 J. b. Fa. Bauer, seit 1972 selbst. H.: klass. Musik, Jazz. (M.M.)

Morawetz Johann Dipl.-Ing.

B.: selbst. Arch. DA.: 8330 Feldbach, Ringstr. 18. PA.: 8330 Feldbach, Grazer Str. 24. G.: Leoben, 28. Sept. 1938. V.: Gertraud, geb. Kern. Ki.: Elke Bettina (1967). El.: Heinrich u. Angela. S.: 1957 Matura, Arch.-Stud. TU Graz, 1963 Grad., BH. K.: b. Ende 1970 Mitarb. Arch.-Büro Donau, 1971 Eröff. d. eigenen Büros, Leistungen: LKH Feldbach, Wohnanlagen Gartenstadt Feldbach, Sozialvers. d. Bauern Bad Gleichenberg, seit 1975 Prof. HTL Graz. P.: 1. Preis Wohnanlage Laßnitzhöhe, 1. Preis Wohnanlage Bad Gleichenberg, Teilnahme am Wettbewerb: Neues Kulturinst. New York. M.: Ing. u. Arch.-Ver., Prüf.-Aussch. d. allg. gerichtl. beeid. Sachv., Lions Club. H.: Beruf. (F.K.)

Morawetz Peter Mag.

B.: Gschf. Ges. FN.: Vision GmbH. DA.: 1080 Wien, Piaristeng. 16. PA.: 3001 Mauerbach, Allhangstr. 15. G.: Wien, 10. Aug. 1952. V.: Dr. Karin. Ki.: Barbara (1978), Bernhard (1983), Victoria (1986). El.: Walter u. Maria. S.: 1970 Matura, 1970-71 Präsenzdienst, 1971-77 Stud. Vw. WU Wien, 1977 Spons. Mag. rer. soc. oec. K.: 1972-73 Sperry Univac Wien Expedit, 1973-74 Softwareverw. IBM Roece Wien, 1975-77 Rechnungswesen Macrobau Südstadt, 1977-80 Ass. d. Verkaufsltr. Brauerei Schwechat AG/Brau AG, 1980-86 Mitarb. Marketing Kurier AG Wien, ab 1981 Product Manager Wochenpresse, stellv. Marketingltr. Kurier AG, 1986-89 Österr. Lotto Toto Wien: Marketingltr., Vertriebsltr., ab 1987 Prok., 1989-93 Kurier AG Wien: Gschf. Magazin Holding GmbH, Gschf. Wochenpresse, Gschf. Rennbahn Express Verlag, ab 1991 Gschf. Kurier Redaktions GmbH, seit 1993 Gschf. Ges. Vision GmbH Wien. E.: EFFIE Preis in Gold f. Wochenpresse, 2. Pl. Österr. Marketingpreis. M.: 1991-93 Vorst.-Mtgl. Öst. Zeitungsherausgeberverb., s. 1992 Vorst.-Mtgl. IAA-International Advertising Association. H.: Musik. (J.M.)

Morawetz Reinhard Dipl.-Ing.

B.: selbst. Arch. DA.: 4020 Linz, Schultestr. 26. S.: Arch.-Stud. TU Wien b. Prof. Schwanzer u. Hiesmayr. K.: Projektgruppe Favoriten, seit 1979 eigenes Arch.-Büro in Linz, Schwerpunkt: priv. u. öff. Bauten, städtebaul. Arb. (P.H.)

Morawetz Rüdiger Gustav

B.: Gschf. Ges. FN.: Telemotion Werbe GmbH & Co KG Filmproduktion. DA.: 1040 Wien, Mayerhofg. 7. PA.: 2640 Gloggnitz, Weißenbach 15. G.: Wien, 20. Aug. 1940. V.: Ricki, geb. Ruzicka. Ki.: Nina u. Verena (1978). El.: RA Dr. Rüdiger u. Eleonore, geb. Böck. S.: Mittelschule. K.: Vertretertätigkeit b. Papier-Großhandlung Wien, Verkäufer b. Autofirma Schrack & Tarbuk, tätig b. Agentur IWG Sascha UFA Werbefirma, 1972 selbst. Filmproduktion, 1983 Grdg. Telemotion. E.: versch. staatl. u. intern. Ausz. im Filmbusiness. M.: WAC, TC Gloggnitz. H.: Familie, Natur, Heimwerker, Politik, Skifahren, Sammeln v. Antiquitäten, alte Gläser u. Pokale, Musik. (J.S.)

Morel Julius Dr. Univ.-Prof.

B.: Univ.-Prof. A.: 6020 Innsbruck, Sillg. 6. G.: Budapest, 17. Dez. 1927. El.: Kreszteny Bela u. Schweiger Emma. S.: Linzentiat in Phil. (1952 Louvain, Belgien), Theol. (1958 Chantilly, Frankr.), Doktorat d. Phil. (Soz.) 1962 in Wien. K.: Dir d. "Ungarischen Kirchensoziologischen Inst", Dekan d. Sozial- u. Wirtschaftswiss. Fak. d. Univ. Innsbruck (1977-79). P.: "Das Gesicht d. Gemeinde. Gemeinderhebungen z. örtl. Bildungsplanung", "Religion in d. kommunistischen Presse. Eine Inhaltsanalyse", "Wandel im Wertsystem", "Enthüllung d. Ordung", "Ordnung u. Freiheit", "Soziolog. Theorie" u.v.a. M.: Österr. Ges. f. Soz., Dt. Ges. f. Soz., CISR, FERES.

Morent Edwin Dr.

B.: RA. DA.: Spiegelg. 19, 1010 Wien. PA.: Walfischg. 15, 1010 Wien. G.: Korneuburg, 6. Aug. 1933. V.: Dr. Liselotte. Ki.: Mag. Irene, Georg. El.: Dr. Erwin u. Josefine. S.: Stiftsgymn. Melk, Matura 1951, Stud. Jus Univ. Wien, Prom. 1955. K.: Richteramtsprüf., Anwaltsprüf., seitdem selbst. RA, später Kanzleigemeinsch. m. Ehefrau (Wirtschangelegenh. u. -strafsachen). M.: CV. H.: Kunst, Reisen. (J.S.)

Mori Michael
B.: Geschäftsführer, Baumeister. FN.: Baumeister Michael Mori. DA:: 2042 Guntersdorf 296. G.: Groß Eidau, Rumänien, 10.11.1942. V.: Waltraud geb. Steffan. Ki.: Harald (1969), Christian (1972). El.: Katharina. S.: VS, HS, Werkmeister u. Polierschule, 1967 Baumeister mit 23 Jahren, damals jüngster Baumeister Österreichs. . K.: Bei Fa. Menzel Technikerlehre, Abschluß, Bauleiter, seit 1968 selbstst. - Baufirma. Planung - Hoch - u. Tiefbauarbeiten, Fassadengestaltungen, Verkauf v. Baumaterialien. Ausführungen: Kloster Marienfeld Co Arbeit, Bad Haugsdorf. M.: Obm. Dorferneuerungsverein Guntersdorf. H.: Schach, Wandern, Tierliebhaber. (W.M.)

Morianz Erich Dkfm. Dir.
B.: Gschf. d. Spar Österr. Warenhdls. AG. DA.: 5020 Salzburg, Europastr. 150. PA.: 8010 Graz, Am Blumenhang 11. G.: St. Peter/Freienstein, 24. Apr. 1942. V.: Erika, geb. Pickl. Ki.: Petra u. Robert. El.: Josef u. Rosa. S.: HS d. christl. Schulbrüder, HAK Graz, WU Wien, Dkfm. 1964. K.: Während d. Stud. Volontär b. obersteir. Firmen, anschl. 8 J. Fa. Hornig (Prok.), 1974 zu Spar Sbg. (Hauptabt.Ltr. f. Fil. u. Rest.), 1974-86 Gschf. v. Spar Zwg.Ndlg. Graz (Stmk. u. südl. Bgld.), seit 1987 Vorst.Mtgl. d. Hauptzentrale d. Spar AG. BL.: Ref. b. ÖAF. P.: div. Art. in Fachpubl. M.: Präs. Mtgl. d. WdF Österr., Co-Vors. d. Stmk., Präs.Mtgl. d. Marketing Clubs Graz, Mtgl. d. Kontrollaussch. d. BWK. H.: Tennis, Skifahren, Schwimmen, Lesen, Musik. (M.Br.)

Moritsch Ernst Emil Dr. Univ.-Prof.
B.: ehem. Vorst. d. HNO-Abt. d. Allg. Poliklinik, ndlg. PA.: 1190 Wien, Döblinger Hauptstr. 77a. G.: Wien, 21. Sept. 1926. V.: Dr. Jula, geb. Stimpfl. Ki.: Michaela (1963), Gottfried (1965). El.: Prof. Dr. Paul u. Ragenhild. BV.: Urgroßvater Anton Moritsch: Großkfm. u. Reichstagsabg. in Villach. S.: Matura 1944, Stud. d. Med. in Wien, Prom. 1950. K.: 1950 Path. Abt. KH Lainz, dann HNO-Abt. AKH, 1969 Habil., 1980 a.o.Prof., 1986 ärztl. Dir., 1991 Pension. P.: 70 wiss. Veröff. vorw. über plast. Chir. M.: Ges. d. HNO-Ärzte Öst. u. Deutschland, Ges. d. Ärzte Wien, Ges. f. Geriatrie, koresp. Mtgl. d. HNO-Ges. DDR, Mtgl. d. Med. Akad., Polizeimotorsportverb. H.: Klass. Musik, Gärntnerei. (M.G.)

Moritz Anton Dr. med. Univ.-Doz.

B.: FA f. Chir. u. Gefäßchir. an d. Univ.-Klinik f. Chir. d. AKH. DA.: 1090 Wien, Währinger Gürtel 18-20; 1090 Wien, Marianneng. 24. PA.: 1180 Wien, Pötzleinsdorfer Str. 67. G.: Linz, 16. Mai 1955. V.: Dr. Annemarie, geb. Siegl. Ki.: Maria (1982), Katharina (1984), Johanna (1988). El.: Dr. Rudolf u. Ingeborg, geb. Leitner. S.: Werkschulheim Felbertal, 1974 Matura, Med.-Stud. Univ. Wien, 1982 Prom. K.: FA-Ausbild. f. Chir. u. Gefäßchir. im AKH Wien, als Student Ferialpraktikant d. Geigenbauerwerkstätte in Sbg., 1981-82 AKH Linz, 1982 Eintritt in d. Univ.-Klinik f. Chir. d. AKH Wien, 1986 Aufenthalt in Cleveland Clinic. P.: zahlr. wiss. Publ. im In- u. Ausland. E.: 1993 Österr. Preis d. Gefäßchir. M.: Österr. Ges. f. Chir., Österr. Ges. f. Gefäßchir., Österr. Ges. f. Thoraxchir., Europ. Ass. f. Tissue Banking. H.: Bienen züchten, Bergsteigen, Alpinskifahren, Langlaufen, Handwerkl. Tätigkeit. (N.A.)

Moritz Eduard Franz
B.: Alleininh. FN.: E. Moritz Elektron. Geräte. GT.: Ges. Firma Immocommerce Bau u. Verwertung v. Betriebsobjekten. DA. u. PA.: 2500 Baden, Vöslauer Str. 103a. G.: Bad Vöslau, 24. Okt. 1958. V.: Jutta, geb. Kummer. Ki.: Thomas (1975). El.: Eduard u. Edith. S.: VS, HS, HTL Mödling, Jus-, Informatik- u. Elektronikstud., kfm. HK-Prüf., Kfz-Mechanikerlehre. K.: Außendienst im Vers. u. Vermögensberatungsbereich auf selbst. Basis, 2 J. Verkaufsltr. d. Immo-Treuhand, anschl. Umstieg in d. Elektronikbereich, Auslandsaufenthalte, 3 J. trouble shooter f. d. Ungar. Reg., Grdg. eines eigenen Elektronik Spezialunternehmens in Baden. BL.: Entwicklung u. Erz. d. intelligentesten Alarmanlage Österr. f. Banken. M.: Österr. Alpenver, Tempelritter v. Hl. Grab. H.: Bergsteigen, Skifahren, Tourengehen. (F.S.)

Moritz Herbert Dr.
B.: Pensionist. PA.: 5020 Salzburg, Zillertalstr. 36. G.: Salzburg, 30. März 1927. S.: VS, RG, 1944 Kriegsdienst, 1946-50 Stud. d. Zeitungswiss., Geschichte, Germanistik, Phil. u. Psych., 1950 Prom. m. Ausz. K.: 1945 Red. d. SPÖ Organs "Demokrat. Volksblatt", Landtagsberichterstatter, 1950 zurück als polit. Red. "Demokrat. Volksblatt", 1969 v. Sbg. Landtag z. LandesR. gewählt, 1976 LHptm.Stellv., 1978-84 LParteiobm. d. SPÖ Sbg., bis 20. Jan. 1987 Bundesminister f. Unterricht.

Moritz Michaela Dr. phil.
B.: Gschf. d. Österr. Bundesinst. f. Gesundheitswesen. GT.: Lehraufträge f. Technik u. Ges. 1980-89 Univ. Linz, TU Wien, Univ. Sbg., seit 1980 WU Wien. DA.: 1010 Wien, Stubenring 6. G.: Mondsee, 26. Jan. 1947. Ki.: Hemma (1966). El.: Oskar u. Gertrud Haake. S.: BG Wien, 1965 Matura, Stud. Psych. u. Soz. Univ. Wien u. Sbg., 1978 Prom. z. Dr. phil. K.: 1973-79 wiss. Sachbearb. am Österr. Bundesinst. f. Gesundheitswesen Wien, 1979-85 Ltr. d. Aussch. f. Automation u. Arbeitsgestaltung d. Gewerkschaft d. Privatang., 1985-89 im Österr. Gewerkschaftsbund, Ltr. d. Referates f. Humanisierung, Technologie u. Umwelt, seit 1989 Gschf. d. Österr. Bundesinst. f. Gesundheitswesen Wien. P.: zahlr. Publ. (J.S.)

Moritz Vinzenz Dr. HofR.

B.: Dir. FN.: BRG + BG. DA.: 8010 Graz, Kircheng. 1. PA.: 8113 Stiwoll 127. G.: Graz, 4. Dez. 1933. V.: Helga, geb. Baumann. Ki.: Sylvia (1964). El.: Johann u. Maria. S.: VS, Gymn. Leoben, 1953 Matura, Stud. Math. u. Leibesübungen HS Graz, 1959 Lehramtsprüfung, 1962 Doktorat. K.: a. 1959 Schulunterricht a. BRG + BG Graz, ab 1963 Lehrbeauftragter a. d. Univ. u. TH Graz, s. 1979 Lehrer u. Administrator a. d. päd. Akad. d. Diözese Graz-Seckau, 1983 Dir. d. BRG + BG Graz, 1992 Hofrat.BL.: Durchsetzung d. Neubaus d. BG u. BRG Graz, Kircheng. 1. E.: 2 Promerito Med. M.: Stud.-Verbindung Katv Norica, Henry-Dunant-Gedenkmünze in Gold, Großes Ehrenzeichen d. Landes Steiermark. H.: Musik (Wagner), Kunst 19.-20. Jh., Sport. (I.G.)

Mörkelsberger Wilfried Dr. iur. Mag. rer. soc. oec.
B.: Dir., Prok. FN.: ELEKTRO-BAU AG. GT.: Gschf. EBG Elektroanlagen-Bau GmbH Burghausen/BRD. DA.: 4020 Linz, Kraußstr. 1-7. PA.: 4040 Puchenau, Eibischweg 10. G.: Linz, 20. März 1948. V.: Dr. Brigitte, geb. Kubin. Ki.: Chris-

tian (1973), Elisabeth (1979), Paul (1982), Maria (1988). El.: Wilhelm u. Edith. BV.: Mundartdichter Franz Stelzhammer. S.: 1966 Matura, Stud. d. Rechtswiss. in Linz, 1971 Prom. K.: 1969-71 wiss. Hilfskraft, 1971-73 Univ.Ass. Univ. Linz, 1971-74 Lehrbeauftragter f. Bürgerl. Recht, 1972-73 Gerichtsjahr in Linz, 1973-79 Arbeiterkam. Linz, 1975-85 Mitarb. d. OÖ Tagblatt im Sozialservice, Stud. d. Betriebswirtschaft, 1978 Spons., 1979 Eintritt in d. EBG als Personalltr., 1981 Prokura, 1986 Ltr. d. Geschäftsbereiches Elektroanlagenbau. 1989-93 zusätzl. Alleingeschäftsf. d. EBG-Elekroanlagenbau Bau GmbH Burghausen/BRD, s. 1990 Lektor a. d. Joh. Kepler Univ. Linz f. allg. Betr.wirtschaftslehre, 1.3.1993 Wechsel z. VOEST-ALPINE Machinery, Construction GmbH als Bereichsleiter (Dir., Prkurist)s. 1993 Div. leitende Pos. bei VOEST-ALPINE Tochterfirmen P.: mehrere wiss. Publ. im Arbeitsrecht. E.: Teodor Körner-Preis f. Wiss. u. Kunst. M.: Obm. d. EBG-Werksmusik, Mtgl. d. Innungsaussch. d. Elektro-, Radio- u. Videoelektroniker d. HK OÖ, Ersatzmtgl. d. GemR. Puchenau. s. 1985 Gew. Ers.mitgl. d. Fachverb. d. Elektro- u. Elektronikind b. d. Bu.wirtschaftskammer W. H.: Musik. (P.R.)

Moroder Albin Prof.

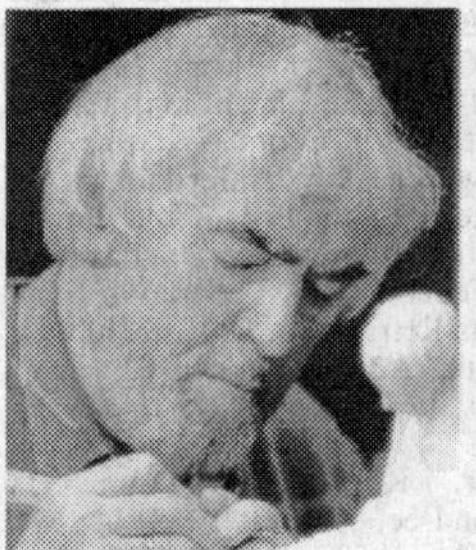

B.: Inh., Bildhauer, Maler. FN.: Atelier Moroder. DA.: 6290 Mayrhofen, Brandbergweg 354. PA.: 6290 Mayrhofen, Brandbergweg 357. G.: Schlitters/Zillertal, 6. Dez. 1922. V.: Christina, geb. Wimmer. Ki.: Gisela (1946), Beate (1947), Rainer (1949), Patrick (1955), Catrin (1967). El.: Otto u. Anna. S.: 1928-36 Grundschule, 1936-37 Gewerbeschule Mayrhofen, 1937 Kunstgewerbeschule Innsbruck, ab 1938 Lehre als Holzbildhauer i. elterl. Betrieb. K.: s. 1948 freisch. Künstler, Mstr.-Prfgs.-Komm. f. Bildhauer Tirol; Ausstellungen Paris, Tiroler Kunstpavillon. P.: Vielzahl ernster volkstümlicher u. Volksmusikstücke (Text u. Musik). M.: Schlaraffia im Zillertal. H.: Musik, Familie, Kinder u. Enkelkinder. (C.D.)

Moroder Claus

B.: Bildhauer. DA.: 5020 Sbg., Gärtnerstr. 18a u. 5020 Sbg. Getreideg. 24. G.: St. Ulrich/Südtirol, 20. Mai 1941. V. Ulrike, geb. Noppinger. El.: Richard u. Stefania. BV.: Fam. geht zurück bis ins 14 Jh., Künstlerfam. aus Malern u. Bildhauerm, Urgroßvater war e. d. berühmtesten Maler u. Bildhauer in Tirol. S.: VS, Kunstschule in St. Ulrich, als Stud. auf d. Kunsthochschule in d. Reion Bozen, Trient u. Venedig, div. Auszeichnungen u. Dipl. erhalten.K.: Lehre bei e. Bildhauer, Abschl. 1961, Gesellenzeit b. versch. Bildhauern, 1962 in forte d. Marmi, in Stein- u. Holzarbeiten tätig, 1966 nach Sbg. gekommen, als Bildhauer. P.: Ausstellungen im Grödnertal, Ausstellungen auch in Sbg., in Banken u. im Ausstellungsraum in d. Getreideg., Werke in Sbg. Kirchen u. Klöstern vertreten, macht traditionelle Arb. in Holz u. Bronze, Verkauft Werke in Europa u. Übersee. E.: 2 mal Gold., 1 mal Silb. Med. in d. Bildhauerei während d. Studienzeit. H.: Bildhauerei, Zeichnen, Malen, Tennis. (J.L.)

Morscher Richard

B.: Inh., Kfm. FN.: Montfort Werbung. DA.: 6833 Klaus, Freiwiesstr. 10. PA.: 6833 Klaus, Freiwiesstr. 10a. G.: Bregenz, 4. Jän. 1962. V.: Ingrid, geb. Bucher. El.: Richard u. Margit. S.: Gymn., HAK, Weiterbild. Kommunikation, Werbung u. Marketing. K.: 1982 Grdg. Montfort Ind.-Werbung. M.: Schweizer Marketingclub, Chaine des Rotisseurs, Golf Club. H.: Golf, Skifahren, Reisen. (I.D.)

Morscher Siegbert Dr.

B.: o.Prof. f. öff. Recht an d. rechtswiss. Fak. DA.: 6020 Innsbruck, Innrain 80. PA.: 6020 Innsbruck, Tschiggfreystr. 11a. G.: Bludenz, 29. Apr. 1939. S.: BRG Bludenz, 1958 Matura, Stud. d. Rechtswiss. an d. Rechts- u. staatswiss. Fak. d. Univ. Innsbruck, 1963 Prom. K.: Gerichtspraxis in Wien, Tätigkeit b. Verw.Gerichtshof in Wien, Univ.Ass. am Inst. f. Politik u. Öff. Recht d. Univ. Innsbruck, 1966-70 Dienstzuteilung z. BMJ, ab 1970 Lehraufträge an d. Rechts- u. staatswiss. Fak., sowie an d. Fak. f. Bauing.Wesen u. Arch. d. Univ. Innsbruck, 1973 a.o.Prof. f. Staatsrecht, Verw.Recht u. Regierungslehre, 1982 o.Univ.-Prof. f. Öff. Recht am Inst. f. Öff. Recht u. Politikwiss. d. Rechtswiss. Fak. d. Univ. Innsbruck, 1988 Mtgl. d. Verfassungsgerichtshofes. P.: über 100 Publ. z.B.: "Die parlamentarische Interpellation. Schriften z. öff. Recht" (1973), "Das Österr. Bundesverfassungsrecht" (3. Auflage 1982), "Die Gewerbekompetenz d. Bundes. Schriftenreihe d. Inst. f. Föderalismusforsch." (1987), "Der Schutz d. persönl. Freiheit in Österr." (1990), "Das Tiroler Landesverfassungsrecht" (1990). M.: Mtgl. v. zahlr. in- u. ausländ. wiss. Ges. H.: Literatur, Bergsteigen, Tennis, Interesse f. bild. Kunst. (H.T.)

Mörtendorfer Hermann Dir.

B.: Managing Dir. FN.: Transaco Handels GmbH. DA.: 1040 Wien, Fleischmanng. 9. PA.: 1030 Wien, Jaurèsg. 1. G.: Nußbach, 1. Febr. 1929. V.: Margarete, geb. Kabelka. Ki.: Ellen (1957), Ronald (1959). El.: Johann u. Maria, geb. Egelseer. S.: Matura, Stud. Management Univ. Lausanne. K.: 1951-52 CA-BV, 1952-72 Dir. d. Wilfried Heinzel AG, 1972-87 Managing Dir. Price & Price Austria, Wien, s. 1987 Managing Dir. Transaco. E.: Hon.-Gen.-Konsul d. Rep. Niger f. Österr. s. 1983. H.: Musik, Geschichte, Bergsteigen. (N.A.)

Mörtendorfer Ronald

B.: gschf. Ges. FN.: Transaco Hdls. GmbH. DA.: 1040 Wien, Fleischmanng. 9/6. G.: Wien, 30. Jan. 1959. El.: Hermann u. Margaretha. S.: VS, RG, HAK. K.: Speditionsang., anschl. als Volontär b. Papierverarbeitungwerken tätig, danach in USA (Georgia) ebenfalls b. einer Papierfabrik beschäftigt, weiters 2 J. in Düsseldorf b. Papierhandelsfa. ang., seit 1979 selbst. E.: Junioren Liga Europameisterschaften f. Springreiten, zahlr. Preise. H.: Tennis, Reiten. (R.A.)

Morth Herbert F. Ing.

B.: Industriekonsulent. FN.: Vino Veritas & Partners. GT.: Gschf. u. Ges. mehr. Firmen. DA.: 1051 Wien, POB 230. G.: Wr. Neustadt, 1954. El.: Herbert u. Margarethe. S.: Gymn., Ausb. z. Chemie-Ing. K.: s. 1979 selbständig, s. 1983 ENBE-Entsorgungsbetr., Wels, s. 1982 Herbert F. Morth Unternehmensmakler (Ausland), s. 1991 Gschf. Fa. Arcolor, s. 1991 Gschf. Vino Veritas & Partners. Bl.: tätig b. Roten Kreuz als Lehrbeauftragter f. Sanitätshilfe, Strahlenschutz u. Katastrophendienst, (zahlr. Großeinsätze), Ausb. z. Sprengmstr., Brennmstr. P.: zahlr. Art. i. "Umweltschutz", "Zivilschutz", "Wehrtechnik" u.v.m. E.: Verdienstmed. SILBER d. Roten Kreuzes. M.: Rotes Kreuz, Österr. Verb. f. Strahlenschutz, Österr. Sprengbefugtenverb., Österr. Versuchssenderverb. H.: Rotes Kreuz, Waffen- u. Sprengstoff-Technik, Brennereitechnologie. (E.J.)

Mörth Johann

B.: Kfm. FN.: Johann Mörth GmbH Flüssiggas-Großvertrieb. DA.: 8010 Graz, Schönaug. 117. PA.: 8010 Graz, Plüddemanng. 83c. G.: 25. Juni 1946. V.: Ingrid, geb. Jost. Ki.: Markus (1973), Nadine (1978). El.: Josef u. Hildegard. S.: VS, Gymn., BLA f. Maschinenbau u. Elektrotechnik, 4 J. Lehre als Gas-, Wasser- u. Heizungsinstallateur, Gesellenprüf., 4 J. Praxis Österr. u. Deutschland, 1974 Konzessionsprüf. f. d. Gas-Wasser-Installationsgewerbe. K.: 1971 Eintritt in d. elterl. Betrieb, 1977 Kompl. d. Josef Mörth KG, 1981 Umwandlung in OHG, 1990 Grdg. einer GmbH. M.: HK-Mtgl. d. Steir. Mineralölgremiums, Grazer Golfclub. H.: Golf. (M.Gr.)

Mörth Marlies

B.: freisch. Künstlerin, Schmuckdesignerin. DA.: 1030 Wien, Neulingg. 19/7 u. Beatrixg. 6/11. G.: Wien, 26.Feb. 1965. El.: Arch. Siegfried u. Susan Jayne (Mörth). S.:Akad. Gymn., 1983 Matura, 1984 Stud. Lit. an Univ. of Washington, 1985 Stud. Anglistik u. Päd. an d. Univ. Wien; glztg. Goldschmiedelehre in versch. Ateliers, 1989 Gesellenprüf. K.:1991 Abschl. d. "jewelry design" programs am fashion institute of technology, New York; Ausstellungen: 1988 Galerie Kalabasch, Wien, Stadtmuseum Mödling, 1989 CA-BV, Nordstrom Seattle/Washington, 1990 Wr. Antiquitätenmesse, Hofburg Wien; E.: 1987 Pierre Lang Schmuckdesign-Wettbewerb, 1990 "Staatspreis f. gestaltendes Handwerk", 1991 "3. Staatspreis f. gestaltendes Handwerk", 1992 "American Vision Award", "Womens jewelry association scholarship, New York; M.: Art Austria. (J.S.)

Mörth Otto Mag. OStudR. Prof.

B.: BLehrer im HS-Dienst, Lektor i.R. PA.: 1100 Wien, Brantingg. 59. G.: Wien, 7. Jan. 1924. V.: Rosa, geb. Pühringer. Ki.: Renate, Roswitha. El.: Josef u. Theresia. S.: Ak. Gymn., Matura, 3 J. Kriegsdienst, HS m. Abschluß Mag. phil. K.: Mittelschulprof. RG 16 u. RG 1, 1970-71 an d. HS Leibesübungen u. Englisch, oftmaliger Wr. 10-Kampfmstr. in Leichtathletik, aktiver Hand- u. Fußballer, oftmals Lehrgangsltr., Organ. v. versch. Kursen u. Meisterschaften eines Sportverb., sowie Trainer u. Ausbildner an Jugend- u. Schiedsrichterkursen d. ÖFB, 1971 Lektor am Inst. f. Sportwiss. d. Univ. Wien, 1979 OStudR., seit 1984 i.R. P.: 1979 "Fußball". E.: viele Ausz. in sportl. Hinsicht. H.: Skifahren, Eislaufen, Radfahren, Schwimmen, Tennis.(E.L.)

Mörth Werner

B.: Gschf. FN.: Mörth Werbeagentur GmbH. DA. u. PA.: 8041 Graz, Raiffeisenstr. 118-120. G.: Kapfenberg, 7. Febr. 1943. V.: Christine, geb. Almer. Ki.: Gerlinde, Rainer. S.: Kunstgewerbeschule Graz, Ak. d. Bild. Künste Wien. K.: Lehr- u. Wanderj. in Europa, 1968 Werbeass. b. d. Schoeller-Bleckmann Werken Wien, Designer b. Stölzle-Glas, Artdir. b. Gazelle, Werbeltr. b. AVL, seit 1974 selbst. Werbeagentur, seit 1992 LVors. d. FDP - Die Liberalen in d. Stmk. E.: Europ. Jugendkunstpreisträger (Maler). H.: Skifahren, Fischen, Fußball.

Mortier Gerard A. Dr. iur.

B.: Künstlerischer Ltr. (Intendant) d. Salzburger Festspiele. G.: Gent/Belgien, 1943. S.: Griech.-Lat. Humaniora in Gent, 1961 Jura-Stud. Univ. Gent, 1967 Dr. iur., anschl. Presse- u. Kommunikationswiss. Univ. Gent. K.: 1968-72 Pers. Referent d. Dir. d. Flandern-Festivals, 1972-73 Ltr. d. Künstler. Betriebsbüros d. Deutschen Oper am Rhein, 1973-77 Stellv. Operndir. d. Städt. Bühnen Frankfurt/Main, 1977-79 Künstler. Betriebsdir. d. Hamburg. Staatsoper, 1979-81 Künstler. Betriebsdir. d. Théatre national de l'Opéra Paris, 1981 Dir. d. Brüsseler Oper Théatre royal de la Monnaie, 1985-86 v. Jacques Lang als Dir. d. Projektes d. Bastille-Oper berufen, 1988-89 Beauftragter d. Fläm. Reg. als Kommissär f. d. Neugründ. d. Fläm. Oper, Aufbau d. Chores u. Orchesters, Renovierung d. Opernhäuser in Gent u. Antwerpen, künstler. Ltg. d. beiden ersten Spielzeiten, 1989 Mtgl. d. Direktoriums d. Sbg. Festspiele, ab Sept. 1991 Künstler. Ltr. d. Sbg. Festspiele. E.: Gr. VK d. VO d. BRD, 1991 Commandeur in de Kroonorde, Belgien.

Mörtl Günther Dr. Dipl.-Ing. Dir.

B.: Vorst.Dir. d. Radex Austria AG u. d. Radex Deutschland AG f. feuerfeste Erzeugnisse. DA.: 9545 Radenthein, Millstätter Straße. PA.: 9500 Villach, Hammerg. 20. G.: Schattwald/Tirol, 2. Okt. 1937. V.: Ursula, geb. Skalka. Ki.: Sabine (1963), Susanne (1966). S.: RG, TU Wien, Prom. 1963. K.: HS-Ass. an d. Univ. Wien 1961-63, dann Eintritt in d. Fa. Radex Austria AG (Forschungsabt., s. 1987 Vorst. f. d. Ressort: Forschung, Entwickl., Patentwesen). M.: Amerikan. u. Dt. Keram. Ges., Österr. Chemikerver., im Prüf.Kollegium d. Montanuniv. Leoben f. Gesteinshüttenwesen, Dt. Fachnormenaussch., Fachverb. d. dt. Feuerfestind., Federation Europeene des Fabricants de Produits Refractaire, Rotary Club. H.: Skifahren, Schwimmen, E-Musik. (A.L.)

Mörtl Josef

B.: Tapezierer u. Sattlermstr. i.R., KommR. DA.: 5310 Mondsee, Kircheng. 8. G.: Mondsee, 19. Mai 1928. V.: Melitta, geb. Aigner. Ki.: Michaela (1953), Josef (1956), Karl (1959). K.: 1961-73 u. 1985-91 Bgm. v. Mondsee. BL.: Sammlung aller Pressemeldungen seit 1961 d. Mondsee u. Umgebung befassen, 45 J. ausübender Musiker b. d. Bürgermusikkapelle Mondsee, 50 J. Mtgl. d. Freiw. Feuerwehr Mondsee. E.: 1990 Julius Raab-Ehrenmed. H.: fahrbare Oldtimer - Motorräder u. Autos. (M.T.)

Mörwald Toni

B.: Koch, Unternehmer. FN.: Mörwald GmbH "Gasthaus z. Traube" u. Gourmet Service-Catering "Toni M." DA.: 3483 Feuersbrunn, Kleine Zeile 13-17. G.: Krems, 13. März 1967. El.: Anton u. Erika, geb. Riedl. S.: VS, HS, 2 J. Fachschule f. Fremdenverkehr St. Pölten, HLF Krems, 1987 Matura. K.: Einstieg in d. Kochbranche, 1987-90 Imperial Hotel Wien: Restaurant Korso, 1990 Übernahme d. elterl. Gastwirtschaftsbetriebes "Gasthaus z. Traube" in Feuersbrunn, Erweiterung m. Gourmet-Stüberl "Toni M.", 1990 1 Haube v. Gault Millau, 1991 3 Kronen v. "A la Carte", 3 Flaschen v. "Falstaff", im Rahmen d. Firma Mörwald GmbH kulinar. Versorgung d. Weinkolleg Kloster Und, Schloß Grafenegg, Party Service, Gourmet Service-Catering Toni M. sowie im Rahmen d. eigenen Weinbaubetriebes Erzeugung eines eigenen Riesling-Sektes u. feiner Edelbrände. (M.M.)

Mory Viktor

B.: selbst. Theaterfotograf. DA.: 1010 Wien, Börsepl. 6/1/6. G.: Neusohl, 30. Apr. 1918. El.: Johann u. Lucia-Anna, geb. Redding. S.: 1936 Matura, b. 1939 Med.-Stud. Karl-Univ. Prag, b. 1939 Med.-Stud. Budapest, b. 1940 Univ. Preßburg, b. 1940 Med.-Stud. Leipzig, b. 1943 Med.-Stud. Wien. K.: Praxis Böhler-KH, Spitalsarzt, 1945 nach Wien, danach Innsbruck u. Rom, Privatang., 1949 Tätigkeiten in Ziegelfbk. in Australien, KH-Ang. Melburn, danach Sidney, 1951-53 Ltg. Panica, b. 1955 Arzt u. Pflegetätigkeiten, 1954-63 Fotograf, 1963 freiberufl. Fotograf in Österr., danach München, Fotograf in Saalbach Hinterglemm, Inh. u. Gschf. einer Pension, 1973 Auflösung d. Pension, Atelier in Wien, b. heute Fototätigkeiten in d. Theaterwelt, Skilehrer in Australien. (J.E.)

Mörz de Paula Kurt Dr. techn. Dipl.-Ing.

B.: Divisionär. FN.: Heeresbau- u. Vermessungsamt. DA.: 1092 Wien, Roßauer Lände 1/4. PA.: 1210 Wien, Danningerweg 7. G.: Wien, 6. Aug. 1945. V.: Rosita, geb. Matala. Ki.: Christoph, Sophie, Stephanie, Christian. El.: Dipl.-Ing. Rudolf u. Margarete. S.: HTL Fachricht. Hochbau, Stud. TU Wien, Arch. u. Raumplanung, 1980 Prom. auf d. Gebiet d. Österr. Festungsbaues, während d. Stud. laufend Waffenübungen beim Militär (Rang d. Obl. d. Res. Panzerjäger). K.: kurzfristig in Arch.-Büro tätig, Eintr. in Amt d. Bgl. Landesregierung (Regional u. Kommunalplan.), 1975 BMLV Raum- u. Infrastrukturplan. im Planungsstab d. Generaltruppeninspektorates, 1981 Betrauung m. d. Ltg. d. selbst. Referates Bauinfrastruktur d. Abtl. Grundsatzplan., 1983 Stellv. Ltr. d. Büros d. Bundesmin., Budget-, Rüstungs-, Beschaffungs- u. Bauinfrastrukturangelegenh., s. 1986 Ltr. d. Heeresbau- u. Vermessungsamtes; s. Stud. in d. FPÖ tätig, b. 1983 stellv. Ltr. d. AFH bzw. Mtgl. d. AFH Bundesltg., s. 1992 Bez.-Parteiobm. v. Wien-Floridsdorf. M.: Sudetia, freiheitl. Akademikerverband, Teutonia,, Tafelrunde Wiking. H.: Kunstgeschichte, Baukunstgeschichte, Geschichte, Wandern, Bergsteigen, Fernreisen. (U.Z.)

Möse Josef Richard Dr. med. o.Univ.-Prof.

B.: em. Vorst. d. Hygieneinst. d. Univ. Graz. DA.: 8010 Graz, Universitätspl. 4. PA.: 8043 Graz, Kaltenbrunng. 6. G.: Wien, 26. Okt. 1920. V.: Dr. med. Gisela. Ki.: Dr. med. Angelika Vander. S.: 1938 Matura in Wien, Stud. an d. Univ. in Göttingen u. Berlin, 1945 Prom. K.: Seit 1945 am Hygieneinst. d. Univ. Graz, habil. f. Hygiene 1951, tit.a.o.Prof. 1959, o.Univ.-Prof. u. Vorst. d. Hygieneinst. d. Univ. Graz 1961, 1965-66 Dekan d. u. 1966-67 Rektor d. Univ. Graz, 3 Berufungen an andere Univ. (dar. 2x Wien, 1961 u. 1966). P.: ca. 350 wiss. Publ., 2 Bücher. E.: mehrere in- u. ausländ. Ausz. M.: Wiss. BeiR. f. Umweltschutz, Österr. Ges. f. Hygiene, Mikrobiol. u. Präventivmed., Dt. Ges. f. Hygiene u. Mikrobiol. H.: Lesen, Wandern. (P.R.)

Mösenbacher Arno Dr. med.

B.: FA f. Lungenkrankheiten. DA.: 4910 Ried/Innkr., Leharstr. 2. PA.: 4910 Ried/Innkr., Kellerg. 14. G.: Wr. Neustadt, 6. März 1959. V.: Dr. med Victoria, geb. Haidegger. Ki.: Christoph (1984), Stefan (1989), Clemens (1992). El.: Med. Rat Dr. Heimo u. Leopoldine. BV.: Hagenauer, Inh. d. Mozart Geburtshauses i. Sbg., Scharnberger, Großgrundbesitzer. S.: Gymn. Ried, 1977 Matura, Stud. d. Med. Innsbruck, 1983 Prom., Bundesheer, Turnusausb. Gmundnerberg u. Schärding, bis 1990 FA-Ausb. i. Krkh. Wels. K.: 1991 FA-Ass., Sep. 1991 Übern. d. väterl. Praxis, Beratungsarzt TBC-Fürsorge Ried u. Schärding, s. 1991 Konsiliar-FA Krkh. Schärding, s. 1993 auch Krkh. Ried. P.: div. Fachpubl. H.: Reisen, Oldtimer, Schwimmen, Ski. (P.H.)

Mösenbacher Victoria Dr. med.

B.: Prakt. Ärztin, Allergologin. DA.: 4910 Ried/Innkr., Leharstr. 2. PA.: 4910 Ried/Innkr. Kellerg. 14. G.: Zams/Tirol, 20.- Aug. 1959. V.: Dr. med. Arno. Ki.: Christoph (1984), Stefan (1989), Clemens (1992). El. Dr. med. Victor u. Gertrud. BV.: Väterl.-Seits altes Nürnberger Handelsgeschl. a. d. 16. Jhrhdt. S.: Gymn., 1977 Matura, Stud. d. Med. Innsbruck, 1983 Prom., Turnusausb. Innsbruck u. Ried. K.: Sekundarärztin Int.-Abt. Krkh. Ried, s. 1989 prakt. Ärztin, s. 1991 Zusammenarb. m. Gatten (Lungen-FA). H.: Reisen, Lesen, Ski, Schwimmen. (P.H.)

Moser Albert Prof.

B.: VPräs. d. Ges. d. Musikfreunde in Wien. DA.: 1010 Wien, Bösendorferstr. 12. PA.: 1180 Wien, Buchleiteng. 75. G.: Graz, 16. Juli 1920. V.: Hanny, geb. Steffek. El.: Dr. Albert u. Valerie. S.: Pflichtschule, RG Graz, Stud. d. Geschichte u. Germanistik an d. Univ. in Graz u. Wien. K.: 1945-46 b. Radio Graz bzw. Sender Alpenland tätig, 1947-63 Gen.Sekr. f. d. Musikver. f. Stmk., 1958-61 Ltr. d. adm. Büro d. Staatsoper, 1961-63 Gen.Sekr. d. Wr. Staatsoper, 1963-73 Dir. d. Wr. Volksoper, 1972 Gen.Sekr. d. Ges. d. Musikfreunde, 1983 Präs. d. Sbg Festspiele, 1989 VPräs. d. Ges. d. Musikfreunde. E.: 1970 Prof. u. Ehrenmtgl. d. Musikver. f. Stmk., 1974 Ehrenmtgl. d. Volksoper Wien, 1976 Gr. Silb. EZ f. Verd. um d. Land Wien, 1980 Gr. EZ f. Verd. um d. Rep. Österr., 1981 Gr. Gold. EZ d. Landes Stmk., 1984 Silb. Komturkreuz-EZ f. Verd. um d. Land NÖ, 1986 Orden d. kais. jap. Reg. Hl. Schatz am Halsband Gold. Strahlen, 1990 Kommandeurskreuz d. Ordens "Pro merito Melitensi" d. Malteser Ritterordens, Bes. d. Brahms-Med. d. Singver. d. Ges. d. Musikfreunde d. Volksopernringes, d. Ehrenringes d. Wr. Philharm., d. Clemens Krauss-Med. in Silber d. Wr. Staatsopernchores, 1991 Franz-Schalk-Med. d. Wiener Philharmoniker. M.: A.-Wildgans-Ges., Österr.-Poln. Ges., Intern. Chopin-Ges., AICE. H.: Geschichte, Musik, Theater, Literatur. (A.W.)

Moser Alexander Dipl.-Ing.

B.: Inh. d. Fa. Rosa Moser. A.: 1124 Wien, Edelsinnstr. 5A. G.: Wien, 5. Okt. 1930. V.: Judith. El.: Alexander u. Rosa. S.: VS, RG, TU (TH) Wien, Studienrichtung Arch., abgeschl. 1960. K.: b. 1970 Mitarb. im großväterl. Baubetrieb (Takacs & Co.), 1953 Mitarb. im mütterl. Baugerätegroßhdl., ab 1970 zur Hälfte Miteigentümer, ab 1981 Alleininh. F.: b. 1970 Hälfte d. Bauunternehmung Takacs & Co, Wien u. d. Fa. Rosa Moser. ab 1981 Alleinh. d. Fa. Rosa Moser. H.: Fliegen, Jagd, Skifahren, Reisen.

Moser Alfred Albert Ing.

B.: Brunnenmeister, Vermessungstechniker. FN.: Techn. Büro f. Kulturtechnik u. Vermessungswesen. GT.: Allgem. beeid. gerichtl. Sachv. u. ökolog. Betriebsberater b. d. HK Sbg. DA.: 5600 St. Johann/Pg., Ing.-Ludwig-Pech-Str. 14. PA.: 5600 St. Johann/Pg., Stöcklhubsiedlung 11. G.: Goldegg, 16. Sep. 1952. V.: Gabriela, geb. Eibl. Ki.: Andrea (1981), Harald (1985). El.: Alfred u. Elisabeth. S. Ausbild. z. Vermessungstechniker, Abi-Lehrgang f. Vermessungstechnik an d. HTL in Wien, Brunnenmeisterprüf. K.: Selbst. s. 1985, Grundstücks, Seilbahn- u. Autobahnvermessungen, Erschließung v. Wasservorkommen, Planung v. Trink- u. Abwasseranlagen. P.: Artikel u. Vorträge z. Thema "Trinkwasserversorgung u. Abwasserbeseitigung". M.: Obm. d. Bürgermusik u. Mtgl. d. Gemeindevertretung, H.: Musizieren (Klarinette u. Saxophon), Bergwandern u. Radfahren. (G.P.)

Moser Alfred
B.: Gschf. Ges. FN.: INTA. DA.: 1160 Wien, Thaliastr. 68. PA.: 3380 Pöchlarn, Wiener Str. 31/2/2. G.: Salzburg, 14. Sept. 1963. V.: Petra, geb. Eckenfellner. Ki.: Maximilian (1990). El.: Paul u. Rosemarie, geb. Pfeiffer. S.: HBLVA f. Textilind. K.: Modedesigner b. d. Firma Zorn (Seidenweberei) Traiskirchen, Ass. d. Gschf., techn. Ltr. b. d. Firma Neudagarn, Produktmanager u. Ass. d. Verkaufsltr. b. d. Firma Böhm, seit 1991 selbst., Grdg. einer Handelsagentur f. hochwertige amerikan. Waren. M.: American Chamber of Commerce in Austria. H.: Fußball, Zeichnen. (N.A.)

Moser Alfred Dr. Dkfm.
B.: Gen.-Dir. FN.: Nixdorf Computer. DA.: 1020 Wien, Untere Donaustr. 11. PA.: 1130 Wien, Einsiedeleig. 25. G.: Wien, 24. Mai 1938. V.: Dkfm. Pia. Ki.: Mag. Natalia, Mag. Alexandra. S.: VS, Gymn., Wirtschaftswiss., Dkfm., Dr. K.: seit ca. 15 J. Gen.-Dir. b. Nixdorf. M.: Rotary Club, Tech. Cercle, Cartellverb. H.: Lesen, Gartenarb., Theater.

Moser Alfred Dr. med. MedR.
B.: Prakt. Arzt. DA.: 6250 Breitenbach 170. G.: Landeck, 18. Juli 1924. V.: Anna, geb. Sappl. Ki.: Manfred, Waltraud, Margit. S.: 1942 Matura in Hall in Tir., Med.Stud. an d. Univ. Innsbruck, 1950 Prom. K.: Seit 1954 in Breitenbach eigene Ordination, 1983 MedR. E.: Verd.Kreuz d. Landes Tir., Ehrenring d. Gem. Breitenbach, Ehrenobm. d. Sportver. Breitenbach. M.: AufsR.Vors. d. Raika Breitenbach, Feuerwehrarzt u. versch. kommunale Ver. H.: Jagd. (Schm.)

Moser Annemarie

B.: Geschäftsltr. FN.: Gelautz Kaffeerösterei u. -vertriebs GmbH; Vinothek Scaria. DA.: 9020 Klagenfurt, Karfreitstr. 22. PA.: 9020 Klagenfurt, Sonneng. 12. G.: St. Veit/Glan, 18. Dez. 1947. V.: Rupert Moser. Ki.: Helmut (1967). El.: Jakob u. Maria Robinig. S.: VS, HS, 1963-66 Drogistenlehre Drogerie Leist Klagenfurt u. Berufsschule, zahlr. Kurse u. Seminare. K.: 1967-84 Drogistin Drogerie Schubernig St. Veit/Glan, 1985-86 Drogistin Lindwurm-Drogerie Wernitznig Klagenfurt, seit 1986 Geschäftsltr. b. Gelautz, 1990 Ausbild. z. Somelier u. Aufbau einer Vinothek in d. Firma Gelautz. BL.: als 1. Frau im Einzelhdl. Österr. d. Somelierausbild. absolviert. M.: Somelier-Ver., City-Gemeinschaft Klagenfurt. H.: Weinkultur, Schwimmen, Wandern, Familie. (F.S.)

Moser Annemarie Euphrosine
B.: Schrifstellerin. DA. u. PA.: 2700 Wr. Neustadt, Babenbergerring 9A/II/21. G.: Wr. Neustadt, 17. Aug. 1941. El.: Moser Leopold u. Maria. S.: VS, HS, HAK, Maturaschule Roland. K.: div. Buchhaltungskurse, mehrere J. Praxis als Bilanzbuchhalter b. Steuerberatern, m. 12 J. begonnen m. schriftstell. Tätigkeit, 1. Veröff. 1977. P.: 1980 "Anreden", 1981 "Türme", 1982 "Vergitterte Zuflucht", 1984 "Umbruch d. Herzens", 1991 "Andeutungen eines lebendigen Menschen" (Roman), versch. Anthologien, Thematik: Auseinandersetzung m. Lebenskrisen, Problemen psychisch Kranker, auf d. Bewältigung bzw. positive Annahme d. Schicksals gerichtete Intentionen. E.: Förderungspreis d. Landes NÖ, 1. Preis. im "Profil" Autorenwettbewerb, Otto Stoessl-Preis, Förderungspreis d. Theodor Körner-Stiftung, Förderungspreis f. BMU f. d. Sparte Lyrik, 1991 Kulturpreis d. Stadt Wr. Neustadt. M.: Wr. Neustädter Literaturkreis, Podium Neulengbach. H.: Haustiere, Wohnen, Zuhören, Gespräche. (G.E.)

Moser Anton Johann
B.: Gastronom d. Restaurant Schwarzer Adler. DA.: 6060 Hall in Tir., Erzherzog-Eugen-Str. 3. G.: Hall in Tir., 5. Febr. 1948. V.: Renate, geb. Grill. Ki.: Manuela, Anita. S.: Pflichtschule, Hotel- u. Gastgewerbeschule. K.: Seit 1967 Bes. d. Gasthof Schwarzer Adler, 1975 Umbau u. Neueröff. M.: BÖG (Bund österr. Gastlichkeit). H.: Kreatives Kochen. (Schm.)

Moser Bruno
B.: Fotografenmtr. (selbst.). FN.: Computer-Graphik-Studio. DA.: 6850 Dornbirn, Schlachthausstr. 15/I. PA.: 6850 Dornbirn, Bahnhofstr. 15B. G.: Nenzing, 14. Febr. 1954. El.: Heinrich u. Gemma. S.: Allg. Schulbild., Lehrausbild. b. Foto Winsauer i. Dornbirn, Meisterprüf. K.: selbst. m. Computer-Graphik-Studio Moser-Kalb O.E.G. H.: Sport allg. (W.R.)

Moser Erich
B.: Mtgl. d. Bundesrates, Hauptschullehrer. DA.: 1017 Wien, Dr.-Karl-Renner-Ring 3. G.: Stadl/Mur, 23. Dez. 1948. S.: BRG, 1968 Matura, PädAk. K.: s. 1970 Hauptschullehrer, s. 1975 Mtgl. d. GemR. in Stadl/Mur, 1980-89 Vizebgm. u. s. 1989 Bgm. v. Stadl/Mur, s. 10/1991 Mtgl. d. Bundesrates.

Moser Ernst KommR.
B.: Inh. u. Gschf. Hotel-Restaurant "Höldrichsmühle", gerichtl. beeid. Sachv. DA. u. PA.: 2371 Hinterbrühl, Gaadener Str. 34. G.: Wien, 3. Juli 1926. V.: Eva, geb. Fürst. Ki.: Mag. Erich (1965), Ulli (1971). El.: Johann u. Karoline. S.: HS, gelernter Koch, Kellner, Konditor, versch. Praktiken in Schweiz u. Österr. K.: 1958 Übernahme d. Betriebes. BL.: Aufbau zu einem d. bekanntesten Hotelrestaurant in Österr. E.: 1986 Gold. Ehrennadel d. Fachgruppe d. Hotel- u. Beherbergungsbetriebe, Silb. Ehrennadel d. Verb. d. Köche Österr., Silb. Ehrenmed. d. HK NÖ, 1991 Gold. EZ d. Rep. Österr. M.: GemR., Vors. d. Kochprüf.-Kmsn., Beisitzer b. Konzessionsprüf., Obm. d. WK Bez.-Stelle Mödling. H.: Reiten, Tennis, Wandern, Theater, Kochen, Reisen, Tiere. (M.M.)

Moser Franz Dr.
B.: Beauftragter d. Klin. Forsch. A.: 8010 Graz, Hans-Brandstetterg. 33/3. G.: 25. Febr. 1922. V.: Dr. Nanny, geb. Behles. El.: Franz u. Magdalena. S.: VS, HS, Mittelschule, Matura, Univ., KH Praxis, Ind. K.: 25 J. Praxis, 1 J. USA Ind. MSD.

Moser Franz Dr. med. a.o.Univ.-Prof.
B.: Ltr. d. Dept. f. Prothetik u. Werkstoffkunde. DA.: 8036 Graz, Auenbruggerpl. 12. PA.: 8010 Graz, Schießstattg. 31. G.: Fohnsdorf, 30. Nov. 1927. V.: Gertrude, geb. Sket. El.: Franz u. Maria. S.: RG Knittelfeld, Matura 1946, Med.Stud. in Graz, Prom 1954. K.: FA-Ausb. an d. Univ.Klinik Graz b. 1956, anschl. Ass. d. Prothet. Abt. u. Eröff. einer eigenen Praxis in Kindberg, ab 1965 Lehrbeauftragter an d. Univ. Klinik f. Prothet. Zahnheilkunde, 1971 Auflösung d. Praxis, div. Studienaufenthalte in USA, Schweiz u. BRD, 1971 Neueröff. einer Praxis in Graz u. Ltr. d. Dept. f. Restaur. Zahnheilkunde u. Parodontologie, ltd. OA d. Klinik, 1977 Univ.Doz. f. ZMuK, 1982 a.o. Univ.-Prof. P.: Div. Publ. über Prothetik, Gnathologie u. Parodontologie, Beitr. zum Lehrbuch "Gnathologie -Einf. u. Praxis". M.: 1979-80 Präs. d. Europ. Academy of Gnathology, Mtgl. d. Österr. Ges. f. ZMuK, dzt. Präs. d. steir. Zweigver. H.: Musik, Skifahren. (War.)

Moser Friedel Dir.
B.: Vorst.Dir. FN.: Kneissl Tirol Sportartikel AG. DA.: 6330 Kufstein, Ladestr. 2-10. PA.: 6220 Jenbach, Auf der Huben 4. G.: Wien, 31. Juli 1942. V.: Ilse, geb. Hornsteiner. Ki.: Michael. El.: Dkfm. Hans u. Emma. S.: HAK, 1960 Matura.

K.: Verkaufsass. Jenbacher Werke AG, Dion.Ass. Skifbk. Franz Kneissl, 1982 Prok., 1987 Vorst.Dir. H.: allg. Sport, Fischen, Lesen. (W.G.)

Moser Friedrich

B.: Ltr. Bezirksst. Mödl./ Angest. FN.: Wirtschaftskammer NÖ. DA.: 2340 Mödling, Elisabethstr. 1. PA.: 2345 Brunn/Gebirge, Bahngasse 6/E/2/3. G.: Göpfritz a.d. Wild, 18. Okt. 1938. V.: Brigitte, geb. Meilinger. Ki.: Christian (1967), Martin (1969). El.: Friedrich u. Leopoldine. S.: 1956 Mat. Bundesrealgymn. Horn, 1956-60 Stud. Geodäsie TH Wien. K.: 1960-63 Geodät Vermess.-Büro Wien, 1963 BH, 1964-81 Zentr. d. HK a. Innungssek., 1982-92 Bez.-St.-Ref. d. HK NÖ, 1992 Bez.-St.-Ltr. WK NÖ Mödl. M.: Mittelschulen Kartel Verb. H.: Basteln, Modelleisenbahn, Fotografieren, Sammeln v. alten Radios. (I.K.)

Moser Friedrich Dr.

B.: Jurist. FN.: Notariat Moser. DA.: 6330 Kufstein, Georg Pirmoserstr. 5. G.: Kufstein, 22. Mai 1932. V.: Gertrud. Ki.: Doris, Daniela, Bettina, Priska. El.: Barbara u. Franz. S.: VS i. Alpbach, Boromäum in Salzburg 1948-53, 1953 Matura, 1959 Heirat, i. Innsbruck Juristik stud., 1959 Prom., 2 J. Gerichtspraxis i. Zell am Ziller. K.: i. Notariat i. St. Johann/Pongau tätig, 1975 i. Kufstein als Notar begonnen. H.: Segeln, Tennis, Skifahren. (A.W.)

Moser Gerd Dkfm. Mag. rer. soc. oec.

B.: Dir. d. BHAK u. BHASCH Liezen. A.: 8940 Liezen, Tausing 64. G.: Klagenfurt, 19. Juli 1943. S.: HAK, HS f. Welthdl., Dipl. 1964, Mag. 1967, seit 1968 päd. Ltr. d. Expositur Liezen d. BHAK u. BHASCH Graz, seit 1974 Dir. d. BHAK u. HASCH Liezen. P.: "Clerion" (Drama 1979), "Wieland" (Drama 1990), "Die Maske" (Roman 1981). M.: BSA, SPÖ.

Moser Gerhard

B.: alleiniger Ges u. Gschf. FN.: 91-0-91 Taxifunk GmbH. DA.: 1140 Wien, Hütteldorfer Str. 190. G.: Wien, 25. März 1961. Ki.: Eveline (1979). El.: Walter u. Brunhilde. S.: Berufsausbild. z. Fernsehmechaniker. K.: K.: Servicetechniker f. Bankalarmanlagen d. Österr. Notruf GmbH, Tätigkeit im Betriebs- u. Datenfunk d. Firma Center-Funk, 1992 Grdg. 91-0-91 Taxifunk GmbH, seither alleiniger Inh. u. allein verantwortl. Gschf. F.: Gerhard Moser Botendienst 1020 Wien, Harkortstr. 7, MDS Datensysteme GmbH. H.: Programmieren, Programmtechn. Verbesserungen v. bestehender Software. (J.S.)

Moser Gerhard Dr. KommR. Gen.-Dir.

B.: Obm. d. Sekt. Geld-, Kredit- u. Vers.Wesen d. HK f. Tir. Hon.Kons. d. Königreiches Norwegen. DA.: 6020 Innsbruck, Erlerstr. 9. PA.: 6020 Innsbruck, Framsweg 11. M.: Vorst.-Mtgl. Bank f. Tir. u. Vbg. AG Innsbruck u. d. Verb. österr. Banken u. Bankiers Wien, AufsR.Vors. d. Mayerhofner Bergbahnen AG Mayerhofen, Alpbacher Bergbahnen GmbH Alpbach, AufsR.Vors.Stellv. d. Arlberger Bergbahnen AG Innsbruck, CA-3 Banken Beteiligungsfonds AG Wien d. Zillertaler Verkehrsbetriebe AG Jenbach, AufsR. d. AVA Automobile- u. Warenkredit Bank GmbH Wien u. d Bank f. OÖ u. Sbg, Linz.

Moser Gernot Herbert

B.: Grafiker, Designer, Schaufensterdekorateur, Inh. FN.: City Grafik Design Moser. DA.: 9500 Villach, Freihauspl. 7. PA.: 9500 Villach, Richard-Wagner-Str. 18. G.: Villach, 20. Apr. 1956. V.: Bettina Sturma. El.: Josef u. Beatrix. S.: VS, HS, kfm. Lehre u. Schaufensterdekorateurausbild., Beruf d. Designers autodidaktisch erlernt, 1 J. Grafik-Intensivausbild. K.: freiberufl. Grafiker u. Designer, Karikaturen f. Zeitung "Pro Villach", anschl. Autodesigner f. eine Autofirma, Grafiker f. Werbeagentur, 1989 selbst., Eröff. d. 1. Grafikgeschäftes. P.: Karikaturen f. Zeitungen, Sponsoring einer Musikgruppe u. eines Autoralleyfahrers, Abhaltung v. Kursen u. Seminaren f. Werbetechnik am BFI. E.: Ausz. v. Bgm. Gratz f. aktive Bekämpfung d. Großbrandes d. Firma Bunzl & Biach. H.: Tiere, Fan amerikan. Autos. (F.S:)

Moser Gustav

B.: Holzkfm. FN.: Säge - Hobelwerk Gustav Moser. DA.: 5261 Uttendorf, Gewerbestr. 4. PA.: 5261 Uttendorf, Marktpl. 95. G.: Salzburg, 2. Mai 1959. V.: Ursula, geb. Falch. Ki.: Gustav (1986). El.: Gustav u. Elfriede. BV.: seit 1750 Sägewerk urkundl. erwähnt. S.: VS Uttendorf, HS Mattighofen, 4 J. Sägefachschule Kuchl, 1977 Abschluß. K.: Tätigkeit im Sägewerk St. Georgen/Attergau, BH,seit 1980 im elterl. Betrieb tätig, 1991 Betrieb übernommen. M.: Turnver., TurnR., Obm.-Stellv. d. Uttendorfer Geschäftsleute. H.: Reiten (eigene Pferde). (J.L.)

Moser Hans

B.: Önologe; Inh. FN.: Wein u.- Sektkellerei Hans Moser. DA.: 7000 Eisenstadt, St. Georgener Hauptstr. 13. G.: Eisenstadt, 23. Jan. 1962. V.: Sabine, geb. Müllner. Ki.: Susanne (1990), Johannes (1993). El.: Johann u. Maria. S.: 1982 HBLVA f. Wein u. Obstbau Klosterneuburg. K.: 1980 Verantw. f. Weinausbau im elterl. Betrieb, 1982 erstm. Fruchtausdünnung i. Weingarten, 1985 Beginn Barriqueausbau, 1986 Ende Tafelweinprod., 1989 Übern. Kellerwirtsch. u. Weinverkauf d. eigene Firma, 1989 erste Sektprod. nach Champagnermethode, erste Brändeprod., 1993 Optimierung d. Sortenpalette. BL.: 1982 Vizechampion Weinmesse Laibach, s. 1990 unter 100 besten Weingütern Österr. H.: Wein, Tennis. (M.G.)

Moser Hans Mag.

B.: Gschf. FN.: GBI Ges. d. Bundes f. Ind.-Polit. Maßnahmen GmbH. GT.: seit 1979 Lehrbeauftragter an d. Univ. Graz f. Wirtschaftspolitik, AufsR.-Mtgl. Austrian Industries Technologies. DA.: 1010 Wien, Seilerg. 16. PA.: 1220 Wien, Siebenbürgerstr. 16-26/24. G.: Weiz, 3. Febr. 1954. V.: Doris, geb. Ruschitzka. Ki.: Matthias (1980), Thomas (1983). El.: Hans u. Agnes. S.: 1972 Matura, Stud. Vw. Univ. Graz, 1979 Spons., gleichzeitig Stud. Sportwiss. K.: Univ.-Ass. am Inst. f. Vw. Graz, Wirtschaftspolit. Ref. d. AK Stmk., Ass. am Inst. f. Höhere Studien Wien, Sekr. v. Bundsmin. Dipl.-Ing.

Dr. Rudolf Streicher, seit 1992 Gschf. d. Ges. d. Bundes f. Ind.-Polit. Maßnahmen GmbH. P.: 2 Bücher u. zahlr. Publ. z. Thema Ind.-, Regional- u. Integrationspolitik. M.: wiss. Ver. H.: Intern. Politik, Tennis, Skifahren, Jazzmusik. (J.S.)

Moser Hans Ing.

B.: Vorst. d. Abt. f. Hoch- u. Wohnungsbau d. Stadtgem. Klagenfurt. DA.: 9020 Klagenfurt, Paulitschg. 13. PA.: 9020 Klagenfurt, Taubeng. 7. G.: Klagenfurt, 10. Aug. 1927. V.: Margarete, geb. Plankl. Ki.: Hans (1950), Margarete (1965). S.: Fachschule f. Maschinenbau u. Elektrotechnik Klagenfurt, Matura 1948. K.: Monteur f. Kälteanl., 1950-85 ÖDK Privatang., dann Abt.Ltr., 1980-85 stv. Betriebsdir., s. 1985 Vorst. d. Abt. f. Hoch- u. Wohnungsbau d. Stadtgem. Klagenfurt. E.: Silb. u. Gold. VZ d. Rep. Österr., Bronz. Med. d. ÖRK. M.: Obm. d. GPA in Ktn. s. 1973, Mtgl. in div. Gremien, Präs. d. Handballclubs P.S.K. Klagenfurt. H.: Lesen, Gartenarbeit. (A.L.)

Moser Hans A. o.Univ.-Prof.

B.: Vorst. d. Inst. f. Germanistik d. Univ. Innsbruck. DA.: 6020 Innsbruck, Innrain 52. PA.: 6020 Innsbruck, Freundsbergstr. 22. G.: Thiersee, 4. Jan. 1939. V.: Hedwig, geb. Dejaco, 3 Kinder. El.: Hans u. Anna. S.: Gymn., Stud. Univ. Innsbruck. K.: 1962 Prom., 1975 Habil., 1978 a.o.Prof., 1981 o.Prof. P.: Die Kanzlei Kaiser Maximilians I., Hrsg.: Oswald v. Wolkenstein, Zur Situation d. Deutschen in Südtirol., Studien zur deutschen Grammatik, Mithrsg. d. Reihen: Innsbrucker Beiträge z. Kulturwissenschaft, Schriften z. deutschen Sprache in Österr., zahlr. Aufsätze u. Art. in wiss. Zeitschriften u. Sammelwerken. E.: Theodor Körner-Preis. M.: Mtgl. d. wiss. Rates u. d. Kmsn. f. Rechtschreibfragen d. Inst. f. dt. Sprache Mannheim, Hrsg.BeiR. Dt. Sprache. H.: allg. Sport, Musik, Literatur. (W.G.)

Moser Hans Helmut Oberst dG

B.: Mtgl. d. NatR. seit 1989, Oberst dG. DA.: 1017 Wien, Dr.-Karl-Renner-Ring 3, 1010 Wien, Reichsratsstr. 2. PA.: 2514 Traiskirchen, Kapelleng. 7/1. G.: Bruck/Mur, 3. Sept. 1948. V.: Ruperta, geb. Schwab. Ki.: Dagmar (1972), Gerwin (1977). El.: Hans u. Gertrude. S.: 1966 Matura, Offz.Ausbild. an d. Theresian. Militärak. K.: 1970 Ausmusterung z. Lt., anschl. Verwendung b. d. 3. Panzergrenadierbrigade, LVerteidigungsak. (LVAK) u. Panzertruppenschule, 1974/75 UNO-Einsatz Zypern, 1975-78 Ausbild. z. Gen.Stabsoffz. an d. LVAK anschl. Verwendung im BLV, Armeekdo. u. LVerteidigungsak., 1981 Kdt. d. Panzergrenadierbataillons 35 u. seit 1985 Kdt. d. Panzergrenadierbrigade, 1978-84 Vors. d. Arge Freiheitl. Heeresangehöriger (AFH), seit 1989 Abg. z. NatR., seit 1993 Liberales Forum. H.: Tennis, Bergwandern.

Moser Helmut

B.: Dir. FN.: Restaurant Marché Mövenpick. DA.: 3373 Bergland, Autobahnstation Ybbs u. 1010 Wien, Ringstraßen-Galerien, Kärntnerring 5-7. G.: Ligist, 5. Okt. 1951. V.: Bettina. Ki.: Yasmin, Florian. El.: Peter u. Maria. S.: Berufsausbild. z. Koch u. Kellner i. Bad Gleichenberg. K.: s. 24 Jahren i. d. Hotel- u. Gastronomiebranche m. Auslandsaufenth. i. allen Abt. u. Ber. tätig; dazw. 3 Jahre b. Meissner Porzellan, BRD; s. 1990 f. Mövenpick Österr. tätig. (J.S.)

Moser Helmut

B.: Gschf. FN.: VSG Direktwerbung Versandservice GesmbH. DA.: 1232 Wien, Perfektastr. 86. PA.: 2345 Brunn am Gebirge, Am Platengrund 8C. G.: Hollabrunn, 20. Feb. 1954. V.: Margit, geb. Bauer. Ki.: Michael-Robert (1982). El.: Stefan u. Anna, geb. Fuchs. S.: 1968-71 kfm. Lehre. K.: 1972-77 Verkaufsltr. bei Gillette GesmbH, 1977-89 Versandltr. bei Fa. Adressen Suppan, ab 1989 selbst. H.: Skifahren, Tennis u. Wandern. (N.A.)

Moser Helmut

B.: Steinmetz. FN.: Helmut Moser OHG. DA. u. PA.: 5201 Seekirchen, Hauptstr. 48. G.: Seekirchen, 22. März 1942. V.: Edith, geb. Schmied. Ki.: Helmut (1964), Magdalena (1968). El.: Rupert u. Hedwig. S.: VS, HS, Berufsschule Hallein, Lehre Steinmetz Kunststein u. Terazzohersteller, Stukateur, 1960 Lehrabschlußprüf., 1961-64 Fachschule Hallein. K.: 1956 Einstieg in d. elterl. Betrieb, 1964 Mstr.-Prüf., 1970 Übernahme d. elterl. Betriebes, 1974 Innungsmstr. Land Sbg., 1990 Bundesinnungsmstr.-Stellv. M.: Gewerbever., Turnver. ÖTB-TV Seekirchen. H.: Jagd, Bergwandern. (S.P.)

Moser Helmut

B.: Gschf. Ges. FN.: Exclusiv Verlags GmbH & Co KG. DA.: 4623 Gunskirchen, Welserstr. 64. PA.: 4600 Wels, Stifterstr. 7. G.: Steyr, 28. Okt. 1948. V.: Margit, geb. Jankowitsch. Ki.: Marlene. El.: Franz u. Josefine. S.: Gymn. in Wels, Steyr u. Bad Aussee. K.: 1970-76 Tätigkeit als Werbe- u. Verkaufsmanager f. d. Firmen Persil, Blendax u. Pelikan, 1977/78 Ausstellungsltr. d. Fa. Contactfachmessen Sbg., 1979-82 Fremdenverkehrsmanager im Zillertal, 1982 gemeinsam m. Prof. A. Fritsche Grdg. d. VSI Verlags GmbH & Co KG, Hrsg. u. Chefred. d. Fachmagazine "Seilbahnen", "Interbus u. Reisen" u. seit 1986 "4 DW - Four Wheel Drive - Intern. Allradmagazin". M.: Gründer u. Obm. d. OÖ Allradclubs, Obm. Autofahrerpartei OÖ. H.: Sammlung v. alten Militärfahrzeugen u. Feuerwehrautos. (Foed.)

Moser Herbert Mag. rer. soc. oec.

B.: Vorst.-Mtgl. FN.: VOEST-ALPINE MCE Machinery, Construction & Engineering GmbH. DA.: 4031 Linz, Lunzer Str. 78. PA.: 2371 Hinterbrühl, Waldg. 20/19. G.: 1. Okt. 1948. V.: Dr. Katharina. Ki.: 2 Söhne. S.: VS, RG, 1967 Matura, 1969-71 Stud. Rechtswiss. Univ. Wien, 1973-78 Stud. Vw., 1978 Spons. z. Mag. rer. soc. oec. K.: 1978-84 Revisionsass., Revisor u. zuletzt Prüf.-Ltr. IPW Interaudit Prüf. u. Steuerberatungs GmbH (Price Waterhouse), 1984-88 Ref. Österr. Ind.-Holding AG, ab 1985 Ltr. d. Ref. Revision, seit 1987 Ltr. d. Zentralbereiches, 198 Dir. d. Bereiches Revision d. Maschinen- u. Anlagenbau-Holding AG, 1989 Prokura VOEST-ALPINE Maschinenbau GmbH, 1989 Vorst.-Mtgl. VOEST-ALPINE Machinery, Construction & Engineering GmbH (VOEST-ALPINE M.C.E.), BeiR.-Mtgl. VOEST-ALPINE INDIA PRIVATE LTD, 1990 Mtgl. d. Boards d. VA Nigeria Lagos, 1991 Sekr. d. VerwR. d. HYDRO VEVEY S.A. Vevey, 1992 AufsR.-Vors. VOEST-ALPINE CONSULTING ENGINEERING GmbH Linz, BeiR.-Vors. Dr. STERN GRUPPE BRD, BeiR.-Vors. INDUSTRIEHANSA Gruppe München, Mtgl. d. Board VA MCE Corp. USA, BeiR.-Vors.-Stellv. VOM HAGEN GmbH, Bochum, Mtgl. d. Vorst. d.

LENTJES Anlagen- u. Rohrleitungsbau GmbH i. Düsseldorf. H.: Interesse f. zeitgenöss. Kunst d. 20. Jhdt., Sammeln v. Asiatika. (U.A.)

Moser Herbert Paul Dr. med. o.Univ.-Prof.

B.: FA f. Chir., Orthopäd. u. Unfallchir., Univ.-Prof., Prim. i.R. DA. u. PA.: 8010 Graz, Grillparzerstr. 2. G.: Ybbs, 9. Sept. 1911. V.: Dr. Christa, geb. Wrba. El.: Dr. Paul u. Paula. BV.: Fam. Kaspar Moser aus Henndorf/Sbg. S.: VS, Gymn. Feldkirch, Matura 1929, Med.Stud. in Graz, Prom. 1936, FA-Ausbild. an d. I. Chir. Klinik Wien. K.: Kriegsdienst 1939-45, ab 1945 prov. Ltr. d. Unfallabt. Wels, weitere Fachausbild. in Graz, England, Schweiz u. BRD, 1951 Habil., 1956 Prof., 1957-77 Prim. d. III. Chir. Abt. d. LKH Graz. BL.: Kurare-Narkose n. Stud. u. Selbstversuch in England, versch. Neuentw. v. Instrumenten u. Operationsmeth. in d. Orthopädie u. d. Unfallchir. P.: 1. Dt.-spr. Buch über Mod. Narkose (Kurare), 2 Aufl., mehrere Buchbeiträge in Med.-Wiss. Büchern, über 170 wiss. Arb., Buch "Der Große Bogen", Styria-Verl. E.: Österr. Krebspreis 1949, Komturkreuz d. Souv. Malteser-RO, Gr. Gold. EZ d. Landes Stmk., Ehrensenator d. Univ. Graz, Magistral Großkreuz d. Souv. Malteser Ritter Ordens. M.: Intern. Paracelsu-Ges., VPräs. d. Österr. Krebsliga, seit 1961 Chefchir. d. Souv. Malteser-RO, seit 1962 Präs d. LSekt. d. Österr. Krebsges., Fellow Intern. College of Surgeons (Washington). Flying Doctor Services Ostafrika. H.: Archäologie, Hochgebirgsjagd, Kulturgeschichte. (War.)

Moser Ingrid Dr.

B.: Vors. d. Geschäftsführung. FN.: Stölzle Kristall GmbH. DA.: 1090 Wien, Liechtensteinstr. 22. PA.: 5020 Salzburg, Plainfeld 80. G.: Wien, 10. Juni 1944. El.: Moser Alexander u. Rosa. S.: Matura m. Ausz., 1964 Stud. d. Rechtswiss., Engl. u. Phil., Hauptfach Psych., 1969 Prom. K.: Mitarb. im elterl. Betrieb Fa. Rosa Moser techn. Baubedarf, 1970 Fessler Investitionsgüter Marktforsch., 1974-85 Gchf. b. Stinnes Österr. u. deren Tochterges., 1985-86 selbst. Hdls.Aktivitäten, 1986 Eintritt in d. Fa. Swarovski, 1987 Vors. d. Geschäftsführung Stölzle Kristall GmbH. M.: VPräs. d. Austria/Hok. Society, Mtgl. d. Dt. Baden/Baden Untern.Kreises, Öff.Aussch. d. Industriellenver. H.: alles was d. Welt bewegt. (M.B.)

Moser Johann Prof.

B.:Freier Journalist, Autor PA.: 2100 Korneuburg, Anton-Jordan-G. 14/5. G.: Tanzelsdorf, 16. Dez. 1925. V.: Helene, geb Eitermoser. Ki.: Franziska, Johann, Helene. El.: Johann u. Magdalena. S.: VS, HS Deutschlandsberg. K.: anschl. Ang. in einem Bauuntern., danach Militärdienst b. 1945, nach d. Kriege ÖVP Sekr. in Deutschlandsberg, freier Mitarb. v. "Steirerblatt" u. "Grenzbote", 1949 Übersiedlung nach NÖ, zuerst als selbst. Ldw. tätig, dann Bmtr., jetzt Chefred. d. Volkspresse, welche sich hauptsächl. m. Themen aus d. polit. Bereich aus christdemokrat. Sicht befaßt, 1965-70 d. BMLV Dr. Georg Prader direkt zugeteilt, seit 1970 Presseref. d. NÖ AAB u. d. NÖ FCG. P.: einige Kurzgeschichten, Text v. "Lied d. Christlichen Arbeitnehmer", Publ. zur christl. Sozialbewegung. E.: Leopold Kunschak Anerkennungspreis, Gold. EZ d. Gem. WW, Gold. EZ d. ÖAAB. M.: ÖVP, ÖAAB, NÖ Journalistenclub, Journalistengewerkschaft, Rotes Kreuz. H.: ernste Musik, Bergwandern, Schreiben. (G.E.)

Moser Josef Mag. arch.

B.: Arch., Gen.Konsul v. Paraguay in Österr. DA.: 1180 Wien, Gentzg. 129. PA.: 1180 Wien, Sternwartestr. 28a. G.: Steinach, 22. Juli 1939. V.: Mag. Gerda, geb. Pierker. Ki.: Marius (1969), Tina (1973). El.: Josef u. Aloisia. S.: 1953-58 Techn. Mittelschule in Innsbruck, 1958 Matura, 1958-62 Ak. f. Angew. Kunst in Wien, 1962 Dipl. K.: 1962-63 Mitarb. in versch. Arch.Büros, 1963-72 Planung AKH Wien als Mitarb., ab 1965 als Bürochef, Bild.Reisen nach Dänemark, Schweden u. GB z. Stud. d. letzten Entwicklungsstandes auf d. Sektor KH-Bau, seit 1972 Partner d. Arch.Gemeinschaft Prof. Alexander Marchart, Prof. Roland Moebius u. Mag. Helmut Benesch, 1975-79 erfolgreiche Akquisitionstätigkeit m. nachfolgender verantwortl. Abwicklung d. Islamic Univ. in Uganda, m. vielen Aufenthalten in Kenya, Ägypten, Äthiopien u. Uganda, 1977-80 Mtgl. aller Führungsgremien, sowohl d. Ing.Kam. f. Wien, NÖ u. Bgld. als auch d. BIng.Kam., sowohl als Mtgl. d. Vorst. als auch d. Präsidiums, Vors. d. Auslandaussch. d. BIng.Kam., 1982 Grdg.Mtgl. u. Ges. d. Austrian Building Consult, 1983 persönl. Akquisitionstätigkeit in Südamerika m. Schwerpunkt Paraguay, Argentinien u. Chile, ab 1985 Gen.Konsul v. Paraguay. P.: Verfassung v. Beiträgenf. Zeitungen u. Broschüren, Vorträge über Auslandstätigkeit. H.: klass. Musik, Skifahren, Segeln. (P.R.)

Moser Karl Mag.

B.: Gschf. Ges. FN.: Küchenmeister E.M. Reichel GmbH, Direkt Marketing Shop Mag. Moser & Co GmbH. DA.: 1030 Wien, Marokkanerg. 20. G.: Güssing, 24. Apr. 1955. V.: Irmengard, geb. Mercsanits. Ki.: Martin (1981), Maximilian (1986), Moritz (1989). El.: Karl u. Theresia. S.: 1974 Matura, Stud. Betriebswirtschaft WU Wien, 1983 Spons. K.: Tätigkeit b. Fa. Nestlé Planung u. Kostenrechnung, anschl. Marketingass. f. Kindernahrung b. Fa. Nestlé, ab 1984 Finanz- u. Personalchef Fa. Eurest, ab 1987 Ltr. d. Rechnungswesen Fa. Adressen Suppan, ab 1989 selbst., Übernahme d. Fa. Küchenmeister E.M. Reichel GmbH, Betriebsverpflegung: Mischform zwischen Tiefkühl- u. Frischkost, maximales Produktangebot m. minimalen Kosten, Neugrdg. d. Fa. Direkt Marketing Shop Mag. Moser & Co GmbH, Konzeption u. Durchführung v. Direktmarketing, spezieller Schwerpunkt: Data Base Marketing, Hdl. m. Hard- u. Software auf Direktvertriebsbasis. H.: Fußball, Radfahren, Relaxen. (J.S.)

Moser Klaus Dr. phil.

B.: Gschf. FN.: M + Z Werbeagentur. GT.: Gschf. MAM Music GesnbR u. MAM Austria Verlag. DA.: 5020 Salzburg, Steing. 1. PA.: 5020 Salzburg, Sebastian-Stift-G. 3. G.: Lienz, 21. Febr. 1960. Ki.: Nico. El.: Alois u. Margot. S.: 1979 Matura HAK Lienz, Stud. Publizistik u. Politikwiss. Univ. Sbg., 1987 Prom. K.: freier Journalist f. Tages- u. Monatszeitschriften, 1988 Grdg. d. M + Z Werbeagentur gemeinsam m. Partner Dr. Thomas Zezula. P.: Fachvortrag b. Werbewirtschaftstagung 1986 in Baden "Musik in d. Werbung", div. Musikstücke auf Schallplatten u.a. Ski-WM-Song 1991. H.: Skifahren, Musik. (M.Mo.)

Moser Klaus Hellmut

B.: Gschf. FN.: K.u.K. Moser OEG Garten- u. Landschaftsbau. DA.: 3250 Wieselburg, Zur Autobahn 1. PA.: 3250 Wieselburg, Grestnerstr. 9. G.: St. Pölten, 24. Dez. 1967. El.: Karl u. Rosa. S.: VS, HS, HAK, 5 J. HBLA f. Gartenbau Schönbrunn, 6 Sem. Stud. Landschaftsbau. K.: 1991 Grdg. d. K.u.K. Moser OEG Garten- u. Landschaftsbau u. seither Gschf. BL.: beratende Funktion als Experte f. Garten- u. Landschaftsbau d. Landesinnung. H.: Tennis, Fußball, Lesen, Beruf. (F.S.)

Moser Klaus Dietmar Dr. med.

B.: OA im UKH Linz, Konsilararzt als Unfallchir. - Casa di Cura Sura Rizu Sirucusa. PA.: 4020 Linz, Körnerstr. 52. G.: Auerbach b. Bensheim, 3. Okt. 1945. V.: Martha, geb. Guschlbauer. Ki.: Volker u. Udo. El.: Franz u. Dr. med. Johanna. S.: Grundschule, BRG m. Matura, Stud. Med., Prom. 1973. K.: 1973-74 Sekundararzt AKH Linz, 1977-78 Gefäßchir. Mühlheim/Ruhr, Orthopädie "Zweite Katheder UNI Rom", KH Enns Wirbelsäulenchirurgie, Dt. Skolosezentrum Bad Wildungen, 1980 FA f. Unfallchir. UKH Linz. M.: Österr. Ges. f. Chir. u. Gefäßchir. - Küntscher Kreis, Soc. Italiana Italiano Di Ortopedia E Traumatologia, It. Soc. of Sporttraumatologia, Dt. Ges. g. Chir., Union Jacht-Club Attersee. P.: Beiträge in in- u. ausländ. med. Fachzeitschriften. H.: Skifahren, Segeln, Motorfliegen, Pistolenschießen. (J. G.)

Moser Klaus Manfred Dipl.-Ing.
B.: Obm. u. Vors. d. Vorst. FN.: Brandverhütungsstelle f. OÖ rGenmbH, staatl. autor. Prüf- u. Versuchsanst. u. d. Blitzschutz GmbH. GT.: OLt. d. höh. militärtechn. Dienstes d. Res. DA.: 4020 Linz, Petzoldstr. 45. PA.: 4020 Linz, Eichendorffstr. 12. G.: Linz, 22. Juni 1940. V.: Renate, geb. Brezina. Ki.: Elisabeth. BV.: Vater Dipl.-Ing. Franz Moser Gen.-Dir. d. ESG Linz. S.: Realschule, 1959 Matura, Stud. TU Graz, Auslandsaufenthalte in Frankreich u. England. K.: 1965-72 Statikbüros u. b. Ziviling. tätig, 1972 Eintritt in d. Brandverhütungsstelle f. OÖ, d. Prüfanst. u. Blitzschutz GmbH, seit 1982 Dir. BL.: allg. beeid. gerichtl. Sachv., Univ.-Lektor. P.: div. Art. in Fachzeitschriften, Einzelpubl. E.: Silb. EZ d. Landes OÖ, div. Feuerwehrausz., Gr. EZ d. Stadt Linz. M.: Kiwanis, Revisionsver. d. Holzind. u. d. histor. Feuerwehrzeughaus St. Florian, Vors. u. Mtgl. div. Österr. Normungsaussch.CEN, ISO, VFDB, intern. Standard Organ., VFDB, Vors. Österr. Ing. u. Arch.-Ver. H.: Rudern, Skifahren, Segeln, Musik, Lesen. (L.G.)

Moser Kurt
B.: Schneidermstr. FN.: Mode-Logistik Ges.m.b.H. DA./PA.: 4863 Seewalchen, Pettinghofen 35. G.: Seewalchen, 12. Nov. 1944. V.: Edeltraud, geb. Hufnagel. Ki.: Kurt (1968). El.: Fanz u. Maria. S.: VS, HS, 1961 Gesellenprüf. in Wien, 1966 Meisterprüf. in Herrenkleider. K.: 1966-90 Gemeinsam m. Bruder d. Fa. Boy geleitet, war f. d. Produktion zuständig. Prod. in versch. Ländern. 1991 Mode-Logistik Ges.m.b.H. gegründ. Aufbereitung v. importierten Textilien u. Vertrieb, Ausweitung d. Standorte. M.: Kammer Mtgl. ist in d. Gem. bes. sozial Aktiv. H.: Rattansegeln, Betrieb- u. Besitzsegeln. (J.L.)

Moser Kurt Dr. techn. Dipl.-Ing. o.Univ.-Prof.
B.: Inst.Vorst. u. Ordinarius f. Baustatik u. verstärkte Kunststoffe d. Fak. f. Bauing.Wesen u. Arch. d. Univ. Innsbruck, Ziviling. f. Bauwesen in Telfs. A.: 6410 Telfs, Unterbirkenberg 12. G.: Graz, 7. Dez. 1930. V.: Emma, geb. Ropposch. El.: Ferdinand u. Franziska. S.: VS, Mittelschule in Graz, nachkriegsbedingte Wartezeit: Maurerlehrling u. Privatunterricht in engl., 1950-57 Bauing.Wesen an d. TH Graz, 1957-64 Stahlbauindustrie u. Reisen, 1964 Prom. z. Dr. techn. u. Ablegung d. Ziviling.Prüf. K.: 1957 Baustatiker im Stahlbau, 1960 Handlungsvollmacht u. Ass. d. Vorst., Abt.Ltr. Bau d. Maracaibo-Brücke in Venezuela, 1963 Techn. Ltr., 1964-70 freier Mitarb. in einem F. & E.-Unternehmen, ab 1966 Ziviling. f. Bauwesen, 1966-73 Ing.Büro in Sbg., 1969 Berufung in d. Vorst. d. Österr. Arbeitskreises Verstärkte Kunststoffe, 1971 Berufung z. o.Univ.-Prof. an d. Univ. Innsbruck, 1981 Vors. d. österr. u. dt. Normengremien, 1982 Mtgl. d. Prüf. Senats an d. TU Dresden u. im Editorial Board of Composite Structures. P.: ca. 24 Veröff. in Fachzeitschriften, Buch: Theorie d. faserverstärkten Verbunde - Tragende Konstruktionen", 2 dt. Patentschriften im eigenen Besitz u. Erfinder v. weiteren Patenten. M.: Intern. Ver. f. Brückenbau u. Hochbau, Arge Verstärkte Kunststoffe, Österr. Arbeitskreis Verstärkte Kunststoffe, Ver. Dt. Ing.Kunststoffe.

Moser Lenz M.
B.: Gschf., Prok. FN.: Weinkellerei Lenz Moser. DA.: 3495 Rohrendorf, Lenz-Moser-Str. 4. G.: Wien, 3. März 1956. El.: Laurenz u. Annemarie. BV.: Großvater Prof. Dr. Lenz Moser Vater d. Hochkultur. S.: VS, Mittelschule, Stud. an d. WU Wien u. an d. HS f. Bdk. Klosterneuburg, 1980 BH. K.: 1981 Dir.Ass. b. NCR, einschl. Praxis in England, Frankreich u. Californien, in bedeutenden Weinhdls.Häusern, 1982 Eintritt in d. väterl. Betrieb d. Weinkellerei Lenz Moser, seit 1986 Gschf., Prok., Hpt.Aufgabengebiet: Marketing u. Verkauf. H.: Lesen, Sport, Kultur. (Kern)

Moser Leo
B.: Filmkfm. FN.: Classic Films Filmverleih. DA.: 1040 Wien, Margarethenstr. 24. PA.: 1090 Wien, Dorsayg. 10/2/9. G.: Wien, 21. Apr. 1955. V.: Christa, geb. Votova. Ki.: Sabine (1985). El.: Leopold u. Lieselotte, geb. Nagl. S.: 1970-73 HASCH Wien. K.: freischaff. Filmjournalist f. div. Filmzeitschriften u. Comics-Magazine, 1980-84 Hrsg. d. Filmzeitschrift "Retro", 1984-87 Tätigkeit b. ORF, Pressearb. f. Filmverleihe, 1985-87 Pressechef d. österr. Filmmuseums, 186-90 Besitzer d. Movi-Kinos, seit 1987 Mitbesitzer Classiv Films Filmverleih, ab 1989 Tätigkeit als Drehbuchautor, Ideenref., seit 1990 Betreiber d. Schikaneder Kinos. BL.: Hebung d. österr. Filmkultur, Jagd nach verlorenen Filmen. H.: Film. (N.A.)

Moser Markus
B.: Steinmetz, Skibobweltmeister. FN.: KAMO Steinmetz. DA.: 5020 Salzburg, Siezenheimer Str. 24. PA.: 5301 Eugendorf, Konrad-Seyde-Str. 9. G.: Salzburg, 14. Apr. 1969. V.: Brigitte, geb. Pilka. El.: Karl u. Marianne. S.: VS, HS, Fachschule f. Stienmetz in Hallein, b. 10. Lebensj. Ski gefahren, durch Bekannte z. Skibob gekommen, 4facher Schülerweltmeister. K.: daneben eigener Betrieb Firma KAMO Steinmetz Sbg., 1988 1. WM d. Herren im Slalom in Bad Hofgastein, 11x Weltmeister: 1988 2facher Slalom u. Riesentorlauf, 1994 4facher Slalom, Riesentorlauf, Abfahrt u. Kombination, 1993 3facher Abfahrt, Riesentorlauf u. Kombination, 1994 Superski, 3x Gesamtweltcupmeister. H.: Surfen, Mountainbike, Motorcross, Squash. (D.E.)

Moser Michael
B.: Kfm. FN.: Software-Pool GmbH & Co KG. DA. u. PA.: 6200 Jenbach, Prof.-Tusch-Str. 15. G.: Lienz, 14. Febr. 1956. V.: Silvia, geb. Unterleitner. Ki.: Manuela (1975), Mario (1978), Marcus (1978). El.: Dr. Otto u. Elisabeth. S.: Grundschule, Gymn., 1975 Matura, 2 J. Jusstud., 1978 abgeschlossene Buchhalterprüf., seit 1978 selbständig als EDV-Unternehmen mit d. Spezialgebiet: "Software f. Steuerberater". M.: Kassier Sportver. Jenbach Sekt. Fußball. H.: Reisen (Fernreisen), Kultur, Musik. (M.W.)

Moser Oskar Dr. phil. em.o.Univ.-Prof.
B.: Ordinarius f. Volkskunde, Vorst. d. Inst. f. Volkskunde an d. Univ. Graz. A.: 8010 Graz, Wilhelm-Raabe-G. 19. G.: Sachsenburg, 20. Jän. 1914. V.: Erni, geb. Frodl. S.: Univ. Graz. K.: Museumskustos, Prof. f. Deutsch u. Französisch an Höheren Schulen (Polytechn. Schule), BStaatl. Volksbildungsref. f. Ktn., Univ.Doz., o.Univ.-Prof. P.: Zahlr. Veröff. z. Volkskunde Österr., insbes. Ktn., Aufbau u. wiss. Ltr. d. Ktn. Freilichtmuseums Maria Saal. E.: Kulturpreis f. Wiss. d. LHpt.Stadt Klagenfurt, korresp. Mtgl. d. Volkskundl. Kmsn. Westfalens, Vors. d. Österr. Fachverb. f. Volkskunde, 1.

VPräs. d. Ver. f. Volkskunde (Wien), Kulturpreis d. Landes Ktn. M.: Ver. f. Volkskunde in Wien, Mtgl. d. CIEF u. zahlr. sonstiger wiss. Ver. u. Ges., Korresp. Mtgl. volkskundl. Kmsn. f. Westfalen (1974), Korresp. Mtgl. Österr. Ak. d. Wiss. (1982), w.Mtgl. Österr. Ak. d. Wiss. (1983).

Moser Otto Dr. iur.
B.: Wirtschaftstreuhänder, Steuerberater, gerichtl. beeid. Sachv. PA.: 6200 Jenbach, Achenseestr. 36. G.: Bozen, 6. Aug. 1919. S.: hum. Gymn. m. Matura, Univ. Stud., Dr. iur. u. abs. rer. pol. K.: 8 J. Finanzdienst m. d. erforderl. Prüf., davon 4 J. FA-Vorst., 13 J. Ang. in d. Privatwirtschaft u. im Steuerberatungsdienst, Steuerberaterprüf., seit 1968 selbst. F.: SOFTWARE POOL JENBACH Dr. Otto Moser u. Egermeier Jürgen, Ges. bürgerl. Rechts. M.: Studentenverb. KÖHV-Alpinia Innsbruck, Frundsberg-Schwaz, Tratzberg-Jenbach, Tir. Bergwacht-Jenbach, Gemeinnütziger Ver. z. allg. Förderung d. geistigen u. kulturellen Belange d. Gem. Jenbach. H.: Briefmarken, Bergsteigen, Literatur, Kochen. (Schm.)

Moser Paul

B.: Goldlschmied u. Gschf. FN.: Paul Moser Goldschmied. DA. u. PA.: 5400 Hallein, Postg. 3. G.: Hallein, 19. Juni 1953. V.: Eva Moser. Ki.: Tobias (1981). El.: Hermann u. Berta. S.: 3 J. Lehre i. d. Goldschmiedebranche, Abschlußprüf., 3 J. Praxis. K.: 1977 Abschluß d. Mstr.-Prüf., 1978 selbst., s. 17 J. ist d. Betrieb in Hallein ansässig, Vertrieb v Handelsware Schmuck und antikem Schmuck. H.: Bergsteigen, Fußball, Tennis, Fischen. (A.W.)

Moser Peter

B.: Gschf. Ges. FN.: WEFO Werkzeug- und Formenbau Ges.m.b.H. DA.: 2345 Brunn/Geb., Wolfholzg. 14-16. PA.: 1238 Wien, Johann Teufel G. 39/8. G.: Wien, 4. Juni 1961. V.: Gerda Windisch. El.: Ernst u. Renate. S.: 1975 Abschl. TGM Kunststofftechnik, 1975-79 Lehre als Werkzeugmacher, 1988-89 Meisterkurs, 1989 Mstrprfg.K.: 1979-83 Ang. techn. Einkauf i. Ber. Kunststoffverarb., 1983-87 Betr.-Ltr. i. e. Kunststoffbetr., 1987 Grdg. Fa. WEFO. H.: Beruf, Motorsport, Oldtimer. (I.K.)

Moser Peter
B.: LDir. d. Wr. Städt. Wechselseit. Vers.Anst. GT.: AufsR. IVB AG, AufsR. d. Alpenländ. Heimstätte reg.Gen.m.b.H. DA.: 6020 Innsbruck, Südtiroler Pl. 4. PA.: 6020 Innsbruck, Pechestr. 12. G.: Innsbruck, 27. Dez. 1945. V.: Eleonore, geb. Tost. El.: Friedrich u. Liane. S.: RG Ibk., Matura 1966. K.: 1969 Beginn bei d. Vers. als Schadensref., 1972-81 Rechtsschutzsekr. b. ÖGB u. arbeitsrechtl. Abt. d. AK f. Tirol, 1982 Stellv. d. LDir., seit 1984 LDir., polit.: seit 1972 in d. SPÖ, Mtgl. d. Bez.- u. LParteivorst., seit 1981 Presseref. d. SPÖ Innsbruck, seit 1983 im GR. H.: Zeitunglesen, polit. u. Wirtschaftssendungen im TV, Hunde, Orchideen. (H.T.)

Moser Peter
B.: Gschf. u. Inh. FN.: Bauunternehmung Moser GmbH. DA. u. PA. : 4600 Wels, Porzellang. 20. G.: Wels, 28. Febr. 1941. V.: Anita, geb. Fross. Ki.: Elisabeth (1964), Peter (1969). El.: Franz u. Mathilde. S.: VS, HS, HTL. K.: 1959 durch Krankheit d. Vaters sofort im elterl. Betrieb gearbeitet, 1963 Bmstr.-Prüf., 1963 Bmstr. u. Prok. Firma Moser, 1968 Gschf. Moser OHG, 1977 Alleininh. Moser GmbH. P.: Veröff. in Zusammenhang m. d. Firma in Fachzeitschriften u. Zeitungen. E.: 1988 Verd.-Med. d. Stadt Wels in Gold f. Verd. um d. Welser Wirtschaft. M.: 1968-81 Präs. d. Sportver. SC Hertha u. dann d. WSC-Hertha Wels, 1978 Bez.-OMstr. d. Bmstr. v. Wels sowie Mtgl. d. Landesinnungsaussch. d. Baugewerbeinnung v. OÖ, 1978 Mtgl. d. Expertenkmsn. f. d. Altstadtsanierung, 1985 fachkundiger Laienrichter b. Kreisgericht Wels, 1989 Präsidiumsmtgl. d. ÖASC, 1990 Mtgl. d. Bez.-Stellenaussch. d. Kammerbez.-Stelle Wels, 1990 Mtgl. im WirtschaftsbeiR. d. Welser Messe, 190 Mtgl. im GestaltungsbeiR. d. Stadt Wels, 1990 VPräs. d. Welser Traberzucht- u. Rennver., 1992 Mtgl. im Ver. Allg. Sparkasse OÖ, 1992 Mtgl. im BeiR. d. Zwg.-Ndlg. Wels. d. Allg. Sparkasse OÖ. H.: Automobilrennsport, Trabrennver, Beruf. (U.A.)

Moser Peter
B.: Ltr. Musik d. ORF Landesstudio Tirol u. Volksmusikant. DA.: 6010 Innsbruck, Rennweg 14. PA.: 6236 Alpbach 384. G.: Alpbach, 31. Mai 1935. V.: Elisabeth, geb. Hausberger. Ki.: Adolf (1957), Roswitha (1959), Martina (1965), Rita (1966). El.: Josef u. Maria. (M.W.)

Moser Reinhard Mag. rer. soc. oec.
B.: Gschf.Gesellsch. FN.: Moser Holzindustrie GmbH. DA u. PA.: 5582 St. Michael, Unterweißburg 70. G.: St. Johann / Pg., 16. Jän. 1952. Ki.: Michael (1992). El.: Josef u. Karoline. S.: VS, 1970 Matura, Stud. i. Graz BWL m. Mag. 1979 abgeschl. K.: Werkschulheim Felbertal m. Tischlerausb., 1979 i. d. elterl. Holzind. Untern. a. Geschf. eingetreten, 1980 betrieb n. St. Michael übersiedelt, s. 1983 Betrieb umstrukturiert u. seith. Gscf.GS., s. 1957 a. Sargprod. spez. Untern. H.: Familie, Beruf, Wassersport, Motorradreisen, Literatur. (J.F.)

Moser Robert

B.: Business Development Manager Österr., Kfm. FN.: Lotus Development GmbH. DA.: 1230 Wien, Richard-Strauss Str. 12/3. G.: Wien, 13. Juli 1964. El.: Dr. Karl Wilfried u. Roswitha. S.: VS, HS, Hasch. K.: Systemberatungsass. EDV GesmbH, Systemberater in Österr. u. Deutschland, Topcall Deutschland, verantwortlich f. Frankfurt, 3 J. Auslandstätigk., bei Computer 2000 in Österr. Abt.-Ltr. mit Aufgabengebiet Produktvermarktung f. Soft- u. Hardware, 1990 Einstieg Fa. Lotus. (W.M.)

Moser Reinhold
B.: Journalist. DA.: 5400 Hallein, Schöndorfer Pl. 5. G.: Hallein, 13. Juni 1955. El.: Ludwig u. Maria. S.: HAK m. Matura, 1978 Stud. Publizistik u. Politikwiss. K.: freier Journalist, 1972-74 satir. Landesnachrichten f. d. ORF, 1975 Grdg. Club Hallinum, 1979 Kandidat f. d. Gem.-Vertretungswahlen, ab 1980 histor. Führungen durch d. Halleiner Altstadt u. Diavorträge, Stifter v. Gedenktafeln. P.: 2 Bücher u. 2 Vi-

deos über Hallein. E.: 1981 Bronz. Plakette f. Club-Verd., 1991 Eintrag. in d. "Goldene Buch d. Stadt Hallein" f. 500 Stadtführ. H.: Astronomie, Parapsych., Videographie. (M.S.)

Moser Robert
B.: Gschf. FN.: Autohaus PRO-CAR. DA.: 7202 Bad Sauerbrunn, Wr. Neustädter Str. 52. PA.: 2700 Wr. Neustadt, Salzmühlg. 14. G.: Klosterneuburg, 10. Dez. 1964. El.: Arnold u. Erna. S.: 1987 Meisterprüf. Karosseriebaumeister, 1988 Meisterprüf. KFZ Mechaniker. K.: 1990 Pacht d. Tankstelle i. Wöllersdorf, 1992 Gründ. u. Gschf. Autohaus PRO-CAR, 1993 Lehrer a. d. Landesberufsch. Eggenburg u. WIFI St. Pölten. H.: Segeln, Motorradfahren. (T.T.)

Moser Roman Dr. Mag. iur.
B.: RA, Strafverteidiger. FN.: Kzl. Moser & Partner. DA.: 5303 Thalgau, Ferdinand-Zuckerstätter-Str. 269. PA.: 5020 Salzburg, Rottweg 129. G.: Salzburg, 7. Juli 1955. El.: Gottfried u. Marianne. S.: 1974 Dt. Abitur Köln, 1974-79 Stud. Rechtswiss. Sbg., 1976-79 Begabtenstipendium d. BMWK, 1980 6 Monate Südostasienaufenthalt. K.: 1980-81 Gerichtsj., 1981-85 RA-Anw., seit 12. Aug. 1985 eig. Kzl., Schwerp.: Scheidungs-, Verkehrs-, Banken-, Reise- u. Reisevertragsrecht. BL.: mehrf. erfolgr. Teilnahme b. Dt. Jugend- u. Juniorenmeistersch. in Leichtathletik, 1972-73 Dt. C-Nationalmannsch. über 400m Hürden, 1972 Gewinner d. Dt. Jugend-Mittelrheinmeistersch. über 1500m Hindernis. M.: 1977-79 Bdl.-Vertreter Zentralaussch. Studentenparlament Wien, seit 1990 im Vorst. d. Jagd- u. Golfclubs Schloß Fuschl. H.: Golf (Handicap 18), Fernreisen, Porschefahren. (E.Hö.)

Moser Rudolf
B.: Gschf. FN.: Seifriedsberger Mineralöle GmbH. DA.: 4910 Ried, Südtiroler Str. 32. PA.: 4910 Ried, Thurner Str. 19. G.: Utzenaich, 24. Jan. 1941. V.: Elfriede, geb. Seifriedsberger. Ki.: Claudia (1967), Petra (1968), Sonja (1972). El.: Franz u. Franziska, geb. Ehwallner. S.: VS, HS, Lehre Lebensmittelgroßhdls.-Kfm., 1958 Abschluß, BH. K.: 7 J. im Außendienst tätig, seit 1966 Prok. Firma Seifriedsberger, 1984 Übernahme d. Betriebes durch seine Frau, 1993 Umwandlung in GmbH, seit 1993 Gschf. M.: Lions Club, Kam.-Tätigkeit in Linz, Gremialaussch.-Mtgl. d. Mineralölhdls., im Vorst. d. AVIA-Intern. Zürich. H.: Skifahren, Radfahren. (J.L.)

Moser Sonja Dr.

B.: Bundesmin. FN.: Bundesminist. DA.: 1030 Wien, Gonzagag. 2. G.: Innsbruck, 23. Sep. 1946. V.: verh. Ki.: 2 Kinder. S.: Gymn., 1966 Mat., Lehrerfortbild.Anst. K.: VS-Lehr. in Matrei, 1978 HS in Reutte, aus famil. Gründ. Univ. Stud. i. Etappen absolv., 1994 Prom. z. Dr. phil., 1992 GemR. v. Reutte, Mtgl. d. Sozialaussch. u. Obfrau d. Schul u. Kulturaussch., s. 1994 Bundesmin. f. Familienangel.

Moser Rudolf K. Mag. rer. soc. oec.
B.: Abt.Ltr. Marketing. A.: 4407 Steyr, Stefan-Fadinger-Ring 22. G.: Steyr, 24. Apr. 1942. V.: Irene, geb. Sedlak. El.: Rudolf u. Maria. S.: Matura, RG, HS-Stud. BWL. K.: 1970 Eintritt in eine Bank, 1 J. Allround-Bankausbildung, Ltr. Marketing, 1974 Handlungsvollmacht, 1979 Ltr. Marktforsch. f. Nutzfahrzeuge u. Landmaschinen, 1982 Abt.Ltr. Marketing in d. Motorenind. M.: Verb. Österr. Wirtschaftsak., Hubertus Club Linz. H.: Jagen, Reiten, Segeln.

Moser Stephan Dr. iur.
B.: selbst. RA. DA.: 8011 Graz, Kalchbergg. 1. PA.: 8010 Graz, Auerspergg. 19. G.: Graz, 28. Sept. 1951. V.: Kathrin, geb. Rieck. El.: Dr. Eberhard u. Marlis. S.: VS, ak. Gymn. Graz, 1969 Matura, Jusstud. an d. Univ. Graz, 1974 Prom., Stud. an d. Univ. Cambridge, 1975 LL.B. (Cantab). K.: 1973-74 Ass. an d. Univ. Graz, Inst. f. Völkerrecht, anschl. BH u. Ausbild. z. RA-Anw. in Wien, 1979 RA-Prüf. in Wien, seit 1980 selbst. RA in Graz, seit 1984 Lehrbeauftragter an d. TU Graz. M.: St. Johanns-Club Wien, Cambridge Univ. Law Soc. H.: Jagd. (War.)

Moser Viktor Mag.
B.: Kompl. FN.: Modehaus Scharschön & Moser. DA.: 9500 Villach, Postg. 6-8, 9020 Klagenfurt, Alter Pl. 2. PA.: 9020 Klagenfurt, Heinrich-Heine-G. 32. G.: Villach, 27. Nov. 1948. V.: Mathilde, geb. Kambach. Ki.: Bettina, Viktor. El.: Josef u. Waltraud. BV.: Viktor Scharschön Gründer d. Fa. S.: VS, Gymn., 1966 Matura, HS f. Welthdl. in Wien, 1972 Mag. K.: 1972 Gschf. im elterl. Betrieb in Klagenfurt, seit 1984 Kompl., 1980-82 BObm. d. Jungen Wirtschaft, seit 1984 VPräs. d. Vw. Ges. M.: Villacher Bauerngman. H.: Familie, Segeln, Skifahren. (M.B.)

Moser Walter
B.: Gschf. Prok. FN.: Kathrein Vertriebs GmbH. DA.: 5020 Salzburg, Gnigler Str. 56. PA.: 5020 Salzburg, Keltenweg. G.: Salzburg, 2. Jan. 1947. V.: Christine, geb. Prechtl. Ki.: Ralf. El.: Paul u. Anna. S.: 1965 HAK-Matura. K.: 6 J. im Rechnungswesen u. Ass. d. Finanzdir., 15 J. im Vertrieb, davon 10 J. Verkaufsltr., seit 1987 Gschf. Einzelprok. Kathrein Vertriebs GmbH, Zentrale Sbg. u. Ndlg. in Wien u. Innsbruck. H.: Tennis, Lesen. (M.Mo.)

Moser Werner
B.: Speditionskfm., Gschf. FN.: Werner Moser GmbH. Da./PA.: 6330 Kufstein, Willy-Grafstr. 14. G.: Kufstein, 3. Jän. 1949. V.. Gertrude. Ki.: Werner, Bastian, Julia, Fabian. El.: Friedrich u. Katharina. S.: VS, HS, Ausbild. z. Speditionskfm. d. Speditionsfachschule in Innsbruck, 1968 Abschl. K.: 1968-69 im elterl. Betr. als Ang. tätig, Betr. erweitert, 1977 d. elterl. Betr. Übern. H.: Tennis, Skifahren. (A.W.)

Moser Werner Ing.
B.: Gschf. Ges. m. Zwillingsbruder Karl. FN.: Moser Medical Group, Rea-Med GmbH, Ambulatorium Hörndlwald. DA. u. PA.: 1130 Wien, Löfflerg. 14, D-W-5300 Bonn, Aennchenplatz 6. G.: Krems, 26. Jan. 1958. El.: Karl u. Maria. S.: HTL Krems Fachrichtung Hochbau, 1977 Abschluß. K.: 5 J. Tätigkeit in Arch.Büros, 1 J. Deutschland, 1982 Grdg. Kosmet. Beratungsinst. f. Haarprobleme in Wien, 1984 Grdg. Rea-Med GmbH: Werbung u. Beratung f. kosmet. Chir., 1987 Eröff. Ambulatorium Hörndlwald f. kosmet. Haarchir. u. Vertrieb d. med. Geräte, 1989 Grdg. Medical Group m. Tagesklinik in Bonn, Repräsentanzen in Bologna, Schweiz, Schwerpunkte: kosmet. Haarchir., Micro- u. Slitgrafting nach teilweise selbst erforschter Methode als ein-

zige Behandlungsgruppe Europas, Weiterentwicklung, Forsch. auf d. Gebiet d. Haartransplantation. H.: Fliegen als Privatpolit, Tennis, Porsche fahren. (R.J.)

Moser Wilfried Dr. jur.

B.: Präs., Jurist. FN.: Unabhängiger Verwaltungssenat Wien. DA.: 1200 Wien, Dresdnerstr. 75. PA.: 1238 Wien, Lodrong. 5. G.: Schleusingen/BRD, 21. Apr. 1941. V.: Inge, geb. Prusa. Ki.: Gerhard (1960), Robert (1964), Norman (1965), Gernot (1967), Udo (1975). El.: Karl u. Maria. S.: 1955-58 Stahlbauschlosserlehre bei SGP Simmering. K.: 1958-64 Motorenschlosser bei d. Fa. SGP Simmering, 1961-66 Arbeitermittelschule Wien Matura abschl., 1965 Dienstantritt bei d. Stadt Wien, 1965-67 MA 50, div Aussenstellen, 1967-74 MA 11, Bezirksjugendamt, 1966-74 nebenberuf. Studium d. Rechte, 1974-76 MBA 21 Bezirksamtsleiterstellv., 1976-77 MA 11 (Jugendamt Rechtsdezernat), 1977-78 MA 58 (Landeskultur), 1978-79 MA 22, Abt. Ltr. Stellv. (Umweltschutz), seit 1979 MD-VT, Referatsltr.,Einricht. d. Unabhängigen Verwaltungssenates Wien, seit Juli 1991 Ltr. d. Verwaltungsakademie d. Stadt Wien, Dez. 1992 Präs. d. Unabhängigen Verwaltungssenates Wien. P.: Seminare zum Thema "Verwaltungsreform durch individuelle Personalentwicklung". H.: Budoka. (I.K.)

Moser-Hornegger Elisabeth

B.: Gschf. Ges. im kfm. Bereich. FN.: Maritini Sportswear GmbH. DA.: 5524 Annaberg 133. PA.: 5524 Annaberg 86. G.: Abtenau, 20. Juli 1963. V.: Josef. Ki.: Tim (1988). El.: Martin u. Gerlinde. S.: VS, HS, 5 J. BLA Saalfelden, 1982 Matura, 2 Sem. Sprachstud. Univ. Sbg., 4 Sem. WFA Sbg. K.: 1985 Eintritt in d. elterl. Betrieb als kfm. Ang. u. 2 J. im Außendienst tätig, seit 1991 Gschf. Ges. BL.: 1965 u. 1966 Österr. Skispringer Nationalmannschaft eingekleidet. H.: Sport, Lesen. (J.F.)

Moser-Pröll Annemarie

B.: ehemals: Skirennläuferin, gegenwärtig: Eigentümerin u. Gschf. eines Kaffeehauses u. einer Bar in Klein-Arl. PA.: 5602 Klein-Arl. G.: Klein-Arl, 27. März 1953. K.: 1972 Weltmeisterin in d. Kombination, 1974, 1978: Weltmeisterin in d. Abfahrt, 1972 Silbermed. in Abfahrt u. Riesenslalom b. d. Olymp. Spielen in Sapporo, gewann insges. 63 Weltcup-Rennen u. 6 mal d. Gesamt-Weltcup, 1980 Goldmed. in d. Abfahrt b. d. Olymp. Spielen v. Lake Placid, beendete 1980 ihre aktive Laufbahn als Amateurrennläuferin. H.: Tennis, Autos, Skifahren.

Moshammer Dietmar Dr. Dipl.Vw.

B.: Dir. A.: 4040 Linz, Marienberg 49. K.: Dir. u. Prok. b. d. Vereinigte Österr. Eisen- u. Stahlwerke-Alpine Montan AG Wien, AufsR.Mtgl. d. Gemeinnützige Wohnbaugen., Eigenheim Linz., rGenmbH Linz. E.: Inh. d. Ordens d. Krone v. Thailand, d. Ordens d. Aztekischen Adlers, Gold. EZ u. Silb. Verdienstz. f. Verd. um d. Rep. Österr., Gold. RK-Verdienstmed., Komm. Kreuz d. Span. Zivilverd.Ordens, Silb. EZ d. Landes OÖ.

Moshammer Hubert

B.: Gastwirt Café-Restaurant-Pension "Zeller Weinstube". DA. u. PA.: 3340 Waidhofen/Ybbs, Kirchenpl. 3. G.: Waidhofen/Ybbs, 23. Aug. 1966. V.: Renate, geb. Hintsteiner. Ki.: Kathrin (1993). El.: Alois u. Ernestine, geb. Brandstetter. S.: VS, HS, Gastgewerbefachschule Bad Leonfelden. K.: Saison in Bad Kleinkirchheim, 1984-89 Stadtrestaurant Rosenberger, 1989 Kauf eines 120 J. alten Gastwirtschaftsbetriebes in Zell/Ybbs, Renovierung u. Eröff. 1990 als "Zeller Weinstube". M.: Aktion "Wirtshauskultur NÖ". H.: Jagd. (M.M.)

Moshammer Michael Ing.

B.: Produktmanager. FN.: Niox Fahrzeugbeleuchtung GmbH. DA.: 1230 Wien, Altmannsdorfer Str. 329. PA.: 1140 Wien, Dreyhausenstr. 28/2/14. G.: Neunkirchen, 14. Apr. 1966. El.: Reinhold u. Ermelinde, geb. Janisch. S.: 1985 Matura, HTL-College, 1988 Matura, 1988-89 BH. K.: 1989-94 Firma Semperit Techn. Produkte, zuständig f. d. Produktionsentwicklung v. techn. Schläuchen, danach in o.g. Position. H.: Wandern, Wildwassersport, Segeln, Paragleiten. (N.A.)

Moskovics Simon Dir.

B.: Gschf. Ges. d. Bankhaus Winter. PA.: 1010 Wien, Singerstr. 27. V.: Chaja Sura. Ki.: Ruth, Ildiko, Thomas. S.: Theol. jur. Stud. in Krakau. K.: 1949-59 Großkfm. in Wien, 1940-44 in Ungarn, 1945-49 in Budapest, 1959 Einstieg ins Bankgeschäft, spez. Ost-Geschäfte. H.: Theol., Phil., Fußball. (M.G.)

Möslein Helly

B.: Kabarettistin, Soubrette, Textdichterin. DA. u. PA.: 1140 Wien, Diesterwegg. 8. G.: Wien, 4. Aug. V.: Hermann Leopoldi. Ki.: Ronald (1955). El.: Wilhelm u. Käthe. S.: b. 1933 in d. USA, Schulbesuch in Chicago, 1933-36 Musik- u. Gesangstud. am Konservatorium Wien. K.: 1939-47 New York, seit 1989 künstler. tätig, ab 1941 Partnerin im Duo m. Hermann Leopoldi, Konzerte m. 2 Klavieren u.a. in d. Carnegie-Hall New York, Orchestra-Hall Chicago, zahlr. Gastspiele Pennsylvania, Kanada, 1948 Rückkehr nach Wien, gemeinsame Auftritte in ganz Europa, vorwiegend Deutschland, Holland, Schweiz u. Schweden, in Wien vorwiegend im "Simpl" u. b. sämtl. Großveranstaltungen, Fernsehauftritte in Wien u. Berlin, 1965 gemeinsamer Auftritt m. Sohn Ronald Stadthalle Wien. M.: Autorenges. H.: Reisen. (J.S.)

Mosler Karin

B.: Dir. d. Sozial-u. Heilpädagog. Förderungsinst. Steiermark. DA.: 8010 Graz, Raiffeisenstr. 46. PA.: 8401 Kalsdorf, Kernstockg. 22. G.: Graz, 4. Nov. 1941. Ki.: Gerhard (1959), Thomas (1971), Andrea (1973). El.: Stefan u. Eleonora Giessauf. S.: VS, HS, HAK, 1959 Matura. K.: 1961-71 Tätigkeit in d. Sozialvers., ab 1978 Päd. Ak. Graz-Eggenberg, Lehrer in d. Blindenschule Graz f. Schwerstbehinderte Kinder in Graz, seit 1979 Arb. am Aufbau d. mobilen Frühförderung f. entwicklungsverzögerte Kinder, 1985 Grdg. eines interdisziplinären Ver. f. d. Frühförderung v. entwicklungsverzögerten Kinder m. d. Univ.-Kinderklinik u. d. Stmk. Landesrg., Obfrau d. Ver., seit 1986 Grdg. einer Privatschule z. Mitarb.-Ausbild., Dir. dieser Schule. P.: Art. in d. Zeitschrift "Heilpädagogik", Seminar u. Dokumentation in d. Retzhof-Schriften, Fachzeitschriften. M.: Ver. d. Ver. f. interdisziplinäre Frühförderung. H.: Beruf, Sport, Musik. (M.Gr.)

Möslinger Gerhard Dipl.-Ing.

B.: Prok., Gschf., Ziviling. FN.: EVN; GrafoTech Beratungs- u. PlanungsgesmbH. DA.: 2344 Ma. Enzersdf., Johann Steinböckstr. 1. PA.: 2120 Wolkersdf. K. Schmid-Str. 28. G.: Wien, 5. Dez. 1953. V.: Eva. Ki.: Michael (14 J.), Marion (9 J.). S.: Realgymn., HTL Wien 1., TU Wien. K.: Ass. TU Wien, Inst. f. Baubetriebswirtsch., 1984 Eintr. in EVN, 1985 AbtLtr., Gründ. d. GrafoTech Beratungs- u. PlanungsgesmbH., 1991-92 Bestell. z. Prok. d. GrafoTech, spät. Ziviling.-Befähig. BL.: Aufbau d. geograph. Informationssyst. GIS. M.: OVGW. H.: Tennis, Weinliebhaber. (W.M.)

Mossboek Ferry KommR.

B.: Inh., Pelz-Couturier, Kürschnermstr. FN.: Pelzmodelle Ferry Mossboek. DA.: 1060 Wien, Gumpendorfer Str. 56. G.: Bruck/Leitha, 13. April 1941. Ki.: Ferry (1971). El.: Ferdinand Josef u. Tina. K.: 1955 Lehre Fa. Rosenberg Wien, 1961 Gschf. Fa. Rosenberg, 1964 Mstr.-Prüf. Kürschner, 1969 Übern. Fa. Rosenberg, 1982 Titelverl. KommR.; versch. Funkt.: gerichtl. beeid. Sachverst. f. Pelze u. Rauhwaren, Mtgl. Innungsausschuß HK, Mstr.-Prüfungskommisär, Lehr.-Prüfungskommisär. P.: ständ. Ausstell. u. Preisträger auf intern. Messen in Wien, Frankf., Paris, Rom, Tokio. E.: 1994 silb. Gewerbehand, SAGA- u. SWAKARA Preisträger. H.: Klass. Musik. (T.T.)

Mossek Johann Ing.

B.: Ass. f. d. techn. Bereich. FN.: Cloos Hdls. GmbH. DA.: 1230 Wien, Richard-Strauß-Str. 11. G.: Wien, 7. Juli 1946. V.: Renate, geb. Lager. Ki.: Martin (1974). El.: Johann u. Charlotte. S.: VS, HS, Berufsschule, HTL, 1973 Matura. K.: Konstruktion, Projektierung u. techn. Verkauf Firma Andritz-Ruthen Ind.-Anlagenbau, seit 1987 Firma Cloos. H.: Naturwiss., Garten. (W.J.)

Mosser Alois Dr. phil. o.Univ.-Prof.

B.: o.Univ.-Prof. f. Wirtschafts- u. Sozialgeschichte d. WU Wien. DA.: 1090 Wien, Aug. 2-6. PA.: 1120 Wien, Hetzendorferstr. 97/3/1. G.: Laakirchen, 11. Mai 1937. V.: Dr. Eva, geb. Zernatto. Ki.: Helmut (1969), Philipp (1972). El.: Alois u. Theresia. S.: Bischöfl. Lehrerseminar Linz, 1957 Matura, Stud. Geschichte u. Germanistik Univ. Wien, 1960-62 Kurs f. österr. Geschichtsforsch., 1962 Mtgl. d. Inst. f. Österr. Geschichtsforsch., 1965 Prom. Dr. phil. K.: 1962-65 wiss. Hilfskraft Inst. f. Wirtschafts- u. Sozialgeschichte Univ. Wien, 1965-77 Univ.-Ass., 1977 Univ.-Doz., 1983 a.o.Univ.-Prof. Inst. f. Wirtschafts- u. Sozialgeschichte d. Univ. Wien, seit 1991 o.Univ.-Prof. WU Wien. P.: 6 Einzelpubl. u.a. "Die Industrieaktiengesellschaften in Österr. 1880-1913. Versuch einer histor. Bilanz- u. Betriebsanalyse", gem. m. Roloff Marita, Wr. Allianz, gegr. 1860, ca. 50 Art., Beiträge in Sammelwerken, Hrsg. u.a. v. "Alfred Hoffmann: Studien u. Essays, 2 Bde. E.: 1977 Förderungspreis d. Kardinal-Innitzer-Studienfonds. M.: Vors. d. Österr. Ges. f. Unternehmensgeschichte, Mtgl. b. zahlr. wiss. Ges. (J.S.)

Mosser Peter

B.: Inh. FN.: Restaurant Kaiser Josef. DA.: 8010 Graz, Schlögelg. 1. PA.: 8010 Graz, Schlögelg. 1. G.: Laßnitz, 29. Juni 1941. V.: Judith, geb. Engelbrecht. Ki.: Michael (1966), Markus (1973). El.: Alois u. Rosina. S.: VS, HS, 1955-58 Lehre i. Hotel Wiesler Graz. K.: 1959 Jungfernfahrt "Rotterdam" (a. Bord Königin Juliane), 1959-60 Steigenberger Hotelkette, 1960-61 Basel Möwenpick, 1962 BH, 1963-64 Hotel Normandie Dauville, 1964-65 Vesterland Sylt, Hotel Hamburg, 1966 Einstieg i. d. elterl. Betrieb, Restaurat Mosser i. Mariatrost, 1. Haube v. Österr., 1980-83 Klagenfurt Moser-Vertino, 1983-84 elterl. Betrieb, 1987-89 Winterbierhaus i. Graz, Brauerei Hirth, s. 1989 selbst. Restaurant Kaiser Josef. E.: 2 Hauben. H.: Jagd. (I.G.)

Mosser Herbert

B.: Hotelier, dzt. Entertainer f. Wr. Abende u. Stimmung. A.: App. 334 Contracta, P - 9125 Canico de Baixo, Madeira Portugal. G.: Villach, 12. Juli 1929. V.: Claudia, geb. Barthold. El.: Herbert u. Lya. S.: VS, Mittelschule, HASCH, abgeschl. Kellner- u. Kochlehre (Lehrbrief), HK Ktn., Hotelfachschule Schweiz, anschl. Hotelierlaufbahn in versch. Hotels u. Ländern. K.: 1955-62 Hoteldir. "Hotel Duna Fiorita" Lignano Pinete, 1962-67 Hotel Mosser Villach selbst., 1967-74 Hotel "Drei Gemsen Mallnitz" selbst., seit 1974 in Madeira erst Res. O Galo in Canico seit 1977 bis Juni 1982, Historische Weinstube "Taverna Real" Restaurante Vienense Funchal. Seit 1982 Entertainer f. Wr.-Abende Unterhaltung u. Stimmung, Pflege d. Wienerliedes im Ausland u. Verbindungsmann f. Österr. Urlauber. P.: ORF 1981 Interview "Leute f. Heute", ORF 1982 Fernseh-Sendung "Wir - Extra". M.: Mtgl. d. Ktn. Automobil u. Touringclubs, aktives Mtgl. d. Villacher Faschingsgilde, Mtgl. Weltbund d. Auslandsösterr. H.: Singen, Schwimmen, Inselleben, Kochen, Wandern.

Mosser Reinhold

B.: Gschf. Ges. d. Mosser Holzind. A.: 3263 Randegg, Mitterberg 25. G.: Lienz, 29. Okt. 1937. V.: Ingeborg, geb. Petermann. El.: Josef u. Johanna. S.: HAK, kurzes Fremdsprachenstud. an Univ. Perugia, 3jährige Holztechnik. K.: nach Schulausbild. 1 J. Italienaufenthalt in einschlägiger Branche, anschl. Übernahme d. Geschäftsndlg. einer ital. Holzhdls.Fa. in Österr. f. ca. 15 Moante. Im Jahr 1963 Übernahme d. Fa. Petermann, Sägewerk u. Holzhandlungen im Randegg. 1965 Grdg. d. Mosser Holzindustrie, GmbH, Randegg, 1982 Grdg. d. Mosser Beteiligungs GmbH. F.: 75 % in Mosser Holzind. GmbH u. Mosser Beteiligungs GmbH. E.: einige Privatauszeichnungen. M.: Mtgl. im Rotaryclub Waidhofen/Ybbs. H.: Ernste Musik, Theater, Skilauf, Wandern.

Moßhammer Hans

B.: Obm. d. FVVB Bergheim, Gast- u. Landwirt, Inh. "Gasthof Maria Plain". FN.: Moßhammer KG. DA. u. PA.: 5101 Bergheim, Plainbergerweg 41. G.: Maria Plain, 24. März 1951. V.: Margareth. Ki.: Anna (1980), Johannes (1983), Elisabeth (1985). El.: Franz u. Maria. BV.: altes Bauerngeschlecht, erstmals 1120 urkundl. erwähnt. S.: Hotelberufs-FS in Tegernsee 1968-70. K.: Übernahme d. elterl. Betriebes in Maria Plain, seit 1973 Obm. d. Verkehrsver., seit Gründ. 1986 Obm. d. FVVB. M.: Lions Club Sbg.-Hellbrunn. H.: Kunstgesch., Fischen. (E.H.)

Mösslacher Wolfgang

B.: Pater Prior, Krankenhausvorst. FN.: Krankenhaus der Barmherzigen Brüder. DA.: 4014 Linz, Seilerstätte 2. G.: Bad Bleiberg, 27. Mai 1942. El.: Jakob u. Hildegard. S.: VS u. HS in Friesach (Kärnten), HAS in Graz, anschl. ortsinterne Krankenhausausbildung. K.: seit 1975 im Orden (kath.), 1966 BH, 1967 im Orden im KH d. Barmherzigen Brüder als Kirchenltr. in Eisenstadt, 1968 als Subprior Übern. d. Spitalmeisterei u. Materialverwaltung, ab 1974 im KH d. Barmherzigen Brüder in St. Veit an der Glan, als Prior einges. um zu prüfen, ob das alte Krankenhaus geschl. od. umgebaut werden soll, anschl. 9j. Umbau d. KH: Zentrum d. Bauch- u. Krebschirurgie, 1983 Berufung z. Provinzial d. Österr. Ordensprovinzial d. Barmh. Brüder, seit 1989 Prior v. Linz. E.: 1981 Goldenes EZ f. Verd. um d. Rep. Österr., 1982 Wappenring d. Stadt St. Veit a.d. Glan. H.: Gartenarbeit, Musik: Volksmusik bis klass. Musik, Kirchenmusik u. Symphonien, Schubert, Mahler, Beethoven, Leonard Bernstein. (U.A.)

Mösslacher Kurt
B.: Goldschmied, Juwelier. FN.: Kurt Mösslacher Juwelier-Goldschmied. DA.: 5700 Zell/See, Postpl. 1. G.: Zell/See, 11. März 1956. V.: Ursula, geb. Astl. Ki.: Theresa (1981), Anna (1984). El.: Friedrich u. Albertine. S.: VS, HS, 1977 Matura, 1978 BH, 1979 TU Wien. K.: 1980 Übernahme d. Familienbetriebes Mösslacher, 1984 Mstr.-Prüf. Sbg. H.: Tennis, Radfahren, Skifahren, Fachliteratur. (M.H.)

Mössler Alfred
B.: Inh. Gastronom. FN.: Mössler u. CoKG. DA.: 5600 St. Johann i. Pongau, Bundesstr. 9. G.: Schwarzach, 29. März 1965. V.: Heidi Rohrmoser (Lebensgefährtin). Ki.: Alfred Rohrmoser (1989). El.: Marianne. S.: Pflichtschule, BS. K.: 3 Jahre als Koch i. Gasth. Bacher i. St. Johann, 1983 abgeschl., 1984 Bundesheer, 1985 i. Restaurant Gewürzmühle i. Sbg. als Koch tätig, 1985 Konzessionsprüfung absolviert, 1986 selbst. m. Cafe-Restaurant, Reinbachstube i. St. Johann eröffnet, s. 1986 zum Gasthof umstrukturiert, Frpühjahr 1995 Betrieb zum Familien Hotel um- u. ausgebuat. H.: Fußball, Beruf.

Mostbeck Adolf Dr. Univ.-Prof.
B.: Vorst. d. Nuklearmed. Inst. d. Wilhelminenspitals u. in d. Ltg. d. Ludwig Boltzmann-Inst. f. Nuklearmed. A.: 1140 Wien, Hütteldorfer Str. 102. G.: Wien, 4. März 1925. V.: Dr. Dietlind, geb. Keller. El.: Adolf u. Margarete. S.: 1952 Matura, Univ. Wien, Prom. z. Dr. med. univ. 1952., Habil. f. innere Med. 1973, 1981 Professur. K.: 1952 I. Med. Univ.Klinik ab 1953 Wilhelminenspital d. Stadt Wien, ab 1974 Vorst. d. Nuklearmed. Inst. d. Wilhelminenspitals. P.: Ca. 200 Arb., vor allem auf d. Gebiet d. Nuklearmed. m. Bevorzugung angiologischer Thematik. M.: Mtgl. d. Ges. d. Ärzte, d. österr. Ges. f. innere Med., d. österr. Nuklearmed. Ges., d. europ. Nuklearmed. Ges.

Mostböck Wolf Dietrich Dr. phil.
B.: Ref. f. Öff.-Arb. FN.: AUVA Allg. Unfallvers.-Anst. GT.: Univ.-Lektor. DA.: 1201 Wien, Postfach 200. PA.: 1040 Wien, Schäfferg. 22. G.: Wien, 24. Sept. 1943. V.: Mag. art. Edith, geb. Huber. El.: Josef u. Edith. BV.: Hermine Cernic-Pillinger, geb. Weis. S.: Univ. Wien, 1972 Dr. phil. K.: 1960-70 Privatlehrer, 1971/72 Kons. v. Malaysia, seit 1972 b. d. AUVA, seit 1979 Ltr. d. Stabstelle f. Öff.-Arb. P.: Fachpubl. d. Bereiche "Soz. Sicherheit" u. "Kommunikation. M.: Präs. d. Public Relations Verb. Austria 1993-95, Concordia, Dialog, IPRA, IVSS, ÖJC, PRVA, VBJÖ, WWG. H.: Bücher, Garten, Hunde, Musik, Radfahren, Reisen, Segeln, Schnorcheln, Unterrichten.

Mostböck-Huber Edith Mag. art.
B.: freischaff. Künstlerin. DA.: 1040 Wien, Dampfg. 24. PA.: 1040 Wien, Schäfferg. 22. G.: Wien, 18. Apr. 1947. V.: Dr. Wolf-Dietrich Mostböck. El.: Friedrich u. Wilma Huber. S.: 1965 Matura, Naturstud. an d. Ak. f. Angew. Kunst b. Prof. Obsieger, 1967-71 Mstr.Kl. Textiles Gestalten b. Prof. Rader-Soulek, 1971 Dipl., 1971-76 Mstr.Kl. Metallgestaltung b. Prof. Hagenauer, 1976 Dipl. K.: seit 1971 freischaff. tätig, Ausstellungen: 1972 "Angewandte Kunst d. Gegenwart" Galerie am Graben Wien, 1975 "Creative Crafts of Austria" Austrian Inst. New York, 1976 "Tapisserien" Österr. Museum f. Angew. Kunst Wien, 1978 "The Bowl" Göteborg, 1980 "Email" Schmuckmuseum Pforzheim u. Galerie am Graben Wien, 1983 "Ars Sacra" Rathaus Wien, 1984 "Schmuck aus Österr." Biennale Venedig, 1985 "Interart" Hohenfeste Sbg., 1987 "Europalia" Brüssel. E.: 1981 Förderungspreis d. Theodor Körner-Stiftung. M.: Mtgl. d. Austrian Crafts Council, Berufsver. Bild. Künstler, Wr. Künstlerhaus. (P.R.)

Mostegl Alfred
B.: Photographenmeister. FN.: Fotostudio Mostegl. DA.: Theaterpl. 1, 9020 Klagenfurt. PA.: Rudolf Kattnig Straße 10, 9020 Klagenfurt. G.: Preitenegg bei Wolfsberg, 29.4.1942. V.: Ingrid, geb. Ebenberger. Ki.: Birgit (1968), Gerhard (1972). El.: Antonia u. Siegfried. BV.: Opernsängerin Anni Chikhani (Schwester) u. Musiker Siegfrie Mostegl (Bruder). S.: Berufsschule u. Lehre Photographie in Wolfsberg, Höheren graph. Lehr- u. Versuchsanstalt, 1964 Meisterpfrüf. in Wien. K.: 1965 Grdg. d. eigenen Firma in Völkermarkt, 1975 Standortverlegung nach Klagenfurt, daneben Berufsschullehrer f. Photographie in Klagenfurt, Besuch von nationalen u. internationalen Seminaren (David Hamilton) und ab 1975 intensive Beschäftigung mit d. Protraitphotographie, seit 1984 Kärntner Landesinnungsmeister f. Photographie, Studium d. Kompositionslehre am Kärntner Landeskonservatorium (seit 1993). E.: Silber u. Bronzemedaillie im Europa Wettbewerb d. Berufsphotographen f. Portrait, 1987. P.: Ausstellungen: 1991 Romantik u. Photographie im Klagenfurter Stadttheater, Villach, St. Veit. H.: Musik u. Photographie. (G.L.)

Möstl Ida

B.: Immobilienmaklerin. FN.: Alpina-Immobilien. DA.: 3300 Amstetten, Wiener Str. 67. G.: Waidhofen/Ybbs, 26. März 1954. Ki.: Marco (1975), Michael (1980). El.: Franz u. Maria. S.: VS, HS, Haushaltungsschule, 1969 kfm. Lehre. K.: 1972 Geselle im elterl. Betrieb, 1986-87 Kurs f. Immobilien, Vermittl. u. Verw., 1987 Konzessionsprüfung, Okt. 1987 Eröffn. d. eig. Immob.-Büros Alpina Immob. H.: Tennis, Skifahren. (Ni.A.)

Möstl Wolfgang
B.: Gschf. FN.: R. Möstl KG. DA/PA.: 4020 Linz, Wegscheider Str. 22. G.: Linz, 4. Nov. 1962. V.: Rosalinde, geb. Huber. Ki.: Daniela (1982), Elisabeth (1984), Wolfgang (1989). El.: Rudolf u. Liselotte. S.: Fachschule f. Motoren u. Kraftfahrzeugbau - Steyr 1982, 1984-85 BH. K.: 1982 Eintr. elterl. Betrieb, zuerst Werkstätte, 1987 Wechsel ins Büro, 1992 Gschf., ab 1994 Hubschraubertransportfirma, Übern. d. Fa. Helifly; 1988 Pilotenschein CPL IFR CHPL, Berufspiloten f. Hubschrauber. M.: OÖ Luftfahrerverband, Fliegersportver. St. Valentin. H.: Fliegen. (N.A.)

Mostler Helfried Dr. phil. o.Univ.-Prof.
B.: o.Univ.-Prof. am Inst. f. Geologie u. Paläontologie d. Univ. Innsbruck. GT.: gerichtl. beeid. Sachv. f. Ing.Geologie u. angew. Geologie. DA.: 6020 Innsbruck, Innrain 52. PA.: 6020 Innsbruck, Freundsbergstr. 26. G.: Graz, 16. Jän. 1934. V.: Waltraude, geb. Schober. Ki.: Wolfram, Bertram, Guntram. El.: Prof. Karl u. Anna. S.: Gymn., Matura, Stud. Univ. Graz, TH Graz, wiss. Hilfskraft TH Graz, 1963 Dr. phil. Univ. Innsbruck, 1968 Habil. K.: Gastvorlesungen Berlin 1968 TU Berlin, 1973 a.o.Prof., 1979 o.Prof. P.: seit 1971

Hrsg., 212 Veröff., Beiträge z. Mikrofazies u. Mikrofauna v. Tir. u. Vbg., Hrsg. v. mehreren Fachzeitschr. E.: 2x Theodor Körner-Preis, 1. Preis d. Landes Sbg. M.: British Mikropaläontolog. Ges., Soc. of economic Geology. H.: Beruf.

Mostögl Franz

B.: Untern.; StadtR. FN.: Mostögl Bauholz, Baustoffe Bauelemente; Stadtgem. St. Andrä. DA.: 9431 St. Stefan, Klein Rojach 10; 9433 St. Andrä 65; 9433 Stadtgemeinde St. Andrä 210. PA.: 9431 St. Stefan, Klein Rojach 10. G.: Reichenfels, 27. Jän. 1949. V.: Sabine, geb. Petutschnig. Ki.: Thomas (1985), Wolfgang (1988). El.: Herbert u. Elisabeth. BV.: s. 18 Jh. in Reichenfels nachw. Fam. S.: Lehre als Tischer. K.: 1967-70 Tätigkeit in Deutschland, 1970-82 Tätigk. in Nordafrika u. Arabien f. eine dt. Bau Fa., gleichz. 1974-76 Ausbild. z. Betonmstr. m. Abschl.,1982-89 Techn. im Außendienst f. Fa. Wienerberger, 1989-92 als Fil. Ltr. in d. Priv. Wirtsch. in Ktn., 1992 Firmen Grdg.; Moderator f. kommunalpolitische Seminare u. s. 1991 StadtR in St. Andrä-referat Bauwesen. M.: 1992 Ktn. Abwehrkämpferbund, 1991 Zivilinvalidenverband, 1994 Lions Club St. Paul. H.: Tauchen, Segeln, Politik, Garten. (G.L.)

Motlik Eduard

B.: Kfm., Gschf. Ges. FN.: Hans Jaul & Co OHG. DA.: 1050 Wien, Reinprechtsdorfer Str. 39. PA.: 1070 Wien, Kaiserstr. 71/2/6/16. G.: Wien, 27. Apr. 1958. V.: Gabriele, geb. Macho. Ki.: Daniel u. Oliver (1987). El.: Jaroslav u. Gertrude. S.: 1977 Matura. K.: 1977 Tätigk. in Fa. Hans Jaul, Übernahme d. Geschäftsltg., 1979-82 parallel Lehrgang f. Werbung u. Verkauf WU Wien, s. 1991 Großhdl. M.: Vorst.-Mtgl. im Landesgremium f. Lebensmittel Einzelhändler, Vorst. im Süßwaren Zentralverb. Österr., Ver. d. Wr. Kaufleute. H.: Tennis, Fischen. (I.K.)

de la Motte Diether Prof.

B.: Prof. f. Musiktheorie an d. Musik-HS. DA.: 1010 Wien, Singerstr. 26. PA.: 1120 Wien, Aichholzg. 20-22/7. G.: Bonn, 30. März 1928. V.: Prof. Dr. Helga, geb. Haber. S.: 1946-50 Stud. Kompos., Klavier u. Chorltg. Musik-HS Detmold. K.: 1950-59 Doz. u. Musikkritiker Düsseldorf, 1959-62 Musikverlagslektor Mainz, 1962-82 Prof. MHS Hamburg, 1982-88 Hannover, seit 1988 Wien. P.: Musikal. Analyse (1968), Harmonielehre (1976), Kontrapunkt (1981), Melodie (1993). H.: Papagei. (L.S.)

Motter Klara

B.: Mtgl. d. NatR. DA.: 6971 Hard, Poststr. 8. G.: Lindau, 1. Okt. 1935. V.: Dr. Gerhard Motter. Ki.: Christiane, Herbert. S.: Pflichtschule, kfm. Ausbild. u. zahnmed. Ass. K.: 15 J. berufstätig, 1976-79 Mtgl. d. Vbg. Landtages, 1982 Parteiobm.-Stellv. d. FPÖ, seit 1993 Liberales Forum, seit 1986 Mtgl. d. NatR., 1993 Landessprecherin d. Liberalen Forum u. Stellv. d. Bundessprecherin. H.: Literatur, Musik, Singen. (I.D.)

Mottl Erika

B.: Schauspielerin am Volkstheater. PA.: 1120 Wien, Schönbrunner Str. 271. G.: Wien, 10. März 1942. V.: Herwig Seeböck. Ki.: Ida, Jakob. El.: Richard u. Margarethe Feucht. S.: VS, AHS, Schauspielschule, tänzerische Ausbild. K.: Volkstheater (7 J.), durch Heirat u. Kinder freiberufl. (ORF, Werbung, Filme etc.) tätig, danach wieder Volkstheater, ständiges Mtgl., dazwischen Gastspiele in BRD, Bregenz u. Graz, seit 1982 Sommerproduktionen im Sieveringre Steinbruch gekoppelt m. d. kulturellen Veranstaltung in Litschau/Waldviertel, ca. 20 Regien, 1990 Grddg. d. Seeböck-Ensembles, Eigenproduktionen (u.a. Eule u. Kätzchen, Der zerbrochene Krug, Minna v. Barnhelm, Educating Rita, Oscar, Einige Kabarett-Programme). E.: Skraup-Preis (1981), Gold. Rathaus-Mann (1963). H.: Sport (Tanzen), Motorradfahren. (J.S.)

Mottl-Dönch Sonja Kammersängerin

B.: Opern-, Operetten- u. Musicalsängerin i.R. PA.: 3400 Klosterneuburg, Rudolf-Werner-G. 41. G.: Zagreb, 4. Juli 1923. V.: in 3. Ehe Kammersänger HofR. Prof. Karl Dönch. Ki.: Vivien, Gabriele. El.: Steffy u. Silvio Sagovac. BV.: Opernsänger Tino Patiera. S.: Matura, 1939-45 Stud. Gesang in Zagreb. K.: 1943 Debüt an d. Zagreber Oper, 1954-88 Engagements in d. Volksoper in Wien, "Der Zigeunerbaron", "Das Land des Lächelns", "Fledermaus", "Madame Pompadour", "Die Liebe zu den drei Orangen", 16 J. in "Kiss me Kate" gespielt u. gesungen, "Csardasfürstin", "Machagoni", "Wildschütz", u.v.m., Gastspiele in d. Schweiz, Sommerspiele in Tuhn am Tuhner See, Steckborn (CH), Zürich, Hamburg, München u. Triest. E.: 1974 Kammersängerin, seit 1983 Ehrenmtgl. d. Wr. Volksoper, Orden um d. Verd. d. Stadt Wien. H.: Lesen, Wandern, Gartenarb., Familie. (M.B.)

Motycka Erwin Dr. OMedR.

B.: FA f. Radiologie, ermächtigter Arzt d. BMG. DA.: 1200 Wien, Wallensteinstr. 68-72. PA.: 1200 Wien, Wallensteinpl. 3. G.: Wien, 10. Febr. 1927. V.: Gabriele, geb. Wurz. Ki.: Thomas, Martin. El.: Josef u. Mathilde. S.: Oberschule, Univ. Wien, 1951 Dr. med. K.: stellv. Obm. d. Vertretung d. Spitalsärzte in d. Gewerkschaft d. Gemeindebed., KamR. d. Ärztekam. Wien, 1959 eigene Ordination. E.: Chevalier d. Ordens d. byzantinischen Ritter v. Hl. Grab, Ritter d. Etoile de la Paix, Colonel Conf. Air Force, Korrespondent d. Washington Press Corp, New York. M.: Van Svieten Gesellschaft, Ges. d. Ärzte in Wien, Österr. Röntgenges., Österr. Verb. f. Strahlenschutz, Verb. f. med. Strahlenschutz in Österr., ÖLFV, Austrian Aviation Association, Club Wien Intern. H.: Reisen, Film, Foto. (Fels.)

Motylewitz Georg

B.: Journalist, Autor u. Gestalter d. Kirchenfunkes. DA.: 1040 Wien, Argentinier Str. 30a. PA.: 1100 Wien, Quellenstr. 27/38/9. G.: 28. Aug. 1955. V.: Hedwig, geb. Pasternak. Ki.: Michael (1980), Martin-Christoph (1988). El.: Severin u. Maria. S.: Matura 1975, Stud. d. Germanistik in Polen. K.: 1 J. Bibliothekar, Übers. d. Gefängnisnotizen "Finsternis u. Todesnot" d. Stefan Kardinal Wischinski (1983), "Das war Popielusko", Übers. v. "Mariengedichte", Mitarb. b. versch. Zeit. wie Kath-Press, Die Furche, DRS-Zürich, DLF-Köln, Neue Zürcher Zeit., Gestalter d. Sdg. "Radiokolleg", Autor v. Dok.-Filmen f. d. ORF u.a. f. "Compass" u. "Orientierung" z.B. "Streit um Kirchenbesitz", "Jüd. Bibeln", "Das Bild d. Deutschen", "Welt d. Religion". M.: Übersetzerverb. (P.R.)

Motz Michael Dr.

B.: Ressortltr. Servicesendungen, Ges., Familie d. ORF Landesstudio Tir. DA.: 6010 Innsbruck, Rennweg 14. PA.: 6020 Innsbruck, Zimmeterweg 23. G.: Wien, 2. Jän. 1949. V.: Ilse, geb. Fröhlich. El.: Alois u. Josefine. S.: Grundschule, Gymn., 1968 Abschluß, 1 J. Abiturientenkurs, BH, 4 J. Jusstud., 1974 Prom., Gerichtsj. K.: beteiligt am Aufbau d. Inst. f. Föderalismusforsch. Innsbruck, 3 J. Tyrolia Verlag - Zeitungsjournalist b. "Präsent" u. "Tip", ständig freier Mitarb. f. ORF im Aktuellen Dienst, Wiss. u. Unterhaltung, ab 1981 Anstellung als Red. d. Aktuellen Dienstes, 1982 Spartenltr. Südtir., ab 1985 Ressortltr. Servicesendungen, Ges. u. Familie, Gestalter zahlr. Fernsehdokumentationen, verantwortl. im Radiobereich f. Livesendungen "Tirol-Journal", "Bürgerforum", 5 J. Red.-Sprecher, 4 J. BetriebsR., BetriebsR.-Vors. u. ZentralbetriebsR. im ORF, Managementausbild. im ORF Zentrum Wien. E.: 198 Wehrigel f. bes. publizist. Verd. um d. umfassende Landesverteidigung. M.: Rotary Club Innsbruck. H.: port, Literatur, Fernseh-Radio, Studienreisen vor allem in d. Fernen Osten. (M.W.)

Moucka Ernst Dipl.-Ing. Baurat h.c.

B.: Ziviling. f. Kulturtechnik u. Wasserwirtschaft. DA.: 1070 Wien, Myrtheng. 20/5. G.: Wien, 18. Nov. 1919. V.: Friederike, geb. Kraus. Ki.: Werner, Dipl.-Ing. Christiane. S.: Piaristengymn., 1937 Matura, Österr. BH, dt. Wehrmacht b. 1945, Stud. Univ. f. Bdk., Abt. Kulturtechnik u. Wasserwirtschaft, 1948 Dipl.-Ing., 1954 Ziviltechnikerprüf. u. Befugnis als Ziviling. f. Kulturtechnik u. Wasserwirtschaft. K.: ab 1954 Errichtung d. Ziviltechnikerkzl. E.: 1985 Verleihung d. Berufstitels BauR. h.c. durch d. BPräs. H.: Reiten, Jagd, Pferdezucht, Pferdesport. (C.K.)

Mouka Rudolf

B.: Gschf. Ges. FN.: Mouka GesmbH, Sportartikel u. Geräte. DA.: 2630 Ternitz, Theodor Körner Platz 6. PA.: 2640 Enzenreith 184. G.: Enzenreith, 18. Feb. 1946. V.: Renate, geb. Dorfmeister. KI.: Andrea (1967), Marion (1975). EL.: Rudolf u. Hedwig. K.: Lehre als Dreher, danach einige Jahre Praxis, 1967 Einstieg in d. kfm. Bereich, Eintr. in d. Fa. Weber u. Lang als Gschf., 1976 Umstieg in die Sportbranche, Gschf. d. Fa. Sport - Heiss, seit 1978 selbst. mit Grdg. e. eig. Sportartikelgesch. in Ternitz, 1986 Eröffn. e. Filiale in Gloggnitz, 1991 Grdg. e. weiteren Filiale in Neunkirchen. M.: Obmann d. Tennisclubs TC Ramplach, Obmann d. Fußballclubs ASK Ternitz.H.: Tennis, Skifahren. (F.S.)

Moucka Klaus

B.: Gschf. Ges. FN.: Grafik & Design Klaus Moucka GmbH. DA. u. PA.: 1070 Wien, Halbg. 3-5. G.: Wien, 18. Juli 1946. El.: Helmut u. Liselotte. BV.: väterlicherseits Rainer Maria Rilke. S.: Mittelschule Wien, TGM Wien. K.: 10 J. Berufspilot, 1977 Grdg. d. Fa. Grafik & Design Klaus Moucka GmbH. E.: etl. Ausz. d. Ind. (J.S.)

Mraczansky Friedrich Dr.

B.: Dir. (Landesstellendir.) d. Sozialvers.-Anst. d. Bauern Landesstelle OÖ. DA.: 4020 Linz, Huemerstr. 21. G.: Brünn, 19. März 1934. V.: Erika, geb. Grießler. Ki.: Werner (1962), Gerda (1966), Erika (1968). El.: Franz u. Christine. S.: 1953 Matura RG Linz, ab 1953 Tätigkeit b. Privatvers. u. nebenbei Jusstud. in Wien, 1959 Prom. K.: 1960-65 Sozialreferent b. OÖ Bauernbund, 1965 Grdg. d. OÖ Bauernkassa u. seither Dir.-Stellv., 1974 Grdg. u. ab August 1989 Dir. d. Sozialvers. d. Bauern, LSt. OÖ. E.: 1989 Gold. VZ d. Rep. Österr. (U.E.)

Mrak Günther

B.: Verwalter Stiftsmuseum, Kfm. Ang. FN.: Gösser Brauerei AG. DA.: 8700 Leoben, Turmg. 6. PA.: 8700 Leoben, Vordernberger Str. 34. G.: Leoben, 1. Sept. 1930. V.: Waltraud, geb. Höller. Ki.: Gerburg, Rainald, Bernhard. El.: Franz u. Maria. S.: VS, AHS, 1953 Matura, Stud. in Leoben. K.: 1950-55 Vermessungstechniker, 1955-57 Alpine Donawitz, seit 1957 kfm. Ang. Gösser Brauerei, jetzt Steir. Brauind. AG, Liegenschaftsverwalter u. Hpt.Kassier, ab 1962 Arb. f. Museum. P.: Handbuch d. Museums. H.: Bergwandern. (H.Z.)

Mras Stefan

B.: Theaterdir., Eigentümer u. Ltr. d. Theater-Center-Forum. DA. u. PA.: 1090 Wien, Porzellang. 50. G.: Wien, 17. Aug. 1954. V.: Evelyn, geb. Pawlik. Ki.: Nikolaus, Katharina. S.: Gymn., 1974 Matura, kfm. Ausbild. K.: in d. Realitätenbranche tätig, Auslandsaufenthalt in d. BRD, Ausbild. an Kleintheatern u. Städt. Bühnen, 1979 Grdg. d. Theater-Forum, 1984 Erweiterung auf 3 Bühnen. E.: div. Kleinbühnenjurypreise. H.: Theater. (A.W.)

Mraz Gerda Dr.

B.: Dir. d. Museums Österr. Kultur, Historikerin. GT.: seit 1988 Lehrauftrag an d. Päd. Ak. d. Bundes in Eisenstadt, seit 1967 Sekr. d. Ges. d. Österr. Kulturgeschichte u. Ltr. d. Inst. Österr. Kulturgeschichte. DA.: 7000 Eisenstadt, Joseph-Haydn-G. 1. PA.: 2454 Trautmannsdorf/Leitha, Marktpl. 5. G.: Wien, 21. Apr. 1940. Ki.: Simon. El.: Stefan u. Josefa Koller. S.: 1958 Matura, Stud. d. Phil. in Wien, 1962 Prom., Ausbild. am Inst. f. Österr. Geschichtsforsch., 1965 Staatsprüf. K.: 1962-68 an d. Österr. Ak. d. Wiss. in Wien, Kmsn. f. Geschichte Österr., 1968-71 Lehrbeauftragte f. Österr. Kulturgeschichte an d. Musikak. Graz (Expositur Oberschützen), 1971-82 wiss. Mitarb. am Univ.Archiv in Wien, seit 1968 Ltg. d. Inst. f. Österr. Kulturgeschichte, seit 1982 Ltr. d. Museums Österr. Kultur in Wien, 1986 Aufbau d. Museums in Eisenstadt, seit 1986 Gschf., 2 gr. Bgld. LAusstellungen geplant u. gestaltet, 1980: "Maria Theresia als Königin v. Ungarn" im Schloß Halbturn u. 1982: Die gr. intern. Haydnausstellung z. 250. Geburtstag d. Komponisten. P.: Bücher (Auswahl) "Maria Theresia. Ihr Leben u. ihre Zeit in Bildern u. Dokumenten" (1979), "Prinz Eugen. Sein Leben, sein Wirken, seine Zeit" (1985), Edition d. Tagebücher d. Erzherzogs Leopold aus d. Jahr 1764, zahlr. Aufsätze z. österr. Geschichte in wiss. Zeitschriften, Hrsg. u.a. Jahrbuch f. österr. Kulturgeschichte (bisher 16 Bde.). M.: ICOM, Österr. Museumsbund, Österr. Ges. z. Erforsch. d. 18. Jhdt., Dt. Ges. z. Erforsch. d. 18. Jhdt., Inst. f. österr. Geschichtsforsch., German. Nationalmuseum. (M.B.)

Mraz Gottfried DDr. HofR.

B.: Dir. des Haus-, Hof- u. Staatsarchivs u. d. Finanz- u. Hofkammerarchivs. DA.: 1010 Wien, Johannesg. 6 u. Minoritenpl. 1. G.: Linz, 31. Aug. 1935. V.: Dr. Henrike, geb. Iselstöger. El.: Thomas u. Maria. S.: 1954 Matura, 1956-59 Ordens-HS Pullach b. München, Lizentiat f. Phil., 1962-68 Stud. d. Theol. Innsbruck, 1968 Prom. über "Geschichte d. Theol. Fak. d. Univ. Innsbruck v. ihrer Grdg. b. z. Jahre 1740", 1975 Prom. Univ. Wien in Phil., "Kirchen zwischen Davidstern und Hakenkreuz", Kurs a. Inst. f. österr. Geschichtsforsch. m. Staatsprüf., 1976. K.: 1972-76 Histor. Kmsn. d. Bayer.Ak. d. Wiss., Edition d. Reichstagsakten, 1976 Eintritt i. d. BDienst d. Österr. Staatsarch., 1982 OR., 1986 HofR., Dir. d. Finanz- u. Hofkammerarchivs, s. 1991 Dir. d. Haus-, Hof- u. Staatsarchivs. BL.: s. 1979 Lehrtätigkeit i. Rahmen d. Inst. f. Österr. Geschichtsforsch. P.: zahlr. Aufsätze zu allg. europ. u. in bes. z. Österr. Geschichte d. Neuzeit, Leitg. v. u. Mitarb. an Ausstellungen i. In- u. Ausland z.B.: "Prinz Eugen und sein Winterpalais" (Wien, 1986), "Österreich u. Italien i. 19 Jhdt." (Rom 1986 u. Wien 1987), "Franz Grillparzer" (Wien 1991), Bücher u.a. "Maria Theresia" (1970), "Prinz Eugen" (1985), "Belvedere" (1988), "Franz Grillparzer - Finanzbeamter u. Archivdir." (1991), Festschrift: "100 J. Goldenes Kreuz" (1993), "Österreich u. d. Reich 1804-1806" (1993). H.: Barockmusik, Kunstgeschichte, Literatur, Wandern. (E.J.)

Mraz Hans Dipl.-Ing. TechnR.

B.: Dir., Ing.Kons., gerichtl. beeid. Sachv. f. d. Wärmewesen. A.: 1233 Wien, Wohnparkstr. A1/27. G.: Wien, 11. Okt. 1930. V.: Elisabeth, geb. Plomer. El.: Franz u. Juliane. S.: Realschule, TH. K.: 1948 Matura, 1953 Dipl.-Ing., 1954 Betriebsing., 1969 Abt.Ltr., 1970 Prokura, 1971 gschf. Dir., 1985 Mtgl. d. Vorst. d. Fachverb. d. Gas- u. Wärmeversorgungsuntern. Österr., 1987 Führung d. Österr. Staatswappens, 1990 Gschf. Ges. P.: "Aufbereitung v. Schwelwasser", "Herstellung v. Aktivkohle aus Kartoffelpülpe", "Umstellung v. Siemens-Martinöfen auf Erdgasfeuerung" (Stahl u. Eisen), "Abwärmenutzung am Beispiel Linz-Bindermichl", "Probleme d. Wärmeverrechnung" (Gas, Wasser Wärme), "Die Alternativen" (Österr. Installateurzeitung), "Dem Blockheizkraftwerk eine Chance", "Probleme d. Abwärmenutzung", div. hippologische u. alpinistische Art. E.: Österr. Reitabzeichenin Bronze/Silber/Gold. M.: Ges. d. Musikfreunde in Wien, Wr. Konzerthaus-Ges., Richard-Wagner-Verb., Österr. Alpenclub, Österr. Himalaya-Ges. (Vorst.-Mtgl.), Erzbruderschaft St. Leonhard, 1994 Mtgl. d. Austrian Senior Experts Pool.

Mraz Otto

B.: Bez.Vorst. Simmering. DA.: 1110 Wien, Enkplatz 2. PA.: 1110 Wien, Hugog. 20/5/10. G.: Wien, 27. Februar 1925. V.: Hedwig, geb. Ponecz. Ki.: Ingeborg. El.: Franz u. Karoline. S.: VS, HS, 3 J. Berufsschule, Gewerkschaftsschule. K.: Gewerkschaft, Mtgl. d. Zentralvorst. d. Metall- u. Bergarbeiter, Mtgl. d. LLtg. Wien, 1976 Parteisekr. SPÖ Simmering, 1978 Bez.Vorst.Stellv. u. Parteisekr., seit 1980 Bez.Vorst. P.: Bezirkszeitungen. M.: Präs. d. Heimatmuseums, VHS. H.: Schach, Garten. (E.L.)

Mrázek Edith Dr. phil.

Pseudonym: Edith Sommer. B.: Schriftstellerin. PA.: 1090 Wien, Garnisong. 3/6a. G.: Wien, 28. Jan. 1927. V.: Dr. Viktor Mrázek. Ki.: Johannes. S.: Stud. d. Germanistik u. Philol. an d. Univ. Wien, 1950 Prom., Schauspielausbild. K.: 1950-54 Franz. Dolmetscherin u. Ltr. d. Jugendbibl. in Innsbruck, 1954 Jugendbetreuerin im BMU Wien, ab 1955 Staatsbibl. im Heeresgeschichtl. Museum, 1958-66 an d. Österr. Nationalbibl. P.: Der Dichter (Hsp. 1952), Der Tag der Tage (Hsp. 1953), Hokuspokus oder Cembyrek u. d. Familienglück (Hsp. 1954), Geschichte der Österreichischen Nationalbibliothek - Die franciscojosephinische Ära bis zum Ende des 19. Jhdts. (1966-73), Bibliothekar - ein lit. Beruf? - Friedrich Halms Ernennung zum ersten Kustos der Hofbibliothek (1970), Halms Deutschlandreise (1975), Immer noch Hoffnung (1983), Begegnung im Wort (1984), Ein Sommer ohne Wiederkehr (1985), Neonlicht und Kerzenschimmer (1985), Grasnarben unter deinem Fuß (1988), Erdefunkstelle bitte melden (1988), In meinem Traum fliege ich (1991), Schritte im Sand (1993), Dennoch bricht ein Zweig (1994), Mitarb. b. mehreren Anthologien u. Zeitschriften, zahlr. Lesungen, Gedichte u. Kurzprosa im Rundfunk u. im Kulturtelefon, Lyrikvertonungen durch Hans Peter Nowak. E.: 1951 u. 1953 Lyrikpreis d. Österr. Jugendkulturwochen in Innsbruck. M.: Österr. P.E.N.-Club, Österr. Schriftstellerverb., AKM, Autorenverb. im Verb. d. geistig Schaffenden, Kath. Schriftstellerverb., Arge Literatur d. NÖ Bildungs- u. Heimatwerkes, zahlr. lit. u. kult. Ver. im In- u. Ausland. H.: Lesen, Liebe z. Natur, Auslandsreisen, Musik, Klavierspielen, Tiere. (M.B.)

Mrkvicka Franz

B.: Mtgl. d. NatR. seit 1987, Ang. DA.: 1017 Wien, Dr.-Karl-Renner-Ring 3. G.: Wien, 1. Apr. 1940. 1962 Sekr. b. Intern. Bund freier Gewerkschaften in Brüssel, 1963-72 Österr. Gewerkschaftsbund, 1972-73 Intern. Arbeitsamt (ILO) in Genf, seit 1974 Kam. f. Arb. u. Ang. f. Wien, 1979-83 Abg. z. Wr. Landtag u. Mtgl. d. GemR. d. Stadt Wien, 1983-87 amtsführender StadtR. d. Stadt Wien.

Mrkvicka Kurt

B.: Dentist. PA.: 1220 Wien, Anton-Sattler-G. 82-84/5. G.: Wien, 11. Juli 1924. Ki.: Hilde, Andreas, El.: Franz u. Anna. S.: HTL in Wien, Zahntechnikerlehre. K.: 1952 Staatsprüf. f. Dentist, 1953 Eröff. d. Praxis, 1976 Teilnahme d. Fortbildungsveranstaltung d. zahnärztl. Bez.Verb. Oberpfalz in Regensburg, 1979 Seminar f. "Totalprothetik", Seminar f. adm. Arb. in d. zahnärztl. Ordination, Seminar "D. parodontale abgestülzte Modellguß-Prothese", Okt. 1992 Pension. E.: 1975 Ehrendipl. d. FGÖD, 1977 Silb. EZ d. FGÖD, 1979 Gold. EZ d. FGÖD, Ehrendiplom d. Vorst. d. Fachgruppe Kieferorthopädie, 1979 Verd.Zeichen d. österr. Dentistenkam. M.: ÖGZMK. H.: Gartenarbeit. (Bau.)

Mrva Alfred

B.: Gschf. Ges. FN.: Mrva GmbH. DA.: 1210 Wien, Prager Str. 91. PA.: 1210 Wien, Carabellig. 5/128. G.: 29. Dez. 1938. V.: Margarete, geb. Leugner. Ki.: Manfred, Ingrid. El.: Oskar u. Leopoldine. S.: VS, HS, Lehre Elektrotechniker, 1956 Abschluß. K.: 1967 Werkmstr., 1974 selbst. im Bereich Sicherheitstechnik. M.: Ehrensen. Fascingsgilde. H.: Kunst, Glas, Porzellan, alte Meister. (H.S.)

Mrkwicka Kurt J.
B.: Filmproduzent. FN.: "MR-Film", "MR-TV-Film". DA.: 1030 Wien, Auhofstr. 70. G.: Wien, 16. Juli 1939. V.: Elfriede, geb. Soyer. Ki.: Kurt (1968), Tin-Mathias (1974), Katharina. El.: Josef u. Katharina. K.: Sportl.: Europameister im Kunstspringen 1962-66, Rom (1960-62), Tokyo (1964), als Autodidakt in d. Filmprod., seit 1964 als Kameramann u. Filmproduzent tätig, 200 Dokumentationen, Drama, Kinofilme, z.B. "Via Mala", "Peter Rosegger", "Erdsegen", "Mal des Todes", "Ochsenkrieg", "Der Mann im Salz", "Die Strauß Dynastie" (12 Std. Spieldauer, größtes europ. Einzelfilmprojekt, int. Mini-Serie d. Musikerdynastie vor d. polit. Hintergrund d. 19. Jh.). (P.R.)

Mucha Bernhard Dr. theol.
B.: Pfarrer u. Diözesanfamilienseelsorger, geistl. Ass. d. Kath. Familienwerkes d. Erzdiözese Wien. DA. u. PA.: 2440 Gramatneusiedl, Oberortstr. 1. G.: Wien, 2. Juli 1955. El.: Josef u. Helga. S.: Matura, Theol.-Stud. Univ. Wien, Doktoratstud. am Inst. Johannes Paul II. Lateran-Univ. Rom, 1990 Prom. z. Dr. theol. K.: 1980 Priesterweihe, Kaplan Pfarre Neumargarethen Wien 12, Studienpräfekt Seminar Hollabrunn, 3 J. in Rom z. Stud. freigestellt, Domkurat in d. Pfarre St. Stephan Wien 1, seit 1990 geistl. Ass. d. Familienwerkes, seit 1993 Pfarrer in Gramatneusiedl. BL.: Mitarb. b. d. Grdg. d. Ak. f. Familienpäd. Schönstatt am Kahlenberg. M.: Säk. Inst. Schönstatt-Diöz. Priest., KÖL-Leopoldina. H.: Schwimmen, Skifahren, Fußball, Kriminalliteratur, Bergwandern. (J.S.)

Mucha Christian W.
B.: Verleger. FN.: Mucha Verlag GmbH & Co KG. DA.: 1072 Wien, Zieglerg. 1. G.: Wien, 14. Aug. 1954. V.: Claudia, geb. Hammetter. Ki.: Vanessa, Alessandra. El.: Dir. Otmar u. Evelyne. S.: Gymn. Wien, 1973 Matura, div. Stud. Jus u. Vw. K.: nach Stud. div. Verkaufstätigkeiten, danach Betriebsberater, Gschf. d. Inst. Triconsult, parallel dazu Grdg. u. Beteiligung am Verlag, d. heute im alleinigen Besitz v. Claudia u. Christian Mucha ist. P.: FM-Fremdenverkehr, FM-Intern., Extra-Dienst, Der Mucha (Serviceführer d. österr. Gastronomie), Die Mucha (Serviceführer f. Einkauf). H.: Antiquitäten, alles was m. Jugendstil zusammenhängt, Wandern, Skifahren, Lesen. (H.P.)

Mucha Hans
B.: Inh. d. Zeitungsverlages H. Mucha, Inh. d. Werbeunternehmens H. Mucha. DA. u. PA.: 8330 Feldbach, Mühldorf 277. G.: Wien, 20. Nov. 1946. V.: Gerlinde, geb. Engel. E.: Ing. Hans u. Ottilie. BV.: Alfons Mucha war Jugendstilmaler in CSSR. S.: VS Zeltweg, BRG Knittelfeld, 1966 Matura, LBA, Geogr. u. Engl.Stud. an d. Univ. Graz. K.: als freier Journalist in Graz, anschl. BH, Red. d. Kronen-Zeitung in Wien, anschl. ltd. Red. f. d. Kronen-Zeitung u. div. Tageszeitungen u. Illustrierten in Graz, 1972 Eröff. d. Presseagentur in Graz, nebenberufl. Ger.Red. u. Kolumnist b. d. NZ, 1974 Grdg. d. Stadtzeitung "Graz Aktiv", 1974 Eröff. d. Werbeagentur, 1975 Grdg. d. Bez.Zeitung "Raabtaler Bildpost" in Feldbach, 1978 "Südsteir. Bildpost", 1981 "Oststeir. Bildpost", seit 1982 PR-Berater f. Öffentlichkeitsarbeit. H.: Fischen, Segeln, Skifahren, Malen, Filmen, Golf. (Lar.)

Muchar Manfred Dkfm.
B.: Prok. FN.: SKM-ELEKTRONIC GmbH, Spittal/Drau. GT.: Unternehmensberater. DA.: 9800 Spittal/Drau, Ponauerstr. 9. G.: Klagenfurt, 16. Juni 1942. V.: Gudrun, geb. Derbuch. Ki.: Michaela, Andreas, Thomas. S.: VS, BRG, HAK, 1960 Matura, HS f. Welthdl., 1968 Dkfm. K.: 1960-68 Exportsachbearb. f. Heraklith d. Fa. ÖAMAG in Radenthein, 1968-70 Stellv. d. Administrator d. Fa. Carinthia Haushaltsgeräte Werke, 1970-72 ÖAMAG als Verkaufsltr. Heraklith Österr., 1972-76 Betriebsltr. d. Sax Werke GmbH, anschl. als Prok., 1976-80 Mtgl. d. Geschäftsltg. d. Fa. Frischeis OHG, 1981-92 Gschf. Ges. d. Fa. Ponau Papier- u. Pappenverarb. GmbH, seit 1992 Prok. d. SKM-ELEKTRONIC GmbH. P.: Dipl.Arb. "Feuerfeste Industrie". M.: Lyons Club Spittal/Drau. H.: Literatur, Briefmarken, Schwimmen, Bergsteigen, Sprachen. (M.B.)

Muchitsch Elvira Dr.
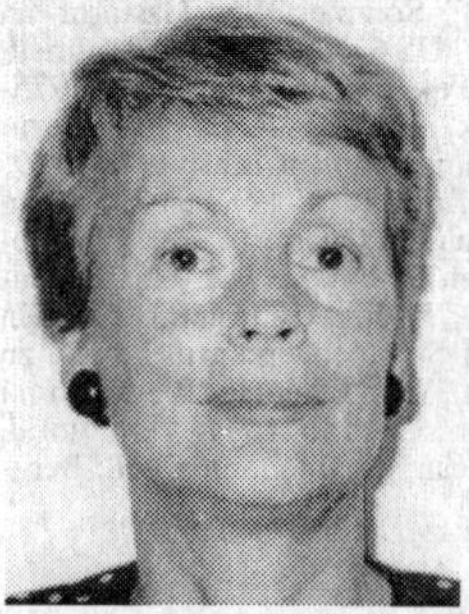

B.: Ltr. d. Autistenberatungszentrums d. Stadt Wien, Klin. Psychologin, Verhaltenstherapeutin. DA.: 1090 Wien, Sobieskig. 31. PA.: 3400 Klosterneuburg-Kierling, Doppelng. 94/7. G.: Berlin, 14. Apr. 1937. V.: Friedrich Muchitsch. Ki.: Mag. Elvira (1962). El.: Dr. Gustav von Metnitz u. Dr. Elvira Cordes Metnitz, geb. Gotter. BV.: entstammt einer d. 5 ältesten Adelsfamilien Ktn. S.: VS, BRG, 1955 Matura, 1964 Prom. z. Dr. phil. Univ. Graz. K.: 1964-67 Maturanten- u. Behindertenberaterin b. Landesarbeitsamt Stmk., 1967/68 Aufenthalt in Griechenland u. Tätigkeit als freie Schriftstellerin, seit 1968 Wien, Tätigkeitsbereiche: Jugendämter, Kinder- u. Jugendpsych. Beratungsstellen, Familienberatungsstellen, 1972 Spezialisierung auf verhaltensauffällige u. entwicklungsbehinderte Klein- u. Schulkinder m. Schwerpunkt Autismus, 1975 1. Sonderpäd. Ambulanz Wien, freie Mitarb. b. ORF, 1980-89 Lehrbeauftragte Univ. Wien, 1982 Erarb. eines inhaltl. u. method. Konzeptes f. d. Autistenberatungszentrum d. Stadt Wien, 1983 Eröff. d. Zentrums, 1986 Einrichtung einer kooperativ geführten Kl. f. autistische Schulkinder, Mitarb. u. Betreuerin b. Forsch.-Projekten im In- u. Ausland. BL.: Begründerin d. Involvierungstherapie u. d. Multifunktionellen Fördertherapie mittels Kulturtechniken. P.: 1968 Kinderbuch: Im Ziba Zuba Zauberland, zahlr. Publ. sowie Interviews f. Rundfunk u. Fernsehen, zahlr. Kurse u. Seminare, Tef. an vielen Kongressen im In- u. Ausland, Unterrichtstätigkeit, seit 1980 Mitarb. d. Wr. Kindergarten- u. Hortjournals, 2-teiliger Videofilm z. Diagnostik d. "Frühkindl. Autismus", Videofilm "Autisten-Therapie u. Autisten-Arb." (1994), seit 1988 wiss. Betreuung eines Projektes d. BMU: Minimale Cerebrale Dysfunktionen im Kleinkinderalter. (F.S.)

Muck Herbert Dr. phil. em. o. Prof.
B.: Kunstwiss. u. Theologe, bis 1994 Ltr. d. Inst. f. sakrale Kunst. DA.: 1010 Wien, Schillerpl. 3. PA.: 2340 Mödling, Brühlerstr. 104a. G.: Wien, 24. Apr. 1924. V.: Brigitte, geb. Hatz. El.: Prok. Johann u. Maria. S.: RG, Stud. Malerei, Phil. u. Theol. in Wien, München, Barcelona, Innsbruck, Kunstwiss., Kunstgeschichte, Anchäologie. K.: 1954 Aufbau eines Bildarchivs, 1959 Lehrtätigkeit am Inst. f. sakrale Kunst (Grdg. Prof. Clemens Holzmeister) an d. Ak. d. bild. Künste in Wien, 1973 HS-Prof. "Verhalten u. Riten in Räumen", 1976 Mtgl. d. Grdg.Vorst. d. österr. Ges. f. Semiotik. BL.: zahlr. Planungsberatungen u. Wettbewerbsausschreibungen, Experte im Fachgebiet Kirchenbau. P.: zahlr. Publ. über Kirchenbau, Semiotik, zeitgenöss. Kunst, 1961 u. 1966 Handbücher über Sakralbau u. Liturgiereform, 1962 Monographie über D. Böhm, 1978 über C. Holzmeister, Mithrsg. v. "Das Münster", Mitarb. d. Zeitschriften "Christliche Kunstblätter", "Kunst u. Kirche", "Entschluß", Planungsgutachten, Dokumentationen, Vorträge, Lehrfilme, Raum-Spiel-Tagungen, Ausstellungskataloge, 1973 Freiräume, 1983 Kunst f. u. ohne Kirche, Mitautor b. Günther Schiwy 1976 Zeichen im Gottesdienst, Der Raum 1986, Gegenwartsbilder 1988. H.: Forschungsaufenthalte (Spanien, Indien). (Bauer)

Muck Otto Dr. phil. o.Univ.-Prof.
B.: Prof. f. Phil. an d. Theol. Fak. d. Univ. Innsbruck. A.: 6021 Innsbruck, Sillg. 6, Postf. 569. G.: Wien, 26. Dez. 1928. El.: Johann u. Marie. S.: Stud. d. Phil. u. Math. an d. Univ. Wien, Scholastische Phil. am Berchmanskolleg Pullach b. München, Theol. an d. Univ. Innsbruck, Studienaufenthalt in USA (1960/61). K.: 1951 Dr. phil., 1958 Priesterweihe, 1962 Univ.Doz., 1966 a.o.Univ.-Prof., Sommer 1968 Gastprof. an d. Fordham Univ. in New York, USA, 1971 o.Prof. f. Christl. Phil., 1969/70 Dekan d. Theol. Fak. d. Univ. Innsbruck, 1975-77 Rektor d. Univ. Innsbruck, 1966-79 Rektor d. Intern. Priesterseminars Collegium Canisianum in Innsbruck, 1969-73 Rektor d. Jesuitenkollegs in Innsbruck, 1968-91 European Ass. Editor v. "Intern. Philosophical Quarterly". P.: "Methodologie u. Metaphysik: Aufgaben d. Phil."., "Die transzendentale Methode", "Christl. Phil.", "Philos. Gotteslehre", Art. in Fachzeitschriften u. Beiträge in Sammelwerken u. Lexika zu Metaphysik, Sprachanalyse u. Wiss.Theorie. E.: Kardinal Innitzer-Preis, EZ d. Landes Tir., Gr. Silb. EZ f. Verd. um d. Rep. Österr. M.: Mtgl. d. Ges. Jesu (Jesuitenorden). H.: Bergwandern u. Skifahren.

Mück Eva
B.: selbst. Geschäftsfrau. FN.: Ringelspiel Exclusive Kindermoden. DA.: 5020 Salzburg, Philharmonikerg. 1. PA.: 5081 Anif 31. G.: Salzburg, 1. Jän. 1959. V.: Werner Mück. El.: Gertraud Achleitner. S.: VS, Gymn. K.: 1969-75 Sekr. im Mag., 1975-78 Bankdion., 1978-82 Sekr. Aktueller Dienst im ORF, seit 1984 selbst. H.: Sport, Tennis, Golf, Skitouren, Kinder, Lesen, Reisen. (N.M.)

Mück Florian
B.: Vors. d. Gewerkschaft Hotel, Gastgewerbe u. persönl. Dienst. GT.: Obm. d. Wr. Gebietskrankenkasse, VPräs. d. Kam. f. Arb. u. Ang. DA.: 1010 Wien, Wipplingerstr. 33. PA.: 1060 Wien, Otto-Bauer-G. 7. G.: Wien, 4. Mai 1924. V.: Katharina, geb. Kick. Ki.: Renate, Birgit. El.: Oskar u. Emma. S.: Lehre als Friseur, Gesellenprüf. K.: 1953 ÖGB Jugendsekr., Fachgruppensekr. d. Friseure, Zentralsekr., Vors. BL.: Bes. Einsatz f. Berufsweiterbild. P.: Div. Art. in Fachzeitschriften. M.: Präsidium d. BFI, seit 1945 SPÖ. H.: Lesen, Briefmarken, Gartenarbeit, Musik. (A.K.)

Mück Johann Dkfm.
B.: Finanzdir. FN.: Scholl Österr. GmbH GT.: Prok. AESCA. DA.: 1151 Wien, Hütteldorfer Str. 46. PA.: 1200 Wien, Brigittag. 19-21/7. G.: Wien, 1. Jan. 1947. V.: Ingeborg, geb. Heissig. S.: Realschule, 1965 Matura, HS f. Welthdl., 1970 Dkfm. K.: 1970-72 Shell Austria Trainee Rechnungswesen, SB-Treasury, 1973-74 Wienerberger Baustoffind. Ltr. d. Debitorenbuchhaltung, 1975-76 IHT Ltr. Rechungswesen, 1977-78 selbst. Baubranche, Baunebengewerbe, seit 1978 Fa. Scholl AESCA Ass. Controller, ab 1980 Finanzdir. b. Fa. Scholl, Geschäftsbereich: Hdl. m. Fußpflegeartikel, Sandalen u. Sonnenschutzmittel. H.: Jagd. (C.K.)

Mück Werner
B.: Ressortltr. d. Europa-Magazins Compass d. ORF. DA.: 1136 Wien, Würzburgg. 30. G.: Wien, 1. Jan. 1945. V.: Eva, geb. Achleiter. Ki.: Vivien (1978), Michael (1978). El.: Rdolf u. Hildegard. K.: 1963-65 Sportred. d. "Salzburger Nachrichten", 1965-67 Lokalred. d. "Salzburger Tagblatt", 1971-73 Red. f. Außenpolitik b. "Kurier" in Wien, 1971-75 Bundesländerred. Fernsehen, 1976-78 Aktueller Dienst Landesstudio Sbg., 1976-89 Chefred. f. Hörfunk u. Fernsehen im Landesstudio Sbg. d. ORF, ab 1991 Ressortltr. d. Europa-Magazin "Compass". E.: Gold. VZ d. Landes Sbg. M.: Lions Club Salzburg-Hohensalzburg. H.: Skifahren, Golf, Segeln. (N.A.)

Mucke Hermann Prof.
B.: Ltr. d. Planetariums d. Stadt Wien u. d. Wr. Urania Sternwarte. DA.: 1020 Wien, Planetarium, Oswald Thomas-Platz. PA.: 1238 Wien, Hasenwartg. 32. G.: Wien, 1. März 1935. V.: Ruth, geb. Cesoli. Ki.: Hermann u. Michael. S.: Matura, TU Wien (Physik), Univ. Wien (Astronomie). K.: 1963 Astronom. Büro, 1964 Planetarium, 1971 Urania Sternwarte, Techn. u. didakt. Neuerungen, Astronom. Phänomenologie. P.: Planetarium als Rechenanlage, Katalog heller Kometen, Canon d. Sonnen- u. Mondfinsternisse gemeinsam m. Jean Meeus, Astron. Kurzkalender, viele Beiträge in Monatszeitschrift "Sternenbote", Österr. Himmelskalender. M.: Präs. Intern. Planetariumsleiterkongreß, gschf. Sekr. d. Österr. Astronom. Ver., Mtgl. AG, BAA. H.: Himmelskunde. (Fels.)

Mücke Christian
B.: Verkaufsltr., Assessor. FN.: Dt. Lufthansa AG. DA.: 8010 Graz, Herreng. 6. PA.: 8010 Graz, Otto-Wagner-Weg 11. G.: Breslau, 26. Dez. 1927. V.: Brigitte, geb. Goepel. Ki.: Kirsten, Dietlinde, Gesine, Amrei. El.: Fritz u. Marie-Louise. S.: Abitur, Jurastud., Pilotenschein. K.: 1943-45 Dt. Wehrmacht, Doz. f. Luftrecht, Ref., Assessor, seit 1961 Dt. Lufthansa, Personalwesen u. Persoalpolitik, intern. Personaldir. u. Syndikusanw., seit 1983 Verkaufsltr. d. Dt. Lufthansa AG. BL.: Personalpolit. Grundlagenarb. auf intern. Basis. E.: EK I. M.: Hanseat. Fliegerclub, Hochseeclub, Skal-Club. H.: Med., Akkupunktur, Skifahren, Tennis, Hausbau. (C.H.S.)

Mücke Reinhard Dr. Mag.
B.: Gschf. d. Österr. Hotel- u. Fremdenverkehrs Treuhand GmbH u. d. Intern. Tourismus Investment Service GmbH. GT.: AufsR.-Mtgl. Vereinigte Volksbank Baden. DA.: 1011 Wien, Parkring 12A. PA.: 2486 Pottendorf, Bahnstr. 26. G.: Wr. Neustadt, 7. Jän. 1945. V.: Mag. Christa, geb. Seefeldner. Ki.: Barbara (1973), Angelika (1977). El.: Max u. Irma. S.: RG, HAK, 1963 Matura, BH, Offz. d. Res., 1970 Mag. an d. WU. K.: 1970 in d. Österr. Hotel- u. Fremdenverkehrs Treuhand GmbH als Kreditprüfer, 1974 Prok., 1976 Gschf. P.: 30 Fachart. u. Fachbücher über Tourismus. E.: Tir. Adlerorden in Gold, Österr. Militär-VK 1., 2. u 3. Kl., Gold. VZ d. Rep. Österr. M.: AIEST, Bruderschaft St. Christoph, GemR. in Pottendorf, Wirtschaftsbund. H.: Tennis, Fußball, Trompete, Filmen, Reisen. (J.S.)

Muckenschnabel Walter Robert Dr. phil. Prof.
B.: Dipl. Schriftpsychologe, gerichtl. beeid. Sachv. DA.: 1130 Wien, Trauttmansdorffg. 17. G.: Linz, 18. Juli 1918. V.: Elisabeth, geb. Humula. El.: Alois u. Hedwig. S.: Gymn., Univ. Wien, Prom. 1950, Lehranalyse (Prof. Dr. Igor A. Caruso). K.: 1950 gerichtl. beeid. Sachv., freiberufl. dipl. Schriftpsychologe u. Psychotherapeut. BL.: Entwicklung einer Software z. strategischen Personalführung. P.: 27 Publ. "Charakter u. Handschrift", "Praxis d. Graphologie", "Was verrät d. Handschift", "Menschen sehen, verstehen, führen", "Sorge dich nicht - liebe", "Vertiefte Menschenkenntnis mit dem PC, 20 Studien z. tiefenpsycholog. Fernberatung, div. Art. u.a. M.: ÖCV-Wirtschaftsbund, Präs. d. "Österr. Ges. f. Schriftspsychologie". (A.K.)

Muckenschnabl Walter
B.: Inh. d. Restaurant "Olivenhain". DA. u. PA.: 1090 Wien, Fuchsthalerg. 14. G.: Treßdorf, 23. Dez. 1938. V.: Kate, geb. Löverdos. Ki.: Imelda (1969). El.: Hermann u. Erna, geb. Martin. BV.: Vorfahren kgl. Freiherren in Böhmen. S.: Fachschule f. Handfeuerwaffenerzeugung in Ferlach m. Büchsenmachermstr.-Prüf., Schauspielschule Krauss m. Abschlußprüf., höhere Lehranst f. Fremdenverkehrsberufe Sbg. K.: Studienreisen auf allen Meeren d. Welt (Schiffssteward), Reisebüroarb., Flugwesen, Tätigkeit im Kurbetrieb, Engagements an d. Theatern "Courage", "Kleine Komödie", "Kleine Komödie am Schwedenplatz" Wien, Mitwirkung an d. Erstauf-

führung in dt. Sprache d. "Westside Story" v. Leonard Bernstein, 1978 Eröff. d. Restaurant "Olivenhain". M.: Österr. Alpenver. Sekt. Austria. H.: Jagd, Bergsteigen. (N.A.)

Muckenstruntz

B.: Musikkomiker. PA.: 1090 Wien, Bolzmanng. 15. G.: Mödling, 1950. V.: Jorun geb. Abl. Ki.: Silvester, Camilla, Valentin. S.: Matura Gymn. Stubenbastei, Stud. an d. Univ. Wien Musikwiss. u. Kunstgeschichte, Klavierausb. ab d. 7. Lebensj. b. Prof. Hilde Fiedler, 1970-73 Jazzkonservat. Wien, nebenbei Auftritte b. div. Laientheatertruppen u. Mitwirkung in versch. Popbands bzw. Grdg. eig. Musikgruppen v. Pop bis Jazz. K.: 1975 als Barpianist v. Fernsehen entdeckt, es folgten Auftritte in "Spotlight" u.a. Sendungen sowie Konzerttourneen als Klavierkomiker im Vorprogramm v. Frank Zander, Waterloo & Robinson, Peter Cornelius, Wolfgang Ambros u.a., 1976 Grdg. d. Komikertruppe "Muckenstruntz & Bamschabl" u. m. Peter Traxler, Fernsehauftritte in Dalli Dalli, Peter Alexander Show u.v.a., sowie zwei eig. Personality Shows im ORF, dazw. ausgedehnte Konzerttourneen im In- u. Ausland, seit 1981 regelmäßige Programme im Theater Forum in Wien. (A.W.)

Mucnjak-Hochland Alois Robert Mag. art. Prof.

B.: Museumsltr. d. Bez.-Museums Innere Stadt. DA.: 1010 Wien, Wipplinger Str. 8/Altes Rathaus. PA.: 1010 Wien, Riemerg. 1. G.: Wien, 1. Febr. 1925. V.: Gertrude, geb. Rieger. Ki.: Dr. iur. Michaela. El.: Prof. Robert u. Leopoldine. S.: Theresian. Ak., Ak. Gymn., Ak. d. Bild. Künste, 1 J. Malerei b. Prof. Pauser, Mstr.-Kl. f. Konservierung u. Technologie, Dipl.-Prüf. K.: Restaurationsarb. an bedeutenden Kunstwerken Österr., 1973-91 Experte u. Konsulent f. Bilder am Dorotheum in Wien, ehem. gerichtl. beeid. Sachv., ehem. Sekt.-Ltr. d. Restauratoren in d. Berufsver. bild. Künstler, 1974 Prof.-Titel, 1980 Mag. art., seit 1980 Museumsltr. E.: Ehrenkreuz f. Wiss. u. Kunst, Span. Ritterorden "Caballero del Monetario de Juste", Gold. VZ d. Landes Wien. M.: Confreternität Wien, Ver. ehem. Theresianisten, Ver. bild. Künstler. H.: bild. Kunst, Geschichte, Heimatkunde. (J.S.)

Mugler Josef Dr. rer. comm. Univ.-Prof.

B.: Inst.-Vorst. f. BWL d. Klein- u. Mittelbetriebe. FN.: WU Wien. DA.: 1090 Wien, Augasse 2-6. G.: Wien, 26. Jan. 1948. V.: Elisabeth, geb. Polt. Ki.: Andreas (1976). El.: Josef u. Hedwig. S.: 1966 Mat., anschl. Stud. d. Handelswiss. an d. HS f. Welthandel, 1972 Prom. z. Dr. rer. comm. K.: 1971-82 Univ. Ass., 1980-82 Gastdoz. an d. Univ. Innsbruck, 1982 Ernennung z. Ordinarius an d. WU Wien. P.: zahlr. Publ. im In- u. Ausland auf d. Gebiet d. BWL, insb. Risk Management, Unternehmensführung, Klein- u. Mittelbetriebe. M.: Intern. Council f. Small Business, Accademia Italiana di Economia Aziendale. H.: Sport, Musik. (N.Al.)

Mühl Eva Dr.

B.: Facharzt für med. u. chem. Labordiagnostik. DA.: 1020 Wien, Aspernbrückeng. 1. PA.: 1180 Wien, Buchleiteng. 3.DA.: 1020, Praterstraße 22 G.: Graz, 27. März 1957. V.: Dr. Michael Mühl. Ki.: Bernhard, Evelyn. El.: Vater war Univ. Doz. DDr. F. Petuely S.: VS, 1975 Matura, Med.-Stud., 1983 Prom. K.: 1984 Wilhelminenspital (Ausbildung zur prakt. Ärztin), 1988 Ausbild. z. FA Rudolfstiftung Zentrallabor, 1994 Dipl. H.: Musik, Lesen, Wandern, Schwimmen. (H.S.)

Mühlbacher Adolf

B.: Kfz-Mstr., gschf. Ges. d. Autohaus Mühlbacher GmbH & Co KG. DA.: 6175 Kematen, Messerschmittweg 28. G.: Schwaz, 16. Juni 1939. V.: Helene, geb. Sarg, 2 Kinder. S.: VS, Mstr.Prüf. 1961. K.: Prok. u. Gschf. b. Autohaus Falbesoner GmbH, seit 1984 gschf. Ges. d. Fa. Autohaus Mühlbacher GmbH & Co KG. M.: Aussch.Mtgl. d. Tir. Bergrettung, Lawinenhundstaffel, FF Birgitz, Bergwachtmtgl. H.: Bergtouren, Skitouren, Fischen. (Schm.)

Mühlbacher Erna

B.: Kfm. FN.: M+M Maier-Mühlbacher Ges.m.b.H & Co KG. DA./PA.: 5230 Mattighofen, Trattmannsberg 5. G.: Uttendorf, 26. Feb. 1957. V.: Franz Maier. Ki.: Johanna (1980). El.: Josef u. Alosia Mühlbacher. S.: VS, HS, HASCH. K.: in d. Priv. Wirtsch. tätig, ab 1976 in d. Schuhbranche tätig, 1988 selbst. m. Fa. M+M Schuhimport aus Italien, Spanien, Fernost, 1990 Kalliwoda Österr. gegründ., f. Administration u. Fernost-Kollektion zust. H.: Lesen, Hunde. (J.L.)

Mühlbacher Ferdinand ao.Univ.Prof.

B.: Ltr. d. Abt. f. Transplantation. FN.: Univ. Klinik f. Chirurgie. DA.: 1090 Wien, Währinger Gürtel 18. PA.: 1180 Wien, Alseckerstr. 5. G.: Großgmein, 3. Dez. 1948. V.: Ilse, geb. Wascher. KI.: Franziska (1976), Jakob (1979), Hubert (1981), Johannes (1984). EL.: Ing. Ferdinand u. Irmgard. S.: Gym. m. Matura, Gesellenprüfung f. Tischlerei 1968, 1974 Med. Stuid. an d. Univ. Wien, s. 1975 a. d. Chirurg. Univ. Klinik, Kurse in England, 1980-82 Boston Harvard University, 1983 Transplantationschirurgie, 1984 Habilitation, 1990 a.o. Prof. f. Transplantationschirurgie, 1992 Abtltr. P.: 140 Originalarbeiten, 140 Abstracts u. Vorträge, neue Immunsuppressive Protokolle. BL.: Entwickl. neuer Pankreastransplantationstechnik, Aufbau d. Organspendersystems. P.: Materialien f. Dialyse-Shunts, Organspendervenen, die Rolle d. Cytokine in d. Transplantatabstoßung, theoret. Studien über Reperfusionsschsaden, Überlegungen zu Resektion od. Transplantation bei Leberkrebs, statist. Studien zu Risikofakt. bei Nierentransplantationen. M.: Österr. Ges. f. Chirurgie, Ges. d. Ärzte in Wien, Ges. Austrotransplant, s. 1991 ESOT; Vorst. Mitgl., s. 1993 Sekr. d. Elta, Vorst. Mitgl. d. Eurotransplant foundation, Vors. d. Transplantatiosbeirates im österr. Bundesinst. f. Gesundheitswesen, österr. u. europ. Ges. f. chirurg. Forschung. H.: Bergsteigen, Musik, Hobbychor. (J.M.)

Mühlbacher Hans Dr. techn. Dipl.-Ing.

B.: Ing. u. Koordinationsltr. i.R. PA.: 1010 Wien, Schellingg. 3. G.: Bad Ischl, 14. Mai 1913. V.: Maria, geb. Graf, Koryphäe d. Staatsoper i.R. El.: Bgm. Josef u. Olga, geb. Brillant. S.: als Kind Musikunterricht (Geige), 1932 Matura BRG Gmunden, 1932-38 Stud. Techn. Physik an d. TH Wien, während d. Stud. Verleihung d. Viktor Kaplan-Preises, 1944 Prom. z. Dr. techn. K.: 1938-39 Ang. im Patentwesen b. Robert Bosch Stuttgart, 1939-43 Militärdienst, 1943-45 Ing. b. Henschel Flugzeugwerke Berlin u. Peenemünde, 1945-49 Tätigkeit im eigenen Betrieb Radio- u. Büromaschinenwerkstätte, 1949-78 Ing. u. Koordinationsltr. v. Intern. Projekten auf d. Gebiet d. industriellen Automation b. d. Firma George Kent Ltd Wien, v. Kindheit an Kirchen- u. Kammermusik u. Orchester, seit 1932 b. Ak. Orchesterver. in Wien, ab 1945 Konzertmstr. BL.: Erfinder v. Dt. Patent 967132 Stereo-Rundfunk. P.: div. zeitgeschichtl. Art. u.a. Erstes u. zweites Ich (1983). E.: Gr. VO I. Kl. d. Malteser Ordens f. Verd. um d. Kirchenmusik, Literaturpreis d. PRESSE. M.: Österr. Liga f. d. Vereinten Nationen. H.: Musik, Literatur. (N.A.)

Mühlbacher Hans Horst
B.: Prokurist, Revisionsltr., Kfm. FN.: Schömer, Baumax, PS-Märkte. DA.: 3403 Klosterneuburg, Aufeldstr. 17-23. G.: Pernitz, 11. Nov. 1940. V.: Brigitte, geb. Neumayer. KI.: Bernhard, Gerd. EL.: Hans u. Anna. S.: VS, HS. K.: kaufm. Lehre, danach selbst. Lebensmittelkfm., 1959 Wien Fil.Ltr. Struppe, 15 J. i. d. Lebensmittelbranche, Fil.Insp., Wechsel i. d. Hartwarenbranche Fa. Kaindl Fil.Ltr., 1980 Fa. Baumax Marktltr. f. d. 14. u. 23. Bez., Ernannt z. Koordinator f. Wien, NÖ, Bgld, 1988 Überstellung in die Revisionsabt. u. HBV, 1.1.1991 Ernennung z. Prokuristen, Erw. d. Aufgabengeb. nach Ungarn, Slowakei, Tschechien. M.: Turnverein. H.: Turnen, Bergwandern, Skifahren, Radfahren. (W.M.)

Mühlbacher Jörg R. Dr.
B.: o.Univ. Prof. an d. Univ. Linz, Vorst. d. FIM. A.: 4040 Linz, Schratzstr. 8. G.: Linz, 31. März 1946. V.: Ingrid, geb. Krammer. S.: Stud. Math./Physik Univ. Wien 1964-69, Habil. 1973 in Angewandte Informatik. K.: Dr. phil. 1969 (Math.): Univ. Wien, 1973-76 Prof. an d. Univ. Dortmund, ab 1976 Prof. an d. Univ. Linz, Inst. f. Informatik, 1981 u. 1995 Visiting-Prof. Univ. Liverpool (England), Gastvorlesungen Univ. Zürich, HSG (St. Gallen). P.: Bücher: Graphentheorie f. Informatiker, Datenstrukturen, Mikroprozessor Softwarelabor, Modula-2 auf DOS, ca. 50 Einzelarb. über Graphentheorie, Datenstrukturen, Mikrocomputer. M.: ÖGI, ACM, IEEE.

Mühlbacher Ludwig
B.: Malermstr. DA.: 1050 Wien, Stolbergg. 42. PA.: 1223 Wien, Kaisermühlendamm 93/15. G.: Wien, 13. Feb. 1932. V.: Luise, geb. Auberger. Ki.: Eva, Albert u. Philip. S.: Berufsschule, Mstr.Schule f. Maler in Schloß Leesdorf, Baden. K.: Übern. d. elterl. Betriebes 1952, aktiver Fußballer b. FC-Rudolfshügel, seit 1965 Funktionär b. SC-Rapid, Mtgl. seit 1957, Tätigk.: Talente f. d. Kampfmannschaft zu entd., wie z.B. Willfurth, Keglevicz, Garger, Hoffmann, Lefort u.a. M.: SC-Rapid. H.: Fußball, Schwimmen, Wandern. (C.K.)

Mühlbacher Silke-Maria Mag. pharm.
B.: Apothekerin d. Apotheke z. Hl. Bartholomäus. DA.: 1170 Wien, Hernalser Hauptstr. 56. PA.: 1180 Wien, Cottageg. 19. G.: Dessau, 23. März 1937. V.: Dipl.-Ing. Hellmuth. Ki.: Robert, Johannes, Katharina, Martin, Matthias. El.: Puck Walter u. Charlotte. S.: VS, Gymn., Stud. d. Pharm. in Wien, 1960 Mag. K.: Apothekerin, seit 1975 selbst. Apothekerin d. Apotheke z. Hl. Bartholomäus. BL.: Bez.Ltr. d. Sozialhifswerkes v. 17. Bez., Einsatz f. d. Verwirklichung d. ökumen. Gedankens. M.: Soz. Hilfswerk. H.: Familie. (M.Br.)

Mühlbacher Stefan HofR.
B.: Dir. Ak. Gymn. DA.: 5020 Salzburg, Sinnhubstr. 15. PA.: 5201 Seekirchen am Wallersee, Gemeindeg. 6. G.: Salzburg, 9. Nov. 1930. V.: Erna, geb. Wendtner. Ki.: Stefan (1962), Markus (1964), Johannes (1966), Barbara (1969), David (1974). El.: Johann u. Maria. S.: VS, HS, 1942 Hum. Gymn. Sbg., 1956 Matura, Stud. Geographie u. Leibesübung Innsbruck. K.: 1955/56 Lehrerlaufbahn Gymn. Sbg., 1956-58 Anstellung 2. Bundesgymn., 1958-67 päd. Ref. b. LandesschulR. Sbg., 1967-72 Ak. Gymn., ab 1973 Administrator, ab 1983 Dir., 19 J. Gem.-Vertreter, Mtgl. d. GemR., ÖVP Mandatar, Parteiobm. u. 13 J. Fraktionssprecher, seit 1991 LandesschulR. E.: 1985 Gold. VZ d. Landes Sbg., Gold. Ehrenring d. Marktgem. Seekirchen, Gold. Ehrennadel d. Sbg. Fußballverb., Silb. EZ d. Österr. Turn- u. Sportunion, Silb. EZ d. ÖVP. M.: 1974-89 langjähr. Kollegium d. LandesschulR. Sbg., Sportver. H.: Fußball, Theater, Konzerte. (L.H.)

Mühlbachler Josef Dkfm. Mag.
B.: Bgm. d. Stadtgem. Freistadt, Mtgl. d. NatR. 11/85-12/86 u. seit 12/87, Lehrer u. Betriebsberater. DA.: 1017 Wien, Dr.-Karl-Renner-Ring 3. G.: Neumarkt/Mühlkreis, 23. Dez. 1945. V.: Regina, geb. Riedener. Ki.: Judith (1972), Richard (1974), Michael (1978). El.: Josef u. Paula. S.: BRG Freistadt, 1964 Matura, 1964-69 HS f. Welthdl. in Wien, 1969 Dipl.-Kfm., 1973-76 Johannes-Kepler-Univ. Graz (Wirtschaftspäd.), 1976 Mag., 1969/70 o.Präsenzdienst. K.: 1970-71 Lehrtätigk. an d. BHAK u. BHASCH Feldkirch, 1971 an d. BHAK u. BHASCH Freistadt, seit 1980 nach Errichtung eines Rechenzentrums, Teilhaber d. Rechenzentrums "Brandstätter u. Mühlbachler", seit 1971 Mtgl. d. ÖAAB, seit 1973 Mtgl. d. Frakt. Christl. Gewerkschafter, 1973-80 Bez.-Bildungsref. u. seit 1980 Bez.-Parteiobm. d. ÖVP/Freistadt, seit 1979 Mtgl. d. Gem.-Rates, 10/85-3/88 Vizebürgermstr. u. seit 3/88 Bürgermstr. d. Stadtgem. Freistadt.

Mühlberger Christian

B.: Inh., Hotelier im Hotel Peternhof. DA.: u. PA.: 6345 Kössen, Mooserbergweg 60. G.: Kössen, 24. Jan. 1944. El.: Christian und Therese. S.: Pflichtschule. K.: b. 1975 in d. elterl. Ldw. u. im Berggasthof Peternhof tätig. 1975-82 Betrieb erweitert b. z. 4 Sternehotel. M.: Gem.-Vorst. Kössen, Obm.-Stellv. Tourismusverband Kössen, KR Sektion Fremdenverkehr, Obm.-Stellv. Fachgruppe Gastronomie Tirol. H.: Musik, Video. (J.F.)

Mühlberger Georg Ing.
B.: Gschf. Ges., Baumeister, Schriftsteller. FN.: Häuser aus Holz GmbH. DA.: 4611 Buchkirchen, Wörist 18. PA.: 4212 Neumarkt, Achleiten 2. V.: Brunhild, geb. Auer. Ki.: Thomas, Susanne, Sebastian, Isabella. S.: HTL Hoch- u. Tiefbau i. Linz 1970-75. K.: Praxis, selbständig s. 1985; s. 1975 auch als Schriftsteller tätig (1. Buch ersch. 1992). M.: Dt. Schiffbauverband. (P.H.)

Mühlberger Karl
B.: Chefkoch u. Mitinh. d. Restaurants "La Tour". DA.: 2380 Perchtoldsdorf, Hochstr. 17. PA.: 5303 Thalgau, Unterdorf 105. G.: Salzburg, 25. Jan. 1963. El.: Karl u. Herta. S.: Pflichtschule, Lehrzeit als Koch im Hotel Goldener Hirsch in Sbg., 1981 Gesellenprüf. K.: 1982-84 Commis u. Sous Chef im Hotel Plomberg in Mondsee (b. Eschelböck), anschl. 2 Mon. Commis Restaurant Witzigmann in München, s. 1985 Chefkoch d. Restaurants "La Tour" in Perchtoldsdorf u. s. 1988 Mitinh. P.: Im Jahrbuch Große Küche 1988 u. im Kochbuch f. Zuhause sowie hausinterne Publ. E.: 1988 3 Gourmet-Hauben u. 1 Michelin-Stern. H.: Modellbau (v.a. Rennautos), Briefmarken sammeln. (M.B.)

Mühlberger Manfred Dipl.-Ing.
B.: freier Journalist. PA.: 1030 Wien, Trubelg. 5/8. G.: Wien, 24. Nov. 1963. El.: Gustav u. Helga. BV.: Kozeluch, Hofkapellmstr. am böhm. Königshof u. Komponist. S.: VS, AHS, TU Wien (Techn. Physik). K.: Stud., überregionale Schülerzeitung herausgegeben, freier Mitarb. b. ORF (SZ-Extra Schülermagazin), Stadt-Kulturzeitung "Kulturcollage" gegründet (1 1/2 J.), "Tandem" u. "JA" 1985 gegr., "JA" erscheint dzt. 4x jährl., 1986, 1988 u. 1990 m. Österr. Staatspreis f. journal. Leistungen im Interesse d. Jugend ausgezeichnet. M.: Pfadfinder, Österr. Alpenverein, Österr. Ges. f. Bild. Politik. H.: Bergsteigen, Tennis, Jogging, Reisen, Lesen. (R.A.)

Mühlböck Fritz
B.: Inh. u. Gschf. FN.: Art-Idee Fritz Mühlböck. DA. u. PA.: 4600 Wels, Lärchenstr. 37. G.: Wels, 19. Sept. 1949. V.: Brigitte, geb. Obermayr. Ki.: Kerstin (1976). El.: Friedrich u. Cäcilia. S.: VS, HS, Lehre als Kellner u. Koch im Hotel Greif b. 1967. K.: Kellner u. Koch in Deutschland, 2 1/2 J. Stuart auf Dt. Schiff, 1970-73 Gschf. d. Blatzheim AG Deutschland, b. 1976 Lehre im Graph. Bereich Typo Druck Wels, b. 1980 Druckereiltr. in Hausdruckerei d. EBG Linz, 1980-83 Außendienst Systhemdruck Sbg., 1983-85 Gebietsltr. in OÖ Colgate/Palmolive Wien, b. 1989 Verkauf u. Außendienst OÖ Hoffmann Druck, seit 1991 selbst. m. Grdg. d. Art-Idee. H. Squash, Skifahren. (U.A.)

Mühlburger Sebastian Dr. med.
B.: Prakt. Arzt. DA.: 9900 Lienz, Walther-v.-d.-Vogelweide-Pl. 2. PA.: 9900 Lienz, Moarfeldweg 44. G.: St. Johann/ Walde, 20. Jän. 1949. V.: Margit, geb. Schrittwieser. Ki.: Petra (1979), Tobias (1981), Rahel (1985), Miriam (1989). El.: Abraham u. Barbara. S.: VS, Gymn., 1969 Matura, Militär, 1970/71 Studienbeginn, 1977 Prom. K.: Turnusarztausbild. im KH Lienz, anschl. Tätigkeit im KH Lienz, 1. Febr. 1981 Eintritt Praxis Dr. Riedl, seit 1. Apr. 1981 Praxisübernahme. H.: Bergwandern, Radfahren, Skifahren. (M.T.)

Mühlegger Walter

B.: Inh. FN.: Tischlerei Walter Mühlegger. DA.: 6330 Kufstein, Salurnerstr. 23. G.: Kufstein, 10. Feb. 1960. V.: Erni, geb. Koidl. Ki.: Caroline (1985). El.: Johann u. Edith. S.: VS, HS, Poly., 3 Lj. i. elterl. Betr., 1978 Gesellenpr., 1978-81 Geselle, 1981-82 HTL-Meisterschule i. Innsbruck u. 1982 Meisterprüf., Fa. Schleinzer u. Fa. Norer, elterl. Betr. K.: 1990 Tischlerei Übernommen. P.: Ausstell. v. eig. Intarsienarb. in Kufstein. H.: Fotografieren, Radfahren. (J.F.)

Mühleder Johann Dr. Prim.
B.: FA f. Chir., Fa. f. Gefäßchir., Ltr. d. Chir. Abt. d. KH Krems. DA.: 3500 Krems, Ringstr. 32. PA.: 3500 Krems, Im Kremserl 4. G.: Mürzzuschlag/Stmk., 30. März 1939. V.: Dr. Sigrid, geb. Gast. Ki.: Klaus, Karin. S.: 1957 Matura, Med. Stud. an d. Univ. Wien. K.: Prom.: 1964. Turnusausbild. KH d. Barmherzigen Schwestern Ried im Innkreis, KH d. Barmherzigen Schwestern Linz, FA-Ausbild., 1969-1970 BH, (Zyperneinsatz in Rahmen d. UNO), ab 1970 KH Krems, seit 1972 Fa. f. Chir., ab 1984 Ltr. d. Abt. f. Chir. im KH Krems, Zusatz FA f. Gefäßchir., Studienaufenthalte in Amsterdan, München, Wien. 1974 Ordinationseröff. im Zentrum v. Krems. P.: 27 wiss. Publ. auf versch. Gebieten d. Chir., Vorträge (Kongresse). F.: 3500 Krems, Ringstr. 32. M.: Österr. Ges. f. Chir., Österr. Ges. f. Gefäßchir., Grdg.Präs. v. Hyvanis Club Wachau, Mtgl. v. "Ver. z. Förderung v. Kultur u. Fremdenverkehr f. Krems". H.: klass. Musik (spielt selbst Geige), Kakteenzüchter. (Kern)

Mühlen Rolland E. Dipl.-Ing.
B.: Vorst.-Vors., General Manager. FN.: IPW Interplastic. DA.: 4600 Wels, Maria-Theresienstr. 46. PA.: 4600 Wels, Maria-Theresienstr. 19/12/74. G.: Sao Paulo/ Brasilien, 17. Mai 1935. V.: Karin, geb. Jungblut. Ki.: Marion, Donald, Livien. El.: Fritz u. Friederike. S.: Gymn. Sao Paulo, Matura, 1955-59 Stud. Mackenzie Universität Sao Paulo, Abschluß als Ziviling. u. Industrielle Chemie. K.: 1959-72 b. Fa. Kodak, 1966/ 67 tätig in Rochester/NY b. Kodak in Entwicklung d. Fotochemie, Teiln. an zahlr. Seminaren d. Fa. Kodak, 1972-1976 Fa. Antartica (größte Brauerei u. Soft Drink Erzeuger Brasiliens) div. Führungsfunktionen, 1976 zum ICI Konzern, 1978-87 als Sidemanager tätig (verantw. f. Total Quality Programm), 1987/88 Stud. in England, 1989/90 Einführung d. Programmes, seit 1991 General Manager u. Vostandsvors. d. IPW Interplastic in Wels. BL.: Sprachen: Portugisisch, Englisch, Deutsch, Spanisch. P.: zahlr. Publ. über Qualitätsprogramme, welche firmenintern veröff. wurden. E.: Auszeichnungen f. Qualitätsverbesserungsprogramme. M.: ASQC/USA u. Kanada, Österr. Vereinigung f. Qualitätssicherung. H.: Computer, Klavier, Fotografieren, Schwimmen, Musik. (P.H.).

Mühlgassner Andreas Dipl.-Ing.

B.: Gschf. FN.: EDV Technik Mühlgassner GmbH. DA.: 7000 Eisenstadt, Kasernenstr. 19. G.: Wien, 16. Apr. 1962. V.: Andrea, geb. Schönbichler. Ki.: Doris (1983), Birgitt (1986), Astrid (1988), Rita (1991). El.: Prof. Mag. Thomas u. Prof. Mag. Edeltraut. S.: AHS, Doppelstud. TU Wien Techn. Math. u. Informatik, Abschluß Dipl.-Ing. K.: Werksverträge mit Computerfirmen, 3 1/2 J. Ziviling.-Büro, seit 1985 selbst. M.: Kam.-Mtgl., Vertretung Fachgruppe Dienstleistung in d. Automation u. Datenverarb. H.: Musik, Klavier, Keyboard, Garten, Haus. (W.M.)

Mühlgassner Thomas Mag. Prof.
B.: Dir. FN.: BG/BRG/BORG Eisenstadt. DA.: 7000 Eisenstadt, Kurzwiese 1. PA.: 7000 Eisenstadt, Dreifaltigkeitsstr. 72. G.: Zagersdorf, 20. Nov. 1938. V.: Edeltraud, geb. Fichtinger. Ki.: Andreas, Karin, Norbert. El.: Viktor u. Johanna. S.: 1956 Matura AHS Eisenstadt, 1960 Abschl. Stud. Mathematik, Physik Univ. Wien. K.: 1960 Eintr. BG Eisenstadt Lehrer, 1990 Dir. BG Eisenstadt, s. 1970 Delegationsltr. Mathematikolympiade, Obmann Haydn-Chor u. Präsident Volksbildungswerk Bgld. P.: Mitwirk. b. Mathematiklehrbuch f. Oberstufe, div, Fachartikel, Schularbeiten. E.: Silb. EZ Republik Österr., Gr. EZ d. Landes Bgld. H.: Weinbau, Lehrbücherausgabe, Musik, Lesen. (M.G.)

Mühlgaszner Edith Mag.

B.: LAbg., Bez.-Schulinsp. PA.: 7472 Schandorf 75. G.: Schandorf, 27. Dez. 1951. V.: Dr. theol. Ferdinand Mühlgaszner. Ki.: Peter (1976), Doris (1978), Silvia (1979). El.: Emmerich u. Elisabeth Bencsics. S.: VS, Mus.-Päd. RG, Matura, Päd. Ak., Prüf. VS-Lehrerin u. HS-Lehrerin, Slawistikstud.. K.: VS-Dir., Bez.-Schulinsp. f. kroat. Schulwesen, Ortsparteivors. Ortsorgan. Schandorf, Gschf. Bez.-Frauenvors. Bez. Oberwart, Abg. SPÖ Club Familien- u. Frauenangelegenheiten, Vors. d. Volkshilfe Bgld., Vors. d. VHS d. Bgld. Kroaten, Volksgruppenbeir. f. d. kroat. Volksgruppe, B.h.A. H.: Musik, Konzert, Literatur, E-Musik. (W.M.)

Mühlleitner Hans Günther

B.: Inh. FN.: Mühlleitner electric. GT.: Gschf. Ges. d. Gemeinschaftsantennen GmbH Schwanenstadt. DA.: 4690 Schwanenstadt, Sparkassenpl. 2; 4840 Vöcklabruck, Jungmairg. 7. PA.: 4690 Schwanenstadt, Norwegerstr. 13. G.: Vöcklabruck, 30. Dez. 1951. V.: Erika, geb. Hoppl. Ki.: Markus (1983), Nina (1985). El.: Hermann u. Maria. BV.: Vater Hermann Mühlleitner 24 J. VBgm. u. 33 J. StadtR. in Schwanenstadt, Cousin d. Mutter GstlR. Renhardt Pfarrer v. Seeschloß Orth am Traunsee, Heimatdichter, Familie schon 1188 urkundl. erwähnt. S.: VS, HS, HTL, 1970-74 Praxis in Elektro, Radio u. Fernsehen, 1971 Österr. BH, 1973 Radiomechanikermstr.-Prüf. (jüngster Mstr. Österr.). K.: 1974-87 eigenes Unternehmen Fernsehtechnik GmbH, 1987 Grdg. d. Mühlleitner electric, 1989 Umzug Sparkassenplatz, 1994 Eröff. d. Filiale Vöcklabruck. E.: Landesmstr. Radfahren, höchste Anerkennung durch Philipskonzern. M.: Stadt ÖVP. H.: Familie, Camping, Fotografieren, Electronic, Radfahren. (C.D.)

Mühlpeck Vera Dr. phil.

B.: OberR. im Österr. Statist. Zentralamt. A.: 3400 Klosterneuburg, Albrechtstr. 92. G.: Klosterneuburg, 29. Aug. 1982. V.: Dkfm. Dr. rer. pol. Karl. El.: Nowatschek Gustav. u. Margarethe. S.: RG, Univ. Wien, Dr. phil. 1963, Lehramtsprüf. f. Lehrbefähigung als Mittelschullehrer. K.: Eintritt in d. Österr. Statist. Zentralamt 1964, verantwortl. f. d. Fachgebiete: Diplomatenparitäten, Verbraucherpreisindex u. andere Wirtschaftsindikatoren, beeid. gerichtl. Sachv. f. Statistik, stellv. Abt.Ltr., OberR. seit 1981. P.: Die Wirtschaftsgeschichte d. Grundherrschaft d. Stiftes Klosterneuburg im Mittelalter, Index d. Verbraucherpreise 1800-1914. div. statist. Fachpubl. M.: Statist. Ges. H.: Lesen, Handarbeiten, Radfahren, Wandern.

Mühlsiegl Klaus

B.: Tanzlehrer d. Tanzschule Mühlsigl. GT.: Präs. d. Verb. d. Tanzlehrer Österr. seit 1983. DA. u. PA.: 1120 Wien, Schönbrunner Str. 249. G.: Komotau, 11. Apr. 1938. V.: Inge, geb. Dvorak. S.: 1946-56 Chorist u. Solist b. d. Wr. Sängerknaben u. d. Corus Viennensis, berufl. Ausbild. als Juwelier, Gold- u. Silberschmid, Mstr.Prüf., Berufsausbild. als Tanzlehrer, 1959 Tanzlehrerprüf. K.: seit 1959 Gschf. im väterl. Unternehmen u. Übernahme d. Tanzschulen in Wien u. NÖ, seit 1981 choreograph. Ltg. d. Eröff. d. Opernballes, seit 1978 Betreuung d. Rock'n roll Centers, seit 1971 Fachlehrer u. Prüf.Kmsr. in d. Tanzlehrerausbild., seit 1968 Fachlehrer b. nat. u. intern. Tanzlehrerkongressen, Anfänger- u. Fortgeschrittenenkurse f. d. Österr. Tanzleistungsabz., Tanzkurse f. Ehepaare u. Spezialkurse f. Rock'n roll, Boogie, Mambo. E.: Gold. Ehrennadel u. Ehrenring als höchste Ausz. d. Verb. d. Tanzlehrer Österr. H.: Fotografie, Filmen, Segeln, Musik. (C.K.)

Mühlthaler Christoph

B.: Kirchenmusiker, Kirchenmusikref. Seelsorgeamt d. Diözese Gurk. DA.: 9013 Klagenfurt, Waagg. 18. PA.: 9020 Klagenfurt, August-Jaksch-Str. 7/30. G.: Taxenbach, 4. März 1961. V.: Doris, geb. Hilgarth. Ki.: Magdalena (1987), David (1989), Antonia (1992). El.: Alois u. Katharina. S.: VS, Bischöfl. Privatgymn. Borromäus Sbg., 1979 Matura, 1979-85 Stud. Kath. Kirchenmusik am Mozarteum Sbg., 1985 Dipl., 1986 Lehrbefähigung f. Orgel, BH-Zivildienst. K.: 1985-87 Tätigkeit b. d. Lebenshilfe, 1987-90 Regioalkantor in Tir. f. d. z. Erzdiözese gehörenden Gebiete, seit 1990 Kirchenmusikref. in Ktn. P.: Kompositionen: "Der Ruf v. d. Evangelium" (1990), "Werke f. Kirchenmusik" (1995), Arrangements über Lieder aus d. "Gottes Lob". M.: Diözesanmusikkmsn., Diözesane Liturgiekmsn., Österr. Kirchenmusikkmsn., seit 1993 Vors. im Fachaussch. f. neue geistl. Musik, Musica evita. H.: Schwimmen, Tanzen, Musizieren, Sammler v. Spielen aller Art, Basteln, Familie. (G.L.)

Muhr Claus Maria

B.: Kameramann, selbst. FN.: "MuhrTV" TV + Video Productions. DA. u. PA.: 4040 Linz, Schratzstr. 5. G.: Linz, 16. Sept. 1959. El.: Friedrich u. Dr. Elisabeth. S.: Ausbild. z. Fotografen. K.: 1979-88 Fotograf b. Kronen-Zeitung, seit 1988 selbst. Fotograf, Pressebildagentur, seit 1. Jän. 1990 Videoproduktion f. ORF, Werbefilme u. Dokumentationen. H.: Tauchen, Wildwasserfahren. (P.H.)

Muhr Hans Prof.

B.: Ak. Bildhauer. DA. u. PA.: 1220 Wien, Auf der Haide 1. G.: Graz, 21. Apr. 1934. V.: Ulisse, geb. Stögerer. Ki.: Magdalena (1980). El.: Johann u. Maria. S.: HS Graz, LBA, Fachprüf. f. Werkerziehung, Math. Leibesübungen, Grdg. VHS in Weitensfeld/Ktn., 1965 Ak. d. angew. Kunst b. Prof. Heinz Leinfellner, 1969 Dipl. K.: b. 1972 Gschf. d. Ges. d. Kunstfreunde, seit 1972 freischaff., zahlr. Ausstellungen in Österr., Schweiz, Liechtenstein, Holland, Deutschland, England, Dänemark, Italien u. Jugoslawien. BL.: 1976 Patent. E.: 1969 Preis d. Ak. f. angew. Kunst, 1970 Förderungspreis d. Stadt Wien, 1972 Förderungspreis d. BMU, 1984 Prof. M.: Kunstver. "Der Kreis". (M.M.)

Muhrhofer Manfred Karl Dipl.-Ing.

B.: Arch. DA.: 1010 Wien, Naglerg. 21. G.: Wien, 1. Juli 1945. V.: Dipl.-Ing. Gisela, geb. Polansky. Ki.: Moritz (1973), Felix (1975). El.: Karl u. Hedwig. S.: 1963 Matura, Stud. an d. TH, 1969 Dipl. K.: Praxiszeiten b. versch. Arch. m. Auslandsaufenthalten, 1973 Ziviltechnikerprüf., ab 1976 selbst. H.: Golf. (P.R.)

Mühringer Doris

B.: Freischaff. Schriftstellerin. A.: 1040 Wien, Goldegg 1. G.: Graz, 18. Sept. 1920. El.: Mühringer Franz u. Annie. S.: Gymn. m. Matura, Univ.-Studien in Hamburg u. Salzburg. P.: "Gedichte I", Wald u. Wiese", "Dorf u. Stadt", "Das Märchen v. d. Sandmännlein" (ein Kinderbilderbuch), "Gedichte II", "Staub öffnet d. Auge. Gedichte III", "Mein Tag - mein Jahr" (gemeinsam m. H. Valencak), "Vögel die ohne Schlaf sind. Gedichte IV", "Tanzen unter d. Netz" (Kurze Prosa). E.:

Georg Trakl-Preis, Förderungspreis d. Stadt Wien, Literaturförderungspreis d. Landes Stmk., Österr. Staatsstipendium f. Literatur u.a. M.: P.E.N.-Club.

Mühringer Renée Ines Marcella

B.: Dipl.-Designer. DA. u. PA.: Salzburger Str. 45, 5280 Braunau. G.: Oldenburg/D., 21. Feb. 1958. V.: Lukas Werner. Ki.: Dominik Lukas Sebastian (1985), Ramona Lucia Renée (1988), Martin Lukas Timotheus (1991). El.: Gerhard Georg u. Ingrid Margarethe Waltraud. BV.: Vater Gerhard Georg Krueger: Malerei, Graphik, Relief. S.: 1977 Matura, 1/2 J. Prakt. in Tischlerei, Maschinenkurs u. Zeichnen, 1978 Stud. Hamburg (FH f. Gestalt.) u. Hildesheim (FH/Kunstschule, Ind. Design), 1982 Abschluß m. selbstverfaßtem Ballett gegen Atomkraft, anschl. nach Sbg., Stud. f. Bühnenbild, Tätigk. f. ORF u. Burgtheater-Ensembles Wien, "Salzburger Dom" f. Live-Sendg. m. K.M. Brandauer, seit 1990 freischaff. Graphikerin, Malerin u. Journalistin. (E.H.)

von Mukarovsky Géza

B.: PR-Consultant u. Presse-Korrespondent. PA.: Casablanca, B.P. 13906, Marokko. G.: Wien, 10. Jan. 1917. S.: Mittelschule/Wien, Jusstud. Univ. Wien (ohne Abschlußdipl.) K.: seit 1949 in Marokko ansässig, selbst., seit 1951 Afrika-Delegierter d. Hannover-Messe (BRD), Korrespondent d. APA-Wien, Interessenvertr. d. Intern. Herald Tribune (Paris) u.a.m. E.: Ritter d. "Ordre National de la Republique de Cote d'Ivoire", seit 1977 Vors. d. "Association d. Autrichiens au Maroc". M.: Altherr in d. kath. österr. Landsmannschaften "Starhemberg", "Maximilian Carolina".

Mukarovsky Hans G. Dr. o. Univ.-Prof.

B.: Prof. f. Afrikanistik an d. Univ. Wien. A.: 1180 Wien, Ferrog. 26/4. G.: Wien, 2. Okt. 1922. El.: Geza u. Elisabeth. S.: 8 Kl. RG, Matura 1940. Univ. Wien, Dr. phil 1948. K.: Freier journalist. Mitarb. b. "Die Furche", "Offenes Wort", "Wort u. Wahrheit", Wien, seit 1951, Angehöriger d. Bd. Pressed. im BKA Wien, seit 1973 w. HofR, seit 1953 Lehrbeauftr. f. afrikan. Sprachen an d. Phil. Fak. d. Univ. Wien, seit 1963 Univ.Doz. u. dzt. Vorst. d. Inst. f. Afrikanistik. P.: 4 Bücher u. zahlr. Art. in Zeitungen u. Zeitschriften. E.: Preis d. Kardinal Innitzer-Fonds f. Wiss., Kommandeur d. Königl. Belg. Leopold II. Ordens, d. Senegalesischen National-Ordens v. Löwen, d. Luxemburg. Eichenkrone, Großoffz. d. Ordens v. mexikan. Aztekenadler, ägypt. Verd.Orden II. Kl. M.: Kath. österr Landsmannschaft "LEopoldina" in Wien, Vereinigung d. Afrikanisten in Deutschland, West-African Linguistic Society, Legon/Ghana, VPräs. d. Österr.-Afrikan. Ges.

Mulac Marlies

B.: Schriftstellerin, Kontoristin i.R. PA.: 2630 Ternitz, Grundackerg. 3/III. G.: Düsseldorf, 19. Aug. 1921. V.: Walter. Ki.: OA Dr. med. Karl Dieter, Reinhard (Schulungsltr.). El.: Makowka Johann Vinzenz u. Anna. BV.: Cousine d. Vaters, Schauspielerin u. Tänzerin. S.: VS, HS, 1939 Abschluß. K.: schon während d. Schulzeit als kfm. Ang. gearb., 1941-43 in d. Rechtsberatung tätig, 1943-45 dinstverpflichtet im Krieg (zu Ende in Erding b. München), 1947 n. Österr. BL.: Bereits in d. 1. Schuljahren entdeckten Lehrkräfte d. Begabung f. d. Theaterspiel u. d. Vortrag v. Gedichten, verfaßte in Rußland d. 1. Gedichte, Veröff. in d. Soldatenzeitung. P.: Aufführung d. Weihnachtstheaterstücke, Lesungen, Prosa, Lyrik, Kindertheater, Gedichtsbände: Wirklichkeiten - Träume -Wünsche, "Der Goldregenbaum", "Licht d. Hoffnung", Veröff. in Zeitschriften, Anthologien, Rundfunk. E.: 1984 2. Preis f. Lyrik M.: Literar. Zirkel Ternitz, NÖ Bildungs- u. Heimatwerk, Verb. d. geistig Schaffenden Österr., Wr. Kreis, Ges. f. Freunde deutschsprach. Lyrik Innsbruck, Arge Autoren (ADA) in Fulda. H.: Schreiben, Musik, Handarbeiten. (H.P.).

Muliar Fritz Prof.

B.: Burgschauspieler. A.: 2301 Gr. Enzersdorf, Roseggerstr. 16. G.: Wien, 12. Dez. 1919. V.: Franziska, geb. Kalmar. El.: Leopold u. Mischa. S.: 6 Kl. RG, Konservatorium d. Stadt Wien (Schauspielklasse). K.: 1937 Wr,. Kleinkunstbühnen, 1939 Simpl Wien, LTheater Innsbruck, Kriegsdienst, Kl. K-Bühne "der Igel" in Graz, Steirisches LTheater, Raimundtheater Wien (5 J.), Simpl Wien (12 J.), Volkstheater Wien (6 J.) Theater in d. Josefstadt 12 J.), seit 1974 am Burgtheater (80 Filme u. 120 TV-Sendungen). F.: WDS Film (Monopolfilm) Wien. P.: 4 Bücher, wöchentl. Kommentar in d. AZ, Wien. E.: Österr. Ehrenkreuz f. Wiss u. Kunst, EZ d. Landes Wien, Österr. Befreiungsmed., Verd.Kreuz I. Kl. d. BRD, Gold. Rathausmann, liebe Augustin, Ehrenmed. d. österr. Rundfunks, EK II, uva. M.: Amnesty intern., Bund d. polit. Verfolgten Tir. u.a. H.: Autofahren, Sammeln v. Bildern u. Pfeifen.

Müllauer Roswitha

B.: Gschf. d. Buchhandlung Hippolyt, d. Filiale TABÜ in St. Pölten u. d. Bücherstube beim Rathaus in Horn, Buchhändlerin. GT.: seit 1987 Initiatorin u. Organisatorin v. Lesungen in d. Buchhdlg. sowie Organ. v. musikal. Veranstaltungen. DA.: 3100 St. Pölten, Linzer Str. 4. PA.: 3100 St. Pölten, Kranzbichler Str. 41. G.: Gmünd/NÖ, 15. Nov. 1955. El.: Ludwig u. Hermine Müllauer. S.: VS, HS. K.: 1971-74 Lehre als Buchhändler b. d. Buchhdlg. Hippolyt, 1974-78 Buchhändlerang. in d. Med. Fachbuchhdlg. "Mautrik" in Wien, 1978-79 Buchhändlerang. in d. Buchhdlg. Neugebauer in Linz, 1979-81 Erster Sortimenter (stellv. Gschf.) b. d. Buchhdlg. Hippolyt, seit 1981 Gschf. d. Buchhandlung Hippolyt u. 2 Filialen. BL.: Idee u. Realisierung d. Lesungen in d. Buchhdlg. Hippolyt. H.: Lesen, Musik, Theater, Chorsingen, Segeln. (M.B.)

Müllbacher Horst Dr. Dkfm. KommR. Ing.

B.: Gschf. Ges. d. Hochspannungskonz. d. Fluela GmbH, allg. gerichtl. beeid. Sachv. f. Elektrotechnik. DA.: 1010 Wien, Bellariastr. 10 u. Kitzbühel, Rennfeld 24. PA.: 3400 Klosterneuburg, Wolfsgraben 69. G.: Graz, 1. Mai 1921. V.: Karin, geb. Schmidinger. Ki.: Peter, Ute, Bärbel, Wolf. El.: Dr. Hubert u. Maria. S.: Gymn., Univ., 1951 Dr. K.: Wirtschaftsprüf., 1953 Gschf. P.: Publ. in Fachzeitschriften. E.: Kriegs- u. Sportausz. H.: Reiten, Sport.

Mülleitner Hermann Dipl.-Ing. Prof. OStR.

B.: Prof. f. Chemie u. angew. Chemie d. HTL Sbg., gerichtl. beeid. Sachv. f. Chemie u. Umwelttechnik. A.: 5020 Salzburg, Bayernstr. 8. G.: Salzburg, 16. März 1933. V.: Mechthild, geb. Schöffmann. El.: Dipl.-Ing. Kurt Ritter v. Mülleitner. S.: Oberschule, RG, Stud. d. techn. Chemie an d. Naturwiss. Fak. d. TU Graz. K.: HS-Ass. an d. TU Graz, Prof. an d. HTBL, Sbg. F.: Chem. Labor u. Ing.Büro, Prof. H. Mülleitner. M.: Ges. österr. Chemiker, Österr. Ges. f. Oberflächentechnik, Verb. d. Sprengbefugten Österr., Ak. Alpenclub Innsbruck.

Müller Adolf Ing.

B.: Bmstr., Firmeninh. FN.: Baufirma Müller. DA.: 9020 Klagenfurt, Am Mühlgang 9. PA.: 9020 Klagenfurt, Blumeng. 7. G.: Seeboden, 20. Juni 1944. V.: Karin. Ki.: Armin (1976), Lisa (1992). El.: Adolf u. Josepha. S.: Grundschule, HTL, 5 J. Studienreisen ins Ausland. K.: 1969-83 Bautechniker u. Projektltr. Firma Mayreder, 1 J. Firma Poor, 1984 selbst. Baufirma Müller. H.: Skibergsteigen, Bergsteigen, Wassersport allg., Radfahren. (W.M.)

Müller Antonio-Pedro

B.: Mitinh. d. "Flair"-Modemanagement. DA.: 1190 Wien, Nußwaldg. 19. PA.: 1030 Wien, Neulingg. 20. G.: Wien, 31. Aug. 1962. El.: Franz-Xaver u. Antonia-Floripes. S.: VS, Gymn., Büroschule. K.: m. 14 J. Filmaufnahmen, Theaterengagements u.a. in d. Josefstadt, in d. 80-er J. Modeschauen, Fotomodell u. Booker b. d. Agentur "Girls & Boys", 1988 Eröff. d. Agentur "Flair". H.: Kunst insbes. Musik, Ballett, Tiere, Reisen. (N.A.)

Müller Arno Arnold Ing.
B.: Bmstr. PA.: 9020 Klagenfurt, Wieseng. 26. G.: Klagenfurt, 21. März 1937. V.: Lisl, geb. Cerny. Ki.: Marion u. Daniela. El.: Georg u. Helene. S.: VS, Realschule, HTL f. Hochbau in Villach, THS f. Arch. in Wien, Auslandspraxis in d. Schweiz, Bmstr.Prüf. E.: Senator d. "Jaycees Intern." (JCI). M.: Ehrenmtgl. d. JCI. H.: Skifahren, Bergsteigen, Segeln. (Hat.)

Müller Arthur Ing.
B.: Bmstr. DA.: 9400 Wolfsberg, St. Marein. PA.: 9400 Wolfsberg, Ernst-Swatek-Str. 116. G.: Wolfsberg, 13. Sept. 1942. V.: Gudrun, geb. Eichholzer. Ki.: Sabine, Barbara u. Michael. El: Michael Bauuntern. u. Maria. S.: VS Wolfsberg, 4 J. Stiftsgymn. St. Paul, HTL Villach Fachrichtung Bauwesen, Matura 1963. K.: Nach Tod d. Vaters Eintritt in d. 1924 v. Vater gegr. Betrieb, d. bis 1968 als Witwenbetrieb geführt wurde, 1968 Bmstr.Konzessionsprüf. u. seither Eigentümer u. gewerberechtl. Verantwortlicher, beteiligt am Packer-Autobahnbau, dzt. Schwergewicht Kanalbau u. Sanierung v. Güterwegen (ca. 90 Mitarb.), Innovation im Fertigteilbau. M.: VPräs. d. Ktn. Zivilschutzverb., Abt.Vorst. Gewerbe Wolfsberg, Obm. d. Wolfsberger Männergesangver., akt. Mtgl. d. Skirettung d. Skiclubs Wolfsberg "Koralpe", Mtgl. d. Lions-Clubs (185 Sekr.). H.: Sport, Literatur, Karikatur. (Trabe)

Müller Artur
B.: Gschf. d. Fa. Aristokrat Müller & Co. DA.: 8010 Graz, Netzg. 6. PA.: 8020 Graz, Schöckelstr. 82. G.: Hohenmauthen, 4. Juli 1932. V.: Karin, geb. Spitzy. El.: Theodor u. Maria. S.: VS, Unterstufengymn., kfm. Lehre. K.: Volontär b. versch. Firmen, 1953 Eintritt als stiller Ges. u. Mitarb. in d. Fa. Aristokrat, 1968 Übern., Vergrößerung, Neubau u. Übersiedlung, Spez. auf Qualitätsprod. M.: Kam. d. Gewerbl. Wirtschaft. H.: Fischen, Skifahren. (War.)

Müller Christian Dr. iur. Mag. iur.
B.: Ltr. d. Präsidialdienstes d. Parlamentsdir. DA.: 1017 Wien, Dr.-Karl-Renner-Ring 3. G.: Lustenau, 11. Sept. 1953. Ki: Maximilian Michael. El.: Dr. Kurt u. Dkfm. Bärbel. S.: 1972 Matura, Auslandsaufenthalt in d. USA, 1974 Stud. Sinologie, Ethnologie u. Geschichte Univ. Wien, Studienaufenth. in Peking, 1977 Stud. Rechtswiss., 1981 Prom. z. Dr. iur. K.: 1982 Eintritt Parlamentsdion., 1985 Ltr. d. Dion.-Büros, 1991 stellv. Ltr. d. Präsidiums. M.: Präs. d. American Football Schiedsrichter Österr., Vizepräs. d. American Football-Bd. Österr., European American. Football Officials Assoc. H.: Sport, Musik, Film, Lesen. (J.E.)

Müller Christina
B.: Gschf. FN.: Ebelsberger Hof. DA.: 4030 Linz, Wiener Str. 485. PA.: 4600 Wels, Römerstr. 16. G.: Gmunden, 7. Juli 1967. El.: Jutta u. Wolfgang. BV.: Linie zu Schubert. S.: 1973-81 Schwesternschule, 1981-87 Frauenberufssch. Bad Ischl. K.: 1988-90 Bankettltr. Hotel Greif, ab 1990 Ebelsberger Hof, zun. Bankett- u. Verkaufsltr., s. 5/90 Dir. P.: Veröff. in Fachblättern, 2 TV-Auftritte. H.: Beruf, Sport, Reisen. (P.H.)

Müller Edeltraud
B.: BAng. im BMLF. DA.: 1010 Wien, Stubenring 1. PA.: 2435 Ebergassing, Himbergerstr. 6/12/7. G.: Gramatneusiedl, 20. Juli 1944. V.: Karl. Ki.: Andreas. El.: Frischherz Otto u. Martha. S.: HS, HASCH, Ind.Kfm.Lehre. K.: 1962-64 Ang. in einer Teppichfbk., 1964 Eintritt in d. BMLF, land- u. hauswirtschaftl. Beratungswesen (incl. Budget), Agrarinvestitionskredit-Hauswirtschaft, Intern. Arbeitskreis ldw. Berater. E.: 1963 Bronz. Leistungsabz. im Beruf Ind.Kfm., 1979 Silb. Med. f. Verd. um d. Rep. Österr., 1984 Gold. Med. f. Verd. um d. Rep. Österr. M.: ÖAAB Finanzreferent, Dienststelle BMLF, Europ. Volkssportgemeinschaft. H.: Lesen (Reiseberichte, Natur), Teppichknüpfen, Malen, Wandern. (Bauer)

Müller Dagmar

B: Inh. FN.: Glaskunst Dagmar Müller. DA.: 8010 Graz, Färberpl. 11. PA.: 8010 Graz, Kolösistr. 180. G.: Graz, 19. Aug. 1960. Ki.: Bianca (1982). El.: Walter u. Helene Müller. S.: 1975-78 Glasfachschule Kramsach. K.: 1979-80 Tätigkeit b. Firma Glasgravuren Haiden Lannach, seit 1980 selbst. Stein- u. Kupfergravur, 1980-84 eigenes Atelier in Graz, seit 1984 Glaskunst Dagmar Müller Graz, 1991 Ausstellung in d. Stmk. Bank Graz, 1981 HK, div. kleinere Ausstellungen, 1981-85 2x jährl. Messe Graz. M.: Gehörlosensportver. H.: Literatur, Tennis, Skifahren, Schwimmen, Tochter. (I.G.)

Müller Eduard Dr. techn. HofR.

B.: Dir. d. Höheren Techn. Bundeslehranstalt Hollabrunn. DA.: 2020 Hollabrunn, Dechant Pfeifer Str. 1. PA.: 2020 Hollabrunn, Waldweg 6. G.: Wien, 4. Apr. 1935. Ki.: Ulrike (1962). El.: Eduard u. Margarete. BV.: Adelsfamilie Müller von Mühlhausen. S.: Realschule Krems, 1953 Reifeprüf., Offiziersausb. Militärakademie Wr. Neustadt, Ausmusterung a. 18.3.1959, Stud. TU Wien, 15.12.1972 Prom. K.: 1973 Übern. i. d. Höheren militärtechn. Dienst b. Österr. Bundesheer, 1976 Ernennung zum OberstltdhmtD; 1977 Übern. i. d. Personalstand d. BMfUK als prov. Ltr. d. HTBL Hollabrunn, Aufbau d. neugegründeten HTBL Hollabrunn, 1.4.1980 Ernennung z. Dir., 1985 Verleihung d. Berufstitel "Hofrat", s. 1984 Präs. d. Verb. d. Dir. u. Abteilungsvorst. a. techn.-gewerbl. Lehranstalten i. Österr.

Müller Erhart Ing.
B.: Ing. Chemiker, Betriebsltr. PA.: 5020 Salzburg, Faistauerg. 17. G.: Reichenberg/Sudetenland, 3. Okt. 1916. V.: Roswitha, geb. Denifl. El.: Rudolf u. Margarete. S.: Bürgerschule, Dt. Staatsgewerbeschule Reichenberg, Höhere Gewerbeschule. K.: Nach Matura im Zentrallabor d. Ver. Färbereien AG in Reichenberg, anschl. Fa. Veider AG Prag: Ltr. d. Färberei, b. Juni 1944 Wehrmacht, anschl. Fa. Dietzsch in Hronov, dann Chemiker im Labor d. Fa. Jakob (Seifenfabrik), 1945 nach Sbg. u. bis 1947 in d. Bauwirtschaft tätig, dann Chemiker b. Fa. Klimizschek Sbg., 1948 österr. Staatsbürger, 1951-82 Chemiker u. Betriebsltr. b. Hofmann Pharma in Anif. M.: Sudentendt. Ver. in Österr. H.: Interesse f. Blumen u. Pilze, Schwimmen, Skilanglaufen.

Müller Franz Ing.
B.: Gschf. FN.: H. Schu & Co. Spezial-Abbruchuntern. GmbH. DA.: 1110 Wien, Geringerg. 19-21. PA.: 1140 Wien, Rosentalg. 11. G.: Wien, 23. Sep. 1952. El.: Franz u. Elfriede. S.: RG, HTL (Maschinenbau), 1971 Matura. K.: Ab 1972 Maschinening. b. div. Wiener Firmen m. Arbeitseinsatz im Ausland, z.B. in d. früheren RGW-Staaten, Schweiz, mehrere Auslandsaufenth. z.B. BRD, Venezuela, 1985-87 Ltr. d. Maschinenparks b. e. großen Wr. Baufirma, 1988 Grdg. d. Fa. Franz P. Müller M.C.S. Machines Construction Services Handels GmbH, 1990 Gschf. f. Schu & Co. H.: Hunde, Wasserschilauf, Schifahren, Kulturreisen, Antiquitäten. (M.M.)

Müller Franz Bernhard
B.: Agenturltr. FN.: A-typisch. GT.: Projektmanager A-typisch Zürich. DA.: 6900 Bregenz, Quellenstr. 16. G.: Lienz, 3. Febr. 1951. S.: 1969 Kunstgewerbeschule, 1970-72 Werbeak. Ausbild. K.: 1971-74 Atelierltr. versch. Agenturen, 1974-85 Werbeltg. Kästle, Top Team Vors., 1986 selbst. Sportpromotion in Liechtenstein, 1987 Grdg. A-typisch, Projektmanagement. E.: 1990 u. 1992 Gold. Reisekutsche ITB Berlin, 1988 Ehrenpreis d. österr. Fremdenverkehrswerbung, 1990 Sieger im "Tourist Austria" Werbe-Grand-Prix, 1992 Landespreisträger Tirol. (A.K.)

Müller Gerald Dir.
B.: Hotelmanager. DA.: 9900 Lienz, Hotel Sonne. G.: Sternberg/Mähren, 9. Sep. 1928. Ki.: Gerhild. El.: Bruno u. Hermine. S.: Oberschule in Mähren, Matura 1944, Hotelfachschule Wien. K.: 1954 Beg. d. gastronom. Tätigk. in Öst., Dir.Stellv. d. Hotelges. "Tirol-Europa" in Innsbruck, 1959-62 Dir. d. Hotel "Clima", 1962-66 Dir. d. Guido-Reisch-Betriebe in Kitzbühel, 1966-74 Dir. d. Hotel Sonne Lienz, 1974-77 1. Dir. Hotel Pitter in Sbg., s. 1977 wieder Dir. Hotel Sonne Lienz. E.: Verdienstmed. d. Landes Tirol. M.: 1. Grdg.Mtgl. d. Lions Club Lienz. H.: Großfischfang. (S.G.)

Müller Gerhard Dr.
B.: Gschf. FN.: ARAC Autovermietung GmbH. DA.: 1060 Wien, Filigraderg. 7. G.: Mödling, 23. Jän. 1942. El.: Alexander u. Frieda. S.: 1960 BRG-Matura, Stud. Revisions- u. Treuhandwesen HS f. Welthdl., 1964 Dkfm., 1966 Prom. z. Dr. K.: 1968 Ang. Firma Stollack, 1969-72 Aufbau d. Kfz-Leasing f. VW in Österr. b. Firma Porsche Konstruktions KG Sbg., ab 1972 Gschf. Firma Inter Rent Autovermietung, 1988 Neugrdg. d. Firma ARAC u. seither deren Gschf. H.: Eislaufen, Segeln. (M.M.)

Müller Gert
B.: freier Schriftsteller u. Journalist. GT.: Präs. d. Kulturges. Tir. Impulse. PA.: 6020 Innsbruck, Kravogelstr. 4. G.: Innsbruck, 16. Dez. 1931. V.: Sybille, geb. Schweigstetter. Ki.: Magdalena. El.: Erwin u. Klara, geb. Annegg. S.: Realschule, Inst. f. Zeitungswiss. Wien. K.: 1951-54 in Wien journalist. tätig, b. 1972 Red. b. Tir. Nachrichten, seit 1972 freier Schriftsteller u. Journalist. BL.: Verfasser besinnl., humanitär engagierter Kurzprosa, Lyrik u. literar. inspirierter Reiseberichte sowie kulturpolit. u. wiss. Essays u. Interviews, Schriftlr. d. "Tir. Almanach" u. d. "Tir. Impulse", Profunder Kenner d. Völker u. Landschaften Nordafrikas u. d. arab. Welt, zahlr. Expeditionen u. Reisen in d. arab. Welt, Sahara, 1981 Teilnahme an d. Tir. Alaskaexpedition, 1983 Tir.-Islandexpedition. P.: zahlr. Veröff. in in- u. ausländ. Medien, Bücher: "Und der Wind den ich überall mitnehmen muß", "Von Menschen und Steinen", "Die Beichte des Orazio", "In Liebe weise sein", Mitautor "Mit Mystikern ins 3. Jahrtausend (1989), Lyrik, Texte f. Kulturfilme. E.: VZ d. Verb. österr. Volkshochschulen (1982), EZ d. Landes Tirol (1992). M.: Willrambund, Turmbund, Grdg.Mtgl. d. Tir. Impulse. H.: Malerei.

Müller Hannes Mag.
B.: teil. Eigentümer u. Gschf. FN.: Matthäus Müller & Söhne Waren-Import-Export-GmbH. DA.: 1020 Wien, Tandelmarktg. 12. G.: Wien, 16. Apr. 1962. El.: Matthäus u. Heidelinde. S.: 1972-76 Gymn. i. Stmk., 1976-81 HAK Karlspl., a. 1981 Wirt.-Univ. Wien m. Abschluß Mag. K.: 1989-91 Auslandstätigk. i. Südafrika-Kapstadt, Unternehmensberatung, s. 1992 selbst. Kfm. m. Import. P.: i. Südafrika Broschüre f. Unternehmer-Ratgeber. H.: Schwimmen, Windsurfen, Skifahren. (L.S.)

Müller Harald
B.: Inh. FN.: Sankt-Antonius-Klinik GmbH. DA.: 1010 Wien, Mahlerstr. 11. PA.: 1140 Wien, Hadikg. 144. G.: Wien, 23. Feb. 1949. V.: Ursula, geb. Epple. Ki.: Alexander (1975). El.: Adolf u. Gertrude, geb. Albustin. S.: Mittelschule, Unternehmensberaterprüf. in Deutschld. K.: 1972-83 Aufbau u. Ltg. v. Produktionen u. Exportfirmen im gesamten Fernen Osten, ab 1971 selbst. Unternehmer, 1983-91 Unternehmensberater in Österr., 1988 Beginn d. Aufbaus d. Kliniken in Zusammenarb. m. führenden Medizinern, ab 1991 Grdg. d. St.-Antonius-Kliniken. M.: seit 1965 Mtgl. d. KÖSTV Thüringen-Wien. H.: Theater, Musik (klass. b. modern), Lit., Fußball aktiv, Tennis, Schifahren. (N.A.)

Müller Heinrich
B.: Gschf. FN.: Heimatwerbung GmbH. DA.: 1010 Wien, Teinfaltstr. 1. PA.: 2380 Perchtoldsdorf, F.-Gusenbauer-G. 6. G.: Wien, 24. Aug. 1939. V.: Nora, geb. Laa. S.: 1957 Matura. K.: Mitarb. in d. väterl. Realitätenvermittlung, 1962-68 Gen. Zentralbank, 1969-73 Sensalgehilfe, staatl. beeid. Sensal d. Wr. Wertpapierbörse, 1973-81 Satzungsdir. d. LHypothekenbank NÖ, ab 1969 Gschf. d. Heimatwerbung, 1977-84 Vorst.Mtgl. b. Bankhaus Feichter & Co AG, ab 1984 Betriebsberater.

Müller Heinz
B.: Pächter. FN.: Hotel Gasthof zur Post. DA./PA.: 5340 St. Gilgen, Mozartpl. 8. G.: Schladming, 7. Dez. 1954. V.: Jolanda, geb. Riedl. Ki.. Stephan, Simone. El.: Franz u. Erna. S.: VS, HS in Schladming. K.: Kfm.-Lehre in Sbg., ab 1976 Aussendienst b. Toko Skiwachs, 1979-88 Rennsportleiter u. Marketingleiter b. Fa. Swix, 1988-91 Touristikmarketing Hotelkette Mrco Polo, Ideegründung von "all includid", 1991Übernahme d. Hotel Gasthof zur Post. H.: Sport. (D.E.)

Müller Helmut KommR.
B.: Gen.-Dir. a.D. PA.: 4600 Wels, Schermbergstr. 15. M.: AufsR.-Vors. Baubedarfszentrum Stadlbauer AG Wels.

Müller Herbert Dr. phil. Prof.
B.: Prof. (Päd. Ak. EW). A.: 1020 Wien, Große Stadtgutg. 34. G.: Wien, 4. Apr. 1926. V.: Hildegard, geb. Pejhovsky. S.: LBA, Musik-Ak. Univ. Wien (Musikwiss. u. Kunstgeschichte). K.: Lehrer an Wr. Pflichtschulen, nach HS-Stud. Musikkritiker an Wr. Zeitungen u. Prof. d. Päd. Ak. P.: Fachbeiträge in d. "Österr. Päd. Warte", d. "Österr. Musikzeitschrift" u.a., Rezensionen im "Volksblatt", "Kurier", d.

"Wiener Zeitung" u. d. Wochenschrift "Die Furche", zahlreiche Aufführungen eigener Werke in Wien (ORF, Musikver.). E.: Div. Ausz. d. StadtschulR. f. Wien. M.: Österr. Ges. f. zeitgenöss. Kunst, Kath. Lehrerschaft Österr. (BSchriftführer). H.: Komposition, Kam.Musik, Literatur, bild. Kunst, Skilauf.

Müller Hermann

B.: Gschf. FN.: Müller Leistenfabrik GesmbH. DA.: 5204 Straßwalchen, Steindorf 19. PA.: 5204 Straßwalchen, Steindorf 176. G.: Salzburg, 27. Mai 1956. V.: Anita, geb. Staffl. Ki.: Sandra (1979), Christine (1985). El.: Rudolf u. Maria. S.: Sägeschule i. Kuchl mit 3jähriger Lehre, Gesellenprüf. K.: i. elterl. Betrieb eingestiegen, 1979 verehelicht, in d. Prod. im elterl. Betrieb, 1.8.92 Gschf. dieses Betriebes. M.: Feuerwehr, Musikverein, Wirtschaftsbund. H.: Skifahren, Tennis spielen, Briefmarken sammeln. (D.E.)

Müller Horst Ing.

B.: Gschf. FN.: Technisches Büro für Umwelttechnik MÜLLER Abfallprojekte GmbH GT.: s. März 1994 Gschf. d. Fa. Müller Abfallprojekte GmbH, 4675 Weibern, Hauptstr. 34. DA.: 4020 Linz,G.: Roßweide (Oberschlesien), 11. Feb. 1939. V.: Martha, geb. Seiringer. Ki.: Horst (1962), Regina (1964), Martha (1965), Thomas (1967), Lydia (1972), Birgit (1973), Gabriel (1975), Mathias (1977). El.: Harald u. Lydia. S.: 1J. Ackerbau-Schule Ritzlhof, 4 J. HBLA Francisco Josephinum i. Wieselburg, 1959 Matura. K.: b. Ende 1961 als landwirtsch. Verwalter, b. 1975 Landwirtschaftspächter v. Bauernhof u. Gutshof, ab 1975 Amt d. OÖ Landesreg., s. 1987 heutige Pos., 1973-89 Bgm. d. Gemeinde Weibern u. 5 J. Obm. d. Müllverb. Grieskirchen. P.: Untersuchungen u. Veröff. auf d. Geb. d. Abfallkompostierung u. Kompostanwendung sowie üb. Abfallrecycling als Publ. i. Fachzeitschr. M.: s. 1977 Mitarb. i. Österr. Normeninst. u. i. Österr. Wasser- u. Abfallwirtschaftsverb. H.: Eisstockschießen, Radfahren, Wandern, Schwimmen, Familie. (U.A.)

Müller Horst

B.: Gesang- u. Musiklehrer. GT.: Gesanglehrer in Mondsee, Sänger u. Schauspieler am Landestheater Sbg. PA.: 5020 Salzburg, Etrichstr. 69. G.: Schönlanke, 19. Sept. 1924. V.: Gertraud-Maria, geb. Purgay. Ki.: Christine (1956), Christoph (1958), Johannes (1960), Monika (1962). El.: Karl u. Martha. S.: Realschule, Musik- u. Gesangstud. K.: Gesanglehrer am Mozarteum, seit 1961 Musiklehrer an d. HBLA f. Frauen in Sbg. H.: Wandern, Konzertreisen. (K.K.)

Müller Horst Ing.

B.: Kfm. FN.: Müller Yachtcharter. DA. u. PA.: 4864 Attersee, Aufham 71. G.: Linz, 6. Jan. 1935. V.: Elfi, geb. Maier. Ki.: Sonja (1962), Barbara (1969). El.: Emmerich u. Herta.S.: HTL Elektrotechnik Linz, 1955 Matura. K.: 2 Jahre

Düsseldorf, 1957-62 Siemens Österr., 1962-87 Textilagentur Wolford, 1967 Griechenland, Liebe z. Segeln entdeckt, 1968 1. eigenes Schiff, seit 1980 Charteragentur, seit 1987 nur mehr im Yachtcharter weltweit tätig, seit 1990 Firma am Attersee, 1975 1. Hochseeyacht in England gekauft u. ins Mittelmeer gesegelt. BL.: 1993 Denzelpokal, seit 1994 wird d. Lillypokal ausgesegelt (v. Hrn. Müller gestiftet), 1993 1. Austria-Caribic-Holiday-Cup. M.: Union-Yachtclub Attersee, Grdg.-Mtgl. Yachtclub Austria. H.: Segeln, Reisen.

Müller Hugo Dr. Dkfm.

B.: Steuerberater, Wirtschaftsprüfer. FN.: Universitas Wirtschaftstreu Hdls. GmbH. DA.: 1100 Wien, Jagdg. 25. PA.: 1130 Wien, Münichreiterstr. 46. G.: Pyrha, 23. Apr. 1935. El.: Franz u. Leopoldine. S.: Mittelschule, HS f. Welthdl., 1958 Prom. K.: 1958 Revisionsass., 1962 selbst. E.: Gold. EZ d. Rep. Österr. M.: Vorst.Mtgl. d. Schwarzen Kreuz. H.: Reisen.

Müller Karl Dr. HofR.

B.: Polizeidir. DA.: 8010 Graz, Paulustorg. 8. PA.: 8010 Graz, Ragnitzstr. 10. G.: Graz, 24. März 1932. V.: Ingeborg, geb. Ninaus. Ki.: Susanne (1969), Gabriele (1971). El.: Karl u. Maria. S.: VS, Gymn., Lehre Vers.-Kfm., 1953-55 Polizeischule Graz. K.: 1955 Sicherheitswachebmtr. im Exekutivbereich, versch. Positionen in d. Verkehrsabt. d. Sicherheitswache, 1956-60 Arbeitermittelschule, 1960 Matura, 1960-64 Jusstud., 1964 Prom., Konzeptsdienst, Durchschreitung d. Abt. Staatspolizei, Verw.-Polizei, Kriminalpolizei u. Präsidialabt., seit 1982 Stellv., ab 1985 Ltr. d. Kriminalpolizeil. Abt., 1986 Polizeidir. d. Bundespolizeidion. Graz. E.: 1977 Österr. Olymp. Goldmed. f. Verd. um d. Vorbereitung u. Durchführung d. XII. Olymp. Winterspiele Innsbruck, 1980 belobende Anerkennung, 1986 Exekutivdienstzeichen f. 30 J. treue Dienst d. Rep. Österr., 1986 Gr. EZ d. Landes Stmk., 1987 Gr. EZ f. Verd. um d. Rep. Österer., 1987 VK d. Österr. Roten Kreuzs, 1988 Gold. Förderer-EZ, Ehrenurkunde d. Steir. Skiverb., 1989 Gold. Med. d. Metropolitan Police f. Verd. d. engl. Polizei, 1992 Gr. VK d. VO d. BRD, m. Urkunde, 12.12.1992, überreicht d. Dt. Generalkons. am 12.2.1992 verliehen v. Richard v. Weizsäcker, dt. Bundespräs. M.: Präs. d. Polizeisportver., Vorst.-Mtgl. d. Golfclub Murhof. H.: Golf, Skilanglaufen, Radfahren. (M.Gr.)

Müller Karl Dr. Mag.

B.: Univ.Lehrer, Literaturwiss. A.: 5411 Oberalm. G.: Puch b. Hallein, 16. Juni 1950. El.: Karl u. Maria. S.: VS, RG, Univ.: Germanistik, Anglistik, Phil. K.: AHS-Lehrer, Univ.Ass. P.: Das Dekadenzproblem in d. österr. Literatur um die Jahrhundertwende, 1977. Ende und Anfang: Beobachtungen u. Überlegungen zur sogenannten Dekadenzliteratur, 1977. Zeitkritik u. Innerlichkeit, Beobachtungen zum Werk Ödön v. Horvaths, 1980. Vaterland Preußen - Heimat Österr., Wilhelm Scherers Beitrag z. österr. Literaturgeschichtsschreibung, 1981, Die Germanistik im Kriegseinsatz, 1984 Muß Odysseus wieder reisen? Zur weltanschaul. Unbehaustheit u. Häuslichkeit, 1984 D. Dramatiker Julius Hay: Ein Neuerer, d. alte Wege ging, 1985 - Zur (Dis-)Kontinuität österr. Literatur seit d. 30er Jahren: Die "belastete Tradition" nach 1945, 1948 - K.H. Waggerl: ein Erfolgsautor d. 50er Jahre, 1985, Autorität u. sinnlichkeit: Beobachtungen z. Werk H. v. Hofmannsthals, 1985. E.: Sub-auspiciis-Prom.. M.: Mtgl. d. Inst. f. Österreichkunde, Mtgl. d. Hugo v. Hofmannsthal-Ges., Mtgl. d. Robert Musil-Ges., Mtgl. d. Ver. krit. Sozialwiss. u. polit. Bild. H.: Musizieren.

Müller Klaus

B.: Vollkfm. u. Vorst.Dir. FN.: Linzer Glasspinnerei Franz Haider AG. GT.: Mitgschf. d. Fa. Tel-Mineralwolle GmbH. DA.: 2000 Stockerau, Prager Str. 77. G.: Hamburg, 4. Nov. 1936. V.: Eva Dorothea. Ki.: Mag. pharm. Petra, Andreas. S.: Ausbild. z. Ind.Kfm. b. d. Automobilfa. Vidal & Sohn Tempo-Werk GmbH Hamburg. K.: b. 1955 Sachbearb. Abt. Materialwirtschaft, 1956 Sachbearb. in d. Ersatzteile-Abt. d. Fa. Raffay & Co, 1956-57 Sachbearb. im Rechnungswesen d. Howaldtswerke Hamburg AG Hamburg, 1957-62 NOVA Krankenvers. a.G. Hamburg, b. 1958 Sachbearb., dann Gruppenltr. in d. Abt. Beitrag/Buchhaltung d. Bez.Dion. Hamburg, b. 1960 Gruppenltr. in d. Abt. Beitrag/Buchhaltung in d. Bez.Dion. Ludwigshafen, b. 1962 Abt.Ltr. d. Abt. Beitrag/Buchhaltung in d. Bez.Dion. München, Grünzweig & Hartmann AG bzw. Grünzweig & Hartmann u. Glasfaser AG Ludwigshafen sowie Zwg.Ndlg. d. Compangie de Saint-Gobain-Pont-á-Mousson in Aachen, b. 1967 Mitarb. d. Abt. Betriebswirtschaft, b. 1969 Ltr. d. Abt. Betriebswirtschaft im Rahmen d. Hpt.Abt. Rechnungswesen, 1968 Handlungsvollmacht, b. 1973 Ltr. d. Abt. Planungsrechnung f. d. Werke Ludwigshafen, Ladenburg, Bochum, Berg. Gladbach, b. 1975 Ltr. d. Abt. Durchführungskontrolle u. Sonderaufgaben im Bereich d. Finanzdion., b. 1977 Ltr. d. Abt. Ergebnisplanung u. -kontrolle im Rahmen d. Finanzdion. d. Zwg.Ndlg. d. Compangie de Saint-Gobain-Pont-á-Mousson in Aachen, 1976 in Personalunion Prok. d. Oelschläger & Oelschläger GmbH in Hamburg, 1977-78 in Personalunion Mitgschf. d. Dämmstoffkontor Ruhr GmbH, 1977 Ltr. d. Abt. Konzer/Beteiligungen im Rahmen d. Finanzdion. d. Grünzweig & Hartmann u. Glasfaser AG, 1977 Prokura f. Grünzweig & Hartmann u. Glasfaser AG, 1979 Gschf. d. Schranzhofer-Genest Austria GmbH, 1980 Mtgl. d. Vorst. d. Linzer Glasspinnerei Franz Haider AG Stockerau. H.: Sport.

Müller Kurt Dr. OMedR.

A.: 3001 Mauerbach, Hauptstr. 204. V.: Gertrude, geb. Buchleitner. Ki.: Helma, Peter, Elisabeth. S.: Matura, Med. Fak. Univ. Wien. K.: Univ.Ass. f. Histologie, Dienstverpfl. Arzt Univ. Wien, Abt. Mauerbach, 30 J. Gem.Arzt, 2 J. Privatpraxis. M.: Standespolit. Ärztekam., 30 J. Vorst.Mtgl. f. Österr. u. NÖ, Vorst. f. NÖ, Hauptres. d. Gem.Ärzte u. Apotheker. H.: Jagd, Fischen. (Glom.)

Müller Kurt Dr. med.

B.: Selbst. FA f. HNO. DA. u. PA.: 8010 Graz, Hans-Sachs-G. 6/1.G.: Agram, 12. Nov. 1924. V.: Erna, geb. Blaha. El.: Hermann u. Gertrude. S.: VS, Hum. Gymn. Passau, Matura 1943, anschl. Militärdienst u. Kriegsgefangenschaft b. 1946, ab 1946 Med.Stud. in Graz, Prom. 1951, FA-Ausbild. in Graz, Wien u. USA, 1957 abgeschl., 1958 Eröff. einer eigenen Praxis, auch plast. Chir. (Nasen- u. Ohrenkorr.) P.: Div. Publ. über Radiologie im HNO-Bereich. M.: Intern. Ges. f. plast. Chir. H.: Kammermusik. (War.)

Müller Kurt L.

B.: Dir. d. Allg. Sparkasse OÖ. Bank AG. DA.: 4041 Linz, Promenade 11-13. G.: Linz, 1940. V.: Madeleine, geb. Mikesch. Ki.: Katrin. El.: Prim. Dr. Kurt u. Friedl. S.: 1960 Matura Stiftsgymn. Melk, EDV-Ausbild. K.: 1966 Eintritt in d. Allg. Sparkasse Linz, Vorst.Sekr., 1979 Prokura, dann Ressortltr. f. Kommunikation u. Marketing, Obm. d. Studentenhilfsver. Linz. M.: Lions-Club Linz Mitte, Union Yacht Club Attersee. H.: Segeln. (Deu.)

Müller Lothar Dr. theol. Mag. theol.

B.: Abg. z. NatR., Verlagsmitarb. DA.: 1017 Wien, Dr.-Karl-Renner-Ring 3. PA.: 6020 Innsbruck, Reichenauerstr. 97. G.: Bludenz, 8. Dez. 1947. V.: Mag. Renate, geb. Ehrenbrandtner. Ki.: Eva, Thomas. El.: Alfred u. Christine. S.: VS, Hum. Gymn., 1966 Matura, Univ.Stud. in Innsbruck u. Sbg., 1972 Mag. theol., 1975 Dr. theol. K.: Ass. am Inst. f. Moraltheol. u. Ges.Lehre an d. Univ. Innsbruck, 1973-76 LStellenltr. d. Dr. Karl Renner-Inst. Tir., 1976-86 LParteisekr. d. SPÖ Tir., 1979-86 Mtgl. d. BundesR., ab 1986 Abg. z. NatR. P.: ca. 20 wiss. Arb., zahlr. Pressestellungnahmen. E.: Wehrdiensterinnerungsmed. H.: Lesen. (D.S.)

Müller Ludwig KommR.

B.: Kfm., Bez.-Vorst.-Stellv. a.D. PA.: 1190 Wien, Krottenbachstr. 106/18/6. G.: Beinhofen, 1. Aug. 1938. V.: Elfriede, geb. Kaindl. S.: VS, HS, Installateurlehre, Gesellen- u. Monteurprüf. K.: ab 1957 Mitarb. im elterl. Betrieb, ab 1960 selbst. Kfm. als Obst- u. Gemüsekleinhändler u. Christbaumhändler, seit 1972 BezR. d. Döblinger Bez.-Vertretung, seit 1978 Bez.-Vorst.-Stellv., seit 1958 Mtgl. d. Volkspartei, seit 1959 Mtgl. d. Wirtschaftsbundes, seit 1960 Mtgl. d. Bez.-Ltg. d. Wirtschaftsbundes Döbling, seit 1976 Obm.-Stellv. d. Wirtschaftsbundes, seit 1976 Mtgl. d. BeiR. f. Statistik d. Außenhdls. E.: Silb. Parteiausz. d. ÖVP Wien, Gold. EZ d. ÖVP Wien, Silb. EZ d. Landes Wien. M.: Gründer u. Ehrenpräs. d. Döblinger Faschingsgilde, Landespräs. d. Wr. Faschingsgilde, VPräs. d. Bundes d. Österr. Faschingsgilden, AufsR. d. Baugen. Krottenbach. H.: Radfahren, Kartenspielen. (N.A.)

Müller Ludwig Dr. phil. Mag. pharm

B.: Gschf. FN.: ASTRA GmbH. DA.: 4020 Linz, Südtiroler Str. 6. PA.: 4812 Pinsdorf, Wiesen 36. G.: Feldkirch, 16. Apr. 1934. V.: Helga, geb. Miksch. El.: Dr. Ludwig u. Martha. K.: Lehrzeit als Betriebsschlosser v. 1951-54, 1961 Externistenmatura, Stud. d. Pharm. u. Phil. an d. Univ. Innsbruck v. 1961-68, 1968-72 1. Ltr. d. Kontroll-Labors u. Ass. d. Produktionsltr., später Marketingchef b. d. Fa. Gebro in Fieberbrunn, seit 1972 b. Fa. ASTRA erst 3 J. in d. Ost-Europa Abt., seit 1975 Gschf. d. Österr. Tochterges. H.: Ldw., Schafzucht. (Mayr)

Müller Manfred Dir. Ing.

B.: Techn. Vorst.-Dir. FN.: Gletscherbahn Kaprun AG. DA.: 5710 Kaprun 690. PA.: 5710 Kaprun, Schloßstr. 537. G.: Marienbad, 17. Sept. 1944. V.: Johanna, geb. Schernthaner. Ki.: Michael (1971), Nicole (1973). El.: Maximilian u. Pauline. K.: WSW Wien, Pionier- u. Entstehungszeit d. Gletscherbahn Kaprun 1966, Betriebsltr.-Stellv., Betriebsltr., Ltr. d. Verkehrsbetriebe, Prok., seit 1988 Techn. Vorst.-Dir. E.: Silb. EZ d. Landes Sbg. 1987. M.: Kiwani Club Zell am See, Seilbahntechnikerkomitee, versch. örtl. Ver. H.: Segeln, Fußball, Skifahren, Sport. (M.T.)

Müller Meinhard

B.: stellv. Gschf. FN.: Alu-Mat-Metallbau GmbH & Co KG. DA.: 9500 Villach, Triglavstr. 13. PA.: 9500 Villach, Tafernerstr. 34. G.: Möllbrücke, 10. Febr. 1946. V.: Monika, geb. Kavalar. Ki.: Sandra. El.: Wilfried u. Herta. S.: Pflichtschule, LBA, HASCH. K.: 1968-72 Tätigkeit b. d. Treibacher Chem. Werken, zuständig f. Einkauf, seit 1972 b.

d. Fa. Alu-Mat, zuerst Vertreter, dann stellv. Gschf. M.: Rotes Kreuz Villach, div. Sportver. H.: Tennis, Basketball, Schwimmen. (S.G.)

Müller Peter

B.: Chefproducer i.R. PA.: 1030 Wien, Ungarg. 50/18. G.: Wien, 23. Apr. 1932. V.: Mag. Silvia, geb. Gregor. El.: Franz Xaver u. Margarete. S.: Mittelschule, kfm. Lehre im elterl. Betrieb. K.: ab 1956 Juniorchef im elterl. Betrieb, freischaff. tätig b. Film als Aufnahmeltr. u. Prod.-Ltr. b. in- u. ausländ. Filmprod., 1970-88 Programmwirtschaftl. Ltr. d. ORF Abt. Fernsehspiel, 1989 Chefproducer, seit 1992 in Pension. H.: Stud. Geschichte Univ. Wien, Beschäftigung m. Geschichte u. Kulturen, Reisen. (I.J.)

Müller Peter Dr.

B.: Verleger u. Werbekfm. A.: 1190 Wien, Grinzinger Str. 5. G.: Wien, 24. Nov. 1923. V.: Renate, geb. Krejca. El.: Dkfm. Erwin u. Josephine. S.: Matura, Dr. d. Phil. (Theaterwiss., Kunsthistorik, Psych.). K.: Seit 1951 selbst. Verleger, seit 1960 selbst. Werkekfm. intern. Kunden. F.: Alleininh. d. Fachverl. Dr. Peter Müller, Gschf.Ges. d. Cicero Werbe u. PR GmbH. P.: Als Chefred. u. Autor zahllose Art. in eigener Zeitschrift, dt. Fachzeitschriften u. in d. Österr. Tagespresse auf d. Sektor Werbung, Wirtschafts- u. Ges.Veröff. E.: 5 hohe Ausz. d. BKam. d. gewerbl. Wirtschaft d. Stadt u. Landes Wien, sowie d. Rep. Österr. M.: Mtgl. d. Vorst. d. Österr. Arge f. Volksgesundheit, LArge Wien.

Müller Peter Jürgen Dr. phil.

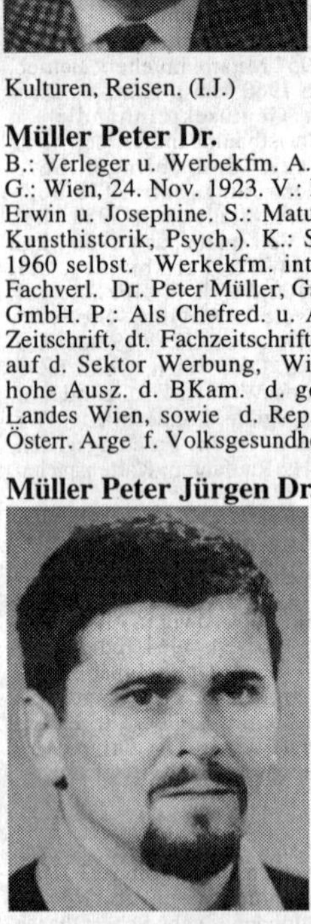

B.: Ingenieurgeologe. FN.: Intergeo Büro f. Baugeologie Geotechnik und Tunnelbau. GT.: Geschf. DA.: 5020 Salzburg, Jakob-Haringer-Str. 8. PA.: 9711 Paternion 8. G.: Villach, 4. Aug. 1942. V.: Rosina, geb. Tschernutter. Ki.: Peter, Arnulf, Barbara. El.: Peter u. Elsa. BV.: Großvater in Kärnten Großgrundbesitzer, Onkel Dr. J. Müller war Chem., Patent f. Wasserstoff-Stickoxydgewinnung. S.: 1962 Mat., BH, Stud. Veterinärmed., nach Unfall Stud. Geologie Univ. Wien u. Innsbr., 1976 Prom. Dr. phil. als Werkstudent, dan. 2 Jahre in Nigeria Arbeit an einem Pipeline-Projekt, Rückkehr nach Sbg. zu einem Ingenieurbüro bis 1983 (Auslandstätigkeit u.a. in Indien, Spanien, Südamerika, Afrika), 1983 selbst. als Ziviltechniker, Ingenieurkonsulent f. techn. Geologie, 1984 mit Partner Dr. Wallner Grdg. Intergeo, div. Projekte: Straßentunnelprojekt (Algerien), Straßen (Nepal), Beratungen im Ausland, versch. Niederlassungen: Johannesburg, Korea, Suhl. Schwerpunkt: Tunnelbau, U-Bahn-Bau, Geotechn., Bauaufsicht (z.B. Autobahn Klagenfurt), Deponietechn., Grundwasserreserven im In- u. Ausland, chem. Labors in Dresden, Salzburg, U-Bahn-Bau in Seoul, Korea , U-Bahnbau, Bilbao (Spanien), in Österr. Standorte in Salzburg u. Paternion. Zw. Standbein Grdg. Intergeo Umwelttechn., Geschf. Dr. Wallner. BL.: Konsul v. Guinea-Westafrika. M.: Österr. Ges. f. Geomechanik, Int. Ges. d. Felsmechanik, British Tunneling Assoc., zwei Studentenverb.: Corps Saxionia, Corps Tatunia, Präs. einer. Alpenvereinsgruppe in Kärnten. E.: 1981 i.d. geotechn. Society: Goldmed. f. beste Veröff. in Indien. H.: Sport, Jagd. (D.E.)

Müller Rudolf Ing.

B.: Bauunternehmer. FN.: Müller Bau GmbH Hoch- u. Tiefbau, Zimmerei, Baustoffhdl. DA.: 3820 Raabs/Thaya, Großauerstr. 3. PA.: 3820 Raabs/Thaya, Dr.-Graßl-Str. 1. G.: Wien, 28. Aug. 1938. V.: Ingrid, geb. Zimansl. Ki.: Harald (1966), Martin (1970). El.: Hermann u. Maria, geb. Cacky. S.: VS, HS, HTL Starkstromtechnik Wien, 1958 Matura, HTL Hochbau Krems, 1970 Matura. K.: 1958-66 Starkstromtechniker Wien, 1966 Einstieg Müller Bau GmbH, 1970 Übernahme d. Firma, 1994 Einstieg d. Sohnes Harald Müller in d. Firma als Bmstr. BL.: 1960-63 aktiver Motorrad-Wertungsfahrer: Bergwertungen u. Straßenrennen. H.: Motorrad, Restaurieren v. alten Dampfmaschinen. (M.M.)

Müller Rudolf

B.: Inh. d. Fa. Rudolf Müller Import u. Export - Großhandel, gschf. Ges. v. C&C Abholgroßmräkte GmbH. DA.: 1220 Wien, Industriestr. 70. G.: Tulln, 25. Sep. 1937. V.: Helma, geb. Grossmann. Ki.: Mag. jur. Barbara (1968), Alexander (1969), Marlies (1987). El.: Ing. Rudolf u. Elisabeth, geb. Fürhacker. BV.: Großvater Joh. Fürhacker (einer d. gr. Weinprod. u. -händler d. Monarchie u. Zwischenkriegszeit), Großmutter Henriette Müller (Bes. d. Stadlauer Malzfabrik). S.: HASCH, Koch- u. Kellnerlehre, 1959 Matura, ab 1961 Stud. Wirtschaft an d. Univ. Frankfurt, Mannheim u. Heidelberg. K.: 1961-65 Gschf. im American Head Quater (PX-Shop), 1967-80 Gschf., Dir. f. Österr. b. d. Wienerwald GmbH, 1980-87 Gschf. b. Metro, 1987 Betriebsübern., 1991 Übern. d. Führ. d. C&C Abholgroßmärkte. M.: Ordenssekr. d. Österr. Weinbruderschaft, Chaine des Rotisseurs, Ordre mondial des Gourmets Degustateurs. H.: Jagen, Tennis, Schifahren. (N.A.)

Müller Rudolf Dr.

B.: FA f. Innere Med. an d. Krankenanst. Göttl. Heiland. GT.: Medical Dir. d. Fa. Novo Ind. GmbH. DA.: 1170 Wien, Dornbacher Str. 20-28. PA.: 1238 Wien, Anton-Krieger-G. 145.G.: Wien, 8. Nov. 1949. V.: Dr. Gabriele, geb. Rosam. Ki.: Ursula, Christoph, Clemens. El.: Dipl.-Ing. Dr. Johann u. Margarethe. BV.: Vater Sektionschef im Sozialmin. i.P. S.: Matura, Med.Stud. Univ. Wien, 1978 Prom. K.: Turnus u. FA f. Innere Med. Göttl. Heiland, 1987 OA. P.: Med. Art. in Fachzeitschriften. M.: Lions Club. H.: Skifahren, Tennis, klass. Musik, Orgelspiel, Photographie u. Filmen. (A.K.)

Müller Sepp Mag. arch. Ing.

B.: Arch. A.: 1140 Wien, Nisselg. 8. G.: Linz, 7. April 1927. V.: Gisela, geb. v. Koenigstaedter. El.: Josef u. Maria. S.: Staatsgymn., Matura, HTL m. Matura, TH Wien, Ak. d. bild. Künste Wien - Dipl. K.: Mitarb. b. Prof. R. Rainer u. Prof. Cl. Holzmeister. Ab 1960 selbst. Arch., 1961 Ziviltechniker. Ab 1980 Lehrauftrag TU Wien, Univ.Lektor. P.: Div. in Fachzeitschriften. M.: Ing.Kam., Zentralver. d. Arch. Österr., Österr. Ges. f. Arch.

Müller Siegfried Mag. theol.

B.: Pater, Ltr. d. Jugendbild.Stätte "Don Bosco Haus". DA. u. PA.: 1130 Wien, St. Veitg. 35. G.: Moos/Ktn., 30. Juli 1943. S.: Verkäufer, Erzieher, 1972-78 Theol.Stud. Wien, 1978 Spons. K.: 1977-90 Mittelschullehrer u. Ausbilder im Studienberechtigungslehrgang in Horn, Priester, Salesianer Don Boscos, VRektor im Carnisiusheim, seit 1990 Ltr. d. Jugendbild.Stätte "Don Bosco Haus". H.: Beruf. (R.J.)

Müller Silvia Dr.
B.: Gschf. d. Operettengem. Bad Ischl. DA.: 4820 Bad Ischl, Herreng. 32. PA.: 4820 Bad Ischl, Leharvilla. G.: Bad Goisern, 21. Okt. 1945. El.: Müller Manfred Dr. u. Friederike. BV.: österr., bayr., preuss., hugenott. Abstammung. S.: 1964 Matura, Stud. an d. Univ. Sbg. Päd., Geschichte, Zeitungswiss., 1970 Prom. K.: 1970 freiberufl. Tätigkeit b. ORF: Kulturred., Schulfernsehen u. gleichzeitig tätig b. österr. Heilbäder u. Kurorteverb. in Wien, 1971-74 wiss. Ass. am Inst. f. Theaterwiss., Abt. Kinder- u. Jugendtheater, seit 1974 Gschf. d. Operettengem. Bad Ischl. P.: kulturelle Beiträge in Fachzeitschriften. M.: Tierschutzver., Heimatver., BSA. H.: Schwimmen, Lesen, Musik. (M.B.)

Müller Stefan Ing.
B.: Vors. d. Zentralbetriebsrates d. ORF, Ltr. d. techn. Hausbetriebe einschließl. d. Theatertechnik d. ORF. GT.: Vors. d. Gewerkschaft Kunst Medien u. freie Berufe sowie Vors. d. Gewerkschaft f. Rundfunk/Fernsehen. DA.: 1136 Wien, Würzburgg. 30, 1090 Wien, Maria-Theresien-Str. 11. PA.: 2380 Perchtoldsdorf, Karl-Harberger-Str. 6. G.: Wien, 5. Aug. 1931. V.: Liselotte, geb. Schmid. Ki.: Andreas (1970), Christian (1972). El.: Stefan u. Alice, geb. Kretz. S.: VS, Gymn., radiotechn. Inst., techn. kfm. Abiturientenlehrgang. K.: 1954-56 Planungsabt. b. d. Firma Hornyphon, seit 1956 b. ORF Abt. Sendertechnik, Planung d. UKW u. Fernsehsender anschließend als Projektsltr. v. d. Studioneubauten u. Umbauten, anschließend Ltr. d. Versorgungsbetriebe, seit 1986 Ltr. d. techn. Hausbetriebe. BL.: Als Vors. d. Rundfunkgewerkschaft u. d. Gewerkschaft Kunst, Medien, Freiberufe setzte sich u.a. bes. f. d. Erhaltung u. d. Ausbau d. öff. rechtl. Rundfunks ein u. f. eine Medienordnung in Österr., d. d. Vielfalt insbes. am Printsektor sicherstellen u. fördern soll. P.: Publ. in Fachzeitschriften. M.: ÖGB. H.: Skifahren, Segeln, Wassersport. (N.A.)

Müller Stefan Dir.
B.: Gschf Landhotel Stern A. Wieser GmbH & Co KG. DA.: 6820 Frastanz, Feldkircher Str. 6. PA.: 6912 Hörbranz, Allgäuer Str. 68. G.: Frohnleiten, 20. Jän. 1958. V.: Andrea Maria. Ki.: Philip (1988). El.: Josef u. Margarethe. BV.: Abstammung v. ungar. Donauschwaben. S.: VS, HS, Polytechn. Lehrgang, Koch- u. Kellnerlehre Villach, Berufsschule, 1977 Abschluß, 1980 Konzessions- u. Lehrlingsausbild.-Prüf. K.: Lehrbetriebe im Sommer Maria Wörth u. Winter in Zürs am Arlberg, weitere Berufsausübung als Koch u. Kellner, Rezeption, Barman in d. Schweiz u. England, ausschließl. in 5 Sternen Betrieben, Sprachstud. in England, 1986 Führung eines 4 Stern Betriebes, 1990-92 Tätigkeit gemeinsam m. Gattin in Hotelbranche, 1992 Übernahme d. Geschäftsführung d. Landhotel Stern in Frastanz. E.: 1977 Silb. EZ u. Gold. Med. im Kochwettbewerb Frankfurt, 1976 Silb. Med. Berufslehrlingswettbewerb in Bad Gleichenberg, versch. berufsbezogene Ausz. H.: Skifahren, Golf, Natur, Gartenarb., Literatur. (I.D.)

Müller Theo
B.: Inh., Tischlermstr. FN.: Theo Müller Innenausbau. DA.: 1100 Wien, Gellertg. 54a, 2355 Wr. Neudorf, Industriezentrum Süd, Str. 10, Objekt 43. G.: 1100 Wien, Gellertg. 54a. G.: Fonsdorf, 2. Sept. 1938. V.: Christa, geb. Herold. Ki.: Hildrut, Martin, Karin. S.: VS, HS, HTL Mödling. K.: 1961 Mstr.Prüf., 1961-74 Betriebsltr. Fa. Bernhard Ludwig, 1975 selbst., 1979 Bau d. neuen Betriebes in Wr. Neudorf, seither Führung u. Ltg. beider Betriebe. M.: HK. H.: Tennis, Skifahren, Lesen.

Müller Ulrich Dr. Prof.
B.: o.Univ.-Prof. d. Univ. Sbg. A.: 5081 Anif, Niederalm 247. G.: Göppingen, 19. Dez. 1940. V.: Ursula, geb. Speiser. El.: Rudolf u. Julie. S.: VS, Gymn, 1960-67 Stud. d. Fächer Germanistik, Latein, Archäologie, Musikwiss. an d. Univ. Tübingen, 1967 Dr. phil., 1971 Habil.. K.: 1967-68 Ass. Univ. Tübingen, 1968-71 Ass. Univ. Stuttgart, 1971-76 Univ. Doz., Univ. Stuttgart, seit 1976 ordentl. Univ.-Prof., Univ. Sbg., verschiedene Gastprofessuren. P.: Bücher u. Aufs. z. mittelalterlichen Lit. u. ihrer Überlieferung, bes. z. politischen Lyrik, zu Neidhart u. zu Oswald v. Wolkenstein, ferner zu Musik d. Antike u. d. Neuzeit, z. Musiktheater, z. Rezeption mittelalterlicher Stoffe u. Autoren im 19. u. 20. Jhdt. z. interkulturellen Germanistik. Mithrsg. d. wiss. Reihen: "Göppinger Arb. z. Germanistik", "Litterae", "Stuttgarter Arb. u. Germanistik", "American-German Studies", "Wort u. Musik", "Wolkenstein-Jahrbuch. M.: Oswald v. Wolkenstein Ges. (1. Vors.), Ges. f. Interkulturelle Germanistik (1. Vors.), versch. wiss. Ges. E.: Wiss. Ausz.: Grimm-Preis 1984. H.: Musik, Photographieren, Reisen.

Müller Valentin
B.: Gast- u. Landwirt. FN.: Gasthaus Müller. DA./PA.: 9020 Klagenfurt, Rankeng. 21. G.: Klagenfurt, 27. Februar 1960. V.: Sonja, geb. Feichter. Ki.: Heidrun (1976), Christoph (1983). El.: Friederike u. Valentin. BV.: ca. 400 Jahre alter landwirtsch. Betr. im Besitz d. Familie. S.: VS, HS, Hotelfachschule in Bad Gleichenberg, Ausbildung zum Hotelkfm., Auslandspraxis. K.: 1967-75 Mitarbeit im elterl. Betr., Tät. im Bereich d. Flugfracht in S-Amerika u. 1976 bedingt durch die Krankheit d. Vaters Übernahme d. Besitzes. H.: Sport (Handball). (G.L.)

Müller Volkher Dr. med.
B.: FA. f. Chir. u. Orthopädie, ltd. Chefarzt. FN.: Sozialvers. d. Bauern d. Stmk. DA.: 8010 Graz, Rembrandtg. 11. PA.: 8043 Graz, Stoffbauerweg 19. G.: Oberwart, 5. Okt. 1936. V.: Dr. Monika, geb. Greif. Ki.: Wolfgang, Volkher. El.: Dr. Rudolf u. Dora. BV.: Prof. Quidde, Verwandter mütterlicherseits, Friedensnobelpreisträger, Vater Sen.Präs. im Bgld. S.: VS, AHS, 1955 Matura, Stud. Karl Franzens-Univ., 1964 Prom., 1970 FA f. Orthopädie, 1974 FA f. Chir. K.: Ausbild. UKH Graz, Prof. Ehalt, Kinderchir., 1975 II. Chir. Abt. b. Prof. Köle als OA, seit 1982 ltd. Chefarzt in Sozialvers. d. Bauern. P.: 16 wiss. Arb. auf d. Gebiet d. Chir. u. Orthopädie. H.: Tennis, Skifahren, Klavier, Segeln. (H.Z.)

Müller Werner
B.: Gschf.. Abt.-Ltr. FN.: SHD Soft- u. Hardware Handels- u. DienstleistungsgesmbH., Stmk. Bank u. Spk. AG. GT.: Stiftungsrevisor d. Stmk. Sparkasse "Haus d. Barmherzigkeit". DA.: 8010 Graz, Sparkassenpl. 4. PA.: 8043 Graz, Einsiedlerweg 10. G.: Graz, 13. Mai 1947. V.: Anna Maria, geb. Löffler. Ki.: Robert (1981), Johannes (1993). El.: Aloysius u. Dorothea. S.: Realgymn. Graz, 1965 Matura, 1966 Abiturientenkurs HAK Graz, 1967 Bundesheer. K.: 1967 Eintritt i. Stmk. Bank- u. Sparkassen AG, 1977 Ltr. d. Hauptbuchhaltung, 1987 Herauslösung d. Controlling, Ltr. d. Abt., 1.1.1992 Gschf. d. SHD spez. f. kfm. Teil u. Personal. M.: ÖVP Bez.-Ltg. Rechnungsprüfger. H.: Fußball, Tischtennis, Schwimmen. (I.G.)

Müller Wilhelm Ing.
B.: Firmeninh., Bmstr. FN.: Planungsbüro Ing. Wilhelm Müller Wohnbau GmbH Bludenz. DA. u. PA.: 6700 Bludenz, Bahnhofstr. 8A. G.: Reichenau, 15. Apr. 1942. Ki.: Mag.

Wolfgang (1967), Mag. Sabine (1968). El.: Johann u. Maria. S.: RG Wr. Neustadt, HTL Mödling, 1962 Matura, 1971 Bmstr.-Prüf. K.: 1962-63 Praxis in Arch.-Büro, 1964 Baultr. einer Schule in Tansania/Ostafrika, 1964-70 Praxis in Arch.-Büro in Dar es Salaam u. Österr., 1971 Bmstr.-Prüf., anschl. eigenes Planungsbüro, 1977 Grdg. Ing. Wilhelm Wohnbau GmbH Bludenz, seither Planer u. Baultr. f. Wohn- u. Geschäftshausanlagen f. d. eigene Wohnbauges. H.: Reisen, Videofilmen, Sport, Musik. (I.D.)

Müller Winfried B. Dr. phil. a.o.Univ.-Prof.

B.: a.o.Univ.-Prof. am Inst. f. Math. A.: 9020 Klagenfurt, Akazienhofstr. 124. G.: Salzburg, 19. Febr. 1944. V.: Helga, geb. Obmann. El.: Norbert u. Ludmilla. S.: Reifezeugnis d. RG Sbg., Stud. d. Math., Physik u. Darstell. Geometrie an d. Univ. Wien u. d. TU Wien. Dr. phil. 1967 an d. Univ. Wien, 1971-73 Prof. an d. Univ. Simón Bolívar in Caracas, seit 1977 a.o.Univ.-Prof. am Inst. f. Mathematik d. Univ. Klagenfurt, 1980-84 Vorst d. Inst., 1983 Gastprof. an d. University of Tasmania in Hobart, 1985 Gastprof. an d. Monash University, 1989 Gastprof. in d. Teesside Polytechnic Middlesbrough. P.: über 40 Zeitschriftenpubl. in math. Fachzeitschriften in Österr., BRD, Ungarn, CSSR, Australien, USA u. Brasilien, Hrsg. v. "Contributions to General Algebra" 1979, 1983, 1985, Koautor v. "Allg. Algebra u. Anwendungen" 1984. E.: Christian Doppler-Preis 1976 d. Sbg. LRg. f. a.o. Leistungen auf d. Gebiet d. Naturwiss. M.: Österr. Math. Ges., Dt. Math. Ges., Ges. f. Didaktik d. Math., Österr. Lateinamerika Inst., Mtgl. d. Ges. f. Angew. Math. u. Mechanik, Austrian Shart Card Assoc., Intern. Assoc. f. Cryptologic Research. H.: Sport.

Müller Wolfgang Mag.

B.: Soz.-Ref. f. Arb.- u. Sozialrecht. FN.: Wirtschaftskammer Wien. DA.: 1030 Wien, Rudolf Sallinger Pl. 1. PA.: 2384 Breitenfurt, Josef Edlinger G. 14. G.: Wien, 2. Okt. 1944. V.: Christl, geb. Fritz. Ki.: Cornelia, Wolfgang. El.: Wilhelm u. Theresia. S.: Realgymn., WU Wien, BH. 1966 Eintritt i. WKW, Univ. Wien (1968-72 Juristik), n. d. Stud. i. Ref. f. Arb.- u. Sozialrecht, 3 J. Innungsgschf. f. Rauchfangkehrer, Schmiede, Uhrmacher u. Hutmacher, s. 1976 Laienrichter b. Arb.- u. Sozialgericht, s. 1977 Vortragender f. Arb.-Recht a. Wifi, 1981-90 Dienstgebervertreter i. Rentenausschuß d. AUVA, i. 6 Facharbeitsämtern i. Vermittlungsausschuß. M.: Alpenver. Sektion Austria. H.: Komponieren (2 Messen, 1 Klavierzyklus, 1 Orchesterzyklus, Kennmelodie f. d. Wirt.-Kammer), Weitwandern, Heimvideothek, Lesen.

Müller Wolfgang

B.: Gschf. Ges. FN.: Wolfgang, Alexander und Oliver Müller GmbH. GT.: Aufsichtsrat d. Kolping Familie Meidling, Verwaltungsbeirat d. SCS Vösendorf. DA.: 2334 Vösendorf, SCS. G.: Bad Vöslau, 29. Sep. 1942. V.: Stefanie, geb. Jarischko. Ki.: Alexander (1967), Oliver (1972). El.: Mathias u. Anna. S.: 1956-59 Lehre als Goldschmied, 1962 Mstrprfg. K.: 1959-68 Goldschmied i. Wien, 1968 Grdg. eig. Werkst., Fa. Young Diamonds m. 16 Fil. i. Österr. (I.K.)

Müller Wolfgang

B.: OEG Inh. FN.: Mobil Tankstelle Bad Goisern. DA.: 4822 Bad Goisern, Salzkammergutbundesstr. PA.: 4822 Bad Goisern 530. G.: Vöcklerbruck, 7. Feb. 1947. Ki.: Isabella, Mariell. E.: Heinz u. Emilie. S.: VS, HS, 1961-64 Kfz Mechaniker, 1986 Meisterschul. K.: 1981selbst. m. d. Tankstelle. E.: Bezirks- u. Landesebene i. Leichtathletik m. Loorbeerkränzen. H.: Leichtathletik, Turnen, Tennis, Fußball, Skifahren. (M.G.)

Müller Siegfried jun.

B.: Wirtschaftstreuhänder, Steuerberater FN.: Siegfried Müller Wirtschaftstreuhänder u. Steuerberater KG. DA.: 5600 St. Johann/Pongau, Ing.-Ludwig-Pech-Str. 13. PA.: 5600 St. Johann/Pongau, Zaglausiedlung 22. G.: St. Johann/Pongau, 13. Nov. 1955. V.: Elsa, geb. Pedri. Ki.: Caroline (1980), Julia (1982), Hellwig (1985), Gerwin (1989). El.: Siegfried u. Regina. S.: VS, Gymn., 1974 Abiturientenlehrgang d. HAK in Sbg., Schnupperlehrgang an d. Jur. Fak. K.: 1984 Steuerberaterprüf. Sbg., seit d. Ferialzeit in d. elterl. Kzl. tätig, 1985 Grdg. d. Einzelfirma, 1991 Grdg. d. KG m. Vater. M.: Berufsverb. H.: Sport, Reisen, Bootfahren, Bergsteigen, Wandern, Geschichte. (G.P.)

Müller Siegfried sen.

B.: Buchsachv., Steuerberater. FN.: Siegfried Müller Wirtschaftstreuhänder u. Steuerberater KG. DA. u. PA.: 5600 St. Johann/Pongau, Ing.-Ludwig-Pech-Str. 13. G.: Mühldorf, 19. Juli 1922. Ki.: Helga (1946), Irmgard (1950), Siegfried (1955). S.: VS, HS, 1938 kfm. Lehre (Buchhalter). K.: 1945 Helfer in Steuersachen, 1947 Buchsachverst., 1945 Eröff. d. eigenen Kzl., seither Klientenbetreuer aus allen Wirtschaftsbereichen, Aufgaben: Erbrecht, Sozialvers.-Wesen, Zivilverträge zusätzl. z. Steuerwesen. BL.: Grundausbild. in Buchhaltung, Rechnungswesen, Organ. b. z. EDV-Anwendung. M.: seit 1930 Turnerbund, div. Berufsver. H.: Reisen, Geschichte. (G.P.)

Müller-Guttenbrunn Dietrich

B.: Gschf. Ges. FN.: Eisen Müller-Guttenbrunn GmbH, Schrott Müller-Guttenbrunn GmbH, Metran Rohstoff Aufbereitungs GmbH. DA.: 3300 Amstetten, Industriestr. 12, 3331 Kematen/Ybbs. G.: Klagenfurt, 27. Juni 1948. V.: Ulrike, geb. Bajez. El.: Ing. Herbert u. Aurelia. K.: Einstieg in d. väterl. Betrieb 1972, eines Schrottverwertungsuntern. in Waidhofen/Ybbs, sämtl. Stationen d. Betriebes druchwandert, 1976 Teilhaber u. Gschf. d. neu gegründeten Untern., Ankauf eines ca. 40.000 m² großen Werkgeländes in Amstetten u. Errichtung d. mod. Schrottaufbereitungsanl. u. einer Büro- u. Verw.Zentrale, d. Metran Rohstoff Aufbereitungs GmbH agiert auf einem 60.000 m² großen Betriebsareal m. zwei neuerrichteten Werkshallen u. einem Bürogebäude, d. Müller-Guttenbrunn GmbH im westl. NÖ ist heute d. mod. Betrieb f. Schrott- u. Metallrecycling in Österr., sie verarb. Abfallstoffe d. heim. Ind. u. leistet damit einen ganz entscheidenden Beitrag z. Reinhaltung unserer Umwelt. F.: Müller-Guttenbrunn GmbH "Schrott MÜ GÜ", Hdl. m. Eisen- u. Metallschrott, Verwertung v. Autowracks u. Haushaltschrott, Verarb. v. Problemschrott m. Anhaftungen etc., Zerkleinerung v. Konstruktionsschrott, Ind.Montagen, Metran Rohstoff Aufbereitungs GmbH: Hdl. m. Metallen, Trennung v. Metallen, Recycling v. Gummi u. Kunststoffabfällen, Rückgewinnung v. Shredder-Müll, Müller-Guttenbrunn GmbH "Eisen MÜ GÜ", Eisen- u. Baustoffhdl., Verkauf v. warm- u. kaltgewalztem Stahl, Recycling v. Nutzeisen u. Recycling Maschinen, Einschulung, Finanzierung u. Kompensation. H.: Golf, Tennis, Skifahren. (Kern)

Müller-Guttenbrunn Herbert

B.: Gsch. Ges. FN.: Eisen Müller-Guttenbrunn GmbH, Schrott Müller-Guttenbrunn GmbH, Metran Rohstoff Aufbereitungs GmbH, Herbert & Brigitte Müller-Guttenbrunn Textilfachgeschäft. DA.: 3300 Amstetten, Industriestr. 12 u. 3331 Kematen/Ybbs. PA.: 3340 Waidhofen/Ybbs, Burgfriedstr. 19A. G.: Klagenfurt, 27. Juli 1945. V.: Brigitte, geb. Greimel. El.: Ing. Herbert u. Aurelia. K.: Einstieg in d. väterl. Betrieb 1967, 1976 Teilhaber u. Gschf. d. neu gegründeten Untern. F.: Metfer Trading Ltd. Balzers, Metfer Trading of Germany Aschaffenburg, Metfer Trading Hungaria Kft. Budapest, Mügu Kft. Budapest, Sommer Metall Austria GmbH Amstetten. M.: LGremialvorst.Stellv. im Altstoffhandel, Mtgl. d. BGremiums d. Altstoffhandels, Aussch.Mtgl. im LGremium d. Eisenhandels, Mtgl. d. Fachverb. d. Bergwerke v. d. eisenerzeugenden Ind., Metallind., Eisenhandel u. Altstoffhandel. H.: Segeln, Tennis, Skifahren, Radfahren. (Kern)

Müller-Hartburg Christoph Dr. iur. Mag.

B.: RA. FN.: Kanzlei Müller-Hartburg & Partners. DA.: 1030 Wien, Am Heumarkt 7. G.: Wien, 2. Mai 1956. El.: Dr. Wolfgang u. Gertraud, geb. Hückl. S.: Lycée Francais de Vienne, Schottengymn., 1974 Matura, Stud. d. Rechtswiss. u. Volkswirtsch. Univ. Wien u. Innsbruck, 1979 Prom. z. Dr. iur. K.: 1979-84 RA-Anwärter b. Prof. Dr. Fritz Schönherr in Wien, 1983 Junior Associate b. Kimberley Attorney at Law in Boca Raton/Fla. USA, 1984 Gründ. d. Kanzlei Müller-Hartburg & Partners (Intern. Immobilien, Investition u. Finanzwesen). M.: Altschotten.

Müller-Hartburg Herbert Dipl.-Ing. Prof.

B.: Arch., Gschf. Ges. FN.: ARCHITEKTUR-BÜRO MÜLLER-HARTBURG Ges.n.b.R. DA. u. PA.: 1130 Wien, Lainzer Str. 25 + 27. G.: Wien, 7. Okt. 1925. V.: Eva, geb. Englhofer. Ki.: Dipl.-Ing. Andreas, Dipl.-Ing. Maria, Dipl.-Ing. Thomas, Lukas, Niklas. El.: Hermann u. Maria. S.: VS, hum. Gymn., TU Graz. K.: 1950 Dipl.-Ing., ab 1958 freischaff. Arch. Wien, spezialisiert auf Wohnbau, Ind.-Bau, Hotelbau, Kirchenbau, öff. Bauten, Projektentwickl., Projektmanagement, 1968-78 Präs. d. BIng.Kam., seit 1975 Prof., seit 1978 Ehrenpräs. d. BIng.Kam. P.: ca. 100 Fachart. in Fachzeitschriften. u. Journalen. E.: Komturkreuz d. Ritterorden v. hl. Grab, Gr. Silb. EZ d. Bundeslandes Wien. M.: Ritter-Orden, etc. H.: Familie, Segeln, Jagd. (R.A.)

Müller-Hartburg Wolfgang Dr. med. Prim.

B.: FA f. Frauenheilkunde u. Geburtshilfe. DA.: 1010 Wien, Lugeck 1. PA.: 1130 Wien, Veitingerg. 88. G.: Wien, 17. Okt. 1923. V.: Gertraud, geb. Hückl. Ki.: Dr. Christoph, Bernhard, Dr. Birgit, Dr. Imma, Rupert. El.: Ing. Hermann u. Maria Stella. S.: Schottengymn., 1941 Matura, Med.Stud. in Innsbruck u. Wien. K.: 1955-65 Ass.Arzt u. OA an d. II. Univ.Frauenklinik Wien, seit 1961 FA, 1964 Ndlg. als FA, 1965-88 Vorst. d. Abt. f. Frauenheilkunde u. Geburtshilfe im Spital d. Barmherzigen Brüder in Eisenstadt, 1945-51 Mitbegründer u. Vors. d. Kath. Jugendwerkes Österr., 1951-55 Präs. d. Österr. Jugendherbergswerkes, seit 1955 Vors. d. Ärztegemeinschaft im Kath. Akademikerverb., 1954-62 Mandatar in d. Ärztekam. Wien, seit 1963 Grdg. u. Ltg. d. Teams "Fachärzte Lugeck". E.: Gold. EZ d. Kath. Jugend Österr. P.: Hrsg. d. Zeitschrift Arzt u. Christ seit 1955. M.: Interessensgebiet Gesundheitspolitik, Vorst. d. Rudolfinerver. 1968, Vorst. Aktion Leben 1953. (H.P.)

Müller-Hirschler Erika

B.: Dentist i.P. PA.: 1080 Wien, Kochg. 29. G.: Amstetten, 18. Febr. 1924. V.: Müller Franz. Ki.: Hirschler Heinz. El.: Hirschler Paul (Dentist) u. Antonia. BV.: Julius Hirschler, Primgeiger v. Johann Strauß. S.: Realschule Waidhofen/Ybbs, 1941-44 Dentistenlehre, 1944 Dentisten-Ass.Prüf., K.: 1944 1. Preis v. Österr. in d. Prothetik, seit 1946 selbst. Dentistin, 1960-82 Tätigkeit im Piaristenkeller (Eigentümer Tante Fr. Helene Surkin) als Annonceuse d. Küche, anschl. Kochprüf. H.: Sticken v. Gobelins. (C.K.)

Müller-Hörnstein Kurt

B.: Gschf. FN.: Allgrafika Reproduktionen u. Druckformen GmbH. DA.: 1150 Wien, Hackeng. 14. PA.: 1140 Wien, Mauerbachstr. 42/9/2. G.: Wien, 25. März 1948. V.: Karin, geb. Nachtmann. Ki.: Lisa (1985), Clemens (1988). El.: Karl u. Wilhelmine, geb. Schindler. S.: 1962-66 Lehrlingsausbild. m. Berufschule, 1970-73 Stud. d. Reproduktionstechnik u. Fachfotografie in Südafrika. K.: 1976-78 Verlagstätigkeit in Wien, 1979-88 Betriebsltr. u. Prok. f. Fotoatelier Raganitsch, 1989 Gründung u. Geschäftsführung d. Fa. Allgrafika. H.: Hochseesegeln, Bogenschießen. (N.A.)

Müller-Karbach Wolfang Prof.

B.: Techn. Dir. u. Ausstattungschef d. Theaters in d. Josefstadt. DA.: 1080 Wien, Josefstädterstr. 26. PA.: 1090 Wien, Währingerstr. 24. G.: Wien, 31. Juli 1929. El.: Erwin u. Maria. S.: Realschule, hum. Gymn., 1950 Matura, Stud. Bühnenbild b. Prof. E. Pirchan an d. Ak. d. Bild. Künste. K.: Theater am Parkring, Theater d. Jugend, Theater im Palais Esterhazy, dann freischaffend, 1962 Lehrbeauftragter, 1970 Prof. am Reinhard-Seminar, Betreuung d. Theaters d. Courage, d. Theaters d. Tribüne u. d. "Österr. Länderbühne"., freier Bühnenbildner d. Kammerspiele, Theater i. d. Josefstadt, Festspiele Stockerau, Komödie am Kai, Vienna's English Theatre, Schauspieltourneen, Volkstheater, Compania d'Opera Italiana di Milano, Kleine Komödie, Kroatisches Nationaltheater Agram, 1974 techn. Dir. E.: Silb. EZ f. Verd. um d. Rep. Österr. (1988). M.: Mtgl. d. HS-Verb. HS f. Musik u. darst. Kunst. H.: Wohnen, Hobby-Gärtner, Schwimmen, Autofahren, Reisen, Musik. (M.G.)

von Müller-Rienzburg Wilfried

B.: ObstL. a.D., Sachv. f. Flugbetrieb u. Kfz.-Verkehrssicherheit, Ausbildungsexperte, Inh. d. Fahrschule "Stadtpark". DA.: Fahrschule Stadtpark, 1030 Wien, Landtraßer Hauptstr. 1. PA.: 1010 Wien, Opernring 17. V.: Eleonore, geb. Prinzborn. El.: Gen. Wilhelm u. Marie. S.: Matura, Offz.Ak. Wr. Neustadt. K.: Fliegeroffz., 40 J. Flugerfahrung, 1960 Übernahme d. Fahrschule Stadtpark. M.: Österr. Aeroclub, Ehrenpr. u. Grd. d. Fliegerclubs METEOR. H.: Fliegen, Jagd. (A.W.)

Müller-Scherr Peter

B.: Gschf. FN.: Müller-Scherr Laborausrüstungs GmbH & Co KG Import Export. DA.: 4020 Linz, Hasnerstr. 36/II. G.: Wien, 2. Apr. 1945. V.: Gertraude, geb. Lasch, 2 Kinder. El.: Otto u. Elfriede. K.: 1966 Eintritt in Fa. Müller-Scherr, 1971 Verkaufsltr., seit 1984 Gschf., Aufbau d. Fa. v. Gewerbebetrieb z. hochspezialisierten Ausrüster f. wiss. Laboreinrichtungen. H.: klass. Musik u. Sport. (H.D.)

Müller-Speiser Ursula

B.: Verlegerin. FN.: Wiss. Verlag. DA.+ PA.: 5081 Anif, Niederalm 247. G.: Kyritz, 15. Nov. 1942. V.: Univ.-Prof. Dr. Ulrich Müller. Ki.: Michaela (1970), Felix (1974). S.: VS, Mittelschule, Kunst-HS, Goldschmiedelehre u. Kunstausbild. Schwäbisch Gmünd. K.: Tätigkeit f. Verlag, seit 1989 selbst. m. Schwerpunkt Musikwiss. u. Literaturwiss. im Verlagswesen, 1994 Erweiterung d. Verlages im Bereich Religion, Philosophie und Kultur. F.: Verlag Ursula Müller-Speiser,

Wissenschaftlicher Verlag. P.: Festschrift v. Prof. Dr. Mustafa Maher an d. Ain-Shams Univ., Kochbuch m. 66 d. ältesten Kochrezepten aus d. Mittelalter. M.: Grdg.-Mtgl. Centre for Literary Translation New Delhi. (N.M.), Mg. im'"Zonta"-Club.

Müller-Thalheim Wolfgang Dr. med. OMedR

B.: FA f. Neurologie u. Psychiatrie, Lehrbeauftragter an d. Univ. Innsbruck. A.: 4600 Wels, Dr.-Groß-Str. 8. G.: Linz, 24. April 1928. V.: Irmtraud, geb. v. Merl. K.: Barbara (1963), Markus (1965). S.: Med.Std. an d. Univ. Innsbruck, Dr. med. 1952, Stud. d. Psych.u. Kunstgeschichte. K.: Wiss. Tätigkeit am Physiolog. Inst. in Innsbruck am Balneolog. Inst. in Gastein, Gastass. an d. Psychiatr. Klinik Bern-Waldau u. Neurolog. Klinik Salpetriere Paris, Wien-Rosenhügel u. Innsbruck, Consiliar-FA f. Neurologie u. Psychiatrie, Ltr. d. Bereiches Sozialpsychiatrie im Rehabilitationszentrum Linz. P.: "Alfred Kubin in psychiatrischer Sicht", "Die bildende Kunst u. d. Begriff d. Abnormen", "Dämonie u. Erotik", "Sexualsymbolik u. Religion", "Psychopathologie u. Kunst", "Psychopathologie u. Musik", "Suizidalität u. Kunst", "Das Phantastische u. d. Psychohygiene", "Kunst-Therapie". E.: Prinzhorn-Med. M.: Präs. d. deutschsprachigen Ges. f. Psychopath. d. Ausdrucks, Mtgl. d. LänderR. d. Societe intern. d. Psychopath. de l'Expression. H.: Philatelie.

Müllner Alois

B.: Inh. d. Fa. Dir Wohnwelt Müllner u. Möbel Supermarkt. DA.: 7100 Neusiedl/See, Obere Hauptstr. 24. PA.: 7100 Neusiedl/See, Gartenweg. G.: Neusiedl/See, 23. Okt. 1948. V.: Magdalena, geb. Zinniel. Ki.: Birgit, Margit. El.: Alois u. Maria. S.: Gymn., Berufsschule Wien, kfm. Lehre. K.: 1966 Eintritt in d. väterl. Betrieb, 1974 selbst. Einrichtungshaus Müllner Neusiedl/See, 1976 Neubau d. Einrichtungshauses Neusiedl/See. E.: Gold. Verd.-Med. d. Wirtschaftsbundes, VK d. Landes Bgld. (23.10.1991), Gr. Ehrenzeichen i. Silber d. Bgld. Blasmusikverbandes (21.12.1991). M.: Lions-Club Neusiedler See, Grem.Vorst. d. Bgld. Möbelhandels, Vorst. d. Stadtkapelle Neusiedl/See. H.: Jagd, Tauchen. (Fels)

Müllner Anton Dr. MedR.

B.: Pensionist. PA.: 4040 Linz, Hohe Str. 193. G.: Gramastätten, 1. Okt. 1921. V.: MedR. Dr. Maria, geb. Roth. Ki.: Dr. Roswitha (1949), Wolfgang (1951), Dr. Christoph (1954), DDr. Elisabeth (1956), Dr. Maria (1961), Rüdiger (1967). S.: VS, Gymn., 1940 Matura, 1 Sem. Univ. Wien, Militär, 1941 Verwundung, während d. Krieges Fortsetzung d. Stud. in Innsbruck, 1947 Abschluß. K.: b. 1951 Prakt. Arzt Elisabethinen Linz, 1951 Eröff. d. eigenen Praxis, 29. Nov. 1986 Pension. BL.: Schulungstätigkeit b. Roten Kreuz. P.: Vorträge über Reisen (Griechenland, Italien, Ägypten). E.: MedR., Verwundetenabz., Silb. Verwundetenabz., EK 2. Kl., Nahkampfspange in Silber. M.: Krippenfreunde, Rotes Kreuz, Kath. Männerbewegung. H.: Mineralkettensammeln, Familie. (U.E.)

Müllner Ernst Wolfgang Dr. Mag.

B.: Univ.-Ass. FN.: Inst. f. Molekularbiologie d. Univ. Wien. DA.: 1030 Wien, Dr. Bohr-G. 9. PA.: 1210 Wien, Schipperg. 47. G.: Wien, 3. Juli 1955. S.: 1973 Reifeprüf. m. Ausz., Stud. Biochem., 1978 1. Dipl.-Prüf., 1979 tech. Ass. am Inst. f. Molekularbiologie, 1981 Sponsion z. Mag., 2. Dipl.Prüf. m. Ausz., 1981 Forschungsass. am Inst. f. Molekularbiologie, 1983 Univ. Ass., 1985 Prom. zum Dr. m. Ausz.. K.: 1987 Postdoktorand am Schw. Inst. f. Experiment. Krebsforschung, Abt. f. Genetik, Stipendiat d. schw. Krebsliga, 1990 unabh. Arbeitsgruppe am Inst. f. Molekularbiologie, 1990 Projekt-Ltr., 1992 experiment. Arbeiten am Basel Institute for Immunology, 1990, 1993, 1994 Projektförd. d. FWF. P.: ca. 18 Orig.-Arbeiten, ca. 40 Kongreßbeiträge, Mitaut. d. Lehrbüches "Einführg. i.d. chem. Übungen f. Mediziner", "Einführg. i.d. biochem. Übungen f. Mediziner". E.: 1989 Ausz. d. Projektes m. R. Wenner-Preis d. Schweizer Krebsliga. M.: AMM, AAAS, GBCh, Vorst.-Mtgl. d. österr. biochem. Ges., ÖVP, u.a. (J.G.)

Müllner Franz

B.: Bez.-Sekr. d. ÖVP Tulln. DA.: 3430 Tulln, Franz-Josef-Str. 11. PA.: 3433 Köngstetten, Tulbinger Str. 36. G.: Tulln, 15. Sept. 1957. V.: Helga, geb. Rienößl. Ki.: Alexandra (1988). El.: Franz u. Friederike. S.: VS, HS, Berufsschule Ind.-Kfm. K.: seit 1981 Bez.-Sekr. d. ÖVP Tulln. H.: Tennis. (M.M.)

Müllner Franz

B.: Gastwirt, Chef d. Gruppe "Strebersdorfer Buam". DA.: 2102 Klein Engersdorf, Hauptstr. 77. G.: Wien, 22. März 1946. V.: Annemarie, geb. Urbancik. Ki.: Thomas u. Doris. El.: Mathias u. Anna. S.: BRealschule, Gesangsunterr. b. Prof. Schneider, Lehre als Kfz-Mechaniker. K.: 1964-74 Fernfahrer b. versch. österr. Speditionen, bereits währ. d. Lehrzeit Grdg. u. Ltg. einer Band, 1975 Grdg. d. "Strebersdorfer Buam", zahlr. Auftritte in Wien, 8 LP's u. 2 Singles. E.: "Das Gold. Wiener Herz" (1989) sowie zahlr. Ausz. als Rennfahrer u. Gewichtheber. M.: Ruring Club, Motorcross Club, HSV Burg Kreuzenstein. H.: Motorradfahren (Teiln. b. nat. u. intern. Motorcross Rennen), Bootfahren. (M.B.)

Müllner Helmut

B.: Layouter Mediaprint, KUNST AM BAU, Presseref. u. Koordinator d. Künstlerehepaares Johannes u. Charlotte Seidl. DA.: 3424 Zeiselmauer, Giselherg. 8. G.: Klosterneuburg, 6. Juni 1943. V.: Helene, geb. Stich. Ki.: Judith, Sabine. El.: Johann u. Hermine. S.: Grundschule, Lehre als Schriftsetzer b. Druckerei Vorwärts. K.: 1961 als Korrektor b. d. Kronen Zeitung begonnen, seit 1987 Umbruchmetteur, 1991 Layouter, 1964 GemR., 1974 Gschf. GemR., 1985-90 Bgm. d. Großgem. Zeiselmauer. P.: Publ. über kommunale Angelegenheiten, Kunstkataloge u. Presseaussendungen u.a. M.: versch. Fachver. H.: Skifahren, Beschäftigung m. Kunst, Organ. v. Vernissagen u. Ausstellungen. (M.B.)

Müllner Joachim Hans

B.: Gschf., Dir. FN.: Alpenkohle-Brunnschütz Heizölvertriebs GmbH. DA.: 8020 Graz, Lastenstr. 1. PA.: 9027 Klagenfurt, Heideng. 16. G.: Radenthein, 25. März 1944. V.: Karin, geb. Camphausen. Ki.: Sabine. El.: Johann u. Gisela. S.: VS, AHS, HAK. K.: Mineralölhdl. Außendienst, 1985 Gschf. H.: Schwimmen, Tennis. (H.Z.)

Müllner Johann

B.: Weingutbes., Weingroßhändler. DA.: 3500 Krems, Körnermarkt 10. G.: Krems, 3. Juni 1924. V.: Petronella, geb. Beek. Ki.: Michael, Johann. El.: Johann u. Maria. S.: Grundschule, HASCH, Weinbauschule Krems. K.: 1942 Einstieg in d. väterl. Betrieb, Unterbrechung d. Wehrmacht, Übernahme d. Weingutbetriebes u. Großhdls. 1962 m. Schwester. F.: Weingut Johann Müllner OHG. M.: Aussch.Mtgl. d. BHK, im Aussch. d. Gew.Kam. NÖ Sektion Weingroßhdl., Kiwanis-Club. H.: Weinkost, Tennis, Schwimmen. (Kern)

Müllner Leopold

B.: Obm. d. Vorst. FN.: Verb. d. Österr. Transportgewerbes rGenmbH (VÖT). DA.: 1080 Wien, Bennog. 19. PA.: 1030 Wien, Messenhauserg. 10. G.: Wien, 22. Mai 1941. V.: Elfriede, geb. Schucker. Ki.: Catherina, Stefan. El.: Leopold u. Rosa. S.: VS, HS, Lehre Mechanik. K.: Büromaschinentechniker, 1962 Taxilenkerprüf., anschl. als Taxilehrer tätig, Prüf. als Fahrlehrer, 1964-66 Fahrlehrer, 1966 Taxikonzession, seither selbst. Taxiunternehmer, Eintritt in d. Wirtschaftsbund, 1971-77 in d. Vorst. d. VÖT gewählt, 1977-79

Ltr. d. Taxizentrale, 1980 Funktionär in d. Wr. HK, 1982 Vorst. d. VÖT. M.: ÖVP, Wirtschaftsbund. H.: Skifahren, Schwimmen, Beruf. (M.B.)

Müllner Michael

B.: Inh. FN.: Michael Müllner Elektroinstallationen. DA.: 1220 Wien, Donaufelderstr. 246. PA.: 2222 Kollnbrunn, Am Lüßfeld 24. G.: Wien, 10. Nov. 1962. V.: Regina, geb. Schneider. Ki.: Wolfgang (1983), Steven (1991). El.: Leopold u. Johanna. S.: VS, HS, Polytechn. Lehrgang, Elektroinstallationslehre Wien 2 Werkmstr.-Kurs, 1 J. WIFI-Vorbereitung z. Konzessionsprüf., 1989 Konzessionsprüf. K.: 5 J. Elektroinstallateur, 1989 Grdg. d. eigenen Firma. H.: Tennis. (I.J.)

Müllner Theodora Dr. HofR

B.: ärztl. Dir. d. Kaiser Franz Josef-Spital d. Stadt Wien. DA.: 1100 Wien, Kundratstr. 3. G.: Fulnek/CSFR, 11. Aug. 1926. El.: Dipl.-Ing. Otto u. Maximiliana. BV.: Großvater Max Haitinger Obst. a.D. letzter Kdt. d. Pionierak. Hainburg, Begründer d. mod. Fluoreszenzmikroskopie, Großonkel Dir. Ludwig Haitinger Miterfinder d. Auer-Gasglühlichtes, Großvater Theodor Müllner Gen.-Dir. d. galiz. Karpatenölges. u. Industrieller. S.: Gymn., 1944 Reifeprüf., Reichsarb.Dienst, Sanitätsdienstgradablösung in Wr. Reservelazarett, 1950-52 Hospitium an d. II. Med. Univ.Klinik, Vorst. Univ.-Prof. Dr. Karl Fellinger, 1955 Prom. K.: Fachausbild. an d. II. Med. Univ.Klinik, 1961 FA f. Innere Med., 1962-68 Nebentätigkeit als Kons. d. Intern. Atomenergie Organ., ab 1967 stationsführender OA an d. II. Med. Univ.Klinik, 1969 Mag.Abt. 17 als stellv. Ltr. d. Referate f. ärztl. Angelegenheiten, Krankenpflege u. Fachschulen, Rettungs- u. Krankenbeförderungsdienst, 1971 Physikatsprüf., 1969-72 Vortragender in Stationsgehilfekursen in St. Andrä u. AKH, 1973-75 Nebentätigkeit in 2 Gesundenuntersuchungsstellen d. Mag.Abt. 15, 1975 ärztl. Dir. d. Kaiser Franz Josef-Spitals d. Stadt Wien u. z. Schulltr. d. angeschl. Krankenpflegeschule, ab 1976 ärztl. Kons. f. d. Errichtung d. SMZ-Ost, seit 1978 zusätzl. Schulltr. d. neueröff. Krankenpflegeschule. P.: 6 wiss. Arb., 10 wiss. Publ. E.: 1982 Gold. Verdienstz. d. Österr. Roten Kreuzes, 1982 HofR. M.: Ges. f. Innere Med., Hämatolog. Ges., Krebsliga. H.: Beruf, Kunst, Biologie. (E.L.)

Münch Konrad Dr.

B.: Dir. u. Ltr. d. Ausbild.-Zentrum d. Österr. Papierind. DA.: 4663 Laakirchen, Brunntalstr. 10. PA.: 4810 Gmunden, Linzer Str. 44. G.: Mekenyes Ungarn, 29. Juni 1941. V.: Christine, geb. Snecic. Ki.: Andreas (1969), Jürgen (1973), Eva (1981). El.: Konrad u. Elisabeth. S.: VS, Mittelschule, 1955-58 Lehre als Betriebselektriker Firma Böhler Kapfenberg, 1958 Abschluß, 1962 Matura, 1962-66 Stud. Wirtschaft u. Maschinenbau TH Graz, 1966-70 Stud. BWL Univ. Graz, 1970 Mag. rer. soc. oec., 1978 Dr. rer. soc. oec. K.: 1968-70 wiss. Hilfskraft am Inst. f. Soz. Univ. Graz, 1970-79 Ass. am Inst. f. Soz., 1979-93 Ausbild.-Ltr. b. z. Personalentwickler Leykam-Mürztaler, seit 1993 Ltr. d. Ausbild.-Zentrums d. Österr. Papierind., b. 1988 Lehrauftrag Univ. Graz, ab 1986 Lehrauftrag Montan-Univ. Leoben. M.: ÖZEPA, VÖWA, Ges. f. Soziologie. H.: Diskussionsrunden, Familie, Wandern. (G.E.)

Mündel Klaus Dr. Dkfm.

B.: Vorst.-Mtgl. (Ltr. d. Ressorts "Liquiditäts- u. Portfeuillemanagement"). FN.: Österr. Nationalbank. DA.: 1090 Wien, Otto-Wagner-Pl. 3-5. G.: Wien, 11. Dez. 1932. S.: WU Wien. K.: Europ. Länderbank, Paris, Österr. Produktivitätszentrum Wien, ÖBN. P.: "Die Inco-Terms u. d. Österr. Recht", "Die Wechselfinanzierung am Londoner Geldmarkt", zahlreiche Aufsätze über Wechselkurspolitik, d. intern. Währungswesen u. d. Zukunft d. Goldpreises. M.: Mtgl. d. Wr. Börse, d. Ges. f. Ök. u. Politik, d. Österr.-Brit. Ges.

Mung Herbert Ing.

B.: Gschf. FN.: EDV Softwarehaus Mung KG. DA.: 1220 Wien, Rautenweg 37. G.: Wien, 25. Sept. 1950. V.: Eleonora. Ki.: Christian (1988). El.: Walter u. Charlotte. S.: VS, Mittelschule, HTL Nachrichtentechnik u. Elektronik, 1970 Schulabschluß, BH. K.: 2 J. Entwicklungslabor, nebenbei Stud. Informatik, 10 J. IBM Techniker, Systemberater, Abt.-Ltr., 1983 Grdg. EDV-Softwarehaus Mung M.: Kam.-Mtgl., Ltr. d. Arbeitskreis ISO 9000, Wirtschaftsbund. H.: Schach. (W.M.)

Munkás Alexander

B.: Musikproduzent, Musiker u. Komponist. GT.: Gschf. d. TonArt Musikstudio GmbH. DA.: 1130 Wien, Hietzinger Hauptstr. 130. PA.: 1120 Wien, Hetzendorfer Str. 83. G.: Wien, 14. März 1954. El.: Paul u. Waltraud, geb. Urban. BV.: ungar. Abstammung 17. Jhdt.: Petrus Pazman ungar. Bischof. S.: Grundschule, Gymn. K.: 1970-74 kfm. Ang., seit 1974 Autodiakt in Musik: Schlagzeug Tourneen in Deutschland, Frankreich, Schweiz, später Studiomstr. b. österr. Schallplattenprod. d. Popstars: Fendrich, Pluhar, Stricker, Göbel, Cornelius, 1977 Grdg. eigener Bands: Chaos de Lux, Minisex, 1986 Gründ. eines eigenen Ton-Art Studio, hauseig. Tonträger: "Bluesbreakers", "Bluespumpn", Hans Theessink, Joesi Prokopetz, Komposition v. Film u. Fernsehmusik: Mozart u. Meisel, Komposition v. Werbemusik u. Schallplattenmusik (Eismeer), Prod. v. Wolf Rec., Ariola, Blue Groove, Edelweiß, Radio CD, Radio Lignano, Rias Berlin, Virgin u.a. E.: seit 1986 jährl. W.C. Handy Blues Award. H.: Fischen. (M.B.)

Münster Heinrich Dipl.-Ing.

B.: Gschf. FN.: Andritz Sprout-Bauer GmbH. DA.: 1200 Wien, Innstr. 23. G.: Wien, 12. Apr. 1942. Ki.: 3 Kinder. S.: TU Wien. K.: 1968 Fa. Mitterbauer, 1969 zu Sprout-Waldron, 1973 Gen.Manager, 1984-85 Gen.Manager in Muncy, 1985 alleiniger Gschf. in Wien. BL.: US Fachpatent. P.: div. techn. Publ. M.: ÖZEPA, Zellcheming.

Münster Kurt

B.: Gesamtprok., Marketingltr. FN.: Berthold & Stempel GmbH. DA.: 1100 Wien, Hebbelpl. 7. PA.: 1230 Wien, Akazieng. 48. G.: Wien, 18. Mai 1937. El.: Friedrich u. Berta. S.: VS, Mittelschule, Schriftsetzerlehre, Höhere Graf. LVA, WH-Kurse. K.: Abt.-Ltr. b. Geitner Wien, dann CH; Allgrafia

Wien; Berthold & Stempel GmbH, Verkauf Graf. Maschinen, anschl. Verkaufsltg. Österr., dann Ltg. Marketingabt. M.: 2. Obm. d. Absolventenverb. d. GLVA.

Munter Waltraud

B.: Inh. FN.: Luftbild-Service Waltraud Munter. DA.: 5023 Hallwang, Esch 86. PA.: 5301 Eugendorf, Pebering 35. G.: Braunau/Inn, 21. Juni 1949. Ki.: Marion, Sylvia. El.: Engelbert u. Emilie Sporrer. S.: VS, HS, Berufsschule, kfm. Lehre, div. Kurse. K.: Notar, Tätigkeit in Gem.-Ämtern, 1977 selbst. m. 2. Partner als GmbH, ab 1982 alleinige Gschf., Umwandlung in Einzelfirma. M.: Wirtschaftsbund. H.: Skulpturen aus Ton formen. (D.E.)

Munz Helmuth

B.: Einzelprok. FN.: WienCont Container Terminal GesmbH., Einzelprok. ReMain-Containerrep. GesmbH. DA.: 1020 Wien, Freudenauer Hafenstr. 12. PA.: 2340 Mödling, Josef-Weinheber-G. 4. G.: Wien, 28. Dez. 1938. V.: Ingrid, geb. Vessel. Ki.: Gabriella. El.: Franz u. Maria. S.: VS, HS, 1963-66 HAK Abendmatura, 1966-69 HS-Kurs f. Werbung u. Verkauf an d. HS f. Welthdl., Abschl. Dipl. ak. geprüfter Werbekfm. K.: 1952-55 kfm. Lehre b. d. Julius Meinl AG, 1955-60 Filialdienst, 1960-79 Werbezentrale d. Julius Meinl AG, 1963-79 Lehrer an d. Kfm. Berufsschule u. am Lehrinst. d. Julius Meinl AG (innerbetriebl. Kurswesen), 1979-82 Ltr. d. Werbedienstes d. Fa. Matador, 1981-82 auch Verkaufsltr. d. Unternehmens, 1982-84 Betriebsltr. d. Fa. WienCont, s. 1984 Einzelprok., 1986 Einzelprok. d. Fa. ReMain. P.: Diplomarb., Erstellung div. Skripten f. d. Meinl AG. H.: Skifahren, Tennis, Tauchen, Lesen.

Münz Rainer Dr. phil.

B.:o. Univ.-Prof., Lehrstuhl f. Bevölkerungswissenschaft d. Humboldt -Univ. DA.: D-10099, Unter den Linden 6. G.: Basel, 18. Juni 1954. El.: Walter u. Gritha. S.: Akad. Gymn. Wien, 1972 Matura, Univ. Wien: Soziologie u. Publiz., Kommunikationswiss., 1978 Prom. K.: 1980 Bestellung z. Univ.-Lektor (1980 Univ. Klagenfurt, 1981 Univ. Wien, 1989 TU Wien), 1986 Habil. im Fach Soziologie, 1986/87 Gastprof. an d. Univ. Bamberg, 1988 Gastprof. an d. Univ. Frankfurt/M. 1990-92 Dir. d. Inst. d. Demographie d. Österr. Akad. d. Wiss., s. Okt. 1992 o. Prof. f. Bevölkerungswiss. an d. Humboldt-Univ. Berlin. P.: Bücher: "Geburt oder Abtreibung", "Familienpolitik gestern - heute - morgen", "Leben mit Kindern - Wunsch u. Wirklichkeit", "Bevölkerung u. Sozialstaat", "Risiko Säuglingstod", "Identität u. Lebenswelt", "Alter u. Pflege" Europan Migragion in the Late Twentieth Century u. 100 wiss. Artikel. E.: Figdor-Preis f. Wirtschafts- u. Sozialwiss. (1991). H.: Sammlung v. Krawatten. (J.S.)

Münzker Otto Ernst

B.: Gschf. Ges. A.: 1030 Wien, Strohg. 7. G.: Bregenz, 9. Sept. 1928. V.: Rosa, geb. Burjan. El.: Josef u. Maria. F.: Gschf. Ges. d. IRO Werbe GmbH in Wien, Ges. d. SM Werbe GmbH in Sbg. M.: Pater Ostarrichia.

Münzner Horst

B.: VPräs. d. Dt. HK in Österr., PA.: D-3180 Wolfsburg 1, Planckstr. 27. E.: Gr. Silb. EZ m. d. Stern f. Verd. um d. Rep. Österr. Inh. d. Ord. d. jugosl. Fahne m. gold. Stern a. Halsband d. Aguila Arteca-Ord. d. mexik. Staatspreis, d. Gold. EZ d. Landes Sbg. u. d. Gr. Tir. Adler Ord. M.: Vors. d. Arge d. Eisen- u. Metallverarbeitenden Ind. Düsseldorf, Rohstoffaussch. d. Verb. d. Automobilind. Frankfurt, Mtgl. d. Kurat. d. Donaueurop. Inst. Wien, Vorst. d. Einkauf u. Materialwirtschaft, Volkswagenwerk AG Wolfsburg, AufsR. d. Stollack AG Guntramsdorf, Aluminium Walkwerke Singen GmbH Singe, Hoesch Werke AG Dortmund, Hochwaldtswke.-Deutsche Werft AG Kiel u. Hamburg, Krupp Ind.Techn. GmbH Duisburg, Rütgerswerke AG Frankfurt, VerwR. Dt. Automobil GmbH Hannover, BeiR.Vors. d. Dt. Bank AG Bez. Hannover.

Murauer Hermann

B.: Schmiedemeister. FN.: H. u. E. Murauer Landmaschinen, Schmiede, Automatendreherei. DA.: 5251 Höhnhart 82. PA.: 5251 Höhnhart 36. G.: Sbg, 23. Mai 1942. V.: Elfriede, geb. Berer. Ki.: Elfriede (1966), Gerlinde (1970), Hermann (1978), Kathrin (1982). El.: Max u. Elisabeth. BV.: seit über 400 J. Schmiede Erbhof-Ldw. S.: Pflichtschule, 1957-61 Schmied- u. Landmaschinenbauerlehre. K.: im elterl. Betrieb tätig, dazw. 2 J. in versch. Betrieben tätig, 1972 Meisterprüf. als Schmied Sbg. 1975 Betrieb übernommen, Zwg.-Ndlg. in d. BRD. H.: Fischen, Reisen. (J.L.)

Murauer Walter

B.: Mtgl. d. NatR., Ang. DA.: 1017 Wien, Dr.-Karl-Renner-Ring 3. G.: Steyr, 2. Aug. 1948. S.: Kfm. Berufsschule. K.: 1967-75 Ang. b. d. Raiffeisen Bank in Garsten, 1975-88 Bez.-Partei-Sekr. d. ÖVP Steyr-Land, s. 1988 Ang. b. d. OÖ Versicherung, s. 1975 Mtgl. d. GemR. in Garsten u. s. 1983 Mtgl. d. Vorst., s. 11/1991 Abg. z. NatR., 1988-91 AR-Mtgl. d. Wohnungsgen. "Styria".

Murer Gerulf Ing.

B.: Mtgl. d. NatR. v. 1979-83 u. seit 1986, Ldw. DA.: 1010 Wien, Stubenring 1. G.: Gaishorn, 19. Aug. 1941. S.: Pflichtschulen, 2 Sem. Ldw.Schule, Höhere Landbauschule in Michelstadt BRD, 1966 Agraring. K.: Verw. einer Rinderfarm in Südwestafrika, Inh. eines Bergbauernhofes in d. Stmk., LObm. d. Freiheitl. Bauernschaft Stmk., seit 1979 Abg. d. FPÖ z. NatR., Mtgl. d. Aussch. f. Land- u. Forstwirtschaft, Bundesagrarref. d. "Die Freiheitlichen", 1983-87 Staatssekr. im BMLF. E.: GrSE/B. H.: Jagd, Skifahren, Schwimmen.

Murgg Johann

B.: Werkmstr. f. Maschinenbau, Gschf. FN.: MS Murgg & Schwar, Johann Murgg Metallbearbeitungs GmbH. DA.: 8570 Voitsberg, Josef-Radkohl-Str. 1. PA.: 8580 Köflach, Alois-Geißler-Str. 66B. G.: Graden, 4. Apr. 1948. V.: Romana, geb. Zanzer. Ki.: Andrea (1970). El.: Hubert u. Johanna. S.: 3 J. Berufssch. Betriebsschlosser, 2 Sem. Werkmeistersch. Voitsberg. K.: Werkzeugmacher Fahrradwerke Junior, Lehrlingsausbildner Stahlind.-Prod., Prod.-Ltr. Fa. Denzel, 1985-89 Fa. Burbach: Techn. Verkauf u. Gschf., gewerberechtl. u. handelsrechtl. Gschf., freier Mitarb. Fa. Hage i. Obdach, 1992 Gründ. MS Murgg & Schwar. M.: Jagdges. Gestüt Piber. H.: Tennis, Schifahren. (R.S.)

Murlasits Gustav Dr. med. vet.

B.: Tierarzt i.R. PA.: 8200 Gleisdorf, Dr.-Hermann-Hornung-G. 50. G.: G.: Flöcking, 1. Apr. 1926. Ki.: Mag. Edith (1960), Mag. Karin Beate (1961), Nicole Elinor (1966). El.: Gustav u. Theresia. S.: Ak. Gymn. Graz, 1943 Grazer Mittelschulmstr. im Hochsprung, Stud. Vet.-Med. Wien, 1953 Prom., Prüf. f. Chir. u. Augenheilkunde. K.: 1954 Eröff. d. eigenen Praxis in Gleisdorf. BL.:Invasionskrankheitenbekämpfung, Tuberkulose u. Abortus Bang-Bekämpfung. P.: Berichte f. d. Zivilschutzverb. E.: Gold. EZ d. Zivilschutzverb., Silbermed. d. Stadt Gleisdorf, Gold. Ehrennadel d. Österr. Kameradschaftbund. M.: Kulturref. d. Kameradschaftsbundes Gleisdorf, Präs. d. SV Rapid Eisschützen, Grdg.-Mtgl. Lions Gruppe Gleisdorf, 1962 Grdg.-Mtgl. d. Weltkongresses f. Buiatrik. H.: Filmen, Fotografieren. (F.K.)

Murlasits Herbert

B.: Inh. FN.: Anglereck. DA.: 3400 Klosterneuburg, Kierlinger Str. 10. PA.: 3500 Krems, Bahnhofpl. 12. G.: Kritzendorf, 4. Nov. 1945. V.: Herta, geb. Leonhard. Ki.: Markus (1973), Thomas (1992). El.: Stefan u. Herta. S.: HS, Bau- u. Möbeltischlerlehre. K.: 1963-82 Tätigkeit im Baugewerbe, 1982-87 Tätigkeit im Forstdienst im Stift Klosterneuburg, 1987 selbst. m. Firma Anglereck f. Angel- u. Sportgeräte Wien, 1988 Eröff. eines Sportgeschäftes in Tulln, 1989 Eröff. eines Sportgeschäftes in Krems u. gleichzeitig Schließung d. Geschäftes in Wien, 1991 Erröff. eines Sportgeschäftes Anglereck in Klosterneuburg. H.: Angeln. (M.M.)

Murnberger Wolfgang

B.: Autor u. Reg. PA.: 2603 Felixdorf, Hauptstr. 10. G.: Wr. Neustadt, 13. Nov. 1960. V.: Maria, geb. Horvath. Ki.: Christopher (1979), Wolfang Maria (1993). El.: Ernst u. Maria. S.: Matura Mattersburg, 4 Sem. Germanistikstud., anschl. Filmak. Wien b. Axel Corti u. Harald Zusanek. K.: Regie u. Buch f. zahlr. Filme u.a. "Himmel oder Hölle" (1990), "Kinder kriegen" (1993), "Ich gelobe" (1994). E.: f. "Himmel oder Hölle" u.a. Young Cinema Bronze Tokyo, Preis d. Österr. Filmtage, Preis d. Saarländ. Min.-Präs., Preis d. Intern. Filmpresse Rotterdam, Jungfilmerausz. d. BMUK, f. "Ich gelobe" Preis d. Stadt Wien, nominiert f. d. Auslandsoscar 1994. (J.S.)

Murnig Franz KommR.

B.: Spediteur. DA. u. PA.: 9560 Feldkirchen, St. Ruprechterstr. 12. G.: Maria Feicht, 4. Okt. 1914. V.: Erna, geb. Florian. Ki.: Brigitte. El.: Andreas u. Susanne. S.: VS, Fortbild.Schule Moosburg. K.: gelernter Schmied, 1 J. Geselle, übergewechselt z. Spediteur, nach Kriegsgefangenschaft 1948 Übernahme d. Gewerbes v. Albina Krainer. E.: 1987 als 1. Fa. Feldkirchner Wappen, Christophursring, Julius Raab-Med., Gr. Gold. EZ f. öff. Wirtschaft, Gold. Abz. d. Rep. Österr., 1984 Unione Arhagni del Frinli Gemellagio Autotransportari Italo Austiaci, 35 J. Transportunternehmen. M.: Wirtschaftsbund, Kameradschaftsbund, Funktionär d. HK f. Ktn. (U.A.W.)

Mursec Bojan

B.: Vorst., Bankkfm. FN.: AVA Bank Bludenz. DA.: 6700 Bludenz, Bahnhofstr. 16. PA.: 6822 Satteins, Alte Schlinserstr. 6. G.: Gorsisnica/Slowenien, 9. Aug. 1961. V.: Eleonore, geb. Seidel. Ki.: Rebecca (1988), Sascha (1991). El.: Stanislav u. Maria. S.: kfm. Banklehre. K.: 1976-79 Banklehrling in Feldkirch, 1979-86 Bankang., 1986-88 im Verkauf in d. Privatwirtschaft, 1988 Eintritt als Ltr. AVA Bank Bludenz. P.: Sportreportagen. M.: Paragleiterver. H.: Paragleiten, Malen, Schreiben. (I.D.)

Mürwald Paul OSR Dir.

B.: StadtR. f. Schule u. Kultur, HS-Dir. DA.: 3400 Klosterneuburg, Rathauspl. 1. PA.: 3400 Klosterneuburg, Mozartg. 10. G.: Grillenstein b. Gmünd, 28. Juni 1925. V.: Luzia, geb. Gebhard. Ki.: Peter (verst.), Angelika, Wolfgang, Gunter. El.: Anton u. Johanna. S.: Gymn., LBA Wien, 1950 Matura m. Ausz. K.: 1943-45 Arbeits- u. Kriegsdienst in Rußland, 1945-47 Kriegsgefangenschaft, ab 1950 Lehrer an versch. Schulen in NÖ, 1973-86 Dir. d. HS in Klosterneuburg, seit 1975 im GemR. v. Klosterneuburg, 1975-80 Obm. d. Personalkmsn., seit 1980 StadtR. f. Schule u. Kultur, 1966-86 Bez.Ltr. d. Jugend-RK u. Vors. d. Gewwerkschaft f. Pflichtschullehrer Wien-Umgebung. E.: 1978 Gold. Stadtwappen v. Klosterneuburg, 1977 Florianiplakette d. NÖ Feuerwehr, Silb. Verd.Med. d. RK, 1986 Kl. Henry Dunant-Med., Bürgermed. d. Stadt Göppingen, Gold. Dienstabz. v. RK, 1983 Ernennung z. OSR, zahlr. Ausz. v. BSR u. LSR f. NÖ, Verb.-EZ in Silber v. NÖ Fußballverb., Gold. EZ d. ÖAAB. M.: Franz Kafka-Ges., Verschönerungsver., zahlr. kulturelle Ver. d. Stadt Klosterneuburg. H.: Familie. (M.B.)

Musalek Konrad Prof.

B.: Prof. f. Instrumentalmusikerziehung an Päd. Ak. A.: 1060 Wien, Gumpendorfer Str. 74/16. G.: Wien, 28. Apr. 1933. S.: Reifeprüf. an d. BLBA 1953, Lehrbefähigung f. d. Religionsunterricht an VS u. HS, künstler. Reifeprüf. aus Komposition (Musiktheorie), Lehrbefähigung f. Klavier (m. Ausz.). K.: 1956-70 Lehrer an Wr. HS (u.a. Ausbildungs- u. Besuchslehrer d. Theol. Fak. d. Univ. Wien), seit 1970 Prof. f. Instrumentalmusikerziehung an d. Päd. Ak. d. Bundes in Wien, seit 1980 Prof. f. Musiktheorie u. Komposition am Franz Schubert-Konservatorium in Wien VI, seit 1983 künstler. Ltr. d. "Wiener Sommer-Seminars f. neue Musik". P.: Über 100 Kompositionen, Fachbücher u. Fachart. in einschlägigen Fachzeitschriften. E.: Preis d. ORF b. Kompositionswettbewerb "Das neue Lied". M.: Tantiemenbezugsberechtigter d. Ges. f. Autoren, Komponisten u. Musikverleger, Mtgl. d. Österr. Ges. f. zeitgenöss. Musik, Gründer d. Ges. z. Förd. neuer Musik "Simukovani" Ensemble.

Musel Peter

B.: Dir. FN.: Wigof GenmbH. DA.: 4020 Linz, Holzstr. 14. PA.: 4300 St. Valentin, Humelfeldstr. 7. G.: Schärding, 16. Jän. 1959. El.: Lothar u. Gertrude. S.: VS, HS, 1978 HAK, 1979 Militär, 1980 Berufsschule f. Fleischer, 1979 Buchhalterprüf., 1981 beeid. Wiegemstr.-Prüf., 1983 Jusstud., 1981 Finanzbuchhalterprüf., 1982 Mstr.-Prüf. f. Fleischer, 1987 Betriebsberaterprüf., 1989 Kontrollinglehrgang Univ. Linz, 1986 Konzessionsprüf. f. Gastgewerbe, 1990 Personalverrechnungsprüf., 1990 Konzessionsprüf. f. Überlassung v. Arbeitskräften. K.: ab 1980 Tätigkeit in Firma Vieh u. Fleisch GmbH, b. 1983 Betriebsass. u. stellv. Betriebsltr., 1985/86 Gschf. Vorst. d. Sb Fleischwarenzentrale mbH, 1986-88 Controller Hansa KG, seit 1988 Gschf. d. Firma Wigof, Delegierter d. Wigof. M.: Verw.-Ltr. ÖFLEI, seit 1991 BeiR. Halter- u. Schlachtnebenprodukt Verwertungs GmbH, fachkundiger Laienrichter am Arbeits- u. Sozialgericht Linz, seit 1984 CV-Verb., 1990 Controlling-Club Linz, 1990 Delegierter Intern. Arge f. d. Metzgereigewerbe. H.: Schach. (U.E.)

Mushawar Sylvia Dr. med.

B.: FA f. ZMuK, Yogalehrerin. DA.: 1100 Wien, Herzg. 99/8/6. G.: Wien, 9. Feb. 1944. Ki.: Laila. El.: Dr. med. Hertha u. Dr. iur. Leopold Bermann. S.: Franz. Lyzeum Wien,

Med.Stud. Wien, Prom. Dr. med. univ. 1970, FA-Prüf. 1972. K.: Ordinat. s. 1974 in Wien, Ausbild. am Dr. Wilhelm Brenner Inst. Wien, Prüf. in Körperakupunktur 1988 u. Auriculotherapie an d. Poliklinik Wien (Prof. Bischko), Ausbild. in Homöopathie in Wien (Prof. Dorcsi) u. Freudenstadt (Fr. Dr. Rost). BL.: Spezialgeb.: Zahnfleischerkr. (Herdsuche). P.: In d. Zeitschrift "Natur u. Medizin" 1988. M.: Ges. f. Homöopathie, Ges. f. alternat. Med., Ges. f. Neuraltherapie, Ges. f. Akupunktur, Yoga-Vedanta Ges., Grdg.Mtgl. Ak. f. Ganzheitsmed. H.: Fotografieren, Schreiben, Yoga, Esoterik.

Musil Bernhard KamR.

B.: Hotelier, Konditormstr. DA. u. PA.: 9020 Klagenfurt, 10.-Oktober-Str. 14. G.: Klagenfurt, 17. Aug. 1946. V.: Uta, geb. Weißmann. Ki.: Bartholomäus, Nikolaus u. Bernhard. El.: KommR. Engelbert u. Marianne. S.: VS, RG, HASCH, 1965 Konditor- u. Kochgesellenprüf., 1967 Konditormstr.Prüf. K.: ab 1967 Praxisjahre im Ausland (BRD, Schweden, Schweiz, USA, England), 1973 Übernahme der Fa. Bartholomäus Musil u. Sohn, 1974 Übernahme d. Hotels "Porcia" in Klagenfurt, 1980 Übernahme d. Hotels "Moser Verdino" in Klagenfurt. BL.: intensiver Hotelbettenverkauf auf intern. Märkten. F.: Hotel Moser Verdino, Seehaus Musil, Musil Hotelbetriebs GmbH, Musil of America, Wörthersee Schiffahrtsgastronomie GmbH. P.: versch. Publ. in J.C.I. World. E.: versch. intern. Ausz. u. Ehrenbürgerschaften, hauptsächl. in Südamerika. M.: seit 1987 Präs. d. Organ. Austria per Italia, Präs. d. EC-Jenull (Eishockey), Senator d. Jaycees Int'l, LInnungsmstr. d. Konditoren Ktn., Fachgruppenvorst.Stellv. d. FG Hotelerie Ktn., Obm. Fremdenverkehrsver. Klagenfurt, Intern. junge Wirtschaftskam., SKAL Club Österr. u. a. Wirtschaftsfunktionen. H.: Numismatik, Eishockey, Beruf u. Familie.

Musil Ernst Dr. OMedR

B.: FA f. Frauenkrankheiten. DA.:1140 Wien, Brailleg. 16. G.: Wien, 7. Jän. 1906. El.: Josef u. Maria. S.: VS, Mittelschule, Univ. Wien. K.: Univ., Spitalsarzt, FA. P.: 50 wiss. Arb. über Gynäkologie u. Sozialmed., Monographie "Einführung in d. Sozialmed.". E.: Gr. EZ d. Rep. Österr., Ehrenmtgl. d. intern. Ver. f. Allg.Med., Ehrenmtgl. d. Ver. Österr. Ärzte, Ehrenmtgl. d. Baden-Württemberg. Ges. f. Sozialmed., Alfons Fischer-Med. f. Sozialmed. M.: Gen.Sekr. d. intern. Föderation f. Hygiene, Präventiv u. Sozialmed., Vorst.Mtgl. d. Europ. Union f. Sozialmed., Präs. d. Österr. Wiss. Ges. f. prophylaktische u. Sozialmed. H.: Klaviermusik. (E.L.)

Musil Heinz

B.: Gschf. Ges. FN.: Reisebüro Ötscherland Autobusges.m.b.H. DA. u. PA.: 3292 Gaming, Erlauftalstr. 57. G.: Wels, 18. Feb. 1949. V.: Susanne Voglauer. El.: Heinz u. Johanna. S.: VS, HS, HAS. K.: Verkaufstätigk. in Baumaschinen-, LKW-Anhänger- u. Reisebusbranche, zuletzt Fa. Magirus-Deutz, 1979 Eintritt in Fa. Reisebüro Ötscherland Autosbusges.m.b.H., 1988 Änderung in Ges.m.b.H. u. Erweiterung auf Reisebüro-Vollkonzession, 1991 Eröff. eines Reisebüro-Neubaues in Gaming, 1992 Reisebüro-Filiale in Melk. (M.M.)

Musil Karl Prof.

B.: Ltr. d. Ballettabt. d. Konservatoriums d. Stadt Wien. DA.: 1010 Wien, Johannesg. 4. PA.: 1180 Wien, Gentzg. 79. G.: 3. Nov. 1939. Ki.: Christian (1968), Janina (1970). El.: Maximilian u. Anna, geb. Cerná. S.: VS, HS, Privatunterricht Gesang, Violine, Klavier, Ballettausbild. an d. Staatsoper Wien, Schauspieler. Ausbild. in d. Schule Helmuth Kraus. K.: 1953 Engagement an d. Wr. Staatsoper, 1958 Solist, 1964 1. Solotänzer, Engagements Royal Ballet London, Londons Festival Ballet, Ballet de France, Chicaco Opera Ballet, Harkness Ballet New York, Stuttgarter Ballet, 1967 Gastspiele in Brno, seit 1975 Unterrichtstätigkeit an d. Ballettschule d. Bundestheater u. am Konservatorium d. Stadt Wien, 1990-91 Ballettmstr. v. Badner Ballett, seit 1991 Ltr. d. Ballettabt. d. Konservatorium d. Stad Wien. E.: Silb. EZ f. Verd. um d. Rep. Österr., VK 1. Kl. f. Wiss. u. Kunst. M.: Präs. d. Österr. TheaterR., Vorst.-Mtgl. d. Ges. f. Musiktheater. H.: Tanz. (N.A.)

Musil Rainer

B.: Prok., Gschf. FN.: Nordsteir. Kohlenhdls.Ges., Bauer & Co. DA.: 8680 Mürzzuschlag, Wiener Str. 59. PA.: 8680 Mürzzuschlag, 4. Pernreitg. 3. G.: Berlin, 21. Aug. 1939. El.: o.Prof. Ludwig u. Elisabeth-Charlotte. S.: VS, Gymn. Graz, 1958 Matura. K.: Militärdienst, Stud. d. Rechts- u. Staatswiss. m. Absolutorium, Diss. "Entwicklung d. Österr. Erdölmarktes", 1964-74 Mitarb. d. Mobil Oil Graz u. Wien, 1974-78 H. Bauer jun. KG Wien, seit 1979 Gschf. d. Nordsteir. Kohlenhdls.Ges., Bauer & Co. in Mürzzuschlag. H.: Reiten, Leichtathletik, Eiskunstlauf, Automobilrennsport, Theater, Reisen, Sprachen.

Musilek Günter

B.: Verkaufsdir. FN.: Henkel Austria. DA.: 1030 Wien, Erdbergstr. 29. PA.: 1236 Wien, Breitenfurter Str. 491. G.: 16. Febr. 1942. V.: Lieselotte, geb. Hofer, 1 Kind. S.: RG, Matura. K.: städt. Vers. Wohnbaubüro, ab 1972 zu Henkel Austria Verkaufsass., ab 1976 Verkaufsltr., ab 1980 Ressortltr. u. Prok., ab 1986 Verkaufsdir. H.: Skifahren, Tennis, Surfen, Konzert, Theater, Kulturreisen in ferne Länder. (P.R.)

Mussbacher Norbert Dr. theol.

B.: infulierter Abt, Prälat, Abt d. Stiftes Lilienfeld u. zu Marienberg/Bgld. A.: 3180 Lilienfeld, Stift. G.: Ollersbach b. Neulengbach, 31. Dez. 1926. El.: Friedrich u. Katharina. S.: Wirtschaftsoberschule (HAK) in Znaim, Reichsarbeitsdienst. K.: Kriegsdienst b. d. Dt. Wehrmacht (Panzerpionier, Funker), 1944 amerik. Gefangenschaft in Frankreich (Dolm. f. Engl., Franz. u. Dt.), 1945-46 Dolm. b. d. brit. Streitkräften in Graz, 1946 Lehramtsprüf. f. Engl. u. Franz., Fremdsprachenlehrer f. Engl. u. Russ. an d. HS Ravelsbach u. Ziersdorf, Eintritt in d. Zisterzienser Stift Lilienfeld, 1949 Stud. d. Theol., 1954 Priesterweihe, seit 1962 Schriftltr. d. Waldmark, 1968 Abt d. Stiftes Lilienfeld u. zu Marienberg, 1973 Prom. BL.: Entdecker d. Römerturms "Burgus" in Lilienfeld. P.: 1964 Gedichtband "Die lichte Pforte" (erw. Aufl. 1966), 1969, 1973, 1982), 1977 Gedichtband "Kristallisation" (erw. Aufl. 1980), Gedichte in "Geliebtes Land" (1955), "Dichtung in NÖ" (1969), "Atempausen" (ev. Kreuz-Verl. Stuttgart-Berlin 1977, 1978), "Im Gewitter d. Geraden", Deut. Ökolyrik, München (1981), "Über d. Kirchen-Tag hinaus" (Luther. Verlagshaus 1981), "Das österr. kath. Wort" (1984), Haiku in "Die halbe-Bogen-Reihe" (1983), 1976 Mitinitiator d. NÖ LAusstellung "1000 J. Babenberger in Österr." in Lilienfeld. E.: u.a. 1970 Ehrenmtgl. d. Verb. Kath. Schriftsteller Österr., 1975 Mtgl. d. Österr. Schriftstellerverb., 1976 Gr. Silb. EZ f. Verd. um d. Rep. Österr., 1976 Ausz. f. Verd. um d. Denkmalschutz d. BMWF, 1978 Päpstl. Ehrenkreuz v. Hl. Land in Gold, 1986 Gold. Komturkreuz d. EZ f. Verd. um d. Land NÖ, 1987 Großkreuz d. Militärischen u. Hospitalischen Ordens d. hl. Lazarus v. Jerusalem. H.: Skilaufen, Gedichte, Heraldik: Erstellung v. Wappenentwürfen f.: Stadt Lilienfeld, Unter-Dürnbach z. Stadt Maissau, Prälat Univ.-Prof. Dr. Franz Loidl, Militärbischof Dr. Alfred Kostelecky, w.HofR. Dr. Erwin Rettl, Weihbischof Kurt Krenn u.a. (Ch.K.)

Musser Josef

B.: Bgm. v.Traiskirchen. PA.: 2514 Traiskirchen, Schöffelstr. 5. G.: Markt Allhau, 22. Juni 1923. V.: Rosa, geb. Münch, 1 Sohn. El.: Johann u. Elisabeth. S.: HS, 2 J. Werkmstr.Schule

Wien f. Maschinenbau. K.: 1949 BetriebsR. b. Semperit Traiskirchen, 1949-60 Gew. d. Chemie Arb., 1973 Sekr., 1970 VBgm., 1973 Bgm. E.: Gold. EZ f. Verd. um d. Rep. Österr., Gold. EZ f. Verd. um d. Bdl. NÖ, Ehrenring d. Stadtgem. Traiskirchen. M.: SPÖ-Obm., AKÖ Sportver. Traiskirchen, Stadtkapelle Traiskirchen. H.: Autofahren, Briefmarken, Theater, Lesen, klass. Musik. (M.G.)

Mussi Ingo Dr.

B.: Botschafter, dzt. Ltr. d. Abt. f. multilaterale Auslandspolitik im BM f. Ausw. Ang. A.: BMA, 1010 Wien, Ballhauspl. 2. G.: Darmstadt, 28. Aug. 1935. V.: Renate, geb. Distler. El.: Wilhelm u. Helene, geb. Titze. S.: 1945-53 BG Klagenfurt, Matura 1953. 1953-58 Univ. Wien, Dr. phil. 1958. 1958-59 Georgetown Univ. Washington D.C., U.S.A. K.: 1960-62 BPressedienst Wien, 1962-66 Presseattaché d. österr. Botschaft Washington, 1966-70 Presseattaché d. österr. Botschaft London, 1970-73 Pressesprecher BKanzler Dr. Kreisky, 1973-76 Ministre Conseiller, österr. Botschaft London, 1976-81 österr. Botschafer in Tel Aviv, 1981-85 Abt.Ltr. im BMA, 1985-90 österr. Botschafter in Stockholm, seit 1990 dzt. Position. P.: Zahlr. Beiträge f. Zeitungen u. Periodika. E.: VK am Bande d. dt. VO, Member Royal Victorian Orden, Ritterkreuz d. ungar. Banner-Ordens, Kommandeurskreuz, indones. Bintang-Jasa-Orden, Kommandeurskreuz, franz. Ordre National du Mérite, Großkreuz d. Schwed. Nordsternordens. M.: Ehrenmtgl. d. Österr. Filmmuseums Wien, korresp. Mtgl. d. Künstlerver. Wr. Sezession. H.: Lektüre.

Mussi Peter Dr. jur. RA

B.: RA. DA./PA.: 9020 Klagenfurt, Palais Goeß, Alter Platz 30. G.: Klagenfurt, 18. Jän. 1942. Ki.: Patricia (1978). El.: Wilhelm u. Helene, geb. Titze. BV.: s. etwa 200 J. in Kärnten ans. Familie, Ururgroßv. Peter Mussi: Wissenschafter, Menschenfreund u. Aufklärer; Onkel Robert Mussi: akad. Bildhauer; Großonkel zweiten Grades Ferdinand Mussi d. Ä.: Bgm. v. Pörtschach am Wörthersee, Onkel zweites Grades Ferdinand Mussi d.J.: Burgschausp. S.: Benediktiner VS Klgft., BRG I Klgft., Matura, Stud. Jus in Graz u. Wien, 1969 Prom., Gerichtsjahr, Stud. Staatswiss. u. Lehrgang f. intern. Studien in Wien. K.: Auslandsaufenth., Sprachstud. in Italien, Spanien, Frankr., 1972-76 Konzipient, 1976-86 in ltd. Pos. in d. Privatwirts. in Wien tätig, 1987 Eröffn. d. Kanzlei. P.: Beiträge zu Fragen d. Lebens student. Corporationen u. deren Geschichte. M.: Burschenschaft "Tauriska" Klgft., Geschichtsver. f. Kärnten, Präs. u. Vorst.-Mtgl. versch. kultureller u. gemeinnütz. Verein. H.: Lesen, Bergwandern, Segeln, Singen, Fischen, Jagd. (G.L.)

Muster Thomas

B.: Tennis-Professional. DA.: 1141 Wien, Gurkg. 8, c/o R. Leitgeb. G.: Leibnitz, 2. Okt. 1967. S.: Volks-, Haupt- u. Handelsschule. K.: m. 7 J. TV Leibnitz, m. 12 J. Grazer Parkclub, m. 14 J. Sportinternat Südstadt, m. 15 J. Leistungszentrum Südstadt, m. 17 J. Start d. Profi-Karriere, 1986 1. Sieg b. ATP-Turnier, 1987 u.a. Semifinale CA-Trophy Wien, Sieg b. Young-Masters Friedrichshafen, 1988 4 Turniersiege, Aufstieg in d. Weltgruppe d. Davis-Cup, 1989 Rang 6 d. Weltrangliste u. Verkehrsunfall in d. USA, 1990 5 Turniersiege, Semifinale b. French Open, 1991 2 Turniersiege, dzt. Rang 14 in d. Weltrangliste. H.: Sport, Schlagzeugspielen.

Musulin Marko Dr. iur

B.: General Manager. FN.: Creditanstalt Bankverein. GT.: AR-Vors.: CA Investment Bank AG, Wien, CA Securities Ltd., Budapest, CA Securities Ltd., Prag, CA Securities Ltd., Warschau, AR-Vors.-Stellv.: Österr. Investment GmbH, Wien, CA Global Futures Terminkontrakte AG, Wien, CA-EA Investment-GmbH, Wien, AR-Mtgl.: ÖTOB Clearing Bank AG, Wien, Unternehmens Invest AG, Wien, CA-3 Banken Beteiligungsfonds AG, Wien, CA Immobilien Anlagen AG, Wien, CA Immobilien Invest AG, Wien. DA.: 1010 Wien, Schotteng. 6. G.: Haverford West/England, 11. Jan. 1948. El.: Janko u. Stella. S.: Gymn. St. Pölten, Univ. Wien. K.: seit Abschluß d. Stud. in d. CA, 1976-79 in einer Merchant Banking Affiliation d. CA in London, 1982-88 General Manager in New York, seit 1988 wieder in Wien tätig, anfangs Co-Ltr., ab Nov. alleiniger Ltr. d. Bereiches. P.: Obst-Hintner, Geld-, Bank- und Börsenwesen, Beitrag u. Thema "Intern. Kapitalmärkte", außerdem regelmäßige Beiträge f. d. Tageszeitung "Die Presse" unter d. Titel "Blickpunkt Euromärkte". H.: Skifahren, Lesen.

Muthspiel Kurt

B.: Techn. Dir. d. Styria Druck- u. Verlagshaus Graz. DA.: 8011 Graz, Schönaug. 64. G.: Linz, 31. Dez. 1931. V.: Erna, geb. Streitberger, 4 Kinder. El.: Michael u. Christine. S.: Grundschule, graph. Grundausbild. in Zell am See, Musikstud. am Mozarteum Sbg. K.: graph. Praktikum in Sbg., Filialltr. d. Druckerei u. ltd. Red. d. Murtaler Zeitung, Judenburg 1976 Prok. u. Mtgl. d. Styria-Unternehmensltg., seit 1983 Techn. Dir. d. Styria u. Gschf. d. Reproteam GmbH & Co KG Graz. BL.: Komponist u. Dirigent v. zahlr. geistl. u. weltl. Werken (u. a. Lieder). P.: Hrsg. v. Volksliedsammlungen, jährl. Erscheinung Chormusik-Publ. "Chorübungen", 4 LP's, zahlr. Rundfunkaufnahmen. E.: Gold. EZ d. Landes Stmk. M.: Gründer u. Ltr. d. A-Capella-Chores Zeltweg, d. "Steir. Singwoche", Vors. d. Arge Steir. Singkreise. H.: Musik, Sammeln v. Volksliedern, Bergsteigen, Literatur.

Mutschlechner Christian

B.: Dir. Vienna Convention Bureau. FN.: Wr. Tourismusverband. DA.: 1025 Wien, Obere Augartenstr. 40. PA.: 1080 Wien, Bennog. 5. G.: Linz, 26. Juli 1953. V.: Renate, geb. Panagl. Ki.: Valerie (1982), Stefanie (1985). El.: Dr. Wilhelm u. Irene. S.: AHS-Matura, Stud. d. Romanistik, Kunstgeschichte u. Handelswiss. an d. Univ. Wien. K.: 1977-80 Mitarb. d. Kongreßorganisationsfirma Interconvention, 1980-84 Teilhaber d. Kongreßorganisationsfirma Conference Management GmbH, s. 1985 im Wr. Tourismusverband, Stellv. Ltr. d. Abt. Verkaufsförderung/Kongreßbüro, s. 1992 Ltr. d. Wr. Kongreßbureaus. E.: 1. Preis beim Industriefilmfestival in Chicago f. d. Werbevideo "Vienna Convention". M.: Skal, ICCA, EFCT. H.: Kultur, Garten. (J.S.)

Mutz Ingomar Dr. Univ.-Prof. Prim.

B.: Prim. LKH Leoben. DA.: 8700 Leoben, Vordernbergerstr. 42. PA.: 8641 St. Marein, Schaldorfstr. 2. G.: Graz, 1. Febr. 1941. V.: Dr. Carmen, geb. Gmeiner. Ki.: Michael (1967), Markus (1974), Constance (1981), Christiane (1982), Carola (1985), Cornelia (1987). El.: Augustin u. Anna. S.: 1959 Matura, 1965 Prom. K.: 1975 FA f. Kinderheilkunde, 1979 Lehrbefugnis f. Kinderheilkunde an d. Med. Fak. d. Univ. Graz, 1982 Zusatz-FA-Prüf. f. Pediatric Hematology-Oncology, seit 1979 Ltg. d. Kinderabt. d. LKH Leoben, seit 1979 Privatpraxis, 1983 a.o.Univ.-Prof. BL.: 1978 1. Knochenmarktransplantation in Österr. P.: 125 wiss. Arb., lfd. Vorträge Univ.-Kinderklinik Graz, Vorlesungen Allg. Krankenpflegeschule Graz. M.: Österr. u. Dt. Ges. f. Kinderheilkunde, Dt. Ges. f. Neonatologie u. päd. Intensivmed., Österr. Ges. f. Heilpäd., Österr. Ges. f. Hämatologie u. Onkologie, Wiss. Ges. d. Ärzte in d. Stmk., Ver. f. Kinderchir. an d. Univ. Graz, Steir. Krebsges., Ges. f. Pädiatr. Onkologie, Österr. Ärzte gegen d. Atomkrieg, seit 1987 allg. gerichtl. beeid. Sachv. f. Kinderheilkunde, seit 1989 Mtgl. d. Impfkmsn. d. Obersten SanR., seit 1994 ärztl. Dir. d. LKH Leoben/Eisenerz seit 1990 Mtgl. d. LandessanR. H.: Wandern, Skifahren, Schwimmen, Reisen, Lesen, Oper, Garten, Tarock. (K.K.)

Muxel Ludwig Leopold
B.: Bgm. Gem. Lech-Zürs. DA.: 6764 Lech, Gemeindeamt. PA.: 6764 Lech 209. G.: Lech, 13. Juni 1955. V.: Diana, geb. Fischer. Ki.: Anna-Katharina (1987), Maria (1988). El.: Hermann u. Berta. S.: HASCH Feldkirch, 1973 Abschluß, 1974 BH. K.: 1973-74 Bankang. Lech, 1974-77 Auslandsaufenthalt, 1977-79 Dir. Raika Zürs Lech, 1980 Ersatzmtgl., 1988 Gem.-Vertreter, 1990 VBgm., 1993 Bgm. d. Gem. Lech-Zürs. M.: Vbg. Jagdschutzver., 20 J. aktiver Musiker d. Trachtenkapelle. H.: Joggen, Langlaufen, Skifahren. (I.D.)

Muzik Karl Dr. iur.
B.: RA. DA.: 1040 Wien, Graf-Starhemberg-G. 39/17. PA.: 1040 Wien, Schelleing. 18, 3434 Katzelsdorf, Birkenhain 39. G.: Wien, 12. Juni 1950. El.: Karl u. Magdalena. S.: VS, Realschule, Heer, Stud. d. Rechts- u. Staatswiss., Dr. beider Rechte. K.: Rechtspraktikant, Konzipient, 1978 Anw.Prüf., Hptm.Kurs u. Intendanzdienstprüf. f. Offz. d. Res., seit 1980 selbst. RA, VEW Vertretung. M.: Wr. Schubertbund, Schubertianer, OG=Offiziersges. Wien, Burghptm. d. Feste Caja b. Retz. H.: Klavierspielen, Singen, Musik, Literatur, Sport, Joggen, gymn. Übungen. (E.L.)

Muzik Peter Dr.
B.: Chefred. d. "trend". DA.: 1010 Wien, Marc-Aurel-Str. 12. PA.: 1140 Wien, Hadikg. 128. G.: Wien, 1. Sept. 1948. V.: Ewa, geb. Podworska. Ki.: Marius. El.: Otto u. Hilda. S.: Piaristenschule Wien, Mittelschule, Matura, Stud. an d. Univ. Wien: Geschichte, Germanistik, Phil., 1973 Prom. K.: seit 1967 journalist. tätig, Freelancer b. versch. österr. Tages- u. Wochenzeitungen, seit 1973 Red. b. trend, 1977 stellv. Chefred., seit 1982 Chefred. P.: Bücher: "Die Zeitungsmacher", "Die Medien-Multis", div. Beiräge f. Bücher: Journalisten-Jahrbuch, Jahrbuch der Werbung. H.: Reisen.

Myer Fred B.
B.: Gschf. Ges. i.R. PA.: 1130 Wien, Cranachstr. 10. G.: Wien, 10. Dez. 1927. V.: Marietta, geb. Newman. Ki.: John, Peter. El.: Hans u. Hansi. BV.: Großvater KommR. Emanuel Braun gründete 1892 d. Unternehmen, k.u.k. Hoflieferant. S.: 2 J. engl. Schule in Kairo, Gymn. in New York, Rider College in Trenton, New Jersey. K.: Ang. in Warenhäusern in New York, in fam.-eigenen Betrieben in d. USA. E.: 1980 Auszeichnungsplakette d. Wr. Altstadterhaltungsfonds. M.: Präs. d. Morgan Sports Car Club of Austria; Präs. d. österr. Motorveteranen-Verb.; Vizepräs. d. F.I.V.A. H.: Autorennen, Skifahren. (Bauer).

Mynarik Walter
B.: Mitinhaber. FN.: Mynarik. DA.: Schönbrunnerstr. 254, 1120 Wien. PA.: 1050 Siebenbrunnerg. 34, 1050 Wien. G.: Wien 7.11.1940. V.: Hildegard, geb. Wagner. Ki.: Thomas (1964). El.: Josef u. Emilie. S.: VS, HS, b. 1955 Lehre b. Fa. Waigl, 1970 Meisterprüfung. K.: 1985 selbstst., aufgebaut mit Papier Groß u. Einzelhandel, Sicherheits Groß- u. Einzelhandel, Büromaschinen Groß- u. Einzelhandel. H.: Photographieren, Tennis. (J.M.)

Mylius Elvira
B.: Gutsbesitzerin. A.: 8720 Knittelfeld, Gut Sachendorf. G.: Judenburg, 1. Juni 1951. V.: Numa Peter. El.: Hammerschmied Josef u. Angela. S.: BRG Judenburg, Univ. Graz, Phil., Englisch, Geschichte. K.: Führung d. Gutsbetriebes Sachendorf (Forst, Pferdezucht, Reitstall), 1981 Ausbild. f. Reitlehrer (1. Ausbildungsstufe). M.: Vorst.Mtgl. d. Reitclub Sachendorf, Mtgl. d. ÖVP, Mtgl. d. Österr. Turn- u. Sportunion. H.: Reiten, Bücher, Natur.

Myslik Johann Ing.

B.: Gschf. FN.: Myslik Bauges., Myslik Wohnbau GmbH. DA.: 5020 Salzburg, Adolf-Schemel-Str. 23. PA.: 5020 Salzburg, Hofhaymerallee 56. G.: Feldsberg, 13. Feb. 1942. V.: Margaretha, geb. Schraml. Ki.: Gabriela, Diana, Petra. El.: Walter u. Ottilie. S.: VS, HS, HTL, 1962 Matura, BH. K.: Tätigkeit Firma Max Aicher, Bauing. Deutschland, 1966 Bmstr.-Prüf. Graz, 1970 Grdg. Myslik GmbH & Co KG gemeinsam m. Vater, 1991 alleiniger Gschf. M.: seit 10 J. Lions-Club. H.: Schnitzerei, Malen, Bergwandern, Skifahren, Konzerte, Theater, Tanzen, Reisen.

Naber Henriette Dr. Mag. OR
B.: 1. Kinder- u. Jugendanw. d. Bundes u. Abt.Ltr. f. Jugendwohlfahrt im BMin. f. Umwelt, Jugend u. Familie. DA.: 1010 Wien, Franz-Josefs-Kai 51. PA.: 1210 Wien, Autokaderstr. 14-16/2. G.: Hollabrunn, 9. Aug. 1946. V.: Dipl.-Ing. Werner Naber. Ki.: Larissa (1973). El.: Ludwig u. Marie-Louise Hofmann. S.: 1964 Matura, Ak. f. Sozialarb., 1966 Dipl., Stud. d. Rechtswiss. Univ. Wien, 1981 Doktorat. K.: 1966-81 Beamtin b. d. Gem. Wien, gleichzeitig Jusstud., 1981 Doktorat, anschl. Gerichtsjahr, anschl. im Präsidium im BKA, 1984 Grdg. d. BMUJF, seit 1985 Abt.Ltr. f. Jugendwohlfahrt u. Disziplinaranw.Stellv. im Hause, seit 1991 1. Kinder- u. Jugendanw. d. Bundes im BMUJF. BL.: einige J. Obfrau d. Dienststellenaussch. im BMUJF. H.: Lesen, Handarb., Radfahren, Bergsteigen. (J.S.)

Nachbar Josef Dir.
B.: Ldw., Geschäftsltr. FN.: Kreditbank Bleiburg/Posjilnica-Bank Pliberk. DA.: 9150 Bleiburg, Völkermarkter Str. 1A. PA.: 9150 Bleiburg, Wiederndorf 7. G.: Aich b. Bleiburg, 17. Feb. 1955. V.: Elfriede, geb. Stefitz. Ki.: Wladimir (1978), Markus (1979), Regina (1980), Johann (1982), Georg (1983). El.: Wladimir u. Maria. S.: VS, Gymn., 1973 Matura. K.: Mitarb. im elterl. Betrieb, 1975 Eintritt in d. Kreditbank Bleiburg u. gleichzeitig Geschäftsltr. M.: seit 1980 Vorst. d. Verb. d. Slowen. Gen. Ktn., seit 19890 Obm. Ferkelring Bleiburg, seit 1990 Obm.-Stellv. Süd Ferkel Verb., seit 1977 KirchenR. u. Kirchenkämmerer d. Wallfahrtskirche Heiliges Grab, div. ört. Ver. H.: Jagd, Wandern, Ldw. (G.L.)

Nachbauer Gerd
B.: Gschf. FN.: Schubertiade Feldkirch GmbH. DA.: 6800 Feldkirch, Schubertpl. 1. PA.: 6845 Hohenems, Auenstr. 19. G.: Hohenems, 16. Juli 1951. El.: Erwin u. Herlinde. S.: RG, 1969 Matura, Stud. Geschichte u. Phil. Univ. Innsbruck. K.: seit 1975 Gschf. Schubertiade GmbH. H.: Musik. (I.D.)

Nachbaur Heinz Karl
B.: Gschf. FN.: Vlbg. Kommunalgebäude Leasing. DA.: 6850 Dornbirn, Klaudiastr. 6. PA.: 6833 Weiler, Steinhausweg 11. G.: Lustenau, 10. Mai 1941. V.: Christine, geb. Ellensohn. El.: Karl u. Frieda. S.: 1959 Matura HAK Bregenz. K.: 2 J. Ltr. d. Buchhaltg. Eisengroßhdl. Götzis, 1966 kfm. Angest. Vlbg. Treuhand, 1971 Prokura, Prok. Vlbg. Kreditbank GesmbH,

Gschf. Leasing Dornbirn, Gschf. Immoleas Grundstücksverwaltungsges.m.b.H., Gschf. Medenta Leasing GmbH Sbg., s. 1983 Gschf. Kommunalgebäude Leasing, Verw.-Rat Hypo Vlbg. Leasing Bozen. M.: Verband österr. Leasingges., Immobilien- u. Vermögenstreuhänder, Obmann d. Berufsgruppe Leasing, Wirtsch.-Kammer Vlbg., VATC, u. a. H.: Reisen, Schifahren, Lesen. (I.D.)

Nachbaur Edgar Dr. phil. o.Univ.-Prof.

B.: Vorst. d. Inst. f. anorgan. Chemie d. Univ. Graz. DA.: 8010 Graz, Schubertstr. 1. PA.: 8043 Graz, Escheng. 7. G.: Innsbruck, 6. Okt. 1932. V.: Dr. Gertrude, geb. Schartner. Ki.: Dr. David, Dr. Karin. El.: Ernst u. Ilse. S.: VS, AHS, Stud. d. Chemie in Innsbruck, 1959 Prom. K.: 1966 Habil., 1970 Berufung nach Graz als o.Prof. P.: ca. 60 Beiträge in div. Fachzeitschriften. E.: 1966 Förd.Preis d. Dr. Körner-Stiftungsfonds Wien, 1970 Ernst Spaeth-Preis d. Österr. Ak. d. Wiss. M.: GÖCH, GDCH, The Royal Society of Chemistry London. H.: Kammermusik, Bergwandern, Skifahren. (C.H.S.)

Nachbaur Manfred

B.: Inh. FN.: Puncherei Stickerei. DA.: 6845 Hohenems, Fr.-Michael-Felder-Str. 10. PA.: 6845 Hohenems, Fr.-Michael-Felder-Str. 10A. G.: Hohenems, 9. Apr. 1949. V.: Helene, geb. Fend. Ki.: Jochen (1978), Rainer (1982). El.: Rupert u. Luise. S.: VS, HS, Textilschule Dornbirn, 1967 Mstr.-Kl. Dornbirn, 1968 Militär. K.: 1969-71 Führung d. Betriebes gemeinsam m. Vater, 1971 alleinige Führung. M.: Innung d. Sticker, Skiver., Verb. d. reisenden Kaufleute. H.: Skifahren, Bergwandern, Tennis. (I.D.)

Nader Oswin Dr.

B.: Amtstierarzt i.R. PA.: 2700 Wr. Neustadt, Porschering 1. G.: Wien, 25. Mai 1926. V.: Martha, geb. Schekulin. Ki.: Dr. Alexander (1962), Judith (1968). El.: Herbert u. Julia. S.: RG, Stud. Vet.-Med. Wien, Luftwaffenhelfer, verwundet in Galizien. K.: wiss. Hilfskraft Tierärztl. HS u. Ass. in Praxis v. Dr. Koller, seit 1961 Tierarzt im Markt- u. Schlachtbetrieb St. Marx Wien, ab 1962 Referatsltg., 1963 Physikat u. Amtstierarzt, ab 1991 Ruhestand. M.: Obm. d. ÖTC. H.: Wandern, Pfeiffenrauchen, Radfahren, Garten. (I.J.)

Naderer Christian

B.: Landesobm. d. Jungen ÖVP. DA.: 5020 Salzburg, Elisabethkai 58. PA.: 5412 Puch 440/6. G.: Tragwein, 11. Juni 1968. El.: Josef u. Maria, geb. Wiesinger. S.: 1978-86 Hum. Gymn. Stift Kremsmünster, 1986 Matura, 1986 Stud. Archäologie u. Alte Geschichte Univ. Sbg. K.: 1987 Selbstfinanzierung d. Stud. durch musikal. Engagements (Auftritte, Kompositionsaufträge, Studio), seit 1987 Mitarb. im Projekt "Archäologischer Park Carnuntum" d. NÖ Landesrg., 1988 Chefred. d. "Amadeo"-Magazins d. JVP-Landesltg. Sbg., 1988 Einstieg in Sbg. Werbeagentur als freier Mitarb. f. Konzeption, Text, Desktop-Publishing, 1989-91 Presse- u. Öffentlichkeitsarb. d. Sbg. ÖVP-Landtagsklubs, ab 1991 Aufbau d. polit. Zeitschrift "Einblicke", 1991 Wahl z. Landesobm. d. JVP Sbg. E.: 1990 Österr. Staatspreis f. journalist. Leistungen im Interesse d. Jugend. M.: Junge ÖVP, K.Ö.H.V. Rupertina, Altkremsmünsterer Ver., Knappenkapelle Kamig-Kriechbaum. H.: Musik (Saxophon). (M.S.)

Nadler Werner

B.: Gschf. FN.: Backwarenvertriebs GmbH. PA.: 4600 Wels-Thalheim, Kirchmairstr. 4. G.: Thaur, 26. Aug. 1934. V.: Ingrid, geb. Hochenegger. Ki.: Michael, Maria, Andreas. El.: Wilhelm u. Luise. S.: HAK, 2 J. Auslandstätigkeit als Volontär in d. Fettbranche. K.: ab 1957 Olea Öl u. Fettwerke Innsbruck, 1959 Verkaufsltg., 1962 Einzelprokura, ab 1967 Gschf. d. Ver. Fettwarenind. Josef Estermann GmbH Wels, 1971 Gschf. d. Ver. Fettwarenind. GmbH Wels, 1975 selbst. gschf. Ges. d. NAMAG Nahrungsmittel Marketing u. Vertriebs GmbH Wien, seit 1983 Prok. u. dann Gschf. d. Backwarenvertriebs GmbH.

Nadlinger Michael

B.: Gschf. Ges. FN.: Nadlinger GmbH. DA.: 3106 St. Pölten, Porschestr. 10. G.: Tulln, 14. Feb. 1963. V.: Elisabeth, geb. Binder. Ki.: Marlies (1984), Florian (1987), Sophie (1993). El.: Horst u. Sieglinde. S.: Gymn., HTL-Maschinenbau St. Pölten, 1983 Matura. K.: Präsenzdienst, 1984-86 Verkäufer b. Porsche-Konzern i. Wien, 1986 Grdg. d. eigenen Betriebes gem. m. d. Vater, ab 1992 gschf. Ges. H.: Familie, Segeln. (I.J.)

Nadschläger Erwin Dipl.-Ing. Hofrat

B.: Hofrat. FN.: Amt d. OÖ Landesregierung. DA.: 4010 Linz, Stockhofstr. 40. PA.: 4100 Ottensheim, Stifterstr. 22. G.: Niederkappl, 1. Mai 1947. V.: Margarete geb. Ecker. Ki.: Elmar (1977), Astrid (1978). El.: Johann u. Maria. S.: VS, Gymn., 1965 Matura, HS Wien, Techn. Physik, 1972 Dipl.-Ing. K.: Amt d. OÖ Landesreg., Straßenbau. Bundesstraßenverw., Funkwesen, Projektierung, Planung, Baukontrolle, 1975 Umweltschutzgruppe Luftreinhaltung, Lärm- u. Strahlenschutz, 1976 Luftmeßnetz ausgebaut, 1980 Smog-Alarmplan , Sachverständiger f. Strahlenschutz, Überprüf. aller Krankenhäuser, Zahnärzte, 1986 Sachverständiger i. Krisenstab v. Tschernobyl, 1986 Amtssachverständigen-Dienst Luft, Lärm, Strahlenschutz, 1990 Ltr. d. Abt. Lärm-, Strahlenschutz, Bauphysik, s. 1975 Unterricht i. Wifi u. VHS f. alle Umweltschutzbereiche. P.: viele Interviews i. Medien a. zust. Experte i. Landesbereich f. Immisionsschutz, 4 Bände Automatisches Luftüberprüfungsnetz f. OÖ, int. Fachzeitschriften f. Physik. M.: i. d. Gem.-Politik tätig, Sportver. H.: Sport, Tennis, Videofilme. (N.A.)

Naegele Jolyon A.

B.: Bürochef v. Voice of America. DA.: 1190 Wien, Gunoldstr. 4. PA.: 1010 Wien, Stallburgg. 2. G.: New York, 19. Apr. 1955. El.: Thomas u. Rosemary. S.: City College of New York, 1976 BA, 1978 MA, School of Advanced Intern. Studies of John Hopkins-Univ. Washington. K.: 1979-80 American Intern. Group New York, 1980-84 Business Intern. in Wien, seit 1984 Korrespondent f. Osteuropa v. Voice of America. (P.R.)

Nagel Franz

B.: Dir. FN.: Musikschule St. Valentin. DA.: 4300 St. Valentin, Im Schubertviertel 34. PA.: 3300 Amstetten, Stefan-Fadinger-Pl. 26/IV/2. G.: Aschbach, 22. Apr. 1934. V.: Anna, geb. Schlögelhofer. Ki.: Silvia (1955), Alexander (1974), Roland (1976). El.: Johanna u. Ferdinand. S.: stammt aus musikal. aktiver Familie, m. 6J. Klavier im Kloster gelernt; Lehre in Aschbacher Molkerei. K.: ab 1948 als Musiker tätig, 1969 Lehrgang C (Musikpäd.,

Dirig., Klavier, Akkordeon, Blockflöte) an d. Musikakad. Wien, 1970 ÖGB-Prüf. f. Musikpäd., Aufbau d. Musikschule in St. Valentin u. Grdg. e. Schüler-Orch. u. -Ensembles, s. 1956 nebenbei Privatlehrer f. Akkordeon; 1971 Wahl z. Musikbeirat in Wien, Bez.-Ltr. v. Harmonikaverb., 1974/81 Grdg. e. Big Band (Akkordeon- u. Streichorch.); bürgerl. Laufb.: ab 1951 ang. Facharb., ab 1966 Meisterpos. P.: Trauermesse u. Friedenschoral, Stalingrad-Mese, Europa-Messe, Valentin-Marsch; viele öff. Konzerte im Rundfunk u. FS. E.: u.a. Dankschreiben v. Otto v. Habsburg, Gold. EZ d. Stadt St. Valentin, Silb. EZ HVÖ, Anerk.-Dipl. v. LHptm. Maurer, Ehrenurk. 40J. ÖGB, zahlr. nat. u. intern. Ausz. H.: Schreiben aus dem Leben.

Nagel Walter

B.: Bankkfm., Geschäftsstellenltr. FN.: P.S.K. Leasing GmbH. DA.: 6850 Dornbirn, Mozartstr. 3. PA.: 6971 Hard, Rebeng. 36. G.: Hard, 14. Jan. 1954. V.: Birgit, geb. Brändle. Ki.: Cindy (1977), Jennifer (1984). El.: Albert u. Margarethe. S.: HAK Bregenz, 1971 Abschluß. K.: 1971-79 Bankbmtr. am Schalter u. später Hauptkassier Raika Hard, 1980-85 Filialltr. Sparkasse Bregenz, 1986 Grdg. P.S.K. Leasing GmbH, Geschäftsstelle Vorarlberg Geschäftsstellenltr., Aufbau d. Geschäftsstelle Vbg. M.: Präs. d. Motor- u. Segelclub Hard. H.: Musik, Gartenarb., Skifahren. (I.D.)

Nagele Günther Dr. iur.

B.: RA, Bgm. d. Bez.-Stadt Ried/Innkreis. DA.: 4910 Ried/Innkreis, Hauptpl. 12, 4910 Ried/Innkreis, Dietmarstr. 7. PA.: 4910 Ried im Innkreis, Erlenweg 5. G.: Mauerkirchen, 3. Dez. 1942. V.: Erika, geb. Brandstetter. Ki.: Michaela (1966). El.: Martin u. Maria. S.: 1963 Matura, Stud. Rechtswiss. HS f. Welthdl. Wien, 1968 Prom. K.: Gerichtspraxis Bez.-Gericht Braunau u. LG Sbg., Konzipient in RA-Kzl. Ried, seit 1976 eigene Kzl.-Eröff., seit 1991 Bgm. v. Ried. M.: ARBÖ Vertragsanw. H.: Rennradfahren, Bergwandern. (E.Hö.)

Nagele Peter Dr. jus.

B.: Filialleiter. FN.: Bank Austria AG. DA.: 5700 Zell/See, Postpl. 1. PA.: 6330 Kufstein, Zeller Burgstr. 27. G.: Kufstein, 13. Juni 1961. El.: Helmut u. Waltraud. S.: VS, BRG, 1980 Matura, jus. Stud. a. d. Uni Innsbruck, 1987 Prom., Dr. jus. 1986-87 Gerichtsjahr. K.: 1988 i. d. Zentralsparkasse Innsbruck eingetreten, ab 1989 i. Filiale Kufstein, 1994 Filialltr-.Zweigstelle Zell/SeeE.: zahlr. sportl. E. nach 17 J. Wettkampfsport, Faustball 2. Bundesliga. M.: Obm. Sportverein Söll, Embria Kufstein. H.: Sport, Spazierengehen.. (J.F.)

Nagele Markus

B.: Gschf. Restaurant Ambrosius-Stube. DA.: 6764 Lech 229. PA.: 6863 Egg, Großdorf 9. G.: Bregenz, 16. Juni 1969. El.: Jodok u. Marlies. S.: Hotelfachschule Villa Blanka Innsbruck, 1986 Abschluß, 1988 Konzessionsprüf., Jüngster Gastronom Österr. K.: 1 Saison in Frankreich, 1987 Mehlsachbar Großdorf, 1988 Gschf. Ambrosius-Stube Lech. M.: Junges Gastgewerbe Vbg., Gourmetclub, Männerchor Egg. H.: Skifahren, Segeln, Singen.

Nägeli-Dupont Cindy

B.: Inhaberin. FN.: Nägelidupont WerbegesmbH. DA.: 1070 Wien, Seidengasse 30. G.: Johannesburg, 29. Mai 1959. V.: Ralf Nägeli. Ki.: Michelle 1993. El.: Christoph, Hilda. BV.: Großväterlicherseits Adeliger Abstammung Franfr. Politisch u. geschäftlich bekannt in Swaziland. S.: 1976 Matura, Mhabane/Swaziland. K.: 1980 eine Weltreise, 1980-81 Italien als Freisch. Graphikerin, 1981-83 Swaziland TV-Redakteurin u. Nachrichtenansagerin, 1983-84 Holland Amsterdam, Marketing u. PR Agentur, 1984-86 England/Markteing u. Werbung, 1986-88 Sun City/Südafrika., PR u. Marketing, 1988-89 Österr. /Afrika, Werbung PR u. Marketing, 1989 Grdg d. GesmbH. BL.: 1. Platz b. Jugend Weltmeistersch. i. Wandzeichnen Swaziland. H.: Schwimmen, Squash, Reiten, Golf. (M.A.)

Nagiller Rudolf Dr. rer. oec.

B.: Int. d. LStudio Tir. DA.: 6020 Innsbruck, Rennweg 14. PA.: 6020 Innsbruck, Anton-Rauch-Str. 8b. G.: Untermettingen/BRD, 15. März 1943. V.: Brigitte, geb. Milosev. Ki.: Bernhard. S.: Gymn. in Landeck, HAK Bregenz, Matura 1962, Stud. in Innsbruck, Prom. 1967. K.: Versch. journalist. Gehversuche, seit 1968 Tätigkeit f. ORF (beg. in Dornbirn), 1970 nach Wien z. ZIB, 1974 Inlandschef d. ZIB, 1979 Radiochefred. in Wien, 1984 Fernsehchefred., seit 1986 als Int. b. LStudio Tir., dan. noch fallweise CLUB 2 Moderation. E.: 1982 Renner-Preis u. d. Gold. Mikrophon v. "Hör zu" f. "Im Journal zu Gast". M.: Journalistengewerkschaft, Rotary Club, Bruderschaft St. Christoph/A. H.: In 1. Linie d. Beruf, Lesen, Faulenzen, Wandern, Radfahren, Skifahren. (H.T.)

Nagl Franz Xaver Dr. techn. Dipl.-Ing.

B.: Raumplaner, Immobilienentwickler. FN.: Realitätenbüro Ferdinand Reiter GmbH. DA.: 5020 Salzburg, Franz-Josef-Str. 12. G.: Vöcklabruck, 4. Mai 1954. El.: Franz Xaver u. Marianne. BV.: Großvater Adolf Seiringer verantwortl. f. Fremdenverkehrsinitiativen im Salzkammergut, Großcousin Dr. Strasser zahlr. Auslandsaufenthalte als Österr. Arzt z.B. in Burma u. auch Teilen Asiens. S.: VS u. HS St. Georgen/Attergau, BRG Vöcklabruck, 1973 Matura, 1974-76 Musikstud. Mozarteum (Klavier, Posaune), Lehramtstud.

Univ. Sbg. (Geographie u. Geschichte), 1976-80 Stud. Raumplanung u. -ordnung TU Wien, 1980 Spons. K.: 1980-81 Mitarb. an d. Arbeitsgruppe Raumplanung Sbg., 1981-82 Vertragsass. am Inst. f. Städtebau, Raumplanung u.-ordnung TU Wien, Studentenausbild. Magistrat Sbg., 1983-87 Sbg. Stadtplanungsressortsekr. b. Str. Voggenhuber, 1985 Ziviltechnikerprüf. Sbg., 1989 Prom., seit 1988 Geschäftsltg. d. Realitätenbüros Ferdinand Reiter GmbH. P.: div. Fachart. über Raum-Städteplanung, zahlr. Fachvorträge. M.: Mtgl. mehrerer Kunstver. H.: Fernreisen, Musizieren, Kunstausstell., Arch., Autos. (U.E.)

Nagl Fritz Dipl.-Ing. HofR.

B.: Ltr. d. Arbeitsinspektorates Linz. DA.: 4010 Linz, Hauptpl. 8. PA.: 4060 Leonding, Ederackerstr. 5. G.: Wels, 4. Sept. 1940. V.: Brigitte, geb. Vagacs. Ki.: Fritz (1968), Michael (1972). El.: Fritz u. Mathilde. S.: Stiftsgymn. Kremsmünster, 1958 Matura, Beginn d. Goldschmiedelehre, 1959-66 Stud. an d. Montanist. Univ. Leoben m. Unterbrechung, mehrere Auslandseinsätze u.a. Ägypten u. Argentinien, 1966 Dipl., nach d. Stud. Fortsetzung u. Abschluß d. Goldschmiedelehre. K.: 1968-71 Arbeitsinspektorat Graz, ab 1972 Linz m. Schwerpunkt Ind., seit 19-87 stellv. Ltr., ab 1988 Ltr. d. Amtes. E.: Silb. EZ d. Landes OÖ, Gold. EZ d. Rep. Österr. H.: Fußball, Segeln. (P.R.)

Nagl Herta Luise

B.: Friseurmstr. FN.: Haartotal Herta Nagl. DA.: 4861 Schörfling, Agerstr. 30. PA.: 4812 Pinsdorf, Preinsdorf 22. G.: Ohlsdorf, 7. Sep. 1962. V.: Johann Nagl. El.: Konrad u. Elisabeth Oberkofler. S.: VS, HS, Friseurlehre b. Pühringer in Gmunden, 1981 Abschluß. K.: Tätigkeit in Filiale Vöcklabruck b. Friseur Pühringer, 1990 Mstr.-Prüf., Kauf eines Geschäftes in Seewalchen, 1992 parallel Friseurgeschäft in Schörfling dazugekommen, 1993 Geschäft in Seewalchen verkauft. H.: Hund, Haushalt, Musik. (J.L.)

Nagl Karl-Heinz Ing.

B.: Bmstr. DA. u. PA.: 1030 Wien, Gärtnerg. 4/13. G.: Melk, 2. Juli 1944. Ki.: Markus, Johannes, Lukas, Barbara. El.: Karl u. Emma, geb. Reichl. S.: Zimmererlehre im väterl. Betrieb, Mstr.-Schule Holzbau, HTL Hochbau, Arch.-Stud. Ak. d. Bild. Künste b. Prof. Roland Rainer (unvollendet), Zimmermstr.-Prüf., Bmstr.-Prüf. K.: 15 J. in versch. Arch.-Büros, ab 1981 selbst. m. Schwerpunkt Hochbauten (Planung u. örtl. Baultg.). H.: Bergsteigen, Motorradfahren. (N.A.)

Nagl Siegfried Mag.

B.: Gschf. Ges. FN.: J. K. Klammerth, Josef Hahn's Erben KG. DA.: 8010 Graz, Herreng. 7-9. PA.: 8010 Graz, Uhlandg. 14. G.: Graz, 18. Apr. 1963. V.: Andrea, geb. Simonic. Ki.: Sandra (1982), Martina (1983), Katharina (1989). El.: Siegfried u. Maria. S.: VS, Gymn., HAK, 1982 Matura, BWL-Stud. Graz, 1988 Mag. K.: seit 1988 tätig b. Firma Klammerth, seit 1992 Übernahme als Gschf. Ges., 1989-91 Umbau, Haus f. Tischkultur, Glas, Porzellan, Silber, Küche u. Geschenksbereich, seit 1992 auch Gastronomiebedarf in Graz. M.: Oberlandler z'Graz. H.: Pferde, Springreiten, Sport, Lesen, Familie. (I.G.)

Nagl-Docekal Herta Univ.-Prof. Dr.

B.: Univ.-Prof. am Inst. f. Philosophie Univ. Wien. DA.: 1010 Wien, Universitätsstr. 7. PA.: 1190 Wien, Weimarerstr. 82. G.: Wels, 29. Mai 1944. V.: Prof. Ludwig Nagl. El.: Friedrich u. Anna. S.: 1962 Matura, 1962-67 Stud. Geschichte, Philosophie u. German. Univ. Wien, 1967 Prom. auspiciis praesidentis. K.: 1968-85 Univ.-Ass. Inst. f. Phil. Univ. Wien, 1974-85 Lehrbeauftr. Geisteswiss. Fakult. Univ. Wien, 1980 Adjunct Prof. Depart. of Phil. Millersville Univ. Lancaster Pennsylvania, 1981 Habil., 1985 a.o. Prof., 1990 Ltg. d. Intern. Symposions zur Feminist. Philosophie "Denken d. Geschlechterdifferenz" im Rahmen d. Jubil. "625 Jahre Univ. Wien", 1990/91 Gastprof. Utrecht, 1991-92 Prof. Vertretung Frankfurt/M., 1993 Prof. Vertreter Konstanz. P.: 1982 "Die Objektivität d. Geschichtswiss.", 1987 "Tod d. Subjekts", 1990 "Fem. Philosophie", 1993 "Jenseits d. Geschlechtermoral", Mithrsg. Dt. Zeitschrift f. Phil. E.: 1983 Förderungspreis d. Stadt Wien f. Wiss. M.: s. 1989 Vorst.-Mtgl. d. Intern. Assoz. v. Philosophinen, s. 1990 Grdg.-Mtgl. d. Arb.-Gruppe "Philosophische Frauenforschung", Inst. f. Phil. Univ. Wien, s. 1982 Mtgl. d. interdiszipl. Arb.-Gruppe "Frauengeschichte" am Inst. f. Geschichte Univ. Wien, 1994 Vorst.-Mtgl. Allgem. Ges. f. Phil. in Dtl. H.: Phil. (M.D.-H.)

Naglreiter Hans

B.: Bäckermstr. FN.: Bäckerei u. Cafe-Konditorei Naglreiter; Naglreiter's Backshop. DA.: 7100 Neusiedl/See, Untere Hauptstr. 48; Hauptpl. 13. PA.: Gols, Obere Hauptstr. 19. G.: Agsdorf/Kärnten, 9. Okt. 1950. V.: Emmi, geb. Herzof. Ki.: Hans-Martin (1979), Judith (1973). El.: Franz u. Maria, geb. Grohschädl. S.: Bäckerlehre, Bäckermstr., 1965-68 Beruf d. Bäckers in Bäckerei d. Onkels erlernt. K.: 1969-71 in versch. Bäckereibetrieben gearb., 1971-89 Bäckerei Frischmann Neusiedl/See, 1989 n. 18 J. Tätigk. Betrieb gepachtet, Selbst., Betrieb vergrößert, Belieferung im ges. Seewinkels, Brot u. Gebäck, 1993 Eröff. Naglreiter's Backshop Neusiedl, 1994 Eröff. Großbäckerei Gols. E.: mehrere 1. Preise b. Int. Brottwettbew., mehr. Goldmed. b. europ. Brotwettbewerb Wels 1992, 1992 Landessieger. M.: Gem.-Vorst., Kammerfunktionär. H.: Skifahren, (3 x Landesmstr. i. Kärnten), Beruf. (F.S.)

Nagy Eva

B.: ak. Malerin. DA. u. PA.: 1080 Wien, Laudong. 30/21. G.: Aiud/Rumänien, 14. Nov. 1921. Ki.: Szabolcs. S.: Mittelschule in Rumänien, Stud. Ak. d. bild. Künste, Dipl. in Budapest, Flucht nach Wien, 1957-60 Stud. Ak. d. Bild. Künste Wien. K.: freischaff. Künstlerin m. Schwerpunkt phantastisch-abstrakte Malerei, 1. Ausstellung: Galerie Ernst Fuchs (1964), weitere Ausstellungen in Wien u. Bgld., Karlsruhe/BRD, CIAC/Paris u. Metropol Galerie/Genf, Budapest 1990, Barcelona 1992. E.: Fuger-Preis, Cavaliere delle Arti, Diplima di Distinzione, Ehrenmtgl. d. Instituto d'arte contemporanea di Milano, The National Board of Advisors, The American Biograph. Inst., The Intern. Who's Who of Intellectuals Cambridge 1984, Accad. Beriacenxe Calvatone Cr./Italien (Cavaliere delle Arti 1986), Diploma d'onnore ordine intern. dei volontari per la pace 1983, Nomina di Accad. con medaglia d'oro Salsomagiore Ternec 1979, The Institutional Register of Profiles Intern. Biograph. Centre Cambridge 1981, Universal Intelligence Data Bank of America Proposed for the Special Award of an Honorary Doctorate On the Occasion of the 500th Anniversary of Discovery of America. (P.R.)

Nagy Ferenc Dr. med. MedR.
B.: Prakt. Arzt. A.: 1210 Wien, Oswald-Redlich-Str. 25/4 u. 5. G.: Budapest, 2. März 1934. V.: Herdis, geb. Kastberg. Ki.: Christine (1967). El.: Ferenc u. Ilona. S.: Univ. Wien, Prom. z. Dr. med. 1966. K.: Matura in Budapest, dann Sanitätsdienst im ungar. Heer, Flucht nach Österr. 1956. Rockefeller Stipendium f. Med.Stud. Seit 1970 Inh. einer d. größten Praxen d. BHpt.Stadt. F.: Dentica Zahntechn. Labor OHG. P.: Philatelistische Forschungsarbeiten in d. Weltausstellungskatalogen Praga 1978 u. Wipa 1981. Postgeschichtliche Vorträge in Budapest, Wien u. London. Mehrere Rundfunksendungen über antike Numismatik im ORF. Mehrere Fachartikeln in vielen europ. philatelistischen Zeitschriften über post- u. wirtschaftsgeschichtl. Forschungsarbeiten. E.: Silb. Verd.Kreuz d. Malteser Ritterordens. M.: The Royal Philatelic Society of London, Ges. d. Musikfreunde in Wien. H.: klass. Philatelie, antike Numismatik.

Nagy Johann
B.: Lebzelter u. Wachszieher. FN.: "Wachsstüberl" Johann Nagy. DA.: 5020 Salzburg, Linzer G. 32. PA.: 5020 Salzburg, Linzer G. 32/4. G.: Salzburg, 27. Feb. 1949. V.: Helga, geb. Reiter. Ki.: Johannes (1976), Alexander (1977), Florian (1978). El.: Johann u. Margot. BV.: 1879 Auswanderer aus Ungarn, eigenes Familienwappen. S.: VS, HS, 1964-66 Kfm. Lehre Sbg., 1966-70 Lehre Lebzelter u. Wachszieher im elterl. Betrieb, 1968 Kfm. Gehilfenprüf., 1973 Mstr.-Prüf. Lebzelter u. Wachszieher. K.: 1974 Übernahme d. Betriebes, 1973 Grdg. d. Wachsstüberls. H.: Blumengarten, Pflanzen, Fernreisen. (S.P.)

Nagy Lehel
B.: Gschf. Ges. FN.: Prosperitas Werbeagentur GmbH. DA. u. PA.: 1010 Wien, Herreng. 6/7/7/15. G.: Budapest, 21. Mai 1927. V.: Hannelore, geb. Sterrenberg. El.: Oberst v. Nagy Lehel (Kdt. d. Kronenwache) u. Alice, geb. Gräfin Bolza. S.: Gymn., Stud. Rechtswiss. Univ. Budapest, HS-Lehrgang f. Werbung u. Verkauf. K.: 1956 Ndlg. in Österr., 1956-58 Vertreter d. Firma Haas & Czjzek Glas u. Porzellan, 1959-63 Tätigkeit im Verkauf b. IBM, 1961 Grdg. d. Werbeagentur Prosperitas. M.: St. Johannes Club. (N.A.)

Nagy Szabolcs Dipl.-Ing.

B.: Gschf. Ges. FN.: LEON Leading Engineering Office Nagy Planungsbüro GmbH. DA. u. PA.: 9020 Klagenfurt, 8.-Mai-Str. 47; H-1118 Budapest, Menta utca 6. G.: Budapest, 16. Mai 1943. V.: Annemarie, geb. Kovacs. Ki.: Christian Peter, Attila Gabor. S.: 1949-53 Grundschule, 1953-57 Gymn. Budapest, 1957-62 Höhere Techn. Ing.-Schule, Matura, Heeresdienst, Betriebsltr. in Unternehmen, 1965 Übersiedlung nach Deutschland u. 1965-68 Stud. Maschinenbau u. Statik, Abschluß. K.: Tätigkeit in d. Privatwirtschaft als Planungsing. Projektant in Deutschland, 1974 Übersiedlung nach Klagenfurt u. OIng. in einer Ing.-Ges., 1976 Firmengrdg. u. seit 1981 selbst. BL.: seit 1991 Prüfer f. techn. Ing.-Büros im Auftrag d. Landes Ktn. E.: 1993 bester Exporteur Österr., 1993 47. unter d. Top-1000-Jungunternehmern Österr. M.: VDI, Ing.-Ver. Österr., Ver. ZELLCHEMING Deutschland, ÖZEPA. H.: Reisen, Garten. (G.L.)

Nagy Leopold sen. KommR.
B.: Kompl., Gschf. Ges. i.R. FN.: Huthaus Nagy KG. DA.: 1160 Wien, Thaliastr. 36. PA.: 1160 Wien, Liebhartg. 50. G.: Wien, 14. Juli 1925. V.: Margarete, geb. Etzelsdorfer. Ki.: Leopold, Marina. El.: Leopold u. Josefine. S.: Mittelschule u. Berufsschule f. Hutmacher. K.: 1942-45 Dt. Wehrmacht, 1946 Rückkehr aus d. Gefangenschaft u. Eintritt in d. elterl. Fa. als Hutmachergeselle, 1949 Mstr.Prüf., Wiederaufbau d. beiden seit 1923 bestehenden Hutgeschäfte in 1160 Wien, Thaliastr. 36 u. 37, 1952 Übernahme d. Fa. nach Tod d. Vaters, 1958 Eröff. d. ersten Filiale in d. Nußdorferstraße, 1963 2. Filiale in d. Wollzeile 36, 1965 3. Filiale in d. Reinprechtsdorfer G. 69, 1967 Vergrößerung d. Filiale Wollzeile, 1970 4. Filiale Schottenfeldgasse, 1974 5. Filiale Am Spitz, 1972-85 Laienrichter. BL.: Ausstatter f. Film, Theater u. FS, sowie 2 x österr. Fußballnationalmannschaft. E.: 1985 KommR., 1985 Gr. Gold. Verdienstz. d. Landes Wien, 1986 Fa. erhielt Staatswappen. M.: 15 J. im Aussch. d. Hutmacherinnung, 1974-76 LJägermstr. Wien, 1974-76 Präs. d. Ver. "Grünes Kreuz". H.: Jagd. (A.W.)

Nahlik Helmut Dir.
B.: Vorst.Mtgl. FN.: Visa Service Kreditkarten AG. DA.: 1010 Wien, Wipplinger Str. 4. PA.: 1230 Wien, Fischingerg. 22. G.: Wien, 30. Mai 1948. V.: Lieselotte, geb. Böhm. Ki.: Gabriele, Nicole. El.: Alfred u. Else. S.: HASCH. K.: 1964 Eintritt in d. "Z" Zweigstellenbereich, 1973-84 Hpt.Anst. Abt. f. Zweigstellenkoordination, 1984 Abt.Ltr.Stellv., 1985 Grdg.Mtgl. d. Visa Service Kreditkarten AG. P.: div. Art. in Fachzeitschriften. H.: Tennis, Skifahren, Karten spielen. (A.W.)

Nahodil Rosa

B.: Unternehmerin, Mitinh. d. Modeboutique u. d. Boutique Cafeteria. GT.: BezR. d. ÖVP Wieden u. Obfrau-Stellv. im Bez. DA.: 1040 Wien, Klagbaumg. 3. PA.: 1040 Wien, Margaretenstr. 31. G.: Wien, 26. Apr. 1947. V.: Herbert Nahodil. Ki.: Andreas (1968). El.: Andreas u. Rosa, geb. Pfaffl. S.: VS, HS, Kfm. Lehre. K.: nach d. Lehre b. "Palmas" in versch. Positionen tätig, seit 1982 selbst., 1991 Beginn d. polit. Tätigkeit, Quereinsteigerin u. sofort BezR., 1994 Kandidatin z. NatR.-Wahl. M.: Wirtschaftsbund, Modaclub, Alpha-Club. H.: Sauna, Radfahren. (N.A.)

Nahrada Franz KommR.
B.: Hotelier d. Hotel Karolinenhof. GT.: Ltr. d. HK-Außenstelle Floridsdorf/Donaustadt. DA. u. PA.: 1210 Wien, Jedlerseer Str. 75. G.: Wien, 3. Jan. 1924. V.: Gertrude, geb. Schmidbauer. El.: Franz u. Adelheid. BV.: Großvater Franz Nahrada Firmengründer. S.: RG Hütteldorf, 1942 Matura. K.: Fliegerausbild., LKS 7 Pilot, 1945-46 Hotelfachschule, 1946-48 Stud. an WH, knapp v. Ende abgebrochen da Übernahme d. Betriebes erforderlich (1948), sukzessiver Aufbau d. Hotels, 1979 Espressozubau. E.: Silb. Kammermed. M.:

Vors. d. Prüf.Kmsn. Kellnerlehrlinge, Mtgl. d. Fachgruppe Gast- u. Schankbetriebe u. d. Beherbergungsbetriebe Wien. H.: Jagd. (Erh.)

Naier Inge

B.: Gschf., Kauffrau. FN.: Hegenbart & Co KG, Fotostudio 17. DA. u. PA.: 6700 Bludenz, Mühlg. 17. G.: Hohenems, 30. Juni 1950. V.: Günther Naier. Ki.: Brigitte (1970), Markus (1971), Sebastian (1979), Benjamin (1985). El.: Bruno u. Anni. S.: HASCH, 1969 Mstr.-Prüf. im Fotografengewerbe. K.: seit 1989 selbst., Spezialgebiet Portraitfotos. M.: Innung d. Fotografen. H.: Singen im Kirchenchor Bludenz, Familie, Skifahren, Radfahren, Lesen, Sprachen, Gedichte. (I.D.)

Nairz Joerg Mag.

B.: Architekt. DA.: 1040 Wien, Wiedner Hauptstr. 23-25. G.: Innsbruck, 26. Mai 1951. V.: Miyako. El.: Josef u. Martha, geb. Schauer. S.: 1970 Matura, Arch.-Stud. Finnland u. Ak. d. Bild. Künste Wien, 1981 Abschluß. K.: seit 1981 selbst., Führung d. Büros zusammen m. japan. Arch. Miyako Nairz, mehrere Aufenthalte in Ostasien, Realisierung v. zahlr. Projekten in Japan, 1984 Einrichtung d. 1. Kaffeehauses in Tokyo u. weiteren zwei Kaffeehäusern in Japan, 1992 Gestaltung d. Ausstellung "Glanz u. Aufstieg d. Hauses Habsburg" in Tokyo, Restaurierung "Cafe Sperl" Wien, "Wohnen u. Golf" in Wien, Süßenbrunn, Revitalisierung "Palais Trauttmansdorff" Graz, 1984-89 Red. d. Zeitung "architektur aktuell". E.: div. Wettbewerbserfolge. M.: Vorst.-Mtgl. d. Österr.-Japan. Ges. (N.A.)

Nake Helga

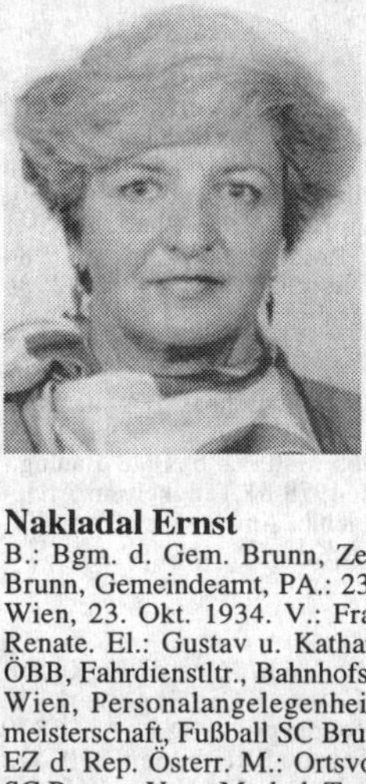

B.: Inhaberin FN.: "Edith Rihacek" Gesundheitsschuhe. FA.: 1030 Wien, Landstr. Hauptstr. 4. PA.: 1030 Wien, Erdbergerstr. 12-14. G.: Wien, 28.8.43. Ki.: Susanne. El.: Adoptivtochter von Edith Rihacek. S.: kaufmänn. Lehre bei rihacek Maßschuhe, Lehrabschluß 1960, v. 61-71 i.d. Textilbranche, 75 zurück i.d. Firma Rihacek, 89 Übernahme des Betriebes, ab 73 Titel "Gesundheitsschuhe". H.: Lesen, Wandern, Schwimmen, Schifahren.

Nakladal Ernst

B.: Bgm. d. Gem. Brunn, Zentralinsp. b. ÖBB. DA.: 2345 Brunn, Gemeindeamt, PA.: 2345 Brunn, Hamerlingg. 21. G.: Wien, 23. Okt. 1934. V.: Franziska, geb. Dimmel. Ki.: Dr. Renate. El.: Gustav u. Katharina. S.: VS, HS. K.: ab 1954 ÖBB, Fahrdienstltr., Bahnhofsvorst., Zentraldienst ÖBB Dion. Wien, Personalangelegenheiten. BL.: Tischtennis Staatsmeisterschaft, Fußball SC Brunn, Kampfmannschaft. E.: Silb. EZ d. Rep. Österr. M.: Ortsvors. d. SPÖ Brunn, im Vorst. d. SC Brunn, Vorst.Mtgl. d. Tennisclub Brunn, Mtgl. vieler örtl. Ver. H.: Kontakt m. Mitbürgern, Familie, Sport. (H.W.)

Nalis Heidemarie Dr. phil. Mag. rer. soc. eoc.

B.: Dir.; Ltr. FN.: Bundesbild. Anst. f. Kindergartenpädagogik; Tagstrukturzentren im PSD. DA.: 1100 Wien, Ettnreichga. 45c. PA.: 1232 Wien, Rossakg. 30. G.: Spital/Drau, 28. Mai 1950. V.: Dr. Mirko. Ki.: Irina (1980), Oliver (1983). El.: Josef u. Johanna Oberrauter, geb. Steiner. S.: VS, HS, BAKI, HS f. Musik u. Darst. Kunst-Lehrbefähigung u. Berufsreifeprüf., Stud. d. Sozial- u. Wirtschaftswiss. an Univ. Linz, 1979 Spon. 1988-90 Doktoratsstud. an d. Univ. f. Bildungswiss. in Klagenfurt. K.: 1968-72 Kindergärtnerin b. d. Gem. Wien, 1972-80 Lehrerin an d. Bildungsanst., 1980-84 Lehrerin an einer berufsbgleitenen Ausbild. zum Behindertenpädagog. u. Soziologin u. Rythmikerin in Behinderteneinrichtungen-Evang. Johanneswerk, Bielefeld, s. 1993 Dir. P.: s. 1972 laufende Tätigk. in d. Erwachsenenbild. M.: SLÖ, SPÖ-Wien. H.: Lesen, Reisen, Radfahren. (M.M.)

Nam Chao Ngok

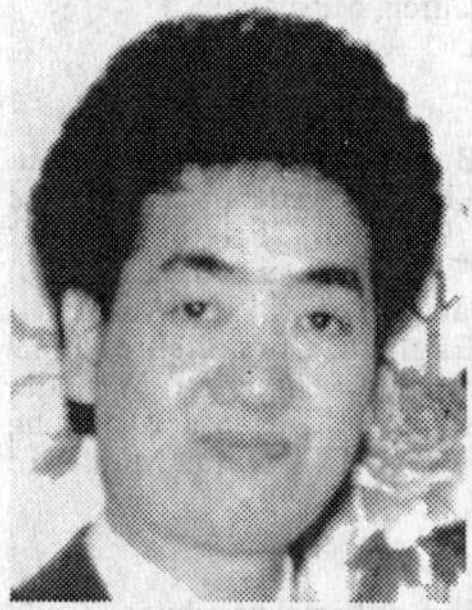

B.: Inh. FN.: China Rest. TSING TAO. DA.: 1150 Wien, Gerstner Str. 5. G.: Hongkong 26. Mai 1954. V.: My geb. Tu. Ki.: Barbara (1983), Stefan (1987), Margareth (1992). El.: Chao Yim u. Chang Lee. S.: Elementarschule i. Hongkong. K.: Koch-u.Kellnerlehre i. Hongkonk, 1980 i. Österr. Eröffn. e. Chinarest. i. Wien, 1989 2. Chinarest., 1. DIM-SUM Rest. i. Österr. E.: Bestes ausl. Lokal i. Gault Millau. H.: Tischtennis, Schwimmen, Musik. (J.M.)

Narobe Gerhard

B.: Bestatter. FN.: Bestattungen-Überführungen Narobe Tamsweg. DA./PA.: 5580 Tamsweg, Zinsg. 557. G.: Tamsweg, 8, März 1938. V.: Helga, geb. Schießl. Ki.: Renate (1962), Gerhard (1964). El.: Edmund u. Josefine. S.: VS, HS, 3 LJ Tischler m. Gesellenbrief 1955 abgeschlossen. K.: 1956 versch. handwerkl. Tät. ausgeübt, 1956-58 in Holland Eigelshofen als Bergmann tätig, b. 1960 als LKW Fahrer b. Baufirma tätig, ab 1960 zu Fa. Paar als LKW Fahrer, 1963-68 als Obers Fahrer in SBG tätig, s. 1968 elter. Bestattungsuntern. übernommen. E.: sportl. Vereine. M.: 8 J. Gemeindevertr. H.: Videofilme, Reisen, Motorboot. (J.F.)

Naschberger Helmut Dr. jur.

B.: Rechtsanw. FN.: Waldbauer - Paumgartner - Naschberger Partnerschaft. DA.: 6630 Kufstein, Josef Eggerstr. 3. V.: Martina, geb. Hetzenauer. Ki.: Helmut (1974), Heidi (1974). El.: Hermann u. Elisabeth. BV.: Großvater Johann war Bgm. v. Wildschönau. S.: VS, Gymn., 1965 Matura, Rechtswiss. Stud. 1971 Dr. jur. K.: 1971-74 b. Volksbank Kufstein tät., 1974-81 Gschf. d. HK i. Kufstein, 1981-85 RA Anwerter i. d. Kzl. Dr. Waldbauer u. Dr. Paumgartner i. Kufstein, 1985 Eintritt als Partner i. d. RA-Gemeinschaft, 1980-86 als StadtR. i. Kufstein tät., s. 1988 Bez.obm. d. ÖAMTC Tirol. H.: Aquaristik. (J.F.)

Naschitz Christian Viktor

B.: Gschf. Ges. FN.: Cosmos Incoming & Incentive Reisebüro GmbH. GT.: Ges. d. Tochterges. Cosotel, Hotelbetrieb- u. ManagementGmbH, Ges. d. BEWO Hotel BetriebsgesmbH., Ges. d. MIT Marketing Incentives & Tours. DA.: 1010 Wien, Kärntnerring 17. G.: Wien, 5. März 1948. Ki.: Marion, Clemens, Sabrina, Constantin. El.: Gen.-Konsul Hans u. Johanna. S.: Lycée Francais Wien, 1966 Stud. i. Kleßheim, 1984 Kurs Univ. Hawai, zahlr. Kurse. K.: 1966 Eintritt a. Ges.

Fa. Cosmos, 1967 Hapag-Lloyd Reisebüro Stuttgart, 1988 Ltg. d. Familienbetriebes Backhendl Kaasgraben, 1969 Tätigk. Reisebüro i. New York, 1970 i. eig. Betrieb, 1971 Mitbegrdr. v. Reiseveranstalter Meridian, 1975 Konzessionsprüfung f. Reisebürogewerbe, Prok., Ltr. d. Filiale ORF-Zentrum, 1982 Konzessionsprüfung f. Gastgewerbe, 1984 Gschf. d. Cosmos-Filialen UNO-City, 1987 Shopping City Süd, 1993 Gschf. Ges. CIS. M.: Managementclub d. ÖVP, Society of Incentive Travel Executives, Tennisclub Vienna. H.: Tennis, Segeln, Skilaufen, Musik. (F.S.)

Do Nascimento Sergio A.

B.: Gen.Manager. FN.: CMB Seefrachtvermittlungs u. Speditions GmbH. DA.: 1010 Wien, Schwedenpl. 2/8/74. G.: Brasilien, 1. Jan. 1957. Ki.: Patricia, Christopher. El.: Agostinho u. Marlene. S.: 1974 RG, Jurastud., Betriebswirtschaft u. Physik b. 1. Staatsprüf. K.: 1976 Auslandsaufenthalte Deutschland u. England, Sprachlehre, 1979 Wirtschaftsinformatik WU, Abschluß Lehrgang f. Welthdl., Lehrgang f. Welthdl. Univ. Brasilien, HSG Transportberatung u. Programmierung, seit 1977 Gschf. Agentur Mare. H.: EDV, Tennis. (J.E.)

Naske Ruth Dr

B.: OA am AKH Wien, Ltr. d. Inst. f. Erziehungshilfe (Child guidance clinics). DA.: 1090 Wien, Lazarettg. 14 u. 1190 Wien, Heiligenstädter Str. 82/14. PA.: 1010 Wien, Spiegelg. 21/18. G.: Wien, 24. März 1928. El.: Dipl.-Ing. Rudolf u. Dr. Maria, geb. Müller. S.: 1946 Matura in Wien, 1946-53 Med.-Stud. an d. Univ. Wien, 1953 Prom. z. Dr. med. univ. K.: 1954 Ausbild. z. FA f. Psychiatrie u. Neurologie an d. Univ.-Klinik Wien, später Zusatz-FA-Ausbild. f. Psychiatrie u. Neurol. d. Kindes- u. Jugendalters, Tätigk. an d. Psychiatr. Univ.-Klinik: Ass., OA, Wiss. Oberrat. BL.: Ausbau d. Inst. f. Erziehungshilfe, Durchführ. v. fallzentr. Supervisionsgruppen an Kinderinternen u. Kinderpsychosomat. Abt., Organ. u. Abhaltung v. kinderpsychiatr. Fachtagungen. P.: zahlr. Publ. in in- u. ausländ. Fachzeitschr. M.: zahlr. wiss. Vereinig., Vizepräs. d. Ges. f. psychische Hygiene in Wien. H.: Musik, darst. Kunst, Halbedelsteine, Reisen. (N.A.)

Nasko Siegfried Dr.

B.: Ltr. d. Abtl. f. Öffentlichkeitsarb. beim Magistrat St. Pölten. DA.: 3100 St. Pölten, Rathauspl. 1. G.: Graz, 22. März 1943. El.: Josef u. Antonia. S.: VS, HS, Berufss. f. Bäcker in Graz, Matura, Stud. Geschichte, German. u. Philos. Univ. Wien. K.: Mitarb. Stadtgem. St. Pölten Kulturverwalt., 1972 Mitarb. beim Bgm., Aufbau Pressewesen, 1981 Übern. d. neueröffn. Abtl. f. Öffentlichkeitsarb., Zeitgeschichte - Ausstell. in Pottenbrunn, Renner - Museum Gloggnitz, Arb.-Museum St. Pölten, s. 1984 GemR., s. 1991 StadtR. f. Schule u. Kultur. P.: 1982 Renner in Dok. u. Erinnerungen, 1986 In Boas dumpfen Träume, 1987 Lyrikband - Auf d. Suche nach Traba. M.: Obmannstellv. im Museumver. Pottenbrunn. H.: Kochen, Kino, Radfahren, Lesen. (J.M.)

Nasr Fayez Dr.

B.: FA f. Frauenheilkunde u. Geburtshilfe an d. 2. Frauenklinik d. AKH. DA.: 1110 Wien, Simmeringer Hauptstr. 93/2/5. PA.: 1232 Wien, Wettengelg. 1-13/87. G.: Jerusalem, 17. Apr. 1946. V.: Fatin. S.: 1964 Matura Kuwait, 1965-74 Stud. Med. Wien, 1974 Prom. K.: Turnusj. Oberwart u. Waidhofen/Thaya, 1977 Anästhesieausbild. AKH, 1979 Gynäkologie u. Geburtshilfe, 1984 eigene Ordination u. gleichzeitig seit 1977 AKH. P.: 1982-83 Publ. in med. Fachzeitschriften. E.: Pischingerpreis f. Akupunktur 1983. M.: Gynäkolog. Ges., Perinatologen, In Vitro Fertilisierung. H.: Schwimmen, Wandern. (Erz.)

Nastl Günter

B.: Weinbau- u. Kellermstr. FN.: Weinbau Günter Nastl. GT.: 5x im Jahr Heurigenausschank. DA. u. PA.: 3550 Langenlois, Gartenzeile 17. G.: Langenlois, 6. Juni 1959. S.: Weinbauschule Krem. K.: 1976 Eintritt in d. väterl. Betrieb, 1977 Gehilfenprüf., 1977 Übernahme d. Untern. als Betriebsleiter, reiner Weinbaubetrieb m. 6 ha Weingartenfläche, Vermarktung d. Weine ausschließl. im eigenen Betrieb, 1981 Mstr.Prüf., 5x im Jahr Heurigenausschank in mod. rustikalen Räumlichkeiten. E.: Goldmed. auf d. Kremser Weinmesse 1983, 1985 u. 1986, div. Silb. u. Bronz. Med. M.: Obm. im Weinbauver. Langenlois, Obm.-Stellv. im Tourismusver. H.: Volkstanz, Tennis, Skifahren, Langlaufen. (Kern)

Natich Franz MinR.

B.: Ltr. d. Abt. Protokollangelegenheiten im Bundesmin. f. wirtschaftl. Angelegenheiten. DA.: 1011 Wien, Stubenring 1. PA.: 1238 Wien, Corvinusg. 4/1/8. G.: Wien, 3. Okt. 1936. V.: Marianne, geb. Janda. Ki.: Mag. Dr. Wolfgang (1960), Christoph (1967). El.: Franz u. Katharina, geb. Kriner. S.: Realschule m. Matura 1954, 1981-82 Aufstiegskurs an d. Verw.-Ak. d. Bundes. K.: 1955 Eintritt in Bundesmin. f. Hdl. u. Wiederaufbau, 1964-72 Verw.-Bmtr. b. d. Österr. Mission b. d. Europ. Gemeinschaften in Brüssel, 1972-82 Ref. an d. Personalabt. im Bundesmin. f. Hdl., Gewerbe u. Ind., 1982-85 Ref. in d. Rechts- u. Protokollabt., 1985 Referatsltr. d. Ref. f. Protokoll- u. Repräsentationsangelegenheiten, seit 1987 Ltr. d. Abt. Pr/2 Allg. Präsidialangelegenheiten, Schwerpunkt Protokollangelegenheiten, ab 1988 MinR. E.: 1973 Silb. VZ d. Rep. Österr., 1991 Gr. EZ f. Verd. um d. Rep. Österr. H.: Wandern, Schwimmen. (N.A.)

Natmessnig Ingo Mag.

B.: Marketingltr. FN.: Steyr Automobil Vertriebs GmbH. DA.: 1120 Wien, Schönbrunner Str. 297. G.: Klagenfurt, 8. März 1955. S.: Gymn., HAK, Betriebswirtschaftsstud. in Graz, 1981 Mag. K.: Stud. Exchange Program: 1979 Detroit Fa. K-Mart, 1980 Singapur European Asian Bank, ab 1981 Fa. Procter & Gamble Wien: Produktmanagement, 1984 Eintritt Steyr Fiat als Ass. d. Geschäftsführung, seit 1986 Marketingltr. H.: Skifahren, Bergsteigen.

Natter Fritz Dipl.-Ing.

B.: selbst. Arch. GT.: seit 1989 HTL-Lehrer. DA. u. PA.: 6900 Bregenz, Rathausstr. 35a. G.: Hittisau, 27. Okt. 1946. El.: Walter u. Apollonia. S.: 1965 Matura, b. 1978 Bauing.-Wesen, Arch.-Stud. in Graz. K.: 1978-81 Tätigkeit im Arch.-Büro, seit 1982 selbst. M.: Segelclub, Ambassador Club, CV. H.: Segeln, Tennis, Skifahren. (A.K.)

Natter Rudolf Rupert

B.: Gschf. Ges. FN.: Rudlof Natter KG, Sägewerk u. Holzexport. DA.:A- 6870 Bezau, Ellenbogen 210. G.: Bregenz, 21. Nov. 1965. V.: Birgit, geb. Winder. Ki.: Stefanie (1993). El.: Rudolf u. Annelies. S.: HASCH, 4 J. Fachschule f. Holzwirtschaft u. Sägetechnik Kuchl, 1985 Abschluß, 1985/86 BH. K.: 1986 Eintritt in d. elterl. Betrieb Sägewerk u. Holzexport, seit 1988 Gschf. Ges. H.: Schifahren, Lesen. (I.D.)

Nauert Dierk
B.: Managing Dir. FN.: Dierk Nauert Import, Export u. Kunsthdl. DA.: 1010 Wien, Stallburgg. 2. PA.: 1060 Wien, Hirscheng. 6. G.: Tsingtau/China, 17. Juni 1942. V.: Sieglinde, geb. Weber. Ki.: Christoph, Isabel. S.: RG, 1963 Matura, Außenhdls.Ak. Hamburg, Ausbild. z. Außenhdls.Kfm. m. Abschluß d. HK Hamburg. K.: BH, Bankpraktikum in Berlin, Weberei-Praktikum in Kirchheim/Teck, Bettfedernind. in Soltau b. Hannover, BH Res.Offz., Abschluß als Res.Offz., 1968-70 Fa. C. Melchers Bremen/Honkong Abt.Ltr. f. China, 1970 selbst. als Außenhdls.Fa., spezialisiert auf d. Fernosthdl., heute d. führende Antiquitätengeschäft in Österr. f. Asiatica, Exportvertretung in d. VR-China d. Austria Metall AG, Gebr. Teich, etc., Import aus d. VR-China v. Rohstoffen (Bettfedern, Därme, Gewürze, Trockenfrüchte, Trockengemüse). M.: Aussch.Mtgl. BGremium d. Außenhdls., Aussch.Mtgl. LGremium in Wien f. Hdl. H.: Biolog. Ldw., Fernreisen. (C.K.)

Nausner Helmut
B.: Superint. d. Methodistenkirche in Österr. DA. u. PA.: 1100 Wien, Landgutg. 39/8. G.: Srednie Siolo/Weißrußland, 24. März 1935. V.: Ingegerd, geb. Risberg. Ki.: Thomas (1962), Michael (1965), Andreas (1967), Annika (1969). El.: Ernst u. Erna, geb. Hess. S.: VS in Königsberg/Pr., 1 J. Kremsmünster, Mittelschule Linz, 1955 Matura, Stud. in Wien u. Frankfurt, 1959 Abschluß d. theol. Stud. K.: anschl. Arb. als Pfarrer in Wien, St. Pölten u. Linz, seit 1982 Superint. d. Methodistenkirche in Österr. P.: div. Art. in kirchl. Zeitschriften, engl. u. dt. M.: Vors. d. theol. Kmsn. d. Diözese v. Mittel- u. Südeuropa, freier Mitarb. d. ORF seit 1968, spezialisiert auf religiöse Belange, Sekr. d. Ökumen. Rates d. Kirchen, einer d. 2 Vors. d. gemeinsamen Arge Österr. Bischofskonferenz, ÖkR. d. Kirchen Österr., z. Begleitung d. Konferenz f. Sicherheit u. Zusammenarb. in Europa (KSZE), 3. Nachfolgekonferenz nach d. Abkommen v. Helsinki. H.: Literatur. (G.E.)

Nausner Liselotte Mag. theol.
B.: Psychotherapeutin, Ges. d. Buchladens "Dradiwaberl". DA. u. PA.: 8010 Graz, Naglerg. 36. G.: Linz, 22. März 1953. V.: Peter Nausner. Ki.: Esther (1982), Olivia (1988). El.: Alfred u. Katharina Reiter. S.: VS, Gymn., 1971 Matura, Päd. Ak., 1973 Lehramtsprüf., Theol.-Stud. Graz, 1978 Spons. z. Mag. theol. K.: Praktikum in Graz, Sozialref. d. KHG in Graz, Psychotherapeut. Ausbild., 1981 Grdg. d. Frauenbuchhdlg. "Dradiwaberl" in Graz, 1983 Buchhändlerprüf., 1983 Eröff. einer 2. Buchhdlg., 1985 Eröff. einer Buchhdlg. f. Technik u. EDV-Literatur, b. 1988 Tätigkeit im Buchladen, parallel dazu Aufbau d. Psychotherapeut. Praxis, Grad. z. Gestalttherapeutin im ÖAGG 1988, 1988 Rückzug aus d. aktiven Mitarb. in d. Buchläden, z.Zt. Psychotherapeutin m. priv. Praxis. P.: "Zweitgeborene d. Schöpfung", versch. Art. in d. Fachliteratur. M.: ÖAGG, Österr. Bundesverb. f. Psychotherapeuten, Österr. Verb. f. Pastoralpsych., Grazer Fraueninitiative, Ver. "Auto teilen Österreich". H.: Pflanzen, Literatur, Tennis, Skifahren, Reisen, Musik. (M.Gr.)

Nausner Wilhelm
B.: Rektor d. Servitas (Hilfswerk d. Methodistenkirche in Österr.), Eigentumsverw. d. Methodistenkirche Österr. DA.: 4020 Linz, Figulystr. 32. PA.: 4030 Linz, Panholzerweg 11. G.: Rußland, 17. März 1931. V.: Helene, geb. Armeanu. Ki.: Wilfried (1953), Günther (1954), Gudrun (1955), Enst (1957), Uwe (1958), Arthur (1959), Rosmarie (1966). El.: Ernst u. Erna. S.: VS Rußland, Gymn. Königsberg-Ostpreußen. K.: Tätigkeit Graph. Gewerbe Firma Perutz München u. Firma Kalle Wiesbaden, 1956-68 Ang. b. Flüchtlingsdienst d. Ökomän. Rats d. Kirchen, seit 1968 Ltg. d. Servitas. P.: Veröff. in versch. Fachzeitschriften, lfd. Artikelveröff., Beiträge im TV u. Radio. M.: Kirchenvorst. d. Methodistenkirche in Österr., Ltg.-Gremium d. Konferenz Europ. Kirchen, Sekr. d. Zentralkonferenz d. Ev. Methodistenkirche f. Mittel- u. Südeuropa, Ltg.-Gremium d. Diakon. Werkes f. Österr., Dachverb. d. Sozialwerke, Vorst. Kuratorium Zentrum Spattstraße. H.: Lesen (Fachliteratur), Beruf. (U.E.)

Nauta Arnold Dr. HofR.
B.: Ltr. d. Oberstaatsanwaltschaft Graz. DA.: 8010 Graz, Marburger Kai 49. (Biographie folgt im Loseblattsystem)

Navratil Albert F.
B.: Ak. geprüfter Werbekons., gerichtl. beeid. Sachv., Inh. FN.: Werbeagentur Albert F. Navratil. DA.: 5023 Salzburg, Hannakstr. 1/III. PA.: 5020 Salzburg, Winkelg. 7. G.: Wien, 26. Juli 1938. El.: Rudolf u. Marianne. S.: 1956 Matura, HS f. Werbung u. Verkauf an d. WU Wien. K.: gleichzeitig in d. Marktforsch.-Abt. "INFO" d. Österr. Unilever u. Lintas, 1963 Werbeltr. Austro Hahn Sbg., 1969 Gschf. Industrie Team, seit 1977 selbst., Ref. am WIFI Sbg., Ausbild. d. Werbeberater u. Werbemittler, Vortragender an d. Wirtschafts- u. Fremdsprachenak. Sbg., gelegentl. Lehrbeauftragter f. Werbepraxis an d. Univ. Sbg., Fachgruppenvorst. d. Fachgruppe Werbung u. Marktkommunikation. P.: Fachbeiträge über Werbung u. Marketing in Wirtschaftszeitungen. M.: Kiwanis-Club Sbg.-Rupertus. H.: Basteln, Tischlern, Lesen, Musik, Fotografieren, Schreiben. (M.S.)

Navratil Johann Dr. med. Dr. Univ.-Prof.
B.: Dir. d. Boltzmann Inst. f. Herzchir. Forsch. u. ehem. Vorst. d. 2. Herzchir. Univ.Klinik Wien. DA.: 1090 Wien, Spitalg. 23. PA.: 1190 Wien, Krottenbachstr. 110. G.: Melk, 26. Jan. 1909. V.: Vera, geb. Afrat. Ki.: Ing. Johann, Dr. Johanna. El.: Vladimir u. Marianne. S.: Med.Stud. in Brünn, 1934 Dr. med., 1946 Habil. K.: 1934 Chir. Univ.Klinik Brünn, 5 J. Ltr. d. Neurochir. Abt., 1953 Ernennung z. o.Prof. f. Chir. u. z. Ltr. d. Chir. Univ.Klinik Brünn, Eröff. eines Zentrums f. Herzchir., 1967 Berufung nach Wien als Vorst. d. II. Chir. Univ.Klinik u. Ltg. derselben b. z. Emeritierung 1981, Grdg. einer experimentell-chir. Abt. m. einem mech., elektron. u. tierexperimentellen Labor, Beschäftigung m. d. Entwicklung u. Bau v. elektron. Geräten, Blutpumpen, m. d. Problemen d. assistierten Kreislaufunterstützung u. d. künstl. Herzens, 1969 erstmalige Einsetzung d. interaortalen Ballonpumpe in Europa u. 1976 eines künstl. Ventrikel z. Unterstützung d. linken Herzens. BL.: Aufbau d. Herzchir. in d. Tschechoslowakei u. in Wien, experminetelle Forsch. über d. Kunstherz u. Entwicklung d. künstl. Herzens. P.: ca. 300 wiss. Art. in Med. Zeitschriften, 3 Bücher über Herzchir. E.: Gr. Gold. EZ f. Verd. um d. Rep. Österr., Ehrenmtgl. d. Stadt Wien, Orden d. Rep. M.: Dt. Ak. d. Wiss. "LEOPOLDINA", Tschech. Ak. d. Wiss., Österr. Ak. d. Wiss., Mtgl. zahlr. med.-wiss. Ges. H.: Computerwiss., Applikation d. Computers f. experimentelle Zwecke. (C.K.)

Nawratil Norbert Dr. iur.
B.: Ihn., beeid. Buchprüfer u. Steuerberater. DA.: 4020 Linz, Spittelwiese 6. PA.: 4073 Schönering, Eiselsbergerstr. 23. G.: Linz, 8. Juni 1948. V.: Waltraud, geb. Eibegger. Ki.: Nina-Marlene (1982), Kerstin (1984), Tamara (1987). El.: Norbert u. Maria. S.: VS, HS, Gymn., 1967 Matura, BH, 1967-68 Jusstud. Linz, 1971 Prom. K.: 1971 Berufsanw. in Steuerberatungskzl. b. Günther Linke, 1979 Steuerberaterprüf., 1980 Gschf. Ges. d. Dkfm. Dornmayr & Dr. Nawratil Wirtschaftstreuhand GmbH Linz, 1983 beeid. Buchprüfer, 1986 Grdg. d. Einzelfirma als beeid. Buchprüfer u. Steuerberater, 1991 Grdg., Eigentümer u. Gschf. Norbert Brunhuemer - Dr. Norbert Nawratil Wirtschaftstreuhand GmbH. P.: lfd. Schulungstätigkeit. H.: Hobbygärtner, Liebhaber v. Aquarellmalerei, Tarock. (U.E.)

Nebehay Ingo

B.: Buchhändler. FN.: Wiener Antiquariat Ingo Nebehay. DA.: 1014 Wien, Seilerg. 16. PA.: 1030 Wien, Czapkag. 8/24. G.: Leipzig, 14. Sept. 1915. V.: Sigrid, geb. Sauter. Ki.: Dr. Stefan, Mag. Andrea. El.: Gustav u. Maria, geb. Sonntag. BV.: Vater Gustav Nebehay Kunsthändler, Versteigerung d. Sammlung Figdor. S.: Theresianum, 1938 Externistenmatura, Militärdienst, Buchhändlerausbild. K.: Gschf. b. V. A. Heck, Ges. d. Wiener Antiquariats Ingo Nebehay. P.: "Die Topogaphien. G. Matthaeus Vischers", "Gerlach's Jugendbücherei", "Österr. Ansichtenfolgen", "Bibliographie Altösterr. Ansichtenwerke" 6 Bände (1981-91, Graz), 1992 2. Nachtragsband; F. X. Schweickhardt v. Sickingen, Darstellung d. Erzherzogthums unter d. "Enns", m. einer Einleitung v. Ingo Nebehay (Topographia Austriaca, Bd. 9, 1992, Graz). E.: Silb. EZ f. Verd. um d. Rep. Österr. M.: Ehrenmtgl. d. Verb. d. Antiquare Österr., Ver. ehemal. Theresianisten. H.: Tennis, Garten. (J.S.)

Nebehay Renée

B.: Galeriemitbes. FN.: Christian M. Nebehay GmbH. DA. u. PA.: 1010 Wien, Annag. 18. G.: Sheffield/England, 15. Mai 1916. V.: Prof. Christian Michael. El.: John Stuart King u. Therese. BV.: Pierre Curie 1849-1906. S.: Privatgouvernante, Schule in England, Internat in d. Schweiz, Matura. K.: in England in d. Bankbranche tätig, während d. Krieges Tätigkeit im Verlagswesen in London, 1952-56 Florenz, seit 1956 in Wien, langjährige Korrespondentin "The Stage & Television". P.: 3 Kinderbücher. E.: Dt. Jugendbuchpreis. M.: Grdg.Präs. "Inner Wheel" Wien. H.: Schreiben, Garten, Musik. (E.L.)

Nebel Michael Dipl.-Ing.

B.: SenR., Abt. d. MA 32 d. Gem. Wien. DA.: 1010 Wien, Friedrich-Schmidt-Pl. 5/1. PA.: 1220 Wien, Flugfeldstr. 48. G.: Wr. Neustadt, 11. Feb. 1935. V.: Gerda, geb. Cink. Ki.: Edda. El.: Pol.Bez.Insp. Michael u. Anna. S.: BRG Berndorf, 1953-67 Arbeiterstud. K.: Seit 1967 Bediensteter d. Stadt Wien, 1968 Baultr., 1971 techn. Gschf. d. Heibetriebe Wien GmbH, 1975 Spartenltr. f. Heizung, Klima, Kälte, Lüftung im neuen AKH, seit 1980 Ltr. d. MA 32, seit 1969 Bezirksrat d. 22. Bez. P.: Co-Autor div. Fachpubl. E.: Silb. VZ f. Verd. um d. Land Wien. M.: Mtgl. zahlr. Teilver. d. SPÖ. (H.P.)

Nebil Ercin

B.: Barchef. FN.: Scandic Crown Hotel. DA.: 1200 Wien, Handelskai 269. PA.: 1220 Wien, Rennbahnweg 27/17/49. G.: Türkei. 1. Jän. 1966. V.: Emira. Ki.: Toni (1989), Gabriel (1990). El.: Ismuni u. Lahdo. S.: Kellnerlehre, Restaurant "Anatol" i. Wien 19, "La creperie" i. Wien 1, Parkhotel "Schönbrunn", Piaristenkeller, Lindenkeller, "Theodor Körner Schiff". K.: s. 1981 i. d. Gastronomiebranche i. Österr. tätig, Gschf. v. einer Pizzeria, Kaffeehaus i. "Theaterhotel" i. d. Josefstadt, ab 1990 i. obenerwähnter Pos. F.: 1993 Österr. Staatsmstr., 8. Platz beim Worldchip, Kategorie Longdrinks. M.: Österr. Barkeeperunion. H.: in die Bar gehen, Radfahren, Schwimmen. (N.A.)

Necesany Anna

B.: Gastwirtin d. Gasthauses Panther Bräu. DA. u. PA.: 1010 Wien, Judenpl. 9-10. G.: Dürnstein, 25. Juli 1918. Ki.: Alois (1944), Marcella (1948). El.: Johann u. Katharina Gauster, geb. Pelzer. S.: VS, HS, Gastgewerbeschule Teufenbach. K.: b. 1938 im Gastgewerbe in Österr., danach Tätigkeit in Deutschland, 1940-44 b. "Stiedl", 1946 Bar in Lochacovic, danach selbst. in Roznov "Unter dem Rathorst", Pachtung eines Ges.-Hauses, danach im Berghotel Radegast, ab 1962 wieder in Österr., zuerst Hotel De France, danach selbst., 1. Lokal in Wien 10, zusätzl. Ges. in "Die Hofburg", 1967 Eröff. v. "Panther Bräu". H.: Schwimmen, Spazieren gehen. (N.A.)

Nechay Georg Dipl.-Ing.

B.: Ltr. FN.: Freie Waldorf Schule Wien West. DA.: 1130 Wien, Schrutkag. 51-53. PA.: 3012 Wolfsgraben, Edi Linserstr. 11. G.: Gödöllö/Ungarn, 4. Juni 1954. V.: Edith, geb. Somogyvari, Ki.: Laura (1986), Lydia (1988). El.: Tihammer u. Lisabeth, geb. havor. BV.: Uronkel Friedrich war Ministerpräs. in Ungarn. S.: VS, Gymn., Matura, Stud. BOKU, Dipl. Ing., 1978 Sponsion, Stud. a. d. Religions-Pädagog. Akad. d. Erzdiozese Wien - Dipl., Stud. a. d. Waldorf Pädagog. Akad. Wien. K.: ab 1978 Anlagenltr. in Landwirtschaftl. Genossenschaft in Ungarn, 1979 Emmigration nach Österr, sowie nebenbei Stud. 4 Sem. Vorstud. auf d. Univ. Wien: Psychologie, s. 1983 Lehrer im Waldorf-Schulbereich (Klassenlehrer) zust. f. Hauptgegenstände u. Religion, Ltr. Stellv. in d. Friedrich Eymann - Schule in Wien 13, s. 1993 Ltr. d. Freien Waldorf-Schule Wien-West. P.: Publikatonstätigk. in Waldorf-Fachzeitschriften u. im Allgemeinen Pädagog. Bereich sowie rege Vortragstätigk. in Österr. u. Ungarn, Gastdozent a. d. "Soproner Pädagog. HS. M.: s. 1989 Präs. Stellv. d. intern. Waldorfges. in Sopron - Ungarn, s. 1993 Vorst. Mtgl. d. Rudolf Steiner Verein. H.: Gesellschaftspolitik, Anthroposophie. (M.M.)

Neck Rudolf Dr. HofR.

B.: Gen.-Dir. i.R. PA.: 1140 Wien, Anzbachg. 8. G.: Wien, 4. Juli 1921. V.: Dr. Irmgard, geb. Nachtnebel. Ki.: Dr. Reinhard. El.: Rudolf u. Johanna. S.: VS, RG, Univ. Wien Geschichte, Germanistik, 1948 Dr. phil., Staatsprüf. am Inst. f. Österr. Geschichtsforsch. K.: 1 J. wiss. Hilfskraft am Inst. f. Österr. Geschichtsforsch., 1949-75 Archivar im Haus-, Hof- u. Staatsarchiv, 1951-72 Ref. am Archivamt, 1973-86 Ltr. d. Archivamts, 1976-80 Dir. d. allg. Verw. Archivs, 1976 stellv. Gen.-Dir., 1979-86 Gen.-Dir. d. Österr. Staatsarchivs, Verhandlungen m. Jugoslawien z. Durchführung d. Archivabkommens v. 1923, Neubau eines Zentralarchivs d. österr. Staatsarchivs, u. Grdg. d. Archivs d. Rep. m. Zwischenarchiv, 1985-86 interimist. Ltr. d. Finanz- u. Hofkammerarchivs, 1982-86 Mtgl. d. Intern. ArchivR., 1987 Kons. d. Österr. BRg. f. Archivfragen. P.: Geschichte d. Arbeiterbewegung, Zeitgeschichte, Beziehungen Österr. z. osman. Reich. E.: österr. u. ausländ. Ausz. M.: 1971 Gründer d. wiss. Kmsn. z. Erforsch. d. Österr. Geschichte 1918-38, Mithrsg. u. Veröff. d. Studien u. Quellen u. d. Protokolle d. MinR. d. 1. Rep. Österr., 1957 Arge f. Geschichte d. Arbeiterbewegung in Österr. gegründet, seit 1964 Gschf. d. intern. Tagung d. Historiker d. Arbeiterbewegung ("Linzer Konferenzen"). H.: Schach, Astronomie u. Ornithologie. (R.A.)

Neckam Fritz KommR.

B.: Kfm. A.: 2320 Schwechat, Stegg. 2. G.: Schletz, 28. Mai 1911. El.: Georg u. Leopoldine. S.: Grundschule, Hotelfachschule. F.: Fritz Neckam GmbH Schwechat, Neckam GmbH Schwechat, Elisabeth Neckam GmbH Schwechat, Reifenhandels GmbH Nfg. OHG Wien-Nordwestbhf. E.: Gold. EZ f. Verd. um d. Bdl. NÖ, Plakette in Silber f. Verd. um d. Schwechater Wirtschaft, Ehrenmed. f. 40-jährige Kam.Zugehörigkeit. M.: Rotary Club Wien-Donau, Kam. d. gewerbl. Wirtschaft, LGremium d. Fahrzeughdl., Kam. d. gewerbl. Wirtschaft, Sekt. Ind.

Neckam Leopold

B.: Kfz-Mechanikermstr., Inh. FN.: Temper & Co. DA. u. PA.: 2230 Gänserndorf, Wiener Str. 9. G.: Deutsch Wagram, 22. Juli 1939. V.: Ingrid, geb. Temper. Ki.: Ing. Leopold (1970). El.: Leopold u. Martha. S.: VS, HS, 1953-56 Kfz-Mechanikerlehre BMW Wien, Gesellenprüf., Mstr.-Prüf. K.: 1957-58 Kfz-Mechanikergeselle VW Gerstinger Wien, 1958-59 BH, 1960-61 Kfz-Mechanikergeselle dann Betriebsltr. VW Temper Gänserndorf, 1980 Übernahme Firma Temper u. seither Inh. d. Unternehmens. M.: Werbeteam Gänserndorf. H.: Skifahren, Motorbootfahren (Schiffsführerpatent f. Meer u. Donau), Motorradfahren, Autofahren, Mechanik, Elektrik, Besitzer d. Funklizenz, Heurigenbesuche. (F.S.)

Neckel Adolf Dr. o.Univ.-Prof.

B.: Vorst. d. Inst. f. Physikal. Chemie d. Univ. Wien, Chemiker. DA.: 1090 Wien, Währinger Str. 42/1/29. PA.: 1030 Wien, Arsenal Objekt 12. G.: Wien, 1. Juni 1926. V.: Dr. Silvia. Ki.: Wolfgang, Ulrike. El.: Adolf u. Maria. S.: VS, RG, 1947 Matura, Stud. Chemie u. Physik in Wien, 1954 Prom. K.: 1953-59 Ass. u. anschl. Univ.Ass. am Inst. f. Physikal. Chemie, 1966 Habil., 1971-79 o.Univ.-Prof. u. Vost. d. Inst. f. Techn. Elektrochemie an d. TU Wien, 1979 o.Prof. f. Physikal. Chemie am Inst. f. Physikal. Chemie d. Univ. Wien, seit 1984 Vorst. d. Inst. f. Physikal. Chemie. P.: ca. 150 wiss. Publ. in Fachzeitschriften u. Handbuchbeiträge. E.: 1967 Rudolf Wegscheider-Preis, 1972 Felix Kuschenitz-Preis, 1981 Österr. Staatspreis f. Energieforsch., 1985 Erwin Schrödinger-Preis, 1977 korresp. Mtgl. d. Österr. Ak. d. Wiss., 1987 w.Mtgl. d. Österr. Ak. d. Wiss., 1991 Preis d. Stadt Wien f. Technik u. Naturwiss. M.: GDCH, ACS, IEC, GÖCH. (J.S.)

zu Nedden Dieter Gert Dr. med. univ.

B.: Doz., Ltr. d. Abt. Röntgendiagnostik u. Computertormographie d. KH Innsbruck. GT.: stellv. Ltr. d. MRI-Inst., Ltg. d. nichtneurolog. Bereiches, im Vorst. d. Arge Schnittbildverfahren d. Österr. Röntgenges. DA.: 6020 Innsbruck, Anichstr. 35. PA.: 6020 Innsbruck, Arzlerstr. 26c. G.: Innsbruck, 14. Mai 1942. V.: Katharina, geb. Blaikner. Ki.: Kristin, Stefanie, Johanna. El.: Dipl.Textiling. August-Wilhelm u. Käthe Johanna. S.: Gymn. Innsbruck, 1962 Matura, Stud. d. Med. an d. Univ. Innsbruck, 1969 Prom. K.: wiss. Hilfskraft in d. Anatomie, Ass. auf d. Anatomie, 1970-71 Wechsel auf d. Univ.Klinik f. Radiologie, 1975 Röntgen d. Med., 1976 Ltg. d. Abt. Röntgendiagnostik, 1984 Habil. P.: Habil.Schrift: Radiologie der Wirbelsäule, ca. 90 wiss. Arb., Schwerpunkt: Computertormographie (Wirbelsäule, Herz), Traumatologie, Ultraschall, einige Buchbeiträge z.B. in d. "Klinischen Radiologie", Mitautor b. einigen Fachbüchern. BL.: maßgebl. an d. Einführung d. Computertormographie in Tir. beteiligt. M.: Österr. Röntgenges., Anatom. Ges., Vorst. d. IMA, Schweiz. Neuroradiolog. Ges. H.: Schwammerlsuchen, Tauchen, Segeln, kulturhistor. Reisen. (H.T.)

Nedoschil Wilhelm

B.: Gschf. Ges. FN.: Werbeagentur Busskamp & Koch Scheichelbauer GmbH. DA.: 1160 Wien, Koppstr. 69-73/5. G.: Wien, 25. Jan. 1928. El.: Anton u. Wilhelmine. S.: VS, HS, Externistenmatura, kfm. Lehre, HS-Kurs f. Werbung u. Verkauf. K.: 1942-65 b. Österr. Werbeges. (Lehrling, Ang., zuletzt Abt.Ltr.), 1965 zu BKS (Prok., Ges., gschf. Ges.). M.: Werbewiss. Ges. H.: Tennis, Skifahren, Tauchen. (R.A.)

Nedoschill Werner Ernst Dipl.-Ing.

B.: freischaff. Arch. DA.: 1090 Wien, Liechtensteinstr. 121. G.: Wien, 25. Juni 1941. V.: Maria Edith. Ki.: Rainer, Christian. El.: Ernst u. Anna Maria. S.: Realschule, Arch.-Stud. TU Wien. K.: seit 1985 eigenes Büro, Schwerpunkte: Ausstellungs- u. Museumsarch., bedeutendste Projekte: Egon Schiele Museum in Tulln, Ausstellungen f. d. Land NÖ, Umbau Banklokal u. Fassade d. Zentralsparkasse in d. Wiener Wiedner Hauptstraße. P.: Fachart. in Fachzeitschriften. M.: Kiwanis. H.: Arch. (N.A.)

Nedoschinsky Günter

B.: Werbefachmann u. Schriftsteller. DA. u. PA.: 5020 Salzburg, Roseggerstr. 25/22. G.: Salzburg, 13. März 1940. V.: Christine, gb. Krauskopf. Ki.: Barbara (1979). El.: Werner u. Anna. BV.: Tante Gertrude Binder Opernsängerin, Tante Tusnelda Payr Teilhaberin d. Firma Steinbock Innsbruck. S.: HS, 2 J. Kohlenbergbau, 4 J. BH, 1962/63 Malunterricht b. Prof. Boscha. K.: Arb. b. Kartograph. Verlag Zinner, 1964-72 in Linz Hausdruckerei b. Leopold Brandstätter, 1966/67 Gasthörer an d. Kunstschule Linz, seit 1973 in Sbg. b. Firma Gloggnitzer, ab 1976 selbst.: Panoramaanlagen f. Fremdenverkehrsanlagen, Stadtpläne, ab 1979 eigener Kartograph. Verlag, seit 1969 Vortragstätigkeit, ab 1972 Hrsg. eigener Schriften. P.: Religion richtig gesehen, Das Karma. V.: Agni Arge. H.: Squash, Malen, Astrologie. (M.S.)

Nedwed Ernst Ing.

B.: Präs. d. Wiener Volksbildungswerkes, Techniker. DA.: 1150 Wien, Reuenthalg. 2-4. G.: Wien, 26. Mai 1929. S.: Absolvent d. HTBLA in Wien 4 (Fachrichtung Maschinenbau). K.: 1945-60 versch. Funktionen in d. Sozialistischen Jugend, 1962-69 Personalvertreter u. Funktionär d. Gewerkschaft d. Gem.-Bediensteten, seit 1953 Bez.-Funktionär d. SPÖ Wien/Fünfhaus, 1968 Bez.-Obm.-Stellv., Mtgl. d. Wr. Vorst. d. SPÖ, 1976 Vors. d. LBildungsaussch. d. SPÖ/Wien, Mtgl. d. Exekutivkomitees d. Dr.-Karl-Renner-Inst., 1978-92 Abg. z. NatR., 1969-78 Abg. z. Wr. Landtag u. Mtgl. d. Wr. GemR., s. 1990 Präs. d. Wiener Volksbildungswerkes. E.: Gr. Silb. EZ f. Verd. um d. Rep. Österr.

Nedwed Karl

B.: Kfm., Inh. FN.: ATEX-Edelholz-Paneele, DECATEX-Holzfaser-Platten, SPANTEX-Spannplatten. DA.: 2345 Brunn am Gebirge, Franz-Schubert-G. 9. G.: Mödling, 3. Juli 1944. S.: VS, HS, Berufsschule. K.: 20 J. Fahrverkäufer, 1983 Firma ATEX übernommen, 1990 Standort Brunn am Gebirge. M.: SC Brunn, Ehrenobm. d. Sekt. Damenfußball. H.: Skifahren, Schwimmen, Motorboot (Küstenpatent), Tennis. (W.M.)

Nedwed Viktor

Künstlername Angelo Mödling B.: freischaff. Künstler. DA./PA.: 2340 Mödling-Hinterbrühl, Gießhüblerstr. 4. G.: Wien, 24. Juli 1923. V.: Angela, geb. Harald. Ki.: Christoph (1957). S.: 1941 Matura Hum. Gym. Wien, 1945-49 Stud. Med. Univ. Wien. K.: 1941-45 Kriegsd., 1953 Gründ. d. Betr.

"Angela" - neue Wr. Werkst./Erz. v. Kunsthandw., 1954 1. Ausst. i. Frankfurt, 1955 Reisen n. Skand., Holland, Schweiz, Frankr., 1959 i. Italien, 1961 erste Jugendstil-Motive, 1962 Arb. i. Sinn d. "Wr. Werkstätte" (Klimt), 1964 Amsterdam - erst. Begegng. m. Pop-Art, 1967 erst. Antipop-Betr., 1968 Ausst. i. Augsbg., 1969 Inh. u. Gschf. "Neue Wiener Werkstätte", 1970 Schmuckmus. Pforzheim, 1974 n. Tech.: Emaillack i. Kupferzellen, Batikleinw., Öl u. Acryl, Tempera u. glüh. Metallplätt., 1993 Überg. d. Betr. a. Sohn Chrisoph, Ausst. u. Vernisagen: "Rondo f. Nähmaschine", "Saxophon", "3 Pinsel u. kl. Trommel", Entpopungen aller Art" (USA), "Hilfe, die Intellekt. s. unter uns" (Paris) u. a. H.: künst. kreative Tätigkeit. (I.K.)

Neger Dieter Dr.
B.: Gschf. FN.: Energie- u. Abfallverwertungs GmbH. DA.: 8010 Graz, Leonhardgürtel 10. PA.: 8010 Graz, Leonhardstr. 70. G.: Graz, 25. Aug. 1954. V.: Monika, geb. Watzl. Ki.: Thomas (1984), Christiane (1986), Johannes (1989). El.: Dipl.-Ing. Otto u. Anneliese. S.: 1973 Matura. K.: 1973-74 ang. b. ÖPTV, 1974 STEWEAG, 1981-85 Stud. Rechtswiss., 1985 Doktorat, seit 1989 techn. Gschf. d. Fernwärmesysteme GmbH, seit 1991 Gschf. d. Steir. Abfallverwertungs GmbH, seit 1994 alleiniger Gschf. d. Energie- u. Abfallverwertungs GmbH. P.: div. Vortrags- u. Seminartätigkeit. M.: Lions Club Graz. H.: Laufen, Radfahren, Motorradfahren, Klettern, Literatur, Musik. (I.G.)

Negrin Wolfgang Johannes Dr. med.
B.: Prim., FA f. Zahn-, Mund- u. Kieferheilkunde. GT.: Prim. u. Ltr. d. Zahnambulanzen d. Wr. Verkehrsbetriebe. DA.: 1210 Wien, Gerichtsg. 1E/4/4, 1100 Wien, Leebg. 17B. PA.: 1210 Wien, Bahnstegg. 22/16, 2822 Erlach/Wr. Neustadt. G.: Wien, 16. Nov. 1952. V.: Dr. Madeleine, geb. Mayerhofer. Ki.: Maximilian (1988), Katharina (1990), Friedrich (1991). El.: OStR. Prof. Franz u. Ilse, geb. Stenzl. S.: VS, BRG Wien XXI, 1971 Matura, Med.-Stud. Univ. Wien, 1978 Prom., Werkstudent, 1978-81 Ausbild. z. prakt. Arzt Krems u. Wien, Wehrdienst, 1981-83 Univ.-Zahnklinik Wien Ausbild. z. FA f. Zahn-, Mund- u. Kieferheilkunde, 1983 Dipl. K.: 1983 Eröff. d. Praxis, 1985 Verkehrsbetriebe, 1987 Ltr. u. Prim., staatl. geprüfter Tennislehrer. H.: Sport (Tennis, Fußball), Reisen, Geschichte. (H.P.)

Negwer Paul Dipl.-Ing. HofR.
B.: Vorst. d. Präsidialabt. IV d. Österr. Patentamt. DA.: 1014 Wien, Kohlmarkt 8-10. PA.: 1080 Wien, Krotenthallerg. 2. G.: Leipzig, 21. Juni 1937. V.: Mag. Heidegunde, geb. Ortner. Ki.: Georg (1975), Maria (1977). El.: Paul Max u. Margarethe, geb. Seifert. S.: 1955 Matura, Stud. Elektro- u. Nachrichtentechnik TU Wien, 1967 Abschluß. K.: 1967 Eintritt in d. Österr. Patentamt, ab 1989 Vorst. d. Techn. Abt. IV, seit 1991 Vorst. d. Präsidialabt. IV, Rat d. Obersten Patent- u. Markensenats. E.: 1978 Silb. EZ f. Verd. um d. Rep. Österr. H.: Sport (Bergsteigen, Segeln, Skifahren), Musik, Bücher, Reisen. (N.A.)

Nehammer Karl Dkfm. KommR. Gen.-Dir.
B.: Gschf. FN.: Gen. ldw. Erwerbsgartenbau rGenmbH, LGV-Frischgemüse Wien rGenmbH. DA.: 1232 Wien,, Draschestr. 13-19, 1222 Wien, Wagramer Str. 147. G.: Wien, 13. Sept. 1940. V.: Margareta, geb. Melwald. Ki.: Margit (1969), Karl (1972), Michael (1978). El.: Karl u. Maria. S.: 1958 Matura, Jusstud. Univ. Wien, Wechsel z. HS f. Welthdl., 1966 Spons. Dkfm. K.: 1966-69 kfm. Ang. f. Inseratenwesen u. Komm. Agenden im Herold-Verlag, 1969 Ltr. d. Rechnungswesens b. d. Österr. Gen. d. ldw. Erwerbsgartenbaues rGenmbH, 1971 Dir.-Stellv., 1973 Dir., 1973 KommR. f. Verd. als Mtgl. d. Statist. BeiR., 1976 Übernahme d. Geschäftsführung d. Fa. LGV Frischgemüse Wien, 1990 Gen.-Dir. E.: Gold. EZ f. Verd. um d. Rep. Österr. H.: Skifahren, Wandern. (M.M.)

Neher Gerhard Ing.
B.: Industrieller. A.: 1070 Wien, Kaiserstr. 109. G.: Wien, 15. März 1932. V.: Therese. El.: Artur u. Gisela. S.: VS, Gymn., HAK, Textilschule u. div. Textillehrgänge. K.: Ltd. Ang. d. Fa. Sieder OHG, seit 1963 Ges. dieser Fa., seit 1972 gschf. Ltr. d. Fa. F.: Beteiligung an d. Fa. Sieder OHG. M.: Mtgl. d. Fachverb. d. Textilind., d. Bekleidungsind. u. d. Handels.

Nehrer Manfred Dipl.-Ing.
B.: selbst. Arch. DA.: 1060 Wien, Getreidemarkt 11. PA.: 1230 Wien, Rodauner Kirchenplatz. G.: Wien, 19. Juli 1944. V.: Dipl. Rotraut, geb. Tischler. Ki.: Nicola (1976), Christine (1978). El.: Dr. Kurt u. Dr. Lucia, geb. Arnold. S.: 1962 Matura, 1962-67 Arch.-Stud. TU Wien. K.: 1968-73 Praxis in div. Arch.-Büros in Wien, München u. Bern, 1973 Befugnis eines Arch., seit 1973 Arch.-Büro in Arge m. Arch. Dipl.-Ing. Reinhard Medek Wien, wichtigsten Arb.: Schulzentrum Deutschlandsberg 1. Preis (1973-78), HTL Elektrotechnik Klagenfurt 1. Preis (1973-89), HTBLVA 1030 Wien, Leberstraße (1980-89), Stadterneuerung Rennwegkaserne (1987), Wohnhaus Thaliastraße (1988). P.: mehr als 70 Publ. in in- u. ausländ. Fachzeitschriften. E.: 1990 Ehrenmtgl. d. Künstlerhauses, 1990 Ehrenring d. Bundesing.-Kam., 1990 Gr. EZ f. Verd. um d. Rep. Österr., 1990 Landespreis f. vorzügl. Bauen in Ktn. f. d. HTBLA in Klagenfurt. M.: seit 1986 Mtgl. d. 2. Dipl.-Prüf.-Kmsn. d. Studienrichtung Arch. TU Wien, 1982-90 Präs. d. Ing. u. Arch.-Kam. (N.A.)

Neider Alfred
B.: Gschf. FN.: Internationale Lederagentur. DA./PA.: 1070 Wien, Schottenfeldg. 65. G.: Wien, 3. Nov. 1970. El.: KommR. Andreas u. Ingrid. S.: Theresianum, 1988 Matura Akad. Matura, Stud. WU. K.: s. 1983 Mitarb. i. väterl. Betrieb, s. 1990 Gschf. M.: Lederverband d. österr. Lederindustrie. H.: Fitness, Tennis, Jagd. (S.H.)

Neidhart Alfred
B.: Schuhmacher, Inh., Gschf. d. Geschäftes Reitstiefel u. Schuhe nach Maß. DA.: 1090 Wien, Schulz-Strassnitzki-G. 8, 1020 Wien, Hafnerg. 3. PA.: 1160 Wien, Liebhartsg. 10. G.: Wien, 29. Juli 1964. V.: Susanne, geb. Auinger. Ki.: Daniela (1984), Cornelia (1988). El.: Helmuth u. Elfriede, geb. Neigl. S.: HS, Polytechn., b. 1982 Schuhmacherlehre b. Fa. Materna, 1983 Militär. K.: b. 1985 Tätigkeit b. Fa. Materna, 1986 Mstr.Prüf., selbst., Spezialisierung auf Maß-Reitstiefel u. Herrenschuhe. M.: seit 1988 Mtgl. d. Gesellenprüf.Kmsn. d. Schuhmachergewerbes. H.: Familie, Fischen. (M.G.)

Neidhart Rolf A. Dr. iur. Mag.
B.: Abg. z. NatR., Bgm. d. Marktgem. Strasshof/Nordbahn. DA.: 1017 Wien, Dr.-Karl-Renner-Ring 3. PA.: 2231 Strasshof, Holiczerstr. 46. G.: Bell/BRD, 22. Dez. 1944. V.: Brigitte, geb. Klaus. Ki.: Sabine, Elisabeth, Regine, Julia. El.: RgR. Josef u. Gertrude. S.: RG, 1962 Matura, Stud. d. Rechts- u. Staatswiss., 1968 Prom. K.: 1969-70 Gerichtspraxis, 1970 Eintritt in Verkehrsmin., 1970-84 in Oberster Zivilluftfahrtbehörde d. Min. tätig, einer d. Ltr. d. Flugunfallkmsn., Ltr. d. Präsidialabt. 1., Sicherheitsbeauftragter d. Min. f. öff. Wirtschaft u. Verkehr, Vors. in d. Kmsn. f. d. betriebl. Vorschlagswesen im Min., 1975-87 im GemR., seit 1987 Bgm., Obm. d. Schulaussch., Fraktionsführer d. SPÖ, seit 1987 Mtgl. d. NatR. P.: gemeinsam m. einem Kollegen "Haftung aus d. Beförderungsvertrag im Bereich d. Zivilluftfahrt". M.: Österr. Luftfahrtverb., Rotes Kreuz, tätig in örtl. Ver. H.: Lesen, Bergsteigen, Asphaltstockschießen, Reisen. (E.L.)

Neidl Ernst
B.: Gschf. Ges. FN.: AMT Unternehmensberatung GmbH. GT.: Gschf. Wintrading AAC. DA.: 1170 Wien, Handlirschg. 11. PA.: 1230 Wien, Futterknechtgasse. G.: Wien, 19. Dez. 1948. V.: Ghislaine, geb. Jongleux. Ki.: Christian (1973). El.: Ernst u. Johanna. S.: VS, HS, 1963-66 kfm. Lehre Fa. Meinl. K.: 1972-77 Südafrika Gschf. eines Supermarktes, Verkaufsltr. Fast Food, 2. J. Systemanalytiker-Stud., 1978-81 div. Management Schulungen in Kopenhagen, 1981-83 Kundendienst b. versch. Maschinenfirmen in Paris, 1983-85 Übernahme d. EDV-Organ. Peugeot, 1986-87 Unternehmensberatungen in Frankreich, 1988 Grdg. AMT in Österr. H.: 2 Afghanen, Amateurzüchter. (H.J.S.)

Neiß Albrecht Dr. rer. nat. o.Univ.-Prof.
B.: Vorst. d. Inst. f. Biostatistik u. Dokumentation d. Univ. Innsbruck. DA.: 6020 Innsbruck, Müllerstr. 59. G.: Erding, 24. Dez. 1938. El.: Alois u. Helene. S.: Gymn., Matura 1958, Stud. Math. u. Physik TU München, Dipl.Math. 1966. K.: Biostatistiker in Pharm. Ind. (Klin. Forsch.) 1966-70, 1970-85 Inst. f. med. Statistik u. Epidemiologie d. TU München, 1972 Prom., 1975-76 Studienaufenth. an Statistics Dept. Univ. California, Berkeley, 1977 Dr. med. habil., 1978 Ern. z. C2-Prof., 1985 Beruf. auf d. Lehrstuhl f. Biostatistik u. Dokumentation d. Univ. Innsbruck. P.: Ca. 100 wiss. Arb. auf d. Geb. d. Biostatistik u. Epidemiologie. (D.S.)

Neisser Heinrich Dr.
B.: Mtgl. d. NatR., Bundesbmtr. DA.: 1017 Wien, Dr.-Karl-Renner-Ring 3. G.: Wien, 19. März 1936. V.: Helga, geb. Eder. Ki.: Christina, Alexander, Philipp, Verena. S.: Mittelschule, Univ. Wien, 1959 Prom. Dr. iur., zweites Stud. gleichzeitig m. berufl. Qualifikation: Staatswiss. (Nationalökonomie, Soziologie) u. Dipl. Ak. K.: Gerichtsjahr, 1961-66 Sekr. b. VfGerH. Wien, 1966-73 BKA (b. 1970 polit. u. jur. Berater v. Dr. Klaus, 1969-70 Staatssekr., 1970-73 Abt.-Ltr. im Verfassungsdienst), 1974-80 Ltr. d. Stabstelle in d. Ver. Österr. Industrieller, seit 1975 Abg. z. NatR., 1981-83 Bundesgschf. d. österr. Managementclubs, seit 1984 MinR. im BKA, 1975-87 Mtgl. d. NatR., Bundesmin. f. Föderalismus u. Verwaltungsrefom, seit 1989 Mtgl. d. NatR. P.: 8 Bücher, 30 wiss. Beiträge sowie zahlr. Art. in d. Tages- u. Wochenpresse (Themenbereich: Demokratiereform, Parlamentariusmus, insb. Wahlrechtsreform, Wiss.- u. Forschungspolitik, Wehrrecht u. Wehrpolitik). E.: Gr. Silb. EZ m. Stern f Verd. um d. Rep. Österr. M.: 1979-86 Bez.-Parteiobm. 1090 Wien, ehemals Wehrsprecher (1975-79) u. wiss. Sprecher (1979-86) d. ÖVP, seit Okt. 1990 Klubobm. d. ÖVP, Präs. d. Kuratoriums d. Inst. f. Höhere Studien, Präs. d. Österr.-Korean. Freundschaftsges. H.: Tennis, Skilauf, Kammermusik (Klavierspiel in privaten Kreis). (N.A.)

Nejezchleba Franz

B.: selbst. Gewerbetreibender. GT.: Prok. Clean Man Gebäudereinigung. DA.: 2020 Hollabrunn, Dechant-Pfeifer-G. 6; 2334 Vösendorf-Süd, SCS Bürocenter B1. PA.: 2651 Reichenau, Hauptstr. 45. G.: Wien, 2. Feb. 1940. V.: Elfriede, geb. Stefanie. Ki.: Mario (1970). El.: Franz u. Maria. S.: VS, HS, Berufsschule, Managementschule. K.: seit 1988 selbst. Kfm. H.: Reiten, Reisen, Bergwandern, Tiere. (L.S.)

Nejezchleba Kurt KommR.
B.: Hon.-Konsul d. Rep. Guinea-Bissau, Zentrumsltr. d. Cyta Völs Innsbruck, Gschf. Ges. FN.: Conzentra Vertriebs GmbH & Co KG. DA.: 2334 Vösendorf, SCS Bürocenter B1. PA.: 2333 Leopoldsdorf, Schützenweg 2-6. G.: Wien, 19. Apr. 1943. V.: Christa, geb. Kren. Ki.: Kurt, Nicole. El.: Franz u. Maria. S.: HS, HASCH, HS f. Welthdl., div. weiterbild. Seminare. K.: 1968 kfm. Ang. b. Wr. Brückenbau, 1969-70 kfm. Dir. Caravell Service Villach, 1971 selbst., 1972-75 Wirella Service GmbH Innsbruck, 1975 Vertretung einer techn. Prod. Shop. City, 1976 Conzentra Gebäudereinigung, 1977 Erweiterung auf Stoff- u. Lederhdl., Import amerikan. Reinigungsmaschinen, seit 1991 Hon.-Konsul v. Guinea-Bissau. F.: Ludomatica GmbH. M.: Lions-Club, Concordia. H.: Arb., Schwimmen, Theater. (M.W.)

Nejezchleba Mario

B.: selbst. Gewerbetreibender. FN.: Clean-Man. DA. u. PA.: 2651 Reichenau 45. G.: Wien, 5. Feb. 1970. El.: Franz u. Elfriede. S.: Schulbrüder Strebersdorf, Berufsausbild. z. Hdls.-Kfm. M.: Bundessportver. H.: Pferdezucht, Springreiten. (L.S.)

Nekola Gotelinde Dipl.-Arch. Konsul
B.: Hon.-Konsul d. Förderativen Rep. Brasilien. DA.: 5081 Anif 175. G.: Salzburg, 13. Jän. 1923. Ki.: Brigitte (1948), Verena (1955), Constanze (1968). El.: Dr. Karl u. Magdalena Wagner. BV.: verstorbener Ehemann Dr. Tassilo Nekola, Dir. d. Sbg. Festspiele, Präs. d. Ass. Europeenne d. Festivals Genf, Hon.-Kons. d. Förderativen Rep. Brasilien. S.: VS, Gymn., Ak. f. Bild. Künste Wien, Arch.-Stud., 1946 Dipl. H.: Kunst, Musik, Literatur, Gartenarb., Freundeskreis. (U.E.)

Nekolny Kurt Dipl.-Ing. Dr. techn. SenR.
B.: Bauing., Statiker, Ltr. d. Baupolizei Linz i.R., Präs. d. Österr. Ges. f. Eisenbahngeschichte, Betriebsltr. d. Steyrtal-Museumsbahn. GT.: Vortragender b. Vorbereitungskursen f. d. Bmstr.-Prüf. in Linz u. Sbg. PA.: 4040 Linz, Neufahrerg. 2. G.: Budapest, 21. Okt. 1927. V.: Ingrid, geb. Rieger. Ki.: Hptm. Helmut (1959), Dr. Wolfgang (1960), Carina (1963), Sonja (1967), Beatrix (1968). El.: Dipl.-Ing. Kurt u. Irene. S.: 1947 Matura in Gmunden, 1947-54 HS-Stud. Graz, 1954 Dipl.-Ing., 1962 Prom., 1962 Ziviling.-Prüf. K.: ab 1954 Tätigkeit auf div. Baustellen u. als HS-Ass., 1962-80 Statiker Bau- u. Feuerpolizeiamt Linz, Ltr. Abt. Statik, 1980-89 Ltr. d. Baupolizeiamtes Stadt Linz, seit 1985 Betriebsltr. Steyrtal-Museumsbahn. BL.: erste exakt berechnete Wendeltreppenanlage im Raum Graz, Rettg. d. Steyrtalbahn vor d. Abtragg. P.: Diss. "Bemessung auf außermittigen Druck beanspruchter Stahlbeton-Rechteckquerschnitte nach d. Traglastverfahren"

(1962), Broschüre "Bahnerhaltung als kulturelle Aufgabe", div. Zeitungs- u. Zeitschriftenart. E.: Med. f. Verd. um d. Denkmalschutz. M.: Arge Zoo Linz, Baureferent b. 1980, OÖ Zivilschutzverb. Bauref. H.: Eisenbahn, Kilometerstatistik seit 1941. (H.B.)

Nekula Bruno Mag. iur. ORgR.

B.: Ltr. d. Opferfürsorge, Abt.-Ltr.-Stellv. f. Sozialhilfe im Amt d. OÖ Landesrg. DA.: 4020 Linz, Altstadt 30. PA.: 4020 Linz, Grundbachweg 19. G.: Wels, 4. Apr. 1933. V.: Hertha, geb. Rammer. Ki.: Andrea, Gudrun. El.: Josef u. Hildegard. S.: Mittelschule, Matura, 1956-61 Jusstud. Univ. Innsbruck. K.: 3 J. Vers., seit 1965 Amt d. OÖ Landesrg., davon 11 J. Verkehrsabt., 5 J. BH Urfahr-Umgebung (BH-Stellv., Abt.-Ltr. f. Gewerbe-Wasser-Baurecht), seit 1981 Abt. Sozialhilfe. M.: AAB, Briefmarkenver. H.: Briefmarken, Reisen, Haus, Garten. (P.H.)

Nelte Günther

B.: Gastronom. FN.: Günther Nelte GmbH. DA./PA.: 9020 Klagenfurt, Viktringer Ring u. Papiermühlg. 66. G.: Klagenfurt, 25. Mai 1952. Ki.: Christopher (1989). El.: Hans u. Erika. S.: VS, HS, Ausb. z. Textilkfm. mit Fachabsch. u. Dekorateur u. Graphikschule, Abendschule mit Matura. K.: ab 1973 im Bereich Marketing u. Außendienst tätig. Seit 1990 selbständig durch Übernahme d. Tennis Clubs Weinländer. E.: Bierdiplom 1994, Weindiplom 1993. M.: Club d. Kärntner Köche, Küche Keller, Stadtrichter zu Clagenfurth. H.: Idealismus f. e. zukunftsor. innovative Gastronomie, Musik (Jazz, aktiver Schlagzeuger u. Blues Mundharmonika), Sport. (G.L.)

Nelwek Gerhard

B.: Zahntechnikermeister; Dir. FN.: Bundesfortbildungsinst. d. österr. Zahntechniker. DA.: 2500 Baden, Hötzendorfpl. 11. PA.: 1050 Wien, Amtshausg. 4/8. G.: Wien, 1. Nov. 1958. V.: Renate, geb. Schmitt. Ki.: Markus (1984), Florian (1989). El.: Karl u. Ingeborg. S.: 1974-78 Berufsschule u. Lehre im Zahntechn. Labor in Wien, 1978 Lehrabschlußprüf. (m. Ausz.), 1981 Meisterprüf. K.: 1984 Eintritt in d. Berufsschuldienst in Wien u. Baden, 1987 Lehramtsprüf., ab 1993 Inst.-Dir. d. BFI f. Zahntechniker. P.: Artikel in Fachblättern. M.: Dt. Lehrervereinig. d. Zahntechniker. H.: Theater, Radfahren, Skifahren. (I.K.)

Nemec Karl

B.: Musiker d. Duo Nemec-Hofbauer. DA.: 1140 Wien, Saturnweg 45. G.: Wien, 26. Nov. 1931. V.: Hermine, geb. Kaineder. El.: Karl u. Karoline. BV.: österr. Handwerkerfamilie. S.: VS, HS, Friseurgesellenprüf. 1946. K.: 1946-59 prakt. Tätigkeit als Friseur, ab 1951 Postbmtr., seit 1946 nebenberufl. als Musiker tätig (Akkordeon u. Gesang) als Heurigen-Musiker in Wien u. Umgebung, Auftritte in berühmten Grinzinger Heurigen (Karl Muhr). P.: Kompositionen v. Texten f. über 150 Wienerlieder wie: Geh net allane durchs Leben, Mit seiner Klampfen in d. Hand, dzt. Auftritte m. Partner Hofbauer b. d. versch. Wr. Veranstaltungen. E.: ca. 20 versch. Ausz. f. d. Wr. Musik erhalten wie Augustinerhut, Fenstergucker, 1972 1. Preis f. ein Lied in d. VS Ottakring, 1. Preis VS Favoriten (Johann Strauß-Plakette). M.: Komponistenbund, VÖT, Ver. d. Wienerliedes. H.: Fotographie, Chronik v. Wien. (M.B.)

Nemec Martina

B.: Schwimmerin. DA.: 2344 Maria Enzersdorf, Leistungszentrum Südstadt. PA.: 2345 Brunn am Gebirge, Franz-Anderle-Pl. 3/4/13. G.: Mödling, 21. Jan. 1976. El.: Ferdinand u. Jana Nemec. S.: dzt. Schülerin d. 8. Kl. Gymn. K.: seit 1981 1. Schwimmunion Mödling, Training in d. Südstadt, ab 1987 Leistungsmodellgruppe, zu dieser Zeit Schwerpunkt 100m u. 200m Brust, heutige Lieblingsdisziplin: 200m u. 400m Lagen, bisher größten Erfolge: 32-fache Österr. Staatsmeisterin, 1990 Jugend-EM in Frankreich im B-Finale, 1991 EM in Athen 2x im B-Finale, 1992 Olympiateilnahme in Barcelona, 1993 EM in Sheffield 1x im A-Finale: 7. Pl. u. 2x im B-Finale, 1994 WM in Rom 1x im B-Finale. E.: Gold. Ausz. d. Stadt Mödling f. Verd. im Sport, Silb. EZ d. Landes NÖ u.a. Ausz. H.: Musik, Malen. (J.S.)

Nemecek Ernst Paul Dr. techn. Dr. h.c. Dipl.-Ing. Univ.-Prof.

B.: Sektionsrat a.D. GT.: Ing.Konsulent f. Bauwesen. PA.: 8010 Graz, Morellenfeldg. 8. G.: Dobrenz/Böhmen, 31. Jan. 1918. V.: Mag. phil. Helga Gerda, geb. Pirkovitsch. Ki.: Ernst, Sonja, Sascha. BV.: Großvater Stadtbmstr. in Wien, Mitarb. an Nußdorfer Schleuse. S.: VS, HS, Realschule Linz, 1937 Matura, Stud. d. Bauing.Wesens an d. TU Wien. K.: HS-Ass. an d. TH Wien, 1954 Diss.: "Strömungsdruck in Böschungen", 1954 BMLF, Sekt. Wasserbau, 1962 SektionsR., 1965 TU Graz: Ordinarius f. Siedlungs- u. Industriewasserwirtschaft, Grundwasserhydraulik, Fluß- u. Wildbachverbauung u. Landw. Wasserbau, Senator d. TU Graz, 1983/84 u. 1984/85 Dekan d. Fak. f. Bauing.Wesen. BL.: Horizontalfilterbrunnen, Patente. P.: Mitautor v. Schulbüchern d. HTBLA f. Abwassertechnik u. Wasserversorgung. Mehrbändiges Handbuch (in Arbeit) f. Siedlungs- und Landschaftswasserbau, Gewässerschutz u. Umweltschutz. Mitautor in Developments in hydraulic Engineering (1987). Über 60 wiss. Arbeiten vor allem Grundwassergewinnung und -schutz, Müllbeseitigung. E.: 1981 Österr. Ehrenkreuz f. Wiss. u. Kunst I. Kl., 1986 Gold. EZ d. TU Graz, 1987 Dr. h.c. d. Univ. Thessaloniki, 1988 Gr. Silb. EZ f. Verd. um d. Rep. Österr., 1988 Gr. Gold. EZ f. Verd. um d. Land Stmk., 1988 Gold. EZ f. Verd. um d. Land Wien, Silb. EZ d. Landes Sbg., Höchste Ausz. d. Österr. Normeninst., Ehrenmtgl. d. Österr. Ver. f. d. Gas- u. Wasserfach. M.: Hpt.Aussch.Mtgl. d. Österr. Wasserwirtschaftsverb., Mtgl. d. Österr. Ver. f. d. Gas- u. Wasserfach, Österr. Nationalkomitee f. d. Intern. Wasserversorgungsverb. (IWSA), Österr. Nationalkomitee d. Intern. Assoc. on Water Pollution Research and Control (IAWPRC) u. Mtgl. bzw. Vorst. weiterer ca. 10 Verb. H.: Malen. (C.H.S.)

Nemes Vincenz

B.: Inh. u. Gschf. FN.: Vincenz Nemes Textilien f. d. Schuhind. DA.: 6900 Bregenz, Belruptstr. 20. PA.: 6900 Bregenz, Weißenreuteweg 5a. G.: Budapest, 10. Jän. 1942. V.: Brigitte, geb. Tschabrun. Ki.: Michael (1965), Oliver (1967), Matthias (1968). El.: Johann u. Eleonore. K.: seit 1965 selbst. M.: seit 10 J. Präs. d. Golfclubs Lindau/Bad Schachen, Rotary Club Bregenz. H.: Golf. (A.K.)

Nemeth Carl Dr.

B.: Int. A.: 8101 Gratkorn, Freßnitz 27. G.: Wien, 11. Jan. 1926. V.: Christine, geb. Maurer-Kronegg. El.: Julius u. Leopoldine. S.: Hum. Gymn., Univ. Wien (Musikwiss.,

Germanistik), Dr. phil. K.: Mitarb. d. Haydn-Society Inc., Musikwiss. Inst. d. Univ. Wien, wiss. Sekr. d. Franz-Schmidt-Gem. Wien, Ltr. d. Österr. Phonothek, Ltr. d. Künstler. Betriebsbüros d. Volksoper Wien, Int. d. Vereinigten Bühnen Graz. P.: Publ. d. Buches "Franz Schmidt - ein Meister nach Brahms u. Bruckner ". E.: Verleihung d. Theodor Körner-Preises, Ehrenbürger d. Stadt Dallas, Texas. M.: Dion.Mtgl. d. "Steir. Herbstes".

Nemeth Heinz

B.: Firmenbeteiligter, Komm., Gen.-Manager. FN.: Wiesbauer/Nemeth. DA.: 1130 Wien, Auhofstr. 25. G.: Wien, 12. Mai 1946. V.: Helga, geb. Denninger. El.: Karl u. Gertrude. S.: RG, 1964 Matura, Stud. WU Wien. K.: Tätigkeit im elterl. Betrieb, 1979 Übernahme d. Betriebes m. 3 Filialen in Wien, 1979 Grdg. einer KG, 1992 Frau Helga übernimmt d. Betrieb, Verkaufsltr. b. d. Firma Wiesbauer Spezialitäten, 1995 Verlegung d. Standortes nach Inzersdorf, Programmierer u. Techniker. H.: Miniatureisenbahn, Skifahren. (W.J.)

Nemeth Johann

B.: Gschf. FN.: KN SOFTWARE. DA.: 8010 Graz, Neuholdaug. 68. PA.: 8053 Graz, Ulmg. 14D. G.: Turnau/Stmk., 9. Aug. 1949. V.: Maria, geb. Bendekovits. Ki.: Daniela (1971), Michael (1974). El.: Johann u. Cäcilia. S.: Volkssch., Hum. Gymn. in Fürstenfeld, 1968 Matura, Präsenzdienst, Res.-Offz.-Ausbild. K.: 1969 Eintritt b. IBM (Programmierer, Organisator, Systems Engineer, Vertrieb), 1984 Gründ. einer eig. Softwarefa. m. Partner Dipl.-Ing. Kühner, 1988 Filiale in Wien. M.: WWF. H.: Sport. (M.G.)

Nemeth Johanna Dr.

B.: Gen.-Sekr. FN.: AFS Austauschprogramme für interkulturelles Lernen. DA.: 1090 Wien, Maria-Theresien-Str. 9. PA.: 1070 Wien, Neustiftg. 133. G.: 24. Jan. 1954. El.: Paula u. Michael. S.: Matura, Stud. Geschichte Anglistik (Dr. phil.). K.: 1979-80 Sekretariat Löcker-Verlag, 1980-91 Österr. Kulturservice-Ref., seit 1991 Gen,-Sekr. AFS. M.: 1980-88 Frauenclub Fünfhaus. H.: Literatur, Theater, Kino, kult. Reisen. (M.N.)

Nemeth Nandor Dr. iur. Dr. rer. pol.

B.: Wiss. Mitarb. d. Österr. Inst. f. Wirtschaftsforsch. A.: 1160 Wien, Baumeisterg. 14/15. G.: Zalaegerszeg (Ungarn), 11. Febr. 1926. V.: Anna. El.: Istvan Nemeth u. Gizella Mosolits. S.: Dr. iur. (Budapest), Dr. iur. (Graz), Dr. rer. pol. (Graz). K.: Seit 1964 wiss. Mitarb. d. Österr. Inst. f. Wirtschaftsforsch. Fachgebiet: Volkseinkommen und Internationale Wirtschaftsvergleiche. P.: Mitverfasser d. wirtschaftshistorischen Werks: "Österr. Volkseink. 1913 bis 1963", Verfasser mehrerer Fachstudien in Fachzeitschriften auf d. Gebiet: Volkseinkommen u. internat. Wirtschaftsvergl. H.: Kunsthistorie.

Nemetschek Gabriele Maria

B.: Gschf. FN.: Reisebüro Nemetschek, Fa. Gabi Nemetschek Reisen. DA.: 4400 Steyr, Bahnhofstr. 10, 4400 Steyr, Dambergg. 5. G.: Steyr, 25. Feb. 1966. El.: Peter u. Elfriede. BV.: Großeltern: Gründ. d. Fa. 1932. S.: Fremdenverkehrsakad. Kleßheim. K.: 1984 Gründ. d. Fa. Gabi Nemetschek Reisen, 1985 Umwandl. d. Fa. Reisebüro Nemetschek OHG in GmbH, 1989 Reisebürovollkonzession. BL.: m. 18 J. jüngste Gschf. im Handelsreg. M.: Österr. Reisebüroverb., Theaterclub, Kulturver AKKU, Jazzclub Steyr. H.: Reisen, Malen, Fotografie, Motorradfahren, Paragleiten, Etnologie. (U.A.)

Nemetschek Monika Dr.

B.: Religionspädagogin. DA.: 4020 Linz, Salesianumweg 3. G.: Linz, 14. Dez. 1933. S.: 1953 Matura, Univ. Graz u. Sbg., phil. Fak., Nebenfach Theol., 1968 Prom. in Päd., Psych. u. Theol., Diss.: D. relig. Aspekt m. d. Resoz. verwahrloster Jugendlicher, während d. Stud. Lehrerin u. Erzieherin in Anst. f. verwahrloste Jugendliche. K.: Religionslehrerin, später b. päd. Ak. u. religionspäd. Ak., Religionspädagogin an d. theol. HS, Lehrauftrag, Fortbildungsveranstaltungen f. Eltern, Lehrer, Erzieher u. Katecheten, Abhaltung v. Exerzitien f. Priester u. Ordensfrauen. BL.: Betreuung u. Begleitung v. Hilfebedürftigen u. Sozialgefährdeten. P.: Gott im Leben d. Kindes, Z. Hoffnung befreit, Mitautorin an versch. Publ. über zeitgen. rel. Erziehung u. Lebensbewältigung. H.: Beistand u. Hilfe (seel.) f. Bedürftige. (Deu.)

Nemetschke Johann

B.: Inh. d. Fa. Nemetschke. G.: Wien, 9. Dez. 1949. V.: Margit, geb. Sammereyer. El.: Friedrich u. Elisabeth. S.: VS, RG, Matura. K.: Eintritt in elterl. Betrieb, dzt. gschf. Ges. F.: Nemetschke Klavierfbk. KG. M.: Schlaraffia. (R.A.)

Nemetz Christoph

B.: selbst. Grafiker u. Designer. DA. u. PA.: 1060 Wien, Magdalenenstr. 15. G.: Wien, 5. Aug. 1963. El.: Christian u. Charlotte, geb. Riedl. S.: Lycée Francaise Schulbrüder Strebersdorf, Graf. Lehr- u. Versuchsanst., 1984 Matura, 1985 Parsons-School New York. K.: seit 1986 selbst., Schwerpunkt: Corporate Design - Graf. Konzepte z. Unternehmenspräsentation, v. Logo b. Unternehmensbroschüre. M.: Grafik-Design-Austria. H.: Theater, Konzerte, Literatur, Kino, Wien, Tauchen, Reisen. (N.A.)

Nemetz Johann Dipl.-Ing. HofR.

B.: Baudir. d. Wasserstraßendion. im Bundesmin. f. Wirtschaftl. Angelegenheiten. DA.: 1030 Wien, Hetzg. 2. PA.: 1030 Wien, Arsenal Objekt 7/1/10. G.: Wien-Kalksburg, 22. Dez. 1941. V.: Christine, geb. Rister. Ki.: Elisabeth (1968), Stephan (1971), Barbara (1973), Katharina (1985). El.: Franz u. Anna. S.: Hum. Gymn. Jesuitenkollegium Kalksburg, 1958 Matura, nebenberufl. Stud. als kfm. Ang. b. d. Verbundges. an d. HS f. Welthdl. Wien, anschl. Stud. Kulturtechnik u. Wasserwirtschaft Univ. f. Bdk. Wien, 1969 Spons. K.: ab 1967 b. damaligen Bundesstrombauamt d. jetzigen Wasserstraßendion., ab 1970 Ltr. d. Strombaultg. Krems, 1975-82 Ltr. d. Strombaultg. Linz, ab 1982 in d. Zentralltg. d. damaligen BMB, 1986 MinR., 1986 Ltr. d. Ref. V/1a, 1988 Ltr. d. Abt. V/1 im Bundesmin. f. Wirtschaftl. Angelegenheiten, seit 1990 Mtgl. d. Dienstprüf.-Kmsn. b. BKA, Vortragender in d. Verw.-Ak., seit 1992 Baudir. d. Wasserstraßendion. zuständig f. d. Donau, schiffbare Traun u. Enns u. d. Grenzflüsse March u. Thaya. E.: 1986 Gold. EZ f. Verd. um d. Rep. Österr. M.: Österr. Schiffahrtsver., ÖIAV. H.: Familie. (J.S.)

Nemetz Peter Ing

B.: Gschf. Ges. FN.: Johann Nemetz & Co GmbH, Gebr. Nemetz KG. DA.: 2700 Wr. Neustadt, Pernerstorfer Str. 29, 2700 Wr. Neustadt, Dr.-Alex-Schärf-Str. 8. G.: Wr. Neustadt,

5. Juni 1943. V.: Karin, geb. Waldhart. Ki.: Irene, Julia, Kristina. El.: Karl u. Jolan. K.: Praktikum in d. BRD, 1966 Eintritt in d. väterl. Betrieb d. Gießerei u. Maschinenfbk. Johann Nemetz d. 1902 gegründet wurde u. sich in d. 4. Generation in Familienbesitz befindet, seit 1970 GmbH, 1983 Eröff. d. Maschinenfbk. u. mech. Fertigung Gebr. Nemetz KG. H.: Sport. (Kern)

Nemetz Rainer

B.: Inh., Gschf. FN.: Care-Data. DA.: 1130 Wien, Postfach 353. PA.: 1130 Wien, Hietzinger Viereckl 53. G.: Wien, 4. Jan. 1958. V.: Ingrid, geb. Buzecki. S.: VS, Gymn., 1977 Matura. K.: Tätigkeit in d. EDV-Branche, freier Mitarb. BASF Österr., Olivetti, Texas-Instruments, 1985 selbst., seit 1988 Care-Data. H.: Spaziergänge, Spontanparties, Kino, Fußball. (W.J.)

Nemetz Roland Dipl.-Ing.

B.: Ziviling. f. Hochbau. FN.: Dipl.Ing. Roland Nemetz. GT.: Hotelier. DA.: 2500 Baden, Weilburgstr. 16a. PA.: 2500 Baden, Mozartstr.16. G.: Baden, 29. Apr. 1948. V.: Lydia, geb. Handlos. KI.: Barbara (1979), Eva (1981), Axel (1983), Maria (1988). EL.: Walter u. Eva - Maria. BV.: Großvater Dr. Camillo Thanner war bek. Wr. Augenarzt. S.: VS, Bundesrealschule mit Matura, techn. Hochschule Wien Studienrichtung Architektur, Diplomarbeit Thema: Revitalisierung, Abschl. 1975. K.: Praxis b. Architekt Georges Candilis in Paris, anschl. tätg im väterl. Ziviling.Büro. M.: Rotary Club. H.: Zeichnen, Malen. (F.S.)

Nemetz Walter Dipl.-Ing.Baurat h.c.

B.: Ziviling. f. Hochbau. FN.: Dipl.Ing. Roland Nemetz. DA.: 2500 Baden, Weilburgstr. 16a. PA.: 2500 Baden, Trostg. 19. G.: Mies/Drau, 25.Okt.1913. V.. Dipl.Ing. Elfriede, geb. Fischer. KI.: Roland, Hannes. S.: VS, Untermittelschule Baden, techn. gerwerbl. BLA Mödling, techn. Hochschule Wien, 1939 Dipl.Ing. K.: in Mürzzuschlag, Baden u. Wien tätig, nach d. Krieg versch. Wiederaufbauten in Wien. M.: Rotary Club. H.: Landwirtschaft, Wandern. (F.S.)

Nemling Robert Dr. iur. Dipl.-Ing. Gen.-Dir.

B.: Vorst.-Mtgl. u. Vorst.-Vors. FN.: Der Anker Allg. Versicherungsges. AG. DA.: 1011 Wien, Hoher Markt 10-11. PA.: 1130 Wien, Goberg. 17. G.: Berlin, 29. Dez. 1937. V.: Dr. Ulrike, geb. Prusa. Ki.: Georg, Maria Katherina, Florian. S.: Gymn. in Wien, Stud. d. Experimentalphysik an d. TU Wien, Dipl.-Ing. 1961, 1962-66 Stud. d. Rechtswiss., Dr. iur. 1966. K.: 1961-62 Militär: OLt. d. Res., ab 1967 versch. Tätigk. b. d. Ersten Allg. Versicherungs AG, 1975-84 LDir. f. OÖ, seit 1984 Vorst.Mtgl. b. Der Anker Allg. Versicherungs-Ges. AG, seit 1985 Gen.-Dir., seit 1987 AufsR. d. Helvetia-Anker Allg. Versicherungs AG in Frankfurt/M., seit 1985 Vorst.Mtgl. d. Verb. d. Versicherungsuntern. Österr., s. 1987 Vors. d. Komitees f. Versicherungsfragen. E.: OÖ SE, div. Ausz. d. Rotary Club. M.: Rotary Club, Techniker Cercle (s. 1987 VPräs.). H.: Tennis, Skifahren, Wandern, Kultur, Theater, Gartenarbeit. (M.Br.)

Nemser William Dr. phil. M.A. Prof.

B.: Univ.-Prof. am Inst. f. Anglistik u. Amerikanistik d. Univ. f. Bild.Wiss. Klagenfurt. DA.: 9020 Klagenfurt, Universitätsstr. 65-67. PA.: 9020 Klagenfurt, Tarviser Str. 112. G.: New York City, 24. Sept. 1923. Ki.: William Mark (1961). El.: Dr. med. Maximilian u. Charlotte. S.: Univ. of Columbia. K.: nach d. Stud. Ass.Prof. an d. Univ. of Columbia, zugleich Dir. d. Inst. f. Englisch als Fremdsprache, dann in Washington im Center for Applied Linguistics, Gastprof. an d. Univ. in Budapest, seit 1973 als Univ.-Prof. in Klagenfurt, Aufbau d. Inst. f. Anglistik u. Amerikanistik, z.Zt. Arb. gemeinsam. m. Prof. W. Wietm aus Sbg. an einem langfristigen Projekt (Sbg. Phonetics Projekt) - Entwicklung d. phonetischen System b. englischlernenden Schülern. P.: An Experimental Study of Phonological Interference in the English Hungarians" (1971), zahlr. Aufsätze u. Abhandlungen in div. Fachperiodika. M.: Mtgl. d. Linguistics Society of America. H.: Musizieren (Trompete), Skifahren, Wandern. (D.M.)

Nenning Ellen

B.: Dipl.-Touristikkauffrau. FN.: Ferienhotel Gasthof Gams. DA.: 6870 Bezau, Platz 44. G.: Wasserburg, 26. Dez. 1971. El.: Rupert u. Sabine. S.: Gymn. Egg, naturwiss. Zweig, 1990 Matura, 1 J. Amerika, Fremdenverkehrscolleg i. Innsbruck, 1993 Diplom. K.: bereits während d. Schulzeit Mitarb. i. elterl. Betrieb, renommiertes Ferienhotel i. Bregenzerwald, 1993 Repräsentantin zuständig f. Verwaltung, Rezeption u. Restaurant. M.: Hoteliervereinig., Junges Gastgewerbe Vlbg. H.: Tennis, Schwimmen, Skifahren, Musik, Konzertbesuche, Reisen. (I.D.)

Nenning Günther DDr.

B.: freier Journalist u. Autor, b. 1986 Hrsg. u. Chefred. d. Zeitschrift "FORVM". FN.: Schriften zur Zeit GmbH. DA. u. PA.: 1070 Wien, Museumstr. 5. G.: 23. Dez. 1921. V.: Edith, geb. Kainer. Ki.: Georg, Leopold. El.: Ing. Walter u. Irene. S.: RG, Univ. Graz, 1949 Prom. Dr. phil., 1959 Dr. rer. pol. K.: 1948-58 Red. bzw. stellv. Chefred. b. "Neue Zeit" Graz, 1958 Red., 1960 Gschf., 1965-86 Hrsg. u. Chefred. d. "FORUM", seit 1960 Moderator im ORF ("Im Kreuzfeuer d. Presse", "Club 2", "Forumgespräche") sowie ARD, RTL, seit 1972 Kolumnist d. Zeitschrift "profil", ständ. Mitarbeiter v. "Zeit", "Spiegel", "Focus", "Weltwoche" sowie "Kronen Zeitung" u. "Standard", 1960-85 Vors. d. Journalistengewerkschaft, Präs.-Mtgl. d. Gewerkschaft Kunst, Medien, Freie Berufe u. Obm. d. Fraktion sozialist. Gewerkschafter, 1985 Ausschluß aus ÖGB u. SPÖ wegen führ. Rolle im Widerstand gg. Kraftwerk Hainburg, 1986 Mitbegründ. d. Grün-alternativen Partei. P.: 17 Bücher, ca. 300 gr. Arb. in div. Publ. E.: Ottokar-Horneck-Preis, 2x Körner-Preis, Gold. EZ f. Verd. um d. Rep. Österr., Gold. EZ d. Landes Stmk. M.: em. Mtgl. Intern. Presseinst., Vorst. d. Intern. Journalistenföderation u. d. Presseclubs Concordia, Vors. d. Paulus-Ges. (österr. Sekt.), Gründ.-Mtgl. Österr.-Kuban. Ges. u. amnesty international Österr.

Nentwich Gerhard Dr. techn. Dipl.-Ing.
B.: Wiss.OR. am Inst. f. Grundlagen u. Theorie d. Elektrotechnik Univ. Wien. A.: 2500 Baden, Schloßg. 30/2/10. G.: Wien, 15. Mai 1937. V.: Elisabeth, geb. Tomenendal. El.: Dipl.-Ing. Alfred u. Erna. S.: VS, Realschule Baden, (Matura 20. Juni 1955), Stud. Techn. Physik, TH Wien (Diplom 6. Mai 1960) Prom. 4. Dez. 1964. K.: seit Okt. 1961 an der TU Wien, Inst. f. Grundlagen u. Theorie der Elektrotechnik, HS-Ass., wiss. Beamter (WissR.), seit 1. Jan. 1980 Oberrat. P.: 12 Publ. ü. elektromagn. Probl. in in- u. ausländ. Fachzeitschriften. E.: Gold. EZ f. Verd. um d. Rep. Österr. M.: Dt. Physik. Ges., Mitarb. im Österr. Verband f. Elektrotech. (ÖVE), Vors. d. Unteraussch. A31 (Schaltzeichen), u. im Österr. Normungsinst. (ON) stellv. Vors. d. Fachnormenaussch. 133 (Bildzeichen). H.: Schmalfilm (Trickfilm), Schlaraffen.

Nentwich Marianne

B.: Kammerschauspielerin am Theater in d. Josefstadt. DA.: 1080 Wien, Josefstädterstr. 26. G.: Wien, 22. Juli 1942. V.: Dr. Johannes Pollak. Ki.: Ulrike, Hanna. El.: HofR. Alois u. Josefine. S.: 1960 Matura, 1960-63 Abendschauspielschule im Konservatorium Prayner, Dipl. K.: 1960-64 Ang. d. Österr. Rundfunks, Fernsehsprecherin im Österr. Fernsehen, seit 1964 ständiges Mtgl. d. Theaters in d. Josefstadt, Stücke: "Liebelei", " Leas Hochzeit ", " Das Mädel aus d. Vorstadt ", "Der Tod und das Mädchen", "Der Schwierige", "Trilogie des Wiedersehens", "Der Rosenkavalier", "Drei Schwestern", "Das weite Land", "Arkadien", viele Theatergastspiele: 1967 Schiller-Theater Berlin, 1975-76 Sbg. Festspiele/LTheater, 1983-89 Sbg. Festspiele, 1991, 92 und 94 Festspiele Reichenau, Fernsehfilme: "Fräulein Else" (1974), "Das Ringstraßenpalais" (1980). E.: 1965 Nachwuchspreis f. "Der gläs. Pantoffel", 1976 Gold. Rathausmann f. "Der Schwierige", 1988 Kammerschauspielerin, H.: Skifahren, Reiten. (M.B.)

Nentwig Jürgen jun.
B.: Gschf. Ges. FN.: Jürgen Nentwig GmbH. DA.: 2000 Stockerau, Ing.-Josef-Heckl-Str. 7. PA.: 2000 Stockerau, Rathauspl. 8. G.: Korneuburg, 5. Okt. 1966. El.: Jürgen u. Elfriede. S.: VS, HS, Maschinenschlosserlehre. K.: 1980-84 Lehrzeit b. Firma Heid Stockerau, 1984 Eintritt in d. elterl. Betrieb Firma Jürgen Nentwig: Erzeugung v. Verpackungsmaschinen, 1986 Übernahme d. Firma u. Umwandlung in GmbH, 1992 Grdg. einer Tochterfirma in Bratislava. M.: aktiver Fußballer SK Ernstbrunn. H.: Fußball, Hochseesegeln, Tauchen. (M.M.)

Nentwig Jürgen sen.
B.: Unternehmer. FN.: Jürgen Nentwig GmbH. DA.: 2000 Stockerau, Ing.-Josef-Heckl-Str. 7. PA.: 2000 Stockerau, Rathauspl. 8. G.: Meseritz/DDR, 26. Sept. 1939. Ki.: Jürgen (1966). El.: Karl u. Elisabeth. S.: VS, Maschinenschlosserlehre, Techniker-Abendschule u. Mechanikermstr.-Prüf. K.: 1958-60 Techniker im Aufzugbau Düsseldorf, 1960-68 Techniker im Innen- u. Außendienst d. Firma Benz & Hilgers Düsseldorf: Verpackungsmaschinen, 1968 Grdg. einer Maschinenbaufirma f. Verpackungsmaschinen Ernstbrunn, 1986 Übergabe d. Firma an d. Sohn Jürgen Nentwig u. Umwandlung in GmbH. H.: Hochseesegeln, Tauchen.(M.M.)

Nepustil Hans Heinz Dr. med. HofR. Prim.
B.: Ltr. d. Chir. Abt. im LKH Wolfsberg. DA.: 9400 Wolfsberg, Landeskrankenhaus. PA.: 9411 St. Michael, Lausing 4. G.: Graz, 5. Aug. 1935. V.: Monika, geb. Köhler. Ki.: Tina, Thomas, Sonja. El.: Hannes u. Berta. S.: Gymn., 1954 Matura, Med.Stud. Univ. Graz, 1967 Prom. K.: 1967-69 Ass.Arzt Unfallchir., 1969-74 Ass. Allg.Chir. u. Gynäkologie, 1974-78 FA f. Chir., ab 1978 OA u. Chefstellv. LKH Wolfsberg, ab 1985 Prim. f. Allg.Chir., 1987 HofR., Akupunkturstud. Univ. Taipei, 1. erfolgreiche OSCH-Nagelung in Akupunkturanalgesie in Europa P.: Fachart. in Fachzeitschriften. M.: VPräs. Reitclub Dienstlhof. H.: Reiten, Schwimmen, Skifahren. (S.G.)

Nerat Harald
B.: Dirigent, Gründer u. künstler. Ltr. d. Sbg. Mozart-Serenaden u. d. Sbg. Kammerorchesters. DA.: 5071 Salzburg-Siezenheim, Holzmeisterstr. 342. G.: Linz, 8. Aug. 144. V.: Elisabeth. Ki.: Verena (1982). El.: Ludwig u. Erika, geb. Kuchar. S.: Stud am Konservatorium in Marburg u. an d. HS f. Musik u. darstell. Kunst in Wien. K.: während Studienzeit Solobratscher im Wr. Kammerorchester sowie Stimmführer im Orchester d. Wr. Volksoper, später Ass.-Dirigent d. Südwestdt. Philharmonie in Konstanz, Bratschist im Mozarteum-Orchester, Mtgl. d. Sbg. Residenz-Solisten, Grdg. Sbg. Mozart-Serenaden u. Sbg. Kammerorchester, weltweite Tourneen als Dirigent weltberühmter Orchester u.a. in Madrid, Sevilla, Mailand, Palermo, Udine, Zürich, Amsterdam, Laibach, Osaka, Tokio, Prag. P.: CD Serenaden v. Mozart, CD Cassationen v. Mozart (Sbg. Kammerorchester), CD Quartetten f. Holzbläser (Sbg. Residenz-Solisten). H.: Segeln, Skifahren, Reisen, Schwimmen. (E.Hö.)

Nerber Ilse
B.: Schriftstellerin. PA.: 1060 Wien, Blümelg. 1/11. G.: Wien, 12. Apr. 1922. El.: Nerber Albert u. Margot. S.: RG, Matura. K.: 1942-45 Volkszeitung (Ausbild. als Schriftltr. u. Red.), 1945-50 Rundfunkreporter (Kulturgeschichte, eigene Sendungen), seit 1950 freischaff., u.a. ständiger Mitarb. d. wöchentl. erscheinenden Filmzeitschrift "Mein Film", 1946-55 Parallel Privatsekr. b. d. Wr. Lyriker Konrad Paulis, 1979-83 Red. b. d. Zeitschrift "Die Frau" Abt. Kultur. P.: Kurzgeschichten. E.: 1956 Ausz. b. Wolfg. Borchert Kurzgeschichtenwettbewerb f. d. Geschichte "Der Jan v. d. Brücke", Lyrikband "Leben heißt in tausend Rätseln brennen" H.: Sammeln v. Eulen. (A.W.)

Nermuth Manfred Dr. phil. o.Univ.-Prof.
B.: o.Univ.-Prof. am Inst. f. Wirtschaftswiss. d. Univ. Wien. DA.: 1010 Wien, Hohenstaufeng. 9. PA.: 1150 Wien, Zollernspergg. 6/13. G.: Wien, 5. März 1948. El.: Dkfm. Josef u. Helene. S.: Stud. Math. u. Physik Univ. Wien, 1973 Dr. phil., 1982 Habil. f. VWL Univ. Wien. K.: Ass. Univ. Bonn (1976), Löwen (1977), Wien (ab 1977), 1985-89 Univ.-Prof. Bielefeld, seit 1989 Univ.-Prof. Wien, Gastprof. 1981 Cornell Univ. New York, 1984 Univ. of Southern California Los Angeles, 1985 New York Univ., 1992 Karlsuniv. Prag. P.: Information Structures in Economics (1982), zahlr. Publ. in wiss. Zeitschriften.

Neroth Rudi
B.: Komponist, Autor, Musiker. PA.: 1060 Wien, Gumpendorfer Str. 8. G.: Wien, 11. Sept. 1921. V.: Gundi, geb. Rommel. Ki.: Eva. El.: Hans u. Paula. S.: VS, RG, Ausbild. als Kartolithograph. K.: Klavierunterricht m. 12 J., privates Musikstud. f. Trompete u. Kontrabaß, 1940 Einberufung z. RAD Musikzug, anschl. Wehrmacht, in dieser Zeit bereits komponiert u. getextet, nach Gefangenschaft 1947 als Berufsmusiker m. namhaften Orchestern in Wien zu arb. begonnen, ab 1950 viele J. m. kleinem Ensemble in Spitzenhotels d. In- u. Auslandes tätig (Schweiz, BRD,

Holland, Schweden, Norwegen), später Weltreisen m. versch. Luxusschiffen, dazwischen immer wieder in Wien als freier Mitarb. d. ORF als Studiomusiker (Bassist) f. Prod., FS, Schallplatten div. eingesetzt. P.: zahlr. Rundfunkaufnahmen v. Kompositionen z.B. Wr. Solistenorchester Prof. Karl Grell, Akkord. Ensemble Gertraud Winklbauer, d. Babinski-Schrammeln, d. Wr. Bartrio H. Hruza, d. Pianisten Prof. Danzinger, Prof. Pawlicki u.a., sowie Lieder f. d. Fernseh-Senioren Club. E.: 1984 Preisträger d. Soldatenliederwettbewerbes, Gold. Wienerherz u. d. Gold. Lyra f. Verd. um d. Wienerlied, schreibt u. textet Tanz- u. Unterhaltungsmusik, sowie Wienerlieder, über 100 Werke exklus. b. Belvedere-Verlag. M.: Mtgl. v. AKM, ÖKB, VÖT, AU-ME, Vorst.Mtgl. d. Sekt. Musiker d. ÖGB (KMFB). H.: Wandern, Lesen, Skifahren, Basteln, Reisen. (H.P.)

Nersinger Ulrich Can.Reg.

B.: Chorherr d. Stiftes Klosterneuburg u. Mitarb. d. Generalpostulation. DA. u. PA.: 3400 Klosterneuburg, Stiftspl. 1. G.: Eschweiler Deutschland, 19. Nov. 1957. El.: Robert u. Agnes. S.: Abitur Neuss, Stud. Theol. u. Phil. Bonn, Univ. Wien u. Päpstl. Univ. S. Tommaso Rom, Spezialstud. Vatikan. Kongregation f. Selig- u. Heiligsprechungsverfahren. K.: 1983 Eintritt in d. Chorherrenstift Klosterneuburg, 1985-92 vorwiegend in Rom: Mitarb. in d. Generalpostulation d. Gesamtchorherrenordens, 1987 feierl. Profeß in Klosterneuburg, seit 1992 in Klosterneuburg, gleichzeitig auch in Rom tätig. P.: Journalist. u. schriftstell. Tätigkeit: 1990 Autor eines Buches z. Thema Ordenshagiographie, zahlr. Beiträge m. "Osservatore Romano" u. f. "Radio Vaticana"; Art. in österr. u. intern. Kirchenzeitschriften. M.: Vollmtgl. d. Collegium Cultorum Martyrum Vatikan, K.A.V. Capitolina im CV zu Rom. H.: Kriminalliteratur. (J.S.)

Nesche Sylvia

B.: Theater- u. Filmemacherin. FN.: DOMINO. DA.: 1010 Wien, Sonnenfelsg. 3/2B. G.: Marseille, 28. Mai 1942. V.: Nesher Yair. Ki.: Ifat. El.: Aradi Alexander u. Lya. K.: Teilnahme an 20 intern. Festivals, Silhouettentheater, Tourneen in 4 Kontinenten, seit 1981 Ltg. Schwarzes Theater Domino. BL.: Erster Silhouettenfilm in Farbe. P.: Publ. in ital. u. engl. Fachzeitschriften, Ausstellungen in Italien. E.: Jury Preise (BMUKS, Kulturamt d. Stadt Wien). H.: Theater u. Film. (A.K.)

Nesitka Bernhard Ing.

B.: Verkaufsltr. FN.: Elkinet Nogler & Daum KG. DA.: 1090 Wien, Frankg. 6/17. PA.: 8051 Graz, Jakob-Münz-Weg 7. V.: Maria, geb. Raidl. Ki.: Christian. El.: Dipl.-Ing. Dr. August u. Helene. S.: 1971 Matura, TH, HTL Kolleg, Ing. Tiefbau. K.: 1983 Verkauf f. Baustoffe, Gen.Vertr. Tegola Canadese, Elkinetvertr. f. Trockenlegung, 1991 Grdg. Elkinet, 1985 u. 1986 Marketingkurse Deutschland. H.: Tennis, Skifahren, Life-Fitness. (J.E.)

Nesitka Egon Dr. techn. Dipl.-Ing

B.: Mittelschullehrer i.P. A.: 8700 Leoben, Mareckkai 10. G.: Sommerrein, 10. Dez. 1902. S.: Reifeprüf., TH u. Univ. Graz, Lehramtsprüf. f. Mittelschulen. K.: Schuldienst in steir. Mittelschulen, zul. an d. HTBLA in Kapfenberg, als Cellist, Hornist, Orchester- u. Chorltr. tätig. P.: 6 Deutsche Messen "Ein Schuljahr gesungen", Gedichte aus Volks- u. Hauptschulbüchern vertont u. m. Akkordeonbegleitung versehen, Märsche, Trauungslieder, Tänze, "Gold. Arnika" (Blumenlieder f. Frauenchor), Weihnachts-u. Schlummerlieder m. Gitarre, mehrere Schallplatten u. Kassetten, Marschlied d. europ. Jugend, Geist Europas sei gerufen!, Hymne. M.: Österr. Alpenver., Musikver. Leoben. H.: Musik u. Fremdsprachen.

Nessler Robert Prof.

B.: Musiker, Komponist, Dirigent. PA.: 6020 Innsbruck, Sennstr. 4. G.: Innsbruck, 6. Nov. 1919. V.: Margot, geb. Remer. Ki.: Fridolin. BV.: Anton v. Webern (mit Alban Berg bedeutendster Schüler aus d. Schönbergkreis). S.: 1938 Matura, Konservatoriumsausbild. in: Klavier, Musiktheorie, Dirigieren, anschließend Musik-HS München. K.: 1945-53 Theaterkapellmstr., Gastdirigententätigkeit in Oper, Konzert u. Rundfunk, 1971 Prof., seit 1974 Lehrer f. Dirigieren u. Komposition sowie Lehrbeauftragter am musikwiss. Inst. d. Univ. Innsbruck, seit 1977 auch Prof. f. Musiktheorie am Vbg. LKonservatorium u. Ltr. einer Komposition u. Dirigentenklasse, seit Okt. 1984 freischaffend. BL.: eine Orgelphantasie: "Vita et Mors" (1961), vier Studien für Flüte u. Cello, nach einem Bild v. Paul Klee: "Les-Poissons-Magiques" (1968). P.: wichtigst Werke: 2 Synfonien u. 2 Klavierkonzerte, mehrere Stücke f. Kammerorchester u. div. Kammermusik versch. Besetzungen, 5 Lieder f. Mezzosopran u. gr. Orchester, nach Texten v. Georg Trakl u. Friedrich Nietzsche, wichtigste Uraufführungsorte u. Orchester. Dresdner-Staatskapelle, Berliner Staatskapelle, Pfälzische Philharmonie, ORF-Sinfonie-Orchester u. Innsbrucker Synphonieorchester, häufig Dirigent eigener Werke. M.: Musikbeirat d. Tir. LRg. H.: Naturliebhaber. (Schm.)

Nestelberger Wilhelm SchulR.

B.: Bgm. d. Gem. Loich, Berufsschuloberlehrer i.R. G.: Weinburg, 16. Apr. 1934. Ki.: Christine (1955), Wilhelm (1959), Verena (1972), Irene (1974). K.: 1948-51 Lehrzeit Fa. Schönböck Hofstetten, 1951-61 Werkzeugbauer Fa. Molikowitsch Loich, Mehr. Wirtsch.Kurse, 1961 Mstr.-Prüf. im Schlossergew., 1961-64 techn. Ltr. i. d. Fa. Molikowitsch Loich, 1964 Eintr. i. d. Schuld. - BS f. Metallberufe i. St. Pölten, 1965 Lds-BS f. Schlosser u. Mechaniker Amstetten, 1969 Ableg. d. Päd. u. Fachl. Prüf., d. Lehramt f. Metallberufe, 1978 Werkmstr., 1980 Mstr.-Prüf. im Mechanikergewerbe, Titelverl. Berufsschuloberltr., 1965-94 nebenbei Erzieher im Intern. f. Schlosser u. Mech. Amstetten, Ausb.m v. Lehrl. uz. Ltg. v. Schweiß- u. Vorbereitungskursen f. Lehrabschluß- u. Mstrprfg., 25 J. Organisation u. Teiln. an Berufsinformationswochen. E.: W. d. 30-j. Schulzeit zahlr. Dank- u. Anerkennungsschreiben d. Kammer d. gew. Wirtsch., sowie d. Landesschulrates f. bes. schulische u. außersch. Leistgn. im Bezug auf d. Berufsausb. (M.M.)

Nestler Dieter Ing.

B.: Bmstr., gschf. Ges., Spenglermstr. FN.: Nestler GmbH/Krems u. Planungsbüro/Furth-Göttweig. DA.: 3500 Krems, Wiener Str. 127, 3511 Furth/Göttweig, Keramikstr. 120. PA.: 3511 Furth/Göttweig, Keramikstr. 120. G.: Krems, 29. Juli 1945. Ki.: Susanne, Doris. El.: Rudolf u. Helga. S.: Mittelschule, HTBL Krems, BH. K.: Konzessionsprüf. f. d. Bmstr.Gewerbe, seit 1970 selbst. m. d. Planungsbüro in Furth-Göttweig, seit 1972 Spenglermstr., 1972-84 Gschf. d. Fa.

Schuster, Verkauf derselben, gschf. Ges. d. Nestler GmbH ab 1985. M.: Obm. v. Sportver. Furth, Pr.Mtgl. d. KSC-Krems. H.: Hundeliebhaber, Wandern. (Kern)

Nestler Norbert Prof.

B.: Ak. Maler. DA. u. PA.: 8010 Graz, Brockmanng. 87/2. G.: Wien, 24. März 1942. V.: Friederike J., geb. Rebeau. Ki.: Michael (1965). S.: 1960-65 Univ. Wien u. Ak. d. bild. Künste. K.: 1966 Prof. f. Bildner. Erziehung Graz, seit 1968 Graf. Experimente (Lichtdrucke), 1973 Lithograf. Studien b. Werner Otte Sbg., 1987 Druckgrafiken auf Metall Raum - plastische Konzepte. P.: Filmaufnahmen f. "Die Kunst d. Herrn N. Nestler", 1985 Organ. d. intern. Kunstprojektes "Die Schöpfung Gottes", 1990 Lithografiedemonstration im Kulturhaus Graz, Reisen nach Umbrien/Italien, Japan, Kreta, San Francisco, USA, Jugoslawien, 1967 18 Einzelausstellungen u. viele Gruppenausstellungen, 1983 Kunstpräsentation als "Lebendbüste", Graz, Künstlerhaus. E.: 1962 Fügerpreis d. ak. d. Bild. Künste, 1967 Johanneum-Kunstpreis d. Landes Stmk. f. zeitgenöss. Malerei, 1972 Wien Stadtsförd.-Preis f. Plastik, 1976 San Franisco Special Edition Purchase Award, World print Competition, 1980 Köflacher Kunstpreis d. BMFUKS, 1984 Innsbruck, 19. österr. Grafikwettbewerb, Preis d. Lds. NÖ, 1994 Krakau, Spezialpreis d. intern. Grafik Triennale. (R.S.)

Nestroy Othmar Dr. nat. techn. Dipl.-Ing. Prof.

B.: OAss. am Inst. f. Geographie an d. Univ. Wien. A.: 1040 Wien, Schleifmühlg. 5/17. G.: Kapfenberg, 7. Nov. 1933. V.: Mag. phil. Elisabeth, geb. Scala. El.: Dr. Franz u. Margaretha. S.: Hum. Gymn., Univ. f. Bdk. K.: Ass. an d. Univ. f. Bdk., Inst. f. Bdk., Ldw.-chem. BVersuchsanst., Bodenkartierung u. Bodenwirtsch., Ass. am Geograph. Inst. d. Univ. Wien. P.: Ca. 40 Veröff. boden- u. agrarökolog. Inhalts. M.: Österr. Bdk. Ges., Österr. Geogr. Ges., Dt. Bdk. Ges., Intern. Bdk. Ges.

Nesvadba Heinrich Dr.

B.: RA. DA.: 1060 Wien, Königsklosterg. 7/6, Tel. 575272. G.: Neutischein, 23. Jan. 1945. S.: hum. Gymn., Stud. an d. jur. Fak. d. Univ. Wien, 1972 Prom. K.: 1975 Anw.Prüf., seit 1977 eigene Kzl. (Schwerpunkte: Zivil-, Hdls.- u. Wirtschaftsrecht). H.: Skifahren, Bergsteigen, Windsurfen, Musik (Piano). (Sei.)

Nesvadba Peter Dr.

B.: Gschf. FN.: Neskom Ind.-Anlagen GmbH. DA.: 1050 Wien, Arbeiterg. 18. PA.: 3032 Eichgraben, Buchenstr. 25. G.: Jung-Bunzlau/Tschechien, 17. Nov. 1940. Ki.: Jan (1968), Ines (1972). El.: Ladislaus u. Marta. S.: 1958 Matura, Stud. Wirtschaftswiss. WU Wien u. Karlsuniv. Prag, 1976 Prom. K.: 1963/64 Exportref. b. d. Elin-Univ., 1968-78 BASF Ludwigshafen, 1978-86 SGP Wien, zuletzt Exportltr., 1986-88 kfm. Ltr. b. Dr. Walter Menhardt GmbH, 1988-90 Gschf. Ges. Dr. Peter Nesvadba GmbH, seit 1991 o.g. Position. F.: seit 1992 Ges. Chem. Fbk. "Aktiva" Tschechien. H.: Lesen.

Netroufal Wilhelm

B.: Gschf. im Erholungszentrum Stockerau. DA.: 2000 Stockerau, Pestalozzig. 1. PA.: 2104 Spillern, Am Neubau 2/1/5. G.: Stockerau, 20. Febr. 1962. V.: Gabriele, geb. Winkelmeier. Ki.: Julia (1986). El.: Wilhelm u. Ilse. S.: 4 J. HS, Goldschmiedelehre, 1983-85 nach Motorradunfall Notwendigkeit d. Umlernen auf d. Beruf Bürokfm. K.: 1985-91 Sekr. im Sportzentrum Alte Au Stockerau, ab 1992 Gschf. im Erholungszentrum Stockerau. H.: Malen, Restaurieren v. Antiquitäten, Joggen, Skifahren. (M.M.)

Netsch Ludwig Dr. Mag.

B.: Ltr. d. Sbg. Stadtdokumentation. A.: 5020 Salzburg. G.: Scharnstein, 26. Febr. 1923. El.: Ludwig u. Hedwig. S.: VS, Hum. Gymn. Univ., Phil. Fak. Sbg., Anselmianum in Rom. K.: nach Kriegsdienst und Gefangenschaft v. 1946 - 1968 Red. bzw. Chefred.Stellv. in der "Salzburger Volkszeitung" (christlich-konservativ) 1969-1979 Presseref. d. Stadt Sbg. seit 1979 Ltr. der Stadtdokumentation. P.: "Salzburger Stadtchronologie ab 1945", "Tagesjournale" der Stadt Sbg. Arbeit "Beiträge zur Psychologie der öffentlichen Meinung". E.: Gold. Verdienstz. d. Landes Sbg., versch. Ausz. d. 2. Weltkrieges. M.: versch. soziale Organ.. H.: Wandern, Lesen phil. Werke, Schwimmen.

Nettig Walter KommR.

B.: Gschf. Ges. d. Foto-Nettig, Kfm. DA.: 1160 Wien, Wichtelg. 20. G.: Wien, 7. Juni 1935. S.: Handelsstud. in d. USA, Lehre als Fotokfm. in Wien, Abschluß m. Ausz., 1 J. Gschf. einer Fotofa. in Wien, J. Auslandstätigkeit in d. Fotobranche in Sydney/Australien, 2 J. in ltd. Stellung innerhalb d. größten Fotokonzernes an d. Westküste d. USA, 1958 Rückkehr u. Grdg. d. ersten Foto-Nettig Geschäftes in Traiskirchen, 1970-72 Aussch.Mtgl. d. Fotogremiums sowie 1972-80 Vorst.Stellv. d. Fotogremiums u. seit 1980 Vorst. d. LGremiums f. d. Fotohdl., seit 1977 Grdg.Mtgl. u. Obm. d. Fotoring-Austria GmbH, seit 1981 Gschf. Ges. u. Alleininh. E.: Gr. Silb. EZ f. Verd. um d. Land Wien. (M.B.)

Netusil Ferdinand

B.: Bes. d. Galerie "Ariadne". DA.: 1010 Wien, Bückerstr. 6. PA.: 1220 Wien, Kagraner Anger 22/1/1/6. G.: Wien, 8. Juli 1940. V.: Vilma, geb. König. Ki.: Thomas (1967), Alexander (1968). El.: Ferdinand u. Anna, geb. Eder. S.: Ind.-Kfm.-Lehre, Stud. Bilanzbuchhaltung HS f. Welthdl. K.: 1972 Eintritt in d. Galerie "Ariadne", seit 1976 deren Bes., Schwerpunkt Förd. d. jungen Österr. u. Intern. Bild. Kunst. H.: Kunst allg. (N.A.)

Netzer Josef

B.: Kfm., Hotelier, Gschf. Ges. Hotel St. Christoph. DA.: 6580 St. Christoph 534. G.: Landeck, 18. Jan. 1945. V.: Jukiko. Ki.: Rosi-Fujiko (1972), Thomas-Taro (1973), Eva-Noriko (1974), Robert-Jiro (1979). El.: Erwin u. Rosa. S.: Gymn. Landeck, 3 J. Wirtschaftsoberschule Bad Honnef, 1962 Abitur. K.: 1962-64 Auslandsaufenthalt in d. BRD, 1964-76 Tätigkeit im elterl. Betrieb, 1975-88 mehrere Auslandsaufenthalte, 1988 Neubau d. Hotels St. Christoph u. Führung gemeinsam m. d. Gattin. BL.: Aufbau d. 1. Touristenverkehrs v. Tirol u. Österr. in Japan. H.: Skifahren, Langlaufen, Wandern, Wassersport. (I.D.)

Netzer Markus Dr. med. vet.

B.: Amtstierarzt, Prakt. Tierarzt. DA. u. PA.: 6700 Bludenz, Unterbings 47. G.: Bludenz, 26. Juli 1952. V.: Katharina, geb. Achrainer. Ki.: Michael (1981), Martin (1983), Markus (1985). El.: Leonhard u. Erna. S.: Gymn. Bregenz, 1970 Matura, 1970-71 Militärdienst, 1971 Tierärztl. HS Wien, 1977 Prom., 1977 Studien in Amerika. K.: 1978-80 Praxis als Tierarzt in Deutschland u. Schweiz, 1980-90 Prakt. Tierarzt, seit 1990 Amtstierarzt d. BH Bludenz. BL.: 1987 1. tiefgefrorene Rinderembryonen aus Amerika importiert u. erfolgreich übertragen. M.: Vorst.-Mtgl. d. Vbg. Tierärztekam. H.: Tierzucht, Familie. (I.D.)

Netzkowa-Mnatsakanjan Elisabeth

B.: Univ.-Lektor, Schriftstellerin, Grafikerin, Lehrbeauftragte an d. Univ. Wien f. "Russ. Literatur d. 20. Jhdt." PA.: 1040 Wien, Johann-Strauss-G. 35/7. G.: Baku/Azerbaijan, 31. Mai 1922. Ki.: Alexander. El.: Dr. Arkadij u. Dr. Anna Mnatsakanjan. S.: Stud. an d. Univ. Moskau, Stud. am Moskauer Konservatorium (Klavier u. Musiktheorie), Dipl. K.: Schwerpunkte literar. Betätigung bzw. Veröff.-Tätigkeit: Lyrik, Kurzprosa, Visuelle Gedichte, Malerei, Grafik, Übersetzung, Lesungen, Ausstellungen. P.: Gedichtbände: "beimto dezu gast", "Das Buch Sabeth", "Ein russisches Requiem", "das stille meer", Übersetzungen d.österr. Lyrik, Ausstellungen in Wien, Bregenz, Paris u. Lexington/USA, Buch: leise lesen, Schritte u. Töne. E.: "Wystan Hugh Auden-Anerkennungspreis f. Übersetzungen", 1985 Literaturpreis f. Gesamtübersetzung d. Min. f. Unterricht u. Kunst, 1987. M.: Grazer Autorenversammlung. H.: Klavierspielen. (N.A.)

Neu Klaus-Horst Dipl.-Ing.

B.: Arch. DA. u. PA.: 1070 Wien, Seideng. 26/3/13. G.: Bruck/Mur, 21. Aug. 1944. V.: Roswitha, geb. Schindler. El.: Anton u. Helene. S.: HTL in Waidhofen/Ybbs, Stud. Arch. an d. TH Wien, 1979 Dipl.-Ing. K.: 1979-85 ang. Arch. in div. Arch.Büros, 1983 Ziviltechnikerprüf., seit 1985 selbst. H.: Skifahren, Surfen, Tennis, Fotografieren, Aquarellieren. (P.R.)

Neubacher Agnes

B.: Inh. FN.: Tabak-Trafik Agnes Neubacher. DA.: 2500 Baden, Wimmerg. 18. PA.: Neunkirchen, Senefelderg. 2a. G.: Neunkirchen, 8. Dez. 1947. Ki.: Maria (1972), Heinz (1974). El.: Franz u. Agnes Ofenböck. S.: VS, HS, HAK. K.: Eintritt in d. Betrieb d. Vaters einem Fuhrwerksunternehmen, seit 1989 selbst. m. eigener Tabak-Trafik in Baden. H.: Lesen v. Wirtschaftszeitungen. (F.S.)

Neubacher Friedrich Mag. theol.

B.: Pfarrer Ev. Kirche A.B. PA.: 8020 Graz, Triester Str. 128a. G.: Vöcklabruck, 4. Apr. 1958. V.: Gabriele, geb. Wenninger. Ki.: Judith (1988), Mirjam (1992). El.: Helmut u. Hildegard. S.: VS, HS, HTL f. Maschinenbau, 1977 Matura Sbg., 1977 Indien, Beginn Theol.-Stud. Sbg., 1984 Spons. z. Mag. theol. K.: 1984 Vikar Hallein u. Sbg., 1986-89 ordinierter Vikar Graz, 1989 Amtseinführung u. seither Pfarrer in d. Pfarrgem. Graz R.M. P.: Art. in einer kirchl.-wiss. Zeitung. M.: Vertrauensmann d. Pfarrer-Gebetsbruderschaft in Österr. H.: Tennis, Volleyball, Skifahren, Lesen. (M.Gr.)

Neubauer Erich

B.: Mitinh. u. Gschf. d. Fa. Neubauer GmbH & Co KG, Kfm. DA.: 6460 Imst, Auwerkstr. 12. PA.: 6460 Imst, Eichenweg 10. G.: Hall in Tir., 15. Juni 1945. El.: Ing. Rudolf u. Vera. S.: 1964 Matura, div. Ing.Stud. in Graz, Paderborn u. Soest. K.: Seit 1976 Kompl., ab 1982 Mitinh. u. Gschf. d. Fa. Neubauer GmbH & Co KG. H.: Tauchen, Segeln, Skifahren, Alpine-Botanik. (Schm.)

Neubauer Franz

B.: Vorst. d. Zweigstelle Wr. Neustadt d. LHypothekenbank NÖ. DA.: 2700 Wr. Neustadt, Adlerg. 3. G.: Neunkirchen, 29. Sept. 1936. V.: Christine, geb. Pap. Ki.: Bettina. S.: HAK Wr. Neustadt. K.: seit 1955 Ang. d. LHypothekenbank NÖ-Wien, 1969-71 Vorst.Stellv. d. Zweigstelle Porzellangasse Wien, ab 1971 Vorst. d. Zweigstelle in Wr. Neustadt, Prüf.Kmsn. d. NÖ Hypothekenbank. P.: Seminare innerhalb d. Verb. d. LHypothekenanst. Österr. H.: Tennis, Skifahren. (Kern)

Neubauer Franz

B.: Bez.-Vorst. in Josefstadt. DA.: 1080 Wien, Schlesingerpl. 4. PA.: 1080 Wien, Fuhrmannsg. 12. G.: Wien, 17. Feb. 1942. V.: Hermine, geb. Weihs. Ki.: Barbara (1967), Ursula (1969), Florian (1975). El.: Dr. iur. Franz u. Margaretha. S.: 1956-60 Berufslehre f. Buchdrucker. K.: 1961-64 Red. d. Zeitung d. Kath. Arbeiterjugend, 1965 Wiedereinstieg in d. graph. Gewerbe, 1970-75 Prok. Firma Szabo, seit 1973 aktiver Funktionär b. d. ÖVP, BezR., 1975-86 Gschf. Gloria Druckerei, 1986-90 Dir. Firma Hötzenberger, seit 1990 Kons. d. Firma, seit 1990 Bez.-Parteiobm. d. ÖVP in Josefstadt u. Bez.-Vorst.-Stellv., seit 1994 Bez.-Vorst. M.: 1967-70 VPräs. d. Österr. Bundesjugendringes. H.: Wandern, Jagd. (I.K.)

Neubauer Günther

B.: Gsch. Inh., Gastronom. FN.: Parkhotel Neubauer Ges.m.b.H & CO KG. DA.: 7202 Bad Sauerbrunn, Postg. 2. G.: Wien, 2. Mai 1958. V.: Christine, geb. Zarits. Ki.: Stefan (1985), Lisa-Maria (1988). El.: Stefan u. Gisela. S.: Gymn., Hotelfachschule, div. Weiterbild. Kurse. K.: im elterl. Betrieb alle Tätigk. ausgeübt, Auslandstätigk. in BRD, Schweiz, Grand Hotel "Dolder", Frankreich "Trois Epis", 1985 Rückkehr in d. elterl. Betrieb, Umgestaltung u. bauliche Veränderungen, 3-Stern-Hotel, 1 öff. Sauna in Burgenland, seit 1968 Massage- u. Kosemtikstudio, Sonnenstudio, seit 1992 Seminar-Hotel m. sämtl. Equipments.P.: mehrmals im Fernsehen als Fernsehkoch. E.: 1979 1. Preis Burgenlandkochkunst Ausstellung, 1980 Goldener Koch "Gast Klagenfurt", 1983 1. Preis Kochkunstausstellung Zürich, Konditoreiwettbewerb BRD Dortmund - Sonderpreis, div. andere Kochauszeichnungen. M.: 12 J. Obm. Junges Gastgewerbe Burgenland, Prüf. Mtgl. d. Prüf. Kmsn. Bad Sauerbrunn, Vorst. Mtgl. "Region Rosalia", Mtgl. d. pannonischen Küche, Bund Österr. Gastlichkeit, Mtgl Club d. Sternenfreunde Eisenstadt. H.: Fußball, Fachliteratur, Wandern, Skifahren, Beruf. (W.M.)

Neubauer Gustav KommR. KamR.

B.: Bes. d. Gasthofes Neubauer. PA.: 7400 Oberwart, Wiener Str. 35. G.: Oberwart, 16. Mai 1926. V.: Margareta, geb. Brandstädter. El.: Johann u. Gisela. BV.: Einige Vorfahren stammen aus d. österr.-ungar. Landadel. S.: VS, HS, HAK Wien, 1944 Matura. K.: Praktikum als kfm. Volontär in Oberwart, 1948 Eintritt in d. väterl. Betrieb, Kellnerausbild. In Waldegg Prüfungsabschluß m. Ausz. u. Schuldipl., 1959 Übernahme d. väterl. Betriebs u. Ausbau in 2 Stufen 1960 u. 1962. E.: 1979 KommR. M.: Sportklub Oberwart, Aussch.Mtgl. d. LStelle d. Sozialvers., Fachgruppenvorst.Stellv. Fachgruppe Gastronomie f. Bgld. H.: Familie. (War.)

Neubauer Josef OSR.

B.: Berufsschuldir. GT.: StadtR. f. Kultur u. Sport. DA.: 9500 Villach, Europapl. 2. PA.: 9500 Villach, Bergsiedlung 54. G.: Bad Tatzmannsdorf, 29. Sept. 1931. V.: Viktoria. Ki.: Josef, Klaus. El.: Josef u. Wilhelmine. S.: VS, HS, Gymn., LBA Wien. K.: VS-Lehrer, 1957 Berufsschuldir., 1955 in Politik u. Sport tätig, 1970 GemR., 1984 StadtR. E.: Gold. VZ d. Rep., versch. Sportehrungen. M.: versch. Sport- u. Kulturver. H.: Musik, Lesen, Wandern. (U.A.W.)

Neubauer Helmut

B.: Klubobm. d. FPÖ Döbling. PA.: 1190 Wien, Görgeng. 11/4/20. G.: Wien, 18. Apr. 1939. V.: Marliese, geb. Buchmayer. Ki.: Martina (1962). S.: VS, HS, Bäckerlehre, Berufsschule, 1957 Gesellenprüf., 1957-60 BH, Stud. Radiotechnik, 1961 Abrüstung als Wachmstr. d. Fernmeldegruppe, aktiver Res.-Unteroffz. K.: 1961-64 Wetterdiensttechniker b. d. Zentralanst. f. Meteorologie u. Geodynamik Wien, 1964-94 Radio Austria Communications, zuerst Funker, zuletzt Superviser im intern.Telegrafen-Telexdienst, 1978 Eintritt FPÖ, ab 1987 BezR. u. Klubobm. u. stellv. Bez.-Parteiobm. E.: EZ d. FPÖ. M.: seit 1986 Faschingsgilde Döbling. H.: Politik, Reisen, Haus u. Garten. (N.A.)

Neubauer Michael

B.: Gschf. FN.: Sega Vertriebs GmbH. DA.: 1100 Wien, Davidg. 92-94 Top 8. G.: Wien, 8. Mai 1951. V.: Susanne, geb. Haitszinger. Ki.: Markus (1977), Christoph (1981), Manuel (1986). El.: Kurt u. Emma. S.: VS, HS, 1965-68 Berufsschule. K.: 1979-81 Product Management Firma Polygram, 1981-83 Gschf. Bereich Video b. Thorn EMI, 1983-87 Prok. b. Rainbow Video, seit 1991 Gschf. Sega Vertriebs GmbH. H.: Familie, Heim. (G.B.)

Neubauer Peter Mag.

B.: Dir., Vors. d. Vorst. FN.: Ui, AufsR FMW GT.: AufsR.: d. Bank f. Wirtschaft u. Freie Berufe, österr. Lotterieges, BeiR.:Vonwiller, Priet & Slow, DeliKomat, Vorst. Marchfelder Zucker DA.: 1010 Wien, Börseg. 9. G.: Wien, 29. Aug. 1944. V.: Eva Maria, geb. Fritsch. Ki.: Andrea, Stefan. S.: 1962 Matura, Jusstud. Wien, 1968 Mag., Gerichtsj. K.: ab 1970 Gen. Zentralbank AG Wien, 1979 Prok. Bereich Anlageberatung, 1982 Dir.-Stellv. Bereich Wertpapiere, 1984 Dir., 1987 stellv. Mtgl. d. Vorst. d. Raiffeisen Zentralbank Österr. AG, 1988 o.Mtgl. d. Vorst. d. Raiffeisen Zentralbank Österr. AG., Vost.vors. Ui. H.: Tennis, Golf. (J.E.)

Neubauer Walter Heinrich Dr. KommR. Doz.

B.: Gschf., Hon.-Konsul d. Rep. Angola f. Österr. FN.: EBW Entsorgungswerk Wolfsthal Planungs u. Errichtungs GmbH, AM Alpine Mineral Bergbauberatungs u. Bergbaubetriebs GmbH. DA.: 1220 Wien, Polgarstr. 30. PA.: 3400 Klosterneuburg, Fellengraben 27. G.: Wien, 28. Jän.1927. V.: Elsie, geb. Andris. Ki.: Carol (1956), Andreas (1965), Veronika (1967). El.: Emil u. Karoline, geb. Rathbauer. S.: VS, Gymn., Stud. Univ. Graz, Wien u. Leoben, 1949 Prom. z. Dr. phil. K.: 1974-51 Ass. Montanuniv. Leoben, 1951-53 Betriebsgeologe Cassandra Mines Griechenland, 1953-55 Ltr. d. Bergbau-Explorationsabt. d. Hellenic Comp. of Chemical Products & Fertilizers Athen, 1955-58 Betriebsdir. u. General Manager El Sid Gold Mine d. Egyptian Mining & Prospecting Comp. Ägypten, 1958-69 Montangeologe u. Projektmanager, später Chefgeologe u. stellv. Gschf. Fried. Krupp Rohstoffe Essen, 1969-71 Gschf. d. Mineral Investitions GmbH Düsseldorf u. Gschf. d. Mineral Investment Corp Zürich, 1971-86 Gschf. d. Austromineral GmbH Wien, seit 1986 Gschf. d. EBM u. d. AM, 1986-90 Hon.-Konsul v. Angola f. Österr. BL.: Begründer u. Mitverantwortl. d. Rohstoffsicherungsaktivitäten d. Voest-Alpine Konzerns, seit 1982 Doz. f. "Mineralwirtschaft", seit 1987 Doz. u. Gastprof. f. Deponietechnik an d. Montanuniv. Leoben. P.: zahlr. techn.-wiss. Publ. u.a. "Abfallwirtschaft" u. "Deponietechnik". E.: 1981 Gold. EZ f. Verd. um d. Rep. Österr., 1984 KommR. H.: Reisen. (N.A.)

Neubauer Wilfried

B.: Uhrmachermstr. DA.: 8600 Bruck/Mur, Mitterg. 12. PA.: 8600 Bruck/Mur, Bieneng. 31. G.: 7. März 1940. V.: Herta, geb. Lichtenegger. Ki.: Elke (1971), Karin (1978). El.: Herbert u. Wiltraut. BV.: Karl Moré. S.: VS, HS, Fachschule f. Uhrmacher. K.: Uhrmacher in Graz, Weiterbild. b. Omega Schweiz, Tätigkeit als Uhrmacher in Südafrika und Deutschland, ab 1974 selbst. in Kapfenberg, seit 1979 selbst. in Bruck/Mur. H.: Kartenspielen, Arb. (K.K.)

Neubert Ernst Dr. Prof.

B.: Prof. f. Psych. u. Päd., Abg. z. Wr. Landtag, GemR. d. Bundeshauptstadt Wien. PA.: 1020 Wien, Leopoldsg. 22. G.: Wien, 26. Febr. 1944. V.: Dr. Claudia, geb. Christian. El.: Hon.-Prof. Josef (Math.-Prof., zust. f. alle höheren techn. Lehranst. Österr., Verf. etl. Lehrbücher u. Publ.) u. Martha, geb. Rohland. S.: Mittelschule, Stud. Psych. u. Päd. HS Wien, Diss. b. Prof. Heitger. K.: Unterricht in Mittelschulen, ab 1983 Abg. z. Wr. Landtag u. Prof. im Berufsbild. Schulwesen, Tätigkeitsschwerpunkt im Landtag: Umweltaussch. u. Sportsprecher. P.: lfd. journalist. Tätigkeit. M.: ÖVP, Parteiobm. d. 20. Bez., Präs. d. Österr. Sport-Fischerei-Verb., zahlr. Ver. u. Verb. H.: Natur, Jagd, Fischerei, Kochen. (N.A.)

Neuböck Josef

B.: Inh. FN.: Elektro Neuböck, Kabelfernsehanlage Ebensee. DA.: 4802 Ebensee, Bahnhofstr. 37. PA.: 4802 Ebensee, Neudorf 33. G.: Ebensee, 10. Dez. 1935. V.: Brigitta, geb. Weißhäupl. Ki.: Horst (1963), Günter (1968). El.: Maximilian u. Maria, geb. Stadler. S.: VS, HS, 1949-52 Lehre Elektro- u. Install.-Betrieb. K.: Praxisjahre, 1954-63 Betriebselektronik Solvay, 1961 Meisterprüf., 1963-65 Mitarb. im Lehrbetrieb, 1965 Übern. d. Untern., Elektroinstall. u. Fahrradhandel, 1967 Radiomechanikermstr., 1972 Start Ebenseer Kabelfernsehanlage, 1994 zahlr. Teilnehmer, Stützpunkthändler f. Siemens, Miele, Philips. BL.: Aufbau d. heutigen Untern. E.: 25J. Kammerjubiläum, Gold. EZ d. Marktgem. Ebensee, Gold. EZ d. O.Ö. Blasmusikverbandes. M.: O.Ö. Blasmusikverb., Sportver., Ver. Einkaufsmarkt Ebensee. H.: Stimmführer, Holzblasinstr., Klarinette, Saxophon, Sport. (C.D.)

Neubrand Friedrich J.

B.: Gschf. Ges. FN.: Gregor, Egger & Co GmbH u. d. GrECo Risk Consult GmbH, Vors. d. GrECo Intern. DA.: 1190 Wien, Gymnasiumstr. 54. PA.: 1190 Wien, Kahlenberger Str. 102. G.: Wien, 2. Sept. 1940. V.: Helga, geb. Slezak. Ki.: Georg (1966), Ing. Friedrich (1967). El.: Friedrich u. Maria. S.: Hauptsch. Wien, Maschinenbaulehre, HTL Maschinenbau. K.: 1962 Eintritt in Wr. Allianz, 1972 Eintritt Maklerges. f.

Vers. u. Rückvers. GmbH, seit 1972 Gschf. Ges. d. Maklerges., seit 1978 Gschf. Ges. d. Gregor, Egger & Co GmbH u. seit 1988 Vors. d. GrECo-Gruppe. H.: Arbeit, Jagd, Skifahren, Theater. (H.S.)

Neubrand Heinz
B.: Komponist, Musiker. DA.: 1100 Wien, Arthaberpl. 4. G.: 1921. S.: 1926 Elementarunterricht in Klavier b. Mutter, 1928 Wr. Konservatorium, 1930 Staatsak. f. Musik u. Darst. Kunst, Wien, 1937 Stud. m. Ausz. in Klavier u. Komposition vollendet, 1937/38 Mstr.Kl. b. Emil v. Sauer. K.: 1939 Solopianist b. Guldans Colosseum (Bühnenschau), 1940 versch. Engagements in Deutschland, 1941 Dt. Wehrmacht - sporadisch Truppenbetreuung, 1945 Gefangenschaft - Sommer Entlassung, 1946 Entertainment Dir. b. Rainbow-Division, Ltr. eines Musikseminars "Res Cross" in Salzburg. Beim Sender d. amerik. Besatzungsmacht in Österreich: "Blue Danube net work" - wöchentl. 3 Sendereihen (German made easy - m. Marcel Prawy, Neubrand and his Group, Sunday Morning Symphonette), Entertainment Dir. in US-Clubs, offiz. Parties f. General Clark, 1947 Mitwirkung b. div. Jazzkonzerten, 1948 Wahl z. 1. Pianisten im Österr. Jazzpool, 1. Plattenserie auf d. Hammondorgel in Mitteleuropa, "Warschauer Konzert" von Ardinsell/Uraufführung im Wr. Konzerthaus, 1949 Sendereihen im Sender "Rot-Weiss-Rot" - eigene Plattenaufnahmen b. "Elite Spezial" u. 1955 Tourneen (Horst Winter, Erwin Halletz, Hildegard Knef, Peter Alexander, Vico Torriani, Johannes Heesters u.v.a.), 1. Österr. Musical-Prod. m. Marcel Prawy in d. Wr. Volksoper "Kiss me Kate", - später "Wonderful Town", Mitwirkung b. ersten Fernseh-Versuchssendungen im Künstlerhaus Wien, ab 1956 Kinofilm - Kompositionen, seit 1957 Kompositionen f. ORF, ARD, ZDF: FS-Reihen (Fenstergucker, Horizonte, Argumente, Seinerzeit usw.), Signations (ZIB, WIR, Argumente, Ö-Bild), Künstlerportraits (Paula Wessely, Attila Hörbiger, Picasso, Fuchs, Korab, Bertoni, v. Gogh, Kabaretts, FS-Theater, FS-Spiel (Berufe d. Herrn K./Helmut Qualtinger - Leihopa/Alfred Böhm - Eine unmögliche Person/Regie: Heide Pils usw.), FS-Dokumentationen (Horvath, Musil, Rosegger, Orwell, N. Lauda, Kaiser Karl, Jan Masaryk, Heesters, Kardinal König, ÖSTERREICH I/Portisch usw.), Rundfunk: Musica Sacra, Passio Hominis/Oratorien, Klavierspielereien. E.: 1970 1. Intern. Preis - Sevilla f. "Passio Hominis"/Text E.W. Marboe, 1972 Kulturpreis f. Musik d. Stadt Baden, 1979 Journalistenpreis d. Süddt. Zeitung f. "Die Bräute des Kurt Roidl" mit K. M. Brandauer, 1980 Berufstitel "Professor", 1987 Plakette Austro-Mechana "Für besondere Verd. um die Österr. Musik", Gold. Verd.Zeichen d. Landes Wien. (H.P.)

Neuburger-Seethaler Souza
B.: Astrologin. DA. u. PA.: 5020 Salzburg, Süssmayerstr. 4. G.: Salzburg, 17. März 1953. Ki.: Larissa. El.: Wilfried u. Theresa. S.: 1971 Matura, Stud. Phil., klass. Philol. u. klass. Archäologie Univ. Sbg. K.: 1972-75 Mitarb. am Inst. f. Slaw. Philol. an d. Univ. Sbg., 1974-81 freiberufl. Mitarb. in Unternehmensberatungsbüro, gleichz. intensive Beschäftigung m. Astrologie, 1983-87 Dokumentationsass. im Tumorregister d. LKH Sbg., 1983 Gründ. d. AVS (Astrologenverb. Sbg.) u. dessen Ltg., ab 1990 selbst. als Astrologin, Astrologiekurse, Vorträge in ganz Österr., Firmen- u. Personalberatungen, Pers.-Analysen, Kinderhoroskope. H.: Lesen, Seidenmalerei, Musik. (M.Mo.)

Neudeck Rainer Dkfm.
B.: Gschf. d. Blendax GmbH. DA.: 5400 Hallein, Weisslhofweg, Postfach 80. PA.: 5061 Elsbethen, Salurnerweg 2. G.: Danzig, 19. Jan. 1942. V.: Lydia, geb. Waitzendorfer. Ki.: Philipp, Alexander. El.: OStR. Edmund u. Gertrud. S.: VS, Gymn., 1962 Matura in Wien, 1966 Spons. K.: 1966-69 tätig b. Unilever Waschmittelgruppe Wien, 1969-73 Olivin Wiesbaden/BRD, 1974-79 Oetker König & Co in Villach, seit 1979 b. Blendax, 1982 Gschf. H.: Beschäftigung m. Kunst. (Hat.)

Neudert Gerth René Dr. iur.
B.: Kriminologe, Oberrat am Inst. f. Strafrecht d. Univ. Graz, gerichtl. beeid. Sachv. f. Kriminalistik. PA.: 8055 Graz, Zeppelinstr. 79. G.: Graz, 9. Mai 1928. Ki.: Beate (1965). El.: Josef u. Apollonia. BV.: alte österr. Offz.-Familie. S.: VS, RG, 1943 Kriegsdienst, 1947 Matura, Jurastud. Graz, Med.-Stud. Wien, 1953 Prom. Dr. iur. K.: ab 1955 Ass. am Kriminolog. Inst., Aufenthalte zu Studienzwecken in d. Fächern Kriminalistik, Physik, Fotografie u. Chemie b. d. Interpol Zürich u. d. Kantonspolizei Basel, 1967 Ltr. d. Kriminolog. Inst., gerichtl. beeid. Sachv. P.: 37 wiss. Arb. M.: seit 1964 British Academy of Forencis Sciences. (M.Gr.)

Neudorfer Margarete OStR.
B.: Gymn.Prof. i.R. A.: 4020 Linz, Dinghoferstr. 4. G.: Unterweißenbach, 30. Sep. 1910. El.: MedR. Dr. Hans Neudorfer u. Maria. S.: Univ. Wien, Naturwiss. K.: 1937-1972 Gymn.Lehrerin ohne Unterbrechung.

Neugebauer Alfred

B.: Bes., selbst. Kfm. FN.: Fitnesscenter "TOPGYM". DA.: 1190 Wien, Kreilpl. 1-2. G.: 18. Dez. 1962. El.: Franz u. Martha. S.: VS, BRGymn., TGM - Kunst.-Techn. K.: Bodybuild. Training Santa Monica LA, BRD Werbeverträge f. Ernährungstechn. u. Gerätehersteller, Sem. für Bodybuild., 1986 Grdg. Fitnesscenter, Sportart.-Shop "no limit"; bis 1993 Bodybuild., sportl. tätig: 1988 Vize-Europamstr., 4. Pl. bei Weltmeisterschaften Paris 1989, mehrm. Staatsmstr., Vizewelt- u. Europamstr. i. Kraftdreikampf. E.: mehrm. Auszeichn. f. erfolgr. Fitnesscenter im sportl. u. im Armateurbereich. H.: Tennis, Bowling, Billard. (J.M.)

Neugebauer Dieter
B.: Gschf. Ges. FN.: Godderidge & Lorenz GmbH & Co KG. GT.: Kons. d. Hydro-Press. DA.: 8010 Graz, Münzgrabenstr. 102. PA.: 8151 Hitzendorf, Steinberg 15. G.: Graz, 15. Okt. 1939. El.: Helmut u. Hilde. S.: VS, Gymn., HTBLA, AHS-Matura, Stud. Maschinenbau TU Graz, 1. Staatsprüf. K.: 1960-70 versch. Tätigkeiten im In- u. Ausland, 1970-80 Payer-Lux elektron. Entwicklung, 1980-83 Fa. Katzenberger, Betriebsing. f. Sicherheit u. Technik, 1986 Übernahme d. Fa. Godderidge & Lorenz. BL.: Entwicklung versch. Pumpen, Neuentwicklung v. Hebeanlagen, versch. Patente. E.: div. Ausz. auf Messen. M.: HK, AKV, ÖAMTC. H.: Segeln, Ldw. (C.H.S.)

Neugebauer Fritz
B.: HS-Lehrer, VPräs. d. Österr. Gewerkschaftsbundes, Vors.-Stellv. in d. Gewerkschaft Öff. Dienst. DA.: 1010 Wien, Teinfaltstr. 7. PA.: 1220 Wien, Wagramer Str. 93/5/12. G.: Wien, 10. Okt. 1944. V.: Eva, geb. Kospach. Ki.: Martin (1971), Michael (1975). El.: Alois u. Franziska, geb. Ossig. S.: hum. Gymn., BLehrerbild.Anst., 1964 Matura. K.: Lehramtsprüf. f. VS, HS in d. Gegenständen Deutsch, Geschichte u. Sozialkunde, Geographie u. Wirtschaftskunde, seit 1965 Lehrer an VS u. HS in Wien 20, 1975-89 Vors. d. Gewerkschaft, Bundessekt. Pflichtschullehrer, ab 1989 Vors.-Stellv. d. GÖD, seit 1991 VPräs. d. Österr. Gewerk-

schaftsbundes. P.: Fachart. z. Standes- u. Bild.-Politik, 4-malige Hrsg. einer kommentierten Ausgabe d. Schulunterrichtsgesetzes. M.: Schulreformkmsn. b. BMU, Kollegium d. StadtschulR. f. Wien, Schulaussch. d. ÖVP, Obm.-Stellv. d. Wr. Pflichtschullehrer im ÖAAB, Obm. d. Vors.-Konferenz d. ÖVP Pflichtschullehrer Österr. ÖVP-Mtgl. u. ÖGB-Mtgl. seit 1965. H.: Wandern, Skifahren, Biografien v. berühmten Frauen u. Männern d. Zeitgeschichte. (N.A.)

Neugebauer Johann-Stefan

B.: Untern. u. Ges. d. führenden Herrenmodengeschäftes Wr. Neustadt. DA.: 2700 Wr. Neustadt, Wiener Str. 18. PA.: 7201 Neudörfl, Waldg. 3. G.: Sigleß, 26. Sept. 1929. V.: Elfriede, geb. Huber, 2 Söhne. El.: Richard u. Maria. S.: Grundschule, Lehre d. Schneiderei in Pöttsching, danach Höhere BLehranst. f. Bekleidungsgew. Michelbeuern Wien, Mstr.Kl. f. Kleidermacher, Abschluß 1951, 1952 m. Schneiderwerkstätte in Neudörfl selbst. gemacht, 1964 kam d. Textilhdl. in Wr. Neustadt dazu, 1974 Eröff. d. Geschäft in d. Wiener Str. 18. M.: Hubertusrunde Wr. Neustadt, Jagd-Sportschützenver. Mattersburg. H.: Jagen, Hunde, Lesen, Theater, klass. Musik, Modellflug. (M.G.)

Neugebauer Otto

B.: Inhaber. FN.: Neugebauer Maschinen Export GesmbH. GT.: H. Neugebauer Import - Export. DA.: 1210 Wien, Wolsteingasse 38/3/5. PA:: 2384 Breitenfurt, Josef Edlingerg. 41. G.: Wien, 27 Mai 1941. V.: Hedwig. Ki.: Ottto, Melanie, Jeanette. El.: Otto u. Elisabeth. K.: Nach der Ausbildung 5 Jahre land im Handelsbereich i. d. Schweiz gearbeitet, dann Rückkehr nach Österreich, Tätigkeit als Verkäufer, später Verkaufsleiter i. versch. großen Baumaschinen-Firmen; 1979 selbst. mit Gründung einer eigenen Firma, d. sich mit Export v. gebrauchten Baumaschinen beschäftigt, inzwischen weltweite Kontakte vorwiegend i. Südamerika, Nordamerika, Kanada, Südafrika, Tunesien, Türkei, arabischer Raum, Griechenland mit hohem internationalen Bekanntheitsgrad, 1994 zusätzlich zum Handel mit schweren Baumaschinen i. Generalvertretung f. Österreich, Deutschland u. Schweiz f. Kraftpapiersäcke, ein weiteres Projekt ist die Unterstützung u. Koodinierung eines großen Fremdenverkehrsprojekts (Volumen 4,5 Miliarden) i. Tunesien, wobei die Projekt Involvierung v. d. Tunesischen Regierung erbeten wurde. BL.: Aufbau der Firma zum einzigen Unternehmen, das international in dieser größenordnung mit dem HAndel von gebrauchten schweren Baumaschinen u. Anlagen befaßt ist. H.: Kinder.

Neugebauer Stefanie

B.: Jugendbuchautorin, HS-Lehrerin i.P. PA.: 2410 Hainburg, Kircheng. 14. G.: Hainburg/Donau, 24. Juli 1928, geb. Uhlig. V.: Hubert. Ki.: Gabriele, Martin. El: Uhlig Hermann u. Stefanie. S.: VS, HS, LBA, 1948 Matura, 1958 HS-Prüf. K.: seit 1948 Lehrerin in Hainburg, 7 J. Ltg. d. HS, seit 1983 in Pension. P.: "Markus und die Angst", Geschichte f. d. Buch "Buben dürfen weinen, Mädchen dürfen pfeifen". Jugendbuch: "Als ich ein kleines Mädchen war", erschienen im Verlag St. Gabriel. H.: Lesen, Reisen. (E.L.)

Neugebauer Winfried Dr. iur. Dkfm.

B.: Beeid. Wirtschaftsprüfer u. Steuerberater. A.: 1010 Wien, Schotteng. 3A. G.: 1. Nov. 1938. V.: Dkfm. Wanda, geb. Hayd. S.: Univ., WU. K.: eigene Kzl. seit 1972.

Neugebauer Wolfgang Dr.

B.: wiss. Ltr. d. Stiftung Dokumentationsarchiv d. österr. Widerstandes. DA.: 1010 Wien, Wipplingerstr. 8. G.: Wien, 9. Okt. 1944. V.: Mag. Dr. Martha, geb. Mracna. Ki.: Maria Theresia, Wolfgang. El.: Josef u. Josefine. S.: 1962 Matura, 1963-69 Stud. Geschichte u. Geographie Univ. Wien, 1969 Prom. K.: seit 1970 Mitarb., seit 1983 wiss. Ltr. d. Dokumentationsarchivs d. österr. Widerstandes, Forsch.-Schwerpunkte: Widerstand, Verfolgung u. Exil 1933-45, Rechtsextremismus nach 1945, Habil. über "Euthanasie", Tätigkeit in Jugend- u. Erwachsenenbild., seit 1983 Ltr. d. Dokumentationsarchivs. P.: Medienkoffer z. österr. Zeitgeschichte 1938-55 (1980), NS-Herrschaft in Österr. 1938-45 (1988), Widerstand u. Verfolgung in Wien 1934-45 (1975). E.: Silb. EZ f. Verd. um d. Rep. Österr. M.: Vorst.-Mtgl. d. Urania, Vorst.-Mtgl. Inst. f. Wiss. u. Kunst, gschf. VPräs. Aktion Antisemitismus. H.: Skifahren, Bergsteigen. (J.E.)

Neuhardt Johannes Dr. phil. Mag. theol.

B.: Diözesankonservator, Dir. d. Dommuseums in Sbg. DA.: 5010 Salzburg, Kapitelpl. 2. PA.: 5020 Salzburg, Nonnbergg. 7. G.: Salzburg, 22. Sept. 1930. El.: Dr. Johann u. Ida. S.: 1948-53 Stud. Sbg., 1953 Priesterweihe, Seelsorgetätigkeit, 1956-60 Stud. Univ. Innsbruck, 1960 Prom. K.: seit 1960 Diözesankonservator, seit 1975 Päpstl. Hausprälat. BL.: 1974 Grdg. d. Dommuseums in Sbg. P.: zahlr. Art. u. Aufsätze in Fachzeitschriften. E.: 1984 Prof. M.: Konservator d. BDenkmalamtes, Komtur d. Ritterordens d. Hl. Grabes zu Jerusalem, Rotary Sbg.-Nord. (A.W.)

Neuhaus Alfons A.

B.: Dir., Ind.Kfm. A.: 2500 Baden b. Wien, Karl-Frim-Str. 3. G.: Essen, 18. Aug. 1934. V.: Gerda, geb. Sterns. El.: Alfons u. Maria. S.: Elementarschule, Gymn., Wirtschaftsak., Ind.Kfm., Steuerberater, Controller. K.: kfm. Angestellter: Sachbearb., Abt.Ltr., Prok., kfm. Dir., Finanz- u. Rechnungswesen, Betriebswirtschaft, Recht u. Personal. M.: Österr. Alpenver., Fraternal Order of Empire Builders - Ass.Inc., Minnesota/USA, East African Wild Life Society - Nairobi Kenya. H.: Wandern, Eisenbahnmodellbau, allg. Sport.

Neuhaus Walter Dr. iur. MinR.

B.: Ltr. d. Abt. Liegenschaftsverw. d. Bundesstraßen im Bundesmin. f. Wirtschaftl. Angelegenheiten. GT.: Vors. d. AufsR. d. Wr. Bundesstraßen AG. DA.: 1011 Wien, Stubenring 1. PA.: 1090 Wien, Porzellang. 33A. G.: Wien, 22. Juni 1934. V.: Eleonora, geb. Schwarz. Ki.: Martin (1961), Bernhard (1964), Katharina (1969). El.: Hermann u. Pauline. S.: 1952 Matura BG Wien, Jusstud. Univ. Wien, 1957 Prom. K.: Gerichtsj., 1958 Eintritt in d. Bundesmin. f. Hdl. u. Wiederaufbau, 1958-60 Tätigkeit in d. Handelspolitik, seit 1961 in d. Straßenbausekt., seit 1975 Ltr. d. Abt. Liegenschaftsverw. d. Bundesstraßen. E.: 1981 Gr. EZ f. Verd. um d. Rep. Österr. H.: Lesen, Theater, Wandern, Reisen. (J.S.)

Neuhauser Alexander Dr. iur.

B.: RA.: DA.: 1030 Wien, Daponteg. 5. PA.: 1140 Wien, Schuhbrecherg. 35. G.: Wien, 29. Jan. 1960. V.: Dr. iur. Ursula, geb. Ginzel. Ki.: Nora (1990), Bernhard (1991), Herbert (1993). El.: Dr. Herbert u. Ingrid. S.: 1978 Matura, Stud. Rechtswiss. Univ. Wien, 1983 Prom. K.: Konzipient in d. väterl. RA-Kzl., anschl. Kzl. Dr. Gernot Grubböck Baden, 1987 RA-Prüf., seit 1989 selbst., Eröff. d. eigenen Kzl. m. Schwerpunkt Verkehrs- u. Vers.-Recht. BL.: ehem. Mtgl. d. Österr. Jugendnationalmannschaft im Basketball. H.: Skifahren, Tennis, Segelfliegen, Reisen. (J.S.)

Neuhauser Claudia

B.: ORF-Korrespondentin i. London (ab 1.3.1985). DA.: 1136 Wien, Würzburgg. 30. G.: Wien, 15. März 1961. El.: Peter u. Karin, geb. Guggenberg. BV: Bartholomäus Freiherr v. Guggenberg, Tir. Freiheitskämpfer. S.: Abitur Hamburg, Stud. Politikwiss. Univ. Mailand. K.: 1986 Eintritt b. ORF als Volontärin, zunächst Mini-ZIB, in d. Folge Zeit im Bild Innenpolitik, Inlandsreport, freie Mitarb. ORF-Büro Brüssel, Auslandsreport. BL.: Kriegsberichterstattung aus Sarajevo. H.: Weine, Kochen, Gärtnern. (J.S.)

Neuhauser Ernst KommR.

B.: Messepräs. d. Welser Messe. DA.: 4600 Wels, Messehaus. PA.: 4600 Wels, Robert-Koch-Str. 61. G.: Wels, 17. Juli 1928. V.: Martha, geb. Schimek. El.: Johann u. Theresia. S.: kfm. Berufsschule Wels, 1942 Verw.Lehrling Postdienst Wels, 1944 Militär, 1945-46 Gefangenschaft. K.: ab 1946 Postdienst, 1961-70 VBgm. v. Wels, 1970 Parlament, 1972-88 Landesrat f. Wohnbau u. Sparkassenaufsicht, 1963 VPräs. im Präsidium d. Welser Messe, seit 1979 Präs. d. Welser Messe, 1983 Postamtsdir. P.: div. Veröff. in Fachzeitschriften, Tages- u. Wochenzeitungen. E.: Gr. EZ d. Landes OÖ, Ehrenbürgerschaften in div. OÖ Gem., mehrere Ehrenringe. M.: VPräs. d. ASKÖ Österr., Präs. d. Österr. Kleintierzüchter, Präs. d. ASKÖ Basketballclubs Wels, Präs. d. Blauen ECf Wels. H.: Radfahren, Schwimmen, Sauna. (P.H.)

Neuhauser Herbert

B.: Gschf. FN.: Kfz Meister f. Opel. DA.: 5082 Grödig, Lagerstr. 5. PA.: 5082 Grödig, Buchbichl 4. G.: Neunkirchen, 6. Okt. 1954. V.: Gabriele, geb. Jäger. El.: Gertraud u. Adolf. S.: VS, 1969-73 Kfz-Lehre, Meisterpr. K.: 1983-88 Werkstättenltr., 1988-89 Werkstatt gebaut, 1989 Eröffnung. H.: Motorradfahren, Tennis, Natur. (M.G.)

Neuhauser Karl

B.: Kfm. Gschf., Prok. FN.: Hans Oetiker Maschinen u. Apparate GmbH. DA.: 3430 Tulln, Königstetter Str. 163. PA.: 3424 Zeiselmauer, Volkerg. 7. G.: Wien, 3. Okt. 1950. V.: Erika, geb. Puhr. Ki.: Christian, Roman, Barbara. El.: Karl u. Erika. S.: VS, HS, 4 J. höhere BLehranst. Forst u. Weinbau. K.: 1 J. Ang. in einem Versuchslabor f. Gärungschemie, 1969-70 Militärdienst, 1972-73 Entwicklungshelfer in Nigeria, 1974-76 Organ.Ltr. b. d. Wr. Allianz, 1976-78 Organ.Ltr. b. d. Merkur, 1978-80 LStellv. b. d. Viktoria Vers., 1980-86 Verkaufsltr. d. Fa. Oetiker, seit 1987 kfm. Gschf. u. Prok. d. Fa. BL.: Entwicklungshilfe. E.: Bronz. Verkaufsmeisters. in d. Vers.Branche. M.: Feuerwehr, Heeresflugsportgr. H.: Fliegen, Bergwanderungen. (M.Br.)

Neuhauser Rudolf

B.: Gschf. Ges. FN.: AGRO consult Beratungsges.m.b.H. DA: 1010 Wien, Gonzagag. 1. PA.: 1030 Wien, Kölblg. 11. G.: Stmk., 16. Apr. 1931. Ki.: Johann (1955), Rudolf (1958), Marianne (1957), Karl (1959). El.: Konrad u. Anna. S.: 1946-48 Ldw.-Lehrling, Franziskanum Wieselburg, Matura. K.: 1952-56 Arb. a. versch. Gutsbetr., 1956 Einstieg in Lagerhaus, 1956-57 Praktikant, 1957-58 Buchhaltungsprüfer, 1958-60 Fil.-Ltr. in Roschütz, 1960-63 Fil.-Ltr. in Perchtoldsdorf, 1963-67 Gschf. Lager Poysdorf u. 1967-84 Gschf. Lagerhaus Stockerau, s. 1986 gschf. Ges. AGRO consult. (M.N.)

Neuhauser Werner Dr.

B.: RA f. Verkehrs- u. Wirtschaftsangelegenheiten. DA.: 1070 Wien, Mariahilfer Str. 76. PA.: 1070 Wien, Stollg. 8. G.: Wien, 13. Nov. 1943. V.: Ulrike, geb. Schwarz. Ki.: Dagmar, Eva. El.: Dr. Hermann u. Barbara. BV.: Großvater Roman Neuhauser Bgm. v. Kritzendorf, Maria Neuhauser-Loibl Schriftstellerin. S.: VS, RG, Univ. Wien. K.: Gerichtspraxis, Res.Offz.Ausbild., 4 J. Anw.Praxis, seit 1975 eigene Anw.Kzl. M.: seit 1979 Präs. d. Österr. Berufsverb., Dt. HK in Österr. H.: Briefmarken, Film, Video. (H.P.)

Neuhofer Hans Dr. a.o.Univ.-Prof.

B.: Dir. d. OÖ Gem.-Bundes. G.: Wels, 19. Juni 1929. Ki.: Gertraud, Heidegund, Beatrix, Johannes. El.: Franz u. Theresia. S.: 1948 Matura, 1948-52 Jusstud. Univ. Innsbruck, Prom. K.: Gerichtsj. Wels, Anw.-Praxis, 1954 Bediensteter d. Landes OÖ, 1975 Habil. Univ. Wien f. Verw.-Recht, seit 1984 Dir. d. OÖ Gem.-Bundes, seit 1975 Lehraufträge Univ. Wien u. Linz. P.: Gemeinderecht (1972), Kommunales Umweltschutzrecht (1980) u. weitere 300 Veröff. M.: Ges. f. Verw.-Wiss., Ges. f. Gesetzgebung, Forsch.-Ges. f. Wohnen, Bauen u. Planen. H.: Wandern, Skifahren. (J.E.)

Neuhofer Karl Dr.

B.: Öff. Notar. A.: 4840 Vöcklabruck, Bahnhofstr. 40. G.: Wiener Neustadt, 25. Juni 1932. V.: Ursula, geb. Heinrich. El.: Dr. Karl u. Elisabeth. S.: Gymn. u. Univ. Innsbruck in Wels. K.: 1961-1974 Notariats Kandidat, ab 1. Febr. 1974 Öff. Notar in 4690 Schwanenstadt. F.: als Ges. bei der "Wohnungseigentum Ploner GmbH", als Komma. b. d. "Imperial Kapitalbeteiligungs GmbH und KG, als Atypischer Stiller Ges. b. "Kur- + Sport Hotêl Norica GmbH & Co KG, als Atypischer Stiller Ges. b. d. "Forellenhof Breitenlee GmbH & Co KG. M.: Österr. Akademikerbund, Tennisclub Vöcklabruck, Tennisclub Schwanenstadt, Sport Union Bach. H.: Tennis, Schilaufen (alpin u. nordisch), Fußball, Kunstgeschichte.

Neuhold Franz Dr.

B.: Tierarzt. DA. u. PA.: 8271 Wagerberg 73. GT.: eig. Landwirtschaft. G.: Wagerberg, 28. Nov. 1956. V.: Seraphne, geb. Almer. Ki.: Stefanie (1992), Jasmin (1994). El.: Ludmilla u. Adolf. S.: HS Bad Waltersdorf, mus.-päd. BRG Hartberg, 1975 Matura, Vet.-Med.-Stud. in Wien, 1981 Sponsion, 1982 Prom., 1981-82 BH, OLt. vet. d. Reserve, 1982 eig. Praxis in Bad Waltersdorf eröff., s. 1983 Landesbezirksarzt Sprengel Hartberg. M.: Sportverein TUS Waltersdorf, Eisschützenverein Wagerberg. H.: Radfahren, Skifahren, Kartenspiel. (I.G.)

Neuhold Gerd

B.: Gschf. Ges. FN.: PLUS-DIREKT Marketing-Beratung GesmbH. DA.: 1100 Wien, Puchsbaumpl. 2. PA.: 1230 Wien, Anton Baumgartner Str. 44/C8/1904. G.: Wien, 4. Nov. 1949. V.: Helga, geb. Simon. Ki.: Elisabeth (1985). El.: Dr. Sepp u. Irma. S.: VS, Mittelschule. K.: 1977 Einstieg i. d. Direktmarketing-Bereich durch Tätigk. bei Adressen-Suppan, 1981-86 Product-Manager bei Yves Rocher i. Salzburg, 1986 zurück n. Wien, s. 1986 selbst. als Gschf. Ges. der neu gegr. Firma PLUS-DIREKT Marketing-Beratung. M.: Golf-Club Bad Tatzmannsdorf. H.:Golf. (F.S.)

Neuhold Hanspeter Dr. Univ.-Prof.

B.: o.Univ.-Prof., Dir. d. Österr. Inst. f. Intern. Politik (ÖIIP). DA.: 2361 Laxenburg. PA.: 1140 Wien, Hüttelbergstr. 28. G.: Budapest, 29. Jan. 1942. V.: Dr. Brita, geb. Hofner. El.: Dkfm. Dr. Hans u. Dkfm. Ilse. S.: Stud. d. Rechts- u. Politikwiss. in Wien u. Paris, 1965 Dr. iur. Univ. Wien, 1967 Diplomé de l'Institut des Hautes Etudes Intern. Univ. Paris. K.: 1966-80 Univ.Ass. am Inst. f. Völkerrecht u. Intern. Beziehungen Univ. Wien, 1969/70 Dienstzuteilung an d. Völkerrechtsbüro BMA, 1971 Visiting Scholar Columbia Univ. u. UNITAR New York, 1975 Habil. f. d. Fächer Völkerrecht u. Intern. Beziehungen an d. rechts- u. staatswiss. Fak. Univ. Wien, 1978 Visiting Prof. Carleton Univ. Ottawa, 1979-87 Kons. am ÖIIP, 1980 a.o.Univ.-Prof. f. Völkerrecht u. Intern. Beziehungen an d. rechtswiss. Fak. d. Univ. Wien, 1988 Visiting Prof. Stanford Univ., seit 1988 Dir. d. ÖIIP, 1990 o.Univ.-Prof. f. Völkerrecht u. Intern. Beziehungen an d. rechtswiss. Fak. d. Univ. Wien. P.: u.a. Intern. Konflikte: verbotene u. erlaubte Mittel ihrer Austragung (1977), Hrsg. u. Mitverfasser: Österr. Handbuch d. Völkerrechts (2.A. 1991), The European Neutrality in the 1990s (1992), Das außenpol. Bewußtsein d. Österreicher (1992), Internationaler Strukturwandel u. staatl. Außenpolitik (1993), Political and Economic Transformation in East Central Europe (1994). M.: u.a. Intern. Inst. for Strategic Studies, Dt. Ges. f. Völkerrecht, Intern. Studies Assoc., Studienkreis Intern. Beziehungen. H.: Sport (Tennis, Skifahren, Schwimmen), Reisen, Bücher, Fotografieren.

Neuhold Herbert

B.: Personalchef u. Prok. d. Fa. Leykam AG. DA.: 8054 Graz, Ankerstr. 4. PA.: 8045 Graz, Grazer Str. 44. G.: Vordernberg, 16. Mai 1925. V.: Renate, geb. Mahler. El.: Rupert u. Anna. S.: VS, HS, HAK, anschl. Kriegsdienst, Verlagsbuchhalter u. Ind.Kfm., Abschluß 1944. K.: Anschl. als Ang. b. Fa. Leykam in div. Abt. tätig, 1953 Personalbüro u. ab 1967 Ltr. d. Personalbüros, 1978 Hdls.Vollmacht u. 1982 Prok. BL.: Initiator b. Bau d. Pensionistenheimes d. Volkshilfe. E.: Gold. Verd.Abz. d. Rep. Österr. M.: Vorst.Mtgl. d. LWohlfahrtsver. "Volkshilfe". H.: Lesen. (War.)

Neuhold Manfred

B.: Maschinenschlosser, techn. Ang., Gschf. d. Thannhausner Musikanten. FN.: Austria Druckguß Gleisdorf. PA.: 8160 Weiz, Tannenweg 4. G.: Weiz, 22. Apr. 1958. V.: Viktoria, geb. Ulrich. Ki.: Andreas (1979), Markus (1983). El.: Hugo u. Maria. S.: VS, HS, Lehre z. Maschinenschlosser u. Berufsschule, 1977 Abschluß, 1985-86 Werkmstr.-Schule Weiz, 1986 Werkmstr. K.: 1973-89 Tätigkeit b. Firma Elin Weiz, 1989 Wechsel z. Austria Druckguß, z.Zt. Sachbearb. f. Produktion u. Versand, seit d. 12. Lebensj. Beschäftigung m. d. Musik, Klarinettenstud., am Beginn b. einer Blaskapelle, Entwicklung d. Volksmusikgruppe "Thannhausner Musikanten", besteht seit 1973, 1980 v. Quintett z. Septett, viele Auftritte auf Bällen, Zeltfesten u. dgl. P.: Aufnahme v. Tonträgern z.B. 2 Single, 6 LP, in letzter Zeit CD "1,2,3,4 wo bleibt mein Bier". E.: 1982 Gold. Trompete, 1984 1. Gold. Schallplatte, 1985 Gold. Mikrophon, mehrmaliger Sieger b. d. Musikantenparade im ORF. H.: Musik, Aquarium. (M.Gr.)

Neuhold Nikolaus Prim. Dr. med.

B.: FA f. Pathologie. FN.: Kaiserin Elisabeth Spital. DA.: 1152 Wien, Huglg. 1-3, 1090 Wien, Rooseveltpl. 13. PA.: 1190 Wien, Dr. Eduard Heinlg. 8. G.: Wien, 6. Nov. 1954. Ki.: Christoph (1980), Barbara (1981). El.: Univ. Prof. Dr. Richard u. Gertraud, geb. Schlacher. S.: 1973 Matura, Stud. d. Med Univ. Wien, 1979 Prom. K.: Fachausb. u. weit. Tätigk. a. Inst. f. Klin. Pathologie d. Univ. Wien, ab 1993 Prim. a. Kaiserin Elisabeth Spital, 1993 Sekr. d. 21. europ. Zytologenkongr. P.: ca. 70 Wiss. Veröff. in Fachmedien. M.: Int. Academy of Cytology, Dt. u. österr. Ges. f. Pathologie, Österr. Ges f. angew. Zytologie, Ges. d. Ärzte in Wien. (N.A.)

Neuhold Rudolf Ing.

B.: Gschf. FN.: Österr. Weininstitut. DA.: 2100 Korneuburg, Josef-Hafner-Str. 4. PA.: 3730 Eggenburg, Hauptpl. 16. G.: Eggenburg, 19. Juni 1948. V.: Liesbeth, geb. Gnauer. Ki.: Birgitt (1977), Christoph (1980). El.: Rudolf u. Franziska, geb. Trauner. S.: 1969 Abschluß d. Höheren Bundeslehranst. f. Wein- u. Obstbau in Klosterneuburg. K.: 1970 Eintritt in d. Österr. Weininstitut als Referent, Verbandsmarkenkontrolle, s. 1982 Gschf. BL.: Grdg. d. Collegium "Wini-Cultorum" (Ver. z. Förd. d. Weinwirtschaft u. Fremdenverkehr im westl. Weinviertel). F.: Inh. e. Weinbaubetriebes. P.: Div. Artikel in Fachzeitschr. u. Broschüren. H.: Intern. Weinkultur, Sport (Tennis, Fußball). (N.A.)

Neuhuber Alexander Mag. phil.

B.: Gschf., Ges. FN.: DTZ Neuhuber Intern. Immobilienberat. u. Vermittl., sowie Neuhuber & Partner Wohnimmobilien. DA.: 1010 Wien, Gluckg. 1. G.: Linz, 8. März 1964. El.: HofR. Dr. Franz-Josef u. Ingeborg. S.: 1982 Matura, BH, Jus-Stud., 1992 Abschl. d. Philosophie-Stud. K.: Mitarb. in versch. Immobilienkanzleien, Übersiedl. nach Wien, 1987 Grdg. d. eigenen Fa., s. 1993 Österreich-Partner v. Europa größtem Immobilienberatungsuntern. DTZ Debenham Thorpe Zadelhoff, Schwerp.: Gewerbe-, Büro- u. Anlageimmobilien, intern. Vermittl. u. Berat. (J.E.)

Neuhuber Hermann

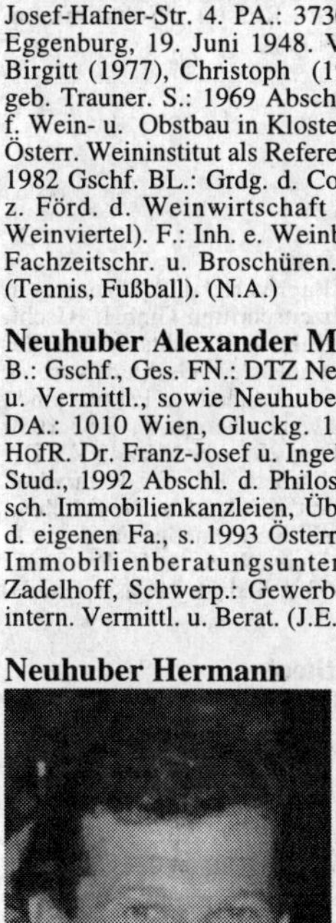

B.: Gschf. FN.: Neuhuber Gütertransporte GmbH & Co KG. DA.: 4070 Oberschaden 32. PA.: 4070 Eferding, Ludlg. 10. G.: Eferding, 2. Apr. 1951. V.: Maria, geb. Knierzinger. Ki.: Michael (1975), Elisabeth (1979), Stephanie (1991). El.: Hermann u. Pauline. S.: VS, HS, 1966-69 Lehre als Maschinenschlosser u. Dreher in Eferding, 1969 Gesellenprüf. K.: 1969 Einstieg bzw. Mitarb. im elterl. Transportunternehmen, 1975 Übernahme d. Betriebes. M.: Bez.-Vertrauensmann d. Kam. d. gewerbl. Wirtschaft Bez. Eferding, GemR., URTC Eferding. H.: Familie, Sport, Tennis, Skifahren. (G.E.)

Neuhuber Franz Xaver

B.: Ak. Maler. PA.: 5020 Salzburg, Universitätspl. 6/3. G.: Bad Ischl, 6. Nov. 1909. V.: Irene, geb. Damberger. Ki.: Michaela (1947). El.: Josef u. Leopoldine. BV.: Vater v. Kaiser Franz Josef ausgezeichnet, Privatauszeichnung f. Musik, Organist, Bmtr. d. Saline Ischl, Schwiegervater war Militärkapellmstr. Max Damberger, Gründer d. Linzer

Konzertver. S.: 5 J. Wr. Kunstgewerbeschule, HS f. angew. Kunst, Studienaufenthalte: Paris, Venedig, Rom. K.: Atelier in d. Wr. Konsularak., Ausstellungen in Deutschland u. Wien, Fresken in Kirchen, Möbelhaus Reichert in Deutschland, 1955-64 Gmunden, seit 1964 Sbg., Hauptgebiete: früher Porträtist, Komposition jetzt Aquarelle. M.: Lions Club Gmunden u. Bad Ischl, Parzer Künstlergruppe. H.: Bücher, Antiquitäten sammeln. (M.S.)

Neukirchen Erika

B.: Modedesignerin, Inh. FN.: Haute Couture Salon. DA.: 1010 Wien, Wipplingerstr. 24. PA.: 1190 Wien, Hohe Warte 48. V.: Prof. Dr. Dipl.-Ing. Hermann Neukirchen. El.: Hans Sagl u. Berta, geb. Huber. S.: Modeschule, Praxis in Wien. K.: seit 1957 selbst. H.: Reisen, Schwimmen. (N.A.)

Neukirchen Heinrich Dr. iur.

B.: BKam. stellv. Gschf. d. Fachverb. d. Nahrungs- u. Genußmittelind., Gschf. d. Fachzeitschriften GmbH, Gschf. d. Schutzverb. d. Spirituosen, Sekt u. Fruchtsafthersteller Österr., Gschf. d. Südost Melassehdls.Ges., Gschf. d. Verb. d. Spirituosenind., Hefeind., Sektind., Aromen- u. Essenzenind., Essigind. DA.: 1030 Wien, Schwarzenbergpl. 6. PA.: 1030 Wien, Reisnerstr. 26. G.: Wien, 29. Apr. 1924. V.: Dr. Elisabeth, geb. Naumann. Ki.: Elisabeth. El.: Dr. Heinrich u. Helene. BV.: Großvater Heinrich Kirchner v. Neukirchen, Erfinder d. sog. "Kirchner Zirkel" Kartenmeßgeräte d. k.u.k. Armee. S.: Militärdienst, Stud. Univ. Wien, 1950 Prom. K.: zunächst in väterl. Kzl. tätig, 1953 z. Südost Melasse GmbH. (P.R.)

Neulinger Katharina Dr. theol.

B.: Privatgelehrte u. Schriftstellerin. A.: 4600 Wels, Birkenstr. 3. G.: Wels, 16. Aug. 1915. El.: Johann u. Katharina Neulinger. S.: RG Reifeprüf. 1936, Ergänzungsjahrgang f. Lehrerinnen, Reifeprüf. 24. Juni 1937, Stud. d. Phil. u. Theol. an d. Univ. Tübingen 1941-1945 m. "Ak. Schlußprüf. f. kath. Theologen", vom 7. Apr. 1945 Absolutorium d. Theol. an d. Univ. Wien. Doktorat d. Theol. an d. Univ. Wien, 1952. K.: 1938-1942 VS-Lehrer im Regierungsbez. Würzburg, 1951-1959 Ang. im Schulamt d. Bischöfl. Ordinariates Linz, Herrenstr. 19, 1959-63 Religionslehrer d. Diözese Linz, 1963-1965 Wiss. Mitarb. d. Kath. Bibelwerkes Stuttgart, 1965-1966 Wiss. Ass. an d. Kath.-Theol. Fak. d. Univ. Innsbruck, 1967-1975 Religionslehrer d. Diözese Linz. P.: Theol. Doktordiss. "Frauengestalten des neuen Testamentes", eingereicht an d. Kath.-Theol. Fak. d. Univ. Wien am 28. Mai 1950, Übersetzungen theol. Werke aus d. Französischen im Auftrag des Styria-Verlages Graz, veröff. Art. in d. Bibeljahrbüchern "Bibel im Jahr '65", "Bibel im Jahr '66", "Bibel im Jahr '67", deren Redaktion mir vom Kath. Bibelwerk Stuttgart übertragen worden war.

Neumaier Karl Dr. h.c. Ing. Hon.-Prof.

B.: em. Univ.-Prof. d. TU Wien. DA.: 1040 Wien, Gußhausstraße. G.: Wien, 12. Jan. 1898. V.: Emma. S.: Realschule, TH Vermessungswesen, 1960 Prom. K.: 1926-29 Univ.Ass. an Lehrkanzel f. LVermessung an d. TU Wien, 1929-32 Ltr. d. Vermessungsabt. f. Wasser- u. Flußbau in Hang Chou (China), 1932-38 Berufung an d. LVermessung d. nat. Zentralreg. in Nanging (China), 1934 Beauftragter an d. TU Woosung deutschsprach., an engl.sprach. Chiao-Tung Univ. Vorlesungen über Fotogrammetrie, 1938 nach Wien, 1938-41 an TU Delft (Geodäsie u. Fotogrammetrie), Luftbildaufnahmen in Neuguinea, Venezuela, Äquator (Ölkonzessionen), 1941 zurück nach Wien, 1941-45 Gründer u. Ltr. d. Fotogrammetrie-Inst. im Rahmen d. Süd-Ost-Europages., nach Kriegsende m. Ltg. d. Gruppe Landaufnahmen im Bundesamt f. Eich- u. Vermessungswesen bestellt, 1946 Hon.Doz. f. Lehrfach d. Fotogrammetrie an d. TU Wien, 1960-63 Pr. d. Bundesamtes f. Eich- u. Vermessungswesen, 1964 Hon.Prof., 1973 em. P.: ca. 10 Publ. in Fachzeitschriften. E.: Gr. EZ u. Gr. Gold. EZ f. Verd. um d. Rep. Österr. M.: em.Mtgl. d. Österr. Kmsn. f. d. intern. Erdmessung, Ehrenmtgl. zahlr. geograph. Ges. d. In- u. Auslandes, 1960-62 Präs. u. Grdg.Mtgl. d. Europ. Kmsn. f. Fotogrammetriestudien, 1966-75 Prä. d. SchulR. d. schweiz. Schule f. Fotogrammetrie, Operateure in St. Gallen, Rep. Yemen, Syrien, Vorschläge f. neue Grundstückvermessung, Europ. Organ. f. fotogramm. experimentelle Untersuchungen, 1966-67 Königreich Saudi-Arabien Konsulent d. Erdölmiss. f. d. Vergabe d. Landesaufnahmen betraut, Intern. Ges. f. Fotogrammetrie (1960 Präs.), Rotary-Club Wien-West. (R.A.)

Neumaier Martha

B.: Kosmetikerin, Inh. FN.: Salon Martha. DA.: 1040 Wien, Mozartg. 7. PA.: 1100 Wien, Rotenhofg. 56/1/8. G.: Reiggers, 19. Juni 1941. Ki.: Andreas (1971). El.: Johann u. Anna Biedermann. S.: VS, HS, Berufsschule, 1979 Mstr.-Prüf. K.: seit 1986 selbst., Eröff. d. Salons Martha m. Depot Maria Galland. H.: Esotherik, Musik, Schwimmen. (N.A.)

Neumann Bertl

B.: Dir. u. Gschf. A.: 6020 Innsbruck, Speckbacherstr. 63. G.: Wien, 18. Mai 1914. S.: Mittelschule (HAK). K.: Radiojournalist u. Reporter seit 1945, Rundfunksportchef, Pressechef d. Olymp. Winterspiele 1964 u. 1976, ab 1955 Dir. d. Olympiastadion Betriebs GmbH Innsbruck, seit 1976 auch Gschf., Gen.Sekr. d. III. Weltwinterspiele f. Körperbehinderte 1984 Innsbruck. F.: Inh. eines Tabakgeschäftes. P.: Olympia-Bulletins 1960-64, Olympia-Schlußbericht d. IX. Olymp. Winterspiele 1964 Ibk., Olympia-Bulletins 1973-76, Olympia-Schlußbericht d. XII. Olymp. Winterspiele 1976 Innsbruck, Bulletins d. Weltwinterspiele f. Körperbehinderte, Schlußbericht d. Weltwinterspiele f. Körperbehinderte. E.: Verd.Kreuz d. Landes Tir., Sport-EZ d. Stadt Innsbruck, Sport-EZ d. Landes Tir., AIPS Preis f. d. beste Pressebetreuung d. Jahres 1976, Ehrenring d. Syndikats d. Sportfotografen Österr., Verd.Kreuz d. Stadt Innsbruck. M.: Panathlon-Club Innsbruck, Gremialvorst. d. Tabakverschleißer Tir.

Neumann Edith
B.: Großhdl. m. Edelsteinen. PA.: 1090 Wien, Nußdorfer Str. 43/6. G.: Hermannstadt, 29. Apr. 1930. V.: verw. Ki.: Theodor, Ilan, David. El.: Jehesckel Matyas u. Sara. S.: Gymn., Matura in Israel. K.: Seit 1955 in Österr., 1974 Beschäftigung m. Edelsteinkunde, seit 1975 selbst., Großhdl. m. Brillanten, Edelsteinen u. Juwelen, Export u. Import (USA, Belgien, Israel). H.: Schwimmen, Gobelinsticken, Teppichknüpfen. (Bauer)

Neumann Erhard KommR.
B.: Schmuckwarenerzeuger, Geschf. Ges. PA.: 4470 Enns, Gürtlerstr. 13. G.: Gablonz, 10. Mai 1920. V.: Ing. Erika, geb. Zasche. Ki.: Ing. Gerhard, Gisbert, Mag. Günther. El.: Franz u. Ida. S.: Kunstgewerbeschule Gablonz, Maschinenbaustud. HTL Brünn, 1944 Matura, Dt. Wehrmacht, Kriegsgefangenschaft, Auslandsaufenthalt in d. BRD, anschl. bis 1949 in Sbg., 1949 Grdg. d. Fa. Neumann & Wenzel OHG, 1974 Grdg. d. Fa. NEWE GmbH, d. Bijon Neumann & Wenzel GmbH & Co KG u. d. NEWE Schmuck GmbH & Co KG. M.: Vors. d. Fachverb. d. Glasindustrie, Rotary-Club Enns, Fliegerclub Linz-Hörsching.

Neumann Ernst Peter
B.: Friseur, Inh. v. 6 Wr. Salons. DA.: 1180 Wien, Anastasius-Grün-G. 11. PA.: 1170 Wien, Kretschekg. 10. G.: Wien, 22. Dez. 1952. V.: Maria, geb. Weinwurm. Ki.: Laurenz (1988), Sophia (1991). El.: Otto u. Berta, geb. Wallner. S.: HAK, Friseurlehre, Mstr.-Prüf. K.: ab 1981 selbst., 1983 Eröff. d. ersten Filiale, lfd. Seminarstätigkeit f. Friseure auf nat. u. intern. Ebenen. E.: 1988 "Oskars" f. Friseure Österr. M.: Ver. Prominentenfriseure Österr. H.: Skifahren, Surfen, Kinder. (N.A.)

Neumann Gerhard
B.: selbst. Inh. Handelsagentur. DA.: 4020 Linz, Goethestr. 27. PA.: Linz-Urfahr, Mannheimstr. 11. G.: Kumpitz, 8. Dez. 1941. S.: Lehre als Verkäufer, 1960-61 Bundestextilschule Dornbirn, 1967-68 Höheres Fachseminar f. reisende Kaufleute in Linz, 1968 Prüf. u. Fachdipl. in Wien. K.: 1962-63 Substitut u. 1963-64 Einkäufer u. Abt.-Ltr. b. Kraus & Schober Linz, 1964-75 Reisender Joh. Landa & Co Linz, 1975-76 Reisender WIDAMO Damenkleiderfbk. Dr. E. Kucera Wels, 1976-86 Alleinvertretung Fin Karelia Virke Oy Orimattila/Finnland, seit 1. Jän. 1987 selbst. Handelsagent. P.: Vorträge b. Finn. Wirtschaftsforum im Park Auersberg Wien (1980). M.: HK. H.: Skifahren, Tennis, Radfahren, Lesen, Musik v. klass. b. mod. (U.E.)

Neumann Gerhard
B.: Inh., Gschf. DA.: 1121 Wien, Wolfgangg. 42-46. PA.: 2380 Perchtoldsdorf, Distlg. 9. G.: Wien, 8. Nov. 1937. V.: Elisabeth, geb. Rosenberg. Ki.: Andreas, Angelika. El.: Josef u. Gisela. BV.: 1897 Neumann Josef Gründer d. Fa. S.: Gymn., HAK. K.: 1953 Eintritt in d. väterl. Fa, 1975 Übernahme dieser, 1975 Modernisierung d. ges. Betriebes. M.: Mtgl. b. Fachverb. f. Nahrungs- u. Genußmittelind., Mtgl. b. Gremium d. Viehhandels. H.: Auto, Skifahren, Segeln, Radfahren, Tischtennis. (Fels.)

Neumann Günter DDr.
B.: Vorst.Mtgl. d. Generali Allg. Versicherungs AG Wien. A.: 1190 Wien, Görgeng. 30. G.: 26. Mai 1941. V.: Dr. Maria. El.: Dr. Anton u. Dr. Gertraude. S.: RG, Dr. iur. (Univ. Wien), Dr. rer. pol. (Univ. Wien), 4 Sem. Betriebswirtschaft (WU Wien), Finanzprüf. K.: 1963 Gerichtspraxis, 1964 BMF i. d. Volkswirtschaftsabt., b. 1970 Min.Sekr., ab 1970 Dir. b. Österr. Postsparkasse (Kredit, Effekten u.a.), ab 1974 Dir. b. Erste Allg. Versicherungs AG, ab 1977 Vorst.Mtgl. u. Fin.Disponent b. Generali Allg. Lebensversicherungs AG, AufsR.Vors. d. Inst. f. Vermögensbeschaffung u. Anlagenplanung Innsbruck. P.: Veröffentl. in div. Schriften. M.: ÖAkB., Österr. Alpenver. H.: Tennis, Wandern, Schwimmen, Briefmarken, Geschichte, Geographie.

Neumann Gustaf Adolf
B.: Hrsg. d. Monatszeitschriften "Echo der Heimat" u. "PARA" sowie d. Wochenzeitung "Kleine Klosterneuburger Zeitung" u. "Kleine Tullner-Klosterneuburger Zeitung", Gschf. d. GAN Handels u. Verlags GmbH. A.: 3400 Klosterneuburg, Niedermarkt 1-3. M.: AufsR.-Vors.-Stellv. d. CASINOS AUSTRIA AG, Wien, Präs. d. AufsR. d. Casinos Austria Holding GmbH, Wien, Präs. d. Verb. NÖ Tierschutzver., Präs. d. Ver. "Lebenswertes Weidlingtal" u. "Zur Förderung u. Pflege d. Schönen Künste u. Erhaltung d. Stadtbildes", AufsR. d. Österr. Lotto Toto GmbH in Wien.

Neumann Hans Dr. med. a.o.Univ.-Prof. Prim.
B.: Vorst. d. HNO-Abt. im Hanusch-KH. DA.: 1140 Wien, Heinrich-Collin-Str. 30. PA.: 1090 Wien, Schwarzspanierstr. 15. G.: Wien, 15. Aug. 1936. V.: Jeanine, geb. Grabowski. Ki.: Susanne (1968). El.: Prof. Dr. Markus u. Klara. S.: 1954 Matura, Stud. d. Med. Univ. Wien, 1960 Prom. K.: HS-Lehrer, Ass., OA an d. 1. HNO-Klinik Wien, 1973 Habil., 1980 Abt.Vorst. d. HNO-Abt. im Hanusch-KH. P.: zahlr. Publ. E.: Silb. EZ d. Wr. Ärztekam. (P.R.)

Neumann Harald
B.: Gschf. Ges. FN.: Neumann & Riedl GmbH Galvanisierungsanst. DA.: 1140 Wien, Kienmayerg. 15. G.: Wien, 29. Mai 1940. V.: Karin. S.: 1959 Gymn.-Matura. K.: 1959 Eintritt in d. elterl. Betrieb Ing. Neumann & Co GmbH, 1991 Neugrdg. Firma Neumann & Riedl GmbH. M.: Lions Club. H.: Lesen, Tennis. (M.-L.A.-M.)

Neumann Harald
B.: Ges. FN.: Conform Einrichtungs GmbH. DA.: 4800 Attnang-Puchheim, Kirchenstr. 4. PA.: 4813 Altmünster, Teichwiesweg 5. G.: Graz, 10. Jän. 1962. Ki.: Christoph u. Michael (1984). El.: Peter u. Gertrude. S.: 1981 Matura HTL. K.: 2 J. Tätigkeit in Arch.-Büro in Murau, danach 6 J. Tätigkeit in Schwanenstadt f. Gaststätteneinrichtungsbetrieb, seit 1989 selbst. H.: Skifahren, Wandern, Salzkammergut-Seen. (E.Hö.)

Neumann Helmut Dr.
B.: Vorst. d. Neumann Holding AG. DA. u. PA.: 1090 Wien, Güntherg. 3. G.: Wien, 8. März 1939. S.: RG Wien, Stud. d. Rechtswiss. an d. Univ. Wien. K.: 1962-68 Manager in d. papierverarb. Industrie, 1969-71 Manager einer österr. Management-Beratungsfirma, 1971 Grdg. d. Neumann-Beratungsgruppe.

Neumann Helmut Dipl.-Ing.

B.: Bmstr., Ges. . PA.: 4810 Gmunden, Feursteinstr. 14. G.: Ort b. Gmunden, 30. Juli 1921. V.: Christine, geb. Mayrhofer. Ki.: Rudolf, Georg, Günter, Christoph. El.: OIng. Hugo u. Josefine. BV.: Großonkel war d. Gründer d. Untern. u. Pionier d. Österr. Elektrizitätswirtschaft OBauR. Dr. Josef Stern. K.: Gschf.: Ges. d. Fa. Stern & Hafferl Bauunternehmung Holding GmbH, d. Gmundner Elektrizitätsges.mbH. Gmunden, d. Gmundner Fertigteile GmbH staatl. bef. u. beeid. Ziviling. f. d. Bauwesen, i. R. M.: AufsR.Mtgl. d. Lokalbahn Vöcklamarkt-Attersee AG Gmunden (Foed.)

Neumann Helmut K.W. Mag.

B.: Amtsdir. d. BMUK, Abt.-Ltr. d. Präsidialabt. 15. DA.: 1010 Wien, Minoritenpl. 5. G.: Wien, 25. Mai 1938. V.: Marin, geb. Gisladóttir. Ki.: Hertha (1960), Claus (1966), Ruth (1968). El.: Prof. Dr. Leo u. Herta, geb. Hetmanek. BV.: Familie Hirst-Hentzi verteidigte Budapest 1848 f. Österr., Großvater Neumann Oberkapitän d. DDSG, Urgroßvater Neumann Gen.-Dir.-Stellv. d. DDSG, Dir.d . Werften v. Regensburg b. Braila, Großvater Hetmanek Maler. S.: VS, Gymn., Brucknerkonservatorium, Musik-HS Mozarteum Wien. K.: 1961 Lehrbefähigungsprüf. in Cello, 1959-60 Island Symphonie Orchester, 1961-62 Innsbrucker städt. Orchester, 1962-64 Island Symphonie Orchester, ab 1964 Ind.-Kfm. b. Ferdinand Panzer, 1966-76 Vers.-Kfm. d. Österr. Bundesländer Vers., seit 1976 Bmtr. d. BMUK, 1978 Externistenmatura, 1986 Mag. art., 980-83 Dir. d. Schubertkonservatoriums, seit 1985 Vors.d . MusikbeiR. d. Stadtgem. Klosterneuburg, Amtsdir. d. BMUK Abt.-Ltr. d. Präsidialabt. 15. P.: 1984 gr. Islandausstellung u. Katalog, 1984 "Island u. d. nördl. Eismeer", 1987 "Österr. Beitrag z. Islandforsch.", Komponist: Kammermusik, Solostücke f. Cello, mehrere Liederzyklen, 1 isländ. Oper "Die Leute auf Borg", Violinkonzert, Kirchenmusik. E.: 1986 Ritterkreuz d. isländ. Falkenordens, SE, Kulturpreisträger d. Stadt Klosterneuburg, Förderungspreisträger d. Landes NÖ f. Komposition. M.: Ehrenobm. d. Österr-Isländ. Ges., Vorst. d. intern. Abrechtsberger-Ges., Ges. d. Isländer in Österr. H.: Briefmarken, isländ. Literatur. (T.T.)

Neumann Kurt

B.: Pensionist. PA.: 9020 Klagenfurt, Krainerweg 7. G.: St. Marein/Knittelfeld, 1. Febr. 1930. V.: Helga, geb. Hriberig. Ki.: Hans Jörg, Klaus. El.: Anton u. Maria. S.: Tischlerlehre, Otto Möber-Wirtschaftsschule Graz, zahlr. Weiterbild. u. Fachkurse. K.: 1946 Beitritt ÖGB, Funktionär Jugendgruppe ÖGB Bau-Holz Knittelfeld, 1949 Funktionär Ortsgruppe Bau-Holz Knittelfeld, 1952 LJugendobm. Gewerkschaft Bau-Holz d. Stmk., 1954 Lehrkraft u. Verwalter d. Berufsvorschule Jugend am Werk Knittelfeld, 1955 Jugendsekr. d. ÖGB LExekutive Stmk., 1958 Sekr. d. Gewerkschaft Bau-Holz LOrgan. Ktn., 1959-74 m. d. Bild.Arb. Gewerkschaft Bau-Holz LOrgan. Ktn. betraut, 1959 Fraktionsverantwortlicher Gewerkschaft Bau-Holz LOrgan. Ktn., 1962 Vers.Vertreter Ktn. Gebietskrankenkasse Hpt.Versammlung u. Vorst., 1973 Obm.Stellv. im Überwachungsaussch. d. Ktn. Gebietskrankenkasse, 1974 Vorst.Mtgl. Arbeiterkam. Ktn., 1961 Mtgl. d. LGruppe Ktn. LExekutive Ktn. d. ÖGB, 1974 LSekr. Gewerkschaft Bau-Holz v. Ktn., 1979-93 Obm. d. Ktn. Gebietskrankenkasse f. Arb. u. Ang., 1979 stellv. Vors. d. LExekutive Ktn. d. ÖGB, BeiR.Mtgl. d. Bauarb.-Urlaubskasse LStelle Ktn., 1979 VPräs. d. Kam. f. Arb. u. Ang., 1980 Mtgl. Verw.Aussch. LArbeitsamt f. Ktn. BL.: langjähr. Einsatz f. d. sozial Schwachen im Rahmen d. ausgeübten Funktionen. P.: Art. im Mitteilungsblatt d. Ktn. Gebietskrankenkasse u. im Fachblatt d. Gewerkschaft d. Bau- u. Holzfacharb. E.: 1986 Gr. EZ f. Verd. um d. Rep. Österr. M.: seit 1946 ÖGB, seit 1949 SPÖ, Mtgl. . Präsidialaussch. d. Hpt.Verb. d. Österr. Sozialvers.Träger, Mtgl. d. Sekt.Aussch. "Allg. Krankenvers." b. Hpt.Verb. d. Österr. Sozialvers.-Träger. H.: Schwimmen, Skifahren, Fischen. (S.G.)

Neumann Michael Dr.

B.: Prim., Präs. d. Österr. u. Wr. Ärztekam. GT.: Prim. d. Pulmolog. Zentrums. DA.: 1010 Wien, Weihburgg. 10-12. G.: Baden, 29. März 1945. V.: Susanne, geb. Welten. El.: Dr. Gerhard u. Irene. BV.: Großvater Univ.-Prof. HofR. Dr. Wilhelm Neumann bekannter Lungenspezialist. S.: VS, hum. Gymn., Univ. Wien, 1971 Prom. K.: 2 J. HS-Ass. am anatom. Inst., anschl. Ausbild. z. Lungen-FA im Pulmolog. Zentrum d. Stadt Wien Baumgartner Höhe, 1983 Prim. d. LKH Grimmenstein, seit 1986 Prim. d. I. Abt. d. Pulmolog. Zentrums d. Stadt Wien, weiters seit 1980 Gen.Sekr. d. Österr. Ges. f. Lungenkrankheiten u. TBC, seit 1985 Präs. d. Wr. Ärztekam., seit 1986 Präs. d. Österr. Ärztekam. P.: zahlr. Vorträge im In- u. Ausland, ca. 50 wiss. Publ. über d. Fachgebiet. E.: Gold. Verdienstz. d. Wr. Ärztekam. M.: Mtgl. d. OSanR., Mtgl. d. LSanR. Wien, zahlr. wiss. Ver., Ehrenmtgl. d. kroatischen u. ostdt. wiss. Ges. H.: Malen (Aquarell), Tennis, Skifahren, Lesen, Fotografieren. (R.A.)

Neumann Reinhard Dr. med. Univ.-Doz.

B.: Ltr. d. Laserambulanz. FN.: Univ.-Klinik f. Dermatologie i. AKH. GT.: s. 1991 Vors. d. Laserkomm. d. Österr. Ges. f. Dermatologie u. Venerologie. DA.: 1090 Wien, Währinger Gürtel 18-20. PA.: 1140 Wien, Gyrowetzg. 1. G.: Eggenburg, 31. März 1953. V.: Dr. Irene, geb. Kronfellner-Kraus. Ki.: Markus (1980), Stefan (1983). El.: Anton u. Marianne. S.: Matura humanistisches Gymn. Horn, Med.-Stud. a. d. Univ. Wien, 1977 Prom. z. Dr. med. K.: s. 1985 FA f. Dermatol. u. Venerologie, 1993 Ern. z. Univ.-Doz. f. d. Fach Dermatol. u. Venerologie. BL.: ab 1985 Pionierarb. u. Aufb. d. 1. Laserambulanz i. Österr. a. d. 2. Univ.-Hautklinik u. s. 1992 a. d. Klinik f. Dermatol. Wien. P.: über 100 wiss. Publ. u. Buchbeiträge. E.: div. Forschungspreise u. a. AESCA-Preis 1992. M.: Amerik. u. Dt. Ges. f. Lasermed. H.: Reisen, Sport, Musik u. Literatur. (J.S.)

Neumann Susanne

B.: Eigentümer. FN.: VILMA Boutique. DA.: 1180 Wien, Jörgerstr. 12. PA.: 1170 Wien, Frauenfelderstr. 1. G.: Wien, 12. Febr. 1947. V.: Dr. Michael. El.: Welten Alfred u. Ida. S.: RG Wien, 1965 Matura. K.: 1966-68 Schule f. med.techn. Ass., 1969-76 Lehrass., 1976 Gschf. d. elterl. Geschäftes, 1986 Übernahme. BL.: Einführung exklusiver Bademode in Wien. P.: Beteiligung an d. "La Donna" (Messe f. d. Frau in d. Wr. Stadthalle). M.: Modeclub Wien. H.: Skifahren, Schwimmen, Lesen. (H.P.)

Neumann Waldemar Dipl.-Ing.

B.: Dir. Fernwärmeversorgung, Prok. d. Grazer Stadtwerke AG. DA.: 8010 Graz, Steyrer G. 116. PA.: 8045 Graz, Grazer Str. 54. G.: Graz, 12. Dez. 1942. V.: Eva, geb. Hasler. Ki.: Dominic (1975). El.: Rudolf u. Maria. S.: VS, Gymn., 1962

Matura, Stud. Verfahrenstechnik m. Wahlrichtung Papier- u. Zellstofftechnik TU Graz, 1969 Grad. K.: Eintritt als Projektant f. Papiermaschinen u. Stoffaufbereitung Maschinenfbk. Andritz, 1970 Eintritt Grazer Stadtwerke als Baultr. f. sämtl. Fernwärmebaustellen, seit 1988 Ltr. d. Bereiches d. Fernwärmeversorgung. P.: Art. über Fernwärmeversorgung in Graz in versch. Fachzeitschriften. (M.Gr.)

Neumann Werner Dr. Ing.

B.: Privatarch., Hotelier, Kunstmaler. A.: 6100 Seefeld, Reitherspitzstr. 384. G.: Erfurt, 15. Juni 1916. V.: Annelis Neumann, geb. Christes. S.: Gymn. m. Abitur, Dipl.Examen TH in Dresden. Prom. dortselbst. K.: Privatarch. m. massgebl. Großaufträgen d. öff. Hand, Vw.Gebäude, Kirchen, Städtebau, Großsiedlungen - vorwiegend in BRD. F.: Inhaber des Hotels STEFANIE in 6100 Seefeld. P.: Zahlr. Veröff. in Fachzeitschr., in Standardwerken über d. modernen Kirchenbau, Gemäldeausstellungen im In- u. Ausland. M.: Golf-Club in Seefeld, Mitbegründer d. Golf-Clubs in Seefeld.

Neumayer Alois

B.: Bgm., Gastwirt Schloß Kammer. DA. u. PA.: 5751 Maishofen, Schloß Kammer 22. G.: Maishofen, 18. Okt. 1941. V.: Gertraud, geb. Hutter. Ki.: Juliane, Mathias, Lukas, Johanna, Alois. El.: Mathias u. Juliane. S.: VS, HS, HASCH, Ldw.-Schule Kleßheim, Ausbild. in d. Ldw., Berufsschule f. Säger Kuchl. K.: Tätigkeit im elterl. Betrieb u. 1969 Übernahme. BL.: 1977 Gem.-Vertreter, 1984 GemR., 1990 Bgm., Vorst.-Mtgl. Raika Maishofen. H.: Arb., Familie.

Neumayer Burkhard Mag.

B.: Gschf. FN.: Marbert Kosmetik GmbH. DA.: 1120 Wien, Altmannsdorfer Str. 104. PA.: 1120 Wien, Aßmayerg. 23/36. G.: Steyr, 19. Jan. 1953. V.: Ingrid, geb. Fritsch. Ki.: Astrid (1982). El.: Ignaz u. Elisabeth, geb. Jäger. S.: VS, neusprachl. Gymn., Univ. Linz Vw. K.: 1975-86 Mtgl. d. Geschäftsführung Pharm. Großhdl. Wels, ab 1986 Gschf. b. Marbert Kosmetik GmbH. M.: Rotary, u.a. H.: Golf, Segeln, Langlaufen, Handwerken, Jagd. (R.A.)

Neumayer Ernst Mag. rer. nat. OStR. Prof.

B.: Dir. d. Berufspäd. Inst. d. Bundes f. NÖ. A.: 1130 Wien, Auhofstr. 15B, 3032 Eichgraben, Friedrichstr. 4. G.: Obergrafendorf, 26. Juni 1922. V.: Ilse, geb. Bittermann. El.: Josef u. Maria. S.: RG, Militärdienst (Kriegsschule Göppingen), Univ. Wien, phil. Fak., Lehramtsprüf. f. Math. u. Physik 1950. K.: 1950-51 Probejahr BRG Wien VIII, ab 1951 Prof. an d. Höheren Techn. BLehr- u. Versuchsanst. in St. Pölten f. Math., Physik u. Datenverarb., ab 1972 Konvikts-Dir., ab 1975 Dir. d. Berufspäd. Inst. f. NÖ. P.: "Lehrzielbank Math. f. Höhere Techn. Lehranst.", "Grundlagen d. Erziehung I u. II", "Grundlagen d. Didaktik I u. II", "Lehrplan u. Unterrichtsvorber.". M.: Ges. d. Freunde d. Horak-Konservatoriums f. Musik u. Darstell. Kunst in Wien als Präs., Vereinigung christl. Lehrer an Höheren Schulen, Österr. AkB.

Neumayer Herbert Ing.

B.: Techniker; Gschf. Ges. FN.: Fahrschule Ing. H. Neumayer. DA.: 2500 Baden, Braitnerstr. 47 u. 2700 Wr. Neustadt, Bahng. 14. G.: Wien, 13. Juli 1953. V.: Ursula, geb. Gaupmann. Ki.: Christopher (1993). El.: Ing. Leopold u. Elfriede. S.: 1975 Abschluß d. HTL Mödling (Kraftfahrzeugbau). K.: 1976 Bundesheer in Baden, danach Fahrschullehrer in d. elterl. Fahrschule, s. 1983 selbst. M.: s. 1983 ÖWB. H.: Fotografieren, Segeln. (I.K.)

Neumayer Klaus Dr. med. Univ.-Doz.

B.: freipraktizierender Röntgenologe, Ltr. d. Computertomografie Fürstenfeld. DA.: 8280 Fürstenfeld, Bismarckstr. 3, 8280 Fürstenfeld, Mühlbreitenstr. 1. PA.: 8323 Mittergoggitsch 33. G.: Leoben, 24. Nov. 1946. V.: Dr. med. Ulrike, geb. Mostegel. Ki.: Phillip (1987), Nikolaus (1990). El.: Klaus u. Klothilde. S.: 1965 Matura, 4 Sem. Montanuniv. Leoben, ab 1967 Med.-Stud. Univ. Graz, 1975 Prom., Gegenfächer f. d. FA-Ausbild. in versch. KH in d. Stmk. K.: 1979-84 FA-Ausbild., b. 1990 OA Klinik in Graz, 1990-91 Ltr. d. Röntgenabt. b. d. Elisabethinen in Graz, 1991 Übernahme d. bestehenden Röntgenpraxis in Fürsenfeld, 1991 Eröff. d. Computertomografie Inst. Fürstenfeld, seit 1991 Konziliar-FA f. Röntgen im LKH Fürstenfeld. P.: insgesamt 50 Veröff. einschließl. Buchbeiträgen im dt. u. engl.-sprachigen Raum über d. Spezialgebiet: Interventionelle Radiologie. H.: Beruf, Ldw. (F.K.)

Neumayer Leo

B.:Bgm. d. Gem. St. Johann im Pongau, ehemaliger LAbg. DA.: 5600 St. Johann im Pongau, Pöschlweg 16. G.: Leogang, 30. Okt. 1929. V.: Maria, geb. Lackner. Ki.: Christine (1958), Leo (1960), Hildegard (1964). K.: Mitwirkender d. Jungen ÖVP, Kath. Jugend, 1953 Kraftfahrer Molkereibetrieb Zell am See, 1956 Rettungsfahrer Rotes Kreuz St. Johann im Pongau, 1969 Gem.-Vertreter, 1972 ArbeiterkamR., 1973 GemR., 1974-89 LAbg., 1971-87 ÖAAB-Bez.-Obm., seit 1978 Bgm. d. Gem. P.: Veröff. in regionalen Printmedien. M.: Präs. d. Sbg. Pool-Billard Verb., zahlr. örtl. Ver. H.: Langlaufen, Joggen. (G.P.)

Neumayer Otto Mag.

B.: Gschf. d. Fachverb. d. Maschinen- u. Stahlbauind. Österr. GT.: Mitbegründer u. langjähriges gschf. Vorst.-Mtgl. d. Österr. Ver. f. Qualitätssicherung (ÖVQ) 1010 Wien, Gonzagag. 1/24; Mitbegründer, VPräs. u. langjähriges Vorst.-Mtgl. d. Österr. Ver. z. Zertifizierung v. Qualitätssicherungssystemen (ÖQS); Mitbegründer u. Vorst. i.R. d. Gütegemeinschaft Wassertechnik (GWT); 1. VPräs. d. European Organ. for Quality in Bern. DA.: 1045 Wien, Wiedner Hauptstr. 63; Postfach 430. G.: Amstetten, 15. Nov. 1931. V.: Erika, geb. Giller. Ki.: Dr. med. Susanne Milla. El.: Otto u. Gertrude, S.: RG Wien, 1950 Matura, Jusstud. Univ. Wien, 1962 Spons. K.: seit 1960 in d. BWK tätig. P.: div. Veröff. in Fachpubl., WIFI-Broschüren. E.: Silb. EZ f. Verd. um d. Rep. Österr., div. ausländ. EZ. H.: Segeln, Fischen. (T.T.)

Neumayr Anton Dr. med. Univ.-Prof.
B.: Vorst. d. I. Med. Klinik - Rudolfstiftung Wien. A.: 1190 Wien, Weimarerstr. 88. G.: Hallein, 6. Dez. 1920. V.: Antonie, geb. Lang. E.: Anton u. Berta. S.: RG, Univ. Berlin u. Wien. K.: 20 jährige Ausbild. an d. II. Med. Univ.Klinik in Wien, 1956 Erlangung der Venia legendi und 1963 Verleihung d. Titels Univ.-Prof., 1964 Übernahme d. Ltg. d. Med. Abt. im Kaiserin Elisabeth Spital in Wien, seit 1975 Vorst. d. I. Med. Klinik d. KA Rudolfstiftung in Wien. P.: Rund 250 wiss. Publ. bzw. Beiträge in med. Fachbüchern, vorwiegend aus dem Gebiet der Gastroenterologie. E.: Franz Schalk-Med. (verliehen durch d. Wiener Philharmonische Orchester), Ehrenkreuz für Wiss. u. Kunst I. Kl. M.: Vorst.Mtgl. der Österr. Ges. f. Innere Med. Mtgl. d. Dt. Ges. f. Innere Med., Mtgl. d. EASL. u. IASL, Vorst.Mtgl. d. Österr. Gastroenterolog. Ges., Mtgl. d. Dt. Gastroenterolog. Ges., Vorst.Mtgl. d. Österr. Ges. f. Geriatrie, etc. H.: ausübender Musiker (Klavier), wiss. Stud. über Pathographie berühmter Musiker, Studien über Einfluß v. Musik auf schöpferischer Leistung v. Komponisten, Sprachen, Kunstgeschichte, Geschichte.

Neumayr Bernhard

B.: geschf. Gesellschafter. FN.: Neumayr-Marketing-GmbH. DA: Gottfried-Keller-Gasse 2/3/14, 1030 Wien. PA.: Neubaugasse 40, 1070 Wien. G.: Wien, 7.10.1946. V.: Gabriele, geb. Stof. Ki.: Regina (74). El.: Leopold Dr. jur., Therese, geb. Groll. S.: 1956-62 Mittelschule, 1962-67 kaufm. Berufsschule, 1968-71 WU Wien, Werbung u. Verkauf. K.: 1971-72 Werbeagentur Catapult am Schubert-Ring als Kontakt-Assistent, 1972 Elektro Diesel Handels AG., 1978 Umwandlung in Robert Bosch AG., als Werbe-Assistent, 1978 Werbeleiter Elektro- werkzeuge u. Telekommunikation, 1984 Marketingleiter , 1990 Grdg. d. Einzelfirma Neumayr-Marketing, 1991 Umwandlung in Neumayr-Marketing GmbH, 1991-94 Gründung v. Niederlassungen in Berlin, Chemnitz, Budapest, Kooperationsagenturen in London, Paris, Mailand, München u. Boston. P.: W&V Werben u. Verkaufen, Insider Marketing Integrated Communication, Artikel "Best Seller". M.: PRVA, WWG, Österr. Industriellen Vereinigung, Marketing Club Berlin, Wirtschaftscl. d. dtsch. HK. H.: Musik,Reisen, Sport. (P.)

Neumayr Claudius Mag.
B.: Gschf. FN.: Segafredo Zanetti Austria Ges.m.b.H. DA.: 5023 Salzburg-Mayrwies. PA.: 5020 Salzburg, Schleinlackenstr. 8. G.: Tamsweg, 6. März 1951. V.: Dorothea, geb. Hoffmann. Ki.: Stefanie. El.: Siegfried u. Paula. S.: Privatschule Werkschulheim Felbertal, Tischlergesellenprüf., RG m. Matura, Militär (Reserveoffizier), Stud. Welthdl. WU Wien, 1977 Mag. rer. soc. oec., Auslandspraktika in d. Schweiz u. in Bangkok. K.: Trainee b. Unilever, Product-Manager b. Blendax, Marketing-Manager b. Wrigley, seit 1. Okt. 1985 Gschf. v. Segafredo Austria. M.: Mitgl. WDF, Österr. Industriellenvereinigung, Roundtable Austria. H.: Tennis, Eishockey. (Foed.)

Neumayr Rudolf Karl
B.: Dir.Stellv. Hypobank Eisenstadt. DA.: 7000 Eisenstadt, Hauptstr. 33a. PA.: 7000 Eisenstadt, Ing.-Sylvester-Str. 43. G.: Oberpullendorf, 24. Febr. 1945. V.: Elisabeth, geb. Mongold, 3 Söhne, 1 Tochter. El.: Rudolf u. Theresia. S.: HS, LBA, Bilanzbuchhalterkurs d. Kam. d. Wirtschaftstreuhänder in Wien m. Ausz. 1963. K.: div. Steuerberater, 1966 z. Hypo-Zentrale als Buchhalter, div. Kurse, 1981 AufsR. d. Hypobank. BL.: Solist b. div. Konzerten im In- u. Ausland, Rundfunkaufnahmen u. Liederabende, Spez.Geb.: Lieder, Kirchenmusik (Bariton). H.: Gartenarbeit, Theater, Oper, Konzerte. (M.G.)

Neumayr-Stof Gabriele

B.: Gschf. Gesellschafterin. FN.: Neumayr-Marketing GmbH. FA.: Gottfried-Keller-G. 2/3/14, 1030 Wien. Pa.: Neubaugasse 10, 1070 Wien. G.: Wolfach in Baden, BRD 1.1.48. V.: Bernhard. El.: Franz, Maria Herrmann. S.: 1958-65 Mittelschule. K.: 65-68 Lehre Privatkrankenvers. Signal, BRD, 68-69 Englisch-Studium i. London, 69-72 Audi-Ingolstadt im Export, 72-80 Hoesch Stahlkonzern Dortmund, Ass. einer Vorstandsmitgliedes, Projekt-Vorbereitung, 80-90 Robert Bosch GmbH Stuttgart, Werbe-Abt. später Werbung f. Design, 2-jährige Abend-Fachakademie f. Druck u. Werbung, 90 Übersiedelung n. Wien, Einzelfa. Stof, Übersetzungsbüro, 91 Umwandlung zur Neumayr-Marketing GmbH, Sprachendienste m. Intern. Verbindungen. P.: Qualitätsfaktor Design, 1988; Ergonomie bei Elektrowerkzeuge, 1989: Insider, 1993. M.: Wirttschaftsclub d. dtsch. Handelskammer d. Österr. Industriellen Vereinigung. H.: Musik, Reisen, Sport. (P)

Neumeister Brigitte
B.: Schauspielerin. DA.: 1080 Wien, Josefstädterstraße. V.: Rothholz Felix. El.: Neumeister Robert u. Leopoldine. S.: VS, HS, Ballett-, Gesangs- u. Schauspielausbild. u. Abschluß. K.: Stadttheater Saarbrücken, 1970-89 fixes Mtgl. im Theater in d. Josefstadt. Rollenauszug: Hamlet, Minna v. Barnhelm, Blume v. Hawai, Die Möwe, Klotz am Bein, Der Schwierige, Schmetterlinge sind frei, etc, seit 1989 Volkstheater Wien, "Die Dreigroschenoper", "Nora", "Faust"(Mephisto), "Liliom"(Muskat) . TV: 7 Personality-Shows, 35 Folgen "Wohngeflüster", "Tatort", Hotel Sacher", "Wenn d. Vater m. d. Sohne", "Soldat Schwejk", "Musik ist Trumpf", "Dallidalli", TV-Serie "Kaisermühlen Blues" etc. 3 LP's, 2 Rundfunkserien, Soloabende m. Pianisten auf d. ganzen Welt. E.: Robert-Stolz-Med., Silb. EZ d. Stadt Wien. M.: Mtgl. d. Vereinigte Bild. Künstler Österr. H.: Malerei, Arch. (R.A.)

Neumeister Christa
B.: Spediteur, Inh., Gschf. FN.: TVS Transport-Vermittlung-Spedition GmbH. DA.: 1232 Wien, Perfektastr. 86. PA.: 1190 Wien, Siolyg. 4. G.: Deutschkreuz, 6. Aug. 1952. V.: Gottfried Neumeister. Ki.: Gottfried (1977). El.: Erich u. Margarethe Schlinger. S.: 1967-70 Berufsschule f. Sped.-Kfm. Feldbach. K.: 1970-82 Sped.-Kfm., seit 1983 selbst. Grdg. TVS GmbH. F.: Sped.-Firma IMES Antwerpen. H.: Beruf. (I.K.)

Neumeister Ernst Dr. a.o.Univ.-Prof.
B.: Ltr. d. Abt. f. Euterkrankheiten. A.: 1130 Wien, Gemeindebergg. 73. G.: 12. Okt. 1932. V.: Ilse, geb. Bauer. S.: Stud. d. Vet.-Med. K.: Doktorat, Habil. P.: 25 Publ. auf d. Fachgebiet d. Therapie u. Prophylaxe d. Euterkrankheiten d. Rindes. E.: Förderungspreis d. Österr. Tierärztekam. M.: Mtgl. d. Martitisexpertengruppe d. intern. Milchwirtschaftsverb. in Brüssel. H.: Segeln.

Neumeister Friedrich Franz
B.: Gschf. Ges. FN.: Heinrich Scherzinger GmbH. DA.: 1010 Wien, Mahlerstr. 13. PA.: 1060 Wien, Mollardg. 70a/10. G.: Wien, 19. Mai 1922. Ki.: Maria, Gottfried, Lieselotte. El.: Fritz u. Maria. BV.: Großvater 1. Kapitän d. DDSG. S.: VS, hum. Gymn. K.: Kriegsdienst, Gefangenschaft, 1945-51 selbst. Import Export Kfm., 1952-61 ITEKA Sped., ab 1961 Übernahme d. Sped. Heinrich Scherzinger GmbH. H.: Fischen, agen, Tennis. (R.A.)

Neumüller Robert Mag.
B.: freiberufl. Kameramann. DA. u. PA.: 1010 Wien, Elisabethstr.24/27. G.: Zwettl, 5. Jan. 1959. V.: Catrin, geb. Wesemann. Ki.: Georg (1991). El.: August u. Hildegard. BV.: Onkel Hans Neumüller Maler u. Dichter im Waldviertel. S.: Matura BRG Krems, Stud. Kamera u. Bildtechnik an d. Wr. Filmak., Drehbuchstud. b. Prof. Harald Zusanek, 1985 Dipl. f. Kamera u. Bildtechnik Ergänzungsstud. am Inst. f. Kulturelles Management, 1985 Spons. K.: b. 1992 Ang. b. ORF, seit 1992 freiberufl. Kameramann b. zahlr. Filmen u.a. "Das Auge d. Liebe" (1990),"Wort und Schweigen" (1992), "Land d. Täler: Wachau" (1992), "Wien-Dokumentarfilm f. d. dt. Fernsehen (1993), "Land d. Täler - Im Weinviertel" (1994), "Land d. Täler - Das Kamptal" (1994), "Woran starb Mozart" (1994), "Vinschgau" (1994), Co-Autor zweier Drehbücher. E.: 1992 Gold. Kader / Beste Kamera f. d. Fillm "Hymne auf d. Stille", 1994 Gold. Kader / Beste Kamera f. d. Film "Land d. Täler - Im Weinviertel". (J.S.)

Neun Hans-Peter
B.: Kurdir. Bad Tatzmannsdorf. DA.: 7431 Bad Tatzmannsdorf, Kurverw. Quellenhof. PA.: 7400 Oberwart, Beethoveng. 17. G.: Graz, 27. Juli 1955. El.: Hans u. Rita. S.: VS, Mittelschule Oberschützen, Matura 1973, 4 J. Med.Stud., Ausbild. z. Touristikkfm. an d. FV-Ak. Sbg. K.: Restaurantchef in Sbg., Stewart am Traumschiff, Ltg. Jagdreisebüro, ab 1983 Gschf. d. Kurverw. Bad Tatzmannsdorf. H.: Jagen, Schießen, Tennis. (War.)

Neundlinger Ferdinand Dr.
B.: RA. PA.:1080 Wien, Josefstädterstr. 23. G.: Wien, 14. Nov. 1941. El.: Alois u. Auguste. S.: VS, Gymn., Univ. Wien. K.: Nach absolviertem Univ.Stud. 8-jährige Tätigkeit b. Ger. u. RA. Selbst. s. 1972, Spezialisierung hinsichtl. Vers.Vertragsrecht, langjähriger Syndikus namhafter Vers.Anst. E.: Seit 1973 Mtgl. d. Ritterordens v. Hl. Grab zu Jerusalem. H.: Langjährige Beschäftigung m. Psychiatrie.

Neundlinger Rupert
B.: Bgm., BetriebsR. A.: 4222 Langenstein 48. G.: Langenstein, 30. Mai 1925. V.: Hermine, geb. Wödlinger. El.: Karl u. Agnes. S.: VS u. Berufsschule. K.: Seit 1961 Bgm. d. Gem. Langenstein, seit 1966 BetriebsR. d. VÖEST-Alpine. E.: Silb. Verd.Zeichen d. Rep. Österr., OÖ Erinnerungsmed. f. Katastropheneinsatz. M.: Präs. d. ATSV-Langenstein, Mtgl. d. Kinderfreunde, d. Naturfreunde, Elternvertr. d. Bez.SchulR. Perg. H.: Schach u. Kegeln.

Neundlinger Gerald
B.: Gschf. Ges. FN.: Neundlinger GmbH. DA.: 4070 Eferding, Schmiedstr 20. PA.: 4074 Stroheim, Mitterstroheim 34. G.: Linz, 10. Juni 1963. V.: Elfriede, geb. Natschlöger.

Ki.: Paul (1991), Esther (1993). El.: Gerhard u. Regina. S.: VS, HS, Polytechn. Lehrgang, Fachschule f. Hochfrequenz u. Rundfunktechnik, 1985 Matura HTL f. Nachrichtentechnik u. Elektronik, Ing., 1987 Mstr.-Prüf. f. Radio u. Fernsehtechnik. K.: 1992 Übernahme bzw. Weiterführung d. elterl. Betriebes als Ges. M.: Ev. Allianz, Junge Wirtschaft, Wasserskiclub Niederranner u. Feldkirchen. H.: Wasserski, Skifahren, Bibel, Musik. (G.E.)

Neuner Alfred Christian Dipl.-Ing.
B.: Arch. DA. u. PA.: 5201 Seekirchen, Mödlham 231. G.: Bad Ischl, 31. Aug. 1945. V.: Maria. Ki.: Elisabeth (1975), Angelika (1978), Bertram (1979). El.: Wilhelm u. Theodora. S.: 1964 Matura HTL Linz, 1971 TU Graz. K.: Praxis Arch. Odorizzi Wels u. Franzmaier Sbg., seit 1980 selbst., Studienreisen n. England, Italien, Schwerpunkt: Siedlungs-, Wohnungs- u. Städtebau. H.: klass. Musik, Familie, Arch. (E.Hö.)

Neuner Alfred

B.: Untern. FN.: Hotel Elite und Tagescafe Moccamühle. DA. u. PA.: 6100 Seefeld, Andreas Hofer-Str. 39. G.: Innsbruck, 1. Apr. 1958. V.: Johanna. Ki.: Silvia, Benedikt. El.: Josef u. Erna. S.: VS, HS, 1973-76 Hotelfachschule Bad Hofgastein, 1976 Abschl. als Hotelfachmann. K.: in Kanada, Toronto als Chef im Service; franz. Schweiz in Lausanne; Lech/Arlberg im Hotel Arlberg; Hilton in Wien, ab 1980 im elterl. Betrieb, 1991 Übern. d. Betr. H.: Radfahren, Golf, Reisen. (A.W.)

Neuner Gerhard
B.: Schlossermstr. FN.: Kunstschlosserei Neuner. DA.: 6100 Seefeld, Föhrenwald 284. PA.: 6100 Seefeld, Römerweg 284. G.: Innsbruck, 23. Sep. 1960. V.: Angelika. El.: Fritz u. Frieda. S.: 1979 Beginn d. Schlosserlehre b. Fa. Hilpoll in Seefeld, 1982 Gesellenprüf., BH, 10 J. im Lehrbetrieb tätig, zwischendurch Fort- u. Weiterbildungskurse im WIFI, 1987 Mstr.-Prüf. in Innsbruck, 1988 selbst., 1990 die ersten Mitarb. eingestellt. M.: Feuerwehr. H.: Skifahren, Radfahren, Natur, 1993 Übern. d. Landwirt. vom Vater. (A.W.)

Neuner Hanni
B.: Gastwirtin d. Hotel Union, Gasthof Adambräu. DA.: 6020 Innsbruck, Adamsg. 22. G.: Innsbruck, 14. Nov. 1926. El.: Alois u. Kreszenz Neuner. S.: VS, HS, Gastgewerbl. Berufsschule. K.: Tätigkeit im Gastgewerbe, seit 1959 Gasthof "Adamsbräu", ab 1971 Eigentümerin Hotel Union in Innsbruck. H.: Beruf, Reisen, Sprachen, Skifahren, Schwimmen. (Schm.)

Neuner Karl
B.: Gschf. FN.: Vita-Schuhe GmbH. DA.: 6391 Fieberbrunn, Grub 1. PA.: 6405 Pfaffenhofen 142. G.: Pfaffenhofen, 26. Apr. 1937. V.: Christine, geb. Rechberger. Ki.: Mag. Michael

(1966), Alexandra (1969). El.: Karl u. Josefine. BV.: Großvater gründete d. 1. Schuhfbk. in Tirol. S.: HASCH, 1957 Abschluß, 1969 Modelleurausbild. in Schuhfbk. im In- u. Ausland. K.: 21 J. techn. Ltr. Kollektionsgestaltung u. Verkauf im väterl. Betrieb Firma Tiroler Schuh, 1977-81 selbst. Modelleur, 1981 Gschf. Vital-Schuhe GmbH, 1991 Übernahme d. Firma gemeinsam m. Sohn, Spezialisiert: Herstellung v. Schuhen d. Reflexzonen massieren, hochwertige Gesundheitsschuhe. E.: 1990 Research and Development Tokyo Award, 1992 Research and Development Kuala Lumpur, 1985 Madrid Intern. Trophy for Quality. H.: Schuhe, Tennis, Skifahren, Segeln. (M.W.)

Neuner Kurt DDr. Prof.

B.: Beeid. Wirtschaftsprüfer u. Steuerberater, Gschf. d. Neuner + Henzl Treuhand GmbH Wien, Neuner + Henzl Treu-Mandat Wien. PA.: 1090 Wien, Garnisong. 20. E.: Gr. Silb. EZ f. Verd. um d. Rep. Öster. M.: AufsR. Josef Manner & Comp. AG Wien, u. d. Kreditgen. f. Gewerbetreibende in Wien rGmbH Wien, VerwR. Eurocount Wirtschaftsberatung Anst. Vaduz.

Neunkirchner Meinrad

B.: 3-Hauben-Koch im Restaurant Vincent. DA.: 1020 Wien, Große Pfarrg. 7. G.: Wien, 31. März 1962. El.: Ernst u. Berta. S.: VS Bisamberg, Schulbrüder Strebersdorf, Gastgewerbeschule Wien, franz. u. engl. Sprachausbild. K.: tätig im Hotel Imperial, Palace Hotel Aarosa/Schweiz, Eschlböck - Sommersaisonen, Restaurant Krone Münchweiler, Gala in Aachen, Bouley, Ravensburg, Tantris u. Aubergine München, versch. Restaurants in Frankreich u. Italien, Küchenchef im Le Belon Österr., im Fuchsenloch tätig, seit 1990 im Restaurant Vincent, intern. Küche. P.: Rezepte in Gourmetmagazinen. E.: seit 1989 Haubenkoch, seit 1994 drei Hauben. H.: Lesen, Reisen. (J.M.)

Neunteufel Hans Ing.

B.: Gschf. Ges. d. NEUSON Hydraulik GmbH & Co KG. DA.: 4061 Pasching, Industriestr. 5. PA.: 4040 Linz, Kampmüllerweg 38. G.: Linz, 8. Febr. 1951. V.: Karin, geb. Wolkerstorfer. Ki.: Kathrin. El.: Josef u. Maria. S.: HTL Steyr u. Linz, Matura. K.: Konstrukteur in d. VOEST, 1971-80 in d. Verkaufsltg. d. Fa. Hainzl & Bauer Hydraulik Linz tätig, 1980 Grdg. d. Fa. NEUSON Hydraulik GmbH & Co KG. BL.: Patente f. Handling-Vorrichtungen f. LKW-, Bahn- u. Schiffscontainer sowie Sattelschlepper. F.: Reiter KG Kleinlobming b. Knittelfeld, Ind.Betrieb f. spanabhebende Fertigung. H.: Golf, Skifahren. (Deu.)

Neuper Volkhard Dipl.-Ing.

B.: Forstmstr. u. Unternehmer. A.: 9372 Eberstein, Steirerstr. 5. G.: Unterzeiring, 29. Sept. 1939. V.: Marielies N. geb. Kopetz. El.: Franz u. Josefine. S.: VS in Oberzeiring, Mittelschule: Realschule in Graz, HS: Univ. f. Bdk. in Wien, Praxisausbild.: in USA, Deutschland, Schweden, Schweiz. K.: Nach Absolvierung d. HS-Stud. in Schweden 2 Monate im forstgenet. Inst. d. Versuchsanst., anschließend 3 J. Forstpraxis (im eigenen Betrieb in Eberstein) höhere forsttechn. Prüf. am BMLF in Wien. Ab 1970 Wirtschaftsführer d. Gutsbetriebes in Eberstein. F.: Gutsverwaltung Eberstein, Dolomitwerk, Betonwerk Eberstein, Handelsfirma Eberstein-Holz in Eberstein. M.: Obm. d. Sportver. Eberstein, Gem.Parteiobm. d. ÖVP - Eberstein, GemR., Lt. d. Res. Del. d. Ktn. Jägerschaft. H.: Jagd, Fischerei, Tennis, Skilauf, Wandern.

Neuper Josef

B.: Kameramann. FN.: MNW OEG Film- u. Videoproduktion. DA. u. PA.: 1040 Wien Waagg. 1/1/8. G.: St. Lorenzen, 20. März 1957. Ki.: Philipp (1988). El.: Herbert u. Ingeborg Zeiselberger. S.: Berufsausbild. z. Betriebselektriker in Trieben, HTL f. bildner. Gestaltung Abt. f. audiovisuelle Medien Graz, BH. K.: Kameramann, Ass. in Graz, eit 1992 freischaff. Kameramann, 1994 Grdg. MNW OEG Film- u. Videoproduktion gemeinsam m. H. Mittermüller u. H. Winklhofer, dzt. wichtigste Produktion: ORF-Serie "Treffpunkt Natur". E.: Filmförderungspreis f. einen Film über behinderte Kinder "Panoramagasse 23", Sonderpreis d. Diözese Seckau. H.: Lesen, Musik, Natur, Motorradfahren, Zeichnen u. Malen. (J.S.)

Neureiter Josef Mag.

B.: Exportmanager und Assistent der Geschäftleitung FN.: ATOMIC FOR SPORT GMBH. DA.: 5602 Wagrain. PA.: 5550 Radstadt, Höggenstr. 50. G.: Radstadt, 15. Apr. 1967. El.: Michael u. Katharina. S.: 1981-85 BORG, 1985 Matura, 1985-90 Stud. Betriebswirtschaft Innsbruck, 1990 Spons., 1990 BH. K.: b. 1991 Sporthdl., seit 1991 Prok. Troger Bikes GmbH. M.: Sportver. H.: Skifahren, Squash, Snowboard, Mountainbike. (G.P.)

Neureiter Marion

B.: selbst. m. Sport Pension Oberhauf. DA. u. PA.: 5671 Bruck, Oberhaufstr. 40. G.: Bochum/Deutschland, 22. Feb. 1953. V.: Peter Neureiter. Ki.: Sonja (1980), Sandra (1985). El.: Max u. Henny Zielke. S.: VS, HS, Fachoberschule, 1974 Matura, 2 J. Stud. Betriebswirtschaft. K.: b. 1980 Sekr., 1980 Übernahme d. schwiegerelterl. Familienbetriebes, 1988 gebaut u. erweitert, 1989 Eröff. d. Pension. M.: Fremdenverkehrsverb. H.: Literatur, Skifahren, Tennis, Radfahren. (M.H.)

Neureiter Reinhard Dr.

B.: RA. DA.: 1010 Wien, Reichsratstr. 15. PA.: 1080 Wien, Kochg. 7. G.: Bruck/Mur, 9. Jän. 1943. V.: Ruth, geb. Braun. Ki.: Julia (1974), Andrea (1977), Gisela (1986). El.: Leopold u. Alma, geb. Trebse. S.: 1962 Matura Bruck/Mur, Stud. Rechtswiss. Univ. Graz, 1969 Prom., Gerichtspraxis. K.: ab 1976 selbst., Eröff. d. eigenen Kzl. m. Schwerpunkt Verkehrs- u. Schadenersatzrecht. H.: Sport. (N.A.)

Neureiter Thomas

B.: Gschf. FN.: Open Golf Betriebs u. Errichtungs GmbH. DA.: 5400 Hallein, Schloßallee 50a. G.: Hallein, 24. Okt. 1955. V.: Ingeborg, geb. Plätzer. Ki.: Michaela u. Barbara (1984), Thomas (1988). S.: VS, Gymn., HAK. K.: 1977-90

Bankang. Landeshypo Sbg., Mtgl. d. BetriebsR., AufsR.-Mtgl., 1990 selbst. Betreiber v. Golfanlagen, Golfclub Sbg. Rif, Golfclub Linz Feldkirchen, Golfclub St. Lorenz-Mondsee, Gschf. Open Golf GmbH. M.: Lions Club Salina, div. Ver. H.: Golf, Segeln, Fußball, Musik. (S.P.)

Neururer Manfred

B.: Geschäftsinh. FN.: M & N Werbeagentur. GT.: seit 1980 Gem.-Vertretung Lustenau. DA.: 6890 Lustenau, Lerchenfeldstr. 31. PA.: 6890 Lustenau, Wehrgraben 7. G.: Lustenau, 30. Juli 1953. V.: Erika, geb. Reinhard. Ki.: Tanja, Nadine. El.: Josef u. Brunhilde. S.: 1968-72 Ausbild. als Chemigraph, 1976-78 G. Käser Management-Training, Marketingkurs am Kfm. Lehrinst. Zürich, 1981 Prüf. als Werbeberater u. Werbungsmittler. K.: 1972-75 Abt.-Ltr. in Reproanst., 1976-78 Ltr. d. Werbeabt. b. F.M. Zumtobel, 1979/80 Entwicklung einer Direct-Marketing Werbestrategie f. ein intern. tätiges Versandunternehmen, seit 1981 selbst. in d. Werbebranche, Grdg. v. M & N m. Grafiker Herbert Mayer, seit 1990 spezialisiert auf Verpackung, Verpackungsgestaltung u. Etiketten. BL.: Mitgestaltung d. kompletten Wertstoffsammlung/Müllkonzept Vbg. E.: 1990 Weinetiketten Grand Prix. H.: Musik, Sport. (A.K.)

Neururer Richard

B.: Divisionär, MilKdt. d. Militärkdo. Tir. DA.: 6020 Innsbruck, General-Eccher-Str. 2. PA.: 6020 Innsbruck, Kärntner Str. 16. G.: Bad Häring, 30. Nov. 1938. V.: Helga, geb. Pichler. Ki.: Richard, Karin. El.: Johann u. Aloisia. S.: Gymn. Kufstein, 1956 Matura. K.: 1956 MilAk Enns, 1959 Fähnrich, 1959 Klassenoffz. an d. HUOS/Enns, 1959-63 InfBaon. 14 Ebelsberg, Einteilung als ZgKdt., Adj. u. KpKdt., 1963-65 GrpKdo. III/Sbg., Einteilung in d. G3-Abt. als 03, 1965-69 JgB. 22 Absam, Einteilung als KpKdt., 1966-69 5. Gen.Stabskurs in Wien, 1969-78 Kdo. 6 JgBrig., Einteilung als 2. GO u. zweieinhalb J. als ChefdStb., 1978-83 MilKdo. Tir., Einteilung als G3 u. stvChefdStb., ab 1983 Einteilung als ChefdStb. u. stellv. MilKdt./MilKdo. Tir., ab 1987 MilKdt. v. Tir. P.: Zeitungsart. E.: BH-Dienstz. d. 3., 2. u. 1. Kl., 1964 Wehrdiensterinnerungsmed., 1975 1. Gold. Verd.Zeichen d. Rep. Österr., 1976 Olympiamed., 1978 Verd.Kreuz d. Landes Tir., 1986 Gold. Verd.Med. d. österr. Roten Kreuz, 1986 Gold. EZ d. Rep. Österr. M.: Vorst.Mtgl. d. Dolomitenfreunde, Mtgl. d. Organ.Komitees d. IV. Olymp. Winterspiele d. Versehten. H.: Tennis, Bergsteigen, Skifahren, Fußball.

Neuschmied Hansjörg

B.: Geschf. FN.: Sägewerk Hansjörg Neuschmied. DA. u. PA.: 6361 Hopfgarten. G.: Hopfgarten, 24. Aug. 1953. V.: Maria, geb. Silberberger. Ki.: Iris (1984), Lisa (1986). El.: Johann u. Katharina. BV.: Urgroßvater Gründer d. Firma. S.: VS, HS, 4 J. Holzfachschule, 1971 Abschluß. K.: 1988 Betriebsübernahme. M.: Kam.-Aussch.-Mtgl. d. Fachverb. d. Sägeind. Tir. H.: Sport, Lesen, Bergwandern, Musik, Kultur, Reisen. (M.W.)

Neusiedler Peter Bert Dr.

B.: Prof. f. Humanwiss. an d. Pädak. A.: 2753 Piesting, Kühweg 8. G.: Piesting, 18. Juli 1927. S.: Grundschule, LBA, kfm. Ausbild., handwerkl. Berufe, Kapellmstr.Prüf., HS-Stud. in Wien u. Graz, Lehramtsprüf. aus Schulmusik u. Geschichte, Päd. u. Psych., Doktorat aus reiner Phil., Sprachstud. K.: Berufung an d. Pädak. Arbeit als Psychotherapeut in d. Rehabilitation (m. Berufsgeschädigten) u. in VHS u. priv., Vorträge im In- u. Ausland, Gruppenveranst. im Bereich d. Selbsterfahrung u. Kommunikationstraining. P.: Gedruckte Vorträge u. zahlr. Aufsätze in versch. päd. Zeitschriften Österr. u. BRD, Kleine Atem- u. Bewegungstherapie f. Patienten d. Rehabilitation.

Neusteurer Franz

B.: Filialleiter. FN.: Volksbank Bgld. Mitte. PA.: 7212 Forchtenstein, Setzerweg 36. G.: Wr. Neustadt,14. Nov. 1961. Ki.: Karina (1986), David (1990). S.: VS, HS, Handelsschule in Mattersburg, 1979-80 Bundesheer. K.: 1980 Eintritt i. d. Volksbank Mattersburg, 1989 Beförderung z. Ltr. d. Filiale Wiesen. M.: Pfarrgemeinderatsvorsitzender d. Verwaltungsausschußes, 1980 Gründung d. Gruppe Apostel-Rythmische Messen. H.: Fußball, Singen, Volkstänze. (M.N.)

Neuteufel Kurt Dr.

B.: Gen.Sekr. d. Wr. Börsekam., Sekr. d. Schiedsgerichtes d. Wr. Börse u. d. Börse f. ldw. Produkte in Wien, gerichtl. beeid. Sachv. f. d. Holzhdl. A.: 1090 Wien, Müllnerg. 5/21.

Neunteufel Walter Ing.

B.: Fabriksplaner. FN.: VOEST-ALPINE-Finalbetrieb. DA.: 4010 Linz. PA.: 4203 Altenberg, Waldweg 21. G.: Wien, 19. Mai 1927. V.: Barbara - Anna - Leopoldine, geb. Klein. Ki.: Robert Hans (1950), Rüdiger Johannes (1953), Walter Franz Josef (1954). El.: Maria Neunteufel u. Franz Donner.. S.: VS, HS, Berufsschule, Ingenieurschule, zahlr. berufsbezogene Kurse u. Seminare. K.: 1941-44 VTT Wien, 1944-45 Militär, 1945 VOEST Stahlbauwerkstätte, Nov. 1945 Konstrukteur im Stahlbrückenbau b. 1948, 1949-50 Fa. Wagner-Biró, 1950-86 VOEST-ALPINE s. 1987 Ruhestand. H.: Erstellung d. Familienchronik, Aufarbeitung d. VOEST Geschichte, Freiwilliger Dienst beim Roten Kreuz, Sprachpflege b. d. Österr.-Amerikan. Gesellschaft, Schwimmen, Gartenarbeit. (K.M.)

Neuteufel Werner Dir.

B.: Gen.-Dir. d. Hyatt Regency Hotel. GT.: Hawaii Hotel Association, Maui Hotel Association. DA. u. PA.: 200 Nohea Kai Drive, Lahaine, Maui, Hawaii 96761. G.: Zwettl, 20. Febr. 1950. El.: Ludwig u. Rosi. S.: VS u. BRG Zwettl, Hotelfachschule Wien, Columbia Univ. New York. K.: 1969-79 Swedish American Line New York: Hotel Claridge Paris: Hyatt Regency Acapulco Mexico, seit 1980 Gen.-Dir. v. Hyatt Hotels in Mexico City, Cancun, Los Angeles u. Maui. F.: VPräs. v. Multi-Million Dollar Real Estate Hui (Partnership) in Hana Hawaii. E.: Gen.-Dir. d. Jahres v. Hyatt Hotels Corporation 1988, Präs. d. Maui Hotel Association, Resident Scholar (of Distinction) at Maui Community College, Chariman of United Way Charity, Präs. d. Lahaina Okole Intern. Canoe Club. M.: American Hotel and Motel Association, American Society of Association Executives, Hawaii Visitors Bureau, Rotary Club, Chaine des Rotisseurs. H.: Scuba Diving, Golf, Tennis, Hawaiian Art of Ancient Canoe Paddling, Windsurfing.

Neuwirth Barbara

B.: Schriftstellerin, Verlegerin. FN.: Wr. Frauenverlag. DA.: 1080 Wien, Lange G. 51. G.: Eggenburg, 13. Nov. 1958. El.: Kurt u. Mathilde Neuwirth, geb. Parent-Halbedel. S.: 1977 Matura, 1977-81 Stud. Geschichte, ab 1981 Stud. Ethnologie Univ. Wien, 1987 Abschluß d. Ausbild. z. Dipl.-Dokumentarin. K.: seit 1984 Lektorin, ab 1989 Hrsg. d. Wiss.-Reihe Frauenforsch., 1987 Aufbau eines Dokumentationssystems Asir-Dokumentation. P.: Hrsg. v. literar. Anthologie u.a. "Blaß sei mein Gesicht. Vampirgeschichten", "Die fremden Länder mein eigenes Leben" sowie d. Wissenschaftsbandes

"Frauen, d. sich keine Kinder wünschen. Eine liebevolle Annäherung an d. Kinderlosigkeit", zahlr. Anthologiebeiträge in Einzelbänden, Bücher: "In d. Gärten d. Nacht" (1990), "Dunkler Fluß d. Lebens" (1992), "Blumen d. Peripherie" (1994), "Im Haus d. Schneekönigin" (1994). E.: Literar. Stipendien (zuletzt: Hans-Weigel-Stipendium 1994), 1986 Theodor Körner-Preis f. Literatur, 1987 Anerkennungspreis d. Landes NÖ, 1990 Förderungspreis f. Literatur d. Adolf Schärf-Fonds. M.: seit 1987 Vorst.-Mtgl. d. Interessengemeinschaft Österr. Autorinnen u. Autoren, Literaturver. "Podium". H.: Gartenkultur, Motorradfahren. (N.A.)

Neuwirth Gertrude

B.: Schriftstellerin. PA.: 4020 Linz, Stifterstr. 25. V.: OStR. Prof. Erich Neuwirth. Ki.: Gertrude, Isolde. S.: HASCH. P.: Hörspiele, Erzählungen, Lyrik, Aphorismen, Kinderlyrik. M.: Interessengemeinschaft Österr. Autoren. H.: Lesen, Kunst, Filmgeschichte. (P.R.)

Neuwirth Heinz-Peter Dr.

B.: Richter d. LG f. Zivilrechtsachen Wien. DA.: 1016 Wien, Museumstr. 12. G.: Wien, 8. Apr. 1944. verh. Ki.: Nora (1975), Klemens (1979). El.: Ing. Georg u. Hedwig. S.: 1963 Matura, Stud. Med. u. Jus Univ. Wien, 1977 Prom. z. Dr. iur. K.: während d. Stud. Erzieher im Bundestaubstummeninst. Wien, nach d. Prom. Postpromotionelle Ausbild., 1980 Ernennung z. Richter, Tätigkeit am Bez.-Gericht Liesing, seit 1985 am LG f. Zivilrechtsachen Wien, seit 1991 Vors. eines Rechtsmittelsenates. M.: Präs. d. Ver. Cartusiana. H.: Musik (Klavier, Blechblasinstrumente), Sport (Skifahren, Schwimmen, Radfahren). (J.S.)

Neuwirth Helga Dir.

B.: Gschf. FN.: Allianz Werksküchenbetriebs GmbH. DA.: 1130 Wien, Hietzinger Kai 101-105. PA.: 1160 Wien, Winterburgerg. 1-11/2. G.: Wien, 17. Nov. 1943. El.: Neuwirth Johann u. Maria. S.: HBLA f. Frauenberufe Wien 19, 1962 Matura, Rethorik-Kurse. K.: 1962 Wr. Allianz, 2 Mon. Buchhaltung danach Chance 2 Mon. Werksküchenbetrieb zu führen (f. ca. 600 Personen), danach Küchenltr., 1964 Konzession f. Gastgewerbe, 1967 Prok., 1970 Gschf. BL.: Magnetkarte eingeführt bargeldlos z. Abwicklung d. Ausspeisung, Kalorientabelle auf Speisekarte. P.: Vorträge in ehemaliger Schule. M.: AGÖ. H.: Theater, Tennis, Wandern, Naturliebe, Österr.-Urlaub. (A.K.)

Neuwirth Karl

B.: Keramiker. A: 4663 Laakirchen, Muldenweg 3. G.: Gschwandt/OÖ, 21. Jan. 1932. S.: Pflichtschulen, 1959-62 Besuch v. Fortbildungskursen d. Arb.Kam. u. d. Gewerkschaft, 1963/64 Absolvierung d. Sozialak. d. Kam. f. Arb. u. Ang. in Wien/Mödling, 1946-49 Landarb., 1949-54 Facharb. in d. Papierind., 1954-92 Keramiker in d. Österr. Sanitär- u. Porzellanind. AG, Wk. Gmunden-Engelhof (ÖSPAG), (1959 BetriebsR., 1962 BetriebsR.Obm. sowie Mtgl. d. AufsR. d. ÖSPAG u. 1965-92 Zentralbetriebsobm.), seit 1969 Mtgl. d. LParteikontrolle d. SPÖ, seit 1970 Obm.Stellv. u. seit 1983 Bez.Obm. d. SPÖ Gmunden, seit Nov. 1967 Mtgl. d. GemR., seit 1968 Gem.Vorst., 1971-79 VBgm., s. 12. Feb. 1979 Bgm. der Marktgemeingde Laakirchen. 1983-1993 Mtgl. d. NatR. E.: SE f. Verd. um d. Rep. Österr.

Neuwirth Klaus Mag.

B.: Freizeitpartnerverm.. FN.: Lust & Laune. DA.: 1190 Wien, Arbesbachg. 4/1. G.: Wien, 28. Juli 1966. El.: Albert u. Ingrid, geb. Moser. S.: Akad. Gymn. Salzburg, 1984 Matura, BWL-Stud. WU Wien, 1992 Abschluß. K.: 1992 Logistiker f. d. Rote Kreuz i. Zagreb, 1993 Systemberater b. Apple Center Dr. Schindler GmbH., danach selbst. H.: Reiten, Katamaran, Radfahren, Reisen, Oper, Kabarett. (N.A.)

Neuwirth Richard

B.: Gschf. Ges. FN.: Comp GmbH Richard Neuwirth & Partner. DA. u. PA.: 5020 Salzburg, Gorianstr. 3. G.: Salzburg, 18. Mai 1941. Ki.: Stephan (1971), Bernhard (1973), Daniel (1977). El.: Richard u. Stefanie. BV.: Großonkel Georg Leisek k.u.k. Bildhauer. S.: VS, hum. Gymn., 1960 Matura, TH Wien. K.: Mitarb. unter Prof. Zemanek am Projekt Mailüfterl (1. Großrechner d. Firma IBM), 1965-70 Auslandsaufenthalt in Frankreich, Erstellung eines Komm-Netzes f. d. Transportgewerbe in Frankreich, 1970-77 Verkaufsltr. f. ITT in Wien, 1978-88 Ndlg.-Ltr. d. Firma Kapsch in Sbg., 1989 Grdg. eines eigenen Betriebes f. Computer (Beratng, Verkauf, Service). P.: div. Veröff. in Spezialfachzeitschriften. (K.K.)

Neuwirth Ursula

B.: Goldschmiedemeisterin. DA.: 1150 Wien, Hütteldorfer Str. 68. PA.: 1160 Wien, Enenkelstr. 11-13. G.: Wien, 17. Jan. 1963. Ki.: Stefan (1988). El.: Franz u. Elfi. S.: AHS, Goldschmiedelehre im elterl. Betrieb, 1984 Meisterprüf. K.: Nach d. Lehre Tätigk. in Edelsteingroßhandel, s. 1989 selbst., lfd. Beteil. an Modeschauen u. hauseigene Ausstellungen. H.: Skifahren, Tennis, Kultur. (N.A.)

Neuwirth Walther-Maria Dr. phil.

B.: Prof., Red., Archivar, Schriftsteller. PA.: 2380 Perchtoldsdorf, Marktpl. 3. G.: Wien, 4. Juli 1896. V.: Margarethe, geb. Kohl. Ki.: Roswitha, Dr. Tassilo, Dr. Harald. S.: RG, 1914 Matura, Univ. Wien, Stud. d. Phil., Geschichte, Kunstgeschichte, Geographie u. Germanistik, 1920 Prom. K.: Supplent im Reform-RG, 1914-18 Kriegsdienst Lt., 1939-45 Hptm., 1947 Pensionierung, ab diesem Zeitpunkt redaktionelle u. schriftstellerische Tätigkeit. P.: Das Erwachen d. Heimat, Das Brückenwerk, 7 Bände: 1964-85, Das Fundament, Die Hälfte d. Mantels, Versunken d. bitteren Worte, Die geistige Brücke, Träume u. Verklärungen, Abstraktionen, Mensch-Seele-Gott, Das Namenlose Buch, Zacharias Werner (1923), Helden (1933) Übersetzung ins Italienische: Dr. Appio Chini: Isonzo Piava Montelho (1937), Im Schatten u. Glanz d. Gold. Apfels, rythm. Essays (1982), Georg Pevetz (1966), 100 J. Künstlerhaus (1861-1961), Das alte u. das neue Künstlerhaus, Kunstgeschichte d. österr. Briefmarke (1968), Otto Zeiller 1978, Lieder f. d. junge Volk, Die Geschichte d. gewerbl. Wirtschaft Wiens 1948, Das Mirakel d. Isenheimer Antoniusaltars (1989), "Die Stufen" Lyrik (1990), Aus d. Mappe d. Patriarchen (1991), D. lange Weg vom Katzberg zum Perchtoldsdorfer Turm (1992). M.: Österr. Schriftstellerverb., AKM, Schlaraffia-Vindobona. (C.K.)

Neuwirth Wolfdieter Ing.

B.: Ltr. d. EVN Bez.-Stelle Gmünd. DA.: 3950 Gmünd, Albrechtser Str. 7. PA.: 3830 Waidhofen/Thaya, Brunner Str. 14. G.: Waidhofen/Thaya, 23. Jan. 1946. V.: Elfriede, geb. Kraner. Ki.: Christian (1968), Bernhard (1969), Andreas (1974), Stefan (1981). El.: Franz u. Margareta, geb. Koller. S.: VS, HS, Elektrowerkerlehre, HTL Elektrotechnik, 1969 Matura. K.: 1960 Eintritt NEWAG, 1964 Monteur in Lehrwerkstätte, 1965-69 HTL, 1969-91 Sachbearb. NEWAG Dion. Waidhofen/Thaya, seit 1991 Ltr. d. neueröff. EVN

Bez.-Stelle Gmünd. M.: Mitarb. in Stadterneuerungsaussch. in Waidhofen/Thaya, Funktionär im Sportver. Waidhofen/Thaya. H.: Malen, Zeichnen, Reisen. (M.M.)

Neuwirth-Marehard Christine

B.: Gschf. Ges. FN.: Ch. Marehard Speditions- u. Transport GesmbH. DA.: 4840 Vöcklabruck, Telefunkenstr. 14. PA.: 4840 Vöcklabruck, Brucknerstr. 11. Ki.: Michael, Sabine. El.: Gustav u. Christine. BV.: Großvater Franz Rippl, 1897 Fa. gegründet. S.: Hasch i. Vöcklabruck, i. Sped. in Salzburg volentiert, i. Sped. i. Wels i. versch. Abt. gearb., anschl. zu Kühne & Nagel München gewechselt, Tätigk.: Sammelverkehrsabt., eingehende u. ausgehende Abt.-Sachbearb., 1963 nach Österr. zurück zu Fa. Quelle i. d. Zollabt., Sped.- u. Zollerfahrung geholt, mit 21 J. Sped. der Mutter übernommen,jüngste Spediteurin Österreichs, Grdg. GesmbH. E.: Stadtgemeinde von Vöcklabruck, ein Wappen aufgrund d. bes. Leistungen für die Stadt. M.: Presbyterin i. d. evang. Kirche. H.: Musik, Konzerte, Tennis. (D.E.)

Neversal Eduard Mag. arch. Ing.

B.: Arch. GT.: freischaff. Arch., Bühnenbildner, Reg. u. Sänger. DA. u. PA.: 1230 Wien, Maurer-Lange-G. 134. G.: Schärding/Inn, 19. Ag. 1946. El.: Eduard u. Margarethe. S.: VS, Realschule in d. Schottenbastei, 5 J. HTL in Wien, Matura m. Ausz., 5 J. Stud. d. Bild. Künste am Schillerplatz b. Prof. Ernst Plischke, 1970 Mag. arch. u. Ing., seit 1988 nebenbei Stud. am Preyner Konservatorium. K.: 5 J. Praxis b. Arch. Friedrich Kurrent u. Arch. Manfred-Frank Resch, 1976 Befugnis z. Arch., seit 1975 selbst. Arch., Umbau d. Metropol f. Veranstaltungen u. Rockkonzerte, Szene Wien in d. Hauffgasse 1983, Wr. Traumhaus 1984, Umbau Rudolfinerhaus 1990 u.v.m., schuf d. Ausstattung v. Bühnen- u. Showprod. in Wien, Sbg. u. Passau u.a. f. Musical "Schabernak", Mitbegründer d. Wr. Moritatenclubs u. d. Avantgardefestivals "Akt. Kunst auf d. Georgenberg", Gestaltung u. Techn. Ltg. d. Ersten Wr. Zeittheaters, d. Wr. Stadtfestes, d. Festivals d. Clows u. d. Festivals "Zeit d. Puppen", Auftritte m. eigenen Liedern im ORF. P.: Publ. in Fachzeitschriften, Film über mobile Wohnformen. E.: Prof. Baravalle-Preis, BauR. Kallinger-Preis, 1. Preis b. Städtebaul. Wettbewerb Süd, 2. u. 3. Preis f. d. Kurhaus u. Hallenbad Gmunden, 4. Preis BG Wien 1977. M.: Fußballver. H.: Sport, Fußball, Skifahren, Singen, Musik allg. (M.B.)

Nevosad Heinz

B.: Dipl.-Graph., Gschf. Ges. FN.: Studio Mark & Nevosad. DA.: 1030 Wien, Löweng. 25. PA.: 1030 Wien, Estepl. 8/3. G.: Wien, 11. Okt. 1943. V.: Sandra, geb. Charles. Ki.: Gianna, Lorenz, Manuel. El.: Anton u. Paula. S.: Graph. Lehr- u. Versuchsanst. Wien, Abschluß als Dipl.-Graph. 1965. K.: 1968 Grdg. d. Studios Mark & Nevosad gem. m. John Mark. E.: Div. Staatspreise u. Ausz. M.: Grdg.-Mtgl. d. CCA. H.: Surfen, Musik, Kunst d. Jahrhundertwende, Fotografie. (J.S.)

Newald Rainer Dr. Dkfm.

B.: Gschf., Wirtschaftsprüfer, Steuerberater. A.: 1170 Wien,Himmelmutterweg 12. G.: Wien, 13. Okt. 1942. V.: Renate, geb. Stadler. El.: MinR. Dr. Robert u. Maria. S.: Franz. Lyzeum, HS f. Welthdl., Fachprüf. z. Wirtschaftsprüfer u. Steuerberater sowie z. ständig gerichtl. beeid. Dolm. f. Franz. K.: 1968 Eintritt in d. Österr. Wirtschaftsberatung Intern. Treuhand GmbH Wien, seit 1975 Gschf. P.: Div. berufsrechtl. Art. M.: Rotary Club Wien.

Newrkla Barbara

B.: Gastronomin Feucht & Fröhlich Restaurant u. Partyservice. GT.: Galerie u. Künstleragentur. DA.: 1040 Wien, Heumühlg. 4. G.: Preßburg, 13. Apr. 1942. Ki.: Jennifer (1984). El.: Wolf Neuber (Schauspieler) u. Susi Peter (Schauspielerin). S.: Hotelfachschule Bad Gleichenberg. K.: div. Führungspositionen im Hotel- u. Gastgewerbe im In- u. Ausland, seit 1974 selbst., Eröff. d. Restaurants Schifferstube u. d. Oysterbar Wien, m. d. Restaurant Schifferstube erste Gault Millau-Punkte, 1992 Eröff. d. Restaurants Feucht & Fröhlich, Beginn d. Partyservice, Aufbau v. einem Bürolunchservice, auch Belieferung v. Haushalten m. Vollwert- u. Normalkost. P.: Rezepte in div. Zeitungen. H.: Fotografieren, Schreiben. (J.S.)

Newrkla Johannes

B.: Gschf. Ges. FN.: Demner & Merlicek Werbe GmbH. GT.: Präs. u. langj. Vorst.-Mtgl. d. Creativ Club Austria u. seit 1993 Präs. d. Art Dir. Club of Europe. DA.: 1060 Wien, Lehárg. 9-11. PA.: 1190 Wien, Kaasgrabeng. 45. G.: Innsbruck, 13. März 1946. V.: Elisabeth, geb. Porsch. Ki.: Alexander (1969), Valerie (1981). El.: Wolf Neuber u. Susi Peter. S.: Stud. Arch. u. Hdls.-Wiss. Wien, Marketingstud. in d. USA. K.: Gewerbeschein f. Wachszieher u. Lebzelter, Inh. einer Manufaktur, 1975 Einstieg in d. Werbebranche, Agenturltr. u. Creativdir. d. Echo-Werbeagentur, 1980 Eintritt b. Demner & Merlicek, seit 1989 Gschf. Ges. E.: unzählige nat. u. intern. Ausz. H.: Familie, Werbung. (J.S.)

Newzella Elisabeth Dr.

B.: freischaff. Schriftstellerin u. Malerin. DA. u. PA.: 8343 Trautmannsdorf, Schloß Forsthof. G.: Salzburg, 28. Apr. 1951. V.: Clemens M. Newzella. Ki.: Philip (1977), Nicoletta (1980), Fiona-Hedwig (1986). El.: Univ.-Prof. Dipl.-Ing. Dr. Felix u. Liselotte Hermann. BV.: Großvater Ak. Bildhauer Rudolf Fänner, Großtante Maroussja Boborykine Autorin in Paris, Urgroßmutter Vera Petrowna Fürstin Kudascheff-Nazaroff. S.: aufgewachsen in Paris, Indonesien u. Wien, Stud. Völkerkunde u. Kunstgeschichte Univ. Wien, 1973 Prom. K.: 1970 Feldforsch. b. d. Südamerikan. Guajiro Indianern, 1973 Diss. über d. Schmuck dieses Stammes, Unterricht b. d. Malern C. Hammer-Purgstall u. H. Zeisberger, Ölbilder in "Altmeistertechnik", Kollektivausstellungen in Wien u. in d. Stmk. P.: "Graf Mulmus' letzter Sommer" (1980), "Las Alhajas de los Indios Guajiros en Colombia y Venezuela" (Caracas 1986), "Nicht so ernst Majestät! Anekdoten aus d. Leben d. Wr. Fürstenmalers H. v. Angeli" (Graz 1990). E.: 1983 Jugendliteraturpreis d. Landes Stmk., 1991 Leibnitzer Kunstpreis, Förderungspreis d. Landes Stmk. H.: Sammeln alter Kinderbücher u. Spielsachen. (J.S.)

Neyer Johann Dipl.-Ing.

B.: selbst. Arch. DA. u. PA.: 6800 Feldkirch, Weinbergg. 29. G.: Bludenz, 10. Juni 1944. El.: Bmstr. Ing. Bruno u. Gertrud. S.: HTL Innsbruck, 1965 Matura, Stud. TU u. Univ. Graz, 1973 Spons., während d. Stud. Praxis in Arch.-Büro in Amerika. K.: 1980 Ziviltechnikerprüf., 1973-80 in Arch.-Büro in Bregenz u. Feldkirch, 1980 selbst. Arch. in Dornbirn,

1983 Übersiedlung nach Feldkirch. M.: Grdg.-Mtgl. u. VPräs. d. Vbg. Helenischen Ges. H.: Griechenland, Skifahren, Reisen. (I.D.)

Neyer Wolfram Ing.
B.: Elektroing. DA.: 6700 Bludenz, Bahnhofstr. 7b. PA.: 6706 Bürs, Bremschlstr. 10. G.: München, 8. Sep. 1939. V.: Waltraud, geb. Streit. Ki.: Roland (1971), Jürgen (1976). El.: Gertraud u. Christian. S.: Gewerbeschule, 5 Sem. Stud. Vw. K.: Praxis in Deutschland, Engl., Ausbild. als Lüftungsing., 1965 Eintritt in d. elterl. Betrieb, s. 1970 Gschf. M.: Gründer u. Obm. d. Tauchclub Bludenz. H.: Sport. (I.D.)

Nezbeda Erich RgR.

B.: Amtsdir., VDir. d. Zentralbibl. f. Physik in Wien. DA.: 1090 Wien, Boltzmanng. 5. PA.: 1150 Wien, Witzelsbergerg. 4/20. G.: Wien, 23. Nov. 1933. V.: Elfrieda, geb. Greiner. Ki.: Irene (1968). El.: Josef u. Franziska, geb. Eisenbaul. S.: 1943-48 Mittelschule, 1948-54 Ausbild. u. Mitarb. im väterl. Betrieb, Kzl.-Ausbild., 1962 B-Matura, Bibl.-Ausbild., 1969 Prüf. gehobener Fachdienst an Bibl. K.: 1955 Eintritt in d. Bundesdienst, s. 1955 Zentralbibl. d. Physikal. Inst. d. Univ. Wien, 1979 AmtsR., ab 1980 VDir. d. Zentralbibl. f. Physik in Wien, seit 1986 Amtsdir., ab 1989 RgR. E.: 1977 Silb. VZ d. Rep. Österr. H.: Bücher, Geschichte, Kunst, Musik, Fotografieren. (N.A.)

Nezbeda Johann Franz Dr. med. univ.
B.: FA f. Gynäkol., OA an d. Privatkrankenanst. Gold. Kreuz. DA.: 1090 Wien, Lazarettg. 16, Ord. 1170 Wien, Heigerleinstr. 49/7. G.: 4. März 1944. V.: Ute, geb. Kunath. El.: Hans u. Grete. S.: Gymn., Matura 1964, Stud. an d. Univ. Wien, Prom. 1972. K.: Turnusausbild. Wilhelminenspital, b. 1976 in Berlin, 1976 I. Univ.Frauenklinik Wien: FA-Ausbild., seit 1980 OA, seit 1982 OA Privatkrankenanst. Gold. Kreuz. P.: Ca. 20 wiss. Publ. H.: Tennis, Skifahren, Garten. (M.G.)

Niccolai Silvano

B.: Gastronom Restaurante Niccolai. DA.: 4020 Linz, Einsteinstr. 5. G.: Pisa, 14. Nov. 1935. Ki.: Mag. Marco (1963), Claudie (1964), Silvana (1970). S.: VS u. HS Italien, b. 1951 Hotelfachschule Italien. K.: Berufserfahrungen in Genua, Florenz (Hotel Astor), Turin, Guernsey, Viareggio (Hotel Palaee), London u. Paris, Schiffskoch auf d. Marniella, 1961 Weißes Rössl Wolfgangsee, 1961-66 Gasthofpächter in Bad Zell, s. 1967 Restaurantbesitzer, 1967 Eröff. d. Pizzeria Niccolai in Linz, 1985 Eröff. d. Eissalons Niccolai im Einkaufszentrum Niedernhart. P.: lfd. Art. in Zeitungen u. Fernsehen. E.: 1993 Titel "Chao Italien", 1987 Wirtschaftsmed. d. Stadt Linz. M.: Schützenver. Bad Zell, Ver. Lega del Chianti, OÖ Weinbrüderschaft. H.: Sport (Tiefseetauchen, Laufen, Radfahren, Tennis, Schwimmen), Yachtbesitzer, gut essen. (U.A.)

Nick Jutta E.

B.: Gschf. Hotel Seehof am Mondsee. DA. u. PA.: 5311 Loibichl. G.: Vöcklabruck, 15. Feb. 1948. V.: Hans Nick. Ki.: Christian (1981). El.: Leo u. Elisabeth Korn. S.: Gymn., HASCH. K.: 1966-68 i. d. Bilanzbuchhaltung Fa. Halvic Hallein, 1968-70 Österr. Hdls.-Delegation Johannesburg, 1969-71 Hotelass. m. gehobener Funktion im Kyalami Ranch Hotel Johannesburg, 1971-76 Chefsekr. u. 1976-78 Gschf. Dir. Schloßhotel Grubhof GmbH St. Martin, 1977-78 Planung einer Hotel- bzw. Bungalowanlage in Nassau Bahamas, 1979 Rückkehr nach Österr., 1980 Gschf. Dir. d. Hotels Seehof. M.: Golfclub Mondsee. H.: Reisen, Skifahren, Lesen, Kultur. (G.E.)

Nickel Werner Dipl.-Ing.
B.: Geigenbogenmacher. DA.: 3400 Klosterneuburg, Ziegelofeng. 100a. G.: Dortmund, 13. Apr. 1932. V.: Helga. Ki.: Karl, Heinz. El.: Rudolf u. Helene. S.: Dipl.-Ing. Fachrichtung Statik, Stahlhochbau u. Brückenbau. K.: 1969-70 Union Brückenbau Dortmund, Maschinenfbk. Dortmund, Simmering Graz Pauker Wien, Patent f. Kranbau, ab 1970 selbst., Gschf. Ges. d. 1. Österr. Fischereigerätefbk., 1978 Grdg. d. Bogenmacherfirma in Klosterneuburg, 2 J. Entwicklungsabt., 1980 1. Carbon-Violinbögen an Wr. Philharmoniker verkauft, Weiterentwicklung, 1982 1. Violabögen, 1980-85 Auftritt im Rundfunk u. Fernsehen, Ausstellung im Design Center in Wien, 1986 1. Cellobögen, 1992 Vortrag b. 4-tägigen Intern. Violakongreß Wien. (J.E.)

Nicoletti Haeusserman Susi
B.: Kammerschauspielerin. S.: Lyzeum in München, Tanzausbild. m. Abschluß Schauspielausbild. in München, m. 16 J. Münchner Opernbühne, bayr. LTheater, Nürnberg, 1940 Burgtheater, dazw. unzählige Spielfilme, 1954 Lehrbeauftragte d. Reinhardt-Seminars, o.Prof. an d. HS f. Musik u. darstell. Kunst, seit 7 J. Ltg. eines Sommerkurs f. jugendl. Nachwuchs d. Sparte Musical. P.: 1979 Wege z. Theater. M.: Ehrenmtgl. d. BTheaters. H.: Tiere, Arb. m. d. Jugend, Sport. (M.G.)

Nidetzky Peter
B.: Journalist, Ltr. d. Programmkoordination d. ORF, s. 1990 Chefred. ORF-TELETEXT-Red. DA.: 1130 Wien, Küniglbergg. 14. G.: Wien, 5. Juni 940. V.: Brigitte, geb. Thenmayer. El.: Prof. Dipl.-Ing. Dr. Gustav u. Anastasia. S.: VS, Mittelschule, RG u. Univ., Germanistik, Anglistik, Zeitungswiss. K.: nach Matura Reporter b. ORF/Hörfunk, b. 1968, dann Übersiedlung ins TV, Aktueller Dienst, in beiden Medien primär Live-Übertragungen in fast allen Themengebieten, Gesamtltg. d. NASA-Apollo-Programm-Übertragungen in d. 70er Jahren, Aufbau d. ORF-TV u. HF-Werbefunks 1976-79, 1980-87 Stellv.Ltr. d. ORF-TELETEXT-Red.; S: 1990 Chefred. ORF-TELETEXT-Red. P.: Pferd u. Reiter 76, Fachbuch f. d. Reitsport, Reiten in Österr. - Reitenzyclopädie u. Nachschlagewerk, 1977., Pferdesport in Österr. (1992). M.: Präs. d. NÖ LFachverb. f. Reiten u. Fahren, Präs. d. UNION-Reitclub-Laxenburg. H.: Reitsport (Military), Ralley-Sport, Skifahren, Tennis. (H.P.)

Niederacher Josef KnsR.
B.: Pfarrer. PA.: 6250 Breitenbach 1/II. G.: Söll, 15. Juli 1915. S.: Borromäum Sbg., Theol.Stud. in Sbg. K.: 1941 Einber. z. Militär, 1945/46 theol. Prüf., 1946-55 Kooperator in Thalgau u. Zell, 1955-65 Pfarrer in Saalbach u.Breitenbach, s. 1985 i.R. E.: EK2, 1965 GstlR., KnsR. H.: Rätsel, Lesen. (M.W.)

Niederall Franz Ing.
B.: Ges. u. Gschf. d. Fa. Hager Holzbau GmbH. DA. u. PA.: 3233 Kilb 132. G.: Mödling, 10. Sept. 1920. V.: Anna, geb. Hager, 2 Töchter. El.: Ludwig u. Anna. S.: HS, HTL Mödling. K.: Militär, dann bei NEWAG als techn. Ang. d. Bauabt. (1948-51), seit 1951 bei Fa. Hager, seit 1973 Ges., Umbau d. Fa., Vergr. d. Prod.Palette Kabeltrommelerz., Stiegenbauspez., seit 20 J. Bausachv. f. d. Bez. Mank. H.: Kneippen, Sauna, Wandern, Radfahren, Musik, Theater. (M.G.)

Niederberger Tina
B.: Gschf. FN.: Harold & Maude. DA.: 5020 Salzburg, Steingasse 3. PA.: 5020 Salzburg, Linzerg. 21. G.: Minnesota/USA, 16. Dez. 1966. V.: Christoph. El.: Noyan u. Dona. S.: Privatschule Shattuck-St. Marys (The Bishop Whipple Schools) Faribault, Minnesota, Tulane Univ. (Sophie Newlamb College), New Orleans, L.A., Deutsch, Pol. u. Franz., Abschluß 1988. K.: Arb. im elterl. Betrieb, 1989 Sbg., Sommerschule Kleßheim, 1989/90 Sprachkurse Univ. Wien, Eröff. Harold & Maude m. Gatten Christoph, 1991 Eröff. Two + Two u. Flash. H.: Sport, Kunst, Sprachen, Lit., Filmkritik, Tennis (2x Viertelfinale im Doppel), Schwimmen, Turnen. (N.M.)

Niederberger Walter

B.: Gschf. FN.: Toyota Autohaus Niederberger GmbH. DA.: 5091 Unken, Niederland 163. PA.: 5091 Unken, Niederland 25. G.: Salzburg, 21. Okt. 1958. V.: Maria, geb. Leitinger. Ki.: Martina (1983), Andrea (1987), Christoph (1991). El.: VS, HS, 1974-77 Berufsschule Karosseur. K.: 1977-82 Karosseur Firma Breitfuß Saalfelden, 1982-83 Karosseur in Hof, 1983-86 Tätigkeit b. Toyotafirma Rank Bad Reichenhall, 1986 selbst. in Unken u. Inh. M.: Feuerwehr, Bergrettung, Wirtschaftsbund. H.: Rennfahren, Bergsteigen, Klettern, Skifahren, Langlaufen. (M.G.)

Niederekker Franz Dr. med.
B.: prakt. Arzt. GT.: Gutachter am LInvalidenamt Wien, NÖ u. Bgld. DA.: 1228 Wien, Eßlinger Hauptstr. 76/6. PA.: 1220 Wien, Efeuweg 3. G.: Wien, 26. Jan. 1947. V.: Eva, geb. Eisner. Ki.: Michael. El.: Franz u. Eveline. S.: VS, RG, 1976 Matura, Univ. Wien, 1976 Prom. K.: Turnusarzt Wr. Neustadt, Floridsdorf, Semmelweis, Mautner Markhof, Rudolfstiftung, 1980 Eröff. d. eigenen Praxis. M.: Ärztekam. H.: Skifahren, Beruf. (H.P.)

Niederer Herbert
B.: Gschf. Teilhaber, Kfm. FN.: Anido Möbel, Anton Niederer GmbH & Co. DA.: 6850 Dornbirn, Eisplatzg. 5. PA.: 6850 Dornbirn, Rüttenersch 7. G.: Dornbirn, 31. Juli 1940. Ki.: Iris (1970), Silvia (1971). El.: Herbert u. Rita. S.: HAK Bregenz, Matura 1962. K.: 1958 im väterl. Betrieb in sämtl. Bereichen, 1965 Verkaufsltr., 1979 Gschf. H.: Schwimmen, Alpinschifahren, Bergwandern, Radfahren, Reisen. (I.D.)

Niederhofer Karin
B.: Intern. Immobilienconsultant. FN.: REAL QUADRAT Realitätenverwertung GmbH, 1170 Wien, versch. Immobiliendevelopment-Ges. in Österr. u. Florida/USA. DA.: 1170 Wien, Hernalser Hauptstr. 86/II/2. G.: 12. Okt. 1958. V.: Friedrich. S.: BRG Waidhofen/Thaya, 1976 Matura. K.: Praxis in d. Reisetouristik, Innen- u. Außendienst in d. Versicherungs- u. Vermögensanlagebranche, seit 10 J. Marketingbereich Realitätenentwicklung u. -verwertung, Erfolge in d. Konzeption u. Verwertung v. Großprojekten im Bereich Gewerbeliegenschaften u. Wohnungsanlagen sowie Urlaubsappartements. H.: Malen, Arch., Design, Reisen, Schwimmen, Musik, Lesen. (J.S.)

Niederhofer Peter Dir.
B.: Zentralgschf. d. Wienerwald-Restaurant GmbH Linz. DA.: 6020 Innsbruck, Maria-Theresien-Str. 12. G.: Linz, 12. Febr. 1939. S.: Pflichtschule, Sbg. Hotelfachschule Bad Hofgastein. K.: Berufslaufbahn im Park Hotel Linz, Old Government House Hotel in Guernsey, England, Südbahnhotel am Semmering, Hotel Belvedere in Leysin, Schweiz, Le Gourmet-Grill Restaurant in Cardiff, England, Passagierluxusschiff MS Gripsholm Schweden-Amerika Linie Göteborg, Schweden, Schloß Hotel Fuschl, Hotel Intercontinental Genf, Schweiz, seit 1965 als Zentralgschf. b. Wienerwald-Restaurant GmbH Linz, zuständig f. Wienerwald-Breinössl u. Tourotel-Breinössl, sowie Wienerwald Museumstraße, u. Wienerwald-Rasthaus-Schönberg. H.: Reisen, Gartenarbeit. (Schm.)

Niederl Karl Dr. techn. Dipl.-Ing.
B.: Ltr. d. Amtes f. Umweltschutz. FN.: Magistrat Graz. DA.: 8011 Graz, Griesg. 11. PA.: 8045 Graz, Weizbachweg 14 A. G.: Unteranersbach b. Feldbach, 18. Mai 1952. V.: Maria, geb. Kirchengast. Ki.: Daniel (1982), Bernd (1985). El.: arl u. Theresia. S.: VS, 1 BG Graz, 1971 Matura, TU Graz, techn. Physik, 1978 DIng., 1978 industrielle Praxis i. Deutschland (Chemielagnebau u. Kraftwerkebau als Inbetriebsnahmeingeneur), bis 1983 Vertragsassistent an physik, Institut TU Graz. Disseration: Energiephysik-Kernfusion, Systemanalyse (Forschungsprojekt m. USA), div. Forschungenaufenthalte i. USA, 1983 Magistrat Graz, Ltr. d. Energiereferat Schwerp. Energiekoordination, Erstellung e. komm. Energieplan, Aufbau e. Energiecontrollinsystem, Energieberatungsstelle GREIF Grazer Energieinfo. Erstellung d. Grazer integrierten Abfallwirtschfts konzept. Entwicklung d. Umsetzung d. Grazer verbraucherseitigen Energiemodells i. Hinblick auf Emusionsreduktion u. Kosteneinsparung, seit 1976 Universitätslektor a. TU Graz i. Rahmen u. Aufbaustudiums techn. Umweltschutz, seit 1989 Ltr. d. Amtes f. Umweltschutz, ab 10/1994 Senatsrat. P.: div. Publ. u. Vorträge auf intern. Ebene. BL.: Entwicklung u. Initrierung d. Grazer betriebl. Umweltvorsorgeprojektes ÖKOPROFIT. Aufbau d. Umweltsachprogrammes ÖKOSTADT 2000, Entwicklung u. Umsetzung d. Solar/Elektroautoprojekts ÖKODIVE. Weiterentwicklung d. Kommun. Energiekonzept (KEK) m. d. Ziel d. klimarevelanten Stoffe um 50% reduzieren. E.: ÖGUT Ehrenpreis 1993. M.: Umweltausschuß d. Österr Städtebund, Gewerbeausschuß d. Österr. Städtebund. H.: Skifahren, Laufen, Schwimmen, Tennis, Theater, Reisen. (I.G.)

Niederle Bruno Dr. MedR.

B.: OA i.R., Vorst. d. chir. Abt. u. HofR., Dir. KH Allentsteig i.R. A.: 3804 Allentsteig. G.: St. Pölten, 21. Juni 1915. V.: Hertha, geb. Klugmayer. El.: Prof. Dr. Wilhelm u. Maria. S.: VS, Mittelschule, HS, Univ. Wien, Prom. Dr. med. 1940. K.: Kriegsdienst, Stabsarzt, Kriegsgefangenschaft in Frankreich, FA-Ausbild., 1949 FA-Dekret f. Chir., 1955 Dir. d. KH Allentsteig u. Ltr. d. chir.-gynäk. Abt. u. Ltr. d. Krankenabt. d. Truppenübungsplatzes Allentsteig d. Österr. BH, Bez.Stellen-Ltr. u. LVerb.Mtgl. d. österr. Ges. d. R.K. b. Pensionierung. E.: Bronz., Silb. u. Gold. Verd.Med. d. österr. Ges. d. R.K., Gold. Verd.Med. f. Blutspenderwesen d. R.K., Verd.Kreuz d. österr. Ges. d. R.K., Gold. EZ f. Verd. u. d. Bdl. NÖ, Silb. EZ f. Verd. um d. Rep. Österr., Österr. BH Verd.Abz. II. u. III. Kl., Ehrenbürger d. Stadt Allentsteig. M.: Med. Ges. f. OÖ, Van Swieten Ges., Österr. Ges. f. Chir., Österr. Ges. f. Unfallchir., Ges. f. Chir. Wien, Vereinigung d. Primarärzte u. ärztl. Dir.

Niedermann Erwin o.Univ.-Prof.

B.: em. Univ.-Prof. f. Sportwiss. DA.: 5020 Salzburg, Akademiestr. 26. PA.: 5020 Salzburg, Maxglaner Hauptstr. 24. G.: 31. März 1911. V.: Herma, geb. Kremser. Ki.: Erwin, Helga. El.: Franz u. Amalie. S.: Mittelschule, Univ. K.: 1935-65 Mittelschulprof. f. Leibeserz. u. Deutsch in Sbg., ab 1965 Ltr., 1968 Dir. u. Ernennung z. o.Univ.-Prof., 1974 Vorst. d. Inst. f. Leibeserz., ab 1978 Inst. f. Sportwiss., 1981 em. P.: "Sport als Motiv im Nibelungenlied u. in anderen mittelhochdt. Dichtungen in Österr.", "Normen im Sport", "Lerninhalte d. Sportarten", "Werte im Sport?" (1986), "Leibeserziehung u. Schulsport" (Hrsg. 1983), "Salzburger Beiträge z. Sport unserer Zeit", ca 60 Beiträge u. Aufsätze in Fachwerken u. Zeitschriften. M.: Ltr. d. wiss. Ges. f. Sport- u. Leibeserz. an d. Univ. Sbg. H.: Literatur, Phil., Bergsteigen, Skifahren. (M.Mo.)

Niedermayer Johann

B.: Vinothekar. DA.: 1140 Wien, Pfadenhauerg. 4. PA.: 1220 Wien, Rennbahnweg 58. G.: Wien, 20. Juni 1948. V.: Maria Cornelia, geb. Kranz. Ki.: Sabrina (1984), Daniela (1985), Corina (1988). El.: Johann u. Gertrude, geb. Hafner. S.: VS, HS, BS techn. Berufe, kfm. Ausbild. K.: seit 1972 selbst., 1982 Grdg. Weinkellerei, 1984 Vinothek, 1987 Beginn d. Großhdls. in d. Gastronomie, 1990 Eröff. einer Filiale. BL.: Wiederherstellung d. Österr. Weinkultur. P.: Guid Mileau, Wr. Stadtanzeiger, div. Pressepubl. E.: Silb. HK-Ausz., nat. u. intern. Ausz. f. Verd. um d. Wein. H.: Weinkultur. (N.A.)

Niedermayr Robert

B.: Gschf. FN.: Alexejew Design Werbegestaltung. DA.: 1040 Wien, Heumühlg. 8. PA.: 1020 Wien, Haidg. 5/29. G.: Innsbruck, 20. Febr. 1959. V.: Christiana, geb. Hartl. Ki.: Simon (1978). El.: Robert u. Christine. S.: Gymn. Seitenstetten, Kunstschule Grafik, 1980 Abschluß. K.: Reisen in Asien u. Afrika, tätig als freischaff. Künstler, Schwerpunkt: Comiczeichnungen u. Werbebranche, 1985 Grdg. d. Fa. Alexejew Design, seit 1990 Gschf. H.: Gitarrist in einer Hobbyband. (J.S.)

Niedermayr Maximilian

B.: Inh. FN.: Niedermayr Tischlerwerkstätte. DA. u. PA.: 4072 Alkoven, Hartheim 7. G.: Alkoven, 24. Aug. 1951. V.: Waltraud, geb. Holzinger. Ki.: Andreas (1978), Claudia (1986), Barbara (1988), Franziska (1992). El.: Karl u. Friederike. S.: VS, HS, Tischlerlehre, Gesellenprüf., 1974 Mstr.-Prüf. K.: 1 J. versch. Schreinereien in Deutschland, Tätigkeit in einem Arch.-Büro, Tätigkeit im elterl. Betrieb, 1975-80 Funktionär d. jungen Wirtschaft, div. Kurse, 1981 Übernahme d. elterl. Betriebes als Gschf., seit 1984 Inh. M.: Landesinnungsaussch. f. Tischler in OÖ, Vertrauensmann v. Land OÖ. H.: Familie, Jagd, Sauna. (D.E.)

Niedermesser Heinz

B.: Bgm. d. Marktgem. Althofen, ÖBB-Bmtr. PA.: 9330 Althofen, Drachenweg 6. V.: Ricarda, geb. Schurz. Ki.: Dieter (1967) u. Evelyn (1968). S.: Lehre d. Elektrohandwerks. K.: Gem.Parteiobm. d. SPÖ, Bez.Aussch. d. SPÖ, s. 1988 Bgm. v. Althofen. M.: Präs. d. SK Treibach, ASKÖ (LVorst.) u.a. H.: Skifahren, Tennis, Kegeln, Wandern. (A.L.)

Niedermeyer Christian

B.: Gschf. u. Ges. d. Fotohandel Helmut Niedermeyer GmbH. GT.: Gschf. d. Fa. Photo Herlango GmbH NFg. KG. DA.: 1230 Wien, Lemböckg. 49. G.: Wien, 27. Mai 1954. V.: Michaela, geb. Wimmer. Ki.: Ronnie, Gil. El.: Helmut u. Edith. S.: VS, Gymn., 1972 Matura, HS-Kurs Werbung u. Verkauf, Fotohändlerschule Kiel, Ausbild.- u. Auslandspraxis in USA, Engld., Frankr., BRD. K.: Ltg. Filiale d. Fa. Niedermeyer Alserstraße, 1982-85 Werbung u. Marketing d. Fa. Niedermeyer, 1985 Gschf. d. Fa. Niedermeyer. M.: Wr. Athletik Club. H.: Tennis.

Niedermeyer Helmut KommR.

B.: Untern., AufsR.Vors. u. Ges. d. Fotohandel Helmut Niedermeyer GmbH. DA.: 1230 Wien, Lemböckg. 49. G.: Troppau, 28. Febr. 1926. V.: Edith, geb. Fördös, 2 Kinder. El.: Alexander u. Karoline. S.: VS, HS, Kriegsdienst, 4 1/2 J. Gefangenschaft. K.: Verkäufer b. Herlango, Gschf. b. Fa. Rosner, 1967 1. eigenes Geschäft. BL.: Ausbau d. Fa., dzt. 112 Fil. in ganz Österr. P.: Firmenzeitschriften, Fotobeiträge f. mehrere Zeitschriften, Fachvorträge im Rundfunk, Univ., Volks-HS u.a. über Fotografie, Wirtschaftsvorträge u. Seminare. E.: Gold. EZ f. Verd. um d. Rep. Österr., Staatswappen, div. Ausz. versch. Jagd- u. Sportver. M.: Hdls.Verb., Fotohändlerverb. NÖ u. Bgld., LJagdverb., Wr. Athletik Club. H.: Jagd, Tennis. (H.P.)

Niederndorfer Franz Ing.

B.: Gschf. Ges. FN.: MKW-IOT Metall-Kunststoff- u. Beschichtungstechnik GmbH. DA.. 4675 Weibern, Justog. 3. PA.: 4675 Weibern, Nußallee 8. G.: Grießkirchen, 2. Dez. 1954. V.: Lore, geb. Mayrhuber. Ki.: Karl (1983), Katrin (1979). El.: Karl u. Josefa. S.: VS, HS, HTL f. Maschinenbau in Steyr. K.: 1975-78 Fa. G.E.A. Hapel KG in Gaspoltshofen als Techniker tätig, 1978 einstieg in d. Fa. d. Vaters, 1983 Grdg. u. Bau d. Fa. IOT m. Bruder u. Schwager in Haag am Hausruck, 1984 m. d. bestehenden Fa. MKW zu e. G.m.b.H, 1994 Grdg. e. Tochter-Fa. in d. Slowakei. M.: div. örtl. Ver. H.. Sport, Tennis, Laufen. (G.E.)

Niederreiter Antonia

B.: Gastronomin Gasthof, Konditorei u. Cafe Niederreiter. DA. u. PA.: 5761 Maria Alm, Dorf 110. G.: Rauris, 1. Sep. 1942. V.: Johann Niederreiter. Ki.: Johann, Karin. El.: Anton u. Cäzilia. S.: VS, Kellnerlehre. K.: seit 1956 ständig im Service tätig, Arb.-Aufenthalte in Vbg., Zell/See, ganz Österr., 1963 nach Maria Alm, Tätigkeit im Gasthof Mooserwirt, seit 1964 selbst., 1964 Aufbau des Betriebes, 1971 Bau Restaurant, Gasthaus u. Fremdenzimmer, 1990 Lokalität dazuerworben. H.: Arb. (A.W.)

Niederreiter Johann

B.: Konditormstr. Gasthof, Konditorei u. Cafe Niederreiter. DA. u. PA.: 5761 Maria Alm, Dorf 110. G.: Maria Alm, 26. Apr. 1939. V.: Antonia, geb. Langreiter. Ki.: Johann, Karin. El.: Johann u. Marianne. S.: VS, Konditorlehre b. Konditorei Mooshammer Zell/See, 1957 Abschluß. K.: Konditor in Tirol, Bayern, OÖ u. Schwabenland, 1964 Mstr.-Prüf., 1964 Aufbau d. Betriebes, seit 1964 selbst., 1971 Restaurant, Gasthaus u. Fremdenzimmer dazugebaut, 1990 Lokalität dazuerworben. H.: Fischen, Briefmarken. (A.W.)

Niederreiter Peter Dr. med.

B.:FA f.Augenheilkunde u. Optometrie. GT.: Kontaktlinseninst., operative Tätigkeit am KH Waidhofen/Ybbs DA.: 3340 Waidhofen/Ybbs, Unterer Stadtpl. 32. G.: Asmara Eritrea, 15. Juli 1955. V.: Melitta, geb. Aschauer. El.: Leopold u. Dr. med. Waltraud, geb. Beeg. S.: franz. VS, ital. Gymnasium, 1973 Matura Asmara, Med.-Stud. Univ. Wien, 1980 Prom. z. Dr. med. K.: 1980-84 Turnusausbild. am a.ö. KH St. Pölten, 1985-90 Ausbild. z. FA f. Augenheilkunde, 1990 Eröff. einer eigenen FA-Ordination in Waidhofen/Ybbs. BL.: Wiss. Arb. im Ber. Augenheilk. M.: Österr. Ophthalmolog. Ges., Wr. Ophthalmolog. Ges., American Academy of Ophthalmology, Assoc. of Cataract and Refractive Surgery, The Planetary Soc. H.: Fliegen (Privatpilotenschein), Astronomie, Musik. (M.M.)

Niederstätter Alois Dr. phil.

B.: Historiker, stellv. Ltr. d. Vbg. Landesarchiv. GT.: seit 1991 Univ.-Doz. Lehrbefugnis f. histor Hilfswiss. u. alamann. Landesgeschichte Univ. Sbg. DA.: 6900 Bregenz, Kirchstr. 28. PA.: 6850 Dornbirn, Schloßg. 2c. G.: Bregenz, 10. Jän. 1955. V.: Susanne, geb. Oedl. Ki.: Robert, Laura. El.: Alois u. Elvira. S.: 1973 Matura, Stud. Geschichte u. Germanistik Univ. Sbg., 1980 Prom. K.: seit 1981 im Landesdienst, seit 1985 stellv. Ltr. d. Landesarchives. P.: zahlr. Beiträge in Fachzeitschriften u. Sammelwerken, Kaiser Friedrich III u. Lindau (1986), Quellen z. Geschicht d. Stadt Bregenz 1330-1663 (1985), Vbg. Urfehdebriefe b. z. Ende d. 16. Jhdt. (1985). M.: seit 1983 Inst. f. Österr. Geschichtsforsch., seit 1992 Alemannisches Inst. Freiburg. (A.K.)

Niedersüß Carl Dr. Mag.

B.: Gschf. DA.: 4600 Wels, Ringstr. 16. PA.: 4600 Wels, Ulmenweg 3. G.: Wels, 14. Febr. 1949. V.: Mag. Adrienne, geb. Neidenbach. Ki.: Carl Dominik u. Anna Valerie. El.: Carl u. Anna. S.: VS, BRG Wels, Univ. Wien. K.: 1977 Übernahme d. Geschäfte d. elterl. Fa., Ges. u. AufsR. d. Reformwerke Bauer GmbH, gschf. Ges. d. Fa. Niedersüß. H.: Golf u.a. (Bau.)

Niedersüß Hans Dr. Dkfm.

B.: Gschf. FN.: Reform-Werke Bauer & Co. GT.: Vorst.Mtgl. d. Industriellenvereinigung, AufsR. d. Vers.Verb. d. Industriellen. DA.: 4600 Wels, Haidestr. 40. G.: Grieskirchen, 21. Febr. 1945. V.: Dr. Susanne. Ki.: Michael, Florian. S.: Univ. Wien, BWL. H.: Segeln, Tennis.

Niedersüss Helga Dkfm.

B.: Gschf. d. Fa. Knize & Co f. Schneider- u. Hemdenmacher. DA.: 1010 Wien, Graben 13. PA.: 1040 Wien, Gusshausstr. 12/43. G.: Ried/Innkreis, 23. Nov. 1940. V.: Rudolf. K.: Maria, Katrin, Bernhard, Georg. El.: Barth Valentin u. Theres. S.: Gymn. in Gmunden, Welthdl.Stud. in Wien, 1965 Dkfm. K.: 1976 Eintritt in d. Fa. Knize als Gschf., 1977 Lizenzvertrag m. Japan. (Fels.)

Niedersüss Rudolf

B.: Gschf. d. Fa. Knize & Co f. Schneidr u. Hemdenmacher. DA.: 1010 Wien, Graben 13. PA.; 1040 Wien, Gusshausstr. 12/43. G.: Waizenkirchen, 15. Okt. 1935. V.: Dkfm. Helga, geb. Barth. Ki.: Maria, Katrin, Bernhard, Georg. El.: Friedrich u. Aloisia. K.: 1976 Gschf. Ges. d. Fa. Knize, 1977 Lizenzvertrag m. Japan. H.: Garten. (Fels.)

Niederwieser Anton

B.: Ass. d. Geschäftsführung. FN.: Bergbahnen Fieberbrunn GmbH. DA.: 6391 Fieberbrunn, Lindau 17. PA.: 6391 Fieberbrunn, Dorfstr. 10/I. G.: St. Johann, 31. Aug. 1958. El.: Anton u. Maria. S.: VS, HS, HASCH. K.: 1975 Eintritt in d. Bergbahnen Fieberbrunn GmbH, GemR. v. Fieberbrunn. M.: Skiclub, Alpenver., Drachenflieger Club. H.: Skifahren, Drachenfliegen, Bergsteigen, Lesen, Fotografieren, Filmen. (W.G.)

Niederwieser Erwin DDr.

B.: Mtgl. d. NatR., Abt.-Ltr. DA.: 1017 Wien, Dr.-Karl-Renner-Ring 3. G.: Lienz, 2. Feb. 1951. S.: Hum. Gymn., Präsenzdienst, Jus- u. Päd.-Stud. an d. Univ. Innsbruck, 1975 Dr. iur, 1983 Dr. phil. K.: Ltr. d. Bildungsabt. d. AK f. Tirol, Ortsobm. d. SPÖ Völs, Landesbildungsvors. d. SPÖ, Mtgl. d. Kollegiums d. Landesschulrates f. Tirol, Mtgl. d. Bez.-Vorst. Innsbruck-Land u. d. Landesparteivorst. d. SPÖ Tirol, s. 1986 Mtgl. d. GemR. v. Völs, s. 11/1990 Abg. z. NatR.

Niedoba Herwig Dr.

B.: prakt. Arzt u. Gem.-Arzt. DA. u. PA.: 4866 Unterach, Jeritzastr. 27. G.: Eggenburg, 17. Apr. 1939. V.: Milada, geb. Valentova. Ki.: Gernot, Almut, Astrid, Gerhild. El.: Dr. Herbert u. Pauline. S.: Volksschule, Mittelschule als

Externist Gmunden, Waidhofen u. Linz, 1957 Matura, Med.-Stud. Wien, 1964 Promotion. K.: 3 J. Turnus Sbg. LKH, 1967 Chir. Prof. Fuchsig Wien, danach Urologie Barmherzige Brüder Wien, 1971 Gemeinde-Arzt Unterach. BL.: 1973 Gründung. d. Rot-Kreuz-Stelle Unterach, Ortsstellenltr. E.: Gold. Verd.-Med. d. Roten Kreuzes. M.: Feuerwehr, Bergrettung, Landesarzt v. OÖ. Wasserrettung, Notarzt, seit 1973 Rotes Kreuz. H.: Aquarellmalerei. (D.E.)

Niedrist Wolfgang Dr.

B.: Betriebsarzt, prakt. Arzt. FN.: Walek. GT.: Betriebsarzt Fa. Stelrad GmbH, Betriebsarzt Fa. Fepla Hirsch, eigene Ordination. DA.: 2700 Wr. Neustadt, Eyerspergring 2. PA.: 2700 Wr. Neustadt, Neunkirchner Str. 39. G.: Wien, 6. Jan. 1957. V.: Maria, geb. Fiala. Ki.: Cornelia. El.: Karl u. Paula. S.: VS, Mittelschule, Stud. d. Med., 1981 Prom. K.: 1981-84 Turnus u. anschl. prakt. Arzt im AKH Wr. Neustadt, seit 1984 eigene Ordination am Eyrspergring 2 in Wr. Neustadt, sowie gleichzeitig Betriebsarzt d. Fa. Walek, d. Fa. Stelrad u. d. Fa. Fepla Hirsch. E.: intern. u. path. Prüf. m. Ausz. M.: Ärztekam. H.: Bootfahren, Schwimmen, Skifahren, Gartenarb. (M.Br.)

Nielsen Luminita

B.: Gschf. Ges. FN.: Dona-Nielsen-Hofbauer GmbH Travel Service. DA.: 1010 Wien, Kramerg. 1/6/9. PA.: 1060 Wien, Morizg. 2/Stg. 1. G.: Hunedoara (Rumänien), 5. April 1944. El.: Lucia Manea u. Inlian Voicu. S.: 1962 Matura in Hunedoara. K.: 1962-67 als techn. Zeichnerin tätig, 1967-71 Stud. a. d. TH, Fachrichtung Schwermetallind., 1971 nach Heirat Ankunft in Wien, 1971-76 Hausfrau, 1977 Hw. b. Juwelier u. Hw. b. einem Textilgesch. tätig, 1977-81 als Portier b. Parkhotel Schönbrunn, 1982-87 Einstieg i. d. Reisebüro Falk Travel Wien u. Aufbau., Gschf., 1987 Gründung d. jetzigen Fa. zusammen m. den Ges. Dona u. Hofbauer, Aufbau d. Fa. FB.: Hofbauer Traiding Budapest. H.: Gemälde sammeln, Theater, Literatur. (I.K.)

Niemann-Delius Ernst Dr. med.

B.: FA f. Dermatologie. DA. u. PA.: 6370 Kitzbühel, Lindnerfeld 7. G.: Blankenburg, 20. Nov. 1921. V.: Ilse, geb. Fleischmann. Ki.: Bodo, Christian. El.: Ernst u. Agnes. BV.: Prof. Delius im Bergbau tätig, 1770-1779 Ordinarius in Schemnitz (früher Niederungarn). S.: Gymn., Med.Stud. in Berlin, Innsbruck, Göttingen, 1945 Prom. K.: Ausbild. z. FA in Göttingen, Erfurt, Berlin-Charité, freie Praxis in Berlin, Wesel, Kitzbühel. BL.: Forsch.: Haut u. Psyche.P.: 1994 "Unser Kind hat Neurodermitis" M.: Rotary, Ärzte gegen Atom. H.: Fotografie, Keramik. (W.G.)

Niemetz Gert

B.: Gschf. FN.: FORD-Königer GmbH & Co KG. DA.: 1210 Wien, Brünner Str. 66. PA.: 3030 Götzwiesen 36. G.: Wien, 27. Aug. 1943. El.: Emmerich u. Rosa. K.: Lehre b. Hinteregger, 1966 Verkaufsltr. Gebrauchtwagen, 1971 Verkaufsltr. Neuwagen, 1977 Gschf. u. Teilhaber Hinteregger, 1980 Gschf. b. Königer, 1983 im alleinigen Besitz d. Fa. Königer. M.: Mtgl. d. Aussch. d. Wr. Neuwagenhändler. H.: Jagen. (Erh.)

Niemitz Franz Erwin

B.: Vors. d. Gewerkschaft Hotel, Gastgewerbe, Persönl. Dienst. (HGPD). GT.: KamR. d. Wr. Arb.Kam. DA.: 1013 Wien, Hohenstaufeng. 10. PA.: 1100 Wien, Eisenstadtpl. 7/10/11. G.: Feistritz ob Bleiburg, 13. Mai 1936. V.: Pauline Maria, geb. Marchel. El.: Maximilian u. Maria. S.: VS, HS, Berufsschule Waldegg (Kellner). K.: 1959 Eintritt in d. Gewerkschaft, im selben J. Otto Möbel-Schule (Vw.Schule) in Graz, 1960/61 Sozialak., seit 1963 Rechtsschutzsekr. u. Red. d. Gewerkschaft Hotel, Gastgewerbe, 1964 KamR. d. Wr. Arb.Kam., 1968 Zentralsekr.Stellv., 1976 1. Vors.Stellv., 1978 Vors. dieser Gewerkschaft, 1978 BVorst.Mtgl. d. ÖGB, 1978-87 Zentralsekr. d. Gewerkschaft HGPD, seither Vors., Beis. b. arbeitsrechtl. Senat d. Obersten Gerichtshofes, 2. Vors.Stellv. d. LAussch. Wien, NÖ u. Bgld. d. Pensionsvers.Anst. d. Arb. E.: Gold. EZ f. Verd. um d. Rep. Österr., Gold. Verd.Zeichen um Verd. d. Landes Wien. M.: SPÖ, Liga f. Menschenrechte. H.: Kunst, Kultur, Sammler, Gartenarb. (E.L.)

Nierlich Klaus Dr.

B.: FA f. Radiologie u. Sonographie. DA. u. PA.: 1210 Wien, Schwaigerg. 22. G.: Prag, 2. Apr. 1945. V.: Andrea, geb. Krammer. S.: VS, BRG, Stud. d. Med., 1971 Prom. K.: FA-Ausbild. im AKH, 1977 FA, tätig in d. Abt. f. Strahlentherapie, d. I. Chir. Röntgen, II. med. Röntgen u. Zentralröntgen im AKH, seit 1979 selbst. E.: Ausz. f. Golf: 4 x Österr. Juniorenmstr., 32x Österr. Staatsmstr., 2x Nat. off. Mstr., 4x Intern. Mstr. v. Österr., 1x Intern. Mstr. d. BRD, 2x Intern. Mstr. d. Schweiz, 1x Intern. Mstr. v. Luxemburg, 2x Intern. Mstr. v. Jugoslawien, 4x Junioren EM-Mannschaft, 11x EM-Mannschaft, 3x Kontinentauswahl geg. GB u. Irland, 3x World-Cup-Teilnehmer, 9x WM-Mannschaft, M.: Österr. Röntgenges., Verb. f. Med. Strahlenschutz, VMSÖ, Golf Club Wien Freudenau, Golf Club Schönborn, Österr. Golfverb., Europ. Golfver. ATC, Tennis Club Finanzmin. Wien, Aloha Golf Club Spanien. H.: Golf, Tennis, Skifahren, Musik. (M.Br.)

Niescher Romuald

B.: Bgm. d. Stadt Innsbruck. DA.: 6020 Innsbruck, Maria-Theresien-Str. 18. PA.: 6020 Innsbruck, Bertha-v.-Suttner-Weg 11. G.: Innsbruck, 9. Febr. 1933. V.: Gertrud, geb. Obwexer. Ki.: Romuald, Matthias, Barbara. El.: Ernst u. Maria. S.: 1955 Matura. K.: ab 1953 Tir. Gemeinn. Wohnbau u. Siedlungsges. Prok., seit 1983 Bgm. E.: Gr. EZ d. Rep. Österr., EZ d. Landes Tir., Verd.Kreuz d. Landes Tir. M.: MKV, CV. H.: Jagd. (D.S.)

Niese Erwin Mag. Prof.

B.: Math.-Unterrichtender am Ak. Gymn. u. an d. Univ. Sbg., Gründer u. Gschf. d. Ver. d. Freunde d. Mozarteum Orchesters Sbg. DA.: 5016 Salzburg, Postfach 316. PA.: 5020 Salzburg, Franz-Peyerl-Str. 15. G.: Bad Vöslau, 11. Febr. 1951.V.: Claudia Niese geb. Maschka Ki.: Hannah (1994) El.: Erwin u. Herma. BV.: Hansi Niese, Wr. Volksschauspielerin. S.: 1969 Matura, Stud. Math., Physik, Chemie u. Psych. K.: 1978 Prof., 1981-83 Univ.-Lektor, 1983-88 Ltr. d. Arge Math. b. LSR. f. Sbg., ab 1983 Bundeslehrer im HS-Dienst naturwiss. Fak. d. Univ. Sbg., 1986-1989 Praxisbetreuer d. HS-Lehrerausbild. an d. Päd. Ak. Sbg. P.: Publ. auf d. Math.-Didakt. Gebiet. M.: 1989-90 Gschf. d. Musiktage in Mondsee. H.: Kammermusik (Klavier). (M.Mo.)

Niesielska Maria Liliana Mag.
B.: Dolmetscherin u. Schauspielerin. GT.: gerichtl. beeid. Dolmetscher d. poln. Sprache, zahlr. Lesungen u. Gesamtltg. b. Jubiläumsveranstaltungen. PA.: 1190 Wien, Weimarer Str. 82. G.: Budapest, 31. Okt. 1946. El.: Tadeusz u. Irena. S.: 2sprachig erzogen (poln. u. ungar.), VS, Ak. Gymn. Wien m. Engl. u. Franz., 1958 Übersiedlung nach Österr., Stud. v. Poln. u. Engl., Schauspielstud. an d. Ak. f. Musik u. Darstell. Kunst, sowie Italienischstud., 1976 Mag. phil. sowie Dipl. f. Schauspiel, danach Stud. an d. Univ. Rom in Literatur u. Sprachwiss., 1979 Dr. K.: 1972 Dolmetschertätigkeit anläßl. offizieller Kontakte Staats- u. Ministerbesuche Vertragsverhandlungen zwischen Polen-Österr. u. Ungarn-Österr., seither zahlr. Dolmetscheinsätze f. d. Österr. Rg. u. Wirtschaft f. d. Sprachen: poln., ungar., ital., engl., Schauspielkarriere: angefangen im Kellertheater in Wien, anschl. FS u. Film u.a. Trotta, Totstellen, Der Bauer u. d. Millionär, Welcome in Vienna, Kottan, Ringstraßenpalais, Ein echter Wiener geht nicht unter. BL.: Anwendung d. Schauspielfähigkeiten b. Dolmetschen. P.: Literar. Übersetzungen. E.: Gold. VZ d. Rep. Österr., Silb. VZ d. Volksrep. Polen, Abz. f. Verd. um d. poln. Kultur. M.: Obm. d. Ver. f. d. sterr. Poln. Zusammenarb., Vorst.Mtgl. d. Österr. Poln. Ges. H.: Tennis, Surfen, Theater. (M.Br.)

Niesner Peter Dr. iur
B.: Botschafter, Ltr. d. Sekt. VI im BMAA. DA.: 1014 Wien, Ballhauspl. 2. PA.: 1030 Wien, Landstraßer Hauptstr. 84. G.: Graz, 4. Juni 1938. V.: Erika, geb. Führer. El.: Josef u. Ilse, geb. Lanser zu Moos u Festenstein. S.: 1956-63 Stud. Rechtswiss. Univ. Graz m. Prom. z. Dr. iur., 1959-60 Stud. Univ. of Notre Dame USA. K.: 1964 Eintritt in d. Österr. Auswärtigen Dienst, 1964-66 BMAA, 1966-67 Österr. Vertretung b. d. Vereinten Nationen New York, 1967-71 Österr. Botschaft Washington, 1971-74 Österr. Botschaft Jakarta, 1974-77 BMAA, 1977-81 Österr. Botschaft Peking, 1981-85 Generalkonsul in Zagreb, 1986-90 Ltr. d. Abt. VI.1 im BMAA, seit 1990 Ltr. d. Sekt. VI im BMAA. E.: Gr. Gold. EZ d. Landes Stmk. H.: Gartenarb. (N.A.)

Niessl Franz Ing.

B.: Teilhaber. FN.: Weingut Niessl Ges.n.b.R. DA.: 7093 Jois, Bundesstr. 23. PA.: 7093 Jois, Josef-Haydn-G. 26. G.: Jois, 11. März 1948. V.: Christine, geb. Heinrich. Ki.: Franz (1968), Richard (1972). El.: Alfred u. Anna. S.: Grundschule, HS, HTBLA f. Wein- u. Obstbau Klosterneuburg. K.: 1968 Ang. im Weinbaubetrieb d. Vaters, verantwortl. f. Kellerbetrieb, Auslieferung u. Weingarten, 1986 Übernahme m. Bruder. E.: 7 Gold-, 12 Silber- u. 2 Bronzemed. bei Weinbauprämierungen. M.: Freiwillige Feuerwehr, Grdg.-Mtgl. Singver., Sportver., Grdg.-Mtgl. Kulturver., ÖVP-Wirtschaftsbund, Vorst. PfarrgemR., Weinbauver., Pannonischer Reigen. H.: Bücher, Briefmarken, Zeitschriften. (M.N.)

Niessl Hans
B.: Bgm. d. Stadtgem. Frauenkirchen, Dir. HS Frauenkirchen. DA.: 7132 Frauenkirchen, Amtshausg. 7; 7132 Frauenkirchen, Kirchenpl. 1c. PA.: 7132 Frauenkirchen, Tillstr. 1c. G.: Zurndorf, 12. Juni 1951. V.: Christine, geb. Eder. Ki.: Peter (1978). El.: Hans u. Erna, geb. Falb. S.: VS, Gymn., HTL, 1971 Matura, Päd. Ak., 1973 Abschluß, HS-Lehrerprüf. K.: 1974 Eintritt in d. Schuldienst HS Frauenkirchen, seit 1981 Dir. VS Frauenkirchen, seit 1993 Dir. HS Frauenkirchen, 1982 Eintritt SPÖ Frauenkirchen, 1984 GemR., 1985 2. VBgm. u. ab 1987 Bgm. in Frauenkirchen, seit 1993 Obm. d. Wasserleitungsverb. Nördl. Bgld., Obm. d. Ver. z. Errichtung u. Betreibung d. Pflegeheimes Frauenkirchen. E.: Silb. EZ d. RK, Florianiplakette d. FF Frauenkirchen, Ausz. durch d. Zivilschutzverb. H.: Fußball, Radfahren, Joggen. (M.M.)

Niessl Robert

B.: Teilhaber. FN.: Weingut Niessl Ges.n.b.R. DA.: 7093 Jois, Bundesstr. 23. PA.: 7093 Jois, Reitschulg. 9. G.: Jois, 4. Juni 1952. V.: Friederike, geb. Horvath. Ki.: David (1975), Alexander (1977). El.: Alfred u. Anna. S.: Grundschule, HS, Polytechnikum, 1967-71 Automechanikerlehre m. Abschluß. K.: 1971 Einstieg in d. elterl. Betrieb, verantwortl. f. Verkauf u. Auslieferung, 1986 Teilübernahme, Gebiet Verkauf u. Auslieferung. E.: 7 Gold-, 12 Silber- u. 2 Bronzemed. bei Weinrämierungen. M.: Freiwillige Feuerwehr, GemR. ÖVP, Musik- u. Kulturver., Eisstockschützenver., Weinbauver. H.: Computer, Skifahren, Radfahren, Familie, Eisstockschießen. (M.N.)

Niessler Franz Ing.
B.: Elektrotechniker. A.: 1100 Wien, Laaerbergstr. 32/1. G.: Reisenberg, 25. März 1934. V.: Ingrid, geb. Bohmann. El.: Franz u. Katharina. S.: HTL Wien, Seminare, Kurse. K.: Seit 1953 b. Siemens Wien als Konstrukteur u. Projektant, Patentinh., seit 1968 selbst. Ing.Büro f. Elektrotechnik u. rationelle Energieanwendung (Planungstätigkeit im In- u. Ausland), 1976 erste Solaranlage Ktn. initiert, 1977/78 Planungsauftrag f. eine z. diesem Zeitpunkt größten Solar- u. Wärmepumpenanl. Österr. in Weißenbach/Attersee, Durchführung grundlegender Energieuntersuchungen im größeren sowie energiesparende Energieverbundsysteme. P.: Mitarb. b. Beiträgen in versch. Zeitungen u. Zeitschriften, Rundfunk u. Fernsehen, zahlr. Vorträge, vor allem auf d. Energie- u. Umweltschutzsektor. M.: Wr. Wirtschaftsklub, Dt. Ges. f. Sonnenenergie, Österr. Ges. z. Nutzung nichtkonventioneller Energie, Dt. Energieges., Mitarbeit am Energieplan d. Österr. BMH, Vorst.Mtgl. d. Eurosolar Bonn u. Eurosolar-Austria, ÖGUT, u.a.

Niessner Günther Dr. med
B.: FA f. Anästhesie u. Ltr. d. Inst. f. Anästhesie, Chir. Intensivstation u. d. Blutbank d. LKH Schärding. GT.: Ordination f. Schmerzbekämpfung. DA.: 4780 Schärding, Kubinstr. 100. PA.: 4780 Schärding, Bubing 78. G.: Wien, 31. Jan. 1939. V.: Dr. Christine, geb. Seeliger, 3 Kinder. El.: Dr. Alois u. Mag. Herta. S.: 1957 Matura, Univ. Wien, 1965 Prom. K.: Ausbild. z. FA an d. Univ.Klinik Wien, 1971 in Zypern als Anästhesist, 1972-76 OA an d. Univ.Klinik Wien, seit 1976 OA u. seit 1980 Primararzt im LKH Schärding. P.: div. wiss. Arb. u. Publ. in Fachzeitschriften. M.: im Vorst. d. Primarärzteverb., Mtgl. d. Lions-Club. H.: Organist, Skifahren, Tennis.

Nießner Wolfgang
B.: HS-Lehrer u. Komponist. DA.: 5020 Salzburg, Mirabellpl. 1. PA.: 5020 Salzburg, Alpenstr. 93. G.: Salzburg, 13. Jän. 1953. V.: Andrea. Ki.: Stefan (1979), Sophie (1984). S.: Stud. Dirigieren, Chorltg., Komposition Sbg. u. Wien, Stud. Musikwiss. u. Kunstgeschichte Univ. Sbg. K.: Theaterengagements Graz (Vereinigte Bühnen, Steir. Herbst) u. Sbg.

(Landestheater, Festspiele), seit 1984 Lehrbeauftragter HS Mozarteum Sbg. f. Oper, Korrepetition, Solfege u. Improvisation, Tätigkeit als Komponist, Bearb., Verfasser v. Hörspiel- u. Schauspielmusiken, Konzerte u. Aufnahmen Neuer Musik als Komponist, Pianist u. Dirigent. P.: Werke u.a. "The echoes of Dido's cries" (1990), "Epoc"(1991), "Un'altra notte" (1990-92), "Prometheus - Der aufrechte Gang" (1990-92). M.: Österr. Ensemble f. Neue Musik. (N.M.)

Nieuzyla Pawel Mag. theol.

B.: Pfarrer i.R. A.: 1230 Wien, Breitenfurter Str. 184/3/17. G.: Szczakowa/Polen, 13. Okt. 1915. S.: Dipl. als Mag. theol. auf d. Jagiellonischen Univ. Krakau, 1949. K.: Religionslehrer in Mittelschulen in Polen, ab 1950 Pfarrer in Langenbielau, ab 1952 in Striegau in Nieder-Schlesien, ab 1954 in Breslau-Karlowitz Pfarrer, ab 1965 im Asyl in Österr. P.: Diss. über "Papst Formosus 891-896", "Rehabilitation v. König Boleslaus II. d. Kühne 1058-1079". E.: Expositorium Canonicale in Breslau. H.: Biologie u. Bergsteigen.

Nievelt Gottfried Dr. techn. Dipl.-Ing. Prof.

B.: Hon.Prof. am Inst. f. Straßenbau u. Verkehrsplanung, Ziviling. f. techn. Chemie. A.: 2000 Stockerau, Wiener Str. 35. G.: Wien, 2. März 1929. V.: Luise, geb. Bauer. El.: Karl u. Bertha. S.: RG in Stockerau, THS in Wien, Fachrichtung: Techn. Chemie, Dipl.-Ing., Dr. techn. K.: 1947 Matura, TU Wien 1947-57, Tätigkeit als wiss. Hilfskraft u. als HS-Ass. (Inst. f. Verfahrenstechnik), 1958 Doktorat d. techn. Wiss., 196 Ltr. d. bitumentechn. Dienstes d. Shell Austria AG, 1967 Prokura, 1968 Ziviling. f. techn. Chemie, 1973 Lehrbeauftragter d. TU Innsbruck "Asphaltstraßenbau", seit 1977 Ltr. d. eigenen autorisierten Prüfanst. f. d. Untersuchung v. bituminösen Baustoffen, Beton u. Baumaterialien. F.: Nievelt Labor GmbH. P.: Verantwortl. f. d. Bücher Asphaltstraßenbau, Flexible Roads, Routes Soupes, Neueste Erkenntnisse in d. Asphaltbauweise, Der österr. Asphaltstraßenbau in Theorie u. Praxis, Gedanken u. Bemühungen z. Verbesserung d. Verschleißfestigkeit u. Verformungsbeständigkeit v. Asphaltbetondecken, Neuzeitlicher Straßenbau mit Asphalt, Verformungsverhalten v. Asphalt - Stand d. Erfahrungen etc. M.: Association Intern. Permanente des Congrès de la Route, Member of Technical Comittee on Flexible Pavements, Mitarb. u. Aussch.Ltr. in d. Österr. Forschungsges. f. d. Verkehrs- u. Straßenwesen, Mitarb. in d. Österr. Normungsinst.

Nigisch Hans Mag. MinR.

B.: Protokollchef d. KA. DA.: 1014 Wien, Ballhauspl. 2. G.: Litschau, 4. Aug. 1924. V.: Erica, geb. Poyss. Ki.: Hans-Günter, Gerhard. El.: Hans u. Hildegard. S.: VS, BRG, 1942 Matura. K.: 1948 Eintritt in BDienst u. jur. Stud., 1957 Abschluß, 1959-65 Ltr. d. Mietrechtsabt. d. BGV I, 1966 Einberufung KA Präsidium als Vertreter d. Ltr. d. Abt., 1974 Ltr. d. Ordensref., 1969 SektR. u. 1973 MinR., seit 1978 Ltr. d. Protokollabt. im KA. E.: Gr. Silb. EZ, Gr. EZ f. Verd. um d. Rep. Österr., andere österr. u. zahlr. ausländ. Ordensausz. H.: Tennis, Briefmarkensammeln. (R.A.)

Nigitsch Hans HofR. Prof.

B.: Fachinsp. f. Leibeserziehung i.R. GT.: Bergführer d. Alpinschule Innsbruck, staatl. geprüfter Skilehrer. PA.: 6020 Innsbruck, Dr.-Stumpf-Str. 85b. G.: Mayrhofen, 18. März 1922. Ki.: Dr. Christian, Michael, Martin. El.: Hans u. Maria. S.: BRG Innsbruck, 1941 Matura, 1941-47 Wehrmacht u. Gefangenschaft, Stud., 1950 Lehramt Italienisch/Leibeserziehung. K.: 1950-80 Lehrer am BRG Innsbruck, Ltr. d. Arge d. Tir. Leibeserzieher u. Italienischlehrer, Promotor d. Tir. Schulsportes an Höheren Schulen u. d. Alpinausbild. d. Tir. Lehrer, Verfasser eines Italienisch-Lehrplanes f. Höhere Schulen, Mtgl. d. Österr. Arbeitskreises "Skilauf an Schulen", Vorst.Mtgl. d. Wiss. Arge f. Leibeserziehung u. Sportmed. in Innsbruck, anschl. Fachinsp. f. Leibeserziehung f. Tir. u. Vbg., ab 1965 auch Lehrbeauftragter f. Methodik am Sportwiss. Inst. d. Univ. Innsbruck, 1987 Pension, 1988 HofR. M.: Vors. d. EhrenR. d. Verb. d. Leibeserzieher Österr. H.: Sommer- u. Winteralpinistik. (D.S.)

Nikbakhsh Parviz Dr. med. OR. MedR.

B.: Prakt. Arzt, Polizeiamtsarzt. GT.: SanOR. seit 1984, Seminare u. Vorträge an d. VHS Floridsdorf: "Depressionen im Alltag", Gruppentherapien gegen Depressionen. DA.: 1210 Wien, Ruthnerg. 56-60/27/1. G.: Masjed Soleiman (Persien), 21. Febr. 1936. V.: Maria, geb. Brandstädter. Ki.: Michael, Alexander, Elisabeth. El.: Hemat u. Shirin. S.: 1957 Matura in Ahwaz, Med.-Stud. an d. Univ. Wien, 1969 Prom., Physikatsprüf., Turnus in Stockerau. K.: 1973 Eröff. d. Praxis in Wien, 1974 Polizeiarzt, 1984 OR. H.: Reiten. (J.S.)

Nikolai Gerda

B.: Inh. FN.: Studio f. empf. Haut. DA.: 5020 Salzburg, Wolfsgartenweg 20a. PA.: 5020 Salzburg, Wolfsgartenweg 20b. G.: Baden b. Wien, 7. Juli 1943. V.: Manfred Svoboda. KI.: Alexandra (1971), Constantin (1973). EL.: Ernst u. Maria. S.: VS, Gymn., 1957 Kosmetikschule K.: 1958 3 J. Praxsis bei Fr. Dr. Gillesberger Wien 1., weitere Fortbildungsjahre durch Laborerfahrung im kosmet. u. pharmazeut. Bereich in Opern Apotheke Wien 1., danach Seminarltg. f. kosmet. u. pharm. Industrie, 1986 selbst. mit Kosmetikinst. - Studio f. empfindl. Haut - Fachinst. f. Gesichts u. Ganzkörperkosmetik. H.: Theater, Konzerte, Musik, Kulturreisen, Kochen. (D.E.)

Nikolaus Klaus Dieter Mag.

B.: Gschf. Ges. FN.: G.B. Autoimport u. Vertriebs GmbH. DA.: 5020 Salzburg, Wasserfeldstr. 15. PA.: 5061 Elsbethen, Halleiner Landesstr. 12a. G.: Pernitz, 22. Dez. 1939. El.: Hermann u. Meta. S.: VS, RG, Werkschulheim Felbertal (Matura, Gesellenprüf.), Univ. Innsbruck, Wien (jur. Fak.). K.: nach Stud. Gerichtsjahr, 1969 z. British Leyland, 1975 Finanzdir., 1979 Ges. u. Finanzdir. in d. E. Janko GmbH, später in I.G.V. abgeändert, 1983 Austritt aus d. Fa., 1984 gemeinsam m. Fa. Tarbuk u. Herrn Fieber G.B. Autoimport u. Vertriebs GmbH gegründet, zuständig f. Finanz, Administration, Personalwesen u. f. Export einer Tochterges. (Kraftfahrzeug u. Zubehör Vertriebsges.). H.: Hochseesegeln, Skifahren, Musik, Jagd. (R.A.)

Nikolic Dragan

B.: Gschf. Ges. FN.: Varned Bau u. Hdls. GmbH. DA.: 1150 Wien, Ullmannstr. 8. G.: Wien, 30. Jän. 1972. V.: Brigitta. El.: Tomislav u. Slavujka. K.: Buchhalter u. Sekr. im elterl. Betrieb, Wechsel zu Fremdbetrieb, 1991 Ankauf Varned GmbH, Grdg. MDT Hdls. GmbH, Beteiligung an einem Gastronom. Betrieb. H.: Skifahren, Volleyball, Reisen. (J.E.)

Nikolowsky Herbert Mag.

B.: Marketingltr.-Stellv. FN.: EDUSCHO Karl Struppe GmbH. DA.: 1110 Wien, Gadnerg. 71. G.: 17. Juni 1959. V.: Andrea. Ki.: Christoph (1987). S.: Hochschule.

Nikolussi Richard Dipl.-Ing.

B.: selbst. Arch., staatl. befugter u. beeid. Ziviltechniker. DA. u. PA.: 6700 Bludenz, Untersteinstr. 23. G.: Bludenz, 11. Dez. 1948. V.: Lillian, geb. Besser. El.: Alois u. Gertrud. S.: BRG Bludenz, 1967 Matura, 1967-68 Militär, TH f. Arch. Graz, 1974 Prom., Dipl.-Ing., Arch. K.: 1974 Tätigkeit in Arch.-Büro Wels, 1978 Ing.-Büro Bludenz, 1980 Ziviling.-Prüf., 1981 selbst. Arch.-Büro, passive Sonnenenergienutzung, Althausrevitalisierung, Sportanlagen, Schulen, Planung u.

Baultg. Wirtschaftspark Götzis u. div. Wohnbauten. M.: Lions-Club. H.: Beruf, Bergsteigen, Radfahren, Kochen. (I.D.)

Nilson Hermann

B.: Inh. Hotel Gasthof Paradies, Kfm. DA. u. PA.: 6752 Dalaas, Bahnhofstr. 199. G.: Görzke/DDR, 6. Nov. 1939. V.: Annemarie. Ki.: Karina (1969). El.: Adolf u. Luci. S.: Grundschule, Vulkaniseur- u. kfm. Lehre, 1957 Abschluß. K.: 1957 Vulkaniseur in großelterl. Betrieb, 1960 Flucht aus DDR nach Friedrichshafen, b. 1964 Tätigkeit in Zahnradfbk. Friedrichshafen, 1964 Grdg. eines Getränkevertriebes, 1970 Pacht eines Gasthauses in Lindau, Erweiterung auf 3 Gastbetriebe, 1975 Pacht Hotel Gasthof Paradies Dalaas, 1978 Kauf d. Betriebes. E.: Commanding General John P. Dreska 2d Suppord Command (Corps) v. Feb. 1986 u. März 1987 f. Aufenthalt im "Paradies". M.: Schützenver. Dalaas. H.: Wandern, Kartenspiel, Weltwirtschaft. (I.D.)

Nimeth Harald Dr. med.

B.: FA. f. Innere Med. DA.: 4910 Ried/Innkr., Hoher Markt 4. PA.: 4910 Ried Innkr., Hauptpl. 41. G.: Ried/Innkr. 15. Jan. 1945. V.: Ellinore, geb. Pfretschner. Ki.: Christopher (1966), Katharina (1972), Ulrike (1975). El.: Herbert u. Theresia. S.: Real-Gymn. Ried, 1963 Matura, Stud. d. Med., 1971 Prom., 3 Jahre Ausb. z. Prakt. Arzt i. Zams, Wörgl, Kufstein, 3 Jahre FA-Ausb. i. Kufstein, 3 Jahre Duisburg. K.: s. 1980 FA, 1981 Praxiseröffng., Beirat im Bez.-Aussch. d. Roten Kreuzes Ried. M.: Rotes Kreuz, Akad. Burschenschaft Brixia zu Innsbruck, CSV Germania, Ried, ÖTB, SVR. H.: Angeln, Jagen. (P.H.)

Nimführ Herbert Dr. jur. Mag. w.HofR.

B.: Ltr. d. Abt. I/3 u. II/6 d. NÖ LRg. DA.: 1014 Wien, Herreng. 13. G.: Trencin/CSFR, 3. Jän. 1930. V.: Erna, geb. Schwayer. K.: Dipl.-Ing. Wolfgang, Gerald. El.: Alois u. Berta. BV.: Vater Gründer d. Österr. Weinwerbung (Dir.). S.: VS, RG, Univ. Wien, 1953 Prom. K.: Österr. Statist. Zentralamt, seit 1955 Amt d. NÖ LRg., b. 1982 im LAgrarsenat, 1983 Abt.Ltr. f. Staatsbürgerschaftsangelegenheiten, Wahlen, Kriegsgräberfürsorge, Personenstandsangelegenheiten. E.: Gr. EZ f. Verd. um d. Rep. Österr. M.: Österr. Akademikerbund. P.: Autor "Das Österr. Staatsbürgerschaftsrecht, Gemeindenverlag Hans Fellerer. (R.A.)

Nimmervoll Helmut KommR.

B.: Bürgerm. DA.: 4710 Grieskirchen, Stadtpl. 9. PA.: 4710 Grieskirchen, Mühlbachg. 5. G.: Wallern/Tratnach, 6. Feb. 1936. V.: Gertrude, geb. Seiringer. Ki.: Martina (1960), Eva (1962), Petra (1963), Helmut (1966). El.: Alois u. Aloisia. S.: VS, HS, 1950-53 Bäckerlehre, Gesellenpr. m. Ausz. K.: 1953-57 tät. i. elterl. Betr., 1957 Meisterpr., Übern. d. elterl. Betr., s. 1967 Mtgl. i. Gemeinderat, 1973 Vizebgm., 1981 Bgm. M.: Musikkapellen, Union Leichtatletik. H.: Sauna, Radfahren, Lesen, Skifahren. (G.E.)

Ninaus Harald

B.: Firmeninh.; Verkäufer. FN.: Ninaus Harald. DA.: 1200 Wien, Pappenheimg. 47. G.: Legerbuch/Ktn., 20. Juni 1955. V.: Marianne, geb. Scheitz. El.: Wilhelm u. Gertrude. S.: VS, Mittelschule, Techn. Fachschule. K.: 1981 Verkaufsltr., s. 1984 selbst., Firmensitz anfangs in 1140 Wien, s. 1987 in 1200 Wien, Hdl. m. Elektroart. H.: Esoterik, Religionen. (W.J.)

Ninaus Walter

B.: Stadtamtsdir. FN.: Statgem. St. Andrä. DA.: 9433 St. Andrä 210. PA.: 9421 Eitweg 95. G.: Eitweg, 10. Nov. 1941. V.: Rosa, geb. Kanbacher. Ki.: Gabriele (1963), Werner (1965), Karin (1967). El.: Vinzenz u. Philomena, geb. Eberwein. BV.: s. 1756 in Ktn. nachweisb. Familie. S.: VS, HS, HAK, Matura. K.: Tätigk. in Gem., 1973-81 als Sekr. in d. Stadtgem. St. Andrä tätig, s. 1982 Stadtamtsdir. Vors. d. Orts- u. Regionalentwicklungsausschuesses St. Andrä, s. 1991 Mtgl. d. Arbeitskreises Ktn. Gem. Bund, s. 1992 Vorst im Ver. f. Ltd. Gem. Bedienstete; s. 1987 Redakteur d. Gemeindeztg. P.: versch. Abhandlungen in d. Gemeindeztg. u. anderen Printmedien. M.. Gründungsobm. u. s.1993 Präs. d. Sportver. Eitweg u. div. örtl. Ver. H.: Fischen, Jagen, Wander, Schwimmen, New Orleans Jazz, Rock´n Roll. (G.L.)

Nindl Martin

B.: Gastwirt. FN.: Martin Nindl KG. DA. u. PA.: 5710 Kaprun 380. G.: Kaprun, 18. Juli 1948. V.: Gisela, geb. Dick. Ki.: Karoline (1984), Martina (1986). El.: Alois u. Johanna. S.: VS, HS, 1962-66 Hotelfachschule Sbg. K.: versch. Tätigkeiten im Fremdenverkehr im In- u. Ausland, seit 1976 selbst. M.: Aussch.-Mtgl. im Fremdenverkehrsverb., Gastwirteobm. v. Kaprun, Burgver., Schützenver., div. örtl. Ver. H.: Reiten, Skifahren, Schafzucht. (M.T.)

Nindler Hermann

B.: Hotelier (Lindenhof). DA.: 9544 Feld/See, Dorfstr. 8. G.: Feld/See, 26. Jan. 1940. V.: Monika, geb. Zobernig. Ki.: Hannes (1968) u. Carolin (1971). S.: HASCH, Hotelfachschule. K.: b. 1961 Englandaufenthalt, s. 1961 Mitarb. im elterl. Betrieb, 1966 Übern. d. Betriebes. E.: Ausz. f. "Typisch österr. Küche", Gold. EZ d. ÖWB. M.: Obm. d. FV-Interessengem. Feld/See, Obm. d. Ortsgr. d. ÖWB. H.: Jogging, Bergwandern, Bergsteigen, Lesen, Musik, Geschichts-Reisen. (A.L.)

Nirschl Werner

B.: Gschf. FN.: Gabor Shoes and Fashions. DA.: 9800 Spittal/Drau, Villacher Str. 93 u. 95. (V)

Nissel Helmut Dr. Prim.
B.: Vorst. d. 2. Med. Abt. u. ärztl. Dir. d. Kaiserin Elisabeth-Spitals. DA.: 1150 Wien, Huglg. 1-3; 1210 Wien, Schleifg. 7/3/17. V.: Angelika, geb. Dworzak. Ki.: Verena, Andreas. El.: Prim. Dr. Walter u. Elisabeth. S.: 1965 Matura, 1965-71 Stud. Univ. Wien, 1971 Prom. K.: Ausbild. an d. Semmelweisklinik, Poliklinik, Wilhelminenspital, 2. Med. Univ.-Klinik, 2. Chir. Univ.-Klinik, Hochegg, Bad Hofgastein, 1977 FA-Anerkennung f. Innere Med., 1985 Ausbild.-Ref. d. Österr. Ges. f. Akkupunktur, seither zahlr. Vorträge u. Seminare im In- u. Ausland, 1989 Vorst. d. 2. Med. Abt. d. Kaiserin Elisabeth-Spitals, 1990 Univ.-Lektor f. Akkupunktur, 1991 zusätzl. ärztl. Dir. d. Kaiserin Elisabeth-Spitals, P.: Publ., Buchbeiträge u. Bücher über Innere Med. u. Akkupunktur. M.: 1989 Präs. d. Österr. Ges. f. Akkupunktur, 1989 VPräs. of the intern. College of Acupuncture and Electro-Therapeutics New York (F.I.C.A.E.), 1990 Co-Ltr. d. Ludwig Boltzmann-Inst. f. Akkupunktur. H.: Musik. (F.S.)

Nistelberger Friedrich Dr. Mag.

B.: Alleingeschäftsführer-Betriebswirt. FN.: AI Informatics. DA.: 1020 Wien, Donau Business Center Handelskai 388. G.: Graz 21. Feb. 1953. V.: Annemaria. Ki.: Tanja, Martina. El.: Bäckermeister Friedrich u. Anna. S.: AHS Matura, BWL Graz. K.: 1976-85 Fa. Elin i. Weiz, Leiter Org. u. EDV, 1985-89 Bereichsleiter Org. EDV Elin Union AG, 1990-91 Geschäftsführer ACC, s. 1992 Geschäftsführer AI Informatics, EDV Gesamtlösungen v. Dienstleistungen d. Infotechnologie, EDV-Gesamtlösungen i. Industrie, Public Utilities u. öffentl. Verwaltung. M.: Mtgld. d. erweiterten Konzernleitung d. VA Technologie AG. H.: Marathonlauf, Golf, Tennis. (W.M.)

Nistl Franz
B.: Klaviermachermstr., Lehrauftrag an d. HS Mozarteum. PA.: 5020 Salzburg, General-Keyes-Str. 12 G.: Wien, 13. Sept. 1953. V.: Haruko, geb. Onodera. Ki.: Franziska (1988), Franz (1991). El.: Johann u. Maria. S.: 1962-67 Wr. Sängerknaben, 1968 Lehre Firma Bösendorfer, 1972 Gesellenprüf., 1979 Mstr.-Prüf., 1984 Übersiedl. n. Sbg., seit 1986 selbst. K.: Konzerttechniker b. Fa. Bösendorfer, Konzertbetreuungen u.a. Wr. Musikverein, Wr. Konzerthaus, Wr. Staatsoper, Philharmonie Berlin, Alte Oper Frankfurt, Finlandia Hall Helsinki, Festivals u.a. Wr. Festwochen, Schubertiade Hohenems, Sbg. Festspiele, Sbg. Pfingstkonzerte, Sbg. Osterfestspiele, Sbg. Mozartwoche, Flügelbetreuung b. mehr als 50 Schallplattenaufnahmen (L. Bernstein, J. Levine, F. Gulda, A. Schiff, I. Gage, B. Fassbaender, F. Araiza, R. Kollo, K. Battle, Haydn-Trio). M.: Intern. Stiftung Mozarteum. (M.S.)

Nistler Gerald
N.: Glockenstudio. DA.: 1020 Wien, Glockeng. 5. G.: Wien, 29. Dez. 1946. Ki.: Thomas, Sabine. El.: Gottfried u. Rosa. S.: Lehrausbild. als Tischler, 1966 Abschluß. K.: Einrichtungsberater d. WIFI-Kurse, 1972-85 Einrichtungsberater u. spätere Spezialisierung f. Sitzen u. Liegen, 1985-89 Beratung f. gesundes Liegen u. Sitzen, "Wasserbetten" u. "Bettsysteme", 1989 Übernahme d. Glockenstudio. P.: Veröff. in "Besser Wohnen". E.: Tischlereiausz. m. Diplom. H.: Tischlerei, Rutengeherei. (J.E.)

Nistler Johann Ing.
B.: Dir., Prok., Ltr. d. Landesdion. Wien. FN.: EBG. DA.: 1180 Wien, Kreuzg. 19. PA.: 1140 Wien, Trennstr. 34. G.: Wien, 4. Juli 1945. Ki.: Norbert (1972), Monika (1977), Karin (1992). El.: Johann u. Anna. S.: HTL. K.: b. 1970 Elin-Union AG, 1970-90 AEG Austria GmbH, 1970-77 Vertriebstechniker im Anlagenbau, 1977-90 Ltr. d. Abt. Freileitungen u. Fahrleitungsbau, 1984 Handelsvollmacht, 1990 EBG, 1991 EBG-Büroltr. d. Landesdion. Wien. M.: ÖVE. H.: Heimwerken, Garten, Radfahren, Skifahren. (J.M.)

Nistler Luzia
B.: Sängerin, zahnärztl. Ass. u. Musikschullehrerin. PA.: 3430 Tulln, Schubertstr. 2A. G.: Tulln, 11. Juli 1957. V.: Stephan. Ki.: Sonja, Raphaela, Jakob. El.: Josef u. Maria Weigl. S.: 4 Kl. Gymn., Bildungsanst. f. Kindergärtner, 2 Sem. Stud. Univ. Zahnklinik, 3 Sem. Musikschullehrerausbild., Prüf. in Gesang 1981 m. Ausz., 1984 Prüf. in musikal. Früherz., 1981-83 Konservat. in Wien, 1986 weiterer Gesangskurs in St. Pölten. K.: 1. Engagement als Sängerin am Theater St. Pölten (Bocaccio, Der Freischütz, Die Rose v. Stanbul), 1987 Teiln. b. Niko Dostal Wettbewerb in Stockerau (3. Preis als einzige Österr.), schließl. das Auswahlverfahren f. d. Hauptrolle in "Das Phantom d. Oper" positiv bestanden, 6-10/88 Ballettunterr. an d. Musicalschule d. Theater an d. Wien, s. 1988 Hauptrolle im Musical "Das Phantom d. Oper", 1992 Volksoper-Debut "My Fair Lady". E.: Ehrennadel d. österr. Kunstförd. Nico Dostal. H.: Unterrichtstätigkeit in einer Musikschule. (M.B.)

Nistler Stephan Mag.
B.: kfm. Dir. FN.: NÖ Donau Festival GmbH. DA.: 1190 Wien, Hofzeile 3/3/11a. G.: Düsseldorf, 29. Okt. 1958. V.: Lucia. Ki.: Sonja, Rafaela, Jakob. El.: Dipl.-Ing. Walter u. Irmgard. S.: 1977 Matura, HS-Stud. WU, 1984 Abschluß. K.: b. 1987 Kodak Verw.-Bereich, später Marketing, 1987 Gebietsltr. NÖ Nachrichten, später Ass. d. Verlagsltr., 1990 kfm. Dir. NÖ Donau Festival GmbH. BL.: Ausbild. z. Musikschullehrer f. Querflöte. H.: Musik (Querflöte). (J.E.)

Nitsch Christine Dir.

B.: Dir. d. Fachschule f. wirtschaftl. Beruf d. Stadt Wien. DA.: 1120 Wien, Dörfelstr. 1. PA.: 1140 Wien, Seglerweg 3. G.: Pitten, 17. Nov. 1944. Ki.: Martina (1968). El.: Ing. Fritz u. Stefanie Zins. S.: VS, HS, 1958-62 Höhere Lehranst. f. wirtschaftl. Frauenberufe, 1962 Matura, 1962-64 Berufspäd. BLA, 1964 Lehramtsprüf.. K: 1964/65 Probedienst an d. HBLA f. wirtschaftl. Frauenberufe Linz, 1965-68 Berufsvorbereitungskurs Judenau, ab 1968 Hauswirtschaftslehrer Fachschule d. Stadt Wien, 1983 Erweiterungsprüf., ab 1986 Dir. d. Fachschule f. wirtschaftl. Frauenberufe d. Stadt Wien. P.: Mitautor "Gesundheitslehre u. Lebenskunde Buch f. Haushaltungs- u. Hauswirtschaftsschulen (1982), Kochkurse f. Hausang. (1982), Mitarb. in d. Arbeitskreisen Bild. u. Frau im Beruf d. Frauenarge im BSA, "Partnerschaft - Liebe m. Veranwortung". H.: Reisen, Squash, Sport, Oper. (M.D.-H.)

Nitsch Hermann
B.: Maler, Dramatiker, Komponist. PA.: 2185 Prinzendorf/Zaya, Schloß 1. G.: Wien, 29. Aug. 1938. El.: Johann u. Helene. S.: Graph. Lehr- u. Versuchsanst., Meisterkl. K.: Aufbau d. Orgien Mysterientheaters.

Nitsch Johann
B.: Inh. FN.: Schlosserei Brüder Nitsch. DA.: 1150 Wien, Herklotzg. 31. PA.: 1070 Wien, Kellermanng. 8. G.: Wien, 1. Mai 1948. V.: Beatrix, geb. Novotny. Ki.: Sylvia (1975). El.: Johann u. Anna, geb. Andermann. S.: Schlosserlehre m. Gesellen- u. Mstr.-Prüf. K.: 1962 Eintritt in d. väterl. Betrieb, 1984 Übernahme d. Schlosserei. H.: Briefmarkensammeln, Skifahren. (N.A.)

Nitsch-Fitz Richard Dr. med.
B.: prakt. Arzt. DA. u. PA.: 1090 Wien, Währinger Gürtel 152. G.: Wien, 25. Febr. 1942. V.: Renate, geb. Bayer (Dipl.Hebamme). Ki.: Stefan, Michael, Christina. El.: René u. Edith. S.: hum. Gymn., 1960 Matura, Med.Stud. an d. Univ. Wien, 1969 Prom. K.: Turnusarzt im Kaiser Franz Josefspital u. Karolinen Kinderspital b. 1973, seit 1974 eigene Praxis. M.: Vorst.Mtgl. Österr. Hausärzteverb., WIGAM, Bez.Ärztevertreter f. d. Ärzte d. 9. Wr. Gem.Bez. seit 1985. H.: Fotografieren. (G.E.)

Nitsche Christian Dr.

B.: Personalberater, Gschf. Ges. FN.: "Take it" Betriebberatungs GmbH. DA.: 1060 Wien, Theobaldg. 19/2. G.: Wels, 23. Juni 1963. V.: Ines, geb. Riegler. Ki.: Andreas (1985). El.: Ernst u. Erika Kucera. S.: VS, AHS, Stud. Publizistik u. Kommunikationswiss. in Verbindung m. Politikwiss. Sbg., 1987 Prom. z. Dr. phil., Diss. K.: ab 1983 Journalist, 1983-85 freier Journalist, 1985-87 Presseabt. Sbg. HK, ab 1987 Beratungsgruppe Neumann, 1987-89 Personalberater u. Personalentwickler, 1989-91 Geschäftsbereichsltr. NÖ, ab 1991 Gschf. "Take it" Betriebsberatung, ab 1994 Ges.. M.: Intern. Ambassador-Club. H.: Laufen, Skifahren, Fitneßstudio, Segelfliegen, Oldtimer. (J.M.)

Nitsche Gunter Dr. iur. a.o.Univ.-Prof.
B.: Univ.-Prof. am Inst. f. Handels- u. Wertpapierrecht. DA.: 8010 Graz, Universitätspl. 3. PA.: 8043 Graz, Rafensederg. 20. G.: Graz, 3. Juli 1944. V.: Mag. phil. Idisa. Ki.: Hildegard, Marianne u. Georg. El.: Dr. Ernst u. Gertrude. S.: 1962 Matura, Stud. in Graz u. USA, Prom. 1971. K.: Seit 1971 Univ. Ass., 1982 Habil., 1987 Ern. z. a.o. Univ.-Prof., 1987 Gastprof. in Philadelphia, Lehrauftr. an d. TU Graz. P.: Seit 1974 einschläg. Publ., 1981 Hrsg. d. 27. Aufl. d. HGB. E.: 1974 Theodor Körner-Preis, 1981 Walther Kastner-Preis. H.: Skifahren, Surfen, Theater, mod. Literatur. (P.R.)

Nitsche Pearl Lucille B.A.
B.: Unternehmerin u. Leiterin, Englisch-Lehrerin, Lehrer- u. Trainerausbildnerin f. Suggestopädie am Super Language Learing-Inst. DA.: 1080 Wien, Florianig. 55. G.: Butler/Pennsylvania/USA, 20. Mai 1948. Ki.: Karin Susanne (1977), Carl Derrick (1979). El.: Jesse Fillmann u. Laura Lucille Brown. S.: 1962-66 Gymn., 1966 Matura, Stud. Dt., Lehramtsprüf., 1970 Bachelor of Arts Degree (B.A.), Stud. Anglistik u. Geschichte Univ. Wien. K.: 1970 nach Österr., 1970-73 Chase Manhattan Bank, 1974-80 Engl.-Prof. an d. HAK II Hamerlingplatz, 1980-84 freiberufl. Tätigkeit als Englisch-Trainerin b. div. wirtschaftl. Betrieben, 1984 Grdg. d. Super Language Learning-Inst., 1986 Ausbild. in Suggestopädie b. Dr. Charles Schmid USA, 1989 Weiterbild. b. Dr. Georgi Lozanov, Univ. v. Sophia Bulgarien. BL.: Obfrau d. österr. Verb. f. Suggestopädie u. verwandte Lerntechniken (ÖVS). P.: Veröff. auf d. Gebiet d. Suggestopädie. H.: Menschen u. Kommunikation, Musik, Lesen, Gartenarb. (P.M.)

Nittmann Josef HofR. Msgr.
B.: Diözesaninsp. f. kath. Religion, Pfarrer in Bad Fischau. A.: 2721 Bad Fischau, Hauptstr. 24. G.: Rohrau, 7. Febr. 1918. El.: Franz u. Josefine. S.: VS Rohrau, Hum. Gymn. in Hollabrunn 1928-36, Matura, Univ. Wien, röm.-kath. Fak. 1936-46 (6 Jahre Soldat). K.: Kaplan in d. Domkirche v. Wr. Neustadt 1946-56, Pfarrer in Pottendorf 1956-71, Dechant 1962-71, Pfarrer in Bad Fischau, Religionsprof. in d. AHS Wr. Neustadt 1951-83, Diözesaninsp. f. kath. Religion, Erzdiözese Wien 1972-83. P.: Pfarrblätter in Pottendorf u. Bad Fischau. E.: GstlR. 1961, Konsistorialrat 1968, Msgr. 1979, HofR. 1983. M.: Mtgl. d. Wr. Diözesansynode 1968, d. Vikariatsrates 1970, Prosynodalexaminator 1971 u. 1981.

Nittnaus Hans Ing.
B.: Weinbauer. GT.: Weingut Nittnaus. DA. u. PA.: 7122 Gols, Untere Hauptstr. 49. G.: Gols, 14. Juli 1955. V.: Anita, geb. Halwachs. Ki.: Martin, Andreas, Sebastian, Iris. El.: Johann u. Elisabeth. S.: HBLA f. Obst- u. Weinbau in Klosterneuburg, 1974 Matura, BH, Ing. K.: während d. Mittelschulzeit starke Hinwendung z. klass. Musik, insbes. Gitarre u. Klavier, 1976-88 im Weinbaubetrieb tätig, ab 1978 gleichzeitig Klavierunterricht, 1982 Aufnahmsprüf. f. Komposition, Tonsatz u. Lehramt f. Musikerz., Stud. HS f. Musik in Wien, seit 1985 Ausbau d. Weinbaubetriebes. BL.: starkes Umweltschutzengagement (Greenpeace-Aktivitäten). M.: Weinbauver. H.: klass. Musik, Esoterische Vorlesungen, Schamanen-Seminare, Psych., Kunst, Sport. (C.K.)

Nittnaus Matthias
B.: Weinbau- u. Kellermeister. FN.: Weinbau Nittnaus. DA./PA.: 7122 Gols, Obere Hauptstr. 34. G.: Gols, 23. Jänner 1952. V.: Helga, geb. Weiss. Ki.: Bernd (1978), Karin (1980), Silvia (1988), Thomas (1990). El.: Matthias u. Susanne. S.: Weinbaufachschule Gumpoldskirchen, Gehilfen- u. Meisterprüfung. K.: Nach d. Ausbildung Eintritt in d. elterl. Betr.; 1981 Übernahme d. väterl. Betr. E.: versch. prämierte Weine.

Nöbauer Alfred
B.: Gschf. FN.: Guckloch Veranstaltungs GmbH. DA.: 1070 Wien, Burgg. 112. G.: Lingenau, 25. Juli 1956. V.: Sabine, geb. Ortner. El.: Ferdinand u. Caroline. S.: VS, HS, Polytechnik, private HASCH, WIFI-Kurse, Buchhaltungsprüf. K.: 1979-82 Montage-Jalousie, 1982 Kassier in "Peep Show" Graz, 1983-84 Gschf. in "Peep Show" Linz, seit 1985 selbst. in Wien u. Graz. H.: Motorsport, Mädchen. (C.R.)

Nöbauer Alfred

B.: Gastwirt u. Inh. FN.: Hotel-Restaurant "Gasthof Nöbauer". DA. u. PA.: 3860 Heidenreichstein, Schremserstr. 28. G.: Heidenreichstein, 12. Feb. 1957. V.: Gabriele, geb. Ruso. Ki.: Alfred (1976), Arnold (1983). El.: Alfred u. Erna, geb. Böhm. S.: Hotel-FS i. Wien. K.: 1975 Eintritt i. elterl. Hotelbetrieb, 1982 Übern. d. Betriebes. E.: Höchstbewertung d. Restaurantbetriebes i. "Gourmetführer - Waldviertel", Präsentation der "Küche" i. d. ORF-Sendung "Meister kochen". M.: Obmann d. "Interessensgem. für Fremdenverkehr" i. Heidenreichstein. H.: Jagd. (M.M.)

Nöbauer Gerhard
B.: Gschf. EDV-Abt. FN.: Landesverlag Holding GmbH. DA.: 4020 Linz, Hafenstr. 1-3. PA.: 4632 Pichl, Pfaffendorf 29. G.: Wels, 2. Mai 1952. V.: Adelheid, geb. Deixler. Ki.: Christian (1974), Eva-Maria (1978), Klaus (1981). El.: Franz u. Elisabeth. S.: VS, HS, b. 1970 Lehre als Großhdls.-Kfm. Firma Histand, Mitterhauser & Co in Pichl, BWL u. Informatik in Abendschulen. K.: b. 1974 Operator, 1974-76 Programmierer, 1976-91 betriebswirtschaftl. Ass. Firma Wertpräsent, seit 1991 in jetziger Position. M.: OÖ Landesbienenver., seit 1970 Freiwillige Feuerwehr Geisensheim, seit 1988 Schriftführer, Funktionär u. im Bez.-Feuerwehrkdo. Wels-Land. H.: Wandern, Skifahren, Radfahren, Feurwehr, klass. Musik, Beruf, Familie. (U.A.)

Nöbauer Johann
B.: Vers.OKmsr. A.: 4222 Luftenberg. G.: Abwinden, 14. Aug. 1939. V.: Helga, geb. Woisetschläger. El.: Johann u. Maria. S.: VS, HS, kfm. Berufsschule, Bruckner Konservatorium, Fernstud. b. Hamburger Fernlehrinst. m. Abschluß als Vers.Kfm., Prüf. b. BMU über Geschichte u. Sozialkunde. K.: 1953-56 kfm. Lehrlingsausbild. in einer Radiogroßhdlg. in Linz, 1956-82 Vers.Ang. d. Österr. Bundesländer in Linz, vom kleinen Ang. nach 25 J. dzt. OKmsr. u. in d. Organ.Ltg., 1979 Silb. Ehrennadel f. Verd. in d. Vers.Wirtschaft, vorh. Bronze v. d. HK f. OÖ., seit 1964 Gewerbeschein als selbst. Berater in Vers.Angelegenheiten, seit 1981 Mtgl. d. oö Stelzhamerbundes Linz, seit 1977 Grdg. u. Führung als gschf. Obm. d. Trachenkapelle Luftenberg/Donau, eines Musikver. m. öff. Recht. P.: Theaterstück: Mertl Ehrenreich, ein luftenberg. Untertan d. Schattenberger, versch. Dichtungen in Mundart u. Prosa seit 1975, lfd. Veröff. in d. Lokalpresse u. leidenschaftl. Heimatforscher d. Donauraumes. E.: Bronce- u. Silbermed. d. österr. Blasmusikverb., Mtgl. seit 1958. M.: Stelzhamerbund Linz, Fischerei-Revier-Aussch. Donau in Enns, OÖ, Jagdges. Luftenberg als Herrenjäger u. Schriftführer, Jagdhornbläser-Gruppe-Machland-Perg. H.: Jagd, Fischen, Lesen u. Reisen.

Nöbauer Wilfried Dr. phil. Mag. rer. nat.
B.: o.Univ.-Prof. f. Math. DA.: 1040 Wien, Wiedner Hauptstr. 8-10. PA.: 1238 Wien, Rudolf-Waisenhorn-G. 114-116. G.: Ungenach, 21. Juni 1928. V.: Dietlinde, geb. Schmidt. El.: Karl u. Hilda. S.: BG Linz, Univ. Wien. K.: 1951-54 Mittelschulprof. in OÖ, 1954-62 Ass. an d. Univ. Wien, 1962-66 a.o.Prof. d. Univ. Wien, 1966 o.Prof. d. TU Wien, 1972-74 Dekan d. Fak. f. Naturwiss., 1979-83 Rektor. P.: "Algebra of Polynomials", "Boolesche Algebra u. Anwendungen", "Lineare Optimierung u. Anwendungen", "Math. Modelle in d. Biologie", 80 Arb. in math. Zeitschriften, hauptsächl. über höhere Algebra. E.: Förderungspreis d. Österr. Math. Ges. M.: Österr. Math. Ges., Österr. Ges. f. Statistik u. Informatik, Dt. Mathematikerver., American Math. Soc., Österr. Alpenver. H.: Bergsteigen, Skifahren, Entomologie.

Nobbe Michael
B.: Chefred. FN.: Monitor Die Zeitschrift f. d. erfolgreichen Computereinsatz. DA.: 1190 Wien, Billrothstr. 58. G.: Dahlbruck/Westfalen, 13. Aug. 1946. V.: Mag. Christa, geb. Baumgartner. Ki.: Jana Cristal (1986). El.: Dr. Friedrich u. Hildegard. S.: VS, Gymn., Chemieing.-Schule Deutschland.

K.: 1967/68 Tätigkeit Farbwerke Hoechst Augsburg, 1969 Rückkehr nach Wien, 1970 Externistenmatura, Stud. Jus u. Publizistik, neben d. Stud. journalist. Tätigkeit, freier Journalist bei diversen Fachverlagen, UNO-Einsatz auf d. Golan-Höhen, 1981 ang. Journalist b. Fachverlag, 1983 selbst. m. Partnerin u. Grdg. d. eigenen Verlages, erste Ausgabe des Computermagazins "Monitor". H.: Verlag, Snowboard, Eislaufen, Rollschuhfahren. (F.S.)

Nobilis Franz Dr. phil. Univ.Doz.
B.: MinR. im BMLF, Abt. IV A3, Doz. am Inst. f. Meteorologie u. Geophysik d. Univ. Wien. DA.: 1030 Wien, Marxerg. 2. G.: Wien, 7. Sept. 1946. V.: Mag. Ingrid Heinz, geb. Feldkirchner. S.: 1964 Matura, Stud. d. Meteorologie Univ. Wien, 1970 Prom. K.: 1970 Eintritt in d. Hydrograph. Zentralbüro, 1986 Ltr. d. Referats IV A3b u. Verantwortlicher f. alle hydrometeorolog. Fragen im Bundesgebiet, 1990 MinR. d. Dienstkl. VIII in d. Zentralltg., 1991 Stellv. d. Ltr. d. Abt. IV A3 im BMLF, 1981 Lektor am Inst. f. Meteorologie u. Geophysik d. Univ. Wien, 1986 Habil. BL.: eingeladener "keynote-speaker" b. zahlr. wiss. Konferenzen, Chairman v. wiss. Sitzungen b. intern. Tagungen. P.: über 60 wiss. Veröff. in nat. u. intern. Fachzeitschr., u.a. "Kurzfristige Abflußprognosen im Einzugsgebiet d. Ybbs" (1972), "Über d. Wahrscheinlichkeit extremer Tagesniederwasserabflüsse an d. Donau" (1976), "Trockenperioden in Österr." (1985), "Studies and models f. evaluating the impact of climate variability a. change in Europe" (1990), "Statistical considerations concerning Probable Max. Precipitation (PMP) in the alpine country of Austria" (1991), "Investigations of the volume variations of lake Neusiedl" (1991). (H.J.)

Nocker Josef
B.: Schlossermstr., Betriebsltr. FN.: Schwarte Werke. DA.: 5660 Taxenbach, Höf 90. G.: Schwarzach, 27. Jan. 1963. V.: Christine, geb. Mösel. Ki.: Michael, Martina. El.: Josef u. Margarete. S.: VS, HS, 1977-81 Fachschule f. Maschinenbau Hallein. K.: 1 J. Endmontage b. Firma Liebherr, Militär, 1 J. Schlosser Firma Schwarte, 3 J. Kraftfahrer im Außendienst Firma ADEG Sbg., 1987 Mstr.-Prüf. im Schlossergewerbe, Schlosser Firma Schwarte, 1990 Vorarb. u. 1993 Betriebsltr. H.: Familie, Lesen, Skifahren. (A.W.)

Nödl Norbert Ernst Maria Hans Anton Dr. med. OMedR.
B.: FA. f. Lungenkrankheiten. DA.: 1010 Wien, Opernring 19/1/4. PA.: 1030 Wien, Reisnerstr. 30. G.: Wien, 17. Jan. 1920. V.: Dr. phil. Ingfriede Maria. Ki.: Peter Christian, Elfriede Christiane, Gerhard Manfred, Georg Michael, Andreas Ernst Christoph. El.: Leo u. Maria Dr. iur. w.HofR. BV.: Urgroßonkel Ernest Nödl, Konsistorialrat, war Ehrenbürger v. Wien u. I. Arbeiterpriester v. Wien, Begründer d. Pfarre Neulerchenfeld, Großonkel Primarius Univ. med. Dr. Ferdinand Nödl über 25 J. Primararzt d. Wr. Confrater-

nität. S.: Schottengymn., 1938 Matura, Militärärztl. Ak. zu Berlin, med. Fak. d. Friedrich Wilhelms Universität zu Berlin, amerikan. Kriegsgefangenschaft. K.: b. 1945 Turnusausbild. LKH Klagenfurt, 1947 OA d. Pulmolog. Zentrums d. Stadt Wien, 1953 selbst., 1950-85 Konsiliar-FA. f. Lungenkrankheiten in d. Unfallspitälern. BL.: seit über 30 J. Vorträge auf mediz. Kongressen f. Lungenerkrankungen. P.: zahlr. Publ. im Fachgebiet, 1961-64 Vors. d. wiss. Sitzungen d. Österr. Ges. f. Lungenerkrankungen u. Tuberkulose. E.: 1970 MedR., 1979 Silb. EZ d. Ärztekam. Wien, 1980 OMedR. M.: Dt. Ges. f. Pneumologie u. Tuberkulose, Süddt. Ges. f. Pneumologie u. Tuberkulose, b. 1986 Fachgruppenobm. f. Lungenkrankheiten d. Ärztekam. f. Wien. H.: klass. Musik, Lesen, Wandern, Bergwandern, Schwimmen, Skifahren, Radfahren, Innenarch., Geschichte. (M.G.)

Noever Peter

B.: Designer, Museumsdir. PA.: 1010 Wien, Singerstr. 11. G.: Innsbruck, 1. Mai 1941. K.: seit 1975 Lehrbeauftragter f. Design-Analyse an d. Ak. d. Bild. Künste Wien, 1988/89 Gastprof. f. Museologie an d. HS f. angew. Kunst Wien, seit 1982 Hrsg. u. Chefred. d. Architekturzeitschrift UMRISS, Ausstellungskmsr. u. Gestalter intern. Ausstellungen (wie u.a. "Land in Sicht" 1989 Budapest), baut seit 1971 an seinem land-art-projekt DIE GRUBE Breitenbrunn (1990 Ausstellungen darüber u.a. Berlin u. New York), seit 1986 Dir. u. künstler. Ltr. d. MAK Österr. Museum f. angew. Kunst, 1989 Entwurf d. MAK-Terrassenplateaus (Realisierung 1990), Kons. f. Arch. u. Planung (u.a. gems. m. Carl Pruschka - C.P.P.N. - s. 1985 Errichtung eines Künstlerquartiers in Havanna), 1988-90 Mtgl. d. BeiR. f. bild. Kunst im BMU Wien. P.: lfd. Art. in in- u. ausländ. Zeitungen u. Zeitschriften, zahlr. Entwürfe (industrial-design), Medien- u. Filmarbeiten, Hrsg. v. Publ. über Kunst u. Architektur. E.: 1991 PAN (Intern. Preis f. Ausstellungsmacher). (M.M.)

Nöhammer Maximilian Johann

B.: Gastronom. DA.: 5020 Salzburg, Hellbrunner Str. 32A. PA.: 5020 Salzburg, Michael-Pacher-Str. 23A. G.: inz, 18. Sept. 1956. El.: Johann u. Maria. S.: Kochlehre, Baden z. Weiterbild., Konzessionsprüf. m. Ausz. K.: Weiterführung d. elterl. Bäckerei- u. Konditoreibetriebes, b. 1981 Küchenchef, seit 1981 selbst. Gastronom. M.: Vors. d. Lehrabschlußprüf.-Kmsn. HK, Juror d. Bundeslehrlingswettbewerbe, Mtgl. d. Arbeitskreises f. Berufsausbild. u. Schulwesen. M.: Verb. d. Köche Österr. Sekt. Sbg., Präs.-Mtgl. d. Kam. Hohensbg. H.: Jagd, Skifahren, Radeln, Fliegen. (M.Mo.)

Nohl Peter

B.: Textiling., Hotelier Hotel Montjola. DA.: 6580 St. Anton 187. G.: Innsbruck, 7. Juli 1937. V.: Rosmarie. Ki.: Peter (1969), Josh (1971). El.: Friedrich u. Maria. BV.: Vater war einer der ersten Skilehrer am Arlberg. S.: Gymn. Landeck, 1955 Matura, Stud. Textiltechnik Univ. North Carolina, 1982 Konzessionsprüf. f. Gastgewerbe. K.: Tätigkeit in Textilfirma in Innsbruck, b. 1982 Technik u. Marketing in Amerika b. einem gr. Kunststoffaserproduzenten, 1981 Übernahme d. elterl. Hotels Montjola in St. Anton. M.: Skiclub Arlberg, Bruderschaft St. Christoph, ÖHV. H.: Skifahren, Reisen, Heimwerken, Tennis, Lesen. (I.D.)

Nöhmer Bernhard

B.: Dir., ltd. Dir. Vertrieb, Bürokommunikation, Inland. FN.: Alcatel Austria AG. DA.: 1211 Wien, Kommunikationspl. 1. PA.: 1190 Wien, Scheibeng. 14. G.: Bad Goisern, 5. Aug. 1943. V.: Johanna, geb. Baumgartlinger. Ki.: Birgit (1965), Martina (1968), Melanie (1989). El.: Johann u. Maria, geb. Dobesberger. S.: RG, HTL-College, Stud. Math. Univ. Sbg., Ausbild. z. Elektrotechniker b. Österr. Kraftwerke AG. K.: 1965-71 Techniker d. Nachrichtentechnik b. Siemens Österr., 1971-79 Verkaufs- u. Ndlg.-Ltr. b. d. Firma Sprecher-Energie Linz, 1979 Eintritt ITT/Alcatel als Geschäftsstellenltr. in Sbg., ab 1981 Vertriebsdir. in Sbg., seit 1988 Vertriebsdir. f. Westösterr., ab 1990 Vertriebsdir. Inland f. Bürokommunikation Gesamtösterr. H.: Tennis, Sport allg., Lesen. (T.T.)

Nöhmer Ernst

B.: Inh., Teil. FN.: Nöhmer GmbH & Co KG. DA.: 4853 Steinbach/Attersee, Weißenbach 83. PA.: 4852 Weyregg, Nr. 22. G.: Weyregg, 24. Okt. 1963. El.: Ernst u. Roswitha. S.: VS, Gymn., 1979-82 HASCH, BH. K.: 1983 Einstieg i. elterl. Betr., kfm. Ltr. u. Ges., 1991 Ges. i. d. GmbH, Gschf. M.: Sportverein Weyregg, Ruderverein Seewalchen, Kultur u. Erhaltungsverein Weyregg. H.: Fußball, Skifahren, Rudern, Photographie. (G.E.)

Nöhmer Gerhard

B.: Elektrounternehmer. FN.: Adolf Nöhmer GmbH & Co KG. DA. u. PA.: 4861 Schörfling, Marktpl. 16. G.: Schörfling, 10. Juli 1954. V.: Anita, geb. Ennser. Ki.: Gerhard (1981), Magret (1983), Petra (1993). El.: Adolf u. Margarete. BV.: seit 1519 eigenes Familienwappen. S.: VS, HS, 1968-74 HTL Starkstrom u. Hochfrequenztechnik Steyr, 1979 Mstr.-Prüf. K.: 1975 Tätigkeit im elterl. Betrieb, Aufbau d. Kabelfernsehens, 1974-75 div. Ind.-Firmen Linz, 1987 Übernahme d. Betriebes, 1990 Eröff. d. Detailgeschäftes. M.: seit 1988 Rotary Club Vöcklabruck, seit 1990 Vorst. Expert Österr., Bundeskam. Sekt. Verkehr Abt. V11. H.: Fliegenfischen, Lesen, Tennis, Skifahren, Radfahren, Fußball. (S.P.)

Nöhmeyr Peter

B.: Gschf. Ges. FN.: Amedia Werbe GmbH. DA.: 4020 Linz, Wiener Str. 4a. PA.: 4050 Traun, Kremstalstr. 42. G.: Linz, 20. März 1968. El.: Johann u. Margarete. S.: VS, AHS, 1982-83 HAK, 1983-86 kfm. Lehre. K.: 1986-88 Ang. u. BH, 1988 Eröff. d. Tonstudios, 1989 Grdg. d. Werbeges. BL.: Filmproduktion in Eigenregie. F.: Kapitalbeteiligung GmbH & Co KG. H.: Fischen, Tennis. (H.B.)

Noichl Raimund Dr.

B.: RA. DA.: 6370 Kitzbühel, Lendstr. 16. PA.: 6364 Brixen 46. G.: Kitzbühel, 29. Nov. 1953. V.: Krista, geb. Widauer. El.: Philipp u. Hildegard. S.: Gymn., Jurastud. in Innsbruck. K.: Gerichtsjahr in Innsbruck u. Kitzbühel, 1983 Kzl.Eröff. in Kirchberg. M.: Tennis Club. H.: Konzerte, Theater, Literatur, Sport. (W.G.)

Noll Wilhelm

B.: Handpuppenspieler. FN.: Kärntner Handpuppenspiele. DA./PA.: 9020 Klagenfurt, Ruprechtstr. 57. G.: Klagenfurt, 8. Apr. 1947. Ki.: Wilhelm (1966). El.: Wilhelm (+) u. Herta, geb. Angerer. S.: VS, Gymn. in Klagenfurt, Berufschule u.

Lehre als Schaufensterdekorateur u. Kfm., BH, Auslandsaufenthalte in Deutschl. u. England. K.: 1968 Mitarb. v. Vater gegründ. Handpuppenspiele, 1975 Übernahme, Schwerp.: ausschl. klassische (Anderson, Grimm, Hauff etc.), sowie eig. Werke an Schulen, Kindergärten, bei nat. u. intern. Festivals u. TV Dramaturgie, Kostüme, Bühnenbild, Beleuchtung, Regie etc. nach eig. Vorstellungen u. Entwürfen. M.: UNIMA (intern. Dachverb. d. Puppenspieler d. Welt). H.: Sport, Tennis, Fischen in aller Welt. (G.L.)

Nolz Wolfgang Dr. iur.
B.: Sekt.-Ltr. im BMF. DA.: 1010 Wien, Himmelpfortg. 4-8. G.: Bruck, 17. März 1943. S.: 1961 Matura, Stud. Univ. Wien, 1967 Prom. K.: b. 1969 Gerichtspraxis, Eintritt in d. Finanzdienst, zunächst FA d. Finanzlandesdion., 1974 BMF, Ref. f. Einkommensteuer, seit 1982 Ltr. d. Abt. f. Steuerpolitik, seit 1988 Ltr. d. Steuersektion. P.: div. Art. in Fachzeitschriften. H.: Fotographie, Marathon, Gehen, Wandern. (N.A.)

Nömayr Ernst

B.: selbst. Gschf. u. Inh. FN.: Nömayr & Pichler GesmbH, Techn. Planungsbüro. DA.: 4020 Linz, Franckstr. 19. PA.: 4060 Leonding, Waldpark 8. G.: Linz, 9. Aug. 1947. V.: Ilse, geb. Schmollmüller. Ki.: Carmen (1978). El.: Josef u. Theresia, geb. Scharinger. S.: 1961-64 HTL Maschinenbau i. Linz. K.: 1964-73 VOESTInd.-Anlagenbau, 1973-80 Universa Fußbodenheizungen, 1980-84 Röhrich Heizungstechn., 1984 Mstr.-Prüf. Gas, Wasser, Heizung, a. 1984 selbst. Unternehmer, s. 1988 ständige Baustellen Voest, 1991 Knetzer Technikum Chemie Linz, 1992 Design Center Linz, 1993 Absolvent Marketing u. Export Seminar. P.: ca. 20 Eigenkompositionen Volksmusik u. Klassik (Musikerziehung u. Schulen). E.: 1a-Installateur. H.: Tennis, Musik (Komposition u. Spiel), Philatelie, Radfahren, Lesen. (C.D.)

Norek Jadwiga Dr. med.
B.: FA f. Anästhesiologie. DA.: 3380 Pöchlarn, Thörringpl. 6. PA.: 3691 Nächling, Dreimühlen. G.: Dobrzyca/Polen, 5. Febr. 947. V.: Dr. med. Wojciech Norek. Ki.: Nikolaus (1979), Oliver (1987). El.: Witold u. Lucja Schneider. S.: VS, Gymn. Warschau, 1965 Matura, 1965-71 Med.-Stud. Univ. Posen, 1971 Dr. med. K.: 1971-79 FA-Ausbild. f. Anästhesiologie Posen, 1980 Übersiedlung nach Österr., 1980-81 Ass.-Arzt im KH Barmherzige Brüder Linz, 1981-87 FA KH Melk, seit 1988 eigene FA-Ordination. P.: zahlr. wiss. Publ. in Polen. H.: klass. Musik, Lesen. (M.M.)

Norek Wojciech Dr. med.
B.: FA f. Gynäkologie u. Geburtshilfe. DA.: 3380 Pöchlarn, Thörringpl. 6. PA.: 3691 Nächling, Dreihmühlen. G.: Poznan/Polen, 28. Sept. 1949. V.: Jadwiga, geb. Schneider. Ki.: Nikolaus (1979), Oliver (1987). El.: Wladyslaw u. Wanda. S.: VS, Gymn., 1967 Matura, 1967-73 Med.-Stud. Univ. Posen, 1979 Dr. med. K.: 1973-79 FA-Ausbild. in Frauenklinik Posen, 1980 Übersiedlung nach Österr., 1980 OA KH Melk, 1984 Prom. an d. Univ. Wien z. Dr. med., seit 1984 Österr. Staatsbürgerschaft, 1987 Eröff. d. eigenen FA-Ordination. P.: ca. 30 wiss. Publ. in poln. Fachzeitschriften. H.: Biogarten. (M.M.)

Norer Hanns Peter
B.: Kfm., Drogist. A.: 6020 Innsbruck, Planötzenhofstr. 20. G.: Innsbruck, 15. Sept. 1945. El.: Dipl.-Ing. Hanns u. Waltraud. S.: VS, HS, Drogistenschule, kfm. Berufsschule, HAK (3J.) K.: Lehre Innsbruck, volontiert Wien b. 1967, Südamerika 1968, ab 1969 in Innsbruck pharmaz. Außendienst (Tir., Vbg.), seit 1975 Boutique f. Herrenbekleidung (Exclusiv), seit 1982 zusätzl. Vertr. Fa. Schering Tir., Vbg., seit Sept. 1982 Mitbes. im CAFE CLUB FILOU. F.: Bonaparte Herrenausstatter, Innsbruck. M.: Park-Club Igls, Ski-Club Axams, F.C. Wacker Innsbruck, E.F.P.-Austria, Wirtschaftsbund. H.: Ski, Tennis, Reisen, Bücher, klass. Musik.

Noriz Thomas B.M.
B.: selbst. Designer. DA. u. PA.: 1060 Wien, Stumperg. 39. G.: Wien, 7. Dez. 1969. El.: Josef Kimmeswenger u. Roswitha Noriz. S.: VS, AHS, 1985-88 Berufsschule Elektrotechnik, Weiterbild. Bibl. d. TU Wien. K.: 1992-93 freiberufl. Tätigkeit f. d. Firmen "Neon Line" u. "Licht u. Glas Kunst", 1993 Präsentation v. "Touch-Stone" MAK-Kunstobjekt "The spirit of stone". H.: Nachdenken, Sport. (N.A.)

Norman-Audenhove Alexander Dr.
B.: Personal- u. Karriereberater. FN.: DBM Europe, DBM Karriereberatung Ges.m.b.H. DA.: 4020 Linz, Scharitzerstr. 21a. PA.: 4880 St. Georgen/Attergau, Kogl 61. G.: Weyer/Enns, 29. März 1947. Ki.: Albert (1982), Rudolph (1984), Alexander (1992). V.: Anna, geb. Teuffenbach. BV.: Familie aus Belgien, seit 18. Jhdt. in Österr., von Norman u. von Audenhove. S.: Mittelschule, Matura, Jusstud. in Graz, Phil. u. Psych., 1973 Dr. iur., Militär, Gerichtspraxis. K.: Vertragsjurist b. Energieversorgungsunternehmen, ab 1979 im Personalwesen tätig, ab 1980 Personalltr. b. BMW Motoren, 1987 Personalltr. b. Eternit, seit 1989 selbst. Personal- u. Karriereberater, Schwerpunkt: Outplacement u. Trennungsberatung, PE u. OE Beratung, Training, Coaching. P.: div. Publ. z. Thema Personalmanagement, Vortragstätigkeit. E.: Ehren- u. Devotionsritter d. Souveränen Malteser Ritterordens. H.: Literatur, Kunst, Geschichte. (P.H.)

Norman-Audenhove Balduin
B.: Gschf. FN.: Funk Taxi 3130 GmbH & Co KG. DA.: 1180 Wien, Edelhofg. 27. PA.: 1180 Wien, Dr.-Heinrich-Mayer-Str. 29. G.: Wien, 4. Juli 1940. V.: Maria, geb. Hierzenberger. Ki.: Phillipp, Christine, Nikolaus. BV.: Verwandtschaft m. d. unter Kaiser Josef II. dienenden Feldmarschall Clerfayt, Großvater Karl v. Norman Audenhove Kämmerer unter Kaiser Franz Josef. S.: 1958 Matura, Dolmetsch, 3 J. Stud. HS f. Welthdl. K.: seit 1965 selbst. Taxiunternehmer, 1969 Beginn d. Taxi Funkzentrale, zunächst als Einzelunternehmen Balduin Norman, 1975 Norman GmbH, 1976 Norman GmbH & Co KG, 1981 Funktaxi 3130 GmbH, seit 1985 Funktaxi 3130 GmbH & Co KG, 1983 Einführung d. freien Zufahrt in Wien - Taxameter wird erst an d. Kundenadresse eingeschaltet, dzt. Anschuß v. 800 Taxis, im Monat werden durchschnittl. 200.000 Aufträge erledigt, dzt. 45 Mitarb. P.: 1987 Patentschrift über vollautomatische Vermittlung von Lohnfuhrwerken mittels automatischer Anrufer-Identifizierung u. Datenfunk. H.: Klavierspielen, Segeln, Skifahren. (C.K.)

Norz Michael
B.: Ak. Medailleur, freischaff. Bildhauer u. Medailleur. A.: 6020 Innsbruck, Maria-Theresien-Str. 8. G.: Innsbruck, 15. Febr. 1934. V.: Gertraud, geb. Pichl. El.: Hubert u. Helene. S.: Realschule, Dipl. d. Ak. d. Bild. Künste Wien, Medailleurschule, Goldschmiedemstr.Prüf. K.: Seit 1966 Inh. u. Ltr. d. Familienbetriebes m. bes. Schwerpunkt Juwelenwerkstätte u. Erzeugung v. modernem Goldschmuck. F.:

Gschf. Ges. d. Fa. Andreas Norz k.g., gegr. 1764, ehem. Hofjuwelier. P.: Österr. Silbermünzen: S 50,-, Andreas Hofer Hoheitszeichen: S 25,-, Erzherzog Johann, beide Seiten: S 50,-, Nationalbank-Bildseite. E.: Meisterschulpreis d. Ak., Olympiamed. 1964. M.: Künstlerhaus Wien, Tir. HK Innsbruck, Österr. Alpenver. Innsbruck, Interessensgem. "Innsbruck Innenstadt".

Nößlinger Kurt Dkfm. KommR.
B.: Gouverneur Österr. Postsparkasse Wien. PA.: 1180 Wien, Erndtg. 24. M.: Kurat. d. Österr. Inst. f. Wirtschaftsforsch., Vorst.Mtgl. d. Bank d. Österr. Postsparkasse AG Wien u. d. Bankhaus Feichtner & Co AG Wien, AufsR.Vorst. d. PSK Leasing GmbH Wien, AufsR. d. Österr. Investitionskredit AG Wien, Österr. Salinen AG Wien u. d. GABE Geldausgebe-automaten-Service GmbH Wien.

Nöstlinger Christine
B.: Schriftstellerin. DA.: 1080 Wien, Piaristeng. 35. G.: Wien, 13. Okt. 1936. V.: Ernst. Ki.: Barbara (1959), Christiana (1961). El.: Walter u. Michaela Göth. S.: Matura a. MRG 17., Wien, anschl. Graphikstud. a. d. Akad. f. angew. Kunst Wien. K.: Beginn d. Karriere 1968 mit dem Buch "Die feuerrote Friederike" u. in weiterer Folge zahlr. Bücher f. Kinder, Jugendliche u. Erwachsene, zuletzt "Ein und Alles", gleichzeitig Autorin v. Fernsehspielen f. Österr. u. Dt. u. Kolumnistin i. versch. Ztg. BL.: Die Bücher wurden in alle wichtigsten Sprachen d. Welt, ca. 32 Sprachen übersetzt. E.: Internationale Hans Christian Andersen-Medaille, Österr. Staatspreise, Preis d. Stadt Wien u.v.a. H.: Kochen und Jazz.

Nothdorfter Petra Mag.

B.: Geschäftsltg. FN.: SMI Lernen & Reisen. DA.: 1100 Wien, Senefelderg. 6. PA.: 1100 Wien, Eisenmengerg. 15/10. G.: Wien, 1. Juli 1969. El.: Dipl.-Ing. Siegfried u. Elfriede, geb. Hollendonner. S.: 1987 Matura, Stud. d. Handelswiss. a. d. WU Wien, 1994 Abschluß. K.: während d. Stud. Tätigk. in allen Bereichen bei SMI, 1994 in obenerwähnter Position, feriale Tätigk. im Tourismus-Bereich u.a. bei "Club Mediteranée", bei "Weißem Rössl am Wolfgangsee", b.d. Österr. Hotelvereinig. H.: Reisen, Skifahren, Kunst. (N.A.)

Notsch Max Mag.

B.: Leiter d. AK Bibliotheken, Kärnten. FN.: AK Kärnten. DA.: Bahnhofsplatz 3, 9020 Klagenfurt. G.: 10.8.1953. S.: VS (1959-63), Gymnasium (1963-71), Matura, Lehramtsstudium an der Univ. Klagenfurt (Deutsch, Geographie, Soziologie), Sponsion 1977, Schuldienst u. Bundesheer. K.: seit 1980 in der AK tätig, Leiter der Bibliotheken (2 in Klagenfurt, 1 in Villach). P.: Sz.wissenschaftliche Studien zu den Bereichen Facharbeit und Schulausbildung, sowie Publikationen zur Leseforschung. E.: Dr. Josef Bick Ehrenmedailie d. Vereinigung d. österr. Bibliothekare. M.: Vereinigung d. österr. Bibliothekare, österr. Gesellschaft f. Soziologie, Geschäftsführer d. Kärntner Instituts f. Gesellschaftspplitik. H.: Lesen, Naturwissenschaften, Rudern, Schwimmen, Segeln. (G.L.)

Nourzad Esmaeil Ing.
B.: Gschf. Ges. FN.: Videofilm A-Z. DA.: 1200 Wien, Pappenheimg. 35/4. PA.: 1020 Wien, Kegelg. 2/15. G.: Teheran, 25. Dez. 1946. El.: Ebrahim u. Zahra. S.: Stud. Elektrotechnik u. Hochbau HS Teheran u. TU Wien m. 2 Abschlüssen. K.: 1979 Ndlg. in Wien, b. 1981 Techniker b. d. Firma VCG, 1981-86 Techniker, techn. Ltr., dann Gschf. b. d. Firma Videofilm Copy, 1986 Grdg. d. eigenen Firma. H.: Tennis, Fußballspielen. (N.A.)

Nouwens Lambert Dr. GstlR.
B.: Fachinsp., Prof. f. Religionspäd. d. Pädak. d. Erzdiözese Wien. A.: 1210 Wien, Eichfelderg. 17/III/5. G.: Tilburg Niederlande, 28. Aug. 1931. El.: Wilhelm u. Maria. S.: Hum. Gymn., Kath. Theol. an d. Fak. in Haaren/NL u. Abschluß m. Doktorat an d. Univ. Wien. K.: 1955 Priesterweihe in Wien, 1955-61 Kaplan in Hütteldorf, 1961-72 Domvikar z. St. Stephan Wien, seit 1968 Prof. f. Religionspäd., Lokalprovisor d. Pfarre Bisamberg, seit 1978 Kons. d. christl. Lehrerschaft Österr. P.: Versch. Beiträge in religionspäd. Büchern u. Zeitschriften. M.: Kons. d. christl. Lehrerschaft Österr.

Nouza Hannes Ing.
B.: Gschf. FN.: Avanti. DA.: 1015 Wien, Parkring 18. (V)

Novak Ernst
B.: Orthopädieschuhmachermstr. DA.: 1050 Wien, Wimmerg. 7. PA.: 2380 Perchtoldsdorf, Weißg. 26. G.: Wien, 8. Dez. 1945. V.: Michaela, geb. Baller. Ki.: Agnes (1983). El.: Leopold u. Maria. S.: Schuhmacherausbild. m. Mstr.-Prüf., Zusatzprüf. f Orthopädie. K.: 1975 Übernahme d. Firma "Kolar", selbst. Tätigkeit. E.: 1979 Gold. Med. d. Wr. Messe, 1992 Gold. u. Bronz. Med. b. Dt. Schuhmachertag in Wiesbaden. M.: seit 1986 Schriftführer d. Österr. Zentralverb. f. Orthopädieschuhtechnik. H.: Skifahren. (N.A.)

Novak Peter
B.: Kompl. FN.: Anton Siegl KG. DA.: 1040 Wien, Waagg. 17-19. PA.: 1230 Wien, Tenschertstr. 24/2/16. G.: Wien, 24. Sept. 1947. V.: Heidemarie, geb. Dienst. Ki.: Roman (1979). El.: Johann u. Hermine. BV.: Thomas Novak Ritter v. Borgoforte im 19. Jhdt. S.: VS, Mittelschule, Berufsausbild. z. Buchdrucker in Wien, 1975 Offsetprüf. K.: Berufsausbild. in d. Druckerei Siegl, danach Betriebsltr. d. Druckerei St. Norbertus, seit 1987 seelbst., Übrenahme d. Druckerei Siegl. H.: Autos, Fotografieren. (J.S.)

Novak Richard Dr. Univ.-Prof.
B.: Univ.-Prof. A.: 8020 Graz, Thaddäus-Stammel-Str. 8. G.: Wien, 17. Aug. 1939. V.: Dr. Dietlinde. El.: HofR. Dipl.-Ing. Leopold u. Helene. S.: Stud. d. Rechtswiss. an d. Univ. Wien. K.: Habil. 1968 an d. Univ. Wien f. Allg. Staatslehre, Österr. Verfassungsrecht, Allg. u. Österr. Verwaltungsrecht, 1969 Univ.-Prof. in Graz, 1977-79 Dekan d. jur. Fak. in Graz. P.: Die Fehlerhaftigkeit v. Gesetzen u. Verordnungen, Das Problem d. sozialen Grundrechte, Praxis d. Verfassungsrechtes, viele Beiträge in Fachzeitschriften. E.: Promotio sub auspiciis praesidentis, Univ.Preis d. Wr. Wirtschaft. M.: Vereinigung d. Dt. Staatsrechtslehrer, Grazer Jurist. Ges.

Novak Walter Dr. univ. med.
B.: FA f. Zahn-, Mund- u. Kieferheilkunde. GT.: Gastarzt an d. Univ.Zahnklinik Wien. DA.: 1210 Wien, Skraupstr. 24/18/2. PA.: 1210 Wien, Gerasdorfer Str. 61/38/5. G.: Wien, 5. Sept. 1953. V.: Anna, geb. Klausriegler. Ki.: Werner. El.: Dr. Werner u. Gertrude. S.: VS, BRG, 1971 Matura, danach

Med.Stud. an d. Univ. Wien, 1978 Prom. K.: 2 J. FA-Ausbild., 1980 Dipl., 2 J. HS-Ass. an d. Univ.Zahnklinik, 1982 Eröff. d. eigenen Praxis. M.: Club d. Trabrennstallbes. u. Traberzüchter Österr. H.:Rennpferde, Reisen, Lesen. (G.E.)

Novotni Franz
B.: Gschf., Besitzer, Gastwirt. FN.: Franz u. Evelyn Novotni GmbH. DA.: 3300 Stift Ardagger 3. PA.: 3370 Ybbs, Trewaldstr. 3. G.: Scheibbs, 20. Aug. 1952. V.: Evelyn, geb. Prinz, Ki.: Christian (1975), Simone (1980). El.: Karl u. Barbara. S.: VS, HS, Poli, 1971Lehre Koch/Kellner Tenne Kitzbühel, 1971/72 BH. K.: 1972 versch. Hotel im Ausland, 1978 selbst. Cafe Post Ybbs, 1981/91 Eröffnung Rest. Villa Novotni Ybbs, 1992 Eröffnung Dorfwirt. BL.: seit 1988 versch. Österr.-Wochen im Ausland (China, Hongkong, Manila, Canada). P.: In den Gourmet Gazetten viele Berichte über Person u. Kochen, moderne Gastronomie mit Selbstbedienungs-Menü, mit Mittagsbuffets, mit Wirtshausbrunch. H.: Reisen. (N.A.)

Novotny Editha
B.: Finanzstadträtin, SPÖ - Stadtparteiobmann Stellvertreterin, Buchhalterin. FN.: Stadtgemeinde Purkersdorf. DA.: 3002 Purkersdorf, Rathaus, Hauptpl. PA.: 3002 Purkersdorf, Speichbergg. 84/16/1. G.: St. Pölten, 9. Sep. 1959. V.: Karl Novotny. Ki.: Dieter (1983), Carina (1985), Lukas (1992). El.: Franz u. Edith Sattlecker. S.: 1973-76 Hasch i. St. Pölten, 1976-78 Buchhalterin u. Lohnverrechnerin i. Steuerberatungskanzlei i. St. Pölten. K.: 1978-87 Krankenkasse d. Wr. Verkehrsbetriebe i.d. Spitalsverrechnung tätig, parallel dazu 1981 B-Matura Abschluß, 1987-89 Mutter u. Hausfrau, 1989-92 Buchhalterin einer PR-Agentur i. Purkersdorf, s. 1990 i. Gemeinderat i. d. Ausschüssen Soziales u. Finanzen tätig, s. 1992 Karanzurlaub, s. 1994 Stadtrat f. Finanzen. H.: Schwimmen u. Lesen. (I.K.)

Novotny Franz
B.: Dir. d. Auslandsabt. d. Bank f. OÖ u. Sbg. DA.: 4010 Linz, Untere Donaulände 28. PA.: 4020 Linz, Stecherg. 39. G.: Wr. Neustadt, 1. Juli 1939. V.: Erika, geb. Mayr. Ki.: Ursula, Monika. S.: 1957 Matura, Militärak. K.: 1960 Eintritt in d. Oberbank, 1968 stellv. Ltr. d. Automationsabt., 1974 Prokura, Planungsabt. zuständig f. Planung u. Einkauf v. Hard- u. Software, 1982 Ltr. Auslandsabt., OProk., 1982 Abt.Dir. M.: Dt. HK in Österr., LDelegation OÖ, Schweizer HK in Österr. H.: Tennis, Skifahren. (A.W.)

Novotny Herbert R.
B.: Inh., Gschf. FN.: VTS Reisebüro. DA.: Franz-Josefs-Kai 21, 1010 Wien. G.: Wien, 23. Juli 1947. V.: Carmelita. Ki.: Tamara, Albert. El.: Julius u. Margarita. S.: Werkzeugmacherlehre, WIFI-Kurse Elektrotechnik. K.: Autoverkauf, Versicherg., Abend-HAK, Praxis b. Steuerberater, 1976-86 KUONI, Büroltr. b. Austrobus, 1987 selbst. H.: Fachlit., Gschf. (J.E.)

Novotny Werner KommR.
B.: Edelstein-, Juwelen- u. Uhrengroßhdl. GT.: Diador Uhren- u. Schmuckgroßhdl. DA.: 1010 Wien, Stephanspl. 3a, 1010 Wien, Lugeck 1-2. G.: Wien, 6. Juli 1939. V.: Hannelore, geb. Werner. Ki.: Andreas, Martin, Karin. El.: Dir.-Stellv. Raimund u. Katharina. S.: Drogist, Außendienstkfm. K.: Edelsteinfachmann u. Diamantgutachter (Idar-Oberstein), selbst. seit 1974, seit 1977 dzt. Betrieb. F.: seit 1982 Partnerfa. in Riyadh. P.: Red. "Wir": Fernsehsendung über Diamanten u. Diamantgraduierung, Schmuckbehandlung. M.: Champagner-Orden "Ordre des Coteaux des Champagne", Chaine des Rotisseurs, Dt. Gemmolog Ges. H.: Skifahren, Tauchen, Unterwasserfilmen. (N.A.)

Nowak Erich OAmtsR.
B.: Amtsltr. d. Mag. d. Stadt Krems. PA.: 3552 Stratzing, Am Anblick 37. G.: Krems, 20. Sept. 1930. V.: Margit, geb. Müller. Ki.: Susanne, Christian, Margit. K.: S. 1946 Bmtr., seit 1971 Kmdt. d. FF Krems u. Bez.FF-Kdt., 1979 Präsid.Ref. d. österr. BFF-Verb., seit 1982 LFF-Kdt. v. NÖ, seit 1989 Präs d. Österr. BFF-Verb. E.: Gold. EZ d. Landes NÖ (1980), Gold. EZ f. Verd. umd. Rep. Österr. (1986), VK d. Österr. BFF-Verb. (1986), VK d. NÖ LFF-Verb. (1987), zahlr. Ausz. v. LFF-Verb. v. Österr., BRD, Frankreich, Italien, Yugoslawien, CSFR, Belgien, Portugal, NL u. Polen. P.: Publ. in Fachzeitschriften. M.: VPräs. d. NÖ LStelle f. Brandverhütung. H.: Lesen, Geschichte, Wandern. (M.B.)

Nowak Erwin RegR.

B.: Magistratsbeamer i. R. PA.: 3552 Stratzing, Am Anblick 37. G.: Krems, 29. Sept. 1930. V.: Margit, geb. Müller. Ki.: Susanne (1958), Christian (1959), Margit (1962). K.: s. 1982 LFKdt. v. NÖ., s. 1988 Präs. d. ÖBFV. E.: Gold. EZ d. Landes NÖ (1980), Gold. EZ f. Verd. um d. Rep. Österr. (1986), VK d. Österr. LFF-Verb. v. Österr., BRD, Frankreich, Italien, Jugoslawien, CSFR, Belgien, Portugal, NL u. Polen. P.: Publ. in Fachzeitschriften. M.: VPräs. d. NÖ LStelle f. Brandverhütung. H.: Lesen, Geschichte, Wandern. (S.H.)

Nowak Franz
B.: Ltr. d. Tontechnik. FN.: Volksoper Wien. DA.: 1090 Wien, Währinger Str. 76. G.: Wien, 27. Okt. 1937. El.: Franz u. Josefine. S.: VS, HS, Fachschule Elektrotech., HTL Nachrichtentech., 1970 Abschl. m. Tonmeisterprfg., musik. Ausb. (Klavier, Gitarre). K.: 1960 Eintr. i. d. Volksoper Wien (Beleuchtung) bis 1975, 1965-75 Beleuchtungsmstr. b.d. Salzb. Festspielen, s. 1970 Tonmstr. i.d. Volksoper. M.: Österr. Tonmeistervereinigung, Audio-Engineering-Society Inc. H.: Elektron. Musikinst. (auch selbst bauen), Computer. (N.A.)

Nowak Franz Mag. phil. HofR.
B.: Dir. d. BAnst. f. Leibeserziehung. DA.: 1150 Wien, Auf der Schmelz 6. PA.: 1110 Wien, Römersthalg. 15/3. G.: Wien, 25. April 1930. V.: Erna, geb. Nehsler. Ki.: Christian (1965), Andrea u. Martin (1966). El.: Franz u. Hilde. S.: Matura 1949, Stud. d. Leibeserz. u. Geogr., Lehramtsprüf. 1958, dazw. als Sporttechniker tätig. K.: 1959-67 im Schuldienst, s. 1967 an d. BAnst. f. Leibeserz., s. 1975 Dir. dieser Anst., Lektor an d. Univ. f. allg. Körperausbild., Präs. d. Wr. Fachverb. f. Turnen u. d. Wr. Behindertensportverb., Mtgl. d. Trainerrates u. d. Fit-Aussch. d. BSO, Fitref. d. ASKÖ, Gschf. Präs. d. WAT (Wr. Arbeiter Turn- u. Sportver.), Red.Mtgl. d. Zeitschrift "Leibesübung u. Leibeserziehung" sowie "ASKÖ-Revue", Red. einiger Sportpul. H.: Briefmarken sammeln, Volleyball, Laufen. (P.R.)

Nowak Friedhelm
B.: Bundesgschf. u. Gschf. FN.: Österr. Turnerbundes, TUS Turn- u. Sportartikel Hdls. GmbH. DA.: 4020 Linz, Schillerstr. 11. PA.: 4040 Linz, Rudolfstr. 66. G.: Linz, 26. Sept. 1943. V.: Monika, geb. Scheiblhofer. Ki.:

Gunther Friedrich Wilhelm (1972), Martin (1975). El.: Friedrich u. Gertraud. BV.: Mutter uraltes Geschlecht d. Piernbacher aus d. 14. Jhdt. S.: Volksschule, RG. K.: 1960 Tätigkeit in Vers., Ang., Abt.-Ltr. u. Verkaufstrainer, 18 Jahre Organisations- u. Schulungsltr., 1978 Bundesgschf. d. Österr. Turnerbundes, seit 1987 Gschf. d. Handelsbetriebes. M.: ÖTB, Naturschutzbund. H.: Natur, Fotografieren, Filmen, Ansichtskarten sammeln. (Ni.A.)

Nowak Gerhard TechnR. Ing.

B.: Allg. beeid. gerichtl. Sachv. f. Maschinenbau u. Qualitätssicherung. PA.: 2362 Biedermannsdorf, Lindenstr. 38. G.: Wien, 13. März 1927. V.: Theresia, geb. Auerswald. Ki.: Dipl.-Ing. Gerhard. S.: HTL, 1947 Matura. K.: seit 1947 im planenden Bereich (vorwiegend Entwicklg. u. Konstruktion) tätig, seit 1960 selbst. Tätigkeit im beratenden u. planenden Bereich Maschinenbau, wesentl. Tätigkeit in letzten Jahren: Automatisierung, Qualitätssicherung, Meßtechnik, deren Randbereich u. Peripherien, 1985 Verleihung Berufstitel TechnR., 1992 Referent d. ÖVQ f. Qualitätsmanagement-Systeme, s. 1992 i. R. E.: div. Ausz. NÖ LFeuerwehrverb., Österr. BFeuerwehrverb., Silb. EZ f. Verd. um d. Land NÖ. M.: LFeuerwehrverb. NÖ, Abschnittsbrandinsp., 1962 Kdt. Tauchdienst f. NÖ, ab 1982 Kons. f. Tauchdienst. M.: 1992 Ehrenabschnittsbrandinsp., VBIÖ, Ver. Dt. Ing. (VDI - Gruppe Konstruktion u. Entwicklung). H.: Segeln. (C.K.)

Nowak Gottfried-Alexander Mag. art. Prof.

B.: bild. Künstler (Grafik, Malerei, Design, schöpfer. Fotografie), Prof. PA.: 4600 Wels, Maria-Theresia-Str. 19/21/128. G.: Wels, 20. Juli 1944. V.: Karin, geb. Oberegger. Ki.: Erol, Rita. El.: Alexander u. Kriemhild. S.: Gymn. Wels, 1 J. London Kunststud., zusätzl. Tätigkeit als Berufsfotograf, 1964-69 Stud. Ak. d. Bild. Künste Wien, Abschluß Mag. art. K.: 3 J. Unterricht Gymn. Bad Ischl, seit 1972 Unterricht BG Wels, ab 1975 50 Einzelausstellungen in Wien, Sbg., Linz, Wels, Frankfurt, Arb. befinden sich in öff. (Unterrichtsmin., Landesrg.) u. priv. Sammlungen (Österr., BRD, USA, Belgien, Canada). P.: div. Veröff. in Fachzeitschriften. H.: Rennradfahren, Armbrustschießen. (P.H.)

Nowak Hannelore

B.: Fachvorst. Höhere BLehranst. f. Mode- u. Bekleidungstechnik. DA.: 1090 Wien, Michelbeuerng. 6-8. PA.: 1222 Wien, Saikog. 4/7/5. G.: Villach, 4. Mai 1939. V.: Friedrich. Ki.: Michaela u. Andrea (1963), Harald (1969). El.: Ernst u. Josefine. S.: Fachschule f. Damenkleidermacher, Mstr.-Kl., 1958 Mstr.-Prüf., Bild.-Anst. f. Lehrer f. d. gewerbl. Fachunterricht. K.: 1960-68 Lehrer f. d. gewerbl. Fachunterricht an d. Städt. Lehranst. Krems, ab 1968 Fachlehrer an d. Höheren BLehranst. f. Mode- u. Bekleidungstechnik, ab 1990 Fachvorst. BL.: Mitarb. an Schulversuchen u. Lehrplanreformen, Organ. v. Wettbewerben im In- u. Ausland, Vorbereitung d. Kandidaten sowohl f. Abschlußprüf., Reifeprüf. als auch Mstr.-Prüf. im Damen- u. Herrenkleidermachergewerbe. H.: Malerei. (M.M.)

Nowak Helmut R.

B.: Gschf. Ges. FN.: Büro Helmut R. Nowak. DA.: 1040 Wien, Graf Starhemberggg. 6/12a. PA.: 1040 Wien, Graf Starhemberggg. 6/12a. G.: Freistadt, 13. Sep. 1960. Ki.: Felix Barnabas (1994). El.: Hans u. Herlinde. S.: VS, Gymn., 1991 Matura, 3 J. Stud. Raumplanung, Job Hopper, 1985 Erfinder d. Slotch Watch, 1986 Teiln. a. d. Weltausstellung i. Kanada. K.: 1987 Konzeptioneller Graphiker, Ideenlieferant, 1993 Eröff. d. Büros Helmut R. Nowak m. Spez.-Gebiet Tonträger u. Handlettering. (C.G.)

Nowak Herbert

B.: Inh., Gschf. Haus St. Georg Familienheim. DA.: 5431 Kuchl, Georgenberg. PA.: 5324 Hintersee 48. G.: Hallein, 2. Nov. 1943. V.: Elke, geb. Singer. Ki.: Michael, Martina, Mariana. El.: Franz u. Theresia. S.: VS, HS, 3 J. Tischlerlehre, 1960 Gesellenprüf. K.: b. 1962 als Geselle tätig, 4 J. Zeitsoldat, Außendienst Mobil Oil, Wechsel zu Marta Erdöl Ges., Außendienst Raum Sbg., Pinzgau, Land Sbg., 1974-76 Firma Küppersbusch, 1976-78 Firma Göllner, 1978 Bau d. Berggasthofes, 1985 Grdg. Touristikges., 1985 Kauf Hotel Austria Windischgarsten, b. 1988 Hotelführung, 1990 Haus St. Georg gepachtet. H.: Hochseesegeln. (A.W.)

Nowak Herbert Dr.

B.: Vorst.Dir. d. Zürich Kosmos Vers. AG. DA.: 1010 Wien, Schwarzenbergpl. 16. PA.: 1030 Wien, Kölblg. 1/14. G.: Wien, 28. Okt. 1924. V.: Dr. Eva. Ki.: Dr. Werner-Georg. S.: Gymn. Stockerau, 1942 Matura, Wehrdienst, Offz., Rußlandeinsatz u. Gefangenschaft b. 1947, 1948-51 Stud. d. Rechtswiss. K.: 1950-51 Rechtspraktikant, 1951 b. d. Fleisch- u. Viehverwertungs GmbH, 1952 Eintritt in d. Zürich Vers. AG, Schadensref., 1962 Prok. b. Zürich, 1965 Prok. b. Kosmos, seit 1972 Vorst.Mtgl. v. Zürich-Kosmos, Vors. d. Sekt. Unfallhaftpflicht u. Luftfahrt d. Verb. Österr. Vers., Sachv. f. d. Sachgebiet d. Kfz-Vers. H.: Sport. (P.R.)

Nowak Hubert Dr. phil.

B.: Red. b. ORF. DA.: 1136 Wien, Würzburgg. 30. DA.: 1060 Wien, Laimgrubeng. 15. G.: Hollabrunn, 19. Aug. 1954. V.: Regina, geb. Reiter. Ki.: Mariana (1982), Clemens (1985). El.: Julius u. Anna, geb. Hörmann. S.: Matura 1972. K.: Seit 1973 freier Mitarb. b. ORF, dan. Stud. d. Publizistik, wiss. Red. im Hörfunk, später Unterhaltung u. Wirtschaft, ab 1981 LStudio NÖ, s. 1984 Red. d. aktuellen Dienstes LStudio NÖ, s. 1987 im aktuellen Dienst d. Fernsehens/Inland, s. 1989 Moderator b. Zeit im Bild, 1981 Prom. Dr. phil. E.. Rudolf-Sallinger-Preis f. d. Diss. (P.R.)

Nowak Karl

B.: Obm. d. Umweltorgan. "Bruder Baum", Verl.ltr. "Besser Leben". DA. u. PA.: 2340 Mödling, Josefsg. 7. G.: Wien, 29. Aug. 1943. V.: Edeltraud. Ki.: Dominik (1979), Felix (1981),

Sonja (1987). El.: Karl u. Helene. S.: HS, 1961 HAK-Matura. K.: 1962-71 Ang. im Postdienst, 1971-79 Ltr. d. Organ.-Abt. b. ITT Austria, seit 1979 freiberufl. Unternehmensberater, Autor u. Umweltprojektltr. BL.: Kampagne gegen d. Trinkwasserverschmutzung in Österr. P.: zahlr. Fachart. im Bereich d. Humanökologie, Autor d. Buches "Nie mehr Angst - Krebsheiler packen aus". H.: Musik, Mineraliensammeln. (M.M.)

Nowak Reinhard

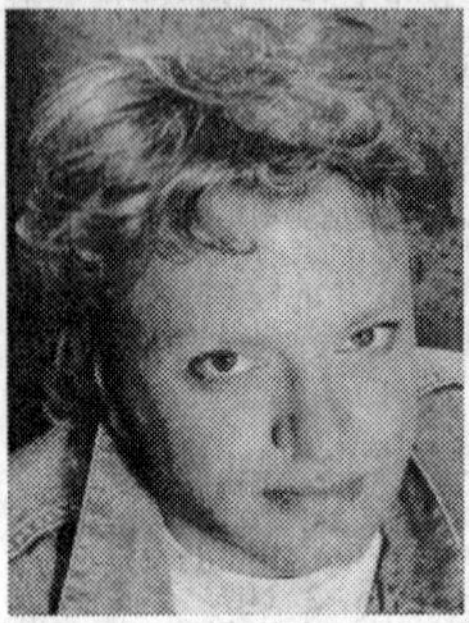

B.: Schauspieler, Kabarettist. PA.: 1170 Wien, Blumeng. 17/14. G.: München, 28. Apr. 1964. V.: Jutta. El.: Erwin u. Maria. S.: HTL Maschinenbau, 1983 Matura, Stud. Publizistik u. Theaterwiss., Statist am Theater in d. Josefstadt, priv. Schauspielausbild. b. Herwig Seeböck und Reinhard Tötschinger. K.: 1986 Einstieg b. "Schlabarett" m. "Atompilz v. links", 1989 "Planlos", 1992 "Muttertag", gleichzeitig Mitwirkender bei versch. Herwig-Seeböck-Produktionen, Schauspieler am Statt-Theater, 1988 Festwochenproduktion Szene Wien "Rikiki", Kinofilme u.a "Eis" (1989), "Muttertag" (1993), TV "Eine kl. Erfrischung" (1994), "Parkplatz m. Marianne Mendt" (1994). H.: Badminton, Snooker, Tennis, Musik. (J.S.)

Nowak Romeo Dr.

B.: RA. GT.: Kons. d. Wr. LFeuerwehrverb., Dir. d. Hotels Capri. DA.: 1080 Wien, Lerchenfelder Str. 36. PA.: 1238 Wien, Schloßgartenstr. 24. G.: Krakau (Österr.-ungar. Monarchie), 17. Mai 1914. V.: Friederike, geb. Brumüller. Ki.: Erika, Brigitte. El.: k.u.k. Hptm. Albert u. Carola. BV.: Onkel Generalfeldmarschall Lt. v. Bisza (k.u.k. Armee), Bruder Univ.-Prof. Dr. Albert Nowak Sozialwissenschafter. S.: 1933 Matura, 1938 Prom. K.: Gerichtspraxis, ab 1938 Dt. Wehrmacht, 1945 Gerichtspraxis u. RA, ab 1949 RA. BL.: bes. Verd. um d. Feuerwehrwesen in Wien, langjähr. Tätigkeit als Rechtsberater b. ÖRK. P.: zahlr. Publ. über d. Feuerwehrwesen in Fachzeitschriften. E.: zahlr. Wehrmachtsorden, Gold. EZ f. Verd. um d. Rep. Österr., Gold. Verd.Zeichen d. Landes Wien, Verd.Kreuz d. Wr. LFeuerwehrverb., Verd.Kreuz d. Österr. Roten Kreuzes. M.: Hotelver., Präs. d. Ver. d. Wr. Feuerwehr. H.: Sport (Skifahren, Schwimmen, Tischtennis). (H.P.)

Nowak Walter H. Dipl.-Ing.

B.: Architekt. DA.: 1130 Wien, Lainzer Str. 167/3/7. PA.: 1080 Wien, Zeltg. 4. G.: Wien, 10. Okt. 1924. El.: Eduard u. Hermine. S.: VS, HS, BS, 1940-43 Lehre als Kunsttischler b. Fa. R. Hoffmann Wien, 1942-45 Militärdienst b. Dt. Wehrmacht (Gefr.), 1945-48 Geselle als Kunsttischler u. nebenbei Besuch e. Maturaschule u. Ablegung d. Externistenreifeprüf. (RG) 1950, nachher als Werkstudent Stud. d. Arch. an d. TH Wien, 1962 Titel Dipl.-Ing., 1984-88 Gesangsunterr. als lyr. Tenor b. Frau Prof. P. Rasch. K.: Ab 1962 Praxis b. Arch. W. Koch u. Arch. Prof. Dr. F. Klimscha Wien, 1968 Ziviltechnikerprüf. u. Verl. d. Befugnis e. Arch., 1968 ständig beeid. ger. Bausachv., ab 1969 Ausübung d. Arch.Befugnis, gepl. Projekte bzw. Baultg.: 1962 Umbau Apollokino Wien 6, 1963-65 Tiefgarage Wien Peterspl., Neubau v. Wohn- u. Einfamilienhäusern, Neu- u. Umbau v. 15 Zweiganst. d. Ersten Österr. Spar-Casse Wien u. Fassadenumbau d. Hauptanst. Wien 1, Neubau v. 2 Supermärkten d. Fa. Meinl Wien 19, Ltg. v. 2 Großbaustellen d. Fa. Gesiba-Wohnhausanl. Wien 10, Siedlungshäuser Wien 21, dzt. Umbau e. denkmalgesch. Wohnhauses Wien 7, in Planung: 24 Dachterrassenwohnungen Wien 20, 1980-88 Ing.Kons. b. gemeinn. Siedl. G. Aichfeld Wien. M.: Österr. Luftfahrtverb. ab 1970 u. Hauptverb. d. Sachv. Österr. H.: Reisen, Fotografieren u. Lichtbildvortr. (priv.), Skilaufen, Reiten, Trabrennen, Kajak, Radf., als lyr. Tenor Liederabende im priv. Kreis, Restaurieren antiker Stilmöbel priv. (M.B.)

Nowak Werner

B.: gschf. Ges. d. Fa. Bruckner & Nowak KG. DA.: 2351 Wr. Neudorf, IZ NÖ Süd, Str. 14, Obj. 31. PA.: 2453 Sommerein, Lindau 51. G.: 28. Sept. 1940. V.: Wiebke, geb. Lössl. Ki.: Gerald. El.: Ing. Julius u. Gabriele. S.: HAK Matura 1958. K.: 1958-65 Fa. Berghofer Wien, 1965-1966 Fa. Laible KG in Ulm/BRD. 1966 Grdg. d. Fa. Bruckner & Nowak GmbH. 1971 Umwandlung in KG. M.: Präs. d. Jagd- u. Wurftaubenclubs Hubertusklause. GT.: Inh. d. Fa. Sekler & Co. H.: Jagd. (A.W.)

Nowak Werner Georg Dr. phil. o.Univ.-Prof.

B.: Mathematiker, o. Univ.-Prof. BOKU Wien. DA.: 1180 Wien, Gregor-Mendel-Str. 33. PA.: 1170 Wien, Dornbacher Str. 124. G.: Wien, 10. Dez. 1955. V.: Rosa, geb. Stranzinger. Ki.: Jonathan (1991). El.: Dr. Herbert u. Dr. Eva, geb. Lobwerth. S.: 1974 Matura, Stud. Math., Physik u. Theol. Univ. Wien, 1979 Prom. K.: 1979 Eintritt BOKU, ab 1980 Univ.-Ass., 1983 Habil. z. Univ.-Doz. Univ. Wien, seit 1983 selbst. Lehrveranstaltungen Univ. Wien u. BOKU, ab 1994 o.Univ.-Prof. Forsch.-Gebiet: Analyt. Zahlentheorie. P.: über 80 Fachpubl. im In- u. Ausland. E.: 1986 Inzinger-Med. d. Österr. Math. Ges. M.: zahlr. wiss. Ges. u.a. Österr. Math. Ges., London Math. Society, American Math. Society. H.: Familie, Wandern, Skifahren, Natur, Bücher über Natur, Reisen. (N.A.)

Nowak-Vogl Maria DDr. Univ.-Prof. Prim.

B.: Ltr. d. Kinderpsychiatrie d. Univ.Klinik f. Psychiatrie Innsbruck. A.: 6020 Innsbruck, Anichstr. 35. G.: Kitzbühel, 9. Apr. 1922. V.: Nowak Johannes Dr. El.: Vogl Alfred v. Dr. iur. u. Maria. S.: Gymn., LBA, Med.Stud. m. Prom. z. Dr. med. 1947, Psych.-Päd. u. Phil.Stud. m. Prom. z. Dr. phil. 1952. K.: 1959 Univ.Doz. f. Heilpädagogik, 1972 tit.a.o.Prof. f. Heilpäd., 1954 FA f. Nervenkrankheiten, 1977 FA f. Kinderneuropsychiatrie, seit 1954 Ltg. d. psychiatr. Kinderstation d. AKH Innsbruck. P.: Sozial bedingte Verhaltensstörungen, Das Schulversagen intelligenter Kinder, Zur Pädagogik d. Widerrufs kindl. Zeugenaussagen, u. über 40 weitere Beiträge z. Kinderpsychiatrie, Heilpäd. u. Psych. H.: Ornithologie, Baukunst d. Mittelalters.

Nowicky Wassyl Dr. Dipl.-Ing.

B.: Krebsforscher. FN.: Nowicky Pharma. DA.: 1040 Wien, Margaretenstr. 7. G.: 15. Okt. 1937. V.: Wladyslawa, geb. Kogut. Ki.:Skold (1986), Bojan (1988), Viktoria (1991). S.: Gymn. Ukraine, TU Lemberg, Dipl.-Ing. K: Prof. HTL Lemberg, Entwicklung eines Antikrebsmittel "Ukrain" an d. Med. Fak. d. Univ. Lemberg eines d. Alkaloide aus Schöllkraut, Doktorat an TU. M.: Ak. d. Wiss. New York. H.: Kunst, Geschichte, Musik. (J.M.)

Nowotny Ewald Dr. Prof.
B.: Mtgl. d. NatR. seit 1978, o.Univ.-Prof. A.: 1130 Wien, Trazerbergg. 23. G.: Wien, 28. Juni 1944. V.: Dr. Ingrid, geb. Tschida. El.: HofR. Dr. Ernst u. Alma. S.: Univ. Wien u. Inst. f. Höhere Studien, Harvard-Univ., Dept. f. Economics. K.: Univ. Linz: Ass, ACLS-Scholar: Harvard-Univ., Cambridge, Mass., 1974 Habil., o. Prof. TU Darmstadt, seit 1976 o. Prof., Vorst. Inst. f. Finanzwiss.: Univ. Linz, seit 1981: o.Prof., Inst. f. Wirtschaftswiss., WU Wien, 1976-79 Präs.: Verwaltungsrat d. österr. Postsparkasse, seit 1978 Mtgl. d. NatR., Vors. Finanzaussch. P.: 8 Bücher, u.a.: Wirtschaftspolitik u. Umweltschutz, Freiburg 1975, Öffentl. Verschuldung, Stuttgart 1980, D. öffentl. Sektor, 3. Auflage Heidelberg 1994, 47 wiss. Art. M. Vizepräs.: Österr. Ges. f. Nationalökonomie, American Econ. Assoc., SPÖ (BBildungsobm.). H.: Archäologie.

Nowotny Lutz
B.: Gschf., Werbeberater. A.: 2540 Bad Vöslau. G.: Wien, 3. Juni 1941. S.: Matura, HS f. Welthdl., Lehrgang f. Werbung u. Verkauf. K.: McCann-Gratzer, Philips, Werbeltr. Gerot, Werbegruppenltr. Nestle, gschf. Ges. d. Weinberger Werbehaus. F.: Ges. d. Werbehaus GmbH. P.: Div. Fachart. E.: Staatspreis 1972, 1975 f. Werbung, Staatl. Anerkennung 1975, 1976, 1978, 1979, 1981, 1982, Clio Award Film Preis 1977. M.: Kiwanis Club, NÖ Jagdverb., Jagdclub Steinbrunn, Steir. Jagdverb., Kenia Hunting Club. H.: Malen, Jagen, Tontauben-Trap, Combat.

Nowotny Robert

B.: Gschf. FN.: NDS-Nowotny Datensysteme GmbH. DA.: 1150 Wien, Goldschlagstr. 93. G.: 3. Aug. 1966. El.: Richard u. Eva. S.: 1972-76 VS, 1976-80 integrierte Gesamtschule, 1980-85 HTL Maschinenbau, 1985 Matura, 1985-87 College f. Nachrichtentechnik, 1987 Matura, 1987-88 OSL Kurs Mikroelektronik. K.: 1989 Grdg. Firma Ing. Rober Nowotny, seit 1993 GmbH. H.: Computer, Schwimmen, Motorradfahren. (M.W.)

Nuener Klaus Dr. iur
B.: RA.: DA.: 6020 Innsbruck, Anichstr. 40. G.: Innsbruck, 12. Juni 1952. V.: Notburga, geb. Wögerer. Ki.: Maria, Julia. El.: Franz u. Johanna. S.: Ak. Gymn. Innsbruck, Matura 1972, Jusstud. an d. Univ. Innsbruck, Prom. 1975. K.: Gerichtsjahr, Konzipient, RA-Prüf. 1979, s. 1982 selbst. als RA. M.: Mtgl. b. versch. regionalen Sportver. H.: Sport, Lesen, Familie. (H.T.)

Nuhr Heinz Dr. med.
B.: Prakt. Arzt. A.: 3541 Senftenberg, Im Grund 18. G.: Senftenberg, 30. Juni 1943. V.: Lieselotte, geb. Prokop. S.: Mittelschule, Univ. Wien, Turnusausbild. am AÖKH Krems, Heeresspital Wien. K.: Ang. prakt. Arzt im Ambulatorium f. elektrophysikal. Med. u. Hydrotherapie Dr. Otto Nuhr Senftenberg. M.: Feuerwehrarzt, Gem.Arzt, ObLt. d. Res. d. österr. BH. H.: Tennis, Fischen, Motorboot, Skifahren.

Nuhsbaumer Werner Dipl.-Ing. Arch.
B.: Arch., staatl. befugter beeid. Ziviltechniker. DA.: 1020 Wien, Paffrathg. 6/15. PA.: 1020 Wien, Böcklinstr. 110. G.: Krems/Donau, 17. Jan. 1945. V.: Ulrike, geb. Pich. Ki.: Georg (1973), Otto (1976), Erich (1979). El.: Karl u. Elfriede. S.: HTL Schellingg. Hochbau,1965 Matura, Arch.-Stud. TU Wien, 1975 Dipl. K.: seit 1986 selbst. ausgeführte Arb. u.a. Rehabilitationszentrum Alland u. Laab im Walde Behindertenwohnheim Hetzendorf. M.: Obm. d. Entwicklungshilfe - Klubs., im Bau RZ - Bad Schallerbach. H.: Sport. (J.S.)

Nunzer Walter
B.: Bgm. d. Marktgem. Spitz u. HS-Dir. DA.: 3620 Spitz, Hauptstr. 22. PA.: 3620 Spitz, Hauptstr. 40. G.: Krems, 2. Dez. 1934. V.: Christine, geb. Jedek. Ki.: Dr. iur. Andreas (1960), Markus (1961), Walter (1964). El.: Karl u. Stefanie. BV.: Vater Karl Nunzer bekannter Komponist u. Musikpädagoge im Raum Wachau. S.: VS, Hum. Gymn. Krems, 5 J. LBA Krems, 1954 Matura, Lehrbefähigung f. VS, 1965 HS-Prüf. f. Math., Musik u. Zeichnen, 1954-59 Stud. Jus u. Geschichte Univ. Wien. K.: 1959 Eintritt NÖ-Schuldienst: VS Herzogenbirbaum b. Stockerau, 1963-66 HS Emmersdorf, seit 1966 HS Spitz, 1984 HS-Dir., 1959 Eintritt ÖAAB, seither in versch. Funktionen f. d. ÖVP tätig u.a. 1990 Gem.-Parteiobm. v. Spitz, 1972 Gem.-Vorst.-Mtgl., 1982-83 VBgm., seit 1983 Bgm. d. Marktgem. Spitz. BL.: seit 1965 Ltr. d. Kirchenchores, Gründer u. Chorltr. d. Spitzer Singkreises. H.: Musik, Musizieren, Singen, Bergsteigen, Lesen. (M.M.)

Nürnberger Oscar Dr. Mag. KommR. Ing.
B.: Vorst.Dir. FN.: Wiener Molkerei Genossenschaft. DA.: 1020 Wien, Molkereistr. 1. (V)

Nürnberger Rudolf
B.: Vors. d. Metallgewerkschaft, Abg. z. NatR., Vizepräs. d. ÖGB. DA.: 1041 Wien, Plößlg. 15. G.: Lassee, 5. Sept. 1945. S.: VS, HS, BRS, Lehre als Werkzeugmacher, BH, 3J. Gewerkschaftssch., Sozialak. (1968-69). K.: 1963-72 in e. Wr. Metallbetrieb als Werkzeugmacher, s. 1959 Mtgl. d. Gewerkschaft MBE, b. 1966 Funktionär d. österr. Gewerkschaftsjugend, 1966-72 Betriebsrat bzw. Betriebsratvors. i. einem Wr. Metallbetrieb, ab 1972 Sekr. d. Gewerkschaft MBE, ab 1980 Zentr.Sekr., ab 1988 Vors., s. 1987 VPräs. d. ÖGB, s. 1988 Vors. d. ÖGB-BFrakt., polit. Funkt.: 1973-83 BezR. d. SPÖ Brigittenau, 1983-84 Mtgl. d. Bundesrates, s. 1984 Mtgl. d. NatR. in d. Aussch. Budget, Soz. Verw. u. Verstaatl. Betriebe, s. 1988 Mtgl. im BParteivorst. u. im Erw. Parteipräsidium. M.: ÖGB, SPÖ. H.: Philatelie, Sport, vor allem Tennis u. Radfahren. (M.B.)

Nurulla Yener
B.: Inh. Marathon Griech. Restaurant. DA. u. PA.: 8700 Leoben, Kärntner Str. 130. G.: München, 8. Feb. 1974. El.: Dipl.-Ing. Ramazan u. Gisela. S.: Kürschnerlehre in Griechenland, 1989 Abschluß. K.: seit 1989 in Österr., 1992 Hotel- u. Gastgewerbeschule Fohnsdorf, seit 1994 selbst. Restaurant in Leoben. M:: Musikver. AKM. H.: Lesen, Lernen, Natur. (I.G.)

Nuschei Franz
B.: Gschf. A.: 1070 Wien, Mariahilfer Str. 56/1/2/10. G.: Kammer/Attersee, 5. Mai 1945. V.: Dkfm. Renate, geb. Kresnicka. El.: Ing. Franz u. Katharina. S.: RG, 2 J. HS-Kurs f. Werbung u. Verkauf an d. HS f. Welthdl. Wien. K.: 2 J. Job-Rotation b. d. Fa. Semperit Wien in d. Abt. Verkaufs-

technik, Verkaufsförderung, Produktentwicklung u. Marketing, dann Eintritt in d. Fa. Nuschei KG Spezialdichtungen Wien, Erteilung d. Prok. u. Bestellung z. Gschf., Absolv. zahlr. Management- u. Verkaufstrainings-Seminare. F.: Gschf. Ges. u. Kompl. d. Fa. Franz Nuschei KG, Spezialdichtungen Wien. P.: Über 40 Fachaufsätze in Fachzeitschriften über Dichtungsmaterialien u. Fugenabdichtungen. M.: Verb. techn. Gummiwarengroßhändler Wien, TEGU.

Nussbaum Rudolf RgR.

B.: BezR. a.D. PA.: 1040 Wien, Ritterg. 1/1/4. G.: Wien, 18. Aug. 1924. V.: Gertrud, geb. Petermann. Ki.: Andrea (1964), Doris (1958). S.: Grundschule, Lehre Fleischhauer u. Selcher, 1963 Beamtenmatura, Büroausbild. Landesinvalidenamt, 1 jähriger Betriebswirtschaftslehrgang. K.: ab 1945 Bürohilfskraft in d. Wirtschaftsgen., ab 1954 Absolvierung versch. Fachprüf. im Landesarbeitsamt Wien f. Arbeitsvermittlung u. Berufsberatung f. Körperbehinderte, 1969-91 BezR., 1978 Ltg. d. Arbeitsamtes. BL.: seit 1956 Mtgl. d. Kriegsopfer- u. Behindertenverb., dzt. im Vorst. d. Landesverb. f. Wien, NÖ u. Bgld., 10 J. Beis. in d. Schiedsgerichtskmsn. b. Landesinvalidenamt, seit 1960 Tätigkeit im Behindertenaussch. im Rahmen d. Behinderteneinstellungsgesetzes. E.: 1989 Gold. VZ d. Landes Wien, 1993 Gold. VZ d. Rep. Österr. M.: Behindertenverb., Gewerkschaft, Bez.-Gruppenobm. f. Bez.-Gruppe d. Behindertenverb. H.: Garten. (F.S.)

Nußbaumer Alfred Ing.

B.: Prok. FN.: Robert Aigner. DA.: 2352 Gumpoldskirchen, Wiener Str. 171. PA.: 2344 Maria Enzersdorf, Zipsg. 25. G.: Maria Enzersdorf, 24. Okt. 1927. V.: Marianne, geb. Rauscher. Ki.: Peter. S.: HTL Mödling, 1947 Matura Maschinenbau. K.: 1944-45 Kriegsdienst, 1947 Arb. als Mechaniker b. d. brit. Militärbehörde in Wien, 1947-69 Fa. Gallhuber Außenbmtr., ab 1969 Prok. b. Fa. Aigner. M.: Wirtschaftsbund. H.: Skifahren. (C.K.)

Nußbaumer Ernst Ing.

B.: Vorst.-Vors. FN.: Strabag Österr. AG. GT.: seit 1987 Vorst.-Mtgl. d. Gestrata, seit 1980 Vorst.-Mtgl. d. VIBÖ, seit 1992 Vorst. d. Fachverb. d. Bauind. Österr. DA.: 4020 Linz, Salzburger Str. 323. G.: Wien, 25. Sept. 1936. verh., 2 Kinder (1962, 1964). El.: Karl u. Anna. S.: VS, RG, HTL Tiefbau Linz, 1955 Matura. K.: seit 1959 Teerag-Asdag Linz, seit 1960 Swietelsky Linz, seit 1969 Strabag Österr. AG, seit 1970 Gschf., 1986-91 im Vorst. Strabag AG, ab 1991 Vors. P.: versch. Veröff. in Fachzeitungen. M.: seit 1992 Vorst.-Mtgl. d. Ver. Österr. Industrieller Landesgruppe OÖ. H.: körperl. Fitness, Ausdauersport, Bergwandern, Rudern, Skitouren, Jagd. (U.A.)

Nussbaumer Franz

B.: Gastwirt, Gschf. Ges. FN.: F. & E. Nussbaumer & Co GmbH, Pension-Restaurnt "Zur Sägemühle". DA. u. PA.: 5330 Fuschl am See 16. G.: St. Gilgen, 18. Aug. 1948. V.: Elisabeth, geb. Sterlec. Ki.: Markus Christian, Martina. S.: Fachschule f. Sägewerk, Lehre Kellner, 1976 Konzessionsprüf. K.: 1971-75 München "Tourotel", Weinhaus Schwarwälder, Olympia-Drehrestaurant, 1977-80 Sbg. Cafe Winkler, 1981 Eröff. d. Pension-Restaurant "Zur Sägemühle", 1986 Umwandlung d. Einzelfa. in GmbH. H.: Eisstockschießen, Tennis. (A.W.)

Nußbaumer Georg

B.: Gastwirt Gasthof-Pension Nußbaumer. DA. u. PA.: 5322 Hof, Gitzen 13. G.: Salzburg, 25. Nov. 1963. El.: Thomas u. Erna, geb. Lunner. S.: VS, HS, Mechanikerlehre. K.: 1981 Einstieg in d. elterl. Betrieb, 1990 Konzessionsprüf., div. Umbauten u. Vergrößerungen. M.: USK Hof, Aussch.-Mtgl. Fremdenverkehrsver. Hof. H.: Mountainbike, Tauchen. (S.P.)

Nußbaumer Hans

B.: Inh. FN.: Toyota Vertragshändler, Moped-Handel. DA.: Lingenau, Hof 300. G.: Lingenau, 23. Mai 1945. V.: Heidi geb. Hänle. Ki.: Thomas (1974), Petra (1976). El:: Kaspar u. Maria. S.: Hasch Bregenz. K.: 1961-64 Speditionskfm., 1964-67 Kfz. Mech. Lehre b. VW, 1967-69 Schulung b. VW in Wolfsburg mit Vertrag in England, 1969-1972 Schulung bei Daimler-Benz in Untertürkheim (Stammhaus) mit anschl. Vertrag i. d. Schweiz, 1972 Meisterprüfung, Grdg. Fa. Kfz.-Reparaturwerkstätte m. Fahrzeughandel u. Mopeds. E.: 1. Preis VW Org. Österr. i. Lehrlingswettbewerb, Gesell.-Prüf.m.Auszeichnung, v. TOYOTA Anerkennung f. große Leistungen i. 20 J. Partnerschaft. M.: Aufs. Rat. Mitglied Handwerkerzunft, s. 20 J. Kassier. H.: Wandern, Fischen, Skifahren, Reisen, Lesen. (I.D.)

Nußbaumer Heinz Prof.

B.: Ltr. d. Presse- u. Informationsdienstes d. Österr. Präsidentschaftskzl., Pressesprecher d. Bundespräs. Dipl.-Kfm. Dr. Thomas Klestil. DA.: 1010 Wien, Ballhausplatz, Hofburg. G.: Bad Reichenhall, 16. Juli 1943. V.: Ulrike, geb. Düring. Ki.: Nikolaus (1972), Thomas (1975), Philipp (1981). El.: Heinz u. Antonie, geb. Auer. S.: BRG Sbg., 1961 Matura, Stud. Rechts- u. Staatsphil. Univ. Sbg. K.: 1962-64 Pressere f. v. Dr. Josef Klaus, 1964-66 Red. d. Sbg. Volkszeitung, 1966-90 Red. d. Kurier Wien, seit 1971 Außenpolit. Ressortltr., seit 1990 Ltr. d. Presse- u. Informationsdienstes u. Pressesprecher d. Bundespräs. Dr. Kurt Waldheim, seit 1992 in diesen Funktionen b. Bundespräs. Dipl.-Kfm. Dr. Thomas Klestil. P.: zahlr. Publ. u. Bücher u.a. Nächtes Jahr in Jerusalem (1968), Pulverfaß Golf (1971), Khomeini - Revolutionär in Allahs Namen (1979). E.: 1974 u. 1986 Dr. Karl Renner-Preis f. Pulizistik, 1990 Prof., 1992 Leopold Kuntschak-Preis, mehrere Orden. M.: stellv. Vorst. d. Arge Kath. Publizisten Östrerr., Vorst. d. Liga f. d. Vereinten Nationen, Vors. d. Orientges. Hammer-Purgstall, Mtgl. d. Kuratoriums "Bruno Kreisky Stiftung". H.: Segeln, Tennis, Tischlern. (N.A.)

Nußbaumer Horst
B.: Geschf. GT.: Mtgl. d. BR. FN.: Parlament. DA.: 1017 Wien, Dr.-Karl-Renner-Ring 3. G.: Linz, 30. März 1949. S.: Gymn., HASCH, Wirtschaftsgymn. in Regensburg (BRD), 1968-76 Journalisten-Aspirant bzw. Red. (Linzer Volksblatt, Tagblatt, OÖ Nachrichten, Ski-Welt), BH. K.: 1976-80 fr. Journalist, 1980-86 Geschf. Ges. b. d. Werbeplan Werbeagentur Linz, s. 1986 Geschf. Ges. b. d. Trackmark Werbeagentur Linz, s. 1992 Landesparteisekr. d. "Freiheitlichen" OÖ. M.: FPÖ, s.12.1093 Mtgl. d. BR.

Nussbaumer Johann RgR. Prof. Ing.
B.: Fachref. im Büro d. Gen.-Postdion. DA.: 1010 Wien, Postg. 10. PA.: 1160 Wien, Brüsselg. 15-25/25/2. G.: Neulengbach, 9. Nov. 1930. V.: Gertrud, geb. Cupita. S.: Gymn., 5-jähr. Staatsgewerbeschule f. Elektrotechnik. K.: 1953-55 Fahrdienstltr. b. d. ÖBB, 1955-63 Rundfunkmeßbmtr. im Fernmeldebetriebsamt Wien, 1963-65 Fachref. in d. Post- u. Telegraphendion. Wien, 1965 Berufung in d. Gen.-Postdion., außerberufl. seit 1966 Ltr. d. NÖ Jägerstunde d. ORF, 1974 Bestellung z. Bez.-Jägermstr. v. Wien, 1975 Bestellung z. Fachberater d. Verb.-Aussch. b. NÖ Landesjagdverb., Mtgl. d. Brauchtumsaussch. d. NÖ Landesjagdverb., Mtgl. d. Umweltaussch., Prüf.-Kmsr. f. d. Jagdprüf. im Bez. Wien-Umgebung, Prüf.-Kmsr. f. d. Jagdprüf. im Bereich Wien b. Amt d. NÖ Landesrg., Prüf.-Kmsr. f. d. Prüf. f. d. Wachdienst z. Schutze d. Jagd, Mtgl. d. NaturschutzbeiR. b. Amt d. NÖ Landesrg., Schriftführer d. Ver. "Grünes Kreuz". P.: Kinderbuch "Widewitt, das faule Schwalbenkind", "Es begann mit der Jagd", Jagdgeschichtsbuch u. lfd. Beiträge (techn., wiss., kulturwiss.) f. Hörfunk u. Fernsehen, bisher über 200 Sendungen, Verfasser postwiss. Art. in d. Österr. Postrundschau, zahlr. Veröff. über Jagd u. Naturschutz in d. Presse., "Gewürztes Allerlei aus Jagd u. Fischerei" (1989), "Jagd-Pirschgänge durch Kultur u. Küche" (1992). E.: Olympiamed. 1964, Dipl. d. NÖ Landesjagdverb. f. Ved. um d. NÖ Jagdwesen, EZ in Silber f. Verd. um d. Jagdwesen, 1990 Prof. M.: NÖ Landesjagdverb., Ver. "Grünes Kreuz", Ehrenmtgl. d. Österr. Bienenzuchtmuseums im Schloß Orth/Donau. H.: Jagd, Fischen, Skisport. (N.A.)

Nussbaumer Kurt Dr.
B.: Präs. d. Finanzlandsdion. Tir. DA.: 6020 Innsbruck, Innrain 32. PA.: 6020 Innsbruck, Andechsstr. 16. G.: Landeck, 23. Febr. 1932. V.: Ingrid, geb. Moosmann. Ki.: Mag. phil. Sabine (1960). El.: Kaspar u. Theresia. S.: Grundschule, Realschule, 7 J. Zahntechniker, 1. Vbg. Privatist an d. Arbeitermittelschule Innsbruck, 1955 Matura, Jusstud. Univ. Innsbruck, Prüf. f. d. höheren Finanzdienst. K.: Zahntechniker Dornbirn, 1955 Vertragsbediensteter IB d. Finanzlandesdion. f. Tir., 1961 Überstellung in d. Verwendungsgruppe A Dienstverwendung b. versch. Finanzdienststellen Innsbruck, 1968 im Präsidium d. Finanzlandesdion., 1980 Vorst. d. Präsidialabt., 1982 VPräs. u. seit 1988 Präs. d. Finanzlandesdion. E.: 1977 Gold. EZ f. Verd. um d. Rep. Österr., 1985 Gr. EZ f. Verd. um d. Rep. Österr. M.: Zollwachsportver. H.: Bergsteigen, Langlaufen, Bauernmalen, Fotografie. (M.W.)

Nußbaumer Margit
B.: Inh. d. Gasthof Christberg, Bürokfm. DA.: 6752 Dalaas, Wiener Str. 67. G.: Bludenz, 26. Apr. 1966. El.: Rudolf u. Marianne Nußbaumer. S.: VS, HS, Berufschule, Lehre als Bürokfm., 1984 Abschluß, 1992 Konzessionsprüf. K.: 1984-86 kfm. Ang. in Lebensmittelbranche, 1986 Serviererin Cafe in Bludenz, Praktikum in versch. Restaurants, 1992 Konzessionsprüf. in Bludenz u. Übernahme d. Gasthof Christberg. H.: Schwimmen, Skifahren, Lesen, Handarbeiten, Kochen. (I.D.

Nußbaumer Thomas
B.: Marketingltr. FN.: Josef Rupp GmbH. DA.: 6911 Lochau, Kugelbeerweg 3. PA.: 6900 Bregenz, Kirchstr. 2. G.: Dornbirn, 2. Juni 1961. El.: Hubert u. Helga. S.: Matura, Justud. b. z. 2. Staatsprüf. K.: Anzeigenltr. b. Verlag in Wien, 1990 Eintritt Rupp GmbH Lochau als Marketingltr. H.: Musik, Reisen. (I.D.)

Nussmayr Franz Dr. iur.
B.: Bgm. d. Stadtgem. Gleisdorf, StADir. v. Weiz. PA.: 8200 Gleisdorf, Sandriegelweg 5. G.: Ilz, 5. Mai 1940. V.: Ingrid, geb. Uitz. Ki.: Harald, Doris u. Robert. El.: Franz u. Erna. S.: AHS-Matura, Stud. in Graz, Prom. 1970, Dienstprüf. f. höh. Verw.Dienst 1973. K.: 1969 Jurist in d. Stadtgem. Weiz, 1970 StADir., 1980 GemR. in Gleisdorf, 1974 VBgm., 1975 Bgm., Stadtparteiobm. 1973-75, s. 1973 Obm. d. Abwasserverb. Gleisdorfer Becken, s. 1975 Kassier d. Wasserverb. Oberes Raabtal, s. 1982 Vors. d. Sparkassenrates d. Sparkasse Gleisdorf. H.: Klavierspielen (Jazz), Tennis, Skifahren, Camping. (H.Z.)

Nusterer Heinz
B.: LDir. d. Bank Austria AG. DA.: 3100 St. Pölten, Julius-Raab-Promende 27. G.: St. Pölten, 18. Nov. 1939. V.: Herta, geb. Strambach. Ki.: Norbert, Dieter. El.: Friedrich u. Berta. S.: Pflichtschulen, Lehrlingsausbild. im Haus d. Österr. Länderbank AG. K.: 2. Bildungsweg AHS-Matura, 1954 Eintritt in d. Österr. Länderbank Fil. St. Pölten, 1964 Handlungsvollmacht, 1965 Stellv. d. Ltg., 1971 Prok. d. Österr. Länderbank Fil. St. Pölten, 1979 Prok. d. Österr. Länderbank Fil. Amstetten, 1978 Übernahme d. Ltg. d. Fil. St. Pölten u. 1981-88 deren Dir., seit 1988 LDir. d. Länderbank f. NÖ. E.:Komturenz des Silvesterordens 1994, Gold. Verdienstz. d. Rep. Österr. 1980. H.: Sport, Haus u. Garten. (Kern)

Nutzinger Detlev O. Dr. med. Univ.-Doz.
B.: FA f. Psychiatrie, Psychotherapeut, Ltr. d. Abt. f. Verhaltenstherapie AKH. DA.: 1080 Wien, Währinger Gürtel 18-20. PA.: 1120 Wien, Hetzendorferstr. 93. G.: Kufstein, 8. Nov. 1951. El.: Dr. Adolf u. Hilda, geb. Anker. S.: 1971 Matura, 1971-77 Med.-Stud. Univ. Wien, FA-Ausbild. in versch. Wr. Kliniken u. im Ausland, 1991 Habil., Ausbild. z. Verhaltenstherapeuten u. Individualpsychologen. K.: seit 1977 Univ.-Klinik f. Psychiatrie Wien, ab 1983 OA in versch. ltd. Positionen, ab 1982 Lehrbeauftragter Univ. Wien, aktive Forsch.-Tätigkeit in Zusammenarb. m. versch. ausländ. Inst. P.: über 100 Publ., davon 3 Bücher, Schwerpunkte: Depression, Eßstörungen, Angst, Psychotherapieforschung. M.: Vorst. d. Österr. Ver. f. Verhaltenstherapie, zahlr. in- u. ausländ. med. Ges. H.: Lesen, klass. Musik, Reisen, Tennis, Wasserskifahren, Skifahren. (N.A.)

Nzeribe Sibby Dr. med.
B.: FA f. Zahn-, Mund- u. Kieferheilkunde. DA. u. PA.: 7350 Oberpullendorf, Stadiong. 2. S.: Grammer School, London, 1965 Matura, 1966 Erlernung d. Dt. Sprache am Goethe-Inst. Westberlin, 1966-76 Med.Stud. an d. Univ. Wien, 1976 Prom. K.: Erste ärztl. Tätigkeit im Marianen-KH in Vorau/Stmk., 1976-80 KH Oberpullendorf, Jus practicandi, 1980 Österr. Staatsbürgerschaft, b. 1982 FA-Ausbild. f. Zahn-, Mund- u. Kieferheilkunde in d. Zahnklinik in Wien, 1982 Ordinationseröff. in Oberpullendorf. M.: Österr. Rotes Kreuz Bgld. H.: Tennis. (C.K.)

Obad Friedrich
B.: Alleininh. d. Firma F. Obad, Kfm. DA.: 8020 Graz, Eiseng. 3. G.: Graz, 15. Nov. 1952. V.: Ingrid. Ki.: Alexander (1984), Christina (1988). El.: Friedrich u. Elfriede. BV.: Vater: Landesinnungsmstr. S.: VS, HS, Fachschule f. gest. Metallhandwerk u. Graveure in Ferlach, 1972 Abschluß. K.:

Auslandspraktikum in BRD u. Schweiz, 1973 Eintritt in väterl. Betrieb, 1973 Mstr.-Prüf., 1978 Übernahme d. väterl. Betriebes, anschl. Erweiterung d. Firma u. Spezialisierung auf Baugraphik, Objekt- u. Gebäudebeschriftung, Projektierung v. Hotel- u. KH-Beschriftungen, Reklamebau, Buchstabenerzeugung, Lichtwerbung, Export in EU u. Oststaaten, Wiederbelebung d. urspr. Handgravur u. graph. Entwürfe. BL.: Schöpfer d. Marke Happy Metal. M.: Mtgl. d. Bundesinnung zuständig f. Lehrling- u. Marketingfragen. H.: Familie, Tennis, Landleben. (M.Gr.)

Obauer Karl

B.: Koch d. Restaurant "Lebzelter", Bes. DA.: 5450 Werfen 38. PA.: 5450 Werfen, Hauptstr. 46. G.: Werfen, 23. Aug. 1953. V.: Dr. Eva, geb. Kofler. El.: Karl u. Barbara, geb. Färbinger. S.: VS, HS. K.: Kochlehre im Hotel Bayerischer Hof Sbg., 4 Wintersaisonen als Junggkoch, Rotisseur, Gardemanger u. Souschef im Hotel Zürserhof Arlberg, 1 Sommersaison Jungkoch im Hotel Stalheim Norwegen, Commis Tournant im "Holiday Inn" Zürich, 1 1/2 J. Koch auf d. Schiff "Vistafjord", 2 Wintersaisonen Koch auf d. Schiff "Sagafjord", Chef Tournant im Hotel Bellevue Gstaad, 2 Sommer Koch im "Lebzelter" Werfen, seit 1979 selbst., Wintersaisonen 1979-84 noch Küchenchef im "Zürserhof" u. seit 1984 ganzjährig im "Lebzelter", Stagiaire b. folgenden Restaurants: Restaurant Drei Husaren Wien, Restaurant Buerehiesel Strasbourg, dreimal im Restaurant le Crocodile Strasbourg, Restaurant Leon de Lyon, zweimal Konditorei. P.: Veröff. in div. Fachzeitschriften. E.: Koch d. Jahres 1989, 3 Hauben im Guide Gault Millau. H.: Skifahren, Schwimmen, Bergsteigen, Mountainbike.

Obauer Rudolf

B.: Küchenchef d. Restaurant Obauer. DA.: 5450 Werfen 38. PA.: 5450 Werfen, Hauptstr. 40. G.: Werfen, 17. Febr. 1961. V.: Angelika, geb. Fidler. Ki.: Rudolf (1989), Berthold (1993). El.: Karl u. Barbara, geb. Färbinger. K.: 3jährige Kochlehre im Gold. Hirschen Sbg., 2 Wintersaisonen Commis, 1 Wintersaison Saucier u. 2 Wintersaisonen Souschef "Zürserhof" Arlberg, Chef de Parie oder Stagiaire in folgenden Häusern: Maison Kammerzell Strasbourg, Restaurant Troisgros Roanne, Restaurant le Crocodile Strasbourg, Restaurant Buerehiesel Strasbourg, Restaurant au Tou Gascon Paris, Restaurant Fasled Kro Fyn (Dänemark), Restaurant Faugeron Paris, Restaurant Laurent Paris, Restaurant Morot Goudry Pais, Vinstub Pfifferhüs Ribeauville, Restaurant Romeyer Brüssel, Restaurant Alain Chapel Mionnay. E.: Koch d. Jahres 1989, 4 Hauben im Guide Gault Millau 1995, Kochpromotionen i. Hong Kong, Kualalumpur u. Sapporo. H.: Bergsteigen, Skifahren, Mountain Bike.

Obenaus Franz Dr. iur.

B.: RA i.R. PA.: 3580 Horn, Im Naturpark 11. G.: Allentsteig, 11. Juli 1925. V.: Irmgard, geb. Tschiderer. Ki.: Brigitte (1956), Irmgard (1959), Franz (1962), Werner (1964). El.: Franz u. Theresia, geb. Matzinger. S.: VS, 1943 RG-Matura, 1944 Amerikan. Gefangenschaft Italien u. USA, 1946 Jusstudium Universität Wien, 1949 Promotion z. Dr. iur.

K.: 1950 Gerichtsj. BG u. LG Wien, 1951-57 Anw.-Praxis in Wien, Amstetten u. Reutte, 1957 Anwalts-Prüfung in Innsbruck, 1958 Eröffnung einer RA-Kanzlei in Horn, 1992 Eintritt in den Ruhestand. BL.: 1972 und 1985 lobende Erwähnung in Presse u. Fernsehen für erfolgreiche Verteidigung in Strafprozessen in Wien. M.: 10 Jahre. Obm. des Elternvereins des Gymnasiums und Aufbaugymnasiums Horn. H.: Lesen, Reisen, Wandern, Reiten, Skifahren. (M.M.)

Obenaus Margaretha

B.: Mtgl. d. BundesR. seit 1976, Personalref. d. Kam f. Arb. u. Ang. f. Stmk. DA.: 1017 Wien, Dr.-Karl-Renner-Ring 3. G.: Judendorf-Straßengel, 26. Sept. 1931. S.: VS, HS u. HASCH. K.: ab 1947 Stenotypistin, 1963-1966 als Ltr. d. Schreibbüros u. seit 1966 im Personalbüro d. Kam. f. Arb. u. Ang. f. Stmk. tätig, 1959-1965 Mtgl. d. LVorst. im ÖGB, öff. Dienst Sekt. XXI, 1960-1966 Betriebsrätin in d. Kam. f. Arb. u. Ang. f. Stmk., 1969-1978 Mtgl. d. Hauptversammlung d. Steiermärk. GKK, seit 1973 Ersatzmtgl. b. Einigungsamt Graz, 1963-1975 Stellv. Vors. u. ab 1976 Vors. d. SPÖ-Frauenkomitees Graz-Gösting u. ab 1975 Mtgl. d. SPÖ-Frauenlandeskomitees Stmk., seit 1970 Mtgl. d. Grazer Parteivorst., d. LFrauenaussch. im ÖGB Stmk. u. d. gewerkschaftl. Frauenaussch. im öff. Dienst.

Ober Herbert

B.: Komponist u. Kapellmstr. PA.: 1020 Wien, Vorgartenstr. 192/2/18, 3163 Rohrbach/Gölsen NÖ. G.: Wien, 4. Nov. 1926. V.: Edeltraud, geb. Resel-Feldmann. Ki.: Regina. El.: Franz u. Elisabeth. S.: VS, Gymn. Wien, ab 1938 Klavierunterricht, 1944 Matura, ab 1947 an d. Wr. Musikak. (Theorie u. Kapellmstr.-Schule b. d. Prof. J. Marx, A. Uhl, H. Swarowsky), 1951 künstler. Reifeprüf. m. Ausz. K.: Gelegenheitsmusiker, Klavierbegleiter d. Arbeitersängerbundes, Chorltr. b. d. Ktn. Landsmannschaft in Wien, Ltr., Arrangeur u. Klavierbegleiter d. "Lyriker Quartetts", Kapellmstr. eines Zitherorchesters d. Österr. Alpenver., ab 1958 tätig als Komponist v. Tanz- u. volkstüml. U-Musik sowie E-Musik, Chor- u. Blasmusik m. Funk- u. Schallplattenaufnahmen. P.: Werke: "Hymnus auf Wien" (durch 2500 Musiker auf d. Rathausplatz in Wien aufgeführt, Aufführungen im gr. Musikvereinssaal u. z. Eröff. d. Wr. Festwochen, Bestellung v. über 50.000 Liedblättern seitens Wr. Schulen, Initiative f. "Wiener Landeshymne"), "Motette", Krippenlieder, Chororchesterwerk: "Ostarrichi Lobgesang", "Ringstraßengedanken-Suite", "Wiener Rathauspark im Frühling", "Alpenländische Festmusik", "Glückseliges Biedermeier", "Östliches Idyll im Wasserpark", "Hoch die Puszta", "Früh am Morgen", "Im Böhmerwald", "Immer voran", "Flott und frei", "Disco-Tango", "Si si, No no", "Sehnsuchts-Melodie", "Was waß der Mensch", "Die verflixte Schüchternheit",

"Horch, das ist ein Lied aus Wien", "I will so sein wia du mi willst", "Jägerzeil'n Tanz", "Solang sich's Riesenradl draht", Kindermusical "Flora", Zusammenarb. m. Prof. Walter Bäck, Prof. Jolante Hasslwander u. Josef Kaderka, Konzertrezensent, Ref. b. Seminaren. P.: Zeitungsart. in gr. Tageszeitungen, Bezirkszeitungen, Zusammenarb. m. Prof. Walter Bäck, Prof. Jolante Hasslwanter u. Josef Kaderka, Konzertrezensent. E.: 1992 Silb. VZ d. Landes Wien. M.: AKM, AU-ME, ÖKB. H.: Musik, Garten.

Ober Hermann

B.: Maler. DA.: 5020 Salzburg, Hellbrunner Str. 3. G.: Freilassing/BRD, 10. Juli 1920. V.: Edeltraud. Ki.: Petra, Susanne. El.: Hermann u. Anna. S.: 1935 Lehre b. Kirchenmaler Engelbert Staller u. Bekanntschaft m. d. Freilassinger Maler Josef Brendle, 1944 Studienbeginn an d. Ak. in München b. Prof. Josef Hillerbrand, 1950-55 Wechsel zu Prof. Franz Nagel Ak. in München, 1955 Studienabschluß m. d. Titel Ak. Maler. K.: ab 1951 Engagement f. d. "Sbg. Gruppe"-, 1973 Gründer d. "Gruppe 73", 1975 Initiator d. "Rauriser Malertage", 1982 Initiator d. Aktion "Künstler helfen d. Sbg. Kunstver.", zahlr. Ausstellungen in Im- u. Ausland. E.: zahlr. Ehrungen u. Ausz. im In- u. Ausland. (M.Mo.)

Ober Toni

B.: Gschf., Inh., Tischlermstr. FN.: Tischlerei Toni Ober. DA.u. PA.: 6370 Kitzbühel, St. Johanner Str. 85. G.: Kitzbühel, 3. Okt. 1952. V.: Margit. Ki.: Toni, Simone. El.: Anton u. Katharina. S.: VS, HS, 1965-67 Tischlerlehre Kitzbühel, 1967 Gesellenprüf., 1968 Wechsel z. Instrumentenbau. K.: 7 J. Tätigkeit als Instrumentenbauer, danach wieder Tischlerei, 1980 Mstr.-Schule Hallein, Mstr.-Prüf., 1979 Beginn m. d. Aufbau d. Betriebes, Spezialgebiet Innenausbau. H.: Musik, Viergesang, Sport, Tennis. (A.W.)

Oberaigner Helmut Mag.

B.: Apotheker d. Assisi-Apotheke. GT.: Drogerieinh. DA.: 8740 Zeltweg, Bessemerstr. 36. G.: Kapfenberg, 1. Dez. 1916. V.: Thusnelda, geb. Achatz. Ki.: Peter, Andree. El.: Johann u. Anna. S.: 1935 Matura in Graz, Stud. Pharm. Graz u. Wien, 1940 Mag. K.: b. 1945 Kriegsdienst, Mag. in div. Apotheken, 1950-69 wiss. Mitarb. in Arzneimittelfirmen, Apothekenltr. in Straßburg, Aschach u. Tamsweg, seit 1982 Apotheke u. Drogerie in Zeltweg. H.: Fotografieren, Brandmalerei, Modelleisenbahnen. (Tra.)

Oberauer Hermann

B.: Kerbschnitzer. FN.: Schnitzerei Oberauer. DA. u. PA.: 5602 Wagrain, Hofmarkt 52A. G.: Wagrain, 23. Febr. 1944. Ki.: Hermann (1968), Reinhard (1970), Gerald (1977). S.: VS, Tätigkeit in versch. Branchen, 1985 Grdg. d. eigenen Firma, Schwerpunkte: künstler. Holzschnitzerei f. d. Wohnbereich, Ankäufe aus d. In- u. Ausland. M.: Kameradschaftsbund, Schützenver. H.: Schnitzen, Gitarrespiel. (G.P.)

Oberauer Herbert

B.: freischaff. Restaurator f. Gemälde, Skulpturen, spezialisiert auf mod. Kunst. DA.: 1080 Wien, Blindeng. 42; 1080 Wien, Bennog. 24. PA.: 1080 Wien, Blindeng. 42. G.: Wagrain, 17. Feb. 1956. V.: Ursula, geb. Angermayr. Ki.: Friedrich (1984), Theresa (1986). El.: Michael u. Maria. S.: VS, HS, 1974-81 Stud. Kunstschule Wien. K.: Bautechn. Zeichner Arch.-Büro Sbg., Volontär Museum f. angew. Kunst Mönchengladbach, 1981-83 Gschf. Ges. einer Restaurierungsfirma Kirchheim-Bolanden/BRD, Übersiedlung nach Parsberg/BRD als Ltr. d. Gemäldeabt. einer Kirchenrestaurierungsfirma, 1984 nach Wien übersiedelt u. seither als freischaff. Restaurator tätig. BL.: Entwicklung eines neuen Verfahrens z. Anwendung b. Restaurierung b. Gemälden. M.: ehrenamtl. Mtgl. d. Kulturver. Wagrain. H.: Kunst, Sammlung v. Fotos v. Alt-Wagrain u. d. Geschichte v. Wagrain. (F.S.)

Oberauer Ludwig

B.: Gastwirt d. Hotel Helmhof, Bmtr. d. Heeresverwaltung. DA. u. PA.: 5020 Salzburg, Kircheng. 29. G.: Taiskirchen, 14. Apr. 1948. V.: Herma, geb. Feldinger. Ki.: Robert, Christian u. Andrea. El.: Ludwig u. Maria. K.: Seit 1967 BH-Laufbahn (Wirtschaftsdienst), Mitarb. im Familienbetrieb "Pension Helmhof" in Sbg.-Liefering. M.: Unteroffz.Ges. E.: Bronz. Verd.Med. d. Sbg. Heimatvereinigungen. (Foed.)

Oberbacher Dieter Ing.

B.: selbst. Techniker, Orgelkonstrukteur. FN.: Oberbacher Orgelkonstruktionen. GT.: seit 1978 Motorfluglehrer. DA. u. PA.: 6858 Schwarzach, Hangg. 7. G.: Bremen, 24. Jän. 1940. V.: Ingrid, geb. Beckert. Ki.: Markus (1967), Stefan (1972), Ulrike (1973), Christine (1978). El.: Johann u. Else Charlotte. BV.: Vater Johann Oberbacher bekannter Maler u. Grafiker, altes ladin. Geschlecht unter d. Namen Sorraruf. S.: Gymn., BG, HTL Maschinenbau, 1980 Abendstud. Maschinenbau, 1962-69 Erlernung d. Orgelbauhandwerkes Firma Rieger. K.: 1958 Entwicklungs- u. Propagandaabt. Zahnradfbk. Friedrichshafen, 1962 Ltr. d. Konstruktionsbüros Firma Rieger Orgelbau Schwarzach, s. 1969 selbst. Oberbacher Orgelkonstruktionen. BL.: ca. 250 Orgelprojekt entworfen u. deren Konstruktion verwirklicht, zahlr. Mannschaftsstaatsmstr.-Titel im Pistolenschießen. P.: Kleine Orgelkunde (1978). E.: Stadtsiegel d. Stadt Bregenz, x-facher intern. Bodenseemstr. im Pistolenschießen. H.: Singen, Kultur, Sport. (A.K.)

Oberbeirsteiner Siegfried Mag.

B.: Steuerberater. DA.: 6020 Innsbruck, Burggraben 31. PA.: 6112 Wattens, Riedweg 30. V.: Helene, geb. Galler. Ki.: Eva-Maria, Thomas, Hannes. El.: Josef u. Marianne. BV.: Großvater mütterlicherseits Bgm. v. Wattens, mütterlicherseits besteht ein Wappen (angesehene Kfm.Familie). S.: Mittelschule Innsbruck, 1959 Matura, Jusstud. Univ. Innsbruck, 1965 Abschluß, BH. K.: in d. Verw. im Rektorat d. Univ. Innsbruck, Vorst.Stellv. Finanzamt Schwaz, 1974 als Berufsanw. b. Weiermayr tätig, 1978 Steuerberaterprüf., 1982 Übernahme d. Büros. M.: Mtgl. u. Kassier im Turnver., Wattener Schützenkompanie, Tennisclub. H.: Familie, Turnen, Tennis, Winzerhaus in d. Südstmk. (H.T.)

Oberbichler Andreas Dr. iur.

B.: selbst. RA. DA.: 6800 Feldkirch, Hirschgraben 37. PA.: 6800 Feldkirch, Grabenweg 2. G.: Dölsach/Tirol, 7. Okt. 1955. V.: Gabriele, geb. Wurzer. Ki.: Lukas (1988), Lisa (1989). El.: Andreas u. Maria. S.: Gymn., Matura 1974 Stams, Univ. Innsbruck u. Sbg., Prom. 1979, Bundesheer 1974-75. K.: 1979/80 Gerichtsjahr in Lienz u. Innsbruck, 1980-84 Konzipient b. RA in Feldkirch, 1983 Anwaltsprüf., 1985 selbst. RA in Feldkirch (Zivilrecht). M.: Tennisclub, Schiclub. H.: Zeitgesch., Schifahren, Radfahren, Tennis, Wandern, Reisen. (I.D.)

Oberdanner Benno Dr. iur.

B.: RA, Verteidiger in Strafsachen. DA.: 5020 Salzburg, Wolf-Dietrich-Str. 13. PA.: 5201 Seekirchen, Matthias-Bayrhamer-Str. 27. G.: Hall/Tir., 2. Mai 1920. V.: Eva-Maria. Ki.: Benno, Dr. Robert. S.: hum. Gymn. Sbg., 1938 Matura, Dt. Wehrmacht, Gefangenschaft, 1947 FA Sbg. u. Beginn d. Stud. an d. Univ. Innsbruck, 1949 Prom. K.: Gerichtsjahr in Sbg., Praxis b. 2 Anw. in Sbg., 1954 Anw.Prüf., seit 1954 selbst. RA. E.: EK. M.: Sbg. Juristenverb. H.: Familie (Enkelkinder), Sport (Turnen). (A.W.)

Oberdorfer Marianna

B.: Schneidermstr. FN.: Atelier Marianna spezialisiert auf Tir. Tracht u. Brautkleider. DA.: 9900 Lienz, Beda-Weber-G. 8, 6020 Innsbruck, Altstadt, H.-Friedrich-Str. 22. PA.: 9991 Dölsach, Stribach 4. G.: Lienz, 20. Nov. 1957. V.: Heinz Oberdorfer. Ki.: Anna (1989). El.: Thomas u. Anna. S.: VS, HS, Schneiderlehre, Mstr.-Schule in St. Pölten, 1981 Mstr.-Prüf. K.: 1981 Eröff. Atelier Marianna, 1991 Eröff. einer Filiale in Innsbruck. E.: Wr. Modering - jährl. 1 Tournee im Herbst durch ganz Österr. M.: Wr. Modering, seit 1992 GemR., Frau in d. Wirtschaft, Österr. Frauenbewegung. H.: Bergsteigen, Tourengehen, Skifahren, Seminare u. Kurse. (M.T.)

Obereder Alfred

B.: Hauptges., Gschf. FN.: EPi Electronic Products GmbH; EPi Telecom Instruments Trade GmbH. DA.: 9800 Spittal/Drau, Körnerstr. 19. PA.: 9871 Seeboden, Fischerweg 26. G.: Ulm/Deutschland, 29. Okt. 1943. V.: Sigrid, geb. Jenewein. Ki.: Brigitte (1965), Sabine (1966), Alfred (1975). El.: Viktor u. Anna. S.: VS, HS, 1957-60 Berufsschule u. Lehre Gas- u. Wasserinstallateur, 1960 Gesellenprüf. m. Ausz. K.: 1960-69 Tätigkeit in d. Schweiz in d. Privatwirtschaft in d. Schulung u. Entwicklung eines Ölbrenner-Herstellungsuntenehmens, Mitarb. u. Entwicklung v. 2 Patenten: vollelektron. Öl- u. Gasfeuerungsindustrielrelays, elektron. Tanküberfüllsicherung, 1969 Firmengrdg. m. Partner Leitgeb, 1974 Übernahme d. Firmenagenden in Österr. in Wien, 1976 Standortverlegung nach Spittal/Drau, 1978 Umwandlung in KG, 1990 Übernahme d. gesamten Anteile u. gleichzeitig Umbenennung in EPI Obereder KG, 1992 Umwandlung in GmbH, 1994 Grdg. EPi Telecom Instruments GmbH. M.: 1976 Grdg. u. stellv. Obm. Tennis Club Seeboden, seit 1993 Obm. H.: Familie, Garten, Tennis, Skifahren, Schwimmen, Wasserski, Segeln. (G.L.)

Oberegger Michael

B.: Dir. der Österr. Fremdenverkehrswerbung f. Italien u. Malta. DA.: I-20122 Milano, Via Larga, 23. PA.: I-60062 Cassano, Via Magellano, 13. G.: Villafranca (Spanien), 26. Apr. 1932. V.: Renate, geb. Steiger. El.: Michael u. Villa. S.: BRG. K.: 1953 Matura im BRG Lienz (Tir.), 1958-1962 Österr. Fremdenverkehrswerbung (Oficina Nacional Austriaca del Turismo), Madrid. 1962-1965 Span. Fremdenverkehrswerbung (Oficina Nicional Espanola del Turismo), in Wien (seit Eröff. d. Amtes), 1966 Österr. Fremdenverkehrswerbung, Zentrale Wien u. Zweigstelle Frankfurt, ab März 1966: Österr. Fremdenverkehrswerbung in Mailand, Dion.Ass. ab 1967: Dir. der österr. Fremdenverkehrswerbung in Mailand u. Ehrenamtl. Vertreter d. ÖBB in Italien, ab 1976: Dir. d. Österr. Fremdenverkehrswerbung f. Italien u. Malta (m. Bueros in Mailand u. Rom). P.: Div. Beiträge über Marketing im Tourismus. E.: "Cavaliere Ufficiale (Ritterkreuz) der Ital. Rep. (Preaes.Pertini) (Cav.Uff.). M.: Verb. d. Auslandspresse Italien, Circolo della Stampa, Milano Assoc. della Stampa Estera, Milano Club 44 (Montecatini Edison),Milano Skal-Club Milano & Laghi. H.: Klass. Musik, Belletristik

Oberer Dietmar

B.: Tischlermeister, gschf. Ges. FN.: Ambiente Küchen & Wohnen. DA.: 6850 Dornbirn, Mozartstr. 10. PA.: 6850 Dornbirn, Kiesquellenweg 5. G.: Schruns, 4. Mai 1962. V.: Heidi, geb. Radweger. Ki.: Benjamin (1988), Lucas (1990). El.: Fridolin u. Rosa Mathilde. S.: GS, Tischlerlehre in Dornbirn, Lehrabschlußprüf. m. Ausz., 1984 Meisterprüf. K.: 1981-84 Geselle im Lehrbetrieb, 1984 Ltg. eines Tischlereibetriebes, 1985 Beginn d. Verkaufstätigkeit im Möbelhandel in Dornbirn, parallel verkaufspsych. Weiterbildung in Kursen u. Seminaren, 1986 GF d. Fil. Dornbirn, 1987 Austritt aus d. Möbelhandel u. Grdg. d. Möbelfachgeschäftes "Ambiente" Küchen & Wohnen in Dornbirn. H.: Musik, Tischlern, Radfahren, Schwimmen, Reisen, Schifahren. (I.D.)

Oberforcher Hans Dr. iur. HofR.

B.: Polizeidir. d. Polizeidion. Innsbruck. DA.: 6020 Innsbruck, Kaiserjägerstr. 8. G.: Walchsee, 28. Juli 1927. V.: Katharina, geb. Troyer. El.: Dir. Ludwig u. Anna. BV.: Großvater Johann Oberforcher Schuldir. in Mayerhofen. S.: Gymn. Kufstein, Militär, Gefangenschaft, 1946 Rückkehr u. Matura, Stud. an d. Jur. Fak. Innsbruck, 1951 Prom., 1952 Gerichtspraxis. K.: 1953-55 Ref. d. Kam. f. Arb. u. Ang., 1955 Polizeikmsr., 1963 OKmsr., 1967 PolizeiR., 1971 OPolizeiR., 1979 HofR., 1979 prov. bestellter Polizeidir., 1980 Polizeidir. Innsbruck. E.: Gold. EZ d. Rep. Österr. 1976, Gr. EZ f. Verd. um d. Rep. Österr. 1985, Verd.Kreuz d. Landes Tir. 1978, Gold. Verd.Zeichen Rotes Kreuz 1986, Schwed. Kgl. Nordsternorden 1980, Blaues Kreuz in Silber d. Österr. Wasserrettung. M.: VPräs. d. Tir. Fußballverb. (D.S.)

Obergottsberger Hugo Dr. phil. Prof.

B.: Journalist, Chefred. d. IBF. DA.: 1010 Wien, Reichsratstr. 17. PA.: 1180 Wien, Währinger Str. 123. G.: Zulissen, 4. März 1926. V.: Elisabeth, geb. Valentini. Ki.: Therese, Stefan, Christine. El.: Franz u. Therese. S.: RG Steyr, 1946 Matura, 3 J. Auslandsaufenthalt Paris u. London, Stud. in Wien u. London Germanistik, Publizistik u. Phil., 1958 Prom. K.: 1959-62 Österr. Neue Tageszeitung, 1962-65 Kurier (Innen- u. Außenpolitik), 1965 IBF Presseagentur f. Bild., Wiss. u. Kultur, stellv. Chefred., 1975 Chefred., 1976 Grdg. d. Nachrichtenmagazin "Spektrum", 1970 Grdg. d. Österr. Clubs f. Bild. u. Wiss.Journalisten, b. 1985 Präs., 1971 Mitbegründer d. Europ. Union d. Ges. d. Wiss.Journalisten, 1974 VPr., 1975-76 Präs., 1979 Grdg. d. Club of Vienna, im Grdg.Komitee f. d. Weltverb. d. Wiss.Journalisten Mexiko City, seit 1967 Unesco-Kmsn., 1967 Grdg. d. Info-Dienstes Unesco-Austria. BL.: 1974-79 Organ. v. zahlr. intern. Kongressen, als Experte d. BRg. b. d. Generalkonferenzen d. Unesco Paris, Belgrad etc. tätig. P.: Handbuch f. Auslandskulturarb. "Daten u. Taten" 1970. E.: 1971 Österr. Staatspreis f. journal. Leistungen im Interesse d. Jugend, 1975 Kardinal Innitzer-Preis, 1977 Staatspreis f. journal. Leistungen im Interesse f. Wiss. u. Forsch., 1980 Kunschak-Preis, 1978 tit.Prof., 1983 Österr. Ehrenkreuz f. Wiss. u. Kunst I. Kl. H.: Kunst (Malerei), Bergsteigen, Ornitologe (Züchtung v. exotischen Schmetterlingen), Literatur. (A.W.)

Oberhaidinger Georg

B.: Sekr. d. ÖGB, Abg. z. NatR. DA.: 4600 Wels, Roseggerstr. 10. PA.: 4600 Wels, Birkenstr. 6. G.: Vöcklabruck, 27. Jan. 1945. Ki.: Gudrun (1968), Gerald (1970). El.: Georg u. Hedwig. S.: Mittelsch., Lehre als Kessel- u. Motorenwärter m. Maschinistenprüf. K.: Ab 1967 Kesselwärter, 1969 Wahl in d. Arbeiterbetriebsrat u. BR-Obm., 1970 Mitbegr. d. Arbeitsgemeinsch. d. Jungen Generation im Bez. Vöcklabruck, 1972 Besuch d. Sozialakad., 1973 Sekr. f. d. Bez. Wels u. Vöcklabruck d. Gewerksch. Metall - Bergbau - Energie, 1975 Wahl in d. Stadtparteiaussch., 1978 Frakt.-Obm. d. ÖGB im Bez. Wels, 1979-86 im OÖ Landtag, 1986-90 Stadtrat, ab 1990 NR-Abg., Landesparteisekr. d. SP OÖ, gschff. Bezirksvors. d. SP-Wels. M.: Naturfreunde Wels, Obm. d. ABC Wels. H.: Lesen, Radfahren, Bergtouren. (P.H.)

Oberhammer Gerhard Robert Felix Dr. phil. o.Univ.-Prof.

B.: o.Prof. f. Indologie d. Univ. Wien. DA.: 1010 Wien, Universitätsstr. 7. G.: Innsbruck, 18. Juni 1929. V.: Magda, geb. Geurts. Ki.: Maria Barbara (1973). El.: Dr. Alois u. Sonja. S.: 1949 Stud. Phil. Leopold Franzens-Univ. Innsbruck, 1950/51 Studienaufenthalt in Paris, 1954 Prom. z. Dr. phil. K.: 1955-61 wiss. Hilfskraft am Inst. f. Indologie d. Univ. Wien, 1957-59 Studienaufenthalt Indien, 1961-64 Univ. Utrecht, 1964 a.o.Prof. u. Vorst. d. Inst. f. Indologie d. Univ. Wien, 1964-74 Mithrsg., seit 1975 Hrsg. d. "Wr. Zeitschrift f. d. Kunde Südasiens", 1967 o.Prof. f. Indologie, seit 1972 Hrsg. d. Reihe "Publications of the De Nobili Research Library", 1973-85 Konsultor d. Secretariatus pro non Christianis in Rom, 1976 korresp. Mtgl. d. Österr. Ak. d. Wiss. u. Obm. d. Kmsn. f. Sprachen u. Kulturen Südasiens, 1982 w.Mtgl. d. Österr. Ak. d. Wiss., 1982/83 Prodekan d. Geisteswiss. Fak. d. Univ. Wien, 1982 Obm. d. Kmsn. f. Ethnologie d. Österr. Ak. d. Wiss., 1983 Vertreter d. Österr. Ak. d. Wiss. im Standing Committee, 1983-87 Dekan d. Geisteswiss. Fak. d. Univ. Wien, 1985 korresp. Mtgl. d. wiss. Ges. f. Theol., 1986 for the Humanities d. European Science Foundation; Dir. d. Forsch.-Stelle f. Kultur- u. Geistesgeschichte Asiens d. Österr. Ak. d. Wiss., 1988-90 Prodekan d. Geisteswiss. Fak. d. Univ. Wien, seit 1989 Mtgl. d. Acadmia Europaea, seit 1992 Dir. d. Inst. f. Kultur- u. Geisteswiss. Asiens an d. Österr. Ak. d. Wiss. P.: ca. 114 Publ. über Phil. u. Religionsgeschichte sowie Religionsphil. d. ind. Kulturkreises, Offenbarungsgeschichte als Text, Religionshermeneut. Bemerkungen z. Phänomen in hinduist. Tradition (1994), La delivrance des cette vie (1994), Strukturen Yogischer Meditation (1977), Versuch einer transzendentalen Hermeneutik religiöser Traditionen (1987). E.: 1985 Würdigungspreis f. Geisteswiss. d. Kardinal-Innitzer-Studien-Fonds, Festschriften anläßl. d. 65. Geburtstages:Orbis Indicus u. Hermeneutics of Encounter. H.: Musik, Wandern, Lesen. (J.M.)

Oberhammer Otto Dr. iur.

B.: Sekt.-Chef im BMJ. DA.: 1070 Wien, Neustiftg. 2. G.: Innsbruck, 25. Sept. 1934. V.: Claudia, geb. Porsche. El.: Anton u. Auguste. S.: Hum. Gymn. Innsbruck, Stud. Rechtswiss. Univ. Innsbruck, 1958 Prom. z. Dr. iur. K.: seit 1959 im Gerichtsdienst, 1962 Richter b. versch. Gerichten in Tir. u. Vbg., seit 1963 BMJ, ab 1969 Min.-Dienst, 1974-78 Gen.-Int. d. Österr. Rundfunks, ab 1980 Ltr. d. Präsidialsekt. im BMJ. E.: Gr. Gold. EZ f. Verd. um d. Rep. Österr., Bgld. Komturkreuz, EZ d. Landes Tir., NotEZ, GrK d. dän. DO. H.: Bild. Kunst, Arch. (N.A.)

Oberhauer Christoph

B.: Marketingltr. FN.: Almdudler-Limonade A. & S. Klein. DA.: 1190 Wien, Hackhoferg. 13. PA.: 3002 Purkersdorf, Winterg. 36. G.: Wien, 1. Mai 1960. El.: Rudolf Erhard u. Erika, geb. Christoph. BV.: Großvater Viktor Christoph KamR. d. bgld. HK, Gold. EZ d. Rep. Österr. S.: HAK, 1985-87 Stud. Werbung u. Verkauf. K.: polit. Tätigkeit: ÖVP Partei-Büro, Organ.Ref., Ver. d. Wr. Stadtfesv., Wr. Allianz Vers., b. 1984 Außendienst, 1984 Grdg. Verkaufsförd.-Agentur "Team-Mondial", 1987-89 Billa-Konzern, Sport-

Klepp Gebietsltr., Marketingltr., 1989 Marketingltr. Fa. Almdudler. BL.: 1981 div. Med. b. Skirennen. P.: 1987 "Der Rennläufer - Werbeträger d. Österr. Skiind.". M.: Mtgl. d. Österr. Skiverb. H.: Skifahren, Tennis, Surfen, Bergwandern, Singen, Gitarre spielen, Kultur, Reisen. (M.G.)

Oberhauser Dietmar

B.: Gschf.; Koch. FN.: Braugasthof Fohrenburg. DA.: 6900 Bludenz, Werdenbergerstr. 53. PA.: 6854 Dornbirn, Lange Mähder 19c. G.: Egg, 26, Feb. 1958. V.: Doris, geb. Sieber. Ki.: Beatrice (1985), Jeannine (1987). El.: Albert u. Reinelde. K.: Kochlehre, 1976 Wintersaison in Lech Hotel Post, 1978 Auslandspraxis franz. Schweiz in Crans/Montana u. England, m. d. MS Saga Fjord auf einigen Weltreisen als Koch - spezialisiert auf Fischgerichte, 1984 Rückkehr n. Österr., langjähriger Küchenchef im Gösserbräu Bregenz, Übern. d. Braugaststätte Fohrenburg in Bludenz, zust. f. Küchenbereich u. Einkauf, 1988 Kurs - Gastgewerbe - Konzession. E.: mehrer Ausz. als Kunstturner. M.: Naturfreunde Nüziders, Rauchclub "Fidelitas", Vlbg. Jägerschaft. H.: Wassersport, Bergwandern, Gartenarbeit, Radfahen, Kochen. (I.D.)

Oberhauser Elmar

B.: Journalist, Sendungsverantwortl. d. ZIB 2 d. ORF. DA.: 1136 Wien, Würzburgg. 30. PA.: 1090 Wien, Harmonieg. 3. G.: Hohenems, 2. Juli 1947. V.: Silvia, geb. Tschann. Ki.: Nicole (1976), Nadine (1979). El.: Josef u. Ida, geb. Loacker. S.: VS, HS, BLBA, 1967 Matura Feldkirch. K.: 1967-69 VS-Lehrer, 1969-71 VS-Dir., 1971-75 HS-Lehrer u. Lehrer d. Polytechn. Lehrgang, 1971-75 freier Mitarb. d. ORF Vbg. (Sport), ab 1975 Ang. Red. b. Landesstudio Vbg. Dornbirn, seit 1985 in Wien, 1985-87 Red. in Inlandsred., 1/2 J. Schweizkorrespondent d. ORF, 1987-91 Ltr. d. Bdl.-Red. im ORF-Zentrum, seit 1989 Moderator, ab 1991 Sendungsverantwortl. d. ZIB 2. H.: Kartenspielen. (N.A.)

Oberhauser Pert

B.: Ltr. d. Abt. Unterhaltung u. TV-Reg. im ORF Landesstudio Stmk. DA.: 8010 Graz, Marburger Str. 20. PA.: 8042 Graz, Ferdinand- v.-Saar-Weg 21. G.: Lienz, 6. Juni 1936. V.: Helma, geb. Meyer. Ki.: Roland (1962), Norbert (1972). El.: Jakob u. Emilie. S.: VS, Mittelschule, 1955 Matura, 1955-58 Stud. HS f. Musik u. darstell. Kunst. K.: 1958-61 Synchronsprecher Bavaria BRD, Engagements an versch. Bühnen in d. BRD, Ostberlin, Leipzig, Düsseldorf, Gastspiele, 2 J. kfm. Ausbild. in d. Privatwirtschaft, 1963 Sprecher ORF Studio Stmk., Gestaltung u. Moderation v. Unterhaltungssendungen, 1980-88 regieführender Programmgestalter d. Fernsehens, ab 1988 Chef d. Unterhaltungsabt. BL.: Berufspilot b. d. M.M. Buisness Air. P.: Fernseh-Vierteile "Die seltsame Geschichte d. Clowns", Mitbegründer d. erfolgreichen Eigenproduktion "Klingendes Österr.", heute Reg. u. Autor dieser Sendung, als Reg. Gestalter intern. Tanzsportturniere. H.: Lesen, Zeitgeschichte. (M.Gr.)

Oberhauser Peter

B.: Unternehmer, Gschf. Ges. FN.: ISOLIER GmbH. DA.: 6382 Kirchdorf, Salzburger Str. 21. PA.: 6370 Kitzbühel, Oberleitenweg 23. G.: Kitzbühel, 3. Jan. 1948. V.: Hildegard, geb. Exenberger. Ki.: Bettina (1967), Bernhard (1976). El.: Josef u. Margarethe. S.: VS, HS, Berufsschule, Lehre als Maschinenbauer, 1966 Gesellenbrief, 1970 Meisterprüf. K.: 11 J. Außendienst f. Würth-Hochenburger, 1981-85 Ein- u. Verkauf u. Kalkulation Firma Meise Bau Kitzbühel, 1985 Eintritt ISOLIER GmbH als Gschf., 1989 Übernahme d. Firma. M.: 13 J. Musikkapelle Kitzbühel, Innung Sekt. Bauhilfsgewerbe. H.: Berggehen, Radfahren, Tourengehen, Skifahren. (J.F.)

Oberhell Brigitte

B.: Großhandelskauffrau. FN.: Oberhell Fachgroßhandel f. Juwelen, Gold- u. Silberschmuck. DA.: 4020 Linz, Landstr. 66. PA.: 4040 Linz, Langfeldstr. 72. G.: Wels, 29. Okt. 1946. V.: Mag. Rainer Oberhell. El.: Adam u. Klara Helmlinger. S.: VS, RG, 1966 HAK-Matura. K.: 1967 6 J. IBM, 1973 Ausbild. als Edelstein-, Diamant- u. Schmuckgroßhändlerin, Gutachter in d. Verarb., 1975 Eröff. d. eigenen Geschäftes. P.: versch. Fachausstellungen. H.: Freundschaften, Sprachen, kreativ entwerfen. (Ni.A.)

Oberhofer Andreas Dr. med.

B.: selbst. Arzt. DA.: 6020 Innsbruck, Edith-Stein-Weg 1. G.: Innsbruck, 27. März 1954. V.: Elfriede, geb. Kirschner. S.: Matura, Med.Stud. Innsbruck, 1979 Dr. med., während d. Stud. Ausbild. in Deutschland u. Wien auf d. Gebiet d. Naturheilmed. K.: Univ.Klinik Innsbruck, 1984 Praxiseröff. BL.: Spezialisierung auf d. Gebiet d. Naturheilkunde, 1984-87 Kurarzt im Gesundheitszentrum u. Fastenklinik F.X. Mayr Lanserhof, Ausbild. auf d. Gebiet d. Homöopathie, Akupunktur u. Thermoregulationsdiagnostik, Elektroakupunktur u. Bio-Elektron. Funktionsdiagnose. P.: wöchentl. Kolumne "Der Hausarzt", Tir. Tageszeitung seit 1985. M.: Österr. Ges. f. Homöopath. Med., Österr. wiss. Ärzteges. f. Akupunktur, Österr. Ges. f. Elektroakupunktur, Dt. Ges. f. bioelektron. Funktionsdiagnostik, Mora-Therapie-Ges. Deutschland, Dt. Zentralverb. d. Ärzte f. Naturheilverfahren, Österr. Ges. d. Mayr Ärzte. H.: Möbel- u. Glasdesign, Skulptur, Glasbläserei, Tauchen, Lyrik.

Oberhofer Karl

B.: Gschf. d. Fa. Dox-Spula GmbH & Co KG, Bandfbk. DA.: 2120 Wolkersdorf, Wienerstr. 39. PA.: 1110 Wien, Rohrhofeng. 2-6/10/10. G.: Kleinzell, 10. Juni 1949. V.: Verena, geb. Günther. Ki.: Andreas, Barbara. El.: Karl u. Johanna. S.: HS. K.: 1968-70 Pensionsvers. d. gewerbl. Wirtschaft, 1970 b. Fa. Spula als Kalkulant, 1981 Prok., 1982 Gschf. M.: Obm. Handball d. WAT Simmering, Reitclub Dobersberg. H.: Reiten, Handball. (Fels.)

Oberhofer Robert

B.: Gastwirt d. Gasthof "Milserbrücke". DA. u. PA.: 6060 Mils, Bundesstr. 7. G.: Hall, 7. Juni 1944. V.: Rita, geb. Gruber. Ki.: Gunther, Silvia, Bettina, Andrea, Gerhard. El.: Josef u. Marianne. BV.: Familienwappen aus 1591, Vater 1947-50 Bgm. v. Mls. S.: VS, HASCH, Koch m. abgeschlossener Gesellenprüf. K.: 1967 Pacht u. 1970 Übernahme d. väterl. Landgasthauses. F.: Camping Platz "Milserbrücke", Gastrobewirtschaftung "Almhütte", Brennerei v. Edelbrand-Schnäpsen. M.: aktives Feuerwehrmtgl. H.: Skifahren, Radfahren, Literatur, Musik. (W.G.)

Oberhöller Dieter

B.: Dir., Inh., Hotelkfm. Hotel Montfort. DA. u. PA.: 6800 Feldkirch, Galurag. 7. G.: Feldkirch, 29. März 1959. El.: Franz u. Ernestine. S.: HS, Hotelfachschule Innsbruck, 1981 Abschluß, 1981 Militär. K.: 1981 Auslandspraktikum Franz. Schweiz, 1982 Kreuzfahrtschiff Amerika, 1983 Übernahme d. elterl. Hotels in Feldkirch, 1986 parallel b. versch. Hotels Manager, 1986 Tätigkeit im eigenen Hotel, Gründer d. Montfortfestes. M.: Bruderschaft St. Christoph, Faschingsilde, Fallschirmspringerclub UPCV, Verkehrsver., Yachtclub Rheindelta. H.: Fallschirmspringen, Fliegen (Pilotenschein), Segeln, Klettern. (I.D.)

Oberhuber Ilse
B.: Inh. d. Fa. W. A. Schmidt. DA.: 8020 Graz, Rösselmühlg. 4. PA.: 8044 Graz-Mariatrost, Himmelreichweg 48. G.: Tregist, 22. Juli 1921. V.: Oberhuber Peter Richard Prof. El.: Luczansky Karl u. Johanna. S.: VS, Gymn. K.: 1937 Eintritt in d. väterl. Fa. als Ges., 1939 Eintritt in d. Fa. Schmidt als Prok., ab 1945 Inh. d. Fa. Schmidt. M.: Soroptimist-Club. H.: Bridge, Tarock, Gartenarbeit. (War.)

Oberhuber Oswald o.Univ.-Prof.
B.: Rektor d. HS f. angew. Kunst. DA.: 1010 Wien, Oskar-Kokoschka-Pl. 2. PA.: 1020 Wien, Nestroypl. 2. G.: Meran, 1. Febr. 1931. S.: Gewerbeschule Innsbruck. K.: 1949 Beginn d. informellen Malerei u. Plastik, 1952-53 Einzelausstellungen in Zürich u. Innsbruck, nach einer Periode konsequenter gegenständlicher Figurenmalerei Ausbruch aus d. Gehege kodifizierter Kunst, permanente Veränderung u. Spekulation im Sinn v. Entfaltung eines umfangreichen Formenvokabulars kennzeichnen d. weiteren Weg, 1958-61 folgt zunächst eine Phase verschiedenartigster Bildtechniken bzw. Thematik, 1962-63 monumentale Selbstportraits, 1965-65 Redaktion d. Arch.-Zeitung "Bau" m. Hollein Hans, Pichler Walter, Peichl Gustav, 1966-71 Uraufführung eines Lautsprecherstückes, Textbilder, Biennale Tokio, Ausstellung im Museum d. 20. Jhdt., 1972 Biennale Venedig als offizieller Vertr. Österr., 1973 Prof. an d. HS f. angew. Kunst in Wien, Ausstellung Kunsthalle Basel, 1977 Beteiligung an d. Documenta Kassel, Bühnenbilder f. Goethe's Urfaust, 1978 Magazino di Sale Gervia Italien "Raum u. Licht", Aktion Kunststiftung f. d. Museum d. 20. Jhdt. Wien, 1979 Grafikbiennale Wien m. Beuys-Roth-Rinke-Oppenheim, Rektor d. HS f. angew. Kunst Wien, 1981/82 Ausstellung im Palazzo dei Diamanti Ferrara, Documenta Kassel, 1983 Teilnahme am Steir. Herbst "Paradiesgarten", Biennale Sao Paulo u. Ausstellungen in Holland, 1985 Galerie nächst St. Stephan "Lust auf Worte" (Texte aus 3 Jahrzehnten), 1985 Intern. Zeichnungen, Kunstver. Frankfurt, b. Jan. 1986: "Die handelnde Skulptur - Informelle Plastik 1949-54", Galerie Curtze Düsseldorf, 1986 "Aug'in Aug'", Galerie Krinzinger Wien, Fotoausstellung in d. Galerie Fotohof Sbg., "Chambres d'Amis", Ausstellungsprojekt Gent, "10 Positionen", Ausstellung im Sbg. Kunstver., Prof. f. Malerei b. d. bg. Sommerak. 1986, 1987 Frankfurt Kunstver., Tir. Landesmuseum Innsbruck, Galerie Krinzinger Wien, Galerie Winter Wien, Kleines Kunstpalais Meran, Galerie Griss Graz, Kulturhaus Graz, Europalia 1987 Österr., Einzelausstellung in Gent (Museum van Hedendaagse Kunst), U-Mode Wien/Messepalast - 25 Modelle, Retrospektive d. Zeichnungen Villach, Oberhuber im Oktober, Museum mod. Kunst. Wien. (N.A.)

Oberhuber Sigrid
B.: Werbeberater. FN.: Creativ Werbung Oberhuber. DA.: 9900 Lienz, Karlsbaderweg 7. G.: Lienz, 5. Aug. 1951. V.: Herbert Oberhuber. Ki.: Sabine (1972), Michaela (1975). El.: Erich u. Martina Winkler. S.: VS, Gymn., Hauswirtschaftsschule. K.: 1967-70 versch. Abt. Bank, Chefsekr., 1970-72 Steuerberatungskzl., umdisponiert auf Buchhaltung, 1973-79 Teilzeitkraft f. Buchhalt., 1979-82 Vers.-Branche, Innendienst, b. 1979 Teilzeitkraft f. Buchhaltung, seit 1983 selbst., seit 1985 Werbeagentur, Befähigungsnachweis f. Werbeberatung u. Werbemittlung. M.: Sozialver. H.: Schwimmen u.a. Sportarten. (M.T.)

Oberkersch Manfred Mag. Ing.
B.: Gschf. Ges. FN.: EPROM-Firmengruppe System- u. Hardwarehaus. DA.: 1040 Wien, Argentinierstr. 41a. G.: Wien, 16. Jan. 1960. V.: Silvia, geb. Jöbstl. El.: Johann u. Gertrude. S.: RG Wien, HTL (Elektrotechnik), Univ. Wien (Betriebsinformatik), Spons. 1986. K.: Neben d. Stud. Ass. f. Elektrotechnik an d. HTL Wien I, 1982 Grdg. d. Fa. Eprom, 1988 Grdg. v. Filialen in Salzburg u. München, 1990 Grdg. d. Filiale in Brünn, 1991 Grdg. d. Eprom-Immobilien Wien, s. 1984 Sondervertragslehrer an d. HTL Wien I, s. 1991 Prof. f. Elektrotechnik u. EDV an dieser Schule. H.: Skifahren, Tennis, Schwimmen, Klettern, Radfahren, Familie, Lesen, Arbeiten. (J.S.)

Oberklammer Eckhard Dr. rer. soc. oec.
B.: Geschäftsltr. d. SPARDA-BANK LINZ. DA.: 4021 Linz, Wiener Str 2a. PA.: 4310 Mauthausen, Ufer 179. G.: Mauthausen, 23. Febr. 1945. El.: Josef u. Emma. S.: VS, HS, HAK, BWL-Stud. K.: 1964-1970 Bawag Linz, zuletzt Ltr. d. Abt. Personalkredite, ab 1970 Geschäftsltr. d. SPARDA BANK Linz, Bankltr.-Prüf. Volksbanken-Akad. Wien, 1984 Prom., SPÖ-Mtgl., Mtgl. d. Verb.-Aussch. d. Österr. Genossenschaftsverb. P.: Der Einfluß des Kreditwesengesetzes 1979 auf die Entscheidungsdelegation, Organisation u. Datenverarbeitung, Band I u. II, Personalbeurteilung im Rahmen eines betriebl. Informationssystems, lfd. Art. in Fachzeitschriften. H.: Oper, Bilder, Segeln.

Oberlaßnig Herbert
B.: Fliesenlegermstr. GT.: gerichtl. beeid. Sachv. seit 1986. DA.: 8720 Knittelfeld, Parkstr. 27. G.: Judenburg, 20. Jan. 1949. Ki.: Sandra, Silke. El.: Franz u. Erna. S.: VS, HS Fohnsdorf, Fliesenlegerlehre. K.: Arbeit im väterl. Betrieb, 1972 Mstr.Prüf., seit d. Tod d. Vaters 1972 Führung d. Betriebes. M.: örtl. Sportver., Österr. Alpenver. H.: Bergsteigen, Schitouren, Lesen, Geräte, Tauchen. (M.T.)

Oberlechner Hans-Anton

B.: Elektroinstallateurmeister, Verkaufsltr. FN.: Elektro Oberlechner OHG. DA.: u. PA.: 6212 Maurach 107e. G.: Schwaz, 28. Sep. 1955. V.: Sonja, geb. Fasser. Ki.: Mario (1982), Bettina (1986). El.: Johann u. Agnes. S.: Pflichtschule, Polytechn., 3 1/2 Elektroinstallateurlehre im elterl. Betrieb. K.: 1974 Gesellenbrief, 1985 Meisterprüf., 1983 Übernahme d. Betriebes m. Bruder Wolfgang u. Rainer, Installation u. Hdl. m. Elektro-Art. P.: Art. u. PR in reg. Printmedien. M.: Obm. d. FC Achensee, Aussch.-Mtgl. FF Eben, div. örtl. Ver. H.: Radfahren, Laufen, Skifahren, Langlauf. (J.F.)

Oberlechner Rosemarie

B.: freischaff. Künstlerin. DA. u. PA.: 1190 Wien, Schegarg. 14A. G.: Wien, 15. Mai 1940. Ki.: Michael (1964), Christian (1967). El.: Walter u. Rosina Gebhart. S.: VS, Mittelschule, Graph. Lehr- u. Versuchsanst. K.: 1970-90 Artdir. b. intern. Werbeagenturen, seit 1990 selbst. m. "Kunstraum Döbling", Schwerpunkt: Werbegrafik, Kurse "Malen nach Musik, lfd. Einzelausstellungen in Wien u. Ausland. M.: GDA, Alpha-Club. (N.A.)

Oberlechner Wolfgang

B.: Elektroinstallateurmeister. FN.: Elektro Oberlechner OHG. DA.: u. PA.: 6212 Maurach 107e. G.: Schwaz, 6. Apr. 1958. V.: Gabriele, geb. Erler. Ki.: Kristina (1989). El.: Johann u. Agnes. S.: Pflichtschule, Polytechnikum, 3 1/2 J. Elektroinstallateurlehre im elterl. Betrieb. K.: 1977 Gesellenbrief, 1985 Meisterprüf., 1983 Übernahme d. Betriebes m. Bruder Hans u. Rainer, Installation u. Hdl. m. Elektro-Art. P.: Art. u. PR in reg. Printmedien. M.: Obm.-Stellv. Bergrettung, FF Eben, Airoclub Achensee, div. örtl. Ver., GemR. H.: Beruf, Paragleiten, Berggehen. (J.F.)

Oberlehner Hermann Mag. Ing.

B.: Gschf. Ges., Hauptges. FN.: S plus S. DA.: 4020 Linz, Südtiroler Str. 5. PA.: 4020 Linz, Landstr. 109. G.: Neukirchen/Walde, 17. Juli 1955. El.: Hermann u. Katharina. S.: VS, HS, Kfz-Mechanikerlehre Firma Strasser Neukirchen, 1974-75 BH. K.: seit 1975 Meß- u. Regeltechniker VOEST Alpine, nebenberufl. Mstr.-Schule, 1978 Planung v. Anlagenerhaltung, 5 J. Abendschule HTL, 1983 Matura, b. 1988 Stud. BWL Linz, 1979 Ltr. d. Planung v. Großreparatur, anschl. Ltr. d. Investitionsabt., anschl. Planung u. Umweltschutzorgan. Voest Alpine Stahl AG, seit 1991 Gschf. Ges. S plus S. E.: einige Sportwettbewerbe gewonnen: Fußball, Skifahren, Tennis. M.: Golfclub. H.: Golf, Skifahren, Interesse f. Menschen in anderen Erdteilen. (U.A.)

Oberleitner Franz

B.: Ltr. d. Gruppe Wasserrecht im Bundesmin. f. Land- u. Forstwirschaft. DA.: 1010 Wien, Stubenring 1. G.: Wien, 3. März 1944. V.: Dr. Christine. Ki.: Michael, Christian, Katharina. El.: Franz u. Aurelia. S.: 1962 Matura, Stud. Univ. Wien, 1966 Prom. K.: Gerichtsj., Mag. Wien, Militär, Rechtskundebediensteter, seit 1970 Mag. 58 Wasserrecht, 1977 Ldw.-Min., Ltr. d. Abt. IB4, Bestellung z. Gruppenltr. BL.: WRG-Nov. 1990. P.: ca. 30-40 Veröff. in div. Fachzeitschriften Bereich Wasserrecht. E.: 1989 Gr. EZ, 1981 Silb. EZ. M.: Gewerkschaft, SPÖ, ÖWAV, Bez.-Kulturver. H.: Literatur, Wandern, Bergsteigen, Grundfragen v. Staat u. Ges., Kultur. (J.E.)

Oberleitner Sonja

B.: Campaigner f. Meeresökol. u. Artenschutz. FN.: Greenpeace Östereich. DA.: 1030 Wien, Auenbruggerg. 2. PA.: 1040 Wien, Kleinschmiedg. 1. G.: Stuhlfelden (Pinzgau), 26. Mai 1961. El.: Frieda u. Josef. S.: Matura, Stud. Biol. u. Zool. Univ. Sbg. u. Wien, derz. Arb. a.d. Diss. K.: Währ. d. Stud. Organ. v. Modeschauen, Messen u. Management f. Avantgarde-Designer Leos, 1986 Eintr. Greenpeace, zun. Büroorgan., Gesch.-Ltg. u.a., später Aufbau u. Übern. d. Ltg. d. Ber. d. Meeresökol. u. Artenschutz. BL.: Beteil. am 50-jähr. Rohstoffabbauverbot u. Beitr. Österr. z. IWC, offiz. Mtgl. d. Österr.-Delegation. P.: 3 Ökologie-Globalkalender. H.: Sport, Lesen. (J.S.)

Oberleitner Wolfgang

B.: Freier Journalist. A.: 1130 Wien, Auhofstr. 39. V.: Eva, geb. Purwitzer. E.: Adalbert u. Margarete. S.: Mittelschule, Univ. Wien. K.: 1946 Mitbegr. d. Kath. Pressezentrale in Wien, 1948 Ltd. Red. d. Vertriebenorgans "Heimat", 1954 Eintritt in die Red. d. Tageszeitung "Die Presse", 1977-1981 einer d. ltd. Red., daneben Österr.Korrespondent dt. u. finn. Tageszeitungen. P.: "Politisches Handbuch Österr. 1945-80". E.: Fin. Löwenorden, Gr. Gold. EZ Österr. M.: Österr.-Finn. Ges., Presseclub Concordia, ÖGB. H.: Philatelie.

Oberlercher Adolf

B.: LBranddir., Gastwirt d. Gasthof Adam, Ldw. DA.: 9020 Klagenfurt, Roseneggerstr. 20. PA.: 9722 Gummern, Töplitsch 18. G.: Töplitsch, 23. Aug. 1938. V.: Greti, geb. Sagmeister. Ki.: Gundula, Margret, Marianne, Adolf. El.: Hermann u. Stefanie. S.: Pflichtschule, Fachschule f. Bauhandwerk. K.: 1952-65 Polier, seit 1962 Gastwirt u. Ldw., 1960 Beitritt z Feuerwehr Töplitsch, ab 1973 Kdt. d. Feuerwehr Töplitsch u. Abschnittsfeuerwehrkdt., ab 1979 Bez.-Feuerwehrkdt.Stellv. Villach Land, ab 1985 Bez.-Feuerwehrkdt. Villach Land u. LFeuerwehrkdt. E.: Goldmed. m. d. Feuerwehr Töplitsch b. intern. Leistungsbewerb in Brünn 1973, Bronzemed. m. d. Feuerwehr Töplitsch b. intern. Leistungsbewerb in Trient 1977. H.: Skifahren, Lesen, Sport. (S.G.)

Oberlojer Viktor

B.: Hoteldir. d. Parkhotel Pörtschach. DA.: 9210 Pörtschach, Elisabethstr. 22. PA.: 9500 Villach, Burgenlandstr. 37. G.: Lienz, 18. Mai 1942. V.: Renate, geb. Haberle. Ki.: Christine, Stefan. El.: Dionys u. Hermine. S.: 1966-69 Hotelfachschule in Bad Hofgastein, Auslandspraxis: London Hilton, Grand Hotel Leysin (Schweiz). K.: prakt. Tätigkeit: Kurhotel Ronacher Bad Kleinkirchheim, Gschf. Tätigkeit in Stuttgart Hotel Flughafen, 1973-77 Parkhotel Villach, 1977 Hotel Post Villach, 1979 Warmbader Hof Villach seit 1983 Dir. Parkhotel Pörtschach. M.: Absolventenverb. d. Salzburger Hotelfachschule, im Werbeaussch. d. Fachgruppe Hotel- u. Beherbergungsbetriebe d. Kam. d. gewerbl. Wirtschaft f. Ktn., im Fremdenverkehrsaussch. d. Kurverw. Pörtschach. H.: Skifahren, Tennis, Golf. (M.B.)

Obermaier Ingrid Dir.

B.: Dir. d. Pflegedienstes, Dipl.Krankenschwester im AKH. GT.: Lehrerin an Krankenpflegeschulen u. Sonderausbild. DA.: 1090 Wien, Währinger Gürtel. PA.: 1060 Wien, Gumpendorferstr. 24. G.: Ottenschlag, 15. Juli 1939. V.: Siegfried. Ki.: Martin, Monika. El.: Johann u. Theresia Grünsteudl. S.: VS, HS, Hauswirtschaftsschule, Krankenpflegeausbild., 1975 Sonderausbild. z. Lehrschwester, 1976 Sonderausbild. f. ltd. Pflegepersonal, 1981 Ausbild. z. Pflegeforsch.Schwester. K.: 1960 Dipl., 1960-61 Dipl.-Krankenschwester im AKH, 1961-70 Hausfrau, 1962-70 nebenberufl. Krankenschwester, ab 1970 Dipl.Krankenschwester im AKH, 1980-88 Oberin im Elisabethspital, seit 1989 Dir. d. Pflegepersonals d. AKH. P.: Fachveröff. u.a. Eine Broschüre z. Thema "Forschung in der Krankenpflege", Vorträge b. Kongressen u. Tagungen über Pflegeforsch., EDV u. Pflegekonzepte. M.: Ver. d. Wr. Pflegedienstltr. H.: Handarb., kreative Tätigkeit, Lesen, Esoterik. (M.B.)

Obermaier Wolfgang Peter

B.: PR-Berater u. Inh. FN.: Agrarpromotion Public Relations. DA.: 1020 Wien, Nordbahnstr. 30. G.: Gmunden, 14. Juni 1957. El.: Josef u. Irmgard. S.: Matura, Stud. Hdls.-Wiss. WU Wien. K.: einige J. journalist. Tätigkeit b. Tageszeitungen u. Fachmagazinen u.a. Presse, Falstaff, Kuhnverlag, seit 1988 selbst. PR-Berater f. Agrarprodukte u. Weinspezialitäten. M.: Grdg.-Mtgl. d. Weinbruderschaft Cave, Mitbegründer d. Österr. Weinmagazins Vinaria, Österr.-Repräsentant d.

Intern. Bewegung "Slow-Food", Mtgl. d. "Consiglio dei Dieci" v. Slow-Food Intern., Mtgl. d. Intern. Ver. d. Weinjournalisten. H.: Leben. (J.S.)

Obermair Gertraud

B.: Inh. d. Reisebüro Geo-Travel Hotel Austria. DA.: 4810 Gmunden, Sparkasseng. 1. PA.: 4813 Altmünster, Feldg. 39. G.: Ainet b. Lienz, 29. April 1945. Ki.: Karin (1965), Isolde (1971). El.: Andreas u. Elisabeth. BV.: Geschwister Olga u. Ulli Födinger, Inh. d. Hotel Grünberg Gmunden, Hannelore u. Lothar Simmer Pension u. Restaurant in Altmünster. S.: HASCH, 1963 Abschl. Hotelfachschule. K.: 1967-68 Englandaufenthalt, anschl. im Hotelfach in Österr. tätig, 1972-75 Flugges. Frankfurt, danach einige Monate Sprachstud.-Aufenth. in Frankreich, 1976-79 Büroltg. u. Reisebüro-Filialltg. Reisebüro Wels, 1979-86 Verkaufsltg. in Reisebürozentrale Linz, 1986 Konzessionsprüf. f. Reisebürogewerbe, s. 1986 selbst., s. 1989 eigenes Reisebüro in Gmunden, spez. auf Fernreisen, s. 1991 Gen.-Vertretung f. Österr. f. EEST-Reisen (Südsee, Australien, Neuseeland). M.: Schriftführerin f. Wirtschaftsbund in Gmunden,TTG Tourismusteam Gmunden. H.: Skifahren, Tennis, Wandern, fremde Länder u. Kulturen, Beruf. (G.E.)

Obermair Günter Dr. techn. Dipl.-Ing. MinR.

B.: Ltr. d. Abt. Energiepolitik im Bundesmin. f. wirtschaftl. Angelegenheiten. GT.: Gschf. d. Österr. Nationalkomitees d. WeltenergieR. DA.: 1010 Wien, Schwarzenbergpl. 1. PA.: 1080 Wien, Alserstr. 23. G.: Linz, 23. Okt. 1933. V.: Helene, geb. Müller. Ki.: Karina (1960). El.: Karl u. Josefine, geb. Bauer. S.: 1953-59 Stud. Techn. Chemie TU Wien, 1965 Prom. z. Dr. techn. K.: 1958-66 wiss. Hilfskraft bzw. HS-Ass. TU Wien, 1966 Eintritt in d. Bundesmin. f. Verkehrs- u. Elektrizitätswirtschaft, ab 1974 Abt.-Ltr. d. Bundesmin. f. wirtschaftl. Angelegenheiten, seit 1973 Gschf. d. Nationalkomitees d. WeltenergieR. P.: wiss. Publ., Buchbeiträge u.a. "World Energy - Looking ahead to 2020" (1978). E.: Gr. EZ . Verd. um d. Rep. Österr. M.: Vertretung Österr. in div. intern. Organ. H.: Tennis, Skifahren, Schwimmen, Vidoefilmen, Elektronik, Kunst. (N.A.)

Obermair Siegfried Ing.

B.: LAbg., Bauing. d. Stadtbauamt Schwaz. DA.: 6130 Schwaz, Stadtbauamt. PA.: 6130 Schwaz, Pirchanger 36. G.: Salzburg, 6. Juni 1944. S.: HTL f. Tiefbau in Innsbruck, 1967 Matura. K.: versch. Privatfirmen, 2 J. Auslandstätigkeit, ab 1974 Ang. b. d. Stadtgem. Schwaz, seit 1979 Abg. z. Tir. Landtag. M.: Mtgl. d. LParteivorst. d. SPÖ, Bez.Obm. d. SPÖ Schwaz, Obm. d. Bauaussch. im Tir. Landtag, Obm.Stellv. d. Gewerkschaft d. Gem.Bediensteten Bez. Schwaz, Obm.-Stellv. im Fremdenverkehrsaussch., Aussch.Mtgl. d. Naturfreunde u. d. Kinderfreunde, Mtgl. d. Finanzkontrollaussch., SchadtR. in Schwaz, Obm. d. Sportclub Schwaz Sekt. Fußball. (Schm.)

Obermayer Karl GstlR.

B.: Pfarrer d. Pfarre St. Josef zu Margareten. GT.: Ltr. v. Zen-Meditationskursen. DA. u. PA.: 1050 Wien, Ramperstorfferg. 65/1. G.: Wien, 26. Febr. 1939. El.: Karl u. Margarete. S.: Schottengymn., 1957 Matura, Wr. Priesterseminar. K.: 1962 Priesterweihe, 1962-65 Kaplan in Gloggnitz, 1965-70 Kaplan in Penzing, 1970-79 Pfarrer d. Pfarre St. Florian, seit 1979 Pfarrer d. Pfarre St. Josef zu Marg., 1976-86 Dechant d. 4. u. 5. Bez., Zen-Ausbild. b. japan. Zenmeistern, Lehrer d. Ikebana-Ikenobo-Schule. (P.R.)

Obermayer Irmgard Sieglinde Mag.

B.: Eigentümer. FN.: "Reisebüro Fly". DA.: 4020 Linz, Europastr. 12. PA.: 4020 Linz, Schiffmannstr. 30. G.: Linz, 11. April 1950. El.: Gertrude u. Ludwig. S.: VS, Gymn., HS f. Welthandel Wien. K.: 1976-79 Österr. Flugtouristik in London, s. 1979 selbst. H.: Reisen, Lesen, Gut essen u. trinken, Ballett, Bridge. (K.M.)

Obermayr Christian

B.: Hotelier, Restaurantbes. Waldhotel Marienbrücke. DA. u. PA.: 4810 Gmunden, An der Marienbrücke 5. G.: Vöcklabruck, 2. Juli 1962. V.: Margit, geb. Gruber. El.: Johann u. Waltraud. S.: VS, HS, 1 J. berufsbild. Lehrgang, 1977-80 Kochlehre Kammer/Schörfling, 1980 Lehrabschluß, BH. K.: 1 J. Commis "Alte Post" St. Anton/Arlberg, 1 J. Commis Hotel Carlton St. Moritz, 6 J. Chef de partie u. Sous Chef Romantikhotel Tennenhof Kitzbühel, 1 J. Sous Chef Hotel Cäsar Brisago/Südschweiz, 2 1/5 J. Restaurant Sägemühle Fuschl, seit 1989 Hotelier Hotel Marienbrücke. E.: Restaurant gehört zu d. 100 besten Restaurants in Österr., v. Gourmetführer Gault MIlleau u. v. Gourmetführer A la carte ausgezeichnet. H.: Snooker, Radfahren, gut Essen. (J.L.)

Obermayr Helmut Dr.

B.: Ltr. d. Abt. Unterh.,Familie, Religion im Landesstudio OÖ. DA.: 4020 Linz, Europapl. 3. G.: Kirchdorf/Krems, 3. Aug. 1949. V.: Mag Ingrid, geb. Stieglbauer. Ki.: Angelika (1976), Florian (1979), Matthias (1986). El.: Johann u. Friederike. S.: VS, Stiftsgymn. Kremsmünster, 1967 Matura, Stud. Rechtswiss. Univ. Linz, 1971 Prom. K.: 1 J. Ass. am Inst. f. Wirtschaftsrecht, b. 1971 Lehrbeauftragter f. Verfassungs- u. Verw.-Recht Univ. Linz, ab 1972 Wirtschaftspolit. Abt. f. Raumordnung d. HK OÖ, freiberufl. journalist. Tätigkeit im ORF u. b. Zeitungen, 1979 Aktueller Dienst d. ORF, seit 1984 Ltr. d. Abt. Unterhaltung im Landesstudio OÖ. P.: Hrsg. v. 5 Büchern "Das Friedenslicht", "Schmankerl aus OÖ", zahlr. Art. in Zeitungen. E.: 1983 Hans Kudlich-Preis f. bes. Leistungen f. d. Land- u. Forstwirtschaft. M.: seit 1987 ehrenamtl. Tätigkeit als PfarrgemR. in Traun. H.: Lesen (Geschichte, Theol., Phil.), Sport (Tennis, Skifahren). (U.A.)

Obermayr Josef Dr. techn. Dipl.-Ing. BauR. h.c.

B.: Gschf. FN.: Sprecher & Schuh GmbH. DA.: 4020 Linz, Franckstr. 51. PA.: 4040 Linz, Kokoweg 11a. G.: Linz, 8. Aug. 1926. V.: Juliane, geb. Dorfwirth. Ki.: Klaus Dr. S.: HTL Linz, Stud. an d. TU Graz Elektrotechnik, 1950 Grad., 1970 Prom. K.: 1950 Eintritt in d. Fa. Sprecher & Schuh

GmbH, 1967 Prok., 1971 Gschf. P.: zahlr. techn. u. wirtschaftspol. Art. in Fachzeitschriften. E.: 1983 BauR. M.: Rotary Club Linz, Vorst.Mtgl. d. Industriellenver. LGruppe OÖ u. d. Österr. Hauptaussch. d. ÖVE, Mtgl. d. Aussch. d. Fachverb. Elektroind. H.: Garten, Wandern. (A.W.)

Obermeyr Michael

B.: selbst. m. Obermeyr Public Relations Agentur. DA.: 4040 Linz, Gerstnerstr. 12. PA.: 4040 Linz, Rudolfstr. 41. G.: Steyr, 13. Juli 1954. V.: Astrid. Ki.: Katharina, Kerstin, Sophie, Juliana. S.: 1973 Matura Schlierbach, b. 1980 Stud. Politik u. Engl. K.: 1980-86 Polit. Sekr. d. FPÖ OÖ, seit 1986 selbst., seit 1992 Gschf. d. Firma Degusta. M.: stellv. Innungsmstr. d. Fachgruppe Werbung, versch. Fachorgan. H.: Tennis (Funktionär). (P.H.)

Obermoser Florian

B.: Kfm. d. Vinothek. GT.: Tourismusobm. Lienzer Dolomiten. DA.: 9900 Lienz, Zwergerg. 4. PA.: 9900 Lienz, Graf-Leonhard-Str. 1. G.: Hörwalting, 20. Apr. 1946. V.: Annemarie, geb. Ruprat. Ki.: Kurt (1968), Hannes (1970). El.: Florian u. Emma. BV.: Großvater Florian Obermoser Tassenbacher Zitherspieler. S.: VS, HS, kfm. Lehre, Militär. K.: 1965 Verkaufsltr. Firma Zuegg, 1978 Gastgewerbekonzessionsprüf., 1979 Erwerb u. Umbau d. Weindiele Weinverkauf u. Weinverkostung d. gehobenen Klasse, 1980 Eröff., 1983 Initiator d. 1. Lienzer Stadtfest, 1984 Berufung HK Bez. Lienz, 1980 Bez.-Obm. d. Sekt. Fremdenverkehr, LandesverkehrsR., seit 1987 Tourismusverb.-Obm. Lienzer Dolomiten, 1987-92 Ersatzmtgl. im GemR. P.: eigene Schallplatten (Stocker Trio), Eigenkomposition "Abschied v. Lienz". M.: AufsR.-Vors.-Stellv. d. Lienzer Bergbahnen. H.: Musik, Reisen, Skifahren, Schwammerlsuchen. (M.T.)

Obermoser Josef

B.: Gschf. u. Inh. FN.: OTRANS Transport GmbH. DA. u. PA.: 6370 Kitzbühel, Jochberger Str. 129a. G.: Kitzbühel, 1. Feb. 1949. Ki.: Oliver, Michael, Kerstin. El.: Josef u. Maria. S.: VS, HS, 1963-65 Kfm. Berufsschule f. Sped.-Lehrlinge Innsbruck, 1965 Geselle. K.: Tätigkeit in Schweden u. München, Ang. im elterl. Betrieb, Aufbau einer Sped.-Firma m. Bruder, seit 1985 selbst. m. OTRANS, 1986-87 Kunsttransporte, 1990 Eröff. Antiquitätengeschäft. M.: Österr. Galerieverb. H.: Paragleiten, Skifahren. (A.W.)

Obermüller Gerhard KommR.

B.: Kfm. Gschf. FN.: Bramac-Dachsteinwerk GmbH. DA.: 3380 Pöchlarn, Fichtenstr. 10. PA.: 3380 Pöchlarn, Regensburger Str. 39a. G.: Linz, 8. Juni 1939. S.: Grundschule, Kfz-Mechanikerlehre, Mstr. d. Dachdeckergewerbes, Weiterbild. in versch. Bereichen im In- u. Ausland. K.: b. 1962 Kfz-Mechaniker, 1962-67 Fa. Stohl, ab 1967 Fa. Bramac, 1970 Verkaufsltr. M.: BWirtschaftskam., Marketing-Club, Lions-Club. H.: Jagd.

Obermüller Hans

B.: Schauspieler u. freischaff. Künstler d. Linzer Landestheater. DA.: 4020 Linz, Promenade 39. PA.: 4040 Linz, Ödmühlweg 36. G.: Baden, 23. Nov. 1925. V.: Renate Schwarzer. El.: Karl u. Hermine. S.: VS, HS, HTL Mödling, Schauspielschule Otto in Wien, Schauspielprüf. Wien. K.: 1950 1. Engagement in Baden, 1954 Tournee Länderbühne, Gast am Wr. Volkstheater "Josefstadt", Kellertheater Wien, Theatertribüne, 1967-69 Theater an d. Wien, seit 1970 Landestheater Linz, 1986-90 SchauspielbetriebsR., Schauspieler b. d. Fernsehserie "Omar Pascha", Dokumentarfilme über Maria Theresia, mitwirkend b. Franz Antel Filmen. H.: Tennis, Segeln. (U.E.)

Obermüller Richard

B.: Organisationsltr. FN.: Verein Österr. Umwelt Hilfe. DA./PA.: 5301 Eugendorf, Tulpenweg 3. G.: Saalfelden, 1. Okt. 1947. S.: VS, 3 Lj. als Huf- u. Wagenschmied, Landmasch. Bau, Veterenärsprüfungen. K.: 1966 Steyrerwerke (jüngster Vertrauensmann u. Betriebsrat), 1969 BRD als Schweißer (staatl. Prüf.), 1970 Heinrich-Bauer Verlag in Hamburg (Marketingbereich), 1972 Oetker Konzern/Marketing (Einführung v. Mineral u. Fruchtsäften), 1973 Top Kosmetik Berlin (Messen u. Neuheitenvertr.), 1974 Fa. Morawa, Österr. Buchring, 1976 Mitorgan. Olympiade Innsburck, 1976 Buchring, 1979 1. Umweltbew. (Organisator), 1979-83 Messe u. Neuheitenvertr. div. Auslandsaufenthalte (i. S. Messen), 1984 Rotes Kreuz Innsbruck (Förderung v. Mtgl.), ÖWSW-Samariterbund Kärnten, 1986 Grdg. d. Österr. Umweltschutz Hilfe. E.: 3-fach. Bundessieger in Retorikwettbewerb, Ehrebürger d. Ungar. Regierung, div. Ausz. in Thailand. M.: Samariterbund, Green Peace, Bergrettung, Global 2000. H.: Beruf, Fischen, Umweltschutz, Reisen, aktiver Musiker. (S.P.)

Obermüller Werner Mag.

B.: Inh., Wirtschaftstreuhänder, Steuerberater, allg. beeid. Sachv. DA.: 4020 Linz, Villa Hummelhof, Madersbergerstr. 22a, 4020 Linz, Blumauerstr. 5. G.: Linz, 5. Jän. 1957. V.: Renate, geb. Fleissner. Ki.: Elisabeth-Christiana. S.: 1972-77 HTL Hochbau Krems, 1977-82 Stud. Betriebswirtschaftl. Steuerlehre Joh. Kepler-Univ. Linz, 1982 Spons. K.: Praxis in Linz, 1986 Bestellung z. Steuerberater, seit 1990 Sachv. f. Bereiche Buchführung, EDV, Steuerberatung, 1988 Kzl.-Eröff. m. Schwerpunkt mittlere u. Großbetriebe. P.: div. Fachpubl. z.B. OÖ Steuerzeitung, SWK. M.: HSV-Reitsport. H.: Reiten, Hund. (P.H.)

Oberndorfer August

B.: Gastronom. FN.: Hoftaverne Schmieding. DA. u. PA.: 4631 Krenglbach, Schmieding 9. G.: Krenglbach, 7. Juni 1946. V.: Berta. Ki.: Gerhard, Regina, Johanna, Gabriela. El.: Karl u. Mathilde. S.: Ausb. z. Molkerei- u. Käsereifachmann, 1968 Mstr.-Prüf. K.: b. 1976 Ltr. d. Käserei i. Milchhof Wels, 1972 Übern. d. elterl. Gastronomiebetriebes, s. 1976 Obmann d. RAIKA Krenglbach, s. 10 J. Bez.-Vorst. d. Gastronomie d. Bez. Wels, s. 1993 Fachgruppenvorsteher Fachgrupe Gastronomie u. Sektionsobmannstv. Sektion Tourismus, Orts- u. Bezirksobm. d. Wirtschaftsbundes, Vorst.-Mtgl. d. OÖ Raiffeisenkasse. H.: Jagd u. Geschichte a. 1848. (P.H.)

Oberndorfer August Ing.
B.: Gschf. FN.: VOEST Alpine Montage GmbH. DA.: 4600 Wels, Dieselstr. 2. PA.: 4650 Lambach, Leitenstr. 30. G.: Wels, 16. Jän. 1950. V.: Christine, geb. Stöttinger. Ki.: Christina (1989), Susanne (1990), Paul (1991). El.: August u. Margarete. S.: VS, HS, b. 1970 HTL f. Maschinenbau. K.: seit 1970 Rumpel GmbH, ab 1974 VOEST Alpine AG, ab 1977 VOEST Alpine Montage GmbH, zuerst Techniker dann Ltg. d. Technik u. Produktion, Ltg. Montage, seit 1992 Gschf. H.: Handwerken, Wirtschaftspolitik. (U.A.)

Oberndorfer Eduard
B.: Inh., Gschf. FN.: Eduard Oberndorfer Strumpffabriken GmbH & Co KG. GT.: Prod.Stätte in Portugal Edo-Portogese, Schweizer Vertrieb Beinag, Yugoslawien Edo Intern. DA. u. PA.: 4600 Wels, Negrellistr. 38. G.: Wels, 24. Okt. 1936. V.: Hildegard. Ki.: Franz, Gerhard, Ingrid, Christian. El.: Eduard u. Anna. S.: Grundschule, kfm. Lehre. K.: 1950 Fa. Matzinger Grieskirchen, 1956 Grdg. Fa. Oberndorfer. M.: HK, Kolping. H.: Natur.

Oberndorfer Josef

B.: Gschf. Ges. FN.: Handels GmbH; Schlachthof GmbH. DA. u. PA.: 4552 Wartberg, Penzendorf 60. G.: Ried/Traunkreis, 14. Okt. 1937. V.: Katharina, geb. Riedler. Ki.: Josef, Franz, Kathrin. El.: Franz u. Maria, geb. Atelsmair. S.: VS. K.: seit 1951 Tätigkeit im elterl. Betrieb, 1957-61 Mitarb. in Landesproduktenhdl., Übernahme d. Ferkel- u. Nutzschweinehdl. bei den Schwiegereltern Josefa u. Josef Riedler, 1965-70 Hofneubau, 1983-84 Schlachthofneubau, 1984 Grdg. GmbH, 1988-90 Neubau d. elterl. Hofes, 1994 Zubau eines EG-Schlachthofes m. eigener biolog. Kläranlage. (W.B.)

Oberndorfer Josef
B.: Hotelier d. Seegasthof Oberndorfer. DA. u. PA.: 4864 Attersee, Hauptstr. 18. G.: Vöcklabruck, 18. Mai 1941. V.: Gertrude. Ki.: Maria, Christine, Josef-Michael. El.: Josef u. Viktoria. S.: VS, HS, Gastgewerbelehre. M.:Vizepräs. des Bundes Österr. Gastlichkeit. H.: Hotel Sacher, Schiff. Segeln, Briefmarken.

Oberndorfer Maria
B.: Touristikkauffrau. FN.: Seegasthof Oberndorfer. DA. u. PA.: 4864 Attersee, Hauptstr. 18. G.: Gmunden, 21. Juli 1964. El.: Josef u. Gertrude Oberndorfer. S.: VS, HS, 5 J. Fremdenverkehrsschule, 1983 Matura. K.: Lehr- u. Wanderjahre i. Österreich, USA und Karibik, s. 1988 mittätig i. elterl. Betrieb.

Oberndorfer Peter Dr. iur. o.Univ.-Prof.
B.: Prof. am Inst. f. Verwaltungsrecht u. Verwaltungslehre d. Johannes-Kepler-Univ. Linz, Mtgl. u. ständ. Referent d. Verfassungsgerichtshofs Wien. DA.: 4045 Linz-Auhof. PA.: 4040 Linz, Wolfauerstr. 94. G.: Linz, 2. Sept. 1942. Ki.: Klaus (1972), Paul Georg (1974), Linda (1980). El.: w.HofR. Dr. iur. Hans u. Anna, geb. Andlgruber. S.: 1960 Matura BRG Linz, 1960-64 Stud. Rechtswiss. Univ. Wien, 1964 Prom. Dr. iur. Univ. Wien, 1964-65 Gerichtspraxis. K.: 1965-72 Ass. am Inst. f. Wirtschaftsrecht d. Univ. Linz, 1971 Doz. f. Öff. Recht Univ. Linz, seit 1972 (HS-, dann) Univ.-Prof. f. Öff. Recht an d. Rechtswiss. Fak. d. Univ. Linz, 1977 Vorst. d. Inst. f. Verw.-Recht u. Verw.-Lehre d. Rechtswiss. Fak. Linz, 1978 Wahl z. Rektor Univ. Linz f. 1979/80, 1980/81 (1978/79 Prärektor, 1981/82 Prorektor), seit 1987 Mtgl. d. Verfass.-GH Wien. P.: zahlr. Zeitschriftenaufsätze u. Beiträge in Sammelwerken, Bücher u. selbst. Schriften: Das österr. Gemeinderecht. Sammlg. d. gemeinderechtl. Vorschriften Österr. m. Erläuterungen (I 1980, II 1982/83), Grundriß d. Verwaltungslehre (m. Karl Wenger u. Christian Brünner 1983), Die österr. Verwaltungsgerichtsbarkeit (1983), Das oberösterr. Landesrecht (Hrsg. m. Bruno Binder 1984 u. 1992), Österr. Raumordnungsrecht I u. II (m. Ludwig Fröhler 1986), Deregulierg. (Hrsg. 1992).

Oberndorfer Wolfgang Dr. techn. Dipl.-Ing.
B.: o.Univ.-Prof. an d. TU Wien. A.: 3021 Pressbaum, Ludwig-Kaiser-Str. 34. G.: 28. Febr. 1941. V.: Christine, geb. Mittendorfer. El.: Dipl.-Ing. Dr. Karl u. Annelise. S.: VS, ak. Gymn., Dipl.-Ing. (TH Wien), M.S. (UC Berkeley), Dr. techn. (TH Wien), Univ.Doz. (TU Wien). K.: 1965-1966 VÖEST Linz, Referent, 1966-1976 Fa. Mayreder Linz, Abt. Leiter, 1976-1981 Fa. STUAG Wien, Prok. 1981 - heute Prof. TU Wien. F.: Ziviling.Büro. P.: Baustellen- u. Baubetriebsanalyse (1981), Kalkulation v. Baupreisen (1986), Handwörterbuch d. Bauwirtsch. (1987), Preisumrechnung v. Bauleistungen (1992), Kommentar z. d. ÖNORMEN d Vergabe- u. Verdingungswesens (1992). M.: Intern. Ver. f. Brückenbau u. Hochbau (IVBH), Zürich, Österr. Ing. u. Arch.-Ver. (ÖIAV), Wien, Verein d. Gerichtssachverständigen. H.: Sport, Bergsteigen.

Obernigg Martin
B.: Schauspieler i.R., fachl. Ber. in d. Militär. Zeitgeschichte. DA.: 1060 Wien, Hofmühlg. 7. PA.: 1060 Wien, Hofmühlg. 18. G.: Graz, 1. Aug. 1925. V.: Jennifer, geb. Plank, 5 Kinder. El.: Martin u. Stephanie, geb. Stroiz. S.: HTL Graz, 1942-46 Kriegsgef., Schauspielschule Graz. K.: 1948-50 Engagement Grazer Landestheater, ab 1950 in Wien, 1954-56 Exilbühne Innsbruck, 10 J. Gastspiele in Engld., Amerika, Deutschld., Schweiz, Luxembg., 1971 Raimund Theater, ca. 40 Filmaufn., intern. Prod. Aufnahmeltr., Filmregiss., ProdLtr., Ausstatter, ab 1987 tätig bei Fa. Military Collection. H.: Sport aktiv (Schwimmen), Dokumentation. (N.A.)

Oberortner Alois
B.: Zentralinsp. d. Post- u. Telegrafenverw., Bgm. St. Georgen/Längsee. DA.: 9300 St. Veit, Handelsstr. 11. PA.: 9314 Launsdorf, Hauptstr. 28. G.: Gnesau, 20. Febr. 1925. V.: Gertrude, geb. Teckl. Ki. Beatrix, Gertrude. El.: Alois u. Magdalena. S.: HTL Klagenfurt, 1947 Matura. K.: ab 1947 Tätigkeit b. d. Post, 1954 1. Dienstprüf., 1965 Höhere Dienstprüf., seit 1981 Zentralinsp., seit 1985 Bgm. d. Gem. St. Georgen/Längsee. BL.: Mitarb. an d. Fernmeldeautomatisierung in Ktn. E.: Silb. Verd.Med. d. Post. M.: Kriegsopferverb., Ktn. Sängerbund. H.: Wandern, Lesen. (S.G.)

Oberortner Heinrich

B.: Bankbmtr. i.R., Komponist. PA.: 9100 Völkermarkt, Mießtaler Str. 5. G.: Maria Rojach,Kärnten, 29. Nov. 1919. V.: Theresia, geb. Wallner. Ki.: Heinrich, Manfred, Roswitha, Herta. El.: Heinrich u. Theresia. S.: VS, HS, HASCH. K.: 1936 Eintritt Sparkasse Völkermarkt, BetriebsR.-Obm. u. stellv. Dir., 1976 Pensionierung; 1926-34 theoret. u. prakt.Musikunterricht. Ausbild. f. Violine, Viola, Akkordeon u. Schlagzeug, m. 15 J. Geiger im Städt.

Streichorchester Völkermarkt, 1947-54 Musiklehrer (halbtägig), viele J. Ltr. d. Salonorchesters des Musik- u. Gesangvereines Völkermarkt u. d. eigenen Band "Tonika" (1955-67), seit 50iger J. Komponist f. Streichmusik u. später Blasmusik, 140 Werke, 1975-80 Kapellmstr. Stadtkapelle Völkermarkt, 1975-90 Bez.-Kapellmstr. d. Kärntner. Unterlandes, Kons. f. Ktn. d. Österr. Komponistenbundes Wien. P.:Alle Werke verlegt bei in- oder ausländischen Verlagen, 95 Rundfunkaufnahmen, einige LP, MC u. CD. E.: 1986 EZ d. Landes 'Kärnten f. bes. Verd. als Kulturschaffender. , 1984 Gold. EZ d. Ktn. Blasmusikverb., 1984 Verd.-Med. in Gold d. Österr. Blasmusikerverb., 1970 Ehrenurkunde d. Stadt Völkermarkt f. Verd. auf d. Gebiet d. Musik u. d. Liedes. H.: Fischen, Zeichnen, Malen. (G.L.)

Oberparleiter Heribert Ing.

B.: Fachschriftsteller f. Technik. PA.: 1050 Wien, Rechte Wienzeile 99. G.: Worth b. Gloggnitz, 16. Aug. 1912. Ki.: Edith (1948). BV.: Familie stammt aus d.. Gegend um Bruneck (Südtir.) u. wird dort 1066 erstmals erwähnt, das älteste Dokument stammt aus d. Jahr 1120, im Jahr 1260 erhielt d. Familie ein Wappen u. d. Bezeichnung "Reichsfamilie", DDr. Karl Oberparleiter: ehem. Rektor d. HS f. Welthdl. S.: 1930 Matura, 1930-36 TH. K.: während d. Stud. in d. Redaktion "Motorrad", 1936-38 b. Siemens Halske, 1939-45 im Nachrichtendienst d. dt. Luftwaffe, 1946-48 Presseref. d. ELIN AG, 1948-50 Werbeltr. d. Maschinenfbk. Heid AG, 1950-80 Ltr. d. Redaktionen "Österr. Photozeitung", "Kommunaltechnik", "Fachblatt f. d. Hdl. m. Eisen- u. Metallwaren", "Fachblatt d. Österr. Werkmeister u. Techniker", zahlr. Vorträge in ganz Österr. über Amateurfotografie, 1967-68 am Zeitungswiss. Inst. d. Univ. Wien Vorträge über Pressefotgrafie, z.Zt. Stud. an d. Univ. Wien (Publizistik u. Kunstgeschichte). H.: Musizieren, Karikaturen zeichnen, Malen. (P.R.)

Oberrauner Alfred Ing.

B.: Dir. u. Mtgl. d. Vorst. der Pölser Zellulose- u. Papierfabrik AG. A.: 8750 Judenburg, Schulg. 7. G.: Judenburg, 10. Juni 1920. V.: Silvana Da Col. El.: David u. Agnes. S.: HTL-Maschinenbau. K.: 1946 Konstrukteur, 1962 OIng., 1966 Prok., 1973 Dir., 1976 Vorst.Mtgl. M.: Fachver. d. Papierind., Stellv. Vors. d. Fachgruppe Papier-, Zellulose-, Holzstoff- u. Pappenind. d. Kam. d. gewerbl. Wirtschaft, Sektion Ind. Graz, Österr. Ver. d. Zellstoff- u. Papierchemiker u.-techniker (ÖZEPA), Lionsclub Judenburg.

Oberrauner Helmut

B.: Ltr. d. Josef Krainer Hauses Bildungshaus d. Steir. ÖVP. DA.: 8045 Graz, Pfeifferhofweg 28. PA.: 8045 Graz, Rotmoosweg 41. G.: Liezen, 14. März 1954. V.: Karin, geb. Huber. Ki.: Katrin (1985), Simon (1991), Maximilian (1992). El.: Friedrich u. Hildegard. S.: VS, HS, HASCH. K.: ab 1972 Tätigkeit in d. Volksbank Liezen, 1974 Parteisekr. in Liezen, 1981 Landesorgan.-Ref. d. Steir. Volkspartei, 1989 Gschf. d. Wochenzeitung "Die Steirische", seit 1992 Ltr. d. Josef Krainer Hauses, verantwortl. f. d. inhaltl. Konzeption d. Bild.-Programmes, Verw. u. Organ. d. Hauses, Veranstaltungen u. Seminare im Non Profit-Bereich, Mithrsg. einer Quartalszeitschrift "Politicum". H.: Bewegung, Natur. (M.Gr.)

Oberreither Helmut Dipl.-Ing.

B.: Gschf. FN.: Vodicka Bau GmbH. DA.: 1120 Wien, Wurmbstr. 44. G.: Wien, 21. Dez. 1955. V.: Gabriele. Ki.: Florian, Kathrin, Stefani. S.: Matura, Stud. TU Wien. K.: 1984 Eintritt in d. Fa. Vodicka als Baultr., 1987 Übernahme d. Fa.

Oberroither Franz

B.: Inh. FN.: Fa. Oberroither. DA./PA.: 4631 Krenglbach 77. G.: Gallspach, 6. Dez. 1958. V.: Lebensgefährtin Beatrix Auinger. Ki.: Lisa-Maria (1994). El.: Franz u. Josefa. S.: VS, HS, HASCH. K.: 7 J. Ang. bei e. Holz-Fa. in Wels im Verkauf v. Schnittholz tätig, nach Weltreise Grdg. e. eig. Fa., später 2 weitere Firmen gegründ., s. 1991 zus. Arbeit m. Ungarn, s. 1993 in Polen tätig. H.: Beruf, Freunde, Tennis. (D.E.)

Oberroithmaier Ernst RgR.

B.: VBgm. Mag. Wels. DA.: 4600 Wels, Stadtpl. 1. PA.: 4600 Wels, Speikstr. 9. G.: Wels, 23. Okt. 1929. V.: Stefanie, geb. Schönberger. Ki.: Ingrid (1951), Werner (1953), Berndt (1963), Elisabeth (1962). S.: VS, HS, 1943-49 LBA, 1951 Lehrbefähigungsprüf. VS, 1956 Lehrbefähigungsprüf. HS. K.: 1949-50 Tätigkeit im Lehrberuf, seit 1973 GemR., seit 1975 StadtR., seit 1978 VBgm., 1973 Ernennung z. Bez.-Schulinsp. BL.: 1976 Grdg. d. größten Tennisclub Wels, seit 1984 AufsR. im E-Werk. E.: Landessport-EZ, ASKÖ-Ausz. H.: Hund, Technik. (R.J.)

Obersberger Walter

B.: selbst. Kfm. FN.: Radshop Obersberger. DA.: 5280 Braunau, Laabstr. 53. PA.: 5280 Braunau, Maierhof 13. G.: Braunau, 1. Febr. 1951. S.: VS, HS, 1965-69 Lehre als Mechaniker, Lehre als Werkzeugmacher u. Formbauer Fa. Faller, lfd. WIFI-Kurse. K.: 1972-87 Karosserieabtl. einer Autowerkstätte, Vorarb. u. Kalkulation, 1972-87 KTM, berat. Funktion, Anleit. zur Entwickl. eines Rennrades, Ltg. bei Workshops u. Prod.-Schulungen, s. 1987 selbst. mit Fahrradgeschäft, 1994 Ausbau u. Erweit. d. Geschäftes; sportl. Karriere: s. 14. Lebensj. Rennradfahrer, ab 1969 Querfeldeinrennradfahrer, 6x Staatsmstr. im Querfeldeinrennradfahren, insgesamt 130 Rennen gewonnen, Militärvizeweltmstr. im Querfeldeinrennen, Teiln. bei 6 Weltmeisterschaften, Nachwuchstrainer v. Ranshofener Radclub, sportl. Ltr. v. Nachwuchsclub u. v. Profimannschaft "Bosch Mattighofen", Mechaniker bei d. Tour de France, Österr.-Rundfahrt u. anderen Rundf., 1982 aktiv. Laufbahn beendet, Betreuer u. Trainertätigk., Mechanikertätigk. f. Nationalmannschaft. M.: Händlerbeirat KTM. E.: Große Sportehrenzeichen d. Stadt Braunau. H.: Radsport, Bergwandern, Skitouren. (J.L.)

Oberschlick Gerhard

B.: Hrsg. FORVM. DA.: 1070 Wien, Museumstr. 5. G.: Irschen, 30. Aug. 1942. Ki.: Walter (1966), Irene (1969), Eva (1980). El.: Karl u. Agathe, geb. Kofler. K.: ab 1986 Hrsg. FORVM. (N.A.)

Oberschmidleithner Günther

B.: Steinmetzmstr. FN.: Oberschmidlteithner Hans-Günther. DA./PA.: 4722 Peuerbach, Passauerstr. 16. G.: Linz, 18. Juli 1961. V.: Renate, geb. Auinger. Ki.: Christa (1986). El.: Hans-Günther u. Margarete. S.: VS, HS, 1975-79 HTBLA f. Steinmetz in Hallein. K.: 3monatige Ausbild. als Handwerker im Denkmalschutz in Venedig, 1986 Konzessionsprüf. f. Steinmetz. H.: Beruf, Lesen. (J.L.)

Oberschmidleithner Hans Günther

B.: Steinmetzmstr. FN.: Oberschmidleithner Hans Günther, Steinmetzmeister. DA./PA.: 4722 Peuerbach, Passauerstr. 16. G.: Peuerbach, 3. Juli 1940. V.: Margarete, geb. Sulzbacher. Ki.: Hans u. Günther (1961), Klaus (1964). El.: Hans u. Johanna. BV.: s. 1750 Steinmetz Fam. S.: VS, HS. K.: Lehre als Steinmetz, 1957-63 HTBLA f. Steinmetz in Hallein, 1963 Konzessionsprüf. f. Steinmetz, 1966 elterl. Betrieb übern., 1985 großväterl. Betrieb übern.,1992 einen weiteren Betrieb in Andorf übern.; Restaurierungen: Schwanthaler Brunnen im Stift Reichsberg, Barockbrunnen v. Sissy Max-Theurer im Schloß Achleithen, Kirchenportal d. Stadtpfarrkirche Ried, Taubenmarktbrunnen in Linz, Brunnen am Hessenpl. u.s.w. H.: Lesen, Fischen. (J.L.)

Oberschmidleithner Margarete

B.: Kfm.-Ang. FN.: Oberschmidleithner. DA./PA.: 4722 Peuerbach, Passauerstr. 16. G.: Linz, 8. Sept. 1940. V.: Hans Günther. Ki.: Hans u. Günther (1961), Klaus (1964). El.: Vinzenz u. Franziska Sulzbacher. S.: VS, HS. K.: in versch. Firmen im Verkauf u. im Gastgewerbe tätig, s. 1961 im Betrieb d. Gatten tätig, zust. f. Verkauf, Buchhaltung, Kundenbetreuung u. Schriftenausfertigung. M.: Mtgl. im Turnverein. H.: Turnen. Lesen. (J.L.)

Oberschmidleithner Hans

B.: Steinmetzmstr. FN.: Hans-Günther Oberschmidleithner. DA./PA.: 4722 Peuerbach, Passauerstr. 16. G.: Linz, 18. Juli 1961. El.: Hans-Günther u. Margarete. S.: VS, HS. HTBLA in Hallein f. Steinmetz. K.: 3monatige Ausbild. als Handwerker im Denkmalschutz in Venedig, 1980 b. Bundesdenkmalamt in Wien, Restaurierungsarb. an d. Pestsäule am Graben, zahlr. Kleindenkmäler, 1985 Konzessionsprüf., anschl. im elterl. Betrieb tätig, Filialltr. im Betr. Andorf. H.: Lesen. (J.L.)

Oberschmied Johanna

B.: Innenausstattungs- u. Werbeberaterin. FN.: Schauwerbung Oberschmied. DA.: 39100 Bozen, Obstpl. 22. PA.: 39100 Bozen, Binderg. 27. G.: St. Johann, 20. Nov. 1949. Ki.: Lars (1971). El.: David u. Maria, geb. Tasser. S.: Kfm. Lehre, Fortbild. z. Schauwerber. K.: 1968-75 Schauwerber in einem Kaufhaus in Bozen, ab 1975 selbst., Schwerpunkt Beratung in div. Bereichen, v. Warenpräsentation b. z. Schaufenster u. Schauräumen. H.: Literatur, Wandern. (N.A.)

Oberschneider Hermann

B.: Skischulleiter/Unternehmer. FN.: Ski- u. Rennschule Oberschneider. DA.: 5710 Kaprun, Hauserdorfstr. 32. PA.: 5710 Kaprun, Essreithweg 57873/2. G.: 14. Feb. 1965. El.: Herman u. Monika. S.: 1971-79 VS u. HS i. Saalfelden, 1980 Polytechn.K.: Bankkaufm. Lehre i. Saalfelden - Volksbank, 1983 BH, 1985 Skilehrer Anwärter Landesskilehrer, 1988 staatl. Skilehrerprüfung, 1985-89 jeweils i. Sommer Gastwirt a. d. Steinalm i. Saalfelden, 1989 Betriebseröffnung d. Ski- u. Rennschule Oberschneider i. Kaprun, ab 1990 zusätzl. Eröffnung einer Snowboard-Schule "Ripsta" i. Kaprun. H.: Mountain-Bike, Skifahren, Reisen. (E.H.)

Oberthanner Maximilian

B.: Werbegestalter. FN.: Art-Decor. DA.: 8010 Graz, Conrad-v.-Hötzendorf-Str. 37. PA.: 8081 Heiligenkreuz, Oberlabill 39. G.: Graz, 1. Apr. 1943. V.: Erna, geb. Kropf. El.: Max u. Josefine. S.: VS, HS, kfm. Lehre m. Dekoration, Fachschule f. Wirtschaftswerbung Wien. K.: Eintritt als Dekorateur b. Herzmansky, 1963/64 Parts als freischaff. Künstler, ab 1964/65 Bühnenmaler im Grazer Opernhaus, danach 5 J. Dekorateur b. Firma Eder, ab 1971 freischaff. Werbegestalter, ab 1985 2. Betrieb Schriftenexpress. M.: Fachgruppenstellv. in d. HK Graz. H.: Pferde. (M.Gr.)

Obertscheider Andrea

B.: Inh. FN.: Obertscheider Verkauf, Verleih u. Service v. Reinigungsgeräten. DA.: 2603 Felixdorf, Schulstr. 57. PA.: Enzesfeld, Bogeng. 20. G.: Wr. Neustadt, 20. Juli 1963. V.: Gerhard Obertscheider. Ki.: Julian (1988). El.: Herbert u. Ilse Wala. S.: HAK, Matura. K.: 1982-93 Austria Wärmetechnik: zuerst im Chefsekr., dann Bilanzbuchhalterkurse u. Aufbau d. Buchhaltung sowie deren Führung, seit 1987 nebenberufl. Mitarb. im Unternehmen d. Gatten, seit 1993 hauptberufl. Tätigkeit im eigenen Betrieb. H.: Basteln, innenarchitekton. Gestaltung, Skifahren, Schwimmen, Wandern, Tennis. (F.S.)

Obertscheider Gerhard

B.: Gschf. FN.: Obertscheider Verkauf, Verleih u. Service v. Reinigungsgeräten u. Systemen. DA.: 2603 Felixdorf, Schulstr. 57. PA.: Enzesfeld, Bogeng. 20. G.: Radstadt, 14. Aug. 1961. V.: Andrea, geb. Wala. Ki.: Julian (1988). El.: Johann u. Ingeborg. S.: Geometerlehre. K.: Außendiensttätigkeit b. Fa. Kärcher, s. 1987 selbst. m. Grdg. d. eigenen Firma BL.: Entwicklung eines Systems, m. d. Bio- u. Mülltonnen gleich am Auto gewaschen werden können. H.: Sport. (F.S.)

Oberwimmer Hermann

B.: Herrenkleidermacher. FN.: Hermann Oberwimmer Erzeugung v. Loden- u. Jagdbekleidung. DA.: 5261 Uttendorf 81. PA.: 5261 Uttendorf, Schulstr. 52. G.: Schärding, 6. März 1954. V.: Karin, geb. Kaltenhauser. Ki.: Hermann (1990), Christina (1992). El.: Hermann u. Ilse. S.: VS Uttendorf, HS Mattighofen, 1969-72 Herrenkleidermacherlehre, BH. K.: 2 J. im elterl. Betrieb tätig, 1974-75 Textilfachschule Meisterkl. Dornbirn, 1975 Meisterprüf. elterl. Betrieb, 1985 Übernahme d. Betriebes. H.: Jagd, Reiten, Fallschirmspringen, Tourenskifahren, Paddeln. (J.L.)

Obholzer Karin

B.: Freiberufl. Schriftstellerin, Journalistin. PA.: 1070 Wien, Lindeng. 24. G.: Wien, 12. Juni 1943. S.: Aufgewachsen in Tir. u. BRD, neusprachl. Gymn., Stud. Phil. u. Psych. an d. Univ. Wien, 1970 Prom. Dr. phil., Diss. "Die Problematik d. Bösen". K.: 1971-77 Reporterin u. Red. b. d. Wr. Arbeiter-zeitung, seither freiberufl. Journalistin u. Schrifstellerin. BL.: fand 1973 Sergius Pankejeff, Sigmund Freuds berühmten "Wolfsmann" in Wien u. führte über J. Gespräche m. ihm. P.: Buchveröff. "Gespräche m. d. Wolfsmann" Reinbek 1980, "Entretiens avec l'Homme ausc loups" Paris 1981, "The

Wolf-Man - sixty years later" New York, London 1982, Publ. in versch. Zeitschriften. E.: Österr. Staatspreis f. journ. Leistungen im Interesse d. Jugend (1973). M.: Mtgl. d. Grazer Autorenversammlung. (C.K.)

Obiltschnig Albin Dr. med.
B.: FA f. Unfallchir. DA.: 9020 Klagenfurt, Viktringer Ring 13. PA.: 9170 Ferlach, Kirchg. 14. G.: Ferlach, 7. Nov. 1952. El.: Albin (Büchsenmacher) u. Rosalia. BV.: Prof. Lorenz Mack (Onkel, Schriftsteller). S.: BG Klagenfurt, Med.Stud. in Wien, Prom. 1977. K.: Ab 1978 FA-Ausbild. am LKH Klagenfurt, 1984 FA f. Unfallchir., Schwerpunkt: Handchir., b 1988 Ass.Arzt an d. Unfallchir. am LKH Klagenfurt, 1988 Eröff. d. eig. Praxis, mehrere Studienaufenthalte in d. USA u. Wien (Prof. Swanson, Shaw, Millesi u. Trojan), s. 1982 Teamarzt d. österr. Skinationalmannschaft. P.: "Aufbau u. Heilgymnastik" Co-Autor W. Ortner, 1988), Videofilm über d. Endoprotetik d. Hand, d. u.a. in Tele Uno gezeigt wurde, Vortragstätigkeit im In- u. Ausland. E.: 1984 Theodor Körner-Preis f. wiss. Forsch. M.: Ges. f. Unfallchir. H.: Radfahren, Klettern. (D.M.)

Obkircher Thomas
B.: Gschf. FN.: Verlag Thomas Obkircher Intern. Photo Productions. DA. u. PA.: 1080 Wien, Strozzig. 47. G.: Innsbruck, 16. Jan. 1960. El.: Dr. Peter u. Ingeborg. S.: Schule in Innsbruck, Linz u. Krems. K.: 1978 Umzug nach Wien, 5 J. Tätigkeit im Verkauf b. Verlag Orac, 1986 Grdg. Verlag Thomas Obkircher: Österr. Playboy u.a., 1988 Intern. Photo Productions (Abwicklung v. Fotoproduktionen im amerikan. Raum), seit 1989 Kons./Verkaufsltr. Radio CD. H.: Tennis, Golf. (R.J.)

Oblak Erich Dr. med. MedR.
B.: Prakt. Arzt. DA. u. PA.: 7423 Pinkafeld, Mühlg. 4. G.: Graz, 24. März 1921. V.: Dolores, geb. Stampf. El.: Josef u. Maria. S.: VS, Gymn. Graz, 1939 Matura, anschl. Arbeitsdienst, 1939 Beginn d. Med.Stud. an d. Univ. Prag u. Graz, 1947 Prom. K.: Turnusausbild. an steir. KH u. Assistentarzt in Fürstenfeld u. Mürzzuschlag, ab 1955 Fachausbild. in Chir. in Essen, zuletzt als OA, ab 1961 OA in Hartberg, 1967 Eröff. d. eigenen Praxis f. Chir. in Pinkafeld, 1977 Spitalsdienst beendet u. allg. Praxis eröffnet, 1977-80 Kreis- u. Schularzt, dzt. Abt.Arzt d. Roten Kreuzes, Feuerwehrarzt, Altenhaus-Betreuung. P.: Div. Gutachten über Sozialgerichtbarkeit, öff. Vorträge an VHS u. b. Roten Kreuz. E.: Ausz. v. Ver. f. Körperbehinderte Österr. M.: Rotary-Club, Wiss. Ges. d. Ärzte f. Stmk. H.: Bergweitwandern, Reiten, Tierliebhaber. (War.)

Obleitner Sieglinde-Romana
B.: ak. Medailleurkunst, Herstellung keram. Arb. u. Malerei. PA.: 6060 Hall in Tir., Schönegg 8. G.: Hall in Tir., 31. März 1941. Ki.: Jamisietta (1972). El.: Karl u. Theresia. S.: Grundschule, Ausbild. als Keramiker, Keramikausstellungen, 1968 Ak., Abschluß m. Dipl. K.: 1. Arb. in d. Werkstätte d. Vaters, Entwurf u. Fertigstellung v. Keram. Werken bes. Art, auch Aquarelle u. Grafiken, 1963 erstmals an d. Öffentlichkeit m. keram. Arb., Aufenthalt in Paris, Ausstellung in Innsbruck m. Gottfried Haller, Auqarelle zu graf. Arb., Ausstellung am argentin. Konsulat, Ak. d. Bild. Künste Wien, Dipl., Ausstellung v. Techniken Blumen, Menschentypen u. Fabeltieren Stadtturmgalerie. H.: Musik, Theaterspielen. (M.W.)

Oborny Milan
B.: Gschf. Dir. d. Hotel Astra (ehem. Hungaria). DA.: 1030 Wien, Rennweg 51. PA.: 1210 Wien, Dodererg. 3. G.: Oberdomaslawitz/CSFR, 17. Okt. 1941. V.: Kveta, geb. Kriz. Ki.: Georg (1968), Milos (1971). El.: Franz u. Marie. S.: Stud. Dirigieren u. Chorltg. am Konservatorium Ostrava, 4 Sem. Wr. Musikak. K.: 1967 Hotel-Rezeptionist in Brünn, 1979 Umzug nach Wien, 1983 Hotel Post, seit 1986 Wirtschaftsdir. im Hotel Hungaria, seit 1989 Gschf. H.: Musik, Kultur, Natur. (R.J.)

Obrist Christian Dr. iur.
B.: RA. DA. u. PA.: 5700 Zell am See, Brucker Bundesstr. 11. G.: Taxenbach, 20. Dez. 1954. V.: Mag. Christine, geb. Melinz. Ki.: Britta (1987), Astrid (1989). El.: Hermann u. Emma. S.: 1965-73 Gymn. Zell am See, 1973 Matura, 1973 BH Saalfelden, 1974-79 Bundesgendarmerie Werfen u. Hallein, ab 1975 Jusstud. Sbg., 1980 Prom. K.: 1980-81 Gerichtspraktikum Zell am See u. Innsbruck, 1981 RA-Anw. St. Johann/Tir., 1982 RA-Anw. Zell am See, 1982-86 Ltr. d. Stadtamtes Zell am See, 1984 Verw.-Dienstprüf., 1986-87 RA-Anw. Saalfelden u. Zell am See, 1987 RA-Prüf., seit 1988 eigene RA-Kzl. M.: Kameradschaftsbund, div. Sportver. H.: Sport. (M.T.)

Obrovski Roman Dr. phil. HofR.
B.: Ltr. d. LArbeitsamtes OÖ. DA.: 4020 Linz, Gruberstr. 63. PA.: 4210 Gallneukirchen, Am Hang 5. G.: Oberwang/Mondsee, 17. Apr. 1946. V.: Dr. Herta, geb. Koblinger. Ki.: Sonja (1973), Verena (1975), Niki (1979). El.: Nikolaus u. Rosina. S.: Buchhdls.-Lehre, Arbeitermittelschule, 1968 Matura, 1968-74 Stud. d. Phil. u. Psych. an d. Univ. Wien, 1974 Prom. z. Dr. phil. K.: seit 1975 in d. Arbeitsmarktverw., Berater f. Maturanten u. Akademiker, Abt.Ltr. f. Rehabilitation, Amtsltr. d. Arbeitsamtes Linz, s. 1987 Ltr. d. LArbeitsamts OÖ. E.: Wirtschaftsmed. d. Stadt Linz. H.: Garten, Bonsai. (P.R.)

Obrowsky-Zimmermann Elfriede
B.: Sängerin. DA.: 1050 Wien, Kriehuberg. 31. G.: Wien. Ki.: Jutta (1967), Ernst (1969). El.: Gertrude u. Franz. S.: BRG, Matura, parallel Klavier- u. Gesangsstud., Dipl. i. Gesang am Konservat. K.: Währ. d. Ausbild. Tätigk. b. div. Festspielen im In- u. Ausland, Ausbild. f. Gesangslehrer, Unterrichtstätigk. am Konservat. u. priv., Preise b. Liederwettbew. in Holland u. Italien, wichtigste Stücke: Il Trionfo di Notte (gesungen in Bologna), Romant. Liederabende u. Musik aus d. 20. Jh. M.: Vorst. d. Ver. d. Freunde d. Schule f. Jazz u. Klassik. H.: Kochen. (J.E.)

Obst Harald
B.: selbst. PR-Berater. FN.: Public Relations Harald Obst. DA. u. PA.: 4400 Steyr, Laichbergweg 64. G.: Graz, 28. Juni 1948. V.: Karin, geb. Martinko. Ki.: Ingrid (1976). El.: Arnold u. Charlotte. S.: VS, HS, Fachschule f. Wirtschaftswerbung in Wien. K.: b. 1969 Redakteur im Zeitschriftenverlag Sorell Verlag GmbH, 1969-77 in Marketing- u. Werbeabt. Forum Kaufhausgruppe, b. 1980 stellv. Bereichsltr. f. Kommunikation d. Metallwerk Plansee AG, 1980 Parkringwerbung, 1980 Ltr. d. Verkaufsförd. Werbe- u. Presseabt. Rigips Austria Bad Aussee, 1982 Ltr. d. Infocenters f. Öff.-Arb. VAMED, 1984-89 Ltr. d. Werbung u. Öff.-Arb. d. Steyr Daimler Puch AG, Bereich LKW, 1990 Ltr. einer PR-Agentur in Linz, seit 1990 selbst. P.: Vortragstätigkeit über Öff.-Arb., lfd. Art. f. Wirtschaftsmagazine, Art. über Obst in Tageszeitungen u. Fachzeitschriften. H.: Wandern, Zeitgeschichte, Musik. (U.A.)

Obuch Walter
B.: Metalldrückermstr. u. Inh. FN.: Walter Obuch Metalldrückerei. DA.: 1060 Wien, Mollardg. 85a/3/2. PA.: 1020 Wien, Engerthstr. 234. G.: Wien, 5. Juli 1943. V.: Christina, geb. Fetter. Ki.: Martin (1971), Markus (1974). El.: Josef u. Theresia. S.: Berufsschule f. Metalldrücker, 1967 Mstr.-Prüf. K.: b. 1969 b. d. Firma Bauer in Wien tätig, seit 1969 selbst., zunächst in Partnerschaft m. Herrn Kugler, seit 1982

Alleininh. d. Firma f. d. Herstellung v. Hohlkörpern aus allen Metallen. H.: Motorradfahren, Fischen, Tennis, Lesen, Gartenarb. (J.S.)

Obwaller Matthias

B.: Baumstr., Gschf. FN.: Bau Obwaller Ges.m.b.H; Transportbeton Ges.m.b.H. DA.: 5771 Leogang 67. PA.: 5771 Leogang 69. G.: Saalfelden, 2. Juni 1956. V.: Margit, geb. Donauer. Ki.: Harald (1977), Michaela (1980), Viktoria (1988). El.: Matthäus u. Helga. S.: VS, HS, HTL, Baufachschule, Vorbereitungskurse f. Mstr. Prüf. K.: im elterl. Betr. tätig, 1987 Baumstr. in Sbg., 1987 Gschf. d. Betr. Bau Obwaller u. s. 1990 Gschf. v. Tranportbeton Ges.m.b.H. M.: Mtgl. Generaluntern. Baumstr. Haus, Grdg. Mtgl. Baugenossnschaft Sbg. s. 1980 Wirtschaftsbundobm. Stellv. H.: Hundesport, Bergwandern, Volksmusik, Blasmusik: Bartonist s. 1974. (D.E.)

Ockermüller Kurt

B.: Regisseur. PA.: 1190 Wien, Hartäckerstr. 67/8. G.: Wien, 8. März 1948. V.: Lenke, geb. Csövari. Ki.: Tobias Aaron (1986). El.: Michael u. Edith. S.: 1967 Mat., Filmakad. Wien. K.: Aufnahmeltr., Regieass., s. 1978 Reg., 1981-86 Spielltr. d. Schauspiels am Lds.-Theater Linz, 1982-86 Lehrauftrag am Bruckner-Konversatorium, div. Gastinsz. i.d. BRD u. Insz. am Waldviertler Hoftheater; Filmographie: u.a. "Ein echter Wiener geht nicht unter", "Easy Radler", "4x Spuren: Loos-Hoffmann-Bauer, Ressel-Kaplan-Porsche, Slezak-Jeritza-Jerger, Böhm-Waldbrunn-Farkas-Grünbaum", "Auenblicke", "Geschichten aus Östereich", versch. "Eurocops" u. aktuelle TV-Spiele, zuletzt "Operation Plutonium", "Der Bessere gewinnt", "Der Parkplatz", "Höret was Erfahrung spricht", "Kreisverkehr". F.: Inh. d. Film- u. Videoprod.-Firma AFN. E.: 1992 Erich-Neuberg-Preis f. "Hansi Vrba..." H.: Beruf, Musik. (J.S.)

Öckner Anton Dr. KommR. Kurator

B.: Vizepräs.; Gschf. Ges. im elterl. Betr. FN.: HK f. NÖ. DA.: 1010 Wien, Herreng. 10. PA.: 3100 St. Pölten, Kremserg. 31. G.: St. Pölten, 19. Aug. 1940. V.: Aulikki, geb. Backhoff. Ki.: Anna-Maria (1966), Alexandra (1969). El.: Anton (+) u. Blanka, geb. Stöger (+). S.: HGM, Matura, 1959 2. Matura HAK, Stud. d. Rechtswiss., 1963 Prom. K.: 1963-64 Rechtpraktikant ; Bez.- u. Kreisgericht St. Pölten, 1964-66 Lehr- u. Wanderjahre im Hutmachergewerbe in Deutschl. u. Frankreich, 1973 Hutmacher Mstr. Prüf.1974 zu HK f. NÖ als Landesinnungsmstr d. Hutmacher. 1976 Funktionär in d. Abt. Berufsausbild. HK NÖ, 1990 Wahl zum Vizepräs. d. HK f. NÖ, 1993 Schwerp.: Kurator WiFI-NÖ in d. HK NÖ; 1979 Mtgl. d. Sparkassenrates St. Pölten, s. 1984 Vors. d. Sprakassenrates St. Pölten, 1986 KommR., 1993 Vors. d. AufsichtsR d. NÖ Kreditbürgschaftsges.m.b.H (NÖKBG). H.: Angeln. (M.A.)

Ocko Peter

B.: Sped.-Kfm. FN.: Ocko Stückgut Transport GmbH. DA.: 9020 Klagenfurt, Ebenthaberstr. 149. PA.: 9020 Klagenfurt, Viktringer Ring 21. G.: Kühnsdorf, 8. Apr. 1947. V.: Adelheid, geb. Grubelnig. Ki.: Katharina (1988), Peter (1992). El.: Peter u. Katharina. S.: VS, HS, 1962-65 Sped. Kirchner Klagenfurt, 3 J. Sped.-Fachschule, Abschluß, 1966/67 BH. K.: Filialltr. Sped. Kirchner Bleiburg, 1968-69 Dietrich, Kühne & Nagel, ab 1970 selbst. m. eig. Sped.-Unternehmen, 1971/72 Sped. in Lavamünd, 10 J. Bleiburg, ab 1982 Sitz d. Firma in Klagenfurt. F.: Baufirma Cohep Bau u. Hdls. GmbH, Hecop GmbH, AKS Copy Shop, SWG GmbH. M.: KamR., Vors. d. LAP-Kmsn., Lions Club. H.: Schiffahrt. (K.K.)

Odelga Hilde

B.: Dipl.-Dolmetsch; Filmproduktionsltr. d. Filmbüro Odelga. DA.: 1010 Wien, Landhausg. 2/37. G.: Wien, 20. März 1939. V.: Wolfgang Odelga. Ki.: Alexandra (1965), Catharina (1966), Henrietta (1970). El.: Georg u. Hilde Hartberger. S.: Gymn. Rahlgasse Wien, Matura, Hockaday-Highschool Dallas, Stud. Engl. u. Franz. Dolmetschinst. d. Univ. Wien, Stud. Franz. Univ. Sorbonne Paris. K.: s. 1965 als Filmproduktionsltr. u. Intern. Coordinator tätig, u.a. Mitarb. an folgenden Produktionen "Die weißen Hengste", "The Sound of Music", "Der Spion, d. aus d. Kälte kam", "Feuersturm", "Dallas", Mitarb.: "The Junglebook", Spielberg´s "Schindlers List", "Dragon Heart". H.: Sprachwiss., Literatur. (J.S.)

Odelga Wolfgang

B.: Inh. d. Filmbüros Odelga. GT.: Gschf.: Wolfgang Odelga Film GmbH. DA. u. PA.: 1010 Wien, Landhausg. 2/37. G.: Judenburg, 24. Nov. 1934. V.: Hilde, geb. Hartberger. Ki.: Alexandra (1965), Catharina (1966), Henrietta (1970). El.: Josef Richard u. Emmi. BV.: Ururgroßvater Carl Frhr. v. Odelga, Gesandter d. Toscana am Wr. Hof, Geheimer Rat, Ururgroßonkel Josef Frhr. v. Odelga, Feldzeugmstr., Hofkriegsrat, Geheimer Rat. S.: Hum. Gymn. Seckau, 1954 Matura, HS f. Welthdl., Ak. f. Musik u. darstell. Kunst Filmabt. K.: seit 1965 im intern. Filmgeschäft tätig, u.a. Mitarb. an folgenden Produktionen: "The Sound of Music", "Der Kardinal", "Der Spion, d. aus d. Kälte kam", "Wagner", "Rocky IV", "Peter d. Große", "Dallas", f. ORF u. ZDF: "Maghrebinische Geschichten", "Die Abenteuer d. braven Soldaten Schwejk", Coprod. "Die 3 Musketiere". E.: Gold. VDZ d. Landes Wien. M.: Management Club. H.: Reisen, Design v. Innenräumen u. v. Festen, Geschichte, Musik. (J.S.)

Odendahl Wilfried

B.: Gschf. d. Helmut Waiglein GmbH, Gschf. d. HWD Finanzierungsvermittlungs GmbH. DA.: 1050 Wien, Wiedner Hauptstr. 123a. PA.: 1100 Wien, Bucheng. 123. G.: Leverkusen, 19. Apr. 1945. Ki.: Michael, Dirk. S.: Mittelschule f. Elektrotechnik. K.: Praxis, führ. Pos. b. Farbenfabrik Bayer-Leverkusen im Agfa-Bereich, 1974 n. Wien zu Fa. Honeywell im Anlagenbereich, 1978 Eintritt in d. Fa. Waiglein, s. 1979 Gschf. P.: Veröff. in versch. Fachzeitschriften. H.: Tennis, Bergsteigen, Pferdesport. (K.A.)

Odermatt Nanni

B.: Inh. Gasthof "Zum Ochsen". DA.: 6863 Egg, Loco 7. G.: Egg, 27. Feb. 1947. V.: Edmund Odermatt. Ki.: Christine (1978). El.: Karl u. Wilma Omerzell. S.: Textilschule Dornbirn, Koch- u. Kellnerlehre im elterl. Betrieb, Gastgewerbeschule Schloß Hofen Lochen, 1965 Abschluß. K.: 1 Saison in Lech, Service u. Einkauf im elterl. Betrieb, 1976 Übernahme d. Gasthofes. E.: Silb. EZ d. Landes Vbg. f. Verd. um d. Junge Gastgewerbe. M.: Obfrau d. Gastwirtever. v. Egg, Grdg.-Mtgl. u. langj. Obfrau d. Jungen Gastgewerbe Vbg., örtl. Sportver., 1961-65 Mtgl. d. Österr. Jugendkader ÖSV. H.: Skifahren, Lesen, Reisen, Wandern. (I.D.)

Odorizzi Karl Dipl.-Ing.

B.: Arch., staatl. befugter u. beeid. Ziviltechniker. DA. u. PA.: 4600 Wels, Camillo-Sitte-Str. 36. G.: Strengberg, 27. Aug. 1931. V.: Gertraut, geb. Schönmayr. Ki.: Ina, Etta, Pia. S.: b. 1952 HTL Hochbau Linz, 1952-56 Arch.-Stud. TH Graz. K.: b. 1959 Praxis in Deutschland u. Österr., seit 1960 eigenes Büro in Wels, 1966 Sommerakademie Prof. Bakema, seit 1976 Lehrbeauftragter Univ. Innsbruck, seit 1965 Fliegenfischer, zahlr. Studienreisen, 1950-53 Gesangsstud. BL.: Ausstellungen: 1965 Arch. in OÖ (Linz), 1975 Schulbau in Österr. (Wien), v. 150 eingereichten Wettbewerbsarb. wurden 80 m. Preisen ausgezeichnet. P.: Veröff. in div. Tageszeitungen. E.: 1987 Landeskulturpreis OÖ, 1991 Österr. Öko-Anerkennungspreis, Brucknermed. M.: seit 1960 Mtgl. u. seit 1969 Präs. d. Zentralver. d. Arch. Österr., seit 1971 Grdg.-Mtgl. u. wiss. BeiR. ÖZA, seit 1973 Mtgl. d. Staatsprüf.-Kmsn. d. TU Wien. H.: Arch., Reisen, Malerei, Konzerttätigkeit, Skifahren, Tennis. (P.H.)

Oedendorfer Josef Dkfm. KommR. Prof.

B.: Hotelier i.P. DA.: 2700 Wr. Neustadt, Brodtischg. 24. G.: Wr. Neustadt, 31. Aug. 1920. V.: Katharina, geb. Meszaros. Ki.: Monika, Christa, Michael. S.: VS, hum. Gymn., HS f. Welthdl., 1941 Dipl. K.: ab 1946 Wiedereröff. d. Hotels "Zum Gold. Hirschen" Wr. Neustadt, Getränkegroßhdl., Lehrer an d. HAK Wr. Neustadt, seit 1980 KommR. P.: div. Veröff. über Kostenrechnung, Kalkulation u. Lohnverrechnung im Rahmen d. Fremdenverkehrswirtschaft. E.: Gr. Silb. Med. d. HAKA, Gr. Gold. EZ d. Landes NÖ., Gold. EZ Fachgruppe Fremdenverkehr NÖ., Silb. Stadtwappennadel v. Wr. Neutadt, Gold. EZ d. Ö.W.B. M.: Bez.Vertrauensmann d. Fremdenverkehrs, Fachgruppenvorst. NÖ d. Hotelerie, BFachverb.Vorst.Stellv. d. Hotelerie, Vors. d. Klassifizierungskmsn. f. d. 5-Stern Kategorie. H.: Jagd, Pferde, Klass. Musik, Literatur. (G.E.)

Oegerli Klaus

B.: Dir. FN.: Schweizer Verkehrsbüro. DA.: 1010 Wien, Kärntner Str. 20. PA.: 1190 Wien, Silberg. 59d. G.: Dulliken/Schweiz, 15. Aug. 1958. Violette, geb. Herold. El.: Erich u. Lina, geb. Baumgartner. S.: Grund- u. OSchulen in Schweiz-Köniz, Olten, Dulliken u. Neuchatel/franz. Schweiz, 1979 Kurs am Eidg. Departement f. Auswärtige Angelegenheiten in Bern. K.: 1974-77 Praktikum Kuoni Tavel Ltd. Olten, 1977-79 Kuoni Travel Ltd. Olten, 1980-81 Ausbild. am Schweizer Grundkonsulat Rio de Janeiro, 1981-84 Sekr. am Schweizer Konsulat in Amsterdam, 1984-85 Ass. d. Stadtsekr. v. Kreuzlingen/Schweiz, 1985-89 Manager d. Schweizer National Touristen Büros in Düsseldorf seit 1989 Dir. u. Manager d. Schweizer Verkehrsbüros in Wien, verantwortl. f. Österr. u. Osteuropa. M.: Schweizer HK, b. 1989 Vorst.Mtgl. d. Dt.-Schweiz. Wirtschaftsver. Düsseldorf, seit 1989 Mtgl. d. Corps Touristik. H.: Lesen, Familie, Wandern, Computer. (M.G.)

Oehler Thomas Dr.

B.: Gschf. FN.: Werbeagentur DDB Needham Heye & Partner. DA.: 1190 Wien, Eroicag. 1. PA.: 1090 Wien, Porzellang. 47. G.: Frankfurt/Main, 12. Aug. 1959. V.: Susanne, geb. Wolff. Ki.: Sophie-Katalin (1992), Franciska-Aurelie (1993). El.: Dr. Helmut u. Sibylle, geb. Jeltsch. S.: 1978 Abitur, 1978-80 Ausb. z. Werbekfm. b. Ted Bates i. Frankfurt/Main, Abschlußprüf., 1979-81 Marketing-Akad., FS f. Werbung u. Verkaufsförd. i. Frankfurt/Main, 1981 staatl. u. schulinterne Abschlußprüf. a. Werbebetriebswirt. K.: 1980-83 Kundenberater u. Etatdir. b. Werbeagentur Ted Bates i. Frankfurt, 1983-86 Stud. d. Wirtschafts- u. Kommunikationswiss., Psych., Soziologie u. Phil. (Mag.) a. d. Ludwig-Maximilians-Univ. i. München, 1986-87 Stud. a. d. Univ. Louis Pasteur de Strasbourg, Abschluß d. Stud. m.d. D.E.A. (Diplome d'Etudes Appronfondies), 1987-88 Tätigk. b. Ted Bates Paris u. Club-Media, Mediaeinkaufszentrale d. Agentur, Paris, 1987-91 Prom. a. d. Univ. de Droit, d'Economie et de Sciences Sociales de Paris, Abschluß de Prom. m. Resultat "summa cum laùde" i. März 1991, 1988 Charge d'Etudes und freier Berater bei HAVAS S.A. Paris, 1989-90 Marketing Manager Europe, Wolff Communications U.K. Ltd., London, 1990 Marketing Manager Teleresponse GmbH Kronberg, 1990-91 Deputy Dir. for International Development, Information et Publicité S.A. Paris, 1992-93 Managing Dir. IP-Budapest Kft., Verk.-Org. d. ungar. Fernsehens. BL.: Vorbereitung d. Aufbaues d. Pay-TV "Premiere" i. Dt., Aufbau d. Vertriebes v. TV Barterprogrammen u. Verk. v. Werbezeiten für vier regionale chinesische TV-Stationen.P.: Media Perspektiven, Medien Bulettin, der Werbemarkt in Frankreich und in Deutschland M.: ZAW, ESOMAR, Ungarischer Werbeverband. H.: Schreiben, historische Automobile. (F.S.)

Oelinger Robert Mag. rer. soc. oec.

B.: selbst. Wirtschaftstreuhänder. DA. u. PA.: 6020 Innsbruck, Hofg. 4. G.: Innsbruck, 18. Dez. 1955. V.: Mag. Barbara, geb. Huter. El.: Dr. Franz u. Gertrude. S.: 1974 Matura, Stud. Univ. Linz u. Innsbruck, 1981 Prom., 1982 Steuerberaterprüf. K.: 1982 Eröff. d. Kzl. P.: Die Besteuerung der Ärzte, Vor- und Nachteile des Leasingsystems. M.: Ver.

"Junge Wirtschaft Tir.", Ver. d. Österr. Industriellen, Ver. "Jus". H.: Segeln, Tennis, Rodeln, Musik (Klassik), heitere Literatur.

Oelmann Vera

B.: Schauspielerin, Sprecherin, Autorin, Moderatorin. PA.: 2340 Mödling, Goldene Stiege 15/20. G.: Gresten, 28. Sept. 1920. Ki.: Brigitte Cap, Ingeborg Hauk. S.: RG, Matura 1938. K.: 1938-46 Bankang. bei CA-BV, 1943-45 Theaterschule Otto, Bühnenprüf. 1945, 1945 b. ORF (dam. RAVAG) als Sprecherin d. Wunschsendung "Ein Gruß an Dich", weitere Rundfunksendungen: "Pro und Contra", "Musik a la Carte", "Musik zum Träumen", zusätzl. Schulfunk u. wiss. Sendungen, Wienerlied-Sendereihen u.a., ab 1955 ORF-Fernsehen: Kreation d. Sendungen "Betthupferl" (12 J. als Sprecherin) u. "Wir blättern im Bilderbuch", viele Livesendungen, 1945-50 Theaterschauspielerin u.a. in "Liebelei", "Der Weibsteufel", "Der Mann aus Afrika", "Kabinettkrise in Ischl", "Der kleine Lord", "Die Fliegen" u.a. P.: Liedtexte zu Wienerliedern. M.: Interessengem. d. Österr. Autoren, Rennerges. H.: Wandern, Fremdsprachen, Lesen. (C.K.)

Oelz Armin Dipl.-Ing.

B.: Inst.-Ltr. d. WIFI Vbg. DA.: 6850 Dornbirn, Bahnhofstr. 24. PA.: 6850 Dornbirn, Heimgarten 5. G.: Chur, 12. Dez. 1940. V.: Gerda, geb. Bürgermeister. Ki.: Beate (1968), Martin (1970), Johannes (1982). S.: 1958 Matura, Stud. Wirtschaftsing.-Wesen Fachrichtung Maschinenbau Graz, 1964 Grad. z. Dipl.-Ing. K.: 1 J. Stud. Nationalökonomie Univ. Toulouse, 1965-90 Firma Mäser, 1978-90 Geschäftsltr., seither Inst.-Ltr. d. WIFI Vbg. M.: Lions-Club Vbg., Kath.-Österr. Studentenverb. "Traungau". H.: Theater, Skifahren, Tennis. (W.R.)

Oeser Erhard Dr. phil. o.Univ.-Prof.

B.: Vorst. d. Inst. f. Wiss.Theorie u. Wiss.Forsch. FN.: Univ. Wien. DA.: 1090 Wien, Senseng. 8. PA.: 1170 Wien, Promenadeg. 22. G.: Prag, 18. Juni 1938. V.: Sylvia, geb. Sadtler. Ki.: Victoria, Clarissa. El.: Erhard u. Erna. S.: 1957 Matura, Militärdienst, 1958-60 Stud. München, 1960-62 Stud. Wien. K.: 1962-65 Lehrbeauftrager Univ. Freiburg, 1968 Habil., 1962 o.Univ.-Prof. f. Phil. u. Wiss.Theorie, s. 1986 Vorst. d. Inst. f. Wiss.-Theorie u. Wiss.-Forsch. P.: 13 wiss. Bücher, u.a.: Wissenschaft u. Information, Bd. 1: Wissenschaftstheorie u. empirische Wissenschaftsforsch. (1975); Psychozoikum. Evolution u. Mechanismus d. menschl. Erkenntnisfähigkeit (1987); Gehirn, Bewußtsein u. Erkenntnis (gem. m. F. Seitelberger, 1988); ca. 80 Publ. E.: Kardinal Innitzer-Preis. M.: Vorst.-Mtgl. d. Österr. Ges. f. Geschichte d. Naturwiss., Mitarb. am Österr. Normungsinst., Präs. v. TERMNET, Vorst.-Mtgl. d. Konrad Lorenz-Inst. f. Evolutions- u. Kognitionsforsch., o. Mtgl. d. Russ. Akad. d. technolog. Wissenschaften. (M.M.)

Oetsch Johann Walter Ing.

B.: Bmst., Gschf. FN.: Murexin KG. DA.: 1010 Wien, Herreng. 14. PA.: 1190 Wien, Telekyg. 24. G.: Neunkirchen, 21. Mai 1949. V.: Elke, geb. Schimka. Ki.: Johannes, Dorian. El.: Walter u. Melanie. HTL Wr. Neustadt 1963-68. K.: 1969-82 Dipl.-Ing. Jabinrec, 1975 selbst. Projektltr., 1983 Eintritt b. Wopfinger Stein- u. Kalkwerke, 1985 Schaffung neuer Bauprod., 1986 Prok. b. Fa. Embecon, 1986 Gschf. d. Murexin KG. H.: Wandern, Segeln. (P.R.)

Oettl Peter Dr. iur.

B.: Berufungssenat in Strafsachen, Vors. d. Ratskammer, Pressesprecher d. LG Linz. DA.: 4020 Linz, Fadingerstr. 2. PA.: 4040 Puchenau, Wiesingerweg. G.: Linz, 14. Nov. 1935. V.: Renate, geb. Stefan. Ki.: Florian (1977). El.: Karl u. Klementine. BV.: Präs. d. Post- u. Telegrafendion. Linz, Mtgl. einer prov. LRg. 1945. S.: 1955 Matura, Stud. d. Rechtswiss. an d. Univ. Wien, 1961 Prom. K.: Gerichtspraxis in Linz, 1964 Ernennung z. Richter, 1964-68 BG Linz, 1968-72 Staatsanw. Linz, 1972-85 Zivilrichter, ab 1985 VPräs. d. LG Linz, Haupttätigkeit: Berufssenat in Strafsachen. P.: 2 Bände Erzählungen, Fernsehspiele. M.: Vors. d. Ratskam., Pressesprecher d. LG Linz, Mtgl. d. Österr. P.E.N.-Club. H.: Bild. Kunst. (P.R.)

Oetzbrugger Rene Dr. Prof.

B.: Ombudsmann d. "Tiroler Tageszeitung" u. Tir. Ombudsmann f. d. Fernsehsendung "In eigener Sache" ORF Wien. A.: 6020 Innsbruck, Speckbacherstr. 9. G.: Innsbruck, 9. März 1924. V.: Hilde, geb. Klein. S.: BOberrealschule, Leop. Franzens-Univ. Innsbruck, Stud. d. Phil. u. Psych., Prom. z. Dr. phil 1949. K.: Begr. u. Chefred. d. Avantgardistenzeitung "Innsbrucker Freie Presse" 1950, ab 1952 b. d. "Tiroler Tageszeitung", Neuorientierung d. Gerichtsberichtserstattung, 1970 Ressortltr. f. Recht u. Justiz, 1973 "Preis f. Verkehrssicherheit", seit 1976 Ombudsmann u. LOmbudsmann f. Tir. f. d. Sendung "In eigener Sache" ORF Wien, s. 1977 Prof.Titel f. bes. Leistungen d. Erwachsenenbild. u. d. Rechtspubl. P.: Buch: Richter Himmelsteg - Erzählungen aus d. Erfahrungsverwertung einer 20jähr. Gerichtssaaltätigkeit, Abhandlung: Der positive Gerichtssaal, fortges. Zeitungspubl. über Rechtsreformen u. Umweltschutz als Mitwirkung z. Lärmschutzgesetzgeb. in Tir. E.: Preis d. Verkehrssicherheit d. Kuratoriums f. VS in Wien, Berufstitel Prof. f. bes. Verd. d. Erwachsenenbild. u. d. Rechtspubl. sowie f. gravierende Ombudsmannerfolge in Tir. M.: Journalistengewerkschaft ÖGB LGruppe Tir. H.: Schießsport (Luftgewehr).

Oezelt Rudolf Dr.

B.: Gschf. d. Vereinigung AUSTROSPACE. DA.: 1090 Wien, Garnisong. 7. PA.: 1230 Wien, Eduard-Kittenberger-G. 6/59. G.: Wien, 27. Dez. 1929. V.: Sylvia, geb. Haberda. Ki.: Rudolf, Gregor, Markus. El.: Rudolf u. Maria. S.: MS, 1947 Matura, Stud. d. Rechtswiss. in Wien, 1951 Prom. K.: Gerichtspraxis, 1952-87 b. d. Wr. HK, vorerst Arbeitsrechtler d. Wr. Hdls.Sekt., 1965-87 Gschf. d. Wr. Hdls.Sekt., 1988-90 Gen.-Sekr. d. Österr. Gewerbever., seit 1991 Gschf. d. Vereinigung AUSTROSPACE. P.: versch. Publ. in Fachzeitschriften, Verfasser d. Buches ABC d. Arbeitsrechtes (bisher 3 Auflagen), Hrsg. d. Nachlaßgedichte G. Strnadts unter I man de echte Melodie. E.: Gold. EZ f. Verd. um d. Rep. Österr. 1987. M.: versch. Vereinigungen. H.: Lyrik. (M.B.)

Ofenböck Joe

B.: Werbekfm., Agentur-Eigentümer. FN.: CAA Werbeagentur GmbH. DA.: 1130 Wien, Dommayerg. 1. PA.: 1232 Wien, Anton-Baumgartner-Str. 44/A4/173. G.: Wr. Neustadt, 14. Febr. 1953. V.: Geraldine, geb. Daltabuit. Ki.: Geraldine, Stephanie. S.: BRG, 1971 Matura, Sprachausbild. in Paris, BH, HS f. Welthdl., 1. Studienabschnitt. K.: 1974-77 PR-Manager b. d. Bellaphon-Records, 1978-79 selbst. m. einem Schallplatten-Import, 1978-79 Fa. Unilever, Elida, Product Manager, 1979 Werbeagentur GGK Etatdir., 1980 Der Wiener Verlagsltg., Team BBDO Werbeagentur, Werbeagentur Liatas, Die Sieber Werbung, seit 1984 selbst. m. CAA. M.: Vorst.Mtgl. d. Creative Clubs Austria. H.: Surfen, Skifahren, Drachenfliegen. (C.K.)

Ofenheimer Arno

B.: Freier Wirtschaftskons. u. VerwR. FN.: Weithaus Investment Corporation. DA.: FL-9490 Vaduz/Liechtenstein, Aeulestr. 80. G.: Graz, 27. Mai 1951. Ki.: Alric (1971), Aldo (1975). El.: Dr. Alfred u. Dr. Charlotte. S.: 1969 Matura HTL Raumberg, 2-jähriges Managementtrainee in Schweden b. d. Firma Sala, anschl. Stud. Rechtswiss. Univ. Wien. K.: Eintritt in d. Österr. Tochterges. d. Firma Sala, 15 J. in d. Geschäftsltg., Exportchef f. d. engl.-sprachigen Raum in Europa u.

Afrika, seit 1986 selbst. Wirtschaftskons., s. 1988 VerwR. d. Weithaus Investment Corporation. H.: Sport bes. Skifahren u. Wandern, Musik speziell Operetten. (J.S.)

Offenbeck Jolanda Dr. iur.

B.: Mtgl. d. NatR. seit 1973, Mag.Beamtin. DA.: 1017 Wien, Dr.-Karl-Renner-Ring 3. PA.: 8010 Graz, Weg z. Reinerkogel 32. G.: Graz, 1. Sept. 1930. V.: Ing. Wilhelm Offenbeck. S.: RG, HS, 1954 Prom. z. Dr. iur. K.: 1955 Gerichtsjahr, 1956-60 Konzipientin in einer RA-Kzl., 1960 Eintritt b. Mag. Graz, 1970 BR, s. 1973 Mtgl. d. NatR., 1975 Vors. d. steir. LFrauenkomitees, s. 1981 BVors. d. Soz. Frauen Österr. u. BParteiobm.Stellv., Mtgl. d. BParteipräsidiums d. SPÖ, s. 1968 Mtgl. d. steir. LParteivorst. u. s. 1974 Mtgl. d. BParteivorst. d. SPÖ, 1970-73 Mtgl. d. Bundesrates, s. 1979 Obm.Stellv. d. Klubs d. Soz. Abg. u. Bundesräte. E.: Gr. Silb. u. Gr. Gold. EZ f. Verd. um d. Rep. Österr. M.: SPÖ. H.: Lesen, Skifahren.

Öfferl Alfred

B.: Tischlermstr., Inh. FN.: Tischlerei u. Möbelhdl. Öfferl. DA.: 2134 Wultendorf 33. PA.: 2134 Wultendorf 150. G.: Mistelbach, 14. Mai 1960. V.: Herta, geb. Reyländer. Ki.: Horst (1983), Jörg (1986), Gloria (1989). El.: Karl u. Olga. S.: VS, HS, HTL Mödling, Mstr.-Prüf. f. Tischler, Konzessionsprüf. f. Bestattung. K.: 2 J. Tätigkeit in Tischlerei in Wien, 1980 Eintritt in d. väterl. Betrieb, 1983 Übernahme d. väterl. Tischlerei gemeinsam m. Gattin, Herstellung v. Möbeln m. Stil f. gehobene Ansprüche nach eigenen Entwürfen, Komplettlösungen nach innernarchitekton. Grundsätzen. H.: Tiere, Natur, eigener Bauernhof, Schnapsbrennen. (F.S.)

Öfferl Herta

B.: Inh. FN.: Tischlerei u. Möbelhdl. Öfferl. DA.: 2134 Wultendorf 33. PA.: 2134 Wultendorf 150. G.: Mistelbach, 19. Feb. 1961. V.: Alfred Öfferl. Ki.: Horst (1983), Jörg (1986), Gloria (1989). El.: Josef u. Margarethe Reyländer. S.: VS, HS, Lehrabschlußprüf. Ind.-Kfm., zusätzl. Einzelhdls.-Kfm. u. zusätzl. Bürokfm., Konzessionsprüf. Leichenbestattung. K.: 1976-79 kfm. Lehre Firma Fertiger Wien, 1980 Mitarb. im Betrieb d. Schwiegervaters, 1983 Übernahme d. Betriebes gemeinsam m. Gatten, Herstellung v. Maßmöbeln nach eigenen Entwürfen, Restaurierung alter Möbel, Intarsien, Fenster, Türen, Stiegen, Holzdecken, 1987 alte Schule im Maria Theresia-Stil gekauft, komplett restauriert u. renoviert u. zu Ferienwohnungen u. Fremdenzimmer umgebaut, 1987 Supermarkt im Erdgeschoß eingerichtet, 1988 altes Bauernhaus in Enzersdorf gekauft, renoviert u. darin Supermarkt eingerichtet, 1989 Supermarkt in Kirchstetten u. Ketzelsdorferöff., 1989 Grdg. eines Supermarktes in Hauskirchen. BL.: Malen (Aquarelle) u. Herstellung v. Holzskulpturen, Managen v. Ausstellungen f. Künstler, Grdg. d. Kreis Kreativ in d. Region. P.: Ausstellungen d. Holzskulpturen u. Aquarelle in Wien, Schloß Rosenau Waldviertel, Bad Kleinkirchheim. E.: 1992 Funda-Form-Designerpreis f. Möbel, 1990 u. 1991 v. Fachjury unter Vors. v. Bundesmin. Schüssel z. besten Nahversorger in Österr. gewählt. H.: Kinder, Beruf, Firma, künstler. Tätigkeit. (F.S.)

Offner Alfred Dipl.-Ing.

B.: Gschf. Alleinges. d. Firmen Dipl.-Ing. Offner GmbH u. Johann Horvat GmbH. DA.: 1210 Wien, Ignaz-Köck-Str. 9. G.: Wolfsberg, 22. Mai 1921. V.: Dr. Johanna, geb. Zeilinger. Ki.: Johanna, Alfred, Josef, El.: Ing. Johann u. Mathilde. BV.: Urgroßonkel Gregor Offner, Abt d. Stiftes Admont (Präfekt d. Bibl.). S.: RG d. BErziehungsanst. Traiskirchen, Matura 1939, Kriegsdienst, 1945-52 Stud. an d. TU Graz (Maschinenbau u. Wirtschaftsing.Wesen). K.: 1952 Innovation d. elterl. Betriebes u. Aufbau einer neuen Werkzeugfbk., 1952-58 Wirtschaftsprüf. u. Erstellung v. Gutachten f. d. Österr. Wirtschaftsberatung intern. Treuhand GmbH, ab 1964 Prok. d. Fa. Karl Zeilinger/Himmelberg, 1972 Übernahme d. Johann Horvat GmbH/Wien, 1980 wird d. Einzelfa. Dipl.-Ing. Alfred Offner als GmbH protokolliert. BL.: Bau v. Sanitär-, Heizungs-, Lüftungs- u. Klimaanlagen, Elektron. Schaltungen. M.: Kam.Mtgl., Aussch.Mtgl. d. Innung, Vors. d. ÖNI, Mtgl. d. Berufungssen. IV d. FLA f. Wien, NÖ u. Bgld., Laienrichter am HG Wien. H.: Tennis, Skifahren, Jagd, klass. Musik. (Sei.)

Offner Hans KommR.

B.: Kfm. A.: 9400 Wolfsberg, Schwemmtratten 10. G.: Wolfsberg, 18. Dez. 1919. V.: Michaela, geb. Toppler. S.: RG, HAK. K.: 1938 Eintritt in väterl. Untern., 1940-45 Militär, 1945 Ang. u. Prok. im väterl. Betrieb, s. 1955 Alleininh., 1973 Umwandlung in GmbH u. gschf. Ges. F.: Johann Offner Werkzeugind. GmbH, Joh. Offner Verwaltung u. Vertrieb. E.: Gold. Verd.Zeichen d. Rep. Österr., Gold. Med. d. Österr. Volksbanken. M.: Fachgruppenvorst. d. Eisen- u. Metallwarenind. in d. HK Ktn., Obm. d. Vorst. d. Volksbank Wolfsberg.

Offterdinger Dieter Dr. techn. Dipl.-Ing.

B.: Arch. (Raumplaner). A.: 1080 Wien, Ledererg. 22. G.: Wien, 15. Mai 1941. V.: Dipl.-Ing. Helga, geb. Slany. S.: BRG, Arch.Stud. in d.TU Wien, Dipl. 1967, Doktorat d. TU 1972. K.: b. 1972 Univ.Ass. am Inst. f. Städtebau, Raumplanung u. Raumordnung d. TU Wien, bis 1975 Mitarb. in Arch.Büro, seit 1973 selbst. Planungsbüro f. Raumplanung, seit 1977 Lehrauftrag an d. WU Wien, Mtgl. d. Prüf.Kmsn. f. Ing.Kons. f. Raumplanung u. Raumordnung. F.: Arge f. Regional- u. Gemeindeplanung Wien (Ltr. u. Inh.), Repro Color (Reprotechn.) gschf. Ges. P.: 19 Fachbeiträge in versch. Fachzeitschriften. E.: 1. Camillo Sitte Förderungsbeitrag f. Arb. auf d. Geb. d. Städtebaus u. d. Raumplanung. M.: AMR o.Mtgl., Österr. Ges. f. Raumforsch. u. Raumplanung, Forschungsges. f. Wohnen, Bauen u. Planen, Sbg. Inst. f. Raumforsch., Ersatzmtgl. d. Sekt.Vorst. d. Ing.Kam. f. Wien, NÖ u. Bgld. H.: Tennis, Skifahren.

Ofner Harald Dr.

B.: RA, Abg. z. NatR. DA.: 1160 Wien, Schuhmeierpl. 14. G.: Wien, 25. Okt. 1932. S.: Pflichtschulen, Abendmatura, Stud. d. Rechtswiss. in Wien, 1958 Prom. z. Dr. iur. K.: 1947-57 Starkstrommonteur-Lehrling u. Starkstrommonteur b. d. Fa. Siemens-Schuckert in Wien, 1951 Facharb.Prüf., 1958-59 Rechtspraktikant in Wien, 1959-65 Konzipient in Langenlois, Krems u. Wien, seit 1965 RA, 1974-76 LParteiobm.Stellv. u. 1976-89 LParteiobm. d. FPÖ NÖ, 1980-83 Obm.Stellv. d. Klubs d. FPÖ, 1975-79 1. VBgm. d. Stadt Mödling, 1979-83 Abg. z. NatR., 1983-87 BMin. f. Justiz, seit 1983 Abg. z. NatR. E.: GrGE/B, GrK d. dän. DO, liecht. VO. H.: Geschichte (insbes. Zeitgeschichte).

Ofner Ilse Dr.

B.: Zahnarzt. DA.: 1210 Wien, Rußbergstr. 2. PA.: 1190 Wien, Beethovengang 6. G.: Wien, 1. Febr. 1955. V.: Ofner Rupert Dr. Ki.: Wolfgang. El.: Glatzl Anton Dr. u. Gertrude. S.: VS, Gymn. Wien, 1973 Matura, Med.Stud. Univ. Wien, 1979 Prom. K.: 2 J. Ass.Arzt an d. Kieferchir. Wien, 2 J. Zahnklinik Wien, 1983 Eröff. d. eigenen Praxis. P.: mehrere Publ. über Kieferchir. M.: Ges. f. Chir., Zahnärztl. Interessensverb., Österr. Ges. f. Zahn-, Mund- u. Kieferheilkunde. H.: Gobelinsticken, Seidenmalen, Lesen. (H.P.)

Ofner Leopold Dr. iur.
B.: Kfm., Gschf. Ges. PA.: 4470 Enns, Glasstr. 8. G.: Kremsmünster, 18. Apr. 1934. V.: Helene, geb. Zappe. Ki.: Ulrike, Gabriele, Helfried. El.: Leopold u. Anna. S.: Mittelschule Linz, Matura 1962, Stud. an d. Univ. Innsbruck, 1967 Prom. K.: Eintritt in d. Fa. d. Gattin Franz Zappe's Nfg., 1976 Grdg. d. Fa. Dr. Ofner GmbH & Co KG. M.: AufsR.Vors. d. reg. Gablonzer GenmbH, Obm. d. ETV-Enns 1874. H.: Tennis, Skifahren. (A.W.)

Öfner Sigmund
B.: Koch, Hotelier. DA. u. PA.: 6100 Seefeld, Klosterstr. 97. G.: Innsbruck, 5. Okt. 1946. V.: Helga, geb. Geir, 2 Kinder. El.: Otto u. Maria. S.: VS, HS, HAK, Kochlehre. K.: Auslandspraxis im Hotel Real in Vaduz, nach Umbau 1977 selbst. Führung d. Hotels Diana. M.: Sportref. d. Gem. Seefeld, GemR. Seefeld, Fremdenverkehrsverb.Aussch. H.: Beruf, Freizeitsport. (Schm.)

Ögg Heinrich
B.: Inh., Buch u. Papierhändler. FN.: Buch u. Papierhandlung Ögg. DA.: 6330 Kufstein, Unterer Stadtpl. 11. PA.: 6330 Kufstein, Feldg. 55. G.: Kufstein, 23. Dez. 1937. V.: Christine, geb. Marksteiner. Ki.: Monika (1964), Erich (1967). El.: Erich u. Maria. S.: VS, HS, Gymn., HASCH. K.: 1955 Eintritt i. elterl. Betr., 1963 Konzessionspr., Übern. d. Betr. M.: örtl. Vereine. H.: Lesen, Tennis, Radfahren. (J.F.)

Ognjanoff Christo Dr.
B.: Schriftsteller, Literaturhistoriker, Journalist. PA.: 5020 Salzburg, Johannes-Filzer-Str. 28/43. G.: Tresonce, Westmazed., 29. Dez. 1911. V.: Inge, geb. Müller. El.: Damjan u. Bossilka. S.: Halbklass. Gymn., Stara Zagora, Bulg. (1932), Rechts- u. Staatswiss. Univ. Sofia, Dr. jur. d. Innsbrucker Univ. (1951), Slavist. Studien in München, Rom, Syracuse Univ., Syracuse, N.Y. USA. K.: Red.-Mtgl. u. später Auslandskoresp. d. Tageszeitung "Zora", Sofia (1936-44) in Berlin, Editor b. Voice of America, München u. Washington D.C., Lektor d. bulg. Sprache u. Geschichte, Syracuse Univ., Senior Editor b. Radio Freies Europa, München, dzt. freiberufl. tätig. P.: Lyrik: "Südwinde", "Wanderung", "Assisi-Sonette" (2-sprachig), "Verwandlungen", weiters "Bulgarien", Kultur d. Nationen, "Bulgar. Jahrbücher", Bd. I u. II, Sendereihen: Elf Jahrh. Christentum in Bulgarien, Neues Goldenes Zeitalter d. Bulgar. Literatur, Kritischer Blick in bulgar. Zeitschriften u. viele einzelne Sendungen, Artikel u. Abhandl. über bulgar. Literatur, Kirche u. Geschichte u. allg. süd-osteurop. Probleme in dt., amerik., ital. u. österr. Zeitschr., zahlr. Abhandl. E.: Citation of Merit from the Catholic Broadcasters Assoc. of America 1965, Una speciale Benedizione Apostolica v. Papst Johannes Paul II., 1980, Ehrendipl. u. Gold. Med. d. Intern. Akad. d. Künste, Paris. M.: Präs. d. Bulgar. Akad. Ges., "Dr. Peter Beron" e.V., München, s. 1965 Vizepräs. d. Exil-P.E.N.-Club in d. deutschsprach. Ländern, Mtgl. d. Intern. Federation of Journalists u. d. Freien Dt. Autorenverb. (M.Mo.)

Ogrinz Tassilo Dr. iur.
B.: Botschafter. PA.: 8993 Grundlsee, Bräuhof 147. G.: Graz, 25. Aug. 1937. V.: Dr. Adelheid, geb. von Boxberg. El.: Dr. Franz u. Isolde. S.: Stud. d. Staatswiss. an d. Univ. v. Kansas/USA (M.A.), Stud. d. Rechtswiss. an d. Univ. Graz (Dr. iur.). K.: 1961 Eintritt in den diplomat. Dienst, 1963-67 Botschaft Paris, 1969-72 Ständ. Vertr. b. d. Vereinten Nationen in Genf, 1972-76 Botschaft Bukarest, 1976-80 stellv. Ltr. d. Abt. f. wirt. Integration im BMfAA, 1980-85 Botschafter in d. Rep. Elfenbeinküste, Benin, Burkina-Faso, Niger u. Togo, 1985-88 Botschafter im Großherzogtum Luxemburg, 1988-94 Ltr. d. Abt. allgem. Integrationsfragen, EU u. EU-Staaten im BMfAA, 1994 - Botschafter in Marokko. P.: "Austrian Policy in the Movement of European Union". E.: Ritterkreuz d. franz. VO, Großoffizierskreuz d. ivorischen Verdienstordens, Großkreuz d. luxemburg. Verdienstordens, Kommandeurkreuz d. EZ f. Verd. um d. Rep. Österr. M.: Rotary-Klub. H.: Tennis, Golf.

Ogris Emil Dr. med. Univ.-Prof.
B.: Vorst. d. Abt. f. Nuklearmed. Diagnostik u. Therapie am Donauspital d. Stadt Wien, FA f. Innere Med. u. Nuklearmed. DA.: 1220 Wien, Langobardenstr. 122; 1180 Wien, Höhneg. 4/5. G.: Klagenfurt, 20. Juni 1935. S.: Hum. Gymn. Klagenfurt, 1953 Matura, 1962 Prom. K.: 1962 Eintritt in d. 2. Med. Univ.-Klinik, 1965 Auslandsaufenthalt am Middlesex Hospital London, 1968 FA f. Innere Med., 1959 OA d. Sonderabt. f. Strahlentherapie d. KH Lainz, Aufbau d. Isotopenlabors, 1974 Ernennung z. Vorst. d. neugeschaffenen Inst. f. Nuklearmed., 1977 Habil. als Doz. f. Innere Med. m. bes. Berücksichtigung d. Nuklearmed., 1984 Ernennung z. tit.Prof., 1987 Präs. d. Österr. Ges. f. Nuklearmed., seit 1989 designierter Vorst. d. Nuklearmed. Inst. am neuerrichteten Donauspital im SMZ-Ost, seit 1992 Vorst. P.: ca. 170 Publ. in in- u. ausländ. Fachzeitschriften, Buchbeiträge, Vortragstätigkeit b. intern. Kongressen. E.: 1981 General Electric Award f. d. beste wiss. Präsentation. M.: Mtgl. b. zahlr. med.-wiss. Ges. u.a. Society of Nuclear Med. H.: Musik. (M.M.)

Ogris Harald Dr. Dipl.-Ing. o.Univ.-Prof.
B.: Mtgl. d. BundesR. seit 1983, o.Univ.-Prof. GT.: Ing.Kons. f. Bauwesen, gschf. Präs. d. BSA. DA.: 1017 Wien, Dr.-Karl-Renner-Ring 3, 1040 Wien, Karlspl. 13. PA.: 1130 Wien, Nöstelbergerg. 20. G.: Wien, 17. Nov. 1933. V.: Ninna, geb. Kolibal. Ki.: Sabine, Julia. El.: Dr. Herbert u. Mathilde. S.: 1951 Matura, Stud. an d. TU Wien Fachrichtung Bauing.Wesen, 1957 Grad., 1960 Prom., 1968 Habil. K.: 1956 Eintritt in d. Inst. f. konstruktiven Wasserbau als wiss. Hilfskraft, 1962-63 Auslandsaufenthalt in England, Univ. Belfast, s. 1964 Ziviltechniker (Ing.Kons. f. Bauwesen), 1958 HS-Doz s. 1972 a.o. u. s. 1973 o.Univ.-Prof., s. 1974 Obm. d. Vereinigung Soz. HS-Lehrer, seit 1982 1. VPräs. d. Bundes Soz. Akademiker. Intellektueller u. Künstler (BSA), Mtgl. d. BundesR. M.: BSA, div. Fachkmsn. (A.W.)

Ogris Johann

B.: Transportunternehmer. FN.: Intern. Transport- u. Speditions GmbH . DA.: 9020 Klagenfurt, Magereggerstr. 69. PA.: 9173 St. Margareten im Rosental 23. G.: St. Margareten im Rosental, 29. Dez. 1933. V.: Rosemarie, geb. Varch. Ki.: Hannes (1965), Doris (1967), Thomas (1968), Alexander (1974). El.: Andreas u. Ursula, geb. Smeritschnig. S.: VS, 1948-51 Faß- u. Geschirrbinderlehre im elterl. Betrieb. K.: Kraftfahrer, Berufsfahrer b. versch. Firmen in Österr. u. Deutschland, Fernfahrer u. Busfahrer, 1961 Konzessionserteilung f. Transportunternehmen u. gleichzeitig selbst. durch Firmengrdg. in St. Margareten, 1962 Kauf eines Grundstückes in d. Sandgasse in Klagenfurt, 1977 Kauf eines Grundstückes in d. Magereggerstraße. E.: Julius Raab-Ausz., Eintragung in d. Gold. Buch d. Stadt Klagenfurt. M.: Wirtschaftsbund. H.: Motorsport, Skifahren. (G.L.)

Ogris Karl Heinz Mag. Ing.
B.: Gschf. FN.: Drau Consulting GmbH. DA.: 9020 Klagenfurt, Kohldorferstr. 98. PA.: 9020 Klagenfurt, Krobathg. 4. G.: Arnoldstein, 24. Sep. 1944. V.: Helgard, geb.

Wolf. Ki.: Astrid (1972), Angelika (1974). El.: Wilhelm u. Irmgard. S.: VS, Gymn., 1958-63 HTL Elektrotechnik Klagenfurt, Matura, BH, 1964-69 Stud. Wirtschaftswiss. WU Wien, 1969 Spons. K.: 1969-75 Tätigkeit in d. österr. Ind., 1976-90 Tätigkeit in d. E-Wirtschaft, seit 1990 Tätigkeit in d. Drau Consulting u. seit 1992 Gschf. M.: seit 1986 Landesobm. d. Akad.-Bundes Ktn., Präsidium d. Österr. Akad.-Bundes, BetriebsR.-Tätigk. f. Ang. in Privat- u. E-Wirtschaft Österr., Alpenver., Verb. Österr. Wirtschaftsakad., Yachtclub Austria.

Ogris Margarethe

B.: Inh. u. Leiterin e. privaten Seniorenheimes. FN.: Seniorenheim u. Gasthaus Schneerose. DA./PA.: 9170 Ferlach, Josef Ogris G. 9. G.: Dollich b. Ferlach, 19. März 1937. V.: Baumeister Hubert Ogris. Ki.: Hubert (1989), Astrid (1961), Peter (1962), Harald (1965), Christian (1968). El.: Peter u. Maria Just. BV.: Valenin Just, Dir. d. Ktn. GKK. i. d. Zwischenkriegsz. S.: VS, HS. K.: 1957 Zahnarzthelferin, im ehel. Betr. Buchhaltung u. Lohnverrechnung, daneben ab 1976 Seniorenheim f. Wohnbereich u. Gasthaus, 1975 Konzessionsprüfung.

Ogris Werner Dr. o.Univ.-Prof.

DA.: 1060 Wien, Mariahilfer Str. 71/21. G.: Wien, 9. Juli 1935. V.: Dr. Eva, geb. Scolik. Ki.: Martin (1967), Michael (1970). El.: Alfred u. Maria. S.: BRG Wels, Stud. d. Rechtswiss. a. d. rechtswiss. Fak. d. Univ. Wien, 1958 Prom. z. Dr. iur.. K.: 1958-62 wiss. Hilfskraft u. später Ass. am Inst. f. Europ. Rechtsgesch., 1962 Habil. f. Dt. Recht an d. Univ. Wien, 1962 o.Prof. f. Dt. Rechtsgeschichte u. Dt. Privatrecht an d. Freien Univ. Berlin, 1966 o.Prof. f. Dt. Recht u. Österr. Verfassungs- u. Verw.Geschichte d. Univ. Wien. P.: Der mittelalterl. Leibrentenvertrag (1961), Die Rechtsentwicklung in Österr. 1848-1918 (1975), Personenstandsrecht (1977), Goethe-amtl. u. polit. (1982), Jacob Grimm Ein polit. Gelehrtenleben (1986), 175 J. ABGB (1986/87), Mozart u. d. Eherecht seiner Zeit (1991), Tatort Rechtstgeschichte (1994). zahlr. Aufsätze in Fachpubl. z.B.Bey d. Copulation war kein Mensch als d. Mutter u. d. jüngste Schwester. Friedrich d. Große u. d. Recht (1987), Dt. u. Österr. Rechtsg. i. Japan (1991). E.: Preis d. Theodor-Körner-Stiftungfonds z. Förd. v. Wiss. u. Kunst, Dr. h.c. Prag u. Dr. h.c. Bratislava 1993. M.: Rotary Club Wien, w.Mtgl. d. Österr. Ak. d. Wiss., Ausw. Mtgl. d. Sächs. Akad. d. Wiss. u. Niederländ. Akad. d. Wiss.

Ogrizek Josef

B.: Direktvertriebsbetreuer. DA.: 8700 Leoben, Krottendorferg. 5/1. PA.: 8700 Leoben, Kerpelystr. 89. G.: Leoben, 19. Dez. 1965. V.: Beatrix, geb. Kaufmann. Ki.: Sandra (1987). El.: Josef u. Hildegard. S.: Polytechn. Lehrgang i. Leoben, Dreherlehre, 1984 Abschluß, Abendschule, Werkmstrprüf. 1987. K.: b. 1987 bei Voest Alpine, 1988-89 Verkäufer b.S Bausparkasse Leoben, s. 1.4.1989 Direktvertriebsbetreuer f. Oberstmk., 1992 Marketingkurs b. Wifi.

Öhlberger Alexander

B.: Oboist, Wr. Philharmoniker. DA.: 1010 Wien, Bösendorferstraße. PA.: 1030 Wien, Ziehrerpl. 3/II/3. G.: Wien, 2. Apr. 1956. V.: Luise, geb. Griesauer. Ki.: Matthias (1986), Lukas (1988). El.: Prof. Camillo u. Maria, geb. Malcher. S.: ab d. 6. Lebensj. Klavierunterricht, m. 12 J. Beginn d. Oboestud. an d. Wr. Musik-HS b. Dr. Hans Hadamovsky später b. Manfred Kautzky u. Günter Lorenz, 1975 Matura, Kompositionsunterricht b. Prof. Karl Pilß, 1976 Dipl.-Prüf. d. HS f. Musik. K.: 1976 Engagement als 1. Oboist im Orchester d. Wr. Volksoper, ab 1977 Oboist u. Engl. Hornist im Orchester d. Wr. Staatsoper, seit 1984 Lehrtätigkeit am Konservatorium d. Stadt Wien, versch. solist. Auftritte u.a. m. Oboekonzerten v. Joseph Haydn, W.A. Mozart, Richard Strauß, Kompositionen f. Bläserkammermusik, Dt. Messe in 12 Musikteilen f. Soli, Chor, Orgel u. Streicher, Burleske f. Kammerorchester. E.: Gold. Ehrenmed. d. Bundeshauptstadt Wien f. bes. Verd. um Wien. H.: Bergsteigen, Weitwandern, Filmen, Fotografieren. (N.A.)

Öhlberger Camillo em. o.Prof.

B.: Wr. Philharmoniker, Schriftsteller. PA.: 1030 Wien, Pettenkofeng. 1/25. G.: St. Pölten, 28. Mai 1921. V.: Maria, geb. Malcher. Ki.: Reinhard (1950, Wr. Philharmoniker), Alexander (1956, Wr. Philharmoniker). El.: Karl u. Anna, geb. Richter. S.: Hum. Gymn., Stud. Germanistik u. Musikwiss. an d. Univ. Wien, Dipl. an d. Wr. Musik-HS (Fagott). K.: 1945 Fagottist im Orchester d. Wr. Staatsoper, 1955 Mtgl. d. Wr. Philharmoniker, 1966-92 Prof. an d. Wr. Musik-HS (Ltr. einer Fagottkl.), kammermusikal. tätig m. d. Bläservereinigung d. Wr. Philharmoniker, zahlr. Konzertreisen m. d. Wr. Philharmonikern, desgl. b. d. Sbg. Festspielen tätig. P.: 1972: Wien, Vienna, Weanarisch od. Philharmon. Seitensprünge, heitere Gedichte in Hochdeutsch u. Wr. Mundart, Amadeo-Schallplatte m. Burgschauspieler Richard Eybner u. Fritz Lehmann, 1973: Sonnenuhr u. Wetterhahn, lyr. Gedichte, 1975: Hinter d. Oper od. Neue philharmon. Seitensprünge, Heiteres aus d. Opernalltag, 1979: Kulimulis Bilderfibel, Kinderbuch, 1992: Philharmonische Capriolen. Heiteres v. Dirigenten, Musikern u. Instrumenten, 1993 Amadeo-CD m. Burgschauspieler Michael Heltau. E.: Gr. EZ d. Rep. Österr., Gr. EZ d. Landes NÖ, Gold. Ehrenmed. d. Stadt Wien, Jacob-Prandtauer-Preis d. Stadt St. Pölten. M.: Josef-Weinheber-Ges. H.: Kunstgeschichte. (N.A.)

Öhlinger Hans Mag.

B.: Steuerberater. GT.: Kosten- u. Schlichtungsaussch. d. Kam. d. WT. DA.: 4040 Linz/Urfahr, Friedrichstr. 14. PA.: 4040 Puchenau, Malvenweg 2. G.: Linz, 2. Jan. 1948. V.: Adelheid, geb. Buchstaller. Ki.: Julia, Armin, Erik. El.: Hans u. Leopoldine. BV.: Georg Oellinger, Apotheker zu Nürnberg 1487-1557, Gedenkmünze im German. Nationalmuseum Nürnberg. S.: RG Linz, anschließend b. 1968 HAK Braunau, Leopold Franzens-Univ. Innsbruck, Stud. d. BWL m. Spons. 1975. K.: 3 1/2 J. Berufsanw. in WT-Kzl., 1979-84 in RZK-Bank Linz Stabstelle Unternehmensberatung u. Kreditkontrolle, 1982 Steuerberaterprüf., s. 1984 selbst. Steuerberater, 1990 Beeid. z. Buchprüfer u. Steuerberater. P.: div. Veröff. in d. Zeitschrift "Die AULA". M.: LObm. d. Verb. freiheitl. Ak. in OÖ, Innsbrucker Ak., Burschenschaft Brixia. H.: Musik, Literatur. (Mayr)

Öhlinger Theodor Dr. iur. o.Univ.-Prof.

B.: o.Univ.-Prof., Dir. d. Verw.Ak. d. Bundes. DA.: 1010 Wien, Schottenbastei 10-16, 1140 Wien, Mauerbachstr. 43. PA.: 1130 Wien, Tolstoig. 5/6. G.: Ried im Innkreis, 22. Juni 1939. V.: Christine, geb. Kracala. Ki.: Markus (1971), Irene (1974). El.: Theodor u. Gabriele, geb. Zoglmayr. S.: Hum. Gymn., Univ. Wien u. Innsbruck, 1966 Prom. K.: 1966-70 Bmtr. im KA, 1970-73 Univ.Ass. in Innsbruck, 1973-74 a.o.Univ.-Prof. in Innsbruck, seit 1974 o.Univ.-Prof. in Wien,

Unterrichtsfach: Öffentliches Recht. P.: 15 Bücher, darunter "Der völkerrechtl. Vertrag im staatl. Recht" (1974), "Methodik d. Gesetzgebung" (1981), "Der Stufenbau d. Rechtsordnung" (1975), Verfassungsrechtl. Aspekte eines Beitritts zu den EG (1988), ungefähr 140 Veröff. zu d. Themen Rechtstheorie, Verfassungsrecht, Verwaltungsrecht. E.: 1984 Gr. EZ f. Verd. um d. Rep. Österr. M.: 1978-89 Ersatzmtgl. d. Verfassungsgerichtshofes, 1984-90 Comitee of Independant Experts (Europarat), seit 1989 Dir. d. Verw.Ak. d. Bundes. H.: Kunstgeschichte. (Bauer)

Öhlsasser Robert Adolf Ing.
B.: Geschäftsmann. DA. u. PA.: 1180 Wien, Währinger Str. 145. G.: Wien, 21. Mai 1953. El.: Josef u. Josefine. S.: HTL-TGM Wien u. Pinkafeld. K.: Übernahme d. elterl. Fa. gemeinsam m. d. Bruder, seit 1989 Verw. d. Hausbes. d. Familie. H.: Teppiche, Reisen, Tauchen, Photographieren. (P.R.)

Öhlschleger Karl Mag.
B.: Ind.-Kfm. FN.: Mag. Karl Öhlschleger. DA.: 1232 Wien, Lamezanstr. 12. G.: Günzburg/BRD, 16. März 1944. V.: Edith, geb. Piringer. Ki.: Dieter. El.: KommR. Karl u. Inge. S.: Realschule, Stud. f. WH, Abschluß 1971, 1971 Mag. K.: Eintritt in d. väterl. Betrieb, Maschinenhdl., Fertigung v. Förder- u. Krananlagen, 1981 Grdg. d. eigenen Firma, 1983 Vergrößerung d. Angebotspalette, 1984 Neubau d. Firma in d. Ind.-Zone Wien-Süd, 1985 Einzug ins neue Firmengebäude. H.: Tennis, Skifahren. (J.E.)

Öhner Bernhard Mag.
B.: Apotheker. G.: Oberneukirchen, 16. Okt. 1950. V.: Mag. Annemarie, geb. Heigl. Ki.: Christian, Katrin. El.: Dr. Franz u. Helene. S.: Gymn. Steyr, 1969 Matura, Stud. an d. Univ. Wien, 1976 Spons. K.: 1976-80 Verkaufsltr.Stellv. d. Chemie Linz im Pharmabereich, 1980 Eintritt in d. elterl. Apotheke, 1982 Übernahme d. Apotheke. M.: Lions Club Steyr-St. Ulrich (Umweltschutzbeauftragter), ATSV Steyr. H.: Tennis, Skiwandern. (A.W.)

Ohnmacht Anna Maria Dipl.-Ing.
B.: Landschaftsplanerin. FN.: Gruppe Landschaft. DA.: 1120 Wien, Bonyg. 61/22. PA.: 4910 Ried i. Innkreis, Parkg. 7. G.: Ried, 2. Sept. 1962. El.: Karl u. Hildegard. S.: 1980 Matura, 1980-88 Stud. Landschaftsökologie u.gestaltung an d. BOKU Wien. K.: seit 1989 selbst. Landschaftsplanerin, 1990 Grdg. d. Gruppe Landschaft, Landschaftsplan. u. Begleitplan. Umweltverträglichkeitsprüf. u. erklärungen, tätig f. Bund, Land u. Gem., halböffentl. u. priv. Institutionen., ökol. Bauaufsicht., ständig beeid. gerichtliche Sachverständige. P.: "Ramsar - Bericht 3". M.: Forum Landschaftsplan., ÖGLA. H.: Baumpflege, Kurzreisen, moderne Architektur in OÖ. (E.J.)

Ohr Johannes
B.: Mitinh. d. Cafe-Restaurant Ohr. DA.: 7000 Eisenstadt, Rusterstr. 51. PA.: 7000 Eisenstadt, Laschoberstr. 1/3. G.: Eisenstadt, 21. Okt. 1952. V.: Ingrid, geb. Kruisz. Ki.: Brigitte, Johannes. El.: Johann u. Agnes. S.: Gastgewerbeschule Waldegg. K.: 1972 im Restaurantbetrieb begonnen, 1976 Inh. E.: einige Ausz. f. Küche-Spezialitätenrestaurant. M.: Französische Weinbrüder, Pannonische Küche, BÖG Gastronomiekam. H.: Fußball, Fischen, Tennis. (Fels.)

Okermüller Renate
B.: Gschf. FN.: eurotax Verlags GmbH Intern. Marktbeobachtung. DA.: 1080 Wien, Albertg. 33. G.: Wien, 17. Dez. 1961. El.: Josef u. Rose. S.: 1979 HASCH. K.: 1981 eurotax, EDV-Abt., Produktion d. Ausgabe f. Sonderausstattung, Abt.Ltr. Kundendienst, Marketing, Produkt-Management. H.: Sport, Hund, Tanz, Tennis. (J.E.)

Okopenko Andreas
B.: Schriftsteller. A.: 1210 Wien, Autokaderstr. 3/3/7. G.: Kosice(Slowakei), 15. März 1930. El.: Dr. Andrij u. Vilma. S.: Hum. Gymn., 7 Sem. Chemie an d. Univ. Wien. K.: 1954-67 Ltr. d. Betriebsabrechnung im österr. Landegger-Konzern (Welser Papierfabrik, Zellulosefabrik St. Michael), seit 1968 freischaffender Schriftsteller (Veröff. seit 1949). P.: Die Belege d. Michael Cetus (Erzählungen), Lexikon einer sentimentalen Reise z. Exporteurtreffen in Druden (Roman), Meteoriten (Roman), Gesammelte Lyrik, Kindernazi (Roman) u.a. E.: Österr. Staatspreis f. Literatur u.a. M.: IG Österr. Autoren.

Okrina Claudio
B.: Graphiker, Inh. Atelier "Grafico". DA.: 6330 Kufstein, Fischergrieß 18. PA.: 1100 Wien, Gußriegelstr. 39. G.: Wien, 14. März 1969. El.: Adolf u. Inge. S.: VS, Gymn., 5 J. Ausbild. z. Textiling. u. Modedesigner, 1989 BH. K.: 1990-91 als Graphiker in Kufstein tätig, seit 1991 selbst. in Wien, seit 1992 selbst. in Kufstein m. Graphik u. Werbegestaltung. P.: Techn. Art. in Fachzeitschriften. H.: Beruf. (J.F.)

Oksakowski Georges Dipl.-Ing.
B.: Ziviling. f. Bauwesen, Bmstr. DA.: 6800 Feldkirch, Runastr. 90. PA.: 6800 Feldkirch, Schanzweg 16. G.: Paris, 7. Sept. 1934. V.: Ingrid, geb. Weiser. Ki.: Udo (1963), Peter (1966). El.: Alexander u. Paula. S.: RG, 1952 Matura, Stud. TU Graz, 1959 Grad. K.: 1959-61 Ang. Ing.-Büro, 1961-67 Ltr. Ing.-Büro, 1968 selbst. als Ziviltechniker f. Bauwesen in Feldkirch, Gesamtplanung u. Ing.-Bauten v. Ind.-Anlagen m. Büros in Berlin u. Wien, Bmstr. P.: versch. Publ. in Fachzeitschriften. H.: Astronomie, Wandern, Lesen, Musik. (I.D.)

Oksakowski Georges Udo
B.: Prok., Informations- u. Projektmanager, Kfm. FN.: Bandex Bandweberei GmbH. DA.: 6832 Sulz-Rhötis, Industriezone 6. PA.: 6850 Dornbirn, Zollg. 15. G.: Chur, 31. Jän. 1963. V.: Birgit, geb. Metzler. El.: Dipl.-Ing. Georges u. Ingrid. S.: VS, Gymn., 1981 Matura, Med.-Stud. Univ. Innsbruck, 1986 BH, Controlling, Informations- u. Projektmanagement WIFI Österr., MZ St. Gallen u.a. K.: 1987 Eintritt Firma Bandex Heimtextilien, 1990 Prokura, 1992 Ges. M.: CV, VÖI, Pfadfinder. H.: Reisen, Lesen, Wassersport, Skifahren. (I.D.)

Oktabetz Kurt Dr. Dkfm. Mag.
B.: Vorst.Dir. A.: 8010 Graz, Naglerg. 38. G.: Wr. Neustadt, 23. Apr. 1936. V.: Friederike, geb. Schachner-Blazizek. S.: HS f. Welthdl. Wien - Dkfm., Karl Franzens-Univ. Graz - Sozial- u. Wirtschaftswiss., Mag. u. Dr. K.: Ausbild. in sämtl. Sparten d. Bankgeschäftes Stmk. Sparkasse, Kreditprüf. u. kommerz. Kreditgeschäft, Kons.Tätigkeit b. div. Ind.Untern., seit 1972 Vorst.Dir. u. Vors. d. Vorst. d. LEYKAM AG Graz, Gschf. d. Fotosatzzentr. Südost GmbH Graz, Gschf. d. Druckerei GmbH Graz, Gschf. d. Media Süd-Ost Beratungs- u. Beteiligungs GmbH Graz, Gschf. d. Leykam-Alpina Verlags- u. Vertriebs GmbH Graz, Gschf. d. Leykam Buchhandlungs GmbH Graz, Gschf. d. Leykam Buchverlags GmbH Graz, Gschf. d. NZ Zeitungs- u. Zeitschr. Verl. GmbH

Graz, Gschf. d. Leykam Univ.-Buchdruckerei Graz Gschf. d. Zeitungs- u. Zeitschriftendruck GmbH Graz. P.: Medienpolit. Aufsätze. H.: Tennis, Skifahren, Lesen, Reisen. (War.)

Olaj Oskar Friedrich Dr. o.Prof.

B.: o.Prof. am Inst. f. Physikal. Chemie d. Univ. Wien. DA.: 1090 Wien, Währinger Str. 42. PA.: 1130 Wien, Premreinerg. 37. G.: Wien, 20. Jan. 1935. V.: Dr. Susanna, geb. Kratzert. Ki.: Itta (1968). El.: Dipl.-Ing. Oskar u. Josefa. S.: Matura, Stud. Univ. Wien Chemie, Physik, 1959 Prom. K.: 1971 Habil., 1975 a.o.Prof., 1978 o.Prof. P.: ca. 150 Fachart., Themen: Polymerisationskenetik, Stat. Mechanik polymerer Systeme, Mithrsg. "Makromolekulare Chemie", "Monatshefte f. Chemie", Werke: Beiträge zu "Chemie u. Technologie der Kunststoffe", "Strahlenchemie d. Polymeren", "Auswertung u. Analyse kinet. Messungen". E.: Körner Preis, Rudolf Wegscheider-Preis u. E. Schrödinger-Preis d. Ak. d. Wiss. M.: Ges. Österr. Chemiker, Chem. physikal. Ges., Bunsenges. f. Physik Chemie, Ges. Dt. Chemiker, American Chemical Soc., Dechema (beruf. Mtgl.), 1978-84 Vorst. d. Inst. f. physikal. Chemie. H.: Musik (Kammermusik), Klavier. (A.K.)

Ölberg Hermann Dr. Univ.-Prof.

B.: a.o.Univ.-Prof. am Inst. f. Sprachwiss. d. Univ. Innsbruck. PA.: 6020 Innsbruck, Erzh.-Eugen-Str. 5. G.: Wien, 14. Okt. 1922. V.: Gertrude, geb. Hefel. El.: Wilhelm u. Mathilde. K.: 1941 Reifeprüf. am Staatsgymn. Innsbruck, Übersetzerprüf. f. Serbo-Kroatisch 1948, Stud. d. Sprachwiss. an d. Univ. Innsbruck, Prom. 1962, Ass. am Inst. f. Sprachwiss. seit 1962, Habil. 1972, 1975 a.o.Prof., Ltr. d. Abt. Allg. u. angew. Sprachwiss., seit 1988 i.P. P.: Das vorröm. Ortsnamen Tirols, Untersuch. z. indogerman. Wortschatz d. Alban. u. z. diachronen Phonologie, Zeitschriftenaufs. in IF, KZ, IBK, ÖNF etc. M.: Vorst. d. Innsbrucker Ges. z. Pflege d. Geisteswiss. (1976-88), Gründ.-Mtgl. d. Intern. Akad. d. Wiss. San Marino. (D.S.)

Olbort Alfred

B.: Inh. FN.: Satellitentechnik Olbort. DA./PA.: 2512 Oeynhausen, Triesterstr. 24. G.: Zürich, 24. Mai 1957. El.: Johann u. Maria. S.: VS, HS. K.: Ausbild. als Industriekfm., nach d. Ausbild. 2 1/2 J. b. Bundesheer, Tontechniker in d. Elektronikbranche tätig, 1980-90 Techn. u. Gschf. d. Groß-Disco U4 in Wien Meidling, nebenbei ab 1988 Aufbau d. selbst. Tätigk. u. d. Generalverwaltung f. d. TV-Decoder übern., Ende 1989 nach Oeynhausen übersiedelt, 1990 Eröffn. d. eig. Fa. M.: SBC. H.: Satellitentechn., Auto, Computer. (F.S.)

Olbert Friedrich Dr. med. Univ.-Prof.

B.: Facharzt f. Radiologie. FN.: Univ.-Klinik f. Radiodiagnostik, AKH Wien. DA.: 1090 Wien, Währinger Gürtel 18-20. PA.: 1090 Wien, Haizingerg. 54. G.: Bad Königswart, 1. Juni 1920. V.: Blanka. El.: Dr. med. Sigmund u. Dr. med. Elisabeth. S.: Realgymn., Med. Fak. d. Univ. Erlangen, Prag, Wien. K.: Turnusausbild. KH d. Stadt Wien-Lainz, FA-Ausbild. KH d. Stadt Wien-Lainz, 1957 FA f. Radiologie, em. Ltr. d. Röntgenstation d. I. Chir. Abt. d. KH d. Stadt Wien-Lainz, Privatord. als FA f. Radiologie 1959-88, CT-Zentrum Wien 1170 1988-91. BL.: Österr. Patent Nr. 348 094, 1979, Ballonkatheter. P.: mehr als 200 wiss. Arb., 1985 Buch "Transluminale Dilatation u. Rekanalisation im Gefäßbereich". E.: 1985 Guido-Holzknecht-Med., 1987 Gold. EZ f. Verd. um d. Land Wien, 1989 Österr. EK f. Wiss. u. Kunst I. Kl., Ehrenmtgl. d. Poln. Röntgen-Ges. 1989, d. Verb. f. Med. Strahlenschutz in Österr. 1989, d. Österr. Ges. f. Angiologie 1990, d. Ungar. Röntgen-Ges. 1992, d. Böhm. Röntgenges. 1992, Distinguished Fellow of the CIRSE 1992. M.: VPräs. d. Verb. f. Med. Strahlenschutz in Österr., Vorst.-Mtgl. d. ÖRG u. d. Fachgruppe f. Radiologie in d. Ärztekammer Wien.

Olechowski Richard Dr. Univ.-Prof.

B.: o.Univ.-Prof. am Inst. f. Erziehungswiss. d. Univ. Wien. DA.: 1090 Wien, Garnisong. 3. PA.: 1030 Wien, Weißgerberlände 44-46/15. G.: Wien, 7. Mai 1936. V.: Eva, geb. Hinterleitner. Ki.: Markus, Thomas. El.: Rudolf u. Johanna. S.: Matura, 1955 Stud. an d. Phil. Fak. Univ. Wien, 1962 Prom. Dr. phil., Hpt.Fach Psych. K.: versch. Praktika (u.a. ugendamt), 1962 Psych. im Bereich d. Justiz, 1966-72 Ass. am Inst. f. Erziehungswiss. d. Univ. Wien, 1970 Habil. f. Päd., 1970-72 wiss. Betreuer d. Schulversuchs "Integrierte Gesamtschule", ab 1972 o.Prof. f. Päd., ab 1977 o.Prof. f. Päd. m. bes. Berücksichtigung d. Schulpäd. u. Allg. Didaktik, ab 1982 Vorst. d. Inst. f. Erziehungswiss., ab 1986 Ltr. d. Ludwig Boltzmann-Inst. f. Schulentwicklung u. intern. vergleichende Schulforsch. BL.: Schon als Ass. am Inst. d. Richtung d. Empir. Päd. eingeführt. P.: 70 Artikel in Handbüchern, Fachzeitschriften d. In- u. Auslandes, 12 Bücher "Das alternde Gedächtnis", Hrsg. d. Reihe "Schule, Wiss., Politik", Mithrsg.: "Neue Mittelstufe", "Fördernde Leistungsbeurteilung", "Motivieren ohne Noten". M.: 1973-84 VPräs. d. Wr. Kath. Ak., Dt. Ges. f. Erziehungswiss., Dt. Ges. f. Psych., ÖPG VPräs. 1980-1994 H.: Beruf, Barockmusik, Theater. (A.K.)

Olensky Günter Dr. med. vet.

B.: Tierarzt; Bibliotheksdir. FN.: Vet.-Med. Universität. DA.: 1030 Wien, Linke Bahng. 11. G.: 6. Juni 1949. V.: Renate, geb. Raimann. Ki.: Michael (1978), Marlies (1981) u. Matthissa (1991). El.: Arch. Ing. Walter u. Hilde, geb. Mattihs. S.: 1967 Matura, Stud. an d. Vet.-Med. Univ. Wien, 1973 Abschl., 1974 Prom., 1980 Prüf. f. d. Höheren Bibliotheksdienst. K.: 1973-78 Univ.-Ass., 1978 Eintritt in d. Bibliothek, s. 1980 Dir. P.: Die Dissertationen d. Vet.-Med. Univ. Wien 1908-1980 (1986); Biblos-Schriften, Bd. 132. M.: VÖB u. VDB. H.: Familie. (N.A.)

Olip Ivan Mag. theol.

B.: Stadtpfarrer Bleiburg d. Diözese Gurk. DA. u. PA.: 9150 Bleiburg, Kumeschg. 16. G.: Zell-Schaida b. Ferlach, 1. Dez. 1950. El.: Johann u. Ludmilla. S.: VS, Gymn., 1969 Matura, 1969-75 Stud. Theol. Klagenfurt, Graz u. Sbg., 1975 Spons. K.: 1975 Kaplan in Ferlach, 1976-78 Erzieher im Gymn. Tanzenberg, 1978-93 Pfarrprovisior in St. Margarethen im Rosental, Abtei u. Rottenstein u. gleichzeitig Religionsprof. am Slowen. Gymn. Klagenfurt, 1993 Stadtpfarrer in Bleiburg. P.: versch. Abhandlungen in fachspez. Zeitschriften u. Publ. d. slowen. Volksgruppe. M.: seit 1992 Vors. Slowen. Pastoralaussch., seit 1992 Vorst.-Mtgl. PriesterR. d. Diözese, seit 1987 Mtgl. d. DiözesanR., seit 1975 Obm. Sportver. Zell, 1982-92 Obm. Gesangsver. "Gallus" Zell, Kulturver. Zell. H.: Sport, Musik, Bergsteigen, Reisen. (G.L.)

Olivier-Kleedorfer Elisabeth Dr.

B.: Balerin u. Lyrikerin. DA.: 1120 Wien, Wolfgangg. 56. PA.: 1090 Wien, Rögerg. 14b/9. G.: Wien, 8. Nov. 1946. Ki.: Veronika (1970), Florian (1978). El.: Prof. Friedrich u. Norburga Schiller. BV.: mütterlicherseits: D. Brüder Olivier, Maler d. deutschen Romantik 1. Hälfte d. 19. Jhdts, Bilder befinden sich u.a. in München Pinakothek, Dresden Gemäldegalerie, Hamburg Kunsthalle etc. S.: Studium d. Anglistik u. Geschichte a. d. Univ. Wien, Promotion zum Dr. phil. 1972. Studium a. d. Akademie d. bildenden Künste Wien, Privatstudium b. akad. Maler Günther Bauer. K.: Ab 1979 zahlr. Personalaussstellungen in in- u. ausländischen Galerien wie z.B.: Künstlerhaus Wien, Galerie Spalenberg Basel, Schloß Halbtutn, Bgld., Galerie Frank Berlin, Galerie Prisma Wien u.v.a. Beteiligung: Dokumentationszentrum f. Moderne Kunst St. Pölten, Galerie Amsa Hamburg etc. Ankäufe v. Museen, Ministerien, Firmen u. Privaten. P.: 1991: Präsentation d. Bandes "Elisabeth Olivier - Malerei u. Lyrik" Künstlerhaus Wien, Hausgalerie. M.: Künstlerhaus Wien u. Galerie 5x Art Wien. (J.S.)

Öllinger Karl

B.: Fahrzeughändler, Kfz-Rep. A.: 4470 Enns, Dr.-Karl-Renner-Str. 19. G.: Enns, 2. Mai 1931. V.: Rosina, geb. Pum. El.: Karl u. Barbara. S.: VS, HS, Berufsschule, Ausbild. als Huf- u. Wagenschmied u. Kfz-Mechaniker. K.: Lehrzeit in versch. Betrieben, seit 1960 selbst., betriebl. Erweiterung auf Karosserieinstandsetzung u. Autolackierung. E.: Mstr.Prüf. im Kfz-Mechaniker-Gew., Schmiede-Gew. u. Landmaschinenbau-Gew. m. Ausz. M.: ÖAMTC. H.: Segeln, Skifahren.

Öllinger Karl

B.: Abg. z. NatR. u. Sozialsprecher d. Grünen-Grüne Alternative. DA.: 1017 Wien, Parlament. PA.: 1020 Wien, Lassallestr. 44/1/7. G.: Ried i. Innkreis, 21. Juli 1951. V.: Mag. Susanne, geb. Winkler. Ki.: Carla (1978), Hannah (1987). El.: Karl u. Erna. S.: Matura, Stud. Germanistik u. Politologie Univ. Sbg. K.: 1976-78 Bundessprecher d. Verb. Soz. Studenten VSSTÖ, 1989 AKR. d. Grünen, 1991 BezR. d. Grünen Wien Leopoldstadt, s. 1994 Abg. z. NatR. u. Sozialsprecher d. Grünen. P.: Kritische sozialwiss. Publ. H.: Lesen, Italien. (J.S.)

Öllinger Karl

B.: Kfm. FN.: Karl Öllinger Waagen u. Maschinen. GT.: seit 1970 Vors. d. Gesellenprüf.-Kmsn., seit 1970 Mtgl. d. Mstr.-Prüf.-Kmsn. DA.: 4010 Linz, Hafenstr. 28. PA.: 4040 Linz, Hohe Str. 196. G.: Hallein, 26. Sept. 1930. V.: Charlotte, geb. Felfernig. Ki.: Karl-Christian. El.: Karl u. Maria. S.: VS, BG. K.: Beginn im elterl. Betrieb, Lehre als Waagenbauer im elterl. Betrieb, 1965 Mstr.-Prüf., 1965 Mstr.-Prüf. als Schlosser, Grdg. einer eigenen Firma u. Übernahme d. elterl. Betriebes. E.: 1975 Gold. VZ d. Rep. Österr., 5 mal Österr. Staatmstr. im Rudern. M.: VPräs. d. Österr. Ruderverb., Präs. d. Landesruderverb. H.: Rudern, Skifahren, Städtebesuche, bild. Kunst, Interesse f. Museum u. Kultur. (U.A.)

Ölsböck Liselotte Dr. med.

B.: FA f. Kinderheilkunde, Ärztl. Ltr. d. Lebenshilfe Salzburg Ver. f. Menschen m. Behinderungen. DA.: 5026 Salzburg, Ernst-Grein-Str. 4. PA.: 5026 Salzburg, Schwanthalerstr. 47. G.: Graz, 4. Aug. 1941. V.: Dr. Bruno. Ki.: Wolfram, Theresa. El.: Dr. Hermann u. Ida. BV.: Dr. Alexander Brenner. S.: VS, Gymn., 1959 Matura, Stud. d. Med. in Graz u. Wien, 1966 Prom., 1970 Ausbild. in London. K.: 1966-69 Turnus im LKH Stmk. u. Sbg., 1970-75 Ausbild. z. FA im Kinderspital Sbg., 1975-79 FA f. Kinderheilkunde u. anschl. OA im Kinderspital in Sbg., 1970-79 Aufbau u. Ltg. d. Bobathzentrums - Behandlungszentrum f. zerebrale Bewegungsstörungen, 1971 Hippotherapie in Österr. eingeführt, 1972 Grdg.Mtgl. u. 1976-79 Präs. d. Arge z. Behandlung u. Förd. zerebraler Entwicklungsstörungen, Sekt. d. österr. Ges. f. Kinderheilkunde, 1977 Grdg.Mtgl. d. österr. Kuratoriums f. Hippotherapie, 1979 Aufbau d. Lebenshilfe Sbg. f. Menschen m. Behinderung u. ärztl. Ltr. d. Lebenshilfe Sbg., seit 1980 Lehrauftrag an d. Univ. Sbg. P.: wiss. Arb. über Hippotherapie u. Entwicklungsdiagnostik, Bücher: "Medizin u. Reiten" (1975), "Was gibt es Neues in d. Medizin" (1989), Vortragstätigkeit u. Abhaltung v. Ärztekursen. M.: 1986-89 Präs. d. österr. Kuratoriums f. Hippotherapie. H.: Malerei, Arch., Musik, klass. Musik, Sport. (M.B.)

Olscher Werner Dr. iur. HofR.

B.: ltd. Staatsanw. d. Staatsanw. Wien. GT.: Kursltr. an d. Wr. Urania. DA.: 1080 Wien, Landesgerichtsstr. 11 G.: Wien, 22. Mai 1931. V.: Cäcilia, geb. Rohrer. El.: OAmtsR. Raimund u. Hilde. S.: Realschule, 1949 Matura, Stud. an d. Univ. Wien jur. Fak., 1953 Prom. K.: 1953-57 Gerichtspraxis Wien u. Richteramtsanw. in Wien u. NÖ, 1958 Ernennung z. Richter, b. 1961 Kreisgericht Wr. Neustadt, 1961 Ernennung z. Staatsanw., 1963 Staatsanw. Wien, 1982 ltd. Staatsanw. P.: 12 Bücher "Lebenslängl.", "Ehe v. d. Ende?", "Formalitäten Wegweiser", "Dein Recht im Alltag", "Recht u. Strafe", "Gerechtigkeit", div. Publ. in Ganze Woche, Sbg. Nachrichten. E.: 1985 HofR. H.: Literatur, Wandern. (A.W.)

Ölsinger Peter Mag.

B.: Vorst.-Mtgl. FN.: Welsermühl AG. DA.: 4600 Wels, Maria-Theresia-Str. 41. PA.: 4600 Wels, Kreuzweg 1.G.: Wien, 12. Apr. 1959. El.: Dr. Walter u. Margarethe. S.: Gymn. Klagenfurt, HT Nachrichtentechnik u. Elektronik Klagenfurt, 1979 Matura, 1979-83 Stud. BWL Graz. K.: Mitarb. an wiss. Projekten,, Tätigkeit b. Firma Swoboda, Projektmitarb. Stmk. (Umwandlung d. Landes-KH in GmbH), 1987 Prok. b. Welsermühl u. seit 1988 Vorst.-Mtgl. im Finanzbereich, weiters Gschf. b. 2 Verlagen in d. BRD. M.: Absolventenverb. d. Univ. Graz. (P.H.)

Ölz Helmut

B.: Gschf., Bäcker. FN.: Rudolf Ölz Meisterbäcker GmbH. DA.: 6850 Dornbirn. PA.: 6850 Dornbirn, Rosenstr. 15. G.: Dornbirn, 4. Febr. 1938. V.: Ruth. Ki.: Martin (1968), Bernhard (1970), Florian (1974). El.: Rudolf u. Hedwig. S.: VS, HS, Bäckerlehre, 1962 Mstr.-Prüf. K.: 1957 Bäckergeselle Wien, 1960 1 J. Außendienst u. Verkauf, 1966 Eintritt in elterl. Betrieb, 1989 Gschf. E.: Umweltschutzpreis f. energie- u. umweltfreundl. Produktion v. Brot u. Backwaren. M.: Tauchclub, Nahrungs- u. Genußmittelverb. H.: Radfahren, Wandern, Langlaufen. (I.D.)

Ölz Hugo Ing.

B.: Landesschulinsp. f. gewerbl. u. kfm. Berufsschulen Land Vbg., Elektrotechniker. DA.: 6900 Bregenz, Römerstraße. PA.: 6845 Hohenems, Mozartstr. 5. G.: Dornbirn, 7. Aug.

1938. V.: Marianne, geb. Wieser. Ki.: Margarete (1967), Christiane (1969), Martin (1971), Wolfgang (1972), David (1977). El.: Josef u. Magdalena. S.: VS, HS, Fachschule Elektrotechnik Bregenz, HTL Innsbruck, 1966 Abschluß, 1958-59 BH. K.: 1955-60 Telefonmechaniker Siemens, 1960-62 Sekr. d. Kath. Arbeiterjugend Feldkirch, 1962-66 HTL Innsbruck, parallel Erzieher in einem Lehrlingsheim, 1966-78 Vertragsltr. d. gewerbl. Berufsschule Bregenz f. Lehrberufe d. Elektrotechnik, 1970 Lehramtsprüf. f. Fachtheorie Elektrotechnik, 1978 Ltr. d. gewerbl. Berufsschule Feldkirch, 1983 Lehramt Fachprakt. Ausbild., 1986 Landesschulinsp. f. gewerbl. u. kfm. Berufsschulen Land Vbg. P.: verantwortl. Red. "Wegweiser Vbg. Berufsschulen". E.: SE d. Diözese Feldkirch. M.: 10 J. Obm. d. Landesverb. d. Elternver. d. Pflichtschulen, 20 J. Vors. d. LaienR. d. Diözese Feldkirch, Gschf. Vors. d. Pfarrgem. Hohenems. H.: Gartenarb., Bergwandern, Skifahren, Lesen, Fotografieren. (I.D.)

Ölzant Franz Xaver Prof.
B.: Ak. Bildhauer, o.HS-Prof. f. Kleinplastik. DA.: 1010 Wien, Schillerpl. 3. PA.: 3834 Pfaffenschlag 49. G.: Oberzeiring/Stmk., 22. Nov. 1934. V.: Gertraud, geb. Kurrent. Ki.: Silvester. S.: 1955-58 Stud. an der Ak. f. angew. Kunst 1958-65. K.: Zahlr. Ausstellungen u. Beteiligungen im In- u. Ausland. H.: Literatur d. 20. Jhdt. (P.R.)

Oman Dieter

B.: Bauunternehmer, Baubiologe. FN.: Oman Baubiologie GmbH. DA.: 9020 Klagenfurt, Kueßstr. 19. PA.: 9535 Schiefling, Taubenkogelweg 29. G.: Kötschach-Mauthen, 20. Jan. 1953. V.: Barbara, geb. Hriwar. Ki.: Martin (1979), Katrin (1982). El.: Kurt u. Erna. S.: VS, 1968-71 Lehre Reformkfm. im elterl. Betrieb Spittal/Drau, 197381 Abendschule Lohnbuchhaltungs- u. Bilanzbuchhaltungsprüf. K.: Buchhalter in Baufirma, 1985 Grdg. d. eigenen Baufirma, 1986 Konzessionsprüf., 1987 Grdg. Oman Baubiologie. P.: Ändern wir zuerst d. Menschen - dann ändern wir auch d. gesamte Baubiologie (1991), Ein gesundes Wohnraumklima setzt d. Körper ähnl. Stoffe u. Harmonie in allen Bereichen voraus (1992), zahlr. Publ. in Fachzeitschriften im In- u. Ausland. E.: 1. Preis f. d. schönsten Biergarten Österr. H.: Esoterik, Beruf. (G.L.)

Omelko Viktor Dr. Mag.
B.: Caritasdir. PA.: 9020 Klagenfurt, Sandwirtg. 2. G.: Tichoja, 4. Juli 1935. El.: Lorenz u. Christine. S.: VS, bischöfl. Knabenseminar in Tanzenberg, Theol.Stud., Priesterweihe 1960, Seelsorge als Kaplan, Diözesan-Jugendseelsorger u. Geistl. Ass. d. KAB, 1968 Stud. d. Sozial- u. Wirtschaftswiss., seit Sept. 1974 Caritasdir f. Ktn., einige Zeit HS-Seelsorger f. Ktn. BL.: Erdbebenhilfe f. Friaul u. Süditalien, Schaffung d. 1.-Caritas-Kleiderladen. P.: in Ktn. Kirchenzeitung: Artikelserien, publizist. Aufbereitung d. Jugendprobleme, weiters "Die kath. Kirche u. d. Slowenen in Ktn.", in "Ktn. - ein Alarmzeichen", im Buch "Helfen im Wandel d. Zeit" mehrere Art. über d. hist. Aufbereitung d. Caritas in Ktn., Berichtbände über d. Erdbebenhilfen in Friaul u. Süditalien, E.: 1. Preis d. Österr. Staatspreises 1967 f. journal. Leist. im Interesse d. Jugend, Gold. Verdienstz. d. Rep. Österr., Verdienstz. "CAVALIERE UFFICIALE" d. Rep. Italien. (Hat.)

Onder Johanna Dr. phil.
B.: Vors. d. Beschwerdeabt. d. Österr. Patentamtes. DA.: 1010 Wien, Habsburgerg. 1A. PA.: 1130 Wien, Goberg. 57. G.: Bulkes, 26. Febr. 1932. V.: Mag. iur. Gerhard Onder Senatspräs. d. Verw.-Gerichtshofes. El.: Mag. theol. Heinrich u. Hedwig Meder, geb. Wagner. S.: 1953 Matura, Stud. Chemie, Physik u. Phil. Univ. Wien m. Prom. z. Dr. phil. K.: nach Stud. b. mehreren Dienststellen d. Bundes tätig u.a. b. d. Lebensmittelkontrolle u. b. Zoll, seit 1977 Mtgl. d. Österr. Patentamtes, seit 1985 Vorst. einer Techn. Abt., ab 1989 Vors. d. Beschwerdeabt. H.: Archäologie, Orchideen. (N.A.)

Onderscheka Kurt Dr. o.Univ.-Prof.
B.: Vorst. d. Inst. f. Wildtierbiologie, -ernährung u. -krankheiten d. Vet.-Med. Univ. Wien. GT.: Ltr. d. Forsch.-Inst. f. Wildtierkunde u. Ökologie. d. Vet.-Med. Univ. Wien. DA.: 1160 Wien, Savoyenstr. 1. PA.: 1140 Wien, Waidhausenstr. 43. G.: Eleonorenhain, 20. Nov. 1926. V.: Elisabeth, geb. Hofbauer. Ki.: Dr. Christine, Sylvia. El.: Oskar u. Therese. S.: VS, RG, Vet.-Med. Univ. Wien, 1950 Prom. K.: 1950-60 Großtierpraxis in Rauris, 1960-64 Futtermittel u. pharm. Ind. Werfft-Chemie, anschl. Cyanamid Corp. New York, 1964-70 Ass. Vet.-Med. Univ. Wien (Med. Chemie), 1970 Habil., 1974 o.Univ.-Prof. f. Wildtierkunde, 1977 Ltr. d. Forsch.-Inst. f. Wildtierkunde, 1978 Vorst. d. Univ.-Inst. f. Wildtierbiologie, -ernährung u. -krankheiten. P.: ca. 220 wiss. Publ., etwa 20 Standardwerke u. Monographien. E.: Tschermak-Seysenegg-Preis, Kardinal Innitzer-Preis, 1964 Cyanamid Intern. Award, Vet.-Preis, Österr. EK f. Wiss. u. Kunst I. Kl. M.: Vors. d. Sekt. "Wildtierkunde u. Umweltforsch." d. Österr. Ges. d. Tierärzte, wiss. BeiR. f. Umweltfragen d. BMU, Kuratoriumsmtgl. d. Ak. f. Umwelt u. Energie, Österr. Ges. f. Ornithologie, Dt. Ges. f. Ökologie, Dt. Ges. f. Säugetierkunde. H.: Bootssport, Tauchsport, Bergsteigen. (J.S.)

Ondrag Wolf Dieter
Mag. et Dr. iur. et Mag. rer. soc. oec.
B.: VPräs. d. LG f. Zivilrechtsachen Wien. DA.: Justizpalast, 1010 Wien, Schmerlingpl. 10-11. PA.: 1130 Wien, Hietzinger Hauptstr. 73 u. Gablitz, Paul-Troger-Str. 38. G.: Wien, 2. Jan. 1941. V.: Mag. Elisabeth Christine, geb. Stradner. El.: Josef u. Hertha. S.: Goethe-RG Wien 14 u. RG 12 Exlgasse, Matura 1960, Stud. d. Rechtswiss. an d. Univ. Wien, Prom. z. Dr. iur. 1972, 1976 Mag. rer. soc. oec. an d. WU Wien. K.: Bereits nach d. Matura selbst. Tätigkeit in Wien, 1968-69 Freiwilliger b. Österr. BH, 1976 Ernennung z. Richter: einige Monate Untersuchungsrichter in St. Pölten, 2 J. Richter am BG Innere Stadt, Berufung an d. LG als Einzelrichter, Berufung in d. Rechtsmittelsenat d. LG, Vorst. d. BG Favoriten, 1984-89 Vorst. d. Exekutionsgerichtes Wien, seit 1976 Unterrichtstätigkeit (Vw.) an d. HAK Bruck/Leitha, militär. Laufbahn: Tätigkeit im Stabe d. Militärkomm. Wien als ObstLt. d. Intendanzdienstes, seit 1. Nov. 1989 Vpräs. d. LG f. Zivilrechtsachen Wien. E.: BHDZ 1, 2. u. 3. Kl., DM in Gold, Silber u. Bronze, GVM-RK. M.: Richterver., OG

(Offz.Ges.), HJV (Sportver.), Ver. d. Geschichte d. Stadt Wien. H.: Wirtschaft, Geschichte, Lesen, Reisen, Reiten. (J.S.)

Ondrusek Johann Ing.

B.: Inh. FN.: Ing. Johann Ondrusek GmbH. DA. u. PA.: 3270 Scheibbs, St. Georgener Str. 24. G.: Scheibbs, 22. Sep. 1965. V.: Franka, geb. Dörfler. Ki.: Johann (1990), Maximilian (1992). El.: Johann u. Elfriede, geb. Baumgartner. S.: 1984 Matura HTL Heizungsbau Pinkafeld, 1984-86 Kolleg f. Elektrotechnik HTL Wien, Matura. K.: 1986-91 Praktikum in div. Firmen in Wien, 1991 Eintritt in d. elterl. Betrieb u. 1992 Übernahme. H.: Tauchen. (M.M.)

Onken Kareen

B.: Gschf. FN.: Brandt Moden Vertriebs GmbH. DA.: 1030 Wien, Modecenterstr. 22 B3-EG. G.: Wien, 27. Dez. 1939. El.: KommR. Walter E. u. Elga Onken, geb. Kuchenbrod. S.: Textilfachschule Wien Fachrichtung Strickerei. K.: Tätigkeit in versch. Strickereien in Wien, 1963 Übernahme d. Abt. Strickerei W.F. Adlmüller Wien, 1968 nach d. Brand d. Firma Adlmüller Auflösung d. Strickereiabt., ab 1970 in Deutschland, 1970-74 Firma Wool Freilassing, 1974 Wechsel in d. DOB in Oberndorf, seit 1978 wieder in Österr., 4 J. Kollektionserstellung d. Firma Lady Manhattan, anschl. Produktionsltr. d. Firma Maduson u. später d. Firma Jung Brunn/Gebirge, seit 1989 Aufbau d. Firma Brandt Moden in Wien. H.: Beruf. (J.S.)

Onodi Heidemaria

B.: Mtgl. d. NatR., Lehrschwester. DA.: 1017 Wien, Dr.-Karl-Renner-Ring 3. G.: Doppel, 23. Aug. 1957. S.: 1974-77 Krankenpflegeschule, 1985-87 Univ.-Lehrgang f. lehrendes Krankenpflegepersonal u. 1989-90 Univ.-Lehrgang f. ltd. Krankenpflegepersonal, 1987-89 Beamtenaufstiegsprüf. K.: 1977-80 Dipl.-Krankenschwester u. s. 1980 Lehrschwester an d. Krankenpflegeschule bzw. am KH St. Pölten, stv. Vors. d. Bez.-Frauen-Komitees u. d. Volkshilfe St. Pölten, 1989-92 Mtgl. d. GemR. v. St. Pölten, s. 12/1992 Abg. z. NatR.

Opel Adolf

B.: Schriftsteller, Filmemacher. A.: 1070 Wien, Seideng. 43. G.: Wien, 12. Juni 1935. El.: Leopold u. Johanna. S.: Univ. Wien, State Univ. of Iowa, USA (Psych., Literatur, Theaterwiss., Film). K.: Journal. Praxis b. "Neuen Österr." Wien, heute freier Schriftsteller. P.: Theaterstücke: Durst v. d. Kampf, Hochzeit in Chicago, Auf d. Wege d. Besserung, Die glücklichen Begegnungen, Wilhelm Voigt - d. Hauptmann v. Köpenick (Musical), Roaring Twenties (Musical), Anthology of Modern Austrian Litaeratur, Intern. P.E.N. Books (Hrsg.), Hrsg. d. Schriften v. Adolf Loos: Ins Leere gesprochen, Trotzdem, Die Potemkin'sche Stadt, Adolf Loos -Kontroversen. Film: Todesfuge, Auferstehung d. Worte, Arielse, Ewig jung bleibt nur d. Phantasie, Die Macht d. Geistes über d. Stoff. The Legacies of Dissolution in The Sacred Spring, The Arts in Vienna 1898-18 u.a. M.: Österr. P.E.N.-Club, Dramatiker Union e.V. Berlin.

Opelka Wilhelm

B.: Gschf. Ges., Hafnermstr. FN.: Opelka Ges.m.b.H.-Hafner. DA.: 2345 Brunn/Gebirge, Enzersdorferstr. 17. G.: Mödling, 14. Sep. 1950. V.: Helmgard. Ki.: Bettin, Bianca, Birgit. El.: Komm.-Rat Mstr. Wilhelm u. Hermine. BV.: Urgroßvater war Scharfrichter. S.: Berufsschule, 1977 Innungsmstr. Hafner alten Rechtes. K.: im elterl. Betrieb alle Tätigk. durchgeführt, 1983 den Betrieb übernommen (Hafner, Platten- u. Fliesenleger), Arbeiten u.a. im Altersheim Mödling, Perchtoldsdorf u. Traiskirchen vorgenommen, Spezialist f. Kachelöfen. M.: ger. beeid. Sachverständiger, Hafner, Platten- u. Fliesenleger, Gemeinderat d. Marktgemeinde Brunn am Gebirge, Vors. d. Lehrling- u. Mstr.-Prüfungskommission, s. 1979 in der Versuchsanstalt d. Hafner, Vorst.-Mtgl., s. 15.9.1994 Innungsmstr. E.: Erwähnung im Kammerbuch, jüngster Meister Österr. 1971, Mtgl. im Wirtschaftsbund. H.: Jagd, Skifahren, Firma. (W.M.)

Operschall Barbara

B.: Verkaufsdir. FN.: Ramada Hotel GmbH. DA.: 1150 Wien, Ullmannstr. 71. G.: Wien, 17. Jun. 1961. El.: Dr. Alfred u. Dr. Ingrid. S.: Gymn. Mödling, College f. Fremdenverkehr i. Hotel Modul. K.: 1981 Rom, Hotel Mediterranio, Receptionistin, 1982 Jamaika, Hotel Halfmoon, guest-relation, Wien Hotel Bristol, Management trainee program, Sofitel am Heumarkt, Jamaika - blue danube tours, zust. f. ganzen europ. Raum hinsichtl. incoming, 1987-91 Do&Co Partyservice, 1991 kaufm. Dir. - Verkaufsdir. i. Hotel Rennaissance wien. M.: HSMA (Hotels sales a. marketing association). H.: Architektur, Sprachen. (J.M.)

Opferkuh Friedrich

B.: Steinmetzmeister. FN.: Steinmetzwerkstätte F. Opferkuh GmbH. DA. u. PA.: 2452 Mannersdorf am Leithagebirge, Hauptstr. 27. G.: Mannersdorf, 8. März 1951. V.: Elisabeth, geb. Wiener. Ki.: Juliana (1977), Friedrich (1982). El.: Friedrich u. Theresia. S.: VS, HS, 1970-73 Bauhandwerkerschule Hallein, 1974 Steinmetzmeisterprüf. K.: 1981 Europ. Zentrale f. Handwerker in d. Denkmalpflege, 1985 Übernahme d. väterl. Betriebes. H.: Joggen, Fußball, Steinmetzmuseum. (M.D.-H.)

Opitz Erich

B.: Gschf. FN.: Opitz Ideal Fensterwerk, Gebrauchtmöbelhaus. DA.: 9500 Villach, Bleiberger Str. 67. PA.: 9500 Villach, Widmanng. 31. G.: Villach, 9. Mai 1956. V.: Karin, geb. Groß. Ki.: Stefanie. El.: Erich u. Erika. S.: VS, HS, HASCH, Kfm. Lehre. K.: 1976 Übernahme d. väterl. Möbelgeschäfts in Villach, seit 1978 im Fensterwerk, 1982 Geschäftsführung d. Fa. M.: Ersatzmtgl. d. Industriellenver. H.: Skifahren, Tennis. (D.M.)

Opll Ferdinand Dr. Univ.Doz.

B.: Archivdirektor. FN.: Wiener Stadt- u. Landesarchiv. DA.: 1082 Wien, Rathaus. PA.: 1230 Wien, Akazieng. 71/5. G.: Mödling, 30. März 1950. V.: Roswitha, geb. Schnell. Ki.: Maximilian 1978, Valentin 1984. El.: Alois u. Anna. S.:

Matura 1968, Studium d. Geschichte, Kunstgeschichte u. Germanistik a. d. Univ. Wien, gleichzeitig 3-jähriger Ausbildungskurs am Inst. f. Geschichtsforschung. Promotion 1974. Habilitation 1985: Lehrbefugnis f. mittelalterliche Geschichte u. histor. Hilfswissenschaften a. d. Universität Wien. K.: Seit 1977 im Wiener Stadt- u. Landesarchiv tätig, seit 1989 Direktor. P.: Autor zahlreicher Bücher zur mittelalterl. Geschichte, zur Stadtgeschichte u. zur Wiener Geschichte wie z.B.: "Regesta Imperii f. d. Zeit Friedrich Barbarossas" (1980, 1991 2 Bände), Biographie "Friedrich Barbarossa" (1990), "Österr. Städteatlas", "Wien im Bild historischer Karten", "Regesten zur Frühgeschichte v. Wien", "Liesing". Zahlreiche Artikel wie "Das älteste Rathaus v. Wien". E.: Medaille Pro Civitate Austriae 1988. M.: Stellvtr. Vorsitzender d. österr. Arbeitskreises f. Stadtgeschichtsforschung, Vorstandsmitglied d. "Commission Internationale pour l'histoire des villes". H.: Musik, Tennis, Skifahren, Reisen. (J.S.)

Oppelmayer Barbara

B.: Visagistin. FN.: 1. Österr. Visagistenschule. DA/PA.: 7100 Neusiedl/See, Grenzg. 55. G.: Wien, 1. Juli 1957. V.: Franz. Ki.: Aline (1983), Katharina (1991), Alexander (1993). El.: Johann u. Elisabeth Brettlecker. S.: Gymn., Arch.- u. Kunstgesch.-Stud. Univ. Wien. K.: 1977-81 Ang. d. Bundesb. Wien, 1981 Visagistendipl. in Düsseldorf, Ass. b. Visagist Hr. Badawi Dtschl., v. 1982-86 Guerlain Wien als Schulungsbeauftragte tätig, 1985 Eröff. d. 1. Österr. Visagistenschule in Neusiedl, Ausbild. v. Berufsvisagisten, Abhaltung v. versch. Kursen (Mitarb. bei chir. Eingriffen), Abhaltung v. int. Seminaren u. Veröff. in Zeitschriften. E.: bei div. int. Make-up Shows Verleihung v. Preisen. H.: Familie, Natur, künstl. Tätigk. (I.J.)

Opperer Josef Mag.

B.: Maler u. Bildhauer. DA. u. PA.: 5101 Bergheim, Bräumühlweg 33. G.: Lienz, 28. Aug. 1923. V.: Mag. Prof. Marie-Louise Stainer. Ki.: Eva-Maria (1955), Nikolaus-Christoph (1958), Josefine (1975), Wilfried (1976). El.: Georg u. Elisabeth. BV.: Großvater Georg Opperer Heimatforscher u. Bühnenautor. S.: 1942 HTL-Abschluß in Innsbruck, 1951 Ak. d. bild. Künste b. Prof. Wotruba. K.: 1951-56 freischaff. tätig, 1957-75 Kunsterzieher am Paulinum in Schwaz, 1975-76 Kunsterziehung am mus. Gymn. Sbg., 1976 Kunsterzieher an Pädak Sbg., seit 1989 in Pension. P.: Veröff. in Fachzeitschriften, Kursltg., Symposium in St. Margarethen. H.: Beruf. (E.Hö.)

Oppermann Rolf Dipl.-Bw.

B.: Gschf. FN.: Thun-Hohenstein GmbH. DA.: 1231 Wien, Lamezanstr. 17. PA.: 1130 Wien, Winzerstr. 3. G.: Saarbrücken, 17. Okt. 1945. V.: Sigrit, geb. Lindner. Ki.: Jochen (1967). El.: Erich u. Emmy, geb. Bender. S.: Gymn., 1962-65 kfm. Lehre, 1971 Abendmatura, Stud. Betriebswirtschaft FHS d. Saarlandes, 1974 Abschluß, Stud. Politologie Univ. Saarbrücken. K.: 1967-74 Ver- u. Einkauf b. d. Firma Saelco, 1975-82 Firma AG Kühle, Kopp & Kausch, als Abt.-Kfm. zuständig f. Exportaufträge, 1983-86 Gruppenltr. im Export b. Röhm GmbH, 1987-90 Marketingltg. b. Röhm France in Paris, 1991-6/93 Gschf. Thun-Hohenstein GmbH, seit 7/1993 Gschf. Hüls France S.A. Paris. H.: Tennis, Schwimmen, Flugsport. (N.A.)

Oppitz Hans Dr. iur.

B.: öff. Notar in Kzl.-Gemeinschaft m. Dr. Platzer, Präs. d. OÖ Notariatskam. DA.: 4600 Wels, Ringstr. 33. PA.: 4600 Wels, Schermbergstr. 12. G.: Wels, 16. Aug. 1934. V.: Karin, geb. Huber. Ki.: Maria (1961), Barbara (1962), Agnes (1963), Florian (1968), Katharina (1970), Georg (1975). El.: Dr. Josef u. Maria. S.: VS, Stiftsgymn. Kremsmünster, 1953 Matura, Stud. Univ. Innsbruck, 1957 Prom. K.: 1957 Gerichtsj. in Innsbruck u. Wels, 1960 Notariatsprüf., 1959 Notariatskandidat in Gmunden, 1960-78 Notariatskandidat Wels, seit 1978 öff. Notar in Wels. M.: Notariatskam., VPräs. ÖGIZIN, CV-Verb. Austria Innsbruck, Mtgl. d. Prüf.-Kmsn. f. Notariatsprüf. b. OLG Linz, Vors. d. Landeskam. d. Kamm. d. freien Berufe f. OÖ. H.: Kochen, Skifahren, Wandern, Weinsammeln. (U.A.)

Oppitz Paul Dr. KommR.

B.: Generaldirektor, Vors. d. Vorst. d. Bausparkasse d. österr. Sparkassen AG. A.: 1031 Wien, Beatrixg. 27. G.: Wels, 22. Dez. 1931. V.: Monika, geb. Haas. Ki.: Mag. Dr. Elisabeth (1965), Mag. Dr. Martin (1967). El.: MedR. Dr. Josef u. Maria, geb. Hochmair. S.: Mittelschule m. Matura, Abiturientenkurs d. HAK, Jusstud. K.: 1954-60 Gerichts- u. Anw.Praxis, ab 1960 Gschf.Stellv., 1963 Prok., 1969 Verleihung d. Titels Dir.Stellv., 1975 Gschf. d. Bausparkasse d. österr. Sparkassen m. d. Titel Dir., 1.6.1992 Vors. d. Vorst. d. Bausparkasse d. österr. Sparkassen AG. P.: Publ. in div. Fachzeitschriften. M.: Präs. d. Euirop. Bausparkassenvereinig., Council of the Intern. Union of Housing Finance Institutions. H.: Wandern, Schifahren, Kochen. (N.A.)

Oppitz Ulrike

B.: Physiotherapeutin. DA.: 5020 Salzburg, Münzg. 2. PA.: 5020 Salzburg, Ferdinand-Sauter-Str. 5. G.: Salzburg, 29. Febr. 1964. El.: Dr. Werner u. Eva Opitz. S.: 1982 Matura, Ausbild. Physiotherapie, 1985 Dipl.-Abschluß. K.: Praxis in privatem Kurzentrum, Ltr. d. Therapie, seit 1988 eigene Fachpraxis. H.: Skifahren, Tennis, handwerkl. Tätigkeiten. (M.Mo.)

Oppitz Viktor Mag. Arch. Ing.

B.: Architekt, staatl. befugter u. beeid. Ziviltechn. DA.: 1030 Wien, Klimschg. 4. G.: Wien, 26. Juli 1928. V.: Elfriede, geb. Steyrer. Ki.: Marcus (1957), Lucas (1966). El.: Viktor u. Cäcilie. S.: Matura a. d. HTL Wien 1, Abt. f. Hochbau, Stud. a. d. Akad. d. bild. Künste Wien, Diplkom 1955 b. Prof. Welzenbacher. K.: s. 1962 selbst., Eröff. d. eig. Architekturbüros f. allg. Arch., Wohnbau, Um- u. Ausbauten, Sanierungen, Sportstätten, Einfamilienhäuser, Dachausbauten, Geschäftslokal u. Industriebauten. BL. Grdr. u. Erbauer d. Yacht-Clubs Breitenbrunn. E.: versch. Projektpreise. M.: Ehrenmtgl. d. Landessegelverb. f. Wien und des Wr. Yacht-Clubs. H. Segeln, Tennis, Skifahren, Reisen u. Musik. (J.S.)

Oppitz Werner Dr. M.A. HofR.

B.: LVerkehrsdir. d. LVerkehrsamt Sbg. GT.: Univ.Lektor am Fremdenverkehrswiss. Inst. d. Univ. Sbg. u. Lehrauftrag an d. Intern. School for Tourism and Hotel Management Kleßheim, Univ.Lektor WU Wien. DA.: 5020 Salzburg, Maria-Cebotari-Str. 73. G.: Salzburg, 15. Juli 1932. V.: Eva, geb. Kaltenstein. Ki.: Ulrike, Christoph. El.: Rudolf u. Martha. S.: HS, 1952 Externistenmatura, 1954 Jusstud. Univ. Wien, 1959 Dr. iur.,

1957/58 Fulbright-Stud in d. USA, Master of Arts (political sience) an d. Univ. of Oregon, Dipl. am Inst. of World Affairs, Twin Lakes USA, Schriftsetzergesellenprüf. K.: 1950-54 Red.Mtgl. d. "Sbg. Nachrichten", seit 1959 im LVerkehrsamt Sbg. tätig, 1974 Ernennung z. LVerkehrsdir. P.: Buch "Fremdenverkehr - Organisation u. Verw." (1973), zahlr. Fachart. u. Vorträge im In- u. Ausland. M.: VPräs. d. Österr. Amerik. Ges. Sbg., Presseclub Sbg., Skal-Club Sbg. E.: Ritterkreuz d. Ord. d. Thailänd. Krone. H.: Segeln, Tennis, Skifahren, Lesen, begeisterter Konzertgeher. (Föd.)

Oppitzhauser Franz Karl Ing.

B.: Kfm., Inh. DA.: 2460 Bruck/Leitha, Altstadt 68. PA.: 2460 Bruck/Leitha, Rudolf-Pöperl-G. 18. G.: Bruck/Leitha, 4. Okt. 1941. V.: Gertrude, geb. Fatuly. Ki.: Sabine. El.: Karl u. Maria. S.: Berufschule Bruck/Leitha, BHW Schule Wien. K.: 1968-70 Baultr. Fa. Löschner & Helmer Wien, 1970 selbst. Kfz-Hdl. OHG, 1971 Oppitzhauser GmbH, 1973 Tankstelle, Espresso, 1983 neues Betriebsgebäude eröff., seit 1976 Bruckneudorf Verkaufsplatz f. Neu- u. Gebrauchtwagen. BL.: Rennfahrer, Formelwagen, Tourenwagen, 1987 Rennfahrersingle "i gib gas", E.: einige Male Österr. Staatsmstr., über 150 Siege, 1978 Tourenwagen Europamstr. u.v.a. M.: Ver. d. LKunde f. NÖ, Heimatgem. Feldsberg-Garschenthal. H.: Heimatkunde, Wandern, Familie, Kochen, Radfahren, Joggen, Musik. (M.G.)

Oprawill Peter

B.: Schriftführer. FN.: Fitneßcenter Body. DA.: 1070 Wien, Schottenfeldg. 92/6/1. PA.: 1050 Wien, Kohlg. 49. G.: Wien, 26. Mai 1942. V.: Ingrid, geb. Marx. Ki.: Christian (1966). El.: Franz u. Theresia. S.: VS, HS, 1956-60 Lehre als Koch-Kellner, abgeschlossen, b. Griechen Beisl. K.: 1960-61 Jungkoch i. Griechen Beisl, Fleischmarkt, 1961-66 Saisonarb. i. versch. Restaurants- u. Hotels, 1966-69 Wienerwald, Gschf., 1969-72 selbst. Restaurant "Pepe" eröffn., 1972-82 Int. Berufsringer, 1980 Verein Fittneßcenter Body - Activ gegründ. BL.: Staatsmeister, Landesmeister. M.: ASKÖ-Dachverb, IFBB Int. Föderation Body Builder. H.: Sport. (M.A.)

Orasch Brigitte

B.: Bes. Restaurant Toscana. DA. u. PA.: 9020 Klagenfurt, Siebenhügelstr. 59. G.: Völkermarkt, 22. Feb. 1954. V.: Horst Rauter. Ki.: Vanessa (1983), Marc (1986). El.: Bartholomäus u. Maria Dreier. S.: VS, HS, Gastronomieausbild. Kurhotel Ronacher Bad Kleinkirchheim. K.: Saisontätigkeit in versch. Betrieben, 1980 Konzessionsprüf., selbst. m. Tanzlokal in Völkermarkt, 1982 Eröff. Tanzlokal Klagenfurt, 1985 Cafe erworben, 1988 zusätzl. Eröff. eines Tanzlokales, 1992 Umbau d. Lokales u. Umstellung auf Pizzeria u. Restaurant. H.: Schwimmen, Skifahren. (F.S.)

Orasch Reinhold

B.: Gschf. FN.: Steinindustrie N. Rencher Marmorbau Ges.m.b.H. DA.: 9020 Klagenfurt, Hans-Sach-Str. 39. PA.: 9020 Klagenfurt, Babenbergerstr. 60. G.: Klagenfurt, 17. Mai 1942. V.: Irmingart. Ki.: Harald (1969). El.: Rudolf u. Hildegard. S.: BRG b. zur 4. Klasse, 1962-63 HAK Matura. K.: ltd. Ang. i. d. Installationsbranche, 1963-68 Schuhbranche i. Export, Maschinenfabrik Außendienst u. Bürotätigk. i. Export, Installationsbranche , Einkauf, Verkauf Kalkulation, eigene Import-Exportfa. für Iran (Stor Ges.m.b.H.) 1. Apr.1990 Fa. Marmorbau Ges.m.b.H. übernommen. H.: Garten, Schwimmen. (R.T.)

Orator Kurt

B.: Kfm. FN.: Foto Orator. DA.: 1070 Wien, Westbahnstr. 23. G.: Wien, 22. Feb. 1948. Ki.: Matischa (1973), Leonhard (1975). S.: BRG, 1962-65 Lehre Fotokfm., 1967-70 Extern.-Maturaschule Dr. Roland, Filmakad. K.: Beschäftigt b. Spielfilmprod. u. Werbung, s. 1973 Verk.-Ltr. b. Fa. Orator, s. 1976 Inh. dieser Firma, Eröff. d. Fil.: 1980 Innsbruck, 1990 Linz.

Oratsch Helmuth KamR.

B.: BetriebsR.Obm. d. Fa. Kastner & Öhler AG. DA.: 8010 Graz, Sackstr. 7. PA.: 8053 Graz, Frühlingstr. 29. G.: Graz, 22. Juni 1930. V.: Roswitha, geb. Nebel. El.: Guido u. Valerie. S.: VS, Mittelschule Graz. K.: Ab 1950 Praktikum im Ausland u. ab 1952 b. Fa. Kastner & Öhler in versch. Abt. tätig, ab 1960 BetriebsR., seit 1973 BetriebsR.Obm. u. KamR. d. AK f. Stmk. M.: AufsR.Mtgl. d. Merkur-Vers., AufsR.-Mtgl. d. Kastner & Öhler AG, Obm. d. Fachaussch. f. Warenhäuser, Vorst.Mtgl. d. GKK. H.: Malen. (War.)

Orechovsky Sven Dr. med. univ.

B.: FA f. Zahn-, Mund- u. Kieferheilkunde. DA.: 3462 Absdorf, Bahnhofstr. 14. G.: Graz, 20. Juni 1952. V.: Dr. med. univ. Christa, geb. Stattmann. Ki.: Bernhard (1988). El.: August u. Edith. S.: 1972 Matura. K.: Eintritt in d. elterl. Büchsenmacherei, 1979-85 Med. Fak. Univ. Wien, Prom. z. Dr. d. gesamten Heilkunde, Kieferchir. KH Krems, 1986 Konsiliararzt KH Krems, Feldambulanz Panzerstab III Mautern, 1986-88 Ausbild. z. FA. f. Zahn- Mund- u. Kieferheilkunde Prof. Dr. Keresztesy Wien, 1988 Ndlg. in Absdorf. M.: Res.-Offz. H.: histor. Automobilsport, Jagd. (T.T.)

Orglmeister Hanns Dr.

B.: Gschf. d. Verb. d. Elektrizitätswerke Österr. i.R. A.: 1070 Wien,Neubaug. 25. G.: Wien, 26. Okt. 1926. V.: Dr. Gunthilde, geb. Wessely. Ki.: Norbert (1965), Dietmar (1965), Gunthard (1968). El.: Herbert u. Elisabeth. S.: Mittelschule, Univ. Wien, Dr. iur. K.: 1949-53 Justizdienst, zul. als Richter, seit 1953 b. Verb. d. Elektrizitätswerke Österr., 1972-91 als Gschf. P.: Starkstromwegerecht, Techn. Arbeitsschutz, Österr. Elektrizitätsrecht. E.: Gr. EZ f. Verd. um d. Rep. Österr., Päpstl. Orden d. Hl. Silvester. H.: Wandern, Radfahren, Fotografieren.

Orlik Franz

B.: Inh. FN.: Franz Orlik. DA.: 1050 Wien, Ziegelofeng. 37. PA.: 1050 Wien, Ziegelofeng. 39/4. G.: Wien, 02.Aug. 1965. V.: Natascha geb. Traxler. El.: Franz u. Gerlinde. BV.: Vater w. Freistielringer in Wien. S.: VS, Grundschule b. z. 9. Klasse in Spanien. K.: Kellnerlehre b. d. 3 Husaren , m. Gesellenprüfung abgeschl., 10 Jahre Praxis i. versch. Betrieben z. B.: Rest. Gottfried, "Zur schönen Aussicht", 7 J. davon i. Rest. "Zum alten Faßl" tätig, am 1.1.1994 d. Restaurant "Zum alten Faßl" übernommen. (D.E.)

Orlikowsky Waclaw

B.: Ballettdir. d. Opernhaus Graz, Reg., Choreograph. DA. u. PA.: 8010 Graz, Kaiser-Josef-Pl. 10. G.: Carkow/UdSSR, 8. Nov. 1923. El.: Apolinarius u. Maria. S.: Schauspielunterricht u. Ballettausbild. in Leningrad. K.: in mehreren sowjet. Theatern als Solotänzer tätig, 1950 Grdg. seines Klass. Russ. Balletts in München, f. d. er Strawinskys Petruschka, Ravels Bolero, von Webers Spectre de la rose u. Joh. Strauß' Wiener G'schichten choreographierte u. auf Dtld.-Tournee ging, 1952-55 Ballett-Mstr. in Oberhausen, ab 1955 Ballett-Chef am Stadttheater Basel, dazw. Gastchoregraph an d. Städt.

Oper Berlin, b. d. Bregenzer u. Sbg. Festspielen u. 1963 erstmalig an d. Wr. Staatsoper, 1966-71 Ballett-Chef d. Wr. Staatsoper, seither als Choreograph b. d. Wr. Eisrevue, dan. Tätigk. f. d. Fernsehen, choregraphierte u.a.: Dornröschen, Nußknacker, Giselle, Romeo u. Julia, Die steinerne Blume, Feuervogel, Petruschka, Der wunderbare Mandarin, Daphnis u. Chloe, La Valse, Amphion, Pagodenprinz, Die Fontäne v. Bachtschissarai, Peer Gynt, Fünf Etagen, Aschenbrödel, Coppélia, Peter u. d. Wolf.

Ornest Christa

B.: Unternehmerin, Inh. FN.: Friseur- u. Fußpflegesalon Donaufelder Friseurstube. DA.: 1210 Wien, Ringelseepl. 11-15. PA.: 1210 Wien, Voltelinistr. 46/Haus 1. G.: Wien, 8. Dez. 1943. V.: Alfred Ornest. Ki.: Christian (1960), Michael (1968). El.: Friedrich u. Gertrude Sehnal, geb. Vesely. S.: VS, Mittelschule, Berufsschule, 1976 Mstr.-Prüf. K.: b. 1989 Führung d. elterl. Betriebes, danach Eröff. d. Donaufelder Friseurstube, 1989 Eintritt Freier Wirtschaftsverb. BO-21 als Veranstaltungsref., seit 1993 Obm.-Stellv., ab 1992 Obm.-stellv. d. Wirtschaft 21 u. Bez.-Obm.d . Friseure, Mtgl. d. Innungsaussch., 1993 Wahl z. Landesobm.-Stellv. d. Freien Wirtschaftsverb. Wien als 1. Frau in dieser Funktion, seit 1994 im Vorst. d. Bundesorgan. d. Freien Wirtschaftsverb. H.: Organ. u. Ausstattung v. Bällen, Kunst, insbes. Malen, Skifahren. (N.A.)

Ornig Franz

B.: Inh. FN.: Ornig Schuhe GesmbH & Co KG. DA.: 8141 Unterpremstätten, Bahnhofstr. 4. PA.: 8141 Unterpremstätten, Hauptstr. 35. G.: Wundschuh, 18. Okt. 1932. V.: Anneliese, geb. Glockner. Ki.: Brigitte (1955), Franz (1957), Gerhard (1959), Sigrid (1979), Kerstin (1984). El.: Anton u. Juliana. S.: Schuhmacherlehre i. Zettling u. Graz, 1950 Abschluß. K.: 1951-55 Schuhfabrik Alba Unterpremstätten a. ltd. Ang., 1955-57 Schuhfabrik Alpenschuhe, s. 7/57 selbst. Schuherzeugung, s. 1958 Industriegewerbeschein a. Schuhfabrik, 1965 Filiale i. St. Stefan i. Rosental, 1970 Stepperei i. St. Stefan gebaut, 1972 Neubau d. Fabrik i. Unterpremstätten, 1973 Detailgeschäft eröff., 1988 Prod. d. Oberteile ins Ausland verlegt, s. 1990 Prod. d. Bioschuhe "Wald u. Flur". M.: s. 1968 Vorst.-Mtgl. d. Raiffeisenkasse, Obm. d. Fußballver. Unterpremstätten. H.: Jagd, Beruf. (I.G.)

Orosel Gerhard Oskar Dr.

B.: o.Univ.-Prof. am Inst. f. Wirtschaftswiss. d. Univ. Wien. DA.: 1010 Wien, Hohenstaufeng. 9. PA.: 1180 Wien, Weimarer Str. 7/20. G.: Wien, 31. Juli 1946. Ki.: Christian (1975), Stefan (1977). El.: Dr. Egon Walter u. Dr. Auguste. S.: Univ. Wien, 1970 Prom. z. Dr. iur., 1969-71 Inst. f. Höhere Studien Wien. K.: 1971-74 Univ.-Ass. Univ. Wien, 1974 Habil., 1974-77 WissR. u. Prof. Univ. Bonn, seit 1977 o.Univ.-Prof. Univ. Wien, 1989-91 Dekan d. Sozial- u. Wirtschaftswiss. Fak. d. Univ. Wien. P.: div. Aufsätze in wiss. Zeitschriften u. Sammelwerken. M.: div. wiss. Organ. u.a. Nationalökonom. Ges., Ver. f. Sozialpolitik, American Economic Assoc., Royal Economic Society.

Orphelin Jean-Louis

B.: Gen.-Dir. FN.: Citroen-Österr. GmbH. DA.: 1234 Wien, Perfektastr. 75. G.: Decize, 5. Aug. 1946. V.: Marie-Josephe. Ki.: Natalie, Fabrice. S.: Dipl. d. Univ. v. Dijon. K.: 1971 Citroen in Dijon u. Lille, Filialdir. in Korsika u. in Rouen, 1986-88 Abt.Ltr. Marketing u. Werbung, seit 1989 Gen.-Dir. Citroen-Österr. GmbH. H.: Tennis.

Orsini-Rosenberg Ferdinand

B.: Geschäftsmann. FN.: Pasena-Geschenkboutique. DA.: 9020 Klagenfurt, Pfarrpl. 1. PA.: 9131 Grafenstein. G.: Grafenstein, 28. Mai 1953. V.: Zdenka, geb. Auersperg. Ki.: Konrad, Theresia, Ludwig. El.: Heinrich u. Eleonore. BV.: Urgroßvater Franz Xaver war Berater u. Min. v. Kaiser Josef II. S.: VS, Gymn., Hotelfachschule, Kurse HEC in Paris. K.: 1981-86 Führung eines Restaurants u. einer Geschenkboutique in Wien, 1986 Grdg. d. "Pasena" in Klagenfurt. H.: Jagd, Skifahren, Tennis. (D.M.)

Orsini-Rosenberg Heinrich ÖkR.

B.: Präs. d. Hpt.Verb. d. Land- u. Forstwirtschaftsbetriebe Österr., Hon.Kons. d. Niederlande in Ktn. GT.: Vors. d. Aussch. f. Rechts- u. Steuerfragen in d. Präs.Konferenz d. Ldw.Kam. Österr. DA.: 9020 Klagenfurt, Alter Pl. 1/II. PA.: 9131 Grafenstein, Schloß Grafenstein. G.: Klagenfurt, 29. Jan 1925. V.: Elonore, geb. Goes. Ki.: Ladislaya (1948), Johannes 1949), Ferdinand (1953), Mathias u. Markus (1955), Henriette (1957), Andrea (1958). S.: VS, Gymn., 1942 Matura. K.: Kriegsdienst, Übernahme d. Ltg. d. land- u. forstwirtschaftl. Betriebes d. Familie, 1958 Hpt.Aussch.Delegierter, 1960 VPräs. u. 1965 Präs. d. Hpt.Verb.d. Land- u. Forstwirtschaftsbetriebe Österr., 1969 Präs. d. Ktn. Forstver., 1976 Hon.Kons. d. Niederlande in Ktn., 1978 Vertreter d. Verb. d. europ. Ldw. b. Holzkomitee d. FAO u. ECE in Genf, 1984-88 Präs. d. Verb. d. Europ. Ldw. E.: 1981 ÖkR., Gr. Gold. Verd.Kreuz d. Rep. Österr., Gr. Gold. EZ d. Länder Stmk. u. Kärnten.

Orsini-Rosenberg Johannes

B.: Gschf. Ges. FN.: Focus Finanzberatungs GmbH. DA.: 5020 Salzburg, Kajetaner Pl. 4. PA.: 5026 Salzburg, Kreuzbergpromenade 24. G.: Klagenfurt, 26. Aug. 1949. V.: Marie-Eleonore, geb. Thun-Hohenstein. Ki.: Heinrich (1979), Johanna (1981), Paul (1982). El.: Heinrich u. Eleonore. BV.: Ururgroßvater Erzherzog Johann. S.: Gymn. Klagenfurt, Jusstud. Innsbruck. K.: Ltr. u. Gschf. d. Vermögensverw. d. Spängler Kapitalanlage GmbH, seit 1989 selbst. P.: Veröff. in div. Wirtschaftszeitungen wie Börsen-Kurier, Option-Gewinn. M.: Management-Club Wien, Dt. HK f. Österr. in Wien. H.: Tennis, Jagen, Skifahren, Weinsammeln. (K.K.)

Orsini-Rosenberg Wolfgang Gerrit

B.: selbst. Kfm. Großhdl., Jagdzubehör, Fischerecke. GT.: Forstwirtschaft in Globasnitz b. Völkermarkt. DA.: 1160 Wien, Menzelg. 13. G.: Klagenfurt, 29. Juli 1951. V.: Rosemarie, geb. Wasle. Ki.: Wolfgang-Andreas. El.: Wolf-Andrä u. Dietgard. S.: kfm. Lehre, Waffengroßhdls.Kfm. K.: 1971-81 Fa. Dynamit Nobel Genschow Abt.Ltr., Marketing, Werbung, Verkaufsförderung, 1981-83 Fa. Karlburger Verkaufsltr., s. 1983 selbst. Kfm. H.: Fischerei, Jagd, Schießsport, Waffen sammeln. (C.K.)

Orth Elisabeth

B.: Staatsschauspielerin. PA.: 1130 Wien, Hansi-Niese-Weg 25. G.: Wien, 1935. El.: Attila Hörbiger u. Paula Wessely. K.: wichtige Bühnenstationen: Ulmer Theater, Bühnen d. Stadt

Köln, Bayer. Staatsschauspiel München (1964-68 u. 1970/71) u. seit 1973 Burgtheater Wien, Rollen u.a. Porzia in "Der Kaufmann v. Venedig" (1961), Ehefrau in "Die Stühle" (1966), Eboli in "Don Karlos" (1973), Elektra in "Orestie" (1976), Mutter in "Der Pelikan" (1978), Gräfin Orsina in "Emilia Galotti" (1979), Amme Babet in "Der neue Menoza" (1982), Fernsehen u.a. "Der Einstand" (1977), "Wiener Klatsch" (1984). P.: Buch "Märchen ihres Lebens: Meine Eltern Attila Hörbiger u. Paula Wessely" (1975).

Orthner Angela

B.: Erste Präsidentin d. OÖ Landtages. DA.: 4010 Linz, Landhaus. PA.: 4040 Linz, Dießenleitenweg 6. G.: Linz, 29. Mai 1948. V.: Angela, geb. Haberzettl. Ki.: Robert (1966), Christoph (1970). El.: Johann u. Helene. S.: VS, HS, b. 1966 Lehre als Drogistin. K.: seit 1972 ÖVP-Landesparteiltg., 1973-83 Landessekr. d. Frauenbewegung, ab 1983 Stadtltr. d. Linzer Frauenbewegung, 1985 GemR. Linz, 1986 Abg. z. OÖ Landtag, 1988 Landesltr. d. Frauenbewegung, seit 1991 1. Präs. d. OÖ Landtages, b. 1992 Referatstätigkeit b. d. ÖVP Landesparteiltg. P.: zahlr. Veröff. im berufl. Rahmen. M.: Vors. d. Kulturver. Heinrich-Gleißner-Haus. H.: Lesen, Gartenpflege, Museum, Konzerte. (U.A.)

Orthner Norbert Dr. iur.

B.: Wirtschaftstreuhänder u. Steuerberater. DA. u. PA.: 4020 Linz, Hopfeng. 3. G.: Linz, 28. Mai 1950. Ki.: Andrea (1978). El.: Ernst u. Ingeborg. S.: 1968 Matura, Stud. d. Rechtswiss. in Graz. K.: 1971-72 business administration in Okl./USA, 1974 Prom., 1974-76 Tätigkeit b. einer Kremser Fa., 1976-78 in d. Finanzverw. OÖ, 1978-81 Steuerberater in Sbg., 1981-83 Ges. einer Linzer Steuerberatungs GmbH, ab 1983 selbst. BL.: Ex-Leistungssportler (Tennis), 3x österr. Tennismstr., davon 2x Mannschaft UTC-Ried, 1x Juniorenmstr. H.: Sport, Tennis. (P.R.)

Orthofer Peter

B.: Schriftsteller. PA.: 1010 Wien, Stubenbastei 12. G.: Berlin, 17. Juni 1940. K.: Schriftsteller u. Kabarettist (Dramen, Lyrik, Romane, Sachbücher, Columnen, Chansons, Fernsehen, Funk, Film, Kabarett). P.: "Uns bleibt auch nichts erspart - eine respektlose Chronik österr. Geschichte " (1988), "Flügeljahr" (Komödie, 1979), "Wer ist Who in Österreich" (1986), "Die Wahrheit über Österr." (1989), "Lex Minister" (Buch u. Film 1990).

Orthuber Karl KommR.

B.: Inh. FN.: Karl Orthuber VW u. Audi Handel u. Reparatur. DA.: 2620 Neunkirchen, Aug. 22. PA.: 2620 Neunkirchen, Aug. 20. G.: Oberpiesting, 24. März 1928. V.: Elfriede, geb. Schwarzanger. KI.: Eva-Maria (1968), Susanne (1972), Karl (1976). EL.: Karl u. Käthe. S.: VS, HS, Kriegsmatura, Lehre KFZ - Elektrik, Meisterprüfung. K.: 1958 Übernahme d. väterl. Betriebes in Schottwien am Semmering, 1959 Grdg. eines weiteren VW u. Audi - Betriebes in Mürzzuschlag, 1960 Erweiterung d. Unternehmens um einen weiteren Standort in Gloggnitz, 1962 Eröffng. d. neugegr. Betriebes in Neunkirchen, weiters Besitzer v. 2 Großtankstellen in Gloggnitz u. Aspang. BL.: Automobil - Staatsmstr. 1960, 3. Platz in d. Berg - Eurpamstrschaft 1961. M.: Präsident d. Fußballclubs FC Neunkirchen, Lions Club (2 mal Präsident, Vizegoverner), Bez. Innungsmstr. u. Vertrauensmann. E.: Verl. D. Berufstitels Kommerzialrat durch Bundewspräs. Dr. Kirchschläger am 18.12.1985, gold. Motorsport - Ehrenzeichen, Brillantnadel v. VW - Audi, Brillantnadel v. Shell, gold. Ehrenzeichen d. Landes Stmk. H.: Golf, Pferde. (F.S.)

Ortiz Navarro Rafael

B.: Botschafter. DA.: 1010 Wien, Lugeck 1/III/9. G.: Santiago de Chile, 15. Jan. 1927. V.: Lia, 3 Kinder. S.: Ing.-Schule, MILAK, 3 J. Jusstud. (Universidad de Chile), 1 J. Stud. d. Polit. Wiss. (Pontificia Universidad Católica de Chile). K.: Militärlaufbahn: Fernmeldewesen, Dolmetscher, Offz. u. Chef d. Generalstabes, MILAK-Prof. f. militär. Geografie u. Geopolitik, sowie Militärgeschichte u. -strategie, chilen. Militärattaché in d. BRD, dzt. chilen. Botschafter in Wien. E.: Orden "Presidente de la Republica" (Ritter), "Estrella de Honor" (Gr. Verd.Kreuz) etc. M.: Präs. d. Panamerikan. Inst. f. Geschichte u. Geografie, Grdg. u. Vorst.-Mtgl. d. Geopolit. Inst. v. Chile. (R.A.)

Ortlieb Guy

B.: Hotelier, Gschf. Ges. FN.: Hotel Montana Oberlech. DA.: Oberlech 279. G.: Straßburg, 20. Nov. 1938. V.: Gertraud. Ki.: Silvie (1964), Patrick (1967). S.: Fremdenverkehrsak. Frankreich. K.: Gastgewerbeass. in sämtl. Bereichen, Gschf. Bergrestaurant Gebhardsberg in Bregenz, 1964 Beginn m. Hotel Montana in Oberlech. BL.: Einführung d. franz. Küche in Vbg. E.: Gr. EZ d. Landesverb. f. Tourismus. M.: 15 J. VPräs. d. Österr. Bundes d. Gastlichkeit, Grdg. d. Ver. Chaine des Rotiseurs, Ehrenpräs. Gourmetclub Vbg., Vors. div. Prüf.-Kmsn., Bruderschaft St. Christoph, EGZ Gastgewerbe. H.: Skifahren, Golf, Weinsammeln, Kochen. (I.D.)

Ortlieb Patrick

B.: Schirennläufer. PA.: 6764 Oberlech, Hotel Montana. G.: Bregenz, 20. Mai 1967. El.: Guy u. Gertraud. S.: Gymn., Stud. BWL. K.: 1 J. VVS Verb. Vbg., 2 J. ÖSV Jugendkader, 1 J. ÖSV C-Kader, 1 J. ÖSV B-Kader, seit 1989 Nationalmannschaft u. mehrere Plätze unter d. ersten zehn in d. Abfahrt, 1992 2. Pl. Abfahrt Garmisch-Partenkirchen, 1992 Goldmed. in d. Abfahrt Olymp. Spiele Albertville. H.: Surfen, Musik, Autos.

Ortmair Andreas

B.: Gewerberechtl. Gschf., Küchenchef. FN.: Kremsmünster Stuben. DA.: 4020 Linz, Altstadt 10. G.: Linz, 1. Juni 1963. El.: Walter Ortmair u. Elfriede Schmied. S.: VS, HS, Gastgewerb. Berufss. Gmunden, Koch u. Kellner, 1984 Konzessionsprfg. f. Gastgewerbe, Lehrzeit Prielmayrhof, Linz. K.: 1983 Kellner Restaurant "Bardolino" Linz-Leonding, 1984 Alleinkoch Alpengasthof Peter Rosegger, Ramsau/Dachstein, 1984-85 Commis Tournant, Rest. "Korso" (Hotel Bristol) Wien, bei Reinhard Gerer, Vertretung d. Demi Chef de Partie, 1985-87 Koch, Rest. "Kremsmünster Stuben", Linz, seit 1988 Küchenchef. E.: 1989 Ausz. nach Gault-Millau m. einer Haube, 1992 zweite Haube f. typ. österr. Küche f. Engagement u.d. kulinarische Erlebnis OÖ v. Landesfremdenverkehrsverband OÖ, Linz, 1989. H.: Wandern i. Südtirol. (U.A.)

Ortner Albin Dr.

B.: RA. DA.: 9500 Villach, Postg. 6/IV. G.: Spittal/Drau, 6. Dez. 1934. V.: Friederike, geb. Breier. El.: Dr. Albin u. Helene. S.: Gymn. Spittal, Univ.Stud. Graz, prakt. Ausbild.

als Vermessungstechniker am Vermessungsamt Graz. K.: seit 1964 selbst. Anwalt, Gründer d. Künstlervereinigung Ktn. u. deren Präs. 1974-87, freischaff. Künstler, Revitalisierung kunsthist. bedeutsamer Gebäude u. Einrichtungen d. Cafe dell'arte, Cling Keller, Entwicklung d. Patenschaftsgedankens, 1969 Veröff. d. Manuskriptes "Paten v. Heute - Partner v. Morgen", Befassung m. d. Gedanken z. Evolution d. Rechts, Verfassung v. pol. Grundsatzprogrammen, mehrf. Gewinner alpiner u. nord. Bewerbe (Skilex) Vortragstätigk. zu kulturellen, pol. u. jurist. Themen.

Ortner Andreas Dipl.-Ing.
B.: Arch. DA. u. PA.: 8010 Graz, Charlottendorfg. 11. G.: Linz, 3. Juni 1957. V.: Dipl.-Ing. Gabriele, geb. Krieger. Ki.: Stefanie (1988). El.: Hermann u. Elfriede. BV.: Onkel Dr. Alfons Ortner Rektor d. Kunst-HS Linz. S.: VS, Gymn., HTL Fachrichtung Hochbau, 1978 Matura, Arch.-Stud. TU Graz, 1985 Grad., BH. K.: Tätigkeit b. Arch. Schyskowitz Kowalski Graz, Ltr. d. Planung b. einem Bauträger, versch. Arch.-Büros, 1991 Ziviling.-Prüf. u. Befugnis, seit 1990 als Baukünstler tätig, eigenes Arch.-Büro in Graz. BL.: Leistungssportler, Kunstturner, VJugendlandesmstr. u. Steir. VLandesmstr. d. Herren, Trainertätigkeit während d. Stud. H.: Beruf, Familie. (M.Gr.)

Ortner Andreas

B.: Gschf. FN.: Andreas Ortner GmbH. DA.: 5270 Mauerkirchen, Untermarkt 1. PA.: Moosbach, Schacha Neubau. G.: Moosbach, 27. Sep. 1944. V.: Ursula, geb. Mathis. Ki.: Manuela (1964), Andrea (1967), Christian (1968). El.: Josef u. Marianne Braumann. S.: VS, HS, Fleischhauerlehre m. Gesellenprüf. K.: 5 J. Tätigkeit in einer Großmetzgerei in d. Schweiz, 1966 nach Österr. u. m. Stiefvater d. Viehhdl. aufgebaut, 1968 Übernahme d. Geschäftes: Reisebüro. M.: diverse Sportver., Kameradschaftsbund, versch. Kam. H.: Lesen, Fußball, Reisen. (D.E.)

Ortner Anna-Louise
B.: Unternehmern, Gschf. Hotel "Terminus". DA.: 1060 Wien, Fillgraderg. 4. G.: Schweden, 23. Juli 1953. Ki.: Christian (1976), Anna-Karin (1979). El.: Gösta u. Maja. S.: VS, HS, 1972 Matura in Schweden. K.: 1973 Aufenthalt in Basel, Tätigkeit in d. Hotel- u. Restaurantbranche, 1974 Ndlg. in Österr., 1974-74 Parkhotel Schönbrunn, 1990 Eröff. einer Pizzeria im 16. Bez., seit 1992 Führung d. Hotels "Terminus". H.: Spazierengehen. (N.A.)

Ortner Anton Dr. med. Univ.Doz.
B.: selbst. FA f. Frauenheilkunde u. Geburtshilfe. G.: Außervillgraten, 25. Febr. 1944. V.: Ingeborg, geb. Entholzer, 4 Kinder. El.: Johann u Anna. S.: Hum. Gymn. Paulinum Schwaz, Stud. an d. Med. Fak. Innsbruck, 1968 Prom., Turnus in Hochzirl, Kitzbühel u. Univ.Klinik, 1 J. Path. Innsbruck, Fachausbild. Univ.Frauenklinik Innsbruck, 1976 FA f. Frauenheilkunde u. Geburtshilfe, 1977 Auslandsaufenthalt in New York, Mount Sinai Hospital, 1983 Habil. K.: b. 1987 Univ.Frauenklinik Innsbruck, seit 1987 selbst., 1980 Zusatz-FA f. Zytodiagnostik. P.: ca. 50 wiss. Publ. E.: Max Kade-Stipendium 1977 USA. M.: Intern. Academy of Cytology, Mtgl. d. österr. Ges. f. Gynäkologie u. Geburtshilfe, Mtgl. d. österr. Ges. f. Zytologie, Mtgl. d. Dt. Ges. f. Gynäkologie u. Geburtshilfe. H.: Sport, klass. Theater, Musik. (D.S.)

Ortner Christine
B.: Gschf. Ges. d. Willi Rogen Autohandels GmbH & Co KG. DA.: 9900 Lienz, Kärntner Str. 36. PA.: 9900 Oberlienz 186. G.: Lienz, 1. Aug. 1950. V.: Peter Ortner. Ki.: Robert, Christian u. Angelika. El.: Willli u. Berta Rogen. S.: HASCH. K.: 1967 Eintritt in d. elterl. Betrieb, 1976 Übern. d. Betriebes zus. m. Schwester Helga Ram. H.: Skilauf, Bergwandern, Reisen, Motorradfahren. (A.L.)

Ortner Elfriede
B.: Inh. d. Mannequin-, Dressman- u. Ges.Schule Ortner. DA.: 8010 Graz, Schumanng. 6. V.: Günther. Ki.: Sieglinde. El.: Dziewulski Emil u. Josefine. BV.: Vorfahren väterlicherseits entstammen d. poln. Adel. S.: VS, Kunstgewerbeschule. K.: Schaufensterarrangeurin, Mannequin, seit 1951 in d. Modebranche tätig, 1961 Eröff. d. Mannequinschule Ortner. H.: Malen, Handarbeiten, Kochen. (R.A.)

Ortner Elisabeth

B.: Gschf. Ges. FN.: "Altes Brauhaus" Tourismus GmbH. DA.: 3203 Rabenstein, Marktpl. 5. G.: Rabenstein, 22. Juni 1956. Ki.: Sabine (1978), Martin (1980). El.: Franz u. Aloisia Ortner. S.: VS, 1974 AHS-Matura. K.: ab 1974 im Gastgewerbe tätig, 1978 Kauf u. Renovierung d. Gasthauses "Altes Brauhaus" Rabenstein u. 1979 Eröff. H.: Lesen, Handarb. (M.M.)

Ortner Elmar

B.: Kfm. Ltr. FN.: Cornelia Versand GesmbH & Co. KG. DA.: 6840 Götzis, Lastenstr. 55. G.: Bregenz, 17. Aug. 1955. V.: Irene, geb. Fussi. Ki.: Sonja (1982), Claudia (1985). El. Hans u. Theresia. S.: 4 J. Bundesrealgymn. Bregenz, 3 J. HASCH Bregenz, berufsbez. Weiterbildg., 1973-74 BH. K.: 1974 Eintr. Vertrieb Neue Vorarlberger Tageszeitung, 1976 Stv. Vertr.-Ltr., 1978 Vertr.-Ltr., 1982 Betriebsltr. 1986 kompl. Abowerbg., 1988 Prok., seit 1992 kfm. Ltr. b. Cornelia Versand Götzis. H.: Radfahren, Skifahren, Schwimmen, Wandern, Musik, Reisen. (I.D.)

Ortner Erwin
B.: o.HS-Prof. HS f. Musik u. darstell. Kunst. DA.: 1010 Wien, Seilerstätte 6. PA.: 2371 Hinterbrühl, Gießhüblerstr. 25. G.: Wien, 15. Dez. 1947. V.: Annemarie, geb. Kläring. Ki.: Franz Thomas (1980), Elisabeth Maria 81982). El.: Erwin u. Erika, geb. Burkert. S.: Gymn., Stud. Musikerziehung, Kirchenmusik u. Gesang an d. HS f. Musik u. darstell. Kunst Wien. K.: 1972 Grdg. d. Arnold Schönberg-Chores u. Übernahme d. künstler. Ltg., Unterrichtstätigkeit an d. HS f. Musik u. darstell. Kunst, seit 1980 o.HS-Prof. f. Chorltg. u. chor. Stimmbildung, ab 1983 künstler. Ltg. d. ORF-Chores. H.: mod. Malerei, Gartenarb., Skifahren, Tennis. (N.A.)

Ortner Gerhard E. DDr. Priv.Doz.

B.: Inst.Dir. am LForschungszentr. FEoLL. A.: 1030 Wien, Bechardg. 17/9. G.: Graz, 18. Sept. 1940. El.: MinR. Dipl.-Ing. Erwin u. Erika. S.: Matura, Wirtschafts-, Rechts- u. Erziehungswiss. Univ. u. WU Wien, Dkfm., Mag. et. Dr. rer. soc. oec., Dr. rer. comm., abs. iur., Priv.Doz. an d. Gesamt-HS Paderborn. K.: Ass. an d. WU Wien u. Univ. Klagenfurt, Mtgl. d. Grdg.Aussch. d. Univ. Klagenfurt, Stellv. d. Grdg.Rektors 1971-72, wiss. Mitarb., Projektgruppenltr. u. Inst.Dir. am LForschungszentr. FEoLL, wiss. Berater d. Kultusmin. Nordrhein-Westf., freier Mitarb. d. ORF seit 1971. P.: Managementausbild. in Österr., Optimierungskriterien in d. betriebl. DV, Bildungs-Betriebslehre u.a. M.: Europ. Forum of Educational Administration, GPI - Ges. f. program. Instruktion u. Mediendidaktik e.V., Verb. f. Arbeitsstudien REFA e.V.

Ortner Gerlinde Dr.

B.: Psychotherapeutin, Psychologin, Buchautorin, Kolumnistin. DA. u. PA.: 1080 Wien, Tigerg. 11/16. G.: Schärding, 8. Okt. 1945. El.: Konrad u. Franziska Ortner. S.: Gymn. Wien, 1963 Matura, Stud. Psych., Anthropologie u. Kunstgeschichte Univ. Wien, 1972 Doktorat, Psychotherapeutenausbild., 1975 Abschluß. K.: Kinder- u. Jugendpsychologin, Psychotherapie f. Verhaltensstörungen b. Kindern u. Jugendl., intensive Beschäftigung m. Stottertherapien f. Kinder u. Erwachsene, anschl. Schuldir. einer Span. Schule in Barcelona, Lehrerausbild. in Spanien: Soz. Lernen, ab 1981 Psychotherapeutin in Wien, Schwerpunkt: Depressionen, Selbstsicherheitstraining, Phobien Tics, Partnerschaftsprobleme, seit 1982 Autorin Psycholog. Lebensberatungskolumnen im Kurier u. Topic-Jugendzeitschrift, Supervisorin u. Ausbildnerin f. angehende Psychotherapeuten. P.: 2 Bücher "Märchen, die den Kindern helfen", "Bescheidenheit ist keine Zier". H.: prakt. handwerkl. Tätigkeiten im Eigenheim, aktiv im Kinder-, Umwelt- u. Tierschutz, klass. Musik. (J.S.)

Ortner Gerold Dr. Mag. w.HofR.

B.: LAmtsdir. d. Stmk., Vorst. d. Präsid.Abt. GT.: Gschf. d. LKoordin.Aussch. Stmk. f. d. umfass. LV, Mtgl. d. Kmsn. d. ltd. Beamten d. Arb.Gem. Alpen-Adria, Mtgl. d. Gem. Österr.-Slow. Kmsn. f. d. Kl. Grenzverk. PA.: 8044 Graz, Maria Troster Str. 172b. G.: Graz, 2. Juli 1936. V.: Stefanie, geb. Harter. Ki.: Dr. iur. Harald (1961), Mag. phil. Sylvia (1964). El.: Karl u. Elfriede. S.: Gymn. St. Paul/L., Jusstud., Prom. 1959. K.: 1958-59 LSekr. d. Jungen ÖVP Stmk., 1960-63 LObm. d. Jungen ÖVP Stmk., 1960 Ref. b. d. BH Feldbach, 1963 Sekr. v. LHptm. ÖR Josef Krainer, 1971 Sekr. v. LHptm. Dr. Friedrich Niederl, Sekr. d. Landtagsklubs d. ÖVP, 1974 Ltr. d. Büros d. LHptm., 1976 Vorst. d. Kontrollabt., 1982 Wahl z. LRechnungshofdir., 1988 Bestell. z. LAmtsdir.Stellv. u. Vorst. d. Präsid.Abt., 1995 Bestell. z. LAmtsdir. P.: "Die Finanzkontrolle in d. österr. Bundesländern", "Schwerpunkte oder Finanzkontrolle", "Die Kontrolle im sozialen Wohnbau", "Die Finanzkontrolle im Wandel d. Zeit" E.: GVK d. Vo d. BRD, VK 1.Kl d. FwVerb, Go EZ d. JVP. M.: Forchtensteiner-Kreis, Akademikerbund. H.: Reisen, Marathon-Laufen, Tennis, Skifahren. (C.H.S.)

Ortner Günter

B.: Unternehmer. FN.: Alarm- u. Sicherheitstechnik. DA.: 8041 Graz, Eichbachg. 15. G.: Graz, 19. Juli 1939. V.: Hildegard, geb. Bernhart. Ki.: Daniela (1977), Wolfgang (1981), Katharina (1983). El.: Stefan u. Theresia. S.: freiwilliger Präsenzdienst, Lehre. K.: ab 1961 div. Verkaufstätigkeiten, ab 1976 techn. Ang. in d. Alarm- u. Sicherheitstechnikbranche, 1985-87 Gschf., 1988 Grdg. d. eigenen Firma. M.: HK-Aussch. H.: Modelleisenbahn, sammeln v. Pfeifen, Wandern. (P.M.)

Ortner Gustav Dkfm. Dr.

B.: Botschafter, Chef d. Protokolls. FN.: Bundesministerium f. Auswärt. Angelegenheiten. DA.: 1014 Wien, Ballhauspl. 2. G.: Wien, 17. Feb. 1935. El.: Prof. Dr. Gustav u. Dr. Felizitas. BV.: Urgroßvater Dr. Adolf Weiss v. Tessbach, Hof- u. Gerichtsadvokat Wien (Großgrundbesitzer). S.: 1945-53 Humn. Gymn. i. Wien 13, 1953-58 HS f. Welthandel, 1958-60 Public Relations (Hager Werbung KG). K.: 1960-62 Außenamt Wien, 1962-67 Botschaft b. Hl. Stuhl, 1967-70 Sekretär v. Bundeskanzler Dr. Josef Klaus, 1970-73 Österr. Botschaft Paris, 1973-75 Österr. Botschaft Israel, 1975-77 Außenamt Wien, 1977-78 St. Vertr. b. d. VN New York, 1979-88 Dir. d. Sicherheitsrates, Sekretariat d. VN New York, s. April 1988 Chef d. Protokolls; Musikalische Ausb.: Absolvent d. Konservatoriums d. Stadt Wien, Fachprüf. i. Klavier, mehrere Auftritte i. privaten u. öff. Kreis i. Klavier. M.: St. Johanns-Club Wien, Jockey Club Wien, The Century Association New York, Direktorium d. Ges. d. Musikfreunde, Ritter d. souv. Malteser Ritterordens. E.: Gr. Silb. EZ d. Rep. Österr., Großkreuz d. Malteser Ritterverdienstordens, Großkreuz d. Rep. Italien, Großkreuz d. königl. Jord. Ordens, Großkreuz d. Fürstentums Liechtenstein, Großkreuz d. niederl. Ordens v. Oranien-Nassau, Großoffizierskreuz d. syr. Verdienstordens, Großoffizier d. Dt. Verdienstordens, u.v.m. H.: Musik, Kunst, Geschichte, Reisen, Fremdsprachen. (H.S.)

Ortner Heinz Dr. iur.

B.: selbst. RA. DA.: 4810 Gmunden, Kircheng. 6. PA.: 4810 Gmunden, Wunderburgstr. 3. G.: Bruck a. d. Mur, 2. Jan. 1934. V.: Barbara, geb. Calvert. Ki.: Mag. Alexander (1965), Philipp (1970). El.: Dr. Karl u. Freya. S.: Gymn. Graz, 1952 Matura, 1952-57 Stud. d. Rechtswiss. Univ. Graz, 1953-54 Fullbrightstip. in Lexington/Virginia. K.: 1957-60 Richteramtsanwärter in Graz, 1960-67 Konzeptbeamter b. Finanzpr. Wien, 1967 Kanzleieröffn. in Gmunden, als Wirtschaftsanw. Österreichweit u. in d. USA u. Großbritannien; 1967-87 Gemeinderat in Gmunden (Rechtsausschuß). P.: zahlr. Fachp. f. ÖJZ u. internat. Fachp. (Themen: z.B. "Letztwillige Erklärungen in Österreich", "Schiedsgerichtsverfahren" (1975). M.: seit 1967 Vorst. Tennisclub Gmunden, M.: Tennis (erfolgreiche Wettkampfteilnehmen). (P.H.)

Ortner Helmut Prof.

B.: Dir. u. Ltr. d. Linzer Kellertheaters, Reg. u. Schauspieler. DA.: 4020 Linz, Hauptpl. 21. PA.: 4053 Haid, Im Kornfeld 15. G.: Aschach/Donau, 11. Apr. 1927. V.: Elisabeth, geb. Stanzel. Ki.: Wolfgang. El.: Josef u. Hildegard. S.: Pflichtschule, HASCH. K.: 1942-44 Bankang. d. Hansa-Bank Schlesien AG, 1944-46 RAD, Kriegsmarine u. Gefangenschaft, Ausbild. z. Schauspieler in d. Alp-Film Schule, Ass., Privatunterr. b. Prof. Niederführ u. Wolfgang v. Hebenstreith, 1950 Bühnenreifeprüf. als Schauspieler, jugendl. Hauptrolle im Film "Der Loibnerbauer", 1949-85 v. techn. Ang. z. Abt.-Ltr. in d. Walzwerken d. VOEST-ALPINE, Mitbegr. d. VOEST-Bühne, d. Linzer Zimmertheaters u. 1953 d. Linzer Kellertheaters, Engagements am Linzer Landestheater in d. Spielzeit 1955/56, 1957 Übern. d. Ltg. d. Linzer Kellertheaters, Gastspiele in Oö, Ktn., Sbg., Tirol, Vbg. u. BRD, 1966 Gastregie Atelier-Theater Bern/CH, Regie b. Großveranst. d. OÖ Jugendorgan. im Linzer Vereinshaus u. im Brucknerhaus, Gestalt. d. Linzer Adventsingens im Brucknerhaus u. div. Chorkonzerte m. Brauchtum, Tanz u. Rezitation, Regie b. "Alpenländ. Advent" in d. Wr. Stadthalle 1982-84, 1969 Ernenn. z. Kons. d. OÖ LReg., Sprecherzieh., Rhetorikschulungen, Jurorentätigk. b. Redewettbewerben, Theatersem. f. Amateure in Südtirol u. d. österr. Bundesländern. P.: z. Thema Aufgaben d. Amateurtheaters in Fachzeitschr. sowie Vorträge. E.: 1978 Ehrenplakette f. hervorrag. Leistungen u. Verd. um d. Stadt Linz, 1978 Silb. EZ f. Verd. um d. Rep. Österr., 1984 Prof., 1988 Gold. EZ d. Landes OÖ.

M.: seit 1973 Obm. d. OÖ LVerb. f. Schulspiel u. Amateurtheater, Mtgl. d. Bachlchores als Sänger u. Rezitator. H.: Garten, Singen, Lesen. (M.B.)

Ortner Helmut Dr. iur.

B.: Mtgl. d. Geschäftsltg., Prok. FN.: Hatschek & Cie. GT.: Gschf. d. Koflach Sport GmbH, d. Spero Baustoffe GmbH u. d. Durisol Werke GmbH Nfg. KG. DA.: 4840 Vöcklabruck, Eternitstr. 34. PA.: 4040 Linz, Mengerstr. 19. G.: Ried, 17. Okt. 1936. El.: Dr. Walter u. Ernestine. S.: VS, Hum. Gymn. Kremsmünster, 1955 Matura, Stud. Univ. Wien, 1961 Prom. K.: OÖ Finanzverw. als Ref. u. Mtgl. d. Berufungskmsn., 1968-71 Rechnungshof, Min.Kmsr., 1971-72 Revisor b. Austria Wirtschaftsprüf. AG, 1972 Eternitwerke Ludwig Hatschek als Abt.Ltr. f. Steuern u. Bilanzen betreffend d. Unternehmen d. Ges. Dipl.-Ing. Fritz Hatschek u. Dipl.-Ing. Rupert Hatschek, seit 1975 Prok. Eternit Zementwerk, seit 1985 Prok. Durisol Werke, seit 1985 Gschf. Spero, seit 1986 AufsR. d. Koflach Sport GmbH, seit 1987 Gschf. Koflach GmbH, seit 1987 Prok. Koflach Sport GmbH & Co KG. BL.: Mitarb. b. Sanierung Durisol GmbH Nfg. KG, Mitarb. b. Sanierung d. Koflach Sport GmbH & Co KG. M.: Rotary Club Vöcklabruck/Attersee, Segelclub Traunkirchen, ÖSV Mtgl., ÖAV, ÖTV, Wirtschafsforum d. Führungskräfte. H.: Segeln, Skifahren, Reisen, Wandern, Jazz. (H.Z.)

Ortner Helmut Ernst Dipl.-Ing.

B.: freischaff. Arch., Inh. Ziviling.-Büro Dipl.-Ing. Ortner. DA.: 4020 Linz, Pfarrg. 20, 4040 Puchenau, Reisingerweg 23. PA.: 4040 Puchenau, Reisingerweg 23. G.: St. Valentin, 23. Aug. 1937. Ki.: Andreas (1964). El.: Josef u. Marianne. S.: 1956 HTL Hochbau Linz, 1956-58 Tätigkeit b. Landesrg. in Linz, 1958-65 Arch.-Stud. TU Wien. K.: 4 J. Praxis b. Prof. Perotti Linz, seit 1969 selbst., Eröff. d. Arch.-Büros, Ziviltechnikerprüf., 1985 Grdg. d. Büro im Reisingerweg, wichtigste Projekte: Sportbauprojekt (Ausbau d. Linzer Stadions u. Bez.-Sportanl. in Linz), Intern. Projekte (Polen, CSFR, Rußland), Nat. Projekte (Hotelbau, Projekte f. Gesundheitswesen). BL.: Tormann in Staats- u. Bundesliga SAK-Sbg. u. SVS-Linz. P.: 1970 Mitautor d. Forsch.-Arb. in Buchform "Wohnmobile". M.: Grdg.-Mtgl. Kiwanis-Kepler Linz. H.: Sport, Golf, Tennis, Skifahren, Schwammerl suchen. (U.E.)

Ortner Johannes Dr. Prof.

B.: Gschf. d. Österr. Ges. f. Weltraumfragen Ges.m.b.H. DA.: 1090 Wien, Garnisong. 7. PA.: 1010 Wien, Nibelungeng. 3/1/1/6. G.: Wien, 31. Mai 1933. V.: Martina, geb. Haffner. Ki.: Nikolaus, Marie-Therese. El.: Prof. Dr. Gustav u. Dr. Felicitas. S.: 1943-51 Hum. Gymn. Wien, 1951-57 Stud. d. Elektrotechnik u. Techn. Physik an d. TU Wien, 1957-60 Stud. d. Meteorologie u. Geophysik an d. Univ. Wien, 1960 Prom. K.: 1957-62 Physiker am Geophysikal. Observatorium d. Kgl. Ak. d. Wiss. in Kiruna, Schweden (verantwortl. f. d. 1. schwed. Weltraumprogramm), 1962-73 b. d. Europ. Weltraumorgan. ESA in Paris, 1968-73 dort stellv. Dir. f. Programmplanung, s. 1974 Gschf. d. Österr. Ges. f. Weltraumfragen Ges.m.b.H. (ASA) in Wien. M.: 1987-90 stellv. Vors. d. Wiss. Programmkomitees (SPC) d. Europ. Weltraumorgan. ESA, 1986-88 Präs. d. Intern. Astronaut. Föderation (IAF), s. 1988 Mtgl. u. s. 1991 Stellv. Vors. d. "Board of Directors" d. intern. Weltraum-Univ. (ISU),s.1993 Vizepräs der EURISY. (P.R.)

Ortner Josef Dr. nat. techn. Dipl.-Ing. HofR.

B.: OForstmstr. d. Österr. BForste. DA.: 5020 Salzburg, Paracelsstr. 4. PA.: 5411 Oberalm 615. G.: Radstadt, 2. Aug. 1928. V.: Helene, geb. Sallmayer. Ki.: Dr. med. Gerhard, Gabriele, Ingrid. El.: Johann u. Juliana. S.: 1947 Matura, Stud. HS f. Bdk., 1951 Grad., 1953 Prom. K.: BMLF, 1955 Holzwerke Schleussner Mödling, 1956 Österr. BForste Gen.Dion., 1965 Übernahme d. Forstverw. Lend im Pinzgau, Verlegung d. Forstverw. nach Schwarzach, 1980 Ltg. d. Insp. VII Tir., 1981 Übernahme d. Ltg. d. Insp. VI in Sbg. P.: zahlr. Art. in Fachzeitschriften. E.: 1986 HofR. H.: Jagd, Fischerei. (A.W.)

Ortner Judith

B.: Kunstbuchhändlerin. DA.: 1010 Wien, Sonnenfelsg. 8. PA.: 1200 Wien, Vorgartenstr. 69/3/40-41. G.: Stumm, 29. Okt. 1961. El.: Ortner Hermann u. Theresia. BV.: Onkel Johann Eberharter ist Krippenschnitzer. S.: musisch-päd. Gymn., Abiturientenkurs HAK. K.: Ang. in einer Kunstgalerie in Düsseldorf, seit 1982 selbst. Kunstbuchhändlerin. M.: Buchhändlerverb. (Bauer)

Ortner Laurids

B.: Arch., Designer, Künstler. DA.: 1070 Wien, Döblerg. 4. G.: Linz, 1941. S.: 1959-65 Arch.-Stud. TU Wien, Dipl.-Ing. K.: 1967 Mitbegründer d. Arch.-, Designer- u. Künstlergruppe Haus-Rucker-Co Wien, 1970 Übersiedlung nach Düsseldorf, Einrichtung eines Ateliers Haus-Rucker-Co m. Günter Zamp Kelp u. Manfred Ortner, 1971-77 2. Studio in New York, 1976 HS f. künstler. u. industrielle Gestaltung Linz, b. 1987 als o.Prof. Ltr. d. Mstr.-Kl. f. Visuelle Gestaltung, 1977 Grdg. Österr. Inst. f. Visuelle Gestaltung Linz m. Helmuth Gsöllpointner, b. 1981 Inst.-Ltr., 1987 Prof. f. Arch. Staatl. Kunstak. Düsseldorf, 1987 Grdg. Büro Ortner Arch. zusammen m. Manfred Ortner Düsseldorf, zahlr. Ausstellungen im In- u. Ausland u.a. Deutschland, New York, Wien, London, Florenz, Venedig, Paris, Eindhoven, Florenz, Den Haag, Asperen. E.: 1979 Kuntpreis Berlin f. d. Sparte Arch. durch d. Ak. d. Künste Berlin, 1982 Bauherrenpreis f. Bene Geschäftsstellen, 1986 Kulturpreis d. Landes OÖ f. Arch., 1988 Bauherrenpreis f. d. Bene Verw.-Bau Waidhofen, Österr. Staatspreis f. Bene Büromöbel.

Ortner Manfred

B.: freischaff. Künstler u. Arch. DA.: 1070 Wien, Döblerg. 4. G.: Linz, 1943. S.: 1961-67 Stud. Malerei u. Kunsterziehung Ak. d. bild. Künste Wien, Stud. Geschichte Univ. Wien, Mag. art. K.: 1966-71 Lehrtätigkeit als Kunsterzieher am Gymn. Rohrbach, 1971 Übersiedlung nach Düsseldorf, freischaff. Künstler u. Arch. in d. Gruppe Haus-Rucker-Co Düsseldorf gemeinsam m. Laurids Ortner u. Günter Zamp Kelp, zahlr. Vorträge u. Gastseminare im In- u. Ausland u.a. Düsseldorf, Berlin, Stuttgart, Amsterdam u. Den Haag, 1985-86 Doz. f. Formgebung an d. TH Eindhoven, 1987 Grdg. Büro Ortner Arch. zusammen m. Laurids Ortner Düsseldorf.

Ortner Martin

B.: Mtgl. d. Wr. Symphoniker. DA.: 1060 Wien, Leharg. 11. PA.: 1080 Wien, Albertg. 5. G.: Waidhofen/Ybbs, 1. Febr. 1955. El.: Edmund u. Anna-Maria. BV.: Ururgroßvater Ludwig Ortner hoher Bmtr. im k.u.k. Finanzmin., Vater Edmund Ortner Bez.-Insp. b. d. Gendarmerie. S.: HASCH Waidhofen, m. 9 J. Geigenunterricht in Waidhofen b. Dr. Stepanek, ab 1973 Musik-HS Wien b. Prof. Führlinger Viola, neben d. Stud. Tanzmusiker b. einer Allroundkapelle. K.: ab 1976 Mtgl. d. Staatl. Wr. Volksopernorchesters als Stimmführer d. Bratschen, ab 1977 Gesangstud. in d. Musik-HS b. Prof. E. Gilsdottir als Tenor, nebenbei Konzertsänger u. b. Hochämtern, seit 1981 Mtgl. d. Wr. Symphoniker. E.: 1980 b. Privataudienz b. d. Span. Königin Hauskonzert im Königspalast. M.: Mtgl. mehrerer Ensembles z.B. Ensemble Bella Musica, Ensemble Wr. Konzertver., Ensemble Wr. Kammermusiker. H.: Darjeelingtees. (J.S.)

Ortner Otto Ludwig Dr.

B.: RA, gerichtl beeid. Dolmetscher f. Engl. u. Franz. DA.: 1010 Wien, Strauchg. 1. PA.: 1190 Wien, Iglaseeg. 44. G.: Wien, 12. Febr. 1936. V.: Gloria, geb. Mihsbichler, 1 Sohn, 1

Tochter. El.: Univ.-Prof. Dr. phil. Gustav u. Dr. Felicitas, geb. Weiss v. Tessbach. S.: Hum. Gymn., 1954 Matura, Besuch d. Univ. in Wien, Princeton New Jersey, Sorbonne Paris, 1959 Prom. K.: Gerichtsj. im LG, HG u. BG Wien, 1960-67 RA-Anw., 1970 Eröff. d. Praxis, Syndikus Kontrollbank AG, Univ. Sprachprüf. in Engl. u. Franz. 1976, Grdg. d. Kzl. Dr. Otto Ortner u. Dr. Peter Pöch u. seit 1984 L. Foramitti. P.: 1988 Buchveröff. "Sonnenaufgang über Österreich" Gedichte, Dramen, Aufsätze, Verlag Haag & Herchen Frankfurt, 1969-92 zahlr. rechtswiss. Veröff. M.: Jurist. Ges. Wien, Ver. d. Freunde d. Fak. d. Rechts- u. Staatswiss. d. Univ. Wien, Ges. d. Freunde d. bild. Künste, Ges. d. Musikfreunde, Mtgl. d. Wr. Parkklub-Tennis, St. Johannes Club, Freunde d. Bayreuther Festspiele. H.: Tennis, klass. Musik, Literatur, Geschichte, Schwimmen, Skilaufen, Bergwandern. (C.K.)

Ortner Wolfgang Ing.

B.: Vers.-Dir. Anglo Elementar. DA.: 6850 Dornbirn, Bahnhofstr. 23. PA.: 6850 Dornbirn, Tobelg. 47. G.: 4. Mai 1951. Ki.: Junge (1979), Mädchen (1982). BV.: Prof. Dr. Franz Ortner Chefred. d. Vbg. Nachrichten. S.: Realschule Dornbirn, HTL Mödling Elektrotechnik, Abschluß Ing., Univ.-Lehrgang f. Vers.-Wirtschaft WU Wien, Abschluß m. Berufsbezeichnung akad. geprüfter Vers.-Kfm. (W.R.)

Osberger Helmut Ing.

B.: Gschf. u. Weingutbes. DA.: 3491 Straß, Talstr. 220. PA.: 3491 Straß 94. G.: Straß/Krems, 15. Jan. 1925. S.: Mittelschule, höhere Fachschule, Weinbauing. K.: Prakt. Ausbild., 2 1/2 J. Kriegsdienst, danach Weiterstud. in höherer Fachschule, bed. Kriegsinvalidität, Familienbetr. in d. russ. Zone Österr. total geplündert, Wiederaufbau, Übernahme d. Betriebes 1949, systemat. Aufbau d. Weingutsbetr. m. Wein- u. Obstbau, Viehwirtschaft u. Weingroßhdl., seit 1960 Funktionär d. HK NÖ, seit 1965 in d. BHk, Gründer u. Führer einer unpolit. Liste, seit 1985 GemR. d. Großgem. Straß. F.: Großhandelsuntern. seit 1970 GmbH, Gschf. Alleinges., ebenso b. d. neu gegr. "Klosterhof St. Michael Weinkellerei GmbH", Entwicklung z. größten Privatuntern. dieser Art in Österr., Prinz v. Anhalt Weinkellerei GmbH (seit 1982). P.: Zahlr. Fachart. in d. österr. u. dt. Fachpresse. E.: 1985 Staatl. Ausz., z. 21 mal höstpräm. Weingut Österr. M.: Donau-Europ. Inst., HK NÖ u. BHK, Dt. HK in Österr., Schweiz. HK in Österr. H.: Ski, Jagd, Reiten, Antiquitäten, Reisen u. Musik. (Kern)

Oschmautz Friedrich Dir.

B.: Geschäftsltr. Raiffeisenbank Bleiburg. DA.: 9150 Bleiburg, 10.-Oktober-Pl. 13. PA.: 9150 Bleiburg, Kossmannweg 8. G.: Jerischach b. Miklauzhof , 9. Juli 1938. V.: Hermine, geb. Gaug. Ki.: Harald (1963). El.: Thomas u. Katharina. S.: VS, HS, HAK Klagenfurt, 1956 Matura, BH. K.: 1956 Eintritt in d. Raiffeisenverb. u. seit 1962 Geschäftsltr. in Bleiburg. BL.: 1966-76 Grdg.-Gschf. d. Petzenlift GmbH, seit 1970 Obm. d. Geschäftsltr.-Ver. d. Raiffeisenbanken Ktn., 1982-85 Bundesobm. d. Geschäftsltr.-Ver. d. Raiffeisenbanken Österr., seit 1991 AufsR.-Vors. Raiffeisenverb. Ktn., seit 1978 AufsR.-Vors.-Stellv. d. Ktn. Bergbahnen u. Bergstraßen, 1973-91 GemR., StadtR. u. 1979-91 1. VBgm. d. Stadtgem. Bleiburg. P.: div. Abhandlungen aus berufl. u. polit. Tätigkeit in versch. Publ. M.: seit 1973 Obm. Skiclub Petzen, seit 1991 VPräs. Landesskiverb. u. Finanzref., Lions Club Bleiburg, div. örtl. Ver. H.: Skifahren, Bergsteigen, Tennis, Kultur. (G.L.)

Oskar Raimund

B.: Schauspieler am Theater in d. Josefstadt u. Hamburger Kammerspiele. PA.: 1070 Wien, Kaiserstr. 62/7. G.: St. Johann im Pongau, 25. Febr. 1948. V.: Irene, geb. Trawöger, 3 Kinder. El.: Heinz u. Maria Dürl, geb. Schnelzer. S.: 1971-74 Schauspielschule Kraus Wien u. Reinhardt-Seminar b. Vera Balser-Eberle (Sprecherziehung). K.: ab 1974 Engagements an div. Theater: Burgtheater, Theater d. Jugend, Theater an d. Wien, "Tribüne", 1979-83 im LTheater Innsbruck tätig, "Fast ein Hamlet", "Egmont", "Maß für Maß", "Richard III.", 1983-84 Engagements b. Hamburger Kammerspielen, 1984-88 Theater in d. Josefstadt, seit 1988 Darstellung d. klass. Poesie m. Gastspielen in ganz Österr., Teilnahme an versch. Festspielen in Österr. u. Deutschland, Film- u. Fernsehproduktionen u.a. "Königsdramen". H.: Musik (insbes. Beethoven), Fußball, Literatur, Kochen. (N.A.)

Osond Anton Dr.

B.: Gen.-Dir., AufsR.Vors. FN.: Österr. Investkredit AG. GT.: Vorst.Mtgl. Verb. österr. Banken u. Bankiers Wien, AufsR.Vors.: Meinl Bank AG Wien, Österr. Kommunalkredit AG Wien, VBV Anlagevermittlungs u. Beteiligungs AG Wien, AufsR.: Wienerberger Baustoffind. AG Wien, Wilfried Heinzel AG Wien, W. H. Holding AG Wien, BeiR.: Wr. Allianz Vers. AG Wien, Wr. Allianz Lebensvers. AG Wien, Horizonte Venture Management GmbH Wien, Roland Berger & Partner GmbH Wien. DA.: 1013 Wien, Renng. 10. M.: Mtgl. d. Kurat. d. Österr. Inst. f. Wirtschaftsforsch., Vorst.-Mtgl. Donaueurop. Inst. Wien.

Osond Antonia Verena Cornelia Maria

B.: Sängerin. PA.: 1180 Wien, Pötzleinsdorfer Str. 36. G.: Wien, 1. Nov. 1961. V.: Anura Tennekoon. El.: Bankdir. Dr. Anton u. Gerda Osond, geb. Striebe. BV.: Ururgroßvater Eugen Scribè Autor "Glas Wasser". S.: 1979 Matura, b. 1984 Stud. Gesang an d. Ak. f. Musik u. Darstell. Kunst u. Privatunterricht, Gesangstud. Barcelona. K.: Gastrollen im Raimund Theater Wien, 1986 Gastspiel b. d. Laxenburger Sommerspielen, 1986 Gastkonzert in New York, 1987-89 Engagement in Koblenz, Gastrollen an d. Volksoper Wien, 1989 Mitwirkung im "Belvedere", 1990 Bregenzer Festspiele, versch. Konzerte in Wien, Koblenz, Bregenz, Fernsehgast im Senioren-Club. H.: Reisen, Windsurfen, Squash, Lesen. (M.G.)

Osou Erich Ing.

B.: Gschf. Ges., Techniker. FN.: CSO EDV-Dienstleistungen GmbH. DA.: 1230 Wien, Gatterederstr. 20. PA.: 2511 Pfaffstätten, Johann Höslg. 17A. G.: Klagenfurt, 4. Mai 1958. V.: Helga. Ki.: Alexander, Daniela. El.: Anton u. Martha. S.: HTL, Ing. K.: IBM Service Techniker, Computer Techniker b. Fa. Mai Salzburg, Int. Serviceltr. SLT v. 1985-1987, ab 1987 selbst., Soft- u. Hardware Betreuung b. z.B. Lauda Air, Giro-Credit, Raiffeisenzentralbank. E.: Firmenauszeichnungen. M.: Tennisclub Pfaffstätten. H.: allg. Sport, Familie, Bauernhof. (W.M.)

Ossmann Peter Dr. med. MedR.

B.: FA f. Zahn-, Mund- u. Kieferheilkunde. DA.: 1090 Wien, Liechtensteinstr. 60. G.: Bojan-Czernowitz/Rum., 2. Nov. 1926. V.: Dkfm. Ingrid, geb. Hansel. Ki.: Dr. Werner (1965), Claudia (1968). El.: Rudolf u. Maria. S.: Matura in Wien, Med.-Stud. an d. Univ. Wien. K.: Ass. an d. Univ.-Zahnklinik Wien, anschl. 8J. Zahnarzt am Sanatorium Hera Wien, ab 1966 niedergel. Zahnarzt in Wien. E.: 1991 MedR. H.: Jagen, Fischen, Theater u. Sport, bes. Tennis. (J.S.)

Baron v. d. Osten-Sacken-Tettenborn Michael

B.: Gschf. FN.: Kienbaum Beratungen GmbH Wien. DA.: 1010 Wien, Tuchlauben 8. PA.: 2380 Perchtoldsdorf, Dr.-Gorlitzer-G. 3. G.: Mohrungen, 4. Juli 1943. V.: Doris, geb. Langer. Ki.: Katharina (1974), Alexandra (1976), Georgi (1979). El.: Georgi u. Anna-Maria, geb. Neumann. BV.: Ururgroßonkel Tettenborn war Generalmjr. d. Russ. Armee während d. Napoleonischen Kriege. S.: 1962 Matura Hamburg, Stud. Rechtswiss. Univ. Hamburg. K.: 1964-69 Bankang., 1970-81 Speditionsang. u. Kfm., s. 1982 Personalberater. H.: Theater, Musik, Literatur, Handball, Bogenschießen, Falknerei. (N.A.)

Osterider Adolf Anton Mag. art. OStR. Prof.

B.: ak. Maler. DA.: 8020 Graz, Herrgottwiesg. 81. G.: Graz, 18. Juni 1924. V.: Heide, geb. Stibor. Ki.: Martin, Stefan. El.: Anton u. Maria. S.: Kunstgewerbeschule, Keramik u. HTBLA, Mstr.Kl. f. Malerei Graz, Ak. d. bild. Künste Wien, Mstr.Kl. Prof. Sergius Pauser, 1951 Dipl. z. Ak. Maler u. Mag. art. K.: 1956-86 Lehrtätigkeit an d. HTBLA Graz, 1965, 1966, 1969 Lehrauftrag an d. Intern. Sommerak. f. Bild. Kunst Sbg., 1972-92 künstl. Ltr. d. Sommerseminars f. Kreatives Sehen u.Gestalten in Schladming, 1976-86 Lehrauftrag an d. Päd. Ak. d. Bundes Graz, Ausstellungen im In- u. Ausland u.a. Albanien, Amerika, BRD, Frankreich, Italien, Kroatien, Slowenien, Spanien, Lettland. P.: 1984 Monographie m. Texten v. Walter Koschatzky u. R. Rubinig, Adolf A. Osterider, Aquarelle, Leykam Verlag. E.: 1959 Ottokar-Kernstock-Preis Hartberg, 1965 Silb. Ehrenmed., 1968 Kunstpreis, 1984 EZ in Gold d. LHauptstadt Graz, 1971 Max-Reinhardt-Med. d. Festspielstadt Sbg., 1984 Ehrenring d. Stadt Schladming, Gr. EZ d. Landes Stmk., 1988 Würdigungspreis d. Landes Stmk. f. bild. Kunst, 1989 Österr. EK f. Wiss. u. Kunst., Grdg.Mtgl. u. seit 1986 Präs. d. Stmk. Kunstver. Werkbund., 1994 Gr. Gold. EZ d. Landes Stmk. (C.H.S.)

Osterider-Stibor Heide

B.: Malerin. DA.: 8020 Graz, Herrgottwiesg. 81. G.: Pischelsdorf, 8. Nov. 1941. V.: Adolf Anton Osterider. Ki.: Martin, Stefan. El.: August u. Adelheid Stibor. S.: HTBLA Graz, Abt. f. Dekorative Gestaltung, 1959-61 Mstr.Kl. f. Malerei, HTBLA Graz. K.: Ausstellungen im In- u. Ausland u.a. Albanien, BRD, Frankreich, Italien, Spanien, Lettland, Kroatien, Slowenien, Personalausstellungen: 1983 Riga Lettland, 1984 Triest/Italien, 1985 Pula/Jugoslawien. P.: 1992 Monographie m. Texten v. Walter Koschatzky u. Heribert Schwarzbauer: Heide Osterider-Stibor. E.: Silb. Ehrenmed. d. LHpt.Stadt Graz 1975, Förderungspreis d. Stadt Graz 1979. M.: seit 1964 Mtgl. d. Stmk. Kunstver. Werkbund. (C.H.S.)

Osterkorn Fritz Dipl.-Ing.

B.: Vorst. d. Abt. Wasser- u. Ldw.-Bau. im Amt d. Vbg. Landesrg. DA.: 6900 Bregenz, Römerstr. 14. PA.: 6900 Bregenz, Arlbergstr. 139. G.: Bludenz, 25. Apr. 1942. El.: Ignaz u. Elisabeth. S.: 1960 Matura, 1960/61 Stud. Kulturtechnik Wien, 1961-68 Stud. Bauing.-Wesen Graz. K.: seit 1969 im Landesdienst (Landeswasserbauamt), seit 1974 dzt. Tätigkeit. E.: Gold. EZ f. Verd. um d. Rep. Österr. H.: Skitouren, Bergsteigen, bild. Künste. (A.K.)

Österle Walter KommR.

B.: Gschf. FN.: Österle Paul Einrichtungshaus KG. DA. u. PA.: 6850 Dornbirn, Marktstrass 30. G.: Dornbirn, 3. Mai 1932. V.: Alberta, geb. Trunsperger. Ki.: Klaus (1960), Susanne (1965). El.: Paul u. Olga. S.: Realgymn. Dornbirn, Matura 1952. K.: Mitarb. im väterl. Gesch., 1965 Gschf., Geschäftsvergröß., 1956-90 Gremium 23, Gremialvorst., Mtgl. d. Bundesgremiums, Prüf. im Wifi, 20 J. Vors. d. Prüf.-Aussch., Mtgl. Sektion Handel, 5 J. Sekt.-Obm., maßgebl. an d. Lohnverhandl. f. d. Hdl. in Vbg. beteiligt, 15 Mtgl. d. Gem.-Vertr. Dornbirn, langjähr. Mtgl. Kuratorium im Wifi, 5 J. Präsidium d. HK. E.: 1989 KommR. d. BPräs., Gr. Silb. Ehrenmed. d. HK, Gr. EZ d. Landes Vbg. H.: Reisen, Sport. (I.D.)

Ostermaier Ernst

B.: Kfm., Inh. FN.: Ernst Ostermaier - Brillenvertrieb. DA.: 2732 Oberhöflein, Quellenstr. 5. PA.: 2732 Oberhöflein, Quellenstr. 2. G.: Bad Aibling/Oberbayern, 23. Feb. 1941. V.: Brunhilde. Ki.: Harald (1962), Michael (1964). El.: Anton u. Maria. S.: 1947 nach Österr. gezogen, VS, HS, Lehre als Werkzeugmacher. K.: b. 1959 Tätigkeit Firma Anger Traun, ab 1964 Arbeitsvorbereiter, 1969 Abt.-Ltr. Metallbrillenherstellung, 1972 Produktionsltr. Firma Optico, seit 1975 selbst., Großhandel m. Brillenfassungen, seit 1983 Gen.-Repräsentant d. Fa. SAFILO, 1988 Ausbau d. Firma Ernst Ostermaier. E.: Österr. Musterbetrieb (Austria-Gütesiegel), ausgezeichneter Lehrlingsbetrieb. M.: Lions-Club, stellv. AufsR.-Vors. d. Raiffeisenbank Neunkirchen-Schwarzatal-Mitte, Araberzuchtver. H.: Pferdebesitzer, Fliegenfischen, Gartenbetreuung. (R.T.)

Ostermann Erich

B.: Inh. FN.: KFZ-Handel E. Ostermann. DA.: 1220 Wien, Voitg. 21. G.: Oberdorf, 29. Mai 1940. Ki.: Ingrid (1959), Mag. Karin (1968). El.: Felix u. Leopoldine. S.: VS. K.: zunächst in Landwirtschaft tätig, mit 19J. Arb. Krause-Autohandel, anschl. Autoverkäufer u. teilw. selbst. Handel, 1964 Grdg. Handel mit alten Autos in Wien 21., 1966 Schließ., 1967 Eröffn. eines Reifengeschäftes, 1968 Erwerb d. Gewerbescheines f. Verleih v. Kraftfahrzeugen, Autoverk.- u. Vermiet., Autoleasing, 1970 Verk. d. Reifengeschäftes, Erwerb u. Umbau d. Objektes in Wien 1., ab 1975 Autohandel, Reparaturarb. u. Spenglerarb., Autoverleih, 1987 Verk. d. Objektes, 1988 Selbstplan. eines neuen Gebäudes - 1991 Übern. d. Suzuki Vertret., Werkstatt, Leasingautos u. Verleih. E.: 1989 Ehrenurkunde d. Kammer. M.: Kammer. H.: Segeln, Reisen. (I.J.)

Ostermann Rudolf Dr. iur.

B.: Bgm. d. Gem. Kematen/Tir. GT.: Präs. d. Tir. Gem.Verb., 1. VPräs. d. Österr. Gem.Bundes. DA.: 6020 Innsbruck, Adamg. 7. PA.: 6170 Kematen, Huberangerweg 15. G.:

Kematen, 27. Okt. 1922. V.: Julie, geb. Brecher. Ki.: Margit, Gertraud, Rudi. S.: VS Kematen, 4 J. Militär, Gymn. Innsbruck, 1 J. Gefangenschaft, 1 J. Maturalehrgang, 1947 Matura, Jusstud. Univ. Innsbruck, 1950 Prom. K.: 14 Mon. Gerichtspraxis, nachher LLdw.Kam. in d. Rechtsabt., 1955-56 Gschf. d. Österr. Landarb.Kam., 1956 GR, seit 1959 Bgm. d. Gem. Kematen/Tir. E.: Gr. EZ f. Verd. um d. Rep. Österr., EZ u. Verd.Kreuz u. Sport-EZ d. Landes Tir., Ehrenring d. Gem. Kematen, d. Tir. u. d. Südtir. Gem.Verb. M.: Ehrenlt. b. d. Schützenkompanie. H.: Schwimmen, Skifahren.

Österreicher Gerhard Dipl.-Ing.

B.: Techn. Gschf. Ges. Teilinh. FN.: Andronic GmbH artificial intelligence. GT.: Mtgl. d. Aufsichtsrates d. Andronic-Tochter "Andro Data. DA.: 1100 Wien, Himbergerstr. 35. PA.: 1160 Wien, An der Scheibenwiese 3A. G.: Wien, 18. Mai 1957. V.: Barbara, geb. Volk. Ki.: Pheline (1991). El.: Dr. Karl u. Gertrude. S.: VS, BRG, TU Wien Elektrotechn. K.: während d. Stud. versch. Ferialjobs, 1985-87 n. Stud. selbst. Basis im Bereich Informatik gearb., 7/1987 Grdg. d. Fa. Andronic u. Übern. d. Techn. Gschf. BL.: Entwicklung e. Mustererkennungsverfahrens. P.: Feb. 1987 in Philadelphia/USA v. d. NCGA gesprochen. E.: Winter 1987 Innovationspreis d. Messe f. Wirtschaft u. Forschung NOVA West. H.: Klavierspielen, Sport. (F.S.)

Österreicher Helmut

B.: Küchenchef d. Restaurant Steirer-Eck. DA.: 1030 Wien, Rasumovskyg. 2. PA.: 1110 Wien, Kaiser-Ebersdorfer-Str. 208. G.: Waidhofen/Thaya, 10. März 1956. V.: Hermine, geb. Kraus. Ki.: Christoph, Dietmar, David. El.: Friedrich u. Marianne. S.: Lehrzeit Hotel Haberl, Lehre f. Koch. K.: 1974-76 Jungkoch Marchfelderhof, 1976-78 Hotel Sacher, seit 1978 Steirer-Eck, Teilnahme an Intern. Kochkunstausstellungen u. Demonstrationskochen, Besuch v. Seminaren in d. BRD. BL.: 1985 Michelin-Stern f. Steirer-Eck (aufgrund d. Küchenleistungen), Mitarb. am Aufbau d. "Neuen Wr. Küche". E.: 1985 in d. Liste d. 10 besten Köche Österr. H.: Fotographieren, Familie, Pilze u. Kräuter sammeln. (A.W.)

Österreicher Karl Dr. iur. Dir.

B.: Wirtschaftsjurist, Gschf. d. Julius Meinl Warenhdls. u. Immobilien GmbH Wien, Prok. d. Julius Meinl AG Wien, Julius Meinl Großhdls. GmbH Wien, Brüder Kunz GmbH Wien, Cabos GmbH Wien, Österreichische Obstverwertungs GmbH Wien, PAM-PAM Warenhdl. GmbH Wien u. d. "Austria" Papierind. GmbH Wien. PA.: 1017 Wien, Kirchstetterng. 44/22.

Österreicher Reinhard

B.: Vizebgm. d. Stadtgem. Schrems. GT.: Hauptschullehrer in Schrems. G.: Schrems, 2. Okt. 1949. S.: AHS, 1969 Matura, Pädak.-Krems. K.: s. 1972 Lehrer an d. HS Schrems. M.: s. 1983 Kulturstadtrat in Schrems, s. 1990 Vize-Bgm. (M.M.)

Österreicher Richard III.

B.: Produzent, Musiker u. Inh. FN.: Sing Sang Records Tonstudio u. Plattenfa. DA.: 1030 Wien, Lothringerstr. 20. PA.: 1060 Wien, Chwallag. 4/13. G.: Wien, 13. Jän. 1961. El.: Richard u. Johanna. BV.: Großvater war Musiker u. hatte berühmtes Mandolinenorch., Vater Ltr. d. ORF-Bigband u. später eig. Orch. (spielt b. Opernball u. ORF). S.: HTL,

Musikausb. K.: 1979 Tätigk. i. Tonstudio Lance Lumsden, Arb. m. Marty Brem u. Goldie Ens, 1981 Tontechn. i. Austrophon Tonstudio, hunderte Plattenprod. u. a. Falco, DÖF, Prokopetz, Filmmusik f. Dune-Der Wüstenplanet, Musik Toto, 1984 Übern. d. Tonstudios Austrophon a. Inh. u. Grdg. d. Fa. Sing Sang Records, zahlr. Großprod. z.B. Musical-Prod. d. Vereinigten Wr. Bühnen (Chorus Line, Phantom d. Oper, Kuss d. Spinnenfrau usw.), klass. Aufnahmen m. Jose Carreras, Editha Gruberova, Popstars w. Fendrich, Aufn. d. Musicals v. Lloyd Webber "Aspects of Love". E.: Shortlist Certificate Cannes, Clio, 3. Pl. Int. Ind.-Film- u. Videokongreß Washington, European Creative Advertising Award, Finalist Award, Int. Film- u. TV Festival New York, 3. u. 4. Pl. i. d. Int. Tonstudio-Charts. H.: Squash, Badminton, Bogenschießen, Segeln, Zen (Buddhismus). (F.S.)

Österreicher Sepp

B.: Betriebsltr. FN.: Grassmayr Innsbruck. DA.: 1170 Wien, Natterg. 8. PA.: 2384 Breitenfurt, Altomonteg. 34. G.: Wien, 17. Juli 1942. V.: Elfriede, geb. Hirschmann. Ki.: Sabine (1964). El.: OSR Franz (Heimatforscher) u. Agnes, geb. Schenk. BV.: Großvater Vinzenz war Hauptzollwachinsp. in Wien. S.: 1959 Bundesgewerbeschule i. Mödling (Maschinenbau). K.: 1959 Eintritt in d. Pfundner Glockengießerei als Glockengießer, dann Monteur u. Montageltr. b. Fa. Grassmayr Innsbruck, s. 1988 Ltr. d. Betriebes Wien. E.: Silb. VZ d. Marktgem. Breitenfurt (1984). M.: Freiwillige Feuerwehr. H.: Kochen, Joggen, Briefmarken sammlen. (N.A.)

Ostertag Hans-Dieter

B.: Gschf. Ges. FN.: Kühr GmbH. DA.: 2351 Wr. Neudorf, NÖ-Süd, Str. 3/Objekt 35. PA.: 2372 Gießhübl, An der Schafwiese 10. G.: Wien, 7. März 1941. V.: Ing. Hedwig, geb. Kühr. Ki.: Alexander (1978), Andrea (1980), Julia (1985). El.: Bernhard u. Hilde. BV.: Großvater Michael Ostertag war Bgm. v. München-Obermenzing. S.: 1960 RG-Matura. K.: 1960-74 Spezialausbild. am EDV-Sektor in Firma ITT Austria: Chefprogrammierer, Organ.-Ltr., System Manager, zahlr. Vorträge im Rahmen d. Konzerns im In- u. Ausland über d. Thema: Computerunterstützte Fertigungssteuerungssysteme, 1975 Eintritt in d. Betrieb d. Schwiegereltern Firma Josef Kühr (Warmpreßwerk) als Betriebsltr., Absolvierung d. Gesellen- u. Mstr.-Prüf. "Mechanikergewerbe", Erweiterung im Bearbeitungsbereich auf d. Einsatz v. CNC-Bearbeitungszentren u. Herstellung v. kompletten Baugruppen, 1989 Umwandlung in Firma Kühr GmbH u. Gschf. Ges. H.: Lesen, Abenteuerreisen, Tennis, Wassersport, Skifahren. (M.M.)

Ostertag Hedwig Ing.

B.: Ges. u. Prok. FN.: Kühr GmbH. DA.: 2351 Wr. Neudorf, NÖ-Süd, Str. 3/Objekt 35. PA.: 2372 Gießhübl, An der Schafwiese 10. G.: Wien, 28. März 948. V.: Hans-Dieter Ostertag. Ki.: Alexander (1978), Andrea (1980), Julia (1985). El.: Josef u. Hedwig Kühr. S.: 1967 TGM-Matura Betriebstechnik, HAK-Abiturientenlehrgang. K.: 1968-70 Arbeitsvorbereitung b. Firma Electrovac, 1970-75 Ass. d. Betriebsltg. b. Firma ITT, später Betriebswirtschaftl. Koordination, 1976 Eintritt in d. elterl. Betrieb Firma Josef Kühr (Warmpreßwerk) als Betriebstechnikerin, Erweiterung im Bearbeitungsbereich auf d. Einsatz v. CNC-Bearbeitungszentren u. Herstellung v.

kompletten Baugruppen, 1989 Umwandlung in Firma Kühr GmbH u. Ges. u. Prok. H.: Abenteuerreisen, Wassersport, Gartengestaltung. (M.M.)

Osthues Werner

B.: Dir. Vertrieb Österreich u. COMECON Staaten. FN.: Wilkinson Sword GmbH. DA.: 1060 Wien, Mariahilfer Str. 41-43. PA.: 2500 Baden, Marchetstr. 60. G.: Dortmund/BRD, 18. Jan. 1927. V.: Lilo, geb. Gabriel. S.: Ludendorff, Gymn. Dortmund, 1944 Abitur. K.: 1946-50 kfm. Volontär u. Verkäufer, 1950-52 Ausbild. z. Röntgentechniker, 1952-54 Fa. Tillmann Vertreter 1954-56 Fa. Hohmann Margarinefbk. Vertreter, 1956-58 selbst. Großhdl. m. Wurst- u. Fettwaren, 1958-62 Rotti Ges. im Nestle-Konzern, 1962 Fa. Wilkinson Sword GmbH als Regional-Verkaufsltr., ab 1980 m. d. Grdg. d. österr. Ges. betraut, seit 1986 auch zuständig f. d. Vertrieb d. Wilkinson-Produkte in d. COMECON Staaten. H.: Beruf, Schwimmen, Reisen, Lesen. (C.K.)

Osti Peter

B.: Amtsrat, Ltd. d. Abt. Baurecht. FN.: Amt d. Stadt Bludenz. PA.: 6700 Bludenz, Riedstr. 7. G.: Bludenz, 23. Aug. 1958. V.: Gabriele, geb. Achleitner. Ki.: Rafaela (1991), Mario (1994). El.: Virginio u. Charlotte. S.: BRG, 1976 Mat. K.: 1976-83 Finanzamt Feldkirch, Veranlagungsltr., 1984 Eintr. Amt d. Stadt Bludenz, Kanzleikraft, 1986 Ltr. d. Verw. d. Stadtbauamtes, 1986 Dienstprüf. f. d. gehobenen Verw.-Dienst, 1991 Amtsrat. P.: Vorträge über Bauwesen. M.: Obm. d. Naturfreunde Bludenz, Jugendbeirat d. Stadt Bludenz, AS MG Pers.-Vertr. u. Ortsgruppenschaft u. Lds.-Ltg. d. Gewerksch. d. Gem-Bediensteten. H.: Fischen, Kochen, Fußball, Musik. (I.D.)

Ostwalt Helmut Ing.

B.: Bmstr., Ndlg.Ltr. FN.: Neue Reformbau AG. DA.: 5020 Salzburg, Rainerstr. 13. PA.: 5020 Salzburg, Villag. 3. G.: Wien, 5. Juni 1938. V.: Eleonore, geb. Forster. Ki.: Christoph, Barbara. S.: HTL Wien, 1957 Matura. K.: 1957 Eintritt Fa. Neue Reformbau AG Wien, 1962 Bmstr.-Prüf., 1966 nach Sbg., 1968-74 München, 1974-78 Stmk., 1979 Sbg., seit 1981 Ndlg.Ltr. M.: Alpenver. H.: Wandern, Skifahren. (A.W.)

Oswald Eduard Mag.

B.: Dir.-Stellv. FN.: GiroCredit Bank AG d. Sparkassen. DA.: 1010 Wien, Schubertring 5. PA.: 1190 Wien, Glanzingg. 19. G.: Horn, 21. Juli 1951. V.: Elena, geb. Mondelli. El.: Franz u. Hermine. S.: Aufbaugymn. Horn, 1970 Matura, Stud. Betriebswirtschaft WU Wien, 1976 Spons. K.: seit 1976 b. d. Girozentrale zunächst als Finanzanalyst, 1978-82 Sekr. d. Gen.-Dir., 1982-88 Ltr. d. Abt. f. In- u. Auslandsemissionen, 1988-91 Managing Dir. d. Girozentrale Gilbert Eliott London, 1991-92 Ressortltg. Investment Banking, 1992 General Manager GiroCredit Bank, London Branch. P.: div. Fachpubl. H.: Opern, Konzerte, Golf, Tennis. (J.S.)

Oswald Herbert P.

B.: Ltr. d. Abt. Werbung, Verkaufsförderung u. Training d. Shell Austria AG. DA.: 1030 Wien, Rennweg 12/7. PA.: 1140 Wien, Alpengartenstr. 35. G.: Wien, 26. Apr. 1942. V.: Ingrid, geb. Frahs. Ki.: Thomas (1970). El.: Leopoldine u. Paul. S.: HASCH, Tätigkeit in einer Steuerberatungskzl., externe HAK-Matura, Stud. d. BWL. K.: S. 1960 b. Shell, zun. Verw., Innendienst, Vertrieb, Außendienst, Planungen, Partner/Personaltraining, s. 1989 zust. f. Werbung u. Verkaufsförderung, Training Marktforsch., Kundendienst, Imagepflege. H.: Reisen, Filmen. (P.R.)

Oswald Ignaz

B.: Finanzbmtr., Amtsdir. d. Finanzlandesdion. Stmk. DA.: 8018 Graz, Conrad-v.-Hötzendorf-Straße. PA.: 8010 Graz, Humboldtstr. 7. G.: Hopfau b. Hartberg, 25. Apr. 1938. V.: Edelgard, geb. Stübchen-Kirchner. Ki.: Christoph (1963), Angelika (1966), Veronika (1974). El.: Ignaz u. Anna. S.: VS Hartberg, Mittelschule u. 1963 Abendmatura. K.: 1964 Eintritt in d. Finanzlandesdion., Musikstud. Grazer Landeskonservatorium, 1954 Eintritt in d. Club Accordeana, seit 1958 Lehrer f. Akkordeon, seit 1964 Dirigent d. Accordeana. E.: Gewinner zahlr. Österr. u. Intern. Wettbewerbe, 1986 Gewinn d. 2. Intern. Akkordeonfestivals Innsbruck, Verbandsabz. in Silber u. Gold d. Harmonikaverb. Österr., Rudolf Würthner-Med. d. Dt. Harmonika Verb., Silb. VZ d. Stadt Graz. M.: VObm. d. Accordeana. H.: Musik. (M.Gr.)

Oswald Josef Dr. HofR.

B.: Vizepräs. d. FLD f. Vbg. DA.: 6800 Feldkirch, Schillerstr. 2. PA.: 6800 Feldkirch, Egelseestr. 95c. G.: Bludenz, 27. Dez. 1941. V.: Waltraud, geb. Jordan. Ki.: Tobias (1971), Verena (1974), Philipp (1986). El.: Josef u. Anna. S.: RG Bludenz, 1959 Matura, Univ.-Stud. Innsbruck, 1965 Prom., 1966 Militärdienst. K.: Finanzverw. Feldkirch, Finanzkoär., 1970 Gruppenltr. d. Veranlagung, 1981 Vorst.-Stellv. Finanzamt Feldkirch, 1991 Vorst. d. Präsidialabt. d. Finanzlandesdion., 1992 VPräs., 1973 Vors. d. Landessekt. d. Finanz Vbg., Mtgl. d. Landesvorst., 1981 stellv. Vors. d. Landesvorst., 1989 Vors. d. Landesvorst. Vbg. d. GÖD, Vors. Fraktion Christl. Gewerkschaft. P.: Vorträge über Steuerrecht b. versch. Seminaren u. WIFI. M.: Vorst. d. Liederkranz Feldkirch-Gisingen, Männergesangsver., Vors. d. BVA Vbg. H.: Skifahren, Schwimmen, Tennis, Surfen, Radfahren, Chorgesang. (I.D.)

Oswald Josef Dr. Dkfm.

B.: Bankang., Wertpapieranalyst, Postefeuilleberater d. CA. DA.: 1010 Wien, Schotteng. 6. PA.: 1150 Wien, Camillo-Sitte-G. 3/27. G.: Unterach, 30. Sept. 1945. V.: Ingrid, geb. Lanzenbacher. Ki.: Marie-Therese. El.: Josef u. Franziska. S.: RG Wien, 1963 Matura, Stud. Bankbetriebslehre an d. WU, 1971 Dipl. u. Dr. K.: 1971 Wertpapieranalyst in d. CA f. d. Österr. Investmentges., dzt. Innerbetriebl. Ausbild. u. Seminarveranstaltungen vor ausgewählten Kundenkreisen. BL.: Ehrenamtl. Ltg. eines Kindergarten u. Hortbetriebes, Sanierung u. Ausbau. P.: Beitrag z. Handbuch d. Wertpapieranalyse, Art. im österr. Bankarchiv, Beiträge in d. Reihe ECOTEXT, zahlr. Firmenpubl. M.: Lions Club, Österr. Bankwiss. Ges. Wien, Österr. Ver. f. Finanzanalyse u. Anlageberatung. H.: Beruf, Fachliteratur. (H.P.)

Oswald Julius

B.: Inh. d. Esso-Service-Centers m. Buffet, Altstoff-Händler. FN.: Oswald KG. GT.: gewählter Altstoff-Vertrauensmann d. Bez. Bruck/Mur. DA.: 8600 Bruck/Mur, Hochfeldg. 2a. PA.: 8600 Bruck/Mur, Platz d. Menschenrechte 2. G.: Graz, 5. Febr. 1943. V.: Ingrid, geb. Lengger. Ki.: Claudia, Birgit, Anita. El.: Mayrhold August u. Oswald Juliana. S.: VS Lannach, HS Stainz, abgeschl. Tischlerlehre. K.: Aufnahmsprüf. f. Postdienst, dazwischen Praktikant in Elektrountern. in Mooskirchen u. Fahrer f. Schwer- u. Schwerstfahrzeuge in Schotteruntern. Graz, 1962 Aufnahme in d. Postdienst b. 1963 in Trieben, b. 1964 in Tragößß, 1963 Heirat, Grundwehrdienst, danach b. 1983 Postamt Bruck/Mur, 1968 Übernahme d. Tankstelle, 1980 Espresso, Felsen-Weinkeller seit 1982, ab 1973 Altstoffhdl., Initiator d. Aktion "Saubere Stmk.". M.: seit 1980 Sachv. f. Aluminium Exp. d. BMF, seit

1984 Aussch.Mtgl. d. Steir. Altstoffhändler-Verb., seit 1984 Gremialvorst.Stellv., seit 1985 Sitz im BGremium Wien, Mtgl. d. Schrottkomitees d. BKam. d. gewerbl. Wirtschaft. H.: EDV. (Tra.)

Oswald Liselotte

B.: Ltr. FN.: Seminarzentrum Schwaighof. DA.: 3100 St. Pölten, Josefstr. 123. G.: Leiben/NÖ, 23. Apr. 1956. Ki.: Mira (1983), Dominik (1990). El.: Anton u. Charlotte Hochstöger. S.: Hauptschule, 1 J. Haushaltungsschule Engl. Fräulein, Gastgewerbeschule. K.: 1973-78 i. elter. Gastbetrieb i. Leiben tätig, a. 1978 b. d. NÖ Wirt.-Kammer a. Wirtschafterin u. Erzieherin a. d. Gastgewerbe-FS tätig, s. 1988 Ltr. d. Seminarzentrums m. angeschl. Hotel-, Restaurantsbetrieb. (I.J.)

Oswald Manfred

B.: Untern. FN.: Institut Hollerer f. Partnersch. u. Ehe. DA.: 1010 Wien, Elisabethstr. 6/3; 8020 Graz, Gleisdorferg. 6; 4020 Linz, Bismarckstr. 2. PA.: 4048 Puchenau, Karl-Leitl-Str. 1. G.: Hartberg, 21. März 1954. V.: Ingried, geb. Zierler. E.: Alois u. Hermine. S.: Hotelfachschule, HASCH, 1985 Konzessionsprüf. f. Gastgewerbe. K.: 1974-84 EDV u. Personalwesen i. div. Industriebetr., 1984 Gründ. u. Ltg. d. Filialbetr. d. Inst. Hollerer Wien. H.: Psych., Theater, Kochen, Radfahren, Tennis. (L.S.)

Oswirt Gerhard

B.: Inh. FN.: Gerhard Oswirt taraflex Fußbodentechnik/Hdl. u. Gewerbe. GT.: Berater d. Kam. f. Land- u. Forstwirtschaft Stmk. DA.: 8054 Graz, Gradnerstr. 111. G.: Graz, 3. Dez. 1939. V.: Ingeborg, geb. Paier. Ki.: Jasmine (1969). El.: Engelbert u. Maria. S.: 1960 Matura, Stud. Welthdl. Wien. K.: 1962-64 Nachlaßverwalter d. Komponisten u. Operndir. Emil Waldteufel, ab 1964 Grdg. d. Hdls.-Agentur, ab 1968 Gewerbe- u. Hdls.-Betrieb, ab 1990 Alleininh. BL.: Eigenentwicklung eines wirbelsäulenschonenden, fußwarmen Kunststoffbodens. H.: Afgane, Oldtimer, Lesen, Garten, Joggen, Skifahren, Radfahren. (R.S.)

Otasek Giselher

B.: selbst. Glasbläser. DA. u. PA.: 4020 Linz, Waltherstr. 9. G.: Eferding, 31. Dez. 1941. V.: Gertrude. Ki.: Gisela (1967). S.: Ausbild. als Glasbläser an d. Flamme u. am Ofen. K.: zahlr. Ausstellungen z.B. Coburg, Darmstadt, Bielefeld, Köln, Mainz, Schweiz, USA, Österr. u. Frankreich, seit 1973 selbst., Exponate in zahlr. Museen u. Galerien auf d. ganzen Welt. E.: Bayer. Staatspreis, zahlr. Ehrenringe. H.: Tennis, Skifahren, Turnen. (P.H.)

Otruba Heinrich Dr. o.Univ.-Prof.

B.: o.Univ.-Prof. am Inst. f. Vw-Theorie u. -Politik WU Wien. DA.: 1090 Wien, Aug. 2-6. PA.: 2340 Mödling, Weißes Kreuzg. 80/2. G.: Annaberg, 9. Okt. 1944. V.: Christine, geb. Baar. Ki.: Katharina, Johanna. El.: Prof. Dr. Ludwig u. Henriette. BV.: Vater OBmtr. im Wiss.Min., Autor div. Beiträge u. Bücher z. HS-Reform. S.: Matura, Stud. Univ. Wien Rechtswiss., 1967 Prom. K.: 1967-70 Univ.Ass. Univ. Wien Inst. f. Wirtschaftswiss., 1970-80 Univ.Ass. d. TU, 1979 Habil., 1980 Univ.-Prof. WU. P.: ca. 10 Publ. in Fachzeitschriften, Buch "Wirtschaftl. Verhalten b. Ungleichgewicht", Mitautor "Neuere Ergebnisse z. Inflationstheorie", einige Forsch.Berichte über Nachfrage nach Verkehrsleistungen, Transportkostenbelastung, Ökonometrie. E.: Theodor Körner-Preis 1976. M.: Ver. f. Sozialpolitik, American Economic Assoc. H.: Tennis, Sport, Musik, Kinder. (A.K.)

Ötsch Bernhard

B.: Gschf. FN.: AFC Aluminium Fassaden Consulting GmbH. DA.: 1030 Wien, Ungarg. 45. PA.: 1210 Wien, Großbauerstr. 52. G.: St. Pölten, 14. Nov. 1951 V.: Anita. Ki.: Sandra (1978). El.: Matthias u. Christine. S.: 1970 Matura, 1971-72 Stud. Maschinenbau an d. THW. K.: 1973-80 Arb. b. Planungsbüro Metallplan u. in div. Metallplanungsfirmen, 1980 Grdg. d. Büros f. Fenstertechniken u. weitere Entwicklung d. Büros. M.: CEN. H.: Sport (Tennis, Skifahren), Reisen. (N.A.)

Ott Edeltraud

B.: Inh. FN.: Vogue. GT.: Generalvertrieb f. Schweiz, Österr. u. Deutschland. DA.: 8020 Graz, Annenstr. 60. PA.: 8053 Graz, Krottenhofstr. 24. G.: Graz, 17. Juli 1962. V.: Gerhard Ott. Ki.: Benjamin (1991). El.: Alfred u. Martha Ehrlich. S.: VS, HS, Friseurlehre Grza, 1986 Mstr.-Prüf. K.: 1984-85 Italien, seit 1987 selbst. BL.: 1. Friseurcomputer Österr. E.: Spezialkurse in Extensionsseminare, Dipl. M.: Laserdrome. H.: Laserdrome, Sohn. (R.S.)

Ott Elfriede Prof. Kammerschauspielerin

B.: Schauspielerin. K.: Beginn am Burgtheater, ständiges Ensemblemtgl. d. Theaters in d. Josefstadt, neben d. Theater zahlr. Soloprogramme, viele Rollen im Fernsehen, seit 1983 Initiatorin, Reg. u. Int. d. Maria Enzersdorfer Festspiele auf Burg Liechtenstein, Grdg. 1983 u. seit 1986 Ltr. Schauspielabt. d. Konservatoriums d. Stadt Wien. E.: viele Ausz. u.a. Österr. EK f. Wiss. u. Kunst I. Kl., Josef-Kainz-Med. d. Stadt Wien, Nestroy-Ring, Gold. Kamera, Ehrenring d. Schauspieler d. Theaters in d. Josefstadt, Ehrenmed. d. Bundeshauptstadt Wien in Gold.

Ott Ernst

B.: Gschf. FN.: Wiesenthal & Ott Ges.m.b.H. & Co KG. DA.: 7000 Eisenstadt, Mattersburger Str. 19. G.: Eisenstadt, 31. Okt. 1946. V.: Christine, geb. Wallner. Ki.: Christine (1969), Eveline (1971), Ernst (1973). S.: Hauptschule, HTL Abt. Maschinenbau, KFZ-Mech.-Lehre b. Fa. Kawinsky, Gesellenprüf., 1972 Mstr.-Prüf. K.: 1964 Eintritt i. d. väterl.

Betrieb i. Müllendorf, 1974 Grdg. d. Fa. Wiesenthal u. Ott i. Eisenstadt. M.: Obm. d. Reit- u. Fahrver. Wulkatal. H.: Gespannfahren. (I.J.)

Ott Herbert Dr. phil.

B.: NÖ LBmtr., w.HofR. i.R. A.: 1238 Wien, Karl-Geisz-G. 4. G.: Wien, 19. Nov. 1928. V.: Irmgard, geb. Petrasch. El.: Walter u. Hermine. S.: RG, Univ. Wien, Publizistik u. Kunstgeschichte. K.: 1947 Aufnahme in d. Staatsdienst als B-Bmtr. b. d. Fin., ab 1961 NÖ LBmtr., 1963 Prom., Übernahme in d. Pressedienst, ab 1973 d. LAmtsdion. zugeteilt, zuletzt Ltr. d. Stelle: Demoskopie u. Öffentlichkeitsarb. d. Inneren Dienstes. P.: Der gute Tip, ein Behelf im Umgang m. d. NÖ LVerw., Bürgernahe Gesetzestexte in NÖ, etc. M.: Schlaraffia, Reych: Auf der Mauer, Rittername: Baldur d. Spezi (Fische).

Ott Karl Dipl.-Ing.

B.: Ziviltechniker, Ziviling. f. Bauwesen. DA.: 4020 Linz, Kopernikusstr. 22. PA.: 4020 Linz, Lerchenfeld 25. G.: Linz, 12. Sept. 1950. V.: Dr. Brigitte, geb. Rafetzeder. Ki.: Christoph (1981), Andreas (1984). El.: BauR. h.c. Dipl.-Ing. Dr. Karl u. Margarete. S.: VS, Gymn., 1969 Matura, BH, b. 1979 TU Wien. K.: b. 1982 Firma Rella Wien, anschl. Eintritt in d. Büro d. Vaters, 1986 Ziviltechnikerprüf. u. seither selbst. P.: Mitarb. am Forsch.-Vorhaben: Kabanalisierung v. Hüttenbaustoffen. M.: Ing.-Kam. f. OÖ u. Sbg., OÖ Ing.- u. Arch.-Ver. H.: Tennis, Skifahren. (U.A.)

von Ott Klaus

B.: Restaurantfachmann. FN.: Hoschek. DA.: 1060 Wien, Dürerg. 3. PA.: 1010 Wien, Dominikanerbastei 22/2a. G.: Lienz, 16. Apr. 1958. El.: Dr. Ernst u. Ida. BV.: Chech, Geschlecht: Karl v. Ott, Gustav v. Ott. S.: Gymn. b. 1976, 3 J. Koch- u. Kellnerlehre i. Salzburg/Gold. Hirsch. K.: anschl. i. Bayerischen Hof München Servicetätigk., Obergine Witzigmann i. Service u. Bar, b. 1982 Käfer München Party Service, 2 Monate Los Angeles Persisches Restaurant, 1 J. Spage W. Puck, Santa Monika i. Genuars, Hotel Bel Air, zuerst Restaurant, dann Room Service (Suiten u. Appartements), Ass. f. Essen u. Getränke, Eröff. 1. Wiener Cafe-Haus m. Bäckerei f. typisch europäisches Brot, Spezialisierung auf Partys, 1988 Gewinn d. Green Card i. d. Lotterie, Berlin Eröff. d. Cafe Pink Cadillac (Stil d. 50er Jahre), Bar i. Lienz, Wien Eröff. d. Restaurant Hoschek s. 1994. E.: Los Angeles durch General-Konsul, Wr. Opernball i. Los Angeles veranstaltet, div. Kochausstellungen. H.: Reisen, Weine, Golf. (H.S.)

Ott Martina

B.: Dir. FN.: Volkschule. DA.: 2405 Bad Deutsch Altenburg, Neustiftg. 21. G.: Hainburg, 6. Juli 1950. V.: Roland. Ki.: Vera (1982). El.: Karl u. Vera Dukowitsch. S.: 1971 Päd.-Akad. Wien, 1971 Schuldienst, 1977 VS Bad Deutsch Altenburg, 1994 Dir. M.: Gemeinderat Bad Deutsch Altenburg, Mitbegr. d. Überparteilichen Bürgerliste in Bad Deutsch Altenburg mit d. Schwerpunkt Umweltanliagen, Lebensqualität. H.: Familie, Tiere. (T.T.)

Ott Peter

B.: Gschf. FN.: Wiener Rennverein am Palais Pallavicini. DA.: 1010 Wien, Josefspl. 5. PA.: 1130 Wien, Mittermayerg. 4. G.: Wr. Neustadt, 31. März 1938. V.: Margit, geb. Herzog. Ki.: Christa (1960), Thomas (1965). El.: Heinrich u. Gisela. S.: Hotelfachschule Waldegg, 1956 Abschluß. K.: b. 1958 Palais Pallavicini, b. 1960 Thachid-House-Hotel London, Ass. d. Geschäftsführung u. ab 1975 Gschf. Palais Pallavicini. E.: Silb. EZ f. Verd. um d. Rep. Österr., Orden v. König Hussein v. Jordanien. H.: Wandern, Bergsteigen.

Ott Peter Ing.

B.: Vertriebsbeauftragter Vertrieb Österr. FN.: Alcatel Austria AG. DA.: 1210 Wien, Kommunikationspl. 1. PA.: 2103 Langenzersdorf, Propst Peitl Str. 34. G.: Wien, 29. Juli 1959. V.: Brigitte, geb. Treiber. Ki.: Christian (1991), Sabine (1994). El.: Margarete u. Rudolf. S.: 4 J. Realgymn., 5 J. HTL Nachrichtentechnik am TGM, 1978 Matura. K.: 1980 Eintritt bei Alcatel Austria, Tätigk. i. Labor f. Vermittlungstechnik, zwischendurch 9 Monate Auslandsaufenthalt i. Belgien, 1986 Berufung in das Alcatel Forschungszentrum m. Tätigk. i. Laborbereich u. Funktion einer Stabsstelle d. Geschäftsltg., 1994 Übertragung einer neuen Pos. b. Alcatel Austria als Vertriebsbeauftragter für den Vertrieb Österr. M.: DECUS (Digital Equipment Corporation User Group), UUGA (Unix User Group Austria). H.: Bau d. eig. Hauses, Feinmechanik, Elektronik, EDV, Sport. (F.S.)

Ott Peter

B.: Inh. FN.: Peter Ott GmbH Studio f. Öff.-Arb. DA.: 1090 Wien, Latschkag. 1. PA.: 1190 Wien, Grinzinger Allee 54/17. G.: Kaufbeuren/Bayern, 6. Juli 1939. V.: Inge-Christine, geb. Bica. Ki.: Thomas (1967). El.: Erwin u. Wilhelmine, geb. Rudorfer. S.: VS, Mittelschule, Ind.-Kfm.-Lehre. K.: Wirtschafts- u. Steuerberatungskzl., Exportltr. b. Argentor-Werke, Aufbau d. Abt. Werbezünder b. Firma Gebrüder Gödde, PR-Ass. Firma Prowiga, Ass. u. dann Gschf. PR-Agentur Edmund Hauser, 1970 Grdg. d. eigenen PR-Agentur, Mitbegründer d. Managementclubs (MC) Österr., 1987 Grdg. d. Studios f. Gebrauchsanleitungen, 1988 Grdg. d. Studioverlages. P.: 1991 Mitautor d. Buches "Leitfaden f. benutzerfreundl. Gebrauchsanleitung". M.: Funktionär d. Bundesaussch. d. Fachverb. Werbung u. Marktkommunikation. H.: Kunst, Wein. (N.A.)

Ott Richard Dr. phil.

B.: Vorst.-Dir. techn. Bereich. FN.: Grazer Stadtwerke AG. DA.: 8010 Graz, Andreas-Hofer-Pl. 15. PA.: 8051 Graz, Wiener Str. 254. G.: Graz, 20. Okt. 1934. V.: Ilse, geb. Kristoferitsch. Ki.: Wolfgang (1970), Reinhard (1971). El.: Richard u. Emma. S.: 1954 Matura, Stud. Chemie Univ. Graz, 1967 Prom. K.: Eintritt in d. Grazer Stadtwerke, Wasserversorgung - Labor, 1985 Prok. u. Ltr. d. Wasserversorgung, 1990 in d. Vorst. berufen. P.: div. Veröff. in Chemiefachzeitungen bzw. Wasserfachzeitschriften. M.: Kassier b. d. UNION Graz. H.: Beruf, Familie, Philatelie, Sport (Faustball). (F.K.)

Ott Robert Dr. Univ.-Prof.

B.: Univ.-Prof. A.: 8010 Graz, Ehlerg. 7. G.: Graz, 25. Aug. 1923. V.: Marcella, geb. Tatschl. Ki.: Swidbert (1968) El.: Anton u. Vera. S.: RG, Univ. Chemiestud. u. Pharm.Stud. K.: 1941-45 Kriegsdienst, 1945-47 Kriegsgefangenschaft, WS 1941/42 u.1947-51 Stud. Univ. Graz, 1951 Dr. phil., Univ.Ass. am Inst. f. organ. u. pharmazeut. Chemie d. Univ. Graz, 1961 Habil. f. organ. u. pharmazeut. Chemie, Univ.-Doz., 1963 Inst. f. pharmazeut. Chemie, 1973 a.o.Univ.-Prof. u. Ltr. d analytisch-chem. Lab. am Inst. f. pharmazeut. Chemie 1989 i. R. P.: Wiss. Arb. aus organ. u. pharmazeut.-analyt. Chemie in Fachzeitschriften. M.: Österr. Chemikerges., Österr. Pharmazeut. Ges., Univ. Prof. Verb., ÖAV, ÖAMTC.

Ott Werner Dr. Mag.

B.: Gschf. Dir. FN.: Goldenes Kreuz, Confraternität Privatkrankenanst. GmbH. DA.: 1090 Wien, Lazarettg. 16-18, 1080 Wien, Skodag. 32. G.: Wien, 7. Juli 1944. V.: Simin, geb. Pourkhalil. Ki.: Konstantin (1989). El.: Max u. Anna. S.: Hum. Gymn. Wien, 1962 Matura, Stud. mod. Rechentechnik TU Wien, 1965 Abschluß, 1975-80 Jusstud. Univ. Wien. K.: 1965-70 Datenverarb. u. Organ. Fa. Siemens, 1970 Projektltr. Alpine Montan, 1971-88 Datenverarb. u. Organ. Fa. Ciba

Geigy, ab 1982 Prok. Fa. Ciba Geigy, 1988 Berufung in d. Geschäftsaussch. Ciba Geigy, seit 1988 Gschf. Dir. Goldenes Kreuz, seit 1989 Gschf. Dir. Confraternität Privatkrankenanst. GmbH. M.: Rotary Club. H.: aktiv Malen, Musik, Sammeln v. Kunstgegenständen in jeder Form. (J.S.)

Ottawa Ortwin Mag. med. vet.

B.: prakt. Tierarzt. DA. u. PA.: 3970 Weitra, Kircheng. 95. G.: Wien, 16. Okt. 1940. Ki.: Harald (1971), Ulrike (1975). El.: Dr. Franz u. Klothilde, geb. Sehnal. S.: VS, 1959 BRG-Matura, 1964-72 Stud. Tierärztl. HS Wien, Dipl.-Tierarzt. K.: 1972 Eröff. einer Tierarztpraxis in Weitra m. Schwerpunkt Großtier-Praxis. M.: Ges. d. Tierärzte Österr., Bund d. Freiheitl. Tierärzte Österr., Union Tennisclub Weitra, SV Sparkasse Weitra. H.: Lesen, Tennis, Billard, Skat, Fernreisen. (M.M.)

Ottel Gerhard Dr. KommR.

B.: Aufs.-Vors.-Stellv. d. Sbg. Kredit- u. Wechselbank AG Sbg., AufsR. "Konstruktiva" AG z. Förderung d. Bauwesens Wien. PA.: 1090 Wien, Widerhoferpl. 4. E.: Gr. Silb. EZ f. Verd. um d. Rep. Österr.

Ottel Rupprecht Dr. techn. Dipl.-Ing. BauR. h.c.

B.: Arch., Prof. HTL, Univ.Doz. PA.: 1190 Wien, Vegag. 2. G.: Wien, 19. März 1933. V.: Dipl.-Ing. Dr. Brigitte, geb. Zeibig. El.: Prof. Dr. Fritz u. Gertrud. S.: Dipl. u. Prom. an d. TU Wien. K.: 1957-62 Mitarb. in bek. Arch.Büros, ab 1962 selbst. als Arch., Bürogem. ottel+ottel, 1963 Prom. z. Dr. techn., ab 1963 Lehrtätigkeit als Prof. an d. HTBLVA Mödling, ab 1967 allg. beeid. gerichtl. Sachv. f. Hochbau u. Arch. im allg. sowie f. Schall- u. Schwingungstechn., Wärme- u. Feuchtigkeitstechnik, ab 1982 Univ.Doz. am Inst. f. Hochbau f. Arch., Univ. Innsbruck, Bauten: Wohnbauten, Kindergärten, Schulen versch. Art, Büro- u. Ind.Bauten, Umbauten u. Revitalisierungen, Prüfarch. f. öff. Bauten. P.: Zahlr. Forsch.Arb., viele Veröff. in Zeitschriften d. In- u. Auslandes. E.: zahlr. Preise b. öff. Arch.Wettbewerben, Silb. EZ f. d. Verd. um d. Rep. Österr. M.: Ges. z. Erhaltung v. Bauten, Österr. Normunsinst., Österr. Inst. f. Schul- u. Sportstättenbau. H.: Reisen. (A.K.)

Ottenschläger Dieter

B.: Gschf. FN.: "Der Hammer" Auktions u. Hdls.-GmbH. DA.: 1150 Wien, Stättermayerg. 32. G.: Wien, 21. März 1967. El.: Ferdinand u. Elfriede, geb. Hanzel. S.: VS, Gymn., HASCH. K.: 1987-92 Sachbearb. u. Auktionator im "Dorotheum", danach selbst. H.: Sport. (N.A.)

Ottmann Walter Ing.

B.: Gschf. FN.: Felber & Ottmann GesmbH. DA.: 1100 Wien, Schrankenbergg. 27. PA.: 1130 Wien, Hetzendorferstr. 162. G.: Wien, 8. Jän. 1954. V.: Zita, geb. Döberl. Ki.: Thomas (1987), Alexander (1982). El.: Johann u. Katharina. S.: HTL Abt. Nachrichtentechn., Lehrgang a. d. WU Wien, Werbung u. Verk., 1969-73 Radio- u. Fernsehtechn.-Lehre, Gesellenprüf. K.: 1973-79 Techn. Konstrukteur b. Fa. Stuzzi,, 2 J. Techn. AV-Ltr. b. Fa. Eumig, 1981-83 Fa. Burisch,

Marktaufbau f. 2 dt. u. 1 amerikanische Fa., a. 1983 selbst., Grdg. d. Fa. O-Elektronik, 1984 Grdg. d. Fa. Otronik, 1987 Umbenennung Fa. O-Elektronik i. Felber-Ottmann, Eröff. d. "Schildkrötläden"-Textilbranche, Hrsg. e. techn. Ztg. u. Grdg. d. Fa. Comdes u. Euro-Elektronik i. Ungarn u. NÖ d. Fa. Dienstbier Ottmann OHG-Büromaschinen. P.: Verf. techn. Art., Einladung z. Diskussionen b. EG-Meetings. M.: akt. Mtgl. d. Elternver. H.: Maraton-Lauf, Mountainbike, Skifahren. (I.J.)

Ottitsch Walter

B.: Orgelbaumeister. FN.: Orgelbau Ottitsch. GT.: Fachvorsitzender d. Musikinstrumentenerzeuger Kärntens. DA./PA.: 9170 Ferlach, Ressnig 39. G.: Klagenfurt, 26. Sept. 1941. V.: Justine, geb. Adlasnig. Ki.: Orgelbaumeister Bernhard (1969), Tanja (1973). El.: Max u. Cecilia. S.: VS, HS, Berufsschule u. Orgelbauerlehre b. Fa. Novak. K.: 1979 Meisterprüfung u. Selbständig durch Gründung d. eig. Fa. E.: Ehrenbürger v. Krainburg 1986 u. 91, Ehrenurkunde anläßl. d. Restaurierung d. Zagreber Orgel durch d. Caritas. H.: Forellenzucht, Lesen. (G.L.)

Otto Alexander Karl Dr.

B.: a.o. u. bev. Botschafter i.R. PA.: 1190 Wien, Daringerg. 18a. G.: 7. Juni 1924. Verh., 2 Kinder. El.: Dr. med. Karl u. Dr. med. Anna. S.: Dkfm., HS f. Welthdl. in Wien, Dr. rer. oec. Wien 1950. K.: Nach Univ.Stud. kurzfristig Staatsdienst u. Privatwirtschaft, anschl. Eintritt in d. österr. diplomat. Dienst, 1955 3. Sekr. Botschaft Rio de Janeiro, 1958 BMA, 1959 Österr. Präsidentschaftskzl., 1961 ständiger Geschäftsträger Botschaft Djakarta, 1964 Erster Botschaftsrat u. Gen.Konsul Botschaft London, 1968 Österr. Präsidentschaftskzl. Wien, 1969 a.o. u. bev. Botschafter in Nigeria, Ghana, Kamerun u. Liberia, 1972 a.o. u. bev. Botschafter in Jugoslawien u. Albanien, 1977 a.o. u. bev. Botschafter in Chile, 1980 Abt.Ltr. im BMA, 1982 a.o. u. bev. Botschafter in Simbabwe, Mosambik, Swasiland u. Königreich Lesohto, 1985 a.o. u. bev. Botschafter in Portugal, seit 1990 i.R. E.: Gr. K. d. chilen. VO, Gr. K. d. liber. O. d. afr. Befr., Gr. K. d. portug. o. Infante Dom Henrique, KmdK. d. brit. Vict. Or., OffKr. d. bras. O. Kr. d. S., OffKr. d. finn. WRO, OffKr. d. iran. HO, ÖRK-Med. usw. M.: Oriental Ceramic Society London. H.: Golf, Asiatica u. Africana, Kunstbuchbinderei.

Otto Georg

B.: Schriftsteller, Kfm. DA.: 6580 St. Anton 546. G.: Heidelberg, 5. Jan. 1920. Ki.: Christa (1944), Marita (1949). E.: Georg u. Dina. S.: Gymn., 1940-45 Militär. K.: 1947-52 Dramaturg b. d. Bühne am Niederreihn, 1952-58 Repräsentant e. Verlages, 1956-63 Generalvertreter, 1963-66 Verkaufs- u. Werbeltr. e. intern. Verlages, 1966-71 Gschf., 1971 Grdg. d. eig. Verlages d. Who is Who the international red Series GmbH, 1981 Verkauf d. Verlages, Beginn d. Forschungsarbeiten im Bereich d. Radioästhesie u. d. Auswirkung

v. Erdstrahlen. P.: zahlr. Vorträge u. Seminare- Angewandte Elektro Geobioskopie, Fachartikel u. Ztg. u. Zeitschriften, mehrere Sachbücher darunter: "Das Risiko krank zu sein", "Erdstrahlen - Auswirkungen auf unsere Gesundheit", "Krebs u. Zivilisationskrankheiten durch Strom, Wasseradern u. Gitternetze", "Wir Selbstmörder des 20. Jahrhunderts", Dramen, Komödien u. Jugendbücher. E.: 1972 Jugendbuchpreis d. AMWW Lüttich f. "Die Scnaken". M.: s. 1981 im Forschungskreis f. Geobiologie Dr. Hartmann e.V. H.: Tennis, Reisen, Filmen.

Otto Sonja Dr. med.
B.: selbst. FA f. Kinderheilkunde. DA.: 8010 Graz, Schönaugürtel 21. PA.: 8010 Graz, Bergmanng. 8. G.: Wien, 22. Juli 1946. V.: Helfried. K.: Reinhard u. Ronald. El.: Kritz Karl u. Herta. S.: VS, Gymn. Mödling, Matura 1964, Med.Stud. an d. Univ. Wien, Prom. 1971. K.: 1 J. im Rechenzentrum d. Wr. Klinik, parallel z. Turnusausbild. im Franz Joseph-Spital u. im Breyerschen Kinderspital, 1974 Übersiedl. nach Graz, ab 1975 Fachausbild. u. Tätigkeit an d. Kinderklinik Graz, 1982 Eröff. d. eig. Praxis. P.: Mitarb. an Fachpubl. über Diabetiker-Betreuung u. Fettstoffwechselerkrankung. M.: Mtgl. d. Ges. f. Kinderheilkunde, Mtgl. d. Ges. f. Hämothologie, Mtgl. d. Österr. u. Steir. Diabetes-Ges. H.: Familie, Weben, Reisen, Sprachen. (War.)

Otto Rudolf jun. KamR. KommR.
B.: Vorst. d. Wr. LGremiums f. d. Hdl. m. Gemälden, Antiquitäten u. Kunstgegenständen sowie Briefmarken. DA.: 1130 Wien, Lainzer Str. 53. PA.: 1131 Wien, Backg. 10. G.: Wien, 13. Juni 1937. V.: Heide Traute Marianne. Ki.: Maria, Christine, Gabriele. El.: Rudolf u. Maria. S.: BG, 1955 Matura. K.: 1960 Kompl. d. Rudolf Otto KG, 1975 Ges. d. Galerie Otto, seit 1977 Vorst. d. Wr. LGremiums, 1980 KamR., 1980 KommR. H.: Segeln, Bridge. (Fels.)

Otzasek Karl Mag.
B.: Steuerberater. DA.: 5280 Braunau/Inn, Stadtpl. 8-9. PA.: 5280 Braunau/Inn, Rainerstr. 86. G.: Salzburg, 1. Apr. 1952. V.: Elfriede, geb. Führer. Ki.: Thomas (1982), Stefan (1984). El.: Karl u. Katharina. S.: 1971 Matura HAK Braunau, BH, 1972-76 BWL-Stud. Linz. K.: 1976-81 Tätigkeit in Kzl. Dr. Prodinger u. Dr. Weißbacher Steuerberatungs KG Zell am See, 1980 Steuerberaterprüf., seit 1981 selbst. m. eigener Kzl. in Braunau/Inn. M.: privilegierte Schützenges. Braunau, Schachclub Ranshofen, Schachver. Munderfing, Schlaraffia Brundunum, Ver. f. Mineralienfreunde Braunau. H.: Schach, Lesen, Garten, Mineralien. (E.Hö.)

Ötzbrugger Christof Stefan
B.: Kfm., Gschf. FN.: Innovatech Products GmbH. DA.: 6020 Innsbruck, Leopoldstr. 4. G.: Innsbruck, 22. Juni 1960. El.: Otto u. Irmingard. S.: VS, HS, HTL, 1980 Lehre Einzelhdls.-Kfm., 1982 Exportlehrgang Univ. Innsbruck, 1985 Berufsreifeprüf. K.: Exportref. Stubaier Werkzeugind., 1987 selbst., Grdg. Innovatech Austria, Entwicklung u. Produktion v. innovativen Produkten f. d. Snowboardind., 1988 Start Snowboardklinik, 1989 Grdg. Snowboardklinik Hdls. GmbH, 1992 Zusammenlegung Innovatech Austria u. SBK u. Umbenennung Innovatech Products. P.: Publ. in div. Fachzeitschriften. M.: Vorst. Exportclub Tir. H.: Musik, Bücher, Reisen. (B.R.)

Oucherif Christian Farid

B.: Gold- u. Silberschmied, Juweliermeister. FN.: Ch. Oucherif. DA.: 4020 Linz, Stockhofstr. 11. PA.: 4490 St. Florian, Im Aichetfeld 25. G.: Linz, 20. Okt. 1959. V.: Gertrud, geb. Pelozer. Ki.: Marie-Christine (1989), Nadine (1991). El.: Idir u. Elfriede. S.: Hauptsch., Gold- u. Silberschmied 1978 Fa. Max Storen, 1984 Meisterprüf. K.: 2/84 Übern. d. Gsch. M.: Harley Davidson Club HOG. H.: Beruf, Familie, Motorradfahren, Schmuckgestaltung. (N.A.)

Oulehla Jaromir Dr. med. vet. Dipl.Tzt. OberR.
B.: Ltr. d. Span. Reitschule u. Dir. d. BGestütes Piber. GT.: Sachv. f. Pferdekrankheiten, VPräs. d. LIF. DA.: 1010 Wien, Hofburg. PA.: 8580 Köflach, Piber 1. G.: Großmeseritsch i. Mähren, 23. Sept. 1943. V.: Hana, geb. Lavicky. Ki.: Petra (1968). El.: Vaclav u. Maria. S.: Gymn., 1960 Matura, Stud. Vet.Med. Brünn, 1966 Prom. K.: 1 J. Militärpräsenzdienst, 1967-70 prakt. Tierarzt Iglau/CSSR, 1970 Übersiedlung nach Österr., 1970-77 HS-Lehrer Vet.Univ. Wien u. gleichzeitig Ltg. d. Abt. d. Pferdeklinik f. Pferdekrankheiten, 1977-83 stellv. Ltr. d. BAnst. f. Pferdezucht in Stadl-Paura/OÖ, 1983 Dir. d. BGestütes Piber, seit 1985 Ltr. d. Span. Reitschule. P.: Fachpubl. auf d. Gebiet d. Vet.Med. u. über Pferdezucht, Buch: Die Spanische Reitschule zu Wien. E.: Gr. Silb. VZ d. Stadt Wien, Gold. EZ f. Verd. um d. Rep. Österr., VK d. BRD. M.: Vorst. d. Ges. d. Freunde d. Span. Reitschule, Chaine des Rotisseurs. H.: Musik, Fischen, Reiten, Sport. (M.B.)

Outolny Ernst
B.: Gschf. d. Schloß Laxenburg Betriebs GmbH u. Ver. NÖ-Wien gemeins. Erholungsräume. G.: Wien, 17. Okt. 1934. V.: Elfriede, geb. Jeindl. Ki.: Sylvia. El.: Eduard u. Albertine. S.: Berufschule f. Starkstrommonteure, Gesellenprüf. K.: Bis 1958 Starkstrommonteur b. d. Wr. Stadtwerken, 1948-54 versch. Funkt. in d. SJÖ, ab 1954 Bildungsfunktionär u. Sekt.Vors. d. SPÖ, 1958-76 Bez.Sekr. d. SPÖ, 1968 in d. Wr. Landtag gewählt, seither LAbg. u. GemR. d. BHpt.Stadt Wien, Mtgl. d. GemR.Aussch. f. Umwelt u. Freizeit u. d. Umweltaussch. d. Österr. Städtebundes, s. 1985 Vors. d. Wr. GemR. u. Vors. d. SPÖ Bez.Organ. Wien-Rudolfsheim 1150 Wien, Schwenderg. 41/2., ab 1991 2. Präs. d. Wiener Landtages. P.: Publ. in d. Zeitschr. Wien aktuell Nr. 3/79. "Wahres Glück, einzige Seligkeit: Wiener Kleingärten u. Siedlungen gestern - heute - morgen", "Der Aufbau" Nr.1/88 "Gemeinsame Erholungsräume f. NÖ u. Wien", div. Leitart. "Rudolfsheim Heute". E.: Gold. EZ f. Verd. um d. Land Wien, "Gold. Rose" d. Grünen Internationale. M.: Naturfreunde. H.: Lesen, Wandern, Natur, Skifahren. (M.B.)

Ovesny Franz
B.: Gen.-Sekr. Verb. Österr. Banken u. Bankiers. DA.: 1013 Wien, Börseg. 11. PA.: 1130 Wien, Auhofstr. 156/2/9. G.: Mag. Regina. Ki.: Barbara, Ursula, Alexandra. El.: Franz u. Elisabeth. S.: VS, Mittelschule, 1958 Matura, Jusstud. K.: 1959 Postsparkasse, 1961-93 ZentralbetriebsR. Creditanst., seit 1993 Gen.-Sekr. M.: ÖVP, ÖAAB, MKV, Gem.-Vertreter Kirche, HBW Innere Stadt. H.: Golf, Skifahren, Langlaufen, klass. Musik, Lesen. (H.S.)

Oys Ursula Dr.
B.: RA. DA.: 1040 Wien, Brucknerstr. 4/4. PA.: 1090 Wien, Beethoveng. 1. G.: Gmunden, 22. Okt. 1961. El.: Werner u. Hertraud Oys. S.: 1979 Matura, Stud. Rechtswiss. Univ. Sbg., 1983 Prom. z. Dr. iur. K.: Gerichtsj., 5 J. Anw.-Praxis in d. Wr. RA-Kzl. Dr. Peter Fichtenbauer, 1986 RA-Prüf., seit 1989 selbst. m. Schwerpunkt Wirtschaftsangelegenheiten u. Liegenschaftstransaktionen. BL.: bereits m. 27 J. eingetragener RA. H.: Wasserskifahren, Skifahren. (J.S.)

Özdemir Mustafa
B.: Sales Manager. FN.: Austria Trend Hotels. DA.: 1150 Wien, Linke Wienzeile 194. G.: Türkei, 27. Jul. 1966. El.: Mehmet u. Yüksel. S.: Grundschule. K.: i. d. Heimat i. d. Gastronomie beschäft., s. 1987 i. Österr., Ausbild. d. Kurse u. Schulungen, durchlief sämtl. Stat. d. Austria Trend Hotels, s. 1992 Sales Manager. H.: Wandern, Tennis.(L.S.)

Ozelsberger Alfred Dipl.-Ing.
B.: Abt.Ltr. d. Hauptwerkstätte d. OÖ Kraftwerke AG (OKA). A.: 4810 Gmunden, Cumberlandpark 37. G.: Gmunden, 6. Juni 1934. V.: Elisabeth, geb. Geissler. El.: Franz u. Berta. S.: RG Gmunden, TU Wien. K.: Berechnungsing. f. Mittelmasch., später Großmasch. b. BBC, Baden CH, Betriebsabt. d. OKA, techn.-physikal. Betriebsprobleme, später Abt.Ltr.Stellv., seit 1978 Abt.Ltr. d. Hauptwerkstätte. M.: Österr. Alpenver., Ak. Sekt. Wien, Österr. Ak.Bund. H.: Bergsteigen, Skifahren, Oper.

Ozeransky David

B.: Ak. Bildhauer. PA.: 3400 Klosterneuburg, Heisslerg. 6/4. G.: Kiev/Ukraine, 11. Apr. 1911. V.: Gabriele. El.: Michael u. Zlata. S.: 1927 Matura Kiev, Stud. Bildhauerei Ak. München. K.: 1933 Emigration nach Israel, Tätigkeit als freischaff. Bildhauer, 1. Skulptur-Engel f. d. IMKA-Gebäude, weitere Schöpfungen: "Löwe" f. d. Generali-Gebäude (1935), 1935 Creative Stone f. d. Rockfeller-Museum Jerusalem, "Der Rebelle" Johannesburg, ab 1967 Prof. an "Betamanin", 1973 Kreation d. Skulptur "Span. Tanz" d. in "Louvre" ausgestellt ist, zahlr. Skulpturen befinden sich in div. Städten d. USA, 1984 Ndlg. in Österr. (N.A.)

Özkinay Yasar Dkfm.
B.: Gschf. FN.: Dkfm. Yasar Özkinay & Bruder KG. DA.: 1232 Wien-Inzersdorf, Großmarkt 5B-33/34. PA.: 2500 Baden, Franz-Gehrer-Str. 27. G.: Istanbul, 20. Juni 1931. V.: Gabriele, geb. Schabel. Ki.: Iris. El.: Mehmet u. Azize. BV.: wohlhabende Vorfahren flüchteten v. Kreta nach Lybien-Ägypten b. in d. Türkei. S.: 1955 HS in Istanbul, HS f. Welthdl., 1962 Dipl., in Wien Ausbild. als Bauunternehmer. K.: 1964 Fa.Grdg. kommerzielle Tätigkeit. F.: Import-Export-Intern. Hdls.Agentur. H.: Lesen (wirtschaftl., wiss.), Das Meer, Reisen. (E.L.)

Paar Alois Dr. techn. Dipl.-Ing.
B.: Ziviling. f. Elektrotechnik. A.: 5020 Salzburg, Berchtesgadener Str. 48. G.: Graz, 9. Juli 1923. El.: Alois u. Hedwig. S.: Ing.-Schule Graz-Gösting, TH Graz. K.: 1961-64 Direktoriumsmtgl. Kabelwerk Vohwinkel Wuppertal, 1965-70 Vorst.Mtgl. Maschinenfbk. Losenhausen AG Düsseldorf, 1971-74 Sprecher d. Vorst. Felten & Guilleaume Kabelwerke AG Köln, 1974-84 Inh. u. Ltr. IWS-Industriewaren GmbH Sbg. u. Köln. P.: Diss.: "Die Koronaverlustarb. an Hochspannungsfreileitungen", mehrere Arb. auf d. Gebiet d. Meß- u. Regeltechnik, Patente auf dem Gebiet d. Bodenverdichtung.

Paar Jakob
B.: Bgm. d. Stadtgem. Frauenkirchen, Feriendorf Vogelparadies Apetlon, Elektromstr. in Frauenkirchen. DA.: 7132 Frauenkirchen, Hauptstr. 4. G.: Frauenkirchen, 3. Juli 1926. V.: Ilse, geb. Hermann. Ki.: Kurt, Edith. El.: Johann u. Susanne. S.: Pflichtschule, Berufsschule Neusiedl, Mstr.Prüf. Elektro Wien 1956. K.: 1941-44 Elektrolehre, 1944 Gesellenprüf., Ang. b. NEWAG, 9 J. Betriebsmonteur, 1955 Mstr.Prüf., Übernahme eines Elektrobetriebes, 1976 Bgm. v. Frauenkirchen, 1982 Stadterhebung v. Frauenkirchen, Initiator d. Ärztezentrum u. Unfallambulanz, 1960 Bau d. Feriendorfes (Vogelparadies Apetlon). P.: Publ. v. Reden v. Ehrengästen in Frauenkirchen z. Stadterhebung. E.: Gold. EZ d. Landes, Silb. Nadel f. 10 J. Tätigkeit in d. GemR. M.: Vorst.Mtgl. v. Bgld. Wasserleitungsverb., allg. Ver. Frauenkirchen, Elektrounternehmerverb. u. Installateurver. H.: Fischen, Fischzüchter. (Fels.)

Pabisch Günther
B.: selbst. f. Import u. Export. DA.: 1150 Wien, Plunkeng. 4-12. G.: Wien, 3. Jan. 1938. V.: Christin, geb. Holzer. Ki.: Gottfried (1967). El.: Adolf u. Adelheid. S.: VS, HS, Kfm. Lehre in Wien, 1957 Abschluß. K.: 1958-63 Buchhaltung u. Lagerhausverwalterstellv. d. ldw. Kartoffelverwertung, 1964-66 selbst. Hdls.Agentur u. Detailgeschäft, 1967-78 Vertreter d. Seifenfbk. Kielhauser, 1979 Hdls.Agentur u. Großhdl. f. Kosmetik, Gesundheitswesen, Orthopädie u. Bandagen, 1988 Gen.Vertretung f. "Sulfoderm". M.: Grdg.Mtgl. d. Ritterbundes Tafelrunde zu Vindobona. H.: Modellfliegen. (H.J.S.)

Pabon Reinaldo Mag.
B.: Botschafter v. Venezuela. DA.: 1030 Wien, Marokkanerg. 22. PA.: 1040 Wien, Prinz-Eugen-Str. 44. G.: Caracas/ Venezuela, 6. Jan. 1945. Ki.: Jennie (1971), Reinaldo Alex (1975). S.: 1965-68 Stud. Zentrale Univ. v. Venezuela. K.: 1968 Inst. f. Moderne Sprachen Zentraluniv. v. Venezuela, 1968-70 Koordinator f. Intern. Angelegenheiten Erdölmin. v. Venezuela, 1970 3. Sekr. Dion. f. Intern. Politik, Außenmin. v. Venezuela, 1971-75 3. Sekr. Botschaft in d. Sowjetunion, 1975-76 2. Sekr. Botschaft in Polen, 1978-79 BotschaftsR., Abt.Ltr. Sekt. f. Europ. Angelegenheiten Außenmin. v. Venezuela, 1979 BotschaftsR. Gen.Dion. Venezolan. Außenmin., 1980-82 BotschaftsR. in Peru, 1982-83 BotschaftsR. in Brasilien, 1983-84 Gesandter-BotschaftsR. in Brasilien, 1984-85 Gesandter-BotschaftsR. in d. Vereinigten Staaten v. Amerika, 1985 Gesandter-BotschaftsR. b. d. Vereinten Nationen New York, 1985-88 Botschafter, stellv. ständiger Vertreter v. Venezuela b. d. Vereinten Nationen, seit 1988 a.o. u. bev. Botschaft v. Venezuela in Österr., seit 1988 Botschafter, ständiger Vertreter v. Venezuela b. d. Intern. Organ. in Wien (UNO, UNIDO, IAEA). M.: Venezolan. Sondermission in d. UdSSR 1970, Venezolan. Delegation z. Vorbereitungstagung d. 4. UNCTAD 1979, stellv. Vertreter v. Venezuela b. Obersten Rat d. "Escuela Empresarial Andina del Convenio Andrés Bello" 1982, stellv. Vertreter d. Delegation v. Venezuela z. 40., 41. u. 42. Sitzungsperiode d. Generalversammlung d. Vereinten Nationen 1985-1986-1987, stellv. Vertreter d. Venezolan. Delegation b. Sicherheitsrat d. Vereinten Nationen 1986-1987. H.: Schwimmen, Tennis. (P.R.)

Pach Andrea-Maria Dr.
B.: Konzertorganistin, Musikwiss., Musikpäd. PA.: 1210 Wien, Leopoldauerstr. 5. G.: Wien, 3. Juni 1962. El.: Ing. Karl u. Hermine, geb. Göttfried. S.: Stud. d. Musikerz. u. Instrumentalmusikerz. a. d. HS f. Musik u. darst. Kunst i. Wien, Sponsion Mag. art. 1986; Doktoratsstud.

Musikwiss./Musikerz. m. Prom. Dr. phil. 1989; Konzertfach- u. Lehramtsstud. Orgel b. Prof. Dr. Rudolf Scholz, Lehrbefähigungsprüf. 1993 m. einstimmiger Ausz., Konzert-Diplomprüf. 1993 m. einstimmiger Ausz. K.: zahlr. Konzerte i. In- u. Ausland, s. 1994 Solistin d. Kammerorchesters d. Grazer Philharmoniker. BL.: Initiatorin u. künstl. Ltr. v. e. int. Aktion "Orgel Modern" (CD- u. Konzertreihen). P.: Fachart. i. Musikfachzeitschriften, Rezensionen ü. Konzerte, 1994 Buch "Karl Waltaer - Ein Leben für die Orgel", CD Orgel Modern Gottfried von Einem. M.: Präs. v. Forum Orgel Modern, Vorst. v. d. Karl Walter Ges. H.: Theater, insb. Burgtheater, Moderne Literatur, Wohnung einrichten, Reisen. (N.A.)

Baronin Pach v. Hanssenheimb Helma

B.: ehem. Starmannequin d. Salon Adelmüller, jetzt Boutique-Besitzerin d. exklusiven ital. Mode Missoni. DA.: 1010 Wien, Krugerstr. 15. El.: Baron Leo Pach v. Hanssenheimb u. Anna, geb. Baronin Schlosser. BV.: Adel aus d. 12. Jhdt. S.: HS in Graz, Reinhardt-Seminar in Wien. K.: Sbg. Kabarett m. Fred Kraus, Tourneen m. Senta Wengraf u.a. bekannten Schauspieler, Haute Couture Branche - 1. Starmannequin d. Salon Adelmüller, genannt: "Die Duse d. Laufstegs", Creation u. Ausarb. v. Unikaten Handarb., Taschen, Schmuck u. Hüten, kreierte d. 1. Wr. Weihnachtsbasar, 1961 Grdg. d. 1. Modeboutique am Petersplatz, später Umwandlung in Naturkostladen, 1963 1. Boutique in d. Annagasse, 1983 exklusive Boutique Krugerstraße, veranstaltet außergewöhnl. Modeschauen im überdachten Innenhof m. Bühnenpodest - Vernissagen, Dichterlesungen, Musikdarbietungen u. Mitwirkung v. bekannten Künstlern, ebenso Förderung junger Talente. BL.: 1957-60 Lehrtätigkeit an d. Modeschule Hetzendorf, Gast in versch. ORF-Modesendungen. H.: Katzenmutter, Esoterik, Makrobiotik, mod. Malerei, Radfahren. (M.G.)

von Pach zu Hansenheim u. Biedenegg Helmut Johann Maria Josef

B.: Inh. Cafe-Pub-Appartements. DA.: 6521 Fließ, Schloß Biedenegg. G.: Zams, 24. Juni 1962. V.: Gabriela, geb. Pertolli. Ki.: Mario (1979), Sabine (1980). El.: Hans Reichsfrhr. v. Pach u. Josefa Baronin Freifrau v. Pach. S.: VS, HS, Kochlehre im Stubaital, 1979 Abschluß, Lehrlingsausbild.-Prüf., 1988 Konzessionsprüf., 2. Bild.-Weg Elektrotechnik, 1993 Abschluß. K.: Koch in versch. Hotels in Tir., 1981 Übernahme d. elterl. Restaurantbetriebes, 1991 Grdg. Pach Elektro GmbH, 1994 spezialisiert auf d. Reinigung d. med. techn. Geräte d. Intensivstationen in d. Spitälern, 1994 Grdg. Duo Biedenegg Tanzmsuik. M.: Musikkapelle u. Schützengilde. H.: Gitarre, Keyboard, Meditation, Psych., Alpinsport. (I.D.)

Pache Jürgen

B.: Inh. FN.: Pache Kunstblumen Handels GmbH. DA.: 5020 Salzburg, Röcklbrunnstr. 13. PA.: 5164 Seeham 140. G.: Berchtesgaden, 7. Apr. 1949. Ki.: Ulrich-Nicolas, Axel-Dominik. El.: Hubert u. Liselotte. S.: Gymn. Kempten, Ausbild. z. Werbekfm. in Köln, Praxis in versch. Werbeagenturen als Medialtr., Abschluß z. Werbeltr., Verkaufsltr. in einem Verlag, 1983 Übernahme u. Erweiterung d. elterl. Betriebes, seit 1990 Inh. d. Firma. P.: zahlr. Art. in Fachzeitschriften. H.: Segeln, Tennis, Musik. (M.Mo.)

Pacher Anneliese KommR.

B.: Kfm., Herst. v. Kinderbekleidung. DA.: 9010 Klagenfurt, Prof.-Porsche-Str. 16. PA.: 9210 Pörtschach, Hauptstr. 136. G.: St. Veit/Glan, 17. Sept. 1928. V.: Ing. Ferdinand Pacher. Ki.: Jutta. El.: Zechner Elfriede u. Andreas. S.: VS, Gymn., HAK m. Matura. K.: Damenschneiderlehre m. Gesellenprüfung., 6 Jahre im elterl. Betrieb, Gschf. einer Kinderbekleidungsfa. BL.: Aufbau einer leistungsfähigen Fa. im Zeitraum von 20 Jahren, mit hoher Exportquote im Süddtschen Raum, Südtir., Italien, Spanien USA. F.: Gschf. Ges. u. Kompl. P.: Fachart. in d. einschl. Fachzeitschriften. M.: Präsidentin des Zonta-Clubs, Kärnten, Mtgl. d. HK, Vorst. d. Sekt. Bekleidung f. Ktn., Mtgl, d. Exekutivkomitees d. Bundeskammer, Mtgl. d. Yachtclub Pörtschach, Mtgl. d. Zentralamtes f. Außenhdl. H.: Schifahren, Bergsteigen, Segeln. (G.L.)

Pacher Christine

B.: Inh., Kfm. d. Fa. Christine Pacher. GT.: seit 1960 Privatzimmer- u. Ferienwohnungsvermietung. DA.: 5600 St. Johann, Liechtensteinklammstr. 4. G.: St. Johann, 20. Juni 1945. V.: Kurt. Ki.: Kurt (1968), Günter (1969). El.: Josef u. Anna Frey. S.: VS, HS, Lehre als Einzelh.-Kfm. im elterl. Weingroßhandel u. Feinkostgeschäft. K.: 1975 Übern. d. elterl. Betr., der 1946 gegründet wurde, 1959 Lebensmittelgroßhandel A&O Salzburg, 1978 Spar AG Wörgl, 1978-80 Vergröß. u. Erweit. d. Betr., 1984 Fil. i. St. Johann, Ortsteil Alpendorf. M.: WK Sbg. als Vors. d. Kfm. Lehrabschlußbrief, im Ausschuß d. WK. H.: Skifahren, Schwimmen, Wasserskilaufen. (J.F.)

Pacher Franz Dr. Dipl.-Ing. Prof.

B.: Ing.Konsulent f. Bauwesen. FN.: IGT Ing.Gemeinschaft f. Geotechnik u. Tunnelbau. DA.: 5020 Salzburg, Franz-Josef-Str. 3. PA.: 5400 Hallein, Birkenweg 5. G.: Mittelsuchau, 28. Apr. 1919. V.: Dr. Alexandra, geb. Adamovich. Ki.: Franz Dr., Christine, Andrea, Alexander. El.: Prof. Franz u. Maria. S.: LORG Graz, 1937 Matura, Stud. Bauing.Wesen TH Graz u. Wien, 1943 Dipl.-Ing. TH Graz. K.: Wiss. Hilfskraft am Lehrstuhl f. Geodäsie, 1943-45 Wiss. Ass. TH Graz (Wasserbau), 1945-52 Entwurfs- u. Baustellening. b. Fa. Ast & Co Graz, 1950 Ziviling.Befugnis, 1952-57 Ing.Büro f. Geologie u. Bauwesen Dr.Ing. L. Müller Sbg., 1957-66 Ing.Konsulent in Zusammenarb. m. Prof. Dr.Ing. L. Müller, seit 1966 selbst. Tätigkeit als Ing.Konsulent, Vorst. Ing.Gemeinschaft f. Geotechnik u. Tunnelbau in Sbg., Lehrtätigkeit TH München (Felsmechanik) u. TH Wien (Bauen im Fels). BL.: Projektant u. Konsulent b. zahlr. U-Bahn-, Straßen-u. Eisenbahntunnelbauten im In- u. Ausland (u.a. U-Bahn-Bauten in Wien, München, Frankfurt, Caracas, Sao Paulo, Damm-Bauten in Rhodesien, Griechenland, Iran, Chile u. Argentinien u.v.a.). P.: zahlr. Fachbeiträge u. Vorträge im In- u. Ausland. E.: 1975 Ehrendoktorat d. Fak. f. Bauing. u. Vermessungswesen d. Univ. Karlsruhe, 1979 Berufstitel BauR. M.: Intern. Ges. f. Felsmechanik Sbg., Bergmännischer Verb. Österr., Intern. Society for Rock Mechanic Lissabon, Mtgl. d. Unteraussch. f. Sperrenüberwachung im BMLF, Forschungsges. f. d. Straßenwesen Arb.Aussch. "Straßentunnelbau", Mtgl. d. Staubeckenkmsn. im BMLF, Vorst. u. 1975-81 Präs. d. Österr. Ges. f. Geomechanik, Mtgl. d. Tunnelexpertenkomitees Österr., Mtgl. d. BeiR. f. d. Straßenforsch., Lions Club Hellbrunn. H.: Familien, Geschichte, Ballett. (Föd.)

Pacher Helmut
B.: EDV-Ltr., Fertigwarenlagerltr. FN.: adidas Sportschuhfbk. GmbH. DA.: 9020 Klagenfurt, Adi-Dorster-G. 2. PA.: 9020 Klagenfurt, Rudolf-Kattnig-Str. 51. G.: Spittal/Drau, 9. Sept. 1951. V.: Anna, geb. Turko. Ki.: Boris, Bettina. El.: Paul u. Maria. S.: VS, HS, Lehre als Bürokfm., div. EDV-Spezialkurse, Management-Training. K.: 1976-83 Chefprogrammierer b. adidas, ab 1984 EDV-Ltr., ab 1987 Fertigwarenlagerltr. BL.: 1980-81 führendes Projektmtgl. b. Projekt "Fertigwarenlager". M.: S/3-Pool Ktn., Common Europe. H.: Wassersport, Skifahren, Modellbau. (S.G.)

Pacher Josef Ing.
B.: Gschf. FN.: Zimmerei, Hobel- u. Sägewerke GmbH. DA.: 2100 Korneuburg, Jahnstr. 3. G.: Obergänserndorf, 11. Nov. 1953. V.: Silvia, geb. Navratil. Ki.: Andrea, Susanne. El.: Josef u. Rosa. S.: HS, Baufachschule Krems u. Schellinggasse, Abendschule, Hochbaumatura, Zimmermstr.Prüf. 1978, Pilotenschein, Amateurfunker. K.: 1972 Fa.Eintritt, 1978 Übernahme d. Fa.Ltg. m. 20 Mitarb., heute 50 Mitarb., zahlr. Aufträge v. Gem., Zusammenarb. m. namhaftesten Arch., konstruktiver Holzbau. M.: Flugsportver. Stockerau. H.: Flugzeuge. (E.L.)

Pacher Michael Dr. iur.
B.: RA. FN.: Pacher & Pacher. DA.: 8010 Graz, Neutorg. 49/II. G.: Graz, 28. Juli 1963. V.: Mag. Anna-Maria, geb. Strempfl. Ki.: Philipp (1989), Constantin (1992). El.: Dr. Karl u. Edda. S.: 1981 Matura, Stud. Rechtswiss. Graz, 1985 Mag. iur., 1987 Diss. u. Prom. K.: 1984-85 Ass. Univ. Graz, 1985-87 Gschf. d. Modell Stmk., Zivildienst, 1988 Gerichtsj. Graz u. Wien, Einstieg als RA-Anw. in eine Wr. Wirtschaftskzl., seit 1992 Partner in d. Kzl. Pacher & Pacher. P.: Fachtexte in jur. Fachzeitschriften "Der Instandsetzungs- u. Erhaltungsbeitrag im Dienstbarkeitsrecht" (1993). H.: Familie, Bergsteigen, Zeitgeschichte. (F.K.)

Pacher Richard OA Dr. med.

B.: Oberarzt. FN.: Kardiolog. Univ.-Klinik Wien. DA.: 1090 Wien, Währinger Gürtel 18-20. PA.: 1020 Wien, Obere Donaustr. 97. G.: Wien, 6. März 1954. V.: Barbara, geb. Hengl. El.: Richard u. Stefanie, geb. Streck. S.: VS, Akad. Gymn. Wien 1, 1972 Matura, Med.-Stud. a. d. Univ. Wien, 1980 Prom. K.: 1980-84 Turnus im KH Barmherzige Brüder u. Kaiser-Franz-Josef Spital, 1984 Eintritt in die Univ. Klinik f. Kardiologie und Abschluß d. FA-Ausbildung, 1988-90 Oberarzt im KH Ried/Innkreis, Innere Med., ab 1991 OA der Kardiolog. Univ.-Klinik Wien mit Schwerpunkt schwere chron. Herzinsuffienz, Vorbereitung zur Herztransplantation u. Kardiolog. Intensivmed. P.: Zahlr. Publ. und Vorträge im In- u. Ausland. H.: Musik, Segeln, Tennis. (M.M.)

Pachernegg Margarethe
B.: Gschf. FN.: Alfred Pachernegg GmbH. DA. u. PA.: 8952 Irdning, Klosterg. 3. G.: Frohnleiten, 9. Mai 1949. Ki.: Walter (1970), Renate (1975), Alfred (1978). El.: Rupert u. Margarethe Windisch. S.: VS, HS, 1964-65 Haushaltungsschule, 1965-66 Ldw.-Lehre im elterl. Betrieb. K.: 1967-68 Tätigkeit im Gastgewerbe in Tauplitz u. Fladnitz, 1968-72 im Haushalt d. Firma Pachernegg, 1972-80 Mitarb. im Betrieb, seit 1980 Gschf. H.: Sticken, Stricken, Rätsel lösen, Wandern, Reisen. (I.G.)

Pachernegg Peter
B.: Gschf. FN.: PEG Privatkrankenanst. Einkaufs- u. Wirtschaftsgen. rGenmbH. DA.: 1180 Wien, Pötzleinsdorfer Höhe 1/5/1. PA.: 3002 Purkersdorf, Grillparzerg. 5. G.: Wien, 10. März 1942. V.: Edith, geb. Karpf. Ki.: Ingrid (1969), Ilse (1978). El.: Ing. Ferdinand u. Maria. S.: VS, HS, HAK, kfm. Lehre z. Einzelhdls.-Kfm. K.: 1960-65 Einkaufsltr. b. einer Ofenfbk., 1965-82 Einkaufsltr. b. einer Fassadenbaufirma, 1982-87 Werksltr. im Elektronikbereich, 1987 Aufbau d. PEG u. seither Führung d. Firma. H.: Bergsteigen, Skifahren, Wildwasser, Surfen, klass. Musik, aktiv Chormusik, Volkstanz. (N.A.)

Pachleitner Maria
B.: Grdg.Präs. d. Lebenshilfe Stmk., dzt. Sekt. Graz/Umgebung. DA.: 8020 Graz, Querg. 5. PA.: 8020 Graz, Annenstr. 29. G.: Polstrau, 10. Sept. 1909. Ki.: Peter, Ralf. El.: Lamm Franz u. Maria. S.: HAK-Matura. K.: versch. Berufe, 1939 Heirat m. d. techn. Kfm. August Pachleitner, Mitarb. im Betrieb, nach d. Krieg Neuaufbau d. Betriebes, 1960 Grdg. d. Ver. "Lebenshilfe Stmk.". E.: Ehrenring d. Landes Stmk., Gold. EZ d. Rep. Österr.

Pachleitner Michael Dr. iur.
B.: Unternehmer, Inh. FN.: Schmuckwarengroßhdl. Dr. Pachleitner. DA.: 8010 Graz, Kastellfeldg. 24. PA.: 8010 Graz, Brockmanng. 38. G.: Graz, 17. März 1960. El.: Erich u. Gerta. S.: 1979 Matura Ak. Gymn. Graz, 1984 Prom. Dr. iur. Karl Franzens-Univ. Graz. K.: Ausbild. in BRD u. elter. Unternehmen, 1984 Übernahme d. elterl. Betriebes zusammen m. d. Schwester. F.: Mehrheitsges. u. Gschf. Ges.: UNIOPT Großhdl. m. opt. Waren GmbH, Adler Hdls. KG - Dr. Michael Pachleitner, Juwelier Hans Kübeck GmbH. H.: Squash, Skifahren, Golf, Musik, Theater. (P.M.)

Pachler Wolfgang Otto Dr.
B.: Managing Dir. FN.: Austria Trend Hotel Gruppe. G.: Linz, 7. Nov. 1951. V.: Monika, geb. Schuss. El.: Josef u. Walpurga. S.: Realschule, Matura, Lehre d. Gastgewerbes im elterl. Betrieb, Stud. d. Betriebswirtschaft in Wien. K.: 1972-75 Schloßhotel Fuschl, 1975 Night-Manager Hilton, 1977-79 Ass. Manager, 1979 Sales- u. Marketingmanager b. THF, zuletzt Front Office Manager, 1980 Deputy General Manager d. Grand Metropolitan Hotels Porto Carras GR, 1981 General Manager Sithonia Beach Hotel Porto Carras GR, 1982 Resident Manager in Jordanien, 1984 Project Dir. f. 2 Hotels in Ägypten, 1984-86 Dir. d. Hotel Imperial Wien, 1986-87 Resident Manager f. Marriott Hotels, 1988-92 Generaldir. d. Mandarin Oriental Hotels in Singapur, 1992-94 Managing Dir. b. Rogner Int. m. Sitz in Wien. M.: Int. Hotel Assoc., Chaine des Rotisseurs. H.: Tennis, Skifahren, Wasserskifahren, klass. Musik, Lesen. (klass. Dichter, Fachliteratur). (F.S.)

Pachta Sonja
B.: Gschf. einer Importfa. G.: Wien, 25. Apr. 1941. El.: Pachta Josef u. Maria. BV.: Vater Josef Pachta ist ein intern. Maler f. Naivmalerei, Ausstellungen in d. ganzen Welt. S.: Gymn., HAK, Sekretärinnenschule, Sprachschule. K.: 1955 Österr. Jugendmstr. im Tennis, ab 1956 - 1975 Österr. Mstr.Titel im Tennis - insges. 52. 19 x Österr. nat. Mstr. im Einzel, davon 18 x en suite, Damendoppel, Mixed-Doppel, div. intern. Turniersiege. E.: Kinzel-Ring, EZ d. Stadt Wien. H.: Tiere, Reisen. (Fels.)

Pachucky Andreas Maria Walter Dr
B.: FA f. Unfallchir. FN.: Rehab-Zentrum Klosterneuburg. PA.: 1180 Wien, Ferrog. 55. G.: Wien, 22. Mai 1955. V.: Barbara, geb. Schreiner. Ki.: Elisabeth, Christoph, Katharina. El.: Prof. Dr. Herbert u. Dr. Ernestine. S.: Schottengymn., BRG, 1973 Matura, Stud. Med. Wien. K.: 1973-79 UKH

Meidling, 1984 FA f. Unfallchir., 1984 Orthopädiespital Speising, 1984-85 Berufsgen. UKH Hamburg, 1985-86 Prof. Denk, 1986 Neurochir. Abt. Linz, 1986 Chir. Abt. KH Barmherzigen Schwestern, 1986-87 Klinikum "Rechts d. Isar", 1987 UKH Meidling. P.: ca. 30 wiss. Publ. in Fachzeitschriften, div. Vorträge med. Kongresse im In- u. Ausland. M.: Österr. Ges. f. Unfallchir., Dt. Ges. f. Unfallheilkunde. H.: Joggen, Fischen, Sport m. Musik. (M.G.)

Pack Karl Dir.

B.: Dir. d. Landesjugendheim. DA.: 8230 Hartberg, Josef-Hallamayr-Str. 19. PA.: 8230 Hartberg, Parkweg 15. G.: Hartberg, 12. März 1953. V.: Waltraud, geb. Schützenhofer. Ki.: Jochen (1981), Stefan (1985). El.: Alois u. Hermine. S.: VS, HS, HAK, 1973 Matura. K.: 1974-75 Buchhalter b. Agrosserta, 1975 Erzieher im Landesjugendheim Hartberg, nebenbei päd. Fachausbild., seit 1982 Ltr. d. Jugendheim, 1990 GemR., seit 1993 StadtR. in Hartberg. M.: Vorst.-Mtgl. d. steir. Fußballverb. H.: Lesen, Tennis, Fußball, Bergsteigen.

Pacolt Ernst Prof.

B.: Sprachforscher, Schulbuchautor, Hrsg. v. Sprachbüchern, Mithrsg. d. amtl. Österr. Wörterbuches, hält Vorlesungen im gesamten deutschsprachigen Raum, Mitarb. d. gr. Dt. Wörterbuches d. Gegenwartssprache, Verfasser v. Sagen- u. Märchenbücher. PA.: 1190 Wien, Hameaustr. 46. G.: Wien, 20. Aug. 1912. V.: Maria, geb. Skacel. Ki.: Udo. S.: LBA, Stud. an d. Ak. d. bild. Künste u. Germ. Stud. an d. Univ. Wien. K.: als Maler zahlr. Buchillustrationen, Ölbilder u. Fresken, Glasmosaik im Wr. Südbahnhof (1957), Fresken im Averoff in Athen, nach d. 2. Weltkrieg Doz. am Päd. Inst. d. Stadt Wien, Mitbegründer d. amtl. Österr. Wörterbuches, als Mitbegr. u. Vors.-Stellv. d. Österr. Nationalinst. Initiator d. Österr. ationalfeiertages, 1959 in Kmsn. f. d. Orthographiereform b. BMUK berufen, 1976 1. Regelwerk f. d. reformierte Groß- u. Kleinschreibung, 1982 wurde unter seinem Vors. d. einheitl. Regelwerk z. Groß- u. Kleinschreibung im Deutschen erstellt u. einstimmig verabschiedet, b. Berufung in d. Koordinationskomitee f. Orthographie b. BMUK. P.: 1. Bildwörterbuch in dt. Sprache "Mein Bildwörterbuch", Mitarb. "Welt v. A-Z", "Kinderwelt", Hrsg. d. Serie "Das Arbeitsbuch", Methodik-Bücher f. Lehrer, "Sprachkunde-Sprachlehre, Päd. d. Gegenwart", u.v.a. E.: Weißgerbermed. Bonn u. Ausz. durch d. Bundespräs. M.: Bundesvors. d. Österr. Ges. f. Sprache u. Schreibung. H.: Arbeit, Billard. (J.E.)

Pacolt Udo

B.: Chefred., Ltr. d. Presseabt. d. Wr. Städt. Vers. DA.: 1010 Wien, Ringturm. PA.: 1090 Wien, Strudlhofg. 14/17. G.: Wien, 25. Mai 1939. V.: Ingrid, geb. Mattel. Ki.: Tamara. El.: Ernst u. Maria. BV.: Vater Ernst Pacolt Prof. u. ak. Maler, Sprachforscher, Germanist, Sprachschulbücher, Mutter Maria Pacolt Schriftstellerin f. Jugendbücher. S.: hum. Gymn., 1957 Matura, einige Sem. Stud. d. Med. in Wien. K.: freischaffend tätig in Verlagswesen, Werbewirtschaft, 1968 in Werbeabt. d. Wr. Städt. Vers., seit 1976 Ltr. d. Presseabt., Chefred. d. "Ringturm" u. "mitteilungen" d. Wr. Städt. BL.: journalist. Arbeit im Sinne d. Verkehrssicherheit, Mitarb. z. Durchsetzung d. Sicherheitsgurte. P.: auf d. Gebieten Sprache u. Verkehrssicherheit in Zeitschriften. E.: 1978 u. 1983 Verkehrssicherheitspreis, 1981 Shell-Preis f. beste Hauszeitung. M.: im Präsidium d. Österr. Ges. f. Sprache u. Rechtschreibung, Verb. d. Betriebsjournalisten, Wr. Bibliophilen Ges. H.: Tennis, Malerei, Sammlung v. Monographien u. Biographien österr. Maler. (J.E.)

Padalewski v. Demiterczuk Erich

B.: freischaff. Schauspieler, freier Mitarb. d. ORF. PA.: 2380 Perchtoldsdorf, Rudolfg. 3. G.: Wien, 8. Apr. 1930. V.: Elisabeth, geb. Schwarzbauer. Ki.: Daniela, Victoria, Anna, Olivia. El.: Stefan u. Leopoldine. BV.: Botschaftsangehörige d. Poln. Gesandschaft in d. Jahrhundertwende sowie Apotheker. S.: Gymn., 1948-52 Reinhardt-Seminar, 1951 Dipl. K.: Wehrdienst, 1945-48 Lehre als Kfm. b. d. Universal Edition in Wien, ab 1951 an versch. Kellerbühnen gespielt u.a. am Theater Courage, 1951 Mitbegründer eines kleinen Kellertheaters "Kaleidoskop" in d. Secession, 1952-55 Engagement als Schauspieler am Schauspielhaus in Frankfurt, 1955 Rückkehr nach Wien, b. 1962 Schauspieler d. Löwinger Bühne, seit 1962 Engagement am Theater in d. Josefstadt u. im Theater an d. Wien, in d. Simpl Revue gespielt, ORF TV-Serie Trafik Tratsch (1989). E.: 1963 Sieger d. Künstlertrabrennens im Hans Wochner Gedenkrennen in Wien, 1956 Flugplatzrennen in Aspern gewonnen, 1967 Sieger d. Prominentenrennen, viele Pokale f. Pferde- u. Autorennen. M.: Mtgl. u. ehem. VPräs. d. Vienna. H.: Auto- u. Pferderennen, Fußball, Tennis, Tischtennis. (M.B.)

Padutsch Johann

B.: VBgm. v. Sbg. DA.: 5024 Salzburg, Schloß Mirabell. G.: Salzburg, 12. Mai 1955. Ki.: Michael (1986), Jonathan (1988), Julian (1991). El.: Josef u. Maria. S.: VS, HS, Fachschule f. Elektrotechnik HTBL Sbg. K.: 9 J. Mitarb. Firma Siemens, Baultg. f. Montageaufträge, zuletzt in Übersee, seit 1982 im GemR., seit 1987 Clubobm. d. Bürgerliste, seit 1992 VBgm. H.: Familie. (N.M.)

Padutsch Josef

B.: Gschf. FN.: Bürobedarfshaus Walter Benedikt GmbH. DA.: 5020 Salzburg, Eberhard-Fugger-Str. 22. PA.: 5020 Salzburg, Ziegelstadelstr. 5a. G.: Ödenburg, 22. Juni 1940. V.: 1. Ehe: Gertraud, geb. Benedikt. Ki.: Christine (1961), Petra (1965). V.: 2. Ehe: Marianne, geb. Radauer. Ki.: Stefan (1986). El.: Josef u. Maria. BV.: Johann Padutsch VBgm. Sbg. S.: VS, HS, Maurerlehrer, 1955-58 Berufsschule. K.: 1969 Baugewerbe München, 1969 im Vertrieb d. Firma Benedikt, seit 1982 Gschf. H.: seit 30 J. Amateurfußball, Tennis b. z. Meisterschaft, Bergsteigen. (N.M.)

Pagacs Paul

B.: VBgm. d. Stadt Hainburg, Operationsgehilfe im KH Hainburg. DA.: 2410 Hainburg, Ungarstr. 13. PA.: 2410 Hainburg, Steinerweg 62. G.: Hainburg, 25. Mai 1953. V.: Anita, geb. Maurovich. Ki.: Sandra (1975), Dieter (1977). El.: Paul u. Hilde. S.: VS, HS, HTL Mödling, Fachschule f. Raumgestaltung u. Innenausbau. K.: 1968-75 Tätigkeit b. Bene Büromöbel, seit 1976 Operationsgehilfe KH Hainburg, 1985 Grdg. d. Überparteil. Liste Hainburg, 1986-90 StadtR. Stadt Hainburg, 1990 Wahl in d. Überparteil. Liste, VBgm. v. Hainburg. H.: Schafzucht. (F.S.)

Pagany Friedrich J. Dipl.-Ing.

B.: Ltr. d. Konstruktionsbüro d. Firma "Wibeba", Ziviling. f. Bauwesen. DA.: 1153 Wien, Anschützg. 1. PA.: 2344 Maria Enzersdorf, Ottensteinstr. 81. G.: Wien, 25. Mai 1940. V.: Erika, geb. Gressenbauer. Ki.: Katharina, Elisabeth, Eugen. El.: Alfons u. Elisabeth, geb. Haustein. BV.: Großvater Sylvester Pagany war Gen.-Dir. d. Körner-Konzerns u. Intern. Experte f. Sägewerke. S.: HTLVA Mödling, 1959 Matura, Stud. Bauing.-Wesen TU Wien, 1969 Abschluß. K.: 1971-83 Ltr. d. Konstruktionsbüros d. IGB, 1975 Befugnis als Ziviling. f. Bauwesen, seit 1983 o.g. Position. M.: ÖIAV. H.: Wandern, Garten. (N.A.)

Paget Oliver Edgar Dr. phil. HofR.
B.: 1. Dir. d. Naturhistor. Museums Wien i.R. PA.: 1040 Wien, Favoritenstr. 27/47. G.: Wien, 24. April 1922. V.: Gertrud, geb. Krebs. Ki.: Robert (42). El.: Charles Octavius u. Margarethe. BV.: Sir George Paget (K.C.B., M.D., 1809-92 Arzt, Träger d. Bath-Ordens), Sir James Paget, 1814-99, (Leibarzt d. Königin Victoria), Edward Paget (1837-1896, 1. Österr. Eisfabrik, Gewehrfabrik, Bes. v. Schloß Schönau/ Triesting), Charle's Octavius Paget (1846-1909, Gründer d. 1. Österr. Patentbüros), Rosa Mayreder (Frauenrechtlerin, Autorin d. Librettos z. Hugo Wolfs Oper "Corregidor" 1858-1938), Edward Francis Paget (Erzbischof v. Zentralafrika u. Rhodesien 1886-1971), J. J. Thomson (Nobelpreisträger Physik 1906), Sir Julian Paget (Bart. Lt. Col. 1923, Hauptzeremonienmstr. v. Königin Elisabeth II.), Sir George Paget-Thomson, (F.R.S., Master of Trinity Coll., Nobelpreisträger Physik 1937). S.: 1941 Matura, 1941-43 Univ. Wien (Zoologie, Anthropologie, Paläontologie), 1943-45 Unterbr. aus polit. Gründen, 1945-48 Weiterstud. an d. Univ. Wien, 1948 Prom. Dr. phil. K.: 1949-54 Inst. f. allg. Biologie d. Univ. Wien, ab 1955 Naturhistor. Museum, 1972 Dir. d. 3. Zool. Abt., 1976 Ernennung zum w.HofR., 1979-87 Erster Dir. d. Naturhistor. Museums Wien. BL.: 1953 Fulbright Research-Scholarship, 1977 Initiator u. Planer d. 1. Europ. Kindersaales im Naturhistor. Museum. P.: 30 Art. ü. Genetik, Zoologie, Museumspäd. E.: 1955, 1958 u. 1972 Dr. Theodor-Körner-Preis, 1978 Gr. EZ f. Verd. um d. Rep. Österr., 1986 Gr. VK d. VO d. BRD, 1988 Österr. EK f. Wiss. u. Kunst I. Kl. M.: 1962 Grdg.Mtgl. d. Unitas Malacologica Europ, 1965-68 Präs. d. Unitas Malacol. Europ., 1968 Präs. d. 3. Malacol. Kongr. Wien, 1971-86 Sekr. d. Unitas Malac., 1981 World Wildlife Fund, zahlr. wiss. Ges. H.: Musik, Fotografie, Oper, Theater, Genealogie. (Schm.-M.)

Pagitz Günther

B.: Gschf. FN.: Pagitz GmbH. DA.: 9170 Ferlach, Unterferlach 34. PA.: 9170 Ferlach, Unterferlach 35. G.: Klagenfurt, 9. Okt. 1957. V.: Jutta, geb. Socher. Ki.: Michael (1987), Thomas (1988). El.: Josef u. Magdalena. BV.: seit 18.Jhdt. in Ferlach ansässige Gewerkefamilie. S.: VS, HS, HTL f. Werkzeug u. Vorrichtungsbau in Ferlach, 1973-77 Fachsch. f. Werkzeug u. Vorrichtungsbau. K.: ab 1978 im 1952 gegründeten elterl. Betr. mitgearbeitet, l1978/79 Lehre als Großhandelskfm., Innen- u. Außendiensttät., seit 1985 nur Innendienst u. nach d. Umwandl. d. Einzelhandelsfa. in e. GmbH ab 1986 Gschf. M.: Feuerwehr Unterferlach; Eisschützen verein Unterferlach. (G.L.)

Pagliarini Fritz Dr. OMedR. Prim.
B.: FA f. HNO Erkrankungen. A.: 1030 Wien, Pettenkofeng. 2/41. G.: Wien, 22. Juli 1914. S.: Mittelschule, Med.Stud. K.: Stabsarzt d. Luftwaffe v. 1940 b. Kriegsende, dann OA an d. HNO-Abt. d. KH Lainz, frei prakt. FA f. HNO u. Prim. im Herz Jesu-Spital. P.: Mehrere wiss. Arb. H.: Spekulative Astronomie, Klavier u. Akkordeon, Tennis, Eistanzen, Skilauf.

Pahr Willibald P. Dr.
B.: Sonderbeauftragter f. Flüchtlings- u. Wanderungsfragen im BM f. Inneres. DA.: 1010 Wien, Herreng. 7. G.: Wien, 5. Juni 1930. V.: Ingeborg, geb. Varga. S.: Matura, 1953 Prom. z. Dr. iur. Univ. Wien, Absolv. d. Collège d'Europe in Brügge/Belgien. K.: Ass. am Inst. f. Völkerrecht u. intern. Beziehungen d. Univ. Wien, Gerichtspraxis, 1955-76 Bundeskanzleramt-Verfassungsdienst, ab 1973 als dessen Ltr., 1976-83 BMin. f. Auswärtige Angelegenheiten, 1983-85 Österr. Botschafter in d. BRD, 1986-89 Gen.-Sekr. d. Welt-Tourismus-Organisation, u.a. Gouverneur d. Europ. Kulturstiftung u. Direktionsrat d. Intern. Inst. f. Entwicklungsrecht, war u.a. Präs. d. Expertenkomitees f. Menschenrechte d. Europarates, Mtgl. d. Intern. Komitees f. d. Verhinderung aller Formen rassischer Diskriminierung u. d. Unabhäng. Kommission f. intern. humanitäre Angelegenheiten. P.: "Der österr. Status d. dauernden Neutralität", "Le Système Autrichien de Protection des Droits de l'Homme", "La Fonction d'Information" u.a. E.: zahlr. in- u. ausl. Auszeichnungen. H.: Skilaufen, Wandern, Garten, Theater, Musik.

Paier Friedrich
B.: Gschf. Ges. FN.: Mayer & Klöckl OHG. DA. u. PA.: 9400 Wolfsberg, Priel 236. G.: Hattendorf, 11. Sept. 1938. V.: Johanna, geb. Klöckl. Ki.: Martin, Christian. El.: Michael u. Maria. S.: Pflichtschulen, Ldw.Schule, Fleischerlehre, 1962 Mstr.Prüf. K.: seit 1960 im Betrieb Mayer & Klöckl OHG tätig, seit 1972 Gschf. Ges. H.: Jagd. (S.G.)

Paier Johanna
B.: Gschf. Ges. FN.: Mayer & Klöckl OHG. DA. u. PA.: 9400 Wolfsberg, Priel 236. G.: Wolfsberg, 7. Dez. 1948. V.: Friedrich Paier. Ki.: Martin, Christian. El.: Johann u. Auguste Klöckl. S.: Pflichtschulen, HASCH, Ausbild. z. Fleischfachverkäuferin. K.: seit 1965 im Betrieb Mayer & Klöckl OHG tätig, seit 1972 Gschf. Ges. H.: Tennis. (S.G.)

Paierl Herbert Dipl.-Ing.

B.: Vorst.-Dir. FN.: STEWEAG. DA.: 8010 Graz, Leonhardgürtel 10. PA.: 8010 Graz, Wartingerg. 33. G.: Prebensdorf, 25. Mai 1952. V.: Annelies, geb. Spitzer. Ki.: Pia (1974), Simon (1980). El.: Herbert u. Erna. S.: 1970 Matura, 1970-75 Stud. Fachr. Raumplanung/Raumordnung TU Wien, 1975 Graduierung. K.: 1975 Inst. f. Umweltforschung Forschungszentrum Graz, 1977-80 Fachabt. Ib d. Landes, 1981 Eintritt in d. Büro d. Landeshptm., 1989 Büro-Ltr., seit 1989 Klubdir. des ÖVP Landtagsklubs; AR-Mtgl. d. Planai-Hochwurzen-Bahnen; 1992 Studienaufenth. USA auf Einl. d. US-State-Department, 1993 Bestellung z. Vorst.-Dir. d. STEWEAG. P.: div. Aufsätze u. Beitr. z. Themen wie Budgetpolitik und Infrastrukturpolitik, "STEWEAG Innovativ". H.: Marathonlauf. (F.K.)

Pail Alfred
B.: General Manager Coffee Division Jacobs Kaffee GmbH, 1147 Wien. DA.: 1147 Wien, Jacobsg. 3. PA.: 2372 Gießhübel, Hauptstr. 107. G.: Wien, 11. März 1940. V.: Renate, geb. Schlöggl. Ki.: Christina. El.: Josef u. Karoline. S.: VS, HS, WU Wien, Marketing, Verkauf. K.: Lehre als Einzelhdls.Kfm., 1960-62 kfm. Ang. b. Meinl, 1962-68 Productmanager b. CP Corporation Knorr, Wels, 1968 Marketing Management b. Jacobs, 1982-84 Jacobs AG Unternehmungen AG, Zürich, Delegierter d. VerwR. u. Vors. d. Gschäftsltg. d. Jacobs Unternehmungen AG, Zürich, 1985 Dir. Jacobs Kaffee Wien. P.: Einige Publ. in Fachzeitschriften. H.: Skifahren, Tennis. (Fels.)

Pailer Matthias Dr. Prof.

B.: Univ.-Prof., Vorst. d. Inst. f. Pharmazeut. Chemie Univ. Wien. A.: 1080 Wien, Pfeilg. 23. G.: Leobersdorf, 4. Apr. 1911. V.: Hildegard, geb. Eisenhut. El.: Matthias u. Magdalena. S.: Realschule, Univ. Wien, Prom. 1936. K.: 1936-38 Ass. d. TH Wien, 1938-67 Ass. am II. Chem. Inst. bzw. Organ.-chem. Inst. d. Univ. Wien, 1949 Habil., 1959 tit.a.o.Prof., 1967 o.Prof. f. Pharmazeut. Chemie u. Vorst. d. Inst. f. Pharmazeut. Chemie d. Univ. Wien, 1979 Em. P.: Ca. 150 Veröff. in wiss. Fachzeitschriften. E.: Wegscheider-Preis d. österr. Ak. d. Wiss. M.: Ver. Österr. Chemiker, Ges. f. Ernährungsforsch., Österr. Biochem. Ges.

Painitz Hermann Josef

B.: Bild. Künstler. A.: 1120 Wien, Zanaschkag. 16/61/14. G.: Wien, 21. Nov. 1938. V.: Gail, geb. Miers. El.: Hermann Maria u. Maria Theresia. S.: Kupferstichstud. in Bern, fine-art-Studien in London als British Council Scholar, Kunstgesch. Univ. Wien. K.: 2 J. Unterricht an d. HS f. angew. Kunst in Wien, 1976 Gestaltung d. Orientierungssystems in d. HK u. im WIFI Graz, 1977 Wahl z. Präs. d. Wr. Secession. P.: Zahlr. Veröff. in Kunstzeitschriften, Red. d. Zeitschrift ZEIT U. KUNST, Individuelle Theorie im Eigenverl. E.: Preis d. Stadt Wien, Theodor Körner-Preis. M.: Wr. Secession, Forum Stadtpark Graz, Berufsverb. Österr. Künstler, Verwertungsges. Bild-Kunst, Ges. z. Förderung v. Logischer Kunst, Österr. Kunsthistorikerverb., Intern. Kunstausstellungsleitertagung.

Pajank Johann

B.: Bgm. v. Feistritz b. Bleiburg, Betriebsltr. FN.: Ktn. Bergbahnen u. Bergstraßen GmbH. DA.: 9143 St. Michael ob Bleiburg, Unterort 52; 9143 St. Michael ob Bleiburg, Feistritz 79. PA.: 9143 St. Michael ob Bleiburg, Feistritz 87. G.: Unterpetzen, 24. Juni 1936. V.: Josefine, geb. Paulitsch. Ki.: Karl (1959), Marianne (1960), Nico (1968). El.: Jakob u. Barbara. S.: VS, HS, 1951-54 Berufsschule u. Maschinenbaulehre. K.: 1951-67 Tätigkeit in d. Privatwirtschaft, 1967 Betriebsltr. d. Berglift Petzen GmbH, 1993 Mitinitiator d. neuen Umlaufbergbahn Petzen, 1972-86 GemR., Obm. d. Bauaussch., 1980-91 Bgm. v. Bleiburg, seit 1991 Bgm. v. Feistritz, seit 1988 Vorst.-Mtgl. d. Schulgem.-Verb., 1988-91 Vorst.-Mtgl. Sozialhilfeverb. E.: 1992 Ktn. VK f. Feuerwehrwesen. M.: seit 1990 Präs. ASKÖ St. Michael, 1970-86 Vorst. SC Petzen, 1970-90 Feuerwehrkdt. Feistritz, div. örtl. Ver. H.: Radfahren, Fischen, Skifahren. (G.L.)

Pajek Günther Mag. phil.

B.: Dir. d. BAnst. f. Leibeserziehung. GT.: Vorst.Mtgl. d. wiss. Arge f. Leibeserziehung u. Sportmed. am Sportwiss. Inst. d. Univ. Innsbruck. PA.: 6020 Innsbruck, Fürstenweg 185. G.: Innsbruck, 21. Juli 1931. V.: Prof. Marie-Louise, geb. Zaubzer. Ki.: Christian, Arno. S.: Gymn. Innsbruck, 1951 Matura, Stud. Univ. Innsbruck, 1957 Lehramt. K.: 1956-70 Lehrer am Gymn. Adolf Pichler Platz, ab 1970 Abt.Ltr. d. BaFL, ab 1979 Dir. BL.: seit 1964 Trainer d. Nationalmannschaft, 1962/63 Fulbright Austauschlehrer Kansas City USA. E.: Tir. LSport-EZ, Sport-EZ d. Stadt Innsbruck, Gold. EZ d. Verb. österr. Schwimmver. M.: Schwimmclub Innsbruck, Turnerschaft Innsbruck, Tir. LVerb. H.: Sport, Reisen, Filmen, Video, Theater (Oper), Lesen. (D.S.)

Pajor Friedrich

B.: Inh. FN.: OZEAN Fisch- u. Obstkonserven Dr. Pajor. DA.: 2463 Gallbrunn, Ozeanstr. 1-15. PA.: 2463 Gallbrunn, Ozeanstr. 15. G.: Wien, 20. Juli 1927. V.: Edeltrud, geb. Kostolich. El.: Dr. Ernst u. Auguste. S.: VS, Gymn. Ungarn, Matura, Jusstud. Ungarn, Konserventechn. Schule in Deutschland. K.: 1955 Eintritt in d. väterl. Fa. in Wien, 1970 Ltg. d. Unternehmens übernommen, 1972 Übersiedlung nach Gallbrunn, 1975 sämtl. Unternehmensanteile überommen, Einstieg in d. ungar. u. tschech. Export. BL.: 4 Forsch.Arb. betreffend: Fischmarinaden, Fischräucherwaren, Fischfermentierung, Seehasenrogenverarb. F.: OZEAN Fisch- u. Obstkonserven Dr. Pajor Gallbrunn, OZEAN KVT, OZEAN EX, OZEAN Fischfabrik alle Ungarn. E.: Sportler in Ungarn, Tischtennis- u. Leichtathletikjugendmstr., 24 J. Karatesport in Österr., 3 J. Präs. d. Wr. Karate-Bund, div. Ehrungen v. Karate-Bund, Ehrung v. ungar. Handelsmin. f. d. wirtschaftl. Erschließung, 60 J. "OZEAN", 35 J. Kammerzugehörigkeit. H.: Sport. (C.K.)

Pak Hans-Peter

B.: Fa.Inh. FN.: Elektro Schneider. DA.: 1010 Wien, Singerstr. 27. PA.: 1020 Wien, Obere Donaustr. 7/5. G.: Wien, 4. Juli 1950. V.: Ingrid, geb. Wieger. Ki.: Hans-Peter, Roman. El.: Johann u. Lory. S.: 1964-68 Lehre im elterl. Betrieb. K.: 1968-75 Praxis, einer d. jüngsten Mstr. Österr., 1975 Mstr.Prüf., 1984 Übernahme d. elterl. Betriebes. M.: Gründer eines eigenen Fußballver. H.: Eishockey, Fußballer, Skifahren. (P.R.)

Pakesch Georg Dr. Univ.-Doz.

B.: PSychiater, Neurologe Psychiatr. Univ.-Klinik Wien. DA.: 1090 Wien, Währinger Gürtel 18-20; PA.: 1030 Wien, Neulingg. 18/11. G.: Graz, 6. Juni 1951. verh.; 1 Tochter. El.: o.Univ.-Prof. DDr. Erich u. Dr. phil. Gertie, geb. Kaan. S.: VS, Ak. Gymn., 1969-77 Med.-Stud. Graz u. Wien, 1977 Prom. z. Dr. med.,1979 Dipl. d. Diplomatischen Akademie Wien. K.: 1979-80 Neurolog. Abt. Krankenanst. Rudolf-stiftung, 1980-81 1. Med. Abt. d. Krankenanst. Rudolfstiftung, 1981-82 Psychiatr. Univ.-Klinik Wien, 1982-83 Psychiatr. Univ.-Klinik u. Poliklinik d. Univ. München, seit 1983 Psychiatr. Univ.-Klinik Wien, 1985 FA f. Psychiatrie u. Neurologie, 1985/86 Verhaltenstherapeut., seit 1986 OA Psychiatr. Univ.-Klinik Wien, 1986-92 Konsiliararzt Heeresspital Wien, seit 1992 allg. beeid. gerichtl. Sachv., 1993 Klin. Psychologe, 1993 Psychotherapeut. P.: ca. 100 wiss. Publ. E.: 1992 Billroth-Preis. M.: Arge Europ. Psychiater, Ges. Österr. Nervenärzte u. Psychiater, Arge f. Neuropsychopharmakologie u. biolog. Psychiatrie, Ges. d. Ärzte in Wien, Grdg.-Mtgl. d. Arge ambulante Psychiatrie Wien, seit 1984 Fak.-Kollegium d. med. Fak., seit 1985 KamR. d. Wr. Ärztekam., 1985-93 Vorst.-Mtgl. d. Wr. Ärztekam., 1985-93 Ltr. d. Referats f. Öff.-Arb. d. Wr. Ärztekam., 1985-93 Chefred. d. Mitteilungen d. Ärztekam. f. Wien, 1986, 90 u. 1994 NatR.-Kandidat, seit 1992 Ref. f. Psychosoz. Med., Psychosomatik u. Psychotherapie d. Österr. Ärztekam., seit 1993 ärztl. Ltr. d. Schiedsstelle d. Ärztekam. f. Wien. (J.M.)

Pakesch Peter

B.: Kunsthändler, Hrsg., Ausstellungsmacher. FN.: Galerie Peter Pakesch, Verlag Pakesch & Schlebrügge. DA. u. PA.: 1010 Wien, Ballg. 6. G.: Graz, 16. Juli 1955. El.: Univ.-Prof. DDr. Erich u. Dr. Gerti. S.: Ak. Gymn., 1973 Matura, 1973-76 Arch.Stud. TU Graz. K.: Ref. f. Bild. Kunst Forum Stadtpark Graz, div. Ausstellungsorgan. f. d. Steir. Herbst, eigene künstl. Tätigkeit b. 1980, 1981 Beginn Galerie P. Pakesch in Wien, Ausstellungen u.a. m. John Baldessari, Herbert Brandl, Pierpaolo Calzolari, Günther Förg, Georg Herold, Ilya Kabakow, Mike Kelley, Martin Kippenberger, Joseph Kosuth, Sol Lewitt, Albert Oehlen, Michelangelo Pistoletto, Felix Gonzales Torres, Jan Vercruysse, Franz West, Vadim

Zakharov, Otto Zitko, Heimo Zobernig, 1985 Mitbegründer d. Grazer Kunstver., seit 1986 Red. d. Zeitschrift "Durch", 1991 Ausstell. "Körper & Körper" Graz. P.: Hrsg. div. Ausstellungskataloge u.a. Druckgraphik 1975-80, Die Wahlverwandtschaften 1986, Bildhauerzeichnungen 1987, Malerei - Wandmalerei 1987, seit 1990 "Fama & Fortune Bulletin". H. Sammeln zeitgenöss. Kunst u. antiquar. Bücher. (N.A.)

Pakosta Florentina

B.: Malerin u. Graphikerin. DA. u. PA.: 1220 Wien, Erzherzog Karl-Str. 94. G.: Wien, 1. Okt. 1933. El.: Pakosta Franz u. Agnes. S.: Gymn., 1952 Matura, Stud. an d. Ak. d. Bild. Künste in Wien, 1960 Diplom, Studienaufenthalte in Paris, Prag u. Amsterdam. K.: in d. 50er J. beschäftigt m. niederländ. Zeichnung d. 17. Jhdt., in d. 60er J. Auseinandersetzung m. eigener Mimik u. Gestik, 1969 Zyklus v. Zeichnungen "Imaginäre Selbstbildnisse", 1969-77 Radierzyklus "Gesichtsbildungen im Zusammenhang m. d. Charakterköpfen von F.X. Messerschmidt" u. überlebensgroße Zeichnungen v. Gesichtslandschaften, ab 1977 großformatige Rollenporträts, Rollenkarikaturen u. Bilder z. Thema Menschenmassen, wichtige Ausstellungen: 1972 Galerie Welz Salzburg, 1977 Kulturhaus Graz, 1979 Wiener Secession, 1984 Albertina Wien, 1988 österr. Galerie, Wien, 1990 Frauenbad, Baden, 1992 Rupertinum, Salzburg Galerie Altnöder, 1993 Österr. Kulturinstitut, Rom. P.: "protokolle", "Morgen", Ausstellungskataloge, ab 1977 eigene Texte z. bild. Kunst u. Kurzgeschichten, 1983 Film "F. P.", Produktion Mus. d. 20. Jhdt., "F.P. Arbeiten v. 1973-90" (Kulturabt. d. Landes NÖ). E.: 1984 Preis d. Stadt Wien, 1986 Theodor-Körner-Preis. M.: Wr. Secession. H.: Klass. Musik, Jazz, Schwimmen. (M.G.)

Pal Dieter Dipl. Ing. SenR.

B.: Abt. Ltr. d. MA 19 - Architektur u. Stadtgestaltung. DA.: 1121 Wien, Niederhofstr. 23/5. PA.: 2340 Mödling, Fleischg. 11. G.: Wien, 15. Okt. 1939. V.: Elisabeth, geb. Kot, Ki.: Gregor (1972). El.: Dipl. Ing. Alfred u. Elfriede, geb. Kuhn. S.: VS, Gymn., BGS-Mat. 1958, Architekturstud. a. d. TU Wien, Dez. 1966 Spons. Dipl. Ing. K.: 1967-68 Architekturbüro Dipl. Ing. Alfred Pal, 1968-69 Architekturbüro Dipl. Ing. Dr. Harry Glück, ab Dez. 1969 Stadtplanung Wien - MA 19, seit Okt. 1986 Abt. Ltr. d. MA 19 u. Ernennung zum Senatsrat. (M.M.)

Pal Klaus Ing.

B.: Direktor. FN.: Hotel Ekazent. DA u. PA.: 1130 Wien, Hietzinger Hauptstr. 22. G.: Wien, 01. Dez. 1941. V.: Christiane geb. Weißgram. Ki.: Katarina (1969), Johanna (1973). El.: Alfred u. Elfriede. S.: VS., Realschule, HTL f. Hochbau, 1961 Matura. K.: Lehre a. Elektrotechniker, Gesellenprüfung, b.d. Gemeinde Wien a. Hochbautechniker tätig, Losbauleiter im Zuge d. Aufbaues d. AKH b. 1977, 1977-79 b. e. dtsch. Ingenieurges. als Bauing. in Saudi-Arabien tätig, 1979-80 a. Projektleiter f. Hochbau in Kairo mit e. Schweizer Hotelkonzern tätig, 1980 Dir. d. Hotels Ekazent.H.: Tennis, Skifahren, Laufen. (D.E.)

Palasser Heinz

B.: Bez.Dir. FN.: Nordstern Colonia AG. DA.: 9560 Feldkirchen, 10.-Oktober-Str. 3. PA.: 9550 Feldkirchen, Renkerweg 2. G.: Feldkirchen, 10. Juli 1942. V.: Heidrun, geb. Passegger. Ki.: Elisabeth (1964), Mag. Heinz (1967). El.: Albin u. Theresia, geb. Köraus. BV.: Familie Köraus altes aus Frankreich stammendes Adelsgeschlecht. S.: VS u. HS Feldkirchen, 1956-58 HASCH Villach, BH. K.: 1958 Eintritt in d. Nordstern Vers. Landesdion. Klagenfurt, 1961 Feldkirchen u. Übernahme d. Tätigkeiten seines Vaters, seit 1975 Bez.Dir. E.: div. firmeninterne.Ausz. M.: ständiges Mtgl. d. Nordstern Colonia Marketing Ringes, 1970 ZentralbetriebsR., Grdg.-Mtgl. d. 1960 gegründeten a-cappella-Chors Feldkirchen, seit 1990 Obm. H.: Sport (Tennis), Musik. (G.L.)

Palatin Andreas Dkfm.

B.: Steuerberater, Gschf. Ges. FN.: "Danubia" Treuhand u. Beratungs GmbH. DA.: 1010 Wien, Rotenturmstr. 1. G.: 23. Nov. 1930. V.: Maria, geb. Manz, 2 Kinder. S.: Matura, HS f. Welthdl., 1956 Dipl. K.: im Treuhandwesen als Revisionsass. begonnen, ab 1967 selbst. m. eigener Kzl., Gschf.: Danubia Treuhand u. Beratungs GmbH, Touche Ross & Co GmbH, MIB Management u. Investitionsberatungs GmbH, Total Walther Feuerschutz GmbH, Fire Stop GmbH, IPA Ind.Bedarf, Pneumatikgeräte u. Armaturen GmbH. (P.R.)

Palda Roger

B.: Inh., Glasschleifermstr. FN.: Kunsthandlung Dörrich. DA.: 1060 Wien, Gumpendorferstr. 60. PA.: 3400 Klosterneuburg. 7. G.: Steinschönau/CSSR, 24. Jun. 1944. V.: Christiane geb. Zirwick. Ki.: Heinz (1968). El.: Gorges u. Anneliese. S.: VS, HS, staatl. Fachschule f. Bleikristallschleifen, Gesellenschein, 1970 Meisterprüf. i. Glasschleifen u. Glasbelegen (Dipl.). K.: b. 1965 i. elterl. Betr. (Glasfabrik Wien 6.), 1965-70 Geselle Glasereibetr. Klosterneuburg, 1970 Mstr.-Prüf., 1970-76 Spezialist f. sämtl. Glaserarb. i. Stahlbaufa. Wien, 1976-81 Tätigkeit Funktion a. Mstr. b. Firma Dörrich-Kunsthandel, besteht s. 1897, 1981 Übern. d. Fa. Dörrich u. als eigenen Betr. weitergeführt. M.: Jagdklub Klosterneuburg. H.: Jagd (Jagdschein s. 1960, Jagdmstr.-Schütze, Kugel u. Tontauben), Skifahren. (F.S.)

Pale Karl Dr. iur.

B.: RA, ehem. Gen.-Dir. d. Girozentrale. DA.: 1010 Wien, Rotenturmstr. 13. G.: Fiss, 13. März 1926. V.: Olga, geb. Grassl. Ki.: Wolfgang, Verena, Christof. S.: 1946 Matura, Jusstud. Univ. Innsbruck. K.: RA-Anw., 1956 RA-Prüf. in Wien, 1959 Eintragung in d. Liste d. RA in Wien, Kons. in d. Girozentrale d. Österr. Sparkassen, 1968 Mtgl. d. Vorst. d. Girozentrale u. Zurücklegung d. RA-Patentes, seit 1975 Gen.-Dir., seit 1975 BörseR., 1981-86 Präs. d. Wr. Börsekam., seit 1986 VPräs., seit 1984 Mtgl. d. Vorst. d. Ver. Österr. Industrieller, seit 1985 Obm. d. Sekt. Geld-, Kredit- u. Vers.Wesen d. Kam. d. gewerbl. Wirtschaft f. Wien, seit 1989 RA Kzl. Weiss + Tessbach. E.: Gr. Gold. EZ f. Verd. um d. Rep. Österr. M.: Wr. Kammeroper, Wr. Rennver., Rotary Club Wien, Österr. Donau-Europ. Inst., Intern. HK, Österr. Ges. d. Denkmalfreunde. (P.R.)

Palecek Sonja

B.: Filialltr. FN.: Österr. Verkehrsbüro AG. DA.: 2500 Baden, Grabeng. 4. PA.: 2603 Felixdorf, Hauptstraße 10/3/7. G.: Wien, 8. Jän. 1965. El.: Heinz u. Hedwig. S.: 1975-79 Gymn. Berndorf, 1979-84 HBLA f. Wirt. Frauenberufe Baden, 1984 Matura, 1984-85 Stud. d. Handelswiss. WU Wien. K.: 1985 i. Arch.-Büro i. d. Schweiz, 1985-88 Österr. Verkehrsbüro i. Wr. Neustadt, s. 1988 Österr. Verkehrsbüro i. Baden, s. 1990 Filialltr. M.: Tennisklub. H.: Reisen, Tennis, Lesen. (I.K.)

Palecek Wilhelm

B.: Werbeberater, Ges., FN.: Team Werbegentur H. W. Uran OHG. DA.: 2345 Brunn/Gebirge, Hötzendorfstr. 141. PA.: 2384 Breitenfurt, Römerweg 4. G.: Wien, 23. Feb. 1947. V.: Elfriede, geb. Kohaun. El.: Karl u. Ludmilla. S.: 1961-65 Graf. Lehre, 1965 Gesellenprüf., 1965-67 a. o. Stud. HS f. Welthdl. K.: 1966 Tätigkeit in d. Werbung b. einer Wr. Werbeagentur, 1968 Grdg. Werbeagentur Team zusmmen m. Hr. Uran, Prok. d. Firma, seit 1977 Ges. H.: Sport, Wandern, Lesen. (I.K.)

Paleczek Peter Ing.
B.: Gschf. Ges. FN.: TITAN Brandschutzgeräte u. Anlagen Herstellungs u. Vertriebs GmbH. DA.: 1020 Wien, Taborstr. 39, 2201 Gerasdorf, Kapellerfeldstraße. PA.: 2000 Stockerau, Franz-Joans-Str. 1. G.: Wien, 12. Aug. 1947. V.: Gertraud, geb. Gutmann. Ki.: Elisabeth. El.: Hermann u. Käthe. S.: HLBLA Wieselburg, 1968 Matura. K.: 1974 Erwerb d. Fa. TITAN durch d. Familie, 1981 Kauf d. Fa. Alpha Brandschutz, 1983 Kauf d. Fa. Polyglas u. 1987 Neugrdg. d. Fa. KNS. H.: Jagen, Fischen. (C.K.)

Paletta Benno Dr. rer. nat. Mag. pharm. o.Prof.
B.: o.Univ.-Prof. an d. Univ. Graz, Vorst. d. med.-chem. Inst. d. Univ. Graz. DA.: 8010 Graz, Harrachg. 21. G.: Oderberg/CSFR, 15. Jan. 1924. V.: Liselotte. Ki.: Lucas, Andrea. El.: Friedrich u. Beate. S.: VS, AHS, Stud. K.: Diss. b. Prof. Kratky Graz. BL.: Stoffwechselregulation, Entwicklung math. Stoffwechselprozeßmodellierungen. F.: MED-INFO. P.: Quantitative characterization of diet effects on glucose tolerance in rabbits. M.: Österr. Chemikerver. H.: Phil. (C.H.S.)

Palffy Ladislaus
B.: Gschf. FN.: Raab-Karcher Austria GmbH. GT.: Gschf. d. Raab-Karcher Hdls. GmbH. DA.: 5020 Salzburg, Gnigler Str. 63. G.: Prag, 26. Febr. 1931. V.: Dr. Alice, geb. Korompay. Ki.: Alexandra, Andreas, Lukas, Livia. El.: Karl u. Ilona. S.: Gymn Innsbruck, 1951 Matura. K.: Brown Boveri, Eumig, seit 1962 Fa. Raab-Karcher, seit 1967 Gschf. M.: Kam. d. gewerbl. Wirtschaft. H.: Skifahren, Tennis, Musik, Jagd. (A.W.)

Graf Pálffy Martin Dr. iur.
B.: Wirtschaftstreuhänder, Steuerberater, Seminarveranstalter. DA.u. PA.: 5340 St. Gilgen, Pöllach 57. G.: Schloß Sighartstein, 4. Apr. 1945. V.: Francoise, geb. Beaurnaut. Ki.: Anne (1974), Christoph (1975), Charlotte (1978). El.: Josef u. Gabriele. BV.: Ungar. Uradel m. bedeutenden Vorfahren in Militär, Politik u. Kunst. S.: Mittelschule Salem/Deutschland, Gymn. f. Berufstätige, 1968-72 Jusstud. Sbg. K.: 1973-81 höherer Finanzdienst, seit 1981 selbst. Steuerberater, 1992 Grdg. Wirtschaftsprüf.-Kzl. Burger & Pálffy Prag, Gründer u. Ltr. d. Ver. z. Förd. d. Wirtschaft u. Kultur d. CSFR "Europa 2000", Vertreter f. Investoren in versch. osteurop. Ländern, 1985 Gründer u. Mitinh. d. Filmverwertung Roth & Partner Plainfeld. M.: Rotary Club. H.: Laufen, Hochseesegeln, Tauchen. (E.Hö.)

Palfinger Gerhard Dr. techn. Dipl.-Ing.
B.: staatl. befugter u. beeid. Ing.-Konsulent f. Vermessungswesen. DA.: 2340 Mödling, Neusiedler Str. 45. PA.: 2362 Biedermannsdorf, Ortsstr. 4. G.: Wr. Neustadt, 28. Juli 1938. V.: Karin, geb. Grundmann. Ki.: Gerhard (1964), Karin (1969), Thomas (1979). El.: Franz u. Hermine, S.: 1959 RG-Matura, Stud. Vermessungswesen TU Wien, 1962 Dipl.-Ing., 1974 Dr. techn. K.: 1963-72 Ass. TU Wien, ab 19972 selbst. Ing.-Konsulent f. Vermessungswesen: Katastrale Urkunde f. Teilungs-Kataster Parzellierungen, Kommassierungen u.a., Ing.-Vermessung f. Straßen, Eisenbahnstrecken, Wasserbau u.a., Planungs-Pakete im Bauwesen, Planungspakete f. Optimierungslösungen z.B. 1992 Fernsehturm Barcelona, 1992 Musikhalle Montreux, Entwicklung einer Software f. Konstruktionen "Palgra". P.: zahlr. Fachart. u. Vorträge im In- u. Ausland. M.: Österr. Ges. f. Vermessug und Geoinformation. E.: Präs. d. Buindeskammer d. Architekten u. Ingeneurkonsulenten. H.: Musik (Klavier), bild. Kunst. (M.M.)

Palfinger Hubert Ing.
B.: Vorst.Dir. FN.: Palfinger AG. GT.: Gschf. in versch. Tochterges. DA.: 5101 Bergheim-Salzburg, Franz-W.-Scherer-Str. 24. G.: 13. Apr. 1942. V.: Josefine. Ki.: Hubert, Hannes. El.: Richard u. Frieda. S.: Grundschule, HTL. K.: 1965 väterl. Betrieb übernommen. E.. Kaplanmed. H.: Tennis, Golf.

Palfinger Ingrid
B.: Dir. Alfred Bäck-VS. DA.: 5020 Salzburg, Otto-v.-Lilienthal-Str. 1. PA.: 5020 Salzburg, Aiglhofstr. 7. G.: Siebenbürgen, 14. Okt. 1936. V.: Burghard Palfinger. Ki.: Alexander (1961), Claudia (1963), Michael (1965), Florian (1970). El.: Wilhelm u. Elsa Ernst. S.: VS, Gymn., HAK m. Matura, 1965 LBA-Matura. K.: 1966 Lehrer VS Hallwang, 1966-71 VS Antering, 1972-88 VS Liefering, 1987-88 Ltr.-Stellv., ab 1988 Dir. Alfred Bäck-VS. E.: zahlr. Dank- u. Anerkennungsschreiben durch d. Bez.-SchulR. M.: SLÖ. H.: Lesen, Kochen f. Ges. (J.F.)

Pali Horst
B.: freischaff. Bildhauer. DA. u. PA.: 6382 Kirchdorf, Sensenschmiedweg 20. G.: St. Johann/Tir., 13. Nov. 1965. V.: Maria, geb. Schlechter. Ki.: Emanuel (1992). El.: Horst u. Maria. S.: Pflichtschule, Gymn., 4 J. Ausbild. in d. Schnitzschule Elbigenalp, 1985 Abschluß. K.: seit 1985 freischaff. Künstler, Arb. hauptsächl. in Holz, Stein, Beton- u. Bronzearb. nach eigenen angefertigten Formen, Bronzeportraits f. div. Personen, Restaurierung v. Figuren aller Art, Fassen u. Vergolden v. Figuren, Lehrer an einer priv. Schule f. Bildhauerei. H.: Bergsteigen, Skitouren. (M.W.)

Palka Robert Dr. iur.

B.: RA. DA.: 1040 Wien, Brucknerstr. 4. Wien, 9. Apr. 1960. El.: Ferdinand u. Margit. S.: 1978 Matura, Stud. Rechtswiss. Univ. Wien, 1982 Prom. z. Dr. iur. K.: 4 1/2 J. Anw.-Praxis in RA-Kzl. Dr. Friedrich Weber Wien, seit 1988 eingetragener RA, Schwerpunkt: Arbeits- u. Medienrecht. P. Fachart. in div. Medien. H.: Reiten, EDV. (N.A.)

Palkovits Johann Ing.
B.: Gschf. Ges. FN.: PALIMEX Korrosionsschutz -bandagen GmbH. DA.: 2540 Bad Vöslau, Wolfstr. 5-7. PA.: 2540 Bad Vöslau, Gerichtsweg 14. G.: Schachendorf, 14. Mai 1929. V.: Gertrud, geb. Überlacher. El.: Johann u. Anna. S.: BGS Wr.

Neustadt, 1949 Matura, Stud. an d. TH in Wien Maschinenbau u. Bauing.Wesen. K.: 1955-50 ISOKOR Baustellenltr., 1960-70 CHEMA Techn. Servicebereich u. Marketing, 1970 selbst. Grdg. d. Fa. PALIMEX. BL.: eigene Patente f. Rohrwickelstraßen. H.: Bauen, Reisen. (A.W.)

Pall Alfred

B.: Kfm. DA.: 8510 Stainz, Schloß Stainz. PA.: 8503 St. Josef 79. G.: Graz, 20. Mai 1937. V.: Roswitha, geb. Murschitsch. Ki.: Alfred (1956). El.: Heinrich u. Irma. S.: VS, HS, HASCH. K.: 1955 Teppichhdl., zahlr. Reisen Iran, Türkei u. Rußland, Eigenimporte, Schwerpunkt: Iran. Ware, Originalstücke, Antik b. z. Gegenwart, Mitarb. im elterl. Betrieb in Graz, seit 1986 Aufbau eines Betriebes im Schloß Stainz Teppichhdl., Kunstgegenstände versch. Kulturkreise Gastronomiebetrieb in einem exklusive Rahmen, versch. Festveranstaltungen, 17 J. Sachv. d. Fachhdls. BL.: Staatsmstr. im Fallschirmsprung, erfolgreicher Fechter (viele Siege), Reitsport (Springen, Teilnahme an vielen Turnieren). (M.Gr.)

Palla Helmut

B.: Künstler. DA.: 1170 Wien, Rötzerg. 8. G.: Wien, 27. Apr. 1948. Ki.: Yazoo (1984). El.: Dr. Otto u. Dr. Charlotte. S.: AHS, Stud. Med. Univ. Wien. K.: 1982-84 selbst. Werbefotograf, 1984-85 Galerie "TAT", 1986 Design "BÄNG". H.: Reisen, Flohmarktbesuche. (H.J.S.)

Pallauf Ernst Dr. iur.

B.: RA. DA.: 5020 Salzburg, Petersbrunnstr. 9. PA.: 5020 Salzburg, Pfadfinderweg 10. G.: Salzburg, 7. Nov. 1932. V.: Inge, geb. Resman. Ki.: Michael, Andreas. El.: Dr. Leopold u. Johanna. S.: Hum. Gymn. Borromäum in Sbg., 1951 Matura, Jusstud. Univ. Innsbruck, 1955 Dr. iur. K.: Gerichtspraxis, Konzipient, seit 1962 eigene Kzl. M.: Lions Club Hellbrunn, Golf Club Kleßheim. H.: Golf, Skifahren. (Föd.)

Markgraf Pallavicini Alfonso

B.: Bankkfm. FN.: Banque Paribas, Dept. Conseil. PA.: F-75002 Paris, Rue Chérubini 2. G.: Treviso/Italien, 5. Juli 1964. El.: Carl u. Avogara. BV.: Eduard Pallavicini Maler, Johann Karl Maria Theresien Ritter. S.: VS, Schottengymn., WU Wien, 1988 Mag. E.: Stipendium f. Forsch. d. Dipl.Arb. M.: Jockeyclub, Ver. d. Altschotten. H.: Sport, Finanzwesen. (M.Br.)

Markgraf Pallavicini Carl

B.: Vorst.Dir. i.R. GT.: VPräs. v. Jockeyclub. PA.: 1010 Wien, Josefspl. 5. G.: Budapest, 12. Apr. 1923. V.: Avogadro. Ki.: Alfonso, Eduardo. El.: Alfons u. Maria. S.: VS, Gymn., Univ. Budapest. K.: 1950-52 Tätigkeit Trinkausbank in Düsseldorf, 1952-62 Bank of America Düsseldorf, New York u. Mailand, Vertreter d. Bank in Italien, 1962-72 Dir. d. Banca d'America ed Italia, 1972-79 Vorst.Dir. d. IBA in Wien. E.: Commendatore d'Italia. M.: Malteser Ritterorden. H.: Fliegen, Skifahren, Reiten, Jagen, Surfen. (M.B.)

Pallin Karl Dr. med.

B.: FA f. Zahn-, Mund- u. Kieferheilkunde. DA/PA.: 1170 Wien, Angerg. 9. G.: Wien, 27. Aug. 1920. V.: Helene, geb Doles. Ki.: Andreas, Gabriele, Michaela, Raphaela, Georg, Martina. El.: Karl u. Gisela. S.: Stud. Med. Univ. Wien. K.: 1961-87 selbst. ZA, tätig als Elektoakupunkteur, Herddiagnose, Entdeckung therapeutischer Wirkung versch. Substanzen, 1965 Afbau einer biol. Station i. Göstling/Ybbs. H.: Kräuterheilkunde, Homöopathie, Zeichnen, Schnitzen. (N.A.)

Palm Kurt Dr. phil.

B.: selbst. Reg. u. Produzent. DA. u. PA.: 1070 Wien, Faßzieherg. 7/5. G.: Vöcklabruck, 12. Apr. 1955. El.: Stefan u. Anna, geb. Reich. S.: 1975-81 Stud. Germanistik u. Publizistik Univ. Sbg. m. Prom. z. Dr. phil. K.: seit 1984 als Reg. u. Dramaturg an zahlr. Theatern in Österr. u. im Ausland, vor allem in d. USA tätig, 1989 Grdg. d. Theatergruppe "Sparverein Die Unzertrennlichen" m. dzt. ca. 30 Produktionen u.a. "Kafkas Franz", "Die Zauberflöte - fast forward", "In Schwimmen - zwei - Vögel", Oper "Der wilde Jäger", seit 1983 Lehrbeauftragter am Inst. f. Germanistik d. Univ. Klagenfurt, Gastvorlesungen u. -vorträge an Österr. Univ., Humboldt-Univ. Berlin, Univ. in d. USA sowie in d. NL, BRD u. Italien. P.: zahlr. Publ. über Theater u. Literatur in Zeitungen u. Zeitschriften, Bücher: Vom Boykott z. Anerkennung. Brecht u. Österreich. (1984), Burgtheater. Vier österr. Stücke (1987), Ella. Vier Stücke v. Herbert Achternbusch (1988). E.: div. Stipendien d. BMU, 1988 Talentförderungspreis d. Landes OÖ, 1991 Förderungspreis z. Kainz-Med. d. Stadt Wien f. d. Regie v. "Kafkas Franz". (N.A.).

Palme Liselotte

B.: Journalistin, Chefred. FN.: Profil. DA.: 1010 Wien, Marc-Aurel-Str. 10-12. PA.: 1010 Wien, Esslingg. 13/7. G.: Rottenmann, 29. März 1949. Ki.: Axel (1969). El.: Albert Mayer u. Gertrude, geb. Grabner. S.: Gymn., 1967 Matura Stud. d. Volkswirt. a. d. Univ. Linz. K.: 1973-76 Journalistin b. d. Ztg. Die Presse, 1976-79 Kurier, 1989 b. dato Profil, a. 1994 i. d. obenerwähnten Position m. Schwerpunkt: Wirtschaft u. Wirtschaftspolitik. H.: Pferde. (N.A.)

Palme-Stumpe Karl

B.: Hotelier d. Hotel Eden. DA. u. PA.: 5360 St. Wolfgang, M.-Pacher-Str. 40. G.: Salzburg, 9. Jan. 1936. V.: Josefa, geb. Hoffmann. Ki.: Norbert, Claudia. El.: Karl u. Theresia. BV.: Vorfahren waren Textilfabrikanten im Sudetenland. S.: Gymn., Kellnerlehre. K.: 1965 Übernahme d. elterl. Hotels, Restaurants u. Tanzcafes "Eden" im Zentrum v. St. Wolfgang. M.: Funktionär d. HK f. OÖ, Sekt. Gastronomie. H.: Fotographieren, Skifahren. (Foed.)

Palmetzhofer-Bauer Claudia

B.: Gschf. Ges. FN.: Claudia Bauer Ges.m.b.H. Zahntechn. Labor u. Handel m. Dentalwaren u. Edelmetallen. DA.: 1150 Wien, Hollocherg. 23/7. PA.: 1140 Wien, Linzer Str. 283/10. G.: Baden, 3. Aug. 1964. V.: Günter. El.: Wolfgang u. Erika Bauer. S.: VS, Hauptschule, Hauswirt.-Schule, Zahntechn.-Lehre, 1983 Gesellenprfg. K.: 1983-86 Fa. Labor Zyczkowski & Danzinger, ab 1986 selbst. H.: Urlaub, Skifahren, Tennis. (N.A.)

Palt Harald

B.: Organisator b. Kapsch AG. DA.: 1120 Wien, Wagenseilg. 1. PA.: 1220 Wien, Weinwurmweg 1/56. G.: Wien, 13. März 1942. V.: Katharina, geb. Zügner. Ki.: Gabriele, Martin. El.: Vorst.Dir. Leopold u. Hermine. S.: RG, kurzes Stud. Physik,

Abiturientenlehrgang. K.: 1966 Programmierer, später Organisator b. Katzinger AG (Philips Data Systems), 1976 Organisator b. Kapsch AG (Vertriebs- u. Verw.Bereich). M.: Lions-Club. M.: Mineralogie, Briefmarkensammeln. (Bauer)

Paluc Ciril Mag.

B.: Gschf. FN.: Gorenje Handels GmbH. DA.: 1100 Wien, Südbahnhofgelände, Straße C. PA.: 1100 Wien, Reumannpl. 1. G.: Cerkvenjak/Slovenien, 7. Juni 1939. V.: Majda, geb. Krajnc. Ki.: Tanja (1972), Mateja (1973), Eva (1985). El.: Joze u. Stefanija. S.: 1960 Matura Maribor, Stud. Ökonom. Fak. Ljubljana Ind.Form u. Markforsch., 1972 Mag. Zagreb. K.: 1965-86 Ang. Mariborska Livarna (Mariborer Gießerei) als Marktforscher, Kommerzialdir. u. Gen.-Dir., nebenbei Prof. an d. Kommerzial-HS Maribor, seit 1986 Gschf. Gorenje Handels GmbH. P.: zahlr. Art. in Fachzeitschriften. H.: Autofahren, Dichten, Partielle Studien über Konsumentenverhalten. (M.M.)

Palzer Uta Ingrid

B.: Opern- u. Konzertsängerin, ausgebildete Pianistin u. Unternehmer. DA.: 5020 Salzburg, Rainerstr. 3. PA.: 5020 Salzburg, Auerspergstr. 37. El.: Palzer Karl u. Inge. S.: VS, RG, HASCH, Klavierstud. im Mozarteum Salzburg m. Dipl.Abschluß K.: Privatmusikerziehung an d. HS f. Musik u. darstell. Kunst, Hauptfach Klavier u. Gesang m. 3 Abschlußdipl.: Konzert (b. Dr. Werba), Stimmbildung (b. Prof. Kolo), Musikdramatische Darstellung (b. Prof. Kolo), sowie Tätigkeit im elterl. Juweliergeschäft in Sbg. BL.: jahrelang freiberufliche Opern- u. Konzerttätigkeit in der BRD, Schweiz, Italien, Spanien u. Österr. P.: Rundfunk u. TV-Sendungen im österr. u. span. Fernsehen. F.: Juweliergeschäft in Sbg. H.: Kunstgeschichte, Sprachen, Literatur. (Hat.)

Paminger Paul F.

B.: Firmeninhaber/Elektriker. FN.: Paul F. Paminger Ges.m.b.H. GT.: Ortsparteiobmann Kollbrunn, Bezirksparteiobmann Bad Pirawarth. DA.: 2222 Kollnbrunn, Brünnerstr. 9; Malaysia, 6 Jalan Setia Bistari, Damansara Heights, 50490 Kuala Lumpur. G.: Kollnbrunn, 4.4.49. V.: Gloria Mandanas. Ki.: Isabell, 18 Jahre. El.: Paul u. Anna. BV.: Familie seit 1748 in Kollnbrunn. S.: VS, HS, Lehre abgeschlossen. K.: v. Sept. 1969 - Dez. 1973 Auslandstätigkeiten in allen 5 Kontinenten, 80 Länder bereist; Südafrika AE6 - 2Jahre bis 1976; 1977 Rückkehr n. Österreich, selbstst. gemacht, 1981-81 Taxiunternehmen, 1987 Amerika New York, versch. Tätigkeiten ausgeübt, 1988 Hong Kong, Malaysia, Firmengründung SUPA-ENTERPRISES, Import, Export Textilien Außenhandel. M.: 20 Jahre Mitlgied FPÖ, Landesparteileitung ÖKB. H.: Reisen, Sportwagen, Fliegen, Musik, Tanzen. (W.M.)

Pammer Heinz Dipl.-Ing.

B.: Ziviling. f. Hochbau. DA.: 4020 Linz, Beethovenstr. 16. PA.: 4040 Linz, Hasbergersteig 15 a. G.: Linz, 7. Sept. 1941. El.: Ing. Josef u. Friederike. S.: VS, Realschule, 1960 HTL, TU Wien, 1967 Dipl. Ing., 1967 BH. K.: 1968 eig. Büro mit Werkgruppe Linz, 1973 Ziviltechn.Prüfung f. Architektur; Stadtplanung f. d. Stadt Enns, Arb. mit d. Werkgruppe Linz, Generaldion. d. VOEST-ALPINE AG, Amt der OÖ Landesreg. Kärntnerstr., Versuchsbau flex. Wohnen Linz Haselgraben. P.: Fachart. in Bild d. Wissenschaften, Stuttgart, Bauen & Wohnen Zürich, Techniques u. Architecture Paris, Bauwelt Berlin. E.: Preis d. Zentralvereinigung d. Arch. Österr., Kulturpreis d. Landes OÖ. M.: Zentralver. d. Arch. OÖ. H.: Kunstsammlung, Zeichnungen. (N.A.)

Pammer Elisabeth Dkfm. Dr.

B.: Ltr. SHG-Alzheimer Austria. DA.: 1200 Wien, Obere Augartenstr. 26-28. PA.: 1120 Wien, Steinhageg. 4/7. G.: Graz, 16. Juli 1927. Ki.: Peter. El.: OLGR. Arnold u. Elisabeth Steinlechner, geb. Tarmann. S.: 1946 Matura, 1946-51 Stud. Welthdl. an d. HS f. Welthdl. K.: 1951-54 Anglo-Elementarvers., 1954-78 Familienunternehmen Mischfutterwerk Treibach, 1978-82 Climaco Wien, 1983 durch d. Erkrankung d. Partners Beschäftigung m. d. Alzheimer-Krankheit, 1990 gemeinsam m. Prof. Schnaberth, Dir. Stöckl u. RgR. Frühwirth Grdg. d. Selbsthilfegruppe f. Angehörige v. Alzheimerkranken, seit 1992 Tagesbetreuung. M.: seit 1993 Mtgl. Alzheimer-Demenz Intern. u. Alzheimer Europ. H.: Schwimmen, Spazierengehen. (N.A.)

Pammer Franz

B.: Pressefotograf. FN.: GEPA Pressefoto Bildagentur GnbR. DA.: 8010 Graz, Schönaug. 62. PA.: 8010 Graz, Fischerg. 9/10/94. G.: Weiz, 3. Dez. 1962. El.: Franz u. Maria. S.: VS, Gymn., Lehre Einzelhdls.-Kfm., 7 Sem. Maturaschule Ak. Gymn. Graz. K.: freier Journalist in Wort u. Bild Weiz, 1984 Beginn d. Teamarb. m. Ingrid Gerencser in Weiz, 1987 Übersiedlung nach Graz u. gemeinsam m. Ingrid Gerencser Eröff. einer Pressebildagentur f. Österr. Printmedien. H.: Workaholic. (M.Gr.)

Pammer Heinz Dr.

A.: 8052 Graz, Hangweg 14. G.: Hartberg, 5. Okt. 1921. V.: Dr. Ingeborg, geb. Roth. El.: Dr. Josef u. Maria. S.: BG Oberschützen, Univ. Graz 1948 Dr. iur. K. 1948-55 Stmk. LRg. (1. Sekr. d. LHptm.), 1955-62 Bz.Hptm. v. Leibnitz, 1962-63 Bz.Hptm. v. Graz-Umgebung, 1963-85 StadtR. d. LHpt.Stadt Graz. P.: Verfasser zahlr. Fachaufsätze über Fragen d. Kunst u. d. Theaters, sowie über Fragen d. Altstadtsanierung, d. Umweltschutzes u. d. sozialen Wohnbaues. E.: Gr. EZ d. Rep. Österr., Ehrenbürger d. Univ. u. TU Graz, Komturkreuz d. päpstl. Sylvesterordens, Erzherzog Johann-Med., Ehrenbürger d. Stadt Leibnitz u. v. ca. 30 Gem., zahlr. EZ u. Ehrenmtgl. b. Ver. u.a. M.: VPräs. d. Ecovast (Verb. d. europ. Kleinstädte u. Dörfer), Gen.Sekr. d. Verb. d. Europastädte, Präs. d. Stmk. Kunstver.Werkbund, Präs. d. Steir. Jugendherbergwerkes, Präs. d. Städteforum Graz, Präs. d. SOS-KinderdorfVer. Stmk., AufsR.Mtgl. d. Flughafen-Betriebs-GmbH, Ehrenmtgl. b. zahlr. Ver. H.: Filmen, Fotografieren, Schwimmen.

Pammer Martin
B.: Managing-Dir. FN.: Sony Music Entertainment (Austria) GmbH. DA.: 1101 Wien, Erlachg. 134-140. G.: Glashütten/Bgld., 17. Mai 1959. El.: Martin u. Anna. S.: Gymn. Wien,Matura, Stud. Betriebswirtschaft WU Wien. K.: Einstieg in d. Schallplattenhdl. zunächst als Verkaufsltr. b. d. Firma K-Tel Intern. GmbH, anschl. Verkaufsltr. u. zuletzt Gschf. d. Firma W. D. Warren GmbH Wien, seit Sept. 1991 Gschf. d. Sony Music Entertainment (Austria) GmbH Wien. H.: Musik, Golf, Malen. (J.S.)

Pammer Otto
B.: Prod.Ltr. DA.: 1070 Wien, Neubaug. 1. G.: Wien, 9. Mai 1926. V.: Evelyne, geb. Lindinger. El.: Johann u. Berta. S.: Grundschule, kfm. Berufsschule. K.: 1940-43 Kfm. in d. Textilbranche, 1945-47 Kameraass. b. Wien-Film, 1957-50 Kameramann b. Dokumentar u. Spielfilmen, 1950 Kameramann b. Fox-tönender Wochenschau, Prod.Ltr. u. Österr.Chef, Süd-Ost Korrespondent d. Fox-tönenden Wochenschau, als Prod.Ltr. u. als Kameramann Übern. f. Aufn. u. Gestalt. aller großen histor. Ereignisse in Österr. u. Südosteuropa m. Berichterst. f. 84 Länder d. Erde, 1965 Gest. d. Wochenschaudokument. "20 Jahre 2. Rep. Österr." u. 1968 "50 Jahre 2. Rep. Österr." (beide ausgez. m. d. Prädikat bes. wertvoll u. verw. f. Schulzwecke), 1974 Grdg. d. eig. Filmproduktionsfirma P.K.-Film, 1976 Grdg. d. Pammer-Film GmbH & Co KG, filmtechn. Betr. u. Prod. v. Dokumentations- u. Werbefilmen f. zahlr. öff. Stellen sowie in- u. ausländ. Firmen. E.: 1974 Silb. EZ d. Rep. Österr. H.: Golf, Tennis. (R.A.)

Pammesberger Michael
B.: Autobus-Stadtlinienverk. Reisebürountern., Bez.Vorst. u. Fachgruppenvorst. Stellv. Kam. d. Gewerbl. Wirtschaft Personenbef. Gew., GemR., AufsR. Katrin AG. A.: 4820 Bad Ischl, Schröpferpl. 2. G.: Bad Ischl, 14. Juli 1940. El.: Fritz u. Maria. S.: VS, HS, HASCH. K.: 1960 Taxigew. 2 Pkw Anfang b. Autobusbetr. 8 Autobusse, Ges. Stadtlinienverk. Bad Ischl Reisebüro, 1975 Fachgruppenaussch. Personenver. Pkw u. Reisebüro, 1979 Bez.Vorst. Gmunden Fachgruppenvorst. STV. Fachgruppe Personenverkehr Pkw 1980 Mtgl. d. BKam., 1979 AufsR. Katrin AG Bad Ischl, 1979 GemR. M.: Intern. Ges. Operette, Reit u. Fahrver., Verb. z. Hebung Fremdenverkehr, Trachtenver.

Pandis Apostolos Dipl.-Ing.

B.: Inh. FN.: Entwicklung u. Fertigung elektron. Produkte. DA.: 8042 Graz, St. Peter Hauptstr. 155. PA.: 8042 Graz, Ferdinand-v.-Saar-Weg 11. G.: Chalkis/Griechenland, 14. Jän. 1944. V.: Annemarie, geb. Ully. Ki.: Karin (1966), Johannes (1977), Marlene (1982). El.: Johannes u. Satiria. S.: VS, Mittelschule in Griechenland, HS Elektrotechnik Graz, 1976 Abschluß. K.: Entwickler in d. Elektronik, Entwickler in d. Ltg., seit 1983 selbst., Auftragsproduktion, Schwerpunkt: Verkehrstechnik. M.: Taucherclub, Motorschiffahrt. H.: Tauchen, Motorschiffahrt, Skifahren. (R.S.)

Pangerl Leonhard
B.: Gschf. A.: 3541 Senftenberg. G.: Senftenberg, 23. März 1942. V.: Brigitta, geb. Wagner. El.: Ludwig u. Maria. S.: HS, HASCH, Müllereifachschule, tätig im chem. Labor d. Versuchsanst. f. Müllerei, Mstr.Prüf., beschäftigt in d. elterl. Mühle (seit 1706 im Familienbesitz) b. 1968, dann Übernahme eines Holzwollewerkes - Ausbau b. zu 20 Beschäft., Übernahme eines Auslieferungslagers in Wien, dann Ausweitung auf Verpack.Materialhdl. aller Art., sowie Holz- u. Baustoffhdl. 1980 eigene Erzeugung v. Kunststoffverp.Material (patentiert). Lieferungen ins In- u. Ausland. F.: Ges. d. Holzwolle u. Kunststoffwerkes Pangerl GmbH. P.: Vertr. a. d. Verpackungsmessen. E.: div. Berufszertifikate. M.: Judo-Sport-Verschönerungs-Tennis-Ver., HK, Rad-Skifahren, Schwimmen, Tennis.

Pangratz Sibylle Dr. med.
B.: Ärztin. A.: 2103 Langenzersdorf, Kellerg. 39. G.: Berlin, 17. Nov. 1943. V.: Heinrich. Ki.: Christian (1969), Patrick (1981). El.: Singelmann Manfred Pat.Anw. Dipl.-Ing. u. Inge Dr. med. S.: Matura, Univ. (Humboldt-Univ. Berlin). K.: FA Ausbild. in Allg.Med. in Potsdam (DDR), 1979-80 OA, nach Übersiedlung nach Österr., Nostrifizierung an Wr. Univ., seit Mai 1981 Notärztin Wr. Rettung, seit 1982 zusätzl. Ordination als Prakt. Ärztin. P.: Diss.Schrift "Untersuchungen mit Anti-Prut" wurde teilweise in DDR veröff. bzw. in Veröff. benannt. H.: klass. Musik.

Panhans Vinzenz
B.: Steuerberater. DA.: 1050 Wien, Spengerg. 1/6. G.: Wien, 31. Mai 1945. V.: Eva, geb. Schöpfleuthner. Ki.: Monika, Gabriele. El.: Vinzenz u. Elisabeth. BV.: Großvater Franz Panhans Erbauer d. Hotel Panhans am Semmering (1869-1913). S.: VS, Realschule, WU. K.: in Steuerberatungskzl. tätig, 1969 Eintritt in väterl. Kzl., seit 1974 selbst. H.: klass. Musik, Tennis, Skifahren, Fußball. (R.A.)

Panholzer Wolfgang
B.: Geschäftsfeldltr. Marketing u. Verkauf, Prok. FN.: Eternit-Werke Ludwig Hatschek AG. DA.: 4840 Vöcklabruck, Eternitstr. 34. PA.: 5230 Mattighofen, Birkenweg 12.G.: Mattighofen, 24. Dez. 1959. V.: Ute. Ki.: Thomas (1988). El.: Helmut u. Maria-Anna. S.: HTL, Kurse, Fachausbild., a.o.Hörer Univ. Linz. K.: Hochbautechniker, Verkäufer, Produktmanager, Gschf., Projektmanager, Vorst.-Ass., Geschäftsfeldltr. H.: Lesen, Sport, Malen.

Panhuber Hubert
B.: Gschf. Ges. FN.: Trotronic Elektro-Elektronik-Geräte Hdls. GmbH. DA. u. PA.: 4400 Steyr, Wolfernstr. 17B. G.: Kirchdorf/Krms, 25. Okt. 1956. V.: Rosa, geb. Großschartner. Ki.: Irene (1981), Isabell (1982). El.: Josef u. Amalia. S.: VS, HS, Polytechn. Lehrgang, b. 1974 Lehre Elektroinstallateur Firma Gruber Bad Hall, 1975 BH, 1976 Abendschule f. Werkmstr. K.: b. 1978 Ind.-Elektronik, 1978-84 Tätigkeit b. Firma Kammerhofer, 1984 Grdg. d. Hdls. GmbH, seit 1992 Ref. VHS Steyr. M.: Faustballver., SV Finanz. H.: Elektronik, Sport. (U.A.)

Panhuber Wolfgang Ing.

B.: Gschf. Ges. FN.: Ing. Wolfgang Panhuber GmbH. DA. u. PA.: 4715 Taufkirchen, Trattnach 76. G.: Lambach, 8. März 1956. V.: Josefa, geb. Bruckner. Ki.: Wolfgang, Gerhard, Reinhard. El.: Josef u. Josefine, geb. Hümer. S.: VS, HS, HBLA, 1976 Matura. K.: 1977 Epple-Buxbaum-Werke Wels, 1978-81 Pöttinger Grieskirchen, 1982 Kranzl Wels, 1983 Grdg. d. GmbH Panhuber. H.: Ski-fahren, Fliegen, Fotografieren. (W.B.)

Panis Josef

B.: Baumeister. DA.: 2700 Wr. Neustadt, Dompl. 11. PA.: 2700 Wr. Neustadt, Heinrich-Heine-Str. 3. G.: Wr. Neustadt, 25. Juli 1949. V.: Ilse, geb. Kornfeld. Ki.: Nicole (1974). El.: Karl u. Maria. S.: VS, Gymn., 4 J. HTL Hochbau. K.: b. 1979 Tätigkeit b. einem Baultr.-Büro Wien, ab 1974 in ltd. Stellung, 1978 Bmstr.-Prüf., 1979 intern. Planungsfirma, s. 1981 selbst. E.: 1993 KommR. (R.T.)

Panizza Friedrich

B.: Ltr. d. Behindertenzentrums d. Stadt Wien. DA.: 1160 Wien, Seeböckg. 12-14. PA.: 1160 Wien, Baumeisterg. 1/15/13. G.: Wien, 21. Feb. 1954. El.: Friedrich u. Ernestine, geb. Piska. S.: VS, Gymn., 1972 Matura, 1972-74 Ak. f. Sozialarb. m. Dipl.-Abschluß. K.: 1974 Eintritt in d. Sozialamt d. Stadt Wien als Sozialarb., in allen Bereichen d. Sozialarb. tätig, seit 1991 in o.g. Position. M.: SPÖ, Gewerkschaft. H.: Reisen Schwerpunkt Balkan. (N.A.)

Panny Friedrich

B.: Stadtrat. FN.: Gemeindeamt Mödling. DA.: 2340 Mödling, Pfarrg. 9. PA.: 2340 Mödling, Weißes Kreuz G. 96/33/2. G.: Purbach (Bgld.) 27. Feb. 1926. V.: Aloise, geb. Czerny. Ki.: Luise (1946), Christine (1950), Friedrich (1960), Karin (1965). El.: Johann u. Maria. BV.: Vater w. Vorst. d. Gem. Purbach. S.: 1945-46 Lehre i. Flugmotorenw. Wr. Neustadt, 1946 HASCH, 1946-47 HTL f. Maschinenb. Mödling. K.: 1947-51 Fahrlehrer Fahrschule Fürberg Mödling u. div. Nebenarb., 1951 Beitr. z. SPÖ, 1951-52 Straßenerh. i. Wien, 1953-70 Vorarb. d. Straßenerh. u. Kraftfahrer i. Mödling, 1970 stellvertr. Sekt.Ltr. d. Sekt. I u. 1972 Dienststltr. d. Betr. Straßenreinig. u. Müllabf., s. 1983 Gruppenltr. u. stv. Abt.Ltr. des Wirtsch.-Hofes, s. 1985 Stadtrat d. Wirtsch.-Ressortes. E.: 1993 "Viktor Adler Plakete", 1993 Med. f. bes. Verd. d. Rettung, Med. f. Verd. u. breit. Sport, Med. f. Verd. u. Feuerwesen v. d. Gem., Med. f. Verd. u. Rettungsw. v. Land NÖ. M.: Sportverein, Feuerwehr, Rettung. H.: Surfen, Wandern, Radfahren, Joggen. (I.K.)

Panny Norbert Mag.

B.: alleiniger Inh. d. Fa. Norbert Panny Kfz.-Handels- u. Werkstättenbetrieb. DA. u. PA.: 2230 Gänserndorf, Hauptstr. 57. G.: Wien, 19. Nov. 1957. S.: AHS-Matura, WU Wien, 1982 Mag. K.: 1982 in Fa. als kfm. Ang. eingetreten, seit 1984 selbst., alleiniger Inh. d. Fa. M.: Wirtschaftsbund, Basketballver. H.: Sport, Theater, Konzert. (Fels.)

Panny Wolfgang Dr. Mag. Dipl.-Ing. o.Univ.-Prof.

B.: o.Univ.-Prof. f. angew. Informatik am Inst. f. Informationsverarb. u. -wirtschaft WU Wien. DA.: 1090 Wien, Aug. 2-6. G.: Wien, 5. Aug. 1948. Ki.: Christian (1968), Nikolaus (1983), Julia (1987). El.: Dipl.-Ing. Dr. Lambert u. Mag. Elfriede, geb. Hanek. S.: VS, RG, 1967-72 Stud. BWL HS f. Welthdl., 1972 Mag., seit 1973 Ass. Inst. f. Math. u. Statistik d. WU Wien, 1976 Prom., 1976-81 Stud. Informatik TU Wien, 1981 Dipl.-Ing., 1985 Habil. K.: ab 1986 Vertretung d. C4-Lehrstuhls f. Betriebs- u. Wirtschaftsinformatik Univ. Bamberg, 1987 Forsch.-Aufenthalte McMaster Univ. Hamilton/Canada, seit 1989 a.o.Univ.-Prof. WU Wien. P.: zahlr. Publ. u.a. The Maximal Deviation of Lattice Paths - exact and asymptotic results and some applications (1984), A note on the higher moments of the expected behavior of straight insertion sort (1986), Bottom up mergesort - A detailed analysis to appear in Algorithmica (1995), Single and twin-heaps as natural data structures for percentile point simulation algorithms (1993). M.: SIAM, ICA, ÖMG, ÖStG, ÖCG. H.: Musik, Literatur. (M.L.-A.-M.)

Panovsky Peter Dr.

B.: RA. DA.: 3100 St. Pölten, Linzer Str. 16. G.: Wien, 8. Sept. 1945. V.: Helene, geb. Dienstl. Ki.: Sigrid, Ingo, Gerfried. El.: Dr. Willibald u. Liselotte. S.: Hum. Gymn. Judenburg, BG St. Pölten, Jusstud. an d. Univ. Wien, Prom. 1968. K.: Gerichtspraxis in Wien u. St. Pölten, 1 J. BH, 6 J. Praxis in Wien u. St. Pölten, seit 1976 selbst. RA m. eigener Kzl. H.: Joggen Bergwandern, Schmalfilmen. (Kern)

Panowitz Herwig

B.: Steuerberater. DA.: 3300 Amstetten, Hauptpl. 30. G.: Amstetten, 18. Mai 1940. V.: Karoline, geb. Nowak. Ki.: Astrid, Klaus, Herwig. El.: Max u. Maria. S.: 1958 Matura, Stud. an d. rechtswiss. Fak. Wien. K.: 1964 Steuerberaterprüf., seit 1965 als selbst. Steuerberater in Amstetten tätig. F.: Steuerberatungskzl. in Amstetten. M.: Grdg.Mtgl. d. Lions-Club Amstetten. H.: Modelleisenbahn, Flugmodelle. (Kern)

Pansy Karl Mag. rer. soc. oec.

B.: Ang. d. Raiffeisen-Landesbank. DA.: Graz-Raaba, Dr.-Auner-Str. 8. PA.: 8101 Gratkorn, Grazer Str. 70. G.: Hartberg, 15. Sept. 1959. V.: Mag. Ulrike, geb. Sayer. Ki.: Benjamin u. Anika (1988). El.: Josef u. Hedwig. S.: VS, Gymn., 1977 Matura, Stud. Engl. u. Leibesübungen Univ. Graz, 1978 Wechsel zu Sozial- u. Wirtschaftswiss., Spons. z. Mag. rer. soc. oec., Ausbild. z. staatl. geprüften Tennistrainer, 8 J. Leistungsspieler in d. zweithöchsten u. Superliga. K.: 1987 Beginn d. Tätigkeit b. Raiffeisen-Landesbank in d. Bilanzanalyse, Aufbau d. Kreditabt., Kreditref., seit 1990 Abt.-Ltr. d. Abt. Institutionelle Kunden, Gschf. Thermengolfanlagen Loipersdorf Betriebs GmbH u. SUBLICH Liegenschaftsverw. GmbH, Beiratstätigkeit, 2 Projektges. Errichtungs u. Betriebs GmbH "Altstadtgalerie", Lehrbeauftragter d. Raiffeisen-Ak. f. d. Kreditfinanzierungsbereich. BL.: beste Plazierung 30. in d. ÖTV-Liste. H.: Familie, Tennis, Squash, Fußball, Skifahren. (M.G.)

del Panta Ridolfi Marco Dr.

B.: Konsul d. Console d'Italia. DA.: 1030 Wien, Ungarg. 43. G.: Florenz, 8. Dez. 1961. V.: Alice, geb. Michahelles. El.: Piero del Panta u. Giovannella del Panta Ridolfi. S.: 1980 Matura, 1980-86 Stud. Polit. Wiss. Univ. Florenz, 1986 Prom. K.: 1987 Vorbereitungskurs f. Diplomatie in Florenz, 1988-91 Rom, Amt f. auswärtige Angelegenheiten, kulturelle Angelegenheiten b. 1989, Polit. Angelegenheiten b. 1991, seit 1991 Konsul in Wien. (J.E.)

Pantazatos Dionysius Dkfm. Dr

B.: Groß- u. Einzelhdl. Kfm. A.: 1050 Wien, Hartmanng. 5/1/4-5. G.: Piräus, 18. Nov. 1935. V.: Prof. Mag. Dkfm. Christa, geb. Schmidt. El.: Androiannis u. Mary. S.: Gymn. (Piräus), Dipl. u. Doktorat - HS f. Welthdl. Wien. K.: Betätigung bei ausl. Firmen u.a. Dairy Bond- New York, Dr. Oetker - Hamburg, Schiffahrtei u. Raffinerie A. Pantazator Ltd. - Piräus. P.: "Das CIF-Geschäft u. d. Risikofaktor Seefrachtenmarkt". M.: Kam. d. gewerbl. Wirtschaft Wien. H.: Oper, Konzerte, Theater.

Pantucek Felix Dr. med. univ.

B.: Prim., Ltr. d. Path. Abt., FA f. Path. d. AKH Amstetten. DA.: 3300 Amstetten, Krankenhausstr. 21. G.: Wien, 10. März 1945. V.: Dr. Josefine, geb. Brunhölzl. Ki.: Susanne. El.: OMedR. Dr. Felix u. Antonia. S.: VS, RG, 1963 Matura,

Med.Stud. an d. Univ. Wien. K.: 1970 Prom., 1970-78 Ausbild. z. FA am Path.-Anatom. Inst. d. Univ. Wien, Zusatz-FA f. Lytodiagnostik, seit 1978 Ltr. d. Path. Abt. v. KH Amstetten u. Prim., seit 1978 KH-Hygieniker. P.: einschlägige Publ. in Fachzeitschriften, Mitautor v. Handbuch: Abfallbeseitigung im KH. M.: Grdg.Mtgl. d. Med. Ges. NÖ, Mtgl. d. Österr. Ges. f. Path., Mtgl. d. Dt. Ges. f. Path., Mtgl. d. Intern. Ak. f. Path., Österr. Ges. f. Mikrobiologie u. Hygiene, Rotary Club RC Waidhofen/Ybbs. H.: Tennis, Skifahren, Fotografie. (Kern)

Panuschka Christoph

B.: Gschf. FN.: Haribo-Lakritzen-Betriebs GmbH; Panuli Bonbons GmbH. DA.: 4017 Linz, Industriezeile 68. PA.: 4060 Leonding, Spitzgärtlstr. 29. G.: Linz, 9. Dez. 1955. V.: Inge, geb. Radkovsky. Ki.: Nicole (1979), Elisabeth (1982). El.: Josef u. Katharina. S.: VS, RG, HTL II Maschinenbau Linz, 1975 Matura. K.: 1975 Eintritt Panuli Bonbon GmbH, Ass. d. Geschäftsltg., 1979 Betriebsltr., 1986 Prok., 1988 Übernahme d. Firma Panuli durch Firma Haribo, seit 1988 Gschf. Produktion, Technik u. Einkauf. H.: Sport (Joggen, Tennis), Musik.

Pany Alfred

B.: Red. d. Bezirkszeitung Stadtjournal. DA.: 1190 Wien, Heiligenstädter Str. 52. PA.: 1180 Wien, Dr.-Heinrich-Maier-Str. 60/12. G.: Wien, 13. Nov. 1951. V.: Irene. Ki.: Arno, Bernhard. S.: 1975 Matura, Mus.-Päd. Akad. b. 1977. K.: selbst. Kfm. Duty-Free-Shop Flughafen Wien, 1983 Beginn als freischaff. Fotored. f. Sport- u. Lokalredaktionen, 1987 Eintritt Stadtjournal als Foto- u. Lokalred., Erstell. v. Comix-Katalogen f. div. Firmen, z.B. Tebocent gem. m. H. Binder. P.: Veröff. in Fachzeitschr., Schallplattentexte. H.: Reisen, Radfahren, Musik. (J.E.)

Pany Franz

B.: Inh. d. Studio Null GmbH. DA. u. PA.: 1070 Wien, Neubaug. 25. G.: Güssing, 22. Nov. 1934. V.: Editha, geb. Walden. El.: Franz u. Anna, geb. Billovitzs. S.: Kfm. Lehre. K.: ab 1965 selbst. m. einer Vertretung aus d. Schweiz, 1974 Beginn d. Prod. v. Taschen, 1980 Grdg. d. Fa. Studio Null in München, 1977 Aufbau e. Betriebsstätte in Güssing. H.: Radfahren, Schwimmen, Wandern. (N.A.)

Pany Heribert

B.: Gschf. FN.: Sondeks VertriebsgesmbH., LINN Generalvertretung. DA.: 1010 Wien, Börseg. 3. G.: Mürzzuschlag, 1. Dez. 1957. El.: Heribert u. Helene. S.: 1976 Matura, 1977-86 Stud. Volkswirtschaft a. d. Univ. Wien. K.: 1986 selbst. Grdg. d. Fa. Sound Company, 1987 zweites Geschäft in Wien, 1988 ein weiteres in Salzburg, 1992 LINN-Vertrieb übernommen, 1991 Grdg. d. Fa. Vitalimex. H.: Golf, Musik. (M.A.)

Pany Helmuth

B.: Dir. u. gschf. Ges. d. Musikverlag-Musikhaus Doblinger. DA.: 1010 Wien, Dorotheerg. 10. G.: Wien, 19. Sept. 1943. V.: Brigitte, geb. Wimmer. Ki.: Peter, Eva, Michael. El.: Dipl.-Ing. Peter u. Susanna. BV.: Vorfahre mütterlicherseits 1876 Gründer u. Inh. d. Unternehmens Doblinger, Dr. Otto Szombathy väterlicherseits hat d. Venus v. Willendorf entdeckt. S.: Mittelschule Wien, HAK, Abschluß 1962. K.: Nach mehrjähriger Ausbild. in in- u. ausländ. Verlagen 1966 Eintritt in d. Verlag Doblinger, 1978 Prok., 1980 Dir. u. Gschf. M.: Vorst.Mtgl. d. AKM, Vorst. d. Musik-Verleger-Union, Vorst. österr. Buchverleger, Mtgl. d. LGremium Wien f. d. Buchhdl., Ges. d. Austro Mechana. H.: Skifahren, Konzerte, Theater. (Fels.)

Panzenberger Kurt

B.: freischaff. Künstler. DA.: 1030 Wien, Kegelg. 45/5. G.: Wien, 13. Aug. 1942. Ki.: Anna (1982), Lea (1985). S.: VS, HS, Berufslehre Lithograph, 1967 Innenarch. Ak. f. Angew. Kunst Wien. K.: 1978 Beginn als freischaff. "Aquarelleur", zahlr. Malreisen: Bgld., Wein-, Wald- u. Innviertel, Griechenland, Bretagne, Schottland, Rom, Marokko, Indien u.v.m., Einzelausstellungen: 1978 Galerie Christian Brandstätter Wien, 1980 Galerie Academia Sbg., 1981 Galerie Schwarzer Wien, 1982 Galleria alla Vetrata Padua, Galerie Zentrum Wien, Forum Villa Meridiana Zürich, 1983 Galerie Moser Graz, 1984 Österr. Länderbank Wien, Galerie Gerersdorfer Wien, 1985 Österr. PSK Wien, 1986 IBM Österr., Galerie Rosengarten Thun/Schweiz, 1987 Österr. Kulturinst. Rom, 1988 Galerie Seywald Sbg., 1989 Galerie Zentrum Wien, 1990 Galerie "La Pigna" Roma, seit 1986 Abhalten v. Aquarell-Seminaren in Thun, Schweiz, Baden b. Wien, Rust, Bgld., Tir., Venedig, Südfrankreich, Mykonos, Amalfi, Sizilien. E.: 1981 Anerkennungspreis Dr. Ernst Koref-Stiftung Linz, Preis b. Aktion "Künstler malen in Betrieben" Druckhaus Vorwärts Wien, Goldmed. Premio Fratelli Agazzi 1990. P.: Hrsg. d. Buches "Österr. Aquarellisten d. Gegenwart" (1984). (H.J.S.)

Panzinger Josef

B.: Gschf. FN.: Black & Decker Vertriebs GmbH. DA.: 1233 Wien, Erlaaer Str. 165. G.: Diessen/Ammersee, 3. Okt. 1933. V.: Helene, geb. Rieger. Ki.: Corina. El.: Josef u. Emma. S.: HS, Fachschule f. Elektrotechnik in München, Lehre als Elektroinstallateur m. abgelegter Prüf., staatl. geprüfter Klimatechniker. K.: nach Lehrzeit in versch. kleinen Firmen, 8 J. BOSCH-Dienst Organ., 1964 Eintritt b. Fa. Black & Decker in Deutschland, Anfangstätigkeit: Kundendienstmechaniker, Kundendienstltr. in Stuttgart, Kundendienstltr. f. Deutschland, Techn. Planern in d. Marketingabt., Junior Product Manager, Verkaufsltr., Marketing- u. Verkaufsltr., 1 J. Gschf. in d. Schweiz, Gschf. in Österr. H.: Lesen, Radfahren, Schießen. (E.L.)

Panzl Gerda Mag.

B.: Gschf., Inh. FN.: Schuhhaus Panzl Teamschuh GmbH. DA./PA.: 4820 Bad Ischl, Götzstr. 4a. G.: Sbg., 2. Sept. 1958. Ki.: Stephanie (1984), Manuel (1985). El.: Matthias u. Gertrude. S.: VS, Gym. 1978-82 WU Wien. K.: 1983 i. elterl. Betr. tät., 1987 Ltg. d. Schuhgesch. übernommen. V.: Volleyball, Tennis. H.: Skifahren, Reisen, Tennis, Kinder, Volleyball. (M.G.)

Panzl Matthias

B.: Inh. FN.: Immobilien. DA.: 4820 Bad Ischl, Götzstr. 3-5. PA.: 4820 Bad Ischl, Götzstr. 4a. G.: Bad Ischl, 9. Feb. 1928. V.: Gertrude, geb. Heller. Ki.: Gerda (1958), Ursula (1961). El.: Matthias u. Marie. S.: VS, HS, HASCH Sbg., 3. J. Fachausb. i. Schuhfab. Salamander, Studienaufenthalt i. Amerika. K.: i. elterl. Betr. v. Handwerksbetr. z. Industriegeb. Tarnado Surfbord-Prod. 1985 stillgelegt u. z. Immobilien umgewidmet. V.: Rotaryclub. H.: Jagd, Skifahren, Tennis. (M.G.)

Papadimitriou Panagiotis

B.: Attaché d. Griech. Botschaft, Dir. d. Griech. Zentrale f. Fremdenverkehr s. 1991. DA.: 1015 Wien, Opernring 8. G.: Messologion, 14. Juni 1937. V.: Friederike, geb. Kouerini. Ki.: Laura, Vanja, Thrassyvoulos. S.: 1956 Matura, Stud.

Polit. Wiss., Jus, Nachstud. K.: Ang. b. "Bank v. Griechenland", wo er als Dir. 1990 ausschied, Präs. d. AR d. öff.-techn. Ges. "Asprofos", gleichz. Wirtschaftsjournalist. H.: Schwimmen, Jagen. (J.E.)

Pap Johann Robert Ing.

B.: Kons. d. Kulturzentrums d. "Bader-Waissnix Stiftung". GT.: allg. beeid. gerichtl. Sachv. f. Berufskunde. DA.: 2651 Reichenau, Schloßpl. 9; 2650 Payerbach, Anton-Weiser-Str. 34. G.: Wien, 30. Mai 1925. V.: Ingeborg, geb. Jakubek. Ki.: Isabella (1958). El.: Johann u. Aloisia, geb. Raser. S.: Ldw.-Schule Francisco Josephinum Wieselburg, 1943 Matura. K.: Praktikant u. Adjunkt auf div. Gutsbetrieben, ab 1946 Berufsberater im Landsarbeitsamt NÖ Wien u. Wr. Neustadt, ab 1975 Ltr. d. Arbeitsamtes Wr. Neustadt, 1986 Eintritt in d. Ruhestand, seit 1980 Tätigkeit als Sachv. f. Berufskunde, seit 1952 Ltr. d. Bergbau- u. Heimatmuseums Reichenau, seit 1992 Kons. d. "Bader-Waissnix Stiftung" Reichenau, histor. Ausstellungen. P.: 6 Bücher über Geschichte, Bergbau u. Fremdenverkehr im Gebiet Rax-Semmering sowie zahlr. Fachart. E.: 1990 Ehrenbürger d. Marktgem. Reichenau. H.: Theater, Ausstellungen, Kunstreisen. (M.M.)

Papaefthymiou-Osthaus Christine Dr. med.

B.: FA f. Zahn-, Mund- u. Kieferheilk. DA.: 8010 Graz, Heinrichstr. 54. PA.: 8010 Graz, Körblerg. 61. G.: Duisburg, 13. Juni 1952. V.: Dr. Georg. El.: D.I. Hans Jürgen u. Josefa. BV.: Urgroßvater, Joh. Caspar Harkort - Erbauer d. Rotunde f. d. Wr. Weltausstellung 1873, Großonkel, Karl Ernst Osthaus, Kunstmäzen - Begründer d. Folkwangmuseums. S.: 1971 Matura, Stud. d. Mediz. in Graz, 1983 Prom.. K.: Turnus, Teilausb. f. Strahlentherapie, 1987-89 FA für Zahn-, Mund- u. Kieferheilkunde, Abschluß m. Auszeichnung, 1989 Eröffnung der eig. Praxis. H.: Musik, Architektur, Kunst, Design, Kino. (F.K.)

Papas Paulus

B.: Gschf. FN.: Mahmut & Hanni Papas GmbH. GT.: Inh. u. Gschf. MPA Gastronomie GmbH 1210 Wien, Schlingermarkt Stand 91-92. DA.: 1040 Wien, Naschmarkt 487-516; 1100 Wien, Viktor-Adler-Markt 102-103; 1030 Wien, Rochusmarkt, Stand 4. PA.: 2362 Biedermannsdorf, Buchenweg 1/9; 1150 Wien, Winckelmannstr. 10/10. G.: Altinözü/Türkei, 1. März 1968. Ki.: Michaela (1990). El.: Michail u. Hanni. S.: Matura, 2 Sem. Biochemiestud., 2 Sem. Jusstud. K.: 1990-91 Taxifahrer, 1991 Eintritt in d. väterl. Betrieb (Oriental. Feinkost, Obst, Gemüse, Türk. Fleischspezialitäten, eigener Import), 1993 zusätzl. Grdg. einer eigenen Firma: MPA Gastronomie GmbH (Oriental. Spezialitäten u. Lebensmittel, Döner Kebab-Stube). H.: Arb. u. Erfolg haben. (F.S.)

von Papen Eva Dr. med. univ.

B.: prakt. Ärztin. DA.: 7100 Neusiedl/See, Seestr. 40-42. PA.: 7100 Neusiedl/See, Hauptstr. 26-28. V.: Gaudens von Papen. S.: Gymn., Prom. m. "summa cum laude". K.: Seit 1980 prakt. Ärztin, spez. auf Akupunktur, Homöopathie, Naturheilverfahren, Wirbelsäulentherapie, Ernährungshygiene u. Ernährungstherapie, Immunstimmulation, spez. Kurprogramme. P.: Über Therapie v. Schlafstörungen, Aromatherapie. M.: Österr. Ges. f. homöop. Med., Österr. Ges. f. Akupunktur u. Auriculotherapie, Arge österr. Ärzte f. anthroposoph. erweiterte Med., Ärztl. Ges. f. Physiotherapie. (G.E.)

Papesch Ernst

B.: Landesdir. FN.: EA-Generali AG. DA.: 4010 Linz, Adalbert-Stifter-Pl. 2. PA.: 4040 Linz, Tabergerweg 13. G.: Wien, 5. Febr. 1940. V.: Christine, geb. Holub. Ki.: Mag. Harald (1963), Petra-Christina (1968). El.: Ernst u. Margarete. S.: Gymn., Matura, Jusstud. Wien. K.: 1960-66 Rechnungswesen Post, seit 1967 b. d. EA-Generali AG Wien (Schadensabt., Koordinationsaufgaben, Ltr. d. Vertriebsabt. Generali Österr.), seit 1984 Landesdir. f. OÖ in Linz. M.: WdF, WWF. H.: Golf, Tennis, Lesen. (P.H.)

Papesch Gottfried M.

B.: Inh. FN.: Groß- u. Einzelhandel m. Waren aller Art, Im- u. Export. DA./PA.: 8041 Graz, Dr. Plochlstr. 26. G.: Graz, 12. Okt. 1950. V.: Doris, geb. Permoser. Ki.: Silvia (1970), Claudia (1971). El.: Emmerich u. Maria. S.: VS, HS, Lehre KFZ-Mech. i. Graz. K.: 1968-69 Kundendienst Fa. Elbak, 1970-71 kfm. Ang. Fa. Regnemer & Weber Graz, 1971-73 Subpächter e. Tankstelle i. Graz, 1973-76 i. Außendienst e. Wr. Bastbandfabrik, 1976-81 selbst. Großhandel m. Verpackung, 1981-92 Fa. Klammerth Groß, 1991 Grdg. eig. Fa. Hygieneservice, Im- u. Export Slowenien, Kroatien, Bulgarien, Ungarn, s. 1993 Grdg. Gastroeck Fachgroßhandel f. Gastronomie, Gen.-Vertr. f. Losetta Spendersysteme. E.: Dipl. f. Messegestaltung i. Belje/Slowenien. H.: Reisen, Autos, Messebesuche. (I.G.)

Papi Roberto Dr. rer. pol.

B.: Journalist, Korrespondent. FN.: ANSA. GT.: Mitarb. zahlr. Zeitungen. G.: Prato/Firenze, 23. Aug. 1943. V.: Marion, geb. Staudacher. Ki.: Dario. El.: Dino u. Eden. S.: VS, Gymn., 1962 Matura, Univ. Florenz, 1967 Prom., Militär. K.: 1970-76 Presseabt. f. Fiat in Turin, 1976-80 Gazzetta del Popolo Turin, 1980-82 ANSA, seit 1982 Auslandskorrespondent, ab1990 in Bonn. P.: histor. Monographien: "Luigi Muzzi, principe dell' epigrafia italiana" 1966, "Gaetano Magnolfi" 1967. E.: 1965 Journalistenpreis f. Geschichte u. Kunst. M.: Journalistenverb., Verb. d. Auslandspresse. H.: Musik, Theater, Lesen. (H.P.)

Papousek Gerhard

B.: Musiker u. Konzertveranstalter, Gründer u. Dir. d. Sbg. Festungskonzerte. DA. u. PA.: 5020 Salzburg, Anton-Adlgasser-Weg 22. G.: Eisenerz, 22. Mai 1940. V.: Gertrud, geb. Wieser. Ki.: Daniela (1968), Kerstin (1971). S.: VS, HS, 1954-58 Schlosserlehre, 1958-65 Ak. f. Musik Wien. K.: 1965-90 Mozarteumorchester, 1979 Gründer u. Dir. d. Sbg. Festungskonzerte, Dir. E.: Gold. VZ d. Landes Sbg. H.: Imker. (N.M.)

Papousek Herbert

B.: Dir. d. Geschützten Werkstätte Kärnten Ges.m.b.H. DA.: 9020 Klagenfurt, Fischlstr. 40. PA.: 9371 Brückl, Römerweg 21. G.: Klein St. Paul, 15. Dez. 1931. V.: Herta, geb. Simma. Ki.: Ing. Herbert, Ing. Hannes. S.: HTL f. Maschinenbau in Klagenfurt, REFA-Ausbild., Schlossermstr. K.: Abt.Ltr. d. Kettenwerke Brückl, Ltr. d. techn. Administr. d. Fa. Wild in Völkermarkt, b. 1980 techn. Ltr. d. Fa. Hermann Hirsch in

Klagenfurt, s. 1981 Gschf. d. Geschützten Werkstätte in Ktn., 1978 Erricht. d. 1. Geschützten Werkstätte in Tir. im Auftrag d. BMin. f. soziale Verw., 1981 Erricht. d. Geschützten Werkstätten in Ktn., gerichtl. beeid. Sachv. f. Arbeitstechnik, Arbeitsorgan. P.: Erstellung arbeitstechn. Expertisen, Vortragstätigkeit, Schulung. M.: Lions Club St. Veit, Konferenzgebietsltr. REFA Ktn. H.: Skifahren, Schwimmen, Wandern. (D.M.)

Papp Bela

B.: Marketingdir. FN.: Business Intern. Inform. u. Beratung. DA.: 1030 Wien, Schwarzenbergpl. 8/7. G.: Washington, 2. Nov. 1960. V.: Cecil Cormier. El.: Ferenc u. Hjana Papp, geb. Meszaros. BV.: Großvater Georg Meszaros (Elektr.-Ing. b. NASA). S.: Gymn., Georgetown Univ. K.: Ständ. Korresp. f. Ost-West-Hdl. in wöchentl. Zeitungen, Hrsg. u. Autor v. "What's new in your Industry" u. "Focus on Finance", seit 1987 dzt. Pos. M.: Presseverb., Vienna Centic Rugby Club. H.: Skifahren, Rugby, Schach, Squash, Schreiben, Klavier, Katzen. (M.G.)

Papp Christoph Thomas Univ.Prof. Dr.

B.: Plast. Chirurg. FN.: Krankenhaus d. Barmh. Brüder. DA.: 5020 Sbg, Kajetnerpl. 1. PA.: 5730 Mittersill, Unterfelben 10. G.: Mittersill, 2. Juli 1945.V.: Dr.Med. Helen Papp, geb. Pinette. KI.: Stephan (1970), Andreas (1973), Elisabeth (1976), Alexander (1980). EL.: Dr. Elisabeth. S.: VS, Gym., 1956 Matura, ES 1965-66 Sprachstud. a. d. Uni Sorbonne,SS 1966-67 Stud. Tiermedizin, 1967-72 Stud. Humanmedizin, 27,5,1972 Promotion z. Dr. d. Medizin, 5 Sem. Demonstrator am anatomischen Inst. d. Uni Innsbruck, während d. Stud. 1973-78 Assistent a. d. Chirurg. Uniklinik Innsbruck z. Fachausb. f. Allgemeinchirurgie, 1978-81 Assistent a. d. Uniklinik f. plast. u. wiederherst. Chirurgie Innsbruck, 1981 Anerk. z. Zusatzfacharzt, 1985 Habilitation a. d. Uni Innsbruck. 1990Ärztl. Ltr. d. KH Mitttersill u. Vorst. d. Chirurgie, 1992 Einreichung z. a. o. Prof. f. Plast. Chirurgie, 1994 Vorst. d. Abt. f. plast. Ästh. u. rekonstruk. Chirurgie d. KH d. Barmherzigen Brüder in Sbg. P.: Veröff. European Journal of Plastic Surgery, zahlr. Veröffentl. in intern. Zeitschriften. E.: 1993 Verl. d. Titels außerord. Univ. prof. f. plast. ästethische u. rekonstr. Chirurgie. M.: Mitgl. österr. Ges. f. Chirurgen u. f. plast. Chirurgie. H.: Skifahren, Radfahren, Schwimmen. (D.E.)

Papp Franz

B.: Vertriebsltr. FN.: BMG Ariola Musik GesmbH. DA.: 1100 Wien, Erlachg. 134-140. PA.: 1130 Wien, Friedensstadtg. 16. G.: Wien, 26. Dez. 1945. V.: Helga, geb. Konrad. Ki.: Sonja (1967). El.: Franziska u. Franz. S.: Buch-handels-Lehre. K.: 1959-71 i. Buchhandel tätig, 1971-78 Tätigk. i. Vertrieb d. Fa. Phonogramm, s. 1.6.1978 Ver-triebsltr. b. BMG Ariola, s. 1990 Prok. H.: Familie, Wandern. (F.S.)

Papp Friedrich

B.: Gschf. FN.: Papp GmbH & Co KG. DA. u. PA.: 9500 Villach, Steinwender Str. 15. G.: Seeboden, 8. Sept. 1941. V.: Gudrun, geb. Krauland. Ki.: Oliver, Christian. El.: Stefan u. Elfriede. S.: Pflichtschulen, Berufsschule, Mstr.Prüf. K.: Verkäufer in väterl. Fa., 1987 Geschäftsübernahme. E.: viele Med. u. Ausz. b. versch. Verkaufs- u. Marketingwett-bewerben. M.: im Vorst. d. Österr. Ford-Händler. H.: Bergsteigen, Langlaufen. (D.M.)

Pappas Dimitri Zacharias

B.: Stellv. Vors. d. AufsR. v. Daimler-Benz Österr., Hon.-Gen.-Konsul v. Griechenland. DA.: 5016 Salzburg, Reichenhaller Str. 7. G.: 12. Dez. 1921. E.: Gr. Gold. EZ. f. Verdienste um d. Rep. Österr. (Hat.)

Pappas Georg Zacharias

B.: VKonsul, Gschf. d. Daimler Benz Österr. Vertriebs GmbH u. Hon.-Vize-Konsul v. Griechenland. DA.: 5016 Salzburg, Reichenhaller Str. 7. G.: 24. Mai 1928. (Hat.)

Pappenscheller Christl

B.: Gschf. Ges. FN.: INWELD Wohn-, Ind. u. Anlagenbau GmbH. DA. u. PA.: 1160 Wien, Thaliastr. 81. G.: Wien, 4. Juni 1942. Ki.: Gerhard (1962), Michael (1964). El.: Heinrich u. Leopoldine. S.: HBLVA f. Textilind., 1960 Matura. K.: 1960-62 Textiltechnikerin, danach Chefsekr., ab 1973 selbst., 1983-87 zusätzl. in d. Juwelierbranche selbst. H.: Yoga, Filmen, Schwimmen. (P.R.)

Papworth Linda

B.: Dir. FN.: Oper Graz, Opernballett. DA.: 8010 Graz, Kaiser-Franz-Josef-Pl. 10. PA.: 8010 Graz, Konrad Däubler G. 4/58. G.: Newcastle, N-S-Wales Austr., 18. März 1950. V.: Reinhold Dottolo. El.: Ronald u. Peggy. S.: 1956-69 Ballettschule Tessa Maunder, 1969-70 königl. Ballettsch. London. K.: 1959 1. Kinderwettbew., 1961 Kinderwettbew. gewonnen, 1967 Wettbew. Eisteiddfod Sydney gew., 1964 1. prof. Auftr. "Call me Madam", 1970 Engag. Oper Graz, 1. Auftr. Rigoletto, 1971 1. Solo Pas de Quatre a. Taglioni, weit. Solis: Giselle, Odile, Aurora, Phrygia, Zuckerfee, La Corsaire, Don Quichotte, Julia, Gastsp. Innsb., Solingen, Slow., Luxenb., 1974-83 Zusam.-Arb. m. Larry Fuller Westsidestory, 1978 1. Weltauff. Evita London a. choreogr. Ass. i. LA, S-Afrika, NY, Berlin, Adelaide, Wien, 1983 1. Weltauff. Marylin a. chor. Ass., 200 J.-Feier Wien v. Marcel Prawy "Happy Birthday America", zahlr. TV-Auftr., 1980 klass. Ausbild. Ballettsch. Irmi Graz übern. H.: Kochen, Reisen, Fremde Nationen. (I.G.)

Paradeiser Heinz Dr.

B.: RA. DA.: 5020 Salzburg, Erzabt-Klotz-Str. 12. PA.: 5023 Salzburg, Parscherstr. 36. G.: Siezenheim, 10. Febr. 1928. V.: Ingrid, geb. Kneschaurek. El.: Johann u. Anna. S.: 1946 Matura, Stud. Univ. Wien, 1952 Prom. K.: 1952-56 Praxis Bank, Immobilien u. Notariat, 1962 eingetr.RA, eigene Kzl. H.: Geschichte insbes. Zeitgeschichte, Sport, Hunde. (M.Mo.)

Parfuss Ludmilla

B.: Mtgl. d. NatR., Sozial- u. Berufspäd. DA.: 1017 Wien, Dr.-Karl-Renner-Ring 3. G.: Gersdorf/Bad Gams, 18. Nov. 1942. S.: HASCH. K.: Ang. in e. Steuerberatungsbüro in Graz u. Deutschlandsberg, Sekr. b. Siemens, Besuch versch. Kurse, 1987 Absolv. d. Ausbild. z. Sozial- u. Berufspäd. in Linz, s. 1980 Bez.-Frauen-Vors. in Deutschlandsberg, Mtgl. d. Landesfrauenvorst. Stmk., s. 11/1990 Abg. z. NatR.

Parik Norbert

B.: Dir. f. Domestic Markets. FN.: Acer Computer Hdls. GmbH. DA.: 1140 Wien, Hütteldorfer Str. 299. PA.: 1140 Wien, Lainzer Str. 434-436/3/15. G.: Wien, 12. Feb. 1969. V.:

Alfred u. Brigitte, geb. Niederhofer. S.: VS, HS, HASCH, Lehre Bürokfm. Firma Frequentis-Nachrichtentechnik. K.: Vertrieb u. Technik Frequentis-Nachrichtentechnik, 1992 Grdg. Acer Computer Hdls. GmbH Österr., seit 1994 Dir. f. Domestic Markets. H.: Snowboard, Bowling, Fitness, Radfahren. (N.A.)

Parisch Hans Peter

B.: Gschf. FN.: Peter Parisch GmbH & Co KG. DA.: 2136 Laa/Thaya, Wattg. 6. PA.: 2136 Laa/Thaya, Wattg. 4. G.: Laa/Thaya, 15. Mai 1964. El.: Peter u. Elfriede. S.: VS, Gymn., 5 J. HTL. K.: seit 1984 im elterl. Betrieb tätig, 1989 Übernahme d. Betriebes v. Vater, 1968 Trennung v. Betrieb in Poysdorf u. Grdg. d. eigenständigen Unternehmens in Laa/Thaya. BL.: 1993 25-jähriges Firmenjubiläum d. Betriebes Laa/Thaya. M.: Tennisver. Laa/Thaya, Kameradschaftsbund. H.: Tennis, Musik, Kartenspielen. (F.S.)

Parizek Johann Dipl.-Ing.

B.: Gschf. Ges., mehrf. Gschf. u. Syndikus, Betriebswissenschafter. A.: 1238 Wien, Silvester Früchtlg. 11. G.: Wien, 2. Aug. 1945. V.: Dr. Gabriele, geb. Pock. El.: Dkfm. Karl u. Elfriede. S.: RG, TU Wien, WU Wien, Univ. Cambridge, Post graduate Ausbild. in Hernstein, Management-Schule b. Wien, Sprachen: Englisch, Russisch. K.: 1970-74 Hübner Vamag AG (CA-Konzern) Ltr. d. Planung u. Organ., 1975-76 Girozentrale Wien, Bank d. Sparkassen, Spezialist f. techn. u. betriebswirtschafl. Fragen in d. Giro u. im Konzern, gleichzeitig Gschf. in Vienna Commerz GmbH u. Kons. d. Spardat GmbH (Töchter d. Giro), 1976-79 BWA -Bau-, Werbe- u. Anlagen Vw. AG (Holding) gschf. Einzelprok., speziell Ltr. d. Konzern Rechnungswesen, gleichzeitig Gschf. v. drei Tochterges., 1979-85 Shell Austria AG Wien, Ltr. d. Marktentwicklung u. Konzernltr., ab 1976 (bzw. 1986) Unternehmensberater, gschf. Ges. d. R.O.S. Management Consulting Ges., Spezialgeb.: Reorgan., Sanierungen, Mergers & Acquisitions incl. Bewertungen, gschf. Ges. Höller Flüssig-Gas Handels GmbH, Inh. ORMIG Gen.Vertr. f. Österr., allg. gerichtl. beeid. Sachv. f. Betriebswirtschaft, Betriebswiss., sowie Betriebsberatung am HG Wien. P.: div. Vorträge. M.: Management Club Österr., Jagdverb. NÖ.

Parlesak Elisabeth

B.: Gschf. Ges. FN.: PACO Installations GmbH. DA.: 1140 Wien, Linzer Str. 478. V.: Parlesak Heinz, 2 Kinder. S.: kfm. Ausbild., kfm. Kurse u. Seminare. K.: 1956 Eintritt in d. Heizungsbranche, danach 14 J. Tätigkeit in einer Fbk. z. Fabrikation v. Kassen u. Panzerschränken, 1970 Übernahme d. Personalabt. eines schwed. Konzernes b. 1978, ab 1976 Grdg. d. Fa. PACO zusammen m. d. Ehepartner. H.: Bergsteigen, Sport, Theater. (P.R.)

Parnigoni Rudolf

B.: Mtgl. d. NatR. seit 1983, DA.: 1017 Wien, Dr.-Karl-Renner-Ring 3. G.: 26. Febr. 1948. S.: Pflichtschulen, Sozialak. d. Kam. f. Arb. u. Ang. in Wien, Berufsschule, Kfm. Lehre. K.: Ang. b. d. ÖBB (Streckenltg. Gmünd), Ang. d. Kam. f. Arb. u. Ang. f. NÖ (Sachbearb. f. Jugendschutz), seit 1975 Sekr. d. ÖGB, Bez.Sekr. Gmünd, Bez.Vors. d. SPÖ Gmünd, seit 1992 ltd. Sekr. AK NÖ, seit 1988 Tourismussprecher SPÖ, seit 1995 Verkehrssprecher SPÖ, Vors. d. parl. Verkehrsausschusses.

Parnreiter Herbert Mag. Ing.

B.: Gschf. Ges. FN.: Industrie Informatik GmbH. DA.: 4020 Linz, Wiener Str. 131. G.: Linz, 16. Feb. df1954. El.: Ernst u. Marianne. S.: BRG, HTL/Maschinenbau, Matura 1973, nebenberufl. Stud. BWL b. 1979. K.: 1975-79 Techn. im Anlagenbau b. VOEST, Verkaufsltr. Fa. Philip Data im Ind.-Bereich, 1986-91 Sieger b. firmeninternen Wettbewerben, 1991 Grdg. d. Fa. u. heutige Pos. H.: Modellbau, Schifahren, Reisen, Modellflugzeugbau. (U.A.)

Paroubek Julius Dr. iur.

B.: Präs. d. Postdion. f. OÖ u. Sbg. i.P. PA.: 4020 Linz, Reuchlinstr. 22. G.: Linz, 18. Sept. 1911. V.: Anna, geb. Weichselbaumer. Ki.: Anneliese u. Wolfgang Dr. S.: Matura RG, 1930-1934 Stud. Jus Univ. Wien. K.: 1935-77 Post Linz, Karlsruhe, Nürnberg, 1939-45 Kriegsdienst, 1945-49 Gefangenschaft, ab 1949 Post Linz div. Funktionen, 1955-73 Ministerialdienst Wien, 1974-77 Präs. OÖ u. Sbg., 1968/69 Präs. d. Weltpostver. E.: Gold. EZ d. Landes OÖ, Gr. Silb. EZ um Verd. d. Rep. Österr., Gr. Verd.Kreuz d. Verd.Orden d. BRD, Gr. EZ um Verd. d. Rep. Österr., Kulturmed. d. Stadt Linz, Silb. Sport-EZ d. Landes OÖ u.v.a. M.: versch. Sport- u. Kulturver. u.a. 60 J. b. Wiking Linz. H.: Jagd, Rudern, Skifahren, Tennis. (J.G.)

Parschalk Volkmar Dr. iur.

B.: Ltr. d. Hauptabt. Kultur d. ORF Hörfunk. DA.: 1040 Wien, Argentinier Str. 30a. PA.: 1040 Wien, Taubstummeng. 17. G.: Innsbrk., 13. Mai 1934. Ki.: Bernhard (1963), Alexander (1964). El.: Josef u. Karla, geb. Gassler. S.: RG Innsbrk. 1952 Matura, Jusstud. Univ. Innsbrk., 1957 Prom. K.: 1952 Sprecher d. ORF Studio Tir., später dort Ref. f. Kultur, gleichz. Grdg. u. Ltg. d. Experimentalstudios "Theater 107" in Innsbrk., 1968 Berufg. nach Wien z. Grdg. u. Ltg. d. Kulturred. in d. Hörfunkdion., ständg. Gestalter d. Hörfunkreihen "Im Rampenlicht", "Ex libris" u. "Im Künstlerzimmer". P.: Theater- u. Literaturkritiker f. Radio u. Zeit-schr., Mitautor d. Buchreihe "Nicht nur Tenöre" 1986/87. E.: 1991 Österr. Staatspr. f. Kulturpubliz.. M.: Vorst.-Mtgl. d. Ver. d. Freunde d. Wr. Staatsoper, Österr. P.E.N.-Club. (N.A.)

Parsché Peter Dr.

B.: FA f. Innere Med. DA.: 8605 Kapfenberg, Wiener Str. 38. PA.: 8623 Aflenz Kurort, Schulgasse. G.: Graz, 23. Jan. 1953. V.: Dr. Elisabeth. Ki.: Georg, Hemma. El.: Dr. Karl u. Anna Dr. S.: 1971 Matura in Graz, Stud. Med. Graz, Prom. Dr. 1977. K.: Turnus LKH Bruck, 6 J. FA-Ausbild. Med. Univ.Klinik Graz, s. 1984 FA-Praxis in Kapfenbg.. P.: Wiss. Arb. ü. Gastroenterologie, Vortr.in Österr., Schweiz u. Dt., bes. ü. Ultraschall in d. Inneren Med. M.: Mtgl. d. Österr. Ges. f. Ultraschall, Mtgl. d. Österr. Ges. f. Gastroenterologie, Mtgl. d. Aktion Freier Arzt. H.: Klass. Musik, Skif. Tennis, Segeln, Surfen. (Tra.)

Parth Alfred Mag. Dir.

B.: Gschf., Dir. DA.: 6300 Wörgl, Madersbacherweg 11. G.: Ötz, 13. Juni 1946. V.: Maria, geb. Pirchmoser, 1 Kind. S.: VS, BRG, 1967 Matura, Militärdienst, 1968-74 Stud. an d. Univ. Innsbrk, 1974 Spons. K.: seit 1975 b. Fa. Spar, seit 1982 Gschf. (Schm.)

Parth Hannes Mag.

B.: Vorst. FN.: Silvretta Seilbahn AG. DA.: 6561 Ischgl. PA.: 6561 Ischgl 303. G.: Innsbruck, 21. Nov. 1955. V.: Stefanie, geb. Mark. Ki.: Simon (1987), Lukas (1989). El.: Josef u. Ella. S.: Gymn., 1974 Matura, Stud. BWL Univ. Innsbrk. 1979 Mag., 6 Sem. Jusstud. K.: 1979 Eintritt als Büroltr.

Silvretta AG Ischgl, 1987 Vorst.-Mtgl., VS-Dir. M.: Vorst.-Mtgl. d. Gem. Ischgl, VerwR. d. Luftseilbahnen Samnaun AG. H.: Jagd, Skifahren, Wandern. (I.D.)

Parth Johnny

B.: Schallplattenproduzent. FN.: Document Records. DA./PA.: 1220 Wien, Eipeldauerstr. 23/43/5. G.: Wien, 11. Jan. 1930. V.: Riki (1954). Ki.: Corinne (1975), Bernadette (1988). El.: Hans u. Sophie. S.: VS, Gymn., b. 1949 Graf. Lehr- u. Versuchsanst. K.: Werbegrafiker u. freischaff. Künstler, Plattensammler, 1955-65 Präs. "Hot Club de Vienne", Organisator d. I. Riverboat-Shuffles a.d. Donau u.d. 1. röm. kath. Jazzmesse in Österreich. Seit 1982 Hobby zum Beruf; über 500 LP-Produktionen f. in- u. ausländ. Firmen, ab 1990 eigene CD-Produktion. Innerhalb von vier Jahren weltweit größte u. bedeutendste Serie m. Wiederveröffentlichungen frühester Originalaufnahmen afro.- amerikan. Volksmusik (Work Songs, Blues u. Gospels), sowie authentischer Wiener Volksmusik. Interessenten: Sammler, Volksmusik-Institute, Univ.,, Schulen usw. E.: Ausz. in ausländ. Fachbüchern ("m. Abstand d. besten CD´s"), Berichte und hervorragende Kritiken in Zeitschriften, u.a. New York Times. Ein-Mann-Betrieb; Produtionskapazität ca. 10 CD/Monat. Zielsetzung: zeitlose Dokumentation und Förderung authent. Volksmusik verschiedenster Kulturen für wissenschaftliche Zwecke.

Parth Karl

B.: Gschf. Ges., Kfm. FN.: Uni Food GmbH, Karl Parth Großhandel. DA.: 3002 Purkersdorf, Wienerstr. 12. PA.: 3052 Innermanzing, Audorf 22. G.: Wien, 9. Apr. 1948. El.: Leopold u. Margaretha. S.: 1966 Matura a. d. HAK i. Wien, Weiterbild. a. d. HS f. Welthandel, Studienfach: Werbung u. Verkauf, 1966-77 kfm. Ang. b. mehreren Handelsfirmen, 1978 Grdg. d. Einzelfa. K. Parth i. Wien, 1987 Übersiedlung d. Fa. nach Purkersdorf, 1989 Grdg. Uni Food GesmbH. M.: s. 1992 Präs. d. Österr. Gewichthebeverb., vorher Vorst.-Mtgl. i. versch. Funktionen. H.: Sport, Theater, Musik, Pferde. (I.K.)

Parth Siegfried Mag. art. Prof.

B.: Dipl.-Bildhauer, HTL-Prof. DA.: 6020 Innsbruck, Technikerstr. 38. K.: Professur an d. HTBLA Innsbruck, Abt. Bildhauerei, Lehrauftrag am WIFI Innsbruck, Fachbereich Gestaltung, Lehrauftrag an d. Landesberufsschule Innsbruck, Fachbereich Gestaltung, an d. VHS Innsbruck, Fachbereich Gestaltung, Kunstförderungspreisträger d. Landeshauptstadt Innsbruck, vertreten in Museen, Galerien, Edtionen u. Sammlungen im In- u. Ausland. M.: Ltr. d. "Art Didacta" Sommerak. d. Bild. Künste Innsbruck. (B.R.)

Partik Gerhard Dr. Dkfm.

B.: Vorst.Dir. d. BAWAG, Vorst.Dir. d. Konsum-Bank. DA.: 1010 Wien, Seitzerg. 2-4. PA.: 1010 Wien, Wollzeile 22. G.: Wien, 16. Jan. 1934. S.: RG, HS f. Welthdl., 1958 Prom. K.: Konsumverb., Revisionsverb. d. österr. Konsumgen. (Ltr. d. Revisionsabt.), Gschf. d. GÖC-Großeinkaufsges., Vorst.Mtgl. im Konsum Österr., Vorst.Dir. d. BAWAG u. Vorst.Mtgl. d. Konsum-Bank. (R.A.)

Partik-Pablé Helene Dr.

B.: Mtgl. d. NatR. seit 1983, Richter. DA.: 1017 Wien, Dr.-Karl-Renner-Ring 3. G.: Wien, 12. Aug. 1939. S.: Pflichtschulen, HASCH, 1964-68 BRG f. Berufstätige in Wien XV (1968 Matura), Univ. Wien (1973 Dr. iur.). K.: Sekr. u. Buchhalterin, Eintritt in d. J.-Dienst, 1977 Ernennung z. Richter, Mtgl. d. Bundesparteivorst. u. Landesparteivorst. d. FPÖ Wien.

Partilla Theodor Mag. pharm.

B.: Apotheker d. Apotheke "Zu Mariahilf". DA.: 1110 Wien, Simmeringer Hauptstr. 76. G.: Wien, 5. Sept. 1920. V.: Mag. Martha. Ki.: Mag. Eva Maria, Elisabeth. El.: Mag. Josef u. Maria. S.: VS, RG, Univ. Wien Pharm., 1940 Mag. K.: 1940-42 Aspirant in Apotheke "Zur Austria", anschl. Militärdienst (Heeresapotheker), 1945-47 in "Schlangen-Apotheke" tätig, Fa. AESCA gegründet, 1950 Apotheke "Zu Mariahilf" eröff., 1965 Konzession d. Apotheke übernommen, Fa. AESCA v. Wien nach Traiskirchen verlegt, 1972 an US-Schering-Konzern verkauft, f. diesen Konzern jahrelang berufl. (dzt. Kons.) engagiert, seit 1985 im Ruhestand. E.: Silb. EZ d. Arge f. Pharm. Verfahrenstechnik 1976, Ehrenmed. d. Österr. Apothekenkam., Silb. EZ f. d. Verd. um d. Rep. Österr. H.: Österr. Apothekerverb., APV. (R.A.)

Partilla Waltraud Mag.

B.: Ltr. u. Inh. Schweden Apotheke. GT.: Inh. d. Fa. Drogepha. DA.: 1010 Wien, Schwedenpl. 2. PA.: 1010 Wien, Hörteng. 79. G.: Wien, 2. Aug. 1927. V.: Mag. Theodor. S. : VS, Gym., Stud. d. Pharm. K.: 5 j. Praxis in versch. Apotheken, anschl. selbst. 1962-78 Ltr. u. Inh. d. Segen Gottes Apotheke, seit 1978 Inh. u. Konzessionärin d. Schweden Apotheke u. d. Fa. Drogepha. M.: Verb. d. österr. Apotherschaft u. div. Tierschutzorgan. h.: Apotheke, Lesen, Alte Kunst, Begeisterung f. Tradion, Geschichte. (T.T.)

Partl Alois Dr. Dipl.-Ing.

B.: LHptm. v. Tir. DA.: 6020 Innsbruck, Landhaus, Theresienstraße. G.: Kematen, 13. Jan. 1929. V.: Inge, geb. Helfrich. Ki.: Dipl.-Ing. Johannes, Christian, Elisabeth. El.: Alois u. Anna. S.: Stud. an d. Univ. f. Bdk. in Wien, 1955 Dipl.-Ing., 1956 Prom. K.: Präs.Konferenz d. Ldw.Kam. Österr. als Ref. f. Wirtschafts u. Hdls.Politik eingetreten, 6 J. Kam.Amtsdir. d. LLdw.Kam. f. Tir., seit 1970 Mtgl. d. Tir. LRg., zuständig f. d. Gem., f. Land- u. Forstwirtschaft u. Umweltschutz, seit 1987 LHptm. v. Tir. P.: Aufsätze in versch. Zeitschriften, Vorträge. E.: Gr. Gold. EZ d. Rep. Österr., EZ d. Landes Tir. M.: Vertreter d. Österr. Bundesländer im EuropaR., AufsR. d. TIWAG, LParteiobm. d. ÖVP Tir., ASTAG, Felber Tauern AG, OKG. H.: Bergsteigen, Jagd. (D.S.)

Partl Manfred Dipl.-Ing.

B.: Arch., Ziviltechniker; selbst. DA.: 8010 Graz, Alberstr. 13/II. PA.: 8045 Graz, Baumg. 11. G.: Köflach, 31. Juli 1954. Ki.: Phillip (1983), David (1993). El.: Friedrich u. Josefine. S.: 1973 Matura, Stud. an d. TU Graz, 1981 Diplom. K.: Bundesheer, 1980-84 Mitarb. im Büro Szyszkowitz & Kowalski, 1984-89 Mitarb. im Büro Domenig, 1988-89 Ass. an d. Lehrkanzel f. Gebäudelehre 3 an d. TU Graz, 1987 Ziviltechnikerprüf., 1988 Eröff. d. eig. Büros. E.: mehrere Wettbewerbspreise, z.B.: 1. Preis: Wohnanlage Köflach, Feuerwehrkommando Lebring, Wohnanlage Stainz, Wohnanlage Maria Lankowitz, Liezener Arkaden. P.: Beitrag

z. Katalog Wohnbau in d. Stmk., div. Artikel in Fachzeitschr. (Leonardo, Architektur Aktuell); Vortragstätigk. in Graz. M.: Ziviltechnikerverb. H.: Beruf, Sport. (F.K.)

Partsch Alfred Dkfm.

B.: Gschf. Ges. DA.: 1230 Wien, Schuhfabrikg. 17. PA.: 1230 Wien, Fleischhackerg. 18. G.: Wien, 20. Juli 1933. V.: Elfriede, geb. Marschanka. Ki.: Ulrike (1961), Christian (1964). El.: Hans u. Sophie. K.: Werkstud. 1954-/55, 1958-61 Disponent b. Hdls.Fa., ab 1961 Ferrcom Hdls. GmbH mit 25iger Beteiligung, Möbelanteil vergrößert, 1968 Teilung d. Fa. in Ferrocom Möbelgroßhdl. Ges., seither gschf. Ges., Umsatz v. 12 auf dzt. 120 Mio. Schilling erweitert. M.: Präs. d. Pfadfindergilde Österreichs (2500 Mtgl.). (M.M.)

Partsch Hugo Dr. med. Univ.-Prof. Prim.

B.: Hautarzt, Vorst. d. Hautabt. d. Wilhelminenspitals. DA.: 1171 Wien, Montlearstr. 37. G.: Wien, 28. Sept. 1938. V.: Eva, geb. Grech. Ki.: Bernhard, Ursula, Philipp. El.: Hugo u. Therese, geb. Kunz. S.: Hum. Gymn., Med.Stud. in Wien, Freiburg/Br., Kiel. K.: 1962 Prom. z. Dr. med. univ., 1966 prakt. Arzt, 1970 FA f. Dermatologie u. Venerologie, 1979 Univ.Doz., Vorst. d. Gefäßamb. d. Hanusch KH, 1985 Univ.-Prof., 1987 Vorst. d. Hautabt. d. Wilhelminenspitals. P.: 240 wiss. Publ. E.: Preis d. HS Jubiläumstifung d. Stadt Wien, Körner-Preis, Preis d. Wr. Ärztekam., Erich Krieg-Preis. M.: Österr. dermatolog. Ges., Österr. Ges. f. Angiologie, Ges. d. Ärzte in Wien, Dt. Ges. f. Phlebologie u. Proktologie, Österr. Ges. f. Nuklearmed., Ges. f. dermatolog. Forsch. u.v.a. H.: Sport, Kinder. (A.K.)

Partsch Ignaz

B.: Autobusunternehmen. DA.: 2700 Wr. Neustadt, Trostg. 10 Pf. 121. G.: Wiesmath, 2. Aug. 1928. V.: Marie-Luise. Ki.: Christian. S.: Realschule in Wr. Neustadt. F.: 1922 Grdg. d. Fa., Autobusunternehmen u. Mercedes-Benz Kundendienst. H.: eigene Fa. (Glom.)

Parzer Johann Dkfm.

B.: beeid. Wirtschaftsprüfer u. Steuerberater, gschf. Ges. d. Dkfm. Parzer WT-Ges. u. Industria Wirtschaftsprüf. u. Steuerberatungsges. ECA-Partner. DA.: 4770 Andorf, Schwanthaler Str. 12. PA.: 4770 Andorf, Schwanthaler Str. 7. G.: Diersbach, 10. Okt. 1946. V.: Anna, geb. Brückl. Ki.: Christian (1971). El.: Johann u. Maria. S.: HAK in Wels, 1965 Matura, Stud. Welthdl. in Wien, 1969 Dipl. K.: b. 1973 als Berufsanw. in Wien u. Linz tätig, seit 1974 selbst. Wirtschaftstreuhandkzl., seit 1981 Mtgl. d. Prüf.Aussch. f. Steuerberater b. d. LStelle OÖ d. Kam. d. Wirtschaftstreuhänder, seit 1986 Mtgl. d. Inst. Österr. Wirtschaftsprüfer in Wien, seit 1988 LObm.Stellv. d. Vereinig. Österr. WT, seit 1990 Mtgl. d. Kammertages d. Kam. d. WT. P.: seit 1970 Vortragstätigkeit im WIFI u.a. Instituten. M.: seit 1970 Mtgl. bzw. Vors. mehrerer Prüf.Kmsn., seit 1974 Grdg.Mtgl. d. Lions-Club "Schärding Pramtal" u. Präs. f. d. Clubjahr 1987/88, 1981 Bez.Obm. u. Mtgl. d. LVorst. d. Elternver., 1982-92 Obm.Stellv. d. PfarrgemR. Andorf. H.: Skifahren, Tennis. (H.D.)

Parzmayr Alfred Dr.

B.: Ltr. d. Abt. Mag.-Dion. b. Mag. Wels. DA.: 4600 Wels, Stadtpl. 1. PA.: 4600 Thalheim b. Wels, Flösserstr. 20. G.: Linz, 23. Mai 1939. V.: Eva, geb. Brinek. Ki.: Roland (1975), Manfred (1979). El.: Alfred u. Luise. S.: VS, HS, 1953-58 LBA, 1958-64 Jusstud. Wien, 1964 Prom. K.: 1964-65 Gerichtspraxis, 1965 BH, 1965-79 Ltr. d. Rechtsabt. d. Mag. Wels, seit 1979 Ltr. d. Abt. Mag.-Dion. BL.: Mitwirkung am Aufbau d. Mag., Literatur. H.: Lesen, Sport, Musik. (H.B.)

Pasch Helga

B.: freischaff. bild. Künstlerin. PA.: 1010 Wien, Rathausstr. 11/11. G.: Wien, 21. Nov. 1939. V.: Dr. Hans Pasch. Ki.: Vitus. El.: Dkfm. Dr. Hans u. Friederike Schick. S.: Gymn., 1959 Matura, Sprachstudien. K.: seit d. Kindheit künstler. tätig, 1981 Erste Einzelausstellung in Wien "Prager Spuren", 1987 Einzelausstellung in Rom im Österr. Kulturinst., 1988-89 Einzelausstellung im unt. Belvedere "Tiefenschärfen". P.: Katalog, Buch. (M.B.)

Pascher Gerhard jun. Ing.

B.: Gschf. FN.: BRG Bau u. Renovierungs GmbH, Wolek GmbH. DA.: 1160 Wien, Grundsteing. 11. PA.: 2331 Vösendorf, Wiener Str. 21. G.: Wien, 13. Mai 1959. V.: Ilse, geb. Tremmel. Ki.: Martina, Thomas. El.: Josef u. Ingrid. S.: TGM Wien, 1978 Matura, Stud. an d. TU Wien Elektrotechnik, 1986 Konzessionsprüf. Oberstufe. K.: 1978 Eintritt in d. Fa. Wolek, 1982 Gschf., 1982 Eintritt in d. Fa. BRG als Gschf. H.: Sport, Skifahren, Tennis. (A.W.)

Pasching Heinrich Josef KommR.

B.: Kfm. DA.: 1030 Wien, Ungarg. 37. PA.: 1170 Wien, Dornbacherstr. 89. G.: Wien, 15. März 1929. V.: Herta, geb. Kletzer. Ki.: Hedwig u. Henriette. El.: Heinrich u. Hedwig. BV.: Urgroßvater war Bgm. v. Dornbach, Paschinggasse in Hernals wurde nach ihm benannt. S.: VS, Gymn. K.: kfm. Ang. (Verkäufer), Verkaufsltr., Prok., Gschf., Ges. F.: Fa. Bernhard Kandl, General-Motors-Vertr., Fa. Automag Kandl Pasching OHG, Motor-Hdls.Ges. Ing. Alfred Müller & Co, Opel Leasing. E.: 1965 Ritterkreuz d. Ordens d. Heiligen Agata, Caverliere v. S. Marino, 1973 KommR. M.: Aussch.Mtgl. d. LGremium Wien 18A. H.: Jagd, Tennis. (Kest.)

Paschinger Horst KommR.

B.: Mtgl. d. Vorst. FN.: Marketing Vertrieb Beschaffung Logistik VOEST ALPINE STAHL LINZ GmbH. GT.: AufsR.: Linzer Stuben Gaststättenbetriebs GmbH Linz, MAGNA Automobiltechnik AG Wiez, VOEST ALPINE Stahlhdl. AG Linz, Voest Alpine GmbH München Deutschland, VAIT Intertraiding, VA MCE, VerwR.: Metalservice S.P.A. Cittadella Italien, TOLCOLOR S.A. Le Thilllay Frankreich, Voest Alpine AG Zürich Schweiz, Voest Alpine SA Frankreich, Voest Alpine S.p.A. Mailand Italien, Ges.-Aussch.: Köllensperger Eisen GmbH Thaur, Wuppermann Austria GmbH Judenburg, VA Vertriebs AG. DA.: 4031 Linz, Turmstr. 45. PA.: 4060 Leonding, Raphael-Donner-Str. 18. G.: Linz, 1. Mai 1943. V.: Ingeborg, geb. Kapfer. Ki.: Ursula (1969), Thomas (1976). El.: Wilhelm u. Theresia. S.: VS, BRG, 1961 HAK-Matura, Stud. Welthdl. K.: 1964/65 Firma Peitner Früchte-Import-Export, 1965 Eintritt Voest Alpine AG Export Verkauf f. Nahen u. Fernen Osten, 1967-71 Abt.-Ltr. Verkauf Hüttenprodukte BRD, 1972 Verkaufsltr. Voest GmbH München, 1976 alleinvertretender Gschf. d. Voest Alpine GmbH München, 1984 Verkaufsdir. f. Hüttenprodukte Linz u. Donawitz d. Voest Alpine AG, seit 1988 Mtgl. d. Vorst. d. Voest Alpine Stahl Linz GmH. P.: Publ. im "Freier Wirtschaftsverb.", "Österr. Stahlverb.", "Kundenzeitschrift", Vorträge im Rahmen v. Fachtagungen. E.: 1990 KommR. M.: Präs. FC Stahl Linz, BeiR./Vors. Linzerstuben, Generalversammlung Wuppermann. H.: Familie, Tennis, Skifahren, Fischen, Musik, Klarinette, Saxophon. (Ni.A.)

Paschinger Horst

B.: VS-Dir., Obm. d. christl. Lehrerschaft Wiens. DA.: 1100 Wien, Laaerbergstr. 170. PA.: 1030 Wien, Baumg. 52. G.: Mißlitz/CSFR, 28. Jan. 1940. V.: Anna, geb. Backovsky. Ki.: Rupert. El.: Josef u. Frieda. S.: VS, HS, LBA. K.: VS-Lehrer, 10 J. HASCH, seit 1982 Dir. P.: Schriftltr. d. Wr. Lehrerzeitung, Schulbuchautor, zahlr. Art. in div. Fachzeitschriften.

E.: Gold. EZ d. kath. Lehrerschaft Österr. M.: Christl. Lehrerschaft Wiens, kath. Lehrerschaft Österr., d. Kollegiums d. StadtschulR. f. Wien H.: Fotografieren, Reisen, Musik.

Paschinger Reinhold

B.: Lederhosenmacher Meister. FN.: Reinhold Paschinger. DA.: 4810 Gmunden, Am Graben 1. PA.: 4694 Ohlsdorf, Waldweg 3. G.: Scharnstein, 04. Aug. 1944. V.: Eleonore geb. Agostini. Ki.: Andreas (1967), Birgit (1974). El.: Karl u. Frieda. K.: 1959-62 Lehre a. Säckler i. Gmunden, 1967 Meisterprüfung, 1962-64 Schneider i. d. Bekleidungsind. Allwerk i. Gmunden, 1972 Beginn d. Selbst., Eröffnung eines Ledererzeug-ungs-Handels Betrieb i. Gmunden, 1978 Errichtung e. Werkstätte. BL.: erster Säcklermeister i. OÖ nach Kriegsende. M.: Schützenverein-Schützenmeister, Obm. Touristenverband Ohlsdorf , Obm. Stellvert. Siedlerverein Ohlsdorf, Vorsitzender d. Lehrlings u. Meisterprf. Kommision OÖ. . H.: Luftgewehr, Campieren Skifahren, Radfahren. (G.E.)

Paschke Fritz DDr. Dipl.-Ing. o.Prof.

B.: o.Prof. f. allg. Elektrotechn. DA.: 1040 Wien, Gußhausstr. 27-29. PA.: 1190 Wien, Kahlenberger Str. 35. G.: Gösting, 2. März 1929. V.: Dr. phil. Gertrud, geb. Kutschera. Ki.: Else, Ulrike. El.: Mag. Eduard u. Stefanie. S.: RG, 12 Sem. Elektrotechnik an d. TU Graz, TU Wien, 1953 Dipl.-Ing. f. Nachrichtentechnik, 1955 Dr. techn. K.: 1955-56 Konsulent in New York City, 1956-61 Gruppenltr. b. Radio Corp. of America, Princeton, 1961-66 Entwicklungsltr. b. Siemens AG in München, 1965 o.Prof. f. allg. Elektrotechnik an d. TU Wien, 1970-71 Dekan d. Fak. f. Maschinenwesen u. Elektrotechnik, 1972-75 Rektor d. TU Wien, 1974-82 VPräs. d. Fonds z. Förderung d. wiss. Forsch. BL.: 10 Patente auf d. Gebiet d. elektron. Bauelemente, BeiR. d. Alex. Friedmann KG Wien, ECO Beteiligungsfonds AG, Süd-Ost Treuhand Ges., MTH-AG, Wien, Trust-Invest AG, Wien, Durmont AG, Hartberg, ECO-Trust Holding AG, Wien. P.: Zahlr. wiss. Publ. in dt. u. engl. Sprache, ind.-polit. Arb., Kunst u. Techn. E.: Gr. Gold. EZ f. Verd. um d. Rep. Österr., Wilhelm-Exner-Med. d. österr. Gew.-Ver., Ludwig-Boltzmann-Preis, Gr. Gold. EZ f. Verd. um d. Lamd Stmk., Kardinal-Innitzer-Würdigungspreis f. Naturwiss., Preis d. Stadt Wien. M.: Österr. Ak. d. Wiss. H.: Klass. Musik, Mod. Malerei u. Bildhauerei, Bergwandern, Schwimmen, Lesen (Phil., Belletristik). (Bauer)

Pasetti Erna

B.: Antiquitätenhändlerin. DA.: 1010 Wien, Dorotheerg. 6. V.: verw. nach Dr. Otto Baron v. Pasetti. El.: Marek Heinrich u. Helene. BV.: Urgroßvater Johann Steudl. war Bgm. v. Wien, Schwiegervater Florian v. Pasetti-Friedenburg war Gen. u. Theresienritter, Großvater Marek Wilhelm war Besitzer v. Schloß Kottinbrunn. S.: Lyceum, Garrets Hall (Sutton, England), Stud. Kunstgeschichte in Oxford. K.: 1939 Antiquitätengeschäft in Berlin, 1947 erstes Geschäft nach dem Krieg auch in Berlin, Zusammenarb. m. Museen. H.: Kunstreisen, Gartenarb. (Bauer)

Pasquali v. Campostellato Leopold

B.: Hoteleigentümer. DA. u. PA.: 6370 Kitzbühel, Tennerhof Romantikhotel. G.: Innsbruck, 20. Okt. 1921. V.: Eva Maria, geb. Bernard. Ki.: Luigi, Charlotte Mignon, Maria Therese. El.: Dr. Leopold u. Charlotte. S.: VS, Mittelschule, Hotelfachschule. K.: eigener Betrieb Hotel Tennerhof, Appartements u. Restaurants Römerhof, Ldw. Tennerhof. M.: Golfclub Kitzbühel. H.: Golf. (Schm.)

Pass August Wilhelm Dr. phil et Mag. rer. nat.

B.: Prof. an d. Päd. Ak. d. Bundes in Feldkirch. A.: 6800 Feldkirch Tisis, Letzebühelweg 26. G.: Wien, 21. Mai 1911. V.: Maria, geb. Beck. S.: RG Wien, Stud. an d. phil. Fak. d. Univ. Wien, Lehramt f. AHS aus Naturgeschichte, Physik u. Chemie, Lehramt f. AHS aus Kurzschrift. K.: Stud.Ass. (ab 1942 StudR.) an d. OSchule Feldkirch, ab 1945 Prof. an d. BLehrer- u. Lehrerinnen-BA in Feldkirch, ab 1962 Prof. am musisch-päd. BRG in Feldkirch, OStudR. seit 1966, ab 1968 a. d. Päd. Ak. Feldkirch. P.: "Das Auftreten verholzter Zellen in Blüten u. Blütenknospen", "Erlebte Heimatnatur", "Die Pflanzenwelt", "Der Mensch", "Gedanken über einen zeitgemäßen Biologieunterricht", div. Aufsätze naturwiss. oder päd.-didaktischen Inhalts in versch. dt. u. österr. Zeitschriften u. anderen Veröff. M.: Mtgl. d. Wiss. Kmsn. b. d. Vbg. LRg, Mtgl. d. Vbg. LKulturbeiR., Mtgl. d. Prüf.Kmsn. f. d. Lehramt an HS b. LSchulR. f. Vbg., Mtgl. d. Projektgruppe z. Neugestaltung d. Unterrichts aus "Biologie u. Umweltkunde" an allgemeinbildenden Höheren Schulen (OStufe), Gold. EZ f. Verd. um d. Rep. Österr. (1980). H.: Musik, Fotografie.

Paß Hans-Jürgen

B.: Gschf. FN.: Interroll GmbH. GT.: ehrenamtl. Konsulent d. Gemeinde im Rahmen d. Arbeitsgemeinschaft Schwarzatal (region. Betriebsansiedlungsgesellschaft). DA.: 2620 Wartmannsstetten Ramplach, Interrollstr. 1. PA.: 2620 Wartmannsstetten 141. G.: Sendenhorst/Westfalen, 8. Aug. 1944. V.: Monika, geb. Freitag. KI.: Christoph 1968, Daniel 1972, Sebastian 1982. EL.: Friedrich u. Marga. S.: VS, human. Gymn. m. Abschluß, Lehre Chemie -Kaufmann, Studium Betriebswirtschaftslehre. K.: nach d. Ausbildung zuerst Tätigkeit in der Kunststoffchemie - Branche, dann Wechsel in die Fördertechnik; 1978 Übersiedlung nach Österreich : Tätigkeit als Trouble - Shooter bei versch. Firmen (Betriebs - Sanierung, Betriebs - Beratung), 1984 Grdg. d. Fa. Interroll Österreich als Tochtergesellsch. eines weltweit tätigen , intern. Unternehmens (Schwerpunkt d. Betriebstätigkeit: Fördertechnik - Komponente u. kompl. Logistik - Systeme). P.: Fachbeiträge im Logistikbereich in Fachzeitschriften (auch ausländ.). M.: Tennis - Club, Klub d. dt. Handelskammer, Verband junger Unternehmer. H.: Musik (Gesang), Orgelfan (Restaurieren antiquer Orgeln), Tennis. (F.S.)

Pass Walter Dr. phil. o.Univ.-Prof.

B.: Ordinarius f. histor. Musikwiss. m. bes. Berücksichtigung d. älteren Musikgeschichte sowie d. Musik v. ca. 1850 b. z. Gegenwart an d. Univ. Wien, Geisteswiss. Fak. DA.: 1010 Wien, Universitätsstr. 7. PA.: 1150 Wien, Being. 34. G.: Feldkirch, 22. Jan. 1942. V.: Ingrid. Ki.: Christina. S.: hum. Gymn., 1960 Matura, Akad. f. Musik u. darstell. Kunst in Wien, Univ. Wien: Musikerziehung, Gesang, Klavier, Dirigieren, 1967 Prom., 1973 Habil. K.: Auslandsaufenth. in Italien, Japan, USA, Gastdoz. in Sbg. 1976-77, 1981 Ordinarius f. histor. Musikwiss. an d. Univ. Wien. P.: zahlr. musikwiss. Kongresse (1974) über Arnold Schönberg, Anton Webern (1983), Johann Strauß u. Jacques Offenbach, Franz

Lehar, mehrere Kongresse über Fragen d. älteren Musik u. Kommunikation, mehrere Ausstellungen, Musik im Bodenseeraum, d. jüd. Kantor Salomon Sulzer, Musik im mittelalterl. Wien, Schwerpunkt d. Publ. betreffend Musik d. Mittelalters u. d. Renaissance, d. Wr. Klassik u. d. Wr. Schule, Gesamtausgaben: Jacob Regnart, Paul Hofhaimer, Hrsg. d. Reihe "Thesauri Musici", Ed. im Rahmen d. "Denkmäler d. Tonkunst in Österr.", Forsch.-Projekte "Musica mediavalis in Austria", "Musica mediavalis Europae orientalis", "Wr. Walzer" u. "Wr. Operette", "Europa im Zeitalter Mozarts". M.: Vorst. d. Schola cantorum viennensis, d. intern. Paul-Hofhaymer-Ges., d. Ges. d. Erforsch. d. Musik im Bodenseeraum, d. Institutum musices Feldkirchense, Vorst.-Mtgl. d. Intern. Schönberg-Ges. u.a. (J.S.)

Paß Paul F. Dr.

B.: Psychotherapeut als Psychoanalytiker u. Gruppenpsychotherapeut. DA.: 8010 Graz, Schmiedg. 16. G.: Dorsten/BRD, 30. Sept. 1938. Ki.: Julia (1987). El.: Theodor u. Maria. S.: 1958 Matura, Stud. Phil., Theol. u. Psych. Univ. Freiburg u. Innsbruck. K.: 5 J. Pastoralarb. in einer Pfarrgem. in Norddeutschladn, 1974 Diss. Univ. Innsbruck über Religionskritik v. Sigmund Freud, Ausbild. z. Psychoanalytiker u. z. Gruppenpsychotherapeuten, Zusatzausbild. in Familientherapie, Kindertherapie, Neurolinguistik, Körperarb., seit 1974 Psychotherapeut u. Supervisor am Inst. f. Soz. Dienste Bregenz, seit 1979 Psychotherapie u. Fortbild. f. Ärzte u. Pflegepersonal am Landesnerven-KH Valduna/Vbg., seit 1984 freier Lehrtherapeut in Psychoanalyse u. Gruppenpsychotherapie sowie als Supervisor f. psychosoz. u. päd. Teams, dzt. Ltr. d. Grazer Arbeitskreises f. Psychoanalyse, Delegierter z. PsychotherapiebeiR. b. Gesundheitsmin. Wien, Lehrbeauftragter im Univ.-HS-Lehrgang Propädeutikum, Ltr. d. Aussch. Propädeutikum im Steir. Psychotherapieverb. P.: Veröff. in Fachzeitschriften. M.: Mtgl. im wiss. BeiR. d. TEXTE - Psychoanalyse/Ästhetik/Kulturkritik. H.: Musik, Chorgesang, Skifahren, Literatur. (F.K.)

Passecker Karl

B.: Gschf. FN.: ahf Passecker GmbH Hebe- u. Fördertechnik. DA.: 1121 Wien, Michael-Bernhard-G. 11. PA.: 2392 Wienerwald 25. G.: Sulz/Wienerwald, 25. Dez. 1936. V.: Christiane, geb. Schaupp. Ki.: Susanne (1961), Dagmar (1962), Christian (1964), Martina (1968). El.: Karl u. Elisabeth. S.: HASCH, Fachschule f. Technik, 1962-65 Weiterbild.-Kurse HS f. Welthdl. K.: ab 1953 Ind.-Kfm.-Lehre b. Martin & Co Kranbau Wien, 1962 Verkaufsltr., 1967 kfm. Ltr., 1972-77 Wechsel zu Firma Brauner Wien, 1977-78 kfm. Ltr. Martin & Co Wien,1 978-82 Gschf., 1979 Grdg. ahf GmbH Vertrieb v. Sicherheitseinrichtungen, nach ausscheiden aus Martin & Co Grdg. d. Einzelfirma Passecker Hebe- u. Fördertechnik, 1989 Stillegung d. Einzelfirma u. Umbenennung d. Firma ahf in ahf Passecker GmbH, seit 1980 Erzeugung d. Bühnenmaschinerie f. zahlr. Theater. M.: Kriegsopferverb. H.: Wandern, klass. Musik, Lesen, Weiterbild.-Kurse. (M.M.)

Passenbrunner Josef Mag. rer. soc. oec. Ing.

B.: Sachgebiet f. Generatoren u. Hochschpannungsanlagen. PA.: 4482 Ennsdorf, Weidenweg 3b. G.: Haag, 1. Febr. 1951. V.: Monika, geb. Auer. Ki.: Angela, Josef. El.: Alois u. Theresia. S.: 3 J. Berufsschule in Stockerau, Facharbeiterprüf. f. Elektrowerker 1968, HTL Linz, 1973 Matura, BWL-Stud. Univ. Linz, 1988 Sponsion Mag. rer. soc. oec. K.: 1973-81 Elin-Union-Linz techn. Referent, seit 1981 Ennskraftwerke AG Steyr. M.: Gschf. GemR. Ennsdorf, Fraktionsführer d. ÖVP-GemR.-Fraktion, Lions-Club Enns-St. Valentin. H.: Schwimmen, Skifahren. (A.W.)

Passer Michael Dipl.-Vw.

B.: VBgm., Steuerberater. DA.: 6020 Innsbruck, Altstadt Rathaus. G.: Altheim, 28. März 1944. Ki.: Cornelie (1970), Michael (1975). S.: 1962 Matura, 1970 Diplom Univ. Innsbruck, 1975 Steuerberaterprüf. u. seither selbst. K.: 1977-83 GemR. in Innsbruck u. Mtgl. versch. Aussch., Funktionär versch. Sportver., seit 1989 VBgm. d. Stadt Innsbruck. P.: Sportführer f. Innsbruck (1992), Tourismuskonzept f. Innsbruck. F.: Inh. d. Intern. Hdls.-Firma WAPAG G. M.: Gründer d. American High Schools in Österr. in Schönberg u. Klagenfurt, Obm. Innsbrucker Turn- u. Sportgemeinschaft (ITSG). H.: Sport, Tennis. (B.R.)

Passeyrer Karl Heinz Dr. med.

B.: FA für Haut- u. Geschlechtskrankheiten. DA. u. PA.: 3580 Horn, Hauptpl. 6. G.: Wien, 13. Juli 1940. V.: Annemarie, geb. Teuschl. Ki.: Ortrun (1970), Thomas (1972). El.: Karl u. Hiltraut, geb. Seitner. S.: BRG, 1958 Matura, Med.-Stud. Univ. Wien, 1965 Prom. Dr. med. K.: 1965-69 Turnusausb. im Wilhelminen-Spital Wien, 1969-74 FA-Ausbildung Rudolf-Spital Wien, 1974 Eröff. d. eigenen FA-Praxis in Horn. M.: Mtgl. in d. "Dermatologischen Ges.", Lions-Club. H.: Schwimmen, Skifahren. (M.M.)

Passini Stefan Dipl.-Ing. Arch.

B.: Arch. A.: 1010 Wien, Seitenstetteng. 2/Kornhäuselturm. G.: Wien, 12. Apr. 1944. El.: Dr. Paul u. Hilde. S.: HTL Wien, Matura 1963, TH Wien, Dipl., Fachrichtung Arch. 1971. K.: b. 1976 ltd. Mitarb. in einem Arch.Atelier, Ziviltechnikerprüf. 1976, Eröff. eines eigenen Ateliers 1977. F.: Atelier Arch. D. I. Stefan Passini. M.: Ing.-Kammer f. Wien, NÖ u. Bgld. H.: Zeichnen, Fotografieren, Antiquitäten, Wein.

Pasterk Ursula Dr.

B.: Amtsführende StadtR. f. Kultur d. Stadt Wien. DA.: 1080 Wien, Friedrich-Schmidt-Pl. 5. PA.: 1010 Wien, Stubenbastei 12. G.: 23. Juni 1944. El.: Pasterk Engelbert u. Margarethe. S.: VS, AHS, Univ. Wien, 1970 Prom. K.: ORF freie Mitarb. (Wiss., Ges., Politik, Jugend, Familie), 1972 Red. im Magazin "Profil", Ges.Politik, b. 1979 Innenpolitik, b. 1984 Kolumnistin, gleichzeitig im ORF div. Serien f. d. Bereich Jugend u. Familie, ab 1979 kulturpol. Beraterin b. KulturstadtR. d. Stadt Wien, Mtgl. d. Dir. d. Wr. Festwochen, ab 1983 Kulturpol. Beraterin d. BM-UK, seit 1984 Int. d. Wr. Festwochen, seit 1987 Amtsführende StadtR. f. Kultur d. Stadt Wien, Präs. d. Wr. Festwochen u. d. Wr. Symphoniker. P.: Wiss. Aufsätze über Ernst Bloch, Marxismus u. krit. Theorie. E.: Staatspreis f. Journal. Leistungen im Interesse d. Jugend, Dr. Karl Renner-Förderungspreis. H.: Lesen, alte Möbel, moderne Kunst. (R.A.)

Pasterk Wolfgang Dr.

B.: Tierarzt. FN.: Tierklinik Völkermarkt. DA./PA.: 9100 Völkermarkt, Röntgenstr. 1. G.: Völkermarkt, 17. Juli 1953. V.: Maria Alice, geb. Rapatz. Ki.: Christina (1984), Andrea (1986). El.: Josef u. Irmgard. S.: VS, Gymn., 1974 Matura, BH, 1975-83 Stud. a. d. Vet. Uni Wien, 1983 Sponsion u. 1991 Prom. K.: 1979-83 Studienass. f. Wildbiologie b. Univ. Prof. Onderschka, Wien, 1983 Eröff. d. eig. Praxis. P.: subkutane u. intrathorakale Implantation v. Bioelementriesendern f. Langzeituntersuchungen an Wiederkäuern. Diss. 1991; Immobilisation d. Rotwildes i. Krankh. d. Wildtiere, Exotische u. heiminsche Tiere i. d. Tierarztpraxis. M.: Verein Österr. Kleintierpraktiker. H.: Beruf, Mittelmeersegeln. (G.L.)

Pastl Ute Dr.

B.: Kunsthistorikerin, Auktionärin; Hon.-Kons. v. Frankreich. DA. u. PA.: 4040 Linz, Wischerstr. 26. G.: Linz, 2. Mai 1957. V.: Christian. Ki.: Stefan (1985). El.: Fritz u. Gisela. BV.: Großvater Verwalter d. Güter f. Königin Friederike v. Griechenland in Grünau / Salzkammergut bis ca. 1960. S.: VS, Gym., 1975 Matura, Stud. Univ. Innsbruck, 1979 Prom. K.: bis 1983 Auslandstätigk. in London, Paris u. Zürich, ab 1983 selbst. mit Antiquitätengesch., seit 1986 Kunsthistorikerin u. gerichtl. beeid. Sachv., seit 1989 Honorarkonsul v. Frankreich, seit 1990 als Kunsthistorikerin f. CORF-Bayr. Fernsehen u. als Auktionärin tätig. P.: Co-Autorin von 3 Büchern f. d. Bundesdenkmalamt. M.: Gründungspräs. d. Lions Prima Vera in Linz. H.: Kunst u. Kultur, zwischenstaatl. Beziehungen v. Österr. u. Frankreich. (U.A.)

Pataki Marianne

B.: selbst. Graphik-Designer. PA.: 2002 Großmugl, Ottendorf 29. G.: Wien, 1. Juni 1948. V.: Zoltan Pataki. El.: Hans u. Grete Strutz, geb. Sieb. S.: 1967 Matura, autodidakt. Ausbild. z. Graphikerin. K.: seit 1968 selbst. Graphikerin m. Schwerpunkt Gestaltung v. Veranstaltungen, Entwicklung v. Gesamtkonzepten. E.: 1980 Preis d. Kulturamtes d. Stadt Wien f. d. beste Plakat. M.: GDA. H.: Hunde, gute Küche. (N.A.)

Patat Maximilian Prof. OSR.

B.: Museumsltr. d. Bez.Museum Döbling. DA.: 1190 Wien, Döblinger Hauptstr. 96. PA.: 1190 Wien, Nußwaldg. 27. G.: Wien, 5. Sept. 1907. Ki.: Kurt, Edeltraud. S.: LBA Wien, 1927 Matura, 1927-29 Päd. Inst. K.: 1933 Hilfslehrer Wien, 1939 Dt. Wehrmacht, 1948 Eintritt in d. Schuldienst, 1954-72 VS-Dir., 1954-73 BezR. SPÖ Döbling, 1963 Grdg. d. Ver. "Heimatmuseum Döbling", 1964 Eröff. d. Döblinger Heimatmuseums, 1972 Eröff. d. Bez.Museum Döbling m. d. Weinbaumuseum u. Schauräumen. P.: Beiträge in d. Museumsblättern. M.: Gschf. VPräs. d. Museumsver. Döbling, Ehrenmtgl. d. Zentralver. d. Wr. Lehrerschaft. (A.W.)

Pateisky Kurt Dr. med. Univ.-Prof.

B.: Vorst. d. neurol. Univ.Klinik Wien, FA f. Nervenheilkunde. A.: 1090 Wien, Porzellang. 19. G.: Teschen, 20. Aug. 1917. V.: Herta, geb. Seiberl. El.: Wilhelm u. Justine. S.: VS, Gymn., Univ. Prag, Univ. Wien, National Hospital London, British research Council. K.: 1945 Ass.Arzt, 1960 Univ.Doz., 1970 Univ.-Prof. P.: 133 wiss. Veröff., Neurologie, Elektroneurodiagnostik, Elektrotherapie. E.: "Hans Berger Preis" Westdeutschland, "Hans Berger Preis" Ostdeutschland, Gründer u. Vors. d. Österr. EEG-Ges., Vors. d. Österr. Muskel-Dystrophie-Ges., Vors. d. Wr. Ver. f. Neurologie u. Psychiatrie. H.: Elektromed. Schrittgeber f. Querschnittsgelähmte.

Patek Hannes

B.: Unterhaltungskünstler. DA.: 1160 Wien, Gablenzg. 82-86/Stiege 9. G.: Wien, 28. Mai 1941. V.: Margarete, geb. Horacek. Ki.: Thomas, Hannes. El.: Johann u. Anna. S.: HS, Lehre als Schriftsetzer. K.: 5 J. Tournee in Deutschland, im Sommer Schloß Velden, Gastspiele Niederlande, BRD, DDR, Schweiz, Schiffskreuzfahrten, 1961-69 Programmchef im Star-Club Wien. P.: 9 P's, 12 MC's. H.: Briefmarkensammeln.

Paterno August Kaplan

B.: Kaplan d. kath. Kirche. GT.: Konsulent im ORF, Schriftltr. d. Zeitschrift "Welt in Christus". DA.: 1010 Wien, Himmelpfortg. 3. PA.: 6900 Bregenz, Wuhrbaumweg 31. G.: Dornbirn, 31. Juli 1935. El.: August u. Johanna Franziska. S.: VS, HS, HASCH, RG, 1961 Matura, Stud. d. Theol. u. Phil. K.: 1966 Priesterweihe, Kaplan in Klaus/Vbg., ab 1967 Kaplan in Bregenz, 1969 erste Mitarb. b. ORF (Radio), ab 1972 ORF (Fernsehen), 1967-87 nebenbei Prof. d. HAK Bregenz. P.: ORF: "Fragen d. Christen", "Einfach z. Nachdenken", "Das Wort an d. Kranken", "Glaubensgespräche", "Ökonomische Morgenfeier", Bücher: "Fragen d. Christen" 1980,"Ich bringe d. Kranken d. Botschaft", "Wer nie war krank", Tonträger: "Nachdenkliches" 1988. E.: Archimandrid ,(Ehrenkreuz in Gold d. itters v. Hl. Grab). M.: Round Table, Rotary. Ambassador-Club, Nicaragua-Komitee. H.: Fußball, Reisen nach Israel, Dokumentationen erstellen.

Paterno Guntram

B.: Gschf. Ges. d. Fa. H. & G. Paterno GmbH & Co KG, Kfm. DA.: 6850 Dornbirn, Forachstr. 41. G.: Dornbirn, 11. Sept. 1951. V.: Elisabeth, geb. Sluga. Ki.: Susanne. El.: Hans u. Luise. BV.: Kaplan August Paterno. S.: VS, HS, HASCH. K.: Branchenpraxis b. versch. Firmen in Deutschland u. Österr., 1970 Eintritt in d. väterl. Betrieb, seit 1984 gschf. Ges. M.: Aussch.Mtgl. im Gremium d. Büromaschinenhdls. H.: Bergsteigen, Skifahren, Fußballspielen. (Schm.)

Paterno Hans

B.: Kfm. FN.: Büroeinrichtungshaus u. Papierwarengroßhdl. DA.: 6850 Dornbirn, Forachstr. 39. PA.: 6850 Dornbirn, Forachstr. 39-41. G.: Dornbirn, 16. Febr. 1920. Ki.: Guntram (1951), Anita (1957). El.: August u. Lina. S.: Realschule, kfm. Lehre, 1953 Abschluß. K.: 1939-45 Kriegsdienst, 1 J.

Gefangenschaft, 1946 Heimkehr, Eintritt in Buckdruckerei u. Verlag Dornbirn, 1953-59 Gschf., 1960 Grdg. Büroeinrichtungshaus u. Papierwarengroßhdl. M.: Skiver., Turnver. H.: Fußball, Skifahren, Sauna, Radfahren, Schwimmen. (I.D.)

Paterno Wolfgang

B.: Firmeninh., Art-Dir., Werbekfm. FN.: V.I.P. Werbung GmbH, Patero Werbung, Grafik, Siebdruck. DA.: 6700 Bludenz, Werdenbergerstr. 61. PA.: 6714 Nüziders, Zollg. 20. G.: Bludenz, 22. Apr. 1950. V.: Uschi, geb. Tuscher. Ki.: Tamara (1979), Werner (1982), Manuela (1985). El.: Ferdinand u. Elisabeth. S.: Gymn., 1968 Matura, 1977 Meisterschule f. Grafik u. Siebdruck. K.: 1975 Grafiker, 1980 Firmengrdg. als selbst. Grafiker. M.: Bereichsltr. d. Werbegrafik u. Designer in d. Fachgruppe Werbung d. HK Feldkirch, RGO Aussch.-Mtgl. d. Bundeswirtschaftskam. Wien Fachgruppe Werbung u. Marktkommunikation, Kollektivmtgl. d. Werbeclubs Ostschweiz. H.: Fotografieren, Videofilmen, Wassersport. (I.D.)

Pathy Ernst Dr. iur.

B.: selbst. RA. DA.: 7400 Oberwart, Wiener Str. 1. PA.: 7432 Oberschützen 259. G.: Oberschützen, 24. Apr. 1915. V.: Elfriede, geb. Christopharo. El.: Ernst u. Johanna. BV.: seit 1624 Tapferkeitsadel, Urgroßvater war Bgm. v. Oberschützen. S.: VS, Gymn. Oberschützen u. Wien, 1935 Matura, Jusstud. an d. Univ. Wien, 1939 Prom. K.: Ger.Ref., anschl. Kriegsdienst als Freiwilliger, Ger.Assessor in Graz, Praktikum, 1961 Eröff. d. eigenen Praxis in Oberwart. M.: Österr. Kameradschaftsbund, b. 1973 Obm. d. Sportver. Riedlingsdorf, Verschönerungsver. Oberschützen. H.: Naturschutz, Baumpflege, Vogelkunde. (War.)

Patloch Josef Dr. HofR.

B.: Richter (Gerichtsvorsteher) in Pension. A.: 1080 Wien, Albertgasse 59/11. G.: Zizelice n.C., Böhmen, 30. Sep. 1914. V.: Maria, geb. Böse. El.: VS-Dir. Josef u. Anna. S.: VS, RG Wien 11., jur. Fak. d. Univ. Wien, Richteramtsprüf. (1946). K.: Richter an versch. Gerichten in Wien u. NÖ, 1949-50 im BMJ, zuletzt Vorst. d. BG Floridsdorf bzw. Liesing. Seit Ende 1979 in Pension. P.: Keine (sieht man v. d. Anregungen z. Schaffung d. Unterhaltsvorschussgesetzes ("Kurier" vom 11. Nov. 1970), z. Vereinfachung d. Ausserstreitgesetzes (§ 185 Abs. 3 AußStrG.), z. Schaffung einer gesetzlichen Meldepflicht handlungsunfähiger Minderjähriger an Gerichte zwecks rechtzeitiger Bestellung gesetzl. Vertreter (noch keiner Durchführung zugeführt) u. schliesslich z. Beruf. nur solcher Richter in d. BMJ, d. eine langjährige gediegene Berufserfahrung nachweisen können ("Kurier" vom 10.Nov.1981,"Österr. Richterzeitung" Heft 1/1982) ab). M.: SOS-Kinderdorf, Wiener Rotes Kreuz, Tierschutzver.

Patsch Franz

B.: Innenarch. DA. u. PA.: 5164 Seeham 267. G.: Braunau, 27. Jän. 1954. V.: Hannelore. Ki.: Claudia (1980), Bettina (1987). El.: Franz u. Anna. S.: 1969-72 Tischlerlehre, 1972 Lehrabschlußprüf., 1972-76 Tischler, 1976-77 HTBLA Hallein m. Mstr.-Prüf., versch. Weiterbild.-Kurse. K.: 1989 Konzessionsprüf. f. techn. Büro f. Innenarch., seit 1987 selbst. H.: Tennis, Skifahren, Fußball, Segeln. (E.Hö.)

Patscheider Margareta

B.: Kfm., gschf. Ges. FN.: RECA Fliesen, Bäder, Marmor u. Ofen Center Margareta Patscheider GmbH & Co KG. DA. u. PA.: 6460 Imst, Fabrikstr. 9. G.: Sautens, 8. Apr. 1949. V.: Franz. Ki.: Tobias, Barbara, Eva Maria, Pia Maria. El.: Wilhelm u. Barbara. S.: Mus.Päd. Gymn. Innsbruck. K.: seit 1979 selbst., Ausbau u. Entwicklung z. bedeutendsten u. leistungsfähigsten Unternehmen d. Branche in Westtir., Filialen: Reutte, Telfs, Haupteigentümerin d. Fliesen en gros in Innsbruck, Fliesen-Center-Tirol. H.: Tennis, Skifahren. (W.G.)

Pattera Johanna Dr. phil.

B.: Ltr. FN.: Österr. Statistisches Zentralamt, Pressestelle. DA.: 1030 Wien, Hintere Zollamtstr. 2b. PA.: 1010 Wien, Seilerg. 2. G.: Wien, 14. Jul. 1941. El.: Wilhelm u. Jovanka. S.: Pflichtschule, Realgym., 1959 Mat., 1959-61 Sprachstud. England (zwei Cambridge Prüf.), 1961-66 Stud. Univ. Wien: Engl., Dtsch. (Dolmetschausbild.), Kunstgeschichte, 1966-72 Stud. histor. Fächer Univ. Wien, 1972 Prom. z. Dr. phil. K.: Während Stud. Tätigk. a. Reiseltr. u. i. väterl. Textilbetr., 1972-88 Klubsekr. Parlament (Inform., Dokument., Pressearb.), 1988 Übertritt i. öffentl. Dienst (BD.-Pressedienst i. BD.-Kanzleramt, s. 1989 Ltr. d. Pressestelle i. Österr. Stat. Zentralamt. M.: Vorst.-Mtgl. Verb. d. Akademikerinnen Österr., Vorst. d. österr.-israel. Ges., Vorst. d. akadem. soz. Arb.-Gemeinschaft. H.: Bergsteigen, Kochen, Literatur, Musik, Theater. (F.S.)

Patterer Gerald

B.: Mitinh., Kunst-Bau-Möbeltischler. FN.: Zur Goldenen Pastete. DA.: 8010 Graz, Sporg. 28. PA.: 8010 Graz, Schießstattg. 5. G.: Groß St. Florian, 8. Juni 1943. V.: Karoline, geb. Prietl. Ki.: Gerald. El.: Fritz u. Helene. S.: VS, HS, Ausbild. Tischler, 1975 Konzessionsprüf. f. Gastgewerbe. K.: 1957-60 Tischlerlehre, 1960-61 BH, 1961-64 Bautischlerei, 1964-72 Gastgewerbl. Ausbild. in Österr. u. BRD, seit 1972 Gschf. im elterl. Betrieb. BL.: bodenständige Küche, Prominentengasthaus. E.: 3x Gold. Rose, 2 Servietten lt. Mucha. M.: UHK Tennis. H.: Tennis, Boxen, Kochen, Skifahren, Gästebücher. (H.Z.)

Pattermann Jörg

B.: Gschf. Ges. FN.: Karl Czaika Pattermann KG. DA.: 5020 Salzburg, Rupertg. 22. PA.: 5020 Salzburg, Morzgerstr. 22. G.: Salzburg, 14. Nov. 1951. El.: Karl u. Gerta. S.: VS, Gymn., HAK, 1971 Matura. K.: Tätigkeit im großväterl. Betrieb, seit 1976 selbst. m. Reifenfachhdl., 1974 1. Ralley mit Hrn. Haider, 1976 erste Erfolge, 1984 Erfolge m. Hr. Grissmann, 1987 WM m. Hr. Wittmann auf Lancia. E.: 1987 1. Pl. Neuseeland Rallye, 6x Österr. Mstr., 1988 3. Pl. Argentinien Rallye, 1985 5. Pl. Portugal Rallye. H.: Reisen, Skifahren, Radfahren, Bergwandern, gut Essen. (D.E.)

Patzak Heinz Dr.

B.: Dir., Austrian National Tourist Office USA. A.: One Lincoln Plaza, New York, N.Y. 10023 USA. G.: Wien, 8. Nov. 1941. V.: Roswitha, geb. Heinzmann. El.: Maximilian u. Friedl. S.: Dkfm. Dr., HS f. Welthdl., Wien. K.: 1962-65: b. Überseeabtlg. Österr. Verkehrsbüro, 1965-67 b. versch. Amerikan. Reiseveranstaltungen, seit 1967 b. Österr.

Fremdenverkehrswerbung, und seit Febr. 1969 deren Dir. f. Nordamerika. P.: "Weltluftverkehr", "Fremdenverkehrsmultiplikator", "Soziometrisches Modell d. Westeurop. Fremdenverkehrs". M.: Rotary.

Patzak Peter
B.: Reg. u. Autor. PA.: 1040 Wien, Mayerhofg. 1. G.: Wien, 2. Jan. 1945. V.: Dr. Evelyn, geb. Reiss. Ki.: Serge, Fabian. El.: Maximilian u. Friedl. S.: Gymn., 1963 Matura, Stud. Univ. Wien Kunstgeschichte. K.: 1968-70 New York TV Station, 1971 künstl. tätig als Drehbuchautor, Reg. Film u. Fernsehen, beteiligt an div. Filmfestivals, Film: u.a. TV-Krimi-Serie "Kottan ermittelt", "Kassbach", "Santa Lucia", "Letzte Runde", "Wahnfried", "Dem Tüchtigen gehört d. Welt". P.: 1984 "Peter Patzak Filme" im Europaverlag herausgegeben. H.: Arbeit. (M.G.)

Patzelt Josef Dipl.-Ing. RegR. Prof.
B.: Arch. PA.: 2700 Wr. Neustadt, Ferdinand-Porsche-Ring 27. G.: Wr. Neustadt, 13. Aug. 1926. V.: Margarete, geb. Leutner. El.: Johann u. Marie. S.: OSchule Eisenstadt (1. Preis b. Gausingen als Dirigent eines Jugendchores, 2. Preis b. Kompositionswettbewerb, 3. Preis b. Zeichen- u. Malwettbewerb), TU Wien. K.: Ab 1952 freischaff. Arch., ab 1954 Prof. an HTBLuVA Wr. Neustadt, ab 1967 Vorst. d. Bautechnik-Hochbauabt. an HTBLuVA Wr. Neustadt. P.: Abhandlung über Architekturprobl. in Fachzeitschriften, Referate im Rahmen v. Seminaren u. selbst Seminarltr., Vortragender an VHS Wr. Neustadt, mehrf. Preisträger b. Arch.Wettbewerben (auch etl. 1. Preise). E.: Stephanus-Orden, Johannes Paul II.-Med. f. Altaraufbauentwurf anläßl. d. Papstbesuches in Österr. 1988. M.: Mtgl. d. Spruchsenates I b. Zollamt Wien, Mtgl. d. Berufungssenates d. Finanz-LDion. f. Wien, NÖ u. Bgld., Vorst. d. Wr. Neustädter Kirchenmusikver., Intern. Arb.Kreis f. Sport- u. Freizeiteinrichtungen e.V. Köln, Vors. d. Arge d. Lehrer gestaltender Fächer an berufsbild. Schulen Österr., Dt. HK in Österr., Wirtschafts-Club d. Dt. HK m. d. Kreis junger Unternehmer, PfarrgemR. (St. Jakob Wr. Neustadt), Vorst.Mtgl. d. Wr. Neustädter Ausstellungsver., Vorst.Mtgl. in div. Sportver. (M.B.)

Patzer Franz Dr. et Mag phil. HofR.
B.: Dir. d. Wr. Stadt- u. LBibl. i.R., Ltr. d. Mag.Abt. 9. A.: 1110 Wien, Mühlsangerg. 29. G.: Wien, 18. Aug. 1924. V.: Dr. phil. Gertraude, geb. Alscher. El.: Dipl.-Ing. Franz u. Hedwig. S.: RG, Univ. Wien, K.: Wr. Verkehrsver., Mittelschulgymn. Prof., Bmtr. d. höheren Vw.Dienstes d. Stadt Wien, Heimatpflege u. Naturschutz Ref., 1956-73 persönl. Ref. u. Sekr. zweier KulturstadtR. u. VBgm., 1974-88 Bibl.Dir. F.: VPräs. d. Vereinigung Österr. Bibl. P.: Mehrere Publ. z. Geschichte d. Stadt Wien im 19./20. Jhdt., Art. in Zeitungen u. Zeitschriften zu versch. kulturellen u. kulturpolit. Fragen. E.: NÖ Silb. Komturkreuz, Wr. Gold. EZ, OÖ Silb. EZ, Gold. Ehrenabz. d. SPÖ, Silb. Ehrennadel d. BSA, Verd.Med. d. Univ. Wien Alma Mater Rudolphina, Silb. Dr. Josef Bick Ehrenmed. d. VÖJ. M.: Österr. Rotes Kreu, Kinderdorfver., ARBÖ.

Patzer Josef Ing.
B.: Oberst, ständig gerichtl. beeid. Sachv. f. Tankstellen, Tanklager u. Tankwagenbau. A.: 1130 Wien, Adolfstorg. 2 c. G.: Wien, 22. Apr. 1915. V.: Cäcilia, geb. Aigner. El.: Josef u. Maria. S.: VS, RG m. Matura, Offz.Schule, Ing. f. Maschinenbau, 6 Sem. Jusstud., Amateurfunklizenz, Segellizenz, Kapitänspatent. K.: Nach d. Matura 1935 z. Militär. Offiziersausbild. 1939 auf d. Kriegsschule in Potsdam z. Lt. ernannt. Bei Kriegsende Hptm. d. Panzertruppe. Nach Entlass. aus amerik. Gefangenschaft zivile selbst. Gewerbetätigkeit Mineralölgroßhdl. u. Tankstellenbetr., sowie techn. Konsulent f. Tankanlagenbau f. d. Fa. Schwelmer Eisenwerke u. Fa. Schwelm-Strager. 1962 ins österr. BH als Major reaktiviert. Dorselbst HReferent f. d. gesamten Betriebsstoffsektor u. Bau d. Tanklager u. Tankstellen. 1978 als Oberst in d. Ruhestandt getreten. Weiters tätig als gerichtl. beeid. Sachv. F.: von 1947-62 als Eigentümer u. Gschf. d. Fa. "PANOL" Mineralölgroßhdl. betrieben. P.: Im BMLV d. Vorschrift ü. d. gesamte Betriebsmittelversorgung verfaßt. E.: EK I, EK II, Panzerkampfabz., Silb. Verwundetenabz., Gold. EZ f. d. Verd. um d. Rep. Österr. M.: Mtgl. d. Österr. Offz.-Ges., Präs. d. Österr. Heere Yacht Club, Oberschützenmstr. d. Hütteldorfer Schützenver. 1972, Mtgl. d. Hauptverb. Österr. Sachv. H.: Segeln, Sportschießen, Fotographieren.

Patzl Harald Ing.
B.: Gschf. d. "Gelenkwellen GmbH". DA.: 1230 Wien, Triester Str. 120. PA.: 2380 Perchtoldsdorf, Mühlg. 9. G.: Wien, 31. Mai 1933. V.: Ernestine, geb. Ruth. El.: Ottokar (Vorst.Mtgl. d. Steyr-Daimler Puch AG) u. Margarethe. S.: Realschule, TH: Maschinenbau. K.: 1965 Sachbearb. b. Riedl OHG (Kfz-Zubehör), 1967 Techn. Ltr. b. "Indukraft" (Investitionsgüter f. Kfz), 1980 Verkaufsltr. f. GM-Baumaschinen b. Rolber, seit 1975 stellv. Gschf. m. EProk., seit 1977 alleiniger Gschf. M.: VÖI, Steuerungskomitee d. Uni-Cardan-Gruppe BRD. H.: Forellenfischen, Orgelspielen, Wandern. (Bauer)

Patzl René Dipl.-Ing.
B.: Arch., staatl. befugter u. beeid. Ziviltechniker. DA. u. PA.: 1030 Wien, Dietrichg. 18/9. G.: Hainburg, 17. Dez. 1959. Ki.: Alexander (1988). El.: Bmstr. Ing. Karl u. Maria. S.: VS, Gymn., 1979 Matura HTL Wien, Arch.-Stud. TU Wien, 1986 Dipl., div. bautechn., rechtl. u. wirtschaftl. Fortbild.-Seminare, Italienischausbild., 1989 Ziviltechnikerprüf., 1991 Befugniserteilung. K.: 1986-87 Arch. Peters Wien, 1987-88 Austria Tabak Wien, 1988-91 Achammer-Tritthart-Partner Wien, 1991 Bmstr. Ritter GmbH Wien, seit 1991 selbst. freischaff. Arch. m. eigener Ziviltechnikerkzl. Wien. H.: Skifahren, Malen. (J.S.)

Patzschke Michael
B.: Dir. FN.: Ebelsbergerhof Hotel-Restaurant. DA.: 4033 Linz-Ebelsberg, Wiener Str. 485. PA.: 4614 Marchtrenk, Stifterstr. 25. G.: Nürnberg/BRD, 18. Juni 1960. V.: Ingeborg, geb. Schmidt. Ki: Roman (1985). El.: Werner u. Elise. S.: Gymn., Hotelfachschule Wien. K.: Praxis im In- u. Ausland, z.B. Hotel Intercontinental Wien, Grand Hotel National Luzern, Hotel Quarda Val, Lenzer Heide-Graubünden, mehrjährige Tätigkeit am Wirtschaftsförd.Inst. OÖ, Vorst.Mtgl. d. Österr. Verb. d. Wirtschaftsdir. H.: Schach, Billiard, Golf. (P.R.)

Paudler Erwin Dr.
B.: Gschf. FN.: LEGO GmbH. DA.: 1140 Wien, Albert-Schweitzer-G. 11. PA.: 1130 Wien, Wittgensteinstr. 122. G.: Düsseldorf, 30. Aug. 1944. V.: Dagmar Mag., geb. Philipp. Ki.: Patrizia. El.: Kurt u. Marianne. S.: Lehre als Ind.Kfm. K.: 1965 zu Black & Decker (verantw. f. Finanzwesen), 1974-76 Gschf. in Nigeria, 1976-78 Verw.Dir. in Brüssel, 1978-82 Gschf. f. Österr., 1982-83 Gschf. f. Schweiz, seit 1985 Gschf. b. LEGO GmbH. H.: Golf, Tochter, Lesen. (A.K.)

Paudler-Philipp Dagmar Mag.
B.: Selbst. FN.: Marketing Spezial. DA u. PA.: 1130 Wien, Wittgensteinstr. 122. G.: Wien, 23. Apr. 1952. V.: Paudler Erwin. Ki.: Patrizia. El.: Philipp Leopold Dr. u. Anna. BV.: Vater Gen.Sekr. d. EÖSpC, Finanzkons. S.: 1970 Matura, Stud. Betriebswirtschaft HS f. Welthdl., 1975 Mag. K.: 1976 Sieber Kundenberater, 1979 Etatdir., 1981 Einzelprok., 1982-84 J. Walter Thompson Frankfurt, Etatdir., 1984-92 Saatchi Business Relations Manager. H.: Tochter, Golf, Skifahren. (A.K.).

Pauer Walter Dipl.-Ing.
B.: Inh., Arch. DA.: 8020 Graz, Marieng. 31/I. PA.: 8046 Graz, Im Hoffeld 54. G.: Spittal/Drau, 1946. V.: Mag. phil. Irmgard, geb. Ebner. Ki.: Gernot (1975), Helmut (1982). El.: Dipl.-Ing. Mirus u. Helga. BV.: Großvater Ludwig Pauer OLGR. in Ktn. S.: Gymn., Ak. Wien, HTL Hoch- u. Tiefbau Villach, 1968 Matura, 2 J. Deutschland, Arch.-Stud. Graz, nebenbei Arb. im Arch.-Büro Ilgerl-Peneff-Walch, 1979 Abschluß. K.: 1980 Arch.-Büro Werkgruppe, seit 1989 selbst. M.: Kommunalpolitik, Bürgerinitiative überparteil., seit 1988 Obm. d. AGTA. H.: Hobbytischler, Musik (Klassik, Jazz), Radfahren, Wasserskifahren, Segeln. (R.S:)

Pauk Robert Dr. iur. wHofR.
PA.: 4600 Wels, Johann-Strauss-Str. 2. G.: Wels, 15. Apr. 1915. V.: Maria, geb. Rathner. El.: Rudolf u. Hermine. S.: Gym. Wels, 1934 Matura, 1934-39 Stud. Jura Univ. Graz, K.: 1946-47 Gerichtsjahr i. Wels, s. 1947 Amt d. OÖ Landesreg., s. 1972 Leiter. d. Sozialreferates, 1972 wHofR., 1973 entsch. Beteiligung b. d. Erstellung v. Gesetzen i. Sozialbereich auf Landesebene (OÖ. Sozialhilfeges, OÖ. Behindertenges. u. a.) s. 1977 Pensionist. M.: Alpenverein, s. 1934 Verb. "Carrlina" Graz. H.: Bergwandern, Reisen. (P.H.)

Pauker Martin
B.: Gschf. Ges. FN.: Pauker GmbH Video Market. DA.: 2331 Vösendorf, Ortsstr. 18. G.: Wien, 17. Sep. 1942. V.: Monika. Ki.: Michaela (1964). S.: Grundschule, HAK. K.: Lehrling b. Herzmansky, später Abt.-Ltr., m. Kammersänger Wächter "Sound Studio Wächter GmbH" gegründet, Grdg. Firma Video Market, Grdg. Pauker GmbH, Videokasetten Import u. Vertrieb in Österr., Vertriebsrechte f. UFA, Concorde, VMP, Nat. Geography Video. P.: div. Art. in Fachzeitschriften. M.: Obm.-Stellv. d. Ver. z. Schutz geg. Urheberrechtsverletzungen, Bundeskam. Audio Video. H.: Beruf, Musik, Filmen. (W.M.)

Paukovitsch Franz Dr.
B.: Zahnarzt. FN.: Praxis Dr. Paukovitsch. DA.: 8101 Gratkorn, Dr. Karl-Renner-Str. 17. PA.: 8010 Graz, Ludwig-Werba-G. 20. G.: Feldbach, 13. Dez. 1955. V.: Gerhild, geb. Jandl. Ki.: Christoph (1988). El.: Albert u. Stefanie. S.: human. Gymn. Mattersburg, 1975 Matura, BH, Med.-Stud. Karl Franzens-Univ. Graz, 1984 Prom. K.: Turnus LKH Graz u. Güssing, 1989 eig. Praxis in Graz-Ragnitz, 1989-91 Ausbildung z. Zahnarzt a. d. Universitätszahnklinik Graz, s. 1991 selbst. Zahnarztpraxis i. Gratkorn, auch Implantate u. Kieferregulierungen. M.: Tennisverein Gratkorn. H.: Tennis, Lesen, Politik. (I.G.)

Paukner Gerhard

B.: Film- u. Bühnenreg., Tanzausbildner. FN.: H.O.M. & E. House of Movements & Entertainment. DA.: 1010 Wien, Wipplingerstr. 24-26. G.: Wien, 23. Apr. 1959. Ki.: Manuel (1984), Ananda (1986), Carmen u. Raphael (1989). El.: Norbert u. Erika, geb. Januskovec. S.: HASCH, Berufsschule, Ausbild. z. Einzelhdls.-Kfm., Auslagenarrangeur u. Raumausstatter. K.: 4 J. u.a. in Griechenland, Frankreich, Israel, Deutschland, 8 J. Sozialarb., 1985 Beginn als Ausdruckstänzer, in d. Folge Choreographien auf Kleinbühnen, Videoprojekte, Produktion d. Kinofilms "Thorun" 1991, Remake in Hollywood 1995, Theaterarb. "Theater d. Sinne" ist Geruchstheater, Tanztheater m. Blinden, Projekte m. Gehörlosen, Uraufführung Geruchstheater "Endstation Mensch" 194 Theater Akzent Wien, Arb. m. Non-Professional Actors im Film- u. Theaterbereich realisiert, 1995 Gründer H.O.M. & E. z. intern. Präsentation d. Zusammenarb. m. Profis u. Laien, ab 1995 Organisator v. Show-Spektakeln auf Burgen u. Schlössern. H.: Fußball (Tormann), Tennis, Beruf. (J.S.)

Paukowitsch Ludwig
B.: LLtr. FN.: Vorwerk Austria GmbH. DA.: 1110 Wien, Simmeringer Hauptstr. 177. G.: Wien, 3. Juni 1949. Ki.: Sonja (1971), Sabine (1969). El.: Ludwig u. Valerie. S.: Gastronomie-Küchenchef-Ausbild. K.: 1971 Repräsentant b. Vorwerk, 1973 Bez.Ltr., 1976 Verkaufsltr., 1980 LLtr. Wien u. NÖ, Spezialisierung Direktvertrieb. BL.: über 800 Patente f. Teppichherstellung u. -pflege. P.: Referate im Managementclub, Journalistenclub, etc., Veröff. in div. Wirtschaftszeitungen. H.: Tennis, Joggen, Skifahren, Motorboot (Hobbykapitän). (R.J.)

Paukowitsch Rudolf Dr. HofR.
B.: Vorst. d. Finanzamt f. Körperschaften Wien, NÖ, Bgld. DA.: 1031 Wien, Radetzkystr. 2. PA.: 1230 Wien, Carlbergerg. 24-26/I/1. G.: Wien, 23. Juli 1925. V.: Paula, geb. Zwettler. El.: Rudolf u. Sophie. S.: VS, RG, 1943 Matura, Stud. d. Rechts- u. Staatswiss. Univ. Wien, 1949 Prom. K.: b. 1949 Gerichtspraxis, 1949 Eintritt in d. Finanzverw., 1953 Fachprüf., b. 1955 Betriebsprüfer, seit 1955 Gruppenltr. f. d. 1. Bez., seit 1979 Gruppenltr. im Finanzamt f. Körperschaften, 1978-84 Ltr. d. Großbetriebsprüf.Abt., seit 1985 Vorst. d. Finanzamt f. Körperschaften. BL.: 1975 HofR., Schulungstätigkeiten f. Großbanken u. div. Inst. an d. Bereich d. Mehrwertsteuer, Hpt.Gruppenltr. f. Mehrwertsteuer, während Studentenzeit Pianist b. bek. Kapellen, eigene Kompositionen, Lyriker, Satiriker, Chansonnier. P.: zahlr. Publ. aus d. Finanzwesen, lfd. Fachvorträge b. zahlr. prom. nat. u. intern. Inst. E.: Gr. EZ f. Verd. um d. Rep. Österr., Gr. EZ f. Verd. um d. Land Bgld. M.: BSA. H.: Musik (passiv u. aktiv, Klassik u. Jazz), Literatur, Theater, Reisen, Wassersport, Wandern. (H.P.)

Paul Andrew
B.: Vorst.-Dir. FN.: Wilfried Heinzel AG. DA.: 1021 Wien, Engerthstr. 161-163. PA.: 1120 Wien, Aichholzg. 4/6. G.: Wien, 29. März 1955. V.: Dr. Daniela, geb. Sajowitz. El.: Dr. Wolfgang u. Carmel. S.: AHS, Jusstud., Wirtschaftslehrgang. K.: Dir.-Ass., Abt.-ltr., Mtgl. d. Vorst. b. WHAG. M.: Präs. d. Golfclubs Wr. Neustadt. H.: Golf (HCP4), Laufen, Skifahren.

Paul Armin Dr. phil.
B.: Dir. u. Gschf. Schloß Hofen Zentrum f. Wiss. u. Weiterbild. DA.: 6911 Lochau, Hoferstr. 26. PA.: 6900 Bregenz, Kassian-Haid-G. 16a. G.: Hard, 13. Okt. 1958. V.: Gertrud, geb. Zauser. Ki.: Felix, Clemens. El.: Hermann u. Helmtrud. S.: Gymn., 1977 Matura, Stud. Geographie u. Math., 1986 Prom. Geographie, Phil. u. Geologie. K.: 1987-89 Bild.-Ref. in d. AK Vbg., seit 1990 Ltr. v. Schloß Hofen. P.: Bregenz Stadt an d. Grenze (1987), Mitautor "Weiterbildung in Vbg.". (A.K.)

Paul Carmel-Lee Mag.
B.: Organisatorin Hoffman Inst. Seminare f. Selbsterfahrung. DA.: 1030 Wien, Esteplatz 4/3. PA.: 1190 Wien, Boschstr. 24/I/14. G.: Wien, 17. Jän. 1959. El.: Dr. Wolfgang u. Carmel Paul, geb. Fahy. S.: Gymn., 1977-78 HAK-Abi-Kurs, HAK-Matura, 1978-83 Stud. Handelswiss. WU Wien, 1978-80 Univ.-Lehrgang f. Tourismus u. Fremdenverkehr WU Wien, 1987-89 Ausbild. z. Seminarltr. in Amerika, 1989-91 Fortsetz. d. Ausbild. K.: 1982-89 Tätigkeit in 2 Exportfirmen, seit 1988 Intern. Seminarstätigkeit, Schwerpunkt: Veränderg. d. Einzelnen führt zu Veränderg. d. Welt. M.: Intern. Hoffman Inst. Californien. H.: Meer, Schwimmen, Tauchen, Golf, Reiten, Sprachen (Dt., Franz., Engl. Span.). (N.A.)

Paul Gunter W. Dr. rer. comm. Dkfm.
B.: Management-Consulent. A.: 1090 Wien, Bleicherg. 14-16. G.: Klagenfurt, 16. Okt. 1938. V.: Gertrude, geb. Zidek. El.: Hans u. Helene. S.: Matura HAK, HS f. Welthdl. (WU) m. Diplom- u. Doktoratsstud., Schwerpunkte Marketing u. Unternehmensführung. K.: Nach Diplomstud. Management-Training b. Unilever Austria, danach als Ass. d. Verkaufsltr. u. Sales Control Officer, seit 1965 als ang. Unternehmensberater intern. tätig, seit 1968 als selbst. Management-Consulent ausschl. im Ausland (Schwerpunkt: deutschsprachiges Ausland) tätig. Veranstaltung zahlr. Unternehmer-Seminare. Nebenbei Erwerb d. Doktorats. P.: Zahlr. Ausätze in Fachzeitschriften im Zusammenhang m. Exportförderung, Managementausbild. sowie spezifischen betriebswirtschaftl. Problemlösungen. M.: AK Corps Saxonia zu Wien im Experter-Pool d. UNIDO. H.: Tennis, Ski, Segeln, Filmen.

Paul Helmut Dr. phil.
B.: Univ.-Prof. f. experimentelle Physik. A.: 4040 Linz, Bachlbergweg 71. G.: Wien, 4. Nov. 1929. V.: Elisabeth, geb. Mathis. El.: Hans u. Ilona. S.: Gymn. in Berlin, Gmunden u. Wien, Stud. an d. Univ. Wien, Purdue Univ Lafayette Ind. USA, M. Sc. 1951, Ph. D. 1955 in Physik (Purdue Univ). K.: 1952 Teaching Ass - Purdue Univ., 1955-59 Mit.Arb., später Ass. am Inst. f. Radiumforsch. u. Kernphysik in Wien, 1957-59 Ford scholar b. CERN, 1959-60 Visiting Prof Purdue, 1960-71 wiss. Mitarb. d. österr. Studienges. f. Atomenergie, 1965/66 Visiting Ass. Physicist Brookhaven Nat. Lab., seit 1971 o.Univ.-Prof. d. Univ Linz, 1974-77 Rektor d. Univ. Linz. P.: 50 wiss. Publ. M.: Österr. Phys. Ges., American Physical Society, Sigma Pi Sigma, Sigma X, 62.

Paula Michael Dipl.-Ing. Dr.
B.: Projekt-Ltr. Nahverkehr. FN.: SGP Verkehrstechnik GmbH. DA.: 1110 Wien, Brehmstr. 16. PA.: 2301 Groß Enzersdorf, Robert Stolz-G. 41B. G.: Wien, 3. Mai 1958. V.: Susanne, geb. Prommer. Ki.: Lukas (1983), Lisa-Kristin (1992). El.: Hermann u. Gertrude, geb. Hofmann. S.: 1977-84 Stud. Masch.-Bau, Studienzw. Betriebswiss. TU Wien, 1986-88 Doktoratsstud. TU, 1988 Rigorosum. K.: 1985-89 Univ.-Ass. Inst. f. Betriebswiss. u. Betriebswirtschaftslehre TU WIen, 1985-89 fr. Mitarb. Agiplan Planungsges. Wien, 1989-91 Austrian Industries, Bereich Konzernstrategie, s. 1991 SGP Verkehrstechn. GmbH, Sonderprojekte, Strategie u. Marketing, Projekt-Ltr. Niederflurstraßenbahn. H.: Musik, Marathonlaufen. (N.A.)

Pauli Franz
B.: Gschf. Ges. FN.: Enzmann Gedruckte Schaltungen Ges. mbH. DA.: 5431 Kuchl, Markt 21. PA.: 5431 Kuchl, Markt 314. G.: Mühlbach/-Hochkönig, 2. Nov. 1952. V.: Ingeborg, geb. Schuld. Ki.: Gerd (1979). El.: Franz u. Genofeva, geb. Adlgasser. S.: 1966-70 Ausb. Einzelhandels-u. Ind.-Kfm., 1971 Bundesheer, 1971-77 Ind.-Kfm. Mercedes-Benz, 1977-81 Verk.-Ltr. Fa. Jowa Ind.-Prod., s. 1981 Grdg. Enzmann Ges. mbH Hallein, 1984 Übersiedlung Kuchl m. Ausbau Geschäftsbereich Elektronik, 1985 Ausbau Bereich Entw. v. Industriesteuerungen u. Anlagen, 1986 Ausbau Elektronik-Prod. F.: Drive GFI Electronic. M.: Örtl. Sportverein. H.: Sport, Ausreizen v. Zukunftsperspektiven. (C.D.)

de Pauli Lothar
B.: Wirtschaftstreuhänder, Steuerberater. DA.: 9020 Klagenfurt, Viktringer Ring 5. PA.: 9081 Reifnitz 183. G.: Klagenfurt, 12. März 1943. V.: Doris, geb. Rausch. Ki.: Christian Thomas. El.: Lucian Eduard u. Milada. S.: Pflichtschule in Klagenfurt, Gymn. in Italien, HAK in Klagenfurt, Matura 1963. K.: Ab 1963 versch. Tätigk. b. Banken u. Ind. sowie b. Wirtschaftstreuhändern, 1981 Steuerberaterprüf. u. selbst. Wirtschaftstreuhänder m. Steuerberatungskzl. in Klagenfurt, seit 1989 Gschf. d. TIFOG GesmbH, ab 1983 z. arbeitsger. Beis. in Klagenfurt u. Völkermarkt bestellt. E.: Ehrennadel f. Verd. um d. Ktn. Landjugend. H.: Fischen, Skifahren, Langlauf. (D.M.)

Paulinz Werner Dr.
B.: RA. DA.: 3430 Tulln, Albrechtsg. 12. PA.: 2100 Korneuburg, Steibstr. 14. G.: Korneuburg, 8. Aug. 1957. V.: Christa, geb. Nagl. El.: Franz u. Helene. S.: 1976 AHS-Matura, Jusstud. Univ. Wien, 1980 Prom. z. Dr. iur., 1983 Anw.-Prüf. K.: Gerichtsj. in Korneuburg, 1981-85 Konzipient in versch. Anw.-Büros, ab 1985 selbst. m. Anw.-Büro. M.: Gschf. Obm. d. Union Korneuburg. H.: Beruf, Ausgleichssport. (M.M.)

Paulitsch Margarete Dr. med.
B.: FA f. Frauenheilkunde u. Geburtshilfe. DA.: 5020 Salzburg, Plainstr. 32/12. G.: Wr. Neustadt, 4. Juli 1934. V.: Herbert. Ki.: Jacqueline. El.: Alexander u. Viktoria Litschauer. S.: RG Wr. Neustadt, 1953 Matura, Stud. an d. Univ. Wien Med. Fak., während d. Stud. Italienaufenthalt Rom (Clinica Salvator Mundi), 1962 Prom. K.: b. 1969 FA-Ausbild. am Allg. KH Wr. Neustadt, 1970-72 FA-Praxis in Mattersburg, 1972 Übersiedlung nach Sbg. u. Eröff. einer FA-Praxis. E.: Gold. Pflug d. BML. M.: Reitclub Doktorbauer. H.: Reiten, Schwimmen, Tanzen, Klavier-spielen. (A.W.)

Paulmichl Leonhard Dr. phil.
B.: Int. d. ORF-LStudio Vbg., Journalist. DA.: 6850 Dornbirn, Höchster Str. 38. PA.: 6800 Feldkirch, Feldkreuzweg 42a. G.: Stilfs, 19. März 1938. V.: Margit, geb. Kropica. Ki.: Gunhild (1967). El.: Leonhard (Schulinsp.) u. Anna Katharina, geb. Tschenett. S.: 1957 Matura, Univ.Stud. in Bonn, München u. Innsbruck, 1963 Prom. K.: Journalist b. Tageszeitungen, s. 1967 b. ORF Dornbirn tätig, b. 1974 Ltr. d. Literaturabt. b. Radio Vbg., 1974-82 Südtirol-Korresp. d. ORF, s. 1981 Int. d. LStudio Vbg. P.: Zahlr. FS-Dokumen-

tationen, auch über Südtirol u. Norditalien z.B. "Die Raben v. San Marco" (v. u. m. Paul Flora), "Floras Fauna" (m. Paul Flora), Publ. in Zeitungen u. Zeitschriften ü. Minderheitenfragen, Dokumentationen u. Kulturbeiträge, Mithg. d. "Tiroler Almanach", Buch: "Die Medienlandschaft in Südtirol". M.: P.E.N.-Club Liechtenstein, Presseclub Liechtenstein, Feldkirchner Tennisclub. H.: Skifahren, Tennis. (M.G.)

Paulsen Gert Dr. iur.

B.: RA. DA.: 9020 Klagenfurt, Alter Pl. 24. PA.: 9020 Klagenfurt, Lerchenfeldstr. 44. G.: Wien, 26. Juni 1940. V.: Christa, geb. Laßnig. Ki.: Ulrich. BV.: Großvater Viktor Paulsen: Jugendrichter in Klagenfurt. S.: Gymn., Jusstud. in Wien, 1963 Prom. K.: Gerichtspraxis in Klagenfurt, Konzipient in d. Kzl. Dr. Dietrich, 1971 Übern. d. Kzl. Dr. Unzeitig. M.: Mtgl. d. Aussch. d. RA-Kam. f. Ktn., Mtgl. d. Sportver. HCK u. KAC. H.: Tennis, Eislaufen, Skifahren. (D.M.)

Paulus Barbara

B.: Tennisspielerin. DA.: Sportzentrum Südstadt. PA.: 2371 Hinterbrühl, Alfred-Schmidt-Weg 4. G.: Wien, 1. Sept. 1970. El.: Dipl.-Ing. Gerhard u. Brigitte. S.: Gymn. K.: 1979 Beginn m. Tennis, 1980 Österr. Jugendmstr., mehrmalige Jugendmstr., Österr. Mstr. E.: Beliebteste Tennisspielerin Österr. 1989. M.: Wr. Parkclub. H.: Basteln, Malen, Musik, Oldies. (M.G.)

Paulus Gerhard Dipl.-Ing.

B.: Dir. d. Control Data GmbH. DA.: 1030 Wien, Barichg. 40-42. PA.: 2371 Hinterbrühl, Alfred-Schmidt-Weg 4. G.: Gerasdorf, 23. Aug. 1941. V.: Brigitte, geb. Kordik. Ki.: Werner (1968), Barbara (1970, Österr. Tennismeisterin). El.: Anton u. Elisabeth. S.: Gymn., Matura 1959, Stud. an d. TU Wien (Nachrichtentechnik), Diplom 1964. K.: 1964-68 Fa. Siemens als Entwicklungsing., s. 1969 b. Fa. Control Data, zun. Software Analytiker, anschl. Ltr. dieser Gruppe, Verkäufer u. Salesmanager f. In- u. Ausland, s. 1986 Dir. H.: Sport, klass. Musik. (M.B.)

Paulus Helmut Dr. med.

B.: Ltr. d. Abt. Psychosomatik u. Psychotherapie d. Diakonissen-KH Sbg. DA.: 5026 Salzburg, Guggenbichlerstr. 20. PA.: 5082 Fürstenbrunn, Salzweg 10a. G.: Salzburg, 27. Feb. 1960. V.: Dr. med. Alexandra, geb. Boeckl. Ki.: Anna (1983), Nadja (1987), Lea (1989). El.: Dr. phil. Helmut u. Dr. rer. pol. Ingeborg. S.: VS, Gym., 1978 Matura, Med.-Stud. Innsbruck u. Wien, 1984 Prom. z. Dr. med. K.: Ausbild. z. FA Psychiatrie u Neurologie, Ausbild. z. Psychoanalytiker, A.z. Psychoanalytiker und Gruppenpsychoanalytiker, seit 1993 FA u. eigene Privatordination, seit 1994 Gründung u. Leitung d. Abt. Psychosomatik u. Psychotherapie Diakonissen-KH Sbg. P.: Veröff. in Fachzeitschriften u. Büchern. M.: Sbg. Arbeitskreis f. Psychoanalyse, ÖAGG. H.: Literatur, Film, Kultur, Sport. (D.E.)

Paulus Hannes F. Dr. o.Univ.-Prof.

B.: Ltr. d. Abt. Evolutionsbiologie am Inst. f. Zoologie d. Univ. Wien. DA.: 1090 Wien, Althanstr. 14. PA.: 1230 Wien, Endemanng. 13/5. G.: Berlin, 17. Okt. 1943. V.: Friederike, geb. Gruber. S.: VS, 1966 Matura, 1966-71 Stud. Biologie Univ. Mainz u. Wien m. Prom. z. Dr. phil. K.: 1971-78 Univ.-Ass. am Zoolog. Inst. d. Univ. Freiburg, 1978 Habil. f. Zoologie, 1980-91 Univ.-Prof. f. Zoologie an d. Univ. Freiburg, ab 1991 Ltr. d. Abt. f. Evolutionsbiologie am Inst. f. Zoologie d. Univ. Wien. P.: ca. 100 wiss. Veröff. vorwiegend auf d. Gebieten d. Zoologie u. Evolutionsbiologie, Buch- u. Lehrbuchbeiträge, Vortrags- u. Seminarstätigkeit im In- u. Ausland. E.: 1967 Hörlein-Preis d. Verb. Dt. Biologen. M.: zahlr. intern. wiss. Ges. H.: Makrofotografie, Reisen, Insekten sammeln. (N.A.)

Paulus Walter

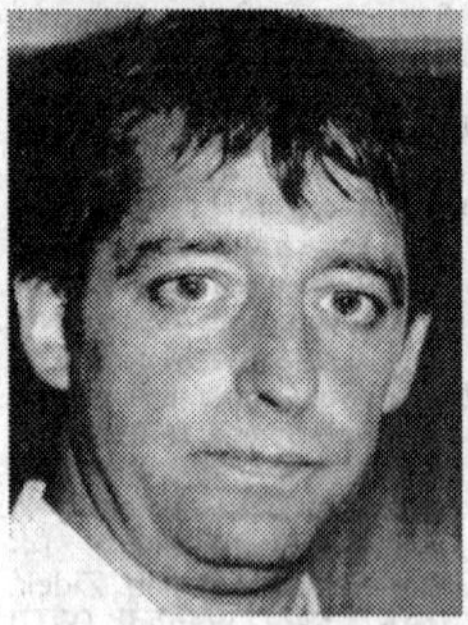

B.: Holz- u. Steinbildhauer. FN.: W. Paulus Holz- u. Steinbildhauer. DA.: 5020 Salzburg, Anton-Adlgasser-Weg 17. PA.: 5020 Salzburg, Siezenheimerstr. 133. G.: Salzburg, 29. Jän. 1958. V.: Edith P., geb. Endthaler. El.: Dr. Helmut u. Dr. Ingeborg, geb. Rhomberg. S.: 1972-76 BFS f. Holz-, Stein- u. Metallbearbeitung Hallein, Fachkl. Bildhauerei Prof. Bair, 1976-77 Bundesheer. K.: 1977 Praxis in Vergolderei, Steinmetz, 1978-80 Praxis Holz- u. Steinbildhauer, 1980-82 selbst. Gewerbe, 1983-89 freischaffender Künstler, ab 1990 selbst. Gewerbe; Sanierung d. Residenzportales, Bildhauer-Symposium Stadt Sbg., Bierbrunnen 500 J. Stieglbrauerei Salzburg, Erhard-Brunnen Salzburg-Nonntal, zahlr. Privatankäufe. M.: Ver. Bildender Künstler Salzburg, Int. Restauratoren-Verb. H.: Squash, Beruf, Querflöte. (C.D.)

Paulus-Niederreiter Eva

B.: Gewerberechtl. Gschf. FN.: Best Way Travel. DA.: 1040 Wien, Fleischmanng. 8. PA.: 1140 Wien, Antaeusg. 46. G.: Wien, 4. Juli 1942. V.: Ludwig. Ki.: Miranda (1963), Karin (1965). El.: Georg u. Ludmilla Götterer. S.: 1960 Matura, Jusstud. Univ. Wien, Konzessionsprüf. Hotel-, Gast- u. Reisebürogewerbe. K.: 1962-66 Auslandstätigkeit in d. Touristikbranche in England u. Italien, 1968-81 Ltg. d. Büros eines Japan. Konzerns in Wien, 1981-84 Gschf. d. Fa. Confiserie Altmann & Kühne, 1986-91 Abt.-Ltr. im Reisebüro "Cosmos", ab 1991 in d. Diamond Agency tätig. M.: Ver. d. Unternehmerinnen, Zonta Club Wien Parkring. H.: Sport (Eistanzen), Reisen, Lesen, Handarbeiten. (N.A.)

Paulusch Hans Dieter

B.: Antiquar. FN.: Antiquariat Bourcy & Paulusch, Antiquariat V.A. Heck. DA.: 1010 Wien, Wipplinger Str. 5, 1010 Wien, Kärntner Ring 14. G.: Wien, 21. Juni 1941. V.: Erika, geb. Lutz. Ki.: Bettina, Clemens. El.: Johann u. Rudolfine. S.: VS, Gymn., 1960 Matura. K.: 1960-62 Lehrling im Antiquariat V.A. Heck, Ang., vor 1970 Miteigentümer b. V.A. Heck, seit 1970 Übernahme d. väterl. Anteile v. Antiquariat Bourcy & Paulusch, seit 1985 VPräs. d. Verb. d. Antiquare Österr. P.: seit 1960 Publ. v. Angebotskatalogen. M.: Verb. d. Antiquare. H.: Skifahren, Sammlungen (Briefmarken, A. Kubin), Wandern. (H.P.)

Paumgarten-Hohenschwangau-Erbach Roland Dr.

B.: RA. DA.: 6330 Kufstein, Oberer Stadtpl. 1. Tel.: 05372/2144. G.: Wien, 5. Sept. 1943. V.: Gabriele, geb. Eigentler. S.: RG, 1961 Matura, Jusstud. an d. Univ. Innsbruck. K.: Seit 1974 selbst. RA. (Schm.)

Pausch Hanspeter Dr. iur. Mag. iur.
B.: selbst. RA. DA.: 8010 Graz, Kaiserfeldg. 13. PA. 8010 Graz, Am Ragnitzbach 28c. G.: Graz, 30. Aug. 1939. El.: Dr. Hans u. Hilde. S.: VS, Marien-Inst. Graz, 1957 Matura, Jusstud. an d. Univ. Graz, Wien u. München, College Nationale Cannes u. Victualer School London, 1961 Prom. in Graz. K.: Notariats- u. Ger.Ausbild., seit 1962 RA-Anw., seit 1969 selbst. RA in Graz. F.: seit 1978 Gschf. d. Fa. Cine-Rent Graz u. Fa. AVC. P.: Intern. Rechts- u. Sachdokumentationen u. europ. Transportwesen. (War.)

Pausch Oskar Dr. phil. HofR. Univ.Doz.
B.: Dir. d. Österr. Theatermuseums. DA.: 1010 Wien, Lobkowitzplatz 2. PA.: 1130 Wien, Lainzer Str. 132B. G.: St. Pölten, 24. Mai 1937. V.: Herta, geb. Kriz. Ki.: Florian (1963), Christoph (1971). El.: Dipl.-Ing. Oskar u. Albertine. S.: Matura, Stud. an d. Univ. Wien (Germanistik, Psych., Anglistik), gleichzeitig Ausbild. im Siebdruck, Prom. 1962, Biblprüf. 1966, Habil. an d. Wr. Univ. 1974 (Ältere Germanistik). K.: 1963 Eintritt in d. sterr. Nat.Bibl., seit 1968 Ltr. d. Bibl. im Inst. f. österr. Geschichtsforsch., seit 1974 Lehrtätigkeit an d. Univ. Wien, 1977-78 Gastdoz. an d. Univ. Klagenfurt, seit 1980 Dir. d. Österr. Theatermuseums u. d. Theatersammlung d. Österr. Nationalbibl. P.: 15 Bücher, über 40 wiss. Art. u. Aufsätze. E.: Kardinal Innitzer-Förderungspreis, Kulturförderungspreis d. Landes NÖ, Theodor Körner-Preis, Wiss. Stipendium d. Stadt Wien. M.: Präs. d. SIBMAS, Vorst. d. FIRT, ICOM, Vors. d. Intern. Nestroy-Ges., Österr. Filmarchiv. M.: Alpinismus, Schifahren. (N.A.).

Pauscha Michael
B.: Innenarch. FN.: Rat & Tat GmbH. DA.: 1160 Wien, Herbststr. 60. PA.: 3400 Klosterneuburg, Kierlinger Str. 14. G.: Leoben, 6. März 1951. Ki.: Adrian (1981). El.: Branko u. Helene. S.: HTL Villach Abt. f. Innenarch., Stud. HS f. Angew. Kunst Wien, Mstr.-Kl. o.Prof. Johannes Spalt u. Prof. Niedermoser. K.: während d. Studienzeit Praxis b. versch. Arch., seit 1970 selbst.: Planungsatelier f. Einrichtungsgegenstände m. Schwerpunkt: Entwürfe u. Ausführung v. Möbeln, 1980 1 J. Irland, seit 1981 wieder in Wien, 1981-84 Möbelentwürfe u. komplette Umgestaltungen v. alten Villen u. Häusern, 1984 Wechsel in d. Baubranche, speziell Dachwohnungsausbauten, 1991 Grdg. d. Bauträgerfirme Rat & Rat m. Schwerpunkt Errichtung v. Eigentumswohnungen. H.: Beruf. (J.S.)

Pauschitz Christoph

B.: Designer. FN.: gregerpauschitz product & corporate design. DA.: 1070 Wien, Schottenfeldg. 2-4. G.: Wien, 8. Sep. 1963. S.: 1981 Matura am BG 1 Stubenbastei Wien, ab 1981 Arch.-Stud. TU Wien, ab 1983 Stud. HS f. angew. Kunst Wien, Meisterkl. Industrial Design, Diplom 1991. K.: Bis 1989 Mitarb. im Design-Studio I.D. Pool Prof. Beranek, Harry Kubelka, z.B. am Projekt Mam-Babyartikel etc., 1989 Praktikum im Designcenter General Motors Deutschland, seit 1992 in Partnerschaft mit Rudolf Greger, Schwerp.: Entwerfen v. Gegenständen d. tägl. Gebrauchs unter d. Aspekt d. integrierten Entwerfens; Projekte, u.a. Liquid Sky: Fenster f. d. Wohnbereich; Epilog: Möbelprogramm, Umbau eines Filmschnittstudiums etc.; Ausstellungsbeteilig. 1991: Kölner Möbelmesse; 1992: Expo - Sevilla, Unternehmenserscheinungsbilder. P.: Buch "integriert entwerfen". E.: 1988: General-Motors-Preis, 1989 Lotto-Toto-Preis, 1990 u. 1991: Holzdesignpreis f. Innovation. M.: Design Austria, ÖIF. (J.S.)

Pausenwein Christian
B.: Fotograf. FN.: Pausi´s Picture Point. DA.: 5020 Salzburg, Scherenbrandtnerhofstr. 3a. G.: Linz, 1. Apr. 1947. El.: Georg u. Anna Charlotte. S.: VS, BRG, 3 J. Lehre Fotohdls.-Schule Linz, Ausbild. z. Fotokfm. Foto Niedermeyer. K.: 9 J. Außendienst b. Braun Elektronik Austria, Ausbild. am WIFI als Dreher u. Schweißer, 2 1/2 J. Fotoaußendienst Firma Osawa, seit 1984 selbst., 1984 Fotografenmstr.-Prüf. H.: Bogenschießen. (J.L.)

Pauser Alfred
Dr. techn. Dipl.-Ing. BauR. h.c. o. Univ. Prof.

B.: o. Univ. Prof. FN.: Institut f. Hoch- u. Ind. Bau d. TU Wien. GT.: Ziviling. Büro m. Schwerpunkt Brückenbau, Bauten d. städt. Infrastruktur, Hoch- u. Ind. Bau. DA.: 1130 Wien, Münichreiterstr. 31. PA.: 1238 Wien, Deissenhoferg. 37. G.: Gmünd/NÖ, 8. JÄn. 1930. V.: Elfriede, geb. Brand. Ki.: Dipl.-Ing. Michael. El.: Adolf u. Amalia. S.: 1948 Matura, HS Wien. K.: s. 1960 Ziviling., 1982 o. Univ.-Prof. E.: 1977 Europ. Stahlbaupreis, 1986 Europapreis d. Fritz Schumacher-Stiftung f. hervorragende Leistungen auf dem Gebiet d. Ing. Baues, 1987 Ehrennadel d. Forsch. Ges. f. Verkehrs- u. Straßenwesen, 1990 Ehrenmünze in Gold d. Österr. Betonver., Silb. Ehrennadel d. Österr. Normungsinst., Großes Silb. Ehrenzeichen f. Verdienste um die Republik Österr., Goldene Ehrenmünze des öster. Ing.- u. Arch.- Vereins. M.: Präs. d. Österr. Ges. f. Erhaltung v. Bauten, VPräs. d. Österr. Ver. f. Materialtechnik, Vorst.-Mtgl. Vors. bzw. Mtgl. vieler Fach- u. Standesverb., Interessenvertr. Ges. u. Fachnormenaussch. P.: über 80 Publikationen. H.: Geschichte d. Technik. (J.S.)

Pauser Gernot Dr. med. HofR.
B.: FA f. Anästhesiologie, Univ.-Prof., Vorst. d. Abt. f. Anästhesiologie u. Intensivtherapie u. 1. Stellvertretender Direktor d. LKrankenanstalt Salzburg., wissenschaftlicher ärztlicher Leiter d. Allg. Krankenpflegeschule, Chefarzt im Souveränen Malteser Ritterorden, Großpriorat Österreich PA.: 5020 Salzburg, Danklstraße 4. G.: Gänserndorf, 26. August 1942. V.: Aspasia, geb. Goula. El.: HofR. Dr. Franz u. Karoline.

Pauss Baldur Prof.
B.: künstlerischer Leiter d. Salzburger Sinfonieorchesters. GT.: Prof. am Salzburger. Musikschulwerk. DA.: 5020 Salzburg, Nonntaler Hauptstr. 36. PA.: 5026 Salzburg, Fichtenweg 37. G.: Königsdorf, 10. Aug. 1935. S.: HS u. Musikschule in Fürstenfeld, 1954 Musikstudium Konservatorium Graz u. ab 1957 Mozarteum Salzburg. K.: seit 1959 Mitglied d. Mozarteum-Orchesters in Salzburg., ab 1964 Aufbau d. musikalischen Lehrtätigkeiten im SOS-Kinderdorf Seekirchen am Wallersee, seit 1966 Lehrtätigkeit am Salzburger Musikschulwerk (Violine, Viola, Orchester-erziehung). VizePräsident d. OESTIG (Österr. Interpreten-gesellschaft, seit 1970), Gründer u. künstlerischer Leiter d. Salzburger Jugendsinfonieorchesters (seit 1981). BL.: Kompositionen f. Streichorchester u. Chormusik. H.: Komponieren, Garten. (M.Mo.)

Pavelka Robert Dr.

B.: Primarius. FN.: AKH. DA.: 2700 Wr. Neustadt, Corvinusring 3-5. PA.: 2700 Wr. Neustadt, Grünbeckg. 15. G.: Bad Goisern, 8. März 1949. V.: Dr. Gertrud, geb. Krause. Ki.: Bernhard, Hermann, Barbara, Robert. El.: Dr. Robert u. Ilselotte. S.: 1967 Matura in Slbg., 1967-68 Präsenzdienst, 1968-75 Med.-Stud. Univ. Wien, Famulaturen im In- u. Ausland, 1975 Prom. K.: 1976-78 Turnusarzt im KH Mistelbach, b. 1979 Univ,-Ass. am Inst. f. Krebsforschung d. Univ. Wien Abtl. Tumorimmunologie, ab 1979 Univ.-Ass. d. II. Uni-Klinik f. Hals-Nasen-Ohrenkrankheiten, s. 1983 Ltr. d. Tumorambulanz, Jän.-Juni 1985 Gastarzt am Inst. Gustave Roussy in Villejuif b. Paris, Abschl. mit Dipl. s.u., 1983 FA f. Hals-Nasen-Ohrenheilkunde, 1984 OA in Wien, s. 1990 Primararzt in Wr. Neustadt, Ltr. d. Hals-Nasen-Ohrenabtl. BL.: Transorale mikroskop. Laserchir., Tumortherapie, Fortbild.-Kurse u.a.: Plast. Chir. d. HNO-HK., Endonasale Nebenhöhlen-operationen, Mikrochir. d. Ohres; Dipl. d. Univ. Paris XI. in Kopf-Hals-Karzinologie. P.: "Bewertung d. Real-time-Sonographie in prätherapeutischen Staging maligner Zungen- u. Mundbodentumore", "In Vitro Model for Tumorlysis by Clostridium Oncolyticum M 55 under controlled Hypoxia", "Gibt es spez. Einfluß des CO2-Laserschnittes auf d. Tumorwachstum" u. zahlr. Veröff. E.: 1985 Förderungspreis d. I. Österr. Sparkasse, 1986 A. Kressner-Preis. M.: Österr. u. Dt. Ges. f. HNO-HK., Kopf- u. Halschir. H.: Fotografieren, Wassersport. (I.J.)

Paver Howard Dipl.-Ing.

B.: Gen. Dir. FN.: Rohöl-Aufsuchungs AG. DA.: 1010 Wien, Schwarzenbergpl. 16. G.: Devsbury, 16. Sept. 1950. V.: Agnes, geb. Bourtoy. Ki.: Gerald (1980), Caroline (1982), Alix (1986). El.: Arthur u. Gladys. S.: VS, Hochschule, Matura i. Patley/-England, 1970-74 Cambridge University (Chemical Engineering), 1973 Bachelor of Arts of Clare College, 1978-79 Master of science. K.: 1974-78 Dowell Schlumberger, Paris als Erdöl-Ing. tät. i. S-Afrika u. Iran, 1979-81 zu Mobil, England, 1981 Rohöl Aufsuchungs AG Österr., 1984-85 Mobil London, 1985-88 Wien, 1988-92 Mobil London, 1992-94 USA Fairfax Mobil Zentrale, 1994 Gen. Dir. d. Rohöl Aufsuchungs AG. M.: Society of Petroleum Engineers. H.: Tennis, Fußball, Klavierspielen, Musik, Theater. (M.A.)

Pavelka Roland Dr. med. Prim.

B.: FA f. Frauenheilk. u. Geburtshilfe. A.: 7400 Oberwart, Spitalg. 4, 1030 Wien, Rochusg. 2/21. G.: Baden, 30. Apr. 1944. V.: Dr. med. Margit, geb. Bindreiter. El.: Dr. med. Robert u. Ilselotte. S.: BRG in Sbg., Med.Stud. in Wien, 1970 Prom. z. Dr. med. univ. K.: 1967-69 Demonstrator am anatom. Inst., 1969-70 wiss. Hilfskraft ebenda, 1970-73 allg. Poliklinik Wien, 1973-81 I. Univ.Frauenklinik Wien, zuerst als Ass.Arzt, ab 1978 als OA, lfd. Primararztvertr. in auswärt. KH, ab 1981 Vorst. d. gyn.-geburtshilfl. Abt. d. Schwerpunkt-KH Oberwart im Bgld. P.: ca. 45 wiss. Orig.Arb. in Deutsch u. Engl. in in- u. ausländ. Fachzeit-schriften, ca. 30 Vorträge auf in- u. ausländ. Kongressen (Schwerpunkte: Perinatologie, psych. Geburtsvorber., Endokrinologie, Hämatologie in d. Schwangerschaft, Ultrastruktur: Ovar, Plazenta). M.: Ges. d. Ärzte in Wien, Mtgl. d. Österr. Ges. f. Psychosomatik in Gynäkologie u. Geburtshilfe, Ges. f. Perinat. Med., Organ. Gestose (Basel). H.: Zeichnen, Tenorblockflöte, klass. Musik. (War.)

Pavlas Manfred

B.: Gschf. d. Fa. Douglas GmbH. DA.: 1010 Wien, Rotenturmstr. 11. PA.: 1220 Wien, Siebenbürgerstr. 4. G.: Wien, 9. Dez. 1940. V.: Johanna, geb. Schasching. Ki.: Harald, Sabine. S.: Ind.Kfm.Schule, Werbefachschule. K.: 1955-60 tätig in d. Werbebranche, ab 1960 Getreideim- u. -export, Landmaschinen, 1964 Eintritt in d. Parfumerie Ruttner, 1968 Einzelprokura, 1982 Gschf. H.: Garten, Schwimmen, Radfahren. (Fels.)

Pavlas Walter

B.: Gold- u. Silberschmied, Inh. FN.: Uhren Juwelen Pavlas. DA.: 1090 Wien, Liechtensteinstr. 13; 2230 Gänserndorf; 2320 Schwechat, Magnet-Kauf. G.: Wien, 23. Juli 1948. V.: Evelyne. Ki.: Petra (1975), Philip (1978). El.: Ernst u. Rosa. S.: VS, HS, Berufsschule, 1972 Mstr.-Prüf. K.: b. 1975 Tätigkeit als Goldschmied, seit 1975 selbst. E.: bester Juwelier 1980 in NÖ, 1991 1. u. 3. Preis Design f. Münzschmuck "Schmückende Münzen", 1993 Österr. Staatspreis "Schmuck aus edlem Metall". M.: Meisterver. d. Gold- u. Silberschmiede Österr. H.: Familie, Tischtennis, Skifahren, Reisen. (W.M.)

Pavlik Günter

B.: Gschf. Ges., Fliesenlegermstr. FN.: Fliesen-Pavlik Meisterbetrieb. DA.: 1130 Wien, Speisinger Str. 218. G.: Wien, 9. Apr. 1955. V.: Brigitte. Ki.: Christina, Ivonne. El.: Komm.-Rat Ing. Emil u. Hilda. S.: Lehre, Mstr.-Prüf. 1977. K.: im elterl. Betrieb alle Tätigk. ausgeübt, 1990 Übern. d. Betriebes, Großhandel, Verlegung keramischer Fliesen, Platten u. Mosaike, Import, u.a. Aufträge f. Gemeinde Wien, Laaerberg-Bad u. andere öff. Bäder u. Aufträge d. ÖBB. BL.: Patentinhaber: Abscherprüf. von Bauwerksteilen bzw. Festigkeitsmessung von Fliesenklebern u. Untergründen, ger. beeid. Sachverständiger, Ltr. d. techn. Ausschußes d. Platten- u. Fliesenleger. P.: Verfasser zahlr. Fachart. in in- u. ausländischen Fachzeitschriften, Vortragender in int. Fachtagungen, WIFI Wien sowie in Meistervorbereitungskursen. M.: Funktionär d. Fachinnung. H.: techn. Mechanik, Konstruktion und Bau von Schiffen u. Flugzeugen, Stud. von techn. Fachliteratur. (W.M.)

Pavlis Lois Dr.

B.: Psychologe. FN.: Komma Gruppe GmbH. GT.: Lektor WU Wien. DA.: 1040 Wien, Operng. 23. PA.: 1190 Wien, Neustift/Walde 26-28. G.: Wien, 23. Aug. 1931. V.: Felicitas, geb. Bauer. Ki.: Vera, Wolfgang. El.: Lois u. Elisabeth. S.: Matura, Stud. Psych. Univ. Wien, 1959 Prom. K.: Gallup Inst. Wien Marktforscher, 1961-74 J. W. Thompson FFM Marktforscher, Ass. d. Geschäftsltg., 1976 Grdg. Komma Gruppe Gschf. F.: Komma Gruppe. P.: Art. in Fachzeitschriften, umfangreiche Vortragstätigkeit. M.: Berufsverb. österr. Psychologen, VMÖ. H.: Laufen, Kino. (A.K.)

Pawel Karl

B.: Alleininh. d. Fa. Karl Pawel, gschf. Ges. d. Karl Pawel Verpackungsunternehmen GmbH. GT.: Gerichtl. beeid. Sachv., Ges. d. Fa. Transpack, gschf. Ges. d. Fa. DTG. DA.: 1100 Wien, Sonnwendstr. 21/A. PA.: 1070 Wien, Neustiftg. 66. G.: Wien, 19. Mai 1940. V.: Erna, geb. Janko. Ki.: Thomas, Michael, Christoph, Monika u. Maria. El.: Karl u.

Therese. S.: Gymn., BGS f. Möbel u. Innenausbau in Mödling, Abend-HASCH, Mstr.Prüf. f. Tischlerei 1961, 1961-65 Werkmeisterausbild. in Tischlereibetr. K.: Seit 1965 selbst., Übernahme einer Kistentischlerei auf Leibrente. BL.: 4 Patente f. Verpackungen. E.: Staatspreis f. vorbild. Verpackung 1984, 1984 Eurostar. H.: Bergwandern, Malerei, Operetten. (A.W.)

Pawel Peter Dipl.-Ing.

B.: Ziviling. f. Bauwesen. DA.: 4020 Linz, Zelkingerstr. 16. PA.: 4040 Linz, Prandtauerstr. 6. G.: Stadt Haag/NÖ, 25. Feb. 1948. V.: Claudia, geb. Gerstl. El.: Friedrich u. Irmgard. BV.: Fam. Pawel schon vor 1900 im Bauwesen tätig. S.: Math. BRG Linz, Matura, Bundesheer, 1968-76 Bauning.-Stud. Techn. HS Wien, 1976 Dipl.-Ing., 1976-81 Befugnis z. Ziviling. K.: AKH Linz (in Arge), Flughafen Linz u. Steyr, Buwog Hetzing AG 141, Schachermayer Linz, Landesbank Linz, Landestheater Linz. M.: Ing.- u. Architekten-Ver., Jagdclub Diana. H.: Reisen, Jagd. (N.A.)

Pawelka Paul

B.: Berufspilot, Fluglehrer d. ASKÖ Landesverb. Stmk. DA.: 6805 Kapfenberg, Flugplatz. PA.: 6805 Kapfenberg, Johann-Böhm-Str. 29/7/35. G.: 5. Dez. 1929. V.: Luise, geb. Hendler. Ki.: Eduard (1952). El.: Eduard u. Maria. S.: VS, HS, Realschule, 1944 Luftwaffenhelfer b. Kriegsende, 4 1/2 J. Brit. Armee als Zivilang. K.: 11 J. Verkehrsbetriebe Kapfenberg, anschl. Flieger. Ausbild., 1 1/2 J. Verkehrsmin., 1 J. Fluglehrer Thalerhof Graz, 1963-90 Flugplatzltr., Ltr. u. Pilot Flugplatz Kapfenberg, seit 1990 Ruhestand. E.: Gold. VZ Österr., Dipl. v. FAI Paris, versch. Österr. EZ. H.: Reisen, Lesen. (K.K.)

Pawkowicz Rainer Dr. Dipl.-Ing.

B.: Klubobm. im Wr. Landtag u. GemR.-Klub d. FPÖ, FP-Chef v. Wien. DA.: 1082 Wien, Rathaus. G.: Wien, 23. Jän. 1944. V.: Kristina. Ki.: Alexander (1975), Katharina (1980). El.: Paul u. Maria. S.: VS, Mittelschule, 1962 Matura, Arch.-Stud. TH Wien, 1978 Prom. K.: nach d. Studienabschluß im Bereich d. Forsch.-Organ. dann m. d. Ltg. d. Bauabt. d. Österr. Ak. d. Wiss. betraut, beratende Tätigkeit in d. ausländ. Forsch.-Zentren in Westeuropa, USA u. Ägypten, Funktionen in d. FPÖ: 1971 Beitritt, 1973 Bez.-Parteiobm. d. 15. Bez. u. Wahl in d. Landesparteivorst., 1975 stellv. Landesparteiobm., seit 1991 gschf. Landesparteiobm. d. Wr. FPÖ, öff. Funktionen: Abg. z. Wr. Landtag 1978-87, Mtgl. d. Wr. Landesreg. 1987-90, 1990-91 Abg. z. NR u. Vorst.-Mtgl. d. freiheitl. NatR.-Klubs, Verkehrssprecher d. FPÖ, Mtgl. d. parlamentar. Aussch. f. Wohnbau, Wiss. u. Außenpolitik, 1991-92 Abg. d. Parlamentar. Versammlung d. EuropaR., seit Dez. 1991 Vors. d. freiheitl. Landtagsfraktion. H.: Politik. (N.A.)

Pawlick Friedrich Dipl.-Ing. Arch.

B.: Gschf. Ges. FN.: A. Millik & Neffe KG. DA.: 1230 Wien, Hetmanekg. 3b. PA.: 1140 Wien, Schantzstr. 35. G.: Wien, 3. Juni 1923. V.: Elisabeth, geb. Hofmann. Ki.: Peter (1952), Rainer (1955). El.: Josef und Maria. S.: 1941 Matura Wien, 1941-45 Kriegsdienst, 1945-52 Stud. Arch. TU Wien. 1952 Spons. Dipl.-Ing. Arch. K.: s. 1945 i. Familienuntern. tätig, 1951 Baumstr.-Prfg., s. 1953 Gschf. Ges.; Landesinnungsmstr. v. Wien f. Baugewerbe u. Baurat A. Z. E.: Silb. EK d. Stadt Wien. M.: Prüfungskomm. f. Baugewerbe. H.: Skifahren, Wandern. (I.K.)

Pawlicki Patricia

B.: Journalistin "Inlandsreport" d. ORF. DA.: 1136 Wien, Würzburgg. 30. G.: Wien, 22. Okt. 1965. El.: Norbert u. Ariane, geb. Maino. S.: VS, HS, Gymn., 1984 Matura, 1 J. Sprachaufenthalt in Frankreich u. England, Stud. Publizistik u. Politikwiss. Univ. Wien. K.: seit 1987 b. ORF, zuerst Regieass. dann Volontärin, prakt. Ausbild. b. "ZIB", "Inlandsreport" u. "BAF", 1988 1. Beitrag, lfd. Stories f. "Inlandsreport", ab 1992 Moderatorin f. "Inlandsreport". H.: Sprachen, Sport, Reisen. (N.A.)

Pawlin Alexander Ing.

B.: Ltg. Marketing. FN.: Eisner Baumaschinen Vertrieb u. Service GmbH. DA.: 1110 Wien, Simmeringer Hauptstr. 334. G.: 19. Okt. 1966. S.: AHS, HTL, Stud. Werbung u. Verkauf WU. K.: Still Gabelstapler, Purator-Umwelttechnik, Eisner Baumaschinen. M.: WWG. H.: Squash, Skifahren, Eishockey.

Pawlovsky Werner

B.: Gschf. Ges. FN.: Computer Company Computershop GmbH, Büro & Co Bürotechnik u. Computer GmbH. DA.: 4021 Linz, Grillparzerstr. 1. PA.: 4033 Linz, Kleinwört 56. G.: Linz, 3. Sept. 1961. V.: Karin, geb. Sommavilla. Ki.: Kevin (1991). El.: Karl u. Friederike. S.: VS, HS, b. 1970 Kfm. Lehre Firma Wiesmayr, 1980 BH. K.: kfm. Ang. Firma Wiesmayr Verkaufsinnen- u. -außendienst, 1981 Filialltr., 1991 Übernahme d. Firma. P.: Schulungstätigkeit f. Kunden im berufl. Rahmen. M.: Junge Wirtschaft OÖ. H.: Motorradfahren, Squash, Skifahren. (U.A.)

Pawlowitz Kurt R. Dipl.-Ing. HofR.

B.: Ltr. einer HTL i.P. PA.: 1100 Wien, Angelig. 9. G.: 22. Sept. 1918. V.: Ellen-Ruth, geb. Likwornik. Ki.: Petra-Irina, Gregor-Alexander. El.: Alexander R. u. Rella. BV.: Vater Alexander R. Pawlowitz, akad. Maler, 1913 Audienz b. Kaiser Franz Josef in Bad Ischl m. d. Gemälde "Der Eucharist. Kongress", 1915 Aufn. ins Kriegspressequartier als Kriegsmaler auf Grund vorgelegter Bilder, 1924/25 Prof. an d. "Academia de arta decorativa Bucuresti". S.: RG, TU Wien Maschinenbau. E.: Silb. EZ f. Verd. um d. Land Wien. (Fels.)

Paya Farhad Dr. iur.

B.: RA. DA.: 9020 Klagenfurt, Herreng. 12/1. PA.: 9073 Klagenfurt-Viktring, Etruskerweg 2. G.: Wien, 30. Okt. 1954. V.: Ines, geb. Eichler. Ki.: Sarin (1983), Dario (1986). El.: DDDr. Ahmad u. Beatrice. S.: VS, Gymn., BH, 1975-77 Maturaschule Dr. Roland, Matura, 1977-81 Jusstud. Sbg., 1981 Prom., 1979-81 Stud. Betriebswirtschaft Linz. K.: 1980-82 Univ.-Ass. am Inst. f. Rechtsvergleichung Sbg., Gerichtsj. in Klagenfurt, 1982-86 Konzipient b. RA Dr. Polley, 1986 Eröff. d. eigenen Kzl. in Ferlach u. 1987 Standortverlegung nach Klagenfurt m. Schwerpunkt Wirtschaftsrecht. H.: Schach, Lesen, Familie. (G.L.)

Payer Peter Mag. arch.

B.: Arch., staatl. befugter u. beeid. Ziviltechniker. GT.: Aufbau d. Organ GLP Golf Liga Promotion Turnier- u. Golfreisenorgan. 1130 Wien, Einsiedeleig. 26. DA. u. PA.: 1130 Wien, Einsiedeleig. 26. G.: Wien, 5. Dez. 1932. Ki.: Andrea (1957), Alice (1964), Alexander (1986). El.: Arch. Oskar u. Marianne. S.: Realschule Wien, TH Wien u. Ak. f. Angew. Kunst: Arch. b. Prof. Schuster, 1956 Dipl. K.: b. 1973 in d. Arch.-Gemeinschaft m. Vater Arch. Oskar Payer tätig, 1973 Übernahme d. Arch.-Büros, vorwiegend Wohnungsbau, Banken, Inneneinrichtung, Hotels z.B. Österr.

Nationalbank. P.: Autor einer Reihe v. Büchern 1950-70 "Wohnungskunde" gemeinsam m. Arch. Oskar Payer. E.: Staatspreis f. ein Sitzliegemöbel. M.: Golfclub Salzkammergut Bad Ischl, MGA Pressegolfclub. H.: Golf. (J.S.)

Payer Elfie Lio

B.: Kommunikationsfachfrau. FN.: Foto Atelier Caesar. DA.: 1030 Wien, Rennweg 57. PA.: 1030 Wien, Kolonitzpl. 6/11. G.: St. Oswald, 9. Feb. 1957. El.: Karl u. Christine Payer. S.: HBLA Villach, 1976 Matura, Stud. Psych. u. Theaterwiss. Univ. Wien, b. 1981 Stud. Sorbonne Paris. K.: Tätigkeit im Bereich Marketing, Werbung u. Betriebsberatung, TOP-Inst. Wien, GESCO Werbeagentur im IMT Perchtoldsdorf, seit 1981 Fotostudio, seit 1991 schriftstell. tätig. P.: Veröff. im Bereich künstler. Fotografien, Publikumsmagazinen, lfd. Ausstellungen. H.: Tauchen, Motorradfahren, Reisen, mod. Kunst, Musik.

Payer Herbert

B.: Inhaber. FN.: H. Payer & Co KG. DA.: 8700 Leoben, Straußg. 12. PA.: 8700 Leoben, Kaltenbrunnerstr. 18. G.: Leoben, 30. Jan. 1949. V.: Waltraud, geb. Färber. Ki.: Heike 1988. El.: Hilde u. Hermann. BV.: Großvater Gottfired Payer, Betriebsgr. 1911. S.: VS, Abteigymn. Seckau, 1964-68 Besuch d. Uhrenfachschule i. Karlstein m. Abschluß als Uhrmachergeselle u. Feinmechaniker, 1968 Präsenzdienst. K.: 1969 Eintritt i. d. Fa. Payer OHG, 28. Sept. 1973 Meisterprüfung i. Uhrmacherhandwerk, 1979 Gewschäftsfühgrer d. Fa. H. Payer & Co KG, 1986 Innungsmeister f. d. Bezirk Leoben, 1987 Gerichtlich beeideter Sachverständiger f. Uhren. M.: Landeswasserdienstbeauftragter f. Stmk. b. Feuerwehr Leoben, Tauchlehrer u. Amateurfunker. H.: Amateurfunken, Feuerwehr, Tauchen, Schwimmen, Skifahren. (I.G.)

Payer Johann

B.: Landes-Gschf. d. SPÖ Bgld.; Mtgl. d. Bundesrates. DA.: 7000 Eisenstadt, Johann-Permayer-Str. 2; 1017 Wien, Dr.-Karl-Renner-Ring 3. G.: Neutal, 11. Jan. 1947. S.: LBA. K.: 1966 VS-Lehrer, ab 1968 HS-Lehrer, Auslandsaufenthalt in England u. Kanada, 1980-90 HS-Dir. in Deutschkreuz u. Oberpullendorf, 1990 Landesparteisekr. d. SPÖ, 1980-90 Mtgl. d. Bundessekt. f. Pflichtschullehrer, Mtgl. d. Landesvorst. d. GÖD, 1972-87 Mtgl. d. GemR. v. Neutal, 1990-91 Abg. z. Bgld. Landtag, seit 1991 Mtgl. d. Bundesrates, Landesgschf. d. SPÖ. (M.G.)

Payer Piet D. Dkfm. Dr.

B.:Privatier (seit 1994). G.: Wien, 13. Juni 1947. V.: Susanne, geb. Kvasnica. El.: Univ.-Prof. Ernst u. Edith. BV.: Großvater Ak. Maler Ernst Payer, Ehrengrab d. Stadt Wien, Urgroßonkel Rudolf v. Alt, Urgroßtante Maria v. Ebner-Eschenbach, geb. Gräfin Dubsky. S.: RG, 1954 Matura, Stud. f. Welthdl., 1971 Dkfm. K.: 1968 parallel z. Stud. Einstieg in d. großelterl. Betrieb als Firmenges., später Gschf. Ges., 1994 Verkauf d. Parfumerie Nägele & Strubell. M.: Gremialvorst. Parfumerieeinzelhdl. Wien. H.: Sport allg. (M.-L.A.-M.)

Payer Ursula

B.: Kunsthändler. DA.: Galerie Payer, 8700 Leoben, Hauptpl. 7. PA.: 8010 Graz, Körösistr. 143. G.: Bruck/Mur, 13. Juni 1956. El.: Dipl.-Ing. Gerald u. Gertrude Deutschmann. S.: 1974 Matura, Stud. Med. u. Phil., mehrere J. Red. Aula Verlag, Stud. Kunstgeschichte. K.: 1985 Gewerbeschein, 1986 Eröff. d. Galerie. M.: Vorst.-Mtgl. d. Obersteir. Kulturbundes, Verb. Dt. HS-Ver., Ak. Sängerschaft Gothia, Steir. Studentenhistorikerverb. H.: Bergsteigen, Lit., Schreiben, Malen, Sport, Musik. (K.K.)

Payr Helmut Mag. rer. soc. oec.

B.: Wirtschaftstreuhänder, Steuerberater. DA.: 1080 Wien, Albertg. 6. G.: Wien, 3. Okt. 1947. V.: Elisabeth, geb. Urban. Ki.: Martina, Michael. El.: Wilhelm u. Hildegard. S.: VS, RG, HAK Wien, 1966 Matura, BH, Stud. WU Betriebswirtschaft, 1976 Spon., 1978 Bestellung z. Steuerberater. K.: 1971 Berufsanw., 1978 Fachprüf., seit 1978 selbst. P.: "Die Vermögensbild. v. unselbst. Erwerbstätigen". M.: Kam. d. Wirtschaftstreuhänder, Ver. d. Sammler kulturhist. Figuren, Österr. Zinnklub. H.: Sammeln v. Zinnfiguren, Geschichte, Mineralogie, Skifahren, Reiten, Judo, Interesse an Fotografie. (H.P.)

Payrits Helmut Dr. iur.

B.: RA. DA.: 1010 Wien, Riemerg. 6/11. G.: Wien, 21. Nov. 1939. El.: Josef u. Friederike. BV.: Fam. b. ins 14. Jhdt. zurückzuverfolgen, Großvater Thomas Payrits war Bgm. in Klingenbach, Bgld., Prof. Enders war Musikpädagoge in Klosterneuburg, waren Musikliebhaber u. Kunstmäzene. S.: 1958 Matura m. Ausz. BG u. RG, hum. Elisabethgymn. in Wien, 1963 Prom. Dr. iur. an d. Univ. Wien, anschl. Stud. d. Staatswiss. Univ. Wien, Nationalök., Soz. u. Politikwiss. an d. FU Berlin, Ruprecht Karl-Univ. Heidelberg u. Friedrich Alexander-Univ. in Erlangen. K.: 1963 Gerichtsjahr, daneben Ford-Inst. in Wien, 1964-65 RA-Anw., 1965 Wahl in d. Bez.-Vorst. d. SPÖ Margareten, 1975 Gen.-Sekr. in d. Stiftung f. d. vergleichende Erforschung d. freien Berufe, 1969 RA-Prüf., 1970 Aufnahme d. Auslandstätigkeit, Konzipient b. Dr. Ritter, Vaduz, Syndikus im Rechtsbüro d. Präsidialanst. Vaduz, Berater d. Liechtenstein. Landesbank, Konzeptiv tätig f. d. Gem. Vaduz u. d. Liechtenstein. Verw.-Beschwerdeinstanz, ab 1973 Ltg. d. Rechtsabt. d. Präsidialanst. Vaduz als Chefsyndikus im Direktorenrang, 1976 Rückkehr nach Wien, Wirtschaftsanw. f. intern. Ges.-Recht, Kzl.-Eröff., 1977-86 AufsR.-Vors. d. Jugend & Volk Verlagsges. BL.: wiss. Arbeit: Vertretungsorgan. d. freien Berufe im intern. Vergleich. P.: div. jur. Art., insbes. im schweizer Raum über Ges. u. Steuerrecht u. intern. Schiedsgerichtsbarkeit. E.: wiss. Förderungspreis d. Theodor Körner-Stiftungsfonds. M.: SPÖ, 1965 Obm. d. Bez.-Clubs d. BSA-Margareten, Mtgl. d. Vorst. d. Ver. Soz. Juristen Österr., Obm.-Stellv. d. Sekt. RA im BSA., Mtgl. d. Wr. Volksbildungsver., d. österr. Kinderfreunde, d. Volkshilfe, d. Liga f. d. Ver. Nationen u. d.

Ges. f. d. Außenpolitik, Vorst.-Mtgl. d. Wr. Schachbundes, Präs. d. Schachklub Margareten Winterthur. H.: Kunst, Antiquitäten, Schach, Archäologie, Reisen. (J.E.)

Payrleitner Alfred

B.: Chefred. d. Hauptabt. Wiss. u. Bild. d. ORF. DA.: 1136 Wien, Würzburgg. 30. PA.: 2380 Perchtoldsdorf, Dr.-Natzler-G. 6. G.: Wien, 10. März 1935. V.: Berg Renate. El.: Alfred u. Margarethe. S.: VS, ak. Gymn. WU Welthdl. K.: während d. Stud. b. "Express", danach österr. polit. Korrespondent d. Industriellenver., freier Journalist, ab 1964 b. ORF, Mitbegründer d. "Horizonte", 1967-69 stellv. Chefred. d. Gesamt-ORF (Hörfunk u. TV), b. 1974 Ltr. d. Hauptabt. Politik u. Zeitgeschehen, 1975-79 Kommentarchef d. Kurier, 1979 zu ORF, Ltr. d. Hauptabt. Dokumentation, seit 1984 Ltr. d. Hauptabt. Wiss. u. Bild. P.: in Fachzeitschriften, Kapitel in Lehrbüchern, Buch: "Adler u. Löwe" Böhmische Geschichte. E.: Staatspreis f. geistige Landesverteidigung. M.: Rotary-Club. H.: Segeln. (R.A.)

Pazanin Darko

B.: Gschf. FN.: Adria Reisen. DA.: 1070 Wien, Burgg. 23. PA.: 1170 Wien, Sauterg. 62/27. G.: Porec/Kroatien, 2. Apr. 1954. V.: Irene, geb. Vlahov. Ki.: Erich (1983). El.: Tomo u. Eugenia. S.: 1968-72 Mit-telschule Porec, 1972-74 HS f. Tourismus i. Pula, 1982 Fachprfg. f. Arb. i. Außenhdl., Dipl. als Ökonomist Fachr. Tourismuswesen. K.: 1974-76 Ltr. d. Dienstes f. Gruppenarrangem., 1979-85 Ltr. f. Inlandtourismus, 1985-86 Ltr. d. Dienste f. Aufnahmear-rangement, 1987-1990 Ltr. f. Initiativarrangement, 1990-92 Marketingmanager f. Inatours-Riviera Wien, 1992 Stellv. Dir. b. Adria Reisen, s. 1993 Gschf. b. Adria Reisen, 1988 Ausf. Sekr. f. d. Durchf. d. int. Treffen d. Busuntern. H.: Tennis, Wasserski, Radf. (L.S.)

Pazmandy Peter Dipl.-Ing.

B.: Arch. DA. u. PA.: 1080 Wien, Schlösselg. 1. G.: Budapest, 10. Apr. 1931. V.: Mag. pharm. Martha. Ki.: Dipl.-Ing. Peter (1958), Enikö (1961). El.: Dr. Istvan u. Margit. S.: Hum. Ausbild., TU Budap.. K.: 1960 Ziviltechnikerprüf., 10 J. in d. Bauind., danach selbst., Planungstätigkeit im Nahen Osten, Dorferneuerung in NÖ. H.: Zeichnen, Malen. (P.R.)

Pázmándy Andrée

B.: Übersetzerin. DA. u. PA.: 1080 Wien, Tigerg. 17. G.: Nevers/Frankreich, 29. Okt. 1935. V.: Stefan, Bildhauer (gest.). Ki.: Dominique. El.: Gaujour Jeanne u. Eugène. S.: Mittelschule in Frankreich, 1953 Matura. Germanistikstud. in Lyon, Stud. am Dolmetschinst. in Wien. K.: seit 1960 freiberufl. tätig, hauptsächl. Übersetzungen f. Wirtschaft u. Ind., Kam. d. gewerbl. Wirtschaft, Forsch.Zentrum Seibersdorf, Führer durch naturhistor. Museum. P.: Übersetzungen v. Büchern über Kinderpsych., kunstgewerbl. Übersetzungen wie z.B. v. Dr. Waltraud Neuwirth "Loetz Austria 1900" über Glas u. "Wiener Werkstätte". M.: Dolmetsch- u. Übersetzerverb. "Universitas", Übersetzergemeinschaft Interessengemeinschaft v. Übersetzern literar. u. wiss. Werke. H.: Lyrik, Bergwandern. (G.E.).

Peaston Andrew Gordon B.Sc. (Hons.)

B.: Lehrbeauftragter Karl-Franzens-Univ., freiberufl. Übersetzer. DA. u. PA.: 8010 Graz, Steyrerg. 40. G.: Norwich/England, 30. Nov. 1955. V.: Angelika, geb. Startinig. El.: Robert Walter Gordon u. Muriel. S.: aufgewachsen in Libyen, Kongo, CSFR, Australien u. Indien, allg. bild. Internat Woodbridge, med.-techn. Ass. Addenbrookes-Klinik Cambridge, Stud. Phil., Psych. u. Soz. Univ. Bristol, 1980 Stud.-Abschluß. K.: Frankreichaufenthalt, Übersiedlung nach London, 6 J. Englischunterricht f. Einwanderer, 1983 Mitarb. einer englischsprachigen Wochenzeitung "Middle East Economic Digest", 1984 Sozialarb., 1988 Übersiedlung nach Graz, etl. Übersetzungen, Privatunterricht in Engl., Workshops f. Lehrer u. Firmen, 1989-90 Unterricht an VHS, Urania, BFI, ISZ Graz, seit 1990 Lehrtätigkeit Karl-Franzens-Univ. Graz. (P.M.)

Peaston-Startinig Angelika Mag. phil.

B.: Dipl.-Dolm., allg. beeid. gerichtl. Dolmetsch. DA. u. PA: 8010 Graz, Steyrerg. 40. G.: Graz, 7. Okt. 1959. V.: B.Sc. Andrew Gordon Peaston. El.: Dr. iur. Herbert Franz u. Dr. phil. Rodraut Mathilde Rosa Startinig. S.: VS, Gymn., 1978 Matura, Stud. Engl. u. Ital. Karl Franzens-Univ. Graz, 1981 Fachprüf. f. Übersetzer aus Engl., 1982 Kurs Univ. per Stranieri Perugia/Italien, 1983 Stud. Heriott Watt Univ. Edinburg/Schottland, 1984 Dipl.-Prüf. f. Dolmetscher aus Engl., 1984 Mag. phil., 1985 Triestiner Dolmetschschule, 1986 ak. geprüfter Übersetzer f. Ital. K.: seither freiberufl. Übersetzer u. Dolmetscher in d. Bereichen Technik, Med., Tourismus, Recht, Kunst u. Kultur, 1986 Akademikertraining am Dolmetschinst. Graz, Lehrtätigkeit in Dublin, Übersiedlung nach England, 1988 Rückkehr nach Österr., freiberufl. Übersetzerin, Dolmetscherin (u.a. in Alpbach) u. Sprachlehrerin, 1987/88 Stud.-Aufenthalt in tibet.-buddhist. Kultur- u. Meditationsinst. in Essex unter d. Ltg. eines tibet. Rinpoche. M.: Grazer Morgenländ. Ges. H.: Buddhismus, Tibetisch, Barockmusik, Natur, Stille. (P.M.)

Peball Kurt Dr. HofR.

B.: Gen.-Dir. d. Österr. Staatsarchiv. DA.: 1030 Wien, Nottendorferg. 2. PA.: 3420 Kritzendorf, Neudauer Str. 38. G.: Bleiberg, 24. Juli 1928. V.: Mag. Herta, geb. Sühs. Ki.: Wolfgang, Veronika, Ulrich, Bernhard. El.: Friedrich u. Berta. BV.: Adelsfamilie im 16. u. 17. Jhdt. S.: VS, RG, Univ. Graz, Wien, 1953 Dr. phil. Graz, Wien: 1953-56 Inst. f. Österr. Geschichtsforsch. an d. Univ. Wien, 1956 Staatsprüf. K.: 1957-59 Rom Vatik. Archiv, 1959-80 Staatsarch. Kriegsarchiv, 1980-87 Dir. d. Verkehrsarchiv, 1983-89 Dir. d. Archivs d. Rep., 1983-87 stellv. Gen.-Dir., 1987 Gen.-Dir. d. Staatsarchivs. P.: ca. 60 Publ., ca. 75 Vorträge im In- u. Ausland. M.: Kmsn. Intern. Militär, Exek. Kmsn. d. Intern. ArchivR., Mtgl. d. Österr. UNESCO, Vorst.Mtgl. d. österr. Archivverb. etc. H.: Bücher, Computer, klass. Musik. (M.B.)

Pecenka Heinz P. Ing.

B.: Önologe, Gschf. Ges. FN.: Jacques Roullet & Co Wein- u. Spirituosenimport. DA.: 1190 Wien, Pyrkerg. 31. PA.: 1090 Wien, Ferstelg. 3/5. G.: Wien, 16. Apr. 1941. V.: Dagmar, geb. Friese. Ki.: Florian (1976), Alice (1979). El.: Friedrich u. Leopoldine, geb. Speta. S.: BLVA f. Wein- u. Obstbau, 1963 Abschluß. K.: 1963 Eintritt u. 1974 Übernahme d. Ltg. d. Firma Jacques Roullet. E.: Officier de l´ordre du mérite agricole. M.: Vorst. d. Landesgremiums Wien f. Wein- u. Spirituosengroßhdl. H.: Fischen. (J.S.)

Pech Helmut

B.: Gschf. Berufsförderungsinst. DA.: 6800 Feldkirch, Schloßgraben 6. PA.: 6830 Rankweil, Vorderhandstr. 25. G.: Rankweil, 7. Nov. 1954. V.: Rosmarie, geb. Müller. Ki.: Nina (1980), Barbara (1983). El.: Dr. Viktor u. Pia. BV.: Großvater Dr. Leonhard Gassner Arzt. S.: VS, AHS, Matura, 1973-74 Militär. K.: 1974 Berufsberater Arbeitsamt Dornbirn, 1979 Referatsltr. f. Erwachsenenbild. BFI Vbg., 1991 Gschf. BL.:

Facharb.-Intensivausbild., Initiator v. Sprachkursen in England, Frankreich u. USA. M.: GemR. Rankweil, Obst- u. Gartenbauver. H.: Sauna, Gartenarb., Familie. (I.D.)

Pech Leopold

B.: Autor u. Dramatur (freischaff.). DA.: 1030 Wien, Schützeng. 27/1/7. G.: Wien, 18. Juli 1926. El.: Ladislaus u. Therese. S.: Wr. Filmak. K.: Aufnahmeltr. b. Film u. TV, Dramatur, Journalist, Begründer d. "Bürger-Parlaments-Bewegung". P.: Buch: "Wer rettet Europa" (1980). (P.R.)

Pechal Friedrich KommR.

B.: Kürschnermstr., Ges. FN.: Friedrich Pechal GmbH. DA.: 3100 St. Pölten, Kremser G. 19. G.: St. Pölten, 17. Nov. 1921. El.: Friedrich u. Gabriele. S.: VS, Internatschule, Kürschner Fachschule, 1938 Abschluß, Berufseminare, 1947 Mstr.Prüf. K.: Kürschnerlehre im elterl. Betrieb, 1947 eigener Betrieb, 1951 Grdg. einer OHG m. Gattin u. Fa. Adolf Tegischer, 1975 Umwandlung in eine GmbH m. d. Gattin Maria Pechal als Prok., Funktionen: Vors. d. Lehrabschlußprüf.Kmsn. u. Mstr.Prüf., Mtgl. d. Heimarb.Kmsn., Bez.Innungsmstr., LInnungsmstr., BInnungsaussch.Mtgl., Beis. b. Arbeitsgericht, Schlichtungsaussch. b. Arbeitsamt. E.: Ehrenring d. NÖ LInnung d. Kürschner, Gr. Silb. Ehrenmed. d. HK NÖ, Kleintierzuchtverb. Landes-EZ in Gold, Kriegsopferverb. Verbandsabz. in Gold. M.: 1972-87 Obm. d. St. Pöltner Ver., seit 1945 Funktionär d. Kriegsopferverb., Mtgl. d. Roten Kreuzes, Ehrenmtgl. d. Kleintierzuchtver. St. Pölten, Vorst.Mtgl. b. Filmklub St. Pölten. H.: Filmen, Kochen. (G.E.)

Pechan Peter

B.: Bgm. d. Gem. St. Stefan, VS-Dir. DA.: 8713 St. Stefan ob Leoben 148. PA.: 8713 St. Stefan ob Leoben 126. G.: Komotau/Sudetenland, 30. Dez. 1939. V.: Hildegard, geb. Laundl. Ki.: Barbara (1956), Friederike (1965). El.: Dipl.-Ing. Walter u. Josefine. S.: VS Murau, 1951 Übersiedlung nach Kindberg, BRG Bruck/-Mur, 1959 Matura, 1959-60 BH, Stud. LBA Graz. K.: seit 1961 VS-Lehrer an versch. Orten d. Bez. Leoben, seit 1963 St. Stefan ob Leoben u. seit 1983 Schulltr., seit 1970 GemR. St. Stefan ob Leoben u. seit 1982 Kulturref. d. Gem., seit 1990 Bgm. d. Gem. St. Stefan ob Leoben, 1974-87 PfarrgemR., seit 1974 Delegierter z. DekanatsR. Leoben u. 1977-87 gschf. Vors. E.: 1986 The United Nations Medal, 1987 Gold. VZ d. Rep. Österr., 1989 VZ d. Österr. Berg-, Hütten- u. Knappenverb., 1992 Florianiplakette d. Stmk. Feuerwehrverb., 1993 Silb. BVK d. ÖKB, 1994 Gold. EZ d. Landes Stmk., 1994 Ehrenbürger d. Gem. Enese/Ungarn. M.: seit 1970 Knappenver. Grafitbergbau Kaisersberg, Gen.-Sekr. Dachverb. Österr. Berg-, Hütten- u. Knappenver. H.: Lesen. (I.G.)

Pechar Peter Dr. Mag.

B.: Vorst.Dir., zuständig f. Finanz- u. Rechnungswesen, Rechtsangelegenheiten, techn. Gastgewerbe, Bank d. Dorotheum. DA.: 1010 Wien, Dorotheerg. 17. G.: Wien, 25. Juni 1952. V.: Marie-Christine, geb. Petit. Ki.: Stefan (1989), Michael (1992). El.: Karl u. Katharina. S.: Gymn. Wien, 1971 Matura, Stud. an d. WU Sozialwiss., 1978 Spon., Stud. d. Hdls.Wiss., 1981 Prom. K.: Auslandstätigkeit in Mexiko u. Sprachstudien in Frankreich, 1979 Eintritt ins Dorotheum, Rechnungswesen, Aufbau Kostenrechnung, Revision, 1986 Vorst.Dir. H.: Sport, Bergwandern, Literatur, Theater, Oper. (H.P.)

Pecher Gerhard Dr.

B.: Prok. FN.: Salzburger Aluminium AG. DA.: 5651 Lend 25. PA.: 5450 Schwarzach, Wallnerfeld 9. G.: 9. März 1944. V.: Herma. Ki.: Martin (1973), Clemens (1977). S.: RG, Stud. Wirtschaftswiss. K.: Ausbild. Personalltr. Siemens AG, Personalchef Burda Moden, Prok. Eisenwerk Sulzau Werfen, Personalchef Quelle AG Österr., Prok. Sbg. Aluminium AG. M.: Industriellenver. H.: Musik, Sport.

Pecher Konrad Dr. Dkfm.

B.: Ges. d. Fa. Inzersdorfer Nahrungsm.w.GmbH. G.: Wien, 13. Dez. 1930. V.: Ingrid, geb. Burisch. Ki.: Roland, Armin. El.: Richard Ing. u. Else. S.: Fulbright-Stipendium, 1 J. Amerika. K.: Seit 1956 b. Fa. Inzersdorfer tätig, bis 1991 Ltr. d. Rechnungswesens. BL.: 1952 Olympiateilnehmer b. d. olymp. Spielen in Oslo im Eisschnellauf. F.: Voith GmbH, Wilhelm Brauns KG. H.: Wassersport. (Hau.)

Pecher Martin Ing. KommR.

B.: Pens., Kons. d. Fa. Inzersdorfer, ger. beeid. sv f. Obst u. Gem.Konserven, Teigwaren, Forstwirt. DA.: 1230 Wien, Draschestr. 107. PA.: 1180 Wien, Gersthofer Str. 138, G.: Wien, 23. Febr. 1927. V.: Susanne, geb. Moldaschel. Ki.: Martina, Florian, Katharina. El.: Richard u. Else Voith. S.: RG, Matura, 10 Sem. Univ. Wien (Chemie), Konserventechn. (Ing.). K.: seit 1950 im elterl. Betrieb tätig, Lehrling, Betriebsltr. d. Obst- u. Gemüseabt., 1960 Gschf. d. Fa. Inzersdorfer. BL.: 1960-80 Obm. d. Teigwarenind., 1969-80 Obm. d. Obst- u. Gemüsekonservenind., Vorst. d. Fachverb. d. Nahrungs- u. Genußmittelind. Österr. F.: Gesellsch. d. Fa. Inzersdorfer nmahrungsmittelw. M.: Chaine des Rotisseurs, Ehrenm. d. Verb. d. Köche Österr. H.: Jagd, Fischen, Kochen, Schnitzen, Malen, Fotografieren. (Hau.)

Pecher Martina Mag.

B.: Gschf. FN.: Inzersdorfer Nahrungsmittelwerke GmbH. GT.: Vors. d. Jungen Ind. Wien. DA.: 1232 Wien, Draschestr. 107. G.: Wien, 25. Febr. 1957. El.: KommR. Ing. Martin u. Susanne Pecher. BV.: väterlicherseits Gottlieb Voith Gründer d. Firma Persil Österr. S.: 1975 Matura, Stud. Betriebswirtschaft WU Wien, 1980 Spons. K.: ab 1980 Tätigkeit in einer Werbeagentur, ab 1982 Marketingabt. d. Firma L'Oréal, 1990 Eintritt in d. Familienbetrieb d. Inzersdorfer Nahrungsmittelwerke GmbH, seither Ltr. d. Marketings, seit 1994 Gschf. H.: Klavierspielen, Skifahren, Tennis. (J.S.)

Pechlaner Helmut Th. Dr. med. vet.

B.: Zoodir. FN.: Schönbrunner Tiergarten GmbH. DA.: 1130 Wien, Maxingstr. 13b. G.: Innsbruck, 17. Aug. 1946. V.: Gabriele, geb. Pock. Ki.: Hubert (1970), Gerlinde (1972). El.: Helmut u. Hertha, geb. Matuella. BV.: Urgroßmutter Anna Stainer-Knittel war berühmte Blumenmalerin u. Original Geier-Wally. S.: 1965 Matura Innsbruck, 1966-72 Stud. Tierärztl. Univ. Wien m. Prom. z. Dr. med. vet. K.: 1972 Eintritt in d. Alpenzoo Innsbruck als stellv. Ltr., 1979-91 Dir. d. Alpenzoos, ab 1992 wiss. u. kfm. Dir. sowie Gschf. d. Schönbrunner Tiergarten GmbH, seit 1990 Moderator d. Fernsehsendung "Treffpunkt Natur", ab 1991 Präsentator d. Sendung "Treffpunkt Natur Extra", s. 1993 "Naturgeschichten". P.: zahlr. wiss. u. populärwiss. Publ. m. Schwerpunkt Tiergartenbiologie u. Wiederansiedlung lokal ausgestorbener Tierarten, Kolumnist div. Tages- u. Monatszeitschriften. E.: 1972 Karl Keller-Preis d. Österr. Ges. d. Tierärzte, 1990 Bayer. Med., zahlr. Ehrenmtgl. M.: Verb. Dt. Zoodir., Intern. Union v. Dir. Zoolog. Gärten. H.: histor. Vogelbauer, Gartenarb., Literatur. (J.S.)

Pechlaner Roland Dr. Univ.-Prof.
B.: ehem. Ltr. d. Abt. f. Limnologie d. Inst. f. Zoologie d. Univ. Innsbruck. A.: 6020 Innsbruck, Riedg. 30/P. G.: Innsbruck, 18. Jan. 1934. V.: Dr. Christiane, geb. Ruckensteiner. El.: Dr. Helmut u. Hertha. S.: Hum. Gymn., Univ. Innsbruck Dr. phil (Zoologie u. Botanik) 1956. K.: 1966 Habil. f. Zoologie u. Limnologie an d. Univ. Innsbruck, 1967/68 GastProf. d. Dept. of Zoology (Lab. of Limnology) d. Univ. of Wisconsin USA, 1973 a.o.Univ.-Prof. f. Limnologie d. Univ. Innsbruck, 1975 GastProf. am Limnologischen Inst. d. Univ. Lund/Schweden. P.: 48 limnologische Veröff. in Periodika, vor allem über d. Limnologie v. Hochgebirgsseen u. hoch gelegenen Speicherseen, über d. Eutrophierung u. Restaurierung v. Badeseen sowie andere Fragen d. Gewässerschutzes. E.: Förderungspreis d. Theodor Körner-Stiftungsfonds, Karl Innitzer-Preis. M.: Intern. Ver. f. Limnologie, American Society of Limnology and Oceanography ua.

Pechmann Sabine

B.: Schönheitspflegerin, Fußpflegerin. FN.: Kosmetik Angelika. DA.: 9020 Klagenfurt, Bahnhofstr. 24/I. PA.: 9020 Klagenfurt, Mozartstr. 67. G.: Klagenfurt, 11. Juni 1972. V.: Mag. Hannes Rom. El.: Ernst u. Edith Pechmann. S.: V, HS, 1986-89 Frauenberufsschule Lendorf, Lehre Kosmetik u. Fußpflege, Abschluß, Kurse u. Weiterbild,. 1995 Meisterprüf. K.: seit 1994 selbst. durch Übernahme d. 1954 gegründeten Salons gemeinsam m. Mag. Hannes Rom. M.: Squash Ver. USSC Carinthia. H.: Squash, Schwimmen, Natur, Tanzen, Lesen (Fachliteratur). (G.L.)

Pecho Hans

B.: Inh., Gschf. FN.: Hans Pecho Wasseraufbereitung u. Verfahrenstechnik. DA.: 4020 Linz, Dauphinestr. 89. PA.: 4710 Grieskirchen, Badstr. 38. G.: Krumau, 18. Febr. 1945. V.: Aloisia, geb. Wiesinger. Ki.: Wolfgang (1968), Barbara (1973). El.: Anton u. Theresia. S.: VS, HS, b. 1963 Lehre Gas- u. Wasserleitungsinstallateur Firma Klein Linz, 1964 BH. K.: Techniker b. Firma Klein, 1970 Mstr.-Prüf., 1974 Grdg. d. heutigen Firma. F.: Ges. d. Grünbeck Wasseraufbereitungs GmbH BRD. P.: lfd. Art. in Fachzeitschriften, Vortragstätigkeit im berufl. Rahmen b. Firmen. H.: Tennis, Singen (Voest-Chor Linz). (U.A.)

Pechoc Richard
B.: Bild. Künstler, Maler, Pianist. PA.: 1210 Wien, Carabellig. 5/34. G.: Wien, 28. Juni 1939. V.: Elisabeth, geb. Mandl. Ki.: Gerhard, Judith. El.: Dr. Richard u. Julia. S.: Pflichtschulen, 1955-57 Ak. f. Angew. Kunst b. Prof. Unger., danach 2 Semester b. Gütersloh. K.: 1958 Erste Ausstellung in Wien, danach zahlr. Ausstellungen im In- u. Ausland, 1959 Grdg. d. Galerie "Zum Roten Apfel", insges. 30 Ausstellungen m. in- u. ausländ. Künstlern, 1959-60 2 Ausstellungen in Oslo, 1964 Grdg. d. Gruppe "The Masters of Unorthodox Jazz", zahlr. Konzerte b. 1975, 1 Fernsehprod., 3 LP. P.: 7 Buchveröff., sowie Buchillustration v. "Im Wendekreis d. Blume" 1975. E.: Theodor Körner-Preis f.Wiss. u. Kunst, Preis d. Stadt Wien f. Malerei, Preis d. Zentralsparkasse f. Malerei. M.: Mtgl. d. Gruppe um d. Galerie "Zum Roten Apfel". H.: Chin. Geisteswelt, Neuchin. Sprache. (Lar.)

Pechtold Friedrich Hans Anton Dr.
B.: RA. DA.: 1010 Wien, Kohlmarkt 12/8. PA.: 1130 Wien, Fleschgasse. G.: Wien, 20. Juni 1925. V.: Marie Therese, geb. Simone. Ki.: Suzanne (1952). El.: HofR. Dr. Erich u. Gertrud, geb. Handler. S.: 1943 Matura, 1945 Stud. d. Phil. in Graz, 1946-49 Stud. Jura in Wien. K.: Gerichtsjahr, b. 1956 in d. Kzl. Dr. Michmayr tätig, 1962 Eröff. d. eigenen Kzl., Spezialgebiet Miet- u. Wohnrecht. H.: Phil., Lesen. (M.G.)

Pecina Heinrich Mag.
B.: Vorst.-Dir. FN.: Creditanstalt Investment Bank AG. GT.: AufsR. Datentechnik AG Wien. DA.: 1011 Wien, Dr.-Karl-Lueger-Ring 12. PA.: 2402 Maria Ellend, Hofstr. 17. G.: Wien, 23. Juli 1950. V.: Eva, geb. Mautner Markhof. Ki.: Heinrich (1975), Nicole (1987). El.: Friedrich u. Henriette. S.: 1969 Matura, Stud. Betriebswirtschaft WU Wien, 1974 Spons. K.: 1974-79 f. Intern. Hdls.-Ges. u. Gen.-Unternehmer im Ausland, v. allem im Nahen Osten tätig, 1979-90 Intern. Kreditgeschäft Girozentrale Wien, seit 1990 Vorst.-Dir. d. Creditanst. Investment Bank AG. P.: Vortragender b. Intern. Konferenzen, lfd. Art. in Fachzeitschriften. H.: Jagd, Reiten, klass. Musik. (J.S.)

Pecina Paula
B.: selbst. Farb- u. Typberaterin. DA.: 1190 Wien, Chimanistr. 30/15. PA.: 1190 Wien, Cottageg. 69. G.: Bangkok, 28. Nov. 1949. Ki.: Beatrix (1973), Margarita (1977). El.: Renard u. Bozena Zawilinski. S.: Maria Regina Klosterschule Wien 19, 1969 Matura, Kosmet. Ausbild. K.: seit 1992 selbst. H.: Theater, Musik, Kultur, Reisen. (N.A.)

Peck Rudolf Dkfm.
B.: Kfm. Dir. FN.: Stadtwerke Klagenfurt. DA.: 9020 Klagenfurt, St. Veiter Str. 31. (V)

Pecka Erich OAmtsR. RgR.
B.: Ltr. d. Ref. Banken- u. Zahlungsverkehr d. MA 5 d. Stadt Wien. DA.: 1010 Wien, Ebersdorfer Str. 2. PA.: 1200 Wien, Adalbert-Stifter-Str. 35/13/28. G.: Wien, 8. Febr. 1939. V.: Renate, geb. Domansky. Ki.: Thomas (1963). El.: Johann u. Anna. S.: 1958 Matura. K.: ab 1959 im Dienste d. Stadt Wien zunächst Buchhalter, ab 1965 als Sachbearb. d. MA 5, seit 1983 Ref.-Ltr. m. d. Aufgabengebiet: Abwicklung d. Banken- u. Zahlungsverkehrs, sowie d. Beteiligungen d. Stadt Wien. (J.S.)

Pecker Helene (jetzt Konecny)
B.: Sparkassenang. PA.: 2215 Raggendorf, Feuerwehrgasse 7. G.: Wien, 15. Nov. 1957. S.: HAK, 1972 Matura. K.: s. 1972 Kreditref. b. d. Zentralsparkasse u. Kommerzialbank Wien, 1986-90 Bez.-Vors. u. s. 1987 Landesvorst.-Mtgl. d. Jungen Generation, 1986 Mtgl. im Bez.- bzw. Landesfrauenkomitee, Bez.-Vorst. u. im Bez.-Aussch. d. SPÖ Gänserndorf, s. 1990 gschf. Mtgl. d. GemR. in Matzen-Raggendorf, 11/1990 - 10/1994 Abg. z. NatR.

Pedit Gaudens
B.: Gschf. FN.: Pedit GmbH, Pedit KFT. GT.: Inh. Galerie Gaudens Pedit. DA.: 9900 Lienz, Bürgeraustr. 31, H-3282 Nagyfüged, Nagytanya. PA.: 9900 Lienz, Untergaimberg 36. G.: Lienz, 29. Apr. 1959. El.: Hermann u. Elisabeth. K.: Kunstschmiede- u. Schlosserarbeiten, Fassadenemail, Kunst

in Email, Platzgestaltungen. P.: Sammlung Gaudens Pedit (ungar. Malerei ab 1980). M.: Ktn Yachtclub Ossiacher See, Tennisclub Lienz, Ges. d. Freunde d. Hauses d. Künstler Gugging. H.: Skitouren, Seesegeln, Mountainbiken. (M.T.)

Pedit Hermann

B.: Ak. Maler u. Bildhauer. PA.: 9900 Lienz, Brennerleweg 1. G.: Lienz, 29. Okt. 1933. V.: Elisabeth, geb. Grillitsch. Ki.: Gaudens, Hemma, Veit. El.: Hermann u. Frieda. BV.: Tante Fanny Wibmer-Pedit (Schriftst.). S.: Kunstschlosserlehre, Metallbildhauer-Ausbild., Aufenthalt in d. Schweiz u. BRD, Ak. d. bild. Künste Wien (b. Prof. Wotruba u. Prof. Pauser), 1959 Abschlußdipl. K.: Seit 1960 in Lienz tätig, ab 1970 Arb. in Stahl-Email (bildner.), Ausstellungen u.a. in Ankara, Buenos Aires, Sao Paulo, Bursa, Istanbul, Innsbruck, Klagenfurt, Mailand, Nürnberg, Rio de Janeiro, Riva del Garda, Verona, Wien, Arb. im öff. u. priv. Besitz (Graph. Samml. Albertina, BMU u.a.), repr. Arb. in Stahl-Email: Eingang d. Phil. Fak. Ibk., Eingang im Schwimmbad Lienz, versch. U-Bahn-Station in d. BRD, Dion.Büro d. VOEST Linz, Altersheim Lienz, div. Ind. u. Privatkunden in d. BRD. M.: Rotary Club, Berufsver. d. Bild. Künste f. Tir. H.: Segeln, Reiten. (A.L.)

Peek Willem Dr.

B.: Gschf. FN.: Pam Gas GmbH. DA.: 1010 Wien, Zelinkag. 2/4B. PA.: 1180 Wien, Anastasius-Grün-G. 42. G.: Maartensdijk/Holland, 28. Dez. 1941. V.: Marlis. Ki.: Roger (1974), Marisa (1976). El.: Willem u. Marie. S.: 1960 Matura, 1960-64 Stud. Ing.-Metallurgie TH Utrecht, 1964-71 Stud. Betriebswirtschaft Univ. Rotterdam, 1972 Prom. K.: 1972 Eintritt Firma SHV Holdings Utrecht, b. 1974 Finanzabt., 1974-75 Ass. d. Dion., 1975-77 SHV USA, 1977-79 Projektmanager in Australia, 1979-87 Gschf. SHV Intern. Kohl- u. Hdls.-Unternehmen SSM, 1988 Gschf. SHV Explorationsunternehmen, dann Managingdir. Acre-Oil London, 1989-90 Projektmanager LPG Eastern Europe, seit 1991 Gschf. v. Pam Gas B.V., ab 6/94 Dir. SHV Energy Company. H.: Literatur, Reisen, Tennis. (N.A.)

Peer Gottlieb

B.: Kfm., gschf. Ges. FN.: Sail & Surf GmbH u. NPU Surfartikel Produktions u. Vertriebs GmbH. DA.: 4820 Bad Ischl, Kreutererstr. 49. PA.: 5351 Aigen-Vogelhub, Ramsau 59. G.: Salzburg, 23. Juli 1954. V.: Gabriele, geb. Stepina. Ki.: Michaela, Christian. El.: Gottlieb u. Rosa. S.: Gymn., HAK in Sbg. K.: Mitarb. in einem Steuerberaterbüro u. anschl. in d. Segelmacherei Raudaschl, 1981 Grdg. d. Sail & Surf GmbH in Bad Ischl, 1984 Grdg. d. NPU Surfartikel Produktions u. Vertriebs GmbH in Oberwölz/Stmk., d. Untern. gilt als größter Segelhersteller in Europa u. in Österr. als Marktleader f. Surfzubehör. BL.: 1978 als erster Österr. Sieger d. Kieler Segelwoche Vizeweltmstr. u. sechsfacher Österr. Staatsmstr. im Segeln. E.: 1986 Verleihung d. Austria-Gütez. H.: Segeln, Bergsteigen, Familie. (Foed.)

Pegritz Christian Dr.

B.: Gschf. FN.: Frequentis Nachrichtentechnik Ges.m.b.H. DA.: 1120 Wien, Spittelbreitengasse 34. PA.: 1220 Wien, Weinwurmweg 1/26. G.: Villach, 22.7.1948. V.: Ingrid, geb. Steinbauer. Ki.: Pia (1976), Martin (1978), Stefanie (1986). EL.: Thea u. Christian. S.: BRG Klagenfurt, 1966 Matura, HS f. Welthandel, 1970 Dkfm, 1972 Dr., 1973 Master of Commerce a.d. Univ. Birmingham. K.: 1974 Sekretär bei GD Koller d. VOEST Alpine, stellvertr. Gschf. in Mailand, Verkaufsleiter b.Fa. Vogelbusch, Marketingleiter b. AEG, selbstständiger Konsulent f. Marketing, seit 1990 gschf. d. Fa. Frequentis. M.: Wirtschaftsforum f. Führungskräfte. H.: Theater, wandern, laufen. (G.B.)

Peham Gottfried Dr. iur.

B.: öff. Notar. DA.: 4910 Ried, Bahnhofstr. 19. PA.: 4910 Ried, Peter-Rosegger-Str. 35. G.: Gallspach, 24. Nov. 1943.V.: Dr. Christiane, geb. Waslmayr, 3 Kinder. El.: Gottfried u. Theresia. S.: Gymn. Dachsberg, 1963 Matura in Ried, Stud. Rechtswiss. in Wien, 1969 Prom. K.: Gerichtspraxis am KG Ried, 1969 Eintritt als Notarsubstitut ins Notariat Dr. Schachinger, ab 11/92 öff. Notar in Ried i.I. M.: Lions Club Ried, seit 1985 im ÖVP GemR. H.: Tischtennis, Skifahren, Lesen, Gartenbetreuung. (H.D.)

Peham Helga Dr.

B.: Inh. FN.: Euro Languages Sprachakademie. DA.: 1080 Wien, Alserstr. 63 a. PA.: 1160 Wien, Speckbachstr. 21. G.: Wien, 15. Juli 1946. EL.: Alois u. Gertrude. S.: 1951-54 engl. u. franz. VS in Ägypten, 1954 Wien, 1956 Duisburg Frauenobersch., 1963 mittl. Reife, 1963-65 Fremdsprachen-ausb. Engl. u. Franz., 1965-66 Sprachstud. in London, 1971-74 Maturasch. Dr. Roland, 1971-81 Stud. d. Angelistik, Gesch., Psychol., 11/1981 Prom., 1989-91 Stud. Politikwiss. u. Publ./Kommunikationswiss. K.: 1966-69 Flughafen Wien Korrespond., UNESCO Zentrum Wien, 1970-90 intern. Atomenergieorg. Wien, 1990 Aufenth. in Westafrika, 9/1993 Grdg. d. Sprachakademie, 1991-94 freie Publ. P.: Dissert. Siegfried Graf Clarion Aldringer (1848-1929), 1987 Leopold II, Herrscher mit weiser Hand, 1990 i. Ital. Sprache Hist. Polit. Artikel. M.: Mensa - Österr. H.: Geschichte, Politik, Fotografieren, Schreiben, Schwimmen, Tauchen. (J.M.)

Peham Johann Ing.

B.: Ltr. Zentrale Technik. FN.: Bramac Dachsteinwerk GmbH. DA.: 3380 Pöchlarn, Fichtenstr. 10. PA.: 3375 Krummnußbaum, Bergg. 5. G.: Melk, 15. Jän. 1958. V.: Herta. Ki.: Iris (1984), Martin (1993). El.: Karl u. Erna. S.: VS, HS, HTL Maschinenbau St. Pölten. K.: 2 J. Konstrukteur, 3 J. Werksass., 6 J. Ass. Gschf., 3 J. Produkt-ionsltr., seit 1992 Ltr. Zentrale Technik. H.: Sport, alte Möbel.

Pehamberger Hubert Dr. med. univ. Univ.-Prof.

B.: OA d. Klinik f. Dermatologie AKH Wien. DA.: 1090 Wien, Währinger Gürtel 18. PA.: 1235 Wien, Schwinglg. 10. G.: Wien, 10. Juni 1951. V.: Dr. Christiane, geb. Wolf. El.: Dipl.-Ing. Hubert u. Ernestine. S.: 1969 Matura m. Ausz., 1969-75 Med.-Stud. Univ. Wien, 1975 Prom. Dr. med. univ. K.: ab 1976 Ausbild. z. FA f. Haut- u. Geschlechts-krankheiten I. Univ.-Hautklinik Wien, 1981 FA f. Haut- u. Geschlechtskrankheiten, 1985 Habil. "Prognose u. Therapie d. Melanoms d. Haut", 1991 tit.a.o.Univ.-Prof., 1980-81 Visiting Fellowshiop an d. Immunology Branch National Cancer Inst. National Inst. of Health Bethesda/USA. P.: 106 Publ., 148 Vorträge. E.: 1979 u. 1980 Wiss. Förd.-Preis f. Dermatologie, 1979 Österr. Dermatologenpreis, 1985 Kardinal-Innitzer-Sonderpreis. M.: Funktionen in nat. u. intern. wiss. Gremien, European Society for Dermatological Research, Society for Investigative Dermatology USA, American Academy of Dermatology. H.: klass. Musik, Skifahren, Laufen, Tennis, Hunde. (M.M.)

Pehr Gillian

B.: Hotelier d. Hotel Karawankenhof. DA.: 9504 Warmbad-Villach, Kadischenallee 97 G.: 9. Aug. 1948. V.: Pehr Manfred Mag. Ki.: Paul, Maximilian. El.: Elliott Kenneth C. u. Gerda. S.: Pflichtschule, RG, Hotelfachschule Lausanne 1966-69 m. Dipl.Abschluß. K.: Auslandstätigkeit im "Golf Hotel" Montreux, Hotel Royal in Kopenhagen, ab 1971 in d. elterl. Betrieben Karawankenhof u. Josefinenhof, b. z. Betriebsübernahme Karawankenhof 1984. M.: I.H.A. f.

Hotelgruppe Österr., Chaine de Rotisseurs, Collegium Touristicum Caranthiae. H.: Hobby-Schriftstellerei, Sprachen, Lesen, klass. Musik, Theater, Opern, Reisen u. Sport. (Hatt.)

Peichl Gustav Prof.

B.: selbst. Arch., Karikaturist, staatl. befugter u. beeid. Ziviltechniker. DA.: 1010 Wien, Opernring 4. G.: Wien, 18. März 1928. V.: Elfriede, geb. Weinmayer. Ki.: Markus (1958), Ina (1960), Sebastian (1971). S.: 1943-44 Staatsgewerbeschule Mödling, b. 1947 techn. Zeichner Stadtbauamt Mährisch-Trübau, 1947 Übersiedlung nach Linz, 1946-48 Bundesgewerbeschule Linz, 1949 Matura, 1949-52 Praxis Arch.-Büro Zellinger-Perotti Linz, 1950 Ak. d. bild. Künste Wien, Mstr.-Schule Clemens Holzmeister, 1953 Dipl. K.: 1952-54 Mitarb. Atelier Prof. Roland Rainer Wien, 1954 Beginn Karikaturentätigkeit unter Pseudonym Ironimus, 1955 Eröff. eigenes Arch.-Büro Wien, 1960 erstes eigenes Bauwerk Haus Himmelstraße Wien, erste Ironimus-Karikatur f. Süddt. Zeitung München, 1964 Grdg. Zeitschrift "BAU", 1972 Österr. Kunstsenat, 1973 o.HS-Prof. u. Meisterschulltr. Ak. d. Bild. Künste Wien, 1979 Grdg. 8-Tage Kunst-Staat "ARTOPIA" Alpbach, 1984 Mtgl. Ak. d. Künste Berlin, 1987 Rektor d. Ak. d. bild. Künste Wien, 1989 Jury f. d. Dt. Histor. Museum Berlin, 1990 Vors. d. Preisgerichtes "Landeshauptstadt f. NÖ - St. Pölten", 1991 Teinehmer z. Österr.-Beitrag d. Architektur Biennale in Venedig, Ausstellungen u.a. 1975 Biennale Venedig, 1978 TU Warschau, 1978 Arch.-Ak. Moskau, 1980 Ak. d. bild. Künste Wien, 1981 Ak. d. Arch.-Kam. Düsseldorf, 1986 Galerie Aedes Berlin, 1986 Dt. Arch.-Museum Frankfurt, 1989 Royal Inst. of British Architecs London, 1990 Salon intern. des Musées et des Expositions Paris, 1990 Galerie Nova Pontresina, 1990 Fondazione Masieri Venedig, 1991 The Art Institute Chicago, 1991 Architektur Biennale Venedig. E.: 1969 Preis d. Stadt Wien f. Arch., 1971 Gr. Österr. Staatspreis, 1974 Joseph Drexel-Preis f. Publizistik d. BRD, 1975 Royal Memorial-Award Atlanta/USA, 1982 Geramb-Dankzeichen f. gutes Bauen, 1985 Steir. Arch.-Preis, 1986 Mies van der Rohe-Preis u. 1989 Berliner Arch.-Preis f. d. Umweltschutzbauwerk PEA in Berlin-Tegel. P.: Architektur u. Technik (1979), Architektur aus Österr. seit 1960 (1980), Bauten-Projekte-Meisterschule (1981), Wiener Wohnbeispiele (1985), Im Zeichen d. Kreises (1987), Massimo Scolari (1987), Franco Fonatti (1988), Gebaute Ideen (1988), Architekten sind auch nur Künstler (1989), Städel - d. Museums Erweiterungsbau (1990), Städel-Schule (1991). M.: Österr. Kunstsenat, Vorst.-Mtgl. d. Zentralver. d. Arch. Österr., Ehrenmtgl. d. Bundes Dt. Arch., Ak. d. Künste Berlin, Ehrenmtgl. d. Royal Inst. of British Architects. (P.M.)

Peindl Franz

B.: Kfz-Meister, Inh. FN.: Autohaus Franz Peindl. DA.: 8230 Hartberg, Ferdinand-Leih-Str. 33. PA.: 8294 Unterrohr 171. G.: Hartberg, 3. Apr. 1951. V.: Anna, geb. Posch. Ki.: Klaus (1975), Eva (1981), Elisabeth (1982), Wolfgang (1987). El.: Josef u. Anna. S.: VS, HS, Kfz-Lehre, Meisterprüf. K.: 1 J. Kfz-Mechaniker Hartberg, Präsenzdienst, anschl. 4 J. b. Mercedes Stuttgart, ab 1973 Meister in Hartberg, seit 1975 selbst. BL.: 1975-80 Verfügungsstellung u. Reperaturen v. Autos f. Rundstreckenrennen, Bezirksinnungsmstr. f. Kraftfahrzeugmechanik. M.: seit 1986 Kapellmeister in Unterrohr, Stadtkapelle Hartberg. H.: Flügelhornspiel. (I.J.)

Pein Manfred

B.: Gschf. FN.: Maschinenputz Pein GmbH. DA.: 8041 Graz, Engelsdorfer Str. 72. G.: Graz, 18. März 1960. Ki.: Kerstin (1985). El.: Franz u. Elfriede. S.: VS, HS, kfm. Lehre. K.: 1979 Grdg. Firma Maschinenputz. H.: Familie, Beruf. (R.S.)

Peissl Josef Dr.

B.: RA. FN.: RA-Kzl. Dr. Peissl. GT.: Wirtschaftsbundobm., 1985-88 GemR. DA.: 8580 Köflach, Judenburger Str. 1. PA.: 8591 Maria Lankowitz, Kirchbergstr. 292. G.: Bärnbach, 6. Feb. 1949. V.: Jutta, geb. Neugebauer. Ki.: Markus (1972), Daniela (1977), Helwig (1984), Lukas (1990). El.: Josef u. Friederike. S.: VS, BRG, 1967 Matura, Stud. Rechtswiss. Univ. Graz, 1972 Prom. K.: 1972/73 Tätigkeit in d. Wirtschaft in Wien u. Graz, 1974 HS-Ass. BL.: 1970-78 Mtgl. d. Handballnationalmannschaft. H.: Golf, Skifahren, Tennis, Musik. (I.G.)

Peither Gerhard

B.: Wirtschaftstreuhänder. DA.: 4060 Leonding, Heumaderweg 9. G.: Kirchdorf/Krems, 25. Mai 1951. Ki.: Alexander (1971), Christian (1983), Clemens Maria (1983). El.: Dr. Elmar u. Maria. S.: VS, Gymn., 1969 Matura, Stud. Jus u. BWL, Ausbild. im Finanzwesen. K.: 1982 Steuerberaterprüf. u. seither selbst. in Steyr, 1984 Linz, seit 1992 in Leonding. F.: G.P.U. Buchprüfungs-, Beratungs- u. Treuhandges. mbH, 6391 Fieberbrunn, Alpe-Adria Gruppe mit Wirtschaftstreuhändlerkanzleien in Kroatien, Slowenien, Tschechien u. Ungarn. P.: Zusammenstellung d. Tschechischen Rechts in 3 Sprachen. H.: Malen, Garten gestalten, Beruf. (U.A.)

Graf Pejacsevich Laszlo

B.: Dir.-Ass. u. Guest Relation Manager. FN.: Hotel "Intercontinental". DA.: 1030 Wien, Johannesg. 28. PA.: 2111 Kleinrötz, Feldg.15. G.: Wien, 6. März 1941. V.: Maria Anna, geb. Gräfin Nostitz-Rieneck. Ki.: Markus (1977), Peter u. Tatiana (1979). El.: Graf Geza u. Gräfin Amalie, geb. Gräfin Wilczek. BV.: Urgroßv. väterl.: Theodor Ferdinand Graf Pejacsevich, KuK Kämmerer, Kgl. Ung. Min. f. Kroatien u. Slavonien, letzter Banus v. Kroatien, erbl. Mitgl. d. Magnatenhauses; Ururgroßv. mütterl. Graf Hans Wilcek Financier u. Teiln. d. I. Nordpolexped., Gründer d. 1. Österr. Feuerwehr u. Wr. Rettungsges.; Mitbegr. d. Rudolfinerhauses. S.: VS im Collegium San Isidro in Buenos Aires, Gymn. Coll. Marianum in Vaduz, 1960 Matura, 1960-66 Kfm. Ausbild. an d. Academia Americana in Caracas. K.: 1967-68 Hotel "Tamanaco" Caracas (Empfang), 1969-70 Hotel Intercontinental Frankfurt (F&B- u. Cost Controller), 1971-73

Hotel "Ducor" Intercont. in Monrovia (Einkaufs-Dir.), 1974-75 Hotel "Borobudur" Indonesia (Projekteink.), 1975-78 Hotel Hilton Wien (Einkaufs-Dir.), s. 1978 Dir.-Ass. im Intercont Wien. M.: Revisor im Wr. Jockey-Club, Ehren- u. Devotionsritter d. Souv. Malteser RO. H.: Reiten, Leichtathletik. (N.A.)

Peitl Ludwig

B.: Dir. FN.: Gislaved Reifen GmbH, Alfons Sipser GmbH, Franz Stummer GmbH. DA.: 2331 Vösendorf, W.-Hafenscher-G. 16. PA.: 2544 Schönau/Triesting, Anton-Wildgans-G. 3. G.: Bad Vöslau, 14. Okt. 1932. V.: Gerta, geb. Slavicek. Ki.: Manfred, Ulrike. El.: Dr. Rudolf u. Margarethe. S.: Hum. Gymn. Baden. K.: 1952-68 Semperit Traiskirchen, Arb., später Werkslab., Abt.Ltr., Stellv., seit 1968 Fa. Gislaved GmbH Firmengrdg. u. Aufbau f. Untern. einer Tochter d. Gislaved Däkk AB Schweden, Vertrieb v. PKW Reifen in Österr. u. d. angr. Oststaaten, 1973 Aufbau eines eigenen Betriebsgebäudes im Ind.Zentrum Vösendorf, 1983 Zukauf d. Sipser GmbH u. 1987 d. Stummer GmbH, beide Reifenfachbetriebe, seit 1985 Vertrieb Wiking Reifen Norwegen, s. 1986 Verw. u. Vertrieb Esso-Reifen. H.: Haus u. Garten. (C.K.)

Pejcinoski Marko Ing.

B.: Gschf. FN.: Pejcinoski & Co GmbH. DA.: 1070 Wien, Schottenfeldg. 59. PA.: 1060 Wien, Marchettig. 2-6/15. G.: Struga/Mazedonien, 24. Juli 1946. V.: Dafina. Ki.: Loran (1967), Elisabeth (1971). El.: Boris u. Sandra. S.: VS, HS, Stud. Bauwesen an d. HS in Skopnja, 1968 Abschl. K.: 1970 Niederlass. in Österr., b. 1990 tätig b. Ziviling. Prof. Pauser, danach Grdg. "Prejcinoski & Co ", 1992 Grdg. "KV", s. 1993 Miteigent. u. Gschf. Fa. Mirwald. H.: Tennis, Fußball, Skifahren. (N.A.)

Pejrimovsky Friedrich Dr. MedR.

B.: prakt. Arzt. GT.: Betriebsarzt b. Kraus & Naimer. DA.: 1170 Wien, Veronikag. 41. PA.: 1090 Wien, Hebrag. 9. G.: Wien, 4. Apr. 1923. V.: Anna, geb. Zehetner. Ki.: Inge, Werner. El.: Karl u. Hermine. S.: RG, 1941 Matura, Militärdienst, amerikan. Gefangenschaft, Med.Stud. Wien, 1952 Prom. K.: Klinik Fellinger, Turnus Polyklinik, Chir. an d. Hera, seit 1956 eigene Praxis, Betriebsarzt b. Semperit, seit 1977 b. Kraus & Naimer. BL.: Gastarzt im US-Sanitätsspital in Wien nach 1945. E.: 1985 MedR. M.: Österr. Ärztekomitee Wien, Heeressportver., TV Lunz. H.: Tennis, Skifahren, Musik, Theater, Oper, Sprachen (Engl., Franz, Ital.). (H.P.)

Pejrimovsky Walter Dipl.-Ing.

B.: Ziviling. f. Bauwesen. DA.: 1040 Wien, Grüng. 1A. G.: Wien, 19. Okt. 1931. V.: Helga, geb. Tufar. Ki.: Dipl.-Ing. Dieter (1964), Marlene (1966). El.: Heinrich u. Rosa. S.: 1949 Matura, Stud. Bauing.-Wesen TU Wien, Sponsion 1967, 1972 Befugnis e. Ziviling. f. Bauwesen. K.: b. 1984 Bürochef b. Univ.-Prof. Dr. J.R. Dorfwirth, Ltr. d. Kanzlei Wien, seit 1984 selbst., Eröff. d. eig. Ziviltechnikerbüros, spez. auf Straßenverkehrswesen, seit mehr als 15 J. Tätigk. in d. Forschungsges. f. d. Verkehrs- u. Straßenwesen im ÖIAV. P.: Publ. in Fachzeitschr. M.: ÖIAV. H.: Jagd, Fischerei. (J.S.)

Pekar Rudolf Dr. MedR.

B.: prakt. Arzt. GT.: b. 1986 ehem. Inh. d. Selecta Kosmetik Bad Ischl. DA.: 4820 Bad Ischl, Fraueng. 4. G.: Wien, 29. März 1912. V.: Irene, geb. Dietlin. Ki.: Dr. Rudolf-Bernd, Christine. BV.: böhm. Abstammung. S.: 1932 Matura, Stud. d. Med. in Wien, 1939 Prom. K.: Turnusausbild. in Wien u. NÖ, Kriegsdienst, 1944 Versetzung nach Ebensee ans Ambulatorium f. Fremdarb., später Aufbau d. Widerstandes im KZ Ebensee, ab 1946 eigene Ordination, 1954 Praktikum b. Prof. Paul Niehans in Vevey (Schweiz), später Einführung d. Zelltherapie in d. Praxis in Bad Ischl. BL.: Patent f. elektr. Steuerungsgeräte f. Abwehrraketen (1943). F.: gewerbl. Herstellung einer Kosmetikserie "Selecta". P.: Art. im Widerstandsbuch über KZ Ebensee. E.: div. Anerkennungsz., 1977 Träger d. Med. d'Europe, 1984 Verleihung d. Ehrenbürgerschaft d. Stadt Prato. M.: Grdg.Mtgl. d. Lionsclub Bad Ischl 1960, seit 1945 SPÖ, BSA Grdg.Mtgl. Bad Ischl, van-Swieten-Ges., Ver. f. Cellulartherapie. H.: Karzinomforsch., Anwendung u. Erforsch. d. Galvano-Therapie b. Tumoren sowie Forsch. v. Tumorkommensalen, Wandern, Schwimmen, Tennis. (M.B.)

Pelikan Hans

B.: ehem. Dir. d. ALMA Vbg. Käsefabrikation & Export rGmbH. DA.: 6900 Bregenz-Hard, Rheinstr. 1. PA.: 6971 Hard, Kirchstr. 16. G.: Bregenz, 22. Mai 1928. V.: gsch. Ki.: Harald (1960). El.: Johann u. Anna, geb. Knapp. S.: HS Bregenz, Kfm. Fortbildungsschule, div. Fernkurse. K.: S. 1942 b. Fa. ALMA: vorerst Personalwesen, Einkauf, ab 1976 stellv. Gschf., s. 1988 Dir., Aug. 1992 Pension. H.: Berg-wandern, Schwimmen (früher Wettbewerbteiln.), Langlaufen, Fischen, klass. Musik, Oper. (M.G.)

Pelikan Peter Dipl.-Ing.

B.: selbst. Arch. DA. u. PA.: 1130 Wien, Lainzer Str. 10. G.: St. Pölten, 29. Okt. 1941. V.: Erika, geb. Collosens. Ki.: Max (1973), Julia (1978). El.: Dr. Ernst u. Käte. S.: Arch.-Stud. TU Wien, 1972 Dipl. K.: Tätigkeit b. versch. Arch., 1974 Arch. b. d. Gem. Wien, seit 1981 Zusammenarb. m. Friedensreich Hundertwasser, ab 1989 selbst. Arch. BL.: Hundertwasserhaus i. Wien, Arik-Brauer-Haus i. Wien, Kumpf-Raststätte i. Göttlesbrunn, Autobahnraststätte i. Weer/Tirol, Gemeindebau Wien 6, Wallgasse. H.: Wintersport, Beruf. (I.J.)

Pelikan Wilhelm Ing.

B.: Gen.-Dir. FN.: Steir. Landwirteverb. GenmbH. DA.: 8026 Graz, Alte Poststr. 152. G.: Dortmund, 29. Sept. 1935. V.: Gerda. Ki.: Jürgen, Jutta. El.: Ferdinand u. Herta. S.: Grundschule, Ldw. Mittelschule Francisco Josefinum. K.: 1955-60 Neuseeland, seit 1960 Steir. Landwirteverb. P.: Art. in einschlägigen Fachzeitschriften. H.: Tennis, Golf.

Pelinka Anton Dr. iur. Univ.-Prof.

B.: Univ.-Prof. am Inst. f. Politikwiss. an d. Univ. Innsbruck. DA.: 6020 Innsbruck, Innrain 52. G.: Wien, 14. Okt. 1941. V.: Almud, geb. Krumeich. Ki.: Barbara. S.: 1960 Matura in Wien, Stud. Rechtswiss. an d. Univ. Wien, Stud. d. Politikwiss. am Inst. f. Höhere Studien. K.: 1972 Univ.Doz. f. Politikwiss. an d. Univ. Sbg., 1973 Prof. f. Politikwiss. an d. Univ. Gesamt-HS Essen, 1974 Prof. f. Politikwiss. an d. Päd. HS Berlin-West, seit 1975 an d. Univ. Innsbruck. P.: zahlr. Bücher u. Aufsätze, Fachgebiet: Parteienverb., Demokratietheorie. (Schm.)

Pelinka Peter Dr.
B.: Chefred. FN.: NEWS. DA.: 1020 Wien, Prater Str. 31. G.: Wien, 17. Nov. 1951. V.: Brigitte, geb. Döttenthaler. Ki.: Nikolaus (1986). El.: Franz u. Friederike. S.: 1970 Matura, Stud. Geschichte u. Politikwiss., 1978 Doktorat. K.: seit 1980 Red. b. d. AZ, seit 1983 Lehrbeauftragter am Inst. f. Publizistik d. Univ. Wien, seit 1990 Chefred. d. AZ. P.: Autor u. Hrsg. mehrerer zeitgeschichtl. u. politikwiss. Bücher über Österr. H.: Basketball, Fußball, Wandern, Reisen. (J.S.)

Pelka Trude Ing. Mag. arch. KommR.
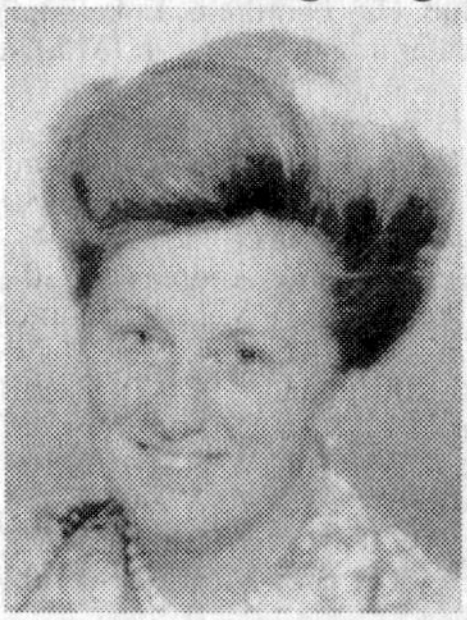
B.: Inhaberin. FN.: Otto Pelka & Co. DA.: 1110 Wien, Leberstr. 96. G.: Wien, 3. Mai 1936. Ki.: Dr. Carmen, Ing. Otto, Ing. Heinrich. El.: Otto u. Leopoldine. S.: HTL Hochbau, Akad. f. ang. Kunst . K.: 1955 Eintritt i.d. väterl. Betrieb (Metallbau), 1968 komplementärer Ges. 1971 KISS OHG, 1973 Werno Werk Metallkonstruktionen GmbH & CoKG, 1985 bei Pelka Handelsges.m.b.H. M.: seit 1977 ÖVP Bezirksrat Wien-Döbling. H.: Politik, reisen, filmen. (G.B.)

Pellert Wilhelm Dr. phil.
B.: Schriftsteller, Reg., Produzent. DA. u. PA.: 1130 Wien, Erzbischofg. 25-29/10/5. G.: Wien, 26. Jan. 1950. V.: Mag. Dr. Ada (Univ.Ass.). Ki.: Maximilian (1991). El.: Wilhelm u. Paula. S.: hum. Gymn., RG, Matura 1978, Stud. in Wien (Theaterwiss. u. Germanistik), Prom. 1978. K.: 1968-70 in d. Action-Filmgruppe an filmhistor. Forschungen mitgearbeitet u. b. d. Spielfilm "Die ersten Tage" als Hauptdarsteller, Regieass. u. Drehbuchautor gemeinsam m. Herbert Holba u. Ernst A. Ekker mitgewirkt, 1971 gemeinsam m. Korherr Helmut d. Gruppe Borobya gegründet, 1974 Uraufführung d. Wr. Volksstückes "Jesus v. Ottakring", 1975 Subvention v. BMfUK u. d. Kultuamtes d. Stadt Wien f. d. Verfilmung d. Volksstückes "Jesus v. Ottakring", 1982 Schauspiel "Sein Spielzeug", 1984 Roman "Fahr wohl ins Leben", 1985 Kinderbuch "Fridolin u. Barto", 1986 "Der achte Zwerg", Theaterstücke: 1987 "Ulenspiegel", 1989 "Alles hat Grenzen", "Der Cascadeur", 1989 Kinderbuch "Der Bienenkönig", 1990 "Ada u. Oma in Togo". E.: 1973 u. 1989 Theodor Körner-Preis, 1976 Preis d. Wr. Kunstfonds f. Film, 1979 Förderungspreis f. Filmkunst, 1983 Förderungspreis d. Stadt Wien f. Literatur. P.: Bücher, Theaterstücke, Drehbücher, Lieder, Kabarett u. Hörspiele. M.: P.E.N.-Club, seit 1993 Gen.Sekr. d. österr. SV., Österr. Schriftstellerverb. H.: Arbeit, Langlaufen, Umweltschutz, Reisen, Wandern. (M.G.)

Pellischek Adolf Ing.
B.: Bgm. Marktgem. Feldkirchen/Graz, Elektrotechniker. GT.: Ferndmeldebauamt d. ÖPT Graz als Bez.Bauführer. DA.: 8073 Feldkirchen, Marktpl. 1-2. PA.: 8073 Feldkirchen, Thalerhofstr. 40. G.: Graz, 5. Juni 1938. V.: Maria, geb. Dobaj. Ki.: Klaus, Joachim, Elisabeth, Matthias. El.: Achilles u. Maria. S.: VS, HS, Bulme, 1958 Matura. K.: 1958 Fernmeldebaumt Planung, dann Baudienst, 1972 Bez.Bauführer, seit 1975 GemR., 1977 Gem.Kassier, 1984 VBgm., seit 1985 Bgm. M.: Obm. d. Müllverb. Graz u. Graz Umgebung, Vorst. d. Union Feldkirchen, Mtgl. örtl. Ver., Ortsparteiobm. ÖVP, Finanzref. d. PfarrgemR. H.: Sport. (H.Z.)

Peloschek Peter Dr. med. univ.
B.: FA f. Radiologie, Prim. d. Röntgeninst. am AKH Baden. DA.: 1080 Wien, Josefstädterstr. 20/18. G.: Wien, 28. Juni 1947. V.: Traute, geb. Schneider. Ki.: Philipp, Florian, Stephan. El.: Dr. Herbert u. Lieselotte. S.: 1957-61 Theresian. Ak., 1961-65 BRG VIII, 1965 Matura, 1965-72 Stud. Med. an d. Univ. Wien, 1972 Prom. z. Dr. med. K.: 1972-73 Path.-Anatom. Inst. d. Univ. Wien, 1973-75 Univ.Klinik f. Radiotherapie, 1975-77 Hanusch-KH, 1977-88 Kaiser Franz Josef-Spital, seit 1982 eigene Praxis, seit 1988 Vorst. d. Röntgeninst. d. A.Ö. KH Kurstadt Baden. P.: div. Veröff. im Bereich d. Strahlentherapie in versch. Fachblättern. M.: Österr. Röntgenges., Bayer.-Dt. Röntgenges., Arbeitskreis f. Computertomographie u. Magnetresonanz d. österr. Röntgenges. (P.R.)

Pels Anthony
B.: Dir. f. Österr. u. Jugoslawien d. KLM Kgl. Ndlg. Luftverkehrsges. DA.: 1010 Wien, Kärntner Str. 12/Kupferschmiedg. 2. PA.: 1190 Wien, Bellevuestr. 58. G.: Knocke/Belgien, 13. Nov. 1931. V.: Nelly, geb. Breebaart. Ki.: Karen Magdalena (1958), Ellen Nicolette (1960), Anthony Orvo (1968). El.: Peter Jacobus u. Hendrika. BV.: im 16. u. 17. Jhdt. führende Handelsfamilie in Amsterdam. S.: 1951 Commercial Highschool Amsterdam. K.: 1953-55 Trainee Dutch Intern. Bank, 1955-58 Bankbmtr. in Karachi Pakistan, 1958-60 Werbemanager Export Assoc., 1960 Trainee KLM, 1960-65 Ass. Cargo Manager f. Japan/Korea, 1966 Jugoslawien u. Nigeria, 1966-69 Dir. in Finnland, 1969-71 Marketingmanager Garuda Japan, 1971-72 Passagemarketing KLM, 1972-76 Frachtmarketing KLM, 1976-82 Dir. Frachtmarketing Western Hemisphere, 1982-84 Frachtdir. Deutschland, 1984-85 Ungarn u. Zimbabwe, 1985-88 Dir. Norwegen, seit 1988 Dir. f. Österr. u. Jugoslawien. (M.M.)

Peltzer Friedrich
B.: Prokurist, Verkaufsleiter Ausland. FN.: Trox Austria GmbH Lüftungs u. Klimatechnik. DA.: 1220 Wien, Lichtblaustr. 15. PA.: 2511 Pfaffstätten, Franz Josef Str. 1. G.: Wien, 31. Dez. 1938. V.: Ingrid. Ki.: Sylvia (1955), Christoph (1973). El.: Friedrich u. Friederike. BV.: Vater war Besitzer einer Eisengießerei i. Wien. S.: VS, Mittelschule, Matura, Hoschulstudium Maschinenbau, a.o. Höhrer a. d. Hochscule f. Welthandel. K.: 1959-60 Technischer Angestellter i. d. Leobersdorfer Maschinenfabrik, 1960-64 Konstrukteur bei Fa. Heinzel u. Florimund, 1964-68 Projektant und Anlagenbauer bei Fa. Körting, s. 1968 bei Fa. Trox derzeit Verkaufsleiter f. d. Bereich Ausland. P.: Fachbeiträge f. Fachzeitschriften, Vorträge u. Seminartätigkeit i. Bereich Lüftungs - u. Klimatechnik. H.: Schifahren, Tennis, Tontaubenschießen, Fotografie. (F.S.)

Pelz Dieter Dipl.-Ing.

B.: Vorst.-Dir. FN.: Steirerbrau AG. DA.: 8020 Graz, Reininghausstr. 1-7. PA.: 8044 Graz, Hans-Mauracher-Str. 45. G.: Braunschweig, 6. Juni 1941. V.: Barbara, geb. Grassnick. Ki.: Stefanie (1970), Michael (1977). El.: Emmy u. Otto. S.: 1959 Lehrabschluß als Brauer u. Mälzer, Berufsaufbauschule, 1962 Berechtigung z. Besuch e. Ing.-Schule, 1963-65 Militär, 1965-67 Stud. TU Berlin Fachr. Brauwesen, 1967 Grad., 1967-70 Stud. Brauwesen TU München-Weihenstephan, Abschl. Dipl.-

Ing. K.: ab Ende 1970 Ass. d. Gen-Dir. bei Henninger Bräu Frankfurt, 1975 techn. Dir. Eichbaum Brauereien AG Mannheim, 1976-85 Vorst., 1985-90 Gschf. d. Westfäl. Privatbrauereien in Nies GmbH Paderborn, seit 1991 Vorst.-Dir. Steirerbrau AG. P.: div. Fachartikel in Fachmagazinen. M.: Ausschuß d. österr. Getränke-Inst. Wien, Gerstenkommittee v. Verb. d. Brauereien, Rotary. H.: Golfen, Bonsai züchten. (F.K.)

Pelz Edgar

B.: Musiker, Inh. FN.: DEP Gitter- u. Zahnbautechnik GesmbH. DA.: 5201 Seekirchen, Mayerling 12. PA.: 5112 Lamprechtshausen, Hausmoning 24. S.: eig. 10-Mann-Orchester, kleineres Orchester mit 4 Mann (Kombo Edgar Pelz), 1989 Grdg. einer eig. Musikagentur, s. 1 J. alleiniger Inh. d. Tonsa Agentur, 1994 eigener Musikverlag, schreibt u. komponiert eig. Texte, Aufnahme von CD. (D.E.)

Pelz Elisabeth

B.: Gschf. FN.: Wempe Feinuhrmacher u. Juwelier. DA.: 1010 Wien, Kärntner Str. 41. PA.: 1190 Wien, Boschstr. 41. G.: Wien, 16. Juli 1941. V.: Dr. Erwin Pelz. Ki.: Philipp (1971), Fiona (1974). El.: Alois u. Mathilde Hergenich, geb. Fida. S.: kfm. Ausbild. K.: 1958-69 in versch. Positionen, zuletzt Gschf. v. Prinzess Kindermoden, 1969-71 Dion.-Sekr. b. Bayer-Leverkusen AG, 1971-81 Auslandsaufenthalte in USA, Nigerien, Deutschland u. Schweden, 1989-91 Verkauf b. Juwelier Heldwein, 1991 Eintritt Firma Gerhard D. Wempe GmbH, seit 1992 Gschf. H.: Squash. (N.A.)

Pelz Erich-Georg Dir.

B.: Gschf. f. Vertrieb, Marketing u. Werbung. FN.: Elefanten Schuh GmbH. DA.: 4810 Gmunden, Cumberlandstr. 64. PA.: 4810 Gmunden, Roithstr. 29. G.: Wien, 29. März 1930. V.: Gertrude, geb. Weihs. Ki.: Reinbert (1960), Birgit (1966). El.: Georg u. Therese. S.: VS, RG, 1949 Matura, 1950-52 Welthdls.-Stud. K.: 1952-55 Volontär in Schuhfbk., ab 1965 Exportverkaufsltr. Bally Wr. Schuhfbk., ab 1967 Prokura u. Gesamtvertriebsltr. Firma Bally, 1970 Eintritt Elefanten Schuh GmbH, Verkaufsltr. m. Prokura, 1972 Gschf. M.: V.Ö.S. H.: Theater, Oper, Reisen, Tennis, Skifahren. (G.E.)

Pelz Robert KommR.

B.: Gschf. Ges. FN.: Bilderland GmbH. DA.: 1220 Wien, Schiffmühlenstr. 43. PA.: 1030 Wien, Salesianerg. 3. G.: Wien, 22. März 1944. V.: Ullricke, geb. Storm. Ki.: Natalie (1967). El.: Emmerich u. Cecilia. S.: BRG, Höh. Graph. Lehr- u. Versuchsanst. (Buchdruck), 1962 Abschluß. K.: 1962-68 Chemia-Agfa Wien, 1968 Techn. Ltr. d. Wiener Foto-Labor-Ges., 1970 Dir. d. Fa. Hekuplast, 1971 Dir. d. Wr. Foto-Labor-Ges., 1977 Dir. d. Chemia GmbH, 1981 Einzeprok. f. d. ges. Chemia-Gruppe, 1982 Gen.-Dir. d. Chemia-Foto-Labor-Ges., s. 1990 Gschf. Ges. d. Bilderland GmbH. E.: 1986 Verl. d. Titels KommR. M.: S. 1985 Vizepräs. d. First Vienna Football Club. H.: Familie u. Enkelkind, Sport, Politik, Musik, Oper, Theater u. gute Literatur. (M.M.)

Pelz Walther

B.: Dir. Hotel "Rathauspark", Hotel "Lassalle", Restaurant "Gössert". DA.: 1010 Wien, Rathausstr. 17. PA.: 2380 Perchtoldsdorf, Kaisersteigg. 8. G.: Salzburg, 25. Juli 1947. V.: Silvia, geb. Maerkar. Ki.: Julia (1977), Andreas (1980). El.: Hans-Egon u. Ilse, geb. Zikesch. S.: VS, Mittelschule, 1964-67 Hotelfachschule. K.: 1967-70 Koch u. Kellner, 1970-73 Bundesgschf. b. Ring d. Freiheitl. Jugend, 1974-78 Gschf. d. Restaurants "Carrousel" Wien 1, 1978-80 Dir. v. "Porsche-Hotel" Zell/See, 1980-84 Dir. "Wigast" Wr. Stadthalle, 1984/85 Aufbau u. Eröff. d. Hotels "Cottage" Wien 18, seit 1985 b. d. Österr. Verkehrsbüro AG, Dir. v. 3 Betrieben. M.: Tourismuskmsn. in Wien. H.: Tennis, Mountainbike, Weinliebhaber. (N.A.)

Pelz Edgar jun. Dr. iur.

B.: Ges. u. Musiker. FN.: E. Pelz Gitterfbk. DA.: 5020 Salzburg, Glockeng. 6. PA.: 5026 Salzburg-Aigen, Ernst-Grein-Str. 5. G.: Salzburg, 14. März 1960. El.: Edgar u. Lidwina. S.: VS, neusprachl. Gymn., Univ. Sbg., 1985 Prom. K.: Gerichtsjahr, Musiker (Pianist u. Bandleader), seit 1986 im väterl. Unternehmen tätig. P.: PP Showband, Platte in Vorbereitung. M.: Vorst.Mtgl. d. Tonora Records, Vorst.Mtgl. d. Lions Clubs Aigen. H.: Tennis, Squash, Karate, Judo, Skifahren, Langlaufen. (R.A.)

Pelz Edgar sen.

B.: Inh. FN.: E. Pelz Gitterfbk. Materialiengroß- u. -einzelhdl. DA.: 5020 Salzburg, Glockeng. 6. PA.: 5026 Salzburg-Aigen, Ernst-Grein-Str. 5. G.: Eferding, 13. Aug. 1926. V.: Lidwina, geb. Weikl. Ki.: Dr. Edgar. El.: Johann u. Franziska Wurm-Pelz. S.: VS, Gymn., 6 Sem. Jura. K.: Flugausbild. u. 1. Flugprüfung als jüngster Pilot, 14 j. 17-20 j. Luftwaf-fenkriegsdienst in Spezialeinheit, Gefangenschaft, zeitw. in BRD im Autogesch. tätig, 1950 in Linz/D. Gitterfabrik d. Onkels gepachtet, nach schwersten gesundh. Rückschlägen d. Kriegsinvaliden u. Unfälle den Betrieb E. Pelz Gitterfabrik i. Sbg. gegr. u. organisch aufgebaut, Erneuerung d. Pilotenlizenzen, Kunstflugberechtigungen f. Segel- u. Motorflug, dt. u. amerik. Berufspilotenlizenz m. Instrumentenflugberechtigung u.a.m., 1979 Konzession f. priv. Flugunter-nehmen erhalten. E.: Eisernes Kreuz, Intern. Motorflugleistungsabz. in Gold, EZ d. österr. Aeroclubs. M.: LSV Sbg. H.: Fliegen, Musik, Sport. (R.A.)

Pelzguter Dietmar Karl Mag.

B.: Gschf. FN.: A. Doleschal Edelstahlanlagen GmbH. DA.: 4400 Steyr, Schaftg. 2. PA.: 4451 Garsten, Lahrndorferstr. 166. G.: St. Pölten, 25. Feb. 1953. V.: Maria, geb. Wiesbauer. Ki.: Simone (1982). El.: Josef u. Hedwig. S.: Gymn. Steyr, Matura 1971, Bundesheer, Stud. BWL Linz, 1977 Sponsion. K.: 1977 Steyr-Daimler-Puch (Kostenrechner), 1983 Steyr-Mannlicher GmbH (kfm. Ltr. u. Prok.), 1990 dzt. Position. P.: div. Art. in Fachzeitschr., lauf. Mitarbeiter- u. Kundenschulung. H.: Sport (insb.. Fußball, Schwimmen, Schifahren, Tennis), Lesen (mod. österr. Lit., Fachlit.), Theater. (U.A.)

Pelzmann Linda Dr. phil.
B.: Prof. f. Wirtschaftspsychol. DA.: 9020 Klagenfurt, Universitätsstr. 65-67. PA.: 9020 Klagenfurt, Herbertstr. 1. G.: Altfinkenstein, 1. Jan. 1945. El.: Josef u. Maria. S.: Gymn. in Fürstenfeld, Stud. Psych. an d. Univ. Graz, Prom. z. Dr. phil. 1974. K.: S. 1974 wiss. Ass. an d. Univ. Klagenfurt, 1983 Venia legendi u. Ern. z. Doz. f. Wirtschaftspsych., Forschungsaufenthalt: 1984-85 Massey Univ. in Neuseeland, 1986 Princeton Univ. USA, 1988 Univ. of Chicago, Lehrtätigkeit an d. Univ. Wien u. Innsbruck. P.: "Wirtschaftspsychologie: Arbeitslosenforsch., Schattenwirtschaft, Steuerpsychol." (1985, 2. Aufl. 1988) u.a. Publ. an d. Geb. Management-Psychol., Organ., Arbeits- u. Betriebspsychol., Stress-Management in div. Fachzeitschriften u. Sammelbänden. E.: 1982 Theodor Körner-Preis. M.: 1985-87 2. Präs. d. Verb. d. Akademikerinnen Österr. (D.M.)

Pelzmann Paul
B.: Elektrotechniker, EDV-Spezialist, Controlling Manager. FN.: Austrobus Autobus GmbH. DA.: 1010 Wien, Dr.-Karl-Lueger-Ring 8. G.: Wien, 17. Juli 1940. V.: Erika, geb. Hach. Ki.: Evelyne (1964). El.: Paul u. Elisabeth. S.: VS, Mittelschule, Lehre d. Elektrotechnik, 1958 Gesellenprüf. K.: Ang. in Elektrofirma, EDV-Kurse, 1964 Personalref. Kuratorium f. Verkehrssicherheit, 1967 Wechsel in d. Reisebürobranche, Buchhaltung u. Statistik Österr. Verkehrsbüro, 1972 Prok. Vienna Sightseeing Tours, 1990 Dr. Richard KG, seit 1994 Austrobus. H.: Bridge, Tanzen. (W.J.)

Pendl Georg Dipl.-Ing.
B.: selbst. Arch., eig. Atelier. DA.: 6020 Innsbruck, Tschamlerstr. 3. PA.: 6020 Innsbruck, Templstr. 2. G.: Innsbruck, 20. Aug. 1954. El.: Dipl.-Ing. Ewald u. Ida. BV.: Großvater Erwin Pendl Kunstmaler, Emanuel Pendl Bildhauer. S.: VS, Gymn., Stud. Techn. Fak. Innsbruck, 1979 Spons. K.: ab 1979 freiberufl. tätig, seit 1984 eigenes Atelier, teilweise Zusammenarb. m. Arch. Dipl.-Ing. Elisabeth Senn, wesentl. Projekte: Utopia-Veranstaltungszentrum Innsbruck, Café Farbton, Hall in T., Einfamilienhäuser u. Siedlungen, Revitalisierungen, größere Dachbodenausbauten, insbes. Sonnenburgstr. u. Jahnstr. in Innsbruck sowie Liechtensteinstr. in Wien, Gestaltung d. Piller Landschaftssees in Tirol, 1992 3. Preis b. Wettbewerb f. d. Neubau d. Österr. Kulturinst. in New York. P.: Publ. in Fachzeitschriften. H.: Skitouren, Bergradfahren, Fotografie. (B.R.)

Pendl Gerhard Dr. med. Univ.-Prof.
B.: Vorst. d. Neurochir. Klinik an d. Karl-Franzens-Univ. Graz. DA.: 8036 Graz, Auenbruggerpl. 5. PA.: 1130 Wien, Lainzer Str. 90. G.: Linz, 10. Juli 1934. V.: Liselotte, geb. Mayerhofer. Ki.: Gunther (1966). El.: Leopold u. Leopoldine. S.: VS, RG, 1949-57 Drogistenlehre im Drogengroßhdl. u. anschl. Ang. als Drogist, 1957 Matura an d. Arbeitermittelschule Linz, 1957-64 Med.-Stud. Univ. Wien, 1964 Prom. K.: 1964-65 Turnusausbild. AKH Linz, 1965-72 Ass. Neurochir. Univ.-Klinik Wien, davon 1966-76 Fellow an d. George Washington Univ., Washington D.C., 1968-69 am Max-Planck-Inst. München, Neuropathologie, 1972 FA f. Chir. u. 1978 Umwandlung f. Neurochir., 1972-74 OA d. Neurochir. Univ.-Klinik Kiel, 1974-78 Chefarzt d. Neurochir. Abt. Ostseeklinik Damp, 1973 FA f. Neurochir. d. Ärztekam. Schleswig-Holstein, 1978-90 1. OA u. Klinikvorst.-Stellv. d. Neurochir. Klinik Wien, ständig gerichtl. beeid. Sachv. f. Neurochir., seit 1. Apr. 1990 Vorst. d. Neurochir. Klinik d. Karl-Franzens-Univ. Graz. P.: 135 Publ. in in- u. ausländ. Fahczeitschriften u. Büchern, 2 Monographien, 28 Buchbeiträge. M.: Kieler Yachtclub, Dt. u. Österr. Ges. f. Neurochir., Europ. Ges. f. Pädiatr. Neurochir., Ges. d. Ärzte in Wien, Österr. Ges. f. Chir., Ges. f. Archäometrie, Wr. Med. Ak., Intern. Society for Neutron Capture Therapy, Intern. Leksell Gamma Knife User Group. H.: Seefahrt, Germanistik, Geschichte, Zeitgeschichte, Japan. Sprache u. Kultur. (E.H.)

Pendl Otto
B.: Pfarrer d. Pfarre Kumberg. DA. u. PA.: 8062 Kumberg, Am Platz 18. G.: Maria Trost, 11. Nov. 1934. El.: Franz u. Karolie. S.: 1940-46 VS Maria Trost, 1946-54 Ak. Gymn. Graz, 1954 Matura, ab 1954 Theol.-Stud., 1959 Abschluß. K.: 1959 Priesterweihe, b. 1962 Tätigkeit als Kaplan in St. Margarethen, 1962/63 St. Georgen an d. Stiefing, 1963-69 in Weiz, ab 1969 Pfarrer, 3 J. in Hatzendorf, 1973-89 St. Veit/Vogau u. Gabersdorf, seit 1989 Pfarrer in Kumberg. H.: Videofilmen. (M.Gr.)

Pendl Peter Dr. phil.
B.: Gschf. FN.: P & P Holding Österr. DA.: 1010 Wien, Bartensteing. 5. PA.: 1140 Wien, Amundsenstr. 3. G.: Wien, 17. Jan. 1951. V.: Ursula, geb. Pavlu. Ki.: Julia (1987), Philip (1989). El.: Alois u. Cecilia. S.: RG, Stud. d. Psych. u. Päd. an d. Univ. Wien, 1976 Dr. K.: 1973 Stud.-Ass., 1976 Univ.-Ass., seit 1979 selbst. als Personalberater m. Einzelfirma Inst. f. Arbeitspsychologie, 1980 Umwandlung d. Betriebes in Dr. Pendl & Dr. Piswanger GmbH. F.: Die P & P Gruppe besteht aus: Dr. Pendl & Dr. Piswanger GmbH Personalberatung, Dr. Peter Pendl & Ing. Dr. Karl Piswanger Organ. u. Schulungs GmbH, Kommunikations-Impulse GmbH, Dr. Pendl & Dr. Piswanger Intern. Ungarn, ab 1989 Aufbau eines Partnernetzes in Österr., Österr. Partner d. Intersearch. M.: Decorn (Tischtennisver.), Berufsverb. d. österr. Psychologen (BÖP), British Trade Council (BTC), Wirtschaftsforum d. Führungskräfte (WdF). H.: Tischtennis, Amateurtheater. (J.S.)

Peneff Jordan

B.: Firmeninh. FN.: Maschinen Peneff. DA.: 8020 Graz, Wiener Str. 60. PA.: 8045 Graz, Haberlandtweg 22. G.: Graz, 3. Jän. 1925. V.: Erika, geb. Haubner. Ki.: Vera (1956), Christian (1958), Gabriela (1960). El.: Riso u. Elena. BV.: Eltern waren d. ersten u. gr. Freilandgärtner v. Graz. S.: VS, Keplergymn. Graz u. Gymn. u. Matura in Sofia, parallel z. Schule in Bulgarien Export-Import, Ausbild. im kfm. Bereich. K.: 1946 Rückkehr nach Österr., Einstieg in d. elterl. Gartenbau, 1951 Einstieg in d. Maschinenbranche als Ang., 1961 Grdg. d. eigenen Firma im Bereich, Import, Verkauf u. techn. Beratung f. Holzbearb., 1968 Erweiterung m. flexiblen Schleifmitteln, 1988 Grdg. Joint Ventures in Zalaegerseg - Zala Butor, 1991 Übernahme d. Gesamtbetriebes. H.: Betreuung v. Natur, Jagd. (F.K.)

Peneff Peter
B.: Unternehmer. FN.: CAD-ACADEMY. DA. u. PA.: 8010 Graz, Sporg. 27. G.: Graz, 22. Mai 1960. El.: Dipl.-Ing. Botis u. Anneliese. S.: VS, Gymn., 1978 Matura, Arch.-Stud. TU Graz. K.: Tätigkeit in versch. Arch.-Büros in Graz, 1992 Grdg. eines Dienstleistungsunternehmen gemeinsam m. Partner Peter Komposchek in Graz f. d. Bereich Arch. unter Zuhilfenahme v. Computer, Visualisierungen m. Werbeagenturen, Planerstellungen f. versch. Arch., Werbung f. renomierte Firmen, Entwicklung einer Spezialsoftware f. d. Auskleidung v. Hochöfen weltweit erste Software im vollau-

tomat. Bereich, erstmals in Österr. Erstellung dreidimensionaler Birdy-Cards. H.: Golf, Motorräder Harley-Davidson-Fan. (M.Gr.)

Pengg Gottfried Dipl.-Ing.
B.: Gschf. Ges. FN.: Joh. Pengg GmbH. GT.: div. AufsR.Funktionen. DA. u. PA.: 8621 Thörl. G.: Thörl, 11. Jan. 1932. V.: Dr. Margaretha. Ki.: Dipl.-Ing. Johann, Dipl.-Ing. Franz Xaver, Dipl.-Ing. Gottfried, Anna, Margareta. El.: Johann u. Dorothea. BV.: seit 500 J. Eisenind. S.: Grundschule, RG, Montanuniv. Leoben. K.: ab 1955 Praxis in d. USA, Dortmund Fa. Hoesch, Duisburg Niederrhein. Hütte, Biel, ab 1955 im elterl. Betrieb. F.: Breitenfeld Edelstahl GmbH, Steir. Kettenfbk. E.: Gr. Gold. EZ d. Landes Stmk. M.: Präs. d. VÖI LGruppe Stmk. H.: Hausmusik, Geige, Bratsche, Jagd.

Pengg-Bührlen Vinzenz Dipl.-Ing.
B.: Industrieller, Vorst.Mtgl. d. Ver. Österr. Industrieller, LGruppe Stmk., Vorst.Vors. d. Vogel & Noot AG Wartberg, Gschf. d. Vinzenz Pengg-Bührlen GmbH Wartberg, AufsR. Gegenseitiger Versicherungs-Verein f. Montanwerke, Maschinen- u. Metallfabriken Wien. PA.: 8661 Wartberg i.M.

Penker Heimo Dr. Dkfm.
B.: Vorst.-Mtgl. d. Bank f. Ktn. u. Stmk. AG, Stellv. Sekt.-Obm. Geld-, Kredit- u. Vers.-Wesen d. HK f. Ktn., Mtgl. d. AufsR.: CA-3 Banken Beteiligungsfonds AG Wien, Ktn. Kreditbürgschafts GmbH Klagenfurt, Diners Club Austria AG Wien, Fa. ARA Schuhfabriken GmbH Feldkirchen, Treibacher Chem. Werke AG Treibach, Vors. d. Finanzaussch. d. HK Ktn. DA.: 9010 Klagenfurt, Neuer Platz 7. PA.: 9010 Klagenfurt, Sponheimerstr. 12. G.: Seeboden, 22. Jan. 1947. V.: Dipl.-Ing. Barbara, geb. Martin. Ki.: Christiane, Andrea, Martina. El.: Matthias u. Rosina. S.: HAK Villach, 1965 Matura, HS f. Welthdl. in Wien, 1971 Prom. K.: 1972 Eintritt in d. BKS, 1980 Prok., 1983 OProk., seit 1984 Vorst.Mtgl. M.: Rotary-Club Klagenfurt. H.: Jagd, Bergsteigen, Skifahren. (S.G.)

Penker Helmut
B.: Graveur, Inh. FN.: Ringitscher & Penker Gravur Atelier. DA.: 9020 Klagenfurt, Kramerg. 3. G.: Villach, 22. Apr. 1967. V.: Martina. Ki.: Johannes (1990). El.: Helmut u. Annemarie. S.: VS, HS, 4 J. Fachschule Ferlach, 1991 Mstr.-Prüf. K.: 1 J. Deutschland, Waffengraveur, 1989 Firmengrdg. H.: Natur, Familie, Betrieb. (W.M.)

Penkner Christian
B.: Gschf. Ges. FN.: P.F.S. Finanzdienstleistungs Service GmbH. DA.: 4040 Linz-Urfahr, Hauptstr. 83-85. PA.: 4210 Gallneukirchen, Blütenstr. 1. G.: Gallneukirchen, 10. Dez. 1963. V.: Anita, geb. Dreilinger. Ki.: Alexandra (1991). El.: Erwin u. Maria. S.: VS, HS, Polytechn. Lehrgang, 3 J. Kfm. Lehre Firma EBG Linz, Ind.-Kfm. K.: b. 1986 Abt. BW u. Controlling Firma EBG, seit 1986 Firma Christian Penkner Gewerbe Vers.-Agentur, seit 1990 Grdg. d. jetzigen Firma u. Gschf. Ges. P.: Schulungstätigkeit im Bereich Marketing, Immobilienvermarktung u. Vers. F.: Prok. Firma PGC Bauliegenschaftsentwicklungs GmbH. H.: Tennis, Golf, Skifahren. (U.A.)

Penkner Brigitte Dr.
B.: Stellv. d. Zahnambulatorium d. Bundeskam. DA.: 1080 Wien, Josefstädter Str. 80, 1210 Wien, Jedlersdorfer Str. 99/21/2. PA.: 1200 Wien, Brigittapl. 18/20. G.: Wels, 16. Mai 1946. V.: Penkner Paul. Ki.: Sonja, Natascha. El.: Richtsfeld Hans u. Rotraud. BV.: Hans Richtsfelder Verfasser v. Gedichtbänden u. Entdecker d. Heilquelle Heilbad Weinberg OÖ. S.: VS, Mittelschule, Stud. d. Med., 2 J. Kurs über Kieferregulierungen, 1973 Prom., 1975 FA. K.: 1975 Zahnärztin in d. BKam., 1976 Stellv. d. Zahnambulatorium, seit 1977 eigene Ordination. M.: zahnärztl. Interessenverb. H.: Sport, Malen. (M.Br.)

Penn Manfred

B.: Tankstellenpächter AGIP-Tankstelle, Pressefotograf. DA.: 4890 Frankenmarkt, Steinleiten 40. PA.: 4890 Frankenmarkt, Bergweg 23. G.: Albingdorf, 19. Mai 1946. V.: Martina, geb. Dorn. Ki.: Manfred (1973), Mario (1975), Tanja (1979). El.: Alfred u. Marianne Vogel. S.: VS, 1960-64 Schlosserlehre, 1964 Gesellenprüf. K.: b. 1974 Schlosser in versch. Betrieben, 1974 Übernahme d. AGIP-Tankstelle in Frankenmarkt. E.: mehrere Ausz. v. AGIP. H.: Fotografieren, Motorradfahren. (J.L.)

Pennauer Stefan
B.: Bgm. d. Marktgem. Rohrau, Ldw. DA.: 2471 Rohrau 22, Gemeindeamt. PA.: 2471 Rohrau, Pachfurth 7. G.: Pachfurth, 6. Aug. 1936. Ki.: Helga, Maria, Renate. K.: 1968 Übernahme d. elterl. ldw. Betriebes, seit 1957 im GemR. (ÖVP) in Pachfurth, gschf. GemR. u. Ortsvorsteher, ab 1985 VBgm. u. seit 1987 Bgm. d. Marktgem. Rohrau, Gem.Parteiobm., seit 1970 Ortsbauernratsobm., Obm. v. SC-Pachfurth. BL.: Errichtung eines Michael Haydn-Denkmals. H.: Ldw., Kegeln. (Ch.K.)

Penninger Bernhard Mag.
B.: Wirtschaftsprüfer u. Steuerberater. DA.: 1070 Wien, Mariahilfer Str. 32. PA.: 1120 Wien, Eichenstr. 2c/5. G.: Feldkirch, 15. Jan. 1956. El.: Eugen u. Maria. S.: 1974 Matura, 1974-79 Stud. Wirtschaftswiss. WU Wien, 1986 Steuerberaterprüf., 1990 Wirtschaftsprüfer, 1979-82 Studien in Italien. K.: 1982-93 Steuerberater Auxilia Treuhand GmbH, 1990-94 Prok. Auxilia, 1994 Eröff. d. eigenen Kzl. H.: klass. Musik, Tennis, Reisen. (I.K.)

Penninger Elisabeth
B.: Gschf. Ges. FN.: Jos. Lustig & Co Papier. DA.: 1010 Wien, Hoher Markt 4. G.: Wien, 19. Nov. 1949. Ki.: Harald (1980), Andreas (1985). El.: Herbert u. Hedwig. S.: HAK Matura. K.: 1969-71 Praktikum in München bei Fa. Schreibmayr und Kaut-Bullinger Büro- u. Schreibwaren, 1972-75 Psych. Stud. Wien ohne Abschl., 1975 Eintritt i. d. elterl. Betr. als Ang., s. 1976 Kommanditist, 1983 Prok., 1992 Komplementär u. erfolgr. Weiterführung d. trad. Familien-betriebes f. Schreibgeräte . H.: Radfahren, Skifahren, Lesen. (M.A.)

Penttilä Timo Jussi o.Univ.-Prof.
B.: Arch., Ltr. d. Mstr.-Schule f. Arch. an d. Ak. d. Bild. Künste Wien. DA.: 1010 Wien, Schillerpl. 3. PA.: 1060 Wien, Capistrang. 2. G.: Tampere/Finnland, 16. März 1931. El.: Arvo Mikko u. Ester Elvira. S.: Arch.-Stud. TU Helsinki, 1956 Dipl. K.: 1953-56 Mitarb. in mehreren Arch.-Büros,

1957-59 Entwerfer b. Arch.-Büro Aarne Ervi, 1959 eigenes Arch.-Büro, 1959-60 Ass. TU Helsinki, 1968 2. Vorst.-Vors. d. Finn. Arch.-Verb., 1968-69 Gastdoz. Univ. Berkeley/-Kalifornien, 1970-78 Vorst.-Mtgl. Finn. Arch.-Museum, 1976-78 Vorst. Finn. Arch.-Museum, seit 1978 Mtgl. d. Finn. Ak .d. Techn. Wiss., seit 1980 Prof. Ak. d. Bild. Künste Wien. E.: 1969 anerkennend erwähnt Biennale de Sao Paulo, 1971 Ritter 1. Kl. d. finn. Löwen-Ordens, 1976 Arch.-Ausz. d. Rep. Finnland, 1984 Anerkennung Finn. Inst. f. Stadtplanung, 1987 Interarch Preis, 1990 Ehrenmtgl. d. BDA. H.: Natur, Wandern u. Fischen in Lappland, Weinbau in d. Toscana. (J.S.)

Penz Johann Ing.

B.: Mtgl. d. Bundesrates, Dir. d. NÖ Bauernbund. A.: 1014 Wien, Schenkenstr. 2. G.: Maierhöfen, 17. Aug. 1950. V.: Luise, geb. Haipl. El.: Franz u. Anna. S.: VS, HS, Mittelschule, Univ. Wien. K.: 1970/71 1-jähr. Freiwilliger b. BH (Offz. d. Res.), 1973-83 Sekr. u. seit 1983 Dir. d. NÖ Bauernbundes, seit 1984 Mtgl. d. LParteiltg. u. LParteivorst. d. ÖVP NÖ, 1981-83 AufsR.Mtgl. d. Landeshypothekenbank, 1982 AufsR.Mtgl. d. Österr. Länderbank, seit 1987 AufsR.-Mtgl. Verbundkraft E-Werke, 1984 Gschf. d. Leopold Figl-Stiftung, 1984 Obm. d. Unterstützungsver. f. Studierende d. Land- u. Forstwirtschaft, 1985 Obm. d. Akademikergr. d. NÖ Bauernbundes, seit 1987 Mtgl. d. BundesR. E.: 1979 Leopold Kunschak-Preis. H.: Jagd.

Penz Patricia Mag.

B.: Vorst. BG Ybbs/Donau. DA.: 3370 Ybbs/Donau, Hauptpl. 1. G.: St. Pölten, 29. Nov. 1963. V.: Mag. Reinhold Penz. El.: Karl u. Doris Enne. S.: VS, BG, Jusstud. Univ. Wien. K.: Gerichtsj., Richteramtsanw. m. Prüf., 1993 Richter d. Straf-BG Wien, 1994 Vorst. d. BG Ybbs/Donau. M.: aktives Mtgl. d. Melker Singver. H.: Lesen, Reisen, Tennis, Skifahren, Musik. (J.M.)

Peper Jürgen Dr. o.Univ.-Prof.

B.: Vorst. d. Inst. f. Amerikanistik an d. Univ. Graz. DA.: 8010 Graz, Körblerg. 20. PA.: 8063 Eggersdorf 261. G.: Tübingen/BRD, 9. Sept. 1923. Ki.: Ines, Knut. El.: Gottfried u. Edita. S.: Abitur, Stud. in Berlin u. Tübingen, 1963 Prom. K.: Ass., Prof. u. WissR. an d. freien Univ. Berlin 1963-72, 1970 Habil., seit 1972 o.Univ.-Prof. BL.: amerikan. Literatur in Verb. m. amerikan. Kultur. P.: Bewußtseinslagen d. Erzählens u. erzählte Wirklichkeiten (1966), Forms and functions of history in american. literature (1981 Mithrsg.), versch. Aufsätze z. allg. Literaturwiss., amerikan. Literatur u. Kultur. M.: Dt. Ges. f. Amerikastudien, Austrian Ass. of american studies. (C.H.S.)

Pepper Hugo Prof.

B.: Arbeiterbildner u. Cheflektor. PA.: 1130 Wien, Schrutkag. 45. G.: Wien, 4. Febr. 1920. V.: Edith, geb. Sitzwohl. Ki.: Daniela (1957). El.: Hugo u. Maria. S.: 1939 Matura, Stud. Germanistik, Geschichte, Soz. u. Nationalökonomie Univ. Wien. K.: 1951-62 Schulltr. im Bildungsreferat d. ÖGB, 1962-81 Cheflektor d. Europa-Verlags Wien, ab 1950 lfd. als Volksbildner u. Journalist tätig. BL.: Entwicklung einer eigenen Rethorikmethode. P.: Autor u. Coautor einer Reihe v. Buchpbul. E.: 1953 Berufstitel Prof., EZ f. d. Freiheit Österr., Staatspreis f. Geschichte d. Arbeiterbewegung Volksbildungspreis d. Stadt Wien, Josef Luitpold-Preis d. ÖGB. M.: ÖGB, SPÖ. H.: Literatur, Musik, Kunstgeschichte. (N.A.)

Peppermüller Axel

B.: Ltr. FN.: OIK Österr. Intern. Künstlervermittlung Wien. DA.: 1010 Wien, Krugerstr. 17/2. G.: Berlin, 7. März 1946. El.: Fritz u. Karin, geb. v. Sternberg. S.: Schulabschluß Berlin, kfm. Ausbild. m. Abschluß als Musikverleger, Gesangsstud. Berliner HS d. Künste u.a. b. Elisabeth Grümmer. K.: Engagement am Stadttheater Passau als lyr. Bariton, 3 J. Regieass. d. Oper am Staatstheater Kassel, dort Ass. v. Ulrich Melchinger, 1. Opernregie in Kassel "Nozze di Figaro", Spielltr. f. Oper u. Operette d. Theater d. Stadt Trier, Inszenierung v. 8 Opern u. Operetten, 1 J. persönl. Ref. d. Ltr. d. Ludwigsburger Festspiele Prof. Gönnenwein, ab 1980 Regieass. Staatsoper Wien, 1 1/2 J. Ass. u. anschl. Ltr. d. Künstler. Betriebsbüros d. Staatsoper Wien, seit 1. Sept. 1990 Künstleragent u. Ltr. d. Büros d. Österr. Intern. Künstlervermittlung. H.: Oper, Theater, CD-Sammler. (M.M.)

Perack Victor

B.: Gschf., Hoteldir. FN.: Scandic Hotelbetriebs GmbH. DA.: 1020 Wien, Handelskai 269. PA.: 1190 Wien, Kahlenberger Str. 32. G. Klagenfurt, 26. Feb. 1940. Ki.: Andreas, Günther. El.: Fritz u. Margarethe. S.: Kochlehre i. Judenburg, Hotelfachschule Bad Gleichenberg. K.: Koch i. Basel, Belgien, Küchenchef Norwegen, Schweden, Jersey, Schweden, Jamaika, Montego Bay, ab 1974 Hoteldir. i.d. Scandic-Gruppe, gleichz. Area-Manager f. 22 Restaurants, s. 1987 Gschf. d. Scandic-Gruppe Österr. M.: Confrérie de la Chaine des Rotisseurs, Muskankara/Schweden, Csal Club, Ustoa-Pata. H.: Jogging, Golf, Tennis Radfahren. (N.A.)

Perales Jaime Mag. Prof.

B.: ab 1974 Experte u. Bearbeiter d. Lateinamerika-Sonderbeilagen d. Zeitungen "Die Welt" u. "Süddeutsche Zeitung" (BRD) u. "Die Presse" (Österr.). A.: 1090 Wien, Schwarzspanierstr. 15/5/6, Tel.: 42 82 73. G.: Zaragoza (Spanien), 24. Juli 1930. V.: Hermine, geb. Matula. El.: Fernando u. Josefa. S.: 1940-48 Matura (Colegio del Pilar, Zaragoza) 1948-52 HS f. Welthdl. in Zaragoza (Licenciado), 1958-62 Roman. Philol. u. Geschichte an d. Univ. Wien. K.: 1954-74 Lektor f. Spanisch an d. Univ. Wien (Gründer d. Spanischabt.) Ltr. d. span. Programme b. ORF Ltr. d. span. Lehrganges f. Beamte d. BMA u. d. Österr. Industriellenvereinigung Prof. f. Spanisch an d. Diplomat. AK in Wien Lehrbeauftragter f. d. span. Wirtschaftssprach an d. Univ. f. Sozial- u. Wirtschaftswiss. in Linz Prüf.Kmsr. d. Sozial- u. Wirtschaftswiss. in Linz Prüf.Kms. d. Institutes f. Staats- u. Verwaltungsrecht d. Univ. Wien sowie f. d. Fach "Spanische Wirtschaftssprache" an d. Univ. Linz. P.: "Buenos días amigos" f. d. "Weltwoche", Zürich, "Hablamos espanol", Zeitschrift "Annabelle", Genf, "Spanisch, wie es im Buche steht", Scheffler-Verlag, Frankfurt, "Cuatro paseos por Viena", Verlag Seix & Barral, Barcelona. E.: Gold. Verd.Zeichen f. Verd. um d. Rep. Österr., Komtur d. span. Zivilverd.Ordens (Comendador de la Orden des Mérito Civil). H.: Fischen, Schwimmen, Klass. Musik.

Peraus Helmut Dkfm. Dir.

B.: Vors. d. Vorst. d. PRISMA Kreditversicherungs AG. DA.: 1190 Wien, Heiligenstädter Str. 201. PA.: 3424 Zeiselmauer, Dankwartg. 5. G.: Wien, 23. Mai 1941. V.: Dr. Rotraud Brigitte, geb. Smutny. Ki.: Gerald, Oliver, Angelina. El.: Karl u. Therese. S.: HAK, 1959 Matura, Stud. HS f. Welthdl. Wien, 1963 Grad. K.: 1959 Eintritt in d. Kontrollbank, 1970 Abt.-Ltr., 1989 Wechsel in obige Position. P.: div. Art. in Fachzeitschriften. M.: Freunde d. Bild. Künste. H.: Malerei, Tennis. (A.W.)

Perch-Nielsen Jörgen Dipl.-Ing. Gen.-Dir.

B.: Gschf. d. Autobahn-Betriebe GmbH Wien, "Comfort" Heiztechn. GmbH Sbg., Prok. d. "Comfort" Heiztechn. GmbH & Co KG Schwaz. PA.:1030 Wien, Rennweg 12. M.: Vorst.Vors. d. Shell Austria AG Wien, AufsR. Adria-Wien Pipeline GmbH Klagenfurt, Rohöl-Aufsuchungs GmbH Wien.

Perchthaler Heinz Dipl.-Ing. Dr. techn.

B.: Ziviling. f. Wirtschaftsingenieurwesen im Maschinenbau, Verfahrenstechnik u. Umweltschutz, allg. gerichtl. beeid. Sachv. DA. u. PA.: 8010 Graz, Theodor-Körner-Str. 146. G.: Reichenfels, 28. Okt. 1944. V.: Doris, geb. Müller. Ki.: Inge (1972), Karin (1975), Jörg (1981), Bernd (1985). El.: Hans u. Elsa. S.: Volkssch. in Reichenfels, Hauptsch. in Bad St. Leonhard, HTL-Matura 1964 in Graz/Gösting (BULME), Stud. Maschinen-bauwirtsch. an d. TU Graz, 1970 Dipl.-Ing., 1976 Dr. techn. (Verfahrenstechnik). K.: Tätigk. b. d. Bleiberger Bergwerksunion als Stellv. Abt.-Ltr. f. d. Bereich Planung, danach Maschinenfabrik Andritz AG in Graz als Handlungsbevollm. f. Entwässerungs- u. Filtrationsmaschinen b. 1989, Ziviling.-Büro seit 1985 (Verfahrenstechnik im spez. Filtrationstechnik u. Umweltschutz, intern. Consultin, Entwickl. f. Ind. u. Gutachten). P.: Vortragstätigk. an Univ. u. Fachpubl. im In- u. Ausld., viele Fachart. in Fachzeitschr. M.: Dt. GVC (Ges. f. Chemie u. Ing.-Wesen), Ex-Round-Table-Club = Club 41. H.: Hochseesegeln, Schifahren. (M.G.)

Perchtold Kurt

B.: Gschf. FN.: Perchtold Akustikdecken-Innenausbau GesmbH. DA.: 4810 Gmunden, Fichtenweg 9. PA.: 4813 Altmünster, Gütlweg 29. G.: Vöcklabruck, 13. Okt. 1956. V.: Maria, geb. Pammer. El.: Alfred u. Paula. S.: FS f. Maschinenbau, 2 J. b. Fa. Hauke als Techn. tätig, Fa. Furalsim techn. Bereich, 1981 selbst. M.: Fußballverein in Neukirchen, Tennisclub. H.: Tennis, Squash, Fischen. (D.E.)

Perco Mario

B.: Antiquitätenhändler. FN.: Antiquitäten Mario Perco. GT.: seit 25 J. ständig gerichtl. beeid. Sachv. DA.: 1010 Wien, Spiegelg. 1. PA.: 1010 Wien, Wallnerstr. 3. G.: Wien, 21. März 1923. BV.: Direkter Nachkomme d. Maria Theresien Ritters Lazaric v. Lindaro u. Isidor Weinberger, Mitbegründer d. Länderbank. S.: Gymnasium, Matura, Studium Kunstgeschichte an d. Universität Wien. K.: 3 J. Militär, s. 1945 Ausbildung im Antiquitätengeschäft Rigoberg v. Keil, ab 1948 Gesellschafter d. Fa. Keil, 1952-54 Fortbildung als Kunsthändler in Amerika, s. 1954 selbständiger Antiquitätenhändler in Wien, s. 1965 ständig gerichtlich beeidedeter Sachversträndiger M.: Sachverständigen Verband, Grem. d. Kam. d. Gewerbl. Wirtschaft, VPräs. d. IAC. H.: Hochseesegler. (M.B.)

Perdacher Otto Ing.

B.: Lds.-Bmstr. FN.: Land Kärnten, Amtsgeb. V, Flugschule d. Ktn. Motorfliegerclubs. GT.: Ltr. d. Flugschule. DA.: 9020 Klagenfurt, Flatscha-cherstr. 70, Flughafen Klgft. PA.: 9081 Reifnitz, Raunach 28. G.: Reichenfels, 4. Mai 1956. Ki.: Georg (1985). El.: Wilhelm u. Anna. S.:1971-76 HTL Masch.-Bau, Mat., Segelfliegerausbild., s.1976 Fliegerausbild. in Klgft., Kapfenberg u. Texas Forth Worth, Priv.-Pilot, Instrumentenflug, Berufspilot, 1991 Ziv.-Fluglehrerprüf. in Öst., s. 1978 Motorfliegerclub, s. 1980 Vorst. in vesch. Funkt., s. 1993 Ltr. d. Flugschule. SP d.Tätigk. als Bmtr.: Amtstechn. Sachv. von KFZ, Flugwesen u. Gefahrengutwesen, s. 1985 Gem.-Rat in Maria Wörth d. SPÖ f. Umweltsch., Fam. u. Bildg. M.: FFW Reifnitz. H.: Kochen, Fliegen, Radfahren, Schwimmen. (G.L.)

Perdacher Rudolf

B.: Keramikmstr., Unternehmer. FN.: Keutschacher Keramik. DA. u. PA.: 9074 Keutschach 15. G.: Klagenfurt, 20. Aug. 1955. V.: Christine, geb. Koschu. Ki.: Caroline (1977), Clarissa (1985). El.: Johann u. Hildegard. BV.: seit 1753 urkundl. im Gebiet Schiefling nachweisbare Familie. S.: VS, HS, 1970-73 Berufsschule u. Lehre Keramikmstr. Graz, Praxis u. Mitarb. im elterl. Betrieb, 1977 Mstr.-Prüf., 1980 Übernahme d. Betriebes, Hersteller d. als Kulturtr. bek. Ktn. Most-kruges und d. trad. Ktn. Reindlingform. M.: 1989-90 Prüf.-Kmsn. f. Keramikmstr. d. Wtschftskam. Ktn. H.: Eislaufen, Skif., Schwimmen, Beschäftigung m. Ktn. Volkskunst. (G.L.)

Perdich Günter Ing.

B.: Dir., BrandR. d. LStelle f. Brandverhütung d. Landes NÖ. GT.: Kons. f. vorbeugenden Brandschutz d. NÖ LFeuerwehrverb. DA.: 1050 Wien, Siebenbrunneng. 21/3. PA.: 1140 Wien, Rudolf-Henke-Str. 9. G.: Wien, 12. Okt. 1932. V.: Alexandra, geb. Bodinger. Ki.: Mag. Wolfgang, Mag. Peter. El.: Ing. Franz u. Olga. S.: VS, Matura 1950. K.: Tätigkeit b. Fa. Siemens Reiniger in d. Röntgentechnik, anschl. Flugsicherung, Bundesstrombauamt, 1963 Eintritt in d. Brauerei Schwechat als gewerberechtl. Gschf., 1966 Kdt. d. Betriebsfeuerwehr Brauerei Schwechat, 1969 Abschnittskdt. d. Abschnittes Schwechat u. Ernennung z. BrandR., seit 1978 b. d. LStelle f. Brandverhütung u. seit 1979 Gschf., seit 1982 Dir. P.: div. Art. in einschl. Fachzeitschriften, Mitarb. an d. Erstellung v. techn. Richtlinien f. vorbeugenden Brandschutz u. d. Ö-Normenwerk. E.: Ausz. d. div. österr. Feuerwehrverb. sowie d. Silb. Ehrenkreuz d. dt. Feuerwehrverb., 1983 Sicherheitsverdienstpreis. H.: Segeln, Jagd. (G.E.)

Perdich Johann Dkfm. Mag. iur.

B.: Verbandsdir. d. Konsumverb. GT.: beeid. Buchprüfer. DA.: 1150 Wien, Giselherg. 11. G.: Himberg, 15. Mai 1940. El.: Johann u. Anna. S.: VS, HS, Maturaschule Dr. Roland,

WU Wien. K.: Nach Welthdls.-Stud. in vw. Abt. d. CA-BV 1968-69, ab 1969 zu Konsumverb., zuerst Revisor, ab 1975 stellv. Revisionsltr., ab 1976 Ltr. d. Revisionsabt., ab 1991 Verbandsdir. M.: Kam. d. Wirtschaftstreuhänder, wirtschaftspol. Aussch.-Mtgl. d. Bundeskam., Verb. d. Wirtschaftsak. H.: Lesen (Fachliteratur), Sport, Skifahren, Tennis, Schwimmen. (N.A.)

Perdula Erika Mag. OStR.

B.: Dir., Lehrerin Bundesgymnasium u. Realgymn. DA.: 2500 Baden, Biondekgasse 6. PA.: 2340 Mödling, Josefsgasse 19. G.: Wien, 18. Feb. 1938. V.: Ing. Werner. Ki.: Alexander (1967), Irene (1971), Nicholas (1976). El.: Oberstleutnant Leutsch Kurt u. Antonia. BV.: Vater Kurt war Freiherr von Leutsch (Baron): S.: 1956 Matura, 1956-64 Stud. d. Fächer Englisch u. Geographie Univ. Wien, 1964 Abschluß Mag., 1960-65 parallel z. Stud. an d. privaten Maturaschule Dr. Rolland (Englisch-Lehrerin), ab 1966 Lehrerin f. Englisch u. Geographie am Bundesgymn. Baden, ab 1974 parallel an d. Pädag. Akad. Baden als Lehrerin f. Englisch u. Geographie, ab 1987 an d. Univ. Wien - Zentrum f. Schulprakt. d. Univ. Wien in div. Tätigk., 1990 Teiln. an d. Lehrerfort-bildungveranst. in Schweden, ab 1991 Dir. an d. Bundesgymn.- u. Realgymn. in Baden. BL.: 1988 Teiln. an d. Europ. Konf. f. Hochbegabte in Salzb. u. 1990 in Budapest, 1979-91 teilw. Vorsitz. d. Personalvertr. d. Lehrer, 1988-91 Vorsitz. d. gewerk. Betriebsausschußes. P.: "Begabtenförderung" (im Verlag Jugend & Volk), zahlr. Publik. zur Methodik u. Didaktik d. Englischunterrichts, div. Vorträge z. pädog. Themen. E.: Ausz. d. NÖ Landesschulrates - Dank u. Anerkennung u. ausgez. Dienstbeurteilung. M.: Verein d. christl. Lehrer, christl. Gewerkschaft. H.: klassische Musik, Reisen, Kunst, pädagog. Anliegen - Qualität d. Lehrer. (I.K.)

Perényi János Dr. phil.

B.: BotschaftsR. Botschaft d. Rep. Ungarn. DA.: 1010 Wien, Bankg. 4-6. G.: Budapest, 14. Juli 1949. V.: Maria, geb. Borsody. Ki.: Zsigmond (1978), Cäcilia (1984). El.: Zsigmond u. Theres. S.: 1969 Matura Budapst, Stud. Geschichte u. Sprachen Univ. Uppsala/Schweden, 1978 Prom. in Geschichte. K.: 1981 Lektor f. Ideengeschichte in Stockholm, 1983 Habil., 1984 Exportltr. Fa. Weropor, 1990 Repatrierung in Ungarn, BotschaftsR. in Wien. P.: "Ein magyarischer Landsmannschafter" (1987), "Die Revolution im Denken d. 19. Jahrhunderts", "Von d. Humanität ... zur Bestialität. Eine Bilanz d. Franz. Revolution" (1989). M.: Schwed.-Ungar. Historikerkomitee, Österr. Kath. Landsmannschaft "Maximiliana". (R.J.)

Peretti Liselotte Dipl.-Ing.

B.: Arch., staatl. befugter u. beeid. Ziviltechniker. DA. u. PA.: 1120 Wien, Kiningerg. 4 u. 6. G.: Mürzzuschlag, 21. Febr. 1951. V.: Arch. Dipl.-Ing. Friedrich Peretti. Ki.: Alexander (1979), Peter (1982), Nicoletta (1987). El.: Franz u. Silvana Mandl, geb. Niklas. BV.: Urgroßmutter mütterlicherseits war d. 1. Frau d. an d. Univ. Padowa promoviert hat (Med.) S.: 1969 RG m. Matura, 1969-73 Arch.-Stud. TU Graz b. Prof. Werner Hollomey u. Prof. Soktratis Dimitriou. K.: 1973-76 Ang. im Büro Rollwagen u. Pamlitschka in Wien, 1976-82 Tätigkeit im Büro Hlaweniczka, 1978 Verleihung d. Befugnis als Arch. u. Beginn d. selbst. Tätigkeit: Denkmalschutz, Renovierung, Adoptierung u. Neubau. BL.: Umbau v. Palais Esterhazy in Wien m. Casino u. Modehaus "Adlmüller", Renovierung d. Palais Ephruss, Neubau d. Bürohauses Management-Data in d. Althanstr. 21-25, Neubau d. Großtischlerei Kamper in Graz, 1995 Neugestaltung des Casino Baden. M.: 1978-86 Mtgl. d. Landesltg. d. FPÖ Wien. H.: Sport, Skifahren, Badminton, Familie. (N.A.)

Perg Helfried Ing.

B.: Gschf. u. Ges. d. Fa. Reliste Steuerungstechnik. DA.: 2345 Brunn/Geb., Gattringerstr. 17. PA.: 2344 Maria Enzersdorf, Wienerbruckstr. 76. G.: Waidhofen, 4. Jan. 1945. V.: Friederike, geb. Metz, 2 Kinder. El.: Ing. Heinz u. Hertha. S.: hum. Gymn., HTL Mödling u. Wien. K.: 1967 Eintritt in d. Fa., Spezialisierung auf Elektronik, Österr. Gütesiegel f. Holzmeßanlagen 1980. P.: Publ. in div. Fachzeitschriften, Vorträge in div. Fa. H.: Sportfliegen, Skifahren, Surfen. (M.G.)

Perger Andrea

B.: Praktische Ärztin. DA.: 1130 Wien, Braunschweigg. 15. PA.: 1130 Wien, Püttlingerg. 7. G.: Wien, 29. Jänner 1951. V.: Thomas. Ki.: Florian (1979), Matthias (1981). El.: Eva u. Walter. S.: 1969 Matura a. d. Gymn. St. Ursula, 1969-76 Stud. d. Medizin a. d. UNI Wien, 1976 Promotion z. Dr. med. K.: 1976-81 Turnus Ausbild. im Krankenhaus Lainz u. Wilhelminenspital, s. 1981 als selbst. Prakt. Ärztin tätig, s. 1989 nur privat Ordination mit Schwerpunkt Ganzheitsmedizin m. Bioressonanz Therapie, Farbakupunktur, Physioenergetik, Bioenergische Konfliktlösung, zu diesen Themen auch Vorträge u. Seminare, 1994 Gründerin d. Arbeitskreises f. Bioressonanz-Systeme i. Diagnose u. Therapie. M.: Österr. Astrologische Gesellschaft. H.: Astrologie, Lesen, Wandern. (I.K.)

Pergovnik Johann

B.: Ges. Verkaufsltr. FN.: OTW Oberflächentechnik Wr. Neustadt GmbH. DA.: 2604 Teresienfeld, Gewerbeparkstr. 105/15. PA.: 8792 Peter Freienstein, Traboch am See 5. G.: Suhi Vrh/Jugoslawien, 9. Apr. 1958. V.: Silvia. KI.: Manuela 1984. EL.: Johann und Margarete. S.: VS, HS. K.: Berufssch. Mureck, 1973-77 Schlosserlehre, Gesellenbrief, Werkmtr. f. Maschinenbau, staatl. Abschlußprüfung im Lichtbogenschweißen, versch. berufsweiterbild. Kurse (Verkauf, Marketing, Einkauf, Export). K.: 1973-77 Lehrzeit bei Ing. Alois Fiedler,in St. Michael,1978-87 Walzwarenübernehmer v. Profilen bei Voest Alpine Donawitz, zus. von 1980-84 nebenber. im Verkauf d. Fa. Vorwerk tätig, 1987-89 Außendienstma. bei Fa. Zimmermann, 1989-92 Verkaufsltr. bei d. Brunner Verzinkerei Brüder Bablik, s. 1993 selbst. mit Grdg. eig. Firma OTW. H.: Skifahren, Lesen. (F.S.)

Perger Franz
B.: Bezirksparteisekretär d. ÖVP. GT.: 1975 Stadtobmann JVP, 1978 Bez.-Obmann UJVP, 1984 Stadtparteiobmann ÖVP Bruck. DA.: 2460 Bruck/Leitha, Leithagürtel 1. PA.: Buck/Leitha, Höfleinerstr. 41. G.: Bruck/Leitha, 6. Jän. 1948. V.: Irene geb. Zsoldos. Ki.: Susanne, Wolfgang. S.: Hauptschule Bruck, Kfm. Ausb. K.: 1978 Bezirksparteisekretär d. ÖVP, 1980 Gem.-Rat u. 1985 Stadtrat v. Bruck, 1990 Vizebgm. v. Bruck. M.: Gesangsver., Partnerschaftsver., Briefmarkenver., Kultur- u. Museumsver., ASK-Bruck, Vorst. HSV-Bruck. H.: Briefmarken, Lesen, klass. Musik, Wandern. (M.G.)

Perko Friedrich Josef Dr.
B.: Präs. d. Intern. Ordens-Union. A.: 3730 Schloss Zogelsdorf. G.: Wien, 25. Juli 1922. V.: Ilse, geb. Schmidt v. Wollenberg. El.: Friedrich Anton u. Josefine. S.: VS u. Mittelschule Wien, abgeschl. tierärztl. Stud. in Wien u. Berlin, Histor. Studien. K.: Tierärztl. Praxis in Wien u. Eggenburg, NÖ. Ltd. Funktionen in versch. intern. Ordensgemeinschaften. E.: Inh. v. zahlr. Würden u. Insignien versch. Ordensgemeinschaften. M.: Mtgl. d. Intern. Ordens-Union-Ges. f. Ordenskunde, Heraldik u. Fam.Forsch. u. anderer einschlägiger Ver. H.: Naturbeobachtung.

Perkounig Walter
B.: Journ., Inh. FN.: Perkounig Werbeagentur KEG. DA.: 9020 Klagenfurt, Karfreitg. 24. PA.: 9170 Ferlach, Waidischerstr. 11. G.: Klagenfurt, 9. Nov. 1942. V.: Hannelore, geb. Buxbaumer. Ki.: Walter (1967), Thomas (1969), Christian (1973), Martin (1981). El.: Hans u. Therese. S.: HAK, 1960 Matura. K.: 1960-63 kfm. Ang. KESTAG i. Ferlach, 1963-69 kfm. Ang. Holz-Jaritz Klagenfurt, a. 1969 Red. d. Volksztg., 1973-85 Presse-Chef d. Stadt Klagenfurt, 1985-86 Programmdir. Tele UNO, s. 1987 selbst. m. eig. Agentur, s. 1987 Hrsg. u. Chefred. d. Gratisztg. Kärntner Blick. BL.: s. 13 Lebensj. journ. tätig, lange J. ORF-Mitarb., gr. soz. Engagement. M.: Grdr. u. Obm. d. SC Ferlach, Kärntner Präs. d. Handballverb., sow. zahlr. weitere Funktionen. E.: zahlr. EZ v. Land u. v. div. Verb. H.: jede Art v. Sport, Lesen, Kontakt m. Menschen, Familie, Beruf. (F.S.)

Perl Gertrude
B.: Gen.Sekr. d. Bundes d. Sozaldemokrat. Akademiker, Intellektuellen u. Künstler (BSA). DA.: 1090 Wien, Boltzmanng. 21. G.: Wien, 26. März 1937. V.: Ing. Walter. Ki.: Mag. Harald (1957). El.: Johann u. Emma Pöschl. S.: 1951-53 Kfm. Wirtschaftsschule. K.: 1954 Eintritt in d. BSA, zuerst als kfm. Ang., seit 1973 stellv. Gen.Sekr., 1984 Gen.Sekr. d. BSA als erste Frau in dieser Funktion, LSekr. d. BSA NÖ, Bild.Vors. d. SPÖ Währing, Mtgl. d. Bez.Vorst. d. SPÖ Währing, Mtgl. d. Wr. LBild.Aussch. d. SPÖ, Mtgl. d. BBild.Aussch. d. SPÖ, Vorst.Mtgl. d. Wirtschaftshilfe f. Arbeiterstudenten, Redaktionsmtgl. d. BSA-Zeitschrift "Akzente". BL.: 1986 u. 1990 Kandidatin z. NatR., 1987 Kandidatin z. Wr. GemR. (R.J.)

Perl Walter Ing.
B.: Personaldirektor d. Verbundges., Prok. DA.: 1011 Wien, Am Hof 6a. PA.: 1180 Wien, Gersthoferstr. 93. G.: Wien, 1. Juni 1937. V.: Gertrude, geb. Pöschl. S.: TGM, 1957 Reifeprüf., 1961 Ing. K.: 1957-58 Konstrukteur b. Siemens, 1958 Mitarb. in d. Österr. Elektrizitätswirtschafts AG (Verbundges.), 1974-76 Ltg. d. Abt. Energievertrags- u. Tarifwesen m. Handlungsvollmacht, 1977 Ltr. d. Hauptabt. "Personaldion." u. Erteilung d. Prokura sowie Verleihung d. Titels "Dir.", 1980-81 Liquidator d. Kernkraftwerksplanungsges., Vors. d. Aussch. f. Personalwesen im Verb. d. Elektrizitätswerke Österr., Vors. d. Personaldion. d. Verbundkonzerns. E.: 1972 Gold. EZ d. Rep. Österr., 1976 EZ d. Landes Bgld. (M.M.)

Perle Andreas Dr. med.
B.: Prakt. Arzt. DA.: 6850 Dornbirn, Haselstauderstr. 29. PA.: 6850 Dornbirn, Lange G. 9. G.: Dornbirn, 2. Juni 1959. El.: Ing. Paul u. Olga. S.: Gymn. Dornbirn, 1977 Matura, Med.-Stud. Univ. Wien, 1984 Prom. K.: Ausbild. z. prakt. Arzt KH Dornbirn, Interne b. Prof. Dr. Abbrederis, Zusatzausbild. z. Not- u. Umweltschutzarzt, 1989 Praxisgrdg. in Dornbirn. M.: Österr. Skiver. TC Dornbirn. H.: Sport, Reisen, Lesen, Tennis, Laufen. (I.D.)

Perle Norbert Mag.
B.: Gschf. FN.: Telesystem Tir. Kabelfernseh GmbH & Co KG. GT.: Inh. einer Fremdenpension in Mutters. DA.: 6020 Innsburck, Salurner Str. 11. PA.: 6162 Mutters, Schulg. 17. G.: Kelmen-Namlos, 26. Apr. 1946. V.: Maria, geb. Neururer. Ki.: Franziska, Alexander. El.: Alois u. Mathilde. S.: Grundschule, LBA, Stud. Wirtschaftswiss. K.: Ltr. d. Österr. Bauzentrums Innsbruck, Fachberater f. Gemeinschafts-verpflegung Fa. Nussbaumer, seit 1980 Gschf. d. Telesystem Tir. H.: Skifahren, Schwimmen, Litratur, Musik. (W.G.)

Perndl Wolfang Dr. med. dent.

B.: selbst. Zahnarzt. DA.: 4040 Linz-Urfahr, Leonfeldner Str. 10. AP.: 4110 Ottensheim, Birkenweg. G.: Linz, 1. Apr. 1954. V.: Helene, geb. Rois. Ki.: Sophie (1981), Lorenz (1984). El.: Johann u. Luise. S.: VS, Gymn., 1973 Matura, b. 1985 Stud. Wien. K.: FA-Ausbild. Wien, 1/2 J. Linzer GKK, seit 1985 selbst. Arzt, ab 1990 Privatordination. P.: Art. in Fachzeitschriften u. Tageszeitungen. H.: Golf, Motorradfahren, Skifahren, Pferde. (U.A.)

Perneczky Axel Dr. med. Prof.
B.: OA an d. Neurochir. an d. Univ.Kliniken in Wien. GT.: Lehrauftrag an d. med. Fak. DA.: 1090 Wien, Währinger Gürtel 18. PA.: 1080 Wien, Lerchenfelder Str. 54. G.: Krasnogorsk/UdSSR, 1. Nov. 1945. V.: Else, geb. Wolf. Ki.: Alexa, Ines, Paul. El.: Kalman u. Charlotte. BV.: ungar. Familienursprung. S.: Matura in Budapest, 1964-65 Med.Stud. in Budapest, 1965-71 Stud. in Wien, 1971 Prom. K.: 2 J. am anatom. Inst. d. Univ. Wien, 1971-72 Eintritt in d. 1. Chir. Univ.Klinik Wien, ab 1972 Ass. an d. Neurochir. Klinik d. Univ. Wien, 1979 OA, 1980 Habil., 1986 a.Prof., 1975 Ass. an d. Neurochir. in Zürich (Yasargil), 1984 Gastprof. an d. Univ. Budapest, 1986 an d. John Hopkins Baltimore u. Barrow Medical Inst. Phonix. P.: ca. 120 wiss. Publ. auf d. Fachgebiet: Schädelbasischir., Microvaskuläre Chir., Subarachnoidalblutungen, Microchir., Anatomie. M.: Österr. Ges. f. Neurochir., Dt. Ges. f. Neurochir. H.: Musik (Jazz), Malerei. (M.B.)

Perner Hans Dr.
B.: RA. GT.: AufsR.Vors. d. Firmen: Diufa GmbH Billa Warenhdl. AG, Merkur Warenhdl. AG, Johann Andert Fleischwaren AG, BML Vermögensverw. AG, Krone-Verlag GmbH u. Krone-Verlag GmbH & Co KG, Jupiter Handels GmbH. DA.: 1010 Wien, Rotenturmstr. 5-9. G.: Wien, 10. Juni 1920. V.: Elisabeth, geb. Schramm. Ki.: Angelika, Renate. El.: Hans u. Johanna. S.: Pflichtschulen, Matura, Jurastud. in Graz u. Wien. K.: 1949 Doktorat, seit 1955 selbst. RA, seit 1967 Kzl. in Rotenturmstraße, Schwerpunkte Urheberrecht, Presserecht, Ges.Recht. (A.W.)

Perner Kurt Mag. phil.

B.: Landessekr. Stmk. ASKÖ Arge f. Sport u. Körperkultur in Österr. DA. u. PA.: 8020 Graz, Schloßstr. 20. G.: Knittelfeld, 6. Mai 1961. Ki.: Jasmin (1984), Manuel (1987). El.: Helmut u. Gertrude. S.: VS, BRG, 1980 Matura, Stud. Sportwiss. Karl Franzens-Univ. Graz, 1986 Spons. z. Mag. phil. K.: 1979-80 Lehrwart f. Sportjugenltr. an d. BAfL Wien, 1986-88 staatl. geprüfter Trainer f. Geräteturnen BAfL Wien, seit 1989 hauptamtl. b. ASKÖ Stmk. BL.: sportl. Laufbahn: 1971-85 aktiver Geräteturner, mehrfacher Steir. Mstr. u. ASKÖ-Bundesmstr., Trainertätigkeit b. mehreren ASKÖ-Ver. d. Stmk. M.: seit 1985 SPÖ, Sportver., ATUS Voitsberg, ATSE Graz, Squash & Fun-Club Graz, ASKÖ SV St. Sebastian, Naturfreunde Österr., Panathlon-Club Intern. (M.Gr.)

Perner Rotraud A. Dr. iur. Mag.

B.: Juristin, Erwachsenenbildnerin, Tiefenpsychologin, Psychotherapeutin, Fachpublizistin. DA.: 1010 Wien, Fischerstiege 4-8/3/6. G.: Orth/Donau, 18. Aug. 1944. V.: Reinhold M. P. Ki.: Roman (1972), Robin (1974). El.: HofR. Dr. Romuald Kratochwill u. Ernstine, geb. Langer-Landensperger. S.: 1962 Matura, Stud. d. Rechtswiss. 1962-66, Prom. 1967 in Wien, Stud. Erwachsenenbild. an d. PädAk. Wien, tiefenpsychol. Ausbild. im Wr. Arbeitskreis f. Psychoanalyse, Dipl. f. psychoanalyt. Sozialtherapie, NLP-Practitioner, personzentr. Gesprächsführ., Sexualberatung u. -therapie (b. Dr. med. Verena Middendorp, Zürich). K.: 1966-67 Praxis b. Gericht u. d. Wr. Städt. Vers., 1968-75 vw. Ref. im Auslandsbüro d. Österr. Nationalbank, 1975-88 rechts- u. psychol. Beratung in d. Familien- u. Partnerberatungsstelle d. Wr. Kinderfreunde im Sozialtherapeut. Inst., 1978-85 Projektltr. u. Konsulentin im Ver. Jugendzentren d. Stadt Wien, s. 1984 eig. Inst. f. Projektberatung, zahlr. Lehraufträge u.a. Wr. Intern. Akad. f. Ganzheitsmedizin, Univ. f. Bodenkultur Univ. Salzburg, div. Propädeutika. P.: "Die starken Zweiten", "Erfolg feminia", "Ungeduld d. Leibes", "Schuld & Unschuld", "Management mach impotent". E.: 1992 Silb. EZ f. Verdienste um die Rep. Österr. M.: Psychotherapie bei R. im Gesundheitsministerium.

Perner Wolfgang Mag. rer. soz. oec.

B.: Gschf. FN.: Peri GmbH u. Spiele-Verlag Erich Perner GmbH. DA.: 4644 Scharnstein, Traxenbichl 5 u. D-90491 Nürnberg, Dr. Carlo-Schmid-Straße 224. PA.: 4644 Scharnstein, Fischerbühel 5. G.: Wels, 28. Okt. 1957. V.: Betina, geb. Strasser. Ki.: Lukas (1991). El.: Erich u. Hildegard. S.: Gymn. Wels, 1972-77 HTL Wels, 1977-82 Soz.- u. Wirt.-Wiss. a. d. Univ. Graz, Spnsion Mag. rer. soz. oec., 1983 Bundesheer. K.: 1984 Fixeintritt Erich Perner Kunststofftechn., 1990 Gschf. Peri GmbH., 1994 persönl. Beteil. Peri GmbH. F.: Pers. Beteiligung i. E. Perner GmbH. Nürnberg. P.: Der Perner - Ztg. f. Spieler u. Verspielte, Geschichte e. Spieles. M.: Sportver. Peri CD Open. H.: Familie, Schreiben, Malen, Grafik. (C.D.)

Pernhaupt Günter Dr. med.

B.: FA f. Psychiatrie u. Neurologie. GT.: Psychotherapeut, Begr., ärztl. Ltr. u. Präs. d. Ver. "Grüner Kreis" z. Rehabilitation v. Alkohol-, Medikamenten- u. Drogensüchtigen. DA.: 1235 Wien, Elisenstr. 19. PA.: 1235 Wien, Traubeng. 6. G.: Wien, 28. Sept. 1936. V.: Christl, geb. Block, 5 Kinder. S.: Austauschstudent USA, 1952 Matura in amerikan. highschool, 1953 Wr. Matura, Stud. Med. Univ. Wien, 1961 Prom. K.: 1961-64 Ausbild. z. prakt. Arzt im Wilhelminenspital, 1964-69 FA-Ausbild. f. Neurologie u. Psychiatrie an d. Wr. psych.-neurolog. Univ.Klinik, 1969-86 Anton Proksch-Inst. Kalksburg, seit 1972 Ltr. d. dortigen Drogenstation, 1980-86 Prim. d. Drogenstation Mödling, 1983 Beginn m. d. Aufbau d. "Grünen Kreises", ab 1986 neben d. eigenen Praxis weiterer Ausbau d. Ver., angewandte psychotherapeutische Verfahren: Gesprächspsychotherapie, Transaktionsanalyse. P.: wichtigste Publ. zusammen m. Hans Czermak "Die gesunde Ohrfeige macht krank", sowie Hrsg. d. Buches "Gewalt am Kind", weitere Publ. auf d. Gebieten Multiple Sklerose, Psychopharmakaanwendung, Suchtkrankheiten u. Erziehungsstörungen. E.: 1980 August v. Reuss-Med. d. österr. Ges f. Kinderheilkunde, 1983 Silb. EZ f. Verd. um d. Rep. Österr., WHO-Studienreisen z. Bes. v. Drogentherapieeinrichtungen in Skandinavien u. d. Vereinigten Staaten. M.: Initiator u. Mitbegründer d. Ver. f. "anonyme Spieler", Vorst.Mtgl. d. "Ver. f. gewaltlose Erziehung", Österr. Kinderschutzbd., Mitbegründer d. Karl Novotny-Stiftung in BRD. (P.R.)

Pernica Peter

B.: Promotionmanager Intern. Polygram. GT.: Musikverl. Künstler-agentur, Management. DA.: 1120 Wien, Edelsinnstr. 4. PA.: 1100 Wien, Davidg. 78/8/30. G.: Wien, 19. Okt. 1947. El.: Josef u. Hermine. S.: Hotelfachsch. Wien, gleichz. Musiker (Schlagzeuger). K.: 1969 Aufbau eines Taxi- u. Mietwagenuntern., gleichzeitig Promotionmanager f. div. Firmen, 1982 Eintritt in d. Firma Polygram, zuständig f. d. engl. u. amerikan. Repertoire u.a. f. Dire Straits, Elton John, Bryan Adams, 1990 Grdg. d. Firma Magnum, Management, Musikverlag u. Künstleragentur f. Musiker u. Maler, Management u.a. d. Untouchables, Sammy Konkolits. BL.: Produktion d. Platte: 25 Jahre Ö3. F.: Magnum 1100 Wien, Davidg. 78/8/30. M.: Musikergewerkschaft. H.: Musik, Fußball, Tennis. (J.S.)

Pernitsch Johann Dir.

B.: gschf. Dir. FN.: MEGA Hotel Construction and Management Ltd. DA.: 1060 Wien, Mariahilfer Str. 41-43. G.: Judenburg, 15. Nov. 1941. V.: Faridah, geb. Hirji. Ki.: Markus u. Natascha. El.: Alois u. Romana. S.: Hotelfachschule, Management-Kurse. K.: Auslandsaufenthalte (Kanalinseln, Uganda, Bermuda Inseln, Antigua), danach Intercontinental Wien, Ghana (Night-Club, Casino u. Catering-Manager), Jerusalem (Intercontinental), Hotel Europa Wien, 6 1/2 J. Dir. im Alpenhotel Gösing (NÖ), seit 1985 Zentraldir. d. Schick-Hotels Wien, ab 1. Jan.1987 gschf. Dir. d. MEGA Hotel Construction and Management Ltd. M.: ÖHV. H.: Tauchen, Wasserschi. (R.A.)

Pernkopf Felix R. Dipl.-Ing. Dir.

B.: Gschf. d. Philips Medizin. Systeme GmbH. DA.: 1101 Wien, Triester Str. 64. G.: Wien, 27. Dez. 1940. V.: Susanne, geb. Eckert. El.: Dr. Roman u. Asta.

Pernkopf Hans Dr.

B.: RA. GT.: AufsR. b. d. Gemeinn. Wohn-, Bau- u. Siedlungsgen. "Heim". DA.: 1010 Wien, Mölkerbastei 10. G.: Wien, 28. Mai 1943. V.: Christel Dr., geb. Möslinger. El.:

Dr. Roman u. Asta. S.: 1961 Matura, Stud. d. Rechtswiss. in Wien, 1965 Prom., 1967-68 Ass. am Inst. f. Hdls. u. Wertpapierrecht Wien. K.: seit 1974 eingetragener RA, Spezialgebiete: Verw.Recht, gewerbl. Rechtsschutz, Wirtschaftsrecht. H.: Jagd, Reiten, Skifahren. (M.B.)

Pernold Helmut
B.: Dir. d. Technik. FN.: Österreich Werbung. DA.: 1040 Wien, Margaretenstr. 1. PA.: 2333 Leobersdorf, Feuerwehrstr. 24. G.: Wien, 13. Jan. 1951. Ki.: Daniel (1981). El.: Anton u. Anna. K.: 1970-86 Techn. i. In- u. Ausland, s. 1986 techn. Dir. b. Österreich Werbung. BL.: Org.-Chef d. "1. Welttourismusspiele 1990" i. Bgld. H.: Tennis, Skifahren. (E.J.)

Pernsteiner Friedrich H.
B.: Mtgl. d. Vorst. A.: 1220 Wien, Schilfweg 20 B, Haus 29. G.: 26. Mai 1940. V.: Irmgard, geb. Rössler. El.: Maximilian u. Emma. S.: Realschule, HAK. K.: 1959-62 Nordstern Allg. Versicherungs AG, 1963-71 Garant Versicherungs AG, 1971-89 National Union Feuerversicherungs Ges. Dion f. Österr., seither VAV Vers. f. d. Bauwirtschaft. M.: Lions Club Deutsch-Wagram, Amerikanische HK, Dt. HK, Wirtschaftsforum d. Führungskräfte.

Pernsteiner Josef Mag. phil. HofR.

B.: Dir. BHAK u. BHASCH Ried. DA.: 4910 Ried/Innkreis, Gartenstr. 1. PA.: 4841 Ungenach 24. G.: Wegscheid, 25. Feb. 1942. V.: Christine, geb. Hauser. S.: Hum. Gymn., HS-Stud. f. Geschichte u. Geographie Univ. Innsbruck, 1968 Mag. phil. K.: 1968 Beginn d. Unterrichtstätigkeit an d. BHAK u. BHASCH Vöcklabruck, 1973-91 Bgm. v. Ungenach, seit 1977 Dir. an d. BHAK u. BHASCH Ried/Innkreis. E.: 1986 Gold. VZ d. Rep. Österr. H.: Familie, Kinder, Wandern, Kunst, Geschichte. (G.E.)

Perotti Josef Franz
B.: Arch., Gschf. Ges. FN.: Arch. Mag. Franz Josef Perotti staatl. befugter u. beeid. Ziviltechniker, Atelier Perotti Arch. GmbH. DA.: 4030 Linz-Ebelsberg, Ebelsberger Schloßber 1, 4020 Linz, Herrenstr. 8. G.: Linz, 26. Juli 1946. V.: Margareta, geb. Sommer. Ki.: Arthur (1981), Andreas (1985). El.: Arthur u. Johanna. S.: VS, Realschule, 1969 Matura, Arch.-Stud., Mstr.-Prüf. K.: b. 1971 b. Prof. Roland Rainer, dann versch. Arch.-Büro, 1978 Arch. in d. Schweiz, 1979 Ziviltechnikerprüf., Eintritt in d. väterl. Arch.-Büro, seit 1991 selbst. E.: Preise b. nat. Wettbewerben, 1991/92 1. Preis Erweiterung d. Techn. Zentrums Oberbank, 1. Preis Dauphinstraße, 1. Preis Goethestraße, 1. Preis Gem.-Zentrum Asten, weitere Auszeichungen. M.: Ing.- u. Arch.-Ver., CIC Intern. Jagdnot, Österr. Wildgehegeverb., Österr. Weinbruderschaft. H.: Jagd, Archäologie, Sammeln v. Pfeifen aus d. Zeit d. Monarchie 1830-1918. (U.A.)

Perscha Helmut Mag. iur. HofR. Pol.-OR. Edler v. Antonienberg
;B.: Ltr. d. vw. polizeil. Abt. d. BPolizei Graz. DA.: 8010 Graz, Paulustorg. 8. G.: Graz, 9. Mai 1930. V.: Elfriede, geb. Fitzek. Ki.: Klaus, Doris. El.: Dr. Ludwig u. Maria. S.: VS, RG, Univ. Graz. K.: Richteramtsanw. (2 J. Graz, 1 J. Wien), 11 J. Ltr. d. Kripo Leoben, BPolizeidion. Graz (Strafamt, Ltr. d. Strafamtes, Ltr. d. vw. polizeil. Abt.). E.: Gold. EZ f. Verd. um d. Rep. Österr., Gr. EZ f. Verd. um Bundesland Stmk. M.: Vors.-Stellv. f. Dienstprüf. f. Wachebmtr. im Sicherheitsdienst, Vors.Stellv. d. Disziplinarkmsn. Graz. H.: Jagd, Schwimmen, Fußballspielen. (R.A.)

Perscha Werner Dr. iur.

B.: selbst. Notar. DA.: 8010 Graz, Rauberg. 20. PA.: 8010 Graz, Jahng. 9. G.: Graz, 3. März 1939. V.: Karin, geb. Wesiak. Ki.: Alice (1968), Katrin (1972). El.: Dr. Ludwig u. Maria. BV.: Großvater Dr. Ludwig Perscha OLGR. S.: 1957 Matura, BH, Stud. d. Rechte Graz, 1963 Prom., Gerichtsj. in Graz. K.: 1965-69 Notariatskandidat Feldbach, 1969-77 Notariatssubstitut Graz, 1978-89 Notar in Wildon, seit 1989 Notar in Graz. M.: Notariatskam. f. Stmk., Intern. Jagdorden "Der Silberne Bruch". H.: Jagd, Wandern, Musik, Fußball. (F.K.)

Perschak Friedrich Dr. nat. techn. Dipl.-Ing. Univ.-Doz.
B.: Chefchemiker, techn. Ang.,s. 4.1993 i. R. A.: 2070 Retz, Kaiserpromenade 3, 2273 Hohenau, Dobermannsdorferstr. 860. G.: Braunau/CSFR, 24. Nov. 1932. V.: Brigitta, geb. Hestera. El.: Rudolf u. Margarete. S.: Matura am BG Hollabrunn 1951, Univ. v. Bdk. Studienrichtung Gärungstechnik u. Lebensmitteltechnologie, 1956 abgeschlossen, 1966 Prom. an genannter Univ., 1977 Habil., 1969 Ziviltechnikerprüf. f. Gärungstechnik. K.: seit 1957 Chemiker in d. Hohenauer Zuckerfabrik, seit 1962 Chefchemiker in d. Hohenauer Zuckerfbk., seit 1979 auch Strahlenschutz-beauftragter in d. Hohenauer Zuckerfbk. nach abgelegter Prüf. in Forschungszentrum Seibersdorf, seit 1977 Vorlesungen an d. Univ. f. Bodenkultur ü. Anwendung v. Ionenaustauschern in d. Lebensmitteltechnologie, seit 1970 Vorträge im Rahmen d. F. Ver. d. Zuckererf. Österr. z. Zweck d. Schulung d. Zuckertechnologennachwuchs. P.: 2 mikrobiologische Arb., 3 Arb. über organische Analysen, 12 Arb. betreffend den Einsatz v. Ionenaustauschen in d. Zuckerind. - Entwicklung neuer Verfahren, 5 Arb. üb. d. Einsatz d. Elektrodialyse bzw. über Membrantestmethoden in d. Zeitschriften "Zucker" M. u. M. Schaper Hannover, Zeitschrift f. d. Zuckerind. Dr. A. Gert Bartens Berlin "Ernährung" Wien, "Mitteil. d. Versuchsstation f. d. Gärungsgewerbe" Wien, "Sucrerie Belge" Tirlemont. E.: 8 Publ. in d. Zeitschrift "Zucker" wurde v. Ver. dt. Zuckertechniker ausgezeichnet u. mit Geldpreisen bedacht. M.: Ver. österr. Lebensmittel- u. Biotechnologen, Wien, Fachver. d. Zuckerfbk. Österr., Wien, Ver. dt. Zuckertechniker D. 3308 Königstutter. H.: Sport u. Lesen.

Persché Wolfgang
B.: Gschf. Ges. FN.: Karl Kohlfürst OHG, Pächter d. Firma Fidler Persché. DA.: 8010 Graz, Herreng. 11. PA.: 8020 Graz, Vinzenzg. 25. G.: Graz, 21. Juni 1935. V.: Ingeborg, geb. Hojas. Ki.: Robert Charles (1961), Claire Margaret (1964), Richard Walter (1971). El.: Heribert u. Margarethe. S.: 1953 HAK-Matura. K.: 2 J. Ang. b. d. Interunfall, 1 1/2 J. ÖCI Lustenau, 3 J. CA Graz, 1959 Auswanderung nach Australien f. 5 J., dort Berufstätigkeit in Bank u. Privatwirtschaft (Siemens), 1965 Rückkehr nach Europa, Einstieg ins elterl. Unternehmen, 1971 Übernahme d. Unternehmens. H.: Chorsingen, Heimwerken. (F.K.)

Persché Ingeborg

B.: Stadtvors. d. Frau in d. Wirtschaft HK Graz. DA.: 8010 Graz, Körblerg. 111-113. PA.: 8020 Graz, Vinzenzg. 25. G.: Irschen, 7. März 1935. V.: Wolfgang Persché. Ki.: Robert Charles (1961), Claire Margaret (1964), Richard Walter (1971). El.: Johann u. Clara Hojas. S.: Pflichtschule, Lehre als Verkäuferin, 1952 Lehrabschluß, während d. Lehrzeit zusätzl. Abendkurse m. Abschluß. K.: Anstellung in d. Buchhaltung im Konsum, dann Büroang. in d. Austria Vers., Ltr. d. Vermittlungsstelle d. Sachvers., 1960 nach Australien schweizer-austral. Rückvers., Anstellung in d. Buchhaltung u. in d. Lebensvers.-Abt., 1965 Rückkehr nach Europa, Vers.-Branche, 1971 Einstieg ins Familiengeschäft d. Gatten, seit 1985 polit. Betätigung, dann 4 J. Stellv. d. Stadtparteiobm. d. ÖVP, Arbeitskreisltr. d. Grazer Stadtidee Arbeitskreis Wirtschaft, Grdg.-Mtgl. u. Obm.-Stellv. d. Innenstadtinitiative, BezR. d. I. Bez. in Graz, Kassier d. Grazer Stadtidee, nominiert f. d. Grazer GemR.-Liste, seit 1993 Stadtvors. d. Frau in d. Wirtschaft f. Graz. P.: Art. in Graz I, Mitarb. b. d. Veröff. d. Grazer Stadtidee. H.: Chorsingen, Wandern. (F.K.)

Perschinka Marlene Dr. iur.

B.: Vorsteher d. Bezirksgericht Josefstadt. DA.: 1080 Wien, Florianig. 8. PA.: 3400 Klosterneuburg, Leopoldstr. 30/2. G.: Wien, 23. Mai 1956. V.: Mag. jur. Robert. El.: Dr. Gustav u. Edith Teicht. S.: Gymn., 1974 Matura, Stud. a. d. jur. Fakultät Univ. Wien, 1978 Prom. K.: 1979 Gerichtspraxis, 1979-82 Richteramtsanwärter im OLG-Sprengel Wien, 1982 Ernenn. zum Richter d. Bez.-Gericht Klosterneuburg u. Purkersdorf, 1987 Ernenn. zum Richter d. Landesgericht f. ZRS-Wien, 1993 Ernenn. zum Vorsteher d. Bez.-Gericht Josefstadt. M.: Richtervereinigung Sektion Wien. H.: Reisen, Klass. Musik, Literatur. (S.H.)

Perterer Manfred

B.: Lokalchef u. Stellv. Chefredakteur d. Salzburger Nachrichten. DA.: 5017 Salzburg, Karolingerstr. 38. PA.: 5201 Seekirchen/Wallersee, Wienerstr. 3. G.: St. Johann/-Tirol, 7. Aug. 1960. V.: Marianne, geb. Foidl. Ki.: Lukas, Johannes. El.: Rudolf u. Hildegard. S.: VS, Gymn., 1978 Matura. K.: 1978 Grdg. d. eigenen Zeitung am Pillersee, bis 1981 als Red. tätig, 1981 nach Salzburg zur Sbg. Volkszeitung; daneben Stud. Publizistik u. Politikwiss.; 1983 als Red. angestellt, zuständig f. polit. Berichterstattung, 1985 Red. in Lokalred. bei Salzburger Nachrichten, landespolit. Berichterstattung, b. 1988 Lokalchef, Ltr. d. Lokalred., ab 1993 Stellv. Chefred. M.: Fußballclub. H.: Mod. Malerei, Angeln, Tennis, Radfahren, Wandern. (D.E.)

Perschinka Robert Mag. iur.

B.: Öff. Notar. DA.: 3400 Klosterneuburg, Leopoldstr. 30. PA.: 3400 Klosterneuburg, Dr.-Eugen-Bormann-G. 6. G.: Höhnhart, 4. Apr. 1928. Ki.: Mag. Robert. El.: OSR. Robert u. Margarethe. S.: Gymn. Ried/Innkreis, Jusstud. Univ. Wien, 1953 Spons. K.: Gerichtspraxis Wien, 1966 Notariat Klosterneuburg. M.: AufsR. d. Volksbank Klosterneuburg. (Fels.)

Perschtl Margret

B.: Gschf. FN.: Gasthof Hager. DA. u. PA.: 5400 Hallein, Salzachtal-Bundesstr. 10. G.: Hallein, 17. Mai 1970. V.: Manfred Perschtl, 28. Juni 1966. Ki.: Lena (1993). El.: Marianne u. Udo Kropf. S.: 1 J. Haushaltungsschule i. Hallein, Beginn d. Kochlehre i. Gasthof Hager. K.: 1992 Gasthof Hager übernommen, 15 Beschäftigte. H.: Arbeit, Familie. (A.W.)

Pertiller Gertruda

B.: Direktrice d. Hotel Orient. DA.: 1010 Wien, Tiefer Graben 30. G.: Schladming, 25. März 1951. Ki.: Werner (1971). El.: Karl u. Johanna Pertiller. S.: Hotelfachschule. K.: seit 1973 in H.W. Schimanko Btrieben als Hoteldirektrice beschäftigt, Schwerpunkte d. Tätigkeit: Ausstattung d. Hotels u. kulturelle Veranstaltungen wie Theatervorstellungen, Vernissagen u. Lesungen. H.: Kunst, Lesen. (N.A.)

Pertlwieser Hans Prof.

B.: Konsulent d. OÖ LRg., freischaff. Künstler, Mitarb. am OÖ LMuseum. A.: 4033 Linz, Zeillingerweg 20. G.: Linz-Ebelsberg, 30. Okt. 1905. V.: Hermine, geb. Gerstner. El.: Johann u. Josefa. S.: VS, Bürgerschule, Kunstschule AK Maler Matthias May, Erlernung d. Malerhandwerks, 3 J. Maler u. Graphiker, 2 J. Kunstgewerbeschule d. Österr. Museums in Wien, Abt. f. Naturstudien b. Prof. Schofinsky. K.: 1929-38 Maler u. Graphiker als Ang. ab 1938 freischaff. Künstler u. seit 1937 freier Mitarb. am OÖ LMuseum, Malerei, Graphik u. plast. Darstellung als Publ.Mittel in d. Forsch., Hauptarbeitsgebiet: Biologie, Paläontologie, Archäologie, Heimatkunde, Archäol. Grabungen u. Paläontol. Grabungen. P.: Bundeslehrmittelverlag: ca. 70 farbige Schulwandtafeln (Botanik u. Heimatkunde), Pilze u. geschützte Pflanzen in Sammelmappen, Illustration in d. OÖ Musealehrbüchern f. wiss. Publ. E:: 1966 Beschluß d. OÖ LRg.: Ernennung z. Konsulenten f. Volksbildung u. Heimatpflege, 1976 Entschließung d. BMW: Verleihung d. Beruftitels Prof. M.: Musealver., Naturschutzbund. H.: Malen, Zeichnen.

Pertlwieser Wolfgang

B.: Grafiker u. Maler d. OÖ Landesmuseum. DA.: 4020 Linz, Museumstr. 14. PA.: 4030 Linz, Zeilingerweg 20. G.: Linz, 20. Aug. 1940. V.: Ulrike. Ki.: Ulrike, Brigitte. El.: Johann u. Hermine. S.: 1957-60 Kunstschule Linz, Mstr.-Kl. f. Malerei b. Prof. Dimmel. K.: freischaff. tätig, 1965-82 Betreiber einer Kunstgewerbl. Werkstätte, seit 1980 Grafiker im OÖ Landesmuseum (Ausstellungsgestaltung). P.: Berichte in div. Fachzeitungen u. Katalogen z.B. Inka-Peru, Ägypten-Ausstellung, Mensch & Kosmos, Landesausstellung in Weinberg. M.: ÖAAB. H.: Fischen, Bootsbau. (P.H.)

Pertmayr Wolfgang Amtsdir.

B.: Amtsdir. FN.: Zentralausschuß f. d. Bediensteten d. Finanzverwaltung. DA.: 1010 Wien, Himmelpfortg. 9/2. G.: Wien, 6. Apr. 1944. V.: Monika. Ki.: Alexander (1971), Christina (1973), Bernhard (1974). El.: Willibald u. Agnes. S.: 1954-63 Realgymn., 1963-64 freiwillig b. Bundesheer, Uni-Jus, 1966-68 Offizier auf Zeit, 1968 Eintritt i. d. Finanzverw. K.: Veranlagungsref. u. Betriebsprüfer, 1971-83 Vors. d. Dienststellenausschusses, 1977-81 Presseref. d. Bundes-sektion Finanz i.d. Gewerkschaft öffentl. Dienst (GÖD), a. 1981 Vors. d. Bundessektion Finanz, 1983-90 Mtgl. d. Zentralausschusses b. BM f. Finanzen, 1990 Vors. d. Zentralausschusses, 1993 Vors. d. Arb.-Gemeinschaft Allg. Verwaltung i. d. GÖD, 1989 Obmann d. Sozialwerkes f. Ressortbedienstete b. BM f. Finanzen, 1967-94 div. Kommandantenfunktionen i. Österr. Bundesheer. E.: Wehrdienstmed. Bronze, Silber, Golf, BH-Dienstzeichen 2. u. 3. Kl. H.: Lesen, Tennis, Wandern, Kunst u. Kultur, früher Basketball b. EKE (1962 Jugendmstr. v. Wien). (T.H.)

Pertolli Horst Dipl.-Vw.

B.: Zweigstellenltr. FN.: Bank Austria AG. DA.: 6130 Schwaz, Dr.-Dorrek-Str. 2. PA.: 6130 Schwaz, Anton-Öfner-Str. 15. G.: Seefeld, 30. Juli 1944. V.: Eva, geb. Unterladstätter. Ki.: Hannes (1973). El.: Alois u. Elisabeth. S.: Grundschule, HAK, 1962 Abschluß, 1968 Univ. K.: b. 1969 Österr. Creditinst. Innsbruck, 1970-79 Ltr. d. Bausparkasse d. Sparkassen in Tir., seit 1979 Zweigstellenltr. Z-Länderbank Bank Austria. M.: ÖAMTC, Bez.-Obm. d. Bez.-Gruppe Schwaz, Alpenver., Skiclub Schwaz. H.: Reisen, Bergsteigen, Skifahren. (M.W.)

Pertschy Sebastian Dir.

B.: Gschf. Ges. d. Pension Pertschy. DA.: 1010 Wien, Habsburgerg. 5. G.: Filipowo, 15. Jan. 1933. V.: Christl, geb. Schackmann (Gschf. v. 3 Pensionen u. 1 Malediven-Insel "Mirihi"). Ki.: Sabina, Angela, Thomas. El.: Stefan u. Theresia. S.: VS, HS, Berufsschule. K.: Dreher b. Elin (1948-54), danach Auswanderung nach Montreal (Dreher, Einkäufer u. Gschf. eines Motels), 1964 nach Wien, Aufbau d. Pertschy GmbH. M.: Siedlerver. H.: Surfen, Segeln, Wandern, Skifahren, Tauchen. (R.A.)

Perusich Franz Mag.

B.: Gschf. FN.: IMB Intern. Marktforsch. u. Betriebsberatungs GmbH, Forsch.Verb. d. Österr. Baustoffind. DA.: 1010 Wien, Kärntner Str. 21-23. PA.: 1070 Wien, Lindeng. 65. G.: Großwarasdorf, 17. Juni 1949. V.: Mag. Gabriela, geb. Liebentritt. Ki.: Martin (1991). El.: Franz u. Mathilde, geb. Csenaz. S.: 1973 HS f. Welthdl. Wien. K.: 1973-76 Key Account & Salesplaningmanager b. Unilever , 1976-84 Salesdevelopment Salesoperationsmanager, Special Projects u. Productgroupman b. Masterfoods Austria, seit 1984 Gschf. IMB Intern. Marktforsch. u. Betriebsberatungs GmbH u. Forsch.Verb. d. Österr. Baustoffind. P.: Fachart. u. Untersuchungen im Bereich d. Bauwesens. H.: Literatur. (N.A.)

Perzinger Ulrich

B.: Chefredakteur. FN.: ZG Zeitungsges.m.b.H. DA.: 1070 Wien, Kaiserstr. 67. PA.: 1220 Wien, Hardegg. 63/4/3. G.: Unna/BRD, 29. Sep. 1950. Ki.: Petra (1983). El.: Herbert u. Marianne Meyer. S.: Gymn. Unna, 1969 Matura, Ztg.-Volontär b. Ruhrnachrichten Dortmund, a. 1971 Red. dort, a. 1973 Stud. a. d. Ruhruniv. Bochum Gesch., Publ. u. Soz.-Wiss., 1977 m. Diplom abgeschlossen, fr. Journ. K.: a. 1975-81 Red. b. "Unsere Zeit", a. 1981 Red. b. d. "Volksstimme", a. 1986 Chefred.-Stv., a. 1991 Stv.-Chefred. b. "Salto", a. 1994 Chefred. b. "Volksstimme". H.: Literatur, histor. Sachbücher, Schwimmen, Film.

Perzl Anton Dr. HofR.

B.: Gymn. Dir. i.P. A.: 3340 Waidhofen/Ybbs, Ederstr. 14. G.: 3340 Waidhofen/Ybbs, 13. Dez. 1904. V.: Renate, geb. Jungwirth, El.: Anton Zugsführer d. ÖBB u. Josefa. S.: VS, Gymn., Univ. Wien. K.: Mittelschulprof., OStR., HofR. F.: keine - Red. d. (Ltr.) Ybbstaler Wochenblattes (Bote von der Ybbs) v. Juli 1945 b. Nov. 1949. P.: Jahresberichte d. Mus.-Päd. RG 2130 Mistelbach/Zaya u. versch. Aufsätze. E.: Mittelschulprof., OStR., Dir. d. RG (mus.-päd.), HofR. M.: Arb. u. Ang.Bund d. ÖVP. H.: Lesen, Wandern.

Perzy Erwin

B.: Inh. d. Fa. Erwin Perzy. DA.: 1170 Wien, Schumanng. 87. PA.: 1170 Wien, Rokitanskyg. 47. G.: Wien, 20. Okt. 1956. V.: Sabine, geb. Spitzer. Ki.: Sabine (1989). El.: Erwin u. Rosa, geb. Fischer. BV.: Großvater Erwin Perzy: Erfinder d. Schneekugeln u. d. Silvestergusses. S.: Werkzeug-macherlehre, Meisterprüf., TGM (Steuerungs- u. Regeltechnik). K.: Seit d. Kindheit Mitarb. im elterl. Betrieb. H.: Fotografieren, Wandern, Reisen. (N.A.)

Pesak Franz Ing.

B.: Verkaufstechniker, Maschinenbauing. PA.: 2331 Vösendorf, Ortsstr. 207. G.: Wien, 29. Febr. 1932. El.: Franz u. Stefanie. S.: Pflichtschule 1938-46, BGewerbeschule Wein 1., Höhere Abt. f. Maschinenbau, 1947/1952 Fa. Linde, Wien, Kältetechniker, 1952-58. Fa. Wiener Dampfkesselfabrik, Konstrukteur 1958. K.: Fa. Dipl.-Ing. Franz Wieser, Wien, Kältetechniker, 1958-59 BVersuchs- u. Forschungsanst. Arsenal, Wien, Abt.Ltr.r - Kältetechnik. Stud. an TH Wien. 1960-67 Fa. Mulder Vogem., Nieuw-Vennep, Holland, R & D Tieftemperaturtechnik, sowie Dir. d. Fa. Cryo Technical Products, Joint Ventur Mulder-Vogem N. V. 1967-69. Fa. Schoeller-Bleckmann, Wien, Abt. Entwicklung u. Projektierung, nach Fusin Vereinigter Edelstahlwerke (VEW), Verkaufstechn. Kernkraftwerkkomponenten, Komponenten f. Petrochemie. P.: 1962: Methoden d. Fahrzeugkühlung u. Vergl. untereinander, 1963: Flüssigstickstoff f. d. Kühltransport, 1965: Wärmetauscher, Kalkulation u. Konstruktion, 1966: Flüssig-Stickstoff Kühlung, 1967: Flüssiggaskühlung f. Straßenfahrzeuge, 1969 Konventionelle Kältetechnik - Tieftemperaturtechnik u. ihre Verbindungspunkte b. d. Lebensmittelkonservierung, 1970: Getter u. Adsorbenten, 1971: Die Anwendung verflüssigter Gase als Kältemittel, 1972: Transport- u. Lagerbehälter f. Flüssiggase, Anwendungstechnik d. Flüssiggase. (Vortrag: Moskau). M.: ÖVP, NÖAAB, Österr. Alpenver. H.: Weltraumforsch., Physik, Phil.

Pesce-Cihlar Barbara Dr.

B.: RA. DA.: 1010 Wien, Kohlmarkt 4/19. G.: Wien, 29. Mai 1955. V.: Angelo Pesce. El.: Dr. Ernst u. Mag. Ilse Cihlar. S.: 1973 Matura, Jur. Fak. Univ. Wien, 1978 Prom. Dr. iur. K.: 1980-85 Konzipiententätigkeit, 1985 selbst. RA, spezialisiert Intern. Ges. u. Hdls.-Recht, Vertragsrecht. H.: Lesen, Sport, Musik, Kultur, Kochen, Reisen, Wandern. (J.E.)

Peschaut Theodor Roman Ferdinand Dr. iur.
B.: Pension, Maler. PA.: 6800 Feldkirch-Tisis, Gilmstr. 5. G.: Wien, 7. Apr. 1919. V.: Gertrude, geb. Absolon. Ki.: Felizitas (1947), Beatrix (1948), Ursula (1954). El.: Roman u. Hermine. S.: Jesuiteninternat in Pec, 6 Sem. Bdk. in Sopron/Ungarn. Jusstud. Graz u. Wien, 1948 Prom., 1940-45 Kriegsdienst. K.: Gerichtsj. in Wien, 1948-54 kfm. Ang. in Wien am Naschmarkt, 1954-65 Konzipient b. Dr. Herbert Nusko Wien, 1963 Anw.-Prüf., 1964 Praxiseröff. in Feldkrich als RA u. Strafverteidiger, 1989 in Pension. BL.: vor 54 d. Liebe z. Malerei entdeckt, inzwischen entstanden sehr viele Bilder in versch. Techniken, Einzelausstellungen in Berlin, Frankfurt u. Feldkirch, einige Gemeinschaftsausstellungen. P.: Ungarn zwischen Ost u. West zusammen m. Dr. Otto Rudolf Ließ. M.: 15 J. im Disziplinaraussch., langj. Lektor b. Südosteurop. Ges. in Wien, Schlaraffia. H.: Malen, Eislaufen, Bergsteigen. (I.D.)

Peschetz Johann Dr. Dipl.-Ing.

B.: Ltr. d. Abt. Technik/-Bauten, Prok. FN.: Austria Tabakwerke. GT.: Gschf. d. ATMIG, Gen.-Manager d. PTG. DA.: 1090 Wien, Porzellang. 51. G.: St. Walburgen, 18. Apr. 1946. Ki.: Michael (1969), Alexander (1978), Oliver (1980). El.: Johann u. Alfreda. S.: VS, HS, HTL, 2 Sem. Stud. Mathematik u. Physik, Stud. Maschi-nenbau u. Wirtsch.-Ing.-Wesen TU Graz, 1973 Abschl. Dipl.-Ing., b.1975 Doktoratsstud., Abschl. Dr. techn. K.: Aufb. e. Betr. f. Recycling v. Tabakabfällen, 1981 Eintr. i. d. techn. Ber. d. Austria Tabakwerke, s. 1988 Ltr. d. Abt. Technik u. Bauten. P.: 99 Speciale 1 u. 2 (Hrsg. Fa. Texas Instruments), Was der Artari alles kann, 2. Bd. H.: Klassische Gitarre, Schach. (J.M.)

Peschek Alfred Dr. phil.
B.: Komponist. FN.: DAP Edition im Tonstudio. DA.: 4020 Linz, Bockg. 2. G.: Linz, 14. Mai 1929. V.: Erika, geb. Gangl. Ki.: Isabella (1960). S.: Mittelschule Linz, Traun u. Wels, Brucknerkonservatorium, Aufführung d. ersten beiden Klavierstücke, 1951-57 Stud. Kirchenmusik u. Kapellmstr. Ak. f. Musik u. darstell. Kunst Wien u. Univ. f. Musikwiss. u. Kunstgeschichte, Kompositionskurse b. Joh. Nepomuk David, Schlagzeuger d. Akademie-Kammerchores, Substitut b. d. Wr. Symphonikern, schreibt Chorsätze u. eine Messe, 1956-60 Buchhalterausbild. u. Praktikant als Wirtschaftstreuhänder, Berufsanw., 1957 Diss. "Die Messen v. Franz Tum 1704-1774", Prom. Dr. phil. K.: 1957-68 Musikkritiker b. Tageszeitung u. Fachzeitschriften u. Mitarb. d. Rundfunks, 1959-62 wiss. Ref. am Brucknerkonservatorium, 1962 Grdg. DAP-Edition, 1963 monatl. Rundfunksendung m. OÖ Komponisten d. Gegenwart, erste Kontakte m. intern. Avantgarde, Teilnahme am Festival neuer Musik, 1964 Werke: "Improvisation I f. Klavier, Schlagzeug u. Streicher", "Variation. Trio f. Orgel", 1965 Hrsg. v. Büchern: "OÖ Heimatbuch", "Musik in Linz", 1967 "Colori I", 1968 Oper "Das Lichtgewand", Grdg. d. "Neuen Ensemble", Gestalter d. Serie "Alte Musik u. Neue Szene", 1968 Mtgl. A.I.C.P., Ltr. d. Arbeitskreis f. Musik im Rahmen d. Intern. Studentenwoche, 5 J. Kons. b. Coca-Cola, Aufführungen u. Ausstellungen in Berlin, Brünn, Köln, Linz, Prag u. Wien, 1971 Eintritt in d. Staatsdienst als Lehrer, 1972 Grdg. m. Erika Gangl "Tanzstudio Erika Gangl GmbH", 1973 Grdg. "Salon im Tanzstudio Erika Gangl", 2 J. Aufnahmeltr. b. ORF OÖ, 1979 Ltg. d. Sparte Musik im Künstlerbund "Maerz", 1984 Prof., 1987 "Begegnungen", "Synthese I" "Synthese II", 1988 Grdg.Obm. d. IGNM Zweigsektion OÖ u. VPräs. d. Künstlerver. "Maerz", 1988 "Snythese III", 1989 Ausstellung "Musik nach d. 2. Weltkrieg", "Lange Nacht d. neuen Klänge II", "Illumination", "Begegnung", "Amsel song", "Peschek Dimensionen", 1990 "Cappriccio Stravagante", "Un Gioco per Farina", "Fünf Finger plus", "Mozart/Peschak". E.: 1967 Theodor Körner-Preis, 1990 LKulturpreis f. Musik. (P.H.)

Peschka Roland
B.: Prok., Sped. FN.: Neuenburger Schweizer Allg. Vers.-Ges. Dion. f. Österr. DA.: 6850 Dornbirn, Riedg. 49a. PA.: 6850 Dornbirn, Klotzen 20. G.: Bregenz, 28. Aug. 1951. V.: Jasmine, geb. Geuze. Ki.: Manuel (1984), Aaron (1987), Stephanie (1988), Larissa (1993). El.: Franz u. Anna. S.: VS, HS, 3 J. Sped.-Lehre, Kfm. Berufsschule, 1968 Abschluß. K.: 1968 Weiterbild. im Organ.-Bereich, Grdg. einer Zweigstelle, 1976 Berufsreifeprüf., 1976 Univ. Zürich, Fernuniv. Oxford College GB, 1980 Abschluß Degree of Doctor of Phil., Oxford College of Applied Science, 1977 Gschf. einer Sped. in Vbg., 1979 Firmengrdg. eines Dentalbetriebes u. Übersiedlung in d. Schweiz, 1983 Grdg. d. Neuenburger Ndlg. in Dornbirn. M.: Vbg. Exportclub VS, Badminton Club. H.: Mountainbike, Gartenarb., Holzarb., Kochen. (I.D.)

Peschke Friedrich Franz
B.: Kfm. Ltr. d. Aichberger-Gruppe, Unternehmensberater. DA.: 9020 Klagenfurt, Hans-Sachs-Str. 16. PA.: 9500 Villach, Werthenaustr. 2. G.: Lienz, 12. Juni 1927. V.: Paula, geb. Föger. Ki.: Ines Maria. El.: Friedrich u. Maria. S.: Gymn., kfm. Seminare. K.: 1954-74 b. d. Handelsges. "SPAR" im kfm. Bereich tätig, dann als Unternehmens-berater b. versch. Firmen (v.a. Holzind., Handelsuntern. in Ktn., Schwerpunkt d. Beratertätigk.: Sicherheitskonzepte, Sicherheitstechnik), s. 1979 b. Fa. Akkord. P.: Art. in div. Zeitschr., in d. "Presse" z. Problematik d. Sicherheitstechnik. H.: Bergsteigen, Fotografieren, Reisen. (D.M.)

Peschke Günther
B.: Gschf. FN.: Publicitas. DA.: 1010 Wien, Hoher Markt 12. PA.: 2361 Laxenburg, Wiener Str. 10. G.: Wien, 13. Jan. 1941. El.: Josef u. Hilde. S.: VS, Mittelschule. K.: Sasko Werbungsmittlung, Werbe Wien, Marga Greiter, Persil (Henkel) Marketing Abt.Ltr., Campbell Ewald, 1978 Publicitas, seit 1983 Gschf., Marketingbereich. P.: Handbuch d. Werbung, versch. Artikel in Fachblättern. H.: Sport, Skifahren, Tennis. (E.L.)

Peschke Otto Oberst
B.: Ltr. d. Justizwachschule, i. R. DA.: 1080 Wien, Wickenburgg. 12. PA.: 3400 Klosterneuburg, Alleestr. 11. G.: Wien, 9. Febr. 1928. V.: Helmtraud, geb. Ottensamer. Ki.: Ilse u. Helga. El.: Karl u. Theresia. S.: Hum. Staatsgymn., Matura 1947, Stud. an d. Univ. Wien (German. u. Theaterwiss.). K.: 1952-68 im Bundesdienst in d. BA f. Erziehungsbedürftige Kaiser-Ebersdorf (v. Erz. z. Ob.Präfekt), ab 1968 im Erwachsenenvollzug, 1976 Anst.Ltr.Stellv., 1977 Ltr. d. damalig. kg. Gefh. St. Pölten, 1980 Ltr. d. lg. Gefh. II Wien, 1986 Ltr. d. Justizwachschule Wien, seit 01.01.1994 i. R. E.: 1974 GVZ, 1980 SEZ, 1982 Oberst, 1985 GEZ, 1986 Exekutivdienstz., silb. u. gold.

Verd.medaille. M.: Verb. d. Geistig Schaffenden, IPA, Vors. d. Arge d. ltd. Strafvollzugsbeamten Österr. (1984-88), gewerkschaftl. Sprecher d. ltd. Beamten d. Justizwachkorps. H.: Familie, Haus u. Garten. (C.K.).

Peschke Walther Carl Dr. techn. Dipl.-Ing. Hon.Prof.

B.: Hon.Prof. d. TU Wien, ständig beeid. Ger.Sachv., MinR. i.R. A.: 1180 Wien, Semperstr. 58/9. G.: Wien, 31. Mai 1907. V.: Margarete, geb. Stanka. El.: Wenzel u. Rosa. S.: TU Wien (Dipl.-Ing. Maschinenbau u. Dr. techn.) Bergbau Univ. Clausthal-Zellerfeld (Erdöl- u. Bohrtechn-Kurs). K.: Vw.Bmtr. d. Gem. Wien, Konstrukteur b. Mannesmann-Trauzl AG Wien, techn. Dir. b. G. Rumpel AG, Chefing. f. Bohrtechn. im Ölfeld b. 1951, MinR. im BMH, ständig gerichtl. beeid. Sachv. f. Bergbau u. Erdölwesen, Hon.Prof. d. TU Wien f. Tiefbohr-Techn., Delegierter bei d. Komitees d. OECD u. ECE Paris u. Genf. P.: Div. Arb. u. Art. in Erdölzeitschriften über wirtschaftl. Bohren u.a., Statistik u. Wirtschaftlichkeit in Zeitschrift Metall. E.: Grubenwehr-EZ, Gr. EZ f. Verd. um d. Rep. Österr., Gr. Silb. EZ f. Verd. um d. Rep. Österr. M.: Österr. Ing. u. Arch. Ver., Österr. Touristenclub, Ver. d. Feunde d. TU Wien, Eisenhütte Österr. Montanuniv. Leoben. H.: Philatelist.

Peschl Harald Dipl.-Ing.

B.: Gen.-Dir. FN.: Betriebsges. Marchfeldkanal. DA.: 2232 Deutsch Wagram, Franz-Mair-Str. 47. G.: Wien, 5. Juni 1941. V.: Dorit, geb. Januschke. Ki.: Michael, Martin. El.: Johann u. Maria. S.: VS, RG, Stud. Bauing.-Wesen TU Wien. K.: Tätigkeit b. div. Baufirmen, 1971-76 Mitarb. in einem Ziviling.-Büro, 1976 Befugnisse Ziviling. f. Bauwesen, ab 1976 eigene Kzl. m. Schwerpunkt Siedlungswasserbau u. Flußbau, ab 1983 Vorst. d. Marchfeldkanalges. M.: Obm. d. Tennisver. Ravelsbach, Pfadfinder, KÖSTV-Austria-Wien, Stifter d. KaV Austria Sagitta. H.: Tennis, Jagd. (G.B.)

Peschl Wolf Dr. phil. Mag. art. Prof.

B.: Dir. d. Landstraßer Gymn. GT.: Publizist, Red., Prof. DA.: 1030 Wien, Kundmanng. 22. G.: Wien, 15. Apr. 1943. V.: Gabriele. Ki.: Dietmar, Herwig. S.: Dr. phil. an d. Univ. Wien, Diss., Musik-HS m. Ausz. u. Abgangspreis, Staatsprüf. in Klavier. K.: seit 1966 im Schuldienst tätig, Konzert-dirigent, Komponist f. Bühnenwerke, zahlr. klass. Tragödien u. Komödien f. Schultheater inszeniert, Leiter d. Lehrerfortbild.f. Musik, Vors. d. Projektgruppe Musiker-ziehung bestellt. P.: Autor v. Lehrbüchern, Chefred. "Die allg. bild. höhere Schule", Red. "Musikerziehung", Vorlesungen im In- u. Ausland, Veranstalter von intern. wissenschaftl. Kongressen. E.: Gold. Verdienstz. d. Rep. Österr.M.: Vors. d. Österr. Med. Begutachtungskmsn.,Präs. d. AGMÖ (Arbeitsgemeinschaft der Musikerzieher Österr.), Prof. am Päd. Inst., Präs. d. Europ. Arge Schulmusik. H.: Segeln, Bergsteigen, Skifahren. (E.L.)

Pesendorfer Bernhard Dr.

B.: Privatgelehrter. FN.: Inst. f. angew. Philosophie. GT.: Doz. an d. HS St. Gallen, Lektor in Wien u. Klagenfurt. DA. u. PA.: CH-9000 St. Gallen, Axensteinstr. 27. G.: Ulrichschlag/NÖ, 10. Nov. 1942. V.: Cécile, geb. Federer. Ki.: Katherina, Konrad, Ulrich u. Mario. El.: Dr. Franz S. Dr. u. Leopoldine. S.: Gymn. in Wien, 1960-65 Stud.: Phil., Psych., Literatur u. Geschichte, Dr. phil. K.: 1965-75 Ass. am Phil. Inst. d. Univ. Wien, danach Privatgelehrter, 1969-85 Lektor f. Sozial-, Polit. u. Geschichtsphil. an d. Univ. Wien, seit 1980 an d. Univ. Klagenfurt, 1976-86 Lektor f. Ästhetik an d. Musik-HS in Wien, 1970-90 ständ. Mtgl. d. Hernstein Inst. f. Unternehmensführ., Management-Schulung in großen Untern. Österr., Deutschland u. d. Schweiz, seit 1972 Organisationsberat. in zahlr. Untern., seit 1972 Mitautor vieler Motivanalyt. Studien nach d. Methode d. interdisziplinären mehrdimensionalen Ursachenforsch., seit 1980 in St. Gallen als selbst. Privatgelehrter u. in Schulung, Beratung u. Forsch. tätig. P.: 1965: Die Kantischen Postulate u. ihre Aporien (Diss.), 1968: Was der Mensch wirklich kann, das ist auch gut, 1970: Das Problem d. Sündenfalls bei Hegel, 1976: Group Dynamics and Marxism, 1980: Die Integration kognitiver u. affektiver Elemente in d. Planspielpraxis, 1980: Fernsehen u. Familie, 1983: Organisationsdynamik, 1983: Interessen vertreten u. durchsetzen, 1984: Motive rund um Haus u. Dach, 1984: Organisation - ein Spiegel des Produkts, 1984: Die Kunst des Konflikt-Management, 1984: Die Kundenbeziehung im Versicherungsgeschäft - Grundlage für den Service-Gedanken, 1984: Das Auto im Spannungsfeld zwischen Gefühlen, Interessen u. Politik, 1985: PUNKT 85 - Gedanken zu den Hauptanliegen der Gegenwart, 1986: Der gebändigte Haß d. Söhne, Geschäftsfreund - zw. Tausch u. Täuschung, 1987: Arbeiten ist leichter als leben, 1988: Wirtschaftsethik - eine neue Kaufmannsmoral?, 1989: Das Auto - Selbst u. Gottheit, Mobilität zw. Willkür u. Freiheit, 1991: Im Feste ruht d. Krieg d. Lebens, 1993: Konfliktmanagement als angew. Dialektik u.v.a.m.

Pesendorfer Eduard Dr. iur.

B.: Landesamtsdir. d. Landes OÖ. DA.: 4010 Linz, Klosterstr. 7. PA.: 4801 Traunkirchen, Imwinkl 25, 4020 Linz, Brucknerstr. 3. G.: Traunkirchen, 29. Okt. 1947. V.: Herta, geb. Stöger. Ki.: Christina (1974), Eduard (1976). El.: Eduard u. Irmgard. BV.: Vater Eduard Pesendorfer Bez.-Hptm. v. Vöcklabruck. S.: Gymn., 1965 Matura, b. 1969 Jusstud. Wien. K.: Gerichtspraxis, 1970 Eintritt in d. Landesdienst z. Wasserrechtsbehörde, dann Verfassungsdienst, anschl. Büroltr. im Büro v. Landeshptm. Josef Ratzenböck, seit 1988 Landesamtsdir., seit 1986 w.HofR., seit 1973 GemR. in Traunkirchen, seit 1979 Gem.-Vorst. Traunkirchen, ÖVP-Obm. Traunkirchen, AufsR.-Präs. d. OKA, Gschf. d. Linzer HS-Fonds. E.: Ehrenbürger d. Univ. Linz, Feuerwehr VK I. Kl. M.: Feuerwehr Traunkirchen. H.: Lesen, Wandern, Reisen. (P.H.)

Pesendorfer Engelbert Dr.

B.: prakt. Arzt, Kurarzt. DA.: 4820 Bad Ischl, Haiden 422. G.: Traunkirchen, 19. Sept. 1948. V.: Dr. Monika, geb. Müller Hartburg. Ki.: Lukas, Katharina. El.: Dr. Eduard u. Irmgard. S.: Matura 1967, 1969-73 Stud. d. Forstwirtschaft in Wien, 1970-76 Stud. d. Med. in Wien. K.: Turnusausbild. in Bad Ischl, 1980 Eröff. einer eigenen Ordination in Bad Ischl. H.: Fischen, Tennis, Skifahren. (M.B.)

Pesendorfer Franz Xaver Dr. med. Univ.-Prof.

B.: FA f. Innere Med., Univ.Doz. DA.: 1090 Wien, Alser Str. 26. PA.: 1190 Wien, Hofzeile 21. G.: Wien, 22. Sept. 1937. V.: HofR. Dr. iur. Marianne, geb. Möslinger, 2 Kinder. El.: Dr. med. Franz u. Erwine. BV.: Dipl.-Ing. Franz Pesendorfer (Kurdir. in Bad Hall v. 1905-36), Lebzelterei Kastner in Leonfelden (seit 1569 ältester noch existierender Gewerbebetrieb in Österr.) S.: 1955 Matura BRG Gmunden, 1961 Prom. Dr. med. univ. an d. Univ. Wien. K.: 1962-63 Sekundararzt in St. Pölten, Chir., Unfall- u. Kinderchir., 1963 I. Med. Univ.Klinik Wien Ass.Arzt, 1972-73 OA, 1973 in d. Lehrkanzlei f. Gastroenterologie u. Hepatologie an d. 1. Med. Univ.Klinik, 1977 Univ.Doz. m. venia docendi f. d. Fachgeb. Innere Med., 1979-90 Vorst. d. 1. Med. Abt. d. KH Lainz.

BL.: 110 Vortr. auf d. Gebiet d. Gastroenterlogie, Hepatologie u. Endoskopie, Aufbau u. Organ. d. Gastroenterol. Endoskopie m. Unterweisung zahlr. in- u. ausländ. Kollegen in d. Untersuchungstechnik., 1969 Entw. einer raschen Elektrophoret. Techn. (Anitgen- u. Antikörper-nachweis), d. Möglichkeit f. routinemäßige Blutspender-untersuchung z. Verminderung d. Hepatitisrisikos, d. Methode wurde v. d. "WHO" 1970 allg. empfohlen u. eingesetzt. P.: 105 Veröff.: 1966 Binding of Manganese to Serum Proteins. Protides of the Biol. Fluids, 1968 "Chromatogr. Unters. z. Manganbindung a. Serumproteine. Radioaktive Isotope in Klinik u. Forschung", 1970 "Immunelektrophoret. Nachw. v. Hepatitis-Associated-Antigen" (Klin. Wochenschr.), 1970 "Viral Hepatitis and Tests f. the Australian Antigen u. Antibody. Bulletin of the WHO", 1971 "Neue Gesichts-punkte b. d. Verhütung d. transfusionenbedingten Serumhepatits", (Wr. klin. Wochenschr.), 1981 "Endoskop. Papillotomie in Österr.". M.: Arbeitsaussch. u. Fachaussch. Hauptverb. d. Österr. Sozialvers.Träger, Ges. f. Angiologie, Ges. f. Innere Med., Dt. Ges. f. Verdauungs- u. Stoffwechselkrankheiten, Präs. d. Österr. Ges. f. Gastroenterologie u. Hepatologie, Ges. f. Fortschritte auf d. Gebiet d. Inneren Med. H.: Skifahren, Fischen, Lesen, Oper, Theater, Konzert, Musik, Beruf. (P.R.)

Pesendorfer Fritz

B.: Unternehmer. FN.: Pesendorfer Klaviere. DA.. 4812 Pinsdorf, Wagnerstr. 1. PA.: 4812 Pinsdorf, Feldweg 5. G.: Schwanenstadt, 02. Apr. 1961. V.: Helga geb. Kohlhahs. Ki.: Martin (1985). El.: Friedrich u. Margarete. BV.: Großvater Fritz Pesendofer Musiker a. Gmunden. S.: VS., HS.. K.: Lehre als Installateur i. Altmün-ster, 1982 Lehrabschlußprf., Lehre als Einzelhandelskfm. i. Pinsdorf, 1983 Lehrabschlußprf., 1983-85 Ges. i. d. damaligen Pesendorfer GmbH tätig, 1986 Beginn d. selbst. Übernahme d. Musikhandels i. Pinsdorf, 1991 Start m. Klavierbau aus eigener Werkstatt.E.: Träger d. Ö. Gütesiegels. H.: Fußball, pasiv. Skifahren. (G.E.)

Pesendorfer Gertraud

B.: Ak. Malerin. DA.: 1030 Wien, Daponteg. 2/14 u. Keutschach/See, Rauth 12. G.: Herzogenburg. Ki.: Manfred u. Dietlinde. El.: Ernst u. Maria Reinisch. K.: 1948-52 Stud. an d. Ak. d. bild. Künste Wien (Schülerin v. Prof. Boeckl u. Prof. Dobrowsky), 1952 Diplom u. Gold. Fügermed. f. Graphik u. Mtgl. d. "Secession" Wien I., 1953 Studienreise n. Florenz, 1954 Beteil. an d. Ausst. "Akademien Europas" in Mailand, div. Studienreisen u. Malaufenth.: Taormina, Rom, Paris, Mazzaro, Syrakusa, Arigent, Enna, Toskana u. Naxos, zahlr. Ausstellungsbeteil. d. Wr. Secession, 1980 "Royal Acad." London (Beteil.), 1981 Galerie Stubenbastei Wien, 1982 Gr. Saal d. Wr. Secession 86 Ölbilder, 24 Graphiken Wien, 1983 "Ktn. Landesgalerie" (40 Ölbilder), 1984 IBM Wien, 1985 Ktn. Landesgalerie 40 Ölbilder, 1986 Schloß Keutschach Ktn., 1987 Neue Galerie Wien 33 Ölbilder, 1988 Galerie Maier Innsbruck, 1988 Lignano/I "Nuovi Aspetti dell'Arte" (Beteil.), 1989 "Galerie Lang" Wien I. (Beteil.), 1990 Gründ. d. "September Gruppe" (Veranstalt. v. Ausstellungen m. bekannten Malern, Bildhauern, Webern, Keramikern aus Wien u. Italien in "Galerie Schloß Keutschach", Ktn.), 1990 Einzelausstell. v. 30 "frühen Bildern", 1992 Austell. Österr. Botschaft in Laibach/-Slowenien (Einezlausstell., Ölbilder, Graphik), 1988-91 Reisen d. Italien u. n. Mallorca. M.: Secession, Ö.B.V. H.: Verehrung f. George Braque, Sonja Delonay, Macke, Kirchner, Bauhaus-Künstler, Monet. (C.K.)

Pesendorfer Wolfgang Dr. iur. w.HofR.

B.: Ltr. d. Verfassungsdienstes im Amt d. OÖ LRg., Landtagsdir. seit 1987, Univ.Doz. am Inst. f. Verw.Recht u. Verw.Lehre Univ. Linz. DA.: 4010 Linz, Landhaus. PA.: 4010 Linz, Mariahilfg. 11. G.: Traunkirchen, 20. Dez. 1949. V.: Ursula, geb. Stanzel. Ki.: Paul-Simon (1982). S.: 1968 Matura, Stud. d. Rechtswiss. Univ. Linz, 1973 Prom. K.: seit 1985 Lehrbefugnis als Univ.Doz. f. öff. Recht, seit 1988 HofR. P.: Bücher: Demokratisierung d. Bezirksverwaltung (1980), Der Landeshauptmann (1986), Der OÖ Landtag (1989), Aufsätze in Fachzeitschriften. H.: Lesen, Schreiben. (P.R.)

Peserl Eduard

B.: Schneidermstr. FN.: Maß & Mode. DA.: 8010 Graz, Münzgrabenstr. 31. G.: Graz, 17. Juli 1943. V.: Gerda, geb. Lehmacher. Ki.: Eduard (1970), Wolfgang (1975). El.: Eduard u. Emilie. S.: VS, HS, Lehre z. Herrenschneidermacher in Graz, Berufsschule. K.: Tätigkeit b. versch. Firmen d. Bekleidungsbranche in Österr. u. Deutschland, 1967 Mstr.-Prüf., 1974 Übernahme d. väterl. Geschäftes u. Betriebes in Graz, seit 1976 Erweiterung d. Firma u. Übersiedlung, 1988-91 Ltg. v. Umschulungskursen zu Damenkleidermacher m. Lehrabschlußprüf., Schwerpunkt d. jetzigen Tätigkeit: Maßarb., Herstellung v. Uniformen f. d. Österr. BH, Kundenservice, Erstellung v. Kollektionen f. in- u. ausländ. Firmen. BL.: 4x Österr. Staatsmstr. im Fallschirmzielspringen. E.: Gr. Preis v. Brünn, Blaues Band d. Oder. M.: Fallschirmsportver. Aqualife Graz. H.: Fallschirmspringen. (M.Gr.)

Pesserer Werner

B.: Radio- u. Fernsehtechnikermstr., Inh. FN.: Werner Pesserer. DA.: 6200 Jenbach, Achenseestr. 35. PA.: 6200 Jenbach, Schalsenstr. 37. G.: Brixlegg, 24. Juli 1952. V.: Rita, geb. Unterreiner. Ki.: Daniel (1977), Andreas (1981), Martin (1982). El.: Ing. Hans u. Gerda. S.: Pflichtschule, Berufsschule, Mstr.-Schule, 4 J. Lehre Radio- u. Fernsehtechniker, 1972 Gesellenbrief, 1972/73 BH, 1982 Mstr.-Prüf. K.: seit 1983 selbst. Übernahme d. väterl. Betriebes. P.: Art. u. PR in regionalen Printmedien. M.: FIGL Firngleiter Club Jenbach, Ver. f. Pilt-Kunde Tirol/Jenbach, Mtgl. zahlr. örtl. Ver. H.: Wandern, Tourengehen, Pilzesammeln, Amateurfunk. (J.F.)

Pessl Peter Franz Josef Lorenz Ing.

B.: Gschf. Ges. FN.: Ing. Pessl KG, Astra Plastik Ungarn Kunststoffverarb. Untern. DA.: 1100 Wien, Leibnizg. 61. PA.: 1140 Wien, Penzinger Str. 131/2/27. G.: Wien, 8. Juni 1934. V.: Helga, geb. Langbauer. Ki.: Peter Wolfgang, Ing. Harald Georg. El.: Dipl.-Ing. Walter u. Maria. S.: hum. Gymn. Kremsmünster, 1952 Matura, TU Maschinenbau. K.: 1957 Maschinenfbk. Chessington/England, 1958 Eintritt in Fa. d. Vaters, 1960-69 unterrichtet im TGM Kunststofftechnik. E.: Gold LAbz. 1994, Gold. Verdienstz. d. Rep. Österr. 1986. M.: VPräs. Ver. Österr. Kunststoffverarb., Innungsaussch. d. Kunststoffverarb. Gewerbes in Wien, Ges. z. Förd. d. Kunststofftechnik, Mtgl. d. Union Jachtklub Attersee, Österr. Segelverb., Ref. f. Wettf. org. H.: Segeln, klass. Musik, Skifahren. (M.G.)

Pessl Arnold Ing.

B.: Inh. FN.: ARPES-Ing. Arnold Pessl Handel f. Industrietechnik. DA.: 3340 Waidhofen/Ybbs, Burgfriedstr. 1. PA.: 3340 Waidhofen/-Ybbs, Heinrich Wirre Str. 2. G.: Maustrenk, 14. Apr. 1949. V.: Petra geb. Grasmuk. Ki.: Lukas Christopher (1992), Lisa Christina (1989). El.: Arnold u. Friederike. S.: VS, RG, Ausb.: Werkstoffpr. Physik, HTL-Betriebstechnik-Maschinenbau, Matura 1979. K.: a. 1986 Fa. Felten & Guilleaume i. Schrems: Prod.-Manager f. Sondermaschinen, 1988 Verkaufsltr. i. Fa. Stölzle Kristall i. Altnagelberg, Fa. Semperit-Wimpassing: Gebietsverkaufltr. f. BRD, 1992 Gründung d. Fa. ARPES: Prod. v. Kundenauftr. a. d. Gebiet d. Mechan. Bearbeitung, sämtl. Oberflächenbehandlungstechniken, Schweißkonstr., Werkzeuge u. Vorrichtungen b. z. Sondermaschinen. (M.M.)

Pesta Claudia Mag.

B.: VPräs. d. Österr. Apothekerkam. Sbg. DA.: 5020 Salzburg, Franz-Josef-Str. 4. G.: Wien, 23. Okt. 1956. El.: Helmut u. Hedwig. BV.: Onkel KommR. Dr. Otto Pesta Zoologe Univ. Wien, Großvater Dr. Theodor Pesta Hrsg. eines Englisch-Schulbuches, Onkel Dr. Otto Pesta Chemiker. S.: 1974 Matura, Pharm.-Stud. Wien, 1983 Spons., 1984 Aspirantenprüf. K.: ab 1984 Apothekerin, seit 1986 Obfrau d. Landesgruppe Sbg. d. pharm. Reichsverb. (Org. d. ang. Apotheker Österr.). M.: Österr. pharm. Ges., Österr. Kneippbund. H.: Bergsteigen, Musik, Lesen. (M.S.)

Pestal Ernst Dipl.-Ing.

B.: Bauing. d. Ziviling.Büro f. Kulturtechnik u. Wasserwirtschaft. GT.: Gerichtl. beeid. Sachv. f. Tiefbau u. Stahlbetonbau. DA.: 2500 Baden, Schützeng. 16. PA.: 2522 Oberwaltersdorf, Trumauer Str. 60. G.: Oberwaltersdorf, 5. Nov. 1945. V.: Ing. Herta, geb. Tomenendal. Ki.: Georg, Caroline, Dieter. El.: o.Prof. Dipl.-Ing. Dr. Ernst u. Anna. S.: hum. Gymn. Baden, 1963 Matura, HS f. Bdk., Studienrichtung Kulturtechnik, 1969 Dipl. K.: 1969-75 Fa. Rella Konstruktionsbüro, seit 1975 freiberufl. selbst., Grdg. d. eigenen Büros. M.: Lionsclub Baden-Helenental, Managementclub Wr. Neustadt-Süd. (C.K.)

Pesti Johann Dipl.Vw.

B.: Dir. d. Österr. Roten Kreuzes. A.: 1210 Wien, Staackmanng. 4. G.: Budapest, 16. März 1921. V.: Gabriella, geb. Denes. S.: Univ. f. Wirtschaftswiss. Budapest summa cum laude. K.: Dir. d. Österr. Roten Kreuzes, Gschf. d. Zentraleinkauf u. Sanitätslager d. Österr. Roten Kreuzes GmbH.

Peter Adalbert Ing. KommR.

B.: Steinmetzmstr. FN.: Adalbert Peter GmbH. DA.: Schießstattg. 66, 2000 Stockerau. PA.: Czedikstr. 19, 2000 Stockerau. G.: Stockerau, 1. Aug. 1919. V.: Herta, geb. Didrentzel. Ki.: Claudia (1949), Adalbert (1952). S.: RG, BLehrschule f. Holz- u. Steinbearb., TU Wien, 1. Staatsprüf., 1948 Steinmetzmstr. K.: 1945-50 Bauing. in Ing.-Büro Dr. Wallmannsberger, Sbg., 1950 nach Tod d. Vaters Übernahme d. elterl. Betriebes, 1955 Übersiedl. u. Vergröß. d. Betriebes, 1984 Ruhestand. E.: KommR., Gold. EZ f. Verd. um d. Rep. Österr., Gr. Silb. Kammermed. d. HK NÖ, Julius-Raab-Med., Gold. Ehrenring d. Steinmetzinnung NÖ, Gr. Gold. Ehrennadel d. BInnung d. Dt. Steinmetzer u. zahlr. weitere Ausz. M.: 1970-86 BInnungsmstr. d. Steinmetzmstr., 1960-86 Innunsmstr. v. NÖ. H.: Reisen, Wandern, Schwimmen. (M.M.)

Peter Brigitte

B.: Schriftstellerin, Journalistin, freie Mitarb. d. Arge . Warmblutzucht in Österr., ffentlichkeitsreferentin. P;A.: 3040 Neulengbach, Hainfelderstr. 47. G.: Duisburg, 13. März 1936. V.: Oberrat Dr. Hanns Peter. Ki.: Markus, Thomas u. Dorothea. BV.: Künstler. tätige Familie, sow. graf. als auch schriftstellerisch. S.: Gymn. in Wien, Stud. d. Kunstgeschichte u. Psychol., dann Völkerkunde, 1. Buchveröff. 1970. P.: 1970: "Zeig mir das Buch u. die Bilder"auf d. Ehrenliste z. öst. Jugendbuchpreis d. Stadt Wien), 1972: "Das Som-merboot", "Setzt die Segel f. die weite Reise", "Reise nach Rimbimbim" (Ehrenliste z. österr. Förd.-Preis), 1973: "Rimbimbim auf Rädern", "Onkel Willi weiß die Wahrheit", "Lollobien", 1976: "Im Dschungel d. Gargar" (Kinderbuchpreis d. Stadt Wien, österr. Förd.-Preis f. d. kinder- u. jugendgemäße Sachbuch), 1978: "Der schlafende Bumerang" (Jugendbuchpreis d. Stadt Wien), 1982: "Hostau 1945 Die Rettung der Lipizzaner", als Dokumentation 1985 im ORF, 1985: "Paradies d. Pferde". M.: Dt.-Pazifische Ges., Österr. Schriftstellerverb. H.: Lesen, Pferde, Wandern. (E.L.)

Peter Dietmar

B.: Werbeberater u. Grafikdesigner. GT.: Kons., gerichtl. beeid. Sachv., gschf. Ges. DA.: 6020 Innsbruck, Blasius-Hueber-Str. 14/3, 1180 Wien, Martinstr. 16. PA.: 6135 Stans, Berchat 345. G.: Innsbruck, 20. Aug. 1942. V.: Prof. Mag. Karin. Ki.: Olivia, Julia. S.: Matura, HS-Lehrgang f. Verkauf u. Werbung WU Wien. K.: Werbeabt. Steyr Daimler Puch AG Wien, Texter u. Kontakter, Kontaktgruppenltr. Witzgall-Wien-Stuttgart, 1979 Grdg. WIF u. BWifi HK Kons., Fachvortragender u. Kursltr. im WIFI, Vortragender Grillhof-Igls-Volksbild.Heim d. Landes Tir., Managementclub Dornbirn. P.: lfd. Fachart. in d. einschl. Berufspresse, Aussch.Mtgl. d. Fachgruppe "Werbung Tir.", Ref. f. Innovationen. M.: Credit Consultaues, Mtgl. d. ICC Intern. (D.S.)

Peter Erich Dr. iur.

B.: Ltr. d. Standesamtes Graz. DA.: 8010 Graz, Joanneumring 6. PA.: 8043 Graz, Pensionsweg 12. G.: Graz, 16. Dez. 1940. V.: Waltraud, geb. Roschmann. Ki.: Doris, Andrea, Ilse. El.: Ferdinand u. Olga. S.: 1959 Matura. K.: Eintritt in d. Gem.Dienst, Mag.Krankenkasse, Kulturamt d. Stadt Graz, seit 1985 Ltr. d. Standesamtes, nebenher Stud. d. Rechtswiss., 1976 Prom. H.: Wandern, Lesen, bild. Kunst, Literatur, Musik. (P.R.)

Peter Ernst Oberst i.R.

B.: Buchautor. DA. u. PA.: 4020 Linz, Stecherg. 1. G.: Bregenz, 2. Mai 1917. V.: Hertha, geb. Dittrich. Ki.: Carmen. S.: Realschule, 1937 Matura Dornbirn, 1938 Pilotenausbild. (A-B-C Schule, Blindflugschulung), 1940 Zerstörerschule Memmingen, Lt. u. Einsatzpilot auf "ME 110", 1941 Troika-Schlepp m. Großlastensegler, 1942 Fluglehrer f. "ME 110" z. Nachtjagdschule nach München, 1942 Umschulung auf "Gigant", Mittelmeer- bzw. Afrikaeinsätze, 83 Mittelmeerüberquerungen, 46 nach Sardinien, 1943 Olt., 1944 z. Reichsverteidigung nach Ingolstadt . z. NJG 101 als Geschw.-Adjudant, Fluglehrer u. Einsatzpilot auf "ME 110", 1945 US-Gefangenschaft, 1946 Rückkehr nach Bregenz, Privatwirtschaft u. öff. Leben, 1953-55 GemR., ehrenamtl. u. gewählter StadtR. u. Bauref. v. Bregenz, 1956 Eintritt in Österr. Fliegertruppe d. BH, Wiedererneuerung d. Privat- u.

Militärpilotenscheines, b. 1963 im Stabe d. "Fliegerführungskdo." in Langenlebarn, 1963 Hörsching/Linz, 1970-77 Fliegerhorstkdt., freiberufl. Mitarb. mehrerer Flug- u. militär. Fachzeitschriften u. Zeitungen. Bl.: Besitzer eines umfangreichen Privatarchivs an Luftfahrtliteratur u. Fachzeitschriften. P.: zahlr. Publ. im In- u. Ausland, Autor mehrerer Fachbücher "...schleppte u. flog Giganten", "Segelflugstart", "Flugzeugschlepp", "Der Weg ins All", "Traschrauber-Hubschrauber", "Die k.u.k. Luftschiffer u. Fliegertruppe Österr.-Ungarn 1794-1919". E.: mehrere hohe Kriegsausz. u. österr. Orden z.B. Gold. EZ f. Verd. um d. Rep. Österr., Bronz. Plakette u. Silb. Ehrennadel d. Österr. Aero-Clubs. M.: 1932 Grdg.-Mtgl. Flugsportgruppe Bregenz, Aero-Club, OFH, CLP-Club, Offz.-Ges., 1952/53 u. 1956 Organisator d. Intern. Bodensee Segelfliegertreffen. H.: Fliegen, Segeln, Schreiben. (P.H.)

Peter Gunter
B.: Gschf. u. Mitinh. d. Petit Pierre Hämmerle & Peter GmbH. DA.: 6890 Lustenau, Müllerstr. 10. PA.: 6890 Lustenau, Raiffeisenstr. 3. G.: Lustenau, 5. Juni 1940. V.: Gerda, geb. Hagen. Ki.: Christine (1972), Susanne (1967). El.: Josef u. Paula. S.: HAK m. Matura. K.: 1959 Buchhalter in einem Stickereibetrieb, 1965 Prok. in einer Textilfirma, 1981 Grdg. d. Kindermoden Petit Pierre. H.: Tourenskifahren, Tennis. (I.D.)

Peter Günter
B.: Dipl.-KH-Betriebswirt, Verw.-Dir. d. KH Scheibbs. DA.: 3270 Scheibbs, Eisenwurzenstr. 26. PA.: 3270 Scheibbs, Schmelzerg. 19. G.: Amstetten, 17. Juni 1941. V.: Margarethe, geb. Resel. Ki.: Margot (1964), Roland (1974), Mathias (1982), Günter (1984). El.: Franz u. Maria. S.: Matura, Stud. KH-Betriebswirtschaft Univ. Düsseldorf (DKI), Interdisziplinäres KH-Management-Seminar Dt. KH-Inst., Berufsberechtigung als Unternehmensberater. K.: Tätigkeit in d. Arbeitsmarktverw. u. b. Militär, seit 1969 Verw.-Dir. d. KH Scheibbs. BL.: stellv. Vors. d. Arge d. NÖ KH-Verw.-Dir., Vorst.-Mtgl. d. Österr. Inst. f. KH-Betriebsführung (ÖIK), Lehrbeauftragter d. ÖIK, Lehrbeauftragter d. WU, Fachberater f. KH-Organ.-Fragen b. Österr. Gem.-Bund, Ltr. d. Ausbild.-Seminars "Grundseminar f. KH-Betriebswirtschaft", Milizoffz. (Olt. d. Res.), Vorst.-Mtgl. im Abwasserverb. Scheibbs-Purgstall, Mtgl. d. Sparkassen R. d. Sparkasse Scheibbs, Vortragender am Führungskräfte-Lehrgang für KH-Ärzte an der Uni Linz, Vortragender d. Univ.-Lehrganges f. ltd. Pflegepersonal, Vortragender d. Dokumentationswiss. Zentrums, 15 J. Mtgl. d. GemR. Scheibbs, davon 10 J. FinanzstadtR., Mtgl. d. FachbeiR. d. Österr. KH-Zeitung. P.: zahlr. Fachbeiträge in in- u. ausländ. Publ., ständige Vorträge im In- u. Ausland. E.: Silb. Ehrenring d. Stadtgem. Scheibbs. M.: Österr. Kameradschaftsbund, Schützengilde Scheibbs, . H.: Radsport, Fotografieren, Segeln. (F.S.)

Peter Hans Dr. med. MedR.
B.: Prakt. Arzt. DA. u. PA.: 3500 Krems, Ringstr. 48. G.: Krems, 24. Sept. 1931. El.: MedR. Dr. Oskar u. Anna Maria. S.: VS, 1949 Matura BRG Krems, Med.-Stud. Univ. Wien, 1956 Prom. K.: 1956 Turnusdienst KH Krems, 1962 eigene Praxis Krems, seit 1972 zusätzl. Schularzt in Krems, seit 1984 MedR. M.: 1966-75 GemR. Krems, 1976-88 Präsidiumsmtgl. KSC Krems. H.: Jagd, Philatelie. (M.M.)

Peter Hans-Josef Mag. phil.
B.: Psychotherapeut FN.: Psychologische Praxis Mag. Peter. DA.: 4780 Schärding, Oberer Stadtpllatz 36. G.: 9. März 1953. V.: Anna. Ki.: Miriam, Johannes. S.: Stud. Psychologie, Pädagogik, Soziologie, Katathym-Imaginative Psychotherapie, Verfa. d. Humanist. Psychologie, Primärtherapie. K.: Dozent d. psychologische. Erwachsenenbildung., Psychologie a. Ber.-St., Groupworker m. Straff. i. Justizvollzugs-Anstalt, psychosozialeBetreuung i. station. Einrichtung, psychologische Betreuung v. Jugendlichen i. Einrichtungen z. Berufsfindg., Honorarmitarb. Multiple-Sklerose-Ges. i. Mün-chen, Proj.-Forsch. Drogen u. Suchtabh., s. 1992 eig. Psycholog. Praxis. (P.H.)

Peter Heinrich Dkfm. Mag. rer. soc. oec.
B.: Dir. d. HAK u. HASCH Lustenau. GT.: GemR. Lustenau, Sportref. DA.: 6890 Lustenau, Neudorfstr. 22. PA.: 6890 Lustenau, Sandstr. 18. G.: Dornbirn, 1. Nov. 1941. V.: Herma, geb. Vetter. Ki.: Jürgen, Claudia. El.: Heinrich u. Herlinde. S.: 1961 HAK-Matura, 1962-67 Welthandels.-Studium Wien. K.: 1967 Eintritt in d. Lehrerdienst HAK Bregenz, seit 1973 HAK Lustenau, seit 1985 Dir. M.: FPÖ. H.: Sport. (A.K.)

Peter Heinz W. Mag.

B.: Betriebswirt, Dir. d. AK f. Vbg. DA.: 6800 Feldkirch, Widnau 2-4. PA.: 6830 Rankweil, St. Fridolinsg. 6. G.: Rankweil, 28. Mai 1945. V.: Ilse. Ki.: Julia (1973), Simon (1979), Daniel (1984). El.: Raimund u. Johanna. S.: Realschule Dornbirn, HAK Bregenz, 1965 Matura, 1973 Spons. K.: 1965-67 Landessekr. d. kath. Arbeiterjugend Vlbg., 1974-76 Management Centrum Vlbg., 1976 Eintr. in die AK f. Vbg. als pers. Referent d. Präs., 1986 Dir. d. AK Vbg. P.: Wirtschafts-, Sozial- u. Bildungspolitik, des öfteren Gastreferent z. Th. Arbeitsmarkt u. wirtschaftspol. Fragen, 4 J. Lehrbeauftr. Fernstud.-Zentrum Bregenz, Sozialwiss. E.: 1980 Kunschak-Preistr.. M.: Vors. d. Vereins Technikum Vbg., Mtgl. d. Energiesparvereins, Mitglied d. Vorstand- u. AufsichtsR. d. Vbg. Kapitalbeteilg.. H.: Lesen, Radfahren, Reisen, Skifahren. (I.D.)

Peter Karlheinz

B.: Inh. FN.: Karlheinz Peter, Reifenhändler. DA.: 2620 Neunkirchen, Werksg.4 PA.: 2620 Neunkirchen, Niederhofstr. 4. G.: Neunkirchen, 13. Juli 1943. V.: Regina, geb. Ascher. KI.: Silvia (1963), Norbert (1967). EL.: Hermine u. Karl. K. :Lehre als Vulkaniseur, nach d. Ausb. in versch. Betrieben tätig, s. 1976 selbst. mit eig. Firma. M.: Wasserrettung, Bergrettung, Höhlenforscher Verein, Schützenver., Eisstockver., Chor, Sponsor bei Auto Crash u. Speedway. H.: Wandern, Sammeln v. Oldtimer Modellen. (F.S.)

Peter Helmut Mag. rer. soc. oec.
B.: Hotelier, Inh. FN.: Familie Peter, Hotel Weißes Rössl GmbH & Co KG. GT.: Präs. d. österr. Hoteliervereinig, Wirtschaftssprecher d. Liberalen Forums. DA. u. PA.: 5360 St. Wolfgang, Markt 74. G.: St. Wolfgang, 21. Apr. 1948. V.: Gundelinde, geb. Piwonka. Ki.: Iris, Gudrun. BV.: Großvater Paul Peter Bgm. v. St. Wolfgang. S.: Gym. BRD, Matura 1966 Bad Ischl, Stud. HS f. Welthdl. BWL, 1973 Spons. K.: Eintritt in d. elterl. Betrieb. P.: lfd. Art. z. tourist. Problemen

in versch. Fachzeitschriften in BRD, CH u. Österr., Abg. z. NatR. M.: Rotary-Club Bad Ischl, 1990-93 Abg. z. NatR. H.: Segeln, Bergsteigen, Lesen. (A.W.)

Péter Georg Dipl.-Ing.

B.: Gschf. FN.: Druckerei Donaustadt. DA.: 1100 Wien, Favoritner Gewerbering 14. G.: Budapest, 1. Mai 1943. V.: Marianne, geb. Simon. Ki.: Georg (1974), Anna (1975). El.: Istvan u. Hilda, geb. Schallecker. S.: Gymn. Budapest, 1965-69 Stud. Ing.-Schule f. Polygraphie Leipzig, 1984-87 Stud. Ökon. Univ-.BPst K.: 1962-64 Offsetdrucker, 1969-72 Abt.-Ltr. Kossuth-Druckerei, 1972-84 Abt.-Ltr. f. Anwgst.Technik Budacolor-Druckfarbenfbk., 1984-87 OIng. d. Kossuth-Druckerei, seit 1987 Gschf. u. Betriebsltr. Druckerei Donaustadt. P.: über 10 Bücher u. Lehrbücher u.a. "Rollenoffsetdruck" (1989), "Offsettechn." (1987). E.: Preis f. wiss. Tätigk. in Ung. H.: Gartenar., Tennis, Schwimmen, Skif.(FS.)

Peter Peter

B.: Kfm., Inh. d. Fa. Handschuhpeter. DA.: 1180 Wien, Währinger Str. 89. PA.: 1180 Wien, Bastieng. 70. G.: Wien, 26. Juni 1943. V.: gesch. Ki.: Philipp, Petra, Nina. El.: KommR. Josef u. Christine. BV.: Großvater Rudolf war General. S.: 1960 Abschl. d. Textilfachsch. in Wien. K.: 1960-70 in d. Fa. d. Vaters tätig, Motorsportler, 1967-68 Österr. Touring-Champion Formel-VAU, 1970 World Champion, 1979 Übern. d. Fa. Handschuhpeter, Hdl. m. Handschuhen aller Art, Filialen: 1120 Wien, Meidlinger Hauptstr. 36, 1030 Wien, Landstraßer Hauptstr. 83-85, 1020 Wien, Taborstr. 28, 1990 Erweiterg. d. Fa.: Fa. Hellas Handschuherzeugg. GmbH. H.: Motorsport, Skilaufen, Antiquit., alte Meister. (J.S.)

Peterl Wolfgang

B.: Bgm. d. Stadt Korneuburg. DA.: 2100 Korneuburg, Hauptpl. 39. PA.: 2100 Korneuburg, K. Bodingbauer Str. 23/12. G.: Wien, 11. Feb. 1955. V.: Brigitte, geb. Koller. Ki.: Martin (1977). El.: Otto u. Ruth. S.: Graph. FHS f. Reprod. u. Drucktechn., B-Mat. in Abendkursen. K.: 1976-78 Repro- u. Drucktechn. Fa. Ueberreuter als Sachbearb. u. Kalkulant, 1978 Eintr. i.d. Gem.-Dienst d. Stadtgem. Korneuburg als Sekr. d. Bgm., ab 1982 Abt.-Ltr. im Einwohneramt. BL.: 1990 Wahl z. Bgm. d. Stadtgem. Korneubg.. M.: SPÖ, Naturfr., ATUS, Gesangsver. Korneuburg, Korneuburger Musikfreunde, Wanderver. H.: Bergsteigen, Laufen, Radfahren, Politik. (F.S.)

Peterka Fritz

B.: Lehrer, Autor. GT.: Red. d. Zeitung "Wienerland". DA. u. PA.: 2103 Langenzersdorf, Pamesserg. 13. G.: Wien, 20. Apr. 1950. V.: Anne, geb. Fraundörfer. Ki.: Harald. El.: Friedrich u. Dolores. BV.: mütterl. Verwandtsch. Urgroßvater Mazet-ti (Mazetti-Haus in Stein/Donau). S.: AHS, 1970 Matura, Päd. Ak. K.: seit 1972 Lehrer an Pflichtschulen., seit 1976 selbst. Autor. P.: Beiträge u. Art. in alpinen Zeitschriften u. Wochenzeitschriften, 40 Broschüren, Bücher u. Bildbände über alpine Themen, zahlr. Beiträge in d. ORF-Sendungen "Wandern m. Musik" u. "Für d. Bergfreund", Vortrags-tätigkeit über alpine Themen u. Reisevorträge, Teilnahme an Expeditionen im Ausland, (Hindukusch, Pamir, Nepal), hochwertige Bergfahrten, s. 1986 Extrem-marschaktionen, (Diretissima NÖ, Transalpin 87, DAAT, EB-Nonstop, 1. Solononstop am 02-Weg u.a., zuletzt 1995 "Enchainement 01-10"). (A.W.).

Peterlik Meinrad Dr. phil. Dr. med. univ. Univ.-Prof.

B.: Ordinarius u. o.Univ.-Prof. am Inst. f. allg. u. experimentelle Path. d. Univ. Wien. GT.: Gen.Sekr. d. Österr. Forsch.Gemeinschaft. DA.: 1090 Wien, Währinger Str. 13. PA.: 1090 Wien, Bergg. 25. G.: Wien, 23. Mai 1938. V.: Marianne, geb. Trabitsch. El.: Hugo u. Maria. S.: Schottengym., 1956 Matura, Stud. d. Chemie, 1963 Prom. z. Dr. phil., 1964-72 Stud. d. Med., 1972 Prom. z. Dr. med. K.: 1963 Chemiker in d. Zuckerfbk. Bruck/Leitha, 1964 Univ.Ass. am Inst. f. allg. u. experimentelle Path. d. Univ. Wien, 1974 Forsch.Aufenthalt als Stipendiat d. Max Kede Foundation b. Robert H. Wassermann, Departement of Physical Biology Cornell Univ. Ithaca, 1977 Gen.Sekr. d. Österr. Forsch.Gemeinschaft, Vorst.Mtgl. d. Österr. Biochem. Ges. b. 1981, 1978 Habil., 1983 Berufung z. Ordinarius f. allg. u. experimentelle Path. an d. Univ. Wien. P.: über 94 wiss. Publ. u. Mithrsg. v. "Funktionelle Pathologie" (1987). E.: Preis d. Hoechst-Stiftung z. Förd. d. med. Wiss. 1972, 1978 u. 1983, Preis d. Stiftung d. Fa. Wander 1973, 1987 Austrotransplant-Preis, 1985 Staatspreis f. Rheumaforsch. M.: American Inst. of Nutrition, American Society for Bone and Mineral Research, European Society on Calcified Tissues, Österr. Ges. f. Path., Österr. Biochem. Ges., Österr. Ges. f. Klin. Chemie, Arbeitskreis Osteologie. (M.B.)

Petermann Klaus

B.: Gschf. FN.: Aces Public Relations GmbH. GT.: Präs. d. ACES-Gruppe. DA.: 1120 Wien, Johann-Blobner-G. 2. PA.: 1120 Wien, Johann-Blobner-G. 1-3. G.: Ettendorf, 20. März 1944. V.: Heidemarie, geb. Dex. Ki.: Florian (1985). El.: Konrad u. Anna, geb. Maier. S.: 1963-68 Stud. Phil., Germanistik, Anglistik u. Slawistik Univ. Wien. K.: 1969-72 Red. b. AP (Associated Press), APA (Austria-Presse-Agentur), 1972--74 1. Österr. Sparkasse-Marke-tinges. "Klientella GmbH", 1974--76 Informa Public Relations GmbH, 1976 Grdg. Aces Public Relations GmbH. P.: div. Publ. in d. lokalen u. intern. Presse. E.: 1991 u. 1993 The Golden Award of IPRA. H.: sozialges. Studien, Lesen, Reisen, Skifahren, Schwimmen. (N.A.)

Petermandl Hans o.HS-Prof.

B.: Pianist. A.: 2392 Wienerwald-Dornbach. G.: Linz, 26. Jan. 1933. V.: Mag. Dkfm. Dr. Monika , geb. Knossalla. El.: Georg u. Maria. S.: Gymn. Linz, HS f. Musik u. Darstell.

Kunst Wien, Klavier b. Bruno Seidlhofer. K.: Konzerttätigkeit in Europa, im Nahen u. Mittleren Osten, Rundfunkaufnahmen, Schallplattenaufnahmen, seit 1971 Ltg. einer Kl. f. Konzertfach Klavier an d. HS f. Musik in Wien. P.: Schallplatten. E.: Bösendorfer-Preis.

Peters David M.

B.: freiberufl. Werbefotograf. DA.: 1070 Wien, Westbahnstr. 30/Hofgebäude. PA.: 1080 Wien, Josefstädterstr. 56/12. G.: München, 16. Jan. 1962. El.: Dipl.-Ing. Dr. Paulhans Peters u. Prof. Angelica Bäumer. S.: Dt. Abitur, Graph. Lehr- u. Versuchsanst. Wien, Abt. Fotografie. K.: 1982-85 Ass. b. Prof. Erich Lessing, 1985/86 u.a. Mitaufbau einer Fotoabt. am National Inst. of Design in Indien f. d. UNIDO, 1986/87 Mstr.-Kl. f. Fotografie an d. Graph. Lehr- u. Versuchsanst. Wien, Mstr.-Prüf., seit 1987 selbst. Werbefotograf f. Grafik- u. Konzeptateliers, Agenturen, Direktkunden, Kunstgalerien, öff. Stellen. H.: Musik, Billard, Mountainbiking. (J.S.)

Peters Heidi

B.: Generaldirektor. FN.: Hotel Altstadt Radisson Hotel. DA.: 5020 Salzburg, Judengasse 15/Rudolfskai 28. PA.: 5081 Anif, Ahornstr. 94. G.: Bad Hall, 3.4.1945. S.: 1957-60 f. wirtschaft. Frauenberufe in Bad Ischl. K.: 1960-66 Aufenthalte i. Frankreich u. England, In coming Leiterin b. Ruefa u. American Express in Salzburg, Direktionsass. "Goldener Hirsch" in Salzburg, s. 1993 Generaldir. Hotel Altstadt Radisson. H.: Klassische Musik, Skifahren, Kultur. (W.B.)

Peters Jürgen

B.: Präs. d. Wr. Tierschutzver. DA.: 1120 Wien, Khleslpl. 6. PA.: 3400 Klosterneuburg, Medekstr. 32. G.: Brand/Gmünd, 18. Febr. 1950. V.: Ursula, geb. Brojer. Ki.: Michael (1980), Barbara (1982). El.: Hubert u. Charlotte. S.: 1969 HAK-Matura, Päd. Ak., Lehramt f. VS u. HS. K.: seit 1973 Lehrer, seit 1966 Sportfunktionär, aktiver Baketballspieler, LandesR.Mtgl. d. NÖ LSportverb., Manager zahlr. Veranstaltungen, 1974-87 Mitgründer u. Ltr. d. "Klosterneuburger Messe", 1981-85 eigener Tanzschulbetrieb u. Sportartikelgeschäft, nebenbei Werbeberater, 1979 1. Kontakt m. Tierschutz, Errichtung eines Tierheimes in Klosterneuburg, Moderator im ORF, Mtgl. u. Vors. d. Jugendrates b. Amt d. NÖ LRg., 1986 Gründer u. Gen.Sekr. d. Tierschutzverb. NÖ, seit 1986 im Vorst. d. Wr. Tierschutzver., VPräs., seit 1987 Präs., seit 1988 Gschf. d. Wr. Tierschutzver., Gschf. VPräs. d. Zentralverb. Österr. Tierschutzver., Ltr. zweier Arb.Kreise im BM f. Umwelt u. Familie, Gründer u. Ltr. d. "Wr. Artenschutzkonferenzen". E.: Verd.Med. "10 J. Sport in NÖ", EZ in Silber u. Gold d. Allg. LSportverb. NÖ, LSportabz. in Gold. (P.R.)

Peterschelka Herbert Ing.

B.: Gschf. Ges. FN.: Peterschelka GesmbH. DA.: 2114 Auersthal, Bahnstr. 2. G.: Wien, 8. JÄn. 1965. S.: Bundesgymn., HTL Pinkafeld, Lehre Gas-, Wasserleitung- u. Zentralheizungsbauer. K.: Ausb. Heizungstechn., HTL Maschinenbau Abendschule, Betriebsneubau, Spezialist f. gesamte Haustechnik. M.: Wirtschaftsbund. H.: Skifahren, Volleyball, Lesen, Fachliteratur, Musikliebhaber, Fotografie. (W.M.)

Peterseil Franz

B.: Gschf. Ges. FN.: Autonom Computer - Beratungsges. mbH. DA.: Trölsberg 54, 4240 Freistadt. PA.: Kronbergerstr. 16, 4240 Freistadt. G.: Freistadt, 13. Feb. 1949. V.: Waldtraut, geb. Benisch. Ki.: Rainer (1971), Karin (1974), Stefan (1983). El.: Karl u. Maria. BV.: Vater Gründ. d. Blaskapelle Freistadt. S.: HTL Steyr (Starkstromtechnik). K.: techn. Zeichner EBG Linz, Weiterbild. EDV-Bereich, 1969-83 Fa. Nixdorf Softwarebereich, 1983-89 MAI-Computer Branchenbereich Kfz, 1989-90 selbst., 1990 Gründ. jetz. Fa., aktives Mtgl. d. Musikkapelle d. Kameradschaftsbundes u. d. Bürgergarde d. Stadt Freistadt. (N.A.)

Petersmann Gerhard Dr. phil.

B.: o.Univ.-Prof. f. Klass. Philol. an d. Univ. Sbg. DA.: 5020 Salzburg, Residenzpl. 1. PA.: 5020 Salzburg, Erzbischof--Gebhard-Str. 4. G:: Klagenfurt, 23. Aug. 1942. V.: Mag. Brita, geb. Reitzl. Ki.: Christiane (1971), Heike (1976), Irene (1986). El.: Karl u. Cäcilie. S.: VS, Gymn., Stud. Klass. Philol. u. Alte Geschichte, 1967 wiss. Hilfskraft an d. Univ. Graz, seit 1969 Ass., 1969 Dr. phil., 1979 Habil. K.: 1982 a.o. Univ.-Prof. Graz, seit 1986 o.Univ.-Prof. f. Klass. Philol. in Sbg. P.: wiss. Publ., Mithrsg. u. Schriftltr. "Grazer Beiträge". E.: 1976 Dr. Theodor Körner-Preis. H.: Reisen, Wandern. (D.E.)

Petkowitsch Ingeburg

B.: Gschf. d. Kosmetik Ingeburg. GT.: Ltr. d. Beauty Farm im Hotel Oberndorfer. DA.: 4880 St. Georgen im Attergau, Römerstr. 3. G.: Schörfling, 23. Nov. 1957. V.: Ernst. Ki.: Karin. El.: Johann u. Gertrude. S.: VS, HS, Lehre. K.: gelernt in Schörfling, 1 J. Tir., Vöcklabruck, 1979 Geschäftseröff., seit 1984 Ltr. d. Beauty Farm. P.: Broschüre über Beauty Farm. H.: Skifahren, Segeln, Surfen.

Petr Mirek

B.: Küchenchef. FN.: Trattoria "Martinelli". DA.: 1010 Wien, Freyung 3. PA.: 1030 Wien, Keinerg. 20/2/65. G.: Prag, 10. Juni 1959. V.: Jana. Ki.: Emil (1993). El.: Mirek u. Rugana. S.: Kochlehre, Berufsschule. K.: 1985 Niederlassung in Österr., 1985-86 Koch im "Raversbacher Hof", 1986-87 Küchenchef im Restaurant "Unterhuber" in Lilienfeld, 1987-92 Souschef im Restaurant "Da Conte" in Wien 1, 1992-94 Souschef im Restaurant "La Ninfea", danach in d. obenerwähnten Position. H.: Tennis, Fußball, Eishockey, Skifahren u. Kochen. (N.A.)

Petrag Herbert Dr. med.

B.: OA im Pflegeheim Lainz, FA f. Chir. DA.: 1130 Wien, Versorgungsheimpl. 1. PA.: 1030 Wien, St. Nikolauspl. 7/11. G.: Wien, 2. März 1941. V.: Hanne, geb. Schembera. Ki.: Johannes. S.: RG Wien, 1959 Matura, Stud. an d. Univ. Wien, 1968 Prom. K.: Ausbild. z. FA f. Chir. am Wilhelminenspital, seit 1980 OA am Sophienspital, seit 1992 OA im Pflegeheim Lainz, 1979 Eröff. d. FA-Ordination. H.: Musik, Lesen.

Petrak Walter Dr.

B.: Gen.-Dir. d. Vers.Anst. d. Österr. Bundesländer Vers. AG. DA.: 1020 Wien, Obere Donaustraße. PA.: 1100 Wien, Weldeng. 34/11. GT.: Vorst.-Mtgl. d. NÖ Versicherung AG (s. 1993), AufsR.Vors.: Sbg. LVers. AG, AufsR.Vors.Stellv.:

Raiffeisen-Vers. AG Wien, Wüstenrot Vers. AG, Sbg., AufsR.: Österr. Länderbank AG, Österr. Credit-Institut, Casinos Austria AG, Kurier Zeitungsverlag u. Druckerei AG, "Garant" Vers. AG Interrisk-Intern. Vers. AG.

Petrak Wenzel

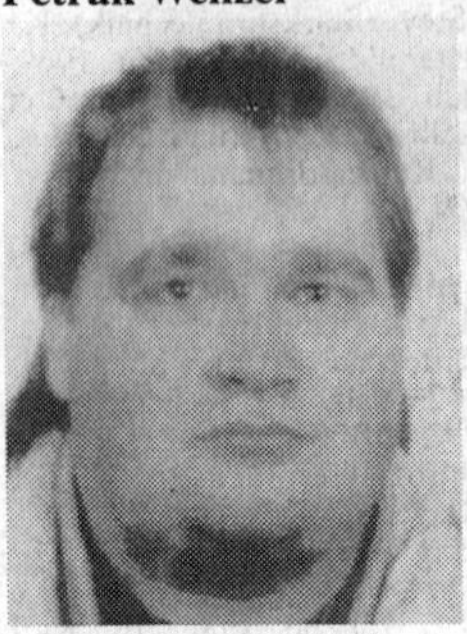

B.: Koch, Kellner, Geschäftsinh. FN.: Petrak GmbH. DA.: 1210 Wien, Kahlg. 13. G.: Eggenburg, 3. Mai 1967. V.: Else. El.: Franz u. Erika. S.: VS, HS, HASCH, Koch- u. Kellnerlehre Marchfelderhof, Berufsschule Gastgewerbe, 1992 Konzessionsprüf. K.: Souschef in mehreren Betrieben, stellv. Ltr. Interspar Restaurant, seit 1993 selbst. M.: Verb. d. Österr. Köche. H.: Fischen, Fußball, Grillen, Sammler alter Kochbücher. (W.M.)

Petrasch Engelbert Dr.
B.: Notar. DA.: 1010 Wien, Kohlmarkt 9. G.: Mattighofen, 29. Mai 1944. S.: 1962-67 Jusstud. Univ. Wien, 1968 Prom. Dr. iur., 1967-69 Stud. Vw. Univ. Wien. K.: 1968 Gerichtspraxis, 1968 Konzessionsprüf. f. Gebäudeverw. u. Realitätenvermittlung, 1968/69 Präsenzdienst, ab 1984 öff. Notar, ab 1979 Beisitzer b. Arbeits- u. Sozialgericht Wien, ab 1989 Mtgl. d. Berufungskmsn. b. d. Finanzlandesdion. f. Wien, NÖ u. Bgld., ab 1990 Milizoffz., ab 1991 Vorst.-Mtgl. d. Ver. f. Sachwalterschaft u. Patientenanw., ab 1991 Mtgl. d. Prüf.-Kmsn. f. d. Gewerbe Immobilienmakler u. -verw. H.: Skifahren, Jagd, Segeln. (J.E.)

Petrasch Helmut KommR. Ing.
B.: Gschf. Ges. d. Mag. Petrasch GmbH & Co. DA.: 6850 Dornbirn, Schlachthausstr. 3. G.: Knittelfeld, 25. Sept. 1918. V.: Anneliese, geb. Brög. Ki.: Werner. El.: Mag. pharm. Oswald (Mitbegr. d. Untern.) u. Gabriele, geb. Hipfler (Salvator-Apotheke). S.: Gymn. in Wien, Villach u. Dornbirn, HS-Stud. f. Maschinenbau in München. K.: 1945 Grdg. d. Untern. gem. m. d. Vater, 1972 Grdg. d. Cosmetique RMS GmbH, 1987 Grdg. d. Petrasch Pharma GmbH. P.: Art. in d. Österr. Apothekerzeitung. E.: 1980 KommR., 1985 VZ d. Landes Vbg. H.: Filmen u. Vertonen, utopische Literatur, Skifahren. (M.G.)

Petrasch Werner Mag. pharm. KommR.
B.: Gschf. d. Mag. Petrasch GmbH & Co. DA.: 6850 Dornbirn, Schlachthausstr. 3. PA.: 6850 Dornbirn, Marktstr. 52. G.: Dornbirn, 20. Mai 1945. Ki.: Jörg (1978), Verena (1981). El.: KommR. Ing. Helmut u. Anneliese, geb. Brög. S.: RG Dornbirn, Inst. Monte Rosa in Montreux/Schweiz, 1965 Matura, Univ. Ibk., Mag. pharm. 1979, 1980 Fachprüf. f. d. Apothekerberuf. K.: Aspirantenjahr in d. Salvator-Apotheke Dornbirn, 1973 Eintritt in d. väterlichen Betrieb, zun. Laborltr., dann Produktionsltr., schließlich Geschäftsführer, Geschäftsführer d. Cosmetique GmbH, Geschäftsführer u. Konzessionär d. Petrasch Pharma GmbH, seit 1980 Beteiligung an d. Salvator-Apotheke u. Tätigkeit als Apotheker, 1985 Übernahme d. Apotheke, Fachvorstand d. chemischen Industrie d. HK Feldkirch u. Fachvertetungen. im Fachverband d. chemischen Industrie Wien. BL.: OSK-Pokalsieger, Vizestaatsmeister f. Autoslalom (verb. Tourenwagen), Preise b. versch. Ralleys. M.: Vorst.Mtgl. d. Vbg. Motorveteranen-Clubs, Mtgl. d. Gold Wing Clubs Austria (Motorrad). H.: Motorsport, Skifahren. (M.G.).

Petrei Bertl Dr. Prof.
B.: Pensionist, freischaff. Schriftsteller. PA.: 1210 Wien, Autokaderstr. 5/25. G.: Bleiburg/Kärnten, 17. Nov. 1919. V.: Erika. Ki.: Michael (1959). El.: Bartholomäus u. Maria. S.: Hum. Gymn. in Wien, Matura 1939, Kriegsdienst u. Gefangenschaft, ab 1946 Stud. an d. Univ. Wien (Zeitungswiss., Germanistik u. Volkskunde), Dr. phil. 1962. K.: Währ. d. Stud. berufl. Tätigkeit im Verlag Herder u. Reisebuchhdlg. Tomaschek, ehrenamtl. Mitarb. an d. "Österr. Hochschulzeitung" u. im Studententheater "Studio d. Hochschulen", nach d. Stud. freier Mitarb. versch. deutschsprach. Rundfunkanst., ab 1954 hauptamtl. Tätigk. b. ORF, dan. Führung eines eigenen Verlages, 1970-72 volkskundl. Lehrauftrag an d. Univ. Graz u. 1975-84 an d. Univ. Klagenfurt, 1977-89 Wanderführer- u. Lehrwarte-Ausbildner d. Verb. Alpiner Ver. Österr., 1979 Frühpension. BL.: Renovierung u. Restaurierung v. Roseggers Waldschule u. Einricht. d. österr. Wandermuseums. P.: Bücher: "Jahrtausende ziehen mit uns", "Lebendiges Brauchtum im Burgenland", "Der Kokolore", "Zeitgeschichten", "100 Begegnungen m. d. Kärntner Seele", als Bearb.: "Kärnten", "Salzburg" ("Bemalte Bauerntruhe"), "Wahrheiten u. Weisheiten" (Zitatenschatz v. P. Rosegger), größere Buchbeiträge. E.: Dt. Kreuz in Gold, Wasserrettungsmed. d. Ktn. LRg., Berufstitel Prof., Silb. EZ f. Verd. um d. Rep. Österr., Ehrenurkunde d. Ktn. Landsmannschaft, Ehrenmtgl. d. Ver. "Wandermuseum in Roseggers Waldschule" u. d. "Littera"-Autorenver. München, Ehrenmtgl. u. Ehrenpräs. d. Intern. Rosegger-Ges., VZ d. Ktn. Landsmannschaft, Silb. VZ d. Landes Stmk., Gold. EZ d. Landes Ktn., Gold. VZ d. Landes Wien. M.: Intern. Ges. "Ethnographia Pannonica" (Mitbegr.), 1977-84 Obm. d. Ver. "Österr. Wandermuseum in Roseggers Waldschule", seit 1987 Mtgl. d. Intern. Rosegger Ges., Ktn. Landsmannsch., Ktn. u. Österr. Schriftstellerverb., Dichtersteingemeinschaft Zammelsberg. (P.R.)

Petrik Erich
B.: Gschf. FN.: Beckmann, Analyt. u. Diagnost. Messgeräte. DA.: 3400 Klosterneuburg, Inkustr. 16. PA.: 1170 Wien, Händelg. 1. G.: Wien, 14. März 1953. El.: Theodor u. Johanna. S.: bis 1970 HAS. K.: 1970-72 Fa. Koreska, ab 1973 Fa. Beckmann, 1978 VSA bei Fa. Beckmann als Vol., mehr. Stud.-Aufenth., 1979 Ltr. d. EDV, 1981 Ltr. Rechnungswesen, 1987 Prok., 1989 Dir. d. kfm. Bereiches, 1991 Gschf. H.: Golf, Musik. (S.H.)

Petrik Fritz
B.: Kfz-Mstr. im Shell-Center "Südstadt". DA.: 2344 Maria Enzersdorf. PA.: 2340 Mödling, Badstr. 38/1/8. G.: Riegersburg, 23. März 1954. Ki.: Monika (1978), Fritz (1980), Carola (1984). El.: Fritz u. Hedwig. S.: HS, Fachschule Kfz-Mechaniker, 1986 WIFI-Kurse f. Kfz-Mstr.-Prüf. u. Lehrlingsausbild., weiterführende Kurse u. Schulungen auf kfm., Personal- u. techn. Sektor. K.: Gschf. im Tankstellengewerbe, ab 1980 selbst. m. Tankstelle u. Kfz-Gewerbe. BL.: seit 1989 Bez.-Innungsmstr. d. HK NÖ Bez. Mödling. M.: KSV Mödling (aktiv u. passiv), Förderer d. I.P.A. (Intern. Police Assoc.) - VBSt Mödling. H.: Schiedsrichter im Gewichthebersport, Tennis, Segeln. (M.M.)

Petrik Ingrid Dr.
B.: Präs. d. Verwaltungsgerichtshofes a.D. DA.: 1010 Wien, Judenpl. 11. PA.: 1090 Wien, Roßauerlände 230. G.: Wien, 24. Nov. 1935. V.: Dr. Karl. El.: Dr. Josef u. Maria Korn. S.: Hum. Gymn., Univ. Wien (Jus). K.: Gerichtspraxis, Advokatur, öff. Dienst im BML, SektR., Ltr. d. Rechtsabt. im BML, VPräs. d. Verwaltungsgerichtshofes. P.: Kommentar z. Strafregistergesetz, z. Meldegesetz, z. Pyrotechn. Gesetz, ständ. Mitarb. d. "Österr. Rechts" u. d. "Österr. Rechtslexikons",

zahlr. Publ. in Fachzeitschriften. E.: RK d. gr. brit. O. d. brit. E. (MBE Most excellent order of the British Empire), GE, ÖOlympM. M.: BSA.

Petrik Wolfgang Dr.
B.: VPräs. d. Stadtschulrates f. Wien, ehem. LParteiobm. d. ÖVP Wien. DA.: 1010 Wien, Falkestr. 3. PA.: 1170 Wien, Haubergg. 60. G.: Wien, 5. Okt. 1948. V.: Uschi, geb. Kreischitz. Ki.: Ursula (1974), Klaus (1977). El.: Franz u. Helene. S.: Matura, LBA, Stud. d. Päd. u. Psych. als Werkstudent, Prom. 1974. K.: 1968-74 Unterrichtstätigkeit an versch. Schulen, 1975 Univ.Ass. am Inst. f. Päd. d. Univ. Wien, 1976-79 Abt.Ltr. in d. BParteiltg. d. ÖVP, 1979-83 in d. Unterrichtsverw. tätig, s. 1979 LAbg. u. GemR. in Wien, s. 1975 VPräs. d. Stadtschulrates f. Wien, s. 1989 LParteiobm. d. ÖVP Wien. H.: Fischen, Tennis. (P.R.)

Petrikovics Karl Dr. iur. Mag. iur Mag. rer. soc. oec.
B.: Vorst.-Mtgl. FN.: Constantia Privatbank AG. DA.: 1010 Wien, Opernring 17. G.: Eggenburg, 20. Mai 1954. V.: Dr. Beatrix, geb. Kohlruss. Ki.: Stefan (1987), Florian (1989). El.: Josef u. Maria. S.: VS, Gymn., 1972/73 Abiturientenlehrgang d. HAK, Stud. Rechtswiss., 1979 Mag. iur. u. Spons. z. Mag. rer. soc. oec., 1980 Prom. z. Dr. iur. K.: 1983 Betriebsberaterprüf., 1984 Steuerberaterprüf., 1980-84 Mitarb. b. d. Ndlg. einer Intern. Wirtschaftsprüf.-Ges., 1984-85 kfm. Ltr. eines Österr. Großhdls.-Betriebes, 1985-89 Gschf. Maschinen + Anlagen Investitions Leasing GmbH, Mtgl. d. Vorst. CA Immobilien Anlagen AG, seit 1990 Vorst.-Mtgl. Constantia Privatbank AG, seit 1990 Sprecher d. Vorst. C & S Immobilien Anlagen AG. P.: div. Art. über Steuer- u. Immobilienfragen. H.: Golf, Tennis. (J.M.)

Petrin Peter Dr.
B.: Ltd. Chefzahnarzt d. Stmk. GKK, Univ.Doz. DA.: 8010 Graz, Josef-Pongratz-Pl. 1. PA.: 8010 Graz, Kaiserfeldg. 19. G.: Graz, 3. Okt. 1941. V.: Edith, geb. Folger. Ki.: Daniela, Eva,Peter-Johannes. El.: OMedR. Dr. Sepp u. Maria. S.: AHS, Med .Stud. Univ. Innsbruck, Prom. 1972, Auslandsaufenthalt in Bern (Prof. Schroeder), Berlin (Prof. Harndt), Implantationskurse in d. Schweiz. K.: 1972 Vertragsass. im zahnärztl. Lehrgang an d. Univ.Klinik f. ZMuK d. Graz b. Prof. Dr. Köle, 1974 FA-Prüf., s. 1974 HS-Ass. an d. Univ.Klinik im Konservierendem Departm., 1973 Univ.Doz. f. ZMuK, s. 1988 ltd. Chefarzt d. Stmk. GKK, Ltr. d. Arge f. Zahnerhaltung Österr. P.: 52 Veröff., 1 Buchbeitrag "Kompositmaterialien in d. Zahnheilkunde", 131 Vorträge im In- u. Ausland. E.: 1980 wiss. Förderungspreis d. BFachgr. f. ZMUK d. Österr. Ärztekam., Bruststern d. Österr. Ärztekam. M.: ITI. (C.H.S.)

Petrin Silvia Dr. phil.
B.: w.HofR. im NÖ LArchiv. A.: 1140 Wien, Penzingerstr. 29-31/4/1. G.: Wien, 21. Sept. 1937. El.: Petrin Karl u. Anna. S.: Reifeprüf. RG Mödling 1955, Univ. Wien (Geschichte, Geographie), Prom. z. Dr. phil. 1961, Staatsprüf. am Inst. f. Österr. Geschichtsforsch. 1962. K.: 1959-63 im Bildarchiv d. Österr. Nat.Bibl., seit 1964 Archivarin im NÖ LArchiv in Wien. P.: Perchtoldsdorf im Mittelalter (Forsch. z. LKunde v. NÖ 18) 1969, Das NÖ Landesarchiv 1977, Geschichte v. Maria Enzersdorf 1980, Der österr. Hussitenkrieg (Militärhistor. Schriftreihe 44) 1982, Zeitschriftenaufsätze, Katalogbeiträge. M.: Mtgl. d. Inst. f. österr. Geschichtsforsch., Aussch.Mtgl. d. Ver. f. LKunde v. NÖ u. Schriftltr. d. Jahrbuches f. LKunde v. NÖ.

Petritsch Erich
B.: Hersteller v. Haar- u. Hauptpflegeprodukten mit reinen ätherischen Ölen, Coiffeur; Petritsch Products u. Petritsch Wien, PA.: 1090 Wien, Währingerstr. 76. G.: Wien, 19. Apr. 1957. El.: Erich u. Johanna. K.: 1978 VWeltmstr., 1979 Staatsmstr., Europamstr., 1992 Erzeugung u. Vertrieb d. patentierten Produktlinie, 1993 weitere Patentanmeldungen; 1994 HIGH TECH Unternehmer Österr. H.: Tennis, Skifahren, Fitness.

Petritsch Valentin Dkfm. Mag. rer. oec. soc.
B.: Bgm. v. Velden. DA.: 9220 Velden, Karawankenpl. 5. PA.: 9220 Velden, Fasanenweg 10. G.: Klagenfurt, 16. Febr. 1942. V.: Ingrid, geb. Schreiber. Ki.: Valentin, Karin. S.: Pflichtschulen, Gymn. St. Paul, HAK Klagenfurt, WU Wien. K.: seit 1970 GemR. v. Velden, seit 1973 Bgm., seit 1966 Prof. an d. HAK in Villach, Verw.Dir., seit 1987 AufsR. d. KELAG. M.: LParteiltg. d. ÖVP, zahlr. örtl. Ver. u. Organ. H.: Wandern, Lesen. (D.M.)

Petritz Herbert Dr. Mag.
B.: Wirtschaftstreuhänder. DA.: 9560 Feldkirchen, Bahnhofstr. 41. PA.: 9500 Villach, Dr.-Arthur-Lemisch-Str. 1. G.: Waiern, 12. Nov. 1941. V.: Dr. Liselotte, geb. Simbriger. Ki.: Michael, Werner. El.: Andreas u. Theresia. BV.: Wolfgang-Karl Petritz 1. LAbg. Ktn. S.: VS Steuerberg, Schlosserlehre, Werkmstr.Schule Maschinenbau Klagenfurt, Abend-HAK Klagenfurt, Welthdls.Stud. Wien. K.: Ausbild. z. Steuerberater , 1983 Eröff. d. Kzl. BL.: v. Selbständigkeit.

Petroni Doris
B.: Gschf. Ges. FN.: AVUS Intern. Schadensregulierungen J. Pscheidl & Dr. Pscheidl GmbH & Co KG. DA.: 4010 Linz, Lüftenegger Str. 12. G.: Linz, 17. Juni 1950. V.: Wolfgang. Ki.: Sandra. El.: Pscheidl Josef u. Anna. S.: Frauenoberschule Wien. K.: 1967 Eintritt in d. elterl. Fa., 1983 gschf. Ges. H.: Schwimmen. (A.W.)

Petroni Wolfgang
B.: Techn. Ltr. FN.: AVUS Intern. Schadensregulierungen J. Pscheidl & Dr. Pscheidl GmbH & CoKG. DA.: 4010 Linz, Lüftenegger Str. 12. G.: Linz, 13. Okt. 1947. V.: Doris, geb. Pscheidl. Ki.: Sandra. S.: HTL Steyr. K.: 1975 VOEST Alpine Maschinenbau, 1976 Eintritt i. d. Fa. AVUS. H.: Motorräder. (A.W.)

Petronio Paolo
B.: Techn. Dir. FN.: Siemens. GT.: Gschf. DA.: 9500 Villach, Siemensstr. 2. PA.: 9500 Villach, Hauptpl. 7. G.: Italien, 26. Juni 1944. Ki.: Marco (1973), Jennifer (1975). El.: Lucio u. Linda. S.: HS-Abschluß Padua/Italien, 1963 Grad. z. Ing. f. Elektrotechnik. K.: 1963-65 techn. Ass. Brown Bovery Schweiz, 1965-66 Leiter d. Produktion Thermoset Italien, 1966-68 Entwicklungs- u. Verkaufsingenieur Gebr. Uhl Deutschland, seit 1968 Siemens, 1968-69 Qualitätsing. Regensburg, 1969-70 Produktionsingenieur Sulmona/Italien, 1970-74 Leiter d. Montage u. d. Prüffeldes Singapore, 1974-79 Geschäftsführer. Direktor Malacca, 1979-84 Geschäftsführer Direktor Singapore, seit 1984 Geschäftsführer. Direktor in Villach. H.: Chines. Mythologie u. Historie, Chines. Teppiche u. Chines. Porzellan, Völkerkunde, Fischen, Tauschen, Sport (Schwimmen, Tennis, Radfahren). (K.K.)

Petrovic Gabriela Dr. iur. Mag.
B.: Konzern-Personalltg. FN.: A. Gerngross Kaufhaus-AG. DA.: 1071 Wien, Kircheng. 6. PA.: 1150 Wien, Chrobakg. 7/17-19. G.: Wien, 14. Juli 1958. El.: KR Milan u. Apollonia, geb. Janak. S.: 1976 Matura, Stud. d. Rechtswiss. Univ. Wien, 1981 Prom. K.: 1980-92 Univ.Ass. Inst. f. Arbeits- u. Sozialrecht d. Univ. Wien, seit 1992 Konzern-Personalltg., Konsulentin f. versch. Untern. P.: Zahlr. Fachpubl. z. Arbeits- u. Sozialrecht. H.: Filme, Theater, Gobelinsticken, Skifahren, Tennis. (N.A.)

Petrovic Hubert

B.: Repräsentant d. OÖ Nachrichten. DA.: 1010 Wien, Bartensteing. 8. PA.: 1210 Wien, Carabellig. 64. G.: Brüssel, 21. Okt. 1937. V.: Erika, geb. Kindl. Ki.: Georg, Andreas. El.: Karl u. Adelheid. S.: Matura, Stud. Staatswiss. K.: seit 1956 Verlagswesen, seit 1975 OÖ Nachrichten Repräsentant f. Anzeigen. M.: Marketing Club Österr., Gschf. d. FMP Ver. Forum Media Planung, PfarrgemR. H.: Musik, Basteln (Hobbytischlerrn), Radfahren, Skifahren, Reiseveranstaltung, Kochen. (A.K.)

Petrovic Madeleine Dr. Mag.

B.: Mtgl. d. NatR., Obfrau d. Grünen Klubs, Bundesbeamtin. DA.: 1017 Wien, Dr.-Karl-Renner-Ring 3. G.: Wien, 25. Juni 1956. S.: Gymn., 1974 Matura, Univ. Wien, 1978 Dr. iur., WU Wien, 1982 Mag. rer. soc. oec., gepr. Gerichtsdolm. f. Engl. (Univ. Wien), Sprachdipl. d. Univ. Michigan (Englisch) u. Brüssel (Franz.). K.: 1976 Studienass. am Inst. f. Römisches Recht u. Antike Rechtsgesch., 1979-84 Univ.-Ass. an d. Univ. Wien, 1984 Beamtin im BMS, 1987 Wr. Landesvorst. d. Grünen Alternativen, s. 11/1990 Abg. z. NatR., 1992 Obfrau d. Klubs d. Grün-Alternativen Abg., s. 19.11.94 Bundessprecherin d. Grünen.

Petrowsky Stefan Mag. Ing. KommR.

B.: Gschf. Ges. FN.: Kraft & Wärme GmbH. DA.: 1140 Wien, Linzer Str. 455. G.: Wien, 20. Aug. 1947. El.: Dr. Friedrich u. Erika. S.: VS, HTL, WU. K.: Ass. an d. WU, seit 1977 b. Kraft & Wärme. H.: Tennis, Skifahren, Kunst. (R.A.)

Petry Winfried

B.: Gschf. Dir. FN.: Celaflor. DA.: 5101 Bergheim, Metzgerstr. 81. PA.: 5421 Adnet 250. G.: Nackenheim/-Deutschl., 8. Mai 1951. V.: Inge, geb. Ulrich. Ki:: Matthias (1981), Sonja (1986). El.: Franz u. Ilse. S.: VS, HASCH, Wirtschaftsschule. K.: 1969-71 Lehre als Industriekfm., danach Ass. d. Verkaufsltr. im Agrarbereich, danach im Außendienst im Markenartikelbereich, Fa. Bayer im selben Bereich tätig, 1982-88 Gebietsverkltr. Celaflor BRD Geb. Vielsen u. Luxemburg, s. 1989 Gschf. b. Celaflor. H.: Bergwandern, Bergsteigen, Skifahren, Skitouren. (D.E.)

Petrzel Siegfried

B.: Prok. FN.: Ballograf BIC Austria Vertriebs GmbH. DA.: 1235 Wien, Brunner Str. 69. PA.: 1130 Wien, St. Veit G. 9. G.: Wien, 1. Jan. 1940. V.: Christine, geb. Sauer. Ki.: Vera u. Sonja. El.: Siegfried u. Anny. S.: Matura, Musikstud. am Konservatorium Wien, Jusstud. an d. Univ. Wien. K.: Kzl.-Sekr. in finn. Botschaft, anschl. Verk.Ass. b. Hornyphon-Philips, 1968-78 Verk.Ltr. b. Fa. Dr. Burg, 1978-81 Gschf. b. Indesit Österr., 1981 Gschf. d. Fa. Agalux, seit 1982 Verk.-Ltr. b. Ballograf BIC Austria, zuständig f. Werbegeschenke. M.: Tennisclub OTC. H.: Musik (Klavierspielen), Konzerte, Tennis, Skifahren. (E.L.)

Petsch Helmut Dr. iur.

B.: Honorar-Generalkonsul u. Ständ. Vertreter d. Rep. San Marino b. d. Vereinten Nationen in Wien im Rang eines Gesandten/Botschaftsrates, RA. FN.: Petsch, Frosch & Partner, Rechtsanwälte. DA.: 1010 Wien, Eschenbachg. 11. G.: Wien, 18. Juli 1926. V.: Monika, geb. Klimt. Ki.: Dr. Christoph (1957), Dr. Thomas (1960). El.: Otto u. Maria. S.: Matura Wien XVIII, Stud. Jus Univ. Wien, Dr. iur. 1949, Stud. in Italien, Frankr. u. Engld. (jurist. u. Sprachstud.) K.: seit 1956 RA, spez. auf Handels- u. Gesellschaftsrecht, Intern. Privatrecht, Schiedgerichtsbarkeit, seit 1981 Hon.-Gen.-Konsul d. Rep. San Marino, seit 1987 Ständ. Vertreter d. Rep. San Marino b. d. UNO, 1972-92 Mtgl. d. Disziplinarrates d. RAK Wien bzw. Anwaltsrichter b. d. OBDK. P.: versch. Publ. u. Vorträge. E.: Komturkreuz (ital. VO), Komturkreuz san mar SMO. H.: Musik, Lit., Sprachen. (J.S.)

Petsch Peter

B.: Gschf. Ges. FN.: GMO Management u. EDV Organ.-Beratung GmbH. DA.: 1010 Wien, Himmelpfortg. 13. G.: Wien, 15. Juli 1939. V.: Marlies, geb. Pfungen. Ki.: Dipl.-Ing. Stefan (1967), Marianne (1968), Harald (1976). El.: Dipl.-Ing. Walter u. Dr. Elfriede. S.: VS, RG, 1957 Matura, BH, TU. K.: 1965-67 Bautechniker Neue Reformbauges. Wien, 1967-76 Sperry Univac Österr.: 1967 Verkaufsass. u. Fachberater, 1969 Gruppenltr, 1970 Branchenmanager, 1972 stellv. Verkaufsdir., 1973 Abt.-Dir., 1974 Technical Operations Manager, 1977-83 Kienzle Datensysteme:1977-79 Hauptabt.-Leiter, 1979-83 div. Marketg.- u. Vertriebsmanagementfunktionen, 1983-84 Abt.-Dir. Sperry Univac Österr., 1985-86 Country Marketing Manager Austria Digital Equipment Corp. Österr., seit 1987 Gschf. GMO Österr., 1990 Grdg. GMO CSFR Prag. M.: Golfclub Enzesfeld, WdF, Wiener Tierschutzverein. H.: Golf, Bridge. (M.-L.A.-M.)

Petschar Egon

B.: Bgm.; Pens. FN.: Stadtgem. St. Andrä im Lavantal. DA.: 9433 St. Andrä 210. PA.: 9433 St. Andrä, Burgstall 90. G.: Marburg/-Drau, 30. Aug. 1933. V.: Romana, geb. Schunig. Ki.: Heinz (1955), Andrea (1959), Barbara (1966). El.: Johann u. Maria Petschar (+). S.: VS, Stift-gymn., Berufsschule u. Lehre als Schlosser u. Mech. K.: 1949-56 Tätigk. in d. Priv. Wirtsch., 1956-93 ÖDK St. Andrä, ab 1993 i. Pens.; 1947-75 aktiver Sportler (Fußball, Tischtennis); in versch. Funktionen in d. SPÖ, s. 1966 GemR. in St. Andrä, dann Ausschussobbm., StadtR,Vizebgm., u. s. 1991 Bgm. (Referate, Personal-, Schulwesen, Feuerwehr- u. Rettungswesen), Funktionen: Obm. d. Verwaltungsgem. d. polit. Bez. Wolfsberg, s. 1985 Vorst. im Schulgem. Verb., Vorst. d. Sozialhilfeverb., Obm. Stellv. Abfallwirtsch. Verb., Vorst Wasserverbundschiene Lavantal. E.: Silb. Ehrennadel-Sportver. St. Andrä, Österr. Kameradsch.Bd.: Gold. Landes Ehrenkr., Gold. Verdienstmed., Kriegsopferverb.: EZ f. bes. Verd. um d. Kärntner Kriegsopfer, Schwarze Kreuz, Gold. u. Silb. Parteizeichen, Gold. Funktionärsnadel, Verd. Med. Ld. Ktn. f. Feuerwehr- u. Rettungswesen. M.: Österr. Kameradschaftsb., Ktn. Abwehrkämpferb., Gesangver., Sportver., Mtgl. d. Bezirksparteiausschusses d. SPÖ, Bezirksausschußmitglied d. Österr. Volkshilfe. H.: Hausgarten, Wandern, Familie. (G.L.)

Petsche Hellmuth Dr. med. o.Prof.

B.: Vorst. d. Neurophysiolog. Inst. d. Univ. Wien. DA.: 1090 Wien, Währinger Str. 17. PA.: 1030 Wien, Gärtnerg. 1/22. G.: Scheibbs, 24. März 1923. V.: Dr. Dorothea, geb. Ruesch. Ki.: Ulrike, Rotraud. El.: Josef u. Margarete. S.: Med.Stud. in Wien, Würzburg u. Innsburck, 1948 Prom., Ausbild. z. FA f. Neurologie u. Psychiatrie in Wien. K. 1959-60 Ltr. Abt. f.

Exper. Neurologie u. Elektroenzephalographie am neurolog. Inst., EEG Ausbild., 1963 Habil., 1959 Abt.Ltr. am Inst. f. Hirnforsch. d. österr. Ak. d. Wiss., ab 1973 Vorst. d. Inst. f. Hirnforsch. d. Univ. Wien, 1975 o.Univ.-Prof. P.: Hpt.Arb.Gebiet: Neurophysiolog. u. anatom. Grundlagen d. EEG, Entstehungsmechanismen d. epilept. Anfalls, Methoden z. EEG-Analyse u. z. Aufklärung v. Arzneimittelwirkungen auf d. Hirnrinde, Analyse höherer geistiger Leistungen b. Menschen durch d. EEG, insbes. Vorgänge b. Hören u. Ausüben v. Musik, redaktionelle Tätigkeiten: Brain Research, EEG clin. Neurophysiologie EEG-EMG, EEG-Labor. E.: 1963 Eiselbergpreis, 1962 Theodor Körner-Preis, 1963 Kardinal Innitzer-Preis, 1974 Kulturpreis f. Wiss. d. Landes NÖ, 1978 Preis d. Stiftung Michael, 1983 Kulturpreis f. Wiss. d. Stadt Wien. M.: Österr. EEG-Ges., korr. Mtgl. d. Ak. d. Wiss., Dt. Ak. d. Naturforscher Leopoldina, Ltr. d. Herbert v. Karajan Stiftung d. Ges. d. Musikfreunde in Wien. H.: Musik, Bergsteigen, Literatur. (E.L.)

Petsche Kurt Dr. phil.

B.: Prof. an d. Theresian. Ak. A.: 1238 Wien-Mauer, Waisenhorng. 114, Tel. 881396. G.: Salzburg, 9. März 1936. V.: Margit, geb. v. Wiesenegg. El.: Friedrich u. Mathilde. S.: Ak. Gymn. Sbg., Univ. Wien, Fulbright Stipendium an d. Univ. of Notre Dame, Ind. K.: Anglist, Germanist, Gracianist, Mitarb. am Inst. of European Studies. P.: Zeitungs- u. Zeitschriftenaufsätze, wiss. Rezensionen, Buchveröff.: Baltasar Gracián, Sein u. Schein im Buch der Welt, E. Rötzer Verlag, Eisenstadt 1987. E.: Silb. Verdienstz. H.: Bibliophilie, alte Musik.

Petschenig Edith

B.: IH u. Gf. d. Auto Peter Petschenig GmbH u. Co.KG. DA.: 5020 Salzburg, Bachstr. 68. PA.: 5020 Salzburg, Dossenweg 22. G.: Salzburg, 16. Juli 1955.V.: verw. Ki.: Peter (1978), Claudia (1982). El.: KommR. Wilhelm u. Erika Hannak. S.: Grundschule, HASCH, Italienaufenthalt. M.: Bezirksvors. Frau i. d. Wirtsch. f. Sbg Stadt. H.: Garten, Skifahren, Reiten. (H.S.-P.)

Petschel Norbert Ing.

B.: Student d. Rechtswiss., Techniker., Leistungssportler im Segel-Tornado. PA.: 3001 Mauerbach, Kreuzbrunn 15 B1. G.: Wien, 25. Apr. 1961. El.: Erhard u. Hildegard. S.: VS, Gymn., TGM Fachrichtung Maschinenbau, Stud. d. Rechtswiss. K.: 1974 Beginn m. d. Segelsport, 1975-80 Bootsklasse Hobie CAT, zwischendurch auch in d. Finn-Dinghi, seit 1981 in d. Tornado-Klasse, 1984 Teilnahme an d. Olymp. Spielen in Los Angeles (12. Platz), 1985 eigenes Segel entwickelt u. gebaut, 1985 5. Platz in Travemünde/-BRD, 1985-86 Betriebstechniker u. zugleich Segeln entworfen b. d. Fa. Hubert Parkert KG Zell am See, 1986 1. Platz gemeinsam m. Christian Claus b. d. Engl. Meisterschaften, 1986-87 Entwicklung u. Design f. d. Tornadoklasse Fa. Unterberger & Peer Bad Ischl, 1987 Europamstr. in GB, 1988 Bronemed. Europameisterschaft in Spanien, 1987 Training in Korea f. Olympiade, 1988 4. Platz b. d. Sommerspielen in Korea, 1988 Präsenzdienst in d. Heeressportschule in Linz. E.: 4 mal Österr. Staatsmstr. (1983, 1985, 1988, 1989), 4 Bronzemed. b. d. EM (1983, 1984, 1985, 1988), 12. u. 4. Platz b. d. Olymp. Spielen 1984 u. 1988, 3 mal 5. Platz b. d. WM 1983, 1985 u. 1987, zahlr. Pokale u. Ausz., 1989 Gold. EZ f. Verd. um d. Sport v. Bgld. M.: Österr. Segelverb., Union Yachtclub Neusiedlersee. H.: Fischen, Kajak, Laufen, Mountainbike, Squash. (M.B.)

Petschenig Hanspeter

B.: Gschf. Ges. FN.: Glastec Ges.m.b.H. & Co KG. DA.: 2285 Leopoldsdorf, Raasdorfer Str. 22. G.: Wien, 18. Apr. 1963. V.: Ina-Maria, geb. Gschösser. Ki.: Philipp (1990), Patricia (1993). El.: Horst u. Margarete, geb. Balas. S.: VS, Gymn., HASCH, 4 J. Glasfachschule, 1984 Mstr.-Prüfung. K.: 1983 Einstieg i. elterlichen Betrieb, 1985 Grdg. e. Glaskunstateliers i. Wien, 1991 Grdg. d. Tochterges. i. Bratislava. BL.: 1993 Beitritt z. Climalitpartnerschaft. H.: Skifahren. (N.A.)

Petschenig Horst

B.: Glasermstr. FN.: Petschenig Glasbau OHG. GT.: Bez.-Innungsmstr. im Gesellen- u. Mstr.Prüf.Aussch. im BPressebeiR. d. Glaserhandwerkes, Funktionen im Wirtschaftsbund, Activity-Beauftragter b. Lions Club Marchfeld. DA.: 1092 Wien, Serviteng. 10. PA.: 2285 Leopoldsdorf, Raasdorfer Str. 22. G.: St. Andrä, 21. Apr. 1940. V.: Margarethe, geb. Balas Ges. Administrative Ltg. Ki.: Hans-Peter Glasermstr., Mittätigkeit im Betrieb, Eigenbetrieb: "Glaskunst Atelier" 1010 Wien, Graben 31. S.: Berufsschule f. Glaser in Graz, Lehrzeit in Judenburg, 1964 Mstr.Prüf. K.: 1961-62 Fa. Kopriva, Filialltr. in Dorfgastein u. Schwaz, b. 1965 Fa. Zöprek Wien Zuschnitt u. Expedit, 1965 Firmengrdg. in Leopoldsdorf, 1973 Filiale in Gänserndorf, 1975 Kauf d. Fa. Aschenbrenner Auto- u. Sicherheitsglas, 1984 Verlegung d. Firmensitzes nach Wien, 1965 Bauglaserei, Ausweitung d. Betriebes auf Großbaustellen, 1978 Beginn d. Isolierglasprod., ab 1980 Verglasung d. österr. Botschaften weltweit. F.: Fenster- u. Türenstudio Leopoldsdorf m. Zweigbetrieben in Graz u. Klagenfurt. M.: Lions Club Marchfeld. H.: Fußball, Oldtimer, Motorräder, Fliegen, Golf, Skifahren. (C.K.)

Petschinka Eberhard

B.: Autor, Reg. DA. u. PA.: 1020 Wien, Czerninpl. 2/12. G.: Großmugl. 19. Okt. 1953. Ki.: Julia (1974). El.: Eberhard u. Johanna. S.: Gymn., Stud. Phil. Univ. Wien, VS-Lehrerausbild. K.: ab 1973 VS u. Sonderschullehrer, 1980-90 Dir. Alternativschule Wien, gleichzeitig schriftstell. tätig, Autor v. Hörspielen f. RIAS, Saarländ. Rundfunk, Schweizer Radio DRS u. ORF, u.a. 1990 "Radio-Comix Pauli weiß, was Frauen wünschen", 1991 "Hunds - eine Kläfferotte", 1992 "Null Bytes", 1994 "Krok", 1994 "Brain", 1994 "Herr Dürrenmatt nimmt ein Blutbad", Kabarettautor: Texte f. Steinhauer, Menubeln, Hosenträger u.a., Autor zahlr. Theaterstücke u.a. 1991 "Bouncers, d. Nacht gehört uns", 1993 "Gretchen Sackmeier", 1993 "Cicciolina u. d. Papst". E.: 1983 Dramatikerstipendium f. "Auf z. Lift Tirolerland", 1993 Dramatikerpreis d. Stadt Bruneck f. "Cicciolina u. d. Papst", 1993 "Null Bytes" b. Prix Futura in Berlin, 1995 "Krok" wurde v. Schweizer Radio z. Prix Futura nach Berlin eingereicht. M.: Grazer Autorenversammlung. (J.S.)

Petschko Peter

B.: selbst. Werbeberater u. Inh. einer Werbeagentur. FN.: Peter Petschko Werbung. DA.: 5700 Zell am See, Alte Landstr. 11. PA.: 5700 Zell am See, Tauernstr. 9. G.:

Dresden, 7. Mai 1944. V.: Renate, geb. Kisovec. Ki.: Michael (1965), Christian (1967). S.: 1963 Lehrabschluß als Schriftsetzer u. Drucker. K.: 1964 Graph. Berufsschullehrer in Bregenz, 1965-78 Sachbearb. u. Kalkulation, 1980 Befähigungsprüf. Werbeberater u. Werbemittler, seit 1984 eigene Werbegraphik, Werbeagentur u. Werbemittler. P.: 1986 Druckereikalkulationsprogramm PRINTA. M.: Wirtschaftsbund. H.: Skandinavienreisen, Wandern, Radtouren, Fotografieren, Computer. (M.T.)

Petschnikar Karlheinz

B.: Mtgl. d. Vorst. FN.: Hoechst Austria AG. DA.: 1121 Wien, Altmannsdorfer Str. 104. PA.: 1060 Wien, Girardig. 3. G.: Gleinstätten, 27. Juni 1943. V.: Dr. Ingrid, geb. Kauper. Ki.: Clemens (1968). El.: Franz u. Mara, geb. Krasser. S.: Gymn., 1953 Matura. K.: 1965 Eintritt Hoechst-Konzern, seit 1973 versch. Führungspositionen b. Hoechst Austria u. Hoechst AG Frankfurt (1978-83), 1985 Gschf. d. Behring Inst. GmbH, seit 1985 Gschf. d. Seroplas Plasma-Forsch. u. Plasma-Gewinnung GmbH, seit 1989 Gschf. d. Albert Roussel Pharma GmbH. M.: Mtgl. d. Aussch. Gruppe Pharmaz. d. Fachverb. d. Chem. Ind. H.: Geschichte, Lesen, Radfahren, Joggen. (M.G.)

Pettau Peter KommR.

B.: Dir., Gschf. d. Brunswick GmbH. DA.: 1170 Wien, Schumanng. 107. G.: Wien, 14. Juni 1922. Ki.: Peter. K.: Gastronomielehre im Hotel Regina in Wien, 1937-40 Besuch d. Hotelfachschule, 1964 Dir. im Hotel Olympia, 1965 stellv. Gschf. d. Brunswick GmbH (Tochterges. d. Brunswick Corp.), 1973 neues Bowlingcenter d. Fa. Brunswick errichtet, seit 1980 District-Manager u. Gschf. d. Brunswick GmbH, Ltg. sämtl. Bowlinghallen d. Brunswick GmbH in Europa, 1980 Bowling-WM in Wien, 1985 EM f. Bowling in Wien. E.: 1985 KommR. (Fels.)

Pettau Regina

B.: Gschf. Ges., Drogist. FN.: Waldgasthaus Bockerl. DA.: 2340 Mödling, An der gold. Stiege 22. G.: Mödling, 25. Jan. 1963. V.: Peter. Ki.: Belinda (2 J.). El.: Dir. Wolfgang u. Christine. S.: VS, HS, HTL, Drogistenlehre. K.: 3 J. Drogist b. SADOR Wien, Konzessionsprüf., selbst. m. Gatten s. 1988, Waldgasthaus Bockerl. E.: Gold. Verbandabz. M.: Turnsportverein Mödling. H.: Turnen, Skifahren, Familie, Teilnahme an versch. Turnwettbew. (W.M.)

Petter Lothar

B.: Berufsberater, Vors. d. Österr. Alpenschutzverb. u. Alpenschutzver. f. Vbg. DA. u. PA.: 6850 Dornbirn, Lannerstr. 28. G.: Dornbirn, 6. Apr. 1941. V.: Rosemarie. Ki.: Markus (1967), Wolfgang (1969), Ulrike (1970), Silke (1974). El.: Franz u. Elisabeth. S.: HAK, Matura 1966, Militär. K.: 1956 Versandarb. Textilind. Dornbirn, 1958 Finanzamt Bregenz, 1961 Militärdienst, 1962 HAK Bregenz, 1966 kfm. Ang. in Elektronikfa., 1967 Arbeitsamt Dornbirn, 1971 Gründ. d. Alpenschutzver. f. Vbg., 1974 Stellv. Amtsltr., 1974 Gründ. d. Österr. Alpenschutzverb., alpiner Natur- u. Umweltschutz, Initiator Aktion "Saubere Alpen", d. österr. Seilbahn-Enquete, d. Aktion "Autofreie Berggebiete". P.: "Saubere Landschaft Saubere Alpen." E.: Vbg. Umweltschutzpreisträger 1988. M.: Gründ.- u. Vorst.-Mtgl. Österr. Ges. f. Natur- u. Umweltschutz, UmweltbeiR. d. Vbg. LReg., Vbg. Landschaftspflegefonds. H.: Landschaftsökologie, Bergtouren, Radfahren, Fotografieren, Exkursionen in Nationalparks. (I.D.)

Petters Heinz Kammerschauspieler

B.: Schauspieler am Volkstheater. DA.: 1070 Wien, Burggasse. PA.: 1030 Wien, Hinzerstr. 5. G.: Graz, 9. Juli 193. V.: Meieli, geb. Stoss. Ki.: Christian, Eva. El.: Fritz u. Hedwig. S.: Gymn., Mstr.Schule f. angew. Kunst in Graz. K.: m. 6 J. erstmals auf d. Bühne in "Schneewittchen u. d. 7 Zwerge", anschl. in versch. Theaterstücken mitgespielt, m. 12 J. Ballettausbild., ab 18 J. einige J. Solotänzer an d. Grazer Oper, anschl. b. Farkasch in d. Simple Revue in Wien begonnen, danach Raimundtheater u. Theater in d. Josefstadt, seit 25 J. b. Volkstheater, Serien wie "Roda-Roda", "Das Bezirksgericht" u. "Der Sonne entgegen". E.: Verd.Zeichen f. Kunst u. Wiss., Kammerschauspieler 1989, 2 mal Gold. Rathausmann 1966 u. 1976. M.: Yachtclub Neusiedlersee. H.: Segeln, Wandern, Tauchen. (M.B.)

Pettke Hubert H.

B.: Gschf. FN.: Fröhlich & Co KG. DA.: 2100 Korneuburg, Leobendorfer Str. 2. PA.: Leobendorf, Schliefbergstr. 126. G.: Wien, 5. Okt. 1951. V.: Silvia Hackl,LG. Ki.: Peter (1993). El.: Günther u. Hildegard. S.: VS, MS, 1966-69 kfm. Lehre b. Kaindl, Gesellenprüf. K.: b. 1974 jüngster Filialltr., 1974 IGEMA GmbH, 1980 Kauf d. Firma Fröhlich & Co KG. H.: Tennis, Reisen. (R.T.)

Petuely Friedrich Dr. med. et phil. HofR. Univ.Doz

B.: FA f. Labormed. DA.: 1020 Wien, Aspernbrückeng. 1. G.: Wien, 15. Juni 1922. V.: Trude (Strauss). El.: Georg u. Maria. S.: Matura 1940 in Wien, Med.Stud. an d. Univ. Wien u. Graz, Dr. med. 1946 Univ. Graz, Dr. phil. (Chemie) 1959 Univ. Graz. K.: Ltr. d. Biochem. Labors d. Zool. Inst., Univ. Graz 1952-59, Habil. an d. Med.Fak. Univ. Graz 1958 f. Physiolog. Chemie, FA f. Labormed., Dir. d. BAnst. f. Lebensmitteluntersuchung in Graz 1960-63, Dir. D. Bundesanst. f. Lebensmitteluntersuchung in Wien 1964-1975, 1975-91 Dir. d. BAnst. f. Lebensmitteluntersuchung u. -forsch., Lehrbeauftragter f. Chemie u. Physiologie d. Ernährung an d. Formal u. Naturwiss. Fak. d. Univ. Wien, seit 1988 i.P. BL.: Wirkung d. Laktulose entdeckt f. Standardtherapie f hepatische Enzephalopathie. P.: ca. 80 wiss. Veröff., Monographien: Biochem. Untersuchungen über d. Regulation d. Dickdarmflora d. Säuglings, Wien 1957, in Vergleichende Ernährungslehre d. Menschen u. seiner Haustiere, Gustav Fischer Verlag 1966: Die Darmflora u. ihre Bedeutung b. Menschen, Das Lebensmittelgesetz 1975, Verlag Staatsdruckerei Wien 1976. E.: Theodor Körner-Preis 1957, 1959, Purkynje-Med. 1959, GrSE 1982, Ehrenmtgl. d. "Bifidus Foundation of Japan", 1986. M.: Ver. Österr. Chemiker, Ges. Dt. Chemiker, Österr., Dt. u. Schweiz. Ges. f. Hygiene u. Mikrobiologie, Österr. Biochem. Ges., Dt. Ges. f. Ernährung, 1986 Ehrenmtgl. d. Japan Bifidus Foundation. (S.S.)

Petz Anton Mag. art.

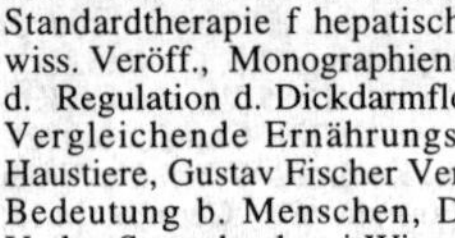

B.: Gastprofessor a. d. Akademie d. Bildenden Künste Wien u. freischaffender Künstler. DA.: 1020 Wien, Josefineng. 3/6. G.: Graz, 3. Juli 1962. V.: Germana. El.: Dr. Wilfried u. Anna. S.: Matura in Graz, Studium a.d. Akademie d. Bildenden Künste Wien bei Prof. Lehmden u. Prof. Mikl, anschl. Diplom 1987, anschl. Malereistud. a. d. Univ. Madrid. K.: Schwerpunkt d. Tätigkeit Gegenständl. Malerei abseits v. Realiums, "Das Bild soll nicht die Anwesenheit d. Motivs suggerieren, sondern selbst anwesend sein". 1985 u. 1993 Kulturzentrum d. Minoriten Graz, 1986 Galerie Griss Graz (steir. Herbst), 1991 Galerie Zeta, Olten, Schweiz u. Galerie Kaminskyhaus, Kitzbühel, 1993 Galerie Rondula, 1994

Galerie Angerer, Innsbruck, Galerie Irrlicht, Rosenheim, zahlr. Ausstellungsbeteiligungen, 1990 "Bilder-Portraits", Galerie Griss, Graz, 1993 "Hedwig-Petz-Welther", Panhans, Semmering, 1995 Galerie Blaeser Düsseldorf, seit 1993 Gastprofessor f. techn. Grundlagen d. Malerei a.d. Akademie d. Bildenden Künste Wien. E.: Würdigungspreis d. Bundesministeriums, Akademiefreundepreis, Auslands-stipendium f. Madrid. (J.S.)

Petutschnigg Robert

B.: Filialvorstand. FN.: BAWAG. DA.: 6300 Wörgl, Innsbruckerstr. 2. G.: Lienz, 25. Mai 1965. V.: Ilse, geb. Zeiner. Ki.: Nadia (1987), Nina (1989). El.: Karl u. Lore. S.: VS, HS, Handelsakad., 1985 Matura. K.: 1986 nach Jungholz i. Bankwesen, Ltr. d. Vermögensverwaltung, 1990 Bankenakademie Wien, 1989 und 1990 Vermögensberatung ZfU Zürich, 1991 Bankenakademie Englisch, Chartseminare Hoppenstedt Frankfurt, 1991 Deutsche Terminbörse, Financial Futures Frankfurt, Aktien- und Rentenhandel, 1993 Filialvorstand Bank für Arbeit und Wirtschaft AG. BL.: Fachprüfung im Bankbereich i. Österreich, Ausbildung i. Frankfurt, 1990 Technische u. fundamentale Analyse i. Wertpapiergeschäft. P.: Finanzmagazin CAPITAL 7/91 und 7/92 über Anlagestrategien, Bankkaufmann (BRD) Anlageempfehlungen, Handelsblatt Finanzierungsmodelle bei Zinsdifferenzgeschäften 6/92. H.: Familie, Surfen, Biken, Langlauf. (A.W.)

Petz Bettina

B.: Bereichsltr. Presse. FN.: Citroen Österr. GmbH. DA.: 1230 Wien, Perfektastr. 75. G.: Wien, 13. Dez. 1966. El.: Karl-Hans u. Stefanie. S.: HAK, 1986 Abschl. K.: 1986-87 b. Anwalt tätig, 1987-89 Ass. d. Gschltg. Werbeagentur Creative Communications, s. 1989 b. Citroen Österr., erst Presseass., s. 1993 Bereichsltr. Presse, verantwortlich f. Betreuung d. Motorjournales, intensive Kontakt z. Presse,Organisation d. Testautos f. Journalisten, Durchführung v. Pressekonferenzen, Budget-Erstellung u. Kontrolle. P.: Herausgabe einer Zeitschrirft f. Mitarbeiter v. Citroen Österreich. M.: Motorpresse-Club (Ver. d. Presseleute, Import. u. Journ.). H.: Theater, Kino, Reisen, Skifahren. (F.S.)

Petz Friedrich Dr. med.

B.: FA f. Zahn-, Mund- u. Kieferheilkunde, Zahntechniker. DA.: 1040 Wien, Paulanerg. 16. PA.: 1010 Wien, Jasomirgottstr. 3. G.: Wien, 12. Juni 1954. S.: RG, Lehrzeit als Zahntechniker, 1973 Lehrabschluß als Zahntechniker. K.: 1973-74 BH, 1974-77 Abendmaturaschule Dr. Roland, 1977 Matura, 1977-83 Med.Stud. Univ. Wien, 1983 Prom., 1983-85 FA-Ausbild. Univ.Klinik Wien f. Zahn-, Mund- u. Kieferheilkunde, 1985 Ordinationseröff. M.: Zahnärztl. Interessenverb., Österr. Ges. f. Zahn-, Mund- u. Kieferheilkunde. H.: Waldlauf, Skitouren-Gehen, Kochen. (C.K.)

Petzl Dietmar H. Dr. med. Ass.-Prof.

B.: FA f. Innere Med., OA d. Univ.-Klinik f. Innere Med. IV Klin. Abt. f. Arbeitsmed. DA.: 1090 Wien, Währinger Gürtel 18-20. PA.: 1060 Wien, Girardig. 3/11 & 12. G.: Bad Vöslau, 29. Okt. 1953. V.: Andrea Verena, geb. Höcht. Ki.: Amrit Constanze (1985), Adrian Meinrad (1989), Yolande Rangea u. Chlodwig Maximilian Teilhard (1992). El.: Leo Aichernig u. Emma Steiner. S.: VS, BRG, 1972 Matura, 1972-80 Med.-Stud. Univ. Wien m. Prom. z. Dr. med. K.: 1980-87 Ass.-Arzt an d. Univ.-Klinik Wien, seit 1987 OA an d. Univ.-Klinik f. Arbeitsmed., 1988 Eröff. d. eigenen Ordination f. Innere Med., ab 1992 Ass.-Prof. P.: Publ. auf d. Gebiet d. Herzkreislaufforsch. im In- u. Ausland. M.: zahlr. med. Ges. (N.A.)

Petzl Sabine

B.: Moderatorin d. ORF. DA.: 1136 Wien, Würzburgg. 30. G.: Wien, 9. Aug. 1965. V.: Tom Klinger. El.: Gerhard u. Lucia Petzl. S.: VS, Wr. Musikgymn., 1985 Matura, Musikstud. Querflöte. K.: 1985-87 Auslandsaufenthalt, 1987-89 Stewardes Lauda Air, 1991 ORF-Programmsprecherin, 1992 AVISO, 1994 Am dam des, 1993 Theater Berndorf, 1993 Tohuwabohu, 1994 Theater Berndorf, 1994 "Kommissar Rex" (TV-Serie). E.: 1994 Rommy. H.: Teddy´s sammeln, Sport, Jazzdance, Aerobic. (H.S.)

Petznek Alfred Oberst

B.: Kommandant Truppenübungspl. Bruckneudorf. PA.: 2460 Bruck/Leitha, Altstadt 27. G.: Bruck, 22. Juni 1932. Ki.: Karl, Alfred, Helga. El.: Karl u. Maria. S.: Matura BRG Bruck. K.: 1952 Rayonsdienst Bundespolizei, 1956-58 Mil.-Akad. Ebelsberg, b. 1974 Bataillonskommandant Stv. Zwölfaxing, 1974 Kommandant Lager u. Schießpl. Bruckneudorf, 1979 stv. Kommandant Truppenübungsplatz, 1989 Kommandant Truppenübungspl. E.: Ritterkreuz d. Gregoriusordens/-Militärkl., Bronzene Verdienstmed. v. Orden d. Hl. Georg, Gold. EZ v. Verdienste u. d. Rep. Österr., Gold. Verdienstzeichen d. Rep. Österr., EZ d. Landes Burgenland. M.: Kirchenchor, HSV. H.: Singen, Familie, Garten, Tiere. (M.G.)

Petzoldt Leander Dr. phil. o.Univ.-Prof.

B.: Inst.Vorst., Univ.-Prof. f. Volkskunde, Europ. Ethnologie an d. Univ. Innsbruck. DA.: 6020 Innsbruck, Innrain 52. PA.: 6020 Innsbruck, Freundsbergstr. 24. G.: Rennerod-Westerwald, 28. Aug. 1934. V.: Leonie, geb. Sanner. Ki.: Ruth, Bettina. El.: Walter u. Maria. S.: Stud. d. Germanistik, Anglistik, Geographie u. Volkskunde in Frankfurt, Berlin u. Mainz, 1963-65 Forsch.Ass. an d. Ak. d. Wiss. u. d. Literatur in Mainz, 1964 Prom., 1965 Staatsexamen, 1967 Assessorenexamen. K.: 1967-73 wiss. Ass. an d. Univ. Freiburg, 1973-84 Prof. f. Literaturwiss. u. Volkskunde an d. Päd. HS in Weingarten, 1974 Habil., Gastvorlesungen in Gießen, Zürich u. Innsbruck, 1985 o.Prof. f. Europ. Ethnologie an d. Univ. Innsbruck, 1986 Visiting Prof. an d. Univ. of Los Angeles, 1995 Max Kede-Prof. Pennstate Univ. P.: zahlr. Buchpubl., gr. Abhandlungen u. Aufsätze zu Literatur u. Volkskunde, Mitautor u. Hrsg., Mitarb. an Sammelwerken, Lehr- u. Unterrichtsfilme, sowie ca. 500 Rezenssionen. E.: 1989 "Premio Pitré" (Intern. prize for ethnoanthropol. studies Centro Intern. di Etnostoria. M.: Mtgl. versch. wiss. BeiR., Dt. Ak. f. Kinder- u. Jugendliteratur, Intern. Society for Folk Narrative Resears, Societe Intern. de Ethnologie et Folklore. (J.S.)

Petzolt Friedrich

B.: selbst. Kfm. FN.: J.G. Petzolt. DA.: 1070 Wien, Burgg. 52-54. PA.: 1238 Wien-Mauer, Kanitzg. 14. G.: Wien, 20. Nov. 1926. V.: Eva, geb. Fritz. Ki.: Susanne, Christine. El.:

Fritz u. Gertrude. BV.: Willibald Petzolt 1953-1945 Kaiserl. Rat. S.: VS, Gymn., Techn. Mittelschule. K.: 1945 Ang. im elterl. Betrieb, 1951-52 Tätigkeit in d. Buchhdlg. im Atelier Haniles in d. Schweiz, seit 1955 Prok., 1960 Übernahme d. elterl. Fa. M.: Beisitzender im Gremium f. Eisen u. Metall. H.: Skifahren, Bergsteigen, Segeln. (M.B.)

Peutlberger Josef
B.: Chefred., Bez.-Sekr. d. SPÖ Linz-Land. DA.: 4020 Linz, Schubertstr. 21/1. PA.: 4501 Piberbach, Schiedlbergerstr. 3. G.: Linz, 12. Juni 1961. Ki.: Sandra (1982), Andrea (1989). El.: Josef u. Maria. S.: Gymn. Linz u. Traun, Ausbild. z. techn. Zeichner. K.: Jugendvertrauensrat, Betriebsrat u. 6J. BR-Vors. b. Fa. Internorm, s. 1989 Bez.-Sekr. d. SPÖ Linz-Land. M.: SPÖ, ASKÖ,Siedlerverb., ehrenamtl. Ortsstellen-Ltr. d. RK Neuhofen/Krems. H.: Radfahren, Rotes Kreuz. (P.H.)

Peydl Peter Dipl.-Ing.
B.: freischaff. Arch. DA.: 1130 Wien, Jagdschloßg. 57. G.: Wien, 19. Juli 1940. V.: Ing. Ulrike, geb. Kavalir. Ki.: Michaela (1968), Alexander (1986), Fabian (1991). El.: Dr. Franz u. Hedwig. S.: 1959 Matura, Stud. d. Arch. an d. TU Wien, 1965 Dipl. K.: Tätigkeit in versch. Arch.Büros an Mittel- u. Großprojekten, ab 1971 selbst., vorwiegend Wohn- u. Ind.Bau, seit 1972 Lehrtätigkeit. H.: Segeln. (P.R.)

Peyker Ingo Dr. phil. Mag. rer. nat. a.o.Univ.-Prof.
B.: Vorst. d. Inst. f. Sportwiss. d. Univ. Graz. GT.: Trainertätigkeit im Hochleistungssport. DA.: 8010 Graz, Mozartg. 14/1. PA.: 8010 Graz, Hugo-Wolf-G. 5. G.: Sroda Sloska/Polen, 8. Sept. 1941. V.: Maria-Anna, geb. Tauss. Ki.: Urban, Ursula, Katharina, Hanna, Thomas. El.: Otto u. Judith. S.:LBA Klagenfurt, 1960 Matura, Stud. Biologie, Leibeserziehung u. Päd. Univ. Graz, 1967 Prom. z. Dr. phil., 1971 Mag. rer. nat. K.: 1968-79 Univ.Ass., 1979-83 Univ.-Doz., ab 1984 a.o.Univ.-Prof., seit 1985 Vorst. d. Inst. f. Sportwiss. P.: ca. 45 Veröff., 3 Monographien, zahlr. Beiträge u. Aufsätze. E.: 13x österr. Mstr. in Leichtathletik, 1968 Olympiateilnehmer, 3facher Senioren-Europamstr. in Leichtathletik, seit 1973 Trainer. (P.R.)

Peymann Claus
B.: Dir. d. Wr. Burgtheaters. DA.: 1010 Wien, Dr.-Karl-Lueger-Ring 2. G.: Bremen, 1937. S.: Stud. u. Studententheater Hamburg. K.: 1966-69 Oberspielltr. Frankfurter Theater am Turm, Co-Dir. d. Berliner Schaubühne, 1974-79 Schauspieldir. am Württemberg. Staatstheater Stuttgart, 1979-86 Dir. Schauspielhaus Bochum, seit 1986 Dir. d. Wr. Burgtheaters, Gastreg. b. d. Sbg. Festspielen, in München, Hamburg, Frankfurt, Berlin u. Wien, zahlr. Inszenierungen. E.: 1985 1. Preis f. d. Verfilmung d. Hermannsschlacht v. Premio Riccione TTVV.

Peyr Siegfried
B.: Betriebsltg. FN.: Eisner Baumasch. u. Fahrzeug GmbH. DA.: 4020 Linz, Ed.-Suess-Str. 23. PA.: 4020 Linz, Blumauer Str. 41. G.: Oberhaid, 29. Okt. 1939. V.: Elisabeth, geb. Dyk. El.: Johann u. Maria. S.: 1950-54 Realsch. Linz, 1954--58 Kfz-Mechanikerlehre. K.: 1958-62 Außendiensttätgkt. 1962-64 Werkmstr.Abendsch. m. Abschluß, 1964-65 REFA Grundkurs, 1965-75 Kundendienstltr., 1975-82 Ndlg.Ltg., 1976 Ableg. d. Berufsreifeprüf., 1977 Beginn d. Betriebswtschftsstud. a d. Uni. Linz. 1982-85 Gschf. d. Eisner Vertr. GmbH in Linz, s. 1985 Betriebsltg. d. Betriebs Linz. (Mayr)

Peyrer-Heimstätt Tassilo
B.: Vorst.Dir. Mobil Oil Austria AG, AR AWP, AR RAG. A.: 2380 Perchtoldsdorf, Saliterg. 26/12/3. G.: Schwanenstadt, 30. Dez. 1940.

Pezet Maurice L.
B.: Dir. Mini-Schools Austria u. English Language Day Camp. DA.: 1220 Wien, Kanalstr. 44. G.: Paris, 8. Jan. 1934. V.: Isolde, geb. Reule. Ki.: Philippe (1960), Anne-Marie (1961). El.: Gilberte u. Gabriel. S.: Gymn. Dijon/Frankreich, Stud. Politikwiss. Univ. Paris Sorbonne, 1957 Dipl., Stud. Linguistik Brown Univ. USA, 1962 Dipl. K.: Diplomat in Providence USA, Univ.-Prof. in Providence USA: Brown Univ. f. Franz., 1966-76 stellv. Dir. d. United Nations Intern. School in New York, 1976 Interim-Dir. d. Amerikan. Schule Wien, 1977-80 Kons. d. Österr. Rg. beauftragt m. d. Entwicklung u. d. Aufbau d. Intern. Schule Wien, 1978 Eröff. d. Intern. Schule, 1978-85 Dir. d. Intern. Schule Wien, 1985 Dir. d. Intern. Schule Paris, 1987 Rückkehr nach Wien, Aufbau d. Mini-Schools Österr.: Sprachprogramm in Engl. u. Franz. f. Kinder v. 4-9 J. u. d. English Language Day Camp. E.: Silb. EZ d. Vereinten Nationen. M.: ehemaliges Mtgl. d. Conseil du Baccalauréat Intern. u. d. European Council d. Intern. Schulen. H.: Radfahren, Lesen, Geschichte, Politik. (J.S.)

Pezina Günther Ing.

B.: Gschf. FN.: Perycut GmbH. DA.: 2100 Korneuburg, Kreuzensteinerstr. 70. PA.: 3271 Hinterbrühl, Gaadnerstr. 99/1. G.: Wien, 31. Mai 1957. V.: Christine, geb. Wölfel. Ki.: Monika (1986). El.: August u. Martha. S.: Gymn., HTL f. Chemie, 19975 Matura. K.: 1976-81 Lackchemiker b. Stollack AG Guntramsdorf, Reisetätigkeit in Ostblockländer u. Österr., 1982-87 Betriebsltr. v. Spray Color Austria Enzersdorf/-Fischa, Planung, Aufbau d. neuen Fabrikshalle, Ltg. d. Betriebes in allen techn. Belangen sowie d. Exportkundenbetreuung, 1987-90 Abt.-Ltr. b. Kurt Vogelsang GmbH Wien, Aufbau eineer Autochemieprod., Verkaufsltr. Ostblock, ab 1991 Gschf. Perycut GmbH sowie d. Tochter-Holding-Firmen Dkfm. Petzl Vertriebs GmbH u. Christiane Pezina GmbH, Reorgan. u. exportorient. Ausbild. d. alteingesessenen Unternehmens. BL.: Patent f. umweltfreundl. Lacksprühdose auf Basis wasserverdünnbarer Kunstharze. (R.T.)

Pezold Friederike
B.: bild. Künstlerin, Filmemacherin. PA.: 1010 Wien, Kurrentg. 4. G.: Wien, 14. Aug. 1945. El.: Pezold Georg u. Friederike. BV.: Großvater Georg Pezold Bildhauer. S.: musisch-päd. Gymn., Kunstak. in München. K.: 1967 Mitarb. b. Werner Herzogs ersten Spielfilm, 1969 Kunstausstellung, 1971 Videofilm in New York, 1975 Videokunst, intern. Biennale in Paris, Einzelausstellungen: Galerie nächst St. Stephan Wien, Kölnischer Kunstver., Städtische Galerie Jenbachhaus München, 1976 Museum of Modern Art, New York, Whitney-Museum of American Art, 1977 Documenta 6 in Kassel "Toilette" Spielfilm, Berliner Filmfestspiele, 1980 Uraufführung "Radio freies Utopia", Biennale in Venedig, 1983 "Canale Grande", Berliner Filmfestspiele, 1984 Biennale in Venedig (Video-Installation), 1985 Filmfestival in New York. (Bauer)

Pfaff Chris
B.: Fotograf. DA.: 1010 Wien, Lilieng. 1. G.: Basel, 5. Jän. 1949. El.: Hans u. Emma. S.: 1965-68 Kunstgewerbeschule. K.: Werbeagentur, Fachgebiet Fotografie, ausländ. Tätigkeit Paris, Amerika u. Mailand, 1975 Wien, eigenes Atelier,

Schwerpunkte: Lebensmittel, Schmuck, Autos. P.: Veröff. in div. Fachzeitschriften. E.: viele Ausz. u. Ehrungen. H.: Arch. (J.E.)

Pfaffenberger Gottfried Dr
B.: Gschf. Ges. b. Gould., Cargill & Cie KG. PA.: 2380 Perchtoldsdorf, Herzogbergstr. 139. G.: Wien, 1. Aug. 1924. V.: Ilse, geb. Turek. El.: Heinrich u. Maria. S.: RG Wien, 1943 Matura, Militär, Stud. Phil. Zeitungswiss., 1948 Prom. K.: 1951 freiberufl. Journalist, 1951 Ang. Mobil Oil, 1953 Werbechef, 1969 Gschf. u. Grdg. d. Werbefa. Gould, Cargill & Cie, ab 1972 Inh. BL.: von 4 auf 20 Mitarb., 1975 1. Agentur, die d. Staatswappen verliehen bekam, 7 Staatspreise f. d. beste Werbung. P.: Vorträge an Univ. u. div. Art. in Fachzeitschriften. M.: Vorst.Mtgl. d. Medienanst. Wien. H.: Skilaufen, Lesen, Opern, Theater. (M.G.)

Pfaffenhuemer Thomas
B.: Landessekr. d. Jungen Generation OÖ. FN.: SPÖ OÖ. DA.: 4020 Linz, Landstr. 36. PA.: 4400 Steyr, Am Dachsberg 24. G.: Wels, 20. Apr. 1967. El.: Helmut u. Katharina. S.: VS, HS, 1986 Berufssch. Bürokfm. K.: 1987-88 Vertr.-Bed. FA Wels, 1988-90 Angest. Volkshilfe, Proj.-Betr., 1990 Landessekr., 1982 Mitarb. d. Junge Gen. SPÖ Kremsmünster, Bezirksvorst. Kirchdorf, Landesvorst. OÖ, Kremsmünster Ersatzgemeinderat, Bez.Parteikassier SPÖ Kirchdorf, 1984-94 Gewerkschaftsjugend, s. 1992 Stadtvors. d. Jungen Generation Steyr, Stv. Bez.-Vors. d. Jungen Generation, Sektionsausschußmtgl. u. Mitarb. Steyr-Airhet, Koupiertes Mtgl. d. Gemeindefraktion Steyr. M.: SK Vorwärts Steyr. H.: Lesen, Politik, Kulturbelange. (N.A.)

Pfaffenlehner Friedrich

B.: Inh. FN.: ADEG Friedrich Pfaffenlehner. DA. u. PA.: 3334 Gaflenz 10. G.: Gaflenz, 30. Mai 1933. V.: Angela, geb. Weilch. Ki.: Dorothea (1954), Elisabeth (1956), Regina (1961). El.: Roman u. Ottilie, geb. Pranzl. S.: HASCH. K.: 1954 Eintritt in d. elterl. Betrieb, 1958 Markenschutz d. Getränk "Goldtau" u. ab 1962 zusätzl. Erzeugung v. alkoholfreien Getränken, ab 1966 Taxikon-zession, ab 1965 Übernahme einer Tabak-Trafik-Konzession, ab 1968 zusätzl. Getränkegroßhdl. M.: ehem. Wirtschaftsbundobmann u. Fremdenverkehrsobm., Aussch.-Mtgl. d. Kam. f. Nahrungs- u. Genußmittel f. NÖ. H.: Musik. (M.M.)

Pfaffenwimmer Jasmin Dr. med. univ.
B.: FA f. Zahn-, Mund- u. Kieferheilkunde. DA. u. PA.: 1100 Wien, Keplerg. 16. G.: Zagreb, 24. Apr. 1950. Ki.: Astrid. El.: Maljkovic Nikola u. Antonia. S.: Matura, Stud. in Zagreb, Med.Stud. an d. Univ. Wien. K.: z. Kenntniserweiterung u. Weiterbild. b. Prof. Friess volontiert, allg. Spital in Linz, Kurse in Hamburg, Schweiz, Schwerpunkt: Kieferchir., Implantate, Endodontie, 2 J. im Sanatorium Hera tätig, seit 1981 selbst. E.: 1978 Prom. u. Dipl. M.: DGZI. H.: Aerobic, Segeln, Skifahren, Schlittschuhlaufen, Tennis, Surfen. (E.L.)

Pfaffenzeller Walter Dr. Dkfm.
B.: beeid. Wirtschaftsprüfer u. Steuerberater, gerichtl. beeid. Buchsachv., Mtgl. d. Kam.-Tages d. Kam. d. Wirtschaftstreuhänder Wien. DA.: 4600 Wels, Kalvarienbergg. 10a. PA.: 4600 Wels, Bahnhofstr. 64a. G.: Grieskirchen, 13. Mai 1941. V.: Prof. Mag. Ulrike, geb. Maderner. El.: Albert u. Margarethe. S.: Grundschule, HAK, HS f. Welthdl. Wien. K.: 7 J. b. gr. Wirtschaftsprüf. u. Steuerberatungsges., Steuerberatungsprüf., Wirtschaftsprüferprüf. Prüf. f. d. gerichtl. Sachv., ab 1976 eigene Kzl. F.: Gschf. Ges. d. DOCUMENTA-TREUHAND BPS-Treuhand, Wirtschaftsprüf. u. Steuerberatungs GmbH. P.: Die Gen. in Recht u. Steuer. M.: Lions-Club Wels-Pollheim, Offz.-Ges., Golf-Club Wels, FPÖ, AH d. akad. Burschenaschaft Libertas. (P.H.)

Pfaffinger Hans
B.: Gschf. FN.: Campero. DA.: 5020 Salzburg, Kranzlmarkt 2. PA.: 5020 Salzburg, Kleingmainer G. 31. G.: Salzburg, 14. Aug. 1960. Ki.: Emanuel (1985). El.: Hans u. Elisabeth. S.: AHS, Matura. K.: 1981-85 Immobilienmakler, Jusstud., parallel selbst. als Immobilienkfm., 1991 Einstieg in d. Hdl. Firma Campero Leder u. Boots. H.: Tennis, Sport. (N.M.)

Pfaller Franz Prof.
B.: em. Schauspieler (Künstlername Frank Pallé), Repräsentant, Sprech- u. Stimmbildner, Hörgeräte Akustiker. A.: 1140 Wien, Alois-Czedik-G. 5. G.: Hohenwart, 12. Mai 1921. V.: Wilhelmine, geb. Labner. El.: Franz u. Maria. S.: Grundschule, HASCH, Lehrzeit in Wien, Konservatorium, Musik, Tanz u. Schauspiel in Wien, Gesangsstud., div. Schulungen in Psych., sprechtechn. Ausbild. u.a. K.: Sängerknabe, Lehrzeit u. Stud. gleichzeitig, Theater- u. Filmengagement in Österr., Tourneen, Theater d. Jugend, Wehrmachtbetreuung, Hör- u. Sprecherziehung, Akustik, Behindertenbetreuung, Jugendbetreuung, Repräentant in d. Akustik Ind. u.a. P.: "Schule u. Erleben", "Die Hörgeräteakustiker", "Vox-Nachrichten", "Das Gute", "Hören u. Erleben", Fachabhandlungen über die Themen Früherkennung v. Hörstörungen beim Schulkind u.a., Vorträge in Seminaren, Symposien u.a. E.: Gold. Verdienstz. d. Rep. Österr., Verd.Kreuz d. BL Bgld., Silb. Verd.Med. v. ÖRK, Ehrenplakette d. Arb.Samariterbund, JVE, Silb. u. Gold. Ehrenplakette d. Sonnenzugkomitees, die Europanadel, Ehrenmtgl. d. JVE, Gold. EZ d. Landes Stmk., Verdienstz. d. Landes NÖ, Ehrenkommandeur d. Int. Pro CONCORDATIO Ordens, Senator, dessen Gold. EZ f. bes. Verd., silb. VZ d. Landes Wien, Mitarb.Med. d. Kam. d. gewerbl. Wirtschaft, Chev. Commander of Honour, The Order of Saint Andrew, Ehrenmtgl.: St. Johannis Bruderschaft Bern, Österr. Albert Schweitzer Ges. (u. Ehrenmtgl. d. Ges.), Vox, Ehrenmtgl. Schutzverb. d. Schwerhörigen Österr., Cross of Merit of the Chivalrous Order of Saint Andrew, Caballero Sovereign Order of Saint John of Jerusalem. M.: Schlaraffia, Vorst.-Mtgl. d. WFG u. d. BZA, VHS, Präs. d. VOX-Schutzverb., d. Schwerhörigen Österr., BehindertenbeiR. d. Stadt Wien.

Pfandler Helmut
B.: Filmreg. u. Produzent. PA.: 1238 Wien, Maurer-Lange-G. 136/19/9. G.: Gmünd, 5. Sept. 1929. El.: Josef P. (Lyriker u. Essayist, Schrifsteller) u. Emilie. S.: Univ. (dt. u. engl. Philol.), Ak. f. Musik u. Darstell. Kunst. K.: 1963-55 Doz. f. Filmgeschichte u. prakt. Übungen an d. Ak., später Autor u. Reg. v. Kulturfilmen, seit 1958 Inh. einer Kurzfilm-Prod., seit 1862 WDS-Film registr., Drehbuch zu Österr.-Film b. d.

Weltausst. in Brüssel, "Österr. in Dur u. Moll", Musikfilme: "Spanien in Dur u. Moll", "Das Schlüsselkind", "Neurotika", "Abenteuer eines Sommers", "Tod im November" u.a. P.: "Am Rande d. Planeten" (Gedichte, 1974), Hrsg. d. Filmjournals "Action" (1968-69), Filme: 1980 "Adalbert Stifter", 1982 "Roseggers Waldheimat", 1982 Josef Weinheber", 1985-86 "Folklore aus Österr.", 1972 "St. Peters Regenschirm", 1974 "Defraudanten", Gedichtbücher: "Rauch über dem Land" 1983, "Baum im Zwielicht" 1985, "Aschenregen" 1989 (Gedichte), "Eipeldauer schreibt wieder" 1989 (Satiren), "Die Katakombe" 1990 (Roman). E.: Silb. Bär d. Berlinale, Gr. EZ d. Rep. Österr.

Pfalzer Magret

B.: Firmeninh. FN.: Freizeit u. Erholungszentrum "Römersee". DA.: 7202 Bad Sauerbrunn, Römersee. G.: 5. Juli 1928. Ki.: Margit (1963), Carin (1966). K.: selbst., seit 1. Jan. 1957 Firmengrdg. Zelfix Kom. Ges. Ziegeldecken u. Parkettfußböden n. Verkauf dieses Werkes Errichtung e. automatischen Ziegelwerkes in Marz b. Mattersburg sowie Großhandel m. Baustahl u. modernen Fußböden, gleichz. eröff. e. Eigentum-Geschäftshauses f. moderne Raumausstattung, Verkauf d. Industriewerkes 1971 u. Errichtung d. Freizeit u. Erholungszentrum Bad Sauerbrunn "Römersee", s. 18 J. Alleinvertrieb v. Desinfektionen f. Humanmedizin d. Fa. Merck-Pharma, in Ungarn. H.: Kinder. (W.M.)

Pfannenstiel-Rohringer Heidi

B.: Kinderpädagogin, Theaterleiterin. DA. u. PA.: 1180 Wien, Hockeg. 40. G.: Wien, 6. Juli 1958. Ki.: Judith (1980), Esther (1982). El.: Engelbert u. Herta Rohringer. S.: 4 J. Gymn., Ausbild. z. Kindergärtnerin u. Horterzieherin, Schauspiel, Regie u. Tanz. K.: 10jähr. Berufserfahrung im päd. Bereich, autodidakt. Entwickl. im künstler. Bereich, 1986 Grdg. d. ICHDUWIR-Kindertheaters, 1987 Gründ. d. Vereins ICHDUWIR - Animation u. Mitspieltheater f. Kinder, Entwickl. eines umfassenden Kinder-Kulturkonzepts, 1991 Eröff. d. ICHDUWIR-Theaters in Wien 19, künstler. Ltg. aller Bereiche, Hrsg. d. einzigen Kinderkulturzeitung Wiens. M.: AG Kindertheater Wien, IG Freie Theaterarbeit, Assitej Österr., LV f. Amateur- u. Schulspiel, IG Kultur Österr. H.: Beruf. (J.S.)

Pfanner Elmar Dkfm.

B.: Ltr. Finanz u. Rechnungswesen. FN.: Ganahl AG Papiererzeugung. DA.: 6820 Frastanz, Rotfarbweg 5, 6810 Feldkirch, Kreuzäckerweg 20. G.: Feldkirch, 30. Juli 1932. V.: Johanna. Ki.: Dr. Georg (1960), Ing. Martin (1962), Stefan (1964). El.: Georg u. Hildegard. S.: Gymn., 1951 Matura, 1951-54 HS f. Welthdl. K.: 1954-72 Bankwesen, Ind. u. Hdl. in Vbg., 1972 Eintritt als Ltr. d. Finanz u. Rechnungswesen Firma Ganahl. M.: Österr. Alpenver., Gschf. d. firmeneigenen gemeinn. Wohnbau-Verw.-Ges. H.: Bergsteigen, Wandern, Lesen. (I.D.)

Pfannhauser Werner Univ. Prof. Dr. phil. Ing.

B.: o. Univ.-Prof. FN.: Inst. f. Bio- und Lebensmittelchemie, TU Graz. DA.: 8010 Graz, Petersg. 12. G.: Wien, 7. Juni 1940. V.: Dkfm. Gertraud, geb. Gruber. Ki.: Harald (1969), Gernot (1972), Diether (1975), Roland (1979), Jörg (1984). El.: Karl u. Margreth. S.: VS, BG, Matura, Chemiestud. a. d. Univ. Wien, 1971 Prom. K.: währ. d. Stud.: 1963-65 Ang. d. Wienerberger Ziegelfabriks- u. Bauges. im Rahmen e. Materialprüf. Auftrages a. d. HTBLVA "Technolog. Gewerbemuseum" tätig, anschl. höhere Abt. f. Silikattechn. e. Ass. Posten, 1972 Ing.,1970-72 als wiss. Hilfskraft am Analytischen Inst. tätig; Berufl. Werdegang: 1971 als Chemiker in d. Forschungsinst. d. Ernährungwirtschaft, wessentl. beteiligung am Aufbau d. Inst., 1974 Ltd. Ang. , 1977 Stellv. Gschf. d. Gschltg. d. Inst.; 1984 bescheidmäßige Bewilligung d. BMF&U als Lebensmittel-Gutachter im Rahmen d. freiberufl. Tätigk. e. Beratungskzl. aufgebaut, s. 1986 Lehraufträge a. d. Techn. Univ., Dez. 1988 Univ. Wien Lehrbefugnis (Venia docendi) als Univ. Doz. f. d. Fach Analytische Chemie verliehen, Okt. 1993 Ordentl. Univ. Prof. f. Lebensmittelchemie a. d. Inst. f. Biochemie u. Lebensmittelchemie d. Techn. Univ. Graz. P.: 1981 Herausgeber d. Buches "Recent Developments in Food Analysis", 1982 Mitautor d. "Österr. Ernährungsberichtes, 1988 eig. Buch "Essentielle Spurenelemente in d. Nahrung", Vortragstätigk. b. wiss. Kongressen, Einlaungen d. Supreme Council d. VAR Ägypten z. d. Tagungen "Analytical Chemistry for National Development", 1984 u. 1989 in Kairo Gastvorlesungen a. d. Akad. d. wiss. d. DDR zentr. Inst. f. Ernährung 1986 u. 1988 , eine 5 wöchige Vortragsrreise durch Deutschl., 1989 Vortragsreise organ. v. Hewlett-Packard nach Warschau, Berlin, Budapest, Prag u. Agram m. Vorträgen über "Analytische Chemie Qualitätskontrolle v. Lebensmittel". M.: s. 1986 Mtgl. b. mehreren Unterkmsn. d. Kmsn. zur Herausgabe d. Österr. Lebensmittelbuches ("Codex Kommission"), s 1984 Vorst. d. österr. Ges. Analytische Chemie (ASAC), Redaktionskomitte d. intern. Zeitschrift Mikrochimica Acta, 1985 in d. Fachbeirat d. Österr. Chemie Ztg. berufen, s. 1979 intern. Sekr. d. Working Party on Food Chemistry d. Federation of European Chemical Societies u. im wiss. Komitee bed. Veranst., Vorlesungen v. "Aroma Analyse-Methodik u. Anwendung in d. Praxis u. "Essentielle u. toxische Spurenelemente in d. Nahrung Bedeutung, Wirkungsweise u. Analytik". E.: 1978 Wr. Föderungspreis f. Kunst u. Wirtschaft, 1988 Goldmed. d. Socienze Aromatizzanti (SSA), Gold. EZ. H.: Geräteturnen,Schach. (M.A.)

Pfanzagl Johann Dr. phil.

B.: Univ.-Prof. A.: 5204 Lohmar, Schlehecken. G.: 2. Juli 1928. V.: Dr. Elvine. El.: Johann u. Marie. S.: Gymn., Stud. d. Math. u. Physik. K.: Ltr. d. Statist. Büros d. BWirtschafskam. 1951-59, 1960/61 a.o.Prof. an d. Univ. Wien, 1961 o.Prof. d. Univ. Köln. P.: "Theory of Measurement", "Allg. Methodenlehre d. Statistik I, II", "Elementare Wahrscheinlichkeitsrechnung", "Parametric Statistical Theory". M.: Fellow Inst. of Mathematic Statistics.

Pfarl Hansjörg Mag. rer. soc. oec. Prof.

B.: Steuerberater u. Prof. A.: 5360 St. Wolfgang, Au 117.G.: Bad Ischl, 25. Apr. 1948. V.: Anna Gabriele, geb. Weiler. El.: Peter u. Maria. S.: HAK, HS in Linz u. Wien (sozial- u. wirtschaftswiss. Studienrichtung). K.: 1972: Abschluß D. HS-Stud., anschließende, Unterrichtstätigkeit an mittleren u. höheren kfm. Schulen, ab 1973 Wirtschaftstreuhänderische Tätigkigkeit, 1978: Angelobung als Steuerberater, 1978: Eröff. einer Steuerberatungskzl.

Pfarl Wolfgang Dkfm.

B.: VS Vors. FN.: KNP LEYKAM Aaustria AG. DA.: 8101 Gratkorn. G.: St. Wolfgang, 5. Dez. 1944. V.: Ines. Ki.: Andrea, Georg, Eric. S.: HAK, HS f. Welthdl. K.: 1968 Exportabt. Fa. Leykam, 1977 Unternehmensplanung, 1978 Verkaufssteuerung, 1980 Gschf. d. Wr. Papiergroßhdlg., seit 1/89 Vorst.Mtgl., 1989 Vors. d. Vorst. u. Gen.-Dir. der Leykam Mürztaler AG, 1994 Vors. d. Vorst. v. KNP LEYKAM Austria AG.

von Pfaundler Wolfgang Dr. phil. habil. Hon.-Prof.
B.: Schriftsteller, Chefred., Photograph, Fernsehreg. PA.: 6433 Piburg im Ötztal. G.: Innsbruck, 1. Jan. 1924. V.: Gertrud, geb. Spat, Pianistin. Ki.: Sebastian, Caspar, Milena, Jakob. El.: Pfaundler v. Hadermur Hermann Dr. (Sekt.Chef im BKA) u. Gertrud. K.: 1964 Chefred. d. Tir. Kulturzeitschrift "das Fenster", 1982 Habil. an d. Univ. Wien, 1987 Hon.-Prof. an d. Univ. Innsbruck f. Volkskunde d. Alpenländer. P.: Autor bzw. Co-Autor v. 25 Büchern inkl.: "Südtirol-Versprechen und Wirklichkeit" (1958), "Tirol 1809" (1959), "St. Romedius - ein Heiliger aus Tirol" (1961), "St. Notburga, eine Heilige aus Tirol" (1969), "Die schönsten Bilder von Innsbruck" (1972), "Innsbruck - das Bildnis einer Stadt" (1975), "Das große Tiroler Schützenbuch" (1976), "Von allerlei Werkleuten und Gewerken" (1976), "Das Tagebuch der Baronin Sternbach" (1977), "Das große Tiroler Blasmusikbuch" (1979), "Eines Schattens Traum ist der Mensch - Friedhöfe und Gräber" (1981), "Fasnacht in Tirol - Schleicherlaufen" (1981), "Oberländer Relikte" (1981), "Innsbrucks Wirtschaft im Spiegelbild der Annoncen" (1984), "Der Tiroler Freiheitskampf unter Andreas Hofer" (1984), "Heimatbuch der Gemeinde Sautens" (1986), "Telfs - das Porträt einer Tiroler Marktgemeinde" 2 Bd. (1988), zahlr. ethn. Film-Dokumentationen f. d. ORF u.a.: "Ostern in Tirol", "Blochziehen in Fiss", "Die Alpbacher Lebensuhr", "Tiroler Advent", "Tiroler Osterbräuche", "Reither Nikolausspiel", "Das Steyrer Kripperl", "Nassereither Schellenschlagen", "Imster Schemenlaufen", "Telfer Schleicherlaufen", "Thaurer Mullerlaufen", "Nächtl. Fasnacht in Tirol", "Axamer Wampeler Reiten", "Serfaus - Fiss - Ladis, die rätorom. Dörfer Tirols", "Das andere Weihnachten", "Das Schaf, das sonderbare Wesen", Dokumentarfilme u.a. über Albin Egger-Lienz, Franz Kranewitter, Karl Schönherr, Felix Klee, Otto Neururer, 1. photograph. Ausstellung b. Fritz Wotruba in d. Galerie Würthle Wien. E.: EZ d. Landes Tir., EZ f. Verd. um d. Befreiung Österr., EZ d. Marktgem. Telfs, EZ f. Kunst u. Kultur d. Stadt Innsbruck, Ehrenkreuz f. Kunst u. Wiss. ((D.S.)

Pfeffer Harald Dipl.-Ing.

B.: Landesbeamter im Baudienst. FN.: Baubez.-Ltg. Graz-Umgebung. DA.: 8010 Graz. PA.: 8020 Graz, Allerheiligenweg 3. G.: Graz, 14. Juli 1936. Ki.: Harald (1961), Peter (1964), Gerald (1971), Stefan (1972). El.: Paul u. Else. S.: BRG Lichtenfels, TH Graz, Abschluß 1968. K.: seit 1968 im Landesdienst, Baubezirks-Leitung. Bruck u. Graz-Umgebung, Straßenbau, Wasserbau, gewerbetechnisch u. wasserbautechnischer Sachverständige; Volksmusikant: Besetzungen Altsteirer Stuben- u. Blasmusik, seit d. 6. Lebensjahr Klavierunterricht bei Else Pfeffer, später Geige, Violoncello, Steirische Harmonika, Hackbrett, Harfe, Landsknechttrommel, Schwegelpfeife, Dudelsack (Bock), seit 1958 Volksmusikgruppe u. Stubenmusik Pfeffer, seit 1969 60 Aufzeichnungen (Radio Stmk.), zahlreicheAuslandsreisen (Skand., Südafrika, Indien, Iran, UdSSR, Frankr., Italien, Deutschld., Belgien, Osteuropa). M.: BArge f. Volkstanz. H.: Volksmusik, Volkstanz, Aufzeichn. v. Tänzen u. Melodien; Obstverwertung, Kurzwellenhörer, s. 1987 lizenzierter Funkamateur OE6HPD. (R.S.)

Pfeffer Martin Dr. med.
B.: Prakt. Arzt. DA.: 3390 Melk, Abbè Stadlerg. 13/8. G.: Scheibbs, 9. Nov. 1956. El.: Josef u. Maria. S.: VS, Gymn., Med. Stud. Wien, 1983-86 Turnus Wilhelminenspital Wien. K.: s. 1986 prakt. Arzt i. Melk. M.: Obm. d. Vereins Wohnen u. Arb. (J.M.)

Pfefferkorn Günter

B.: Kfm., Hotelier Hotel Pfefferkorn. DA.: 6764 Lech. G.: Bludenz, 5. Nov. 1944. V.: Gabriele, geb. Neumann. Ki.: Elisabeth (1968), Axel (1974). El.: Johann u. Gertrude. S.: Gymn., HAK, 1964 Matura. K.: 1964 1 J. im elterl. Sportgeschäftt, 4 Mon. Gastgewerbepraxis auf d. Bermudas, 3 J. Gschf. Hotel Goldener Berg Oberlech, 1968 Übernahme d. kl. Lebensmittelgeschäftes d. Eltern, 1972 Bau d. jetzigen Betriebes, im Parterre Supermarkt u. Parfümerie, 1987 Vergrößerung d. Passage auf Skiservice u. Skimode, Mountainbike. BL.: 1963 Landesjuniormstr. Abfahrt u. Kombination, Sieger b. mehreren reg. Skiveranstaltungen, Inh. d. Vbg. Landesrekordes Kleinkaliber liegend m. 600 Ringen, Sieger b. mehreren intern. Wettkämpfen im Kleinkaliberschießen, mehrfacher Landesmstr., 4x Staatsmstr., Österr. Mstr. F.: Gschf. Sporthaus Pfefferkorn. E.: Verd. um d. Vbg. Schießsport. M.: Präs. d. Organ.-Komitee Lech f. Weltcupveranstaltungen, Ortsobm. Skiclub Arlberg Lech, SchützenR. Schützengilde Lech, Vbg. Match Mannschaft Kleinkaliber, 5 J. Gem.-Vertretung, Lecher Trachtenkapelle, Mitinitiator u. mehrere J. Gschf. Tenniszentrum Lech. H.: Schießen, Skifahren, Golf. (I.D.)

Pfeifauf Otto Dr.
B.: Gen.-Dir. i.R., Präs., KommR. A.: 4020 Linz, Wankmüllerhofstr. 9. G.: Innsbruck, 2. Dez. 1923. V.: Maria, geb. Födermayr. S.: Mittelschule, HS. E.: Silb. Med. d. OÖ HK, Gold. EZ d. Landes OÖ. H.: Wandern, Schwimmen, Lesen.

Pfeifenberger Leopold

B.: Uhrmachermstr. DA.: 5020 Salzburg, Münchner Bundesstr. 28. G.: Salzburg, 19. Nov. 1959. El.: Leopold u. Herta, geb. Ensmann. S.: VS, HS, Bundesfachsch. Karlstein/-Thaya. K.: Spezialist f. antike Uhren, Rest. u. Anfertigung fehlender Teile, Zahnräder etc., Rep. v. Uhren aller Art. (H.S.P.)

Pfeifenberger Werner Dr. iur. Prof.
B.: Univ.-Prof. A.: 5020 Salzburg, Schalkstr. 4. G.: Salzburg, 23. Okt. 1941. El.: Hans u. Anne. S.: Hum. Gymn. Sbg. 1951-59, Univ. Wien 1959-63, The Johns Hopkins University Bologna 1964-65, Univ. Sbg. 1966-70, Univ. Oslo 1971. K.: 1971 Wiss. Abt.Ltr. am Intern. Forschungszentrum f.

Grundfragen d. Wiss. Sbg., 1972 Prof. f. Politikwiss. am Gesamthochschulbereich Münster/Deutschland, 1975 Prof. f. Völkerrecht u. intern. Beziehungen an d. Univ. Grenoble-Frankreich, 1977 Grdg.Dir. d. österr. Inst. f. polit. Bild. Wien-Mattersburg, 1983 Prof. f. Politikwiss. an d. Univ. Stellenbosch/Südafrika, zahlr. Gastprofessuren an d. Univ. Potchefstroom, Paderborn, München, Sbg. u. Taipei. P.: Bücher: Die Vereinten Nationen - Ihre polit. Organe in Sicherheitsfragen, Kruistog Teen Kolonialisme - Südafrika se Geskil Met Die V. V. O., Las Naciones Unidad y sus Organos de Seguridad, Die Uno-Politik d. Volksrep. China, zahlr. Zeitschriftenbeiträge- u.-aufsätze. M.: Forschungsges. f. d. Weltflüchtlingsproblem, Dt. Ver. f. Politikwiss., Bund Freiheit d. Wiss., Intern. Political Science Association, Christl. Demokrat. Union Deutschland, Intern. Ges. f. Menschenrechte, Intern. Assoc. of Political Scientists for the UN (IAPSUN). H.: Segeln, Bergsteigen, Schach.

Pfeifer Bruno

B.: Hotelier Hotel Valisera. DA.: 6563 Galtür. G.: Zams, 3. Apr. 1964. V.: Andrea, geb. Brantner. El.: Meinrad u. Helene. S.: Koch- u. Kellnerlehre, Berufsschule Absam, 1983 Abschluß, 1984 BH, 1987 Konzessionsprüf. K.: 3 1/2 J. Praktikum in Zürich, 3/4 J. Sous Chef auf Queen Elisabeth, Küchenchef in versch. Hotels in Österr., 1990 Bau Hotel Valisera Galtür. P.: einige Kochrezepte hauptsächl. Fische. M.: Junges Gastgewerbe Tir., Hotelierver., Skiclub u. Fußballclub. H.: Fußball, Squash, Fischen, Kochen. (I.D.)

Pfeifer Ewald

B.: Inh., Schneidermstr. FN.: Ewald Pfeifer Bekleidung. DA.: 8430 Leibnitz, Richard-Wagner-Weg 11. PA.: 8430 Leibnitz, Richard-Wagner-Weg 9. G.: Graz, 18. Juli 1954. V.: Gabriele, geb. Sterf. Ki.: Andreas, Martin. El.: Josef u. Margaretha. S.: Schneiderausbild., Mstr.Kl. Michlbeuren, Mstr.Prüf. 1976. K.: seit 1977 selbst. BL.: Ausstatter d. Österr. BH. M.: Bez.Funkbeauftragter d. FF Leibnitz. H.: Feuerwehr, Tennis. (H.Z.)

Pfeifer Johann

B.: Inh. "Häuserl im Wald". GT.: seit 25 J. Veranstalter d. Oktoberfest Hartberg u. Oststeir. Herbstmesse Hartberg. DA. u. PA.: 8295 St. Johann in der Haide, Altenberg 71. G.: Altenberg, 7. Sep. 1946. V.: Maria, geb. Tschernitz. Ki.: Andrea (1969), Renate (1975), Markus (1976). El.: Johann u. Hedwig. S.: VS, HS, Fleischerlehre Hartberg, 1963 Abschluß. K.: 1963-65 tätig in Fleischerei in Baden, 1965 Übernahme elterl. Betrieb "Häuserl im Wald" in Altenberg, seit 1988 Konditorei "Stadtcafe" Hartberg, seit 1993 Restaurant "Freizeitpark" Bad Waltersdorf. M.: 20 J. Obm. d. Fremdenverkehrsver., seit 1993 Obm.-Stellv. d. Tourismusverb. St. Johann in der Haide, Obm.-Stellv. d. Eisschützenver., im Aussch. d. Feuerwehr. H.: Eisschießen, Tennis. (I.G.)

Pfeifer Josef

B.: Bgm., LAbg., Ind.Kfm. DA.: 9141 Eberndorf, Gemeindeamt. PA.: 9125 Lerchenfeld 4. G.: Lind, 29. Juni 1942. V.: Hermine, geb. Acham. Ki.: Barbara, Maria, Josef. El.: Anton u. Maria. S.: Pflichtschulen, kfm. Ausbild. K.: 1956-72 Ind.Kfm. b. Leitgeb AG, 1972-74 Parteisekr. d. SPÖ St. Veit/Glan, 1974-79 Parteisekr. d. SPÖ Völkermarkt, ab 1979 Parteiobm. d. SPÖ Völkermarkt, ab 1979 LAbg., ab 1983 Bgm. v. Eberndorf. BL.: Ankauf eines 95 ha großen Naturschutzgebietes f. d. Gem. Eberndorf. E.: ARBÖ-LEhrenz. in Silber. M.: Präs. einiger Sportver., ARBÖ-Bez.Obm. Völkermarkt, Vors. d. Schulgem.Verb. Völkermarkt, Mtgl. d. LSR. f. Ktn. H.: Fußball, Eishockey, Lesen. (S.G.)

Pfeifer Luise

B.: Firmeninh., Tanzlehrerin. FN.: Tanzschule Luise Pfeifer. DA.: 4600 Wels, Kaiser-Josef-Pl. 53. PA.: 4600 Wels, Dr.-Sauerbruch-Str. 42. G.: Salzburg, 11. Febr. 1942. Ki.: Thomas (1966), Alexandra (169). El.: Dr. Karl u. Martha Plenge. BV.: Tante Resl Mayr Mundartdichterin u. Malerin. S.: b. 1960 HASCH Linz. K.: b. 1966 Amateurtänzerin, Tanzlehrerausbild. in Wien, seit 1971 eigene Tanzschule in Linz u. Wels, Tanzkurse in ganz OÖ, Teilnahme einiger Schüler am Wr. Opernball, Jugendarb., seit d. 15. Lebensj. Tur-niertänzerin, ab 1962 insgesamt 7-fache österr. Staatmstr., 1962 VWeltmstr. Berlin, erfolgreiche Teilnahme an zahlr. Tanzturnieren im In- u. Ausland. P.: zahlr. Veröff. in sämtl. Tageszeitungen. M.: TSK Arabeskque, Österr. Tanzlehrerverb. H.: Reisen, Golf. (P.H.)

Pfeifer Michael

B.: Gschf. FN.: H.u.A. Pfeifer GesmbH Spezialfotolabor. DA.: 1190 Wien, Hackhoferg. 1. G.: Wien, 2. März 1964. V.: Barbara, geb. Lippert. Ki.: Stefan (1984), Nina (1985), Benjamin (1988). S.: 1979 Abschluß d. Ausbildung als Fotograf. K.: 1980 Eintritt in den elterl. Betrieb, 1988 Gschf., Generalvertretung d. Agentur Pictor International f. Österr., Schweiz u. ehemalige COMECON Länder, Fotolabor im prof. Bereich, Werbung u. Industrie, Bildagentur. H.: Familie. (T.T.)

Pfeifer Otmar Dr. iur.

B.: RA. DA.: 6800 Feldkirch, Drevesstr. 4. PA.: 6800 Feldkirch, Weinbergg. 29. G.: Gaschurn, 24. Mai 1953. V.: Gertraud, geb. Zoubek. Ki.: Sonja (1987). El.: Polykarp u. Ida. S.: HASCH, 2. Bild.-Weg Jusstud., Roland Maturaschule Wien, 1978 Matura, Jusstud. Univ. Wien, 1982 Prom., 1975-76 Militär. K.: 1983 Gerichtsj. Feldkirch, b. 1987 RA-Kzl. Feldkirch, 1986 RA-Prüf., seit 1987 selbst. RA in Feldkirch. M.: Judoclub Feldkirch. H.: Skifahren. (I.D.)

Pfeiffer Bruno Dr

B.: FA f. Zahn-, Mund- u. Kieferheilkunde. DA.: 1120 Wien, Meidlinger Hauptstr. 7-9. PA.: 1010 Wien, Schelling. 5. G.: Eggenburg, 21. Mai 1947. V.: Gertrude, geb. Sollner. Ki.: Georg, Martin. S.: VS, RG, Univ. Wien, 1977 Prom. K.: Klinik, BH, Vertretungen, seit 1980 eigene Zahnarztpraxis. M.: ZAFI, ZIV. H.: Tennis, Bergwandern, Skifahren, Musik. (R.A.)

Pfeiffer Alfred RegR.

B.: Landesschulinsp. f. NÖ südl. d. Donau. DA.: 1013 Wien, Wipplingerstr. 28. G.: 3150 Wilhelmsburg, Wasenmühle 4. G.: Wilhelmsburg, 14. Nov. 1929. V.: Gerda, geb. Gerstbauer. Ki.: Melanie (1986). El.: Johann u. Maria. S.: VS, HS, LBA St. Pölten, 1949 Matura, 1952 Lehramt f. VS, 1956 Lehramt f. HS. K.: 1978 HS-Dir. Wilhelmsburg, 1982 Bez.-Schulinsp. f. Bez. St. Pölten/Land u. Lilienfeld, 1990 Landesschulinsp. f. Allg. Pflichtschulen f. NÖ südl. d. Donau, ab 1962 Mtgl. d. GemR., 1964-75 StadtR. f. Sport u. Kultur, 1975-90 Bgm. v. Wilhelmsburg. P.: Arge f. d. neuen Lehrplan f. VS, Mitautor f. Allg. Teil, zahlr. Publ. in div. Lehrerzeitungen. E.: Viktor Adler-Plakette, EZ in Silber f. Verd. um d. Rep. Österr., Ehrenring d. Stadtgem. Wilhelmsburg, Florianiplakette d. Freiwilligen Feuerwehr, EZ in Gold v. Arbeiter-Samariter-Bund. M.: SPÖ, Vors.-Stellv. d. Bez.-Organ. St. Pölten, Landesvors.-Stellv. Soz. Lehrerver. H.: Musik, Familie. (J.M.)

Pfeiffer Friedrich

B.: Gschf. d. Pfeiffer & Co GmbH, Estriche u. Fliesen. DA.: 3430 Tulln, Langenlebarner Str. 131. G.: Klosterneuburg, 12. Dez. 1942. V.: Ursula, geb. Beck. Ki.: Karin. El.: Franz u. Marie. K.: Gelernter Polier, 2 J. als Baultr. in Wien tätig, 1968 Grdg. d. Einzelfirma, 1981 Umwandl. in GmbH. F.: Pfeiffer & Co. GmbH, Estriche u. Fliesen. H.: Jagd, Tennis. (Kern)

Pfeiffer Gerhard KommR.

B.: Gschf. Ges. FN.: Karl Pfeiffer's Söhne OHG. DA.: 8020 Graz, Brückenkopfg. 7. PA.: 8010 Graz, Th.-Körner-Str. 35. G.: Graz, 8. Sep. 1928. V.: Erika, geb. Wieser. Ki.: Dr. iur. Astrid (1956). El.: Karl u. Katharina. S.: b. 1947 Baufachschule (Hochbau), 1948-49 Gewerbeschule u. Tischlerlehre. K.: 1950-54 Tischlergeselle, 1955 Meisterprüf.; 1970-79 Landeslehrlingswart, 1980-93 Bundeslehrlingswart, Landes-innungsmeister-Stv., dzt. Bundesaussch.-Mtgl., Intern. Fachexperte u. Jury-Mtgl. b. d. Facharbeiter Olympiade v. 1979-88: 1979 Cork/Irland, 1981 Atlanta/USA, 1983 Linz, 1985 Osaka, 1988 Sydney. E.: s. 1986 KommR.; Silb. Ehrennadel d. Landesinnung Stmk., Gold. Ehrennadel d. Bundesinnung, Gold. Ehrennadel d. Schreiner Union Dänemark, HK-Med. f. Verd. um d. steir. Wirtschaft; Ehren-Mtgl. d. Männergesangsver. EICHE (Valentinsorden); Präs. d. Grazer Sportvereinig., Obm. LUV, dzt. gold. EZ Hand- u. Faustballverb., Ehrennadel d. Steir. Fußballverb. H.: Sport. (F.K.)

Pfeiffer Heribert

B.: Tischlermstr., Ges. FN.: Karl Pfeiffer's Söhne OHG. DA.: 8020 Graz, Brückenkopfg. 7. PA.: 8010 Graz, Billrothg. 28. G.: Graz, 19. Aug. 1934. V.: Roswitha, geb. Ranner. Ki.: Robert (1976), Kristina (1979). El.: Karl u. Käthe. S.: VS, 1950-52 HASCH Graz, 1952 Tischlerlehre, 1968 Mstr.-Prüf. K.: seit 1960 zusammen m. Bruder Gerhard Geschäftsführung Karl Pfeiffer's Söhne OHG, ab 1972 Vertretungsübernahme d. Fa. SYMA-SYSTEM. BL.: Herstellung d. Altartisches anläßl. d. Papstbesuches in Gurk. M.: Tennisverb., Obm. eines Segelclubs Ktn. H.: Tennis, Skifahren, Segeln. (P.M.)

Pfeiffer Gerhard KommR.

B.: LAbg. u. Gemeinderat d. Stadt Wien. DA. u. PA.: 1190 Wien, Hohe Warte 64. G.: Wien, 29. Aug. 1943. El.: Johannes u. Elsa, geb. Wladika. S.: 1961 Stud. a. d. HS f. Welthandel b. z. 1. Staatsprüf., 1965 Bundesheer. K.: 1966-67 IBM, 1967-92 b. Optische Werke "Reinhert" i. versch. Pos., zuletzt Prokurist, 1969 Grdg. d. Fa. "Bit-Data service", 1972 Eintritti. d. ÖVP, s. 1978 Bez.-Rat u. Club-Obm., ab 1991 Gem.-Rat u. Gesundheitssprecher d. ÖVP. P.: div. Publ. i. EDV-Fachzeitschriften. M.: s. 1975 i. Innungsaussch., a. 1985 Innungsmstr. Stv., s. 1990 Bundes-Obm. d. österr. EDV-Gewerbes, a. 1992 Wirtschaftsbund-Obm. v. Wien-Döbling, Ehrensenator d. Döblinger Faschingsgilde, Ehrenpräs. d. Ver. "Gut gekauft i. Döbling". H.: Fußball, Tennis, Malen, Literatur, Fischen. (N.A.)

Pfeiffer Günther

B.: Produzent, Inh. FN.: Tonstudio Pfeiffer Musikproduktionen. DA. u. PA.: 1120 Wien, Schöpferg. 3. G.: Bruck/Mur, 10. Dez. 1951. V.: Maria, geb. Denner. Ki.: Roman (1981). El.: Hanns u. Grete. S.: Mittelschule, Matura, Werbefachschule WIFI, auf privater Basis Komposition, Harmonielehre, Arrangement erlernt. K.: 1 J. Teilhaber einer kl. Großhdls.-Fa, Musik-Interpret (Liedermacher), kl. Studio als Demo-Studio, vorerst privat u. ab 1982 als professionelles Studio geführt, Haupttätigkeit: Plattenproduktion unter eigenem Label als freier Produzent, Aufbau u. Förd. v. jungen Künstlern, Durchführung v. eigener Komposition, Arrangement, Aufnahme b. z. Covergestaltung u. Vermarktung. P.: zahlr. Plattenproduktionen. E.: Gold Schallplatte, Ak. Mstr. im Boxen. M.: Vorst.-Mtgl. AMP. H.: Modellfliegen, Motorradfahren. (F.S.)

Pfeiffer Johann

B.: Baumeister. FN.: Ing. H. Schneider GesmbH. GT.: StadtR. d. Stadtgem. Schrems. DA.: 3943 Schrems, Bahnstr. 34. PA.: 3943 Schrems, Eugenia 75. G.: Romau/CSSR, 11. Sep. 1942. V.: Gertrud, geb. Ruso. Ki.: Thomas (1969), Matthias (1973). El.: Johann u. Leopoldine, geb. Siedler. S.: 1958-61 Maurerlehre, 1962-65 Bauhandwerkerschule in Wien, 1967-68 Baumstr.-Kurse, 1971 Baumstr.-Prüf. K.: 1965-70 Bautechn. in Fa. Schneider Filiale Wien, s. 1970 Ltr. d. Filiale in Schrems, s. 1978 GemR. u. 1985 StadtR. in Schrems Ressort Finanzen. M.: Obm. d. FKEK Freizeitklub Eugenia. H.: Wandern, Radfahren. (M.M.)

Pfeiffer Karl J. Dr. techn. Dipl.-Ing
B.: Physiker. A.:1140 Wien, Hütteldorfer Str. 257c/II/6. G.: Gerweis, 6. Juli 1953. El.: Karl u. Agnes. S.: VS Echsenbach, BG u. BRG Zwettl, TU Wien, Kurse über ionisierende u. nichtionisierende Strahlung, Strahlenschutz, Röntgendiagnostik, Seminare über Marketing. P.: Natürliche Aktivität in Gesteinen u. terrestrische Strahlenbelastung, Systematische Untersuchungen über d. Radiokohlenstoffabgabe eines Triga-Mark-II-Reaktors. E.: Zakovsky-Preis. M.: Österr. Verb. f. Strahlenschutz, Österr. Ges. f. Biomed. Technik, Österr. Ges. f. KH-Physik. H.: Studienreisen, Bergwandern, Fotografieren.

Pfeiffer Maria
B.: Gschf. Ges. d. Pfeiffer Holding GmbH u. Pfeiffer Großhdls. GmbH. DA.: 4050 Traun, Egger-Lienz-Str. 15. G.: Ried/Innkreis, 4. März 1942. V.: Hilmar. Ki.: Georg, Karin u. Birgit. El.: Mayerböck Josef u. Maria. S.: RG Ried, HAK Linz, 1961 Matura. K.: 1961-65 Sekr. vorwiegend in München b. Fa. Dynamit Nobel, 1965 Heirat, nach d. Tod d. Gatten Eintritt in d. Fa. Pfeiffer, seit 1979 gschf. Ges. F.: Pluskauf u. Wertmarkt Linz-Pasching, Pro-Kaufland Linz-Urfahr, Uni-Markt, Fa. Feininger, Fa. Rema. H.: Beruf, Wandern, Skifahren. (Deu.)

Pfeiffer Martin Dr. med. MedR.
B.: FA f. Gynäkologie, Sportarzt. DA.: 5020 Salzburg, Schranneng. 2/2. PA.: 5020 Salzburg, Brunnhausg. 9. G.: Horn, 30. Aug. 1911. V.: Doris. Ki.: Dr. Alexander, Dr. Eric. S.: Realschule Linz, 1929 Matura, Stud. Geograhie u. Leibesübungen Univ. Wien, 1934 Lehramtsprüf., 1935/36 Stud. Med. Fak. Univ. Wien.K.: 1938-40 Ass. am Inst. f. Leibesübungen d. Univ. Wien, 1940-45 Dt. Wehrmacht, 1945 Prom., 1945 Turnus LKH Sbg., 1951 Ausbild. z. FA f. Frauenheilkunde u. Geburtshilfe, 1951 Eröff. FA-Praxis in Sbg., b. 1986 Lehrbeauftragter an d. Univ. Sbg. f. Sportmed. P.: div. Art. in Zeitschriften m. Schwerpunkt: Skischuhe. E.: Hon.-Prof., 1975 MedR. M.: ATV. (M.Mo.)

Pfeiffer Michael

B.: Wirtschaftsing., General Manager. FN.: IR3 Video Intern. GmbH; BU Videography & OEM. DA.: 1232 Wien, Gutheil-Schoder-G. 17. G.: Goldap/Ostpreußen, 5. Apr. 1944. V.: Prok. Dagmar. Ki.: Kerstin (1967), Christian (1971). El.: Walter u. Gertrude, geb. Mattel. S.: Abitur, techn. u. kfm. Ausbild. K.: b. 1969 Ass. d. Gschf. in Tochterges. ITT Company, b. 1978 Produktmanager Audio Produkte ITT, b. 1981 Ltr. d. Produktmarketing Firma Saba, 1982 Tätigkeit im Hause Grundig, 1984 Dir. d. Unternehmens, Aufbau einer Fbk. in Malaysien, 1989 Wechsel z. industriellen Sektor Video in Malaysien, 1992 IR3, Ltr. d. Geschäftsfeldes Videografie u. Verkauf v. Schlüsselbauteilen an andere europ. Unternehmen. E.: firmeninterne Ausz. H.: klass. Musik, Gospels, Weinkenner, Tennis. (W.M.)

Pfeiffer Roman
B.: Gschf. FN.: Interspar. DA.: 6300 Wörgl, Innsbrucker Str. 104. PA.: 6300 Wörgl, Schubertstr. 9. G.: Wörgl, 23. Febr. 1938. V.: Sofie, geb. Rainer. Ki.: Gebhard (1959), Roland (1961), Andrea (1963), Frank (1969). El.: Franz u. Anna. S.: VS, HS, Schlosserlehre, 1961 Mstr.-Prüf. K.: 22 J. Schlosserberuf ausgeübt u.a. b. d. Firma Zimmer Maschinenfbk.-Mstr. zuständig f. d. Produktion, Mitarbeiterführung, Lehrlingsausbild., 5 J. Firma Aristo Wörgl, 1975 Bereichsltr., nach 1 1/2 J. Bereichsltr. Organ., seit 1987 Ltr. d. Einkaufszentrums. P.: m. Bergsteigerchor zahlr. Fernsehauftritte, Gesangver. Liederkranz Wörgl - Schallplatten u. versch. Fernsehauftritte. M.: 1986-92 Umweltobm. im GemR., Organ.-Chef Gesangsver. Liederkranz Wörgl. H.: Gesangsver., Tischlern, Bergwandern, Hobbygärtner. (M.T.)

Pfeiffer Rudolf Mag. pharm.
B.: Apotheker. DA.: 6850 Dornbirn, Marktstr. 3. PA.: 6932 Langen, Hälin 240a. G.: Bregenz, 18. April 1955. V.: Mag. phil. Alice, geb. Vohler. Ki.: Julia (1985). El.: Wilfried u. Annemarie. BV.: Dir. Längle Michael, bek. Kirchenmusikter (Silverstermed. v. Pabst Paul VI). S.: hum. Gym. Dornbirn, Mat. 1973, 1973/74 Milit., 1974-79 Univ. Innsbruck (Pharmazie), Spons. 1980, Ausbild. als Sophrologe. K.: 1980-81 Aspirantenjahr in Lustenau, 1981-87 Ang. in Apotheke in Wolfurt, 1987-91 Ltr. u. Pächter Stadtapotheke Bregenz, 1985-87 Vizepräs. d. Apothekenkammer Vlbg., 1991 Übernahme d. Stadtapotheke Dornbirn (Homöopathie/Hildegard Medizin/Bachblüten). P.: Vorträge, Kurse in Sophrologie. H.: Komponieren (Gitarre, Flamenco), Fischen, Garten, Bienenzucht, Radball (österr. B-Liga-Mstr.), Sportler-Wettkampfvorbereitung. (I.D.)

Pfeifhofer Helmut
B.: Kfm., Inh. FN.: Porsche Museum Helmut Pfeifhofer; Antiquitäten Helmut Pfeifhofer. DA.: 9853 Gmünd, Riesertratte 4a; 9853 Gmünd, Hauptpl. 16. PA.: 9853 Gmünd, Pongratzenvorstadt 9. G.: Gmünd, 18. Mai 1938. V.: Elisabeth, geb. Ortner. Ki.: Elisabeth (1962), Christoph (1974). El.: Franz u. Saraphine. S.: VS, HS, 1953-56 Ausbild. z. Textilerzeuger im elterl. Textilbetrieb. K.: 1956-59 Tätigkeit in d. Privatwirtschaft, 1959-68 Mitarb. im elterl. Betrieb, 1958 selbst. m. Antiquitätengeschäft, 1982 Eröff. Porsche Museum, seit 1992 Vereinbarung m. Firma Porsche Stuttgart f. d. Austausch v. Museumsexponaten, Organisator versch. museumspäd. Veranstaltungen u. Sonderausstellungen. M.: Stadtver. Gmünd u. versch. Oldtimer Clubs in Ktn. H.: Porsche Autos. (G.L.)

Pfeiler Werner Wolfgang Dr. techn. Dipl.-Ing.
B.: staatl. befugter u. beeid. Ziviling. f. Bauwesen. GT.: Univ.-Lektor d. TU Graz. DA.: 8010 Graz, Morellenfeldg. 19. G.: Leoben-Göss, 7. Mai 1933. V.: Erika. Ki.: Martin (1962), Heide (1963), Thomas (1965). S.: HTL, 1952 Matura, Stud. Arch. u. Bauing.-Wesen TH Graz, 1965 2. Staatsprüf., 1965 Dipl.-Ing., 1969 Diss. K.: 1952-57 Praxis Bautechniker, 1957-68 Praxis Planungsltr., 1968-81 Univ.-Ass. TU Graz, seit 1970 Univ.-Lektor TU Graz, seit 1977 staatl. befugter u. beeid. Ziviltechniker, seit 1979 Vors. d. Prüf.-Kmsn. f. d. gebundene Gewerbe d. Techn. Büros in d. Stmk. P.: Ein Beitrg z. Vereinfachung d. wärme- u. diffusionstechn. Berechnung raumtrennender Bauteile (1970), Das Leistungskurvenverfahren f. wärme- u. diffusionstechn. Berechnungen (1971), Das Leitlinien-Verfahren f. d. wärme- u. diffusionstechn. Untersuchung v. Flachdächern (1971), Fenster u. Wand-Fensterkombinationen im Wohnungsbau (1974), Empir. Aufsätze z. Wahl eines zweckmäßigen Raumklimas in Archivmagazinen z. Vermeidung v. Pilzbefall (1985). H.: Musik. (P.M.)

Pfeiller Kurt Dipl.-Ing. TechnR.
B.: Bgm.a. D., Ing.Kons. f. Bauwesen, Mtgl. d. österr. Ing.Kam. A.: 3293 Lunz/See, Seestr. 21. G.: Wien, 17. Nov. 1919. V.: Josefine, geb. Lengauer. El.: Karl u. Elisabeth. S.: Mittelschule, Realschule, TH Wien, 1941 Dipl.-Ing., Ass. d. TH 1941-43. K.: Statiker im techn. Dienst d. Techn. Organ. f. Befestigungsbau, 1945-90 Bgm., seit 1946 Ing.-Kons., selbst.

Konstruktionsbüro Haupttätigkeit Projektierung v. Siedlungswasserbauten, Wasserläufen u. Kanalisationen sowie Kläranlagen, Statik. F.: Eig. Betrieb. P.: Publ. in Fachzeitschriften,"Verunreinigung v. Gebirgsflüssen", "Finanzierung des Wasserwirtschaftsfonds in Europ."Vortr. Rio 84,"Müllwasser Entsorgung" Vortr. Rio 89 . E.: Gold. u. Silb. VZ d. Rep. Österr., Gold. VZ d. Landes NÖ, Ehrenbürger d. Gem. Lunz/See, Hipollytorden d. Diözese St. Pölten, Ausz. d. BMW f. Verd. um Denkmalpflege. M.: Vors.-Stellv. d. BeiR. d. NIOGAS b. 1991, BeiR.-Vors. d. Lunzer Skiliftges. b. EVN 1991.Mitgl. d. Fachgr. Seilbanbau a. d. NÖ HK. H.: Mathematik, Kommunale Probleme, Sport (Fußball).

Pferscher Wolfgang Ing.

B.: Gschf. FN.: Docter-Präzisionsoptik Produktions GmbH. DA.: 1230 Wien, Perfektastr. 89. G.: Wien, 25. Juli 1960. V.: Sophie. Ki.: Maximilian, Shari. El.: Ing. Ferdinand u. Anna. S.: HTL Feinwerktechnik, 1980 Matura, b. 1982 HS f. Welthdl., Auslandsaufenthalt f. Praxis u. Sprache. K.: 1983 Firma Vidmar Betriebseinrichtungen, Export u. Verkauf, 1984 Firma Tirolia Marketing u. Verkauf, Norma-Optik Elektronik, Verkauf, 1988 Übernahme d. Verkaufsltg., 1989 Übernahme d. Firma Docter u. seither Gschf. P.: Veröff. in Fachzeitschriften. H.: Sport, Foto. (J.E.)

Pfersmann Hans Dr.

B.: RA. DA.: 1010 Wien, Kärntner Ring 3. PA.: 1010 Wien, Elisabethstr. 13. G.: Wien, 27. März 1925. V.: MedR. Dr. Sophie, geb. Karasek (FA f. Zahn-, Mund- u. Kieferheilkunde, Urenkelin d. Kath. Sozialreformers Karl Freiherr v. Vogelsang). Ki.: DDr. Otto (1954)Univ. Prof. öff. Rcht u. Rchtsphil. a. d. Univ. Lyon, Dr. Andreas (1959), Dr. Vera (1960). El.: Camillo, Sektionschef, u. Helene, geb. Bernatzik, Ltr. d. Künstlerwerkstätte d. "Wiener Werkstätte" (Tochter v. Dr. Edmund Bernatzik, Prof. f. Staatsrecht an d. Wr. Univ.). BV.: Urgroßvater Franz Leopold Pfersmann v. Eichthal k.u.k. Hoftheatersekr., Onkel Rudolf v. Eichthal Schriftsteller. S.: Döblinger Gymn. Wien, 1943 Matura, 1943-45 Kriegsdienst, sodann Jusstud. Univ. Wien, 1949 Prom. K.: seit 1955 selbst. RA, seit 1959 Prüf.-Kmsr. b. OLG Wien f. d. RA-Prüf. u. seit 1967 f. Richteramtsprüf. BL.: b. 1965 auch Rallyefahrer (Privatfahrer). P.: über 200 rechtswiss. Veröff. insbes. in d. Österr. Juristen-Zeitung u. in d. Jurist. Blättern, Publ. insbes. auf d. Gebieten Verfassungsrecht, bürgerl. Recht, Handelsrecht u. Wettbewerbsrecht, seit 1959 lfd. Besprech. d. Amtl. Sammlg. d. Entscheidungen in Zivilsachen (SZ) in d. ÖJZ. H.: klass. Musik, Opern, weltweite Reisen, Tennis, Wasserskifahren, Eisenbahnen. (J.S.)

Pfingstner Georg

B.: Coiffeur. FA.: 9020 Klagenfurt, 8. Mai Str. 14. PA.: 9020 Klagenfurt, Pichsg. 4. G.: Klagenfurt, 30. Nov. 1948. V.: Elisabeth, geb. Kircher. Ki.: Raffaela (1984), Florian (1991). El.: Rudolf u. Margarethe. BV.: Siegried P., Frieseur u. Photokünstler. S.: VS,HS, Berufschule u. Lehre im elterlichen Betrieb. BH, Weiterbild. in Wien bei d. Friseurweltmeistern Fred Rachle u. Danzinger. K.: bei Scherzer in Klagenfurt - Meisterprüfung. Teiln. an div. Wettbewerben, 1974 Österr. Bundesmeister. 1974 selbst. 1993 Filialbetr. danach Hauptgschf. Lehrlingsausbildner, i. London b. Vidal Sasoon gearb. E.: Intern. Erfolge: Paris 1. Preis, Wien 1. Preis, New York Weltmeister, M.: Obermstr. d. Friseurakad. Öst., 10 J. Präs. d. Friseurakad. Ktn., Meisterprüf.-komm. , Lehrbeauftragter a.d. Wifi Kärnten. H.: Tennis, -ski, Gartenkultur. (G.L.)

Pfiel Heinz Dipl.-Ing.

B.: Mitges., Gschf. FN.: Servodata Beratungs u. Datenverarb. GmbH. DA.: 1020 Wien, Am Tabor 2. G.: Wien, 24. Juli 1956. S.: Gymn., Stud. Informatik TU Wien. K.: seit 1983 b. Servo Data, 1985 Gschf. Ges., Vorst.-Mtgl. im Verb. Österr. Softwareind. VÖSI. M.: VÖSI, Servodata. H.: Lesen, Sport allg., Tennis, Laufen, Musik allg. (W.M.)

Pfister Adolf

B.: Schlosser-u. Schmiedemstr. FN.: Bau-u. Kunstschlosserei A. Pfister GmbH & Co.KG. G.: Schwarzach / Pg., 01. Aug. 1961. V.: Christine geb. Mahnke. Ki.: Alexander (1986). El.: Adolf u. Helga. S: VS, HS, Polytech.. K.: Berufsschule, 3 1/2 J. a. Schlosser i. elterl. Betrieb, 1980 m. Gesellenbrief abgeschl., 1980 BH, 1984 Meisterprfg. i. Schlossergew. u. 1985 i. Schmiedegew., Erweiterung d. Betriebes, spez. a. künstler. u. konstruktive Schlosser- u. Schmiede-arb., 1994 Ausstellung-u.Schauraum i. Werfen eröffnet, 1995 Umgründung d. Unternehmens in GmbH & Co KG. M.: langj. Mitgl. zahlr. örtl. Vereine. H.: Windsurfen, Snowborden, Tennis, gute Küche. (J.F.)

Pfister Fritz Dr. Dkfm.

B.: Wirtschaftstreuhänder. DA.: 1190 Wien, Hackhoferg. 8. PA.: 1190 Wien, Hutweideng. 5/6. G.: Graz, 5. Febr. 1947. V.: Andrea, geb. Plank. Ki.: Patrick. El.: Ferdinand u. Maria. S.: HS, HAK Graz, HS f. Welthdl., 1969 Spons., 1970 Prom. K.: 4 J. INTERTRU, 3 J. Steuerberater Dr. P. Schillinger, ab 1977 selbst. als Steuerberater u. Wirtschaftstreuhänder. M.: VPräs. d. Wr. Amateurboxverb. H.: Reiten, Skifahren, Sammeln Werke mod. Maler. (A.K.)

Pfister Manfred Dr. Dkfm.

B.: Gschf. Ges. d. Pfister-Zillertaler Strickmoden GmbH. DA.: 6262 Schlitters 82a. G.: Innsbruck, 5. Dez. 1941. V.: Brigitte, geb. Stockhammer. Ki.: Martin (1974) u. Wolfglang (1976). El.: Josef u. Dora. BV.: Mütterlichers. s. 500 J. in Schlitters ansässig. S.: Hum. Gymn. d. Zisterzienser in Bregenz, HS f. Welthld. Wien, 1965 Dkfm., 1968 Dr. rer. comm. K.: 1968 Eintritt in d. elterl. Betrieb, 1972 Grdg. d. Zweigbetriebes in d. Stmk. (Peesen b. Weiz), 1980 Umwandl. in GmbH, s. 1983 Entwickl. d. Designs im eig. Haus, 1974-86 GemR., 1974-82 Obm. d. FVV. M.: Lions Club Schwaz (s. 1980 Präs.). H.: Sammeln zeitgenöss. Tiroler Kunst, Skifahren, Tennis, Bergsteigen. (M.W.)

Pfisterer-Schennach Eva Mag.

B.: Wirtschaftsred. d. ORF, Journalistin. DA.: ORf, 1136 Wien, Würzburgg. 30. PA.: 1190 Wien, Gugitzg. 11/12. G.: Linz, 21. Nov. 1952. V.: Stefan Schennach. Ki.: Philippe (1988). El.: Johann u. Katharina Pfisterer. S.: Naturwiss. RG, 1972 Matura, Stud. d. Vw. u. Soz. in Linz, Stud. d. Politikwiss. u. Publizistik in Sbg., Stud. d. Phil. in Berlin, Kissinger Leadership Seminar 1985 in Washington, 1988 in London u. 1992 in Bangkok, 1987 OECD-Stage in Paris. K.: 1979 freie Mitarb. d. Club-2-Sendung im ORF, seit 1986 Korr. f. Frankfurter Rundschau, Spiegel, Dt. Wirtschaftswoche, Option, EPN etc., 1980-81 wiss. Mitarb. in einem Architekturbüro f. eine Studie: Assanierung v. Stadtgebieten, 1981-87 Wirtschaftsred. d. Arbeiterzeitung, d. letzten drei J. Ltr. d. Wirtschaftsred. d. AZ, seit 1987 Wirtschaftsred. b. ORF f. d. Sendungen "Zeit im Bild" u. "Schilling". P.: Mitautorin div. wirtschaftspol. Bücher. M.: SPÖ. H.: Lesen, Schreiben, Theater, klass. Musik, Jazz. (M.B.)

Pflanitzer Georg

B.: Gschf. FN.: Symbol Technologies GmbH. DA.: 1040 Wien, Prinz-Eugen-Str. 70. PA.: 1210 Wien, Gerasdorfer Str. 55/72. G.: Wien, 20. Juli 1948. V.: Yvonne, geb. Baxter. Ki.: Michaela (1967), Andreas (1970). El.: Georg u. Irma, geb. Meier. S.: Großhdls.-Kfm. K.: seit 1968 Tätigkeit in d. EDV-Branche: Programmierung, Organ., Verkauf, seit 1982 Gschf. H.: Familie, Beruf. (N.A.)

Pflanzer Klaus Dr. med.

B.: Prim. am Röntgeninst. d. A.Ö. KH Stockerau. DA.: 2000 Stockerau, Landstr. 23. PA.: 2000 Stockerau, Lenaustr. 23. G.: Wien, 15. Juli 1943. Ki.: Michael (1967), Claudia (1969), Dieter (1983). El.: Dipl.-Ing. Rupert u. Erna. S.: 1961 RG-Matura Wien, Med.-Stud. Univ. Wien, 1970 Prom. K.: 1970-77 Ausbild. z. FA f. Radiologie am Zentralröntgeninst. d. KH d. Stadt Wien Lainz, 1977-80 OA, ab 1980 Prim. d. Röntgenabt. d. KH Stockerau u. eigene Ordination. BL.: seit 1988 Betreiber d. 1. mobilen Computer-Tomographen in Mitteleuropa, 1978 Pilotenausbild., 1982 Berufspilotenausbild. P.: zahlr. Veröff. in med. Fachzeitschriften. M.: ab 1984 Mtgl. d. Flugsportver. Stockerau, seit 1991 dessen Obm., Rotary Club Tulln. H.: Fliegen m. Sportmaschinen, Golf, Skifahren, Fotografieren. (M.M.)

Pflanzl Herbert Dr. iur.

B.: RA. DA.: 5020 Salzburg, Alpenstr. 54. PA.: 5023 Salzburg, Kühbergstr. 20A. G.: Großpesendorf, 29. Juli 1940. V.: Renate, geb. Jurak. Ki.: Thomas (1964), Peter (1969). El.: Johann u. Anna. S.: 1966 Matura, Stud. d. Rechtswiss. in Sbg., 1976 Prom. K.: 1960-65 Ausbild. z. Flugzeugelektriker in Hörsching, 1965-66 Verkäufer b. d. Fa. Brown-Boveri, 1966-76 vorerst Ausbild. u. anschl. Flugsicherungstechniker b. d. Flugsicherung am Flughafen Sbg., 1972-76 Stud. Rechtswiss., 1976-77 Verw.Jurist an d. Univ. Sbg., 1977-81 RA-Anw. b. RA Dr. Fritz Janetschek, 1980 RA-Prüf., seit 1982 selbst. RA u. anschl. Partnerschaft m. 3 Kollegen, seit 1985 Rechtskundler f. österr. Recht in Frankfurt. M.: Kulturver. Schloß Goldegg, Kunstver. Richard Wagner-Stiftung, VPräs. d. Ver. ganzheitl. Leben. H.: Kunst, Kultur, Bücher, Lesen, Skifahren, Tennis, Schwimmen. (M.B.)

Pflaum Hannes Dr. iur.

B.: RA. GT.: pers. haft. Ges. d. Fa. Tarbuk. DA.: 1010 Wien, Nibelungeng. 1. G.: Wien, 13. Mai 1942. V.: Traude, geb. Huber. Ki.: Stephanie (1971), Valerie (1976). El.: KommR. Peter u. Hansi. S.: 1960 Matura, Stud. d. Rechtswiss., 1964 Prom. K.: Gschf. d. Tochterges. eines amerikan. Konzerns, 1969-71 Stud. an d. Univ. of Chicago M.B.A., Gschf. d. Fa. Tarbuk b. 1975, Kauf einer Maschinenfbk., Gründer mehrerer Firmen, RA-Prüf., ab 1982 eigene RA-Kzl. m. Schwerpkt: Wirtschaftsrecht, Lehrbeauftr. an d. HS f. Angew. Kunst. F.: Falter Verlags GmbH, Polydecor Hdls. GmbH. H.: Sport, Kunstsammler insb. Attersee, Pichler u. Kocherscheidt. (J.S.)

Pflaum Johann Dr. OMedR.

B.: Gem.Arzt. A.: 1190 Wien, Kahlenberger Str. 22. G.: Mödling, 22. Jan. 1919. V.: Elisabeth, geb. Schübel-Auer. S.: RG, Univ. Wien. K.: 1942 Prom., 1947 Gem.Arzt in Guntramsdorf, seit 1970 KamR. d. Ärztekam. NÖ u. seit 1978 Fin.Ref. u. Obm. d. Sekt. d. prakt. Ärzte, seit Grdg. Obm. d. "Wirtschaftsorganisation d. Ärzte NÖ", Gründer u. Vors. d. "Ärztebedarf Ein- u. Verkaufs.Gen", 1982-84 1. VPräs. d. Ärztekam. v. NÖ, seit 1986 i.P. P.: Standespolit. Kurzreferate. E.: Kriegsausz. M.: Musikver. f. alte Musik, Fest- u. Osterfestspiele Sbg. H.: Musik.

Pflaum Werner Alexander

B.: Ltr. d. Skischule Badgastein, Fraktionsobm. d. ÖVP Badgastein. GT.: seit 1966 Gastwirt. DA. u. PA.: 5640 Badgastein, Stubnerkogelstr. 23. G.: Bludenz, 24. März 1945. V.: Gabriela, geb. Ellmer. Ki.: Petra (1969), Karin (1977). El.: Heinrich u. Barbara. BV.: Großonkel Karl-Heinrich Waggerl. S.: HASCH Zell/See, Hotelfachschule Hofgastein, b. 1964 Praxis in Frankreich, 1964 BH, 1965 Sprachstud. Universita per Stranleri Perugia/Italien. K.: 1969 staatl. Skilehrer, 1969-73 Stratton Mountain USA Supervisor, 1973-85 Skischulltr.-Stellv. in Badgastein, 1985 Übernahme d. Skischule Badgastein, 1973 staatl. Trainerprüf., ab 1973 Trainer d. Österr. Herrenabfahrts-Nationalmannschaft, 1974 staatl. Skiführerprüf., 1984 Gem.-Vertretung Badgastein, 1989 GemR., seit 1984 Fraktionsobm. ÖVP Badgastein, 1985 Wirtschaftsbundobm. Badgastein. P.: Gem.-Parteizeitung. M.: Fremdenverkehrsverb.-Aussch., Tennisclub (Obm.-Stellv.), Trachtenver. d'Hüttenkogler, Skiclub (Aussch.), Lawinenwarnkmsn., ÖSV-Kampfrichter, Kurkmsn. Badgastein, Vorst.-Mtgl. CSA (Club-Ski-Austria). H.: Tennis, Schwimmen, Jagd, Reisen, Lesen. (G.P.)

Pfleger Elfriede

B.: Opern- u. Konzertsängerin. A.: 5020 Salzburg, Getreideg. 42. G.: Salzburg, 28. Jan. 1933. S.: Grundschule, HS "Mozarteum", Stud. d. Kunstgesch.. K.: LTheater Sbg., Stadttheater Bonn, Stadttheater Münster, Opernhaus Zürich, städt. Bühnen Dortmund, Sbg. Festsp., Bregenzer Festsp., Madrider Festspiele, Weltreise m.d. Berliner Gast-spieloper, Gastspiele in Portland, Oregon, in Hannover, Braunschweig, Basel, Bern, Stuttgart, Lugano, Brüssel, Gent u.a. Städten, ständige Gastspiele beim "Fest in Hellbrunn" Sbg. F.: Antiquität. im Franziskanerkloster. H.: Sammeln v. Devotionalien.

Pfleger Erich

B.: Alleininh., Reisebürokfm. FN.: Pfleger Reisen. DA.: 3100 St. Pölten, Porschestr. 31. PA.: 3100 St. Pölten, Düranerg. 6. G.: Osan, 24. Sept. 1934. V.: Anna, geb. Wohlmuth. Ki.: Brigitte, Erika. El.: Johann u. Stefanie. S.: VS, HS, BRS, HASCH. K.: 1948-52 Lehre als Mechaniker in St. Pölten b. d. Fa. Grill, 1952-55 Lehre als Reisebürokfm. b. Reisebüro Zauninger in Wien, 1955-58 Reisebüroang. im Reisebüro Zauninger, 1958-61 Reisebüroang. im Reisebüro Göttler in Wien, seit 1962 selbst. m. d. Grdg. eines eigenen Reisebüros, vorerst d. Reisebüro Vienna Tours Erich Pfleger GmbH in Wien, 1968 Grdg. d. Reisebüro in St. Pölten, anschl. Erweiterung d. Fa. durch Grdg. v. 4 weiteren Filialen, seit 1970 Bez.Vertrauensobm. d. Busunternehmer v. Bez. St. Pölten, seit 1976 Fachgruppenvorst.Stellv. f. NÖ, seit 1980 Arbeitgebervertreter b. d. Gebietskrankenkasse. M.: FSV, versch. Fachver. H.: Reisen. (M.B.)

Pfleger Franz

B.: Dir. FN.: HS Bad Waltersdorf. DA.: 8271 Bad Waltersdorf 185. PA.: 8271 Bad Waltersdorf 231. G. .Vorau, 27. Nov. 1941. V.: Maria, geb. Montenari. KI.: Andreas Franz (1965). EL.: Franz u. Theresia. S.: Bischöfl. Knabenseminar in Graz, Matura 1959, 1960-61 Abi Kurs an LBA Graz. K.: 1961-65 VS Lehrer in Vorau, 1965-71 VS Dir. in Waldbach, 1974-91 HS Lehrer in Bad Waltersdorf, s. 1991 Dir. d. HS Bad Waltersdorf. M.: Stv. Einsatzltr. d. Stmk. Berg u. Naturwacht. H.: Reisen, Wandern, Garten, Lesen. (I.G.)

Pfleger Johannes Dr. iur. Mag.

B.: Gschf. FN.: Geschützte Werkstätte St. Pölten GmbH. DA.: 3106 St. Pölten, Hnilickastr. 20-22. PA.: 3100 St. Pölten, Mozartstr. 2. G.: Wien, 5. Juli 1943. V.: Brigitta, geb.

Dersch. Ki.: Claus-Michael (1967), Bernhard (1973), Alice (1973). El.: Franz u. Helene. BV.: Vater Franz Salmhofer (1900-75) österr. Komponist u. Dirigent, 1945-55 Dir. d. Wr. Staatsoper, 1955-63 Dir. d. Wr. Volksoper, Opern: 1935 "Dame im Traum", "Ivan Tarassenko", 1970 "Dreikönig" u.a. S.: VS, BRG, 1961 Matura, Stud. Rechts- u. Staatswiss. Univ. Wien, 1967 Prom. z. Dr. iur. K.: 1966-67 Gerichtspraxis am BG u. KG St. Pölten, 1967-68 Konzeptsbmtr. in d. Bundespolizeidion. Wien, 1968-72 Konzeptsbmtr. in d. Bundespolizeidion. St. Pölten, seit 1973 Ang. am Mag. St. Pölten als Verw.-Jurist, seit 1981 zusätzl. Gschf. d. Geschützten Werkstätten St. Pölten. P.: 1976-82 Lehrbeauftragter an div. Med. Schulen: Sanitäts-, Arbeits- u. Sozialrecht. M.: NÖ Jurist. Ges., WdF, Freier Wirtschaftsverb., SPÖ, Volkshilfe, Funktionär d. ASBÖ, Mtgl. b. div. St. Pöltener Sportver. H.: Tennis, Skifahren, Musik, Lesen. (M.M.)

Pfleger Josef Dr. nat. techn. Dipl.-Ing.

B.: Ziviltechniker (Ing.Kons. f. Vermessungswesen). A.: 1230 Wien, Ryserg. 52. G.: Wien, 4. Mai 1944. V.: Christine, geb. Hermann. El.: Josef u. Helene. S.: VS, BRealschule, Stud. an d. TH Wien: Fak. Naturwiss., Studienrichtung Vermessungswesen, Abschluß m. Diplom. K.: 1. Lehre u. Forsch.: Univ.Ass. an d. Univ. f. Bdk., Inst. f. Vermess.-Wesen u. Fernerkundung (1980-83 OAss.), Lehr- u. Prüf.-Tätigkeit auf d. Gebiet d. Geodäsie u. Photogrammetrie, Wiss. Tätigk. auf d. Gebiet d. Ing.Geodäsie (Dissert. 1978, Publ.) sowie Beschäftigung m. d. Möglichk. d. Koordinat. u. Verbess. bestehender Informations- u. Planungsunterl. auf d. Basis moderner EDV-Syst. (Publ.), Kursleitertätigkeiten: Ltr. d. 2-jährigen WIFI-Kurses f. Vermess.Techniker (1975-77)., Ltr. d. 3-jährigen, v. WIFI u. d. Ing.Kam. f. Wien, NÖ u. Bgld. veranstalteten, Vermessungshilfstechnikerkurses am WIFI-Wien, 2. Wirtschaft u. Praxis: Ziviltechnikerprüf. z. Erlangung d. Befugnis eines Ing.-Konsulenten f. Vermessungswesen (1976), Erlangung d. Befugnis eines Ing.-Kons. f. Vermessungswesen (Febr. 1982). F.: Eigene Fa: Vermess.-Kzl., 1230 Wien, Endresstr. 121/2. P.: Einsatz elektrooptischer Entfernungsmesser im Forstw., Anwendung statistischer Methoden b. Fehleruntersuchungen an Bohrpfahlwänden, Interpretation d. Raumlageabweichungen v. Bohrpfahlwänden unter Anw. statistischer Verf., Erster Entwurf eines Informationsystems als Hilfe z. Strukturplanung im ländl. Raum, Ein Informationssystem als Hilfe z. Strukturplanung im ländl. Raum. E.: Verleihungsurkunde als Lt. d. Res. M.: Ing.Kam., Österr. Ver. f. Vermessungswesen u. Photogrammetrie. H.: Sport, Theater (Kabarett), Lesen.

Pfleger Karl Dr. phil. Mag. pharm. HofR. Dir.

B.: Dir. d. BAnst. f. Chem. u. Pharmazeut. Untersuchungen. DA.: 1090 Wien, Zimmermanng. 3. PA.: 2351 Wr. Neudorf, Bründlg. 21. G.: Mödling, 15. Juni 1947. V.: Sylvia, geb. Skalnik. Ki.: Carl-Philip (1983), Marc-Patrick (1990). El.: Karl u. Elisabeth, geb. Hommen. S.: 1965-71 Stud. d. Pharmazie Univ. Wien m. Spons. z. Mag. pharm., 1971-74 Stud. d. Pharm. Chemie, Prom. z. Dr. phil. K.: ab 1971 Univ.Ass. an d. Univ. Wien, seit 1977 Tätigkeit im Gesundheitsmin. als Gutachter im Laboratorium d. Arzneibuchkmsn., ab 1987 Dir. d. BAnst. f. Chem. u. Pharmazeut. Untersuchungen. P.: 1975-77 Synthese v. potentiellen Antihistamenisch wirksamen Arzneimitteln, Synthese d. Evoninsäure. M.: EuropaR. in Strasburg, Redaktionskonferenz f. d. deutschsprachige Ausgabe d. europ. Arzneibuches. H.: Tennis, Skifahren. (N.A.)

Pfleger Karl Ing.

B.: Bmstr. FN.: Bauunternehmung Pfleger GmbH. GT.: gerichtl. beeid. Sachv. DA. u. PA.: 8530 Deutschlandsberg, Glashüttenstr. 6. G.: Deutschlandsberg, 27. Nov. 1923. V.: Charlotte, geb. Sloberne. Ki.: Dipl.-Ing. Kurt. El.: Dipl.-Ing. Karl u. Maria. BV.: Großvater Bmstr. Carl Pfleger, 1924-28 Bgm., Urgroßvater Bau- u. Zimmermstr. Josef Pfleger, Grdg. d. Fa. 1870 m. Sitz in Deutschlandsberg. S.: VS, HS, Realschule, Staatsbauschule, 5 Sem. TU. K.: 1949 Eintritt als Bautechniker, 1952 Bmstr.Prüf., Einzelunternehmer, ab 1977 Hauptteilhaber, 1947-58 Berufsschullehrer. F.: 70% Bauunternehmung Pfleger GmbH, 75% D.P.B. GmbH Personalbereitstellung, 25% Planungsbüro "Team", Tennishallen GmbH, Golfplatz GmbH. M.: Bmstr.Verb., Bauinnung, Tennisver., Sportclub, Golfclub, ÖAV, Lions-Club. H.: Sport.

Pfleger Roland Dr.

B.: Wirtschaftsprüfer u. Steuerberater. DA.: 1060 Wien, Mariahilferstr. 27. PA.: 1210 Wien, Wenhartg. 3/2/1. G.: Wien, 5. Okt. 1952. Ki.: Dagmar 1984, christian 1985, Martin 1986. El.: Dkfm Roland u. Dkfm Christine, geb. Lohse. S.: BRG 21, 1970 Matura, 1970-71 BH, Stahschutzausb. i. Seibersdorf, 1971-76 d. Rechtswiss. u. BWL a. d. Univ. u. an der WU Wien, 1978 Prom. K.: 1978 eintritt i. d. väterliche Kanzlei, 1985 Steuerberater u. Gründung gemeinsam m. d. Vater einer KG, 1991 wirtschaftsprüfer, nach dem Tod des Vaters Auflösung der KG u. weitere Alleinführung. M.: Mitgründung u. Miteinführung v. Rock´n-Roll in Österr., Unterrichtstätigkeit in einem Tanz - Süport - Club, 1979-85 Internat. anerkannter Wertungsrichter, s. Mitelschulzeit bei d. MKV, KÖSTV Kreuzenstein, überzeugter u. überzeugter u. aktiver Katholik. H.: Reisen, Lesen, Radfahren, Wandern, Bergsteigen. (F.S.)

Pfleger Walter

B.: gschf. Ges. DA.: 8940 Liezen-Weissenbach, Bundesstraße. PA.: 8940 Liezen-Weissenbach, Am Grafenegg. G.: Radstadt, 9. März 1948. V.: Hilde, geb. Ilsinger. Ki.: Thomas. El.: Kurt u. Theresia. BV.: Urgroßvater mütterlicherseits Erstbesteiger d. Dachsteinsüdwand. S.: VS, HS, Berufschule, Kfz-Werkzeugfachschule, Betriebsltr. Schule (Calv, BRD). K.: 4 J. in d. Schweiz tätig, danach in elterl. Betrieb in Schladming beschäftigt, 1976 Hauptbetrieb nach Weissenbach verlegt, seit 1981 gschf. Ges. d. Autohauses Pfleger. BL.: Nixdorf-Pilot-Händler f. Kfz.-EDV-Paket. M.: Mtgl. d. Wirtschaftsbundes. H.: Ski, Surfen. (R.A.)

Pfleger Franz sen.

B.: Bäckermstr. i.R. FN.: Bäckerei Franz Pfleger KG. DA. u. PA.: 8102 Semriach, Hauptpl. 54. G.: Semriach, 18. Mai 1930. V.: Gertrude, geb. Plank. KI.: Gerald (1962), Martin (1964), Gudrun (1966), Franz (1967), Michael (1973). El.: August u. Amalie. S.: VS, Mittelschule, HS, Elektrikerlehre, 1947 Abschluß, Bäckerlehre im elterl. Betrieb, 1951 Abschluß, 1954 Bäckermstr.-Prüf., 3 J. Konditorlehre. K.: 1962 Übernahme d. elterl. Betriebes, seit 1989 in Pension. BL.: eigenes Rezept einer Spezialiät "Semriacher Bauernbrot". E.: 1973 Ehrenurkunde d. Fremdenverkehrsver. Semriach. M.: 1964-74 Fremdenverkehrsobm., GemR., seit 1968 Vorst.-Mtgl. d. örtl. Raika, Semriacher Jagdges. H.: Jagd, Bergsteigen. (I.G.)

Pflegerl Helmut Dr.

B.: Arzt. A.: 9814 Mühldorf im Mölltal 149. G.: Klagenfurt, 28. Juli 1916. V.: Katharina, geb. Lyba. El.: Franz u. Josefine. S.: VS, Mittelschule, HS. K.: Truppenarzt im Krieg, dann prakt. Arzt. P.: Arbeiten: Die zukünftige Gesellschaftsordnung "d. dreigliedrige Staat". M.: Anthroposoph. Ges. H.: Mineralogie, Bergsteigen.

Pfleiderer Jörg
Dr. rer. nat. Dipl.Phys. .Univ.-Prof.
B.: Vorst. d. Inst. f. Astronomie an d. Univ. Innsbruck. DA.: 6020 Innsbruck, Technikerstr. 25. PA.: 6020 Innsbruck, Landseestr. 3a. G.: Wyk/Insel Föhr/BRD, 17. Aug. 1931. V.: Dr. Mircea, geb. Gruber, 2 Kinder. El.: Prof. Heinrich u. Dr. med. Ilse, geb. Riemerschmid. BV.: Richard Riemerschmied Arch., bed. Vertreter d. Jugendstils München, Dr. Alfred Pfleiderer homöopath. Arzt in Ulm. S.: Gymn., Stud. Physik in Kiel u. Tübingen, Astronomiestud. in Tübingen. K.: Arb. an d. europ. Süd-Sternwarte in Südafrika (ESO), Ass. in Tübingen, 9 J. Ass. in Bonn am Inst. f. Astrophysik, mehrfach Arb. in Südafrika u. USA, seit 1974 o.Univ.-Prof. u. Vorst. d. Inst. f. Astronomie an d. Univ. Innsbruck. P.: ca. 120 Art. in Fachzeitschriften, 2 Bücher über Astronomie: "Ursprung", "Zukunft d. Weltalls". M.: korresp. Mtgl. d. Österr. Akademie d. Wiss., Mtgl. d. intern. astronom. Union, Mtgl. d. amerikan. astronom. Union. H.: aktiver Musiker. (W.G.)

Pfligersdorffer Georg Dr. o.Univ.-Prof.
B.: em. o.Univ.-Prof. f. Klass. Philol. d. Univ. Sbg. PA.: 5020 Salzburg, Akademiestr. 15. G.: Wr. Neustadt, 12. Juni 1916. V.: Maria, geb. Riegler. Ki.: Prof. Mag. Peter, Univ.-Doz. Dr. Georg, Irene. El.: Prof. Georg u. Anna. S.: Hum. Gymn., Matura 1935, Stud. Univ. Wien Semitische u. Klass. Philol., 1939 Mag. et Dr. phil. K.: Gymnasiallehrer f. Latein, Griechisch u. Deutsch, 1951 österr. Mitarb. am Thesaurus Linguae Latinae in München, 1956 Habil. Univ. München, 1960 planm. a.o.Prof. Univ. München, 1964 Gastprof., 1965 o.Univ.-Prof. Univ. Sbg., 1977-86 Präs. Intern. Forsch.-Zentrum f. Grundfragen d. Wiss., 1986 em. P.: "Studien zu Poseidonios" (1959), "Politik u. Muße" (1968), "Der Böhmerwald in Schilderungen d. Stifterzeit" (1977), "Und nur d. Wandern ist mein Ziel", Aus den griech. Reisebildern d. Gfn Prokesch v. Osten (1978), "Zweierlei Troja" (1985), "Die Böhmerwaldzeichnungen v. Ferdinand v. Hochstetter" (1986), "Augustino Praeceptori. Gesamm. Aufs. zu Augustinus" (1987), Hrsg. "Blickpunkte phil. Anthrop." (1983), Mithrsg. "Christl. Philosophie im kathol. Denken d. 19. u. 20. Jhdt." (1-3 1987/90), zahlr. Beiträge in in- u. ausländ. Zeitschriften, Sammelwerken u. Festschriften. M.: Korr. Mtgl. Ak. d. Wiss. Göttingen, Gründer u. Vors. d. Ver. d. Freunde Griechenlands u. d. hum. Bild. E.: "Symmicta Philol. Salisburg. G.P. Sexagen. oblata" (1980), Komturkreuz d. Gregorius-Ordens, Österr. EK f. Wiss. u. Kunst I. Kl., Gold. EZ d. Landes Sbg. H.: Wandern, Klaviermusik (Foed.).

von Pflug Albrecht
B.: Gschf.u. Vorst.-Vors. d. N-U-R Neckermann Reisen AG. DA.: 1040 Wien, Theresianumg. 7. G.: Danzig, 6. März 1930. V.: Monika, geb. Terwesten. Ki.: Nikolas (1960), Caroline (1970). S.: 1948 Matura, 1948-49 Sprachschule in England, 1949 Hotelfachschule Bad Wiessee/BRD. K.: Auslandsaufenthalt in d. Schweiz, 1960-61 Pacht zweier Hotels (Staffelseehotel u. Grande in Marbella), 1961-70 Gen.Manager in Spanien v. Hotelplan m. Einsatz in Mexiko, Ceylon, Kenia, u. Fernost, ab 1971 zu Neckermann in d. BRD, Ltg. d. Reiseltr., 1971-80 Prokura f. d. Spanienbereich, 1981-86 Geschäftsltg. d. span. Beteiligungsges. "Iberjet", ab 1986 in Wien, Gschf. d. N-U-R Neckermann Reisen Österr., seit 1991 Erweiterung d. Geschäftsbereiches auf Ungarn, Tschechien u. Slowakei. BL.: Jachtschein, Sportbootführerschein. E.: Goldmed. f. Verd. um d. Tourismus in Spanien, Rechtsritter d. Johanniterordens. H.: Skifahren, Segeln, Surfen, Golf, Reiten, Tennis, Tanzen, Garten. (J.S.)

Pflüger Gerald
Dr. med. univ. Prim. Univ.-Prof. Dir.
B.: FA f. Orthopädie u. orthopäd. Chir., ärztl. Dir. d. Ev. KH Wien-Währing, Vorst. d. orthopäd. Abt. d. Ev. KH. DA.: 1180 Wien, Hans-Sachs-G. 10-12; 1180 Wien, Colloredog. 21. G.: 1. Apr. 1944. V.: Karin, geb. Kauth. El.: Prim. Dr. Walter u. Dr. Käthe. S.: 1963 Matura, Med.-Stud. Univ. Wien, 1970 Prom. K.: 1971-72 Ass.-Arzt II. Chir. Klinik, 1973-84 Ass.-Arzt bzw. OA orthopäd. Univ-Klinik Wien, 1977 FA f. Orthopädie u. orthopäd. Chir., 1980 Habil., 1984-87 Ltg. d. Primariates f. Orthopädie Sanatorium Hera, 1984 a.o.Univ.-Prof., 1988 Übernahme d. Primariates f. Orthopädie u. orthopäd. Chir. am Ev. KH Wien-Währing. P.: 102 orthopd. u. chir.-orthopäd. Arb. in wiss. Zeitschriften u. Büchern. M.: Österr. Ges. f. Orthopädie u. orthopäd. Chir., DGOT, SICOT, European Hip Society Sheffield/UK, ESSKA, Arge f. Osteosynthesefragen, Verb. österr. Sportärzte. (J.S.)

Pflüger Heinz Dr. med. univ. Prim. Univ.-Prof.
B.: FA f. Urologie, Vorst. d. Urolog. Abt. d. KH Lainz. DA.: 1130 Wien, Wolkersbergenstr. 1. G.: Wien, 11. Okt. 1947. El.: Prim. Dr. Walter u. Dr. Käthe. BV.: Prof. Dr. Philipp Erlacher. S.: 1965 Matura, Med.Stud. Univ. Wien, 1971 Prom. K.: Path. b. Univ.-Prof. Dr. W. Zischka-Konorsa Poliklinik Wien, Chir. 1. Chir. Univ.Klinik Wien, Urologie Urolog. Univ.Klinik Wien, seit 1979 FA f. Urologie, 1983 Habil., 1985-91 Prim. u. Vorst. d. Urolog. Abt. d. KH St. Pölten, seit 1991 Vorst. d. Urolog. Abt. d. KH Lainz. P.: 70 chir.-urolog. Arb. in wiss. Zeitschriften u. Büchern: "Grundlagenforschung über d. Nierenkonservierung u. Harnsteinforschung", Arb. über endoskop., chir. Techniken (Gewebeklebungen), Art. über neue laparoskopische OP Technik, Art. über Blasenersatz b. d. Frau. BL.: 1982 Programmgestaltung d. Europ. Urologenkongresses in Wien, 1985 Programmgestaltung d. Intern. Urologenkongresses in Wien. M.: Österr. Ges. f. Urologie, Dt. Ges. f. Urologie, Intern. Ges. f. Urologie, American Urology Ass. (J.S.)

Pfneisl Hans Peter Dr. iur.
B.: AlleinVorst. FN.: LAMBACHER HITIAG LEINEN AG. DA.: 3381 Neuda. PA.: 3381 Neuda 15. G.: Wien, 7. Aug. 1941. S.: Mittelschule, HTL f. Textilind. Wien, Univ. Wien, 1965 Prom. Dr. iur., Konzipiententätigkeit in Wien. K.: 1986 Vorst. Dir. bei Lambacher Hitiag Leinen AG, Vizepräs. d. Fachverb. d. Textilind.,Vors. d. AArbeitgeberaussch. d. Textilind., Mtgl.: Vorst. im Flachs- u. Leinenforum, VPräs. CILC (Confederation Intern. du Lin et du Chanvre), Vorst. d. Verb. d. Bastfaserind. Textilverb., Mtgl. Industriellenver., Mtgl. HK NÖ, Mtgl. Wr. Park-Club, Mtgl. Golf-Club Linz. H.: Golf, Skifahren, Tennis.

Pfniß Gerhard Dr.
B.: FA f. Innere Med. u. Kardiologie. DA. u. PA.: 8010 Graz, Mandellstr. 16. G.: Graz, 17. Febr. 1954. V.: Dr. Elisabeth, geb. Juritsch. Ki.: Claudia (1984), Isabella (1990). El.: HofR. Dr. Aladar u. Mag. pharm. Ingrid, geb. Brauner. S.: 1972 Matura, Med.-Stud. Univ. Graz, 1979 Prom. K.: 1979 Ass. Med. Univ.-Klinik Graz, Ausbild. z. FA f. Innere Med. u. Kardiologie Univ.-Klinik Graz, 1986 OA, seit 1990 selbst. Praxis. H.: Med., Lesen, Tennis, Familie. (E.H.)

Pfohl Friedrich Dr.
PA.: 8010 Graz, Laimburgg. 19. M.: Theateraussch. Vereinigte Bühnen Graz, AufsR. d. Brockenstein G. & Sohn AG Wien u. d. Grazer Wechselseitige Vers. Graz.

Pfohl Gerhard Dr. Prof.
B.: Univ.-Prof. A.: 6020 Innsbruck, Innrain 52. G.: Markt Eisenstein, 16. Febr. 1929. V.: Alma, geb. Linder. El.: Alois u. Elisabeth. S.: Hum. Gymn. d. Benediktinerabtei Metten, Univ.-Stud. in Regensburg u. Erlangen (Klass. u. Germanisch

Philol., Archäologie, Phil), Stipendiat in Dänemark u. Italien, Staatsexamina 1952, Dr. phil. - Erlangen 1953, Habil. Innsbruck 1967. K.: b. 1972 Prof. am Neuen Gymn. Nürnberg, Studien- u. Gymn.Prof. a.D., Lehrbeauftragter d. Univ. Erlangen-Nürnberg f. Epigraphik v. 1965-76, 1969-76 Ltr. d. Abt. f. medhistorische Epigraphik an d. Univ. Erlangen, 1973 Prof. d. TU München (Vorst. d. Inst. f. Geschichte d. Med. u. Med. Soz.), 1967 Univ.Doz. d. Univ. Innsbruck, 1974 Berufstitel a.o.Prof. f. griech. Epigraphik im Rahmen d. Klass. Philol. P.: "Bibliographie d. griechischen Vers.-Inschriften", "Die inschriftl. Überlieferung d. Griechen" uva. E.: Preis d. Stadt Nürnberg f. bes. Leistungen in d. Wiss., Kardinal Innitzer-Preis, Wien, Ritter d. Päpstl. Orden v. Heiligen Grab zu Jerusalem, Komturkreuz. M.: Association d. Etudes Grecques, Paris, Innsbrucker Ges. z. Pflege d. Geisteswiss.

Pfrimer Helmut Dipl.-Ing. KommR.

B.: Weingroßhändler. A.: 8010 Graz, Merang. 77. G.: Graz, 8. März 1925. V.: Christl, geb. Martin. El.: Erich u. Margit. S.: Mittelschule, TU, Obst- u. Weinbauschulen Klosterneuburg b. Wien, Geisenheim am Rhein, Dipl.-Ing. Techn. Chemie. K.: gschf. Ges. F.: Kompl. d. Fa. G. Pfrimer. E.: Bürger d. Stadt Graz, Gold. EZ d. Landes Stmk., Gr. EZ d. Dt. HK in Österr. M.: Vw Aussch.Mtgl. d. Stmk. Bank GmbH Graz, LVors. f. Stmk. d. Dt. HK in Österr., in versch. Aussch.: Kam. d. gewerbl. Wirtschaft, Wein-Inst., Weinwirtschaftfond, Kremser Messe, Weinkost Kmsn.

Pfundner Fritz

B.: Kfm., Gschf. FN.: PCS Pfundner Computersysteme GmbH. DA.: 1210 Wien, Heinrich-von-Buol-G. 6. G.: Mistelbach, 27. Feb. 1949. V.: Margaretha, geb. Kölbl. Ki.: Dietmar (1969), Thomas (1972), Martin (1979), Michael (1984). El.: Fritz u. Elfriede. S.: VS, Gymn., 1968 Matura, TH Wien. K.: b. 1973 Bankang., b. 1975 Kursltr. Philips Data, 1976 Grdg. Firma Pfundner, 1985 Grdg. PCS. BL.: Segelschein A, Inh. v. Patenten, Segelregatta 20 Jollenkreuzer. M.: ÖVV, Yachtclub Donau. H.: Auto, Segeln, Tennis, Skifahren. (W.M.)

Pfundner Martin

B.: Dir. f. Öffentlichkeitsarb. u. Gschf. FN.: General Motors Austria GmbH (1994 in Opel Austria GmbH unbenannt) u. AC Delco Systems Austria GmbH (vormals Rochester). DA.: 1220 Wien, Groß-Enzersdorfer Str. 59. PA.: 1100 Wien, Senefelderg. 70. G.: Wien, 2. Aug. 1930. V.: Maria Elisabeth, geb. Matic v. Dravodol. El.: Dipl.-Ing. Josef u. Prof. Margarete. S.: RG, 1948 Matura, Stud. an TU Wien Chemie, Univ. Cambridge. K.: 1956-70 in d. väterl. Glockengießerei tätig, 1964-75 Hrsg. d. Autorevue. BL.: Teilnahme an Auto-Rallyes, 1957 Organisator u. Rennltr. d. 1. Flugplatzrennens Wien-Aspern, 1959-64 Rennltr. Flugplatzrennen Zeltweg b. z. Formel 1-WM-Lauf, 1959-79 Dir. b. British Leyland Austria Sbg., seit 1984 General Motors Austria GmbH u. AC Rochester Austria GmbH. P.: seit 1970 Chefred. Auto-Jahr Lausanne, zahlr. Art. in in- u. ausländ. Zeitungen. E.: Gr. EZ. f. Verd. um d. Rep. Österr., Silb. EZ f. Verd. um d. Land Wien. M.: 1965-73 Vorst.Mtgl. d. ÖAMTC, stellv. Vors. d. Obersten Nat. Sportkmsn., Vorst.Mtgl. Fédération Intern. de l'Automobile, Paris, VPräs. d. Commission Sportive Intern., Paris, Ehrenmtgl. d. Stmk. Motorsportclubs Knittelfeld, Mtgl. d. Ver. Österr. Industrieller (Vors. d. Aussch. Verkehr u. Wirtsch.), d. Jockey Clubs, d. St. Johanns Clubs u. d. Techniker-Cercles, seit 1985 stellv. Vors. d. Österr. Automobilimporteure. H.: Inh. d. Glockensammlung Pfundner, Zigarren, Geschichte, Politik. (M.G.)

Pfungen Wolfgang Dr. iur.

B.: Präs. d. Finanzlandesdion. f. Stmk. DA.: 8018 Graz, Conrad-v.-Hötzendorf-Str. 14-18. G.: Salzburg, 4. Nov. 1941. V.: Lorli, geb. Ochsenfeld. Ki.: Patricia (1972). El.: Dipl.-Ing. Johannes u. Irmgard, geb. Pungs. BV.: Dr. Josef Steiner v. Pfungen "Protomedicus v. Mähren". S.: Mittelschule Kollegium Kalksburg Wien, 1960 Matura, 1960-61 BH, 1961-62 Abiturientenkurs an d. HAK, 1963-68 Stud. Jur. Fak. Univ. Wien u. Graz, 1967 u. 1968 Gerichtspraxis an d. Gerichten in Graz, 1968 Prom. Dr. iur. K.: 1969 Eintritt Finanzverw., 1971 Dienstprüf. u. Großbetriebsprüfer, 1979-85 Ltg. d. Gruppe z. Prüf. ausländ. Unternehmungen, 1980 u. 1981 zbV-Prüfer, 1982-88 Gruppenltr. d. Großbetriebsprüf. Graz, 1988 Ltr. d. Prüf.-Insp. im Steuerlandesinspektorat d. Finanzlandesdion. f. Stmk., 1990 Dienstzuteilung an d. BMF u. Stellv. d. Steuerlandesinsp., 1991 Präs. E.: 1986 Gold. EZ f. Verd. um d. Rep. Österr., ehrenamtl. Kurator d. Fürst-Dietrichstein-Stiftung Graz. H.: Golf. (P.M.)

Pfurtscheller Gert Dipl.-Ing. Dr. Univ.-Prof.

B.: a.o. Univ.-Prof. am Institut f. Elektro- u. biomed. Technik, Abt. f. Computertechnik. DA.: 8010 Graz, Inffeldg. 18. PA.: 8042 Graz, St. Peter Hauptstr. 29d. G.: Kitzbühel, 15. Aug. 1939. V.: Dr. med. Berta, geb. Ludewig. Ki.: Jörg (1970), Klaus (1972). S.: 1958 Matura, 1958-64 Stud. Elektrotechnik TU Graz, 1966 Prom. z. Dr. techn. TU Graz. K.: 1969/70 Forschungsaufenth. am I. Physiol. Inst. d. Univ. Erlangen (Humboldt-Stip.), 1971 Theodor-Körner-Preis f. d. Untersuchung elektr. Hirnfunktionen, 1972 Habil. auf d. Geb. d. Elektrophysiologie, 1972/73 Forschungsaufenth. am Burden Neurological Institute Bristol/Engl., 1977 Ern. z. a.o. Univ.-Prof. f. Informationsphysiol. unter bes. Berücksichtigung d. Rechneranwendung am Inst. f. Elektro- u. biomed. Technik d. TU Graz, 1982 Bestellung z. Ltr. d. Abt. f. Computertechnik am Inst. f. Elektro- u. biomed. Technik d. TU Graz, 1971-85 Projekt-Ltr. v. 14 Forschungsprojekten, 1987 Ltr. d. L. Boltzmann Forschungsinst. med. Informatik u. Neuroinformatik, 1986 Gastprof. in Kanada (Univ. of British Columbia in Vancouver), 1991 Gastprof. Univ. of Ape Town in Südafrika. P.: ca. 200 wiss. Arbeiten u. 3 Bücher. H.: Tennis, Schifahren, Wandern. (F.K.)

Pfusterschmid-Hardtenstein Heinrich Dr.

B.: Botschafter i.R., Präs. d. Österr. College (Europ. Forum Alpbach), Präs. d. Finn.-Österr. Ges., VPräs. d. Sozialwiss. Arge. DA.: 1010 Wien, Reichsratstr. 17. G.: 16. Jän. 1927. V.: Florentine. El.: Nikolaus u. Leopoldine. S.: 1954-55 Stud. Univ. California Berkeley, Rechtspraxis, 1945 Wehrdienst, 1949 Dr. iur. K.: Gerichts- u. Anw.-Praxis, 1952-54 Österr. Sekr. d. Europ. Jugendcampagne, 1956-92 Österr. Diplomat. Dienst, 1960-67 stellv. Delegationsltr. b. d. Hohen Behörde d. EGKS u. Geschäftsträger bei d. luxemburg. Rg., 1967-71 Ltr. d. Abt. f. wirtschaftl. Integration im BMAA, 1971-78 Botschafter in Finnland u. Delegationsltr. b. d. Vorgesprächen z. KSZE, 1978-86 Dir. d. Diplomat. Ak. Wien, 1986-92 Österr. Botschafter in d. Niederlanden, seit 1992 im Ruhestand, seit März 1992 Präs. d. Österr. College u. Club Alpbach f. Europ. Kultur Intern. E.: GV, GrOffK d. lux. OdEK, GrK d. finnl. LO, GrK d. ndrl. OvON. (J.E.)

Philipp Gunther (Gunther Placheta)

B.: Arzt, Schauspieler, Autor. A.: p.A. Gisela Kirchberg-Placheta, D-50858 Köln, Hölderlinstr. 79. G.: Maroshéviz (Rumänien), 8. Juni 1918. V.: Gisela, geb. Kirchberg. Ki.: Prof. Dr. med. Peter (1943), Alexander (1967), Gero (1983).

El.: Dr. med. vet. Hugo P. u. Therese, geb. Raminger. BV.: Großvater Hugo Soukop: Chefkoch am Hof v. Kaiser Franz Josef. S.: Matura, Stud. an d. Univ. Wien, 7 Sem. Phil. m. Hauptf. Psychol., Prom. 1943, Absolvent d. HS f. Musik u. darst. Kunst (Max Reinhardt Seminar). K.: Militärarzt in Rußland 1942-43, b. 1945 Spitalsarzt Rudolfsspital, 1945 amerik. Kriegsgefangenschaft, 1946 Gemeindearzt in OÖ, 1946-50 Univ.Klinik f. Neurol. u. Psychiatrie, 1948 Grdg. d. Kabaretttruppe "Die kleinen Vier" in Wien, 1950 Film-Drehbuchautor (21 Drehbücher), 147 Filme als Hauptdarsteller u.a.: 1. Film "Kleine Schwindel am Wolfgangsee" (Hauptautor u. Regie: F. Antel), Serie d. Kaiserfilme, "Unsere tollen Tanten", 15 Filme m. Peter Alexander, 1965 zum Theater, Auftritte in München, Köln, Düsseldorf, Stuttgart, Frankfurt sowie Zürich u. Basel. BL.: 5mal Rekord im 100m-Brustschwimmen, 1937-39 Schnellster in d. Europa-Jahresliste, 2. in d. Weltrangliste (0,4 sec. v. Weltrekord). P.: 4 J. Kolumnist b. einer Tageszeitung "Es hat mir immer Spaß gemacht" (Erinnerungen). El.: Gold. EZ d. Stadt Wien. M.: Verb. d. ndlg. Ärzte Deutschlands. H.: Lesen (med. Literatur), Schwimmen.

Philipp Helga Mag. art. Prof.

B.: Prof. f. Gestaltungslehre an d. HS f. angew. Kunst. GT.: Künstlerin. DA.: 1019 Wien, Oskar-Kokoschka-Pl. 2, 2630 Ternitz, M.-Welzl-G. 9. PA.: 1040 Wien, Johann-Strauß-G. 45/12. G.: Wien, 2. Juni 1939. Ki.: Olga (1964). El.: Anton u. Margarethe, geb. Angermann. S.: Dipl. f. Bildhauerei an d. Ak. f. angew. Kunst 1962. K.: seit 1965 Lehrtätigkeit an d. HS f. angew. Kunst, seit 1965 Einzelausstellungen u. Ausstellungsbeteiligungen u.a. Galerie nächst St. Stephan, Neue Tendenzen Zagreb, Forum Stadtpark u. Neue Galerie in Graz. E.: Geist u. Form Tagenten 70 in Wien, Innsbruck: Österr. Grafikwettbewerb. M.: Gründerin u. Präs. d. Kunstver. Hansen-Villa. (N.A.)

Philipp Johann General

B.: Headquarter UNFICYP/UN Zypern, 1969-72 Taktiklehrer an d, Theresian. Militärak., 1972-74 stellv. Kdt. an d. Theresian. Militärak., 1974-79 Kdt. d. UN-Truppen im Nahen Osten/UNDOF Golan, ab 1979 Landesverteidigungsak. Wien, Projektltr. koordinierte Offz.Ausbild., ab 1980 Kdt. d. Theresian. Militärak., ab 1984 Armeekdt. E.: GrGE, GrE, SM, BHDZ 1, 2, 3, BHM, UNM.

Philipp Karl Dr. Univ.-Prof.

B.: Vorst. d. Gynäkolog. u. Geburtshilfl. Abt. d. Donauspitals im so.-med. Zentrum Ost. DA.: 1220 Wien, Langobardenstr. 122. PA.: 1060 Wien, Mollardg. 34. G.: Wiesmath, 6. Nov. 1946. V.: Dr. med. Gurlit, geb. Arns. Ki.: Barbara (1970), Cordula (1973). El.: Dr. Karl u. Brunhilde, geb. Fuschlberger. S.: 1964 Matura Wr. Neustadt, 1964-70 Med.-Stud. Univ. Wien, Prom. z. Dr. med., 1970-73 Turnusarzt b. d. Gem. Wien. K.: 1973-91 I. Univ.-Frauenklinik Wien, 1982 Habil., seit 1988 a.o.Univ.-Prof., ab 1992 Vorstand d. Gynäkologischen u. Geburtshilfl. Abteilung d. Donauspitals, seit 1982 Privatordination. P.: ca. 200 Publ. im In- u. Ausland, Art. u. Buchbeiträge. M.: zahlr. intern. u. nat. Fachges. H.: Golf, Sport allg. (N.A.)

Philipp Kurt

B.: freischaff. Künstler u. Artist. DA./PA.: 1100 Wien, Angelig. 84/3/9. G.: Wien, 11. Juli 1928. V.: Christina, verw. Chadim. Ki.: Peter (1958), Kurt (1965). El.: Franz u. Katharina. S.: Ausbild. zum Chemigraph. K.: während Schulz. tätig als Zeichner u. Schriftsteller, b. 1987 tätig als Chemigraph, davon 1J. in d. Schweiz, b. 1947 Autor v. Kurzgeschichten, 1947-57 Saxophonist in Jazzorchester, ab 1954 Schwerp. d. Schaffens: kleinformatige Ölbilder in Spachteltechnik, 1958 Beginn d. Ausstellungstätigk. u.a.: 1962 Musée d´ Art Moderne in Paris, zwei große Ausstell. in Galerie Weihergut in Slbg., 1989-93 Wanderausstell. "Vincent lebt" in Galerie Rive Gauche, Stadtpalais Preßburg, Galerie Chrysmart, Arles, Franz. Kulturinst. Wien u. in Wels, 1994 Wasserturm Favoriten, 1994 "Stadtlandschaften Palais Harrach", 1995 Einzelausstell. Schloß Ottenstein. E.: mehrm. Preisträger bedeut. In- u. Ausländ. Kunstwettbewerbe, u.a.: 1962 Silbermed. d. Stadtrates v. Paris u. 1982 Graphikhauptpreis b. Österr. Graphikwettbewerb. H.: Farben, Musik, Reisen. (J.S.)

Philipp Manfred Dir.

B.: HS-Direktor. DA.: 8680 Mürzzuschlag, Roseggerg. 2. PA.: 8650 Kindberg, Pionierweg 7. G.: Alpl, 15. März 1945. V.: Waltraud, geb. Leisch. El.: Julius u. Rosa. S.: VS, HS, LBA-Graz, 1964 Matura, HS-Lehrerprüf. b. 1971, Deutsch, Geogr., Wirtschaftskunde, Geschichte u. Sozialkunde. K.: 1967 VS Wartberg, 1967-74 HS Krieglach, 1974-78 HS Mitterndorf, 1978-85 HS Kindberg, s. 1985 Dir. a. Peter Rosegger HS. BL.: seit Mai 1992 Betreuung eines bosn. Flüchtlingslager in Savudrija (Kroatien), 54 kostenlose Autotransportlieferungen. H.: Reisen, Lesen, Schwimmen, Politik. (J.M.)

Philipp Manfred Dr.

B.: Gschf. FN.: Angermann & Partner Intern. Business Consultants GmbH. DA.: 1010 Wien, Renng. 1. PA.: 1140 Wien, Mauerbachstr. 44A. G.: Wien, 18. Juni 1941. Ki.: Martina (1972), Monica (1974). El.: Rolf u. Anna. S.: 1960 Matura, BLVA f. Textilind. Wien, 1960-67 HS f. Welthdl. (Dkfm.), 1967 Prom., 1966-67 Stud. Wirtschaftswiss. an d. Univ. in Madrid. K.: 1969-72 Sekr. an d. Ver. Österr. Industrieller, 1972-82 Vorst.Ass. u. Ltr. d. Zentraleinkaufs, Prok. b. Hoerbiger Ventilwerke AG, 1982-86 Geschäftsltr. d. Hoerbiger Fluidtechnik KG, 1986-88 Sprecher d. Geschäftsführung b. Reichhold Chemie GmbH, seit 1989 Gschf. b. Angermann & Partner Intern. Business Consultants GmbH. P.: div. Fachpubl. E.: 1987 Ausz. d. Span. Königs Juan Carlos I. "Comendador de la Orden del Mérito Civil". H.: Tennis, Skibergsteigen. (N.A.)

Philipp Peter Dr.

B.: RA. DA.: 1010 Wien, Graben 17. PA.: 1180 Wien, Waldeckg. 4. G.: Wien, 11. Apr. 1947. V.: Lucia, geb. Foederl, 2 Kinder. El.: Dr. Wilhelm u. Gisela. S.: VS, RG, Univ. Wien, 1970 Prom. K.: Gerichtsjahr, b. 1974 b. Dr. Michael Stern RA-Anw., Anw.Prüf., seit 1975 selbst. Anw. H.: Tennis, Fußball, Skifahren. (R.A.)

Philipp Walter HofR.

B.: Bez.Hptm. d. BH Kufstein. DA.: 6330 Kufstein, Boznerpl. 1-2. PA.: 6330 Kufstein, Haunfeldstr. 2. G.: Kufstein, 30. Aug. 1937. V.: Inge, geb. Speckbacher. Ki.: Barbara, Renate. El.: Konrad u. Gertrude. S.: Gymn., Matura, Jusstud. Univ. Innsbruck. K.: Gerichtspraxis, Amt d. Tir. LRg., Bez.Hptm. in Kufstein. E.: Ehrenbürger f. Reith/Alpbach u. Angath, Ehrenring d. Gem. Angerberg u. d. Bez.Feuerwehrverb., Ehrenkranz d. Bundes d. Tir. Schützenkompanien. M.: Vorst.Mtgl. d. Tir. Kulturverb., Mtgl. d. Schützenkompanie "Pfarrgem. Angath". H.: Reisen, Radio, Elektronik, Fernsehen, Amateurfunk, Filmen, Fotografieren, Bergwandern, Schwimmen, Musik. (W.G.)

Philipp Wolfgang

B.: Hotelmanager; Dir. FN.: Kurheim Mariazellerhof; Pension Johannesbad. DA.: 2500 Baden, Marchetstr. 15. G.: Baden, 15. Aug. 1951. V.: Gabrielle, geb. Wildenauer. Ki.: Alexander (1973), Nicolas (1976), Catharina (1981). El.: Friedrich u. Friederike. S.: 1968 Abschl. HASCH Baden, 1968-71 Hotelfachsch. Wien, 1971-74 HAK Wien, Matura. K.: 1974-77 i. Steuerberatungskanzlei tätig, 1977-85 Gschf. d. Restaurants "Wildenauer" in Wien, ab 1985 lfd. Dir. d. Hauses Mariazellerhof u. Johannesbad. H.: Skifahren, Tennis, Turnen, Wandern. (I.K.)

Philipp Helmut jun.

B.: Gschf. FN.: Unipool Swimmingpools u. Fitness Import-Export. DA.: 2604 Theresienfeld, Grazer Str. 57. G.: Wien, 13. Mai 1958. V.: Gabriele, geb. Ehrenreich. Ki.: Nicole (1981). El.: Helmut u. Hildegard. S.: HS, Polytechn. Lehrgang, Einzelhdls.-Kfm.-Lehre b. Humanic. K.: Mitarb. im väterl. Betrieb, Filialltr. u. Filialinsp. b. BILLA, seit 1984 selbst. m. eigener Firma. M.: Oldtimer-Club. H.: Oldtimer, Sammeln alter Sachen. (F.S.)

Philippi Tillmann

B.: Gschf. FN.: Quality Quak Werbe GmbH, Quality Quak Philippi & Schüttner. GT.: Mitinh. d. Philippi & Schüttner GmbH 2000 Hamburg 36, Beim Grünen Jäger 26. DA.: 1040 Wien, Waagg. 5. G.: Wels, 7. Febr. 1966. V.: Monika, geb. Ehn. El.: Meinhard u. Maria, geb. Stummvoll. S.: 1984 Matura, Studienaufenthalt California, 1985-88 Stud. Hdls.-Wiss. WU Wien, Ausbild. z. Werbeberater u. -mittler. K.: 1986-89 Marketing Firma Interlingua, seit 1989 selbst., Grdg. d. eigenen Firma in Wien m. Schwerpunkt Werbung u. PR u. d. Tochterfirma in Hamburg, 1992 Grdg. Quality Quak Werbe GmbH. M.: WWG. H.: Reiten, Skifahren, Lesen, Theater u. Kabarett, Essen, Trinken, Semmering. (N.A.)

Philippou Athineos Dr. o.Univ.-Prof.

B.: Vorst. d. Inst. f. Pharmakologie u. Toxikologie. DA.: 6020 Innsbruck, Peter-Mayr-Str. 1.

Phillipeck Leopold

B.: Gschf. Ges., KFZ-Mstr. FN.: MKS Maschinen u. Kochgeräte Service GmbH. DA.: 1230 Wien, Karl Heinz-Str. 32. G.: Wien, 19. Sept. 1939. V.: Elisabeth. Ki.: Andrea (1966), Thomas (1969), Christian (1970). El.: Leopold u. Anna. S.: VS, HS, Fachschule, 1967 Meisterprüf. f. KFZ Mechaniker. K.: KFZ-Mechaniker f. Mercedes, Abtl.-Ltr. f. techn. Bereich in großer Fleisch- u. Wurstfabrik, 1966 Eintritt Fa. Faema Vertretung, verantw. f. Fuhrpark, Gebiets- u. Verkaufsltr., 1973 Bestell. zum Prok., 1978 selbst. Fa. MKS Espressomaschinen u. Gastronomieküchen, Generalvertret. d. Fa. Schaerer. F.: 80% d. ungarischen Generalvertret. f. Faema Prod. E.: gold. VDM d. Rep. Österr., gold. VDK d. Rep. Österr., Stefanusorden d. Erzd. Wien, Ritterkreuz d. Sylvesterorden. M.: Club d. Wr. Kaffeehausbesitzer. H.: Segeln A, Modelbau - alte Segelschiffe. (W.M.)

Piaty Richard Dr. Prim.

B.: Prim. A.: 8010 Graz, Körblerg. 43. G.: Eisenstadt, 24. Sept. 1927. V.: Dr. Hanna, geb. Stepan. S.: Stud. an d. med. Fak. d. Univ. Wien u. Graz, Prom. 1954. K.: FA f. innere Med. 1960, 1962-86 Präs. d. Ärztekam., VPräs. d. Ärztekam. f. Stmk., seit 1968 Prim. d. Med. Abt. d. LKH Fürstenfeld. E.: Gr. EZ f. Verd. um d. Rep. Österr., Gold. EZ d. dt. Ärzteschaft, Kommandeur-Kreuz d. Verd.Ordens d. Souvärenen Malteser-Ritter-Ordens, Gr. EZ f. Verd. um d. Österr. Dentistenkam.

Piber Hannes Dr. rer. soc. oec.

B.: Unternehmensberater, Organ.-Berater. FN.: Trigon Entwicklungsberatung. DA.: 8042 Graz, St. Peter Hauptstraße. PA.: 8045 Graz, Weizbachweg 12A. G.: Oberzeiring, 24. Juni 1949. V.: Michaela, geb. Goblirsch. Ki.: Clemens (1976), Stefan (1978), Philipp (1985), Esther (1988). El.: Erhard u. Hertha. S.: VS, Mittelschule, BRG, 1967 Matura, 1 J. Montanist. HS Leoben, ab 1967 Stud. BWL Karl Franzens-Univ. Graz, 1972 Mag., Aus- u. Weiterbild. f. EDV-Organisatoren, ab 1975 Ass. Univ. Graz, 1979 Prom. z. Dr. rer. soc. oec., Ak. f. Führungskräfte. K.: 1979-82 Bereichsltr. f. Organ. u. Datenverarb., 1982-84 Inst. f. Organ.-Entwicklung in Graz, ab 1984 selbst. Berater f. Organ.-Entwicklung, Grdg. Trigon-Entwicklungsberatung reg Gen. m.b.H. P.: Mitautor "Führungsaufgaben d. Bücher Organisation u. EDV", "Schrumpfende Märkte", Art. "Bildungsmarketing", "Das offene Museum", "Lean Production u. d. Konsequenzen f. Personalentwicklung", versch. Art. u. Beiträge in Fachliteratur. E.: Rudolf Sallinger-Preis. M.: Wirtschaftsforum d. Führungskräfte, Verb. d. Wirtschaftsakademiker, Assoc. for Social Development. H.: Laufen, Langlaufen, Lesen, Surfen. (M.Gr.)

Piber Klaus

B.: Wirtschaftsdir. FN.: ANA Grand Hotel Wien. DA.: 1010 Wien, Kärntnerring 9. PA.: 1230 Wien, Traviatag. 21-29/9/4. G.: Wien, 8. Sep. 1964. V.: Luz. Ki.: Marisol (1994). El.: Rupert u. Gertrude, geb. Prenner. S.: AHS, 1982 Matura, 1982-84 Hotel-FS Klessheim in Salzburg, 1984 Wehrdienst. K.: 1985-86 im Service auf dem M/S "Sagafjord", 1986-87 Storemanag. b. Mc Donalds, 1987-88 Management Traini, stellv. Wirtschaftsdir. v. Imperial Wien, 1989-91 Eröff. d. Wirt.-Abt. v. Rihga Royal Hotel New York u. Übern. d. Ltg., 1991 Hotelkonsulent v. Westbury Hotel in New York, ab 1991 Wirt.-Dir. v. Inter-Continental Wien, s. 1993 in o.g. Position. M.: Chaine de Rotisseurs. H.: Skifahren, Squash, Tennis, Schwimmen. (N.A.)

Picca Ingrid Mag. art.

B.: Ak. Malerin, Mode- u. Textildesignerin. PA.: 1150 Wien, Dadlerg. 17. G.: Wien, 15. Juli 1937, Taufpate: Heinz Rühmann. Ki.: Pia Leonie (1966). El.: Grundler-Klauhsecker B. Ing. u. Leonie, geb. Feyl. BV.: Vater hatte als Hoteliersssohn Kontakt m. zeitgenöss. Künstlern wie P. Altenberg, Herzmanowsky-Orlando, Mutter bekam aus Hofkreisen Diplome f. ihr künstler. Schaffen. S.: HS f. angew. Kunst m. Dipl.Abschl. (Sonderpreis d. HS). K.: Gemeinsam m. Prof. Rothstein Grdg. d. Marionettentheaters im Künstlerhaus, Wien, Tätigkeit als Kostümbildnerin, ORF, Ltg. d. Ateliers f. kreative Gestaltung, Wien, Veranstaltung v. Seminaren in div. Techniken d. Malerei, Volkskunst, Batik u. Keramik, Gründ. d. "Club d. Künstler u. Lebenskünstler" Wien, Heinrich-Böll-Stipendium Cottage Irld. Seit 1975 freischaff. Künstlerin, Werke im Besitz d. BMUKS Wien, d. Kulturamtes Wien, d. Landesreg., Versicherungen u. in privaten Händen. P.: Einzelausstellungen: 1977 Galerie Maria am Gestade, Wien, 1978 Schloß Kobersdorf, Burgenland, 1979 Donauzentrum, Wien, 1980 Galerie Lucia, Venedig, 1981 Kleine Galerie im Graf Bobby, Wien, Internationaler Künstler Club, Wien, 1982 Zentralsparkasse d. Gemeinde Wien, 1983, 1984 u. 1985 Atelierausstellungen, 1986 Bundeskonferenz d. Kammer d. freien Berufe, Wien, Zentralsparkasse d. Gemeinde Wien, Sandor Galerie München, Shell Galerie, Wien, 1987 Galerie Carpe Diem, Wien, IBM Wien, United Art Gallery, Wien, 1988 Palais Fanto Wien, Bawag

Wien, Kulturforum, Kleine Galerie, Kulturaustausch München-Wien, NÖ Kunstwoche, Studium über psych. Farbwirkung b. Menschen. H.: Stud. über d. menschl. Verhalten, Phil. Studienreisen (Italien), Sommersitz in Lignano. (C.K.)

Piccottini Gernot Dr. phil. HofR. Univ.Doz
B.: Archäologe, Dir. d. LMuseums f. Ktn. DA.: 9021 Klagenfurt, Museumg. 2. PA.: 9500 Villach, Widmanng. 10. G.: Villach, 29. März 1941. S.: VS, Gymn., 1960 Matura, Univ. Wien phil. Fak., 1965 Prom., 1977 Habil. Univ. Wien. K.: Ab 1975 Dir. d. LMuseums Ktn., Ltr. d. archäolog. Ausgrabungen am Magdalensberg u. in Virunum. P.: lfd. Publ. in Buchform sowie in wiss. Zeitschriften d. In- u. Auslandes zu provinzialarchäolog. Themen. E.: Österr. EK f. Wiss. u. Kunst. M.: Korr. Mtgl. d. Österr. Akad. d. Wiss., Wirkl. Mtgl. d. Österr. Archäolog. Inst. Wien, Korr. Mtgl. d. Dt. Archäolog. Inst. Berlin, Korrespondent d. BdkmA. h.c. Wien, Sekr. d. Geschichtsver. f. Ktn.

Picek Helmut
B.: Möbelhändler u. Tischler. DA.: 2514 Traiskirchen, Wiener Str. 2. PA.: 2514 Traiskirchen, Theodor-Körner-Str. 5. G.: Möllersdorf, 5. Okt. 1940. V.: gesch., 2 Söhne. El.: Josef u. Johanna. K.: Tischler, 1969 Mstr.Prüf., seit 1976 selbst., führendes Möbel-Tischlerei-Geschäft. M.: Tennisclub Blau-Weiß Traiskirchen, Tischtennisclub Möllersdorf, Fußballver. SC Möllersdorf. H.: Tischlerei, Kinder, Tennis, Fußball, Skifahren, Radfahren, Hunde. (M.G.)

Picek Horst Helmut
B.: Gschf. FN.: Picek Metallbau GmbH. DA.: 1030 Wien, Lechnerstr. 8, 2294 Marchegg, Fünfhaus 67. PA.: 1160 Wien, Hippg. 33/13. G.: Hirschberg, 19. Okt. 1940. V.: Christa, geb. Jäger. El.: Friedrich u. Margarete. S.: Grundschule, 4J. Lehre Elektrotechniker u. Radiomechaniker, Fliegertechn. Schule b. BH, 6J. Aufenth. in Deutschland, 1967 Rückkehr n. Wien, kfm. Kurs WIFI, Mstr.-Prüf. im Elektromaschinenbau u. Elektromechanik, div. Kurse. K.: Grdg. Horst Picek GmbH Installationsunternehmen, 1985 Picek Metallbau GmbH Elektronik u. Shelterbau. P.: Veröff. in Fachzeitschriften. E.: Ehrenpreis v. BMW, Urkunden v. Erfinderverb. M.: Kammer, Ind. f. Fahrzeughersteller. H.: Erfindungen, Zeichnen, Lesen. (M.M.)

Pichelsberger Manfred

B.: KFZ-Mechanikermstr., Gschf. FN.: Autohaus Pichelsberger Ges.m.b.H. DA. u. PA.: 4655 Vorchdorf, Feldham 93. G.: Vorchdorf, 14. Juni 1954. V.: Christine, geb. Ausserhuber. Ki.: Mario (1979), Andreas (1981). El.: Franz u. Elisabeth. S.: Pflichtschulen, 1969 Lehre als KFZ-Mechaniker, 1973 Gesellenprüf. K.: Praxisjahre im KFZ-Bereich, 1980 Meisterprüf., 1981 Fiat Pichler Wels, 1981 bis Ende 1985 Fa. Faun-Baumaschinen Lambach, Kundendienstleiter f. Österreich, s. 1986 selbst. mit Fiat, Juni 1988 Erweit. d. Geschäftes. E.: "Top-Club" - Ehrung d. Fiat f. besondere Leistungen. (J.L.)

Pichelbauer Kurt
B.: Standesbeamter, Gem.-Rat d. Stadt Neunkirchen. DA.: 2620 Neunkirchen, Rathaus Hauptpl. 1. PA.: 2620 Neunkirchen, Alleeg. 24. G.: Neunkirchen, 26. Okt. 1957. V.: Helga, geb. Mayerhofer. Ki.: Cornelia (1987), Michaela (1990), Alexander (1994). El.: Bruno u. Maria. S.: Lehrberuf Universalhärter u. Werkstoffprüfer Physik, beide m. Lehrabschlußprüf. K.: 1973 Beginn Lehrberuf Universalhärter, 1976 Dispenslehre Werkstoffprüfer Physik, Tätigk. i. d. Forschungsabt. v. Schöller-Bleckmann, 1980 Eintritt i. Gem.-Dienst a. Standesbeamter, 1985 Berufung durch d. Bgm. z. Gem.-Jugendref., s. 1989 Gem.-Rat f. Sozial-, Kultur- u. Sportwesen, zus. weiterhin a. Jugendref. d. Gem. tätig. BL.: Neunkirchner Ferienspiel eingeführt. M.: aktive Musik (früher Mtgl. e. Band m. öff. Auftritten auch i. Radio u. TV), Fliegerei (Modellbau), Sammeln v. Publ. die Luftfahrt betreffend. (F.S.)

Pichl Bernward KommR.
B.: Gschf. Ges. FN.: Karl Pichl KG. DA.: 6401 Inzing, Schießstand 10. PA.: 6020 Innsbruck, Tschiggfreystr. 44. G.: Innsbruck, 25. Febr. 1929. V.: Ingeborg, geb. Reder. Ki.: Bernward, Judith, Veronika. El.: KommR. Karl u. Annemarie. S.: 1947 Matura, Berufsausbild. u. Goldschmiedeak. in Pforzheim, Mstr.Prüf. als Juwelier, Gold- u. Silberschmied, Graveur u. Emailleur. K.: 1947 in d. Familienbetrieb eingetreten, seit 1959 gschf. Ges. BL.: Ausbau d. Betriebes z. führenden Betrieb dieser Branche in Österreich M.: Sektions-Obmann d. Industrie, Sektion d. Tiroler Handelskammer, Vize-Präsident d. Tiroler vw. Ges., Vorstands-Mitglied. d. Vereins österreichischer Industrieller Landes-Gruppe Tirol H.: Skifahren, Bergsteigen, Windsurfen.

Pichl Peter Mag
B.: freischaff. Künstler u. AHS-Lehrer i. R. PA.: 1060 Wien, Münzwardeing. 11/6. G.: Wien, 12. Sept. 1934. Ki.: Stephan, Martin, Katharina, Georg, Theresia. El.: Dr. Karl u. Rosa. S.: 1952 Matura, Lehramtsstud. f. Geschichte an d. Univ. Wien, 1957 Mag., 1957 Lehramt f. bildner. Erziehung an d. Ak. d. bild. Künste, Hörer v. Prof. Kuchling. K.: Lehrtätigkeit, seit 1957 im Schuldienst, seit 1964 am Rainergymn., seit 1992 i. R. Künstl. Laufbahn: Beschäftigung m. klass. Kunst u. klass. Moderne u. d. primitiven Kunst, sozialwiss. Studien, Grdg.Mtgl. d. Österr. Studienges. f. Kybern., Arb. als priv. Künstler u. Gelehrter, kunsttheoret. Arb. u. als Kons. f. Arch. BL.: 1975-80 bes. Engagement in d. Anti-Atomkraft-Bewegung, Unterstützung d. Solidaritätsbewegung f. d. 3. Welt (Malariahilfe, Rotes Kreuz). P.: Mitarb. d. Zeitschrift f. Kunsttheorie "Kontur" b. 1978, Mitarb. an Kunstbüchern u. Ausstellungen. H.: Tischtennis, Segeln, Wandern. (C.K.).

Pichl Robert Dr. phil Mag. phil.
B.: WissR., Wiss. Bmtr. am Germanist. Inst. d. Univ. Wien. A.: 1180 Wien, Edelhofg. 29. G.: Wien, 8. Sept. 1944. S.: Gymn., Stud. d. Germanistik, Klass. Philol. u. Phil. an d. Univ. Wien, 1970 Prom. (sub auspiciis praesidentis), anschließend Lehramtsprüf. f. Mittelschulen aus Deutsch, Latein, ab 1970 Univ.Ass. K.: Univ.Ass. am Germanist. Inst. d. Univ. Wien, 1971 Lehrbeauftragter f. d. Gebiet d. neueren Literaturwiss., 1974-76 im Sommer Sem. Lehrbeautragter f. neuer Literaturgeschichte an Pädak. d. Erzdiözese Wien, 1976-79 v. Univ.Dienst beurlaubt zur Durchführung eines Forschungsprojektes an d. Österr. Ak. d. Wiss. (Kmsn. f. Lit. Gebrauchsformen), ab 1979 wieder im Univ.Dienst als wiss. Bmtr. am Germanist. Inst., Teilnahme an wiss. Kongressen. P.: Dualismus u. Ambivalenz, Die Dramenschlüsse Schillers u. Grillparzers als Indizien individueller Vorgangsgestaltung, Mithrsg. d. Jahrbuches d. Grillparzer Ges., Aufsätze in in- u. ausländ. Fachzeitschriften über Grillparzer, Borchert, Bachmann, 6 Kurzmonographien im ital. Literaturlexikon "Dizionario critico della letteratura tedesca" uam. E.: 1970 Prom. sub auspiciis praesedentis, 1978 Förderungspreis d. Theodor Körner-Stiftungsfonds. M.: IVG, Wr. Goethe Ver., Grillparzer Ges. (seit 1975 2. VPräs.). H.: Bersteigen, Musik.

Pichler Adolf Dr. iur. HofR
B.: Sicherheitsdir. f. d. Bdl. Ktn. DA.: 9010 Klagenfurt, Landhaushof 3. PA.: 9020 Klagenfurt, Anzengruberstr. 39. G.: Klagenfurt, 17. Apr. 1930. V.: Mag. Rosina, geb. Lassnig. Ki.: Karin, Richard. El.: Adolf u. Cäcilia. S.: VS, BG Spittal/Drau, 1949 Matura, Jusstud. an d. Karl Franzens-Univ. Graz, 1955 Prom. K.: 18 Monate Ger.Praxis in Spittal/Drau u. Klagenfurt, 1956 Aufnahme in d. BPolizeidion. Wien als Bmtr. d. rechtskundigen Dienstes, ab 1958 Versetzung z. BPolizeidion. Klagenfurt u. dort in d. staats- u. kriminalpolizeil. Abt., Sicherheitsdion. Ktn., ab 1976 Sicherheitsdir. f. d. Bdl. Ktn. BL.: Aktivitäten z. Entspannung d. Minderheitenproblematik, durch herausragende Leistungen Aufrechterhaltung d. öffentl. Ruhe, Ordnung u. Sicherheit im Land Ktn. auch unter schwierigsten Umständen. P.: fallweise Vortragstätigkeit über d. ktn. Sicherheitswesen b. versch. Inst. E.: 1966 Königl. Norske Sankt Olavs-Orden, 1981 Erinnerungmed. d. Landes Ktn. aus Anlaß d. 60jährigen Volksabstimmungsjubiläums, 1981 Steckkreuz in Gold f. Verd. um d. Ktn. Feuerwehrwesen, 1982 Gr. EZ f. Verd. um d. Rep. Österr., K GrGEZ. M.: Lions-Club, IPA (Intern. Police Assoc.), versch. Sportver., Kuratorium Sicheres Österr. H.: Wandern, Schwimmen, Skifahren, Eisstock, Eislaufen, Akkordeon, Gitarre, Theater, Lesen. (Hat.)

Pichler Albert Mag. iur. MinR. Prof
B.: Gruppenltr. im Bundeskanzleramt. DA.: 1010 Wien, Ballhauspl. 2. PA.: 1140 Wien, Maroltingerg. 24. G.: Bad Waltersdorf, 5. März 1932. V.: Luise, geb. Fuchs. Ki.: Albert (1958), Ursula (1960), Maria Christine (1968), Barbara (1970). El.: Albert u. Mathilde, geb. Muster. S.: 1951 Matura Fürstenfeld, 1951-56 Stud. Rechtswiss. Univ. Wien. K.: 1956-58 Hotelsekr. u. in d. Holzwirtschaft tätig, 1958-59 Gerichtspraxis, 1959-65 Ang. in d. Bundespolizeidion. Wien, 1965 Eintritt in d. Bundeskanzleramt, seit 1977 Abt.-Ltr., ab 1991 Gruppenltr., Schwerpunkte d. Tätigkeit: grundsätzl. Angelegenheiten d. Personals, d. Organ., d. Stellenpläne, d. Arbeitsplatzbewertung u. d. Verw.-Reform. P.: Autor einer Reihe v. organisationstheoret. Einzelweken u. v. Aufsätzen in Zeitschriften u. Handbücher. E.: Berufstitel Prof., Gold. EZ f. Verd. um d. Rep. Österr., Gr. Gold. EZ d. Landes Stmk., Gold. EZ d. Stadt Wien, Ehrenbürger d. Gem. Sebersdorf. H.: Geschichte, Verfasser v. Chroniken u. histor. Aufsätzen, Musik (Orgel), Chorsingen, Wandern. (N.A.)

Pichler Albert Dr.

B. Kurarzt. FN.: Gesundheitsschule Thermenregion. GT.: Songwriter, Pianist u. Sänger d. Gruppe "Hanna-Maria" INdependent Popmusik, 1991 1. CD "The death and the maiden". DA u. PA.: 8271 Bad Waltersdorf Nr. 81. G.: Graz, 19. Sep. 1958. KI.: Gerit (1993). EL.: Albert u. Aloisia. S.: Gym., 1976 Matura, 1976 Med. Stud. in Wien, 1982 Prom. K.: 1982-85 Turnus im KH Lainz, gleichz. Ausb. z. Gesprächspsychotherapie, 1985 Zivildienst, s. 1986 Praxis in Bad Waltersdorf, 1987-94 leit. Kurarzt i. Heiltherme Bad Waltersdorf, s. 1990 offiz. Kursltr. d. Gesundheitsschule Bad Waltersdorf z. Ausb. v. staatl. gepr. Heilbademstr. u. Heilmasseure, 1990-94 schamanist. Ausb., s. Jan. 1995 Privatord. f. Natur- u. Seelenmedizin (Zentrum f. Naturmed.). P.: Vortragstät. im Bereich Esotherik u. Medizin. H.: Naturmedizin, Musik. (I.G.)

Pichler Alfred Dr. Dkfm
B.: Verkaufsltr. FN.: Bunzl & Biach. DA.: 1020 Wien, Engerthstr. 161-163. G.: Wien, 7. Jan. 1945. Ki.: Sonja. S.: HAK, HS f. Welthdl. K.: Tätigkeit b. Bunzl & Biach, Product Management Mölnlycke Export Ortmann Verbandstoffe Verkauf u. Export, seit 2 J. b. Mölnlycke GmbH. H.: Skifahren, Tennis, Literatur.

Pichler Alois
B.: Kfm. FN.: Kücheneinricht. u. Küchengeräte Ges.m.b.R., Pichler & Reisinger. DA.: 1070 Wien, Karl Schweighoferg. 12. G.: Aspang/-Wechsel, 15. Mai 1949. V.: Elfriede, geb. Gugerell. Ki.: Christian (1976), Markus (1980). El.: Alois u. Anna. S.: Pflichts., Tischlerlehre. K.: 1966-68 tätig als Tischler, 1968 Mstr.-Prüf., 1968-84 Möbelverk., 1984 selbst., Grdg. Kücheneinricht. u. Küchengeräte Ges.m.b.R. H.: Tennis, Schifahren. (M.A.-M.)

Pichler Anton
B.: Fußballtrainer. FN.: VSE-Egger St. Pölten. DA.: 3100 St. Pölten, Spratzener Kirchweg 96. PA.: 3100 St. Pölten, Wernerstr. 37. G.: Weiz, 4. Okt. 1955. V.: Christine geb. Ruß. Ki.: Armin (1980). El.: Anton u. Maria. S.: VS, HS, Lehre Starkstromtechn. K.: Sachbearb. i. Wohnbauref. d. Steiermärk. Landesreg. i. Graz, s. Juni 1993 karenziert, 1965 Beginn d. Fußballaufbahn b. SC Elin i. Weiz, 1974 Wechsel z. Raika Sturm Graz, b. 1976 Profifußballer, 1976-87 Vertragsfußballer, 13 Einberufungen i. d. A-Nationalteam, 1987-89 Profifußballer b. VSE-Egger St. Pölten, 1989-91 Trainer i. Fürstenfeld, 1991-92 Trainer i. Güssing, ab Juni 1993 Trainer b. VSE-Egger St. Pölten. H.: Sport, Theater. (M.M.)

Pichler Editha
B.: Eigentümerin eines Ganzheitskosmetik Inst. GT.: Erz. u. Vertrieb d. biolog. kosmet.Spezialpräparate Editha Pichler. DA. u. PA.: 1130 Wien, Lainzer Str. 17. G.: Heidenreichstein/NÖ, 21. Apr. 1928. El.: Pichler Karl u. Leopoldine. S.: VS, Gymn. Wien, 1946 Matura, Univ. Wien Med., Kosmetikschule, Chemieschule, 1947 Dipl. K.: 1950 eigene Kosmetikinst., Ausbild. im In- u. Ausland. BL.: Aufbau d. Inst. u. d. Fbk., 1956 Beginn d. eigenen Erz. mit Export, Ausweitung d. Exportes in div. europ. Länder, Innungsmstr.-Stellv. f. Kosmetik, Massage u. Fußpflege, Lehrlingswart v. Wien, Vors. d. Lehrabschlußprüf., Ausbild. v. bisher 100 Lehrlingen. P.: Vorträge im In- u. Ausland, Art. in nat. u. intern. Fachzeitschriften. E.: Silb. Ehrenmed. d. HK. M.: div. intern. Berufsver, CIDESCO. H.: Sport (Tennis, Skifahren, Radfahren), Schach, Reisen, Literatur. (H.P.)

Pichler Franz Rupert Dr. phil. Univ.-Prof. Ing.
B.: o.Univ.-Prof. d. Johannes Kepler-Univ. DA.: 4040 Linz, Auhof, Altenbergerstr. 69. G.: Thalgau, 23. Juli 1936. V.: Ilse, geb. Knotowsky. Ki.: Mag. Monika (1961), Thomas (1964), Andreas (1970). El.: Andreas u. Rosina. S.: VS, HS, 1950-54 Ausbild. z. Fernmeldemonteur. K.: 1954-67 Fernmeldetechniker, 1961 Reifeprüf. f. RG als Externist, 1962-67 Stud. Math. u. Physik Univ. Innsbruck, Prom. z. Dr. phil., 1968-72 Ass. Lehrkanzel f. Math. d. HS Linz, 1970 Visiting Ass. Prof. Department of Electrical Engineering Univ. of Maryland College Park, 1972 Habil., 1973 Univ.-Prof. f. Systemtheorie am Inst. f. Statistik u. Informatik

Techn.-Naturwiss. Fak. Univ. Linz, 1975/76 u. 1982/83 Gastprof. f. General-Systems, School of Advanced Technology, State Univ. of New York at Binghamton, 1979 Grdg. d. Inst. f. Systemwiss. Univ. Linz, seit 1988 Vorst. d. Inst. Systemwiss., Ltr. d. Forschungsinst. f. Mikrosystemtechnik d. Österr. Studienges. f. Kybernetik (ÖSGK), VPräs. d. Intern. Federation for Systems Research (IFSR). P.: Bücher: Math. Systemtheorie. Dynamische Konstruktionen (1975), Computerunterstützte Systemtheorie (1990), Mithrsg. mehrerer Bücher u. Zeitschriften, etwa 80 Art. in wiss. Zeitschriften u. intern. Konferenzbände. H.: Geschichte d. Technik u. Wiss. (U.A.)

Pichler Ekkehart Dipl.-Ing.

B.: Gschf. FN.: Martin Pichler OHG Ziegelwerk. DA.: 4082 Aschach, Ziegeleistr. 14. PA.: 4081 Hartkirchen, Am Bühel 9. G.: Linz, 23. Juli 1963. El.: Eckhard u. Gertrude. S.: VS, 4 J. Gymn. Linz, HAK Eferding, 1982 Matura, 1983-84 Präsenzdienst. K.: 1984-88 FHS Nürnberg, 1988 Dipl.-Ing. (FH),seit 1988 Projektltr. im elterl. Betrieb, 1993 Gschf. d. Betriebes. H.: Wassersport, Lesen. (G.E.)

Pichler Franz

B.: Inh. FN.: MUSIKA Musik- u. Konzertagentur Franz Pichler. DA. u. PA.: 2641 Schottwien, Gostritz 5. G.: Neunkirchen, 25. März 1960. V.: Andrea, geb. Lechner. Ki.: Gerhard (1981), Barbara (1983). El.: Franz u. Christine, geb. Kroiss. S.: VS, HS, HTL Elektrotechnik. K.: 1979-83 Techniker Firma Wess Maschinen- u. Formenfbk. Gloggnitz, 1983 Eintritt in d. Postdienst Postamt Schottwien, 1986-92 Postamt Breitenau, seit 1992 Postamt Kirchberg/-Wechsel, 1988 Grdg. d. Konzertagentur MUSIKA. M.: FF Maria Schutz. H.: Musik, Tauchen, Skifahren. (M.M.)

Pichler Friedrich

B.: Hotelier d. Hotel Goldener Adler. DA.: 4040 Linz, Hauptstr. 56. PA.: 4020 Linz, Kaplanhofstr. 27. G.: St. Peter, 19. Juli 1935. V.: Hermine, geb. Reindl. Ki.: Eva Maria (1965), Dietmar (1971), Judith (1974), Rüdiger (1975). El.: Josef u. Maria. S.: VS, 1951-53 Fachschule f. Weberei Haslach. K.: 1953-61 Ang. im Textilhdl., 1961-87 Textilvertretungen im In- u. Ausland, 1987 Aufbau d. Hotels. H.: Wandern, Skifahren. (H.B.)

Pichler Günther Anton

B.: Ltg.Beauftragter d. Fremdenverkehrsamt d. Stadt Graz. PA.: 8010 Graz, Goethestr. 9. G.: Graz, 25. Mai 1951. V.: VS, Mittelschule, 1969 Matura, Abiturientenkurs HAK Graz, 1971 Matura, 1 J. Austauschstud. am Montclair State College New Jersey, Stud. d. Rechtswiss. an d. Karl Franzens-Univ. Graz, Stud. Intern. Recht, Graz, Moskau, Leningrad, 1977 Prom. K.: 1969 Ferialpraxis im Hotel Intern. Wien, 1971 Tour Operator f. Intern. Experiment, 1972, 1975 u. 1976 Ferialpraxis im Hotel Unity House, Pocono Mountains, Pennsylvania/USA, 1973-74 Fremdenverkehrsamt d. Stadt Graz, gehobener Verw.Dienst, 1977-78 Rechtspraktikant LG Graz, 1978-79 Notariatskandidat Notariat Dr. Feßler Leibnitz, 1979 Gerichtspraxis BG u. LG f. ZRS Graz, ab 1979 Mag. Graz, 1979-83 Koordinierung d. Fremdenverkehrsaktivitäten u. d. Städtefreundschaften d. Stadt Graz f. d. Bgm., 1983-86 FP-GemR.Club u. Koordinierungs-beauftragter d. Fremdenverkehrsref. d. Stadt Graz, 1986-87 Ltg.Beauftragter d. Fremdenverkehrsamtes d. Stadt Graz. E.: Präs. d. intern. Sprachkurse f. Ausländer "Deutsch in Graz", Sekr. d. Stadtfreundschaftsorgan. "Nachbarn in Übersee", Graz-Montclair, NJ, USA.

Pichler Georg Ing.

B.: Gschf. FN.: AACON Luft- u. Wärmetechnik GmbH. DA.: 4614 Marchtrenk, Welser Str. 55. G.: Klagenfurt, 24. Apr. 1938. V.: Tatjana. Ki.: Elisabeth, Johannes. K.: 1967 Grdg. e. OHG, 1970 Grdg. Fa. Ing. Georg Pichler, 1974 Grdg. Wolf Klima-Techn. GmbH i. Linz, 1976 Grdg. Fa. AACON u. als Gschf. tätig, verantw. f. den ges. Verk. E.: 1982 Bauherrenpreis f. vorbildlichen Industriebau. M.: Rotary-Club. H.: Filmen, Ski, Surfen, Schwimmen, Garten. (P.H.)

Pichler Heinrich Dr.

B.: Dir. d. Finanzabt. d. UNIDO (United Nations Industrial Development Organization). DA.: Vienna Intern. Centre, 1400 Wien, Postfach 300, Wagramer Str. 5. PA.: 1170 Wien, Goldscheidg. 12/1. G.: Wolfsberg, 11. Apr. 1934. V.: Helene. Ki.: Christoph, Alexander. S.: Grundschule, AHS, Matura, WU Wien Doktorat, Intern. Recht u. Wirtschaft Colgate Univ. Hamilton u. Univ. Nancy/Frankreich. K.: 1956 Export-Import Gagmi Paris, 1957 Cassa di Risparmio Verona, seit 1959 United Nations, 1961-56 Ltr. d. Budgetabt. United Nations Kinshasha, 1966-67 Verw.Ratgeber United Nations New York, 1967-73 Ltr. Technieal Programme Management United Nations Wien, 1973-80 Ltr. d. Finanzabt. United Nations Wien, seit 1981 Dir. Financial Services Divison United Nations Wien. P.: Diss.: Austria dn the European Integration, La potique monétaire de l'Autriche depuis 1945, mehrere Publ. z. Thema Finanzen f. d. UNIDO. M.: Lions-Club Wien, Instituto Austro-Latinamericano Wien, Austrian Inst. for Foreign Relutions Wien.

Pichler Heinz Dipl.-Ing.

B.: Arch. A.: 4600 Wels, Salzburgerstr. 30B. G.: Wien, 21. Febr. 1932. V.: Ursula, geb. Linsboth. Ki.: Thomas (1963), Heinz (1965), Ursula (1967) u. Enkel Sebastian (1992). BV.: großväterl.: aus d. Linie Schaumburg-Lippe. S.: Mittelschule, HS. K.: 8 J. Arch.Büro, 30. J. selbst. Arch.Büro. GT.: Mitarb. einiger Ind. f. Gestaltung u. Design, Konsulent d. WIFI OÖ. P.: Bauberatungsserien u. Wohnberatung in Zeitungen u. Fachzeitschr. 1958-80. M.: Ehrenpräs. u. Gründ. Golfclub Wels, Chaine des Rotisseurs. H.: Segeln, Foto, Film, Golf.

Pichler Heinz J.

B.: Gschf. FN.: Berner GmbH. DA.: 5280 Braunau, Industriezeile 36. PA.: 5201 Seekirchen, Hippinger Str. 6. G.: Salzburg, 13. Aug. 1941. V.: Edith, geb. Gell. Ki.: Marie-Christine (1978), Florian (1980). El.: Johann u. Hildegard. S.: Maschinenschlosserlehre b. DBB, 1971 HASCH Hamburg.

K.: Ass. d. Gschf. eines Reifenwerkes, 1974 Tätigk. in Düsseldorf u. Stud. BWL an Fachhochschule, 1977 b. British Leyland in Österr. (Marketing, Supervisor, Verkaufsltg.), 1982 Fa. Berner (Gschf. d. BTI-Befestigungstechnik), 1987 Gschf. Berner GmbH, 1991 Fusion Fa. Berner m. Fa. BTI, Gesamtgschf. f. Berner Österr., Gründ. u. Markteinführ. Berner Ungarn (Gschf.). H.: Motorradfahren, Judo (Schwarzer Gürtel). (E.H.)

Pichler Herbert

B.: Inh., Tankstellenbesitzer, Espressobetreiber. FN.: Herbert Pichler. DA.: 2870 Aspang, Wechselstr. 15. PA.: 2870 Aspang, Höhenstr. 3. G.: Aspang-Markt, 2. Juni 1947. V.: Eva-Maria. Ki.: Werner-Joachim (1970), Judith-Maria (1972), Jan-Herbert (1976). El.: Josef u. Maria. S.: VS, HS, Kfz-Mechaniker-Lehre, 1965 Geselle. K.: b. 1967 Kfz-Mechaniker in Wr. Neustadt, BH, 1967 Tankstellenwart, 1968 Eröff. d. eigenen Tankstelle, 1986 Eröff. einer weiteren Tankstelle in Theresienfeld. M.: 1986-90 KulturgemR. Aspang, Grdr. d. Kulturwoche "Aspang Live", Ortsgruppenobm. ÖAMTC, Wirtschaftsbund, Mitglied HK NÖ. H.: Radfahren, Schwimmen. (R.T.)

Pichler Herbert J. Dr. med. Prof.

B.: Gschf. FN.: Sigmapharm. GT.: Vorst. Österr. Inst. f. Flugmed. u. Weltraumbiologie. DA.: 1200 Wien, Leystr. 2. PA.: 1200 Wien, Jägerstr. 93/18/19. G.: 25. Sept. 1921. Ki.: Andreas (1957), Marie-Helene (1959), Anna-Maria (1963). S.: Gymn., Univ.Stud. in Wien, Innsbruck u. Zürich, 1945 Dr. med. K.: Ausbild. an Univ.Kliniken in Innsbruck, Wien, München, Zürich u. Fribourg, 1947-48 Präs. d. Österr. Studenten u. Akademiker in d. Schweiz, 1949 Grdg. d. Fa. Sigmapharm, 1950 Berufung u. 1963 OA d. I. Univ.-HNO-Klinik, 1963 Vorst.Mtgl. d. Österr. Otolayngolog. Ges., ab 1963 Zusammenarb. m. NASA, m. d. Gruppe Wernher v. Braun in Huntsville Alabama, seit 1964 Weltraumkommentator d. Österr. Fernsehens. P.: Einrichtung z. künstl. Mundschallerzeugung insbesondere f. Kehlkopflose (1960), Berührungspunkte d. Grundlagenforschung d. Vestibularapparates in d. Raummedizin (1967), Österreicher in d. Weltraumwissenschaft (1968), Neue Aspekte intranasaler Medikation (1974), Beitrag zu d. Raum- u. Zeitfragen unseres Jahrhunderts (1983), Zur Entdeckung d. Sonnengravitation als überschwelligen Vestibularisreiz (1985), Wie d. extraterresstrische Vestibularisforschaung (ETV) im menschl. Körper extraterrestrische Elemente vorfand (1988) u.v.m., Vorträge im In- u. Ausland. E.: Nicolaus Copernicus-Med. in Silber 1974, Gold. Ehrenring, 1975 Prof. M.: a.o.Mtgl. d. Hermann Oberth-Ges., korresp. Mtgl. d. Dt. Ges. f. Hals-, Nasen- u. Ohrenheilkunde.

Pichler J. Hanns
Dkfm. Dr. Dr. h.c M.Sc. o.Univ.-Prof.

B.: o. Univ.-Prof. f. Nat.-Ök. an d. Wirtschaftsuniv. (WU) Wien. DA.: 1090 Wien, Aug. 2-6. G.: Aspach, 12. Mai 1936. V.: Dkfm. Mag. Dr. Hannelore, geb. Haslinger v. d. Linden. Ki.: Adelheid, Regine, Markus. El.: Franz u. Berta. S.: RG, WU - Dkfm. Dr. rer. comm., Habil. aus Vw., Master of Science Economics (USA). K.: Ab 1960 Univ.-Ass., 1962/63 Lecturer Univ. of Illinois USA, 1965-70 Economist/Senior-Economist, Weltbank, Washington DC, 1971-74 Resident Representative, Weltbank-Gruppe, Pakistan, seit 1974 o.Univ.-Prof. f. Nat.-, Ök., WU Wien, Vors. Fachgruppe Vw. P.: Zahlr. wiss. Veröff., Hrsg. d. Zeitschrift f. Ganzheitsforschung mit Schrifttumsspiegel. E.: Wiss. Hauptpreis (Diss.) d. Arb.-Kammer Wien 1960, Kardinal-Innitzer-Preis 1966, WU-Preis 1982, Österr. EK f. Wiss. u. Kunst I. Kl. 1988, Leopold-Kunschak-Preis 1990, Schumpeter Fellow CES/Harvard Univ. 1990, Ehrendoktorat f. Wirtschaftswiss. d. K.U. Brüssel. M.: Vorst. d. Ges. f. Ganzheitsforsch. Wien, Ges. f. Entw.-Zusammenarb. Austria, Inst. f. Gewerbe- u. Handwerksforsch., Vorst.Mtgl. d. Österr. Lateinamerika-Inst., Österr. Forschungstiftung f. Entwicklungshilfe, Europ. Council of Small Business, Ökosoziales Forum, European Repr. ICOMP, Mtgl. d. Ges. f. Sozial- u. Wirtschaftswiss., Österr. Schumpeter-Ges., Am. Biographical Inst. (ABI), American Economic Assoc., List-Ges. (Schweiz-BRD), Rencontres de St. Gall. H.: Phil., Astronomie, Lesen, Skisport.

Pichler Inge

B.: Managing Dir. FN.: GTA-SKY-WAYS. DA.: 2491 Neufeld, Hauptstr. 5. PA.: 7035 Steinbrunn, Strittfeldsiedlung 21. G.: Weißstein, 23. März 1944. V.: Hans-Dieter Pichler. Ki.: Alexandra (1973), Charlotte (1983). El.: Pius u. Emma. S.: Gymn., Friseurlehre, 1965 Mstr.-Prüf. K.: 10 J. selbst. Friseurmstr. in Oberlaa, anschl. Tätigkeit in d. Firma d. Gatten Reisebüro "Mit-Reisen", 1991 Grdg. d. eigenen Reisebüros in Neufeld m. Schwerpunkt Städte- u. Charterflüge. BL.: Initiatorin u. Betreiberin d. Bürgerrechtsinitiative Steinbrunn. M.: ÖVT. (I.J.)

Pichler Johann

B.: Standesbmtr., Bgm. d. Stadtgem. Heidenreichstein. DA.: 3860 Heidenreichstein, Kirchenpl. 1. PA.: 3860 Heidenreichstein, Dr.-Adolf-Schärf-Str. 14. G.: Heidenreichstein, 16. Juni 1954. V.: Herta, geb. Macho. Ki.: Julia (1986), Hannelore (1989). El.: Johann u. Paula, geb. Endl. S.: VS, HS, Gem.-Prüf., C-Prüf., Standesbeamtenprüf. K.: Eintritt in d. Gem.-Dienst Heidenreichstein: 1969-72 Kzl.-Praktikant, ab 1972 Verw.-Dienst u. Standesbeamtenangelegenheiten, ab 1979 Parteiobm. d. SPÖ Heidenreichstein, 1980 GemR., 1985 StadtR. Ressort Fremdenverkehr, 1990 VBgm., 1991 Bgm. M.: Vorst.-Mtgl. im Gem.-Verb. f. Aufgaben d. Umweltschutzes, Vorst.-Mtgl. d. Abwasserverb. Lainsitztal, Vorst.-Mtgl. d. Tourismusverb. Oberes Waldviertel u. d. Tourismusregion Waldviertel, Vorst.-Mtgl. d. Anglerparadieses Euro-Region Südböhmisch-Waldviertler Teichplatte, Mtgl. d. Werbegemeinschaft Pro Heidenreichstein, Präs. d. FC Heidenreichstein, Grdg.-Mtgl. d. Laienbühne Hainrichstain, Mtgl. b. zahlr. weiteren örtl. Ver. H.: Musik, Theater, Sport. (M.M.)

Pichler Johann Ing.

B.: Gschf. d. Fa. Reflexa. DA.: 4400 Steyr, Robert-Stigler-G. 1. PA.: 4400 Steyr-St. Ulrich, Rathmoserweg 1. G.: Steyr, 11. März 1939. V.: Erika, geb. Bauscher. K.: Daniela, Günter. El.: Johann u. Karoline. S.: VS, HS, HTL, Matura. K.: im väterl. Betrieb tätig, Grdg. eines eigenen Werkes, 48 Mitarb. M.: Mahabu Steyr. H.: Leichtathletik, Skifahren. (Bau.)

Pichler Johannes G. Mag. art.

B.: Prof. OSTR. am BRG u. BORG Landeck/Tir. 1966-92. PA.: 6500 Landeck, Römerstr. 12c. G.: Hall/Tir., 22. Apr. 1937. V.: Elvira, geb. Walther. Ki.: Sandra. S.: Ak. Gymn. in Innsbruck, Musik-HS u. Univ. Wien, Lehramt: Musik, Orgel,

Deutsch. K.: Orgelkonzerte im In- u. Ausland, Musikvorträge, Kritiken, 1968-89 Ltr. d. VHS Landeck, Ltr. d. Landecker Sommerkonzerte. E.: Verd.-Med. d. Landes Tirol, EZ f. Kunst u. Kultur d. Stadt Landeck. M.: Intern. Society for Music Education, Lions Club Landeck/Schrofenstein, Men of Achievement 1986, Tiroler Weinbruderschaft 1994. H.: Literatur, Reisen.

Pichler Josef Dir.

B.: Gschf. FN.: Wohnbaugen. Bergland. DA.: 5700 Zell am See, Karl-Vogt-Str. 11. PA.: 5760 Saalfelden, Schloßstr. 13. G.: Maishofen, 26. Dez. 1930. V.: Paula, geb. Lerchl. Ki.: Siegfried (1952), Christine (1954), Josef (1961). El.: Josef u. Hilda. S.: Pflichtschule, 1945 Faßbinder u. Böttcher, 1949 Lehre Bierbrauer u. Malzer. K.: Tätigkeit in d. Brauerei Blattl in Saalfelden, 1958-59 Sozialak. Hinterbrühl Wien, 1960-73 Bez.-Sekr. d. ÖGB Zell am See, 1967-89 Sbg. Landtag, 1973 Übernahme d. Geschäftsführung d. Wohnbaugen. Bergland. E.: versch. Landes- u. Bundesausz. M.: ÖGB, SPÖ, Naturfreunde, Kameradschaftsbund, Schützen, Kinderfreunde, Bürger- u. Eisenbahnermusik. H.: Skifahren, Schwimmen, Sauna, Reisen. (M.T.)

Pichler Klaus

B.: Gsch.Inh. FN.: Uncle Sam´s Store. GT.: Buchhalter. DA./PA: 7000 Eisenstadt, Kalvarienbergpl. 4. G.: Wien, 27. Mai 1947. V.: Maria. Ki.: Christina (1973), Herwig (1975). El.: Maria. S.: VS, Mittelschule, Landw. Fachschule, Handelsschule. K.: 1973 i. eig. landwirt. Betr., 1974 kfm. Ang. i. e. Autohaus, 1978 Geschäftsgründ. Altwaren, 1984 Army-Shop. H.: Sammlung Militärfahrzeuge Dodge, Jeep, Old Timer-treffen div. Sammlungen, Fachliteratur. (W.M.)

Pichler Martin

B.: Bgm. d. Gem. Kaprun. GT.: AufsR.-Mtgl. d. Gletscherbahnen Kaprun u. div. kommunaler Einrichtungen. DA.: 5710 Kaprun, Wilhelm-Fazokas-Str. 400. PA.: 5710 Kaprun, Kellnerfeldsiedlung 485. G.: Kitzbühel, 12. Jan. 1940. V.: Edith, geb. Belobrajdic. Ki.: Thomas (1966), Barbara (1968), Martina (1973). El.: Josef u. Barbara. S.: VS, HS, Maschinenschlosserlehre, Facharb.-Prüf., Werkmstr.-Schule, Konzessionsmstr.-Prüf., Berufspäd. Ak. u. Lehramtsprüf. K.: ca. 10 J. in verstaatl. Unternehmen, ca. 10 J. in d. Privatind. als Maschinenschlosser, Dreher, Werkzeug-macher u. Abt.-Ltr. tätig, seit 1974 als Werkstättenltr. an d. HTBL Saalfelden, nebenberufl. nach Bedarf auch Lehrer f. WIFI-Kurse, seit 1979 Mtgl. d. Kapruner Gem.-Vertretung. M.: seit 1957 Funktionär u. aktiver Musiker d. Musikkapelle Kaprun, Naturfreunde, Skiclub, div. Ver. H.: Musizieren, Bergwandern. (M.T.)

Pichler Max Dr. Prof.

B.: Prof. f. Innere Med. u. Kardiologie im Rehabilitationszentrum. DA.: 5084 Großgmain, Salzburger Str. 520. PA.: 5084 Großgmain, Hinterreit 30. G.: Gmunden, 6. Apr. 1945. V.: Christine, geb. Mertens. Ki.: Katharina (1976), Nora (1977), Maximilian (1980), Christoph (1985). S.: 1963 Matura, 1963-69 Med.-Stud. Innsbruck u. Wien, 1969 Prom. z. Dr. med. univ., 1970 Dipl.-Prüf. K.: 1970-71 Sekundararzt UKH Linz, 1971-80 Ass. später OA I. Med. Univ.-Klinik Wien, 1977-79 Stipendium Max Kade Foundation u. American Heart Assoc. f. eine Research Fellowship am Dept. Cardiology d. Cedars Sinai Medical Centers u. UCLA Los Angeles, 1979 OA d. Intensivstation d. I. Med. Univ.-Klinik Wien, 1980 Habil. f. Innere Med., 1984 Anerkennung Zusatzfach Kardiologie, 1983 Fellow of the American College of Cardiologie, 1980 Prim. Rehab-Zentrum Hochegg, seit 1985 Prim. Rehab-Zentrum Großgmain, seit 1986 tit.a.o.Univ.-Prof. E.: 1977-79 Max Kade Stipendium f. einen Studienaufenthalt am Spezialized Center for Research in Ischemic Heart Disease Los Angeles, 1979 Kardinal Innitzer-Förd.-Preis f. Med., Med. wiss. Förd.-Fonds d. Bgm. d. Bundshauptstadt Wien. M.: o.Mtgl. Österr. Kardiolog. Ges., o.Mtgl. Dt. Ges. f. Herz-Kreislauf, Member of the European Society of Cardiology, Vorst.-Mtgl. d. Österr. Ges. f. allg. u. internist. Intensivmed., Fellow of American College of Cardiology. (N.M.)

Pichler Norbert

B.: Gschf. FN.: Poseidon Sped. GmbH. DA.: 1040 Wien, Schönbrunner Str. 7. PA.: 1190 Wien, Hardtg. 9/10. G.: Wien, 7. Sept. 1945. V.: Edeltraude, geb. Zöchinger. Ki.: Ulrike, Stephan. S.: Sped.Lehre, Sped.Kfm.Gehilfenprüf. 1962. K.: seit 1960 ununterbrochen im Luftfrachtbereich tätig, 1959-63 Fa. Allsped, 1963-76 Fa. Schier, Otten & Co Ltr. d. Luftfrachtbüros, seit 1976 Ltg. d. Fa. Poseidon. H.: Skifahren, Tennis, Radfahren, Schwimmen, Lesen. (C.K.)

Pichler Norbert

B.: Mtgl. d. Bundesrates seit 1983, Bmtr. d. ÖBB. DA.: 1017 Wien, Dr.-Karl-Renner-Ring 3. PA.: 4331 Naarn, Marchlandstr. 9. G.: Linz, 22. Okt. 1938. S.: Pflichtschulen 1953-65, 1953-1956 Maschinenschlosserlehre in d. ÖBB-Hauptwerkstätte Linz, 1958 Präsenzdienst. K.: Dienst- u. Fachprüf. b. d. ÖBB in d. verschiedensten Dienstverwendungen 1956-92, SPÖ-Mtgl. seit Aug. 1959, GemR. 1973-85, Mtgl. d. BRates Dez. 1983-Nov. 1991, Vizepräs. d. Kammer f. Arb. u. Ang. OÖ Mai 1984-Nov. 1991, Abg. z. OÖ Landtag (Klubobm.-Stellv.) seit Nov. 1991.

Pichler Peter Dr. h.c.

B.: Gschf. Ges. FN.: RSC Reisenzaun Hdls. GmbH, Gastro Schankanlagen GmbH, Tanz- u. Showbetriebs GmbH & Co KG. DA.: 1180 Wien, Sternwartestr. 66. PA.: 2542 Kottingbrunn, Schloßallee 4. G.: Bad Vöslau, 28. Jän. 1949. V.: Edith, geb. Pfaffelmayer. Ki.: Jürgen (1972), Michael (1976). El.: Johann u. Marianne. S.: Gymn. Baden, HAK Wr. Neustadt, Stud. WU Wien. K.: 15 J. Gschf. d Großhdls.-Firma Reifen Lutz & Co, seit 1986 selbst., RSC Reisenzaun Hdls. GmbH f. computergesteuerte Schankanlagen, Gastro Schankanlagen GmbH f. Limonadengrundstoffe, Kaffeemaschinen u. Gastronom. Kücheneinrichtungen, Tanz- u. Showbetriebs GmbH & Co KG m. d. Tanzclub in Wilhelmsburg. E.: 1986 Dr. h.c. d. Univ. Oldenburg/Deutschland. M.: Rapid Wien, VIP-Club Wr. Stadion. H.: Tennis, Golf, Trabrennen. (J.S.)

Pichler Oswald

B.: Händler. FN.: Actual-Fenster Pichler. DA.: 8720 Knittelfeld, Kärntner Str. 13. PA.: 8734 Kleinlobming, Hauserweg 4. G.: Knittelfeld, 1. Juli 1957. Ki.: Andrea (1977). El.: Matthias u. Brigitte. S.: VS, Politechn. Lehrgang, Maurerlehre Knittelfeld, 1975 Abschluß, 1975-78 HTL Graz. K.: b. 1983 Baupolier in Knittelfeld, seit 1983 selbst. m. Actual-Fenster- Türen-Montagen in Knittelfeld, seit 1988 Filiale in Liezen, seit 1990 Filiale in Judenburg, seit 1990 Transparent-Grafik-Werbung u. Design f. Hdl. u. mittelst. Betriebe in Knittelfeld, seit 1991 Eigentümer d. Zeitschrift "Die Zeitung" f. Bez. Knittelfeld, Judenburg u. Murau. H.: Kochen, Schwimmen, Skifahren, Paragleiten. (I.G.)

Pichler Peter DDr. Mag. HofR. Präs.
B.: Präs. d. Post- u. Telegraphendion Innsbruck i. R. ab 1.1.1995. DA.: 6020 Innsbruck, Maximilianstr. 2. PA.: 6020 Innsbruck, Pembaurstr. 29. G.: Innsbruck, 1. Nov. 1929. V.: Margarete, geb. Mayrhofer. El.: Peter u. Maria. S.: VS, BORealschule, 8 Sem. Jusstud., 2 Sem. Vw.Stud. K.: 1948 VB, 1953 Ass., 1956 Rev., 1957 Amtsrev., 1958 Postkmsr., 1965 Postoberkmsr., 1967 PostR., 1972 OPostR., 1981 HofR., 1974 Vorst. d. Inspektion Post u. Postautoinspektion, 1975 Vorst. d. Abt. 3 d. Post- u. Telegraphendion. f. Tir. u. Vbg. in Innsbruck (Postrecht u. Postbetrieb), b. 1980 auch Fernmelderechtsangelegenheiten, ab 1984 Stellv. d. Gruppenltrs. 1 d. Post- u. Telegraphendion. f. Tir. u. Vbg., seit 1964 Lehrkurslehrer u. Prüfer, 1976-81 Prüf. b. d. Amateurfunkerprüf. 1976-77 Mtgl. d. Disziplinarkmsn., seit 1.1.1978 Stellv. d. Vors. d. Disziplinarkmsn. b. BM f. öff. Wirtschaft u. Verkehr, 1976-79 Mtgl. d. Dienstbeurteilungskmsn., seit 1980 Vors. d. Leistungsfeststellungskmsn. b. d. Post- u. Telegrapheninsp. f. Tir. u. Vbg. in Innsbruck, seit 1988 Gruppenltr. 1 d. Post- u. Telegraphendion. Innsbruck, seit 1990 Präs. E.: Olympia-Med. 1964 bzw. 1976 f. Verd. um d. Vorbereitung u. Durchführung d. Olymp. Winterspiele in Innsbruck, Verd.-Med. d. Landes Tirol, VerdienstZ. d. L. Vlbg., Verdienstkreuz d. L. Tirol. M.: KÖHV Leopoldina, ÖAMTC, Freiwillige Rettungsges. H.: Basteln, Briefmarkensammeln. (D.S.)

Pichler Roman
B.: Einkaufsltr. FN.: Ford Motor Company (Austria) AG. DA.: 5020 Salzburg, Fürbergstr. 51. G.: Salzburg, 29. Jän. 1949. V.: Waltraud. Ki.: Gabriele (1976). K.: seit 1978 Einkaufsltr. b. Ford Motor Company. H.: Skifahren, Schwimmen, Lesen, Wandern. (N.M.)

Pichler Rudolf
B.: Ltr. d. Musikschule Pernitz. DA.: 2763 Pernitz, Muggendorfer Str. 132. PA.: 2761 Miesenbach, Frohnberg 275. G.: Wr. Neustadt, 10. Jan. 1961. V.: Brigitte, geb. Gschaider. Ki.: Corina (1982), Pamela (1984). El.: Rudolf u. Josefa. S.: 1979 Tischlerlehre, 1985 Musiklehrerprüf. am Konservatorium Eisenstadt. K.: 1983/84 Unterricht an d. Musikschule Piesting, 1984 Ltr. d. Musikkapelle Pernitz, 1990 Ltr. d. Musikensembles "Schlafhaubenbuben". E.: 1988 Anerkennungspreis d. Landes NÖ f. d. Blasmusikwerk Amerika. H.: Skifahren, Schwimmen, Musik. (T.T.)

Pichler Tatjana
B.: Gschf. Ges. FN.: AACON Luft- und Wärmetechnik GmbH. DA.: 4613 Marchtrenk, Welserstr. 55. PA.: 4020 Linz, Bessamerstr. 6. G.: Würzburg/Main, 30. Jän. 1943. S.: Gymn., Hasch. K.: Praxis b. RA, Auslandsaufenth.(Engl.), 1969 Bilanzbuchhalterprüf., Steuerbüroltr., s 1985 Gschf. Ges. H.: Beruf, Politik, Korsika. (P.H.)

Pichler Traudel Mag. art.
B.: ak. Maler u. Grafiker, Ass.-Prof. HS d. Ak. d. Bild. Künste. DA. u. PA.: 3710 Ziersdorf, Pfarrhofg. 3. G.: Mülheim/Ruhr, 13. Okt. 1941. El.: Prof. Dr. Helmut u. Luise, geb. Kleinen. S.: High school Trenton N.J. Stud. HS d. Ak. d. Bild. Künste: Malerei u. Grafik, 1965 Spons. z. Mag. art. K.: ab 1965 freischaff. Malerin u. Grafikerin, s.1972 Lehr-auftrag an d. HS d. Ak. d. Bild. Künste, s. 1980 Ass.-Prof., 1991 Prof. 1969 Rom-Stipend., 1970 London-Stipend. zahlr. Einzelausstellg. i In- u. Ausland sowie Beteilig. an zahlr. Gemeinschaftsausstellg. E.: 1969 Förd.-Preis d. Landes NÖ, 1975 Österr. Staatspr. f. Malerei, 1983 Kulturpr. d. Lds NÖ. (M.M.)

Pichler Wolfgang
FN.: Ambos EDV-Beratungs GmbH. DA.: 4020 Linz, Dauphinestr. 44. PA.: 4493 Wolfern, Martinstr. 15. G.: Linz, 30. Juli 1948. V.: Susanne, geb. Weixelbaumer. Ki.: Christian (1972), Martin (1980), Florian (1983). El.: Wilhelm u. Ilse. S.: VS, Realgym., Mat. 1966, 1966 BH Militärakad., 1970 Leutnant 1 J. aktiv, 1971 Stud. d. Informatik Univ. Linz. K.: 1971 Fa. IBM Teilzeit, 1972 Nettingsdorfer Papierfabrik, Ang., 1976 IBM Linz Ang., 1981 BMW-Motoren Steyr, Aufbau d. Rechenzentrums als Ltr., 1989 selbst. mit Partner, 1990 alleine selbst. Fa. Ambos GmbH (Beratung, Systeme mittl. u. großer Firmen, Basissystem, Rechenzentrum). E.: Preise Militär: Fechten u. Schwimmen. M.: Lions Club, Industriellenvereinigung, H.: Basteln, Skifahren, Tennis, Computer. (N.A.)

Pichler Wolfgang
B.: Gschf. FN.: Siegenia Frank GmbH. DA.: 5301 Eugendorf, Kalham. PA.: 5020 Salzburg, Ignaz-Rieder-Kai 23. G.: Klagenfurt, 13. April 1959. V.: Dr. Gudrun, geb. Kirchner. Ki.: Christoph (1994). El.: Arnulf u. Mathilde. S.: VS, HS, HAK Klagenfurt, kfm. Lehre Einzelhandel, 2 J. elterl. Betr. K.: 1980-81 LKW Walter Wien, 1981-83 Gardena Österr., 1984-86 Fa. Baumax, 1986-92 Fa. Salomon als Vertr.ltr. Geschf. d. Fa. Lee Cooper Jeans Österr., 1994 Gschf. Fa. Siegenia. M.: Golfclub Henndorf. H.: Sport, Lesen, Politik. (S.P.)

Pichowetz Gerald

B.: Schauspieler, freischaff. Künstler. DA.: 1210 Wien, Berlag. 1/15/4. PA.: 1210 Wien, Kravogelg. 79. G.: Wien, 1. Aug. 1964. V.: Marianne, geb. Gruber. Ki.: Carl-Michael, Franz-Stephan. El.: Karl u. Ilse. S.: VS, HS, b. 1982 Berufschule f. Bürokaufleute, 3 J. Schauspielschule Kraus, 2 J. b. Prof. Lola Braxton. K.: 1984 Die Zeitzündler, ab 1987 Achtung Kamera, 24 Folgen Comedy Express, ab 1992 Kaisermühlen Blues, Theater: 1988 Raimund Theater Mausemusical, Stockerauer Festspiele, Kammeroper, Theater Bühne 21: HofR. Geiger, Fiaker Milli, Synchronsprecher, Werbesprecher. H.: Zinnfiguren, Modelleisenbahn. (H.S.)

Pickering Dietmar

B.: Inh. FN.: I-Punkt Design Concept. DA. u. PA.: 4100 Ottensheim, Hostauerstr. 92. G.: Northampton/GB, 21. Feb. 1958. Ki.: Tanja. El.: Charles George Pickering u. Hermine Lutz. S.: seit 7. Lebensj. in Österr., VS, HS, 1973-77 Berufsschule, Prüf. z. Freskenmaler, 1982-83 Ausbild. in Airbrush, Artdesign u. Layout-Grafik b. Philipp Castel, Privatschule b. Orlando. K.: 1984-87 selbst. Illustrator, 1987-89 freier Mitarb. b. Werbeagentur Reichl u. Partner Linz, 1989-94 selbst. Werbegrafiker, seit 1991 Arb. f. Voest-Alpine Industrial Service, zahlr. Ausstellungen, 1989 Grdg. Firma I-Punkt Design Concept. E.: 1988 European Kodak Award f. d. Bildserie "Weekend Emotion", Preise f. Airbrush: 1987 Anwendungsbereich Metall, 1990 Illustration. H.: Mountainbiking. (W.B.)

Pichlmaier Gudrun
B.: Mitinh. "Pichlmaier Sternwirt", Köchin. DA. u. PA.: 8042 Graz, Petersbergenstr. 19. V.: Karl. Ki.: Karl, Martin, Werner. El.: Joseph u. Anna Schwendinger. S.: VS, HS, Ausbild. z. Köchin, 1965 Lehrabschluß. K.: Lehre in Graz, Köchin in Tir., Schweiz, Ktn., seit 1969 selbst., 1970 Übernahme "Pichlmaier Sternwirt". E.: Haube Gault Millaut, 3 Weinflaschen Falstaff. M.: Österr. Köche, Raststädter Kreis BRD. H.: Skifahren. (H.Z.)

Pickl Othmar Dr. phil. Mag.
B.: o.Univ.-Prof., Vorst. d. Abt. f. Wirtschafts- u. Sozialgeschichte am Inst. f. Geschichte d. Univ. Graz. A.: 8010 Graz, Steyrerg. 34/10. G.: Baden b. Wien, 11. Sept. 1927. V.: Gertrude, geb. Feidl. El.: Friedrich u. Elisabeth. S.: Gymn., Studium d. Lehramtsfächer Geschichte u. Deutsch an d. Univ. Graz, Prom. 1950, Lehramtsprüf. 1951. K.: 1951-69 Gymn. Prof. in Graz, 1957 gschf. Sekr. d. Historischen LKmsn. f. Stmk., 1966 Habil. f. Allg. Wirtschafts- u. Sozialgeschichte d. Mittelalters u. d. Neuzeit, 1969 Berufung zur Vorst. d. Histor. Inst., Abt. Wirtschfts- u. Sozialgeschichte, d. Univ. Graz. P.: Mehrere Bücher, ca. 250 wiss. Aufsätze in versch. Fachzeitschriften ua. E.: Preis d. Stmk. LRg. f. hervorragende wiss. Arb., Kardinal Innitzer-Preis, Gr. Gold. EZ d. Landes Stmk., Ehrenkreuz f. Wiss. u. Kunst I. Kl. M.: gschf. Sekr. d. Histor. LKmsn. f. Stmk., korresp. Mtgl. d. Österr. Ak. d. Wiss.,Obm. d. Kmsn. f. Wirt.-, Soz.- u. Stadtgeschichte d. ÖAW; Ritter d. Ordens vom Hl. Grab zu Jerusalem.

Pickl-Herk Josef Ing.
B.: Inh. FN.: Ing. Herk Karosserie- u. Lackierfachbetrieb. DA.: 8720 Knittelfeld, Marktg. 13. PA.: 8720 Knittelfeld, Marktg. 20. G.: Knittelfeld, 7. Aug. 1960. V.: Prof. Mag. Anita, geb. Wieser. Ki.: Christina (1983), Josef (1991). El.: Josef u. Sieglinde. S.: VS, HS, HTL, 1979 Abschluß. K.: 1982-83 Auslandpraxis in d. Schweiz, 1982 Mstr.-Prüf., 1983 Ausbild. z. Schweißtechnologen, 1985 Kfz-Mechanikermstr.-Prüf., 1985-87 Mitarb. im elterl. Betrieb, 1988 Betriebs-übernahme. M.: Innungsaussch. d. HK, Vors. d. Mstr.-Prüf.-Kmsn. H.: Windsurfen, Mountainbike, Skifahren, Jogging. (I.G.)

Pieber Horst Alfred Anton
B.: Inh. FN.: Cafe Am Platz. GT.: 1987-91 Lehrer in d. Gastronomieausbild. am Berufsförderungsinst. DA.: 8230 Fürstenfeld, Hauptpl. 13. PA.: 8292 Neudauberg 161. G.: Fürstenfeld, 2. Juli 1955. V.: Elisabeth Charlotte, geb. Freißmuth. Ki.: Birgit Elisabeth (1974). El.: Alfred u. Theresia. S.: VS, HS Fürstenfeld, Gastgewerbefachschule i. Bad Gleichenberg, 1973 Abschl. K.: 1875 tätig in Schloß Weikersdorf in Baden, 1976 Hotel Hilton Wien, s. 1980 selbst., Cafe Rest. in Neudauberg, s. 1988 Disco L.A. Pub in Neudauberg, s. 1989 Cafe Am Platz in Fürstenfeld, Trad.-Betrieb s. 1856 Konditorei u. Erzeugung d. LIPPE Hohlhippe. H.: Musik, Jagd. (I.G.)

Pieber Fritz
B.: Wirtschaftstreuhänder u. Steuerberater. DA.: 3270 Scheibbs, Eisenwurzenstr. 36. G.: Scheibbs, 8. Jan. 1944. Ki.: Manfred (1966). El.: Alois u. Magdalena. S.: HS, 3 J. Praktikantenausbild. HAK d. Wr. Kaufmannschaft m. Abschlußprüf., neben Tätigkeit b. einem Steuerberater 1974 Externistenvollmatura u. Stud. WU WIen, 1979 Steuerberatungsprüf. K.: 1979 Bestellung z. Wirtschaftstreuhänder u. Steuerberater, 1984 eigene Kzl. u. zusätzl. Übernahme d. Geschäftsführung einer Wirtschafts-treuhänderges., Fachvorträge. BL.: 1994 Überquerung d. Atlant. Ozeans im Segelboot, Überschreitung d. Mont Blanc. M.: div. AufsR.-Mandate, Ösik Rechnungsprüfer, ÖSYK (Österr. Hochseeyachtclub) Rechnungsprüfer. H.: Hochseesegeln, Bergsteigen, Klettern. (I.J.)

Pieber Karl Dipl.-Ing. Dr. Prof.

B.: Vorst. d. Inst. f. Obst- u. Gartenbau. FN.: Universität f. Bodenkultur. DA.: 1180 Wien, Feistmantelstr. 4. PA.: 1130 Wien, Himmelhofg. 42. G.: Bruck/Mur, 8. Okt. 1939. V.: Friederike, geb. Schubert. Ki.: Michael (1969), Susanne (1977). El.: Ambros u. Helene, geb. Derler. S.: 1953-55 landwirtsch. Lehre in St. Michael, 1956 landwirtsch. FH in Silberberg, 1957 Praxis i.d. BRD, 1958-61 HTL in Raumberg/Trautenfels, 1961 Matura u. Praxis, 1962-67 Stud. a.d. Univ. f. Bodenkultur in Wien. K.: 1967 als wissensch. Vertragsbed. u. wiss. Beamter am Inst. f. Obstbau, 1971 Diss., anschl. Studienreisen im Ausland, 1983 Hab., Ernennung zum Ordinarius u. Vorst. d. Inst. f. Obst- u. Gartenbau. P.: 70 Publ. (Schwerpunkte: Lagerungsuntersuchungen, Wuchsstoffe, Obstunterlagenvermehrung u. Prüf. Ertragsprüf. b. Kern- u. Steinobst, Marillenprod.). M.: Gartenbauges., Verein d. Biotechnologen, ISHS. H.: Bergwandern, Autoreisen. (F.S.)

Pieber Rudolf Dr. Gen.-Dir.
B.: Gschf. Österr. Wohnbau GmbH Graz, PA.: 8010 Graz, Goethestr. 46/II.

Piech-Porsche Louise KommR.
B.: Senior-Chefin v. Porsche Österr. G.: Wien, 29. Aug. 1904. V.: RA Dr. Anton Piech. Ki.: 3 Söhne, 1 Tochter. BV.: Vater Ferdinand Porsche Auto-Konstrukteur u. Erfinder. S.: Mittelschule Wr. Neustadt, Stud. Zeichnen u. Malen b. Prof. Engelhart. K.: Chefin d. Generalimporteurs f. Volkswagen u. Porsche, Aufbau einer VW-Importorgan. in Österr., 1971 Rückzug aus d. Geschäftsführung, BL.: 30 J. Automobilrennen m. beachtl. Erfolgen. E.: 1959 KommR., 1976 Ehrensenatorin d. TU Wien. M.: Ehrenvors. d. AufsR. Porsche Österr. H.: Malerei, Fischen, Jagd.

Piechocinski Zbigniew Dr.
B.: Augenarzt. PA.: 6600 Reutte, Innsbrucker Str. 5. G.: Warschau, 27. März 1933. V.: Hertha, geb. Kugler. Ki.: Nicole, René. K.: Seit 1973 eigene Ordination in Reutte, Konsiliararzt am Bez.KH Reutte. (Schm.)

Piegler Josef Dr. iur.
B.: Senatspräs. d. OGH i.R. A.: 1130 Wien, Buchbinderg. 23. G.: Wien, 23. Sept. 1919. El.: Josef u. Anna. S.: Hum. Gymn., Univ. Wien (Jus). K.: Richter, Lektor an d. WU Wien, Red. d. "Österr. Richterzeitung". P.: Das Schmerzengeld im med. u. jur. Licht (4. Aufl), Alkohol u. Recht (2. Aufl.), zahlr. Abhandlungen im jur. Fachzeitschriften. M.: Ver. d. österr. Richter.

Piekarz Guido Wilhelm Dr.
B.: Bereichsltr. d. Sbg. Sparkasse Bank AG. DA.: 5020 Salzburg, Alter Markt 3. PA.: 5020 Salzburg, Bründlweg 4. G.: Admont, 24. Apr. 1944. V.: Sieglinde, geb. Pressel. Ki.:

Clemens, Isabella. El.: Ladislaus u. Wilma. S.: VS, ak. Gymn., 1963 Matura, Univ. Innsbruck, rechtswiss. Fak., 1969 Prom. K.: 1970 Eintritt in d. Sbg. Sparkasse, 1971 Rechtsabt. b. z. Abt.Stellv., 1987 Bereichsltr. f. Recht u. Beteilig., 1983 Prok., Gschf. d. Sbg. Kreditgarantie GmbH, Gschf. d. Spark. West GmbH, Gschf. d. Sbg. Bau- u. Finanzbetreuungs GmbH, Gschf. d. Sbg. Sparkassen-Vermögens u. Beteiligungs GmbH. BL.: Grdgs.Vorst. d. Beteiligungsfonds West AG. M.: Stellv. Obm. d. Wertpapierkreises d. Sbg. Sparkassen. H.: Oper, Konzerte, Tennis, Lesen, Italien-Fan. (Hat.)

Pieler Josef Dipl.-Ing.

B.: Zivilingenieur f. Kulturtechnik u. Wasserwirtschaft. DA.: 7000 Eisenstadt, Neusiedler Str. 35-37. G.: Oslip, 11. Apr. 1956. V.: Barbara, geb. Klampfer. Ki.: Alexandra, Martin, Sebastian. El.: Andreas u. Margarete. S.: 1974 Realgymn. Eisenstadt, 1981 Abschl. Stud. Kulturtechn.-Wasserwirtschaft BOKU Wien, 1988 Ziviltechnikerprüfung. K.: 1982 Mitarb. Ziviltechnikerbüro, 1989-91 Landesbediensteter, 1991 selbst. m. Spezialisierung a. Abfallwirtsch. u. Umwelttechnik. F.: 50 % an techn. Büro Wien. H.: Tennis, Musik. (M.G.)

Pieringer Walter Dr. med. o.Univ.-Prof.

B.: Vorst. Inst. f. Med. Psych. u. Psychotherapie. DA.: 8036 Graz, Auenbrugger Pl. 28. PA.: 8010 Graz, Peinlichg. 5. G.: Graz, 1. Okt. 1942. V.: Gitta, geb. Carli. Ki.: Christian, Elke, Paul. El.: Dr. Armin u. Friederike. S.: 1961 Matura, Med.Stud., 1968 Prom. K.: FA-Ausbild. Psychiatrie u. Neurologie, 1979 Habil., seit 1979 Inst.Vorst., seit 1981 o.Univ.-Prof., Lehranalytiker. P.: ca. 130 Veröff. Hpt.-Richtung: Med. Anthropologie, Psychosomatik.

Pierzl Peter

B.: Schlossermstr., Unternehmer. FN.: Schlüsselcenter Pierzl Sicherheitstechnik u. Euro-Soft, Schlüssel Code Entwicklung GmbH. DA.: 9020 Klagenfurt, St. Ruprechter Str. 20; 9020 Klagenfurt, Kinopl. 1. PA.: 9020 Klagenfurt, Paracelsiusg. 12. G.: Klagenfurt, 7. Juni 1948. Ki.: Petra. El.: Alfred u. Anna. S.: VS, HS, 1954-65 Berufsschule Klagenfurt, Lehre Schlosserei Firma Wilfan, Elektronikausbild., 1976 Mstr.-Prüf., 1977 Schweißwerkmstr., div. andere Fachprüf., 1965-84 Mitarb. im Unternehmen Schator, 1984 Grdg. d. eigenen Unternehmens m. Schwerpunkt Schlüssel Dienst, Safe, Bankschließfächer, Hochsicherheits-einrichtungen u. 1990 Konzession f. Alarmanlagen, 1992 Grdg. Euro-Soft, Prüf.-Kmsn. f. Schlossergewerbe Ktn. M.: Wirtschaftsbund Ktn., Europ. Verb. Inter Key. H.: Schach, Tennis, EDV. (G.L.)

Pieler Peter E. Dr. iur.

B.: o.Univ.-Prof. d. Univ. Wien. PA.: 2500 Baden, Mackg. 8. G.: Wien, 14. Dez. 1941. V.: Christa, geb. Chalupka. Ki.: Franz Stefan (1975), Eva Maria (1976). El.: Prof. Erich u. Carola. BV.: Vater Prof. Erich Pieler: Prof. an d. TU Wien f. Plast. Gestaltung u. Bildhauer, Großvater Franz Xaver Pieler: Maler, berühmt durch seine Blumenbilder. S.: Hum. Gymn., Stud. d. Rechtswiss., Byzantinistik u. Alten Geschichte, Dr. iur. K.: s. 1992 Dekan d. juridischen Fakultät, Tätigkeiten in zahlr. Kmsn. d. Fak. u. Univ., Mtgl. d. Kmsn. f. Antike Rechtsgeschichte d. Österr. Ak. d. Wiss. P.: "Zum Problem d. byzantinischen Verfassung", "Recht, Ges. u. Staat im byzantischen Roman d. Palaiologen Zeit", "Byzant. Rechtsliteratur", wiss. Aufsätze z. Thema d. Kaiserkonstruktionen d. Byzant. Staatsverträge. M.: Wr. rechtshistor. Ges., Österr. byzantin. Ges., ÖCV ua. H.: Literatur, Zeitgeschichte, Philatelie. (J.S.)

Piesch Werner

B.: Gschf. Ges. FN.: Bäckerei Hollik. DA.: 8605 Kapfenberg, Hauptpl. 5. G.: Bielitz in Schlesien, 19. Juli 1941. V.: Christine, geb. Hollik. Ki.: Susanne (1970), Gerald (1972). El.: Erich u. Gertrude. S.: VS, Mittelschule, Handelsschule Graz. K.: Eintritt in Steuerberaterbüro, 1965-81 Fa. Porsche Kapfenberg als Finanzleiter, Buchhalter, s. 1981 selbst. b. Fa. Hollik 4 Geschäfte. M.: Lyons Club Bruck/Mur. H.: Fischen, Bergsteigen, Faustballspielen, Leichtathletik. (J.M.)

Pieslinger Kurt Dr. iur.

B.: Gschf. d. Vereinigung OÖ Industrieller. DA.: 4020 Linz, Eisenhandstr. 13-15. PA.: 4202 Kirchschlag 5. G.: Arnreith, 2. Juni 1944. V.: Dr. Birgit, geb. Zaubeck. Ki.: Clemens, Alexander, Stephanie, Barbara. El.: Ernst u. Ludmilla. S.: AHS Linz, 1964-69 Jusstud. Wien, 1969 Prom. K.: Gerichtspraxis, anschl. Industriellenvereinigug, seit 1986 Ltr., Res.-Offz. E.: Silb. VZ d. Landes OÖ. M.: Rotary Club Linz-Urfahr. H.: Fischen. (P.H.)

Pietsch Karl Oberst

B.: Stadtrat - Personalchef d. Militärak. Wr. Neustadt. DA.: 2700 Wr. Neustadt, Burgpl. 1. PA.: 2700 Wr. Neustadt, Waxriegelg. 28. G.: Eisenerz, 4. Feb. 1928. V.: Ulrike, geb. Woldron. El.: Karl u. Maria. S.: 1963 Matura, 1968 Absolv. d. Militärak. Wr. Neust. als Leutnant. K.: Ab 1968 Heeres-Fernmelderegim. Wien, 1978 Lehroffz. f. Personalwesen u. Ltr. d. Pers. Abt. a.d. MILAK Wr. Neustadt, 1985 Gemeinder., ab 1986 Stadtrat f. Sport u. Schulw., s. 1990 Stadtrat f. Finanzen. E.: Ak. Ring i. Gold d. Theresien. Mil. Ak. f. Verd. i. d. Offz. Ausb. M.: Vorst. Mtgl. b. Messe-AG Wr. Neust., HSV-Wr. Neust., SCE Fußb. Allround Hand. H.: Hand- u. Fußball, Tennis. (I.J.)

Pietschmann Heide Ulrike Dipl.-Ing.

B.: Dipl.-Ing. Arquitecto, Univ. National de Cuyo Argentina. A.: 1010 Wien, Franz-Josefs-Kai 29/609. G.: Graz, 1. Apr. 1941. El.: Pietschmann Gerhard Dipl. Ing. u. Hermana Dipl. Ing. Univ. Prof. S.: 1958 Excuela Normal Nacional Sarmiento, San Juan, Argentinien, 1975 Nostrifikation d. RG,

Wien, 1959-67 Stud. an d. Abt. f. Arch. u. Städtbau an d. Ing.Fak. d. Nationalen Univ. v. Cuyo., 1965 Teilnahme an d. Intern. Tagungskursen f. "Vivienda y Planificacion" (Wohnbau u. Planung) an d. Univ. v. Buenos Aires, als Stipendiat d. Univ. v. Cuyo. 1967 Prom. in Arch. u. Städtebau. Titel: Arquitecto. 1975 Nostrifikation an d. TU Graz. Titel: Dipl.-Ing. Zur Zeit inskrib. als o.Hörer an d. Univ. Wien an d. Studienrichtungen: Indologie u. Ägyptologie. K.: In Argentien: 2 Preis im Wettbewerb f. d. Gartengestaltung d. Ing. Fak. in San Juan. Entwürfe f. einen Club u. 2 Wohnhäuser. In Österr.: Mitarb. in versch. Arch.Büros. 2 Preise in einem Wettbewerb f. ein öff. Gebäude. Stud. als o.Hörer an d. Univ. Wien: Indologie, Ägyptologie. P.: eine Publ. in "Nota Bene", Univ.Wien. M.: Institut Autstro-Latino Americano, Freunde d. Wr. Staatsoper. H.: Musik, Musical-dance, Reiten, Tauchen, Reisen.

Pietschmann Helmut Dr. med. Univ.-Prof

B.: FA f. interne Med., Primarius. A.: 1090 Wien, Liechtensteinsstr. 11/15. G.: Wien, 2. März 1928. V.: Edith, geb. Sachs. El.: Dr. Artur u. Elise. S.: Prom. 9. Juli 1954. K.: 1961 FA Anerkennung, 1968 Habil. Fach Int. Med., 1975 Berufstitel a.o.Prof. P.: 120 Publ., 3 in Buchform. E.: 1967 Univ.Preis d. Wr. Wirtschaft, 1968 Kardinal Innitzer-Studienpreis. M.: Österr. Ges. f. Hämatologie Diabetes, Interne Med., Psychosomatik, Wr. Med. AK f. Fortbildung, Ver. f. Neutrol. u. Psychatrie. H.: Fotografie, mod. Malerei u. Graphik.

Pietschmann Herbert Dr. phil. o.Univ.-Prof.

B.: Vorst. d. Inst. f. theor. Physik d. Univ. Wien. GT.: Kons. im Forsch.Zentrum Seibersdorf, Mtgl. d. Fak. d. Hernstein Intern. Management-Inst., stellv. Vors. d. AkR. d. Wr. Int. Ak. f. Ganzheitsmed., freier Mitarb. d. ORF. DA.: 1090 Wien, Boltzmanng. 5/5. PA.: 1050 Wien, Arbeiterg. 13/18. G.: Wien, 9. Aug. 1936. V.: Edeltraud, geb. Sicka. Ki.: Werner, Dieter, Brigitte. El.: Dr. Victor u. Margarete. BV.: Sebastian Stief Maler, Max Keldorfer Komponist. S.: 1954 Matura Sbg., Stud. Math. u. Physik, 1955-56 Hauslehrer in Syrien, Fortsetzung d. Stud., 1961 Prom. sub ausp. praes. K.: 1960-61 CERN Genf, 1961-63 wiss. Mitarb. am Inst. f. Theoret. Physik an d. Univ. Wien, 1964-65 Forsch.Ass. Univ. of Virgina, 1966 Habil. Univ. Wien, 1966 TU Göteborg, 1967-68 Gastprof. Univ. Bonn, 1968-71 Extraordinarius, seit 1971 Ordinarius in Wien, 1971-76 Dir. d. Inst. f. Hochenergiephysik d. Ak. d. Wiss., 1976 Nordita-Gastprof. in Göteborg. P.: 7 Bücher u.a. "Das Ende d. naturwiss. Zeitalters" 1980, "Die Welt d. wir uns schaffen" 1984, "Die Wahrheit liegt nicht in der Mitte" 1990, "Die Spitze d. Eisberges" 1994, ca. 120 Veröff. in theor. Physik, ca. 130 Veröff. in Phil., Wiss.Theorie u.a. M.: Ehrenmtgl. d. ungar. physikal. Ges., Korr. Mtgl. d. Österr. Akad. d. Wiss. H.: klass. Musik, akt. Mtgl. d. New York Academy of Science. (P.R.).

Piffer Franz Ing

B.: Bmstr., Ing., Innenarch. DA.: 5760 Saalfelden, Loferer Str. 9. PA.: 5760 Saalfelden, Pabing 110. G.: Saalfelden, 24. Juli 1957. V.: Erika, geb. Walchensteiner. Ki.: Nicole (1977), Christoph (1981). El.: Franz u. Frieda. S.: VS, HS, HTL Saalfelden, 1982 Bmstr.-Prüf. - jüngster Bmstr. d. Landes Sbg. K.: seit 1983 selbst. Initiator d. 2. Golfpl. v. Saalfelden u. Mitbes. d. Golfpl., i. Architekturbüro vielfältige Aufgaben egal ob priv. od. öffent. Natur. Gewinn einiger Arch.-Wettbewerbe. H: Jagd, Golf.

Piffl Karl

B.: Dir. d. Berufsschule f. Schlosser u. Glaser. DA.: 1060 Wien, Mollardg. 87. PA.: 2512 Tribuswinkel, Schloßg. I/5. G.: Wien, 7. Juli 1945. V.: Gertrude, geb. Mandl. Ki.: Sonja (1984), Silke (1987). El.: Karl u. Emma, geb. Riepl. BV.: Vorfahre Kardinal Dr. Piffl war Kardinal v. Wien. S.: VS, HS, Berufsschule f. Maschinenschlosser, Mstr.-Prüf., Werkmstr.-Prüf., Lokführerprüf., Lehramtsprüf. f. Maschinenschlosser. K.: 1959-63 Maschinenschlosserausbild. b. Firma SGP Wien, 1963-70 Motorenschlosser u. selbst. Monteur v. Dieselmotoren u. Lokomotivmonteur, ab 1970 Berufsschullehrer an d. Zentralen Lehrwerkstätte f. Metallverarb. Gewerbe an d. Berufsschule Wien, ab 1990 stellv. Dir. u. ab 1990 Dir. an d. Berufsschule f. Schlosser u. Glaser, 1972-91 Erwachsenenbildner am WIFI, BFI u. Jugend am Werk. H.: Computer. (M.M.)

Pikal Rudolf

B.: selbst. Kfm. FN.: Fitnesscenter Pikal. GT.: Sportgerätehdl. DA.: 1210 Wien, Prager Str. 126A, 1080 Wien, Laudong. 60. PA.: 1210 Wien, Prager Str. 86-88. G.: Mallasbach, 21. Jan. 1955. Ki.: Doris. El.: Karl u. Rosa. S.: VS, Gymn. K.: Büropraktikant b. d. Gem. Wien u. als Bmtr. b. 1985, parallel dazu Aufbau d. Fitnesstudios in Wien 8, seit 1985 Alleinbetrieb d. Studios u. seit 1987 Eröff. d. Betriebes in Wien 21, seit 1986 Sportgerätehdl. BL.: 1983 Wr. Mstr. im Body Building u. 4. Pl. b. d. Österr. Meisterschaften. H.: Sport, Ges., Musik. (G.E.)

Pilarczyk Peter

B.: Vorst. Geschäftsbereich Lebensmitteltechnik Werner & Pfleiderer AG. DA.: 1171 Wien, Odoakerg. 35. PA.: 1070 Wien, Neubaug. 55/3/21. G.: Groschowitz, 21. Juli 1940. V.: Margot, geb. Grandel. Ki.: Ralf, Martina. S.: kfm. Lehre als Ind.Kfm. K.: mehrjähriger Auslandseinsatz in England u. Frankreich, 1969-86 in d. Wälzlagerind. in d. BRD im Vertrieb tätig, Bereichsltr., Prokura, abgeschlossenes Betriebwirtschaftsstud., seit März 1987 Fa. Werner & Pfleiderer GmbH Stuttgart u. seit Juli 1987 in Wien als Vorst., Herstellung u. Vertrieb in d. Hauptsache v. Bäckereimaschinen. H.: Segeln, Bergsteigen. (C.K.)

Pilarz Georg Dr.

B.: Dir., Vors. d. Geschäftsführung. FN.: GIWOG Gemeinn. Ind.-Wohnungs GmbH. GT.: 1984-89 1. Obm.-Stellv. d. Betriebskrankenkasse Donauwitz, seit 1986-91 Mtgl. d. AufsR. d. Gemeinn. Ind.-Wohnungs GmbH Linz, seit 1988 fachkundiger Laienrichter am OLG Graz. DA.: 4020 Linz, Maderspergerstr. 11. PA.: 4060 Londing, Im Blumengrund 9, 9020 Klagenfurt, Kreuzwirtg. 16. G.: Klagenfurt, 21. Juli 1951. El.: Franz u. Gerda. S.: VS, RG, 1969 Matura, Stud. Med. u. Rechtswiss., 1977 3. Staatsprüf., 1978 Prom. K.: 1975-77 Studienass., 1977-78 Vertragsass. u. 1978-82 Univ.-Ass. Univ. Graz, 1978 Gerichtspraxis, VOEST-ALPINE KONZERN zuletzt 1982-89 Ltr. d. Abt. Personalwesen u. Arbeitsrecht, seit 1991 Ass. u. Sonderaufgaben VOEST-ALPINE STAHL AG Linz, seit 1991 Vors. d. Geschäftsführung d. GIWOG, seit 1992 Mtgl. d. Geschäftsführung SAG Wien u. d. GEMYSAG Kapfenberg. M.: KDF Kreis d. Führungskräfte innerhalb d. Konzerns. H.: Reisen bes. Asien, Fotografieren, Lesen (Fach- u. Unterhaltungsliteratur). (U.A.)

Pilch Adalbert Prof.

B.: Freischaff. Ak. Maler u. Grafiker. PA.: 3001 Mauerbach, Passauerwaldg. 18. G.: Wien, 16. Feb. 1917. V.: Irene, geb. Rotter. El.: Adalbert u. Maria. S.: RG, Matura, 1937-41 Ak. d. Bild. Künste in Wien b. Prof. Wilhelm Dachauer. K.: Bis 1945 b. d. Dt. Wehrmacht als Kriegszeichner d. Heeresmuseen, ab 1945 freischaff. Pressezeichner, Illustrator v. Schul-, Kinder- u. Jugendbüchern, Porträtmaler (Porträts sämtl. BPräs. s. 1945, Nationalsratspräs., 4 Verkehrsmin., Gen.-Dir. d. Postverw., 5 Gouverneure d. Ö. Spark. u.a.), Briefmarkenentwürfe f. Österr., Lichtenstein, Israel, 20J. als freier Mitarb. f. d. Österr. Nationalbank tätig (Porträt- u. Architekturzeichn. f. d. Banknoten), Arb. im öff. Besitz. E.:

Zahlr. philatel. Preise u. Med., 1966: schönste Marke d. Welt (Sondermarke "Kunst d. Donauschule"), 1982: schönste Musikermarke d. Welt (Haydnmarke), 1986 u. 87: schönste Marke d. Jahres, Gold. EZ d. Landes Wien, VK d. Rep. Österr. f. Wiss. u. Kunst, 1987 Prof. M.: Wr. Künstlerhaus. H.: Musik, Kammermusik, Geige spielen, Skifahren. (M.B.).

Pilcz Karlheinz Mag. art.

B.: Maler u. Grafiker, Kunstpädagoge, Schriftsteller, Volks- u. Heimatkundler. PA.: 2340 Mödling, Neug. 23. G.: Wien, 29. Apr. 1940. V.: Helma, geb. Neuberger. Ki.: Karoline (1975), Stephanie (1980). El.: Karl u. Barbara. S.: 1958-67 Stud. an d. Ak. d. bild. Künste in Wien. K.: 1960-61 Ass. an d. Künstler. Volkshochschule in Wien, 1961 erste Einzelausstellung, seit 1961 Mtgl. d. Wr. Künstlerhauses, 1962 Teilnahme an d. Ausstellung "Surrealismus - Phantastische Malerei d. Gegenwart" im Wr. Künstlerhaus, 1964 Mtgl. d. NÖ Künstlergruppe "64", 1965-66 künstler. Ltr. d. Galerie "Synthese" Wien, 1967 Beginn d. Tätigkt als Gymnasiallehrer, 1968 Mitarb. an d. Ausstellung "Die Entwicklung d. Wr. Schule", 1970 u. 1971 Mtgl. d. Ausstellungskmsn. d. Wr. Künstlerhauses. P.: "Grotesken" (1970), "Sagen, Märchen, Schwänke u. Geschichten aus Mödling u. Umgebung" (1983 etc.), "Ein Leben im Quadrat" (1990). E.: 1960 u. 1961 Meisterschulpreis d. Ak. d. bild. Künste Wien, 1962 Gold. Fügermed. d. Ak. d. bild. Künste Wien u. Anton Romako-Preis d. Wr. Künstlerhauses, 1963 Young Art Medal, 1966 Anerkennungspreis d. Kulturamtes d. Stadt Wien, 1968 Gr. Preis d. Wr. Künstlerhauses, 1969 Förderungspreis d. Landes NÖ, 1980 EZ f. Verd. um Kunst u. Kultur d. Stadt Mödling. H.: Bücher, Film, Jazz. (Ch.K.)

Pilger Albert M. M. Mag. Ing.

B.: General-Manager. FN.: Johnson Controls. DA.: 1220 Wien, Deinleing. 3. G.: Preding, 11. Okt. 1949. V.: Monika. Ki.: Gaby, Dani. El.: Hans u. Adele. S.: HTL Graz, 1968 Matura. K.: b. 1969 Portalbaufirma, b. 1990 Regelungstechnik b. Honeywell, zuletzt Mtgl. d. Geschäftsltg., seit 1990 Gschf. Johnson Controls, 1975-85 Stud. Sozial- u. Wirtschaftswiss. Univ. Graz. P.: Veröff. in div. Fachzeitschriften. H.: Familie, Sport. (J.E.)

Pilgerstorfer Hanns W. Dr. med. MedR.

B.: FA f. med. u. chem. Labordiagnostik. GT.: seit 1980 Vorst.-Mtgl. d. Ärztekammer f. OÖ, 1989-94 Vizepräs. d. Ärztekammer f. OÖ u. Vorst.-Mtgl. d. Österr. Ärztekammer. DA.: 4020 Linz, Schubertstr. 9. G.: Bad Goisern, 19. März 1941. V.: Isabel, geb. Pirkham. El.: Univ.-Prof. Dr. Walter u. Hildegard. S.: Akad. Gymn. Linz, Univ. Wien u. Kiel, Prom. 1966 Dr. med. Univ. Wien 1967. K.: 1969-73 1. Med. Univ.-Klinik in Wien, 1963 Kardiolog. Univ.-Klinik, 1973 Ndlg. als FA f. med. u. chem. Labordiagnostik in Linz. P.: Etwa 40 Publ. aus d. Gebiete d. Blutgerinnung u. Laboratoriumsdiagnostik. M.: Rotary, Union-Yacht-Club Attersee. (U.A.).

Piller Christian

B.: Kfm., Gschf. Ges. FN.: Medium Vertriebsges. f. Audiovisuelle Kommunikationsmittel GmbH. DA.: 1200 Wien, Taborstr. 95. G.: Wien, 24. Mai 1962. El.: Gerhard u. Elisabeth. S.: VS, HS, Gymn., HAK. K.: während d. Schulzeit Geschirrpräsentationen, Pressefotoagentur, Tätigkeit im Verkauf in Computerfirma, seit 1986 selbst. P.: Veröff. in Wirtschaftswoche, Cash Flow, Trend. H.: Firma, Skifahren, Tennis. (W.M.)

Piller Christian Dr.

B.: Dir. d. Fremdenverkehrsbetriebe d. Stadt Sbg. DA.: 5020 Salzburg, Auerspergstr. 7. PA.: 5302 Henndorf, Altentannstr. 19. G.: Villach, 24. Aug. 1952. V.: Tine, geb. d'Haeyere. Ki.: Julius, Elisabeth, Arantxa. El.: Friedrich u. Maria. S.: 1970 Matura, Univ. Wien, 1979 Prom., 1979 Dipl. d. Dipl.-Ak. K.: 1979 Eintritt in d. Österr. Fremdenverkehrswerbung, 1980-86 Zweigstellenltr.-Stellv. in Brüssel, 1987-89 Dir. d. Zweigstelle Madrid, ab 1989 Dir. d. Sbg. Fremden-verkehrsbetriebe d. Stadt Sbg. M.: WDF, SITE VPräs. d. Österr. Kapitels, BÖKT, Club d. Absolventen u. Freunde d. Dipl.-Ak. H.: Tennis, Schach. (M.Mo.)

Piller Ernst

B.: Abg. z. NatR., Präs. d. AK Bgld., Einzelhdls.-Kfm. DA.: 7000 Eisenstadt, Wiener Str. 7. PA.: 7000 Eisenstadt, Hotterweg 17. G.: Draßburg, 25. Okt. 1939. V.: Eva Maria, geb. Ziegler. Ki.: Gertrude, Roland, Gerlinde. El.: Karl u. Christine. S.: kfm. Lehre, 1961-62 Sozialakad. Mödling. K.: 1958-88 Landes-Sekr. f. Jugend u. Bild. d. ÖGB Bgld., 1971 Vorst. u. 1971-83 Vizepräs. d. AK Bgld., 1972-88 Landes-Sekr. d. ÖGB, s. 1983 Präs. d. AK Bgld.; 1982-89 LAbg. u. s. 1989 NatR.-Abg., 1977-87 GemR. v. Eisenstadt. P.: Fachspezif. Publ. in Tageszeitungen über Berufsausbild. u. Vorträge. M.: ÖGB, SPÖ, örtl. Ver., s. 1987 Landes-Obm. d. Naturfreunde Bgld. H.: Lesen, Radfahren, Skifahren, Wandern. (M.G.)

Piller Ernst Dr. Dkfm.

B.: Prok., Verkaufsltg. FN.: P.S.K. Leasing GmbH & Co KG. DA.: 1190 Wien, Heiligenstädter Lände 29. PA.: 1020 Wien, Taborstr. 98/18. G.: Wien, 20. Febr. 1943. V.: Elisabeth, geb. Sterzinger. Ki.: Astrid (1969), Ernst (1979). S.: RG, HAK, 1961 Matura, HS f. Welthdl., 1968 Prom. K.: 1968-69 Österr. Gen.Verb., 1969-70 Austro Bau AG, 1970-73 Zentralkasse d. Volksbanken Österr. Dion.Ass., parallel dazu Gschf. u. Prok. in d. Ges. z. Förd. mittelständ. Betriebe, 1974-77 Länderbank Großkreditabt., Beteiligungen, 1977-82 Allg. Leasing Zentrale (ALZ) Ltr. d. Repräsentanz Ost f. d. Leasing-Bereich, ab 1982 P.S.K. Leasing eines d. führenden Leasinguntern. Österr. im Rahmen d. P.S.K. Gruppe. P.: 1970 Hrsg. d. Buches "Kreditgen. in Österr.". M.: Österr. Bankwiss. Ges., Presseclub Concordia. H.: Hobbyhandwerker. (C.K.)

Piller Ernst Dr. techn. Dipl.-Ing. Univ.-Doz.

B.: Univ.-Doz. an d. TZ Wien. A.: 1127 Wien, PF 81. G.: Allerheiligen, 16. Apr. 1953. V.: Leopoldine, 3 Kinder. El.: Georg u. Maria. S.: Elektrotechnik HTBL Kapfenberg. Stud. Techn. Math. TU Graz, Stud. Informatik TU Wien. K.: Ass. TU Wien, Ltr. v. Forschungs- u. Entwicklungsprojekten, Mitarb. im Support u. Marketing, Ltr. einer Vertriebsdir. b. BULL AG, dzt. Univ.-Doz. an d. TU Wien u. Ltr. d. Abt. Chipkarten b. Fa. AUSTRIA CARD u. Vorst.-Mtgl. b. MED-CARD U. Vorst.-Vors. d. ASA. P.: 2 Bücher im Springer Verlag u. Oldenbourg Verlag, 2 Publ. b. "world computer congress", insges. über 50 Publ. M.: ACM, GI, ADV, ÖCG, Mensa. H.: Wiss., Politik, Wirtschaft, Golf, etc.

Piller Helmut

B.: Heimleiter d. Tagesheimes d. Beschäftigungstherapie (Jugend am Werk). DA.: 1220 Hirschstettner Str. 28. PA.: 1220 Wien, Kratzmanng. 3. G.: Wien, 26. Jan. 1960. V.: Renate, geb. Nezold. Ki.: Daniela (1981). El.: Franz u. Johanna. S.: VS, HS, Polyt. Lehrg., Lehre a. Dreher b. d. ÖBB, 1978 Abschl. K.:1979 Betreuer b. Jugend am Werk, s. 1987 Leiter (Öffentlichkeitsarb. m. d. Ziel Behindertenproblematik). P.: zahlr. Publ. i. div. Medien über Behinderte. H.: selbst Möbel bauen, Skifahren, Radfahren, Fußball, Tennis. (N.A.)

Piller Peter

B.: Vorst. d. Auricon Beteiligungs AG, Gschf. Ges. d. Ueberreuter Druckerei GmbH u. d. Cash-Flow-Zeitschriftenverlags AG. GT.: AufsR.-Mtgl. Binder AG Gleisdorf u. Austria Email AG, stellv. AufsR.-Präs. Jenbacher Werke AG, Jenbacher Transportsysteme AG u. Jenbacher Energiesysteme AG. DA.: 2100 Korneuburg, Industriestr. 1. PA.: 1180 Wien, Naaffg. 28. G.: Käsmark/CSFR, 4. März 1943. V.: Edith, geb. Eckhart. Ki.: Bernhard (1968). El.: Franz u. Hertha. S.: Stud. an d. HS f. Welthdl. Wien. K.: zunächst journalist. Karriere, später Wechsel ins Verlags- u. Sanierungsmanagement, 1967 Red. b. d. Nachrichtenagentur UPI Wien, 1968-70 Red. d. Wirtschaftsred. "Die Presse", 1970-73 Red. u. Chef v. Dienst b. Wirtschaftsmagazin "trend", 1974-75 Mitbegründer u. Alleingschf. d. Wirtschaftswochenmagazins "ECCO", 1975-77 Alleingschf. d. "Trend-profil"-Verlages, 1977-82 Gschf. bzw. Vorst.-Mtgl. b. "Kurier", 1983-88 Vorst.-Mtgl. d. Wolfgang Denzel Kraftfahrzeuge AG, 1988-90 Gschf. u. Ges. b. d. "Metro-Zeitschriftenverlags GmbH", seit 1990 Gschf. Ges. Carl Ueberreuter Druckerei GmbH u. Vorst. Auricon Beteiligungs AG, seit 1992 Vorst. d. Cash-Flow-Zeitschriftenverlags AG, Mtgl. d. Präsidiums d. Österr. College Europ. Forum Alpbach. H.: Skifahren, Segeln, Spazierengehen m. d. Hund. (J.S.)

Piller Walter

B.: Gschf. d. Ndlg. Wels. FN.: Lutz, Weber & Co GmbH. DA.: 4600 Wels, Lichtenegg 2. G.: Lambach, 21. Juni 1947. V.: Regina, geb. Erbl. Ki.: Thomas (1983). El.: Anton u. Anna. S.: VS, HS, HAK Wels, b. 1975 Berufschule im Bereich Papier-, Einzel- u. Großhdl., 1976 BH. K.: 1975-81 Außendienst Reisinger Papierfachhdl. Wels, Kurse in Buchhaltung, Kostenrechnung, Rechtslehre, seit 1981 Administration u. Außendienst Lutz, Weber & Co GmbH, 1988 Zwg.-Stellenltr. Brau AG, seit 1991 Prok., seit 1992 Gschf. BL.: 1974/75, 1975/76 u. 1990/91 Landesmstr. SK Lambach Handball. M.: Bez.-VertrauensR. im Gremium Brennstoffhdl. d. HK, Handballver. H.: Handball, Schwimmen, Radfahren, Eislaufen, Familie, Lesen (Fachliteratur). (U.A.)

Pillhofer Josef Prof.

B.: Ak. Bildhauer. A.: 1050 Wien, Kohlg. 1/27/9. G.: Wien, 1. Juni 1921. V.: Dr. Waltraud, geb. Rossi. El.: Josef u. Dorothea. S.: Kunstgewerbeschule, Graz 1938-41, Ak. d. Bild. Künste, Wien 1946-50, Atelier Ossip Zadkine, Paris, 1950-51. K.: Kontakte m. Constantin Brancusi u. Henri Laurens, 1954 Lehrbeauftragter an d. Ak. d. Bild. Künste Wien, 1957 Studienaufenthalt in Rom, 1970-81 Ltr. d. Meisterkl. HTL Graz f. Bildhauerei. F.: 1972-74 Ltr. Künstl. Gestalten, TU Graz. P.: Hofmann Plastik d. 20. Jhdt. 1958, H. Hutter/Mrazek Mod. Kunst in Österr. 1965, M. Seuphor di Plastik unseres Jhdt. 1969, J. Muschik Österr. Plastik seit 1945-66. E.: 1950 Staatspreis d. Ak. d. bild. Künste Wien, 1950 Förderungspreis d. Stadt Wien, 1954 Dr. Theodor Körner-Preis, 1968 Österr. Staatspreis, 1980 Preis d. Stadt Wien. M.: Wr. Secession, Ehem. Art Club Mtgl.

Pillhofer-Vogl Elisabeth

B.: Programmbereichsltr. FN.: Wirtschaftsverlag Carl Ueberreuter GmbH. DA.: 1091 Wien, Alserstr. 24. G.: Graz, 28. Jan. 1957. V.: Gerhard Vogl. Ki.: Alexander (1975), Katharina (1977), Verena (1989). El.: Rudolf u. Ernestine. S.: Grundschule, Stud. Betriebswirtschaft. K.: 1980-94 Bereichsltr. Österr. Ak. f. Führungskräfte Graz. M.: Wirtschaftsforum. H.: Familie, Kinder, E-Musik, mod. Kunst, Arch., Skifahren, Radfahren, Schwimmen. (J.M.)

Pillinger Rudolf

B.: freischaff. Musiker (Saxophon, Klarinette) u. Buchdrucker, Ltr. d. Ensembles Pillinger u. Gründer d. Saxophonquartetts Saxodrom. GT.: Ges. d. PI-Musik R. Pillinger. DA. u. PA.: 5020 Salzburg, Bognerstr. 10. G.: Salzburg, 19. März 1934. V.: Hildegard, geb. Ebner. Ki.: Franz (1960) freischaff. Musiker u. Komponist, Baßgeigenquartett Circus Bassissimus, Johannes (1963) freischaff. Musiker u. Komponist. El.: Franz u. Maria, geb. Waschl. S.: Musikstud. Konservatorium in Sbg. K.: Konzertveranstaltg, Bühnen- u. Theatermusik, Studioaufnahmen, grenzüberschreitende Musik, Musik- u. Literaturkombinationen, Produktionen m. geschichtl. Hintergrund. H.: Lesen. (E.Hö.)

Pilotto Gerald

B.: Inh. u. Kfm. FN.: Feinkost, Party-Service Pilotto. DA.: 5600 St. Johann, Hauptstr. 21. PA.: 5600 St. Johann, Kasernenstr. 20. G.: St. Johann, 1. Sept. 1943. V.: Waltraud, geb. Wunder. Ki.: Gerald (1963), Birgit (1967). El.: Ernst u. Maria. S.: VS, HS, 3 Lehrj. im elterlichen Betrieb, 1960 abgeschl. K.: bis 1965 dort beschäftigt. danach selbst. m. Feinkost u. Spirituosen, 1985 Betr. m. Party-Service f. d. Bez. Pongau erweitert. M.: Mtgl. zahlr. örtl. Ver., Kassier d. Werbegem., Obmann-Stellvertr. d. FVV St. Johann. H.: Radfahren, Joggen, Tennis. (J.F.)

Pilotto Egon

B.: VBgm. v. Seefeld, Kfm., Hotelier. PA.: 6100 Seefeld, Haspingerstr. 156. G.: Salzburg, 23. Apr. 1939. V.: Renate, geb. Strohmaier, 3 Kinder. K.: Seit 1959 selbst., 1970 nach Ausbau u. Vergrößerung Übernahme d. elterl. Hotelbetriebes, Hotels Helga. M.: Organisationskomitee d. Nord. Skiweltmeisterschaft, Lions-Club. H.: Reisen, Fotografieren, Freizeitsport. (Schm.)

Pillwein Hans
B.: Elektrotechniker, Gschf. d. Fa. RSA Regel- u. Schaltanlagen GmbH, Exportltr. d. Fa. ACS Automatic Control System Regelgeräte GmbH. DA.: 1210 Wien, Brünner Str. 57. G.: Wien, 25. Sept. 1949. V.: Regina, geb. Lavicka, 1 Kind. El.: Johann u. Gertrude. S.: Pflichtschule, Realschule, HTL. K.: 1970 Ing., 1970 Fa. ACS im Außendienst - Comecon, 1972 Exportltr. d. Fa. ACS, 1982 Gschf. d. Fa. RSA. H.: Skifahren, Tennis. (Lar.)

Pils Helmut
B.: Betriebsratsobm. d. Arb. in d. Leobersdorfer Metallwarenfbk. PA.: 2544 Schönau/Siebenhaus, Spitalg. 5. G.: Kresbach, 16. Nov. 1926. V.: Margarete, geb. Gottswinter, 1 Sohn. El.: Franz u. Anna. S.: HS, Lehre in Modellkeramik, Kriegsdienst. K.: 1 J. Schmid-Werke Wilhelmsburg, 1959 LMF als Schweißer begonnen, seit 25 J. BetriebsR. M.: ÖGB. H.: Schwammerlsuchen, Lesen, Gartenarbeit, Fußball, Radfahren, Skifahren, Schwimmen, Kochen. (M.G.)

Pils Manfred Mag.
B.: VPräs. d. Verb. Alpiner Vereine (VAVÖ) Österr., VPräs. Verb. Ökol. Tourismus in Europa (ÖTE), Journalist, Gen.-Sekr. Naturfreunde Intern. (NFI). DA.: 1150 Wien, Diefenbachg. 36. PA.: 1190 Wien, Radelmayerg. 10/6/14. G.: Wien, 15. Okt. 1954. El.: Marfried u. Gertrud. S.: RG, Soz. Univ. Wien, Informatik TH. K.: Alpinexperte, Ausbildner an d. Hochgebirgsschule Glockner/Kaprun, Ltr. d. Ausbild. f. Wanderführer im Fremdenverkehr, Mitarb. am Medienverb. "Wandern", 1981-92 Chefred. "Der Naturfreund". P.: TV-Film "Kinder auf Ski" 1984, Buch: "Wandern - wie es Spaß macht" 1985, 1994 Buch: "Berg frei !". BL.: Organ. v. Diashows, Fotoausstellungen. M.: Naturfreunde Österr. H.: Bergsteigen, Paddeln, Rad, Fotografie, EDV u. Computer. (J.E.)

Pils Peter Dr. med. Univ.-Prof.
B.: Ärztl. Dir.-Stellv. Allg. Unfallvers.-Anstalt Wien. A.: 1180 Wien, Martinstr. 91. G.: Ried/Innkreis, 9. Okt. 1945. V.: Dr. med. Katharina, geb. Jantsch, FA f. Physik. Med., Prim. Allg. Poliklinik Wien. Ki.: Georg (1980), Sophie (1983), Johanna (1994). El.: MedR. DDr. Georg prakt. Arzt u. Herta. S.: Lycée Francais, Wien, Baccalauréat, Univ. Wien, Stud. d. Med., Prom. Jänner 1970. K.: FA f. Innere Med. 1976, OA 1979, Habil. 1981, Doz. f. Innere Med. an d. I. Med. Univ.-Klinik, Wien, Ärztl. Dir.-Stellv. d. Allg. Unfallvers.-Anstalt Wien, Univ.-Prof. 1992. P.: dzt. 120 Publ., gedruckt oder im Druck, Hauptthema: Nephrologie, Rehabilitation. E.: "in the service of peace", UNO, 1973.

Pils Wolfgang Dr. iur.
B.: RA. DA.: 4020 Linz, Graben 19. PA.: 4020 Linz, Losensteinerstr. 9. G.: Linz, 26. März 1946. El.: Dipl.-Ing. Josef u. Maria. S.: RG Linz, 1964 Matura, Stud. an d. Univ. Wien, 1969 Prom., 8 Sem. Vw. an d. Univ. Linz, 1970-75 Gerichts- u. RA-Anw.Praxis, 1974 Anwaltsprüf., 1975 Ang. d. wirtschaftspolit. Abt. d. HK, 1975 Kzl.Eröff. M.: Lions-Club, OÖ Jurid. Ges. H.: Fliegenfischen, Schach. (Deu.)

Pilsinger Robert Dipl.-Ing.
B.: staatl. befugter u. beeid. Ing.-Konsulent f. Vermessungswesen (Geometer). DA. u. PA.: 8940 Liezen, Döllacherstr. 25. G.: Ardning, 16. März 1955. V.: Anneliese, geb. Quehenberger. Ki.: Sonja (1980), Thomas (1987), Dagmar (1992). El.: Josef u. Josefa. S.: Matura, Stud. TU Graz, 1982 Dipl. K.: 5 J. Praxis in Stainach als Ang. Fa. Dipl.-Ing. Gernot Windholz, seit 1988 selbst., Digitalisierung v. Flächenwidmungsplänen. M.: div. örtl. Ver. H.: Skifahren, Lesen. (M.T.)

Pilsl Karl
B.: Vors. d. Geschäftsltg. d. österr. Baumarktforsch., stellv. Ltr. d. Strategenteams BRD, Ltr. d. Strategenteams Österr. DA.: 5400 Vigaun 182. PA.: 5411 Oberalm 796. G.: Sarleinsbach, 3. Febr. 1948. V.: Monika, geb. Wieberger. Ki.: Karl, Markus, Angelika, Sebastian, Matthias. El.: Karl u. Anna. S.: VS, HS, 1970 Externistenmatura in Wien. K.: 1970-76 Gschf. d. Fa. Fenster- u. Türenwk. Pils Saleinsbach, 1976 Grdg. d. österr. Baumarktforschungs GmbH, 1982 Grdg. d. Strategenteams Österr., seit 1984 stellv. Ltr. d. Strategenteams BRD, Tätigkeitsbereich: Grundsätzl. Unternehmensstrategie f. d. anbietende Wirtschaft. P.: Seminare f. naturkonforme Unternehmensstrategie. H.: Familie, engagierter Christ. (Hat.)

Pilz Gerhard
B.: Bgm. d. Marktgem. Weißkirchen. GT.: Lehrer an d. HS Weißkirchen. DA.: 8741 Weißkirchen, Gemeindeamt. PA.: 8741 Weißkirchen, Roseggerg. 57. G.: Wildalpen, 3. Sept. 1940. V.: Anna, geb. Rössl. Ki.: Andrea, Angelika, Christiane, Ursula. El.: Josef u. Angela. S.: VS Reidling, HS Heiligeneich, BGewerbeschule St. Pölten f. Elektrotechnik, Externistenmatura 1966 in Baden, Abiturientenlehrgang f. Berufstätige an d. LBA Graz 1967/68. K.: 1962 zeitverpflichtet b. BH, Flugzeugführer-Ausbild., 1962-69 Fluglehrer d. Luftstreitkräfte, OLt. d. Res., 1969 Aufnahme d. Schuldienstes in Weißkirchen, 1 J. an d. VS, seit 1970 an d. HS Lehrer f. Math., Geometrisches Zeichnen, Werkerziehung u. Kurzschrift. E.: 1993 Ehrenbürgerschaft d. Marktgem. Weißkirchen, 1994 Gr. EZ d. Landes Stmk. M.: 1970 GemR., 1975 Gem.Kassier, seit 1980 Bgm., Mtgl. d. ÖVP, Kameradschaftsbundes, Österr. Offz.Ges., Obm. d. Tennisclubs, Ehrenmtgl. div. örtl. Ver. H.: Reisen, Briefmarken sammeln. (Tra.)

Pilz Gretl
B.: Dipl. Ehe- u. Familienberaterin, Psychotherapeutin. DA.: 1210 Wien, Pius-Parsch-Pl. 2/5, Praxis: 1190 Wien, Friedlg. 11/5. PA.: 1190 Wien, Friedlg. 11/7. G.: Wien, 14. Apr. 1936. V.: Kurt. Ki.: Hemma, Christine u. Markus. El.: Dr. Josef u. Margarethe. S.: Matura 1954 in Wien. K.: 1955-58 BHK, 1958-64 Red. eines Jugendzeitschriftenverl., 1964-74 freie Mitarb. b. versch. Zeitschriften, 1974-77 Ausbild. als Ehe- u. Familienberaterin, Dipl. 1977, 1977-85 Ltr. d. Familienberatungsstelle Stephansplatz d. Erzdiösese Wien, 1984-86 Ausbild. in Familientherapie (Dipl.), Ausbild. in Massage, ab 1985 Ltr. d. Familienberatungsstelle Floridsdorf, 1976-83 Gen.Sekr. d. Kath. Familienwerkes Österr. (ehrenamtl.), Leitungsfunktion in d. Ausbild. v. Psychotherapeuten (Propädeutikum). E.: Stephanusorden in Silber. H.: Lesen, Theater, Radfahren, Langlaufen, Tanzen. (P.R.)

Pilz Günter
B.: Prok., Manager. FN.: Steirerbus-Panther Reisen. DA.: 8020 Graz, Annenstr. 20. PA.: 8010 Graz, Raiffeisenstr. 56. G.: 25. Dez. 1952. V.: Christine, geb. Fanninger. El.: Josef u. Dorothea. S.: HASCH Graz. K.: 1969 Eintritt in d. Reisebüro Steirerbus zunächst Buchhaltung, Autobusmiete, Gruppenreisen, Organ. d. Reisen bzw. Prod. derselben, ab 1988 Prokura. H.: Wandern, Radfahren, Sport allg. (P.R.)

Pilz Günter Dr. phil. a.Univ.-Prof
B.: Univ.-Prof. A.: 4020 Linz, Hausleitnerweg 25. G.: Bad Hall, 19. März 1945. V.: Gertrud, geb. Goldmann. El.: Franz u. Johanna. S.: VS u. Mittelschule in Linz, Stud. d. Math., Physik u. Phil. an d. Univ. Wien (1963-67). K.: Ab 1966 Wiss. Hilfskraft bzw. Univ. Ass. an d. Univ. Wien, TH Wien u. Univ. Linz. 1969/70 Research Ass. an d. Univ. of Arizona (Tucson, USA). Seit 1971 Doz. u. seit 1974 a.Univ.-Prof. an d. Univ. Linz. 1980-83 Vorst. d. Inst. f. Math. d. Univ. Linz. Aufenthalte als Gastprof. an d. Math.Inst. d. Univ. in

Edinburgh, Parma (Italien), Hobart (Tasmanien), Auckland (Neuseeland), Lafayette (Louisiana), College Station (Texas), Taichung (Taiwan), Stellenbosch (Südafrika) u. Teesside (England). P.: 6 Bücher: "Near-rings", North-Holland, Amsterdam 1977, "Angewandte Abstrakte Algebra" (Mit R. Lidl) (2 Bände), Bibl. Inst. Mannheim, 1982 "Einführung in d. Mathematik", Trauner-Verlag Linz, 5. Aufl. 1984, "Applied Abstract Algebra" (m. R. Lidl), Springer Verlag, New York 1984, "Algebra - Ein Reiseführer durch d. schönsten Gebiete", Trauner Verlag, 1984, sowie etwa 40 Art. in Fachzeitschriften. E.: Förderungspreis d. Landes OÖ f. Wiss. (1969) M.: Österr. Math. Ges., Edinburgh Math. Society, American Math. Society. H.: Familie, Gewichtheben.

Pilz Hans Joachim

B.: Gen.-Dir. FN.: Austria Österr. Hotelbetriebs AG. DA.: 1020 Wien, Untere Donaustr. 25. PA.: 2380 Perchtoldsdorf, Hochstr. III. GF: Austria-Österr. Hotelbetriebsbeteiligungs GmbH, Passauerhof GmbH. G.: Hohenelbe/BRD, 2. Sept. 1933. V.: Eva, geb. Krennhuber. Ki.: Klaus (1963), Petra (1966). El.: Hans-Werner u. Margarete. S.: seit 1953 in Österr., Stud. an d. HS f. Welthdl. K.: versch. Positionen d. Hotelerie, seit 1975 Dir. d. Parkhotels Schönbrunn, seit 1975 stellv. Vorst. d. Austria Österr. Hotelbetriebs AG, seit 1980 o.Vorst.Mtgl., seit 1988 Gen.-Dir. M.: EMA, Skal-Mtgl., IATM. (P.R.)

Pilz Harald

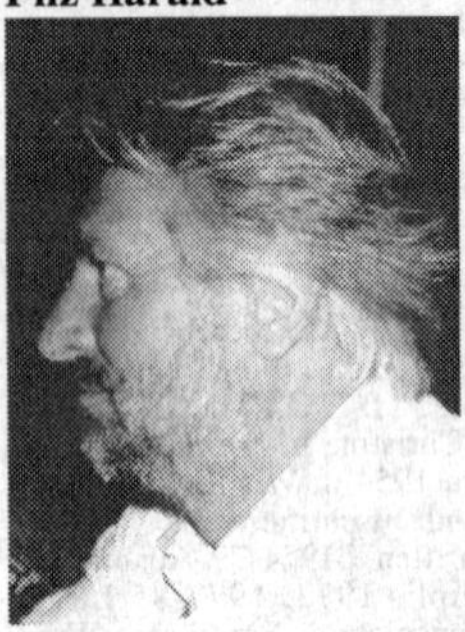

B.: Inh. FN.: Realbüro Pilz Ges.m.b.H. GT.: Gastronom (vermietet Lokale). DA.: 5020 Salzburg, Faberstr. 6. PA.: 5020 Salzburg, Gaisbergstr. 67. G.: Salzburg, 15. Feb. 1941. El.: Eduard u. Maria, geb. Kronhuber. S.: 1955-58 kfm. Lehre, 1960 Österr. Bundesheer. K.: 1961-79 Verk.-Tätigk. Landmaschinen, Möbel, Holzmaschinen u.Auto, 1979/80 Nordhaus Fertighaus Grundstückref., 1981 Start Makler u. Hausverw., 1988 Rupertipassage u. fünf Lokale (Um- u. Ausbau), 1991 Ebenseer Wohn- u. Geschäftshaus. M.: Tauchclub Slbg., ICA Segelclub. H.: Segeln, Elephanten sammeln, Tennis, Briefmarken, Ölgemälde, Skifahren. (C.D.)

Pilz Ingrid Dr. Univ.-Prof.

B.: a.o.Univ.-Prof., Ltr. d. Biochem.-Biophysikal. Abt. A.: 8054 Graz, Mühlriegel 10. G.: Prag, 12. Dez. 1931. El.: Petzold Hans Dipl.-Ing. u. Doris. S.: VS, RG, Stud. d. Chemie an d. Karl Franzens-Univ. in Graz. K.: 1950 Matura m. Ausz., 1950 Beginn d. Stud. d. Chemie an d. Univ. Graz, 1956 Prom. sub auspiciis praesidentis, 1970 Habil. f. Physikal. Chemie, 1973 Verleihung d. Titels a.o.Prof., 1974 Ernennung z. a.o.Prof. u. Ltr. d. Biophysikal.-Biochem. Abt. P.: 80 Publ., 4 Buchart., "Naturparadies Julische Alpen", "Urlandschaft Norwegen" ersch. im Styria-Verlag, Graz. E.: Rudolf Wegscheider-Preis, Forschungspreis d. Landes Stmk. M.: Ver. Österr. Chemiker, Biophysikal. Ges. Österr., Österr. Biochem. Ges.

Pilz Josef Adolf

B.: Jesuitenpater, Schriftsteller, Mitarb. b. ORF. PA.: 6021 Innsbruck, Sillg. 6. G.: Königswiesen/OÖ, 18. Apr. 1932. S.: Mittelschule, Matura 1952, Eintritt in d. Jesuitenord., Phil.Stud. in München. K.: 1954-57 Erzieher in Innsbruck, 1957-60 Theol.Stud. in Innsbruck, 1960-64, Jugendseelsorger in Klagenfurt, Aufbau d. Telefonseelsorge in Klagenfurt, seit 1980 in Linz im Alten Dom-St. Ignatius. P.: 1968 "Dort wo ich bin - da möchte ich Du sagen", 1972 "Grenzgänger", 1975 "Alles ist einmal Ankunft". M.: P.E.N.-Club. (Mayr)

Pilz Jürgen Dr. Univ.-Prof.

B.: Univ.-Prof. am Inst. f. Math. d. Univ. Klagenfurt. DA.: 9020 Klagenfurt, Universitätsstr. 65-67. PA.: 9020 Klagenfurt, Reichenbergerstr. 35. G.: Langenau/Sachsen, 25. Nov. 1951. V.: Cornelia, geb. Tietz. Ki.: Michael (1979), Franziska (1988), Alexandra (1990). El.: Wolfgang u. Waltraut. S.: Gymn. Sachsen, Abitur, 1970-74 Stud. Math. Bergak. Freiburg, Prom., Habil. K.: 1974-88 Math. Statistik TU Bergakademie Freiberg, 1989 Fachbereich Geolog. Wiss., Aufbau d. Math. Geologie, 1989 Doz. f. Math. Geologie, 1992 Prof. f. Math. Geologie, seit 1994 Lehrstuhlaufbau angew. Statistik in Verbindung m. Technik, Umwelt u. Ges. Univ. Klagenfurt. P.: Bücher: Bayesian Estimation and Experimental Design in Linear Regression Models (1991), Theorie u. Anwendung d. optimalen Versuchsplanung (1977, 1980), Mithrsg. einiger intern. Statistik-Zeitschriften. E.: Wiss.-Preis d. Bergakad. Freiberg. M.: ISI, IAMG, IGA. H.: Radfahren, Schwimmen, Bergwandern. (F.S.)

Pilz Karl Dr.

B.: Prof. A.: 4210 Gallneukirchen, Marktpl. 11. G.: Gallneunkirchen, 26. Okt. 1922. V.: Liselotte, geb. Stadtler. El.: Karl u. Josefine. S.: Staatsgymn. in Linz, Univ. Innsbruck, Probejahr an d. Realschule Linz. K.: 1949-67 Prof. an d. LBA, b. 1975 Prof. am Muspäd. RG, seit 1975 Prof. am BOStufen-RG E.: Ernennung z. OStR. M.: Mtgl. d. Prüf.Kmsn. f. d. Lehramt an VS u. HS.

Pilz Peter Dr.

B.: Abg. z. Wiener Landtag, Klubobm., Bundessprecher d. Grünen Alternativen, Soz.-Wissenschafter. G.: Kapfenberg, 22. Jan. 1954. S.: BRG Bruck/Mur, Stud. d. Vw an d. Univ. Wien (Dr. rer soc. oec.). K.: nach Abschl. d. Stud. freiberufl. Soz.-Wissenschafter, 1986-91 Mtgl. d. NatR., s. 1991 Mtgl. d. Wiener Landtags.

Pilz Margot

B.: Multi-Media-Künstlerin, Univ.-Lektorin. DA. u. PA.: 1170 Wien, Frauenfeldstr. 8/12. G.: Haarlem, 21. Sept. 1936. V.: Fritz Pilz. Ki.: Sebastian. El.: Dr. med. Friedrich ter Heege u. Ottilie ter Heege-Wolf. BV.: Ing. Hugo Wolf Miterbauer d. Kaprun-Kraftwerk, Co-Dir. v. Siemens. S.: Höhere Graph. BLVA Wien, 1976 Mstr.Prüf. Fotografie. K.: freie Fotografin in Wien, Tätigkeitsbereiche: Fotografie, Objekte, Installationen, Computer u. Video, Ausstellungen: 1981 Seccesion Wien: Erweiterte Fotografie, 1982 Kaorle am Karlsplatz, Galerie "A B M" Amsterdam: Fotoarb. v. 1977-82, "4th Dimension" (Plakat, Katalog), 1983 "Furcht u. Elend d. dritten Reiches", Bert Brecht, 1984 Museum d. 20 Jhdt.: 1984 Orwell u. d. Gegenwart, 1985 Fotogalerie Wien "Projekt Weiße Zelle" u. "Kunststoff", 1987 Musee d'Art Moderne, Paris: Le temps d'un Movement, Steir. Herbst Graz, 1988 NÖ Donaufestival Langenlois: "Hinter d. Wänden" - Digitaler Fries, 1989 "Fotovision. Fotografie nach 150 Jahren", Videotape "Gasoline Tango", Sprengel-Museum Hannover/Wiener Messepalast, Galerie Visor, Valencia, 1989

"Foto 89" Zöchling-Kunstkalender, 1990 Welser Filmtage: "Sete", Video Festival Tel Aviv/Hallwalls Gallery, Buffalo/ USA, 1991 Linz Ars electronica, Delphi Digital (Skulpturales Orakel), 1992 Wien Blau-gelbe Galerie, "Die Auflösung d. Fotografie Der kalte Raum", Comp Art, Projekt d. ÖKS (BMUK) f. Schulen in NÖ 1993, Kölner Messe Visionary Austria, 1994 Wr. Festwochenzeit, Schnitte Remise, patriarchische blaugelbe Galerie, Rauminstallation: Tacit Surveillance Station 3 "Arche Telos", Raumintallationen. E.: 1983 Staatsstipendium f. Bild. Kunst Arena Wien, 1985 Römerquelle Fotopreis, 1988 Postsparkassenpreis. M.: Künstlerhaus, BVÖ, Intakt. H.: Kunst, Architektur, Wandern, Natur, neue Medien, Reisen, Garten, Ernährung. (A.W.)

Pilz Wilhelm Ernst Mag. rer. soc. oec.

B.: Gschf. Ges. FN.: Raps & Co GmbH. GT.: Gschf. Ges. Raps & Co Braunau. DA.: 5162 Obertrum, Handelsstr. 10. PA.: 5020 Salzburg, Rottweg 45. G.: Stein, 3. Aug. 1942. V.: Ute, geb. Simon. Ki.: Stefan (1967), Christina (1969). El.: Wilhelm u. Elfriede. S.: VS, Realschule, HAK, 1961 Österr. BH, 1961-66 Praxisj. im In- u. Ausland, 1966-70 Stud. Wirtschaftswiss. Univ. Wien m. Spons. K.: 1971-82 ltd. Positionen Auto u. Flugzeugbranche, Gewürzbranche, 1982 Mitbegründer Raps & Co Hallein, 1985 Neubau Raps & Co Obertrum, 1986 Inbetriebnahme Betriebsstätte Braunau. BL.: 4 Marathonläufe (2x New York, 1x Wien, 1x Frankfurt/Main). M.: Rotary Sbg.-West. H.: Skifahren, Laufen, Radfahren, Basketball, Motorradfahren, Lesen, Hobbytheater. (C.D.)

Pimmer Erich Dr.

B.: Gschf. d. Brauerei-Beteiligungs GmbH Wien u. d. Grundstücke- u. Gebäudeverw. GmbH Wien, Dir. d. CA-BV Wien. PA.: 1090 Wien, Schlickg. 6/4b. M.: AufsR. Vors. d. Hutter & Schrantz AG Wien, Semperit Reifen GmbH Wien, Semperit Techn. Prod. GmbH Wien, AufsR.Vors.Stellv. d. Jenbacher Werke AG Jenbach, Schaumstoff u. Kunststoff GmbH Wien, Hitiag GmbH Neuda, AufsR. d. Imperial Hotels Austria AG Wien, Wienerberger Baustoffind. AG, Wien, Treibacher Chemische Werke AG, Treibach, Leykam-Mürztaler Papier- u. Zellstoff AG Gratkorn, "Alwa" Güter- u. Vermögensverw. AG Wien.

Pimminger Bruno

B.: Gschf. FN.: Gutenberg-Werbering GmbH. DA.: 4020 Linz, Anastasius-Grün-Str. 6. PA.: 4020 Linz, Weinheberstr. 17.G.: St. Florian, 6. Nov. 1949. V.: Monika, geb. Koinig. El.: Florian u. Maria. S.: VS, HS, Graph. Berufsschule, 1964-68 Buchdruckerlehre, 1970-71 BH, 1971 Offsetdruckerprüf. K.: b. 1974 Offsetdrucker, Wechsel Abt. Kalkulation u. Sachbearb., 1982 Abt.-Ltr., 1985-92 Prod.-Ltr. im Haus, 1991 Druckerbefähigung, seit 1992 Gschf. BL.: Ltr. v. VHS-Kurs "Zeitungsmacher". P.: versch. Art. in Fachzeitschriften. M.: Graph. Bild.-Verb., Sportver. H.: Reisen, Skifahren, Briefmarken sammeln. (Ni.A.)

Pimmingstorfer Erich Dr. med.

B.: Prakt. Arzt, Gem.Arzt, Schularzt. DA. u. PA.: 4722 Peuerbach, Brunnenfeldg. 20. G.: Raab, 8. Mai 1951. V.: Angelika, geb. Schraml, 2 Kinder. El.: Erich u. Maria. S.: Gymn., 1970 Matura, 1970-76 Stud. d. Med. in Wien, 1976 Prom. K.: 1976-79 Turnus im KH Schärding, 1979 Ius prakticandi, seit 1979 prakt. Arzt in Peuerbach. H.: Bild. Kunst u. Antiquitäten. (H.D.)

Pinggera Markus

B.: Österr. Staatsmeister, Militärweltmeister im Radfahren - Straße, Zeitsoldat d. HSNS., Student. DA.: 1230 Wien, Josef Kutschag. 10/7. G.: Lustenau, 20. Jän. 1968, El.: Roswitha u. Artur. S.: AHS.Matura in Bregenz, anschl. Eintritt in d. HSNS, Leistungszentrums Südstadt, derzeit Studium d. Wirtschaftsinformatik a.d. Univ. Wien. K.: Beginn d. Karriere als Jungedl. m. 16 J., 1986 Joniorenstaatsmeister, anschl. Zeitsoldat d. HSNS, Wechse zum Amateurfahren., 1991 in Holland u. 1992 in Italien Vizemilitärweltmeister, 1993 Militärweltmeister in Belgien, 1994 Teilnahme a.d. Südafrikarundfahrt, Etappensieger , gesamt 14. Platz, Österr. Meister im Paarzeitfahren u. Österr Meister im Einzelzeitfahren. 6.Platz als bester Armateur d. NÖ.-Rundfahrt f. Armateure u. Profis. Kärnten-Rundfahrt: Etappensieger, gesamt 4. Platz. (J.S.)

Pinggera Wulf Dr. med. Univ.-Prof.

B.: FA f. Innere Med.; Ärztl. Dir. d. KH Amstetten. DA.: 3300 Amstetten, Krankenhausstr. 21. G.: Amstetten, 24. Feb. 1939. V.: Mag. Heide, geb. Viklicky. Ki.: Astrid, Winfried. El.: Walter u. Juliane. S.: VS, Gym. Amstetten, 1957 Matura, Med. Stud. Univ. Wien, 1963 Prom. Turnusausbildung im KH Stockerau. K.: FA f. Innere Medizin 2. Med. Univ.-Klinik Wien, Univ. Med. Center in Denver Colorado, OA an d. 2. Med. Univ. Klinik Wien, 1975 Habil., 1980 a.o. Univ.-Prof. 1985 Prim. u. Vorst. d. Med. Abt. v. KH Amstetten, ab 1.1.94 ärztl. Dir. d. KH Amstetten, Majorarzt d. Miliz d. österr. Bundesheeres. P.: 3 Lehrbuchbeiträge, ca. 200 wiss. Arb. auf d. Gebiet d. Inneren Medizin. M.: Ges. d. Ärzte in Wien, Österr. nephrolog. Ges., Med. Ges. NÖ, Van Swieten Ges., Magistralritter SMRO, Com. SO Sao Paulo, St. Georgsorden, Devotionsritter S. Latare, Merito Navali, Cruz Mer Civ. Cult (Bras.), a.o. Mitgl. d. Wr. Kath. Akad. H.: Jagd, Geschichte, Kulturgeschichte. (U.A.)

Pingitzer Adolf Dr. Dkfm.

B.: Gschf. Julius Meinl Warenhdls. u. Immobilien GmbH Wien, Wiener Ölwerke GmbH Wien, Prok. d. Julius Meinl AG Wien, Brüder Kunz GmbH u. d. PAM-PAM Warenhdl. GmbH Wien. PA.: 1030 Wien, Klimschg. 30/11.

Pingitzer Inge Dr. Dkfm.

B.: Unternehmer. PA.: 1190 Wien, Aslang. 2. G.: Wien, 2. Apr. 1931. El.: Pingitzer Ignaz Ing. u. Regine. S.: Matura m. Ausz. 1949, Dipl. HS f. Welthdl. Wien 1953, Doktorat HS f. Welthdl. Wien 1954. K.: Studien in d. USA, Bachelor of Arts degree in Economics, Master of Arts degree in Economics, 1953-55 Prok., seit 1955 erfolgreich selbst. tätig. F.: Inh. d. Reform- u. Diäthauses Dr. Pingitzer, Gen.Vertr. d. Fa. MEG Gottlieb Diaderma - Haus Heidelberg, biol. Heilmittel, Körpferpflege u. Kosmetik, Drogengroßhdl., biol. Präparate Dr. Pingitzer. M.: KÖF, Rotes Kreuz, Grem. Wien f. d. Einzelhdl. m. Drogen, Grem. Wien f. Großhdl. m. Pharmazeutika u. Drogen, Vors. u. Obm. d. Ver. akt. Kaufleute (Kaisergrund Aktiv). E.: Silb. EZ f. Verd. um d. Land Wien.

P.: Über Volksgesundheit. H.: Tanzen, Sport, Volleyball, Musik, Literatur, Grünpflanzen, Fremdsprachen (Engl., Franz., Ital. fließend, Suaheli) (E.L.)

Pink Paul

B.: Radio- u. Fernsehmechanikermstr., Mechanikermstr., Bes. d. Fa. Pink. DA.: 2100 Korneuburg, Stockerauer Str. 6. PA.: 2111 Kleinrötz 110. G.: Wien, 13. Sept. 1939. V.: Anna, geb. Böhm. Ki.: Angelika, Barbara, Wolfgang. El.: Ing. Franz u. Leopoldine. BV.: Großväter Heinrich Pink u. Karl Josef Kadlec waren k.u.k. Hoflieferanten f. Werkzeuge u. Armaturen. S.: HS. K.: Lehre f. Meßgerätemechaniker b. Fa. Norma, 6 J. b. Philips tätig, 1964 u. 1965 Mstr.Prüf., seit 1966 selbst. F.: Fa. Pink in Stockerau. M.: Lions-Club, Obm. d. Club f. Korneuburg. H.: Tiefseetauchen (Bronze-Prüf.). (Bauer)

Pinker Heinz Dr.

B.: Inh. u. Gschf. FN.: Wilhelm Maudrich KG Univ.-Buchhdlg. u. Verlag. DA.: 1090 Wien, Spitalg. 21a. G.: Wien, 7. Mai 1943. V.: Eromuthe. El.: Heinz u. Irmgard. S.: Gymn., Univ. K.: seit 1989 Gschf. Ges. d. Sortiments u. Verlages Wilhelm Maudrich KG. M.: Österr. Akad. Bund, TCA. H.: Reisen, Sport, Musik, Lesen.

Pinkernell Wilhelm Dr. med.

B.: Prim., Vorst. d. Augenabt. d. AKH Wr. Neustadt, ärztl. Dir. d. A.ö. KH Wr. Neustadt, Augenarzt. GT.: Eigene Ordination. DA.: 2700 Wr. Neustadt, Corvinusring 3-5. PA.: 2700 Wr. Neustadt, Schlögelg. 7. G.: Gmünd/NÖ, 23. Mai 1939. V.: Dr. Christa, geb. Manaska. Ki.: Brigitte, Christian, Christina. El.: Wilhelm u. Anna. BV.: Großvater Alois Schwarzmüller ehem. Bgm. v. Gmünd/NÖ. S.: VS, Mittelschule, Stud. d. Med. in Wien, 1965 Prom. K.: 1965 Turnus im AKH Wr. Neustadt, anschl. augenärztl. Ausbild. b. Prof. Hamburger, 1971 FA f. Augenheilkunde u. Ernennung z. OA, 1972-77 eigene Ordination f. Augenheilkunde in Baden, 1977 Umsiedlung d. Ordination v. Baden nach Wr. Neustadt, 1974 Übernahme d. Ltg. d. Augenabt. d. AKH Wr. Neustadt, 1983 Stellv. Dir. d. AKH Wr. Neustadt, s. 1989 ärztl. Dir. d. A.ö. KH Wr. Neustadt, s. 1990 Medizinalrat. BL.: operative Tätigkeit. M.: Fachges. ÖOG, Wr. ÖOG, s. 1992 ordentl. Mtgl. d. Landessanitätsrates NÖ. H.: Tennis, Skifahren, Gymnastik, Briefmarkensammeln, Fotografieren. (M.Br.).

Pinner Wolfgang Mag.

B.: Chefanalyst, Mag. Hdls.-Wiss. d. Ersten österr. Spar-Casse-Bank. DA.: 1010 Wien, Graben 21. G.: Wien, 17. Feb. 1965. V.: Andrea, geb. Höfler. Ki.: Sophie (1992), Karoline (1994). El.: Herbert u. Luzia. S.: naturwiss. RG m. darstell. Geometrie. K.: in d. ERSTEN f. Wertpapiere u. Aktienanalysen tätig, 1991 Ltg. "Research" übernommen, 1991 Ernennung z. Chefanalyst. BL.: Beginn detaillierter Aufbearb. Primärresearch. P.: lfd. Zitierungen im Wirtschaftsbereich d. Fach- u. Tageszeitungen. H.: röm. Geschichte, klass. Musik. (W.M.)

Pinsker Erwin

B.: Inh., Gschf., Innenarch.-Designer. FN.: P3 design Erwin Pinsker. DA.: 4210 Gallneukirchen, Hauptstr. 16. PA.: 4210 Gallneukirchen. G.: Ottenschlag, 3. Nov. 1964. S.: VS, HS, handwerkl. Lehre, 1983-84 BH, Leichtathletik OÖ LM, 3. Österr. Meistersch., Kunstgewerbeschule, Meisterkl. Tischlerei u. Raumgestaltung, 1987 Tischlermstr.-Prüf., 1986-87 a.o.Hörer TU Graz, REFA-Stud. Graz. K.: 1987 Ausstellung Joaneum Graz - Einzelmöbel. H.: Joggen, Kunst (Malerei), Beruf. (U.A.)

Pintar Robert Bartholomäus

B.: Inh., Gschf. FN.: Robert Pintar Ges.m.b.H.KG. DA.: 9020 Klagenfurt, Obirstr. 7. PA.: Viktring, Klimschg. 15. G.: Rosental, 26. Okt. 1947. V.: Hannelore Lauinger. Ki.: Harald (1975), Robert (1972), Martin (1980). El.: Johann u. Sophie. S.: Installateur-Lehre i. Villach, 9 Monate BH, Bundes-FS Karlsruhe (Sanitär, Heizung, Lüftungstechn.), 1968-70 staatl. geprüfter Heizungs- u. Lüftungstechn., (1970-74)Zweigstelle i. Himmelberg aufgebaut, (1975) i. Klagenfurt a. Ges. begonnen, 1980 Hans Maier ltd. Pos., Bürostandort ausgebaut, Zweigstelle i. Feistritz/Dr. M.: 1A Installateure, Ges. b. GSH, ger. beeid. Sachverst. s. 1989 f. Sanitär u. Heizung, Lüftungs- und Klimaanlag. . H.: Bildende Kunst sammeln u. ausstellen, Skifahren, Garten gestalten u. verändern, Sauna. (R.T.)

Pinter Adi Dipl.-Sportlehrer

B.: Bundesparteiobmann d. VGÖ. DA.: 1140 Wien, Linzer Straße 54. G.: Graz, 19. Jänner 1948. El.: Hildegard u. Adi (Romanautor). S.: Elektrikerlehre mit Gesellenprüfung. Begabtensonderprüfung, anschl. Studium d. Sportwis-senschaften a. d. Schauspielschule Krauss in Wien u. Privatunterricht in ganz Europa. 1984 Matura, anschl. Medizin-studium bis Ende der Vorklinik a. d. Univ. Regensburg, derzeit Univ. Graz. K.: In 12 versch. Ländern wie Schweden, Griechenland., Katar, Belgien, Holland, Frankreich, Deutschl., USA, Österr. ect., Berufsspieler u. Fußballtrainer u.a. Panakaiki Patras (Gr.), Thor Waterscheid (B), Brynäs u. Olympique Marseille (F), GAK u. Wr. Sportclub (Österr.), Spielvereinigung Bayreuth u. Düren 99 (D). Gleichzeitig zunächst Stuntman, Später Schauspieler in etwa 30 deutschen u. fanzösischen Filmen, wie z.B. Krimiserie "Soko 5113" in Dtschld., zuletzt 1994 mit Franz Antel "Mein Freund der Lippiznaer". Seit 1986 politisch tätig, Spitzenkandidatin beim "Frischen Wind" in Graz. Seit 1994 Bundesparteiobmann der VGÖ. P.: Autor des Buches "Wo war Alexander Baum?" und zweier Filmdrehbücher "Treibjagd"u. "Cosanostra-Connection". Als Sänger 2 Schallplattenaufnahmen. H.: Kunst, Sport, Schilaufen, Tennis, Golf, Radfahren, Waldläufe u. Eislaufen, Reisen, handwerkliche Tätigkeiten wie Tonarbeiten, meditieren. (J.S.)

Pinter Franz Mag. rer. soc. oec.

B.: Wirtschaftsprüfer, Steuerberater. DA.: 9800 Spittal/Drau, Ortenburger Str. 16. PA.: 9800 Spittal/Drau, Ebnerwiese 45. G.: Spittal/Drau, 13. Okt. 1946. V.: Christa, geb. Lerchbaumer. Ki.: Hellmuth (1975). El.: Johann u. Aloisia. S.: VS, Gymn., 1965 Matura, BH, 1966-72 Stud. Wirtschaftswiss. WU Wien, 1972 Spons. K.: 1972-74 Tätigkeit im

Baugewerbe Spittal/Drau, 1974-88 Tätigkeit b. d. Ktn. Treuhand, 1978 Prüf. Steuerberater, 1988 Prüf. Wirtschaftsprüfer, 1988 gerichtl. beeid. Sachv. f. gesamte Rechnungswesen, 1988 Eröff. d. eigenen Kzl., 1992 Gschf. Ges. d. Treuhand Union Wien. H.: Musik, Reisen, Familie. (G.L.)

Pinter Brigitte Mag. art.

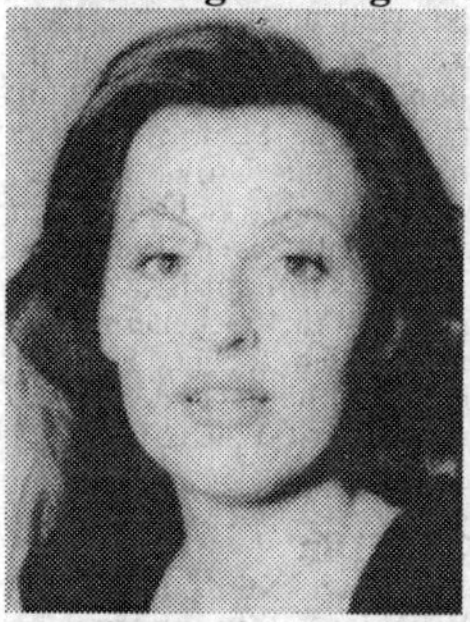

B.: Opern- u. Konzertsängerin Mezzosopran. PA.: 1190 Wien, Gallmeyerg. 12/9. G.: Villach, 28. Dez. 1966. El.: Leopold u. Anneliese Pinter. S.: AHS-Matura Spittal/Drau, Gesangspäd.-Stud. Wr. Musik-HS, 1993 Dipl., 1991 Fulbright-Stipendium New York u. Förderungsstipendium d. Wr. Musik-HS: Gesangsausbild. an d. Juilliard School of Music in New York b. Alan Seale u. Nico Castel. K.: Debut Staatsopernproduktion unter Claudia Abbado imTheater an d. Wien, Solistin unter Claudio Abbado Festival Wien Modern, Mitwirkende "Festival zeitgenöss. Opern d. Kulturhauptstadt Europas Antwerpen 93", Flandern Festival "Emilia" Rossini´s Otello, Sololiederabende, 1993 Tournee in Amerika u. Europa gemeinsam m. Arlene Shrut m. Liederabenden, 1994 weibl. Hauptrolle in d. Welturaufführung d. Oper Ödipus v. Wolfram Wagner Messepalast Wien. P.: Dipl.-Arb. "Red Rubber. Ein Opernprojekt v. d. Idee b. z. Uraufführung", Tonträger u.a. "Fierrabras" v. Schubert unter Claudio Abbado 1988. E.: 1994 Sonderpreis f. d. österr. Nachwuchssänger b. intern. Belvedere Wettbewerb f. Opernsänger in Wien. (J.S.)

Pinter Isabella

B.: Inh. FN.: BBB Bella's Big Fashion Big Size. DA.: 1090 Wien, Liechtensteinstr. 78. PA.: 1090 Wien, Salzerg. 31/5/9. G.: Wien, 3. Febr. 1957. V.: Karl. Ki.: Nicole (1983). El.: Gerhard u. Gerlinde, geb. Straubinger. S.: Verkäuferin (Fleischerei), Konzession f. Gastgewerbl. Betriebe. K.: Tätigkeit in einer Fleischhauerei, dann Praxis im Gastgewerbe, 1992 Eröff. d. eigenen Geschäftes. H.: Mode, Schwimmen, Ausflüge in d. Natur, Theater. (N.A.)

Pintér Gustav KommR.

B.: Blumenbinder u. -händler, Gärtner u. Friedhofsgärtner. GT.: LInnungsmstr. f. Gärtner u. Blumenbinder. DA.: 2380 Perchtoldsdorf, Hochstr. 2, 1010 Wien, Herreng. 10. PA.: 2380 Perchtoldsdorf, Saliterg. 80. G.: Klosterneuburg, 20. März 1920. V.: Waltraut, geb. Mika. El.: Gustav u. Anna. S.: VS, HS, Berufsschule m. Abschlußprüfung 1938. K.: b. 1940 im Betrieb d. Vaters tätig (Blumenbinder u. Gärtner), danach Luftwaffe, 1945 in Bremen als Friedhofsgärtner tätig, 1946 zurück nach Österreich u. 1948 Übernahme d. elterlichen Betriebes, 1960 Bezirks-Innungsmeister. in Mödling, ab 1965 stellvertretender Landes-Innungsmstr., ab 1967 LInnungsmstr., KommR. u. Laienrichter (b. OHG), seit 1960 Gewerberat in Perchtoldsdorf, seit 1970 Beis. im Arbeitsgericht. E.: 1980 Gr. Silb. Ehrenmedaille d. Kammer d. gewerblichen Wirtschaft, 1970 Gold. Ehrennadel d. Floristen, 1984 Gold. Ehrenring d. BInnung, 1984 Silb. Ehrennadel d. Österr. Wirtschaftsbundes. M.: 1968-70 VPräs. d. Fleurop-Interflora LAbt. Österr., 1973-79 stellvertretender Voritzender d. AufsR. Fleurop-Interflora, 1975-79 VPräs. Fleurop-Interflora, 1979-83 Präs. d. Fleurop-Interflora. H.: Turniertanzen, Weltreisen. (G.E.)

Pinterits Stefan Dipl.-Ing.

B.: Gschf., Prok. FN.: Ölsaaten Verwertungsprojekt GmbH, Ölmühlen GmbH. DA.: 1144 Wien, Stockhammerng. 19. G.: Sigles, 18. Sept. 1942. V.: Brigtta, geb. Millesich. Ki.: Andreas, Stefan. El.: KommR. Stefan u. Elisabeth. BV.: Vater KommR. Stefan Pinterits Bgld. HK. S.: VS, RG, Univ. f. Bdk. K.: Landesmaschinenhdl., Felix Austria (1970-73), eigene Ldw. (35 ha), seit 1973 Prok. b. Fa. Ebhart & Herout GmbH, seit 1986 Gschf. d. Ölsaaten Verwertungsprojekt GmbH, ab 1987 Gschf. d. Ölmühlen GmbH. M.: USFC Eisenstadt. M.: Fliegen, Fotografieren, Basteln. (R.A.)

Pinteritsch Franz

B.: Fotograf, Gschf. FN.: Repro Studio GmbH. DA.: 5020 Salzburg, Johann-Elias-Str. 10. G.: Littai, 28. Apr. 1943. S.: VS, HS, 1957-60 Lehre Firma Belschan Pörtschach. K.: 1961-65 Firma Sochor Zell/See, 1966-70 Druckerei Etzendorfer Sbg., 1970-72 Repro Jandrisewitsch, seit 1972 selbst. Repro Studio. E.: 1989 1. Preis f. einen 4-färbigen Zeitungsdruck, Certifikat of Exellence. H.: Wandern, Familie. (N.M.)

Pinto Oliveira Fernando Dipl.-Ing.

B.: Österr. Honorarkonsul. PA.: 3076-4100 Porto, Avenida da Boavista, Portugal. G.: Porto, 20. Nov. 1938. V.: Maria Luzia, geb. Lopes Garcia. El.: Oliveira Fernando Sousa u. Ana Pinto. S.: Dipl.-Ing. f. Elektrotechnik an d. Ing.Fak. d. Univ. Porto. Mtgl. d. VorstR. d. EFACEC-Elektrische u. Elektronische Maschinenfabrik. E.: Österr. Honorarkonsul. M.: IHK Porto, Industriever. Porto. H.: Golf.

Pinz Christa M.

B.: Ges., Gschf. FN.: Hamco Filtertechnik GmbH & Co KG. DA.: 1160 Wien, Hutteng. 20-24. G.: Grieskirchen, 28. Dez. 1953. El.: Dr. Kurt u. Berta. S.: 1972 Matura, Stud. HS f. Welthdl. K.: 1977 Eintritt in d. Firma d. Vaters, Ges., ab 1982 Prokura, seit 1995 Gschf. M.: Ges. f. Chemiewirtschaft, Ges. d. Freunde d. Bild. Künste H.: Kunst, klass. Musik, Skifahren. (W.J.)

Pinzon Mario Dr.

B.: ao. u. bev. Botschafter d. Rep. Kolumbien. DA.: 1010 Wien, Stadiong. 6. G.: Paris, 21. Aug. 1923. V.: Caroline Schönburg-Hartenstein. El.: Francisco u. Elena. S.: Columbia Univ., BA 1948, PhD. FU Berlin. K.: Lektor Smith College v. Latein Amerika, 1976-79 Botschafter in Frankreich,1986-87 Lektor Phil. Inst. d. Univ. Wien, Gastprof. in polit. Wiss. u. Phil. in München, 1972-74 City Counsellor Bogota, 1974-76 City Counsellor Ibague. P.: Bücher: Estado Fuerte o Caudillo 1962, Estado, Desarollo, Consenso Y Democracia 1986, Bolivar, un Euroamericano Frente a la Illustracion 1986, lfd. Wr. Jahrbuch d. Phil. H.: polit. Entwicklung, Spazierengehen, klass. Musik, Flamenco. (M.G.)

Piplits Erwin

B.: Ltr. Serapions Theater im Odeon. DA.: 1020 Wien, Taborstr. 10. PA.: 2813 Burgstall 14. G.: Wien, 19. Juli 1939. V.: Ulrike Kaufmann. Ki.: Christian, Michaela, Nadja, Josefine, Maximilian. S.: Lehre Textildruckerei. K.: ab 1962 b. Theater, zunächst hauptsächl. Wr. Kleinbühnen, 1971-73 Veranstaltungsref. im Museum d. 20. Jhdt., 1973 Grdg. d. eigenen Ensembles gemeinsam m. Ulrike Kaufmann, zuerst "Pupodrom", seit 1980 Serapions Theater, 1988

Grdg. Odeon, seither dessen Ltr., Arb.: "Die Stradafüßler" (1973), "Double & Paradise" (1982), "Heil'ge Hochzeit" (1983), "Anima" (1986), "A Bao A Qu" (1987), "Kispolatsch" (1990), "Wimonami" (1993). F.: Piplits & Kaufmann GmbH. E.: 1981 Josef Kainz-Med. f. "Verwunschen". (M.-L.A.-M.)

Pipp Elmar Mag. HofR.

B.: Dir. d. Univ. Sportinst. Univ. Innsbruck. DA.: 6020 Innsbruck, Fürstenweg 185. PA.: 6176 Völs, Wolkensteinstr. 2a. G.: Dornbirn, 4. Dez. 1934. V.: Christine, geb. Schleinzer. Ki.: Manuela, Martin. El.: Johann u. Theresia. S.: Gymn., 1953 BLBA Matura, 1955-60 Stud. Innsbruck, 1960 Lehramt f. Leibesübungen u. Math. K.: 1953-55 VS Dornbirn, 1960-62 BLBA Feldkirch, 1962-64 Lehrer am Ak. Gymn. Innsbruck, seit 1964 Univ. Innsbruck Sportinst. H.: Sport, Musik. (D.S.)

Pippa Erich Prof.

B.: Innenarch. DA.: 5280 Ranshofen, Wertheimerplatz 5, Schloß Ranshofen. G.: Salzburg, 14. Mai 1942. V.: Angela, geb. Schönmoser. Ki.: Manuela (1961), Martin (1963). El.: Erkole u. Mechthilde. BV.: Onkel Giuseppe Pizzocri: Maler, höchste intern. Ausz. f. Malerei. S.: 1960 Matura, Kunstschule München, 1961-64 Stud. Innenarch. u. Praktikum in Kunstwerkstätte in Bayern. K.: seit 1966 selbst. Innenarch., gerichtl. beeid. Sachv., seit 1980 Immobilientreuhänder, 1984 Prof. P.: mehrere Ausstell. auf Kunstmessen in Deutschld., intern. Fachvorträge in Farbenlehre. H.: Malerei, Kunstgesch., Schäferhundezucht. (E.H.)

Pippal Hans Robert Prof.

B.: Maler. DA.: 1080 Wien, Alserstr. 35. G.: Wien, 4. Apr. 1915. V.: Arch. Mag. Eugenie, geb. Kottnig. Ki.: Doz. Dr. phil. Martina. K.: Personalausstellungen Galerie Würthle Wien, 1949 Erste Ausstellung d. wiederaufgebauten Secession Wien, Eröff. durch Josef Hoffmann, Länsmuseum Östersund Schweden, Galerie Chantal New York, 1954 Ausstellung m. ca. 120 Arb. in allen Räumen d. Secession, d. Eröffnungsrede hielt A. P. Gütersloh, Museum Curacao, Galerie Commeter Hamburg u.s.w., Intern. Ausstellungen: Biennale Venedig, Carnegie Inst. Pittsbourg, Sao Paolo u.s.w., wichtige Arb.: Mosaike im 2. Foyer d. Burgtheaters zusammen m. E. Pippal-Kottnig, Gobelin "Staatsvertrag" als Staatsgeschenk an d. Weiße Haus in Washington. Gemälde f. d. Flughafen Wien, Wandmalereien f. d. Ballsaal d. Hilton Hotels Wien, Metallarb. u. großformatige Emailkreuze, Ausstattung v. ca. 200 Büchern, Werke befinden sich in d. Österr. Galerie, im Histor. Museum d. Stadt Wien, Museum d. Stadt Linz, Unterrichtsmin., Finanzmin., in d. BTheaterverw., in d. Bgm.Galerie in d. Rektorengalerie d. Univ. Wien, in d. Präsidentengalerie d. Parl., in zahlr. öff. u. priv. Sammlungen d. In- u. Auslandes. E.: 1955 Ernennung z. Prof., Josef Hoffmann-Ehrung, EZ d. Rep. Österr., Ehrenmed. d. Stadt Wien in Gold.

Pippal Jenny

B.: TV-Moderatorin d. ORF. DA.: 1136 Wien, Würzburgg. 30. G.: Wien, 30. November 1946. El.: Franz u. Margarethe Pippal. S.: VS, Gymn., 1965 Matura. K.: freie Mitarb. b. ORF für 3 Monate, dann fix angestellt, zunächst Sportred., seit 1975 Vertrag als ModeratorinModeratorin E.: 1991 Romy (beliebteste Moderatorin). H.: Musik, Konzerte, Oper. (H.S.)

Pirchegger Grete

B.: Mtgl. d. Bundesrates, Bäuerin. G.: Stanz/Mürztal, 11. Juni 1941. S.: Ldw. Fachschule St. Martin. K.: Seit 1963 Gemeindebäuerin in Allerheiligen/Mzt., seit 1976 Bez.Bäuerin u. seit 1986 LBäuerinstellv., seit 1964 im Hauswirt. Beirat, seit 1980 Bez.Stellv. d. Österr. Frauenbewegung d. ÖPV Stmk., seit 1980 im LVorst. tätig, seit 1986 KamR. d. LKam. f. Land- u. Forstwirt. d. Stmk., seit 1986 Mtgl. d. Bundesrates.

Pircher Alois Dr. rer. soc. oec. Mag.

B.: Beeid. Wirtschaftsprüfer u. Steuerberater. DA.: 6020 Innsbruck, Sillufer 11. PA.: 6020 Innsbruck, Defreggerstr. 33. G.: Landeck, 3. Febr. 1947. V.: Maria-Franziska, geb. Kapferer. Ki.: Rebecca Ruth. El.: Alois u. Paula. BV.: Pater Maurus Carnot (betraut m. d. Erz. d. Kaiserfam., ging m. ihr ins Exil). S.: HASCH, Fremdenkverkehrsschule Schloß Kleßheim Sbg., HS-Lehrgang f. FV Sbg., Stud. Sozial- u. Wirtschaftswiss. sowie Betriebswirtschaft Univ. Ibk. K.: Steuerberater 1979, Buchprüfer 1986, Wirtschaftsprüfer 1988, s. 1979 selbst. Steuerberater, gschf. Ges. d. 1985 gegr. Treuhandges., Ausbildner f. Konzessionsprüf., WIFI-Seminare, Lehrbeauftr. an d. Univ. Innsbruck (Steuerrecht u. Tourismus). M.: Österr. Kammertag Wien, fachkund. Laienrichter b. LG Innsbruck, Prüf.Kmsr. f. Steuerberaterprüf. in Tir., Mtgl. d. Spruch- u. Berufungssenat d. Finanz-LDion. f. Tir. H.: Beruf, Lesen. (D.S.)

Pircher Edwin KommR. Gen.-Dir.

B.: Bgm. v. Tulln, Vorst.-Vors., Gen.-Dir. NÖ Landesbank-Hypothekenbank AG. DA.: 1010 Wien, Wipplingerstr. 2. PA.: 3430 Tulln, Königstetter Str. 19. G.: Königsbrunn, 4. Okt. 1933. K.: VPräs. Verb. d. Österr. Landes-Hypothekenbanken Wien, AufsR.-Vors.: NÖ Hypo-Leasing GmbH Wien u. Österr. Donaukraftwerke AG Wien, AufsR.: Raiffeisen Zentralbank Österr. AG Wien, NÖPLAN NÖ Landeshauptstadtplanungs GmbH St. Pölten u. Gemeinn. Wohn- u. Siedlungsges. "Schönere Zukunft" GmbH Wien, Gschf. Tullner Messe GmbH Tulln. E.: Silb. EZ d. NÖ Landesrg., Silbermed. d. NÖ Landesldw.-Kam., Gold. EZ d. NÖ Landesrg., Gold. Komturkreuz d. NÖ Landesrg. f. Verd. um d. Land NÖ, Ehrensenator d. HS f. Boku. (M.M.)

Pircher Günther Dipl.-Ing.

B.: Vorst. Zugförderungsltg. Bludenz. DA.: 6700 Bludenz, Mokrystr. 26. G.: 6700 Bludenz, Grete-Gulbransson-Weg 16. G.: Leoben, 4. Nov. 1947. V.: Olga Sonja, geb. Haidinger. Ki.: Robert (1976), Sabine (1980), Brigitte (1983). El.: Florian u. Ida. S.: 1967 Matura, 1967-68 BH, Stud. Elektrotechnik TU Graz, 1975 Grad. K.: 1976 Eintritt Österr. Bundesbahn Bludenz im Maschinendienst, 1987 Vorst. Zugförderungsltg. Bludenz, 1981 Vertragslehrer HTL Rankweil, 1988 Unterrichtstätigkeit an d. Abend-HTL, seit 1980 in d. Gem.-Vertretung in Bludenz, 1993 StadtR. in Bludenz. H.: Skifahren, Tennis, Musik. (I.D.)

Pircher Heinz Dipl.-Ing.

B.: Gschf. Ges. FN.: TDV Technische Datenverarbeitungs GmbH H. Pircher u. Partner. DA.: 8010 Graz, Lutherg. 4. PA.: 8045 Graz, Statteggerg. 31. G.: Innsbruck, 21. Dez. 1942. V.: Herta, geb. Herler. Ki.: Martin (1967), Georg (1968), Christine (1972). El.: Dipl.-Ing. Hans u. Edith. S.: 1960 Matura in Innsbruck, Bundesheer, Stud. an d. TU Graz (Bauwesen), 1971 Diplom. K.: parallel z. Stud. s. 1964 in d. EDV tätig, ab 1964 Mitarb. am Rechenzentrum Graz, ab 1966 wiss. Hilfskraft an d. TU Graz am Inst. f. Stahlbau u. Inst. f. Wasserbau, 1970 Grdg. d. eig. Betriebes (zun. GnbR, s. 1986 GmbH), lfd. Ass.-Tätigk. u. Lehraufträge an d. TU Graz;

Beteiligung an intern. Kongressen. E.: 1989 Europ. Stahlbaupreis f. d. Überdachung d. Wiener Praterstadions. P.: div. Artikel in Fachzeitschr. H.: Bergsteigen. (F.K.)

Pircher Ingeborg

B.: Red. FN.: Wochenzeitung Rundschau. DA.: 6425 Haiming, Steinweg 14. G.: Zams, 25. Sep. 1958. V.: Walter Neurauter. Ki.: Alexander (1978), Simon (1987), Eva-Maria (1988), Lisa (1991). El.: Alfred u. Maria Pircher. S.: Lehre Herrenkleidermacher in Landeck, 1977 Abschluß. K.: 1977 Heirat, Kindererziehung, 1981 freie Mitarb. bei d. Rundschau Oberland, 1994 Red. b. der einzigen freien Oberländer Wochenzeitung, 2 Saisonen Sportberichte v. Imst u. Landeck sowie sämtliche Themen Imst u. Landeck betreffend. M.: AufsR.-Mtgl. Kulturverein Regenbogen in Haiming, Dorferneuerungsausschuß Haiming. H.: Beruf, Handarbeiten, nähen, Gartenarbeit, Kunst u. Kultur, Haustiere u. diskutieren. (I.D.)

Pircher Wolfgang Dr. techn. Dipl.-Ing. Dr. h.c. Baurat h.c.

B.: Vorst.Mtgl. d. Tir. Wasserkraftwerke AG. DA.: 6020 Innsbruck, Landhauspl. 2. G.: Kitzbühel, 10. Okt. 1931. V.: Gertrude, geb. Vigl. Ki.: Wolfgang, Marianna. S.: Ak. Gymn. Innsbruck, 1951 Matura, TU Graz, 1957 Dipl., 1963 Prom. K.: 1958-60 Statiker in Sbg., 1960-63 Ass. b. Prof. Grengg an d. TU Graz, 1963-73 Elektrowatt Ing.Unternehmung AG Zürich (Prok.), Planung v. Wasserkraftwerken u. Talsperren in d. Schweiz, Griechenld., Türkei u. Lateinamerika, ab 1974 Tir. Wasserkraftwerke AG, seit 1975 Prok., seit 1979 Vorst.Mtgl. f. d. Baubereich, 1992 Baurat h.c., Dr. techn. h.c. (TU Graz). P.: zahlr. Veröff. M.: Ehrenpräs. d. Intern. Commission on Large Dams.

Pirchl Astrid

B.: Verkäuferin, Inh. Bäckerei Pirchl. DA. u. PA.: 6370 Kitzbühel, Rathauspl. 9. G.: St. Johann, 4. Juli 1964. V.: Walter Pirchl. Ki.: Walter, Florian. El.: Peter u. Frieda. S.: VS, HS, 1979-82 Polytechn. Lehrgang Kössen, Lehre als Einzelhdls.-Kfm. Firma Hanser OHG Kössen. K.: 5 J. Tätigkeit Firma Hanser OHG, danach Übersiedlung nach Kitzbühel, 2 J. Gschf. Firma Cotür Eder, seit 1988 im Betrieb tätig. H.: Skifahren, Wandern, Schwimmen, Naturschutz, Politik. (A.W.)

Pirich Eberhard Dr. med. KommR.

B.: Gschf., Arzt. FN.: Sandoz GmbH. u. Sanabo Wien GmbH. DA.: 1230 Wien, Brunnerstr. 59/Objekt 4. G.: Laibach, 11. Mai 1940. V.: Inge, geb. Hielscher. Ki.: Dr. med. Christian (1965), Michael (1968). El.: Erwin u. Elisabeth. S.: 1958 Matura, 1958-65 Stud. d. Med. a. d. Med. Fakultät a. d. Univ. Graz.Absolvent d. CEDEP. K.: 1966 Eintritt i. d. Fa. Sandoz, i. versch. ltd. Pos. i. Rahmen Sandoz Biochemie i. Österr., s. 1980 lfd. Gschf. b. Sandoz GmbH. u. Sanabo, 1980-90 Vorst. d. Biochemie Kundl. M.: Obmann d. Gruppe Pharma i. Fachverb., Viepräs. d. Schweizer Handelskammer i. Österr. H.: Skifahren, Golf, Wandern, Musik, Familie. (I.K.)

Pirich Gustav Dr. theol.

B.: Pfarrer. FN.: Kath. Pfarrgem. Hollabrunn. DA.: 2020 Hollabrunn, Kirchenpl. 5. PA.: 2020 Hollabrunn, Kirchenpl. 5. G.: Wels, 2. Jän. 1941. El.: Gustav u. Maria, geb. Loidl. S.: Gymn. i. Gmunden, 1960 Matura, 1960-65 Theol.-Stud. a. Univ. Wien, 1961 Prom. Dr. theol. i. Freiburg u. Breisgau. K.: 1965-72 Kaplan i. Stockerau, 1972-77 Kaplan i. St. Brigitta i. Wien 20, 1977-89 Pfarrer i. Pfarre Am Tabor Wien 2, a. 1989 Pfarrer i. Pfarrgem. Hollabrunn. M.: MKV Gamundia Gmunden. H.: Archäologie, Musik. (M.M.)

Piringer Gerhard Dipl.-Ing.

B.: Staatl. befugt. u. beeid. Zivil Ing. f. Hochbau. GT.: Plan. u. Bauüberwach. v. Hochbauten f. Ind., Gewerbe u. Hdl., insbes. Maschinen-, Textil- u. Lebensmittelind. DA.: 1120 Wien, Vivenotg. 3/15. PA.: 3400 Klosterneuburg, Holzg. 186. G.: Wien, 16. Feb. 1944. V.: Christine, geb. Woldan. Ki.: Harald (1978). El.: Dipl.-Kfm. Dr. Leopold u. Friederike, geb. Hold. S.: 1962 Matura, Stud. TU Wien (Arch.). K.: 1972-80 Ang. in Ing.-Büro, seit 1980 selbst. H.: Wandern, Schifahren, Tennis, Fotografieren. (N.A.)

Piringer Gerold Dr

B.: Vorst.-Mtgl., Dir. FN.: GiroCredit Bank AG Sparkassen. DA.: 1010 Wien, Schubertring 5. PA.: 1130 Wien, Hagenbergg. 47. G.: Wien, 19. Nov. 1939. V.: Dr. Elisabeth, geb. Kumhofer. Ki.: Mag. Ursula, Christian, Michael. El.: Dr. Friedrich u. Maria. S.: VS, Gymn., HAK Abiturientenkurs, Univ. Wien (Jus), 1963 Prom. K.: 1961-63 GZB Wien St. Marx, 1963-64 Gerichtspraxis, 1964-80 Girozentrale Wien, 1980-85 Österr. Volksbanken AG (Mtgl. d. Vorst.), 1986 Österr. Credit-Inst. AG (Mtgl. d. Vorst.), 1986-91 Vors. d. Vorst., Gen.-Dir., ab 1992 GiroCredit (Mtgl. d. Vorst.).

Piringer Swanhild Dr. med.

B.: Prakt. Arzt. u. Psychotherapeut, Ltr. d. Psychotherapie an d. Psychosomat. Station d. KH d. Barmherzigen Schwestern. DA.: 1060 Wien, Stumperg. 13; 1050 Wien, Mauthausg. 8/6. G.: Wien, 17. Feb. 1943. V.: Dipl.-Ing. Siegfried Piringer. Ki.: Gunter (1971), Jörg (1974), Volker (1976). El.: Dipl.-Ing. Rudolf u. Franziska Lechner, geb. Rotter. S.: 1961 Matura, Med.-Stud. Univ. Graz, 1968 Prom., Turnusdienst. K.: 1979-92 Gastarzt an d. Psychosomat. Station im AKH b. Prof. Ringel, 1982-92 parallel Schularzt, seit 1992 o.g. Position u. Eröff. d. eigenen Ordination. M.: Ver. d. Individual-psychologen, Österr. Bundesverb. f. Psychotherapie u. b. div. wiss. Ver. H.: Skifahren, Bergsteigen. (N.A.)

Pirker Angelika

B.: Reisebürokauffrau. FN.: Pirker's Südland Reisen. DA.: 8010 Graz, Herreng. 2. PA.: 8010 Graz, Beethovenstr. 26. G.: Voitsberg, 22. März 1959. El.: Johann u. Maria Pirker. S.: VS, 5 J. Mittelschule, kfm. Lehre als Büro- u. Einzelhdls.-Kfm. K.: Sekr. in einem Reisebüro, 1982 Filialltr., 1989 Grdg. d. eigenen Firma. M.: Freier Wirtschaftsverb., Grazer Innenstadtinitiative. H.: Bergsteigen, Skifahren. (E.H.)

Pirker Claudia

B.: Inh. FN.: Designer Selection. DA.: 1238 Wien, Speisingerstr. 187. G.: St. Veit/Glan, 30. Okt. 1967. El.: Klaus u. Gertrude Maier. S.: Grundschule, HAK Klagenfurt. K.: 1988-93 organisator. Ltg. einer ganzheitsmed. Praxis in Wien, Ausbild. z. Farb- u. Stilberaterin b. d. Firma Colours Franziska Zingel München, seit 1994 selbst., Grdg. d. Fa. Designer Selection, Organ. v. Lagerabverkäufen v. bekannten Mode-Designern, Schönheitsberatung komplett in Farbe u. Stil, Zusammenarb. m. Colours Deutschland, Organ. v. Haus- u. Hoteleinrichtungen bezügl. Farben. H.: Tennis, Skifahren, Reisen. (N.A.)

Pirker Erich Dr. med. o. Univ.-Prof.

B.: Vorst. d. Univ.Klinik f. Radiologie. G.: Graz, 8. Dez. 1922. V.: Annelore, geb. Beck. El.: Johannes u. Theresia. S.: VS, RG, Univ.Stud. K.: Allg.Med. Ausbild., Ausbild. z. FA f. Radiologie, Habil. (Venia legendi). P.: Radiolog. Diagnostik. M.: Österr. u. Dt. Med. Wiss. Ges.

Pirker Hannes

B.: Unternehmer. DA.: 5302 Henndorf, Lichtentannstr. 38. G.: Fohnsdorf, 22. Apr. 1963. El.: Viktor u. Magret. S.: Grundschulen, Unternehmerschule Graz. K.: 1978 Ltr. Firma Siemens, 1982 Ang. Firma Siemens, 1984 Vertriebsmitarb. Firma Alcatel, ITT, Minolta, 1986 Gschf. Ges. div. Computerunternehmen, 1988 Unternehmer m. Beteiligungen an Firmen im In- u. Ausland. H.: Lesen, Aus- u. Weiterbild., Drachen fliegen, Kulinarisches. (M.C.)

Pirker Helmut Ing.

B.: Bgm. FN.: Berufschule Klagenfurt-Elektro Technik; Gemeinde Krumpendorf am Wörther See. DA.: 9020 Klagenfurt, Wulfeng. 24 u. 9201 Krumpendorf, Hauptstr. 145. PA.: 9201 Krumpendorf, Höhenweg 2. G.: Graz, 2. Apr. 1939. V.: Georgia, geb. Kukowitsch. Ki.: Angelika (1965), Felicita (1971), Bernhardt (1972). El.: Otmar u. Hemma. S.: VS, HS, HTL Graz-Elektrotechn., Matura. K.: 1958-63 Tätigk. in d. Priv. Wirtsch., s. 1963 Schuldienst d. Berufsschule Klagenfurt, gleichz. Stud. d. Unterrichtstechn. u. Pädagogik a. d. Univ. Klagenfurt, 1994 Dipl. Prüf. P.: Vortragender d. WIFI Kärnten u. Erstellung div. Fachunterlagen; s. 1979 Bgm. in Krumpendorf. E.: 1992 Silb. Verdienstmed. f. Kärntner Wirtsch., versch. In- u. Ausländische Ausz. div. Kontaktgem. (Ungarn, Deutschl., u. Italien). H.: Lesen, Theater, Kulturreisen, Waldarbeit, Sport. (G.L.)

Pirker Helmut

B.: Inh., Gschf. FN.: Pirker Hdls. GmbH. DA.: 1030 Wien, Estepl. 4. G.: Graz, 11. Sep. 1944. Ki.: Katharina (1968). El.: Franz u. Johanna. S.: VS, Mittelschule, 1962-65 Kfm. Lehre Graz. K.: 1965-72 v. Ang. b. Abt.-Ltr. b. div. Firmen, 1972 selbst., Grdg. werbegraph. Atelier "Tomato", 1980 Grdg. Modegeschäft "Kookai", 1982 Grdg. Pirker GmbH. F.: Tomato Wien, Kookai GmbH, Henninger GmbH, Rivenna Ltd Lettland. H.: Dampfmodellbau. (M.-L.A.-M.)

Pirker Horst

B.: Unternehmer. DA.: 1060 Wien, Gumpendorfer Str. 35. G.: Leoben, 16. Feb. 1945. Ki.: Ute (1981). S.: HTL-Matura 1964. K.: Grdg. u. Alleininh. d. Fa. Modellbau Pirker. H.: Modellbau. (M.M.)

Pirker Hubert

B.: Steinmetz, Unternehmer. FN.: Top-Marmor/Planung, Fertigung u. Montage GmbH. DA.: 9020 Klagenfurt, Schülerweg 2. PA.: 9121 Tainach 230. G.: Klagenfurt, 4. Mai 1966. V.: Gabriele, geb. Stranig. Ki.: Alice (1986), Denise (1990), Bastian (1992), Oliver (1993). El.: Hubert u. Gertrud. S.: VS, HS, 1981-84 Lehre Steinmetz Firma Marmorbau Klagenfurt. K.: Tätigkeit Firma Marmorbau, 1992 Grdg. d. eigenen Unternehmens, Aufnahme in d. AS-Service f. Arch. f. d. Bereich Marmorbau/Steinmetzarb. H.: Familie, Astronomie. (G.L.)

Pirker Hubert Dr. Mag.

B.: Mtgl. d. Nationalrates bis 11/94, Prof. f. Pädagogik a. d. PädAk., Europabeauftragter d. ÖVP Kärnten u. Kanditat f. d. Europäische Parlament. DA.: 1017 Wien, Dr. Karl Renner Ring 3. G.: Gries b. Rennweg, 3. Okt. 1948. S.: Hum.Gymn., 1967 Matura, Lehramt f. Math., Leibesüb., Geogr. u. Wirtsch.kunde, Stud. d. Päd., 1980 Mag. phil., 1982 Dr. phil. K.: Prof. f. Päd.Ak. in Klgft., Lehrbeauftr. a. Päd. Inst., Forschungsauftrag d. BMWF (Neue Medien im Bildungswesen Österr.), Ltr. u. Mitarb. div. Arbeitsgruppen im BMUKS, s. 1989 Landesobmann d. ÖAAB Ktn., 11/90- 11/94 Abg. z. Nation.R. u. Sicherheitssprecher der ÖVP, Mtgl. div. intern. Arbeitsgruppen zur Sicherheitspolitik u. Ausländerpolitik, Neugestaltung d. österr. Ausländerpolitik. P.: Zahlr. Publ. i. d. Bereichen Bildungsplanung, Medien-Kommun., Ausländer- u. Sicherheitspolitik.

Pirker Johan

B.: Inh. Restaurant Kornmesser, Koch, Kellner. DA.: 6900 Bregenz, Kornmarkt-str. 5. G.: Sirnitz, 16. März 1948. V.: Notburga, geb. Ruetz. Ki.: Dominique (1979), Benjamin (1982). El.: Johann u. Agnes. S.: Grundschule, Koch- u. Kellnerlehre in Klagenfurt, 1966 Abschluß, 3 J. Ausbild. in Lausanne parallel Hotelfachschule sowie weitere Ausbild. in Zürich, 1969 Militär. K.: 1969-71 Verkaufsorgan. in Tourismusbranche in Amerika, 1971-76 Restaurantdir. Sbg., Obertauern u. Pörtschach, 1976-90 Übernahme d. Gastronomie d. Bodenseeschiffahrtsges. Bregenz, 1977 Übernahme d. Restaurant Kornmesser in Bregenz, 1990 Übernahme d. Gastronomie im Festspiel- u. Kongreßhaus, 1993 Grdg. Catering u. Partyservice. E.: Staatssiegel d. Stadt Bregenz.

M.: Wirteobm. in Bregenz, Aussch.-Mtgl. Wirtschaftsforum, Schlarafia Castrum Brigantium, 1990 Faschingsprinz in Bregenz. H.: Wassersport. (I.D.)

Pirker Karl Dr. theol. et Dr. phil. MMag. Prof.
B.: Pfarrer v. Kamering u. Pusarnitz, Prof. am BG Spittal/Drau. DA.: 9800 Spittal/Drau, Zernottagstr. 10. PA.: 9711 Paternion. G.: St. Veit/Glan, 9. Sept. 1940. El.: Johann u. Emilie. S.: Gymn., Matura 1962, Stud. d. Theol. u. d. Phil. in Sbg., 1979 Spons., 1982 Prom. Dr. theol., 1989 Dr. phil., 2. Prom. in Klagenfurt. K.: 1967 Priesterweihe, Kaplan in St. Marein, Pfarrer in Rangersdorf, 1972-75 Präses im Kolpinghaus in Spittal/Drau, 1976 Lehramtsprüf. f. AHS, seit 1975 Pfarrer v. Kamering u. Pusarnitz. H.: Bücher, Lesen, Studien. (M.B.)

Pirker Leopold
B.: Steuerberater. DA. u. PA.: 9500 Villach, Völkendorfer Str. 43. G.: Villach, 7. Juni 1931. V.: Karoline Helga, geb. Seidl. Ki.: Michael, Andrea. El.: Franz Leopold u. Maria. S.: Pflichtschule Stmk., Gymn. Stmk. K.: seit 1948 in d. Kzl. d. Vaters mitgearb., 1970 d. Kzl. selbst. weitergeführt. M.: Fischereiver. H.: Bienenzucht u. Fischerei. (J.B.)

Pirker Manfred Dir.
B.: Gschf. FN.: Wolfgang Anger GmbH. DA.: 1170 Wien, Rupertuspl. 1. PA.: 1200 Wien, Engerthstr. 146. G.: St. Lambrecht, 10. Mai 1943. V.: Gisela, geb. Damm. Ki.: Peter. El.: Peter u. Elfriede. BV.: Großvater Leopold Binder Arzt u. Ehrenbürger v. St. Lambrecht. S.: HS, 3 J. Fachschule f. Maschinenbau in Graz-Gösting. K.: Maschinenfbk. Andritz Projektant Pumpen- u. Anlagenbau, IFE Projektltr., seit 1969 Anger GmbH Projektmanager, 1976 Prok. Finanz- u. Personalwesen, 1979 Gschf. BL.: Aufbau d. Ostgeschäftes UdSSR, China. H.: Jagen, Gartenpflege, Kunst. (A.K.)

Pirker Markus

B.: Kunstschmied. FN.: Kunstschmiede Markus Pirker. DA.: 9020 Klagenfurt, Bahnstr. 119. PA.: 9020 Klagenfurt, Mozartstr. 90. G.: Velden, 15. März 1958. V.: Barbara, geb. Primessnig. Ki.: Eva-Maria (1987). El.: Hannes u. Margarethe. S.: VS, HS, Berufsschule, Lehre z. Kunstschmied u. Schlosser i. Kitzbühel, 1981 Meisterprüf., Gesellenj. i. Kitzbühel u. Himmelberg. K.: s. 1982 Gründ. Fa. BL.: Lehrbeauftr. am WIFI Klagenfurt. Beisitzer b. Lehrabschlprüf. u. Meister-prüf., Vorsitz. d. Lehrlingsabschl.prüf.kmn. E.: Tiroler Landessieger b. Lehrlingswettbewerb. P.: Kunstschmiede - Kunstschlosser, 1994 Linz/St. Florian u. Klagenfurt. H.: Musik, Kunst, Familie. (G.L.)

Pirker Markus GstlR.
B.: Pfarrprovisor d. Pfarre Weißenstein. DA.: 9721 Weißenstein 44. G.: Graz, 16. Apr. 1912, aufgewachsen in St. Marein/Neumarkt, Stmk. S.: Gymn., 1931 Matura, Theol. Diözesanlehranst. in Klagenfurt. K.: 1937 Priesterweihe, anschl. Kaplan in versch. Ktn. Gem., 1941-45 Kriegsdienst als Sanitäter, anschl. wieder als Kaplan tätig, seit 1950 Pfarrprovisor in Weißenstein, dan. 35 J. Religionslehrer. E.: GstlR. (1973), Ehrennadel in Gold d. Gem. Weißenstein. H.: Lesen. (M.B.)

Pirker Matthias
B.: Hotelier d. Mariazellerhof. GT.: Inh. d. Konditorei, Lebzelterei, Metsiederei u. Likörfbk. Mariazellerhof. DA. u. PA.: 8630 Mariazell, Grazer Str. 10. G.: Weißkirchen, 22. Juli 1939. V.: Waltraud, geb. Kerner. Ki.: Johanna, Katharina, Viktoria. S.: Gymn. Judenburg, Modelltischlerlehre, abgeschl. 1958, 1960-62 Hotelfachschule in Bad Gleichenberg, 1 J. Hotelpraxis in Stockholm, 4 J. in Grindelwald. K.: 1968 Erwerb d. alten Konditorei in Mariazell, 1969/70 ausgebaut, Eröff. 1970 (heute 4-Stern Hotel). M.: Obm. d. Regionalverb. Mariazellerland, Obm. d. Verkehrsver. Mariazell, Mtgl. d. Lions Club u. div. örtl. Ver. H.: Beruf, Musizieren (Blasinstrumente), Schwimmen, Filmen. (Tra.)

Pirker Michael Mag. Dr. iur.
B.: Steuerberater. FN.: Wirtschaftstreuhandkanzlei Dr. Pirker. DA.: 9500 Villach, Völkendorfer Str. 43. PA.: 9500 Villach, L.H.Jungnickelstraße 2/2/23. G.: Villach, 12.3.1960. Ki.: Xenia Carina (1988), Thomas (1990), Allegra Mercedes (1993). S.: VS, Gymn., Matura, Jus. Stud. in Wien, 1986 Prom. K.: Gerichtspraktikum, s. 1987 Tätigk. in einer Kanzlei, 1992 Steuerberaterprüf. u. Übern. d. väterl. Kanzlei (gegr. 1942, Steuerberatung s. 1955) in 3. Generation. BL.: eig. Software-Entwicklung. H.: aktive Computermusik, Computergraphik, Schach, Musik. (G.L.)

Pirker Othmar wAmtsR. Mjr. a.D.
B.: ehem. stellv. Kdt. d. Ergänzungskdo. Stmk. A.: 9210 Pörtschach, Gartenweg 14. G.: 2. Juni 1903. V.: Hemma, geb. Haupt. El.: Vinzenz u. Elisabeth. S.: Hum. Gymn. Leoben, RG Villach, Offz.Ak. Enns. K.: Berufsoffz. in d. 1. Rep. u. dt. Wehrmacht, Heeresbmtr. in d. 2. Rep. BL.: hat 1944 im Raume Marburg-Pettau (Jugoslawien) d. Bauern gegen Aussiedlungspläne unterstützt, 1942 in Ehren aus d. dt. Wehrmacht entlassen, war 1945 unter engl. u. russ. Besatzung Kdt. einer 100 Mann starken österr. Polizeitruppe in Mautern. Sportl. Leistungen in Leichtathletik u. 3 Heeresbergführerkurse, Kdt. d. alpinen Rettungspatrouille Stmk., 2 mal Lebensrettungen v. Ertrinkenden, Rettung eines Soldaten v. Todesurteil eines Kriegsgerichtes, 1937 Überquerung d. Koralpe in 2100 m Höhe v. Eibiswald (Stmk.) nach Wolfsberg (Ktn.) als Kdt. einer Mot.Einheit d. Alp. L.Jäg. Rmt. Nr. 10 Steyr-Puch Geländefahrzeugen als Erster. P.: Kommentare in div. Zeitschriften zu Tages- u. polit. Ereignissen als polit. Unabhängiger. E.: Silb. Verd.Kreuz d. 1. Rep., Silb. Sportabz., div. Friedensausz., Ausz. v. ÖAMTC f. 25 J. straffreies Fahren. M.: Österr. Kameradschaftsbund, Seniorenklub, World Wildlife Fond, Patenschaft d. Nationalpark Hohe Tauern. (D.M.)

Pirker Peter Dr. phil.
B.: Red., Korrespondent. A.: 9020 Klagenfurt, Dr. Franz-Palla-G. 26, dzt. 5300 Bonn 2. G.: Klagenfurt, 22. Mai 1944. El.: Dr. Josef u. Lu. S.: RG in St. Paul/Lav. u. Klagenfurt, High School u. Junior College in Carroll, Iowa, USA. Univ. (Jus, Publizistik, Wirtschafts- u. Sozialgeschichte) in Graz u. Wien, ORF-Fernsehen, Aktueller Dienst. K.: ORF-Pressesprecher, KURIER-Auslandskorrespondent (Bonn), Chefred. Aktuell, Presse-Fernsehen (Hamburg). P.: Zahlr. Kurz- u. Dokumentarfernsehfilme (Politik, Wissenschaft, Zeitgeschehen, Zukunft), Zahlreiche Kommentare u. Hintergrundberichte im KURIER. Ko-Autor/Buch: "Planquadrat", Zsolnay-Verlag, Wien 77. E.: Gold. Kamera 1977.

Pirker Robert
Dr. med. univ. Mag. rer. nat. Univ.-Prof.
B.: OA d. Klinik f. Innere Med. I. im AKH Wien. DA. u. PA.: 1080 Wien, Florianig. 65. G.: Winklern, 29. Nov. 1952. Ki.: Julia (1981). El.: Robert u. Notburga. S.: 1971 Matura, Stud. Med. Fak. u. Biochemie Naturwiss. Fak. Univ. Wien, 1978

Spons., 1979 Prom. K.: ab 1979 Univ.-Ass. an d. 1. Med. Univ.-Klinik Wien, 1983-86 National Inst. of Health Visiting Fellow am Laboratory of Molecular Biology, National Cancer Inst., Nat. Inst. of Health MD/USA, 1987 FA f. Innere Med., 1988 Forsch.-Aufenthalt am Laboratory of Molecular Biology, Nat. Cancer Inst. im Rahmen d. Austria US Biomedical Research Exchange Program, 1989 Euorp. Certification on Med. Oncology d. Europ. Society for Med. Oncology, Habilitation f. Innere Medizin1990 Ass.-Prof. d. 1. Med. Univ.-Klinik, 1994 a.o.Univ.-Prof. P.: ca. 54 Publ. u. Buchbeiträge. E.: 1990 Farmitalia-Carlo-Erba-Preis d. Dt. Krebsges., 1991 Albert-Knoll-Preis d. Saarländ.-Pfälz. Internistenges, Hoechst-Preis d. Univ. Wien. M.: American Assoc. for Cancer Research, American Society of Clinical Oncology, European Society for Medical Oncology, zahlr. Mtgl. b. nat. u. intern. Ges. (S.H.)

Pirker Werner Ing.

B.: Inh. FN.: Fahrschule Car & Bike. DA.: 9020 Klagenfurt, Kinopl. 6. PA.: 9020 Klagenfurt, Kleinhausg. 28H. G.: Guttaring, 24. Aug. 1958. V.: Andrea Dr. med., geb. Rymarz. Ki.: Oliver (1986). El.: Harold u. Aloisia. S.: VS, HS, Fachschule f. Maschinenbau, HTL f. Vorrichtungs- u. Werkzeugbau, 1982-86 Stud. Betriebswirtschaft. K.: 1980/81 Ferialpraxis als techn. Zeichner Stuttgart, 1987/88 Fahrschullehrerprüf. u. Fahrlehrer in Fahrschule in Graz, 1989 Ltg. einer Filiale, seit 1993 selbst. m. eigener Fahrschule in Klagenfurt. M.: Klagenfurter Flugsport-Klub. H.: Segelfliegen, Modellfliegen, Tennis, Billard. (F.S.)

Pirklbauer Gerhard Dr. iur. Mag. iur. Mag. art.

B.: Ass.-Prof. f. Tonsatz an d. Abt. Musikpäd. an d. HS f. Musik u. Darstell. Kunst Mozarteum, Komponist, Pianist. DA.: 5020 Salzburg, Mirabellpl. 1. PA.: 5021 Salzburg, Sparkassenstr. 6. G.: Salzburg, 3. Mai 1954. El.: Siegfried u. Luise, geb. Buxbaum. BV.: mütterlicherseits in d. Linie Puxbaum (Puchsbaum), Wappen Puchsbaum 1526. S.: 1972 Matura, Stud. Rechts- u. Staatswiss. Univ. Sbg., 1977 Prom., Musiktheorie-Komposition, Dirigieren an d. HS Mozarteum, 1980 Kompositionsdipl., Mag. art. K.: 1979-89 Musikschullehrer b. OÖ Landesmusikschulwerk, seit 1983 HS-Ass. u. seit 1989 Ass.-Prof. an d. Lehrkanzel f. Tonsatz d. musikpäd. Abt., Begleitung v. Liederabenden, Gospel-Spirituals m. Azuka Tuburu, live-electronic-Improvisation m. Midi-Instrumenten, CD 1994 mit Wolfgang Roscher, Arrangements f. d. Dt. Fernsehen. P.: Orchesterwerke: Divertimento "Mozarteum", Konzert f. Saxophon u. Orchester, Missa Brevis Polystilistica, Klavier- u. Kammermusik, Streichtrio, Bläserquintett, Movements f. Twelve Strings, Georg-Trakl-Lieder f. Singstimme, Englischhorn u. Streichquartett, Generalbaßaussetzung einer Barock-Oper v. Heinrich Ignaz Franz Biber, Divertimento "Amadeo" f. Oktett, CD 1995 mit Jazzquartett "Special event", Lehrbuch f. Tonsatz. (N.M.)

Pirklbauer Gerhard

B.: selbst. Wirtschaftstreuhänder - Steuerberater, Gschf. Ges. FN.: Plan-Control Unternehmensberatung GmbH. DA.: 4240 Freistadt, Badg. 5. PA.: 4264 Grünbach, Oberrauchenödt 60. G.: Grünbach, 7. Juni 1959. V.: Edith, geb. Haubenberger. Ki.: Andreas (1984), Gerald (1990). El.: Karl u. Gertraud. S.: VS, HS, 1974-86 Praktikant b. versch. Steuerberatern, 1985 Matura. K.: 1986 Kzl.-Eröff., 1986 Steuerberaterprüf., 1990 Betriebsberaterprüf., 1990 Grdg. Plan-Control Unternehmensberatung GmbH, 1992 Grdg. Wirtschaftsprüf., Steuerberatungs- u. Unternehmensberatungskzl. in CSFR. P.: seit 1991 monatl. Beiträge in d. Regionalzeitung "Der Freistädter" unter "Steuerecke". M.: Ver. Österr. Wirtschaftstreuhänder, stellv. Vors. b. Prüf.-Kmsn. f. Praktikantenprüf. b. d. Kam. d. Wirtschaftstreuhänder, Tennisver., Opernver. H.: Familie, Tennis, Golf, Arb. (U.A.)

Pirklbauer Siegfried M. Mag. iur. Dipl.-Ing.

B.: Vorst.Dir. u. Bergbau Bev. d. Salzach Kohlenbergbau GmbH in Trimmelkam. A.: 5112 St. Pantaleon, Trimmelkam 47. G.: Freistadt, 22. Sept. 1929. V.: Luise, geb. Buxbaum. El.: Josef u. Josefine. S.: RG Freistadt, Montan-Univ. Leoben, Fachrichtung Bergwesen, Jurastud. an d. Univ. Innsbruck, 6monatige Spezialausbild. im Bergbau u. Management in USA. K.: 25 J. Bergbaupraxis, davon 11 J. Vorst. b. d. SAKOG (sämtl. Betriebsbereiche inkl. BetriebsLtg.), seit 1973 offizieller Vertreter Österr. b. d. OECD in Paris, seit 1975 b. d. Intern. Energie Agentur in London u. Paris, seit 1973 reg. als "Top-Adviser f. d. Stein- u. Braunkohlenbergbau" b. d. UNO in New York u. d. UNIDO in Wien, seit 1977 Prüf.Kmsr. f. d. 2. Staatsprüf. d. Fachrichtungen Bergbau, Markscheidekunde u. Geologie an d. Montan-Univ. in Leoben, seit 1977 Präs. d. Bergmännischen Verb. Österr. (techn.-wiss. Ver.). P.: Über 35 Veröff. auf d. Gebiet d. Intern Energiepolitik, über d. Österr. Bergbau u. über Bergbaugeschichte. E.: Silb. u. Gold. EZ f. Verd. um d. Rep. Österr., Grubenwehr-EZ f. Verd. im Grubenrettungsdienst. M.: Mtgl. d. Fachverb. d. Bergwerke u. Eisenerzeugenden Ind. Österr., d. Sekt Ltg. Ind. d. Kam. d. Gewerbl. Wirtschaft f. OÖ, d. "Wirtschaftspolitischen Aussch." d. Ver. Österr. Ind., Präs. u. Vorst.Aussch.Mtgl. d. Bergmännischen Verb. Österr.

Pirklbauer Wilhelm Ing.

B.: Bmstr., Obst in BMLV. A.: 1030 Wien, Juchg. 10. G.: Wien, 9. Aug. 1915. V.: Anna, geb. Kranich. S.: BRG, 6 Sem. Stud. d. Rechtswiss. an d. Univ. Wien, Offz.Ak., Staatsgewerbeschule (Bmstr.Prüf:). K.: 1939 Lt., 1945 Hptm. in einer Panzeraufklärungs-Abt., Kriegsgefangenschaft, 1959 Eintritt als Hptm. in d. BH, Truppendienst, später Kdt.Stellv. d. Heereskraftfahrschule in Baden, seit 1967 im BMLV in Wien. F.: Vorst.Mtgl. d. Ver. "Naturpark Hohe Wand", NÖ. E.: Silb. EZ d. BL NÖ, zahlr. Kriegs- u. staatl. Ausz. M.: GemR. in Urschendorf u. St. Egyden am Steinfeld, Bez. Neunkirchen/NÖ, Mtgl. d. F.F. Urschendorf uva. H.: Schwimmen, Paddelfahren, Radfahren, Malerei.

Pirkner Hannes

B.: Inh. FN.: Galerie KUL. DA u. PA.: 8600 Bruck/M., Schiffg. 1. G.: Knittelfeld, 20. Dez. 1930. S.: 1945-50 Lehrerbild.-Anstalt Graz, 1946-58 Konserv. Graz, Mstr.-Klasse Querflöte. K.: 1950-86 VS-Lehrer, 1956-70 Musiklehrer 1. Fl. im Collegium Musicum Kapfenberg, Konzerte im In- u. Ausland 1969-81, intern. Seminare f. Kunstpäd. zusammen mit Päd. Univ. Oldenburg/Niedersachsen, 1960-70 Geschäftsführer d. Aktion "Der gute Film" Kapfenberg, 1979 Mitbgrd. d. Berufsver. bild. Künstler Stmk., 1975 Grdg. Galerie KUL als "Eduction Gallery", 1987 Verleihung d. "Hanns-Koren-Landeskulturpreises, 1990 Wiederbgrd. BV Bild. Künstler Österr. derzeit Präs., zahlr. Einzel- u. Gruppenausstell. im In- u. Ausland, zahlr. öffentl. Arb., 1980 Gewerbeschein f. Buch-, Kunst- u. Musikalienhändler, Ankäufe: NG-Graz, Artotheken Oldenburg, Wien, priv. Sammler; 1962-82 Mitarb. bei d. Entwickl. d. Schaumstoff-Gußverfahrens d. Fa. Böhler Kapfenberg. P.: 1975-81 Mitarb. am Buch "Kunst d. Gegenwart - Erziehung zum Bild. Denken" v. Reinhard Pfennig, 1983 Mitarb. am Buch "Architektur in Österr. im 20. Jhdt." v. Fritz Achleitner. (I.G.)

Pirkner Jos

B.: freischaff. Bildhauer. PA.: 9900 Lienz/Tristach, Griesweg 30. G.: Sillian, 2. Dez. 1927. V.: Johanna, geb. Bagen. Ki.: Ägidius (1978). El.: Ägidius u. Philomena. BV.: Großvater Ägidius Pirkner Maler. S.: künstler. Begabung bereits seit früher Jugendzeit, Kunstgewerbeschule Klagenfurt, Ausbild. Mstr.-Schule f. angew. Kunst Graz, Abschluß m. Ausz., Privatschüler v. Prof. Reinhard Sbg. bes. m. Metallplastik. K.: Tätigkeit Holländ. Goldschmiedewerkstätte Gebrüder Brom, selbst. m. Entwurf u. Ausführung v. figuralen Gold- u. Silberarb., selbst. durch Eröff. eines eigenen Ateliers, künstler. Ausbild. Freie Ak. Utrecht, Werke in zahlr. Ländern, priv. Besitz u. Museen, 1978 Übersiedlung nach Lienz, seither freischaff. P.: Ausstellungen: Städt. Museum Amsterdam, Novelle Image Den Haag, Gasa Delft, Christl. Kunst Sbg., Sonderschau München, Galerie f. Mod. Kunst Breda, Kunstring Utrecht, Städt. Galerie Lienz, Galerie Krikhager Amsterdam, Baukunst Köln, Galerie Lenten Epsen, Galerie Pensa Basel, Künstlerhaus Graz u. Wien, zahlr. Ausstellungsbeteiligungen, Werke: Univ. Pittsburgh USA "Ecce homo", Kathedrale Annaheim USA "Bonifatius", Long Beach USA "Madonna", New Jersey USA "Lady of the Highway", Krematorium Groningen NL "Die Auflösung", dzt. in Arb.: Grabmal v. Julian Green, Brunnen Wattens, Wiedervereinigungsmonument Fulda, Brunnen f. d. Sparkassenplatz in Innsbruck "Spiel m. d. Wasser". M.: Kunstlifde Holland, Tir. Künstlerver. H.: Familie, Arbeit. (M.T.)

Pirovits Anton

B.: Gschf. Ges. FN.: Anton Pirovits GmbH. DA.: 4560 Kirchdorf, Steiermärkische Str. 24. PA.: 4560 Kirchdorf, Steiermärkische Str. 22. G.: Preßburg, 19. Aug. 1944. Ki.: Alexandra. El.: Anton u. Elisabeth, geb. Horny. S.: VS, HS, Kfz-Lehre Wels, 1963 Gesellenprüf. K.: Tätigkeit im elterl. Betrieb, 1980 Umwandlung in GmbH, seither Gschf. H.: Reisen. (W.B.)

Pirovits Friedrich

B.: Gschf. Ges. FN.: Anton Pirovits GmbH. DA.: 4560 Kirchdorf, Steiermärkische Str. 24. PA.: 4560 Kirchdorf, Steiermärkische Str. 22. G.: Linz-Urfahr, 8. Dez. 1947. V.: Christa, geb. Rössle. El.: Anton u. Elisabeth, geb. Horny. S.: VS, HS, Kfz-Lehre, 1966 Gesellenprüf. K.: Tätigkeit im elterl. Betrieb, 1980 Umwandlung in GmbH, seither Gschf. H.: Tennis, Segeln. (W.B.)

Pirringer Friedl

B.: Dir. FN.: Landwirt. Fachschule Neusiedl/See. DA.: 7100 Neusiedl/See, Franz Lisztg. 8. PA.: 7100 Neusiedl/See, Kirchbergg. 37. G.: Neusiedl/See, 23. Sep. 1952. V.: Major Hermann. Ki.: Christoph (1982). El.: Johann u. Maria. S.: VS, Hauptschule, HBLA f. Landwirt. Frauenberufe i. Schloß Sitzenberg/NÖ, Bundesseminar Wien-Ober-St. Veit. K.: 1973-74 Bundeslehranstalt v. Wirtschaftliche Frauenberufe i. Krieglach, 1974-83 landwirt. Haushaltsberaterin a. d. bgld. Landwirt.-Kammer, 1983-93 Lehrerin a. d. landwirt. FS, s. 1993 Dir. H.: Reisen, Lesen, Gartenarb. (M.M.)

Pirstinger Reinhard

B.: Gastronom, Inh. Tanzpalast Tanzbar Casino 2000. DA.: 5073 Wals, Airport Center, Himmelreich Bundesstr. 2. PA.: 5061 Elsbethen, Franz-Fischer-Str. 2. G.: Glanz, 2. Juni 1951. V.: Christine, geb. Feldinger. Ki.: Karin (1975), Reinhard (1976), Alois (1982), Michael (1990). El.: Nikolaus u. Josefine. S.: VS, HS, seit d. 10. Lebensj. professionell Musik gemacht u. in einer Band gespielt, kfm. Lehre b. Opel-Händler in Graz, Gesellenprüfung, BH. K.: 1970-72 Außendienst f. Adrema Pitney Bowes, 2 J. Hotelfachschule Kleßheim, 1975 Abschluß, b. 1989 Direktor Hotel Himmelreich, 1989 Dir. Hotel Neue Post Zell/See, 1990 zurück nach Sbg., 1991 Pächter Tanzpalast u. Restaurant Himmelreich Sbg., Verkauf u. Übernahme Tanzlokal Fallenegger Sbg., 1994 zusätzl. Eröff. Tanzpalast. E.: div. Ausz. v. d. Kam. im regionalen Bereich. M.: Fußballver., Österr. Heeressportver. H.: Musikerstammtisch Sbg., Fußball, Motorradfahren. (D.E.)

Pirzio-Biroli Corrado Dr. Botschafter

B.: Ltr. d. Delegation d. Kmsn. d. EU in Österr. GT.: -1994 Prof. f. Entwicklungspolitik a. d. Univ. in Görz/Gorizia (Italien). DA.: 1040 Wien, Hoyosg. 5. G.: Friaul/Italien, 25. Nov. 1940. V.: Cécile, geb. Cornet d'Elzius. Ki.: Federico (1986). S.: Stud. Wirtschaftswiss. u. Betriebswirtschaft Univ. Rom, Prom., Post-Graduate Stud. ISS Den Haag, 1967 2 Dipl. K.: 1968 Doz. ISS, 1996-70 Wirtschaftsberater d. Rg. d. Sudan, seit 1971 Tätigkeit in d. EU-Kmsn., 1971-78 Gen.-Dir. VIII, 1978-82 Delegation d. Kmsn. d. EG in d. USA, 1982-85 Berater d. Präs. d. EU-Kmsn. in Wirtschafts- u. Haushaltsfragen, 1985-88 Gen.-Dir. I, 1988-92 stellv. Ltr. d. Delegation d. Kmsn. d. EU in d. USA. P.: Autor zahlr. Veröff. über d. EG, d. EU-EFTA- u. EU-US-Beziehungen, d. Ost-West- u. Nord-Süd-Verhältnis, häufiger Studiogast in gr. Radio- u. TV-Sendungen in d. USA u. Österr. M.: seit 1980 Vorst. d. Global Interdependence Center Philadelphia, Vorst.-Mtgl. d. US Inst. of Education, mehrere J. Mtgl. d. Council of World Affairs u. d. Society of Government Economists in Washington. H.: Polit. Wiss., intern. Wirtschaftsbeziehungen, Kunst, Fotografie, Sport (Tennis, Skifahren, River-Rafting). (J.M.)

Pisani Nestore Angelo Conte

B.: Ital. Eiserzeuger. A.: 1210 Wien, Brünner Str. 22.G.: Bocenago, 4. Nov. 1955. S.: Mittelschule, Hotelfachschule, Konditorlehre. E.: 1. Preis Longarone "Gold. Tüte". M.: Mtgl. d. ital. Eiserzeuger in Österr. H.: Autos, Fußball, Musik.

Pisa Ernst

B.: Werkzeugmacher, Prok. FN.: Delta-Ind.-Beratung GmbH. DA.: 1130 Wien, Auhofstr. 17c. PA.: 1100 Wien, Jura-Soyfer-G. 4/13/8. G.: Moskau, 13. Mai 1937. El.: Franz u. Dora. S.: BRG, Berufsschule Werkzeugmacher, BH. K.: 4 J. in Firma Shell Crysler Simca tätig, 2 J. in Sped. Orientteppiche, seit 1972 Sachbearb. b. Delta-Ind.-Beratung, 1984 Prok., Dienstzuteilung Büro in Moskau - Büroltr. P.: Div. Art. GUS Zeitschriften, div. Wirtschaftszeitungen. H.: Lesen, Geschichte, mod. Literatur, Wandern, Tennis, Fremdsprachen, Advantgarde (30-er J.) in d. SU. (W.M.)

Pisarik Magdalena

B.: Bibliothekarin, Dir. FN.: Stadtbücherei Baden. DA.: 2500 Baden, Kaiser-Franz-Ring 9. PA.: 2540 Bad Vöslau, Jägermayerstr. 15. G.: Wr. Neustadt, 23. Jan. 1949. El.: Alexander u. Melanie Seemann. S.: 1967 Matura, 1967-72 Ausbild. z. Bibl. in Baden u. Wien, Abschluß m. Ausz. K.: ab 1971 prov. Ltr. u. ab 1973 definitive Ltr. d. Stadtbücherei Baden, seit 1973 Rezensententätigk. f. Fachzeitschr. "Erwachsenenbildung in Österr.", s 1978 f. Kommission f. Kinder- u. Jugendlit. d. BMUK (KKJL), seit 1982 Stellv. Vors. d. Bücherei-Verb. Österr., 1984 im Prädikatierungsaussch. d. KKJL, 1986-88 in d. Jurie f. d. österr. Kinder- u. Jugendliteraturpreis, 1990 in d. Jurie f. d. Fernsehpreis d. österr. Erwachsenenbild., 1989-93 Programmplan. f. NÖ Landesbuch-Ausstellung, seit 1992 Vorst.-Mtgl. im Landesverb. d. NÖ Bibliothekare; lfd. Vortragtätigk., Mitarb. in Bundes- u. Landesbüchereigremien, z.Z. AmtsR. P.: Fachart. in Fachlit. E.: 1982 Ausz. v. BVÖ f. ausgez. langj. Arb. M.: Bruderschaft St. Christoph (karitativ), Ges. f. Literatur, Freunde d. HS f. angew. Kunst, Konzerthaus, BVÖ, LANÖB. H.: Theater, Konzerte, Ausstell., Schifahren, Wandern, Archäologie, Lesen. (I.K.)

Pischel Hanns Helmuth Prok.

B.: Prok. u. Gschf. A.: 5020 Salzburg, Triendlstr. 5. G.: Gmunden, 29. Dez. 1935. El.: Ing. Otto u. arbara. S.: 4 Kl. VS, 4 Kl. HS, 4 Kl. HAK m. Matura. K.: Zuerst Abt.Ltr. in einer Glühlampenfbk., dann Bilanzbuchhalter in einer Baufirma u. größeren Mineralölhandels Ges. u. jetzt Prok. in einem größeren Industrie-Betrieb. Nebenberuflich auch längere Zeit im Naturschutz, Salzburg tätig. Aussch.Mtgl. d. Chem. Ind. Österr. P.: Versch. öff. Reden sowie Kurzverfassungen über Naturschutz, Personalwesen u. auch Organisation. E.: Ehrenmtgl. u. sonst kleinere Ausz. M.: Obm. d. zoolog. Ges. Sbg, Ausschußmtgl. d. Fachverb. d. Chem. Industrie Österr., Delegierter im Verbandsaussch. d. Kreditschutzverb. H.: Jagd, Wandern, Bergsteigen, Skifahren.

Pischel Thomas Dr. med. univ

B.: FA f. Zahn-, Mund- u. Kieferheilkunde. DA.: 4020 Linz, Goethestr. 22. PA.: 4020 Linz, Anemonenweg 12. G.: Linz, 12. März 1955. V.: Dr. Heidemarie, geb. Kramer. Ki.: Konstantin, Felix. El.: Ing. Ernst u. Annemarie. S.: 1973 Matura Linz Fadingerschule, 1973-80 Univ. Wien Dr. med. K.: 1980-81 Turnusarzt im AKH Linz Abt. Unfallchir., 1981-83 FA f. Zahn-, Mund- u. Kieferheilkunde an d. Univ. Wien, 1983 Praxiseröff. gemeinsam m. Gattin. M.: als Schüler Mtgl. d. Wr. Sängerknaben, Round Table Club Linz II. H.: Musik, Oldtimer, Reisen. (J.G.)

Pischinger Rudolf Dr. Dipl.-Ing. Prof.

B.: Univ.-Prof. am Inst. f. Verbrennungskraftmaschinen u. Thermodynamik d. TU Graz. DA.: 8010 Graz, Kopernikusg. 24/II/203. G.: Waidhofen/Thaya, 27. Mai 1935. Ki.: Almut (1966), Gerald (1968), Gudrun (1970). El.: Franz u. Karoline. S.: VS, BRG, 1953 Matura, 1953-59 Stud. Maschinenbau TH Graz, 1959 Dipl.-Ing., 1961 Prom., 1968 Habil. K.: 1958-61 wiss. Hilfskraft Inst. f. Verbrennungskraftmaschinen u. Thermodynamik TH Graz, 1961-69 HS-Ass., 1969-70 Mitarb. d. Anst. f. Verbrennungsmotoren Prof. Dr. Dr. h.c. Hans List, 1970-91 o.Univ.-Prof. f. Thermodynamik TH Graz, 1976-77 Prädekan Fak. f. Maschinenbau, 1977-78 u. 1978-79 Dekan Fak. f. Maschinenbau, 1979-80 u. 1980-81 Prodekan Fak. f. Maschinenbau. P.: "Theromodynamik d. Verbrennungskraftmaschinen" (1989), 100 Publ. M.: ÖIAV, ÖVK, VDI, SAE. H.: Bergsteigen (Erstbesteig. v. 5 Bergen über 7000m in Pakistan u. Afghanistan), Radfahren. (C.R.)

Pischinger-Hareiter Hertha Mag. art.

B.: selbst. Bühnenbildner u. Filmarch. DA.: 1030 Wien, Am Modenapark 6/11. PA.: 3250 Wieselburg, Götzelberg 7. G.: Wien, 28. Mai 1923. V.: Otto Pischinger. Ki.: Arch. Dipl.-Ing. Angela (1944), Dr. Elisabeth. El.: Dr. Karl u. Hilda Hareiter. S.: Diplom f. Bühnen- u. Filmgestaltung HS f. angew. Kunst Wien. K.: 1942-50 Ass. Staatsoper Wien, 1947-62 Bühnenbildner Theater an d. Josefstadt, Burgtheater, Volkstheater u. Renaissance-Theater, 1949 Kostüme "Duell m. d. Tod", 1954 "Hochstapler d. Liebe", 1958 "Der veruntreute Himmel", 1959 "Die Halbzarte", 1962 Das älteste Gewerbe d. Welt", 1963 "Bel Ami 2000", 1965 "Hokuspokus", 1966 "Santa Cruz", 1968 "Das Schloß", 1970 "First Love", 1978 "Der Bockerer", "Bloodline", 1979 "Alpensaga", 1980 "Der Schüler Gerber", 1983 "Jean Paul II", 1985 "Peter the Great", 1990 "Malina". E.: 1965, 1968 u. 1980 Bundesfilmpreis f. beste Filmarch. H.: Kochen, Gartengestaltung. (J.E.)

Pischl Gerhard Dir.

B.: Hoteldir. "Fürstenhaus". PA.: 6370 Kitzbühel, Schwarzseestr. 112. G.: Kitzbühel, 24. Aug. 1938. V.: Ursula, geb. Karst. El.: Leopold u. Helma. S.: VS, HS, Kochlehre. K.: Grandhotel "Europa" in Bad Gastein, Hotel "Des Bergues" in Genf, "Metropol" in Brüssel, "Royal-Splendid" in Aix-Les-Bains, "Grand Hotel" Stockholm, "Augusta Hotel" in Mannheim, "Bayrischer Hof" München, 11 J. Dir. im Schloß Fuschl in Hof b. Sbg., "Hotel Norica" Bad Hofgastein, "Hotel Zur Tenne" Kitzbühel, seit 1982 Dir. im Hotel "Fürstenhaus" in Pertisau. E.: Chaine Des Rotisseurs, L'Ordre des Coteaux de Champagne. H.: Skifahren, Segeln, Fotografieren. (Schm.)

Pischl Karl

B.: LBmtr. im LJugendref. Innsbruck, Abg. z. NatR. DA.: 6020 Innsbruck, Michael-Gaismayr-Straße. PA.: 6175 Kematen, Bahnhofstr. 34. G.: Innsbruck, 30. Juni 1940. V.: Helga, geb. Zoder. Ki.: Petra, Claudia. El.: Karl u. Maria. S.: Externistenmatura. K.: Kath. Jugend, Ortsobm. b. d. Jungen ÖVP, Bez.Obm. u. LObm., s. 1985 Bez.Obm. d. AAB Innsbruck-Land, 1972 v. Tir. Landtag in d. Bundesrat entsandt, s. 1979 Abg. z. NatR., 1974-80 u. s. 1986 GemR. in Kematen. P.: Fachbez. Art. in Fach- u. polit. Zeitschr. E.: GrSE, VK d. Landes Tir., Gr. Gold. EZ f. Verd. um d. Rep. Österr. M.: Mtgl. versch. Kultur- u. Sportver. H.: Musik, Briefmarken sammeln, Basteln, Gartenarb. (H.T.)

Pischl Rupert Dkfm.
B.: Vorst.Mtgl. d. Tir. Lodenfabrik FRANZ PISCHL AG. A.: 6410 Telfs, Josef-Schöpf-Str. 13. G.: Innsbruck, 2. Juli 1937. V.: Isolde, geb. Kurz. El.: Rudolf u. Erika. S.: Realschule in Innsbruck m. Matura, Textil Ing. Schule in Aachen, Handels-HS St. Gallen (Dipl.), London School of Economics. K.: M.: Lions-Club West-Tyrol.

Pischleritsch Eva
B.: Inh. FN.: Globus Fashion Shop. DA.: 8020 Graz, Annenstr. 26. PA.: 8010 Graz, Schießstattg. 55. G.: Graz, 24. Mai 1940. Ki.: Susanne (1965), Beate (1967). El.: KommR. Josef u. Helene Bogner. S.: HAK Graz, 1958 Matura. K.: seit 1958 selbst. m. Parfümerie Eva, 1988 Firma Globus. H.: Reiten, Skifahren, Kultur, Reisen, Enkelkinder. (R.S.)

Pisecki Georg
B.: Komponist, Schriftsteller, Maler. PA.: 1180 Wien, Schulg. 3/1. G.: Wien, 16. Aug. 1912. V.: Hilde, geb. Schönich. El.: Pisecki Alfred. S.: Mittelschule, HS f. Welthdl., 10 J. Klavier- u. aktive Kirchenmusik, Korrepetitor, Alleinunterhalterprüf. K.: 35 J. im Vers.Wesen, seit Jahrzehnten komponiert, Musik in RAVAG (ehem. ORF), Hörfunk u. Fernsehe, b. zahlr. Konzerten, Senioren-Clubs etc. aufgeführt, Chanson-Wettbewerb v. Österr. gewonnen, weiters schriftstell. tätig, zahlr. Lesungen, zusätzl. noch Ausstellungen d. eigenen Bilder (Aquarelle) u. Zeichnungen. P.: ca. 70 Lieder u. Texte, 6 Bücher. M.: Gründer u. Obm. d. Clubs "Kontaktrunde/Künstlerklub Währing", ÖKB, AKM, AUME, VÖT. (R.A.)

Pisk Walter
B.: Bildhauer, Restaurator u. gerichtl. beeid. Sachv. f. Antiquitäten. DA.: 8530 Deutschlandsberg, Freiland 1. PA.: 8053 Graz, Grottenhofstr. 68. G.: Graz, 14. Jan. 1940. V.: Elfriede, geb. Schantl. Ki.: Walter (1958), Michael (1961) u. Evelyne (1963). El.: Felix u. Paula. S.: 1958-65 Ausbild. z. Bildhauer u. Restaurator b. Prof. Wiegele, Mstr.Prüf. K.: Ausstellungen: Intern. Fachmesse "Kopantiqua" (1971, 73 u. 75) in St. Gallen/Schweiz, "Gotik in unserer Zeit" (1976) in Graz, 1977-78 Teiln. am Eisbildhauersymposion in Quebec (2x 2. Platz) u. 1981-82 Cortina d'Ampezzo (jew. 1. Platz), 1982 Teiln. am intern. Holzbildhauersymposium in Cortina d'Ampezzo (1. Platz), Werke: lebensgr. Corpus m. Kreuz St. Leonhard Kirche Graz, 2 Terrakottareliefs, Jugendstilkirche im Bereich d. LKH Graz, überlebensgr. Hl. Michael f. d. Hauptaltar d. Pfarrkirche Grafendorf/Hartberg, Figurenzyklus im got. Stil f. Pfarrkirche Benken, St. Gallen/Schweiz, freistehende Holzskulptur d. Hl. Jakobus anl. d. 800-Jahrfeier Freilands/Weststmk., Kunstauffassung v. Walter Pisk: mittelalterl. Schnitzkunst, verwendet er mittelalterl. Stilelement keineswegs im postmodernen Sinne, sondern verarb. diese im Konzept d. gotischen Bildschnitzkunst, gleichzeitig provoziert sein Streben nach Individualität eine neue Auffassung d. gotischen Form, Eklektiker nur in d. Übernahme d. gotischen Ikonographie, da Form u. Ausdruck seiner Plastiken d. typ. "Pisk Stil" bedingen. M.: Werkbund. H.: Sport. (C.H.S.)

Pistecky Wilfried Dipl.-Ing.

B.: Ziviling. f. Kulturtechnik u. Wasserwirtschaft, Betriebsltr. d. "Gruppe Wasser". DA.: 1040 Wien, Wiedner Hauptstr. 19. PA.: 1190 Wien, Görgeng. 23/1/12. G.: Wien, 22. Juli 1958. El.: Franz u. Johanna, geb. Pokorny. S.: 1976 Matura, 1977-83 Stud. Kulturtechnik u. Wasser-wirtschaft BOKU Wien. K.: 1983 freier Mitarb. am Inst. f. Hydraulik, Gewässerkunde u. Wasserwitsch. TU Wien, 1984 Eintritt in d. "Gruppe Wasser", wichtigste Projekte: Raumwiderstandsuntersuchung f. d. Traidersbergtunnel, Grundwasserwirtschaftl. Konzept f. d. Marchfeld u. Umweltinformationssystem f. d. Komitat Veszprem. H.: Basketball aktiv, Tennis, Skifahren, Reisen. (N.A.)

Pistora Elisabeth
B.: Ges. FN.: Pistora OHG. DA.: 1170 Wien, Rosensteing. 40. PA.: 1180 Wien, Theresieng. 20-24. G.: Wien, 1. Okt. 1936. V.: KommR. Franz Pistora. Ki.: Christa. S.: Ind.Kfm., Lehre Fa. Jutex (Hitiag). K.: b. 1958 Ang. b. Fa. Schmiedberger, ab 1958 Eintritt in d. neueröffneten orthopäd. techn. Betrieb. H.: Enkelkind, Haus u. Garten. (C.K.)

Pistora Franz KommR.
B.: Orthopädiemechaniker u. Bandagistenmstr. FN.: Pistora OHG. GT.: Vors. d. Mstr.Prüf.Kmsn. f. d. Bandagistenhandwerk, Aussch.Mtgl. d. Innung. DA.: 1170 Wien, Rosensteing. 40. PA.: 1180 Wien, Theresieng. 20-24. G.: Wien, 29. Aug. 1932. V.: Elisabeth, geb. Thennemayer. Ki.: Christa. S.: Gymn., HS, Lehre f. Orthopädiemechanik, 1957 Mstr.Prüf. K.: 1958 Geschäftseröff., Beginn m. Zimmer, Küche, Kabinett u. sukzessiver Ausbau zu einem Geschäftslokal, 4 Werkstätten, 1 Gehschule, 1 Patienten Gipsraum, orthopäd. techn. Betrieb m. 35 Arb. u. Ang. P.: div. angemeldete Patente am orthopäd. techn. Sektor. E.: 1981 Silb. Verd.Med. Rotes Kreuz, 1985 KommR. H.: Haus- u. Gartenarb. (C.K.)

Pistulka Gilduin Dipl.-Ing.
B.: Betriebsltr. i.R. A.: 4045 Linz, Dornacher Str. 12. G.: Wien, 27. Jan. 1907. V.: Trude, geb. Yaldez. S.: 1. Staatsrealschule in Wien, TH in Wien u. TU in Berlin. K.: Chemiker b. d. Schering AG in Berlin, Sicherheitsing. b. d. Reichswerken H. Göring (später VÖEST), anschließend in gleicher Eigenschaft u. als Betriebsltr. b. d. Chemie Linz AG, Grdg. d. Ringes Sicherheitstechn. in d. Chem. Ind. P.: Zahlr. Veröff., bes. über d. Gebiet d. Arb.- u. Umweltschutzes, in versch. in- u. ausländ. Fachzeitschriften. H.: Mineralogie.

Pistulka Walter Dipl.-Ing.
B.: Ziviling. f. Bauwesen. G.: 9. Jan. 1942. A.: 2344 Maria Enzersdorf/Geb., Waldgasse 7. V.: Ursula, geb. Wurmbauer. El.: Dipl.-Ing. Gilduin u. Gertrude. S.: AHS Linz 1952-60, TU Wien, Bauing., 1960-66, Privatstudien in Richtung Gesundes Bauen 1976-82. K.: Mitarb. in versch. Baufirmen u. Ing. Büros 1967-77, Eigenes Ing. Büro f. Baustatik 1977, 1980 Grdg. d. Österr. Inst. f. Baubiologie in Wien u. Ltr. desselben. F.: Selbst. Ziviling. (Büro in 2340 Mödling), Beiteiligung am Österr. Inst. f. Baubiologie. P.: "Baustoffe u. Baukonstruktionen 1982", 100 Seiten, Hrsg. Österr. Inst. f. Baubiologie, "Wohnen wir uns krank?", Österr. Ärztezeitung Nr. 36/12 (1981), S. 863-866. M.: Österr. Ing. u. Arch.Ver.,

Ing.Kam. f. Wien, NÖ u. Bgld., Ak. Sektion Wien d. ÖAV, Ver. Natürl. Lebens, Wörgl, Verb. f. Radiästhesie. H.: Berge, Wasser, Phil., Gesundheit.

Piswanger Karl Dr. phil. Ing.

B.: Gschf. Ges. FN.: P & P Holding Österr. DA.: 1010 Wien, Bartensteing. 5. PA.: 3003 Gablitz, Hamerlingg. 42. G.: Wien, 17. Juni 1943. Ki.: Carl. El.: Karl u. Josefine. S.: HTL Elektrotechnik, Stud. d. Psych., Afrikanistik, 1974 Dr. K.: Seit 1963 Mitarb. im mütterl. Betrieb, 1970 Ang. im techn. Verkauf, 1971 Ang. im Computer-Verkauf, Marketing u. Personalangelegenheiten, seit 1980 selbst. Personalberatung u. -organ., Seminarwesen. BL.: Intelligenztest "Wr. Matritzen-Test". P.: versch. Publ. über Afrikanistik, Psychologie, Kommunikation, Personalwesen, Verkauf, Seminare. F.: Die P & P Gruppe besteht aus: Dr. Pendl & Dr. Piswanger GmbH Personalberatung, Dr. Peter Pendl & Ing. Dr. Karl Piswanger Organ. u. Schulungs GmbH, Kommunikations-Impulse GmbH, Dr. Pendl & Dr. Piswanger Intern. Ungarn, ab 1989 Aufbau eines Partnernetzes in Österr., Österr. Partner d. Intersearch. M.: Wirtschaftsforum d. Führungskräfte (WdF), Berufsverb. d. Österr. Psychologen. H.: Lesen, Segeln, Wandern, Afrika, Nonverbale Kommunikation. (J.S.)

Pitak Erich Dr. iur.

B.: Dir. f. Kapitalanlagengeschäfte. FN.: Schoeller & Co Bank AG. GT.: Mitautor v. "Börse v. A-Z" u. "Gewinnen m. Aktien", Vortragstätigkeit Gewinn, ÖPWZ, Servicebetriebe WU. GT: Vors. d. Gschf. d. Austro-Bavaria Investment GmbH. DA.: 1010 Wien, Renng. 1-3. G.: Wien, 28. Okt. 1960. S.: Hum. BG Wien, 1979 Matura, Stud. Jus u. Vw. Univ. Wien, 1. Dipl.-Prüf. m. Ausz., Stud. Betriebswirtschaft WU Wien, 1984 Prom. Dr. iur. K.: Gerichtsjahr, Vertragsass. Univ. Wien, Eintritt Girozentrale, Sparkassenprüf., 1985 Finanzanalyst in d. Emissionsabt. d. Girozentrale, 1986 Aufbau einer Sales-Gruppe, 1987 Wechsel u. Ltr. d. Vermögensverw. in d. Constantia Privatbank, 1988 Fondsmanager u. 1989 Gschf. Constantia Privatbank Kapitalanlageges., 1990 Wechsel in d. Schoellerbank als Abt.-Dir., Ltr. d. "Effekten Front Office". M.: Management Club, Golfclub Schönborn. H.: Politik, Wirtschaft, Skifahren, Golf. (J.S.)

Pitamic Alexander Prof

B.: Dirigent, Komponist, Lehrer an d. Musik-HS-Mozarteum. A.: 5026 Salzburg, Josef-August-Lux-Str. 3. G.: Klagenfurt, 7. Okt. 1918. V.: Sigrid, geb. Horvat. S.: Staatsak. f. Musik u. darstell. Kunst in Wien, Staatsdipl. f. Viola u. Theorie (Komposition), Kam. Musik Spez.Kl., 6 Monate Paris, anschließend Dirigentenkl. (Cl. Krauss) in Sbg., 3. Staatsdipl. K.: 1948-51 Kapellmstr. am LTheater Sbg., seit 1953 Lehrer in d. Opernschule - Mozarteum, Ass. v. B. Paumgartner (Camerata academica), dirigieren in Deutschland, Schweiz, Italien, Mozartopern u. Konzerte, 2 Sommer Dirigentenkl. in Estoril (Portugal), 12 Schallplatten m. d. Bamberger Sinf. (Mozart, Schubert, Haydn), 12 Konzerte m. d. NHK-Orchestra (Tokyo, Beethoven, Brahms, R. Strauß, Mendelsohn, Bruckner, Mozart, Schubert), eigenes Musical (Text u. Musik), dzt. Ltr. d. Operettenklasse u. Musical an d. HS. P.: Schallplatten (als Dirigent) sowie Platten m. Kompositionen (U-Musik, Background u. Schlager). M.: Ltr. d. Mozartgem. in OÖ, Vorst.Mtgl. d. Operettengem. (Bad Ischl), Mtgl. im Ver. d. Freunde d. HS-Mozarteum.

Pitsch-Sarata Birgit

B.: Operettensängerin. PA.: D-8500 Nürnberg. G.: Wien, 26. Juni. V.: Alfred Pitsch. S.: Matura, Absolventin d. Wr. Konservatoriums (Gesang u. Klavier). K.: M. 18. J. erstes Engagement am Landestheater Sbg., danach an d. Nürnberger Oper, seit 1970 nur mehr Gastauftritte, Opern- u. Operettenrollen an deutschen Bühnen (Köln, München, Frankfurt, Düsseldorf), Gastspielreisen u. Auftritte in Belgien (30 Premieren an d. Königl. Oper), Italien, CSFR, DDR, Frankreich, Schweden, USA (100 Konzerte), Argentinien, Iran, TV-Shows in sämtl. europ. Ländern (darunter "Land d. Lächelns" m. Rene Kollo), Gastauftritte an d. Wr. Volksoper. H.: Lesen.

Pitschko Josef Dr. Mag. OberR.

B.: Prüfer am Rechnungshof, StadtR. in Klosterneuburg. DA.: 1030 Wien, Dampfschiffstr. 2. PA.: 3400 Klosterneuburg, Lothringerstr. 42. G.: Wien, 29. Okt. 1953. El.: Josef u. Maria. BV.: Großvater Josef Pitschko VBgm. in Groß Siegharts, Gründer d. Konsumgen. Waldviertel. S.: VS, Gymn., Stud. Betriebswirtschaft WU Wien, Jusstud. Univ. Wien. K.: 1979-82 Finanzlandesdion. Wien, NÖ u. Bgld., seit 1982 Rechnungshof, Prüfer f. Sozialvers.-Träger. E.: Gold. EZ f. Verd. um d. Rep. Österr. M.: FPÖ, Bez.-Stellenaussch. d. Roten Kreuzes, Kuratorium f. NÖ Schul- u. Kindergartenfonds. H.: Bergwandern. (J.M.)

Pitschmann Hans DDr.

B.: Hon.Gen.Konsul im Fürstentum Liechtenstein. G.: Nendeln/Fl., 16. Nov. 1919. V.: Edith, geb. Schatzmann. El.: Eduard u. Maria. S.: Mittelschule, HS (Jus u. Staatswiss.). K.: Ger.Praxis, AltbundesR.Vors., Wirtschaftsbunddir. a.D. P.: Zahlr. Veröff. über d. gew. Sozialvers. (Pensions- u. Krankenvers.). E.: Gr. Silb. EZ m. d. Stern, Komturkreuz d. FL Verd.-Ord., Sport-EZ d. Land u. d. Stadt Feldkirch. M.: Mtgl. zahlr. Sport u. anderer Ver., Ehrenpräs. d. Motocrossclubs Montfort, Feldkirch, Ehrenmtgl. d. Vbg. Eishockey-Union. H.: Skifahren, Bergwandern.

Pitschmann Reinhard Dr. iur.

B.: selbst. RA. DA.: 6800 Feldkirch, Liechtensteiner Str. 11. PA.: 6800 Feldkirch, Alte Landstr. 7. G.: Feldkirch, 29. Juni 1958. El.: Dr. Hans u. Edith. S.: VS, Gymn., 1978 Matura, Jusstud. Univ. Innsbruck, 1986 Militärdienst K.: 1980-83 Liechtensteiner Treuhand- u. RA-Büro als Rechtspraktikant, 1983 Gerichtsj. LG u. Bez.-Gericht Feldkirch, 1984-87 Konzipient b. RA in Feldkirch, 1987 selbst. als RA in Feldkirch, Schwerpunkte: Wirtschafts- u. Vertragsrecht, Ehescheidung. M.: AufsR. d. Vbg. Brauereigen., AufsR. d. Vbg. Erdgasges., Präs. VEU Feldkirch. H.: Eishockey, Literatur, Musik, Malen, Tiere. (I.D.)

Pitter Klaus

B.: Illustrator, Cartoonist. DA.: 1150 Wien, Österleing. 7. PA.: 1140 Wien,Bierhäuselbergg. 25. G.: Timelkam, 4. März 1947. V.: Eva, geb. Gruber. Ki.: Clemens (1981). El.: Walter u. Edith. S.: Realgymn. Vöcklabruck, 1966 Matura, HS f. angew. Kunst Wien, Mstr.-Klasse Graphik b. Prof. Herberth, 1972 Diplom, danach selbst., erste Graphiken wurden i. "Neues Forum" i. Wien veröff., Gestalter d. Wunderwelt b. 1985, Veröff.: Nervensegen (1985), Kindersägen (1986),

Ich schnurre heute nicht (1991), Ha Ha Habsburg (1993), Bart ist Spitze (1994)., viele Bücher ill., regelmäßig Zeichnungen f. Trend u. Konsument, zahlr. Austell. H.: Tai-Ji-Quan, Fußball, Basteln, Tanzen, Musik.

Pittermann-Höcker Elisabeth Dr. med. Prim.
B.: Vorstand d. 3. Med. Abtl. d. Hämatol.-Onkolog. Zentrum d. Hanusch KH. DA.: 1140 Wien, Heinrich Collinstr. 30. PA.: 1120 Wien, Hohenfelspl. 3/11. G.: Wien, 3. Febr. 1946. V.: Univ. Prof. Dr. Höcker, Dr. f. Transfusionsmed. Ki.: Michael (1975), Andreas (1978), Paul (1981). El.: DDr. Bruno u. Maria Pittermann. BV.: Vater: ehemal. Präs. d. Soz. Internationale, Parteivors. d. SPÖ, VKanzler u. Ehrenbürger d. Stadt Wien. S.: 1964 Matura, Med.-Stud. an d. Univ. Wien, 1971 Prom. "Sub auspiciis Praesidentis rei publicae", FA-Ausbild. bei Prof. Hans Fleischhacker an d. 1. Med. Abtl. d. Hanusch-KH. K.: s. 1974 Kammerrätin d. Wr. Ärztekammer, s. 1977 FA f. innere Med., s. 1991 Primaria. GT.: s. 1961 polit. Funktionen u. Tätigk., beginnend mit Verband d. Soz. Mittelschüler, derzeitige Funktionen: Bez.-Rätin Wien Meidling, 1. VPräs. d. BSA, Landesvors. d. Ärzte d. Sektion Soz.-Versicherung d. GPA, Stellv. Vors. d. Soz.-Demokrat. Ärztevereinigung, Präsidiummtgl. d. ARBÖ, P.: mehr. wiss. Publ. vorwiegend zum Thema Hämatol. u. Onkol. E.: silb. EZ d. Wr. Ärztekammer. M.: versch. med. Ges. u. Soz.-Demokrat. Partei Österr. H.: Familie, Musik, Lesen, Theater. (J.S.)

Pittner Franz
B.: Hotelkfm., Koch. G.: St. Pölten, 10. Dez. 1948. V.: Hansa, geb. Nazan. Ki.: Philippe, Aylin. El.: Adolf u. Kitty. BV.: Urgroßvater war ReichsR. unter Kaiser Franz Josef, Verleihung vieler - auch intern. Würden, v. England, Frankreich, d. Schah v. Persien, etc. S.: Pflichtschulen, Lehre als Koch (im Haus d. Fa. - Hotel Restaurant Pittner), Hotelfachschule Gastein. K.: 2 J. als Stewart auf d. Schiff d. Linie Nal "Sagafjord" rund um d. Weltkugel, 3/4 J. als Koch im größten Hotel Kanadas in Toronto, 1976 Übernahme d. Hotel-Restaurant in St. Pölten (Fam.Besitz seit über 300 J.). (Lar.)

Pittner Heinz Dipl.-Ing
B.: Dir. d. Bundesversuchs- u. Forsch.-Anst. Arsenal. DA.: 1031 Wien, Faradayg. 3. G.: Wien, 3. Dez. 1940. V.: Irene. Ki.: Gerald, Sylvia. El.: Franz u. Johanna. S.: 1959 Matura, Stud. Nachrichtentechnik TU Wien. K.: 1968-71 Elektroniker dann Abt.-Ltr. b. d. BVFA, 1971-83 Unterschriftsberechtigter f. Angelegenheiten d. BVFA Arsenal im BMB, seit 1989 Ltr. d. BVFA Arsenal. E.: Gr. Gold. EZ f. Verd. um d. Rep. Österr. H.: Fotografie. (N.A.)

Pittner Heribert Dr. med. Univ.Doz.
B.: Direktor d. BundesStaatlichen Anstalt f. experimentell-pharmakolog. u. balneologische Untersuchungen. DA.: 1090 Wien, Währingerstraße 13a. PA.: 1080 Wien, Josefstädterstraße 51. G.: Horn, 19. Jan. 1948. V.: Mag. Ilse, geb. Hermann. Ki.: Michael (1988), Christian (1990). El.: Dr. Andreas u. Elfriede. S.: Gymn. Gmünd, 1966 Matura, Med.Stud. Graz, 1972 Prom. K.: 1972-85 FA-Ausbild. f. Pharmakologie an d. Univ. Wien, gleichzeitig Pharmakologe b. d. Chemie Linz 1986, Dir. d. BStaatl. Anst. f. experimentell-pharmakolog. u. balneolog. Untersuchungen, 1990 Habil. BL.: in einem zehnjährigen Arbeitsprozeß Entwicklung d. Betablockers Celiprolol. P.: ca. 60 Publ. u. wiss. Vorträge vor allem aus d. Arznei-mittelforsch. in Pharmakolog. Zeitschriften. M.: mehrere Kmsn. d. Gesundheitsmin., Dt. Ges. f. Pharmkologie u. Toxikologie, Österr. Pharmazeut. Ges., Österr. Ges. f. Toxikologie. H.: Familie, klass. Violinspiel, Kochen. (R.J.)

Pittner Kurt Ing.
B.: Sendertechniker, ehem. Gewichtheber. DA.: 2440 Moosbrunn, Quellenbachgasse NB. G.: Wien, 5. März 1943. V.: Gerda. Ki.: Alexander, Florian. El.: Josef u. Sophie. S.: Grundschule, Elektromechanikerlehre b. Fa. Kapsch, Gesellenprüf., 1982-87 Abendschule HTL-Matura. K.: 1957-63 Kapsch, 1963-66 Österr. Post, 1966-79 Wr. Stadtwerke, ab 1979 Rundfunk, 1957-82 aktiver Sportler. BL.: 80 Österr. Mstr.Titel, ab 1962 fast jedes Jahr Staatsmstr. in 3 Gewichtskl. (Fliegen-, Pentam- u. Leichtgewicht), 1972 5. Pl. b. Olymp. Spielen in München, 3 Bronzemed. b. Weltmeisterschaften. M.: Gewichtheberklub Tyrolia. H.: Sport.

Pitzal Manfred
B.: Kundendienstleiter. FN.: Daihatsu. DA.: 1232 Wien, Zetscheg. 13. PA.: Wien, 31. Dez. 1961. V.: Brigitte, geb. Schilk. Kd.: Patrick (1988), Pascal (1992). El.: Ingeborg u. Rudolf. H.: Familie, Ralleysport, Klavierspielen. (E.J.)

Pitzal Wolfgang Dr. iur.
B.: RA. DA.: 1040 Wien, Paulanerg. 9. PA.: 1040 Wien, Karolineng. 31. G.: Wien, 8. Febr. 1947. V.: Dr. Hannelore, geb. Heller, 2 Kinder. El.: Karl u. Ottilie. S.: 1965 Matura, Militär, Lt. d. Res., Stud. rechtswiss. Fak. d. Univ. Wien, 1970 Prom. K.: Gerichtsjahr, Konzipient einer nahmhaften Wr. Wirtschaftskzl., 1972 Eintritt in d. Kzl. Dr. Otto Heller, 1975 RA-Prüf., seit 1976 selbst. H.: Skifahren, Tennis, Theater. (P.R.)

Pitzer Wolfgang Johann AmtsR
B.: Stadtamtsvorst. d. Stadtgem. Schladming. GT.: seit 1979 Hrsg. d. Dachstein Tauern Gästezeitung. DA.: 8970 Schladming, Coburgstr. 45. PA.: 8970 Schladming, Roseggerstr. 226. G.: Pichl, 27. Dez. 1949. V.: Gerlinde, geb. Hofmann. Ki.: Pamela (1973), Gert (1978). El.: Alois u. Margaretha. S.: VS, HS, HASCH, Gem.-Verw.-Prüf. B, Standesbeamtenprüf., versch. Managementkurse. K.: seit 1967 im Gem.-Dienst, seit 1972 Stadtamtsvorst., Regionaljournalist f. versch. steir. Zeitungen u. freier Mitarb. b. ORF. P.: 6x jährl. Dachstein Tauern Gästezeitung, Veröff. in versch. steir. Zeitungen, Verleger v. Kunstkalendern, versch. sportl. u. kulturelle Beiträge b. ORF. E.: Bronz. Verd.-Med. Kameradschaftsbund, Bronz. Verd.-Med. Landesverb. Hessen, Gold. EZ ARBÖ u. SPÖ, Treuemed. Bundesheer, EZ in Gold FI Skibob. M.: Bez.-Obm. ARBÖ Ennstal u. Paltental, Ehrenobm. Ortsclub Schladming, Presseref. H.: Journalismus, Skifahren, Langlaufen, Mountainbiken, Wandern, Bergsteigen, Fotografie, Philatelie. (M.T.).

Pivec Gerhard
B.: Kfm. d. Weinstube "Zur alten Press". DA.: 8010 Graz, Griesg. 8. PA.: 8010 Graz, Mödlinger G. 16. G.: Graz, 26. Febr. 1961. V.: Heidemarie, geb. Kern. El.: Franz u. Marianne. S.: 1976-79 Lehre als Sped.Kfm. K.: 1979-85 Zolldeklaramt, 1985 Übernahme einer Gaststätte, Ausbau zu Weinlokal.

Pixner Franz
B.: Bildhauer. PA.: 1210 Wien, Feistritzg. 30. G.: Ried/Innkreis, 3. Juni 1912. V.: Alma. Ki.: Dawid, Alfred, Franklin, Elisabeth, Stefanie, Martin, Stefan. El.: Franz u. Maria. S.: VS, Bürgerschule, Tischlehrling, 2 J. privates Sprachstud., 4 J. BLehranst. f. Holzbildhauerei u. Modellieren, Kunstgewerbeschule Wien, Mstr.Kl. Powolni. K.: wegen illegaler Betätigung achtzehn Monate Haft, 1936 v. allen höheren Lehranst. relegiert. Emigration nach Spanien, Teilnahme am span. Bürgerkrieg in d. Intern. Brigaden. Nach Schluß d. Bürgerkrieges Emigration nach England. Besuch d. Putney High School of Arts, Buchillustrationen f. einen engl. Verlag u. Plakatentwürfe, 1947 Rückkehr nach Österr., kurze

Zeit Gast in d. Kl. Wotrube, Aufträge d. Gem. Wien, v. BMU wurden Arb. angekauft, Ausstellung 1978 Donauzentrum. E.: Theodor Körner-Förderungspreis, Preis d. Wr. Kunstfonds u. Förderungspreis d. Nationalbank, 1983 Preis d. Stadt Wien. (A.W.)

Pixner Hans Mag.

B.: Dir.Kfm. Berufsschule Ried/Innkreis. DA.: 4910 Ried/Innkreis, Volksfeststr. 7. PA.: 4910 Ried/Innkreis, Bauböckstr. 9A. G.: Frankenburg/Hausruck, 11. Apr. 1943. V.: Ruth, geb. Haslinger. Ki.: Dipl.-Krankenschwester Gudrun. El.: Hans u. Inge. S.: VS, Gymn., 1963 Matura, bischöfl. LBA Linz,1966 Lehrbefähigungsprüf., 1967 Lehrbefähigungsprüf. f. kfm. Berufs-schule Fachgruppe 2, Erweiterungsprüf., 1987-93 Univ. Passau. K.: seit 1964 Lehrerpraxis VS, HS u. Polytechn. Lehrgang, seit 1967 kfm. Berufsschule Ried/Innkreis, seit 1990 Dir. P.: Textil u. Schuhlehrbücher, Verkaufskundelehrbuch, Österr. Veteranen erzählen v. Krieg. H.: Malen, klass. Musik. (D.E.)

Piza Hildegunde Prim. Univ. Prof. Dr. med.

B.: FA f. Plast. Chir. mit eig. Ord. in 1090 Wien, Lazarettg. 9/7, Vorst. d. Abt. f. Plast. u. Wiederherstellungschirurgie am KH Lainz, 1130 Wien, Wolkersbergerstr. 1. PA.: 1130 Wien, Kalmarstr. 43. G.: Gröbming, 2. Apr. 1941. V.: Prof. Dr. Franz. Ki.: Nikolaus (1974), Pia (1976), Klara (1980). El.: Dr. Otto u. Juliane Katzer, geb. Mandl. S.: VS, RG-"Ursulinen" Graz, 1959 Matura, Medizinstud. in Graz u. Wien, Prom. Dr. med. K.: 1965-66 Turnusausbild. in Graz, 1966-70 Chirurgieausbild. u. Pathalogie, 1970-92 Univ. Klinik Wien u. Sbg., Kieferchirurgie u. 1. Chirurg. Klinik - Fachausbild. u. Plastische Chirurgie-Ausbild., OA d. Chirurg. Univ. Klinik, FA f. Chirurgie u. FA f. Plastische Chirurgie und 1982 Habilitaion an Univ. Wien, 1992 Aufbau einer Abt. f. Plastische Chirurgie im KH Lainz u. Ltr. d. Abt., seit 1994 im Dauervertrag m. d. Gem. P.: ca. 200 wiss. Publikationen u. Vorträge im In- u. Ausland. M.: Präsidentin d. DAM (Dt. Arbeitsgemeinschaft f. Mikrochirurgie d. Peripheren Nerven u. Gefäße), Präsidentin d. Österr. Ges. f. Plastische u. Wiederherstellungschirurgie. H.: Musik, Literatur, Schwimmen. (M.M.)

Placek Friedrich Dr. KommR

B.: Syndicus d. BSekt. Ind. A.: 2340 Mödling, Neug. 17. G.: Eichgraben, 13. Juli 1927. V.: Marlene, geb. Murg. S.: Gymn., Univ. Wien (Dr. iur.). K.: J.Bmtr., Rechtspraktikant, handespolit. Ref. d. BSekt. Ind., seit 1975 Syndicus d. BSekt. Ind. P.: lfd. Publ. z. ind.-polit. Themen. E.: Gr. EZ f. Verd. um d. Rep. Österr., Gr. Gold. EZ f. Verd. um d. Bundesland NÖ, EZ d. L. Bgld. M.: Rotary-Club. H.: Klass. Musik, Wandern, Schwimmen.

Pixner Josef

B.: Inh. FN.: Josef Pixner KG Landmaschinen-Schmiede-Fahrzeugaufbauten. DA.: 5531 Eben 125. PA.: 5531 Eben 86. G.: Filzmoos, 23. Feb. 1937. V.: Anna, geb. Kirchner. Ki.: Josef (1965), Christiana (1966). El.: Oskar u. Theresia. S.:Volksschule, HS Radstadt, Schmiedelehre m. Gesel-lenprüf. K.: 1965 selbst. Schlosserei, Fahrzeug-aufbauten. M.: FF. H.: Skifahren, Bergsteigen, Wandern. (D.E.)

Placek Heinz

B.: Freischaff. Maler u. Grafiker, Art Dierktor. DA.: 1040 Wien, Favoritenstr. 40/23/16. G.: Wien, 17. Okt. 1941. El.: Franz u. Anna. S.: Kunstschule, Fernschule f. Dekorateure, Gastschüler b. Prof. Swoboda. K.: 1961-68 Glasmaler, 1968-71 Retuscheur, s. 1971 freischaff. tätig, Ausst.: 1969 Galerie Verkauf Wien, 1976 Galerie Alte Schmiede Wien, 1977 Erste Öst. Spar-Casse Wien, 1978 Galerie Basilisk, div. Ausstellungsbeteiligungen im In- u. Ausland, freiberufl. Kulturred. b. versch. Zeitschriften. BL.: Seit 1980 Initiator v. versch. Alternativausst. bes. im Bereich d. Volksbildung (z.B. "Kunst - die sanfte Gewalt", Haus d. Begegnung Wien). E.: 1965 Theodor Körner-Preis, 1974 Förderungspreis d. Z-Kulturfonds. M.: S. 1983 Obm. d. Kunst- u. Kulturver. "Neue Tendenzen". H.: Literatur. (P.L.)

Plachutta Eva

B.: Mitinh., Gschf. FN.: Kohl & Plachutta OHG, Restaurant "Hietzinger Bräu". DA.: 1010 Wien, Weihburgg. 4, 1130 Wien, Auhofstr. 1. G.: Wien, 14. Feb. 1948. V.: Ewald Plachutta. Ki.: Daniela (1965), Mario (1968). El.: Johann u. Anna Buhl. S.: VS, HS, Ausbild. b. einem Steuerberater. K.: ab 1980 im Büro d. Restaurants "Zu den 3 Husaren" tätig, 1987 Übernahme eines Gasthauses in Hietzing, Aufbau d. Restaurants Hietzinger Bräu z. 2 Hauben-Restaurant. E.: zahlr. Ausz. f. d. Hietzinger Bräu. H.: Gästebetreuung d. Hietzinger Bräu. (J.S.)

Plametzberger Dieter Mag. Dr.

B.: Abteilungsleiter FN.: Rechnungshof. DA.: 1030 Wien, Dampfschiffstr. 2. PA.: 1150 Wien, Goldschlagstr. 45. G.: St. Pölten, 14. Jänner 1941. V.: Dr. Henriette, geb. Pavlica. Ki.: Heinrich (1980). El.: Karl u. Johanna. S.: BG Krems, Matura 1959, Stud. d. Geschichte, Germanistik u. Philosophie a. d. UNI Wien, Promotion: 1963 Dr. phil. Institut f. Österr. Geschichtsforschung: Mitarbeit a. Babenbergerurkundenbuch, parallel Jusstud., 1967 Absolutiorium (3 Staatsprüfungen) Promotion z. Dr. jur. K.: 1968 Finanzverwaltung f. Wien/NÖ/Bgld als Großbetriebsprüfer, 1976 Eintritt i. d. Rechnungshof: Prüfer Stellv. Abteilungsleiter, s. 1983 Abteilungsleiter i. d. Prüfungsabteilung f. Österr. Sozialversicherungsträger. P.: Dissert. über d. Besiedelungsgeschichte d. Dunkelsteinerwaldes. E.: Gr. Ehrenzeichen f.

Verd. um d. Republik Österr. H.: Bergwandern, Ski, Langlaufen, Griech. Philosophie u. allg. Geschichte, Theater. (J.M.)

Plachutta Ewald

B.: Gastronomiekfm. FN.: Eva u. Ewald Plachutta GmbH & Co KG. DA.: 1130 Wien, Auhofstr. 1. G.: Wien, 16. Juni 1940. V.: Eva, geb. Buhl. Ki.: Mario (1968), Daniela (1965). El.: Egon u. Josefine. K.: langj. Funktion in führenden Positionen z.B. Hotel Astoria, Hotel Europa Wien, langj. Mtgl. d. Österr. Köche-Nationalmannschaft, Tätigkeit f. d. Kam. d. gewerbl. Wirtschaft Hamburg, Berlin, Budapest, Posen, Bukarest, Barcelona, Bornmouth, Tor-rema, Stuttgart u. Frankfurt, 1979-94 Mitbes. d. Restaurants Drei Husaren, Grotte Azzurra u. Hietzinger Bräu, Promotions Hotel Mandarin Hongkong, Hotel Oriental Bangkok, Hotel Winsor Royal Brüssel u. Pjöngjang Nordkorea. P.: Co-Autor u. Publizist div. Fachbücher, langj. red. Mitarb. d. Tageszeitung "Kurier", 1993 Veröff. "Die gute Küche". E.: Goldmed. u. 1. Preise b. nat. u. intern. Ausstellungen, 1964 Goldmed. b. d. Koch-Olympiade, Anton Benja-Preisträger f. d. Förd. d. Facharb., 1984 Gold. Roulettekugel Casino Austria, 1991 Koch d. J. verl. v. Guide Gault Millau, 1991 Trophee Gourmet v. Guide "A la carte", 1994 erstmalige Ausz. eines österr. Autors m. d. Gold. Buch d. Buchgemeinschaft Donauland f. 150.000 verkaufte Exemplare. M.: Ehrenmtgl. b. div. nat. u. intern. Fachverb. H.: Tennis, Musik. (J.S.)

Plachutta Mario

B.: Unternehmer. FN.: Mario Plachutta GmbH. DA.: 1010 Wien, Wollzeile 38. G.: Wien, 23. Okt. 1968. V.: Barbara, geb. Edinger. El.: Ewald u. Eva. S.: 1988 Matura an d. Hotelfachschule Modul Wien. K.: 1990 1 J. Mandarin Oriental Hotel Hongkong, 1991 1 J. Hotel Negresco in Nizza/Frankreich, 1992 Hotel Sutton Place in Toronto/-Kanada, 1993 Eröff. d. Gastwirtschaft Plachutta. H.: Sport allg., bes. Tennis, Skifahren u. Squash. (J.S.)

Plametzberger Heinz Mag.

B.: Prokurist FN.: Wr. Holding AG. DA.: 1010 Wien, Universitätsstr. 11. PA.: 1190 Wien, Seiläckerg. 43/21. G.: St. Pölten, 12. Febr. 1944. V.: Maria, geb. Haselmann. Ki.: Harald (1976), Bernhard (1978). El.: Karl u. Johanna. S.: HAK, 1963 Matura, WU, College-Kurs Oxford. K.: Girozentrale (Abt. Dion.Sekr.), 1974 Grdg.Mtgl. d. Wr. Holding, AR-Mtgl. d. WIBEBA seit 1987, d. Wiener Baustoff AG 1982, d. Wr. Bauträger GmbH seit 1989, AR: Gesiba seit 1983, Stadterneuerungsges. seit 1983, Export u. Handelsbank seit 1983. M.: Tennisclub UTW Döbling. H.: Tennis, Skifahren, Schallplatten, ital. Opern, Familie, Reisen. (M.G.)

Planatscher Axel Franz

B.: Manager u. Besitzer d. Hotel Alpenhof. DA. u. PA.: 5630 Bad Hofgastein, Salzburger Str. 13A. G.: Salzburg, 9. Juni 1957. El.: Franz u. Herta. S.: private HASCH Sbg., Hotelfachschule Bad Hofgastein, 1976 Abschluß. K.: Tätigkeit auf Griech. Schiffslinie (Sun Line), 1977-84 Barkellner u. Barkeeper Sagafjord, bereiste 114 Staaten, 1984/85 u. 1986/87 Chefbarkeeper in Lech/Arlberg, 1987 Übernahme d. elterl. Betriebes. H.: Bigfoot, Mountainbike. (G.P.)

Planberger Wolfgang

B.: Bgm. v. St. Gilgen, Geschäftsmann. FN.: Elektro Planberger. DA. u. PA.: 5340 St. Gilgen, Lueger Waldweg 4. G.: St. Gilgen, 28. Feb. 1940. V.: Gertraud, geb. Schicht. Ki.: Karin (1970), Wolfgang (1972). BV.: Stammbaum seit 1400. S.: VS, HS, Lehre Firma Kramberger Mondsee, 1963 Konzessionsprüf. im Elektroinstallationsgewerbe. K.: seit 1966 selbst., 1980 Gschf. Ges. Zwölferhorn Seilbahn, 1969 Gem.-Vertretung, 1984-89 VBgm., 1989 Bgm. v. St. Gilgen, 1966 Grdg. d. Filialbetriebes in Mondsee, 1973 1. Betrieb f. Antennenanlagen in St. Gilgen. BL.: Segeln: 1977 Staatsmeisterschaft, 1975 WM Bronze, EM. M.: Bürgermusik, Trachtenver., Schützenver., Liedertafel, USC-Abersee, Yachtclub. H.: Jagd, Segeln. (S.P.)

Planck Alexander Dipl.-Ing.

B.: Abt.Ltr. FN.: Anglo Elementar Vers. AG. GT.: Inh. d. Forstwirtschaftsbetriebes in OÖ. DA.: 5024 Salzburg, Max-Ott-Pl. 6. PA.: 5020 Salzburg, Leopoldskronstr. 13c. G.: Salzburg, 9. Juli 1946. V.: Dipl.-Ing. Marion, geb. Becher. Ki.: Michael, Theresa. El.: Sicherheitsdir. HofR. Kurt u. Gisela. BV.: Urgroßväter Carl Franz v. Planck Grdg.Präs. d. Oberbank in Linz u. RgR. Dr. Otto Spängler Dir. d. Sbg. Sparkasse, Johann Michael Scheibenpogen Bgm. v. Linz (1765-1777), Carl Leopold v. Planck, Bankier, liberaler Abg. z. OÖ. Landtag (1861-1866). S.: Hum. Gymn. m. Matura 1964 Stiftsgymn. Kremsmünster; Stud. d. Techn. Physik u. Rechtswiss. Univ. Zürich, Wien u. Linz, 1981 Dipl.-Ing. d. TU Wien. K.: Verw. d. eigenen Forstwirtschaft u. Erhaltung d. Schloßes Weyer in Kematen/Krems, seit 1984 Abt.Ltr. einer Vers.Ges. in Sbg. M.: Burgenv., Wald- u. Grundbesverb., Lions Club Sbg.-Mirabell, Österr.-Dt. Kulturges., Wirtschaftclub d. Dt. HK. H.: Geschichte. (Föd.)

Planer Peter Dr. iur.

B.: RA. GT.: Obm. d. Gem. Kitzbühel Wasser, Strom, Kabelfernsehen, Entsorgung v. Kanal u. Müll, VObm. zuständig f. Bau u. Planung Straßen, VPräs. Golfclub Ellmau. DA. u. PA.: 6370 Kitzbühel, Klosterg. 1, Villa Margit. G.: Kitzbühel, 7. Aug. 1949. V.: Dr. Barbara, geb. Beranek. Ki.: Christoph (1985), Martin (1988). El.: Josef u. Theresia. S.: VS, HS, 3 1/2 J. Lehre Kfz-Mechaniker m. Gesellenbrief. K.: 1969-77 Tätigkeit b. Bavaria Filmges. München, 1978 Matura, Selbststud., 1978-82 Stud. Innsbruck, 1982-85 jur. tätig, seit 1986 selbst. M.: Golfclub Schwarzsee. H.: Golf. (M.T.)

Plangger Andreas Dr.

B.: FA f. Urologie. DA.: 39100 Bozen, Zwölfmagreiner Pl. 5. PA.: 39100 Bozen, Untermagdalena 16. G.: Bozen, 14. Aug. 1948. V.: Ingrid, geb. Maier. Ki.: Michael, Julia, Patricia, Peter. BV.: Prof. Gelmo Erfinder d. Sulfanomide, Kardinal

Franzelin. S.: Hum. Gymn. d. Franziskaner Bozen, 1969 Matura, Univ.-Stud. Innsbruck, 1981 Prom, FA-Ausbild. Univ. Würzburg, Städt. KH Landshut, 1986 FA-Prüf, München, b. 1986 i. Landshut. K.: ab 1987 privater FA i. Bozen m. Belegarzttätigkeit i. Grieserhof, Konsiliarius i. d. Sanitätseinheit Nord, KH Brixen u. KH Sterzing. P.: 60 Publ. im Bereich d. Urolog. Sonographie. M.: Dt. Ges. f. Urologie. H.: Musik, Bergsteigen, Fischen, Literatur, Malerei. (N.A.)

Plank Bernhard Dipl.-Ing.
B.: Gschf., Managing Dir. FN.: AB Mikroelektronik GmbH. DA.: 5020 Salzburg, Josef-Brandstätter-Str. 2. PA.: 5110 Oberndorf, Haunsbergstr. 25. G.: 12. Okt. 1948. V.: Angelika, geb. Waibel. Ki.: Clemens (1974), Florian (1979), Stefanie (1981). El.: Rudolf u. Maria Gabriele. S.: VS, Gymn., 1967 Matura, 7 J. Stud. Nachrichtentechnik TU Graz, 1974 Abschluß. K.: 1974-79 Elektronik- u. Entwicklungsabt. Firma WILD Heerbrugg Schweiz, 1980-81 techn. Ltr. RSF Tarsdorf, 1982 AB Mikroelektronik, Entwicklungsltr., 1989 Vertriebsltr., Gschf.

Plank Gerhard

B.: Computertechniker, Inh. FN.: Private Network Solution. DA. u. PA.: 1020 Wien, Böcklinstr. 27. G.: Wien, 4. Mai 1936. V.: Alice, geb. Cerweny. Ki.: Ulrike (1956), Gerhard (1958). El.: Karl u. Rosa. S.: VS, HS, Lehre Fernmeldetechniker, 1953 Gesellenprüf. K.: im Fernmeldebereich d. Österr. Post, 1962 Computertechniker b. IBM, danach Management im techn. Dienst u. Marketing, dann IBM Headquarter Paris, 1989 zurück nach Österr., Tätigkeit b. IBM Osteuropa, Ltr. d. Telekommunikation f. d. gesamten osteurop. Raum, 1992 selbst. 1. Intern. Geschäftspartner d. IBM im Bereich Telekommunikation, Daten- u. Sprachkommunikation, priv. Netzwerke f. intern. Unternehmen. H.: Natur, Wald, Blockhaus, Yoga, Meditation, Musik. (W.J.)

Plank Gottfried Ing.
B.: Gschf. FN.: Süd-Westbau GmbH. DA.: 8430 Leibnitz, Karl-Morre-G. 7. G.: Dresden, 25. Febr. 1930. V.: Almasa, geb. Kropalija. Ki.: Thomas, Eva, Stefan. El.: Franz u. Elisabeth. S.: VS, HS, HTL, 1951 Matura. K.: Vermessungstechniker Großbaustellen, 1960 Baultr. in Österr., 1965 Prok. b. Österr. Baufa., 1970 Filialdir. b. Österr. Baufa., 1978 Gschf. d. Süd-Westbau. M.: Ges. f. Straßenbauwesen (GESTRATA). H.: Reisen, Wandern, Tierliebe. (H.Z.)

Plank Hans
B.: Inh., ak. geprüfter Werbekfm. FN.: Plank Creativ Team Werbe GmbH. DA.: 1150 Wien, Huglg. 24. PA.: 1140 Wien, Linzer Str. 200. G.: Wien, 26. Aug. 1938. V.: Elfriede, geb. Suda. Ki.: Karin. El.: Ferdinand u. Albine, geb. Heisler. S.: Schriftsetzerlehre, Abendmatura, HS-Lehrgang f. Werbung u. Verkauf an d. HS f. Welthdl. K.: Werbeass. b. d. Firmen Philips u. AEG Austria, ab 1968 selbst. als Werbetexter u. Konzeptionist, 1977 Grdg. einer eigenen Werbeagentur, Schwerpunkt: Investitionsgüter u. Dienstleistungen. H.: Schriftstellerei (Hörspiele). (N.A.)

Plank Helmut Mag. Dir.
B.: Schulltr. FN.: BG/BRG Braunau. DA.: 5280 Braunau, Stelzhamerstr. 5. PA.: 5280 Braunau, Vierthalerstr. 7. G.: Krenglbach/Wels, 28. Jän. 1940. V.: Edith, geb. Kölbl. Ki.: Andrea, Johannes. El.: Johann u. Franziska. S.: Gymn., 1958 Matura, 5 J. Stud. d. Mathematik u. Physik f. Lehramt, 1963 Abschluß a. d. Univ. Wien m. Mag., Probejahr i. Gymn. Braunau, BH, 1965 BG/BRG Braunau, nebenbei an einer techn. gewerbl. Abendschule v. 1965-69, 1965-70 a. d. HAK, 1970-73 a. d. HTL Braunau als Lehrer gearb., 1979 Administrator am Gymn., 1.4.1993 Dir. d. Gymn. M.: Amnesty International von 1975-80. H.: Lesen, Reisen, Sport, Bergsteigen, Wandern, Skifahren, Skitouren. (D.E.)

Plank Johann Mag. art.
B.: Musikschuldir. d. Städt. Musikschule. DA.: 8970 Schladming, Pfarrg. 1. PA.: 8970 Schladming, Klaus 157. G.: Öblarn, 18. Nov. 1943. V.: Reingard, geb. Hirz. Ki.: Christian (1967), Hans (1970). El.: Franz u. Sophie. S.: VS, HS, Gewerbl. Berufsschule m. Abschluß Tischler, 1970-76 HS f. Musik u. darstell. Kunst Graz, Hauptfach Klarinette, staatl. Lehrbefähigungsprüf., 1977-79 Kapellmstr.-Lehrgang f. Blasmusik u. Dirigenten in Graz, 1985 Ergänzungsstud. Musik-HS Graz, 1987 Konzertdipl. Klarinette, 1987 Mag. art. K.: 1970-78 Lehrer Musikschule Gröbming, parallel z. Stud. seit 1978 Ltr. d. Städt. Musikschule Schladming (Prod. LP "10 J. Städt. Musiksch. Schladming"). P.: Mag.-Arb.: Chronik d. Musikkapelle Haus m. Beiträgen z. Musikgeschichte d. Marktes Haus. E.: 1974 Silb. u. 1984 Gold. EZ d. Steir. Blaskapellenverb., 1987 Bronz. Verd.-Med. f. bes. Verd. d. Kameradschaftsbundes, 1989 Bronz. Verd.-Med. f. bes. Verd. d. Roten Kreuz, 1988 Bronz. Rot-Kreuz-Fahrtenspange f. 1000 Rettungsausfahrten, 1991 Silb. Rot-Kreuz-Fahrtenspange f. 2500 Rettungsausfahrten, 1992 Bronz. VZ d. Steir. Blasmusikverb. M.: 20 J. Kirchenchor Oblarn, 20 J. Musikkapelle Oblarn, 1970-78 Musikkapelle Gröbming, 1977-84 Kapellmstr. Stadtkapelle Schladming (Prod. LP "Stadtkapelle Schldg."), seit 1986 Kapellmstr. Pürgg/Trautenfels, seit 1984 Steir. Blaskapellenverb., Juror Jungmusikerabz., seit 1981 Bez.-Jugendref. d. Musikbez. Gröbming, seit 1984 freiwilliger Helfer v. Roten Kreuz, seit 1992 Ortsstellenltr. v. Schladming. H.: Skifahren, Radfahren. (M.T.)

Plank-Bachselten Alfred Dipl.-Ing.
B.: Ziviling. f. Bauwesen, Bmstr. GT.: gerichtl. beeid. Sachv. f. Bauwesen. DA.: 8605 Kapfenberg, Mariazeller Str. 1. G.: Törökszentmiklos, 27. Juli 1918. V.: Dorli, geb. Rauppach. Ki.: Dipl.-Ing. Andreas, Barbara, Lukas. El.: OLGR. Alfred u. Rosa. BV.: Karastos (Bachselten) seit 1553. S.: Gymn. Graz, 1937 Matura, 1938/39 Freiw. Ulm, Fahnenjunker, Kriegsschule München (Artillerie) Lt., Luftwaffe Dresden, Kriegsgefangenschaft, 1947 Stud. Bauing.Wesen HS Graz, 1950 Dipl.-Ing. K.: 1950-55 LDienst (Straßenbauamt Bruck/Mur), 1955 nach Heirat in Fa. d. Schwiegervaters eingetreten, 1957 Bmstr.Prüf., Ziviling. seit 1956, 1972 als Gschf. Ges. d. Fa. Rauppach ausgeschieden, seit 1972 Ziviling.Büro in St. Lorenzen/Mürztal u. Bauuntern. in Kapfenberg u. Graz-St. Peter, Generaluntern. f. div. Großbauvorhaben. M.: Mtgl. Rotary-Club, Biolog. Arge, Soz. Hilfsring Graz, Österr. Aero-Club, Intern. Water-Supply-Assoz., Alpenver., Offz.Ges. Stmk., Management-Club d. Österr. WB, Steir. Jagdschutzver., Sportver. St. Lorenzen, PCB Arminia, Ver. ehem. GAK-Handballer. H.: Jagd, Fliegen, Tennis. (Tra.)

Plank-Bachselten Andreas Dipl.-Ing.
B.: selbst. Ziviling. u. Bmstr. DA.: 8605 Kapfenberg, Mariazeller Str. 1. PA.: 8641 St. Marein im Mürztal. G.: Wien, 27. Nov. 1957. V.: Renate, geb. Pestitschek. Ki.: Alexander (1985), Caroline Andrea (1988), Clemens (1990). El.: Alfred u. Dorli. S.: 1977 Matura, HTL Mödling, Maschinenbau, 1977-85 Stud. TU Graz, Bauingenieurwesen, 1987 Bmstr.-Prüf., 1989 ZT-Prüf. K.: Ges. Fa. Rauppach, seit 1986 Tätigkeit im elterl. Betrieb, 1993 Übernahme d. Firma,

Spezialisierung: Planungen im Siedlungswasserbau, Planungen u. Errichtung v. Wasserkraftanlagen als GU. M.: Rotary Club, ZT- u. Bmstr.-Kam. H.: Skifahren, Jagd. (K.K.)

Planner Peter Dr. med. vet
B.: Tierarzt. DA.: 6850 Dornbirn, Schulg. 42. PA.: 6850 Dornbirn, Marktstr. 58. G.: Graz, 30. Mai 1960. V.: Dr. med. vet. Susanne. Ki.: Benjamin (1991), Daniel (1992). El.: Dr. med. vet. Waldemar u. Ingrid. S.: Gymn., 1979 Matura, Stud. Univ. Wien, 1992 Prom., 1990/91 Militär. K.: 1990 b. versch. Tierärzten in Wien u. NÖ sowie Mithilfe b. Vater in Tierarztpraxis, 1991 Übersiedlung nach Vbg. u. Praxisgrdg. in Dornbirn. H.: Laufen, Bogenschießen. (I.D.)

Planner Susanne Dr. med. vet
B.: Tierärztin. DA.: 6850 Dornbirn, Schulg. 42. PA.: 6850 Dornbirn, Marktstr. 58. G.: Bregenz, 24. Apr. 1963. V.: Dr. med. vet. Peter Planner. Ki.: Benjamin (1991), Daniel (1992). El.: Josef u. Inge. S.: Gymn., Matura, Stud. Univ. Wien, 1992 Prom. K.: Praxis b. versch. Tierärzten in Wien b. Kleintierpraktiken u. Pferdepraxis, 1991 Praxisgrdg. zusammen m. Gatten in Dornbirn. H.: Reiten, Lesen. (I.D.)

Plansky Franz Xaver
B.: Gschf. FN.: Fire Stop GmbH. DA.: 1210 Wien, Holzmanng. 5. G.: Wien, 28. Sep. 1950. V.: Irma, geb. Schultes. Ki.: Alexandra (1974). El.: Franz u. Maria. S.: VS, RG, TGM, Stud. Werbung u. Verkauf WU. K.: Mitarb. im elterl. Betrieb Kunststoffverarb. Plansky, Tätigkeit im Verkauf IBM u. Rex Rotary, Ass. d. Geschäftsltg. BSB, Werbeltr.- u. Marketing Medical Rauscher & Co, Verkaufsltr. B. Braun, Gschf. Äslolap, Gschf. Total Titan Fire-Stop ges.m.b.H.; H.: Tennis, Lesen, Beruf. (J.M.)

Planteu Josef
B.: selbst. Holzkfm., Forstmann, Gastronom. FN.: Sägewerk u. Holzhandel Planateu GmbH. DA. u. PA.: 9132 Gallizien, Wildenstein 54. G.: Klagenfurt, 21. Aug. 1967. El.: Josef u. Elfriede. S.: HTL Holzwirtschaft u.Sägetechnik i. Salzburg (1981-86), Matura, BH, 1991 Konzessionsprüf., 1992 Jagdprüf. K.: Praxis im Sägewerk b. Graf Thurn-Valsassina i. Eisenkappel, 1989 Übern. d. 1925 gegründeten elterl. Betriebes, 1994 Errichtung eines Kleinkraftwerkes mit ca. 50/60 KW f. Eigenbedarf u. Oberschußlieferung an Kelag. H.: Jagd, Ski, Tennis, Lesen, Motorsport. (G.L.)

Planton Carl-Hannes Ing
B.: ORF-Moderator im LStudio Ktn. DA.: 9010 Klagenfurt, Sponheimerstr. 13. PA.: 9556 Liebenfels, Rohnsdorf 11. G.: Klagenfurt, 3. Aug. 1958. V.: Gabriela, geb. Wenz. Ki.: Pia-Catherine (1987). El.: Hans u. Maria. S.: HTL, Matura 1979, Pädak. Wien. K.: Red. b. Ldw.Kam. b. 1988, s. 5/1988 Moderator im LStudio Ktn. (Radio Kärnten Magazin). H.: Reisen, Musik, Film, Tennis, Squash. (A.L.)

Planyavsky Alfred Prof. Mag.
B.: Mtgl. d. Wr. Philharmoniker i.R., Schriftsteller. A.: 1190 Wien, Siolyg. 18, Haus 2. G.: Wien, 22. Jan. 1924. V.: Mag. Margarete, geb. Molzer. Ki.: Prof. Peter, Johanna. El.: Franz u. Antonie. S.: Konvikt d. Wr. Sängerknaben, AK (HS) f. Musik in Wien. K.: Sopransolist d. Wr. Sängerknaben, Tenorsolist im AK-Kam.Chor Wien (Platten), Kontrabaß-Solo- u. Kam.Musik, 1955 Mtgl. d. Staatsopernorchesters Wien, Mtgl. d. Wr. Philharmoniker, 1958-64 im Vw. Aussch. d. Wr. Philharmoniker, Lehrer f. Kontrabaß im Konvikt d. Wr. Sängerknaben, Mtgl. d. Wr. Hofmusikkapelle, Gründer d. "Wr. Kontrabaß-Archivs". P.: "Geschichte d. Kontrabasses", Tutzing 1970, 1984, "Der Barockkontrabaß Violone" Salzburg 1989, über 100. Veröff.: Essay, Rezensionen, Programmtexte, Plattentexte, Buchbesprechungen, Reiseberichte, Hörspiel, Lyrik, Vorträge (in englisch u. deutsch). E.: Verleihung d. Titels "Prof.", d. EK f. Wiss. u. Kunst, Gold. VZ d. Landes Sbg., Ehrenmed. d. BHpt.Stadt Wien, Special Recognition Award Northw. Univ. 1990, Silb. Med. f. bes. Verd. d. Hofmusikkap. Wien 1991, F.-Schalk-Med. d. Wr. Phil. 1992, Gold. EZ f. Verd. um d. Rep. Österr. 1992.

Freiherr Plappart-Leenheer Karl Dipl.-Ing. w.HofR.
B.: LBmtr. (Gruppenltr. in d. Agrar- u. Forstabt. d. Amtes d. OÖ LRg.) DA.: 4020 Linz, Promenade 31. PA.: 4114 Schloß Neuhaus. G.: Neuhaus/D., 10. Sept. 1931. V.: Ingrid, geb. Hückel. Ki.: Alexander (Lt. b. BH), Dr. Otto (Jurist), Paul (Stud.) u. Christine (Stud.) El.: Frhr. v. Plappart-Leenheer Alexander Kurt u. Maria, geb. Gräfin Forni (Gesellschaftsdame v. Kaiserin Zita). S.: Gymn., 1949 Matura, HS f. Bdk. Wien (Ldw.), 1954 Dipl.-Ing. K.: Praxis in ldw. Betrieben, teilw. im elterl. Betrieb (Gutshof), 1956-59 b. Epple-Buxbaum AG im Landmaschinenexport, 1959 Eintritt in d. LDienst, dazw. (1961-62) Ang. d. Ersten Allg. Vers. in Wien, heute nebenbei freier Mitarb., seit 1980 w.HofR, zust. f. Ldw., Förderungswesen u. Sachv.Dienst (u.a. Raumordnung). M.: GemR. v. St. Martin/M., Cartellverb., Malteserorden, Burgenver. H.: Land- u. Forstwirt. (ca. 200 ha), Skifahren, Tennis, Bridge u. Tarock. (Deu.)

Plaschka Richard Georg Dr. Dr. h.c. Univ.-Prof.
B.: o.Univ.-Prof. am Inst. f. Ost- u. Südosteuropaforsch. d. Univ. Wien. DA.: 1090 Wien, Bergg. 17/32. PA.: 1190 Wien, Bauernfeldg. 7/II/5. G.: Burg Vöttau, 8. Juli 1925. V.: Maria Theresia. S.: RG, Univ. Wien, 1962 Habil. K.: 1965 a.o.Prof., 1967 o.Prof. Univ Wien, 1976/77 Dekan d. Geisteswiss. Fak., 1981-83 Rektor d. Univ. Wien u. Vors. d. Österr. Rektorenkonferenz, Obm. d. Histor. Kmsn. d. Österr. Ak. d. Wiss. P.: Bücher: Von Palacky b. Pekar (1955), Cattaro - Prag Revolte u. Revolution (1963), Innere Front. Militärassistenz, Widerstand u. Umsturz in d. Donaumonarchie 1918 (1974), Matrosen-Offiziere-Rebellen (1984), Nationalismus, Staatsgewalt, Widerstand (1985), ca. 100 Aufsätze. E.: 1976 EK f. Kunst u. Wiss. I. Kl., 1979 Anton Gindely-Preis d. Österr. Forsch.-Gemeinschaft, 1982 Konstantin Jirec´ek-Med. in Gold d. Südosteuropa-Ges. München, 1984 Gold. Komturkreuz d. EZ f. Verd. um d. Bdl. NÖ, 1985 Gr. Gold. EZ f. Verd. um d. Rep. Österr. u. Ehrenmed. in Gold d. Bundeshauptstadt Wien, 1989 Wilhelm Hartl-Preis d. Österr. Ak. d. Wiss., Kulturpreis f. Wiss. d. Bdl. NÖ, 1991 Frantisek Palacky-Med. d. Tschechoslowak. Ak. d. Wiss. Prag, Ehrendoktorat d. Univ. Sofia, 1992 Gr. Kardinal Innitzer-Preis Wien. M.: w.Mtgl. d. Österr. Ak. d. Wiss., VPräs. d. Österr. UNESCO-Kmsn., auswärtiges Mtgl. d. Serb. Ak. d. Wiss. u. Künste Belgrad, Ehrenmtgl. d. Ungar. Ak. d. Wiss. Budapest, auswärtiges Mtgl. d. Poln. Ak. d. Wiss. Krakau, Mtgl. d. Collegium Carolinum u. d. Sudetendt. Ak. d. Wiss. u. Künste München.

Plasek Hubert
B.: Verk.-Ltr. FN.: Julius Meinl Großhandels GmbH, Ndlg. Linz. DA.: 4020 Linz, Kauttenstr. 10. PA.: 4020 Linz, Losensteiner Str. 44. G.: Linz, 18. Sep. 1941. V.: Ingrid, geb. Rammerstorfer. Ki.: Petra (1965). S.: Kfm. Lehre in Buchhdl. K.: 2J. Verlagswesen in BRD, s. 1963 Fa. Julius Meinl als

kfm. Ang. in sämtl. Bereichen tätig, s. 1976 Verk.-Ltr. d. Ndlg. Linz. E.: Versch. Dienstausz., HK-Ausz. H.: Fischen, Reisen, Garten. (P.H.)

Plasil Walter

B.: Gschf. Ges. FN.: A3 Jäger/Plasil GmbH. DA.: 6020 Innsbruck, Bleichenweg 52a. PA.: 6080 Igls, Patscherstr. 20. G.: München, 6. Juli 1946. S.: VS, HS, Berufsschule, Abschluß Ind.-Kfm. K.: 1964 Eintritt Wr. Installationsfirma als Techniker, 1971 Übersiedlung nach Tir. im Rahmen d. Tätigkeit d. Wr. Firma, 1971-75 selbst. Sachbearb. in Innsbruck f. Wr. Firma, 1976-91 Techniker b. Innsbrucker Installationsfirma, zuletzt techn. Dir., 1991 Grdg. A3 Jäger/Plasil GmbH techn. Büro f. Planung, Überwachung, Beratung v. Heizungs-, Lüftungs-, Klima- u. Sanitäranlagen. H.: Lesen. (B.R.)

Plasnik Willibald Reinhard

B.: Unternehmer. FN.: SWP-Software. DA.: 8020 Graz, Alte Poststr. 86b. PA.: 8041 Graz, Kasernstr. 74. G.: Graz, 16. Aug. 1963. El.: Willibald u. Ingrid. S.: BRG Graz, 1981 Matura, Stud. Techn. Math. TU Graz. K.: ab 1983 Forsch. u. Rechenzentrum Graz, ab 1988 selbst., div. Fachseminare u. Vorträge im Rahmen d. Firmentätigkeit. P.: div. fachspez. Publ. in Zeitschriften. E.: Träger d. Steir "Wartingermed." f. bes. Wissen über d. steir. Geschichte. H.: Sport, Politik, Geschichte. (P.M.)

Plass Rigobert Dr. iur.

B.: Industrieller i.R. G.: Wien, 27. Juli 1913. V.: Eva Pr., geb. Sendresen. El.: KommR. Karl u. Maria. S.: VS, RG, HS (Jur. Fak.). K.: Sekr., Generalsekr., Prok., Dir., gschf. Ges. d. Friedmann-Firmenverb., Präs. d. AufsR. d. Friemann & Maier AG-Hallein. Vors. d. Ges.Aussch. d. Fa. A. Egger's Sohn u. Eggochema Fbk. chem. pharm. Präparate Dr. Rigobert Plass u. d. Fa. De. Limon Fluhme & Co, Düsseldorf. F.: Ges. d. Fa. Alex. Friedmann KG, Wien, Satzger GmbH, Wien, Satzger GmbH & Co KG, Wien. A. Egger's Söhne, Eggochemia Fabrik ehem. u. pharmazeut. Präparate Dr. Plass, Chlorodont-Mirodrog GmbH, Wien, Satzger & Co., Düsseldorf, Aktionär d. Friedmann & Maier AG, Hallein. i.R. P.: Zahlr. Art. in Zeitschriften u. Borschüren. E.: Gr. EZ f. Verd. um d. Rep. Österr., Gold. Ehrennadel d. Österr. Gewerbever., Silb. Verd.Zeichen d. Landes Salzburg, Gold. TGM Ehrennadel. M.: Präs. d. Kuratoriums d. Technolog. Gewerbemuseums, Ehrenpräs. d. Österr. Gewerbever., s. 1993 Ehrenmtgl. d. Vorst. u. Präsidialrat d. Ver. Österr. Industrieller. H.: Theater- u. Konzertbesuche, Fischen u. Blumenzüchten.

Plasser Fritz Dr. Univ.-Prof.

B.: Prof. f. Politikwiss. an d. Univ. Innsbruck. DA.: 6020 Innsbruck, Christoph-Probst-Platz. G.: Wien, 22. Sep. 1948. V.: Gunda. El.: Fritz u. Hermine. S.: VS, Gymn., 1968 Matura, 1 J. BH, b. d. Garde in Wien, 1969-74 Stud. Publizistik u. Kommunikationswiss., 1974 Ausbild. Univ. Wien, 1986 Habil. K.: 1974-76 wiss. Mitarb. d. Abt. Grundlagenforsch. ÖVP Bundesparteiltg. Wien, 1976-80 Sozialforscher Fessel-Inst. Wien, 1980-90 Ltr. d. Abt. Grundlagenforsch. d. Bundesparteiltg. Wien, 1990 a.o.Prof., 1991 wiss. Ltr. d. Zentrums f. angew. Politikforsch. Wien, seit 1993 hauptberufl. Prof. Univ. Innsbruck.P.: Parteien u. Streß. Zur Dynamik d. Parteiensysteme i. Österr, d.Bundesrepublik Deutschland u. d. Vereinigten Staaten. 1987 Das österreichische Parteinsystem,1988 (Hrsg. gemeinsam mit a. Pelinka); Staatsbürger o. Untertanen? Politische Kultur Österreichs , Deutschlands u. d. Schweiz im Vergleich, 1991 zweite Auflage 1993 (Hrsg.gemeinsam m. Peter A.Ulram); Transformation o. Stagnation? Aktuelle politische Trends in Osteuropa, 1993 (Hrsg. gemeinsam m. P.A. Ulram). H.: Lesen,Jazz. (A.W.)

Platt Josefin

B.: Schauspielerin. G.: München, 14. Juli 1955. El.: Rainer u. Renate. S.: Hum. Gymn., 1973-75 Schauspielschule i. Mozarteum Salzburg. K.: 1976-87 Mtgl. d. Wr. Burgtheater: Drei Schwestern v. Tschechow, Die Kleinburger v. Gorki, Frühlingserwachen v. Wedekind, Pflug u. Sterne v. O'Casey, Engagement i. Residenz Theater München: Pariser Leben v. Offenbach, Stuttgarter Stadttheater Theatermacher v. Thomas Bernhard u. Peyman, Rückkehr a. Wr. Burgtheater: Richard III v. Botho Strauß, Zeit u. Zimmer, Schlußchor, Gastspiel a. Züricher Schauspielhaus m. Caldeway Farce v. B. Strauß, Mitw. b. div. Filmprod. u. a. Herrenjahre v. Corti u. Weiningers Nacht m. Paulus Manker, Mitw. a. Chanson-Abenden a. Akademietheater i. Wien. E.: Kainz-Med. - Österr. H.: Lesen. (M.M.)

Platteter Walter

B.: Kfz-Mechanikermeister, Inh., Ges. FN.: Platteter u. Tatzer. DA.: 3400 Klosterneuburg, Aufeldg. 51. G.: Klosterneuburg, 9. Dez. 1946. V.: Brigitte. Ki.: Markus (1977), Mario (1983). El.: Rudolf u. Aloisia. S.: VS, HS, Kfz-Mechanikerlehre, 1972 Meisterprüf. K.: 13 J. im VW-Betrieb, 1973-75 Porsche-Lehrlingsausbildner, seit 1975 selbständig, Autoreparaturwerkstätte m. Hr. Tatzer, seit 1984 Werkstätte u. Autohaus. E.: div. Firmenausz., seit 1978 Top 7 in Österr. M.: Österr. Weinbruderschaft. H.: Segeln, Weinverkosten u. Betrieb. (W.M.)

Plattner Anton

B.: Bgm., LBmtr. DA.: 6421 Rietz, Kluibenschedlstr. 6. PA.: 6421 Rietz, Heinrich-Natter-Str. 4. G.: Rietz, 14. Jan. 1934. V.: Elsa, geb. Seiser. Ki.: Gerhard, Elisabeth, Magdalena, Verena, Cornelia, Ursula. S.: VS, HS, Berufsschule f. Bau- u. Kunstgewerbe. K.: 1980 GemR., seit 1983 Bgm. BL.: 1983 Fertigstellung d. neuen VS, 1984/85 Bau d. neuen Sportanl., 1988 Erweiterung d. Kindergartens, 1988 Friedhoferweiterung, Umgestaltung d. Leichenkapelle. E.: Verd.Kreuz d. LFeuerwehrverb., Ehrenobm. d. Sportclub Rietz. M.: 10 J. Feuerwehrkdt., 10 J. Obm. d. Sportclubs. (W.G.)

Plattner Armin

B.: Zoolog. Präparator. DA.: 6835 Röthis, Wingatweg 8. G.: Röthis, 20. Dez. 1934. V.: Irmgard, geb. Kopf. El.: Josef u. Frieda. S.: Hasch Feldkirch, Lehre i. väterl. Berieb, 1964 Mstr.-Prüf., weltweite Stud.-Aufenthalte. K.: 1970 selbst. zoolog. Präparator, Einheimische u. Auslandstrophäen, . Dermoplastiken (Ganzpräparate), erfolgreiche Teiln. b. Präpaatorenwettbewerben i. Österreich und i. d. Schweiz M.: Vorst.-Mtgl. d. Vlbg. Jägerschaft, Landesjagdschutzverb., i. div. Aussch., Vlbg. WK, Obmann d. Berufsgruppe Präperatoren, Vorsitzender d. Prüf.-Kommission. H.: Jagdreisen. (I.D.)

Plattner Edwin Dipl.-Ing.
B.: Sekt.-Chef, Ltr. d. Forstsekt. im BMLF. GT.: Vors. d. WirtschaftsR. d. Österr. Bundesforste, Vors. d. Forstl. Staatsprüf.-Kmsn. DA.: 1010 Wien, Stubenring 12. PA.: 1230 Wien, Rechte Wasserzeile 18-19. G.: Wien, 14. Jän. 1930. V.: Elfriede, geb. Weber. Ki.: Dipl.-Ing. Gerald (1956), Rainer (1962). El.: Norbert u. Margarethe. S.: Gymn. Wien, 1947 Matura, Stud. Forstwirtschaft an d. Univ. f. Bdk., 1953 Dipl. K.: 1954-71 Wildbach- u. Lawinenverbauung Bregenz, 1971 Eintritt in d. BMLF Abteilung f. Wildbach- u. Lawinenverbauung, seit 1974 Ltr. d. Forstsekt., Forstaufsicht, Forstpolitik, Wildbach- u. Lawinenverbauung. P.: Buch "Kommentar z. Forstgesetz", lfd. Art. in d. Fachpresse u. Ref. b. einschlägigen Veranstaltungen. E.: Gr. Silb. EZ m. d. Stern f. Verd. um d. Rep. Österr., Gr. Tir. Adlerorden. M.: Österr. Forstver. u.a. in- u. ausländ. fachl. Ver. H.: Familie, Garten, Wandern. (J.S.)

Plattner Erwin Dr. med.
B.: FA f. Orthopädie u. orthopäd. Chir. DA.: 2000 Stockerau, Theresia-Pampichler-G. 1. PA.: 3420 Klosterneuburg-Kritzendorf, Zeinerng. 16. G.: Wien, 24. Juni 1944. V.: Eva, geb. Kremeier. Ki.: Florian, Ursula. El.: Dr. Anton u. Gertrude. S.: RG, Univ. Wien, 1974 Prom. K.: Ausbild. z. FA an d. Orthopäd. Univ.Klinik Wien, seit 1981 eigene Praxis, Konsiliartätigkeit im KH Stockerau u. Korneuburg. P.: wiss. Art. in Fachzeitschriften. M.: Österr. Ges. f. Orthopädie, Ges. d. Ärzte Wien 8. H.: Lesen, Sport, Modellieren (Keramik). (R.A.)

Plattner Gerhard
B.: Müllermstr. FN.: Gerhard Plattner. DA.: 3071 Böheimkirchen, Schildberg Weisching 32. G.: St. Pölten, 17. März 1962. Ki.: Gabriele, geb. Fischelmaier. Ki.: Siegfried (1990), Jakob (1994). El.: Josef u. Maria. S.: Piaristengymn. Krems, Müllereifachschule Wels. K.: s. 1979 Mitarb. im elterl. Betrieb, 1987 Übern. d. Betriebes, Müllerei u. Landesprod., Mehlprod., Mehlnachprod., Saatgutdünger, Pflanzenschutzm Getreide u. Altern. Ölsaaten, Futtermittel. H.: Briefmarken. (J.M.)

Plattner Johann Dr
B.: Diplomat im BMAA. DA.: 1010 Wien, Ballhauspl. 2. G.: Steinach am Brenner, 30. Juli 1932. V.: Regina, geb. Zacconi. El.: Johann u. Maria. S.: RG, HS f. Welthdl. K.: 1957 Dr. rer. oec., 1959 Eintritt ins BMA, 1962-66 Botschaftssekr. an d. Botschaft in Brasilien, 1966-70 stellv. Ltr. d. Presseabt. d. BMA, 1970-73 BotschaftsR. an d. Botschaft in Mexiko, 1973-76 Ministre Conseiller an d. Botschaft in Prag, 1976-79 Ltr. d. Nahost-Referates d. polit. Sekt. d. BMA, 1979-83 Botschafter in d. Islam. Rep. Iran, seit 1983 Botschafter in d. Rep. Südafrika, 1986-1993 Leiter d. Westeuropaabtlg. im BMfaA. seit 1993 Botschafter a. d. Botsch. in Ankara. P.: Die Funktion d. österr. Kreditinst. (Diss.). E.: Brasilian. Ord.: Cruzero do Sul, Mexikan. Ord.: Aguila Azteco. H.: Schach, Skilaufen, Tennis.

Plattner Josef Dipl.-Ing.
B.: Ziviling. f. Kulturtechnik u. Wasserwirtschaft, selbst. DA.: Salztorg. 6/4/3/9, 1010 Wien. PA.: Malzg. 2, 1020 Wien. G.: Obsteig/Tirol, 17. Mai 1941. V.: Christine, geb. Bartl. Ki.: Christoph (1971), Georg (1973). El.: Siegfried u. Maria, geb. Kranebitter. S.: Stud. Kulturtechn. BOKU. K.: 1970-77 techn. Ang. im Büro Baurat Dipl.-Ing. Kopf (Kulturtechn. u. Wasserwirtsch.), ab 1978 selbst., Schwerp.: Hydrologie, naturnaher Wasserbau u. Grundwasserwirtsch. H.: klass. Musik, Zauberei, Lit. (N.A.)

Plattner Kurt Ing.
B.: Projektltr. KH-Planung, Med. Techn. Einr. A.: 2011 Sierndorf, Bachg. 37. G.: Klagenfurt, 5. Febr. 1934.

Plattner Otto
B.: Hotelier Hotel Goldener Löwe, Hotel Europe-Tyrol, Hotel Maria Theresia (in Pacht). DA.: 6170 Zirl, Am Dorfplatz, 6020 Innsbruck, Südtiroler Pl. 2. G.: Zirl, 16. Nov. 1928. V.: Waltraud. Ki.: Andrea, Carmen. El.: Johann u. Maria, geb. Gredler. S.: Grundschule, RG, Matura. K.: 1948 Übernahme d. elterl. Ldw., 1957 Übernahme Gastbetrieb in Zirl, 1989 Hotel Europe-Tyrol. M.: HK. H.: Jagd, Bergsteigen.

Platz Elisabeth
B.: Gschf. Ges. FN.: Wr. Schnitzelplatzl. DA.: 1020 Wien, Vereinsg. 18. PA.: 2500 Baden, Habsburger Str. 12. G.: Lölling, 15. Nov. 1957. V.: Ernst Platz. Ki.: Florian (1989), Maximilian (1991). El.: Franz u. Sophie, geb. Leitner. S.: Pflichtsch. K.: 1989 Eröff. v. Wr. Schnitzelplatzl. H.: Kinder. (N.A.)

Platz Ernst
B.: Gschf. Ges. FN.: Wr. Schnitzelplatzl. DA.: 1020 Wien, Vereinsg. 18. PA.: 2500 Baden, Habsburger Str. 12. G.: Wien, 26. Dez. 1957. V.: Elisabeth, geb. Sunitsch. Ki.: Florian (1989), Maximilian (1991). El.: Ernst u. Hildegard, geb. Mattes. S.: VS, HS, Polyt. Lehrg., Einzelhdlskfm. K.: s. 1989 selbst., Eröff. Wr. Schnitzelplatzl. H.: Pferde. (N.A.)

Platz Thomas Dr. med.
B.: Prim. d. Psychiatrieabt. d. LKH Klagenfurt, Vorst. d. Heil- u. Pflegeanst., gerichtl. beeid. Sachv., Obm. d. Sozialpsycholog. Ges. Pro mente infirmis. DA.: 9020 Klagenfurt, St. Veiter Str. 47. G.: Komotau/CSFR, 21. Febr. 1946. V.: Luise, geb. Hirsch, 5 Kinder. S.: Gymn. Wien, Stud. in Wien u. Innsbruck, 1976 Prom. K.: Turnus u. FA-Ausbild. an d. Univ.Klinik Innsbruck, 1986 Prim. im LKH Klagenfurt. P.: über 40 wiss. Publ. in d. Fachperiodikas. M.: Vorst. d. Österr. Ges. d. Nervenärzte u. Psychiater, Obm. d. Richmond Fellowship - Intern. Ges. f. Psych. Rehabilitation. H.: Familie, Sport. (D.M.)

Platzer Bernhard
B.: Chefred. Tir. Tageszeitung. DA.: 6020 Innsbruck, Ing.-Etzel-Str. 30. PA.: 6401 Hatting, Bahnstr. 18. G.: Innsbruck, 20. Sept. 1951. V.: Eva, geb. Klecatsky. Ki.: Johannes (1982). El.: Ernst u. Helga. S.: Grundschule, Stud. Innsbruck, 1982 Prom. z. Dr. iur. K.: 1972 freier Mitarb. Tir. Tageszeitung, 1975 Ang. d. Tir. Tageszeitung, 1981 Ressortltr. Polit. Bereich, 1989 Mtgl. d. Chefred., seit 1992 Chefred. d. Tir. Tageszeitung. (M.W.)

Platzer Günther Ernst
B.: Bäcker- u. Konditormstr., Inh. d. Fa. Bäckerei Franz Platzer. DA. u. PA.: 4840 Vöcklabruck, Stadtpl. 25. G.: Vöcklabruck, 3. Jan. 1948. V.: Brigitte, geb. Schauer. Ki.: Stefanie, Günther. El.: Franz u. Anna. S.: HS, kfm. Ausbild., österr. u. dt. Mstr.Prüf. f. Konditoren, Bäckermstr.Prüf. K.: 5 J. Konditorei "Zauner" in Bad Ischl, 1978 Übernahme d. Traditionsbäckerei Platzer am Stadtplatz v. Vöcklabruck, Ausbau zu Konditorei u. Cafe, in d. Schweiz u. BRD Erlernen d. Zuckerkunstarbeit, Vortragender b. zahlr. Lehrkursen über diese Kunst. M.: LInnungsmstr.Stellv. f. OÖ, Mtgl. d. Innungsaussch., Bez.Innungsmstr. v. Vöcklabruck, Vorst.Mtgl. BÄKÖ. H.: Angeln, Philatelie. (Foed.)

Platzer Hubert
B.: Gschf. FN.: Dipl.-Ing. Hitzinger GmbH. DA.: 4021 Linz, Helmholtzstr. 56. PA.: 4040 Linz, Keplerstr. 21. G.: Böderndorf, 4. Nov. 1937. V.: Johanna, geb. Heinrich. Ki.: Dipl.-Ing. Peter (1965). El.: Josef u. Ida. S.: VS, HS, Bundesgewerbeschule Steyr. K.: 1955 Konstrukteur Firma Hitzinger, dann Betriebsltr. d. Elektroabt., Betriebsltr. allg., Prokura, b.

1991 Techn. Dir., seit 1993 Gschf. BL.: Patente über Elektromaschinen. F.: Elektro Maschinenbau GmbH 4021 Linz. H.: Malen, Tennis, Skifahren. (L.G.)

Platzer Helga

B.: Inh. FN.: Platzer Helga Naturprodukte. DA.: 6300 Wörgl, Bahnhofstr. 10. PA.: 6250 Kundl, Am Rain 13. G.: Wörgl, 4. Apr. 1948. V.: Wolfram Platzer. Ki.: Gebhard (1965), Gernot (1967), Gunter (1976). El.: Engelbert u. Johanna Perlinger. S.: Pflichtschule, 3 J. Einzelhdl.-Kauffraulehre in Innsbruck. K.: im elterl. Lebensmittelbetrieb tätig, 1965 Lehrbrief, 1971-76 selbst. in Kundl, Fort- u. Weiterbild.-Kurse, 1984-91 in einer Buchhdlg. sowie in d. Textilbranche tätig, 1991 selbst. Übernahme d. Filiale Perlingen. M.: div. örtl. Ver., Kirchenchor. H.: Singen, Garten, Reisen. (J.F.)

Platzer Martin

B.: Eishockeyspieler, Student. PA.: 6020 Innsbruck, Innrain 11a. G.: Villach, 24. Sept. 1963. V.: Brigitte, geb. Lanner. Ki.: Lisa-Maria (1988). El.: Gerhardd u. Erika. S.: HAK. KK.: S. 1979 Bundesligaspieler (Villach), 1980/81 Österr. Mstr., Junioren Europamstr., Teilnahme an 2 Olymp. Spielen sowie 3 WM, 1986 bester Spieler Österr. in Eindhoven, s. 1983 in Innsbruck (Kapitän s. 1988) u. Österr. Mstr. 1988/89, 70-facher Nationalspieler. El.: Silb. Edelweiß v. Ktn., Gold. Sport-EZ d. Stadt Villach. H.: Tennis, Billard, Gitarre. (W.S.)

Platzer Peter

B.: Inh. FN.: Platzer. DA.: 1030 Wien, Landstraßer Hauptstr. 35. G.: Wien, 22. Mai 1960. V.: Margarete. El.: Walter u. Felicitas. S.: 1978 Matura, TU, 1986-89 Kurzlehrgang z. Mstr.-Prüf. K.: 1990 Übernahme d. elterl. Betriebes, individuelle Erzeugung v. Bettwaren u. Reinigung v. Federn, Textilhdl. P.: Veröff. in Fachzeitschriften. E.: Lehrlings-wettbewerb 1x 1. Pl., 2x 2. Pl. H.: EDV, Denksportaufgaben. (J.E.)

Platzer Thomas

B.: Ltr. d. Hpt.-Abt. f. kaufm. Angelegenheiten. FN.: Bundestheaterverband. DA.: 1010 Wien, Goetheg. 1. PA.: 1190 Wien, Heiligenstädter Str. 127A/6/4. G.: Wien, 11. Nov. 1957. V.: Francoise, geb. Labranche. Ki.: Matthieu (1988), Jakob (1990). El.: Josef u. Elfriede, geb. Nevoral. S.: VS, RG, 1977 Mat., Stud. d. Volkswirtsch. Univ. Wien. K.: 1973-81 Mtgl. d. Öst. Nat.-Mannsch. (Florettfechten), 1981 Eintr. b. Bundestheaterverb. Sachbearb. Buchhaltung, 6 Mo. später Ltr. d. Personalvertretungsstelle, 1982 Stv. d. Buchhaltungsvorst., 1990 Buchhaltungsvorst., s. 1992 Ltr. d. Hpt.-Abt. f. kaufm. Ang. H.: Musik, Frankreich. (N.A.)

Platzer Werner Dr. med. univ. Univ.-Prof.

B.: Vorst. d. Inst. f. Anatomie. A.: 6020 Innsbruck, Löfflerweg 12. G.: Frauental, 13. Mai 1929. V.: Dr. Liselotte, geb. Albrecht. El.: Dr. Oskar u. Hildegard. S.: RG in Wien, Matura 1947, Stud. d. Med. in Wien, Prom. 1953 in Wien. K.: 1951-53 Demonstrator, 1953-61 Ass.Arzt, 1961 Habil. f. Anatomie, 1961-68 OA, alles am Inst. f. Anatomie in Wien, 1954-55 zeitweise Mitarb. am Max Planck-Inst. f. Hirnforsch. in Gießen. Seit 1969 o.Univ.-Prof. u. Vorst. d. Inst. f. Anatomie Innsbruck, 1973-75 Dekan d. med. Fak. in Innsbruck. P.: 65 Publ. in wiss. Zeitschriften, Coautor an 11 Büchern, drei Bücher über Anatomie (darunter Taschenatlas d. Anatomie übersetzt in 12 Fremdsprachen), 21 wiss. Lehrfilme, 28 Fernsehfilme, "Med. Schule" m. K.H. Spitzy gemeinsam, etl. Bücher u. Buchbeiträge z.B.: Atlas d topograph. Anatomie, Hrsg. u. Bearb. "Atlas d. topograph. u. angewandten Anatomie d. Menschen" v. Pernkopf, Mithrsg. d. chir. Operationslehre in 10 Bänden. E.: Ehrenkreuz f. Wiss. u. Kunst I. Kl., EZ d. Landes Tir., 6 Dipl. f. Filme, Gr. EZ f. Verd. um d. Rep. Österr. M.: Mtgl. zahlr. Ges. u. Organ., Ehrenmtgl. d. jugsolaw. anatom. Ges., Ehrenmtgl. d. med. Ak. v. Kroatien. H.: Musik.

Platzgummer Hanno

B.: Ltr. d. Stadtmuseums Dornbirn, Museumspädagoge. DA.: 6850 Dornbirn, Stadtmuseum. G.: Dornbirn, 12. Juli 1952. V.: Helga, geb. Lintner. Ki.: Peter (1981), Hannes (1982). El.: Karl u. Erika. S.: Mus.-Päd. RG, Pädak, HS-Lehrgang f. Museumspäd. u. Polit. Bild. an d. Univ. Sbg. K.: 1982-92 Museumspädagoge an d. Vbg. Naturschau, seit 1992 Museumsltr., seit 1992 im Lehrgangsteam HS-Lehrgang Museumspäd. d. Univ. Klagenfurt. M.: Vorst.-Mtgl. d. Ver. d. Österr. Kulturvermittlerinnen. H.: Wandern, Bergsteigen, Fotografieren, Zeichnen. (W.R.)

Platzgummer Helmut Hans Dr. theol. Mag. phil.

B.: Rektor im Jesuitenkolleg Freinberg. DA.: 4020 Linz, Freinbergsgtr. 32. G.: Hofgastein, 11. Febr. 1929. El.: Dr. Adolf u. Cäcilia. S.: Hum. Gymn. in Innsbruck, 2 J. Noviziat in St. Andrä i. Lav., 3 J. Phil. in Pallach/München m. Abschluß "lic phil", 1 J. Praxis in Linz am Jesuitenkolleg Feinberg als Lehrer u. Erzieher, anschließend Stud. d. Theol., Germanistik, Geschichte u. Phil. in Innsbruck, 1961 "Dr. theol.", Abschluß d. internen Ordenausbild. in Irland 1962. K.: 1965 Lehrer am Gymn. d. Jesuiten in Linz/Feinberg, ab 1967 Dir. d. Gymn. u. ab 1973 Rektor d. Kollegs in Feinberg, 1977 Provinzoberer d. österr. Jesuiten, ab 1983 Dir. d. Gymn. am Jesuitenkolleg u. ab 1984 auch Rektor d. Jesuitenkolleg. P.: Mehrere Art. in ordenseigenen Zeitschriften über Schulfragen, "Bernhard Galura al GubernialR. in Innsbruck u. seine Ansichten über Kirche u. Staat". M.: Mtgl. d. Jesuitenordens d. Ver. christl. Lehrer, d. Alpenver. u.a. (P.H.)

Platzgummer Manfred Dr. iur.

B.: Wirtschaftstreuhänder, Steuerberater. DA.: 6850 Dornbirn, Schwefel 93/2. G.: Dornbirn, 24. Nov. 1946. V.: Vladimira. Ki.: Martin (1972). El.: Bruno u. Amalia. S.: Gymn., Matura 1966 Dornbirn, Stud. Univ. Innsbruck, Prom. 1974, Militär 1966. K.: 1975 Finanzamt Feldkirch, Ausbild. f. höheren Dienst in Wien, 1977 Finanzlandesdion, 2. Instanz Berufungsabt., Rechtsmittelsachbearb., 1978 Steuerberatungskanzlei, Berufsanwärter f. Wirtschaftstreuhänder, 1981 Steuerberaterprüf., selbst., bis 1992 gerichtl. beeid. Sachv. H.: Schifahren, Wasserschifahren, Reisen, Musik. (I.D.)

Platzgummer Vladimira Mag. Prof.

B.: Prof. f. Sprachen, Konzertagent. DA.: 6850 Dornbirn, Im Schwefel 93. PA.: 6850 Dornbirn, Hartlerstr. 17. G.: Mikulov/CSFR, 27. Nov. 1947. V.: Dr. Manfred Platzgummer. Ki.: Martin (1972). El.: Vladimir u. Jarmila Novosáková. K.: 1970 Prof. f. Sprachen in d. CSFR, lange Zeit Klavierunterricht, während dieser Zeit viele Wettbewerbe, Mitarb. in Steuerberatungsbüro d. Gatten, 1986 Beginn m. Konzertagentur, klass. Musik/Kleinkunsttheater m. Künstlern aus ganz Europa. M.: Österr.-Tschechoslowak. Ges. H.: Menschen u. Kultur, Naturlandschaften. (I.D.)

Platzl Edith Mag. art

B.: Kunsterzieherin, Teppichdesignerin. DA. u. PA.: 4400 Steyr, Hammerschmiedberg 16. G.: Steyr, 2. Okt. 1954. Ki.: Hanna. El.: Maximilian u. Elfriede. S.: Gymn., 1973 Matura, 1973-85 Stud. Bühnenbild u. Kostüm, Bildner. Erziehung u. textiles Gestalten Mozarteum Sbg., Auslandsreisen. K.: 1985-

89 Unterrichtstätigkeit, seit 1989 Unterricht Steyr, seit 1991 Teppichdesignerin, versch. druckgraf. Arb., Einzelausstellungen: Atelier Dimo Sbg., Forum West, Gemeinschaftsausstellungen: St. Virgil Sbg., Werkhaus Fuschl, 1992 Dominikanerhaus Steyr, Zusammenarb. m. Futonwerkstätte in Wien, Teilnahme an d. Wr. Messe. P.: Veröff. in Fachzeitschriften, Mitgestaltung eines Kunstkalenders. M.: Kunstver. Sbg. H.: Reisen, Kunst, Lesen, Klavier, Musik. (P.H.)

Plaue Ernst M.

B.: Journalist. FN.: Bez.Journale Zeitungsverlags u. Vertriebs GmbH. GT.: Freiberufl. Tätigkeit b. versch. in- u. ausländ. Medien. DA.: 1070 Wien, Seideng. 3-11. PA.: 1130 Wien, Elisabethallee 95d/Haus 24. G.: Wien, 25. Apr. 1929. V.: Inge, geb. Enders. Ki.: Christian, Markus. El.: Max u. Josefa. S.: VS, RG, 1947 Matura, HS f. Welthdl. Wien. K.: Tätigkeit in ltd. Funktion b. Tageszeitungen, 10 J. Auslandskorr., 1 J. ORF-Hörfunk, 5 J. Ltr. d. Presseabt. d. Kuratoriums f. Verkehrssicherheit, dzt. Chefred. d. "Wr. Bez.Journale". P.: 1954 Satir. Gedichte "Ohne Bügelfalte", div. Veröff. in Fachzeitschriften. E.: Journalistenpreis d. Kuratoriums f. Verkehrssicherheit f. 1979. H.: Lesen, Tiere, Fernsehen, Musik. (C.K.)

Plautz Peter Dr. Ing.

B.: Management- u. Persönlichkeitsberater (selbst.). FN.: Dr. Ing. Peter Plautz. Psychologische Management- u. Persönlichkeitsberatung. DA.: 8010 Graz, Schillerstr. 26/III/4. G.: Graz, 12. Feb. 1945. El.: Joseph u. Hildegard. S.: Grundschule London, HTL, 1967 Matura, Stud. Psych. u. Päd. Karl-Franzens-Univ. Graz. K.: Ltg. b. div. Bauprojekten im In- u. Ausld., anschl. Ltg. d. Filiale eines dt. Leasing-Unternehmens neben d. Stud., seit 1988 selbst. P.: wiss. Arb. über Management u. Psych. ("Angst u. Extraversion als Komponente d. Berufserfolgs"), Publ. in in- u. ausld. Zeitungen u. Zeitschr. H.: Reisen, Golf. (P.M.)

Plautz Uschi

B.: Schauspielerin u. Sängerin d. Vereinigten Bühnen Graz. DA.: 8020 Graz, Oper. PA.: 8020 Graz, Kinkg. 7. Ki.: Oliver, Benjamin. S.: HASCH, 1970 Abschluß, seit 4. Lebensj. Ballettausbild., 1969 Reifeprüf., 1971-75 Gesangsstud. u. 1972-75 Schauspielstud. HS f. Musik u. darstell. Kunst Graz, 1975 Dipl. K.: 1970-72 Tänzerin am Opernhaus Graz, 1979 1. Engagement am Schauspielhaus Graz in "Godspel", "Pinocchio", Engagement am Berner Stadttheater "Fantastiks", Engagement in Sbg. "Godspel", seit 1985 Vereinigte Bühnen Graz: "Sweet Charly", "Peergynt", "Chikago", "Die Kassette", "Cabarett", "Fledermaus", "Valerie", 1986 Engagement Festspiele Schloß Neersen, "Zeit f. mich" Studiobühne Opernhaus Graz, Filme u.a. "Judas", "Machtspiele", wöchentl. Kabarettsendung "Die Bretteljause" im Rundfunk, seit 1986 auch als Kabarettistin tätig, Chansonabende in Sbg., Graz u. Linz. BL.: div. Benefizveranstaltungen. H.: Lesen, Musik, Kochen. (P.M.)

Plavetz Peter

B.: Reg. d. ORF. DA.: 1136 Wien, Würzburgg. 30. PA.: 1130 Wien, Trazerberggg. 2. G.: Agram, 5. Juli 1941. Ki.: Mathias. El.: Viktor u. Emma. BV.: Großvater Andreas hoher k.u.k. Offz. S.: VS, Gymn., 1961 Matura, 1961-64 Filmak., 1964 Dipl. K.: Experimentalfilme ("Etuden"), 1967-71 Kinderprogramm im Österr. Rundfunk, b. 1975 div. Regie f. Ind.Filme, seit 1975 vorwiegend Regie b. ORF ("Bitte zu Tisch", "Prominentenkoch", "Aktenzeichen XY", "Quiz in Rot-Weiß-Rot", u.a.). BL.: Film. Umsetzung v. Lyrik u. Prosa aus d. breiten Palette d. Österr. Literatur. (H.P.)

Plawenn-Salvini Oswald Dr. phil.

B.: Pensionist, Prok. pharm. Ind. GT.: schriftstell. Tätigkeit. PA.: 6060 Hall/Tir., Ritter-Waldauf-Str. 16. G.: Meran, 26. Juni 1911. V.: Ingeborg, geb. Coester. Ki.: Dr. med. Christoph, Andreas, Sylvia, Claudia. El.: Korvettenkapitän Arbogast Plawenn-Salvini v. Meeresburg d. k.u.k. österr.-ungar. Kriegsmarine u. Margarethe. BV.: Matteo Salvini v. Meeresburg Admiral d. k.u.k. österr.-ungar. Kriegsmarine, Oswald Plawenn KammerrechnungsR Reg. Maxim. Deutschmeister Erzh. Leopold, Andreas Plawenn Leibarzt v. Erzh. Ferdinand II., Johann Augustin v. Plawenn Kriegs-OKmsr. Außerfern/Reutte 1809. S.: Hum. Gymn., 1931 Matura, Stud. Geschichte, Literaturwiss. Frankfurt u. Wien, 1937 Prom. K.: Mitarb. Red. d. Reichspost, Kfm., Militärdienst, nach d. Krieg kfm. Tätigkeit. P.: Bücher: "Manitou im Harnisch" 1955, "Der Mann vom Missisippi" 1967, "Pedro der Indianer" 1963, "Schiff auf dunklem Kurs" 1966. E.: 1958 Ehrenpreis d. Österr. Bundes f. Jugendliteratur. M.: seit 1959 Stubenmstr. d. Stubenges. Hall/Tir., gegr. 1508. H.: Schreiben. (D.S.)

Plch Paula Dr. med.

B.: Zahnärztin. DA.: 6850 Dornbirn, Marktstr.18A. PA.: 6850 Dornbirn, Sebastianstr. 2A. G.: Brünn/CSFR, 19. Mai 1943. V.: Dipl.-Ing. Oldrich Plch. Ki.: Dagmar (1972). El.: Emil u. Georgine Hortschek. S.: Gymn. Brünn, 1960 Matura, Krankenpflegeschule Brünn m. Dipl., Abschluß MTA Fach Röntgenologie, 1962 Stud. Masarik-Univ. Brünn, 1967 Prom. K.: 3 1/2 J. Zahnärztin Poliklinik, seit 1971 in Österr., 1972 u. 1973 Zahnärztin in Upsala/Schweden, 1973-89 Ambulatorium d. GBKK Wien, 1975-78 Nostrifizierung Univ. Wien, seit 1978 ndlg. Zahnärztin zuerst in Mistelbach, seit 1981 in Dornbirn. H.: Literatur, Tennis, Allg. Sport, Musik, Beruf. (W.R.)

Plech Rudolf Dr. med.

B.: prakt. Arzt. GT.: im amtsärztl. Dienst d. Stadt Wien, militär. med. Res.Offz. im BH. DA.: 1010 Wien, Helferstorfer Str. 5/2/8. PA.: 1180 Wien, Höhneg. 4. G.: St. Johann, 13. Mai 1946. V.: Heide, geb. Frick. Ki.: Andreas, Bettina. El.: Dr. Rudolf u. Martha. BV.: mähr. Zweig aus Brünn, dt. Linie Engelbrecht/Held (bayr. Min.Präs.), österr. Linie Fa. Lechner aus d. Zillertal. S.: VS, HS, Externistenmatura 1966, Stud. an d. Univ. Wien Atomphysik u. Math., 1969-80 Stud. d. Med. u. aktiver Offz. im BH, 1980 Prom. K.: 1980-83 an d. Univ.Kliniken in Wien, 1980-85 im Dienst d. Wr. Rettung, seit 1983 eigene Ordination u. b. d. ASB/Fünfhaus, 1983 Physikatsprüf. E.: BH-Dienstz. in Silb. M.: Tafelrunde Wiking Wr. Neustadt, Burschenschaft Aldania. H.: Reiten, Schwimmen, Fechten, Bergsteigen. (M.B.)

Plechl Pia Maria Dr. phil.

B.: stellv. Chefred. d. Tageszeitung "Die Presse". DA.: 1010 Wien, Parkring 12A. PA.: 1130 Wien, Stuweckeng. 10. G.: Baden, 24. Jän. 1933. El.: Dipl.-Ing. Dr. techn. Otto u. Dr. med. Bertholda Plechl, geb. Exner. S.: Matura Wien, Stud. Zeitungswiss., Germanistik u. Geschichte Univ. Wien, 1955 Prom. z. Dr. phil. K.: 1953-58 "Neue Österr. Tageszeitung", 1958-61 Red. im BMU, 1961 Eintritt "Die Presse", seit 1974 ltd. Red., ab 1982 stellv. Chefred. d. unabhängigen Tageszeitung "Die Presse", Schwerpunkte d. journalist. Arb.: Red. d. Wiss.-Seite, Gesamtbereich Religionen, insbes. kath. Kirche, Kulturpolitik, insbes. Denkmalschutz u. Museumswesen, Lehraufträge an d. Kath.-Theol. Fak. d. Univ. Sbg. u. Wien. P.: Autorin v. 17 Büchern, teils Austriaca m. kunst- u. kulturhistor. Akzent, teils Biographien u. Catholica u.a. "Traumstraßen in Österr.", "Traumschlösser in Österr.", "Paulus". E.: Österr. EK f. Wiss. u. Kunst, Österr. Staatspreis f. Wiss.-Journalismus, Kardinal Innitzer-Preis f. Publizistik, 1985 Kardinal Rossi-Med. f. Verd. um d.

Laienapostolat, 1989 VK m. Krone d. Souveränen Malteser-Ritterordens. M.: VPräs. d. Kath. LaienR. Österr., 1977-83 Mtgl. d. Päpstl. Rates f. d. Laien. H.: Freizeitreiten. (N.A.)

Pleil Josef
B.: VPräs. d. NÖ Ldw.-Kam., Präs. d. Bundesverb. d. Weinbautreibenden Österr., Präs. d. Weininst., AR-Vors.-Stellv. d. Österr. Weinmarketing Ges. DA.: 1010 Wien, Löwelstr. 16. G.: Wolkersdorf, 28. Nov. 1949. V.: Waltraud. Ki.: Richard, Christian, Josef. S.: Ldw. Fortbild.Schule, HBLV f. Wein u. Obstbau Klosterneuburg. K.: Lehrbefähigungsprüf. Lehr- u. Forsch.Dienst am BSeminar f. Land- u. Forstwirtschaft, 1971-86 Lehrer an d. Ldw. Fachschule Mistelbach f. Weinbau, 1980 LKamR. f. Wolkersdorf, 1980-86 LKamR. in d. NÖ Kam., 1986 in d. Vollversammlung z. VPräs. gewählt, 1987 Präs. d. Weininst., Gschf. Wein-marketing GmbH, Österr. Weininst., Plattform f. Prod. u. Hdl. M.: Bez. u. OrtsbauernR., Vorst.Mtgl. NÖ Winzerverb., Weinforsch. aktives Mtgl., LBauernR. f. NÖ, Bauernbundpräsidium NÖ, Bez.Jugendref. Mistelbach, Bez.Kapellmstr. u. Obm. f. Mistelbach. H.: Musik. BL.: Verd. um Aufbau u. Tätigkeit als Kapellmstr. b. d. Jugendstadtkapelle Wolkersdorf.(J.S.)

Pleiner Horst Divisionär
B.: Offz., Ltr. d. Gen.-Stabsgruppe B im BMLV. DA.: 1030 Wien, Dampfschiffstr. 2. PA.: 2103 Langenzersdorf, Rebschulg. 3/B/1. G.: Salzburg, 14. Nov. 1941. V.: Doris, geb. Weber. El.: Franz u. Marianne. S.: Hum. Gymn. Sbg., 1959 Matura, Theresian. Militärak. Wr. Neustadt, 1962 Abschluß, 1969 Aufnahme in d. Gen.-Stabskurs, 1972 Abschluß, 1963-69 Jägerschule Saalfelden. K.: Tätigkeit an d. LVAk als Chef d. Stabes, Hauptlehroffz. f. Versorgung u. Stabsdienst sowie Taktik, ab 1975 Kurskdt. d. Gen.-Stabskurses, 1978 Ref. Operation d. BMLV, 1986 Ltr. d. Operationsabt., seit 1990 Ltr. d. Gen.-Stabsgruppe B im GTI-Bereich. P.: Fachbeiträge in einschlägigen Fachzeitschriften, "Handbuch f. d. Stabsdienst". E.: GR E, GV, WDZ 1,2,3, WDMB. M.: Ges. f. polit.-strateg. Studien. H.: Marinewesen, Eisenbahn, Motorsport, Rennmotorentechnik, Bergwandern. (J.S.)

Pleinert Otto DDr.
B.: Österr. Botschafter i. R. PA.: 1030 Wien, Beatrixg. 26. G.: Laibach, 20. Nov. 1929. V.: Tuulikki, geb. Nenonen. El.: Hermann u. Olga. S.: Matura 1947, Dr. iur. Univ. Wien 1951, Dr. rer. pol. Univ. Wien 1955. K.: 1958 Eintritt in dipl. Dienst, 1960-67 Botschaft Bern, 1967-70 BMA, 1970-74 Generalkonsul Zürich, 1974-76 Botschafter i. Libyen, 1976-81 BMA, 1981-1990 Botschafter in Israel. 1990-1993 Botschafter in Schweden. E.: venez. FrdM 1. Kl., Gr.kranz d. kgl. schwed. Nordsternordens; Gr. Silb. EZ f. Verd. u. d. Rep. Österr., "Diplomat u. Civil Servant", Wien 1994

Plentner Haymo Dr. HofR.
B.: Prim., Vorst. d. geburtshilfl. gynäkolog. Abt. d. LKH Wolfsberg. DA.: 9400 Wolfsberg, Weiherpl. 5. PA.: 9412 St. Margarethen 120. G.: Graz, 4. Jan. 1932. V.: Anna Maria, geb. Kollau. Ki.: Ing. Bertram, Mag. Barbara, Markus. El.: Ing. Franz u. Karoline. S.: VS, Mittelschule, Karl Franzens-Univ. K.: Turnus an versch. steir. KH, 3 J. Ass. Path. Inst. Graz, 11 J. Frauenklinik Graz zuerst Ass. dann OA, seit 1974 Vorst. d. gynäkolog. Abt: LKH Wolfsberg. BL.: erreichte drast. Absinken d. Geburtensterblichkeitsrate am LKH Wolfsberg, maßgebl. Anteil an Planung u. Ausgestaltung d. modernst eingerichteten neuen gynäkolog. Abt. d. LKH Wolfsberg. H.: Jagd, Skifahren, Tennis, Prosaliteratur.

Plesser Alfred Dr. MedR. Prim.
B.: Prim. f. Anästhesiologie NÖ LKH Tulln. DA.: 3430 Tulln, Alter Ziegelweg 50. PA.: 3430 Tulln, Karl-Metz-G. 2a. G.: Wien, 19. Apr. 1934. V.: Anneliese, geb. Kreuzer. Ki.: Roswitha (1965), Bernhard (1967), Edith (1971). El.: Ignaz u. Hermine. S.: 1952 Matura, Med.-Stud. Univ. Wien, 1961 Prom. z. Dr. med. K.: 1961-65 Turnusdienst im KH Lainz Wien, KH Eggenburg u. KH Tulln, Ausbild. z. prakt. Arzt, 1964-65 Physikatskurs Wien, 1966 Ausbild. auf einer Rotating Internship im Monmouth Medical Center Long Branch USA, 1967-69 FA-Ausbild. f. Anästhesiologie u. Intensivmed. Univ.-Klinik f. Anästhesiologie Wien, 1969-71 FA KH Tulln, 1971 ltd. Arzt f. Anästhesie KH Tulln, 1974 Primararzt, seit 1978 eigene Ordination in Tulln, 1992 MedR. BL.: seit 1967 Lehrer an d. Krankenpflegeschule Tulln f. Hygiene u. Path., 1981 Hygienebeauftragter d. KH Tulln, 1989 Notarzt-Dipl., 1991 Psychotherapeut f. Hypnose u. Autogenes Training, 1992 Akupunkturdipl. d. Österr. Ärztekam. P.: zahlr. Fachart. über Reanimation, Anästhesie, Fallberichte, Krankenpflegeunterricht, Autogenes Training. M.: Grdg.-Mtgl. d. Österr. Perinatolog. Ges. u. d. Ges. f. Internist. Intensivmed. u. d. Interdisziplinären Zentrums f. Intensivmed., Mtgl. Österr. Ges. f. Anästhesie, Österr. Ges. f. Katastrophenmed., Österr. Ges. f. Klin. Ernährung, Österr. Ges. f. Autogenes Training u. Ärztl. Psychotherapie, Österr. Ges. f. Akupunktur, Ventnor Foundation USA. H.: Musik (Geige). (M.M.)

Plessin Horst Dir.
B.: Kfm. Dir. d. Stadttheater Klagenfurt, kfm. Ltr. d. Komödienspiele in Porcia (Spittal/Drau), Organisator d. Festspiele in d. Burgarena Finkenstein. DA.: 9020 Klagenfurt, Theaterpl. 4. PA.: 9020 Klagenfurt, Edisonstr. 30/7. G.: Bad Bleiberg, 12. Dez. 1944. V.: Gabriele, geb. Luschin. Ki.: Adrian. El.: Jakob u. Aurelia. S.: HAK in Villach. K.: 3 J. in d. Verkaufs- u. Marketingabt. d. Bleiberger Bergwerksunion, dann Einkaufsltr. in einer Lederfbk., danach 10 J. Bediensteter d. Kontrollamtes in Klagenfurt, 1978-83 Ass. d. Verw.Dir. d. Klagenfurter Stadttheaters, seit 1983 dessen Dir., seit 1986 intensive Beschäftigung m. d. Festspielen d. Burgarena Finkenstein, Organ. u. Miterstellung d. Programms. P.: viele Art. z. Thema Betriebs- u. Volkswirtschaft in d. lokalen u. überreg. Presse. H.: Arbeit, Musik, Fachliteratur, Schwimmen, Skifahren. (D.M.)

Plessl Günter

B.: Lebensmittelkfm., Firmeninh. FN.: Egger & Plessl. DA.: 9020 Klagenfurt, Laudonstr. 37. G.: Wolfsberg, 19. Apr. 1948. V.: Irmgard, geb. Lanner. Ki.: Günther (1970), Carmen (1971). El.: Alois u. Sophie. S.: VS, HS, Berufsschule, kfm. Lehre, BH. K.: 4 J. Verkäufer Firma J. Meinl, 7 J. Vertreter Firma Jacobs, 2 J. Firma Heller, 4 J. Techn. Verkäufer Reifenhaus Plankenauer, seit 1984 selbst. H.: Eisschießen, Segeln, Radfahren, Musik allg., Fotografie, Reisen. (W.M.)

Pleterski Roland Mag. art.
B.: Künstler. DA. u. PA.: 1010 Wien, Kohlmarkt 7/2/3. G.: Wr. Neustadt, 21. Apr. 1920. Ki.: Franz Joseph (1976), Konrad (1979). El.: Josef u. Emilie, geb. Spindler. S.: 1940 Hum. Gymn. Wr. Neustadt, 1946-49 Stud. Malerei u. Modeentwurf Ak. d. Angew. Kunst Wien m. Abschluß u. Preis d. Ak. K.: 1950-52 Modeentwerfer u. Auslagearrangeur b. Adlmüller, 1953-66 Aufenthalt in New York, Anfang v. Irving Penn als Ass., dann Studiomanager, anschl. selbst. m. 3 eigenen Studios in Manhattan, Tätigkeit f. bekannteste

Zeitschriften: Vogue, Glamour, Mademoiselle, Harper's Bazaar, 1966 Rückkehr nach Österr., Arb. b. Anger Vienna Line u. als selbst. Fotograf f. Werbung u. Mode, Organ. v. zahlr. eigenen Ausstellungen, ab 1975 Fotograf hauptsächl. auf Reisen: Rumänien, Tunesien, Algerien, Marokko, Malediven, Teilnahme an div. intern. Fotografie-ausstellungen. H.: Karikaturen zeichnen, ausgefallene Marken sammeln, erot. Fotografie. (N.A.)

Plessnitzer Günter

B.: Bezirksgschf., Maler. FN.: SPÖ. DA.: 6850 Dornbirn, AmViehmarkt. PA.: 6850 Dornbirn, Steinacker 5. G.: Dornbirn, 3. Aug. 1955. Ki.: Stefanie (1983). El.: Siegfried u. Frieda. S.: Maler- u. Anstreicherlehre i. Dornbirn, 1973 Abschluß, berufsbezogene Weiterbild. K.: n. Ges.-Prüf. i. Lehrbetrieb i. Dornbirn, 1988 Eintritt SPÖ Dornbirn, Schriftführer, Organis., Gschf., 14 J. nebenberuflich Führung d. Weltlichtspiele Dornbirn. M.: s. 1982 Mtgl. d. SPÖ, Vorst.-Mtgl. FSG Dornbirn, Ersatzmtgl. d. Stadtvertretung/Sportaussch., Personalaussch., 15 J. aktiv Mtgl. d. Musikges. Hatlerdorf, Schriftführer u. Kassier Gewichtheber USC-Dornbirn. G.: Gartenarb., m. Hund spazieren gehen. (I.D.)

Pletztenauer Stefan

B.: Zimmermstr., Gschf. Ges. FN.: Stefan Pletzenauer GmbH Zimmerei. DA.: 6382 Kirchdorf, Moosnerweg 9. PA.: 6380 St. Johann i. T., Haydnweg 9. G.: Fieberbrunn, 30. Juli 1938. V.: Maria, geb. Wörgetter. Ki.: Sandra (1968), Markus (1969), Barbara (1976). El.: Josef u. Magdalena. S.: VS, 1955-58 Zimmererlehre, 1961 BHW-Schule, Hilfspolier im Bayer. Raum, 1963 Abschluß Zimmererpolier, 1964 Mstr.-Prüf. K.: Mstr. b. Rieder in Ried/Zillertal, 1965-73 Firma Huter & Söhne Innsbruck, seit 1973 selbst. M.: Alpenver., 1982-94 Obm. HG, seit 1959 Bergrettung, seit 1947 ÖSV, seit 1958 Schützenkompanie. H.: Bergsteigen, Skifahren, Surfen, Schwimmen. (J.F.)

Pletzer Johann

B.: Gschf. u. Inh., Gastronom. FN.: Gasthof, Pension, Hotel. DA.: 6365 Aschau b. Kirchberg 28. G.: Kirchberg, 17. Sep. 1957. V.: Ilona. Ki.: Elisabeth u. Ilona. El.: Johann u. Magdalena. S.: Polytechn. Lehrgang, Berufsausbild. als Kellner 1973-76, 1976 Gesellenprüf., 1976-85 Betrieb i. d. Familie geführt, dann Betrieb übernommen, 1991 Hotel erbaut. H.: Arbeit, Familie. (A.W.)

Pletzer Anton

B.: Installationsunternehmer. DA.: 6361 Hopfgarten, Markt 354. G.: Oberndorf, 11. Juni 1944. V.: Heidemarie, geb. Gritsch. Ki.: Anton u. Manfred. K.: seit 1963 selbst. Pletzer Anton GmbH & Co KG. F.: Eigentümer d. Fa. Stahlbau Hopfgarten GmbH & Co KG, gschf. Ges. d. Fa. "Nutzfahrzeuge Leasing Wörgl". M.: Gem.Vorst. Hopfgarten, Fremdenverkehrsobm. Hopfgarten, AufsR.Vors. d. "Berglift Hopfgarten Itter". H.: Skifahren, Tennis. (Schm.)

Pleyel Peter

B.: Grafiker, Illustrator u. Sachbuchautor. DA.: 1180 Wien, Ferrog. 23. PA.: 1180 Wien, Bastieng. 15. G.: Prag, 26. Juli 1928. V.: Elfriede, geb. Rammel. Ki.: Sabine,Matthias. El.: Gertrud u. Alfred. BV.: Ignaz Pleyel: Haydn-Schüler, Komponist u. Gründer eines Musikverl. u. einer Pariser Klavierfbk. S.: Graph. Lehr- u. Versuchsanst. Wien. K.: Zun. Werbegrafiker, 8 J. Art-Dir. d. Werbeagentur J. Walter Thompson, s. 1968 freisch. Grafiker u. Illustrator, hauptsächl. f. Schul- u. Lehrbücher sowie Sach- u. histor. Bücher, 1978-82 Gestalter histor. Ausstellungen f. d. NÖ LReg. P.: Buch: "Das römische Österr." (1987/94), u. a. E.: Plakatpreis d. Stadt Wien. M.: Ges. d. Freunde Carnuntums, Währinger Museumsver. H.: Geschichte, Bohemia, Archäologie, Malerei, Musik. (M.B.).

Pleyer Anton Mag. rer. nat. OStR. Prof.

B.: Allg. beeid. gerichtl. Sachv. f. d. ges. Verkehrswesen. DA.: 5760 Saalfelden, Pabing 62; 1000 Island Boulevard ##3010, Williams Island, Florida, USA. V.: Gunda Michaela, geb. Lainer (1985 gestorben). El.: Josef u. Rosa. S.: Reifeprüfung, abgeschlossenes HS-Studium a. d. Univ. Wien (Physik, Mathematik). K.: Meister bei ID Fürstin Schwarzenberg, Prof. a. versch. österr. u. schweizer Gymn. Ger.-Sachv. f. Verkehrs- u. Unfallwesen in Österr. Gründer d. Inst. f. Unfallanalyse GmbH. u. Vorst. desselben (Sekr. M. Schmuck). P.: Div. Art. in Fachzeitschriften. M.: Hpt.verb. d. ständig beeid. Sachv. Österr., Ges. f. Ursachenforschung v. Verkehrsunfällen, Confederation Intern. d. Assoc. d' Experts et de Conseills (C.I.D.A.D.E.C.), Paris. (P.H.).

Pliem Peter Dr. iur. HofR.

B.: Gen.-Dir. d. Pensionsvers.Anst. d. Ang. DA.: 1020 Wien, Friedrich-Hillegeist-Str. 1, Tel. 26 35/DW 3944. G.: Komotau, 29. Jan. 1927. S.: RG, Jur. Fak. d. Univ. Graz, 1957 Prom., Gerichtsjahr. K.: 1958 Eintritt in d. Pensionsvers.Anst. als Ref. d. Rechtsabt., 1963 Ltr. d. Rechtsabt., 1966 Dir.Sekr. u. Ltr. d. Kontrollamtes, 1973 Dir. u. Ltr. d. Verw.Gruppe Wirtschaft u. Allg. Verw., seit 1982 Gen.-Dir., seit 1986 HofR. M.: Vors. d. Hochschülerschaft (Univ. Graz), VPräs. d. Union Österr. Ak., Vorst.Mtgl. d. Sektion Sozialvers., Mtgl. d. Kam. f. Arb. u. Ang., Mtgl. d. Rates f. Hochschulfragen, 1982 Funktionen m. Rücksicht auf d. Berufung z. Gen.-Dir. d. Pensionsvers.Anst. zurückgelegt. P.: 1966 Michalitschek/Pliem "Die Studenten Österr.", 1969 Mitautor d. 1. HS-Berichtes an d. NationalR. über Leistungen u. Probleme d. HS-Wesens, div. Zeitungsart. d. Sozialbereich betreffend. H.: Musik, Literatur, Bild. Kunst d. 20. Jhdt., Skifahren. (Sei.)

Pliem-Stöckl Erna

B.: freischaff. Malerin. DA. u. PA.: 5202 Neumarkt am Wallersee, Glanzhügel 6. G.: Saalfelden, 1939. Ki.: Jazzmusiker Klemens (1961), Malerin u. Weberin Karin (1963), Kunstglaserin u. Designerin Krista (1964), Malerin Eva (1965). S.: 1966 Beginn Malen, 1973 u. 1975 Förderungspreis f. Malerei d. Sbg. Kunstver., 1975-80 Teilnahme Rauriser Malertage, 1978-81 Teilnahme Radierseminaren d. Sbg. Sommerak., Einzelausstellungen: 1970-72 Atelierausstellungen am Glanzhügel Sbg., 1973 Kunstver. Sbg. Residenz, 1974 Ges. f. mod. Kunst Sbg., 1977 Galerie im Kurzentrum Bad Hofgastein, Galeria Palazzo dei Capitani Malcesine sul Garda, Galerie Simmerl Saalfelden, 1978 Sbg. Kunstver. im Traklhaus, Ateliergalerie in Lederer's "Theater im Pongau" Flachau, 1979 Galerie Linzer Werkstätte Linz, 1980 Galerie Kunst u. Handwerk Rosenheim, Möbelgalerie Ried/Innkreis, Galerie Simmerl

Saalfelden, 1981 Galeria "Il Torchio" Gorizia, Gewölbegalerie Bad Hofgastein, Galerie Schule Neumarkt, 1982 Galerie Carla Wahl Hannover, Altstadtgalerie Wolfsberg, 1983 Museumspavillon Sbg., 1984 Galerie Simmerl Saalfelden, Librairie des Arts Reims/Frankreich, 1985 Galerie Hagenauer Stuben Sbg., Galerie Spectrum St. Johann, Kleine Galerie im Künstlerhaus Klagenfurt, Galerie Raiffeisenkasse Anif Sbg., 1986 Galerie Arzthaus Maishofen, Galerie Slama Klagenfurt, 1987 Galerie Phönitz Ternitz, Galerie Moser Graz, Galerie Schuler München, 1988 Galerie Schule Neumarkt, Museumspavillon Sbg., 1989 Galerie Pfarrkirchen "Artica-D", Galerie Alpha Wien, 1990 Galerie Iro + Partner, Galer Merkur Innsbruck, Galerie Arzthaus Maishofen, 1991 Galerie Slama Klagenfurt, Sterngarten Sbg. (E.Hö.)

Plienegger Alfred

B.: Korpskommandant, Kommandant d. I. Korps, 8010 Graz, Glacisstr. 39-41. PA.: 2700 Wr. Neustadt, Burgpl. 1/3/1/3. G.: Peggau, 24. Dez. 1941. V.: Elisabeth, geb. Handler. Ki.: Alfred (1966), Andreas (1968), Elisabeth (1978). El.: Simon u. Martha, geb. Hirschbäck. S.: 1959 Matura Graz, Präsenzdienst, Ausbild. z. Offz. in d. Theresian. Militärak. m. d. Ausmusterung Lt. (1963). K.: 1963-65 Zugskdt. u. Stellv. Kompaniekdt. b. Jägerbataillon (später Panzerbataillon) 14, 1965-69 Lehrgruppenoffz. an d. Theresian. Militärak., 1969-72 Ausbild. z. Gen.-Stabsoffz., 1972-82 Dienst b. Heeresmaterialamt in versch. Verwendungen, während dieser Zeit Kdt. d. Jägerbataillons 11 u. 1980-81 Kdt. d. Österr. UN Kontingents auf Zypern, 1982-87 Ltr. d. Abt. Rüstungsplanung im BMLV, 1988-1994 Leiter d. Gr. Versorg-ungsführung im BMLV, seit 1.6.94 Kommandant d. I. Korps. P.: Art. in Fachzeitschriften. E.: mehrere in- u. ausländ. Ausz., GrE, GE, GV, WDZ 1, 2, 3, WDMB, UVM, OffzK d. franz. Ord. Nat. Mer., KmtK d. schwed. NStO, KommK d. Ord. f. Verd. d. Rep. Zypern, VK d. Roten Kreuzes, Landesehrenkreuz in Silb. d. Kameradschaftsbundes. M.: Ehrenmtgl. d. Kameradschaftsbundes, Ortsgruppe Thernberg. H.: Lesen, Musik, Sport. (N.A.)

Plieseis Hubert

B.: Inh. FN.: Marketing-Dienst. DA. u. PA.: 4600 Wels, Linzer Str. 155d. G.: Wien, 18. Aug. 1938. V.: Gertrude, geb. Egger. Ki.: Cornelia u. Rainhard (1973). El.: Josef u. Anna. S.: Grundschule, Werbeltr.-HS-Kurs an d. Hamburger Fernschule, div. HK-Kurse, Wirtschaftl. Werbeschule Sbg. m. Abschluß als Werbeberater u. Werbemittler. K.: Werbeltr. in versch. Firmen, 1971 selbst. Werbeagentur in Wels, 1978 Verlagsgrdg. M.: seit 1981 Ambassador Club. H.: Lesen, Radfahren. (P.H.)

Plischke Anke

B.: Inh. d. Reisen & Freizeit GmbH & Co KG. DA.: 5020 Salzburg, Ferd.-Hanusch-Pl. 1. PA.: 5020 Salzburg, Joh.-Filzer-Str. 47. G.: 2. Juli 1939. V.: Josef. Ki.: Markus.

Plischke Josef

B.: Inh. d. Reisen & Freizeit GmbH & Co KG. DA.: 5020 Salzburg, Ferd.-Hanusch-Pl. 1. PA.: 5020 Salzburg, Joh.-Filzer-Str. 47. G.: 27. Febr. 1928. V.: Anke. Ki.: Markus. K.: Grdg. d. Firma 1975.

Plochberger Karl

B.: selbst. Baumeister. DA.: 2700 Wr. Neustadt, Wohlfahrtg. 24. G.: Lichtenegg, 5. Okt. 1944. V.: Edeltraud, geb. Pawlata. Ki.: Beatrix (1972), Eveline (1975), Karl (1976), Andreas. El.: Karl u. Franziska. S.: VS, HS, Lehre b. Baufirma in Kirchschlag, 1962 Geselle. K.: b. 1972 Baultr. u. Bautechniker, 1972 selbst. als Bmstr. in Wr. Neustadt, 1977 Filialen in Kirchschlag u. Lichtenegg. M.: Jagdclub, Schützenver. Lichtenegg. H.: Jagd, Segeln, Tennis. (R.T.)

Plöchl Gerhard Dr. iur.

B.: Gschf. Gemeinschaftskraftwerke Tullnerfeld GmbH, Zwentendorf (GUT), a.o.Univ.-Prof., Univ.Doz. f. Hdls.- u. Wertpapierrecht. PA.: 5582 St. Michael, St. Martin 1. G.: Bad Ischl, 26. Apr. 1933. V.: Heidrun, geb. Meinhardt. Ki.: Simone, Laurenz, Floridus, Sophia, Martin. El.: Leo u. Friedl. S.: BRG Gmunden, BRG Linz, 1952 Matura, techn. kfm. Abiturientenlehrgang am TGM Wien, Stud. d. Rechtswiss. an d. Univ. Wien. K.: 1953-55 Porzellanfbk. Frankenthal GmbH, 1955-57 wiss. Hilfskraft an d. Univ. Wien, 1957-60 Österr. Kontrollbank AG, 1960-61 ÖVP-BParteiltg. (Ltr. d. jur. Sekr.), 1962-67 b. Philips, (1963 Ltr. d. Rechtsabt. u. Personalchef, 1964 Prokura), 1967 Ltr. d. Rechtsabt. d. österr. Ind.Verw.Ges., 1968-92 b. Gen.Sekr. d. EVN, seit 1990 GUT. P.: Die Rechtsvorschriften über d. Deutsche Eigentum in Österr. samt d. einschlägigen Nebenbestim-mungen (m. Dr. J. Vlcek), Ver. als öffentl. Unternehmen - Voraussetzungen u. Folgen organisat. Beherrschung öffentl. Unternehmen durch d. Staat, dargestellt am Beispiel d. Landesvers.Anst., Aufsätze u. Festschriftenbeiträge z. Gesellschafts-, Unternehmens- u. Energierecht u. z. Rechtstheorie. E.: Ritter d. Ord. v. Hl. Grab zu Jerusalem. M.: a.o.Mtgl. d. Wr. Kath. Ak., Grdgs. u. Ehrenmtgl. d. NÖ Jurist. Ges., Vorst.-Mtgl. d. CSI Österr. (A.W.)

Plöchl Oskar Ing.

B.: Elektroinst., Unternehmer, Restaurantbes. DA.: 7331 Weppersdorf, Hauptstr. 98. PA.: 7331 Weppersdorf, Hauptstr. 80 u. Kesselwiese. G.: Weppersdorf, 24. Nov. 1923. V.: Helga, geb. Nemeth. El.: Johann u. Susanna. S.: Maschinenbauschule Wr. Neustadt, Matura 1942, anschl. Segelflugausb. u. Kunstflugprüf., Militärdienst (Bordfunker b. Fliegertruppe), 1944 Kriegsgefangenschaft. K.: Ab 1947 Elektrolehre, 1956 Konz.Prüf. f. Unter- u. Mittelstufe, seit 1956 selbst. Elektromstr., ab 1968 Aufbau eines Erz.Betr., 1976 Neubau m. Ausst.Raum u. Restaurant, 1980 Neubau d. Großtankstelle m. Autowaschstraße. E.: Dt. Kreuz in Gold. M.: Lions Club. H.: Jagen. (War.)

Plöchl Rudolf

B.: Inh. d. Fa. Erich Körner. DA.: 1220 Wien, Hosnedlg. 7. G.: Wien, 8. Okt. 1941. V.: Friederike, geb. Hebert. Ki.: Erich, Gerald. El.: Anton u. Gertrude. S.: Berufsschule, Mstr.Schule. K.: Werkzeugmacher b. Fa. Körner, Mstr. d. Werkzeugbaues, 1975 Übernahme d. Firma. M.: Freier Wirtschaftsverb. H.: Bergsteigen, Hunde, Turniersport, Fliegen, alte Uhren, alte Tabatieren. (E.L.)

Plöckinger Ernst Dr. HofR.

B.: HofR. i. R. G.: Haibach ob d. Donau, 21. Mai 1940. V.: Gerta Paula, geb. Königsdorfer. El.: Franz u. Maria. S.: VS, HS, 4 J. Fernmeldetechn. Berufsschule Graz, BH. K.: 1961-65 Fernmeldetechn. Fachdienst, 1966-68 Servicetechniker in amerikan. Computerfirma, 1969-74 BG f. Berufstätige Linz, 1974 Matura, 1975-80 Jusstud. Univ. Linz, 1975-80 Ltr. d. Verbundamtes Eferding, seit 1980 Verw.-Jurist Post- u. Telegraphendion. Linz, 1988-92 Ltr. d. Präsidialbüros, 1992 bis zur Pensionierung Aug./1994 Personalchef d. Pt-Dionsbereiches f. OÖ. P.: Seit 1992 Arbeit a. d. Herausgabe des "Haibacher-Heimatbuches" (3-bändig, der 1. Bildband erschien 1993). M.: seit 1988 Mtgl. d. Disziplinarkmsn., seit 1990 Senatsvors. H.: Astronomie, Tennis, Reisen. (U.A.).

Ploderer Christian Mag.

B.: Produkt- u. Lichtdesigner. FN.: Designbüro Ploderer & Partner. DA.: 1030 Wien, Salmg. 10. G.: Wien, 26. März 1956. El.: Dr. Max u. Helga. S.: Matura, Stud. a. d. HS f. angewandte Kunst in Wien, Meisterkl. Industrial Design/Prof. Hollein, Diplom 1985. K.: 1979-85 Designerbüro Ploderer & Rollig, 1986-92 als Designer u. -konsulent freischaffend tätig,

Spezialisierung auf Licht- u. Leuchtendesign, ab 1987 Kreativleiter f. Vest Leuchten Wien, 1993 Designbüro Ploderer & Partner. BL.: 1987 Staatspreis f. Design, 1989/90 u. 1990/91 Intern. Design Yearbook, 1993 Vorst. Design Austria. P.: div. Publikationen u. Ausstellungsbeteiligungen im In- u. Ausland. (J.M.)

Ploderer Herbert J.

B.: Dir. FN.: Kurhotel Warmbader Hof. DA.: 9504 Warmbad Villach. PA.: 5020 Salzburg, Leopoldskronstr. 13a. G.: Wien, 8. Juni 1947. V.: Helen, geb. King. Ki.: Alexander (1979), Katherine (1984). El.: Hans-Wolfgang u. Elisabeth. S.: Franz. Schule, Schottengymn., Hotelfachschule. K.: 1968-1993 25 J. Tätigk. i. Ausland: Hotel Plaza Athenee i. Paris, Hotel Vier Jahreszeiten i. Hamburg, Dolder Grand Hotel i. Zürich, Hotel Marco Polo i. Singapur, s. 1993 Dir. d. Kurhotels Warmbader Hof i. Warmbad Villach. M.: Skal-Club Kärnten. H.: Literatur, Musik, Theater, Skilaufen. (F.S.)

Plohberger Ernst

B.: Gschf. FN.: ÖDEG Österr. Dieselausrüstungsexportges.m.b.H. DA.: 1020 Wien, Am Tabor 6. PA.: 1170 Wien, Heubergg. 13. G.: Leonding/Linz, 27. Juni 1924. V.: Edda, geb. Pusch. Ki.: Mag. Christian. El.: Josef u. Berta. S.: VS, HS, HASCH (Krefeld - BRD). K.: Lehre b. Deutsche Edelstahlwerke Krefeld, 1945 zu VOEST, 1948 Friedmann & Maier, seit 1969 Gschf. d. ÖDEG. H.: Sport (Wandern, Tennis), Lesen. (R.A.)

Plohovich Gottfried Mag. Prof.

B.: Musikerzieher am Bundesoberst.-RG Bad Hofgastein, Ltr. d. Musikschule Gastein. DA.: 5630 Bad Hofgastein, Martin-Lodinger-Str. 2. PA.: 5630 Bad Hofgastein, Bürgerbergweg 6. G.: Wien, 14. Aug. 1949. V.: Margarethe, geb. Gruber. Ki.: Georg Alexander (1978), Christoph (1980). El.: Prof. Ing. Gottfried u. Christine. BV.: Vater Lehrer u. Komponist, Onkel MedR. Dr. Georg Plohovich ehem. Präs. d. Wr. Ärztekam. S.: 1965 Kapellmstr.-Prüf. f. Blasmusik, 1963 Aufnahmeprüf. am Mus.-päd. RG u. HS Mozarteum Sbg., 1967 Matura, Stud. HS Mozarteum. K.: 1973 Wechsel nach Bad Hofgastein, Gründ. d. Musikschule Gastein, 1978 Prof., 1988 Betreuungslehrer f. Musik u. Instrumentalmusik. BL.: über 100 Konzerte als Flötist (auch b. Sbg. Festspielen), 1989 Begründer d. Schulversuchs Elektronik, 1973 Grdg. d. Chorgem. Singkreis Bad Hofgastein, 1981 u. 1984 LandeskulturbeiR., 1981 Präsidiumsmtgl. Sbg. Musikforum, 1985 Grdg. d. Jugendblaskapelle Gastein, 1986 Österr. Referent b. ISME Weltkongreß f. Musikerziehung, 1981 Entwicklung eines Musikinstrumente-Holzbaukastens, Grdg. eines Siedlerver. u. Verwirklichung d. Projekts Arche Noah (1985), dafür 1986 Arch.-Preis. P.: 2-bd. Unterrichtswerk (Gitarreschule f. d. Gruppenunterricht), Kompositionen: 1977 Weihnachtsoratorium, 1991 Computermusical: Schlüsselkind, 2 LPs m. Singkreis B. Hofgastein. M.: Vorst.-Mtgl. d. Tennisclubs Bad Hofgastein. H.: Arch., Tennis (1968 Jugendmstr. Saalfelden). (G.P.)

Ploier-Niederschick Eduard Dir.

B.: Dir., Zeitungshrsg. FN.: Bildunghaus Puchberg b. Wels. DA.: 4600 Wels, Puchberg 1. PA.: 4600 Wels, Nonsenstr. 16. G.: Wels, 19. Juni 1930. V.: Elisabeth-Maria, geb. Wächter. Ki.: Henna, Maria, Johanna, Veronika. S.: Ldw.-Schule Katzdorf, Sonderstud. f. Erwachsenenbild. b. 1953 m. Studienaufenthalt in d. USA. K.: 1953 Mitarb. im Schloß Puchberg, 1970 Gschf. Dir. u. seit 1979 Dir. im Schloß Puchberg, seit 1972 Präs. d. Kath. Aktion d. Diözese Linz, seit 1985 Vorst. d. Kath. Zentrums f. Massenkommunikation, seit 1983 Hrsg. d. OÖ Rundschau, Aufbau d. Kath. Landjugendorgan., Vorst. d. Österr. Entwicklungsdienstes, Reisen in alle Entwicklungsländer, 1972-74 Ltr. d. Volksbegehren gegen Fristenlösung, 1983 Präs. d. Österr. Katholikentages m. Audienz b. Papst, 1974 im Kuratorium d. ORF. P.: Mithrsg. u. Mitautor v. 10 Büchern, Autor v. 2 Büchern: "Damit Rede nicht z. Gerede wird", "Gesprächsleitung", div. Publ. in kirchl. Blättern. E.: Silvesterorden, Silb. EZ d. Rep. Österr., Silb. EZ d. Landes OÖ, EK d. Rep. Österr., Malteserorden. M.: Kath. Aktion, Ritter v. Heiligen Kreuz zu Jerusalem, Kiwanis-Wels. H.: Kleinode d. Kultur, Wandern, Radfahren, Lesen. (P.H.)

Plojhar Ernst Dipl.-Ing.

B.: freischaff. Arch., staatl. befugter u. beeid. Ziviltechniker i.R. PA.: 1040 Wien, Schleifmühlg. 3. G.: Wien, 13. März 1920. V.: Eugenia, geb. Liniewicz. S.: RG, TH Wien. K.: Tätigkeit als Kulturred., ang. Arch. b. einem Mineralölkonzern, 1954 Dipl., ab 1958 selbst. P.: versch. theoret. Art., Rezensionen u. Vorträge über d. Stand d. Arch. in d. ehem. UdSSR durch längere J. in Fachorganen, Planung v. Wr. Gemeindebauten, Büro- u. Geschäftshäusern, Einfamilienhäusern, Läden. E.: Med. f. d. Befreiung Österr. M.: Zentralver. d. Arch. Österr., Österr. Bauzentrum, Ing.-Kam. (J.S.)

Ploner-Bernard August Dr. chem.

B.: Dir. d. Fachlehranst. f. Ind. u. Handwerk. GT.: Vors. d. VerwR. d. Landesbibl. Dr. Friedrich Tessmann. DA.: 39100 Bozen, Cadornastr. 12. PA.: 39100 Bozen, Egger-Lienz-Str. 1. G.: Sterzing, 30. Nov. 1932. V.: Dr. Eva, geb. Pretl. Ki.: Lukas (1978), Helmuth (1980). El.: Leo u. Regina, geb. Bernard. S.: 1952 Matura Bozen, Chemiestud. Padua u. Bologna, 1958 Prom. K.: 1958-65 Privatwirtschaft, 1965-81 Prof. d. Chemie an d. Gewerbeoberschule Bozen, seit 1981 Dir. d. Fachlehranst. f. Ind. u. Handwerk. (N.A.)

Ploschnitznigg Helmuth Prof.

B.: AHS-Lehrer f. Bildner. Erziehung am BG u. BRG Judenburg. PA.: 8742 Obdach, Siedlung 25. G.: Graz, 19. Dez. 1948. V.: Karoline, geb. Hutter. Ki.: Lisa, Peter, Ines. El.: Alois u. Erika. S.: Kunstgewerbeschule Graz, Stud. d. Malerei b. Prof. Aaskau Jensen in Kopenhagen, 1971 Rückkehr nach Graz, Lehramt. K.: seit 1972 Kunsterzieher am BG u. BRG Judenburg. P.: Mitarb. an d. Multimedia-Theaterproduktion 1975 f. d. Theatertage d. Jugend, Betreuer d. Galerie Nemetz in Judenburg, div. Ausstellungen. H.: Garten, Musik, Literatur. (Tra.)

Plotz Walter DDr. KommR.

PA.: 1190 Wien, Rückaufg. 27. E.: Ehrenpr. d. Kreditschutzverb. v. 1870 Wien. M.: AufsR. d. "Austria Collegialität" Vers.Ver. auf Gegenseitigkeit Wien.

Plötzl Karl Dipl.-Ing.

B.: Arch., beeid. Ziviltechniker. DA.: 4020 Linz, Hirschg. 36. G.: Kirchdorf/Krems, 1. Febr. 1937. V.: Monika, geb. Puchinger. Ki.: Sabine, Karl, Franz. S.: VS, HS, BGewerbeschule Abt. Hochbau Linz, Stud. TU Wien, 1968 Dipl.-Ing. K.: 1956-59 Amt d. OÖ LRg. Abt. Hochbau, 1960-70 Mitarb. Atelier Prof. Artur Perotti u. Dipl.-Ing. Hans Greifeneder, 1970-73 Arge Ortner-Plötzl, seit 1973 eigenes Atelier, Teilnahme an ca. 50 Wettbewerben. BL.: Forsch.Arb.: Forsch.Projekt F 36, BMB, Wohnmobile, Kunstwürdigungspreis d. Stadt Linz f. Arch 1988. E.: Zahlr. Preise b. Wettbewerben, Staatspreis f. gewerbl. u. industr. Bauten, 1992 in Bronze f. Steyr Nutzfahrzeuge AG. (M.B.)

Pluhar Erika

B.: Schauspielerin, Liedsängerin, Autorin. FN.: Wr. Burgtheater, E.T.E. GT.: Freiberufl. als Sängerin tätig, Prod. v. Schallplatten, Büchern, Drehbüchern. DA.: 1190 Wien, Huschkag. 5. G.: Wien, 28. Febr. 1939. S.: Matura, Max Reinhardt-Seminar Wien. K.: seit 1959 Mtgl. d. Wr. Burgtheaters. P.: Schallplatten, seit 1981 ausschließl. m. eigengetexten Liedern, Bücher: "Aus Tagebüchern" u. "Lieder". E.: Kammerschauspielerin, Kainz-Med. (C.K.)

Pluhar G. Ingeborg

B.: Ak. Bildhauerin. PA.: 1010 Wien, Stallburgg. 2. G.: Wien, 8. März 1944. Ki.: Sebastian. El.: Pluhar Josef Dr. u. Anna. S.: RG, Ak. d. bild. Künste, Mstr.Kl. Prof. Wotruba, 1966 Dipl., 1 J. Stipend. an d. Ecole des Beaux Arts, Paris, 1962 Sommerak. Kokoschka, 1965 Sommerak. Joannis Avramidis. K.: Einzelausstellg: 1965 Galerie nächst St. Stephan, 1970 Forum Stadtpark Graz, 1974 u. 1976 Galerie Christ. Brandstätter & Cie, 1975 Galerie nächst St. Stephan, 1977 Secess. Wien, 1978 Modern Art Galerie Wien, 1985 Galerie Würthle Wien, 1978 Bühnenbildass., s.1979 Ass. am Inst f. Künstl. Gestaltg., Lehrbeauft. f. Foto u. Graphik an d. TU-Wien. P.: 1983 "Leopoldstag", Roman Verlag Christian Brandstätter. (Bauer)

Pluntz Liane Dr. phil.

B.: Abg. z. Sbg. Landtag, Frauenref. in d. AK Sbg. DA.: 5020 Salzburg, Auerspergstr. 11. PA.: 5020 Salzburg, Neutorstr. 45. G.: Linz, 4. Juni 1952. El.: Thomas u. Josefine. S.: 1972 Ma-tura, Stud. Publizistik, Kommunikat. u. Politikwiss. Univ. Sbg., 1984 Prom. K.: 4 J. wiss. Mitarb. am Inst. f. Alltagskultur in Sbg, s. 1988 in AK Sbg., seit 1991 Abg. z. Sbg. Landtag. P.: zahlr. soz.-wiss. Fachart. sowie Studien in Büchern u. Fachzeitschr. H.: Abenteuerreisen, Einsatz in d. Frauenbewegung. (M.Mo.)

Poandl Josef

B.: Kfm., Gschf. d. Fa. Bex Bau GmbH. DA.: 1090 Wien, Maria-Theresien-Str. 9/4. G.: Wien, 25. Juni 1957. V.: Gudrun, geb. Zlöbl. Ki.: Barbara. El.: Josef u. Edith. S.: Pflichtschule, HASCH. K.: 5 J. tätig in Vers.Branche, 3 J. Filialltr. b. Fa. Hummel & Seidling Autohdl., seit 1982 Gschf. d. Fa. Bex. M.: Pr. d. Wr. Jiu-Jitsu LVerb. H.: Skifahren, Selbstverteidigung. (Lar.)

Pochat Götz Dr. o.Univ.-Prof.

B.: o.Univ.-Prof. am Inst. f. Kunstgeschichte d. Karl Franzens-Univ. Graz. DA.: 8010 Graz, Universitätspl. 3. G.: Gotha/Thüringen, 28. Nov. 1940. V.: Mareike, geb. Woellert. Ki.: Madeleine (1969), Christine (1974). El.: Karl-August u. Märta. S.: 1955-61 Friedrich-Ebert-Gymn. Bonn/BRD, 1961 Reifeprüf., 1961-74 Stud. Literaturwiss. Univ. Stockholm, Mag. K.: 1964 Ass. Nationalmuseum zu Stockhlm, Stipend. in Italien, 1967 Ass. am Stockholmer Inst. f. Kunstgeschichte, 1967 Diss., 1970 Stipen. in Florenz, 1973 Habil., 1971-1974 wiss. Ass. Kunsthistor. Inst. Univ. Stockholm, 1974 Lizentiat Komparatistik, 1974 Doz. in Kunstwiss. Univ. Stockholm, 1978 Dreiländerexkursion nach Florenz, 1979 Gastprof. Univ. Würzbg u. Univ. Stockholm, ab 1981 Prof. Lehrstuhl f. Mittlere u. Neuere Kunstgesch. RWTH Aachen, 1987 Lehrstuhl f. Kunstgeschichte Karl Franzens-Univ. Graz, Gastvorträge in Regensburg, Wien, Heidelberg, New York, Washington, Freiburg, Bonn, Kiel, Münster, Klagenfurt, Stuttgart, Stockholm, Rom, Innsbruck u. Wien. P.: Bücher: "Der Exotismus während d. Mittelalters u. d. Renaissance" (1970), "Figur u. Landschaft" (1973), "Kunstgeschichtl. Studien z. Florentiner Renaissance" (1980), "Der Symbolbegriff in d. Ästhetik u. Kunstwiss." (1983), "Geschichte d. Ästhetik u. Kunsttheorie " (1986), "Theater u. bild. Kunst im Mittelalter u. in d. Renaissance in Italien" (1990). M.: Vors. Österr. u. Dt. Kunsthistorikerver., Mtgl. d. Freunde d. Neuen Galerie Graz. H.: Literatur, Musik, Malen. (P.M.)

Poche Barbara

B.: Chefredakteurin. FN.: REV Zeitschriftenverl. GmbH & Co.KG. DA.: 1072 Wien, Seideng. 5. PA.: 1070 Wien, Burgg. 76/9. G.:Wien, 29. Jun. 1952. V.: Norman. El.: Eugen u. Karoline. S.: VS.,human. Gymnasium, 1970 Matura, 5 J. Akademie d. bild. Künste, Studium Malerei. K.: 1976 Zeitschriftenverl. "HIT" zunächst a. "Leserbrieftante", dann als Musikredakteurin tätig,1981 Gründungsmitglied v. "Music Man", 1985 Chefredakteurin , nebenbei a. Schauspielerin u. Tänzerin b. Ambros tätig, 1984 b. "Hallusination Company" aufgetreten, 1992 "Music Man" i. d. Rennbahn-Expreß übergangen, 1993 Chefred. d. Rennbahn-Expreß. H.: Tennis,Bergwandern, Reisen, Skifahren, Romane schreiben. (D.B.)

Pochendorfer Manfred Walter Dr. iur.

B.: RA. DA.: 4910 Ried/Innkreis, Kirchenpl. 12. PA.: 4910 Ried/Innkreis, Goethestr. 41. G.: Grünau im Almtal, 5. Dez. 1947. V.: Maria, geb. Sellitsch. Ki.: Ute (1973), Franz (1976), Christa (1983). El.: Dir. Dr. Franz u. Erika. S.: 1965 Matura, Stud. Rechtswiss. Univ. Sbg., 1971 Prom. K.: Gerichtspraxis Kreisgericht Ried, 1972-74 Konzipient in Kzl. Dr. Siegfried Schwab Wels, 1974-76 Konzipient b. Dr. Kurt Sailer Ried, 1976 RA-Prüf., Eintragung in d. RA-Liste, 1976-88 Kzl.-Gemeinschaft Dr. Sailer, seit 1988 selbst. Kzl. in Ried. M.: Round Table (Club 41), Schriftwart d. Rieder Turnver. 1848. H.: Hobbykoch, Skifahren, Bergsteigen, Segeln, Videofilmen, Reisen. (E.Hö.)

Pöchhacker Hermann Ing.

B.: Gschf. FN.: Öko Tech. DA.: 3130 Herzogenburg, St. Pöltnerstr. 50. PA.: 3373 Kemmelbach, Oberegging 87. G.: Sölling, 27. Jän. 1953. V.: Leopoldine, geb. Lasselsberger. Ki.: Paul, Leopold. El.: Franz u. Theresia. S.: 5 J. HBLA i. Wieselburg, 1972 Matura. K.: b. 1978 Disponent b. Metallwarenfa. f. Export zuständig, 1978-84 Disponent b. Landmaschinenimportbetrieb, 1985-89 Geb.-Verkaufsltr. b. Fa. Deutz Fahr-Austria, 1990 Verk.-Ltr. b. Öko Tech, 1.12.1993 Gschf., Fa. Öko Tech hat Gen.-Vertretung John Deere Fa. Kuhn, Fa. Bucher, Fa. Rauch, Fa. KEW.

Pöchhacker Horst Dipl.-Ing.

B.: Gen.-Dir. u. Vorst.-Vors. FN.: Allg. Bauges. A. Porr AG Wien. GT.: Gschf. d. Cargotel Frachtenumschlag GmbH Wien u. d. Awstroj Bau GmbH Wien, Prok. d. "Solco" Grundbau GmbH & Co OHG Wien, Vorst.Mtgl. d. Union Baumaterialienges. Wien, AufsR.Vors. d. Porr Intern. AG Wien, stv. Vors. im Fachverb. d. Bauindustrie.

Pöchhacker Kurt

B.: Bgm. PA.: 3292 Gaming, Blumenstr. 24. G.: 23. Aug. 1942. S.: 1974/75 Sozialak. Mödling. K.: ab 1969 BetriebsR. u. 1970-85 Vors. d. BetriebsR. u. v. d. Arb. freigestellt, ab 1985 Bez.-Sekr. d. ÖGB Scheibbs, seit 1994 Bgm. in Gaming. BL.: 1965 Grdg. d. Gewerkschaftsjugend in Gaming u. anschl. Aktivierung v. bestehenden bzw. zusätzl. Neugrdg. d. Gewerkschaftsjugend im Bez., Einführung v. Aufsatzwettbewerben m. polit. orien. Themen, Installierung v. Sportturnieren u. Wanderungen "Lerne deine Heimat kennen". (I.J.)

Pöchhacker Walter

B.: Berufsdetektiv. FN.: Pöchhacker GmbH. DA.: 1130 Wien, Landstr. Hptstr. 60/1/9 (Eingang Rochusg. 2) G.: Erla, 25. Apr. 1955. V.: Ingrid, geb. Sommerer. Ki.: Stefan, Daniel. El.: Alois u. Aloisia. S.: BRG, Thersian. Militärak.,

Berufssoldat. K.: ab 1979 Filialltr., ab 1983 Grdg. einer eigenen Detektei, Schwerpunkt: Wirtschaftskriminalität, Personenschutz. H.: Beruf. (P.R.)

Pochlatko Dieter

B.: Filmproduzent, Gschf. Ges. FN.: EPO-FILM Produktions GmbH. GT.: Präs. d. Verb. Österr. Film- u. Videoproduzenten. DA.: 1120 Wien, Edelsinnstr. 58, 8010 Graz, Ziernfeldg. 9A, 1070 Wien, Neubaug. 25/1/11. PA.: 8010 Graz, Ziernfeldg. 9A. G.: Graz, 6. Juni 1943. V.: Mag. phil. Brigitte, geb. Bubik. Ki.: Stefan (1968), Jakob (1984), Florian (1986). El.: Prof. Dr. Erich u. Irmgard, geb. Gettwert. S.: 1964 Matura, b. 1968 Stud. Germanistik u. Romanistik Univ. Graz. K.: Hersteller v. Kinospielfilmen u. Imagefilmen sowie v. Fernsehspielfilmen, Film "I love Vienna" 1991 Oscar-Nominierung, 1992 Europ. Filmpreisnominierung. E.: 5 Österr. Staatspreise, zahlr. intern. Auszeichnungen. M.: seit 1980 Fachvorst. d. Fachgruppe Audiovisions- u. Filmind., HK Stmk., ab 1991 Präs. d. Verb. Österr. Film- u. Videoproduzenten. H.: Motorradfahren. (N.A.)

Pock Elfriede Dr. med.

B.: OA an d. Neurolog. Abt. d. KH d. Barmherzigen Brüder, FA f. Neurologie u. Psychiatrie, Konsiliararzt. DA.: 8020 Graz, Bergstr. 27. PA.: 8042 Graz, St. Peter-Hauptstr. 29g/VI/11. G.: Oberwart, 10. März 1944. Ki.: Michaela (1973). El.: HS-Dir. Tobias u. Elisabeth Schuh. S.: 1962 Matura, Med.-Stud. Graz, 1971 Prom. Dr. med. K.: Turnusarzt Chir. LKH Leoben, 1972-73 Turnusarzt Interne Med. LKH Oberwart, 1973-76 Univ.-Klinik f. Neurologie u. Psychiatrie b. Prof. Lechner in Graz, seit 1976 Barmherzige Brüder Graz Abt. f. Neurologie u. Psychiatrie, seit 1978 OA u. Privatpraxis. H.: Fernreisen, Tennis, Lesen, Kochen, fremde Völker. (A.-R.W.)

Pock Erwin Dr.

B.: Ltr. d. Inst. f. Hdls.Forsch. an d. WU Wien. DA.: 1013 Wien, Eßlingg. 9. PA.: 3400 Klosterneuburg, Ziegelofeng. 80. G.: Kiel/BRD, 22. Jan. 1940. V.: Brigitte, geb. Leinot. Ki.: Angelika, Ursula, Christina. El.: Ing. Max u. Adolfine. BV.: Bruder Univ. Prof. DDr. Max A. Pock an d. George Washington Univ. f. Rechtswiss. S.: VS, RG, HTL Elektrotechnik WU, 1 Sem. Frankreich u. 1 Sem. USA, 1965 Dipl., 1973 Dr. K.: 1969-79 Ass. WU, parallel am Inst. f. Hdls.Forsch., seit 1976 Gschf. d. Inst., seit 1979 Ltr. d. Inst., seit 1979 Gschf. d. IFH Hdls.Forsch. GmbH. P.: 30 Bücher u. Forsch.Berichte 1962, Probleme u. Entwicklungsperspektive d. österr. Großhdls. 1982, Nahversorgung Wien 1983, Funktionen u. Leistungen d. Pharma Großhdls. 1984/87, Wirtschaftl. Auswirkungen d. Fußgängerzone Sbg. 1984, Holzmarktstudie f. d. südl. Raum Österr. 1985, Analyse Einzelrelevanter Kaufkraftströme OÖ/Bayern 1986, Kaufkraftströme im Zentralraum Sbg. 1986, Einkaufszentrum Entwicklungsprogramm Innsbruck 1987. E.: Rudolf Salliger-Preis. H.: Bergwandern, Fotografie. (E.L.)

Pock Manfred Dipl.-Ing.

B.: Ltr. d. Abt. Hochbau d. LHpt.Stadt Klagenfurt. DA.: 9020 Klagenfurt, Paulitschg. 13. PA.: 9020 Klagenfurt, Theodor-Prosen-G. 49. G.: Klagenfurt, 11. Juli 1941. V.: Elisabeth, geb. Frick. Ki.: Kurt, Horst. El.: Ing. Josef u. Elfriede. S.: BGewerbeschule Villach, Arch.Stud. in Graz, 1968 Dipl.-Ing. K.: 1968 beg. b. Bauamt, s. 1975 Ltr. d. Abt. Hochbau. BL.: Währ. d. Studienzeit in d. Österr. Nationalmannschaft im Wildwasserfahren. H.: Sport, Basteln. (D.M.)

Pöck Thomas Mag.

B.: Vorst. FN.: Video Computer Software AG. DA.: 6850 Dornbirn, Schlachthausstr. 15. PA.: 6912 Hörbranz, Fronhoferstr. 40a. G.: Graz, 21. Okt. 1965. El.: Rudolf u. Karoline. S.: Gymn., HAK, 1985 Matura, Stud. WU Wien, 198 Mag., parallel z. Stud. Merryl Lynch Pierre Fanner Wien u. später b. CA-BV New York. K.: 1989-90 Berufsanw. Steuerberater KPMG Alpentreuhand Wien, 1990 Ltr. d. Rechnungswesen in Textilbranche in Vbg., 1992 Eintritt in Video Computer GmbH Dornbirn als Gschf. M.: Industriellenver., Tennisclub. H.: Langstreckenlauf, Malerei d. 20. u. 21. Jhdt., klass. Musik, Literatur, Jazz. (I.D.)

Pockberger Haymo

B.: Red. DA.: 4020 Linz, Franckstr. 2a. PA.: 4040 Linz, Prandtauerstr. 19. G.: Salzburg, 1. Dez. 1925. V.: Melanie, geb. Loubal. El.: HofR. Dipl.-Ing. Josef u. Minni. S.: Gymn. Melk u. St. Pölten, nach 7. Kl. staatl. OSchule Verpflichtung z. RAD, 1943-45 Kriegsdienst an d. Ostfront, nach Kriegsende Matura am 2. BGymn. Graz, Konservatorium f. Musik u. dramatische Kunst in Wen, 1948 Reifeprüf. am Reinhardt-Seminar. K.: Schauspieler am Landestheater Sbg., Bregenz u. am Theater f. Vbg., 1950 Rundfunk-Sprecher b. d. Sendergruppe Rot-Weiß-Rot in Linz, 1968 Ltr. d. Unterhaltungsabt. d. ORF, LStudio OÖ. Sendereihen: "Fremde unterwegs", "Schnulzodrom", "Schlagerlatein f. Anfänger", "Haymberger am Telefon", "Linzer Torte", ständige Sendereihen: "Der blaue Montag", "Der musikalische Nachmittagsplausch", "Alles klar, Herr Kommissar?". E.: 1981 Mostdipf d. OÖ Nachrichten. M.: Lions-Club Linz. H.: Reisen, Filmen, Fotographie, Lesen. (Deu.)

Pöckl Johann

B.: Bürgermeister v. Mönchhof, Weinbaumeister u. Landwirt. DA.: 7123 Gemeindeamt Mönchhof, Kirchenplatz 11a. PA.: 7123 Mönchhof, Kreuzg. 2. G.: Mönchhof, 27. Nov. 1936. V.: Maria, geb. Pöckl. Ki.: Elisabeth (1964), Ulrike (1975). El.: Albert u. Elisabeth. BV.: Vater d. Mutter war Musiker u. Schriftsteller v. regionaler Bedeutung; Schwiegervater, Großvater und Urgroßvater waren Bürgermeister. S.: Bauernschule. K.: Nach schulischer Ausbildung Eintritt in d. elterl. Ldw.; seit 1981 Bürgermeister v. Mönchhof. M.: ÖVP, örtliche Vereine u. Organisationen. E.: Silberne Landesauszeichnung. H.: ehem. Fußballer, reiten. (F.S.)

Pöckl Josef

B.: Winzer. FN.: Weingut Josef Pöckl. DA. u. PA.: 7123 Mönchhof, Baumschulg. 12. G.: Mönchhof, 13. Okt. 1951. V.: Theresa, geb. Groschner. Ki.: Verena (1974), Claudia (1976), Rene´(1979). BV.: Großvater A. Pöckl legte in USA Grundstein f. Betr. S.: 1970 Weinbauschule Eisenstadt (m. Ausz.). K.: elterl. Betr. zun. m. Vater geführt, Initiator f. Spez. u. deren Durchführung, 1978 Übern. d. elterl. Fa., zusätzl. Führg. e. eig. Betr., b. 1985 Prädikatsweinbetr., ab 1988 Umwandl. d. Prod. auf 80 % Rot- u. 20 % Weißwein, zahlr. Präm. BL.: Belieferung v. Steirereck, Mesner-Haus, Döllerer, u.a. E.: 1991 Falstaff 3. Pr., 1987 höchstbew. Weingut Bgld., 1990 Landessieger, 1993 Falstaff 2. Pr. M.: Collegium Wein Neusiedlersee. H.: Wein, Gesch., Wehranlagen u. Burgen. (I.J.)

Pöcksteiner Ernst Dr. Dkfm. KommR.

B.: Gschf. Ges. FN.: DIETZEL GmbH Kunststoff u. Metallwarenfbk. DA.: 1111 Wien, 1. Haidequerstr. 3. G.: Zell am See, 12. Jan. 1931. V.: Dkfm Ingeborg, geb. Dietzel. Ki.: Ing. Mag. Dr. Michael, Andrea. El.: Karl u. Maria. S.: HS f. Welthdl., 1955 Prom. K.: 1955 Eintritt in d. Untern. Dietzel,

Ltr. d. Geschäftsbereiches Prod., Export, seit 1969 Gschf. Ges., seit 1967 Präs. d. Ver. Österr. Kunststoffverarb., Vors. d. Messeaussch. d. BWirtschaftskam., 1976-82 Präs. d. Österr. Gewerbever. E.: Gr. Gold. Ehrennadel d. dt. BVerb. Metall, Gr. Silb. Ehrenmed. d. Kam. d. gewerbl. Wirtschaft Wien, Gold. EZ f. Verd. um d. Rep. Österr., Ehrenbürger d. TU Wien, Silb. EZ f. Verd. um d. Land Wien. (P.R.)

Podbreznik Michael Mag. art.

Künstlername: Mipo. B.: Schmuckkünstler, Designer, Bildhauer. FN.: Atelier Mipo. DA.: 1010 Wien, Oskar Kokoschka Pl. 2. PA.: 1050 Wien, Spengerg. 30/1/16. G.: Tregist, 7. Aug. 1946. V.: Manuela, geb. Klaudus. Ki.: Moritz (1990), Messalina (1993). El.: Leslie H. Chadwick u. Paula. S.:1960 Lehre Gold- u. Silberschmied Graz, 1962-66 HTL Ferlach FS f. gest. Metallhandw. Abt. f. Gold- u. Silberschmiede, 1969-73 HS f. angew. Kunst Wien, Meisterkl. f. Metallgest. K.: 1968-69 Juwelier u. Designer Fa. Reichör & Podbreznik Villach, 1970 Meisterpunze, 1975 Lehrer Sommerak. Sbg., 1973-1994 a. d. Hochsch. f. angw. Kunst i. Wien, künstlerisch lehrend, tät., Ausstellungen im In- u. Ausland, intern. Vortragstät. P.:Kataloge, Intern. Fachzeitschr., 1973 "Gold u. Silber", 1992 "Silbergestaltung". M.: Verein d. bildenden Künstler Österr. H.: Familie, Straßen-Radsport. (N.A.)

Pöder Rudolf

B.: Ehrenvors. d. Gewerkschaft d. Gemeindebediensteten. DA.: 1090 Wien, Alserbachstr. 23. G.: Wien, 3. Febr. 1925. S.: Berufschule, Lehre als Flugzeugmotorenmechaniker. K.: 1943-45 Militärdienst, 1947 Eintritt in d. Dienst d. Gem. Wien (Fachprüf. f. mittleren Verw.Dienst), 1963 ltd. Ref. u. 1975 Vors. d. Gewerkschaft d. Gem.Bediensteten, 1979 VPräs. d. ÖGB, 1969-83 Mtgl. d. Wr. GemR. u. Abg. z. Wr. Landtag, 1989 Präs. d. NatR. E.: Silb. u. Gr. Gold. EZ f. Verd. um d. Rep. Österr., Gold. EZ f. Verd. um d. Land Wien, Gold. EZ d. Ärztekam. Wien, Gr. Gold. EZ d. Landes Wien. (P.R.)

Podesser Josef Ing.

B.: Gschf. FN.: Ing. Walter Haslinger Stahlbau GmbH. DA.: 9560 Feldkirchen, Villacher Str. 20; D-80469 München, Reichenbachstr. 3A/II; H-6087 Dunavesce, Szèchenyi ut. 1. PA:: 9555 Glanegg, Rottendorf 1. G.: Rottendorf, 5. Nov. 1948. V.: Renate, geb. Hafner. Ki.: Gerhild (1976), Michael (1977), Eva (1983). El.: Matthias u. Josefine. S.: VS, Realschule, HTL Maschinenbau Klagenfurt, Matura, BH. K.: 1970-72 Tätigkeit in Kassel, 1972 Eintritt in Unternehmen Haslinger, 1979-82 Prok. u. seit 1982 Gschf. H.: Jagd, Pferdezucht, Sport, Tennis, Skifahren. (G.L.)

Podgorski Thaddäus

B.: Schauspieler. PA.: 1090 Wien, Bergg. 5. G.: Wien, 19. Juli 1935. Ki.: Mathias, Thaddäus, Nikolaus. El.: Thaddäus u. Hedwig. S.: Gymn., Matura, 6 Sem. Kunstgeschichte. K.: 1953-55 Sprecher u. Reporter im Sender Rot-Weiß-Rot, 1955-58 Reporter b. Österr. Rundfunk, glzt. ltd. Red. d. Zeit im Bild, 1958 ausschließl. b. Fernsehen tätig, 1972 Chefred. (Hauptabt.Ltr.) d. Sportredaktion, Generalint. d. ORF bis 1990. P.: "Mohammed Ali" (Cassius Clay) 1978, Olympia-Buch "Innsbruck u. Montreal", Veröff. in Fachliteratur. E.: Gr. Filmpreis v. Oberhausen, 1970 Gold. Kamera, Gold. Ring v. Lausanne, 1980 Bambi, 1982 Sport-Oscar. M.: Obm. d. Sportfliegerclubs Eisenstadt. H.: Fliegen, Sport. (Fels.)

Podivin Hans Dipl.-Ing. BauR. h.c.

B.: Arch., staatl. befugter u. beeid. Ziviltechniker. DA.: 2340 Mödling, Bahnhofspl. 6. PA.: 2340 Mödling, Liebleitnerg. 1. G.: Mödling, 21. Okt. 1929. V.: Helga, geb. Wagner. Ki.: Martina, Petra. El.: Franz u. Therese. S.: BRG Mödling, Matura 1947 m. Ausz., TH Wien - Fach Arch., Dipl. 1952. K.: seit 1957 freischaff. Arch., b. 25 nat. u. intern. Arch.-Wettbewerben prämiert, realisierte Planungen als Wohnbauten, Geschäftslokale, Banken, Verw. u. Ind.Bauten, Bauten d. Fremdenverkehrs, Schulbauten u. Kindergärten, Bauten f. d. Sport, Sakralbauten sowie denkmalpfleg. Arb. - Österreichhaus Grenoble, Sporthotel Royer, Planaibahn Schladming, Unionsportzentrum Niederöblarn. F.: Ges. d. Planai-Hochwurzen-Bahnen GmbH, Schladming. P.: Raumordnungsprogramm f. Gem. in NÖ, "Integriertes Wohnen" in Zusammenhang m. d. aktiven Altenvorsorge, "Sporthallen". E.: Silb. EZ f. Verd. um d. Bundesland NÖ, Gr. EZ d. Landes Stmk., Gold. Ehrenring d. "Ver. d. Naturfreunde in Mödling v. Jahr 1877", ÖSTA Gold, Segelflieger Gold "C" m. 1 Brill. M.: Langjähr. Mtgl. d. Kam.-Tages d. BIng.Kam. sowie d. Vorst. d. Arch.Sekt. d. Ing.Kam. f. Wien, NÖ u. Bgld., Ver. d. Absolventen d. BRG Mödling-Obm. Ak. Skiclub Wien (Grdg.Mtgl.), Österr. Alpenver., ÖSV, Österr. Turn- u. Sportunion, Ver. d. Naturfreunde in Mödling v. Jahr 1877 (Obm.). H.: Fliegen, Jagen, Bergsteigen. (A.W.)

Podlaha Adele

B.: VBgm. im Ber. Sozial- u. Familienref. d. Mag. Wels. DA.: 4600 Wels, Stadtpl. 1. PA.: 4600 Wels, Vielguthstr. 20. G.: Steyr, 30. Mai 1935. V.: Ernst. El.: Friedrich u. Adelheid Rädelsbäck. S.: VS, HS, 1955-58 Ausbild. z. Sozialhelferin in Linz. K.: 1958-78 Sozialhelf. Mag. Wels, ab 1979 GemR., ab 1984 StadtR., s.1988 VBgm. E.: Kinderfreundeoskar. M.: Kinderfreundever. Päd. BeiR., Stadtfrauenvors. d. SPÖ, stellv. Vors. d. Volkshilfe. H.: Lesen, Schwimmen, Wandern. (H.B.)

Podolsky Peter KommR

B.: Vorst.-Dir. FN.: Silz Textil AG. DA.: 1231 Wien, Gastgebg. 27. PA.: 1060 Wien, Loquaipl. 12/9. G.: Graz, 2. Apr. 1931. V.: Gertrude, 2 Kinder. K.: Sprecher d. Vorst. Holtex Seiden AG, Vorst.Mtgl. Schielseide AG Wien u. Silz Textil AG Wien, Gschf. TVG Textil Veredelungs GmbH u. Ernst Bischitz OHG, VPräs. d. Fachverb. d. Textilind. Österr., Vors. d. Arbeitgeberaussch. d. Textilind. Österr., Präs. d. Kuratoriums d. HBLVA f. Textilind. (P.R.)

Podpecan Aljosa

B.: Gschf. FN.: Albraco Handelsges.m.b.H. DA.: 1100 Wien, Davidg. 11/3. PA..: Eigelg. 7. G.. Ljubljana/Slowenien, 6. Sept. 1964. V.: Zorana, geb. Ramsek. Ki.: Monika (1990). El.: Milan u. Bernarda. S.: VS, BRG-Wien, 4 J. Vienna intern. School, Wirsch. Univ. Wien, Amerik. Univ. Wien. K.: seit 1989 selbst. als Gschf. Ges. d. in diesem Jahr neu Grgd. Familienbetr. Albarco Handelsges. m.b.H. H.: Reisen, Skifahren, Tennis. (F.S.)

Podpecan Milan Dipl.Vw.

B.: Gschf. FN.: Gorenje Beteiligungs GmbH. DA.: 1030 Wien, Jacquing. 29. G.: Crnova, 10. Dez. 1936. V.: Bernarda, 2 Söhne. K.: Gorenje Hdls. GmbH, ab 1988 b. Gorenje Beteiligungs GmbH. H.: Sport.

Podzuweit-Wehrhan Charlotte

B.: Inh. d. Fa. Wehrhan. DA.: 1040 Wien, Mayerhofg. 7. PA.: 1040 Wien, Favoritenstr. 22. G.: Wien, 5. Apr. 1923. El.: Werhan Fritz Ing. u. Leopoldine. S.: HAK. K.: 1940 Eintritt in väterl. Betrieb, 1964 Geschäftsübernahme. M.: Unternehmerinnenver. selbst. Frau in d. Wirtschaft, Alpenver. H.: Garten, Tennis, Tiere, Schwimmen. (Fels.)

Poelt Josef Dr. rer. nat. o.Univ.-Prof

B.: Vorst. Inst. f. Botanik. d. Karl-Franzens-Univ. Graz. DA.: 8010 Graz, Holteig. 6. PA.: 8010 Graz, Obere Teichstr. 17. G.: Pöcking/Oberbayern, 17. Okt. 1924. Ki.: Julia, Doris. S.: Stud. Univ. München (Biologie), 1950 Prom. K.: Ass. am Botan. Garten München, 1959 Habil., 1965 o.Univ.-Prof. Freie Univ. Berlin, seit 1972 o.Univ.-Prof. Univ. Graz. P.: zahlr. Veröff., Buchbeiträge, Forsch.Reisen Grönland, Nord- u. Südamerika, Nepal. M.: korr. Mtgl. d. Österr. Ak. d. Wiss. in Wien, korr. Mtgl. d. Bayer. Akad. d. Wiss. in München.

Poeschl Rudolf Dr. Dkfm. KommR.

B.: Konsulent. A.: 1130 Wien, Auhofstr. 34. G.: Wien, 20. Apr. 1934. El.: KommR. Rudolf u. Marion. S.: Stiftsgymn. Kremsmünster, Matura 1953, HS f. Welthdl. Wien, 1953-54, 1956-61, Doktorat, Syracuse University, Syracuse, N.Y., USA 1955. K.: 1959-93 Leder- u. Patentverwertungs GmbH, Wien, zuerst Exportltr., dann Gschf., 1971 Gschf., 1993 stellv. Vors. d. Beirates d. Rohrbacher Lederfabrik Jos. Poeschl's Söhne, Rohrbach, OÖ; Konsulent d. Leripa Kunststoff GmbH & Co KG. F.: Rohrbacher Lederfabrik Jos. Poeschl's Söhne, Rohrbach, OÖ. E.: Gold u. Silb. EZ f. Verd. um d. Rep. Österr., Kommandeurkreuz d. Span. Zivilverd.Ordens, Erinnerungsmed. d. Souv. Malteser-Ritterordens f. Ungarnhilfe. M.: Obm. d. Handelspol. Aussch. d. WKÖ, Stellv. Vors. d. Fachverb. Lederverarb. Ind. d. WKÖ, Vorst.-Mtgl. d. Ver. österr. Industrieller u. Obm.-Stellv. d. Außenhandelsaussch., VPräs. d. Lateinamerika Institutes, Wien, VerwR. d. TÜV, Präs.-Mtgl. d. Evidenzbüros f. Außenhandelsgesch., Präs. d. Öster. CEMAI-Kmsn., St. Johannes Club, Wien, Techniker Cercle, Wien, Union Yacht Club Attersee. H.: Fernöstl. Kunst, Reisen.

Pogány Marina Mag. art.

Künstlername: Marina Seiller-Nedkoff. B.: freischaff. Malerin, dipl. Restauratorin, Gschf. FN.: Daniel's Boutiquen GmbH. DA.: 1010 Wien, Eßlingg. 2; Atelier: 1090 Wien, Schubertstr. 10. G.: Stadl an d. Mur, Schloß Gopelspach, 28. Mai 1944. V.: Dr. Nikolaus Pogány. Ki.: Sascha (1973), Nadja (1982). El.: Robert Frhr. v. Seiller u. Hanna Nedkoff. BV.: Urgroßvater Kaspar Frhr. v. Seiller: ehem. Bgm. d. Stadt Wien. S.: Dipl. Restauratorin an d. Akademien Wien. K.: Malerin m. eig. Atelier, jahrelang gleichzeitig als Restauratorin tätig, s. 1991 gschf. Ges. d. Daniel's Boutiquen GmbH m. d. Boutiquen Jet Company u. Daniel's. M.: Künstlerhaus. H.: Kunst, Malerei, Fotografie. (J.S.)

Pogány Nikolaus Dr.

B.: Gschf. Ges. FN.: Daniel´s Boutiquen GmbH. DA.: 1010 Wien, Esslingg. 2. PA.: 1090 Wien, Boltzmanng. 12/11. G.: Wien, 11. Okt. 1948. V.: Marina Seiller-Nedkoff. Ki.: Sascha (1973), Nadja (1982). El.: Eugen-Géza u. Beatrix. S.: Lycée Francais, Matura Wien, Stud. Rechtswiss. Univ. Wien, 1974 Prom. K.: 1970-75 Wirtschaftsjournalist b. Trend, Profil u. Ecco, seit 1975 in d. Österr. Zuckerind. tätig, zuletzt Gen.-Sekr. d. Sugana-Zucker GmbH, seit 1991 Gschf. Ges. d. Daniel´s Boutiquen GmbH. H.: mod. Literatur, klass. Musik. (J.S.)

Pogatschnigg Gustav Adolf Dr. Prof.

B.: Rg.Bmtr., HK-Bmtr., Gschf. d. Sekt. Fremdenverkehr in d. HK Ktn. u. ehrenamtl. Außenstellenltr. d. dt. HK in Österr. PA.: 9020 Klagenfurt, Tschabuschniggstr. 1. G.: Graz, 8. Nov. 1909. V.: Gertraud, geb. Jeran. Ki.: Hartwig, Alf u. Barbara. El.: OLt. Gustav u. Gisela. BV.: Franz Pogatschnigg war österr. Reichsratsabg., Onkel Dr. Hoisel war berühmter Kurarzt im Kurort Rohitsch-Sauerbrunn, jetzt Rogaska-Slatina. S.: VS, Realschule u. reale-hum. Gymn. in Graz, 1929 Matura, Univ. Graz, Phil. Fak. f. Deutsch, Engl., HS-Inst. f. Leibeserziehung, 1935 Prom. K.: Ass. d. Univ. Graz, Reporter d. Grazer Tagespost, Anderl-Rogge-Internat, Konzeptsbmtr. d. LRg. Stmk., später in d. Sbg. LRg., 1939-45 Kriegsdienst, b. 1947 engl. Kriegsgefangenschaft, ab 1948 Red. einer engl. Truppenzeitschrift, Gschf. d. Ktn. Heimkehrer, Hilfs- u. Betreuungsstelle, 1949-51 Kurdir. in Pörtschach, b. 1976 Gschf. d. Sekt. Fremdenverkehr d. HK Ktn., ehrenamtl. Ltr. d. dt. HK in Österr., dzt. im LAussch. d. dt. HK. P.: u. a. 1948-50 Untersuchungen über "Ktn. als Ferien- u. Erholungsland", engl. Magazine "The Carinthian" u. "The Austrian Review", 1949-50 Studie über "Heilbäder in Österr.", 1951-52 Begutachtenserie über Beherbergungsbetriebe in Ktn., 1955 Studie f. Kurorte u. Heilbäder, 1967-68 Schriftenreihe d. BSekt. Fremdenverkehr, u.a., sowie 2 Bücher "Ferientagebuch v. Wörther-See" u. "Aus Ktn. köstlicher Küche". E.: 1972 Prof. h.c., 1973 Gold. Sport-EZ d. Landes Ktn., 1981 Gr. Med. in Silber d. Dt. HK in Österr. um d. Verd. d. dt.-österr. Wirtschaftsbeziehungen, 1973 Gr. Gold. EZ d. Landes Ktn. u.a. nat. u. intern. Ausz. M.: Ak. Sportver. Graz (ASV), Österr. Kurdir.Verb., VPräs. d. Ktn. Golfclubs u.a. H.: Kultur, Sport, Lesen, Schreiben. (Hat.)

Pögl Johannes

B.: Kfm., Bgm. d. Gem. Großgmain. DA.: 5084 Großgmain 220. PA.: 5084 Großgmain, Salzburger Str. 142. G.: Salzburg, 13. Juli 1950. V.: Monika, geb. Rettenbacher. Ki.: Eva Maria, Christopher, Julia. S.: VS, HS, Drogistenlehre. K.: seit 1972 im elterl. Betrieb, Gschf., 1984 Drogisten-konzession, 1987 Übernahme d. Betriebes, 1991 Grdg. Außenhdls.-Firma, 1986-91 BeiR. d. ADEG Österr., Delegiert b. d. AÖ Gen. AG, seit 1970 Grdg.-Obm. d. Jungen ÖVP, 1975 OrtsbeiR. d. Österr. Wirtschaftsbundes, 1985-91 Obm. d. Österr. Wirtschaftsbundes, seit 1984 GemR., 1988-89 VBgm., seit 1989 Bgm., seit 1992 Bez.-Gruppenobm. d. Flachgauer Wirtschaftsbundes. M.: Funktionär u. Sekt.-Ltr. d. SSK Großgmain. H.: Geschichtl. Literatur, Studienreisen, Jagd, Sport. (N.M.)

Pohanka Christian Ing.

B.: Erfinder, Gschf. FN.: PIU-PRINTEX GmbH. DA.: 1220 Wien, Percostr. 18. PA.: 2331 Straßhof, Flugfeldstr. 67. G.: Wien, 1. Mai 1954. V.: Gabriele, geb. Schartl. Ki.: Christine (1973), Wolfgang (1975), Veronika (1987), Clemens (1990), Ulrich (1994). El.: Dr. Peter u. Elisabeth. S.: HTL f. Elektrotechnik, 1973 Matura. K.: 1973 Grdg. PIU GmbH, 1974 Grdg. PRINTEX GmbH, 1981 Grdg. VICOMA Austria, 1982 Patent f. einen Rouletteautomaten, 1983 Entwicklung d. Software "Aconsoft", 1991 Fusionierung d. Firmen zu PIU-PRINTEX GmbH, 1992 Patent einer automat. Spielchipssortiermaschine. BL.: Seminarref. f. d. Päd. Inst., Lehrerausbild. f. berufsbild. Schulwesen. H.: Modellbau. (F.S.)

Pohanka Erich Dr. med. Univ.-Doz.

B.: FA f. Innere Med., Zusatz-FA f. Nephrologie; Stationsführ. OA am AKH Wien. DA.: Ordin.: 1180 Wien, Währinger Gürtel 35/8. G.: Wien, 17. Juni 1954. V.: Anna Karolina, geb. Machne. Ki.: Nora Jane (1988), Gregor Michael (1991), Raoul Matthias (1992). El.: Emmerich u. Gisela. S.: 1972 Mat., anschl. Stud. d. Med. an d. Univ. Wien, 1978 Prom. z. Dr. med., 1978-79 Turnusarzt im LKH Mödling, 1987-89 Forschungsstip. an d. Univ. of California, San Francisco. K.: 1980-88 Ass. an d. 2. med. Univ.Klinik, ab 1989 o.A., seit 1991 o.A. an d. Klinik f. Innere Medizin III.Abt. f. Nephrologie u. Dialyse, 1992 Habil. f. d. Fach Inn. Med., 1993 Eröffn. d. eig. Ordin. m. Schwerpunkt Nierenerkrankungen u. Nachsorge v. nierentransplant. Patienten. P.: zahlr. Publ. im In- u. Ausland auf d. Geb. d. Nierenerkr. u. Nierentransplant. E.: Kardinal-Innitzer-Preis, Forschungs-Förderungspreis d. 1. Österr. Sparkasse, Paracelsus Preis, 2x Austrotransplant-Preis. M.: Ges. d. Ärzte, Ges. f. Inn. Med., Österr. Ges. f. Nephrologie, Austrotransplant, Dt. Ges. f. Nephrologie, Americ. Society for Nephrology, National Kidney-Foundation. H.: Fotografieren. (N.A.)

Pohanka Otto

B.: Präs. FN.: Zentralorganisation d. Kriegsopfer- u. Behindertenverbände Österr. DA.: 1080 Wien, Lange G. 53. PA.: 1130 Wien, Fasangarteng. 101/2/30. G.:Wien, 25. Nov. 1924. V.: Hannelore, geb. Janda. El.: Paul u. Leopoldine. S.: Handelskammerprüfung, 1940-78 kfm. Ang., 1978-85 Trafikant, seitdem Pensionist, Funktionen b. Kriegsopfer- u. Behindertenverband, Vorst. s. 1972, Kassier s. 1975, Präs. s. 1990, Vors. d. ARGE Invalidenvertrauenspersonen i. Privatwirt. u. verstaatl. Betrieben, Vorst. d. Berufsberatungskommission, Invalidenaussch. Wien & NÖ, 1958-71 1. Beisitzer d. Schiedskomm. b. Landesinvalidenamt f. Wien, NÖ, Bgld., Mtgl. d. Beirates gem. Behinderteneinstellungsgesetz. E.: Silb. VZ d. Rep. Österr., Gold. VZ d. Rep. Österr., Gold. VZ d. Landes Wien, Gold. EZ f. Verdienste d. Landes NÖ, Gold. EZ f. Verdienste d. Landes Bgld., Gold. EZ f. Verdienste d. Landes Stmk. M.: Mtgl. d. Nationalfonds bes. Hilfe f. Behinderte, Mtgl. u. Sprecher d. Kriegsoperfondbeirat, Mtgl. d. Besetzungsbeirat gem. Tabakmonopolges., Vors. d. Finanzkomm. d. Weltveteranen WVF m. Sitz i. Paris. H.: Filmen, Orchestermusik, Ital. Opern.

Pohl August

B.: Geschäftstellenltr. d. Arbeitersamariterbundes. GT.: BVorst.Mtgl. d. Pohl GmbH. DA.: 4040 Linz, Jägerstr. 18. PA.: 4812 Pinsdorf, Innergrubstr. 35. G.: Ohlsdorf, 5. Febr. 1939. V.: Ulrike, geb. Stainhauser. Ki.: Daniela (1965), Andrea (1966), Andreas (1970). El.: August u Berta. S.: 1953-56 Papiermacherlehre, 1972-73 Lehrgang f. Führungskräfte u. Marketing, 1970-71 Wirtschaftszertifikat HASCH-Abschluß, 1985-85 Kurs EDV-Grundlagen u. Basic-Programmieren. K.: 1956-57 1 J. in d. Schweiz tätig, 1958-63 Ang. Erdölges. in Frankreich, 1963-67 Tätigkeit b. Coca-Cola Gmunden, 1967-72 Vertretung Blendax Hallein, 1972-75 Verkaufsltr. f. Westösterr. Fa. Bracharz, 1976-85 Verkaufsltr. u. Gschf. Fa. Scheidegger Österr., 1985 Grdg. WIBIS EDV-Schule u. b. 1989 Gschf. f. Österr. u. Deutschland, seit 1990 Geschäftsstellenltr. d. Samariterbundes. F.: 51% Ges. v. AKUED Deutschland, 90% Ges. v. Wimmer & Partner Deutschland, 21% Ges. v. ADV Deutschland. E.: Dankesschreiben f. durchgeführte kfm. u. EDV-Lehrgänge in Berlin v. MinR. d. dt.-demokrat. Rep. M.: Samariterbund. H.: Fernreisen, Videofilmen. (H.B.)

Pohl Egon Dr. phil. Univ.-Prof.

B.: em.o.Univ.-Prof. f. Physik an d. Univ. Sbg. PA.: 5020 Salzburg, Schweigmühlweg 17. G.: 6. Febr. 1924. V.: Dr. Johanna, geb. Rüling. Ki.: Dietmar (1955), Heidelinde (1957). El.: Raimund u. Kreszenz. S.: RG Innsbruck, Stud. Physik u. Math. Univ. Innsbuck, 1949 Prom. z. Dr. phil., 1966 Habil. K.: 1949-52 u. 1957-71 Ass. Univ. Innsbruck, 1953-56 Forsch.-Arb. am Nat. Inst. f. Kernphysik, Univ. Padua, 1957-1966 Ass. U., 1966-71 Univ.-Doz. f. Biophysik Univ. Innsbruck, 1971 o.Prof. f. Physik Univ. Sbg. P.: über 100 Publ. in wiss. Fachzeitschriften u. Kongreßberichten vorwiegend auf d. Gebiet d. Biophysik ionisierender Strahlung. M.: versch. wiss. Ges. d. In- u. Auslandes. H.: Fotografieren, Reisen. (B.R.)

Pohl Heinz Dieter Dr. phil.

B.: a.o.Univ.-Prof. am Inst. f. Sprachwiss. an d. Univ. Klagenfurt. DA.: 9020 Klagenfurt, Universitätsstr. 65-67. PA.: 9073 Viktring, Limburgg. 21. G.: Wien, 6. Sept. 1942. V.: Margarethe Heide, geb. Beiweis. Ki.: Elisabeth, Heinz. S.: Hum. Gymn. in Wien, Stud. d. allg. u. indogerman. Sprachwiss., Slawistik an d. Univ. Wien. K.: 1967-70 Univ.-Ass. in Wien, seit 1972 in Klagenfurt, 1978 Habil. u. Ernennung z. a.o.Univ.-Prof., Schwerpunkte in seiner wiss. Forsch. sind Namenforsch., südbair. Dialektologie u. vergleichende Sprachwiss. P.: zahlr. Aufsätze in Fachzeitschriften, Bücher "Wörterbuch d. Bergnamen Österr." (1984), "Kleine Kärntner Mundartkunde" (1989), viele Rezensionen, Übersetzungen, Skripten, Hrsg.Tätigkeit z.B. "Österr. Namensforschung". M.: Mtgl. d. Indogerman. Ges., Societas Linguistica Europea, Österr. Ges. f. Namenforsch., Österr. Slawistenkomitee. H.: Bergsteigen. (D.M.)

Pohl Johannes Dr. iur. HofR.

B.: Vorst. d. Abt. 10 Finanzlandesdion. f. OÖ. DA.: 4010 Linz, Zollamtsstr. 7. PA.: 4020 Linz, Alter Markt 1. G.: Brünn/CSFR, 27. Nov. 1931. V.: Hildegard. Ki.: Felix. El.: Dr. Hans u. Margarete. S.: Gymn. Brünn u. Melk, 1950 Matura, 1950-56 Jusstud. Wien. K.: Gerichtsj. Wien, 1957 Eintritt in d. Finanzverw. Linz m. interner Ausbild.-Zeit, bis 1961 Finanzamt, ab 1962 Finanzlandesdion. als Rechtsmittelbearb., seit 1984 Vorst.-Stellv. d. Gschf.-Abt. 10, seit 1986 Vorst. d. Abt. P.: fachl. Beiträge. M.: Dienststellenaussch. (P.H.)

Pöhl Herbert

B.: Gschf. FN.: Autohaus Aigen Fahrzeughdls. GmbH. Da.: 5020 Salzburg, Aigner Str. 61. G.: Salzburg, 3. Apr. 1943. S.: VS, HS, Kfz-Schlosserlehre, Facharb.-Ausbild., 1967 Kfz-Werkmstr. u. Kfz-Techniker. K.: 1969-79 Kundendienstltr., Kundendienstspezialist u. Gruppenltr. Kundendienst b. E. Janko GmbH Sbg., 1979-85 Kundendienstltr. Firma Lucav Autotechnik, Fahrzeug- u. Motorenteil GmbH, 1985 Ltr. d. Fahrzeugdisposition b. d. G.B. Autoimport u. Vertriebs GmbH Sbg., 1985-93 alleinverantwortl. kfm. u. techn. Ltr. ÖFAG Stadtfiliale, seit 1993 Gschf. Autohaus Aigner. H.: schnelle Autos, Tennis, Mountainbike, Basketball. (N.M.)

Pohl-Rüling Johanna Dr. rer. nat.
B.: freie wiss. Mitarb. u. Lektorin an d. Univ. Sbg. PA.: 5020 Salzburg, Schweigmühlweg 17. G.: Wien, 29. Juni 1918. V.: Univ.-Prof. Dr. Egon Pohl. Ki.: Dietmar (1955), Heidelinde (1957). El.: Oberstlt. Richard u. Johanna v. Rüling. S.: RG Wien, Stud. Physik Univ. Wien, Diss., 1940 Prom. K.: 1940-43 wiss. Mitarb. am Gmelin-Inst. d. Dt.-Chem. Ges. Berlin, 1944-45 Inst. f. Neutronenforsch. Wien, 1945-52 wiss. Arb. am Physikal. Inst. d. Univ. Innsbruck, 1953-57 Forsch.-Arb. am Nat. Inst. f. Kernphysik Univ. Padua/Italien, 1957-78 Ltr. d. Radiolog. Abt. am Forsch.-Inst. Gastein d. Österr. Ak. d. Wiss., ab 1979 freie wiss. Mitarb. am Inst. f. Allg. Biologie, Biochemie u. Biophysik, ab 1980 Lektor an d. Univ. Sbg. BL.: 1966/67 Techn. Expertin d. IAEO an d. Pontificia Universidade do Rio de Janeiro Brasilien, 1970 wiss. Mitarb. School of Med. and Dentistry Dept. of Radiation Biology and Biophysics Rochester N.Y. USA. P.: 110 wiss. Arb. über: Kosm. Strahlung, Natürl. Radioaktivität, Dosisberechnungen u. Dosiseffektkurven v. Chromosomenaberration im niedrigsten Dosisbereich, Biolog. Wirkung d. ionisierenden Strahlung, 1990: Chromosome aberrations of blood lymphocytes induced by low-level doses of Ionizing radiation, 1992 Low-level dose induced chromosome aberrations in human blood lymphoctes, zahlr. Vorträge. E.: 1990 Gold. Doktordipl. d. Univ. Wien. M.: versch. wiss. Ges. in Österr., Health Physics Society USA. (B.R.)

Pohlhammer Kurt Dr.
B.: a.o.Prof. f. Zoologie am Inst. f. Zoologie Sbg. DA.: 5020 Salzburg, Hellbrunnerstr. 34. PA.: 5020 Salzburg, Linzer Str. 50. G.: Linz, 15. März 1940. Ki.: Katharina (1968), Agnes (1974). El.: Dipl.-Ing. Rudolf u. Irma, geb. Petschl. S.: VS, RG, 1959 Matura, Stud. Biologie Wien, 1966 Prom. z. Dr. phil. K.: b. 1968 Ass. in Wien, ab 1968 Ass. f. Zoologie Sbg., 1971-72 Research Entomologist am Entomological Dep. d. Univ. of California/Berkeley, 1978 Doz. f. Zoologie u. vergleichende Physiologie, 1982 a.o.Univ.-Prof. f. Zoologie u. Tierphysiologie. P.: "Die Besamung d. Eier b. d. austral. Grille Teleogryllus commodus Walter" (1978) u.a.. M.: Dt. Zoolog. Ges., Verb. Dt. Biologen, Dt. Ges. f. allg. angew. Entomologie e.V., Österr. Entomolog. Ges., Österr. Ges. f. Elektronenmikroskopie. H.: Histor. Orgeln u. Orgelspiel, Dt. Idealismus in d. Phil. (U.E.)

Pöhlmann Dieter Dir.
B.: Gschf. Dir. FN.: Georg Fischer Rohrleitungssysteme GmbH. DA.: 3130 Herzogenburg, Wiener Str. 41-43. PA.: 3130 Herzogenburg, Franz-Schubert-G. 2. G.: Karsten, 2. Nov. 1944. V.: Gundis. Ki.: Verena. S.: Mittelschule, 1963 Matura, 1964 Studienaufenthalt USA, b. 1969 Wien, Innsbruck, Exportass. KS Sail. Anm. Kufstein, Innenrevisor PanAlpina, Verkaufs- u. Marktltr. Hamburg, Unterland Kunststofftechnik Kufstein, Verkaufsltr. Jowa Fieberbrunn, 1977 Gschf. Barische Leiter Georg Fischer Herzogenburg. F.: Grundmann Schließtechnik, Georg Fischer Automobilguß Rohrleitungs GmbH, Fittings Traisen GmbH. H.: Zeitgeschichte, Religionen, Reisen.

Pohly Franz-Josef
B.: Gschf. FN.: Pinzgauer Holzfachmarkt GmbH. GT.: Inh. Drenapo in Kosice/CSFR. DA.: 5730 Mittersill, Rathausgasse. PA.: 5730 Mittersill, Burkerring 9. G.: Mittersill, 12. März 1951. V.: Jarmila, geb. Sramko. Ki.: Daniel (1979), Lydia (1982). El.: Anton u. Antonia. S.: 1965-68 Lehre Tischler Mittersill, BH. K.: 1969-72 Tischler in d. BRD, 1972-78 Bade- u. Saunamstr. in Zell/See, 1978-84 Möbelhaus Berger, 1984 Grdg. d. eigenen Firma, 1989 Eröff. d. firmeneigenen Holzausstellung, 1991 Übernahme einer 2. Holzhandelsfirma. P.: Betriebsnachrichten. M.: Holzring Austria. H.: Skifahren, Surfen, Tennis. (G.P.)

Pohn Wilhelm Mag. Ing.
B.: Gen.-Dir. d. Landesverlag. DA.: 4020 Linz, Landstr. 41. PA.: 4902 Wolfsegg, Kühnberg 14. G.: Ampflwang, 19. Aug. 1945. V.: Maria. S.: HTL Steyr, Johannes Kepler-Univ. Linz. K.: 1970-72 Personal- u. Organisationsabt., Eternitwerk L. Hatschek (Asbest-, Zementfbk.), 1972-76 Investitionsplanung u. Kostenrechnung, Chemiefaser Lenzing AG (Fbk. f. synthetische Fasern), 1976-83 Fin., Buchhaltung u. Planung b. Fa. Wiesner Hager KG, Vorst.Vors. im Landesverlag, Schwerpunkte: Management, Controlling, Marketing, Rechnungswesen. M.: Industriellenver., WdF (Wirtschaftsforum d. Führungskräfte). H.: Tennis, Wandern. (Deu.)

Pöhn Michael
B.: Ges., Fotograf. FN.: Still a Life. DA.: 1030 Wien, Radetzkystr. 25. G.: Wien, 11. Juni 1963. V.: Claudia. El.: Alfred u. Christine. S.: VS, HS, Hasch, Maturaschule, 1977 Lehre a. Fotograf b. Studio Baumann, 1980 Abschl.-Prüfung, Arb. a. Pressefotograf. K.: 1985 Studiopartnerschaft Strasser u. Pöhn, 1987 Studio Pöhn eröff., 1992 Studio Still a Life. M.: Creativ-Club Austria. H.: Golf, Fliegen, Luftbildfotografie.

Pohoryles Ronald Dr.
B.: Vorst. d. Inst. Interdisziplin. Forsch.Zentrum Sozialwiss. DA.: 1050 Wien, Hamburger Str. 14/20. PA.: 1040 Wien, Margaretenstr. 22. G.: Zürich, 5. Apr. 1922. V.: Sabine, geb. Drexel. Ki.: Daniel Alexander (1989). El.: Hermann u. Ludmilla. BV.: Chacham Zvi bedeutd.Rabbiner in Amsterdam im 17. Jhdt., Jakov Emden bedeut. Rabbiner in Hamburg im 18. Jhdt. S.: Matura, Stud. d. Politikwiss. u. Soz. Uni. Wien, Habil. Uni. Innsbrk. K.: s. 1972 wiss. Mitarb. am Inst. f. angew. Soz., 1984 Grdr. u. seither wiss. Ltr. d. Inst. Interdisziplin. Forsch.Zentrum Sozialwiss., 1991 Gründer u. wiss. Ltr. eines Schwesterninst. in Budapest, Lehrbeauftr. d. Univ. Klagenfurt u. Innsbruck. P.: mehrere Veröff. in intern. Fachzeitschriften, Hrsg. d. Zeitschrift Innovation in Social Sciences Research. M.: Vorst.Mtgl. d. Österr. Ges. f. Politikwiss., Mtgl. b. div. Berufsverb., Gen.Sekr. d. One Europe Research Group, Präs. v. ICCR Intern. H.: klass. Musik, Schach. (M.M.)

Poigenfürst Johannes Dr. Prof.
B.: FA f. Unfallchir., Ltr. d. UHK Lorenz Böhler. DA.: 1200 Wien, Donaueschinger Str. 13. PA.: 1020 Wien, Taborstr. 73. G.: Wien, 19. März 1929. V.: Susan. Ki.: Nicola (1961), Johanna (1962), Cathrine (1967), Veronica (1968). El.: Anton u. Rosa, geb. Rauscher. S.: 1947 Matura, 1947-55 Med.-Stud. Uni. Wien m. Prom. z. Dr. med., 1955-62 FA-Ausbild. f. Unfallchir. Wien, Berlin-W, Engl. u. Schweden, 1967/68 Fachausbild. New York. K.: UKH Lorenz Böhler, KH Zams u. Schwarzach, Orthopäd. Univ.-Klinik FU Berlin, Queen Mary Hosp. East-Grenstaed, Sahlgrenska-Shuikhuset Stockholm, Hosp. f. Spec. Surgery New York, 1971-84 1. Univ.-Klinik f. Unfallchir. Wien, 1972 Habil., 1983 o.Univ.-Prof., s. 1984 o.g. Position. P.: 142 Publ. a all. Bereichen d. Unfallchir., Mithrsg. v. "Aktueller Traumatologie" u. "Unfallchir.", Vortragstätigkeit. E.: 1995 Lorenz Böhler-Med. M.: korresp. Mtgl. d. Dt. u. d. Schw. Ges. f. Unfallchir. (N.A.)

Poiger Roland
B.: Ltr. d. Unterhaltungsabt. ORF Vbg., Red. u. Journalist. DA.: 6800 Dornbirn, Höchster Str. 38. PA.: 6800 Dornbirn, Bürgleg. 8a. G.: Bludenz, 14. Juni 1943. V.: Christine. Ki.:

Stefan (1980). El.: Johann u. Hildegard. S.: VS, Gymn., 1963 Matura, Jusstud. Innsbruck, berufsbezogene Fortbild.-Seminare im In- u. Ausland, 1963/64 Militär. K.: 1968 freier Journalist, 1970 Ang. b. ORF Rundfunk aktueller Dienst, 1980-85 Fernsehregie, 1985 Ltr. d. Unterhaltung, Moderator. P.: Vorträge u. Medienpäd., Medienseminare in Bild.-Zentren, Ges.-Polit. Diskussionsltg., Drehbücher, Dokumentationen. M.: Presseclub Vbg., Presseclub Liechtenstein. H.: Lesen, Fischen, Wandern, Langlaufen, gepflegt Essen u. Trinken. (I.D.)

Pointner Alfred Ferdinand Mag. arch

B.: Arch., staatl. befugter u. beeid. Ziviltechniker. DA.: 5020 Salzburg, Nonntaler Hauptstr. 20. PA.: 5020 Salzburg, Petersbrunnstr. 15. G.: Ebensee, 10. Mai 1932. V.: Ingrid. Ki.: Alexandra (1971). El.: Ferdinand u. Rosa. S.: VS, Mittelschule, 1948-53 Bundesgewerbeschule Sbg., 1953 Matura, 1953-56 Arch.-Stud. Ak. d. Bild. Künste Wien (Mstr.-Schule Prof. Holzmeister). K.: 1956-68 Tätigkeit in Wr. Arch.-Büro, Partnerschaft m. Prof. Holzmeister, 1962 Ziviltechnikerprüf., ab 1963 freischaff. Arch. in Wien, 1968 Grdg. d. Arch.-Büros in Sbg., Schwerpunkt: Hotels, Kulturhallen, Kirchen u. Wohnhäuser. E.: Arch.-Wettbewerbspreis. M.: Zentralver. d. Arch. Österr., seit 1951 MKV. H.: Zeichnen u. Malen, Reisen. (G.P.)

Pointner Erich

B.: Unternehmer, Sport-Fitness-Lehrer. FN.: Fitness-World & Memory Pub. DA.: 4040 Linz-Urfahr, Leonfeldner Str. 123. PA.: 4312 Niederzierking, Ried. G.: Sandl, 19. Aug. 1950. V.: Karin, geb. Engelschall. Ki.: Patric (1987). El.: Alois u. Charlotte. S.: VS, HS, Schlosserlehre in Linz, 1969 Lehrabschlußprüf. K.: 1969-72 Tätigkeit im Bereich d. med. Technik, 1972-75 Berufsdetektiv u. Hausschlosser, 1975-76 HSNS Wien, 1977 selbst. Eröff. einer Diskothek, 1983 Kuhstallbar in Puchenau, 1983 Neueröff. d. Memory-Pub´s u. Verkauf d. Diskothek, 1986 Eröff. Fitness-Center Linz, 1987 Kauf Fitness-World, 1988 Übernahme u. Neueröff. d. 2. Fitness-Studios, 1987 Lehrwart Abschlußprüf. B, 1972 Olympiateilnehmer Judo Leichtgewicht, 1973, 1974 u. 1975 Österr. Meister Judo Leichtgewicht, 1975 WM, 1976 Olympiade 5. Pl. E.: 4. DAN, 3x Militärweltmeister. M.: Sportver. Passage Linz. (G.E.)

Pointner Johann

B.: Steuerberater u. Buchprüfer, Ges. d. HAPO Wirtschaftstreuhand GmbH. GT.: Johann Pointner, Steuerberater. DA.: 4020 Linz, Denkstr. 49. PA.: 4600 Wels, Schauersberg 50. G.: Grieskirchen, 27. Dez. 1951. V.: Regina, geb. Burgstaller. Ki.: Ralph, Eva-Maria. El.: Josef u. Maria. S.: HAS Wels. K.: 1969-74 kfm. Ang. im Einkauf, 1970-74 AMS, 1975-79 Steuerberatungskzl. als Berufsanw. u. Steuerberater, 1978 Steuerberatungsprüf., ab 1979 Eröff. einer Steuerberatungskzl. in Wels, ab 1980 Übernahme Kzl. in Linz u. Grdg. der GmbH, dzt. 12 Beschäftigte. M.: Lions-Club Wels-Traunau. H.: Tennis, Skifahren. (J.G.)

Pointner Josef Dr. ROVetR.

B.: Wirkl. Hofrat i.P., Amtstierarzt i.R., Oberstlt. Vet. a.D. A.: 4490 St. Florian, Wienerstr. 5. G.: Wolfsegg, 31. Dez. 1925. V.: Mag. pharm. Margarete, geb. Veicht. El.: Rosa u. Franz. S.: Gymn. Wilhering, RG Linz, Univ. Innsbruck, Vet.Med. Univ. Wien. K.: Prakt. Tierarzt, Industrietierarzt, Amtstierarzt b. Amte d. OÖ LRg., dzt. ROVetR., Amtstierarzt d. BH Linz Land, Mitpächter einer Genossenschaftsjagd. P.: 20 wiss. Veröff. in Österr.-dt. Fachzeitschriften. E.: Prof. Bayer-Med. d. Vet.Med. Univ. Wien, Ehrennadel d. Österr. Schutzbundes, Majorveterinär d. Res. österr. BH, Silb. Ehrenzeichen d. o.ö. Landesjagdverbandes. M.: Österr. Kameradschaftsbund, österr. Schützenbund, Union, österr. Jagdverb. H.: Jagd.

Pointner Rudolph Dr. med. Univ.-Doz.

B.: Ärztlicher Leiter. KH Zell/See. DA.: 5700 Zell/See KH. G.: Linz, 13. Dez. 1948. S.: VS, BR, 1967 Matura, 1968 BH, 1968-77 med. STud. a. d. Univ. Innsbruck, b. 1978 Turnusarzt im KH Oberndorf, 1978-80 KH Zell/See, 1882-89 a. d. 2. Uni Klinik i. Innsbruck, Facharztprüf. u. Dozentur als Univ.-Doz abgelegt, 1989 Ltr. d. Chirurgie u. zugl. s. 1989 Führungskräftetraining u. Managementtraining. H.:Kl. Musik, Tennis. (J.F.)

Pointner Sieglinde

B.: Geschäftsfrau. FN.: Sieglinde Pointner Schuhe Sport. DA. u. PA.: 5620 Schwarzach, Leopold-Bruckner-Str. 3. G.: Schwarzach, 30. März 1942. V.: Karl Pointner. Ki.: Karl (1965). El.: Alois u. Anna Lösch. S.: VS, HS, HASCH. K.: Praktikum Innsbruck, Tätigkeit im elterl. Schuhgeschäft, 1971 Übernahme d. elterl. Geschäftes, 1975 Neubau, Vergrößerung u. Sportgeschäft gebaut. E.: 1993 Ehrung 90-jähr. Bestand d. Familienbetriebes. H.: Radfahren, Handarb.,Wandern, Bergsteigen. (M.H.)

Poisel Sepp Dr. med. Univ.-Prof.

B.: OA. A.: 6020 Innsbruck, Lehmweg 15a. G.: Wien, 12. Mai 1943. V.: Dr. med. Reingard, geb. Schön. El.: Dr. Eduard u. Dr. Christine. S.: Matura, Stud. d. Med., Habil. K.: 1967-75 Ass.Arzt, ab 1975 OA u. Univ.Doz., 1983 Univ.-Prof. P.: Ca. 50 auf d. Gebiete d. Angioanatomie, Anatomie d. Hand, prakt. angew. Anatomie (Urologie, Gynäkologie, Zahnheilkunde, Orthopädie, Chirurgie). M.: Rotary (Goldenes Dachl), Intern. Anatom. Ges., Österr. Ges. f. Wehrmed. u. Wehrpharmazie, American Assoc. of Clinical Anatomists, American Urological Assoc. H.: Skilaufen, Bergsteigen, Segeln, Kunst.

Pokieser Herbert Dr. o.Univ.-Prof.

B.: Ordinarius u. Vorst. d. Univ.-Klinik f. Radiodiagnostik Wien im AKH. GT.: Ltr. d. Ludwig Boltzmann-Inst. f. Radiolog.-Physikal. Tumordiagnostik, stellv. ärztl. Dir. d. AKH d. Stadt Wien. DA.: 1090 Wien, Währinger Gürtel 18-20. G.: Korneuburg, 22. Sept. 1930. V.: Dr. Leopoldine, geb. Kellner. Ki.: Dr. Harald (1958), Dr. Peter (1960), Wolfgang (1967). El.: Dr. Otto u. Hilde. S.: RG Wien, 1948 Matura, Med.-Stud. Univ. Wien, 1954 Prom., Ausbild. z. Prakt. Arzt u. Fachausbild. f. Radiologie im Wilhelminenspital d. Stadt Wien, ab 1962 Wechsel in d. Univ., 1972 Habil. f. Radiologie. K.: 1967-77 Ltr. d. Röntgenstation d. 1. Med. Univ.-Klinik, 1977-80 Prim. u. Vorst. d. Röntgenstation an d. Allg. Poliklinik d. Stadt Wien, 1980 Berufung als o.Univ.-Prof. auf d. Lehrstuhl f. Radiologie an d. Med. Fak. d. Univ. Wien, 1989-92 Präs. d. Österr. Röntgenges., 1991 u. 1993 VPräs. d. Europ. Radiologenkongresses. P.: ca. 160 wiss. Publ. u. Buchbeiträge. E.: Gr. Gold. EK d. Stadt Wien, Ehrenmtgl. d.

Dt., Ungar. u. Tschech. Radiologenges. M.: zahlr. nat. u. intern. Fachges., seit über 50 J. Mtgl. d. Österr. Alpenver. H.: Sozialgeschichte d. Josephin. Zeit, Stadtgeschichte Wiens, Literatur d. Prager u. Wr. Kreises 1880-1938. (J.S.)

Pokorn Armin Richard

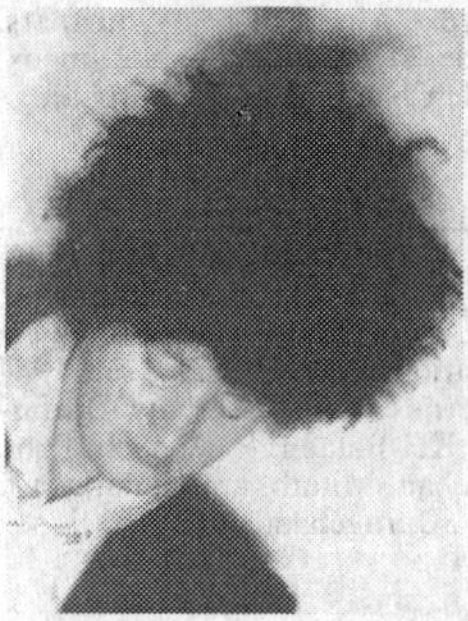

B.: Musiker. DA. u. PA.: 8053 Graz, Brehmstr. 5. G.: Graz, 6. Aug. 1958. S.: Akad. Gymn. Graz, 1977 Matura, Musik-HS Graz 1977-85 (klass. u. Jazz-Gitarre), 1985-86 Stud. Koninklijk Conservatorium/Den Haag (Renaissance-- u. Barocklaute), Inst. for Sonology/Utrecht (Psychoakustik, Digital Sound Processing, Elektron. Komposition), 1982 Begabtenstip. d. Stadt Graz, 1985 Auslandsstip. d. Landes Stmk. K.: seit 1986 intens. Beschäft. m. computergesteuerter Midigitarre, Kompositionen f. Bühnen d. Staatstheater d. dt. Sprachraums, Filmmusik, Tanztheater (m. Elio Gervasi, Dance Company), zeitgenöss. Musik, computergest. Kompositionen: Vaporisation, The Point of Application, The Five Easiest Ways to Kill a Swing, Die lustige Witwe oder Die Forelle in d. Milch, etc., Kompositionsaufträge vor Ort, Zusammenarb. m. Dominique Horwitz, Duos: Günter Kiffmann (Schlagzeug), John Preininger, Bertl Mütter, Armando Bertozzi, Glen Moore, Günter Meinhart + Ensemble (Studio Percussion), Luc Houtkamp (Sax.), Auftritte in Engld., Belgien, Niederl., Italien, Dänem., BRD, Ungarn, Schweiz, Frankr., Tschechien, Slowakei, Slowenien, Kroatien, USA u. Österr. P.: Band: Armin Pokorn: Electric Solo, Die Vögel Europas: Best Before, ABCD m. B. Mütter, Orchesterforum: Aus d. Liederbuch d. Grenzgänger, etc. H.: Kunst, Reisen, Musik, Kurzwellenhören. (R.S.)

Pokorn Gerhard

B.: Schriftsteller. PA.: 2620 Neunkirchen, Gerichtsg. 8. G.: Wr. Neustadt, 16. Juli 1929. El.: Dr. Otto u. Frida. S.: 1947 Matura, Stud. Deutsch, Geschichte u. Rechtswiss. Univ. Wien. K.: versch. Tätigkeiten in d. Wirtschaft, bereits während d. Schulzeit Gedichte geschrieben. P.: "Regen am Morgen" (1982), "Glaube - Gedanken - Gefühle" (1984), Weitere Gedichte in Anthologien 1988 u. 1992 Titel: Glaube, Liebe, Hoffnung u. Lyrische Annalen, Aphorismen u. kürzere Betrachtungen zu aktuellen Themen im öff. Leben. Weitere Anthologien 1994 "Dein Wille geschehe", 1993 Lyrische Annalen, 1994 Lyrische Annalen. M.: NÖ Bild. u. Heimatwerk, Kath. Schriftstellerverb. H.: Malen, Musik, Phil. (M.B.)

Pokorny Alfred Ing.

B.: Chemiker u. Pyrotechniker. FN.: Ing. Alfred Pokorny & Co OHG. GT.: Allg. gerichtl. beeid. Sachv., LInnungsmstr. d. Chemiegew., BInnungsmstr.Stellv. DA.: 2601 Sollenau, Schönauer Str. 150. G.: Wien, 30. Sept. 1922. S.: HTL f. Chemie, Matura 1944. K.: Forschungsarb. an einem Gegenmittel b. Kampfstoffvergiftungen, öff. Verw. in einem chem. Labor, 1948 Beginn m. d. Prod. v. pyrotech. Präp. (u.a. Feuerwerke, ges. Bedarf an Spezialeffekten f. Film u. Theater), Teiln. an intern. Feuerwerkswettbew. in Cannes, histor. Feuerwerk am Heldenplatz anl. d. Befreiungsfeier 1955, Parlamentssachv., Sachv. f. Einfuhr v. pyrotech. Gegenständen, Gen.Sekr. d. europ. Pyrotechnikerver., Forschungstätigkeit in Europa, Amerika u. Japan, techn. Berater d. Heller-Feuerwerke in Lissabon u. Berlin. BL.: Einsatz f. Sicherheitsmaßn. v. pyrotech. Gegenständen. P.: auf wiss. pyrotech. Gebiet. E.: 2fache Ausz. in Cannes, Publikumspreis u. 2. Jurypreis in Belgien. H.: Foto, Mikroskopieren, Math., Kino, Theater, Rudern u. Segeln. (Kern)

Pokorny Eugenie Dr. med.

B.: FA f. Radiologie. DA.: 3390 Melk, Linzer Str. 19. PA.: 3100 St. Pölten, Vinzenzg. 2. G.: Wien, 24. Sept. 1952. V.: Ing. Karl Pokorny. Ki.: Eva (1975), Peter (1978). El.: Dkfm. Robert u. Eleonore. S.: VS, RG, 1970 Matura, Med.-Stud. Univ. Wien, 1980 Prom. z. Dr. med. K.: 1981-83 Turnusdienst KH St. Pölten, 1984-87 FA-Ausbild. z. FA f. Radiologie, 1988 FA, 1989-92 1. OA, sei 1992 eigene FA-Ordination in Melk. M.: Österr. Röntgenges. (M.M.)

Pokorny Friedrich Ing.

B.: Inh. FN.: Techn. Systeme Pokorny DA.+ PA.: 3032 Eichgraben, Burwegstr. 76. G.: Wien, 7. Juli 1947. V.: Christa, geb. Payer. Ki.: Peter (1984), Paul (1988). S.: VS, Hs, Berufsschule, Mstr.-Prüf. u. HTL Eletrotechn. Wien, Ausbild. b. ÖBB. K.: 2 J. im Konstr.-Büro d. ÖBB, Konstr.-Büro Elin, 2 J. ÖVE-Prüfer, Fertigungstechn. Fa. MAttig, Fertigungsltr. FA. Kapsch, Techn. Ltr. FA. V. Schmidt & Söhne, Techn. Ltr. Fa. Imperial, s. 1987 selbst. BL.: Lehrbeautragter f. Math. 1.,2. u. 3. am WIFI Wien. F.: s. 1977 Inh. Tanzschule Pokorny, 1230 Wien, Liesinger Pl. 3, s. 1984 Tanzschulen in Bruck/Leitha, Purkersdorf u. Zwentendorf. M.: Verb. d. Tanzlehrer. H.: Modellbauen, Segeln, Schiffahrt, Tanzen, Techn. u.a. (T.T.)

Pokorny Hans

B.: Schuldir. FN.: Privatschule Beth Chabad. DA.: 1090 Wien, Grünentorg. 26. PA.: 1180 Wien, Gentzg. 29. G.: Wien, 13. Sep. 1944. V.: Renate, geb. Schopp. Ki.: Alexander Ö(1973). El.: Theodor u. Adele, geb. Steinbrecher. S.: Gymn., 1963 Matura, Stud. Psychologie u. Phil. a. d. Univ. Wien. K.: 1971 Eintritt i. d. öff. Schuldienst, in folgenden Schulversuchen tätig: IGS, GTS, GTMS, ab 1992 in der obenerwähnten Pos., 1983-88 Mitarb. b. d. Arbeitsgruppen d. Inst. f. Schulversuche u. Schulentwicklung in Graz. P.: Publ. von Handreichungen f. d. Unterrichtsgestaltung u. Planung. E.: mehrfach ausgezeichnet. M.: Zentralverein d. Wiener Lehrerschaft. H.: alte Sprachen, Geschichte u. Philosophie, Biblioman. (N.A.)

Pokorny Karl

B.: Pensionist. PA.: 6176 Völs, Eichberg 3. G.: Wien, 5. Okt. 1929. V.: Marianne, geb. Bourk, 4 Kinder. S.: Gymn., 1947 Matura, Stud. an d. HS f. Welthdl. K.: Auslandspraxis in d. Schweiz, 1951 im Hotel"Goldener Adler" zunächst als Hotelportier, 1963-89 verantwortl. Dir., seit 1989 in Pension. E.: Verd.-Med. d. Landes Tir., Silb. u. Gold. Kammermed.

M.: Lifemembership Kiwanisclub Intern., Governor 1993/94 d. Kiwanis-Distrikts Österr., einige Jahre LLtr. Tir.-BÖG (Bund österr. Gastlichkeit). H.: Reisen. (Schm.)

Pokorny Leopold Ing.

B.: Mitinh. FN.: Andrea Pokorny GmbH Werbung, Grafik, Repro. DA.: 2500 Baden, Pfarrg. 16. PA.: 2393 Sittendorf, Füllenbergg. 169. G.: Wien, 11. Jan. 1956. V.: Andrea, geb. Höllthaler. El.: Leopold u. Anna. S.: Gymn., 5 J. TGM. K.: 1975-77 u. 1979-83 Journalist im Erb-Verlag, 1978 Vertriebsing. b. Firma Walter Rekirsch, 1983-90 Werbeltr. b. ABB-Goerz, seit 1990 selbständig m. eigener Werbeagentur u. Reproanst. in Baden. BL.: eine d. ersten Firmen d. sich m. Desktop-Publishing beschäftigt u. Pionierarb. auf diesem Gebiet geleistet hat, ausgestattet m. einer d. mod. elektron. Bildverarb.-Anlagen Österr. H.: Reiten (Teilnahme an Turniern), Pferdegespannfahren. (F.S.)

Pokorny Peter Werner

B.: Inh. eines Ellesse-Sportgeschäftes. DA.: 1010 Wien, Krugerstr. 10. PA.: 1140 Wien, Hauptstr. 57. G.: Wien, 7. Sept. 1950. V.: Christine, geb. Herrmann. El.: Gustav u. Erika. S.: HS, HASCH, 2-jährige Lehre als Bankkfm., Sportlehrerausbild. Wien, 1971 staatl. geprüfter Tennislehrer. K.: 1/2 J. in Kanada tätig, später Tennislehrer in Wien, 1975 Errichtung einer Tennisanlage in Wien 14., 1976 Grdg. d. Tennisclubs T. C. Pokorny, 1977 Eröff. eines SMASH-Tennisfachgeschäftes in Wien 8., 1977 Ankauf einer Tennisanlage in Wien 15., 1984 Übernahme d. Tennishalle Quisisana in Wien 7., Geschäft in d. Krugerstraße besteht seit Febr. 1983 u. ist erster u. einziger Ellesse-Shop Österr., dieser Name ist intern. bekannt, spez. b. Tennisensembles (Mailand, Paris, Florenz usw.), seit 1982 Lehrbeauftragter d. Sekt. Tennis d. BA f. Leibeserziehung. M.: Vorst.Mtgl. d. gewerbl. Wirtschaft Sekt. Fremdenverkehr-Tennis, Tennislehrerverb., Sportlehrerverb., Sportclub Tyrolia. H.: Tennis, Fachliteratur, Skifahren, Reisen, Theater, mod. Musik, Wassersport. (M.G.)

Polacek Ewald Mag. phil. Prof.

B.: Präs. d. Europ. Amateurtheaterverb., Präs. u. Gschf. d. ÖBV Bundesverb. f. Schulspiel, Jugendspiel u. Amateurtheater, Lehrer BG u. BRG Waidhofen/Thaya. DA. u. PA.: 3830 Waidhofen/Thaya, Wiener Str. 9. G.: Wien, 24. Sep. 1947. V.: Astrid, geb. Draxl. El.: Erich u. Gerta, geb. Franke. S.: VS, 1965 BRG-Matura, Gesangsstud. b. Prof. Rose Fichtinger, Stud. Theaterwiss., Germanistik u. Geschichte, sowie Lehramt f. Germanistik u. Geschichte Univ. Wien, 1970 Spons. z. Mag. phil. K.: Eintritt in d. Schuldienst am BG u. BRG Waidhofen/Thaya, Lehrbeauftragter, Ref. u. Doz. an div. Päd. Inst. Österr., Organ. u. Ltr. intern. Kongresse, seit 1981 Obm. d. Landesverb. NÖ u. seit 1987 Präs. u. Gschf. d. Österr. Bundesverb. f. Schulspiel, Jugendspiel u. Amateurtheater, Gschf. d. Arge Jugendtheater, 1979 Begrdg. d. NÖ Jugendtheatertage, 1985 Begrdg. d. Österr. Jugendtheatertage, seit 1990 Präs. d. CEC/AITA d. europ. Theaterdachorgan. BL.: Sänger, Schauspieler u. Reg. E.: 1992 Award b. intern. Theaterfestival Toyama/Japan, Silb. EZ d. Landes Niederösterr. 1993. M.: Mtgl. Intern. Drama in Education Aussch.d . AITA/IATA. H.: Theater spielen, Singen, Texte schreiben. (M.M.)

Polacek Helmut

B.: Alleininh. d. Firmen Polacek GmbH u. Gerasdorfer Landbrand Manufaktur. DA.: 2201 Gerasdorf, Resselg. 1. PA.: 1210 Wien, Smaragdg. 3. G.: Wien, 1. März 1942. Ki.: Barbara, Michaela. El.: Franz u. Maria. K.: 1956 kfm. Lehre, 1964 selbst. m. Fa. Polacek begonnen. M.: Officier de la Chaine des Rotisseurs, L'Ordre Mondial des Gourmets, Degustateurs des Vins, Eaux de Vie Liqueurs et Spiritueux, Officier L'Ordre des Coteaux de Champagne. H.: Geschäft.

Polak Norbert Dipl.-Ing.

B.: Arch., Ziviltechniker. DA.: 1190 Wien, Pantzerg. 28. PA.: 1090 Wien, Wilhelm-Exner-G. 2. G.: Wien, 16. Mai 1942. Ki.: Alexander u. Kaija. El.: Dr. Paul u. Otilie. S.: Stud. an d. TU Wien. K.: Praxis b. Prof. Anton Schweighofer in Wien, 1976-84 Ass. am Inst. f. Industriebau d. TU Wien, seit 1984 Univ.Lektor, seit 1971 Arge m. Arch. Khosrow Djafar-Zadeh, Schwerp.: Industrie- u. KH-Bauten. P.: Versch. Publ. im Rahmen d. Inst. f. Industriebau, Mitarb. am Handbuch f. Menschengerechte Gestaltung v. Bürogebäuden (2 Bde.). M.: Ing. u. Arch.Kam., ÖGB. (M.B.)

Polak Walter

B.: Kfm., Gschf. Ges. FN.: Wapo-Technik. DA.: 5020 Salzburg, Carola-Blome-Str. 7. G.: Wien, 11. Mai 1948. V.: Irene. El.: Adolf u. Paula. K.: Ausbild. z. Drogisten in OÖ, 1969-72 Drogist (Gschf.) in Augsburg u. München, 1972 Grdg. einer Hdls.-Agentur f. d. Vertrieb chem. Produkte, 1976 Grdg. Wapo-Technik, 1988 Grdg. Wapotec - Kons.- u. Handelsges., 1989 Grdg. Wapotec Intern. inc. N.Y. USA, Schwerpunkte: Innovationen auf d. Gebiet d. Aufbereitung u. Desinfektion v. Schwimm- u. Badebeckenwasser. P.: Referate z. Thema Wasseraufbereitung, Seminare im In- u. Ausland. F.: Inh. Wapotec Hdls. GmbH Österr. u. Wapotec Intern. Inc. N.Y. USA. M.: Initiator d. SBG-Kreises f. Innovationen in d. Umwelttechnologien. H.: Jagd. (G.P.)

Polansky Paul

B.: Ltr. d. Produktion Unterhaltungsmusik, Hauptabt. Musik b. Rundfunk. DA.: 1040 Wien, Argentinierstraße. PA.: 1050 Wien, Siebenbrunneng. 19/2/13. G.: Mährisch Ostrau, 14. Juni 1925. V.: Katharina, geb. Borsky. Ki.: Paul, Peter, Georg. El.: Nicolaus u. Irene. S.: Gymn., Konservatorium Preßburg. K.: 1968 Eintritt b. Österr. Rundfunk Ö3, 1971 Arbeitsverhältnis als 1. Programmgestalter Ö3, Chefprogrammierer, Ltr. d. Musikred., 1982 Unterhaltungsmusik, 16 J. Gestaltung d. tägl. Musik z. Träumen, seit 1983 auch Chef d. JAZZ-Red. im ORF. M.: ÖGB. H.: Musik. (Fels.)

Polaschek Franz OAR

B.: Verwaltungsdir. FN.: Krankenhaus Lainz. DA.: 1130 Wien, Wolkersbergenstr. 1. PA.: 1100 Wien, Per-Albin-Hanssonstr. 38. G.: Wien, 29. Juli 1944. V.: Brigitte, geb. Perl. Ki.: Eva (1970). S.: VS, Realgymn. Stubenbastei, 1964 Matura, Präsenzdienst. K.: 1965 Eintritt. Stadtgem. Wien, 1965-69 Preyer'sches Kinderspital, 1969-75 Frauenklinik Gersthof, 1966-84 Verwaltungsdir. i. Mautner-Markhof-Kinderspital, 1985-91 Dir. d. allg. Polyklinik, s. 1992 Verwaltungsdir. d. Krankenh. Lainz., 1992 Projektleiter d. Wr. Spitalsreform. BL.: Projektltr. d. Wr. Spitalsreform. M.: Mitgl. d. Wr. Spitalsreformkomm., Vorst. d. Wr. ARGE d. Verwaltungsdir.,

Mitgl. d. Bundeskonferenz d. Verw.Dir., Stv.Vors. d. österr. Inst. f. Krankenhausbetriebsf., Mitgl. d. Oldtimer-Clubs MGOC Austria, Mitgl. d. SCW Wien. (E.J.)

Polatschek Margarethe

B.: Floristin, Gärtnermstr. FN.: Blumen Polatschek. DA.: 7350 Oberpullendorf, Hauptstr. 25. PA.: 7350 Oberpullendorf, Ungarg. 97. G.: Knittelfeld, 4. Apr. 1940. V.: Heinz Polatschek. Ki.: Peter, Norbert, Hannes. S.: 3 J. Gärtnerlehre, 1958 Lehrabschlußprüf. Graz, 1978 Gärtner-mstr.-Prüf. Langenlois. K.: ab 1963 Mitarb im Betrieb d. Mannes, 1976 Alleinübernahme d. Geschäftes u. Grdg. einer Filiale in Lockenhaus, 1981 Wahl z. LInnungsmstr. f. Bgld., 1985 BIMST, 1987 Wahl z. KamR. d. Bgld. HK Sekt. Gewerbe, Prüf.Vors. b. d. Lehrabschlußprüf. auf LEbene. E.: 1987 Gold. EZ d. Landes Bgld. M.: Soroptimistclub Pannonia. H.: Wandern, Singen, Skifahren, Musik, Handarbeiten. (C.K.)

Polczik Franz Benjamin

B.: Gastronom. FN.: Restaurant Domicil. DA./PA.: 1010 Wien, Rudolfspl. 2. G.: Wien, 6. Okt. 1951. V.: Alice, geb. Payer. Ki.: Julian (1992). El.: Franz u. Leopoldine, geb. Näder. S.: VS, HS, Gymn., BWL-Stud. a. d. WU Wien. K.: 1971-77 Betreuer d. Diplomaten i. d. Autobranche i. Wien, 1977-80 Vertriebsltr. b. e. musiktechn. Verlag, 1980-82 Gen.-Sekr. b. e. Vers.-Ges., 1982 Mitbeteiligung b. d. Führung d. Restaurants Hauswirth, parallel a. Weinhandelskfm. tätig, 1985 Eröffnung d. Restaurants Domicil. H.: Skifahren, Wasserskifahren, Golf. (N.A.)

Pold Christine

B.: Gastwirtin. FN.: Gasthof Restaurant "Berghof" Josef u. Christl Pold. DA. u. PA.: 3292 Gaming, Bergg. 13. G.: Lunz/See, 9. Dez. 1935. V.: Josef. Ki.: Monika (1962), Josef (1967), Alfred (1973). El.: Alois u. Maria Berger, geb. Leichtfried. S.: VS, HS, Landwirt. Fachschule. K.: 1953-62 Saisonarbeit, s. 1962 gemeinsam mit Ehegatten Pächter d. Gasthauses "Steirerwirt" in Gaming, 1972 Neubau u. 1973 Eröff. eines Gasthof-Restaurantbetriebes in Gaming. E.: Ausgezeichnete Weinkultur 1992. H.: Kochen. (M.M.)

Poledna Gerd Mag. HofR.

B.: AHS-Dir. d. BRG Wien 19. DA.: 1190 Wien, Krottenbachstr. 11. PA.: 1030 Wien, Rudolf-von-Alt-Pl. 5. G.: Wien, 4. Mai 1942. V.: Rosmarie, geb. Pohl. Ki.: Sebastian (1980), Stefanie (1982), Simon (1985). El.: Franz u. Hilde. S.: VS, Gymn., 1960 Matura, 1960-61 Stud. Dt. u. Engl. Philol. Univ. Wien als Werkstudent, 1967 Lehramtsprüf. K.: 1967 Vertragslehrer f. Deutsch, Engl. BRG Wien 12, 1972 Ltr. v. Sprachkursen "Deutsch f. Ausländer" Univ. Wien, 1975-83 Mtgl. d. Externistenreifekmsn., Mtgl. d. Gutachterkmsn. f. audiovisuelle Medien im BMU, Doz. am Päd. Inst. f. d. Berufsgruppe Deutsch im Rahmen d. Seminars f. Berufspraxis an AHS, seit 1983 Dir. BRG Wien 19. P.: Fachart. über Deutsch- u. Englischdidaktik. E.: seit 1993 HofR., Träger d. Ordens v. Hl. Stephanus. H.: klass. Musik. (J.M.)

Pold Josef

B.: Gastwirt. FN.: Gasthof-Restaurant "Berghof". DA. u. PA.: 3292 Gaming, Bergg. 13. G.: Pöggstall, 8. Sep. 1939. V.: Christina, geb. Berger. Ki.: Monika (1962), Josef (1967), Alfred (1973). El.: Peter u. Anna, geb. Renner. K.: s. 1962 i.d. Gastronomie tätig, gem. m. Gattin Pächter d. Gasthauses "Steirerwirt" in Gaming, 1972 Neubau, 1973 Eröffn. d. Gasthof-Rest.-Betr. in Gaming. E.: 1992 "Ausgez. Weinkultur". M.: ÖRK Gaming. (M.M.)

Pölderl Peter

B.: Inh. "Die Einbauküche". DA.: 1160 Wien, Thaliastr. 117. PA.: 1210 Wien, Gerasdorfer Str. 122. G.: Wien, 21. Juni 1958. V.: Renate, geb. Rosenberg. Ki.: Sabrina (1987), Ralf (1991). El.: Franz u. Maria, geb. Dank. S.: 1978 HTL Mödling. K.: 1978-82 Verkäufer im EH Vösendorf, 1982-88 Repräsentant, 1988 Eröff. d. eigenen Geschäftes. H.: Küchen planen u. verkaufen. (N.A.)

Polehnia Thomas

B.: Gschf. FN.: Josef Polehnia & Co Registerstanzerei, Papierverarb. DA.: 2100 Korneuburg, Kleinengersdorfer Str. 62. G.: Wien, 30. Aug. 1963. V.: Gabriele, geb. Pammer. Ki.: Verena (1993). El.: Josef u. Eva. S.: Gymn., Bürofachsch.,Verpackungsmittelmechanikerlehre, Facharb. Prüf. K.: b. 1982 Firma Schausberger Gunskirchen, BH, Eintritt in d. väterl. Firma als techn. Ang., 1987 Übernahme d. Geschäftsführung, 1993 Verlegung d. Firmensitzes nach Bisamberg. M.: seit 1993 Prüf.-Kmsn. d. Verpackungsmechanik. H.: Reiten, Tanzen, Lesen. (I.J.)

Polessnig Josef KommR.

B.: selbst. Kfm., Drogist d. Drogerie Josef Polessnig. GT.: Inh. d. Drogerie Neuer Pl. 12 u. Baumbachplatz, LAbg., LPräs. d. Freien Wirtschaftsbundes Ktn., VPräs. d. Freien Wirtschaftsbundes f. Österr. DA.: 9020 Klagenfurt, Fleischmarkt 3. PA.: 9020 Klagenfurt, Kopperfelsenweg 4. G.: Markt Griffen, 9. Jan. 1930. V.: Ida, geb. Schiana. Ki.: Thomas, Brigitte. S.: VS, HS, MS. K.: 1945-48 Lehre als Drogist, b. 1953 als Drogist im pharm. Großhdl. d. Fa. Paul Hauser, 1953 Grdg. einer eigenen Drogerie am Baumbachplatz, 1963-70 VBgm. d. Gem. Viktring, 1970-73 Bgm. d. Gem. Viktring, 1973-76 GemR. u. Vors. d. Finanzaussch. d. LHpt.Stadt Klagenfurt, ab 1975 Mtgl. d. Ktn. Landtages u. Vors. d. Sozial- u. Krankenanst.Aussch. im Ktn. Landtag u. Wirtschaftssprecher d. SPÖ Landtagsclubs, seit 1960 Kam.Funktionär d. HK Ktn., seit 1973 Mtgl. d. Kam.Vorst., seit 1973 LPräs. d. Freien Wirtschaftsbundes d. Landes Ktn., seit 1979 VPräs. d. Freien Wirtschaftsbundes f. Österr. E.: 1975 KommR., 1973 Gold. EZ d. Rep. Österr., 1986 Silb. EZ d. HK Ktn., Gold. EZ d. Freien Wirtschaftsbundes. M.: SPÖ, Wirtschaftsverb. H.: Jagd, Skifahren, Privatpilot, Fliegen, Schwimmen, Wandern. (M.B.)

Polgár Péter Dipl.-Ing.

B.: Gschf. FN.: Berma Handelsges.m.b.H. DA.: 1190 Wien, Sieveringer Str. 94. PA.: 3400 Klosterneuburg. G.: Budapest, 26. März 1947. V.: Veronika, geb. Sándorfy. Ki.: Judit (1973), Petra (1982). El.: István u. Eva Polgár. S.: Matura in Budapest, Maschinenbaustud. a. d. TU Budapest, 1971 Diplom. K.: 1971-86 tätig beim Technoimpex Außenhandelsunternehmen f. Maschinenind., zuletzt als Dir., s. 1986 in Wien, seitdem Gschf. d. Berma Handelsges.m.b.H., spezialisiert auf Materialien für d. Stahlind. u. Maschinen vorwiegend Werkzeugmaschinen. H.: Familie u. Tennis. (J.S.)

Politi Barbara M.A.I.A.

B.: Gschf., Ges. FN.: Commodity & Barter Trading Handels GmbH. DA.: 1010 Wien, Neutorg. 9/2. G.: Sidney/Australien, 1. Okt. 1959. V.: Mag. Walter Lummerding. S.: 1978 Matura i. Kanada, 1978-81 Wirtschaft u. Politische Wiss., McGill Univ. Montreal/Kanada, 1981-83 Int. Beziehungen an Bologna Center d. Johns Hopkins Univ., Abschluß M.A.I.A., 1983 Masters Degree. K.: 1984-86 UNO Wien, Bereich Volkswirt. u. Soziales, 1986-87 Gschf. einer ital. Pro-duktionsfirma, 1988-92 Gschf. einer Österr. Handelsfirma, 1992 Mitbegründerin Fa. Commodity & Barter Trading Handels GmbH, Gschf. Ges. H.: Reiten, Tennis, Schwimmen, Musik, Musik, Theater, Oper, Literatur, Kunst, Reisen u. Skifahren. (M.A.)

Politschnig Johann

B.: Orthopädientechniker, Inh. FN.: Politschnig Orthopädietechnik. DA.: 5020 Salzburg, Leopoldskronstr. 3. G.: 22. Nov. 1952. V.: Elisabeth, geb. Petter. Ki.: Rainer (1975), Verena (1984). El.: Johann u. Hildegard Kunigunde. S.: VS, HS, 1968-72 Orthopädiemechaniker- u. Bandagistenlehre. K.: 1979 Orthopädietechnikmstr., 1987 Bandagistenmstr., 1989 Übernahme d. elterl. Betriebes. M.: ISPO. H.: Hobbygärtnerei, Bergwandern, Lesen, Reisen. (E.S.)

Pöll Franz Josef

B.: Hotelier Hotel Seiblishof, Installateurmstr. Firma Pöll Installationen. DA.: 5651 Ischgl, 111a; 5651 Ischgl 261. G.: Ischgl, 9. Juli 1947. V.: Anneliese, geb. Huber. Ki.: Andreas (1968), Dagmar (1975), Carmen (1977). El.: Ignaz u. Marianne. S.: Installationslehre in Landeck, Berufsschule Innsbruck, 1967 BH. K.: 1967-78 Installateur in Landeck, 1978 Mstr.-Prüf. u. Aufbau d. Betriebes, 1970 Bau einer Frühstückspension, 1990 Vergrößerung z. jetzigen Hotel Seiblishof. M.: Feuerwehr Ischgl, Paznauner Männerchor, Skiclub Ischgl. H.: Radfahren, Langlaufen, Skifahren, Schwimmen, Kochen. (I.D.)

Pöll Michael

B.: Fotograf. FN.: Studio Pöll. DA.: 1030 Wien, Hofmannsthalg. 2/2. G.: Lienz, 4. Jan. 1955. El.: MedR. Dr. Friedrich u. Anna. S.: HTL Abt. Hochbau Innsbruck, Ausbild. Meisterkl. f. Fotografie in Wien. K.: 5 J. Trickfilmkameramann d. "Movie Group", 2 J. Prod.-Ltr. d. "AV Media", seit 1988 selbst. m. Schwerpunkt Mode-, Werbung-, Arch.- u. Ind.-Fotografie, Video-Clip f. "Wilfried", Kino-Spot f. "Ostbahn-Kurti", Covers f. Koch Records intern., 1994 Fotoausstellung Burg Liechtenstein. E.: 1993 Staatspreis f. d. besten TV-Werbespot, 1994 Kodak Gold Award. H.: Fotografieren, Filmen, Tennis, Skifahren, Klettern, Bergsteigen, Schwimmen. (J.S.)

Pöll Hans

B.: Fabrikant. DA.: 6130 Schwaz, Mooswinkel 7. G.: Schwaz, 25. Dez. 1934. S.: Kfm. Ausbild. b. z. Betriebsberater. K.: Gschf. Ges. d. Nordpolwerke Schwaz u. Candita Süßwarenfbk. Wolkersdorf b. Wien. M.: Rotary Club, Industriellenver.Fachverb. (Schm.)

Pöll Sepp

B.: Gschf. u. Inh. FN.: Tischlerei Pöll. DA. u. PA.: 6373 Jochberg, Oberhauserweg 21. G.: Aurach, 18. Aug. 1935. V.: Barbara. Ki.: Caroline (1965). El.: Johann u. Maria. S.: VS, 1949-52 Berufsschule Stams, 1952 Gesellenprüf. K.: 2 J. Tätigkeit in d. Schweiz, 1960-61 Mstr.-Prüf., seit 1970 selbst. m.2 Betrieben in Jochberg u. Aurach. H.: Schwimmen, Bergsteigen. (A.W.)

Pollak Erhard Dr. phil. Mag. rer. nat. Ing.

B.: Vorst.Dir. i.R., Physiker. A.: 3943 Schrems, Bahnstr. 54. G.: Schrems, 17. Juli 1922. V.: Louise, geb. Otto. El.: Franz u. Margarethe. S.: Hum. Gymn., Univ. Wien (Lehramtsprüf. Physik u. Math. 1948, Doktorat in Physik 1953). K.: 1948 Betr.Ass., 1955 Disponent, 1960 Prok., 1980 Vorst. Dir. b. Felten & Guilleaume, Fabr. el. App. AG Schrems-Eugenia u. Gschf. b. Felten & Guelleaume, Vertrieb el. App. GmbH Schrems-Eugenia. E.: Gold. EZ f. Verd. um d. Rep. Öst., Gr. EZ f. Verd. um d. Bundesland NÖ. H.: Musik, Sport (Fußball, Tennis).

Pollak Ernst

B.: Gschf. FN.: Pollak & Co Computertechnik, Pollak & Co Softwaretechnik GmbH. DA.: 3950 Gmünd, Schubertpl. 17 u. Conrathstr. 29. PA.: 3950 Gmünd, Litschauer Str. 55. G.: Gmünd, 14. Mai 1953. V.: Mag. Ingrid, geb. Hendl. Ki.: Viktoria (1990). El.: Ernst u. Rudolfine. S.: AHS, 1975 Matura. K.: 1983 Grdg. Fa. Pollak & Co Computersysteme, 1987 Grdg. Fa. Pollak & Co Softwaretechn. H.: Tennis.

Pollak Leon

B.: Musiker, Künstler, Ltr. FN.: Ensemble Klesmer. PA.: 1020 Wien, Taborstr. 63/14. G.: Ukraine, 7. Dez. 1940. V.: Bruria. Ki.: Michael (1972), David (1981), Ruth (1985). El.: Miklos u. Adela. S.: Gymn., Stud. Violine u. Theorie a. Konservatorium i. Liegnitz, Musikausb. i. Kibbutz Merchavia (Israel), Geige u. Theorie, 1960-63 Dienst a. Musiker i. israelischen Armeeorchester. K.: 1963-67 Bratschist i. Haifa-Synfonieorch., zugleich Gesangstud. b. bekannter Päd. Hede Türk-Bernstein i. Tel-Aviv, 1967 Niederlassung i. Wien, Gesangstud. b. Prof. Kolo, dann Instrumentalstud. a. d. HS f. Musik u. darst. Kunst, 1970-74 Bratschist i. ORF-Synfonieorch., 1974-76 Tätigk. i. ORF-Chor, 1976-79 Dir. d. Stadttempelchores d. Israelischen Kultusgemeinde Wien, 1986-88 Dir. d. Wr. Konzertorch. u. d. "Wiener Charme"

Ensembles, 1989 Grdg. d. Ensembles Klesmer. BL.: Pflege u. Weiterverbreitung d. osteuropäischen jüdischen Volksmusik. H.: Lesen, sammeln v. Volksmusik versch. ethnischer Volksgruppe. (N.A).

Pollak Rudolf

B.: Freischaff. Künstler. GT.: Organisator v. Ausstell. v. Künstlern im Rahmen d. Kunstkreises Döbling. DA.: 1030 Wien, Weißgerberlände 12. G.: Wien, 15. Mai 1961. Ki.: Jan (1992). El.: Rudolf u. Luise Pollak. K.: Ausbild. als Schlosser u. Großhandelskfm., s. 1990 Beschäftigung mit Malerei, Möbeldesign, Objektdesign, Lichtelemente, bevorz. Material - Stahl, zahlr. Ausstell.: 1990 Galerie Transformer, 1993 Haus d. Möglichk., 1994 Rundfunkhaus Bratislava, u.v.a, versch. Werke.: 1989 Geschäftseinricht. f. Naturkosmetik, 1992 Foyergestalt. ÖHTB "Fachwerk", 1993 Murano Glasausstell., u.v.a. BL.: ehem. Österr. Jugendmstr. im Jiu-Jitsu, Wr. Mstr. im Judo, Teiln. an Europameisterschaften im Schießen (Luftpistole). M.: Kunstkreis Döbling. H.: Reisen, Sport, Tiere, Kunst. (J.S.)

Pollak-Aichelburg Roberto Dr.

B.: Mtgl. d. Vorst. d. AWT Intern. Handels u. Finanzierungs AG. DA.: 1013 Wien, Concordiapl. 2. PA.: 1010 Wien, Himmelpfortg. 15. G.: Neuilly/Paris, 28. Febr. 1948. El.: Dipl.-Ing. Georg Pollak u. Elisabeth Aichelburg. S.: Gymn. in d. Schweiz, Abitur 1967, Stud. an d. Jur. Fak. in Wien, Prom. 1972. K.: 1972 Eintritt in d. CA: Grundausbild., Tätigkeit im Bereich d. intern. Geschäftes, Prok. 1978, 1978-81 Entsendung z. Europ. Banking Comp., London: tätig in intern. Kredit- u. Emissionsgeschäft, 1981 Rückkehr in d. CA Wien: Ltg. d. Abt. intern. Kredite, 1984 Bestellung in d. Vorst. d. AWT. P.: Div. Vorträge u. Veröff. zu einschlägigen Themen d. intern. Wirtschaft. M.: Golfclub Enzesfeld. H.: Klass. Musik, Golf. (N.A.)

Pollanschütz Josef Dr. nat. techn. Dipl.-Ing. ao. Univ.-Prof. HofR. i.R.

P.: bis 1992 Ltr. d. Inst. f. Waldwachstum u. Betriebswirtschaft an d. Forstl. BVersuchsanst. Wien (FBVA), Vorlesungen an d. Univ. f. Boku Wien. A.: 1190 Wien, Sieveringerstr. 36. G.: Techendorf a. Weißensee, 18. Jan. 1928. V.: Helma, geb. Haring. El.: Josef u. Aloisia. S.: BRG Gmunden, HS f. Bdk. Wien, Forstwirtschafl. Abt. K.: 1951 Waldstandsaufnahme d. BMLF, ab 1953 Kontrolltaxator, 1961 Ltr. d. Abt. Ertragskunde d. FBVA, 1966 Erlangung d. ak. Grades eines Dr. d. Bdk. (Dr. nat. techn.), 1967 Ltr. d. Inst. f. Ertrag u. Betriebswirtschaft an d. FBVA, 1975 Erlangung d. Lehrbefugnis (venia docendi) f. "Forstl. Ertragslehre, Holzmeßlehre u. Biometrie f. Forstwirte" an d. Univ. f. Bdk. in Wien, 1984 Berufstitel a.o.Univ.-Prof., 1992 Berufstitel Forstrat h.c. anläßl. d. Übertritts in d. Ruhestand. P.: Bisher über 200 forstl. orientierte Publ., davon rund 100 wiss. Arb. zu holzmeßkundl., waldbaulich-ertragskundlichen u. zuwachskundl. Fragen, sowie Beiträge zur Erfassung u. Bemessung v. Umweltschäden, d. durch Luftverunreinigung verursacht worden sind u. z. Fragen d. Waldschadenserhebungen.

Poller Engelbert

B.: Stadtpfarrer v. Friedberg. DA./PA.: 8420 Friedberg, Kirchenplatz 1. G.: Eichkögl, 21. Jänner 1935. El.: Rupert u. Theresia. S.: Knabenseminar Graz, 1954 Eintritt ins Stift Vorau, 1 Jahr Noviziat im Stift, 1955-60 Theologiestudium in Klosterneuburg, 3.4. 1960 Priesterweihe. K.: 1960-61 1. Anstellung als Kaplan im Stift Vorau; 1961-64 Kaplan in Dechantskirchen; 1964-68 Pfarrer in Waldbach; seit 20.8.1968 Stadtpfarrer in Friedberg. P.: Übertragung d. Sonntagsmesse v. 17.7.1994 durch d. ORF anläßlich d. 800-Jahr-Feier d. Stadt Friedberg. M.: Abschnitsskurat d. Freiwilligen Feuerwehr Friedberg; Männergesangsverein Friedberg; Jagdschutzverein. H.: Holzfällen. (F.S.)

Poller Karl

B.: Küchenchef. FN.: Hotel Gasthof Brandstätter. DA.: 5020 Salzburg, Münchner Bundesstr.69. PA.: 8362 Söchau, Hartl 12. G.: Fürstenfeld, 23.Okt. 1969. EL.: Karl u. Josefa. S.: VS, Realgym. K.: Kochlehre in Loipersdorf, ! J. Hotel Imperial in Wien als Koch, 3 J. als Koch im Restaurant Corso in Wien, später Sous-Chef, s. 2 J. Küchenchcef im Hotel Brandstätter. BL.: 1991 Sieger beim Jungköchwettbewerb. E.: 3 Hauben. H.: Wandern, Fischen, Fußball. (D.E.)

Pölleritzer Mathias Dkfm. Mag.

B.: Vorst.-Vors. FN.: Immorent AG Wien. GT.: Dir. d. Girozentrale, Gschf. div. Tochterges. DA.: 1030 Wien, Traung. 14-16. G.: Baden, 9. März 1943. V.: Herta, geb. Perger. El.: Matthias u. Karoline. S.: RG Berndorf, 1961 Matura, Stud. an d. HS f. Welthdl., 1965 Dkfm. K.: Enzesfeld Caro Metallwerke AG Wirtschaftsprüf.Ges., seit 1970 Girozentrale, 1971 Immorent, Vors. d. Geschf., s. 1991 (Umwandl. in AG) Vorst.-Vors. P.: div. Art. in Fach-zeitschriften. M.: Rotary-Club Mödling. H.: Skifahren, Bergsteigen. (A.W.)

Polleruhs Peter Ing.

B.: Mtgl. d. BundesR., Techn. FN.: Parlament. DA.: 1017 Wien, Dr.-Karl-Renner-Ring 3. G.: Kapfenberg, 28. Okt. 1949. S.: Pflichts., HTBL f. Elektrotechn., 1969 Matura, 1973 Ing. K.: Präsenzd., 1970-91 techn. Angestell. u. Betriebsltr.-Stellv. im Kabelwerk Einöd d. Fa. Pengg, 1991 Gschf. Maschinenbau Koller in Seebach, ab 1991 Bez.-Parteiobm. ÖVP Bruck/Mur; 1980-81 Mtgl. d. GemR. Aflenz-Land, 1981-88 VBgm., s. 1988 Bgm. Gem. Aflenz-Land, 1993 Mtgl. d. BundesR.

Polley Trude Dr.

B.: Schrifstellerin, Journalistin. PA.: 9020 Klagenfurt, Wulfeng. 11. G.: Klagenfurt, 27. Mai 1912. El.: Ludwig u. Magdalen Nagele. S.: Stud. d. Germanistik u. Kunstgeschichte in Wien u. Graz, 1938 Dr. phil. K.: schon während d. 2. Weltkrieges Red. in d. Ktn. Zeitung, nach d. Krieg als Kulturred. u. Chefred.Stellv. in d. Ktn. Tageszeitung, seit 1972 freiberufl: tätig. P.: Reaktion d. Buches "Das ist Ktn." z. Jubiläum d. Volksabstimmung (1970), "Klagenfurt vom Zollfeld b. z. Wörthersee" (1973), "Kampfabsage Frauen in d. Männerwelt" (1977), "Bildband-Klagenfurt" (1983), Essays, Beiträge in Büchern über Künstler. E.: Gr. Gold. EZ f. Verd. um d. Land Ktn., Publizistikpreis d. Stadt Klagenfurt. M.: Verb. d. Ak. Österr., Soroptimist-Club. H.: Lesen, Schwimmen, Reisen. (D.M.)

Pöllinger Rupert

B.: Abt.-Insp. u. Postenkdt. d. Gendarmerieposten Zell am See. DA.: 5700 Zell am See, Brucker Bundesstr. 3. PA.: 5700 Zell am See, Fuchslehenstr. 4. G.: Hermagor, 14. Dez. 1932. V.: Anna, geb. Hasenauer. Ki.: Christa (1964). El.: Franz u. Maria. S.: b. 1947 Bergschule, Tischler m. Gesellenprüf. K.: einige J. Tischlertätigkeit, 1953 Eintritt z. Gendarmerie, 5 1/2 Bundesgendarmerie, b. Aufbau d. Österr. BH in versch. Sparten als Ausbildner tätig, 1958 Überstellung v. BH wieder z. Gendarmerie, 2 J. Grundausbild. in Wien, 1 1/2 J. Gendarmerieposten Rauris, 1 1/2 J. Lend, seit 1963 Zell am See, 1967-68 Fachkurs in d. GZ-Schule Mödling, Postenkdt. in Uttendorf/Pinzgau, 1970 3. Stellv. Zell am See, 1978

Postenkdt. BL.: Gendarmeriebergführer, staatl. geprüfter Skilehrer u. Skiführer, einige J. als Flugretter tätig. E.: versch. Belobigungszeugnisse sowohl f. erfolgreiche Tätigkeit in d. Gendarmerie u. Kriminaldienst als auch schwere Alpineinsätze, Katastrophenmed. 3 Spangen, Ausz. v. Rettung u. Feuerwehr auf Grund guter Zusammenarb., Silb. VZ d. Landes Sbg. M.: Mtgl. b. versch. Ver. u. Organ. H.: Sommer- u. Winterbergsteigen, Skifahren, Leichtathletik, Lesen, Basteln. (M.T.)

Pöllinger Sigrid Dr. Dipl.-Dolm.

B.: Hofrat. A.: 1030 Wien, Salesiangerg. 7/12. G.: 4. Febr. 1941. El.: Pöllinger Hermann u. Anna. S.: BRG, Studien an d. Univ. Wien, Innsbruck, Graz, Moskau u. London, (Phil., Psych., Kunstgeschichte, Englisch, Russisch), abgeschl. Studien: Dr. phil, Dipl.Dolm. aus Englisch, Akad. Übersetzer aus Russisch. K.: Chefred. d. wiss. Zeitschrift "Wiener Blätter z. Friedensforschung" d. Univ. Wien, Mitarb. d. Zeitschriften "Furche" u. "Wochenpresse". Nach d. Sprachstudium 10 Jahre Commercial Officer Ass. an d. Königlich-Britischen Botschaft in Wien, nebenbei Stud. d. Phil. u. nach d. Abschluß Ass. an d. Univ. Wien, am Inst. f. Friedensforsch., Schwerpunkte: Rüstungswettlauf u. -kontrolle, Abrüstung, seit 1978 Abrüstungsexperte b. d. UN, seit 1983 Univ.Lektor f. "Europ. Sicherheitspolitik" an d. Univ. Wien u. Klagenfurt, seit 1985 wiss. Hofrat b. d. Österr. Ak. d. Wiss., seit 1986 Mtgl. b. versch. KSZE-Konferenzen, dzt. Mtgl. d. österr. Delegation b. KSZE-Forum f. Sicherheitskooperation, seit 1987 Gen.-Sekr. d. Univ.-Zentrums f. Friedensforschung. P.: 2 Bücher: "Die Ethik Wladimir Solowjews" 1985, "Zur Situationsanalyse d. Friedensforschung in Europa" 1986, Veröff. in in- u. ausländ. wiss. Zeitschriften in engl. u. dt. Sprache zu versch. Gebieten d. Friedensforsch. E.: Österr. Olympia-Med. f. Verd. um d. Vorbereitung u. Durchführung d. XII. Olymp. Winterspiele Innsbruck 1976.Verd.kr. 1. Kl. d. Verd.Ordens d. B.Rep. Deutschl. M.: Club Alpbach f. Europ. Kultur, Österr. Ges. f. Außenpolitik u. intern. Beziehungen, Inst. f. Sozialpolitik u. Sozialreform (Dr. Karl Kummer-Inst.). H.: Bücher, Oper, Bridge, Tennis, Schwimmen, Skilaufen.

Pollirer Hans-Jürgen

B.: Gschf. FN.: Secur-Data. DA.: Fischerstiege 9, 1010 Wien. G.: Wien, 9. März 1942. Ki.: Michael, Roberta. El.: Anton u. Magda. S.: HAK, Matura 1960. K.: 11 J. b. brit. Textilkonzern (zul Ltr. Rechnungswesen, Organ. u. EDV), 7 J. Mitarb. b. österr. Wirtschaftsprüf.-Ges., 1980 Übern. d. Anteile, allgem. beeid. gerichtl. Sachv. f. Arbeitsorgan., Betriebsorgan. u. EDV, Mtgl. d. Fachverb.-Aussch. d. Fachverb. Unternehmensberat. u. Datenverarb. d. BWK, Mtgl. d. Fachgruppenaussch. d. HK Wien, Beisitzer d. Prüf.-Kmsn. f. Betriebsbeirat. u. -organ., Vorst.-Mtgl. Bundes-ADV, Vorst.-Mtgl. ADV-LGruppe W/NÖ/Bgld., Mtgl. ADV-Schlichtungsstelle f. EDV-Streitigkeiten. P.: Das österr. Datenschutzgesetz u. seine Anwend. (1980), Datenschutzgesetz (1988 m. Dohr, Weiss), div. Veröff. zu u.a. EDV-Sicherh., Computerkriminalität, EDV-Revision. H.: Fischen, Lesen. (J.E.)

Pöllitzer Florian

B.: Pächter. FN.: Hotel Pension Almrausch. DA./PA.: 83435 Bad Reichenhall/Dtl., Frühlingsstr. 5. G.: Tamsweg, 22. Juni 1961. V.: Margit, geb. Winklbauer. Ki.: Simon (1994). El.: Florian u. Cäzilia. S.: VS, HS, Gastgewerbeschule in Kleßheim. K.: 1978 Hotel Carinth, 1979-83 Steward auf MS Europa, 1984-89 selbst. Hallenbadrest. Tamsweg, 1985-89 selbst. Tierhandl. u. Fischerei, 1990 Hoteldir. in Hinterstoder, 1992 Gschf. Hotel Taurach in Obertauern sowie Maitre im Seehotel Pörtschach, 1992-94 Ltg. Hotel Post in Tweng, s. 1994 Pächter Hotel-Pension Almrausch in Bad Reichenhall. BL.: Grdg.-Mtgl. d. Tamsweger Wirtschafts AG, Grdg. d. 1. Tamsweger Fischver. H.: Lesen (Fachliteratur, Fischen.

Pöllitzer Hubert

B.: Selbst. Kfm. FN.: Hubert Pöllitzer Holz- Fachmarkt. DA.: 5020 Salzburg, Sterneckstr. 15. G.: Tamsweg, 8.6.1957. V.: Martina, geb. Siegl. Ki.: Andrea (1988), Thomas (1990). EL.: Leonhard, Aloisia. S.: Lehre in Eisenhandlung in Tamsweg. K.: Verkäufer b. Holzsteiner Salzburg, 1984 Räumlichkeiten v. Holzsteiner übernommen, selbst., 1988 Ausstellungsräume eröffnet, 1994 eig.Tischlerei im Haus. H.: Fußball. (D.E.)

Pöllmann Manfred Ing.

B.: Alleininh. FN.: Manfred Pöllmann GesmbH. DA.: 1110 Wien, Mautner Markhof G. 53. G.: Mondsee, 6. Mai 1943. V.: Josefine, geb. Wieser. Ki.: Tamara (1982), Alexander (1990). El.: Amalia u. Koloman. S.: Ausbildung i. Maschinenbautechnik , gelernter Sachverst. K.: 1963 nach Wien gekommen, b. 1972 Mitarb. im Schlüssel- u. Schloßbereich, nebenbei umfassende fachliche Ausbildung in Abenschulen erworben, 1973 selbst. mit Spezialgeschäft f. Schlösser u. Schlüssel in Wien 11, im Laufe d. Jahre expandiert und heute Besitzer v. 6 Geschäften in Wien. H.: Malen, Bleistiftradierungen, Intarsien, Petit Point Stickereien u. weitere Arb. im künstlerischen Bereich (Steingut, Metall). (F.S.)

Polly Erich Johann

B.: Untern. FN.: Erich Johann Polly Eisparadies. DA.: 1200 Wien, Friedrich Engelspl. 20. G.: Zabernreith, 31. Dez. 1953. V.: Aurelia, 2. Dez. 1957. Ki.: Katharina (1988), Fabian (1992). El.: Johann u. Leopoldine. S.: 1979 HAK Wien. K.: 1972 Lehre als Kellner Hotel Bristol, 1979 Betriebsorgan. Textilwerke Sattler, 1980 Marketing-Abtl. Fa. Auer, 1982 selbst., Eissalon 1120 Wien, 1984 Zentrale 1200 Wien, 1992 neuer Geschäftszweig Ind.-Prod. in 1110 Wien. H.: Lesen, Motorradfahren, Extremsport, Beruf. (T.T.)

Polndorfer Peter Dr. Dipl.-Ing.

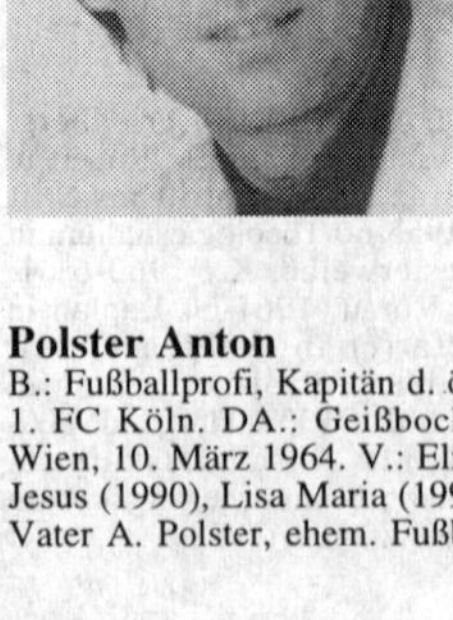

B.: Gschf. Ges. FN.: BOP Aigner GmbH Beratung, Organ., Programmierung. DA.: 4020 Linz, Nebingerstr. 6. PA.: 4030 Linz, Neubauzeile 108. G.: Wels, 23. Apr. 1962. V.: Lebensgemeinschaft. Ki.: 1 Sohn. El.: Walter u. Theresia. S.: VS, BRG, 1980 Matura, Stud. Informatik Linz, 1986 Sponsion. K.: 4 J. Univ.-Ass. Inst. f. Informatik Johannes Kepler-Univ. Linz, 1990 Prom., seit 1990 Gschf. Ges. H.: Familie, Fußball, Laufen, Skifahren. (U.A.)

Polster Anton

B.: Fußballprofi, Kapitän d. österr. Nationalmannschaft. FN.: 1. FC Köln. DA.: Geißbockheim, Clubalee 1, Köln. G.: Wien, 10. März 1964. V.: Elisabeth, geb. Müllner. Ki.: Anton Jesus (1990), Lisa Maria (1993). El.: Anton u. Waltraud. BV.: Vater A. Polster, ehem. Fußballer, 2x im Nat.-Team. S.: 2 J.

HASCH, HTL Abt. Elektrotechn., 3 J. Ausbild. z. Industriekfm. K.: 1973-1982 b. Austria Wien, 1982 Sc Simmering, Aufstieg i.d. 1. Division, 1982-87 Austria Wien (3x Mstr., 1x Cupsieger), 1987-88 AC Turin (Cupfinalist 1988), 1988-91 FC Sevilla (UEFA-Cup Qual. 1989), 1991-92 CT Logrones, 1992-93 Rayo Vallecano, 1993-95 1. FC Köln. BL.: Torschützenkönig 1985,1986 u. 1987, WM-Qual. 1990 m.d. österr. Nat.-Mannsch., bis 1994 66x im Nat.-Team im Einsatz. F.: Mitinhaber d. Mobil-Tankstelle 1130 Wien, Hietzinger Kai 99. E.: Gold. u. Bronz. Schu 1986 u. 1987 f. Euopas besten Torjäger, "Fußballer d. Jahres". H.: Tennis, Sprachen, Musik, TV. (J.S.)

Polster Christian

B.: Gschf. u. Marketingltr. FN.: Fa. Arttech GmbH. DA.: 2120 Wolkersdorf, Industriestr. 6. PA.: 2120 Wolkersdorf, Industriestr. 6. G.: Oberwart, 1. März 1965. V.: Mercedes, geb. Azcona. Ki.: Clairy (1985). El.: Josef u. Therese. S.: HTL Maschinenbau u. Kraftfahrzeugbau, 1984 Matura, Stud. Elektrotechn. u. Ind. Regelungstechn., TU Wien. K.: s. 1981 eig. Tonstudio i. Mödling, Werbe-Jingles, Musikaufn. f. Kindermusicals (Wr. Burgtheater), ab 1985 zus. Projektltr. f. Fa. GPA i. Österr., 1988 Grdg. d. Fa. Arttechnik Polster: Verl. v. Bühnen-, Ton- u. Lichtanlagen u. Prod. v. Schutz- u. Transportkoffern i. Mödling, 1991 Grdg. d. Fa. Arttech GmbH. m. Josef Gnasmüller u. Übersiedlung n. Obersdorf, 1993 Grdg. d. Fa. Artprojekt u. Übersiedlung n. Wolkersdorf. (M.M.)

Polster Dietmar Ing.

B.: Gschf. Ges. FN.: Gastrotec Gastronomieeinrichtungen Vertriebs GmbH. DA.: 1210 Wien, Frömmelg. 28. G.: Riedlingsdorf, 4. März 1958. V.: Ursula, geb. Novak. Ki.: Alexander, Barbara, Christian. El.: Ing. Herbert u. Theresia. S.: VS, BRG, HTL Tiefbau, 1977 Matura, 1 J. BH. K.: 1978-85 Tätigkeit in div. Branchen, 1985-86 Tätigkeit in d. Möbelbranche, 1986-91 Zanussi GI, 1991 Einstellung d. Direktvertriebes durch Zanussi, 1992 Grdg. Gastrotec u. seither Gschf. Ges. H.: Firma, Bowling, Billard. (G.B.)

Polster Hans

B.: Gen.Sekr. d. Österr. Rotes Kreuz. DA.: 1040 Wien, Wiedner Hptstr. 32. PA.: 1130 Wien, Trazerbergg. 6. G.: Oberschützen, 31. Juli 1935. V.: Edith, geb. Farina. Ki.: Hans Jörg, Christine. El.: Hans u. Hermine. S.: VS, Gymn., Militärak. K.: 1955-68 b. Österr. BH, 1969-70 Ref. f. Katastrophenhilfe, 1970 Gen.Sekr. b. Österr. Rotes Kreuz, 1969-86 Gschf., Gschf. d. Zentraleinkauf d. Österr. Roten Kreuzes GmbH. BL.: Organ. u. Wettkampfltr. f. WM im Fallschirmspringen 1968. E.: Gold. Med. f. Verd. um d. Rep. Österr., Gr. EZ f. Verd. um d. Rep. Österr., EZ d. Landes Bgld., Kommandeurskreuz "pro merito melitensi" des Souveränen Malteser-Ritter-Ordens, Ufficiale dell'ordine "Al Merito Della Republica Italiana". (M.Br.)

Polster Manfred

B.: Marketingltr. FN.: Rank Xerox Austria GmbH. GT.: Sektionsltr. d. Vienna Fußballclubs. DA.: 1190 Wien, Muthg. 42. PA.: 1030 Wien, Strohg. 3. G.: Znaim/CSFR, 4. Apr. 1945. Ki.: Harald, Roman. El.: Leo u. Juliane. S.: Grundschulen, BS f. graph. Gewerbe in Wien, 1960-64, 1964/66 Höhere Graph. Lehranst. Wien. K.: 1966-72 graph. Praxis als Faktor, ab 1972 Betriebsltr. in einem graph. Untern., 1979 Eintritt in d. Fa. Rank Xerox als Prod.Ltr., ab 1984 Marketingltr. u. gewerberechtl. Gschf. d. Rank Xerox Copy Service. P.: Sportberichte f. div. Tageszeitungen, Veröff. in div. Fachzeitschriften (graph. Art.). M.: Hundertschaftsmtgl. d. 1. Vienna Fußballclubs. H.: Sport, Literatur. (M.B.)

Polsterer Susanne Dr.

B.: Schriftstellerin, Journalistin, Schauspielerin. A.: 1180 Wien, Semperstr. 39. G.: 8. Nov. 1924. V.: Winkler Arthur HofR. Dr. El.: Polsterer Josef u. Elisabeth. S.: LBA, Univ., Schauspielschule u. Regie, Dichterlesungen m. Wr. Burgtheater, Werbefahrten Österr. Studenten (Austrian Good Will Tours) USA, Canada, Mexico, Cuba, South Africa, New Zealand, (Austrian Folklore Shows), Artdir., Schauspielerin Schweiz, Österr, Argentinen, Brasilien, seit 1957 ORF Wien, NÖ, Bgld., als Autor, Gestalter, Sprecher, Regiesseur usw. P.: Wochensendungen seit 1976 , besonders "Seniorensendungen". E.: 19 Stadtschlüssel, USA Sheriffships, 10 Ehren Bürgerschriften, Gold. Verdienstkreuz Österr., Bachuspreis 1975, Regiepreis d. Stadttheater Klagenfurt 1967, Gold. Verd.Zeichen d. Landes Wien 1989. H.: Reisen in alle Welt (China, S. Amerika, Indien usw.), psycholog. Studien, Geschichte.

Polt Erwin Dr. univ. med.

B.: FA f. Orthopädie u. orthopäd. Chir., Konsiliararzt d. Floridsdorfer KH. DA.: 1210 Wien, Donaufelder Str. 22. G.: St. Pölten, 28. Juli 1947. V.: Helene, geb. Kriz. Ki.: Alice, Lilian. El.: Dr. Robert u. Margarethe. S.: VS, hum. Gymn., 1965 Matura, Med.Stud. Univ. Wien, 1972 Prom. K.: Ausbild. z. FA orthopäd. Spital Speising, Lorenz Böhler-KH, Kinderklinik Glanzing, neurolog. Abt. Rosenhügel, Orthopäd. Abt. Baumgartner Höhe (OA), FA seit 1979 u. gleichzeitig eigene Praxis, spezialisiert auf mehrere konservative Themen d. Orthopädie, dennoch weiterhin operativ tätig. P.: "Orthopädie" 1979 (Springer Verlag), ca. 20 wiss. Arb. auf d. Gebiet Orthopädie. M.: Ver. d. Österr. Orthopäden. H.: Reisen, Lesen, Sport (insbes. Langstreckenlaufen, Radfahren, Tennis, Skifahren). (G.E.)

Polterauer Helmut Dr. iur.

B.: öff. Notar. DA.: 1210 Wien, Floridsdorfer Hauptstr. 35. PA.: 3400 Klosterneuburg, Gschwendt 21. G.: Wien, 30. März 1938. V.: Wania. Ki.: Andreas, Irene, Eva. El.: KommR. Josef u. Wilma. S.: Gymn., Univ., 1960 Dr. iur. K.: 1977 eig. Kzl. P.: Notariatszeitungen Betreff Geschichte d. Notariats in Österr. M.: Ritter v. Hl. Grab zu Jerusalem. H.: Segeln, Skifahren. (Fels.)

Pöltl Erich

B.: LandesR. d. Steir. Landesrg., Ldw. DA.: 8010 Graz, Landhaus. PA.: 8230 Hartberg, Löffelbach 139. G.: Löffelbach, 3. Sept. 1942. V.: Berta, geb. Steinbauer. Ki.: Maria (1968), Erich (1970), Bernhard (1972), Thomas (1974), Barbara (1977). El.: Alois u. Aloisia. S.: HS, Fortbild.-Schule, 1959/60 Fachschule Schielleiten u. 1960/61 Kirchberg, 1965 Mstr.-Prüf. K.: 1963 Hofübernahme, 1962-65 Bez.-Obm. d. Landjugend, 1968 GemR., VBgm. d. Gem. Hartberg-Umgebung, 1971 LandeskamR., 1974 Abg. z. Landtag, 1980 Obm. d. Bez.-Kam. Hartberg, Mtgl. d. Landesparteivorst. d. ÖVP, Landesparteiobm.-Stellv., 1989 Präs. d. steir. Ldw.-Kam., 1990 Obm. d. Steir. Bauernbundes, VPräw. d. Präsidentenkonferenz, seit 21. Okt. 1991 Mtgl. d. Steir. Landesrg. M.: LObm. d. Bauernb.. H.: Jagd, Sport. (P.M.)

Pöltl Gertraud

B.: Gen.Sekr. d. Österr. Frauenbew. (ÖFB). DA.: 1010 Wien,, Kärntner Str. 51. PA.: 2345 Brunn/Gebirge, Viktor-Adler-Str. 56. G.: Wien, 21. Apr. 1943. V.: Adolf. Ki.: Werner (1963). El.: Robert u. Margarethe. S.: RG. K.: Sekr. d. Studienltr. in d. Polit. Ak., Chefsekr. Kabel-TV NÖ, Büroltr. BLtg. ÖFB, später stellv. Gen.Sekr., s.1987 Gen.Sekr., Schwerpkte: mehr Anerkenng. d. Leistgen. d. Hausfrau, Chancengleichh. i Gesellschafts- u. Kulturleben u. Arbeitswelt, atomfreies Europa. H.: Lesen, Theater, Musik (Liszt, Chopin). (R.J.)

Pöltner Richard Dipl.-Ing.

B.: Dir. Obersenatsrat. FN.: Wr. Stadwerke E-Werke Wiengas. DA.: 1080 Wien, Josefstädterstr. 10-12. G.: Wien, 5. März 1937. V.: Elfriede, geb. Teufl. Ki.: Barbara (1965). El.: Hans u. Juliana. S.: 1956 Matura HTL Maschinenbau. K.: 1956-59 Vöst u. Waagner-Biro Wien, 1959-65 Montan Univ. Leoben, Techn. Überwachungsverein - TÜV, 1966 Ausbau d. Kraftwerkbläcke Nr. 5, 6 u. Blockl/2, 1979 Kraftwerksdir. d. Kraftwerke Donaustadt, Leopoldau, Ausbau d. beiden Kraftwerke,1990 zu Wr. Stadtwerke Wiengas als Dir. P.: div. veröff. in Faschzeitschriften im In- u. Ausland m.a. Wasserstoffmessungen b. Kessel, m. a. Stickstoffminimierung an Kranftwerkskesseln, m. a. Einführung neuer Kraftwerktechnologien im vergangenen Jahrzehnt b. d. Wr. E-Werken, Logen-Turbo Syposium d. American Society of Mechanical Engineers, Vorträge b. Logen-Turbo Symposium d. American Society of Mechanical Engineers in Montreaux/Schweiz, Vorträge b. ÖVGW-Tagungen in Innsbruck. M.: AufsichtsR Vorst. Stellv. b. Teerag-Asdag, AufsichtsR Importkohle, AufsichtsR Bank-Austria Hdls Holding Ges.m.b.H. (Gas-Koks), AufsichtR Austria Ferngas AFG, AufsichtsR Fernwärme Wien Ges.m.b.H, AufsichtR GWSG, KamR Wirtschaftskammer Wien Sektion Industrie, Mtgl. d. Mtgl. Vertr. d. Wr. Wechselseitige Vers. Anst., VPräs. d. ÖVGW Gas u. Wasserverb. , Mtgl. d. Vorst. d. Österr. nat. Komitee d. Weltenergierates (World Energy Council), Mtgl. d. intern. Gas Union Council (IGU), Mtgl. im IGU Komitee E. H.: Familie, Tennis, Segeln. (M.A.)

Poltnig Herbert Mag.

B.: Gschf. FN.: Computer Link, EDV-Training u. Beratung. DA.: 1010 Wien, Fleischmarkt 18/4. G.: Eberndorf, 6. Apr. 1956. Ki.: Matthias. El.: OAR. Gottfried u. Ida. S.: Kelag-Schule, Lehre z. Elektroinstallateur. K.: Führungen i. Planetarium u. Urania, 1978 Pilzhandel, 1983 Fachm. f. Industrie Automation, 1984 Berufsreifeprüf. an d. Univ. Wien, 1982 Dipl.-Astrologe, Graphologe, 1990 Sponsion z. Mag. rer. nat., 1990 Grdg. d. eig. Fa. H.: Tennis, Schifahren, Schwimmen, Golf. (J.E.)

Polzer Franz Dipl.-Ing

B.: Dir. d. ÖBB. DA.: 1020 Wien, Nordbahnstr. 50. G.: Wien, 22. Apr. 1943. V.: Wilhelmine. Ki.: Franz, Paul. El.: Franz u. Maria. S.: 1961 Matura, Arch.-Stud. TH Wien, 1969 Abschluß. K.: Bundesbahnen, b. 1972 Techn. Außendienststelle, Dion. Wien, Planungsstab f. Hochbauanlagen, 1983 Ltr. d. Gruppe f. Hochbauanlagen, 1989 Ltr. d. gesamten Bau- u. Elektrotechnik u. VPräs. d. BB Wien, 1991 Dir. P.: Veröff. in div. Fachzeitschriften. H.: Sport, Fotografieren, Zeichnen, Wandern. (J.E.)

Polzer Johann

B.: Heurigenwirt. FN.: Heurigenschenke "Zum 38er". DA/PA.: 2380 Perchtoldsdorf, Hochstr. 38. G.: Wien, 6. Juli 1941. V.: Jutta, geb. Hartl. Ki.: Karin (1969), Claudia (1966). El.: Johann u. Amalia. S.: VS, HS, Höhere Schule, Wienakad. m. Abschl., zahlr. Fort- u. Weiterbild. Kurse u. Seminare. K.: zuerst als Verkäufer gearb., danach Tätigk. im Außendienst u. Betr. Ltr., später selbst. m. eig. Untern., Untern. aufgelassen u. gem. m. Gattin Heurigen zum "38er" gepachtet. M.: Veteranenverein. H.: Sport, Möbel Restaurieren, Oldtimer Restaurieren, Beruf. (F.S.)

Polzer Jutta

B.: Heurigenwirtin. FN.: Heurigenschenke "Zum 38er". DA/PA.: 2380 Perchtoldsdorf, Hochstr. 38. G.: Wien, 26. Feb. 1947. V.: Johann. Ki.: Karin (1969), Claudia (1966). El.: Johann u. Hermine Hartl. S.: franz. Lycée, Mittelsch. K.: 1966-91 gemeinsam m. erst. Gatten (verst.) Bäckerei geführt, s. 1992 Pächterin d. Heurigenrestaurants "Zum 38er" in Perchtoldsdorf, ganzjähr. geöffn. Betrieb, Veranstalt., Feste, Feiern, im Sommer Jazz-Veranstalt., exquis. Schmankerlküche. H.: eig. Betrieb, das besondere Service für die Gäste, Kochen. (F.S.)

Pölzer Konrad

B.: Inh., Lederwarenerzeuger, Taschner. GT.: gerichtl. beeid. Sachv. f. Leder u. Ledergalanteriewaren, Ldw. u. Buschenschank Maria Trost-/Platte. DA.: 8010 Graz, Trauttmannsdorffg. 3. PA.: 8044 Graz, Wenisbucherstr. 141. G.: Graz, 28. Mai 1951. V.: Hermelinde, geb. Löffler. Ki.: Konrad (1985), Katharina (1987). El.: Konrad u. Margarete. S.: VS, HS, Lehre Firma Schloffer Graz, 1973 Mstr.-Prüf. K.: seit 1974 selbst. M.: Ortsmusik Maria Trost, Kameradschaftsbund, Heimatver. H.: Ldw., Weinbau, Schnapsbrennerei. (R.S.)

Polzer Peter

B.: Jounalist, Chef v. Dienst d. Klubjournals d. ARBÖ. DA.: 1150 Wien, Mariahilferstr. 180. PA.: 1230 Wien, A. Baumgartnerstr. 44/ A2/121. G.: Wien, 23.Mai 1943. V.:

Ingeborg, geb. Steiner. S.: VS, HS, 1958-62 Lehre als Schriftsetzer. K.: 1962-87 Abt.-Ltr. b. Neumann GmbH, 1987-90 AV in Großdruckerei, 1. Jän. 1991 Eintritt ARBÖ, seit 1. Juni 1991 Chef v. Dienst. M.: ARBÖ, ÖGB, SPÖ, Redaktionsmitglied ARBÖ Journal, seit 1. Jän. 1994 freier Journalist. H.: Dt. Sprache, Lesen, Tennis. (T.T.)

Pölzl Wilhelm Dr. HofR. Prof.

B.: VPräs. d. LandesschulR. f. Sbg., Prof. am Päd. Inst. d. Bundes in Sbg. GT.:Bundes-Vors. Stv. d. Sozialdem. Lehrerver. Österr., Landesvors. d. Sozialdemokrat. Lehrerver. Österr., Landesgruppe Sbg., Vors. Stellv. d. Gewerkschaft Öff. Dienst, Landesvorst. Sbg., Vors. d. Faktion Sozialdemokrat. Gewerkschafter d. Gewerkschaft Öff. Dienst Sbg. DA.: 5010 Salzburg, Mozartpl. 3-10/2. PA.: 5020 Salzburg, Alpenstr. 83. G.: Wien, 17. Jan. 1940. V.: Herta, geb. Gugler. Ki.: Christine (1970), Roswitha (1972). S.: BLBA Sbg. (Lehrämter f. VS, HS u. Polytechn. Lehrgänge), Stud. d. Päd. u. Politikwiss. an d. Univ. Sbg., 1978 Dr. phil. K.: ab 1959 Pflichtschuldienst d. Landes Sbg., Mtgl. d. Prüf.-Kmsn. f. d. Lehrämter an Pflichtschulen, Lehrauftrag an d. Päd. Ak. d. Bundes in Sbg., Lehrtätigkeit an d. Intern. Ferienkursen f. Germanistik an berufsbild. Schulen, versch. Externistenkurse u. in d. Erwachsenenbild. M.: Zentralvorst. Gewerkschaft Öff. Dienst u. Landesexekutive ÖGB Sbg., Vizepräs. d. Sbg. VHS, Kuratorium d. Päd. Ak. Sbg., Schulpolit. Kmsn. d. Bundesparteivorst. d. SPÖ, Landesparteivorst. d. SPÖ Sbg. E.: Gold. EZ d. Landes Sbg., Ehrenbecher d. AK Sbg., Gold. EZ f. Verd. um d. Rep. Österr. H.: Wandern, Operetten. (N.M.)

Pölzleitner Franz

B.: Gschf. FN.: Gästeservice Tennengau. DA.: 5400 Hallein, Robertpl. 2. PA.: 5524 Annaberg 54. V.: Annaberg, 26. Dez. 1957. V.: Heidi, geb. Hirscher. Ki.: Franz (1980), Birgit (1986). El.: Franz u. Anna. S.: VS, HS, Fachschule f. Maschinenbau. K.: 3 J. Firma EMCO im Konstruktionsbüro, 10 J. Fremdenverkehrsbüro Annaberg, 1991 Gschf. Gästeservice Tennengau, Sbg. Landestourismus GmbH. M.: Bergrettung, Skiclub, Gem.-Vertretung, Lawinenkmsn. Annaberg. H.: Radfahren, Tennis, Bergsteigen. (D.E.)

Pölzleitner Wolfgang Dr. Dipl.-Ing.

B.: wiss. Ang. Joanneum Research. DA.: 8010 Graz, Wastiang. 6. PA.: 8010 Graz, Franckstr. 37. G.: Linz, 16. Febr. 1957. V.: Elisabeth, geb. Giendl. El.: Leopold u. Paula. S.: VS, BRG, 1975 Matura, Stud. Elektrotechnik, 1981 Spons. z. Dipl.-Ing., 2 J. Fulbright-Stipendium u. Stipendium d. Österr. Bundeskam. d. Gewerbl. Wirtschaft f. Aufenthalt in d. USA im New Jersey Inst. of Technology, 1983 Master of Science in Electric Engineering. K.: ab 1983 Vertragsass. TU Graz, 1989 Abt.-Ltr. d. Joanneum Research, Graduate Studies in Systems Engineering, 1989 Prom. z. Dr. techn., Erarb. v. neuesten Verfahren d. Digitalbildverarb. m. bes. Betonung v. Anwendungen in d. Ind. u. in d. Raumfahrt, Durchführung v. Intern. Projekten m. Industriellen Partnern, d. ESA u. d. EG. P.: ca. 60 wiss. Veröff. im Bereich Digitale Bildverarb. E.: 1991 Preis d. Österr. Arge f. Mustererkennung (ÖAGM) f. d. besten Beitrag. M.: Editorial Board of the Intern. Journal of Intelligent Control and Neurocomputing, IEEE, ACM, SPIE, INNS. H.: Lesen, Klavierspielen, Surfen. (M.Gr.)

Pomassl Erich

B.: Gschf. FN.: Verlagsges. Eurotax GmbH, Intern. Marktbeobachtung. GT.: Gschf. Eurotax KFT Ungarn. DA.: 1080 Wien, Albertg. 33. PA.: 1100 Wien, Tegnerg. 18. G.: Wien, 15. Dez. 1953. Ki.: Mara (1980), Salina (1982), Ronja (1986). El.: Johann u. Theresia. S.: Gymn. u. HAK Wien. K.: 1974-77 Werbebranche, 1978-82 Productmanager Schallplattenbranche, 1983 Verlagsges. Eurotax GmbH, seit 1990 Gschf., Marktbeobachtung, Schwerp.: Kraftfahrzeuge. P.: Fachart. H.: Basketball, Tennis, Schifahren. (J.S.)

Pomeissl Konrad

B.: Gschf. Ges. FN.: Voggenhuber GmbH & Co KG. DA. u. PA.: 4020 Linz, Reindlstr. 35. G.: Linz, 1. März 1938. V.: Ingrid, geb. Voggenhuber. Ki.: Andreas (1962), Gabriele (1963). El.: Konrad u. Berta. S.: Hauptschule, Lehre Automechaniker Fa. Voggenhuber, 1960 Meisterprüf., Techn. Schulungen, Seminare. K.: 1984 Gschf. E.: Gold. VW-Zeichen. M.: Tennisver. H.: Tennis, Schifahren, Fußball, Segeln, Wandern, Hobbygärtnern. (N.A.)

Pömer Karl Dr. wHofR.

B.: LBmtr. im Amt d. OÖ LRg., Kulturabt. DA.: 4020 Linz, Spittelwiese 4. PA.: 4210 Gallneukirchen, Gaisbacher Str. 41. G.: Linz, 23. Sept. 1924. V.: Rosa, geb. Burner. S.: 1935-43 Gymn. Kollegium Petrinum u. Mittelschule in Freistadt, 1946-50 Univ. Wien, Phil. Fak. (Deutsch, Geschichte). K.: 1950-64 Lehr- u. Erzieherberuf, ab 1964 Amt d. OÖ LRg., seit 1973 Ltr. d. Kulturabt. E.: 1984 EZ f. Wiss. u. Kunst I. Kl., EZ d. Univ. Innsbruck. (Mayr)

Pommberger Johann

B.: Inh. FN.: Pomberger Brillenerzeuger. DA.: 4822 Bad Goisern, Au 131. PA.: 4822 Bad Goisern, Edt 56. G.: Bad Goisern, 21. März 1937. V.: Eleonore, geb. Kain. Ki.: Hans Peter (1957), Gerhard (1960), Elisabeth (1964), Michaela (1966), Daniele (1969). El.: Maria Veronika u. Matthias. S.: 1952-55 Berufsschule Maschinenschlosser, 1960 Mstr.-Prüf. K.: 1957-63 Schlosser b. d. Bundesbahn, 1964-84 Betriebs-sltg. bei Firma Optos i. Bad Ischl, 1984 selbst. m. Brillenerzeugung, 1985 die 1. Halle und 1992 die 2. Halle gebaut. H.: Fischen, Wandern, Garten, Blasmusik. (M.G.)

Pompe Franz

B.: Mtgl. d. Bundesrates, Ang. DA.: 1017 Wien, Dr.-Karl-Renner-Ring 3. G.: Rotenturm/Pinka, 5. Apr. 1931. S.: 2 Jg. LBA, 3 J. Berufsschule (gelernter Herren- u. Damenschneider). K.: Vers.Ang. im Außendienst, 1959-62 Mtgl. d. GemR. v. Rotenturm u. seit 1962 Bgm., 1982-87 Abg. z. Bgld. Landtag, seit 1957 Ortsparteiobm. d. SPÖ Rotenturm, seit 1956 Präsidialmtgl. d. ASKÖ, seit 1983 Präs. ASKÖ Bgld. u. seit 1985 VPräs. d. Bundes d. ASKÖ, 1973-85 Obm. d. ASKÖ-Bundeskontr., seit 1974 Obm.Stellv. d. Abwasserverb. Mittleres Pinka- u. Zickental, seit 1987 Mtgl. d. BR. E.: GV, Bgld. VK. M.: Mtgl. d. Bgld. Fußballverb.

Pompe Robert Roland KommR.

B.: Unternehmer in d. Fotobranche. FN.: Foto Pompe KG. DA.: 2700 Wr. Neustadt, Neunkirchner Str. 9. G.: Pitten, 21. Mai 1945. V.: Maria, geb. Koisser. Ki.: Viktoria, Patrizia, Robert-Philipp. El.: KommR. Josef u. Josefine. K.: Fotograf, Fotokfm. (v. d. "Pieke" auf), längere Auslandspraxis in d. BRD, 1971 Eintritt in d. väterl. Betrieb u. Übernahme desselben, d. Betrieb wurde 1901 gegründet u. befindet sich in 3. Generation in Familienbesitz. E.: 1981 Silb. Stadtwappennadel d. Stadt Wr. Neustadt f. bes. Verd. um d. Wirtschaft, 1984 Gold. Nadel d. Stadt Gloggnitz, 1985 KommR. M.: Gründer v. Fußballclub SC Foto Pompe (seit 1971), Absolventenverb. d. HAK Wr. Neustadt, BeiR. v.

Fremdenverkehrsver. d. Stadt Wr. Neustadt. H.: Familie, Fotografieren, Modelleisenbahnen, Sport (Tennis, Radfahren, Skilaufen). (Kern)

Ponesch Wolfgang Mag.

B.: Gschf., Bereichsltr., Terminalmanagement, Wirtschaftspädagoge. FN.: RRZ Informatik. DA.: 6901 Bregenz, Rheinstr. 11. PA.: 6901 Bregenz, Heldendankstr. 24. G.: Bregenz, 25. März 1959. V.: Eva. Ki.: Sarah (1988). El.: Walter u. Wilma. S.: HAK Bregenz, 1978 Matura, Stud. Wirtschaftspäd. Univ. Innsbruck, 1982 Spons., 1985/86 Zivildienst. K.: 1982 Grdg. eines Informatikunternehmens in Innsbruck, 1985-92 Lehrbeauftragter Univ. Innsbruck, 1982 Vertragslehrer HAK Innsbruck u. später Bregenz, 1986 Übersiedlung Vbg., EDV-Beratung Raiffeisenverb. Vbg., 1989 Grdg. Raiffeisen Informatik GmbH, Gschf., 1992 Fusion z. RRZ Informatik. H.: Lesen, Schach, Skifahren, Wandern, Schwimmen, gepflegt Essen u. Trinken, Klavierspielen. (I.D.)

Pongracz Eybe

B.: PR-Berater, Inh. FN.: PR & P Public Relations & Promotion. DA.: 1030 Wien, Lagerg. 1/20. PA.: 1040 Wien, Schwindg. 20. G.: Königsberg, 17. Juli 1938. V.: Andreas. Ki.: Matthias (1964), Katharina (1965), Viktoria (1967). El.: Johann Gottlieb u. Gräfin Helga Brockdorff-Dallwitz. S.: Privatgymn. Klosterwald, Ausbild. z. Mannequin u. Modeberaterin b. Balmain in Paris, Ausbild. z. Stewardess, Dolmetschausbild. in Span. u. Franz. K.: Stewardess b. d. Avianca Air, Kongressorgan., Sekr. d. Japan. Botschafters in Wien, 1987 Grdg. d. eigenen Agentur m. Schwerpunkt Touristik, Ernährung, Frauenthemen. H.: Mode. (N.A.)

Pongratz Gösta M. KamR.

B.: Unternehmer. FN.: Fa. Pongratz. DA.: 8010 Graz, Karlauer Str. 1-3. PA.: 8020 Graz, Wieseng. 5. G.: Fürstenfeld, 28. Sep. 1944. V.: Anneliese, geb. Leherr. Ki.: Patrick, Boris. El.: Heinz u. Adolphine. S.: HASCH, Lehre als Importkfm. K.: 1965 Eintritt in d. väterl. Betrieb u. kontinuierl. Ausbau z. einer Im-, Export, Groß- u. Detailhandelsfa., Inh. d. Berufshochseeschiffahrtspatentes. H.: Tennis, Radfahren, Skifahren. (P.R.)

Pongratz Kurt

B.: Regisseur. PA.: 7535 St. Michael, Roseng. 44. G.: Mödling, 2. März 1958. El.: Karl u. Erika, geb. Strachota. S.: VS, hum. Gymn., mus. päd. Gymn., 4 Sem. Med., 2 Sem. Jura. K.: 1 J. "Musik-Box" ORF, 1 J. Ö3-Magazin, 2 J. Volontär b. "Intersport-Film", Moderator b. Heeresschulungssender KW f. Golan-Höhe, danach 5 J. Regie-Ass. b. Otto Anton Eder, anschl. (jüngster) Life-Reg. Österr. unter Harald Windisch u. E. W. Marboe, "Made in Austria" u. "Musikantenstadl", dazu histor. Dokumente wie Interviews m. Kreisky etc., sowie Konzerte, Shows u. Quizsendungen (Falco, Robert Lembke etc.), weiters "Licht ins Dunkel". E.: Jugendlandmstr. im Tisch-Tennis (Bgld.), Staatsanerkennungspreis f. Werbefilm einer Computerfa. H.: Surfen, Ski, Jazz, Klavier. (R.A.)

Pongratz-Lippitt Oscar Dr.

B.: Forstwirt. GT.: Briefmarkenauktionator. DA.: 1030 Wien, Am Heumarkt 11. PA.: 8132 Pernegg, Schloß. G.: Pernegg, 4. Juni 1929. Ki.: Marco, Tatjana, Alexandra, Guido, Maximilian. El.: Markus u. Alice. BV.: 1780 waren die Pongratz Bauern in d. West-Stmk., Urgroßvater Oscar Pongratz baute Wasserwerk d. Stadt Graz u. mehrere Eisenbahnen, Großvater Oscar Pongratz baute d. 1. Draubrücke in Friedau (Ormoz), Fam. Lippitt stammt aus USA. S.: Mittelschule, Jus-Stud. K.: Industriepraxis, Gerichtsjahr u. Praxis b. RA Dr. Zeiner, nach d. Tod d. Vaters (1956) Übern. d. Familienbesitzes v. über 1.000 ha Wald, 1968 Erwerb d. Fa. Kunz (Briefmarken). M.: Techniker-Cercle, Gremialmtgl. d. HK, Histor. Ver. d. Stmk. H.: Briefmarken, Geschichte. (E.L.)

Ponleitner Johann

B.: Einrichtungs- u. Möbelplaner. FN.: IPH Kärntner Möbel. DA.: 1070 Wien, Siebensterng. 4-6. G.: Wien, 24. Aug. 1961. El.: Johann u. Rosalia. S.: HTL, Wechsel z. Tischlerlehre, 1982 Abschluß, versch. Ausbild. als Restaurator u. Stiegenbauer. K.: b. 1991 Haustechnik Raimundtheater, 1991 Gschf. in einem Freizeitzentrum, 1991 Wechsel zu IPH Kärntner Möbel. H.: figurelle Schnitzerei, Musik (Gitarre, Baß, Klavier). (J.E.)

Pönninger Gertraud Dkfm.

B.: gschf. Ges. d. Fa. PURATOR GmbH Kläranlagen. DA. u. PA.: 1230 Wien, Moseligg. 3. G.: Beuthen, 3. Juni 1937. V.: Dipl.-Ing. Hans. Ki.: Gisela, Harald. El.: Prof. Dr. Rudolf u. Anna. S.: Gymn. HAK, HS f. Welthdl., 1959 Dkfm. K.: 1960 Eintritt in d. Fa. Purator, 1965 Prok., 1974 gschf. Ges. E.: Silb. EZ H.: Schwimmen, Skifahren, Volkstanz. (Fels.)

Pontiller Maria Paula

B.:Ordensschwester. FN.: Ordensgemeinsch. Tertiar d. Hl. Franziskus. DA.: 6361 Hopfgarten, Marktpl. 2 Kirchenhaus. G.: Lienz - Osttirol, 31.Aug. 1934. EL.: Franz und Ida. S.: VS, HS. K.: 2 J. Kdrgärtn., 2J. Novisiat in Hall, 5 J. Kdrgärtn. in Matrei/Tirol, 1 J. Kdrgärn. in Schwarz/Tirol, 1953 Eintr. in den Orden, mit 19 J. Einkl. Tertiar Schwestern Provinchaus Hall/Tirol, 1961 nach Hopfgarten Gemeindekdrgarten aufgedaut, 1988 Rel. Lehr., 1989 Statprüfg. Lehramt f. Rel., Missionsarbeit in Bolivia. E.: Silb. Ehrennadel d. KTLV, 1993 Frau d. Jahres Hopfgarten. H.: Kinder, Orden.(M.H.)

Pontoni Tino

B.: Gastronom Retaurant Pontoni. DA.: 1070 Wien, Burgg. 103. G.: Leoben, 20. Juni 1964. Ki.: Fabio (1987). El.: Walter u. Herigunde. BV.: Großvater Prof. Dr. Alfred Pontoni Gründer d. Montanist. Univ. Leoben. S.: VS, Gymn., Höhere Lehranst. f. Forstwirtschaft Bruck/Mur. K.: UNO-Einsatz in Syrien, 1 J. b. d. Polizei, Expedit in Pharmazeut. Betrieb, Taxilenker, Barkeeper, Gschf. eines Hotels in Weissensee, Kellnerlehre in Abendkursen, 2 J. Gschf. eines Restaurants im 1. Bez., Konzessionsprüf., Gschf. Ges. in Loos-Bar, 1992 selbst. m. Gasthaus Pontoni. H.: Essen, Trinken, Lesen, Beruf. (J.M.)

Pontscha Rudolf KommR.

B.: LInnungs Mstr., Kfm., Buchdruckereibesitzer. A.: 8010 Graz, Klosterwiesg. 38. G.: 16. Apr. 1938. V.: Ursula, geb. Schip. El.: Karl u. Karoline. S.: RG, Berufsschule f. d. Druckgew. K.: LInnungs Mstr. d. graph. Gew. seit 1970, LGruppen Obm. d. Hpt.Verb. d. graph. Unternehmungen Österr., Obm.Stellv. d. Sekt. Gew. in d. HK Stmk., Vorst.-Mtgl. d. HK Stmk., Obm.Stellv. d. Ges. f. Jungunternehmerförderung. F.: Inh. d. Einzel Fa. Papier-Pontscha, Großhandlung, Graz, Teilhab. d. Fa. PONTSCHA & CO, Buchdruckerei Graz. P.: lfd. Berichterstattung in d. Tages- u. Fachzeitungen. M.: Gerichtl. beeid. Sachv. f. d. gesamte graph. Gewerbe.

Poor Adalbert Dr. med.

B.: prakt. Arzt. DA. u. PA.: 1210 Wien, Am Spitz 12. G.: Draßmarkt, 19. Juli 1915. V.: Maria. Ki.: Otto Dr., Wolfgang. El.: Ludwig u. Elisabeth. S.: VS, RG, 1933 Matura, Med.Stud. Univ. Wien, 1939 Prom., danach Turnusarzt im Rudolfsspital b. Juni 1940, 1940-45 Militärdienst. K.: 1939-45 Militärdienst, b. 1946 Gefangenschaft, b. 1948 Turnusarzt im Rudolfspital, 1948 eigene Praxis. BL.: Hausarzt nach alter Tradition. E.: Belobigung d. Österr. Ärztekam. M.: Ärztekam. H.: Garten, Marken- u. Münzensammeln. (H.P.)

Poor Alexander

B.: Gschf., Firmeninh. FN.: Grafomed Export-Import Handelsges.m.b.H. DA.: 1160 Wien, Abeleg. 27. G.: Dülken (BRD), 21. Juni 1941. V.: Eva. Ki.: Eva (1977), Sheila (1982). El.: Ludwig u. Hildegard. BV.: von Steuben: Organisator u. General d. Amerikan. Armee. S.: VS, HS, Poly-technikum, Vertr. f. Schmuckwaren, Verkaufsltr. Fa. Reichhold Chemie, Beschäftigung m. Computersteuerung u. Polygraphie, Aufbau v. Service u. Verk. Fa. Topham, s. 1987 selbst. m. Fa. Grafomed, Verk. v. gebr. polygraphischen Maschinen, Joint-Venture mit Firmen. H.: Wandern, Schifahren, Pilze suchen.

Popadic Branko

B.: Reiseveranstalter. FN.: TELEWINGS Reisen GmbH. DA.: 9020 Klagenfurt, Bahnhofstr. 22. G.: Sombor, 10. Febr. 1940. V.: Tanja, geb. Megusar. Ki.: Nadja (1973), Dejan (1977). S.: TU Laibach, 1967 Abschluß. K.: 1967-73 Dir. im Reisebüro Atlas, 1973-87 Reisebüroang. Firma Springer Klagenfurt, ab 1987 selbst. Tele Wings Reisen GmbH. H.: Arb., klass. Musik. (K.K.)

Pope Ina

B.: Schauspielerin. A.: 1090 Wien, Lustkandlg. 28. G.: 4. Dez. 1940. El.: Johann u. Walpurga, geb. Wimmer. BV.: Alexander Pope (1688-1744) engl. Dichter, Haupt d. engl. Aufklärung, verfaßte d. klass. gewordene komische Heldengedicht "Lockenraub" u. "An Essay on Man". S.: Mittelschule, Matura, Schauspielprüf. K.: Kellertheater in Wien, Fernsehsprecherin 2 J., Volkstheater, Theater in d. Josefstadt Wien, dzt. freiberufl. tätig. M.: Mtgl. d. Österr. Ges. f. Kulturpolitik u. d. Dt. Schriftstellerverb. P.: "Im Zug" (Gedichtband), "Der stumme Schrei" (Roman), Romanübersetzungen, Theaterstück-Übersetzungen, Drehbuchübersetzungen f. Synchronisation. H.: Hunde. (N.A.)

Popodi Carola Gabriele Mag. art. Prof.

B.: Textiltechn., Dipl.Bühnen- u. Kostümbildnerin, Prof. an d. HS Mozarteum in Sbg. A.: 5020 Salzburg, Moosstr. 7. G.: Sulz/Vbg., 2. Jan. 1950. El.: Popodi Alfred Dipl.-Ing. u. Jutta. S.: HTL Abt. Textil in Sbg., Kl. f. Bühnenbild u. Kostüm an d. HS Mozarteum in Sbg. m. Dipl.Abschluß. K.: Kostümausstattungen zusätzl. z. Lehrtätigkeit an folgenden Theatern jeweils als Gast: Sbg., Mainz, Hof/Saale, Teheran u. Detmold. E.: 2. Preis beim Grillparzer-Wettbewerb f. Kostümentwürfe.

Popov Dragomir Dr. iur.

B.: Inh. d. Reisebüros "Popov", Gschf. Ges. Import-Export Consulting GmbH. Adriatic. DA.: 5020 Salzburg, Fürstenallee 17. G.: Sohre/Jugoslawien, 1. Juli 1939. V.: Dipl.-Ing. Svetlana. Ki.: Alexander (1972), Nemi (1974). El.: Johann u. Olivera. K.: seit 1986 in Österr., 1990 selbst. m. Reisebüro m. Konzession u. Gewerbeberechtigung f. Import u. Export. E.: Award of Merit ITB Berlin, mehrere Ehrungen f. gute Zusammenarb. u. intern. Planung f. Fremdenverkehr. (N.M.)

Popow Walerij N.

B.: a.o. u. bevollm. Botschafter d. Russ. Föderation. DA.: 1030 Wien, Reisnerstr. 45-47. PA.: 3002 Purkersdorf, Winterg. 41-43. G.: Leningrad, 9. Juli 1935. El.: Nikolaj u. Lydia. S.: Mittelschule in Moskau, 1953-59 Stud. Inst. f. Intern. Beziehungen, Diplom 1959. K.: 1959-62 pers. Ref. d. Botschafters d. UdSSR in Bonn, 1962-69 3. Europ. Abt. im Außenmin. (zust. f. d. 2 dt. Staaten, Westberlin u. Österr.), 1969-71 1. Botschaftssekr. in Berlin (zust. f. Berlin-West, Teiln. an d. Vier-Mächte-Verhandl. über Berlin-West), 1971-75 3. Europ. Abt., Moskau, 1975-78 Botschaftsrat in Bonn, Ltr. d. Gruppe Außenpol., 1978-81 Ref.-Ltr. BRD 3. Europ. Abt. in Moskau, 1981-84 Abt. f. Intern. Org. im Außenmin. (zust. f. Abrüstungsfragen, Mtgl. d. Deleg. b. d. Verhandl. über Mittelstreckenraketen in Genf), 1984-86 Gesandter in Berlin (zust. f. Außenpol. u. Berlin-West), 1986-90 Stellv. Hauptabt.-Ltr., Abt. Sozialist. Länder Europas, pol. Zusammenarb. im Rahmen d. Warschauer Paktes, seit 1990 a.o. u. bevollm. Botschafter in Österr. E.: nat. u. intern. Ausz. H.: Lesen, klass. Musik, Jazz, Malerei. (J.S.)

Popp Reinhold Dr. Univ.-Doz.

B.: Dir. d. Ak. f. Sozialarb., DA.: 5020 Salzburg, St. Julien-Str. 2. PA.: 5020 Salzburg, Georg-Kropp-Str. 36. G.: Salzburg, 3. Febr. 1949. El.: Reinhold u. Edeltrude. S.: 1967 Matura, Stud. Päd. u. Politikwiss. Univ. Sbg. K.: seit 1986 Univ.-Doz. f. Erziehungswiss. Univ. Innsbruck, seit 984 Dir. d. Ak. f. Sozialarb. Sbg., seit 1988 Ltg. d. Ludwig Boltzmann-Inst. Sbg., , Psychotherapeut, klin. Psychologe, Gesundheitspsychologe u. Supervisor, seit 1975 Ltg. mehrerer Forsch.-Projekte, umfangreiche Lehrtätigkeit an Ak. u. Univ., Vortragstätigkeit. P.: zahlr. Veröff. H.: Skifahren, Lesen. (M.S.)

Popp-Wiesinger Petra

B.: Ang., Antiquitätenhändlerin, ak. geprüfte Übersetzerin. FN.: Antiquitäten-Kunsthaus Wiesinger. DA. u. PA.: 4600 Wels, Berg 9. G.: Linz, 10. Aug. 1963. V.: Dr. Ernst Popp. Ki.: Felix. El.: Hubert u. Eleonore Wiesinger. S.: 1982 Matura, 2 J. Auslandsstud. in Spanien, Mexiko, Belgien u. Frankreich, Stud. Univ. Graz u. Sorbonne Paris, 1985 Abschluß als ak. geprüfte Übersetzerin f. Span. z. Franz. K.: seit 1986 im Kunsthaus tätig, 1989 Seminarlehrgang b. Sothebeys in London, Teilnahme an versch. Seminaren in Wien, München, Paris, Venedig, Rom usw., Ausstellertätigkeit b. Kunst- u. Antiquitätenmesse Wien, Sbg. Residenz u. Schloß Grafenegg, Vortragstätigkeit Oberbank Wels. P.: "Parnass" (1993), zahlr. Fachpubl. H.: Reisen, Lesen. (P.H.)

Poppe Wolfgang Dipl.-Ing.

B.: selbst. Ziviling. f. Bauwesen. DA. u. PA.: 1090 Wien, Julius-Tandler-Pl. 6. G.: Wien, 28. Okt. 1958. V.: Mag. pharm. Renate, geb. Lacina. Ki.: Gerhard (1984), Andrea (1988). El.: Alois u. Adelheid, geb. Haupt. S.: BRG, 1976 Matura, 1976-86 Stud. Bauing.-Wesen TU Wien. K.: 1979-87 Arch.-Büro Dipl.-Ing. Herbert Lacina, seit 1987 im Ziviling.-Büro Dipl.-Ing. Wolfgang Vasko & Partner, 1991 Ziviltechnikerprüf., 1992 Kzl.-Eröff. H.: Tennis. (N.A.)

Popper Hans Dr.

B.: Dir.-Stellv. FN.: O.Ö. GKK. GT.: s. Ass.-Zeit Lehrbeauftr. HS f. künstl. ind. Gestaltung Linz. DA.: 4021 Linz, Gruberstr. 77. PA.: 4020 Linz, Landstr. 16. G.. Linz, 26. Jun. 1949. V.: Christine geb. Preinig. Ki.. Ulrich (1984), Magdalena (1986). El.: Wolfgang u. Hilde. S.: VS, Gymn. Linz, 1968 Matura, Stud. Jus., 1973 Prom. K.: Gerichtsjahr, b. 1977 Univ. Ass. Inst. Wirtschaftsrecht Univ. Linz, 1977 zur GKK, 1983 Übern. Dir.-Sekretariats, 1992 Dir. Stellv., zust. f. Med. Einricht., Leistungsabt. m. Außenstellen. P.: versch. i. Ass.-Zeit, Thema: Umweltrecht, Medienrecht, Verwalt.-verfahren, Pflichtversich., Vers.-Pflicht. H.: Familie, Weiterbild., Sprachen, Radfahren, Tennis, Skifahren. (U.A.)

Popper Heinrich KommR.

B.: Friedrich Sauer. DA.: 1090 Wien, Nußdorferstr. 32. G.: Wien, 19. Mai 1938. V.: Frieda. Ki.: Gabriele, Andreas. El.: Karl u. Anna. S.: 1957 Abschluß Kfm. Ausbild., div. HK-Prüf. K.: 1967 Übernahme d. elterl. Betriebes Heimtiere u. Pflege, 1976 Eröff. d. 2. Geschäftes f. Fischereibedarf. BL.: Lehraufträge f. Ornithologie, Schulungsltr. f. Ornithologie, gerichtl. beeid. Sachv. P.: div. Art. in Fachzeitschriften. E.: seit 1982 Staatswappenträger, 1980 KommR. M.: Innungsmstr., Gremialvorst. d. Wr. Zoofachhdl., Obm. v. Vogelzuchtver. H.: Wandern, Bergsteigen, Fischen. (J.E.)

Poppmeier Fritz Dr. Dkfm.

B.: Gschf. d. IGT Hdls.Hof GmbH Sbg., PLW Vermögensverw. GmbH Graz, Spar Österr. Warenhdls. AG, Zuschuß- u. Unterstützungskassa GmbH Sbg., Spar Leasing GmbH Wien. PA.: 8055 Graz-Puntigam, Hafnerstr. 20. M.:Vorst.Mtgl. d. Spar Österr. Warenhdls. AG Sbg., AufsR. d. "Spar Finanz" Investitions u. Vermittlungs AG Wien.

Poppmeier Theodor

B.: Kfm. Komm. u. Prok. d. Fa. Theodor Poppmeier KG, Lebensmittelgroßhdl. Graz, Komm. d. Fa. Bauvermietungsges. Poppmeier & Co KG Graz, Gschf. d. Tann-Nahrungsmittel Vertriebs GmbH Graz, u. Plw Vermögensverw. GmbH Graz, Prok. d. Spar Österr. Warenhdls. AG Sbg. Zwg.Ndlg. Graz. PA.: 8055 Graz-Puntigam, Hafnerstr. 20.

Poringer Johann

B.: Gschf. Ges. FN.: "Innviertlerlandei" Johann Poringer Ges.m.b.H. u. Co KG. DA./PA.: 4910 Ried i. I., Tumeltsham 27. G.: Ried, 6. Jän. 1949. V.: Elisabeth, geb. Kaiser. Ki.: Alexandra (1976), Elisabeth (1980). El.: Johann u. Theresia. S.: 1964-67 HTL, 1968 i. elterl. Betrieb eingetreten, 1952 Bau d. Hühnerfarm, 1975 Gschf., 1975 Bau d. Auslieferungslagers i. Innsbruck, 1979 u. 1994 Erricht. einer Lagerhalle u. Packstelle, 1989 Bau einer Eierfärberei, 1992 Bau d. Auslieferungslagers i. Badhofgastein. F.: Ges. bei Fa. Pro OVO, Eierprod.-GmbH, Ges. i. Gutshof Österreich Eiervertriebs GesmbH, Ges. bei PSS Eiproduktions Ges.m.b.H. M.: Obmann Sportverein, Zugskommandant d. Feuerwehr, Segelclub am Traunsee, Turnverein i. Ried. H.: Segeln, Tennis, Skifahren. (M.G.)

Porkar Ahmed

B.: Gschf. FN.: SAPCO Hdls. GmbH. DA.: 1030 Wien, Gottfried-Keller-G. 2/26. G.: Teheran, 27. Mai 1952. S.: B.Sc. Electronic Engineering (Technical Univ. Teheran "Sharif"), 1973 Abschluß, 1974 Postgrad. Stud. Business Admin., Univ. of Salford, 1975 Postgrad. Stud. M.A. Marketing Univ. of Lancaster. K.: 1982 Grdg. d. Fa. SAPCO Hdls. GmbH. (Tim.)

Pörner Kurt Th. Ing.

B.: Gschf. Ges. d. Ing. K. Th. Pörner GmbH, techn. Büro f. d. chem. u. petrochem. Anlagenbau. DA.: 1050 Wien, Hamburger Str. 9. G.: Wien, 16. Dez. 1941. V.: Gertraud, geb. Apfelbeck. Ki.: Thomas, Christian. El.: Kurt Ludwig u. Elisabeth. S.: HTL m. Fachrichtung Betriebstechnik, 1960 Matura. K.: Techniker b. ÖMV, Projektierung v. Verfahrensanlagen d. petrochem. Ind., ltd. Position v. div. intern. bekannten Ing.Büros d. chem. u. techn. Ind. (Lurgi, Parsons, Uhde), 1972 Grdg. eines eigenen Ing.Büros, seit 1979 gschf. Ges. d. K. Th. Pörner GmbH. BL.: Industrial Piping: Druck- u. Temperaturberechnungen, Konstruktion, Montage. F.: Filialbüros in Linz u. Frankfurt. M.: Ges. f. Erdölwiss. H.: Fußball, Segeln. (Sei.)

Porsch Erich Maria

B.: freischaff. bild. Künstler. DA. u. PA.: 1180 Wien, Währingerstr. 147. G.: Wien, 8. Okt. 1954. Ki.: Jakob (1990). El.: Erwin u. Senta, geb. Reininger. S.: VS, HS, autodidakt. Ausbild. z. bild. Künstler, Arch.-Stud. an d. Künstler. HS Wien. K.: 1971-90 Tätigkeit in div. Wr. Arch.-Büros, 1986 erste Einzelausstellung Grand Hotel de l'Europe Badgastein, weitere Ausstellungen: 1985 Van Swieten Schlössl, 1990 Galerie A, Ars Mandi Kunstmesse, 1991 Flughafen Wien, World Trade Center, Hofburg, Schwerpunkt d. Tätigkeit: gegenständl. Malerei m. computerunterstützender Sujetgestaltung, Werke im Besitz CA-BV u. priv. Sammlungen. H.: Computer, Sohn. (N.A.)

Porsch Ferdinand

B.: Gschf., Einkaufs- u. Verkaufsltr. FN.: Servo King Klimaanlagen- u. Kühltransport-Service GmbH. DA.: 1232 Wien, Lamezanstr. 11. G.: Wien, 13. Aug. 1947. V.: Irene, geb. Wesely. Ki.: Markus (1976), Martin (1979). El.: Ferdinand u. Maria. S.: Grundschulen, HAK. K.: Prok. b. Firma Gellert, seit 1979 Gschf. b. Firma Servo King, Ges. P.: zahlr. Veröff. in branchenspez. Zeitschriften. H.: Tennis, Schach, Literatur, Theater. (J.S.)

Porsche Ferdinand "Ferry" Dr. h.c. Prof.

B.: Ehrenvors. d. AR d. Porsche Holding AG. DA.: 5020 Salzburg, Fanny-v.-Lehnert-Str. 1. G.: Wr. Neustadt, 19. Sept. 1909. V.: Dorothea, 4 Kinder. El.: Vater Prof. Porsche: Konstr. d. "Käfers", Erfinder d. Radnabenmotors. K.: Techn. Ausbild. b. Fa. Bosch u. Steyr Österr., 1931 Beginn d. Tätigkeit im Konstruktions- u. Entwicklungsbüro d. Vaters in Stuttgart, 1932 Entwicklung d. Auto-Union Grand Prix, 1936 1. VW-Erprobung unter staatl. Kontrolle, 1938 Ltr. d. Vrsuchsabt. Stuttgart-Zuffenhausen, 1940 Übernahme d. Stellv. Ltg. d. Betriebes, 1945 Verlegung nach Gmünd/Ktn. u. Beginn d. Entwicklung d. Porsche 356 auf d. Basis d. VW (1. Wagen unter d. Bezeichnung "Porsche"), 1949 nach 46 Exemplaren d. Porsche D356 Rückkehr nach Stuttgart u. Wiederaufnahme d. Entwicklungsbüros f. Fremdaufträge, ab 1950 Serienanfertigung d. Porsche 356, 1972 Umwandlung d. Betriebes in AG u. seitdem Vors. d. AR. E.: 1959 Gr. VK d. BRD (d. BPräs. Heuss), 1965 Dr. h.c. TU Wien, 1975 Gold.

EZ d. Rep. Österr., 1978 Wilhelm Exner-Med., 1979 Gr. VK m. Stern d. VO v. Baden-Württemberg, 1981 Gold. Med. d. Société des Ingenieurs de l'Automobile, 1984 Titel Prof., 1985 Sen. h.c. d. Univ. Stuttgart, Capo-Circeo-Preis 1993. P.: Lit.: "Ferry Porsche - Ein Leben für das Auto".

Portele Helmut Ing.

B.: Toning. FN.: Viennasound Studios VRC GesmbH. DA.: 1150 Wien, Holocherg. 24. G.: Wien, 20. Apr. 1940. V.: Elisabeth, geb. Varady. Ki.: Patrick (1982). El.: Anton u. Elisabeth. S.: Ausbild. als Bild- u. Toning. K.: seit 1957 selbst. Tonmeister, Praxis b. Prod. f. Film, Fernsehen, Radio u. Schallplatte durch Arb. in intern. Studios u. Aufn. bzw. Dreharb. v. MCA-Universal/Hollywood, Walt Disney, Pinewood/GB, Cinecittá/Rom, Bavaria Studios/München, Bayr. Rundfunk-FS, Südwestfunk/Baden-Baden, BBC/-London, NBC/New York., EMI/London, Decca/London u. Wien, Musikprod. Süd/Wien, Pathé/Paris, Electrola/Köln, Ariola, Amadeo/Wien, ORF u.a., ab 1957 Konsulententätigk. b. d. Prod. v. Kino- u. FS-Filmen, s. 1962 Ausbild. u. Einschulung v. Tontechnikern z. selbst. Durchführ. v. Tonaufn. u. Filmsynchron., s. 1962 Kons. f. Studioplanung, Proektierung, Beschaffung v. Kommunikationssystemen u. profess. Audio- u. Video-Equipment im In- u. Ausland, 1973-78 Aufbau d. eig. Universalstudiobetriebes, 1976 1. priv. Videosynchronisationsanlage m. U-matic-Video u. Perfo-Magnetfilm, Pionier auf d. Geb. d. digitalen Tonaufzeichn. mittels Computer u. d. graph. Tonbearb., 1. Harddisc-Recording in Österr., Herst. v. Masterbändern f. d. CD-Prod., Realisation v. Klassik-Musikprod. in organ., techn. u. musikal. Hinsicht im In- u. Ausland, jahrel. Zusammenarb. m. d. St. Petersburger (Leningrader) Philharmonie, d. Kirow-Oper, d. russ. Fernsehen u. Radio u. d. russ. Schallplattenfirma Melodia. P.: Untersuchung d. Kopiereffektes b. Lagerung v. Tonaufz. auf Magnetbändern u. d. Bedeutung d. Innen- u. Außenwickels b. d. Bandarchivierung (1960-61), Erarb. eines Archivierungssystems f. Tonträger n. Inhalten m. d. Möglichkeit d. späteren Übernahme in ein automatis. Archivierungssystem (1962), Standard-Ausrüstung in Tonstudios f. Rundfunkprod. u. Filmsynchron., sowie d. Bedeutung d. Stereophonie u. Mehrspurtechnik f. künftige Prod. (1962-63), Schalldämmung u. Raumakustik f. Ton- u. Filmstudios u. d. Probleme d. Kommunikation zw. Technik u. Künstler (1963-64), Möglichk. d. Steuerung v. Ton- u. Filmgeräten mittels Real-Zeit-Codes (1972). BL.: Erarb. d. Kriterien u. Aufstellung e. Verzeichn. aller histor. u. konstruktiv wertvollen österr. Schienenfahrzeuge d. Vollbahnen, Lokal- u. Straßenbahnen, Feld- u. Industriebahnen u. dazugehör. Einrichtungen als Grundlage f. d. Österr. Eisenbahnmuseum (ÖEM) sowie priv. Organ. (1956-57 u. 1962-64), Grdg. u. Aufbau d. "Wiener Tramwaymuseums", Erhaltung d. Kauf u. Rekonstr. z. Verschrottung bestimmter histor. u. konstruktiv wertvoller 161 Fahrzeuge u. dazugehör. Einricht., sowie Aufbau e. Archivs z. Dokumentation d. Wr. öff. Verkehrs (1966), Mitarb. b. d. Erarb. d. Verkehrskonzeptes f. d. öff. Verkehr in Wien b. d. MA 18 (1966-78). (J.E.)

von Portele Karl Alfons Dr. med. univ. HofR.

B.: Dir. d. Path.-anatom. BMuseums in Wien. A.: 1170 Wien, Promenadeg. 17. G.: Wien, 13. Jan. 1921. V.: Maria Anna, geb. Patzak. El.: Ing. Prof. HofR. Karl u. Roselene. S.: Hum. Gymn., Med.Stud. an d. Univ. Wien. K.: Path.-anatom. Univ.Inst. P.: Zahlr. Arb. aus d. Gebiet d. path. Anatomie. E.: Gold. EZ f. Verd. um d. Rep. Österr. H.: Klavierspielen, Schwimmen, Skilaufen, Autosport, Sprachen.

Portschy Wilhelm

B.: Inh. d. Fa. Elektro Schwarz u. Ldw. DA.: 8042 Graz, Breitenweg 11-13. PA.: 7471 Rechnitz, Nußgrabeng. 84. G.: Budapest, 31. Juli 1921. V.: Margarethe, geb. Rauherz. El.: Wilhelm u. Maria. S.: VS, HS, HASCH. K.: Offz. im 2. Weltkrieg, anschl. Ldw., ab 1953 Unternehmer, zusätzl. Jugendförderung, Lehrlingsausbild. v. Vollwaisen, Halbwaisen, Invaliden u. asozialgestörten Jugendlichen, 1956-80 eigenes Lehrlingsheim (36 Betten), Höchstschnitt an Lehrlingen: 65, Höchstschnitt an Mitarb.: 150 jährl. BL.: BPreisträger d. Wirtschaftsjahres 1975 v. Siemens, lfd. Erfolge als LPreisträger Stmk., Bgld., Ktn. E.: Gr. EZ d. Landes Stmk., Gr. EZ d. Landes Bgld., Gr. Silb. Med. f. d. Verd. um d. Wirtschaft Stmk. M.: Präs. d. Bgld. Landsmannschaft in Stmk., Obm. d. Österr. Wirtschaftsbund Graz-Innere Stadt, Präsidialmtgl. d. Österr. Kam.Bund Stmk., Ehrenmtgl. v. versch. Landsmannschaften u. Kameradschaftsbund Bgld. H.: Menschen Freude bereiten, Reisen, Ldw., Sammeln v. Tellern, Boxen, Fußball. (R.A.)

Portisch Hugo Dr. phil.

B.: Journalist. G.: 19. Febr. 1927. V.: Gertraude. Ki.: Edgar. S.: Univ. Wien, zunächst Stud. d. Geschichte, Germanistik, Anglistik u. reine Phil., dann Publizistik, 1951 Dr. phil. K.: 1947 Red.Eleve d. Wr. Red. d. St. Pöltner Preßver., 1948 Red.Aspirant b. d. damaligen Wr. Tageszeitung, 1950 Ressortltr. d. Außenpolitik, 1950 Absolvierung eines sechsmonatigen Journalistenkurs in d. USA, arbeitete b. d. New York Times, Washington Post, St. Louis Star and Times, u. d. Cleveland Press, 1953 stellv. Ltr. d. österr. Informationsdienstes in New York, Begleiter d. damaligen BKanzlers Julius Raab in d. Funktion eines Pressechefs d. österr. Delegation auf dessen Staatsbesuch zu Pr. Eisenhower u. Außenmin. Dulles im Nov. 1954, 1955 stellv. Chefred. d. neu gegründeten österr. "Kurier", 1958 Chefred., 1967 Chefkommentator d. reformierten österr. Rundfunks, in d. Siebziger Jahren gemeinsam m. Sepp Riff Produktion d. Fernsehdokumentationen "Friede durch Angst", "Nixons Kampf ums Weiße Haus", "Englands Weg nach Europa" u.v.a., 1971/72 Gen.Bev. d. Kurier, nach dessen Verkauf Übernahme d. weltpolit. Berichterstattung f. dieses Blatt u. f. d. ORF m. d. Sitz in London, Ende d. Siebziger Jahre Rückkehr nach Wien, Tätigkeit als weltpolit. Kommentator d. ORF, Herstellung weiterer großer Fernsehdokumentationen über d. polit. Entwicklungen in China, Kuba, USA u. Südafrika, 1982 gemeinsam m. Sepp Riff Erstellung einer umfassenden Fernsehdokumentation über d. Geschichte d. Zweiten Rep. Österr. unter d. Titel "Österr. II". P.: Bücher: "So sah ich d. Sowjetunion, Afrika u. Südamerika", "So sah ich China", "So sah ich Sibirien", "Friede durch Angst, "Die deutsche Konfrontation", "Augenzeuge d. Weltgeschehens", "Kap d. letzten Hoffnung", "Pilzesuchen ein Vergnügen". E.: 1966 Karl Renner-Preis, 1968 u. 1982 Gold. Kamera, 1968 u. 1984 Fernsehpreis d. österr. Volksbild.

Porzer Christine Mag.

B.: Übersetzerin. DA.: 1010 Wien, Freyung 6. PA.: 1030 Wien, Ungarg. 16. G.: Wien, 22. Juli 1945. V.: Dr. Peter Porzer. Ki.: Ulrike (1971), Marie-Thérèse (1975). El.: Johann u. Maria Kadic, geb. Petruszewicz. S.: 1964 Matura, 1965-69 Stud. am Inst. f. Übersetzer- u. Dolmetscherausbild. d. Univ. Wien. K.: nach Stud. kurz b. d. Auslandsabt. d. Girozentrale, danach b. Flugunternehmer Ing. Hans Drescher als Chefsekr., 1979-81 Sekr. in Ital. Modegeschäft, 1982 Übernahme d. Übersetzungsbüros Fachübersetzungen Mag. Christine Porzer, Übersetzungen in u. aus allen Sprachen u. Fachgebieten. H.: Gesellschaftstanz, Blumen, Musik. (N.A.)

Porzer Günter Dr. med.
B.: prakt. Arzt, Ozontherapeut. DA.: 1210 Wien, Jeneweing. 10. G.: Obergänserndorf, 25. Dez. 1951. El.: Dr. Johann u. Gudrun. S.: Gymn., 1970 Matura, Med.-Stud. Univ. Wien, 1977 Prom. K.: b. 1981 Turnusdienst KH Hainburg, 1981 Eröff. d. Ordination m. Schwerpunkt Ozontherapie. H.: Tennis, Fotografieren, Musik. (N.A.)

Posch Alois Dr.
B.: Präs. d. Landesgericht. DA.: 7000 Eisenstadt, Wiener Str. 9. (Biographie folgt im Loseblattsystem)

Posch Dieter Dkfm.
B.: Prok. FN.: Electrovac GmbH. DA.: 1194 Wien, Rampeng. 5. PA.: 2380 Perchtoldsdorf, Janetschekg. 18/1/5. G.: Mistelbach, 19. Apr. 1941. V.: Christine, geb. Wald. Ki.: Thomas, Markus. El.: Franz Xaver u. Hildegard. S.: HAK, Stud. Welthdl. K.: 6 J. Ingelen, seit 1968 Electrovac als Prok. (Ltr. d. Rechnungswesen). H.: Fotografieren, Musik, Tennis. (A.K.)

Posch Friedrich Dr. iur.
B.: a.o. u. bev. Botschafter in Malaysia. PA.: 1140 Wien, Linzer Str. 352/6/4. G.: Krems, 24. Dez. 1932. V.: Barbara, geb. Field. El.: Erich u. Hildegard. S.: RG, Stud. Rechtswiss. Univ. Wien, Studienaufenthalt in Tübingen/BRD u. Oxford/England. K.: 1956 Gerichtspraxis, 1958 Eintritt in d. höheren auswärtigen Dienst, Posten in New Delhi, Den Haag, Pretoria u. Brüssel, 1980-82 Ltr. d. Bilateralen Kulturabt. im BMA, 1982-86 Österr. Botschafter in d. Philippinen, 1987-89 Ltr. d. Bürgerservice im BMA, seit 1990 Botschafter in Kuala Lumpur. E.: Ritter im Orden v. Oranje-Nassau (NL), Commandeur im Kronenorden (B), Datu im Orden d. Sikatuna (Philippinen). M.: Bankers Club (K.L.), Außenpolit. Ges. Wien. H.: Musik, Natura, Wassersport, Wandern.

Posch Günther

B.: selbst. FN.: Studio 45 Foto- u. Computergrafik. DA.: 6500 Landeck, Prandtauersiedlung 16. G.: Landeck, 9. Okt. 1940. El.: Johann u. Regina. S.: VS, HS, Lehre Maschinenschlosser u. Dreher, 1958 Abschluß, Fotografenlehre, 1986 Mstr.-Prüf. K.: 1962 Maschinenschlosser u. Dreher b. TAG Landeck, 1964 Eintritt in fotograf. Betrieb, Tätigkeit in sämtl. Bereichen, ausgeschieden als Prok., 1984 Fotografenmstr., 1986 Grdg. Studio 45. M.: langj. Kam.-Funktionär. H.: Fotografieren, alte Kameras sammeln, Technik. (I.D.)

Posch Harald
B.: freier Autor, Regisseur u. Schauspieler. FN.: Habsburg Recycling. DA.: 1070 Wien, Schottelfeldg. 60. G.: Graz, 19. Dez. 1963. El.: Julius u. Gisela. S.: 4 J. AHS, 2 J. HTL i. Graz, ab 17. Lebensjahr Schauspieler. K.: Fernsehstücke, Theater d. Jugend Wien, Grazer Schauspielhaus, Volkstheater Wien, 1989-93 Theater i. d. Josefstadt als Schauspieler, 1989 Habsburg Recycling gegründet, mittlerweile 6 Prod., darunter "Originalansprachen d. Österr. Bundespräsidenten" i. d. Fernsehsendung "Kunststücke", Habsburg Recycling Neuevangelisierungstour 93, beim darauffolgenden Prozeß wegen Verunglimpfung religiöser Themen § 188 freigesprochen aufgrund § 17 "Kunst ist frei", s. 1990 zwei Kabarettprogramme f. Dolores Schmidinger, s. 1993 freier Autor, Regisseur u. Schauspieler i. Wien, Rollen: Frühlingserwachen, Kasimir und Karoline, Die von Nebenan. M.: IG-Autoren, IG-Theater. H.: Beruf, Motorradfahren (Harley Davidson). (J.M.)

Posch Hans Dipl.-Ing.

B.: Kammersekretär. FN.: Bezirkskammer f. Land- u. Forstwirtschaft. DA.: 8230 Hartberg, Wienerstr. 29. PA.: 8230 Hartberg, Neubaug. 23. G.: Hartberg, 5. Feb. 1943. V.: Hildegard, geb. Hofstätter. Ki.: Waltraud (1972), Regina (1973), Albert (1978), Clemens (1981). El.: Franz u. Maria. S.: VS, HS, Bundeslehranst. f. Land- u. Forstwirtsch. i. Wieselburg, Matura 1964, HS f. Bodenkultur i. Wien, 1968 Abschluß Dipl.-Ing. K.: 1968-78 Betr.-Berater b. BezKa. f. L u. FW Hartberg, 1969 Lehrbefähigung BWL, 1979 beeid. ger. Sachverst., 1979 Kammersek. b. BezKa. f. L u. FW. Leibnitz, s. 1980 Kammersek. b. BezKa. f. L u. FW. Hartberg. M.: Lions Club Hartberg. H.: Lesen, Geschichte, Technik, Geographie.(I.G.)

Posch Karl
B.: Kons. d. OÖ LRg. f. Volksbild. u. Heimatpflege, Amtsstellenltr. d. Arbeiterkam. A.: 4840 Vöcklabruck, Radetzkystr. 18. G.: Preßburg, 25. Okt. 1929. V.: Herta, geb. Damianitsch. El.: Karl u. Karoline. S.: 5 Kl. VS, 4 Kl. RG, Berufsschule, Sozialak. d. Ak. Wien. K.: Jugendfunktionär u. -sekr. im Österr. Gewerkschaftsbund, 1951-53 BJugendobm. d. ÖGB, seit 1951 Sekr. d. OÖG, seit 1976 Sekr. d. Arb. Kam. OÖ, Amtsstelle Vöcklabruck, Beisitzer d. Arbeit-sgerichtes Vöcklabruck, Gem.R. d. Stadt Vöcklabruck seit 1961, Stadtrat (Sozialwesen) seit 1967, Obm. d. sozialistischen GR-Franktion Vöcklabruck seit 1979. P.: Art. u. Berichte in versch. Tages-u. Wochenzeitungen. E.: Silb. EZ d. Roten Kreuzes. M.: Bez.Obm. Stellv. d. Roten Kreuzes, Bez. Vöcklabruck, Obm. d. Gewerkschaft d. Privatang., Ortsgruppe Vöcklabruck, Touristenver. "Die Naturfreunde", ARBÖ, Kinderfreunde. H.: Bergsteigen, Reisen, Fotografiern, Lesen.

Posch Karl OSR
B.: VS-Dir. i.R., Bgm. v. Baldramsdorf. PA.: 9805 Baldramsdorf 79. G.: Kremsbrücke, 2. Dez. 1926. V.: Anna, geb. Hartlieb. Ki.: Gerhard, Diethard, Hanna. El.: Raimund u. Maria. S.: LBA in Krainburg u. Klagenfurt. K.: ab 1947 Lehrtätigkeit, 1964-89 Dir. d. VS Baldramsdorf, s. 12J. im GemR., s. 1977 Bgm. v. Baldramsdorf. E.: OSR (1985). M.: Obm. d. Dorfgem. Baldramsdorf, Ktn. Bildungswerk, Sportver., Skiclub. H.: Lesen, Skifahren, Jagd, Imkerei. (M.B.)

Posch Max
B.: Werbefachmann, Gschf. FN.: sounD Design GmbH & Co KG. DA.: 1040 Wien, Schwarzenbergpl. 10. PA.: 1010 Wien, Marc-Aurel-Str. 5/11. G.: Wien, 2. Okt. 1957. V.: Daniela. El.: HofR. Dr. Max u. Gertrude. S.: 1976 Matura, Teilstud. Med. K.: Tätigkeit b. d. Firmen Telekabel u. Prosan, 1984 Grdg. "Daniel Düsentrieb Tonstudio" jetzt "sounD Design". E.: 1986 Werbestaatspreis, 1987 Sommerspot-Preis, 1988 CCA Gold. Venus, 1990 Staatspreis, Gold. Werbehahn, CCA Gold, CCA Bronze. M.: Vorst.Präs. d. Clubs z. Förd. d. Kommunikation d. Werbekomponisten m. d. Agenturen. H.: Surfen, Skifahren, Fitneß. (R.J.)

Posch Peter Dr. iur.

B.: Ges. d. RA-Kzl. DA.: 4600 Wels, Eisenhowerstr. 40. PA.: 4600 Wels, Freudstr. 5. G.: Schärding, 21. Feb. 1947. V.: Dr. Ingrid, geb. Neidl. Ki.: Katharina (1976), Christina (1979). El.: Max u. Therese. S.: BRG, 1965 Matura, 1966-70 Jusstud. Univ. Sbg. K.: 1970-71 Gerichtsj. in Wels, 5 J. RA-Ausbild. in Eferding, 2 J. Partner in Eferding, ab 1978 selbst. in Wels, seit 1984 Gattin als Teilhaberin, Spezialgebiet: Zivil-, Wirtschafts- u. Lebensmittelrecht. P.: div. Veröff. in lokalen Wirtschaftszeitungen. M.: Präs. d. Golfclubs Wels seit 1990, OLt. d. Res., Rotary Club. H.: Golf, Tennis, Skifahren, Lesen. (P.H.)

Posch Peter Dr.

B.: Verkaufsltr. Österr. f. Fiat-PKW. A.: 1040 Wien, Südtiroler Pl. 9/21. G.: Wien, 20. Juli 1950. El.: Max Karl u. Mathilde. S.: Abs. d. HTL Wien, Maschinenbau 1969, Mag. d. WU Wien, Betriebswirtschaft 1974, Dr. d. WU Wien, Betriebswirtschaft 1976. K.: Fa. Porsche, Ass. d. GF, Verkaufsltr. f. VW/Audi 1976-81, Fa. Steyr Daimler Puch AG, Verkaufsltr. f. Österr. f. Fiat-PKW seit 1981. H.: Tennis, Eislaufen, Skifahren, Tanzen.

Posch Peter Dr. Mag.

B.: o.Univ.-Prof. im Inst. f. Schulpäd. u. Sozialpäd. d. Univ. Klagenfurt. DA.: 9020 Klagenfurt, Universitätsstr. 67. PA.: 9073 Viktring, Marienbadg. 31. G.: Lienz/Tir., 3. Jan. 1938. V.: Dr. Maria. Ki.: Martin (1969), Anneliese (1971). El.: Hugo u. Anna. S.: Pflichtschule, Höhere Schule, Studien in d. USA, Norwegen u. England, zwei Univ. Studien (Lehramt sowie Päd./Psych.), Doktorat 1967, Habil. 1975. K.: Univ.Ass. an d. Univ. Innsbruck, Konstanz (BRD) u. an d. WU Wien. Seit 1975 o.Univ.-Prof. f. Lehrplantheorie an d. Univ. Klagenfurt, Gastprof. an d. Univ. Stanford, USA (1992). P.: Lehrer erforschen ihren Unterricht - Einführung in d. Methoden d. Aktionsforschung (1990), Bildung in Österr. (1992), Schulautonomie in Österr. (1992), 70 Beiträge u.a. über Schulentwicklung u. Umwelterziehung in in- u. ausländ. Zeitschriften u. Sammelwerken. M.: Österr. Ges. f. Päd., American Education Research Assoc, National Society for the study of Education, Fellow d. Royal Society of Arts. H.: Bergwandern, Skifahren, Mineralogie.

Posch Siegfried Dr. jur. wHofR.

B.: Ltr. d. Umweltbehörde. FN.: Amt d. OÖ Landesreg. DA.: 4020 Linz, Christian Coulinstr. 15. G.: Linz, 26. Apr. 1941. V.: Christine, geb. Kröblinger. Ki.: Robert (1974), Gerhard (1977). El.: Siegfried u. Ida. S.: 1960 Matura, 1961 BH, 1964 nebenberufl. Jus. Stud., 1971 Prom., versch. firmeninterne Ausb. absolviert. K.: 1962 techn. Dienst b. Amt d. OÖ Landesreg. Linz, s. 1971 Baurechtsabt. f. Hochbau, Raumordnung u. Straßenrecht, s. 1991 Ltr. d. Umweltbehörde f. OÖ. P.: Laufend Vortragstätigk. i. WIFI, Gemeindebund, Städtebund, amtsintern u. Schulungstätigk., Pub. i.d. Medien i. Fachgebiet. E.: 1990 w. Hofrat. H.: Musik, Fischen, Modelleisenbahn. (U.A.)

Posch Walter Mag.

B.: Mtgl. d. NatR., Lehrer an AHS. DA.: 1017 Wien, Dr.-Karl-Renner-Ring 3. G.: Mürzzuschlag, 15. Jan. 1954. S.: Gymn., 1972 Matura, Stud. Gesch. u. German. an d. Univ. Graz, 1979 Mag. phil. K.: s. 1979 Lehrer an AHS, 1986 Landesstellenltr. d. Renner-Inst. in Ktn., 1985-91 Mtgl. d. GemR. v. Spittal/Drau, s. 11/1990 Abg. z. NatR.

Posch Romed sen.

B.: Tischlermstr., Inh. d. Bau- u. Möbeltischlerei Romed Posch. DA.: 6060 Hall/T., Lorettostr. 22. PA.: 6065 Thaur, Soleg. 6. G.: Thaur, 21. Nov. 1930. V.: Paula, geb. Posch. Ki.: Romed, Marta, Elisabeth. El.: Josef u. Maria. S.: Fachschule f. Tischler m. abgeschl. Mstr.Prüf. 1954. K.: Seit 1955 selbst., Bez.Innungsmstr. u. LInnungsmstr.Stellv. E.: Silb. Kammer-Med. f. 25jähr. Selbständigkeit. M.: Schützenkompagnie. H.: Haflingerzucht, Reiten, Bergwandern. (W.G.)

Posch-Canal Christine

B.: Gschf. Ges. FN.: Ludwig Canal's Kinder Baustoffwerke. DA.: 6460 Imst, Fabrikstr. 30. PA.: 6460 Imst, Putzenweg 8. G.: Imst, 7. Nov. 1952. V.: Hans Posch. Ki.: Clivia, Gregor. El.: Othmar u. Marianne Canal. BV.: Vater Bes. d. Hotel Hospiz in St. Christoph, Großvater Gründer d. Unternehmens 1924. S.: VS, HS, HASCH Imst. K.: 1971 Eintritt in d. elterl. Betrieb, seit 1987 Ges. d. Betonwerke Imst u. Flaurling. H.: Sport. (H.T.)

Poscharnig Josef

B.: Ltr. d. Sportamtes u. Verwalter d. Bäder u. d. Kunsteisbahn. DA.: 3500 Krems, Freizeitpark. PA.: 3500 Krems, Mitteraustr. 9. G.: Wasendorf, 28. Febr. 1941. V.: Elisabeth, geb. Schimani. Ki.: Julia (1985), Johannes (1989). El.: Georg u. Julianna. S.: VS, HS, 1968 AHS-Matura, Sportlehrer- u. Trainerausbild., Fechtmstr.-Ausbild. K.: 1960-68 Zeitsoldat b. Österr. BH: Zugkdt. u. Ausbild.-Ltr. (1963 Ausbild. HSNS), 1968 Eintritt in d. Mag.-Dienst d. Stadt Krems als Schwimmstr., 1970 Aufbau d. Sportamtes d. Stadt Krems u. danach Verwalter d. Stadions, Sporthalle u.a. Sportanlagen, seit 1975 zusätzl. Verwalter d. Badeanlagen. BL.: 1968, 1969 u. 1971 Österr. Mstr. im Modernen Vierkampf, seit 1956 Trainer im Fechtklub Krems, 14x Landesmstr. NÖ im Fechten u. Modernem Vierkampf. E.: EZ d. Ak. d. Fechtkunst in Gold, EZ d. Österr. Fechtverb. in Gold, EZ d. Union NÖ in Gold, Wappenplakette d. Stadt Krems in Gold, Sport-EZ d. Landes NÖ in Silber. M.: VPräs. d. Ak. d. Fechtkunst, Fachwart f. Spitzensport in d. Union NÖ, Obm. d. Werkver. Krems. H.: Sport, klass. Musik, Malerei, Reisen (Fahrrad). (M.M.)

Pöschek Erwin

B.: Dentist. DA.: 2100 Korneuburg, Hauptpl. 19. PA.: 2102 Bisamberg, Rothg. 5. G.: Korneuburg, 14. Okt. 1930. V.: Brigitte, geb. Zugschwert. Ki.: Ursula. El.: Dr. Erwin u. Paula. S.: Gymn., Lehre f. Zahntechnik, Mstr.Prüf., Dentistenprüf. K.: 1969 Übernahme d. väterl. Praxis. M.: Heeressportver., Schützengilde Langenzersdorf, Marineklub Korneuburg. H.: Fischen, Schießen, Segeln (Hochsee). (Bauer)

Pöschek Peter Mag. theol. Mag iur. Oberrat

B.: Vorst. d. Finanzamtes Gänserndorf. DA. u. PA.: 2230 Gänserndorf, Rathauspl. 9. G.: Wien, 13. Juli 1938. V.: Dr. Maria, geb. Kienbauer. Ki.: Andreas (1978), Clarissa (1981). El.: Franz Karl Otto u. Johanna, geb. Heindel. S.: 1966 Matura, Stud. Theol. u. Rechtswiss. Sbg. u. Wien, 1972 Mag. theol., 1985 Mag. iur. K.: b. 1975 Religionslehrer an Mittelschulen, 1975 Eintritt in d. Finanzverw., b. 1985 Betriebsprüfer u. Gruppenltr. Finanzamt f. Körperschaften Wien, 1986-88 Vorst.-Stellv. am Finanzamt Mistelbach, 1988-93 Vorst. d. Finanzamtes Hollabrunn, seit 1994 o.g. Position. P.: div. Publ. u.a. Buch "Abt Matthias Gügler v. Rhein" (1993). H.: Briefmarken sammeln, Bücher lesen. (N.A.)

Pöschko Franz

B.: Inh. FN.: Gartenbau Franz Pöschko. DA. u. PA.: 4690 Schwanenstadt, Hainprechting 1. G.: Schwanenstadt, 12. Juni 1940. V.: Helene, geb. Simmer. Ki.: Philipp (1976), Josef (1977), Lukas (1982), Barbara (1983). El.: Josef u. Maria. S.: VS, HS, 1954-57 Lehrzeit Sbg., 1960 Österr. BH, 1957-62 Praxis im In- u. Ausland, 1963 Mstr.-Prüf. f. Gärtner. K.: 1963 Aufbau u. Beginn d. eigenen Unternehmens, b. 1976 kontinuierl. Glashausausbau f. Topfpflanzenproduktion. BL.: 1. Betrieb Mitteleuropas m. Rinnenbewässerungsanlagen, Schrägtischbewässerung, 1. Preise b. nat. Blumenausstellungen. M.: Präs. RC Schwanenstadt. H.: Pferde, Koi-Fische, Familie, Leben als Gärtner. (C.D.)

Pöschl Friedrich Dr. iur. Mag. soc. oec

B.: Gschf. FN.: Satchwell. DA.: 1150 Wien, Sechshauser Gürtel 3. PA.: 2384 Breitenfurt-Ost, Bucheng. 2. G.: Wien, 20. März 1956. V.: Christine, geb. Sperat. Ki.: Patrick, Isabella, Michaela. S.: VS, Gymn., Kollegium in Kalksburg, Univ. f. Rechtswiss. in Wien, WU f. Betriebswiss., 1980 Mag., 1979 Prom. K.: 1981-84 im Sekr. d. Österr. Kontrollbank, 1974-81 Teilzeitbeschäftigung Fa. Satchwell, seit 1984 Hpt.Berufl. Fa. Satchwell, 1984-85 Ass. d. Gschf., seit 1985 Gschf. d. Fa. Satchwell. P.: Umschuldungsrisiko am intern. Kapitalmarkt, Bilanzkennzahlenanalyse. M.: Österr. Wirtschaftsbund, HK, Fachverb. d. Regeltechniken. H.: Lesen, Kunst, Malen. (M.B.)

Pöschmann Udo G. Ing.

B.: Pressekonsulent, Unternehmer, Gschf. Ges. FN.: Intern. Managements, Pöschmann KEG. GT.: Selbständ. Pressekonsulent versch. Fa. d. KFZ-Branche wie z. B. Suzuki Austria, Jaguar Austria, Rover u. Land-Rover u.s.w., Gschf. Motor Presse Klub Austria (MPKA), Ferrari Club Austria. DA. u. PA.: 1130 Wien, Wenzg. 12. G.: Wien, 13. März 1927. V.: Edeltraud, geb. Reichelt. Ki.: Denise (1958), Alexander (1966). El.: Hermann u. Hertha, geb. Schnaiter. S.: HTL Textiltechn., 1944 Abschluß. K.: 1945-57 Firmenges. im elterl. Untern., 1958-63 Gschf. d. Österr. Automobil-Sport-Club (ÖASC), 1963-73 Hauptabt.-Ltr. beim ÖAMTC, ab 12/73 selbst., ab 1967 jährl. Org. von Intern. Austell. wie "Jochen Rindt-Show" u.v. Porsche Club-Fernreisen. P.: Fachart. f. d. Porsche-Zeitung "Christophorus". E.: Zahlr. Motorsport-Ehrenzeichen u.a. Pro Merito in Gold d. ÖAMTC. H.: Autofahren, Reisen. (N.A.)

Posekany Christian

B.: Red.Ltr. FN.: Agrarisches Informationszentrum AIZ Pressedienst. DA.: 1010 Wien, Bankg. 1-3. G.: Wien, 13. Sept. 1959. V.: Martha, geb. Bauer. Ki.: Christiane (1989). El.: Josef u. Anna. S.: 1977 Matura, Stud. Jus u. Publizistik Univ. Wien. K.: 1978-80 Hochschülerschaftsfunktionär, seit 1981 Presseref., b. 1990 im Österr. Bauernbund, seit 1990 im Agrar. Informationszentrum, verantwortl. f. Inhalt u. Red. d. Pressedienstes. H.: Lesen, Musik, Geschichte. (J.S.)

Posekany Herbert Mag. pharm.

B.: Apotheker d. Alten Hofapotheke. DA.: 1010 Wien, Habsburgerg. 11. PA.: 1190 Wien, Sieveringer Str. 30a. G.: Wien, 15. Aug. 1945. V.: Dr. Gabriele, geb. Frey. Ki.: Alexandra (1984), Katharina (1988). S.: RG, Matura 1963, Stud. d. Pharm. an d. Univ. Wien, Spons. 1969. K.: 1969-70 BH, OLt. d. Res. 1970-72 Aspirantenzeit Fasanapotheke, 1972-82 Tätigk. in versch. Apotheken in Wien teils in ang. teils in ltd. Funkt., seit 1982 Pächter d. Alten Hofapotheke, M.: Apothekerkam. H.: Science fiction, Nestroy, Klass. Musik. (C.K.)

Pösenbäck Siegfried

B.: Inh. FN.: Franz Hamberger. DA.: 4175 Herzogsdorf 41. PA.: 4175 Herzogsdorf 103. G.: Bad Leonfelden, 6. Apr. 1951. V.: Margit, geb. Hamberger. Ki.: Simone (1975). El.: Friedrich u. Maria. S.: VS, HS, 1965 Lehre Bürokfm., 1969 Praktikum. K.: 1975 Betriebseinstieg, 1983 Disponent, 1990 Betriebsübernahme. M.: Vorst. Union Herzogsdorf, Gem.-Vorst., Obm. Wirtschaftsbund, Bez.-Obm. Transportgewerbe. H.: Jagd, Tennis. (U.Z.)

Posluschny-Kiessler Helga

B.: Gschf., Inh. FN.: Posluschny GmbH. DA.: 1010 Wien, Graben 27. G.: Wien, 1. Feb. 1942. V.: 2. Ehe m. Architekt Ing. Klaus Kiessler. Ki.: Mag. Jana (1965), Silvia (1967). S.: 1956-60 HAK, 1960-61 Sprachstud. i. England. K.: 1961-65 Sekretärin in einer Exportfirma, 1965-71 bei den Kindern zu Hause, 1972 Einstieg i. d. Fa. d. Ehegatten, ab 1985 selbst. Übernahme d. Vertretung d. Fa. Escada u. Laurel, 1988 Grdg. d. Fa. Escada Wien, 1989 Filiale in Salzburg, 1990 Filiale in Klagenfurt u. 1992 Filiale in Budapest. H.: Innenarchitektur, Reisen. (M.A.)

Posner Alfred Dir.

B.: gschf. Ges. FN.: Druma Maschinen u. Material f. d. graphische Gewerbe Posner u. Co. KG. DA.: 6020 Innsbruck, Kranebitter Allee 16. G.: Innsbruck, 11. April 1926. Ki.: Andreas, Michael. H.: Beruf, Jagd. (Schm.)

Pospichal Martha

B.: Finanzabt.Ltr. FN.: Univ.Doz. BauR. Mag. arch. Dr. techn. Peter Czernin. GT.: Werbegrafik Martha Pospichal-Erdpresser. DA.: 1190 Wien, Himmelstr. 11. PA.: 1210 Wien, Töllerg. 42. G.: Wien, 14. Dez. 1946. V.: Rudolf. El.: Erdpresser Johann u. Maria. S.: VS, HS, HASCH, Abendmatura, Jusstud. K.: Hilfsbuchhalterin, Buchhalterin, danach

Finanzchefin b. Fa. Höfer (1969-71), Gschf.Stellv. b. Fa. Bücherbund, seit 1973 Finanzchefin b. Arch. Czernin. H.: Tauchen, Schöne Künste, Reisen. (R.A.)

Pospischek Holger

B.: Kürschnermstr. u. Ges. FN.: R. Pospischek & Co. DA.: 4910 Ried, Hauptpl. 35. PA.: 4910 Ried, Schönauerweg 11. G.: Ried, 19. Aug. 1944. V.: Ingrid, geb. Reisinger, 1 Kind. El.: Rudolf u. Lenetraut. BV.: Großvater Rudolf Pospischek war v. 1938-45 Bgm. v. Ried. S.: HASCH, 1960 Abschluß, 1960-63 Kürschnerlehre in Wien, 1963 Gesellenprüf., BH. K.: div. Anstellungen in d. BRD u. in London, 1970 Mstr.Prüf. u. Eintritt in d. elterl. Betrieb als Ang., dann Ges. u. seit 1981 Gschf. M.: seit 1986 Mtgl. d. Aussch. d. OÖ Kürschnerinnung, Österr. Amateurfunkverb., Ring freiheitl. Wirtschaftstreibender. H.: Fliegerei u. Amateurfunk. (H.D.)

Pospischil Erich Albert Dr.

B.: Ärztl. Ltr. FN.: AMZ (Arb. u. Soz.Med. Zentr.). DA.: 2340 Mödling, Franz Skribany G. 6. PA.: 1050 Wien, Schönbrunnerstr. 124/4. G.: Lengau (OÖ), 20. Aug. 1953. V.: Maria, geb. Pilnacek. Ki.: Wolfgang (1986), Judith (1988), Luisa (1990). El.: Hans u. Sofia. S.: 1972 Matura Braunau/-Inn, 1972-80 Stud. Med. Univ. Wien, 1973-75 Stud. HS f. Angew. Kunst, 1980-83 Ausb. z. Prakt. Arzt im AKH-Wien, 1983-89 Ausb. z. FA f. Inn.-Med. i. AKH-Wien, Univ. Ass. a. Klinik f. Arbeitsmed. b. Ordin. Prof. Lachnit. K.: s. 1989 Ärztl. Ltr. des AMZ Mödling. P.: "Arbeitsmed. Handb. d. Berufe". E.: 1985 "Wiss.Preis" d. Fa. Unilever. M.: Österr. Ges. f. Arbeitsmed - Vorstandsmitgl. d. wiss. Beirates, Deutsche Ges. f. Arbeitsmed., Mitgl. v. "The New York Academy of Sciences", "Intern. Comission Occupational Health - ICOH", u. a. H.: Malen, Literatur, Funk Amateur. (I.K.)

Pospischil Karl Wilhelm

B.: 2. Präs. d. Landtages v. NÖ. DA.: 1014 Wien, Herreng. 13. PA.: 3381 Neuda 45. G.: Neuda, 26. Jan. 1926. V.: Maria, geb. Reml. Ki.: 1 Sohn. El.: Wilhelm u. Theresia. S.: HS Pöchlarn. K.: 1943 Flugzeugbau, Militär, 1946 Eintritt in d. NÖ Gebietskrankenkasse als Ang., 1966-82 Bez.Stellenltr. d. Bez.Stelle Melk, 1969 BundesR., 1960-82 Bgm. v. Neuda (unter dieser Amtszeit wurde Neuda z. Markt erhoben, neue Schule, Postamt, etc.), 1970 NÖ Landtag, seit 1982 2. Präs. d. NÖ Landtages. E.: Gr. Silb. EZ d. Rep. Österr. M.: Ehrenpräs. d. Sportver. Hitiag Pöchlarn, Mtgl. d. Naturfreunde u. d. Arbeiter-Samariterbundes. H.: Klass. Musik, Fischen, Skifahren, Wandern. (M.G.)

Pospisil Roman

B.: Gschf., Inh. FN.: Roman Pospisil GmbH. DA.: 1210 Wien, Jedleseerstr. 56; 1020 Wien, Nordbahnstr. 1. G.: Wien, 7. Juli 1951. V.: Annemarie. Ki.: Matthias (1988). El.: Theodor u. Hermine. S.: VS, HS, Lehre. K.: Eintritt in d. elterl. Autohdl., Verkäufer b. Betriebsltr., seit 1976 selbst. H.: Radfahren, Sport, Bodybuilding, Familie, Firma. (W.M.)

Possart Gerhard

B.: Politiker (ÖVP), LHptm.Stellv. v. OÖ, LAbg. A.: 4020 Linz, Klosterstr. 7. G.: Linz 2. Sept. 1923. S.: VS u. HS, BRG, Matura 1942. K.: Wehrmacht u. russ. Kriegsgefangenschaft, Eintritt als Bmtr. in d. LRg. 1946, Organ. f. Kursen f. polit. Bild., Aufbau d. ÖAAB-Betriebsorgan. im LDienst im Linzer GemR. 1955-61, Wahl in d. OÖ Landtag 1961, Mtgl. d. LRg. 1966, in d. Funktion d. LHptm.Stellv. seit 1971. E.: Gold. EZ d. AAB. H.: Fußball, Schwimmen, Radfahren, Wandern.

Posselt Alfred Dr. Mag. Dipl.-Kfm.

B.: em.Univ.-Prof. Makassar, Präs. d. IRKVÖ. A.: 1210 Wien, Carrog. 1-5/8/13. G.: Wien, 22. Sep. 1921. V.: StR. Johanna Lucia Wittrich. El.: Mag. art. Alfred u. Johanna. BV.: erste Erwähnung d. Fam.: 711 im Elsaß, Bosseltshausen, 1260 Allerheiligen/Brünn. S.: Gymn., 10 Sem. Wirtschafts- u. HWiss., 8 Sem. Phil., 6 Sem. Rechtswiss., 6 Sem. reform Theol. K.: 1946 Vertrags-univ.Ass., 1950 Hon.Doz., 1955 beamteter Univ.Ass., 1956 Univ.-Prof. Makassar, 1959 Prof. an d. HAK, 1963 Ministerialbmtr., 1972 Gründer u. Dir. d. Privatschule f. Verkauf u. Werbung u. Prof. an d. HTL Mödling b. Wien, 1955-78 Vermögens- u. Betriebsberater, 1957-66 u. 1974-77 Konsularagent bzw. Gen.Kons. (Hon.Kons.), 1946 Niederl. Mil. Mission. F.: Miteigentümer d. Landwirtschafts-Gutes Lokermühl in Österr., 1972-94 Privatschule f. Verkauf u. Werbung in Wien, Dir. d. A. Chorin Seminary Vienna. P.: "Calvin u. d. Kapitalismus", "Erfolgreich Wirtschaften im Klein- u. Mittelbetrieb", "Ges. u. Raum", TV-Dokumentationen: Rettung aus d. Todeszelle, etwa 200 kleinere wiss. Publ., Rundfunksendungen u. TV-Dokumentat-ionen ua. E.: Träger d. Kultur-Förderungs-Preises d. Stadt Wien, 1978 Silb. EZ d. Rep. Österr. f. Verd. um d. Befr. Österr. (SEZBÖ). M.: Werbewiss. Ges. Wien, Stichts-Hollandse Histor. Vereinigung Woerden NL, Herold, Berlin.

Possert Rainer Dr. med. univ.

B.: Prakt. Arzt, selbst. Psychotherapeut. FN.: Sozialmed. Zentrum Graz Süd. DA.: 8041 Graz, Liebenauer Hptstr. 104. G.: Salzburg, 23. März 1950. Ki.: Stefan (1975), Katharina (1978), Mira Magdalena (1994). El.: Anton u. Gerhilda S.: VS, 1960-66 Realgym. Klagenfurt, 1966-68 Realgym. Tulln, 1968 Matura, 1969 BH, 1970-78 med. Stud. u. 2 J. Psychologiestud. i. Ibk., Werkstudent u. Mithrg. d. Zeitschr. "Krit. Medizinstud.", 1978 Promotion, 1978-82 Spitalsausb. i. Bregenz. K.: 1982-84 Selbst. Arztpraxis i. Graz, ab 1984 Praxisgemeinsch. "Sozialmed. Zentr. Graz-Süd". H.: Musik, Akkordeon, 2 Hunde, Wandern, Kanadierfahren, Belletristik.

Possnig Kurt Dr.

B.: OArzt, FArzt. FN.: LKH Klagenft. DA. u. PA.: 9020 Klagenft, St. Veiter Str. 47. G.: Klagenft., 11. Aug. 1961. V.: Mag. Eva, geb. Pawlik. Ki.: Ulrike (1984), Carmen (1988), Clemens (1991). El.: Franz u. Hermine. BV.: Bruder Mag. Franz, Mitw. b. d. Rechtschreibereform. S.: VS, Gymn. 2. BG Klgft., Mat., 1979-85 Stud. Med. i. Graz, 1985 Prom., BH, Turnus LKH Klgft. 1986-88, s. 1988 Ass. Arzt a. d. 1. med. Abt., 1994 FA-Ernenn. u. OArzt, s. 1991 Aufb. u. Neustrukt. d. Diabetikerbetr., Aufb. ein. Diabetikeramb., Fortbildungstag. f. Ärzte Ktn., spez. Ausb. f. Diabetikerschul. u. Intensivbetr. b. Prof. Irsigler, Lainz Vortragstät. M.: Med. Wiss. Ges. f. Ktn u. Stmk., Öst. Diabetesges., Öst. Gastroenterol. u. hepotheol. Ges. H.: Familie, Reisen. (G.L.)

Posteiner Dietmar

B.: Gschf. FN.: Seefestspiele Mörbisch. DA.: 7000 Eisenstadt, Schloß Esterhazy. PA.: 2491 Neufeld/Leitha, Zahornatzkyg. 30. G.: Eisenstadt, 21. Sep. 1962. V.: Rita Maria, geb. Lebwohl. Ki.: Michael (1990). El.: Rupert u. Herta. S.: 1980 Matura am BG Eisenstadt, Jus-Stud. an d. Univ. Wien. K.: 1982-87 Landesdienst b. d. BH Eisenstadt, Landesamts-direktion, Landespressedienst, Fremdenverk.-Werbung, 1987 Sekr.

d. Kulturlandesrates, s. 1993 Gschf. d. Seefestspiele Mörbisch; zusätzl.: Gemeinderat v. Neufeld, Motorjourn. H.: Motorjournalismus, Tennis, Schifahren, Kultur. (M.G.)

Postel Dagmar

B.: Werbung u. Marketing Audio Video. FN.: BASF Österr. GmbH. DA.: 1131 Wien, Hietzinger Hauptstr. 119. PA.: 1210 Wien, Hopfeng. 3/2/5/28. G.: Wien, 23. März 1959. Ki.:Cornelia (1988). El.: Hans u. Ingeborg Postel. S.: AHS, Stud. Publizistik u. Psych., WU Werbung u. Verkauf. K.: während Stud. Gallupinst., 1 J. Werbung Wichtel & Wichtel, 1984 Firma BASF zuständig Werbung, Marketing, Audio Video. M.: Marketing Club, VMÖ. H.: Sport, Tennis, Lesen, Reisen. (N.A.)

Postl Anton

B.: Gastronom d. Gasthof u. Pension "Zum Hirschen", Getränkehandel. DA. u. PA.: 8291 Burgau. G.: Burgau, 28. Juli 1947. V.: Annemarie, geb. Heschl. Ki.: Anton, Karin u. Hannes. El: Anton u. Maria. S.: VS, HS, Gastwirtefachschule Bad Gleichenberg. K.: Nach d. Schule Mitarb. im elterl. Betrieb, 1975 Übernahme d. Gasthofes, auf Pension erweitert, seit 1985 GemR. M.: Bezirksfeuerwehrverb., Mtgl. b. div. Ver. H.: Schwimmen, Tennis, Schach. (R.A.)

Postl Erich Josef

B.: Gschf. FN.: Postl GmbH, Hartberger Zeitungs GmbH. DA.: 8230 Hartberg, Wiener Str. 5. PA.: 8230 Hartberg, Brühlg. 22. G.: Hartberg, 12. Okt. 1958. V.: Christa. Ki.: Florian, Katharina. El.: Erich u. Aloisia. S.: HAK Oberwart, div. Weiterbildungskurse u. Seminare. K.: 1980-81 tätig im elterl. Betrieb, 1981-82 Fa. Digital Wien, s. 1983 Gschf. d. Hartberger Zeitungs GmbH, s. 1984 Chefred., 1986 Grdg. d. Postl GmbH (Squash Center), s. 1986 Chefred. d. Bezirksrundschau Oberwart, s. 1990 Eigentümer, Hrsg. u. Verleger d. Monatszeitung "Eisenstadt Aktuell". BL.: Wien-Lissabon-Tour m. d. Fahrrad. M.: RC Hartberg, SC Hartberg, Golfclub Loipersdorf. H.: Reisen, Golf, Radfahren, Squash, Surfen, Skifahren. (C.H.S.)

Postl Günther Mag.

B.:kfm. Ang.: Prokurist Christ-Lacke; Gschf. : Farben Reiter Ried, FBH-Farben Schärding, Farben Jirschik GmbH Wien, Apu Farben GmbH Pasching, Rosner Lacke Linz. DA.: 4030 Linz-Ebelsberg, Moosfelderstr. 41. PA.: 4020 Linz Thürheimer Str. 30. G.: Linz, 21. Feb. 1943. V.: Christina, geb. Stiebler. Ki.: Andreas, Bettina, Peter, Marlene. El.: Heinrich u. Hermine. S.: VS, Realschule, HTL Linz, 1962 Matura, 1. Studienabschnitt Welthdl. Wien, BWL Linz, 1970 Spons. K.: 1970 Produkt- Manager Chemie Linz, 1972 Firma Eduard Lutz Wien: Ass. d. Gschf., Verkaufsltr., seit 1976 Gschf., 1980 Gschf. APU- Farben Linz, seit 1985 Ltg. "FABRING" - Handelskette, Gschf. Farben Reiter Ried, 1986 FBH-Farben Schärding, Farben Jirschlik GmbH Wien, seit 1992 Leitung Fabring und Leitung Verkauf, EDV, Personal Christ-Lacke. H.: Tennis, Segeln, Skifahren, Klavier u. Keyboard. (W.B.)

Postl Uschi

B.: Inh. d. "UP Sports and Fashion" Modellagentur Uschi Postl. DA.: 8010 Graz, Herreng. 19/I. PA.: 8044 Graz, Mariatroster Str. 16. G.: Graz, 7. Sep. 1954. V.: Bauing. Heinz P. Ki.: Alexandra (1973), Arne (1976), Enkelkind Jessica (1991). El.: Maria u. Harald Illich. S.: 1956-70 Ballettschule, Graz Schönemann u. Opernballett, Eiskunstlauftraining, 1965-68 RG Frauenoberschule, 1969-72 Mus.-Päd. RG Graz. K.: 1972-75 Hausfrau, 1970-85 Eiskunstlauftrainierin, 1975-80 Med.-Stud., 1981-84 Organ. v. Veranstalt. u. Choreografie f. Modeschauen, 1984 Grdg. u. Ltg. d. Mannequin- u. Dressmanschule Uschi Postl, 1991 Grdg., Ltg. u. Organ. d. UP Sports & Fashion Modellagentur Uschi Postl. H.: Reiten, Eislaufen, Schifahren. (A.W.)

Postuvanschitz Ulf Dr. med. HofR

B.: LSan.Dir. im Amt d. Sbg. LRg. GT.: FA f. Neurologie u. Psych., Gerichtssachv. DA.: 5010 Salzburg, Pfeifferg. 7. PA.: 5020 Salzburg, Akademiestr. 15. G.: Wels, 11. Okt. 1942. V.: Dr. Christa, geb. v. Magnoni. Ki.: Heidrun, Ute. El.: BauR. Dipl.-Ing. Hans u. Berta. S.: BRG in Bruck/Mur, 1960 Matura, Stud. Med. u. Psych. Univ. Innsbruck u. Wien, 1967 Prom. z. Dr. med. in Innsbruck. K.: 1970 prakt. Arzt (Linz), 1975 FA f. Neurologie u. Psych., Konziliarius Landes-Lungen-KH Natters/Innsbruck, seit 1976 Amt d. Sbg. LRg., 1977 Eröff. d. Praxis in Sbg., seit 1980 LSan.Dir., 1983 Ernennung z. HofR. E.: Gold. Verdienstz. d. Roten Kreuzes. M.: Vors. d. LSanR., Vors. d. Aufnahme- u. Prüf.Kmsn. aller med. u. med.techn. Schulen im Bdl. Sbg., Dir. d. BHebamenlehranst. f. Sbg., Chefarzt Rotes Kreuz LVerb. Sbg., Rotary Club Sbg. H.: Segeln, Skifahren, Bergsteigen, klass. Musik. (Föd.)

de Posz Maria

B.: Naive Malerin. A.: 5026 Salzburg, Ziegelstadlstr. 31. S.: Matura. K.: 1949 aus Ungarn geflüchtet lebt v. 1951-61 in Venezuela, seit 1962 in Sbg. ansässig, beginnt 1964 durch d. Landschaft v. Stadt u. Ld. Sbg. angeregt, zu malen, fällt spontan auf. Erste Einzelausstellung 1966 in Sbg. Seither Ausstellungen u. Ausstellungsbeteiligung in Wien, München, Frankfurt, Zürich, Basel, Morges, Paris, N.Y. u. Caracas. P.: Reproduktionen v. Gemälden erschienen als UNICEF Weihnachtskarte, Div. Kunstkarte am Weltpostkartenmarkt, Schallplattencover b. d. Deutschen Gramophonges. u. Philips Classic. Kinderbücher, Kalender, Poster, Literatur: 1980 Kaysers Sammler Bibl., München: Naive Kunst-Werke-Künstler-Tendenzen, 1981 Edition Laumer BRD: Wiesner, Naive Malerei heute, World Enzyklopedia of Naive Art 1984. E.: Preis f. Malerei d. Shell of London, Künstförderungspreis d. Kunstver. Sbg., Ehrenpreis f. Malerei d. Kunstver. Sbg., "Prix suisse de la peinture naif intern." Morges. M.: Berufsvereinigung Bild. Künstler Österreichs. H.: Malen u. d. Sonne.

Poth Johanna

B.: Einzelhandelskfm. FN.: Johanna Poth - Elektro-ADEG-aktiv-Markt. DA. u. PA.: 4523 Neuzeug, 6. Okt. 1939. V.: Rudolf. Ki.: Wolfgang (Richter - 1960), Thomas (Geschäft v. Mutter übern. - 1962). El.: Johann u. Theresia Mayr. S.: VS, HS, Frauenberufsschule bei d. Kreuzschwestern in Bad Ischl, 1956 Abschl. K.: 1956 im elterl. Betrieb, Elektroeinzelhandelslehrling bis 1959, 1964 Grdg. Lebensmittelgeschäft mit Fernsehabtl. Selbstbedienungsgeschäft, 1986 Vergröß. 1989 Umbau. H.: Tennis, Skifahren, Geschäft. (J.L.)

Potacs Walter Dr. med. Prim. a.D.

B.: Kinderarzt in Pension. PA.: 1190 Wien, Krottenbachstr. 3a/1/1. G.: Wien, 5. März 1927. V.: Herta, geb. Ladstätter. Ki.: Gerhart (1955), Michael (1958), Cornelia (1965), Regina (1967). S.: VS, Mittelschule, Luftwaffenhelfer, Panzergrenadier, russ. Kriegsgefangener, Med.-Stud. Univ. Wien, 1952 Prom. K.: Gastarzt an d. 1. Med. Univ.-Klinik Wien, Ausbild. z. FA f. Kinderheilkunde am Gottfried v.

Preyer'schen Kinderspital Wien, seit 1958 FA, OA am Preyer'schen Kinderspital u. Konsiliar-FA am KH Göttl. Heiland Wien, 1962 Eröff. einer kinderärztl. Praxis, 1981 Bestellung z. Prim. am Mautner Markhof'schen Kinderspital d. Stadt Wien, seit 1988 Dir. d. MMKSP d. Stadt Wien, 1992 Übertritt in d. Ruhestand, dzt. Lehrer an d. Hebammenschule Semmelweisklinik Wien. P.: Autor: "Reifendes Leben", "Bewährte Hausmittel f. d. kranke Kind", Mitautor: "Medizin f. Psychologen u. nichtärztl. Psychotherapeuten". E.: Gold. EZ f. Verd. um d. Land Wien. H.: Schnitzen, Malen, Bau histor. Schiffsmodelle, Geschichte, Urgeschichte, Fotografieren. (J.S.)

Potocnik Josef

B.: Finanzref. GT.: s. 1975 FGemeinderat in Bad Radkersburg, s. 1990 Stadtparteiobmann, Finanzreferent. DA.: 8490 Bad Radkersburg. PA.: 8490 Bad Radkersburg, Langg. 29. G.: Schöpfendorf, 27. Juli 1936. V.: Elisabeth, geb. Kertschmar. Ki.: Ingeborg (1955), Klaus (1961), Peter (1966). El.: August u. Notburga. S.: VS, HS. K.: 1955-59 ÖBB Kraftwagendienst, 1959-91 ÖBB Omnibusfahrer, Schulungsbeamter. M.: Feuerwehrkom-mandantstv. von 1982-1992, Sportverein TUS Radkersburg, Musikverein d. ÖBB. H.: Lesen, Gespräche mit d. Jugend, Urlaubsfahrten mit d. Partei. (I.G.)

Potocnik Kristel

B.: Gschf. FN.: Artsprojects. DA.: 1040 Wien, Prinz-Eugen-Str. 56. G.: Wien, 17. Sept. 1962. El.: Dr. Rudolf u. Dr. Gertrud. S.: 1980 Matura, Jusstud. Univ. Wien. K.: 1981-84 ORF Redaktionsass. "Liebe Familie", 1983 Festspiele "Choregies d'Orange" Frankreich, 1984 Stadttheater Saarbrücken: Übersetzungen, Regieass. in div. Opernhäuser vorwiegend Italien, England u. Frankreich, 1986 Sekr. v. Ghena Dimitrova, 1986 Grdg. u. PR d. Gustav Mahler Jugendorchester, Gen.-Sekr., seit 1989 Gschf. d. Musiktage "Mondsee", Gschf. Blechbläsertage Grieskirchen. H.: Tennis, Skifahren, Golf. (J.E.)

Pototschnig Franz Dr. iur. Mag. theol

B.: o.Univ.-Prof. an d. Rechtswiss. Fak. d. Univ. Sbg. GT.: Vorst. d. Inst. f. Kirchenrecht. DA.: 5020 Salzburg, Churfürststr. 1. PA.: 5020 Salzburg, Borromäumstr. 10/4. G.: Matschach, 10. Okt 1926. El.: Lukas u. Marianne. S.: Stud. Theol. Freiburg. K.: 1954 Priesterweihe, Stud. Rechtswiss. Wien, 1964 Prom., Seelsorgetätigkeit, Besuch v. Seminaren, Habil., 1974 Univ.-Doz., 1978 a.o.Prof., 1979 o.Prof. Univ. Sbg. P.: div. Gutachten, Beiträge f. Lexika, Buchbesprechungen, zahlr. Aufsätze. E.: Leopold-Kunschak-Preis, Festschrift "Scientia canonum" z. 65. Geburtstag. M.: Kath. Ak. (A.W.)

Potsch Christian

B.: Computergrafiker. DA.: 5020 Salzburg, Peilsteinerstr. 3. G.: Paterion, 27. Nov. 1964. S.: VS, 1974-76 Werkschule Felbertal, 1978-83 HTL Maschinenbau Sbg., 1983 Matura, BH, EF, Unficyp. K.: seit 1987 selbst., Arbeitsbereich: Computergraphic, Video u. Installationen in d. Bereichen Mensch, Technik u. Umwelt, Ausstellungen: "Salzburg computergraphic-art" Festspielausstellung S-Galerie Sbg. Sparkasse 1988, "electric dreams" SAFE-Dion Sbg. 1989, "scenes de la vie" IBM Wien 1991, "Is there TV on TV?" Galerie im Traklhaus Sbg. 1991, "Über d. Unberechenbarkeit d. Seins" IFABO Wien 1992. (N.M.)

Potsch Otto

B.: Bildhauer u. Maler. DA.: 2120 Wolkersdorf, Schloßpl. 2. PA.: 7434 Bernstein, Hauptpl. 5. G.: Wien, 20. Sep. 1938. V.: VS, HS, Galanteriewarendrechsler u. Elfenbeinbildhauer, div. Kurse an d. Ak. d. Bild. Künste, 1960 Mstr.-Prüf. K.: 1966 Grdg. d. Kunstwerkstätte in Wolkersdorf, 1967 Eröff. d. Filiale in Bernstein, 1976 Errichtung d. Bernsteiner Felsenmuseums, 1986 Grdg. d. Schloßgalerie in Wolkersdorf, 1992 Erweiterung d. Felsenmuseums über Antimonbergwerk Schlaining, seit 1991 auch Metallbildhauer: Schrottplastiken m. Erfolgen im In- u. Ausland, Atelier u. Produktion in Schloß Wolkersdorf. BL.: 1958 Anfertigung d. Chin. Wunderkugel aus Elfenbein, später aus Edelserpentin, 1976 Projektierung u. Durchführung d. Gestaltung d. Felsenmuseums. M.: Ver. d. Schaubergwerke Österr. H.: Musik. (M.M.)

Pötscher Johannes

B.: Inhaber. FN.: Grafikatelier. DA.: 8020 Graz, Überfuhrg. 37. PA.: 8121 Deutschfeistritz, Ferdinandg. 15. G.: Deutschfreistritz, 25. März 1956. V.: Maria-Anna, geb. Bauernberger. Ki.: Stefan (1984), Verena (1987). El.: Johann u. Aloisia. S.: VS, HS Deutschfeistritz, Kunstgewerbeschule Graz. 1974 abgeschl. K.: 1975-78 Grafiker b. Fa. Mörth, 1978-84 Grafiker b. Fa. Vollmann, seit 1984 selbst. Atelier f. Industrie-, Werbe- u. Computergrafik., Stereofotografie i. Großbildformat m. versch. Präsentationsmöglichkeiten. BL.: Entwicklung einer Spezialkamera u. dazugehörenden Projektoren z. Projezieren auf Großleinwand. H.: Fotografieren. (I.G.)

Pötscher Otmar Dr. iur.

B.: Inh. FN.: Weinkellerei Pötscher, Haus d. Qualitätsweine. GT.: Gremialvorst. d. Steir. Wein- u. Spirituosengroßhandels, Aussch.-Mtgl. d. Bundesgremiums d. Wein- u. Spirituosengroßhandels. DA.: 8020 Graz, Wiener Str. 29-31. G.: Posen, 1. Dez. 1942. V.: Brigitte, geb. Schulter. Ki.: Elisabeth (1968), Alexander (1970), Michaela (1974). El.: Dr. Otmar u. Brunhilde. BV.: Vater Otmar, Richter in d. Stmk. S.: Mittelschule Lichtenfels, Matura, Abiturientenkurs HAK Graz, Stud. Rechtswiss. Graz, Prom. K.: Gerichtsjahr an div. Grazer Zivil- u. Strafgerichten, Bankpraxis Graz, 1971 Eintritt in d. Fa., 1984 Übernahme. E.: höchste Prämierg. b. Weinmessen. H.: Schwimmen, Tischtennis, Lesen, Beruf, Aussuchen d. Traubenqualität. (R.S.)

von Pott Anna-Elisabeth

B.: Dipl. Physiotherapeutin. DA.: 1040 Wien, Belvedereg. 8. PA.: 1040 Wien, Theresianumg. 5/1/19. G.: Salzburg, 12. Juli 1962. El.: Dkfm. Ulrich von Pott, gest. 6.4.1994, Vorst.-Dir.

d. EA-Generali, Urdar Prinzessin Auersperg, geb. von Bonin. S.: 1980 Matura, 1983 Dipl. Physiotherapeutin, 1989 Dipl. Hippotherapeutin. K.: 1983 USA, 1986/87 Argentinien, 1987 Ltg. d. Physiotherapie Private Krankenanstalt u. Kurzentrum Vigaun, 1989 freiberufliche Tätigk. "Fachpraxis f. Physiotherapie" mit Schwerpunkten Unfallnachbehandlung, Orthopädie, Neurologie (Hippotherapie u. Bobaththerapie), 1994 Lehrbeauftragte f.d. Bereich "Hippotherapie bei Erwachsenen". P.: Videovorträge (Hippotherapie, "Iliosacralgelenk - klein aber oweh"). H.: Reiten, Tiere, Tanz, Musik. (T.T.)

Pott Stefan Dipl.Vw.

B.: Texter, Komponist. FN.: GGK Agentur Wien. DA.: 1140 Wien, Linzer Str. 35. PA.: 1090 Wien, Porzellang. 49A. G.: Bochum/BRD, 14. Aug. 1961. El.: Friedhelm u. Gudrun. S.: Benediktiner-Internat Schäftlarn, 1980 Matura, USA-Aufenthalt, Stud., Studienaufenthalte in Paris u. London, Abschluß d. Stud. in Hamburg, 1986 Dipl. K.: nach Wien, seit 1987 b. GGK Wien. H.: Schach, Tennis, mod. Kunst.

Pötter Richard Dr. med. o. Univ.-Prof.

B.: Vorstand der Univ.-Klinik f. Strahlentherapie u. Strahlenbiologie. DA.: 1090 Wien, Währinger Gürtel 18-20. PA.: 2340 Mödling, Josef Lowatschek-Gasse 16. G.: Westfalen, Detuschland, 7.8.1948. V.: Maria, geb. Fleige. Ki.: Katrin, Sahra, Elias, Nora, Mattis. El.: Dr. Karl u. Mathilde. S.: Matura 1967 in Deutschland, studium d. Medizin u. Psychologie a.d. Univ.Münster u. Studium d. Philosophie u. Thologie a.d. Univ. München, Promotion 1975. Gleichzeitig Psychotherapieausbildung. K.: ausbildung in Chirurgie, Innere Medizin, Facharzt f. diagn. Radiologie u. Facharzt f. Strahlentherapie. 1982-83 a.d. Univ. Münster. Habilitation: 1990. 1993: Berufung nach Wien, seitdem Vorstand der Univ. Klinik f. Strahlenterap. u. Strahlenbiologie Wien. Forschungsschwerpunkte: Tumore im Kindesaltter, Tumore d. lymphatischen Systems u. gynäkolog. Tumore. P.: zahlr. wissenschaftl. Publikationen. E.: Wilhelm Conrad - Röngten-Preis. M.: Mtlgd. d. europ. Radiotherapiegesellschaft: im Vorstand u. Lehrer d. Gruppe Brachytherapie. H.: Musik, Theater, Radfahren. (J.S.)

Pöttinger Günther

B.: Holzschnitzer, freischaff. Maler. DA. u. PA.: 6130 Schwaz, Martin-Wintersteller-G. 4. G.: Schwaz, 9. Juni 1943. V.: Helga, geb. Kofler. Ki.: Florian (1976). El.: Ernst u. Paula. BV.: Großvater VBgm. v. Schwaz, Mutter war Laienschauspielerin eigene Heimatbühne, Vater war Ing. S.: Grundschule, 1965 Konditormstr., Ausbild. in Malen u. Schnitzen Prof. Opperer u. Prof. Toni Knapp. K.: Tätigkeit als Konditormstr., 1967-68 Schiffstätigkeit als Konditormstr., dazwischen Musiker, 1969 selbst. Holzschnitzer, jegl. Arb., Selbstentwürfe, Malen v. ausdrucksvollen Bildern. H.: Malerei. (M.W.)

Pöttinger Wolfgang Prof.

B.: Kslt. d. OÖ LRg., Schlossermstr., Metallbildhauer, Metallplastiker u. Lyriker. FN.: Wolfgang Pöttinger. GT.: Autor. DA. u. PA.: 4710 Grieskirchen, Zaunegger Str. 9. G.: Grieskirchen, 22. Juni 1932. V.: Cecilia, geb. Köpf, 4 Kinder. El.: Ferdinand u. Rosa. S.: 1945-48 Kollegium Petrinum Linz, 1948-51 Schlosserlehre, 1951 Gesellenprüf., 1955 Mstr.Prüf. m. Ausz. K.: 1962 Übernahme d. elterl. Betriebes, seither fallweiser Export in 4 Erdteile u. zahlr. Länder. BL.: Schöpfung d. Montranzgrabkreuze, d. sogenannten "Stelzhammerkreuze", Schöpfung d. Kugel- u. Fünferspaltungen. P.: 7 Bücher (Schmiedekunst u. Lyrik), "Lyrik u. Schmiedeeisen", "Geformtes Schmiedeeisen", "Geformtes Wort, geformter Stahl", "Schönheit d. Schöpfung", "Heiterkeit", "Mit Herz u. Hammer (Mundart)", "Feuerstrahlengarben". P.: zahlr. Goldmed. u. Dipl. sowie ein Staatspreis. M.: langjähr. Obm. d. kath. Männerbewegung, Funktionär u. Mtgl. versch. Kulturclubs, Mtgl. d. Berufsver. d. bild. Künstler u. d. OÖ Autorenkreises Linz, langjähr. polit. Tätigkeiten auf versch. lokalen Ebenen. H.: Diskussionen, konsequente Friedensarbeit.

Pöttler Viktor Herbert Dr. phil. Dr. techn. h.c. HofR. Prof.

B.: Gründer u. Dir. d. Österr. Freilichtmuseums in Stübing b. Graz. A.: 8041 Graz, Nußbaumerstr. 31. G.: Langegg b. Leutschach, 21. Dez. 1924. V.: Gertrud, geb. Benesch. El.: Johann u. Elisabeth. S.: VS, HS, LBA, Univ. Graz: Germanistik, Volkskunde, Geschichte, Prom. 1948. K.: 1949-52 Hausforsch. in Tir., 1952-60 Referent f. d. bäuerl. Fortbildungsschulwesen in d. Stmk., 1961 Planung, Grdg. und Aufbau d. Österr. Freilichtmuseums in Stübing b. Graz. P.: Siedeln u. Bauen, Volkskunde f. jedermann, Wien 1952, Alte Volksarchitektur, Styria, Graz 1975. Erlebte Baukultur 1988. Schriften u. Führer d. Österr. Freilichtmuseums Nr. 1-17. Zahr. Aufsätze z. Thema Freilichtmuseum, Bauernhaus, Bauen. E.: Gold. EZ d. Rep. Österr. 1971, Kulturpreis d. Stadt Kapfenberg 1974, Ehrendoktorat d. techn. Wiss., d. TU Graz 1977, Kulturpreis d. Landes Stmk. 1981, Hans-Kudlich-Preis 1981, Michael-Haberlandt-Med. f. Verd. um d. Österr. Volkskunde 1975, 1986 Prof. Ernst-Winkler-Preis, Gold. EZ. d. Rep. Österr., Gr. Gold. EZ mit d. Stern d. Landes Stmk., Erzherzog-Johann-Forschungspreis d. Landes Stmk., Österr. EK f. Wiss. u. Kunst I. Kl. M.: Histor. Ver. f. Stmk., Ver. f. Volkskunde in Wien, Ver. "Heimatschutz in d. Stmk.", Rotary Intern.

Potucek Irene

B.: Inh. d. Taxi- u. Kleinbuszentrale. DA. u. PA.: 2401 Fischamend, Molfenterstr. 15. G.: Hainburg, 24. Nov. 1959. V.: Johannes Potucek. Ki.: Mario (1983). El.: Josef u. Valerie Baumgartner. S.: HS, 1-jähr. HASCH, 3-jähr. Ind.-Kfm.-Lehre. K.: 1977-81 Ang. in Ind.-Betrieb, 1981 selbst. m. Taxi- u. Mietwagenkonzession in Fischamend, 1986 Einführung d. Disco-Buses in Zusammenarb. m. d. Verkehrskuratorium f. Sicherheit. H.: Malen (Hinterglas). (M.M.)

Potucek Monika

B.: selbst. Friseurmstr. DA.: 1010 Wien, Bräunerstr. 2. PA.: 1150 Wien, Mariahilfer Str. 200. G.: Wien, 30. Okt. 1945. V.: Peter Potucek. Ki.: Florian (1970). El.: Johann u. Josefine, geb. Marksteiner. S.: VS, HS, Friseurlehre, 1969 Mstr.-Prüf. K.: nach d. Mstr.-Prüf. selbst., Eröff. d. 1. Geschäftes Hotel "Intercontinental", ab 1974 Salon in d. Bräunerstraße. E.: 1993 Ernennung z. "Freundl. Wienerin" f. d. Unterstützung eines Behinderterheimes, 1993 Malteser-Orden in Rot. H.: Beruf. (N.A.)

Potucek Johannes
B.: Inh. d. Taxi- u. Kleinbuszentrale. DA. u. PA.: 2401 Fischamend, Molfenterstr. 15. G.: Wien, 8. Sept. 1952. V.: Irene, geb. Baumgartner. Ki.: Mario (1983). El.: Ernst u. Elfriede. S.: HS, Heilmasseurausbild. im elterl. Betrieb, Taxilenkerausbild. K.: 1976-80 Taxilenker, 1980 Mietwagenkonzession u. Taxipacht am Wr. Flughafen, 1981 Übersiedlung m. d. Taxi- u. Kleinbuszentrale nach Fischamend, 1986 Einführung d. Disco-Buses in Zusammenarb. m. d. Verkehrskuratorium f. Sicherheit. H.: Fachliteratur f. Maschinen u. Motoren. (M.M.)

Potucek Walter Dipl.-Ing Dr. tech.

B.: Ltr. d. Arbeitsgruppe Projektsteuerung - Infrastruktur der Gen.-Dion der ÖBB Elisabethstr. 18. PA.: 3400 Klosterneuburg, Lothringerstr. 4. G.: Wien, 4. Dez. 1945. V.: Helga, geb. Kviz. Ki.: Alexander (1982), Susanne (1985), Andreas (1988), Georg (1990). El.: August u. Herta. S.: Goethe Realschule Wien, 1963 Matura, Stud. Bauing.-Wesen TU Wien, 1970 Dipl., 1975 Prom. z. Dr. techn K.: 1970-78 Univ.-Ass. TU Wien am Inst. f. Stahlbeton- u. Massivbau, 1977 Forsch.-Aufenthalt CEBTP-Paris, 1978 Eintritt ÖBB Abt. Brückenbau d. Gen.-Dion, 1978-80 Tätigkeit in Allgerien m. d. Erneuerung v. Bahnstrecken, 1987 Ltr. d. Projektes Ausbau d. Tauernachse, ab 1989 Ltr. d. Arbeitsgruppe Projektsteuerung - Infrastruktur. P.: 30 Publ. u. Vorträge auf d. Gebiet d. Stahlbetonbau sowie d. Ausbau von Hochleistungsstrecken. M.: Österr. Ing.- u. Arch.-Ver., Intern. Ver. f. Brücken- u. Hochbau, div. Normenaussch. H.: Reisen, Schwimmen, Garten. (S.H.)

Potuznik Václav Dr. med.
B.: HNO-FA, Publizist. DA.: 5600 St. Johann, Pöllstr. 10. G.: Trencin, 4. Jan. 1928. V.: Miroslava, geb. Hrubosova. Ki.: Martin (1968), David (1973). El.: Alois u. Anna. S.: 1947 Matura in Pilsen, Phil.-Stud. Prag, 1948 Med.-Stud. Bratislava, Med.-Stud. Prag, 1953 Prom. K.: FA-Ausbild. HNO, 1956-60 Ass. in Karlsbad, ab 1960 Primar in Semily, 1968-81 Primar in Benesov b. Prag, nebenbei Publ. u. Reisen (Naher Osten, Afrika, Indien, Malaysia, Australien, Nordamerika), Durchquerung d. Wüsten auf d. Motorrad im Alleingang, 1981 Arzt in Algerien, 1983 polit. Asyl Wien, Tätigkeit im KH St. Pölten u. LKH Feldkirch, 1987 Österr. Staatsbürgerschaft, 1988 Eröff. d. eigenen Praxis in St. Johann. P.: 7 Bücher u.a. "Safari am Äquator" (1974), "Einspurig im Indischen Dschungel" (1969), "Die Piste durch Sinai" (1969). H.: Bergwandern, Skifahren. (G.P.)

Potyka Hugo
B.: Arch., Gschf. Ges. d. Interdizipl. Konsulentengr. Raumplanung. DA.: 1080 Wien, Wickenburgg. 26. PA.: 1190 Wien, Zuckerkandlg. 11. G.: Wien, 12. Mai 1927. V.: Elfriede, geb. Lehrner. Ki.: Anna, Alexander, Antonia. El.: Anton u. Friederike. BV.: Großvater Hugo Potyka war Wissenschaftler u. techn. Ltr. d. Österr.-Ital. Grenzvermessung, Vater Anton Potyka war Arch. S.: RG, 1945 Matura, Stud. TU Wien, Ak. d. Bild. Künste Wien, Mstr.Kl. f. Arch., Städtebauseminar in Dänemark, Wien u. Graz, Teilnahme an zahlr. Kongressen u. Seminaren. K.: bereits ab d. Mittelschule Mitarb. im Arch.Atelier d. Vaters, seit 1954 freischaff. Arch., 1972-82 Lehrbeauftragter f. Allg. Baurecht f. Arch. an d. HS f. Angew. Kunst, seit 1972 Hon.Prof. f. Städtebau u. Siedlungswesen an d. Univ. f. Bdk. P.: zahlr. wiss. Publ. in Fachzeitschriften, 5 Bücher: "Verdichteter Flachbau" 1970, "Planquadrat 4" 1980, "Alternative Erneuerungsstrategien" 1982, "Pflegefall Althaus" 1985, "Bürgerbeteiligung u. Planungsrealität" 1989, zahlr. Stellungnahmen zu Bau- u. Planungsgesetzen. E.: Silb. EZ f. Verd. um d. Land Wien 1987. M.: Forsch.Ges. f. Wohnen, Bauen u. Planen, Obm. d. Fachgruppe Arch. im Österr. Ing. u. Arch.Ver., Österr. Ges. f. Raumforsch. u. Raumplanung, korr. Mtgl. d. Verb. Österr. Garten- u. Landschaftsarch., IVWSR, UIA, SCUPAD, Grdg. u. Vorst.Mtgl. d. Intern. Ges. f. Stadtgestaltung, SPÖ. H.: Klavierspielen, Chorsänger. (M.B.).

Potz Richard Dr. o. Prof.
B.: o.Prof. f. Kirchenrecht an d. Rechtswiss. Fak. d. Univ. Wien. A.: 1050 Wien, Einsiedlerg. 12. G.: Wien, 13. Okt. 1943. V.: Dr. Elfriede, geb. Meier. Ki.: Angelika, Andrea. El.: Richard u. Leopoldine. S.: Stud. d. Rechswiss. an d. Univ. Wien, 1961-65 Abschluß m. Prom. z. Dr. iur. am 25. Nov. 1965, anschl. Absolvierung d. Gerichtspraxis. K.: Mit 1. Jan. 1966 Univ.Ass. am Inst. f. Kirchenrecht an d. Rechts- u. Staats-iss. Fak. d. Univ. Wien, 1965-67 Studien d. Byzantinistik u. Osteurop. Geschichte an d. phil. Fak. d. Univ. Wien, 1969-70 Studienaufenthalte in Saloniki, Istanbul u. Rom, 20. Apr. 1972 Habil. f. d. Fach Kirchenrecht an d. Rechts- u. staatswiss. Fak. d. Univ. Wien, Seit 1977 Supplierung d. Lehrkanzel f. Kirchenrecht an d. Rechtswiss. Fak. Wien, seit 1.1.78 Vorst.Mtgl. d. Österr. Ges. f. Kirchenrecht u. verantwortl. Red. d. Österr. Archivs f. Kirchenrecht. Am 20. Nov. 1978 z. Konsultor d. Commission Codici Iuris Orientalis recognoscendo ernannt, 1. Juni 81 Ernennung z. o.Prof. f. Kirchenrecht an d. Rechtswiss. Fak. d. Univ. Wien. BL.: Ltr. d. Projekts "Die Rechtsstellung v. Stammesvölkern", Arb. an d. Hrsg. eines kommentierten Österr. Staatskirchenrechts. P.: Patriarch u. Synode in Konstantinopel, Das Verfassungsrecht des Ökumen. Patriarchats, Wien 1971, Die Geltung kirchenrechtl. Normen, Prolegomena zu einer kritisch-hermeneutischen Theorie d. Kirchenrechts, Wien 1978, zahlr. Aufsätze im Österr. Archiv. f. Kirchenrecht, Kanon u. div. Festschriften, "Law and Anthropocogy" seit 1986. M.: Vorst.Mtgl. d. Österr. Ges. f. Kirchenrecht, o.Mtgl. d. Wr. Kath. AK, VPräs. d. Ges. f. d. Recht d. Ostkirchen. H.: Musik, Astronomie, Numismatik.

Potz Rudolf Ing. Arch.

B.: Gschf. FN.: Potz Immobilien, Immobilienmakler, Planungsbüro u. Gebäudeverwl.-Kzl. GT.: W. Potz Bau- u. Steinmetzuntern. DA.: 1110 Wien, Simmeringer Hauptstr. 355. PA.: 2320 Schwechat, Pechhüttenstr. 7. G.: Wien, 7. Juni 1944. Ki.: Rudolf (1966), Maria (1967), Stephan (1972). El.: Arch. Rudolf u. Johanna. S.: VS, Mittelschule, HTL Wien, 1964 Matura, 1967 Steinmetzmstr.-Prüf., 1970 Bmstr.-Prüf., 1978 Immobilien-treuhänderprüf., 1986 Univ.-Stud. Wien. K.: 3 J. Berufspraxis in österr. Bau- u. Steinmetzbetrieben, 1970 Übernahme d. Geschäftsführung d. Firma W. Potz, 1985 Grdg. Potz Immobilien u. Ltg. d. Betriebes als Gschf, seit 1975 Gschf. d. Firma Alfred Sorger Steinmetzbetrieb. E.: 1994 KommR. M.: 1974-78 Prüf.-Vors. d. Prüf.-Kmsn. f. Bürokaufleute in d. HK Wien, 1976-81 Beisitzer b. Arbeitsgericht Wien. H.: Ornithologie, Jagd, Seeschiffahrt. (F.S.)

Pötzelsberger Günter

B.: Gschf. Ges. FN.: Pötzelsberger Handels GmbH Elektronik. DA.: 5083 Gartenau, Untersbergstr. 1a. PA.: 5020 Salzburg, Moosstr. 23. G.: Salzburg, 2. April 1952. V.: Ulrike, geb. Fenkart. Ki.: Christian (1983), Caroline (1985). El.: Maria. S.: VS, HS, 1967-70 Radio u. Fernsehtechn. K.: 1973-88 techn. Verkauf u. berufl. Werdegang b. z. Maretingltr. E.: Top 100 Jungunternehmer 1992. H.: Skifahren, Schwimmen, Jagd. (M.G.)

Pötzl Reinhold

B.: Dir. weltweiter Vertrieb, ges. Vertriebsaktivitäten. FN.: Högl + Lorenz Shoe Group. GT.: Gschf. in Vertriebsges. DA.: 4775 Taufkirchen/Pram. PA.: 4771 Sigharting 135. G.: Sigharting, 21. Okt. 1961. V.: Gertraud, geb. Schneiderbauer. Ki.: Daniel (1986), Verena (1989). El.: Franziska. S.: VS, HS, HASCH. K.: 1978-80 Industriekfm. Högl + Lorenz, EDV-Abendschule, Betriebswirts., Ltg. EDV, 1981 Österr. BH, Bilanz-buchhalterprüf., jährl. Weiterbild.-Kurse, Marketing in St. Gallen, Dt. Verkaufsltr.-Schule in München, General Management Schule IMD Lousanne, 1982 Controller Betriebswirts. im Untern., 1982-83 Ass. d. Gschf., Untern.-Marketing, 1983 USA Praxis, 1985 Marketing Vertriebsltg., Einzelprok., Umbau d. ges. Vertriebs, 1989 Kauf d. Oswald Ges., Übern. Gschf. Oswald Lady Shoe, 1993 Umstruktur. / Zusammenführ. Oswald + Högl, Gesamte Vertriebsltg. BL.: Probleme als Chance zu sehen u. zum Erfolg zu führen, Ziele, die man hat mit Ausdauer anzupeilen, Risikobereitschaft. H.: Laufen, Schwimmen, Schifahren, Squash. (C.D.)

Potzmader Fritz

B.: Pensionist. PA.: 3252 Petzenkirchen, Ötscherg. 12. G.: Scheibbs, 17. Jan. 1928. V.: Christine, geb. Seiberl. Ki.: Lisbeth, Renate. El.: Johann u. Theresia. S.: VS, HS, kfm. Berufschule, Lehre als Einzelhdls.Kfm., kfm. Ang., Fa. ÖROP b. 1961 als Lohnbuchhalter. K.: 1961-65 Bez.Sek. d. SPÖ f. d. Bez. Melk, 1965-1988 Amtsstellenltr. d. Arbeiterkam. f. d. Bez. Melk, 1966-1991 Bgm. d. Gem. Petzenkirchen. E.: 1978 Gold. Verdienstz. d. Rep. Österr., Bronz. EZ d. Bdl. NÖ, 1978 Gold. Ehrenring d. Marktgem. Petzenkirchen. M.: Bez.Aussch. d. SPÖ, Bez.Aussch. d. ÖGB, im Vorst. v. div. örtl. Ver. H.: Radfahren, Schwimmen. (Kern)

Poukar Franz Dipl.-Ing.

B.: Prok., Ltr. d. Bereiches Technik. FN.: OEKW Österr. Kabelwerke GmbH. DA.: 1121 Wien, Oswaldg. 33. PA.: 2324 Zwölfaxing, Raiffeisenstr. 359. G.: Wien, 15. Apr. 1949. V.: Dagmar, geb. Eisenburger. Ki.: Renée (1976), Nicole (1980). El.: Alois u. Helene, geb. Hesse. S.: 1967 AHS-Matura, Stud. Nachrichtentechnik TU Wien, 1974 Abschluß. K.: 1974-75 Siemens Österr., 1975 Eintritt KDAG Kabel- u. Drahtwerke AG, 1978 Abt.-Ltr. Kabeltechnik, seit 1983 Ltr. d. Bereiches Technik, ab 1990 Prokura. M.: Vorschriftenaussch. ÖVE, Intern. Gremien IEC u. CENELEC. H.: Tennis, Skifahren, Fischen, Musik. (N.A.)

Povaly Günter Prof. Mag.

B.: Dir. d. Wr. Kunstschule, Künstl. Volkshochschule. DA.: 1090 Wien, Lazarettg. 27. PA.: 1130 Wien, Aufhofstr. 111/1/1. G.: Leoben, 16. April 1939. V.: Julia, geb. Weston. Ki.: Alexandra Louisa (1967), Georg Richard (1969). El.: August u. Aloisia Povaly. S.: VS, HS, Lehrlingsbild.-Anstalt Schulbrüder in Wien-Strebersdorf, 1958 Abschl. Matura, ab 1958 Akad. Bild. Künste am Schillerpl. bei Prof. Gütersloh, 1967 Dipl. K.: 1965-66 Erzieher Theresianum, 1966-67 Probejahr, Kunst u. Werkerz., 1975-76 Lehrbeauftr. Akad. Bild. Künste, 1977-81 Lehrer intern. Sommerakad. Slb., 1982-86 Weinviertl. Kultursommer als Lehrer, s. 1982 Lehrer an d. Künstl. VHS, s. 1990 Dir. Wr. Kunstschule u. Künstl. VHS. P.: div. Kunstausstell. M.: Steierm. Werkbund, Ges. f. Arch. H.: Schifahren. (U.Z.)

Povazay Ladislav Mag. reg. Prof.

B.: Autor, Reg. u. Theaterdir. d. MOKI Theater. GT.: Bildreg. ORF, Regie Kulturfilme, Kurzfilme, wiss. Filme, Werbefilme. DA.: 1040 Wien, Blechturmg. 14. PA.: 1040 Wien, Blechturmg. 12/3. G.: Levoca/Tschechoslowakei, 4. Juni 1938. V.: Stanislava, geb. Haverlikova. Ki.: Martin, Boris. El.: Ladislav u. Margarete. BV.: Urgroßvater Gründer d. Elektrizitätswerkes in Slowakei. S.: 2 J. Stud. Elektrotechnik u. Maschinenbau, 4 J. HTL, 1 J. Schauspiel Preßburg, 1 J. Nationaltheater Preßburg, als Regieass. HS Prag, 10 Sem. Regie u. Dramaturgie, Ak. d. mus. Künste, Abschluß Dipl. K.: Laterna Magica 1 J. im Engagement, viele Auslandsreisen, tschechischen Fernsehen, Regie in Provinztheatern, 1967 Stip. Max Reinhardt-Seminar Wien, seit 1968 ORF ständiger freier Mitarbeiter, 1973 Grdg. MOKI Theater, ca. 500 Vorstellungen im Jahr, ab 1988 jährl. MOKI Theaterfestival im Albert-Schweitzer-Haus Wien, Auslandstourneen nach Jugoslawien u. Taiwan, regelmäßige Ausstrahlungen v. MOKI-Kindertheaterstücken im ORF, internationale Tourneen u.a. in Kiew u. Moskau. BL.: Festvorstellung z. Nationalfeiertag Felsenreitschule Sbg., ORF-Übertragung. E.: Förderungspreis f. Literatur, Kunst u. Theater, NÖ Förderungpreis f. Dichtkunst 1982, Drehbuchpreis d. Aktion "Der gute Film" 1983. M.: Mitbegründer d. ÖsterreichischenSektion u. Obmannstellvertreter. d. Internationalen Theatervereinigung ASSITEJ, Sprecher d. Wiener Arge Kindertheater. H.: Althausrenovierung, Sport, Literatur. (J.S.)

Povysil Johann Dr. Prim.

B.: FA f. Anaesthesiologie, Ärztl. Ltr. d. Tagesklinik Dr. Povysil GmbH & Co KG. DA.: 4020 Linz, Starhembergstr. 12. PA.: 4020 Linz, Ziegeleistr. 12. G.: Wien, 4. Sept. 1954. Ki.: Stefan (1986). El.: Dr. Johann u. Dr. Natalie. S.: 1964-72 II. BG Linz, 1972-77 Univ. Wien Med. K.: 1977-79 KH Barmherz. Schwestern Ried, 1979-80 Univ.Klinik f. Anaesthesiologie Wien, 1981-84 AKH Linz Prof. Bergmann, 1984 ärztl. Ltr. d. Krankenanst. f. Tageschir. M.: The Society f. Ambulatory Anesthesia. H.: Bergsport.

Powell Graham

B.: Gschf. Ges. FN.: SYSPRO. DA.: 5020 Salzburg, Innsbrucker Bundesstraße 46. PA.: 5110 Oberndorf, Oichtenstr. 21. G.: Porthmouth, 4. Sept. 1946. V.: Anneliese, geb. Weikl. Ki.: Nicola (1982), Stefanie (1984), David (1986), Martina (1988). El.: Stanley u. Eileen. S.: Gymn. England, 1964 Matura. K.: ab 1964 Computerfachmann-ausbild. Firma Nestle England, anschl. British Airways England, dann 7 J. CMG b. z. Dir., 1982 Firma Syspro, seit 1983 Ges., b. 1986 Gschf., seit 1986 alleinige Führung. H.: Golf, Familie. (M.C.)

Powischer Werner Dir.

B.: Hoteldir., General Manager. FN.: Schloßhotel Rosenegg. DA.: 6391 Fieberbrunn. G.: Linz, 5. Aug. 1957. El.: Jakob u. Hildegard. S.: Kochlehre im Linzer Cresthotel, einschl. Tätigkeit in d. Cresthotels in London, Paris u. Düsseldorf, BH, Tätigkeit in nahmhaften Hotels wie d. Kurhotel Bad Ischl, 1978-82 Küchenchef im Hotel Rieser-Kristall in Pertisau, danach im gleichen Unternehmen d. gastronom. Ltg. v. 4 Betrieben übernommen, ab 1983 Gschf. v. Hotel Quellenhof in Leutasch, Besuch v. Managementkursen in d. Schweiz, 1986 Hotel Winkler Dir.Ass., Dir. v. Norica Hotel in Maria Ahn, 1987 Dir. Hotel Corvinus in Wr. Neustadt, dann General Manager d. Top Hotels Europa in Graz, s. 1993 General Manager d. Schloßhotels Rosenegg in Fieberbrunn, Kons.-Beratertätigkeit f. türk. Feriendörfer. P.: Vorträge im WIFI, Art. E.: Manager d. Jahres 1987 b. d. Austro-Top-Hotels, Ehrenoffz. d. Kobra-Einheit, 1984 u. 1986 Ausz. f. Österr. Wochen in Italien. M.: Round Table-Tisch 34, ATV Sekt. Tennis, Hilfe im ÖSV, Wr. Neustädter Fremdenverkehrsaussch. H.: Motorsegler, Wassersport, Tennis, Bergwandern. (Kern)

Poysdorfer Rudolf Ing.

B.: Gschf. FN.: Robert F. Wolf GmbH. GT.: Prok. Asphalt u. Beton Bau GmbH. DA.: 1130 Wien, Amalienstr. 68. PA.: 1120 Wien, Rotenmühlg. 16/5/36. G.: Krems, 3. Mai 1944. V.: Margarete, geb. Schober. Ki.: Verena u. Michael. El.: Rudolf u. Aloisia. S.: AHS, HTL Gartenbau in Schönbrunn, 1968 Abschluß, Gärtnergewerbelehre. K.: 10 J. Fa. Pernerstorfer Techn. Dir., 1977 Asphalt u. Beton Abt.Ltr. u. Prok. f. Sportanlagenbau, 1984 Fa. Wolf Prok., seit 1985 Gschf. H.: Jugendstil, alte Uhren, Garten. (A.K.)

Präauer Peter sen. KommR.

B.: Mstr. f. Installationen u. sanitäre Anlagen u.Schlosserei. FN.: Präauer Bauschlosserei. DA.: 5600 St. Johann/Pongau, Salzburger Str. 6. G.: St. Johann/Pongau, 12. Mai 1925. V.: Theresia. Ki.: Resi, Hilde, Peter. Hans. El.: Jakob u. Magdalena, geb. Hutter. S.: VS, Berufsschule, 1942-44 Lehre Schlosser u. Wasserleitungsinstallateur, Krieg, 1944-45 Gefangenschaft, 1947 Abschluß als Geselle, 1951 Mstr.-Prüf. K.: 1952 Gewerbe angemeldet f. Schlosserei, 1952 Praktikum Sbg., 1953 Eröff. d. Geschäftes, 1953 Konzession f. Gas u. Wasser, b. 1975 Neu- u. Umbau, 1974 Gewerbe f. Gasinstallationen, 1976 Eröff. Filiale Dorfgastein. BL: 1960-80 Innungsaussch., seit 1975 Landesinnungsmstr., 20 J. Gem.-Vertreter, 35 J. PfarrgemR.-Mtgl., 10 J. stellv. Obm., 10 J. Obm. d. Eigenheimbauges., 51 J. aktives Mtgl. d. Feuerwehr, 1987-92 Bez.-Kdt. Raum Pongau, 1980-92 Fachaussch. f. Feuerwehrtechnik im Bundesfeuerwehrverb., VZ d. Feuerwehr Stufe 3-1, Rettungsmed. in Silber u. Gold, Leistungsabz. Gold, Silber u. Bronze, 25 u. 40-jährige Zugehörigkeit, Päpstl. Ausz. Pro Ecclesia et Pontivice, Silb. VZ d. Landes Sbg., Silb. Ehrenmed. d. Kam. d. Gewerbl. Wirtschaft, Julius Raab-Med., Gold. VZ d. Rep. Österr., KommR.

Prachensky Hubert Mag. BauR. h.c. Prof.

B.: Arch. FN.: Arch. Prof. BauR. h.c. Hubert Prachensky, Arch. Dipl.-Ing. Michael Prachensky. GT.: Hotel Prachenskyhof Seefeld. DA.: 6020 Innsbruck, Anton-Rauch-Str. 18. PA.: 6020 Innsbruck, Bergiselweg 20. G.: Innsbruck, 26. Juni 1916. V.: Emma, geb. Graßmayr (verst.). Ki.: Christine (1941), Dipl.-Ing. Michael (1943). El.: OBauR. Theodor u. Maria. S.: HTL-Matura Innsbruck, Ak. d. Bild. Künste Wien, Mstr.Kl. v. Prof. Clemens Holzmeister, Mag. Arch. K.: 1946-55 Arch.Atelier gemeinsam m. Arch. Wilhelm-Nikolaus Prachensky, seit 1956 selbst. Weiterführung d. Ateliers, seit 1976 Partnerschaft m. Sohn Michael-Andreas Prachensky. BL.: 1959 Gedächtniskapelle am Bergisel, 1963 Europakapelle an d. Europabrücke, 1964 Villa Blanka Gastgewerbeschule, Trainings-Center u. Restaurant, 1964 Skihotel u. Erholungs-Center in Malam Jaba/Pakistan, 1965 Kraftwerk d. TIWAG Prutz/Tir., 1966 Gebietskrankenkassen-Neubau Innsbruck, 1968 Neubau d. Chir. Univ.Klinik Innsbruck, 1970 Neubau d. Techn. Fak. Univ. Innsbruck, 1973 Kongresshaus Innsbruck, 1975 Neubau d. Inst. d. med. Fak. Univ. Innsbruck, 1976 Olympia Sport-Center Seefeld, 1976 Arch.Design d. Bergisel-Skisprungstadions Innsbruck, 1976 TU Inst. Karachi-Pakistan, 1979 Römer-Thermalbad Kleinkirchheim, 1986 Neubau Frauen-Kopfklinik Univ. Innsbruck, 1987 Neubau d. Inst.Gebäudes f. Math. u. Physik Univ. Innsbruck. P.: 1964-76 div. Studien f. d. Verkehrsplanung in Innsbruck, 1956 Prof. Wolfgang Pfaundler "Hubert Prachensky", 1969 Univ.-Prof. Heinz v. Mackowitz "Hubert Prachensky", 1979 u. 1981 Hubert Prachensky-Art. "Bauten f. d. Fremdenverkehr" u. "Gestaltungskriterien f. behagl. Wohnen u. Arbeiten", 1983 Hubert Prachensky "Aus meinem Skizzenbuch", 1986 Krista Hauser "3 Generationen Prachensky", div. Festschriften in Fachzeitschriften. E.: 1937 Hansen-Preis d. Ak. d. Bild. Künste Wien, 1971 Silb. Jubiläums Med. f. Verd. um d. Univ. Innsbruck, 1971 BauR. h.c., 1973 Ehrenring d. Stadt Innsbruck, 1985 Prof., 1988 Gold. Ehrenmed. d. Sparkasse Innsbruck. M.: 1963 KulturbeiR. d. Tir. LRg., seit 1964 Mtgl. d. Tir. Künstlerbundes, 1968-78 Präs. d. Zentralver. d. Arch. Tir., Aussch.Mtgl. d. Fremdenverkehrsverb. Innsbruck-Igls, Mtgl. d. LVerkehrsverb., d. Ak. Ski-Clubs u. d. Lions-Club. H.: Malen, Zeichnen, Reisen, Lesen, Skifahren. (W.G.)

Prabitz Gottfried

B.: Bildhauer. PA.: 8112 Gratwein, Friedhofg. 24. G.: Gratwein, 26. Juli 1926. Ki.: Sascha (1967), David (1969), Jason (1970), Pascal (1972), Benjamin (1979). El.: Josef u. Rosa. BV.: Großv. Jakob Doktor: Ltr. u. Initiator d. Paradiesspiele in Gratwein. S.: VS, HS, Musikkonservatorium Hauptfach Horn, Cello u. Klavier, 1944 Kriegsdienst, 1945-48 in jugosl. Gefangenschaft, 1949-52 Baufachschule Abtl. Kunst, 1952-57 Kunstschule d. Stadt Linz. K.: s. 1958 freischaffender Bildhauer. P.: "Drei Musizierende" Landesmusikschule Graz, Portraitkopf v. Anton Musger in Sandstein, "Die Familie", Skulptur in Frohnleiten, u.v.m., div. Ausstell. H.: Schafe, Natur. (I.G.)

Prachensky Markus

B.: freischaff. Maler. PA.: 1060 Wien, Rahlg. 1. G.: Innsbruck, 21. März 1932. V.: Brigitte, geb. Neundlinger. Ki.: Nicolaus (1956). El.: Wilhelm Nicolaus u. Henriette, geb. Hnidy. S.: 1952 Matura Innsbruck, 1952-56 Arch.-Stud. Ak. d. bild. Künste b. Prof. Welzenbacher, 1953 Beginn d. Malereistud. K.: 1954 Beginn d. schöpfer. Tätigkeit als Maler, 1956 Grdg. d. Galerie u. d. Gruppe "Galerie St. Stephan", 1957 1. Ausstellungsbeteiligung in d. Wr. Secession, 1957 Aufenthalt in Paris u. Hamburg, später Aufenthalte in Berlin, Stuttgart, Amerika, Italien u. Mexico, zahlr. Gruppen- u. Einzelausstllg u.a. in d. Galerie Ulysses in Wien (1975, 1976, 1985, 1988, 1990, 1992) u. Galerie Ulysses New York, i d. Secess. (1957), St. Stephan Wien (1958, 1964, 1966), Bawag Fondation Wien (1981), Galerie Krinzinger Innsbrk (1985, 1992), Austrian Institute New York (1970), Kunstver. Hannover (1970), Galerie "Der Spiegel" Köln (1977), "Galerie de France" Paris (1979), s. 1983 Prof. an d. Ak. d. bild. Künste. H.: Lesen, Reisen. (N.A.)

Prachner Georg
B.: Buchhändler u. Verleger. GT.: Gschf. Buchhandlung Prachner. DA.: 1010 Wien, Kärntnerstr. 30. PA.: 1030 Wien, Strohg. 35. G.: Wien, 27. Sept. 1925. V.: Inge, geb. Tributsch. BV.: Fam. Prachner v. Prag (Bildhauer u. Bmstr.). S.: VS, Gymn., 4 Sem. Stud. Germanistik. K.: Militärdienst, Lt. im II. Weltkrieg, 1946-48 Buchhändlerlehre, 1948-49 Praktikant b. Paul Neff-Verlag, 1949-50 Praktikant William Dawson London, ab 1957 Ges. d. Georg Prachner KG. M.: 1964-70 Vors. d. Österr. Buchhändlerverb., 1972-75 Präs. d. Intern. Buchhändlerver. u. Delegierter z. UNESCO. P.: div. Publ. in Fachzeitschriften. H.: Lesen, Pferde, Golf. (M.B.).

Prack Josef

B.: Gschf. Ges., Kfz-Mechaniker. FN.: Prack GmbH. DA.: 1230 Wien, Gorskistr. 2. PA.: 3032 Eichgraben, Paukhofstr. 15. G.: Wien, 16. Okt. 1952. V.: Erika. Ki.: Manuela u. Christina. El.: Josef u. Margaretha. S.: VS, HS, Automechanikerlehre, 1970 Geselle, K.: 1970-72 Kundendienst Mechaniker bei d. Fa. Zimmer, 1974-82 ein Kaffeehaus geführt, danach in d. Kundenbetreuung im Aussendienst, 1985 selbst. in Wr. Neudorf, 1987 nach Wien übersiedelt u. Betr. ausgebaut. H.: Schwimmen, Basteln, schnelle Autos. (R.T.)

Prade Robert KommR. Ing.
B.: Zentraldir., Gschf. d. Euphalt-Kaltasphalt GmbH Wien, Panitzky GmbH Wien, Dachpappen- u. Teerproduktenunternehmung Posnansky & Haumann GmbH Wien, Dipl.-Ing. Smereker O. & Co GmbH Graz, Asphaltunternehmung Dipl.-Ing. Smereker O. & Co GmbH Wien, Eisenschutz GmbH Wien, Tamandl GmbH Wien, Bosch Johann Fbk. f. Asphalt Dachpappe u. Teerprod. GmbH Wien, Lieferasphalt GmbH Wien, Asphaltmischwke. Betriebs GmbH Schwechat, Lieferaspahlt GmbH & Co OHG Wien, Prok. Lieferasphalt GmbH & Co Viecht. PA.: 2344 Maria Enzersdorf, Ferdinand-Giesser-G. 2. M.: Vorst.Vors. d. Teerag-Asdag AG Wien.

Prader Franz
B.: Prominentenschneidermstr. DA. u. PA.: 6370 Kitzbühel, Hahnenkammstr. 15. G.: Afers, 20. Okt. 1935. Ki.: 4 Kinder. S.: VS, HS, Berufsschule, 1959 Mstr.Prüf. K.: Fa. Reinalter Innsbruck, seit 1961 selbst., zu seinen Kunden zählten: Romy Schneider, Nathalie Wood, Paul Newman, Peter Alexander, Jean Paul Belmondo, Luis Trenker, Omar Sharif, Dr. Kurt Waldheim, Franz Vranitzky u.v.m. M.: Golfclub u. Tennisclub Kitzbühel. H.: Beruf, Reisen. (Schm.)

Prader Helmut Ing.
B.: Dir. d. Tir. LStelle f. Brandverhütung. GT.: gerichtl. beeid. Sachv., Univ.Lektor, Strahlenschutzref. d. Feuerwehrverb. DA.: 6020 Innsbruck, Wilhelm-Greil-Str. 12. PA.: 6020 Innsbruck, Berta-v.-Suttner-Weg 12. G.: Innsbruck, 19. Sept. 1937. V.: Ingrid, geb. Glos. Ki.: Christian, Brigitte. El.: Otto u. Hedwig. S.: BGewerbeschule f. Elektrotechnik, HTL-Maschinenbau, Matura 1969. K.: b. BBC, Rüfikopf Seilbahn AG Lech u. b. TIWAG tätig, 1963 z. Brandverhütung. P.: Studie Hotelfeuer (WIFI), E.: Verd. Zeichen 3. Stufe d. BFeuerwehrverb. M.: LFeuerwehrverb. (Matt)

Prader Rudolf

B.: Unternehmer, Gschf. Ges. FN.: Farben Prader Raumausstattung GmbH. DA.: 6380 St. Johann, Innsbrucker Str. 16. PA.: 6393 St. Ulrich, Strass 12. G.: St. Ulrich, 13. März 1961. V.: Erika Kogler. Ki.: Martin (1983). El.: Franz u. Anna. S.: Pflichtschule, Berufsschule, 3 J. Lehre Einzelhdls.-Kfm. St. Johann, 2. Bild.-Weg Malergesellenbrief 1979. K.: b. 1986 Gschf. eines Farbenfachgeschäftes, seit 1989 selbst. m. Raumausstattung u. Farbenfachgeschäft in St. Johann, 1990 Filiale in St. Ulrich, Belagsverlegermeisterprüf. in Linz, 1991 Parkettlegerprüf. in Innsbruck, 1992 Filiale in Kössen, 1994 Filiale in Jochberg. P.: zahlr. Art. in regionalen Printmedien. E.: Aufgenommen ins Gold. Buch d. Stadt Kitzbühel, H.: Fischen. (J.F.)

Prager Christine Dr.
B.: Prim. u. Vorst. d. Inst. f. Physikal. Med. u. Rehabilition d. Donauspitals im soz.-med. Zentrum Ost. DA.: 1220 Wien, Langobardenstr. 122. PA.: 1190 Wien, Nederg. 15. G.: Krems, 25. Dez. 1952. V.: Univ.-Doz. Dr. Rudolf Prager. Ki.: Katharina (1979), Franz (1981), Christoph (1985). El.: Friedrich u. Anna Mandl. S.: Med.-Stud. Univ. Wien, 1976 Prom. z. Dr. med., Turnusarzt im Wilhelminenspital u. im KH Rudolfstiftung, FA-Ausbild. am Inst. f. Physikal. Med. Rudolfstiftung, 1984-85 Studienaufenthalt Univ. of California San Diego/USA, Sharp Memorial Hospital Rehabilitation Centre. K.: 1986-91 Prim. u. Vorst. d. Inst. f. Physikal. Med. im KH Krems, ab 1992 Prim. u. Vorst. d. Inst. f. Physikal. Med. u. Rehabilitation im soz.-med. Zentrum Ost. P.: wiss. Mitarb. auf d. Gebiet d. Rehabilitation v. Schädel-Hirn-Traumen. M.: zahlr. med. Ges. H.: Skifahren, Tennis, Literatur. (N.A.)

Prager Helmut Dr. techn. Dipl.-Ing. MinR.
B.: Ltr. d. Gruppe Bau, Betrieb u. Erhaltung d. Bundesstraßen im Bundesmin. f. Wirtschaftl. Angelegenheiten. GT.: AufsR.-Mtgl. Arlberg Straßentunnel AG. DA.: 1011 Wien, Stubenring 1. PA.: 1130 Wien, Jagdschloßg. 14. G.: Horn, 18. Sept. 1939. V.: Ilse, geb. Louda. El.: Alois u. Maria. S.: Gymn., 1959 Matura, BH, Stud. Bauing.-Wesen TH Wien, 1965 Spons., 1971 Prom. K.: 1966-71 Ass. am Inst. f. Eisenbahnbau u. Verkehrswesen d. TH Wien, 1972 Übertritt in d. Bundesmin. f. Bauten u. Technik d. heutigen Wirtschaftsmin. P.: div. Fachart. u. Referate. E.: Gold. EZ f. Verd. um d. Rep. Österr., Silb. Komturkreuz d. EZ f. Verd. um d. Land NÖ. M.: Österr. Ing.-Ver. H.: Lesen, Konzerte, Reisen, Tennis. (J.S.)

Prager Hermann Karl
B.: Dir. u. Gen.insp.R. v. Äskulap Austria - Ges. f. Sanitätsdienst, Gesundheitsvorsorge u. Zivilschutz. DA. u. PA.: 1020 Wien, Engerthstr. 241/2/14. G.: Wien, 25. Dez. 1948. El.: Hermann u. Elfriede. BV.: Prager Mathias, kk. Rttmstr. Edler von. S.: Uhrmachergesellenprüf., Sanitätsausbild. z. Sanitätsunteroffz. b. AusbRgt. 2 SanAusbKp-Wr.

Neustadt, Luftschutztruppenschule, Heeresspital, in d. Heeresunteroffz.-Schule Enns u. b. Arbeiter Samariter Bund Österr., Sanitätsgehilfenprüf., 1979 Lehrlingsausbilderprüf. K.: 1968-72 b. BH Auslandseinsätze b. d. UNO in Zypern: Austrian Field Hospital, b. 1975 Funktionär u. Lehrbeauftragter f. 1. Hilfe b. Arbeiter Samariter Bund Österr., 1972-75 Tätigkeit in d. Hotelbranche in Wien, b. 1981 Abt.-Ltr., Verkaufsltr. u. Lehrlingsausbilder im Elektrohdl., ab 1982 Bundesbmtr., 1990 Diplom in Klass. Massage, 1980-85 DfUO u. Vorst.-Mtgl. d. Alten Deutschmeister Schützenkorps, 1986 Gründungsvizepräs. d. Österr. Humanitären Ferdinandus Orden 1561, 1994 Gründer v. Äskulap Austria. BL.: Seit 1968 Blutspender b. Roten Kreuz, Organisator v. Blutspendeaktionen u. Einrichtung v. mobilen Ambulanzstationen mit Sanitätsdienst, Blutdruckservice, Lungenvolumenkontrollen u. Farb- u. Sehtests. E.: Träger in- u. ausländ. Ausz. M.: seit 1967 Mtgl. d. Arbeiter Samariter Bundes Österr., Österr. Albert Schweitzer Ges., Cordon bleu du saint esprit Orden, Member of the medical- and parchialworkpersonnel in the army, Pan-Europa-Union. H.: Uniformen, Distinktionen, Interesse f. d. k.u.k. Armee u. f. d. Geschichte d. Habsburger. (J.S.)

Prager Michael Dr. iur.

B.: Rechtsanwalt. DA.: 1010 Wien, Biberstr. 10. G.: Wien, 22. Mai 1960. V.: Vivianne. Ki.: Michael Joseph (1992). El.: Dr. Josef u. Dr. Margarethe. S.: 1979 Matura, Stud. Univ. Wien, 1984 Mag. iur., 1985 Sprachstudien USA, Weltreise. K.: 1986 Gerichtsj., Praxis als RA-Anwärter b. 1992, 1989 Prom. Dr. iur., seit 1992 Partner Anwaltssozietät, Arbeitsschwerpunkte: nat. u. internat. Wirtschaftsrecht, Versicherungs- u. Rückversicherungsrecht, Liegenschaftsrecht, Luftverkehrsrecht, Unternehmensvertretungen. H.: Skifahren, Reisen, Fotografie, Motorflug. (J.E.)

Prager Walter Ing.

B.: Ing. f. Motoren- u. Kraftfahrzeugbau, Ltr. d. Lüftungstechn. Abt. FN.: Franz Prager KG, Prager GmbH, Bau- u. Lüftungsspenglerei, Heizung u. Klima, Anlagen u. Gerätebau, Metallschornsteine. DA. u. PA.: 1220 Wien, Faschingg. 6. G.: Wien, 17. Apr. 1953. V.: Elisabeth, geb. Feiler. Ki.: Claudia (1979), Romana (1982). El.: Franz u. Anna, geb. Feiler. S.: HS, 1 J. Büroschule, 5 J. TGM Kraftfahrzeugbau, nach Abschluß in d. väterl. Betrieb eingetreten. BL.: Patente f. Doppelprofilieranlage f. d. Lüftungskanalerz., Patente f. Zentrallüftungsklappe. H.: Radfahren, Schwimmen, Wandern. (N.A.)

Prager-Malaffa Christine

B.: Sängerin. PA.: 1210 Wien, Skraupstr. 24/28/5. G.: Wien, 17. Aug. 1948. V.: Wilhelm Walaffa. Ki.: Michael. El.: Heider Robert u. Leopoldine. BV.: Bruder Walter Heider bekannter Wienerliedsänger. S.: VS, HS, BS Wien. K.: Frieseurausbild., Gschf. eines Friseursalons. BL.: 1977 Sieg b. Wienerliederwettbewerb, 1978-83 Auftritte m. "Hannes u. seine Freunde", zahlr. Europatourneen, Japantournee, 1983 div. Engagements, 1984 Schallplatte m. Malat-Schrammeln, seit 1984 Mtgl. d. R. Luksch Trios, 1985 Evergreens-Schallplatte m. Rudi Bauer-Ensemble, zahlr. nat. u. intern. Engagements, TV-Serien "Ringstraßenpalais", 1987 "Musikantenstadl", u. a. bekannt als "Nachfolgerin d. Maly Nagl". P.: etl. Langspielplatten (Wienerlied, Schlager, Chansons). E.: Bronz. Robert Stolz-Med. H.: Hund, Stricken. (H.P.)

Prah Karl Dipl.-Ing. Prof.

B.: Prof., Lehrbeauftragter, gerichtl. beeid. Sachv., Abt.Ltr. d. Österr. Textilforschungsinst. A.: 1130 Wien, Geylingg. 17/5. G.: Wien, 24. Juni 1942. V.: Christa, geb. Görg. El.: Karl u. Herma. S.: Hum. Gymn., TU (Techn. Chemie, Dipl.), WU (Univ.Ass., Lehrbeauftragter f. Ind. Technologie), Österr. Faserforschungsinst. (gerichtl. beeid. Sachv. f. Textilchemie). K.: 1968 Studienende, Univ.Ass., WU, freier Mitarb. im Österr. Faserforschungsinst., 1971 Lehrbeauftragter f. Ind. Technollogie, prov. Ltr. d. Österr. Faserforschungsinst., autorisiert Gutachten z. zeichnen, 1976 Kons. f. naturwiss. Lehrplangestaltung an d. Fremdenverkehsschulen d. Kam. Wien, Lehrtätigkeit an WIFI, 1977 Ernennung z. Prof., vereidigt z. gerichtl. beeid. Sachv. f. Textilind., Ltr. d. Abt. Chemie d. Österr. Textilforschungsinst. F.: Odelga-KG Wien. P.: "Rohstoff u. Altstoff", Fachzeitschrift f. Deutsche Berufsschulen, Stuttgart, Forum Ware, Mannheim, ÖTI-Nachrichten, Wien, Forschungsberichte u. Mitteilungen u.a. M.: Ver. Österr. Chemiker Wien, Intern. Ges. f. Warenkunde u. Technologie Wien, Dachverb. d. allg. gerichtl. beeid. Sachv., Ver. z. Förderung d. TM f. Ind. u. Gew. Wien, Altschottenver.

Prähauser Bernhard Prof.

B.: Ak. Bildhauer, Lehrer an d. Bildhauerabt. d. HTL Hallein. A.: 5400 Hallein, Khuenburgg. 7. V.: Nelly, geb. Naef. El.: Bernhard u. Therese. S.: VS, HS, Ak d. bild. Künste. K.: Lehre b. Bildhauer Prof. Jakob Adlhart, Ak. d. bild. Künste, Mitarb. v. Prof. Adlhart, freier Künstler, Ltr. d. Bildhauerabt. d. HTL Hallein. P.: Monographie 1975. E.: Ehrenpreis d. Kunstver. Sbg., Förderungspreis d. Kunstver. Sbg., Verl. d. Prof. Titels durch d. BMU Wien. M.: Tennengauer Kunstkreis. H.: Kunstsammler.

Prähauser Stefan

B.: Landesparteisekr. d. SPÖ Sbg., Kfm. DA.: 5020 Salzburg, Paris-Lodron-Str. 21. PA.: 5071 Wals, Am Römerstein 8. G.: Salzburg, 21. Juni 1948. V.: Balbina, geb. Schwaighofer. Ki.: Stephan (1970), Gregor (1983). S.: Grundschule, 1962-65 kfm. Lehre. K.: 1962-65 Groß- u. Einzelhdls.-Kfm., 1969 Volontär Frankfurt, 1970-72 1. Verkäufer, 1973-80 Abt.-Ltr. Laden- u. Messebau, 1980 Verkaufsltr. Messebau, 1981 Prok., 1985 Landesparteisekr., 1987-89 Gschf. Sbg. Tagblatt GmbH, seit 1987 Gschf. ALLFI, 1975 Beitritt SPÖ, 1976/77 stellv. Sekt.-Vors. Landesparteischule, 1977-81 Sekt.-Vors. Josefiau, Bez.-Auss. Sbg.-Stadt, 1981-88 Hrsg. d. Ortsparteizeitung, Bildungsref., 1984-86 stellv. Gem.-Vors., seit 1986 Gem.-Parteivors., 1988-90 stellv. Bez.-Vors., 1989 VBgm. v. Wals-Siezenheim u. Landtagskandidat, seit 1990 Mtgl. d. GemR. v. Wals-Siezenheim, seit 1990 Mtgl. d. Bundesrates. (N.M.)

Praitenlachner Eduard

B.: Immobilienkfm., Vorst.-Dir. FN.: Die Erste Immobilien AG. DA.: 1050 Wien, Bräuhausg. 3-5. PA.: 1238 Wien, Drei Ständeg. 2. G.: Gmunden, 12. Mai 1945. V.: Irina, geb. Ladwig. Ki.: Elisabeth (1973). El.: Eduard u. Dorothea, geb. Lebeda. K.: versch. Tätigkeiten, seit 1968 im Immobiliengeschäft tätig, Immobilientreuhänder- u. Immobilienmaklerkonzession seit 1970, Aufbau d. Maklerbereiches einer CA-Tochterges. m. Schwerpunkt Betriebs- u. Ind.-Liegenschaften, seit 1989 Mtgl. d. Vorst. Die Erste Immobilien AG, Gschf. IT-Immobilien Treuhand u. TVG-Treuhand Verw. GmbH, Gschf. d. EBM Grundaufschließungs GmbH. H.: Segeln, Surfen, Skifahren. (N.A.)

Pramberger Peter Norbert Dr.

B.: Botschafter im BMAA. DA.: 1010 Wien, Ballhauspl. 1. PA.: 1190 Wien, Zahnradbahnstr. 10. G.: Graz, 23. März 1940. V.: Jennifer, geb. Ashton. Ki.: Michael (1970), Karin (1972), Robert (1974). El.: Kurt u. Maria. S.: HAK Graz, Dr. iur. Univ. Graz. K.: Ltr. d. Abt. f. Afrika u. Asien, Sekr. d. Bundesmin. Bielka, Auslandsposten in Bern, Ottawa, Teheran u. Budapest, Österr. Botschafter in Kairo.

Pramböck Erich Dr. rer. soc. oec. Dkfm.
B.: Gen.-Sekr. d. Österr. Städtebundes. DA.: 1082 Wien, Rathaus Stiege 5. PA.: 1190 Wien, Zahnradbahnstr. 10. G.: Grieskirchen, 12. Nov. 1941. V.: Kristin, geb. Heim. Ki.: Clemens (1971), Conrad (1973), Christoph (1976). El.: Heinrich u. Katharina, geb. Basse. S.: VS, HS, HAK, 1959 Matura, Stud. Betriebswirtschaft HS f. Welthdl., 1963 Spons., 1966 Prom., 1 J. EF-Ausbild. b. BH. K.: 1967-69 Finanzverw. d. Stadt Wien, 1969-73 Wirtsch. Planung, 1973-87 Mag.-Dion. Koordinationsbüro, ab 1988 Gen.-Sekr. d. Österr. Städtebundes. M.: 1985 Fellowship d. Eisenhower-Exchange-Foundation Philadelphia, 1988-94 Mtgl. d. Ständigen Konferenz d. Gem. u. Regionen Europas b. EuropaR., Experte d. EuropaR. in Fragen d. Kommunalreform in Mittel- u. Osteuropa. P.: zahlr. Fachart., Sonderheft "ÖGZ - Österr. Gem.-Zeitung", Lokale u. regionale Strukturen in d. Reformstaaten Mittel- u. Osteuropas (1993). (M.M.)

Pramel Walter Mag. art.
B.: freischaff. Künstler. DA. u. PA.: 1030 Wien, Kleistg. 28. G.: Wien, 15. Jan. 1948. El.: Otto u. Rosa. S.: 1962-66 Lithographenlehre, 1973-78 Stud. Graphik HS f. angew. Kunst Wien. K.: 1966-73 Lithograph in Wien, 1973-80 Tätigkeit f. versch. Werbeagenturen u. Zeitschriften, 1980-81 Graphiker b. Werbeagentur Campbell-Ewald, 1981-86 Graphiker u. Art-Dir. b. d. Agentur DMB&B (Darcy Masius Benton and Bowles), 1986-90 Ltg. d. Graphikstudios d. Agentur Achatz, Art-Dir., Gschf. u. Ges., 1990-91 Art-Dir. d. Agentur Grey-Group Austria, ab 1991 selbst. Illustrationen, Werbegraphik. M.: mehrere Illustrationen in div. Zeitungen u. Zeitschriften u.a. "Wiener", "Sportmagazin", "Tennis Illustrierte", zahlr. Ausstellungen u.a. HS f. Angew. Kunst (1975), Galerie nächst St. Stephan (1976), Galerie Zentrum (1979), Bawag-Zweigstelle (1980), Grafo-Galerie (1985). M.: CCA Creative Club Austria. H.: Literatur, Musik, Radfahren. (N.A.)

Pramendorfer Hermann
B.: Bgm., Bundesrat, Obm., Bundesobm., ÖkR. FN.: Landwirtschaftskammer OÖ. DA.: 4021 Linz, Bergschlößlg. 7. PA.: 4682 Geboltskirchen, Niederentern 12. G.: Aichkirchen/Lambach, 28. Sept. 1933. V.: Maria, geb. Rabengruber, 9 Kinder. El.: Josef u. Anne Selinger. S.: ldw. Fortbild.-Kurse. K.: seit 1979 Bgm., seit 1986 Bundesrat, seit 1988 ÖkR., seit 1972 Obm. u. seit 1987 Bundesobm. d. bäuerl. Waldver. v. OÖ, 1978-81 Bez.-Bauernkam.-Obm. M.: örtl. Musikver.-Obm. H.: Lesen (Geschichtl. Literatur), Operetten. (P.H.)

Pramer Ludwig Dr. iur.
B.: selbst. RA. FN.: Kanzlei Dr. Pramer. DA.: 4020 Linz, Graben 32. PA.: 4040 Linz, Kaarstr. 23. G.: Linz, 28. Aug. 1941. V.: Helga, geb. Benischek. Ki.: Ludwig (1968), Andreas (1971), Karin (1974). El.: Dr. Ludwig u. Gertrude. BV.: 3. Generation Anwälte. S.: 1951-55 BRG Graz-Liebenau, 1955-59 BRG Freistadt, 1960-67 Univ. Graz (Jus), 1967 Prom. K.: 1968 Wehrdienst, 1966-73 Ausbild. als RA-Anw., seit 1973 selbst. (N.A.)

Praml Mathias
B.: Reg. A.: 2111 Klein-Roetz 33. G.: Zirndorf/Nürnberg. V.: Renate, geb. Brachtl. El.: Mathias u. Rosa. S.: LBA Würzburg - Prüf. f. d. Lehramt, Univ. Hamburg, Ak. f. Musik u. Darstell. Kunst Wien, Abt. Film u. Fensehen. K.: Kameramann d. ORF, Reg. b. ORF, NDR u. Privatwirtschaft, Produzent, Lehrbeauftragter f. Regie an d. Film-HS Wien. F.: Video-Film GmbH Wien, Vienna Videofilm GmbH. P.: Filme u. Fernsehsendungen in Deutschland u. Österr., Verfahren z. Visualisierung v. Musik in Farbe Elektronisch. H.: Elektron. Experimente.

Prammer Barbara Mag.
B.: 2. Landtagspräs. v. OÖ. DA.: 4020 Linz, Landhaus. PA.: 4020 Linz, Haagerstr. 62. G.: Ottnang, 11. Jan. 1954. V.: Wolfgang. Ki.: Bertram (1973), Julia (1980). El.: Leopold u. Christina. S.: HAK Vöcklabruck, Matura. K.: 5J. tätig Gemeindeamt Ottnang, 1978-86 Soziologiestud. in Linz, bis 1989 BBRZ, anschl. Landesarbeitsamt Linz in d. Kursplanung, s. 1991 2. Landtagspräs., LAbg., Aussch.-Ltr. f. öff. Wohlfahrt. P.: Gesellschaftl. Dimensionen weibl. Arbeitslosigkeit (Dipl.-Arb.), div. Art. in Tages- u. Fachzeit. M.: Landesverb. OÖ d. SPÖ Frauen, stv. Landesparteivors., stv. Bundesfrauenvors., Vors. d. OÖ Frauenhauses. H.: Politik, Lesen, Garten, Wohnen. (P.H.)

Pramstraller Friedrich
B.: Kfm., VBgm. d. Marktgem. Mayrhofen. A.: 6290 Mayrhofen, Hauptstr. 404. G.: Mayrhofen, 2. März 1926. V.: Viktoria, geb. Kröll. El.: Georg u. Elisabeth. S.: VS, HS, HASCH. K.: Groß- u. Einzelhandelskfm., Hotel Pramstraller, Gästehaus Pramstraller. E.: Verd.Med. d. Landes Tir., Silb. u. Gold. Verd.Med. d. Österr Roten Kreuzes. M.: Ski-Club, Schach Club, Musikkapelle Mayrhofen, Männergesangsver. Mayrhofen, Feuerwehr Mayrhofen, Sport Club, Tennis Club. Obm. d. Raiffeisenbank Mayrhofen, Obm. d. Fremdenverkehsverb. Mayrhofen, AufsR.Vors.Stellv. Mayrhofner Bergbahnen, Obm.Stellv. RZK Tir., MarktgemR. u. Vorst. Gem., Obm. Pistenarge Mayrhofen, Ski Club Präs., Obm. Sanitätssprengel Mayrhofen, Gem.Verb. Rettungswesen Obm., Vors. d. Verw.Aussch. Europahaus Mayrhofen, Vorst. Mtgl. Raiffeisenverb. Tir. H.: Skifahren, Schwimmen, Bergsteigen, Schach.

Prand Eduard
B.: Ldw., Bgm. d. Marktgem. Langau. DA.: 2091 Langau 103. PA.: 2091 Langau 145. V.: Langau, 14. Jan. 1950. V.: Helga, geb. Schiner. Ki.: Daniela (1980), Birgit (1982). El.: Eduard u. Anna, geb. Stockinger. S.: VS, Land- u. Forstwirtschafts-, Facharb- u. Mstr.-Prüf. K.: seit 1964 Mitarb. im elterl. Ldw.-Betrieb, seit 1976 Inh. d. Betriebes, 1968 Eintritt Junge ÖVP Langau, 1971-75 Bez.-Obm.-Stellv. Bez. Geras, ab 1966 2. Obm.-Stellv. d. Bauernbund Langau, seit 1975 GemR. Marktgem. Langau, seit 1978 Gem.-Parteiobm., seit 1980 Gschf. GemR., seit 1992 Bgm. E.: Silb. Verd.-Abz. d. Österr. Jugendbewegung, Gold. EZ d. Landjugend NÖ, 1973 Sieger d. Landesredewettbewerbes d. Landjugend. M.: FF Langau, SV Langau, Museumsver. H.: Lesen, Basteln. (M.M.)

Prandner Harald Karl
B.: Gschf. Ges. FN.: Uniprojekt Techn. Büro W. Prandner GmbH. DA.: 4020 Linz, Stifterstr. 28. PA.: 4222 Luftenberg, Schallenbergstr. 13. G.: Luftenberg, 19. Aug. 1960. V.: Hilde, geb. Billensteiner. Ki.: Dimitri (1984). El.: Karl u. Theresia. S.: VS, 4 J. Ak. Gymn. Linz, HTL Maschinenbau, BH. K.: Lüftungs- u. Klimatechniker Firma Herbsthofer, 5 J. Gastkonstrukteur im Ind.-Anlagenbau d. VOEST Alpine, 1986 Beginn d. Aufbaus d. jetzigen Büros als Geschäftsstellenltr., 1991 Eintritt als Gschf. Uniprojekt Techn. Büro W. Prandner GmbH. H.: Skifahren, Tennis. (U.E.)

Pranger Gerhard Dipl.-Ing. Prof.
B.: Staatl. befugt. u. beeid. Ziviling. f. Elektrotechnik. DA.: 1020 Wien, Ausstellungsstr. 45. PA.: 3945 Nondorf/Gmünd. G.: Wien, 6. Juni 1942. V.: Helga, geb. Fitzinger. Ki.: Michael (1972). El.: Anton u. Viktoria. S.: Matura 1960 Realschule Vereinsgasse Wien 2, Stud. Nachrichtentechnik TH Wien, Sponsion 1970. K.: Tätigk. in Ind. im Bereich Entwickl. u. techn. Vertrieb, anschl. Techn. Behördenmarketing f. Fernmeldewesen u. Elektronik, seit 1982 selbst. Ziviling. f. Elektrotechnik, Gutachter- u. Planungstätigk.

sowie Consulting, Prof. f. Nachrichtentechnik TGM Wien. BL.: ehem. Landesmstr. im Segeln. P.: Nationale u. intern. Publ. z. Thema Elektronik u. Fernmeldewesen. M.: CAB Rheno Danubia zu Wien, RKAB, Postsportver. H.: Sport (ehem. Schi- u. Tennislehrer). (J.S.)

Prangl-Grötzl Josef
B.: Ind. A: 1110 Wien, Kimmerlg. 28. G.: Gabersdorf, 5. März 1927. V.: Barbara, geb. Melcher. El.: Josef u. Maria. S.: Grundschule, Lehrerseminar, Lehramtsprüf. F.: Auto-Kranverleih u. Schwersttransporte, J. Prangl-Grötzl GmbH, Wien u. Graz, LKW-Zentrum Wien, Eibl & Co, Spezialtransporte u. Kranverleih, Graz. M.: Donaueurop. Inst. - Organ. f. Intern. Wirtschaftsbeziehungen, Österr. Ges. f. Erdöl Wiss., Schweizer HK in Wien. H.: Ski-Leichtathletik, Schwimmen, Theater.

Prantl Karl
B.: Bildhauer. DA.: 1020 Wien, Krieau 246. PA.: 7033 Pöttsching. G.: Pöttsching, 5. Nov. 1923. V.: Uta, geb. Peyrer. Ki.: Katharina u. Sebastian. El.: Georg u. Anna. S.: 1946-52 Stud. d. Malerei an d. Ak. d. bild. Künste in Wien, 1950 erste Arb. als Bildhauer. K.: 1959 Initiator d. Symposiums Bildhauer in St. Margarethen im Bgld., seither Teilnahme an Bildauer Symposien in Deutschland, Japan, USA, Italien, Indien, 1967 erste Einzelausstellung in New York, Ausstellungen in Museen: Frankfurter Kunstver., Museum d. 20. Jhdt. Wien, 1986 Biennale di Venezia Österr. Beitrag. (M.B.)

Prantl Katharina Mag. art.
B.: freischaff. ak. Malerin. DA. u. PA.: 1090 Wien, Gussenbauerg. 7/2/28. G.: Wien, 23. Juni 1958. El.: Karl u. Uta Prantl. S.: Rudolf Steiner-Schule, 1 J. Aufenthalt in d. USA, New York u. New Mexiko, 1978-81 Stud. an d. Ak. d. Bild. Künste am Schillerplatz b. Prof. Max Weiler, 1981-83 Stud. b. Prof. Arnulf Reiner, 1983 Dipl. K.: 1983-88 Interdisziplinäre Arb. m. mod. Ausdruckstanz, u.a.: "40 mal 18" (1982), "No wind" (1982), "Homage an Fanny Essler" (1984), "Motion Picture II" (1985), "Motion Picture III", "Motion Picture" (1986), "Gaia" (1987), "Mouvement Mo" (1988), Ausstellungen als Malerin: 1985 Einzelausstellung in d. Gallerie im Belvedere, 1985 Gallerie Schloß Rosenberg Zell/See, 1986 Maler Symposium Burg Werfen, 1987 Maler Symposium Schloß Poppendorf, 1988 Schloß Rosenberg, 1988 Ausstellung in d. Bleecker Street Gallerie New York, 1989 Pannonia 89, Reiseausstellung in Jugoslawien, Ungarn u. Österr., 1989 Artist in Residence Gallery TOM Tokyo, 1989 Österr. Kulturinst. in New York, 1990 Gallerie Heike Cuntze. E.: 1980 Meisterschulpreis d. Ak. d. Bild. Künste, 1979 Fügermed. d. Ak. d. Bild. Künste am Schillerplatz. P.: Kataloge zu Ausstellungen. H.: Reisen, Musik, Tanz. (M.B.)

Prantl Konrad
B.: Gschf., Immobilienmakler. FN.: ABC Immobilien Vermittlungs GmbH. DA.: 1060 Wien, Mariahilfer Str. 113/19. PA.: 2514 Traiskirchen, Josef-Ferschner-Str. 10. G.: Baden, 3. März 1958. V.: Mag. Eva, geb. Oedendorfer. Ki.: Konrad (1978). El.: Dr. Konrad u. Erna. S.: Mittelschule, 1977 Matura. K.: Tätig b. Vers. u. im Immobilienwesen, 1988 Eröff. d. ABC Immobilien Vermittlungs GmbH m. Partner Rupert Graser. M.: Tennis-Club Hoffmann. H.: Tennis, Basketball, Skifahren. (J.S.)

Prantl Kurt
B.: Art Director. FN.: Art & Editions Haas GmbH. DA.: 6850 Dornbirn, Zollg. 7. PA.: Lustenau, Hofsteig. G.: Bregenz, 20. Juni 1942. V.: Grete. Ki.: Miriam (1965), Belinda (1970). El.: Walter u. Leopoldine. S.: VS, HS, Stud. Kunstgeschichte St. Gallen, 1964 Militär. K.: 1964 1. Ausstellung m. Albrecht u. Berchtold in Galerie Neufeld, 1982 künstler. Leitung Galerie Haas Vaduz, 1986 Galerie am Lindenplatz Schaan, 1988 künstler. Leitung Art & Editions Haas Verlagsanst. Dornbirn, 1992 Eröff. d. 200. Ausstellung, 20. Kunstbuch über Vbg. bild. Künstler. H.: Ldw., Schafzucht, Museumsbesuche, Familie. (I.D.)

Prantl Werner

B.: Lehrer a. Polytechn. Lehrgang, Sportler, Musiker. FN.: Polytechn. Lehrgang Jenbach, Die Zillertaler GbR. DA.: 6200 Jenbach, Tratzbergstr. 12. PA.: 6200 Buch 56a. G.: Schwaz, 5. Okt. 1956. V.: Annemarie, geb. Brunner. Ki.: De'siree (1985), Janine (1993). El.: Albert u. Friede. S.: 1971-76 Realgymn. Volders, 1972 Start Musiker-Karriere, s. 1974 Rodler a. Naturbahnen, 1976-77 Österr. Bundesheer, 1977-92 Zillertaler Jodlertrio, 1977-79 Pädagog. Akad. VS-Lehrer. K.: 1979 Start a. VS-Lehrer i. Jenbach, Lehrämter f. Berufs- u. Lebenskunde u. Dt., 1987 Start a. Lehrer a. Polytechn. Lehrgang, a. 1992 "Die Zillertaler", a. 1993 1 J. Karenz f. Musikertätigk. BL.: 1974 Tiroler Junioren-Mstr. i. Rodeln a. Naturbahnen, 1975 Europa-Junioren-Mstr., 1976 Tiroler Mstr., 1980, 1981, 1982 Tiroler Mstr., WM 1987 Bronzemed., 1979 Weltmstr., 1979 Europamstr. i. Doppelsitzer "RaN" m. Bruder Florian, 1979 u. 1982 Weltmstr. i. Doppelsitzer, 1992 2. Pl. b. Grand Prix d. Volksmusik. E.: 1980 Gold. Sportabzeichen Land Tirol, Gold. EZ Sportclub Schwaz. M.: Sportclub Schwaz, AKM, Austro Mechana. H.: Familie, Musik, Wirt.-Nachrichten. (C.D.)

Prantl Alois sen.
B.: Inh. FN.: Alois Prantl. DA. u. PA.: 2136 Laa/Thaya, Bürgerspitalg. 4. G.: Laa, 10. Sept. 1929. V.: Gertrude, geb. Brachtl. Ki.: Alois, Martin. El.: Alois u. Elisabeth. S.: VS, HS, HASCH. K.: Tischlerlehre, seit 1956 selbst., Möbeltischlerei, Spezialwerkstätte f. Innenausbau u. Fensterkonstruktionen sowie Möbelhdl. (R.A.)

Prantl-Peyrer Uta
B.: Malerin. DA.: 1020 Wien, Krieau 246. PA.: 7033 Pöttsching. G.: Oberpullendorf, 22. Apr. 1939. V.: Karl Prantl. Ki.: Katharina u. Sebastian. El.: Peyrer Erich u. Franziska. K.: Autodidakt, malt seit d. 17. Lebensj., seit 1960 regelmäßig Ausstellungen im In- u. Ausland, Teilnahme an Symposien u. Malerwochen, malt abstrakte Bilder m. kosm. Beziehungen. (M.B.)

Prantner Robert
Dr. theol. Dr. rer. pol. Dr. rer. oc. h.c. Prof
B.: a.o.Gesandter u. bev. Min. d. Botschaft d. Souveränen Malteser Ordens. GT.: Beobachter Delegierter am U.N. Büro Wien, seit 1985 Prof. f. Ethik u. Ges.Lehre an d. Phil.-Theol. HS Heiligenkreuz, seit 1970 Studienltr. an d. Polit. Ak. in Wien. DA.: 1010 Wien, Johannesg. 2, 1120 Wien, Tivolig. 32. PA.: 2371 Hinterbrühl, Parkstr. 19. G.: Wien, 26. Juni 1931. V.: Dr. Johanna, geb. Sandler. Ki.: Johanna, Thomas. El.: Anton u. Wilhelmine. S.: 1949 Matura, Stud. d. Theol., Kirchengeschichte u. Ges.Lehre, Stud. d. Staatswiss., Völkerrecht u. Intern. Beziehungen an d. Univ. Wien, 1955 Prom. z. Dr. theol., 1971 Prom. z. Dr. d. Staatswiss. K.: 1955-65 Mitarb. u. anschl. wiss. Ass. u. Privatsekr. v. Altbundeskanzler Ing. J. Raab, 1964-70 WissR. v. NatR.Präs. Dr. Alfred Maleta, 1970-92 Studienltr. d. Polit. Ak., seit 1969 a.o.Gesandter u. bev. Min. d. Souveränen Malteser Ordens,

seit 1972 Doz. an d. Ordens-HS Klosterneuburg, Gastlehrer in Sicherheitsorgan. in d. BRD u. in Österr. P.: 5 Bücher "Malteser Orden u. Völkergemeinschaft", "Mensch u. Gesellschaft", "Kreuz u. Weiße Nelke", "Kreuzweg m. d. Vereinten Nationen", "Freimaurertum", "Im Angesicht d. Todes", 80 wiss. Publ. in Sammelbänden über intern. Ethik, Völkerrecht, Subkulturelle Bewegungen, Polit. Extremismus u. Terrorismus, Auslands- u. Inlandsnachrichtendienste, Sicherheit u. Landesverteidigung, Südafrika u. Chile. E.: Gr. Gold. EZ m. d. Stern f. Verd. um d. Rep. Österr., Großoffz.-Kreuz d. Päpstl. Silvester-Ordens, Großoffz.-Kreuz (spanisch) Isabella Cattolika, Großoffz.-Kreuz d. poln. Ordens "Polonia restituta", Großkreuz d. griech. Phönix-Ordens, Großkreuz d. VO Pro Merito Militensi, Großkreuz d. Ordens Sao Paulo Apostolo, Großkreuz d. Span. Ordens Caballero de Yuste, Kommandeurkreuz d. ital. VO, BVK 1. Kl. d. BRD, EK f. Kunst u. Kultur d. Stadt Sao Paulo, Gold. Komturkreuz d. Landes NÖ, Gr. Gold. EZ d. Landes Stmk., EZ f. Verd. um d. Bgld., Gold. EZ d. Landes Sbg., Gr. Gold. EZ d. Landes Wien, EZ d. ev. Johanniterordens am Bande, Befreiungsz. d. Rep. Österr., Orden d. Jugoslaw. Fahne m. d. Gold. Stern, Verd.-Großkreuz d. franz. Saint Lazare, Großoffz.-Kreuz d. Verd.Ordens B. O'Higgins d. Rep. Chile, Großoffz.-Kreuz d. päpstl. prot. Konstantin. St. Georgsordens d. Hauses Bourbon (Neapel-Vatikan). M.: ÖCV, MKV, KÖL, Österr.-Chilen. Ges., Österr.-Südafrikan. Club, seit 1959 Mitbegründer u. Mtgl. d. Komitees d. Christl.-Jüd. Verständigung. H.: Videothek, Audiothek, Bücher, Pistolenschießen. (M.B.)

Prantner Wilhelm

B.: Verwalter Entbindungsheim, Altersheim Schützengarten u. Zentraleinkauf d. Marktgem. Lustenau. DA.: 6890 Lustenau, Schützengartenstr. 8. PA.: 6890 Lustenau, Jahnstr. 30. G.: Venedig, 24. Aug. 1935. V.: Olga. Ki.: Rene (1975). El.: Wilhelm u. Philimena. S.: Maschinenschlosserlehre Dornbirn, 1963 Abschluß, berufsbezogene Weiterbild. K.: in mehreren Bereichen in Textilbetrieb, Lehre b. Rüsch Werke Dornbirn, einige Saisonen Bademstr. Lustenau, Lokomotiv- u. Magnetbau Maschinenfbk. Örlikon Zürich, 1963 Verw.-Ang. Bauamt u. Betriebsltr. Schwimmbad Gem. Lustenau, 1989 Verwalter Entbindungsheim u. Altersheim Schützengarten sowie Zentraleinkauf d. Marktgem. Lustenau. E.: Gold. EZ d. Vbg. Wasserrettung. M.: Grdg.-Mtgl. u. Ehrenmtgl. d. Ver. d. Vbg. Bademstr. sowie in mehreren ortsansässigen Ver. H.: Bergwandern, Radfahren, Schwimmen, Musik. (I.D.)

Prantz Erhard Dr. Mag.

B.: Vorst. FN.: Krems-Chemie AG. DA.: 3500 Krems, Hafenstr. 77. PA.: 3500 Krems, Am Steindl 29. G.: Wien, 20. Juni 1948. V.: Mathilde. Ki.: Kathrin, Sebastian, Johanna. S.: AHS, Univ.Stud. K.: Univ.Ass., seit 1978 Krems-Chemie, Ltr. d. Forsch. u. Entwicklung, Betriebsltr., Prod.Ltr., Vorst. BL.: div. Patente. P.: div. Art. in Fachzeitschriften. M.: Ges. Dt. Chemiker, WDF, ATÖ, Vereinigung Österr. Ing., Ges. Österr. Chemiker. H.: Allg. Sport, Filmen.

Pranz Eduard Dr. iur.

B.: RA. DA.: 3100 St. Pölten, Kremser G. 20. G.: St. Pölten, 20. Nov. 1934. V.: Sonja, geb. Pinggera. Ki.: Gabriele, Eduard. El.: Eduard u. Maria. S.: VS, Gymn. St. Pölten, 1952 Matura m. Ausz., Jusstud. an d. Univ. Wien. K.: 1956 Prom., Gerichtsjahr in St. Pölten, Konzipient in St. Pölten, ab 1964 selbst. Rechtsanwalt in St. Pölten. M.: Rotary-Club. H.: Opern, ernste Musik, Tennis, Abrichten v. dt. Schäferhunden. (Kern)

Prasch Helmut Dr.

B.: Direktor Museum f. Volkskultur. DA.: 9800 Spittal/Drau, Schloß Porcia. PA.: 9800 Spittal/Drau, Edlingerstr. 13. G.: Spittal/Drau, 22. Juni 1961. El.: Prof. Helmut u. Maria. S.: VS, BRG, 1979 Matura, BH, 1980-85 Stud. Volkskunde/-Europ. Ethnologie, Germanistik u. Phil. Innsbruck, 1985 Promotion K.: 1985-87 Univ.-Assistent Institut f. Volkskunde/Europ. Ethnologie Innsbruck, seit 1987 Museumsdirektor u. gleichzeitig wissenschaftlicher Berater f. alle musealen Einrichtungen in Oberkärnten, Lehrbeauftragter Universität Innsbruck, Graz u. Klagenfurt. BL.: Initiator u. Organisator v. internationalen museologischen Kongressen, museumspädagogische Angebote, Ausstellungen, Aufbau einer Museumslandschaft in Oberkärnten, Erstellung v. Museumskonzepten im lokalen Bereich. P.: Masken u. Maskenbrauchtum in Oberkärnten u. Osttiroler (1988), Beiträge z. Volkskunde Österreich u. d. angrenzenden eutschen. Sprachraums (1985), Chronik 800 J. Spittal/Drau 1191-1991, Werk u. Zeug. Werdegang u. Bestand d. Bez.-Heimatmuseums Spittal/Drau (1990), diverse Abhandlungen in Fachpubikationen im In- u. Ausland, Hertausgeber: Jahrbuch f. Volkskunde u. Museologie (seit 1987), Museum aktuell (seit 1992), Materialien z. Museumspäd. (seit 1987). E.: 1991 Gold. Ortenburger Siegel f. Verd. um Volkskultur in Oberktn. M.: seit 1992 Vorst.-Mtgl. Intern. committee for regional museums, seit 1987 Landesref. f. Museen im Ktn. Bild.-Werk, ICOM, Österr. Museumsbund, s. 1994 Ltr. d. AK Museums-wiss. d. Österr. Fachverb. f. Volkskunde. H.: Sport, Literatur, Theater, bild. Kunst, Motorradfahren. (G.L.)

Prasch Helmut OSR. Prof. Dir.

B.: Museumsltr. u. Dir. i.R. DA.: 9800 Spittal, Schloß Porcia. PA.: 9800 Spittal, Edlingerstr. 13. G.: Weißenbach, 16. Sept. 1910. V.: Maria, geb. Stefan. Ki.: Horst, Baldur, Helmbrecht, Gudrun, Helmut u. Hartmut. El.: Dir. Hans u. Sophie. S.: VS, Bürgerschule, LBA, Fachprüf. f. Turnen, Zeichnen, Schulaufsicht, Heilpäd., Offz.Schule, Kriegsdienst u. Internierung. K.: Lehrer, Rektor, Schulinsp., Dir., Gründer d. Bez. Heimatmuseums Spittal/Drau d. Arbeitskreises f. Denkmalpflege u. Heimatmuseen im KBW, d. Handwerksmuseums d. Ver. "Helfer d. Ortenburg" u. "Freunde v. Teurnia", d. Volksturmsgruppe Spittal/Drau. P.: Novellen, Kurzgeschichten, Romane, Chroniken, Fachbeiträge f. Volkskunde, 14 volkskundl. Werke, Rundfunkreports u. Hörspiele, Mitarb. an versch. Zeitschriften u. Festschriften. E.: Max Halbe-Preis, Theodor Körner-Preis, Silb. EZ d. Rep., Ehrenkreuz d. KOV, Silb. Med. f. Heimat u. Lied, Gold. Med. d. Ktn. Landmannschaft, Gold. EZ d. Ktn. Bildungswerkes, Gold. EZ d. Tir. Volkstumsverb., Michael Haberland-Med., Ehrenring d. Gottscheer, Ehrenring d. Stadt Spittal/Drau, Dt. Kreuz in Gold, Ehrenbürger d. Stadt Spittal/Drau, Gr. Gold. EZ d. Landes Ktn., Festschrift z. 70. u. 75. Geburtstag. M.: Volkstumsgruppe, Kriegsopferverb., Österr. Alpenver., Ktn. Bildungswerk, Ktn. Landsmannschaft, Volkskundefachverb. u.a. H.: Volkskunde, Laienspiel, Volkslied, Brauchtumsforschung. (Hat.)

Praschak Günter Prof.
B.: Prof. an d. HS f. künstler. u. ind. Gestaltung in Linz. DA.: 4040 Linz, Hauptpl. 8. PA.: 4040 Linz, Peuerbachstr. 30/I. G.: Wien, 30. Nov. 1940. BV.: Ururgroßvater war d. Generalverwalter d. Fürsten Schwarzenberg. K.: 1964-70 Designer in Dänemark, 1970-72 Ltr. Mstr.Kl. f. Keramik an d. Kunstschule Linz, seit 1973 Prof. an d. HS f. künstler. u. ind. Gestaltung Linz, Ausstellungen u. Beteiligungen: Wien, Linz, Sbg., Gmunden, St. Pölten, München, Freiburg, Göteborg, Kopenhagen, Norwegen, London, Bath, Paris, Faenza, New York, Calgary, Lugano, Danzig, Frechen (Köln), Koblenz, Keramiksymposien: Gmunden, Stoob. E.: Med. intern. Keramikwettbewerb Danzig, Dipl. "Concoso intern. della Ceramica d'Arte" Faenza, 1984 Kulturpreis d. Landes OÖ. M.: Maerz, World Crafts Council, Academie intern. de la Ceramique, Künstlerhaus Wien. H.: Archäologie. (J.G.)

Praschberger Johann

B.: Bäcker, Konditor. FN.: Bäckerei u. Konditorei Praschberger. DA. u. PA.: 6344 Walchsee, Dorfpl. 4. G.: Walchsee, 20. Juni 1949. V.: Walburga, geb. Dax. Ki.: Johann. El.: Peter u. Katharina. S.: VS, Grundschule, 1960-63 Bäckerlehre, 1963 Gesellenprüf., Konditorlehre, Fort- u. Ausbild.-Kurse. K.: 1974 Eröff. Cafe u. Konditorei, 1979 Konzessionsprüf. M.: seit 1992 im Gem.-Vorst. H.: Segeln, Tennis, Reisen. (A.W.)

Praschl Michael Mag.
B.: Kommunikations- u. Motivforscher, Marketingberater. FN.: Factum Sozial- u. Wirtschaftsanalysen Unternehmensberatung Chaloupka, Praschl & Risser OHG. DA.: 1040 Wien, Danhauserg. 6/8. PA.: 1150 Wien, Holocherg. 36/34. G.: Wien, 5. Mai 1959. El.: Dr. Ernst u. Paula, geb. Traxler. S.: HTL, 1978 Matura, Stud. BWL WU Wien, 1984 Spons. K.: freiberufl. f. Verkehrs- u. Marktforsch. tätig, Forsch.-Projekte im Bereich Non-profit-Marketing: Verkehr, Umwelt u. Gesundheit, 1988 Grdg. d. eigenen Firma. P.: mehrere Publ. H.: Phil., insbes. Paradoxien, Musik, insbes. Jazz. (N.A.)

Präschl Klaus
B.: Bgm. d. Stadtgem. Kapfenberg. DA.: 8605 Kapfenberg, Koloman-Wallisch-Str. 1. PA.: 8605 Kapfenberg, Teuchendorf 10a. G.: Fronleiten, 22. Nov. 1943. V.: Christine, geb. Karner. Ki.: Nina (1974). El.: Franz u. Maria. S.: VS, HS, Bundesfachschule, 1967-70 Sozialak. K.: 1960 Planung Stadtwerke, 1973 Sekr. d. Bgm., 1 1/2 J. LAbg., 1987 Bgm. P.: Vors. Zeitung "Bericht", Red. "Amtsblatt". M.: Präs. KSV Sekt. Turnen Austria. H.: Sport. (K.K.)

Praschl-Bichler Karl-Maria KommR.
B.: Kaufmann, Finanz- u. Wirtschaftsmakler. FN.: "ES" Einkaufszentrum Am Spitz. DA.: 1210 Wien, Angererstraße 2-6. PA.: 1070 Wien, Breite G. 7. G.: Unterkühberg/NÖ, 7. Jan. 1932. V.: Lore, geb. Lehner. Ki.: Gabriele, Juri. BV.: Fugger. K.: seit 1956 Kfm., Management d. Autokinos Linz u. Wien, seit d. sechziger Jahren in Bank u. Wirtschaft als Makler tätig, 1984 Errichtung d. Einkaufszentrum Am Spitz "ES". H.: Tennis, Wandern, Politik- u. Wirtschaftsliteratur. (P.R.)

Prasser Roger
B.: Prokurist, Division Manager. FN.: Wintersteiger GmbH & Co. DA.: 4910 Ried, J.-M.-Dimmel-Str. 9. PA.: 4910 Ried, Schärdinger Str. 17. G.: Ried, 23. Apr. 1953. V.: Karin, geb. Mayr. El.: Johann u. Anna. S.: HASCH, Militär. K.: 1971-73 in einem Steuerberatungsbüro tätig, seit 1973 b. d. Fa. Wintersteiger, zuerst im Ersatzteilbereich u. Erstellung d. Rohbilanzen, ab 1975 Einführung und Führung d. Kostenrechnung u. Materialwirtschaft, ab 1977 Ltg. d. gesamten Rechnungswesen, ab 1979 Führung d. neugegründeten Division Sports m. Gesamtverantwortung f. Marketing u. Verkauf, seit 1985 Prokurist M.: Exportclub Linz. H.: Intensives Körpertraining, Musik. (H.D.)

Praszta Richard
B.: Stellv. Bez.Kdt. d. BG-Kdo. Baden. DA.: 2500 Baden, Konrad-v.-Hötzendorff-Pl. 6. PA.: 2500 Baden, Marktg. 7. G.: Wien, 14. Aug. 1934. V.: Auguste, geb. Kostan. Ki.: Richard. El.: Richard u. Ida. S.: Lehre als Elektromechaniker, 1953 Lehrabschlußprüf., 1953-55 Gend.Schule in Horn. K.: 1955-68 Gend.Bmtr. in Pfaffstätten, 1968-69 Fachkurs f. dienstführ. Beamte in Mödling, 1969-72 Gend. im Flüchtlingslager Traiskirchen u. 1972-82 in Leobendorf, 1982-87 Postenkdt. in Traiskichen, s. 1987 stellv. Bez.Kdt. v. Baden. E.: Silb Verdienstz. d. Rep. Österr., Feuerwehrausz. 3. Kl. M.: Schützenver. Baden, Turn- u. Sportver. Pfaffstätten. H.: Luftdruckgewehrschießen, Segeln, Skifahren. (M.B.)

Prat Alfred
B.: Kunsthändler, Gschf. u. Inh. DA.: 4020 Linz, Schmidtorstr. 7. PA.: 4020 Linz, Promenade 5. G.: Linz, 25. Sept. 1940. El.: Josef u. Josefine. S.: VS, HS, HASCH, 1958 Abschluß. K.: Eintritt elterl. Firma Prat, seit 1968 Firmeninh. H.: Skifahren, Tennis, Kunstliebhaber. (U.E.)

Pratl Josef Dr. Dipl.-Ing.
B.: Vorst.Vors. d. Bgld. Elektrizitätswirtschafts AG (BEWAG) Eisenstadt. DA.: 7000 Eisenstadt, Dr.-Karl-Renner-Str. 4.

Pratl Hermann jun.
B.: Restaurator. FN.: Restaurationswerkstatt Hermann Pratl. DA. u. PA.: 8530 Deutschlandsberg, Unterer Steinweg 7A. G.: Graz, 15. Dez. 1966. V.: Elfriede, geb. Isak. El.: Hermann u. Erika. S.: Hauptsch., Tischlerlehre, Abschluß 1985. K.: Tischler, Beschäftigg. m. Restaurieren v. antiken Möbeln, Uhren u. Polstermöbeln, Eröff. eig. Werkstätte in Deutschlandsberg. H.: Beruf, Drachenfliegen. (M.G.)

Pratter Heinz Dr. iur.

B.: RA. DA.: 8430 Leibnitz, Kadag. 5. PA.: 8430 Leibnitz, Seggauberg 56. G.: Leibnitz, 29. Jän. 1949. V.: Ingrid, geb. Klimann. Ki.: Ines (1976), Eva (1979), Max (1982), Moritz (1987). El.: Hubert u. Hermine. S.: VS, BG u. BRG, 1967 Matura, BH, Ausbild. z. Res.-Offz., Stud. Rechtswiss. Graz, 1975 Prom. K.: 1974 Gerichtsj., b. 1980 Konzipient b. Dr. Häusler Leibnitz u. Dr. Thurner Graz, ab 1980 eigene Kzl. in Leibnitz, selbst. RA. M.: b. 1989 Round Table Leibnitz, seit 1990 Club 41 Leibnitz. H.: Segeln, Tennis, Musik. (M.Gr.)

Prattes Michael

B.: Prok., kfm. Ltr. FN.: Schausberger Maschinenbau u. Stahlkonstruktion GmbH. DA.: 8605 Kapfenberg, Mühlwiesenweg 8. PA.: 8641 St. Marein, Graschnitzstr. 4. G.: 21. Nov. 1965. V.: Ulrike, geb. Stuhl. Ki.: Philipp (1991). El.: Reinhold u. Veronika. S.: 1986 Matura, College f. BWL-Informatik. K.: 1989/90 wiss. Ang. Forsch.-Ges. Joanneum im Inst. f. Umweltinformatik, 1990/92 Abt.-Ltr. f. Umwelttechnologie Greenteam-Consolt Planungs GmbH Leoben, 1992 Prok. Firma Schausberger. M.: Handballver., Tennisver. Leoben ATV. H.: Handball, Tennis, Lesen. (K.K.)

Praun Johannes Mag.

B.: Prokurist, Ges. FN.: Business Success, Verkaufs- u. Managementtraining. DA.: 1020 Wien, Obere Donaustr. 59. PA.: 1180 Wien, Weißdornweg 14. G.: Wien, 1. Juli 1957. V.: Gabriela, geb. Eckharter. Ki.: Lara (1991), Lisa (1994). El.: Clarissa u. Richard. BV.: Großvater mütterlichers., Schrack, war Begründer d. Schrack-Telefonie, Mutter Clarissa Praun, geb. Schrack ist akad. Malerin. S.: 4 J. hum. Gymn. 4 J. akad. Gymn., 1975 Matura, Stud. a. d. WU Wien, Sponsion 1982, Postgraduate Stud. i. Barcelona 1983/84. K.: 1985-87 Österr. Industriellenvereinig., 1987-90 Schrack-Konzern, s. 1990 selbst. Schwerpunkte d.Tät.: Seminarleitung, Consulting, Verkauf, Marketing. BL.: Landes-Schulmeister i. d. Leichtathletik. M.: Gruppe 1031 (Verein f. jung. Führungskräfte u. Untern. im Rahmen d. Industr.verein.). H.: Saxophon (öffentl. Auftritte als Solist), Tennis, Skifahren, Squash. (F.S.)

Praunegger Walter

B.: Inh. FN.: Freizeitpark. DA. u. PA.: 8223 Stubenberg/See. G.: Weiz, 3. Nov. 1953. El.: Friedrich u. Sophie. S.: VS, HS, Elektrikerlehre Firma Elin, 1973 Abschluß. K.: 1973-77 Montage österr.-weit, 1977 selbst. m. Freizeitpark. H.: Skifahren, Reisen. (I.G.)

Prause Walter Dipl.-Ing.

B.: Ziviling. f. Bauwesen, Planungsbüro f. Bauphysik, allgem. beeid. gerichtl. Sachv. DA.: 1130 Wien, Hietzinger Hauptstr. 36. PA.: 1130 Wien, Hietzinger Hauptstr. 152/3/2. G.: Wien, 2. Aug. 1938. Ki.: Philipp (1973). El.: Dkfm. Eduard u. Maria. S.: 1956 Matura, 1956-66 Bauing.-Stud. TU Wien, 1966 II. Staatsprüf., BH. K.: b. 1979 Univ.-Ass. am Inst. f. Mech. Technologie u. Baustofflehre, 1976 Ziviltechnikerprüf., 1978 Befugniserteilung z. Ziviling. f. Bauwesen u. Eröff. d. Ziviltechnikerkzl., 1979-80 wiss. Mitarb. am Österr. Inst. f. Bauforsch., ab 1980 freiberufl. Ziviltechnikertätigkeit m. Schwerpunkte: Bauphysik u. Meßtechnik, Ökologie, Glas- u. Fassadentechnik. P.: lfd. Art. in Fachzeitschriften Bereich Brandschutz, Lärm u. Wärmeschutz. M.: Österr. Ing. u. Arch.-Ver., Österr. Normenaussch., Österr. Arbeitsring f. Lärmbekämpfung, VDI Dt. Glastechn. Ges., Dt. Akust. Ges. H.: Musik, Arch., Skifahren, Fotografie. (M.-L.A.-M.)

Pravits Manfred

B.: Kfm., Gschf. FN.: Rudolf Turmann GmbH. DA.: 1030 Wien, Hintere Zollamtstr. 9. PA.: 2070 Retz, Fladnitzer Str. 11. G.: Schützen/Gebirge, 22. Apr. 1939. V.: Monika, geb. Richter. Ki.: Pia Maria, Petra, Björn. El.: Lorenz u. Katharina, geb. Schneider. S.: Hotelgewerbe. K.: 1953-62 Tätigkeit im Hotelgewerbe, seit 1962 selbst. Kfm., seit 1978 Hdl. m. d. Ausland. H.: Gartenarb., Blumen, Reisen, Restaurants. (N.A.)

Prawdzik Dierk

B.: Schauspieler. DA.: 1010 Wien, Dr. Karl Lueger-Ring 2 (Burgtheater). PA.: 1080 Wien, Piaristeng. 10/9. G.: Nürnberg, 19. Juli 1962. Ki.: Janina. El.: Dietrich u. Theresia. S.: 1982 Matura, Stud. (med.-wissenschaftl. Forschung), 1988-90 Staatl. HS f. Musik u. darstellende Kunst, Frankf./Main, Gesangsunterr. K.: 1991 Übersiedlung n. Österr, erstes Engagement am Schauspielhaus Porzellang., Engagement ans Burgtheater, einige d. bed. Rollen: Herkules in Alkestis (Euripides), Paul Green in die Donau (Maria I. Fornes), König in Liebesleid u. Lust (Shakespear), Ritter Flamberg in Das Kätchen v. Heilbronn (Heinrich v. Kleist). E.: Div. Meistertitel i.d. Sportarten Rudern u. Gewichtheben. M.: Greenpeace. H.: Theater, Gesang, Sport, aktiver Kampfsport. (F.S.)

Prawy Marcel Dr. Prof.

G.: Wien, 29. Dez. 1911. El.: Dr. Richard Frydmann v. Prawy u. Marie, geb. Mankiewicz. BV.: Großvater Marcell Frymann Ritter v. Prawy (1848-1906), geadelt v. Kaiser. S.: Univ. Wien Rechtswiss. u. Musik b. Egon Wellesz. K.: während d. Aufenthaltes in Amerika als pers. Vertr. v. Kammersänger Jan Kiepura u. Marta Eggerth, setzte er sich m. d. amerik. Musik u. d. Musical auseinander, 1955 als Dramaturg u. Produktionsltr. an d. Wr. Volksoper berufen, verhalf dort d. amerik. Musical z. Durchbruch, "Kiss me Kate" erstmals in dt. Übersetzung, weitere Produktionen v. Gershwin "Porgy and Bess" u.a., er betreute auch d. ersten Musical-Produktionen in Italien u. Belgien, lehrt an amerik. Univ. z.B.: Yale, New Haven, Columbia University, Rice University, Houston, u.a. u. hält alljährlich Einführungsseminare f. d. Opernhäuser v. Miami u. Houston, 1980 Gastvorlesungen an Tokyo Univ. of Music u. an versch. anderen HS Japans, weiters tätig in Fernsehen, Rundfunk u. Produzent v. gr. Shows. P.: Versch. Bücher, u.a. "Die Wiener Oper", "Johann Strauß - Weltgeschichte im Walzertakt", Übersetzung sämtl. Theaterwerke v. Leonard Bernstein, "Neun sei bedankt - mein Richard Wagner Buch", Vortragstät. in sechs Sprachen, Übers. v. Opern- u.

Musicallibrettos aus d. Engl., Franz., Ital. u. Poln. ins Deutsche. E.: Fernsehpreis d. Österr. Volksbildung 1967 u. 1980, 1972 Gold. EZ f. Verd. um d. Land Wien, 1977 EK d. 1. Kl. d. BRD, Gold. Kamera, Gold. Rathausmann, Lieben Augustin, 1981 Ehrenmtgl. d. Wr. Staatsoper, 1984 Verleihung d. Gr. Preises f. Volksbildung d. Stadt Wien, Ernennung z. Ehrenmtgl. u. Ehrenbürger v. Miami, Florida, Grande Ufficiale del Ordine del Merito della Reppubl. Italiana, EZ f. Kunst (Poln.), 1990 Ehrenring d. Stadt Wien, 1992 Ernenn. z. "Bürger v. Wien". M.: Präs. d. Intern. Richard Strauß-Ges., o.Prof. an d. HS f. Musik u. darstell. Kunst Wien, Lehrbeauftragter d. Wr. Univ. u. Gastprof. d. amerik. Univ. Yale. H.: Sprachen.

Praxmair Peter

B.: Gschf., Inh. FN.: Cafe-Bar-Konditorei. DA.: 6370 Kitzbühel, Vorderstadt 17. G.: Kitzbühel, 4. Feb. 1946. V.: Annemarie, 17. Juli 1955. Ki.: Ines, Petra. El.: Toni u. Maria. S.: 1961-63 Hasch i. Innsbruck, Hotel-FS i. Gastein 1963-67, Auslandsaufenthalte i. Jersey, Südfrankreich, 1967 i. elterl. Betrieb, 1968 nach Jersey zurück, 1970 auf Sylt selbst. gemacht m. Bierbar u. Restaurant, dann auf Kanarische Inseln, 1971 i. elterl. Betrieb, 1973 Gesellschaft m. 2 Gschf., 1990 das gesamte Haus übernommen. H.: Familie, Arbeit, Sport, Kleinkunstverein Kleinkunst i. Kitzbühel.

Praxmarer Karin Mag.

B.: Abg. z. Nat. Rat. FN.: FPÖ. PA.: 4710 Grieskirchen, Waldstr. 19. G.: Zwettl, 9. Jul. 1944. V.: Dr. Dieter. Ki.: Mag. Almut (1966), Mag. Norbert (1968), Arndt (1975). El.: Hanns u. Gertrude. S.: 1962 Matura, 1962-68 Stud. Geschichte, Leibesübung. K.: 1967-87 Unterr. BORG Grieskirchen, s. 1970 Mtgl. FPÖ, s. 1970 Landesschul-ratmtgl., s. 1978 Landesfrauenref. u. Mtgl. d. Landesparteivorst. u. d. Bundesltg., auch Landesparteiobm.-Stv., s. 1987 Gemeinderat i. Grieskirchen, s. 1986 Abg. i. Parlament (Bildungssprecherin d. FPÖ, tätig i. d. Aussch.: Unterr., Justiz, Gleichbehdlg., Wissensch.). BL.: Errichtung eines Fonds (finanziert durch Gehaltsverzicht aus Lehrertätigk.) f. kinderreiche Familien u. f. unschuldig i. Not geratene. P.: Zahlr. Bildungspolit. Beitr., Mitarb. am Bildungsprogr. d. FPÖ. M.: Bundesparteivorst. u. zahlr. and. polit. Mitgliedsch. d. FPÖ, versch. Sportorganisationen. (P.H.)

Praxmarer Wolfgang Mag.

B.: Ang. Abt. Ernste Musik im ORF Landesstudio Tir. DA.: 6020 Innsbruck, Rennweg 14. PA.: 6064 Rum, Schulstr. 13. G.: Innsbruck, 15. Nov. 1949. V.: Irmentraud, geb. Fuchs. Ki.: Eva (1976), Uta (1977). El.: Artur u. Else. S.: Grundschule, Gymn., Univ. Innsbruck. K.: Musiker, histor. Zupfinstrumente, zahlr. Konzertauftritte u. Aufnahmen solist. u. m. versch. Ensembles f. alte Musik, 17 J. Musiklehrer Gymn. Innsbruck, 1987 freier Mitarb. im ORF, seit 1991 Ang. d. Abt. Ernste Musik im Landesstudio Tir. E.: Jakob Steiner-Preis. H.: Instrumentenbau, Paddeln, Badminton. (M.W.)

Prechtl Franz-Josef

B.: Hotelier, Bes. d. Schloßhotels Freisitz Roith. DA. u. PA.: 4810 Gmunden am Traunsee, Traunsteinstr. 87. G.: Bezirk Duppau b. Karlsbad, 6. Febr. 1898. V.: verheiratet, 3 Kinder. S.: Lehre in Karlsbad, Hotelfachschule, Soldat im 1. Weltkrieg, eingesetzt an mehreren Fronten in Italien, 1918 in Gefangenschaft, Heimkehr 1920. K.: Ab 1926 Übernahme einiger gastronom. Betriebe im Sudetenland, die sehr erfolgreich waren. Mai 1945 allg. Verlassen d. Hab u. Gutes im Sudetenland. In Österreich Beschäftigung in Bad Aussee, dann in Salzburg Moorkuranstalt Kreuzbrückl als Dir. 1951 Übernahme d. Hotel Zum Goldenen Schiff in Gmunden b. 1966. 1964 Kauf d. Schloß Freisitz Roith in Gmunden. Rettung d. z. Teil unter Denkmalschutz stehenden Objektes u. Umgestaltung zu einem 4-Stern-Hotel. E.: Träger d. Gold. Bruch. M.: Ehrenmtgl. d. Lions-Club Gmunden. (A.W.)

Predl Günter Ing.

B.: Inh., Datenverarb. FN.: Systemhaus Predl, EDV-Beratung, Microcomputersysteme, Programmierung. DA.: 3002 Purkersdorf, Bahnhofstr. 56. PA.: 3021 Press-baum, Adlershofg. 15. G.: Wien, 19. Juni 1944. V.: Brigitte, geb. Sandner. Ki.: Evelyn (1966), Alexander (1968). El.: Johann u. Maria. S.: 1962 Matura a. Realgymn. Wien, 1962-65 Stud. Nachrich-tentechn. a. d. TH Wien, 1963-65 parallel Stud. a. d. TGM-Radiotechnischen Inst. K.: 1965-67 Fa. Zusse Wien i. d. Soft- u. Hardware-Entwicklung tätig, 1968 Bundesheer, 1969-74 IBM Österr., 1974-76 techn. Ltr. b. Sanyo Österr., 1976-78 Fa. Sperm Uniwac, 1979-82 techn. Ltr. b. Compu Grafik, 1982 Grdg. eig. Fa. Systemhaus Predl i. Pressbaum. H.: Wandern. (I.K.)

Predota Werner

B.: Chefred. Aktueller Dienst im ORF-Landesstudio Niederösterreich. DA.: 1040 Wien, Argentinierstr. 30a. K.: freier Journalist b. Wochenzeitungen, Pressefotografie, verantw. Red. d. NÖ Nachrichten, seit 1965 freier Mitarb. b. ORF Landesstudio NÖ, 1977 Anstellung b. ORF, seit 1987 Chefred. d. Aktuellen Dienstes.

Preier Franz-Vincenz

B.: Opernsänger, Mtgl. d. Wiener Staatsoper u. d. Wiener Hofmusikkapelle. DA.: 1010 Wien, Wollzeile 19/13. G.: Wien, 7. Feb. 1947. V.: Mag. Ursula, geb. Raunacher. El.: Franz u. Hildegard, geb. Chmelicek. S.: Realschule, 1966 Matura, Lehramt f. Volks- u. Hauptsch. u. Polytechn. Lehrgang, Stud. Gesang Musikakad. u. Konservatorium d. Stadt Wien b. Prof. Sparber u. Skladal, Privatunterr. b. Kammersänger Hornik. K.: währ. Lehrertätigk. Teilnahme an Festspielen Bayreuth, Salzburg, Mörbisch u. Bregenz, Konzerttätigk. m. Lieder- u. Operettenrepertoire in Europa u. Amerika, seit 1979 Mtgl. d. Wiener Staatsoper, Stud. Theaterwiss. Univ. Wien b. Prof. Greissenegger. H.: Musik, Theater, Phil., europ. Kultur, Sammeln v. Schallplatten u. Büchern. (N.A.)

Pregetter Josef

B.: Gschf. Ges. d. Fa. Pregetter Erwerbsges., Blumencenter Pregetter. DA. u. PA.: P-9000 Funchal, Rua Pita da Silva 37, Jardim de erquidea. G.: Weiz, 4. Apr. 1939. V.: Marianne, geb. Pfeiffer. El.: Josef u. Berta. S.: VS, HS, Gartenbaulehre. K.: 1957 Eintritt in väterl. Betrieb in ltd. Funktion, 1964 Übernahme d. Betriebes, Gschf., 1991 Übersiedlung nach Madeira, Schaubetrieb f. Touristen u. Laborarbeit f. Österr., Deutschld. u.a. E.: Preise im In- u. Ausland auf d. Gebiet d. Orchideenzucht d. Paphio-Meristeme. M.: Lions-Club. H.: Skifahren, Tauchen, Segeln, Fischen, Fotografieren, Filmen. (War.)

Preier-Raunacher Ursula Mag. art.

B.: Sängerin. PA.: 1010 Wien, Wollzeile 19/13. G.: Wien, 25. Juli. V.: Franz-Vincenz Preier. El.: Wolfgang-Karl Raunacher u. Frieda, geb. Lenzenhofer. BV.: Rau-nacher: altes österreichisches Adelsgeschlecht. S.: LBA Wr. Neustadt, Studium Gesang HS f. Musik u. darst. Kunst, nach erfolgr. Berufstätigk. am Theater an d. Wien u. Volksoper Wien Dipl.-Prüf. Gesang b. Prof. Egilsdotti, anschl. Mag. art. K.: ab 1987 Lehrbeauftr. HS f. Musik u. darst. Kunst (Musical, Sologesang), parallel dazu zahlr. Soloauftritte mit Liedern, Messen, Operetten, auch zusammen m. Ehemann, Ltg. d. Privatstudios f. Gesang. H.: Geschichte, Musik, Kochen, Wandern, Gestaltg. v. Wohnräumen, Typ-Beratg., Malen. (N.A.)

Preinerstorfer Rudolf Dr. phil.

B.: Bibl., Fachbilb. f. Slawistik an d. Univ. Wien. DA.: 1010 Wien, Liebigg. 5. PA.: 1220 Wien, Siebenbürgerstr. 16-26/36/1. G.: Wien, 8. Juni 1933. V.: Vasilija, geb. Jovanovic. Ki.: Eleonora. El.: Rudolf u. Josefine. S.: 1951 Matura, Stud. Slawistik Univ. Wien, 1959 Prom. K.: Lektor f. dt. Sprache in Skopje, ab 1964 Bibl. am Inst. f. Slawistik d. Uni. Wien, Lehrauftrag seit 1978 f. makedon. Sprache am hiesigen Institut (P.R.)

Preinessl Franz

B.: Gschf. Ges. FN.: Gastro-Profi Hdls. GmbH. DA.: 4470 Enns, Eichbergstr. 11. PA.: 4482 Ennsdorf, Eichweg 8. G.: Amstetten, 19. Juli 1943. V.: Edith. Ki.: Karin, Doris. S.: Ausbild. z. Kfz-Bauer, div. Weiterbild.-Kurse u. Seminare, Ak. d. Führungskräfte Graz. K.: 1984 Firmengrdg., Besitzer Cafe "Seitenblick" Perg, Sachv. f. Transportschäden, ehemaliger Hundezüchter "Dt. Schäferhund", Veranstalter v. Dart-Turnieren. P.: Fachpubl. H.: Motorrad, Tennis, Dart. (P.H.)

Preining Othmar Dr. o.Univ.-Prof.

B.: o.Univ.-Prof. f. Experimentalphysik. A.: 1190 Wien, Sailleräckerg. 18. G.: 28. Juni 1927. V.: Ida, geb. Schneider. El.: Franz u. Margarete. S.: Matura, Dr. phil. (Physik) 1951, Habil. (Experimentalphysik) 1963. K.: 1951-58 Ass. am 1. Physikal. Inst. d. Univ. Wien, 1958-60 US Ph.S. Stipendium am California Inst. of Technology als Resarch Fellow, ab 1960 wieder am 1. Physikal. Inst. als Ass., 1965 Summer Visitor am National Center f. Atmospheric Research, seit 1968 Univ.-Prof. f. Physik an d. Univ. Wien, 1968 Gastprof. d. Univ. of Minnesota, 1971-72 am Georgia Inst. of Technology, 1975 an d. Univ. of Missouri, Rolla, 1981 an d. State Univ. of New York, Albany, 1985-87 Dekan an d. formalen Naturwiss. Fak. d. Univ. Wien, 1987-88 Pro-Rektor an d. Univ. Wien. P.: 80 wiss. Publ. hauptsächl. über d. Erosolwiss. in Fachzeitschriften. M.: Österr. Physikal. Ges., Chem.-Physikal. Ges., Ges. f. Aerosolforsch., korresp. Mtgl. d. Österr. Ak. d. Wiss. seit 1983.

Preining Werner

B.: Kapitän, Sicherheitsing. (Certified Protection Professional), Sprengstoffexperte/Sicherheitsberater. FN.: Interpool Security Ltd. DA.: National House, Isle of Man, U.K. PA.: Villayojosa/Alicante, Palasiet N. 21 bzw. 1200 Wien, Mortarapl. 3. G.: Wien, 5. März 1941. V.: Maria del Rosario Garcia del Valle. Ki.: Désirée, Tonja. BV.: o.Univ.-Prof. Dr. Othmar Preining (Physiker). S.: FH f. Nautik (Seefahrtschule Grünendeich), dt. Kapitänspatent, an FAA auth. Ausbildungsstätten in d. USA Erwerb d. Berufs- u. Linienpilotenscheins, Stud. mehrerer sicherheitsbez. Fachrichtungen, b. Executive Security International (ESI) in Aspen, CO, u. Inst. of Public Service, PanAm World Services Ltd. in Gainesville, GA, alle m. entsprechendem Abschluß. M.: AOPA, ASIS, IABTI, IACP, IPA, PADI, Verb. d. Sprengbefugten Österr. H.: Fliegen, Tauchen, Leichtathletik, Budosportarten.

Preinsack Harald KommR.

B.: Konditormstr. FN.: Josef Preinsack, Inh. Harald Preinsack. DA.: 8010 Graz, Schillerstr. 1, 8020 Graz, Südtiroler Pl. 9. PA.: 8020 Graz, Südtiroler Pl. 9. G.: Graz, 28. Mai 1929. V.: Ernestine. Ki.: Harald, Eva. El.: Josef u. Rosa. S.: VS, RG, Matura, 1943-46 Konditorlehre im elterl. Betrieb, Gesellenprüf., 1950 Mstr.Prüf. K.: Praxis im elterl. Betrieb, 1958 Übernahme d. elterl. Betriebes. E.: div. Ausz. d. Fa., mehrfach prämierter Betrieb, Goldmed. b. versch. Fachausstellungen im In- u. Ausland, Ehrenurkunde f. 30 jähr. Gewerbeausübung, div. Ehrungen d. HK, Ausz. d. Wirtschaftsbundes, versch. Preise als ehem. Leistungsschwimmer. M.: Mtgl. d. Grazer Fachkonditoren, Aussch.Mtgl. d. steir. Konditorinnung u. d. Wirtschaftsbundes, Mtgl. d. Verkehrsaussch. d. 2. Grazer Bez. H.: Jagen, Schwimmen. (Bür.)

Preinstorfer Franz Dir.

B.: Geschäftsltr. Raiffeisenbank Salzkammergut Nord. A.: 4663 Laakirchen, Hauptpl. 7. PA.: 4663 Laakirchen, Dürerstr. 16. G.: Laakirchen, 25. Mai 1949. V.: Anneliese, geb. Peiskammer. Ki.: Monika (1972), Stefan (1976). El.: Franz u. Franziska. K.: seit 1963 Banktätigkeit, Ausbild. im Raiffeisensektor einschl. Raiffeisenak. Wien. M.: Vorst.-Mtgl. d. Raika Landesbank OÖ, Obm.-Stellv. d. Geschäftsltr.-Ver. OÖ. H.: Land- u. Forstwirt, Skifahren, Radfahren, Reisen, Wandern. (E.Hö.)

Preinstorfer Johanna

B.: Erster Präs. d. OÖ Landtages a.D. GT.: LAbg., LBäuerin. DA.: 4010 Linz, Landhaus. PA.: 4694 Ohlsdorf, Ehrendorf 1. G.: Gmunden, 17. Juni 1929. V.: Alois. El.: Führer Franz u. Leopoldine. S.: RG d. Kreuzschwestern Gmunden, Matura 1948, Lehrgang z. Heranbild. v. ldw. Lehrkräften in Tullnerbach, Abschluß 1950. K.: 10 J. ldw. Fachlehrerin an d. Ldw.Schule f. Mädchen in Weyregg, LBäuerin seit 1973, Abg. z. OÖ Landtag seit 1973, Erster Präs. d. OÖ Landtages seit 1979, Bgm. d. Gem. Ohlsdorf seit 1982. E.: ÖkR. (1986). M.: Obm.Stellv. d. o.ö. Bauern- u. Nebenerwerbsbauernbundes, LParteiobm.Stellv. d. ÖVP.

Preis Peter Dr. med. Prim.

B.: Ltr. d. Internen Abt. d. A.ö. KH Waidhofen/Thaya. DA.: 3830 Waidhofen/Thaya, Moriz-Schadek-Str. 31. PA.: 3830 Waidhofen/Thaya, Anzengruber Str. 20. G.: Spital, 28. Okt. 1953. V.: Ursula, geb. Legerer. Ki.: Barbara (1981), Nike (1983), Rosina (1991). El.: Norbert u. Ingeborg, geb. Lonin. S.: VS, 1973 BRG-Matura, Med.-Stud. Univ. Wien, 1979 Prom. z. Dr. med. K.: 1979-81 Ass. am Pharmakolog. Inst. Univ. Wien, 1981-85 Ass. 2. Med. Univ.-Klinik, 1985-87 Associate Member Univ. of California San Francisco, ab 1987 OA u. ab 1989 Ass.-Prof. 2. Med. Unv.-Klinik, ab 1989 Prim. f. Innere Med. A.ö. KH Waidhofen/Thaya. M.: American Assoc. of Cancer Research, Ges. f. Innere Med., Österr. Ges. f. Hämatologie u. Onkologie, Union Waidhofen/Thaya. H.: Literatur, Musik, Skifahren. (M.M.)

Preisak Viktor

B.: Reisender Kfm. i.R. FN.: Verb. Reisende Kaufleute Österr. DA.: 1040 Wien, Rechte Wienzeile 29. PA.: 1180 Wien, Schopenhauer Str. 19/2/10. G.: Pressburg, 26. Apr. 1929. V.: Gertrud, geb. Frithum. Ki.: Ursula (1958). El.: Victor u. Gisela, geb. Wartha. S.: VS, RG, Höhere Gewerbeschule f. Textilchemie in Brünn. K.: seit 1952 reisender Kfm., 1960 Wiedermitgrdg. d. Verb. d. Reisenden Kaufleute Österr., seit 1975 Sekr. d. Landesverb., seit 1989 Gen.-Sekr. d. Bundesltg. d. VRKÖ, s. 1994 Gen.Sekr. d. Int. Liga, zuständig f. d. Red. d. Verbandszeitschrift "Termin". E.: Träger d. Gr. Hermes-Verdienstordens d. VRKÖ. M.: Gen.-Sekr.-Stellv. d. Clubs "Panonia". H.: Basteln. (N.A.)

Preisch Christa

B.: Dir. FN.: Kurhotel Bad Goisern Jodschwefelbad GmbH. DA.: 4822 Bad Goisern 175. PA.: 4820 Bad Ischl, Dürrenbachweg 15. G.: Bad Ischl, 26. Dez. 1944. V.: Jochen Ferdinand Preisch. Ki.: Doris (1964), Günter (1966), Alexander (1970), Caroline (1979). El.: Wenzel u. Frieda Bürger. S.: 1958-61 kfm. Lehre f. Bürokfm. K.: Firmengrdg., 1983-88 selbst. Wirtschaftstreibende, 1988-90 Tätigkeit im Hotel Weißes Rössl, seit 1990 f. Kurhotel tätig, seit 1991 Dir. d. Kurhotels. H.: Familie. (E.Hö.)

Preiser Christoph Dr

B.: Ein- u. Verkaufsltr. FN.: Südmerkur Warenhdls. GmbH. DA.: 1010 Wien Parkring 4. PA.: 1190 Wien, Straßerg. 8-12. G.: Wien, 22. März 1959. V.: Karoline, geb. Auersperg. El.: Otto u. Marie-Therese. S.: VS, hum. Gymn., Univ. Wien, Sbg. RW Fak., 1982 Prom. K.: nach Stud. b. Bankhaus Schoeller, anschließend Bank AG Winter & Co, seit 1983 b. Südmerkur beschäftigt, Kompensationshdl. H.: Fischen, Musik. (R.A.)

Preishuber Hans

B.: Gschf. FN.: Hydro Aluminium Nenzing GmbH. DA.: 6710 Nenzing, Austr. 16.

Preisinger Anton Dr. phil. o.Univ.-Prof.

B.: Vorst. d. Inst. f. Mineralogie, Kristallographie u. Strukturchemie d. TU Wien. DA.: 1060 Wien, Getreidemarkt 9/2. G.: Wien, 15. Febr. 1925. S.: Realschule, Matura, 1943-46 Reichsarb., Wehrdienst, Gefangenschaft, 1946-53 Stud. an d. Univ. Wien Mineralogie, Chemie, Physik. K.: 1951-53 wiss. Hilfskraft am Inst. f. Mineralogie d. Univ. Wien, 1953 Prom., 1953 Studienaufenthalt im Laboratorium f. Kristallzüchtung d. P.T.T. in Paris, 1953-73 Ass. am Inst. f. Mineralogie u. Kristallographie d. Univ. Wien, 1957 Studienaufenthalt an d. Univ. of California, 1963 tit.a.o.Univ.-Prof., 1964-70 Gen.Sekr. d. Intern. Mineralogical Assoc., 1973 a.o.Univ.-Prof. f. d. Abt. Kristallographie am Inst. f. Mineralogie u. Kristallographie d. Univ. Wien, 1976 Austauschprof. an d. TU Karlsruhe, 1976 korr. Mtgl. d. Österr. Ak. d. Wiss., 1977 o.Univ.-Prof. u. Vorst. d. Inst. f. Mineralogie, Kristallographie u. Strukturchemie d. TU Wien. P.: 120 wiss. Veröff., 2 Proceedings d. IMA, 1 Patent, sowie Buchbesprechungen u. Referate. E.: 1955 Förderungspreis d. Österr. Ak. d. Wiss., 1956 Förderungspreis d. Theodor Körner-Stiftungsfonds, Gustav v. Tschermak-Seysenegg-Preis d. Österr. Ak. d. Wiss. 1983. M.: 1972-76 Präs. d. Österr. Min.Ges., Gen.Sekr. d. Intern. Mineralogical Assoc. 1964-70. (P.R.)

Preiss Hansjörg Dr.

B.: Gschf. FN.: Reisebüro Intropa. DA.: 1015 Wien, Kärntner Str. 38. PA.: 2371 Hinterbrühl, Weißenbach 45. G.: Mödling, 3. Apr. 1949. V.: Susanne, geb. Schurinn. Ki.: Caroline. S.: Matura, Stud. Ethnologie, 1978 Dr. K.: 1973-79 Tätigkeit in Reisebüro in Sbg., ab 1979 Österr. Verkehrsbüro, Prok. u. Gschf. Astropa, seit 1988 Gschf. Intropa. P.: Fachpubl. über ethnolog. Themen in div. Zeitschriften, Reiseart., Bildveröff. in Fachzeitschriften. M.: World Wild Life Found, Anthropolog. Ges. H.: Skifahren, Privatreisen im Abenteuerstil. (E.L.)

Preiss Heinz Prof.

B.: Konsulent, LMusikdir. d. OÖ LMusikdion. GT.: VPräs. emu (Europ. Musikschul-Union), Vors. KMU (Konferenz d. österr. Musikschulwerke). DA.: 4020 Linz, Waltherstr. 15. PA.: 4550 Kremsmünster, Am Römerweg 3. G.: Linz, 23. Dez. 1942. V.: Rotraut, geb. Smola-Sommer. Ki.: Herwig (1969), Wiltrud (1971), Sigrun (1974). El.: Heinz u. Hilde. S.: VS, HS, 1957-59 HASCH, 1961-71 Brucknerkonservatorium Linz, Stud. Kirchenmusik, Dirigieren u. Klavier. K.: 1966-77 Musikschulltr. Kremsmünster, 1977-89 Dir. d. OÖ LMusikschulwerkes, seit 1990 LMusikdir. P.: Intern. Vorträge im Bereich Musikerziehung, Kongresse, Seminarltg., zahlr. Chor- u. Orchesterltg., Aufsatz: "Musikschulwesen. Aufgaben u. Perspektiven", Mitwirkung in div. Fernsehaufnahmen im In- u. Ausland. E.: 1990 Prof., 1976 Konsulentenausz. f. Volksbild. u. Heimatpflege. M.: Intern. Rotary. H.: Instrumentenbau, Bastelarb. (H.B.)

Preiss Horst

B.: Gschf. Dir. FN.: S. Spitz GmbH. DA.: 4800 Attnang-Puchheim, Gmundnerstr. 29. G.: lInz, 10. Okt. 1938. V.: Edith, Geb. Fürlinger. Ki.: Hans-Jörg (1961), Michael (1962), Christoph (1966). El.: Heinrich & Hilda. S.: VS, HS, HTL,1958 Matura. K.: 1958-64 Landesbed. a. Bausachverst., 1964-78 Prokurist u. Ltr. d. Beton u. Fertigteilwerkes Fa. Wessenthaler, 1978-80 techn. Ltg. i. Fa. Spitz, s. 1980 Betr.ltr. d. Fa., 1982 Gschf. Scherb GmbH, Mönchhofer Weinkellerei. M.: Ö. Segelverein, VÖJWS-Verein Ö. Jacht u. Windsurfer. H.: Segeln, Skifahren, Schwimmen, Basteln, Klavierspielen. (G.E.)

Preiss Johann Peter Mag.

B.: Dipl.-Grafiker, Freischaff. Künstler. A.: 4020 Linz, Hittmaierstr. 24. G.: Leonding, 8. Mai 1952. El.: Emanuel u. Hermine. S.: 8 Kl. Grundschule, 14 Sem. HS, Abschl. m. Dipl. 1975. K.: Seit 1975 freischaff. Künstler, Bilder in priv. u. öff. Hand in Österr., BRD, Syrien, Frankreich, Ägypten. H.: Bergsteigen.

Preiß Kurt Dr. Mag. HofR. Prof.

B.: VBgm. d. Stadt Krems, Dir. d. BRG Krems. A.: 3500 Krems/D., Schießstattg. 6. G.: Krems, 8. Nov. 1929. V.: Maria, geb. Neckhaim. El.: Franz u. Leopoldine. S.: Gymn., Univ. Wien Phil. Fak., Dr. phil., Mag. phil. K.: Prof. an versch. HS, Dir. am BRG Krems, VBgm. d. Statulärstadt Krems/D., stellv. Obm. d. SPÖ - Bez.Organ. Krems, seit 1982 Abg. z. NatR. F.: AufsR.Mtgl. d. Gemeinn. Wohnungsgen. GEDESAG, d. Parkhotel GmbH. P.: Mehrere Publ. über Humanismus. E.: Silb. Wappenplakette d. Stadt Krems, Titel "HofR." M.: Obm. d. Ver. "Volkshilfe" Krems-Stadt, Obm.Stellv. d. Ver. "NÖ Kulturforum", Obm. d. Kremser Wohnbauver., d. Bez.Organ. Krems d. BSA, Mtgl. d. SozialhilfebeiR. d. NÖ LRg., Mtgl. d. RaumordnungsbeiR. d. NÖ LRg., Mtgl. d. Kollegiums d. LSchulR. v. NÖ. H.: Lesen, Schwimmen.

Preiss Robert

B.: gschf. Ges. FN.: Preiss & Preiss Werbe GmbH u. d. Firma VIP LINE. DA.: 1190 Wien, Formanekg. 24. PA.: 1130 Wien, Hetzendorfer Str. 143. G.: Wien, 19. Sept. 1964. V.: Daniela, geb. Masur. Ki.: Patrick (1990). El.: Helmut u. Helga. S.: Graph. Lehr- u. Versuchsanst. K.: 1983-85 freiberufl. Tätigkeit als Grafiker u. kreativer Illustrator, 1985 Grdg. d. eigenen Firma gemeinsam m. Schwester Andrea Preiss. P.: versch. fachspez. Publ. H.: Musik. (J.S.)

Preiss-Roittner Andrea

B.: Ges., Prok. FN.: Preiss & Preiss Werbe GmbH. PA.: 1190 Wien, Chimanistr. 21-25. G.: Wien, 17. Okt. 1966. V.: Jean-Claude Roittner. Ki.: David-Benjamin (1989). El.: Helmut u. Helga Preiss. S.: VS, AHS, 1985 Matura. K.: während d. Schulzeit Grdg. d. Firma D & W Preiss & Preiss, seither Ges. u. Prok. BL.: m. 17 1/2 J. d. Firma gegründet gemeinsam m. d. Bruder. H.: Musik, Tanz, Theater, Film, Interesse f. Kunst. (J.S.)

Preitschopf Michael Dr. med.

B.: o.A. im Krankenhaus d. göttl. Heilandes, Ltr. d. Hospizes St. Raphael. DA.: 1180 Wien, Semperstr. 18a. PA.: 1170 Wien, Himmelmutterweg 27 b. G.: Wien, 5. April 1948. V.: Dr. Helga. Ki.: Michael (1979), Christiane (1982), Stephanie (1985, Andrea (1987). El.: Ludwig Karl u. Erna. S.: 1968 Mat., Stud. d. Medizin an d. Univ. Wien, 1974 Prom. zum Dr. med. K.: 1974-78 Turnusdienst, 1978-84 FA-Ausb. im Krankenhaus d. Göttl. Heilandes, ab 1986 FA f. Innere Med. m. eign. Ordin. u. o.A. d. Intern. Abt. im Krankenhaus d. göttl. Heilandes, seit 1993 Ltr. d. Hospizes, Schwerp. d. Forschungsarb.: Hypertonie. P.: Fachpubl. auf dem Geb. d. Inn. Medizin. M.: Van Swieten-Ges., Österr. Ges. f. Geriatrie. H.: Laufsport, Bergsteigen, Segeln. (N.Al.)

Preissegger Heinz

B.: Vorst.-Dir., kfm. Vorst. FN.: STRABAG ÖSTERR. AG. GT.: Gschf. LSH-Fischer Bau GmbH. DA.: 4021 Linz, Salzburger Str. 323. PA.: 4010 Linz, Promenade 7. G.: Warendorf/BRD, 26. Dez. 1941. V.: Gerda. Ki.: Sonja (1967), Peter (1970). El.: Friedrich u. Maria. S.: RG, HAK, Steuerberater. K.: CA-BV, Wirtschaftstreuhänderausbild., 1970-83 Prok. Teerag Asdag, 1983-88 Prok. b. STUAG, 1988-90 Vorst.-Mtgl. STUAG, seit 1991 Vorst. b. STRABAG. M.: VIBÖ Wien.

Preleuthner Andreas

B.: Gschf., Filmprod. FN.: Magenta Film GmbH. DA/PA.: 1041 Wien, Wohllebeng. 10/13. G.: Wien, 12. Nov. 1956. El.: Dipl.-Ing. Johannes u. Desideria. S.: 1967-75 AHS Wien, 1977-79 Stud. Wirt.-Univ. Wien. K.: 1977 Mitarb. b. div. Prod. d. Satel-Film, 1977-79 Stud., 1979-85 Kameramann b. RPV Video, Gestaltung v. Beiträgen d. ORF-Jugendsendung Okay, Dreharb. in Amerika u. Australien, 1986-89 freiberufl. Kameramann, 1990 Filmprod., Grdg. d. Magenta Film GmbH m. Thomas Kühne, Prod. div. Kinospots, s. 1992 Alleingschf. d. Magenta Film GmbH m. Schwerpunkt Prod. v. Industriefilmen u. Werbespots. H.: Musik (Klavierspielen), Tennis, Golf. (F.S.)

Preloschnik Manfred

B.: Mitinh. FN.: Küchenhandwerk. DA.: 1150 Wien, Hütteldorferstr. 12. PA.: 1230 Wien, Jochen-Rindt-Str. G.: Klosterneuburg, 5. Dez. 1958. V.: Regina, geb. Hauer. Ki.: Markus (1988), Lisa (1992). El.: Ignaz u. Theresia, geb. Beschlitsch. S.: Hum. Gymn. Wien, HTL f. Hoch- u. Tiefbau, 1975-79 Bürokfm.-Lehre m. Abschluß. K.: Praxis Firma Zeithammer "Möbelbranche", 1979-85 Konsum Einrichtungshaus Vösendorf, 1985-87 Verkäufer Firma Elsahof, 1987 Grdg. d. eigenen Firma, Schwerpunkt: Forcierung d. Österr. Markenküchenerzeuger in einem hochwertigen Design, Ausbild. f. Möbelverkäufer b. WIFI, Fortbild.-Kurs f. Küchenplanung in Kuchl, Retorik- u. Designseminare m. Unterstützung d. Firmen "Leicht" u. "Miele", Kochkurs b. 3-Hauben-Koch Wörther in Badgastein. H.: Klass. Lateinamerikan. u. Standarttänze. (N.A.)

Prem Christian Dr.

B.: RA. PA.: 1010 Wien, Falkestr. 1. G.: Wien, 24. Juni 1930. V.: Ingeborg, geb. Brunner. El.: Rudolf u. Margarete. S.: RG Wien, Matura, Univ., Stud. d. Rechtswiss., daneben Ak. f. Musik (Musiktheorie), 1953 Dr. iur., 1954 Abschlußprüf. an d. Musikak. K.: 1956-62 Konzipient in d. Kzl. v. Dr. Stern, seit 1962 selbst., seit 1984 Mtgl. d. Aussch. d. RA-Kam. f. Wien, NÖ u. Bgld. BL.: 1964 Verteidigung v. Weinwurm ("Opernmörder"). H.: Musik, Bergwandern. (M.G.)

Prem Gerhard

B.: freischaff. Künstler (Aquarelle, Aluchromie). DA. u. PA.: 4020 Linz, Schillerstr. 12. G.: Sandl b. Freistadt, 20. Sept. 1952. Ki.: Thomas (1972). K.: seit 1980 freischaff. Künstler (Aquarelle), seit einiger Zeit auf Aluchromie spezialisiert in Bildform auch dreidimensional, Plastiken u. Skulpturen, ca. 90 Ausstellungen im In- u. Ausland. (P.H.)

Prem Josef Dipl.-Ing.

B.: Inh. FN.: Zivilingenieur f. Bauwesen. DA.. 1050 Wien, Schloßg. 11. PA.: 3130 Herzogenburg, Kölblingg. 26. G.: Herzogenburg, 8. Mai 1948. V.. Elisabeth, geb. Ritter. Ki.: Philip (19779, Stefan (1980). El.: Franz u. Maria. S.: VS, HS, HTLA i. Krems Tiefbau, 1967 Matura, BH, 1968-76 Techn. Uni Wien, Abschluß 2. Staatsprüf. K.: 1974 Heirat, 1976 b. Herrn O. Univ. Prof. Dipl. Ing. Dr. techn. Georg R. Kattinger beschäftigt, 1981 Ziviltechnikerprüf. f. d. Bauwesen, 1982 selbst. Gründ. d. eig. Kanzlei, 1985 Gründ. e. Zivilingenieur Büros i. Wien. M.: Mtgl. b. Ingenieur- u. Architektenkammer, Österr. Ing.- u. Architektenverein. H.: Skifahren, Schwimmen, Musik, Lesen. (M.A.)

Prem Kurt Mag.

B.: Gschf. FN.: Wrigley Austria GmbH. DA.: 5023 Salzburg, Josef-Waach-Str. 11. PA.: 5020 Salzburg, Goldschneiderhofweg 13. G.: Salzburg, 24. Mai 1947. V.: Ingrid, geb. Lebacher. Ki.: Erich (1967), Theresa (1980). El.: Josef u. Johanna. BV.: Vater Josef Prem Maler. S.: Mittelschule, Betriebswirtschaft. K.: 1973 Werbeabt. b. Raiffeisenverb. Sbg., seit 1974 Wrigley Austria, anfangs Salespromotion Manager, dann Marketing Manager u. jetzt Gschf. M.: Marketing Club Sbg., STC Vorst. H.: Tennis, Skifahren, Lesen, Reisen. (M.C.)

Premm Manfred Dipl.-Ing.

B.: Unternehmer (ÖKO-Bau). DA.: 8010 Graz, Merang. 27. G.: Graz, 4. Juli 1943. Ki.: Alexander, Joachim, Christian, Marie-Luise. El.: Wilhelm u. Victoria. S.: VS, RG, Univ. f. Bdk. Wien. K.: Währ. d. Stud. (1968) f. d. väterl. Betrieb tätig, 1973-83 Führung d. Untern. übernommen, 1983 Grdg. d. Fa. ÖKO-Bau, Planung- u. Projekterstellung. BL.: Einige Patente. H.: Reisen, Sport, darst. Kunst, wiss. Tätigkeiten. (R.A.)

Premysl Janyr

B.: Inhaber, Unternehmer. FN.: Premysl Janyr EDV. DA.: 1220 Wien, Lössweg 3/7/3. G.: Budweis, 18. Dez. 1949. V.: Natasa, geb. Sindelárová. Ki.: Premysl (1971), Veronika (1978). El.: Premysl Janyr u. Dagmar Aggermann. S.: 1968-74 Stud. Publizistik u. Soziologie a.d. Karls-Univ. in Prag, 1978-90 Stud. Publizistik an d. Univ. Wien. K.: nah dem Stud. in Prag Tätigk. in Prag als Statistiker am Forschungsinst. f. Psychiatrie u. als Monteur, ab 1978 Aufenthalt in Wien, 1979 aus d. CSSR ausgebürgert, 1983 Österr. Staatsbürgerschaft, zuerst b. Österr. Filmförderungsfond gearb. u. freiberufliche Tätigkeit in d. Bundesstaatlichen Hauptstelle f. Lichtbild u. Bildungsfilm, 1981 Grdg. einer eig. Firma im EDV-Bereich. BL.: aktives Mtgl. d. Charta-77-Menschenrechtsbewegung sowie des VONS-Ausschusses. H.: Politik, Philosophie, Literatur. (F.S.)

Prendinger Erich

B.: Geschf. Ges. FN.: ETS European Transport Service GmbH. DA.: 1100 Wien, Grudrunstr. 90. PA.: 2541 Bad Vöslau,. Nik. Lenaug. 5. G.: Baden, 13. Nov. 1947. V.: Annemaria, geb. Buhl. Ki.: Nina (1972), Hans-Christian (1982), Pia-Maria (1984). El.: Karl u. Lucia. S.: Knabensem. Hl. Kreuz, Gymn.. Lehre als Sped.-Kfm. Fa. Balli, 1967 Lehrabschl. K.: BH, b. 1976 Angest. Sped. Wagner & Söhne, 1976-84 Grdg. d. Fa. Buchtrans Wien, 1984 Verk. d. Fa.-Anteile, b. 1190 Partnersch. m. Sped. Wagner, Spez. auf Computertransp., 1991 Grdg. d. Fa. ETS, Computer-spezialtransp. u. General Cargo. M.: Parkclub Bad Vöslau, 1987-89 Ltg. d. Clubs m. Gastronom.-Betr. H.: Reisen, Lesen, Tennis. (I.J.)

Prendinger Karl Dipl.-Ing. HofR.

B.: HofR. i.R. PA.: 2371 Hinterbrühl, Gaadner Str. 25. G.: Alland, 27. Febr. 1925. V.: Elisabeth, geb. Frank. Ki.: Mag. pharm. Elisabeth (1952), Dr. med. Georg (1955), Leonore (1960), Karl (1964). El.: Franz u. Katharina. S.: 1943 Gymn.-Matura, Stud. Forstwirtschaft HS f. Bdk., 1949 Dipl.-Ing. K.: 1950-55 Ang. d. Gen.-Dion. d. Österr. Bundesforste Wien, 1953 ministerielle Staatsprüf., 1955-57 Betriebsass. b. d. Bundesforstverw. Hintersee/Sbg., 1958 selbst. Führung d. Forstverw. Eben/Pongau d. Österr. Bundesforste, 1959 Berufung in d. Zentrale z. Verwendung f. bes. Aufgaben, 1971-90 Ltr. d. Grundverkehrsabt. d. Österr. Bundesforste, Übertritt in d. Ruhestand, 1. März 1978 HofR. E.: 1972 Silb. VZ f. Verd. um d. Rep. Österr., 1989 Gr. EZ f. Verd. um d. Rep. Österr. M.: Österr. Forstver. H.: Tennis, Skifahren, Eislaufen, Langlaufen. (M.M.)

Prenn Reinhard

B.: Lyriker. GT.: Betreuer f. Sach- u. Öffentlichkeitsfragen im Ver. Helfende Hände. DA.: 1030 Wien, Dietrichg. 39. PA.: 1050 Wien, Schönbrunner Str. 83/15. G.: St. Pölten, 26. Juni 1963. Ki.: David (1989). El.: Helmut u. Inge, geb. Weiß. S.: Koch- u. Kellnerlehre, 1983-86 Aufenthalt in d. Schweiz, seit 1987 in Wien, Stud. Phil., Geschichte u. Germanistik Univ. Wien, Ausbild. z. Sozialhelfer. K.: 1989-91 Tätigkeit in d. Betreuung, 1992 Mitgrdg. d. Ver. "Helfende Hände" zuständig f. d. Öffentlichkeitsarb., parallel dazu Lesungen in Deutschland u. Österr. m. eigener Lyrik. P.: Gedichtband "Klärungen", Arb. als Dialektautor, Übersetz. berndeutscher Chansons in Wiener Dialekt. M.: Staatsbürger d. Rep. Kugelmugel. (N.A.)

Prenner Christine

B.: Kfm., Gschf. Ges. FN.: Schreiner Leuchten. DA.: 1010 Wien, Spiegelg. 21, 1150 Wien, Arnsteing. 14. G.: Wien, 8. Mai 1955. V.: Mag. Walter Prenner. Ki.: Philipp (1982), Christoph (1983). El.: Franz u. Kriemhilde Schreiner. BV.: Urgroßvater Franz Schreiner Gründer d. Fa. 1894. S.: Notre Dame de Sion Wien u. HAK Wien, 1974 Matura. K.: 1974 Eintritt in d. Familienbetrieb, seit 1986 selbst., Übernahme d. Unternehmens, innovative u. expandierende Firmenpolitik, Produktion v. Leuchten u. Lampenschirmen, Spezialanfertigungen, Einrichtungen f. Hotel u. Gastronomie, Exporttätigkeit. H.: Tennis, Skifahren, Musik, Bergwandern. (J.S.)

Prenner Gerhard Ing.

B.: Gem.R. d. SPÖ, Ltr. d. Bauref. DA.: 7400 Oberwart, Graf Erdönastr. 8. PA.: 7423 Hochart 107. G.: Hochart, 12. Juli 1953. V.: Heide-Maria, geb. Buchegger. Ki.: Patrick (1987), Mathias (1993). El.: Michael u. Rosa. S.: HTBL Pinkafeld, Fachr. Elektrotechn., 1972 Mat. K.: Techn. d. BEWAG Eisenstadt, 1976 Ing., 1990 Bewag Oberwart, Ltr. d. Bauref. u. stellv. Betr.-Ltr. M.: s. 1972 SPÖ, ab 1987 Gem.R d. Stadtgem., Obm. d. ARBÖ Hochart, Grdg.-Mtgl. u. Obm.-Stellv. d. SV Hochart, s. 1986 Feuerw.-Komm., u.a. H.: Fußball, Schifahren, Wandern. (I.J.)

Prenner Theodor Dir.

B.: VS-Dir. DA.: 8010 Graz. Moserhofg. 49B. PA.: 7423 Pinkafeld, Engleitenstr. 7. G.: Steinfurt, 7. Juli 1929. V.: Rita, geb. Knotz. El.: OLt. Schuldir. Elmar u. Schuldir. Irene. S.: VS, HS, ELk., LBA Wr. Neustadt. K.: Vermessungstechniker, VS-Ltr., VS-Dir., Beteiligung b. Aufbau d. Sängerbundes, war jahrzehnte im Vorst. d. Sängerkreises

Güssing/Jennersdorf, 2. Kreischormstr., Beteiligung am Aufbau d. Schulmusikkapelle HTBL Pinkafeld. P.: Liederkompositionen. E.: Dankschrift f. Arbeiten b. Buchklub d. Jugend, JRK u. LSchulR. M.: Obm., seit 1983 1. Ehrenobm. d. EV d. HTBL Pinkafeld u. VPräs. f. d. Bgld., seit 1955 JRK- u. Buchklub-Ref. im schulischen Bereich, Vorst.Mtgl. d. Bgld. Landmannschaft in d. Stmk., Erwachsenenbild. im Volksbildungswerk f. d. Bgld. H.: Musik, Dirigieren v. Chören. (War.)

Presger Elfriede

B.: Ltr. FN.: Hotel "Zum Schwarzen Adler". GT.: Buchhaltung u. Lohnverrechnung Tischlerei Presger. DA.: 8600 Bruck/Mur, Mitterg. 23. PA.: 8611 St. Katharein, Niederdorf 58. G.: Bruck/Mur, 5. Feb. 1959. V.: Franz. Ki.: Mariella (1976), Sarah (1983). El.: Ferdinand u. Uliane. S.: 1973-76 Hasch Bruck/Mur. K.: 1976-93 Buchhaltung u. Personalwesen i. Familienbetrieb Tischlerei Presger, s. 1993 Ltg. d. Hotels "Zum Schwarzen Adler". M.: Tennisclub St. Katharein. H.: Tennis, Skifahren, Reisen. (I.G.)

Presker Annette Dr.

B.: Inh., FA f. Zahn-, Mund- u. Kieferheilkunde. FN.: Praxis. DA.: 8041 Graz, Liebenauer Hauptstr. 343. PA.: 8041 Graz, Friedmanng. 7. G.: Jagernigg, 17. Dez. 1949. V.: gesch. Ki.: Lena (1978), Jana (1980), Maja (1986), Simon (1988). El.: Siegfried, Dr. u. Traude Möstl. S.: VS, 1960-68 Gymn. Bruck, 1968 Mat., 1968-75 Med.-Stud. Graz, 1975 Prom. K.: 1975-78 Zahnklinik Graz, Fachausbild. u. Zusatzausbild. f. Kieferothop., 1978 Praxiseröffn. Kapfenberg, 1980-86 Praxis Grafendorf/Hartberg, 1987 Praxis Graz-Liebenau, Zusatzausbild. Homöopathie, Bachblüten, ganzheitl. Zahnheilk., Elektroakkupunktur, Kinesiologie. H.: Kinder, Bergsteigen, Querflöte, Pflanzen. (I.G.)

Preslmayr Gerhard

B.: Inh. Cafe Konditorei Preslmayr. DA. u. PA.: 4701 Bad Schallerbach, Linzer Str. 24. G.. Eisenerz, 12. Aug. 1948. V.: Ilse Maria, geb. Lugmayr. El.: Franz u. Anna. S.: VS, 1962 Berufsschule Donawitz, Konditorlehre. K.: 1965 Praktikum Firma Urbann Wels, 1972 Praktikum Firma Föttinger Wels, 1978 Betriebsgrdg. H.: Skifahren. (U.Z.)

Preslmayr Ilse Maria

B.: Inh. Cafe Konditorei Preslmayr. DA. u. PA.: 4701 Bad Schallerbach, Linzer Str. 24. G.: Wels, 24. Apr. 1948. V.: Gerhard Preslmayr. El.: Gertraud Lugmayr. S.: VS, HS, 1962 Lehre Einzelhdls.-Kauffrau Firma Urbann Wels. K.: 1978 Betriebsgrdg. (U.Z.)

Prentner Hans-Dieter

B.: Vors. d. Vorst. FN.: Security Kapitalanlage AG. DA.: 8010 Graz, Brandhofg. 24. G.: Rottenmann, 9. Okt. 1955. V.: Maria, geb. Harrer. Ki.: Melanie (1975), Robert (1984). El.: Karl u. Paula. S.: 1980-83 HAK f. Berufstätige. K.: 1975-86 Ang. Stmk. Bank Graz, 1986-89 Aufbau d. Wertpapierabt. d. Bank f. Stmk. u. Ktn. u. Ltr. derselben in d. Stmk., seit 1990 Vorst.-Dir. Fa. Security. P.: regelmäßige Börsenkommentare in div. Tageszeitungen. H.: Phil., Math., Esoterik. (P.M.)

Presoly Anton Dipl.-Ing. Prof.

B.: Architekt (selbst.). DA.: 2700 Wr. Neustadt, Engelbrachtg. 2. PA.: 2700 Wr. Neustadt, Engelbrachtg. 2. G.: Wöllersdorf, 16. Juli 1940. Ki.: Christian (1974), Gabrielle (1972). El.: Anton u. Maria. S.: HTL Mödling, 1959-66 TU Wien, 1972 Ziviltechnikerprüf. K.: 1966-80 Büroaufbau m. Bruder, 1980 Eröff. Arch.-Büro, s. 1972 HTL-Prof. E.: Gold. EZ d. Landes NÖ. M.: Vizepräs. Ing. Krammer, Vorst.-Mtgl. Kammer, Delegierter d. Kammertages, Managementclub. H.: Jagen, Motorfliegen. (M.N.)

Presoly Egon Dr. techn.

B.: Arch., Prof., HofR. PA.: 2700 Wr. Neustadt, Neunkirchner Str. 42. G.: Wöllersdorf, 28. März 1934. V.: Arch. Mag. Eva, geb. Ney. El.: Anton u. Maria. S.: HTBLVA Mödling, TU Wien, Königl. TH Stockholm. K.: Arch., Prof. F.: Seit 1965 eigenes Arch.Büro. P.: Wiss. Arb. u. Veröff., div. Arch.Projekte. E.: Preis f. vorbildl. Bauen in NÖ, Hon.Kons. f. d. Bgld. d. Rep. Finnland. M.: Österr. Akademikerbund. H.: Jagd, Fischerei, Skilaufen, Tennis.

Pressl Karl

B.: Gschf. d. Fa. Marko GmbH. DA.: 8160 Weiz, Birkfelderstr. 56. PA.: 8160 Weiz, Göttelsberg 183. G.: Altenhof/Hausruck, 22. Okt. 1942. V.: Christa, geb. Einzenberger. El.: Karl u. Josefine. S.: VS, HS, Kfm. Lehre, Abschluß 1959 in Wels, anschl. BH. K.: Ab 1963 b. Fa. Stadlbauer in Wels als Ang., nebenberufl. Weiterbild. (EDV), 1968 Übern. d. Fa. Marko Straßenbau-, Steinbruch- u. Transportuntern. durch d. Fa. Stadlbauer AG u. deren kfm. Ltg., 1972 Prok., 1982 Gschf. M.: Seit 1972 Vorst.Mtgl. d. Raiffeisenkassa Weiz. H.: Musikausübung, Garten, Skifahren. (War.)

Prestel Cornelia

B.: Gesangspädag., Klassenltg. f. Sologesang am Bruckner Konserv. Linz. DA.: u. PA.: 5061 Elsbethen b. Sbg., Felix-Ennemoser-Weg 26. G.: Newton, 9. Aug. 1941. KI.: John Alexander (1973), Ludwig (1980). BV.: Kurt Alexander Prestel (1945-88) em. o. HS- Prof. am Mozarteum, Abt.-Ltr. Abt.I, Dr. Rudolf Prestel ehem.Bgm. v. Frankfurt, hat Berliner Hilfswerk ins Leben gerufen "Ein Platz an der Sonne", Franz Hörig Restaurator d. Bundesmuseen in Wien, John Barr Dolan gehört zu den 200 bed. Vertragsanwälten d. USA, Arthur Dolan, Mass., Supreme Court Richter, Mutter Cornelia Dolan, geb. Wing, bed, Kunstmalerin. S.: VS, Gym., Musikstud., 1963 Abschl.,1963 nach Sbg.,1964 Stud. am Mozarteum, Abschl. Opern u. Sologesang, s. 1984 am Bruckner Konservatorium Linz. K.: versch. Opernengagements i. d. Schweiz, BRD, Gastspieltheater Barcelona, Theatro Fenice Venedig, Theatro Guiseppe Verdi Triest, Theater San Carlo Lissabon, Städt. Bühnen Mainz u. weitere Gastspiele an versch. Bühnen, Gastdoz. f. Redland Univ., Brigham Young Univ. Utah, Univ. of Viktoria, Kentucky Inst. of Foreign Study u. Victoria Conservatory Music Korea, Hysoung Womens Univ. Tago, aktiv Opern gesungen b. 1973, aktiv Konzerte b. 1980. P.: div. Rundfunkaufn. b. ORF u. Süddt. Rundfunk, in Österr. u.a. Mozartkantanten. H.: Musik, Reisen. (U.E.)

Pretl Ilse Dr. med.

B.: FA f. Zahn-, Mund- u. Kieferheilkunde. DA. u. PA.: 4020 Linz, Hofg. 9. G.: Mariazell, 15. Okt. 1923. Ki.: Silvie, Ulrike, Martin. S.: 1941 Matura am RG Graz, 1942-48 Univ. Graz Dr. med. K.: 1948-50 FA-Ausbild. Zahn-, Mund- u. Kieferheilkunde, 1951 Prakt. an d. Grazer Zahnklinik, 1951-52 Zahnambulatorium d. Bahn, 1953 Praxiseröff. in Linz. H.: Reisen, Lesen, Sport, Musik. (J.G.)

Pretscher Heinrich Mag.

B.: Vorst.-Mtgl. FN.: Z Immobilienfonds AG. GT.: Vorst.-Mtgl. d. Immotrust Immobilienverw. AG. DA.: 1010 Wien, Salztorg. 2/13. G.: Wien, 29. Mai 1954. El.: Heinrich u. Hermine. S.: HAK, 1975 Matura, Stud. WU Wien, 1981 Mag. K.: 1982 Konzessionsprüf. f. Immobilienverwalter u. -makler, 1983 Eintritt in d. Zentralsparkasse zuerst Beteiligungsverw., anschl. Abt. f. Sonderfinanzierungen. H.: Segeln. (J.S.)

Prettenhofer Hans-Peter

B.: Samariterbund Feldkirch, Rettungs- u. Krankentransporte. DA.: 6800 Feldkirch, Reichstr. 153. PA.: 6800 Feldkirch-Nofels, Novag. 23. G.: Bregenz, 13. Apr. 1967. El.: Matthäus u. Aloisia. S.: HS, Berufsschule, 1987 Abschluß, berufsbezogene Weiterbild.-Kurse, 1987-88 Zivildienst. K.: Grdg.-Mtgl. d. Samariterbundes in Feldkirch, Lehrbeauftragter f. Mitarb.-Schulung, 1. Hilfe-Kurse, Katastropheneinsatz, Giftkurs, Oberhilfswartsltr., Patientenversorgung, Betreuung v. Großveranstaltungen. P.: Mitarb. b. Vereinszeitung. E.: Bronz. Fahrtenspange v. Bundesmin. H.: Fußball, Klettern, Schach, Radfahren. (I.D.)

Prettenhofer Peter Dr. iur.

B.: RA. FN.: Prettenhofer & Jand Partnerschaft. DA.: 1010 Wien, Oppolzerg. 6. G.: Wien, 11. Okt. 1937. V.: Waltraud. Ki.: Stephanie, Johanna, Anton. El.: Dr. Heinrich u. Alice. S.: 1955 Matura, Jusstud., 1957 BH, Mjr. d. Res., 1960 Prom. z. Dr. iur. K.: Gerichtsj., Konzipient in einer RA-Kzl., danach in väterl. Kzl., 1967 eingetragen als RA, Spezialisierung: Ges.-, Steuer- u. Wirtschaftsrecht, 1962 Fachprüf., 1955-58 Alpenländ. Treuhand u. Revisions GmbH, 1963-64 Frankreich. M.: Union Intern. des Advocats, Österr. Ver. f. gewerbl. Recht. H.: Zeitgeschichte, Fotografie. (J.E.)

Prettenthaler Manfred

B.: Gastwirt. FN.: Zur alten Post. DA.: 8570 Voitsberg, Hauptplatz 23. PA.: 8570 Voitsberg, Steing. 18. G.: Geisthal, 4. Feb. 1960. V.: Elisabeth, geb. Kraxner. Ki.: Christoph (1985). El.: Anton u. Christine. S.: Gymn., Koch- u. Kellnerlehre, Abschluß 1980, Bundesheer, Praxis in Tirol, Vlbg., Ktn. u. Schweiz. K.: 1986-92 Gschf. Restaurant in Klagenfurt, seit 1992 selbst. Gastwirt. H.: Sport, Beruf. (M.G.)

Pretterebner Hans

B.: Publizist, Gschf. d. Pretterebner Verlags GmbH & Co KG. DA.: 1010 Wien, Seilerg. 14. G.: Graz, 8. Apr. 1944. V.: Gerda. Ki.: Manuel, Elena, Ariane, Nikolaus. S.: RG Graz. K.: Verlagskfm. b. Styria Graz, dann Österr. Kuratorium f. Wirtschaftlichkeit, dann freiberufl. Journalist, 1975 Grdg. d. Monatszeitschrift "Polit. Briefe" u. deren Hrsg., 1980 Grdg. d. Hans Pretterebner Verlags GmbH & Co KG. P.: "Der Fall Lucona". (H.J.)

Pretting Manfred Mag.

B.: Dir. d. Werbeak. Wien. GT.: Ltr. d. Ref. f. Werbung u. Kommunikation WIFI Wien. DA.: 1181 Wien, Währinger Gürtel 97. PA.: 1070 Wien, Seideng. 42. G.: Wien, 4. Nov. 1943. Ki.: Arno (1973). El.: Josef u. Gertraud, geb. Schuster. S.: VS, Mittelschule, Fachschule f. Wirtschaftswerbung, 1963-69 Stud. Industrial Design HS f. angew. Kunst. K.: 1969-72 Ltr. d. Designdepartments b. AEG Telefunken, 1972-76 selbst. Designer, 1976-77 Werbeltr. Hübner Vamag, 1977-78 Intern. Pressezentrum b. PR Büro Glander, 1978-80 GGK-Werbung Wien, 1980-82 Kundenbetreuer Werbeagentur D´Arcy McManus, 1982-91 Marketing Österr. Länderbank, seit 1991 o.g. Position. M.: Ltr. d. Arbeitkreises CI im PR-Verb. Austria. H.: Reisen, Wein, Fotografieren, Segeln, Skitouren, alte Bilder restaurieren. (N.A.)

Pretzmann Gerhard Dr.

B.: Oberrat im wiss. Dienst, Sammlungsltr. FN.: Naturhistorisches Museum. DA.: 1010 Wien, Burgring 7. PA.: 1030 Wien, Landstr.-Hauptstr. 24. G.: Wien, 8. Sept. 1929. V.: Gerda, geb. Kürbisch. Ki.: Daniela (1954). El.: Ernst u. Paula, geb. Heger. S.: VS, RG, Matura, Univ. Wien Philosophische Falkultät; Zoologie, Palaeontologie, 1958 Prom. Philosophikum, Diss.: Soziales Verhalten v. Süßwasserfischen. K.: freier Mitarb. am Naturhistorischen Museum Wien, 1962 Ang. Schwerp.: Ökologie, Evolutionstheorie, parallel ab 1959-62 wiss. Ass. am Hygieneinst. als Ang. m. Schwerp.: Virologie u. Synökologische Arb., Palaenthologiesche Ausgrabungen in NÖ., Forschungsreisen nach Vorerasien, Südamerika u. Mittelmeerraum. P.: Teiln. an intern. Fachssymposien als Referent, Stud. an mehreren ausländ. Museen, 1972 Film über Verhalten v. Strandkrabben, über 100 wiss. Publ. (Systematik, Chorologie, Verhaltensforschung, Evolutionstheorie, Ökologie), 1966 z. "Theorie d. Raumzeitstruktur d. Mitteleurp. Naturherde d. Frühsommer-Meningoenzephalitis", 1972 "Die Pseudothelphusidae" Serie Zoologica, 1976 "Ergebnisse einiger Sammelreisen n. Vorderasien", 1981 "Die Liebe", Natur u. Kultur, Versuch e. Synopsis, 1987 "Versuch e. historischen Deutung d. Verbreitungsbildes d. mediterranen u. europäischen Süßwasserdecapoden", 1992 "Grudnzüge e. Ökologieschen Humansimus"; Redaktionelle Tätigk.: Redaktion d.

Agemus-Nachrichten, Redaktion Mensch u. Umwelt. M.: Grdg. Mtgl. d. Ver. Grüne Österr-VGÖ verfasst., 5 x Wr. Landesvors. s. 1982, 2 x. NÖ Landesvors. s. 1991-94, Grdg. u. Ltg. d. "Arbeitsgemeinschaft Evolution, Menschheitszukunft u. Sinnfragen (AGEMUS) am Naturhistorischen Museum, Ltg. d. Ver. "Ökologische Initiative "Umweltakad., Ltg. d. Österr. Umweltbewegung, Vorst. Mtgl. d. "Forum Österr. Wiss. f. Umweltschutz", Ltg. d. Arbeitskeises Ethik". H.: Tierpflege- u. Haltung, Sporttanzen, Bücher. (M.A.)

Preuschl-Haldenburg Hartwig Mag. art.
B.: Prof. an d. Höhere Graph. BLVA. GT.: freiberufl. Maler u. Graphiker. DA.: 1140 Wien, Beckmanng. 14. G.: Wien, 12. Mai 1939. V.: Ulrike, geb. Krafft. Ki.: Mathias, Georg. El.: Dr. Otto u. Maria. BV.: Urgroßvater Mathias Preuschl: Genieoffz. im Festungsbau, alle Generationen freiberufl. Maler, Urgroßvater Otto Habich: berühmte Schmetterlingsammlung Naturhistor. Museum. S.: VS, Gymn., graph. BLVA, Ak. d. bild. Künste Malerei, 1964 Dipl., BH. K.: schon während d. Schulzeit als freiberufl. Graphiker gearb., seit 1966 Prof. an d. Graph. BLVA. E.: Intern. Ausz. b. Wettbewerben am Graph. Sektor. M.: Berufsver. GDA. H.: Kinder, Tiere, Lesen. (H.P.)

Preuss Gustav E.
B.: selbst. Marketingberater u. Publizist, ak. geprüfter Werbekons. DA. u. PA.: 6900 Bregenz, Gerberstr. 1. G.: Prag, 14. Mai 1944. Ki.: Robert, Philipp. El.: Dr. Gustav u. Eugenie. S.: hum. Gymn., b. 1965 Stud. Welthandel Wien, 1982-85 Jus-Stud. Innsbruck. K.: 1965-70 Werbeltr. in Vbg. Textilind., seit 1970 selbst. m. Werbeagentur, seit 1980 Spezialaufträge u. publizist. Tätigkeit. P.: Veröff. in Fachzeitschriften. H.: Bergsteigen, Wandern, Schwimmen, Autos. (A.K.)

Preuss Maria Luise

B.: Journalistin. PA.: 6900 Bregenz, Wuhrbaumweg 27. G.: Bregenz, 23. Aug. 1946. Ki.: Robert (1968), Philipp (1974). El.: Dir. Josef u. Ilse Kinzel. S.: 1964 Matura, Stud. Univ. Wien, Ausbild. als med.-techn. Ass. K.: 10 J. Praxis in Werbeagentur Dornbirn, journalist. Tätigkeit b. Kurier u. Vbg. Tages- u. Wochenzeitung, Berichterstattung Aktueller Dienst b. ORF Wien, 2 J. Pressetätigkeit f. eine österr. Rg.-Partei Wien. M.: Vbg. Presseclub, Hauskrankenpflege, Altenpflege, Behindertenbetreuung. H.: Lesen, Malen, Schriftstellerei, polit. Vorgänge u. Entwicklungen. (I.D.)

Prevedel Helmut Dr. med. univ. Prim.
B.: Vorst. d. Kinderabt. AKH Krems. DA.: 3500 Krems, Mitterweg 10. PA.: 3552 Lengenfeld, Am Anblick 1. G.: Graz, 8. Dez. 1939. V.: Waltraud, geb. Berwanger. Ki.: Robert, Eva. El.: Dipl.-Ing. Nikolaus u. Gisela. BV.: Artur Nikisch Dirigent. S.: 1958 Matura, 1958-64 Med.Stud. an d. Univ. Graz. K.: 1964 Prom., Turnusausbild. im LKH Leoben, FA-Ausbild. Kinderabt. d. LKH Leoben, b. 1984 OA in d. Kinderabt. d. LKH Leoben, seit 1985 Vorst. u. Prim. d. Kinderabt. d. AKH Krems. P.: 3 einschlägige wiss. Arb. auf d. Gebiet d. Kinderheilkunde, "Skibergsteigen in d. Stmk." Verlag Styria 1985. M.: Alpenklub. H.: Bergsteigen, Skifahren. (Kern)

Prey Werner F. Ing.
B.: Marketingltr. FN.: AEG Austria GmbH. DA.: 1210 Wien, Brünnerstr. 52. PA.: 1100 Wien, Senfg. 1. G.: Wien, 27. März 1951. V.: Renate Deimel (Lebensgef.). El.: Ing. Julius u. Martha. S.: HTL Elektrotechnik, 1970 Matura. K.: 1973 Eintr. AEG, verantw. f. Projekte d. Automatisierungstechnik, zuerst Inl., dann auch Ausl., 1983 Wechsel i. Bereich Informationstechnik (OCR-Lesetechnik) u. Übern. d. Produktionsverantw., 1988 Aufbau einer Marketingabt. f. Investitionsgüter, in Folge Marketingltr., Tätigk.-Profil: strateg. u. operat. Marktbearb., P.R., Werbung, Messen u. Ausstell., Verkaufförderung. P.: Öffentlichkeitsarb., Erstell. d. Geschäftsberichte, Hrsg. einer Mitarb.-Zeitschrift. M.: FachbeiR. d. intern. Fachmesse f. Elektrotechnik u. industrielle Elektronik (VIET), Mtgl. d. Österr. Journalisten-Clubs. H.: Geschichte, Kultur, Freunde, Sport, Oldtimer. (F.S.)

Preymann Rudolf Dipl.-Ing. HofR.
B.: Ltr. d. Fernmeldeinsp. d. Post- u. Telegraphendion. f. OÖ u. Sbg. in Linz. DA.: 4010 Linz, Domg. 1. PA.: 4020 Linz, Grundbachweg 24. G.: Gmünd, 18. Jän. 1940. V.: Ilse, geb. Korner. Ki.: Rudolf (1968), Leonard (1970). El.: Rudolf u. Wilhelmine. S.: VS u. BRG Gmünd, 1958 Matura, b. 1966 TU Wien. K.: Eintritt als Starkstromref. in d. Postdion. Linz, 1973 Ltr. d. Abt. Linientechnik, 1989 Ltr. d. Fernmeldeinsp. M.: ÖVE. H.: Federzeichnung, Klavier, Orgel, Oboe. (U.A.)

Pribil Willy
B.: Schriftsteller (Pseudonym: Tom W. Prieman), Drehbuchautor. DA.: 1100 Wien, Landgutg. 1. PA.: 1030 Wien, Fasang. 34. G.: Wien, 19. Sept. 1927. S.: RG, Matura, Stud. Phil. Univ. Wien. K.: Mitarb. d. Sendergruppe Rot-Weiß-Rot, Reg. an d. Wr. Kammeroper, Kurzfilme, Romane, zusammen m. Ernst Pichler: "Wasser f. d. Wüste", "Kraft aus d. Sonne", Sachbuch: "Unsere 7sachen", zusammen m. Dieter Steinhardt "Der Sonnenplan", über 20 Spielfilmdrehbücher z.B. Mitarb. an "Casanova & Co" u. "Johann Strauß", Autor u. Gestalter v. TV Dokumentationen u. Fernsehspielen im ZDF u. ORF. (P.R.)

Pribyl Manfred Dkfm.
B.: Gschf. FN.: Manfred Pribyl Hdl. u. Montagen GmbH. DA.: 8020 Graz, Lazarettg. 20A. G.: Graz, 5. Nov. 1964. V.: Monika, geb. Hackl. Ki.: Jaqueline (1985), Michael (1991). El.: Herbert u. Elfriede. S.: VS, HS, Polytechn. Lehrgang, Berufsschule. K.: 1983-85 Steuerberatungskzl., 1985-86 RA, 1983-86 VHS-Kurse z. Dkfm., WIFI-Schulungskurse, 1988 Übernahme d. Betriebes v. d. Mutter, 1990 GmbH, 1992 Filiale München, 1993 Filiale Straßburg, 1993 Kauf Firma Geka Montagebetrieb, 1992 Grdg. Hygiene WC GmbH, Ndlg. in Spanien, Portugal, Schweiz u. Deutschland. M.: Tennisclub Ragnitz, Golfclub Kitzbühel, Reitclub St. Ulrich. H.: Tennis, Golf, Reiten, Familie. (R.S.)

Pribyl Albert
B.: Steuerberater, Finanz- u. Wirtschaftsberater, gschf. Ges. d. OÖ Wirtschaftstreuhandkzl. DA.: 4020 Linz, Hasnerstr. 9. PA.: 4020 Linz, Vergeinerstr. 9. G.: Kapfenberg, 17. März 1906. V.: Hedwig, geb. Eckstein. Ki.: Dkfm. Dr. Ulf D., Gero. El.: Oberförster Gustav u. Erna. S.: Gymn. in Leoben. K.: Bilanzbuchhalter, Disponent, Buchsachv. (gerichtl. beeid.), Wirtschaftstreuhänder, Vors. d. Prüf.Kmsn., eigene

WT-Kzl. (23 Mitarb.), Kriegsdienst 1940-44 Obltn., Kompaniechef, Senator d. Österr. Ges. d. WT. F.: OÖ Steuerberatungs- u. Wirtschaftstreuhand GmbH, VDO Datenverarb. GmbH. E.: Div. milit. (EK, Verw. Abz., etc.). M.: Mtgl. d. Kammertages d. Wirtschaftstreuhänder, Mtgl. d. Ges. d. Österr. Wirtschaftstreuhänder. H.: Beruf. (Mayr)

Pribyl Peter Ing.

B.: Gschf. FN.: I.D. Plan. DA. u. PA.: 2700 Wr. Neustadt, Bahng. 26. G.: Wr. Neustadt, 23. Mai 1947. V.: Liesbeth, geb. Farkas. Ki.: Peter-Philipp (1980), Eva-Maria (1981). El.: Hubert u. Eleonore. S.: Ausbild. als Vermessungstechniker, 1971 HTL-Matura, Ak. d. Angew. Künste. K.: 1 J. Tätigkeit als Kellner, 1973 Grdg. Design Büro u. Kunstgalerie "Zarek u. Pribyl" Wr. Neustadt, 1977 Übersiedlung u. alleinige Weiterführung m. Schwer-punkt Innenarch., Design u. Arch., 1979-84 Grdg. eines Kaffeehauses, 1982 Konzessionsprüf., 1984-86 Mitinh. einer Discothek. M.: MKV, Lions-Club. H.: techn. Dinge, Jagd, Tennis, Stemmen. (I.J.)

Pricken Heinz Otto Dkfm.

B.: Gschf. FN.: Gebr. Leube KG, Zementwerk Leube GmbH, Kalkwerk Tagger GmbH Golling. DA.: 5083 Gartenau-St. Leonhard. G.: Duisburg, 12. Febr. 1934. V.: Barbara, geb. Dusterhöft. Ki.: Claus (1964), Monica (1967). El.: Otto u. Sophia. S.: VS, Gymn., Matura, Univ. Münster, 1960 Dipl.Prüf. K.: Mannesmann Revision GmbH Düsseldorf, KSB AG Frankenthal, Mannesmann Geiser GmbH Mannheim, RWK AG Wuppertal-Dornap, Barbara Rohstoff Betriebs GmbH Wülfrath. H.: Lesen, Musik.

Pridt Lorenz

B.: Dir. d. HS Gols. DA.: 7122 Gols. PA.: 7122 Gols, Paul-Velter-G. 17. G.: Gols, 5. Feb. 1943. V.: Dorothea, geb. Heidenreich. Ki.: Lorenz (1965), Miriam (1969), Kerstin (1973), Regina (1974), Martin (1980). El.: Lorenz u. Susanna. S.: VS, HS, LBA Wien, BH. K.: seit 1975 Dir. d. HS Gols, 1983 Tagesheimschule, seit 1980 Sport-HS. E.: Silb. Ehrennadel d. Roten Kreuzes Bgld., Silb. Ausz. v. Bgld. Imkerver. M.: 1987-90 Präs. d. Österr. Miliizverb. Landesgruppe Bgld., 1975-82 Bez.-Kdt. b. Roten Kreuz. H.: Arb. in Wein- u. Spirituosenproduktion auf biolog. Basis, Reisen. (J.M.)

Prieler Veronika

B.: Inhaberin. FN.: Junge "KunstWerkStart". DA.: Zollergasse 6, 1070 Wien. G.: Wien 15.7.1969. El.: Willibald, Juwelier, Dagmar, geb. Weigl. S.: 1979-83 Gymnasium, 1983-86 HASCH. K.: 1991 Ausstellungen in Wien u. Zürich mit d. Titeln "Die eigenen Flügel sind ein zerbrochener Mond", Schmuckobjekte aus Silberformen mit eingefügten Perlengeweben, "Steinsäule und Glutwindröhre" Schmuckobjekte aus Silberformen mit eingefügten Glasperlengeweben, Zusammenarbeit mit Art Depot; Anfang d. Schaffensperiode versch. Keramikobjekte; Ausleben d. seel. Kreativität im modernen Ausdruckstanz, 1992 Der Beginn autodidaktisch in Acryl auf Leinwand oder Leinwandpapier zu malen - es werden versch. Phasen d. Technik u. d. Ausdrucks durchschritten, 1993 D. Goldschmiedeberuf wird auf ein Minimum reduziert u. eine Anzahl unterschiedlichster Bilder entsteht - das große Spektrum d. Seele; Teilnahme a.einer Nachwuchskünstler - Kunstausschreibung f. Japan d. BMUK ein Bild wird ausgewählt u. v. japan. Kulturinst. erworben, 1994 Ausstellung in d. physikal. Medizin durch d. Kulturamt Wien; gem. Grdg. d. jungen KunstWerkStart m. Manfred Hoschek eine neue Institution f. junge Künstler, die eine Ausstellungsmöglichkeit suchen, Gemeinschaftsausstellung i.d. JungenKunstWekrStart, Ausstellung im physikal. Inst. Klosterneuburg. H.: Malen, Keramik, Ausdruckstanz.

Prieler Willibald

B.: Juwelier, Gold- u. Silberschmied, Inh. FN.: Josef Siess Söhne. DA.: 1060 Wien, Luftbadg. 7. G.: Palfau, 11. Apr. 1940. Ki.: Roland, Veronika, Albrecht. El.: Engelbert u. Sophie. K.: Lehre als Gold- u. Silberschmied in Linz, 1959 Gesellenprüf., Anschl. Tätigk. bei ren. Juwelieren in d. BRD, Zürich, London, Rückkehr n. Österr., bis 1964 Fa. Josef Siess Söhne, 1964-71 Betriebsltr. bei einem großen Wr. Juwelier, 1964 Mstr.-Prüf., s. 1971 selbst., Übern. d. Fa. Josef Siess Söhne, ger. beeid. Sachverst. in Schmuck- u. Edelsteinbranche. M.: Londoner Diamantbörse, Wr. Diamantclub. H.: Natur, Astrologie, Reisen, Indische Kunst. (R.T.)

Priesel Gertraud Dr. Mag. OStR. Prof.

B.: Mittelschulprof. PA.: 5020 Salzburg, Hans-Sachs-G. 27/4. G.: 4. Sept. 1924. S.: Gymn., Univ.-Stud. Math., Biologie u. Warenkunde. P.: "Die Grundwasserfauna im Sbg. Becken u. im anschl. Alpenvorland", "Biologie u. Warenkunde", v. Franke, Priesel, Rihs, Lehrbuch f. HAK. E.: von fünf f. d. Wiss. neu entdeckten Tierarten wurde eine nach d. Entdeckerin benannt: Candona Dichtliae, weitere neue Arten: Candona Ruttneri, Cryptocandona Juvavi, Nitocrella Hofmilleri, Trichodrilus macroporophorus, Asellus cavaticua subspec salisburgensis.

Priesner Friedrich Dipl.-Ing.

B.: Arch. in Partnerschaft m. Dipl.-Ing. Eva Ceska. DA.: 1060 Wien, Nelkeng. 1/11. G.: Zwettl, 8. Dez. 1955. V.: Dipl.-Ing. Susanne, geb. Aigner. El.: Franz u. Leopoldine. S.: Matrua HTL Krems Abt. f. Hochbau, Stud. Arch. TU Wien, Diplom 1982. K.: in div. Arch.-Büros tätig, seit 1989 selbst. m. Schwerp. Wohnbau u. Wettbewerbe, bisherige Projekte u. Ankäufe u.a.: 1991/92 Wohnhaus 1170, Promenadeg. 44, 1991/93 Wohnanlage 1210, Anton-Böck-G. 4, 1993/94 Wohnhaus 1150, Braunhirscheng. 6, 1994/95 Wohnhaus 1140, Ludwigg. 14, 1994/95 Wohnhaus 1170, Balderichg. 20, "Städtebaul. Projekt Pilgrambrücke". E.: u.a. 3. Preis Wettbewerb "BRG Wr. Neustadt", Ankauf Wettbewerb "Stadtbad Mödling". M.: Ing.-Kammer. H.: Reisen, Kochen. (J.S.)

Prießnitz Ewald Dr. med.

B.: Stadtarzt, Sportarzt. DA. u. PA.: Gärtnerg. 12, 2100 Korneuburg. G.: Klagenfurt, 8. Mai 1947. V.: Renate, geb. Ortner. Ki.: Thomas (1981). El.: Ernst u. Juliane. BV.: Vinzenz Prießnitz (1799-1851): schon vor S. Kneipp als "Wasserdoktor" bekannt, Gründ. Kuranstalt Gräfenberg/-CSFR. S.: RG, Matura 1966 Klagenfurt, Stud. Med. Univ. Wien, Prom. 1974. K.: 1974-77 Turnusausbild. KH Krems, 1977 Eröff. Praxis f. Allgemeinmed. Korneuburg, 1978 Stadtarzt, 1984 Arzt f. Arbeitsmed., 1988 Sportarztdipl., 1989 Dipl. f. Arbeitsmed., 1990 Dipl. f. Umweltmed., zusätzl. Betreuung d. Volks-, Hauptschule u. Kindergärten in Korneuburg als Schularzt. P.: einige Fachart. u. -vorträge. M.:

1985 GemR. Korneuburg, 1990 StadtR. f. Umwelt u. Abfallwirtsch., Obm. VHS Korneuburg, Obm. BSA Bez.-Org. Stockerau. H.: Botanik (Orchideen), Reisen, Sport. (M.M.)

Priessnitz Franz Dr. Mag. HofR

B.: Ltr. d. Abt. II d. BPolizeidion. Wien. DA.: 1090 Wien, Rossauerlände 5. G.: Wien, 26. Mai 1928. V.: Dr. Hertha, geb. Zehtner, 3 Kinder. S.: 1946 Matura, 1950 Prom. Dr. iur. K.: nach Gerichtsjahr 1952 Eintritt in d. BPolizeidion. Wien, seit 1956 Ref. im Sicherheitsbüro, 1971-76 Vorst. d. Jugendpolizei, 1976 stellv. Vorst. d. Sicherheitsbüros, 1982 Vorst. d. Sicherheitsbüros, seit 1986 Ltr. d. kriminalpolit. Abt. II. E.: Gr. EZ f. Verd. um d. Rep. Österr., Gr. Gold. EZ f. Verd. um d. Rep. Österr., Gold. EZ d. Landes Wien. (P.R.)

Priewasser Ferdinand

B.: Tischlermstr. FN.: Ferdinand Priewasser. DA.: 4921 Hohen Zell, Langstadl 7. PA.: 4921 Hohen Zell, Lanstadl 42. G.: Hohen Zell, 15. Sept. 1934. V.: Berta, geb. Stieglbauer. Ki.: Renate (1962), Brigitte (1963). El.: Ferdinand u. Katherina. BV.: weit zurückreichende Zimmer Handewerker. S.: VS, HS, Tischlerlehre. K.: 1959 Mstr. Prüf., 1960 selbst., 1990 weitergabe d. Betr. E.: Gold. Nadel v. d. Gem., Gold. Abzeichen v. Wirtschaftsbund, Gold. Abzeichen v. Sportver., Silb. Ehrennadel v. d. Handelsk. M.: 1967-91 Gem. Vorst., 18 J. Obm. v. Wirtschaftsbund, 15 J. Kommandant Stellv. b. d. Feuerwehr, Obm. Sportver., Obm. Telefongem., Ortsobm. d. Raiffeisenkasse Hohen Zell, Vorst. d. Raiffeisenkasse Region Ried. H.: Wandern, Radfahren, Schwimmen, Schnitzen, Reisen. (M.G.)

Priglhuber Walter KommR.

B.: Gschf. FN.: Tarbuk Autohaus GmbH. DA.: 1101 Wien, Davidg. 90. PA.: 1230 Wien, Lainerg. 7-19/5. G.: Wien, 9. Sept. 1941. V.: Eva, geb. Heppich. Ki.: Manuela (1968). El.: Hubert u. Berta, geb. Enzemberger. S.: 1955 kfm. Lehre Ford Hinteregger, b. 1976 versch. Funktionen b. Ford Hinteregger, zuletzt als Gebrauchtwagenverkaufsltr. K.: 1976 Eintritt in d. Firma Tarbuk als Betriebsltr., seit 1981 Prok., ab 1988 Gschf. H.: Bergsteigen, Skifahren. (N.A.)

Priglinger Ernst

B.: Gschf. FN.: Priglinger & Partner Werbeagentur. DA.: 1190 Wien, Fürfangg. 1. PA.: 1150 Wien, Gerstnerstr. 5/5. G.: Linz, 18. März 1963. V.: Mag. Barbara, geb. Stainer. El.: Ernst u. Elisabeth, geb. Kolb. S.: VS, Gymn., 1981 Matura, Stud. BWL u. Handelswiss. Univ. Linz u. WU Wien. K.: 1988 Eintritt Firma Hewlett Packard, zuständig f. d. Bereich Marketingkommunikation, 1990-91 Werbemarketingltr. Firma Krone-Fibercom, danach selbst. E.: 1993 2. Preis v. "A 3 Verlag" f. d. beste Eigenwerbung. M.: Corps Alemannia Wien zu Linz. H.: Beruf, Musik, Familie. (N.A.)

Prikatzky Richard Hans

B.: Gschf. FN.: wpb Werbebau Prikatzky GmbH. DA.: 1090 Wien, Sobieskig. 23, 2345 Brunn/Gebirge, Industriestr. B16, Halle 11. PA.: 1090 Wien, Garnisong. 7. G.: Wien, 20. Apr. 1933. V.: Dr. Edeltraud, geb. Volkmann. Ki.: Nicolas (1963). El.: Richard u. Therese, geb. Pestl. S.: gelernter Augenoptiker, ausgebildeter Kameramann (Filmak.), Bühnenbildner (Fortbild.), K.: Theaterfotograf in Österr. u. Deutschland, seit 1961 freischaff. Werbegrafiker, ab 1965 Werbegestalter, Tätigkeitsschwerpunkte: Entwurf, Bau u. Gestaltung v. Präsentationen u. Ausstellungen im In- u. Ausland, Ideenfindung f. Werbespiele z. Verkaufsförderung, Entwurf u. Realisation v. Spieledekorationen f. ORF. E.: Gold. Ähre Rieder Messe 1977, Gold. Med. Welser Messe 1987, NÖ Landespreis: Silb. Hahn 1987, Sonderpreis 1989, Gold. Hahn 1991. M.: Fachaussch. d. BWK, Präs. v. Club Wr. Werbegestalter (CWW), Vorst.-Mtgl. d. Interessengemeinschaft d. Messegestalter Österr. (I.M. Austria), Graphik Design Austria (G.D.A.), Berufsverb. bild. Künstler Österr., Intern. Inst. of Information Design (IIID), Schlaraffia Vindoboa. H.: Musik, Jagen, Fischen, Eulen sammeln (über 1000 Eulen aus d. ganzen Welt). (N.A.)

Prikopa Herbert

B.: Dirigent, Opernsänger, Komponist, Schauspieler, Schriftsteller. PA.: 3021 Preßbaum, Conte-Corti-Str. 1. G.: Wien, 30. Nov. 1935. V.: Rosemary, geb. Dexter. Ki.: Karl Edward (1986). El.: Karl u. Rosa. S.: Matura, Stud. Chemie, Privatausbild. z. Pianisten u. Dirigenten, Gesangsstud. b. Prof. Elisabeth Rado. K.: 1954/55 Mtgl. d. Volksoper in Wien, über 90 Hauptpartien an Volks- u. Staatsoper gesungen, an d. Volksoper auch als Dirigent tätig, Grdg. d. Konzertreihe "Für Kinder u. Kenner", seit 1978 im Wr. Konzerthaus, Gastdirigent an d. English National Opera in London, Dirigent b. RF u. FS, eigene RF u. FS-Sendungen, Schallplatten, Oper, Operette, Wr. Lied, Operettenbearb. an d. Volksoper, Komponist "Südwind" (Operette), "Francais, der Henker wartet" (Musical). P.: Veröff. in div. Musikbüchern u. -zeitschriften. E.: Gr. EZ f. Ver. um d. Rep. Österr., Ehrenmtgl. d. Wr. Volksoper, Ehrenmtgl. div. Musikver.

Prikowitsch Gerda Mag. art.

B.: freischaff. Malerin, Lehrerin an d. VHS u. d. Wr. Kunstschule. PA.: 1100 Wien, Birkenhof 10/8. G.: Wien, 28. Jan. 1940. V.: ObstLt. Johann Prikowitsch. Ki.: Ursula (1960). El.: Matthias u. Leopoldine Artner, geb. Wolfram. S.: 1988-91 Stud. HS f. angew. Kunst, Mstr.Kl. f. Malerei, Dipl. m. Ausz. P.: Weihnachtskarten, Zeitschriftentitelbilder, Kalender d. Fa. Wang (1988), Ausstellungen: Baden Frauenbad BV Schönbrunn (1984), UN HQ Nicosia Cypern (1985), Galerie Prisma (1986), Präsentationsausstellung d. 1988 Kalenders in d. Fa. Wang (1987), Tabakmuseum Wien (1989), Werke in Privatsammlungen u. im Heeresgeschichtl. Museum Wien. E.: UN Friedenspreis auf Zypern (1985). H.: Bergsteigen, Mineralien suchen. (N.A.)

Prikowitsch Rainer

B.: Gschf. Ges. u. Inh. FN.: Constant-Druck u. Vorlagen-Studio GmbH & Co KG. DA.: 1180 Wien, Währinger Str. 139. G.: Wien, 13. Aug. 1970. El.: Christian u. Renate. S.: 1985-88 Lehrausbild. als Setzer. K.: b. 1991 Praxis, seit 1989 b. Magreiter, seit 1991 Constant-Druck. (J.E.)

Prillhofer Georg Felix Dipl.-Ing.

B.: Gschf. d. ÖFA Akkumulatoren GmbH u. d. VARTA Batterie GmbH, Vorstand d. VB Autobatterie-Beteiligungs AG. DA.: 1235 Wien-Liesing, Siebenhirtenstr. 12. PA.: 1238 Wien, Zangerlestr. 41. G.: Linz, 11. Jun. 1937. V.: Dr. Helga, geb. Sieghart. El.: Georg u. Maria. S.: Hum. Gymn. in Kremsmünster, TU Wien, 1961 Prom. Entwicklungsing. b. Fa.

Kapsch, IBM Wien u. Linz, Kapsch Wien, Dir. d. Bereichs Radio, Fernsehen, Batterie. P.: 79 intern. Publ. (Operation Research). BL.: Während d. langen Dienstzeit b. Fa. Kapsch Konsumgüterbereich umstrukturiert. M.: Tennisklub Liesingtal, CV Wien. H.: Arbeit, Tennis, Skifahren, Jazz-Orgel, Lesen, Computer. (I.K.)

Prillinger Karl

B.: Gschf. Ges. FN.: Karl Prillinger GmbH. DA. u. PA.: 4600 Wels, Wimpassinger Str. 81. G.: Wels, 2. Sep. 1937. V.: Aloisia, geb. Weiss. Ki.: Annemarie (1967), Waltraud (1968), Ulrike (1971), Marie (1977), Gabriele (1979). El.: Hans u. Stefanie. S.: Müllerfachschule in Wels b. 1956. K.: 1958 Eintritt in d. elterl. Betrieb (tätig im Verkauf), 1966/67 Prok., dann Verkaufsltr., 1975 Betriebsübern. zu 50%, 1983 Realteilung in Großhandel u. Produktionsbetr., 1988 Zurückkauf d. 50% Anteile d. Bruders (Prod.-Betr.), s. 1988 alleiniger Gschf. Ges., 1990 Umstellung auf Ersatzteilgroßh. P.: Mehrere Veröff. in div. Fachzeitschr. E.: Gold. Verd.-Nadel d. Stadt Wels. H.: Briefmarken, Angeln, Sport. (P.H.)

Primetshofer Bruno Dr. iur. can. o. Prof.

B.: o.Univ.-Prof. DA.: 1010 Wien, Salvatorg. 12. G.: Linz, 12. Jan. 1929. El.: Anton u. Franziska. S.: VS, Gymn. in Gmunden, Stud. d. Theol. u. Rechtswiss. an d. Univ. Innsbruck, phil.-theol. HS Mautern u. Lateran Univ. Rom. K.: 1958 Lektor d. Kirchenrechts an d. phil.-theol. HS Mautern, 1967 Habil. f. Kirchenrecht an d. Univ. Wien (kath.-theol. Fak.), 1967 a.o.Univ.-Prof., 1972 o.Prof. f. Kirchenrecht an d. Johannes Kepler-Univ. Linz, 1982 o.Prof. f. Kirchenrecht an d. kath.-theol. Fak. d. Univ. Wien, 1987-89 Dekan d. kath.-theol. Fak. P.: Ehe u. Konkordat, Rechtsgeschichte d. gemischten Ehen in Österr. u. Ungarn, Ordensrecht auf d. Grundlage d. Codex Iuris Canonici 1983, Mitarb. am "Grundriß d. nachkonziliaren Kirchenrechts", 1983 Mitarb. am Handbuch d. kath. Kirchenrechts. E.: Kardinal Innitzer-Preis, Ehrenring d. Gem. Attnang-Puchheim. M.: Österr. Ges. f. Kirchenrecht, Theol. Kmsn. Österr., Konsultor d. päpstl. Rates f. d. Interpretation v. Gesetzestexten. (M.B.)

Primetzhofer Hermann

B.: Gschf. Ges. d. Fa. Primetzhofer Stahl- u. Fahrzeugbau GmbH & Co KG. DA.: 4060 Leonding, Im Grenzwinkel 1. G.: Unterweißenbach, 11. Febr. 1927. V.: Rosina, geb. Karst. S.: Schlosserlehre in Grein, Gesellenprüf., versch. Fortbildungskurse f. d. Metallbranche, 3 J. Ferntechn., Abschl. m. Ausz., Mstr.Prüf. f. Schlosser. K.: 1946-48 tätig in d. Linzer Schiffswerft, 1948-63 Ang. d. ehem. Fa. Voith, später Werkstattltr., 1963 Grdg. d. eigenen Unternehmens, Beginn m. Stahlbau, Ausweitung auf Fahrzeugbau, Schwermaschinenbau u. Umweltschutzanl. E.: März 1985 3. Preis b. Innovationswettbewerb. M.: Vors. d. Lehrlings-prüf.Kmsn. H.: Skifahren, Langlaufen, Eislaufen, Radfahen, Joggen. (Deu.)

Primmer Josef Dr. iur. Mag

B.: Sekt.Chef d. Präsidialsekt. im BMföWuV. PA.: 1030 Wien, Strohg. 14. G.: Wien, 25. Aug. 1924. V.: Martha, geb. Kloiber, (Mag. pharm., OPharmR.). El.: Josef u. Marie. S.: VS, HS, Berufssch., Faching.Schule, Matura, jur. Fak. Univ. Wien, Mag. iur., Dr. iur. K.: 1947 Eintr. in d. BM f. Inneres, 1958-60 b. d. Pol.Dion. Wien tätig, 1961 u. 1962 d. Verwaltungsgerichtshof zugeteilt, s. 1963 im Präsidium d. BMfVuE, ab 1971 Ltr. d. Personalabt., ab 1986 Ltr. d. Präsidialsekt., 1987 Sekt.Chef. E.: Gr. EZ u. Gr. Silb. EZ f. Verd. um d. Rep. Österr. H.: Reisen, Schwimmen, Alte Kunst. (P.R.)

Princic Karl Dr. Dipl.Vw.

B.: Ltr. d. Kulturabt. d. LHpt.Stadt Klagenfurt. DA.: 9020 Klagenfurt, Theaterpl. 3. G.: Klagenfurt, 17. Nov. 1945. V.: Elisabeth, geb. Erath. Ki.: Anja, Lisa. S.: Gymn., HAK, 1964 Matura, 1965 Stud. d. Betriebswirtschaft u. Vw. in Innsbruck, 1974 Prom. K.: 1974-78 Dion.Ass. f. Organ.Fragen d. Mag. Klagenfurt, seit 1979 Ltr. d. Kulturabt. d. LHpt.Stadt Klagenfurt. BL.: Organ. v. intern. Kunstausstellungen, histor. u. archäolog. Ausstellungen, Organ. v. Kleinkunst-, Musik- u. Theaterveranstaltungen, Organ. d. Veranstaltungsreihe "Woche der Begegnung". P.: Fachart. über Kommunalpolitik. M.: Ver. Stadtkultur, 1976-81 Jaycees Klagenfurt. H.: Kultur, Skifahren, Eisschuhfahren, Jagd, Segeln. (S.G.)

Prindl Günther

B.: Firmeninh., Bäckermstr. FN.: Bäckerei Günther Prindl. DA.: 1200 Wien, Jägerstr. 2. G.: Wien, 3. Jän. 1949. V.: Ingrid. Ki.. Günther, Bernhard. El.: Rudolf u. Barbara. S.: VS, Gymn., Bäckerlehre, Gesellenprüf. K.: 1973 selbst., d. väterl. Betr. käuflich erworben. H.: Sport, Kultur, Reisen. (W.J.)

Prindl Ingrid

B.: Inh. FN.: Bäckerei Günther Printl. DA.: 1200 Wien, Jägerstr. 2. G.: Wien, 12. Mai 1948. V.: Günther. Ki.: Günther, Bernhard. El.: Kurt u. Gertrude. S.: VS, HS, Textilhdl. Gesellenprüf. K.: 1965 Fil. Ltr. eines Textiluntern, s. 1968 Chefin d. Bäckerei Prindl. H.: Reisen, Kultur. (W.J.)

Prinke Helmut Dr. HofR.

B.: VBgm. v. Eisenstadt, Vorst. d. Personalabt. d. Bgld. Landesrg. DA.: 7000 Eisenstadt, Freiheitspl. 1. PA.. 7000 Eisenstadt, Bergstr. 12. G.: Eisenstadt, 23. Sep. 1946. V.: Gertraud, geb. Kapaun. Ki.: Eva (1973), Julia (1975), Heinz (1979). El.: Michael u. Emmi. S.: Gymn., Stud. Jur. Fak. Wien, 1971 Prom., Lehre Maler u. Anstreicher, Mstr.-Prüf. K.: 1971 stellv. Ltr. d. Finanzabt. Landesrg. Eisenstadt, 1984 Präsidialvorst., 1991 Vorst. d. Personalabt., 1977 GemR., 1982 StadtR., seit 1985 VBgm. E.: 1991 HofR. M.: 1977 Gschf. d. Heilbad Sauerbrunn Betriebs GmbH, 1990 AufsR.-Vors. H.: Malen, Fischen, Motorradfahren, Joggen. (I.J.

Prinsloo Martin

B.: Botschaftsrat d. Südafrikan. Botschaft. DA.: 1190 Wien,, Sandg. 33. G.: Südafrika, 17. Jan. 1937. El.: Hendrik u. Jacoba. S.: Univ.-Stud., abgeschlossen m. B.Com. u. M.B.A. Dipl., Kurs am Inst. of Administration & Commerce. K.: 1962 Eintritt in d. Staatsdienst, Chief Professional Officer im Rat f. Hdl. u. Ind., Industrial Advisor im Südafrikan. Rat f. d. Dezentralisierung d. Ind., Development Advisor in d. Transkei, danach Industrial Counsellor an d. Südafrikan. Botschaft in London, stellv. Dir. im Rat f. Wettbewerbsfragen u. im Wirtschaftsmin., ab 1990 Botschaftsrat in d. Außenhandelsstelle d. Südafrikan. Botschaft in Wien. M.: Inst. of Administration and Commerce of Südafrika, Investment Analysts Society of Südafrika, Südafrikan. Ass. of Business-Leadership. H.: Fitness, Fotografieren, Reisen, Lesen. (N.A.)

Printschler Josef

B.: Gschf. Ges. FN.: Carinthia-Meisterwerkhaus, Holzbau Printschler GmbH & Co KG. DA.: 9563 Gnesau 64. PA.: 9560 Feldkirchen, Krahberg 54. G.: Gnesau, 6. Juli 1951. El.: Wilhelm u. Gertraud. S.: Zimmermstr. K.: Gschf. Ges. d. Carinthia-Meisterwerkhaus, Holzbau Printschler GmbH & Co KG. H.: Schwimmen, Segeln, Skifahren, Reisen.

Prinz Alfred Prof.

B.: Mtgl. d. Wr. Philharmoniker. GT.: Prof. an d. HS f. Musik u. darstell. Kunst, Komponist. DA.: 1010 Wien, Opernring 2. PA.: 3002 Purkersdorf, Dr.-Walter-Stökl-G. 10. G.: Wien, 4. Juni 1930. V.: Maria, geb. Ilieva. Ki.: Michael (1956), Bettina (1960). El.: Dr.-Ing. Oskar u. Thilde, geb. Kolbe. S.: 1948 Gymn. Wien, 1939-53 Stud. Klarinette, Klavier, Komposition u. Dirigieren an d. Staatsak. f. Musik. K.: 1945 Klarinettist im Orchester d. Staatsoper, 1946-55 Klarinettist im Orchester d. Staatsoper/Volksoper, ab 1955 1. Klarinettist d. Wr. Philharmoniker, ab 1972 Prof. f. Klarinette an d. Wr. HS f. Musik u. darstell. Kunst. P.: 5 Sinfonien, Instrument. Konzerte, Klavier- u. Kammermusik. E.: Ehrenkreuz f. Wiss. u. Kunst 1978, Silb. VZ d. Rep. Österr. 1970, Gr. EZ f. bes. Verd. um d. Rep. Österr. 1990. H.: Wandern, Schwimmen. (N.A.)

Prinz Brigitte

B.: Gschf. FN.: Prinz & Co GmbH. DA.: 2542 Kottingbrunn, Industriestr. 3. G.: Wien, 18. Juli 1951. V.: Horst Prinz. Ki.: Florian (1985). El.: Josef u. Josefa Thyri. S.: VS, HS, Höhere Bild.-Anst., Meisterklasse. K.: 1973 gemeinsam m. Gatten Grdg. eines eigenen Unternehmens Wien, Schwerpunkte: hydraul. Ladebordwände, Ind.-Hydraulik u. Transportgeräte, 1979 Übersiedlung nach Kottingbrunn. H.: Skifahren, Rad-fahren, Schwimmen, Golf. (F.S.)

Prinz Egon

B.: Senatspräs. d. OLG Wien. DA.: 1016 Wien, Museumsstr. 12. PA.: 2344 Maria Enzersdorf, Hohe Wandstr. 44. G.: Wien, 15. Jan. 1937. V.: Rosemarie, geb. Signitzer. Ki.: Vera (1967), Edgar (1972), Oswald (1974). El.: Ferdinand u. Wilhelmine. S.: 1956 Matura, Stud. d. Rechtswiss., 1960 Prom., BH. K.: 1962 Eintritt in d. Justiz, 1962-63 in Wien, 1963-68 Sbg., 1968-70 in Baden, 1970-78 Wr. Neustadt, ab 1978 Richter d. OLG Wien, seit 1986 Senatspräs. d. OLG Wien. E.: Gr. Gold. EZ. M.: Präs. d. Ver. "Die Lebenshilfe". H.: Tennis, Skifahren, Weitwandern. (P.R.)

Prinz Gerhard

B.: freisch. Künstler. FN.: Glas Creativ Gerhard Prinz. DA./PA.: 9433 St. Andrä 30. G.: Wolfsberg, 21. Juni 1960. El.: Franz u. Inge. S.: VS, HS, Glasfachschule. K.: Kunsglaserei Praktikum, 1987 Mstr. Prüf., 1990 fusingseminar in Wien, 1992 Seminar f. "Páte d. Verre" u. "Combing-Technic"; 1993 Sommer College Portland, USA f. "Sand Casting"-"Glory Hole"-"Crucible Casting", Schwerp.: künstlerische Glasgestaltung Lehrbeauftragter einer Glasfirma f. Fusing-Technik. P.: 1993 "Mythos" (Schale) u. "Gefangenes Licht" (Beleuchtung), 1994 "Spiel d. Linien" (Schale) u. "Blick in d. Gegenwart" (Spiegel); Austellungen: 1989 650 J. St. Andrä, Sprakasse St. Andrä, 1991 1. Ktn. Landesausstellung-Stift St. Paul, 1992 "Glas Exklusiv"-St. Andräer Kulturwochen, Raika St. Andrä, 1993 Dauerpräsenz in Galerie "Kunst Arten" Wien u. "Glasimpresionen", Autosalon Dohr, Wolfsberg, 1994 "Glasporzellan-Tischkultur & Lebensfreude"-Stift St. Paul. H.: Glas. (G.L.)

Prinz Herbert

B.: Hoteldir. d. Hotel Österr. Hof. DA.: 5020 Salzburg, Schwarzstr. 5-9. PA.: 5020 Salzburg, Franz-Josefs-Kai 7. G.: 25. Okt. 1924. V.: Evelyn, geb. Glück. Ki.: Desiree. El.: Franz u. Hilda. S.: Gymn., 2 Sem. Arch. in Innsbruck, Hotelfachschule Wien. K.: Versch. Positionen in d. Hotellerie u. Gastronomie, 1 1/2 J. Schweiz, 3 J. Österr., 5 J. Ethiopien, 4 J. Grand Hotel Wien, Elisabethpark Bad-Gastein, Palais Auersperg Wien, 26 J. Hotel Österr. Hof. Sbg. E.: 1985 Silb. EZ d. Landes Sbg. H.: Reisen, Musik, Fotografiern, Sport, Marken sammeln.

Prinz Gottfried

B.: Gschf. FN.: Möbelhaus u. Tischlerei Viktor Prinz GmbH. & Co KG. DA.: 3580 Horn, Bahnstr. 31. PA.: 3580 Horn, Kreitlerstr. 2/10. G.: Horn, 4. Sep. 1962. V.: Ilse, geb. Futterknecht. Ki.: Marlene (1991). El.: Viktor u. Gottfriede, geb. Schweng. S.: Tischerlehre u. 1985 Mstr.-Prüf. K.: 1977-80 Lehrzeit Fa. Ruby i. Haugsdorf, a. 1981 Mitarb. i. elterl. Betrieb Fa. Viktor Prinz i. Horn, 1988 Ges. d. Fa., a. 1993 Gschf. Ges. d. Fa. (M.M.)

Prinz Hermann Mag. Ing.

B.: Geschäftsführer d. Fachverbandes d. Bergwerke u. Eisen erzeugenden Industrie A.: 1030 Wien, Gerlg. 2/7. G.: Klosterneuburg, 22. Okt. 1944. V.: Elisabeth, geb. Czajanek. El.: Dr. Hermann u. Herta. S.: Pflichtschulen in Wien, HTL in Mödling (Maschinenbau u. Feinwerktechnik), WU Wien (Betriebs-wirtschaft). K.: Techn. Ang. b. Fa. Danubia AG, Wien u. b. Fa. Brunner Verzinkerei, Brüder Bablik, Kontaktassistent b. Fa. J. Walter Thompson GmbH, Werbeagentur, Verkaufsleiter b. Fa. Mosburger, Wellpappenwerk, Referent d. Fachverb. d. Bergwerke u. Eisen erzeug. Ind., Gschf. d. Fachverb. d. Bergwerke u. Eisen erzeug. Ind. (ab 1.1.1979), seit 1980 Vors. Überwachungsausschuß. E.: Silb. Ehrenzeichen d. Republik Österr. M.: Mtgl. d. Intern. Organisationkomitees d. Weltbergbaukongresse, Mtgl. d. Fédération Européenne des Fabricants de Produits Réfractaires, Zürich, Mtgl. d. Association Euro-péenne de Céramique, Prais, Mtgl. d. Dachverb. d. Österr. Berg-, Hütten- u. Knappenver., Mtgl. d. Techn.-wiss. Ver. "Eisenhütte Österr." u. d. Ver. "Bergmännischer Verb. Österr.", Leoben usw. H.: Gartenarb., Schwimmen, Wandern.

Prinz Herwig

B.: Prok., Gschf. Beratungsbereich. FN.: Die Sieben. DA.: 1130 Wien, Kopfg. 7. PA.: 2380 Perchtoldsdorf, Sonnbergstr. 94. G.: Waidhofen/Thaya, 6. Febr. 1945. Ki.: Christoph. El.: Beran Viktor u. Hildegard. S.: Gymn. in Waidhofen, 2 jähr. Fachschule f. Wirtschaftswerbung. K.: 1966-71 Werbeass. b. Ogilvy & Mather, 1971 Sieber-Werbung, 1980 Gschf. H.: Sohn, Lesen, Skifahren, Reiten. (A.K.)

Prinz Horst

B.: Gschf. FN.: Prinz & Co GmbH. DA.: 2542 Kottingbrunn, Industriestr. 3. G.: Wien, 15. Aug. 1940. V.: Brigitte, geb. Thyri. Ki.: Florian (1985). El.: Leopold u. Maria. S.: VS, HS, Schlosserlehre, Berufsschule. K.: Meisterschule, nach d. Ausbild. im techn. Außendienst u. im Verkauf b. versch. Firmen tätig sowie Auslandstätigkeit in Deutschland, 1973 Grdg. d. eigenen Unternehmens in Wien, 1979 Übersiedlung nach Kottingbrunn. H.: Skifahren, Radfahren, Schwimmen, Golf. (F.S.)

Prinz Paul Dipl.-Ing.

B.: Arch. Ziviltechniker. DA.: 1140 Wien, Linzerstr. 372/1/2/3. G.: Wien, 18. Jun. 1951. V.: Dipl.-Ing. Nora-Maria, geb. Kovats. Ki.: Pascal (1982), Philomena (1987). S.: Realschule, Matura, Stud. an d. TU -Wien, Dipl.-Ing. 1979. K.: 1971-84 Praxis b. Arch. Büchele, seit 1979 selbst. Innenarch., 1984 Befugnis als ZT u. selbst. Arch., Schwerp. Geschäftsumbauten unter Beachtung v. Cooperate Identity Industrie- u. Schulbau (Lycée Francais de Vienne, Theresian. Ak.), Wohnbau- u. Denkmalpflegeobjekte, Bankniederlassungsbauten, Geschäftszentren, Altshaussanierungen m. Dachgeschoßausbauten, Einsatz v. EDV u. CAD f. d. Projektmanagment. Fotogrammetrische Bestandsaufnahmen. E.: 1992 L`Ordre d,. Palmes Académiques/Republique Francaise. M.: Bund. Österr. Innenarch. Arch. u. Ing.-Ver. Hamburg. H.: Familie, Natur, Ökologie. (T.T.)

Prinz Thomas

B.: Inh. FN.: Schnapsbrennerei, Obstwein- u. Saftkellerei. DA.: 6912 Hörbranz, Ziegelbachstr. 7 u. 9. G.: Bregenz, 14. Okt. 1954. V.: Christa, gb. Giesinger. Ki.: Thomas (1981), Maximilian (1990). El.: Thomas u. Maria. S.: HAK Bregenz, 1974 Matura, 1974/75 BH, BWL-Stud. Univ. Innsbruck. K.: 1982 Verkauf u. Außendienst im elterl. Betrieb, 1990 Übernahme d. Firma Prinz Fruchtsäfte u. Schnapsbrennerei. M.: Faschingsgilde Hörbranz, 1979 Faschingsprinz. H.: Lesen, Skifahren, Wassersport, Tennis. (I.D.)

Prinz Wolfgang

B.: Journalist d. Burda-Verlag. GT.: seit 1988 freier Mitarb. b. RTL-plus, Mitinh. d. Presseagentur Prinz & Partner. DA.: 1190 Wien, Muthg. 2. PA.: 1228 Wien, Schoeppelg. 7. G.: Wien, 24. Juli 1958. V.: Mnika, geb. Salcak. El.: Herbert u. Alda. S.: Privatgymn. Wr. Sängerknaben, HAK. K.: 1978 Eintritt in d. Burda-Verlag, 1987 Grdg. d. Presseagentur. P.: Mitautor d. Bücher "So wirst Du Fotomodell", "Meine Fahrtechnik", "Vom Sinn des Wahnsinns Triatlon". H.: Tennis, Motorradveteranen. (A.W.)

Prinzhorn Martin Dr.

B.: Linguistik. FN.: Universität Wien. G.T. Kunstkritiker u. Ausstellungskurator. DA.: 1090 Wien, Berggasse 11/2/3. PA.: 1010 Wien, Wollzeile 23. G.: Wien, 11. November 1957. El.: Harald u. Dagmar. S.: Studium d. Sprachwissenschaften u. d. Gemanistik a. d. Univ. Wien. Gaststudien: am M.I.T. , Cambridge MA. u. Tilburg, Holland. Promotion 1992 Wien. K.: Ab 1987 Universitätsassistent am Inst. f. Sprachwissenschaften d. Universität Wien, Spezialist f. "Generative Linguistik", 1994: "Die Neunziger - the Nineties, "Wiener Secession".

Prinzhorn Thomas Dipl.-Ing.

B.: Vors. d. AufsR.: Mosburger AG, Wien, Brigl & Bergmeister, Niklasdorf, Dunapack R.T., Budapest, POLO Handels AG, Wien, Thomas Prinzhorn Beteiligungs-GmbH, Hamburger Unterland GmbH, Maschinen-Leasing GmbH, Kufstein, AufsR.-Mtgl.: Versicherungsverband d. Industriellen AG, Szolnik Papir Rt, Szolnik. Vors. d. Vorst.: WI Hamburger AG, Halespach AG, Ungarn. DA.: 1232 Wien, Ketzerg. 112. G.: 5. März 1943.

Prior Walter

B.: Bgm. d. Gem. Siegendorf, Abg. z. Bgld. Landtag, Techniker in d. bgld. LRg. DA.: 7011 Siegendorf, Gemeindeamt. G.: Siegendorf, 9. März 1947. V.: Gabriela, geb. Hajas. Ki.: Pia. S.: VS, Gymn., Baufachschule an d. THL Mödling, BH, einschl. Tätigkeit. K.: 1968 Eintritt in d. bgld. LRg. als Techniker im Brückenbau, Kinderfreunde, sämtl. Funktionen in d. Soz. Jugend b. z. Obm., ab d. 18. Lebensj. im Parteiaussch. d. SPÖ in d. Gem. Siegendorf, 1977 GemR. u. Mtgl. d. Gem.Vorst., seit 1983 Bgm., seit 1987 Abg. z. Bgld. Landtag, seit 1988 Vors.-Stellv. d. SPÖ Bez-Organ. Eisenstadt, seit 1988 Präs. d. SPÖ-Mandatare aus kroat. u. gemischtspr. Gemeinden, seit 1993 Präs. d. Sozialdemokrat. Gemeindevertreterverb. H.: Gschf. Obm. v. 1978-82 d. Tamburizza Siegendorf. (Kern)

Pripfl Helmut Dr. iur. KommR.

B.: Gschf. FN.: ÖKO Wien Umweltschutzprojektentwicklungs u. Management GmbH. DA.: 1040 Wien, Prinz-Eugen-Str. 70. G.: Wien, 17. Apr. 1944. V.: Elisabeth, geb. Keller. Ki.: Gabriele (1964), Gisela (1965), Christine (1982), Nora (1983), Armin (1988). S.: Realschule, 1962 Matura, Stud. Rechtswiss. Univ. Wien, 1968 Prom. z. Dr. iur. K.: 1962-79 Mag. d. Stadt Wien, zuletzt Ref.-Ltr.f. Mittelfristige Finanzplanung, Wirtschaftsangelegenheiten u. -förd., 1979-85 Wr. Hafen, 1979-81 Prok., dann Gschf., 1986 Kons. b. Waagner-Biro, 1987-89 Prok. f. Personal u. Recht in d. Baufirma WIBEBA, 1989-92 Gen.-Sekr. d. Wr. Holding, seit 1993 Gschf. ÖKO Wien. E.: 1985 KommR. M.: Vorst. v. Austroport Donauhafenbetriebe AG, AufsR. b. d. Österr. Schiffswerften AG u. Austria Email AG. H.: Malerei, Familie, Segeln, Squash, Wandern, Skifahren. (N.A.)

Prisching Robert

B.: Vorst. d. Bhf. Graz-Hbf. DA.: 8020 Graz, Europapl. 7. PA.: 8045 Graz, Uhlirzg. 25. G.: Herzogenburg, 12. Sept. 1934. V.: Erna, geb. Stadler (VS-Dir.). Ki.: Dr. med. Robert. El.: Franz u. Therese. S.: BG St. Pölten, 1953 Matura. K.: Gendarmeriedienst, 1954 Eintritt in d. ÖBB-Dienst, Ausbild. z. Fahrdienstltr., Fahrdienstltr. in versch. Bhf. in OÖ u. Stmk., in Bruck/Mur, Kindberg, Krieglach, Kapfenberg, Leoben, St. Michael u. Graz in d. Bahnhofltg. tätig (Aufsichtsbmtr. f. d. Reise- u. Güterverkehr), seit 1988 Vorst. d. Bhf. Graz-Hbf. M.: Obm. d. Eisenbahnermusik Graz. H.: Wandern, Skifahren.

Pritz Alfred Dr. phil.

B.: Psychotherapeut, Klin. Psychologe, Gesundheitspsychologe u. Präs. d. Österr. Bundesverb. f. Psychotherapie. GT.: Gen.-Sekr. d. Österr. Arbeitskreises f. Gruppentherapie u. -dynamik. DA.: 1030 Wien, Krieglerg. 11/5. PA.: 1030 Wien, Untere Weißgerberstr. 17. G.: Scheifling, 31. Okt. 1952. V.: Eva, geb. Patek. Ki.: Max. El.: Emma u. Alfred. S.: Matura 1971, Stud. Psych. u. Päd. in Sbg., Prom. 1976. K.: Arbeit am Psychotherapeut. Ambulatorium d. WrGKK, 1980 Forsch.-Aufenthalt in d. USA, Ausbild. in Therapiemethoden. P.: Zahlr. Publ. z. Psychotherapie u. Kulturkritik. M.: Mtgl. d. PsychotherapiebeiR. f. Gesundheit. (J.S.)

Pritz Wolfgang MedR. Univ..Doz.

B.: Prim., FA f. Zahn-, Mund- u. Kieferheilkunde. A.: 3413 Oberkirchbach 31. G.: Wien, 8. Aug. 1920. V.: Gerda, geb. Wegscheidler. El.: Karl u. Anna. S.: Gymn. Wr. Neustadt, Univ. Wien u. Innsbruck. K.: Kriegsdienst, Prom. 1945, Spitalsausbild. 1945-1949 in Wien, FA-Prüf. f. Zahn-, Mund- u. Kieferheilkunde 1950, ab 1951 Zahnambulatorium, daneben 1954-1966 Hilfsarzt an d. kieferorthopäd. Abt. d. Poliklinik Wien, 1968 Prim. u. Ltr. d. Zahnambulatorien d. Krankenfürsorgeanst. d. Gem. Wien, Habil. 1978, Chefarzt 1980 d. KFA. P.: Zahlr. Publ. aus d. Gebiet d. Zahn-, Mund- u. Kieferheilkunde. E.: 1957 Prix du G.I.R.S., 1975

Stomatologie-Preis. M.: Groupement intern. pour la Recherche scientifique en Stomatologie, Ges. d. Ärzte in Wien, Ver. österr. Zahnärzte. H.: Bergsteigen, Skifahren, Numismatik.

Privoznik Heinz

B.: Inh. FN.: Wiener Kracherl Privoznik's Erben. DA.: 3400 Klosterneuburg, Inkustr. 12-14. G.: Wien, 16. Aug. 1944. V.: Susanne. KI.: Ursula, Karoline. S.: Matura, div. Fachschulen. K.: 1874 elterl. Betrieb gegr., Lieferant i. Raum Wien f. Frucade, Almdudler, Sodawasser u. Wiener Kracherl. H.: Fischen, Lesen, Musik. (W.M.)

Prix Wolf D. Dipl.-Ing. Prof.

B.: Architekt. FN.: COOP HIMMELBLAU. DA.: 1010 Wien, Seilerstätte 16. G.: Wien, 13. Dez. 1942. V.: Roswita. Ki.: Florian (1972). El.: Josef u. Erika. S.: Stud. Arch. TU Wien. K.: 1968 Gründ. d. Architektenteams m. Helmut Swiczinsky, 1972 "Wolke, Projekt f. Documenta 5", Künstlerhausgalerie, Wien, Einzelausstellung "Attention", Galerie Impact, Lausanne/CH, 1974/77/79 CM Pavillon, Cincinnati Milacron, Düsseldf./Birmingham, Düsseldf., 1975 "Zeichnung d. österr. Avant-Garde, Österr./BRD/CH/USA, Wander-/Gruppenausstell., "Grenzbereich Kunst-Arch.", Kunstmuseum Bern/CH, Gruppenausstell., "Architectural Projects", Museum of Modern Art, New York, Gruppenausstell., "Galerie im Taxisplatz", Innsbruck, Einzelausstell., 1975 "Coop Himmelblau. Sie leben in Wien", Ausstell. u. Buch, Wien, 1982 "Akad. d. Künste", Berlin, Gruppenausstell., 1984 Gastprof. Architectural Assoc., London, 1985 "Ent-Würfe 1980-84", Galerie Kunst + Arch., Hamburg, Einzelausstell., Bauherrenpreis d. Zentralvereinigung d. Arch., Wien: Projekt Studio Baumann, 1986 "Offene Arch., Wohnanlage Wien 2", Architekturgalerie München, 1987 Intern. Bauausstell. Berlin 87, Dt. Arch.-Museum, Frankfurt, Gruppenausstell., seit 1987 adjuncted prof. an d. SCI-ARC, Los Angeles, 1988 Preis d. Stadt Wien f. Arch., 1989 Ktn. Landespreis f. "Gutes Bauen": Projekt Funder Werk 3, P.A. Award, New York, 1989 Eröff. Büro in Los Angeles, 1989 Unterr. d. Meisterklasse f. Arch. an d. HS f. Angew. Kunst in Wien, 1990 Wettwerb Expo 95 Wien (Hans Hollein - Coop Himmelblau) 2. Preis, Wettbewerb: Multifunktionales Dienstleistungszentrum, Zentrum Europaplatz, St. Pölten, 1. Platz, Bauherrenpreis d. Zentralverein. d. Arch., Wien: Projekt Funder Werk 3, 1992 Constructa-Preis (Europ. Preis f. Ind.-Arch.), Hamburg, Projekt Funder Werk 3, Schelling-Preis 1992, Karlsruhe.

van Probhardt Eduard

B.: freischaff. Maler. PA.: 8670 Krieglach, Werkstr. 16. G.: Bruck/Mur, 23. Juli 1962. Ki.: Daniella. El.: Rudolf u. Maria. BV.: fläm. Maler d. 15. Jhdt. van Probhardt. K.: 1977-80 Malerlehre, Praxisj. auf d. Gebiet d. handwerkl. Malerei, erstmalige Inspiration durch Pragolin, Aufenthalt zu Studien in Venedig, Florenz, Livorno, Perugia, erstmalig Beginn d. Realismus 1983, div. Ausstellungen im Heimatbez. 1984, Bes. einer Galerie. (P.R.)

Probst Charlotte

B.: Lehrerin u. Obfrau d. Bundesver. d. Tierbefreier Österr. DA. u. PA.: 8052 Graz, Neupauerweg 29b. G.: Zeierling, 11. Jan. 1931. V.: Gerhard Probst. Ki.: Dr. Ursula (1958), Dr. Christian (1959). El.: Anton u. Josefa. BV.: Dr. Probst einziges Opfer d. Putsches 1935 in Straden/Südstmk. S.: VS, HS, Ak. Gymn. Graz, 1954 Matura, LBA-Ausbild. Pädag Graz, 1966 Matura. K.: 1966-83 Lehrerin, freie Mitarb. b. ORF Stmk., 1986 Grdg. d. Bundesver. d. Tierbefreier, 1991 Aussch. d. Ktn. Tierschutzver. "Initiative gegen Tierversuche". BL.: Änderung d. Paragrafen 285 ABGB, Projekt u. Tierschutz im Unterricht. P.: Buch "Tierschutz im Unterricht - Praktizierte Ethik", Videofilm "Tierschutz-Menschenschutz", Radiokollegreihe "Beziehung zwischen Mensch u. Tier I u. II", "Literatur u. Kreatur". E.: Gold. EZ d. Landes Stmk. H.: Skifahren, Schwimmen, Tennis, Zitterspielen. (P.M.)

Probst Franz

B.: Lehrer am Polytechn. Lehrgang Eisenstadt. DA.: 7000 Eisenstadt, Schulg. 1. PA.: 7053 Hornstein, Schulg. 7A. G.: Wr. Neustadt, 29. Aug. 1951. V.: Irene, geb. Dressler. Ki.: Birgit. El.: Franz u. Anna. S.: 1971 Matura, Päd. Ak. Eisenstadt, 1973 Lehramtsprüf. f. VS u. anschl. f. d. Polytechn. Lehrgang in Deutsch, Knabenhandarb. u. Sozial-Wirtschaftskunde. K.: seit 1973 Lehrer in Eisenstadt, ab 1968 als Journalist, Autor u. Maler tätig, Jugendred. einer Zeitung, seit 1970 Ausstellungen in Wien, Graz, Eisenstadt, Bad Tatzmannsdorf, Lesungen u. ab 1974 Initiator u. Gründer d. Literar. Kabaretts, ab 1986 vor allem textiles Gestalten, zahlr. Ausstellungen. P.: Veröff. in div. Publ. u. b. ORF. E.: 1987 3. Platz, 1988 1. Platz u. 1989 2. Platz v. d. Journalisten b. Marathon-Rennen in Wien, 1986 u. 1988 Seniorenlandesmstr. 500m Lauf. M.: Club 7. H.: Marathon, Malen. (M.B.)

Probst Friedrich

B.: wiss. Mitarb. in d. Pharmaind., s. 1979 Mtgl. d. NatR. DA.: 1017 Wien, Dr.-Karl-Renner-Ring 3. PA.: 8200 Ungerdorf 7. G.: Graz, 14. Jan. 1938. V.: Burgi. Ki.: Fritz (1963) u. Michel (1965). El.: Gertha u. Fritz. S.: Gymn., 1958 Matura, Univ. Graz (cand. iur.).K.: Ind.Ausbild. in d. Pharmakologie, 1965 Eintritt in d. Fa. Bertalanffy-Ebewe Arzneimittel GmbH, 1973-91 BObm. d. Verb. d. wiss. Mitarb. in d. Pharmaind., 1973-80 GemR. d. Stadt Graz, Klubobm.Stellv. d. FPÖ GemR.Frakt., s. 1979 Mtgl. d. Theateraussch. d. Vereinigten Bühnen (Land Stmk. u. Stadt Graz). P.: Div. Art. über Kulturpolitik, "Alexis de Tocgueville" Symposium u.a. E.: Gr. Gold. EZ f. Verd. um d. Rep. Österr. 1988. M.: Präs. d. Schulsportverb. Stmk., 1984-88 Präs. d. UIADM, Mtgl. d. Europarates s. 1983, VPräs. d. Ges. österr.-arab. Bez. f. Stmk. H.: Musik, Literatur, Skifahren, Bergwandern, Jagd. (C.H.S.)

Probst Karl Dr. Dir.

B.: HAK-Dir. DA.: 6130 Schwaz, Johanes-Meßner-Weg 14. PA.: 6176 Völs, Maximilianstr. 4a. G.: Innsbruck, 3. Jän. 1927. V.: Lydia, geb. Fasser. Ki.: Dr. Michael (1957), Alexander (1962), Matthias (1965). El.: Karl u. Emilie. S.: Grundschule, Hum. Gymn., 1945 Abschluß, Jusstud., 1949 Abschluß, 1962 Lehramtsprüf. K.: 1950 Gerichtspraxis, 1951-61 Verwalter im Zisterzienser Stift Stams, ab 1961 Schuldienst, 1979 Administrator, seit 1985 Dir. d. HAK, ab 1/93 psycholog. Lebensberatung "STOA". M.: Rapid Club. H.: Schach, Schwimmen, Radfahren, Wandern, Fußball, Literatur, Schreiben. (M.W.)

Probst Karl Dipl.-Ing.

B.: Dir., Prok., OIng. FN.: J. M. Voith AG. DA.: 3100 St. Pölten. PA.: 3500 Krems, Mitteraustr. 5/19. G.: Krems, 23. Apr. 1939. V.: Renate, geb. Moshuber. Ki.: Karlheinz, Birgit. El.: Karl u. Anna. S.: Realschule Krems, TU Wien. K.: 1961 Eintritt in d. J. M. Voith AG als Techniker, ab 1969 Ltg. d. Terminwesens, 1971 OIng., ab 1972 Ass. d. Betriebsdion., Projektltr. f. d. Einführ. d. EDV in d. Fachabt. (Konstruktion, Arbeitsvorber., Terminwesen, Preisbild.), Ltg. d. Arbeitskreises EDV, ab 1980 Stellv. d. Betriebsdir., Ltg. Zentrale Verkaufsplanung, ab 1981 Ltg. d. Betriebsdion., 1982 Ern. z. Betriebsdir. u. Erteilung d. Prokura, 1965-79 Lehrbeauftr. an d. HTBLVA St. Pölten f. Mechanik u. Physik (nebenberufl.). M.: Vorst.Mtgl. d. WdF (Vorst.Vors. f. NÖ), Verb. d. Freunde d. TU Wien. H.: Angeln, Musik (Oper, Operette), Literatur, Kunstgeschichte.

Probst Karlheinz DDr. Mag. tit.a.o.Univ.-Prof
B.: Ass.Prof. am Inst. f. Strafrecht, Strafprozeßrecht u. Kriminologie, Univ. Graz Ltr. d. Abt. f. Strafvollzugsrecht, Strafvollzugskunde u. Kriminalpolitik, ObstdIntD/Mo. DA.: 8010 Graz, Heinrichstr. 16. PA.: 8043 Graz, Am Rehgrund 18. G.: Graz, 1. Okt. 1938. V.: Ludmilla, geb. Trummer. Ki.: Elke, Heimo. El.: Ing. Karl u. Hilda. S.: VS, RG Graz u. Leoben, Werkschule Donawitz, Arbeitermittelschule Graz, 1962 Matura, Stud. Jus. Univ. Graz, 1966 Prom. Dr. iur., 1972 Prom. Dr. rer. pol., 1975 Spons. Mag. rer. soc. oec WU Wien, 1981 Habil. K.: 1954-67 b. versch. Privatfirmen, 1967 Ass. Inst f. Strafrecht u. Strafprozeßrecht, 1970 Ass. Inst. f. Europ. u. Vergl. Rechtsgeschichte, 1973 Ass. am Inst. f. Strafrecht, seit 1986 Ltr. d. Abt. f. Strafvollzugsrecht u. Kriminalpolitik. P.: Wirtschaftsverrat u. Wirtschaftsspionage (1972), Ehre u. Strafrecht I. Teil (1981), Geschichte d. Rechtswiss. Fak. d. Univ. Graz Teil 3, Strafrecht - Strafprozeßrecht -Kriminologie (1987), Psychiatrie - Strafrecht - Strafprozeßrecht u. Strafvollzug, Landesbericht Österr. (1987), ca. 30 Aufsätze. E.: Theodor Körner-Preis, Graf Hardegg'sche Doktor-Stiftung, Preis d. Landes Stmk., Gold. EZ d. Landes Stmk., Steir. Hochwassermed. u. alle militär. Verd.Zeichen. M.: Ges. f. Rechtsvergleichung, Neue Kriminolog. Ges., Mtgl. d. Österr. Juristentages u.a. H.: Skifahren, Reisen. (C.H.S.)

Proch Peter
B.: Prok., Geschäftsltr. FN.: Autohaus Fieber & Co GmbH. DA.: 5020 Salzburg, Wasserfeldstr. 15. PA.: 5023 Hallwang, Esch 291. G.: Wien, 6. Dez. 1944. V.: Elisabeth, geb. Hasenschwandtner. Ki.: Barbara (1970), Susanna (1983). S.: VS, HS, HASCH. K.: 8 J. Firma Porsche: Lehre Kfz-Mechaniker, Techn. Ang. danach PKW-Verkauf, 1969 British Leyland Austria, seit 1985 Prok. im Autohaus Fieber, Zonenltr. Leyland Austria, Verkaufsltr. im Aussch., Prok. (N.M.)

Prochaska Johannes

B.: Klubobm. d. ÖVP, Landtagsabg. u. Gemeinderat d. Stadt Wien. DA.: 1082 Wien, Rathaus. G.: Wien, 4. Mai 1944. El.: Johann u. Charlotte Prochaska. S.: 1962 Matura BRG Wien XVIII, Stud. Geschichte u. Archäol. b. z. Diss. Univ. Wien. K.: seit 1965 pol. tätig (Junge VP), ab 1965 Bez.-Obm. 18. Bez., ab 1967 LObm.-Stellv. Junge VP Wien, 1970-79 LObm. JVP Wien, 1972-81 Bundesltr. Österr. Jungvolk, 1973 Bundesheer (Zugsführer), 1974-79 Gschf. Österr. Familienbund, 1979-90 Landessekr. Wiener Arbeiter- u. Ang.-Bund, 1984-90 Vorst.-Mtgl. d. Wr. Kammer f. Arb. u. Ang., seit 1974 Landtagsabg. u. GemR., 1978-83 Schriftführer Wr. GemR., 1989-90 Vors. Wr. GemR., seit Nov. 1990 Klubobmann, seit 1989 Bez.-Parteiobm. ÖVP Währing. P.: Art. über Ideologie u. Kommunalpol. E.: Gold. EZ f. Verd. um d. Land Wien, Bronz. u. Silb. Wehrdienstmed. u. zahlr. vereinsinterne Ausz. H.: Gartenarb., Wandern, Bücher (hist. Themen), Reisen. (J.S.)

Prochaska Kurt

B.: Schlossermstr. FN.: Leopoldine Prochaska GesmbH. DA.: 1220 Wien, Voitg. 8. PA.: 1030 Wien, Hainburgerstr. 61/8. G.: Wien, 24. April 1930. V.: Leopoldine, geb. Schönbacher. Ki.: Walpurga (1954), Johannes (1958), Peter (1961). El.: Konrad u. Josefine. S.: VS, HS. K.: KFZ Mechanikerlehre, 1969 Mstr.-Prüf., b. 1970 Mechaniker in Priv. Fa. u. beim Bund, Werkstättenltr. in Retz, 1962-70 Partn. bei Ges. mit bürgl. Recht, 1970 gem. mit Gattin Grdg. einer Fa. für Drahtwarenerzeug., 1976 Grdg. Filialbetr. mit Sohn, 1980 Ableg. Schlosser-Mstr.-Prüf., Übersiedl., Grdg. Bau- u. Gallanteriespenglerei als GmbH, 1986 Bau der neuen Fa.-Anlagen in Wien 22., 1992 Grdg. Tocherfa. in Bratislava, Überg. d. Fa. an Kinder, 1994-95 Bau Montagehalle in Slowakei. E.: silb. EN f. besond. Verd. d. Innung. M.: Kassier d. Freien Wirtschaftsverb., Obm. Stellv. Fachgruppe Schlosser u. Spengler, Beisitz. Schlosserinnung. H.: Familie, Musik (Hausmusik), Mundharmonika, Tennis. (I.J.)

Prochazka Elisabeth

B.: Gschf. FN.: Elisabeth Prochazka & Co GmbH. DA. u. PA.: 1230 Wien, Anton-Heger-Pl. 6. G.: Wien, 3. Dez. 1966. V.: Heinrich Gruber. Ki.: Yvonne (1990), Denise (1993). El.: Johann u. Maria Prochazka. S.: VS, HS, Haushaltungsschule, Einzelhdls.-Kfm.-Lehre. K.: 2 J. Firma Starba Wien 12, Verkäuferin in versch. Textilfirmen, zuletzt Firma Stadlauer-Fenster, 1989 Grd. d. eigenen Firma gemeinsam. m. Partner Heinrich Gruber. H.: Aufbau d. Unternehmens, Tischtennis, Kegeln, Reisen m. d. Wohnmobil. (F.S.)

Prochazka Manfred Dr. KommR.
B.: Dir., Landesdir. f. Wien d. Bundesländervers. DA.: 1020 Wien, Untere Donaustr. 47/6. G.: Wien, 15. Apr. 1944. V.: Gerda. Ki.: Manfred. El.: Leopold u. Maria. S.: 1963 Matura, Jusstud., 1969 Prom. K.: Gerichtsj., seit März 1970 in d. Bundesländervers., ab Jan. 1980 mit d. Leitg. d. LD Wien betraut, mit d. Titel Landesdir., Mtgl. im Präsidialrat d. Wirtschaftsclubs d. Dt. HK, Amerikan. HK, Wirtschaftsbund, Österr. Club, 1991 Laienrichter am HG, AufsR. Wr. Hafen u. Gustana. H.: Golf, Schifahren, Sammeln v. Autos. (J.E.)

Prochazka Peter

B.: Inh. FN.: Heim-Elektro Elektrohandel. DA.: 1100 Wien, Quellenstr. 209. PA.: 1220 Wien, Cankarstr. 45. G.: Wien, 18. Mai 1949. Ki.: Michael (1984). El.: Margarete u. Johann. S.: Berufsschule u. Lehre Elektrotechniker. K.: 1964-68 Fa. Kapsch, Lehrling u. Hauselektriker, 1969 LKW-Fahrer b. Fa. Reiberger, 1971-84 Lager- u. Fuhrparkltr. sowie Einkauf b. Fa. Bostelmann, s. 1984 selbst. m. eig. Firma Heim-Elektro. M.: ÖAMTC-Akademie, Tennisverein Eßling, Sponsor d. Jugendmannschaft d. Fußballclubs Red Star. H.: Tennis, Bergwandern, Garten (Bio-Fan), Naturheilkunde. (F.S.)

Prochaska Peter Paul Dr. iur. Mag.

B.: Konsulent, Wirtschaftsjurist. DA. u. PA.: 8045 Graz, Andritzer Reichsstr. 8. G.: Graz, 28. Aug. 1944. V.: Mag. Margit, geb. Stiegler. Ki.: Tanja, Marie-Katrin, Lisa-Christina. El.: Dr. Eduard u. Ehrenfriede. S.: VS, AHS, Matura, Stud. Univ. Graz, 1970 Prom., 1967-68 Gerichtspraxis. K.: 1969 kfm. Ang. GKB, 1970-73 Rektoratsdir. Montanuniv. Leoben, 1973-84 VOEST-ALPINE AG, Vorst.-Ass., Gen.-Sekr., Abt.-Dir., Prok., 1985-92 Graz-Köflacher Eisenbahn u. Bergbau Ges.: Mtgl. d. Vorst., Sprecher d. Vorst. bis 1992, Stellv. AR-Vors. Steir. Tourismus GmbH. M.: Präs. d. Grazer Golfclubs. P.: Veröff. in div. Fachzeitschriften. (H.Z.)

Procházka Ottokar

B.: Dirigent. GT.: Lehrbeauftragter an d. HS f. Musik u. Darstell. Kunst Wien, Wr. Musik-HS f. Korrepetition, Partiturspiel u. Klavierpraktikum. PA.: 1100 Wien, Leibnizg. 46/24. G.: Wien, 25. März 1965. V.: Sigrid, geb. Blas. El.: Ottokar u. Edeltrud. BV.: Rudolph v. Procházka, 1864-1936 in Prag, K.u.K. MinR. u. Landesmusikref., Komponist u. Musikschriftsteller. S.: AHS-Matura, Klavierlehrbefähigung m. Ausz. Prof. Ossberger Wr. Musik-HS, 1992 Dipl. m. Ausz. f. Korrepetition u. Dirigieren Wr. Musik-HS. K.: 1975-79 Mtgl. u. Solist d. Wr. Sängerknaben, Auftritte als Dirigent m. d. Wr. Kammerorchester, d. NÖ Tonkünstler Orchester, d. Orchester d. Wr. Volksoper, Musikal. Einstudierung v. "L'Histoire du Soldat" b. Wien modern 1989, 1993 Tannhäusereinstudierung an d. Prager Staatsoper, ständige Probenass. ORF-Chor u. Arnold Schönberg-Chor, 1993 Einstudierung u. Dirigate "Die Schöne Helena" Wr. Festwochen, 1994 Uraufführung d. Oper "Ödipus". E.: 1992 Preisträger d. Erwin Ortner-Fonds. M.: Arnold Schönberg-Chor. H.: Segeln, Skifahren, Wandern. (J.S.)

Proché Peter Dr.

B.: Gen.-Dir., Sprecher d. Vorst. d. Investment- u. Trustbank, Gschf. d. ITB-Immobilien-Treuhand GmbH, Vors. d. AufsR. d. ITB-Kapitalanlageges., Mtgl. d. AufsR. d. Merkur-Kapitalanlageges. GT.: Lehrauftrag an d. WU Wien über Intern. Kapitalmärkte. DA.: 1040 Wien, Prinz-Eugen-Str. 8. S.: BRG, Militärdienst, HS f. Bdk., Jusstud. an d. Univ. Wien, 1972 Prom. K.: Buchprüf., Hypothekarfianzierungen, Emissionsabt., Intern. Finanzierungen u. Emissionen, Investment-Banking. P.: Bibliographie z. österr. Außenpolitik, Innovative Unternehmensfinanzierung. (M.M.)

Prock Herbert

B.: 2. Landeshptmstellvertr., Soz.Ref. FN.: Tiroler Landesregierung. DA.: 6020 Innsbruck, Neues Landhaus. G.: Innsbruck, 1955. V.: Renate. Ki.: 2 Töchter (7 u. 6 J.). S.: VS, Neusprachl. Gymn., Stud. als Werkstud. Vergleich. Literaturwiss. u. Germanistik. K.: 1979-82 Mitbegrd., Schauspiel. u. Regisseur b. Innsbruck. Kellertheater,1977-87 ORF-Landesstud. Tirol Redakt. i. aktuell. Dienst u. Moderat., 1987 Landesgschf. u. Organis. d. Parteireform d. SPÖ Tirol, 1994 2. Landeshptmstellvertr. u. Sozialref. M.: Mtgl. i. Bundesvorst. d. sozialdemokrat. Partei Öst.

Procter Eugene

B.: Opernsänger. FN.: Vereinigte Bühnen Graz. DA.: 8010 Graz, Kaiser Josef Pl. PA.: 8200 Gleisdorf, Sandriegelweg 16. G.: Tuscaloosa, Alabama, 18. Sept. 1955. V.: Laurel, geb. Bühler. Ki.: Leslie (1988), Christina (1991). El.: Eugene u. Martha. S.: Gesangstud. Univ. v. Alabama, Cleveland Institute of Music, Mag. abgeschl. 1980, auch bei KS Gundula Janowitz u. KS Jean Cox. K.: Gastverträge: Wiener Volksoper 1991-95, Staatstheater am Gärtnerplatz 1992-95, Oper Leipzig 1992-94, Semperoper Dresden 1993-94, Seefestspiele Mörbisch 1994 u.a.; Aufgef. Partien: Tamino (Zauberflöte), Hans (Die Verkaufte Braut), Pelleas (Pelleas u. Melisande), Walter v. d. Vogelweide (Tannhäuser), Prinz Sou-Chong (Land d. Lächelns), Der Zarewitsch, Graf Tassilo (Gräfin Mariza), Symon (Der Bettelstudent) u.a. BL.: 1. Preis: Intern. Nico Dostal Wettbewerb, 1989, Metropolitan Opera Regional Auditions 1983 u. 1985, Society for the Fine Arts of the State of Alabama, "Emerging Artist Award" 1989. P.: 1 CD 1994, H.: Segeln, Golf, Billard. (I.G.)

Prodinger Christian

B.: Gschf. Ges. FN.: Color Fotolabor & Imaging Dr. Parisini GmbH&Co.KG. DA.: 1030 Wien, Rennweg 2. PA.: 2301 Großenzersdorf, Wagramg. 5. G.: Wien, 11. Juni 1962. El.: Matthias u. Maria. S.: IGS, TGM Silikattechnik ab 1979 Lehre als Fotograf b. Dr. Parisini, 1982 Abschluß d. Lehre, 1987 Mstr.-Prüf. K.: 1987 Übern. d. Geschäftsführung, ab 1992 Beteiligung am Fotolabor Parisini, Fa. ist Mtgl. beim europäischen u. amerikanischen Fotolaborverband. H.: Radfahren, Skaten,Billard. (W.J.)

Prodinger Elisabeth

B.: Ges. d. Ges. f. Betriebswirtschaftl. Beratung. DA. u. PA.: 5700 Zell am See, Mozartstr. 10. G.: Hallein, 19. März 1937. V.: Dr. Erwin Prodinger. Ki.: Mag. Dipl.-Ing. Stefan (1959), Dr. Agnes (1961), Mag. Lukas (1962). El.: Dr. Karl u. Burgi Mittermayer. S.: VS, BRG, ab d. 4. Lebensj. Skirennfahren in d. Österr. Jugendauswahl, m. 17 J. Österr. Nationalmannschaft, ab d. 10. Lebensj. Klavierspielen begonnen, 1955 Matura, ab 1955 Med.-Stud., 1958 Ski-WM Gastein, 1959 Ak. WM Zell am See gewonnen, 1961-74 Landesliga Tennis, ab 1964 Kunstsammlung begonnen, 1. Bild v. Kurt Molduran erstanden, dzt. ca.1300 Bilder Österr. Maler d. Nachkriegszeit u. gr. Glassammlung. E.: zahlr. sportl. Ausz. u. Ehrungen. M.: Singkreis, Golf Club, Tennis Club, Skiclub. H.: Bergsteigen, Musik, Sport. (J.F.)

Prodinger Erwin Dr. Dipl.-Kfm.

B.: Wirtschaftstreuhänder. FN.: Prodinger & Partner GmbH. GT.: GFB Ges.-Berat., GFB & Partner Marketing, AufsR. Blizzard GmbH, Swietelsky Bau GmbH Linz, Schimek Electronics Vertriebs GmbH, DVO-Sbg. Datenverarb.- Organ. f. Wirtschaftstreuhänder. DA.: 5700 Zell am See, Auerspergstr. 8. PA.: 5700 Zell am See, Mozartstr. 10. G.: Zell am See, 6. Juli 1933. V.: Elisabeth, geb. Mittermayer. El.: Erwin u. Hildegard. S.: VS, RG, Stud. an WU Wien. K.: 1959 Eintr. in elterl. Steuerberatungskzl., Grdg. einer Wirtschaftstreuhand GmbH Prodinger & Partner in St. Johann im Pongau, Grdg. d. Allkontroll Wirtschaftstreuhand u. Revision GmbH Zell am See, Grdg. d. Wirtschaftstreuhand GmbH Dr. Wirt & Dr. Prodinger in Lech. P.: div. Aufsätze über Wirtschaftsthemen in div. Fachzeitschriften. E.: Silb. EZ d. Bergstadt Zell am See. M.: Grdg.-Präs. d. Rotary Clubs Zell am See, Präs. v. Golfclub Zell am See, Vertreter d. ACPA, Mtgl. d. TPA u. d. wirtschaftl. BeiR. d. CA-BV Wien. H.: Golf, Tennis, Literatur, Kunstsammlung. (J.F.)

Profous Alexander

B.: Säckler FN.: Profous Lederbekleidungsschneiderei. DA.: 1180 Wien, Währinger Gürtel 77; 1090 Wien, Alserbachstr. 24. PA.: 1180 Wien, Eckperg. 11. G.: Wien, 1. Apr. 1967. V.: Brigitte. Ki.: Anna. El.: Hubert u. Christine. S.: VS, Gymn., 1986 Berufsschule Lederwarenerzeuger (Seckler). K.: 1989 elterl. Betrieb (Reithosen f. Span. Hofreitschule), Hirschleder gebleicht, 1992 Mstr.-Prüf. H.: Sport. (H.S.)

Prohaska Herbert

B.: Teamtrainer d. Österr. Nationalmannschaft, Kfz-Mechaniker. DA.: 1020 Wien, Meiereistraße. G.: Wien, 8. Aug. 1955. V.: Elisabeth, 2 Töchter. S.: Pflichtschule, Kfz-Mechanikerlehre. K.: Spieler b. Ostbahn XI, Vorwärts XI, FK Austria Wien, Inter Mailand, AS Roma, 1989 Manager, 1990-92 Sportl. Ltr. b. Austria Wien, 1992 Meister u. Cupsieger, Juni 1992 Rückstritt, Teamtrainer U21, 1993 Teamtrainer Österr. Nationalmannsch. (Nachfolger v. Ernst Happel), dreifacher Österr. Fußballer d. J. H.: Familie, Trabrennsport.

Prodinger Hermann

B.: Vorst. FN.: 1. Lungauer Bergbahnen GmbH & Co KG. DA.: 5570 Mautendorf, Stampf 32. G.: Mautendorf, 1. Okt. 1944. V.: Anneliese, geb. Pritz. Ki.: Hermann (1974), Maria (1976), Inge (1978). El.: Alois u. Maria. S.: VS, Gewerbeschule, Mechanikerausbild. Sbg., 1963 Prüf., 1964 BH. K.: 1965 Installationsgeschäft m. Bruder in Mautendorf, 1965-72 Tankstelle, 1979 Gschf. Bergbahnen, seit 1994 Vorst., b. 1993 GemR., über 20 J. Bürgermusikkapelle Mautendorf. H.: ldw., Fußball, Bergsteigen, Skifahren, Literatur. (M.H.)

Proisl Hubert Ing.

B.: Gschf. FN.: Italimpianti Industrieanlagen GmbH. DA.: 1040 Wien, Weyringerg. 35. PA.: 2352 Gumpoldskirchen, Gartenweg 8. G.: Traisen, 4. Apr. 1945. V.: Marlene, geb. Schindler. Ki.: Petra (1967), Dagmar (1968), Klaus (1981). El.: Ernst u. Berta. S.: b. 1965 HTL Mödling Maschinenbau, Matura. K.: 1966-82 Fa. Aichelin Mödling Ind.Ofenbau, 1982-86 Gschf. Amsler Morton, seit 1986 Gschf. Italimpianti, spez. Ind.-Anlagen, Ind.-Ofen, 1990 Managementdel. in Prag b. EAST MEETS WEST. H.: Weinbau. (J.E.)

Prokop Gunnar Prof.

B.: Gschf. u. Internatsltr. FN.: Sport-Leistungsmodell Südstadt. GT.: Klubmanager v. Handballklub Hypo-Südstadt. DA.: 2346 Südstadt, Johann-Steinböck-Str. 5. PA.: 2346 Südstadt, Donaustr. 24. G.: St. Pölten, 11. Juli 1940. V.: Liese, geb. Sykora. Ki.: Karin (1966), Gunnar (1970), Eric (1979). El.: Ludwig u. Maria. S.: RG-Matura, Dipl.-Sportlehrer. K.: Trainer, Leichtathletik - Olymp. Spiele 2. Pl., 6x Weltrekord, Handball - 3x Europacupsieger, Olympia 6. u. 5. Platz.

Prokop Liese

B.: Landeshauptmannstellv. v. NÖ. DA.: 1014 Wien, Herreng. 11. PA.: 2344 Südstadt, Donaustr. 24. G.: Wien, 27. März 1941. V.: Gunnar Prokop. Ki.: Karin, Gunnar, Erik. El.: Hans u. Apollonia Sykora. BV.: Vater: Bez.-Hauptmann v. Tulln. S.: Matura, 8 Sem. Biologie u. Leibeserz. K.: 50fache österr. Leichtathletikstaatsmstr., ak. Weltmstr. in Tokio 1967, olymp. Silbermed.-Gewinnerin 1968 in Mexiko, 1969 Europamstr. in Athen u. Fünfkampfweltrekordlerin, seit 1969 Abg. z. NÖ Landtag, seit 1981 Mtgl. d. NÖ LReg. M.: ÖVP Landesobmannstellv., AAB-LObm.-Stellv., Mtgl. d. Wohnbauförd.-BeiR., LSchulR. f. NÖ. H.: Familie, Sport. (J.S.)

Prokop Heinz

B.: gschf. Ges., Ind.Kfm. PA.: 3133 Traismauer, Kremser Str. 53. G.: Wien, 16. März 1931. V.: Eva-Maria, geb. Waldl. Ki.: Heinrich Stefan, Eva-Maria. El.: KommR. DDr. Fritz u. Elisabeth. S.: HAK, 4 Sem. Jus an d. Univ. Wien, Dt. Müller-Schule in Braunschweig, abgeschl. Berufsausbild. als Ind.Kfm. u. Müllermstr. K.: nach d. Praxiszeit in anderen Industriemühlen 1954 Eintritt in d. Kunstmühle R. Gutscher OHG Traismauer, 1961 Prok. u. techn. Ltg., 1973 Eintritt als einziger Kompl. in d. R. Gutscher KG u. alleiniger gschf. Ges. F.: Kompl. d. R. Gutscher KG. E.: Silb. Verd.Med. d. Österr. Gen.Verb. M.: Vorst.Mtgl. d. Mehl-Union Wien, Vorst.Mtgl. d. Verb. d. Mühlenindustrie, Schiedsrichter an d. Börse f. ldw. Produkte. (Kern)

Prokop Ludwig Univ. Prof. Dr. med. Dr. phil.

B.: Dir. FN.: Österr. Inst. f. Sportmed. DA.: 1150 Wien, Auf der Schmelz 6. PA.: 1090 Wien, Koling. 6/34. G.: St. Pölten, 6. Aug. 1920. V.: Erika geb. Fleischmann. Ki.: Eva (1959), Ilse (1961), Klaus (1964). El.: Dr. med. Ludwig u. Elfriede, geb. Worbs. S.: Human. Gymn., 1938 Matura, Med.-Stud., 1944 Prom. Breslau, Stud. d. Psych. u. Anthropologie a. d. Univ. Wien, 1993 Prom. Dr. phil. K.: UHK Prof. Böhler Wien, a. 1946 Ass. Inst. f. Leibeserziehung, Ltr. d. sportphysiolog. Abt., 1953 Habil., 1959 a. o. Prof., 1974 o. Univ.-Prof. f. Sportphysiologie u. Vorst. d. Inst. f. Sportwiss. d. Univ. Wien, s. 1970 gleichzeitig Dir. d. Österr. Inst. f. Sportmed., 1978/81 Dekan u. 1982/84 Prodekan d. Grund- u. Integrativwiss. Fak. d. Univ. Wien. BL.: mehrfacher österr. u. dt. Mstr. i. Schwimmen, Fechten u. Modernem Fünfkampf, 1994 "Weltrekord" z. 23. Mal Teiln. a. Olympischen Spielen, 1994 f. d. Dopingkontrollen zuständig. P.: über 600 Publ. i. 9 Sprachen, davon 29 i. Buchform u. 83 experimentelle Arb. z. Sportmed. Themen: Leistungssteigerung, Kreislauf, Ernährung, Doping, vegetatives System, Versehrtensport, Massage. E.: 1977 Philipp Noel Baker Research price, 1979 EK f. Kunst u. Wiss., 1. Kl., 1989 Gr. Silb. EZ, 1964 Gold. EZ, 1984 Gold. EZ d. Stadt Wien, 1987 Olympiaorden. M.: b. 1980 Präs. d. Int. Sportärzteverb., Mtgl. d. Österr. Olymp. Comites u. d. med. Kmsn. d. Int. Olymp. Comites, EuropaR., WHO, FIS, IAAF, UIBMP, LIHG. H.: Fotografieren, Briefmarken. (J.S.)

Prokop Peter Dkfm.

B.: Kfm. FN.: Einrichtungshaus Neues Wohnen. DA.: 1010 Wien, Hoher Markt 12. PA.: 1220 Wien, Stadlauer Str. 31. G.: Wien, 3. Okt. 1940. V.: Dagmar, geb. Kindl. Ki.: Tina, Alexander. El.: Friedrich u. Maria. S.: Kalksburg, 1958 Matura, 5 Sem. Stud. Welthdl. Wien, 4 Sem. WH St. Gallen, 1963 Dipl. K.: selbst. Vertretungen, 1967 Geschäftseröff. Einrichtungshaus Neues Wohnen, Spezialgeschäft f. ital. Möbel, Designmöbel, 1972 u. 1975 Umbau. BL.: Einrichtung f. Dion.Etage d. Flughafenges. M.: Alt Kalksburger Wirtschaftsbund.

Prokop Rudolf Kurt

B.: Gschf. kfm. Bereich. FN.: Rema-Commerz Hdls. GmbH & Co KG. DA.: 1160 Wien, Wilhelminenstr. 93A. PA.: 2231 Strass, Wirtschaftsweg 22-24. G.: Wien, 20. Dez. 1933. V.: Maria, geb. Bauer. El.: Josef u. Elisabeth, geb. Hammerl. S.: Kunststofftechniker. K.: 1962-64 Entwicklungstechniker b. Anger Kunststoffmaschinenbau, 1964-66 Betriebsltr. b. Hille GmbH, 1966-69 Verkaufsltr. b. Rank Xerox, 1969-75 Produkt- u. Sales-Manager f. Österr. b. Singer Computerges., 1975 Grdg. Rema-Comerz, 1986 Grdg. PC-Profis - Ver. v. IBM-Händler in Österr. BL.: 1978 Beginn d. Verkaufs v. Personal-Copmuters erstmal in Österr. E.: jährl. Ausz. v. IMB f. bes. Leistungen, 1991 Quality Dealer of the Year. H.: Jagd, Skifahren, Bergsteigen. (N.A.)

Prokopetz Josef

B.: Autor. GT.: VPräs. d. Österr. Urheberrechtsges. AUSTROMECHANA. DA. u. PA.: 1070 Wien, Halbg. 19/14. G.: Wien, 13. März 1952. El.: Johann u. Eugene. S.: Mittelschulabgang. K.: freischaff. Autor, 1969 "Da Hofa war's", viele Texte f. Wolfgang Ambross, Musical "Faustling", Musical "Der Watzmann ruft", Codo Ich düse im Sauseschritt, "Taxi", "Sind Sie Single", Sendung: "Pop Aye", Präsentator d. FS-Sendung Checkpoint, ab 1988 Show-Biz-Quiz, Erfinder d. Puntigamer Werbung. F.: Mitinh. m. Dr. Karl Martschitsch d. Fa. "Der Plan". (N.A.)

Prokopp Helga Dr. iur.

B.: RA. DA.: 1010 Wien, Auerspergstr. 2/4. G.: Wien, 19. März 1933. El.: Dr. Sigurd (Chefchemiker, Gen.-Dir.) u. Friederike (Mathematikerin). S.: RG, 1951 Matura, Max Reinhardt Seminar f. Regie u. Schauspiel, 1953 Abschlußprüf., ab 1956 Jusstud. Univ.Wien, 1963 Prom. K.: 1963-72 RA-Kzl. Dr. Stern als RA-Konzipientin, 1971 RA-Prüf., seit 1972 selbst. RA, zunächst Kzl. Wien I., Volksgartenstr., seit 1978 Wien I., Auerspergstr. Künstl. Laufbahn: 1953-54 Münchner Kammerspiele als Schauspielerin, 1954 Theater a. Parkring (Regie), 1954 Volkstheater, Theater im Palais Esterhazy (Schauspiel), 1955 Theatertournee m. d. Österr. Länderbühne (Deutschland, Schweiz, Südtirol, Österreich). M.: zugel. b. Court d' Europe - Europ. Gerichtshof. H.: Golfspielen, Reisen, Musik, Theater, Lesen. (C.K.)

Proksch Emil Dr. Univ.-Prof.

B.: Ltr. d. Inst. f. Chemie im Österr. Forschungszentrum Seibersdorf. A.: 1100 Wien, Laaerbergstr. 38/9/24. G.: Salzburg, 18. Juli 1932. V.: Brigitta, geb. Mainx. El.: Emil u. Anna. S.: VS, Mittelschule in Sbg., 1950-58 Stud. d. techn. Chemie an d. TU Wien, 5.7.58 Prom z. Dr. d. techn. Wiss. K.: 1955-58 wiss. Hilfskraft bzw. HS-Ass. am Inst. f. Verfahrenstechnik u. Technologie d. Brennstoffe d. TU Wien. Seit 1.11.1958 Mitarb. d. Österr. Forschungszentrums Seibersdorf GmbH (früher: Österr. Studienges. f. Atomenergie GmbH), seit 1.1.1973 als Ltr. d. Inst. f. Chemie im Forschungszentrum Seibersdorf. Seit 15.7.1969 Univ.Doz. f. Strahlenchemie an d. TU Wien, seit 12.10.1973 titl.a.o.Univ.-Prof. P.: 106 wiss. Publ. u. 16 Patente, vor allem auf d. Gebiet d. Strahlenchemie. E.: Österr. Ehrenkreuz f. Wiss. u. Kunst (1981). M.: Ver. Österr. Chemiker, Chemisch-Physikal. Ges., Österr. Kerntechn. Ges., Dt. Bunsen-Ges. f. Physikal. Chemie, Ges. f. Energiewesen.

Pröll Erich

B.: AmtsR. im Natur- u. Völkerkundereferat d. Museum Nordico. GT.: Inh. u. Produzent EP-Filmproduktion 4020 Linz, Holzheimerstr. 11, Produzent v. Filmen im Tier- u. Naturbereich. DA.: 4020 Linz, Bethlehemstr. 7/3. PA.: 4020 Linz, Holzheimerstr. 11. G.: Linz, 9. Sept. 1949. V.: Maria, geb. Töpfer. Ki.: Dieter (1984). El.: Franz u. Maria. S.: 1969 Matura AMS Linz. K.: seit 1964 am Mag. tätig, seit 1976 Tätigkeit im Stadtmuseum Nordico, 1981 Grdg. einer eigenen Filmproduktion. P.: ca. 36 Dokumentarfilme, Natur- u.

Tierfilme, Vortragstourneen, lfd. Beiträge f. Österreichbild am Samstag u. Sonntag, lfd. Berichte über Reisen in Kronen-Zeitung u. Nachrichten, Art. u. Bilder über Reisen in Illustrierten z.B. Quick, Stern, Bunte, Lebendiges Linz, wichtigsten Filme: 4-teilige Fernsehserie "Yin-Yang-Abenteuer in China", "Über d. Regenbogen", "Eingang in d. Unterwelt", "Cowboys u. Krokodile", 15-teilige Serie "Reise ins Abenteuer". E.: viele Ausz. M.: Tauchclub, Paragleiterclub, Skiclub. H.: Tauchen, Paragleiten, Skifahren, Reisen, Filmen. (U.E.)

Pröll Erwin Dr. Dipl.-Ing.

B.: LHptm. v. NÖ. DA.: 1010 Wien, Herrengasse. PA.: 3710 Ziersdorf, Radlbrunn 93. G.: Radlbrunn, 24. Dez. 1946. V.: Elisabeth, geb. Terebesy. Ki.: Bernard (1971), Astrid (1972), Stefan (1979), Andreas (1981). El.: Josef u. Theresia. S.: Matura, BH, Stud. d. Bdk., 1971 Dipl.-Ing. K.: 1972 wirtschaftspolit. Ref. in d. Bauernbundzentrale, Ortsbauernrat, 1979 Bauernbundkandidat f. d. NatR., 1980 Landesrat u. 1981 LHptm.-Stellv. d. NÖ LReg., s. 1992 LHptm. v. NÖ. H.: Bergwandern, Skifahren, Familie, Tennis, Fußball.

Pröll Horst Dr. iur. HofR

B.: Vorst. d. Finanzamt Krems. DA.: 3500 Krems, Kasernstr. 3. G.: Baden, 23. Sept. 1939. V.: Heidrun, geb. Mehrl. Ki.: Martin, Katrin. El.: Rudolf u. Hilde. S.: Stiftsgymn. Admont, Matura 1957, Hum. Gymn., Jusstud. an d. Univ. Wien. K.: 1962 Prom., 1963 Eintritt in d. Finanzverw., Ausbild. b. Finanzamt Wien I, 1965 Prüf. f. d. Höheren Finanzamtdienst, Finanzamt Gänserndorf, Finanzamt f. d. 8., 16. u. 17. Bez. in Wien, Finanzamt f. d. 2., 20., 21. u. 22 Bez. in Wien, 1983 Vorst. v. Finanzamt Krems. E., 1984 HofR. H.: Fußball, Bergwandern, Schwimmen. (Kern)

Promberger Alois Dipl.-KH-Betriebsw. WOAmtsR.

B.: Verw.-Dir. FN.: LKH Gmundnerberg in Altmünster. DA.: 4813 Altmünster, Gmundnerberg 82. PA.: 4802 Ebensee, Almhausstr. 45a. G.: Ebensee, 6. Mai 1940. V.: Renate, geb. Ernst. Ki.: Ingrid, Peter, Regina. El.: Alois u. Antonia. S.: HASCH Vöcklabruck, 1956-65 BH Gmunden in allen Fachbereichen, b. 1974 LKH Buchberg in Traun-kirchen, 1969 Beamtenmatura, Verwaltungsprüf. B 1970, ab 1969 Stellv. Verw.-Dir. Gmundnerberg, seit 1976 Verw.-Dir., seit 1/83 WOAmtsR., 1989-92 Ausbild. zum Dipl.-KH-Betriebswirt, seit 1967 kommunalpol. in Ebensee tätig, seit 1991 Gemeinderat, Ortsvertr. im landwirtsch. Bereich, tätig am Sozial- u. Schiedsgericht. M.: Grundverkehrskmsn. Bad Ischl sowie weitere zahlr. Mitgliedschaften. H.: eig. Landwirtschaft, Bergsteigen, Schisport. (P.H.)

Promintzer Johann Dr.

B.: Gschf. FN.: Kässbohrer Austria Fahrzeugwerke GmbH. DA.: 5020 Salzburg, Peter-Pfenninger-Str. 26. G.: 13. Jan. 1947.

Prommer Josef

B.: Bgm. d. Stadt Zeltweg. A.: 8740 Zeltweg, Höhenstr. 12. G.: Gotsbach/Knittelfeld, 2. Dez. 1930. V.: Katharina, geb. Pammer. El.: Josef u. Anna. K.: 1955-59 Heimltr. d. Berufsschule "Jugend am Werk", seit 1959 Außenstellenltr. d. Stmk. Gebietskrankenkasse Knittelfeld, GemR., ab 1970 VBgm., seit 1971 Bgm. M.: Obm. d. Ver. Sportzentrum, Ver. Volksheim, Ortsstellenltr. d. Österr. Roten Kreuzes Zeltweg, Vorst.Mtgl. d. Sparkasse Knittelfeld, Stadtparteiobm. d SPÖ Zeltweg, Mtgl. d. Berg- u. Naturwacht Stmk., d. Touristenver. "Die Naturfreunde", d. Österr. Kameradschaftsbund, d. Arb.Gesangsver. "Stahlklang" u.a.

Promussas Stergios Dr.

B.: Tierarzt. DA.: 2440 Gramatneusiedl, Feldg. 14. G.: Ganochora (GR), 26. Jan. 1935. Ki.: Irene (1968), Theodora (1970). El.: Dimitrios u. Kyriaki. S.: Gymn. Katerini GR, 1955-62 Stud. Vet.-Med. Univ. Wien. K.: 1964-69 Ass. Univ. Wien, Vet.-Med., 1971 Eröffn. d. Praxis. E.: 1992 Vet.-Rat Verd.-Kreuz d. Gem. in Bronze. M.: Griech. Ges., Feuerwehr, Lds.-Kammer d. NÖ-Tierärzte. H.: Reiten, Fotographie. (T.T.)

Prónay Christian Dipl.-Ing.

B.: Gschf. u. künstler. Ltr. d. Theaterver. Wien, Theater im Künstlerhaus, Theater im Konzerthaus. DA.: 1010 Wien, Karlspl. 5, 1030 Wien, Lothringerstr. 20. PA.: 1180 Wien, Edmund-Weiß-G. 7/6. G.: Wien, 24. Apr. 1949. El.: Dr. Felix u. Dr. Maria. S.: 1967 Matura, Stud. Nachrichtentechnik u. ab 1971 Informatik TU Wien, 1975 Dipl. K.: während d. Stud. Skilehrer in Alpbach, Projektltr. f. d. Polydata GmbH an mehreren EDV-Projekten, Kons. f. d. Eco GmbH & Co KG, ab 1978 wiss. Ass. an d. TU Wien m. Schwerpunkt Erkenntnistheorie, Mitarb. am Projekt "Menschengerechte Arbeitswelt", 1981-83 Entwicklung Prozesstechnik Schrack-Elektronik AG, neben d. Tätigkeit b. d. Firma Schrack schauspieler. Tätigkeit als Clown, 1984 u. 1985 freiberufl. tätig f. Pipelka Ing., 1985-88 Aufbau u. Ltg. Veranstaltungsbetriebes im Werkstätten- u. Kulturhaus, seit 1989 Gschf. d. Theaterver. Wien, administrative u. künstler. Ltg. d. Theaters im Künstlerhaus u. d. Theaters im Konzerthaus. H.: Sammlung v. Rechenmaschinen u. Computern, Skifahren. (J.S.)

Pronegg Josef

B.: Gschf., Kfm. FN.: JPA Analysentechnik Umweltmeßtechnik GmbH. DA.: 8055 Graz, Nordg. 9. PA.: 8055 Graz, Nordg. 9b. G.: Schloßberg, 20. Dez. 1949. V.: Irmgard, geb. Krist. Ki.: Daniel (1980), Wilfried (1982), Christoph (1984). El.: Erwin u. Josefa. S.: VS, HS, 1964-68 Chemielehre. K.: 1969-70 Galvanotechnik Stuttgart, 1973-75 Chemotechnik Wien, 1975 Firma Engelhard Edelmetalle u. Galvanisationsanlagen, 1976-78 kfm. Schule Wien, b. 1984 Produktmanager Kontron Hoffmann La Roche, seit 1986 selbst. P.: div. Fachzeitschriften, Forsch.-Magazine. M.: ÖWWV, Förderungsverb. d. Chemotechniker Graz. H.: Familie, Schwimmen, Squash, Skifahren, Bergwandern, Beruf. (R.S.)

Props Gerald Korpskdt.
B.: Ltr. d. Sekt. III im BMLV. DA.: 1141 Wien, Hütteldorferstr. 126. PA.: 3100 St. Pölten, Franz-Pichler-Str. 50. G.: Klagenfurt, 23. Juli 1938. V.: Gudrun, geb. Gschwendtner. Ki.: Elisabeth (1967), Regine (1970), Stefan (1986). El.: Valentin u. Rosa, geb. Tschernitz.S.: 1956 Matura Stiftsgymn. Seckau, 1 J. Stud. Forstwirtschaft BOKU, 1957 eingerückt Klagenfurt, 1961 Ausmusterung an d. Theresian. Militärak. Wr. Neustadt. K.: 1962-66 Lehroffz. an d. Heeresunteroffz.-Schule Enns, 1966-69 Absolvierung d. Generalstabskurses an d. Landesverteidigungsak. Wien, 196-76 2. Generalstabsoffz. u. Chef d. Stabes b. Kdo. d. 3. Panzergrenadierbrigade, 1976-85 Chef d. Stabes b. Militärkdo. NÖ, 1985-86 Ltr. d. Inspektion Versorgung im BMLV, 1987-92 Militärkdt. v. NÖ, seit 1992 Ltr. d. Sekt. III im BLVA. E.: mehrere Ausz. v. Bund u. Land. M.: Cartellverb. H.: Wandern, kulturelle Veranstaltungen, Geschichte, Archäologie. (N.A.)

Prorok Dietmar
B.: Bgm. v. Gänserndorf. DA.: 2230 Gänserndorf, Rathauspl. 1. PA.: 2230 Gänserndorf, Seeg. 5. G.: Gänserndorf, 2. Apr. 1941. V.: Franziska, geb. Strasser. Ki.: Wolfgang (1970), Christiane (1975). El.: Johann u. Rosina, geb. Gindl. S.: VS, Gymn., HASCH. K.: 1959-68 Tätigkeit b. d. Kam. f. Arb. u. Ang., 1968 Eintritt Pensionsvers.-Anst. d. Arb., seit 1988 Bgm. v. Gänserndorf. M.: Bez.-Obm. ARBÖ. H.: Skifahren, Radfahren, Bergwandern. (N.A.)

Prosch Karl Ing.
B.: Inh. d. protokollierten Druckerei Hawelka Satz-Druck-Repro. DA.: 1160 Wien, Seeböckg. 41. G.: Wien, 5. Apr. 1952. V.: Eva, geb. Hanzlik. Ki.: Eva (1982). El.: Karl u. Anna, geb. Künstler. S.: Graph. BLVA, 1972 Matura. K.: seit 1981 selbst. H.: Tennis, Skifahren. (N.A.)

Prosch Ralph E. Dr. Dkfm.
B.: Präs. A.: 1140 Wien, Hütteldorferstr. 351. G.: 28. Aug. 1922. V.: Prof. Dr. Ingeborg, geb. Brückl. El.: Engelbert u. Frances M. S.: Hum. Gymn., Ak. Gymn., HS f. Welthdl., Dipl. 1946, Doktorat d. HWiss. 1947. K.: 1949-59 gew. Gschf. b. Bunge y Born Lda Buenos Aires in Wien, 1959-61 Fin.Dir. d. Honeywell Austria Wien, 1962-76 Gen.-Dir. d. Honeywell Austria GmbH Wien, seit 1976 Präs. d. AufsR. d. Honeywell Austria, seit 1985 Ehrenpräs. d. Honeywell Austria GmbH. P.: Div. Art. in Zeitungen, Zeitschriften ua. E.: Gold. EZ d. Rep. Österr., Gr. EZ d. Rep. Österr.

Proskar Jan Dkfm.
B.: Mtgl. d. Vorst. d. Standard Chartered Bank Austria AG. DA.: 1010 Wien, Kärntnerring 10. PA.: 2344 Maria Enzersdorf, Wienerbruckstr. 19. G.: Kattowitz, 23. Mai 1931. V.: Rita, geb. Austin. Ki.: Danielle, Christian. El.: Hans u. Maria. S.: Gymn. in d. Kriegszeit in Polen, 1949 Matura in Wien, HS f. Welthdl., 1953 Abschluß u. kfm. Diplom. K.: Amerikan. Armee (Versorgungseinheit), Besatzungstruppe, anschl. Halleiner Motorenwke., Tari Vertriebsges., Braunau, 1957 b. Fa. Winter AG, Wien gearbeitet, Brennstoffhdls.Fa., 1963 Vorst.Mtgl., 1966 Gschf. in einigen Fa. d. Montana-Konzerns, 1968 Bank Gebr. Gutmann, 1971-84 Vorst.Mtgl. d. Bank, seit 1984 Vorst.Mtgl. d. Standard Chartered Bank. E.: Silb. EZ f. Verd. um d. Rep. Österr. H.: Tennis. (E.L.)

Prosoroff Georg Dipl.-Ing.
B.: Gutsbesitzer. A.: 2285 Leopoldsdorf im Marchfeld, Hauptstr. 14. G.: Wien, 1. Mai 1942. V.: Isabella, geb. Tinti. El.: Prosoroff Alexis v. Freiherr v. Wettberg u. Maria. S.: Schottengymn., HS f. Bdk. K.: Ltg. d. Fam.Betr. M.: Vorst.Mtgl. d. Wr. Molkerei, Mtgl. d. Vorst. d. ZEG.

Prosser Heinz

B.: Immobilienverwalter. DA u. PA.: 1030 Wien, Neulingg. 23. G.: Wien, 26. Jän. 1943. Ki.: Daniela. El.: Franz u. Thersia. S.: Ausb. z. Ind.-Kfm., 1963 Eintritt i. väterl. Hausverwaltung, Konzessionsprüf. z. Immobilienverwalter. K.: s. 1979 selbst. H.: Segeln, Tennis. (L.Sch.)

Prosser Otto Dipl.-Ing. SenR.
B.: Bmtr. d. Stadt Wien. DA.: 1050 Wien, Einsiedlerg. 2. PA.: 1180 Wien, Peter-Jordan-Str. 81/2/17. G.: Wien, 23. Nov. 1935. V.: Ingeborg, geb. Hummelberger. Ki.: Georg, Ilse. El.: Ferdinand u. Margaretha. S.: Realschule, 1953 Matura, TU Dipl. 1964. K.: 1965 Eintritt Stadt Wien, 3 Abt. durchlaufen, ab 1972 MA 48 Ltr. d. Straßenreinigung, ab 1981 Ltr. d. MA 48. M.: Österr. Vertreter im Vorst. d. ISWA, Vors. eines Aussch. d. Österr. Städtebds. f. Stadtreinigung u. Abfallbeseitigung. H.: Aquarium, Grafiken. (Erh.)

Prossinagg Hermann Dipl.-Ing. SenR. i.R.
B.: Pensionist. A.: 1140 Wien, Alois-Behr-Str. 22/3/8. G.: Cetatea Alba/Akkerman, Rumänien, 31. Jan. 1926. V.: Hedwig, geb. Müller. El.: Karl Kapitän z.S. u. Elfriede. S.: 4 Kl. dt. VS in Constanta, Rumänien, 4 Kl. Lyzeum in Constanta, Rumänien, 4 Kl. Theresianum, Wien, Univ. f. Bdk. in Wien, forstwirt. Fak. K.: 1950-58 im Holzgewerbe u. Holzind., ab 1958 Forstamt d. Stadt Wien, 1958-61 zugeteilter Ing. in d. Lobau-Ödlandaufforstung Laaerberg, 1961-62 zugeteiler Ing. in Wildalpen/Stmk., 1962-66 Forstwirtschaftsführer in Naßwald/Rax. 1966-70 Forstwirtschaftsführer in Stixenstein/NÖ, 1970-81 Forstdir. in Wien, Referent f. Holzverkäufe, Jagd, Fischerei, ab 1982 Stellv. Forstdir. z. bisherigen Referat Allg. forstl. Angelegenheiten (forstl. Bringungswesen), ab 1988 in Pension. P.: lfd. div. Fachart., bes. im "Österr. Weidwerk", "Allg. Forstzeitung", "Umweltschutz" u. "Intern. Holzmarkt" über d. Themen-kreise Jagd, Jagdethik, forstl. Bringungswesen, Forstschutz u. Umweltschutz. M.: Conseil Intern. de la Chasse et de la Conservation du Gibier, Experte f. Müffelwild, gerichtl. beeid. Sachv. f. d. Jagdwesen, Commission Intern. pour la Protection des Alpes, Zentralstelle österr. LJagdverb. H.: Malen, Fotographieren.

Prost Manfred Dipl.-Ing. Prof.

B.: Ziviling. f. Maschinenbau, gerichtl. beeideter Sachverständiger, Prof. a. d. HTBLA Eisenstadt, Lenkerprüfer u. Kfz-Sachverständiger am Amt d. Burgenländ. Landesreg. DA.: 7201 Mattersburg, Hauptstr. 37. PA.: 7201 Neudörfl, Homogensiedlung 2/3. G.: Strem/Bgld., 11. Jänner 1941. V.: Christa, geb. Wurmbrand. Ki.: Margot (1963), Rainer (1967), Angelika (1983). El.: Hof. Dr. Josef Prost Dir. d. Bundesrealgymn. Oberpullendorf. S.: VS, RG Mattersburg, Stud. Maschi-

nenbau TU Wien. K.: 1966-68 Entwickllungsabt. d. Schöller-Bleckmann-Werke, Ternitz, 1969-70 Kursreferent im WIFI d. Handelskammer Eisenstadt, 1970-78 Techn. Betriebsltr. d. Österr. Homogen in Neudörfl, 1978-81 Automobilia Wr. Neustadt, s. 1981 Unterricht a. d. HTL Eisenstadt, s. 1982 selbst. m. eig. Kanzlei, s. 1982 gerichtl. beeideter Sachverst. M.: Ingenieurkammer Wien, NÖ u. Bgld, Vereinigung d. Sachverständigen, Mtgl. d. Vorstandes d. Fremdenverkehrs- u. Verschönerungsverines Mattersburg, Mtgl. d. Vorstands d. VHS Mattersburg. H.: Radfahren, Bergwandern, Jagd, Lesen, Sammeln u. Restaurieren v. alten Uhren. (F.S.)

Proszowski Peter Dr. Prim.
B.: FA f. Radiologie. GT.: Vorst. d. Zentralröntgeninst. d. PH Lainz, Führung einer Röntgenordination in Wien. DA.: 1090 Wien, Schwarzspanierstr. 15/1/4. PA.: 1130 Wien, Maxingstr. 60/3. G.: Wien, 6. Juli 1951. Ki.: Philipp. El.: Dir. Prim. Dr. Erich u. Margarete. S.: VS, Mittelschule, Maturaschule Roland, Stud. d. Med., 1974 Prom., Ausbild. z. FA im Kaiser Franz Josef Spital unter Prof. Brezina. K.: OA am Zentralröntgeninst. d. PH Lainz, seit 1985 Vorst. d. Zentralröntgeninst. d. PH Lainz. P.: Beiträge in Fachzeitschriften, Ultraschall u. Untersuchungsmethoden im Verdauungstrakt. E.: Silb. Ehrennadel v. Roten Kreuz. M.: Ärztekam. H.: Videografieren, Fotografieren, Musik. (E.L.)

Provasnek Anton

B.: Inh., Steinmetzmstr. GT.: allg. beeid. gerichtl. Sachv., Landesinnungsmstr.-Stellv. DA.: 8010 Graz, Pauluzzig. 8. PA.: 8010 Graz, Rauchleitnerstr. 35. G.: Apatin/Jugoslawien, 10. Jän. 1937. V.: Wilma, geb. Ivants. Ki.: Anton (1953), Paul (1959), Eva (1968). El.: Josef u. Katharina. S.: Berufsschule, Mstr.-Schule Steinmetz Graz. K.: 10 J. Betriebsltr. b. Firma Mörz Graz, seit 1978 selbst. H.: Laufen, Fischen, Gymnastik, Radfahren, Bergwandern. (R.S.)

Prowaznik Bruno Dr. Prof.
B.: Mittelschulprof., EDV-Berater, Buchautor. DA. u. PA.: 1160 Wien, Roterdstr. 68/2. G.: Wien, 29. Febr. 1932. Ki.: Stephan (1968), Michael (1976). El.: Franz u. Anna. S.: Grundschule, AHS, Stud. d. Musikwiss. Wien u. Graz, 1961 Abschluß. K.: Lehrbeauftragter f. Musikgeschichte am Konservatorium Wien, Autor u. Präsentator v. Schulfunk- u. Fernsehsendungen, 1965-72 freier Mitarb. b. ORF, 1965 Grdg. d. Schallplattenclubs d. Jugend, musikwiss. Studien in Uppsala/Schweden, ab 1984 Stud. d. Informatik, 1982-87 gschf. Gen.Sekr. d. Schallplattenclub d. Jugend, ab 1987 EDV-Berater b. VOWA, Mitarb. b. Lehrerfortbild., 1990 EDV-Experte im LSchulrat f. NÖ, 1992 Prom. z. Dr. phil. P.: einführende Gesamtaufnahme v. Nestroys "Talismann" 1972, Coautor v. zahlr. EDV-Werken, 1987 "Logo", 1988 "Wie kaufe ich einen Computer", Schallplatten: Kleine Stücke großer Meister, Es liegt ein Schloß in Österr., Grimm Märchen 1 u. 2. E.: 1966 Berufstitel Prof. H.: Segeln, Surfen, Reiten.

Proyer Christian
B.: Gschf. FN.: Hegyessy GmbH Hard- u. Software, Kassen, Büromaschinen, Electronic u. Computerservice. GT.: Erstellung v. Software. DA.: 1080 Wien, Alserstr. 41. PA.: 1020 Wien, Gabelsbergerg. 6. G.: Wien, 24. Okt. 1961. V.: Romana, geb. Gerdina. El.: Josef u. Maria. S.: Programmierschule. K.: ÖGB Rechenzentrum, Erstellung v. Programmen, danach zu Dataservice, Auslandsaufenthalt BASF, ab 1984 wieder in Österr, Arb. am PC-Sektor, seit 1985 selbst. Übernahme eines d. ältesten Büromaschinengeschäfte in Wien. H.: Modellbau. (P.R.)

Proyer Hermann Dipl.-Ing. TechnR.
B.: Bmstr. DA.: 4400 Steyr, Ferdinand-Porsche-Str. 7. PA.: 4400 Steyr, Schlüßlmayrstr. 60. G.: Neuhofen, 15. Febr. 1927. V.: Ing. Ingeborg, geb. Zwettler. Ki.: Christoph, Hermann, Ingeborg-Birgit, Imma-Maria. El.: Johann u. Franziska. S.: VS, HS, HTL, 1946 Matura, HS Wien, 1951 Dipl.-Ing. K.: 1954 Bmstr.Prüf., 1951 Eintritt in d. Fa. Zwettler als Gschf., 1954 Grdg. d. Abt. Tiefbau u. Schwarzdeckenbau, 1965 Grdg. d. Steyrer Kies-Transportbetonwerk, 1966 Stahlbeton-Fertigteilbau (Febau), 1978 Grdg. d. Asphaltlieferwerk Leibnitz, 1983 TechnR., 1962-75 Kam.Aussch.Mtgl., ab 1971 Mtgl. d. Diözesan-Bautenkomitee Linz. H.: Tonfilm, Segeln. (Bau.)

Proyer Karin Dipl.-Ing.

B.: Arch., staatl. befugter u. beeid. Ziviling. DA.: 4400 Steyr, Ortskai 4. G.: Salzburg, 13. Sept. 1955. Ki.: Jakob (1977), Anna (1982), Caroline Leonie (1992). El.: Alois u. Anna Harauer. S.: VS, Gymn., 1973 Matura, 1973-81 Stud. Graz. K.: 1973-81 während d. Stud. Realisierung v. versch. Möbel- u. Inneneinrichtungsentwürfen, zusätzl. Besuch d. Kunstgewerbeschule: Textilklasse, ab 1981 Univ.-Ass. TU Graz, 1982-86 gem. Arbeit m. Ehemann Dipl.-Ing. Hermann J. Proyer in Mittelamerika, Costa Rica, 1986-89 Ltg. d. Planungsabt. Baufirma Zwettler, seit 1989 eigenes Arch.-Büro in Steyr. P.: seit 1989 Ausstell. v. realisierten Möbelentwürfen u. Arch.-Projekten, Veröff. in Fach- u. Tageszeitungen, fallweise Vortragstätigk. in Schulen z. Thema "Mod. Arch.". E.: 1981 Ehrenpreis d. Österr. Stahlbauind. M.: seit 1992 VPräs. d. Steyrer Kunstver. H.: Familie, mod. Literatur, Tennis, Reisen. (U.A.)

Prucker Manfred Dipl.-Ing.
B.: Gschf. FN.: "Rechenzentrum West GmbH". DA.: 6130 Schwaz, Münchner Str. 17. G.: Innsbruck, 16. März 1940. V.: Sigrid, geb. Schneidewind. S.: 1958 Matura am Gymn. Kufstein, 1969 Dipl. an d. TH Wien. K.: Siemens München, Auslandstätigkeit u.a. Mexiko, 1980 Eintritt ins Rechenzentrum West, z.Z. Gschf. H.: Freizeitsport. (Schm.)

Prückl Elisabeth Mag.
B.: Firmeninh. FN.: Besau & Prückl Ges.m.b.H. DA. u. PA.: 1230 Wien, Zetscheg. 30. G.: Wien, 19. Dez. 1960. V.: Josef Prückl. Ki.: Felix, Tina. El.: Hans u. Leopoldine. S.: HAK, betriebswirt. Stud. a. d. Univ. Wien, 1987 Diplom. K.: 1988 Übern. d. väterl. Firma gemeinsam mit dem Gatten, Vertrieb

u. Marketing v. Lebensmittel. M.: Yogalehrerin u. Mtgl. im "Shivananda"-Yogazentrum. H.: Yoga, Reiten, Skifahren. (W.J.)

Pruckner Franz

B.: Bgm. v. Zwettl. DA.: 3910 Zwettl, Garteng. 3. PA.: 3931 Rieggers 7. G.: Rieggers, 28. Jan. 1935. V.: Margareta, geb. Weichselbraun. Ki.: Franz (1956), Melitta (1966). El.: Franz u. Maria, geb. Weber. S.: VS, HS, ldw. Fachausbild. K.: 1949 Lehre u. Mitarb. im elterl. Ldw.-Betrieb Rieggers, 1961 Übernahme d. Betriebes, Eintritt NÖ Bauernbund, 1960 KamR. d. Bez.-Bauernkam. Zwettl, 1965 Gschf. GemR. d. Gem. Rieggers, 1970 Bgm., 1971 Fusionierung d. Gem. Rieggers m. d. Gem. Zwettl, StadtR. d. Gem. Zwettl, 1975 VBgm., ab 1989 Bgm., seit 1975 Obm. d. Bez.-Bauernkam., Obm.-Stellv. d. NÖ Saatbaugen., Vorst.-Mtgl. d. Raiffeisenbank Zwettl. E.: 1991 ÖkR., Gold. EZ f. Verd. um d. Rep. Österr., Silb. EZ d. Bdl. NÖ. H.: Lesen. (M.M.)

Pruckner Helmut R.

B.: OInsp. FN.: Bank Austria AG, Service freie Berufe (österr.weit u. Nachbarstaaten). GT.: Vorst.-Mtgl. Marketingclub Österr. DA.: 1030 Wien, Vordere Zollamtsstr. 13. El.: Karl u. Anna. S.: Matura. K.: 1963 Eintritt in d. Zentralsparkasse u. Kommerzialbank, job-rotation, seit 1974 in d. Kommerzkundenabt., ab 1992 Experte f. freie Berufe. H.: Skifahren, Surfen, Bücher, Golf.;

Prüger Reinhold

B.: Bgm. d. Marktgem. Gurk, Ldw.. DA.: 9342 Gurk, Dr.-Schnerich-Str. 12. PA.: 9342 Gurk, Reichenhaus 13. G.: Gurk, 6. Sept. 1949. V.: Irene, geb. Steinwender. Ki.: Reinhold, Wolfgang. El.: Josef u. Johanna. BV.: Großonkel Josef Strauß Bgm. u. ÖkR. S.: VS, HS, Ldw. Fachschule in St. Georgen am Längsee. K.: 1969 Übernahme d. elterl. Ldw., ab 1970 in d. Ortspartei ÖVP mitgearb., 1971 Ortsparteistellv., 1980 Gem.Parteiobm., 1978 VBgm., seit 1987 Bgm. d. Marktgem. Gurk. P.: versch. Veröff. in Zeitungen u. Zeitschriften. M.: Bauernbund, Bez.Vorst. H.: Ldw., Reisen. (M.B.)

Prugger Hans

B.: Pfarrer. DA.: 6330 Kufstein, Sparchen 9. G.: Matrei/Brenner, 30. Jan. 1939. El.: Sebastian u. Marianne. BV.: Großonkel: Msgr. Georg Gatt (Domherr in d. Grabeskirche v. Jerusalem). S.: Gymn. d. Franziskaner in Hall, kfm. Lehre Buchhandl. Tyrolia in Ibk., Arbeitermittelschule. K.: 1960 Eintritt in d. Franziskanerorden, 6jähr. Stud. an d. Ordens-HS in Schwaz, 1965 Priesterweihe, s. 1981 Pfarrer in Kufstein-Sparchen. E.: GstlR. M.: MCV "Sternkorona" u.a. H.: Skifahren, Wandern, Bergsteigen, Reisen, Literatur. (W.G.)

Prugger Sepp OAmtsR. Ing.

B.: Sachgebietsltr. f. Brauchtums- u. Heimatpflege im Amt d. Ktn. LReg., Abt. Kultur. DA.: 9020 Klagenfurt, Karfreitstr. 1. PA.: 9020 Klagenfurt, Funderstr. 29. G.: Klagenfurt, 26. Nov. 1933. V.: Gerhild, geb. Taupe. Ki.: Gerhild (1961), Sepp (1963). BV.: Großonkel Rudolf Prugger: Dir. d. k.u.k. LKnabenerziehungsanst., Großonkel Paul Prugger: bek. Lehrer, Ehrenbürger d. Gem. Fresach. S.: ldw. Lehre u. Fachsch., Mittelschule, 1954 Matura, 1957 ldw. Lehramtsprüf. K.: 1955-60 ldw. Berufsschullehrer in d. Bez. Feldkirchen u. Völkermarkt, ab 1960 Ang. d. Ldw.Kam. (Landjugendref.), b. 1969 Ref. d. Lehrlings- u. Fachausbildungsstelle, ab 1983 Sachgebiets-Ltr. d. Sekr. f. Brauchtums- u. Heimatpflege, 1961-69 Vorst.Mtgl. d. Liga d. VN in Ktn., s. 1962 Vorst.Mtgl. d. Ulrichberggemeinsch. Ktn., 1962 Gründer u. seither Ltr. d. Bezirkschores in St. Veit/Glan, s. 1962 Vorst.Mtgl. d. Ktn. Kulturverb., 1964-70 Gschf. d. ländl. Reiter Ktns., 1969-78 BRO d. Ldw.-Kam., 1978-83 Gschf. d. ldw. Absolventenverb. f. Ktn., 1980 LBeauftr. f. d. 60-Jahr-Landesfeier, 1981 Obm. d. Ktn. Landsmannschaft. P.: Versch. Art. über Brauchtum. E.: Gold. EZ d. Rep. Österr., Gr. EZ d. Ktn. LReg., Gr. EZ d. Ulrichberggem., Gold. Med. f. Heimat u. Lied u.a. M.: Ehrenmtgl. d. Gottscheer Landsmannschaft, d. Grenzlandchores Hohenau/NÖ (Mitbegr. dieses Chores), Ehrenltr. d. Wulfenia-Chores in Klagenfurt. H.: Beruf, Gedichteschreiben. (D.M.)

Prugger Uwe

B.: Gschf. d. "Gourmet Menü-Service GmbH & Co KG". DA.: 3106 St. Pölten, Zdarskystr. 3. PA.: 3052 Innermanzing 138. G.: St. Pölten, 23. März 1943. Ki.: Thomas. El.: Josef u. Maria. K.: Abgeschl. kfm. Lehre, 1967 Eintritt in d. SPAR Österr. Warenhandels AG, verantwortl. f. Planung, Vertrieb, Einkauf, ab 1975 im Maresi-Konzern, vorerst als Verkaufsltr. d. 50%igen Tochter Gourmet Menü-Service, ab Ende 1976 Gschf. d. Gourmet Menü-Service GmbH. & Co. KG, 1983 Eröff. d. Neubaues (nach mod. hygien. Erkenntn. konzipiert). H.: Sport. (Kern)

Prukl Frithiof

B.: Gschf., Schlossermstr. FN.: W & F Metallbau GesmbH. GT.: Inh. Fa. Georg Wittek, Gschf. Ges. Fa. Bauelemente GmbH, Gschf. Ges. Fa. MSP-Metall- u. Stahlbauplanung GmbH. DA.: 2324 Rannersdorf, Zwölfaxingerstr. 21. PA.: 4313 Unterkirchbaum, Klammweg 4. G.: Wien, 28. Okt. 1944. V.: Monika, geb. Wiesinger. Ki.: Astrid (1966), Siegrid (1967). El.: Viktor u. Gertrude. S.: 1958-61 Berufslehre als Schlosser i. Wien, 1962 Gesellenprüf. K.: 1962-80 im Betrieb d. Großvaters G. Wittek gearb., 1966 Mstr.-Prüf. f. Schlosser, 1975 Mstr.-Prüf. f. Schweißwerkmstr., 1980 Übern. d. Betriebes G. Wittek i. Wien, 1989 Grdg. d. Fa. MSP GmbH, 1991 Grdg. d. Fa. Bauelemente HandelsgesmbH, 1993 Grdg. Fa. W & F Metallbau GesmbH. E.: Silb. EZ von d. Wr. Schlosserinnung. M.: Österr. Wirtschaftsbund, s. 1989 i. Ausschuß d. Wiener Schlosserinnung tätig. H.: Radfahren, Segeln, Garten, Bücher. (I.K.)

Prüller Franz Karl

B.: Koordinator d. Katastrophenhilfe. FN.: Österr. Caritas. DA.: 1010 Wien, Nibelungeng. 1. PA.: 1060 Wien, Magdalenenstr. 1. G.: Wien, 6. Dez. 1958. E.: Dipl.-Ing. Leo u. Theresia, geb. Waldstein-Wartenberg. S.: Gymn., 1978 Matuara, 6 Sem. Stud. a. d. Boku Wien, Int. Studies Webster Univ., 1986 B.A. K.: 1985 Mitarb. b. UNCSDHA i. Sekt. f. d. Int. Jahr d. Jugend, 1986-88 Mitarb. b. Int. Catholic Rural Ass. i. Rom, danach i. d. obenerwähnten Position. H.: Reitsport.

Prüller Heinz Peter

B.: Journalist. DA.: ORF, 1040 Wien, Argentinierstr. 30a. G.: Wien, 30. Apr. 1941. V.: Nora Frey. El.: Wilhelm u. Henriette, geb. Wagel. S.: VS Elisabethplatz, RG Stolberg., 1959 Matura. K.: ab d. 14. Lebensj. journalist. tätig, 1959-71 "Express", überträgt seit 1965 sämtliche Formel I Grand Prix-Rennen f. d. ORF-Fernsehen, seit 1972 auch Skirennen, später Leiter d. Sportressorts, 1972-76 "Kronen Zeitung", 1976-86 zusätzlich Chefredakteur d. "Ski- u. Tenniswelt", 1986 "Sport-Magazin", seit 1987 dort Chefredakteur, daneben ständig freier Mitarbeiter d. ORF (Radio u. FS), seit März 1989 Hauptabteilungs-Ltr. H3, ab 1995 Chefreporter Sport Hörfunk u. Fernsehen. P.: bisher rund 40 Sportbücher, Jahrbuchserie "Grand Prix Story" (seit 1971), Biographien über Jochen Rindt, Karl Schranz, Ernst Happel, usw. E.: Für "neue Wege i. d. Radio-Sportberichterstattung" 1992 mit d. "MEDIA WORLD SPORTS TROPHY". H.: Formel-1, Beruf u. Sport.

Prüller Leopold Dipl.-Ing. Prof.
B.: Pensionist. A.: 3261 Steinakirchen, Kaisitzberg 4. G.: Reinsberg/Scheibbs, 5. Nov. 1928. V.: Theresia, geb. Waldstein-Wartenberg. Ki.: Franz (1958), Monika (1959), Maria (1959), Michael (1961), Veronika (1965). El.: Franz u. Leopoldine. S.: RG, HS f. Bdk/Ldw. K.: 1952-53 Zentr.Sekr. d. Kath. LJugend Österr., 1953-56 BSekr. d. Kath. Jugend Österr., 1956-60 Gen.Sekr. d. Kath. Aktion Österr., Sekr. d. Kath. Männerbewegung Österr., 1961-88 Dir. d. Bildungshauses St. Hippolyt, frühere ehrenamtl. Funktionen: Vors. d. Österr. BJugendringes, Vors. d. Kath. Familienwerkes Österr., Vors. d. Kmsn. Ehe- u. Elternbild. d. Europ. Föderation f. kath. Erwachsenenbild., Vors. d. Arge d. Bildungsheime Österr., d. Kath. Aktion Österr., dzt. ehrenamtl. Funkt.: Präs. d. Intern. d. Kath. LOrgan. u.a. P.: "Dorf im Umbruch", "Ehe- u. Elternbildung in Österr.", mehrere Art. in Zeitschriften, Broschüren u. Büchern über Fam., Land, Erwachsenenbild u. Heimatgeschichte.E.: Silb. EZ d. Rep. Österr., Volksbildungspreis, Hans-Kudlich-Preis, Komturkreuz d. Päpstl. Silvesterordens, Gr. EZ d. Landes NÖ, Professor. u.v.a.

Prunner Christa Dr
B.: FA f. Gynäkologie u. Geburtshilfe. DA.: 1210 Wien, Mitterhoferg. 2/12/3. PA.: 1040 Wien, Kettenbrückeng. 20. G.: Wien, 24. Nov. 1938. Ki.: Leon. El.: Viktor u. Hermine. S.: VS, hum. Gymn., Stud. d. Med., 1966 Prom. K.: Turnus z. prakt. Arzt, 1970 Ausbild. an d. II. Univ.Frauenklinik, 1966-78 OA-Stellv. Dominikus KH in Berlin, seit 1978 eigene Ordination f. Gynäkologie u. Geburtshilfe. P.: Publ. in Fachzeitschriften m. Prim. Doz. Beck über Familienplanung. M.: Ges. f. Psychosomatik, Gynäkologie u. Geburtshilfe, Ges. f. autogenes Training u. Psychtherapie. H.: Sprachen, Tennis, Reisen. (M.Br.)

Prünner Werner Ing.
B.: Gschf., Inh. FN.: Pewa Bau GmbH. DA.: 7210 Mattersburg, Johann-Nepomuk-Berger-Str. 61. PA.: 7210 Mattersburg, Hirteng. 47. G.: Mattersburg, 11. Dez. 1939. V.: Christina, geb. Kracher. Ki.: Rita (1965), Dorit (1966), Kristina (1967), Michael (1975). El.: Julius u. Anna. S.: VS, Gymn., HTL Mödling, 1959 Matura. K.: Eintritt Firma Strodl, 1975 Prokura, 1983 Grdg. Pewa Bau GmbH. E.: Gold. VK d. Landes Bgld. H.: Musik, Lesen, Phil., Skifahren. (M.D.-H.)

Prünster Harald

B.: freier Mitarb. FN.: ORF. DA.: ORF Zentrum Wien. G.: Schwaz, 12. Dez. 1956. V.: Renate. Ki.: Vera. El.: Josef u. Johanna. S.: B.O.R.G., 1975 Matura, Pädak Lehramtsprüf. 1978, b. 1986 unterrichtet, anschl. Bestellung a. d. Pädag. Inst. d. Landes Tirol, b. 1992 Koordinator d. Lehrerfortbildung u. Ausb. f. Leibesübungen i. Tirol. K.: 1972 1. Auftritt m. "Heiter kritischen Bemerkung-en zur Schule" i. Radio, freier Mitarb. Landesstudio Tirol, 1991 Turnier d. Gaudimax in München b. bayr. TV gewonnen, Sept. 1991 Angebot v. Dr. Peter Hofbauer Gaudimax i. Österr. zu moderieren, 1. Sendung am 13.1.1992, ORF-Mod. f. "Game Shows" u. "Oh, du mein Österr." anschl. 1 Karenzjahr, 1994 Ende d. Lehrtätigkeit. E.: staatl. Lehrwart i. alpinen Skilauf. H.: Geräteturnen. (H.S.)

Prünster Josef Dr. Dkfm
B.: Sekt.Gschf. d. Sekt. Fremdenverkehr d. Tir. HK. GT.: Mtgl. Inst.Ltg. d. Inst. f. Verkehr u. Tourismus, Gschf. d. Ver. d. Tir. Hotelfachschulen, Lehrbeauftragter im Fremdenverkehrskolleg Innsbruck. DA.: 6020 Innsbruck, Meinhardstr. 12-14. PA.: 6020 Innsbruck, Höhenstr. 5. G.: Meran, 1. Aug. 1931. V.: Christine, geb. Weichselberger. Ki.: Mag. Gerhard, Mag. Christian. S.: Realschule Innsbruck, 1951 Matura, 1952 HAK Abiturientenkurs, Stud. HS f. Welthdl. Wien, 1959 Prom. K.: Praxis in in- u. ausländ. Hotels, 1960-68 BWK Wien Sekt. Fremdenverkehr, seit 1969 HK Tir. P.: Fremdenverkehrskonzept Tirol (1973), Fremdenverkehrskonzept Tirol (1983), Gesamtwirtschaftliche Ziele und Fremdenverkehrspolitik, Zwischenbetriebliche Kooperationen im Fremdenverkehr, 30 Jahre Raumplanung in Österreich, zahlr. Veröff. in Fachzeitschriften. M.: Scal-Club, AIEST, Mtgl. d. LFremdenverkehrsR. Tir. H.: Reisen, Sport (Skifahren, Golf), Musik.

Prusa Franz

B.: Produkt Manager. FN.: "Musimpex" Großhdls.-Firma. DA.: 2511 Pfaffstätten, Wienerstr. 132. G.: Wien, 4. Apr. 1943. S.: Pflichtschule, 1957-60 Lehre b. Steyr-Daimler-Puch AG, 1961 BH. K.: 1962 Berufsmusiker, Grdg. d. Band "Wiener Beatles", 10 J. als Berufsmusiker in ganz Europa Arragements u. Auftritte, 1972 Eintritt als Verkäufer in d. Firma Hugo Stelzhammer Wien, 2 J. später Verkaufsltr., 1987 Firma Musikinstrumente Matthäus Bauer, ab 1995 Produkt Manager "Musimpex" Großhdls.-Firma. P.: Art. in Fachzeitschriften über Country-Musik unter Pseudonym Franky. H.: Lesen, Langlaufen, Schwimmen, Archäologie. (M.-L.A.-M.)

Prüser Bernd Mag. oec.

B.: Gschf. Ges., Zahntechnmstr. FN.: Prüser GmbH & Co KG. GT.: Gschf. Ges., 4910 Ried/Innkreis, Hartwagnerstr. 14. DA.: 4600 Wels, Linzerstr. 76. G.: Braunschweig/D., 8. Mai 1950. V.: Birgit, geb. Pucher. Ki.: Cornelia, Christina, Catherina. El.: Rolf u. Edeltraud. S.: 1968 Matura, Ausb. z. Zahntechn., 1972 Gesellenpr., 1968 Stud. Soz.-Wirtsch.-Wiss., 1977 Sponsion, 1982 Mstrprfg. K.: Praxis in Köln/D., s. 1986 Gschf., s. 1990 stv. Landesinnungsmstr. M.: Gemeindevertreter d. Evang. Kirche. H.: Golf, Malerei, Fotografieren, Mountain-Bike, Ski. (P.H.)

Pruscha Carl o.Univ.-Prof.
B.: Rektor d. Ak. d. Bild. Künste. DA.: 1010 Wien, Schillerpl. 3. PA.: 1010 Wien, Bräunerstr. 4/6. G.: Innsbruck, 10. Juni 1936. V.: Mag. Edda, geb. Velim. Ki.: Alexandra (1965) u. Czeslavia (1969). S.: Mittelschule in Innsbruck, Matura 1955, 1955-59 Ak. d. bild. Künste Wien (Meistersch. Prof. Lois Welzenbacher u. Prof. Roland Rainer), Abschluß m. Dipl. u. Staatspreis. K.: 1959-62 prakt. Tätigk. f.

Siedlungsplanungen in Sbg., Stadtplanungsaufg. in Wien u. Ind.Planungen in Düsseldorf, 1962-64 Städtebaustudien an d. Graduate School of Design d. Harvard Univ. (Master f. Urban Design), 1964-65 Prakt. Tätigk. in New York an e. Studie d. Stadtplanung f. Downtown Manhattan, 1965-66 als Associate-Expert in Stadtplan. über d. VN n. Nepal u. Rückkehr in d. USA, 1967-73 auf Berufung d. Reg. v. Nepal als Berater in Raumplan. im Rahmen d. VN wieder n. Nepal, 1974-76 Rückkehr n. Österr. u. Bestellung als staatl. bef. u. beeid. Ziviltechniker m. Kzl. f. Arch. u. Raumplan. in Wien, 1976-88 Bestellung z. o.HS-Prof. u. Vorst. d. Inst. f. Planungsgrundlagen an d. Ak. d. bild. Künste, s. 1988 Rektor d. Ak. d. bild. Künste, Konsulententätigk. f. UNESCO (Malta u. Havanna), Teiln. an Ausst., Gastvorträge an versch. Arch.Schulen, Teiln. an Wettbewerbsjurierungen. P.: Versch. Publ. in Fachzeitschriften. (P.R.)

Pschera Helmut DDr. Prim. Univ.-Doz.

B.: Vorst. d. Gynäkolog. Abt. LKH Leoben. DA.: 8700 Leoben, Vordernbergerstr. 42. PA.: 8700 Leoben, Vordernbergerstr. 75. G.: Leoben, 2. Mai 1946. V.: Annakaisa, geb. Miettinen. Ki.: Michael (1972), Katharina (1975). El.: Rudolf u. Elisabeth. S.: VS, Gymn. Graz, 1964 Matura, Med.-Stud. Karl Franzens-Univ. Graz, 1972 Prom. z. Dr. med. univ. K.: Turnusausbild. am Huddinge Univ.-KH Stockholm, 1974 Approb., Ausbild. z. FA f. Frauenheilkunde u. Geburtshilfe an d. Univ.-Frauenklinik d. Huddinge KH, 1979 FA-Anerkennung Schweden, 1980 Nostrifizierung in Österr., 1984 Spezialausbild. an d. Stockholmer Strahlenklinik "Radiumhemmet" Karolinska Univ.-Klinik, 1985 Ph. D. Karolinska Inst., Stockholm, 1991 Habil., seit 1994 Primar am LKH Leoben. P.: ca. 100 wiss. Arb. u. Vorträge. M.: AAGL, Swedish Society of Obstetrics and Gynecology. H.: Skifahren, Musik, Reisen. (I.G.)

Pschorner Rudolf

B.: Inh. FN.: Rudolf Pschorner Techn. Großhdl. DA.. 1160 Wien, Seeböckg. 43. G.: Wien, 11. Juni 1950. V.: Gabriele, geb. Pialek. Ki.: Claudia (1972), Markus (1974). El.: Friedrich u. Hermine. S.: VS, HS, Berufsschule, 1967 kfm. Gehilfenprüf. K.: 1964-67 kfm. Lehrling, b. 1978 Sachbearb. in einem Elektrogroßhdl., 1978-86 Außendienst Kabelind., 1986-91 Abt.-Ltr. in einem Kommunikationsunternehmen, 1991 Grdg. d. eigenen Firma. H.: Turniertänzer. (M.-L.A.-M.)

Pschorn Herbert

B.: Bibliotheksang. i.R., Schriftsteller. A.: 1120 Wien, Grünbergstr. 19-21/3/16. G.: Amstetten, 10. Aug. 1932. Ki.: Adoptivtochter: Lorena (1971). El.: Realschuldir. i.R. Dr. Hermann u. Juliane. S.: VS, HS, BRG m. Matura, Ausbild. z. Dipl.Zeichner, Sprachstudien, volks- u. völkerkundl. Studien an d. Wr. Univ. (nicht abgeschl.). K.: Nach Absolvierung d. VS u. HS kriegsbedingte Aufgabe d. Stud. Nach Kriegsende (1945) Fortsetzung d. Mittelschulstud. u. Abschluß desselben (Matura). In versch. Berufen tätig. Dazwischen Ausbild. z. Dipl.Bauzeichner. 1970-80 aufgrund einer Ausschreib. d. Österr. Rundfunks freier Mitarb. b. Studio Burgenland m. Fachrichtung Ethnologie u. Geschichte. 1972-83 Mtgl. d. Arge f. Volkskunde/Univ. Wien. Ethnolog. Studien. P.: Zahlr. Rundfunkbeiträge im Hörfunk 1970-81. Bilddokumentation über d. österr.-ungar. Kriegsmarine (unveröff.). Militärhistor. Arb. Publ.: "Die Weltumsegelung d. Fregatte Novara 1857-82" aus Anlaß d. 300-Jahr-Jubiläums d. m. d. Traditionspflege d. österr.-ungar. Kriegsmarine betrauten Pioniertruppenschule d. österr. BH 1984. M.: Deutschmeister-Schützenkorps 1993-94, Wiener Edelknaben, Verein z. Pflg. d. Trad. d. Inf. Reg. Hoch- u. Deutschm., Deutschm.-Runde. H.: Intern. Korrespondenz, Lesen, Videofotografieren, Malen u. Zeichnen.

Ptak-Wiesauer Eva Dr. phil.

B.: Ethnologin u. Psychotherapeutin. DA.: 1080 Wien, Haspingerg. 3/32. PA.: 1070 Wien, Burgg. 100 A/9. G.: Innsbruck, 4. Juni 1951. V.: Wolfgang. El.: Josef u. Anna, geb. Hölzl. S.: Matura, Stud. d. Völkerkunde u. Psychologie an d. Univ. Wien, 1975 Prom, 1985 Akad. geprüfter Übersetzer f. Spanisch u. Portugiesisch, Ausbild. am Wr. Arbeitskreis f. Psychoanalyse. K.: 1972 Ethnolog. Feldforschungen in Ostafrika u. Lateinamerika, unterstützt v. Fonds zur Förderung d. wiss. Forschung , zahlr. Auslandsaufenthalte, Tätigk. als Ethnologin u. Studienreiseltrin., s. 1984 Lehrtätigk. an d. Univ. Wien, Inst. f. Völkerkunde (Ethnolog. Frauenforschung, Ethnopsychoanalyse - zum Verstehen d. Fremden), 1986 Eröff. d. eig. psychotherpeutischen Praxis. P.: zahlr. Publ. zu Themen Mythen u. Riten, Sexualerziehung v. Kindern in anderen Ges., Frauenforschung, Umgehen m. d. Fremden aus ethnolog. u. psychoanalyt. Sicht. E.: 2 mal Theodor Körner Stiftungspreis. M.: wiss. Beirat d. "Möwe", Mitbegründ. d. Ver. f. Ethnopsychoanalyse u. Kulturkritik. H.: Reisen, fremde Kulturen, Sprachen, lesen. (N.A.)

Puchberger Hubert Dr. theol.

B.: Regens d. Bischöfl. Priesterseminars. GT.: Lehrbeauftragter f. Homiletik. DA. u. PA.: 4020 Linz, Harrachstr. 7. G.: Grein/Donau, 13. Jan. 1945. El.: Karl u. Elisabeth. S.: 1963 Matura, Stud. d. Theol. u. Phil. in Linz u. Innsbruck. K.: 1970 Priesterweihe, 1974 Prom., 1974-82 Kaplan in Wels u. Linz, zusätzl. Ass. u. Lehrbeauftragter an d. Kath.-Theol. HS Linz f. Pastoraltheol. u. Homiletik, 1984-88 Spiritual d. Bischöfl. Priesterseminars u. Lehrbeauftragter f. spirituelle Theol. an d. Kath.-Theol. HS Linz, seit 1988 Regens d. Bischöfl. Priesterseminars, seit 1991 KonsR., seit 1988 wieder Lehrbeauftragter f. Pastoraltheol. u. Homiletik an Kath.-Theol. HS Linz. P.: einige Vorträge im Rahmen d. berufl. Tätigkeit. H.: Musik. (U.E.)

Puchegger Rudolf Dr. med.

B.: FA f. Innere Med. u. Nephrologie, Hanusch KH. DA.: 1140 Wien, Heinrich Collin Str. 30. PA.: 1140 Wien, Rosentalg. 11/11. G.: Vöcklabruck, 9. Nov. 1931. V.: Renate, geb. Sedlacek. Ki.: Stephan (1972), Jakob (1974). El.: Rudolf u. Marianne. S.: 1951 Matura, Stud. d. Med. a. d. Uni. Wien, 1961 Prom., 1961-66 FA-Ausbild. a. d. 1. Med. Abt. d. Hanusch KH. K.: 1968 Eintritt i. d. Urologische Abt. d. Hanusch KH, zust. f. Nephrologie u. Dialyse, 1985 eig. Primariat. M.: b. zahlr. nat. u. intern. nephrolog. Ges. H.: Gartenarb., alte bäuerliche Sachenu. Keramik sammeln. (N.A.)

Pucher Hans Dr.

B.: RA. DA.: 3100 St. Pölten, Wiener Str. 3. G.: Spittal/Drau, 8. Jan. 1952. V.: Gerlinde, geb. Eder. Ki.: Gangolf. El.: Johann u. Johanna. S.: Matura in St. Pölten 1970, Jusstud. an d. Univ. Wien 1970-75. K.: 1977 Prom., Ger.Praxis in Wien,

St. Pölten u. Amstetten, 4 Konzipientenj. b. Dr. Gloß, 1981 Eintritt in d. Kzl. als Partner. F.: selbst. Anw. in Kzl. Gemeinschaft m. Dr. Gloß. M.: VCU (Ver. christl. Unternehmer Österr.), ÖTB, Polizeisportver. St. Pölten. H.: Geschichte, Politik, Jagd. (Kern)

Pucher Albert

B.: Inh. FN.: Albert Pucher Installationstechnik, Gas, Wasser, Heizung. GT.: Vors. b. Prüf.-Aussch. d. Lehrabschlußprüf. f. GWZ. DA.: 8041 Graz, Messen-dorferstr. 95. PA.: 8101 Gratkorn, Quellenweg 5. G.: Graz, 3. Okt. 1941. V.: Ingrid, geb. Wallner. Ki.: Hildegard (1965), Michael (1967). El.: Franz u. Stefanie. S.: Berufsschule Graz, versch. Kurse, Mstr.-Prüf., Konzessionsprüf. K.: Installationsbetrieb Dipl.-Ing. Manfred Brandl, 1965 Mstr.-Prüf. Heizung, 1983 Mstr.-Prüf. Gas, Wasser, Heizung, 1965-72 Techniker Firma Mocharitsch Leoben, 1972-82 Techn. Ltr. Firma Thermosan Graz-Andritz, seit 1982 selbst. H.: Skifahren, Radfahren, Garten, Wandern. (R.S.)

Pucher Heinz

B.: Bez.-Stellenltr. d. NÖGKK Korneuburg. DA.: 2100 Korneuburg, Bankmannring 22. PA.: 2000 Stockerau, Klesheimg. 34. G.: Wien, 3. Jan. 1933. V.: Elisabeth, geb. Sandrieser. Ki.: Monika (1958). El.: Heinrich u. Gertrude. S.: HS, Berufsschule f. Tapezierer. K.: 1947-50 Lehrzeit b. Joh. Mayr Stockerau, 1951-57 Tapezierer b. Oskar Lustig Wien, 1957 Eintritt in d. NÖGKK Korneuburg: Verw.-Ang., Beitragsprüfer, Gruppenltr., Bez.-Stellenltr.-Stellv., ab 1989 Bez.-Stellenltr. Korneuburg, seit 1951 Mtgl. u. Funktionär b. d. Kinderfreunden, 1954-67 Verantwortl. d. Roten Falken Stockerau, s. 1954 Mtgl. d. SPÖ, s. 1954 Parteifunktionär d. SPÖ Stockerau, ab 1961 Vors. d. Sekt. VI d. SPÖ, 1979-81 Gschf. Stadtparteiobm., 1981-87 Stadtparteiobm., ab 1970 GemR. d. Stadt Stockerau, ab 1979 StadtR. f. Soz. u. danach f. Entsorgung u. Versorgung. H.: Sammeln v. alten Waffen u. Haushaltsgegenständen, Camping u. Caravaning. (M.M.)

Pucher Kurt

B.: Gschf. Ges., Prok. FN.: Otto Pucher Beteiligungs GmbH, Otto Pucher KG. GT.: Gschf. Ges. d. Fa. Pucher Kunststoffwerk GmbH. DA.: 4020 Linz, Am Winterhafen 4. PA.: 4040 Linz, Am Stockholmweg 8. G.: Linz, 27. Juli 1950. V.: Gerda, geb. Heilinger. Ki.: Peter-Kurt. El.: Otto u. Rosina. S.: Lehre f. Autosattler, Gesellenprüf., Mstr.Prüf. K.: 1965 Eintritt in d. elterl. Fa. Otto Pucher, 1974 Umwandlung in KG, 1975 Prok., 1978 gschf. Ges. d. Fa. Otto Pucher Beteiligungs GmbH, 1987 Grdg. d. Fa. Pucher Kunststoffwerk GmbH. H.: Jagd, Segeln, Fa. (A.W.)

Pucher Rudolf

B.: Friseur, Gschf. FN.: Friseurstudio Pucher. DA.: 7210 Mattersburg, Michael Kochstr. 18b. G.: Wr. Neustadt, 25. Juni 1959. El.: Martin u. Franziska. S.: VS, HS, Berufschule. K.: Lehrling Geselle, Meisterprüf. 1982 i. elterl. Betr., 1983 Übernahme, 1984 Ausbau, 1985 Filialgründ. i. Eisenstadt. H.: Fußball, Sport. (W.M.)

Pucher Werner

B.: Bez.-Kapellmstr., Pensionist. PA.: 8700 Leoben, Johann-Sackl-Str. 33. G.: Judenburg, 21. Dez. 1926. V.: Johanna, geb. Gande. Ki.: Regina (1948). El.: Johann u. Bibiana. S.: 1944 Kriegsmatura, b. 1945 Soldat, 4 Sem. Montan-Univ. Leoben, 1945-48 Stud. Klarinette Musikak. Wien. K.: 1948-58 Lehrer Musikschule Leoben, parallel Tätigkeit in Voest Alpine, Stahlwerk, Betriebswirtschaftsstelle, Arbeits- u. Werkssicherung, insgesamt 35 J. b. Voest Alpine, davon 12 J. aktiver BetriebsR., 1945-76 Gründer d. berühmten Tanzorchester "Werner Pucher", 1959 Übernahme als Kapellmstr. d. Bergkapelle Seegraben, seit 10 J. aktiver Bez.-Kapellmstr. im Bez. Leoben. E.: zahlr. Ausz. v. Blasmusik d. Landes Stmk., Gold. EZ ÖBB, Gold. VK d. Landes Stmk. M.: SPÖ, seit 1987 Obm.-Stellv. d. Stahlpensionisten. H.: Bergwandern, Skifahren, Golf. (K.K.)

Puchhammer Hans Dipl.-Ing. o.Univ.-Prof.

B.: Arch., Vorst. d. Inst. f. Hochbau, Fak. f. Raumplanung u. Arch. TU Wien. DA.: 1040 Wien, Hauptstr. 5/2. PA.: 1235 Wien, Lechthalerg. 49/30. G.: Wels, 13. Mai 1931. V.: Dr. med. Hildegard, geb. Zügner. Ki.: Dipl.-Ing. Dr. Markus (1958), Mag. art. Jutta (1960), Dipl.-Ing. Gregor (1961). El.: Ing. Johann u. Juliana. S.: Arch.-Stud. TU Wien, 1956 Spons. K.: 1950-54 Stud. b. Prof. Rol. Rainer, 1987 Ass. TU Inst. f. Hochbau, b. 1964 Fak. f. Bauwesen, seit 1961 selbst. als Arch., 1978 o.Univ.-Prof. u. Vorst. d. Inst. f. Hochbau b. 1994, 1969-77 Vorst.-Mtgl. d. Österr. Ges. f. Arch. P.: ca. 15 Publ. u. Buchbeiträge. M.. Vors. d. Österr. Ges. f. Arch., Mtgl. im DenkmalschutzbeiR. im Bundesdenkmalamt. H.: Reisen, Zeichnen, Fischen, Wandern. (S.H.)

Puchleitner Alois Ing.

B.: Gschf. Ges. FN.: Atelier Ing. A. Puchleitner Planungs GmbH. DA.: 8330 Feldbach, Hauptpl. 14. PA.: 8330 Feldbach, Edersgraben 46. G.: Feldbach, 8. März 1950. V.: Elisabeth, geb. Szummer. Ki.: Thomas (1980), Ulrike (1983). S.: Pflichtschule, Lehre als Maurer, 1968 Abschluß, Bauhandwerkerschule, 2. Bild.-Weg Ing.-Ausbild., 1983 Abschluß. K.: 1971-75 Baultr. in München, 1975-89 ltd. Ang. in einem Arch.-Büro in Feldbach, 1989 Grdg. d. bestehenden Firma, ab 1991 aktiv. H.: Radfahren, Urlaub, Kunst (Bilder, alte Möbel, Teppiche). (F.K.)

Puchmayr Karl Erich Dr.

B.: selbst. RA. DA.: 4020 Linz, Friedhofstr. 6/II. G.: Linz, 15. Aug. 1956. El.: Franz u. Anna. S.: VS, Gymn., 1976 BH, 1979 Matura, 1981 Stud. Linz. K.: 1981/82 Gerichtsj., 1982-86 RA-Anw., seit 1986 selbst. RA. H.: Malerei, Arch., Computer. (U.A.)

Puchner Manfred Dr. iur.

B.: RA, akad. gepr. Europarechtsexperte. DA.: 6800 Feldkirch, Churerstr. 11. G.: Wien, 7. Sept. 1943. V.: Andrea. Ki.: Michael (1975), Christiane (1978). El.: Alfred u. Hedwig. S.: Gymn. Feldkirch (Stella Matutina), Univ. Wien, 1972 Prom. K.: 1972 Gerichtsj. Wien, Praxis Wien, 1975 RA-Prüf., 1976 eingetragener RA in Feldkirch m. Schwerpunkt Wirtschafts- u. Europarecht, Grdg.-Präs. d. Kiwanis Club Feldkirch Montfort, verantwortl. f. d. Ausbild. d. RA im Rahmen d. RA-Kam. f. Vbg.. M.: Gouverneur d. Distriktes Österr. Kinanis International, Verkehrsver. Feldkirch. H.: Musik, Theater, Kultur, Schifahren, Segeln. (I.D.)

Puchner Willy
B.: Autor u. Fotograf. DA. u. PA.: 1052 Wien, Postf. 56. G.: Mistelbach, 15. März 1952. El.: Wilhelm u. Maria. S.: VS, HS, 1967-74 Höhere Graph. Lehr- u. Versuchsanst. in Wien Abt. Fotografie. K.: seit 1978 freischaff. Fotograf u. Autor. P.: "Bäume" (1980), "Zum Abschied, zur Wiederkehr" (1981), "Gestaltung m. Licht, Form u. Farbe" (1981), "Strahlender Untergang" (1982), "Die Wolken d. Wüste" (1983), "Dorf-Bilder" (1983), "Andalusten" (1983), "Das Herz d. Himmels. Vom Leiden d. Indios in Guatemala" (1986), "Zugvögel seit jeher. Freude u. Not spanischer Zigeuner" (1987), Veröff. in Zeitschriften u. Magazinen, Ausstellungen: "Bäume" (1980), "Die 90-jährigen" (1980), "Beharrliche Bilder" (1981), "Türkische Lebensräume" (1982), "Dorfbilder" (1984). E.: Theodor Körner-Preis. H.: Literatur. (P.R.)

Pucsko Robert Dr. med.
B.: FA f. Innere Med. GT.: Begutachter b. d. PVA d. Arb. DA.: 6020 Innsbruck, Bozner Pl. 5. PA.: 6020 Innsbruck, Sternwartestr. 4B. G.: Graz, 17. Mai 1923. V.: Mag. Margareta, geb. Schifko. Ki.: Dr. Marlis, Dr. Renate. El.: Sen.Präs. Dr. Robert u. Maria. S.: 1941 Matura, 1945-50 Med.Stud. an d. Univ. Graz, 1950 Prom., Klinik Graz, Ausbild. z. FA f. Innere Med. K.: seit 1960 eigene Praxis in Innsbruck. M.: Mtgl. d. Ges. f. Innere Med. H.: Reisen, Skifahren, Langlauf, Bergwandern. (J.S.)

Puecher Rudolf Ing.
B.: Bgm., Bauamtsltr. DA.: 6230 Brixlegg, Herrenhauspl. 5. PA.: 6230 Brixlegg, Mühlbichl 10. G.: Brixlegg, 11. Apr. 1957. V.: Elisabeth, geb. Sturm. Ki.: Rudolf (1980), Sabine (1983). El.: Rudolf u. Rosa. S.: VS, HS, HTL Hochbau, 1976 Abschluß. K.: seit 1986 GemR., seit 1988 Bgm. M.: Regionsvors. v. 8 Gem., Freiwillige Feuerwehr, Schützengilde u. kompanie, Kameradschaftsbund, div. Sportver. H.: Moutainbiken, Skifahren, Tennis. (M.W.)

Puff Christian Dr. Prof.
B.: Univ.-Prof. f. Botanik am Inst. f. Botanik u. Botan. Garten d. Univ. Wien. DA.: 1030 Wien, Rennweg 14. G.: Graz, 8. Dez. 1949. V.: Kazuko, geb. Okumura. Ki.: Edmund-Takashi (1987). El.: Stefan u. Grete. S.: BRG, 1968 Matura, Stud. Botantik Univ. Graz, Harvard Univ. Boston/USA, Univ. of Iowa Iowa City/USA, Univ. Wien, 1974 Prom. K.: Research Ass. Arnold Arboretum Harvard Univ. u. Teaching Ass. Univ. of Iowa, ab 1974 Univ.-Ass. Univ. Wien, Gastvorlesungen in Südafrika, 1986 Habil. z. Doz. f. Systemat. Botanik u. Tropenbiologie, seit 1987 Ltr. d. Arbeitsgruppe Pflanzensystematik d. Paläotropen u. Ass.-Prof., Forsch.-Schwerpunkte: Kaffeegewächse u. vergleichende Evolutionsforsch. b. höheren Pflanzen, zahlr. Studien- u. Forsch.-Reisen in Trop. u. Subtrop. Gebiete bes. Afrika, Madagaskar u. Asien, Gastvorträge weltweit an Univ. u. im Rahmen v. Kongressen v. allem z. Thema Tropenbotanik, Betreuung v. Dipl. u. Postgraduate Studenten im In- u. Ausland. P.: ca. 100 Veröff., 2 Bücher z. Thema Tropenbotanik. E.: Stipendien u. Förderungen, Fellowships u. Scholarships, Theodor Körner-Preis, 1989 Sandoz-Preis f. Biologie. M.: AETFAT, seit 1983 Kons. d. IAGS. H.: Musik. (J.S.)

Puffer Helmut Mag.
B.: Wirtschaftstreuhänder. DA.: 4690 Schwanenstadt, Sparkassenpl. 2. PA.: 4690 Schwanenstadt, Süßmayrstr. 11. G.: Vöcklabruck, 15. Febr. 1948. V.: Edith, gb. Oberhauser. Ki.: Sandra (1974). El.: Franz u. Maria. S.: HAK f. Berufstätige in Linz, 1979 Steuerberaterprüf. K.: seit 1980 selbst. Steuerberater, Stud. betriebswirtschaftl. Steuerlehre, 1984 Spons. M.: Lions Club Schwanenstadt. H.: Beruf. (E.Hö.)

Pugstaller Robert Karl
B.: Gschf. d. Fa. MAI Computer f. Daten u. Textverarb. Intern. GmbH. DA.: 1090 Wien, Alserbachstr. 18. PA.: 1060 Wien, Mittelg. 26. G.: Linz, 14. Jan. 1943. V.: Ingeborg, geb. Walter, 2 Kinder. El.: Karl u. Rosa. S.: Hum. Gymn. Linz, Drogistenlehre m. Abschluß. K.: 1961 tätig b. Fa. Olivetti im Bereich EDV, später Anker-Datentechnik u. Nixdorf Computer in Linz, seit 1983 b. Fa. MAI in Wien. H.: Sport, Reisen, Lesen. (M.G.)

Puhr Elfriede
B.: Inh. d. Restaurant "Sportunion". DA.: 1130 Wien, Altg. 6. PA.: 1160 Wien, Friedrich-Kaiser-G. 100/3/5. G.: Wien, 2. Juni 1954. Ki.: Birgitt (1977). El.: Adoph u. Maria. S.: Kfm. Lehre. K.: 1974 Discothek "Märchenbar" Edlitz, s. 1980 Gschf., ab 1986 Pächterin dieser Discothek, 1985 Übern. d. Restaurants "Sportunion" in Wien. H.: Reisen, Tanzen, Wandern. (N.A.)

Puhr Franz Dr. med. Prim.
B.: Dr. d. ges. Heilkunde, Prim. f. Anästhesie. A.: 9300 St. Veit/Glan, Parkg. 3. G.: Pécs, Ungarn, 26. Juni 1939. V.: Erika, geb. Apich. El.: Gymn.Dir. Dr. phil. Franz u. Maria. S.: Gymn., Stud. Med. Univ. Pècs Ungarn, Prom. z. Dr. d. ges. Heilkunde 21.9.1963, Fachausbild.: Inst. f. Anästhesiologie d. Univ. Wien, Dipl. d. österr. Sektion d. Société Intern. d'Acupuncture Paris. K.: 1963-66 Univ.Klinik f. Hals, Nasen- u. Ohrenkrankheiten Pécs, 1966-72 KH d. Barmherzigen Brüder Eisenstadt, 1972-75 Inst. f. Anästhäsiologie d. Univ. Wien, 1976 - heute Prim. f. Anästhäsiologie, Ltr. d. Abtlg. f. Anästhäsiologie d. KH d. Barmherzigen Brüder St. Veit/Glan. M.: Zahlr. wiss. Ges., LIONS Intern., Gesamtdistrict 114 Österr.

Pühringer Annemarie
B.: Gschf. FN.: Hotel Römisch Deutscher Kaiser Anton Randolf KG. DA. u. PA.: 6414 Mieming-Barwies. G.: Mötz, 28. Juli 1947. Ki.: Petra, Tina. El.: Anton u. Annemarie Randolf. S.: HAK Innsbruck. K.: 1967-84 kfm. Praxis, seit 1984 Führung d. Hotels. BL.: Entwicklung v. Landgasthof in Mötz z. Großhotel in Mieming-Barwies. H.: Skifahren, Tennis, Schwimmen, Reisen. (W.G.)

Pühringer Ernst

B.: Eigentümer. FN.: Gasthof Hölle. DA. u. PA.: 5020 Salzburg, Dr. Adolf-Altmannstr. 2. G.: Salzburg-Stadt, 3. Nov. 1968. V.: Lebensgefährtin Anita Kirnstedter. El.: Hermine u. Ernst (gest. 20.9.1981). S.: Gastgewerbe Salzburg i. Kleßheim, 1987 Konzessions-prüf. f. Gastgewerbe. E.: Ausz. v. Handelskammer f. ausgezeichnete Ausb. f. Lehrlinge. H.: Skifahren, Schießen, Squash spielen.

Pühringer Friedrich Mag. Ing.
B.: Prok. FN.: Suter & Suter GmbH Generalplaner. DA.: 4034 Linz, Gablonzerweg 18. PA.: 4210 Gallneukirchen, Engerwitzdorf 12. G.: Engerwitzdorf, 26. Mai 1957. V.: Monika, geb. Anzinger. Ki.: Wilfried, Barbara. S.: 1971-76 HTL Tiefbau Linz, 1978-82 Stud. BWL Linz. K.: 1976-77 Stadtgem. Braunau, 1977-80 Universale Bau, 1980-84 VÖEST Linz, 1984-90 VÖEST Wien, seit 1990 Prok. d. Suter & Suter, ausgebildeter Sprengmstr., selbst.

Unternehmensberater, ldw. Betrieb. M.: Ziviling.-Verb., Sprengbefugte Österr. H.: ldw. Betrieb, Tennis, Skifahren. (P.H.)

Pühringer Haimo

B.: Friseurmstr. FN.: Intercoiffeur Haimo Pühringer. DA.: 4840 Vöcklabruck, Stadtpl. 12. PA.: 4840 Vöcklabruck, Stadtpl. 22a. G.: Gmunden, 3. Nov. 1950. V.: Maya, geb. Friepess. Ki.: Maya, Georg. El.: Max u. Grete. S.: Gymn. in Gmunden, Friseurlehre, 1973 Mstr.Prüf. K.: bereits als Lehrling OÖ LMstr., österr. BMstr. u. Grand Prix-Sieger, 1974 Weltmstr., 1976 Eröff. d. 1. eigenen Friseursalons "Intercoiffeur Haimo Pühringer" in Vöcklabruck, 1981 Übernahme eines Friseursalons "Intercoiffeur Haimo Pühringer" in Gmunden u. 1985 Eröff. d. Salons "Happy People" in Wels, Abhaltung v. Seminaren u. Frisurenshows f. eine dt. Kosemtikfa. BL.: 1969/70 Mtgl. d. OÖ Skilandeskaders. H.: Fliegen, Skirennen, Motocross, Musik. (Foed.)

Pühringer Josef

B.: Kfm, Gschf. FN.: Pühringer Hallenbau u. HandelsgmbH. DA.: 4523 Neuzeug, Steyrtalstr. 127b. PA.: 4523 Neuzeug, Primitstr. 2. G.: Niederneukirchen, 1. Jän. 1939. V.: Margarete. Ki.: Hermann, Josef, Martina, Stefan. El.: Maria u. Roman. S.: VS. K.: 1965 Entw. zahlr. Landmasch. , zahlr. Patente, Aufbau mehr. Firmen; 1966 Grdg. "HYDRAC" Landmasch. Fabr. Pühringer GmbH & Co KG, 1979 Grdg. "SAME Traktoren Import GmbH", 1985 Grdg. Pühringer Hallenbau u. HdlsgmbH", 1992 Grdg. "Trientl- u. Valiergasse GmbH. H.: Landwirtsch. (J.L.)

Pühringer Josef Dr.

B.: LHptm. v. OÖ (seit 2. März 1995). DA.: 4020 Linz, Klosterstr. 7. G.: Linz, 30. Okt. 1949. V.: Christa. Ki.: Katharina Maria (1991), Josef (1992). El.: Josef u. Maria. S.: Pflichtschule, ORG Linz, Matura, 1970 Stud. Rechtswiss. Univ. Linz, 1970-76 Religionslehrer Traun, 1976 Prom. K.: Bmtr. Kulturabt. d. Amtes d. OÖ Landesrg., seeit 1973 Kommunalpolitik Stadt Traun, zuerst StadtR., ab 1981 ÖVP-Stadtparteiobm. u. 1985-88 VBgm., seit 1988 GemR., 1974-83 Landesobm. d. Jungen Volkspartei in OÖ, 1979 OÖ Landtag, seit 1984 Bez.-Parteiobm. ÖVP Linz-Land, 1986-87 ÖVP-Landesparteisekr., seit 1987 LandesR., seit 1990 stellv. Landesparteiobm. d. ÖVP OÖ.

Pühringer Othmar Maximilian Dipl.-Ing.

B.: Gen.-Dir.-Stellv., stellv. Vors. d. Vorst. FN.: Austrian Industries AG. DA.: 4031 Linz, Lunzer Str. 64. G.: Linz, 30. Mai 1934. V.: Dkfm. Monika. Ki.: Karl-Stefan (1965), Caroline (1972), Nicolas (1983). El.: Maximilian u. Frieda. S.: VS, Mittelschule, HTL Maschinenbau, 1954-60 Stud. Maschinenbau u. Maschinenwesen TU Wien, Grad. z. Dipl.-Ing. K.: 1960-72 VOEST-ALPINE AG, dann stellv. Ltr. d. Hauptabt. Stahlwerke, 1972-78 Ltr. d. Hauptabt. Stranggießtechnik, dann stellv. Ltr. d. Bereiches Metallverformung, 1978-86 Prok., Dir. f. d. Geschäftsbereich Rohstoff- u. Hüttentechnik, 1986 Vorst.-Mtgl. VOEST-ALPINE AG, 1987 Vorst.-Vors. VOEST-ALPINE Ind.-Anlagenbau GmbH, 1988 Vorst. d. Maschinen- u. Anlagenbau Holding AG, 1988 Gen.-Dir. Maschinen- u. Anlagenbau Holding AG, 1991 Gen.-Dir. u. Vors. d. Vorst. AI. TECHNOLOGIES AG, 1993 stellv. Vors. d. Vorst. Austrian Industries AG. P.: versch. Fachzeitschriften. E.: Gr. EZ d. Stadt Linz. M.: KamR. d. OÖ HK, World Economic Forum, Eisenhütte Österr., Ver. Dt. Eisenhüttenleute, Baden-Badener-Unternehmensgespräche, Ver. Österr. Industrieller, Fachverb. d. Maschinen- u. Stahlbauind. Österr. H.: Zukunftsforsch., Laufen.

Pühringer Uta Barbara Dir.

B.: ldt. Vors. d. Zentralaussch. f. Landeslehrer. DA.: 4020 Linz, Waltherstr. 24. PA.: 4020 Linz, Melicharstr. 2. G.: Linz, 27. Apr. 1943. El.: Karl u. Barbara Pühringer.S.: VS, Gymn., 1961 Matura, LBA Linz, 1962 Lehramt f. Volksschulen, 1970-72 AKH Linz Ausbildung zur Diplompädagogin, 1975 Lehramt für Sonderschulen. K.: ab 1962 VS-Lehrer in Steyregg und Altenberg, seit 1976 freigestellter Personalvertreter im Zentralausschuß, seit 1979 stellvertr. Vors., seit 1994 Vorsitzende, 1991-94 Gemeinderätin der STadt Linz. M.: Soroptimisten, seit 1985 Landesobfrau d. Christl. Lehrerver. (D.E.)

Pujo Marcelo Dr.

B.: Konsul v. Argentinien. DA.: 1010 Wien, Goldschmiedg. 2. PA.: 1090 Wien, Strudelhofg. 8.G.: Buenos Aires/Argentinien, 1. Jän. 1952. El.: Juan Marcello u. Susanna. S.: 1969 Matura, 1975 Dr. iur. - RA, 1982-84 Dipl.-Ak. K.: 1975-77 Tätigkeit am Gerichtshof, danach Studien u. Kurse, ab 1982 Ang. im Diplomat. Dienst, 1984-87 Protokollabt. im Auswärtigen Dienst, Begleiter b. zahlr. Staatsbesuchen, 1987-88 Ang. in Menschenrechtsabt., 198-89 Ang. in Botschaft Bern, seit 1989 Ltr. d. Konsularabt. d. Argentin. Botschaft in Wien. E.: Ausz. v. Japan, Frankreich, Italien, Spanien, Venezuela, Kolumbien u. Peru. H.: Segeln. (M.M.)

Pukal Christina Mag. art.

B.: ak. Malerin. PA.: 1010 Wien, Michaelerpl. 6. G.: Wien, 16. Aug. 1955. V.: Dr. Robert Csokay. El.: Pukal Friedrich Mag. u. Margarete. S.: Gymn. Mödling, 1969-73 Stud. an d. Höheren Lehr- u. Versuchsanst. f. Textilind. Wien, Stud. an d. Hochschule f. angew. Kunst, Meisterklasse f. Malerei Prof. Wolfgang Hutter, 1969 Abschluß m. Dipl.Prüf. K.: Werke: großformatige Ölbilder, Wandmalereien, Radierungen, Objekte, bewegl. Bilder, Skulptur in Edelserpentin, Gobelin, Seidenmalereien, Einzelausstellungen: u.a. 1980 Ateliergalerie Nonntal Stadt Sbg., "Übersteigerte Wirklichkeit" im Kulturzentrum Mattersburg, 1981 u. 1983 Galleria Rettori Tribbio 2 Triest, 1982 Galerie Zentrum Wien, "Der bewegl. Traum v. Wachsen" Hunyadi Schloß Maria Enzersdorf, 1983 Ausgestaltung d. Parkhotels Eldorado m. eigenen Werken, 1984 "Der Weg ist bunt" Hunyadi Schloß, 1985 in d. Räumen d. Österr. Außenhandelsdelegationen in Paris u. Teheran., sowie versch. Präsentationen im eigenen Atelier, Ankäufe: u.a. d. Kulturamtes d. NÖ LRg. E.: 1986 1. Preis d. österr. Kunstförderungsver. H.: Sport. (A.W.)

Pukal Friedrich Mag.

B.: Apotheker d. Spitalsapotheke. DA.: 2340 Mödling, Weyprechtg. 12. PA.: 2340 Maria Enzersdorf, Donaustr. 28. G.: Mödling, 1. Juli 1927. V.: Edith, geb. Zehentner. Ki.: Christina, Angelika, Friedrich. BV.: Vater Josef Apotheker in Mödling. S.: Gymn. Mödling, Univ. Wien, 1952 Mag., 1944

Arbeitsdienst u. Militär. K.: 1952-62 öff. Apotheke Wien, 1962-64 Rudolfsspital, 1964 Ltg. d. Apotheke d. Mödlinger KH. E.: Ausz. d. Landes NÖ f. Arb. auf Gebiet d. Medikamentengebarung. M.: Vorst.Mtgl. d. Kam. d. Apotheker, Mtgl. d. Disziplinarsen. d. Apotheker, Delegierter d. BKonferenz d. freien Berufe, Alpenver. Grdg.Mtgl. Edelweiß, Vorst.Mtgl. d. Ges. f. Wehrmed. u. Wehrpharm. H.: Musik, Kirchenorgel, Philatelie. (H.W.)

Pulker Hans Dir.

B.: Gschf. d. Elektrohansa Handels GmbH. DA.: 1020 Wien, Praterstr. 25. PA.: 1180 Wien, Blaselg. 5. G.: Wien, 13. Feb. 1932. V.: Helga, geb. Opfolder. Ki.: Hans Peter u. Maria. El.: Hans u. Helga. S.: Realschule, Matura. K.: Kfm. Ang., Großvertrieb Opfolder in Wien, Prok. d. Elektrohansa AG Wien, Alleinvorst. d. Elektrohansa AG Wien. H.: Fliegen, Leichtathletik. (H.E.)

Püller Johann Ing.

B.: Prok., Betriebsltr. FN.: Becom. DA.: 1121 Wien, Pottendorfer Str. 25-27. PA.: 2380 Perchtoldsdorf, Pfarrer-Huber-G. 6. G.: Peuerbach/OÖ, 4. Febr. 1947. V.: Franziska, geb. Schkrohowsky. Ki.: Franziska (1973), Johannes (1977), Sebastian (1986). El.: Dr. Hansjörg u. Lieselotte. S.: HTL Mödling, 1968 Matura. K.: 1969-71 Fa. Philips Wien (Entwicklung), 1971 Eintritt in d. Fa. Schrack, Projektierung, stellv. Ltr. Abt. Großprojekte, seit 1985 Ass. d. Vorst. d. Fa. Schrack Telecom, seit 1986 Prok. u. Vertriebsltr. d. Fa. Becom, seit 1990 Gschf. u. Dir. d. Arge Austrian Railcom. H.: Haus, Garten, Radfahren. (J.S.)

Pullez Elisabeth Dr.

B.: Ltr. Personalmarketing. FN.: Immuno AG. DA.: 1220 Wien, Industriestr. 67. PA.: 3001 Mauerbach, Hauptstr. 258. G.: Wien, 8. Mai 1958. Ki.: Julia (1981). El.: Dr. Günther u. Dr. Herta Pullez, geb. Gortano. S.: 1976 Matura, 1976-85 Stud. Psych. Univ. Wien m. Prom. z. Dr. phil. K.: 1986 Eintritt in d. Betriebsberatung Ratio, b. 1988 Tätigkeit als Personalberaterin, seit 1988 Ltr. d. Personalmarketing d. Immuno AG. (N.A.)

Pulverer Reinhard KommR.

B.: Ges. d. Pulverer GmbH. GT.: AR-Vors. d. Volksbank Oberktn., Vors. im Beirat d. Klkh. Bergbahnen, Sport- u. Kulturanst. GmbH & Co KG. DA.: 9546 Bad Kleinkirchheim, Bach 1. G.: Klagenfurt, 3. Mai 1927. V.: Annemarie, geb. Hinteregger. Ki.: Reingard (1954), Josef (1955), Siegrun (1959). S.: HAK, Matura 1946, Fachausbild. f. Sägewerk u. Ldw., div. Kurse f. FV. K.: Aufbau d. Hotelbetriebes in Bad Kleinkirchheim u. bestimmende Mitwirk. am Aufstieg d. Ortes f. d. FV. F.: Pulverer GmbH. Nockalm-Rest. GmbH & Co KG, Kleinkirchheimer Bergbahnen GmbH & Co KG, Maibreunn-Bahn GmbH & Co KG, Skihütten-Betriebs GmbH & Co KG, Golf GmbH & Co KG, Hotel Betriebs GmbH St. Oswald. E.: Gold. EZ d. Rep. Öst. M.: Grdg.Mtgl. d. Skiklubs Bad Kleinkirchheim, Rotary Club Spittal/Drau. H.: Skifahren, Bergsteigen, Konzerte. (A.L.)

Pülz Werner Mag. theol.

B.: Evang. Pfarrer. FN.: Evangel. Pfarramt A. B. Wien-Währing. DA. u. PA.: 1180 Wien, Martinstr. 25. G.: Innsbruck, 26. Jän. 1931. V.: Christa, geb. Otto. Ki.: Angela (1954), Mag. theol. Monika (1958), Dr. phil. Mag. theol. Andreas (1960) u. Barbara (1962). El.: Dr. Otto u. Maria, geb. Kandler. S.: human. Gym. in Innsbruck, 1950 Matura, Stud. Theolog. a. d. Univ. Wien, Zürich u. Göttingen, 1956 Abschluß. K.: 1956-57 Vikar in Wien Liesing, 1957-58 Vikar, 1959-63 Pfarrer in Berndorf/NÖ, Pfarrer in Unterhaus-Seeboden in Kärnten, 1970-79 Pfarrer in Schärding/Inn, 1979-81 Pfarrer a. d. Lutherkirche in Wien Währing, danach in d. obenerwähnten Position. H.: Kunst, insbesondere Musik (Oper) u. Bild. Kunst, Reisen. (N.A.)

Pum Hannes M.

B.: Chefreporter. FN.: "Die ganze Woche". GT.: Autor, Reporter. DA./PA.: 4271 St. Oswald, Markt 55/1. G.: St. Oswald, 13. Sept. 1960. V.: Monika, geb. Wagner. Ki.: Dominik (1982), Philipp (1985), Konstantin (1987). El.: Max u. Theresia. BV.: Vater Max Pum: Bürgermeister v. St. Oswald. S.: 8 Jahre Studien an versch. Universitäten. K.: 1987/88 2 J. freier Mitarbeiter Aktueller Dienst ORF, Studio OÖ; 1989/90 2 Jahre Reporter d. Oösterr. Rundschau; 1991 Eintritt bei "Fmiliapress" als freier Mitarbeiter: Chefreporter für "die ganze Woche" und Autor für "Täglich Alles". H.: Malen , Natur, leidenschaftlicher Nichtjäger, Philosophie, Weltliteratur: u. a. Theaterinszenierungen, Darsteller, "Der zerbrochene Krug" . "Der eingebildete Kranke", div. Volksstücke. (J.S.)

Pumberger Alois Dr.

B.: Seit 12/94 Vorsitzender des parlamentarischen Gesundheitsausschusses, Prakt. Arzt. DA.: 1017 Wien, Dr.-Karl-Renner-Ring 3. G.: Ried/Innkreis, 26. Mai 1950. S.: BRG, 1969 Matura, Med.-Stud. an d. Univ. Wien, 1977 Prom. K.: 1977-81 Turnusausbild. am LKH Sbg., s. 1982 prakt. Arzt in Lohnsburg, s. 1985 Gemeindearzt Lohsburg-Waldzell, s. 1985 Mtgl. d. GemR. v. Lohnsburg, s. 1988 Mtgl. d. Bez.-Partei-Vorst., s. 1991 Mtgl. d. Gemeindevorst. d. FPÖ Lohnsburg, b. 1989 Obm.-Stv. d. Sekt. Prakt. Ärzte d. Ärztekammer f. OÖ, b. 1989 Bez.-Ärztevertreter, s. 10/1991 Mtgl. d. Bundesrates, s. 10/93 Mtgl. d. Nationalrates, s. 10/94 Gesundheitssprecher d. Freiheitlichen, s. 12/94 Vors. d. parlamentarischen Gesundheitsausschusses.

Pümpel Richard Albert Ing.

B.: Alleininh. FN.: Pümpel Bau GmbH. PA.: 6060 Hall, Bahnhofstr. 3. G.: Innsbruck, 25. Juli 1953. V.: Christiane, geb. Fink. El.: Dipl.-Ing. Richard u. Liane. S.: Gymn., HTL, 1974 Matura, 1 J. Abiturientenkurs HAK. K.: Eintritt in d. elterl. Betrieb, 1983 Übernahme. M.: Lions-Club Hall. H.: Skifahren, Langlaufen, Surfen, Wandern. (D.S.)

Puncer Vinko Dipl.-Kfm.

B.: Gschf. FN.: Fimex Import - Export u. Vertretungsges. mbH. DA.: Spiegelg. 2, 1010 Wien. G.: Slovenjgradec, 6. Juli 1933. V.: Draga. Ki.: Tomaz (1962), Matej (1966). El.: Vinko u. Jozica. S.: Stud. Ökonomie Univ. Ljubljana. K.: 1968-74 Stellv. d. Gen.-Dir. d. Astra Ljubljana, 1974-78 Dir. f. Außenhdls.-Unternehmen im Ausld. b. Jugotekstil-Impex Ljublj., 1978-82 Dir. d. Mürotex München, 1982-89 Gen.-Dir. d. Gorenjska Predilnica-Skofja Loka, seit 1989 dzt. Funkt. H.: Segeln, Wassersport. (N.A.)

Puntigam Alois Dr.

B.: Mtgl. d. NatR. seit 1981, Dir. d. Steir. Bauernbundes, Stellv. Obm. d. VP-Parlamentsklubs 1986-90. DA.: 1017 Wien, Dr.-Karl-Renner-Ring 3. G.: Burgfried/Gnas, 23. Mai 1938. S.: Pflichtschulen, Arb.Mittelschule, Univ. Graz (Dr. iur.). K.: 1957-58 Präsenzdienst, 1959-69 Land- u. Forstwirtschaftl. Sozialvers.Anst., LStelle Graz, 1969-73 sozialpolit. Ref. u. Stellv. Dir. im Steir. Bauernbund, 1974-80

LStellendir. d. Sozialvers.Anst. d. Bauern u. seit 1981 Dir. d. Steir. Bauernbundes, 1986-90 Obm.-Stv. d. Parlamentsklubs d. ÖVP. E.: GrGE.

Puntigam Klaus J. Ing.

B.: Gschf., Inh. FN.: Puntigam Hoch- u. Tiefbau GmbH, Puntigam Hdl. m. Baustoffen u. EDV Systemen. DA. 8121 Deutschfeistritz 211. PA.: 8121 Deutschfeistritz 224. G.: Graz, 21. Okt. 1945. Ki.: Georg, Ulrich, Christoph. El.: Ing. Willibald u. Helga. S.: BRealschule u. HTL f. Tiefbau Graz, 1968 Matura. K.: Präsenzdienst, Praxis als Baultr., Eintritt in d. v. Vater 1949 gegründeten Betrieb, nach d. Tod d. Vaters 1972 b. z. Tod d. Mutter 1975 Familienbetrieb, b. 1978 Alleininh., danach Umwandlung d. Bauuntern. in eine GmbH. H.: Blumen. (Tra.)

Puntinger Josef Ing.

B.: Gschf. Ges. FN.: Josef Puntinger Ges.m.b.H. & CoKG. DA./PA: 8700 Leoben, Kerpelystr. 14. G.: Leoben 7. Nov. 1943. S.: VS, MS, HTL f. Maschinenbau, Matura 1962, Studium a.d. TU Graz (Masch. Bau) b. 1968, 1970 Meisterprüf. f. Kfz-Mechaniker, 1968-69 Bundesheer. K.: 1969 Eintritt i. d. elterl. Betrieb, Kfz Handel u. Reparaturen, s. 1976 Gschf. Ges. d. J. Puntinger GmbH & CoKG. M.: s. 1990 Gremialvorsteher d. Fahrzeugshandels d. HK Stmk., s. 1975 Landesinnungsmstr. Stellv. d. Kfz-Techniker, 1975 Techn. Kommisar d. obersten nation. Sportkomm., s. 1985 Vors. d. Mstr.-Prüf.-Komm. d. Kfz-Techniker. M.: Grdg. Mtgl. Kiwanis Leoben. H.: Motorsport, Wandern, Skifahren. (I.G.)

Punz Helmut Dr. iur.

B.: Gschf. FN.: VOEST Alpine Montage GmbH. DA.: 4600 Wels, Dieselstr. 2. PA.: 4020 Linz, Händlerstr. 10. G.: Freistadt, 31. Okt. 1955. V.: Eva-Maria, geb. Muckenhuber. Ki.: Elisabeth (1981), Gudrun (1983). El.: Johann u. Hilda. S.: VS, Gymn., 1974 Matura, 1974/85 BH, 1974-79 Jusstud. Linz, 1979 Prom. K.: Gerichtspraxis, ab 1980 Vertragsjurist VOEST Alpine AG, b. 1988 Prokura, ab 1988 Ltg. d. RA-Abt. VOEST Alpine AG Maschinenbau GmbH, 1989 Ltg. d. Rechtsabt. VOEST Alpine MCE, 1989 Prokura, 1991 Dir. d. VOEST Alpine MCEE, seit 1991 Gschf. VOEST Alpine Montage GmbH Wels. BL.: 1991-92 Absolvent d. General Management Programms d. LIMAG. P.: einige J. Ref. am WIFI. H.: Laufen, Tennis, Lesen (Managementliteratur), Familie. (U.A.)

Punzengruber Herbert Dr. phil.

B.: Gschf. Ges., Chemiker u. Betriebsltr. A.: 1160 Wien, Liebhartstalstr. 64. G.: Wien, 27. Juni 1921. V.: Ilse, geb. Schwarz. El.: Oberst Alois u. Rosalie. S.: Reifeprüfung, Realschule, Stud. an d. Univ. Wien (Chemie), Prom. 1947. K.: 1948 Eröff. eines Labors, welches Entwicklungsarb. f. d. pharm. Ind. durchführte, 1950 Grdg. d. Einzelfa. Sigma, 1952 Umwandlung in eine OHG, Sigmapharm Dr. H. Punzengruber & Dr. H. Pichler Chem.-pharm. Präparate in Wien, dort Betriebsltr., Konzessionär u. gschf. Ges. F.: 50 % Fa. Sigmapharm. P.: Mehrere Patente. M.: Innungsmstr.Stellv. d. LInnung Wien d. chem. Gew., Vorst.Mtgl. b. Ver. österr. Chemiker, Mtgl. b. d. Pharmig, mehrere J. Vorst.Mtgl. u. VPräs.

Punzengruber Martin Dr. rer. nat. Mag. pharm.

B.: Dir. d. Chem.-Pharm. Laboratoriums d. Österr. Apothekerkam. DA.: 1090 Wien, Michelbeuerng. 1a. PA.: 1090 Wien, Porzellang. 41/5. G.: Wien, 26. Juni 1954. V.: Mag. pharm. Dorothea, geb. Rassl. Ki.: Christoph (1984). El.: Dr. phil. Herbert u. Ilse, geb. Schwarz. S.: 1972 Matura, ab 1972 Stud. d. Pharmazie an d. Univ. Wien, 1980 Prom. K.: seit 1983 im Laboratorium d. Österr. Apothekerkam. tätig, ab 1987 Dir. d. Labors d. Österr. Apothekerkam. BL.: Untersuchung v. Rohstoffen (Drogen u. Chemikalien), d. in d. österr. Apotheken als Arzneimittel abgegeben oder weiterverarb. werden. H.: Familie, Skifahren, Tennis, Musik. (N.A.)

Punzengruber Walter Ing.

B.: General Manager. FN.: W.J. Punzengruber GmbH, Heyko Austria GmbH, Miller Clamps Int. GmbH. DA.: 1170 Wien, Geblerg. 101. PA.: 1190 Wien, Grinzinger Steig 15. G.: Wien, 28. Mai 1940. V.: Gerlinde, geb. Zabransky. Ki.: Michael Christian, Elisabeth. El.: Johann u. Katharina. S.: RG, 1959 Matura. K.: TH Wien, 12 J. als Lektor f. Hydraulik u. Pneumatik, Ass. b. Prof. Tschirf, 1972 Dipl., 1960 Firmengrdg. W.J. Punzengruber, Spezialwerkzeuge f. d. Werkzeug- u. Maschinenbau, 1980 Grdg d. Fa. Heyko Werkzeuge f. d. Kfz-Bereich, 1982 Grdg. d. Fa. Miller Clamps Int. Herstellung v. Werkzeugen f. d. Spannbereich z. Rationalisierung hoher Nebenkosten. P.: Verfasser div. Beiträge in techn. Zeitschriften. H.: Fremdsprachen, Schwimmen, Tennis. (C.K.)

Pupek Wolfgang Dipl.-Grafiker

B.: Maler. PA.: 1190 Wien, Heiligenstädter Str. 166/2/1/5. G.: Wien, 21. Aug. 1950. S.: Höhere Graph. Lehr- u. Versuchsanst., 1973 Dipl.Grafiker, Mstr.Kl. Prof. Hutter an d. Wr. Kunstak. K.: 100 Ausstellungen im In- u. Ausland, u.a. 1976 Galerie Gogel (Wien), 1978 Contemporary Masters Galery (New York), 1988 "Der klingende Blütenbaum" anläßl. "Wr. Adventzauber", 1990 2. Preis "125 J. Ringstraße" (Wien), 1990 Geschäftsdesign "Eva Pianina Moden" (Sbg.), 1994 Galerie Hablinger im Arik Brauer Haus (Wien). (R.J.).

Purdue Gary

B.: Golf-Professional Golfschule Gary Purdue. DA.: 9062 Moosburg, Stollhofen. PA.: 9062 Moosburg, Tischlerfeld 1. G.: York/England, 17. Apr. 1961. V.: Gabriele, geb. Kitzberger. Ki.: Joanna (1994). El.: Harald u. Joan. S.: Grundschule, Grammar School York, 1977 Matura. K.: 1977-84 Tätigkeit im Fulford Golfclub York, 1981/82 Qualifikation als Golflehrer, 1984-94 Tätigkeit im Golfclub Enzersfeld, Golfclub Brunn/-Gebirge u. Golfclub Austria Wörthersee, 1994 Grdg. d. Golfschule. BL.: 1. Preis b. Christine Vranitzky ÖVB Open 1993, Teilnahme Europ. Tour Qaulifying School Montepellier. M: British Professional Golf Assoc., Austrian Golf Assoc. Wien. H.: Skifahren, Musik, Golf, Radfahren, Reisen. (G.L.)

Purcell Hugh Dominic Dr. o.Univ.-Prof.

B.: Univ.-Prof. WU Wien. GT.: Gastprof. an d. Univ. Wien, Hrsg. d. Fortune Newsletters. DA.: 1090 Wien, Aug. 9. PA.: 1060 Wien, Windmühlg. 7/1/19. G.: Singapur, 18. März 1933. V.: Nora F., geb. Kasteliz. Ki.: Guy Roland (1961), Geoffrey Fitz Gerald (1972), Alexander Henry (1975). S.:

1938-40 Lycee Francais de Londres, 1940-44 Gilling Castle, 1944-50 Ampleforth College, 1950-53 Jesus College Oxford, 1963-66 Trinity College Cambridge. K.: 1953-55 Nat. Service `2nd Lt. Green Howards, 1957-58 British Inst. of Rome, 1958-60 Prof. an d. Middle East Technical Univ. Ankara, 1960-63 Prof. Univ. Shiraz/Persien, 1963-66 Doktorat u. Lehrer Univ. Cambridge, 1966-70 Prof. Queen Univ. Belfast, 1963-66, 1970-71 Prof. u. Vorst. Univ. Libyen, Benghari. 1972-75 Prof. u. Vors. Univ. Nepal, 1975-76 Prof. u. Vors. Univ. Doha/Katar, seit 1976 Prof. WU Wien, 1988-92 Vors. d. Inst. f. Engl. Sprache. BL.: 1977-84 Gastprof. Univ. Wien, zahlr. Vorträge, Trainee Manager. P.: Art. in engl. Fachzeitschriften, über 44 Bücher, Geschichte Zyperns 1970, versch. Lehrbücher, privates Investment, 1991. H.: Surfen, Judo (Schwarzer Gürtel), Langlaufen.

Püregger Helmut Dr. med. univ.
B.: FA f. Zahn-, Mund- u. Kieferheilkunde. DA.: 1040 Wien, Schleifmühlg. 1. PA.: 1180 Wien, Bastieng. 93. G.: Wien, 11. Juni 1942. V.: Edeltraud, geb. Sailer. Ki.: Maria (1975), Eva (1976). El.: KommR. Hanns u. Mag. pharm. Wilhelmine, geb. von Singer. S.: 1960 Matura, Med.-Stud. Univ. Wien, 1967 Prom., 1970 FA. K.: seit 1971 selbst., Spezialgebiete: Kieferorthopädie, Parodontologie, Implantologie. H.: Tauchen, Surfen, Tennis, Skifahren, Musik, Theater, Bridge, Reisen. (N.A.)

Pürer Ernst Dr. nat. techn. Dipl.-Ing.
B.: Prok., Ltr. d. bautechn. Hauptabt. FN.: Vbg. Illwerke AG. GT.: Mtgl. d. Stauhbeckenkmsn. DA.: 6780 Schruns. PA.: 6780 Schruns, Hofrat-Duny-Weg 14. G.: Krumbach, 25. März 1946. V.: Herta, geb. Gruber. Ki.: Ulrich (1976), Paul (1980). El.: Ernst u. Friederike. S.: VS, HS, HTL, Univ. f. Bdk. K.: Univ.-Ass., Ang. d. Vbg. Illwerke AG, Ltr. d. bautechn. Hauptabt., Prok. M.: ÖIAV.

Pürgyi Paul Dr. med.
B.: Prim. d. Neurolog. Abt. d. KH d. Barmherzigen Brüder Linz. DA.: 4020 Linz, Seilerstätte. PA.: 4020 Linz, Bahrg. 8. G.: Wien, 18. Okt. 1940. V.: Charlotte, geb. Linko. Ki.: Philipp. El.: Dipl.-Ing. Paul u. Johanna. S.: Matura in Linz, Med.Stud. an d. Univ. Wien, 1966 Prom. K.: ab 1966 Ausbild. b. Prof. Lenz Linz u. Stud. an d. psychiatr. Klinik in Basel, ab 1979 Prim. P.: Arb. über erbl., neurolog. Krankheiten, psychopharm. u. psychosomat. Med. (J.G.).

Purkarthofer Heinrich Dr. phil.
B.: Stellv. Dir. d. Steir. Landesarchives, Archivar. DA.: 8010 Graz, Bürgerg. 2a. PA.: 8010 Graz, Wartingerg. 11. G.: Dörfl, 28. März 1934. El.: Josef u. Theresia. BV.: Johann Ulrich Schulaufseher d. Monarchie u. Metropolitenpropst zu St. Stephan u. somit Kanzler d. Univ. Wien, Urgroßonkel Matthias Purkarthofer Ak. Bildhauer (19. Jhdt.). S.: VS, HS, BRG, 1955 Matura, Stud. Geschichte, Germanistik, Psych., Phil., Päd., Kunstgeschichte u. Geographie Univ. Graz, 1961 Prom. K.: Privatwirtschaft, 1963-64 Tätigkeit b. d. Österr. Post- u. Telegraphenverw., 1965 Aufnahme in d. Steir. Landesdienst u. Zuweisung ins Landesarchiv, 1968 Abschluß d. Inst. f. Österr. Geschichtsforsch. Wien m. Staatsprüf. u. Dipl.-Arb. "Mons Predel. Zur Siedlungsgeschichte d. Gebietes zwischen mittlerer Mur u. Raab", seit 1. Mai 1985 stellv. Dir. d. Steir. Landesarchives. P.: Die Herrschaft Herberstein in d. Stmk. v. Beginn d. 16. Jhdt. b. 1628 (1960), Geschichte v. Kumberg. Festschrift z. Markterhebungsfeier (1965), Eggersdorf (1978), Hollenegg. Aus seiner Geschichte zu seinem Wappen (1980), Pirching am Traubenberg (1984), Der Kaiserwald (1985), Karten: Kumberg, Gründerhof m. Zeilendorf, Hausackerflur u. Zusatzgewannen (1976), Die Hochfreien d. Stmk. in d. 1. Hälfte d. 12. Jhdt. (1979), Die Gutenberger Urkunden d. Stiftes Göß (1974), Mons Predel: Zur Siedlungsgeschichte d. Gebietes d. Wasserscheide zwischen mittlerer Mur u. Raab (1979), Das Wappen d. Steiermark. Kulturgeschichtl. u. rechtl. Aspekte (1980), Siedlungsgeschichte d. Gem. St. Margarethen an d. Raab. Werden u. Wechselfälle einer alten oststeir. Kulturlandschaft (1990). BL.: Gem.-Wappen m. geschichtl. Abrissen, Entwürfe zu 146 v. d. Steir. Landesrg. verliehener steir. Gem.-Wappen, Entwürfe zu 2 v. d. Bgld. Landesrg. verliehener bgld. Gem. M.: Histor. Landeskmsn., Inst. f. Österr. Geschichtsforsch., histor. Landeskmsn. f. Stmk. H.: künstler. Tätigkeiten. (P.M.)

Purkowitzer Wilhelm

B.: Inh. FN.: Autohandel Wilhelm Purkowitzer. DA. u. PA.: 9100 Völkermarkt, Jauntalweg 2. G.: Völkermarkt, 26. Jän. 1957. V.: Waltraud, geb. Rosenzopf. Ki.: Manuel (1982), Tanja (1990), Katrin (1991). El.: Karl u. Ursula. K.: d. Eltern gründeten d. Betrieb i. Jahre 1957 und bauten ihn zu einem Mittelbetrieb aus, i. Jahre 1987 legte ich d. KFZ-Mstr.-Prüf. mit Erfolg ab, 4 J. später Übern. d. elterl. Betriebes.

Purr Utz Dipl.-Ing.

B.: Arch., staatl. befugter u. beeid. Ziviltechn. DA.: 1040 Wien, Prinz-Eugenstr. 14. G.: Wien, 3. März 1939. El.: Arch. Prof. Fritz u. Anna. S.: BRG Wien Stubenbastei, Arch.-Stud. TU-Wien, 1966 Dipl. Ing. K.: 1959-69 Mitarb. im Büro Arch. Prof. Fritz Purr, 1971-77 Büroltr., 1967 Studien zu Univ.-Planungen in USA, Canada u. Mexiko, seit 1. Jän. 1992 Partnersch. m. Arch. Dipl.-Ing. Bengt Sprinzl, Planungen u. ausgeführte Werke: Wohnhausanlage, Privatkrankenanst., Univ.-Sportzentrum Schmelz Wien, Atominst d. Österr. Univ. Wien, Hörsaalzentrum Univ. Wien Hauptgebäude, Gymn., Bundesblindenerziehungsinst. Wien, Diev. Sanierungen u. Revitalisierungen. H.: Jagd. (A.N.)

Purrer Karl
B.: Inh. Möbelagentur. DA. u. PA.: 4800 Attnang-Puchheim, Wankhamerstr. 17. G.: Attnang, 10. Aug. 1952. V.: Helga, geb. Soriat. Ki.: Nina (1981), Phillip (1984). El.: Karl u. Margarethe. S.: VS, HS, Berufsschule m. kfm. Ausbild., 1971 Abschluß, Praxis in Möbelerzeugungsbetrieb. K.: 1973-79 Tätigkeit im elterl. Betrieb, seit 1979 selbst. Handelsvertretre f. dt. u. ital. Firmen: Dall'Agnese Italien u. Thielemeyer Deutschland. H.: Tennis, Skifahren. (E.Hö.)

Purrer Siegfried Dr. iur.
B.: Gschf. FN.: Neue Coutinho Caro + Co Trading GmbH. DA.: 20099 Hamburg 1, PF 104720. PA.: 4614 Marchtrenk, Mozartstr. 2A, 20249 Hamburg 20, Heilwigstr. 128. G.: Vöcklabruck, 17. Okt. 1949. V.: Johanna, geb. Knoll. Ki.: Sieglinde (1980), Christian (1984), Susanna (1988). El.: Josef u. Hildegard. S.: 1968 Matura, Stud. d. Rechtswiss. in Linz, 1972 Prom. K.: während d. Stud. Reiseltr. in versch. Ländern,

Gerichtspraxis, 1974 Einkaufsabt. d. VOEST-ALPINE, 1978 m. Grdg. d. Intertrading, Übertritt als Prok., 1985-90 Gschf. d. Intertrading, Nov. 1990 Vorst. d. Coutinho Caro + Co AG, seit Sept. 1992 Gschf. d. Neue Coutinho Caro + Co Trading GmbH. H.: Bergwandern. (P.R.)

Purrucker Wolfgang Dipl.-Ing.

B.: Arch. GT.: staatl. befugt. u. beeid. Ziviltechniker, gerichtl. beeid. Sachv. DA.: 6900 Bregenz, Rathausstr. 35. PA.: 6900 Bregenz, Ehregutapl. 5. G.: Schwaz, 23. Dez. 1946. V.: Mag. Ingeborg, geb. Stroh-Tscharner. Ki.: Clemens (1977), Catherina (1980). S.: 1965 HTL-Matura Innsbruck, 1969-75 Arch.-Stud. an d. Univ. Innsbruck. K.: 1965-78 Arb. in Innsbrucker Arch.-Büros, 1978-82 Auslandsaufenthalt in d. Schweiz als Teilhaber eines Arch.-Büros, seit 1982 eigenes Arch.-Büro in Bregenz. P.: versch. Art. f. Tageszeitungen u. Zeitschriften, Zusammenarb. m. ORF z. Thema Stadterneuerung u. Altstadterhaltung. M.: Ing.-Kammer f. Tirol u. Vbg., Zentralverein. d. Arch. Österr., Österr. Ges. f. Baukybernetik, Intern. Städteforum Graz, Intern. Bodensee-Club u.a. H.: Bild. Kunst, Musik, Segeln. (A.K.)

Pursch Peter Dkfm. Dir.

B.: Gschf. FN.: Kotànyi GmbH. DA.: 2120 Wolkersdorf, Johann-Galler-Str. 11. PA.: 2511 Pfaffstätten, Billrothstr. 497. G.: Wien, 6. März 1946. V.: Elisabeth, geb. Grafl. Ki.: Livia, Margot, Alexandra. El.: Ernst u. Maria. S.: Realschule, Welthdl., Abschluß 1969. K.: Schuss Büromaschinen Verkaufsltg., Bobbin Möbelind. Verkaufs, Marketing, Ltg., seit 1980 Gschf. Kotlanyi. BL.: Fa. Kotànyi seit 1981 Staatswappenträger. M.: Management Club, WdF, Mensa. H.: Skifahren, Fliegen, Schach, Tennis. (A.K.)

Purtscher Birgit

B.: Hotelier. FN.: Hotel Alte Schmiede. DA.: 6534 Serfaus, Dorfbahnstr. 64. G.: Prutz, 30. Juni 1944. V.: Adolf. El.: Josef u. Helene Stubenböck. BV.: Urgroßvater war langjähriger Bgm. von Prutz u. Grdr. d. Musikkapelle Prutz, regional sehr bekannte Persönlichkeit. S.: VS, HS, berufsbezogene Weiterbildung, Konzessionsprüf. f. Gastgewerbe. K.: Mitarb. im elterl. Gasthof in Prutz, 1964 Heirat, d. Mann hatte eine Landwirtschaft u. Sägewerk, Beginn mit 4 Gästebetten, 1974 Eröff. d. Schmiedestüberls, 1977 Restaurant Schmiedekeller, 1978 Hotel alte Schmiede, 1983 Zukauf einer Pension und eines Apartmenthauses, 1988 Pension Vogelweiderhof, 1989 Zusammenbau Vogelweiderhof u. alte Schmiede, 1990 Eröff. Schmiede Ferienhof-Haflingergestüt u. Landwirtschaft. H.: Handarbeiten, Lesen, Musik, Kunst u. Kultur. (I.D.)

Purtscher Martin Dr.

B.: LHptm. v. Vbg. DA.: 6900 Bregenz, Landhaus. PA.: 6712 Thüringen 354. G.: Thüringen, 12. Nov. 1928. V.: Gretl, geb. Hübner. Ki.: Dr. Sabine, Carola, Dipl.-Ing. Vera. El.: Martin u. Barbara. S.: Matura, Prom. z. Dr. iur. 1953 in Innsbruck. K.: 1948 als Buchhalter b. d. Firma Lorünser-Leichtmetallwerke in Schlins, 1953 kfm. Dir. dieser Firma, 1965 Eintritt in die Suchard-Schokoladen GmbH, seit 1966 Gschf., 1984 LLtr. d. Jacobs-Suchard-Gruppe Österr., polit. Laufbahn: 1955 Gemeindevertr. in Thüringen, 1964 Vbg. Landtag, Obm. d. Rechtsausschusses, 1974 Präs. d. Vbg. Landtags, seit 1987 LHptm. v. Vbg. E.: V GEZ, päpstl. GrO/St. H.: Skifahren

Pürzelmayer Wilhelm

B.: Prok., Ltr. Marketing u. Verkauf d. Fa. Mannesmann Tally GmbH. DA.: 1232 Wien, Zetscheg. 17. PA.: 2340 Mödling, Badstr. 55. G.: Wien, 27. Mai 1941. V.: Hannelore, geb. Haudmann. Ki.: Rainer u. Iris. El.: Wilhelm u. Margarete. BV.: Urgroßvater d. Mutter d. Dichter Schindler Konrad, Großvater d. Mutter d. Frau Fechtmstr. d. Kaiserin Elisabeth. S.: 1960 Matura, b. 1976 Systemanalyse, Vertrieb b. Burroughs, seit 1976 Controller u. Treasurer, Prok., seit 1985 Vertriebsltr. H.: Bridge, Tennis, Musik. (E.L.)

Purzner Karl Dr. med.

B.: Klin. Sozialpsychiater im PKH d. Stadt Wien, Ltr. d. Inst. f. Angew. Psychoanalyse Wien. DA.: 1140 Wien, Baumgartner Höhe 1, 1160 Wien, Ganstererg. 7/2/20. PA.: 1160 Wien, Ganstererg. 3/17. G.: Wien, 25. Juli 1945. V.: Renate, geb. Geyer. Ki.: Julia. El.: Karl u. Thea. BV.: Mütterlicherseits einige prom. Mediziner in Ungarn. S.: Matura in Wien, High School Abschluß, Med. Stud., parallel dazu Stud. d. Psychoanalyse. K.: FA-Ausbild. Baumgartner Höhe, 1979-82 Ausb. in allg. Management, bes. in d. Organisationsentw. u. Gruppendynamik, s. 1981 Ass. d. Ärztl. Dir. im PKH f. Organisationsentw. im Rahmen d. Wiener Psychiatrie-Reform, Mitarb. an d. Familienberatungsstelle d. Wiener Psychoanalyt. Ver., Lehrtätigkeit in Krankenpflegeschulen, in Seminaren d. Sigmund Freud Ges., div. Fortbildungsveranst., s. 1980 psychoanalyt. Berater d. Anna Freud-Kingergartens. M.: Wr. u. Intern. Psychoanalyt. Ver., Österr. Ges. d. Nervenärzte u. Psychiater. H.: Mythologie, Theater, Kunst u. Kunstgeschichte, Musik, Reisen, Sprachen, Volkskunde, Wein. (K.A.)

Pusca Walter

B.: Kürschnermstr. DA.: 1060 Wien, Gumpendorferstr. 67. G.: Wien, 3. Juli 1929. El.: Georg u. Maria, geb. Jarisch. S.: Grundschule. K.: durch d. Tod d. Vaters m. 20 J. Mstr.Prüf., Weiterführung d. Betriebs gemeinsam m. d. Mutter, m. 25 J. ein halbes J. in Paris, Studien an d. HS f. Welthdl. z. Außenhdls.Kfm. (Engl., Franz., Ital.), Vertr. in London, Frankfurt, New York, 5 J. Gasthörer an d. Ak. in Wien: Portrait, Modezeichnung, Grafik. H.: Segeln, Fotografie, Skifahren, Theater, Ballett, Musik, Puppen, Auslagengestaltung. (N.A.)

Pusch Gerhard Mag. Dir.

B.: Dir. d. BG f. Berufstätige. DA.: 5020 Salzburg, Franz-Josef-Kai 41. PA.: 5020 Salzburg, Keutschachstr. 4. G.: Steyr, 10. Okt. 1957. V.: Gabriele, geb. Goez. El.: Josef u. Katharina. S.: VS, AHS, BAG Steyr, 1975 Matura, b. 1980 Stud. Lehramt Geographie u. Englisch Univ. Sbg. K.: 1980-81 Probej. u. Unterricht in Tamsweg, 1981-90 Sekr. d. LandesschulR., 1983-85 Fortbild. d. Lehrer im Bereich Informatik, 190 Dir. d. Abengymn. Sbg. P.: 1985-89 mehrere Schulversuche z. Begabtenförd. in Sbg., 1989 Organ. d. intern. Kongresses "Begabung gefragt" Sbg., einschlägige Publ. z. Begabtenförd. M.: World Council for Gifted and Talented Children Inc., Vorst. d. Ver. z. Förd. begabter Schüler. H.: Sport, Tennis, Laufen, Lesen, Reisen. (J.F.)

Pusch Hans Helmut Dr. Prof.

B.: OA, Ltr. d. androlog. Labors d. Univ.-Frauenklinik d. LKH. DA.: 8010 Graz, Auenbruggerpl. 14. G.: Leoben, 5. Dez. 1947. V.: Franziska, geb. Jonas. Ki.: Eva (1977), Gereon (1980). S.: BRG Graz, 1969 Matura, BH, 1970 Med.-Stud. Graz, 1976 Prom., 1988 Habil. K.: 1979 Geburtshilfl.-Gynäkolog. Univ.-Klinik Graz, 1986 FA-Anerkennung, 1988 OA, seit 1992 a.o.Prof. an d. Univ., seit 1993 ärztl. Ltr. d. Menox Ambulatoriums f. Wechsel-beschwerden Graz. P.: ca. 80 Publ. in intern. Fachzeitschriften u. mehr als 160 Fachvorträge. E.: 1990 wiss. Förd.-Preis d.

Steir. Ärztekam., 1991 wiss. Preis anläßl. d. dt.-franz. Gemeinschaftstagung f. Andrologie. M.: Vorst.-Mtgl. d. Dt. Ges. f. Andrologie, Amerikan. Andrology, Mtgl. in zahlr. Ges. f. Gynäkologie u. Geburtshilfe sowie Fertilität u. Sterilität, Grdg.-Mtgl. d. Menopauseges. dt.-sprachiger Länder. H.: Paläontologie, Astronomie, alte Motorräder. (R.S.)

Pusch Helga Michaelias
B.: Schriftstellerin. PA.: 1130 Wien, Trauttmansdorffg. 34/36. G.: Wr. Neustadt, 28. Jän. 1923. V.: Prof. Dipl.-Ing. Heinz Pusch. Ki.: Adelheid, Hans, Heidelinde. El.: MedR. Dr. Fritz LandessanR. f. NÖ u. Ilse Ludwig, geb. Kohlfürst, Lehrerin, Malerin u. Dichterin. BV.: Großeltern Ludwig: Klara, Seidenfärber u. Journalisten, Johann, Mittelschulprof. Schottengymn., Bauernsohn aus Südmähren, sein Bruder Martin Superior Stift Göttweig. Großeltern Kohlfürst: Marie, Kronenapotheke Wr. Neustadt, Ludwig Kohlfürst RgR. Ldw.-Ing., Kober Kohlfürst 5BB, Rebenvertrieb n. ganz Europa, Mtgl. d. Freimauerloge "Schlaraffia" Wr. Neustadt, Ritter "Hamham", seine Mutter, Gräfin Anna Kohlfürst, geb. v. Dettelbach führte m. d. Schwester f. Vater Franz v. Dettelbach 60 Personenhaushalt d. Kunsttischlerei (Kirchenaltäre u.ä.), Nachweis d. Geschlechts b. ins 13. Jhdt. Im ehemaligen Haus d. Dettelbachs in Graz ist heute d. Steir. Ärztekam. etabliert. Der Familie Kohlfürst entstammen Ärzte, Maler u. Chirurgen, Urgroßmutter v. Ludwig Kohlfürst war eine Nichte v. Sandwirts Andreas Hofer, sie heiratete d. Grazer Freiheitskämpfer Mathias Jäger. K.: Lehrerin i.R., Schriftstellerin (Lyrik, utop. Romane), verarbeitete Erlebnisse d. zweiten Gesichts. P.: Lesungen im ORF, FS1, Kath. Ak., VHS, Palais Tedeski, Intern. Kulturzentrum etc. Werke: Romane: "Tausend Funken im Kristall", "In meines Vaters Haus sind viele Wohnungen", Lyrik: "Nachtwache", "Hauch d. wilden Rose", "Kreuzweg ohne Licht?", "Heiter besinnlich - Gedichte u. andere Geschichten", Mitautorin v. Anthrologien. M.: Verb. d. geist. Schaffenden Österr., NÖ Bildungs- u. Heimatwerk, Arge Literatur, Österr. Autoren I.G. H.: Ausgefallene Handarbeiten, Teppich knüpfen nach eig. Entwurf ("Urknall"). (U.K.)

Pusch Helmut
B.: Kfm. FN.: Wohnwagen Pusch. DA.: 4810 Gmunden, Linzer Straße. PA.: 4810 Gmunden, Moosbergweg 10. G.: Gmunden, 12. Febr. 1925. V.: Ulrike, geb. Gebetsroither. Ki.: Brigitte, Gabriele. El.: Anton u. Luise. S.: HS, HASCH. K.: 1955 Grdg. d. Einzelfa. f. Auto- u. Wohnwagenverkauf, Spezialisierung auf d. Wohnwagensektor, seit 1981 auch eigene Erz., Teilnahme an zahlr. Rallye- u. Wertungsfahrten. H.: Sport. (Foed.)

Puschautz Walter
B.: Kammerrat; Handlungsbev. FN.: Delacher & Co. DA.: 6961 Wolfurt, Am Güterbahnhof. PA.: 6911 Lochau, Am Hoferfeld 18. G.: Götzis, 6. Aug. 1942. V.: Maria. Ki.: Alexandra (1973), Simone (1977). El.: Maximilian u. Luise. S.: HS, kfm. Lehre Dornbirn, 1960 Abschluß, berufsbezogene Weiterbild. K.: Berufspraxis als kfm. Ang. BRD, Schweiz u. Österr., 1965 Eintritt Firma Delacher als Zolldeklerant, 1967 Handlungsbev., seit 1966 Mtgl. d. FPÖ Vbg., 1980 Gem.-Vertreter Lochau, 1990 Aussch.-Mtgl. Kanal u. Wasser, Überprüf.-Aussch., 19865 KamR. d. Arbeiterkam. Vbg., 1979 BetriebsR.-Vors. M.: Bundesvorst. d. IFA, Österr. Gewerkschaftsbund Landesgruppe Vbg. H.: Lesen, Computer, Wandern. (I.D.)

Puschacher Paul
B.: Gschf. FN.: Mayerhofer GmbH Radio- u. Fernsehservice. DA.: 1120 Wien, Schönbrunnerstr. 146. G.: Waldhausen, 31. Aug. 1956. V.: Andrea, geb. Friderich. Ki.: Sophie (1994). El.: Paul u. Andrea. S.: VS, HS, Berufsschule f. Radio- u. Fernsehtechnik. K.: Lehre Firma Mayerhofer u. anschl. im Verkauf, 1986 Übernahme d. Firma Mayerhofer, 1988 Übernahme d. Nachbargeschäftes. H.: Tennis, Fotografieren, Skifahren. (G.B.)

Puschendorf Bernd Dr. med.
B.: a.o.Univ.-Prof. f. Med. Chemie u. Biochemie. A.: 6410 Telfs, K.-Schönherr-Str. 12. G.: Berlin, 20. Juli 1942. V.: Sigrid, geb. Kramer. El.: Richard u. Margarete. S.: Stud. d. Med. (Freiburg/Br.), Prom. z. Dr. med. Freiburg 1966, Habil. Freiburg 1973, Habil. Innsbruck 1975. K.: a.o.Univ.-Prof. Innsbruck 1979, Ltr. d. Abt. f. klin. Biochemie am Inst. f. Med. Chemie u. Biochemie d. Univ. Innsbruck. M.: Ges. f. Biol. Chemie (BRD), Österr. Biochem. Ges., Österr. Ges. f. Klin. Chemie, korresp. Mtgl. d. Schweiz. Ges. f. Klin. Chemie.

Puschenjak Erwin

B.: Bürgermeister d. Gemeinde Kraubath. DA.: 8714 Kraubath. PA.: 8714 Kraubath, Bahnhofstr. 1. G.: Knittelfeld, 5. Juli 1950. V.: Christine, geb. Hitter. Ki.: Andreas (1977), Stefanie (1984). El.: Ferdinand u. Siegfriede. S.: 4 J. Gymn., Drogistenlehre in Knittelfeld, 1968 Abschluß. K.: 5 J. Drogist in Knittelfeld, zwischenzeitlich Chemielaborantenschule, 1974 Abschluß, bis Ende 1990 Analytiker u. Umwelttechniker in Forschungszentrum Leoben, 1991 Umwelttechnikfirma in Leoben, s. 1.11.91 Mitarb. d. ÖVP, Bezirksgschf., s. 1992 Bezirksparteiobmann, s. 1990 Bgm. in Kraubath. E.: Plakette d. Hl. Florian. H.: Berggehen, Lesen, Fotografieren. (I.G.)

Puschl-Schliefnig Andrea

B.: Journalistin. FN.: ORF Fernsehen u. Hörfunk. DA.: 1040 Wien, Argentinierstr. 30a. PA.: 1070 Wien, Zollerg. 7. G.: Klagenfurt, 29. Apr. 1961. Ki.: Benjamin (1982). El.: Bartholomäus u. Cäcilia. S.: 1979 Matura i. Klagenfurt, 12 Semester Publizistik u. Politikwiss. u. 4 Sem. Dolmetschstud. a. d. Univ. Wien. K.: ab 1983 während d. Stud. Ferialpraktikantin ORF Kärnten, ab 1986 ständige freie Mitarb. Landesstudio Wien, aktueller Dienst, s. 1989 Ang. als Red. u. Reporterin, s. 1/1992 zusätzlich Moderatorin "Wien-heute" sowie s. 1993 auch Moderation "Österreich-Heute". H.: Reisen, Schwimmen, Skifahren u. Schreiben.

Puschmann Fritz

B.: Gschf., Experte f. Philatelie. FN.: ÖPHILA Puschmann & Vogel OGH Briefmarken u. Postgeschichte. DA.: 1010 Wien, Führichg. 12. PA.: 2352 Gumpoldskirchen, Wiener Str. 114. G.: Wels, 19. Dez. 1936. El.: Heinrich u. Berta. S.: 1955 Matura, Teilstud. Vermessungstechnik. K.: als Techniker im Tiefbau u. Straßenbauarb. tätig, 1965 Beginn d. intensiven Beschäftigung m. Philatelie durch Wr. Intern. Postwertzeichenausstellung, 1971 freier Experte f. Philatelie im Dorotheum, 1972 Auktionsfa. Züma, seit 1976 als Experte im Dorotheum tätig, 1985 Grdg. Öphila: Auktionen, Philatelie, Prüf. u. Hdl. v. Marken, Postgeschichte. M.: Obm. d. Austria Philatelie, Österr. Philatelistenclub. H.: Briefmarken sammeln, Sport. (R.J.)

Puschmann Gerhard Dr.

B.: Mtgl. d. Vorst. FN.: Nettingsdorfer Papierfbk. AG. DA.: 4054 Nettingsdorf. PA.: 4053 Haid, Ziehbergstr. 6. G.: Wels, 15. Juli 1934. Ki.: Beatrix (1962), Isolde (1966), Christiane (1969). S.: VS, RG, Chemiestud. Univ. Wien, Doktorat. P.: zahlr. Art. in Fachzeitschriften. E.: Präs. d. Schulver. d. Österr. Papierind., Präs. d. Öster. Energiekmsn.-Verb. M.: Ver. Österr. Industrieller, Wirtschaftsforum d. Führungskräfte. H.: Wandern, Tennis, Skifahren, Skitouren, Radfahren.

Puschmann Gerhard Dr.

B.: Gen.-Dir. Donau Allg. Vers. AG Wien. PA.: 2103 Langenzersdorf, Setzfeldg. 8. GT.: AufsR.Vors. Komma Marketingberatung GmbH Wien, 1. AufsR.Vors.Stellv. Sparkassen Vers. AG Wien, AufsR.: Casinos Austria AG, Interrisk Intern. Vers. AG, Realitätenverwaltungs u. Restaurationsbetriebs GmbH Wien.

Puschmann Helfried Dr

B.: Dir. d. ABM. DA.: 2334 Vösendorf, SCS. PA.: 1180 Wien, Lazaristeng. 2. G.: Wien, 8. Sept. 1941. V.: Christa, geb. Gräf, 2 Töchter, 1 Sohn. El.: Emil u. Wilhelmine. S.: Hum. Gymn. Wien, Matura 1959, Jusstud. Wien, Prom. 1963. K.: Militär, BK Fachv. d. Metallind. 1964-69, 1969 Gerngroßsekr. d. beiden Zentr.Dir., b. 1974 Ltr. d. Rechtsabt. (wichtigste Entsch. bzgl. d. weiteren Laufbahn vom jur. zum kfm. Bereich), b. 1979 Gschf. d. Warenhauses "Steffl", dann zu "ABM" (Aktivierung d. Geschäftsganges u. Aufbau d. Firma zu einer d. führ. in d. Branche). M.: Rotary-Club, Touristenklub ÖTK. H.: Klass. Musik, Skifahren, Tennis, Radfahren, Wandern. (M.G.)

Puschner Claudia Ing.

B.: Gschf. Inh. FN.: Wöbau u. Eisen Puschner. DA./PA.: 6300 Wörgl, Innsbruckerstr. 85. G.: Wörgl, 10. April 1969. V.: Kranabiter. Ki.: Philipp (1963). El.: Anna u. Karl. S.: VS, HS, 1983-88 HTL f. Hochbau Innsbruck, 1988 Matura u. im elter. Betr. begonnen. K.: 1991 Verleihung d. Ing. Titels, 1990 elterl. Betr. übernommen, s. 1990 Gschf. u. Inh. H.: Skifahren, Familie. (A.W.)

Puschmann Wolfgang

B.: Gschf. FN.: CAD Studio Puschmann-Zahn OEG. GT.: Lehrbeauftragter f. Erwachsenenbildung f. CAD b. WIFI. DA.: 8712 Niklasdorf, Leobnerstr. 94. PA.: 8700 Leoben, Stollenweg 3. G.: Leoben, 3. Nov. 1968. El.: Wolfgang u. Waltraud. S.: BRG Leoben, BORG Eisenerz, 1990 Matura, BH. K.: 1990-92 Elektronikkolleg, 1992 HTL-Matura, 1992-94 CAD Grafik Studio als Hard- u. Softwaretechniker, s. 8/94 Gschf. f. Handel d. Fa. CAD Studio, Entwicklung u. Verk. v. Software u. Hardware f. d. Bereich d. computerunterstützten Zeichnens (CAD) f. Maschinenbau, Arch. u. Raumplanung. H.: Surfen, Tennis, Skifahren. (I.G.)

Püspök Peter Dkfm

B.: Vorst.Dir. d. Gen. Zentralbank. DA.: 1010 Wien, Herreng. 1. G.: Bad Ischl, 16. Dez. 1946. S.: Schottengymn. Wien, 1965 Matura, HS f. Welthdl., 1970 Dipl. K.: 1970-77 Chase Manhattan Bank Frankfurt, New York, Wien, New York, Düsseldorf - Kundenbetreuung u. Kreditgesch., seit 1977 Gen. Zentralbank, ab 1987 stellv. Mtgl. d. Vorst., seit 1988 o.Vorst.Mtgl. Bereich Betreuung d. inländ. Kundschaft/Kreditgesch. M.: AufsR. d. Österr. Hotel u. Fremdenverkehrs Treuhand GmbH, Österr. Invest Kredit AG, Raiffeisen Immobilien AG, Vorst. d. Raiffeisen Finanzierungs AG, Obm. d. Kreditgen. f. Gewerbetreibende in Wien. (C.K.)

Pusswald Karl Mag.

B.: Gschf., Ltr. d. Raiffeisenbank. DA.: 8230 Hartberg, Wieseng. 2. G.: Sinabelkirchen, 15. Dez. 1950. S.: HAK-Matura, 4 J. im elterl. Unternehmen Sinabelkirchen tätig, anschl. BWL-Stud. Graz u. Wien. K.: Eintritt Raiffeisenbank Graz-St. Peter, Ltr. d. Kreditabt. u. 3 J. gschf. Ltr. ab 1992 Gschäftsltr. d. Raiffeisenbank Hartberg. (I.J.)

Puta Liselotte

B.: Gschf. Ges. FN.: Ramsa-Wolf GmbH. DA.: 1170 Wien, Diepoldpl. 8. PA.: 3003 Gablitz, Hochbuchstr. 50A. G.: Wien, 10. Juli 1954. V.: Franz Puta. Ki.: Katrin (1978), Stefan (1981). El.: Johann u. Ottilie Wolf. S.: kfm. Ausbild. u. parallel dazu Ausbild. z. Senfmüller im elterl. Betrieb. K.: 1970 Eintritt in d. elterl. Unternehmen, 1990 Übernahme dessen Führung. M.: Codexkmsn. im BMG. H.: Reisen, Stricken, Gartengestaltung. (N.A.)

Putschögl Gerhard Dr. iur. Univ.Doz

B.: LBmtr./Abt.Ltr. DA.: 4010 Linz, Spittelwiese 4. PA.: 4020 Linz, Gruentalerstr. 33. G.: Freistadt, 11. März 1940. V.: Dr. Ingeborg, geb. Pohl. El.: Dr. Leopold u. Maria. S.: Ak. Gymn. Linz, 1958 Matura, Univ. Wien, 1962 Prom. K.: 1963 Eintritt in d. Amt d. OÖ LRg., 1964 Stellv. d. Ltr. d. Abt. Gem. u. Sparkassen, m. 1984 Ltr. d. Abt., seit 1980 Univ.Doz. an d. Univ. Linz f. Österr. Verfassungs- u. Verwaltungsgeschichte. P.: Buch "Die landesständ. Behörden-Organisation in Österr ob d. Enns" (1978), Verfasser v. rechtshistorischen u. gemeinderechtl. Abhandlungen, Mitautor v. "OÖ Gemeindeordnung 1965". H.: Tennis, Skifahren. (Deu.)

Puttinger Günter Dipl.-Kfm. Dr.

B.: Gastwirt. GT.: Mtgl. d. BR. FN.: Parlament. DA.: 1017 Wien, Dr.-Karl-Renner-Ring 3. G.: Linz, 3. Nov. 1942. S.: Gymn., HAK, 1961 Mat., HS f. Welthandel, 1968 Dkfm., 1972 Dr.rer.comm., HAK-Ass., 1968-73 Organisation u. Datenverarb. Erste Allg. Vers. Wien, ab 1973 Verk.-Ltr. Österr. u. Osteuropa Fa. Gießerei-Dienst GmbH, 1978 Übern. d. "Sternbräu" Sbg., 1988 Obm. d. Sekt. Fremdenverkehr i.d. Sbg. HK, s. 1990 Obm. d. Bundessektion Fremdenvekehr d. Bundeskammer d. gew. Wirtschaft, Präs. d. Österr. Ges. f. angew. Fremdenverkehrswiss., s. 1993 Obm.-Stellv. d. Österreich-Werbung. M.: ÖVP, s.9.11.93 Mtgl. d. BR als Nachf. v. H. Rieder.

Putz Anton Ing.

B.: Kfm., Gschf. Ges. FN.: A. & A. Putz GmbH & Co KG. DA. u. PA.: 4802 Ebensee, Dr.-Rasper-Str. 15. G.: Gmunden, 22. März 1949. V.: Gertrude, geb. Lang. El.: Anton u. Anna. S.: Mittelschule in Bad Goisern, Höhere BLehr- u. Versuchsanst. f. Textilind. in Wien, Praktika in England u. in d. BRD. K.: seit 1971 Prok. u. seit 1979 Gschf. d. Strickwarenfbk. A. & A. Putz GmbH & Co KG m. Produktionsstätten in Ebensee/OÖ u. Öblarn/Stmk. H.: Jagd. (Foed.)

Putz Erich

B.: Mtgl. d. Bundesrates seit 1988, Lehrer. DA.: 1017 Wien, Dr.-Karl-Renner-Ring 3. G.: Wien, 2. Juli 1943. S.: VS, Gymn. bzw. Realschule, BLBA (1963 Matura), 1967 Lehrbefähigungsprüf. f. VS, 1964-71 VS-Lehrer, seit 1971 Lehrer an d. Päd. Ak. d. Erzdiözese Wien, 1971-76 klassenführender Übungsschullehrer, 1976 Administrator, Gruppenbetreuer in d. VS-Lehrerausbild., Seminare Sprecherziehung u. Tafelschrift, 1978-85 Ltr. d. Halbinternats d. Übungsschulen d. Päd. Ak., seit 1968 Mtgl. d. ÖVP (ÖAAB), 1981 Stellv. Bez.Parteiobm. d. ÖVP Wien/-Floridsdorf, 1983-88 Bez.Obm. d. ÖAAB, 1983-87 Abg. z. Wr. Landtag u. Mtgl. d. Wr. GemR.

Putz Herbert TechnR. Ing.

B.: Präs. d. Verb. Österr. Ing. VÖI. DA.: 1010 Wien, Eschenbachg. 9. PA.: 1140 Wien, Hüttelbergstr. 14/10. G.: Gloggnitz, 3. Febr. 1929. V.: Brita, geb. Appel. Ki.: Herbert (1951), Manfred (1956). El.: Leopold u. Hermine. S.: HTL Elektrotechnik, Ak. geprüfter Werbekfm. K.: 1948-53 Konstrukteur, 1953-87 techn. Verkauf, ab 1961 Prok., seit 1975 Vertriebsdir. d. Pumpenfbk. Ernst Vogel, im Laufe d. Tätigkeit versch. Funktionen u.a. Repräsentant b. Europump, Vorst.-Mtgl. d. Gütergemeinschaft "Wassertechnik", Umweltaussch. d. BWK u. Industriellenver., Exportaussch. d. Industriellenver., FachbeiR. d. Aquatherm, seit vielen J. in versch. Funktionen im Vorst. d. VÖI, seit 1987 Präs. P.: zahlr. Fachart. in Fachzeitschriften. E.: Gold. EZ f. Verd. um d. Rep. Österr. M.: Lions Club. H.: Literatur. (N.A.)

Putz Ingrid

B.: Eigentümerin u. Gschf. d. Hotel Römerbad. DA.: 9546 Bad Kleinkirchheim, Zirkitzen. G.: Werfen/Sbg., 16. Juli 1941. V.: Ing. Walter P. Ki.: Mag. Claudia (1963), Christoph (1965), Stefan (1969). El.: Mathias u. Stefanie Sieder. S.: HAK, div. Fachkurse f. Hotellerie, Italien- u. Frankreich-Aufenthalt, Ausbild. f. Ernährungs- u. Gesundheitsberater sowie Heilmasseur, Kurse z. Persönlichkeitsentw. u. Weinkunde. K.: 1967 Planung d. damal. Berghotel Putz u. Führ. desselben, 1980-82 ideelle Konzeption f. Hotel- u. Gesundheitsbetrieb, 1986 Ausbau d. Standards u. umfass. Erweiterung. P.: Div. Fachart., Vorträge, Schulungen etc. über Gesundheit. E.: v. CTC ausgez. Betrieb, Gault-Millau-Haube, Goldmed. v. Orden "St. Fortunat". M.: Mtgl. v. "Gesunde Neun" in Ktn., Dt. HK, "Die beste Wahl" (Vorst.), ÖHV, Sommelier-Club, Finanz-Aussch. d. FVV. H.: Literatur, Musik, Astrologie, Skifahren, Golf, Sprachen. (A.L.)

Putz Wolfgang

B.: Inh. FN.: Putz-Austria Kupferschmiede Kunsthandwerk. DA. u. PA.: 4810 Gmunden, Bahnhofstr. 22a. G.: Vöcklabruck, 9. Dez. 1961. El.: Josef u. Auguste Maria. S.: Lehre f. Kupferschmiede im elterl. Betrieb, 1981 Lehrabschlußprüf., Praxis in versch. metallverarb. Betrieben, 1985 Mstr.-Prüf. K.: 1987 Übernahme d. Kupferschmiede Putz. BL.: hochqualitative u. traditionsreiche Handwerkskunst aus Kupfer u. Messing. H.: Sammlung v. Oldtimern u. Armbanduhren. (E.Hö.)

Putz Karl sen.

B.: Gschf. Ges. d. Fa. K. Putz. DA.: 8234 Rohrbach/Lafnitz 267. PA.: 8234 Rohrbach/Lafnitz, Lebing 55. G.: Stambach, 27. März 1935. V.: Rosa, geb. Putz, 3 Kinder. El.: Franz u. Josefa. S.: 8 J. VS, 1950 Abschluß d. Tischlerlehre. K.: Praktikum in Österr. u. in d. Schweiz, nebenberufl. Weiterbildg. im fachl. u. kfm. Bereich, 1958 Vorbereitungskurse f. d. Mstr.Prüf. (1959), 1960 Grdg. d. eigenen Betriebes u. weiterer Zu- u. Ausbau in d. folg. J., 1969 Eröff. d. Verkausgeschäftes in Pinkafeld, 1974 Eröff. d. Neubau in Pinkafeld, 1978 Eröff. d. Verkaufsgeschäftes in Hartberg, 1982 Neubau in Rohrbach m. Prod., Verw. u. Zentrallager, 1984 Aufnahme d. Sohnes u. d. Tochter in d. Geschäftsltg. E.: Staatswappenträger. M.: Seit 1969 Mtgl. d. Einkaufsgem. Europa Möbel Austria. H.: Wandern, Jagd, Bergsteigen, Skifahren, Schwimmen. (War.)

Putzl Heinz Dipl.-Vw.

B.: Gschf. d. ÖAG-Konti. DA.: 1110 Wien, Schemmerlg. 68. PA.: 4713 Gallspach, Höhenweg 7. G.: Innsbruck, 17. Apr. 1928. V.: Edith, geb. Pfeiffer. Ki.: Sonja, Elmar. El.: Robert u. Grete. S.: HTL, Hochbau, Vw. K.: nach Stud. 1961 in Deutschland in Produktionsbetrieb Ltr. d. betriebwirtschaftl. Abt., seit 1961 wieder in Österr., 1967 Ltr. d. Finanz- u. Rechnungswesen in einer Seidenweberei, 1967-75 Gschf. d. Zweitndlg. einer Baumaschinengroßhdlg., 3 J. Deutschland Gschf. d. Zwg.Ndlg. d. Elektrogroßhdlg. ITT, seit Sept. 1977 b. ÖAG-Konti, seit Juli 1982 Gschf. H.: Sport. (E.L.)

Puxkandl-Hildebrand Uta

B.: freischaf. Künstlerin. DA.: Künstlerhaus, 9020 Klagenfurt, Goethepl. 1. PA.: Maria Saal, Pfalzstr. 6. G.: Villach, 23. Febr. 1949. V.: Arch. Ernst Hildebrand. Ki.: Celine (1959), Christoph (1969), Iturra (1975), Clara (1976). El.: Ing. Walter u. Edeltraud Puxkandl. BV.: Irenäu, Kunsttischler in Steyr. S.: RG, Fachschule f. gestalt. Metallwerk in Ferlach, Ak f. angew. Kunst Wien, Mstr.-Prüf. f. Gold- u. Silberschmied. K.. 19972 freischaf. Künstlerin, Kunsterzieherin am Gymn., Ausstellung u.a. Künstlerhaus Wien, "Modern art Museum" in Kyoto/Japan, Einladung ins Modern art Museum in New York, weiters angewandte Geschichten erzählerin. Ankäufe v. 3 arbeiten durch d. Landesgalerie f. Kärnten 1991. P.: zeitgenösische Schmuckkreationen. E.: Preis HK Klagenfurt u.d. Intern. Schmuckausstellung " Celje". M.: Ktn. Kunstver., Ver. f. Aktuelle Musik. H.: Alte u. mod. Musik. (G.L.)

Pycha Wolfgang Dr.

B.: Gen.-Dir. d. ÖBB. A.: 1130 Wien, Frimbergerg. 10/1. G.: Leobersdorf, 15. Aug. 1928. V.: Waltraude, geb. Stündl. El.: RgR. Kal u. Maria. S.: Stud. d. Rechtswiss. an d. Univ. Wien, Doktorat. K.: 1952-53 Gerichtspraxis, 1953 Eintritt b. d. ÖBB, 1974 Betriebsdir., Gen.-Dir. d. ÖBB. E.: Gr. EZ, ital. VO, jord. UO, ung. FOI, lux. VO. M.: AufsR.Präs. d. Österr. Verkehrswerbung GmbH, AufsR. d. Ersten DDSG, Vorst. d. Fachverb. Schienenbahnen in d. BKam. d. Gewerbl. Wirtschaft, Präs. d. AufsR. d. Verkehrsverbundorgan. H.: Phil.

Pyerin Johannes Dr.

B.: stellv. Gschf., Dir. d. Personal- u. Rechtsabt. FN.: Atelier Dipl.-Ing. Hamid Golabi, HG Immobilien Development GmbH, San Gol Bauträger u. Liegenschaftsverwertungs

GmbH. DA.: 1060 Wien, Mariahilfer Str. 45/1/121-122. PA.: 1060 Wien, Mariahilfer Str. 45/6/Top 126. G.: Eisenberg/Pinka, 25. Okt. 1940. Ki.: Ruth (1966), Michael (1968). El.: Johann u. Maria. S.: 1959 Matura, Stud. Rechtswiss. Univ. Wien, 1965 Prom., gleichzeitig Stud. Germanistik u. Latein Univ. Wien. K.: Tätigkeit in d. Baustoffbranche, zuletzt Ndlg.-Ltr. f. Wien u. Gloggnitz, anschl. in einer Bauträgerges., vorwiegend Gebietsbetreuung, 1992 Eintritt Arch.-Büro Dipl.-Ing. Hamid Golabi. P.: Veröff. eigener Werke im Österr. Rundfunk u. in Literaturzeitschriften. F.: Gschf. Ges. GGP. H.: Schreiben, Tennis, Skifahren, Radfahren, Segeln, Musik. (J.S.)

Pyffrader Monika Dr. iur.

B.: Inh. d. Fa. Dr. Herbert Pech. DA.: 8020 Graz, Zeillerg. 12. PA.: 8043 Graz, Maria Troster Str. 111. G.: Wien, 10. Nov. 1943. V.: Günter. El.: Dkfm. Dr. Herbert u. Dkfm. Lieselotte Pech. S.: VS, ak. Gymn. Graz, 1961 Matura, Stud. an d. Univ. Graz, 1967 Prom. K.: ab 1967 im väterl. Betrieb tätig, 1973 Neubau d. Betriebes, 1979 Übernahme d. väterl. Betriebes, Einführung d. EDV f. Ersatzteillager u. prompte Auslieferung an Kunden. M.: Zonta-Club. H.: Skifahren, Langlaufen, Wandern, Handarbeit, Lesen, klass. Musik, Tennis. (War.)

Pyrker Reinhard

B.: Filmjournalist, Kulturmanagement, Ltr. d. Österr. Film Tage. PA.: 1100 Wien, Columbusg. 2. G.: 23. März 1949. V.: Susanne, geb. Malin. Ki.: Richard. El.: Prof. OSR. Mag. rer. nat. Arnulf u. Prof. Dr. Herta. BV.: Ladislaus Pyrker, 1772-1847 Abt v. Lilienfeld, Patriarch v. Venedig, Schriftsteller. S.: 1967 Matura in Wien, 1967-68 Stud. d. Psych., 1968-70 Stud. an d. Film-HS in Wien. K.: Mitbegründer d. Filmgruppe rosa-grün-blau 1968 u. d. Kuratoriums Neuer Österr. Film 1968, Experimentalfilme 1967-72 u. Teiln. an Filmfestivals u. div. Veranstaltungen in Österr., d. Schweiz u. d. BRD, Tätigkeit als Filmjournalist seit 1968, 1970-82 Medienreferent d. Österr. Filmmuseums, seit 1980 zus. m. S. Pyrker Öffentlichkeitsarbeit f. d. Oskar Kokoschka-Dokumentation Pöchlarn, seit 1983 Ltr. d. Österr. Film Büros, Ltr. d. Österr. Film Tage in Wels, Beschäft. m. Film, Fotografie u. Copy-Art, zus. m. S. Pyrker PR-Arbeit u. Organ. im kult. Bereich. M.: Österr. Ges. f. Filmwiss., Kommunikation u. Medienforsch., Sekt. Journalisten d. Gewerksch. Kunst, Medien u. freie Berufe, Österr. Journalistenclub. H.: Beruf. (Fels.).

Pytelka Willibald KommR.

B.: Schädlingsbekämpfer, Wr. Innungsmstr., allg. beeid. gerichtl. Sachv. DA.: 1050 Wien, Stauraczg. 10. PA.: 2351 Wr. Neudorf, Hauptstr. 26. G.: Wien, 13. Juni 1941. V.: Angela, geb. Fritz. El.: Willibald u. Ludowika, geb. Wandl. S.: VS, RG, HAK, Lehramtsprüf. K.: 1964 Tätigkeit im väterl. Betrieb als Schädlingsbekämpfer, 1970 Übernahme d. Betriees, seit 1975 Innungsfunktionär, ab 1985 Innungsmstr., gleichzeitig Aufbau d. Bundesberufsgruppe d. Schädlingsbekämpfer Österr. u. seither Obm. dieser Gruppe, 1985-90 Bundesinnungsmstr.-Stellv. d. Chem. Gewerbes. P.: Seminarstätigkeit. E.: 1992 Silb. EZ d. Landes Wien. H.: Wassersport. (N.A.)

Quadlbauer Franz Dr. phil.

B.: em. Univ.-Prof. f. Mittellatein. PA.: 5201 Seekirchen, Fischachstr. 11. G.: St. Florian/Linz, 24. Juni 1924. V.: Maria Margaretha, geb. Hohenthaner. Ki.: Brigitte (1950). El.: Franz u. Rosina. S.: Stud. Phil. (klass. Philologie) Univ. Graz, Prom. 1949. K.: 1963-70 Mitarb., später Red. d. Thesaurus linguae Latinae, München, 1966-70 Doz. Univ. Salzburg, 1970-91 Prof. Univ. Kiel. P.: "Die antike Theorie d. genera dicendi im lat. Mittelalter" (SB Österr. Akad. d. Wiss., phil.-hist. Kl., 1962), Aufs. in wiss. Zeitschr. M.: Intern. Soc. f. the History of Rhetoric, Acad. Latinitati inter omnes gentes fovendae (Rom), Univ.-Ges. Kiel, Görres-Ges. H.: Zeichnen, Malen, Lit., Turnen. (E.H.)

Quantschnigg Wolfgang Dipl.-Vw.

B.: Gschf. FN.: Reichhold Chemie GmbH. DA.: 1222 Wien, Breitenleer Str. 97-99. PA.: 1190 Wien, Kaasgrabeng. 69. G.: Klagenfurt, 3. Apr. 1942. V.: Mag. pharm. Sigrid, geb. Gstettner. Ki.: Catherine (1973), Florian (1977). El.: HofR. Dr. Gerhard u. Gertrude, geb Kueß. S.: Gymn. Klagenfurt b. 1960, Stud. d. Betriebswirtschaft in Innsbruck b. 1964, Studienaufenthalte in England (1966, 67 u. 68). K.: Unternehmensberatung in Wien u. München b. 1977, Vorst.Dir. b. ettenauer Masch. AG Wien, Sbg., Zürich b. 1984, Gschf. b. Austria Haustechnik Stmk. b. 1989, seit 1990 Gschf. d. Reichhold Chemie GmbH. P.: div. Veröff. über Marktforsch. in d. Papier-, Holz- u. Möbelind., umweltfreundl. Produkte, div. Vorträge auf Umweltkonferenzen. M.: Rotary Club. H.: Sammeln v. Bildern, Bergsteigen, Skifahren, Wasserski. (M.G.)

Quas Hanna

B.: Inh. d. Einrichtungsstudios. DA.: 1060 Wien, Gumpendorferstr. 16. PA.: 1130 Wien, Hochmaisg. 8-10/8. G.: Wien, 1. Jän. 1942. Ki.: Karin (1968). El.: Johann u. Hermine, geb. Tieß. S.: HAK. K.: tätig in div. Firmen in vrsch. Positionen, u.a. bei Eumig, Bernhard Altmann, Kodak, ab 1964 selbst., zuerst mit einer Handelsagentur, danach zusätzlich Großhandel, 1988 Eröff. d. ersten Geschäftes am Neubaugärtel, 1992 Eröff. d. Geschäftes in der Gumpen-dorferstr. H.: Seniorenstaatsmeisterin in Squash, Golf. (N.A.)

Quehenberger Andreas

B.: Gschf. FN.: Harml & Quehenberger KG. DA. u. PA.: 5600 St. Johann, Maschl 28. G.: Lungytz, 16. Juli 1934. V.: Theresia Kocher. Ki.: Andrea (1974). El.: Simon u. Barbara. S.: 2 J. Wildbach bau, Lehre KFZ-Mechaniker b. Hans Poolheimer Schwarzach. K.: 1956-59 KFZ Mechanikerprüf. bei Autopflege Radstadt, 1959-65 Harml Radstadt, 1964 Grdg. Firma m. Bruder, 1965 1. Gebäude gebaut. M.: Skiclub St. Johann i. Pongau, Skiclub Anneberg. H.: Skifahren, Gitarre spielen. (M.H.)

Quehenberger Hans Dir.

B.: Bankdir. d. Raiffeisenbk Saalbach-Hintergl-Viehhofen. DA.: 5753 Saalbach 311. PA.: 5753 Saalbach, Hinterhagweg 621. G.: Annaberg, 1. Mai 1947. V.: Elisabeth, geb. Huemer. Ki.: Johannes (1976), Markus (1978), Christina (1979), Birgit (1984). El.: Josef u. Gertraud. S.: VS, HS, 1962-64 HASCH. K.: 1964-67 Bankang. i Abtenau, 1967-70 Bankang. Sbg.-Maxglan, 2. Bild.-Weg kfm. Abendsch. m. Matura, 1970-73 Filialltr. Raiffeisenk. Oberalm-Puch, 1973 Gschf. Raiffeisenk. Saalbach-Hintergl.1981 Dir. M.: s. 1979 Gem.-Vertreter, seit 1989 GemR., seit 1981 PfarrgemR., Vorst.-Mtgl. d. Skiclub Saalbach-Hintergl., Mtgl. div. örtl. Ver. in Saalbach-Hinterglemm. H.: Lesen, Wandern, Skifahren. (M.T.)

Quehenberger Rudolf

B.: Inh., Gschf. FN.: Quehenberger Speditions GmbH. DA.: 5101 Bergheim, Handelszentrum 318. PA.: 5411 Oberalm 881. G.: 17. Apr. 1941. V.: Elisabeth. Ki.: Stephanie, Bettina, Cornelia. K.: Firmengrdg. M.: Dion.Vors. b. Casino Austria Sbg. (Fußballver.)

Querfeld Herbert
B.: Geschäftsmann. DA.: 1010 Wien, Dr.-Karl-Lueger-Ring 4. G.: Wien, 12. Febr. 1926. V.: Anita. Ki.: Günther, Andrea, Anja, Bernd. El.: Karl u. Rosa. S.: VS, Unterstufe Gymn., Gewerbeschule f. Elektrotechnik. K.: nach d. Krieg Tätigkeit im Ein- u. Verkauf größerer Firmen, 3 J. Werbeltr. b. Donauland, 1956-76 selbst. Kfm. in d. Elektrobranche, seit 1976 Inh. d. Cafe Landtmann. (Wist.)

Quester Dieter
B.: Gschf. FN.: Fritz Quester Baustoffhandel GmbH. DA.: 1190 Wien, Heiligenstädter Str. 24. PA.: 1190 Wien, Kroneg. 20. G.: Wien, 30. Mai 1939. V.: Juliane, geb. Falbenhausen. S.: Grundschule, kfm. Lehre. K.: Ausbild. b. Zulieferfirmen d. Ind., 1958-63 Beginn m. Motorsport, s. 1966 Profi (Fa. Abarth, Porsche), ab 1967 werksunterstützter Privatfahrer, ab 1968 Werksfahrer auf BMW, Instruktor d. BMW-Fahrertraining. H.: Fischen, Motorcross. (G.K.)

Quester Fritz KommR.
B.: Baustoffkfm. DA.: 1190 Wien, Heiligenstädterstr. 24. PA.: 1190 Wien, Kuhng. 7. G.: Pöchlarn, 24. Sept. 1910. V.: Helene, geb. Kourimski. Ki.: Peter, Dieter. El.: Josef u. Helene. BV.: Quester v. Prätt (Tir., 16. Jhdt.) S.: Realschule, Lehre Drogist, Lehre Rauchfangkehrer, 1939 Mstr.Prüf. K.: 1933 Hdl. m. Asbestzement (Eternit, Durit), seit 1939 Baustoffhdl. (Neubeginn 1945). BL.: Patente f. Feuerungstechnik, ehem. intern. Eishockeyspieler. F.: Fritz Quester Baustoffhdl. GmbH (14 Ndlg. in Österr.) P.: Art. in Fachzeitschriften. E.: Commendatore, Gold. EZ d. Rep. Österr., Silb. u. Gold. EZ d. Stadt Wien, Silb. EZ d. Landes NÖ, Gr. Silb. Kam.Med., 1964 KommR., Gold. Ehrennadel d. VBÖ. M.: gründendes Vorst.Mtgl. d. Inst. f. Bauforsch., Bundes- u. LGremiumsvorst., Holz- u. Baustoffhdl. i.R., Vizepräs. d. ital. HK. H.: Jagd, Segeln. (Bauer)

Quirchmayr Gerhard Dr. techn. Dipl.-Ing.
B.: selbst. Ziviling. f. Maschinenbau. DA.: 5020 Salzburg, Fasaneriestr. 6. PA.: 5091 Unken, Gföll 200. G.: Salzburg, 10. März 1943. V.: Luise, geb. Zauner. Ki.: Michael (1976), Andreas (1978). El.: Ing. Karl u. Therese. S.: VS, Realschule, HTL, 1963 Matura, 1964-69 Stud. Maschinenbau, 1969 Dipl.-Ing., 1973 Dr. tech. K.: b. 1979 Univ.-Ass. am Inst. f. Verbrennungskraftmaschinen u. Thermodynamik Techn. Univ. Graz, 1979 Ind. Jenbach, Ltr. d. Entwicklung e. schadstoffarmen Magermotors u. e. Einrichtung z. Regelung d. Verbrennungsluftverhältnisses (Patent), seit 1988 selbst. BL.: Patentanmeldung zu Einrichtung zur Regelung d. Verbrennungsluftverhältnisses b. einem Gasmotor m. magerer Betriebsweise. P.: zahlr. Veröff. u. Vorträge aus d. Fachgebiet. (N.M.)

Quiring Karl Bernd Dr. techn.

B.: Akustiker, Bauphysiker, Musiker, staatl. geprüfter Kapellmeister. FN.: Ing.-Büro Dr. Quiring. DA.: 6020 Innsbruck, Mentlg. 12b; 9182 Maria Elend, St. Oswald 54. PA.: 6020 Innsbruck, Frau-Hitt-Str. 15. G.: Wien, 14. Mai 1946. V.: Bärbel, geb. Kielhauser. Ki.: Gottfried (19679, Francois (1972). El.: Karl u. Aurelia. S.: VS, RG, 1964 Matura, 1964-69 Pianist, 1969-76 Stud. Ing.-Wesen TU Wien, 1976 Grad., ab 1951 Musikausbild. u. Musikstud. Wien, 1983 Prom. TU Innsbruck. K.: 1983-85 Akustiker u. Musiker in Kalifornien, 1985 Rückkehr nach Innsbruck u. Grdg. d. Ing.-Büros in Innsbruck, 1985-88 Stud. Kapellmeister Univ. Innsbruck, 1988 staatl. Kapellmeisterprüf., seit 1987 gerichtl. beeid. Sachv. f. Bauphysik u. Akustik, ab 1988 Lehrtätigketi im Bereich Umweltschutz an d. Inst. WIFI, Päd. Inst. u. versch. Privatorgan., ab 1992 Gastprof. Musik-HS Graz, 1995 Labor Süd. P.: Vortragstätigkeiten. M.: Ing.-Kam. H.: Musik, Akustik, Bau v. Musikinstrumenten u. Meßgeräten. (G.L.)

Quitt Franz
B.: Gschf. Ges. FN.: Quitt Möbelind. GmbH. DA. u. PA.: 8010 Graz, Waltendorfer Hauptstr. 32A. G.: Graz, 18. Jan. 1910. Ki.: Ing. Franz (1954), Susanne (1968), Jörg (1970). El.: Vinzenz u. Mathilde. S.: VS, Bürgerschule 1924-27 Tischlerlehre, div. Kurse, Kunstgewerbeschule, 1944-45 Militär, 1945-48 Kriegsgefangenschaft. K.: 1927-33 Tätigkeit in Möbelfbk. Wien, 1934 selbst. Tischlerei Graz f. Kunstmöbel, seit 1939 ausschl. Büromöbel f. Hdl. u. Ind., 1962 Filiale in Wien. E.: zahlr. Ausz. u. Med. f. mod. Betriebsführung. M.: Fachvorst.-Stellv. f. Holzind. v. Handwerks- u. Ind.-Betrieben. H.: Skilanglaufen, Schwimmen. (I.G.)

Raab Edith
B.: Gschf. Ges. FN.: Erste Österr. Fahnenfbk. Paul Löb. DA.: 1010 Wien, Am Hof 5. G.: Wien, 18. Juni 1951. V.: Mag. René Ender. Ki.: Ulrike (1973), Michaela (1974), Markus (1976). El.: Paul u. Erna Löb. S.: Gymn., HAK Wien, 1970 Matura. K.: 1 J. Hdls.-Abt. d. BMA Paris u. 1/2 J. Canberra/Australien, 1972 Eintritt Familienbetrieb in Wien, 1987 Übernahme d. Firma. BL.: Ausbau d. weltweiten Geschäftsverbindungen wie z.B.: Jordan. Königshaus, Südafrika, USA, Skandinavien. H.: Tennis, Skifahren, Theater, Lesen, Reisen, Musik. (J.S.)

Raab Erhard OAmtsR.
B.: Abt.-Ltr. im Stadtamt Leonding, Standesbmtr. DA.: 4060 Leonding, Stadtamt. PA.: 4060 Leonding, Gewerbeg. 2. G.: Klagenfurt, 10. Nov. 1940. Ki.: Hannes (1961). El.: Jakob u. Wilhelmine. S.: kfm. Ausbild., 14 J. BH, B-Matura, OLt. d. Res. K.: div. Beamtenprüf., seit 17 J. Stadtamt Leonding, 1985 OAmtsR., Obm. ASKÖ Leonding, Organ.-Ltr. d. Österr. Judoverb., Initiator d. Austragung eines Wettbewerbes im Judo v. Damen u. Herren, 1986 Übernahme v. Judo-Weltverb. b. Intern. Turnieren, 15 J. Sporttätigkeit. P.: Initiator u. Hrsg. d. Sportzeitung "ASKÖ Sportmosaik". E.: Sport-EZ OÖ Bronze, Silb. VZ d. Rep. Österr., versch. Militär. Ausz., Silb. Verd.-Med. Rotes Kreuz, Silb. Verd.-Zeichen Ktn. M.: 30 J. Ktn. Landsmannschaft, ASKÖ. H.: Sport, Operette. (P.H.)

Raab Erich Dr. Univ.-Prof.
B.: Ltr. d. Abt. f. Angew. Psych. am Inst. f. Psych. DA.: 8010 Graz, Universitätspl. 2/3. PA.: 8045 Graz, Ettingshauseng. 4. G.: Wien, 30. Sept. 1940. V.: Dr. Heidelinde, geb. Polzer. Ki.: Thomas (1968), Markus (1971). El.: Franz u. Elisabeth. S.: RG Mödling, HAK Wien, Zusatzreifeprüf., 1960-66 Stud. Psych., Statistik u. Kunstgeschichte. K.: nebenberufl. Tätigkeit Marktforsch. u. kfm. Bereich, 1964-66 Wirtschaftspsychologe Firma Unilever, 1966-68 Vertragsass. f. Statistik Univ. Wien, 1974 Habil., Univ.-Ass. Graz, 1978 a.o.Prof., Vorst. d. Inst. Psych. d. Karl Franzens-Univ. P.: Informationstheorie f. Psychologen m. Erich Mittenecker, Perspektiven Psycholog. Forsch. m. Günter Schulter, Einzelpubl. im Bereich "Wahrnehmung", "Methodik d. Umfrage" u. "Informationstheorie". E.: Theodor Körner-Preis. M.: Dt. Ges. f. Psychologen. H.: Schach, Reisen, Lesen. (R.S.)

Raab Erika

B.: Gastwirtin. FN.: Hotel Restaurant Weinberg. DA./-PA.: 4844 Regau, Rutzenmoos 77. G.: Bachmanning, 19. Sept. 1941. V.: Johann. Ki.: Johann (1965), Christine (1969). S.: VS, HS, 19654-57 Kochlehre in Gmunden, 1957 zu Cousine in d. Weinberg übersiedelt u. im Betr. ausgeholfen, 1960 wurde v. d. Cousine adoptiert zur Tochter (da Cousine sehr Krank). 1963 Betr. übern. u. erster Zubau a. d. Betr., 1984 weiterer Ausbau d. Betr., 1985 Eröffnung d. Hotelzubaues, 1991 weiterer Hotelzubau. H.: Betrieb. (J.L.)

Raab Friedrich Dr. Mag.

B.: Gschf. Ges. FN.: KVI Vermittlungs GmbH. DA.: 3100 St. Pölten, Schreinerg. 7. PA.: 3100 St. Pölten, Leoberdorfer Bahnstr. 31. G.: Waidhofen/Ybbs, 17. Juli 1943. V.: Helga, geb. Knapp. Ki.: Doris (1966). El.: Adalbert u. Leopoldine. S.: VS, HS, Hum. Gymn., 1968 Matura, Wirtschaftsstud. Univ. Washington u. München, Mag., Dr. K.: 1959-64 kfm. Ang. J.M. Voith AG St. Pölten, 1964-70 Außendienst Firma Elida f. NÖ, 1979-75 Organ.-Ltr. f. NÖ b. Zürich Kosmos Wien, 1975-80 Vertriebsltr. b. Wella-Dorlé Linz, 1980-83 Verkaufsltr. u. Ndlg.-Ltr. f. Österr. d. Bongrain GmbH Wien, 1983-85 Landesdir. d. Nordstern Vers. f. NÖ, 1985-91 Dir. u. Prok. Basler Vers. Wien, gleichzeitig Gschf. Basler Tochterfirma Swoboda & Kafka GmbH, 1992 selbst. m. KVI Vermittlungs GmbH. H.: Jagd, Hobbymalen, Tennis, Wandern. (M.M.)

Raab Gustav Dr. Dkfm.
B.: Gen.-Sekr. GT.: Seit 1976 Gschf. d. österr. Forschungsinst. f. Sparkassenwesen, seit 1988 Vorst. Sparkassenhaftungs AG. DA.: 1030 Wien, Grimmelshauseng. 1. PA.: 1180 Wien, Peter-Jordan-Str. 81/3/20. G.: Bad Deutsch Altenburg, 23. Aug. 1938. V.: Mag. Snejanka, geb. Vassilev. Ki.: Michael, Katherina, Georg. El.: Ing. Gustav u. Gertrude. S.: Matura 1956, Stud. an d. HS f. Welthdl., Prom. 1961, staatl. geprüfter Vers.Math. d. TU Wien. K.: 8 Monate Teilzahlungsbank, 2 J. Finanzierungs- u. Realitätenbüro, 3 J. Ass. am Inst. f. Bankbetriebslehre an d. HS f. Welthdl. Wien, seit 1965 im Hauptverb. d. Österr. Sparkassen, Gen.-Sekr., freier Autor u. Schriftsteller, Finanz- u. versicherungsmath. Gutachter, Hon.-Prof. d. WU Wien. P.: Bücher: "Wie funktioniert unsere Wirtschaft", zus. m. W. Fremuth, "Unser Geld", zus. m. G. Wailand, "Wirtschaftsnahe Mathematik", daneben Publ. in einschläg. Fachzeitschriften. E.: Österr. Olympia-Med. 1976, Gold. EZ f. Verd. um d. Rep. Österr. 1989. M.: Seit 1982 VPräs. d. Forschungsges. f. Bauen, Wohnen u. Planen, 1993 Präs. d. Finanzmarketing-Verb. Österr. H.: Lesen, Klavier, Skifahren. (A.W.)

Raab Gertrud
B.: Fahrschulinh. u. Reiseunternehm. FN.: Fahrschule Raabus Mietwagengewerbe, Reisebüro. DA.: 4910 Ried, Rainerstr. 8. PA.: 4910 Ried, Schillerstr. 50. G.: Linz, 17. Apr. 1940. El.: Josef u. Katharina. S.: HASCH. K.: 1958-62 am Landestheater Linz, zuerst als Sekräterin f. Dramaturgie u. Intendanz u. Sekräterin d. Opernchefs, später selbst. Mitarb. Landestheater, 1963 am Stadttheater Baden Baden f. Organisation zust., 1963 in d. väterl. Betrieb, Reisebüro u. Fahrschule eingetreten, wurde Stützpunktltr. d. Landestheater Ried, ab. 1963 Studienreisen zu dt. Theaterstädten wo Künstler d. ehem. Theaters Linz an großen dt. Theatern besucht wurden unter d. Leitung d. Chefdramaturgen Lürgen, Oragnisiert, 1972 Fahrschule übern., 1972 Reisebetr. erweitert, Gesellschaftsreisen in Ausland, seit 1972 auch einen Schulbusbetr. u. Ausflugsverkehr. P.: in d. 70iger u. 80iger J. haupts. Gesellschaftsreisen, es erschienen auch Zeitungsberichte über diese Reisen. M.: Mtgl. d. Goldhaubengruppe, unterstützendes Mtgl. v. versch. Ver. H.: Reisen, Landschaft, Lyrik u. Prosa, Pflege d. Goldhaubenpracht, Schwimmen. (J.L.)

Raab Karl
B.: Bühnenautor, freier Mitarb. im ORF. PA.: 1160 Wien, Heigerleinstr. 15-17/20. G.: Wien, 17. Dez. 1947. K.: Bühnenstücke: "Ordnung ist alles", 1981, WTB, "Die Reise zum unbekannten Stern", 1982, Theater im Zentrum, "Fips, das Theatergespenst", 1985, Theater an d. Wien, seit 1990 Inh. u. Ltr. d. Rampenlicht-Theaters, 1180 Wien, "Die Reise z. unbekannten Stern" 1990, 1991/92 Jugendstück "Abgängig" v. Karl Raab, 1993 Komödie "Die Chinesen kommen" v. K. Raab. 1994 Inhaber Rampenlicht Verlag.P.: Lyrikband: Gedankensplitter, 1981, Intern. Lyrik Verlag, 1994 Lyrikband "Die Stunde des Clown", 1994/1995 Komödie "Wer einmal klaut" v. k. Raab. (R.A.)

Raab Roman
B.: Managing Dir. FN.: Turn Key Project GmbH. GT.: Gschf. Ges. Sona Im- u. Export, Ges.: Büro & Design, Nortin Im- u. Export. DA.: 1220 Wien, Kaposig. 106/5. G.: Linz, 14. Juli 1964. El.: Hans Peter u. Hermine. S.: 1982 HASCH. K.: b. 1987 Bankkfm. Allg. Sparkasse Linz, Grdg. Firma TKP m. Schwerpunkt Büroausstattung, vorerst Büroorgan. später Renovierung u. Grundkonzeption sowie Einrichtung b. z. Fertigstellung d. Büros. H.: Fitness-Studios, Automobil. (J.E.)

Raab Rudolf Dr. phil.
B.: Gschf. FN.: Künstleragentur Dr. Raab & Dr. Böhm GmbH. DA.: 1010 Wien, Plankeng. 7/2. G.: Taufkirchen/-Trattnach (OÖ), 12. Aug. 1927. V.: Rosina, geb. Bahl. Ki.: Liselotte u. Karin. El.: Anna u. Rudolf. S.: LBA Linz, 1947 Matura, Stud. an d. Univ. Wien: Germanistik u. Geschichte, 1955 Prom., gleichz. Stud. an d. HS f. Musik (Gesang). K.: Solist b. div. Orchesteraufführ. u. Tourneen in England, Italien u. USA, zw. 1953 u. 1960: Organisator v. Konzertreisen österr. Instrumental- u. Vokalensembles in Europa u. Übersee, 1960-70 Gschf. d. Konzertdirektion Dr. Theo Cieplik u. Aufbau e. intern. Gesangsabt., s. 1970 selbst. m. Künstleragentur (Management intern. Opernsänger, Durchführ. europ. Orchestertourn, u. intern. Theatergastspiele, z.B. Arena di Verona, Staatsoper Dresden), oftmaliges Jury-Mtgl. b. intern. Gesangswettbewerben, z.B. Dr. Zachary-Competition Los Angeles, Maria Callas Foundation Athen, Tschaikowsky-Wettbewerb Moskau, u.a. H.: Golf. (J.S.)

Raab Thomas

B.: Fotograf. DA. u. PA.: 1140 Wien, Penzinger Str. 39. El.: Karl u. Ingrid. S.: Graph. Lehr- u. Versuchsanst. Wien, 1980 Abschluß. K.: seit 1980 selbst., Modefotograf, eigene Studios in Mailand, Madrid, Los Angeles u. Wien, 1986-88 Tätigkeit in Europa, 1990 Lehrer American College in London, 1991 Lehrer Univ. of Virginia, 1989 Tätigkeit in d. USA, 1991 Eröff. d. eigenen Studios in Los Angeles, 1994/95 Eröff. d. Studios in Mailand. BL.: Ausstellung m. d. Titel "MEN" in Mailand, Arles, Augsburg, Los Angeles. P.: Bücher "MEN" (1995), "The cars of the stars" (1995/96), "Famous names by Thomas Raab" (1996). M.: Ges. Friends for Aids. H.: Fotografieren. (E.J.)

Raab Wolfgang P. E. F. Dr. Univ.-Prof.
B.: Univ.-Prof., Chefarzt. A.: 1010 Wien, Walfischg. 3. G.: Wien, 22. Dez. 1934. V.: Gertrud Dr., geb. Eder. El.: DDDr. Alfons u. DDr. Adele. S.: Hum. Gymn., Univ. Wien, Med. Fak. K.: Ass.Arzt bzw. OA an d. II. Univ.Hautklinik OA, Univ.Doz. am med.-chem. Inst. d. Univ. in Wien. Ausbild.Zeiten an d. Chir. in Paris u. am Department of Dermatology d. Columbia University in New York. P.: 455 wiss. Veröff. darunter 16 Monographien u. 7 wesentl. Beiträge zu Monographien. M.: Mtgl. zahlr. dermatolog. u. biochem. Ges., Mtgl. d. Herausgebercomités zahlr. Fachzeitschriften. H.: Theater, Ldw.

Raaber Herbert Dr. MinR.
B.: Abt.-Ltr. im Bundesmin. f. Wirtschaftl. Angelegenheiten. DA.: 1011 Wien, Stubenring 1. PA.: 1200 Wien, Hellwagstr. 4-8/2/34. G.: Purkersdorf, 1. Mai 1933. El.: Dr. Hans u. Ludmilla, geb. Vojacsek. S.: 1951 Matura, 1951-57 Stud. Rechtswiss. Univ. Wien m. Prom. z. Dr. iur. K.: 1958 Eintritt in d. Bundesmin. f. Hdl. u. Wiederaufbau, seit 1981 Abt.-Ltr., zuständig f. d. bilateralen Handels- u. Wirtschaftsbeziehungen m. d. EG- u. EFTA-Staaten, 1978 MinR. E.: Gr. EZ f. Verd. um d. Rep. Österr., 1984 Gr. VK d. VO d. BRD. M.: ÖVP. H.: Musik (Oper). (N.A.)

de Rabena Mercedes
B.: Exclusiv Modedesignerin m. Bereichen ins Textil. GT.: Unterricht Modezeichnen am HAKA Sbg. DA. u. PA.: 5400 Hallein, H.-W.-Davis-Str. 34/25. G.: Grafendorf, 28. Nov. 1963. V.: Wolfgang Arthur Schmidt. S.: Fachschule, 1982 Mstr.-Prüf. Damenschneiderei, Einzel- u. Großhdls.-Kfm., Büro- u. Ind.-Kfm., 3 J. prakt. Erfahrung, seit 1988 selbst., eigene Kollektionen, Designerin im Slalom-Bereich f. 14 Nationalmannschaften. P.: zahlr. Art. in Fachzeitschriften. E.: 1987 2. Pl. b. Levi's-Design-Wettbewerb in München. M.: Verb. Dt. Modedesigner. H.: Aktzeichnen, Sport, Reisen. (M.Mo.)

Rabas Franz Josef

Gesch. Ges. FN.: Rabas & Co OHG. DA.: 1160 Wien, Enenkelstr. 19. G.: Wien, 21. Okt. 1943. V.: Ilse, geb. Meier. KI.: Franz, Michael, Ursula. EL.: Franz u. Maria. S.: HAK/HTL Maschinenbau, Gesellenprüf. Gießereiwesen, Meisterprüf., bis 1971 im Betrieb d. Schwiegervaters tätig, s. 1971 selbst. mit d. Gießerei Rabas. H.: Skifahren, Wandern, Schwimen. (W.J.)

Rabiser Elisabeth
B.: Inh. FN.: Unternehmensberatung Elisabeth Rabiser, Percon. DA.: 5020 Salzburg, Bergerbräuhofstr. 27. G.: Hall in Tirol, 26. Nov. 1949. V.: Ing. Josef Rabiser. Ki.: Rick. El.: Max u. Hedwig. S.: Kfm.-Lehre. K.: Kundenberaterin u. Verkaufsrepräsentantin b. Rank Xerox Austria, ab 1973 Aufbau eines bekannten Österr. Managementberatungsunternehmens, 1978 Übernahme d. Marketing- u. Verkaufsltr., 1986 Gschf. einer Intern. Consultingfirma, 1989 Grdg. u. Aufbau d. Firma Percon, 1990 Aufbau d. Unternehmensberatung Elisabeth Rabiser. M.: WDF. H.: Skifahren, Philosophen. (M.Mo.)

Rabitsch Günther Dr. Mag.

B.: Gschf. FN.: Lavazza Kaffee GmbH. DA.: 1130 Wien, Wattmanng. 15. PA.: 2345 Brunn/Gebirge, In den Schön-Mauern 6. Ki.: Linda (1984). El.: Günther u. Eva. S.: VS, BRG, 1970-75 HTBLVA Nachrichten- u. Hochfrequenztechnik Mödling, 1975-80 Stud. Betriebswirtschaft WU Wien, 1980 Mag. rer. soc. oec., 1989 Dr. rer. soc. oec. K.: 1982-83 Controller Sandvik in Austria Wien, 1983-85 Client Service Executive Nielsen Marketing Research Wien, 1985-87 Marketingltr. Almdudler A & S Klein OHG Wien, 1987-89 Marketing Manager Österr. Weinmarketingservice GmbH Wien, seit 1989 Lavazza Kaffee GmbH Wien, seit 1990 Gschf. H.: Fliegen (PPL, USA Berufspilotenschein, Österr. Berufspilotenschein), Surfen, Klavierspielen. (W.M.)

Rabitsch Hugo Prof.
B.: OStR. Brucknerkonservatorium d. Landes OÖ. DA.: 4040 Linz, Wildbergstr. 18. PA.: 4020 Linz, Humboldtstr. 33A. G.: Wien, 21. Jän. 1933. V.: Paula, geb. Kneidinger. Ki.: Richard, Isolde. El.: Hugo u. Erika, geb. Göllerich. BV.: Großvater Göllerich Liszt-Schüler, Bruckner-Biograph. S.:

Gymn. Linz, 1950-53 Stud. Mozarteum Sbg. Hauptfach Klavier, Abschluß m. Künstler. Reifeprüf., 1953-55 Stud. an d. Ak. in Wien b. Prof. Ebenstein (Klavier). K.: seit 1955 am Brucknerkonservatorium m. div. Funktionen, Ltr. Klavierkl., 25 J. Abt.-Vorst. d. Abt. Tasteninstrumente, Hauptinitiator z. Verwirklichung d. B-Seminars, 17 J. Dir.-Stellv., 1968 Prof., 1987 OStR., langjährige Konzerttätigkeit, div. Uraufführungen in Linz, zahlr. Rundfunkaufnahmen. BL.: 1952 Schachlandesmstr. v. Sbg., 1959 Stadtmstr. v. Linz. M.: ÖVP. H.: Lesen, Schwimmen, Natur. (P.H.)

Rabitsch Josef

B.: Unternehmer, Fitneßberater. FN.: Fitneß Club Tropic. DA.: 9100 Völkermarkt, St. Ruprechterstr. 5. PA.: 9113 Ruden, Kanaren 14. G.: Kanaren bei Ruden, 18. Nov. 1951. V.: Gertraud Kogler. Ki.: Karl (1981), Katrin (1983), Mario (1986), Anja (1991). El.: Anna u. Josef. S.: Berufsschule u. Lehre Baugewerbe, Tätigk. i. d. Privatwirt. K.: Ausbildung zum Fißneßberater, 1987 Grdg. d. eig. Fa.. M.: Fußball Club Ruden (Trainer u. Betreuer). H.: Sport, Familie, Natur. (G.L.)

Rabl Alice

B.: Gschf., Übersetzerin. F.: All Languages Intern. Dolmetschagentur Alice Rabl & Irene Voigt. DA.: 1010 Wien, Fichteg. 2A/13. G.: Wien, 19. Juli 1965. El.: Gerhard u. Irene Rabl. S.: 1983 Matura, Stud. Inst. f. Übersetzer u. Dolmetschausbild. an d. Univ. Wien, 1988-90 Lehrgang f. Werbung u. Verkauf WU Wien, ak. geprüfter Werbekfm. K.: 1987 Einstieg als Partnerin in d. Fa. Dolmetschcenter Irene Voigt & Co, Namenswechsel in All Languages Intern. Dolmetschagentur Alice Rabl & Irene Voigt. M.: Golfclub Himberg. H.: Tennis, Golf, Radfahren, Musik, Lesen, Kino. (J.S.)

Rabl Franz ÖkR.

B.: Präs. d. Österr. Schwarzen Kreuzes, Kriegsgräberfürsorge. GT.: Bgm. d. Marktgem. Ludweis-Aigen. DA.: 1010 Wien, Wollzeile 9. PA.: 3762 Radessen 7. G.: Radessen, 5. Juni 1928. V.: Poldi, geb. Hatraba. Ki.: Norbert, Veronika, Franz, Andrea, Martina, Stephan. El.: Franz u. Johanna, geb. Zechmeister. S.: Ldw. Schule, Vorbild.-Schule, div. Kurse. K.: ab 1955 GemR., seit 1966 Bgm., 1955-90 Bez. u. LandesbauernR. NÖ, 1957-90 Vorst.-Mtgl. d. Kath. Familienverb. d. Diözese St. Pölten, seit 1990 Vors., 1964-88 Abg. z. NÖ Landtag, seit 1956 PfarrkirchenR., seit 1969 VPräs. d. Zivilschutzverb. NÖ, seit 1980 VPräs., Gschf. Präs., ab 1991 Präs. d. Schwarzen Kreuzes. H.: Lesen, Wandern, Kleintierhaltung. (N.A.)

Rabl Heinrich Dr. iur.

B.: Ltr. d. Post- u. Telegraphendion. f. Wien, NÖ u. Bgld. DA.: 1090 Wien, Nordbergstr. 15. PA.: 1220 Wien, Tamariskeng. 14. G.: Wien, 10. Febr. 1936. V.: Wilma, geb. Neckenast. Ki.: Lieselotte (1958), Ing. Heinz-Christian (1959), Eva-Maria (1962), Helene (1965). El.: Alois u. Anna. S.: Matura. K.: Aufnahme in d. Postdienst u. b. 1960 b. Postamt 1150 Wien im Umleitdienst beschäftigt, 1960 Dienstleistung in d. Abt. 8 d. Post- u. Telegraphendion. Wien, Stud. an d. Wr. Univ. Rechtswiss., b. 1968 Rechtspraktikant im Bereich d. OLG Wien, 1970 Überstellungswerber in d. Verwendungsgruppe A, 1970 Prom. z. Dr. iur., 1972 Dienstleistung in d. Gen.Dion., 1974 Ltg. d. Werbereferates, 1977 stellv. Abt.Ltr. d. Abt. 01, 1982 MinR., seit 1982 Ltr. d. Abt. f. Öff.Arb., Marktforsch., Marketing u. Werbung. E.: GrE. (P.R.)

Rabl Heinz Dipl.-Ing.

B.: Exportltr. FN.: Pumpenfbk. Ernst Vogel. DA.: 2000 Stockerau, Prager Str. 6. PA.: 2100 Leobendorf, Wilczekstr. 1. G.: Klagenfurt, 16. Sept. 1928. V.: Inge, geb. Gruber. Ki.: Dipl.-Ing. Gunther. El.: Alois u. Elsa. S.: Realschule Klagenfurt, Univ. Graz Wirtschaftsing., 1956 Dipl.-Ing., WU 4 Sem. Werbung u. Verkauf. K.: 1956 Pumpenfbk. Vogel, seit 1961 Exportltr. BL.: Österr. Image im Ausland zu vertreten. P.: Seminare im Ausland. E.: Gold. Verdienstmed. f. Verd. um d. Rep. Österr. H.: Lions Club. H.: Fotografieren. (A.K.)

Rabl Peter Mag. Dkfm. Handelsrat

B.: Gschf. Ges. FN.: Josef Rabl KG Jalousien- u. Rolladenfbk. A.: 1160 Wien, Friedmanng. 18. G.: Wien, 11. März 1951. V.: Susanne, geb. Wonesch. Ki.: Tina (1976), Peter (1983). El.: Josef u. Gerda. S.: 1969 Matura, Stud. Betriebswirtschaft WU Wien, 1975 Spons., Franz.-Stud. Aix-en-Provence Frankreich. K.: 1976 Eintritt in d. Familienunternehmen, seit 1985 Gschf. u. Beginn d. Export-tätigkeit m. Schwerpunkt Arab. Raum. P.: Diss.: "Messung d. Arbeitszufriedenheit", Art. in dt. Fachzeitschriften. E.: HandelsR. d. Panamenischen HK. M. Vorst. d. HK Panama. H.: Reiten: Span. Dressur, Skifahren. (J.S.)

Rabl Peter

B.: Chefred. d. KURIER, Vorst.-Dir. ZVB AG. DA.: 1070 Wien, Lindeng 52. G.: Bruck/Mur, 11. Juni 1948. V.: Dr. Helga, geb. Stadler. Ki.: Hans Peter, Christian, Maximilian, Sebastian. El.: Josef u. Elisabeth. S.: S.: Matura, Stud. Publizistik. K.: 1971 Journalist Lokalzeitung NÖ (NÖ Nachrichten), 1973 Wochenpresse, 1974 Innenpolit. Ressortltr., 1975 Kurier Ressorltr. Innenpolitik, 1977 stellv. Chefred. Kurier, 1980 ORF ltd. Red. u. Gestalter d. ersten Wochenpolit. Magazin, "Politik am Freitag", 1985 Hpt.-Abt.-Ltr. f. Dokumentationen, 1988 Hrsg. d. Zeitschrift "profil", seit 1991 Vorst.-Dir. ZVB AG, seit 1993 Chefred. d. KURIER. H.: Lesen, klass. Musik, Disuktieren, Tennis. (A.K.)

Rabl Stephan

B.: Freischaffender Theatermacher. FN.: "Szene bunte Wähne". DA.: 1040 Wien, Viktorg. 18/27. PA.: 3762 Ludweis, Radessen 7. G.: Ludweis, 29. Nov. 1964. El.: ÖKR. Franz u. Leopoldine. S.: 1984 Matura a. d. HTL Mödling, Abteilung für Hochbau, anschl. 1 J. Clownausbildung in Limoges, Frankreich. K.: Gründer d. Clowngruppe "Schockerlinge", zahlreiche Tourneen in ganz Ö; Gleichz. Organisator von Kulturfestivals "Szene bunte Wähne" f. Kinder u. Jugendlilche m. Produktionen aus ganz Europa, ca. 80 Veranstaltungen pro J. z. B.: 1994 "Das Fest der Krokodile", Uraufführung, v. Felix Mitterer u. dem Theaterensemble "Schrille Stille". Bisher Theateraufführungen in Österreich, Frankreich, Deutschland, Italien, Schweiz u. Belgien. M.: Vorstandsmitglied d. ASSITEJ Austria. H.: Tanzen, Visionen. (J.S.)

Rabl-Stadler Helga Dr.
B.: Präs. d. Salzburger Festspiele, Prok. DA.: 5010 Salzburg, Hofstallgasse 1. G.: Salzburg, 2. Juni 1948. S.: VS, wirtschaftskundl. Gymn., Matura, Univ. Sbg. (Dr. iur.). K.: 1970-78 Journalistin f. Wirtschafts- u. Innenpolitik in d. Red. d. Zeitungen: "Die Presse", "Die Wochenpresse" u. "Kurier", seit 1978 Prok. im Modengeschäft d. Mutter in Sbg. u. Linz, 1980-85 Mtgl. d. Vorst. d. Kuratoriums d. WIFI, 1985 VPräs. d. Sbg. HK, seit 1988-1994 Präs. d. Sbg. HK, seit 1980 Miteigentümerin d. Fa. Resmann, 1983-90 Mtgl. d. NatR., 1991-94 Bundesparteiobm.-Stellv. d. ÖVP, seit Dezember 1994 Präs. d. Salzburger Festspiele. (M.Mo.)

Rabussay Heinz Dr.
B.: Ltr. d. Abt. f. Außenwirtschafts- u. Integrationspolitik d. Wirtschaftskam. Stmk. GT.: Gschf. Alfons Gorbach Ges., Vorst.-Mtgl. Wirtschaftsforum Graz, Lehrbeauftragter f. Außenhdl. Univ. Graz. DA.: 8021 Graz, Körblerg. 111-113. PA.: 8042 Graz, Carl-Spitzweg-G. 9. G.: Wolfsberg, 27. Dez. 1944. V.: Dr. Ilse, geb. Fachbach. Ki.: Ute (1970), Gudrun (1974), Christina (1982). El.: Paul u. Emma. S.: 1963 Matura, BH, Jus- u. Übersetzungsstud. Univ. Graz, 1969 Prom. u. Dipl. als Engl. Übersetzer. K.: Eintritt Kam. d. gewerbl. Wirtschaft, Ref. d. Finanzpolit. Abt., 1971 Ref. d. Abt. f. Wirtschafts- u. Hdls.-Politik, 1990 Ltr. d. Abt. f. Wirtschaftspolitik u. Außenhdl., seit 1993 Ltr. d. Abt. f. Außenwirtschafts- u. Integrationspolitik. M.: KÖStV Babenberg (ÖCV), Vorst.-Mtgl. d. Dt. HK Graz, Vorst.-Mtgl. d. Österr. föderalist. Bewegung, Vorst.-Mtgl. d. Ital. HK. H.: Lesen, Familie. (R.T.)

Racek Alfred Dr. phil. Mag. theol.
B.: Gen.-Sekr. d. Kath. Familienverb. d. Erzdiözese Wien. DA.: 1010 Wien, Stephanspl. 6. G.: Wien, 4. Aug. 1949. V.: Dr. Claudia. Ki.: Ingo, Magdalena, Dominiko. El.: KommR. Alfred u. Viktoria. S.: 1969 Matura, Stud. Phil., Romanistik u. Theol., 1975 Prom. K.: 1977 Gen.-Sekr. d. Kath. Familienverb., 1978-80 Lehrauftrag Univ. Wien "Einführung in d. Begriffsgeschichte d. Phil.", 1983 Spons. z. Mag. P.: Phil. d. Grenze (1983), Veröff. in div. Fachzeitschriften. H.: Radfahren, Phil., Beethoven. (J.E.)

Racek Annemarie
B.: Inh. d. Boutiquen "Unser Laden" u. "Grandios". DA.: 1160 Wien, Wattg. 8, 1160 Wien, Thaliastr. 90. G.: Wien, 12. Mai 1943. El.: Jaroslav u. Anna Karas. S.: Kfm. Lehre. K.: 10 J. Aufenthalt in Hamburg, b. 1974 Auslandspraxis, selbst., 1977 Eröff. d. Geschäftes in d. Wattgasse, 1988 Erweiterung d. Unternehmens u. Eröff. d. Geschäftes in d. Thaliastraße. H.: Tiere, Radfahren, Wandern. (N.A.)

Rachbauer Alois
B.: Pensionist. PA.: 4060 Leonding, Auf der Halde 7. G.: Altheim, 10. Juni 1928. Ki.: Dr. Mag. Christian, Wolfgang, Elisabeth. S.: 1950 Matura. K.: 1942 Eintritt Volkskreditbank Filiale Braunau, seit 1945 Hpt.Anst. Linz, b. 1957 Aufbau d. Auslandsgeschäftes, seit 1957 Kreditbereich, 1963 Prokura, 1970 OProk., 1972 Dir.Stellv., 1977 Dir., 1985-91 Mtgl. d. Vorst. M.: Management Club. H.: Wandern, Reisen, Fußball. (A.W.)

Rachbauer Christian Dr. Mag.
B.: gschf. Ges. d. VESTA International Industrie Versicherungsmakler GesmbH. DA.: 4048 Linz-Puchenau, Karl-Leitl-Str. 1. PA.: 4020 Linz, Tegetthoffstr. 17. G.: Linz, 10. Sept. 1960. El.: Alois u. Ingeborg. S.: 1978 Ak. Gymn. Linz, 1978-87 Jusstud. J. Kepler-Univ. K.: ab 1984 EDV-Bereich Chemie Linz, 1988 Spartenltr. f. Haftpflichtbereich b. Gerling, 1991-92 Ltr. d. Gerling-Ndlg. in Linz. P.: lfd. Vortragstätigkeit im Rahmen d. Firmen. M.: AKM, Verb. d. Österr. Textautoren, WDF. H.: EDV, Literar. Tätigkeit, mod. Musik. (U.E.)

Racher Fritz Dr. Dipl.-Vw. KommR.
B.: Präs. d. Rieder Messe, Vors. d. Arge Österr. Messen, Kfm. A.: 4910 Ried, Peter-Rosegger-Str. 12. G.: Ried, 20. Aug. 1925. V.: Edith, geb. Maurus. S.: Gymn., Univ. Innsbruck. K.: Seit 1967 Präs. d. Rieder Messe. F.: Alleininh. d. Fa. Fritz Racher, Eisenhdl., Ried. H.: Tennis, Skifahren.

Rachholz Roman
B.: Reisender. FN.: Henkel Austria. DA.: 1030 Wien, Erdbergstr. 29. PA.: 1210 Wien, Freiligrathpl. 6. G.: Wien, 7. Apr. 1934. V.: Inge, geb. Drexler. Ki.: Stefan, Wolfgang. El.: Rachholz Anton u. Riedl Maria. S.: VS Wien, Deutsch-Altenburg, Seefeld, RG Wien, 3 J. kfm. Berufsschule. K.: b. 1956 Ausbild. b. Fa. Meinl, 1956-63 Ang. d. Länderbank, 1963-64 Ang. d. Weinhdls. GmbH, b. 1968 Thermochem. Fbk. Wien, seit 1969 Außendienstreisender Henkel Austria (Persil). BL.: gemeins m. Gattin Grdg. d. Theatergruppe Team 65 (1965), 14 Auslandstourneen. E.: 1980 Max Mell-Med. in Bronze, 1984 Max Mell-Med. in Gold, 1986 Gold. Rathausmann. H.: Theatersp., Wandern, Oper, Theater. (H.P.)

Rachl August Dr. med.
B.: FA f. Orthopädie u. orthopäd. Chir. GT.: ltd. Anst.Arzt einer Behindertenanst. DA.: 8020 Graz, Annenstr. 23. PA.: 8052 Thal, Steinberg 107. G.: St. Johann/Walde, 13. Jan. 1939. V.: Ingrid, geb. Houska. Ki.: Claudia, Markus, Johannes, Karoline. El.: Johann u. Mathilde. S.: 1957 Matura Sbg., 3 J. Stud. d. Phil., danach Stud. d. Med., 1968 Prom. Dr. med. K.: FA-Ausbild. in Wien u. Aachen, Orthopädie-OA in Stolberg b. Aachen, seit 1978 freiberufl. FA in Graz, Spezialgebiet: Fußchir., 1990 Grdg. eines Inst. f. Orthopädie u. orthopäd. Chir. m. Schwerpunkt Fußchir. u. dessen ärztl. Ltr.

Rachler Wolfgang Johannes Wilhelm Mag. Dir.
B.: Gschf. Dir. FN.: Österr. Agrarverlag, Druck u. Verlags GmbH. GT.: seit 1981 Gschf. Optimal Präsent Geschenk System, seit 1983 Gschf. Raiffeisen Druck GmbH. DA.: 1141 Wien, Linzer Str. 16. PA.: 1030 Wien, Fasang. 20. G.: Gmünd, 17. März 1946. V.: Dr. Margot, geb. Pichler. Ki.: Phyllis, Sybille, Sophie. El.: Dr. Wilhelm u. Gertrude. S.: HS, Gymn. Gmünd, 1965 Matura, Jusstud. in Wien. K.: Gerichtspraxis, 1973 Eintritt in Agrarverlag Ass. d. Geschäftsltg.. M.: Intern. Club European Money Bank Collector seit 1983, Reitklub blau-weiß Hollabrunn. H.: Reiten, Spardosen sammeln, klass. Musik, Reisen, Theater. (M.G.)

Rack Siegfried Dr. iur.
B.: RA. DA.: 9100 Völkermarkt, Münzg. 3. PA.: 9100 Völkermarkt, 10.-Oktober-Str. 7. G.: 29. Nov. 1939. V.: Gerlinde, geb. Walcher. Ki.: Claudia, Peter, Kristin. El.: Peter u. Elise. S.: VS, HS, Gymn., 1960 Matura, Jusstud. Wien, 1965 Prom. K.: 1965-66 Gerichtsjahr in Völkermarkt u. Klagenfurt, 1966-72 Konzipientenjahr in Klagenfurt, ab 1972 selbst. RA in Völkermarkt. P.: Jagd- u. Reiseberichte. H.: Jagd, Land- u. Forstwirtschaft, Abgaben-, Verfassungs- u. Verwaltungsvorschriften, jagdl. sowie land- u. forstwirtschaftl. Belange. (S.G.)

Rackeseder Christine
B.: Gschf. Ges. FN.: C.R. Medical Vertriebs GmbH. DA.: 4010 Linz, Leopold-Hasner-Str. 12. PA.: 4040 Puchenau, Mittelpromenade 59. G.: Linz, 7. Aug. 1956. V.: Manfred Rackeseder. Ki.: Daniel-Christopher (1986), Alexandra-

Magdalena (1992). BV.: Urgroßvater Ehrenbürger v. Wien. S.: Gymn. Linz, 1975 Matura, b. 1982 Stud. Psych. u. Soz. Wien. K.: 1982 Mitgründerin Notfall-Medizin, 1989 Grdg. Fa. C.R. Medical Vertriebs GmbH, div. Fotbild.-Aktivitäten. P.: Veröff. in Fachzeitschriften. H.: Squash, Reisen, Lesen. (P.H.)

Rackl Manfred
B.: Großmstr. d. Hypnose, Künstlermanager. DA. u. PA.: 8700 Leoben, Hallstadtstr. 23. G.: Leoben, 17. Aug. 1951. V.: Mathilde, geb. Pacher. Ki.: Christian (1980). El.: Johann u. Maria. S.: VS, HS, 1966-69 Elektrikerlehre. K.: b. 1974 Autoverkäufer, b. 1979 Komiker, Conferencier, Alleinunterhalter, seit 1979 selbst. Hypnotiseur, 1982 Grdg. Agentur Management Künstler u. Konzert (C. Jung, P. Kent, L. Fernandez, R. Black), als Hypnotiseur mehr als 2000 Auftritte in Österr., Schweiz, Deutschland u. Italien, 1. Hypn. weltweit, d. d. katalept. Starre m. 9 Pers. aufeinand. liegend, darauf stehend seine Frau in d. Öff. vorführte, macht Hypn. nicht nur als Unterhalt. sondern Hauptziel ist, d. Menschen zu helfen (Raucherentwöhn., seel. Probl.). H.: Lesen, Computer, Familie, Reisen. (K.K.)

Racz Emmerich Dr. Prof.
B.: Prof. an d. Päd. Ak. in Eisenstadt, Fachinsp. f. d. kath. Religionsunterricht. A.: 7000 Eisenstadt, Wolfgarten. G.: Megyehid/Ungarn, 12. März 1930. El.: Emmerich u. Anna. S.: Gymn., Kath. Theol. Fak. d. Univ. Wien, Pontificium Athenaeum Lateranense in Rom (Kirchenrecht). K.: Kaplan in Deutschkreuz, Sekr. am Bischöfl. Ordinariat in Eisenstadt, Religionsprof. am BRG in Oberschützen, Prof. an d. PA in Eisenstadt, VOffzl (2.Pr.) am Diözesanger. in Eisenstadt. Fachinsp. f. d. kath. Religionsunterricht. P.: Mehrere Publ. in Fachzeitschriften. M.: Österr. Ges. f. Kirchenrecht, Ges. f. Österr. Kulturgeschichte, Österr. Päd. Ges., Österr.-Franz. Ges., Magyar Kulturegyesület. H.: Ferngesteuerte Modellflugzeuge.

Racz Michael RegR.
B.: Amtsdir., Bgm., Finanzbeamter. FN.: Finanzamt Oberwart. DA.: 7400 Oberwart, Hauptpl. 9. PA.: 7400 Oberwart, Linke Bahnzeile 1b. G.: Groß Petersdorf, 28. Mai 1932. V.: Priska, geb. Holzer. Ki.: Andreas-Peter, Michael-Nikolaus, Stefan-Paul, Christine-Katharina, Christoph-Augustin. S.: VS, HS. K.: 1952 Eintritt i. Finanzdienst a. Finanzamt Oberwart, 1964 Beamtenmatura, n. div. Fachprüfungen Überstellung i. B-Dienst, 1981 Abt.-Ltr. d. Lohnsteuer u. Beihilfenstelle, s. 1977 Gemeinderat bzw. Städterat i. Oberwart, s. 1982 Bgm. v. Oberwart, 1967-87 Personalvertreter i. Finanzamt Oberwart, 1980-92 Mtgl. d. Fachausschusses, s. 1965 i. Pfarrgemeinderat Pinkafeld bzw. Diözese Eisenstadt, s. mehr als 20 J. Referent b. d. Ehevorbereitung d. Kath. Kirche Oberwart, s. 1982 Stadtparteiobmann d. ÖVP, s. 1988 Präs. d. Burgenländischen Gemeindebundes. M.: s. 1967 ÖVP. H.: Musik, Literatur, Beruf, Zweisprachigkeit. (F.S.)

Rácz Lorant Dr. iur.
B.: Gschf. FN.: Lorant Rácz & Co GmbH. GT.: AufsR.Vors. Mefisto AG Prag. DA.: 1060 Wien, Getreidemarkt 3. PA.: 1210 Wien, Staackmanng. 6. G.: Hermannstadt, 20. Dez. 1932. V.: Edith, geb. Kleman. K.: Lorant (1962), Georg (1965). El.: Desider u. Eleonora. S.: 1952 Matura, Jusstud. in Budapest, 1956 Dr., 1956 nach Österr., Univ. Wien, Ergänzungsprüf. K.: 1958-62 Anw.Kzl., 1962-68 Europamanager d. Fa. Gamma Engineering, 1970 Berater f. Kompensationsgeschäfte f. Osteuropa b. Gebr. Schoeller, 1970-75 Referatsltr. b. Waagner-Biro, 1975-79 Voest-Alpine Linz, seit 1979 selbst. m. Lorant Rácz & Co GmbH. H.: Bridge, neuzeitl. Geschichte. (J.S.)

Rada Oswald KommR.
B.: Steinmetzmstr., gschf. Ges. A.: 2170 Poysdorf, Johannessiedlung 1. G.: Langegg, 5. Juni 1922. El.: Hugo u. Julianna. S.: Fachschulen. K.: Mtgl. d. LInnugsaussch. f. Steinmetze in NÖ, d. Prüf.Aussch. f. Steinmetzmstr.Prüf. d. Bez.Stellenaussch. d. Kam. d. Gewerbl. Wirtschaft, gerichtl. beeid. Sachv., Mtgl. d. Patentinh. u. Erfinderverb., Mtgl. d. österr. Baustoffhändler, VPräs. d. Österr. Patentinh. u. Erfinderverb. 16 erteilte Patente, 22 angemeldete Patente. Mtgl. d. Verb. Österr. Betonwarenhersteller. F.: Ges. d. Rada Steinmetz u. Baustoff GmbH, Inh. d. Fa. Oswald RADA, Fabrik m. Diamantwerkzeughersteller u. Patentverwertung (RADA-PLAST). P.: Veröff. in Zeitschriften, 9 Patente. E.: 2 Gr. Goldmed. d. Österr. Patentinh. u. Erfinderverb., Das Goldene Rad.

Radauer Adolf Divisionär
B.: Adjutant d. Bundespräs. DA.: 1014 Wien, Präsidentschaftskanzlei, Leopoldinischer Trakt, Hofburg. PA.: 5020 Salzburg, Bucklreuthstr. 15. G.: Salzburg, 25. Mai 1935. V.: Elfriede, geb. Gigl. Ki.: Thomas (1968), Christian (1970). El.: Hermann u. Margarete. S.: RG Sbg., 4 Sem. Jusstud. Univ. Innsbruck, Militärak. Wr. Neustadt, Landesverteidigungsak. Wien, berufsspezifisches Stud. an Amerikan. College. K.: seit 1968 Generalstabsoffz., versch. Kdt. u. Stabsfunktionen, 1986-88 Chef d. Kabinetts d. Bundesmin. f. Landesverteidigung, 1988-91 Kdt. d. Friedenstruppen d. Vereinten Nationen zwischen Syrien u. Israel, seit 1992 Adjutant d. Bundespräs. E.: Wehrdienstmed., 1974 Olympiamed., UN-Med., Nobelfriedenspreismed., Silb. EZ f. Verd. um d. Rep. Österr., Gr. EZ f. Verd. um d. Rep. Österr., Gr. VK d. VO d. Rep. Deutschland. M.: Rotary Wien Donau, Clausewitzges. H.: Segeln, Skifahren, Zeitgeschichte, Fallschirmspringen. (J.S.)

Radauer Andreas
B.: Pfarrer in Bischofshofen. DA. u. PA.: 5500 Bischofshofen, Mohshammerpl. 2. G.: Eugendorf, 22. Nov. 1934. S.: VS Eugendorf, 1944-52 Staatl. u. Kirchl. Gymn., 1952 Matura, 6 J. Stud. Theol. HS Sbg. u. Innsbruck. K.: 1958 Priesterweihe in Sbg., b. 1963 Kaplan in Kufstein, 1964-66 Kaplan in Kitzbühel, 1966-69 Pfarrprovisor in Puch, 1969-73 Pfarrer in Adnet u. Krispl, 1973-89 Stiftspfarrer u. Kanonikus in Seekirchen, seit 1989 in Bischofshofen. P.: Festschrift z. 300 J. Jubiläum d. Collegiatstiftes Seekirchen (1979), Haus- u. Hofchronik Eugendorf (1986), Eugendorfer Heimatbuch (1987), Hauschronik Seekirchen (1988), Hauschronik-Entw. Bischofshofen (1994). E.: 1985 Gold. VZ d. Landes Sbg., 1988 Ehrenring d. Marktes Eugendorf, 1989 Ehrenring u. Ehrenbürger d. Marktes Seekirchen. H.: Gitarre, Volkslied, Heimatforschung. (G.P.)

Radda Heinrich Dr.
B.: FA f. Orthopädie. DA.: 9020 Klagenfurt, Villacher Str. 59. G.: Launsdorf, 4. Nov. 1934. V.: Sonja, geb. Draksler. Ki.: Christoph. El.: Dr. Heinrich u. Friederike. S.: VS, Mittelschule in Klagenfurt, Med.Fak. Univ. Wien, Unfallchir.-Orthop. Univ.Klinik in Wien, FA-Ausb. in Wien u. Orthop. Univ.Klinik in Tübingen (BRD), Ass. in Wien. K.: 1962-70 an d. versch. Kliniken in Wien, ab 1970 Privatpraxis in Klagenfurt. P.: 25 wiss. Arb. in einschl. med. Fachzeitschriften. M.: Mtgl. d. Dt.-Österr. Ges. f. Orthopädie, Ges. f. Chir., Ocean-Cruising-Club of London. H.: Hochseesegeln, Surfen, Tauchen, Skifahren. (Hat.)

Raddatz Alfred Dr. habil.
B.: o.Univ.-Prof. f. Kirchengeschichte, christl. Archäol. d. Ev.-Theol. Fak. d. Univ. Wien. DA.: 1010 Wien, Liebigg. 5. PA.: 1170 Wien, Dornbacher Str. 25. G.: Berlin, 15. März 1928. El.: Friedrich u. Anna, geb. Huth. S.: Abitur, Stud. d. Theol., Kunstgeschichte u. christl. Archäol. an d. Humboldt-

Univ. Berlin. K.: Lehrauftrag an d. Univ. Greifswald 1959, Prom. 1959, Lehrauftrag an d. Humboldt-Univ. Berlin 1960, Habil. 1963, Lehrauftrag an d. Univ. Rostock 1964, Doz. an d. Humboldt-Univ. Berlin 1966, o. Prof. an d. Univ. Wien u. Inst.Vorst. 1971, Dekan 1973-74 u. 1988-89. P.: Aufsätze in Fachzeit- u. Festschriften u. in d. Sammelwerken TRE, Lexikon d. Mittelalters, "Kirche in Preußen" 1983, "Gestalten d. Kirchengeschichte" 1984, "Europa in d. Krise d. Neuzeit" 1986, Mithrsg. v. "Evangelischer Glaube u. Geschichte" 1984 u. "Veröffentlichungen d. Inst. f. Kirchengeschichte d. Kath.- u. Ev.-Theol. Fak. Wien" 1986. M.: Rechtsritter d. Johanniterordens, Consultor d. Stiftung Pro Oriente, o.Mtgl. d. Europ. Akad. d. Wiss. u. Künste. (P.R.)

Radek Hermann Dr. phil. MinR.

B.: Ltr. d. Abt. f. d. Tarifwesen d. privaten Lebens- u. Krankenvers. (Abt. V/10) im BMF. DA.: 1010 Wien, Johannesg. 14. PA.: 1030 Wien, Marxerg. 13/3. G.: Wien, 5. Juli 1926. V.: Annemarie, geb. Ringberger. Ki.: Mag. vet. med. Norbert. El.: Hermann u. Maria. S.: Matura 1944, Stud. an d. TH in Wien, 1947 Staatsprüf. f. Vers.Math. (Dipl.). K.: 1947 Eintritt in d. Staatsdienst (BM f. Finanzen, Vers.Aufsicht), 1950 Prom. z. Dr. phil. aus Math. an d. Univ. Innsbruck, seit 1971 österr. Delegierter im Direktionsrat d. intern. Ver. d. Vers.Math., seit 1971 MinR., seit 1983 Ltr. d. Abt. f. Tarifwesen d. Lebens- u. Krankenvers. V.: Einige Fachpubl. b. Kongressen u. in Fachzeitschriften. E.: Gr. EZ f. Verd. um d. Rep. Österr. 1975, Gr. Silb. EZ f. Verd. um d. Rep. Österr 1986. M.: Österr., Dt. u. Schweizer Aktuarver., Österr. Ges. f. Vers.Fachwissen, Österr. Delegierter im Dions.Rat d. Intern. Ver. d. Vers.Math., A.A.I. H.: Literatur, klass. Musik. (G.E.)

Rader Johannes Bruno Mag. theol. Prof. Prälat

B.: Abt d. Benediktinerstiftes St. Paul, Prof. f. Religion. GT.: Bischöfl. Kmsr. d. Klosters Himmelau, Vors. d. Ktn. Superiorenkonferenz, Pfarrer d. Stiftspfarre St. Paul. DA. u. PA.: 9470 St. Paul, Benediktinerstift, Hauptstr. 1. G.: St. Martin/Granitztal, 7. Mai 1939. El.: Pius u. Maria, geb. Ninaus. S.: VS, Stiftsgymn., Stud. Theol. Univ. Sbg. K.: 1958 Matura, anschl. Eintritt in Benediktinerstift St. Paul, 1964 Priesterweihe, danach Religionsprof. Stiftsgymn. St. Paul, 12 J. Erzieher im Konvikt d. Stiftes, 1979 z. 56. Abt d. Stiftes St. Paul gewählt. BL.: 1980 St. Pauler Kultursommer ermöglicht durch kult. Angebot u. Öffnung d. Stiftes, Organ. v. Ausstellungen, Initiator d. 1. Ktn. LAusstellung anläßl. d. 900 Jahrfeier d. Stiftes St. Paul, freier Mitarb. b. ORF/Kirchenfunk. P.: Meditationsbuch "Lasset uns beten" 1981, lfd. Art. u. Serien im "Jahresbericht des Stiftes St. Paul", "Geschichte der Äbte von St. Paul", lfd. Art. u. Meditationen in österr. Kirchenzeitschriften, lfd. histor. Art. im Jahrbuch d. Diözese Gurk, div. Beiträge in theol. u. päd. Fachzeitschriften. E.: Ehrenbürger d. Stadt Nursia/Italien, Ehrenmtgl. d. Souveränen Johanniterordens v. Jerusalem. M.: Mtgl. d. OrdensR. d. Diözese Gurk-Klagenfurt, Mtgl. d. DiözesanR. Gurk-Klagenfurt, ehrenamtl. Mitarb. d. Österr. Bewährungshilfe. H.: klass. Musik, bes. Kirchenmusik, Lesen, Radfahren, Tarock spielen. (H.M.)

Rader Ludwig Mag. iur.

B.: 3. Präs. d. Steir. Landtages, Mag.-Bmtr. d. Mag. Graz. DA.: 8010 Graz. PA.: 8010 Graz, Flurg. 17 A. G.: Waiern, 23. Juli 1948. V.: Roswitha, geb. Baumgartner. Ki.: Andreas, Robert. El.: Johann u. Mathilde. S.: VS, RG, Univ. Graz. K.: 1971 Vors. d. österr. Hochschülerschaft Graz, b. 1976 Chefred. d. "Steir. Nachrichten", b. 1983 Clubsekr. d. GemR.-Frakt. Graz (FPÖ), 1983-91 Clubobm. d. Landtagsfraktion, 1985-88 Landesparteiobm. d. FPÖ Stmk., seit 1991 3. Präs. d. Landtages. H.: Lesen, Skifahren. (P.M.)

Rader Werner Dipl.-Ing.

B.: Dir. d. Dr. Richard Verkehrsbetrieb KG. DA.: 1200 Wien, Stromstr. 11. G.: Weng, 3. Apr. 1943. S.: RG Ried/Innkreis, TU Wien. K.: 1969 Aufbau einer Kfm.-Techn. Statistik f. d. Dr. Richard Verkehrsbetrieb KG, 1975 Verleihung d. Einzelprokura, als Ltr. d. Betriebsdienstes d. BMV verantwortlich, ab 1975 Erneuerung d. Fahrzeugparkes unter bes. Berücksichtigung neuer Sicherheitseinrichtungen, 1979 Dir. d. KG, 1983 Projektierung u. Realisation d. Neubaues einer Zentralwerkstätte, 1991 Einführ. d. Niederflurtechnik im Stadtlinienverkehr. P.: Einzelne Art. in Fachzeitschriften. M.: ÖN-Arbeitsgruppe Fahrzeuggestaltung. H.: Reisen, Orchesterkonzerte, Skifahren, Geländelauf. (Sei.)

Radhuber Gunther Dr. phil.

B.: Konzertpianist im freien Beruf. A.: 4021 Linz. G.: Linz, 2. Okt. 1917. V.: Maria, geb. Jirkova. El.: Josef u. Antonie. S.: Klass. Philol., reine Phil., Historie. Doktorat in Vergl. Sprachwiss. (Indogermanistik). Musikstud.: Violoncello, Waldhorn. Mstr.Kl. v. Klavier an d. HS f. Musik in Wien. K.: Lebenslange Konzerttätigkeit als Pianist (Solist, Klavierkammermusik, Liedbegleiter). Seit zwei Jahrzehnten rückt das Cembalo immer mehr in den Mittelpunkt d. künstler. Tätigkeit (Recitals, Konzerte m. Orchester). Als langjähriger Ltr. d. Musikdir. d. Stadt Linz baute er das nach dem Kriege völlig darniederliegende Linzer Musikleben von Grund auf neu auf und schuf damit die Voraussetzung f. d. heutige Musikleben im neuerb. Brucknerhaus. Wiss. Mitarb. im ORF. Profunder Kenner europ. Kunst u. Kultur. Heute auch auf diesem Gebiet als Ltr. v. Kunst- u. Bildungsreisen tätig. P.: Viele Rundfunkvorträge über ein breites Spektrum von Themen.

Radi Dagobert Dr. Dkfm.

B.: Kfm. DA.: 9504 Villach-Warmbad, Warmbadestr. 78. PA.: 9500 Villach, Gerberg. 32. G.: Villach, 7. Okt. 1925. V.: Elfriede, geb. Gitschthaler. El.: Dagobert u. Stefanie. S.: VS, RG HS f. Welthdl., kfm. Lehrjahre. K.: Lehrzeit im Familienbetrieb, Mitarb. in allen Abt. d. Lebensmittelgroßhdl., Aufbau einer eigenen Hdls.Agentur, Verkaufsbereich Österr., Mitarb. u. seit 1. Jan. 1968 Übernahme d. Elektrogroßhdls, Verkaufsber. Österr. u. Italien, Gschf. d. M. Radi GmbH. M.: Mtgl. d. Ambassador-Clubs Österr., Sekt. Villach. H.: Sport, Lesen, Wandern, praxisbezogenen Psych.

Radics Laszco Dipl.-Ing.

B.: Geschäftsführer, Kfm. FN.: Dipl.-Ing. Radics GmbH Installationsbetrieb u. Elektrohandel. DA. u. PA.: 7000 Eisenstadt, Ruster Str. 17-19. G.: Eszterhaza/Ungarn, 15. Mai 1935. V.: Maria, geb. Tollovitsch. Ki.: Nikolaus, Michael. El.: Ludwig u. Maria. S.: HTL in Ungarn, HS-Stud. f. Elektrotechnik in Aachen/BRD, 1965 Dipl.-Ing. K.: 1965-70 Projektass. u. Baustellenltr. in einem Elektromontagebetriebe in d. BRD, seit 1970 in Österr., 1970-74 Projektass. u. Baustellenltr. b. d. Elektrobau AG in Eisenstadt, 1974 selbst., 1976 Grdg. eines Installationsbetriebes u. seit 1980 auch Führung eines Elektrohandels. H.: Wandern, Tennisspielen. (M.B.)

Radics Margit

B.: Geschäftsfr. FN.: Haus d. Seide Margarit. DA.: 5020 Salzburg, Schranneng. 4. PA.: 5081 Anif 23. G.: Salzburg, 26. Nov. 1944. Ki.: Christine (1962), Gabriele (1964), Wolfgang (1965). El.: Irma u. Hans. S.: VS, Gymn. 1958-62 Hauswirtsch. Schule Annahof Sbg., 1963 Übersiedl. n. Braunau a. Inn, 1981 Scheidung. K.: Verkaufsltr. b. Fa. Thalhammer Sbg., Modeagentur Robert Hölzl, Produ.ltr., aus gesundh. Gründen ausgesch., Gschf. b. Fa. Glumann i. MGC Sbg, 1992 Fa. Silksdream -Gerlich, 1993 Selbst. M.: Kammermtgl. H.: Gemüsegarten, Blumen, Wälder. (S.P.)

Radinger Hans

B.: Musiker (Baßposaune). PA.: 8041 Graz, Kasernstr. 90/12, 4643 Pettenbach 70. G.: Wels, 6. März 1959. V.: Elisabeth, geb. Wolf. El.: Josef u. Maria. S.: VS, Gymn., 1978 Matura Kremsmünster, Posaunenstud. am Konservatorium Linz, Militärkapelle OÖ, Konservatorium Wien, 1984 Lehramtsprüf., 1985 künstler. Reifeprüf., 1986 Dipl.-Prüf., Stud. Jazz-HS Graz, Stud. u. Konzerttätigk. an den Konservatorien Den Haag (Ack v. Rooyer, Trompete) u. Hilversum (Erik v. Lier, Posaune). BL.: Musikal. Auftritte m. NÖ Kammerorchester, Arnold Schönberg Chor, Posaunenensemble Concord, div. Auftritte b. Heinz Conrads, Die Große Chance, Theaterproduktion in Wien, Mitwirkende b. d. Uraufführung einer "Homage an Bach" m. Ensemble d. Wr. Bläsersolisten, Auftritte: Konzerthaus Wien, Frankfurt, Alte Oper Berlin, Philharmonie Kiel, Uraufführ. v. "Memento mori", Originalkomposition f. Posaunenquintett v. Dr. K.A. Hueber, zahlr. Big-Band-Engagements m. Teddy Ehrenreich Big Band, ORF-Big-Band (Richard Österreicher), Austrian Jazz Orchester, Wolfgang Lindner Band, Lehrtätigkeit an d. Landesmusikschule Wien-Donaustadt, Kirchdorf u. Windischgarsten. H.: Skifahren, Tanzen, Reisen, Kontakte pflegen. (R.S.)

Radinger Wilhelm

B.: Gschf. FN.: Knödel GmbH Bad-Design. DA.: 4020 Linz, Hollabererstr. 4D. PA.: 4490 St. Florian, Prummerinsfeld 8. G.: Linz, 25. Juni 1952. V.: Helga, geb. Hauser. Ki.: Barbara (1988). El.: Wilhelm u. Franziska. S.: VS, HS, HAK, 1971 Matura, 1972 BH. K.: 1/2 J. Kostenrechnungsabt. Firma Nestle, b. 1979 Ass. d. Geschäftsstellenltr. f. OÖ u. Sbg. u. Zeitschriftengroßvertrieb Firma Waldbeuer, b. 1988 Stellv. d. Werbeadministrationsabt. Gebiet Rechnungswesen Firma Nestle, b. 1992 Profitcenterltr. Firma Kaindl Raumausstattung, seit 1992 heutige Position. H.: Komplexcontrolling u. alles was m. Betriebswirtschaft zu tun hat, Tennis, Skifahren, Familie, Garten. (U.A.)

Radinger-Kriz Gerlinde Gabriele

B.: Gschf. FN.: Kriz-Schuhe. DA.: 1210 Wien, Rußbergstr. 11. PA.: 1210 Wien, Rußbergstr. 20/1/15. G.: Wien, 4. Mai 1959. V.: Alfred Lawender. Ki.: Alexander (1986). El.: Gerhard u. Elisabeth Kriz. S.: Gymn., HASCH, 1976-81 Personalbüro, Personalsekr., Kundendienstsekr. Siemens Data, Sekr. Firma Erval, 1988 Übernahme d. mütterl. Geschäftes. M.: Hobbytanzclub Tanzschule Schwebach. H.: Tanzen, Familie, Skifahren, Radfahren. (R.T.)

Raditsch Fritz

B.: Inh. FN.: Schlosserei Fritz Raditsch. DA. u. PA.: 2540 Bad Vöslau, Tattendorfer Str. 83. G.: Bad Vöslau, 26. Apr. 1940. V.: Helga, geb. Pfifferling. Ki.: Evelina (1961), Fritz Anton. El.: Franz u. Aloisia. S.: VS, HS, Berufsschule, Schlosserlehre, Gesellenprüf., Meisterprüf., Schweißmeisterkurs, Betriebsltr.-Schule. K.: 1957-59 b. Firma HMW Schlossereibetrieb tätig, 1958 BH, Tätigkeit in einer Stahlbaufirma, seit 1965 selbst. m. eigener Firma. M.: Vorst.-Mtgl. d. Gremiums d. Maschinenhdls. H.: Skifahren, Reisen, Schwimmen, Radfahren, Wandern. (F.S.)

Raditschnig Jörg Dr.

B.: Betriebsberater, Vermögenstreuhänder, Hauptmann d. Res. DA. u. PA.: 9020 Klagenfurt, Koschatstr. 119. G.: Mailand, 8. Febr. 1939. V.: Magret, geb. Tomasch. Ki.: Birgit (1960), Michael (1962), Armin (1971). El.: Otmar u. Maria. S.: 1959 Matura, BH, 1964 Abschluß Jusstud. Wien. K.: 1967-76 Filialdir. d. Generali, 1976-80 Wr. Städtische, 1964-66 Protokollchef b. d. Landesrg., ab 1980 selbst. Vermögenstreuhänder, seit 1974 Immomakler selbst. Betriebsberatung. E.: Ritter d. St. Olaf Orden's, Ehrenamtl. Obm. d. Gemeinnützigen Wohnungsgenoss. f. Ktn. M.: div. Sportver. H.: Skifahren, Eishockey, Leichtathletik. (K.K.)

Radkovsky Theodora Dr. med. MedR.

B.: Prakt. Ärztin. DA.: 1120 Wien, Schlöglg. 26. G.: Dobersberg, 24. Jän. 1922. V.: Ing. Ottokar. S.: RG Mauer, 1940 Matura, Med.Stud. Univ. Wien, 1947 Prom. K.: Turnusausbild. AKH, Sophienspital, Preyer'sches Kinderspital, Polyklinik, Semmelweisklinik, Wilhelminenspital b. 1950, zugl. m. d. Turnusausbild. b. 1965 Ass. Ordination Dr. Edmund Müller (Rheumatologie), ab 1950 eigene Praxis zus. m. Bruder MedR. Dr. Adolf Wais (FA f. Zahnheilkunde u. Kieferchirurgie). P.: einige med. Abhandlungen in med. Zeitschriften über Behandlung rheumatischer Erkrankungen zus. m. Dr. Edmund Müller. E.: 1979 Verleihung Titel MedR. H.: Med. (C.K.)

Radl Heinz

B.: Ndlg.-Ltr., Prok. FN.: Wilhelm Böllhoff Ges.m.b.H. Schrauben-, Norm- u. Zeichnungsteile. DA.: 2345 Brunn am Gebirge, Rennweg 77. G.: Wien, 26. Juli 1940. V.: Gertraud, geb. Renner. S.: HS, Berufsschule Großhdl. K.: 1957-87 Ang. in Firma Schraubenwilde, später Disponent u. Prok., seit 1987 Ndlg.-Ltr. u. Prok. d. Firma Wilhelm Böllhoff Ges.m.b.H. (M.M.)

Radl Irene

B.: Inh. FN.: Susypapetrie Papier- u. Bürowarenhdl. DA.: 8010 Graz, Jakoministr. 14. PA.: 8054 Graz-Straßgang, Florianibergstr. 3. G.: Bad Radkersburg, 25. Febr. 1956. V.: Günther Radl. Ki.: Manuel (1985). El.: Alois u. Charlotte. S.: VS, HS, 1975 zahnärztl. Ass. K.: 1976-84 Firma Lechleitner Reutte, 1984-85 Firma Brühl Graz, 1986 Susy v. d. Firma Susicard gekauft. BL.: Maschen- u. Verpackungskurse, Mitarb. in d. Firma d. Gatten. M44 Verlag München - Kundenbetreuung. M.: Obm. d. Elternver. VS Straßgang. H.: Basteln: Hinterglas, Salzteig, Gewürzsträuße, Seidengestecke. (R.S.)

Radl Johann

B.: Bandagisten- u. Orthopädietechnikmstr., Gschf. d. Joh. Radl KG. DA.: 8010 Graz, Lutherg. 4. G.: Graz, 18. Nov. 1937. V.: Renate, geb. Ferlitsch. Ki.: Daisy. El.: Johann u. Stefanie. S.: HASCH, Lehre, Mstr.Prüf. 1962. K.: Eintritt in d. väterl. Betrieb, Volontärzeit in d. BRD, s. 1980 Fachverb.Vors. d. Stmk. u. Österr., s. 1977 Gschf. d. Fa. Radl KG. BL.: 10x steir. u. österr. Mstr. im Schwimmen u. Wasserball, Führer d. Nationalteams in Wasserball. M.: INTERPOR, ISPO (VPräs.). H.: Tauchen, Tennis, Golf. (C.H.S.)

Radl Leopold

B.: Gemüsekonservenerz., Inh. d. Fa. Schwingenschlögl-Radl. DA.: 1100 Wien, Columbusg. 50. G.: Wien, 12. März 1947. V.: Eva, geb. Spitt. Ki.: Lukas, Stephan, Katharina. El.: Leopold u. Hedwig. BV.: Großvater Johann Schwingenschlögl war Gründer d. Fa. S.: VS, BRG, 1966 Matura, Stud. an d. HS f. Welthdl. K.: nach 1. Dipl.Prüf. Eintritt in d. Familienbetrieb, 1979 Übernahme d. Fa. nach Pensionierung d. Vaters. M.: LInnungsmstr. f. d. Nahrungs- u.

Genußmittelgewerbe in d. HK Wien, BInnungsaussch. f. d. Nahrungs- u. Genußmittelgewerbe, Intern. St. Hubertus Orden. H.: Jagd, Skifahren, Segeln. (G.E.)

Radler Heinrich Dipl.-Ing.

B.: Arch., staatl. beeid. Ziviltechniker. DA.: 4020 Linz, Landstr. 16. PA.: 4040 Linz-Urfahr, Daunerweg 5. G.: Linz, 22. Nov. 1951. V.: Ulricke, geb. Langgartner. Ki.: Florian, Moritz, Dominik. El.: Wolfgang u. Elisabeth. S.: VS, MS, Matura, Stud. TU Graz Fachrichtung Arch., 1980 Dipl.-Ing. K.: 6 J. Praxis in versch. Arch.Büros in Graz u. Linz, seit 1986 Kzl.Gemeinschaft m. Vater Dipl.-Ing. Wolfgang Radler, seit 1988 Kzl.Partnerschaft. H.: Wein, Essen, Skifahren, Windsurfen. (M.B.)

Radler Siegfried Dr. techn. Dipl.-Ing., o. Univ. Prof.

B.: eremitierter Vorst. FN.: Inst. f. Wasserwirt., Hydrologie u. konstruktiven Wasserbau a. d. Univ. f. Bodenkultur. DA.: 1190 Wien, Nußdorfer Lände 11. PA.: 1190 Wien, Sieveringerstr. 179/1. G.: Kleinzell, 11. März 1929. V.: Mag. Irmgard, geb. Kresnik. Ki.: Gudrun (1957), Claus (1959), Jörg (1962), Ulla (1968). El.: Heinrich u. Therese, geb. Kübelböck. S.: VS i. Kleinzell i. Mühlviertel, Realschule i. Linz, Bauing.-Stud. a. d. Techn. HS i. Graz, Diss. K.: 20 J. i. d. Energiewirt. tätig, s. 1975 Ordinarius a. d. Univ. f. Bodenkultur. BL.: Aufbau d. hydraulischen Labors am Inst. f. Wasserwirt. V.: Mitautor d. Taschenbuch d. Wasserwirtschaft", Schriftltr. d. "Österr. Wasser- u. Abfallwirt.", ca. 60 Fachpubl. M.: Österr. Wasserwirtschaftsverband, Österr. Talsperrenverband, Österr. Ingenieur- u. Architektenverband. H.: Skifahren, Bergwandern. (F.S.)

Radlingmaier Michael

B.: Inh. FN.: Michael Radlingmaier Transporte GmbH. GT.: Laienrichter b. Arbeits- u. Sozialgericht Leoben, steir. Delegierter b. OÖ Vers., Fremdenpension in Sallaberg. DA.: 8943 Aigen, Sallaberg 95. PA.: 8943 Aigen, Sallaberg 1. G.: Aigen, 8. Feb. 1942. V.: Leopoldine, geb. Roth. Ki.: Michael (1963), Andreas (1966), Brigitte (1970). El.: Michael u. Katharina. S.: VS, HS. K.: 1956 Einstieg in d. elterl. Ldw., 1959-72 Tätigkeit im elterl. Transportbetrieb, 1976 Umgrdg. in GmbH u. 2. Gschf., seit 1980 alleiniger Gschf. M.: TRAK. H.: Schwimmen, Eisschießen. (I.G.)

Radlwimmer Friedrich Ing.

B.: Gschf.-Stellv. FN.: Fachverb. d. chem. Ind. Österr. DA.: 1045 Wien, Wiedner Hauptstr. 63. PA.: 2351 Wr. Neudorf, Garteng. 8. G.: St. Marienkirchen/Schärding, 6. Dez. 1934. V.: Margit, geb. Jaufer. Ki.: Wolfgang (1959), Raimund (1960), Christine (1962), Bernhard (1967), Christoph (1970). El.: Friedrich u. Juliane. S.: Matura, Stud. Univ. Innsbruck Chemie, Botanik, Pharmazie. K.: 1959-63 Betriebsleiter Pan Chemie Homburg, Wolfsberg/Ktn., 1963-65 Werksleiter b. OÖ Stärke- u. Chem. Ind, Aschach/Donau, 1965-71 Werksleiter b. d. Österr. Agrar-Ind., Klosterneuburg, zwischendurch Auslandsaufenthalte in Deutschl. (Höchst, Frankf.) u. Schweden (Papierfabrik i. Norrköping), ab 1971Tätigk. i. Fachverb. d. chem Ind., s. 1980 Gschf.-Stellv.; 8 Jahre Gem.Rat in Wr. Neudorf. BL.: Vortragender d. Sommerschule d. Landesak. Krems (Donau-Universität). P.: Buch "Enzymatischer Abbau v. Maisstärke". M.: Österreich-Vertr. d. UNEP, Vorst.-Mtgl. d. Österr. Ges. f. Toxikologie, Mtgl. d. MAK-Wert-Kommission (Experte f. Bewertung d. biotechnol. Emissionswerte), Präs. d. IPAD (Internat. Plastic Associations Directors) f. 1993/94, Österr.-Delegierter d. COLIPA (Europ. Vertretung d. Kosmetikverb.), Österr.-Delegierter i. Brüssel f. Responsible Care u. Mineralien, Codexkomm.Mtgl. im BM f. Gesundheit, Mtgl. d. wiss. Ausschusses im BM f. Umwelt.. H.: Bergwandern, Dia-Vorträge, Hackbrett, Musik, Mikroskopie, Skifahren, Bierdeckel-Sammeln (7000 Stk.), Sammeln v. UHU-Figuren (weltweit). (F.S.)

Radlgruber Raimund KommR. Ing.

B.: Inh. FN.: FEA-Promotion Raimund Radlgruber. DA.: 8020 Graz, Wiener Str. 12. PA.: 8045 Graz, Schöckelbachweg 37A. G.: Steyr, 7. Nov. 1946. V.: Katja, geb. Soos. Ki.: Stefan (1980), Eva (1988). El.: Theodor u. Mathilde. S.: Staatsgewerbeschule Linz, 1969 Matura. K.: Auslandspraxis in d. BRD, 1974 Grdg. d. Hdls.-Agentur Radlgruber, ab 1976 FEA-Promotion Werbegeschenks-großhdl. H.: Jogging, Tennis, Angeln. (P.M.)

Radmeyer Peter O.Amtsr.

B.: Ltr. FN.: Kulturamt d. Stadt Wr. Neustadt. DA.: 2700 Wr. Neustadt, Herzog-Leopoldstr. 17. PA.: 2700 Wr. Neustadt, Hardlg. 22. G.: Wien, 6. Apr. 1944. V.: Gerlinde, geb. Gabriel. Ki.: Sabine, Daniela. El.: Johann u. Hermine. S.: 1962 Mat. K.: 1964 Eintr. Bücherei d. Stadtgem. Wr. Neustadt, a. 1970 verantw. Volks-HS Wr. Neustadt, 1986 OAmtsr. u. Ltr. d. Kulturamtes, a. Ltr. verantw. f. Volks-HS, Musiks., Bücherei, Theater, Kino, Austell. u. Konzerte. E.: OAmtsr. M.: Vorst.-Mtgl. d. Theatererhalterverb., Verb. NÖ Volks-HS, NÖ Tonkünstlerorchester, Mtgl. Kulturaussch. Österr. Städtebundes. H.: Segeln, Schifahren. (I.J.)

Radner Alfred Dr

B.: Dir. Stellv. d. OÖ Gebietskrankenkasse, Univ.Lektor f. Sozialpolitik. A.: 4020 Linz, Kopernikusstr. 21. G.: Linz, 3. März 1938. V.: Elfriede. El.: Johann u. Rosina. S.: VS, HS, Lehre als Ind.Kfm. u. Prüf., Arbeitermittelschule Linz, Univ. Wien. K.: Ind.Kfm. (Filialltr.) - Sozialvers. (Kranken-, Unfall- u. Pensionsvers., Rechtsreferent, Organisation, Schulung u. Prüfungswesen, Vertragspartner. Univ.Lektor f. Sozialpolitik (Univ. Linz). P.: Mithrsg. v. Gesetzes-sammlungen u. Kommentaren: 1. Bauernsozialvers., 2. Krankenanstaltenrecht. Zahlr. Veröff. über Krankenvers. u. Sozialrecht. E.: Silb. EZ d. Rep. Österr., Silb. EZ d. ÖRK, Theodor Körner-Preis, Leopold Kunschak-Preis, Gold. Eule d. Abs.Verb. d. AMS. M.: Polit. Organ., Absolventenverb., Sportver., ÖGB, Ver. f. Arbeits- u. Sozialrecht, Inst. f. Sozialpolitik u. Sozialreform, Ver. v. Vers.Fachwiss. H.: Reisen, Tennis, Skifahren.

Radnetter Lorenz

B.: Selbst. Kfm., VBgm., Kulturref. DA u. PA.: 7551 Stegersbach, Herreng. 2. G.: Stegersbach, 30. Nov. 1937. V.: Herta, geb. Baumgartner. El.: Lorenz u. Theresia. S.: VS u. HS, kfm. Gewerbeschule Hartberg u. 3-jähr. Lehre, 1957-60 b. Meinl Wien. K.: Seit 1960 im Betrieb d.Eltern tätig, seit 1973 Übernahme d. elterl. Geschäftes, seit 1972 Mtgl. d. GemR., seit 1978 Vorst. d. Gem., seit 1981 VBgm., maßgebl. beteiligt f. Partnerstadt Northhampton (Pennsyl.), AufsR. d. BV Güssing/Stegersb./Jennersdorf. BL.: Im Rahmen d.

Kulturref. bes. bemüht um Kontakte m. ausländ. Kulturträgern ua. Boston Philharm. Blasmusikorch. aus USA, Schweden, Spanien, BRD (Mainzer Hofs. u. Chöre), Jugosl., Ungarn, Rumänien. E.: Silb. EZ d. Wirtschaftsbundes. M.: Mtgl. d. Österr. Wirtschaftsbundes, Kulturref. d. Gem., FV- u. Verschönerungsver., Musikver., Grem.Vorst.Stellv. d. Tabakverschl. HK Bgld., div. Vorst.Tätigkeiten im Gem.Ver. H.: Schwimmen, Blasmusik, Autofahren. (War.)

Radnoti György Mag.

B.: Prok. FN.: Mineralkontor GmbH. DA.: 1010 Wien, Marriott-Parkring City Center. G.: Budapest, 1955. S.: 1974-79 Stud. Univ. f. Ökonomie Budapest. K.: 1979-87 Mineralimpex Außenhandelsunternehmen Budapest (Sachbearb., Stellv. Abt.-Ltr., 1986-87 Abt.-Ltr.), 1987 Mineralkontor GmbH (Prok.)

Radon Johann

B.: Gschf. Ges. FN.: typeshop Druck u. Fotosatz GmbH. DA.: 4020 Linz, Rainerstr. 14. G.: Wien, 4. Juli 1947. V.: Brigitte, geb. Henzel. Ki.: Martin, Manuel, Margit. S.: Lehre als Schriftsetzer. K.: 1961-68 Herold Verlag Wien, 1968-69 Fa. Lettera Wien, 1969-72 Fa. typeshop Wien, 1972 Grdg. d. Fa. typeshop Linz. P.: div. einschlägige Art. in Fachzeitschriften. M.: Kiwanis. H.: Skifahren, Radfahren, Musik. (P.R.)

Radosztics Susanne

B.: Mandatar d. Fak., Chefr. d. Med Public. PA.: 1210 Wien, Sandthalenstr. 8. G.: Wien, 2. Sept. 1964. El.: Radosztics Johann Otto u. Gertrude. S.: Hum. Gymn., Matura, Med.Stud. Univ. Wien. K.: 1985 Fak.Vertreterliste, Mandatar Fraktion Österr. Med. Union (ÖMU), seit 1985 Chefred. d. Med Public, Journ. Tätigkeit, Wiss. Neuigkeiten im Stud., Servicetätigkeit. P.: Retortenbabies. M.: ÖMU. H.: Tanzen, Lesen, Literatur. (A.K.)

Radsetoulal Bernhardine

B.: Gschf. Ges. FN.: Senoplast Klepsch GmbH & Co KG. GT.: Gschf. Ges.: Intec Plastic Products GmbH, Senoplast Betriebs GmbH, Senoplast Klepsch & Co GmbH, KKR Vermögensverw. GmbH Piesendorf. DA.: 5721 Piesendorf 444. PA.: 5710 Kaprun, Rosbachstr. 466. G.: St. Johann/Pongau, 28. Jan. 1925. V.: Anton. Ki.: Hanns-Bernhard. S.: Mittelschule, Praxis. K.: Bez.Gericht Saalfelden, 1961 Grdg. Ges. Senoplast Klepsch & Co. H.: Reisen, Schwimmen.

Radunsky Hellmut

B.: Selbst. Kfm., Fell- u. Rauchwarengroßhdl. A.: 1010 Wien, Franz-Josefs-Kai 45. G.: Wien, 21. Juni 1921. V.: Vera, geb. Rukavina. El.: Robert u. Franziska. S.: Mittelschule, HAK. K.: Kriegsdienst, Volontärstelle in Leipzig in d. Rauchwarenbranche, danach Militär, nach dem Krieg Übernahme d. väterl. Geschäftes. E.: Kriegsausz. M.: Mtgl. d. berufl. HK-Organ. (Gremium), ÖAMTC, ÖAV, Ver. f. freie Körperkultur Wien.

Raetz Martha Dr. phil. Prof.

B.: Dipl.-Dolm.; Prof. i.R. PA.: 4092 Esternberg 77. G.: Wien, 16. Juli 1927. V.: Heinrich. El.: Bach Leopold u. Karoline. S.: Dr. phil (Anglistik) u. Dipl.Dolm. (Englisch) an d. Univ. Wien. K.: ab 1947 am Inst. f. Dolmetschausbild. d. Univ. Wien tätig. P.: "Interculture: A Collection of Essays and Creative Writing". E.: Förderungspreis d. Theodor Körner-Stiftungsfonds, Gold. Verdienstz. d. Rep. Österr. M.: Ehrenmtgl. d. Österr. Dolmetscherverb. Universitas, Silb. EZ d. Univ. Wien.

Rafailidis Gertraud

B.: Gschf. Ges. d. Fa. Soral Pelze GmbH. DA.: 8010 Graz, Hauptpl. 15. PA.: 8047 Graz, Argenotstr. 3. G.: Graz, 30. Aug. 1937. El.: Josef u. Josefine. S.: Grundschule, Kürschnerfachschule u. Lehre im väterl. Betrieb, anschl. Bürofachschule. K.: Seit 1969 Büroltr., 1979 Umwandlung d. Fa. in GmbH u. Ernennung z. Gschf. Ges. E.: div. Ausz. d. Kam. H.: Tennis, Schwimmen, klass. Musik, Oper, Gymnastik. (War.)

Rafanovic Nik

B.: Inh. FN.: K2 Ski- Sport u. Mode GmbH. DA.: 4813 Altmünster, Hauptstr. 6. PA.: 4813 Altmünster, Grundnerberg 104. G.: St. Martin, 27. Nov. 1943. Ki.: Nikolaus (1969). El.: Nikolaus u. Maria. S.: VS, HS, 1957-60 Kfm. Lehre Sportfahchandel, Lehrabschl. K.: 1960-69 tät. i. Sporteinzelhandel, 1969-79 Aussendienst, Verkaufsltr. Ö, Fa. Marker, 1979-82 Fa. K2, Gschf., 1982 Übern., 1993 GmbH. BL.: Besteigung d. Eiger Nordwand, bereits m. 17 Jahren. M.: Bergrettungsdienst, Alpenverin, Naturfreunde, Skiverband ÖSV. H.: Bergsteigen, Skifahren. (G.E.)

Rafeiner Otmar Dr. rer. pol. Dipl.-Ing.

B.: Präs. d. Österr. Patentamtes, Ltr. d. Referates f. gewerbl. Rechtsschutz. DA.: 1010 Wien, Kohlmarkt 8-10. G.: Eisenstadt, 17. Aug. 1939. V.: Dkfm. Gertrude. Ki.: Nina (1972), Peter (1974). S.: 1957 Matura, 1963 Dipl.-Ing. an d. TU Wien, 1973 Dr. rer. pol. an d. Univ. Wien. K.: 1964 Eintritt in d. Österr. Patentamt als techn. Prüfer, 1977 Vorst. d. Präsidialabt. 3 (EDV, Organ. u. Planung), 1989 Techn. VPräs., 1991 Präs. d. Österr. Patentamtes, Expertentätigkeit f. d. UNO-Org. WIPO z. Reorganisation d. Patentämter in Ägypten, Türkei, des früheren Jugoslawien; Vortragender b. Kongressen u. Tagungen, Hrsg. v. "Patente, Marken, Muster, Märkte" u. zahlr. Publ. den gewerbl. Rechtsschutz betreffend. H.: Lesen (Naturwiss., Soz.), Segeln. (E.J.)

Rafetseder Gerhard

B.: Gschf. Ges. FN.: Rafetseder Tischlerei KG. GT.: Ges. u. Gschf. d. COMBI BAU GmbH, Ges. u. Gschf. d. Fa. Gunitzberger GmbH Elektroinstallationen. DA.: 1150 Wien, Goldschlagstr. 47. G.: Wien, 30. Aug. 1956. El.: Erwin u. Margarethe. S.: VS, BRG, HTL Mödling, 1974 Abschluß. K.: Eintritt in d. Familienbetrieb z. Erwerb d. prakt. Erfahrungen, Mitarb. an d. Umwandlung in KG im J. 1980, gleichzeitig Einstieg als Ges. u. damit verbunden Prok., in d. Zusammenhang Grdg. d. Combi-Bau GmbH u. Gunitzberger GmbH u. Erweiterung d. Rafetseder Tischlerei KG, spezialisiert auf d. Prod. v. Fenster u. Türen, Inneneinrichtungen, Verlegung v. Holfußböden u. Deckenkonstr., Portalbau, Bauarb. im Rahmen d. Combi-Bau. BL.: Sponsor d. Fußballclubs FC-Rafetseder-WAT XVI seit 1977. E.: Verl. Austria Gütezeichens. H.: Tauchen, Reisen, Tennis, Hunde. (H.J.)

Raffl Margit

B.: Hotelierin St. Antoner Hof. DA.: 6580 St. Anton 450. G.: Hall/Tirol, 27. Feb. 1943. V.: Günther Raffl. Ki.: Margherita (1963), Günther (1967). El.: Sepp u. Gretl Staffler. BV.: Vater war bekanner Skirennläufer u. Jugendtrainer v. Karl Schranz, Gründer d. Schuhplattlergruppe "Die lustigen Arlberger". S.: HS Pfaffenhofen, Musikschule Innsbruck. K.: Mitarb. im

elterl. Pensionsbetrieb, parallel tägl. Auftritt m. d. Schuhplattlergruppe "Die lustigen Arlberg", europaweite Tourneen, 1973 Bau d. Hotels St. Antoner Hof. BL.: 16 J. Skilehrerin Skischule Arlberg, Senioren-WM Skirennen in Nauders, Winterpark Colorado, Gstaad, Serre Chevalier u. Tauplitz, 8 Gold-, 3 Silber- u. 3 Bronzemed., 2x Siegerin Porsche Bergmeisterschaft Euro Trophy Ladys Cup, 1x 3 Platz b. d. Ski- u. Tennis-WM. E.: 1963 Silb. Single, 1972 Gold. Schallplatte, M.: Bruderschaft St. Christoph, Skiclub Arlberg, Tennisclub St. Anton. H.: Skifahren, Tennis, Schwimmen, Musik, Reisen. (I.D.)

Raftl Ro

B.: Journalistin. FN.: Kurier, Ressort Unterhaltung. DA.: 1070 Wien, Seideng. 11. G.: Seefeld (Tirol), 29. Mai 1945. Ki.: Bernhard (1966), Mag. Matthias (1968). El.: Dr. Viktor u. Eva Liertzer. S.: VS, Gymn., 1963 Matura, Stud. d. Romanistik u. Germanistik a. d. Univ. Wien. K.: 1977-85 Ang. Red. b. "Hör zu" Österr., 1985-88 fr. Journ. b. ORF-Unterhaltung u. b. Wiener u. Wienerin, f. Österr. Medien tätig, u. a. f. Trend, 1990-91 Red. Ltr. v. AZ, Mag-AZ-In, 1991-93 Red. Krone Bunt, ab 1994 Ressortltg. "Unterhaltung" b. Kurier. H.: Theater, Bücher. (N.A.)

Ragger Gernot Dr. phil.

B.: Redakteur, Verleger. FN.: Kleine Zeitung-Regionalausgabe Lavanttal/Der Wolf-Verlag. DA.: 9400 Wolfsberg, Johann Offnerstr. 3. PA.: 9411 St. Michael. 106. G.: Wolfsberg, 26. Okt. 1959. V.: Ingrid, geb. Schatz. EL.: Franz u. Maria, geb. Samitsch. BV.: Onkel: Ferdinand Samitsch, 13-facher Tennismeister. S.: VS, HS, Musikpädagog., BRG, Matura, Stud. d. Philosphie u. hysik a.d. Univ. Graz, 1989 Beginn d. tätigkeit als Redakteur bei d. "Kleinen Zeitung" in Wlolfsberg u. teiln. beim Bchmann Preis in Klagenfurt mit Auszügen aus d. Erzählung "Der tote Vogel". P.: 1993 "Zeit", CD, Magic Sound Andi Beit, 1995 "Heiß", CD, Magic Sound Studio Andi Beit. Lesungen: Dichterlesungen in Ktn.;OÖ, Wien, Deutschland, aris u. Australien.E.: 1985 Ebentaler Litraturpreis f. Prosa, 1989 Preis d. AK f. Kärnten f. "Texte z. Arbeitswelt", 1990 Max v. d. Grün Preis (AK Linz) f. Gesichten aus d. Arbeitswelt.M.: 1986 gründ.-mtgl. "Woilfsberger Literatur-Stammtisch", 1994 gründ. d. "Christine Lavant Gesellschaft. 1984 Ktn. Schriftstellerverb. H.: Musik, Kater Falco. (G.L.)

Raggl Gustav

B.: Gschf. Ges. FN.: Raggl Supertype GmbH & Co KG. DA.: 6500 Landeck, Urichstr. 72. PA.: 6511 Zams, Buntweg 25. G.: Imst, 18. Jan. 1947. V.: Monika, geb. Gaudenzi. Ki.: Bernhard, Bettina, Sabine. El.: Benno u. Anna. S.: VS Wattens u. Zams, HS Landeck, 4-jähr. Buchdruckerlehre. K.: 2 J. Verlagsang. Tyrolia Innsbruck, 7 J. Buchdruckerei Hans Egger Imst, 2 J. Bez.Insp. Versicherung, seit 1976 selbst. M.: Lions-Club Landeck-Schrofenstein, Bruderschaft St. Christoph, Landesinnungsmstr. Tirol, Graph. Gewerbe, Präs. Tennisclub Landeck. H.: Arb., Sport, Bildersammeln. (H.T.)

Ragossnig Konrad o.Prof

B.: o.HS-Prof. an d. HS f. Musik u. darstell. Kunst Wien. DA.: 1030 Wien, Lothringerstr. 18. PA.: 1040 Wien, Wohllebeng. 7. G.: Klagenfurt, 6. Mai 1932. V.: Wiebke, geb. Steiskal. Ki.: Thomas (1961), Tobias (1971). El.: Franz u. Ursula. S.: als 7jähr. erster Gitarrenunterr., 1947 Musikstud. am Ktn. LKonservatorium (Cello, Klavier, Musiktheorie), 1951 Matura, 1954-57 Musikstud. an d. Ak. f. Musik u. darstell. Kunst Wien (Gitarre), 1957 Konzertdipl. u. Staatsprüf. m. Ausz. K.: 1956-59 Lehrer f. Gitarre am Ktn. LKonservatorium u. Ref. f. Kammermusik b. Radio Ktn., 1960-64 Lehrauftrag Ak. f. Musik Wien, 1964 Berufung Musikak. d. Stadt Basel, 1983 o.Prof. HS f. Musik u. darstell. Kunst Wien, seit 1989 Gastprof. an d. Musik-HS Zürich, Mstr.Kurse in Österr., BRD, Dänemark, Finnland, Norwegen, Schweden, USA u. CSFR, Jurymtgl. b. bedeutenden intern. Musikwettbewerben (Paris, München, Brüssel, Genf), ca. 2000 Konzerte, Radio- u. TV-Aufnahmen in Europa, USA, Kanada, Japan, Asien, Afrika, Naher u. Ferner Osten, Teilnahme an intern. Festspielen z.B.: Sbg. Festspiele, Wr. Festwochen, Schubertiade Hohenems, Carinthischer Sommer Ossiach, Bachtage Berlin, Osaka Festival, über 60 Schallplatten u. CD-Aufnahmen. P.: zahlr. Ausgaben f. Gitarre solo u. in Verbindung m. anderen Instrumenten sowie Autor "Handbuch d. Gitarre u. Laute". E.: 1959 1. Preis b. Gitarrenwettbewerb Cheltenham/GB, 1961 1. Preis b. Concours Intern. de Guitare Paris, 1984 Würdigungspreis d. Landes Ktn., 1992 Gr. Gold. EZ d. Landes Ktn., 1993 Ehrenmed. d. Bundeshauptstadt Wien. H.: Musikwiss. u. kunsthistor. Studien. (J.S.)

Rahbari Alexander

B.: Dirigent, Komponist. PA.: 2023 Oberst. Brunn 27. G.: Teheran, 26. Mai 1948. V.: Vanya. Ki.: Willem (1976), Annalene (1978), Manya (1989). El.: Mehdi u. Hamdam. S.: 1967 Ausz. u. Abgangspreis d. Teheraner Konservatoriums, Goldmed. d. Staates f. hervorragende künstl. Leistungen, 1971 Abschluß u. Ausz. d. Wr. Musikak. K.: 1980 Ass. v. Karajan, 1977 1. Preis im Intern. Dirigentenwettbewerb v. Besancon, 1978 Silbermed. in Genf, 1979 Debut m. d. Berliner Philharmonikern auf Einladung Karajans, 1973 Debut im Wr. Konzerthaus m. d. NÖ Tonkünstlerorchester, 1984 Komposition "Half Moon" f. Schwarze in Südafrika aufgeführt, seit 1988/89 Chefdirigent d. Philharmon. Orchesters Brüssel, seit 1989 ständiger Gastdirigent d. Tschech. Philharmonie, Konzerte u.a. m. Staatskapelle Dresden, NHK Tokyo, Suisse Romande, Orchestre National de France, Wr. Symphoniker, Rotterdamer Philharmonic, Stockholmer Philharmoniker. P.: mehr als 30 CD-Aufnahmen m. Symphon. Werken u. Opern. H.: Malen (Ölporträts u. Dirigenten), Holzhandwerk. (R.J.)

Rahimi Abbas

B.: Kfm., Inh. FN.: Abbas Rahimi Orientteppiche. DA.: 1010 Wien, Spiegelg. 6, 8010 Graz, Schmiedg. 34. PA.: 1130 Wien, Tratzeberg. 6/4. G.: Persien, 13. Juli 1930. V.: Asefhe. Ki.: Mag. Ali (1963), Reza (1968), Tanja (1969). El.: Kazem u. Aktar. S.: Stud. Geschichte u. Geographie Univ. Teheran, 1958-62 Stud. Phil. Univ. Wien. K.: 1954-58 Mittelschulprof. in Teheran, seit 1958 in Österr., Grdg. d. eigenen Firma. E.: pers. Skimstr., zahlr. Ausz. b. Messen. H.: Skifahren. (N.A.)

Rahimi Ali Mag.

B.: Kfm. FN.: Rahimi GmbH. DA.: 1010 Wien, Spiegelg. 6. G.: Teheran/Persien, 16. Juli 1964. El.: Abbas u. Assefe, geb. Mirfatahi. BV.: Rahimi alteingesessene Kfm.-Familie, Mirfatahi Pers. Adelsgeschlecht. S.: BRG Graz, Stud.

Betriebswirtschaft Univ. Graz. K.: während d. Studienzeit 1987 Gründer d. Firma Rahimi Einzelhdl. in Graz als einer d. jüngsten Teppichhändler d. Welt, seit 1990 zusätzl. Mitarb. d Rahimi GmbH in Wien, d. seit 30 J. existiert, Stammhaus in einem Innenstadtpalais, eines d. größten Orientfachgeschäft d. Welt, 1991 Gründer d. Ali Rahimi Mogadam GmbH in Wien m. Hdl. v. Waren aller Art. F.: Ndlg. in Persien. H.: Marekting, Sport. (J.S.)

Rahofer Ernst

B.: Gschf. FN.: Bregenzer Festspiel- u. Kongreßhaus GmbH. DA.: 6900 Bregenz, Platz der Wr. Symphoniker. PA.: 6900 Bregenz, Michael-Felder-Str. 3. G.: Steyr, 17. Nov. 1934. V.: Elisabeth, geb. Weichhart. Ki.: Christoph (1966), Konstanze (1981), Julia (1983). El.: Julius u. Rosa. BV.: Dr. Josef Rahofer Gründer d. Heeresspitals. S.: Matura Hotelfachschule, Stud. Welthdl. u. Fremdenverkehr. K.: 1960-70 Hotelbranche, b. 1979 Fremdenverkehrsverb. Wien (Kongreßförderung), seit 1979 Dir. d. Bregenzer Festspiel- u. Kongreßhaus GmbH. M.: Vorst. d. Richard Wagner-Verb., Präs. d. Symphonieorchester Vbg. H.: Musik, Klavier. (A.K.)

Rahofer Reinhold

B.: Gschf. FN.: Leopold Rauch & Söhne. DA.: 5020 Salzburg, Gailbacherweg 5-11. V.: Irmgard, geb. Achleitner. Ki.: Bernd, Christian. El.: Hans u. Anna. S.: HASCH, 1968 Bäckermstr.-Prüf. K.: 1966 Eintritt Rauchmühle, zunächst Ver-sand, dann Buchhaltung, Verkauf, 1973 in d. Verw., Prok., seit 1984 Gschf. M.: Verb. d. Mühlind., Kam. d. gewerbl. Wirtschaft, Obm. d. Glan-Mühlbachgen-Gen. H.: Skifahren, Wandern, Reisen. (D.R.)

Rahs Wolfgang

B.: freischaff. Schmuckkünstler. DA. u. PA.: 8020 Graz, Grimmg. 4. G.: Vorau, 16. Aug. 1952. V.: Monika, geb. Reinprecht. Ki.: Lukas (1980), Sebastian (1984). El.: Josef u. Berta. BV.: Großvater Eduard Reichenbäck Sattler in Vorau. S.: VS, HS, Kunstgewerbeschule Graz, 1966-70 Fachschule f. gestaltendes Metallhandwerk. K.: 1970 Modelgoldschmied Firma Klobassa Lindau, 1972 freischaff. Künstler m. Atelier in Vorau, 1976-77 Emailleur u. Goldschmied Firma Prischl u. Kessel Jewellers Johannesburg/Südafrika, 1977 Atelier u. Werkstatt f. plast. Erinnerung, Ausstellungen: 1980 WCC Wien, 1984 Biennale d. Venezia, 1970 Steir. Herbst "Aktion Stille", Skulptur auf d. Südautobahn, 1972 Gast d. Royal College of Art in London, 1989 Ornamenta: Schmuckmuseum Pforzheim. P.: Schmuck Intern. Ausstellung Wien, Phänomen Schmuck: Francisco Carolinum Linz, Ready made d. Galerie Mattar Köln, 1990 Katalog d. Werkstatt Graz "Feilübung", 1989 Jewelery: Means: Meaning Wanderausstellung durch USA, Katalog d. Künstlergruppe 77. E.: 1978 Preis d. Bundesmin., 2. Preis. b. Kunstpreis d. Landes Stmk., 1979 Preis d. Bundesmin. f. bild. Kunst, 1991 Preis d. Diözese Graz-Seckau. M.: Grdg.-Mtgl. d. Werkstatt Graz Gruppe 77. H.: Bergwandern, Schwimmen, Natur. (R.S.)

Raich Volker

B.: Inh. Bären Hotel, Restaurant Rotisserie, Koch. DA.: 6800 Feldkirch, Bahnhofstr. 1. G.: Hohenems, 7. Aug. 1942. V.: Kunstmalerin Sieglinde, geb. Schiffner. El.: Josef u. Claudia. S.: VS, HS, Kochlehre, 1959 Abschluß. K.: 1959 Nach d. Lehre lange Zeit in d. Schweiz als Koch, 1958 Kauf eines Landgasthauses in Hohenems, Übersiedlung, 1975 Kauf d. Hotel Bären in Feldkirch, 1992 4 Sterne-Hotel. H.: Golfspielen, Schießen (Gewehr u. Pistole), Bergwandern, Skifahren. (I.D.)

Raidl Claus J. Dr. Dkfm.

B.: Vorst.-Vors., Gen.-Dir. FN.: Böhler-Uddeholm AG. DA.: 1030 Wien, Modecenterstr. 14/A/3. G.: Kapfenberg, 6. Nov. 1942. V.: Mag. Edith, geb. Wöss. Ki.: Christian (1972), Gregor (1978), Johannes (1983). El.: Dipl.-Ing. Dr. Franz u. Helene. S.: Mittelschule, Matura, Stud. HS f. Welthdl. Wien, 1966 Dkfm., 1971 Dr., 1 J. Stud. Duxbury High School Massachusetts/USA (Dipl.), Auslandspraxis Kanada, Frankreich u. Norwegen. K.: 1970 Ass. Inst. f. angew. Sozial- u. Wirtschaftsforsch., 1971 Bankwesen u. Wirtschaftsprüfungskanzlei, zwischenzeitl. Kons. d. OECD Paris, 1974 Vers.-Wesen, 1981 Vorst.-Mtgl. Wr. Holding, 1982 Vorst.-Mtgl. ÖIAG, 1986 stellv. Vorst.-Vors. VOEST-ALPINE AG, 1988 stellv. Vorst.-Vors. VOEST-ALPINE STAHL AG, 1991 Vorst.-Vors. Böhler-Uddeholm AG Wien, 1993 gleichzeitig Vorst.-Mtgl. Austrian Industries AG Wien. P.: Mehrwertsteuer u. Preisniveau (1971), Beiträge in Sammelwerken u. wirtschaftswiss. Art. zu Fragen d. Wirtschaftsordnung, d. Ind.-Politik u. zu d. Problemen d. Steuer- u. Budgetpolitik. E.: Leopold Kunschak-Preis f. wiss. Arb. M.: 1967-88 Vors. d. Hochschülerschaft d. HS f. Welthdl., Mtgl. in versch. AufsR. u. BeiR. H.: Skifahren, Schwimmen, Wandern, Lesen, mod. Kunst. (F.S.)

Raidl Lisbeth Mag.

B.: Ak. Malerin. DA. u. PA.: 1010 Wien, Weihburgg. 4/1. G.: Wien, 19. Mai 1952. Ki.: Roman (1983), Nora (1984). El.: Hugo u. Elisabeth Raidl. S.: 1971 Matura, Stud. Malerei Ak. d. Bild. b. Prof. Lehmden, 1978 Mag. K.: viele Gruppenausstellungen in Wien, Deutschland u. Paris, 1981 Einzelausstellung in d. Galerie Zentrum Wien. E.: Abgangspreis d. Ak. d. Bild. Künste. H.: Literatur. (J.S.)

Raimann Hedwig

B.: Prok. FN.: Eurotax Verlags GmbH. DA.: 1080 Wien, Albertg. 33. G.: Wien, 20. Sep. 1938. S.: Mittelschule, Matura, 1958 techn. Zeichnerin, 1959-65 b. Wien Kredit, s. 1969 b. Eurotax, s. 1990 Prok. u. verantw. f. d. Qualitätskontrolle. M.: Ver. "Chancen für das Kind". H.: Theater, Konzerte, Kabarett, Wandern, Schwimmen, Reisen.

Raimund Hans

B.: Freischaff. Schriftsteller. PA.: 1090 Wien, Lackiererg. 5/12. G.: Petzelsdorf b. Purgstall, NÖ, 5. Apr. 1945. V.: Franziska, geb. Stransky. Ki.: Henriette. S.: Theresianum Wien, Matura 1964, Musikstud. (Klavier, Dirigieren, Komposition), weitere Stud. f. Germanistik u. Anglistik. K.: 1972-84 Unterrichtstätigkeit: Theresianum, Rudolf Steiner Schule, Vienna Intern. School, s. 1984 freier Schriftsteller in Duino b. Triest. P.: Rituale (1981), Schonzonen (1983), Auf Distanz gegangen (1985), Der lange geduldige Blick (1989), Trugschlüsse (1990), Kaputte Mythen (1992), Strophen einer Ehe (1995), Se ena noc maka (1992), Ventriloquii Viennensi (1993), Hardly the blink of an eye (1993), regelmäß. Mitarb. b. d. Zeitschr.: "Das Pult", "Lynkeus", "Das Podium", "Neues Wiener Tagebuch", "Literatur u. Kritik" sowie ital. u. amerik. Zeitschriften, Übers. aus d. Ital., Engl. u. Franz., Vorträge z. Thema: Anthroposophie, Musik, Literatur, regelm. Mitarb. b. ORF, WDR, Radio Bremen. E.: Förderungspreis d. Landes NÖ, Staatsstipendium f. Literatur; Wystan Hugh Auden Übersetzer-Preis 1992, Georg Trakl-Preis 1994. M.: Österr. Schriftstellerverb., P.E.N.-Club. H.: Esoterik. (P.R.)

Rainalter Herbert

B.: Inh. FN.: Herbert Rainalter. DA.: 6330 Kufstein, Marktg. 10. PA.: 6330 Kufstein, Schützenstr. 18. G.: Zams b. Landeck, 9. Okt. 1945. V.: Irmgard, geb. Zöttl. Ki.: Andreas (1974), Thomas (1976). El.: Josef u. Anna. S.: VS, 3 Lj. Tapezierer b. Fa. Vorhofen, Gesellenpr. 1962, BH, 1964-65 Dekorationsausb. i. München, dann Fa. Stöhr Kufstein, 1973 Meisterpr. K.: s. 1980 Selbst. M.: Lions Club. H.: Skifahren, Lesen, Schwimmen, Radfahren. (J.F.)

Rainbacher Erich Dr.

B.: Gen.-Dir. FN.: Raiffeisen Bausparkasse GmbH. DA.: 1050 Wien, Wiedner Hauptstr. 94. G.: 17. Dez. 1948. S.: 1967 Matura, Stud. Handelswiss. WU Wien, 1974 Prom. K.: 1974-88 Raiffeisenbank OÖ, zuletzt Vorst.-Dir., ab 1989 Gschf. d. Raiffeisen Bausparkasse, seit 1991 Gen.-Dir. H.: Lesen, Oper, Theater, Tennis. (N.A.)

Rainer Arnulf

B.: HS-Prof., Freischaffender Schaffender. A.: 1060 Wien, Mariahilfer-Str. 49. G.: Baden b. Wien, 8. Dez. 1929. S.: Stud. an d. Ak. d. Bild. Künste Wien. K.: Maler. P.: Mehrere Veröff. E.: Gr. Österr. Staatspreis.

Rainer Bernhard

B.: Abt.-Ltr. Techn. Service, gewerberechtl. Gschf. FN.: Ing. Dr. techn. Stefan Sztatecsny GmbH & Co KG. DA.: 1210 Wien, Lohnerg. 3. AP.: 2103 Langenzersdorf, Kellerg. 137. G.: Wien, 17. Juni 1968. El.: Leopold u. Auguste. S.: VS, HS, Lehre Elektroinstallateur, Dipl., Werkmstr. Elektrotechniker WIFI, Unternehmensprüf. K.: 1983-90 zuerst Lehrling dann Elektroinstallateur Firma Elektro Rainer Korneuburg, BH, 1991-93 Mitarb. d. Firma Ing. Spannbauer, seit 1993 Abt.-Ltr. d. Techn. Kundendienstes b. Firma Ing. Dr. techn. Sztatecsny, 1995 gewerberechtl. Gschf. M.: Gruppenführer d. Kath. Jungschar, Ballkomitee d. Kath. Jugend. H.: Geschichte, Arb. m. Kindern, Bergwandern, Schwimmen, Squash. (F.S.)

Rainer Ernst Conrad Dr. med. Prim.

B.: Psych., Vorst. d. psych. Rehabilitationsabt. d. Sbg. LNervenklinik. GT.: seit 1981 Lehrauftrag f. Sozialpsych. an d. Univ. Sbg. DA. u. PA.: 5020 Salzburg, Ignaz-Harrer-Str. 79. G.: Horn, 31. Mai 1939. Ki.: Gunde, Ursula. El.: Prof. Hermann u. Ilse. S.: RG Bad Ischl, Med.Stud. Univ. Innsbruck, 1968 Prom. K.: KH Bad Ischl, FA-Ausbild. b. Prof. Gastager u. Prof. Harrer in Sbg., 1974 FA f. Neurologie u. Psych., seit 1981 Prim. an d. Sbg. LNK, Vorst. d. Sbg. LVerb. f. Psychohygiene. BL.: Forsch.Tätigkeit auf d. Gebieten d. Schizophrenie u. d. Sozialpsych. P.: "Die schizophrene Reaktion". M.: Grdg.Mtgl. u. Vorst. d. Österr. Ges. f. gemeindenahe Psych. H.: Extrembergsteigen u. Klettern. (Foed.)

Rainer Franz Dr. Mag.

B.: o.Univ.-Prof. an d. WU Wien - Inst. f. Roman. Sprachen. DA.: 1090 Wien, Augasse 9. G.: Zell am See, 9. Aug. 1957. V.: Dr. Maria, geb. Fuchs. Ki.: Carmen (1989), Eva (1992). El.: Melchior u. Agnes. S.: 1975 Matura an d. BEA in Saalfelden, Stud. d. Romanistik an d. Univ. Salzburg, 1982 Prom. K.: Univ.-Ass. an d. Univ. Sbg., 1978/79 in Lyon, 1980 Stud. in Florenz, 1981 Univ.-Lektor in Salerno, 1986 Forschungsaufenth. in Bologna u. Pisa, 1991 Habil. an d. Univ. Sbg., 1991/92 Forsch.-Aufenth. in Madrid, s. 1993 o.Univ.-Prof. f. roman. Sprachen unter bes. Berücksichtigung d. Wirtschaftssprachen an d. WU Wien. P.: 4 Bücher u.a. "Spanische Wortbildungslehre" 1993 u. zahlr. Publ. aus d. Bereich d. ital., franz. u. span. Sprachwiss. E.: 2 ital. Wissenschaftspreise. M.: Mtgl. romanist. sprachwiss. Vereinigungen. H.: Musik, Reisen, Lesen. (J.S.)

Rainer Gerald Dr.

B.: Gen.-Dir. FN.: ABN AMRO Bank (Österr.) AG. DA.: 1011 Wien, Schottenring 35. PA.: 1030 Wien, Dannebergpl. 20/8. G.: Gmunden, 16. Juli 1952. V.: Christine, geb. Fogla-Deinhardstein. Ki.: Florian, Katharina u. Stephanie. S.: 1970 Matura am BRG Gmunden, 1970-71 Ben L. Smith Highschool, Greensborough, N.C./USA, Matura, 1971-72 Grundwehrdienst, 1972-76 Jus-Stud. Univ. Wien, Prom., 1976-77 Fletcher School of Law and Diplomacy,Tufts Univ., Mass. USA, MA Degree. K.: 1977-79 Arthur D. Little International, Algerien Unternehmensberatung, 1979-84 Österr. Kontrollbank AG Wien, 1984-88 Umwelt- u. Wasserwirtschaftsfonds Wien, Gschf., 1988-89 Citibank AG: Vorst.-Mtgl., 1989 ABN AMRO Bank AG: Gen.-Dir.-Stv., s. 1992 ABN AMRO Bank AG: Gen.-Dir. u. Vorst.-Vors. H.: Golf, Segeln, Klass. Musik u.Kunst. (M.N.)

Rainer Gerhard Ing.

B.: Hotelier d. Sportzentrum Hotel Rainer. GT.: 1969-79 Sportwart u. techn. Dir. d. Österr. Wasserskiverb. DA. u. PA.: 9210 Pörtschach-Pritschitz, Werftenstr. 53/59. G.: Klagenfurt, 22. Febr. 1942. V.: Barbara, geb. Juller. Ki.: Marie-Therese, Andrea, Karoline. El.: Hermann u. Luise. S.: HTL Villach, 1962 Matura, 1963-67 TH Graz 1. Staatsprüf. in Arch. K.: seit 1967 Mitarb. im väterl. Hotelbetrieb, ab 1970 Gschf. d. Hotel/Pension Rainer, 1973 Ausbau d. Hotels z. Sportzentrum, Entwicklung eines Ferienaktivprogramms, Familienaufenthalt. BL.: 1963 VWeltmstr. u. Europamstr. im Wasserskispringen, 1964 Europamstr., 1966 2. Europamstr. u. Mtgl. d. Österr. Nationalmannschaft f. asserski. P.: Mitarb.

an d. Animateurausbild. d. BK Wien. E.: 1964 Edelweiß d. Landes Ktn. M.: seit 1987 LObm. f. Ktn. d. ÖHV, im Werbeaussch. d. HK u. im Fremdenverkehrsaussch. Pörtschach, Vorst.Mtgl. d. ÖHV. H.: Tiefschneefahren, Eislaufen, Klettern, Wildwasserkajak, Wasserski, Tennis. (M.B.)

Rainer Hans Peter

B.: Designer. FN.: D3 Design. DA.: 8010 Graz, Bischofpl. 1. PA.: 8591 Maria Lankowitz, Hans-Jäger-Str. 226. G.: Köflach, 1. Dez. 1947. V.: Ulrike, geb. Toih. Ki.: Irina (1973), Tatjana (1976), Verena (1982). El.: August u. Ottilie. S.: VS, BRG, HTLA f. Hochbau, 1970 Matura, BH. K.: HTL-Ing. in Münchner Arch.-Büro Walter u. Bea Betz, Arch.-Stud. TU Graz, zeitgleich Arb.-Beginn im Bereich d. Möbeldesigns, 1978 Eröff. eines Techn. Büros f. Produktentwicklung, Ind.-Design u. Innenarch., Möbeldesign, 1982/83 Stud. Psych. u. Marketing Univ. Graz. BL.: "Metropolis" Objektstuhl f. Thonet, Sesselliftgehänge f. d. Firma Wopfner Seilbahntechnik, "Mewaplast" Wäschespinnenschieber, Sitzmöbel f. Eka, Design f. Feuerwehrautos f. Lohr Hönigtal. E.: 1984/85/87 Ausz. f. Gutes Design, 1987 European Masters-Design ausgewählt, 1989/90 Design ausgewählt, 1989 Innovationspreis, 1991 Holzdesign-Preis. F.: Uli Rainer Möbel f. eine kreative Lebensart Design u. Produktion v. Möbel. M.: Golfclub, Club West Stmk. H.: Golf, Skifahren. (M.Gr.)

Rainer Helmut Dr. techn. Ing.

A.: 4802 Ebensee, Mendelsohnstr. 33. G.: Baden b. Wien, 24. Okt. 1922. V.: Johanna. El.: Dipl.-Ing. Franz u. Margarete. S.: TH in Wien u. Graz, Dr. techn. 1949 in Graz. K.: 1947-49 Ass. an d. TH in Graz. 1949 Ebenseer-Solvay-Werke, seit 1973 Dir. M.: Ver. Österr. Ind., Rotary-Club Bad Ischl.

Rainer Herbert Dipl.-Ing.

B.: Ltr. u. Inh. FN.: Galerie Image Rainer & Co OHG. DA.: 1010 Wien, Ruprechtspl. 4-5. PA.: 1050 Wien, Franzensg. 12/17. G.: Mödling, 2. Dez. 1946. V.: Katja, geb. Fleischer. Ki.: Cosima (1969). El.: Oskar u. Hilde. S.: 1964 Matura, Arch.-Stud. TU Wien, 1973 Dipl. K.: 1 J. HS-Ass. an d. HS f. Gestaltung Linz b. Prof. G. Feuerstein, 10 J. Tätigkeit in Arch.-Büro u.a. b. d. Arch. Holzbauer u. Glück, zuletzt b. 1982 Partner v. Arch. Kohlseisen, 1982 Ziviltechnikerprüf., 1983 Grdg. d. Galerie Image f. Plakate u. Graphik, außerdem kreative Rahmungen. H.: Musik, Schlagzeuger in einer Jazzgruppe. (J.S.)

Rainer Johann Dr. phil.

B.: Univ.-Prof., Vorst. d. Histor. Inst. d. Univ. Innsbruck. A.: 6020 Innsbruck, Innrain 52. G.: Pusarnitz/Ktn., 17. Jän. 1923. V.: Liselotte, geb. Abl. Ki.: Johannes Michael (1956), Christian Nikolaus (1959). El.: Johann u. Maria. S.: Gymn, Studien in Graz, Wien u. Rom. K.: 1949 Gymn. Lehrer, 1958 wiss. Sekr. d. österr. Kulturinst. in Rom, 1963 Doz. an d. Univ. Graz, 1965 Prof. inc. an d. Univ. Rom, 1968 o.Prof. an d. Univ. Innsbruck. P.: Mehrere selbst. Publ., zahlr. wiss. Beiträge in versch. Fachzeitschriften, Mitarb. an mehreren Lexika u. intern. Gremien.

Rainer Karl Mag. rer. soc. oec.

B.: Inh. FN.: GUT FÜR DICH Naturprodukte GmbH. GT.: Inh. Dialog Werbeagentur. DA.: 5162 Obertrum, Hauptstr. 20. PA.: 5020 Salzburg, Zillnerstr. 19. G.: Hallein, 2. Dez. 1954. V.: Martina, geb. Donnenberg. K.: Michael (1991), Patrick (1992). El.: Karl u. Maria. S.: VS, HS, HASCH, 1971-74 Berufsschule Bäcker u. Konditor, 1975 Österr. BH, 1976-80 Abend-HAK Sbg., 1980-86 Stud. BWL Keppler-Univ. Linz m. Spons. K.: 1987-90 Ass. d. GL F2 Mautner-Markhof Marketing, 1990-91 Praxis als Unternehmensberater, 1991 Gut für Dich GmbH. F.: Dialog Werbeagentur. H.: Reiten, Squash, Triathlon. (C.D.)

Rainer Klaus

B.: Gschf. Ges. FN.: Auto-Rainer Ges.m.b.H. & Co. DA.: 4600 Wels, Camillo-Schulz-Str. 43-45. PA.: 4600 Wels, Römer Str. 73. G.: Linz, 14. Mai 1961. V.: Christine, geb. Lehner. Ki.: Patrick, Tina. El.: Franz u. Anna. S.: Kfz-Mechaniker-Ausbild., 1986 Meisterprüf. K.: s. 1986 Ges., s. 1993 gschf. Ges.: verantwortl. f. Werkstätte u. Verkauf. M.: Junge Wirtschaft. H.: Familie, Schifahren, Squash. (P.H.)

Rainer Marion Dipl.-Ing.

B.: stellv. Gschf., Arch. FN.: Atelier Helmuth Rainer. DA.: 6800 Feldkirch, Liechtensteiner Str. 45. PA.: 6800 Feldkirch, Marxerweg 4. G.: Feldkirch, 4. März 1952. V.: Günter Rainer. Ki.: Stefan (1981), Valerie (1991). El.: Helmuth u. Lydia. S.: HS, 1971 Matura, TH Innsbruck, 1978 Prom. K.: 1978 Tätigkeit im elterl. Arch.-Büro, Planung im Wohnbau, Ind., Gewerbe u. gesamtes Bauwesen, Altbaurevitalisierung. H.: Sport, Segeln, Skifahren, Klettern, Schwimmen, Musik, Tanzen, Kunst, Lesen, Reisen. (I.D.)

Rainer Otto Hermann OAmtsR.

B.: Vw. d. SMCA, Ausstellungsgestalter. A.: 5020 Salzburg, Stuberg. 47/10. G.: Lend, 6. Mai 1917. V.: Marianne. El.: Georg u. Anna. S.: Matura. K.: Aktiver Offz., Vw. Dienstprüf., Restaurierungen, Ausstellungen, B-Bmtr. d. Sbg. Museums C. A. Verwalter. u. Ausstellungsgestalter. P.: Versch. Weihnachtsausstellungskataloge u. Keramik. E.: Dt. u. Österr. Militärausz., päpstl. Ausz. M.: Krippen- u. Stadtver. H.: Antiquitäten, Eisenbahn, Münzen- u. Papiergeld.

Rainer Otto Wolfgang

B.: Prokurist. FN.: Fa. Sorma Vertrieb GesmbH & Co KG. DA.: 5202 Neumarkt/Wallersee, Sommerfeld 1. G.: Rottenmann/Stmk., 9. Jän. 1958. S.: Gymn. i. Baden b. Wien, Matura. K.: 1980 Einstieg Fa. Sorma Graz im Verkauf, 1982 Fa. Sorma Neumarkt i. d. Verk.-Ltg., 1985 stv. Gschf., 1989 Einzelprokurist. H.: Motorradfahren. (S.P.)

Rainer Paul Dir.

B.: Versicherungs Direktor d. Austria Versicherrung DA.: 6020 Innsbruck, Südtirolerplatz 6. PA.: 6020 Innsbruck, Vögelebichl 33. G.: Innsbruck, 31. Okt. 1937. S.: Matura am Realgymnasium f. Berufstätige, Bilanzbuchhalterprüfung K.: Seit 1954 b. Austria Versicherung tätig, ab 1968 Dir. d. LandesDirektion. Tir. M.: Lions-Club, MKV, Managementclub, Vw. Ges., Wirtschaftspädagogisches Institut H.: Musik, Sport. (Schm.)

Rainer Roland DDr. h.c. Univ.-Prof.

B.: Arch. DA.: 1130 Wien, Fasholdg. 3. G.: Klagenfurt, 1. Mai 1910. El.: Oskar u. Bertha. S.: 1935 Prom. TH Wien. K.: 1947 Freiluftschule Wien-Siebenhirten, 1948-50 Umbau von Schloß Pötzleinsdorf zu einem Jugendgästehaus d. Stadt Wien, 1951-52 "Franz Domes"-Lehrlingsheim in Wien IV., Theresianumg., 1951-52 Flachbausiedl. Mannersdorf NÖ, 1952-53 Hauptschulen Ternitz u. St. Valentin NÖ, 1954 Fertighaussiedl. Wien XIII., Veitingerg. (m. Carl Auböck), 1954-58 Stadthalle Wien, 1957-61 Stadthalle, Freibad u. Siedl. in Ternitz NÖ, 1956-58 Verwaltungsgebäude Gebrüder Böhler Wien I, 1961-64 Stadthalle Bremen (m. Säume u. Hafemann), 1962-65 Mehrzweckhalle Ludwigshafen, 1963 Flachbausiedl. Mauerberggg. Wien XXIII., Evangelische Kirche Wien - Simmering, 1965 Verwaltungsgebäude bei d. Wr. Stadthalle, 1966 Österr. Pavillon Plovdiv - Bulgarien, 1965-67 Gartenstadt Puchenau bei Linz, 1968-75 Fernsehzentrum Wien XIII. Küniglberg, 1969-73 Höhere Schule Wien XXII, 1972-75 Hallenbad bei d. Wr. Stadthalle, 1975-76 Röm.-kath. Seelsorgezentrum Puchenau,1980-81 Stadtpfarrkirche St. Michael Leonding, 1980-82 Gartenstadt Attnang - Puchheim OÖ, 1981-82 Hausgruppe "documenta urbana" Kassel, 1982-83 Röm.-kath. Kirche Langenzersdorf, 1986 Siedlung Leonfeldstr. Linz, 1988-93 Siedl.Tamariskeng. Wien XXII, 1988-89 Städtebauliches Gutachten Wien - Mitte, 1989-90 Expertenverfahren Handelskai, 1990-93 Siedlung Auwiesen Linz, 1990-94 Wohnbebauung Rennweg, 1992-95 Siedlung Langobardenstr. Wien XXII, 1992-96 Akademiehof Karlspl. Wien I, 1992-94 Masterplan Seenbezirk Linz - Pichling, 1994 Neue Mehrzweckhalle bei d. Wr. Stadthalle; Ferner mehrere Flachbausiedl., Einfamilienhäuser, Serienmöbel, Fertighäuser, sowie zahlr. Städtebauprojekte. P.: 1948 Städtebauliche Prosa, 1957 d. gegliederte u. aufgelockerte Stadt, 1961 Anonymes Bauen Nordbgld., 1964 Planungskonzept Wien, 1972 Lebensgerechte Außenräume, 1974 Für eine lebensgerechte Stadt, 1976 die Welt als Garten: China, 1977 Anonymes Bauen im Iran, 1978 Kriterien d. wohnlichen Stadt, 1980 Bauen u. Arch., 1982 Gärten: Lebensraum, Sinnbilder, Kunstwerke, 1990 Gärten Sinnbilder, 1992 Landschaft, Ortsbild, Baukulturen; div. Fachzeitschriften, Tages- u. Wochenzeitungen, Vorträge auf Kongressen, Filme u.s.w. E.: 1954 Preis d. Stadt Wien f. Arch., 1961 Intern. Wettbewerb f. eine 100.000 Einwohner-Stadt bei Bilbao, 2. Preis, 1962 Österr. EZ f. Kunst u. Wiss., Gr. Österr. Staatspreis f. Arch., 1967 Intern. Wettbewerb f. eine 100.000 Einwohner-Stadt bei Bratislava, 1. Preis, 1968 Wettbewerb f. eine 100.000 Einwohner-Stadt in München-Perlach, 1979 Österr. Ehrenkreuz.f. Wiss., u. Kunst, 1980 Kardinal Innitzer-Preis, 1981 Ehremed. u. Ehrenring d. BHpt. Stadt Wien in Gold, 1982 Dr. h.c. d. TU Wien, Österr. EZ f. Wiss. u. Kunst. M.: Ehrenmtgl. d. American Intern. of Architecture, 1980 Ehrenmtgl. d. Ak. d. Bild. Künste, Präs. d. Österr. Kunstsenates, Mtgl d. DenkmalbeiR. b.B Denkmalamt, 1985 Mtgl. d. Ak. d. Künste Berlin, 1978 Vors. d. Kurie f. Kunst. H.: Gartenarb., Bienenzucht. (M.A.)

Rainer Rupert

B.: Prok. u. Geschltr. Getränke u. Service GmbH DA.: 5671 Bruck, Franz Lederer Str. 16. PA.: 5672 Fusch T126. G.: Bruck, 11. Apr. 1950. V.: Edeltraud, geb. Pichler. Ki.: Michael (1973). El.: Johann u. Anna. BV.: Johann Embacher Bergführerdynastie. S.: VS, Gewerbl. Berufsschule, Bäckerlehre, 1973 Mstr.-Prüf. K.: Weiterbild., 1979 Bilanzbuchhalterprüf.1993 Unternehmensber.prüf., 1969-71 z. See gefahren auf einem Frachtschiff, Unteroffz., Umstieg in d. 2. Beruf 1973, Konzessionsprüf. Gastgewerbe, Interne Bankweiterbild. in sämtl. Sparten, Wechsel in Spezialbank als Filialltr., 1983 -93 Geschäftsstellenltr. in d. Sbg. Landes-Hypothekenbank,1989-93 GL Distributionszentr.Bruck GSG Schwesterunternehmen der Stiegelbrauerei, Salzburg, 1994 Wechsel i. d. Getrbranche M.: Obm. d. Jungen Wirtschaft in Saalfelden, Sekt.-Ltr. Tennis Fusch, aktiver Blasmusiker Fusch. H.: Tourenskigehen, Bergsteigen, Tennis, Texten. (M.T.)

Rainer Renate

B.: Gschf. Ges. FN.: Hans Lipp GmbH. DA.: 8010 Graz, Karlauerplatz 6. PA.: 8010 Graz, Leonhardstr. 97. G.: Graz, 23. Sep. 1960. V.: Franz. El.: Hans u. Johanna. S.: VS, HS, 1974-77 HASCH. K.: 1977 Einstieg in elterl. Betrieb, 1982 Erweiterung m. Skibekleidung, 1989 JSPO München, Aufbau d. Exportmarktes weltweit. H.. Skifahren, Radfahren. (I.G.)

Rainer Werner Dr. OberR.

B.: Bibl.-Dir. A.: 5020 Salzburg, Arenbergstr. 3. G.: Salzburg, 5. Juli 1937. V.: Waltraut, geb. Thiel. S.: Matura, Stud. an d. Ak. "Mozarteum" (Hauptfächer Violoncello, Viola da Gamba), 1964 Prom. z. Dr. phil. an d. Univ. Innsbruck. K.: 1956-64 Cellist in Kam.-Orchester "Camerata academica", 1964-72 Ltr. d. Archivs d. Sbg. Festspiele, seit 1973 Dir. d. HS-Bibl. "Mozarteum" in Sbg. P.: "Anton Cajetan Adlgasser", "Beethoven", Herausgeber v. Werken d. Komponisten Luigi Gatti, Michael Haydn, Leopold Mozart, A.C. Adlgasser, zahlr. Art. in versch. Zeitschriften, Rezensionen f. d. Sbg. Nachrichten.

Rainer Wolfgang Peter KommR.

B.: Dir. u. Gschf. FN.: Top Hotels Intern. Fremdenverkehrsbetriebs u. Management GmbH. DA.: 1050 Wien, Rechte Wienzeile 93-95. PA.: 1140 Wien, Linzer Str. 256. G.: Wien, 4. Dez. 1943. V.: Elsa, geb. Travniczek. Ki.: Robin Oliver (1967), Ralph Guido (1969). El.: Victor u. Rosa, geb. Dvorak. S.: 1957-61 Fachschule f. Gastronomie. K.: 1961-66 Küchenltr., 1967-72 Catering-Manager in Nairobi, 1972-73 Verwalter, 1974-80 Hotelmanager, 1980-82 Projektmanager, ab 1983 Gschf. d. Top Hotels Intern. E.: Officier Maitre rotisseur. M.: Chaine des rotisseurs, Golfclub Wienerwald, Skal Club. H.: Antiquitäten, Numismatik, Gartengestaltung. (N.A.)

Rainer Wolfgang Dr. iur.

B.: selbst. RA. DA. u. PA.: 1070 Wien, Neubaug. 12-14. G.: Hard, 3. Juni 1960. El.: Ing. Hugo u. Berta, geb. Höller. S.: 1979 Matura in Tirol, 1979-84 Stud. Rechtswiss. Univ. Innsbruck m. Prom. z. Dr. iur. K.: 1984-85 Gerichtspraxis, 1986-90 RA-Anw., seit 1990 RA in Wien. H.: Lesen, Hunde, Skifahren, Kultur: Theater, Oper, klass. Musik. (N.A.)

Rainer Wolfgang Dipl.-Ing.

B.: Arch., Ziviltechniker. DA.: 1130 Wien, Lainzer Str. 35. PA.: 3002 Purkersdorf, Stremayrg. 5. G.: Annaberg, 10. Jan. 1942. V.: Gertraud, geb. Kosti. Ki.: Andreas, Daniela. El.: Karl u. Ilse. S.: RG Linz, Matura 1961, Stud. an d. TU Wien,

Dipl.-Ing. 1971. K.: 1971-84 Praxis b. d. Arch. Müller, Hartburg, Ursprunger u. Hlaweniczka, 1985 Grdg. d. Arch.Partnerschaft Hlaweniczka & Partner u. seither selbst. Arch., Schwerp.: Ind.-, Forschungs- u. Verwaltungsbau, Hotelbau u. städtebaul. Projekte. H.: Zeichnen, Tauchen, Geländelaufen, Schwimmen. (M.B.)

Rainprecht Irmingard Dir.
B.: Dir. FN.: Raiffeisenkasse. DA.: 7123 Mönchhof, Raiffeisenpl. 1. PA:: 7123 Mönchhof, Bahng. 38. G.: Mönchhof, 16. März 1942. V.: Josef. Ki.: Bernhard (1964), Eva-Maria (1967). El.: Johann u. Maria. S.: HASCH, Raiffeisen Akad. K.: 3 J. Ang. b. RA Bez.-Gericht Neusiedl Raiffeisenk., 1966 Dir. d. Raiffeissenkasse Mönchhof. M.: Singkreis Mönchhof. H.: Singen, Radfahren, Lesen. (I.J.)

Raith Anton
B.: Gschf. d. Inno Küchen Möbelwerk GmbH. DA.: 8720 Knittelfeld-Massweg, Poststr. 18. PA.: 8720 Knittelfeld-Pausendorf, Margaritenweg 4. G.: Knittelfeld, 12. Nov. 1938. V.: Margarete, geb. Kaiser. Ki.: Jürgen-Michael (1969). El.: Anton u. Martina. S.: HTL, Mstr.Schule, Tischlerlehre Villach, Mstr.Prüf. 1970. K.: Lehrzeit in Knittelfeld 1952-55, 1955-57 Geselle, 1957-64 als Tischler tätig, 1964-65 Auslandsaufenthalt, 1965-68 in Knittelfeld im Verkauf d. ehem. Fa. Josch Möbel, 1971-72 Prok. d. Fa. Internorm, 1973 Gschf. u. Ges. d. Inno Küchen Möbelwerk GmbH. P.: Einige Veröff. in Fachzeitschriften. M.: Lions Club Aichfeld-Murboden, HK, Sekt. Ind. Graz - Vorst.Mtgl. H.: Skifahren, Wandern. (Fels.)

Raith Helmut
B.: Tierpräparator, Inh. FN.: Helmut Raith. DA.: 1050 Wien, Diehlg. 34 u. 36. PA.: 1120 Wien, Aichholzg. 8/7. G.: Jetzelsdorf, 9. März 1952. V.: Hedwig, geb. Niederhametner. Ki.: Petra (1978), Christian (1980). El.: Johann u. Maria, geb. Karl. S.: VS, HS, Berufsschule, 1975 Mstr.-Prüf. K.: ab 1976 selbst. E.: 1992 1. Preis b. Berufswettbewerb. M.: Prüf.-Kmsn. f. Mstr.- u. Gesellenprüf. H.: Jagd, Modelle. (N.A.)

Raitz Richard
B.: Friseurmstr., Ges. FN.: Gruppa L'Ultima GmbH. DA.: 1210 Wien, Prager Str. 6, 1150 Wien, Hütteldorfer Str. 92. PA.: 1150 Wien, Markgraf-Rüdiger-Str. 2. G.: Wien, 22. Okt. 1947. V.: Margit, geb. Korab. Ki.: Patric, Andreas. El.: Othmar u. Katharina. S.: VS, HS, Berufsschule. K.: Lehre, nat. u. intern. Preisfriseur, 1978 Mitbegründer d. Gruppa L'Ultima GmbH, 1980-83 Gschf. Ges. danach Ges. M.: Prominente Friseure Österr., IFE (Modefachaussch.). H.: Tennis. (R.A.)

Rajic-Girardi Daniela Dr. phil.
B.: Gschf. Ges. FN.: WECO Hdls. GmbH. DA.: 8020 Graz, Keplerstr. 88. PA.: 8042 Graz, Unterer Breitenweg 28. G.: Chiarano/Treviso, 7. Okt. 1955. V.: Dipl.-Kfm. Marian Rajic. Ki.: Martina (1986), El.: Giuseppe u. Genoveffa Girardi. S.: 1974 Matura Oderzo/Treviso, Stud. Literatur u. Sprachen Univ. Mailand, 1981 Doktorat. K.: b. 1985 Exportverantwortl. im Familienbetrieb, 1985 Übersiedlung nach Österr., Grdg. Firma WECO. H.: Reisen, Kultur. (F.K.)

Rak Paul Dkfm.
B.: Prok. FN.: Semperit AG Holding u. Semperit Techn. Produkte GmbH. GT.: Gschf. Reithoffer Warenhdls. GmbH 1233 Wien, Perfektastr. 86. DA.: 1030 Wien, Modecenterstr. 22/Haus B1. PA.: 2232 Deutsch Wagram, Werkg. 12. G.: Deutsch Wagram, 6. Juli 1939. V.: Heidemarie, geb. Heger. Ki.: Christina (1971), Helmut (1974). El.: Leopold u. Paula. BV.: Großmutter Adolfine Pak Heimatdichterin. S.: 1957 Matura BRG Gänserndorf, Stud. Betriebswirtschaft HS f. Welthdl., 1961 Dipl. K.: Austria Wirtschaftsprüf. AG, seit 1964 Semperit AG, zunächst Prüfer in d. internen Revision, später Controller, Ltr. d. internen Revision u. Organ., Ltr. d. Finanzbuchhaltung, Gschf. in versch. Tochterges. H.: Wandern, Lesen, Musik. (J.S.)

Ram Helga
B.: Gschf. Ges. d. Willi Rogen Autohandels GmbH & Co KG. DA.: 9900 Lienz, Kärntner Str. 36. PA.: 9900 Lienz, V.-Goller-Str. 1. G.: Lienz, 14. März 1956. V.: Georg. Ki.: Markus, Claudia, Thomas. El.: Willi u. Berta Rogen. S.: Gymn., HASCH. K.: 1973 als Buchhalterin im elterl. Betrieb, 1976 Übern. d. Betriebes zus. m. Schwester Christine Ortner. M.: "Opel Ehrenclub". H.: Skifahren, Schwimmen, Wandern, Motorradfahren, Skitourengehen, Lesen, Filmen. (A.L.)

Ramberger Friedrich Dipl.-Ing.
B.: Geschäftsstellenltr. FN.: Texas Instruments GmbH. DA.: 1010 Wien, Marc-Aurel-Str. 7. G.: Wien, 23. März 1961. V.: Hildegard, geb. Schmolmüller. Ki.: Maria (1986), Martin (1991). El.: Friedrich u. Wilhelmine. S.: 1979 Matura, Stud. Informatik TU Wien, 1985 Abschluß. K.: 1981-83 Organ.-Programmierer f. Österr. Sparkasse, 1984-88 Projektltr. u. Berater b. d. Softlab GmbH Wien, 1989-92 Verkaufsrepräsentant b. IBM, 1993 Prok. u. Mtgl. d. Geschäftsltg. b. d. Softlab GmbH Wien, seit 1994 o.g. Position. P.: wiss. Publ. z. Thema Software-Entwicklung. H.: Tennis, Skifahren, Reisen. (N.A.)

Rambousek Heinz KommR.

B.: Berufsdetektiv. FN.: Detektiv Union. DA.: 1040 Wien, Hauptstr. 50. G.: Wien, 11. Okt. 1939. V.: Edeltraud, geb. Nistler. Ki.: Barbara (1973), Christian (1976). El.: KommR. Viktor u. Anna. S.: 1957 Matura, Stud. Betriebswirt. WU Wien. K.: Tätigk. b. einer Auskunftei, 1968 Grdg. Wirtschaftsauskunftei u. Übern. d. väterl. Fa. d. Detektiv Union, s. 1976 gerichtl. beeid. Sachverst. u. Laien-richter a. Arbeits- u. Sozialgericht Wien. P.: Art. i. Fachzeitschriften. E.: Silb. VZ d. Landes Wien 1981, Gold. VZ d. Landes Wien 1989, 1988 KommR. M.: ÖVP, ÖWB, ÖVP-Bezirksparteiobmannstv., 1979-92 Präs., Vizepräs. d. ÖDV, VGeneralsekr. d. IKD, Board of Directors d. WAD, Berufsgruppenobmann auf Bundesebene u. f. d. Land Wien, s. 1990 Fachgruppenvorst. d. allg. Fachgruppe d. Gewerbes d. Wirtschaftskammer Wien, Sektionsobmann-Stv. d. Sektion Gewerbe d. Wirtschaftskammer. H.: Hochseesegeln, Tennis. (J.S.)

Ramersdorfer Willi F. Mag.
B.: Arch., staatl. befugter u. beeid. Ziviltechniker. DA. u. PA.: 6830 Brederis-Rankweil, Broßwaldenweg 1. G.: Innsbruck, 25. Apr. 1922. V.: Hedwig, geb. Wehinger. Ki.: Dominic (1956), Caroline (1960), Alexandra (1965), Patricia (1970). El.: Franz u. Anna. S.: Staatsgewerbeschule Innsbruck, Matura, HS d. Bild. Künste München u. Nürnberg, 1952 Dipl. in München. K.: seit 1952 selbst. innerhalb einer Bürogemeinschaft, seit 1970 eigenes Arch.-Büro. BL.: weltweite Bautätigkeit. P.: zahlr. Publ. in Fachzeitschriften. E.: zahlr. 1. Preise in Ausschreibungen. H.: Skifahren, Schwimmen. (A.K.)

Ramhapp Elfriede
B.: Schauspielerin im Theater an d. Josefstadt. DA.: 1080 Wien, Josefstädterstr. PA.: 1080 Wien, Piaristeng. 29/2/9. G.: Marz/Bgld., 22. August 1937. Ki.: Judith. S.: Max Reinhardt-

Seminar Wien, 1958 Schauspielprüf. K.: 1958-61 Landestheater Bregenz, Sbg. u. Linz, ab 1962 Theater an .d. Josefstadt (Lieblingsrollen: "Mascha" in Drei Schwestern, "Mutter Ubu" in UBU, Weibsteufel "das Weib", "Daisy" in Spätsommer unter Rudolf Steinböck), Gastspiele am Volkstheater (Lieblingsrolle Julie im "Liliom" m. Hans Putz), Gastspiel in Klagenfurt: Anatevka (Rolle "Golde" = auch Lieblingsrolle), Tourneen nach Deutschland, Luxemburg, Schweiz, Sommerspiele Mörbisch, Forchtenstein, Festspiele Sbg., Wetzlar, Spittal/Drau, Lesungen, Fernsehproduktionen (Seniorenclub, Freiherr v. Trenck - Rolle d. Kaiserin Maria Theresia). P.: Produktion v. 2 LP "Lieder, die die Mutter sang" u. "Lang, lang ist's her". H.: Singen, Wohnen, Familie. (C.K.)

Ramharter Andreas Ing.

B.: Inh. FN.: Ramharter ENGINEERING. GT.: allg. gerichtl. beeid. Sachv. DA.: 2544 Leobersdorf, Hauptstr. 17. PA.: 2544 Leobersdorf, Heroldg. 22. G.: Baden, 25. Dez. 1961. V.: Heidemarie, geb. Zöchling. Ki.: Christian (1986), Mathias (1988), Alexander (1993). El.: Leopold u. Gertraud. S.: VS, Gymn., HTL Elektrotechnik. K.: 1982-88 Tätigkeit im intern. Kraftwerksbau, 1988-89 Mitarb. eines Ing.-Büros, seit 1989 selbst. m. eigenem Unternehmen. H.: Familie, Skifahren, Tennis, Feuerwehr. (F.S.)

Ramharter Franz

B.: Opernsänger i.R. PA.: 1140 Wien, Hüttelbergstr. 23. G.: Wien, 24. Mai 1926. V.: Kammersängerin Christiane Sorell. El.: Alois u. Anna. BV.: Großvater Franz Glawatsch Dir. d. Theaters an d. Wien u. Dir. d. Raimund Theaters, intern. bekannter Sänger, Schauspieler u. Reg., Mitbegründer d. Silb. Operettenära, entdeckt v. Girardi, Entdecker v. Hubert Marischka u. Betty Fischer. S.: 1944 Matura, Lehre als Gold- u. Silberschmied, 1950 Mstr.Prüf. K.: ab 1950 HS f. Musik, 1954-55 in Amerika als Solist d. Wr. Kammerchors unter Prof. Ferdinand Großmann, ab 1955 Mtgl. d. Wr. Kammeroper u. d. Wr. Volksoper, ab 1961 OSpielltr. f. Oper am Stadttheater Klagenfurt, Partien u.a.: Rigoletto, Barbier v. Sevilla, La Traviata, Cosi fan Tutte, Zar u. Zimmermann, Troubadour, Fledermaus. H.: Videofilmen, Antiquitäten, Garten. (J.S.)

Ramharter Karl Josef KommR.

B.: Fachgruppenvorst. d. Wr. Taxigewerbes. DA.: 1030 Wien, Hetzg. 34. PA.: 1220 Wien, Kagraner Anger 20/2/2. G.: Wien, 12. März 1942. V.: Gerlinde. El.: Josef u. Barbara. S.: VS, HS, 1959 Eisengießer Gesellenprüf., BH. K.: b. 1964 Fernfahrer dann Taxilenker, 1971 selbst. Taxiunternehmen, 1980 Fachgruppenaussch., 1985 Listenführer, 1984 BeiR. f. d. Statistik d. Außenhdls., seit 1990 Fachgruppenvorst. E.: VZ d. Landes Wien in Silber, Kl. u. Gr. Silb. Kam.-Med. M.: Chefred. d. Wirtschaft Aktiv, BKR. in d. Vollversammlung d. BK, Kontrollaussch. d. WGKK, Sekt.-Obm.-Stellv. d. Sekt. Verkehr. H.: Erholen. (R.T.)

Raming Walter

B.: Publizist. PA.: 1190 Wien, Wenckebachg. 27. G.: Wien, 28. Dez. 1931. V.: Ilona, geb. Langer. Ki.: Mag. Christian (1956), Dr. Elisabeth (1960), Andreas (1968), Michael (1970), Gabrielle (1973), Eva (1986). El.: Josef u. Maria. S.: Gymn., 1951 Matura, Techn.-Kfm. Abiturientenkurs am TGM. K.: Ab 1950 freier Mitarb. b. österr. Zeitungen, 1953-58 Sekr. d. Inst. f. Sozialpolitik u. Sozialreform (Dr. Karl Kummer Inst.), 1958-59 polit. Red. d. "Österr. Neue Tageszeitung", 1959-61 Chefred. d. "Tiroler Nachrichten" Innsbruck, 1961-66 stv. Chefred. d. Tageszeit. "Kleines Volksblatt" u. d. Monatszeitschr. "Österr. Monatshefte", 1967-69 Chefred. d. "Wiener Kirchenzeitung", 1970-80 Chefred. u. Hrsg. d. "Volkszeitung" Kärnten, 1970-81 Vorst.-Mtgl. d. Austria Presseagentur, Vorst.-Mtgl. d. Verb. Österr. Zeitungshersg., Mtgl. d. Österr. Presserates. P.: 3 Bücher u. freie publiz. Tätigk. E.: Leopold Kunschak Preis, Staatspreis d. BuMin. f. I., Gr. Gold. EZ d. Landdes Kärnten. H.: Lesen, Wandern, Fischen. (M.M.)

Ramirez Landazuri Oswaldo Prof.

B.: Botschafter d. Botschaft v. Ecuador. DA.: 1010 Wien, Goldschmiedg. 10. PA.: 1190 Wien, Glanzingg. 17. G.: Quito/Ecuador, 4. März 1936. V.: Sylvia, geb. Mesec. Ki.: Rafael Alberto (1966), Diego (1968), Sylvia (1969). El.: Rafael Alberto Ramirez u. Dolores. BV.: Urgroßvater General Landazuri. S.: 1954-60 Kath. Univ. Ecuador. K.: 1964-68 Second Secretary, First Secretary and Chargé d'Affaires in Peru, 1968-71 First Secretary and Chargé d'Affaires in Brazil, 1975-76 General Consul in Barcelona/Spanien, 1977-81 Minister and Chargé d'Affaires in Madrid/Spanien, 1984-85 Head of the personnel division Ambassador, 1986-87 Advisor, Coordinator in the National Congress, 1987-89 Dir. General of the Division of the Americas, Member of the Council of Civil Aviation, 1989-92 Ambassador CSFR, 1993 Ambassador in Tschechien u. Slowakei. P.: "The Legal Situation of the Intern. Rivers", "The Andean Treaty: Characteristics and Development", "The New Tendencies in Maritime Law". E.: Orden del Sol Peru, Orden Bruzeiro do Sol Brasilien, Orden del Pacificador Duque de Caxias d. Brasilian. Armee, Orden de Isabel La Católica Spanien, Medalla de la Sociedad Bolivariana Lima, Orden al Mérito Duarte Sanchez y Mello Dominikan. Rep. (J.S.)

Raml Karl KommR.

B.: Präs., Reisebüroinh. DA.: 4020 Linz, Landstr. 76. PA.: 4020 Linz, Pillweinstr. 46. G.: Linz, 27. Jan. 1930. V.: Greta, geb. Loizenbauer. El.: Josef u. Johanna. S.: RG, HAK. K.: 1952 Eintritt in d. väterl. Betrieb, 1958 KamR., 1960 VPräs. d. ÖRV, 1962 Fachverb.Vorst. in d. BKam. Organ. Österr., ltd. Sekt.Obm.Stellv. Verkehr, BSekt.Obm.Stellv. Verkehr, 1976 Präs. d. Österr. Reisebüroverb. F.: Reisebüro J. Raml, Gründer d. Reisebüros Karl Raml Linz-Pasching, Gschf. d. Sparkassen Reisebüros GmbH. P.: Verkehrswiss. Abhandlungen in d. Verkehrsannalen, div. Art. in einschläg. Fachzeitschriften. E.: Österr. Olympia-Med. 1965, Gold. EZ f. Verd. um d. Rep. Österr., Silb. Kamelie f. Verd. um d. Fremdenverkehr Jugoslawien, Offz.Kreuz d. span. Verd.Ord., Commendatore d. ital. Verd.Ord. M.: Spitzenfunktionä d. BWirtschaftskam. u. d. LKam. OÖ in d. Sekt. Verkehr- u. Fremdenverkehr, Ehrenpräs. d. ÖRV, Skal-Club Linz, Past Präs. d. Rotary Clubs Linz, div. AufsR. u. VerwR.Positionen. H.: Beruf, Musik (Opern), Segeln. (Deu.)

Rammer Harald

B.: Geschäftsstellenltr. FN.: RIWAG GmbH Anlageberatung - Behördl. Konzess. Immobilienbüro. DA.: 2340 Mödling, Neudorfer Str. 8. G.: Wien, 23. Aug. 1962. V.: Rosalinde, geb. Neuberger. Ki.: René (1983), Patrick (1985). S.: IGS, Höhere Graph. Lehr- u. Versuchsanst. Buchdruck. K.: b. 1982 Mitarb. im elterl. Druckereibetrieb, seit 1984 in Immobilienbranche tätig, seit 1989 Geschäftsstellenltr. d. Firma RIWAG GmbH Filiale Mödling. H.: Eishockey (aktiv), Hundesport (Beagle u. Rottweiler). (M.M.)

Rammesmayer Anna Maria

B.: Unternehmerin. DA.: 7000 Eisenstadt, Untere Kirchbergg. 10. G.: Klein Höflein, 7. Febr. 1952. V.: Hans. Ki.: Gabriele, Karin u. Martina. El.: Eigner Franz u. Ludmilla. K.: Nach d. Grundschule tätig im Expedit d. Fa. Napoli, dan. kfm. Ang. in einem Elektro- u. Energiespartechnikfachgeschäft, seit 1983 selbst. im Bereiche psych. Beratungen. P.: Hrsg. v. Magazinen u. Broschüren. H.: Beruf. (G.E.)

Rammesmayer Hans

B.: Lebensberater. DA.: 7000 Eisenstadt, Untere Kirchbergg. 10. G.: St. Georgen b. Eisenstadt, 14. März 1952. V.: Anna Maria, geb. Eigner. Ki.: Gabriele, Karin u. Martina. El.: Johann u. Maria. S.: Lehre als Elektrotechniker. K.: Servicetechniker in d. Heizungstechnik, 1983 Beginn d. Stud. d. Psych. u. Parapsych. m. Abschlußprüf., z.Zt. ehrenamtl. b. Inst. f. psych. Beratungen (IPB-ARA) als Lebensberater tätig. BL.: Lösung v. Problemen aller Art durch prakt. angew. Parapsych. u. Magie. P.: Buch über Lebenshilfe, monatl. Art. in d. Zeitschrift PARA. H.: Beruf, Kommunikation. (G.E.)

Ramminger Helmut K. Dr.

B.: Journalist. DA.: 5020 Salzburg, Sigmund-Haffner-G. 18. G.: Bozen, 30. Jän. 1935. V.: Hermine, geb. Kneifl. Ki.: Eva (1953). S.: VS, HS, Aufenthalt in England, 1949 Elektromechanikerlehre. K.: Monteur, private Weiterbild., techn. später kfm. Ang. in d. Elektrobranche, 1960 Eintritt in eine intern. Flugges. u. Aufstieg z. Ltr. d. Frachtabt. am Flughafen Schwechat, Matura, 1974 Austritt aus d. Fluglinie, Übersiedlung nach Sbg. u. Beginn journalist. Tätigkeit in d. Presseabt. d. Sbg. HK, Publizistikstud. Univ. Sbg., 1978 Eintritt in d. Red. d. Sbg. Volkszeitung als Lokalred., 1980 Prom. Dr. phil., 1986 Landesobm. d. Sekt. Journalisten d. Gewerkschaft Kunst, Medien u. freie Berufe, 1986 Gschf. d. Kuratoriums f. Journalistenausbild., freiberufl. Mitarb. im ORF-Landesstudio Sbg., Gestaltung v. Features, PR-Beratungen, Lehrtätigkeit am WIFI Sbg. u. Lehraufträge an d. Univ. Sbg., Mitarb. an einer publizistikwiss. Untersuchung d. Univ. Trient f. d. Südtir. Landesrg. P.: Dolomiten u. Alto Adige - Ein Vergleich v. Gestaltung u. Inhalt d. Tageszeitungen d. deutsch- u. italienischsprach. Volksgruppen in Südtirol 1945-72 (1983). E.: Gold. VZ d. Landes Sbg. (N.M.)

Ramml Wolfgang Dr. Mag.

B.: Gschf. Ges. FN.: Filmhaus Wien Universa GmbH. DA.: 1070 Wien, Schottenfeldg. 60/2. G.: Wien, 14. Apr. 1956. Ki.: Ferdinand, Merlin. El.: Albert u. Philomena. S.: Piaristenschule, BRG, HAK, Matura, danach HS f. Welthandel, Betriebswirts., 1979 Spons., 1981 Dr. K.: Zivildiener "Ver. d. Jugendzentrum d. Stadt Wien", danach Untern.-Berater b. d. Fa. RATIO, Area Manager, Mittelost b. Fa. Prutscher, anschl. Werbeagentur Dr. Puttner & Bates, s. 1985 selbst., spez. auf Wirtschafts- u. Werbefilme, Grdg. Filmhaus West Los Angeles, Prod. u. Coprod. v. int. Spielfilmen, Int. Tätigk. i. Werbefilm- u. Dokumentationsbereich, sowie Theaterprod. BL.: Hersteller v. Filmen f. Amnesty Intern. M.: Österr. Filmmuseum, World Wild Life Found, Green Peace. H.: Musik, Sport, Lesen, Fotografieren. (G.E.)

Ramoser Alois Dr. iur.

B.: VPräs. d. OLG Wien. DA.: 1016 Wien, Schmerlingpl. 11. PA.: 1210 Wien, St. Michaelg. 78. G.: Steinaweg, 6. Juli 1938. V.: Friederike geb. Hoch. Ki.: Christoph (1963), Eugen (1966). El.: Alois u. Anna, geb. Zöchling. S.: 1957 Matura, Stud. Rechtswiss. Univ. Wien, 1961 Prom. z. Dr. iur., 1962 Gerichtspraxis. K.: ab 1965 Richter, 1965-67 KG Krems, 1968-70 Bez.-Gericht f. Handelssachen Wien, 1971-77 HG Wien, 1978 Eintritt OLG Wien, seit 1992 VPräs. H.: Skifahren, Bergsteigen. (N.A.)

Ramoser Johann Dr. Dipl.-Ing. HofR.

B.: Dir. Höhere ldw. BLA Francisco Josephinum. DA.: 3250 Wieselburg, Schloß Weinzierl. PA.: 4451 Garsten, Höllstr. 52. G.: Steinaweg, 24. Nov. 1939. V.: Maria, geb. Zöttl. Ki.: Paul (1970), Lucia (1973). El.: Alois u. Anna. BV.: Onkel war Abt v. Stift Göttweig. S.: VS, Hum. Gymn. Krems, Univ. f. Bdk., Univ.-Ass. K.:1965-86 Lehrer, 1986-88 Dir. HBL f. Land- u. Hauswirtschaft Elmberg b. Linz, seit 1988 Dir. d. HBL Francisco Josephinum Wieselburg. P.: Vorträge im Rahmen d. Kath. Bild.-Wesens, Fachart. f. Fachzeitschriften. E.: HofR. M.: Bauernbund, Absolventenverb.d. Schule, Kath. Männerbewegung, Ldw. Gen., Gewerkschaft, Studentenverbindung an d. Schule, Vors.-Stellv. d. ldw. Gen. H.: Ldw. (F.S.)

Ramoser Josef

B.: LKamR. d. Bez.Bauernkam., Bgm. d. Gem. Furth-Göttweig. DA.: 3512 Mautern, Nikolaig. 39, 3511 Furth b. Göttweig, Untere Landstr. 17. PA.: 3511 Furth b. Göttweig, Steinaweg 4. G.: Furth b. Göttweig, 19. März 1943. V.: Christine, geb. Hagl. Ki.: Matthias. El.: Alois u. Anna. BV.: Vater sowie Großvater waren Bgm. in Steinaweg. S.: VS in Furth, HS Krems, ldw. Berufsschule, 1959 Abschluß, 1960-62 Weinbauschule Krems, 1964 Weinbaugehilfenprüf., 1965 Winzermstr.Prüf., 1966 Kellermstr.Prüf., 1963-66 Bez.Obm. d. ländl. Fortbild.Werkes, 1970 GemR., 1975 LKamR., 1980 VBgm. u. seit 1981 Bgm. d. Großgem. Furth b. Göttweig, 1970 Übernahme d. elterl. Betriebes, spezialisiert auf Weinbau, Körner, Mais u. seit kurzem Sonnenblumen. E.: Gold. Verdienstz. d. LFW, Ehrenobm. d. LFW auf Lebenszeit, Silb. Bauernbundwappen. M.: Obm.Stellv. d. Winzergen. Dinstlgut, Loiben, aktives Mtgl. d. Freiwilligen Feuerwehr Steinaweg, AufsR.Mtgl. d. Raiffeisenbank Krems, Bez.BauernR.Obm., Hpt.Bez.Obm.Stellv. d. Bauernbundes, Kam.Obm.Stellv., Mtgl. d. gemischten Weinbaukmsn. NÖ u. Bgld. H.: Singen, Skifahren, Radfahren. (G.E.)

Rampitsch Andreas Mag.

B.: Freischaff. Maler. PA.: 1190 Wien, Billrothstr. 39/1. G.: Calcutta, 23. Sep. 1966. El.: Dr. Heinz u. Edith. S.: 1985-88 Stud. Grafik-Design an d. TH Johannesburg/Südafrika, 1989-91 Stud. Malerei (Mstr.-Kl. Prof. W. Hutter) an d. HS f. angew. Kunst in Wien. K.: Ab 1991 freie künstler. Tätigkeit (haupts. Lasurtechniken u. Ölmalerei). H.: Lesen. (N.A.)

Rampitsch Josef Dr. phil.

B.: Inh. FN.: IFL Inst. f. Lernhilfe, IDS Inst. f. Deutsche Sprache. DA.: 1060 Wien, Mariahilferstr. 81. PA.: 1030 Wien, Hafeng. 6. G.: Gräbern/Kärnten, 24. Feb. 1954. V.: Mag. Claudia, geb. Füll. Ki.: Sofia (1993). El.: Johann u. Hedwig, geb. Dohr. S.: VS, Mus.-Päd. Gymn., 1973 Matura,

1975-77 Erzieherausbildung im Bundesinst. f. Heimerziehung in Baden, s. 1978 Stud. d. Pädagogik u. Psychologie a. d. Univ. Wien, 1989 Prom. K.: 1977-85 Erzieher in VS, 1985-87 Halbinternatsltr., 1987-91 Internatsltr. am Inst. Sacre Coeur Preßbaum, 1989-92 Prof. am Bundesinst. für Heimerziehung in Baden, 1991 Grdg. d. Inst. IFL und 1992 Inst. IDS. H.: Lesen, Skifahren, Tennis. (M.M.)

Rampl Helga

B.: Gschf. u. Inh., Friseurmstr. FN.: Der Kleine Salon. DA.: 6020 Innsbruck, Maximilianstr. 19. G.: Lochau, 15. Aug. 1948. Ki.: Thomas u. Susanne. El.: Karl u. Elfriede Knabl. S.: 1963-65 Berufsschule f. Friseure i. Innsbruck, 1965 Gesellenprüf. i. Innsbruck, 5 J. bei Firma Eigler tätig, 1983 Mstr.-Prüf. i. Innsbruck, 1983 selbst. H.: Sport, Reisen, Fotografieren.

Ramsauer Bernhard Dr. iur.

B.: Ass. d. Vorst.-Vors. d. CA-BV. DA.: 1010 Wien, Schotteng. 6. PA.: 1190 Wien, Dionysius-Andrassy-Str. 16. G.: Wien, 15. Jan. 1960. El.: Gerhard u. Eva. S.: 1978 Matura, Stud. Univ. Wien, 1984 Prom. K.: 1984-85 Gerichtspraxis, 1986-87 BH, 1987 Eintritt CA-BV, Bereich Intern. Geschäft, Ref. f. Intern. Finanzierung in Asien, Australien, Neuseeland, 1987-90 Ass. d. Gen.-Dir. d. CA-BV, 1990 N.Y. Inst. of Finance, 1991 Warburg Asset Management, 1991-93 CA Private Banking, seit 1993 Leiter d. CA Investment-Programm. M.: Management-Club, Wirtschaftsforum d. Führungskräfte. H.: Sport, Skifahren, Tennis, Fußball, Squash, Kultur, Literatur, Theater, Kino. (W.M.)

Ramsauer Georg Dr.

B.: Privatdetektiv. DA/PA.: 5081 Anif, Schloßstr. 437. G.: Abtenau, 7. Nov. 1952. V.: Ulrike, geb. Pilz. El.: Georg u. Therese. S.: VS, HS, Gymn., 1970 Matura, Jusstud., 1984 Dr. K.: vor Stud. im kfm. Bereich tätig, 1979 während Stud. Aufbau einer Detektei (Einzelfa.), mittlerweile Niederlass. in Dtschl. M.: World Association of Detectives in USA. H.: Lesen, Modellbau, Technik. (D.E.)

Ramsauer Gerd

B.: Gen.-Dir. FN.: IWG-Holding GmbH. DA.: 1010 Wien, Hoher Markt 12. PA.: 1190 Wien, Pfarrwieseng. 19. G.: Salzburg, 12. Sept. 1927. V.: Eva, geb. Rosenauer. Ki.: Dr. Bernhard u. Thomas. S.: BRG, Matura, Auslandsaufenthalt 1948-49, Stud. an d. Univ. Wien b. 1952, neuerl. Auslandsaufenth. K.: 1955-73 Gschf. d. Publicitas Werbeagentur,, seit 1973 Gschf. d. IWG-Konzerns, seit 1975 Gen.-Dir. u. Alleinggschf. aller z. IWG-Konzern gehörigen Firmen, seit 1983 Gen.-Dir. d. IWG-Holding. (C.K.)

Ramsauer Heinz Dkfm.

B.: Unternehmensltr. FN.: Rigips Austria GmbH. GT.: Prok. einer Tochterges. DA.: 8990 Bad Aussee, Unterkainisch 24. G.: Linz, 19. Aug. 1941. V.: Christina. Ki.: Monika, Petra. El.: Max u. Maria. S.: VS, HS, HAK, HS f. Welthdl. Wien. K.: 1. Allg. Vers., Chemie Linz, ab 1971 Rigips Austria GmbH. M.: b. versch. Fachverb. H.: Sport, Skilaufen, Tennis, klass. Musik.

Ramsauer Thomas

B.: Transportunternehmer. FN.: Intern. Transporte Ramsauer. DA. u. PA.: 5441 Abtenau, Fischbach 78. G.: Abtenau, 8. Nov. 1940. Ki.: Heidi (1962), Maria (1964), Herlinde (1969), Thomas (1973). S.: VS, HS, elterl. ldw. Betrieb. K.: 1962 selbst. als Frächter, Anschaffung div. Baumaschinen, 1979 Verkauf d. Baumaschinen, 1970 Einstieg in d. Fernverkehr, 1969 Bau d. Betriebsstätte in Abtenau, 1979 Kauf d. Gasthofes "Fischbach Stub´n". M.: USV Abtenau, Naturfreunde, ÖSV Abtenau. H.: Arb., Wandern. (S.P.)

Ramsebner Walter Mag.

B.: Gschf. FN.: Landesverlag Handels GmbH & Co KG. DA.: 4020 Linz, Landstr. 41. PA.: 4551 Ried 109. G.: Ried, 13. Juni 1959. V.: Brigitte, geb. Achleitner. Ki.: Katrin (1985), Julia (1986). El.: Johann u. Maria. S.: VS, HS, 1 J. HASCH Wels, 5 J. HAK Wels, 1979 Matura. K.: seit 1979 Arb. im Bankbereich d. Raiffeisenbank in Ried, 1979-80 BH, 1980-82 Tätigkeit Raiffeisenbank, 1980-85 Stud. BWL, 1985 Ltg. Finanz- u. Rechnungswesen Wertpräsent Wels, 1989 Übernahme d. Controllingbereich d. Hdls.-Bereiches d. Firma Landesverlaggruppe, 1990 Einstieg im Projektmanagement f. Amadeus, 1991 Gschf., 1992 Gschf. Landesverlag Hdls. GmbH. M.: seit 1991 Obm.-Stellv. d. Turn- u. Sportunion Ried. H.: Sport allg., Musik v. klass. b. mod., Jazz, Lesen v. Fachliteratur, Familie. (U.A.)

Ramskogler Rainer Dipl.-Ing.

B.: Betriebsdir., Prok. FN.: Jacobs Kaffee GmbH Wien. DA.: 1147 Wien, Jacobsg. 3. PA.: 1070 Wien, Zieglerg. 27. G.: Waidhofen/Ybbs, 4. März 1942. V.: Dr. Getraud. Ki.: Katrin (1975), Paul (1980). El.: Ing. Hans u. Maria. S.: TU Wien. K.: Österr. Unilever, Chefing. Bensdorp, Betriebsdir. Jacobs Wien. Gold. Verd.zeichen d. Rep. Österr.

Ramsner Katharina

KR

B.: Gschf. FN.: Intourist-Reisen GmbH. DA.: 1010 Wien, Schwedenpl. 3-4. PA.: 1100 Wien, Sahulkastr. 3-5/10/1. G.: Wien, 15. Jän. 1947. V.: Richard. Ki.: Werner (1966), Anton (1967), Alexandra (1974). El.: Anton u. Katharina. S.: VS, HS, 1961-64 Berufschule f. kfm. Lehre. K.: 1964-70 Reinigungsbranche, 1970-72 Textilbranche, 1972-90 Reisebüros, 1972-89 GPA-Frauenabt., s. 1990 Intourist-Reisen GmbH, Wien, 1994 Gschf. P.: versch. Reiseberichte i. Fachzeitsch. H.: Reisen, Tanzen. (M.A.)

Ramstorfer Walter Mag. arch.

B.: Arch. DA. u. PA.: 1010 Wien, Singerstr. 6/12. V.: Helga, geb. Rampl. Ki.: Paulus (1961), Thomas (1964). El.: Wilhelm u. Elisabth. S.: Arch.Stud. Wien, 1964 Mag. K.: 1962-72 Zusammenarb. m. J. G. Gsteu: Kirche Hohenems, Bildhauerhaus St. Margareten (Staatspreis), ab 1972 Sanierungskonzept Spittelberg, Sanierung Dt. Haus,

Entdeckung d. frühesten gotischen Fresken in Tuchlauben 17, Errichtung d. Außenstelle d. Histor. Museums, Schwerpunkte: Revitalisierung, Umbauten, Auslandsprojekt 92: Hotelbau in Moskau. M.: Vorst. Wr. Volksbild.Werk, Grdg.Mtgl. IG Spittelberg. H.: Tennis, Skifahren. (R.J.)

Ramusch Martin

B.: Unternehmer. FN.: Modellagentur - Intern. Models; Wasserskischule Wörthersee; Wasserskischule Ossiacher See. DA.: 9500 Villach, Tiroler Str. 59. G.: Villach, 19. Sep. 1967. El.: Heinrich u. Margarita. S.: VS, HS. K.: 1983-86 Werkzeugmaschineur im ÖGB Krumpendorf, 1987/88 Hawaii als Profi-Surfer, 1988/89 BH, 1989-91 Mitwirkender b. Wasserskishows in Florida, dazwischen Skilehrerausbild., 1991 Weltmeister im Dauer-Mono-Wasserski (6 Stunden), 1990 Grdg. d. Wasserskischule Ossiacher See u. Pachtung d. Skihütte Hochgurgl, 1993 Grdg. Modellagentur, 1994 Grdg. Wasserskischule Wörthersee. M.: Wasserskiclub Velden. H.: Wasserski, Surfen, Skifahren, Tennis, Golf. (G.L.)

Ramusch Johann Mag. iur.

B.: Verw.-Dir. d. KH Kufstein u. Wörgl. DA.: 6330 Kufstein, Krankenhausg. 7-9. PA.: 5730 Mittersill, Schettbühel 11. G.: Schwarzach/St. Veit, 2. Febr. 1939. V.: Antonia. Ki.: Sylvia (1962), Ulrike (1971). El.: Johann u. Katharina. S.: 1954-57 Kfm. Lehre Werfen u. Hallein, 1958 BH. K.: Verkäufer Fa. Meinl, 1959 Filialltr. Konsum Rauris, 1964-66 Organ.-Bmtr. Wr. Städt. Vers., 1966-90 KH-Verwalter KH Mittersill, 1972 Matura HAK Sbg., 1980-83 Lehrgang f. KH-Managem., Abschl. m. Ausz. z. Dipl.-KH-Betriebsw., 1984 Matura Latein, 1984-89 Jusstud. Sbg., 1990 Spons., 1991 Inskription Univ. Insbruck (KH-Recht), 1968 u. 1986 Ltg. d. Umbaus d. KH Mittersill, seit 1991 Verw. d. KH Kufstein u. Wörgl. P.: Semin., Kurse z. Thema KH-Recht. M.: Liedertafel Mittersill, Tennisclub. H.: Mountainbike, Skifahren, Tennis. (G.P.)

Ranacher Gustav

B.: Friseurmeister. FN.: Fashion for you. Da.: 5730 Mittersill, Felberstr. 4. PA.: 5731 Hoillersbach, Reitlehen 104. G.: Matrei, 30. Okt 1947. V.: Marlene. Ki.: Viktoria, Verena. El.: Alios u. Juliane. S.: VS u. HS, 1962 Friseurlehre m. Gesellenprüfung. K.: BH b. d. Garde-Bataillon-Wien, 1968-70 Kassier - Ang. b. Liftges. Goldried Bergbahnen Matrei, 1970-73 Friseur i. Matrei, Mai 1973 Meisterprüfung i. Innsbruck, ab 1973 Friseurmeister, Betrieb i. Mittersill, 1981-86 Filialbetrieb i. Matrei. H.: Motorradfahren.

Randa Gerhard Dkfm.

B.: Vorst.Dir. d. Creditanstalt-Bankverein Wien. DA.: 1010 Wien, Schotteng. 6. GT.: AufsR.Vors.Stellv.: Universale Hoch- u. Tiefbau AG Wien, Jenbacher Werke AG Jenbach, AufsR.: Landes-Hypothekenbank NÖ, Maschinenfabrik Heid AG, Steyr-Daimler-Puch AG.

von Randa Martha

B.: Bild. Künstlerin, Graphikerin u. Malerin. PA.: 6080 Igls, Patscherstr. 15. G.: Innsbruck, 7. Febr. 1908. V.: DDr. Alexander. El.: Ing. Dr. Karl u. Anna Innerebner. S.: Mittelschule d. Ursulinen in Innsbruck, Stud. an d. Kunstgewerbeschule b. Prof. Blocherer in München, anschl. kurzfristig an d. Ak. f. bild. Künste b. Prof. Klein in München. K.: Ausstellungen: 1951, Wien: "Tir. Maler", 1952, Innsbruck, Kunstsalon Unterberger "Malerei u. Graphik", Thema: Mensch u. Tier, 1952, Innsbrucker Kunstpavillon: Graphikwettbewerb, 1969, Florenz, Galerie D'Arte "Il Semafero", Malerei u. Graphik, Themenkreis: Mensch u. Tier, 1971, Innsbrucker Stadtsaal, Malerei u. Graphik, Themenkreis: Mensch u. Tier. BL.: Zwei Bilder wurden v. "Museum Ferdinandeum in Innsbruck erworben: "Die Angler" u. "Mädchen im Schatten". P.: Buchillustrationen: "Märchen d. Berge", "Christkindl auf Reisen", "Nordtir. Sagen", "Bruder Baum". H.: Mensch u. Tier, Wandern. (Schm.)

Randacher Herbert

B.: Geschäftsltr. FN.: Volksbank Steir. Salzkammergut GmbH. GT.: Gschf. d. Tennishalle Ausseer Land GmbH: DA.: 8990 Bad Aussee, Kurhauspl. 298. PA.: 8990 Bad Aussee, Obertressen 46. G.: Bad Aussee, 11. Juni 1942. V.: Elisabeth, geb. Binder. Ki.: Max, Doris. El.: Franz u. Ilse. S.: HS, kfm. Ausbild. 1956-64 in Bad Aussee. K.: 1964 Eintritt in d. Volksbank Steir. Salzkammergut Bad Aussee, 1977 Prok., seit 1983 deren Gschf., Spezialisierung: Anlagenberatung, Kreditgewährung, Förderung d. heim. Gewerbes im steir. Salzkammergut. F.: Ausseerland Ferienbaubetriebs GmbH incl. Adeg Markt u. Hotel Erzherzog Johann. M.: Redaktionsmtgl. d. Alpenpost, Obm. d. Wind Surfclub Ausseerland, div. andere Ver. H.: Musik, Tennis, Skifahren, Surfen. (M.B.)

Ranft Lotte Mag.

Oskar Kokoschka u. Claus Pack, Intern. Sommerak. Sbg., Plastik b. Prof. Wanda Bertoni u. Francesco Somaini. BL.: Schmuckentwürfe f. Goldschmiede Ranft Volker, Ankauf ei.Bronzeplastik durch d. Stadt Sbg., Ankauf Aquarelle d. Stadt Innsbruck, Aufträge f. Bronzebrunnen in Mondsee u. Sbg. sowie Ankauf ei. Bronzeplastik (1975) durch d. Museum Carolino Augusteum Sbg., Ausstattung f. "Titus Feuerfuchs" am LTheater Sbg. P.: Ausstellg. in Rom, Triest, Sbg., Linz, Bad Kreuzen, Schärding u. Wels. E.: 1969 Anerkennungspreis d. Sommerak. Sbg., 1972 Ehrenpreis f. Plastik d. Sbg. Kunstver., 1976 Würdigungspreis d. BMW, 1984 Gr. österr. Graphikpreis f. Aquarell. H.: Beruf, Jagd. (Hat.)

Ranft Volker

B.: Juwelier. DA.: 5020 Salzburg, Makartpl. 3. G.: Salzburg, 10. Febr. 1941. V.: Lotte, geb. Berger. BV.: Paul Krennwallner (Großvater) war Reichstagsabg. u. LandesR. v. Sbg. S.: VS, RG, Matura, Stud. d. Rechtswiss. an d. Univ. Innsbruck, sowie Kunstgeschichte u. Archäologie an d. Univ. Sbg., Ausb. als Gemmologe u. Schmuckdesigner. BL.: Einzelanfertigungen nach eigenen Entwürfen aus eigener Werkstätte f. einen intern. Kundenkreis. P.: Ausstellungen in Sbg., Bayreuth, Kitzbühel, München, Genf, Paris u. Wien, Publ. über antiken Schmuck u. kunsthistor. Themen. E.: Preis d. Chambre de Commerce Paris f. Schmuckdesign. M.: Präs. d. Verb. d. Jagd- u. Wurftaubenschützen Sbg., Vorst. d. LVerb. f. Reiter, Vorst. d. Jagdclub Sbg., Vorst. d. Golfclub Sbg. H.: Jagd, Reiten, Golf. (Hat.)

Ranftl-Guggenberger Doris Dr.

B.: Referatltr. f. Frauenfragen im BMUKS. GT.: Gschf. u. Vors. d. AG z. Förd. d. Frauen im Bundesdienst. DA.: 1014 Wien, Minoritenpl. 5. G.: Lienz, 22. Aug. 1951. El.:

Guggenberger Siegfried u. Carolina. BV.: Vorfahren aus Ktn. u. Südtir. S.: Stud. d. Anglistik, Romanistik u. Päd. in Wien, 1978 Prom. K.: 1978 Eintritt in d. BMUKS als Mitarb. im Bereich d. Lehrerbild., seit 1982 f. ressortspez. Frauenfragen tätig, seit 1986 Ltr. d. Frauenreferats, Entwicklung eines Medienkoffers: Frau u. Mann Partnerschaft 1986. P.: div. Publ. zu Frauenfragen in päd. Zeitungen, Leitung d. Arbeitsgruppe z. Förd. d. Frauen im Bundesdienst. H.: Kochen, Garten, Tennis, Skifahren. (M.B.)

Ranger Friedrich-Otto

B.: selbst. Steuerberater. DA.: 4600 Wels, Eisenhowerstr. 1. PA.: 4600 Wels, Maria-Theresia-Str. 19. G.: Wels, 10. Feb. 1942. V.: Solweig, geb. Hofmair. Ki.: Herwig-Andreas, Klaus-Ulrich. S.: HASCH/Wels, Wirtschaftspraxis, 1962 Eintritt in väterl. Steuerbüro, Abendgym. Linz, 1967 Matura. K.: seit 1972 Steuerber., 1973 Übern. d. väterl. Kanzlei, seit 1989 Spezialisierung auf Altstadt-Revitalisierungsprojekte in Wels, Initiator d. Altstadtprojekte: Schloß Pollheim u. Stadtgalerie. P.: div. Publik. in OÖN, Welser Rundschau, Wels Magazin, Wels IN, Vortragstätigk. über Altstadtprojekte. H.: Bergwandern, Rad. (P.H.)

Rangger Gebhard

B.: Maschinenschlosser, Hotelier Hotel Schloßhof. DA.: 6561 Ischgl. G.: Rattenberg/Inn, 10. Mai 1941. V.: Mathilde, geb. Zangerl. Ki.: Walter (1967). El.: Adolf u. Franziska. S.: HS, 1959 Maschinenschlosserlehre Innsbruck, 1960/61 BH, Lehrlingsausbild.-Prüf. K.: 1973-76 Traktorenwerk Lindner Kuchl, ab 1976 25 J. Gschf. Hotel Silvretta Ischgl, 1972 Bau Hotel Garni Ischgl, 1992 Erweiterung auf 4 Sterne Hotel m. eigenem Erlebnisbad u. Führung gemeinsam m. Gattin Mathilde. F.: Silvretta Seilbahn. M.: Tennisclub, Skiclub, Fußballclub. H.: Kochen, Skifahren, Tennis. (I.D.)

Raninger Bernhard Dr.

B.: Biologe. FN.: SAB Salzburger Abfallbeseitigung GmbH & Co KG. DA.: 5101 Bergheim, Aupoint 45. PA.: 5322 Hof b. Salzburg 272. G.: Salzburg, 21. Mai 1952. V.: Gertraud, geb. Mozelt. Ki.: Tamara (1980), Alena (1982), Ariana (1984), Helena (1988). El.: Walter u. Renate, geb. Fritsch. BV.: Vater Walter Raninger Opern- u. Konzertsänger, HS-Prof. f. Gesang an d. Musik-HS Mozarteum, Urgroßvater Prof. Karl Fritsch, Botaniker, "Exkursionsflora f. Österr.", Urgroßvater Oberst Zelinka Kavallerie-Reg. 1. Weltkrieg, Großvater Dr. Paul Fritsch OLGR. in Graz. S.: 1977 Studienabschluß u. Doktorat Karl Franzens-Univ. Graz (Biologie, Biochemie). K.: seit 1977 Bereichsltr. u. seit 1987 Betriebsltr. SAB GmbH & Co KG, Mitarb. d. Österr. Normungsinst. (ÖNI) u. Vors. versch. Arbeitsaussch., seit 1992 European Committee for Standardisation, seit 1988 Mtgl. d. Forums Österr. Wissenschaftler f. d. Umweltschutz u. Arbeitskreisltr., seit 1992 Kursltr. BFI, Beratertätigkeit Imst, Zell am See, Liezen, Berlin, Agram, Wien, Californien, Ghana, China, Holland, seit 1992 allg. gerichtl. beeid. Sachv. f. Abfallwirtschaft, Natur- u. Umweltschutz. P.: zahlr. Veröff. u.a. Qualitat. u. quantitat. Materialbilanz d. Entsorgungsmodelles Siggerwiesen unter bes. Berücksicht. d. Planungsdaten f. d. Brennstoffgewinn. (in: Kompostier. u. Brennstoffgewinn. 1983), Die Verfügbark. v. Schwermetallen im Müll- u. Klärschlammkompost u. deren Aufnahme in d. Nutzpflanze (1989), Die Behandl. biogener Abfälle im Blickwinkel d. neuen ÖNORMEN S 2200 u. 2201 (in: ÖNORM 1992), The Qualification and Certification of Compost (ENVIRO 1992). H.: Kultur (Theater, Konzerte), Familie, Wandern, Skifahren, Radfahren, Schwimmen. (E.Hö.)

Raninger Hermann

B.: GF. FN.: Computer 2000. DA.: 1160 Wien, Wilhelminenstr. 91. PA.: 1010 Wien, Herreng. 6-8/8/12. G.: Lunz am See, 6. Nov. 1958. El.: Hermann u. Karoline. S.: VS, HTL, 1979 Matura, Präsenzdienst. K.: 1981-84 Software-Entwickler b. BBC; 1984-88 Vertriebsleiter b. Fa. Soft-Expreß; 1988-93 Gründ. u. GF Fa. Access Agora; s. Okt. 1993 GF Fa. Computer 2000. M.: Mitgl. b. div. Sportvereinen. H.: Schifahren, Paragleiten. (E.J.)

Raninger Walter o.HS-Prof.

B.: Prof. am Mozarteum. DA.: 5020 Salzburg, Schwarzstr. 24. PA.: 5020 Salzburg, Naumanng. 28. G.: Wieselburg, 14. Juni 1926. V.: Bettina, geb. Cosack. Ki.: Teresa Maria (1981). S.: Musikstud. an d. HS Weimar, Dipl. f. Trompete, Kapellmstr. u. Gesang, HS Mozarteum Sbg., Bariton. K.: Preisträger v. intern. Wettbewerben als Bariton in Genf, 2. Preis d. Intern. Mozartwettbewerb in Sbg., Schallplatten b. Philips, Radio u. Fernsehen, Opernengagement Oper am Rhein Düsseldorf als Bariton, Operngastspiele v. Palermo b. London, seit 1963 Gesanglehrer an d. HS Mozarteum, 1978 Berufung z. o.HS-Prof., 4 J. Abt.-Ltr. VII am Mozarteum, seit 1950 ständiger Mitwirkender b. d. Sbg. Festspielen unter Solti, Böhm, Karajan, Paumgartner, Mitbegründer als Sänger b. Fest in Hellbrunn u. b. d. Mozartwoche d. Intern. Stiftung Mozarteum, Lied u. Oratoriumssänger m. einem Repertoire v. alter Musik b. z. neuen Musik, viele Uraufführungen v. zeitgenöss. Komponisten, seit 1987 Juror b. Intern. Gesangswettbewerben in Österr., Italien, Chile, Lehrer b. Sommerkursen f. Gesang in Luxemburg u. Korea, 45 J. als Musiker u. Sänger b. d. Sbg. Dommusik, ab 1989 Chefdirigent d. Orchesters d. Sbg. Kulturver. m. ständigen Orchesterkonzerten u. Begründer d. Sbg. Faschingsmatinee. E.: 1953 Diplom Avec Medaille Geneve, 1956 Mozartmed. d. Stiftung Mozarteum, 1978 Silb. VK d. Landes Sbg., 1984 Medail Conkurso Intern. Mention Canto Vina Del Mar Chile, 1989 Medaille Do Monicipio De Gaia De Portugal, 1992 Ausz. f. musikal. Verd. in Taegu/Korea for Dedicated Humanitarian Services Lions Club Intern. Fondation. (N.M.)

Ranner Hella Dr. iur. Mag. rer. soc. oec.

B.: RA.: DA.: 8010 Graz, Herreng. 19. PA.: 8010 Graz, Quelleng. 35. G.: Graz, 10. Mai 1951. El.: Dr. Kurt u. Dr. Hilde Raner. S.: AHS, Stud. d. BWL u. Ju. an d. Univ. Graz, Spons. 1974, Prom. 1976, Prüf. d. Höh. Verw.Dienst. K.: 1974-76 Fa. Dynafit (Werbung u. Verkauf), 1976 Ass. am Inst. f. öff. Recht Graz, 1977-78 BKA (Verfassungsdienst), 1978-79 Gerichtsjahr, s. 1979 RA-Anw. b. Dr. Kammerlander, s. 1982 selbst. RA in Graz, s. 1987 im GemR. d. Stadt Graz. M.: ZONTA-Club Graz, Grazer Kunstver. H.: Skifahren, Reisen, Literatur, Theater, Musik. (C.H.S.)

Ransmayr Winfried Mag.

B.: Gschf. FN.: HALI Büromöbel GmbH. DA.: 4070 Eferding, Karl-Schachinger-Str. 1. G.: Linz, 20. Juni 1953. V.: Doris. Ki.: Winfried, Klaus. El.: Dr. Winfried u. Gertrude.

BV.: Großvater KommR. Josef Haberleitner Gründer d. Fa. Hali 1942. S.: AHS Matura, Stud. Betriebswirschaft in Wien. K.: im elterl. Betrieb begonnen. P.: div. Art. in Fachzeitschriften. M.: Managementclub.

Ransmayr Christian Dr. iur.
B.: RA. FN.: RA Dr. Christian Ransmayr, Partner d. M.R.S. RA Meyndt Ransmayr Schweiger OEG. DA.: 4020 Linz, Landstr. 42. G.: Linz, 23. Febr. 1958. V.: Dr. Andrea, geb. Starrermayr. Ki.: Lukas (1984). El.: MedR. Dr. Gerhard u. Gertrude. S.: VS, Gymn., 1976 Matura, Stud. Linz, 1980 Prom. K.: 1981 Bundesheer, b. 1982 Gerichtsj., 1982-86 Ausbild. als RA in d. Kzl. Dr. Broinger u. Dr. Hochleitner Eferding, 1986 Anw.-Prüf., 1986-92 Einzelkzl. in d. Rainerstraße, seit 1992 heutige Kzl. P.: lfd. Art. in Zeitungen. M.: Kiwanis-Club Linz, Präs. ULTV Linz, Vorst.-Mtgl. d. Österr. Tennisverb. H.: Beruf, Tennis, Skifahren, Segeln. (U.A.)

Ransmayr Franz Dr. Ing.
B.: Gschf. Ges. FN.: Franz Ransmayr GmbH & Co KG. DA.: 4020 Linz, Wegscheider Str. 20. G.: Linz, 6. Okt. 1952. V.: Ilse, geb. Hintenaus. Ki.: Julia (1985). El.: Franz u. Margit. S.: Gymn., HTL Elektrotechnik Linz, 1973-78 BWL-Stud. Linz. K.: Eintritt in Firma als Ang., dann Prok., 1984 Gschf. M.: Vorst. d. Posthof-Betriebsver. H.: Lesen, Rudern, Segeln. (P.H.)

Ransmayr Michael Ing.
B.: Gschf. FN.: Hali Fabrik GmbH. GT.: Gschf. Hali Büromöbel GmbH. DA.: 4070 Eferding, Karl-Schachinger-Str. 1. PA.: 4020 Linz, Margarethenweg 13. G.: Linz, 15. Mai 1950. V.: Friederike. Ki.: Claudia, Michael. El.: Dr. Winfried u. Gertrude. BV.: Großvater KommR. Josef Haberleitner Gründer d. Fa. Hali 1942. S.: AHS Matura, Kolleg f. Möbelbau u. Ind.Ausbua, HTBLVA Mödling Matura, 1/2 J. Praxis BRD. K.: Tätigkeit im elterl. Betrieb. P.: div. Art. in Fachzeitschriften. M.: Industriellenver., Kam. f. Holzverarb.

Ranstl Herbert
B.: Koch u. Küchenchef Gasthof z. Stiege. DA.: 5450 Werfen, Hauptstr. 10. PA.: 5450 Werfen, Hauptstr. 9. G.: Schwarzach, 22. Nov. 1966. V.: Helga, geb. Farmer. El.: Johann u. Maria. S.: VS, HS, 3 J. Kochlehre Sbg. K.: 1/2 J. Entremetier k.u.k. Restaurant, 1/2 J. Tätigkeit zu Hause, BH, s. 1988 Tätigkeit zu Hause, Erfahrung erweitert b. Hans Haas Restaurant Tantris München. E.: 2 Hauben v. Gault Milau, div. Ausz. wie Sterne, Pfannen f. bes. Leistungen. M.: Verb. d. Köche Österr., Ski- u. Sportclub Werfen. H.: Skifahren, Tennis, Radfahren, Schwimmen. (D.E.)

Ranstl Horst P.
B.: Gschf. FN.: LUBRIZOL GmbH. DA.: 1010 Wien, Nibelungeng. 13. PA.: 3423 St. Andrä/Wördern, Richard-Gebhardt-G. 35. G.: Werfen, 18. Sept. 1941. V.: Barbro, geb. Twengström. Ki.: Monica, Anna-Lena. El.: Johann u. Amalia. S.: VS, HS, Mechanikerlehre, Gesellenprüf. K.: b. 1965 Tätigkeit in versch. Firmen, 1963 Auswanderung nach Schweden, Tätigkeit b. SCANIA BILAR (Volkswagen) Stockholm, 1965-69 Kundendienstberater u. Werkstattltr.Stellv., 1966 Stud. Maschinenbau (Abendschule), 1971 Ing., 1970 ESSO Stockholm: Schmiermittel- u. Treibstofftechniker m. Ausbild. Verantwortung f. Verkäufer u. Verkaufsing., 1975 Lubrizol Scandinavia als Verkaufsing., 1976 techn. Dir., 1979 gschf. Dir. Lubrizol GmbH, 1988 Vorst.Dir. Lubrizol Scandinavia AB Djursholm/Schweden, 1988 Regional Manager North and East Europe, 1990 Vorst.Dir. Solub Ryazan/UdSSR. P.: Vorträge in Esslingen über Tribologie "An Examination of Synthetic and Minerae Based Gear Lubricants and their Effect on Energy Efficieney" 1984, 1981 Warschau: "From Laboratory to service - some techniques for the final testing of vehicle lubricants", Bulgarien 1985: National Tribology Congress "Diesel engine oils - detergent alkalinity", weitere Publ. auch in div. Fachzeitschriften. M.: amerikan. HK. H.: Skifahren, Tennis, Schwimmen, Malerei. (G.E.)

Ranstl Maria
B.: Inh. Gasthof z. Stiege. DA.: 5450 Werfen, Hauptstr. 10. PA.: 5450 Werfen, Hauptstr. 9. G.: Großarl, 21. Jan. 1946. V.: Hans Ranstl. Ki.: Herbert (1966), Karin (1972). El.: Florian u. Anna Heigl. S.: VS, HS, Lehre in d. Land- u. Forstwirtschaft, priv. Kurse f. Koch u. Kellner. K.: Tätigkeit in Betrieben d. Gastgewerbes, 1969 diesen Betrieb m. Gatten erworben. E.: 2 Hauben, seit 1992 Gault Milau, div. Ausz.: Sterne, Pfannen f. bes. Leistungen. M.: sämtl. örtl. Ver., Bund d. Österr. Gastlichkeit. H.: Tennis, Radfahren, Schwimmen. (D.E.)

Rantasa Helga Dr. phil.
B.: Gschf. Ges., Personalber. FN.: Dr. Rantasa Consulting. GT.: Ges. d. Fa. Dr. Rantasa Interimspersonal. DA.: 1090 Wien, Marianneng. 14/10. PA.: 1170 Wien, Czartoryskig. 235. G.: Wagna/Leibnitz, 18. Feb. 1953. V.: Ing. Hermann. Ki.: Thomas (1991). El.: Anton u. Johanna. S.: Hum. Gymn., 1971 Matura, Stud. d. Psychologie Univ. Graz u. Wien, 1979 Prom. K.: 1979-83 Personalber. a. Inst. f. Arbeitspsychologie, 1983-92 b. Dr. Helmut Neumann Management Beratung, s. 1992 selbst. m. Fa. Dr. Rantasa Consulting u. Kauf d. Fa. Kutscha Personalleasing, 1993 Namensänderung i. Fa. Dr. Rantasa Interimspersonal. H.: Oper, Lesen, Reisen. (N.A.)

Rapatz Werner Dipl.-Ing. KommR.
B.: Gschf. Ges. FN.: Rapatz & Jahn GmbH Bau KG, Montagebau GmbH Fertigteilerz. KG, Massivbau GmbH. DA.: 9020 Klagenfurt, Kircheng. 48. PA.: 9020 Klagenfurt, Rizzistr. 25. G.: Klagenfurt, 24. Sept. 1926. V.: Stefanie, geb. Scheucher. Ki.: Dr. Renate, Ing. Dieter. El.: Robert (Präs. d. Ktn. HK) u. Margarethe. S.: 1946-51 TH Graz. K.: Nach d. Stud. tätig im väterl. Betrieb, 1965 Übern. d. Betriebes, 1966 Grdg. d. Tochterfa. Montagebau GmbH Fertigteilerz. KG, 1975 Umwandl. d. Fa. Rapatz in Rapatz & Jahn GmbH. H.: Beruf, Sport. (D.M.)

Rapp Herbert
B.: Gschf. d. CNC Metallprod. GmbH. DA.: 2384 Breitenfurt, Laaber Str. 67. PA.: 1130 Wien, Elisabethallee 95v/15/9. G.: Kottes, 2. Aug. 1945. V.: Gertraude, geb. Fallenbüchel. S.: HS, Lehre d. Werkzeugmachers, 3 J. Berufsschule, Prüf. 1964. K.: 8 J. als Werkzeugmacher b. Fa. Josef Schulz in Wien, 1971 Grdg. eines Taxiuntern., ab 1982 wieder als Ang. bei Fa. Schulz, 1984 Grdg. d. Fa. CNC Metallprod. GmbH (gem. m. Ing. Reinhard Fürst), 40 % Exporte (f. Firmen wie IBM ect.), Übern. d. Fa. Holik, Mitbes. d. Fa. Pagler GmbH, Ges. gew.-ber. Gschf. d. Taxiuntern. seit 1984. M.: Jachtklub Marina, Traismauer. H.: Motorboot, Arbeit, Schwimmen, Wasserski, Theater, Wandern. (M.G.)

Rapp Peter
B.: Entertainer. DA.: Profil Promotion, 1190 Wien, Bellevuestraße. G.: Wien, 14. Febr. 1944. V.: Gabriele, geb. Wachtler. Ki.: Christopher. S.: Gymn., Wr. u. Wienerwald Sängerknaben, Schauspielschule Kraus. K.: 1963 1.

Fernsehauftritt, 1967 Beginn als Hörfunkmoderator in Ö3, FS: 1968-78 Spotlight, Jahrmarkt, Licht ins Dunkel, Wer weiß mehr, Juke-Box, Tele-As, Hoppala, Wurlitzer, Die große Chance. E.: Hans Moser-Preis. M.: Union BSC. H.: Archivieren, PC. (A.W.)

Rappan Richard Dr. rer. oec. Mag. iur. w.HofR.
B.: Bez.Hptm. DA.: 4020 Linz, Kärntner Str. 16. G.: Linz, 13. Juni 1929. El.: Thomas u. Cäcilia. S.: Realschule Linz, 1948 Matura, Univ. Wien, (Mag. d. Rechtswiss.), Univ. Innsbruck (Dr. d. Wirtschaftswiss.), zahlr. Verw.-, EDV- u. Managementseminare. K.: 1954-55 RA-Anw. im LG Linz, 1955 Eintritt in d. Amt d. OÖ LRg., BH Wels, 1960-64 BH Linz-Land, 1964-74 Sekr. d. LH-Stellv. L. Bernaschek, Klubsekr. d. soz. Landtagsabg., 1968 Stellv. d. Ltrs. d. Pr., 1970 LAmtsdir.Stellv., 1974 Ltr. d. Abt. Wohnungs- u. Siedlungswesen, seit 1984 Bez.Hptm. f. d. Bez. Linz-Land. (Deu.)

Rappelsberger Peter Dr. Dipl.-Ing. Univ.-Prof.
B.: Neurophysiol. FN.: Inst. f. Neurophysiologie. DA.: 1090 Wien, Währingerstr. 17. G.: Wr. Neustadt, 3. Mai 1941. S.: VS, Bundesreals., Matura mit Ausz., 1959-68 Stud. Nachrichtentechnik TU Wien. K.: Beschäft. ITT Wien, Siemens München, 1966-68 wiss. Hilfskraft am Neurol. Inst. d. Univ. Wien, Dipl.-Arb. am Neurol. Inst., "Registrierung v. Aktionspotentialen im Gehirn", 1968 Dipl.-Prüf., 1969-72 Vertragsass. am Neurol. Inst., 1973 Forschungsass. am Hirnforschungsinst. d. Österr. Akad. d. Wiss., s. 1974 Univ.-Ass. am Inst. f. Neurophysiol. Univ. Wien, 1977 Prom. zum Dr. d. Techn. Wiss. an TU Wien, Thema: "Spektrale Kurzzeitanalyse stochastischer Signale zur Auswert. v. Elektroenzephalogrammen", 1982 Habil. f. Fachgebiet Biomed. Technik an Med. Fakultät Univ. Wien, Thema: "Über d. Beitrag d. kortikalen Schichten zur Generierung d. Feldpotentiale (EEG), 1988 Verleih. a.o. Univ.-Prof.; Stud.-Aufenth.: 1972 Abt. f. Entwicklungsneurol. d. Univ. Groningen Niederlande, 1977 Physiol. Inst. Univ. Münster-BRD. E.: 1972 Förderungspreis Dr. Theodor Körner Stiftungsfonds, 1979 Preis d. Stiftung Michael f. herausrag. Arb. auf d. Gebiet d. Epilepsie, 1982 Förderungspreis Kardinal Innitzer Stiftungsfonds f. Arb. auf d. Gebiet d. Med., 1986 Ernenn. zum Korresp. Mtgl. d. Dt. EEG-Ges. in Würdigung bes. Verd. um den Fortschritt auf d. Gebiet d. experim. Neurophysiol.

Rappersberger Wolfgang Leopold
B.: Inh. FN.: raasch Chemie. DA.: 4060 Leonding, Paschinger Str. 18A. PA.: 4020 Linz, Huemerstr. 7. G.: Linz, 3. Apr. 1933. V.: Josefine, geb. Radler. Ki.: Sonja (1956). El.: Emil u. Josefine. S.: VS, HS, 1953 Lehre als Großhdls.-Kfm. K.: b. 1960 Verkaufsltr., 1962 Grdg. raasch Chemie. P.: seit 18 J. Hrsg. einer Radsportzeitung "Radsportrundschau", stellv. Chefred. d. Zeitung "Radwelt", Art. in Fachzeitschriften im Rahmen d. chem. Gewerbes. M.: seit 1975 Aussch.-Mtgl. d. Chem. Gewerbes d. HK OÖ, seit 1982 Landesinnungsmstr.-Stellv. u. seit 1990 Bundesinnungsmstr.-Stellv. im Chem. Gewerbe, seit 1978 Aussch.-Mtgl., seit 1980 Bez.-Stellenltr.-Stellv. u. seit 1986 Bez.-Stellenltr. d. Österr. Roten Kreuzes Linz-Stadt, seit 1974 Präs. d. OÖ Landesradsportverb., seit 1976 Bundesländerchef im Präsidium d. Österr. Radsport. H.: Radfahren, Theater, Konzert. (U.E.)

Rappl Erwin
B.: Inh. F.: Rappl Moden GmbH, Sport Rappl GmbH. DA. u. PA.: 5550 Radstadt, Karl-Berg-Str. 12. G.: Hall/Admont, 13. März 1930. V.: Lydia, geb. Albrecht. Ki.: Karin (1961), Sonja (1962), Erwin (1965). El.: Raimund u. Juliane. S.: 1944-59 Kfm.-Lehre Schladming. K.: 1959 Grdg. d. eigenen Firma "Sport Rappl", 1968 Neubau d. Firmengebäudes, 1973 Grdg. Rappl Moden, Schwerpunkte: Bekleidung, Mode u. Sport. M.: Ski- u. Tennisclub, sämtl. örtl. Ver. H.: Berggehen, Reisen. (G.P.)

Rasch Peter
B.: Inh. FN.: Smartart Computer AIDED Publishing. DA.: 1040 Wien, Wiedner Hauptstr. 61. PA.: 1120 Wien, Ruckerg. 12. G.: Feldkirchen, 31. Jän. 1949. V.: Sonja, geb. Lesjak. Ki.: Stefan (1979). El.: Ing. Engelbert u. Antonia, geb. Gutzelnig. S.: 1967 Matura, Stud. Elektrotechnik, Fotografenausbild. K.: Betriebsltr. Firma West and color, seit 1988 selbst. H.: Fotografie. (N.A.)

Raschhofer Kurt
B.: Hotelier d. Hotel Auersperg. DA.: 5027 Salzburg, Auerspergstr. 61. G.: Altheim, 19. Nov. 1933. V.: Erika, geb. Nowak. Ki.: Heiner (1967), Evelyn (1969), Sabine (1970), Bettina (1971). El.: Georg u. Maria. S.: VS, HS, HASCH, 2 J. Hotelfachschule. K.: Tätigkeit in England, Deutschland, Italien, Holland, Schweiz, Spanien, Jordanien usw., 1968 Übernahme Hotel Haus Hirt in Bad Gastein, 1977 Übernahme d. Hotel Auersperg. M.: Rotary-Club. H.: Lesen, Reisen, Musik. (G.E.)

Raschka Heinz Dr.
B.: Gschf. d. Fachverb. d. Elektro- u. Elektronikind. DA.: 1010 Wien, Rathauspl. 8. PA.: 1100 Wien, Quellenstr. 66/14. G.: Wien, 1. Aug. 1941. V.: Elfriede, geb. Krammer. Ki.: Wolfgang (1968), Michael (1972), Christine (1979). El.: Edmund u. Elfriede, geb. Kucizek. S.: RG, 1959 Matura, 1959-64 Jus-Stud. an d. Univ. Wien, 1988-89 Postgrad. Lehrgang f. Verbands- u. Nonprofit-Management an d. Univ. Fribourg/Schweiz, 1964 Prom. K.: 1966 Eintritt in d. HK NÖ, 1967-69 Innungs-Sekr., 1969-74 Ref. im Fachverb. d. Elektroind., s. 1974 Gschf.-Stv., s. 1982 Gschf. d. Verb. BL.: Umformung d. Fachverb. z. e. Dienstleistungsbetrieb. E.: Ehrenbürger d. TU Wien. M.: Versch. akad. u. berufl. Ver. H.: Musik, bild. Kunst, Schwimmen, Wandern, Tennis. (N.A.)

Raschke Andreas
B.: Inh. FN.: Beauty Center Andreas Raschke KG. DA.: 5700 Zell/See, Kreuzg. 1. PA.: 5700 Zell/See, Erlenweg 11. G.: Zell/See, 19. Apr. 1949. V.: Edda, geb. Preis. Ki.: Verena, Christine, Martin. El.: Friedrich u. Gertrude. S.: VS, HS, Friseurlehre Wien, Mstr.-Prüf. K.: 1973 Übernahme d. Geschäftes d. Mutter, 1992 Eröff. d. 1. ganzheitl. Schönheitszentrums in Österr., Seminare in London, Paris, Hamburg, Minneapolis u. New York. M.: Haute Couture Francaise Intercoiffeur. H.: Skifahren, Bergsteigen, Radfahren, Fotografieren. (W.B.)

Raser Engelbert
B.: Gend.Bmtr., Bgm. GT.: Obm. d. WVB Stögersbachtal. DA.: 7411 Markt Allhau 4, Gemeindeamt. PA.: 7411 Markt Allhau 58. G.: Markt Allhau, 11. Okt. 1951. V.: Cornelia, geb. Koller. Ki.: Denise, Joachim. S.: VS, HS, div. Kurse (u.a. als Techn. Zeichner), Gendarmeriekurse. K.: ab 1982 Gem.Kassier, seit 1985 Bgm., 1975 Eintritt BPD Wien, Ausbild. in d. Marokkanerkaserne, VA Wien, 1980 Versetzung ins Bgld., Dienstantritt in Stadtschlaining, 1981-82 Ausbild. als dienstführender Bmtr. in Mödling, 1983-84 prov. Führung d. GP Stadtschlaining, 1985 z. VAAST Oberwart. E.: Österr. Rotes Kreuz in Bronze, FFW-Ausz. in Bronze, Wehrdienstmed. d. Österr. BH, Urkunden d. Tierschutzver. M.: Vorst.Mtgl. Abwasserverb. Stögersbachtal, Verschönerungsver., ÖVP, ÖAAB. H.: Tiere, Autos, Motorradfahren, Rad, Ski, Urlaub. (C.K.)

Raser Fritz
B.: Gschf. Ges. FN.: Fritz Raser GmbH. DA.: 1160 Wien, Grundsteing. 14. PA.: 3041 Asperhofen, Siegersdorf 10. G.: Wien, 10. Mai 1941. V.: Hannelore, geb. Zartl. Ki.: Regina, Fritz. El.: Josef u. Friederike. S.: Berufsschule, Lehre Fa. Mascha. K.: 1963-64 Fa. Ueberreuter, 1964 selbst. Grdg. d. Fa. Fritz Raser, 1980 Umwandlung in GmbH u. Gschf Ges., 1982 Grdg. d. Fa. Fritz Raser. H.: Reiten. (A.W.)

Rasinger Erwin Dr. med.
B.: prakt. Arzt. GT.: Schularzt. DA.: 1120 Wien, Flurschützstr. 12. G.: Wien, 30. Juli 1952. El.: Herbert u. Karoline. S.: 1970 Matura, 1 J. Chikago, HS f. Welthdl., Med.Stud. an d. Univ. Wien, 1979 Prom. K.: Ausbild. im AKH u. Rudolfsstiftung, 1983 Praxiseröff., seit 6 J. Umweltschutzref. d. Österr. Ärztekam., seit 2 J. Pr.Ref. u. Umweltref. d. Wr. Ärztekam., seit 4 J. Gen.Sekr. d. Gen.Vertr. Österr. Ärzte, seit 6 J. KamR. d. Wr. Ärztekam. P.: 100 Publ., betreffend Umweltschutz, Luftbelastung, Diesel, Strahlen, Kat, Sonderabfall. H.: Sport, Tennis, Fußball, Skifahren. (E.L.)

Rasinger Friedrich
B.: Cafetier d. "Bistro", Cafe "10 Die Meter". DA.: 2700 Wr. Neustadt, Neunkirchner Str. 28. PA.: 2700 Wr. Neustadt, Bahng. 2. G.: Wr. Neustadt, 21. Apr. 1955. Ki.: Roman. El.: Alfred u. Susanne. S.: VS, HS, Skigymn. Stams, 1974 Matura, 1 J. verlängerter BH-Dienst. K.: 1978 Eintritt in d. väterl. Betrieb, einem Lebensmittelhdl. f. d. gehobenen Qualitätsanspruch, welcher 1859 gegründet u. 1887 protokolliert wurde, Einkaufsltr. b. einer Stahlbaufa. in Erlach v. 1978-1980, 1980 d. väterl. Betrieb übernommen, 1981 Inst. v. "Bistro", Umbau v. Räumlichkeiten d. Lebensmittelhdls. z. orig. Cafe v. Wr. Neustadt d. "10 Die Meter", div. weitere Aktivitäten in d. hauseig. Räumlichkeiten d. 1. u. 2. Stockwerkes sind geplant. M.: Mtgl. b. div. Wr. Neustädter Sportver. H.: Inh. d. Privatpilotenscheines, Skifahren, Tennis, Fußball. (Kern)

Rasner Josef Ing.
B.: Prok. u. Verkaufsltr. FN.: Neunkirchner Schraubenwerke GmbH. DA.: 2620 Neunkirchen, Wiener Str. 23. PA.: 2620 Loipersbach, Ortsstr. 16. G.: Neunkirchen, 23. Dez. 1952. V.: Helga, geb. Prober. Ki.: Christian. El.: Josef u. Erika. S.: Lehre als Maschinenschlosser, Lehrabschluß 1971, 1972-75 Berg- u. Hüttenschule Leoben. K.: BH, anschl. Fa. Brevillier Urban als Ass. d. Qualitätsstelle, 1981-83 Ass. v. Produktionsltr., 1983 Neunkirchner Schraubenwerke: 1983-87 Produktionsltr. (Prok.), ab 1987 Verkaufsltr. d. NSW. M.: Feuerwehr. H.: Jagen, Fischen. (M.B.)

Rasoulian Mehdi
B.: Besitzer Paradi Hotel Vienna, Paradi City, Palais Vetschera. DA.: 1150 Wien, Wurzbachg. 21, 1010 Wien, Weihburgg. 18-20. PA.: 1030 Wien, Salesianerg. 3A. G.: Yazd/Persien, 22. Aug. 1942. V.: Parwin. El.: Taghi u. Khadijeh. S.: Kfm. Lehre. K.: nach d. Tod d. Vaters Übernahme d. Ltg. aller Betriebe, 1980 Übersiedlung nach Österr., 1990 Eröff. d. selbsteingerichteten Paradi Hotel Vienna in d. Lugner-City. H.: Ehefrau. (N.A.)

Rass Hannes
B.: Gschf. u. Inh. FN.: Rass Drechslerei, Bau- u. Kunstdrechslerei. DA. u. PA.: 6370 Kitzbühel, Hornweg 18. G.: Kitzbühel, 26. Juni 1955. V.: Andrea. Ki.: Caroline, Theresa. El.: Johann u. Margit. S.: VS, HS, 1971-75 Bundesfachschule f. Holzbearb. Hallstadt, Matura. K.: 1 J. Praxis im elterl. Betrieb, 1977 Mstr.-Prüf., 1978-84 Großhdl., 1985 Übernahme d. elterl. Betriebes.M.: Tirol. Fischereiverband H.: Schafe u. Anguszucht, Fischen. (A.W.)

Rass Josef Dipl.-Ing. BauR. h.c
B.: Dir. u. Vorst.Vors. d. Sbg. AG f. Elektrizitätswirtschaft. PA.: 5026 Salzburg-Aigen, Alfred-Kubin-Str. 17. GT.: Gschf. d. Sbg. Ferngas GmbH, AufsR.: Österr. Elektrizitätswirtschaft AG, Aberg-Hinterthal-Bergbahnen AG, Kabel-TV Sbg. GmbH. E.: Gold. Verdienstz. d. Rep. Österr. M.: Vorst.Mtgl. d. Ver. Österr. Industrieller.

Rasser Herbert

B.: Fotografenmstr. FN.: Fotostudio Höchst. DA.: 6973 Höchst, Försterg. 3a. G.: Bregenz, 30. März 1955. V.: Gabi, geb. Humpeler. Ki.: Thomas (1978). El.: Johann u. Josefine. S.: HTL Elektrotechn., 1976 Lehrabschlußprüf. techn. Zeichner, zahlr. Kurse über Malerei u. Fotografie, Fotografenlehrabschlußprüf. über WIFI, 1986 Mstr.-Prüf. K.: b. 1987 Tätigk. i. Werbeabt. eines renommierten Untern. i. Höchst, 1987 selbst. Fotograf i. Höchst. P.: Ausstellungskataloge Thurn & Taxis u. Pindar Gallery New York f. Ingmar Alge, techn. u. gestalterische Fotografie. H.: Fotografie als Kunst, lesen, angeln, Kulturreisen, "feine Küche". (I.D.)

Raßmann Anton Mag. HofR.

B.: Dir. d. BHAK u. BHAS Horn. DA.: 3580 Horn, Garteng. 1. PA.: 3500 Krems, Am Turnerberg 2. G.: Königsbrunn/Wagram, 2. Dez. 1936. V.: Dr. Christine, geb. Freitag. Ki.: Margit, Alexander u. Barbara. El.: VS-Dir. Anton u. Rosa. S.: LBA, phil. Fak. d. Univ. Wien, Mag. d. Leibeserz. u. Math. K.: ab 1961 Lehrer an d. BHAK u. BHAS Krems, Erzieher im BKonvikt II. d. BHAK u. BHAS, 1965-81 Dir. d. BKonviktes I., s. 1978 LSkilehrer, 1981 Grdg., Aufbau u. Ltg. eines übergreifenden Tagesschulheimes in Krems, ab 1984 Dir. d. BHAK u. BHAS Horn, mehrmals Referent b. Seminaren d. Lehrerfortbild. P.: Mitautor eines Übungsbuches aus Math. für Mat.-Aufgaben. E.: Leutnant Governor d. Divn. Österr.-Ost d. Kiwians Club, 1991 Verleih. d. Titel "Hofrat". M.: Vorst. Mtgl. d. Christl. Lehrerver., Kiwians Club, Obm. d Arbeitskreises Horn f. Schule u. Wirtschaft, Mtgl. d. Kremser Singgem. H.: Skifahren, Tischtennis, Tennis, Schach. (M.M.)

Rast Alexandra Mag.
B.: Unternehmerin. FN.: Top Job. DA.: 1030 Wien, Estepl. 5/7. G.: Wien, 27. Nov. 1963. V.: Dr. Ronald Rast. Ki.: Mathias-Oliver (1988). El.: Dr. Erich u. Helga Kotschwar. S.: Piaristengymn. Wien, 1981 Matura, Stud. WU Hdls.-Wiss., 1985 Spons. K.: 1985-87 Wertpapierabt. GZB Euroemissionsgeschäfte, 1988 im elterl. Betrieb tätig, seit 1988 eigene Fa. Top Job: Entwicklung interaktiver Lern- u. Informationsprogramme. M.: Österr. Golf Nationalteam. (J.S.)

Rast Herbert KommR.
B.: Gen.-Dir.i. R., AR.vors. FN.: Kelly-Gruppe. DA.: 1217 Wien, Lhotskyg. 12. PA.: 1190 Wien, Unterer Schreiberweg 22. G.: Graz, 6. März 1931. V.: Elisabeth, geb. Nußbaum.

Ki.: Tommy (1972), Nikolaus (1974). El.: Franz u. Johanna. S.: Matura Graz, Jusstud. Univ. Wien. K.: 1955 Eintritt in d. Kelly-Ges. als Ges. u. Gschf., seit 1981 Gen.-Dir., AufsR. Lenzing AG, Bank Austria Handelsholding GmbH u. Gaskoks-Warenhdls. GmbH. E.: 1975 Silb. EZ f. d. Verd. um d. Rep. Österr. M.: Präs. d. Golf-Clubs Wien. H.: Golf, Sammeln v. mod. Malerei u. Literatur. (N.A.)

Rastegar Nosratollah Dr. Prof.

B.: Ass.Prof. d. Univ. Wien, Inst. f. Sprachwiss., Indologie u. Orientalistik. DA.: 1010 Wien, Dr.-Karl-Lueger-Ring 1. PA.: 1060 Wien, Mollardg. 77/2/13. G.: Iran, 24. Nov. 1942. El.: Rahim u. Khadijeh. S.: Maschinenbau an TH Hannover, Univ. Teheran (Germanistik, Iranistik), Univ. Heidelberg (neuere dt. Literaturwiss., Linguistik, Phil.), 1978 Prom. K.: Univ. Teheran Ass.Prof., Univ. Gilan Ass.Prof. (Fachgruppenltr., Dekan u. Prorektor), seit 1983 Lektor f. neupers. Sprache u. Literatur an d. Univ. Wien u. Mitarb. d. Iran. Kmsn. d. ÖAW u. Lektor f. Dt. Fachsprache u. Neupersisch b. d. Österr. Orientges. Hammer-Purgstall. P.: 16 Publ. darunter "Die Symbolik in d. späteren Lyrik Brechts", "Uto v. Melzer (1881-1961)", "Neupersisches Personennamenbuch" (in Vorbereitung). E.: 1973 Ausz. f. Mag.Stud. M.: Wr. Sprachges. (R.A.)

Rath Ernst Dr. Dkfm.

B.: Kfm., Vorst.Vos. FN.: AUG. RATH JUN. AG Chamottewaren- u. Tonöfenfabrik. DA.: 1015 Wien, Walfischg. 14. G.: Wien, 16. Dez. 1938.

Rath Franz

B.: Bäckermstr. d. Rath Bäckerei. DA. u. PA.: 4040 Linz-Urfahr, Hauptstr. 28. G.: Linz, 31. Aug. 1922. V.: Elfriede, geb. Janout. Ki.: Friedrich, Elisabeth, Michael-Franz. El.: Franz u. Berta. S.: 1937-40 Bäckerlehre, 1940-45 Militärdienst Rußlandfeldzug Verwundung, 1943 Bäckermstr.Prüf. K.: Übernahme d. elterl. Betriebes, 1934 Rückkehr aus Kriegsdienst, Wiederaufbau d. eigenen Betriebes, Aufbau v. 2 Filialen. P.: Verfasser v. ca. 300 volkstüml. Gedichten, Versen u. Geschichten, div. Veröff. E.: Verd.Med. d. Stadt Linz d. Wirtschaft. M.: Kriegsopferverb. H.: Jagd, Brauchtum d. Bäckerhandwerks. (J.G.)

Rath Friedrich Edmund

B.: Gschf. Ges. FN.: Edmund Rath & Co KG. DA.: 4020 Linz, Zaunmüllerstr. 5. PA.: 4030 Linz, Wohnstättenweg 8. G.: Linz, 3. Okt. 1952. V.: Ingrid, geb. Forsthuber. Ki.: Sabine, Florian. El.: KommR. Edmund u. Annemarie. S.: VS, Gymn., Matura, Stud. BWL Linz. K.: 1972 Eintritt in d. Familienbetrieb, 1982 Umwandlung in KG u. seither Gschf. Ges. E.: mehrfacher Landesmstr. im Pistolenschießen. M.: Gremialaussch. f. Altstoffhdl. sowie Eisenhdl., Ortsgruppenobm. Wirtschaftsbund Linz-Lustenau, Lionsclub Linz-City, Management-Club Linz. H.: Surfen, Skifahren, Langlaufen, Joggen, Pistolenschießen. (W.B.)

Rath Friedrich

B.: Gschf. Ges. FN.: Belimo Stellantriebe Vertriebs GmbH. DA.: 1150 Wien, Arnsteing. 7. PA.: 1140 Wien, Heinrich-Collin-Str. 34. G.: Mistelbach, 28. März 1949. V.: Renate, geb. Svoboda. El.: Friedrich u. Marta. S.: HS, FH f. Elektrotechnik, Mstr.Prüf. Elektrotechnik 1971, Management Kurse. K.: als Elektriker tätig, NIOGAS 1. Betreuer d. Funkstationen div. Haushaltsgeräte Importeuren (Weißware), SATCHWELL Servicemanager, danach Vertrieb übernommen (Österr. u. Osteuropa), 1984 selbst. 50% Fa. Moldrich, 1984 Belimo gegründet Regeltechnik. P.: Fachartikel. M.: Europ. Aussch. f. Brandschutz in lufttechn. Anlagen. H.: Skifahren, Fernreisen, Tennis, gut Essen. (A.K.)

Rath Gabriele

B.: Inh. FN.: Rath & Tat Werbeagentur. DA.: 5020 Salzburg, Steing. 1. PA.: 5020 Salzburg, Sebastian-Stief-G. 3/8. G.: Wien, 19. März 1959. El.: Josef u. Theresia. S.: 1977 Matura Wien, 1978 1 J. Abiturientenlehrgang HAK Wien. K.: 1978-82 Tätigkeit in einer Exportfirma Wien, 1980-82 Univ.-Lehrgang f. Werbung u. Verkauf WU Wien, 1982-87 Kundenbetreuung u. Marketingberatung b. A.C. Nielsen, 1985-87 PR-Managerin b. A.C. Nielsen, 1987 Mtgl. d. Geschäftsltg. Böttger, Meister & Partnern Sbg., 1989 Grdg. Rath & Tat, Schwerpunkte: klass. Full-Service Werbeagentur, PR. M.: Marketing Club Österr. H.: Tauchen, Golf, Reisen. (G.P.)

Rath Gunter Dkfm

B.: Gschf. FN.: C. H. Knorr Nahrungsmittelfbk. GmbH. DA.: 4600 Wels, Knorrstr. 8. S.: WU Wien.

Rath Johann Dr. Mag. iur. w.HofR.

B.: Abt.Ltr. d. Abt. II/4 d. NÖ LRg. DA.: 1010 Wien, Bankg. 1. PA.: 2500 Baden, Kornhäuselg. 16/2/1. G.: Baden, 16. Nov. 1929. V.: Gertraude, geb. Schula. Ki.: Bettina, Wolfgang, El.: Josef u. Anna. S.: Matura 1948, Jusstud. an d. Univ. Wien, Prom. 1956, Ger.Jahr in Baden u. Wien. K.: 1957 Eintritt in d. Dienst d. Bdl. NÖ, BH Horn, Tulln, Baden, 1965-70 Bruck/Leitha BH-Stellv., seit 1970 in Amt d. NÖ LRg., 1980 Abt. I/AV (Präsidialabt.), seit 1981 Amtsltr .Stellv., 1959 Rg.Konzipist, 1961 Kmsr., 1963 OKmsr., 1966 RgR., 1970 ORgR., 1981 w.HofR, seit 1987 Abt.Ltr. E.: Florianiplakette d. NÖ LFeuerwehrverb. 1967, Sparkassenehrennadel in Gold u. Silber f. 15 J. Tätigkeit als Staatskmsr. d. NÖ Sparkasse zu Hainburg. M.: NÖ Ak.Bund, Österr. kirchenrechtl. Ges., Plulister-senior d. MKV-Verbindung Pannonia zu Bruck/Leitha, kath. Männerbewegung im Viktoriat Wien Süd (Wr. Neustadt), PfarrgemR. v. St. Christophen/Baden WEG, Obm. d. Elternver. am BG Baden, H.: Langlaufen, Wandern, Briefmarken, Photografieren, Filmen, Reisen, Kunst, Musik, Land u. Leute. (A.W.)

Rath Johannes Ing.

B.: Inh. d. Schiffsführerschulen Melk u. Marbach u. d. Fahrschulen Melk u. Mank. DA. u. PA.: 3390 Melk, Wiener Str. 47. G.: Wr. Neustadt, 7. Okt. 1950. V.: Waltraud, geb. Zehetgruber. Ki.: Heidelinde (1972), Johannes (1973). El.: Hans u. Elisabeth. S.: VS, Stiftsgymn. Melk, HTBL Elektrotechnik St. Pölten, 1970 Matura. K.: 1971 Eintritt in d. elterl. Betrieb Fahrschule Melk, 1972 Grdg. d. Schiffsführerschulen Melk u. 1975 Marbach, 1983 Übernahme d. Fahrschule Melk, 1989 Grdg. d. Fahrschule Mank. BL.: seit 1989 GemR. Melk. M.: Fachgruppenaussch.-Mtgl. d. Fachgruppe f. Kraftfahrschulen NÖ, Gen.-Sekr. d. Oldtimer-freunde NÖ. H.: Restaurierung, Erhaltung u. Pflege v. histor. Kraftfahrzeugen. (M.M.)

Rath Reinhard Dipl.-Ing.

B.: staatl. befugter u. beeid. Ziviling. f. Bauwesen. DA.: 8680 Mürzzuschlag, Mariazeller Str. 4a. PA.: 8680 Mürzzuschlag, Kaiblingerg. 14. G.: Mürzzuschlag, 12. Okt. 1952. V.: Eva, geb. Rückert. Ki.: Edgar (1982), Christoph (1985). El.: Anton u. Hermine. S.: 1973 Matura, 1973-80 Stud. TU Graz. K.: Praxis in versch. Firmen u. Büros, Eröff. u. Führung d. eigenen Büros in Mürzzuschlag, StadtR. in Mürzzuschlag, 1987 Ziviltechnikerprüf. M.: Lions Club Mürzzuschlag, seit 1973 ÖVP. H.: Familie, Arb. (K.K.)

Rath Stefan

B.: Mitinh. FN.: Jos. Zahn & Co OHG Erzeugung u. Renovierung v. Stil-, Kristall- u. Kirchenlustern. GT.: Mitinh. d. Firma Lobmeyr KG Wien, Lobmeyr Werkstätte GmbH Wien. DA.: 1037 Wien, Salesianerg. 9, 1010 Wien, Kärntner Str. 26. PA.: 1037 Wien, Salesianerg. 9. G.: Wien, 10. Apr. 1943. V.: Elisabeth, geb. Czipulka. Ki.: Johannes (1977). El.: Hans Harald u. Janet, geb. Street. BV.: Urgroßonkel Ludwig Lobmeyr war Pioneer in d. Glas- u. Lichtgestaltung u. hat d. ersten elektr. Lustern konzipiert. K.: 10 J. Tätigkeit in d. Autovermittlung, nach d. Tod d. Vaters 1972 übernahme d. Firma Zahn & Co, Schwerpunkt: Pflege d. histor. Beleuchtung unter d. merkmalpfleger. u. handwerkl. Voraussetzungen. P.: Hrsg. d. firmeneigenen Zeitung Jos. Zahn & Co Art & Cultur. M.: Wr. Männer Gesangsver., Österr. Ges. f. Ordenskunde (Kassier). H.: Orden sammeln. (N.A.)

Rath Wolfgang Ing.

B.: Gschf. FN.: S T G Seilbahntechnik Ges.m.b.H. DA.: 1232 Wien, Zetscheg. 21. PA.: 2320 Schwechat, Netzg. 20. G.: Wien, 18. März 1944. V.: Waltraude Weissenhofer. Ki.: Wolfgang, Jeanette, Christian. El.: Elvira u. Franz. S.: Elektromechanikerlehre, Werkmeisterschule, 1972 HTL Matura. K.: Tätigk. bei Siemens u. BBC, s. 1988 bei STG Seilbahntechnik, Baugebiete i. Österr., Deutschland u. Osteuropa, Kooperations-partner weltweit. H.: Familie. (W.J.)

Rathammer Alfred Dkfm.

B.: Gschf. Ges. FN.: PC-SERVICES, EDV Beratungs GMBH. DA u. PA.: 1160 Wien, Johann-Staud-Str. 29. G.: Wien, 1. Sept. 1936. V.: Brigitte, geb. Schmidt. Ki.: Thomas (1966), Andreas (1973), Matthias (1977), Olivia (1978). El.: Robert u. Margarethe. S.: 1955 AHS-Matura, HS f. Welthdl. - BWL, 1959 Dkfm. K.: ab 1960 Systemberater, 1972 ltd. Systemberater, 1975 techn. Vertriebsltr., 1981 techn. Ltr. f. "Small Systems", ab 1992 Gschf. d. PC-SERVICES GMBH. E.: eine Reihe v. IBM-Firmenausz. H.: Golf, Tennis, Ski, Bridge. (M.M.)

Rathgeb Franz

B.: selbst. Bmstr. FN.: Bmstr. Franz Rathgeb Hoch- u. Tiefbau GmbH. DA. u. PA.: 5660 Taxenbach, Gschwandtnerweg 64. G.: Lend, 30. Sep. 1940. V.: Rosemarie. Ki.: Charlotte, Iris, Franz. El.: Franz u. Anna. S.: VS, HS, 1955-58 Maurerlehre, 1958 Gesellenprüf., 1972 Bmstr.-Prüf. K.: 1971 Baultr. d. Wohnbaugen. Bergland Zell am See u. Firma Bacher, 1976 selbst. Bmstr. u. Fachlehrer an d. HTL Saalfelden. M.: seit 1963 Feuerwehr. H.: Feuerwehr, Skifahren. (A.W.)

Rathkolb Oliver DDr.

B.: Co-Dir. d. Ludwig Boltzmann Inst. f. Geschichte u. Gesellschaft. GT.: wiss. Ltr. d. Kreisky-Archivs u. Wissenschaftskoordinator d. "Bruno-Kreisky-Forums f. intern. Dialog". DA.: 1090 Wien, Rotenhausg. 6. G.: Wien, 3. Nov. 1955. V.: Lydia, geb. Rücklinger. Ki.: Victor. El.: Dr. Otto u. Margarethe. S.: 1974 Matura, Stud. an d. Univ. Wien Rechtswiss. u. Geschichte, 1978 Prom. Dr. iur., 1982 Dr. phil. K.: regelm. Forsch.Aufenthalte in d. USA, seit 1984 wiss. Mitarb. im Ludwig Boltzmann Inst., ab 1985 wiss. Ltr. d. Kreisky Archivs, ab 1992 Wissenschaftskoordinator d. Kreisky-Forums, ab 1994 Co-Dir. d. LB-Inst. P.: 8 Buchveröff.: Ges. u. Politik am Beginn d. 2. Rep. 1945, 1985, Es ist schwer, jung zu sein. Jugend u. Demokratie in Österreich 1918-1988, 1988, Führertreu u. gottbegnadet. Künstlereliten im Dritten Reich, 1991, Washington ruft Wien - U.S. Großmachtpolitik u. Österr., 1952-1962 (1995), Mithrsg.: Der junge Kreisky, Schriften, Reden, Dokumente, 1933-45, 1986, Verdrängte Schuld, verfehlte Sühne, Entnazifizierung in Österr., 1986, Die veruntreute Wahrheit. Hitlers Propagandisten in Österreich 1938, 1988, Österreich u. Deutschlands Größe. Ein schlampiges Verhältnis, 1990, div. histor. Publ. in Österr. u. USA, Fachart. über Nachkriegsgeschichte u. Kulturpolitik. H.: Tennis, Skifahren. (M.B.)

Rathkolb Otto Dr. med.

B.: Primararzt am Hanusch-KH. GT.: Ltr. d. Ludwig Boltzmann-Forsch.Stelle f. physikal. Diagnostik. DA.: 1140 Wien, Heinrich-Collin-Str. 30, 1030 Wien, Neulingg. 13. G.: Wien, 20. Juli 1942. V.: Meta-Katarina, geb. Jeric. Ki.: Gregor, Alexandra. El.: Dr. Otto u. Margarethe. S.: 1960 Matura, Stud. Med. Univ. Wien, K.: Praktikum Rudolfsstiftung, FA Wilhelminenspital u. Univ.Klinik Wien, seit 8 J. Primararzt am Hanusch-KH, FA f. physikal. Med., Schwerpunkt: Schmerzspezialist, Erkrankungen d. Bewegungs- u. Stützapparates. P.: ca. 40 wiss. Arb., Elektrotherapie - eine Alternative z. medik. Herpestherapie. M.: Ltr. d. Ludwig Boltzmann-Forsch.Stelle f. physikal. Diagnostik. (P.R.)

Rathmanner Andreas

B.: Gschf. Ges. FN.: Fox Werbegrafik KEG. DA.: 1070 Wien, Halbg. 7. G.: München, 13. Juni 1964. V.: Daniela, geb. Seemann. Ki.: Jakob (1986), Lena (1991). El.: Rudolf u. Erika. S.: VS, Gymn., 1984 Matura, Stud. Soz. u. Publizistik. K.: 2 J. Bühnenbildnerass. b. Hans Kudlich, Grafiker b. Tennisillustrierten, Grafiker b. Werbeagentur Schretter & Comp., 1991 selbst. m. Fox Werbegrafik KEG. P.: Fox-Box. H.: Fotografie, Malerei. (J.M.)

Rathmayr Renate Dr. Mag.

B.: Inst.-Vorst., Univ.-Prof. am Inst. f. Slaw. Sprachen d. WU Wien. DA.: 1090 Wien, Aug. 9/4. PA.: 1030 Wien, Reisnerstr. 22/7, 6071 Aldrans, Innsbrucker Str. 7. G.: Graz, 28. Apr. 1947. Ki.: Philipp (1977), Michael (1978). El.: Dr. Wilhelm u. Ruth Baierle. S.: 1965 Matura, Stud. Dolmetscher, Übersetzer u. Lehramtsausb. in Franz. u. Russ. Univ. Graz, 1971 Abschluß, 1975 Prom. z. Dr. phil., 1985 Habil. K.: ab 1971 Bundeslehrer im HS-Dienst am Inst. f. Slawistik d. Univ. Innsbruck, 1988/89 Gastprof. Slaw. Seminar d. Univ. Hamburg, seit 1989 o.Univ.-Prof. am Inst. f. Slaw. Sprachen. P.: Die perfektive Präsensform im Russ., Eine multilateral-kontrastive Funktionsanalyse d. russ. Form anhand ihrer franz. u. dt. Entsprechungen (1976), Die russ. Partikeln als Pragmalexeme (1985), Verhandeln m. Russen. Ein Ratgeber f. d. Geschäftspraxis (1992), über 60 wiss. Art. z.B.: Russ. Getsik u. Mimik s. d. Persp. d. Handelnden u. Beob. in Slav. Linguistik 1986 hgg. v. G. Freidhof 1987, Von

Kommersant bis dzast in taim: In Slaw. Ling. 1990, hgg. K. Hartenstein u. H. Jachnow 1991 M.: Österr. Slavistenverb., Verb. d. Neuphilologen Österr., Ges. f. angew. Linguistik, Russ.-Lehrerverb. österr. H.: Skifahren, Bergsteigen, Schwimmen, Musik, Theater.

Rathner Rudolf

B.: Unternehmer, Gschf. Ges., Inh. FN.: Erharter & Rathner GmbH; MG Tech; Hans Radler & Co KG. DA.: 6380 St. Johann, Hinterkaiserweg 25. PA.: 6380 St. Johann, Bärnstetten 7. G.: Schwarzach, 18. Mai 1930. V.: Hermine, geb. Brennsteiner. Ki.: Günter (1971), Christina (1980). El.: Rudolf u. Inge. S.: VS, HS, Berufsschule, 3 J. Malerlehre im elterl. Betrieb in Mittersill, 1967 Gesellenbrief, 1969 BH. K.: 2 J. Auslandspraxis in d. BRD, seit 1972 in Kitzbühel, 1972-74 in einem Tapezierer- u. Raumausstattungsbetrieb in Kitzbühel, 1974 Meisterprüf. in Sbg., seit 1976 selbst. Betrieb in St. Johann übernommen, seit 1987 Gschf. Ges. d. Firma Erharter & Rathner GmbH St. Johann, seit 1992 Gschf. d. Maschinen- u. Geräteverleih MG Tech Kufstein. E.: Eingetragen ins Gold. Handwerksbuch. H.: Reisen. (J.F.)

Ratschew Boris Dr. univ. med. OMedR.

B.: FA f. ZMuK. DA.: 1120 Wien, Schönnbrunner Allee 11. PA.: 1100 Wien, Steineicheng. 3. G.: Rousse/Bulgarien, 16. Okt. 1923. V.: Hilde, geb. Thür. Ki.: Claudius, Simona, Bettina. El.: Pentscho u. Zonka. BV.: Großvater mütterlicherseits war NatR.Abg. in Bulgarien. S.: Mittelschule Bulgarien, 1942 Matura, Militärdienst b. 1945, Med.Stud. Univ. Sofia, 1947 Übersiedlung nach Wien u. Fortführung d. Stud. an d. Univ. Wien u. Graz., 1953 Prom. K.: ab 1954 im KH Rudolfsstiftung im Rahmen d. Turnusausbild. tätig, seit 1961 FA f. ZMuK u. seit 1962 eigene Praxis, parallel z. Tätigkeit in d. Rudolfsstiftung b. 1963. E.: 1980 MedR., 1984 Silb. EZ d. Ärztekam. f. Wien, 1988 OMedR. M.: Großofficier d. Souveränen Templerherrenordens (seit 1957). H.: Musik, Oper, Theater, Philatelie, Malen. (N.A.)

Ratschew Claudius Dr. med.

B.: selbst. FA f. Zahnheilkkunde. DA.: 1120 Wien, Flurschützstr. 2. PA.: 1100 Wien, Max-Mauermann-G. 17/8/3. G.: Wien, 21. April 1964.V.: Dr. Daniela, geb. Kaldarar. El.: OMedR. Dr. Boris u. Hilde. S.: 1974-82 Theresian. Ak., 1982-88 Med. Stud. Univ. Wien m. Prom. z. Dr. med., 1989-91 Ausbild. z. FA f. Zahn-, Mund- u. Kieferheilkunde a. d. Univ. Zahnklinik Wien, 1988-89 med. wiss. Mitarb. b. Gerot Pharmazeutika, 1991 Eröff. d. eig. Ordination, ab 1992 Univ.-Ass. f. zahnärztl. Chir. a. d. Wr. Zahnklinik. M.: s. 1987 Vorst.-Mtgl. d. Ver. ehemaliger Theresianisten, s. 1992 Vizepräsident, s. 1994 Mtgl. beim Lions-Club Wien Auersperg. H.: wiss. Fortbild., Autos, Arch. (N.A.)

Ratt Wolfgang Karl-Heinz

B.: Inh. d. Hugo Ratt & Co. DA.: 6853 Dornbirn, Welloch 1. PA.: 6850 Dornbirn, Lange Mähder 52. G.: Dornbirn, 25. Jan. 1947. V.: Doris, geb. Schwendinger. Ki.: Evelyn (1970), Stephan (1972), Matthias (1975). El.: Hugo u. Helga, geb. Müller. S.: Höh. Graph. Lehr- u. Versuchsanst. Wien, Abschluß 1966. K.: Eintritt in d. elterl. Betrieb, Ausbau v. Klein- zum Mittelbetrieb, ü. 50 % Export in d. Schweiz u. BRD, s. 1985 Prüf.Vors. d. Lehrabschlußprüf. f. d. Graph. Gewerbe. E.: Gold C m. 3 Brillanten f. Segelfliegen. M.: 1963-83 Mtgl. d. SFG Dornbirn, Präs. d. Tennisclub Dornbirn. H.: Tennis, Skifahren, Familie. (M.G.)

Rattenegger Franz KommR.

B.: Unternehmer, Ges. d. Fa. Schuhhaus Franz Rattenegger GmbH & Co KG, Knittelfeld u. d. Fa. Schuhhaus Gerhard Rattenegger GmbH & Co KG, Judenburg. DA. u. PA.: 8720 Knittelfeld, Fraueng. 28. G.: St. Salvator/Friesach, 5. Mai 1928. V.: Erika, geb. Nagele. Ki.: Gerhard, Betriebswirt - Gschf. d. Fa., Franz, Handelsass., Gschf. d. Fa. El.: Franz u. Romana. K.: Orthopädie- u. Handelslehre in Graz, Praxis, Fachlehrerprüf., 1949 Mstr.-Prüf. in Sbg., 1951 eigene Lederhdlg. in St. Salvator, 1959 Schuhhaus in Knittelfeld, 1977 Eröff. d. Schuhgeschäftes Judenburg, 1982 Filiale Zeltweg, 1983 Quick-Schuh Knittelfeld, 1984 Quick-Schuh Judenburg. E.: Berufswettkampf-Gausieger v. Stmk. (Landessieger 1944), EZ in Gold m. Brillanten 1988 (Ring-Schuh), KommR. 1989, Gold. Ehrennadel d. Handels d. HK Stmk. 1990, Volksbanken-EZ in Gold 1990, Kameradschaftsbund Gold. VZ d. Landesverb. Stmk. M.: Grdg.-Mtgl. u. AufsR. d. Ring-Schuh-Graz, AufsR. d. Volksbank Aichfeld/Murboden, Bez.-Vorst. d. Handels in Knittelfeld, Vorst. d. Gutes Landschach, Protektor Stadtverb. d. Kameradschaftsbd. Knittelfeld.

Ratz Johann

B.: Bootbaumstr. FN.: Johann Ratz Schiffahrts u. Bootsbau GmbH. DA. u. PA.: 5340 St. Gilgen, Lienbacherweg 3. G.: St. Gilgen, 24. Aug. 1943. V.: Waltraud, geb. Herzog. Ki.: Johann, Monika. El.: Johann u. Stephanie. S.: Tischler- u. Bootbaulehre m. Mstr.Prüf. K.: Inh. d. 1894 unter d. Namen "Johann Ratz Yacht- u. Bootswerft" gegründeten Fa., seit d. 1979 erfolgten Umwandlung in eine GmbH gschf. Ges., Tätigkeitsbereich: Boots- u. Liegeplatzvermietung, Ausflugsfahrten, Schiffsführerschule, Hdl. m. Booten, Gebrauchtbooten u. KFZ. E.: Silb. EZ d. ÖWR, Lv. Sbg. M.: Sachv. d. Obersten Schiffahrtsbehörde im Min. f. Öff. Wirtschaft u. Verkehr sowie Gerichtssachv. im Sprengel d. OLG Linz, Mtgl. d. Fachverb. d. Schiffahrtsunternehmungen in d. BWirtschaftskam., Mtgl. d. HK Sbg., Sekt. Fremdenverkehr, Mtgl. d. Österr. Wasserrettung (ÖWR). H.: Beruf. (Foed.)

Ratz Konrad Dr. Dkfm.

B.: Gschf., Dir. d. Forschungsförderungsfonds f. d. Gewerbl. Wirtschaft, ak. Übersetzer (engl.), Gerichtsdolmetsch (span.) DA.: 1010 Wien, Kärntner Str. 21-23. PA.: 1030 Wien, Untere Weißgerberstr. 61/4. G.: 20. Dez. 1931. Ki.: Wolfgang, Magdalena. El.: Franz u. Anna. S.: BG Hollabrunn, HS f. Welthdl., Dolmetschinst. in Wien. K.: 1958-60 in d. span. Automobilind. tätig, 1960-72 Ref. im Fachverb. d. Maschinenind. (BWK), 1972 Gschf. BL.: Berater f. OECD, Prüfer d. span. Wiss.Systems (1985). P.: "Pubertät als Sinnkrise" (1975), "Militärgerichtsverfahren gegen Maximilian v. Mexico" (1985), "Süße Freundin" in Zusammenarb. m. Prof. Babinsky (Musical 1984), "Innovationsfinanzierung f. kl. u. mittlere Unternehmen" (1988), "Maximilian in Querétaro" (1991). M.: Club Alpbach, Managementclub, Lateinamerika-Inst. (J.S.)

Ratzenberger Gerhard Dr. med.

B.: FA f. Zahn-, Mund- u. Kieferheilkunde. DA.: 1010 Wien, Kärntner Str. 28. PA.: 2103 Langenzersdorf, Kellerg. 221. G.: Wien, 9. Juni 1950. El.: Otto u. Hilde. S.: RG, Stud. an d. Univ. Wien, 1976 Prom. K.: 1976-79 1. Chir. in Wien, 1979-84 Ass. an d. Univ. Klinik f. Zahn-, Mund- u. Kieferheilkunde, Abt. f. zahnärztl. Chir. seit 1982 Ordination in Wien, HS-Ref. d. zahnärztl. Interessenverb. M.: Lazarus-Orden. H.: Reisen, Küche u. Keller. (C.K.)

Ratzenböck Hans-Jörg - Fatsy

B.: Ltr. d. Einkaufs d. Linzer Stadtbetriebe. DA.: 4020 Linz, Huemerstr. 3-5. PA.: 4020 Linz, Eisenhandstr. 31. G.: Linz, 19. Juli 1943. V.: Ilse-Katharina. Ki.: Markus (1971). S.: kfm. Ausbild., Abendschule/Matura. K.: seit 33 J. b. Linzer Versorgungsbetrieb, künstler. Tätigkeit: seit 35 J. Linzer Allroundkünstler: Sänger, Conferencier, One-man-band, Star Disc-Jockey u. Showmaster, Auftritt im In- u. Ausland z.B. Berlin, Hamburg, Düsseldorf, Amsterdam, Paris, London, Schweiz, Arlberg, München usw., eigene Band "Fats & Wild Cats", seit 1976 Hofmarschall d. Faschingsgilden NarraLentia, UFA UFA, ArgeHumor, LIDONA, Betätigung als Werbemann, Programmschreiber, Werbefiaker, Sportfunktionär, 1980-84 Gründer d. 1. Western Festivals v. Österr., 1982 Grdg. d. "Country & Western Club Austria" in Linz, 1990 Organisator d. 1. Int. Harley Davidson Treff Austria (800 Teiln. v. Moskau - Los Angeles), 1991 Errichtung d. 1. Cowboy-Museum Austria in Linz, Auftritte im Radio u. Fernsehen. P.: zahlr. Veröff. über d. Linzer Musikszene, Berichte über Fatsy erschienen in Europa u. USA. zweimal 1. Preis v. WI/USA, Dt. Kulturpreis u. Kultmedaille d. Stadt Linz. (P.H.)

Ratzenböck Josef Dr.

B.: LHptm. v. OÖ bis 2. März 1995. DA.: 4010 Linz, Klosterstr. 7. PA.: 4020 Linz, Kroateng. 35. G.: Neukirchen a.W., 15. Apr. 1929. V.: Anneliese, geb. Polz. El.: Josef u. Amalia. S.: VS, hum. Gymn., Jusstud. K.: Ang. d. Landesparteiltg. d. ÖVP, Landesparteisekr., Landesrat, LHptm. u. LParteiobm. d. ÖVP. Bundespartei-Obm.-Stv. d. ÖVP; AufsR.-Vors. d. OÖ Kraftswerke AG Linz, AufsR. d. Bank f. OÖ u. Sbg. u. d. Versicherungsanst. d. Österr. Bundesländervers. AG Wien. H.: Archäologie, Botanik, Zeitgeschichte u. Geschichte.

Ratzenhofer Emil OIng.

B.: OIng. d. Kraftwerk-Union (Siemens) Frankfurt/Main i.R., Dt. u. Österr. Mstr. im Paarlauf. A.: D-6233 Kelkheim, Parkstr. 12. G.: 2. Aug. 1914. V.: Christa, geb. Thurmann. Ki.: Sabine (1955), Martina (1958). El.: Gen. Ing. Emil u. Gisela, geb. Sandbichler. BV.: Großvater Gustav Ratzenhofer Feldmarschallt., Präs. d. k.u.k. Militärobergerichtes, Soziologe u. Philosoph. S.: TH Wien. K.: CSR Staatsmeisterschaft 1. Pl. 1937, Einzeleiskunstlauf, Paarkunstlauf m. seiner Schwester Herta, Juniorenmstr. München 1940, Dt. Meisterschaft 3. Pl. 1942, 2. Pl. 1943, 1. Pl. 1944, Österr. Meisterschaft 1. Pl. 1946, 1947, 1948 u. 1949, 3. Pl. b. d. Europameisterschaft 1948 Prag, 1949 Mailand, Teilnahme an d. Olympiade 1948 St. Moritz, 1948-52 Elin AG Wien Ref. f. Steweag u. Ennskraftwerke, Jochenstein AG Passau: 1952-1961 Projektierung, Auftragsvergabe u. Baultg. d. Elektr. Schaltanlagen, VDEW-Richtlinie f. Turbinen-Wirkungsgradmessungen, AEG Frankfurt: 1961-67 Projektltg. f. d. Pumpspeicherwerk Glems am Schwäb. Alb u. 2 Moselkraftwerke, Kraftwerk-Union Frankurt: 1967-74 Bearb. d. Elektr. Schaltanlagen am Heißdampf-Siedewasserreaktor Kahl, Überwachung d. Montagen auf d. Baustelle, 1975-80 Qualitätssicherung f. Kernkraftwerke, Aufstellung eines Kalkulationsrahmens f. Kernkraftwerke. E.: Ehrennadel d. Stadt Wien, 12x Sportabz. seit Pensionierung. H.: Eislaufen, Skifahren.

Ratzenhofer-Aschenbrenner Herta Mag. OStR. Prof.

B.: Prof. i.R., ehem. Österr. Mstr. im Paarlaufen. DA.: 1020 Wien, Schüttelstr. 11/5/17. G.: Wien, 27. Juni 1921. Ki.: Heinz (1955). El.: Gen. a.D. Ing. Emil u. Gisela Ratzenhofer. BV.: Großvater Feldmarschallt. Gustav Ratzenhofer, Sozialwissenschaftler u. Philosoph. S.: Gymn. Wien, Stud. Wien, 1945 Lehramtsprüf. Leibesübungen, Geographie f. AHS. K.: 1946-81 Unterricht am Rainer-Gymn. Wien, m. 4 J. z. Eislaufen begonnen, Paarlaufen gemeinsam m. Bruder Dipl.-Ing. Emil, 1940 1. Pl. Junioren-Meisterschaft, 1943, 1946, 1947, 1948 u. 1949 Österr. Mstr. im Paarlaufen, 1944 Dt. Mstr., 1948 Prag u. 1949 Mailand Dritte d. Europa-meisterschaft, 1949 Fünfte d. Weltmeisterschaft in Paris, 1949 Schaulauf-Tournee in Schweden. P.: 1977-86 zahlr. Art. in d. Fachzeitschrift Leibesübungen u. Leibeserziehung Wien, Lehrbehelf d. BMUKS, "Eislaufen lernen - aber richtig!" Gruppenunterr., 1989 Neue Eislauf-Grundschule im Handbuch, Handbuch "Sport in d. Volksschule" 1989 Bundesverlag, Lehrfilm Eislaufen 1990 "Neue Grundschule" Televisfilm. E.: Gold. Ehrennadel d. Stadt Wien, Gold. Ehrenring d. Wr. Eislaufver., Silb. EZ d. Österr. Eislaufverb. 1987. H.: Natur, Skifahren, Eislaufen, Schwimmen, Tennis, Gartenarb., Reisen, Fotografieren, Filmen, Oper, Theater. (M.G.)

Ratzer Karl

B.: Musiker, Komponist, Arrangeur, Texter.FN.: c/o Agency for Music and Art. DA.: D-63067 Frankfurt/-Ofenbach, Kaiserleitstr. 51. G.: Wien, 4. Juli 1950. V.: Anne-Maria, geb. Staudinger. El.: Karl u. Ruperta. K.: Musikalische Wurzeln in den souligen Klängen der sechziger u. siebziger Jahre, zunächst Gitarrist, Komponist u. Sänger in Wien mit der Classic-Rock-Formation, "C-Department" u. der Band "Gipsy Love", anschließend 10 Jahre in Amerika, Gast bei zahlreichen Spitzen-Jazzfestivals u. a. Indianapolis, Tampa, Chicage usw. Ab 1978 Zusammenarbeit mit dem legendären Trompeter Chet Baker, Tourneen durch Amerika u. Europa, seit 1981 wieder i. Wien, Arbeit mit der ORF Big-Band, Idris Muhammed, Art Farmer, Hans Koller u. Fritz Pauer u.a., 1991 Gründung der Band Beat the Heat. P.: bisher 15 Solo-Alben. H.: chinesisches Schattenboxen. (J.S.)

Ratzinger Karl

B.: Wirtschaftstreuhänder, Steuerberater. FN.: Priester - Ratzinger Wirtschaftstreuhänder OEG. DA.: 4400 Steyr, Stelzhamerstr. 14A. PA.: 4400 Steyr, Laichbergweg 1a. G.: Steyr, 11. Apr. 1948. V.: Christa, geb. Kammerhofer. Ki.: Sonja (1975), Stefan (1977). El.: Karl u. Margarete. S.: VS, HS, b. 1967 HTL Maschinenbau Steyr, 1967-68 BH, 1968 Stud. BWL Linz. K.: seit 1974 Tätigkeit b. Wirtschaftstreuhändern in Linz u. Steyr, 1979 Steuerberaterprüf., 1984-90 selbst. m. Dr. Franz Schlager, seit 1992 neue Partnerschaft m. Franz Priester. P.: Vortragstätigkeit im berufl. Rahmen. M.: Akademikerbund, Vorst.-Mtgl. ÖVP Stadt Steyr. H.: Bergwandern, Skifahren. (U.A.)

Rätzke Klaus-Peter

B.: Gschf. FN.: Schober Direktmarketing GmbH. DA.: 1232 Wien, Mosetigg. 1. PA.: 1130 Wien, Girzenbergg. 20. G.: Neustettin, Prommern, 9. Apr. 1941. V.: Jutta, geb. Günther. Ki.: Elena (1981), Felicitas (1986). El.: Kurt u. Ilse. S.:

Gymn. Karlsruhe, Traineeprogramm b. Kaufhof. K.: 10 Jahre im Versandhandelsmarketing, anschl. 10 Jahre Direktmarketingberatung, s. 1988 in Wien als Gschf. d. Schober Direktmarketing. H.: Familie. (J.S.)

Raubal Fritz ÖkR.

B.: Weinhauer. DA. u. PA.: 2352 Gumpoldskirchen, Wiener Str. 34. G.: Gumpoldskirchen, 7. Juli 1922. V.: Auguste, geb. Hartl. Ki.: Fritz (1948), Alois (1954). S.: 1940 Gymn.-Matura. K.: 1945 Eintritt in d. elterl. Weinbaubetrieb in Gumpoldskirchen u. Mitwirkung b. dessen Erweiterung, ab 1964 Ausweitung auf Buschenbetrieb, 1974 Verleihung d. Titels ÖkR. f. Verd. um d. Weinbau u. Öff.-Arb. BL.: zahlr. Prämierungen f. Sortenweine. M.: 15 J. Mtgl. d. Gem.-Vertretung Gumpoldskirchen, 15 J. KamR. in d. Bez.-Ldw.-Kam. Mödling, langjähr. Obm. d. Weinbauver. Gumpoldskirchen u. danach dessen Ehrenmtgl. H.: Weinbau, Musik (Mozart). (M.M.)

Rauch Christine

B.: Künstlerin (Batik), Sängerin. DA.: 2230 Gänsern-dorf, Außere Jochenstr. 26. G.: Wien, 18. Juli 1954. Ki.: Tamara (1974), Marko (1976). El.: Margareta. S.: gelernte Kindergärtnerin, Horterz., 1980 n. Gänserndorf gezogen. K.: 1989 Atelier eröff., aktive erfolgreiche Country-Musikerin. H.: Musik, Kunst. (C.G.)

Rauch Erich Dr. med. univ.

B.: Chefarzt Gesundheitszentrum Golf-Hotel. DA.: 9082 Maria Wörth, Dellach 21. G.: Graz, 27. Aug. 1922. V.: Gudrun, geb. Hoflehner. Ki.: Loretta, Axel, Thomas u. Florian. El.: Dr. Rudolf u. Maria. S.: VS, Gymn. (1940 Matura), 1940-46 Kriegsdienst, 1950 Dr. med., Prom. in Wien, b. 1955 Turnusausbild. in Wien im Kaiserin Elisebath-Spital. K.: ab 1955 Privat-Praxis in Wien, 1976 Übernahme d. Gesundheitszentrums in Dellach. P.: Med.-wiss. Bücher: Die Darmreinigung nach F.X. Mayr, Blut- u. Säftereinigung, Milde Ableitungsdiät, Heilung d. Erkältungs- u. Infektionskrankheiten d. natürliche Behandlung, Diagnostik nach F.X. Mayr, Auto-Suggestion u. Heilung, Anleitungsheft f. Auto-Suggestion, Die F.X. Mayr-Kur u. danach gesünder leben. H.: Schriftsteller med. Werke. (Hat.)

Rauch Franz

B.: Gschf. Ges., Sekt.Obm. FN.: Rauch Fruchtsäfte GmbH. GT.: AufsR. b. CA, AufsR. Vbg. Kraftwerke AG. DA.: 6830 Rankweil, Langg. 14. G.: Rankweil, 23. Mai 1940. V.: Rühmut. Ki.: Christine, Jürgen. El.: Eduard u. Hilda. S.: Grundschule, HASCH. K.: ab 1960 im elterl. Betrieb, dazwischen Praxis im Ausland. M.: Mtgl. d. Industriellever. H.: Jagd, Skifahren.

Rauch Gerhard Dr. Mag. phil. Prof.

B.: Ltr. d. Förderungsstelle d. Bundes f. Erwachsenenbild. f. NÖ. DA.: 1070 Wien, Menterg. 11. PA.: 1160 Wien, Friedmanng. 42/7. G.: Linz, 4. Sept. 1941. V.: Christiane, geb. Till. Ki.: Christa-Maria (1970), Stephan-Georg (1974). El.: Ludwig u. Anna. S.: 1960 Matura, Stud. Germanistik u. Geschichte Univ. Wien, 1966 Lehramtsprüf. f. Deutsch u. Geschichte, Mag. phil. K.: 1965-69 AHS-Lehrer Theresian. Ak. u. Albertus Magnus-Gymn., 1970-79 Gschf. Ges. Akademikerges. f. Erwachsenenfortbild., 1979-84 Gschf. d. NÖ Bild. u. Heimatwerkes, seit 1984 Ltr. d. Förderungsstelle d. Bundes f. Erwachsenenbild. f. NÖ. P.: zahlr. Fachart. z. Themenkreis Fernunterricht u. Erwachsenenbild., Hrsg. d. Zeitschrift "NÖ-Eb-Informationen". M.: Ehrenpräs. d. Österr. Fernschulverb., Mtgl. d. BLtg. d. Verb. Österr. Bild.Werke, Lehrbeauftragter d. Päd. Inst. H.: Tennis, Skifahren. (M.M.)

Rauch Gerhard

B.: Gschf. Ges., Kfm. FN.: Karosserie- u. Fahrzeugbau Walser GmbH & Co KG. DA.: 6830 Rankweil, Bundesstr. 74. PA.: 6380 Rankweil, Langg. 18a. G.: Bregenz, 19. Juli 1963. El.: Erich u. Brunhilde, geb. Walser. S.: VS, HS, HASCH, Mstr.-Schule f. Karosserie- u. Fahrzeugbau Wien u. Bregenz, 1984 Abschluß, 1985 Militär. K.: 1987 Praktikum Sbg., 1988 sämtl. Bereiche im elterl. Betrieb, 1991 Gschf. Ges. Karosserie- u. Fahrzeugbau Walser. BL.: 6. Pl. WM Kart-Sport, 5x Vbg. Mstr., 3. Pl. Österr. Staatsmeisterschaft. P.: div. Art. in Fachzeitschriften. M.: Junge Wirtschaft Vbg., Junges Handwerk Vbg., ÖVP Vbg., Motorsportclub Vbg. H.: Motorsport, Segeln, Skifahren, Lesen. (I.D.)

Rauch Gerhard

B.: Inh. FN.: Gerhard Rauch GmbH Präzisionswerkzeugbau. DA.: 1230 Wien, Eitnerg. 9. PA.: 3452 Trasdorf 161. G.: Wien, 26. Nov. 1941. V.: Theresia, geb. Gigl. Ki.: Gerhard (1970), Wolfgang (1972), Manuel (1985). El.: Franz u. Margarethe. K.: Werkzeugmacherlehre, 1955-59 Werkmstr. Maschinenbau, REFA-Arbeitstechnik, 1962-63 in d. BRD, 1963-70 Betriebsltr. einer Werkzeugbaufa., seit 1970 selbst. H.: Tennis, Skifahren, Fotografieren. (P.R.)

Rauch Hans Dieter

B.: Kfm. FN.: Hans Dieter Rauch GmbH. DA.: 1010 Wien, Graben 15. G.: Wien, 20. Sept. 1943. V.: Elfriede. S.: VS, Mittelschule. K.: kfm. Ausbild. im Betrieb d. Vaters u. seit 1968 selbst. Kfm. P.: div. Fachart. in numisamtischen u. philatelist. Zeitschriften, Haupttätigkeit: Münz- u. Briefmarkenauktionen. H.: Numismatik u. Philatelie, Kosmetikerz. d. Gattin. (J.E.)

Rauch Hellmut Dipl.-Ing. Prof.

B.: Arch., Abt.-Vorst. d. Höheren Abt. f. Bautechnik u. d. Baufachschule an d. HTL Pinkafeld, Maturavors. d. Techn. Schulen im Bgld. DA. u. PA.: 7423 Pinkafeld, Hadikg. 23. G.: Voitsberg, 29. Mai 1938. V.: Helen, geb. Short. Ki.: Jutta (1968), Nina (1971). El.: Dr. Otto u. Grete. S.: Gymn., Jusstud., dann Wechsel z. Arch.-Stud. TU. K.: 1969-78 Tätigkeit b. versch. Arch. in Wien u. NÖ, 1978 Übersiedlung nach Pinkafeld u. Lehrtätigkeit an d. HTL, zugleich selbst. Eröff. d. eigenes Arch.-Büro, 1990 Abt.-Vorst. d. Höheren Abt. f. Bautechnik u. d. Baufachschule an d. HTL Pinkafeld. BL.: während d. Stud. Rudern als Hochleistungssport betrieben (Vierer u. Achter), Österr. VMstr., Teilnahme an zahlr. Regatten im In- u. Ausland. P.: Berichte über Teilnahme an Arch.-Wettbewerben in Arch.-Zeitschriften. M.: Rotary-Club Oberwart-Hartberg. H.: Skifahren, sportl. Aktivitäten, Reisen (Italien), Beschäftigung m. histor. u. mod. Arch. (F.S.)

Rauch Helmut Dr. Dipl.-Ing. o.Univ.-Prof.

B.: o.Univ.-Prof. an d. TU Wien. GT.: Präs. d. Fonds z. Förd. d. wiss. Forsch., Prof. am Atominst. d. Österr. Univ. DA.: 1020 Wien, Schüttelstr. 115. PA.: 1140 Wien, Keferg. 23/7/7. G.: Krems, 22. Jan. 1939. V.: Annemarie, geb. Krutzler. Ki.: Dr. Peter, Dr. Astrid, Christoph. El.: Johann u. Hermine. S.: VS, BRG Oberschützen, TU Wien (Techn. Physik), 1960 Prom. K.: 1962 Univ.Ass. am Atominst., 1970 Habil., 1972 Berufung z. o.Univ.-Prof. f. Experimentelle Kernphysik, Inst.Vorst. d. Atominst. d. Österr. Univ., Inst.Vorst. d. Inst. f. Kernphysik d. TU Wien. P.: ca. 150 Publ. in einschlägiger Fachliteratur d. In- u. Auslandes, Edit. "Neutron Interferometry". E.: Erwin Schrödinger-Preis 1977, Wilhelm Exner-Med. 1985. M.: Österr. u. Dt. Phys. Ges., Chem.-Phys. Ges., Mtgl. d. Österr. Ak. d. Wiss., Academia-Europaea. H.: Tennis, Schwimmen. (R.A.)

Rauch Herbert Dr.

B.: Gründer u. Ltr. d. "Inst. f. Sozialanalyse", Wien, Sozialforscher. A.: 1080 Wien, Tigerg. 14/12. G.: Wien, 21. Juni 1939. S.: Dr. iur Univ. Wien, Dipl. d. Inst. f. Höhere Studien Wien, Methodologie d. Sozialwiss., Univ. Lyon u. Paris. K.: Lehranalyse/Psychoanalyt. Ausbild., Univ. Lehrbeauftragter f. Polit. Psycho. d. Univ. Innsbruck seit 1978, Konsulententätigkeit (UNIDO u. a.), Ltg. d. Inst. f. Sozialanalyse seit 1972. P.: "Das Prinzip d. Herausforderung in Gruppe, Masse, Organisation u. Ges.", Frankfurt/Main, 1985, P. Lang-Verlag, Art. z. Gruppen- u. Organisationsforschung, sowie z. politischen Analyse. M.: Österr. Arbeitskreis f. Tiefenpsych., Österr. Arbeitskreis f. Gruppendynamik u. Gruppentherapie, Intern. Council of Psychologists - Permanent Representatire to UN-Organizations in Vienna, Intern. Society of Political Psychology, Österr. Ges. f. Politikwiss. u.a.

Rauch Peter Dr.

B.: Gschf. Ges. FN.: Böhlau Verlag GmbH & Co. DA.: 1200 Wien, Sachsenpl. 4-6. PA.: 1238 Wein, Maurer Lange G. 139. G.: Graz, 8. Aug. 1950. V.: Christina, geb. v. Burger-Scheidlin. Ki.: Marie-Sophie (1978), Stephanie (1981), Johannes (1983), Vincenz (1988). El.: Dr. Dietrich u. Annemarie. S.: Hum. Gymn., 1968 Matura, 1969-74 Jusstud. a. d. Uni Wien, 1974 Prom. K.: ab 1975 Ausbild. u. Mitarb. i. versch. Verlagen, z. B.: Harrossowitz Verl. Wiesbaden, Springer Verl. New York, ab 1978 Mitarb. i. Böhlau Verl. Köln u. Wien, s. 1987 Gschf. Ges. im Böhlau Verl. (T.T.)

Rauch Theresia

B.: Heimltr. FN.: Bez.-Altenheim Voitsberg. DA.: 8570 Voitsberg, Franz-Schöpfer-G. 48. PA.: 8565 St. Johann ob Hohenburg, Muggauberg. G.: Markt Hartmannsdorf, 20. Apr. 1941. V.: Karl. Ki.: Karl (1980), Monika (1981). El.: Johann u. Theresia Sonnleitner. S.: Hauptschul-kurs, Schulschwestern Graz-Eggenberg, 1959-60 Schwesternschule Kreuz-schwesternsanatorium Graz, 1961 Landes-KH, 1962 Dipl. Krankenschwester. K.: 1962-65 LKH Radkersburg, 1965 Altenheim, 1971 Heimltr., 1972-75 Beamtenmatura. P.: Vortrag Sterbebeistand. M.: Lazarus-Altenhilfswerk (Ver. z. Förd. d. Lebensqual. in steir. Altenwohnheimen). H.: Singen, Gesellschaft, Wandern, Tanzen. (R.S.)

Rauch Walter

B.: Gschf. Ges. FN.: Rauch Recycling GmbH. DA.: 4030 Linz, Holzmüllerstr. 17-22. PA.: 4040 Linz, Hölderlinstr. 15a. G.: Linz, 25. Nov. 1948. V.: Evelin, geb. Kunsch. Ki.: Nina (1989). El.: Otto u. Maria. S.: kfm. Ausbild. K.: 1985 Grdg. d. Firma zuerst als Einzelfirma, 1989 Umwandlung in GmbH. M.: intern. Fachverb. H.: Sport (Tennis, Skifahren), Beruf. (U.A.)

Rauch Walter Josef

B.: Inh., Konditor. FN.: Burgcafe Walter Rauch OHG. DA.: 6850 Rankweil, Ringstr. 8. G.: Rankweil, 15. Nov. 1936. V.: Anni, geb. Scheidbach. Ki.: Martin (1966), Stefan (1969). El.: Ernst u. Alma. BV.: Vataer Ernst e. d. ersten Fruchtsäftehersteller i. Lande. S.: HASCH Feldkirch m. Abschluß 1952, Bäcker- u. Konditorlehre i. Hohenems, 1962 Mstr.-Prüf. K.: 1959-61 Konditor i. Schweiz u. Dt., 1962 Selbst., Neubau d. Burgcafe i. Rankweil. E.: Vlgb. WK 30 J. Konditormstr., Silb. EZ d. Vlbg. Wirt.-Kammer. M.: AS-MG Konditorinnung, Vors. Gesellenprüf.-Kommission, AS MG Wirtevereinig. Rankweil. H.: Bergwandern, Operetten- u. Theaterbesuche. (I.D.)

Rauch Walter Tassilo Ekkehart Ing.

B.: VPräs., Firmen-Teilhaber. A.: 1190 Wien, Sieveringerstr. 34a. G.: Wien, 21. Sept. 1927. V.: Franziska, geb. Gräfin v. Schölkshorn-Sauerstein. El.: Rausch Johann Edler v. S.: Kadettenschule Wr. Neustadt, Theresian. Ak., TH Wien. K.: Teilhaber d. Fa. Schiff & Stern KG Wien, VPräs. d. Evans Overseas Inc., Tulsa/Oklahoma a.o.Lektor an d. VHS Wien f. Somatologie, Prediger in d. Wr. Methodistenkirche "Brüder mir ist warm ums Herz". F.: Schiff & Stern KG Wien. P.: "Das Rauchtrauma u. d. Dementia praecox im Greisenalter". E.: Ritterkreuz m. Eichenlaub u. Schwertern, Komm.R. M.: Schlaraffia, Säbelfecht-Ver. Laxenburg "Kurz u. Klein" (Fechtmstr.).

Rauch-Höphffner Herbert (v. Brendt) Dr. phil.

B.: Bgm. DA.: 2361 Laxenburg, Schlosspl. 7-8. PA.: 2361 Laxenburg, Wiener Str. 17, Rauchhof, 8463 Schloß Trautenburg. G.: Laxenburg, 16. Juni 1918. V.: Edeltrud, geb. Hollmann. K.: Herbert, Edeltrud, Reinhild, Volker. El.: Leopold u. Leopoldine, geb. Hölzl. BV.: entstammt d. Fam. Rau (Rhau), Höphffner u. v. Brendt (Reichsadel 1653), Nachkomme (38. Generation) Karls d. Gr., Fam. stellt seit 1850 Gemeindevertr. u. seit 1929 Bgm. v. Laxenburg, Ehrentafel am Rauchhof (enthüllt v. BPräs. 1979). K.: Seit 1945 Funkt. u. 1951 Obm. ÖVP Laxenburg, seit 1954 Bgm. (7x gewählt). P.: mehrere Veröff. eig. Forschungsarb., z. B. Geschichte Laxenburgs, österr. Geschichte, Geschichte Trautenburg u. Familiengeschichte. E.: Ehrenbgm. v. Laxenburg, Kom. d. Alten Ord. v. St. Georg, Ritter d. Päpstl. Ordens d. Hl. Sylvester, Commandeur d. Militär- u. Hospit. Orden v. Hl. Lazarus u. mehr. in- u. ausländ. EZ, Gr. Silb. Ehrenmed. d. HK NÖ, Ehrenkette m. Doppeladler v. Verb. d. Österr. z. W. d. Gesch. Österr., Ehrenband d. Corps Victoria u. d. Corps Danubo Markomannia, Ehrendiplom d. ÖVP NÖ., Ehrendiplom d. NÖ Ldw.Kam., Gold. Med. d. ÖVP-Gem. Vertr.Verb. NÖ, Florianiplakette d. Bundes- u. LFeuerwehrverb., Gold. Ehrennadel d. ÖWB., Ehrenurk. d. BH Mödling, u.a.m. M.: Präs. u. Ehrenpräs. d. Verb. Österr. Wahrung d. Gesch. Österr., Präs. d. Clubs Habitat, Obm. d.

Bez.Bauernkam. Mödling 1958-65, Fachgruppenvorst.Stellv. d. Allg. Fachverb. d. HK NÖ u. Aussch.Mtgl. d. Allg. Fachverb. d. BWirtschaftskam., Bez.Obm.Stellv. d. ÖVP-Gem.Vertr.Verb. Mödling, H.: Heimatgeschichte, Theater, Musik, Lesen, haupts. kulturwiss. Reisen. (M.G.)

Rauch-Kallat Maria

B.: Bundesministerin f. Umwelt. DA.: 1030 Wien, Radetzkystr. 2. PA.: 1100 Wien, Favoritenstr. 206. G.: Wien, 31. Jan. 1949. Ki.: Claudia (1970), Ulrike (1973). El.: Rudolf u. Ottilie, geb. Theissl. S.: 1967 Matura, Lehramtsprüf. in Englisch, Russisch, Geographie/Wirtschaftskunde u. Leibesübungen. K.: 1967-83 Lehrerin im Wr. Schuldienst, 1983-92 Gschf. d. Sozialen Hilfswerks, 1983-87 Bundesrätin, 1987-92 im Wr. Landtag u. Gemeinderat, seit 1988 LLtr. in d. ÖVP-Frauenbewegung Wien. BL.: Grdg. u. Aufbau d. Elternselbsthilfe f. sehgeschädigte Kinder, Grdg. u. Aufbau v. Alpha/Frauen f. d. Zukunft. P.: Hrsg. v. "Frau aktuell", "Alpha", zahlr. Art. in Zeitschriften u. Zeitungen. M.: ÖVP. H.: Polit. Verbesserungen f. d. Gleichstellung d. Frau, Lesen, Theater, Kino, Ausstellungen, Skifahren. (N.A.)

Rauchbauer Josef

B.: Vors. d. LExekutive Bgld. GT.: Obm. d. Bgld. Gebietskrankenkasse, LSekr. d. Gewerkschaft Bgld. d. Bau- u. Holzarb. DA.: 7000 Eisenstadt, Wiener Str. 7. PA.: 7051 Großhöflein, Weinbergg. 23. G.: St. Georgen. 23. Febr. 1932. V.: Magdalena, geb. Tinhof. Ki.: Marlene, Josef. El.: Karl u. Anna. S.: VS, Zimmerer, Berufsschule, ÖGB-Kurse. K.: 1953-63 BetriebsR. b. Fa. Rella in Eisenstadt, ab 1964 Sekr. d. Gewerkschaft Bgld. d. Bau- u. Holzarb., seit 1969 Arb.KamR., seit 1979 Vorst.Mtgl. d. Gebietskrankenkasse. E.: Gr. EZ d. Rep. Österr. (1973). M.: ÖGB, SPÖ, Kinderfreunde, Sportver. H.: Filmen. (E.L.)

Rauchegger Frieda

B.: Bgm. v. Pernitz. DA.: 2763 Pernitz, Gentzschg. 51. G.: Piesting, 16. März 1939. V.: Georg Rauchegger. Ki.: Bernd (1976). El.: Otto u. Margarethe Wöhrer. S.: 1953-55 HASCH. K.: 1955-90 Ang. d. Abt. Expedit, Versand u. Export Papierfbk. Ortmann, 1961 Mtgl. SPÖ, 1984-94 GemR. Kultur-, Prüf.-, Schul- u. Sportaussch., 1994 Bgm. H.: Musik, Garten, Skifahren, Radfahren. (T.T.)

Rauchenberger Luise Dr.

B.: FA f. ZMuK. DA.: 1080 Wien, Lange G. 72. G.: Wien, 17. Juli 1945. V.: Dr. med. Roland. Ki.: Christof (1973), Gregor (1976), Sonja (1979), Verena (1983). El.: Anton u. Luise Geist. S.: Matura 1963 in Wien, Stud. an d. med. Fak. d. Univ. Wien. K.: Währ. d. Stud. mehrere Praktika in Schweden, 1972-74 Ärztin in Stockerau/NÖ, 1974-76 FA-Ausbild., 1977 Eröff. d. eig. Praxis zus. m. d. Gatten. H.: Kunst, Musik, Oper. (P.R.)

Rauchenberger Roland Dr. med.

B.: FA f. ZMuK. DA.: 1080 Wien, Lange G. 72. G.: Amstetten, 11. Apr. 1944. V.: Luise, geb. Geist. Ki.: Christof (1973), Gregor (1976), Sonja (1979), Verena (1983). El.: Otto u. Rolanda. BV.: Großeltern Otto u. Rolanda R.: Gründer d. PRIMOR-Farbenwerk in Amstetten. S.: 1954-62 Hum. Gymn. Seitenstetten, 1962-67 Noviziat u. Phil.-Stud. im Jesuitenorden Pullach b. München, 1967-75 Stud. an d. Med. Fak. d. Univ. Wien, 1975 Prom. z. Dr. med. univ. K.: 1975-77 Ausbild. z. FA f. ZMuK., 1977 Eröff. d. eigenen Praxis m. Schwerpunkt Zahnheilkunde in Vollnarkose. (J.E.)

Rauchenschwandtner Heinz Rupert

B.: Industrieller. FN.: R. Rauchenschwandtner & Sohn KG. DA.: 5310 Mondsee, Guggenberg 100. PA.: 5310 Mondsee, Dr.-Lechner-Weg 5. G.: Salzburg, 21. Jan. 1938. Ki.: Ruth, Christoph. El.: Rupert u. Gertrude. S.: HS, Tischlerlehre, Gesellen- u. Mstr.Prüf., Ausbild. in d. Schweiz. K.: Übernahme d. elterl. Betriebes, 1972 Neubau d. Möbelwerkes, Design, Produktion u. Sonderanfertigungen v. Küchen- u. Badezimmermöbeln, d. unter d. Markennamen db vertrieben werden. M.: Lions Club Fuschlsee-Mondsee. H.: Tischtennis, Schwimmen. (Foed.)

Rauchensteiner Manfried Dr. phil. Univ.-Doz.

B.: Historiker, Dir. d. Heeresgeschichtl. Museums. DA.: 1030 Wien, Arsenal, Objekt 1. PA.: 1020 Wien, Czerning. 6. G.: Villach, 25. Juli 1942. V.: Dr. Marianne, geb. Strakosch. Ki.: Giselheit (1968), Meinhard (1970), Albrecht (1979). El.: Hermann u. Erna, geb. Oberwelz. S.: 1960 Matura, Einjährig-Freiwilliger b. Österr. BH, 1961-66 Stud. Geschichte, Kunstgeschichte u. Germanistik Univ. Wien m. Prom. z. Dr. phil., 1966-68 Postgraduate Studies Inst. f. Österr. Geschichtsforsch. Univ. Wien, 1975 Habil. K.: 1966-88 wiss. Mitarb. in d. Forsch.-Abt. d. Heeresgeschichtl. Museums, 1988-92 Ltr. d. Militärhistor. Dienstes im BMLV, seit 1992 Dir. d. Heeresgeschichtl. Museums, Lehraufträge an d. Univ. Innsbruck, d. Dipl.-Ak. u. an d. Landesverteidigungsak. Wien. P.: 8 Bücher u.a. "Der Krieg in Österr. 1945", "Der Sonderfall. Die Besatzungszeit 1945-1955", "Die Zwei. Die Große Koalition in Österr. 1945-1966". "Der Tod des Doppeladlers". E.: Gold. EZ f. Verd. um d. Rep. Österr., Gr. Gold. EZ d. Landes Ktn. M.: Gen.-Sekr. d. Österr. Kmsn. f. Militärgeschichte, im Vorst. div. Ver. H.: Reisen, Musik. (N.A.)

Rauchenwald Werner Dr.

B.: Gen.-Dir. d. Stmk. Bank u. Sparkassen AG. GT.: Vorst.-Vors. d. Stmk. Bank u. Sparkassen AG, Vorst.-Vors. d. Stmk. Verw.-Spk., Mtgl. d. Geschäftsführung OSIRIS-Raiffeisen-Immobilienleasing GmbH, Mtgl. d. Geschäftsführung d. Bad Waltersdorfer Hotel-Betriebs GmbH, Vorst.-Mtgl. Hauptverb. d. Österr. Sparkassen, Mtgl. d. Aussch. d. Hauptverb. d. Österr. Sparkassen, Mtgl. d. Sekt.-Ltg. d. HK Stmk., Obm. d. Verb. d. Steir. Sparkassen, Mtgl. d. AufsR. d. GiroCredit Bank AG d. Sparkassen Wien, Mtgl. d. AufsR. d. Bankhaus Krentschker & Co AG, Mtgl. d. AufsR. d. INNOFINANZ Stmk. Forsch. u. Entwicklungsförd. GmbH, Mtgl. d. AufsR. d. Steir.

Beteiligungsfinanzierungs GmbH, Mtgl. d. AufsR. d. ÖWGes, Mtgl. d. AufsR. d. Sparkassen-Vers. AG Wien, Mtgl. d. AufsR. d. DONAU Allg. Vers. AG Wien. DA.: 8010 Graz, Landhausg. 14; Sparkassenplatz. PA.: 8043 Graz, Roseggerweg 78. G.: Graz, 10. Aug. 1942. V.: Dorothea, geb. Liebmann. Ki.: Daniela (1963), Karin (1964), Martin (1974). S.: 1960 Matura. K.: 1960 Eintritt Stmk.Sparkasse, 1964 Werkstudent, 1969 Prom., 1969 Wiedereintritt in Stmk. Sparkasse, 1981 Vorst.-Mtgl., 1993 Vorst.-Vors. u. Gen.-Dir. (I.G.)

Rauchenwald Martin

B.: Werbefotograf, Inh. FN.: Rauchenwald Fotostudio f. Werbe-, Mode- u. Kunstfotografie. DA.: 9073 Klagenfurt/-Viktring, Schulstr. 1. PA.: 9220 Velden, Blumenhaing. 3. G.: Klagenfurt, 5. Feb. 1959. V.: Ingrid, geb. Schellander. Ki.: Markus (1983), Verena (1989). El.: Kurt u. Siegfriede. S.: Matura, 1979-88 Univ.-Stud. Graz (Psych. u. Päd.), 1989 Mstr.-Kl. Fotografie a. d. Grafischen i. Wien. K.: 1990 Eröff. d. Fotostudios i. Klagenfurt m. Schwerpunkt Werbung allg., Mode, Theaterfotografie, Kooperation m. in- u. ausl. Agenturen sow. Privatkunden a. Ind. u. Tourismus. P.: Buch ü. d. Casino-Hotel Velden, Foto-Ausstellungen i. In- u. Ausland. E.: 1. Pr. b. Kodak Playboy Wettbewerb, versch. Landes-Förd.-Preise. M.: Berufsvereinig. bild. Künstler. H.: Fotografie, Tennis, Skifahren, Schwimmen, östl. Philosophie. (F.S.)

Rauecker Erich

B.: Gschf. FN.: Werner's Restaurant. DA.: 1010 Wien, Schönlaterng. 13. PA.: 1180 Wien, Krütznerg. 4. G.: Wien, 19. Mai 1956. El.: Alfred u. Herta. S.: VS, HS, Berufsschule f. Koch u. Kellner. K.: Kellner im Hotel Intercont Köln, zurück nach Österr., 4 J. Kellner in Schärding, Alleinkellner in Wien, 3 J. Verkäufer in Pelzsalon, nach Frankreich, anschl. wieder zurück, 2 1/2 J. Mietwagenfahrer, Tätigkeit in Spanien, seit 1993 Gschf. Werner's Restaurant Wien. H.: Beruf, Sprachen, Reisen. (F.S.)

Raunegger Walter

B.: Karosserie- u. Spenglermstr., Firmeninh. FN.: Carges Walter Raunegger KG. DA. u. PA.: 9020 Klagenfurt, Alois-Schader-Str. 5. G.: Klagenfurt, 3. Juni 1957. V.: Ruth. Ki.:Carina-Melissa (1993). El.: Josef u. Junta. S.: VS, HS, 1 J. HTL, Berufsschule, 1982 Mstr.-Prüf., seit 1982 selbst. H.: Tennis, Fußball, Eisschießen, Schwimmen, Familie, Haus, Garten. (W.M.)

Rauchmann Rafael Dr. med. univ. Dr. dent.

B.: FA f. Zahn-, Mund- u. Kieferheilkunde. GT.: seit 1989 Mitbegründer u. Präs. d. Österr. Ges. f. Implantologie. DA. u. PA.: 1010 Wien, Kärntner Str. 10. G.: Tel Aviv, 13. Juni 1944. V.: Julia, geb. Steyer. Ki.: Michael (1967), Dorit (1972). El.: Egon u. Perl. S.: Matura Tel Aviv, Med.-Stud. Univ. Wien, 1972 Prom. K.: FA-Ausbild. f. Orthopädie u. Unfallchir. Israel, FA-Ausbild. f. Zahn-, Mund- u. Kieferheilkunde m. Ausz. Wien, Ass. Univ.-Klinik f. Zahn-, Mund- u. Kieferheilkunde, parallel dazu eigene Praxis, Organisator d. 1x jährl. stattfindenden intern. Kongresses in Wien f. orale Implantologie. M.: Dt. Ges. f. zahnärztl. Implantologie. H.: Antiquitäten sammeln. (J.S.)

Raunicher Albert P. Dipl.-Ing.

B.: Ziviling. f. Bauwesen. FN.: Ing.-Büro Zemler + Raunicher. DA.: 1020 Wien, Taborstr. 75/5. G.: Wien, 16. Juli 1944. V.: Helga, geb. Kozumplik. Ki.: Ines (1979), Marius (1981). El.: Albert u. Elisabeth. S.: 1962 Matura, Stud. Bauing.-Wesen TU Wien, 1972 Dipl. K.: seit 1979 selbst. Ziviling., Bürogemeinschaft m. Dipl.-Ing. Willibald Zemler, Tätigkeitsbereich: Statik u. Konstruktion, Bauaufsicht, Project Management, Controlling, Großprojekte: Hilton-Hotel, Wien, Techn. Univ., Freihausgründe, Wien, Großhangar, Amman, Überdach. Wiener Stadion, Univ.-Zentrum Althanstr. II, Wien. BL.: Patent (m. Partnern): CONZEM-Knoten f. räuml. Stabwerke. P.: Publ. z. Projekt Wr. Stadionüberdachung in Fachzeitschriften. E.: Europ. Stahlbaupreis 1981 u. 1989. H.: Sport, Geschichte, Musik, Kunstgeschichte. (J.S.)

Raunig-Hass Meta Dr.

B.: Public Relations Beraterin. FN.: Dr. Meta Raunig-Hass Public Relations. DA. u. PA.: 1050 Wien, Rienprechtsdorferstr 42/15. G.: Wien, 20. Nov. 1957. V.: Mag. Helmut Raunig. Ki.: Markus (1990). El.: Prof. Dr. Hans u. Lotte Hass. BV.: Vater Prof. Dr. Hans Hass Tiefseeforscher. S.: Ak. Gymn. Wien, Stud. Publizistik Univ. Wien, 1986 Prom. K.: während d. Stud. journalist. Tätigkeit, Marktforsch., PR-Abt. CA Wien, 1986 C.P.R. Agentur Jens C. Leutzendorff, 1986-91 Firma Pubrel Public Relations, seit 1992 selbst., Grdg. d. eigenen Public Relations Firma, u.a. Betreuerin d. Münze Österr. AG. P.: Diss. "Die Berufsrealität d. Public Relations in Österr.". M.: WPC, PRVA. H.: Sport, Cineastik, Fotografie. (J.A.)

Raupenstrauch Roland Prof.

B.: Konzertpianist u. Lehrer i.R. PA.: 1030 Wien, Strohg. 12. G.: Schössburg/Rumänien, 26. Apr. 1903. S.: ab 12 J. Konzerttätigkeit, sowohl Soloabende als auch Mitwirkung im Orchester, 1918 Stud. an d. Musikak. in Budapest, Rückkehr nach Rumänien, 1921 nach Wien, 1921-27 Stud. an d. HS f. Musik u. Darstell. Kunst. K.: b. 1943 rege Konzert- u. Rundfunktätigkeit, seit 1938 Lehrtätigkeit in d. Mstr.Kl., 1946 Prof., Unterricht in Japan. E.: 1960 Ehrenkreuz f. Kunst u. Wiss., Wettbewerbe in Genf (1952 u. 1954), Wien (Beethoven), 1954 Theodor Körner-Stiftungspreis. (P.R.)

Raus Othmar Dr.

B.: Landesrat. DA.: 5020 Salzburg, Kaig. 13. PA.: 5026 Salzburg, Kulstrunkstr. 23. G.: Bad Hall, 30. März 1945. V.: Liselotte, geb. Freilinger. Ki.: Alexandra (1974), Sonja (1976). El.: Alfred u. Martha. S.: Pflichtschule, Drogist, Sozialak., Externistenmatura, Jusstud. Univ. Linz u. Sbg. K.: 1965 ÖGB, 1974 Landessekr. d. Gewerkschaft d. Privatang. Sbg., VPräs. d. Kam. f. Arb. u. Ang. f. Sbg., 1979 Abg. d. Sbg. Landtages, 1982 Klubobm. d. soz. Landtagsfraktion, 1984 LandesR., 1989/1994 Wiederwahl z. LandesR. H.: Tennis, Fußball. (K.K.)

Raus Wolfgang Dr. med.

B.: prakt. Arzt. DA.: 4600 Wels, Vogelweiderplatz 3. PA.: 4600 Wels, Südtiroler Str. 11. G.: Linz, 25. Mai 1960. V.: Sabine, geb. Loidhold. Ki.: Alexandra, Matthias. El.: Anton u. Elisabeth. S.: 1978 Matura, Stud. Med. Univ. Wien, 1985

Prom. K.: 1986-89 AKH u. Kinderspital Linz, 1989-90 Militärdienst, 1990 Praxiseröff., 1989 Akupunkturausbild., 1992-93 Chiropraktikausbild. M.: Ges. f. Akupunktur, OÖ med. Ges. H.: Tennis, Laufen, Lesen. (P.H.)

Rausch Adolf Dr. iur.

B.: Rechtsanwalt, Wirtschaftstreuhänder, Unternehmensberater. FN.: Rausch u. Partner KEG. DA.u.PA.: Bahnhofsstr. 39, 9020 Klagenfurt. G.: Klagenfurt 15. Juli 1941. V.: Ingeborg, geb. Samonig. Ki.: Mag.Dr. Iris Straßer 1967, Mag. Mario 1970. EL.: OSR Arthur u. Elisabeth, geb. Jaritz. S.: VS, Gymnasium i. Lienz, Matura, Studium Jus i. Graz, Promotion, BH, 1963-67 Tätigkeiti. d. Finanzverwaltung i. d. Steiermark u. Kärnten, 1969 Steuerberaterprüfung u. 1970 Eröffnung der eigenen Kanzlei als Einzelunternehmen. P.: Rausch, Adolf u. Jausz, StefanF.: Handbuch für Direktinvestitionen i. Slowenien, Wien Orac 1993, Rausch-Rose-Kaan: Handbuch f. Wasserverbände u. Wassergenossenschaften, Eisenstadt, div. Abhandlungen i. fachspezifischen Publikationen i. ganz Österreich, Herausgeber des "R&P-Journals". H.: Pflege des Freundeskreises, Langlauf, Golf (G.L.)

Rausch Herbert

B.: Inh. FN.: Mara-Büromaschinen. DA.: 1160 Wien, Veronikag. 13. PA.: 1220 Wien, Spargelfeldstr. 137. G.: Wien, 7. Feb. 1944. V.: Brigitta, geb. Kepplinger. Ki.: Harald (1969), Dieter (1972). El.: Ludwig u. Martha. S.: kfm. Ausbild., Präsenzdienst. K.: 1962 Eintritt väterl. Firma, zunächst Außendienst, 1982 Übernahme d. Firma sowie Umstellung auf Kopiergeräte, Übernahme d. Gen.-Vertretung u. Installation einer eigenen Werkstätte. H.: Tennis, Skifahren. (I.J.)

Rausch Herbert Mag.

B.: Apotheker, Präs. d. Ktn. Apothekerverb. DA.: 9620 Hermagor, Hauptstr. 4. PA.: 9620 Hermagor, Krass. G.: Graz, 14. Mai 1944. V.: Ursula, geb. Schneditz. El.: Kurt u. Helene. BV.: Dr. Wolfgang Schneditz war bekannter Schriftsteller u. Kunstkritiker in Sbg. S.: Pflichtschule, RG Graz, 1962 Matura, Univ. Graz Pharm. Stud., 1970 Sponsion, Berufspraxis im Ang.Verhältnis b. 1980 in Sbg.-Stadt, Hartberg, Oststmk., Murau, seit 1980 selbst. Apotheker in Hermagor. BL.: seit 1986 Präs. d. Ktn. Apothekerverb. M.: Mtgl. d. Hermagorer Gesangsver. H.: Klettern, Singen, Tennis, Skifahren, Beruf. (Hatt.)

Rausch Johann Dipl.-Ing.

B.:Vorst.dir. Austro Control GmbH. GT.: VPräs. d. Kuratoriums f. Flugsicherheit, Vorst.Mtgl. AOPA Austria. DA.: 1030 Wien, Schmirchg. 11, 1130 Wien, Geneeg. 16. G.: Wien, 8. Nov. 1938. V.: Gertrud, geb. Sturma. Ki.: Claudia, Wolfgang, Bettina. El.: Johann u. Karoline. S.: VS, 1956 Matura, Stud. TU Wien Maschinenbau, 1965 Dipl. K.: HS-Ass. Inst. f. Leicht- u. Flugzeugbau, b. 1982 Univ.Lektor an TU Wien, seit 1970 BM f. Verkehr, Abt. f. techn. u. flugbetriebl. Überwachung d. Luftbeförderungsuntern., 1972-1981 Ltr. d. Prüfstelle f. Luftfahrzeuge im BA f. Zivilluftfahrt, Präs. d. BA f. Zivilluftfahrt 1982-1993, Berufspilotenausbild. b. AUA, Inh. d. Berufspilotenscheines m. Instrumentenflugberechtigung u. Lehrberechtigung. P.: einige Publ. in Fachzeitschriften. M.: IAOPA Austria, Aero Club, Kurator f. Flugsicherheit, NÖ, Bgld., Tir., Steir. Jagdverb., Österr. Segelverb., Österr. Philatelistenver. H.: Fliegen, Jagd, Segeln, Briefmarken. (G.E.)

Rausch Josef

B.: Ltr. d. Arbeitsamtes Scheibbs. DA.: 3270 Scheibbs, Schacherlweg 2. PA.: 3270 Scheibbs, Gaminger Str. 37. G.: Oberndorf/Melk,1. Feb. 1942. Ki.: Wolfgang (1970). El.: Theresia Sisa. S.: VS, HS, HASCH. K.: Bankang. b. d. Volksbank Wieselburg, Buchhalter Firma Griessler Scheibbs, Vers.-Berater b. d. Vers.-Ges. Der Anker, seit 1967 Arbeitsamt Scheibbs, zuerst Stellenvermittler, dann Berufsberater u. seit 1987 Ltr. d. Arbeitsamtes. M.: Sport UNION Raika St. Georgen/Leys. H.: Radfahren, Schwimmen, handwerkl. Basteleien. (F.S.)

Rausch Karl Dkfm.

B.: Wirtschaftsprüfer u. Steuerberater. GT.: allg. beeid. Gerichtssachv., Gschf. d. Commercialista Wirtschaftstreuhand GmbH. DA.: 1090 Wien, Liechtensteinstr. 22A. G.: Mattersburg, 29. Dez. 1945. El.: Rudolf u. Anna. S.: Lateinrealschule Wr. Neustadt, 1963 Matura, Stud. an d. WU Wien, 1972 Grad. K.: 1978 Steuerberaterprüf., seit 1982 Buchprüfer, seit 1985 Wirtschaftsprüfer, seit 1978 selbst. tätig. P.: div. Art. in Fachzeitschriften. M.: Ver. d. Österr. Wirtschaftstreuhänder. H.: Sport (Tennis, Skifahren), Oper, Phil. (A.W.)

Rausch Peter

B.: Inh. FN.: Nektar Naturkosmetik. DA. u. PA.: 3300 Amstetten, Weberstr. 6. G.: Amstetten, 30. Dez. 1948. V.. Eva, geb. Lenz. Ki.: Jürgen (1974), Iris (1980). El.: Anton u. Maria, geb. Danzer. S.: VS, Gymn., Lehrausbild. als Chemielaborant in Firma Avenarius Amstetten. K.: 1969-80 Tätigkeit in d. Pharmazeut. Forsch. in Linz u. Wien, 1980 Grdg. Firma Nektar Naturkosmetik. BL.: Patentanmeldung über Hanf-Kosmetik-Produkte. M:: Vors. d. Österr. Hanf-Inst., seit 1985 GemR. in Amstetten. H.: Biologie, Enthomologie, Mykologie, Umweltschutz, Musik (Schlagzeug u. Gitarre), Badminton, Eislaufen, Schwimmen, Wandern. (M.M.)

Rausch Rudolf RegR.

B.: Ltr. d. Zulassungsbehörde. FN.: Verkehrsamt Wien. DA.: 1090 Wien, Liechtenwerderpl. 5. G.: Schweinfurth, 23. Juni 1937. V.: Liselotte, geb. Jeitl. Ki.: Dr. med. Peter (1961), Mag. Sylvia (1967). El.: Konrad u. Elisabeth. S.: Fleischhauer- u. Selcherlehre, Ausbildung i. Wien u. Klosterneuburg, Gesellenprüf., BH, Polizeischule-Sicherheitswache, Matura, Beamtenprüf. f. ltg. Beamte i. BKA. K.: 1971 Führerscheinentziehungsreferent i. Verkehrsamt, EDV-Ltg. i. d. Polizei, Zulassungsreferat, s. 1.1.1985 Ltr. d. Zulassung i. Verkehrsamt Wien, 28.1.1992 Reg.-Rat. H.: Bergwandern, Fotografieren. (J.M.)

Rausch Rudolf
B.: Gschf. Ges., techn. Kfm. FN.: Thermometerspezialhaus GmbH PARTL. DA.: 1230 Wien, Breitenfurterstr. 162. PA.: 1210 Wien, Crabellig. 5. G.: Wien, 27. Jän. 1945. V.: Sybille. Ki.: Tobias (1976), Phillip (1979). El.: Rudolf u. Emma. S.: VS, HS, 4J. TGM, Lehre als Nachrichtentechniker bei d. Österr. Post. K.: 1958-69 in d. Meß- u. Regeltechnik tätig, danach Fa. Georg Kent (Zentrale in Luton) als Servicetechniker, anschl. Verkauf f. Ostblock (v. Rumänien bis Indien), 1974-75 Fa. Probst (Vertriebsfa.), ab 1978 Fa. Schrack-Telekom stellv. Produktmanager f. Relais u. Schaltelemente, 1980 Fa. ÖGUSSA Meß- u. Regeltechnik im Außendienst u. Vertrieb, Verkauf u. Erzeugung in d. Industriemeßtechnik, 1980-92 Sensicon Hartmann u. Braun, dann Gschf. bei PARTL Reine Handelsfa., Reparaturen u. 80 % Import u. Export, Generalvertretung f. versch. Fa., u.a.: Fischer Meß- u. Regeltechnik, Höntzsch, Lufft, Nuova Fima, Sika, Chino - mawi-therm. H.: Familie, Erholung. (R.T.)

Rausch Wilhelm Felix Dr. phil. Univ.-Prof.
B.: Ltr. Ludwig Boltzmann-Inst. DA.: 4010 Linz, Römerstr. 14. G.: Wien, 14. Jan. 1927. V.: Diethild Erna, geb. Lagler. Ki.: Birgit (1955), Astrid (1956), Marin (1966). S.: Gymn., Stud. Geschichte u. Geographie Univ. Wien, 1949 Dr. phil., 6 Sem. Jusstud. Inst. f. Österr. Geschichtsforsch., Staatsprüf. K.: 1953/54 Ass. Inst. f. Österr. Geschichtsforsch., 1954 Stadtarchivar Linz, 1960 Stadtarchivdir., 1964 Präs. d. OÖ Musealver., 1967 VPräs. d. Österr. Archivarverb., 1969 Gründer u. Präs. d. Österr. Arbeitskreises f. Stadtgeschichtsforsch., 1975 Dir. Ludwig Boltzmann-Inst. f. Stadtgeschichtsforsch., 1977 Hon.-Prof. Univ. Graz, 1978 Kulturverw.-Dir. d. Stadt Linz, Ltr. d. Ludwig-Boltzmann-Inst. P.: mehr als 300 Veröff. auf d. Gebiet d. Geschichte u. d. Archivwesens. E.: Theodor Körner-Preis, Österr. EK f. Wiss. u. Kunst 1. Kl., Wiss.-Med. d. Stadt Linz, Anton Bruckner-Med., Gründer d. Wiss.-Stiftung "Pro civitate Austriae", Ehrenmtgl. d. Österr. Archivarverb., Ehrenvorsitzender d. Österr. Arbeitskreises f. Stadtgeschichtsforschung. M.: Vorst. d. Österr. Nationalkomitees d. Commission intern. pour l'histoire des villes, Mtgl. aller landeskundl. u. landesgeschichtl. Ver. in Österr., zahlr. Vorst.-Mtgl., korresp. Mtgl., Mtgl. d. Metroog. Kmsn. d. UNESCO, ständiges Mtgld. d. österr. Denkmalbeirates. (N.A.)

Rauscher Franz Mag.
B.: Ges. FN.: Werbeagentur Rauscher & Partner KG. DA.: 5020 Salzburg, Otto-Pflanzl-Str. 11. G.: Tamsweg, 7. Febr. 1953. S.: 1971 Matura, 1980 Stud. Germanistik u. Geschichte Univ. Sbg., 1980-88 Bologna, Lektorat Univ. degli Studi di Bologna, Lehrauftrag Johns Hopkins Univ. Bologna, Lehrauftrag Centro Europeo di Studi Aziendali Bologna, Übersetzer, Dolmetscher u. Werbetexter, Buchveröff. über Jura Soyfer, kommunikationswiss. Beiträge in intern. Fachzeitschriften, seit 1988 Sbg., Werbe u. PR-Ltr. in 2 Dienstleistungsunternehmen m. In- u. Auslandsagenden: Italien, Österr., BRD, Schweiz, Ausbild. z. Werbeberater u. Werbungsmittler, Konzeptionist, Texter u. Kontakter f. Agenturen u. Unternehmen im In- u. Ausland, 1991 Grdg. Werbeagentur Mag. Franz Rauscher, 1993 Umgrdg. in Werbeagentur Mag. Franz Rauscher & Partner KG. (N.M.)

Rauscher Helmut Dkfm.
B.: Gschf. Ges. d. Rauscher OHG Maschinenhdl., Dipl.-Ing. Dr. Paul Rauscher KG, Dkfm. Helmut Rauscher GmbH, Telemotion Filmproduktion, Transtex Export-Import GmbH. DA.: 1010 Wien, Börseg. 14. PA.: 1190 Wien, Kasselg. 20. G.: Wien, 3. Juli 1940. V.: Ruth, geb. Stronegger. Ki.: Fabian (1985), Benedikt (1988). El.: Dipl.-Ing. Dr. Paul u. Wilhelmine (Autorin "Lust-Unlust", "Gerechtigkeit auf Erden"). S.: RG, WU, 1966 Dipl. K.: Lt. d. Res., 1967 Eintritt in d. väterl. Unternehmen, 1969 Übernahme d. Geschäftsltg. BL.: Tennis, 7 J. Mtgl. d. Staatsliga, 1986 Wr. Seniorenmstr. M.: Cottage Tennis Club Pötzleinsdorf, Mtgl. versch. Automobil & Veteranen-Clubs. H.: Familie, Tennis, alte Autos, Geschichte. (M.G.)

Rauscher Gebhard

B.: Inh. FN.: Public Relations. DA. u. PA.: 7400 Oberwart, Haydnhof 3. G.: St. Lorenzen, 30. Okt. 1957. Ki.: Stephanie (1982). El.: Franz u. Elfriede. S.: HS, Musik-HS Oberschützen u. Wien, 1980 Konzertdipl. u. Lehrfachab-schluß. K.: ab 1980 lfd. Musikunterricht in versch. Schulen, 1984 E-Musikred. b. ORF Sbg., 1985 ORF Eisenstadt u. Wien, Red. f. Fernsehen, 1990 Grdg. Firma Public Relation, PR-Werbeagentur m. Schwerpunkt kommerzielle Werbung u. Öff.-Arb. f. Gewerbe u. Ind., ab 1993 Schwerpunkt intern. Kulturkontakte u. Ensemblebetreuung. BL.: Mitarb. b. d. Entwicklung d. Kunst-HS-Gesetzes. M.: Vors. d. Hochschülerschaft d. Musik-HS, Schriftführer b. Komponisten u. Interpreten im Bgld. H.: Kommunikation, Beruf. (I.J.)

Rauscher Maximilian
B.: Mtgl. d. Ktn. LRg. DA.: 9010 Klagenfurt, Arnulfpl. 1. PA.: 9620 Obervellach 28. G.: Obervellach, 15. Sept. 1940. V.: Gerda, geb. Themesl. Ki.: Christian, Astrid. El.: Philipp u. Franziska. S.: Pflichtschulen, kfm. Lehre b. 1957 (Kfm.Gehilfenprüf.). K.: b. 1961 kfm. Gehilfe in Hermagor, b. 1967 Vertragsbediensteter b. d. BH Hermagor, b. 1972 Bmtr. b. d. Verw.-emeinschaft Hermagor, Ablegung d. Prüf. f. d. allg. Kzl.Dienst u. Verw.Fachdienst b. Amt d. Ktn. LRg., 1968 Ablegung d. Beamtenmatura u. Prüf. f. d. gehobenen Verw.Dienst, b. 1981 Amtsltr. d. Stadtgem. Hermagor, 1979 Bez.Obm. d. SPÖ Hermagor, b. 1982 Abg. z. Ktn. Landtag, 1981-82 Bgm. d. Stadtgem. Hermagor-Presseggersee, ab 1982 Mtgl. d. Ktn. LRg. H.: Lesen, Skifahren, Bergwandern. (Hat.)

Rauscher Michael Lt.
B.: Batteriekdt.-Stellv., Zugskdt. Fliegerabwehr. FN.: Marc Aurel-Kaserne d. Österr. BH. DA.: 2410 Hainburg, Freyungstr. 29. PA.: 2301 Groß Enzersdorf, Josef-Reiter-Ring 33. G.: Wien, 6. März 1965. El.: Dr. Norbert u. Christine. S.: VS, AHS, 1983 Matura, Jusstud., Skilehrerausbild. K.: 1987 Verpflichtung als Zeitsoldat b. Österr. BH, Zugskdt. d. Fliegerabwehr Groß Enzersdorf, 1990-93 Ausbild. Militärak., seit 1993 Zugskdt. d. Fliegerabwehr u. Batteriekdt.-Stellv. Marc Aurel-Kaserne Hainburg. E.: Ehrung d. Landes Ktn. anläßl. d. Sicherungseinsatzes an d. slowen. Grenze. M.: 2. Präs. d. HSV, Sportver. Union Groß Enzersdorf. H.: aktiver Sport, sportl. Weltgeschehen. (F.S.)

Rauscher Othmar Dr. theol.
B.: Abt d. Zisterzienserklosters Schlierbach. A.: 4553 Schlierbach. G.: Engelbrechts, 27. Sept. 1919. El.: Rupert u. Johanna. S.: Hum. Gymn., 3 Sem. Phil. in Heiligenkreuz, Phil. u. Theol. an d. Univ. Wien, Doktorat in Theol. 1948 an d. Univ. Wien. K.: 1949-62 Religionsprof. am Gymn. Schlierbach, 1961-68 LSekr. b. Ludwig Missionsver. München, 1968-78 Gschf. d. intern. Organ. f. Audiovisuelle Medien Sonolux, Photoarb. in Afrika, Asien, Südsee u. Lateinamerika, 1971-83 Abt d. Klosters Schlierbach, seit 1984 Mitarb. u. Gstl. Ass. b. Liebeswerk Kirche in

Not/Ostpriesterhilfe Deutschland/München. P.: Hrsg. d. "Zisterzienser Missionskalender". E.: KnsR. d. Diözese Linz. H.: Bergsteigen, Photographieren.

Rauscher Peter

B.: Gschf. Ges. FN.: Red Ring. DA.: 1150 Wien, Witzelsbergg. 26-28. G.: Klosterneuburg, 3. Sep. 1944. Ki.: Peter. S.: Lehre a. Autoelektriker. K.: Techn. Außendienst, Verk.-u. Marketingltr. b. Xpelair Top-Air Vetronik, 1981 selbst. Kfm., Gschf. Ges. Red Rings Wien, 1976 Roland Gschank GmbH., Peter Rauscher GmbH. Wien, 1984 Kauf Neussl GmbH. Linz. H.: Firma, techn. Entwicklungen, Motorboot, Radfahren, Sauna. (F.S.)

Rauscher Richard Dr. KommR.
B.: Immobilienverwalter, gerichtl. beeid. Sachv. u. Gschf. d. Fa. Fundus Immobilienges. mbH. GT.: Vizepräs. d. Verein. d. gerichtl. beeid. Sachv. f. d. Realitätenwesen. DA.: 1020 Wien, Ferdinandstr. 16-18. PA.: 1130 Wien, Jagdschloßg. 35. G.: Wien, 11. Juni 1926. V.: MedR. Dr. Erika, geb. Rubin. Ki.: Dr. Günther, Evelyne. El.: Johann u. Karoline. S.: Externistenmatura 1949 Wien, Stud. Jus Univ. Wien, Prom. 1953. K.: seit 1953 Immobilienwesen, 1956 Gründ. d. Fa. Fundus u. seitdem alleiniger Gschf. P.: Fachpubl. in d. Österr. Immobilienzeitung u. d. Fachzeitschr. "Der Sachverständige". M.: Innungsaussch. d. Landesinnung Wien d. Immobilien- u. Vermögenstreuhänder. H.: Sport (insbes. Schifahren, Tennis), Musik. (J.S.)

Rauscher Vinzenz
B.: Bgm. d. Stadtgem. Hermagor Pressegger See. GT.: Gem.Bmtr. DA.: 9620 Hermagor, Hermagorer Rathaus. PA.: 9624 Egg 16. G.: Egg, 31. Dez. 1949. V.: Maria, geb. Mandler. Ki.: Karin, Cornelia. El.: Vinzenz u. Maria. S.: Pflichtschulen, KFZ-Mechanikerlehre, Polizeischule in Innsbruck. K.: seit 1971 Gem.Dienst Gem. Egg, seit 1973 Gem.Bmtr. d. Stadtgem. Hermagor, seit 1979 StadtR. d. Gem. Hermagor, seit 1983 Bgm. d. Stadt Hermagor, seit 1987 Obm. d. Tourismusverb. Karnische Region, seit 1991 Vizepräs. d. Ktn. Gem.-Bundes. BL.: Mitinitiator d. Ausbaues d. Karn. Skiregion Naßfeld. M.: Obm. d. Verw.-Gem. d. Bez. Hermagor. H.: Fußball, Tennis, Skifahren, Jagd. (Hatt.)

Rauschmeier Waltraud Dr. med.
B.: FA f. Hautkrkh. u. Prakt. Ärztin. DA.: 1170 Wien, Gilmg. 3. PA.: 1120 Wien, Bethleng. 7. G.: Wien, 2. Aug. 1951. V.: Dr.med. Hans. Ki.: Eva, Peter. S.: RG, Stud. in Wien, Prom. 1975. K.: Turnusausbild. in Amstetten, Linz u. Wien, 1978 prakt. Arzt, 1984 FA (Innsbruck), 1983-86 OA d. Univ.Hautklinik in Innsbruck, 1986 Eröff. einer eigenen Ordination in Innsbruck, s. 1988 in Wien. E.: Forsch.Preis über Phototherapie. M.: Zonta-Club u.a. H.: Sport, Kochen. (M.Br.)

Rauter Anton E. Dr. Dkfm. KommR. Prof.
B.: Vors. d. Konsumverb. DA.: 1150 Wien, Giselherg. 11. G.: Langenwang/Stmk., 3. Nov. 1933. V.: Lea, geb. Hausenberger. Ki.: Mag. Andreas (1964), Lisa (1965). S.: 1947-50 kfm. Lehre, 1955 HAK, 1959 Welthdl. Univ. Wien, Auslandsstud. in Europa, USA u. Fernost, 1962 Dkfm., 1966 Dr. d. Hdls.Wiss. K.: 1969 Studienaufenthalt USA im Rahmen d. Eisenhower Exchange Fellowships, 1970 Dir. d. Konsumverb., seit 1991 Univ.-Prof., seit 1991 Vors. d. Konsumverb. P.: Verbraucherpolitik u. Wirtschaftsentwicklung (1976), Konzentration im Handel (1983), Der dritte Weg (1986). E.: 1982 Gold. EZ f. Verd. um d. Rep. Österr., 1978 Gr. EZ d. Landes Bgld., 1980 Gold. EZ d. Stadt Gloggnitz. M.: 1974 Mtgl. d. Exekutive d. IGB Genf, 1980 Präs. d. IFIG. (J.S.)

Rauter Bruno Michael Dr. med. univ. OMedR. wHofR.
B.: FA f. Frauenheilkunde, Vorst. d. gynäkolog. Abt. im KH St. Pölten, stellv. ärztl. Dir. d. KH St. Pölten, Ref. f. ärztl. Fortbild. DA.: 3100 St. Pölten, Daniel-Grau-Str. 53. PA.: 1190 Wien, Daringerg. 142b. G.: Wien, 28. Sept. 1920. Ki.: 1 Sohn. El.: Michael u. Emma. S.: VS, Mittelschule, HS. K.: 1948 Eintritt in d. Wr. Städt. Poliklinik, FA-Ausbild. f. Gynäkologie in d. Semmelweis-Klinik Wien, seit 1967 Prim. f. Gynäkologie u. Geburtenhilfe im KH St. Pölten, seit 1971 Ref. f. ärztl. Fortbild., seit 1974 stellv. ärztl. Dir. KH St. Pölten. P.: "Seltene Komplikationen im Puerperium", "Die puerperale Uterusinversion", "Die Muttermundinsuffiziens u. ihre Behandlung", "Eine geänderte Nahttechnik zur Versorgung der Kolpoperineoplastik" u.a. E.: 1980 OMedR., 1986 HofR., Ehrenplakette d. ARBÖ, 1985 Ehrenmed. in Gold am Rot-Weiß-Roten Band d. ARBÖ, 1985 Gold. EZ f. Verd. um d. Bundesland NÖ. M.: Rotary Club St. Pölten. H.: Schwimmen, Radfahren, Rudern, Segeln. (Kern)

Rauter Hellmuth KommR.
B.: Mitinh. FN.: Betonsteinwerke Hellmuth Rauter. DA.: 8831 Niederwölz 71. G.: Weißenstein, 2. Febr. 1923. V.: Margarethe, geb. Rauter. Ki.: Gertraude, Ing. Hellmuth, Monika, Wolfgang. El.: Albin u. Anna. S.: VS Kleblach/Lind, Berufsschule, Gesellenprüf. 1940, 1941 Arbeitsdienst, 1942 Luftwaffe, 2 J. Rußland, Kriegs-gefangenschaft in Amerika u. Frankreich, 1946 Heimkehr, Arb. als kfm. Ang. K.: 1949-52 gepachtetes Gemischtwarengeschäftes in Niederwölz, Grdg. d. Betonwerkes, 1979 Grdg. d. GmbH, seit 1983 in Pension. E.: 1979 KommR., 1973 Gold. Med. f. Verd. um d. Rep. Österr., Silb. Ehrennadel d. Rep., Steir. Hochwassermed f. mehrm. persönl. Einsatz, 1972 Silb. Ehrenmed. d. HK, 1986 Gr. EZ f. bes. Verd. um d. Land Stmk., 1983 Ehrenbürger d. Gem. Niederwölz. M.: 1962-83 Bgm. v. Niederwölz, 10 J. Bez.Vertreter d. Bez. Murau im Steir. Gem.Bund, div. öff. u. Kam.Funktionen, Initiator d. Müllhygienewerkes d. Bez. Murau in Frojach, 1983-86 Obm. d. WIFI Murau, seit 1986 Obm. d. Steir. Sängerbundes, seit 30 J. Vorst.Mtgl. d. Raiffeisenkasse Teufenbach, seit 1978 Obm. H.: Jagen, Fischen, Bergwandern, Holzbearbeitung. (Tra.)

Rauter Horst
B.: Bes. Restaurant Toscana. DA. u. PA.: 9020 Klagenfurt, Siebenhügelstr. 59. G.: Villach, 30. Sep. 1959. V.: Brigitte Orasch. Ki.: Vanessa (1983), Marc (1986). El.: Johann u. Maria. S.: VS, HS, Installateurlehre. K.: freiberufl. Entertainer, Musiker u. Veranstaltungsorganisator, 1982 Eröff. eines Tanzlokales Klagenfurt, 1985 Cafe erworben, 1988 m. Tanzlokal erweitert, 1992 Cafe umgebaut u. Umstellung auf Pizzeria u. Restaurant. M.: Faschingsgilde Waidmannsdorf, Polizeisportver. H.: Entertainment, Motorradfahren. (F.S.)

Rauter Josef
B.: Gschf. Ges. FN.: Josef Rauter Rohstoffe Hdls. GmbH. GT.: Ges. d. Rauter Entsorgungs GmbH. DA.: 9560 Feldkirchen, Klagenfurter Straße, 9560 Feldkirchen, St. Veiter Str. 7. PA.: 9562 Himmelberg, Grilzgraben 5. G.: Waiern, 2. Juni 1944. V.: Christine, geb. Gregori. Ki.: Josef, Anton, Christine. El.: Josef u. Jakobine. S.: VS, Fachschule

(ldw.), div. Kurse. K.: Bergbauer, ab 1970 gewerbl. Tätigkeit im kommunalen Bereich, Müllentsorgung, Abfallentsorgung im Bez. Feldkirchen b. St. Veit, Rosental etc. H.: Reisen, Kommunikation. (R.A.)

Rauter Walter

B.: Baumeister. FN.: Rauter Bau. GT.: Althaussanierung. DA.: 9170 Ferlach, Muldenweg 2. PA.: 9162 Strau 15. G.: Klagenfurt, 30. Sept. 1955. V.: Sylvia, geb. Frank. Ki.: Roman (1982), Viktoria (19849. El.: Michael u. Johanna. S.: VS, HS, HTL Villach (Hochbau), Matura. K.: ab 1976 im 1957 gegründeten elter. Betr. mitgearbeitet, 1980 Baumeisterprüfung, ab 1990 selbständige Untern.führung. H.: Sport, Lesen. (G.L.)

Rauter Wolfgang Dr. iur.

B.: LParteiobm. d. FPÖ Bgld., Klubobm. d. FPÖ Bgld. DA.: 7000 Eisenstadt, Hauptstr. 43. PA.: 7000 Eisenstadt, Haydng. 26. G.: Khorramchahr/Iran, 11. Jan. 1954. V.: Ulricke, geb. Löcker. Ki.: Nina. El.: Leonhard u. Maria. S.: Stud. d. Rechtswiss. in Wien, 1977 Prom. K.: 1 J. Rechtspraxis LG Eisenstadt, Richteramtsanw. b. Gericht Bruck/Leitha, Wr. Neustadt, Wien u. Mattersburg, 1981-82 Gerichtsvorsteher d. Gerichtes Aspang u. Kirchschlag, 1982-89 Richter d. LG Eisenstadt, seit 1989 dienstbefreit f. d. Dauer d. Ausführung d. Mandates, seit 1987 FPÖ, 1987 Klubobm. d. FPÖ Bgld., seit 1988 LParteiobm. P.: Publ. in d. Richterzeitung u. polit. Publ. in Parteizeitungen. H.: Tennis, Skifahren, Bergsteigen, Schachspielen, Kartenspielen. (M.B.)

Rautner Roman

B.: VPräs. d. ÖGB, Präsidiumsmtgl. d. ÖGB. DA.: 1010 Wien, Ebendorfer Str. 7. PA.: 1210 Wien, Gerasdorferstr. 55/168/2. G.: Wien, 27. Dez. 1925. V.: Hannelore, geb. Tayerle. Ki.: Friedrich, Robert, Brigitte, Natalie, Romana, Herbert. BV.: Familie Strauß. S.: 8 J. VS, Sozialak. K.: 1940-43 Maurerlehrling, 1943-45 Kriegsdienst, 1946-48 Steinmaurer (Kraftwerk Kaprun), 1948-55 Betriebsobm.Stellv. d. Fa. Porr, 1955-56 Betriebsobm. d. Fa. Porr, 1956-75 Betriebsobm. d. Zentralbetriebsrates d. Fa. Porr, 1962-71 LObm. d. Gewerkschaft d. Bau- u. Holzarb. in Sbg., 1962-67 Mtgl. d. LExekutive d. ÖGB Sbg., seit 1962 Hauptvorst.Mtgl. d. ÖGB f. Bau- u. Holzarb., 1964-86 Arbeiterkammerrat d. AK, 1964-76 Vors.Stellv. d. ÖGB f. Holz- u. Bauarb., 1976-78 gschf. Vors. d. Gewerkschaft d. Bau- u. Holzarb., 1978-86 Vors. d. Bau- u. Holzarb., 1968-85 VPräs. d. IBH (Intern. Bund d. Bau- u. Holzarb.), seit 1979 VPräs. d. ÖGB. seit 1964 im Intern. Bund d. Bau- u. Holzarb. tätig, 1973-83 GemR. u. LAbg. v. Wien, 1983-86 StadtR. f. Bauten u. LRg.Mtgl. f. Bauten, ehem. Vors. d. Bauarbeiter-Urlaubskasse, Vors. d. Wohnbau Genossenschaftges., AufsR. in d. Wohnbaugenossenschaft "Neue Heimat", Vors.Stellv. d. Sozialwerkes d. Bau- u. Holzarb. E.: Johann Löber-Plakette d. ÖGB. M.: Mtgl. d. ÖGB, Mtgl. SPÖ, Präs. d. ASKÖ Ver. H.: Bergsteigen, Mineralien sammeln. (M.B.)

von Ravanelli Oswald Dr.

B.: FA f. Innere Med. DA.: 6020 Innsbruck, Pradlerstr. 77. PA.: 6020 Innsbruck, Anichstr. 25. G.: Innsbruck, 18. Apr. 1932. Ki.: Dr. med. Esther, Mag. Oswald, Mag. Barbara, Alexandra, Christiane, Michael. El.: ObstLt. Oswald u. Maria. S.: VS, ak. Gymn. Innsbruck, 1943-45 ORealschule Bregenz, nach 1945 ak. Gymn. Innsbruck, 1953 Matura ak. Gymn. Solbad Hall, Med.Stud. an d. Univ. Innsbruck. K.: während d. Stud. wiss. Hilfskraft an d. Anatomie, 1959 Ass. an d. Anatomie, 1961 Ausbild. an d. Klinik Innsbruck, 1963-66 OA in d. internen Abt. d. Bez.-KH Solbad Hall, 1966-68 Ass. an d. Med. Klinik Innsbruck b. Prof. Braunsteiner, 1968-70 OA an d. internen Abt. d. Bez.-KH Lienz, 1971 Eröff. einer eigenen Praxis. BL.: Akupunktur, Elektroakupunktur, Bioelektronik, Neuraltherapie. P.: Kryolytische Methode z. Nachweis d. L. E.-Zellen im peripheren Blut, Z. Wirksamkeit v. Silymarin b. Leberkrankheiten, D. Variabilität d. Erregungspotentiale u. ihre Bedeutung in d. Bioelektronischen Regulationsdiagnostik u. -therapie, Nachweis gezielter Reize im Impulsdemogramm, Die Schilddürse in d. Decoder-Analyse, u.v.a. M.: Vorst.Mtgl. u. wiss. BeiR. d. intern. Ges. f. bioelektron. Funktions- u. Regulationsdiagnostik, Lionsclub TYROL. H.: Musik, Komponieren, Dichten, Segeln, Bergwandern, Radfahren.

Razumovsky Andreas Prof.

B.: Journalist, Auslandskorrespondent d. Frankfurter Allg. Zeitung. PA.: 1030 Wien, Jacquing. 57. G.: Schönstein b. Troppau/CSFR, 15. Nov. 1929. V.: Dorothea, geb. Prinzessin zu Solms-Lich. Ki.: Kyra, Katharina, Gregor. El.: Andreas u. Katharina. BV.: Andreas Kyrillowitsch Fürst Razumovsky war russ. Botschafter in Wien z. Zeit d. Wr. Kongress, sein Vater Graf Kyrill Gregoriewitsch Razumovsky war d. letzte regierende "Hetman" d. Ukraine u. "aller Kosaken". S.: Matura, Stud. Jus u. Musik Univ. Wien. K.: Musikkritiker an versch. Wr. Zeitungen, ab 1956 Kulturred. FAZ, ab 1964 Auslandskorrespondent f. FAZ in Prag, Den Haag, Belgrad, Paris u. Johannesburg/Kapstadt, ab 1989 Wien. P.: Bücher u.a. "Ein Kampf um Belgrad". H.: Fotografieren, Pilze sammeln, Insektenkunde. (M.M.)

Rea Richard Dr

B.: öff. Notar. DA.: 1010 Wien, Seilerstätte 28. PA.: 3541 Senftenberg, Unterer Markt 33. G.: Krems, 9. Okt. 1927. V.: Brita, geb. Pürthner. El.: Stephan u. Anna. BV.: Fam. Rea war im 16. Jhdt. in d. Grafschaft Görz ansässig, Vorfahren hpts. Offz. u. Bmtr. S.: 1946 Matura, 1946-48 Univ. Wien, 1948-51 Univ. Innsbruck u. Prom. Dr. iur. K.: 1951-57 Konzipient b. Dr. Kugler in Krems, 1957-61 Dr. Ender in Wien, ab 1962 selbst. Notar, 1975-84 Notarerichter b. OLG, ab 1984 OGH. F.: Vors.Str.d.AR d. VAE AG-Wien, Vors.D.Vorst. d. Karl Adolf Auerspergschen Privatstiftung, Wien. M.: Rotary. H.: Fischen, Tennis, Orchester-Konzerte, Maler d. 19. u. 20. Jhdt., Teppiche. (Sch.-M.)

Rebay Monika

B.: Gschf. FN.: Elecom Elektronische Geräte Ges.m.b.H. DA./PA.: 1210 Wien, Scheffelstr. 29. G.: Wien, 23. Sept. 1940. V.: Ing. Peter. Ki.: Lukretia (1966), Claudia (1968), Katharina (1977). El.: Theodor u. Mathilde Igl. S.: VS, Gymn., im Abendstud. beendet, versch. Pädagogische, Kfm. u. Philosophische Kurse, Erzieherinnen Dipl. in Innsbruck. K.: 8 J. als Erzieherin tätig, 1970 gemeinsam m. Gatten Aufbau d. Fa. Elecom, 1974 Gschf., 1978 Übersiedl. d. Fa. nach Wien 21, ständig expandiert. M.: Amerikanische Ges. H.: Kindertheatergruppen, Reisen, alte Kulturen, Literatur. (I.J.)

Reber Gerhard Dr. Dkfm. o.Prof.

B.: o.Univ.-Prof. d. Univ. Linz. DA.: 4040 Linz, Altenberger Str. 69. PA.: 4040 Linz, Wolfauer Str. 82. G.: Mannheim, 28. Apr. 1937. V.: Heidi, geb. Kemper. Ki.: Eva, Mario. El.: Rudolf u. Elise. S.: 1957 Abitur Wirtschaftsoberschule Mannheim. K.: 1957-62 Stud. d. BWL an d. Univ. München u. Wirtschafts-HS Mannheim, 1962 Dkfm., 1962-66 Dr.Stud. an d. Univ. Mannheim u. Ass. an d. Inst. f. Personalwesen u.

Arbeitswiss., 1966 Dr., 1966-67 Stud. an d. School of Business Univ. of Toronto, 1967-68 Ass. am Inst. f. Soziale Betriebsführung an d. HS f. Sozial- u. Wirtschaftswiss. Linz, 1968-72 Stipendiert, ab 1973 Habil. u. Berufung an d. Univ. Linz als Prof. f. BWL, 1978 Gastprof. an d. Univ. of Dallas, Texas USA, 1982 Gastprof. an d. Univ. of Toronto, York Univ. Toronto. P.: Betriebswirtschaftl. u. psych. Entscheidungstheorien, Personalwirtschaft, Organisations- u. Führungsforschung, wiss.theor. Methodenfragen. (Mayr)

Reber Kenneth D.

B.: Präs. d. Kirche Jesu Christi d. Heiligen d. Letzten Tage - Österr. Mission. DA.: 1190 Wien, Fürfangg. 4. G.: Overton, Nevada, 14. Apr. 1941. V.: Janet, geb. Dahl. Ki.: Teresa (1967), Melinda (1969), Julie (1971), Allison (1973), Mary Jane (1976), Michelle (1978), Scott (1980), Kurt (1983). El.: Leonard u. Daisy. S.: Stud. in Provo (Utah) Brigham Young Univ., Arizona State Univ., 1969 Mag. in Deutsch u. Literatur. K.: 7J. Lehrer an Gymn. u. Univ. in d. USA, später Finanzberater, ab 1990 Präs. d. Österr. Mission d. Kirche Jesu Christi d. Heiligen d. Letzten Tage. H.: Jogging, Familie, Sport, Singen. (R.J.)

Rebernig Theobald Dipl.-Ing.

B.: Mtgl. d. Gremiums d. Gschf. FN.: MARESI Markenartikelvertrieb GmbH. GT.: Gschf. b. Tochterges. DA.: 1013 Wien, Werdertorg. 5-7. V.: Maria. Ki.: Martin, Sonja. El.: Hubert u. Maria. S.: Grundschule, RG, HS f. Bdk. Wien, Stud. Ldw. K.: Molkereipraxis, 1958 zu Maresi, 1968 Gschf. m. Prokura, Aufnahme ins Gremium d. Gschf. H.: Skifahren, Tennis, Segeln, Lesen.

Rebernik Peter Dipl.-Ing.

B.: Dir. Kunsthaus Wien. DA.: 1030 Wien, Untere Weißgerberstr. 13. PA.: 1230 Wien, Anton-Baumgartner-Str. 44/C2. G.: Graz, 20. Juni 1947. V.: Christa, geb. Schwach. Ki.: Stephan (1975), Christian (1977). El.: Hans u. Helene. S.: BRG Sbg., 1965-66 Dallas/Texas USA, 1966-67 Jusstud. in Sbg., 1967-74 Nachrichtentechnik TU Wien, Dipl.-Ing. K.: 1966-71 Werkstudent Geldwechselstube American Express, Postämter, 1970-72 Ass. d. Gen.-Dir. d. Waagenfa. Bizerba, 1972-74 wiss. Hilfskraft an TU Wien, 1975-80 Univ.Ass. am Inst. f. Grundlagen d. Elektrotechnik d. TU Wien, 1980-81 Computerentwicklung b. Philips in Hilversum/NL, 1982 Softwareentwicklung b. Philips Österr., 1983 Marketing Video/Homecomputer b. Philips, 1984 Gschf. Chef d. Softwarehauses Telecom Labor Wien, 1985-87 Gschf. eines Tochterunternehmens einer österr. Bankengruppe, 1987 Dir. d. Techn. Museum Wien, seit 1993 Dir. Kunsthaus Wien. BL.: Idee u. Gründer d. 1. österr. Wiss.Messe 1978. E.: Adolf Schärf-Preis 1979. M.: Rotary-Club Wien-Süd. H.: Fotografieren, Klavierspielen, Wandern, Reisen m. Wohnwagen. (J.S.)

Rebhahn Karl Dr. techn. Dipl.-Ing. Prof.

B.: Arch. PA.: 4020 Linz, Tummelpl. 3. V.: Edith, geb. Murth. Ki.: Dr. Robert, Dr. Martina. El.: Leopold u. Rosa. S.: Hum. Gymn., 1934 Matura, Ak. d. Bild. Künste Wien, TU Graz 1959 Prom. K.: Bei Kriegsende Doz. an d. TH Linz-Wilhering, seit 1947 selbst., Wiederaufbauprojekte, LKinderklinik Linz (Gewinner d. Wettbewerbes 1951), div. Ind.Planungen, Wohnbauten, Schulen, Bürohäuser, Kirchenbauten (z.B. Neuhofen/Krems), Kraftwke. (Ranna-Kramesau, Großraming, Garsten, Gmunden, kalor. Kraftwk. Riedersbach I. u. II), Gestaltung v. Talsperren, seit 1960 Prof. P.: Einige Art. in Fachzeitschriften u. Zeitungen. E.: Ehrenkreuz f. Wiss. u. Kunst I. Kl., Ehrenkons. d. OÖ LRg., Ehrenpräs. d. Künstlerver. MAERZ, Ehrenmtgl. d. HS f. Gestaltung Linz. M.: Rotary-Club Linz. H.: Wandern, Schwimmen, Kunst (bes. bild. Kunst). (Deu.)

Rebhahn Robert Dr. iur. Prof.

B.: Jurist, Univ.-Prof. DA.: 9020 Klagenfurt, Universitätsstr. 65. PA.: 9020 Klagenfurt, Frodlg. 37. G.: Linz, 27. Feb. 1954. El.: Dr. Karl u. Edith. S.: Theresianum Wien, Jusstud. in Wien u. Linz, Prom. 1977. K.: 1977-84 Ass. am Inst. f. Arbeitsrecht an d. Univ. Linz, s. 1986 Univ.-Prof. am Inst. f. Rechtswiss. d. Univ. Klagenfurt. P.: "Weisungen an Universitäten" (1981), "Arbeitskampfrecht" (1983), "Rechtsschutz gegenüber d. Rechnungshof" (in Sammelbd., 1986), "Zwangsvollstreckung u. Insolvenz bei Gemeinden" (Inst. f. Kommunalwiss. Linz), Austrian Labour Law (gem. m. Strasser) (1991), "Der gewerberechtl. Geschäftsführer" (1994), sowie zahlr. Aufsätze i. Fachzeitschriften. M.: Rotary Club. H.: Lesen, Reisen. (D.M.)

Rebitsch Brigitte Mag.

B.: Dir. d. Bundesfachschule f. Wirtschaftl. Berufe. DA.: 6300 Wörgl, Innsbrucker Str. 34A. PA.: 6230 Brixlegg, Innsbrucker Str. 1. G.: Brixlegg, 26. Apr. 1949. V.: Dr. Wolfgang Rebitsch. Ki.: Gudrun (1975), Gerlinde (1977), Gerda (1981). El.: Dr. Adolf u. Luise. S.: VS, HS, Mus.-Päd. RG Innsbruck, 1968 Matura, Stud. Germanistik u. Anglistik Innsbruck, 1974 Mag. K.: seit 1971 Unterricht, 1974 Lehrerin an d. HBLA Innsbruck, 1977 Versetzung Fachschule Wörgl, 1987 provisor. Ltr. d. Schule, 1988 Dir. P.: Art. in regionalen Printmedien. M.: Theaterver. Brixlegg (Schriftführerin), Reitver. Inntal. H.: Tennis, Familie. (G.P.)

Rech Elisabeth Dr.

B.: RA u. Verteidiger in Strafsachen in d. Kzl. Dr. Elisabeth Rech. DA.: 1010 Wien, Lugeck 7/21. PA.: 3400 Klosterneuburg. G.: Wien, 7. Juni 1960. El.: Franz u. Irma Rech. S.: 1978 Matura, Jusstud. Univ. Wien, 1983 Dr. K.: Gerichtsj., b. 1988 Praxis b. Dr. Kriegler u. Dr. Gahleithner, seit 1989 selbst. m. eigener Kzl. H.: Klavier- u. Orgelspielen. (J.S.)

Rech Franz KommR.

B.: Prok. FN.: Rech Kühlanlagen Ges.m.b.H. GT.: Prüf.Kmsr. in d. Innung, Richter d. neuen Sozialgerichts. DA.: 1232 Wien, Tenschertstr. 12. PA.: 1150 Wien, Arnsteing. 16B. G.: Wien, 19. Jan. 1923. V.: Irma, geb. Auzinger. Ki.: Dr. Elisabeth, Ing. Franz, Mag. Fritz. El.: Franz u. Maria. S.: Grundschule, Gewerbeschule, Mstr.Kurs. K.: 1960 Grdg. d. Fa. Rech Kühlanlagen in 1150 Wien, Arnsteing. 16B, 1981 um 13,5 Mill. im 23. Bez. neu gebaut, jahrelanger Aussteller auf d. Wr. Messe. (E.L.)

Rech Irma

B.: Gschf. FN:: Rech Kühlanlagen Ges.m.b.H. DA.: 1232 Wien, Tenschertstr. 12. PA.: 1150 Wien, Arnsteing. 16B. G.: Wels, 9. Juli 1932. V.: Franz. Ki.: Dr. Elisabeth, Ing. Franz, Mag. Fritz. El.: Auzinger Johann u. Theresia. S.: Grundschule, Lehre. K.: 1960 Grdg. d. Fa. gemeinsam m. ihrem Mann. (E.L.)

Rechberger Friedrich

B.: Gschf. Ges. FN.: Rechberger GmbH Hotel Garni Cafe Inführ. DA. u. PA.: 3340 Waidhofen/Ybbs, Unterer Stadtpl. 25. G.: Waidhofen/Ybbs, 20. Sept. 1949. V.: Liane, geb. Wolkerstorfer. Ki.: Christian, Isabella, Karin. El.: Leopold u. Josefine. S.: VS, Gymn., Schriftsetzer u. Buchdruckerlehre, BH. K.: einschlägige Tätigkeit b. d. Frankfurter Rundschau, b. OÖ Tagblatt, Fa. IFE Waidhofen/Ybbs, NÖ Landesrg., seit 1987 gschf. Ges. d. Rechberger GmbH Hotel Garni Cafe Inführ, ÖVP GemR. d. Stadt Waidhofen/Ybb v. 1977-87, 1986 Gründer d. Bürgerliste u. ab 1987 GemR. BL.: 1986 Grdg. d. Bürgerliste Waidhofen/Ybbs u. Einzug m. 2 Mandaten in d. GemR. E.: Träger d. Silb. Ehrennadel d. Jungen ÖVP NÖ, Träger d. Silb. Ehrennadel d. ÖAAB, div. Ausz. v. Lions-Club. M.: Grdg. u. Vorst.Mtgl. v. Lions Club

Waidhofen/Ybbs, Obm.Stellv. d. ÖAMTC Zweigver. Waidhofen/Ybbs, Vorst.Mtgl. d. FC Waidhofen/Ybbs. H.: Skifahren, Tennis, Fußball. (Kern)

Rechberger Heinz Dr. wHofR.

B.: Ltr. d. Abt. Agrar- u. Forstrecht b. Amt d. OÖ LRg. DA.: 4010 Linz, Promenade 31. PA.: 4230 Pregarten, Aist 3. G.: Wien, 23. Okt. 1943. V.: Ingrid, geb. Kittinger. Ki.: Peter. El.: Gustav u. Johanna. S.: Mittelschule, 1962 Matura, Stud. Rechtswiss. Univ. Wien, 1976 Prom. K.: 1968 Gerichtspraxis, 1969 Eintritt in d. LDienst, 3 J. Abt.Ltr. d. BH Urfahr-Umgebung, 1 J. BH Linz-Land (Ltr. d. Abt. Verkehr u. Sicherheitswesen), seit 1974 Agrar- u Forstrechtsabt., seit 1977 Stellv. d. Abt.Ltr., seit 1983 W.HofR., seit 1984 Ltr. d. Agrar- u. Forstrechtsabt. M.: Obm. d. Vorst. d. WSG, Staatskmsr. d. OÖ Fruchtbörse. H.: Beruf, Familie, Natur, Ldw. (H.B.)

Rechberger Herbert

B.: Gschf. b. "Kirche in Not Ostpriesterhilfe". DA.: 1170 Wien, Hernalser Hauptstr. 55. PA.: 1140 Wien, Vogtg. 5/1. G.: Vorau/Stmk., 14. Juni 1959. V.: Evelyn, geb. Palla. Ki.: Patrick (1986), Dominik (1988). El.: Franz u. Agnes, geb. Konrad. S.: AHS in Unterwaltersdorf b. 1979. K.: 1980-84 Erzieher b. d. Salesianern, 1985 Eintritt in d. Organ. Kirche in Not, s. 1986 Gschf. dieser Hilfsorgan. H.: Sport, Musik (Gitarre spielen). (N.A.)

Rechberger Hermann Dr. techn. Dipl.-Ing.

B.: Computering. DA. u. PA.: 1050 Wien, Johannag. 11/13. G.: Steyr/OÖ, 24. Mai 1921. Ki.: Cornelia (1955). El.: Dir. Hermann u. Anna. S.: 1939 Matura, Stud. Elektrotechnik TU Wien, 1941-46 Dt. Wehrmacht u. Kriegsgefangenschaft, 1949 Dipl. K.: 1949-64 Univ.Ass. TU Wien, 1956 Doktorat, 1964-70 AEG Telefunken Westberlin: Inst. f. Automation in d. Computerforsch. tätig, 1970 Rückkehr nach Wien u. in d. Techn. Softwareentwicklung d. Elin-Union b. z. Pensionierung 1984 tätig, seitdem freiberufl. in d. Softwareentwicklung tätig. P.: 1971 Fachbuch: Computertechnik leicht verständlich, 16 Publ. in Fachzeitschriften, Elemente d. industriellen Automatisierungstechnik. E.: 1962 Theodor Körner-Preis f. Kunst u. Wiss. H.: Musik, Literatur. (J.S.)

Rechberger Johann

B.: Gschf. FN.: Druckerei u. Zeitungshaus J. Wimmer GmbH. DA.: 4010 Linz, Promenade 23. G.: St. Georgen/-Gusen, 24. Mai 1928. V.: Antonia. Ki.: Dr. Gerhard, Helmut. S.: AHS-Matura. K.: seit 1946 Fa. J. Wimmer f. Res. Druckerei zuständig. H.: Musizieren (Oboe, Klarinette), Tennis.

Rechberger Walter H. Dr. iur. Univ.-Prof.

B.: Univ.-Prof. am Inst. f. Zivilgerichtl. Verfahren. GT.: Ehrenamtl. Tätigkeiten: seit 1970 Mitarb. d. Cursillo-Bewegung, 1978-84 Vorst.Mtgl. d. Österr. Laienrates, Mtgl. d. Österr. Pastoralkmsn., dzt. Ltr. d. Bildungsak. d. ÖCV. DA.: 1010 Wien, Rathausstr. 19. PA.: 1190 Wien, Leopold-Steiner-G. 38. G.: Wien, 25. Dez. 1945. V.: Mag. Ingeborg, geb. Strobl. Ki.: Sophie, Stephanie. El.: Johann u. Hildegard. S.: AHS-Matura, Jusstud. Wien, 1967 Prom. K.: ab 1967 Ass. am Inst. f. Zivilgerichtl. Verfahren, 1968 Gerichtsjahr, 1977 Habil., 1979 a.o.Prof. f. Zivilgerichtl. Verfahren, Stellv. Ltr. d. Ludwig Boltzmann-Inst. f. Rechtsvorsorge u. Urkundenwesen. P.: über 50 Publ. aus d. Gebiet d. Zivilprozeßrechts, d. Privatrechts über allg. Universitätsfragen, "Die fehlerhafte Exekution", "Das neue Rechtsstud.", "Zivilprozeßrecht", Mithrsg. d. Veröff. d. Ludwig Boltzmann-Inst. u. d. Reihe Gesetze m. Materialien, zahlr. Beiträge in kath. Publikationsorganen, Redaktionsmtgl. d. Zeitschrift "Cursillo". E.: 1977 Theodor Körner-Preis. M.: Intern. Ver. d. Zivilprozeßrechtslehrer, Wiss. Ver. f. intern. Verfahrensrecht, div. nat. jur. Ver. H.: Theater, Reisen. (A.K.)

Recheis Käthe

B.: Schriftstellerin. A.: 1020 Wien, Rembrandtstr. 1/28. G.: Engelhartszell, 11. März 1928. El.: Dr. Hans u. Katharina Recheis. S.: Mittelschule m. Matura. K.: Verlagssekr., Ltr. d. österr. Büros einer intern. Auswanderer-Hilfsorgan., seit 1961 freie Schriftstellerin. P.: Kinder- u. Jugendbücher, "Lena - unser Dorf und d. Krieg", "Der weiße Wolf", 2bänd. Werk: "Weißt Du, daß die Bäume reden?" u. "Freundschaft mit d. Erde", "Kleiner Wa-Gusch", "Der weite Weg d. Nataiyu", "Wo die Wölfe glücklich sind" u.v.a. E.: Österr. Staatspreis f. Kinder- u. Jugendbuchliteratur, Preis d. Stadt Wien f. Kinder- u. Jugendbuch, Österr. Würdigungspreis f. Kinderlit., dt.-kath. Kinderbuchpreis. M.: Österr. P.E.N.-Club. H. Reisen, Stud. d. Indianer Nordamerikas, IG Österr. Autoren, österr. Schriftstellerverb.

Rechtberger Helga

B.: Inh. FN.: Helga Rechtberger Wild, Geflügel, Eier, Putenspezialitäten. DA.: 1040 Wien, Naschmarkt 175-178. G.: Wien, 22. Febr. 1940. V.: Friedrich Rechtberger. Ki.: Friedrich, Gabriele, Claudia. El.: Karl u. Annemaria Jakob. S.: 1958 Abschluß Textilgroßhdl. K.: Tätigkeiten in versch. Textilbranchen, 1964-66 Wild- u. Geflügelgeschäft in Favoriten, 1966 Beginn im Familienbetrieb, 1979 Eintritt in d. Ges., Inh., 1982 Eröff. d. Imbisstube, 1986 Verdopplung d. Geschäftslokale. P.: Veröff. in div. Medien. M.: Fleischerinnung, Geflügelaussch. H.: Lesen, Garten, Familie. (J.E.)

Graf v. d. Recke v. Volmerstein Gerwin Dr. rer. oec.

B.: Hotelkfm., Hotelier. A.: 5742 Wald in Pinzgau 62. G.: Wald in Pinzgau, 4. Juli 1927. El.: Gotthard u. Erna. S.: Matura, Univ.Stud., Betriebswirtschaft u. Vw. in München u. Innsbruck. K.: Übernahme u. Ausbau d. Familienbesitzes "Jagdschloß Graf Recke", Aussch.Mtgl. in d. Verkehrsver. Wald u. Neukirchen an Gr. Venediger, Präs. d. Arbeitsgruppe "Schloßhotels u. Herrenhäuser v. Österr.". F.: Fa. August Bilstein, Ennepetal, Kraftfahrzeugzulieferind. P.: Diss.: "Die betriebswirtschaftl. Probleme d. Raiffeisenkredit-Gen.". E.: Ehrenritter d. "Johanniterordens". M.: Österr. Hotelierver., Romantik-Hotels v. Österr., Club Preysing Palais v. Österr., Tafelrunde München, Verkehrsver. Wald u. Neukirchen.

Rédei Károly Dr. phil. Univ.-Prof.

B.: o.Univ.-Prof. f. Finno-ugrische Sprachwiss. an d. Univ. Wien. DA.: 1010 Wien, Dr.-Karl-Lueger-Ring 1. PA.: 1120 Wien, Altmannsdorfer Str. 21-23/2/2. G.: Nagykanizsa/-Ungarn, 11. Apr. 1932. V.: Dr. Piroska. Ki.: Agnes (1960), Károly (1965). S.: Hum. Gymn., Univ. Budapest, Hungarologie u. finno-ugr. Sprachwiss., Dr. phil., Habil. K.: 1967 Ltr. d. Finn.-Ugrischen Abt. im Sprachwiss. Inst. d. Ungar. Akad. d. Wiss., 1971 Titularprof., 1974 Beruf. n. Wien u. o.Univ.-Prof. f. Finno-Ugristik an d. Univ. Wien. P.: Nordostjak. Texte (Kazym-Dialekt) (1968), Permjak. Wörterverzeichnis aus d. J. 1883 auf Grund d. Aufzeichnungen F.A. Wolegows (1968), Die syrjän. Lehnwörter im Wogulischen (1970), Zu d. indogerman.-ural. Sprachkontakten (1986), Ural. etymolog. Wörterbuch I-II (m Marianne Bakró-Nagy 1988), ca. 160 Art. in versch. wiss. Zeitschriften. M.: Ungar. sprachwiss. Ges., Finn.-Ugr. Ges., Körösi Csoma Ges., Wr. Sprachges., Finn. Literaturges., Intern. Ges. f. ungar. Philologie, Societas Uralo-Altaica, auswärt. Mtgl. d. Ungar. Akad. d. Wiss., Ehrenmtgl. d. Finn.-Ugr. Ges.

von Reden Alexander Sixtus Mag. art. Prof

B.: Grafiker u. Schriftsteller, freischaff. GT.: Stellv. Chefred. d. Fachorgans d. Österr. Papierind. DA.: 1060 Wien, Gumpendorfer Str. 6. PA.: 1090 Wien, Alser Str. 10/16. G.: Wien, 1. Mai 1952. V.: Michaela Mag. Ki.: Georg-Michael. El.: Hans Hugo u. Luise Maria. BV.: Friedrich Wilhelm Frhr. v. Reden Begründer d. mod. Statistik, Adolf Frhr. v. Knigge, Jiri Antonin Benda (Komponist). K.: b. 1988 stellv. Chefred., seit 1988 Chefred. M.: Bürgerkorps Regau u. Kollerschlag, ARGE Betriebsred. Grafik-Design Austria. E.: Verd.Kreuz in Gold d. OÖ Bürgergarden, EZ in Gold d. Bürgergardeordens Kollerschlag, Ehrenmed. in Silber d. Stadt Wien, Goldmed. d. ital. Ak. d. Künste, Preise: 1974 Biennale Krakau, 1975 Staatspreis f. Werbung (im Rahmen d. Fremdenverkehrswerbung). (P.R.)

Reder Christian

B.: Prof. f. Kunst- u. Wissenstransfer an d. HS f. Angew. Kunst Wien. GT.: Konsulent, Autor. DA.: 1010 Wien, Oskar-Kokoschka-Pl. 2. PA.: 1010 Wien, Jasomirgottstr. 6. G.: Budapest, 7. Apr. 1944. V.: Ingrid, geb. Zumtobel (Modedesignerin, Mtgl. d. AufsR. d. Zumtobel AG Lichttechnik). Ki.: Christine u. Caroline (1966). El.: Dr. Franz u. Eva, geb. Herczegh. S.: Stud. Soz., Ökonomie u. Politologie Univ. Wien, 1969 Doktorat. K.: seit 1970 intern. tätiger Berater im Politik- u. Kulturbereich, f. d. öff. Verw., f. Wirtschaftsunternehmen, f. Sozialprojekte, Aktivitäten im Verlagswesen u. in d. Nord-Süd-Kooperation, Mitherausgeber d. Zeitschrift "architektur aktuell", bis 1994 auch d. Wr. Zeitschrift "Falter", seit 1985 Prof. an d. HS f. angew. Kunst in Wien, Vorst. d. neugeschaffenen Lehrkanzel f. Kunst- u. Wissenstransfer, seit 1991 o.HS-Prof. P.: Bücher u.a. "Organisationsentwicklung in d. öffentl. Verwaltung" (1977), "Ein Management Taschenbuch" (1979), "Stadtbuch Wien" (1983), "Neuorientierung v. Kunsthochschulen" (1985), "Kunst u. Wirtschaft (1987), "Wiener Museumsgespräche" (1988), "Neue Sammlungspolitik u. neue Arbeitsstruktur. MAK - Österr. Museum f. angew. Kunst" (1991), "Kunst: Anspruch u. Gegenstand. Von d. Kunstgewerbeschule z. HS f. angew. Kunst in Wien 1918-1991" (1991), Aufsätze u. Essays über Politik, Zeitgeschichte, Arch., Design, bild. Kunst, einzelne Künstler. (J.S.)

Reder Gottfried

B.: Zweigstellenltr. d. VKB-Volkskreditbank AG Steyr-Tabor. A.: 4400 Steyr, Resselstr. 5. G.: Steyr, 25. Aug. 1957. V.: Andrea, geb. Legat. El.: Florian u. Maria. S.: VS, HS, HASCH, Bankspezifische Seminare b. d. Volkskreditbank AG, (Prüfungskurs, Marketing u. Kreditseminare). K.: Nach d. Präsenzdienst Eintritt in d. Volkskreditbank 1977, Verwendung in d. Buchhaltung, Kreditabt. u. am Schalter. Seit 1980 Ltr. d. neueröffneten Zweigstelle Steyr-Tabor. M.: Seit 1980 Finanzref. d. Österr. Arbeiter- u. Ang.Bund (ÖAAB) Steyr-Stadt. H.: Musik, Skilauf, Schwimmen, Radfahren.

Reder Günter

B.: Firmeninh., Nachrichtentechniker. FN.: CVS Computer & Service GmbH. DA.: 4020 Linz, Dinghoferstr. 57. PA.: 4470 Enns, Zieglerstr. 1. G.: Gleisdorf, 9. Dez. 1945. V.: Waltraud,, geb. Damböck. Ki.: Isabella (1975), Michaela (1977), Christine (1978). S.: bis 1963 HTL Nachrichtentechnik Steyr. K.: 3 J. Deutschland, 10 J. Philips, 3 J. Ltr. d. RUF-Buchhaltung, seit 1979 selbst., 20 J. GemR. Enns. BL.: Ausstellung v. Softwarelösungen in d. BRD. P.: div. Veröffentlichungen in Fachzeitschriften. M.: Freier Wirtschaftsverb., Bez.Vors. d. Kinderfreunde, Managementclub. H.: Marken, Tennis. (P.H.)

Redl Alfred R.

B.: Dir. u. Prok. d. Julius Meinl AG, Wien, Ltr. d. Datenerarb., Prok. d. Julius Meinl Warenhdls. u. Immobilien GmbH. Wien. G.: Wien, 18. Mai 1933. S.: Besuch d. Realschule in Wien, betriebswirtschaftl. Ausbild. an d. Fern-Betriebswtschftsak. Wiesbaden, Master's degree of business administration (GB), Cert. in Business Managmt. (USA). K.: 1955 Eintr. in d. Julius Meinl AG, 1958/59 Ausbild. z. EDV-Analytiker, 1960 Projektltr. f. d. Einführung d. Datenverarb. im Meinl-Konzern, 1964 Ernennung z. Ltr. d. Gruppe Systemanalyse u. Programmg., 1973 Ernenng z. Prok. d. Julius Meinl Warenhdls. u. Immobilien GmbH. Wien, 1980 Ernennung z. Prok. d. Julius Meinl AG, Wien u. Ltr. d. Datenverarb. f. Meinl-Konzern. H.: Lesen, Schwimmen, Wandern.

Redl Anna

B.: Gschf. Ges. FN.: Reisebüro "Wienerbus" GmbH. DA.: 1010 Wien, Stubenring 4. PA.: 1222 Wien, Anisg. 16. G.: Wien, 13. Feb. 1952. El.: Hermann u. Pauline Redl, geb. Hepp. S.: VS, Gymn., HASCH. K.: 1970 Eintritt Firma "Wienerbus" Autobusvermietung, 1973 Gschf. Ges. u. Erweiterung auf Reisebürotätigkeit, 1979 Bild. eines eigenen Busfuhrparkes u. Spezialisierung auf Autobus- u. Gruppenreisen. BL.: 1962-85 aktive Handballspielerin in Wien, Stockerau u. Krems. M.: ÖVT. H.: Tennis, Skifahren, Reisen. (M.M.)

Redl Erika

B.: Unternehmerin, Inh. d. Geschäftes "Hobby Studio" - Erika Redl. DA.: 1120 Wien, Ignazg. 9. PA.: 1100 Wien, Pernerstorferg. 60. G.: Wien, 21. März 1940. El.: Karl u. Philippine Machorek, geb. Siebert. S.: VS, HS, Berufsschule. K.: Tätigkeit im Handel, danach selbständig, Schwerpunkte Floristik u. Malen. H.: Malen, Lesen. (N.A.)

Redl Gerhard Doz. Dr.

B.: Prim. d. Anästhesie. FN.: Orthopäd. Spital Speising. DA.: 1130 Wien, Speisingerstr. 109. PA.: 3400 Klosterneuburg, Ubald Kostersitzg. 16. G.: Wien, 3. Nov. 1954. V.: Mariana, geb. Popov. Ki.: Maria (1993), Anna (1994). El.: Hermann u. Martha, geb. Tomszik. S.: 1972 Matura, 1972-78 Med.-Stud., 1978 Prom. K.: ab 1981 Klinik f. Anästhesie, 1984 Jus Practicandi, 1985 Facharzt. 1989-1990 Texas/Prof. Traber Experimentelle Untersuchung über die Sepsis, 1992 Habil., s. 1994 Primarius. M.: Österr. Ges. f. Anästhesiologie, Europ. Schockges., Intern. Endodoxin Society, Österr. Ges. f. Eigenbluttransfusion. H.: Computer, Familie. (M.D.)

Redl Heinrich Ing.

B.: Betriebsltr. d. Weingut Stadt Krems. DA.: 3500 Krems, Stadtgraben 9-13. PA.: 3500 Krems-Egelsee, Kremser Str. 28. G.: Krems, 28. Okt. 1955. V.: Elisabeth, geb. Fehringer.

Ki.: Paul (1982), Martha (1983). El.: Heinrich u. Johanna. S.: VS, HS, HBLVA f. Wein- u. Obstbau Klosterneuburg, 1976 Matura. K.: 1977-91 Betriebsltr.-Stellv. in Winzergen. Krems, seit 1992 Betriebsltr. d. Weingutes Stadt Krems. M.: Weinbruderschaft Krems. H.: Wandern, Lesen. (M.M.)

Redl Franz

B.: Prokurist u. Busuntern. FN.: Franz Redl Autobusunternehmer DA.: 1010 Wien, Stubenring 4; 1220 Wien, Schottensteing. 6. G.: Wien, 3. März 1963. V.: Candice, geb. Hewitt. El.: Hermann u. Pauline. S.: VS, HAK, Matura. K.: väterl. Autobusbetr., 1993 Prokurist i. Reisebüro Wienerbus, 1989 Reisebusuntern. M.: ÖVT. H.: Tennis, Handball, Garten. (J.M.)

Redl Heinz Mag. Ing.

B.: Gschf. FN.: INFRA Bauträger u. Immobilien GmbH. DA.: 1030 Wien, Strohg. 14c. PA.: 2103 Langenzersdorf, Haaderstr. 44. G.: Wien, 6. März 1956. V.: Barbara. Ki.: Victoria, Valentina. El.: Joseph u. Edith. S.: VS, HS, HTL Fachrichtung Hochbau, 1976 Matura, Stud. Hdls.-Wiss. WU Wien, 1982 Abschluß. K.: Arb. im Arch.-Büro Riccarbona, Trainee Programm Bank Austria, 1984-91 Giro Zentrale Immo-Rent, ab 1992 INFRA Bauträger Makulan Holding AG. H.: Sport, mod. Möbeldesign. (H.S.)

Redl Herbert Ing.

B.: Surveyor. FN.: DET NORSKE VERITAS Klassifikation, Zertifizierg. v. Qualitätssicherungssystem. DA.: 4020 Linz, Waldeggstr. 121. PA.: 4040 Linz, Linzer Str. 30a. G.: Linz, 25. Sept. 1957. V.: Ingrid, geb. Holzgethan. Ki.: Susanne (1987). El.: Alfred u. Olga. S.: HTL, 1977 Matura. K.: 1977-82 Vöest Alpine, s. 1982 b. Veritas, Distriktsmitarb.-Zweig-stelle Linz. M.: Österr. Ver. f. Qualitätssicherung, Österr. Ges. f. zerstörungsfreie Prüf. H.: Faustball, Radfahren. (H.B.)

Redl Hermann

B.: Elektromstr., Inh. FN.: Redl & Co. DA. u. PA.: 2020 Hollabrunn, Amtg. 27. G.: Hollabrunn, 18. Aug. 1949. V.: Hertha, geb. Neumayer. Ki.: Alexandra, Hermann, Martina. S.: Elektrolehre, Gesellenprüf., 1974 Mstr.Prüf., ausgebildet in Bioelektrik u. Blitzschutzbau. K.: Lehre b. Fa. Metal, Fa. Dorfinger u. Fa. Redl, 1974 Übernahme d. elterl. Betriebes, 1988 Grdg. d. Fa. Radio Redl GmbH Hollabrunn. H.: Jagd, eigene Fischzucht, Weinbau, Skifahren.

Redl Karl Mag.

B.: Gschf. d. Ges. f. Wirtschaftspsych. u. Organ.Dynamik. DA.: 1060 Wien, Köstlerg. 1. PA.: 1140 Wien, Penzingerstr. 94. G.: Krems, 9. März 1961. El.: Franz u. Herta, geb. Kaiser. S.: 1979 Matura, 1980-82 Jusstud. Univ. Wien, 1982-86 Stud. Sport u. Geschichte Univ. Wien. K.: 1986-88 Gymn.Lehrer Wien, ab 1988 Gschf. d. Ges. f. Wirtschaftspsych. u. Organ.-Dynamik. P.: zahlr. Publ. in Fach- u. Wirtschaftszeitchriften, Buchbeitrag "Lernen m. d. Computer", "Computerlernen u. Autorensysteme" (1989). H.: Gitarre spielen, Sport. (N.A.)

Redl Karl Divisionär

B.: Militärkdt. f. Vbg. DA.: 6900 Bregenz, Reichsstr. 20. PA.: 6911 Lochau, Am Rintl 23. G.: Wien, 1939. V.: Ute, geb. Harmsen. Ki.: Carl Christian, Andreas Heinrich. El.: Karl u. Rosa. S.: 1958 Matura. K.: seit Okt. 1958 Österr. BH. 1959-62 Theresianische Militärak. Wr. Neustadt, 1962-64 Lehroffz. FLAWTS, 1964-69 Batteriekdt. FLAA3, 1969-72 Generalstabskurs Landesvert. Ak. Wien, 1972-84 Generalstabsoffz. b. KpsKdo II Sbg., seit 1985 Militärkdt. v. Vbg., 1988 Divisionär. BL.: Heeresbergführergeh., Initiator d. Igels als BH-Maskottchen. P.: versch. Beiträge in militär. Fachliteratur. E.: 1980 Silb. EZ d. Rep. Österr., Gold. EZ d. Landes Sbg., Gold. EZ d. Österr. Unteroffz.-Ges. M.: Präs. d. Kiwanis Club Bregenz, Europ. Erzieherbund, Ges. f. Pol.-Strateg. Studien. H.: Alpinistik, Segeln, Tennis. (A.K.)

Redl Robert Dipl.-Ing.

B.: Staatl. bef. u. beeid. Ziviling. f. Kulturtechnik u. Wasserwirtschaft. DA.: 2340 Mödling, Hauptstr. 18. PA.: 2380 Perchtoldsdorf, Beatrixg. 9. G.: Mödling, 4. Dez. 1941. V.: Dr. Gertrude, 2 Töchter. El.: Walter u. Adelheid. S.: Realschule Mödling, HS f. Bdk. K.: Ziviling. b. Fa. Purator, 1973 selbst. BL.: naturnahe Gewässerregulierungen, Grundwasserschutz, Abfallwirtschaft. M.: Lions-Club Mödling, Österr. Wasserwirtschaftsver. H.: Skifahren, Segeln, Reisen, Tennis, Theater. (M.G.)

Redl Walter Dipl.-Ing.

B.: Oberstadtbaurat, Kulturtechn., Abfallwirtsch. u. techn. Betriebe. FN.: Mag. d. Stadt Wien Gruppe Umwelttechn. DA.: 1010 Wien, Doblhofg. 9. PA.: 1220 Wien, Eipeldauerstr. 55/14. G.: Wien, 12. Sept. 1946. V.: Darina, geb. Chlebo. Ki.: Linda (1983), Julia (1988). El.. Ing. Walter u. Gertrude. S.: 1965 Matura a. d. Realschule, 1965-71 Stud. d. Kulturtechn. u. Wasserwirtsch. an BOKU Wien. 1972-85 bei Mag. Wien, zust. f. d. Überwachung d. Bauarbeiten b. Donau Hochwasser-Schutz in Wien, 1986-92 zust. f. Planung u. Organisation b. d. Errichtungsges. Marchfeld-Kanal, 1987 OberstadtR/Betreuung v. gr. Wasserobj. in Österr., 1992 bei Mag. d. Stadt Wien, als Abfallwirtsch. u. soziale Aufgaben. BL.: seit vielen Jahren im 22. Bez. aktiv engagiert v. allem hinsichtlich d. Sanierung v. Lobau (alte Donau). P.: Auf d. Gebiet Umwelt hält nat. u. intern. Vorträge u. Seminare. H.: Reiten, Tennis, Kinder. (I.K.)

Redlberger Alfred

B.: Gschf. Ges. FN.: SÜDBAU Fertigteilbau GmbH. DA.: 2340 Mödling, Schillerstr. 73. PA.: 3631 Scheib, Neubau. G.: Wien, 20. Sept. 1951. V.: Maria, geb. Stieger. El.: Ernst u. Margarethe. S.: VS, HS, Berufschule, Modelltischler, HTL. K.: Modelltischlerlehre, 1970 Mustermacher f. Brillenmodelle, 1971-72 Ing.Büro f. Maschinenbau, Techn. Zeichner, Detailkonstrukteur, 1973-84 SÜDBAU Schleussner Fertigteilwerk, Ass. d. Geschäftsltg., Rationalisierung u. Entwicklung v. Anlagen in d. Fertigteilind., Fertigteil-werksplanung f. Projekte im Iran u. Mexiko, Werkstätten- u. Bauhofltr., Betriebsltr., ab 1984 Grdg. d. Fa. SÜDBAU Fertigteilbau GmbH. H.: Skifahren, Radfahren, Kakteenzüchten. (R.A.)

Redmann Franz Dir.

B.: Kfm. Gschf. Dir. FN.: Julius Meinl "GOURMET" GmbH. GT.: 2 Töchter: Gebr. Gross GmbH, Pro Fleisch Be- u. Verarb. GmbH. DA. u. PA.: 1020 Wien, Rotensterng. 12, 1160 Wien, Julius Meinl-G. 3-7, 2460 Bruck/Leitha, Adalbert-Stifter-G. 6. G.: Bruck/Leitha, 24. Juli 1938. V.:

Erika, geb. Stromer. Ki.: Christian. El.: Franz u. Albine. S.: VS, HS, 1952 Lehre b. Julius Meinl AG, sämtl. Abt. u. Ausbild., wie Detailverkauf, Managementkurse im Rahmen d. Julius Meinl AG, Aufenthalte Schweiz u. Deutschland. K.: 1959 Fil.Ltr., b. 1974 in versch. Fil. Österr. tätig, bes. Augenmerk auf d. Lebensmittelgroßhdl., im speziellen Kaffee, 1974 Übertritt in d. Julius Meinl Großhdl., Organ. eines Großhdls .Ndlg. in Ostösterr., ab 1976 Verkaufsdir. f. d. Großhdls.Bereich OÖ, NÖ u. Bgld. bzw. Großküchenbetrieb im Raum Wien, 1979 Organ. d. Fleischvertriebes im Hause Meinl, Kunz, Pam Pam, H+G Lagerhäuser, seit 1979 Gschf. Gourmet, Gebr. Gross, 1986 Gschf. Profleisch. H.: Tennis, Fußball, Leichtathletik, Theater, Literatur, Sport generell. (G.E.)

Redtenbacher Johannes

B.: Inh. FN.: Johannes Redtenbacher Import-Export Hdls.-Agentur. DA.: 1180 Wien, Martinstr. 66. PA.: 1190 Wien, Kaasgrabeng. 65. G.: Wien, 15. Sept. 1937. V.: Renate, geb. Wais. Ki.: Michael (1968), Wolfgang (1970), Marietta (1971). El.: Gottlieb u. Maria. S.: TGM Wien, Betriebstechnik. K.: nach d. Berufsausbild. im Export-Import, Ost- u. Überseehdl. tätig, zuletzt Exportltr. d. Firma Rhomberg Madrisa, seit 1988 selbst. Grdg. d. Hdls.-Agentur u. d. Import-Export Firma, Import m. Schwerpunkt Heimtextilien. F.: Galerie 66 Geschenkboutique. H.: Musik, Klavierspielen, Skifahren, Tennis, Bergwandern, soz. Engagement. (J.S.)

Reeh Klaus Dr. med.

B.: FA f. Zahn-, Mund- u. Kieferheilkunde. DA. u. PA.: 6020 Innsbruck, Maria-Theresien-Str. 49. G.: Jägerndorf, 22. Sep. 1934. V.: Dr. Brigitte. Ki.: Elisabeth. El.: Leopold u. Berta. S.: VS, HS, Gymn., 1957 Matura, 1957-70 Med.-Stud. Wien, 1970 Prom. K.: Turnusarzt KH Hohenems, fachl. Ausbildg. f. Zahnheilkunde Innsbruck, 1974 Eröff. d. eigenen Praxis Innsbruck. M.: seit 1985 Vorst. d. Tir. Ärztekam. u. Vertreter d. Tir. Zahnärzte. H.: Lesen, Skifahren. (A.W.)

Regber Johann Karl

B.: AmtsR. GT.: Dichter u. Tonsetzer. PA.: 1050 Wien, Arbeiterg. 42/10. G.: Wien, 24. Apr. 1932. V.: Christine, geb. Reisinger. El.: Karl u. Leopoldine. S.: Gymn. Wien, 1951 Matura. K.: 1952-55 Postbmtr., seit 1955 Zollbmtr. (b. 1959 in Innsbruck, seither in Wien), seit 1977 AmtsR., seit d. 16. Lebensjahr schriftstellerisch tätig. P.: Gedichte, 3 Bücher, "Wanderer nach d. Glück", "Seit zum Worte ward die Welt", "Insel im Zeitenstrom", 1 Band Novellen: "Wer das Rechte sucht". 1973-78 Stud. am Prayner-Konservatorium Wien: Harmonielehre, Kontrapunkt u. Komposition, Kammermusik: Sonaten, Lieder u. Balladen, Streichquartette, Orchestermusik: Symphonien, Märsche, 1 Konzert, 1 Messe, ist bestrebt d. Überlieferung d. abendländ. Kultur ohne Bruch weiterzuführen, Veröff. v. Gedichten in Zeitschriften, Sendungen im ORF, ca. 80 Autorenlesungen, Konzerte. H.: Schönheit v. Natur u. Kunst bewundern, Heimwerken, Wandern, Reisen. (A.W.)

Regenfelder Harald Ing.

B.: Geschf. FN.: Landwirtschaftl. Genossenschaft St. Veit/Glan. DA.: 9300 St. Veit/Glan, Lastenstr. 4. PA.: 9300 St. Veit/Glan, Breitenstein 7. G.: Kraig, 6. Dez. 1940. V.: Christine, geb. Wagner. Ki.: Monika (1971), Renate (1973), Harald (1976), Heidrun (1980), Waltraud (1983). El.: Emil u. Maria. S.: Höh. Landwirtsch. Bundes-Lehr- u. Versuchsanst. Franciscus Josephinum Wieselburg, 1965 Mat. K.: n. Ausbild. 1/2J. Henkel BRD, 1966 Eintr. i.d. landwirtsch. Gen. St. Veit/Glan, s. 1974 Geschf., nebenbei landwirtsch. Betr. m. Gattin. BL.: Geländelauf-Mstr. v.NÖ u. OÖ (1962,63,64), Leichtathletik-Stadt-Mstr. v. St. Veit (3-Kampf), Sieger zahlr. Bergtourenfeste. M.: Grdg.-Mtgl. u. Obm. d. Turnvereins Kraig, Trainer u. Obm. e. örtl. Handballver. m. 4 Mannschaften. E.: Leistungsabz. d. Landjugend in Gold, Ehrenz. d. Ktn. Abwehrkämpfer- u. Kameradschaftsbundes, jährl. ÖSTA. H.: Lesen, Turnen. (F.S.)

Regenscheit Peter

B.: Gschf. Generalbevollmächt.Prok. FN.: Integrata Unternehmungsberatung GmbH Österr.; Integrata AG Schweiz, Integrata AG, Deutschland. DA.: 1150 Wien, Kürnbergerg. 2-4. G.: Überlingen, 28. Juni 1946. V.: Ursula. Ki.: Manuela (1988). El.: Johann u. Emma. S.: Ind.-Kfm., Teilstud. Betriebswirtschaft. K.: Tätigkeit in d. Informationstechnologie d. Firma Robert Bosch GmbH, verantwortl. f. Entwicklung u. Informatik im Großkundenbereich, in Lateinamerika, Afrika u. Spanien im Einsatz, seit 1985 Integrata AG Deutschland, 1989 Ernennung z. Prok., 1991 Gschf. in d. Tochterges. Schweiz, 1993 Gschf. Tochterges. Österr., 1994 Gen.-Bev. d. Mutterges. f. sämtl. Auslandsaktivitäten. BL.: Schweizer Ges. in d. Rezession z. Erfolg geführt. Lehrbeauftragter an d. FHS f. Wirtschaft u. Techn. Reutlingen, im Fachbereich Automatisierungstechn. mehrere Sem. tätig. F.: Integrata AG. P.: div. Art. in Fachzeitschriften. H.: Wassersport, Reisen, Satelittentechnik, Beruf. (W.M.)

Reger Johannes Maximilian

B.: Inh., Glasermstr., Glasschleifermstr., geprüfter Hohlglasveredler, künstler. Glasgestaltung. FN.: Ing. Franz Reger. DA.: 2700 Wr. Neustadt, Ledererg. 11, 2700 Wr. Neustadt, Broditschg. 16 u. 12. G.: Wr. Neustadt, 20. Sept. 1954. El.: Ing. Franz u. Käthe. S.: VS, Übungsschule, RG, Glasfachschule in Kramsach. K.: 1973 Eintritt in d. elterl. Betrieb, d. 1902 gegründet wurde, seit 1974 Glasermstr., seit 1975 Glasschleifermstr., 1976-77 Tätigkeitsbeginn im Bereich d. Kunstverglasung, 1978 Glasmalerei, Befähigungsnachweis f. Hohlglasveredler 1984, Seminare f. Untern.Führung am Hernsteininst., fachl. techn. Ak. in Esslingen, ital. Sprache f. Weiterbild.Zwecke im künstler. Bereich, Tätigkeit in d. Bauverglasung u. im techn. Bereich, intensive Beschäftigung m. Glasmalerei, Arb. im In- u. Ausland, Restaurierungsarb. im sakralen u. im profanen Bereich, 1985 Übernahme d. Fa. P.: Teilnahme an intern. Veranstaltungen u. Ausstellungen im In- u. Ausland. M.: Prüfer f. d. NÖ Lehrabschluß u. Mstr.Prüf. d. Glaser u. Glasschleifer, Prüfer f. Hohlglasveredler, einer d. Vors. d. NÖ Glasschleifer u. Spiegelbeleger. H.: Schach, Bildungsreisen. (Kern)

Regner Manfred

B.: Gschf. FN.: Regner Snacks u. Partyservice. DA.: 7000 Eisenstadt, Neusiedler Str. 35-37. PA.: 7123 Mönchhof, Am Schranken 8. G.: St. Andrä/Zicksee, 23. Juli 1954. V.: Johanna, geb. Meidlinger. Ki.: Manfred (1980), Eveline (1982). El.: Josef u. Helene. S.: 1968 Gastgewerbefachschule Judenplatz, 1969-72 Kochlehre Hotel Esplanade in Baden. K.:

Praxis in div. Hotels, s. 1985 selbst. m. Partyservice in Mönchhof, 1991 Grdg. v. Regner's Partyseervice in Eisenstadt. H. Tischtennis, Schwimmen. (M.G.)

Regschek Kurt Prof.

B.: ak. Maler, Kunstmaler. DA. u. PA.: 1180 Wien, Geymüllerg. 30. G.: Wien, 29. Juni 1923. V.: Elisabeth. S.: Stud. München u. Paris, 1951 Rückkehr nach Wien. K.: 1958 1. Einzelausstellung Galerie Fuchs, 1963 Organ. d. Ausstellung "Wiener Schule d. phantastischen Realismus" in Klaus Lingens Galerie Basilisk, 1964 Ausstellung, "Bregenz 1964 Phantastische Malerei", 1979 Wandgemälde z. Ausgestaltung d. Foyers d. UNO-City, zahlr. Einzelausstellungen im In- u. Ausland. P.: Die Wiener Schule (1964), Die Wiener Schule des Phantastischen Realismus (1974), L'Art Visionaire (1980). E.: 1950 Förderungspreis d. Stadt Wien, 1962 Dr. Theodor Körner-Preis, 1966 Hugo v. Montfort-Preis d. Stadt Bregenz. (P.R.)

Reh Gerald M. Ing.

B.: Spurenanalytiker, Bodenchemiker, Bmtr. (ADir.). A.: 2463 Gallbrunn, Bergg. 3. G.: Wien, 24. Dez. 1938. V.: Inge A., geb. Tuppa. Ki.: Wolfgang J. (1965), Georg M. (1967), Michael G. (1970), Robert C. (1972). El.: Lutonsky Hans u. Naster-Reh Felicitas. S.: RG (Matura Wien-Strebersdorf 1956), Univ. Wien (Chemie, später Erdwiss.), K.: 5 J. Molkerei, 3 J. BVersuchs- u. Forschungsanst. Arsenal, seit 1963 ldw. chem. BA, unterbrochen durch 1 J. Österr. Entwicklungshilfe Jordanien (Zuckerrübenprojekt, Boden-, Rübenanalysen, 1964/65) u. 6 J. intern. Entwicklungshilfe FAO, Äthiopien (Inst. of Agric. Research, Boden-, Pflanzenanalysen, 1968/74), Mitarb. an ÖN-Fachgr., kirchl. sehr engagiert (Ökumene). P.: Neue Wege d. Bodenuntersuchung 1978. M.: Österr. Bd. Ges., Intern. Bdk. Ges. (ISSS), Ver. Österr. Chemieing. u. Chemotechniker. H.: Fotografie, klass. Musik, Theol.

Rehak Rudolf

B.: Gschf. FN.: Köck GmbH. DA.: 1170 Wien, Ortliebg. 5-9. PA.: 2231 Straßhof, Waldstr. 113. G.: Wien, 12. Nov. 1941. V.: Elfriede, geb. Boecker. Ki.: Stefan (1979). El.: Rudolf u. Therese, geb. Messier. S.: VS, HS, 1955-58 Hdls.-Kfm. Firma Brüder Stohlhofer. K.: 1958-61 kfm. Ang. Firmen Brüder Stohlhofer, Marker Bodenbeläge u. Winston Elektro Wien, 1961-62 Kraftfahrer Belvedere Krawatten Wien, 1963 kfm. Ang. Firma Winauer Elektro Wien, 1964 Eintritt Köck: Verkaufsberater, Verkaufsltr., Einkaufsltr., Haushaltselektronik, Ltr. Markt u. Recht, seit 1975 Prokura, ab 1992 Gschf. zuständig f. Verkauf u. Marketing. H.: Schwimmen, Skifahren, Wandern. (N.A.)

Rehberger Karl DDr.

B.: Dir. d. Stiftsbuchhdlg. St. Florian, Stiftsbibl., Stiftsarchivar, Custos d. Stiftssammlungen, Prof. f. Kirchengeschichte u. altchristl. Literaturgeschichte an d. phil.-theol. HS in Linz, wiss. Kons. d. OÖ LRg. El.: Matthias u. Anna. S.: hum. Gymn., 1955 Matura, Stud. an d. Univ. Sbg., Phil. u. Theol. an d. Hauslehranst. d. Stiftes St. Florian, 1964 Prom. Sbg. Theologie, 1962-65 Parallelstud. im Inst. f. österr. Geschichtsforsch., Staatsdipl. 1965, Prom. 1968. K.: 1965-69 Prof. f. Theol. in St. Florian, seit 1970 Prof. f. Kirchengeschichte an d. HS Linz. P.: ca. 60 wiss. Beiträge. E.: 1977 Wiss. Konsulent d. OÖ Landesreg., 1986 Silb. EZ d. Landes OÖ. M.: Vorst. im Verb. d. öster. Archivare, Verb. d. österr. Bibl., Vorst. d. OÖ Musealver., Verb. d. deutschsprachigen Kirchengeschichte, Görres-Ges., Subkmsn. f. vergleichende Kirchengeschichte, Verb. kirchl. Custoden im deutschsprachigen Raum, österr. Museumverb., österr. MusikR. intern. Ges. z. Erforsch. d. Kultur d. Mittelalters. H.: Reisen. (A.W.)

Rehberger Robert Dr. phil.

B.: Hofrat, Dir. FN.: Universitätsbibliothek Johannes-Kepler-Univ. DA.: 4040 Linz, Altenbergerstr. 69. PA.: 4040 Linz, Hagenstr. 50. G.: Wien, 15. Aug. 1930. V.: Ingeborg, geb. Lippa. Ki.: Erich Mag. jur. (1965). El.: Robert u. Else. S.: VS, Real-Gymn., 1948 Mat., Univ. Wien Romanistik u. Alte Geschichte, 1953 Prom. K.: 1954-65 Österr. Nationalbibl., ab 1965 Bibl.-Dir. Hochschule f. Sozial- u. Wirtschaftswiss., heut. Johannes-Kepler-Univ. P.: jähr. Stat. ü. Bibl. s. 30 J. unter Titel "Biblos" u. Buchproduktionsstat., Plan. d. neuen Bibl.-Gebäudes. M.: Ver. Österr. Bibliothekare. H.: Reisen, Theater, Konzerte, Sport, Tennis, Gartenarbeit. (U.A.)

Rehfeld Rolf-Eugen

B.: Arch., Innenarch., Industrie-Designer, Grafiker. DA.: 6330 Kufstein, Terlanerstr. 16. G.: Essen, 26. Juni 1923. V.: Josefin, geb. Benedikt. Ki.: Josephine, Franz. El.: Ewald u. Olga. S.: VS, RG in Essen, 1940 Abitur, 3. Sem. Architektur Ing. Schule Essen. K.: 1942 Geb. Jäg. in Innsbruck, nach 5 Verwundungen Kriegsstudium, ab März 1944 als Ausbild. d. Res. Offz. Sch. Kufstein u. bis Kriegsende Ltr. Wehrertüchtigungslager Kufstein, 1946-49 Kunsthandw. Arbeitsgem. Benedikt-Rehfeld als handw. Genossenschaft, 1949-54 Künstl. Ltr. u. Arch. d. Tiroler Glashütte Kufstein, 1954-60 freier Arch. u. Designer in Gels.-Buer., 1960-69 selbst. als Arch., Designer u. Grafiker in Kufstein tätig, Architektur: Verw. u. Wohnbau, Gewerbl.-Bauten, Gastron., Ladenbau, Design; Produktgest.: Glas, Plastik, Metall u.a.. im In- u. Ausland, 1969-74 Büroltr. Arch. Büro Prof. Ruhnau, Essen (Bauten z. XX. Olympia München, Seebereich u. Verw. u. Soz. Geb. Fa. Schweissfurth, Herten u.a.), Apr. 1974 in Stellung Oberbaurat im Kommunalverband Ruhrgebiet, Essen, Planer v. Freizeitanlagen, Bäder u. Sportstätten, Denkmalspflege u. Sonderbauvorh. d. Städte d. Ruhrgebiet, 1987 Ruhestand u. n. Kufstein, 1990 m. priv. Sammlung Errichtung Gebirgstruppen-Museum Festung Kufstein v. 1860-1990. E.: Formschönstes Glas d. Jahres Mus. f. Modern Art Chicago, Silbermed. f. Trinkgläser IX. u. X. Triennale di Milano, 1959 m. 16. Gläser zur Ausst. d. besten Gläser d. Welt f. 20 J., Corning Museum of Class NY. 1960 Jurryanf. als einziger dt. Designer z. Sonderausst. "vetro e acciao" XII. Triennale di Milano", Aufnahme v. Produktgest. in vielen Museen, div. intern. Preise, Lehrer u. Fachjournalist f. Design. M.: ANKW. Arch.-Kammer NRW., VDA-Verb. dt. Arch., VDID-Verb. dt. Ind. Des., DWB-dt. Werkbund u. Ver. Industriereform Essen, u. a. H.: Flugsport, Oldtimer-Rallyes, Alpinismus, Sammeln v. Kunst, Foto, Grafik u. Militaria. (J.F.

Rehling-Finda Paula Agnes

B.: Gschf. FN.: Vienna People Ges.m.b.H. DA.: 1060 Wien, Esterhazyg. 22. PA.: 1190 Wien, Jungherrnsteig 19. G.: Csurg/Ungarn, 28. Mai 1945. Ki.: Rudolf (1965), Martin (1968). El.: Piroska Pomothy u. Dezsö Finda. S.: Gymn. Nagykanizsa Ungarn, Konservatorium Pecs/Ungarn, 1964 Stipendium am Konservatorium Wien. K.: 1968 Cinema International Corp./Sales Controller, 1979 Werbeagentur Kiba Wien, 1988-89 Lehrgang Werbung/Marketing WU Wien, 1989 Grdg. Vienna People 1060 Wien, 1994 Stud. d. Theaterwiss. a. d. Univ. Wien mit Schwerpunkt Schauspieleragentur, Vermittlung int. Film, Theater u. Fernsehprod. im deutschsprachigen Raum, Frankreich u. Ungarn. P.: jährliche Kataloge im Bereich Schauspieler/Werbung. H.: Schafzüchten, Klavierspielen, Reisen, Theater. (T.T.

Rehm Wilfried Prof

B.: 1. Solocellist d. Wr. Symphoniker. PA.: 1120 Wien, Fasangarteng. 125. G.: Konstanz, 10. Febr. 1938. V.: Irmela, geb. Hölzle. Ki.: Roman (1969), Lucian (1972). S.: Hum. Gymn. Konstanz, 1957 Matura, 1960 Staatl. Dipl., 1960-63 Mstr.Kl. v. Walter Reichardt an d. Staatl. HS f. Musik in München, 1963 Stipendiat d. Studienstiftung d. Dt. Volkes, 1963-66 Mstr.Schüler v. Pierre Fournier in Genf, 1964 Felix-Mottl-Gedächtnis-Preis. K.: 1965/66 Solist in d. dt. "Bundesauswahl Junger Künstler", 1968 Dipl. b. Inten. Casals-Wettbewerb in Budapest, 1967-70 1. Orchesterstelle als Solocellist im Radio-Orchester Beromünster in Zürich, 1970-72 gleiche Tätigkeit in Basel, 1972 1. Solocellist d. Wr. Symphoniker, Grdg. d. Wr. Streichtrios als Cellist u. Gschf., 1980 Grdg. d. 1. Österr. Violoncellisten-Ensembles, weltweite Konzerttätigk. als Solist & Kammermusiker, zahlr. CD-Aufnahmen d. Wiener Streichtrios, Video- & TV-Aufnahmen in Europa & Japan m. beiden Ensembles, Hrsg. v. Bearbeitungen div. Besetzungen. E.: 1990 Prof. (J.S.)

Rehm Wolfgang Dr. Prof.

B.: Musikwissenschaftler Edition Neue Mozart-Ausgabe Intern. Stiftung Mozarteum Sbg. DA.: 5020 Salzburg, Getreideg. 14 Augsburg, Karlstr. 6. PA.: 81667 München Kellerstr. 21/IV. G.: München, 3. Sept. 1929. V.: Helga, geb. Buck. Ki.: Stephan, Constanze, Bettina. El.: Walther u. Else. S.: 1948 Matura, 1948-52 Stud. Musikwiss. Univ. Freiburg, 1952 Prom. z. Dr. phil., Stud. Klavier u. Musiktheorie Musik-HS. K.: 1952-54 Volontär Musikverlag Breitkopf & Härtel Wiesbaden, 1954-82 Mitarb. d. Bärenreiter-Verlages zunächst wiss. Lektor, seit 1971 Cheflektor, seit 1975 Mtgl. d. Geschäftsltg., seit 1960 Mtgl. d. Editionsltg. d. "Neuen Mozart-Ausgabe", 1975-87 künstler. verantwortl. f. d. "Kasseler Musiktage"., s. 1985 f.d. Mozartwoche Salzbrg. E.: 1977 Österr. EK f. Kunst u. Wiss. I. Kl., 1980 Silb. Mozart-Med. d. Intern. Stiftung Mozarteum Sbg. u. Janácek-Med. d. CSFR, 1985 Stadtmed. Kassel, 1983 Gedenkmünze d. Kgl. Schweg. Musikak., 1989 Festschrift z. 60. Geburtstag, 1990 Prof. M.: 1959-91 Vorst.-Mtgl. in versch. fachbezogenen Ges., 1991 Kuratoriumsmtgl. d. Intern. Stiftung Mozarteum Sbg. (Konzertref.) H.: Beruf, Wandern. (U.E.)

Rehnelt Frank

B.: Gschf. FN.: Decision Systems Intern. GmbH. DA.: 5020 Salzburg, Thumegger Bezirk 7c. PA.: 83101 Rohrdorf, Ludwig-Thoma-Str. 13. G.: Hagen, 8. Mai 1955. V.: Adelheid, geb. Demski. Ki.: Anna Katharina (1990). El.: Erich u. Anni. S.: Mittlere Reife, Lehre als Kfz-Mechaniker, kfm. Ausbild. b. Weingut Piroth, Firma Still. K.: 1981-86 Texas Instruments, 1986 Eintritt Decision Systems Intern. GmbH als Vertriebsbeauftragter, 1987 Geschäfts-stellenltr. Bayern, 1989 Geschäftsstellenltr. Bayern u. Baden-Württemberg, 1993 Verkaufsltr. Österr., 1994 Gschf. H.: Modellbau, Computerselbstbau. (N.M.)

Rehor Gerhard Dr.

B.: Gschf. FN.: Raiffeisen Vermögensverw. GmbH. DA.: 1030 Wien, Am Stadtpark 9. G.: Wien, 18. Apr. 1959. V.: Maria. Ki.: Rupert (1985). El.: Ing. Karl u. Irmgard. S.: BRG Wien, 1977 Matura, Stud. Betriebswirtschaft WU Wien, 1982 Spons., 1985 Prom. K.: 1982-86 Berufsanw. Wirtschaftstreuhänder, 1986-88 Ass. d. Vorst. in d. RZB f. d. Bereich Wertpapiere, seit 1988 Raiffeisen Vermögensverw. GmbH. P.: Publ. über Pensionsrückstellungen u. Steuern in d. Anlagenberatung. H.: klass. Musik, Tennis. (J.S.)

Rehnke Rüdiger Markward

B.: Kfm. FN.: Neusiedler Csarda. DA.: 7100 Neusiedl/-See, Obere Wiesen 1. G.: Rössel/Ostpreußen, 4. Aug. 1942. V.: Michaela, geb. Fussi. Ki.: Rainer Maria (1993). El.: Rudi u. Melanie. S.: Grafische Lehr- u. Versuchtsanst. Wien, Abt. Werbegrafik, 1961 Matura. K.: 1962-70 Chefgrafiker i. Werbeagentur Dr. Prosquill, b. 1973 Werbeabt.-Ltr. u. Marketing b. Audi-NSU, 1973-75 Gschf. d. Werbeagentur f. Porsche-Austria Wien u. Salzburg, 1975 Erbauung d. Neusiedler Csarda, 1980-84 Generalimporteur v. russ. Pferden, 3 J. Besitzer e. Supermarktes i. Zurndorf, Bes. v. Export-Importfa., Gen.-Importeur v. Wodka, Mehrheitsgesellschafter v. Joint-Venture i. Ungarn u. Rumänien. M.: Vorst.-Mtgl. d. Reitarena Austria, Präs. d. Campagnerreitclubs Neusiedl/See. H.: Reiten, Reisen, Sammeln v. antiken u. schönen Dingen. (I.J.)

Rehor Karl Ing. Dir

B.: Bmstr., Gschf. d. GVB Grundverwertungs u. Beteiligungs GmbH Wien, Negrelli Parkring City Center Bauerrichtungs GmbH Wien u. Unterstützungseinrichtung f. d. Ang. d. Bau AG "Negrelli" GmbH Wien. PA.: 1190 Wien, Schulsteig 6. M.: AufsR. d. Bauges. Menzel GmbH Wien, u. NGT Ges. f. neue Gründungstechnik GmbH Wien.

Rehrl Hermann Mag. HofR. Prof.

B.: Arch. DA. u. PA.: 5020 Salzburg, Bergheimer Str. 55. G.: Salzburg, 13. Juli 1925. V.: Lily, geb. Diensthuber. S.: Hum. Gymn., Staatsgewerbeschule, Ak. d. Bild. Künste Wien. K.: 1949 Staatsprüf. u. Dipl. an d. Ak. d. Bild. Künste Wien, 1953 Ziviltechnikerprüf., seither freischaff. Arch., seit 1953 im Lehrberuf d. techn. Lehranst, seit 1974 Dir. d. HTL Sbg., i.R. E.: Prof. C. Holzmeister-Preis, 1982 Gold. VZ d. Landes Sbg., 1981 HofR., 1984 EZ 1. Stufe d. Landesfeuerwehrverb. Sbg., 1991 Gold. EZ f. Verd. um d. Rep. Österr. M.: Lions-Club Sbg., Ing. u. Arch.-Ver. Sbg. (R.O.)

Rei Tony

B.: Zauberkünstler. DA.: 1030 Wien, Rabenhof 22. PA.: Rhodos, Konstantinou Idreou 55. G.: Schwarzenbach, 23. Okt. 1957. El.: Anton u. Leopoldine. S.: VS, HS, Installateurlehre, Solartechn. K.: s. 1976 Veranst. d. Balles d. Magier; 1979 Stifter d. Gold. Verdienstzeichens d. Magier; mehrmal. Eintr. i. Guinessbuch d. Rekorde f. mag. Leistungen. E.: 1982 Staatspreis f. d. beste Fernsehwerbung; 1984 Künstler d. Jahres; 1986 Ernennung z. "Sohn von Rhodos". M.: Präs. d. I.B.M. (Int. Brotherhood of Magicians). H.: Wasserski u. Bootfahren. (N.A.)

Reibenwein Brigitte

B.: Geschäftsfrau. FN.: Parzer & Reibenwein OHG. DA.: 3100 St. Pölten, Riemerpl. 1, 3100 St. Pölten, Roßmarkt 9. PA.: 3100 St. Pölten, Roßmarkt 9. G.: Falkenstein, 27. Sept. 1946. V.: Leopold Reibenwein. Ki.: Robert, Günter. K.: Eintritt in d. Fa. Parzer & Reibenwein 1969, Einstieg in d. Firmenges. 1982, d. Untern. besteht seit ca. 100 J. im Zentrum v. St. Pölten. F.: Fleisch- u. Wurstwarenerz. u. Vertrieb, Wild u. Geflügel, Feinkost Parzer & Reibenwein

OHG, Fleisch- u. Wurstwarenerz., Wildbrethdl., Tagesrestaurant, Paryservice, 5 Filialen. M.: Frau in d. Wirtschaft, Managementclub St. Pölten. H.: Jagd. (Kern)

Reiberger Karl

B.: Inh. u. gschf. Ges. d. Fa. Foto-Zentrum. DA.: 1040 Wien, Schwarzenbergpl. 13. PA.: 1040 Wien, Schlüsselg. 5. G.: Weitra, 7. Juli 1943. V.: Renate, geb. Christen. Ki.: Alexander, Hannes. S.: Berufsschulen, 1970 Mstr.Prüf. K.: 1961-68 Fa. Tarbuk, ab 1968 selbst. E.: div. Orden. M.: Fotografen-Fachverb. H.: Lesen, Radfahren, Kinder. (Fels.)

Reich Franz Walter

B.: Gschf. Ges. FN.: Reich GmbH Schweiß-Schneidemaschinen u. Zubehör Service u. Verkauf. DA.: 4020 Linz, Salzburger Str. 287. PA.: 4030 Linz, Prechtlerstr. 15. G.: Deutsch-Peneschau/-Tschechien, 20. Apr. 1943. V.: Gertraude, geb. Bachinger. Ki.: Martina (1968), Jürgen (1974). El.: Franz u. Anna. S.: VS, HS, b. 1961 Facharb.-Ausbild. als Schlosser Chemie Linz AG. K.: b. 1962 Chemie Linz AG, 1962-68 Facharb. Firma Tippe, ab 1968 im techn. Verkauf v. Schweißgeräten b. d. EBG, 1984-89 Ltr. d. Außenbüros in Linz f. Schweißtechnik b. d. Firma ELIN, 1989 selbst. in d. heutigen Position, seit 1991 Produktion Enns als Gschf. Ges. b. Firma Repon Produktions u. Vertriebs GmbH. E.: 1988 u. 1992 Goldmed. f. hervorragende Leistungen auf d. Welser Messe. M.: ÖGS, Prüfer b. d. Stahlbauschweißerprüf. in d. IHK. H.: Schwimmen, Skifahren. (U.A.)

Reich Ludwig Dr. phil. o.Univ.-Prof.

B.: o.Univ.-Prof. am Inst. f. Math. DA.: 8010 Graz, Heinrichstr. 36. PA.: 8042 Graz, Am Schloßhang 19. G.: Mödling, 1. Jan. 1940. V.: Christa, geb. Coressi. Ki.: Andreas, Georg, Veronika. El.: Ludwig-Josef u. Alice. S.: 1958 Matura, 1958-63 Stud. d. Math. u. theor. Physik in Wien, 1963 Prom. K.: 1963-69 Univ.Ass. u. Univ.Doz. Univ. Bonn, 1967 Habil., 1969-71 WissR. u. Prof. Univ. Würzburg, seit 1971 o.Prof. f. Math. an d. Univ. Graz. 1979-81 Dekan d. naturwiss. Fak., 1969 Gastprof. Freie Univ. Berlin, 1975-76, 1983 u. 1991 Univ. of Waterloo/Canada, 1989 korr. Mtgl. u. 1992 wirkl. Mtgl. d. ÖAW, 1990 Vors. d. ÖMG. P.: Mithrsg. d. Zeitschriften "Aequationes Math", "Mathematica Pannonica", ca. 70 Art. in Fachzeitschriften, Ak.Bericht u. Kongressberichten. M.: wirkl. Mtgl. d. Österr. Ak. d. Wiss., Österr. Math. Ges. (Vors. 1990-93), Ges. z. Pflege wiss. Beziehungen m. Jugoslawien u.a. (P.R.)

Reich Rainer Dr. techn. Dipl.-Ing.

B.: ehem. Vorst.-Mtgl. d. Vbg. Illwerke AG. DA.: 6900 Bregenz, Josef-Huter-Str. 35. PA.: 6900 Bregenz, Kennelbacher Str. 18. G.: 14. Juli 1931. V.: Gerda Maria, geb. Kintsch. Ki.: Dr. iur. Rainer, Mag. rer. soc. oec. Susanne, Mag. rer. soc. oec. Thomas. El.: Dr. Fritz Leo u. Irma. S.: 1949 Matura BRG Landeck, 1949-55 Elektrotechnikstud. Graz, 1963 Doktorat, 1965 Ziviling. f. Elektrotechnik. K.: 1956-57 Sprecher & Schuh Projektierungs- u. Verkaufsabt., 1957-64 Ltr. d. Elektroabt. Donau-Chemie AG, 1965-67 Dion.-Ass. b. Vbg. Kraftwerke AG, seit 1967 Vbg. Illwerke AG, seit 1972 Handlungsbev., 1977-93 Vorst.-Mtgl. (A.K.)

Reich Otto Ing.

B.: Bez.-Dir. d. Landesdion. NÖ. FN.: Erste Allg. Generali Allg. Vers. AG. DA.: 3250 Wieselburg, Hauptpl. 3. PA.: 3250 Wieselburg, Gagernstr. 10. G.: Steinakirchen/Forst, 26. Apr. 1945. V.: Dipl.-Ing. Barbara, geb. Bzowska. Ki.: Mag. Claudia (1964), Doris (1967), Heidelinde (1969), Philip (1985). El.: Willi u. Maria. S.: VS, HS, HTL. K.: 1964-66 Konstruktionsbüro VOEST Linz, 1967 Firma Wüsta Ybbs, seit 1968 Erste Allg. Generali, seit 1973 zusätzl. eigenes selbst. Vers.-Büro in Wieselburg (Secura Vers.-Beratung u. Makler GmbH). M.: Sportver., LKV, Wirtschaftsbund, Kameradschaftsbund. H.: Jagd. (F.S.)

Reich Walter

B.: Inh. FN.: Bestattungs Ges.m.b.H. DA. u. PA.: 5400 Hallein, Wiesthaler Landesstr. 6. G.: Hallein, 4. Mai 1940. V.: Evelyne, geb. Lerchenberger. Ki.: Walter, Alexandra, Jochen. El.: Josef u. Angela. S.: FS i. KFZ-Bereich, danach Mechaniker in Salzburg, danach 1 J. Mstr. bei d. ÖFAG, anschl. 10 J. Tankstelle i. Hallein geführt, 1975-77 bei Bestattungsfa. gearb., s. 1977 selbst., 1985 Grund gekauft, 1986 Bestattungsfirma gebaut. M.: 35 J. beim Roten Kreuz, Kamamerausschuß. H.: Radfahren, Schwimmen, Skifahren, Haustiere. (D.E.)

Reich-Rohrwig Hubert Dr. iur.

B.: Wirtschaftsprüfer u. Steuerberater. DA.: 1010 Wien, Nibelungeng. 3. G.: Klosterneuburg, 13. Nov. 1948. V.: Anna Sabine. Ki.: Florian, Johanna. El.: Dr. Otto u. Jenny. S.: RG, Jusstud., Prom. 1974. K.: Gerichtsjahr, Finanzamt f. Körperschaften (Großbetriebsprüf.), Praxis b. WP Kanzleien, 1980 Steuerberater, 1981 selbst. Kzl., 1985 Wirtschaftsprüfer u. Steuerberater. M.: Inst. Österr. Wirtschaftsprüfer. H.: Skifahren, Lesen, klass. Musik. (C.K.)

Reich-Rohrwig Johannes Dr.

B.: RA. DA.: 1010 Wien, Ebendorferstr. 3/17. G.: Linz, 4. Nov. 1954. V.: Dr. Anneliese, geb. Binishofer. Ki.: Alexander u. Susanne. El.: Dr. Wilhelm (Chemiker) u. Dipl.-Ing. Annemarie, geb. Horrak. P.: Vortragender, Mithrsg. d. Zeitschrift "ECOLEX" (zust. f. Gesellschaftsrecht), Autor d. Buches "Das österr. GmbH Recht" (1983), "Der Druckvertrag im österr. Recht" (gemeins. m. Dr. Hartl u. Dr. Schlosser), Fachart. auf d. Geb. d. Aktien-, GmbH- u. Personengesellschaftsrechts. M.: Korr. Mtgl. d. Fachsenates f. Steuerrecht sowie d. Fachsenats f. Handelsrecht u. Revision d. Kammer d. Wirtschaftstreuhänder. H.: Skifahren, Jagen. (H.J.S.)

Reich-Rohrwig Otto Dr. iur.

B.: RA. DA.: 1010 Wien, Gonzagag. 14. PA.: 1010 Wien, Postg. 6. G.: Wien, 6. Juni 1944. V.: Christiane, geb. Bilowitzki. Ki.: Harald, Caroline, Robert. BV.: Urgroßvater Otto Reich v. Rohrwig geadelt v. KFG. S.: Piaristengymn.,

1963 Matura, Stud. an d. Univ. Wien Jur. Fak., 1968 Prom. K.: Gerichtsjahr in Wien, RA-Anw. in d. väterl. Kzl., 1973 RA-Prüf., 1972 Übernahme d. Kzl. nach Tod d. Vaters, 1975 eingetragener RA. P.: div. Art. in Fachzeitschriften, Schwerpunkt Ges.Recht. E.: Floriani-Orden. M.: CIC, Malteser Hilfsdienst, Juristenunion. H.: Jagd, Skifahren, Bergsteigen, Segeln, Tennis. (A.W.)

Reichardt Robert Heinrich Dr. phil. Univ.-Prof.

B.: Ordinarius f. Soz., Sozialphil. u. Methodenlehre d. Sozialwiss. Inst. f. Soz. DA.: 1080 Wien, Alser Str. 33/2. PA.: 1190 Wien, Koschatg. 18. G.: Basel, 2. Mai 1927. V.: Dr. Isolde, geb. Dünhofen. El.: Heinrich u. Magdalena. S.: RG, Matura 1946, Stud. Math., Sozialwiss. u. Phil. an d. Univ. Basel, 1960 Prom. Dr. phil., 1965 Habil. K.: 1960-61 Research Associate am Economic Research Program d. Univ. of Princeton N.J., 1961-64 Ass. am Inst. f.Sozialwiss. Basel, 1964-66 Ltr. d. Abt. Soz. am Inst.f. Höhere Studien Wien, s. 1966 Ordinarius d. Univ. Wien, 1966-76 Mitvorst. d. Inst. f. Soziologie, 1969-73 Mtgl. d. Vollzugsaussch. d. österr. UNESCO-Kmsn., 1972 Ruhr-Univ. in Bochum, 1969-77 österr. Vertreter im Direktorium d. Koordinationszentrums in d. Sozialwiss., 1977-85 Dir. d. Inst. f. sozio-ökonom. Entwicklungsforsch. an d. Öst. Ak. d. Wiss., 1980-81 u. 1981-82 Prodekan an d. Soz. u. Wirtschaftswiss. Fak. P.: Bücher: "Die Schallplatte als kult. u. ökon. Phänomen" (1962), "Bedürfnisforsch. im Dienste d. Stadtplanung" (1974), "Überleben wir d. techn. Fortschritt?" (Mitautor), "Einführ. in d. Soziologie f. Juristen" (1981), viele Aufsätze in Zeitschriften u. Sammelbänden. E.: Gen.-Preis d. Univ. Basel 1960. M.: Präs. d. ARGE f. Kunst u. Wiss., Vorst.Mtgl. d. intern. Org. f. Humanökol., Mtgl. d. österr. UNESCO Kmsn., seit 1978 wirkl. Mtgl. d. Österr. Akad. d. Wiss. H.: Musik (Komposition u. Klavierspiel). (P.R.)

Reichart Elisabeth

B.: Sängerin. FN.: Volksoper, Bundestheatervorst. DA.: 1090 Wien, Währingerstr. 78. PA.: 3400 Klosterneuburg, Franz Horstg. 17. G.: Klosterneuburg, 6. Aug. 1964. V.: Wolfgang Groller, Reg. Ki.: Isabella (1992). El.: Helmut u. Helga. S.: VS, Gymn., Konserv. Sologesang, Klasse f. Operette u. Musical. K.: 1988 Bühnenreife mit Musikerzieh., Theater/Wien "Phantom d. Oper", 1988-89 "Madame Givy", Stud. an HS f. Musik b. Kammersänger Berry, 1990 Belvedere Wettbewerb - beste Österr. Teiln., Teiln. am Intern. Mozartlabor. mit abschl. Galakonzert; Engagements: Phantom d. Oper. Solist an Volksoper, Ollilie im Weißen Dirndl, Onegin-Olga, Mozart-Requim, Lieder- u. Theaterabende, "I do" "I do". H.: Familie. (J.M.)

Reichartseder Horst Alois

B.: Ltr. d. FVVB Frankenmarkt u. Inh. d. Gasthof-Café u. Hotel "Alte Post". DA. u. PA.: 4890 Frankenmarkt, Hauptstr. 80-82. G.: Linz, 15. Juli 1940. V.: Ingeborg, geb Trappmaier. Ki.: Horst (1965), Eva-Hermine (1967), Franz (1977). El.: Franz u. Aloisia. S.: 1954 Schulabschluß b. Kath. Int. d. Schulbrüder, Berufsausbild. z. Bäckermstr., Bäckermstr.-Prüf. u. Konzession f. Gastgewerbe. K.: 1967 Grdg. d. Bäckereibetriebes, 1971 Erwerb d. bereits im 14. Jhdt. urkundl. erwähnten Gebäudes "Alte Post", Renovierung, Um- u. Neubauten, 1983 Eröff. d. Betriebes "Alte Post". M.: AufsR. d. BÄKO, GemR. in Frankenmarkt, Tourismusobm., SparkassenR., Obm. d. Frankenmarkter Wirtschaftsbundes. H.: Familie, Skifahren, Reisen. (E.Hö.)

Reichel Brigitte

B.: Gschf. FN.: Gepard Ges. f. parallele Datenverarb. mbH. DA.: 1110 Wien, Am Kanal 27. PA.: 1030 Wien, Petrusg. 16. G.: Wien, 15. Sep. 1959. Ki.: Errol Mario (1980). El.: Otto u. Erika Schubert. S.: HAK, 1978 Matura, Stud. Betriebswirtsch. an d. WU Wien. K.: 1988 Mitbegr. d. Fa. Gepard u. Kfm. Gschf. BL.: parallele Computertechnik u. Bilddatenverarb. M.: Wiener Parkclub. H.: Musik, Sport, u.a. Tennis, Schifahren, fremde Länder u. Kulturen kennenlernen. (N.A.)

Reichel Elisabeth

B.: Inh. d. "Wiener Interieur" m. Johann Kilianowitsch. DA.: 1010 Wien, Dorotheerg. 14. PA.: 1010 Wien, Bäckerstr. 2. G.: Judenau, 13. Mai 1938. El.: Dipl.-Ing. Franz u. Theres Klikovits. BV.: Onkel Prof. Josef Schnetzer (bek. Maler). S.: Kunstgewerbeschule m. Matura in Kramsach 1952-56. K.: Tätigkeit b. Fa. Nikol & Stölzle, 1968 Grdg. d. exkl. Einrichtungshauses "Wiener Interieur" gem. m. Erna Plasser, Aufenthalt in Algerien (Herst. u. Verk. v. Hinterglasbildern), Mitarb. in d. Galerie "Albertina", 1984 Neugrdg. d. "Wiener Interieur". H.: Reisen, Fotografieren, Theater, klass. Musik, Besuch v. Ausstellungen, Natur, Wandern, Tischtennis, Schwimmen. (M.G.)

Reichel Hellmuth Dr. med.

B.: FA f. Innere Med., ärztl. Ltr. d. Inst. f. Diagnostik u. Therapie rheumat. Erkrankungen. GT.: Inh. eines Kurmittelhauses, Beauty Centers, Sauna, Kurhotel m. Espresso. DA.: 9020 Klagenfurt, 8.-Mai-Str. 39-41. PA.: 9081 Reifnitz, Sekirn 12. G.: Klagenfurt, 15. Juni 1948. V.: Andrea, geb. Rieckh. Ki.: Antonia, Magdalena, Cäcilia, Johannes. El.: Dr. Hellmuth u. Franziska. S.: Gymn. Klagenfurt, 1966 Matura, Med.Stud. Univ. Wien, 1973 Prom. K.: 1973-79 FA-Ausbild. 2. Med. Univ.Klinik Wien, ab 1979 eigene Praxis, seit 1987 Inh. d. Kurmittelhauses, Beauty Centers, Sauna, Kurhotel m. Espresso, 1986 Grdg. d. Inst. f. Diagnostik u. Therapie rheumat. Erkrankungen. P.: mehrere wiss. Publ. im Rahmen d. FA-Ausbild. M.: Präs. d. Ktn. Golf-Clubs, Mtgl. d. Österr. Ärztever., KAC, Österr. Wirtschaftsbund. H.: Golf, Eishockey, Musik. (S.G.)

Reichel Hellmuth Dr. med. univ. OMedR.

B.: FA f. physik. Med., ltd. Arzt d. Kurmittelhauses Klagenfurt. DA. u. PA.: 9020 Klagenfurt, 8.-Mai-Str. 41. G.: Graz, 8. Juni 1920. V.: Franziska, geb. Funder. Ki.: Hellmuth, Veronika. El.: Dr. Bruno u. Josefine. S.: VS, RG, 1938 Matura, Univ. Wien med. Fak., Prom. 1944, ab 1945 fachärztl. Ausbild. K.: 1940-45 Kriegsdienst (OA d. Res.), 1949 Eröff. einer eigenen Praxis in Klagenfurt, 1951 Eröff. eines Damenfriseur-Kosmetik- u. Fußpflegesalons u. 1964 eines Espressos im Kurmittelhaus, 1980 Eröff. d. Rheumaambulanz (ltd. Arzt: Sohn Prim. Dr. med. Hellmuth Reichel). BL.: 60 ausgebildete Mitarb. versorgen d. ganzen Mittelktn. Raum auf d. Sektor d. Balneo-Physik. Therapie, 1968-78 Kursltr. f. Kurse d. Heilbademstr. u. Heilmasseure f. d. südösterr. Raum (ca. 300 Kurse), vorwiegend med. Sozialvers.Tätigkeit f. Heilbäder (einzigartig in Österr.). P.: Mehrere Publ. u. Vorträge über einschlägige Fachgebiete u. a. auch in medizinischen Fachzeitschriften. E.: Silb. Kam.Med., Gold. EZ f. Verd. um d. Rep. Österr. M.: KamR. d. Sekt. Fremdenverkehr, Aussch.Mtgl. u. Vorst. d. Fachgruppe Heilbadeanst. u. Heilquellenbetriebe, Fin.Aussch., LSportkmsn., KAC-Vorst., Golfclub. H.: Großwild- u. Hochgebirgsjagd, Golf, Skilanglauf, Eislauf, Wandern, Dokumentarfilme. (Hat.)

Reichel Martha

B.: BezR. in Wien 15. DA.: 1150 Wien, Schwenderg. 35-37. PA.: 1150 Wien, Herklotzg. 13/8. G.: Wien, 16. Okt. 1924. V.: Walter Reichel. Ki.: Mag. Walter (1950), Dr. Eva (1951), Dr. Gabriele (1955), Dr. Michaela (1961). El.: Anton u. Pauline Tesarek. S.: VS, Mittelschule, Päd. Ak. K.: Tätigkeit an VS u. HS in Wien, seit 1974 BezR. ÖVP in Wien 15, b. 1991 Bez.-Vorst.-Stellv. H.: Musik, Theater, Handarb., Lesen. (N.A.)

Reichel Ricki

B.: Reg., Autorin. PA.: 1180 Wien, Gymnasiumstr. 9. G.: Lindau, 3. Mai 1949. Ki.: Bianca. El.: Plazalski Adam u. Maria. S.: Lehre f. Einzelhdls.Kfm., Sekr.Schule München, 1973 Grdg. einer Laientheatergruppe in Innsbruck, 1976 nach Wien ORF freiberufl. Mitarb., spez. auf Dokumentationen, Arbeit in d. TV-Anstalten ORF, WDR, ARD, SFB, sowie Wirtschaftsunternehmen, Sozial- u. Unterrichtsmin. Wien. P.: Broschüre: "Sexueller Kinder-Mißbrauch in Österr." im Auftrag d. Familienmin., "Die Frau an seiner Seite", "Väter als Täter", "Hilfe ich brauch' Euch", "Gewalt in d. Schule", "Sexismus in d. Schule", "Portrait über Alte", "Mütter, Lehrerinnen d. Nation", Kinodrehbücher, Theaterstück: "Die Betroffenen entscheiden selbst", "Patienteninformationssendungen" f. d. Stadt München. H.: Beruf. (A.W.)

Reichel Rüdiger Dipl.-Ing.

B.: Arch. in d. Bürogemeinschaft Dipl.-Ing. Rüdiger Reichel, Dipl.-Ing. Wolfgang Kaitna u. Kurt Smetana. DA.: 1030 Wien, Neulingg. 28/2. G.: Bad Ischl, 30. Mai 1945. V.: Dr. Brigitte, geb. Baumgartner. Ki.: Marlene (1986), Bernhard (1988). El.: Lothar u. Aglaja. S.: 1964 Matura, Stud. Arch. TU Wien, 1975 Dipl. K.: Praxis in versch. Arch.Büros, 1981 Befugnis als Arch., staatl. befugter u. beeid. Ziviltechniker, seit 1973 Bürogemeinschaft m. Arch. Dipl.-Ing. Wolfgang Kaitna u. Kurt Smetana, Tätigkeitsbereich: Dorf- u. Stadterneuerung, Stadtplanung u. Wohnhausbau. P.: Das Ortsbild als kommunale Aufgabe, Katalog baul. Merkmale im nördl. Burgenland, Ortsgestaltung im ländl. Raum, Das Zweitwohnwesen im Rahmen d. Wohngemeinschaft. F.: Beteiligung an d. Delta Golf Donnerskirchen GmbH. E.: 1985 Med. f. Verd. um d. Denkmalschutz. (J.S.)

Reichel Utz Dr. med.

B.: FA f. Psychiatrie u. Neurologie. DA.: 5020 Salzburg, Thumeggerstr. 8. PA.: 5400 Hallein, Webereiweg 10/19. G.: Wels, 13. Juli 1942. Ki.: Astrid (1966), Hjalmar (1969), Basilio (1990). El.: Dipl.-Ing. Herbert u. Margarethe. BV.: Großvater Prof. Dr. Heinrich Reichel Hygieniker, Ordinarius f. Hygiene in Graz u. Wien, Hans Kudlich (Bauernbefreier), Großonkel Karl Anton Reichel Vorkämpfer d. Wr. Phantast. Realismus. S.: 1954-62 Auswanderung m. Familie nach Kanada, seither wieder in Österr., 1962 Matura, Med.-Stud. Wien, 1969 Prom. K.: Turnusarzt in OÖ (Kirchdorf, Linz, Wels), Ausbild. Psychotherapie in Deutschland u. USA, b. 1979 prakt. Arzt in OÖ, b. 1981 Psychotherapie in München, 1981-87 FA-Ausbild. in Sbg., zuletzt Ausbild. in Hakomi, seit 1987 Model einer Holist. Praxis (Integration v. Biochemie, Psychotherapie bis Spiritualität). P.: Bücher: Koautor: "Salzburger Wege d. Psychiatrie", "Die natürlichen Muntermacher Launenmacher", Beiträge im Rundfunk. M.: Ver. z. Förd. d. klin. Ökoloie u. Ortomolekularmed. in Österr., alternative Mediziner, Kirchenchor. H.: Singen, Kammermusik (Viola), Volleyball. (M.S.)

Reichel Wilhelm Dipl.-Ing.

B.: selbst. Arch.. DA. u. PA.: 1180 Wien, Ferrog. 48. G.: Waidhofen/Thaya, 1. März 1917. V.: Ingeborg, geb. Lanik. Ki.: Peter, Brigitte, Andreas, Alexander, Florian. El.: Gustav u. Michaela. S.: Mittelschule Waidhofen u. Krems, 1935 Matura in Krems, Stud. an d. TH Wien Arch., Dt. Wehrmacht, 1949 Staatsprüf. K.: 1950 b. Arch. Oskar Payer, 1951 selbst. Arch., 1955 Ziviltechnikerprüf., 1950 m. Arch. Riedl Gewinner d. 1. Wettbewerbes d. Stadt Wien nach d. Krieg, seither Arge m. Arch. Riedl, 1968 Eröff. d. eig. Ateliers, insgesamt 58 Preise u. Ankäufe davon 22 1. Preise, ausgeführt alle 1. Preise u. ca. 15 größere Bauvorhaben u.a. BRG in Sbg., Bludenz, Leoben, Horn, Gleisdorf, Zwettl, Spital/Drau, Techn. Lehr- u. Versuchsanst. Waidhofen/Ybbs, TGM Wien, LGendarmeriekdo. f. d. Stmk. u. Graz, Jugendstrafanst. Gerasdorf, HS Retz. P.: div. Art. in Fachzeitschriften. M.: Künstlerhaus. H.: Aquarell-Malen, Fußball. (A.W.)

Reichelt Günther Dr.

B.: Prim., FA f. Augenheilkunde, Vorst. d. Augenabt. u. Augenambulanz d. Sanatorium "Hera". DA.: 1090 Wien, Löblichg. 14, 1180 Wien, Währinger Str. 81. G. Wien, 2. Aug. 1937, 1 Tochter. El.: OMedR. Dr. Gerhard u. Dr. med. Zwetana. BV.: alte Ärztefam., Dr. Gustav Kaiser 1. med. Röntgenbild. S.: RG Klosterneuburg, Stud. Wien, 1963 Prom. K.: ärztl. Ausbild. im Wilhelminenspital, FA-Ausbild. b. Prof. Nemetz im Hanusch-KH, b. 1976 Ass. in Augenabt. Hanusch-KH, seit 1973 eigene Ord., 1976 Prim. d. Augenabt. d. Sanatoriums Hera, jahrelange Tätigkeit in d. Ärztekam. Wien. P.: div. ophthalmolog. Arb. (P.R.)

Reichenauer Marianne

B.: Inh. FN.: REMA. DA.: 8010 Graz, Münzgrabenstr. 3. PA.: 8010 Graz, Meinongg. 9. G.: Vasvar/ 12. Sept. 1950. V.: Helmut Reichenauer. Ki.: Yvette (1977). El.: Ladislaus u. Maria. S.: Grundsch., Gymn., Stud. Dt. u. Chemie Pecs, Chemiestud. Graz. K.: 1991 Geschäftseröff., exkl. Porzellan: Limoges Porzellan v. Chr. Dior, altes Porzellan, Gläser, Sammelbecher u. Tassen, Bilder. H.: Lesen, antike Gegenst., Möbel, Einricht. u. Restauration v. Schloß Murhof. (R.S.)

Reichenberger Oskar Ing.

B.: Gschf. FN.: Rovema Verpackungsmaschinen Ges.-m-bH. GT.: Handelsrat d. Handelskammer d. Dominikanischen Republik i. Österr. DA.: 1110 Wien, Ravelinstr. 13. PA.: 2332 Hennersdorf, Bachg. 31. G.: Wien, 12. Nov. 1956. V.: Edwina, geb. Weschter. El.: Oskar u. Christine. S.: HTBLA, Matura, Sprachen: Tschechisch, Englisch u. Russisch. K.: 1976-80 Konstrukteur i. d. Schiffswerft Korneuburg, 1980-85 Konstrukteur, 1985-89 Vertreter b. Pickl & Wolf, s. 1989 Gschf. d. Fa. Romeva Wien. M.: 1985 Vizepräs. d. Austrian Freestyle Skiing Association. H.: Eisenbahn, Sport. (F.S.)

Reichenspurner Ludwig M.

B.: Gschf. FN.: Lancaster Group GmbH. DA.: 5020 Salzburg, Herbert-v.-Karajan-Pl. 2. PA.: 5084 Großgmain, Bayernweg 412. G.: München, 8. Sep. 1935. V.: Ursula, geb. Friedrich. Ki.: Markus u. Michael (1964), Julia (1984). El.: Thomas u. Margarethe. S.: Ausbild. als Ind.-Kfm. K.: Außendiensttätigk. in d. Kosmetikbranche, Verkaufsdir. b. Lancaster in d. BRD, s. 1983 Gschf. b. Lancaster Österr. (N.M.)

Reichenhauser Manfred

B.: Gschf., Ges. FN.: Reichenhauser Ersatzteil Vertriebs GmbH. DA.: 8054 Graz, Gradnerstr. 140. G.: Graz, 18. Febr. 1964. Ki.: Dominik (1987). El.: Josef u. Inge. S.: VS, HS,

Kfm. Lehre im elterl. Betrieb. K.: 1982 Umwandlung d. Firma Josef Reichenhauser in Reichenhauser KG u. Gschf., 1989 Reichenhauser Ersatzteil Vertriebs GmbH. P.: Transport Wirtschaft, Blickpunkt, Kleine Zeitung, HK-Zeitung. F.: Ges.: LAV Vertriebs GmbH, ALB GmbH, PE Austria. (R.S.)

Reichenwallner Peter Dr.

B.: Dir., stv. Ltr. d. Ber. Treasury d. CA, Ltr. d. Hpt.abt. Treasury Steuerg., AR d. CA-Warschau u. d. CA-Securities Warschau. DA.: 1010 Wien Schotteng. 6. PA.: 3400 Klosterneuburg, Ochsnerpromenade 5. G.: Graz, 13. Dez. 1942. V.: Anna Maria, geb. Arczynska. Ki.: Christian u. Thomas. El.: Dr. Erik u. Eleonore. S.: RG, Matura 1961, Stud. d. Rechtswiss. in Graz, Prom. 1966. K.: 1 J. Ass. an d. Univ. Graz, Fachrichtg Wirtschaftsgesch., Gerichtsj., 1969 Eintritt in d. CA-BV Wien, ab 1976 Ltr. d. Stabsst. Wertpapiere, s. 1981 Ltr. d. Abt. Liqu. Geldhdl., s. 1989 stv. Ltr. d. Bereichs Auslands- u. Devisenhdl. H.: Klass. Musik, Lesen, Sport. (M.B.)

Reicher Beatrice Dr. med.

B.: Prakt. Arzt. DA.: 1080 Wien, Lammg. 5/6. PA.: 1080 Wien, Piaristeng. 54. G.: Wien, 25. Feb. 1950. V.: Dir. Gerhard. Ki.: Markus. El.: Dr. Franz Leopold u. Hella. S.: Matura 1968, Med.Stud., Prom. 1974. K.: Turnusausbild. Kaiserin Elisabeth Spital, Franz Joseph Spital u. Kinderspital Glanzing, s. 1979 eig. Praxis, dan. Betreuung d. Schwesternschule im AKH. H.: Sprachen, Reisen, Oper, Kochen. (P.R.)

Reicher Rudolf Ing.

B.: Gschf. Ges., Bmstr. FN.: Ing. Rudolf Reicher GmbH. GT.: Gschf. Reicher Bau GmbH, Gschf. Reicher Feuerungs- u. Schornsteinbau, Gschf. Reicher Fenster u. Türenhdls. GmbH, Gschf. B.A.S.T. DA.: 8041 Graz, Liebenauer Hauptstr. 39. PA.: 8572 Bärnbach, Knappenweg 91. G.: Tregist, 7. Nov. 1947. V.: Lucia, geb. Tondo. Ki.: Rudolf, Michael. El.: Ladislaus u. Elenore. S.: VS, AHS, HTL, 1967 Matura, 1978 Bmstr.-Prüf. K.: 1967-68 ÖBW, 1968-73 Baultr. BRD, 1973-79 Baultr. Österr., 1979 Beginn eigene Firma Reicher Hoch- u. Tiefbau, 1988 Kaminbau zugekauft. M.: "Oberlandler", Motorflugunion. H.: Fliegen. (F.K.)

Reichert-Facilides Fritz Dr. iur. o.Univ.-Prof.

B.: o.Univ.-Prof. f. ausländ. Recht u. österr. Privatrecht an d. Leopold Franzens-Univ. Innsbruck. DA.: 6020 Innsbruck, Innrain 52. PA.: 6065 Thaur, Lorettoweg 20. G.: Bremerhaven, 24. Okt. 1929. V.: Bettina, geb. Rogge. Ki.: Tania, Daniel. S.: hum. Gymn. Bremerhaven, Rechtsstud. Tübingen, Hamburg, Ann Arbor (Michigan), 1953-61 wiss. Ass. im Seminar f. Vers.Wiss. Hamburg, 1956 Prom. Dr. iur. Hamburg, 1958 Master of Laws Michigan, 1960 Assessor Hamburg, 1961-62 wiss. Sekr. Dt. Ver. f. Vers.Wiss. Berlin, 1962-70 wiss. Ref. im Max Planck-Inst. f. ausländ. u. intern. Privatrecht Hamburg. K.: 1967 Habil., 1967 Priv.Doz. f. bürgerl. Hdls., Vers.Recht, Rechtsvergleichung u. intern. Privatrecht Hamburg, 1970 o.Univ.-Prof. f. ausländ. Recht u. österr. Privatrecht Innsbruck. P.: Mitveröff.: Intern. rechtl. Betrachtung z. Dekolonis (1964), Inflationsbewältigung im Zivil- u. Arbeitsrecht (1976), Sammelwerke: Generalreferat, Erbrecht d. Familienangehörigen in positivrechtl. u. rechtspolit. Sicht (1971), Anknüpfungsregeln d. österr. intern. Privatrechts (Österr. LReferate z. IX. Intern. Kongress f. Rechtsvergl.), Festschriften, 3 Art. im Handbuch d. Vers.Wesens, div. Zeitschriftenveröff. M.: 1978 korr. Mtgl. d. Ak. d. Wiss. u. Literatur Mainz, 1985 Mtgl. d. Kmsn. f. Europarecht d. Ak. Wien, 1985 VPräs. d. Österr. Ges. f. Rechtsvergleichung Wien. (W.G.)

Reichetseder Friedrich

B.: Büroltr., Branch-Manager. FN.: Dr. Degener Reisen. DA.: 4020 Linz, Hessenpl. 13. PA.: 4210 Gallneukirchen, Reichenauerstr. 42. G.: Gallneukirchen, 2. Dez. 1958. V.: Regina-Elfriede, geb. Gattringer. Ki.: Stefanie (1988), Oliver (1990). El.: Josef u. Maria. S.: Grundschule, 1 J. Büroschule d. WIFI, b. 1977 Lehre als Reisebüroass. K.: 1977-79 Reisen, 1979-81 Linzer Reisebüro, 1981-82 Meridian, 1982-87 gr. Linzer Reisebüro. 1987-89 stellv. Filialltr. b. Ruefa, ab 1989 Büroltr. b. Dr. Degener Linz. P.: div. Veröff. in Tageszeitungen. E.: div. Ausz. f. berufl. Weiterbild. M.: mehrere Sportver. H.: Beruf, Familie, Reisen, Sport. (P.H.)

Reichetzeder Hannes

B.: Werbeberater, Werbemittler, HS-Lehrer. FN.: Credactiv Werbeagentur Reichetzeder. DA. u. PA.: 8940 Liezen, Pyhrnstr. 28a. G.: Steyr, 4. Mai 1956. V.: Helena, geb. Schaupensteiner. Ki.: Daniel (1974). El.: Johann u. Josefine. S.: Hum. Stiftsgymn. Admont, 1 J. Militär, Päd. Ak. Graz, s. 1981 Praxis in Werbung u. Öff.-Arb. K.: ehrenamtl. Medienref., Mitarb. an d. Hrsg. v. Schulbüchern "Werbung kritisch gesehen", Information durch Massenmedien, seit 1988 Werbedesign, Werbegestaltung, PR-Beratung, 1991 Prüf. u. Gewerbeberecht. Werbeberater u. Werbemittler, 1991 Gschf. CWR GmbH Werbeagentur, 1994 zusätzl. Gschf. Creativ Print Steinmetz GmbH, Druck- u. Werbung. P.: "Wohntraum" Monatsmagazin f. Bauen, Wohnen, Freizeit, Hrsg. u. Chefred. M.: Fachgruppe Werbung, Verb. d. Österr. Zeitungshrsg. u. Verleger. (M.T.)

Reichhart Alfred

B.: Gschf. Ges. FN.: Luzansky GmbH, Büroartikelgroßhandel. DA.: 1150 Wien, Rauchfangkehrerg. 4. PA.: 1230 Wien, Khekg. 55. G.: Wien, 23. März 1954. El.: Karl u. Johanna. S.: HAK Wien. K.: Fa. Siemens, 1981 Übern. d. Luzansky GmbH. u. Aufbau d. Büroartikelgroßhandels. BL.: s. d. 15. Lebensjahr Judoleistungssportler, Österr. Jugend-mstr., Österr. Juniorenstaats-mstr., Teiln. a. Welt- u. Europameisterschaften, 1993 Teiln. a. d. Expedition i. Regenwald d. Amazonasgeb. m. Dr. David f. d. Österr. Zellkultur-Forschungslabor F.: Mitinh. e. Stempelproduktionsfa. i. Calgary, Kanada. H.: Wasserskifahren, Tauchen, Skifahren. Teiln. a. New York-Marathon, Paragliding. (J.S.)

Reichhold Mathias

B.: 2. LHptm. Stllv. v. Ktn., Landwirt. DA.: 9123 St. Veit, Silberegg. G.: Klagenfurt, 5. Juli 1957. V.: Margit, geb. Fritz. Ki.: 1 Sohn. El.: Else u. Mathias. S.: HLBL in Wieselburg, 1976 Matura, anschließend Ausbild. als Lehrer u. Berater in Wien. K.: l1978-81 Referent d. Ktn. Landjugend, 1981-85 Lehrer a. d. Büro u. Verwaltungsschule i. St. Georgen a. Längsee, 1985 Übernahme d. elterl. Betr. u. GemeindeR. in St. Georgen, 1988 Generalsekretär d. FPÖ, k1990 Abgeordneter zum NationalR., 1992 2. LH Stv. in Kärnten, 1994 wieder 2. LH Stv. M.: Freiwillige Feuerwehr i. Heimatort Thalsdorf. H.: Bergsteigen, Wandern, Radfahren, Reiten. (G.L.)

Reichhof Alois

B.: Tischler, Inh. FN.: Reichhof Eisen, Metallhdl., Altmetall u. Schrottverwertung. DA. u. PA.: 5623 Uttendorf, Köhlbichl 13. G.: Zell am See, 21. Aug. 1947. V.: Claudia Mitterer. Ki.: Melanie (1988), Stefanie (1994). El.: Johann Berger u. Hilda Hemma. S.: VS, 3 J. Tischlerlehre Firma Hofer Zell/See. K.: b. 1966 Tätigkeit Firma Hofer, 1966-68 LKW-Fahrer b. Firma Franz Hagleitner Zell/See, 1968/69 BH, 1969-75 Fernfahrer im Auslandsverkehr Firma Mathias Breifuß Zell/See, 1975-79 selbst. als Tankstellenstationär Zell/See, 1979 Eintritt Eisen- u. Metallbranche, seit 1989 Filiale in Ungarn. F.: Abfallwirtschafts GmbH Uttendorf. M.: Eisenbahner- u. Union Sportver., seit 25 J. Kameradschaftsbund. H.: Motorradfahren, Wasserskifahren, Skifahren. (J.F.)

Reichhuber Teja

B.: Oberst. DA.: 4063 Hörsching, Fliegerhorst Vogler Fliegerregiment 3. PA.: 4020 Linz, Nietzschestr. 5. G.: Pyhra b. St. Pölten, 21. Aug. 1935. V.: Ilse, geb. Bauer. Ki.: Linda u. Bernd Dietrich. El.: Dr. med. Karl u. Karoline. S.: Mittelschule Pyhra, Hum. Gymn. Graz, 1955 Matura, 1955-57 Militärak. K.: Offz.Laufbahn, Oberst u. Regimentskdt., zwischenzeitl. Mtgl. d. Testteams im Österr. BH f. d. Nachbeschaffung v. Düsenflugzeugen. E.: Gold. Verdienstz. d. Rep. Österr., Silb. Verdienstz. f. OÖ, BH-Verdienstz. u. zahlr. in- u. ausländ. Orden. M.: Lions Club Nibelungen. H.: Beruf, Leichtathletik, Laufen, Skifahren, Bergwandern, Schafzucht im Mühlviertel, Forellen, Mufflons. (Deu.)

Reichinger Walter Georg

B.: Fil.-Ltr. FN.: BAWAG - Fil. Ried. DA.: 4910 Ried, Hauptpl. 18. PA.: 4910 Ried, Wilhelm-Traeger-Str. 4. G.: Ried, 28. März 1950. V.: Annemarie, geb. Berger. Ki.: Manuela u.Michael. El.: Georg u. Maria. S.: 1964-67 HASCH in Ried. K.: 1967-78 Oberbank, Ausbild. bei Raiffeisen u. 1979-86 Ltr. d. Raiffeisenbank in Tumeltsham, seit 1986 Fil.-Ltr. d. BAWAG Ried. M.: Turnverein Ried (Tanzschulobm.), Absolventenverb. d. Hasch, Alpenver., Naturfreunde. H.: Wassersport, Turnen, Tanzen u. Ski, Radfahren (Alpin u. Langlaufen). (P.H.).

Reichl Alfred

B.: Fotograf, Inh.. FN.: Foto Reichl. DA.: 4802 Ebensee, Bahnhofstr.13 a. PA.: 4802 Ebensee,Rudolf-Ippisch Pl. 11. G.: Ebensee, 01. Dez. 1945. V.: Helga geb. Steinkogler. Ki.: Daniela (1971). El.: Oskar u. Agnes. S.: VS., HS., Lehre a. Fotograf i. elt. Betrieb i. Ebensee, 1973 Meisterpr. K.: seit 1960 i. elt. Betrieb tätig, 1979 Übernahme d. elt. Betriebs (spez. a. Portrait u. Landschaftsfotografien, Hochzeiten, Re-portagen) M.: Surfclub Ebensee, Skiclub Ebensee. H.: Surfen, Skifahren, Wandern. (G.E.)

Reichl Ernst Rudolf Dr. phil. Dr. h.c.

B.: o.Univ-Prof. d. Univ. Linz. DA.: 4040 Linz-Aufhof, Altenberger Str. 69. PA.: 4040 Linz, Pferdebahnpromande 31. G.: Linz, 19. Aug. 1926. V.: Hannelore, geb. Ziegfeld. Ki.: Irmingard (1956), Herwig (1957), Hartmut u. Hildegunde (1965). El.: Ferdinand u. Franziska. S.: 1946 Matura Linz, 1946-55 Chemiestud. Wien, 1955 Prom. Dr. phil. Fachrichtung Chemie. K.: 1955-62 Chemiker in Lebensmittelforsch. Franck & Kathreiner, 1962-64 Gschf. Eurocomp. GmbH, 1964-73 System Engineering Manager IBM f. OÖ u. Sbg., 1973 o.Univ.-Prof. f. Informatik Univ. Linz, 1981-83 Rektor, seit Sept. 1991 Wiss. Ltr. d. Inst. f. Umweltinformatik in Linz. P.: Vortragstätigkeit u. versch. Beiträge in Fachzeitschriften, Hrsg. d. Bücher "Computers in Biogeography" (1986), "Die Schmetterlinge OÖ" (7 Bände, 1973-93). E.: versch. Ausz., 1989 Dr. h.c. d. Martin Luther-Univ. Halle-Wittenberg. H.: Entomologie, Musik (Chorgesang). (U.E.)

Reichl Harald Dipl.-Brauing.

B.: Vorst.-Mtgl. f. Produktion. FN.: Österr. Brau AG. DA.: 4020 Linz, Poschacherstr. 35. G.: Salzburg, 13. Aug. 1930. S.: 1951 Matura, 1955 Grad. z. Dipl.-Brauing. an d. TH München Fak. f. Brauwesen. K.: 1955-69 Ass., Braumstr. u. Dir. Brauerei Zipf, 1970-77 Dir. Brauerei Zipf Österr. Brau AG, 1978-82 Dir. u. Ltr. d. Dion. OÖ, 1982-86 Dir. u. Ltr. d. Hauptabt. Logistik, seit 1987 Vorst.-Mtgl. f. Produktion d. Österr. Brau AG. M.: VPräs. d. Österr. Getränkeinst., EBC-Ratsmtgl. H.: Lesen, klass. Musik.

Reichl Heiner Dipl.-Ing.

B.: Projektleiter. FN.: Gerstl. DA.: 4600 Wels, Kalkofenstr. 25. PA.: 4600 Wels, Straußingerstr. 26c. G.: Linz, 5. Juni 1961. V.: Claudia, geb. Wieladt. Ki.: Sandra (1984), Heike (1986), Ute (1988). S.: 1975-80 HTL (Hochbau) Linz, 1980 Matura, 1981-88 Arch.-Stud. in Innsbruck. K.: seit 1986 Fa. Gerstl als Bauleiter f. Schlüsselfertige Generalunternehmerbauten, aktuelle Tätigk.: Projektltr. f. Generalunternehmer. BL.: ehem. akt. Turner u. Schwimmer u. Militärischer Fünfkämpfer. M.: Welser Turnverein. H.: Familie. (P.H.)

Reichl Josef Dr. Prof.

B.: Pensionist. A.: 8280 Fürstenfeld, Gerichtsbergenstr. 51. G.: Rudersdorf, 22. März 1913. V.: Rosina, geb. Kainz. El.: Franz u. Johanna. S.: Gymn., Univ. Wien, Dr. phil., Lehramt aus Geschichte u. Deutsch. K.: Nach d. Stud. Unterricht an Höheren Schulen, dann Kriegsdienst u. Gefangenschaft in Jugoslawien, anschl. wieder Schuldienst, Bez.Obm. d. SPÖ, dann LParteivorst. d. SPÖ, Mtgl. d. BR, Mtgl. d. Österr. Delegation b. Europarat 1957-78, VPräs. d. Agr.Kmsn. d. Europarat, Sprecher u. Berichterstatter in d. Raumplanungskmsn., Vorkämpfer f. d. Gleichstellung d. dt. Sprache m. d. anderen im EuropaR., Verfasser d. 1. Berichtes u. d. 1. Resolution z. Verkehrs- u. Umweltschutzproblematik im EuropaR., Vors.Stellv. d. BundesR. d. Rep. Österr. P.: 4 Bücher, Broschüre: "25 Jahre Europarat". E.: Gr. Silb. u. Gr. Gold. EZ d. Rep. Österr. H.: Gartenarb.

Reichl Rainer Mag.

B.: Geschäftsführerender Gesellschafter FN.: Reichl & Partner Werbeagentur GmbH. DA.: 4020 Linz, Mozartstr. 11, 1010 Wien, Neutorg. 9. G.: Linz, 13. Jän. 1962. V.: Silvia. S.: Gymn. Linz, Stud. BWL, Marketing u. Controlling Univ. Linz. K.: 3 J. Werbeagentur Demner & Merlicek, Trainer am Hernsteininst. f. Direktmarketing, 1988 Grdg. Reichl & Partner Linz u. Wien. E.: 1990 Gold. Landespreis f. Werbung. (P.H.)

Reichl Manfred Dr. techn. Dr. iur. Dipl.-Ing.

B.: Gschf. u. Partner. FN.: Roland Berger & Partner GmbH Intern. Management Consultants. DA.: 1010 Wien, Hohenstaufeng. 4. PA.: 2340 Mödling, Kielmansegg-G. 8. G.: Salzburg, 25. März 1953. V.: Maria, geb. Kammerstetter. Ki.: Theresa (1981), Johanna (1983). El.: Franz u. Gina. S.: 1977 Dipl.-Ing. f. Wirtschafts-ing.-Wesen TU Graz, 1981 Dr. iur., 1982 Stanford Univ. u. Massachusetts Inst. of Technology, 1984 Dr. techn. K.: 1977-79 Statiker, Kalkulator u. Bauüberwacher Bauunternehmung Porr Wien u. Ing.-Büro Graz, 1979-84 Univ.-Ass. Inst. f. Unternehmensführung u. Organ. TU Graz, 1984-87 European Programme Manager Hewlett Packard GmbH Böblingen, seit 1987 Mtgl. d. Geschäftsltg. Roland Berger & Partner GmbH München, seit 1992 zusätzl. Gschf. Roland Berger & Partner GmbH Wien. H.: Tennis, Skifahren, Musik. (J.S.)

Reichmann Franz

B.: Geschäftsmann, Inh. Hotel-Restaurant "Reichmanns". DA.: 1140 Wien, Amundseng. 1. PA.: 1010 Wien, Renng. 12/14. G.: Wien, 11. Okt. 1955. V.: Hannelore. S.: VS, HS, HASCH, Gastronomieausbild. in Altaussee. K.: 1973-76 in d. Gastronomie in Deutschland tätig, 1976-77 BH, seit 1979 in d. Immobilien, Vers. u. Finanzierungen tätig, 1984 Beteiligung an BAC Finanzierung u. Leasing, seit 1990 Alleininh. dieser Firma, 1986 Grdg. d. CAPITALIS Finanzierungs- u. Vers.-Beratungsges., 1989 Grdg. d. Immobilienmaklerfirma IMMOBILIARE, ab 1993 Bes. d. Hotel-Restaurants "Reichmanns". M.: seit 1992 Funktionär d. Wr. HK, Gremialaussch.-Mtgl. H.: Tennis, Fernöstl. Kampfsport, klass. Musik. (N.A.)

Reichmann Hannelore

B.: Geschäftsfrau, Inh. Hotel-Restaurant "Reichmanns". DA.: 1140 Wien, Amundseng. 1. PA.: 1010 Wien, Renng. 12/14. G.: Wien, 5. Juni 1944. V.: Franz Reichmann. Ki.: Alexander (1968). El.: Friedrich u. Elisabeth. S.: VS, Hauptsch., HASCH, Sprachausbildg. in Frankreich. K.: seit 1960 in d. Immobilien, Finanzierungen u. Vers. tätig, 1980 Gründ. eines Büroservices, 1989 Gründ. einer Immobilienfa., 1992 Konzession f. Immobilienmakler, ab 1993 Bes. d. Hotel-Restaurants "Reichmanns". H.: Lesen, Phil. (N.A.)

Reichmann Franz

B.: Werbegrafiker u. Designer. DA. u. PA.: 1040 Wien, Favoritenstr. 20. G.: Pöchlarn, 22. Nov. 1947. V.: Maria. Ki.: Sandra. El.: Dr. Hans u. Gabrielle. S.: HTL Hochbau, GLVA Abschl. mit Meisterklasse, BH. K.: halbes Jahr bei Fa. Thomson tätig, s. 1972 selbst. im Bereich Werbung u. Grafik. M.: GDA. H.: Basteln, Badminton. (L.S.)

Reichmann-Kollmann Roswitha

B.: Hotelier Hotel Roko-Hof. DA. u. PA.: 9020 Klagenfurt, Villacher Str. 135. G.: Klagenfurt, 9. Feb. 1941. V.: Richard Reichmann. Ki.: Robert (1968). El.: Karl u. Johanna Eder. S.: 1959 HAK-Matura, 1959-61 Konditorlehre, 1965 Konditor Mstr.-Prüf. K.: 963 Konditorei Zauner Bad Ischl, 1964 Deutschland, 1965 Hotel Roko-Hof, 1977 Übernahme d. Hotels. M: Fachgruppenaussch. Hotel u. Beherbergung, Vorst. d. Fremdenverkehrsver. Klagenfurt. H.: Reisen, Musik, Lesen, Schwimmen. (F.S.)

Reichstamm Diego Mag. Dir.

B.: Landesdir. Kärnten u. Osttirol d. Interunfall Vers. AG. DA.: 9020 Klagenfurt, Burgg. 14. PA.: 9313 St. Georgen-/Längsee, Dorfstr. 34. G.: Innsbruck, 9. Aug. 1953. H.: Lesen, Tennis, Skifahren.

Reichstamm Diethard

B.: Inh. FN.: Batterie-Zentrum Diethard Reichstamm. DA.: 8020 Graz, Hackherg. 40. PA.: 8010 Graz, Goethestr. 38. G.: Graz, 2. Mai 1944. V.: Helga, geb. Gobetz. Ki.: Udo (1965), Werner (1967), Brigitte (1969). El.: Alfred u. Maria. S.: Pflichtschule, Lehre Einzelhdls.-Kfm., 1963 Abschluß, Lehre als Wascher u. Wäschebügler, 1968 Mstr.-Brief. K.: b. 1989 Tätigkeit in d. Lehrfirma (Autoelektrik u. Batteriehdl.), 1989 Kauf d. bestehenden Firma, Erweiterung auf Kfz- u. Fahrradbedarf, Elektrohdl., Einzel- u. Großhdl., Nähzubehör u. Handarbeitsart. M.: seit 1970 Obm. d. Trachtenver. "Die Mürztaler z´Graz", 1980-93 Obm. d. Verb. alpiner Trachten u. Wohltätigkeitsver. Stmk. (I.G.)

Reidinger Harald Dipl.-Graph. Mag.

B.: Graphiker im Atelier Reidinger. DA. u. PA.: 1030 Wien, Erdbergstr. 82. G.: Steinberg, 29. Okt. 1946. V.: Astrid, geb. Pink. Ki.: Roland (1969). El.: Otto u. Charlotte. S.: 1965 Matura, HS f. Angew. Kunst Wien (Gebrauchsgraphik, Illustrationen, Photographik), 1972 Mag.Dipl., während d. Stud. Werbeagentur Strass. K.: 2 J. Intermarco Farner, 2 J. Werbeltr. Hoffmann La Roche, 2 J. Intermarco Farner, 5 J. Lintas Agentur, seit 1984 selbst. m. Atelier Reidinger. E.: Preis d. HS f. Angew. Kunst f. Dipl. H.: Tauchen, Reisen, Bücher. (J.S.)

Reidinger-Pink Astrid

B.: Gschf. Ges. FN.: Pink & Lonsing Werbeagentur Ges.-mbH. DA.: 1040 Wien, Große Neug. 28. PA.: 1030 Wien, Erdbergstr. 82. G.: St. Veit/Glan, 25. Mai 1953. V.: Harald Reidinger. El.: Hubert u. Maria Pink, geb. Kogler. S.: VS, Gymn., 1971 Matura, Phil.-Stud. Univ. Wien. K.: 1977 Eintritt in d. Werbebranche als Werbetexterin b. d. Firma Intermarco-Farner, 1979-85 Creativ-Dir. u. Kundenberater b. d. Austria 3, 1985-87 Creativ-Dir. u. Kundenberater b. Team BBDO, 1987 Eintritt in d. Hornich GmbH, 1989 Übernahme u. Umformierung auf Pink & Lonsing GmbH. P.: Kurzgeschichten in Literaturzeitschriften. M.: Marketing Club Austria. H.: Schreiben, Bücher, Reisen. (N.A.)

Reif Ernst Dr. iur. HofR.

B.: Dir. d. OÖ Gebietskrankenkasse. GT.: AufsR.-Mtgl. Allg. Sparkasse OÖ Bank AG, AufsR.-Stellv. Erlebnisbad Schallerbach GmbH. DA.: 4020 Linz, Gruberstr. 77. PA.: 4040 Linz, Reisingerweg 14. G.: Linz, 27. Feb. 1937. V.: Sigrid, geb. Schnee. Ki.: Mag. Gabriele (1963), Ursula (1971), Philipp (1976). El.: Ferdinand u. Anna, geb. Miksch. S.: VS, Ak. Gymn., 1956-62 Jusstud. Univ. Wien, Prom. K.: 1962-64 Jurist Mag. Landeshauptstadt Linz, 1964-75 Kam. f. Arb. u. Ang. OÖ, v. Dir.-Ass. z. Abt.-Ltr., seit 1967 GemR. d. Stadt Linz, ab 1975 Dir.-Stellv. OÖ Gebietskrankenkasse, seit 1987 Dir. d. OÖ Gebietskrankenkasse. P.: Art. "Soziale Sicherheit". E.: Gold. EZ f. Verd. um d. Rep. Österr., Silb. Sparkassennadel, Gold. EZ d. Arbeiter Samariterbundes. M.: Rotary Club Linz Punkt, SPÖ GemR. H.: Musik (Klavierspielen), Wandern, Skifahren, Reisen, Briefmarken sammeln. (C.D.)

Reif Rohardt KommR.

B.: Inh., Steinmetzmstr. GT.: Beisitzer d. Lehrabschlußprüf., 1985-90 Landesinnungsmstr.-Stellv., 1990-95 Landesinnungsmstr. d. Steinmetzbetriebe, Bundesinnungsaussch. d. Steinmetze in d. BWK, 1990 Obm. d. freien Wirt-schaftsverb. Graz, seit 1993 GemR. d. Stadt Graz, SPÖ Wirtschaftssprecher, Vergabe- u. Gewerbeaussch., Finanz-aussch. u. Vors. d. Liegen-schaftsverw., Feuerwehraussch., Vers.-Vertreter im Bund f. Arbeitnehmer Österr., AWG. DA. u. PA.: 8020 Graz, Alte Poststr. 332. G.: Graz, 26. Nov. 1940. V.: Edda, geb. Petak. Ki.: Birgit (1961), Petra (1966), Sandra (1970). El.: Oskar u. Ernestine. S.: VS, HS, Steinmetzlehre b. Steinmetz Johann Franz, Bundesfachschule f. Steinmetz Hallein, HTL. K.: Werksmstr. Firma Max Mörz, 1963 Steinmetzmstr.-Konzessionsprüf., b. 1966 Firma Mörz, seit 1966 selbst. P.: Veröff. in div. Tageszeitungen, Leitfaden z. Konzessionsprüf. f. d. Steinmetzgewerbe. E.: 1988 KommR., 25 J. Betriebsjubiläum. M.: Grazer Stadtpartei, SPÖ Bez. Lend u. Neuhart, GemR.-Club. H.: Wirtschaft, Politik. (R.S.)

Reif Roland Dr.

B.: Gschf. FN.: MEMOSAN Klimakterium-Ambulanz. DA.: 8020 Graz, Belgierg. 6. PA.: 8010 Graz, Körösistr. 141. G.: Hüttenberg, 24. Febr. 1952. V.: Dr. Doris, geb. Jahrmann. Ki.: Philipp (1980), Julia (1992). El.: Roland u. Hermine. S.: VS, Mittelschule, Med.-Stud. Graz, 1980 Prom. K.: 1980-88 Ausbild. z. Gynäkologie-FA an d. Grazer Univ.-Frauenklinik, 1988 Praxiseröff., 1991 Grdg. Memosan 1. Inst. in d. Stmk. f. Osteoporose u. Hormondiagnostik im Klimakterium. F.: DGM Hormonlabor. M.: Lions Club, Grdg.-Mtgl. Erzherzog Johann. H.: Fotografieren, Fischen, Markensammeln. (R.S.)

Reif-Breitwieser Bernhard

B.: Hotelier, Hotel Erzherzog Johann. DA. u. PA.: 8010 Graz, Sackstr. 3-5. G.: Graz, 4. Febr. 1958. V.: Romana, geb. Skvara. Ki.: Julia (1991), Philipp (1993). El.: KamR. Fritz u. Dr. Margarete. S.: VS, Gymn., 1976 Matura, Fremden-verkehrsschule Wien. K.: 1978 Eintritt in elterl. Betrieb, Gschf. Ges., Hotel Erzherzog Johann. M.: Chaine de Rotisseurs, Skal,Vorst.Vors. d. Tourismusverb. Graz, Präsidiumsmtgl. d. Österr. Hoteliervererein. H.: EDV, Schach, Tennis. (R.S.)

Reif-Breitwieser Friedrich Johannes Dr. iur.

B.: RA. A.: 1030 Wien, Hohlwegg. 13. G.: Graz, 30. Jan. 1956. El.: Friedrich Bernhard u. Dr. Margarete. S.: 1. BG in Graz, Matura 1974, 1974-76 Hotelfachlehrgang f. Maturanten, Wien, anschl. 2 J. im Hotelmanagement tätig, Stud. d. Rechtswiss., Volkswirtsch., Soziologie u. Politikwiss. an d. Univ. Wien u. Sbg., Prom. Dr. iur. 1982. K.: 1982-84 Ass. an d. Univ. Sbg., Inst. f. Verfass.- u. Verw.-Recht, 1984-86 Referent im BKanzleramt-Verfassungsdienst, 1986-88 RAA in versch. Wr. Kanzleien, 1988 RA-Prüf. m. Ausz., seit 1989 selbst. als RA. H.: Bücher, Theater. (J.S.)

Reif-Schere Ilse

B.: Dion.-Sekr. u. Schriftstellerin, zuletzt Sachbearb. in einer Großbank. A.: 1010 Wien, Jordang. 7. G.: Wien, 7. Febr. 1927. V.: verh. gewesen mit Dr. Hans Reif, Privatgelehrter. El.: Schere Valentin u. Barbara. S.: HASCH, div. Sprachkurse. K.: Mitarb. im elterl. Geschäft. Dann zweisprachige Sekr., Dion.Sekr. u. Hdls.Bev. Als Dichterin im J. 1967 an d. Öffentlichkeit getreten. Seither viele Publ. in Österr. Seit 1982 erscheinen Gedichte oder Art. auch in d. intern. Presse, teils in Originalsprache, teils in Übersetzung. Zahlr. Vertonungen durch in- u. ausländ. Komponisten. In Paris entstand d. Pantomime "Ecce Homo" nach d. Gedicht "Bitte, bleiben Sie stehn" (Erstaufführung 1984/BRD), Dichterlesungen im In- u. Ausland. Bekannt als "Dichterin d. leisen Dinge" (Lyrik u. Prosa). P.: "Im Vorübergehn ..." (Lyrik 1967, 2. Aufl. 1982, 3. Aufl. 1986), "Die leisen Dinge" (Lyrik 1968), "Barfuß auf Steinen" (Prosa, 1983, 2. Aufl. 1987), "Garten d. Liebe" (Gedichte, griech., Athen 1989), "Die Perspektive d. Fisches" (Lyrik, 1989, 2.A. 1990), "Die leisen Dinge" (griech., Athen 1991), Mitautorin d. "Österr. Lyrik" 1981, "Das Lied d. Glocke" (griech., Athen 1990), "Schmetterlinge haben es gut", Tiergeschichten, III. W. Opgenoorth (1993), u.a. Hrsg. "Österr. Lyrik" Band XXIX., Zahlr. Nachdrucke in in- u. ausländ. Zeitungen u. Zeitschriften sowie in d. franz. Lehrbüchern "D" wie Deutsch Tome 2 u. Tome-3 (Paris 1982 u. 1984), "Grenzen...los", 2e, terminales u. 1res N.E. (Paris 1988, 1990, 1994), Teilnahme an div. Fernseh- u. Hörfunksendungen (Interviews, "Welt der Literatur", etc.). E.: Preisträgerin d. "Rosegger-Freundschaftskruges" (1990), Österr. EK f. Wiss. u. Kunst (1993). M.: Ehrenmtgl. einiger Ver. H.: Wohnen, Theater, Fernsehen, Lesen, Komponieren, Reisen, Autofahren.

Reifetzhammer Johann
B.: Gschf. FN.: Createam Werbeagentur GmbH & Co KG. DA.: 4020 Linz, Spittelwiese 5. PA.: 4020 Linz, Hauptpl. 18. G.: Linz, 1. März 1949. V.: Elisabeth. Ki.: Maria. El.: Karl u. Franziska. S.: 1969-72 Höhere Graph. Lehr- u. Versuchsanst. Wien, 1972 Matura. K.: 1976 Grdg. eigener Werbeagentur "Werbeagentur Createam". H.: Bridge, Schach, Oldtimer, Freikörperkultur, Aerobic, Joggen, Wandern, Skifahren (M.B.)

Reihs Meinrad
B.: Firmeninh. FN.: RE-TOR GesnbR. DA.: 8051 Graz, Wiener Str. 338. PA.: 8742 Obdach, Hauptstr. 31. G.: Prethal, 16. Dez. 1946. V.: Eleonore, geb. Bärnthaler. Ki.: Barbara (1972), Irene (1973), Klaus (1979), Michael (1984). El.: Franz u. Josefine. S.: Pflichtschule, Lehre Bankkfm., 1967 Abschluß. K.: b. 1972 Banktätigkeit, b. 1980 Sped.-Kfm. u. Zolldeklarant in d. Wirtschaft, 1980 Firmengrdg., Einzelhdls.-Kfm. in Lebensmittelbereich, 1990 Grdg. d. Firma RE-TOR als Nfg.-Betrieb. H.: Beruf, Familie. (F.K.)

Reikerstorfer Johann Dr. theol. Dr. phil. o.Prof.
B.: Vorst. u. o.Univ.-Prof. am Inst. f. Fundamentaltheol. d. Univ. Wien. DA.: 1010 Wien, Schottenring 21. PA.: 1170 Wien, Zwerng. 6. G.: Ybbs, 12. Juni 1945. S.: Gymn. Melk, 1963 Matura, Stud. an d. Phil.-Theol. HS St. Pölten, Stud. an d. Univ. Wien u. Kath. Univ. Leuven, 1970 Prom., 1970-74 Stud. an d. Univ. Wien Phil., 1974 Prom. K.: 1969 Priesterweihe, b. 1971 Kaplan, 1970-74 Religionsprof. WKRG Engl. Fräulein St. Pölten, 1974-79 Prof. f. Fundamentaltheol. an d. Theol. HS St. Pölten, 1974-79 Ass. am Inst. f. Atheismusforsch. an d. kath.-theol. Fak. d. Univ. Wien, 1977 Habil., ab 1979 o.Prof. f. Fundamentaltheol. an d. Univ. Wien, Sublent an d. Theol. HS St. Pölten. P.: seit 1983 Mithrsg. d. "Phil. Jahrbuch", "Offenbarer Ursprung" 1971, Diss.: "Die zweite Reflexion" 1974, Habil.: Die "Idee" als systemtheor. Grundprinzip einer Offenbarungstheologie 1977, Hrsg.: "Befreiter Mensch" 1976, "Zeit d. Geistes" 1977, "Glaubenspraxis" 1981, "Gesetz u. Freiheit" 1983, Mitarb. am Handbuch d. Fundamentaltheol. u. Handbuch d. Christl. Phil., weitere Aufsätze in Zeitschriften u. Sammelwerken. E.: 1975 KonsistorialR. H.: Spazierengehen, Radfahren. (A.W.)

Reimann Hans Peter
B.: Gschf. Ges. FN.: Hans Peter Reimann GmbH. DA.: 1170 Wien, Pezzlg. 5, 1170 Wien, Hernalser Hauptstr. 32-34. PA.: 1160 Wien, Rolandweg 12/15. G.: Wien, 15. Aug. 1943. El.: Dr. Johann u. Berta, geb. Kranzl. S.: 1962 Matura, kfm. Ausbild., Automechanikerlehre. K.: 1964-76 Kunden-dienstberater b. VW, seit 1976 selbst., Schwerpunkt: Autospenglerei u. Lackiererei, ab 1984 Toyota Vertragshändler, 1990 Eröff. d. Mobil Tankstelle. H.: Fotografieren, Schäferhunde. (N.A.)

Reimann Reinhold Dr. med.
B.: Univ.-Prof., Oberarzt am Anatom. Inst. d. Univ. Graz. DA.: 8010 Graz, Harrachg. 21. G.: Leoben, 15. Sep. 1941. V.: Mag. phil. Renate, geb. Petz. Ki.: Reinhard (1970), Hilburg (1971), Hedwig (1973). El.: Bruno Friedrich u. Maria, geb. Tschach. S.: BRG Leoben, 1960 Matura, 1960-69 Med.-Stud. in Graz, 1969 Prom. K.: ab 1969 Univ.-Ass., 1971 Präsenzdienst (dzt. OLt.-Arzt d. Res.), 1983 Univ.-Doz. f. Anatomie, 1991 a.o. Univ.-Prof. P.: Fachpubl. (Schwerp.: Biomechanik u. Biometrie) in wiss. Zeitschr. u. Büchern. M.: Obm. d. Alpenländ. Kulturverb. Südmark (Graz). H.: Hochschul- u. Studentengeschichte. (P.M.)

Reimann Andreas
B.: Maler. DA. u. PA.: 2384 Breitenfurt, Königsbühel 83. G.: Wien, 1. Sep. 1965. El.: Herbert u. Margarete. S.: AHS-Matura Wien, 1985/86 Interior Design-Ausbild. in Amerika, 1994/95 Univ.-Lehrgang f. Kunst- u. Kulturmanagement in Sbg. K.: 1985-88 Interior Design in Hilton Head Island S.C. USA, ab 1988 ausschl. bild. Künstler sowohl in Amerika als auch in Österr., Hommage-Serien: Marlene Dietrich, M. Monroe, Romy Schneider u.a., Aktserien u. zahlr. Porträts, Ausstellungen in Amerika u. Europa. (J.S.)

Reimann Viktor Dr.
B.: Journalist. A.: 1120 Wien, Schwenkg. 12/19. G.: Wien, 25. Jan. 1915. V.: Alice, geb. Pfeiffer. El.: Josef u. Ottilie. S.: Gymn., Univ.: Geschichte, Deutsch, Dr. phil. K.: 1940-45 in Haft wegen Vorbereitung z. Hochverrat, 1945 Stellv. d. Chefred. d. Sbg. Nachrichten, 1949-56 Abg. z. NatR., 1956-60 Pressechef d. Österr. BTheaters, 1960-61 Österr. Korrespondent d. Zeitung "Die Welt", 1961-72 freier Schrifsteller, 1972 Red. d. "Neuen Kronen-Zeitung", Ressortltr. d. Kultur u. Kolumnist. P.: "Dr. Joseph Goebbels", "Bruno Kreisky - Portrait eines Staatsmannes", "Die dritte Kraft in Österr.". "Dirigenten, Stars u. Bürokraten", "Innitzer, Kardinal zwischen Hitler u. Rom", "Zu groß f. Österr., Bauer u. Seipel im Kampf um d. Rep." uva.

Reimelt Werner
B.: Gen.-Dir.-Stellv. FN.: MERKUR Wechselseitige Vers.Anst. DA.: 8011 Graz, Neutorg. 57. PA.: 8020 Graz, Am Freigarten 10. G.: Kapfenberg, 11. Aug. 1943. V.: Annelie, geb. Jandrisevits. Ki.: Thomas, Karin, Michael. El.: Konstantin u. Martha. S.: Ind.Kfm.Lehre, Sozialak. K.: 1965 Sekr. d. Gewerkschaft d. Privatang. in Graz, 1970 Mtgl. Vertreter d. Merkur Vers.Anst., 1972 Vors. d. Mtgl. Vertretung, 1973-79 Vors. d. AufsR., 1980-83 Vorst.Mtgl., ab 1984 Gen.-Dir.-Stellv., 1973-80 GemR. d. Stadt Graz, AufsR.Mtgl. d. Grazer gemeinn. Wohnungsgen. H.: Sport, Schach.

Reimitz Herbert
B.: Bauelementewerk Klagenfurt. DA.: 9020 Klagenfurt, Ebentaler Str. 140. G.: Wien, 26. Aug. 1935. V.: Martha, geb. Weigel. Ki.: Judith u. Matthias. El.: Heinrich (Mtgl. d. Österr. Olymp. Komitees, aktiver Sportorganisator) u. Hilda. S.: HAK Wien, Matura 1955. K.: 1955 Eintritt in d. Fa. Philips: 1955-63 in d. Admin., 1963-68 Buchhaltungschef d. Kundendienstabt., 1968-73 Ltr. d. Kundendienstabt., 1973-79 Dir. f. Wirtschaftsengineering, 1979-83 Ltr. d. EDV-Abt., 1983-87 im Management d. Videofbk., 1987-90 Dir. d. Elektronikfbk. Wien, s. 1989 Dir. d. Zwg.Ndlg. Klagenfurt Bauelementewerk. M.: b. 1962 Mtgl. d. Österr. Handballmannschaft, dan. Trainer, Grdg.Mtgl. d. Österr. Ges. f. Logistik. H.: Sport, Musik, Theater, Oper, Lesen, Zeitgeschichte, Autofahren. (D.M.)

Reimoser Werner

B.: Präs., VerwR. FN.: EASTLIGHT Foto, Presse u. Verlags GmbH; ECL-Eastern Consulting Ltd.; EASTERN PhoneSat AG (EPA); Eastlight-Moscow News Press & Communication Ltd. DA.: 1170 Wien, Elterleinpl. 6. PA.: 2344 Maria Enzersdorf, Hohe-Wand-Str. 35/5. G.: Waldkirchen/Thaya, 14. Feb. 1940. V.: Maria, geb. Postnikova. Ki.: Andrea, Vanvara. El.: Dir. Josef u. Angela. S.: 1958 Matura, Lehre f. Mechaniker u. Installateur, 1964-68 HS f. Bdk. u. HS f. Welthdl. K: 1965-67 Getreidehdlg. F. Glatz, 1966-69 Néstle-Konzern, 1964-70 Zusammenarb. u. Ass. v. Prof. Franz Univ. Wien, 1969-79 Philips-Konzern, Verkaufs- u. Beratungsltr. Südosteuropa u. UdSSR d. Philips Duphar, gewerberechtl. Gschf. d. Österr. Philips Ind. GmbH, 1979-89 Chef d. UdSSR-Konzernvertretung d. Sandoz AG Basel, ab 1989 Aufbau u. Ltg. d. EASTLIGHT Holding Anst. M.: 1979-85 Gen.-Sekr. d. Non-Governmental UN-Org. C.I.E.C.H. H.: Kunst, Sport. (L.S.)

Reimoser Werner

B.: Präs., VerwR. FN.: EASTLIGHT, Photo-,Presse- u. Verlagsges.m.b.H., ECL-Eastern Consulting Ltd., EASTERN PhoneSat AG (EPA), Eastlight-MoscowNews Press & Communication Ltd. DA.: 1170 Wien, Elterleinpl. 6. PA.: 2344 M. Enzersdorf, Hohe-Wand-Str. 35/5. G.: Waldkirchen/Thaya, 14. Febr. 1940. Ki.: Maria, geb. Postnikova. Ki.: Andrea, Vanvara. El.: Dir. DI Josef u. Angela. S.: 1958 Matura, Lehre f. Mechaniker u. Installateur, 1964-68 HS f. Bdk. u. HS f. Welthandel, 1965-67 Getreidehdl. F. Glatz, 1966-69 Néstle-Konzern, 1964-70 Zus.Arb. u. Ass. v. Prof. Franz, Univ. Wien. K.: 1969-79 Philips-Konzern, Verkaufs- u. Beratungsltr. Süd-Ost-Europa u. UdSSR d. Philips-Duphar, Gew.-rechtl. Gschf. d. Österr. Philips Industrie GmbH, 1979-89 Chef d. UdSSR-Konzernvertr. d. Sandoz AG-Basel, ab 1989 Aufbau u. Ltg. d. EASTLIGHT Holding Anstalt. F.: 100% EASTLIGHT Holding, 50% Walter Gass Ges.m.b.H., 25% Sovangard Art Gallery Moscow-Wien-New York, 35% Eastlight Art JV-Moskau, 11% IRM-Interrace Rennbahn Management Ges.m.b.H. M.: 1979-85 Gen.-Sekr. d. Non-Governmental UN-Org. C.I.E.C. H.: Kunst, Sport. (J.E.)

Reimüller Dimitra

B.: Expertin f. Gemälde d. 19. Jhdt., Dorotheum. Da.: 1010 Wien, Dorotheerg. 17. G.: Klagenfurt, 10. Jän. 1960. El.: Frederik u. Susanna. S.: VS, Gymn., Stud. Kunst- u. Geschichte i. Graz. K.: s. 1989 Dorotheum. H.: Reisen, Lesen, Radfahren, Laufen. (J.M.)

Rein Manfred

B.: LandesR. FN.: Vorarlberger LandesReg. DA.: 6900 Bregenz, Landhaus. Ki.: 2 Kinder. S.: Pflichtsch. K.: Eintr. i. d. elterl. Betrieb u. zusätzl. Platten u. Fliesenlegerlehre, 1976 Mstr.Prüf., 1980 selbst., dan. Beginn d. polit. Tät. i. d. Dornbirner Stadtvertr., 1985 Mtgl. d. StadtR., zust. f. Sport, Schule u. Kindergart., 1990 StadtR. f. Sport u. Ganztagsbetreuung, 1980 Mtgl. Vorarlb. Wirtsch.Bund, 1990 OrtsObm. Dornbirn, 1994 LandesR. f. Raumplanung u. Baurecht, Verkehrsrecht, Tourismus, Energiepolitik u. Sport. M.: VPräs. d. Roten Kreuzes v. Vorarlb., Obm. d. Rennsportgemeinsch. Dornbirn, Mtgl. d. Wintersportver. Ebnit, d. Tennisclubs Dornbirn u. d. Dornbirner Handels- u. Gwerbever. H.: Schifahren u. Radfahren.

Rein Ulrike Dr. iur.

B.: RA. FN.: Heller, Löber, Bahn & Partner. DA.: 1010 Wien, Seilerg. 16. PA.: 1030 Wien, Paracelsusg. 6. G.: Feldkirch, 19. Juni 1962. El.: Herbert u. Gertrude, geb. Berger. S.: Neusprachl. Gymn. Feldkirch, 1980 Matura, Stud. d. Rechtswiss. Univ. Wien, 1984 Prom. Dr. jur. K.: 1985-87 Ass. a. Inst. f. Staats- u. Verw.-Recht d. Univ. Wien, parall. Ger.-Praxis Wien, s. 1987 RA-Anwärter b. Heller, Löber, Bahn & Partner, s. 1992 eingetr. RA u. Partner d. Kanzlei. H.: Skifahren, Squash, Kunst. (N.A.)

Reinagl Walter

B.: Dipl.-Betriebswirt; Verw.-Dir. d. Donauspital. DA.: 1220 Wien, Langobardenstr. 122. PA.: 1232 Wien, Johann-Gottek-G. 18/19. G.: Wien, 5. Nov. 1942. V.: Eva-Maria, geb. Ewanschow. Ki.: Alexandra (1970), Matthias (1975). El.: Robert u. Karoline, geb. Cerny. S.: RG, Verw.-Kurse b. d. Stadt Wien, Ausbild. z. KH-Betriebswirt am Dt. KH-Inst. Düsseldorf (DKI). K.: 1960 Eintritt in Dienst d. Stadt Wien, seit 1961 in versch. Funktionen in Städt. Krankenanst., 1976 Bestellung in d. Projektltg. z. Errichtung d. Sozialmed. Zentrums Ost, 1978 Bestellung z. Verw.-Dir. P.: Fachpubl. in österr. KH-Fachmedien. M.: Fachver. d. Österr. KH-Verw.-Dir. H.: Musik, Radfahren, Wandern. (N.A.)

Reinartz Michael

B.: Herausgeber. A.: 5020 Salzburg, Imbergstr. 10. G.: Wien, 12. Okt. 1939. V.: Gabi, geb. Möhler. S.: Mittelschule, Hotelfachschule in Bad Hofgastein. K.: 4 J. Praxis im Tourismus (Österr., Frankreich, Italien), 8 J. Praxis in intern. Werbeagenturen, 15 J. selbst. Werbeberater in Sbg., Begründer d. deutschspr. Ausgaben d. GUIDE GAULT-MILLAU PARIS, Hrsg.: Guide Gault-Millau Österr., Gault-Millau Magazin, Guide New York, Guide Frankr. (in dt.). E.: Silb. EZ f. Verd. um d. Rep. Österr.

Reinberger Leopold KamR.

B.: Gastronom, Koch im Gasthof Reinberger. DA. u. PA.: 3150 Wilhelmsburg, Kreibacher Str. 11. G.: Lilienfeld, 26. Okt. 1947. V.: Ingrid, geb. Dachsbeck. K.: Eva-Maria, Nina. El.: Leopold u. Stefanie. K.: Kochlehre im Hotel Pittner, St. Pölten, BH b. Gardebataillon, Hotel Guido Reisch, Kitzbühel, Holland - American Line, 1970 Übernahme d. elterl. Betriebes, Seminarhotel Landgasthof Reinberger, bekannt in d. gesamt. Region, lfd. einschl. Fortbild. im In- u. Ausland, Prüf.Vors. d. Lehrabschlußprüf. f. d. Gastgewerbe in NÖ, Fachgruppenvorsteher-Stellv. d. Hotel- u. Beherbergungsbetriebe, Mtgl. d. Sekt.-Ltg. Fremdenverkehr, Landeslehrlingswart, Schulobm. d. Landesberufschule f. d. Gastgewerbe Waldegg, Mtgl. d. Landesstellenaussch. d. SVA d. gewerbl. Wirtschaft. F.: Gasthof Reinberger, 3150 Wilhelmsburg. E.: Florianiplak. d. FF Wilhelmsburg. M.: Ver. d. Sparkasse St. Pölten in d. Region St. Pölten, "Junges Gastgewerbe Österreich", H.: Fachliteratur, Tennis, Skifahren, Reisen. (Kern)

Reincke Heinz
B.: Schauspieler. PA.: 1050 Wien, Garteng. 20/27. G.: Kiel, 28. Mai 1925. El.: August u. Meta. K.: Engagements am Stadttheater Stuttgart, am Schauspielhaus Hamburg unter Gründgens, am Schauspielhaus Düsseldorf unter Stroux, 1967 trat er d. Ensemble d. Wiener Burgtheaters b., versch. Auftritte b. d. Sbg. Festspielen, in Film-, Fernseh- u. Rundfunkproduktionen, Schallplattenaufnahmen, Vortragsreihe am Theater "Das Schiff" in Hamburg. E.: Ehrentitel eines Kammerschauspielers, Kainz-Med. (1970).

Reinders Richard Eric
B.: Gschf. Ges. FN.: Chement Chemie Entsorgungs GmbH. DA.: 5503 Mitterberghütten, Werksgelände 24. PA.: 5600 St. Johann/Pongau, Rettenstein 166. G.: Rotterdam, 28. Dez. 1958. V.: Elisabeth, geb. Huber. Ki.: Renate (1984), Teresa (1988). El.: Richard u. Betty. S.: HTL Utrecht/NL, 1978 Abschluß, 1978-84 Militär BRD. K.: Tätigkeit im Personalmanagement, 1984 Grdg. d. Handelsfirma in St. Johann/Pongau, 1986 Grdg. Elisabeth Reinders Chemie Entsorgung, 1988 GmbH-Grdg., 1989 Fusionierung m. Dt. Entsorgungsfirma. F.: Chem. Laboratorium, Techno-Z Bischofshofn, div. Handelsfirmen in Österr., BRD u. NL, Kinderspielwarendetailhdl., Gastronomiebetriebe. P.: Mitarb. an Studien z. Thema Entsorgung f. BMU, Mitarb. an einem Mehrjahresplan Beseitigung fotochem. Abfälle. M.: Liedertafel Bischofshofen. H.: Klavierspiel, Lesen. (G.P.)

Reindl Antonia
B.: Dipl.-Sozialarb. im Jugendamt d. BH Zell am See. DA.: 5700 Zell am See, Saalfeldner Str. 10. PA.: 5760 Saalfelden, Bachwinkl 1. G.: Piesendorf, 8. Sept. 1942. El.: Rupert u. Anna Reindl. S.: HASCH. K.: 24 J. Steuerberatungswesen, Dipl.-Sozialarb.-Ausbild. i. Soz.-Ak. Wien, Sbg. b. Prof. Gastager, 12 J. psychiatr. Nachbetreuung, Stud.-Aufenth. Council of Intern. Program USA, Grdg. d. Sozialzentrums Lehen, 1979 aus d. Berufsleben ausgestiegen u. zu Malen begonnen, 12 J. in d. Türkei, 2 Kunstgalerien in Marmaris u. Bodrum eröff., Dez. 1991 Rückkehr in d. Berufsleben, Eintritt als Dipl.-Sozialarb. in d. Jugendamt in Zell am See. H.: Malen, kreativer Ausdruckstanz, Windsurfen, Segeln, Skifahren. (M.T.)

Reindl Erich
B.: Manager. FN.: Contacta Intern. IBIZA, Miss Austria Corporation Wien. DA.: 1070 Wien, Kaiserstr. 45. PA.: Ibiza. G.: 31. Aug. 1931. V.: Gerlinde, geb. Sihorsch. Ki.: Andrea, Michaela. El.: Georg u. Hildegard. S.: VS, Mittelschule, Staatsprüf. f. Gesang u. Schauspiel. K.: 6 J. Theater, 1957 Beginn d. Misswahlen, heute einziger hpt.berufl. Misswahlen-Veranstalter d. Welt. E.: 1987 Oskar f. Misswahlen-Veranstaltungen. H.: Tennis, Sport, Beruf.

Reindl Franz
B.: Firmeninh., Elektromechaniker. FN.: Daihatsu Reindl, Neu- u. Gebrauchtwagen Service, Teile u. Zubehör. DA.: 2345 Brunn/Gebirge, Wienerstr. 48. PA.: 2380 Perchtoldsdorf, Wienerg. 98a. G.: Wien, 5. März 1945. V.: Alice, geb. Jirku. Ki.: Ingrid, Renate. El.: Franz u. Leopoldine. S.: 4 J. Realgymn., 3 J. Fachschule HTL Mödling, Abschluß Elektromech. K.: FS Mechaniker bei Fa. Minerva, Gebrüder Groh, Fa. Sonnenwerk Heizung, Waschmaschinen-Außendienst, Verkäufer Fa. Heller Citroen, 1975 selbst. nach dem Motto: ehrliche Arbeit - ehrliches Geld, 1. Daihatsu-Vertretung in Österr., Neu- u. Gebrauchtwagen, Service, Teile u. Zubehör. BL.: 1988 u. 89 Ralley-Cross Staatsmstr. auf DAIHATSU. E.: Firmeninterne Auszeichnungen, s. 1985 unter den Top Ten in Österr., einziger 1-Mann-Betrieb in Österr. M.: Vorst.-Mtgl. im Motorsportclub RRC 13. H.: Motorsport, Firma. (W.M.)

Reindl Johann
B.: freier Journalist. DA. u. PA.: 5621 St. Veit/Pongau, Sportplatzstr. 3. G.: St. Veit, 28. Jan. 1922. El.: Johann u. Susanne. S.: VS, Tätigkeit in d. elterl. Ldw., 1940 Führerschein f. Motorrad u. Auto, 1941 Dt. Wehrmacht, 1945 Amputation Unterschenkel, weg. Kriegsverletzung 1945 Entlassung Wehrmacht, 1945 Ldw.-Schule Bruck, 1946 Stipendium HAK Sbg. K.: 1948 Sbg. Privatwirtschaft (Buchhaltung), 1952 Gewerbeschein f. Hdls.-Agentur, b. 1954 selbst. m. Hdls.-Agentur, 1954 Buchhalter Firma Kreuzberger St. Johann/Pongau, 1958 Gewerbeschein f. Groß- u. Einzelhdl., b. 1983 Buchhalter u. selbst., seit 1979/80 journalist. Tätigkeit f. d. regionale u. überregionale Presse, 1983 Pension (Buchhaltung). P.: Gastgewerbezeitung, Wirtsch.-Zeitung, Veröff. in regionalen Printmedien. E.: Rupertikreuz f. Journalist. Verd., Landesverb. d. Heimatver. "Silb. Dankesmed.", Kriegsausz. M.: Speedwayclub St. Johann, Grdg.- u. Vorst.-Mtgl. Pongauer Hilfswerk. H.: Natur, karitative Aktivitäten. (G.P.)

Reindl Jonny
B.: selbst. als PS-Show-Promotor. DA.: 4040 Linz, Rudolfstr. 3. G.: Linz, 2. Dez. 1953. El.: Josef u. Hedwig. S.: VS, HS, Berufsschule, b. 1971 Lehre als Automechaniker. K.: 5 J. im Außendienst b. Firma Motomat, 1981-86 Automobilrennsport, 1986 Veranstaltung d. 1. PS Show Wels Messegelände, seither jedes J. Veranstaltungen in Wels, Mietung v. Unikatautos u. Weitervermietung an versch. Veranstalter, 2-Rad-Show. P.: Hrsg., Verleger u. Medieninh. "PS Show Wels", über 1000 Art. in versch. Zeitungen, Illustrierten u. Print Medien, viele Beiträge im TV u. Radio. E.: mehrfacher Österr. Mstr. H.: Lesen v. Wirtschaftsmagazinen. (U.E.)

Reindl Norbert
B.: Uhrmachermstr., Inh. d. Fa. Norbert Reindl. DA.: 8330 Feldbach, Grazer Str. 4. PA.: 8330 Feldbach, Oedter Str. 14. G.: Feldbach, 2. Dez. 1940. V.: Roswitha, geb. Miklautsch. Ki.: Ursula, Ingrid. El.: Franz u. Augustine. S.: Berufsschule, Uhrmacherlehre, 1961 Mstr.Prüf. (jüngster Mstr. d. Stmk.). K.: Eintritt in d. väterl. Betrieb u. Übern. d. Fa. 1971, allg. gerichtl. beeid. Sachv., Bez.Vertrauensm. v. Hdl. m. Gold u. Silber, Bez.Mstr. f. d. Uhrmachergewerbe, Kolonnenkdt. d. RK Feldbach. E.: Silb. VK d. Landes Stmk., Gold. EZ d. RK, Silb. Ausz. f. Blutspenden, LAusz. f. 25jähr. Vereinszugehör. im RK. M.: Lions Club Feldbach, Turn- u. Sportver. H.: Briefmarken sammeln, Rotes Kreuz, Jagd. (C.H.S.)

Reindl Roland Ing.

B.: Gschf. FN.: TOM Holding GmbH; TOM Projektentwicklung. DA.: 4560 Kirchdorf/Krems, Hauptpl. 19/1. PA.: 4563 Micheldorf, Hauptstr. 5. G.: 6. Okt. 1966. El.: Friedrich u. Maria. S.: VS, HS, 1981-86 HTBLA Nach-richtentechnik u. Elektronik Steyr, 1986 Matura. K.: 1986-87 Betriebselek-troniker Firma Uni Tech Kirchdorf, 1987-88 Vers.-Branche, 1989-90 Projektltg. im Bereich Elektrotechnik, 1990 Entwick-lung eines Marketing-konzeptes f. Tankstellen u. Einkaufs-organ. f. Mitarb. v. Großunternehmen, 1991 Grdg. TOM Elektrotechnik, 1993 Grdg. TOM Holding GmbH. H.: Beruf. (G.E.)

Reindl Siegfried
B.: Tischlermstr. u. Inh. FN.: Bau u. Möbeltischlerei Reindl. DA.: 5231 Schalchen, Kaltenbrunnerstr. 15. PA.: 5231 Schalchen, Landstr. 3a. G.: 6. Sept. 1959. V.: Sabine, geb. Buckling. Ki.: Siegfried. El.: Johann u. Maria. S.: Tischlerlehre. K.: 1985 Mstr. Prüf., 1987 selbst. M.: Feuerwehr, Gemeinde. H.: Angeln. (M.G.)

Reiner Alexander August
B.: Präs. Slzb. Landesskiverband, Gschf. Präs. IGM-Salzburgring. DA.: 5020 Salzburg, Mölkhofg. 3. PA.: 5400 Vigaun 9. G.: Dresden, 16. Sept. 1940. V.: Helga. Ki.: Alexander (1961), Patrizia (1964). El.: August u. Marianne. S.: 1959 Matura. K.: Ford Motor Comp. Austria in Sbg. (Einkauf, Business Management), 1970 Brit. Leyland Austria (Business Managem., Techn. Dir.), nach Änd. d. Fa. in E. Janko GmbH: Gschf. Ges., seit 1981 selbst. (Hdls.-Agentur u. Vertrieb v. Beschneiungsanlagen) u. seit 1984 f. IGMS tätig. H.: Schisport, Bergsteigen, Golf, Motorsport. (E.H.)

Reiner Andreas Dr. iur.
B.: RA. GT.: seit 1991 Österr. Mtgl. d. Intern. Schiedsgerichtshof d. Intern. HK, Univ.Lektor WU Wien f. Intern. Schiedsgerichtsbarkeit u. Franz. Recht. DA.: 1010 Wien, Freyung 6/11. PA.: 1090 Wien, Höferg. 5. G.: Wien, 30. Apr. 1951. V.: Véronique, geb. Mellon. Ki.: Clara (1984), Raphael (1986), Alice (1988). El.: Heinrich u. Emilie. BV.: Großvater Anton H. Karlinsky Ak. Maler u. Mtgl. d. Künstlerhauses, Onkel Anton Karlinsky jun. Ak. Maler. S.: Ak. Gymn., 1969 Matura, Jusstud. Univ. Wien, 1975 Doktorat. K.: Studienass. b. Prof. Welser Inst. f. Zivilrecht, 1977-86 Frankreichaufenthalt, Stipendiat d. Franz. Rg., Maitrise de Droit Univ. Orléans, Postgraduate Stud. über EG-Recht Univ. Paris, Tätigkeit in einer Pariser RA-Kzl., 1981-85 Ref. b. Intern. Schiedsgerichtshof d. Intern. HK, 1983-86 Lehrbeauftragter an d. Sorbonne f. Intern. Schiedsgerichtsbarkeit, seit 1989 selbst. RA in Wien, intern. Wirtschaftsanw., Schiedsrichter im In- u. Ausland. P.: Autor div. wiss. Publ. u.a. "ICC Schiedsgerichtsbarkeit" (1989). H.: Päd., Wandern. (J.S.)

Reiner Angelika Prim. Univ.-Prof. Dr. med.
B.: Abt.-Vors. FN.: Patholog.-Bakteriolog. Inst. im Donauspital SMZ-Ost. DA.: 1220 Wien, Langobardenstr. 122. PA.: 1090 Wien, Liechtensteinstr. 59. G.: Bad Ischl, 10. März 1953. Ki.: Cäcilia (1980), Philipp (1983), Agnes (1987). S.: VS, Akad. Gymn., 1971 Matura, Med.-Stud. a. Univ. Wien, 1977 Prom. K.: 1977 Facharztausbildung am Inst. f. Pathologie am AKH Wien, 1983 u. 1984 wiss. Studienaufenthalte in den USA, 1985 FA f. Pathologie, 1987 Zusatz-FA f. Zytodiagnostik, 1988 Habilitation, 1993 A.o. Prof. u. Abt.-Vorst. d. Patholog.-Bakteriolog. Inst. im Donauspital SMZ-Ost. P.: wiss. Arbeiten i. d. Onkologie, vor allem über das Mammakarzinom, zahlreiche Vorträge, Vorlesungstätigkeit sowie Publ. auf dem Gebiet d. Pathologie. M.: Mtgl. in zahlr. nationalen u. int. wiss. Gesellschaften. H.: Musik, Barockmusik (aktiv u. passiv). (M.M.)

Reiner Bernhard Josef
B.: Bildhauer. GT.: Elektromechaniker. DA.: 1180 Wien, Dittesg. 12. PA.: 1170 Wien, Rokitanskyg. 38. G.: Guntersdorf, 26. Jan. 1946. V.: Hannelore, geb. Munak. Ki.: Bernhard Josef. El.: Bernhard u. Berta. BV.: Großvater Josef Reiner Kunstschlosser, Erfindermed. in Gold Paris Anfang d. 19. Jhdt. (Kugellager f. Ldw.Museum). S.: HS Wullersdorf NÖ, gelernter Elektromechaniker, nebenbei Abendschule f. Bildhauerei, während d. Jugendzeit Aufenthalte in Ktn., wo er bei alteingesessenen Bergbauern d. Holzschnitzerei erlernte, Schüler Wotrubas, Entwicklung eines eigenen Stils: abstrakte Plastiken, runder Stil, d. eine gewisse Rythmik ausstrahlt, d. z. Meditation anregt, Arb. in Ton, Gips, Kunst- u. Gasbeton, Metall, Bronze, Aluminium, aber auch Kunstelemente f. Gebrauchsgegenstände wie Lampen-Sockel od. Springbrunnen, ab 1969 Ausstellungen im In- u. Ausland, Vernissagen im Grünen im eigenen Atelier u.a. 1975 Biennale Gabrovo Bulgarien, 1977 Ausstellung im Schloß Potzneusiedl, 1978 Arb. am Bühnenbild f. Raimundtheater f. d. Inszenierung "Der Teufelsreiter" v. Kalman gemeinsam m. d. Maler Oscar Asboth, 1979 gemeinsam m. d. Maler Günter Mucke Ausstellung in d. Ersten Wienerwaldgalerie, Ausstellung Schloß Korneuburg u. Schloß Neuwaldegg, Ausstellung Kunstmesse in Tel Aviv, Ischl, Innsbruck, Baden, oftmals gemeinsam m. Prof. Heinrich Maria Hunger, Oskar Cervenka, Christian Schweinfurter, Oscar Asboth. BL.: 1983 2 Bronze-Reliefs f. Land NÖ Weinbauschule Klosterneuburg, Zimmerbrunnen f. neuerbautes Donauzentrum, "Traum-Serie" vier eigene Skulpturen, d. einzeln u. zusammen eine Traumdeutung aussagen, Art. über Arb. u. Werke in "Schöner Wohnen", "Diplomaten-Cirkle" 1984, 1979 eingeladen in Club 2 ORF. M.: DV Dachverb. d. bild. Künstler, Mödlinger Künstlerbund, Mitbegründer d. Hernalser Kulturkreis 1973, Künstlergemeinschaft westl. Weinviertel 1975. H.: Familie, Interesse f. Fußball, Lesen, Evergreens, Jazz, Biergläser sammeln. (M.G.)

Reingrabner Gustav Dr. theol. o.Univ.-Prof.
B.: Prof. f. Kirchenrecht an d. Ev.-Theol. Fak. d. Univ. Wien. DA.: 1090 Wien, Rooseveltplatz 10/8. PA.: 2424 Zurndorf, Angerried 16. G.: Wien, 4. Okt. 1936. V.: Irmgard, geb. Kraus. Ki.: Michaela (1972), Wolfgang (1973). El.: Gustav u. Katharina, geb. Schneemayer. S.: 1954 Matura Wien XIV, Stud. Ev. Theol. Univ. Wien, 1973 Prom. K.: 1960-63 Vikar in Wien-Gumpendorf, 1963-75 Pfarrer in Großpetersdorf, 1975-94 Superintendent d. Ev. Diözese A.B. Bgld., 1976-90 Lehrbeauftr. an d.HS f. Musik in Graz, 1986 Habil. in Wien u. seitdem an Univ. Wien, 1990 o.Univ.-Prof. P.: zahlr. Veröff. s. Bibl. im Jahrbuch f. Geschichte d. Protestantismus in Österr. (1992, S. 205ff.). E.: Gr. Gold. EZ f. Verd. um d. Rep. Österr., Komturkreuz d. Bgld., Gr. EZ d. Stmk., Med. um Verd. f. d. Denkmalschutz, Gr. Ehrenplakette d. Stadt Wien. M.: Vizepräs. d. Generalsynode d. Ev. Kirche AUHB in Österr., Gschf. Vizepräs. d. Ges. f. d. Geschichte d. Protestantismus in Österr., Obm. d. Ev. Presseverb. in Österr. H.: Kirchengesch., hist. Landeskunde, ehrenamtl. Mitarb. am Höbarth-Museum in Horn. (N.A.)

Reingruber Manfred

B.: Inh. FN.: Reingruber Textilhandels Ges.m.b.H. DA.: 4810 Gmunden, An der Traunbrücke 8. PA.: 4810 Gmunden, Brunnenweg 9. G.: Gmunden, 28. Jän. 1939. V.: Verena, geb. Lüer. Ki.: Manfred (1965), Klaus (1967), Wolfgang (1973). El.: Hans u. Karoline. S.: Gymn. in Gmunden, 2 J. Hasch in Wels. K.: 1956-59 Fa. Stoffeybl in Wels, ab 1959 Einstieg bzw. Mitarb. im elterl. Betrieb, 1969 Übern. u. Führung d. elterl. Betriebes, welcher seit Generationen zu den führenden in d. Trachtenmode-Branche zählt, 1994 Umwandlung d. Betriebes in eine GesmbH u. Übergabe d. Gschf. an den Sohn Manfred Reingruber. M.: Vorst.-Mtgl. Wirtschaftsbund, Obmann d. Schützenvereins, Grdg.-Mtgl. d. Faschingsgilde, Mtgl. d. Kollegiums d. Bezirksschulrates, Gemeinderat. H. :Wandern, Bergsteigen, Garten. (G.E.)

Reingruber Monika

B.: Inh., Fremdenverkehrsfachfrau. FN.: Seepension Arabella. GT.: Funktaxi Reingruber. DA.: 5700 Zell a. See, Seespitzstr. 30. G.: Zell a. See, 20. Jän. V.: Rainmund. Ki.: Maximilian (1983), Christian (1986). El.: Ing. Franz u. Hertha Straßgschwandtner. S.: Vs, HS, HBLA f. wirtschaftl. Frauenberufe i. Sbg u. mit Matura abgeschl. K.: 1972-78 i. d. Volksbank Zell/See im Schalterbereich tätig, 1980-81 i. d. Druckerei Sochor i. Büro tätig, s. 1981 Eintritt i. d. elterl. Seepension u. Zimmerei, b. 1986 kfm. Bereich i. d. zimmerei u. d. Pension geleitet, s. 1983 selbstst. m. Taxiunternehmen, 1986 selbstst. Übernahme d. Seepension Arabella. M.: Sinkreis Zell/See. H.: Musik, Basteln. (J.F.)

Reinhardt Erich

B.: Wirtschaftstreuhänder, Steuerberater, gschf. Ges. FN.: Exacta Reinhardt & Co Steuerberatungsges. GT.: Ges. d. Fa. Exacta Wirtschaftsprüf. u. Steuerberatungs GmbH., Ges.d. Fa. Walter, Reinhardt & Partner, Steuerberater OEG. DA.: 1010 Wien, Bösendorfer Str. 1. PA.: 1230 Wien, Karl-Schwed-G. 24. G.: Wien, 11. Apr. 1954. V.: Barbara, geb. Jaeger. Ki.: Nicole. El.: Reinhardt Erwin u. Elfriede. S.: HAK, 1974 Matura, div. Berufsausbild.Kurse. K.: 1974-75 Revisionsass., 1976-82 Berufsanw., 1983 Steuerberaterprüf. u. Angelobung z. Steuerberater, ab 1983 Ges. d. Fa. Exacta Wirtschaftsprüf. u. Steuerberatungs GmbH, gschf. Ges. d. Exacta Reinhardt & Co Steuerberatungsges. BL.: Tanzleistungsabz. b. an Gold-Star. M.: Kam., Tanzsport Club Gloriette Wien. H.: aktiver Turnier- u. Sporttanz, EDV, Video-Technik, amerikan. Autos. (H.P.)

Reinhardt Erwin

B.: Steuerberater u. Ges. FN.: Exacta Wirtschaftsprüf. u. Steuerberatungs GmbH, Exacta Reinhardt & Co Steuerberatungsges. DA.: 1010 Wien, Bösendorferstr. 1. PA.: 1130 Wien, Sommererg. 21. G.: Wien, 7. Jän. 1930. V.: Elfriede, geb. Gruber. Ki.: Erich. El.: Wilhelm u. Anna. S.: VS, HS, 1948 Matura. K.: 1949 Revisionsass., 1955 Steuerberaterprüf., 1955 Grdg. einer eig. Steuerberatungskzl., seit 1974 Ges. d. Fa. Exacta Wirtschaftsprüf. u. Steuerberatungs GmbH, 1978 Ges. d. Fa. Exacta Reinhardt & Co. F.: Fa. Exacta ist intern. in Zusammenarb. m. Mc Gladrey & Pullen (New York). M.: Mtgl. Kam. d. Wirtschaftstreuhänder. H.: Gartenarb., Schwimmen, Lesen. (M.B.)

Reinhart-Stoppacher Carole Dawn Mag. o.Prof.

B.: o.Prof. HS f. Musik u. Darstell. Kunst, Konzertsolistin. DA.: 1010 Wien, Seilerstätte 26. PA.: 1180 Wien, Sternwartestr. 69. G.: Roselle, New Jersey/USA, 20. Dez. 1941. V.: Manfred Stoppacher (Musiker, Komponist, Verleger). El.: Reinhart Chauncey u. Mabel. S.: 1959 Matura, 1952-59 Juilliard School of Music, New York (Trompete, Musiktheorie), Trompete u. Musikpädagogik an d. Univ. Miami, Florida, 1963 Bachelor of Art, 1964 Reifeprüf. a. d. Akad. in Wien, 1965 Juilliard New York - Bachelor of Music, 1966 Master of Science. K.: Radio City Music Hall Symphony, 1971 Studioorchester Berlin, Dt. Oper, Soloauftritte als Trompeten-Solistin, seit 1983 Prof. a. d. HS f. Musik u. Darst. Kunst Wien, 1987/88 Ltr. Ver.Orchester im Rahmen d. Tätigkeit a. d. HS, lfd. Konzerte als Solistin m. bekannten Orchestern. BL.: 1973 LP Deutsches Grammophon RCA, Acante Kollosseum VOX, Konzerte b. d. Festspielen Salzburg, Festival in Paris, Berliner Bachtage, Carinthischer Sommer. P.: Schon während d. Kindheit u. Jugendzeit Tourneen im In- u. Ausland, als profilierte Trompeten-Solistin Tourneen in alle Welt (Japan, Südafrika etc.), div. Auftritte in Fernsehsendungen in Österr. u. Deutschland wie "Hermann Prey-Show", "Renée Kollo-Show", "Freude an Musik", "Heinz Conrads", 1987 Mainzer Musiksendung ZDF. E.: Div. Ausz. u. Preise d. Univ. während d. Stud.Zeit. M.: ITG, Musiker Gewerkschaft New York, 1985-87 Mtgl. d. Kolleg. in d. HS. H.: Lesen, Gartenarb., Teppich knüpfen, Handarb. jeder Art, Komponieren, Arrangieren. (M.G.)

Reinher Fritz Jodok Michael

FN.: Antiquitätenklinik Gebrüder Reinher. DA.: 6972 Fußach, Seglerweg 12. PA.: 6972 Fußach, Höchsterstr. 15. G.: Schruns, 9. Okt. 1949. V.: Heidi, geb. Pipan. Ki.: Anja (1970), Silke (1971), Michaeal (1978). El.: Johanna Jodok. S.: Tischlerlehre i. Hard, Ges.-Prüf. m. Ausz., 1972 Mstr.-Prüf., 1969 BH. K.: 5 J. Tischlergeselle i. Österr. u. Dt., 5 1/2 J. Ltr. e. Tischlerei f. Sonderanfertigungen, 1978 Grdg. zus. m. Bruder Hans d. Antiquitätenklinik i. Fußach, Planung u. Aufbau sämtl. antiker Einbauten. H.: Skifahren, Wassersport, Radfahren. (I.D.)

Reinher Hans

FN.: Antiquitätenklinik Gebrüder Reinher. DA.: 6972 Fußach, Seglerweg 12. PA.: 6971 Hard, Landstr. 80a. G.: Schruns, 7. Sep. 1942. V.: Karin, geb. Fox. Ki.: Rebecca (1962), Daiana (1967). El.: Johanna Jodok. S.: Friseurlehre i. Dornbirn, 1960 Abschluß, berufsbez. Weiterbildung. K.: Friseur i. Dornbirn u. Höchst, Wechsel i. d. Möbelbranche, Verkäufer, Gschf., 1978 Grdg. zus. m. Bruder Fritz d. Antiqui-tätenklinik i. Fußach, Planung u. Aufbau sämtl. antiker Einbauten, verantw. f. Administration. M.: AKM. H.: Skifahren, Radfahren, Schwimmen, Gitarre spielen, Komponieren, Grdg. d. Stern-Trio. (I.D.)

Reinhold Josef Mag.

B.: freischaff. Arch. PA.: 1020 Wien, Böcklinstr. 2/21. G.: Oberhausen (NÖ), 5. März 1921. Ki.: Dipl.-Ing. Christoph (1951), Bildender Künstler Thomas (1953), Dipl.-TA Mag. Andreas (1960). El.: Josef u. Ernestine. S.: 1945-50 Arch.-Stud. an d. HS f. angew. Kunst Wien, Diplom mit Alfred Roller-Preis, Stud. am Pädag. Inst. Wien, Ablegung d. Lehramtsprüf. m. Ausz. (1971). K.: 1951-56 Arch.-Praxis, beendet m. d. Verleihung d. Titels "Arch.", dann Lehrbeauftr. am Päd. Inst. Wien, Doz. an d. künstler. VHS Wien, Lehrbeauftr. am WIFI Linz, St. Pölten u. an d. Badener Kunstakad. (Holz- u. Marmormalerei sowie trad. handwerkl. Techniken f. Restaurierungen an denkmalgeschützen od. stilgeschichtl. wertvollen Objekten). E.: 6 Ausz. v. Stadtschulrat f. Wien, 1981 Bronzene Ehrennadel u. 1982 Silb. Ehrennadel d. BKam. d. gewerbl. Wirtschaft, 1983 Verleihung d. Titels

"Schulrat", 1987 Amtstitel "Berufschuldir." durch d. Wr. LReg.,1993 Östrr. EK f. Wiss. u. Kunst H.: Architektur u. Malerei. (N.A.)

Reininger Stefan

B.: Unternehmer. FN.: Reininger Werbeartikel GmbH. GT.: freiberufl. Journalist f. Motorsport. DA. u. PA.: 2344 Maria Enzersdorf, Grenzg. 55. G.: Wien, 4. Aug. 1950. V.: Ilse, geb. Lehner. Ki.: Daniela. El.: Prof. RgR. Doz. Erron u. Dr. Elisabeth. BV.: Vater Prof. RgR. Erron Reininger ehem. LSInsp. u. Hrsg. v. Büchern, Mutter Elisabeth Reininger ehem. Hrsg. u. Schriftstellerin, sowie Gründerin u. Chefred. d. Zeitschrift "Die Mutter". S.: VS, Mittelschule, Höhere Techn. Lehranst, Fernunterricht Dr. Roland, 1970 Matura. K.: BK, 1968-71 versch. Tätigkeiten in versch. Firmen, 1972 Grdg. Fa. f. Werbeart., seit 1988 freischaff. Journalist f. Motorsport, 1985 Slalomstaatsmstr. in d. Kl. 2, 1986 3. Platz Rallyecross Staatsmeisterschaft, 1987 3. Platz Rallyecross Staatsmeisterschaft, Semperit-Cup Gesamtsieger, Slalomstaatsmstr. b. 1300 ccm, 1988 1. Österr. erfolgreicher Teilnehmer an d. Rallye Paris-Dakar, Mazda-Cup Sieger, 2-facher Opel-Cup Sieger, 1993 3 Pl. Gr. N Safari-Rallye, 1994 WM-Portugal-Ralley Klassensieger. P.: "Paris-Dakar". E.: über 500 Pokal, Span. Verd.Orden. H.: Beruf, Motorsport, Squash, Fotografieren, Haus- u. Gartenarb. (M.B.)

Reinisch Curt-Erich Ing.

G.: Wien, 11. Nov. 1914. V.: Hermine von Alemann de Magdeburg. El.: Ing. Otto u. Anna-Stefanie, geb. Bauer. S.: Realschule, Höhere BLA Textiling. K.: Militärdienst Dt. Wehrmacht 1940-45, Mtgl. d. Österr. Widerstandsbewegung 05, 1946-48 selbst. Gewerbeschein f. Baumateralien, 1948-76 Eigenfa. (Groß- u. Kleinversandhandel m. Textilien), 1969-78 Vers.Be.Dir., seit 1978 in Pens., seit Nov. 1924 Mtgl. d. Fußballver. First Vienna FC 1894, aktiver Spieler, ab 1945 Funktionär b. First Vienna FC 1894, 1949-62 Jugendltr., 1957-69 Sekr., seit J. Vorst.Mtgl. d. First Vienna FC u. ab 1986 Ehrenmtgl. P.: Div. Fachart. in d. Clubzeitung u. Mitarb. b. sämtl. bisher erschienenen Jubiläumsschriften d. Ver. E.: 4mal gold. Ehrennadel d. FC Vienna (1943, 1970, 1974, 1989), 1mal gold. Ehrennadel d. Wr. Fußballverb. (1989), KVK II. Kl. m. Schwertern, EZ f. d. Befreiung Österr. H.: Sport, Musik, Reisen. (M.G.)

Reinisch Franz

B.: Gschf. FN.: PSI Ges. f. Produkte u. Systeme d. Informationstechnologie GmbH. GT.: Gschf. LIS Reinisch OEG Luftfahrt-Informatik-Service, Berufspilot, allg. beeid. gerichtl. Sachv. DA.: 2500 Baden, Schmidtg. 13. PA.: 2500 Baden, Mozartstr. 9. G.: Unterpremstätten, 8. Mai 1958. V.: Monika, geb. Fraissl. El.: Josef u. Josefine. S.: Gymn., HTL Maschinenbau u. Betriebstechnik Graz-Gösting. K.: 1979-84 Betriebswirtschaftl. Ass. d. Geschäftsltg. AVL Graz, 1985 PS Systemtechnik Bremen, zuerst Projektltr., ab 1986 Abt.-Ltr. Projektabwicklung, 1988 PS Systemtechnik v. SCS Systemtechnik übernommen, weiterhin Ltr. d. Projektabwicklung sowie Aufbau d. Geschäftsstelle Stuttgart, 1990 Wechsel zu strässe-ind.-informatik Stuttgart m. Tätigkeit im Krisenmanagement, 1992 Rückkehr nach Österr. zu PSI Österr., ab 1993 Gschf. Ges., seit 1994 Alleingschf. d. PSI Österr. P.: Fachart. in Fachzeitschriften, Vorträge. E.: 1992 Österr. Staatsmeister im Fallschirmspringen. M.: WdF, Bundesverb. freier Sachv. Düsseldorf. H.: Fliegen, Fallschirmspringen, Paragleiten, Drachenfliegen, Bergsteigen, Reisen, Natur. (F.S.)

Reinisch Gerhard Dr.

B.: Augenarzt. GT.: Consiliararzt am Diakonissen-KH Linz. DA. u. PA.: 4020 Linz, Klammstr. 2. G.: Holzschlag, 13. März 1927. V.: Eva, geb. Beyer. S.: Thomasschule (Gymn.) Leipzig v. 1939-1946. Univ. Graz, 1947-1954. K.: FA-Ausbild. 1963-1968 AKH Linz (Prof. Rieger), ab 1968 freie Praxis. H.: Reiten, Skifahren. (Mayr)

Reinisch Helmut

B.: Kfm. FN.: Helmut Reinisch GmbH. DA. u. PA.: 8010 Graz, Hauptpl. 6. G.: Graz, 14. Mai 1953. Ki.: Barbara (1980), Hannes (1982). El.: Hubert u. Maria. S.: VS, Gymn., 1971 Matura, Arch.-Stud. K.: 1978 Firmengrdg. m. alten u. antiken Teppichen, Hdls.-Schein als Werbemittler u. Werbeberater, 1982 Eröff. einer Teppich-Galerie am Hauptplatz, Präsentation v. alten Einzelstücken, Beschäftigung m. Ethnolog. Gebrauchsgegenständen d. Nomaden, viele Ausstellungen, mod. Kunst in Zusammenarb. m. H.G. Haberl im Steir. Herbst "Meine Stücke sind geknüpfte Mythen". P.: versch. Art. in Fachzeitschriften, 4 Bücher über Spezialthemen am Teppichsektor "Satteltaschen", "Gabbeh", "Berber". M.: Gremialvorst. d. Steir. Teppichhdl. in d. HK Stmk., Vorst. im Hauptverb. d. allg. gerichtl. beeid. Sachv. f. Stmk. u. Ktn., Lions-Club. H.: Kunst, Antiquitäten, Reisen. (M.Gr.)

Reinisch Herta Dr. MedR.

B.: Prakt. Ärztin. PA.: 1060 Wien, Linke Wienzeile 36. G.: Innsbruck, 25. Febr. 1926. V.: Dr. August. Ki.: August, Georg. El.: Lenninger Alexander u. Hermine. S.: VS, Lizeum, Mädchenoberschule, Univ. Innsbruck u. Wien, 1951 Prom. K.: Turnusärztin, prakt. Ärztin, Vertretungen in d. Schweiz, Betriebsarzt d. Tir. Röhrenwerke Hall/Tir., Auslandsaufenthalte in Peru, Nepal, Indien, Japan, Hausärztin d. Fango-Heilanst. in Wien, 1964 Heirat, Ordinationseröff., 1986 Schulärztin b. Schulbrüder, 1970-86 Betriebsärztin b. Gerngross u. Herzmansky. P.: Reiseberichte in Österr. Tageszeitungen. E.: MedR. 1985. M.: Cosmopolitan-Club. H.: Theater, Reisen, Nähen, Kochen, Skifahren. (R.A.)

Reinisch Othmar Dipl.-Ing.

B.: Arch. d. Arch.Büro Othmar Reinisch. DA.: 8580 Köflach, Judenburger Str. 9. PA.: 8580 Köflach, Piberstr. 64. G.: Köflach/Pichling, 17. Nov. 1931. V.: Maria, geb. Strunz. Ki.: Ursula, Karoline. El.: Johann u. Katharina. S.: VS, HS, 1946-51 BGewerbeschule f. Hoch- u. Tiefbau, Stud. Graz, 1957 Dipl. K.: 1957-62 Mitarb. im Arch.Büro, seit 1963 selbst. in Köflach. BL.: 1976 Raika Voitsberg, 1976 Sparkasse, 1970 Volksbank Hartberg, Schloßbad Bärnbach, Hallenbad Köflach, 1974-84 Seelsorgezentrum Pichling, 60 Wohnungen Maria Lankowitz, 1972 BAmtsgebäude Voitsberg, Werksgebäude Fa. Reich, Sporthalle Köflach, HS Bärnbach, BAmtsgebäude Liezen. P.: versch. Veröff. in Fachzeitschriften. M.: Österr. Ing. u. Arch.Ver., Zentralver. d. Arch. Österr., Österr. Ges. f. Arch., Intern. Städteforum Graz, Heimatschutz in d. Stmk., Lions-Club Voitsberg/Köflach, ASK Köflach, Fremdenverkehrsver. Köflach, Schützenver. Bärnbach, Rotes Kreuz, SV Hallenbad Köflach. H.: Alpinskifahren, Langlaufen, Wandern, Schwimmen, Galerien. (H.Z.)

Reinisch Ricarda Dr.

B.: Journalistin. G.: Waidhofen/Thaya, 23. Mai. S.: Stud. Publizistik, Psych. u. Phil. K.: 1978-82 ORF Landesstudio Sbg., 1983-85 "WIR" ORF Fernsehen Wien, 1986-91 "ZIB", seit 1992 RADIO Wien. H.: Reisen, Bücher.

Reinitzer Sigrid Dr. HofR.

B.: Bibl.-Dir. Univ.-Bibl. Graz DA.: 8010 Graz, Universitätspl. 3. G.: Graz, 11. Febr. 1941. El.: Dr. Gernot u. Dr. Edith Reinitzer. BV.: Prof. Friedrich Reinitzer. S.: 1. BRG Graz (Matura 1959), Stud. Geographie, Germanstik u. Volkskunde Univ. Graz (Prom. 1968), Ausbild. f. Chemotechnik (Abschluß 1972), Eintritt in d. Bibl.Dienst (1971) u. Prüf. f. d. gehobenen u. höheren Bibl.Dienst (1972

u. 1974). K.: Seit 1971 an d. Univ.Bibl. Graz, seit 1977 Ltg. d. Grazer EDV-Ausleiheprojekts, d. als Pilotprojekt f. alle österr. wiss. Bibl. entwickelt wurde, seit 1978 Aufbau d. Informationsstelle UBIS f. d. Durchführung v. Online-Literaturrecherchen, seit 1974 Lehrtätigkeit als Lektor an d. Univ. Graz f. Literaturinformation im Fachbereich Chemie sowie 1978-92 Ausbildnerin f. Bibl. u. Dokumentare im Fach Bibliographie, Informationsvermittlung u. Öffentlichkeitsarbeit, 1979-1992 auch Prüfer in diesen Fächern, seit 1989 Bibl.-Dir. d. Univ.-Bibl. Graz, 1990 Hofrätin. P.: zahlr. Veröff., "Bibliotheken bauen u. führen", Kroller-Festschrift (Hrsg.), 1983, Fachinformationsführer Nr. 7: Chemie, 1985, Nachschlagetechniken in d. Wiss. Eine prakt. Anleit. z. Benutzung v. Index- u. Abstractwerken (1988), "Univ.-Bibl. Graz, eine Bibl. im Wandel. Bibl.-Kooperation: Möglichkeiten u. Grenzen", LIBER-Bulletin 32/33, 1989. E.: Dr. Josef Bick-Ehrenmed. (1980), Pro-Meritis Med. d. Univ. Graz (1985), Gold. EZ f. Verd. um d. Rep. Österr. (1986). M.:2. Präs.Stellvertr. d. Ver. Österr. Bibl., Vorst.Mtgl. v. LIBER, v. ELAG, Dt. Ges. f. Dokumentation u. Information, Ver. Dt. Bibl., Vors. d. Alps-Adria Library Group. H.: Musizieren, Wandern.

Reinmüller Franz Felix

B.: Inh., Gschf. FN.: F. F. Reinmüller Vertrieb v. Beinbekleidung. DA.: 2514 Traiskirchen, Badenerstr. 54. PA.: 2512 Tribuswinkel, Josefsthal 20. G.: Turrach, 20. Nov. 1948. V.: Elisabeth, geb. Hemmer. Ki.: Verena (1980), Daniela (1982). El.: Michael u. Katharina. S.: VS, HS. K.: Ausbild. z.Textilkfm., 1968-80 Vertriebsass. u. Vertriebsltr. f. versch. Strumpfmarken, s. 1980 selbständig im Bereich Strümpfe, zuerst m. Eigenimporten v. preiswerter Ware, d. haupts. in d. Ostländer exportdiert wurde, s. 1990 liegt d. Schwerpunkt im Vertrieb v. qualitativ hochwertiger Markenware in Österr., 1990 Errichtung e. neuen Büro- u. Distributionszentrums in Traiskirchen. H.: Beruf, Familie, Jagd. (F.S.)

Reinmüller Karin Dr. med.

B.: FA f. Zahn-, Mund- u. Kieferheilkunde. DA. u. PA.: 5431 Kuchl, Markt 306. G.: Salzburg, 22. Juli 1952. V.: Ing. Alfons. Ki.: Kerstin, Roland, Alice. El.: Dr. Roland u. Hedwig Piernbacher. S.: Gymn., 1970 Matura, Med.Stud. an d. Univ. Innsbruck u. Wien, 1976 Prom. z. Dr. med. univ. K.: 1976-78 FA-Ausbild. an d. Univ.Zahnklinik Wien, 1978 Eröff. d. eigenen Praxis. H.: Sport, Lesen. (Foed.)

Reinold Emil Dr. med. Univ.-Prof.

B.: FA f. Geburtshilfe u. Gynäkologie, Additiv-FA f. Zytodiagnostik, gerichtl. beeid. Sachv., OA an d. I. Univ.-Frauenklinik. DA.: 1090 Wien, Spitalg. 23. PA.: 1080 Wien, Lerchenfelderstr. 148. G.: Wien, 24. Juni 1931. V.: Mag. Dr. Margarethe, geb. Mayrhofer. El.: Emil u. Pauline, geb. Löhnert. S.: 1949 Matura, 1949-58 Stud. Univ. Wien m. Prom. z. Dr. med., Turnusausbild., Fachausbild. an d. I. Univ.-Frauenklinik, mehrere Auslandsstipendien, 1976/77 Habil., 1981 Univ.-Prof. K.: seit 1961 ununterbrochen an d. I. Univ.-Frauenklinik tätig. P.: ca. 200 Fachart. im In- u. Ausland, mehrere Bücher, rund 300 Vorträge im In- u. Ausland. E.: mehrere Ehrenmtgl. v. wiss. Ges. im In- u. Ausland. M.: Vorst.-Mtgl. v. mehreren intern. wiss. Ges. H.: Kunst, Sport, Philatelie. (N.A.)

Reinprecht Alois Rupert

B.: Editor, General Manager, Ges. FN.: PRO Alles f. Menschen über fünfzig. DA.: 8051 Graz, Wienerstr. 287. PA.: 8111 Judendorf-Straßengel, Grazerstr. 20. G.: Graz, 29. Sep. 1957. V.: Birgit, geb. Kalcher. Ki.: Christoph (1979), Thomas (1984). El.: Heinrich u. Konstanzia Reinprecht. S.: Schriftsetzerlehre b. Verlag Styria, 1976 Abschluß. K.: b. 1993 Schriftsetzer b. Verlag Styria, s. 1993 PRO Zeitschrift. H.: Computer, Musik, Reisen. (I.G.)

Reinprecht Hansheinz Dr. phil.

B.: Gen.Sekr. d. Verb. SOS-Kinderdorf Intern. A.: 2371 Hinterbrühl, Kröpfelsteig 42. G.: Klagenfurt, 19. Juni 1925. V.: Dr. Ingeborg, geb. Praschinger. S.: Gymn., Univ. - Phil. Fak., Prom. z. Dr. phil. K.: Mitarb. an d. Grdg. d. SOS-Kinderdörfer seit 1953, Ltr. d. SOS-Kinderdörfer Altmünster u. Hinterbrühl/Wien, seit 1960 als Gen.Sekr. f. d. intern. Arb. d. SOS-Kinderdörfer verantwortl. (Stand 1978: 150 SOS-Kinderdörfer in 65 Ländern). P.: Erziehungsbücher: "Kinder erziehen ohne Ärger", "Jugend erziehen ohne Angst", "Macht Euch keine Sorgen, liebe Mütter", "Liebe, Beat u. Elternsorgen" uva. M.: Lions-Club, Schlaraffia.

Reinprecht Hugo Ing. KommR. KamR.

B.: Weingutbes. u. Gastronom. A.: 1190 Wien, Cobenzlg. 22. G.: Wels, 31. Dez. 1930. S.: RG, Höhere BLehranst. f. Obst- u. Weinbau. K.: Ab 1952 selbst., Vergrößerung eines Weingutes u. Erweiterung eines Heurigenlokales, 13. Platz unter d. meistausgezeichneten Weinen v. Österr., 1959 Eröff. d. Restaurants "Grinzinger Hauermandl", 1969 Eröff. d. Restaurants "Grinzinger Weinbottich" - protokollierte Einzelfa., ausgezeichnet m. "Maison d. Qualite". P.: Versch. Art. in "Der Winzer" u. in d. "Österr. Gastgew. Zeitung". E.: Silb. EZ f. Verd. um d. Rep. Österr., Silb. Verd.Med. d. Roten Kreuzes, Gold. Verd.Med. d. ÖKB. M.: Chaine d. Rotisseurs, BÖG-Bund Österr. Gastlichkeit, Alter Orden v. St. Georg, Ordre d. St. Fortunat.

Reinsprecht Otto Dkfm.

B.: Gschf. A.: 4020 Linz, Gruberstr. 49. G.: Belgrad, 4. Mai 1938. V.: Helga, geb. Wippler. El.: Martin u. Katharina. S.: HS f. Welthdl. Wien. K.: nach Studienabschluß Tätigkeit als Exportkfm. bzw. Trainee f. Auslandsaktivität in d. Vereinigte Eisen- u. Stahlwerke Linz, Fa. Anger Linz-Traun, Exportkfm. b. Chemie Linz, von hier als Delegierter d. Ges. zu Interplastic Werk Wels in Funktion d. kfm. Gschf., seit 1981 Vors. d. Geschäftsltg. d. Fa. Poloplast Kunststoffwerk in Leonding. M.: Stellv. Vors. d. Aussch. "Kunststoffverarb. Ind." innerhalb d. Fachverb. d. Chem. Ind. d. BKam.

Reinstadler Josef jun.

B.: Bgm., Hotelier d. Hotel Panorama, Sägewerksbes., Holzhändler. DA. u. PA.: 6474 Jerzens 173. G.: Jerzens, 1. Mai 1951. V.: Maria, geb. Rauch. Ki.: Bernhard, Viktoria, Michael. El.: Josef u. Josefine. BV.: Josef Reinstadler sen. k.u.k. Gebietsförster. S.: VS, Berufsschule f. Sägewerker Fuschl, Mstr.Prüf., Kurse f. d. Hotelgewerbe. K.: m. 18 J. Übernahme d. elterl. Sägewerks, 1974 GemR.Mtgl. u. Vorst.Mtgl., 1980 Bgm.Stellv., seit 1983 Bgm., 1976 Obm. d. Fremdenverkehrsverb. u. AufsR.Mtgl. in d. Piztaler Erschließungsges., 1981 Obm. d. Wirtschaftsbundes, seit 1982 ÖVP-Parteiobm., Errichtung d. ersten Hotels. P.: div. Veröff. Imster "Blickpunkt". M.: Feuerwehr, Wintersportver., Eisschützenclub, Jungbauern, Familienverb., Fußballclub. H.: Skifahren, Bergsteigen, Familie. (W.G.)

Reinthaler Peter

B.: Gschf. Ges. FN.: REINTHALER Verw. GmbH. DA.: 4950 Altheim, Linzer Str. 22. PA.: 4020 Linz, Harrachstr. 14/III. G.: Zürich, 17. Febr. 1961. El.: Dkfm. Gerhard u. Pauline. S.: VS, RG, Stud. BWL Linz. K.: Ang. Firma

Wiesner-Hager Altheim, Tätigkeit in d. Bereichen Buchhaltung, Kostenrechnung, Kalkulation u. Zeitnehmung, ab 1990 Kompl. d. Firma Wiesner-Hager, Komm., 1991 Grdg. d. eigenen Firma. M.: Magischer Ring Linz, Rotes Kreuz Linz, ehrenamtl. Mitarb. im Rettungsdienst u. Lehrbeauftragter. H.: Theater, Magie, Rotes Kreuz, Lesen.

Reinthaler Robert
B.: Amtsltr. u. 1. Gschf. FN.: Tennengebirgsbahnen Seilbahnen GmbH & Co KG. DA.: 5453 Werfenweng, Weng 42. PA.: 5453 Werfenweng, Weng 51. G.: Tradigist/ Rabenstein, 14. Mai 1934. V.: Anneliese. Ki.: Ursula (1981). S.: Lehre Huf- u. Wagenschmied, 1952 Gendarmerieschule. K.: b. 1955 Gendarm, 1956 Grenzschutz (BH), im Wirtschaftsdienst d. BH, nebenberufl. f. Steuerberater tätig, 1971 Bilanzbuchhalterprüf., seit 1971 Gem.-Amtsltr. u. Gschf. d. Tennengebirgsbahnen: Aufgabenber.: Kfm. Ltg. d. Betriebes. BL.: 10 J. AufsR. in d. Mitterberg-Kupferbergbau AG. E.: Silb. EZ f. Verd. um d. Sbg. Fremdenverkehr. M.: Grdg.-Mtgl. u. Obm. d. Trachtenmusik Werfenweng, Grdg.-Obm. d. Tennisclub, Mtgl. vieler örtl. Ver., Fremdenverkehrsverb. H.: Skifahren, Schwimmen, Musik. (G.P.)

Reinthaler Sepp
B.: Amtsdir. u. Ministerialbmtr. im BMLV. GT.: Chefred. d. Zeitung "Der Soldat". DA.: 1033 Wien, Dampfschiffstr. 2. PA.: 3400 Klosterneuburg, Weinbergstr. 23-25. G.: Rabenstein-Tradigist, 26. Apr. 1939. V.: Renate, geb. Stehlik. Ki.: Thomas, Barbara. El.: Alois u. Anna. S.: 1954-58 Lehre Installateur, 1961-62 Abendmaturaschule, 1962 Matura. K.: 1958 BH, 1961 Beginn als Vertragsbediensteter im BMLV, ab 1965 Bmtr. im BMLV, seit 1988 Amtsdir. d. BMLV, seit 1961 Journalist u. seit 1975 Chefred. d. Zeitung "Der Soldat", OLt. d. Res. P.: Publ. in d. Zeitung "Der Soldat" vor allem über allg. sicherheitspolit. Fragen. M.: Ver. europ. Militärjournalisten. H.: Wandern, Schwimmen. (M.B.)

Reinthaler Wilhelm
B.: Gastwirt, Inh. Restaurant "Zum Engl. Reiter" u. Cafe-Restaurant "Stormy Sunday". DA. u. PA.: 1020 Wien, Straße-d.-1.-Mai 58. G.: Hollabrunn, 28. Aug. 1942. Ki.: Gabriele (1966), Wilhelm (1969), Manuela (1970). El.: Karl u. Cäcilia, geb. Holzschuh. S.: Fleischhauer- u. Selcherlehre. K.: 10 J. Fleischhauer, 1967-69 Pächter eines Lokals in d. Innenstadt Wien, 1996 Übernahme d. Lokals "Zum Engl. Reiter", 1990 Übernahme d. 2. Lokals, 1992 Eröff. d. Cafe-Restaurants "Stormy Sunday". H.: Sauna, Tanzen, Reisen.

Reinthaller Hans Dieter

B.: Kfz-Elektrikermeister (selbst.). FN.: H.D. Reinthaller Autoelektrik, Klimaanlagen u. Heizungen. DA.:4600 Wels, Freiheitsstr. 16. PA.: 4625 Offenhausen, Kohlböckhof 4. G.: Offenhausen, 5. Dez. 1943. V.: Brigitte. Ki.: Dieter, Ines, Norbert. S.: Ausb. zum Kfz-Elektr., 1973 Meisterprüfung. K.: seit 1984 selbständig (Groß- u. Einzelhandel). H.: Fachliteratur, Motorradfahren. (P.H.)

Reinweber Helmut Dr. iur. HofR.
B.: Sicherheitsdir. f. Stmk. GT.: ehem. Stellv. Vors. d. LVorst. Stmk. Gew. Öff. Dienst, Mtgl. d. LExekut. Stmk. d. ÖGB, Mtgl. d. Zentralvorst. d. GÖD, GemR. DA.: 8010 Graz, Pappenheimg. 12. G.: Graz, 1929. V.: Erika, geb. Weichart. Ki.: Barbara, Erika. El.: Otto u. Stefanie. S.: VS, AHS, Karl Franzens-Univ. Graz, 1964 Prom. K.: 1947 Eintritt pol. Verw.Dienst, B-Bmtr., Amts-ORev., 1965 A-Bmtr. als Kmsr., 1965 OKmsr., 1969 PolizeiR., 1975 OPolizeiR., 1982 HofR., 1947-64 Strafref., 1965-67 Ref. in d. Staatspol. Abt., 1967-82 Ref. in Krim.Abt., 1982-85 Ltr. Krim.Abt., seit 1985 Ltr. d. Sicherheitsdir. f. Bdl. Stmk. E.: Gold. EZ f. Verd. um d. Rep. Österr., Gr. EZ Land Stmk. M.: ÖGB, SPÖ, IPA. H.: Lesen, Basteln. (H.Z.)

Reisch Georg Dr. Dipl.-Ing.
B.: Botschafter, Generalsekr. d. EFTA in Genf. DA.: 9 rue de Varembé, 1211 Genf 20. G.: Wien, 23. Mai 1930. V.: Monika, geb. Krisch. El.: Dipl.-Ing. Walter u. Maria. BV.: Großvater Dr. Emil Reisch: Lehrstuhl f. Archäologie, Univ. Wien, Mtgl. d. Ak. d. Wiss., Großonkel Dr. Richard Reisch Präs. d. ÖNB, Finanzminister, Sekt.-Chef im BMF. S.: Univ. Wien, Dr. iur., HS f. Bdk., Dipl.-Ing. agr., Iowa State College: Economics. K.: 1957-60 Sekr.Mtgl. d. OECD Paris, 1960 Mitarb. in d. Wirtschatssekt. im BMA, 1963-68 BotschaftsR. an d. Österr. Vertretung b. d. Vereinten Nationen New York, 1968-70 Kabinettschef d. BMA, 1970-76 Botschafter in Kenya, mitakkreditiert in Tansania, Uganda, Malawi, Sambia, Rwanda u. Burundi, 1976-78 BMA, Ltr. d. Abt. f. Europ. Wirtschaft, Integration, 1978-83 BMA, Ltr. d. Wirtschaftssekt., 1982 BMA, stellv. Gen.-Sekr., 1983-88 Botschafter, ständiger Vertreter Österr. b. d. Vereinten Nationen u. Spezialorgan. Genf, 1984 Vors. d. UNC-TAD-TDB, 1984 Präs. d. Diplomat. Komitees Genf, 1985 Vors. d. EFTA-Rates, seit April 1988 Gen.-Sekr. d. EFTA. E.: Gr. EK f. Verd. um d. Rep. Österr., Kommandeurkreuz d. großbritann. St. Michael u. St. Georgs-Orden, Gr. Offz.-Kreuz d. span. Ordens Isabella d. Kath., Gr. VK d. dt. VO m. d. Stern, Kommandeurkreuz d. franz. Ehrenlegion, Gr. Kreuz d. portug. VO, Gr. Offz.-Kreuz d. VO d. Fürstentums Liechtenstein. M.: Österr. Außenpolit. Ges. H.: Skisport, Segelsport, Tennis.

Reisch Hans
B.: Innenarch. OEG. DA. u. PA.: 6800 Feldkirch, Hämmerle Str. 83. G.: Friedrichshafen, 28. Febr. 1942. V.: Rita, geb. Laterner. Ki.: Isabel (1982), Christina (1984). El.: Ing. Wilhelm u. Irma. S.: VS, Realschule, Gewerbeschule Bregenz, Bundesfachschule, 1961/62 Militär, Fernstud. Arch. K.: 1963 Arch.-Büro in d. Schweiz in sämtl. Bereichen, in versch. Arch.-Büros in Vbg., 8 J. Bürochef in einem gr. Arch.-Büro in Vbg., 1977 selbst. in Feldkirch. M.: Grdg.-Mtgl. Kiwanis-Club u. 1 J. Sekr., Bruderschaft St. Christoph, Tennisclub. H.: Wandern, Tennis, Skifahren, Radfahren, Bildersammeln. (I.D.)

Reisch Hans F. KommR.
B.: Aufs.Vors. d. SPAR Österr. Warenhandels AG Sbg., Komm. d. Fa. Andreas Hofer KG Kufstein. A.: 6330 Kufstein, Unterer Stadtpl. 27. E.: Gold. EZ f. Verd. um d. Rep. Österr.

Reisch Robert Dr. rer. soc. oec. Dkfm. Ing.

B.: beeid. Buchprüfer u. Steuerberater. FN.: Alpentreuhand GmbH. DA.: 1090 Wien, Koling. 19. PA.: 1190 Wien, Krottenbachstr. 130/7. G.: Wien, 14. Jan. 1908. V.: Erika, geb. Petzel. Ki.: Mag. Helmut (1941), Mag. Hertha (1943). El.: Dr. Theodor u. Else. S.: Realschule, TGM, 1928 Matura, HS f. Welthdl., 1935 Dipl., 1938 Prom. K.: 1928-32 Leiter d. Abt. Einkauf b. Siemens-Schuckert, 1932-45 Einkaufschef Gräf & Stift, danach Schmidhütte Liezen, ab 1946 Wirtschaftsprüf.-Ges. Firma Plan, anschl. Alpentreuhand als Prüf.-Ltr. in Linz, seit 1948 Prüf.-Ltr. d. Alpentreuhand in Wien. M.: Kam. d. Wirtschaftstreuhänder Wien, Alpenver. H.: Bergsteigen, Skifahren, Reisen. (S.H.)

Reisch Sonja

B.: selbst. DA.: 1010 Wien, Stallburgg. 4. G.: Prag/CSFR, 4. Sept. 1945. Ki.: Barbara (1973).S.: 1947 nach Österr., VS, HS, HAK. K.: schon als Volksschülerin f. Antiquitäten interessiert, 1965-70 kfm. Tätigkeit, 1978 u. 1984 Geschäftseröff., sammelt seit d. 16. Lebensj. Miniaturen. H.: Theater, Konzerte, Reisen, Antiquitäten. (H.J.S.)

Reisch Walter Ing.

B.: Inh. FN.: Reisch Maschinen- u. Seilbahnbau. DA.: 6820 Frastanz, Sonnenbergerstr. 4. PA.: 6820 Frastanz, Hofnerfeldweg 41. G.: Feldkirch, 8. Nov. 1941. V.: Margit, geb. Thurnwalder. Ki.: Birgit (1968), Arno (1973). El.: Eugen u. Anna. S.: HS, HTL Maschinenbau, 1961 Matura, 1961/62 BH. K.: 1962 Konstrukteur Schweiz, 1964 Eintritt in elterl. Betrieb, 1966 Übernahme d. Betriebes Maschinen- u. Seilbahnbau, Sondermaschinen z.B.: gesamte Technik d. drehbaren Seebühne f. "Carmen" in Bregenz u. techn. Ausstattung. d. Forsch.-Schiffes "Polarstern". P.: Veröff. in Fachzeitschriften, Mitarb. b. versch. Fachaussch. M.: Ortsfeuerwehr Frastanz. H.: Bergwandern, Feuerwehr. (I.D.)

Reischauer Ernst Dipl.-Ing.

B.: Umweltref. NÖ Landesldw.-Kam. DA.: 1010 Wien, Löwelstr. 12. PA.: 1180 Wien, Schulg. 86/6. G.: Ampflwang, 29. Okt. 1954. El.: Karl u. Maria, geb. Hemetsberger. S.: VS, HS, Fachschule f. Maschinenbau, BRG f. ZVS an d. Theresian. Militärak., 1978-86 Stud. Landschaftsökologie BOKU Wien. K.: 1987 Eintritt in d. NÖ Ldw.-Kam. P.: Fachart. in d. Fachmedien, Buch "Agrarumweltrecht" (1991). E.: 1986 Schleinzer-Preis. M.: Alpenver. H.: Bergsteigen, Wildwasserfahren, Radfahren. (N.A.)

Reischel Helmut OSR. Ing. Dir.

B.: Dir. Berufsschule f. Techn. Zeichner u. Zahntechniker. DA.: 1120 Wien, Längenfeldg. 13-15. PA.: 1030 Wien, Rüdeng. 13. G.: Wien, 2. Juli 1934. V.: Gertrude, geb. Czaszkosky. Ki.: Mag. Christian (1961). El.: Alfred u. Maria. S.: VS, HS, Lehre Kühlmaschinenmechaniker, 1952 Gesellenprüf., 1956 Meisterprüf., 1962-67 HTL Maschinenbau 1010 Wien, Schellingg. K.: 1957-73 Bosch Kundendienstltr. Haushaltsgeräte, seit 1971 gerichtl. beeid. Sachver. f. Kälte u. Elektrotechnik, ab 1973 Schuldienst, 1976 Lehramtsprüf., 1986 Dir.,E.: 1986 Gold. Ehrenurkunde d. Sportorgan., Ehrennadel Gold (1990) u. Silber (1972) d. Wr. Mechanikergewerbes. M.: seit 1967 Österr. Skibobverb. (Kampfrichter). H.: Skibobfahren, Radfahren, Schwimmen, Fotografieren, Organisieren. (M.D.-H.)

Reischenböck Romana

B.: Geschäftsfrau, Inh. FN.: Ritter Uhrbänderfbk. DA.: 1060 Wien, Schmalzhofg. 1B. PA.: 1100 Wien, Sonnleithnerg. 44. G.: Ried/Innkries, 23. Febr. 1940. V.: Roland Reischenböck. Ki.: Alexander (1963), Roland (1969), Sylvia (1972). El.: Franz u. Maria Ritter, geb. Reichenwallner. S.: Ind.-Kfm. K.: 1959 Eintritt in d. elterl. Betrieb, 1972 Übernahme dessen Ltg. H.: Reisen, Tennis, Skifahren, Tennis, Konzerte, klass. Musik. (N.A.)

Reischer Helmut Georg Dipl.-Ing. M.S.

B.: Arch. G.: Gmunden, 8. Okt. 1924. V.: Brigitte, geb. Wildmann. El.: Justus u. Margarete. S.: VS, Gymn., TH Graz, Univ. of Illinois USA. K.: 1952-56 Praxis in Österr. u. USA, 1956-74 freischaff. Arch. in Gmunden, 1974-76 Partnerschaft-Reischer, Suter & Suter Wien, 1976-81 freischaff. Arch. Gmunden, 1981 Partnerschaft m. D.I. Herbert Schmid. P.: "Das Ganggeschoß Haus" Ges. f. Wohnbauforsch., "Lagersystem" Zeitschrift d. industriellen Ver. Österr. M.: Österr. Ing.Kam., Royal Austrian Inst. f. Arch., Union Yacht Club Traunsee. H.: Literatur, Zeichnen, Segeln, Alpinistik.

Reischer Peter

B.: Gschf. Ges. FN.: Krupp & Reischer; Carat Werbeagenturen. DA.: 1070 Wien, Mariahilfer Str. 124. PA.: 2232 Deutsch-Wagram, Galileistr. 4. G.: Wien, 9. Okt. 1951. V.: Christa, geb. Gandits. Ki.: Philipp (1985), Stephan (1988). El.: Ludwig u. Mathilde. S.: Polytechn. Lehrg., 1966-76 Ausbild. z. Offset-Drucker, 1978-80 Univ.-Lehrgang f. Werbung u. Verkauf, ab 1980 akad. gepr. Werbe-Kfm. K.: 1972-76 Ltr. einer Druckerei, 1976-77 Werbeass. (Marketing), 1977-78 Werbeltr., 1978-81 Kundenberater in Werbeagentur, 1981-86 Etat-Dir. in Werbeagentur, s. 1986 selbständig. M.: Creativ-Club Austria. H.: Tennis, Radfahren, Laufen, Lesen. (E.J.)

Reischl Edmund

B.: Dir. HS Franz-Hinterholzer-Kai. DA.: 5020 Salzburg, Franz-Hinterholzer-Kai 8. PA.: 5020 Salzburg, Franz-Hinterholzer-Kai 2b. G.: Faistenau, 5. Juli 1947. El.: Edmund u. Anneliese. S.: VS, HS, LBA, 1967 Matura. K.: Lehrertätigkeit in versch. Schulen in Sbg., seit 20 J. Lehrer Stadt Sbg., zuerst VS, danach HS, seit 1989 Schulltr. d. HS, fördert Schulsport bes. Orientierungsläufe, Kurse f. Lehrerfortbild., Berufsinformationen f. 4. Kl., div. Kurse, Trainingslager auf intern. Ebene, Partnerschaft m. Trendino. E.: Ehrennadel f. Organ. d. Trainingslager. M.: Landesschulref. v. Orientierungslaufverb., HSV Sekt. Orientierungslauf. H.: Organ. v. Orientierungsläufen, Auswertung mittels eigenem Computerprogramm, Amateurfunken, Reisen. (D.E.)

Reischl Franz
B.: Dir., Gschf. FN.: BÄKO Linz Großeinkauf d. Bäcker u. Konditoren rGenmbH. GT.: Gschf. BÄKO Österr. Zentrale. DA.: 4060 Linz-Leonding, Welser Str. 20. G.: Andorf, 20. Jän. 1956. V.: Anita, geb. Dobretsberger. Ki.: Ina (1983). El.: Franz u. Theresia. S.: VS, HS, 1971-74 kfm. Lehre BÄKO Linz. K.: b. 1976 Betriebswirtschaftl. Lehrgang, b. 1993 Controlling-Ausbild., b. 1986 Gschf. u. Prok., seit 1989 Dir. P.: Schulungstätigkeit im berufl. Rahmen, Veröff. v. Fachart. in Wirtschaftszeitungen u. Kammernachrichten. H.: Laufen, Musik. (U.A.)

Reischl Walter
B.: Inh. u. Gschf. Ges. FN.: Reischl-Druck. DA.: 5020 Salzburg, Stelzhamerstr. 5. PA.: 5024 Salzburg, Glaserstr. 24. G.: Salzburg, 5. Dez. 1942. V.: Maria, geb. Radauer. Ki.: Andrea, Simone. S.: Schriftsetzerlehre, Gesellenprüf., Graph. Ak. in München Abt. Satz, Mstr.Kl. an d. Höheren Graph. Lehr- u. Versuchsanst. in Wien. K.: 1963 Eintritt in d. elterl. Betrieb (OHG), 1972 Umwandlung in Einzelfa., 1985 Umwandlung in GmbH & Co KG. E.: Gold. Ehrennadel d. Hpt.Verb. d. graph. Unternehmungen Österr. M.: Prüf.Vors. f. Lehrabschlußprüf., Hpt.Verb. d. graph. Unternehmungen Österr., BInnungsmstr.Stellv. d. BInnung Druck, Prüf.Vors. d. Befähigungsprüf.Kmsn. f. d. Druckergewerbe. H.: Reiten, Segeln. (A.W.)

Reischl Walter
B.: freier Mitarb. d. ORF, Musiker, Komponist, Bandleader u. Solosänger d. Gruppe "White-Stars". PA.: 8041 Graz, Hüblweg 5. G.: Graz, 5. Jan. 1948. V.: Elisabeth, geb. Kreissl. ki.: Alexandra (1971). El.: Hermann u. Elisabeth. S.: VS, Mittelschule, Berufsschule, Konservatorium f. Musik in Graz, Klavierbauerlehre. K.: 1964-74 Klavierbauer, 1974-79 Inh. eines Schallplattengeschäfts, seit 1963 Musiker (Grdg. d. White-Stars), seit 1978 freier Mitarb. d. ORF (Abt. Unterhaltung), freiberufl. als Komponist u. Textautor tätig. BL.: 10 Gold. Schallplatten, 1 Platin-Schallplatte, Kristallschallplatte f. Gesamtwerke d. White-Stars, Auftritte in 5 Hpt.Abendfernsehsendungen. P.: 13 LPs, 27 Singles. E.: Gr. Gold. EZ d. Landes Stmk., Gr. Gold. EZ d. Stadt Graz. M.: Sturm (Träger d. Gold. Ehrennadel), Komponistenbund, o.Mtgl. d. AKM. H.: Reisen. (C.H.S.)

Reisegger Karl Maria
B.: Baukfm. FN.: Karl Reisegger Baustoffhdl.; Reisegger GmbH Platten- u. Fliesenverlegung. DA.: 4973 Senftenbach, Wolfau 5. PA.: 4973 St. Martin, Diesseits 209. G.: Senftenbach, 14. Aug. 1955. V.: Ilse, geb. Wallner. Ki.: Ute (1986). El.: Josef u. Theresia. S.: VS, HS, 1971-74 Maurerlehre, 1974 Lehrabschlußprüf. K.: 2 J. Tätigkeit als Maurer, ab 1977 im Außendienst b. einem Baustoffgroßhändler, 1984 selbst. m. einer Hdls.-Agentur, 1985 Grdg. Einzelhdls.-Unternehmen in St. Martin, 1991 Grdg. einer 2. Firma Reisegger GmbH Platten- u. Fliesenverlegung St. Martin, 1992 Übersiedlung d. Firmen nach Senftenbach. H.: Betrieb, Fußball. (J.L.)

Reisenberger Erda Mag.
B.: ak. Restauratorin. DA.: 1180 Wien, Pötzleinsdorfer Str. 29. G.: Graz, 19. Febr. 1942. V.: Mag. Hans Reisenberger. Ki.: Reinhard (1966), Roland (1968), Ruthild (1971), Ratmar (1974), Rüdiger (1977), Richard (1979). El.: Hermann u. Ottilie Derschmidt. S.: 1959 Frauengewerbeschule Wels, 1962 Aufnahme HS f. angew. Kunst, 1964 Eintritt Mstr.-Kl. f. Konservierung u. Technologie Akad. d. Bild. Künste Wien, 1967 Dipl. als ak. Restaurator. K.: beschäftigt sich auch m. möglichst vielen alten u. neuen Techniken wie Malen auf Keramik, Glas, Porzellan, Seide, Stoff u. Holz, seit 1977 regelmäßig Ausstellung am "Grafenegger Advent", seit 1984 eigene Weihnachts- u. Osterausstellung in ihrer Werkstatt. (J.E.)

Reisenbauer August

B.: Filialltr., Stv. Ltr. d. L. Dion. NÖ-Süd. FN.: Creditanstalt. DA.: 2700 Wr. Neustadt, Kollonitschg. 1. PA.: 2500 Baden, Strasserng. 10. G.: Neunkirchen, 7. Aug. 1942. Ki.: Mag. Andreas (1965), Ursula (1967). El.: August u. Maria. S.: HS, 1960 HAK Matura. K.: 1960 CA-Angest. b. Wr. Zentr., 1963 Filiale Wr. Neustadt, 1970-79 Angest. d. Fil. Baden u. Ltr., 1979 Stv. Ltr. d. Hpt. Fil. Wr. Neustadt, 1989 Stv. Ltr. d. L. Dion NÖ-Süd. H.: Individualreisen, Wandern, Schifahren. (I.J.)

Reisenbauer Maria Dkfm.

B.: Dir. HASCH u. HAK. DA. u. PA.: 1030 Wien, Fasang. 4. G.: Krumbach, 15. Nov. 1934. El.: Franz u. Walpurga Reisenbauer. S.: VS, HS, LBA St. Ursula Wien, 1954 Matura, 1954-57 HS f. Welthdl., 1957 Dipl.-Prüf., 1959 Lehramtsprüf. f. kfm. Fächer. K.: Unterricht priv. HASCH u. HAK, 1954 Ordenseintritt, Schwesternname: Praxedis, b. 1976 Lehrtätigkeit, b. 1985 Provinzltg., 1985 Übernahme d. Schulltg. d. HASCH u. HAK Marienanstalt. H.: Lesen, Wandern, Bergwandern. (J.M.)

Reiseneder Leopold Michael

B.: Werbe- u. Industriefotograf,-Fotojournalist, Filmproduzent, Inh., Gschf. FN.: Refos Fotoatelier Ges.m.b.H.. DA.: 1060 Wien, Gumpendorfer Str. 16. G.: Wien, 31. Aug. 1961. V.: Ingrid, geb. Maisner. Ki.: Daniela Maria (1986), Alexandra Nicole (1991). El.: Ing. Leopold u. Ingeborg. BV.: Großvater Leopold: Sangrat Wr. Schubertbund; Großvater Franz Suchy: Geigenbauer, Konzertmeister; Urgroßvater Leopold Reiseneder: Klavierbauer. S.: Piaristen, Schulbrüder Wien-Strebersdorf, Wr. Kaufmannschaft, Matura, BH, 1980 Auswanderung in d. USA, m. 16 J. bereits Dokumentarfilme, Stud. Univ. Southern California, 1984 MBA. K.: 1984 Universal Pictures, Los Angeles, bis 1989 Tätigkeit f. österr. Unternehmen im amerikan. u. kanad. Sektor, ab 1989 Fotoatelier in Österr., 1993 Gschf. d. Dr. Michel Friedrich KG Wien, G. Trautenberger Ges.m.b.H. Wien; Vizepräsident The Cloverline, Inc. Chicago. E.: Anerk. d. American Film Institute f. Verdienste um d. Erh. amerik. Filmgutes.. M.: seit 1980 jüngstes Mtgl. d. FRIARS Club of California Beverly Hills, Motion Picture Editors Guild of Hollywood. H.: klass. Musik, Oper, Golf. (R.T.)

Reisenleitner Edgar Dr.
B.: Senatspräs., Senatspräs. d. Obersten Gerichtshofes. DA.: 1016 Wien, Museumsstr. 12. G.: Wien, 16. Nov. 1933. Ki.: Konrad (1967), Katharina (1969). El.: Alexander u. Emma. S.: VS, Mittelschule, 1952 Matura, b. 1956 Jusstud. K.: Eintritt in d. Gerichtsdienst als Rechtspraktikant, 1958 Richteramtsanw., 1960 Richteramtsprüf., danach Sprengelrichter in NÖ, anschl. BG Baden, Staatsanw. in Wr. Neustadt, 1968 Richter am LG f. Strafsachen Wien, 1976 Richter d. OLG Wien, 1980 Richter d. Obersten Gerichtshofes, 1994 Senatspräs. M.: Gewerkschaft Öff. Dienst, Richterver., Vors. d. Senats d. Obersten Berufs- u. Disziplinarkmsn. f. RA, Spruchsenat Vors. e. Senats b. Finanzamt f. d. 1. Bez. H.: Gartenarb., Konzerte, Skifahren.

Reiser Christian Dr. iur.
B.: Wissenschaftsmanagement Karl Franzens-Univ. Graz. GT.: Chefred. d. Unizeit, Buchpräsentationen, Studien- u. Berufsinformationsmesse, Organ. v. Veranstaltungen., EG-Forsch.-Programme. DA.: 8010 Graz, Universitätspl. 3. G.: Leoben, 15. Dez. 1957. El.: Eduard u. Hermine. S.: 1976 Matura, Stud. Psych., 1987 Prom. Dr. iur. K.: während Stud. Werbetätigkeit u. Videoproduktionen, Aufbau d. Außeninst. IPR, Organ. v. Info-Messen, Wirtschaftskontakten. P.: Art. in Tageszeitungen u. Magazinen. M.: COMETT, APS. H.: Bob Dylan. (C.R.)

Reiser Tobias
B.: Ltr. d. Sbg. Heimatwerk. GT.: Künstler, Ltr. d. Sbg. Adventsingens, Autor, Musiker, div. künstler. Tätigkeiten. DA.: 5010 Salzburg, Residenzpl. 9. PA.: 5020 Salzburg, Josefiaustr. 19. G.: Salzburg, 2. Dez. 1946. El.: Tobias u. Christine. S.: HASCH in Sbg. K.: Praktikum in d. Schweiz u. Schweizer Heimatwerk in Zürich, Textillehre im Sbg. Heimatwerk, erlernen d. Gitarren u. Klavierspiels, früher Beschäftigung m. künstler. u. kulturellen Belangen, 1974 Übernahme d. vielfältigen kulturellen Bereiche d. Vaters. BL.: Fortführung u. Weiterentwicklung d. Sbg. Adventsingens u. d. Konzerte "Mozart u. d. Volksmusik", Neueinführung einer Veranstaltungsreihe im Rahmen d. Sbg. Kulturtage u. d. Titel "Das Jahr d. Herrn", 1987 in Ablösung v. "Jahr d. Herrn" Uraufführung eines Schauspiels in 3 Akten m. dramat. Musik, Solo u. Chorgesang u. d. Titel "Macht u. Glaube". P.: Prod. v. ca. 15 LP's, Drehbücher: "Mozart u. d. Volksmusik", "Sbg. Adventsingen", "Das ist d. stillste Zeit im Jahr", Buch: "Sbg. Adventsingen", u.a.m. E.: Gold. Ver.Zeichen d. Landes Sbg. z. 40 Geburtstag. M.: Stellv. Obm. d. Kuratoriums Österr. Heimatwerk, Ver. d. Sbg. Adventsingens. H.: gepflegt Essen. (H.D.)

Reiser Walter KommR.
B.: Gschf. FN.: Heimbau u. Eisenhof gemeinn. Bau, Wohnungs u. Siedlungs GenmbH Wien. DA.: 1150 Wien, Hackeng. 13. PA.: 1130 Wien, Inozkag. 11. G.: Wien, 22. März 1925. V.: Brigitte, geb. Stiller. Ki.: Christian, Claudia, Sylvia. El.: Josef u. Anna. S.: VS, RG, 4 Sem. Wirtschaftsgeschichte. K.: nach 1945 Betriebsprüfer, 6 J. b. d. Zentralsparkasse als Bankprüfer, 1969-73 u. b. 1981 Chef d. Wr. Hafens, 4 J. Chef d. Bawag, seit 1967 Obm. b. d. Heimbau u. seit 1975 Gschf. b. d. Eisenhof gemeinn. Wohnungs GmbH. E.: KommR. H.: Skifahren, Tennis, Musik. (M.B.)

Reisetbauer Hans
B.: Landesjägermstr. im OÖ Landesjagdverb. DA.: 4020 Linz, Humboldstr. 49. PA.: 4062 Thening, Axberg 15. G.: Linz, 30. Aug. 1937. V.: Elfriede, geb. Födermayr. Ki.: Hans (1966), Friedrich (1968). El.: Hans u. Julian. BV.: Name Reisetbauer nachgewiesen b. 1640. S.: VS, HS, 1 J. Ldw.-Schule, 1957-58 Agrarpolit. Landvolk-HS Maburg/Lahn. K.: seit 1956 hauptberufl. Bewirtschaftung eines Ldw. Betriebes. P.: lfd. Vortragstätigkeit in jagdl. Richtug. E.: Gold. EZ d. OÖ Jägerschaft, Gold. VK 1. Kl. d. Landestierschutzver. M.: seit 1961 Jagdltr. in d. Gem. Kirchberg/Thening, seit 1968 Mtgl. d. LandesjagdbeiR., seit 1973 Landesjägermstr. u. Präs. d. Österr. Falknerbundes, Ortsbauernobm., Vorst.-Mtgl. b. versch. bäuerl. Interessensorgan., Mtgl. d. AufsR. d. OÖ Vers.-Anst., AufsR.-Mtgl. d. Steyrer-Daimler-Puch AG, Rotarier-Club Wels-Burg, Wirtschaftsforum d. Raiffeisen Landesbank. H.: Jagd, Ldw. (U.E.)

Reisinger Franz Ing.
B.: Gschf. FN.: Ernst Stadlmann GmbH. DA. u. PA.: 4070 Eferding, Bahnhofstr. 8. G.: Linz, 26. Juli 1958. V.: Ilse, geb. Kirchner. Ki.: Michael (1991). El.: Franz u. Adelheid. S.: VS, HS, HTL Tiefbau Krems, 1987 Mstr.-Prüf. f. Bohrwesen u. Brunnenbau. K.: seit 1989 gewerberechtl. Gschf. d. Firma Grün & Bilfinger Bau GmbH, seit 1992 Gschf. Ernst Stadlmann GmbH. H.: Motorsport, Familie. (U.A.)

Reisinger Friedrich Ing.
B.: Prok., Spinnereiltr. FN.: Linz Textil GmbH. DA.: 4020 Linz, Wiener Str. 435. PA.: 2603 Felixdorf, Parkg. 10. G.: Gmünd, 15. März 1936. V.: Maria. Ki.: Klaudia (1966), Robert (1970). El.: Friedrich u. Josefine. S.: VS, Gymn., HTL m. Matura. K.: 1957 Eintritt Pottendorfer Textilwerke Felixdorf als Ass. d. Spinnereiltr., 1963 Übernahme d. Spinnerei Felixdorf als Spinnereiltr., ab 1982 Übernahme d. Betriebes durch Linz Textil GmbH u. weitere Tätigkeit als Spinnereiltr., ab 1984 Prokura, Alleinverantwortung über d. Spinnerei Felixdorf, spezielle Richtung Marketing, Garnverkauf u. Rohstoffeinkauf. E.: Ehrendipl. d. AK f. 35 J. Betriebszugehörigkeit. M.: Schiedsrichter d. Wr. Warenbörse, Prüf.-Kmsn. f. Textilmechanikerlehrlinge. H.: Tennis, Radfahren, Wandern, Lesen.

Reisinger Gerhard Dipl.-Ing.
B.: Dir. FN.: STAMAG Stadlauer Malzfbk. GmbH. DA. u. PA.: 1220 Wien, Smolag. 1. G.: Krems/Donau, 18. Juni 1941. V.: Mag. Dkfm. Gertraude, geb. Hrubesch. Ki.: Horst (1967), Klaus (1969), Harald (1971). El.: Josef u. Margarethe. S.: 1959 Matura m. Ausz. in Krems, Stud. d. techn. Chemie, 1967 Dipl. m. Ausz. K.: Chemiker in d. STAMAG, seit 1972 Laborltr., ab 1979 Prokura, ab 1988 Dir. BL.: aktiver Handballspieler b.1970 in d. Staatsliga. M.: Mtgl. d. Kodexunterkmsn. "Backwaren", Experte b. d. Kodexunterkmsn. "Speiseeis" u. "Konditorwaren", Vors. d. Prüf.Kmsn. f. Chemielaborantenlehrlinge. H.: Tennis, Skifahren, Foto u. Film, Musik. (P.R.)

Reisinger Hans Ing.
B.: Heizungstechniker, Firmenltr. FN.: Reisinger Installation GmbH. DA.: 8010 Graz, Brockmanng. 31. PA.: 8010 Graz, Waltendorfer Hauptstr. 46. G.: Passail, 14. Jan. 1923. V.: Marianne, geb. Ploder. Ki.: Evi. S.: VS, HS, Militär. Ausbild., 1937-45 Berufssoldat, Stud. Maschinenbau, Heizungswesen Darmstadt, 1948 Prüf. Heizungstechnik. K.: 1948-52 Baultr. d. Fa. Dirnböck, 1952-55 Ges. m. Hübner-Reisinger, seit 1955 selbst. Fa. Reisinger OHG. E.: Gold. Wirtschaftsmed. v. OÖ. M.: Wirtschaftsbund, Alpenver., Jägerschaft, Gesangsver., Jagdschutzver., Eisschützenver. H.: Jagd, Naturfreund, Reisen. (C.H.S.)

Reisinger Hans
B.: General Sales Manager. FN.: Dachstein Sportschuh GmbH. DA.: 4591 Molln. G.: Ried/Innkreis, 14. Nov. 1943. El.: Hans u. Rosa. S.: Grundschule, HASCH. K.: 1960-64 Lehre b. Fa. Gruber & Co in Ried, 1964-70 Fa. Fischer, 1970-75 Zentrasport, 1975-81 Fa. Kastinger, 1981-82 MSE, 1982 Fa. Prago Exp., 1983 Floriani Sp., 1984 Fa. Dachstein-Export. BL.: Exportltr. f. 32 Länder. M.: Mtgl. v. div. Aussch. H.: Skifahren, Tennis.

Reisinger Helmut
B.: selbst. Fotografenmstr. DA.: 8605 Kapfenberg, Hauptpl. 7. PA.: 8614 St. Jakob, Strasseggerweg 22. G.: Breitenau, 8. Sept. 1960. Ki.: Manuel (1986), Corinna (1991). El.: Albert u. Rosamunde. S.: VS, HS, Polytechn. Lehrgang, Lehre als Fotograf, 1984 Mstr.-Prüf. K.: seit 1986 selbst. in Kapfenberg. P.: Ausstellungen v. Aktfotos u. Portraits. M.: Innung Lehrlingswart, APPI Intern. H.: Golf, Tischtennis, Langlaufen. (K.K.)

Reisinger Helmut Mag.
B.: Obm. d. FVV d. Stadt Hallein, Kurdir. Bad Dürrnberg, Obm. u. Gschf. d. Interessengemeinschaft Hdl. u. Gewerbe, Gschf. einer Eisenhdlg. Hallein u. Filiale Bischofshofen. DA.: 5400 Hallein, Unterer Markt 1. G.: Salzburg, 18. Dez. 1951. Ki.: Michael, René, Andrea. El.: Bruno u. Inge. S.: 1968 Matura, 1 J. Lehre Einzelhdls.-Kfm., 1972 Stud. BWL, Marketing u. Organ. Linz, 1977 Mag. K.: ab 1977 im elterl. Betrieb, 1985 Übernahme d. elterl. Betriebes, seit 1985 Obm. d. FVV, ab 1992 Obm. u. Gschf. d. Interessengemeinschaft Hdl. u. Gewerbe sowie Kurdir. M.: Lions Club. H.: Tourengehen, Radfahren, Segeln, Tennis, Wandern. (M.Mo.)

Reisinger Herwalt Mag.
B.: Wirtschaftstreuhänder u. Steuerberater, Gschf. Mag. Herwalt Reisinger, Mag. Reisinger-Ondra-Wirtschaftstreuhand GmbH. u. Mag. Reisinger-Grossinger Wirtschatstreuhand GmbH. GT.: Beis.Tätigkeit b. Arb.Ger. DA.: 3100 St. Pölten, Dr.-Mical-G. 12. PA.: 3200 Obergrafendorf, Josef-Wehrer-G. 3. G.: St. Pölten, 30. Dez. 1942. V.: Monika, geb. Kerschner. Ki.: Christoph Alexander. S.: Gymn., 1962 Matura, Jusstud., 1967-68 Ger.Praxis in St. Pölten, FA-Dienst, Finanz-LDion. K.: 1976 Finanzamtsvorst. v. FA Lilienfeld, 1977 Einstieg in d. Privatwirtschaft, 1981 Übernahme u. Ausbau einer Steuerberatungskzl. in St. Pölten, Wirtschaftstreuhänder u. Steuerberater, Beratung u. Erstellung v. Sanierungsprogrammen f. sanierungswürdige Betriebe, Beis.Tätigkeit b. Arb.Ger. F.: Mag. Herwalt Reisinger, Mag. Reisinger-Ondra-Wirtschaftstreuhand GmbH. u. Mag. Reisinger-Grossinger Wirtschatstreuhand GmbH. H.: Familie, Sammeln v. guten, mod. Bildern.

Reisinger Ingeborg Dr. med.
B.: prakt. Arzt. DA.: 1220 Wien, Biberhaufenweg 78. PA.: 1010 Wien, Wipplingerstr. 13/6. G.: Wien, 3. Febr. 1951. V.: Dr. med. Hans-Paul. Ki.: Beate, Bernhard, Andrea. El.: Dr. Josef u. Dr. Waltraud Buresch. S.: Matura 1969, Med.Stud. an d. Univ. Wien, Prom. 1976. K.: Turnusausbild. in Wr. Spitälern, 1987 Schularzt, s. 1984 eigene Ordination. H.: Sport, Theater, Kunstreisen, Musik. (E.L.)

Reisinger Josef Dr. rer. oec. Dkfm.
B.: beeid. Wirtschaftsprüfer u. Steuerberater. DA.: 1150 Wien, Diefenbachg. 35. PA.: 1130 Wien, Wlassakstr. 51. G.: Wien, 13. Febr. 1940. V.: Christine, geb. Nutzinger. Ki.: Karin, Gudrun. El.: Josef u. Sonja. S.: HS, Drogistenlehre, Kfm.Gehilfenbrief, 1960 Externistenmatura, Stud. Ind. u. Bankwiss. an d. HS f. Welthdl. K.: Revisionsass. b. Prof. Jonasch, 1970 Steuerberaterprüf., 1971 selbst. Steuerberater, 1973 Buchprüfer, 1974 Wirtschaftsprüfer. BL.: 1964 Teilnahme an d. Olympiade in Innsbruck (Eisschnellaufen). P.: seit 1980 "Steuerecke", wöchentl. Art. in Kurier u. Profil, steuerl. u. betriebswirtschaftl. Art. in Bankarchiv, Steuer- u. Wirtschaftskartei, Wirtschaftspolit. Blätter. H.: Tennis, Skifahren, Surfen, Radfahren, Segelfliegen. (Bauer)

Reisinger Klaus
B.: selbst. bild. Künstler. DA.: 8042 Graz, Töpferweg 2. PA.: 8042 Graz, Thomas-Arbeiter-G. 27. G.: Wien, 10. Febr. 1939. V.: Ann-Marie, geb. Byström. El.: Wilhelm u. Ottilie. S.: VS, Mittelschule Graz, HS f. Gestaltung Linz b. Prof. Dr. Alfons Ortner. K.: 1965 freiberufl. Tätigkeit als Künstler, 1977 Grdg.-Mtgl. d. Künstlergruppe 77 Graz, 1982 Ltr. d. Künstlergruppe 77, 1984 Mtgl. d Forum Stadtpark Graz, zahlr. Personalausstellungen u. Ausstellungsbeteiligungen. P.: div. Ausstellungskataloge zu Personalausstellungen. E.: 1968 11. Österr. Grafikwettbewerb Innsbruck, Preis d. Inst. z. Förd. d. Künste in Österr., 1968 3. Intern. Malerwochen d. Neuen Galerie Graz, Preis f. Österr., 1984 Förderungspreis d. Stadt Graz. M.: Künstlerver. Maerz Linz, Sezession Graz, 1991 Galerie d. Gruppe 77 Graz "Norden" Laserlichtinstallation, 1992 Personalausstellung A.P.R. Videoistall. Graz 1994 "Allein". H.: Arb., Leben, Skipper in Skandinavien. (R.S.)

Reisinger Konrad
B.: Kfm., gschf. Ges. FN.: Uniflora Reisinger GmbH & Co KG. DA. u. PA.: 5020 Salzburg, Kendlerstr. 108. G.: Neukirchen, 29. Juli 1943. V.: Angela, geb. Klausner. El.: Konrad u. Maria. S.: HS, kfm. Ausbild. K.: 1966 Grdg. d. Einzelfa. K. Reisinger, kurzzeitige Beteiligung d. dän. Blumengroßhändlers Uniflora, 1972 Übernahme d. Anteile d. ausländ. Partners u. Umwandlung d. Fa. in eine GmbH, d. Unternehmen ist spez. auf Import u. Vermarktung europ., amerikan. u. afrikan. Topfpflanzen sowie Keramiken aus d. asiat. u. europ. Raum. H.: Arb.

Reisinger Michael
B.: Gschf. Ges. FN.: Suntana Promotion Sportswear Hdls. GmbH. DA.: 3032 Eichgraben, Flettnerstr. 41. G.: Klosterneuburg, 3. Okt. 1960. Ki.: Daniel (1994). El.: Ferdinand u. Elisabeth. S.: VS, RG, HASCH. K.: Sachbearb. in einem Pharmakonzern, Außendienst BASF, 1982 selbst. m. Gen.-Vertretung f. Sonnenkollektoren in Österr., 1984 Textilhdl., ab 1985/86 Promotion f. gr. Konzerne u. Firmen. H.: Tennis, Skifahren, Spazierengehen. (J.M.)

Reisinger Peter Mag.
B.: Apotheker. FN.: Schutzengel Apotheke Graz-Eggenberg. DA. u. PA.: 8020 Graz, Lilienthalg. 24. G.: Graz, 2. Apr. 1939. V.: Helga, geb. Ettlmayr. Ki.: Christa, Petra. S.: Matura, Stud. d. Pharm. Graz. K.: Aspirantenzeit in Straßburg/Ktn., Vertretungsberechtigter Apotheker in d. Apotheke "Zum weißen Wolf" in Wolfsberg/Ktn., 1971 Übernahme d. Schutzengel Apotheke in Graz, 1974 Neubau u. Eröff. d. "Schutzengel Apotheke" u. d. "Schutzengel Drogerie GmbH". M.: Österr. Apothekerverb., Österr. Alpenver., Yachtclub Austria, Prüfer d. österr. Segelver. H.: Hochsee-Segeln. (P.R.)

Reisinger Rudolf
B.: Stadtrat, Pens. PA.: 3107 St. Pölten, Spiegelg. 10. G.: Wien, 18. Aug. 1935. V.: Elfriede, geb. Prevolnik. Ki.: Romana. El.: Josef u. Katharina. S.: VS, HS, 1949-53 Maschinenschlosserlehre, ÖBB-Ausb. z. Facharb. K.: 1953-55 Gendamerie, 1955 Lokführernachw., Schulungswagenrev., 1977 Fachgruppenobm.-Stv. d. techn. Wagendienstes Wien, 1990 Pens., ab 1965 Gewerkschaftsvertrauensmann, 1973 Obm.-Stv. d. Sektion Viehofen, 1977 Gem.-Rat u. Obm., 1966 Stadtrat f. Wohnungswesen, ab 1991Stadtrat f. städt. Unternehmungen. H.: Reisen, Skifahren, Eigenheim. (M.G.

Reisinger Ulrike

B.: Geschäftsfrau, Inh. FN.: Reisinger & Co. DA. u. PA.: 1040 Wien, Margaretenstr. 41. G.: Bad Hall, 6. Dez. 1944. V.: KommR. Dkfm. Werner Reisinger. Ki.: Amelie-Maria (1971). El.: Rupert Marko u. Auguste, geb. Necas. S.: VS, HS, HASCH. K.: 1963-66 Kronenkorkenfbk., seit 1977 Gschf. d. Reisinger & Co, ab 1989 Inh. H.: Lesen, Geschichte (Habsburger, Judaistik). (N.A.)

Reismann Wilhelm Dr. techn. Dipl.-Ing. o.Univ.-Prof.

B.: Ordinarius f. Baubetrieb u. Bauverfahrenstechnik d. TU Wien. GT.: Ziviling. f. Bauwesen. DA.: 1040 Wien, Karlspl. 13. PA.: 1130 Wien, Küniglbergg. 22. G.: Sitzenberg, 3. März 1924. V.: Luise, geb. Hann. Ki.: Dipl.-Ing. Dr. Wilhelm. El.: Wilhelm u. Maria. S.: RG, Stud. an d. TH Wien, Fak. f. Bauing.Wesen. K.: versch. Tätigkeiten in d. Baubranche, seit 1976 o.Univ.-Prof. an d. TU Wien, freiberufl. tätig als Ziviling. f. Bauwesen, Kons., Gutachter, Sachv., Mtgl. v. Schiedsgerichten, b. vielen gr. Bauvorhaben mitgewirkt u.a. Hydraulische u. Kalorische Kraftwerke, Straßen- u. Eisenbahntunnel, Untergrund- u. Autobahnen, Brücken, Pipelines. P.: zahlr. Veröff. u. Fachvorträge. H.: Wandern, Skifahren. (E.L.)

Reismüller Edith

B.: Kosmetikerin, Fußpflegerin. FN.: Kosmetik, Fußpflege, Massage Edith Reismüller. DA. u. PA. 5020 Salzburg, Bucklreuthstr. 8. G.: Wien, 1. Jan. 1933. Ki.: Patricia (1960), Jaqueline (1964). El.: Adolf u. Gabriele Picha. S.: VS, HS, HASCH, 1 J. Bürotätigkeit, 1949-52 Lehre als Kosmetikerin u. Fußpflegerin Wien. K.: 2 J. Tätigkeit in Bad Gastein, 1954 selbst. Kosmetikerin u. Fußpflegerin in Bad Gastein, 1966 nach Sbg. in d. Mönchsgasse, 1981 Betrieb am heutigen Standort angesiedelt. H.: Lesen, Stricken, Beruf. (J.L.)

Reisner Gerlinde

B.: Floristin. FN.: Blumen Reisner. DA.: 5301 Eugendorf, Konrad-Seyde-Str. 2. PA.: 5301 Eugendorf, Reitberg 19. G.: Salzburg, 12. Mai 1963. V.: Franz Reisner. Ki.: Claudia (1987). El.: Nikolaus u. Katharina Reisner. S.: VS, HS, 1978-81 Lehre als Friseurin in Sbg. K.: 1981-87 Friseurin, 1987 Einstieg u. Übernahme d. elterl. Betrieb, 1990 Eröff. d. Geschäftes in Eugendorf, 1993 Gesellenbrief Florist. H.: Familie, Radfahren. (S.P.)

Reisner Thomas Berthold Dr. Dipl.-Ing.

B.: Prok., Ltr. Technik. FN.: Hallein Papier AG. DA.: 5400 Hallein, Salzachtal Bundesstraße Süd. PA.: 5020 Salzburg, Hofhaymer Allee 52/8. G.: Lambach, 8. Sept. 1944. V.: Gerhild, geb. Klugar. El.: Eduard u. Antonia. S.: Stud. Elektrotechnik HTL Sbg., Stud. Techn. Physik TU Graz u. Pennsylvenia State Univ. USa. K.: Mitarb. Forsch. u. Entwicklung u. Ausbild.-Ltr. b. Siemens-KWU Erlangen, Ass. d. Techn. Dir. d. Nuclen-Nuclebras in Rio de Janeiro, Projektltr. b. Siemens-KWU Erlangen u. VOEST Alpine Ind.-Anlagenbau Linz, Ltr. Energie u. Werksversorgung, Ltr. Zellstoffbk., Ltr. Technik d. Hallein Papier AG. P.: Aufsätze in Surface Science, Journal of Applied Physics, Wochenblatt d. Papierfabrikation, Papier aus österr., TAPPI Proceedings. M.: ÖZEPA, Zellcheming, Lions Club. H.: Hochseesegeln, Tennis, Skifahren, Musik, Literatur, Individualreisen.

Reiss Franz Ing.

B.: Chemieing., Gschf. Ges. FN.: E. Reiss GmbH Oberflächenveredlung. DA.: 1170 Wien, Klopstockg. 47. PA.: 1160 Wien, Kollburgg. 5. G.: Wien, 14. Aug. 950. V.: Renate, geb. Zechner. Ki.: Thomas (1979). El.: Walter u. Edith, geb. Mersi. S.: HTL, 1971 Abschluß, 1983 Mstr.-Prüf f. Metallschleifer u. Galvaniseure. K.: 1973-76 Abt. Galvanotechnik b. d. Schering AG, 1977-78 Ltr. d. Abt. Oberfläche b. d. Firma Kher AG, 1979-83 Abt. Innovation b. d. Firma ITT, 1983 Eintritt elterl. Betrieb, ab 1984 Gschf. E.: 1981 ITT-Skimstr. H.: Sport allg. (Skifahren, Eishockey, Tennis, Surfen). (N.A.)

Reiss Friedrich

B.: Hafner. FN.: Boxrucker. DA.: 2620 Neunkirchen, Schießstettg. 31. PA.: 2620 Neunkirchen, Stifterg. 11. G.: Neunkirchen, 17. Okt. 1943. V.: Gertrude, geb. Schardl. Ki.: Susanne. El.: Friedrich u. Helene. S.: Berufsschule a. Hafner 1960, div. Weiterbildungssem. beruflich-politisch. K.: 1964 Betriebsrat Fa.Boxruck Neunkirchen, Vors. Obm., politisch 1982 Gem.-Rat, s. 1979 Vors. d. Ausbildungsprüfungskammer, 1990 Ernennung z. Stadtrat, Ref. Umweltschutz, Abfallbeseitigung u. Feuerwehr, Vors. Prüer u. Beisitzender d. Lehrabschlußprüf. E.: Arbeiterkammer u. ÖGB. M.: Mtgl. i. Ballonverein Schützenver. H.: Reisen, spez. Reiseberichte (Fernost), Fotos.

Reiss Johannes Mag.

B.: Gschf. FN.: Österr. Jüdisches Museum in Eisenstadt. DA.: 7000 Eisenstadt, Unterbergstr. 6. G.: Wr. Neustadt, 1. Nov. 1959. El.: Johann u. Theresia. S.: 1978 Matura in Kalksburg, Stud. Judaistik, Altsemit. Philol. u. Oriental. Archäol. an d. Univ. Wien, 1987 Spons. K.: 1984-88 Wiss. Tätigk. b. Jüd. Museum, s. 1989 Gschf. d. Jüd. Museums in Eisenstadt; zusätzl. Lektor am Inst. f. Orientalistik d. Univ. Wien. P.: div. wiss. Artikel u. Publ., “Hier in d. hl. jüd. Gemeinde ASCH”, Der jüngere jüd. Friedhof in Eisenstadt. H.: Sport. (M.G.)

Reiss Oswald

B.: Gschf. Ges. FN.: Reiss. DA.: 1120 Wien, Gatterholzg. 24. G.: Baden, 16. Juli 1924. V.: Mathilde. Ki.: Ing. Stefan. S.: Schulbesuch in Baden, Elektroinstallateurlehre in Wien, 1948 Mstr.Prüf. K.: 1952 selbst., Firmengrdg. Gatterholzgasse m. Schwerpunkt Ind.Elektroinstallationen, gleichzeit Betrieb eines Spezialgeschäfts f. Schallplatten u. Tonträger. H.: Sport, Kultur.

Reiss Wilhelm Mag.

B.: Gschf. Inh. FN.: Juwelier Kollecker. DA.: 2700 Wr. Neustadt, Hauptpl. 34. PA.: 2700 Wr. Neustadt, Herzog Leopoldstr. 7. G.: Vorau, 8. Feb. 1961. V.: Eva-Maria geb. Buczko. Ki.: Caroline (1984). El.: Maximilian u. Hedwig. S.: Gymn., 1979 Matura, Stud. d. Handelswiss. WU Wien, 1984 Sponsion. K.: 1984-86 i. Juweliergeschäft Kollecker tätig, 1986 Übern. d. Geschäfts. M.: Roundtablemtgl. H.: Sport, Familie, Reisen. (I.J.)

Reisser Hans Ing.

B.: Baumeister, Arch. i.R. PA.: 1090 Wien, Kinderspitalg. 13. G.: Rostow/Don, 16. Sept. 1900. V.: Clementine, geb. Schedl. Ki.: Robert (1931). El.: Karl Moritz u. Sidonie. S.:

Seit 1914 in Wien, 1918 Matura an Realgymn. in Wien 12, dann Arch.-Stud. an d. TU Wien. K.: Nach d. Stud. etwa 13 Jahre im Arch.-Büro Rossipaul-Schömig & Co tätig, anschl. selbst. als Bmstr. u. Arch. in Wien u. Eichgraben, jetzt i.R. BL.: Begründer d. Wohnungseigentums. M.: derzeit ältester Pfadfinder v. Österr. u. Deutschland. (J.S.)

Reissigl Carl Dr. iur. KommR.

B.: Präs. d. Tir. Landtags, LAbg., Kfm. DA.: 6010 Innsbruck, Maria-Theresien-Str. 38. PA.: 6020 Innsbruck, Franz-Fischer-Str. 2. G.: Innsbruck, 14. Jan. 1925. V.: Dr. Helga, geb. Innerhofer. Ki.: Mag. Peter, Margarete. El.: Anton u. Karoline. S.: 1948 Prom. K.: 1984-89 Präs. d. Tir. HK. E.: Gold. EZ f. Verd. um d. Rep. Österr., EZ d. Landes Tir., Verd.Kreuz d. Stadt Innsbruck. H.: Golf, Skilanglaufen. (W.G.)

Reissigl Hans Dr. med. Univ.-Prof. w.HofR.

B.: em. Vorst. d. Zentralinst. f. Bluttransfusion u. Immunologie, Ltr. d. Gastroenterolog. Labors - Endoskopie u. Ltr. d. Zentrallabors d. Chir. Univ.-Kliniken, FA f. Chir. u. f. mikrobiol.-serol. Labormed. sowie f. med.-chem. Labordiagnostik, Diplom Sportarzt. A.: 6020 Innsbruck, Sadrachstr. 15. G.: Innsbruck, 2. Mai 1923. V.: Elfi, geb. Wachert. El.: KommR. Anton u. Karoline. S.: VS, Gymn., Med.Stud., 1946 Prom. (Gesamtkalkül ausgezeichnet). K.: 1959 Univ.Doz., 1966 a.o.Univ.-Prof., 1972 w.HofR., 1974-75 u. 1983-84 Präs. d. Europ. Ges. f. Gastroenterology u. Endoskopy, seit 1987 Honorary President, 1987/88 Präs. d. Dt. Ges. f. Transfusionsmed. u. Immunhämatologie, 1960-85 Chefarzt d. Roten Kreuzes Tir., 1962-65, 1976-77, 1980-82 u. 1984-85 Präs. Panathlon Intern. Club-Innsbruck, seit 1989 Gouverneur d. 16. Distrikts. BL.: seit 1950 Mitbegründer d. Transfusionswesens u. d. Infusionstherapie in Österr., Gründer d. Roten-Kreuz-Blutspendedienstes i.A. Burghart Breitners 1951 u. J.A. d. obersten SanR. u. d. Wiss.Min., Gründer u. 1. Ltr. d. Blutspendezentrale f. Wien, NÖ, Bgld., Ehrenmtgl. d. Österr. Ges. f. Ernährungsforsch. u. d. Ver. z. Förd. d. Transpl. Chir. Innsbruck, Medico di Squadra b. d. olymp. Winterspielen 1956 Cortina, Ltr. d. Olympia-Klinik Innsbruck 1976. P.: 250 wiss. Arb. in Fachzeitschriften, 10 Lehrbücher, Monographie: "Die Bluttransfusion" 1960, Gründer u. Hrsg. d."Infusionstherapie u. Klinische Ernährung", Gesamthrsg. d. Handbuchreihe "Infusionstherapie u. Klinische Ernährung" 6 Bde., 20 J. Hrsg. d. "Bibliomed" (Symposium Schloß Korb). E.: Silb. EZ f. bes. Verd. um d. Rep. Österr., Gold. Verd.-Med. d. Österr. Ges. v. Roten Kreuz 1958, H.-Dunant-Med. in Gold 1971, VK I. Kl. d. Österr. Roten Kreuzes 1981, Sozial-EZ d. Stadt Innsbruck 1982, Olymipia-Med. 1966 u. 1974, Landsteiner-Preis 1968, Gold. EZ d. Österr. Sportärzteverb. 1984, EZ d. Landes Tirol. M.: Österr. u. Dt. Ges. f. Chir., Intern. u. Dt. Ges. f. Transfusionsmed. u. Immunhämatologie, Amer. Assoc. of Blood Banks, Austrotransplant, Österr. Sportärzteverb., Royal Soc. of Med. London, Ges. f. Forensische Blutgruppenmed., Österr. Ges. f. Labormed., Österr. Ges. f. Gastroenterologie, Active Member of the New York Academy of Sciences. H.: Bergsteigen, Jagd, Skitouren, Langlaufen, Golf. (D.S.)

Reitbauer Heinz

B.: Inhaber FN.: Restaurant "Steirereck". DA./PA.: 1030 Wien, Rasumofskyg. 2. G.: Leoben, 24. Apr. 1941. V.: Margarethe, geb. Hirtner. Ki.: Heinz (1970). K.: Gastronomielehre, Praxis im In- u. Ausland, Erwerb e. Caféhauses in Wien, 1969 Beginn d. Aufbaus d. Restaurants "Steirereck", 4 Hauben Restaurant, 2-Michelin-Sterne Restaurant Österr., Relais & Chateaux Restaurant, 3-Sterne u. 5 Kronen Österr. á la Carte. E.: 1990 Kutlic-Preisträger. H.: Gastronomie. (J.S.)

Reitbauer Hubert

B.: Buchhändler, Gschf. FN.: Wolfgruber. GT.: Tourismusverb. Freistadt. DA.: 4240 Freistadt, Hauptpl. 3. PA.: 4240 Freistadt, Waagg. 9. G.: Radmer, 25. Juni 1956. V.: Henrike, geb. Wolfgruber. Ki.: Harald (1978), Sigrid (1980), Walter (1991). El.: Chrysanth u. Rosina. S.: VS, HS, Polytechn. Lehrgang, b. 1975 Lehre als Koch u. Kellner, b. 1978 Militär, b. 1981 Lehre als Buchhändler in Firma Wolfgruber. K.: seit 1981 Tätigkeit in Firma Wolfgruber u. Gschf. M.: Obm. d. Tourismusregion Freistadt-Freiwald, VPräs. Lions Club Freistadt, Altstadtver. Freistadt, Privilegiertes Bürgercorps d. Stadt Freistadt. H.: Restaurierung d. eigenen Hauses. (U.A.)

Reitbauer Joachim Ing.

B.: Gschf. PRO HOLZ - Steir. Holzwirtschaftsrat, Gschf. d. Fachgruppe Säge- u. Holzverarb. Ind. HK Stmk. DA.: 8021 Graz, Körblerg. 111-113. G.: St. Pölten, 21. Aug. 1964. V.: Marianne, geb. Meysel. Ki.: Siegfried (1988), Gisela (1990). El.: Emeran u. Stefanie. S.: Fachschule Flugtechnik, HTL Maschinenbau u. Betriebstechnik, 1984 Matura. K.: 1984-85 BH, ab 1985 Papiermaschinenkonstrukteur, 1986/87 techn. Einkaufsref., 1988 Ltr. d. Qualitätssicherung in d. Produktion einer Schuhfbk., ab 1988 Gschf. d. Fachgruppe Säge- u. Holzverab. Ind. HK Stmk., ab 1991 Gschf. PRO HOLZ - Steir. Holzwirtschaftsrat. BL.: jüngster Fachgruppengschf. innerhalb d. HK-Organ. Österr. P.: zahlr. fachspez. Veröff. in div. Medien. M.: ÖAV, Steir. Forstver., Ver. natürl. Leben. H.: Lebenssinnhinterfragung, Tourenskifahren, Bergsteigen, Arbeiten. (P.M.)

Reitbauer Margarete

B.: Inh. FN.: Restaurant "Steirereck". DA./PA.: 1030 Wien, Rasumofskyg. 2. G.: Steiermark, 13. Nov. 1948. V.: Heinz. Ki.: Heinz (1970). El.: Ernst u. Friederike Hirter. K.: Gastronomielehre, Praxis im In- u. Ausland, 1969 Beginn d. Aufbaus d. Restaurants "Steirereck", 4 Haube Restaurant, 2-Michelin-Sterne Restaurant, Relais & Chateaux Restaurant, 3-Sterne u. 5 Kronen im Österr. á la Carte. E.: 1990 Kutlich-Preisträger. H.: Gastronomie. (J.S.)

Reitböck Gunter

B.: Verkaufsltr., Kfm. FN.: Ganahl AG Papiererzeugung u. Verarb. DA.: 6820 Frastanz, Rotfarbweg 5. PA.: 6923 Lauterach, Siedlung 28. G.: Dornbirn, 23. Nov. 1941. El.: Gerold u. Amalie. S.: VS, HS, HAK, 1962 Matura. K.: 1962 Vers.-Makler, kfm. Ang. im Baugewerbe, 1967 Eintritt als kfm. Ang. im Verkauf Firma Ganahl, 1972 Verkaufsltr., 1984 Prokura. H.: Reisen, Lesen, gepflegt Essen u. Trinken. (I.D.)

Reiter Adolf Obstlt.

B.: Kdt. d. Verkehrsgendarmerie Ktn. Verkehrsabt. Krumpendorf. GT.: Verkehrsref. f. d. Ktn. Gendarmerie, Mitarb. v. ORF u. Presse. DA.: 9201 Krumpendorf, Hauptstr. 193. PA.: 9073 Klagenfurt-Viktring, Keltenstr. 58. G.: Julbach, 1. Febr. 1939. V.: Grozda, geb. Peric. Ki.: Thomas Oliver. S.: Pflichtschulen, Beamtenmatura, BGymn. f. Berufstätige, Staatsrechnungswiss., Offz.Ak. in Wien. K.: 1970-75 Lt. in Innsbruck, seit 1975 Kdt.Stellv. in Ktn. in d. Verkehrsabt., seit 1988 Chef d. Verkehrsabt. P.: eigene Verkehrskolumne "Verkehr aktuell" in d. KTZ, Art. auch in and.Zeitungen, eigene Sendungen im ORF über Verkehrs-fragen, Vortragstätigkeit in d. Schulen, Autofahrerklubs, versch. Inst. E.: 1985 Preis f. Verkehrssicherheit d. Kuratoriums f. Verkehrssicherheit in Wien. M.: ARBÖ (LRef.). H.: Wandern, Radfahren, Fußballspiel, Skifahren. (D.M.)

Reiter Alfred Dkfm.

B.: Vorst.-Mtgl. FN.: Österr. Investitionskredit AG. GT.: stellv. Vors. Österr. Kommunalkredit AG, VBV Anlagenvermietungs u. Beteiligungs AG, Europolis Invest Immobilieninvestitions GmbH, Österr. Unilever GmbH, Alcatel Austria AG, Finanzierungsgarantie GmbH. DA.: 1010 Wien, Renng. 10. G.: Wien, 30. Okt. 1939. S.: Grundschulen Wien, 1958 HAK-Matura, Stud. HS f. Welthdl. Wien, 1962 Dkfm. K.: 1958-60 Devisenabt., Hauptbuchhaltung CA-BV, 1962-66 Kreditrevision, Kreditabt. Österr. Länderbank AG, 1966-71 Sekr. f. wirtschaftl. Angelegenheiten Parlament, 1971 Stud. amerikan. Unternehmensführungsmethoden in d. USA, 1972-75 Ltr. d. Kabinetts d. Bundeskanzlers im BKA, seit 1976 Vorst.-Mtgl. d. Österr. Investitionskredit AG.

Reiter Eduard KommR.

B.: Inh. Betten Reiter. DA. u. PA.: 4020 Linz, Landstr. 113. G.: Linz, 12. Okt., 1933. V.: Elisabeth, geb. Kolm. Ki.: Eduard (1958), Peter (1961). S.: 1953 Matura. K.: Eintritt in d. väterl. Fa., 1974 Übernahme, Golfclub-VPräs. Linz, seit 1979 KommR., AufsR. d. Volksbank Linz. (P.R.)

Reiter Engelbert

B.: Gschf. FN.: E. Reiter GmbH. DA.: 1060 Wien, Stumperg. 51. G.: St. Peter/ Ottersbach, 7. Okt. 1934. V.: Marion, geb. Dobsa. Ki.: Markus (1979). El.: Alois u. Maria. K.: nach Schulbild. Testfahrer Puch Werke Graz, Außendienst Bertelmanns Szbg, 1960-69 BIC Austria, 1969 Generalvertretung Firma PIlot, 1971 Erweiterung Gen.-Vertr. Rambold, 1977 Standortwechsel nach Wien, 1984 Gen.vertr. D. Hechter, 1986 Senator, ab 1992 Gen.vertr. Marke Cross. H.: Motorboot, Tennis, Schwimmen, Skifahren. (T.T.)

Reiter Erich DDr.

B.: Sekt.-Chef., Präsidial- u. Rechtssekt. DA.: 1030 Wien, Dampfschiffstr. 2. PA.: 1010 Wien, Fleischmarkt 18/15. G.: Fürstenfeld, 13. Juli 1944. El.: Erich u. Elfriede. S.: BRG Fürstenfeld, 1963 Matura, Stud. Univ. Graz Geschichte, Geographie, VWL, Jus-Prom. 1969, Staatswiss. u. Polit. Wiss. 1972 Prom. K.: 1969-71 Rechtspraxis b. Gerichten in Graz, 1970 Stmk. Sparkasse, 1971-72 Arbeiterkam. Wien, 1972-76 Finanz-LDion. Wien, dazwischen Klubsekr. d. FPÖ im Wr. Landtag, 1976-80 BMW, 1980-82 BMA Abt. Entwicklungshilfe, 1982-83 BKA Abt. Entwicklungshilfe, ab 1983 BMLV, Ltr. d. Büros d. BMin., seit 1986 Sekt.Ltr. P.: Publ. über parteitheoret. u. föderalist. Themen sowie z. Ideologieproblematik, Österr. u. intern. Sicherheitspolitik. M.: ehem. Ltr. d. Boltzmann-Inst. f. Polit. Soz., ehem. Ltr. d. wiss. Sekr. d. Geistes- u. Sozialwiss. Sekt. d. BMLV, BeiR. f. Entwicklungshilfe, Mtgl. d. Intern. Inst. f. Strategic Studies (London). H.: Wandern.

Reiter Erwin Mag. Prof.

B.: freischaff. Bildhauer u. Maler. GT.: Designer u. Graphiker, HS-Prof. an d. HS f. ind. u. künstl. Gestaltung. DA.: 4020 Linz, Hauptpl. 8. PA.: 1020 Wien, Kleine Stadtgutg. 6-8, 4162 Julbach 147. G.: Juhlbach, 25. Sept. 1933. V.: Edda Seidl-Reiter. Ki.: Beate, Rondine. S.: VS, HS, 1948-53 Fachschule f. Holzbildhauerei in Hallstatt, 1953-59 Stud. an d. Ak. f. Bild. Künste in Wien, 1959 Dipl. K.: begann während d. Pflichtschulzeit zu malen u. zeichnen, zahlr. Studienreisen u. Ausstellungen im In- u. Ausland, 1964 1. Preis f. Bildhauerei in d. Ausstellung Geist u. Form, 1965 Teilnahme an d. Intern. Ausstellungen Europahaus Wien, Linz, Graz, Klagenfurt, Innsbruck Liberec, Prag, Agram, Lienz, Den Haag, Freiburg, Sbg., Köln, Berlin, Darmstadt, Genf, Saarbrücken, Stuttgart, Paris, Triest, Duisburg, Neumünster, Liesborn, Darmstadt, Basel, Oslo, Stockholm, Lund, Fredevikstad, Kopenhagen, Tokio, Luxemburg, 1968 Plastiken u. Objekte Museum d. 20 Jhdt. Wien, 1973 Kosmonauten, Chronauten, Bioskulpturen, XII Bienal de Sao Paulo 1973, 1982 Österr. Zeichner d. Gegenwart, Retrospektive "Skulpturen 1965-1982 Hochhaus Bayer-Leverkusen 1983, Retrospektive Rupertinum Sbg. 1985, 1988 Arbeit u. Kunst Palais Palffy Wien, "Saal d. toten Astronauten", "Strömung", "Bildserie", "Wahnsinn 2000", "Die Plaza d. Menschheit". E.: Silb. Fügermed. 1957, Grafikpreis d. Landes Sbg. 1966, Rank Xerox-Preis 1975, Preis d. Stadt Wien 1987. M.: GBA, Künstlerver. Maerz, Künstlergilde Salzkammergut. H.: Musiksammeln, Redensammeln, Langlaufen, Schwimmen. (M.B.)

Reiter Ewald F. A. Dir.

B.: Gschf. Ges. DA.: 4020 Linz, Altstadt 13. G.: Linz, 3. Apr. 1955. V.: Magdalena J. El.: Oskar u. Maria. S.: Gymn. Linz, Musikstud. Linz u. Sbg. K.: 1978-82 Prof. f. Musik in Linz, seit 1980 in d. Touristikbranche tätig, seit 1982 Gschf. d. Top Touristik GmbH, seit 1983 gschf. Dir. d. Reiter Hdl. GmbH, seit 1989 Ges. d. Fa. AUSTRO-ORBIS. F.: Top Touristik GmbH, Ewald F. A. Reiter Hdls. GmbH Linz. H.: Musik (Klassik), Skifahren, Segeln, Tauchen, Tennis. (Deu.)

Reiter Ferdinand

B.: OSR, Präs. d. NÖ Landtages. DA.: 1010 Wien, Herreng. 13. PA.: 1020 Wien, Große Pfarrg. 25/23. G.: Ritzing/Bgld., 6. Febr. 1926. V.: Maria, geb. Pratsch. Ki.: Herwig, Dr. Wolfgang, Marlies. El.: Ferdinand u. Anna. S.: VS, RG, LBA. K.: 1946 VS-Lehrer in Zistersdorf, 1947-60 Lehrer an d. ldw. Fortbild.Schule Zistersdorf, seit 1963 freigestellt, 1971 Dir. d. VS Zistersdorf, 1955-60 VBgm. d. Stadtgem. Zistersdorf, 1960-67 AufsR. d. ÖMV, ab 1963 Mtgl. d. Landtages v. NÖ, 1964-81 3. Präs. d. Landtages v. NÖ, 1960-85 Bgm. d. Stadtgem. Zistersdorf, 1965-71 AufsR. d. Wohnbaugen. "Schöne Zukunft", 1967-74 VPräs. d. NIOGAS, 1968-73 Mtgl. d. Verw.Aussch. d. Hauptverb. d. Österr. Sparkassen, 1971-87 Präs. d. Österr. Gem.Bundes, 1971-87 Mtgl. d. Präsidialrates d. Rates d. Gem. Europas, 1981-88 Präs. d. Landtages v. NÖ. E.: 1965 Silb. VZ d. Österr. Kameradschaftsbundes, 1970 Silb. Komturkreuz d. EZ f. Verd. um d. Bdl. NÖ m. d. Stern, 1979 Gr. Gold. EZ f. Verd. um d. Rep. Österr., 1981 Gold. Komturkreuz d. EZ f. Verd. um d. Bdl. NÖ m. d. Stern, 1986 Ehrenring d. Landes NÖ, Ehrenring m. Brillanten d. NÖ Gem.-Vertreterverb., Ehrenring d. Österr. Gem.-Bundes, 1986 Gold. Verd.-Med. d. NÖ Zivilschutzverb., Gold. Henry-Dunant-Med. f. Verd. um d. Rote Kreuz, Gr. Gold. EZ d. Österr. Schwarzen Kreuzes (Gräberfürsorge), 1987 Ehrenpräs. d. Österr. Gem.-Bundes, 1988 Gr. Silb. EZ am Bande f. Verd. um d. Rep. Österr, 1986 Ehrenbürger d. Stadtgem. Zistersdorf. M.: versch. Funktionen in d. Orts-, Bez. u. Hauptbez.Ltg. d. ÖVP u. d. ÖAAB. H.: Wandern, Lesen, Musik. (R.A.)

Reiter Franz

B.: Zimmermstr., Gschf. d. Reiter & Steiner KG. DA.: 9400 Wolfsberg, Industriestr. 26. PA.: 9400 Wolfsberg, Paul-Hackhofer-Str.1. G.: Spittal/Drau, 24. Juli 1927. V.: Liliane, geb. Zimic. Ki.: Ing. Paul Christian (1958), Elisabeth (1960), Peter (1971). El.: Franz u. Mathilde. S.: HTL Villach, 1953 Mstr.Prüf. K.: 1954 Grdg. eines kleinen Betriebes m. 4 Arbeitskollegen, Aufbau zu einer Fa. m. 120 Mitarb., 1958 Bau einer Holzbrücke über d. Lavant (ausgez. m. d. Holzbaupreis), 1972 Teilnahme an d. Kölner Messe, Exportaufträge vieler namhafter Kunden ("Tiffany" München, Zürich, London, Hong Kong sowie "McDonald"), 1987 Grdg. d. Tochterfa. Reiter Naturhaus GmbH. M.: Alpenver. H.: Bergsteigen, Beruf. (D.M.)

Reiter Franz Dr. theol. GstlR.

B.: Pfarrer d. Kath. Pfarrgem. Gloggnitz u. Prigglitz. DA. u. PA.: 2640 Gloggnitz, Hartholzstr. 5a. G.: Wien, 8. Okt. 1941. El.: Prof. Ludwig u. Maria, geb. Kramasch. S.: VS, BRG, 1959 Matura, Theol.-Stud. Univ. Wien, 1964 Absolutorium, 1974 Prom. z. Dr. theol. K.: 1965-70 Kaplan Perchtoldsdorf, 1970-72 Kaplan Gänserndorf, 1972-86 Pfarrer Kaltenleutgeben, 1984 GstlR., ab 1986 Pfarrer Gloggnitz, 1977-83 Dechant Dekanat Perchtoldsdorf, 1976-86 Unterricht BG Perchtolds-dorf. M.: Offz.-Ges. NÖ II, Pfadfinder, FF Eichberg. H.: Musik (Geige, Gitarre), Wandern, Skifahren. (M.M.)

Reiter Franz

B.: Gschf. Ges. FN.: Rhedey Sped. GmbH. DA.: 5101 Bergheim, Lengfelden 138. PA.: 5101 Bergheim, Fischach 412. G.: Salzburg, 4. Jan. 1950. V.: Gertrud, geb. Lehrl. Ki.: Nina. El.: Franz u. Karoline. S.: Lehre f. Sped. Kfm. K.: 1964-78 Sped. Georg Fallenegger Sbg., 1973-75 ltd. Ang. d. Fahrbereitschaft rGenmbH Sbg., 1975 selbst. Grdg. d. Fa. Rhedey Sped. GmbH. H.: Sport. (A.W.)

Reiter Georg

B.: Schlosser. FN.: Reiter OHG. DA. u. PA.: 5061 Elsbethen, Christopherusstr. 9. G.: Pehamberg, 9. Okt. 1936. V.: Sieglinde, geb. Lindlbauer. Ki.: Georg (1965), Elisabeth (1965), Roland (1969). El.: Georg u. Maria. S.: 1951-55 Lehre Maschinenschlosser. K.: 1955-56 Maschinenschlosser in Grödig, 1956-58 Auslandsaufenthalt Schweiz, 1958 Maschinenschlosser im elterl. Betrieb, 1960 Mstr.-Prüf., 1974 Übernahme d. elterl. Betriebes, 1979-80 Aufbau d. Betriebsstätte Elsbethen, allg. Maschinenbau, Spezialisierungs- u. Blechbearb.-Maschinen. M.: Innungsmstr. d. Schlosser, 1980-85 Lehrlingswart d. Schlosser u. Schmiede, Vors. d. Facharb.-Prüf.-Kmsn. u. Mstr.-Prüf.-Kmsn. (N.M.)

Reiter Georg Johann

B.: Gschf., Prok., Mstr. PA.: 3500 Klosterneuburg, An d. Haid 12. G.: Waizenkirchen, 23. Sept. 1944. V.: Antonia, geb. Zikesch. Ki.: Gudrun, Christoph. El.: Georg u. Christine. S.: Fachausbild. an d. BGewerbeschule Steyr. K.: 1963 Eintritt in d. VW-Organ., Kundendienstberater, Mstr., Betriebsltr., Gschf., zuständig f. d. Verkauf u. Hdl. v. Neu- u. Gebrauchtwagen, 2 Kundendienstwerkstätten, Tankstelle, Zweiradhdl. M.: Wirtschaftsbund, Managementclub. H.: Sport. Tennis, Turnen. (Kern)

Reiter Gernot

B.: Inh., Graphiker. FN.: AD Work. DA.: 8010 Graz, Leitnerg. 25. PA.: 8010 Graz, Plüddemanng. 83B/7/30. G.: Feldbach, 19. Aug. 1963. El.: Josef u. Ute. S.: VS, AHS, HTL, 1982 Matura, 3 J. Stud. Leibesübungen u. Anglistik. K.: 1982-84 Freier Mitarb b. ORF Stmk., 1985-88 Werbeass. in Werbeagentur, 1988 eigene Werbeagentur, 1984 erste Ausstellung. BL.: Buchillustrationen: "Die Perlenfischer", "Unstimmig" (Lyrik), Ausstellungen in Österr., BRD, Jugoslawien u. Italien. (H.Z.)

Reiter Hermann Mag. phil. Prof.

B.: Komponist, Ltr. d. Kammerchor "Albert Reiter". PA.: 3830 Waidhofen/Thaya, Neuwirthsiedlung 13. G.: Waidhofen/Thaya, 31. Aug. 1933. Ki.: Bernhard (1961), Hermann (1962), Katharina (1988), Armin (1990). BV.: Vater Albert Reiter (1905-70) war Komponist u. HS-Dir. S.: VS, 1951 BRG-Matura, Stud. Musik u. Geschichte Musik-HS Wien u. Univ. Wien, 1955 Mag. phil. K.: 1955 Eintritt in d. Schuldienst: AHS Zwettl, ab 1957 AHS Waidhofen/Thaya, 1990 Eintritt in d. Ruhestand, ehem. Ltr. d. Musikschule Waidhofen/Thaya u. Gmünd, b. 1991 Kmsn.-Mtgl. u. Ltr. d. NÖ Musikschulwerkes, b. 1991 Ltr. d. Lehrerausbild.-Kurse im NÖ Musikschulwerk, b. 1993 Mtgl. d. NÖ Kultursenates, 1970 Grdg. u. Ltg. d. Kammerchores "Albert Reiter", 1974-91 Gründer u. Organisator d. "Raabser Schloßkonzerte, seit 1951 Komponist: Kammermusik u. Orchesterwerke. H.: Musik. (M.M.)

Reiter Johann Dr. iur. Mag. HofR.

B.: Präs. d. LG Eisenstadt. DA.: 7000 Eisenstadt, Wiener Str. 9. G.: Parndorf, 19. Apr. 1931. V.: Elfriede, geb. Steiger. Ki.: Elisabeth, Johannes, Veriana. El.: Franz u. Elisabeth. S.: Gymn., 1949 Matura, Stud. d. Rechtswiss. Univ. Wien, 1954 Mag., 1954 Prom. z. Dr. iur. K.: 1959 Bez.Richter, 1966 Staatsanw., 1973 1. Staatsanw., 1978 ltd. Staatsanw., 1986 Präs. d. LG Eisenstadt. E.:Gr. EZ d. Landes Bgld., Komturkr. d. Landes Bgld., Großes Silb. EZ f. Verd. u. d. Rep. Österr.,VPräs d. Bgld. Jur. Ges., Gr. EZ d. Landes Bgld. M.: Vorst.Mtgl. d. bgld. jur. Ges. H.: Sprachstudien, Tennis, Skifahren.

Reiter Josef Bernhard

B.: Dechant, Pfarrer. A.: 4861 Aurach 18. G.: Hochkrammlel/Julbach, 10. Jan. 1927. S.: Gymn., Univ. Innsbruck, Theol. Fak. K.: 1948 Eintritt ins Prämonstratenserkloster Schlägl, 1953 Priestrweihe in Schlägl, dann Kooperator, 1960 Pfarrer, 1971 Bischöfl. GstlR., 1975 Dechant, 1981 Bischöfl. KonsR., 1984 Mil.Kurat d. Res., 1985 Bez.Kurat d. Feuerwehr. E.: Verd.-Med. d. Landes OÖ, Gold. Leistungsabz. d. Österr. Wasserrettung, Bronz. u. Silb. EZ d. Österr. Wasserrettung, Silb. u. Gold. Funkleistungsabz. d. Feuerwehr, Ehrenring d. Gem. Aurach, Gold. Leistungsabz. d. FF, Gold. Ehrennadel d. OÖ Blasmusikverb., Bronz. EZ d. ÖRK, Bronz. Funkleistungsabz. d. FF, Rettungs-Dienstmed. in Bronze d. Landes OÖ, EK am Bande d. Österr. Schwarzen Kreuzes, Militär-Superior, FF-Landes-VK III. M.: Bez.-FF-Kurat, Einsatzltr. d. Österr. Wasserrettung, Kur. d. Prangerschützen, Mtgl. d. Österr. Kameradschaftsbundes, Sportunion. H.: Funk b. Feuerwehr, Wasserrettung.

Reiter Karl Ekkehart

B.: Juwelier, Gold- u. Silberschmied. GT.: Lehrtätigkeit an d. Berufsschule Hall in Tir. DA.: 6020 Innsbruck, Herzog-Friedrich-Str. 18. G.: 8. Sept. 1939. V.: Melitta, geb. Rief. Ki.: Karl-Christian. El.: Karl u. Irma. S.: Matura, 1966 Mstr.Prüf. als Juwelier, Gold- u. Silberschmied. M.: Vors. d. Lehrabschlußprüf.Kmsn., Stellv. Vors. d. Mstr.Prüf.Kmsn. H.: Tennis, Bergsteigen (Schm.)

Reiter Manfred

B.: Gschf., Vorst.Mtgl. d. EKG d. Tabaktrafikanten, Inh. FN.: Papierbox. DA.: 4010 Linz, Petzoldstr. 6. PA.: 4020 Linz, Hörzingerstr. 5. G.: Linz, 16. Juli 1942. V.: Ulrike, geb. Kaltenberger. Ki.: Manuel. El.: Josef u. Emilie. S.: kfm. Lehre f. Einzelhdls.Kfm., div. Verkaufskurse u. -schulungen, Kurse f. B-Matura. K.: 1957-60 Fa. Rosenemer, 1960-62 Sachbearb. im Einkauf d. Fa Veral Linz, Außendienst d. Fa. Endt, Außendienst d. Fa. Otto Groh, Außendienst d. Fa. Kastner Linz, Außendienst u. Verkaufsltg. d. Austrowaren Wien, Außendienst d. Fa. Hardtmuth Wien, seit 1986 Gschf. d. Fa. EKG. H.: Schwimmen, Tennis, Skifahren. (A.W.)

Reiter Leopold

B.: Zuckerbäckermstr., Gschf. FN.: Leopold Reiter GmbH. DA.: 2100 Korneuburg, Hauptpl. 9; 1210 Wien, Brünner Str. 2. G.: Wien, 23. Juni 1952. V.: Gabrielle. Ki.: Martina (1980), Florian (1989), Wolfgang (1992). S.: VS, HS, HASCH, Lehre Zuckerbäcker, 1989 Mstr.-Prüf. K.: mehrere J. Tätigkeit in Frankreich u. d. Schweiz, seit 1979 in väterl. Bäckerei tätig, Umstellung auf Feinbackwaren, 1985 Umbau Cafe Konditorei, seit 1989 Filiale in Wien. BL.: exklusive Tortenherstellung außergewöhnl. Formen, Fotosammlung diesbezügl. M.: Intern. Richemond Club. H.: Familie, Radfahren, Schwimmen, Skifahren. (W.M.)

Reiter Norbert Dipl.-Ing. SenR.

B.: Bmtr. d. Höheren techn. Dienstes im MA 24, Städt. Wohnbau, Bauing. DA.: 1082 Wien, Lange G. 30/5. PA.: 1232 Wien, Paminag. 120. G.: Wien, 23. Aug. 1940. V.: Annie, geb. Macha. Ki.: Michael. S.: Realschule, 1958 Matura, Stud. Bauing.Wesen TU Wien, 1967 Dipl., 1969-70 Präsenzdienst, OLt. d. Res. K.: 1967-74 MA 30 Planungsgruppe, 1974-86 Baudion. Baukoordinierung, ab 1986 Ltr. d. MA 24 Städt. Wohnbau. H.: Eisenbahnwesen, Reisen.

Reiter Paul-Christian Ing.

B.: Juniorchef. FN.: Reiter & Steiner OHG. DA.: 9400 Wolfsberg-Reding, Höfnerstr. 314. PA.: 9400 Wolfsberg, Gries 22. G.: Wolfsberg, 24. März 1958. El.: Franz (Mitbegründer d. Fa.) u. Liliane. S.: VS, HS Wolfsberg, HTL Mödling Abt. Hochbau, 1977 Matura. K.: Colleg Möbelbau u. Innenausbau, 1979 Abschluß, Res.Offz.Ausbild. als einjährig Freiwilliger in d. Pioniertruppenschule Klosterneuburg, 1980-82 Praktikum in Tir. (Zimmerei, Tischlerei, Bauuntern.) als Handerwerker, Arbeitsvorbereiter u. Techniker, Eintritt in d. väterl. Betrieb, Mai 1986 Zimmermstr.Konzessionsprüf., seither Juniorchef d. Unternehmens (Zimmerei, Stiegenbau, Bau- u. Möbeltischlerei, Sägewerk, Hobelwerk m. dzt. 115 Mitarb.). H.: Holz - Kreativität in Holz, Holz im Objekt oder als Objekt eine Form zu geben. (Trabe)

Reiter Stefan

B.: Inh. FN.: Holzofenbrot u. Sägewerk. DA. u. PA.: 5101 Bergheim, Siglmüllerweg 2. G.: Bergheim, 15. Juni 1934. V.: Aloisia, geb. Dengg. Ki.: Annemarie, Stefan, Markus, Klaus, Elisabeth. El.: Stefan u. Maria, geb. Oberholzer. S.: VS, Lehre Mühlgewerbe im elterl. Betrieb. K.: 1 J. Praxis in einem Mühlebetrieb, 1958/59 Mstr.-Prüf., 1960 Übernahme d. Betriebes. M.: 15 J. Gem.-Vertreter, Löschungskdt. d. Feuerwehr, Schützenver., Sportver. H.: Jagd, Familie. (D.E.)

Reiter Volkmar

B.: ak. Grafiker. FN.: Studio Reiter KG. DA.: 9020 Klagenfurt, Waagpl. 7/1. PA.: 9020 Klagenfurt, Villacher Str. 149. G.: Salzburg, 14. Juni 1922. V.: Margit, geb. Wallner. Ki.: Thomas (1963). El.: Franz u. Leopoldine. S.: VS, Gymn., 1939-45 Kriegsdienst, 1946-49 Stud. Ak. f. Angew. Kunst Wien, Abschluß. K.: seit 1955 selbst. m. Schwerpunkt Touristikbranche u. Buchumschläge, Verpackungspapier f. Sacher Torten. E.: 1950 Amerian, Plakatwettbewerb f. Europa, 1977 3 Preise im Rahmen Plakatwettbewerb Ktn., 1979, 1981, 1982, 1983 u. 1986 Grand Prinx Touristik Austria. M.: Bund Österr. Gebrauchsgrafiker. H.: Golf, Hund, Skifahren. (G.L.)

Reiter Walter

B.: Gschf. d. Neuen Heimat OÖ gemeinn. Wohnungsges. DA.: 4020 Linz, Gärtnerstr. 9. G.: Wels, 17. Febr. 1942. V.: Karin, geb. Sterneder. Ki.: Alexander, Philip. S.: HAK, 1961 Matura. K.: 1962-78 Ang. d. Welser Heimstätte gemeinn. Wohnungsgen., 1978 Eintritt in d. Neue Heimat OÖ gemeinn. Wohnungsges. als Gschf., Obm. d. Ver. "Besser Wohnen in OÖ", AufsR.Mtgl. d. I. Gemeinn. Wr. Heimstätten GmbH u. d. I. OÖ Stadterneuerungsgen. H.: Sport (Tennis, Skifahren). (Deu.)

Reiter Wolfgang Dipl.-Ing.

B.: Gschf. d. Rinderzuchtverb. Landesverb. d. Braunvieh u. Holstein-Friesian Züchter OÖ. DA.: 4021 Linz, Auf der Gugl 3. PA.: 4501 Piberbach/Neuhofen, Landgutweg 3. G.: Rosenau am Hengstbach, 15. Okt. 1957. V.: Gertrude, geb. Ramseder. Ki.: Markus (1984), Angelika (1988). El.: Gottlieb u. Maria. S.: Grundschule, 1972-77 ldw. Mittelschule Raumberg/Stmk., Matura, BH, 1978-85 Stud. Ldw. Univ. f. Bdk. Wien. K.: Beginn b. OÖ Ldw.-Kam. Dienststelle Wels, b. 1986 Tierzuchtamt, ab 1986 Ass. d. Gschf. Zentrale Linz, ab 1988 Gschf., GemR. in Piberbach. P.: Dipl.-Arb.: "Einfluß d. Brown Swiss-Einkreuzung auf Gewichts- u. Preisentwicklung b. Kalbinnenversteigerungen in Wels" (1985), div. Veröff. in Fachzeitschriften. H.: Jagd. (P.H.)

Reiterer Christian

B.: Vorst.-Mtgl. Verein f. Tonbandstimmenforsch.ung Österr. PA.: 1010 Wien, Spiegelg. 9. G.: Kloster-neuburg, 5. Mai 1950. Ki.: Michaela (1979). El.: Josef u. Pauline. S.: VS, HS, Bäckerlehre. K.: 1966-70 tätig als Bäcker, 1976-90 Hotelbranche, "Imperial", "Sacher", danach selbst.; 1988 Eintritt Ver. f. Tonbandforsch., Beschäft. mit Parapsychol., Erkenn. als Medium v. Geistwesen als Manifestation auch über d. Bildschirm. BL.: Lebenshilfe f. Leute, die Hoffn. aufgegeben haben. P.: Fernsehauftritte z.B. "X-Large", RTL-Send. "Explosive", Vortragstätigk. im Volksbild.-Wesen z.B. "Urania". H.: Hobbymaler. (N.A.)

Reiterer Ewald KommR.

B.: Gschf. Ges. d. Alois Reiterer Sand & Beton & Schotter GmbH. DA.: 2700 Wr. Neustadt, Postf. 155. PA.: 2700 Wr. Neustadt, Siglg. 42. G.: Wr. Neustadt, 7. Apr. 1944. V.: Elisabeth, geb. Rula. Ki.: Christian, Daniela, Bernd. El.: Alois (Firmengründer) u. Maria. S.: RG, HTL, kfm. Kurse u. Seminare. K.: BH, anschl. Eintritt in d. elterl. Fa., versch. Tätigkeiten innerhalb d. Fa., s. 1975 gschf. Ges. d. Fa., s. 1975 Bez.Innungsmstr. d. Bauhilfsgew. f. Wr. Neustadt u. LFachgruppensprecher f. d. Fach Sand u. Kies, Mtgl. d. LInnungsaussch., Laienrichter am Kreisger. Wr. Neustadt. BL.: Als 1. Untern. in Österr. ein ehem. Kiesabbaugelände rekultiviert (z.B. Versuchsaufforstung eines Pappelwaldes d. d. Univ. f. Bdk. m. Prof. Krapfenbauer im Gem.Gebiet Bad Fischau, 1981, anschliessend haupts. Rekultivierung d. Abbaugelände m. Schwarzföhren). E.: Silb. Ehrennadel v. Wirtschaftsbund, Silb. Ehrennadel v. NÖ Fußballverb. M.: Tennisver., Fußballverb., Polizeisportverb., Ehrenmtgl. d. Fischereiver. u.a. H.: Fischen, Radfahren, Tennis. (M.B.)

Reiterer Johann Dipl.-Ing.

B.: Prokurist, Werksleiter. FN.: Tridonic Bauelemente GmbH. GT.: 1991 Unternehmensberaterprüfung selbst. Unternehmensberater i. D u. CH. DA.: 8280 Fürstenfeld, Jahnstr. 11. PA.: 8280 Fürstenfeld, Dr. Wilhelm Taucher Str. 2. G.: Mürzzuschlag, 17. Juni 1959. El.: Johann u. Margareta. S.: VS, HS, HTL Elektrotechnik Kapfenberg, abgeschl.: 1978, Fliegerschule Zeltweg, Olt. Betriebsleiter d. Fliegerwerft 1979, 1979-87 Stud. a. TU Graz, abgeschl. als Wirtschaftsing. Maschinenbau. K.: 1986-87 freier Mitarbeiter b. AMS Unterpremstätten, 1987-90 BMW AG, Vorplanung dann i. Controlling, 1990-92 Fa. Zumtobel AG, Projektleiter, Reorganisation d. Gesamtuntern. 1992 Fa. Tridonic, Assistent d. Geschäftsleitung Dornbirn, seit 1993 Werksleiter i.Fürstenfeld, Erzeugung v. Lichtkomponenten. H.: Reisen, Schwimmen, Tauchen, Lesen, Jazzmusik. (I.G.)

Reiterer Wolfram Dr. med. FCCP Univ.-Prof.

B.: Internist, Kardiologe, Sportarzt, Ltr. d. Internen Abt. Sanatorium Wels. DA.: 4600 Wels, Salzburger Str. 67; 1180 Wien, Leo-Slezak-G. 6/II (Ord.). G.: Meuselwitz/Thüringen, 1945. V.: Margot, geb. Gajewski. Ki.: Andrea (1970), Matthias (1976). S.: 1963 Matura m. Ausz. Linz, 1969 Prom. Dr. med. univ. Univ. Wien, postprom. Ausbild. St. Anna Kinderspital Wien (Prof. Krepler). K.: Ass. an d. I. Med. Univ.-Klinik Wien (Prof. Deutsch), Paracelsus-Inst. in Bad Hall (Aufbau e. klin.-chem. Labors), 1971 Ass. Kardiol. Univ.-Klinik Wien (Prof. Kaindl), Studienaufenth. in Göteborg (WHO), ab 1973 I. Med. Abt. d. Allg. Poliklinik d. Stadt Wien (Prof. Czitober), Aufbau e. Herz-Lungen-Funktionslabors m. umfass. EDV-Einricht., 1975 FA f. Inn. Med., 1977 Fellowship d. Am. College of Chest Physicians (ACCP), 1978 Eröff. d. internmed. Privatord. in Wien, 1980 Habil. Univ. Wien, Venia legendi f. Inn. Med. u. Klin. Leistungspsych.: Lehrtätigk. als Intensivprakt. aus Inn. Med. u. Vorlesung m. prakt. Übungen, 1982 Gonvernor Austrian Chapter of ACCP, 1985 Sportarztdiplom, Additivfacharzt f. Kardiologie, 1986 Teiln. an div. Managementkursen, 1989 Ernenn. z. a.o.Univ.-Prof., Regent Austrian Chapter of Am. College of Chest Physicians, Prüfer f. Fachbereich Inn. Med. Univ. Wien, 1991 Kurs am Österr. Controller-Inst. über Kosten- u. Investitionsrechn., Sem. f. Gutachterärzte, seit 4/91 Ltr. Bereich Inn. Med. u. Kardiologie Sanatorium Wels, perioperat. Betreuung d. chir. Patienten, 1992 Dipl. f. internist. Intensivmed., 1993 Diplom "Klin. Prüfer v. Arzneimitteln f. Phase III u. IV Studien d. Österr. Arge f. klin. Pharmakologie, Endoskopiekurs f. Koloskopie u. Osophago-Gastro-Duodenoskopie (Prof. Pesendorfer); Lehrtätigk. Univ. Wien. P.: 115 Publ. (13 Buchbeitr.), Bearb. v. 5 Forsch.-Proj. d. Jubiläumsfonds d. ÖNB. E.: 1973 Franz-Brücke-Preis, 1977 Landeskulturpreis f. Wiss. d. Landes OÖ. M.: 1990 Vors. d. Ethik-Kmsn. d. Poliklinik, Mittelbauvertr. u. Vorst.-Mtgl. d. Wiener Gemeindespitäler, 1986 Ges. f. Fortschritte auf d. Gebiet d. Inn. Med. H.: Sport (Segeln), Musik. (P.H.)

Reith Dieter

B.: Gschf. Dir. FN.: Cosmétique Active Österr. GmbH. DA.: 1180 Wien, Hildebrandg. 27. PA.: 1020 Wien, Böcklinstr. 80/25. G.: Linz, 26. März 1946. Ki.: Julia (1986). El.: Karl u. Christiane. S.: 1965 Matura. K.: 2 J. Berufsberater Arbeitsamt Linz, 4 J. Mobil Oil Austria, 5 J. Import-Export f. Autoersatzteile, 8 J. b. Wella Haarkosmetik im Bereich Friseure, zuletzt Mtgl. d. Geschäftsltg., seit 1988 Gschf. Dir. d. Cosmétique Active Österr. GmbH., d. Österr. Ndlg., d. Cosmétique Active Intern. Paris, Vertrieb d. Produkte v. Vichy Laboratoires, Laboratoires D'Anglas u. Lierac, exkl. in Apotheken u. -großhdl. H.: Lesen, Theater, Golf. (J.S.)

Reiterits Erich Ing.

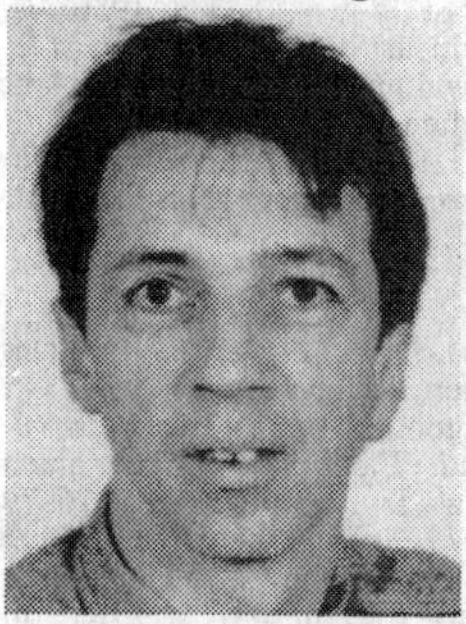

B.: Gschf., Geschäftsinh. FN.: Ing. Reiterits Erich . DA.: 7350 Oberpullendorf, Spitalg. 8. G.: Steinberg/Dörfl, 16. Juni 1958. V.: Eva, geb. Koth. Ki.: Miriam (1982). El.: Erich u. Otilie. S.: BRG, 1976 Matura, TGM Matura 1980, Fachrichtung Nachrichtentechn. u. Elektronik Colleg. K.: 1981-84 Besitzer eines Kaffeehauses i. Oberpullendorf, 1981-92 Verleihfirma f. Unterhaltungsautomaten, v. 1984-86 Besitzer v. Spielhallen i. Güssing u. Oberpullendorf, ab 1984 i. elterl. Betrieb, Elektro-, Buch- u. Papierhandlung, 1985 Beginn Ausstattung v. Discos, 1987 Umbau d. elterl. Hauses u. Ausbau d. Geschäftes, 1989 Verleihung d. Titel Ing. u. Mitbegrdg. d. Fa. Conform, Planung- u. Einrichtung v. Gastgewerbe, ab 1986 freiberufliche Tätigk. b. WIFI Eisenstadt als Vortragender u. Prüfer b. Lehrabschlußprüf. d. Elektriker. BL.: 1988 Entwicklung einer Platine f. Anwendung eines Fernsehers im Hotelbetrieb. M.: TC Sport-Treff Kurz. H.: Tennis, früher Fußball. (I.J.)

Reith Josef

B.: Koch im Hotel "Wildsee-Schlössl". DA. u. PA.: 6100 Seefeld, Innsbrucker Str. 195. G.: Vöcklabruck/OÖ, 16. Apr. 1960. V.: Brigitte, geb. Neubauer. S.: VS, HS, Kochlehre, Abschluß d. Berufsschule m. Ausz. K.: "Postillon" in Kössen, 2 J. in einigen 5 Sterne Häusern in Deutschland, seit 1985 Küchenchef im Hotel Wildsee-Schlössl. BL.: 1985/86 (1. Saison) 1 Haube f. Hotel Wildsee-Schlössl. H.: Tennis, Skifahren, (Schm.)

Reith Wolfgang Dkfm. RgR. Prof.

B.: Dir. d. Grand Park Hotel, Dir. d. Hotelfachschule u. Fremdenverkehrscolleg. DA.: 5630 Bad Hofgastein, Kurgartenstr. 26. PA.: 5630 Bad Hofgastein, Kurgartenstr. 26A. G.: Hintersee, 20. Apr. 1929. V.: Christa, geb. Preis. Ki.: Dr. Martin (1962), Thomas (1965). El.: Josef u. Anna. BV.: Großvater d. Gattin war langjähriger Bgm. d. Stadt Sbg. S.: 1948 Matura, 2 J. Höhere Hotelfachschule Badgastein, Stud. Welthdl. in Wien, 1954 Dkfm. K.: 1956 Unterricht in d. Hotelfachschule, 1963 Lehramtsprüf., 1967 Dir. d. Hotelfachschule, 1975 Prof., 1982 Bundesstaatl. Dir., Tätigkeit im Ausland im Service (Schweiz, Deutschland, Engld.), 2. Gschf. Kassel, Pers.-Chef Jersey-Hotel, 1956 Dir. d. Grand Park Hotel. BL.: Mitbegründer einer Hotelfachschule in d. CSFR, Eröff. 1993, Gründer d. Oberstufen-RG u. d. ÖHV Unternehmerak. P.: Lehrbücher f. höhere u. mittlere Tourismusschulen. E.: Ehrenbürger d. Stadt New Orleans. M.: VPräs. EUHOFA, Lions Club, Wintersportver., Ehrenpräs. Tennisclub Rot-Weiß Bad Hofgastein. H.: Golf, Bergsteigen. (G.P.)

Reither Franz

B.: Hotelier d. Hotel Reither, Gastronom. DA.: 1150 Wien, Graumanng. 16-18. PA.: 1120 Wien, Nauheimerg. 10. G.: Wien, 21. Mai 1954. V.: Angelika, geb. Smetana. Ki.: Johannes, Bernhard. El.: Dkfm. Franz u. Leopoldine. S.: VS, hum. Gymn., HAK, WU, Konzessionsprüf. f. Gastgewerbe. K.: 1981 Hotel Restaurant eröff., gschf. Ges. M.: Best-Western-Mtgl. H.: Schwimmen, Tennis. (R.A.)

Reithmayr Gerhard
B.: Gemeindesekretär, Vizebgm. FN.: Gemeindeamt Statzendorf. DA.: 3125 Statzendorf, Absdorf 65. PA.: 3125 Statzendorf, Rottersdorf 50. G.: St. Pölten, 18. Mai 1956. V.: Maria, geb. Viertl. Ki.: Kathrin u. Stefanie. El.: Franz u. Josefa. S.: Hasch, 1971-74 Verwaltungspraktikant Gem.-Amt Statzendorf, 1974 Verwaltungsdienstprüf. K.: Gem.-Sekretär i. Statzendorf, s. Sept. 1984 Vizebgm. M.: Schriftführer u. Mtgl. Sportver., Schriftführer b. ARBÖ. H.: Fußball, Skifahren, Gemeindepolitik. (G.B.)

Reithmeier Erwin Ing.
B.: Gschf. Ges. FN.: Sound Art Service. DA.: 1050 Wien, Einsiedlerpl. 4. PA.: 1020 Wien, Lichtenauerg. 15/5. G.: Wien, 8. Juli 1955. V.: Ute, geb. Kössler. El.: Franz u. Franziska. S.: 1973 Matura, Stud. Elektronik u. Nachrichten TGM, 1975 Matura, Lehrgang Tontechnik. K.: 1976-79 Tonmstr. Tonstudio Holly, 1979 Grdg. Sound Art Service: Beschallungen v. Konzerten u. Fernsehshows, Herstellung v. Tonaufnahmen, Unterrichtung d. Tonmstr. d. ORF im Fachgebiet Beschallung, Zusammenarb. m. zeitgenöss. Komponisten. M.: AES, ÖTV. H.: Bergsteigen, Windsurfen, Radfahren, Skifahren. (M.M.)

Reithner Erwin
B.: Gschf. FN.: Interma Kapitalanlage GmbH, RIALTO Beteiligungs GmbH. GT.: Finanz- u. Vers.Makler, Vermögenstreuhänder. DA.: 4024 Linz, Gürtelstr. 28. PA.: 3663 Ried 36. G.: Ried, 17. Mai 1954. Ki.: Kathrin (1983), Thomas (1985). El.: Josef u. Anna. BV.: altes Adelsgeschlecht aus d. Rheinland stammend. S.: HASCH. K.: Praxis als Sped.Kfm., 1974-80 Vers.Wirtschaft, ab 1983 selbst. Vers.Makler, 1986 Konzessionsprüf. z. Finanzmakler, 1989 Vermögenstreuhänder. H.: Sport, Radfahren, Schwimmen, Fliegen, Modellbau, Familie. (P.R.)

Reithofer Alois
B.: Gastwirt, Hotelier Alpengasthof Enzian. DA. u. PA.: 2872 Mönichkirchen, Mönichkirchner Schwaig 148. G.: Neunkirchen, 5. Juli 1957. V.: Sabine, geb. Klesnar. Ki.: Florian (1988), Viktoria (1992). El.: Alois u. Maria. S.: b. 1971 Hotelfachschule, 1977 Konzessionsprüf. K.: 1982 Übernahme d. elterl. Unternehmens, 1987 Grdg. d. Fremdenverkehrsanlagen Errichtungs u. Betriebs GmbH & Co KG, 1989 Betriebsltr.-Prüf. f. Sesselliftanlagen, 1987 Sanierung d. Sesselliftanlage u. 3 Skiliftanlagen, 1993 Inbetriebnahme d. Rollerbahn. (T.T.)

Reithofer Anton Dr. techn. Dipl.-Ing.
B.: Ass.-Prof. am Inst. f. Angew. Geodäsie u. Photogrammetrie d. TU Graz. DA.: 8010 Graz, Steyrerg. 30. PA.: 8010 Graz, Naglerg. 12. G.: Stubenberg, 11. Aug. 1944. V.: Burghilde, geb. Schuller. Ki.: Eva (1973), Gerda (1975), Anna Elisabeth (1980). El.: Georg u. Maria. S.: 1965 HTL-Matura Graz, Stud. Vermessungswesen TU Graz, 1970 Dipl., 1980 Prom. z. Dr. techn. K.: Ass. am Inst. f. Angew. Geodäsie u. Photogrammetrie, Bmtr. im wiss. Dienst, seit 1990 Univ.-Lehrer als Ass.-Prof. u. Univ.-Lektor, seit 1976 gerichtl. beeid. Sachv. f. Photogrammetrie, seit 1992 Ziviltechniker m. Schwerpunkt Analyt. Photogrammetrie z. Rekonstruktion v. Objekten in Photos. P.: Diss. "Zur Rekonstruktion v. Objekten aus Einzelbildern", "Die Prüfstrecke in Graz-Feldkirchen". M.: Österr. Ver. f. Vermessungswesen, Verb. d. Sachv., Ing.-Kam., ÖIAV. H.: Wandern, Tischtennis, Beruf. (M.Gr.)

Reithofer Wolfgang Dr.
B.: Gen.-Dir.-Stellv. FN.: Wienerberger Baustoffind. AG. GT.: Gschf. d. Wienerberger Beteiligungsverw. GmbH Wien, Vorst.-Vors. d. Wienerberger Immobilien AG, AufsR. d. Treibacher Chem. Werke AG. DA.: 1102 Wien, Wienerbergstr. 11. PA.: 1140 Wien, Grünlandweg 8. G.: Wien, 30. Dez. 1948. V.: Mag. Angelika, geb. Laad. Ki.: Benedikt (1973), Matthias (1975), Dominique (1977). El.: HofR. Dr. Karl u. Gertrude. S.: Matura, Stud. Rechtswiss. Univ. Wien u. Betriebswirtschaft HS f. Welthdl. Wien. K.: ab 1973 b. d. Union Bauges., ab 1978 Prok., ab 1981 Prok. d. Wienerberger Baustoffind. AG, seit 1985 Vorst.-Mtgl. M.: Präs. d. Verb. Österr. Ziegelwerke. H.: Familie, Reisen, Fotografieren. (J.S.)

Reitinger Günter Ing.
B.: Inh. FN.: Wilhelm Reitinger. GT.: Ges. d. Fa. ÖKOMBI in d. Prüf.Kmsn. f. d. Güterbeförderungsgewerbe. DA. u. PA.: 4030 Linz/Donau, Pichlinger Str. 56. G.: Linz, 25. Juni 1943. V.: Rosa, geb. Heissenberger. Ki.: Doris, Edith, Wilhelm, Sonja. El.: Wilhelm u. Carolina. S.: HTL Steyr, Maschinen, Kraftfahrzeug u. Motorenbau, 1964 Matura. K.: 1964 Eintritt in d. elterl. Betrieb als Prok., 1978 Übernahme d. Betriebes. M.: Arge OÖ Transportunternehmer, Fachgruppenaussch. Mtgl. d. Güterbeförderungsgewerbes f. OÖ d. HK. H.: Familie, Skifahren, Segeln, Garten. (A.W.)

Reitler Franz Ing.

B.: Gschf. FN.: TFK Handels GmbH. GT.: Funk Zentrum GmbH Salzburg & Zell/See; Autotelephon & Funk Service Freilassing BRD; Planungsbüro f. Nachrichtentechnik Salzburg. DA.: 5302 Henndorf, Landstr. 1. PA.: 5302 Henndorf, Wachtelstr. 10. G.: Taxenbach, 12. Juni 1953. V.: Rosemarie, geb. Pühringer. Ki.: Christoph, Stephan, Barbara. El.: Franz u. Gertrude. S.: VS, HS, HTL Nachrichtentechnik Mödling, 1972 Matura. K.: Meßgeräte Entwicklung, Kunden Systemschulungen bei Fa. Schlumberger München, 1977 nach Sbg., Produktmanager Claus Grothausen OHG, 1984 selbst. Funk Zentrum GmbH, seit 1991 TFK. M.: versch. Aussch. u. Gremien d. Behörden, BWK. H.: Sport (Bergsteigen, Tischtennis, Volleyball), Familie. (D.E.)

Reitmayer Gerhard
B.: Geschäftsinh. FN.: Reitmayer GmbH Bürotechnik. DA.: 8010 Graz, Conrad-v.-Hötzendorf-Str. 12. PA.: 8052 Graz, Krottendorfstr. 35. G.: Graz, 30. März 1948. El.: Hannes u. Elfriede. S.: VS, HS, Maturaschule Hübl Graz. K.: Vers.-Kfm., seit 1972 Tätigkeit in Büromaschinentechnik, 1985 Grdg. Reitmayer GmbH. H.: Tennis, Skifahren, gute Bücher. (R.S.)

Reitmayer Walter Prof.
B.: Ak. Maler u. Grafiker, selbst. tätiger freischaff. Künstler. PA.: 1130 Wien, Trauttmansdorffg. 22/2/13. G.: Wien, 9. März 1927. V.: Theresia, geb. Woloch. Ki.: Walter. El.: Walter u. Josefine, geb. Perger. S.: HS, ab 1945 Ak. München u. Wien, Abendakt: Prof. Böckl, Malschule: Prof. Hofmann, Freskorestaurierung: Prof. Walliser, 1961 Qualifikation als Bild. Künstler v. BMU. K.: neben Stud. Tätigkeit in versch. Berufen: Glasmaler, Grafiker, Tischler-Umschüler, Raumgestalter, Studienreisen: Italien, Frankreich, Deutschland, längere Aufenthalte in München, Straubing,

Sbg. - Arbeitsgebiete Malerei, Grafik, Restaurierung, Glasmalerei, Mosaik, Fresko, Objekte, Raumkonzepte, Schaffung eines Kreativ-Farb-Form-Gestaltungs-Lehrspieles, Mitarb. d. Bez.Museums Hietzing (Wr. Festwochen), Kinderkunst: Malaktionen, Organ. u. Ltg., öff. Aufträge: Mosaik, Fresko, künstler. Ausgestaltungen, Fresko-restaurierungen im Auftrag d. BDkmA. u. privat, seit 1956 Ausstellungstätigkeit im In- u. Ausland. P.: 1. Einzelausstellung 1957 Adebar Wien, Einzelausstellungen in Melbourne, New York, Wien, Klagenfurt, Eisenstadt, div. Ausstel-lungsbeteiligungen im In- u. Ausland u.a. "Das gute Bild f. Jeden", in d. Wr. Secession 1969-73, seit 1973 intensive Beschäftigung m. geometr. Grafik-Kompositionen, Malerei u. Objekte, 1. repräsentative Ausstellung dieser Arb. unter d. Titel "Lyrisch Geometrische Grafik", 1976 Wr. Secession, Arb. befinden sich in öff. u. priv. Besitz d. In- u. Auslandes, div. Kunstzeitschriften, K. Lexikon, ORF, Funk u. Fernsehen. M.: SPÖ, BSA, BVÖ, Ges. d. Freunde d. Bild. Künste. H.: Barockmusik, Klass. Jazz, Fischen. (Kas.)

Reitmeier Alfred

B.: Gschf. FN.: Nord-West-Ring Schuheinkaufs GmbH. DA.: 5082 Grödig, Oberfeldstr. 22. PA.: 5400 Hallein, Fuchsweg. G.: Wien, 1. Jan. 1936. V.: Gertrude. Ki.: Karin, Silvia, Dagmar. El.: Peter u. Elisabeth. S.: VS, HS. K.: Schuhmacherlehre m. Mstr.Prüf. 1957, div. einschlägige Fortbild.Kurse in d. Schuhind., 1958-73 Modelleur b. Fa. Humanic, ab 1974 b. Fa. Nord-West-Ring tätig, 1977 zweiter Gschf., Tätigkeitsbereich: kompletter Warenbereich. M.: Lions-Club Anif. H.: Jagd. (Hat.)

Reitsamer Annemarie

B.: seit 1990 Mtgl. d. NatR. DA.: 5020 Salzburg, Paris-Lodron-Str. 21. PA.: 5340 St. Gilgen am Wolfgangsee, Pöllach 82. G.: St. Gilgen am Wolfgangsee, 19. Febr. 1941. Ki.: Jean-Michel (1966). El.: Franz u. Therese Reitsamer. S.: VS, HS, HASCH, Externisten-B-Matura. K.: 3 J. Sekr. in einer RA-Kzl., 5 J. b. Österr. Bundespost, 1 J. Frankreichaufenthalt, 10 J. Kassiererin m. Lohnverrechnung b. d. Zwölferhorn-Seilbahn, seit Mitte d. 70er J. Ortsvors. SPÖ St. Gilgen, seit 1977 Landesfrauensekr. d. SPÖ Sbg., seit 1984 GemR. u. seit 1989 Fraktionsvors. d. SPÖ Gem.-Fraktion St. Gilgen, seit 1989 Vors. d. Ver. "Heimhilfedienst", seit 1990 Mtgl. d. NatR., Mtgl. im Gesundheits-, Familien- u. Justizaussch., Vors. d. Gleichbehandlungsaussch. seit 12/92, stellv. Vors. d. SPÖ Bez.-Organ. Flachgau, Mtgl. d. Landesvorst. v. "Rettet d. Kind" Sbg. H.: klass. Musik, Reisen, Lesen. (J.S.)

Reitsamer Katharina Dr.

B.: Zahnärztin. DA.: 5302 Henndorf, Dorfg. 5, 5303 Thalgau 156. PA.: 5020 Salzburg, Judenbergweg 3. G.: Weitersfelden, 13. Aug. 1960. V.: Dr. Gerhard Reitsamer. Ki.: Philipp (1987), Elisabeth (1988). El.: Anton u. Maria. BV.: Vater MedR. Dr. Anton Kammerer Ehrenbürger v. Weitersfelden, Schwiegervater Theodor Reitsamer Ehrenbürger v. Thalgau. S.: 1978 Matura, 1978-85 Med.-Stud. Innsbruck, 1985-87 Fachausbild. in Wien. K.: seit Okt. 1987 Praxis in Thalgau, seit 1. Jän. 1992 Praxis in Henndorf. H.: Sport, Autos, Motorräder, Reisen. (E.Hö.)

Reitter Albert Dr.

B.: RA. DA.: 1010 Wien, Graben 12. G.: Salzburg, 26. Okt. 1925. Ki.: Dr. iur. Angelika (1962). El.: Arch. Otto u. Hertha, geb. Peyrer-Heimstätt. S.: 1943 Matura, 2 J. Militär, ab 1945 Stud. Rechtswiss. Graz, Wien u. Innsbruck, 1948 Prom. z. Dr. iur. K.: 1948/49 Gerichtsj. b. versch. Wr. Gerichten, Konzipient b. RA Dr. Alfons Bodart in Wien, seit 1954 slbst. als RA, Schwerpunkt: Handels- u. Zivilrecht. H.: Geschichte, Literatur, Musik. (J.S.)

Reitter Franz

B.: Gschf. FN.: Maria Clementine Martin Klosterfrau GmbH. DA.: 1100 Wien, Doerenkampg. 11. PA.: 1040 Wien, Brahmspl. 2. G.: Fischamend, 20. Nov. 1950. V.: Heidemarie, geb. Özelt. Ki.: Andreas (1972). El.: Franz u. Cecilia. S.: 1967-70 Drogistenlehre, 1981-83 Univ.Lehrgang f. Werbung u. Verkauf, Ak. geprüfter Werbekfm. K.: 1971 Drogist, 1972 Verkaufsass. b. Fa. Klosterfrau Innen- u. Außendienst f. Gesamtösterr., zahlr. Kurse über Produktmanagement, Verkaufsltg. u. Werbepsych., 1983 Verkaufsltr. Fa. Klosterfrau, 1985 Konzessionsprüf., 1985 Prokura, 1988 Gschf. f. Marketing u. Vertrieb. H.: Radfahren, Skifahren, Tennis, Musik: Klassik u. Pop. (M.M.)

Reitter Heinrich Dr. MedR.

B.: FA f. ZMuK. DA.: 6200 Jenbach, Achenseestr. 1-3. PA.: 6200 Jenbach, Bräufeldweg 23. G.: Innsbruck, 21. Nov. 1927. V.: Ingrid, geb. Pickl. Ki.: Christa (1961), Cand. med. Thomas (1964), Klaus (1967). El.: Franz u. Maria. S.: BOberrealschule, Stud. an d. Univ. Innsbruck, Prom. 1956. K.: 1956-58 Zahnklinik Innsbruck, b 1960 in Kirchberg/T., s. 1960 Praxis in Jenbach, Vertragswerksarzt d. Jenbacher Werke AG. E.: Titel MedR. 1987. M.: 5 J. Obm. d. Tennisclub Jenbach, Mtgl. Lions-Club Schwaz (1987/88 Präs.), Mitorganisator d. Bewegungszentrums in Jenbach (gegr. 1974). H.: Garten, Reisen, Skifahren. (M.W.)

Reitter Helmut Dipl.-Ing.

B.: Behördl. aut. u. beeid. Arch. A.: 4400 Steyr, Bergerweg 42. G.: 17. Dez. 1925. V.: Maria, geb. Steinwendtner. S.: RG, TU. K.: 1951-62 Werksarch. d. Steyr-Daimler-Puch AG, bis 1962 freischaff. Arch. f. Kirchen, Bankgebäude u. Schulgebäude, Ziviltechn. Arch. seit 1958. F.: Teilhaber d. "Tabor Apotheke Mr. K. Reitter KG" Steyr. P.: Fachzeitschriften u. Fachbücher. M.: Rotary Club Steyr. H.: Jagen, Fischen, Skifahren, Tennis.

Reitter Karl Dr. med.

B.: prakt. Arzt, Ärztl. Ltr. eines physikal. Therapiezentrums. DA.: 6330 Kufstein, Gewerbehof 1/II. PA.: 6330 Kufstein, Gewerbehof 3. G.: Bad Ischl, 13. Jan. 1947. V.: Angela, geb. Wagner. Ki.: Alexandra. El.: Karl u. Maria. S.: Gymn., Med.Stud. Univ. Innsbruck, 1974 Prom. K.: Weiterbild. am KH Kufstein, im Rehabilitationszentrum Häring sowie an d. Univ.Klinik Innsbruck, halbjähr. Ausbild. in Deutschland an d. Klinik f. Alkohol-Kranke, Ausbild. in Homöopathie, Akupunktur u. Thermoregulationsdiagnostik, seit 1980 selbst. in Kufstein. BL.: Forsch. im Rahmen d. Ges. f. manuelle Lymphdrainage nach Dr. Vodder. P.: div. Publ. in med. Fachzeitschriften. H.: Skifahren, Bergwandern, Schwimmen, Fotografieren, Videofilmen. (W.G.)

Reitter-Braun Doris

B.: Malerin. DA.: 1010 Wien, Griecheng. 9. G.: Graz, 25. Febr. 1941. V.: Ernst Braun. Ki.: Angelica. El.: Karl u. Angela. S.: Kunstgewerbeschule Graz, Ak. f. Angew. Kunst Wien. K.: zahlr. Symposien, Intern. Malerwochen in d. Stmk., zahlr. Ausstellungen im In- u. Ausland, Auftragsarb. d. Österr. Nationalbank. E.: Österr. Grafikwettbewerb Innsbruck, Preis d. Landes Stmk. u. Kunstpreis d. Landes Stmk. f. zeitgenöss. Malerei. (P.R.)

Reitz Arno Wilhelm Dr. phil. Univ.-Prof.

B.: em.o.Univ.-Prof. A.: 8700 Leoben, Anzengruberg. 12. G.: Graz, 11. Sept. 1907. V.: Herta, geb. Friede. El.: HofR. Dipl.-Ing. Wilhelm u. Ida. S.: VS, BRG Lichtenfels in Graz, 1926 Matura, phil. Fak. d. Carl Franzens-Univ. (Physik, Math.), 1930 Prom. z. Dr. phil., 1938 Habil. f. Experimentalphysik an d. TH Graz. K.: 1930-34 a.o.Ass. an d. Lehrkanzel f. Math. u. Physik an d. Montanist. HS Leoben, 1934-45 1. Ass. am Physikal. Inst. d. TH Graz, 1942 OAss., 1943 apl.Prof., 1948-

54 Kons. d. Steir. Elektrizitäts u. Wasserkraft AG u. d. OÖ Kraftwerke AG, 1950-52 Gastprof. in Kairo, 1953-59 Ltr. d. Physikal. Abt., später Forsch.Abt. in d. Österr. Stickstoff-werken Linz, 1959 Berufung als Ordinarius f. Physik an d. Montanist. HS Leoben, Rektor, Prorektor. P.: Luftelektrizität u. Kosmische Strahlung, RAMAN-Effekt (Molekülspektroskopie), Gewölbestaumauern (Statik, Meßtechnik, Beobachtungsanalysen), Physikal. Probleme d. chem. Verfahrenstechnik, Metallphysik, Eigenspannungen, Vielkristall-plastizität, Hochschuldidaktik: Modell-Farbtonfilm. E.: Medaille Bene Merito in Gold d. Österr. Ak. d. Wiss., Gold. EZ d. Arge Freiheitl. Ak.Verb. Österr., Gr. Gold. EZ d. Landes Stmk., Gr. Silb. EZ f. Verd. um d. Rep. Österr., Ehrenring d. Landes Stmk. M.: Österr. Physikal. Ges., Dt. Physikal. Ges., Ver. Österr. Chemiker, Dt. Ges. f. Metallkunde, Ges. z. Förd. d. Metallforsch., Obm. d. Freiheitl. Ak.Verb. Stmk., Vorst.Vors. d. Ver. "Jugend musiziert".

Reitterer Michaela

MR

B.: Gschf. Inh. FN.: Reisebüro Hippesroither. DA.: 1220 Wien, Zschokkeg. 91. PA.: 1220 Wien, Tamariskeng. 110. G.: Wien, 25. März 1964. V.: Ing. Christian. Ki.: Katharina, Lucas. El.: Herbert u. Susanne. S.: 1983 Matura Hotelfachsch. Modul, 1190 Wien. K.: 1983-86 Uno City: Cateringabteilung, ab 1990 selbst. m. Reisebüro Hippesroither. H.: Sport, Reisen, Golf, Kinder. (M.G.)

Reitzenstein Anton

B.: Regisseur. PA.: 1130 Wien, Steckhoveng. 12. G.: Bludenz, 12. Okt. 1947. El.: Anton u. Anna. S.: Gymn., 1966 Matura, Studium Regie am Reinhardtseminar, 1971 Abschl. mit Auszeichnung. K.: tätig als Fernsehreg., Regie bei "Der Zwiebelturm", "Der Mörder", "Die Trostgasse", "Operation Radetzky", "Lieben wie gedruckt". BL.: Sprachen Englisch, Französisch, Italienisch, Spanisch. H.: Klass. Musik, Fremdsprachen. (S.H.)

Reitzl Peter Ing.

B.: Inh. d. Modellagentur "Union Models". DA.: 9020 Klagenfurt, Domg. 22. PA.: 9020 Klagenfurt, Obirstr. 9. G.: Klagenfurt, 10. Juli 1956. V.: Edith, geb. Klinghan. Ki.: Stephanie Christin. El.: Albert u. Edeltraud. S.: HTL Ferlach, Stud. Latein u. Jus in Graz u. Klagenfurt. K.: nach HTL zu KELAG als Betriebstechniker u. im Rechtsbüro, inzw. vielseitige Beschäftigungen: Organ. v. Konzerten, (längere Zeit als Moderator u. Conferencier), Betriebsberatung, Marketing, Mitbegründer d. Modelandes Ktn., 1984 Organ. d. 1. gr. Modeschau m. d. Ktn. Kaufmannschaft, Grdg. d. Modellagentur "Union Modells" u. d. Mannequin u. Dressmen Gesellschaftsschule (Ausbild. v. professionellen Models), Organ. v. gr. Modeschauen in ganz Österr. P.: Buch: "Der Vierberglauf" (über d. Kelten, zus. m. Prof. Richard Allesch). M.: Round Table Club. H.: Tauchen, Skifahren. (D.M.)

Reitz Otto Friedrich

B.: Hersteller v. Expeditions- u. Spezialfahrzeugen. FN.: Actionmobil SS+W Reitz GmbH & Co KG. DA. u. PA.: 5760 Saalfelden, Leoganger Str. 53. G.: Wächtersbach/ Hessen, 30. Sept. 1940. V.: Stefanie, geb. Bauer. Ki.: Daniela (1965). El.: Hermann u. Margarete. S.: Gymn., 1958-60 versch. Ak. f. Design, Film u. Foto in Köln. K.: 1960 Volonteurzeit in Sbg., 1965 Grdg. einer Werbeagentur Foto Filmstudio Gestaltung v. Möbelkatalogen f. gr. Möbelfirmen, 1970-75 Modeproduktionen in Afrika f. Quelle u. Neckermann, während dieser Arb. fehlten passende Fahrzeuge daraus entstand d. erste Prototyp eines Actionmobiles, 1978 Grdg. Wohnmobil u. Studio, 1984 SSW weltweite Kabinenproduktion f. Allradeinsätze - auf Wunsch u. nach Maß gefertigt. P.: lfd. Veröff. in Fach- u. Regionalzeitschriften, außerdem Veröff. in Fachbüchern wie z.B. Trans Sahara, Reisehandbuch, Motor Sport Verlag, Journal Off Road, Pro Mobil. E.: Hydraul. Hubdach, 4x Fahrzeug d. Jahres in Deutschland. H.: Neolit. Fundstücke aus d. Sahara, Fotografieren, Filmen. (M.T.)

Reitzner Ernst Ing.

B.: Ltr. Techn. Support. FN.: Ericsson Schrack AG, Abt. Studiotechn. GT.: Vors. d. CVJM Wien. DA.: 1121 Wien, Pottendorfer Str. 21. PA.: 1050 Wien, Gießaufg. 27/8. G.: Wuppertal/BRD, 16. Mai 1963. V.: Doris, geb. Psenicka. Ki.: Stefan (1986), Birgit (1988), Manuel (1990). El.: Dietrich u. Elisabeth. S.: 1983 Matura a. TGM Wien, Abt. f. Nachrichtentechn. K.: 1983 Eintritt b. d. Fa. Schrack a. Servicetechn., später Servicemanager, verantw. f. Planung, Bau u. Service d. rundfunktechn. Anlagen. H.: Lesen, Technik b. Konzerten, Fernseh- u. Videoaufnahmen. (J.S.)

Rekowski Arthur Dir.

B.: Geschäftsltr. FN.: Schenker & Co AG. DA.: 1200 Wien, Taborstr. 95. PA.: 1030 Wien, Kegelg. 5/3. G.: Koszuty/Polen, 26. Juni 1936. V.: Andrea, geb. Günthers-berger. Ki.. Georg (1984). BV.: Urgroßvater Bylandt-Rheydt war Kriegsminister. S.: VS, Jesuitenkolleg Kalksburg, 1955 Matura. K.: b. 1955 Spediteur b. Intercontinentale Wien, b. 1966 Intercontinentale USA, b. 1973 Schenker Teheran, b. 1974 Schenker Westafrika, b. 1977 Schenker Nigeria, b. 1980 Schenker Damaskus, ab 1980 Schenker Wien, seit 1994 Dir. Schenker & Co AG. M.: Präs. d. Alt-Kalksburger-Ver. H.: Laufen, Skifahren, Golf. (U.Z.)

Remesberger Jörn

JR

B.: selbst. Unternehmer. DA. u. PA.: 2380 Perchtoldsdorf, Roseggerg. 10. G.: Wien, 8. Juli 1942. Ki.: Wendy (1965), Marcus (1966), Liane (1969). El.: Mag. Kurt u. Trude, geb. Klimesch. S.: 1960 Matura, versch. Kurse Univ. Wien, Bankbuchhaltung u. Finanzmanagement HASCH Weiß, Reprogrundlagen u. Offsetdruck WIFI, Techn. Training Firma Rotaprint Berlin, Verkaufstraining Wien u. Berlin, Weiterbild. im Verkauf u. Elektronik in Kanada u. Österr. K.: 1963-67 Firma Rotaprint Wien, 1967 Umzug nach Kanada, 1967-83 Canad. Eisenbahn im Signal- u. Telekommunikationsbereich, 1984 Rückkehr nach Österr., 1984-87 DATA-Service GmbH, 1987-

90 AB Computer GmbH, 1990 Rank Xerox Austria AG, 1990-92 Alcatel Austria AG, seit 1993 selbst. Tätigkeit im Bereich Finanzierungen v. Großprojekten am Bausektor sowie Firmenfinanzierungen u. Export-Import. M.: Lions Club. H.: Kochen, Wandern. (N.A.)

Remesberger Franz
B.: Dion.-Ass. d. Hotel Modul. DA.: 1190 Wien, Peter-Jordan-Str. 78. PA.: 1100 Wien,, Palisag. 12/4. G.: Wien, 12. Nov. 1948. V.: Alexandra, geb. Bulat. Ki.: Elke (1976). El.: Franz u. Auguste, geb. Haidinger. S.: Kellnerlehre. K.: 1963-71 Demichef, danach Chef de Rang, anschl. Oberkellner in d. Hotels Ambassador u. Imperial, 1971-73 Tätigkeit b. einer Getränkeimportfirma, 1973-76 Oberkellner im Hotel Ambassador, ab 1976 Oberkellner im Hotel Modul, seit 1982 Dion.-Ass., seit 1991 zusätzl. Tätigkeit an d. Fremdenverkehrsschulen "Modul". M.: ÖHV, Skal. H.: Tennis, Angeln, Aufenthalt in d. Natur, Tontaubenschießen. (N.A.)

Remta Renate
B.: Dir. Thermenhotel Radkersburger Hof. DA.: 8490 Bad Radkersburg. PA.: 8330 Feldbach, Oed 133. G.: Feldbach, 17. Dez. 1961. El.: Franz Felgitscher u. Maria Remta. S.: VS, HS, Mittelschule, Ind.-Kfm.-Lehre, 1982 Abschluß, 1981 Bilanzbuchhalterprüf. K.: 1983-88 Dion.-Ass. u. Chefsekr. b. Gleichenberger Johannisbrunnen AG, 1988 Prok., 1992 Dir.-Stellv. Radkersburger Hof GmbH & Co AG, seit 1993 Dir. H.: Lesen, Spazierengehen, Reisen. (I.G.)

Rendi Zsolt

B.: Gschf. FN.: Herlitz GmbH. DA.: 5101 Bergheim, Metzgerstr. 81a. PA.: 2352 Gumpoldskirchen, Gartenweg 7. G.: 20. Mai 1959. El.: Gabriele u. Laszlo. S.: VS, HS, 1977 Matura, 1977-82 Ungarn, 1983-86 Elektrotechnik Techn. Hochschule, BH. K.: 1986-89 Konsulent i. Wien f. Ostblockländer Großhandel Int., 1990-91 Budapest General Manager, 1993 Herlitz Gschf. (M.G.)

Rendl Richard Mag.
B.: freischaff. ak. Maler. DA.: 1150 Wien, Jheringg. 13/13. G.: Wien, 30. Juni 1946. S.: Gymn., HS f. angew. Kunst, 1977 Dipl., 1982-87 Sprachstud. Univ. Wien. K.: seit 1968 als freischaff. Künstler tätig, Einzelausstellungen u. Ausstellungsbeteiligungen im In- u. Ausland, seit 1968 großformatige Bildtafeln, seit 1977 arbeitet R. Rendl an einer vereinheitlichten Textur v. Materie u. Bewußtsein, ab 1984 wurden Sprachelemente aus d. gr. Weltreligionen zu Bedeutungsträger seiner Arbeit - "Die Präsenz d. Gottesnamens", Bildtitel z.B. "Ökumenischer Gottesname", Adonai Zewaoth", seit 1992 beschäftigt sich d. Künstler m. d. Sichtbarmachung u. Realisation v. Licht mittels Rhythmen, Spiegelungen, Brechungen u. Lichtwinkeln. P.: Texte zu seinen Bildern - anläßl. v. Ausstellungen, Katalog "Präsenzen" (Löcker-Verl. 1991). E.: 1976 1. Preis Ak. Boxmeisterschaften v. Österr. M.: BVÖ. H.: Sport, Skilanglauf, Klettern, Boxen. (J.S.)

Renhardt-Dunn Christine

B.: Schauspielerin. DA.: Agentur Austro Concert, 1010 Wien, Gluckg. 1. PA.: 1210 Wien, Justg. 29/45/9. G.: Wien, 23. Aug. 1957. V.: Hayden Dunn. Ki.: Arthur (1977), Ramona (1992). El.: Franz u. Leopoldine Pon-weiser. S.: VS, Gymn., Schauspielschule Krauss. K.: Rollen: Laura in "Glasmenagerie", Estelle in "Geschlossene Ges.", Marie in "Woyczek", Signora Palpitti in "Lumpazivagabundus", Cheristane in "Verschwender", Musical: "Linie 1" Studiobühne Villach, Engagement im Theater in d. Josefstadt, Klagenfurt Stadttheater, Bregenz-Kornmarkttheater etc. Fernsehen: Tatort, Schloß am Wörthersee, Festspiele Röttingen/BRD. H.: Lesen, Reiten, Theater, Oper, Musik, Klavierspielen. (J.M.)

Renkin Franz Mag.
B.: BGschf. d. Grüne Alternative. DA.: 1070 Wien, Stiftg. 6. PA.: 2700 Wr. Neustadt, Pottendorfer Str. 6. G.: Korneuburg, 16. Nov. 1960. V.: Elena, geb. Camus. Ki.: Tobias (1987), Agnes (1990). El.: Prof. Dipl.-Ing. Herbert u. Dr. Liselotte, geb. Kottek. BV.: Urgroßvater Ferdinand Kottek Bgm. v. Korneburg, Urgroßvater Albert René Renkin BTheaterdir. S.: 1980 Matura, 1982 Univ.Lehrgang im Fremdenverkehr m. Abschluß 1984, 1985-92 Stud. Kath. Theol. u. Phil. Univ. Wien. K.: 1983-84 Obm. d. österr. Jugendorgan. "Leoclubs", ab 1985 im Schuldienst, seit 1990 Clubobm. d. Grünen Alternative in d. Gem. Wr. Neustadt, seit 1990 Grdg.Obm. d. Gem.Vertreterverb. d. Grünen Alternative u. Bürgerlisten in NÖ, 1990 LGschf. d. Grünen Alternative in NÖ, ab 1990 BGschf. d. Grünen Alternative. BL.: Grdg. d. 1. Grünen Alternative Gem.Vertreterverb., finanzielle u. strukturelle Konsolidierung d. Grünen Alternative. F.: EIDOS Hdls.Ges. Korneuburg. H.: Wandern, Lesen, Sport (Tennis, Tischtennis, Radfahren). (N.A.)

Renner Gerhard Dr. iur.
B.: RA. DA. u. PA.: 1060 Wien, Mariahilfer Str. 95. G.: Deutsch Zahrndorf, 26. Mai 1943. V.: Dr. Anna-Maria, geb. Schneider. Ki.: Wolfgang. El.: Karl u. Eva. S.: VS, BRG Gmunden, Univ. Wien, 1967 Prom. K.: Gerichtsjahr, RA-Anw., seit 1974 selbst. H.: Fische. (A.W.)

Renner Heinz Dr. phil.
B.: Historiker; Dir. FN.: Ministerialbibl. d. BMF. DA.: 1010 Wien, Himmelpfortg. 4-8. PA.: 1090 Wien, Badg. 1-7/7/13. G.: Aflenz, 7. Sep. 1946. El.: Josef u. Josefine. S.: 1966 Matura, Stud. d. Geschichte u. Geographie an d. Univ. Wien, 1975 Prom. z. Dr. phil., 1979-80 Ausbild. an d. Österr. Nationalbibl. m. Bibliothekarprüf. K.: 1976-80 Presseref./Archiv des ÖGB, 1980-84 Sozialwiss. Studien-Bibl. d. AK, 1984 Eintritt in das BMF als Dir. d. Ministerialbibl. P.: Versch. Beiträge in Jahrbüchern u. Fachzeitschriften zur Geschichte d. Arbeiterbeweg. u. d. Gewerkschaften; Buch "Die Bau-u. Holzarbeiten im Wandel der Zeit.1867-1992 - Eine illustrierte Chronik". M.: VÖB, Verein f. Geschichte d. Arbeiterbew., Österr. Ges. f. histor. Quellenstudien. H.: Reisen, Literat u. Sport. (N.A.).

Renner Heinz J. Tech. Dir.
B.: Projektmanager, Gschf. FN.: IPEC-Austria Hotelplanungs u. Consulting GmbH. DA.: 4020 Linz, Kaiserg. 17. PA.: 4072 Alkoven/Linz, Tulpenstr. 17. bzw. 4863 Seewalchen a. A. G.: Seewalchen, 6. Febr. 1949. V.: Isabel. Ki.: Marc-Daniel. S.: VS, Ausbild. z. Maurer, HTL Hochbau, Praxis b.Prof. Arch. Dipl. Ing. G. Emadinger in Linz. K.: 1977 Gründ.d. Techn. Büro-Renner/Firmens.-Alkoven, 1978 Gründ. d. Yachtcharter-Büro-Renner Firmens. Alkoven, 1987-90 Techn. Dir. v. e. d. weltw. gr. Hotelkonzerns f. Ö.,D., U. CH., 1990 Gründ. d. Fa. IPEC-Ges.m.b.h. Firmens./Linz, Ausichtsrats-vors. e. internat. Hotelkozerns. M.: Präs. d. IASC- Yachtclubs, seit Teamchef eines Motorrad-Grand Prix-Team. H.: Hochsegeln, Motorradfahren, Skifahren. (P.H.)

Renner Helga
B.: Dipl.-Kosmetikerin, Drogistin, Schulltr., Make-up Artistin. DA.: 1070 Wien, Neubaug. 26/13. S.: Drogisten-ausbild., Ausbild. z. Kosmetikerin, Visagistin u. Make-up Artistin. K.: 1978 1. Preis "Phantasie-Make-up Wettbew." Österr., 1981 1. Preis Intern. Make-up-Wettbew. m. "Wr. Impressionen" (Ganzkörperbemalung - Judith v. Klimt), 1986 1. Preis Intern. Make-up-Wettbew. anl. d. 40. Cidesco Jubiläumskongr., 1990 Eröff. einer Schule f. dekorative Gesichtspflege (Visagistenausbild.) in Wien. (P.M.)

Renner Helmut Dr. techn. Dipl.-Ing. o.Univ.-Prof
B.: Vorst. d. Inst. f. Siedlungswasserwirtschaft u. Land-schaftswasserbau d. TU Graz. DA.: 8010 Graz, Stremayrg. 10. PA.: 8044 Weinitzen, Neusitzstr. 22. G.: Judenburg, 15. Sept. 1938. V.: Utta, geb. Peyrer. Ki.: Herwig, Gerald, Wilfried, Gunther. El.: Dipl.-Ing. Dr. Hans u. Erna. S.: VS, AHS, 1957 Matura, Stud. in Graz, 1965 Spons., 1972 Prom., 1979 Habil. K.: 1965-79 Univ.Ass., 1979-83 Doz., 1983 a.o.Univ.-Prof., 1984 o.Univ.-Prof. BL.: Patente im In- u. Ausland. P.: "Die Berücksichtigung nichtbindiger über-deckender Schichten b. d. Bemessung v. Wasser-schutzgebie-ten" (1972), "Untersuchungen über d. Eindick- u. Fließverhalten d. belebten Schlammes b. d. diskontinuierli-chen Räumung in Nachklärbecken v. Belebungsanlagen" (1973), "Mathematische Modelle f. längsdurchströmte Nachklärbecken v. Belebungsanlagen" (1980), "Die Entwicklung einer biolog. Kläranlage f. kleinste Verhältnisse" (1979), "Biogasverwertung in Österr." (1983), "Müll ein Problem unserer Zeit" (1985), "Die Bedeutung d. Fäulnisfähigkeitsprobe mit Methylenblau in d. Ab-wasseranalytik" (1988), u.a. E.: 1988 Gastprof. in Weimar. M.: Österr. Wasserwirtschaftsverb. H.: Skitouren, Orientie-rungslaufen, Bergwandern. (H.Z.)

Renner Herbert
B.: Bgm. d. Stadt Ybbs/D. DA.: 3370 Ybbs/D., Hauptpl. 1. PA.: 3370 Ybbs/D., Josef-Traxler-Str. 6. G.: Ybbs/D., 24. Juli 1946. V.: Maria, geb. Wronskyj. Ki.: Mario, Christoph. El.: Leopold u. Anna. K.: Eintritt in d. Stadtgem. 1963, div. Funkt. in d. Orts- u. Bez.Organ. d. Soz. Jugend u. d. Jungen Generation d. SPÖ u. seit 1965 deren Bez.Obm., Mtgl. d. LLtg. d. Gewerkschaft d. Gemeindebed. 1974-87, ab 1984 Obm. d. SPÖ-Stadtorg. Ybbs/D., Mtgl. d. GemR. seit 1975, 1985 Fin.StadtR., seit 1987 Bgm., Ltr. d. VHS. M.: Ehrenobm. u. Grdg.Mtgl. d. ASKÖ Sportorgan. Ybbs/D., Grdg. u. Vorst.Mtgl. d. Ver. Volksheim Ybbs/D., Ehrenobm. d. ARBÖ Ybbs/D., Vors. d. Sparkassenrates, AufsR.Mtgl. d. Siedlungsgen. Amstetten. H.: Tennis, Literatur, Spezialgeb.: Kabarett. (Ch.K.)

Renner Herbert
B.: Inh. d. Fa. Renner Gazelle Verkauf. DA.: 8330 Feldbach, Ungarstr. 19. PA.: 8330 Feldbach, Ungarstr. 7. G.: Hohenegg, 24. Nov. 1942. V.: Henrike, geb. Schwarz, 2 Kinder. El.: Josef u. Maria. S.: VS, HS Kirchberg/Raab, kfm. Ausbild. in Übelbach, 1961 abgeschlossen. K.: Verkaufspraktikum in Graz, 1965 Filialltr. in Liezen u. Feldbach, 1971 Eröff. d. eigenen Fa., 1972 Eröff. einer Filiale in Jennersdorf u. 1976 in Feldbach, seit 1984 Hdls.Vertreter f. Sportswear f. Stmk., Ktn. u. Osttir. M.: Tennisclub Feldbach. H.: Tennis, Skifahren. (War.)

Renner Kurt KommR.
B.: Bgm. d. Stadtgem. Langenlois. DA.: 3550 Langenlois, Rathausstr. 2. G.: Langenlois, 8. Sept. 1936. K.: seit 1961 Unternehmer im Stahlbaubereich, Landesinnungsmstr.-Stellv. d. Schlosser, allg. gerichtl. beeid. Sachv., Kunst- u. Antiquitätenhändler in Langenlois, seit 1990 Bgm. E.: zahlr. Ehrungen u. Ausz. M.: Präs. d. Langenloiser Hilfswerk, Kiwanisclub Wachau u. zahlr. weitere Mtgl. H.: Kunst. (M.M.)

Renner Werner
B.: selbst. Gastwirt u. Inh. d. Restaurant Renner. DA. u. PA.: 1190 Wien, Nußdorfer Pl. 4. G.: Wien, 29. Aug. 1937. V.: Christa, geb. Kanak. Ki.: Susanne (1961). El.: Karl u. Grete. BV.: Onkel Dr. Karl Renner BPräs. S.: Berufsausbild. z. Dreher, in weiterer Folge Maschinenbau, Werkmstr. K.: auf-gewachsen im elterl. Betrieb einem Gasthaus 1190 Wien, Gunoldg. 14 (Inh. Großvater Johann Renner), 1971 Kauf d. Liegenschaft am Nußdorfer Pl. 4, 1987 Grdg. d. Fa. Re-Be-Co Renner-Beer-Computer. M.: 30jähriges Mtgl. d. Klosterneuburger Schützenver., Österr. Touristenver. H.: Wandern, Armbrustschießen, Fischen. (J.S.)

Renner Wolfhart KommR.
B.: Gen.-Dir. FN.: Bender & Co. DA.: 1121 Wien, Dr.-Boehringer-G. 5-11. G.: Wien, 2. Juni 1933. V.: Lieselotte, 2 Kinder. K.: seit 1967 b. Fa. Bender & Co, s. 1992 Präs. d. Vereinigung pharmazeut. Unternehmen Pharmig. H.: Golf.

Rennhofer Werner Mag.
B.: Prok. FN.: Krefft Großküchentechnik GmbH. DA.: 3107 St. Pölten, Austinstr. 10. G.: St. Pölten, 14. Sept. 1953. V.: Rita, geb. Bachler. Ki.: Martin. El.: Felix u. Magdalena. S.: VS, Gymn., Matura, Betriebsinformatikstud. an d. Univ. u. an d. TU in Wien, 1981 Mag. K.: Controller b. Magindag, 1985 Eintritt in d. Fa. Krefft Großküchentechnik GmbH, seit 1986 Prok. M.: seit 10 J. Skilehrer, Mtgl. d. Österr. Berufs-skilehrerverb., förd. Mtgl. d. HTL St. Pölten. H.: Skifahren, Tennis, Oldtimer. (Kern)

Renöckl Leopold

B.: Inh. FN.: Tischlerei Leopold Renöckl. DA.: 4625 Offenhausen 171. PA.: 4625 Offenhausen, Badstr. 13. G.: Offenhausen, 19. Okt. 1948. V.: Angela, geb. Dvorak. Ki.: Harald (1973), Bernhard (1984). El.: Leopold u. Rosa. S.: VS, HS. K.: Lehrzeit Fa. Schürz Tischlerei in Gunskirchen, Abschl. mit Gesellenprüf., Absolv. Meisterprüf., während Tätigk. bei Fa. Schürz Aufbau d. Betriebes, s. 1974 selbst., Tätigkeitsbereich: Innen- u. Außengestalt., v. Grundplan. bis zur Ausführ., Lieferant f. namhafte Fa. E.: Landesmstr. während Lehrzeit in ÖO, Bundesmstr. 4. Pl. M.: Turnver., ÖSV, FPÖ. H.: Segeln, Regatta. (D.E.)

Renoldner Severin Dr.

B.: Mtgl. d. NatR., Theologe. DA.: 1017 Wien, Dr.-Karl-Renner-Ring 3. G.: Linz, 9. Nov. 1959. E.: Dr. Alois und Stefanie. S.: Akad. Gymn. Linz, 1978 Matura, Stud. an d. Univ. Innsbruck, 1983 Mag. theol., 1988 Dr. theol. K.: s. 1984 Univ.-Ass. am Inst f. Moraltheol. u. Gesellschaftslehre d. Univ. Innsbruck, s. 12/1991 Abg. z. NatR. P.: "Widerstand aus Liebe. Mahatma Gandhi, die Gewaltfreiheit u. d. neuen sozialen Bewegungen" (1990), "Demokratie braucht Widerstand" (1991). M.: "Der Grüne Klub";

Renz Manfred

B.: Gschf. u. Gesellsch. FN.: Alpensalz GmbH. DA./PA.: 4802 Ebensee, Rindbachstr. 22. G.: Ebensee, 16. Mai 1945. V.: Christl, geb. Bertl. Ki.: Ilona (1968), Manfred-Alexander (1971). El.: Manfred u. Ernestine. S.: VS, HS, 1962-65 Kfm.-Lehre im elterlichen Betr. K.: 1965-66 allgem. Präsenzd. 1966-69 Kfm.-Ang. im elterlichen Betrieb. seit 1969 40% Anteile d. ehemaligen OHG. 1981 Unwandlung im EH-Fa. 1993 Gründ. d. GmbH. M.: Segel-Club Ebensee. H.: Segeln. (G.E.)

Renzl Manfred

B.: Gschf. Ges. FN.: M-Design Großhandels GesmbH. DA: 5020 Salzburg, Sperlingweg 6. G.: Salzburg, 9. Aug. 1959. El.: Franz u. Erna, geb. Keinprecht. S.: Hasch i. Salzburg, BH, Ang. i. Steuerbüro, Prüf. a. Buchhalter, selbst. Buchhalter, Übertritt i. Kunsthandwerkl. Betrieb nach Regensburg, 300 Handarb. geleitet, Niederbayr. Raum d. Org. geführt, 1983 elter. Betrieb um- u. ausgebaut, 1984 selbst., Souvernirstand am Univ.-Pl. i. Salzburg, 1984 Asien, Grdg. von Großhandel f. Souvenir, Geschenkartikel u. Floristenbedarf, 1987 Grdg. HandelsgesmbH, 1989 Fa. M-Design i. Freilassung gegründet, 1991 Grdg. d. Fa. M-Design i. Skandinavia, 1991 28 Ang., 1992 Firmenübersiedlung i. Sperlingweg, 1994 Grdg. Fa. M-Design Detailhandel GesmbH, 3 Geschäfte i. Salzburg, 1990 Grdg. d. Detailgeschäftes i. Bad Reichenhall. H.: Fliegerei, Skifahren (Skilehrer), Oldtimer. (S.P.)

Repa Waltraud Maria

B.: Kindergärtnerin, Horterzieherin. FN.: Übungskindergarten d. Gem. Wien. GT.: Mitakteurin Ich-Du-Wir-Kindertheater Wien. DA.: 1210 Wien, Schloßhoferstr. 33. PA.: 1120 Wien, Wienerbergstr. 16-20/21/10. G.: Wien, 1. Febr. 1958. El.: Robert u. Hermine. BV.: Österr. Adel reicht b. z. 17. Jhdt. Freifrau v. Repa. S.: HS, bild. Anst. f. Kindergärtnerinnen d. Gem. Wien. K.: 1972-76 Kindergarten Gem. Wien, 1978 Kindergarten Schloßhoferstraße. BL.: Kindertheatergruppe Ich-Du-Wir-Mitspieltheater f. Kinder 6-12 J. M.: Handballver. H.: Arb. m. Kinder. (M.G.)

Repitsch Andreas

B.: Gschf. Ges. FN.: Repitsch Hdls. GmbH, I.R.A.T. Hdls. GmbH. DA.: 8010 Graz, Raiffeisenstr. 60. PA.: 8010 Graz, Conrad-von-Hötzendorf-Str. 121. G.: Graz, 1. Apr. 1956. El.: Dr. Kurt u. Doris. S.: VS, AHS, HTL Elektrotechnik, 1976 Matura, BH. K.: 1976-83 Firma d. Vaters TEKO Import-Export, 1983-88 Gschf. Ges. TEKOTEX, 1988 Grdg. Firma Repitsch, 1992 Grdg. Firma I.R.A.T. H.: Sport. (F.K.)

Repitsch Kurt Dr. iur.

B.: Gen. Manager. FN.: Tekotex GmbH. DA. u. PA.: 8010 Graz, Raiffeisenstr. 60. G.: Marburg/Drau, 18. März 1922. V.: Helena, geb. Simocic. El.: Franz u. Maria. S.: VS, Mittelschule Marburg, 1941 Matura, anschl. Kriegsdienst, ab 1945 Jusstud. an d. Univ. Graz, 1948 Prom. K.: ab 1948 Praktikum im Autohdl., 1952 Erhalt d. österr. Staatsbürgerschaft, Hdls. Agent, 1956 Kfz- Mstr .Brief, 1959 Gdg. d. eigenen Fa. (Autohaus m. Vertetung v. GM-Marken u. Mazda), seit 1965 Gen.Vertretung d. Omega-Sportzeitmessung, ab 1979 gerichtl. beeid. Sachv. f. elektr. Zeitmessung, 1983 krankheits halber Liquidierung d. Autohauses u. Grdg. d. Fa. Tekotex (Baumaterial, Elektronik). M.: Mtgl. d. Österr. Wirtschafts-bundes. H.: Wandern, Antiquitäten. (War.)

Repnig Hubert

B.: Programmgestalter d. ORF LStudio Ktn. A.: 9020 Klagenfurt, Sponheimerstr. 13. PA.: 9020 Klagenfurt, Lodeng. 53. G.: St. Veit/Glan, 19. März 1931. V.: Heide, geb. Mautz, 4 Kinder. BV.: Onkel Albin Huber Schriftsteller, sehr viele Art. in Jagdzeitschriften. S.: Pflichtschulen, HAK. K.: Kfm. Tätigkeit in St. Veit u. Klagenfurt, Vertragsbediensteter im Arbeitsamt, 1960 Sprecher im ORF, 1961-63 schauspieler. Ausbild., 1963 Reifeprüf. Schauspiel in Wien, 1962-78 Schauspieler im Klagenfurter Stadttheater, in d. 60er Jahren Tätigkeit im ORF im Literatur u. Familienfunk, seit 1979 Organisator d. Aktion "Licht ins Dunkel" in Ktn., Autor u. Red. d. Sendung "Kinder erzählen". P.: "Die bemalte Bauerntruhe", Übersetzungen v. Slowen.: "Kärnten in Wort", Art. u. Lyrik in d. Ktn. Lokalzeitschriften. M.: Kiwanis Club. H.: Segeln, Skifahren, Reisen, Eissegeln. (D.M.)

Repnig-Mautz Heide

B.: Pensionistin, Mitarb. b. ORF Ktn., Autorin, Reg. u. Sprecherin i.R. PA.: 9020 Klagenfurt, Lodeng. 53. G.: Klagenfurt, 5. Juni 1924. V.: Hubert Repnig. Ki.: Hans Bernhard Ludwig. El.: Primus u. Eva Mautz. S.: Pflichtschule, LBA Klagenfurt, Schauspielstud., 1947 Reifeprüf. K.: 1946-57 freie Mitarb. b. ORF, Tätigkeit als Autorin, Reg. u. Sprecherin, seit 1974 Ltr. d. Familienfunks, seit 1981 Pensionistin. P.: Kinderbücher, landesgeschichtl. Beiträge in div. Zeitschriften, Aufsätze über Kinderliteratur. E.: Hugo v. Montfort-Preis, Hörspielpreis d. Österr. Rundfunks, UNDA-Preis 1981, Preis f. d. beste Buchbesprechung d. Jahres, Gr. EZ d. Landes Ktn. 1984. H.: Blumen, Garten. (S.G.)

Repper Manfred Franz Otto

B.: Gschf. Ges. FN.: Großkonditorei Nahodil GmbH & Co KG. PA.: 3400 Scheiblingstein, Billrothweg 1. G.: 6. Aug. 1939.V.: Gertrude, geb. Hagel. Ki.: Heinz, Gabriele. El.: Otto Franz u. Margarete. BV.: Wilhelm Teltschik war im 14. Jhdt. Erbrichtereibes. in Tauchtel, k.u.k. OLt. Franz Repper. S.: HS Wien, 1954 Lehrling b. Konditorei Karl Nahodil, 1966 Mstr.Prüf., 1977 Konzessionsprüf., 1971 Gschf. E.: 1979 Silb. EZ d. Konditoreigew.Wirtschaft f. treue Mitarb. M.: Mstr.Ver. d. Wr. Konditor. H.: Basketball, Tischtennis, Schach, Tanzen, Heimwerken, Skifahren, Schwimmen, Leichtathletik, klass. Musik. (M.G.)

Reppmann Michael

B.: Büchsenmachermstr. DA. u. PA.: 6380 St. Johann/Tirol, Poststr. 5. G.: Ploschitz/Jugoslawien, 17. Apr. 1939. Ki.: Bernd (1963), Hannes (1970). El.: August u. Elisabeth. S.: Grundschule, HS, Lehre als Büchsenmacher, 1959 Abschluß. K.: 1962 Büchsenmachergeselle Bad Aussee, Ferlachermstr., 1964 Mstr.-Prüf., 1971 Übersiedlung nach Tirol um Blockbüchsenfertigung kennenzulernen, eigene Büchsenmacherei

u. Schäfterei, Fertigung nach Wunsch. BL.: Blockbüchse "Heeren System Ferlach". M.: Schützengilde St. Johann. H.: Schießen, Schach, Literatur. (M.W.)

Resatz Richard
B.: Gschf. u. Inh. d. Resatz GmbH Groß- u. Kleinhdl. m. Gold- u. Silberschmutz, sowie Uhren. DA.: 1200 Wien, Brigittapl. 23. G.: Wien, 18. Juni 1928. V.: Edeltrud, geb. Stingl. Ki.: Alexander. K.: Techn. Zeichner, Kriegsdienst, Goldschmiedelehre, 1955 Mstr.Prüf. u. Firmengrdg., ab 1976 als GmbH prot., dzt. werden 4 Filialen am Wiener Platz betrieben. H.: Basteln. (Sei.)

Resch Bernhard
B.: Fotografenmstr., Verkaufsltr. FN.: E. Hlas GmbH Fotoatelier. DA.: 2514 Traiskirchen, Foissnerstr. 1. PA.: 2540 Bad Vöslau, Ernst-Wutzel-G. 8. G.: Bad Vöslau, 23. Nov. 1948. V.: Michaela, geb. Heimkilcher. El.: Augustin u. Gertrude. S.: VS, Mittelschule, 1964-66 Berufslehre f. Fotografen Innsbruck, 1967 Gesellenprüf., 1975 Mstr.-Prüf. K.: seit 1964 Tätigkeit im gleichen Geschäft. H.: Reisen, freie Fotografie, Skifahren, Tauchen, Musik. (I.K.)

Resch Edmund
B.: Geigenbauer. DA.: 8010 Graz, Brandhofg. 22. PA.: 8522 Groß St. Florian. G.: Groß St. Florian, 28. Mai 1955. V.: Anna, geb. Wilfing. El.: Johann u. Maria. S.: VS, HS, ldw. Ausbild., 1978 ldw. Mstr.-Prüf. K.: 8 J. Instrumentenbau u. Reparaturen in Heimarb., 1985 Gesellenprüf., 4 J. unselbständ. Instrumentenbauer, 1988 Geigenbaumeisterprüf., seit 1989 selbst., Eröff. einer Werkstätte u. Geschäft in Graz, Schwerpunkt Reparaturen v. alten Streich- u. Zupfinstrumenten, Hdl. m. alten u. neuen Streichinstrumenten u. Zubehör, Neubau v. Streichinstrumenten. M.: Verb. d. Österr. Geigenbauer, Mtgl. einer kirchl. Musikgruppe. H.: Fotografieren, Natur, Beruf. (M.Gr.)

Resch Ferdinand Dr.
B.: Inh. "Neue Puppenbühne Ferdinand Resch". DA. u. PA.: 1130 Wien, Küniglbergg. 48. G.: Wien, 25. Jan. 1948. V.: Susanne, geb. Steiger. Ki.: Hanna (1985), Florian (1989). El.: Eduard u. Rosa, geb. Seckar. S.: RG Wien, Militär, Stud. d. Psych. K.: schon seit früher Jugend zeichnerisch u. schriftstellerisch tätig, Kabarett-Szene, ab 1982 Mitarb. b. versch. Puppenbühnen, szen. Lesungen, 1985 Preis d. österr. Kleinbühnenjury gemeinsam m. Trude Kossatz am Puppentheater Lilarum, 1986 Grdg. d. Puppenbühne gemeinsam m. Gattin, selbst. Herstellung d. versch. Akteurpuppen u. schreiben d. Stücke, Sichtbarmachung v. Kindersorgen u. Kinderträumen in selbstverfaßten Stücken m. ausgeprägtem "Live"-Charakter u. bes. Eingehen auf d. Publikum, 1987 Teilnahme an d. Intern. Puppentagen in Mistelbach, ca. 200 Vorstellungen pro Jahr. H.: Natur, Kaffeehaus, Kinder. (M.G.)

Resch Friederike
B.: Gschf., Inh. DA.: 1120 Wien, Bischofg. 26. PA.: 1130 Wien, Palmayg. 44. G.: Wien, 19. Jan. 1931. El.: Friedrich u. Josefine Kornfeind. S.: Gymn., HS. K.: 1950 Eintritt in elterl. Betrieb (Grdg. 1895). H.: Sport. (Fels.)

Resch Josef
B.: Mitinh. u. Gschf. FN.: Resch GmbH & Co KG, Resch & Frisch OÖ Vertriebs GmbH, Resch & Frisch Marketing GmbH, Resch & Frisch Franchise GmbH, Backwaren Vertrieb West GmbH. DA.: 4600 Wels, Schloßstr. 15. PA.: 4600 Wels, Pernauer Str. 2. G.: Wels, 14. Apr. 1954. V.: Roswitha, geb. Zauner. Ki.: Georg (1986), Johanna (1990). El.: Josef u. Hertha. BV.: seit 1921 Bäckereidynastie. S.: b. 1971 HASCH, techn. Lehre. K.: 1974 Eintritt elterl. Betrieb, 1988 Grdg. Marketingfa., 1991 Grdg. Franchise GmbH, Backwaren Vertriebs GmbH u. d. Resch & Frisch OÖ Vertriebs GmbH, Ndlg. in Passau u. München, AufsR. b. Volksbank Wels. P.: Referate b. intern. Tagungen, Hrsg. einer eigenen Fachzeitung. E.: LPreise f. Werbung in OÖ u. Tir. 1990. M.: Gesangs- u. Sportver. H.: Familie, Radfahren, Laufen. (P.H.)

Resch Gerhard

B.: Bereichsltr. d. Tir. Landesreisebüros Kitzbühel, Hotelier u. AufsR. d. Tourismusverb. DA.: 6370 Kitzbühel, Bichlstr. 9. PA.: 6370 Kitzbühel, Petzoldweg 2. G.: Kufstein, 31. Mai 1940. V.: Christine, geb. Kober. Ki.: Gerlinde, Christa, Michael. El.: Josef u. Rosa. S.: VS, HS, HASCH, School for English and Foreign Languages London. K.: 1968-74 GemR. d. Stadt Kitzbühel, 1974-80 Stadt- u. KulturR.-Ref., 1986-92 GemR. v. Kitzbühel, Vorst-Mtgl d. Minotel Austria GmbH., Gschf. d. Minotel Austria GmbH. P.: div. Veröff. in Fremdenverkehrsfachzeitschriften. E.: Gold. Ehrennadel m. Diamant d. Fremdenverkehrsverb. Kitzbühel, VK d. Landes Tir. M.: Seit 1964 Mtgl. d. Fremdenverkehrsaussch. Kitzbühel, 1988-92 Obm. d. Fremdenverkehrsverb. v. Kitzbühel, Vorst. d. Golf Clubs Kitzbühel-Schwarzsee, Präs. d. Kitzbühler Rueil Melmoisan Clubs, Vorst.-Mtgl. d. RFW, Obm.-Stellv. d. Kitzbüheler Musikfreunde, Rotary Club,. H.: Golf, Reisen, Geschichte. (A.W.)

Resch Karl
B.: Schriftsetzer. FN.: Karl Resch GmbH. DA.: 8160 Weiz, Kapruner Generatorstr. 18. PA.: 8181 Unterfeldnitz 87. G.: Weiz, 4. Okt. 1954. V.: Monika, geb. Greisdorfer. Ki.: Robert (1979), Christina (1986), Armin (1993). El.: Karl u. Hilde. S.: VS, HS, Lehre als Schriftsetzer, 1973 Abschluß. K.: Schriftsetzer in mehreren Firmen, 1988 Grdg. einer eigenen Druckerei in St. Ruprecht/Weiz, 1989 Übernahme einer bestehenden Druckerei in Weiz, 1991 Konzessionsprüf., Ausführung aller einschlägigen Arb. wie Offset-Druck, Buchdruck u. Siebdruck, Design f. Werbe- u. Privatdrucksorten. F.: Graphia-Druckerei Hartberg. H.: Fischen. (M.Gr.)

Resch Karl
B.: Managing Dir. FN.: Ochsner Prozeßtechnik GmbH & Co KG. DA.: 4024 inz, Oberfeldstr. 8. PA.: 4060 Leonding, Turmfeld 8. G.: Rohrbach, 12. Dez. 1939. V.: Anna, geb. Schuster. Ki.: Peter (1974), Doris (1978). El.: Karl u. Maria. S.: VS, HS, Fachschule f. Tiefbau, b. 1959 kfm. Lehre. K.: 1960-63 Tätigkeit in Ind.-Betrieben, ab 1963 selbst. Betriebsberater, Tätigkeitsbereich: Sanierung v. Unternehmen. F.: 1992 Grdg. d. Auffangges. u. Mehrheitsges. d. Firma FOR. P.: lfd. Ref. v. Seminaren f. Banken f. d. Früherkennung v. negativen Entwicklungen im Unternehmen, lfd. Art. in Fachzeitschriften u. Zeitungen. E.: 1989 Silb. EZ d. HK OÖ. M.: 1975-79 Bundeskam., davon 5 J. Fachverb.-Vorst. d. Unternehmensberater u. Datenverarb., Lions Club Wels-Pollheim. H.: Zeichnen, Malen, Natur. (U.A.)

Resch Karl
B.: Ltr. d. EDV u. Organ. FN.: Reiberger & Co GmbH. DA.: 1070 Wien, Kandlg. 37. PA.: 1060 Wien, Dambergg. 8/7. G.: Wien, 16. Mai 1941. V.: Theresa, geb. Schuster. Ki.: Thomas, Gabriele. El.: Johann u. Maria. K.: kfm. Lehre, Polizeidienst,

LG, seit 1965 Fa. Reiberger, Buchhaltung, EDV-Kurse, Programmentwicklung, Organ.Aufbau. H.: 1976 Privatpilotenschein, Musik. (P.R.)

Resch Mela

B.: Kabarettistin, Humoristin. PA.: 1110 Wien, Kopalg. 58-60/1. G.: Wien, 11. Dez. V.: Ernst Fröhlich. Ki.: Kurt, Roland, Philipp. El.: Franz u. Therese Lipp. BV.: Großmutter war eine geb. Fuger. S.: HS, Sprachlehre, Ausdruckstanz b. Fr. Prof. Wilhelm. K.: ist immer zusammen m. ihrem Mann Ernst Fröhlich aufgetreten, Alleinauftritte im Simpl, Fernsehsendereihe "Die süaße Weana Musi", Kleindarstellerin im Film, Bauchrednerin, 15 J. nebenbei ein Kasperltheater geführt, "Mei Muatterl war a Weanerin" Sendung m. Ludwig Gruber, "Der verlorene Engel" m. Sepp Löwinger, Sketch v. Ernst Fröhlich, zahlr. Auftritte in Hernals u. Ottakring, Altersheimen, Hausfrauennachmittage, f. behinderte Kinder, f. Blinde u. in Rehabilitationszentren. P.: Solo f. sie selbst. E.: EZ d. Artistengewerkschaft. M.: Artistengewerkschaft. H.: Enkelkinder, Menschenseelsorgerin.

Resch Rudolf Prof.

B.: Sänger. PA.: 2384 Breitenfurt, Johann-Dungl-G. 18. G.: Untersiebenbrunn, 22. Juli 1929. Ki.: Gabriela. S.: Musikak., 4 1/2 J. b. d. Wr. Sängerknaben, 5 J. Flöte b. Prof. Niedermayer, 5 J. Gesang b. Kammersänger Vogel u. Prof. Großmann. K.: 1946-51 Mtgl. d. Akademie-Kammerchor, 1950-90 Staatsopernchor, seit 1960 Mtgl. u. Solist d. Wr. Hofmusikkapelle. E.: 1987 Prof., Silb. Verd.Zeichen, Dipl. d. Erzdiözese Wien f. Verd. um d. sakrale Musik. M.: Wr. Männergesangver., Ver. Ferdinand Großmann. H.: Fotografieren, Klavierspielen. (A.W.)

Resch Walter

B.: Techniker. PA.: 5120 St. Pantaleon, Trimmelkam 95. G.: Traunkirchen, 18. Juli 1939. S.: Pflichtschulen, Berufsschule (Maschinenschlosser), 1953-57 Maschinenschlosserlehre, Präsenzdienst, seit 1959 b. d. OÖ Kraftwerke AG tätig, 1965-67 Besuch d. Werkmstr.Abendschule, 1967-68 REFA-Kurse (Arbeitstechnik), 1968-69 Kraftwerkmstr.Schule (Esslingen/BRD). K.: 1969-72 Schichtmstr. u. seit 1972 Betriebstechniker, seit 1957 Mtgl. d. SPÖ, 1958-59 Bez.Obm. d. Österr. Gewerkschaftsjugend Kirchdorf, 1960-64 Bez.Funktionär d. "Jungen Generation" in d. SPÖ Vöcklabruck, 1974-82 Ortsparteiobm. d. SPÖ Ostermiething, 1974-83 Mtgl. d. GemR. u. VBgm. d. Marktgem. Ostermiething, seit 1974 Mtgl. d. Bez.Vorst. u. seit 1982 Bez.Obm. d. SPÖ Braunau/Inn, seit 1982 Mtgl. d. Parteivorst. d. SPÖ OÖ u. Wahlkreisvors. d. Innviertels, seit 1990 LParteivors.Stellv. d. SPÖ OÖ. 1982-1994 Mtgl. d. NatR. E.: GrSE.

Resch Werner Josef

B.: Inh. FN.: Resch & Partner Werbeagentur OEG. GT.: s. 1989 Initiator u. Gestalter d. Zeitschrift "Radkersburger Standpunkt", 1992 Mitbegrdr. d. Kulturforum Radkersburg. DA.: 8330 Feldbach, Hauptpl. 3. PA.: 8345 Straden 79. G.: Bad Radkersburg, 17. Dez. 1966. El.: Gerda Huegi-Resch. S.: Polytechn., Elektrotechnikerlehre, 1985 Abschluß, Abend HTL in Graz, 4/1994 Konzessionsprüf. f. Werbeagentur. K.: 1985-87 Planung u. Vorbereitung in Elektrofirma in Graz, s. 1987 Bezirksgschf. d. ÖVP Radkersburg, seit 8/94 eig. Werbeagentur mit Partner Hr. Thomas Karner. M.: Kulturforum Radkersburg, Vorst.-Mtgl. b. "Straden aktiv". H.: Schwimmen, Radfahren, Malen u. Fotografieren. (I.G.)

Reschauer Rudolf Dr. med. Univ.-Prof

B.: Prim., Vorst. d. Abt. Unfallchir. d. AKH Linz. DA.: 4020 Linz, Krankenhausstraße. PA.: 4020 Linz, Leharstr. 1. G.: Linz, 5. Juni 1943. El.: Rudolf u. Friedrike. S.: 1961 BRG Linz, Matura, 1961-67 Med.-Stud. Innsbruck u. Graz. K.: 1967-70 Ausbild. z. Prakt. Arzt, 1970 FA f. Unfallchir., ab 1976 FA f. Unfallchir. Univ.-Klinik f. Chir. Graz, 1979 Univ.-Doz. f. Chir., ab 1982 zusätzl. FA f. Orthopädie, Zusatzbezeichnung Sportmed., ab 1985 Univ.-Prof. Univ.-Klinik Graz, ab 1987 Vorst. d. Fachabt. f. Unfallchir. Linz, seit 1988 ärztl. Ltr. d. RTH OÖ. P.: über 100 med.-wiss. Publ., ca. 100-200 Vorträge. M.: Notarzt u. Mtgl. d. Arbeitskreises f. Notfallmed., Obm. d. Kajak- u. Ruderver., Vorst.-Mtgl. Österr. Ges. f. Unfallchir., Vorst.-Mtgl. Österr. Ges. f. Sportmed., Dt. Ges. f. Unfallchir., ESKA, AGA, Österr. Ges. f. Notfallmed. u. Katastrophenmed., Fliegerarzt u. Berufspilot. H.: Kajakfahren, Wandern, Fliegen. (U.A.)

Reschauer Walter

B.: HS-Lehrer f. Englisch u. Werken. PA.: 4020 Linz, Starhembergstr. 35. G.: Linz, 12. Okt. 1948. Ki.: Katrin. S.: VS, Gymn., 1967 Matura. K.: 1967-76 Innsbruck Lokalpächter, Musikentertainer, 1976-78 Pädag Linz, ab 1978 Lehrer. P.: div. Auftritte u. Aufführungen m. d. Gruppen Concord, Karmelion sowie Rundfunkaufnahmen. M.: Vors. d. OÖ Ak. d. internen Beziehungen m. d. Aufgabe d. Organ. v. Diskussionen, persönl. Kotaktaufnahme. H.: Musik, Reisen, Lesen. (J.G.)

Reschen Josef Dipl.-Ing.

B.: Bgm. a.D. A.: 5024 Salzburg, Schloß Mirabell. G.: Untergraden, 5. Mai 1941. V.: Dr. Sieglinde, geb. Pichler. Ki.: Maria, Ruth. S.: VS, HS, BRG, HTL, 1960 Matura, Stud. TH Graz, 1964 II. Staatsprüf. K.: 1965-67 Amt d. Ktn. LRg., ab 1967 Amt d. Sbg. LRg., 1978 OBauR., seit 1974 GemR. d. LHpt.Stadt Sbg., seit 1977 Mtgl. d. Sbg. Stadtsen., 1980 StadtR. d. LHpt.Stadt Sbg., 1980, 1982 u. 1987 Bgm. H.: Skilanglauf, Bergsteigen, Musik, Literatur. (A.W.)

Rescheneder Walter

B.: Dir. d. Landesmusikschule Wels; Landeskapellmeister d. OÖ Blasmusikverb. DA.: 4600 Wels, Freiung 16. PA.: 4600 Wels, Hofmannsthalstr. 12. G.: Linz, 20. Juni 1948. V.: Elisabeth, geb. Köpf. Ki.: Lisa (1986). El.: Hildegard u. Wilhelm. BV.: Großvater: bekannter u. populärer Innviertler Volksmusikant. S.: 1962-65 Kfm. Ausbildung, 1966 15 Monate 1. Klarinettist d. Militärmusik OÖ (Prof. R. Zeman), 1965-71 Bruckner-Konvervatorium Linz (Klarinette: Prof. Alois Stepan, Prof. Karl Maria Kubizek), anschl. Dirigentenkurs bei Dr. L. Mayer, 4 Sem. Cellounterr. b. Dr. K. Picker, 2 Sem. Schlagzeugunterr. b. Johann Gschwandter, Kapellmeister-Lehrgang d. OÖ Blasmusikverb. mit Abschluß (Prof. R. Zeman), 4 Sem. Mozarteum Salzburg (Dirigieren: GMD Mladen Basic, Prof. K. Prestl), Interpretation alter Musik b. N. Harnoncourt. K.: seit 1968 an der Musikschule Wels (Musiklehrer f. Klarinette, Saxophon, Blockflöte u. Bläserensembles), s. 1968 Ltr. d. Magistratsmusik Wels,

1969-75 Jugendref. d. Bez. Wels d. OÖ Blasmusikverb., 1972-76 Musikerzieher am BG Wels, s. 1972 musik. Ltr. d. Städt. Symphonieorch. Wels, 1975-81 stv. Landesjugendref., 1975-88 Bezirkskapellmeister v. Wels, s. 1979 Ltr. d. Musikschule d. Stadt Wels, 1981-84 stv. Landeskapellmeister des OÖ Blasmusikverb., seit 1989 musikal. Ltr. d. Sinfonischen Blasorchesters d. tschechisch-österr. Musikfreunde, 1991 Landeskapellmeister d. OÖ Blasmusikverb. BL.: Gründer u. Mtgl. d. Welser Bläserquintetts (Konzerte in Österr., Deutschland u. Italien). P.: Kompositionen f. Blasorchester: Holiday in Austria (Marsch), Volksfest (Polka), Marche de Jumelage (Konzertmarsch), Swingende Trompeten (Solo f. 3 Trompeten u. Blasorchester), Willkommen in Österreich (Konzertmarsch), Jubiläums-Marsch (100J. Magistratsmusik Wels). E.: Konsulent d. Landes OÖ f. Musikpflege. M.: seit 1980 Obm. d. Brucknerbundes Wels, seit 1985 Obm. d. Vereines zur Förderung der Landesmusikschule Wels. H.: Musik, Ski, Wassersport, Rad, Wandern. (P.H.)

Reschreiter Gunter Dr. med. univ

B.: Prakt. Arzt. GT.: Sprengelarzt im Gem.-Verb. Werfen, Feuerwehrarzt d. örtl. Feuerwehr. DA. u. PA.: 5450 Werfen, Hauptstr. 23. G.: St. Johann im Pongau, 15. Okt. 1949. V.: Susanne, geb. Bergmüller. Ki.: Christoph (1974), Lukas (1983). El.: Josef u. Brunhilde. S.: 1968 Matura St. Johann, b. 1976 Med.-Stud. Innsbruck, 1976 Prom. K.: 1. Dez. 1976 Turnusausbild. Unfallabt. UKH Schwarzach, 1980 Eröff. d. eigenen Praxis, 1989-91 Ausbild. z. Umweltschutzarzt. P.: Programme d. Kulturver. St. Barbara. M.: Kulturver., Liedertafel Werfen, Museumsver. Werfen, Tennisclub. H.: Entwickl. med. Computerprogramme f. prakt. Ärzte u. Zahnärzte. (G.P.)

Resel Alfons Dr. med. MedR

B.: prakt. Arzt. DA. u. PA.: 6335 Thiersee 236. G.: Dobersberg, 14. Juni 1919. V.: Maria, geb. Büttner. S.: VS, Gymn., Med.Stud. Univ. Innsbruck, Prom., Teilnahme an div. med. Kongressen. K.: 1946-49 Arzt b. Heimkehrerentlassungsstelle d. Tir. LRg., ab 1949 ärztl. Praxis in Thiersee, 1950-84 Sprengelarzt, seit 1976 MedR. BL.: seit 1946 Mtgl. d. Roten Kreuz Kufstein, dann Schulungsarzt b. Roten Kreuz, später Bez.Stellenstellv., b. 1988 Bez.Stellenltr. E.: LRettungsR. b. Roten Kreuz, Ehrenring d. Bez.Stelle v. Roten Kreuz, Verd.Kreuz v. Roten Kreuzes d. LVerb. Tir. M.: Gem. u. Feuerwehrarzt, Mtgl. d. Obst- u. Gartenbauverb. H.: Gartenarb., Fremdsprachen, Reisen, Lesen, Theater, Konzerte. (W.G.)

Resel Fritz Dr. Dkfm.

B.: Kfm. PA.: 1190 Wien, Geweyg. 7. G.: Wien, 28. Juni 1916. V.: Hermine, geb. Funder. Ki.: Dr. Fritz, Christine. S.: Stud. Hdls.Wiss., 1942 Prom., Wehrdienst. K.: Aufbau d. Funderfbk. in Ktn. (Faserplattenwerk u. Papierfbk.), Holzexportkfm. b. Fa. Funder, 1950 Übernahme einer eigenen Hdls.Fa. in Wien (Taurisca), Holzlieferungen f. d. Wiederaufbau Wiens (Staatsoper, Westbhf., Südbhf., Flughafen Schwechat, etc.), berufstätig in Wien, NÖ, Bgld. u. Italien. M.: langjähr. Mtgl. d. Schiedsrichterkollegiums d. Wr. Warenbörse. H.: Unterhaltungsmusik. (A.K.)

Resel Werner Prof.

B.: Vorst. d. Wr. Philharmoniker. DA.: 1010 Wien, Bösendorfer Str. 12. G.: Essen/BRD, 22. Juni 1935. El.: Florian u. Johanna. S.: VS, HS, 1949 Wr. Musik-HS Violoncello b. Prof. Richard Krotschak. K.: 1955 1. Solocellist b. Tonkünstler-Orchester, 1959 Orchester d. Wr. Staatsoper, 1959 Grdg. u. Cellist d. Weller-Quartett, seit 1961 aktives Mtgl. d. Wr. Philharmoniker, 1967 Verw.-Aussch. d. Orchesters, seit 1972 im Gremium, 1974 Kartenverw., 1982-86 Gschf. d. Wr. Philharmoniker, seit 1987 Vorst. d. Wr. Philharmoniker.

Resetarits Lukas Erich

B.: Musiker, Texter. PA.: 1190 Wien, Heiligenstädter Str. 27/44. G.: Stinatz, 14. Okt. 1947. S.: Psych.-Stud. K.: Kabarettgruppe "Keif", Schauspieler b. D. Haspels Ensemble-Theater, Kabarettprogramm "A Krise muaß her", "Rechts-Mitte-Links", "Der Wüüde an der Mischmaschin", weitere Aktivitäten: Polizist in d. TV-Serie "Kottan ermittelt", Aufnahme d. Single "Lonely" m. Gruppe "Drahdiwaberl" 1982/83. E.: 1984/85 Österr. Klein-kunstpreis, 1985 Dt. Kleinkunstpreis f. d. Programm "I oder i".

Resetarits Otmar

B.: Filialltr. FN.: CA-BV Neusiedl/See. DA.: 7100 Neusiedl/See, Obere Hauptstr. 47-49. PA.: 7423 Pinkafeld, Marktfeldstr. 35. G.: Pinkafeld, 6. Juli 1948. V.: Monika, geb. Schefberger. Ki.: Sylvia (1972), Helmut (1973). E.: Valentin u. Irma. S.: VS, HS, 1964-67 HASCH. K.: 1968 Eintritt interner Bereich Auslandsabt. CA Wien, 1970 Zweigstelle Thaliastraße, 1971 Ausbild. gesamtes Bankgeschäft, 1971 Übersiedlung nach Oberwart, Filialgrdg. in Oberwart: Kassier, Schalter-Kundenverkehr, Privatkredite, 1979 Grdg. CA Neusiedl u. Übernahme d. Ltg., Aufgabenbereich: Mitarb.-Führung, Verw., Neukunden, Kundenhaltung. H.: Ldw., Gartenarb. (M.N.)

Resetarits Willy

Künstlername: Ostbahn Kurti. B.: Musiker, Komponist. DA.: c/o Poker Management, 1180 Wien, Mitterbergg. 11. G.: 1949. BV.: Bruder Lukas Resetarist Texter u. Komponist. S.: Elektroinstallateur. K.: 1973 1. Version d. Chefpartie Wien-Simmering, 1975 Single "Ollas was i brauch", 1976 1. LP "Antifrost Boogie", Konzerte im süddt. Raum, 1977 2. Album "Nochtschicht", d. Chefpartie - zu diesem Zeitpunkt fast ausschließl. in d. BRD tätig - kehrt nach Österr. zurück, Auflösung d. Band, 1985 3. LP "Ostbahn-Kurti & d. Chefpartie", Single "Feuer", 4. Album "Ostbahn-Live", 1987 Rockalbum "A schene Leich", 1988 Singles "I hea di klopfn" u. "Schee, schee, schee", Konzertreise quer durch Österr., 1989 "Liagn & Lochn", 1990 Filmprojekt "1/2 so wüd", 1991 Gold f. "Liagn & Lochn", Gold f. "1/2 so wüd", Video "Ostbahn XI - Live", Gold f. "A schene Leich", 1992 "A blede Gschicht", Konzertreise durch Deutschland, Single "Zuckagoschal".

Resnik Sepp Mjr.

B.: Amtssekr. zuständig f. ABC-Angelegenheiten d. HMATA. DA.: 1120 Wien, Schwenkg. 47. G.: Graz, 23. Aug. 1953. V.: Trixi, geb. Kollmann. Ki.: Dominik (1982), Pia (1983). El.: Josef u. Gertrude. S.: Militär-RG u. Milak Wr. Neustadt. K.: Angehöriger d. Heeresnationalmannschaft im Militär-. Fünfkampf, 1984 1. Österr. Teilnehmer in Hawaii, bisher 2malig Teilnahme u. in Alabama USA, 3malige Teilnahme im Doppeltriathlon, Grenoble: Dreifachtriathlon 2malige Teilnahme. BL.: Organistor u. Absolvent d. längsten Triathlons d. Welt "Ultimo": in 15 Tagen u. Nächten: v. Céuta b. Gibraltar geschwommen, v. Gibraltar nach Sbg. m. d. Rad, v. Sbg. nach Wien gelaufen, 1994: m. d. Rad in 80 Tagen um d. Welt. P.: "Vom Sinn d. Wahnsinns Triathlon",

Autor in versch. Fachzeitschriften u. Kolumnist d. Gastronomiezeitung "Gast u. Geld". E.: zahlr. nat. u. intern. Ausz. F.: "Beverely Hills" 1010 Wien, Seilerstätte 1 u. Wr. Neustadt, "Hall of Fame" 1010 Wien, Seilerstätte 15, dzt. Aufbau d. Gastronomiekette "Beverly Hills" in allen Bdl. (J.S.)

Resl Walter Dr.

B.: Österr. Handelsdelegierter. DA.: Warschau, Al. Ujazdowskie 22/4. G.: Innsbruck, 17. März 1947. V.: Mag. Eva M., geb. Fellner. El.: Anton u. Marianne. S.: Dr. iur. Innsbruck, Johns Hopkins Univ., Postgraduate. K.: 2 J. intern. Welthdl., 1974 Eintritt in d. BWK, 1977-80 AHSt. New York, 1980-83 Guatemala, 1983-85 Khartoum, seit 1. Apr. 1985 Ltr. d. AHSt. in Warschau. P.: "Föderalismus in d. Donaumonarchie nach 1848". H.: Fremdsprachen, Reisen, Bergwandern.

Ressel Hans-Joachim Ing.

B.: Finanzlandesrat d. Stmk. Landesreg. DA.: 8010 Graz, Landhaus. G.: Berlin, 21. Nov. 1943. verh., ein Sohn (1963), eine Tochter (1967). S.: VS, HS, dreij. Fachschule. K.: seit 1960 als Techniker b. Leykam-Mürztaler Papier u. Zellstoff AG beschäftigt, 1961-66 nebenberufl. Stud. an d. HTBLVA in Graz, 1967-72 nebenberufl. Stud. d. Betriebswirtschaft an d. Univ. Graz, seit 1972 freigestellter BR-Obm. f. Ang., seit 1976 ZBRO-Stellv. v. Leykam-Mürztaler Papier u. Zellstoff AG, seit 1970 Mtgl. d. GemR. u. seit 1974 Mtgl. d. Gem.Vorst. d. Marktgem. Gratkorn, seit 1978 LFachgruppenobm. f. Papier u. Zellstoff d. Gewerkschaft d. Privatang. f. Stmk., 1979-91 Abg. z. NatR., s. 1987 Bez.-Vors. d. SPÖ Graz-Umg., gschf. Vors. d. ÖGB Stmk. E.: GrSE.

Ressel Karl Dr. MedR.

B.: prakt. Arzt. G.: Wien, 2. Aug. 1920. V.: Anna, geb. Schulreich. Ki.: Wolfgang, Ulrike. El.: Ferdinand u. Leopoldine. S.: 1939 Matura, 1946 Prom. K.: KH in Ried, 1947/48 Physikatskurs, 1949 Praxis Breitenlee. H.: Gartenarb., Schwimmen, Skifahren (A.W.)

Ressi Josef Mag.

B.: Gschf., Betriebswirt. FN.: Sebastian Stroh GmbH. GT.: Gschf. d. Sim GmbH u. d. WPR GmbH. DA.: 9020 Klagenfurt, Strohg. 6. PA.: 9073 Klagenfurt, Rundblickweg 4. G.: Mauthen/Ktn., 3. Juli 1946. V.: Gudrun, geb. Ratz. Ki.: Eva, Ina. El.: Johann u. Albine. S.: VS, HS, HAK Villach, 1966-70 Stud. d. Betriebswirtschaft Univ. Graz. K.: 1971-76 Dion.Ass. d. Fa. Odörfer GmbH Graz, 1976-79 Prok. d. Fa. Sebastian Stroh, ab 1979 Gschf. d. Fa. Sebastian Stroh GmbH. M.: Industriellenver., HK, Vorst.Mtgl. d. Spirituosenverb. (S.G.)

Ressler Otto Hans

B.: Dir., Gschf. Ges. d. Wiener Kunstauktionen. DA.: 1010 Wien, Kärntnerringhof, Kärntner Ring 5-7. PA.: 1030 Wien, Apostelgasse 35. G.: Knittelfeld, 12. Nov. 1948. V.: Roselinde, geb. Rieser. Ki.: Oliver (1970), Eva (1972). El.: Hans u. Emmy. S.: Gym. Knittelfeld, Ausb. z. Bankkaufm. K.: 1969 Abteilungsltr. Sparkasse Knittelfeld, 1978 Dir. d. Grazer Dorotheums, 1986 Dir. d. Kunstabt. d. Wiener Dorotheums, seit 1993 Dir. d. Wiener Kunstauktionen. P.: Autor mehrerer Bücher: "Das Spiel", "Serenade für ein verlorenes Wort", "Beschädigte Bilder", "Grenzgänge". (J.S.)

Ressmann Thomas Dr. iur. Dipl.-Ing. HofR.

B.: Berghptm., Ltr. d. Berghauptmannschaft Graz. DA.: 8010 Graz, Freiheitspl. 1. PA.: 8052 Graz, Neupauerweg 83. G.: Villach, 29. Sept. 1935. V.: Gerlinde, geb. Golesch. Ki.: Michaela. El.: Thomas u. Lydia. S.: VS, AHS, Stud. Bergwesen Montanuniv. Leoben, Stud. Jus Univ. Graz. K.: 1959 Berghauptmannschaft Graz, Bmtr., 1964 Prom., 1965 u. 1969 Leoben, 1968 Wien, 1974 Klagenfurt, tätig als Bmtr., seit 1983 Ltr. d. Berghauptmannschaft Graz. BL.: Bereiche d. Grubenrettungswesens, techn. Entwicklung im Bergbau, Pflege d. Bergbaus u. Schutz d. Lagerstätten. E.: 1976 Grubenwehr-EZ, 1987 Gr. EZ f. Verd. um d. Rep. Österr. M.: Bergmänn. Verb. Österr., Montanhistor. Ver. f. Österr., Ver. Bergbaumuseum Klagenfurt, Österr. Alpenver., Stellv. "Glückauf!" Leoben. H.: Lesen, Musik, Sammeln v. Mineralien, Handwerk, Radfahren, Skifahren. (C.H.S.)

Restar Martin Carl

B.: Innenarch. FN.: Martin C. Restar Innenarch. BÖIA. GT.: Ges. u. Gschf. d. Bauplanungs GmbH. DA.: 8010 Graz, Elisabethstr. 49. PA.: 8010 Graz, Untere Teichstr. 34A. G.: Graz, 29. März 1926. V.: Hilde, geb. Ninaus. El.: Martin u. Elisabeth. S.: RG m. Matura, Privatak. Darmstadt. K.: b. 1951 Geschäftsltr. d. Möbelfbk. Quitt Graz, b. 1960 Ltr. d. Entwurfsbüro Möbelhaus Pichler Graz, b. 1961 Geschäftsltr. Kulturmöbel Podlipny Graz, ab 1961 eigenes Entwurfsbüro, ab 1968 Gschf. d. Bauplanungs GmbH, ab 1972 Kons. d. Austrian Airlines. F.: 24 % Bauplanungs GmbH. P.: div. Art. in Fachzeitschriften über durchgeführte Bauprojekte. M.: Bund Österr. Innenarch. (BÖIA, Grdg.Mtgl.), Berufsver. Bild. Künstler, Inst. f. Formgebung, Skol-Club. H.: Skifahren, Tennis, mod. Musik.

Rethy-Imre Esther o.Prof.

B.: Kammersängerin. PA.: 1190 Wien, Glanzingg. 9. G.: Budapest, 22. Okt. 1912. V.: Dr. Vinzenz Imre. Ki.: Laszlo, Esther. El.: Franz Riedler u. Maria Bicskei-Kiss. S.: Gymn. Budapest, F. Liszt-HS beendet m. Dipl. u. Ausz. K.: Engagement Budapester Oper, 1937 Wr. Staatsoper Titelrolle, Gounod's Margarethe, Sbg. Festspiele, Susanna in "Figaro's Hochzeit", Sophie "Rosenkavalier" u.v.m., 6 J. Bregenzer Festspiele, viele Gastspiele im Ausland, Zusammenarb. m. Dirigenten wie: Toscanini, Furtwängler, B. Walter, R. Strauß, Knappertsbusch, Lehar, K. Kraus, K. Böhm, Karajan, Sabata, Kleißer u.v.a., Künstler. Tätigkeit: Opern, Oratorien, Lieder, Operetten, Gesangspäd., 1954-70 Päd., Konservatorium d. Stadt Wien dann Musik-HS, 1984 u. 1986 Mstr.Kurs in Budapest. E.: Ehrenmtgl. Staatsoper u. Volksoper, 1948 Titel Kammersängerin, 1958 Gold. EZ d. Rep. Österr., 1967 Titel Prof. d. Stadt Wien, 1978 o.HS-Prof., 1978 Ehrenmed. in Gold d. BHpt.Stadt Wien, 1983 Gold. Dipl. d. Budapester F. Liszt-HS als Anerkenung f. 50 J. wertv. künstler. Tätigkeit. H.: Zeichnen. (A.K.)

Reti Stephan

B.: Gschf. FN.: Skomab Intern. GmbH kfm. Ltr., Vicam Computer Systeme GmbH Wien Gschf. DA.: 1232 Wien, Zetscheg. 1. PA.: 1210 Wien, Morseg. 20. G.: Budapest, 17. Dez. 1935. V.: Susanne, geb. Nadler. Ki.: Robert. S.: RG Budapest, 1954 Matura, Bilanzbuchhalterprüf. Wien. K.: 1966-69 Briefmarkengroßhdl., ab 1969 Fa. Skomab, zunächst als Hpt.Buchhalter, 1974 Prokura, seit 1984 Gschf. Vicam, Betätigungsfeld Fa. Skomab: Ind.Produktion v. Maschinen u. Werkzeugen, Großhdl. m. Maschinen u. Stahl, Fa. Vicam: Software CAD/CAM-Systeme. H.: Antiquitäten, Sport, Familie. (C.K.)

Rett Andreas Dr. med. o.Univ.-Prof.

B.: FA.: DA.: 1040 Wien, Wohllebeng. 15/1. G.: Fürth/-Bayern, 2. Jan. 1924. V.: Dr. Jutta. Ki.: Dr. med. Andrea, Dr. phil. Barbara. S.: 1942 Matura, 1942-46 Kriegsmarine, Fortsetzung d. Stud., 1949 Prom. K.: Übersiedlung nach Wien, b. 1950 FA-Ausbild., 1950-51 Kinderspital Zürich, 1951-59 im Prayer'schen Kinderspital, 1959 Grdg. d. Abt. f. hirngeschädigte Kinder in Lainz, 1967 Dir. d. Ludwig Boltzmann-Inst., Ltr. d. Abt. f. hirngeschädigte Kinder in d. Österr. Pädiatr. Ges., 1970 Med. Ltr. d. Inst. f. Musiktherapie,

1973 a.o.Univ.-Prof., 1975 Übersiedlung in d. Klinikneubau im Neurolog. KH d. Stadt Wien-Rosenhügel, 1975 ärztl. Dir. d. Neurolog. KH d. Stadt Wien-Rosenhügel. P.: 272 wiss. Publ., 15 wiss. Bücher, 12 wiss. Forsch.-Filme. E.: 1960 Renner-Preis, 1970 Th. Körner-Preis, 1973 Anton v. Eisselberg-Preis, 1974 Gold. EZ d. Bgld., Ehrenmtgl. d. Montini Ges. in Brescia, 1975 August v. Reuss-Med. f. Verd. um d. soz. Pädiatrie, 1982 Paracelsus-Ring d. Stadt Villach f. Verd. um d. Österr. Med., 1984 Gold. EZ d. Stadt Wien, 1985 Tir. Adler-Orden f. bes. Verd. um behind. Kinder, 1986 Ernst v. Bergmann-Med. f. Verd. um d. Fortbild. Dt. Ärzte, 1988 Wiss.Preis d. Stadt Wien f. Med., 1989 Gr. EZ d. Rep. Österr. M.: korresp. Mtgl. d. Dt. Ges. f. Kinderpsychiatrie, seit 1985 Intern. Rett-Syndrom-Ges. (P.R.)

Rettenbacher Anna

B.: Inh. FN.: Das Salzburger Maßhemd. DA. u. PA.: 5300 Hallwang, Esch 301 b. Sbg. G.: Seekirchen, 30. Dez. 1944. V.: Matthias Rettenbacher. El.: Ausweger Johann u. Anna. BV.: Zacharias Ausweger: erzbischöfl. sbg. Pflegsverwalter zu Hallein, wurde v. Kaiser Leopold I. 1696 m. d. Prädikat "von Auswegern" in d. Adelsstand erhoben u. erhielt sein eigenes Wappen. S.: Lehre f. Wäschewarenerzeuger Gewerbe, 1962 Gesellenprüf., 1966 Mstr.Prüf. K.: 1967 Grdg. d. eigenen Betriebes, seit 1969 Ausbild. v. Lehrlingen, seit 1974 LInnungsmstr. d. Wäschewarenerz., Lehrlingswart, Vors. d. Gesellenprüf.Kmsn., Beis. d. Prüf.Kmsn. f. Facharbeiteraufstiegsprüf. b. d. Sbg. LRg., gerichtl. beeid. Sachv. f. d. Wäschewarenerz.Gewerbe am Sbg. LG. E.: zahlr. Preise b. Lehrlingswettbewerben, Wanderpokale u. zahlr. Ausz. M.: Sbg. LSchützenverb. H.: Schießen. (A.W.)

Rettenbacher Brigitte

B.: Inh. Gasthof Neuwirt. DA. u. PA.: 5450 Werfen, Hauptstr. 2. G.: Salzburg, 22. Dez. 1955. V.: Ernst Rettenbacher. Ki.: Franz (1977), Ernestine (1980), Claudia (1987). El.: Franz u. Brigitte. S.: VS, HS, 3 J. Gastgewerbefachschule Sbg.-Kleßheim. K.: in d. Wintersaison 3-4 J. in jedem Bereich d. Gastgewerbes in versch. Betrieben tätig, Sommersaison zu Hause, div. WIFI-Kurse, 15 J. Reiseltr. im elterl. Betrieb, 1990 Gasthaus gepachtet, 1993 Übernahme d. Gasthauses. M.: Musikver. H.: Reisen, fremde Länder. Schwimmen, Lesen, Operetten, Musicals. (D.E.)

Rettenbacher Hermann

B.: Inh. FN.: Hermann Rettenbacher Schlosserei. DA./PA.: 5440 Golling, Markt 256. G.: Golling, 7. Dez. 1943. V.: Katharina, geb. Höller. Ki.: Hermann, Christoph. El.: Matthias u. Elise. S.: VS, 3 1/2 J. Schlosserlehre, staatl. Schweißerprüf., 1966 Mstr.-Prüf. K.: ab 1967 selbst. Bau- u. Kunstschlosser, polit. Werdegang: Wirtschaftsobm., 1977 Gem.-Vertretung, 1978 ÖVP-Gem.-Parteiobm., 1983 VBgm., 1984 z. Bgm. gewählt. M.: 15 J. Obm. im Tennisclub, seit 1961 Mtgl. d. Freiwilligen Feuerwehr Golling, Naturver., Kameradschaftsbund, Schützenver., div. Sportver. H.: Turnen, Tennis, Radfahren, Bergwandern, Skitouren, Skifahren. (D.E.)

Rettenbacher August Prof.

B.: OSR. i.R. A.: 5722 Niedernsill 55. G.: St. Koloman, 30. Sept. 1911. V.: Barbara, geb. Lienbacher. El.: Leonhard u. Maria. S.: RG Form C, LBA, Fachprüf. f. Ldw. K.: Jungarb. auf Baustelle, ab 26. Lebensj. Vorbereitungskurs auf d. Reifeprüf., Lehrbefähigung m. Ausz., Lehrer, später Schulltr. in St. Koloman, 1970 OSR., 1975 Verleihung d. Berufstitels "Prof.". P.: Ver. d. Sbg. Druckereien Tennengauer Mundart: Hiatz is Advent (1973), Hiatz kimmt d. schöne Fruahjahr (1975), dazu gem. m. Frau Barbara "Chronik v. Niedernsill", "Chronik v. St. Koloman" (1982) u. "Die Mundartdichtung in Sbg." (1981) u.v.a. E.: Ritter d. Ordens d. hl. Papstes Silvester, Wappenmed. in Silber d. Stadt Hallein, Ehrenbürger d. Gem. St. Koloman, Landes-VZ in Gold, Gold. EZ d. Südmähr. Landsmannschaft, Ehrenmtgl. d. Freiwilligen Feuerwehr St. Koloman. M.: b. mehreren Ver., Wiss. BeiR. d. Stille-Nacht-Ges., Arb.Kreis d. Sbg. Mundartdichter, Bearb. d. Ausstellung Sbg. Mundartdichtung, Begründer d. Schulheimatstube St. Koloman. H.: Hirtenmesse u. Barbaramesse, sowie Hirtenlieder in Mundart.

Rettensteiner Walter

WR

B.: Gschf. Ges. FN.: KARE d. zwei wohnsinnigen Hdls. GmbH. DA.: 2334 Vösendorf, SCS/Multiplex - Top 1. G.: St. Johann/Tirol, 25. Juli 1956. El.: Andreas u. Maria. S.: VS St. Johann, Internat Innsbruck, Matura, Stud. Innsbruck, BWL München, Vw.-Stud. Wien. K.: Vermittlung v. Gen.-Vertretungen, Veranlagungen ICD Ind.-Ansiedlungsges., 1994 Grdg. v. KARE, Belieferung v. österr. Möbelhdl. als Großhändler u. als Produzent. H.: Skifahren, Segeln, Surfen, Reisen (Italien). (J.M.)

Rettenwander Alois

B.: Installateurmeister, Kfm. FN.: Rettenwander GmbH & Co KG.GT.: Führung e. Appartmenthauses u. Frühstückspens. m. d. Gattin. Kitzbühlerstr. 112. G.: Ellmau, 15.Feb.1934. V.f: Paula, geb. Oberhauser. Ki.: Angelika (1960). El.: Josef u. Gertraut. S./K.: VS, Realschule, 4 LJ als Installateur i. Kirchberg, 1952 abgeschl. dort bis 1968 tät. s. 1968 Selbst., 1972 1. Betriebsstätte errichtet u. ab 1987 Anwesen Kitzbühlerstr. 110 erbaut u. eröffnet, 1974 Meisterprüf. absolvert. M.: Langj. Viceobm. v. FVV, Mtgl. 1A Installateurvereinigung, Mtgl. d. Farbenwelt, 30 J. aktiv Fußball gespeilt, zahlr. örtl. Vereine. H.: Sport, Reisen. (J.F.)

Retzer Gertrude

B.: Gschf. Ges. FN.: Retzer GmbH & Co KG. DA. u. PA.: 9560 Feldkirchen, Gurktaler Str. 1. G.: Feldkirchen, 22. Okt. 1934. V.: Dieter Retzer. Ki.: Ing. Helmut, Gernot. El.: Alois u. Maria Wilhelmer. S.: VS, HS, höhere Frauenberufsschule Villach. K.: Kindermädchen, Büroang., 1957 Firmengrdg. unter d. Namen Wilhelmer (VW u. Audi), ab 1962 auf Dieter Retzer & Co geändert, seit 1986 in Fa. Retzer GmbH & Co KG umgewandelt, zusätzl. seit 1962 Esso-Tankstelle. H.: Skifahren, Radfahren, Schwimmen. (R.A.)

Rettig Bernhard

B.: Komanditist, Bäcker u. Konditormstr. FN.: Rettig KG, Bäckerei-Cafe-Konditorei. DA. u. PA.: 2243 Matzen, Hauptstr. 41. G.: Mistelbach, 25. Dez. 1969. El.: Friedrich u. Barbara, geb. Leibrecht. S.: HS, HASCH, Konditor u. Bäckerlehre bei Fa. Liedermann in Wien, 1994 Gesellenprüf., Ableg. d. Stud.-Berechtigungsprüf. K.: Konditor Fa. Klement, anschl. im vtl. Betrieb in Matzen, dann in Slbg. bei Fa. Rosenberger Tennispoint, Fa. Winkler, Besuch d. Konditormeisterakademie in St. Pölten, 1993 Ableg. d. Meisterprüf., seither im vtl. Betrieb, 1994 Ableg. d. Bäckermeisterprüf., Kommanditist d. vtl. Betriebs mit 2 Filialbetrieben in Gänserndorf, Warenauslieferung im gesamten NÖ Gebiet. M.: Tennisclub Matzen, Sportverein. H.: Tennis, Schifahren. (I.J.)

Retzl Dieter

B.: Inh. FN.: Retzl GmbH System-Computer. DA.: 8020 Graz, Keplerstr. 47. PA.: 8046 Stattegg, Rannach 83. G.: Wien, 9. Sept. 1942. V.: Dr. Ulrike, geb. Glanzer. Ki.: Martin (1971), Karl (1985). El.: Emil u. Sieglinde. BV.: Vater Emil Retzl Hauptabt.-Ltr. b. Steyrwerken in Steyr, Schwiegervater HofR. Glanzer Raumplaner in Klagenfurt. S.: VS, Mittelschule. K.: Landesdienst d. Stmk. Landesrg., Seminare u. Kurse, 1969-72 Verkaufsltr. b. Steyr Fiat, 1972-79 Alpine Stahl Hdl. AG, 1979 Prok. Firma Kovac Stahlhdl. Zweigstelle Bruck, 1980 Gschf., 1981-85 Verkauf, 1982 Grdg. Elektronik Retzl Bruck, 1983 Grdg. Filiale Graz, 1984 Grdg. Filiale Liezen, 1985 Grdg. Filiale Wien. BL.: Interfaces, Entwicklung elektron. u. elektr. Schaltungen f. Schalt- u. Regeltechnik, Computer: Spracherkennung, Bildverarb., Auswertung v. astronom. Bildern durch Computer. M.: Jachtclub, Astronom. Ver. H.: Hobbyastronom, eigene Sternwarte, Wandern, Segeln, Biologie, Elektronik, Naturwiss. (R.S.)

Reumüller Gernot Dir.

B.: Direktor. FN.: Bischof Hotelbetriebsges.m.b.H & Co KG. DA.: 6850 Dornbirn, Hatlerstr. 7. PA.: 6850 Dornbirn, Sandgasse 44. G.: Knittelfeld, 14. Apr. 1966. V.: Cornelia. Ki.: Cornelia (1984). El.: Hubert u. Ingeborg. S.: BR Gymn. Dornbirn, Großhandelskfmn. Lehre Dornbirn, beruf. Weiterbild. K.: 1983-85 Ltg. d. Schwiegerelt. KFZ Betr. Dornbirn, 1985-91 Ltg. d. Hotel- u. Gastbetr. d. Altdeutschen Stube Vlbg., 1993 Eintr. i. Bischof Hotelbetr. Dornbirn a. Dir. E.: Gold. Ehrennadel VABV. M.: österr. Rotes Kreuz, Boxclub Dornbirn, VS d. vlbg. Amateurboxverb. H.: EDV, Uhren, Musik. (I.D.)

Reumann Paul

B.: Gebietsverkaufsleiter. FN.: Jenbacher Energiesysteme AG. DA.: 1030 Wien, Landstr. Hauptstr. 153-155. PA.: 1020 Wien, Große Mohreng. 32/5. G.: Wien, 12. Okt. 1955. V.: Eva, geb. Böhm. Ki.: Katharina (1985), Alexander (1981). El.: Paul u. Eva. S.: Gymn., HTL, Lehre als Starkstrommonteur. K.: 1971-78 Elin (zuerst Lehrling, dann Monteur), 1978 Eintritt in d. Jenbacher Werke AG als Monteur im Kundendienst, 1982 im Verkauf, s. 1990 Ltr. d. Verkaufsbüro Wien. H.: Familie, techn. Literatur, Einrichtung bauen, Musik. (R.J.)

Reumann Robert

B.: Journalist b. ORF. DA.: 1040 Wien, Argentinierstr. 30a. PA.: 1140 Wien, Dehneg. 50. G.: Wien, 27. Juni 1953. El.: Viktor u. Herta. S.: Gymn., Stud. Hdls.Wiss. an d. HS f. Welthdl. K.: seit 1972 freier Mitarb. b. ORF, Unterhaltungsabt. im Rundfunk, Sendung "Ö3 dabei", Moderator f. Ö3 u. Ö1, redaktioneller Mitarb., schriftstell. Arb. P.: Reportagen in versch. Zeitschriften, auch BD. M.: Oldtimer Club. H.: Reisen, Film, Musik. (Bauer)

Prinz Reuß Heinrich III. Dr. iur. Dr. biol.

B.: Präs. d. Intern. Jagdrates z. Erhaltung d. Wildes (C.I.C.). A.: 9232 Forsthaus Rosegg. G.: Breslau, 27. Juli 1919. V.: Odylia, geb. Gräfin zu Castell-Castell. S.: Univ. Graz (Dr. iur.), wildbiolog. Stud. an d. Univ. Ljubliana. K.: Matura, Dt. Wehrmacht b. 1944, ausgestoßen als Angehöirger eines ehemals regierenden Hauses (OLt.), Widerstandsbewegung Vbg., 1964 Österr. Staatsangehörigkeit, wegen dortiger Verd. durch d. Land Vbg., Stud. an d. Univ. Graz, betriebswirtschaftl. Kons. b. d. Steir. Montanwerken Leoben, Ltr. d. Forstgutes Mautern/Stmk., Ltr. d. Wildpark OÖ Altenfelden, Ktn. Rosegg u. Tir. Aurach. F.: Alleinbes. d. Wildpark OÖ Altenfelden, Alleinpächter d. Wildpark Rosegg, Kons. d. Wildpark GmbH Aurach. P.: "Wild u. Gehege", M.: CIC, Österr. Wildgehegever., Österr. Kleinhäusler u. Bauernbund, Alpenver., OÖ Jägerschaft. H.: Wildbiologie.

Prinz Reuß Heinrich XII

B.: Gutsbesitzer. A.: 8774 Mautern, Tanglerhube. G.: Mautern, 13. Okt. 1950. El.: Prinz Dr. Heinrich u. Franziska. S.: Matura, Bankkfm. F.: Eigener Forstbetrieb, Miteigentümer d. Firmen: R & S GmbH Sbg. u. Guggenthaler Getränkehdls. GmbH Sbg. M.: Waldbesitzerverb., Arbeitgeberverb., Reit- u. Fahrclub Mautern, Kam. f. Land- u. Forstwirtschaft, Kam. f. Hdl. u. Gewerbe. H.: Jagd, Tauchen, Reiten, Skifahren.

Reuter Thomas Dr. Mag. art. et phil.

B.: Musiker, Lektor an d. Theol. Fak. d. Univ. Wien, Mittelschulprof., Chefred. d. Ev. Musikzeitschrift "Praxis d. Kirchenmusik", Organist "Lutherkirche" Wien-Währing. PA.: 1180 Wien, Gentzg. 117. G.: Wien, 4. Sep. 1955. V.: Angela, geb. Pülz. Ki.: Philipp-Emanuel (1986), Carla-Antonia (1988). El.: Helmuth u. Edith, geb. Kainer. S.: m. 5 J. Beginn d. Stud. Klavier u. Blockflöte, m. 7 J. erste öff. Aufführung einer eigenen Komposition in d. "Lutherkirche", m. 8 J. im Chor d. "Lutherkirche", seit 1966 Organist a. d. "Lutherkirche", 1970 Orgelstud. b. Prof. Adolf Wurm, 1974 Kirchenmusik-C-Prüf., ab 1976 Stud. Musikpäd. u. Musikgeschichte Univ. Wien, Orgel-Konzertfach an d. Wr. Musik-HS b. Prof. Dr. Hans Haselböck, 1984 Konzertdipl. K.: seit 1980 Lehrtätigkeit an einem Wr. Gymn., regelmäßige Auftritte in d. "Lutherkirche", seit 1979 Konzerttätigkeit in Europa u. USA, öff. Auftritte m. d. Linzer Bruckner-Orchester, d. NÖ Tonkünstlerorchester, d. Wr. Volksopernorchester, 1992 1. Solo-CD m. Orgelmusik ev. Komponisten, 1995 CD m. Trompete u. Orgel, Ref. f. Werkwochen f. ev. Kirchenmusik. P.: 1995 Diss. "Ev. Kirchenmusik d. XX. Jhdt. in Österr." E.: 1980 Würdigungspreis d. BMW, 1990 Prof. H.: Familie, Natur. (N.A.)

Reutterer Alois Dr. phil. Mag. rer. nat.

B.: AHS-Prof. f. Phil. u. Biologie. A.: A- 6700 Bludenz, Spitalg. 35. G.: Bludenz, 21. Dez. 1938. V.: Rosmarie, geb. Scheiderbauer. Ki.: Claudia (1973), Sabine (1974), Monika (1976). El.: Alois u. Ferdinanda. S.: 1945-49 VS, 1949-57 Gymn. in Bludenz, 1957 Matura, 1958 Österr. BH, 1959-67 Univ. Innsbruck, 1964 Lehramtsprüf. f. AHS in d. Fächern Biologie, Erdwiss., Phil. u. Psych., 1967 Prom. z. Dr. phil. (Diss. über "Das Bild"), 1967-69 Schuldienst am BG Reutte/Tir., seit 1969 Schuldienst am BG in Bludenz. P.: "Philosphie", Lehrbuch f. AHS, "Erleben u. Verhalten" Lehrbuch f. Psychologie an AHS, "An d. Grenzen d. menschl. Wissens", "Erkennen u. Handeln. Lehrbuch f. Phil. an AHS". M.: Ltr. d. Arge f. Biologie u. Umweltkunde d. AHS-Professoren Vbg. bis 1992, Mtgl. d. Naturschutzbundes, 4 J. Obm. d. Fotoklubs Bludenz, Bereichsltr. d. VHS Bludenz. H.: Fotografie, Zaubern.

Reutterer Herbert

B.: Prok., Herstellungsltr. FN.: SATEL Film GmbH. GT.: Prok. d. ALMARO Filmprod. München, Prok. d. ALSAT Berlin. DA.: 1070 Wien, Kircheng. 19. PA.: 1060 Wien, Linke Wienzeile 118. G.: Wien, 14. März 1948. S.: Realschule, kfm. Lehre (HK-Prüf.). K.: 1968 Studio Film Filmgschf., ab 1973 Prod.Ltr., ab 1977 SATEL Film Herstellungsltr. u. Prod.Ltr. K.: TV-Serien wie "Kottan ermittelt", "Der Sonne entgegen", u. Kinofilme wie "Der Schüler Gerber", "Kassbach" u. "Die letzte Runde", TV-Prod. 1987 "Vom Glück verfolgt", Kinofilm "Das weite Land", Oskar Nominierung f. einen d. 5 nicht-amerikan. Filme "38".

Reutterer Kurt

B.: Vorst.-Mtgl. FN.: Kronenhaus Bludenz, Ringschuh Gen.m.b.H. GT.: Gremialvorst. d. Schuhverb. Vorarlbg. DA.: 6700 Bludenz, Wendenbergstr. 34, 8042 Graz, Händelstr. PA.: 6700 Bludenz, Spitalg. 33. G.: Bludenz, 16. April 1940. V.: Hedwig, geb. Mathis. Ki.: Thomas (1967), Hanna (1972). El.: Alois u. Fernanda. S.: HS, 1955-57 HASCH Feldkirch, 1 1/2 J. Volontär b. Schuhhaus Koller & Co Innsbruck. K.: 1959 Einst. i. väterl. Betr., Schuhhaus Reutterer Bludenz, 1972 Filialeröff. Quick-Schuh Bludenz, 1973 Arealerwerb, 1976-77 Erweiterung d. Areals a. 2500m² Verkaufsfl., Grdg. eines Gemeinschaftswarenhauses m. 3 Firmen, 1985 Übern. v. Schuhgesch. i. Dornbirn, Feldkirch u. Hohenems, 1992 Übern. d. Cafe-Rest. i. Kronenhaus Bludenz, s. 1986 Vorst. b. Ringschuh Gen.m.b.H. H.: Skifahren, Wandern. (I.G.)

Revers Rainer Dr. Dir.

B.: Dir. d. Tiergarten Hellbrunn Sbg. GT.: seit 1973 freischaff. Fotograf (Tierfotos).DA.: 5081 Anif. PA.: 5412 Puch, St. Jakob 8. G.: Würzburg/BRD, 10. Aug. 1949. V.: Margit, geb. Kirchner. Ki.: Matthias (1979). El.: Univ.-Prof. Wilhelm Josef u. Erna. S.: 1970 Matura, Stud. Zoologie, Psych. u. Phil. Univ. Sbg., 1975 Prom. K.: 1976-77 Forsch.-Stipendium Inst. f. Zoologie Sbg., 1978 Zoolog. Ass. Tiergarten Hellbrunn, 1987 stellv. Dir. u. seit 1990 Dir. d. Tiergarten Hellbrunn. BL.: 1977 wiss. Forsch.-Arb.: Geriatrische Psychosomat. Arb. über Präparat "Geriatrik Pharmaton", 1973 Ostafrikaexpedition: Tansania u. Kenia, 1979 Himalaya-Expedition u. Südnepal. P.: Buch: "Herzinfarkt u. Psyche" (1977), 1986 Veröff. wiss. Zeitschrift über Tiergartenbiolog. Arb. E.: 3. Landesmstr. in "Freie Pistole" u. "Gebrauchspistole", 1974 Vereinsmstr. in Kunstturnen. H.: Jagd, Führen v. Jagdhunden, Musik, Mountainbike, Skitouren, Bergsteigen. (M.Mo.)

Graf Revertera-Salandra Franzkarl

B.: Pensionist. A.: 5026 Salzburg-Aigen, Schloß Aigen. G.: Helfenberg/OÖ, 12. Juni 1919. V.: Henriette E. Gräfin Sprinzenstein-Neuhaus. El.: Peter u. Ida. S.: VS, hum. Gymn., Hotelfachschule. K.: b. 1960 Gutssekr., ab 1960 Betriebsinh., seit 1984 i.P. P.: diverse kritische Gedichte in Tageszeitungen. E.: EK II, Ostmedizin, Silbernes Ehrenzeichen f. Verdienste um d. Republik Österreich Gold. Ehrennadel d. ÖWB, Gold. Ehrenzeichen d. Plattenclub Aigen, Silb. EZ d. Österreichischen Kameradschaftsbundes, Silb. Ehrenzeichen f. Verdienste um d. Salzburger Wirtschaft, Bronz. Medaille d. OG Sbg. M.: stellv. Obm. d. ÖVP Ortsgruppe Aigen, Ortsobm. d. Österr. Wirtschaftsbundes, Ehrenvors. d. Österr. Ver. f. Dt. Schäferhunde OÖ Aigen, Ehrenobm. d. Plattenclub Aigen, Ehrenmtgl. d. Ver. d. Fleckviehzüchter Sbg., Bürger d. Stadt Sbg. H.: Zeichnen u. Malen, Dichten.

Rewitzer Benno

B.: Immobilientreuhänder, Inh., Gschf. u. Ges. FN.: Realkzl. Rewitzer, Rustical Wohnbau GmbH sowie Beteiligungen in versch. Branchen. DA.: 5020 Salzburg, Maxglaner Hauptstr. 25. G.: Bad Ischl, 8. Juni 1958. V.: Andrea, geb. Feichtinger. Ki.: Karoline (1980), Benno (1986). El.: Benno u. Henriette. S.: VS Ebensee, ab 1968 Realgymn. Bad Ischl, 5 J. HBLF Bad Ischl, 1977 Matura. K.: 2 J. Dion.-Ass. in Hotel im Kleinwalsertal, danach Sachbearb. b. Alpha Real Managementges., Tätigkeit b. versch. Maklern u. Bauträgern, seit 1984 selbst., Ndlg. auch in Kanada: Verkauf v. Jagd- u. Fischereigründen, Geldanlageobjekten. H.: Lesen, Schreiben, klass. Musik, Fußball, Tennis, schriftstell. Arb. (Umweltkrimi "Spätlese Mensch"). (U.E.)

Reyer Karl

B.: selbst. Unternehmer. FN.: Karl Reyer Hdls. GmbH. DA. u. PA.: 5400 Hallein, Weissgerberweg 2-6. G.: Hallein, 13. Sept. 1945. V.: Marlene, geb. Kranawettvogel. Ki.: Karl (1968), Elke (1970). El.: Robert u. Auguste. BV.: Vater eigenen Ski erzeugt "Reyer Ski" (auch f. d. Wehrmacht). S.: VS, HS, 1959 kfm. Lehre im elterl. Betrieb "Wagnerei u. Textil-Kurzwaren", Berufsschule. K.: 1961 Einkauf v. Herrenhemden u. Beginn m. d. Sportabt., Firmen wie Bogner, Laurèl, Boss, Windsor, Daks, Van Laak, Schwerpunkt: Winter Ski, Sommer Golf. BL.: 1958-69 Ringer, 1966 Teilnehmer d. EM im Ringen, Ski-Tester f. Magazine wie Profil u. Wiener, jährl. Reyer-Turnier im Golf Club Gut Altentann in Henndorf, Aufnahme Musikkassette gemeinsam m. Bruder u. Sohn, spielt selbst. Trompete - bekannt durch d. "Halleiner Lied". M.: seit 21 J. SC Reyer Hallein. H.: Musik, Skifahren, Sport allg. (M.C.)

Reyzek Mario Dr.

B.: Vorst.Dir. u. Gschf. A.: 1180 Wien, Dr.-Heinrich-Maier-Str. 31. G.: Preßburg/CSFR, 21. Mai 1928. V.: Gabriele, geb. Herzer. El.: Johann u. Margarethe. S.: VS, hum. Gymn., Univ. Wien, Staatswiss. K.: 1951 Eintritt in d. Ennser Zuckerfabriks AG Wien, 1972 Vorst.Mtgl. d. Ennser Zuckerfabriks AG Wien, 1975 Fusion d Zuckerfabrik Enns m. d. Zuckerfabrik Hohenau, Gschf. b. ESTEZET Beteiligungs GmbH, 1977 Fusion d. Zuckerfabriken Enns, Hohenau, Leopoldsdorf u. Dürnkrut, Gschf. b. SUGANA Zucker GmbH Wien, HELLMA Lebensmittelverpackungs GmbH Wien, TERRAIN Liegenschaftsverwertung GmbH Wien, Vorst.Mtgl. d. INDUSTRIE- u. FORSTVERW. AG Wien, AufsR. d. Brucker Zuckerfabrik GmbH Wien, d. ÖSTERR. RÜBENSAMENZUCHT GmbH Wien, d. EVIDENZBÜROS Österr. Zuckerfabriken GmbH Wien. E.: Gr. EZ f. Verd. um d. Rep. Österr. M.: Präs. d. Ennser Sportklubs, Präs. d. Eislauf- u. Tennisver. Enns. H.: Tennis, Skifahren.

Rezanka Erwin Dr. med.

B.: Arzt KH Steyr. DA.: 4400 Steyr, Sierninger Str. 17a. PA.: 4421 Aschach, Schneidersiedlung. G.: Linz, 29. Juli 1949. V.: Eva-Maria, geb. Stifter. Ki.: Thomas (1972), Katharina (1982). El.: Rudolf u. Maria. S.: VS, Gymn., 1969 Matura, 1970-72 Univ. Wien. K.: seit 1977 Tätigkeit im KH Steyr, 1982 FA f. Kinderheilkunde, seither OA an d. Kinderabt., 1989 Grdg. eines Inst. Therapeut. Reiten in OÖ, seit 1988 beauftragter Ref. d. Päd. Inst. d. Bundes Linz, seit 1989 Ref. d. Med.-Techn. Abt. d. KH Steyr, seit 1982 Lehrtätigkeit in Krankenschwesternschulen. P.: Publ. über Kongenetale Infektionen, Beiträge in TV, Radio u. Zeitungen, lfd. Fachbeiträge in Fachzeitschriften. E.: 1983 Herzig-Preis d. Bundes Diabetischer Kinder, 1992 Mitpreisträger b. Nestle Förderungspreis. M.: seit 1989 Lions Club Sierning, Österr. Ges. f. Jugend- u. Kinderheilkunde, Kuratorium f. Hippotherapie. H.: aktiver Musiker als Cellospieler in einem Kammerorchester, Gärtnerei. (U.A.)

Reznicek Brigitte

B.: Geschäftsfrau, Inh. d. Geschäftes "Spielerei". DA.: 1070 Wien, Mariahilfer Str. 88A. PA.: 1060 Wien, Esterhazyg. 28. G.: Aigen-Schlägl, 19. Juni 1945. El.: Alois u. Karoline Perfahl, geb. Grasböck. S.: VS, HS, Berufsschule, Lehre im elterl. Betrieb als Kellner, 1969-71 Schauspielstud. Bruckner-konservatorium Linz. K.: 1965-69 Sekr. in d. Polit. Red. einer OÖ Zeitung, 1963-76 Fotomodell, 1969-71 Rennfahrerin in Formel V, Mitwirkung b. d. Fernsehfolge "Peter Voss - Der Millionendieb", 1976 Eröff. d. Geschäftes "Spielerei", Hrsg. d. jährl. Versandkataloges "Spielerei". H.: Lesen, Sprachen, Dichten, Esoterik, Beruf, Skifahren, Tauchen, Radfahren. (N.A.)

Reznicek Roland Mag. art.

B.: freier Illustrator. DA.: 4020 Linz, Humboldtstr. 38. G.: Wels, 10. Nov. 1963. El.: Johann u. Herta. S.: VS, AHS, 1982 Matura, HS f. künstler. u. industrielle Gestaltung, 1991 Spons. K.: freier Illustrator (Cartoon, Storyboard, Trickfilm) 1994: Zeichentrick-TV Spot (E-Werk), 1994: Buch-Covers für Rowohlt (Leo Mahler). E.: 1991 1. Illustrationspreis "Farbe u. Fläche" d. Design Austria, 1992 Bronz. Venus d. CCA, 1993 Gold. Venus d. CCA, 1993 Finalist d. ADC Art Directors Club Europe. M.: DA Design Austria. H.: Film, Foto, Lesen, Musik. (W.B.)

Rezny Walter Dr. Dkfm.

B.: Dir. d. NÖ Molkerei, Gschf. d. Emo-Marietta. DA.: 1200 Wien, Höchstädtpl. 5. PA.: 2344 Maria Enzersdorf, Mitteräckerstr. 41. G.: Wien, 25. Nov. 1939. V.: Edith, geb. Meisel Ki.: Markus (1968), Claudia (1971). El.: Emmerich u. Stefanie, geb. Sbolinak. S.: RG Wien, Stud. HS f. Welthdl., 1968 Dr. K.: b. 1973 Österr. Alpine Montan Ges. Betriebswirtschaftsrevisor, 1973-77 Steuerberatungs u. Wirtschaftstreuhänder Dr. H. Müller Wien, 1957 Eintritt NÖM, Hpt.-Abt.-Ltr. Rechnungswesen, 1980 Dir. Finanz u. Rechnungswesen. BL.: Hrsg. Firmenzeitung "Wir" NÖM intern. Fachart. H.: Sport, Skifahren, Wandern, Heimwerker, Schwimmen, Lesen, Reisen, Musik, Oper, Theater, Sammeln v. Marken u. Ansichtskarten. (M.G.)

Rhedey Peter

B.: Gschf. Ges. u. Inh. FN.: Peter Rhedey Intern. Transport GmbH, Andreas Tiefgraber Intern. Sped. u. Transport GmbH, Moser & Grantner Transport GmbH, T.S.T. GmbH, Peter Rhedey Intern. Sped. GmbH, Peter Rhedey Intern. Transport. DA.: 5101 Bergheim, Lengfelden 138. PA.: 5101 Bergheim, Stramakstr. 41. G.: Budapest, 29. Jan. 1943. S.: HASCH Sbg. K.: 1960-67 Sped. Hauthaler, 1967-75 Sped. Lausenhammer, seit 1976 selbst. H.: Segeln, Skifahren, Motorsport. (A.W.)

Rhee Sepp

B.: Agenturltr. FN.: D u. R Marketing Werbung. GT.: Ges. Marketing m. Intern. Consulting Group. DA.: 1030 Wien, Ditscheinerg. 4. PA.: 1050 Wien, Hauslabg. 33/18. G.: Kempten/Bayern, 9. Juli 1941. El.: Max u. Anneliese. BV.: 17. Jhdt. Ritter v. Schleifer, 1950 reg. Min.Präs. Symon-Rhee. S.: 1964-67 Fremdenverkehrsak. Sbg., Matura, 1968-69 Schauspielschule Kraus. K.: 1969-75 Film- u. Fotomodell in Agentur Wolfgang Schwarz u. Agentur Heinz Seeböck, Kärntnertheater u. Theaterwerkstatt, 1975-77 Josefstadt: Zu ebener Erde u. im 1. Stock, b. 1980 freiberufl., 1980-82 Rundfunk Werbeass., Etatdir., 1982-84 Pronto Promotion m. Michael Erb, 1984-88 Mitgründer u. gschf. Prok. d. R-W-R Werbeges., 1989-90 Etatdir. Werbeagentur Marat, seit 1991 D & R Marketing Werbeges., spezielle Motivforsch. m. Ernest Dichte New York, Schauspieler m. Jochen Rindt, Ludwig Hirsch, Theo Lingen, Thon Housten, Wolfgang Glück u.v.a. H.: Tennis, Skifahren, Surfen, Jazz, Fachliteratur. (J.E.)

Rhomberg Andreas Dr. rer. oec. KommR.

B.: Ges. FN.: J. M. Fussenegger. DA.: 6850 Dornbirn, Wallenmahd 23. G.: Lindau/Bodensee, 15. Okt. 1933. V.: Ursula. Ki.: Mag. Michael, Mag. Dr. Stephan. El.: KommR. Dr. Arnold u. Else. S.: BRG Dornbirn, Univ. Innsbruck, Dipl.Vw., Dr. rer. oec., Facharb.Ausbild.: Maschinenschlosser. K.: 1959 Eintritt in eigene Fa., ab 1967 gschf. Ges., verantwortl. f.: Produktion, Einkauf, Personalwesen. E.: 1990 KommR. M.: VPräs. d. Ver. österr. Industrieller, LGruppe Vbg., Vorst. d. Verb. d. Textilveredelungsind. Österr. u. damit Experte d. Exekutivkomitees d. Fachverb. d. Textilind., Obm. d. Fachgruppe Textilind. d. Landes Vbg.,Ehem. Präs. d. Ver. österr. Textilchemiker u. Coloristen.

Rhomberg Ernst

B.: Inh., Kfz-Mechaniker. FN.: E + E Rhomberg GmbH. DA.: 6850 Dornbirn, Mozartstr. 28. PA.: 6850 Dornbirn, Apfelgasse. G.: Dornbirn, 5. Juni 1932. V.: Erika. Ki.: Elmar, Monika. El.: Ernst u. Josefine. S.: VS, HS, Kfz-Lehre, 1950 Gesellenprüf. K.: 1950 sämtl. Bereiche im elterl. Betrieb, Aufbau d. Reisebüro. M.: Vorst. d. Busunternehmer, Aussch. d. Reisebüros. H.: Skifahren, Bergwandern. (I.D.)

Rhomberg Grete Dr.

A.: 6850 Dornbirn, Watzenegg 23. El.: Dipl.-Ing. Anton u. Stefanie Pferschy. S.: OSchule, Univ. Innsbruck, Dr. d. Staatswiss. P.: "Völkerrecht u. Verkehrstechnik seit d. Wr. Kongreß". M.: Präs. d. Europa Union Vbg., Obm.Stellv. u. BKomitee-Mtgl. d. UEF u.a. H.: Skifahren, Bergsteigen.

Rhomberg Günter Dipl.-Ing.

A.: 6840 Götzis, Landhaus Rhomberg. G.: Bregenz, 10. Juni 1938. V.: Elke, geb. Huber. El.: KommR. Walter u. Edeltraud. S.: Realschule Dornbirn , HTL Innsbruck, TH

Graz, Univ. Graz. K.: 1963-67 Bauing. b. Hoch- u. Tunnelbauprojekten, 1967/68 Studienaufenthalt in d. USA, Berufswechsel z. Textilkfm., 1968 Eintritt als Dir. in d. Fa. Jos. Hubers' Erben Götzis, seit 1974 Gschf. d. Fa. Jos. Hubers' Erben, d. Fa. Huber-Gerätebau GmbH Götzis, d. Fa. Huber Beteiligungs GmbH Götzis, seit 1972 Delegierter d. VwR. d. Volllmoeller AG Uster/Schweiz, seit 1978 stellv. AufsR.Vors. d. Teesdorf AG. F.: Jos. Hubers' Erben Götzis, Huber Beteiligungs GmbH Götzis. M.: Präs. d. Bregenzer Festspiele, VPräs. d. Fachverb. d. Österr. Textilind. Wien, Vorst. d. Fachgruppe Strickerei/Wirkerei, 1. Österr. Vors. d. Fachgruppe Textilind. in Vbg.

Rhomberg Herwig KommR.

B.: Kgl. Norweg. Konsul, Untern. i.R. DA.: 6840 Götzis, Breite 12. G.: Wien, 18. Sept. 1928. V.: Elfriede, geb. Bertsch. Ki.: Elfriede Maria (1968). El.: Dkfm. Dr. Armin u. Paula. BV.: Vater Dr. Armin: Gschf. d. Wirtschaftskammer Vlbg., Langtagsabg. u. Klubobm., Großv. müttlerl. Franz Josef Ritter: KommR. Karl Gräf Automobilhersteller, Großv. väterl.: Brauereibesitzer in Dubuque Iowa USA u. Eisenwarenhändler. S.: 1949 HAK-Matura, Jusstud. K.: 1951 Übern. d. großväterl. Geschäftes u. Ausbau zu einem der größten Eisen- u. Stahlgroßhandels- u. Bearbeitungsbetrieb Österreichs, zur Fa. EISEN-RHOMBERG. E.: 1980 Ritter v. Hl. Grabe zu Jersualem, 1981 Staatswappen u. KommR., 1984 Königl. Norweg. Konsul, 16J. Präs. d. dtsch.-österr. Handelskammer in Vlbg., 1986 Verdienstkreuz 1. Kl., 1985 große Medaille f. Verdienste d. Dtsch. Handelskammer, Officer la Chaine des Rotisseurs, 1994 Ritterkreuz d. Königl. Norweg. Verdienstordens. H.: Schwimmen, Wandern, Lesen, klass. Musik, Reisen, franz. Rotweine. (I.D.)

Rhomberg Ludwig Dr. iur.

B.: Vorst. d. Gruppe Soz. u. Gesundheit im Amt d. Vbg. Landesrg. GT.: Aufs.-Beauftragter d. VGKK. DA.: 6900 Bregenz, Römerstr. 15. PA.: 6890 Lustenau, Reichsstr. 68. G.: Dornbirn, 29. Apr. 1948. V.: E lengard, geb. Hofer. Ki.: Johannes (1980), Philipp (1981). El.: Ludwig u. Albertina. S.: 1967 Matura BG Dornbirn, 1968-75 Jusstud. Univ. Innsbruck, 1975/76 Gerichtsj. Innsbruck u. Dornbirn. K.: 1976 Notariatskandidat, Eintritt in d. Landesdienst, seit 1986 Vorst. d. Abt. Soz., Jugend, Familie u. Frauen, set 1991 Gruppenvorst. BL.: 1988 Einführung d. Familienförd., 1990 Einführung d. Pflegezuschüsse. P.: Kommentar z. Vbg. Gemeindegesetz 1992. H.: Fußball, Tennis, Skifahren. (A.K.)

Rhomberg Rudolf

B.: Gschf. Ges., Konditor. FN.: Hotel-Gasthof Krone. DA.: 6850 Dornbirn, Hatlerstr. 2. G.: Dornbirn, 9. April 1950. V.: Christl, geb. Klotz. Ki.: Sabine, Monika, Martin. El.: Werner u. Maria. S.: VS, HS, Konditorlehre in Bregenz. K.: nach Lehre Praktikum in d. Schweiz. 1976 zus. m. Bruder Thomas Führung d. Gasthofes Krone in Dornbirn, 1993 Eröffnung d. neuen Hotels. H.: Schwimmen, Tennis. (I.D.)

Rhomberg Thomas

B.: Gschf. Ges., Koch. FN.: Hotel-Gasthof Krone. DA.: 6850 Dornbirn, Hatlerstr. 2. G.: Dornbirn, 4. Jan. 1948. V.: Herta, geb. Kleinmeier. Ki.: Bettina (1982). El.: Werner u. Maria. S.: VS, HS, Kochlehre, Abschluß 1983. K.: Kochlehre in Lochau Weinstube Meßmer, Praktikum in d. Schweiz u. Arlberggebiet, im elterl. Betrieb, 1978 Erweiterung d. Restaurantbetriebes, 1993 Eröffnung d. neuen Hotels mit 127 Betten. M.: Mitgl. Dornbirn Tourismus. H.: Tennis, Skifahren, Bergwandern. (I.D.)

Rhomberg Viktor

B.: Gschf. FN.: Rhomberg Textil GmbH. DA.: 6850 Dornbirn, Färberg. 15. G.: Dornbirn, 14. März 1946. V.: Silvia. Ki.: Christopher, Victoria. S.: BRG, 1 J. West Georgia College, 1 J. Univ. Wien, Abiturientenlehrgang. K.: seit 1971 im Unternehmen, seit 1986 Gschf. P.: div. Veröff. in Fachzeitschriften. M.: Mtgl. v. Textilfachverb. H.: Segeln, alte Autos, Rallye.

Rhomberg Walter Dr. med. Doz.

B.: Prim. (Abt. Radio-Onkologie) LKH Feldkirch. DA.: 6800 Feldkirch, Carinag. 47. PA.: 6800 Feldkirch, Jesuiteng. 13. G.: Feldkirch, 1. Jan. 1941. El.: Hermann u. Eleonore. S.: Gymn., Univ. Innsbruck u. Wien, Prom. 1966. K.: Ausbild. u. Tätigkeit in KH in Sbg., Schweiz, USA, Deutschland, s. 1980 Ltr. d. Abt. Radio-Onkologie LKH Feldkirch. H.: Kajak, Skifahren, Lesen. (I.D.)

Ribitsch Harald Ing.

B.: LBranddir., Gschf., LFeuerwehrkdt. A.: 5412 Puch 275. G.: Wien, 10. Mai 1931. V.: Ehrentraud, geb. Reichl. El.: Dr. Hubert u. Margarethe. S.: VS, OSchule, HTBL. K.: nach Schulausbild. Eintritt in d. Fa. Swietelsky-Bauges. Linz, ab 1953 als Bautechniker, ab 1955 selbst. Baultr., ab 1957 Gebietsbaultr., ab 1959 Filialltr.Stellv., 1962 Ltr. einer eigenen Tochterges. in d. BRD m. Sitz in München, ab 1959 Eintritt in d. Fa. Straßen- u. Teerbau München-Regensburg, dzt. Zwg.Stellenltr., 1951 Eintritt in d. Feuerwehr Puch b. Hallein, 1964 Brandmstr., 1970 Ortsfeuerwehrkdt., 1976 Bez.Feuerwehrkdt., 1978 LFeuerwehrkdt. F.: Obertauern-Seilbahnges., Gschf. Ges. - maßgebl. Beteiligung. P.: Fachart. auf d. Gebiete d. Ing.Bau, Felsverankerung, Stützwände, Bodenstabilisierung, Feuerwehr: lfd. Berichte in Fachzeitschriften. E.: versch. Feuerwehrausz. d. Österr. Bdl., Verd.Zeichen d. Österr. BFeuerwehrverb. 1. Kl., Bayer. Steckkreuz, Dt. Feuerwehr-Ehrenkreuz in Gold. M.: Lions-Club Sbg. H.: Bergwandern, Skifahren.

Riccabona Christof Dr. techn. Dipl.-Ing. Prof.

B.: Arch., Prof. A.: 1080 Wien, Pfeilg. 7. G.: Wien, 5. Juli 1937. V.: Helga, geb. Seuchter. El.: Doz. Dr. Albert u. Waltraud. S.: 1955-62 Arch.Stud. TU Wien, 1965 Dr. f. Arch. K.: HS-Ass., seit 1973 Prof. an d. HTBLVA Wien 3,s. 1991 Vorst. d. Abt Hochbau f. Ber.tät. a. d. Camillo Sitte Lehranst. Wien, freischaff. Arch.: div. Wohnbauten in Wien, Schule d. Stadt Wien in Wien 22 u. Kindergarten, zahlr. wiss. Arb. u. Veröff., städtebaul. Arb. P.: einige Bücher betreffend Wohnungsbau u. Wohnungssanierung, 6 Bd. Lehrbuch d. Baukonstruktionslehre, 1. Bd. Gebäude u. Gest.lehere. H.: Indologie u. Buddhismusk.

Riccabona Felix Dr.

B.: Prof. d. Päd. Ak. A.: 6094 Axams, Wollbell 34. G.: Innsbruck, 15. Juni 1922. V.: Maria, geb. Sporer. El.: Dr. Otto u. Auguste. S.: 1940 Reifeprüf. am Hum. Gymn. Innsbruck, 1946 Lehrerausbild., 1948 Lehramt f. VS, 1953 Lehramt f. HS Math., Physik, Chemie u. Biologie, 1968 Dr. aus Päd. u. Psych. (Diss. über Probleme d. Erwachsenenbild.). K.: 1946-50 VS-Lehrer in Obernberg, 1950-68 HS-Lehrer in Wattens u. Innsbruck, 1968-82 Prof. d. Päd. Ak. d. Bundes in Tir., seither im Ruhestand, einige J. auch an d. Päd. Diözese Innsbruck in Zams. P.: neben 50-70 Aufsätzen in in- u. ausländ. Zeitschriften als Autor tätig: Rechtzeitige Weichenstellung Erneuerung d. Erziehungspraxis, Zeitgemäße Sexualpädagogik, als Mitautor: Hardeggers

Handbuch d. Elternbildung, als Hauptautor u. Hrsg.: Geschicht Sozialkunde Polit. Bildung. E.: Zwei Österr. Staatspreise f. Tätigkeit u. Publ. z. Erwachsenenbild. H.: Photographieren, Reisen, Bücher, Skisport.

Riccabona Georg Dr. med. Prof.

B.: o.Univ.-Prof., Vorst. d. Univ.Klinik f. Nuklearmed. A.: 6020 Innsbruck, Kärntner Str. 64. G.: Innsbruck, 12. Juni 1933. V.: Fee, geb. Leffin. S.: Matura, Med.Stud. in Innsbruck u. Paris, 1958 Prom., Nuklearmed. Ausbild. in Hamburg u. Boston/USA, chir. Ausbild. an d. Univ.Klinik Innsbruck. K.: 1965 FA f. Chir., 1968 Univ.Doz. an d. Univ. Innsbruck, 1973 a.o.Prof. f. Nuklearmed., 1976 o.Prof. P.: 4 Monographien bzw. Handbuchbeiträge über Schilddrüsenerkrankungen, 236 Publ. aus allen Gebieten d. Nuklearmed. u. z. Thema "Schilddrüsenerkrankungen". E.: Hoechst-Preis. M.: Ges. f. Nuklearmed., European Thyroid Assoc., Österr. Ges. f. Nuklearmed., Österr. u. Dt. chir. sowie intern. Fachges., Präs. d. European Ass. Nucl. Med. H.: Malen, alte Musik, Jazz, Sport.

Richard Carl Dr. Dkfm.

B.: Einzelprok., Gschf. FN.: Dr. Richard Verkehrsbetriebs KG. GT.: Einzelprok. u. Gschf. Austrobus GmbH, Die Reiseprofis KG. DA. u. PA.: 1014 Wien, Lueger Ring 8. G.: Augsburg, 11. Juni 1941.

Richarz Johannes

B.: Prok. FN.: ÖGB Verlag d. österr. Gewerkschaftsbundes GmbH. DA.: 1232 Wien, Altmannsdorfer Str. 154-156. G.: Bad Vöslau, 1. Jan. 1948. V.: Erika, geb. Giese. Ki.: Martina. El.: Johannes u. Anne. S.: 1962 Schriftsetzerprüf., Praxis Staatsdruckerei, 1983 Gewerkschaftsschule, Reifeprüf. auf d. Sozialak. in Arbeitsrecht u. Wirtschaft. K.: Zentralvorst. d. Gewerkschaft seit 1986, Personalref. d. Elbe Mühl, 1986 ÖGB Verlag, Stabsstelle übernommen, Gschf. d. Stadtmusik Bad Vöslau. H.: Beruf, Arbeitsrecht, Wandern, Musik, Garten. (J.E.)

Richentzky Leopold

B.: Bgm., Sicherheitstechniker. DA.: 2000 Stockerau Wolfikstr. 1. PA.: 2000 Stockerau, Franz-Czak-G. 10. G.: Stockerau, 17. Nov. 1946. V.: Hermine, geb. Haberl. Ki.: Tatjana. El.: Johann u. Christine. S.: HS, Maschinenschlosser, Ausbild.-Seminar z. Sicherheitstechniker. K.: Lehrzeit Maschinenfbk. Heid, Schiffswerft ÖSWAG Korneuburg, seit 1979 Bgm. d. Stadt Stockerau. BL.: Errichtung d. Kunsteislaufplatzes, d. Sportzentrums, Renovierung d. Belvedereschlössl, Neubau d. KH. M.: 1976 SPÖ, Vors. d. SparkassenR., Vorst.-Vors.-Stellv. Wohngemeinschaft, GEBOES. H.: Wassersport, Familie. (M.M.)

Richler Thomas

B.: Inh. Haus Kärnten. DA. u. PA.: 9122 St. Kanzian, Schulstr. 3. G.: Klagenfurt, 22. Juli 1948. V.: Brunhilde, geb. Filler. Ki.: Heinz (1975), Thomas (1978). El.: Johann u. Paula. S.: VS, HS, 1964-67 Hotelfachschule Bad Gleichenberg. K.: 1967/68 Wintersaison Bad Gastein, 1968-75 Tätigkeit im elterl. Betrieb Seewirt in St. Kanzian, 1974 Grdg. Haus Kärnten, 1993 Grdg. Mostheuriger. E.: div. Preise b. Eisschießen u. Zimmergewehrschießen. M.: 1968 Obm. u. Gründer d. Volkstanzgruppe "Kolpeinersee", seit 1991 Obm. d. Eisschützenver. St. Kanzian, Vorst. d. Jagdges. St. Kanzian, Vorst. d. Ver. 5000 J. Gradcarcar (Ausgrabungen), Obm. d. Interessengemeinschaft Eislaufplatz. H.: Lesen, Jagd, Eisschießen, Zimmergewehrschießen, Skifahren, Fotografieren, Schwimmen. (I.G.)

Richling Bernd Dr. Univ.-Prof.

B.: Univ.-Prof. f. Neurochir., stellv. Klinikvorst. Univ.-Klinik f. Neurochir. DA.: 1090 Wien, Währinger Gürtel 18-20. PA.: 1140 Wien, Linzer Str. 403. G.: Wien, 19. Nov. 1946. V.: Dr. Annegret, geb. Wagner. Ki.: Nina Elisabeth (1975), Florian Werner (1980). El.: Werner u. Dr. Erika. S.: VS, Gymn., 1965-72 Med.-Stud. Karl Franzens-Univ. Graz, 1972 Prom. K.: 1972 Turnusarzt KH Eutin, 1973 Studienreise durch d. Fernen Osten m. Aufenthalt am Tropeninst. Bangkok, 1973-74 Turnusarzt Interne Abt. d. KH d. Elisabethinen Graz, 1974-78 Fachausbild. Neurochir. an d. Neurochir. Abt. d. Landesnervenklinik Sbg., 1979 Chir. Gegenfach an d. Chir. Abt. d. A.ö. KH Hallein, 1979-80 Neurolog. Gegenfach an d. Neurolog. Univ.-Klinik Köln, 1980 Eintritt in d.Neurochir. Univ.-Klinik Wien, 1983 Habil., 1989 Prof. P.: Entwicklung einer unblutigen Behandlungsmethode f. Erkr. d. Hirngefäße, Habil. über endovaskuläre Embolisationen. M.: Seniormtgl. d. World federation for interventional neuroradiology, Mtgl. d. Österr. Ges. f. Neurolog. u. Neurochir. Intensivmed., VPräs. d. dt. u. franz. Ges. f. Neuroradiologie, Ehrenmtgl. d. rumän. Ak. d. Wiss. H.: Klaviermusiker, Orgel, Skifahren, Tennis. (J.M.)

Richter Anton

B.: Gschf., . FN.: Alsat Spezialtiefbau GmbH. DA.: 1230 Wien, Oberlaaerstr. 276. G.: Sgb., 2. Mai 1955. V.: Christine. Ki.: Monika, Andreas, Viktoria. S.: Baufachschule 4 J. HTL, 1973 Abschl., 1985 Oberbaultr. Prüf. K.: 1973-88 Fa. Solco als Baultr., 1988-89 Fa. Bauer Spezial Tiefbau BRD Oberbault. in d. Niederlassung München, 1989-91 Fa. Bauer GmbH, als Projektltr., 1991 Fa. Alsat Gschf. P.: Baultg. Tätigk. Kraftwerk Melk, Neubau d. Wr. Reichsbrücke, Uno City-Konferenzzentrum, U-Bahn U3 Bauabschnitt 6 u. 7. H.: Cat-Segeln, Tennis, Skifahren. (W.M.)

Richter Egolf

B.: Gschf. FN.: Büromaschinen Richter Ges.m.b.H. DA.: 4070 Eferding, Starhembergstr. 7. PA.: 4070 Eferding, Starhembergstr. 9. G.: Eferding, 14. Mai 1951. V.: Friederike, geb. Theissler. Ki.: Angelika (1989). El.: Emil u. Maria. BV.: Lehrer- u. Kfm.-Famile, in Nordböhmen in d. Glaskunst tätig. S.: VS, HS, Lehre als Büromaschinenmechaniker, 1970 Abschl., 3 Sem. im WIFI (Elektronikausbild.) absolv., Besuch d. Abendschule, weiters im WIFI Kursprogramm f. Jungunternn. absolv. K.: 1970-77 Servicetechn. in Linzer Fa., ab 1977 Serviceltr.-Stelle in Linzer Fa., 1978 Meisterprüf. als Büromaschinenmechaniker, bis 1986 in Linzer Fa. tätig, März

1987 selbst. mit Büromaschinen, 1990 Grdg. einer Filiale in Rohrbach, 1994 Grdg. einer Filiale in Linz, 1993 Canon-Stützpunkthändler. BL.: durch starke Servicemannschaft u. ordentl. Betreuung der Kunden einen großen Stammkundenkreis aufgebaut. M.: Bez.-Feuerwehrkommandant, Obm. Musikverein Eferding, V-Bgm. v. Eferding, Mtgl. Golfpark Ulrichsberg. (J.L.)

Richter Ernst Dr. Prim. Univ.-Prof.

B.: Vorst. d. HNO-Abt. d. AKH Linz. DA.: 4020 Linz, Krankenhausstr. 9. PA.: 4060 Leonding, Holzheimerstr. 104. G.: Wien, 7. Mai 1948. V.: Idegun, geb. Knutson. Ki.: Kathrin (1975), Christian (1976), Nina (1982). El.: Ernst u. Maria, geb. Weiser. S.: VS u. Gymn. Freistadt, 1966 Matura, Med.-Stud. Univ. Wien, 1972 Prom. K.: 1972-73 Ass. Röntgendiagnost. Abt. Regionsspital Örebro Schweden, 1973-75 Ass. am Inst. f. Allg. u. Experimentelle Path. d. Univ. Wien, 1975-78 HNO-Ausbild. Univ.-Klinik Innsbruck, 1978-80 Clinical u. Research Fellow Harvard Medical School u. Mass. Eye u. Ear Infirmary Boston USA, 1980 FA f. HNO, 1980-82 OA d. HNO-Abt. Univ.-Klinik Innsbruck, seit 1982 Vorst. d. HNO-Abt. AKH Linz, 1983 Habil., seit 1991 a.o.Univ.-Prof. Innsbruck, 1988/89 Präs. d. Österr. HNO-Ges. P.: Bücher u.a. "Die elektr. Stimulation d. tauben Ohres m. extracochleären Implantaten" (1986), zahlr. Fachpubl. in in- u. ausländ. Fachmagazinen, Vortragender b. Fachtagungen u. Kongressen. M.: Rotary, HFS-Society Boston. H.: Golf. (P.H.)

Richter Ferdinand KommR.

B.: Fabrikant. DA.: 4020 Linz, Welser Str. 24. G.: Linz, 3. Apr. 1911. V.: Maria, geb. Schiller. Ki.: KommR. Herbert. El.: Wenzel u. Theresia. S.: VS, HS, Schuhmacherlehre im elterl. Betrieb. K.: Inh. d. Schuhfbk. Richter & Co KG, 1970 Eröff. eines Zweigwerkes in Hofkirchen/Mühlkreis, seit 19855 Präs. d. LASK. BL.: Sportförderer f. Wasser- u. Motorsport. H.: Wasser- u. Motorsport, Eislaufen, Skifahren, Garten. (Deu.)

Richter Friederika

B.: selbst. Malerin. PA.: 1050 Wien, Margaretenstr. 61. G.: Alma-Ata, 11. März 1931. Ki.: Herbert Ernst (1956). El.: Maximilian u. Elisabeth Blasch, geb. Kourganowa. S.: HASCH, Dolmetschschule, Fremdenführerausbild. m. Stud. Kunstgeschichte Wien, Künstler. Ausbild. durch Prof. Herbert Stepan. K.: seit 1983 freie Mitarb. b. BMW, Schwerpunkt d. Tätigkeit: Präsentation v. Kleinausstellungen in Zusammenarb. m. d. Bundesmuseen u. d. Arbeiterkam., seit 1989 freischaff. Malerin, Hauptmotiv: Bildchronik Wiens, lfd. Ausstellungen in Österr. BL.: Erarb. d. Arbeitswelt in d. VOEST b. lfd. Betrieb u. Ausstellung d. geschaffenen Werke im Austria Center während eines Kongresses z. 100-jährigen Jubiläum d. Gewerkschaft Metall, Bergbau u. Energie, Umsetzung d. Symphon. Dichtung "Till Eulenspiegel" v. Richard Strauß in einen Bildzyklus. H.: Musik, Reisen, Fotografieren. (N.A.)

Richter Hans Dipl.-Ing.

B.: Arch. DA. u. PA.: 8280 Fürstenfeld, Raiffeiseng. 6. G.: Fehring, 29. Okt. 1924. V.: Magda, geb. Kolba. Ki.: Karin (1954), Günther (1957), Klaus (1967), Peter (1971). El.: Hans u. Helene. S.: VS, RG, 1942 Matura, Arch.-Stud. TU Graz. K.: 1947 Umsiedlung nach Venezuela, Caracas, Beschäftigung m. Arch. u. Bauwesen, 1960 Rückkehr, Weiterstud. TU Graz, 1963 Grad. z. Dipl.-Ing., Aufbau eines eigenen Arch.-Büros im Bgld., 1980 nach Fürstenfeld, 1968 Ziviling., vorwiegend Beschäftigung m. Schulbau u.a. 3 HS u. VS in d. Stmk. u. Bgld., Sportgroßhalle Graz, Raumplanungen, Tiefgarage Fürstenfeld, Wohnbau, seit 1974 Raumplanung. M.: Sportver. Sportfliegerclub Fürstenfeld, Ltg. d. Flugplatzes, VPräs. d. 1. Aeroclub. H.: Fliegen. (M.Gr.)

Richter Hans Christian Dipl.-Ing. HofR. i.R.

B.: LBaudir. u. Stellv. LBmtr. a.D., Pensionist. PA.: 5081 Anif 218. G.: Troppau/Mähren, 14. März 1926. V.: Anna, geb. Nieberlein. Ki.: Univ.-Doz. Dr. Klaus (1953), Lisbeth (1957), Dipl.-Kfm. Dr. iur. Christian (1960). El.: Ing. Ernst u. Helene. BV.: Urgroßvater Ignaz Schustala war Begründer d. Tatra Automobilwerke in Nesselsdorf/Mähren. S.: RG in Neutitschein/Mähren, 1944 Matura, 1947-53 Arch.Stud. TU Wien. K.: nach Wehrdienst u. russ. Kriegsgefangenschaft während d. Stud. in d. Privatwirtschaft tätig, 1953 Eintritt in d. Sbg. LRg., Ltg. d. BHochbau, 1974 Ernennung z. HofR., seit 1986 Ltr. d. Abt. Hochbau d. LBaudion. Sbg. BL.: seit 1953 Wiederaufbau Sbg. betreut: Bau zahlr. Schulen, Amtsgebäude. E.: Gr. EZ f. Verd. um d. Rep. Österr., Gr. Gold. EZ d. Österr. Schwarzen Kreuzes, Ehrenbürger d. Univ. Sbg. M.: Österr. Rotes Kreuz, Kuratoriumsmtgl. d. Österr. Schwarzen Kreuzes, Mtgl. Österr. Ing. u. Arch.Ver., Grdg.Mtgl. d. Tatra-Oldtimer-Club Sbg. H.: Reisen, Fotographie. (Föd.)

Richter Hans Rudolf

B.: Akad. Maler. DA. u. PA.: 1050 Wien, Reinprechtsdorfer Str. 53. G.: Wien, 6. März 1920. V.: Edith, geb. Orlowski (stammt aus altem russ. Adelsgeschlecht). El.: Rudolf u. Karla. S.: Lehrerseminar Wien, Matura 1938, 1945-48 Stud. an d. Akad. d. Bild. Künste Wien. K.: Seit 1948 als freischaff. Künstler in Wien tätig, Arb. im Auftrag v. großen Galerien u. Sammlern im In- u. Ausland. E.: Von Kennern seiner Werke erhielt er d. Beinamen "Spitzweg unserer Tage". (J.S.)

Richter Herbert

B.: Gschf. FN.: Ferdinand Richter Ges.m.b.H. DA.: 4060 Linz-Leonding, Welserstr. 24. PA.: 4060 Leonding, Schieleweg 17. G.: Linz, 11. Mai 1939. V.: Mathe Freia. Ki.: Michael (1962), Petra (1964), Ulla (1968), Stefan (1983). El.: Ferdinand u. Maria. BV.: schon seit 1893 besteht die Tradition des Schuhmacherhandwerks. S.: VS in Linz u. HS in Bad Goisern, 1958 Matura HAK Linz, 1959 BH. K.: 1960 Fachausbild. f. d. Schuhindustrie als staatl. gepr. Techniker, in Deutschland u. Amerika tätig, seit 1962 in d. heutigen Fa. tätig, seit 1985 als Gschf. Ges., 1964 Gründung d. Werks im Mühlviertel / Hofkirchen im Mühlkr., 1984 Erweiterung dieser Fa., 1.9.90 Partnerschaft mit ungar. Fa. (100% Tochterfa.) "Cipo kft", 30.4.92 Übernahme dieser Fa., gerichtl. beeid. Sachverst. f. Schuhe. BL.: 1952 u. 1958 österr. Staatsmeister im Motorbootfahren, 1983 Verleihung d. Modeoscar f. die Fa. f. bes. Design. P.: Durch die Entwicklung des Meßsysthems für Kinderfüße ("Austro-Point") Veröff. in versch. Fachzeitschr. u. Zeitungen z.B. Presse u. Veröff. in Wirtschaftszeitungen. M.: Hauptaussch. i Schuhfachverband, Industriellen-vereinigung. H.: zwei Heißluftballons, Skifahren, Tennis, Segeln, Fotografie, Fachlit., Sachbücher, Sammeln v. Popkunst: Keith Haring, Andy Warhold, Wesselmann, Roy Lichtenstein. (U.A.)

Richter Hermann

B.: Unternehmensltg. A.: 1160 Wien, Maroltingerg. 52/30. G.: Wien, 22. Juli 1948. V.: Gerda, geb. Visar. El.: Rudolf u. Gertrude. S.: Pflichtschule, Gymn., Elektroniker-Ausbild., Univ.Lehrgänge. K.: Facharb., Elektrotechniker, Forschungstechniker im Reaktor Seibersdorf, ltd. Techniker b. Univac, Ltr. d. Sales Promotion Abt. eines d. größten privaten Hdls.Häuser Österr. Fa. A. Weiner, Verkaufstrainer, Verkaufsltr., Gschf., Unternehmensltr. Fa. Display. H.: HK Panama.

Richter Hermann

B.: Ldw. FN.: Richter Rasen. DA. u. PA.: 2443 Deutsch Brodersdorf, Obere Hauptstr. 41. G.: Reisenberg, 16. Dez. 1940. V.: Maria Anna, geb. Krammer. Ki.: Hermann (1962), Alexander (1963), Heinrich (1966). El.: Franz u. Hermine. S.: VS, HS, 1952-56 Berufsschule. K.: 1956 Einstieg in d. väterl. Firma, 1965 Ges., 1968 Übernahme. H.: Musik, Lesen, Golf, Kunstsammeln, Parkrevitalisierung. (M.D.-H.)

Richter Jürgen Dipl.-Ing.

B.: Gschf. FN.: Pacomp Computersysteme Hdls. GmbH. DA.: 1070 Wien, Lerchenfelderstr. 77. G.: Ehnigen, 10. Juli 1959. El.: Bruno u. Else. S.: Abitur, Stud. TU Stuttgart, Abschluß Dipl.-Ing. K.: 1989 Einstieg b. Pacomp im Servicedienst tätig, Ltr. d. Rep. Abt., 1991 im Außendienst u. Gschf. d. Filiale in Österr. P.: Fachart. Univ. Stuttgart, div. Fachpubl. H.: Eisenbahnfan, Hobbylokführer, Oldtimer-Liebhaber, klass. Musik. (W.M.)

Richter Manfred

B.: Inh. FN.: Manfred Richter Modellbau. DA.: 4470 Enns, Gürtlerstr. 19. PA.: 4470 Enns, Volkersdorf 12. G.: Enns, 30. Nov. 1954. V.: Bettina, geb. Lengauer. Ki.: Alexander (1980), Judith (1984).. El.: Ernst u. Cäcilia, geb. Pichler. S.: VS, HS, Modell-tischlerlehre, 1978 Mstr.-Prüf. K.: Grdg. d. heutigen Unternehmens. H.: Lesen. (W.B.)

Richter Manfred

B.: Gschf. FN.: Schako Lüftungsgitter Vertriebs GmbH. GT.: Inh. Manfred Richter KG. DA.: 1100 Wien, Segnerstr. 7. G.: Wien, 7. Feb. 1948. V.: Mag. Martha, geb. Prochazka. Ki.: Stephanie (1981), Julia (1983). El.: Oskar u. Hermine. BV.: Großvater DDr. Oskar Richter war Diplomat. S.: Matura, Jusstud. K.: 1968-70 Tätigkeit in d. Schadensabt. einer Vers., 1970-73 Tätigkeit in d. Autobranche, 1973 selbst. m. Grdg. Richter KG, 1984 Grdg. Schako GmbH u. Gschf. P.: Fachvorträge an d. HTL, Fachart. über Oldtimer. M.: Obm. d. Elternver. Sacre Coeur, Oldtimer-Club. H.: Oldtimer, umfangreiche Sammlung österr. Spitzenweißweine. (F.S.)

Richter Karl Dr. Prof.

B.: Univ.Lehrer am Inst. f. kulturelles Management an d. HS f. Musik u. Darstell. Kunst. DA.: 1010 Wien, Karlspl. 2/2/9. G.: München, 2. März 1924. V.: Helga, geb. Stephan. Ki.: Götz-Andreas (1960), Nicolette (1965). El.: Karl u. Leonie. S.: 1942 Abitur, Stud. d. Theater- u. Musikwiss., Kunstgeschichte u. Phil., 1956 Dr. phil. m. Diss. z. Szenischen Vision b. Richard Wagner Univ. München. K.: 1957-59 Programmred. d. Verlagsges. W. Schlösser Stuttgart, 1959-63 Produktionsltr. d. Verlagsges. W. Schlösser, nebenberufl. Reg. u. Dramaturg am Theater d. Stadt Baden-Baden, Mitarb. d. Süddt. u. d. Saarländ. Rundfunks, 1963-67 Verlagsltr. d. Cotta-Verlages Stuttgart, 1968-74 persönl. Ref. d. Generalint. d. Bühnen d. Stadt Köln, 1971-73 Mtgl. d. Strukturaussch. f. Museen, Bibl., Orchester u. Theater b. Kultusmin. d. Landes NRW, seit 1974 Gschf. d. Sekr. f. gemeinsame Kulturarb. in NRW, 1985-89 Kuratoriumsmtgl. d. Ak. f. musische Bild. u. Medienerziehung d. BRD in Remscheid, Mtgl. d. Intern. Theaterinst., seit 1986 Mtgl. d. LMusikR. NRW, Lehrtätigkeit: 1988/89 Gastprof. an d. Wr. HS f. Musik u. Darstell. Kunst, Lehrauftrag an d. Univ. Köln seit 1970, Hon.Prof. an d. FU Witten-Herdecke, BeiR.Vors. f. kulturelle Weiterbild. an d. Fernuniv. Hagen/BRD. P.: zahlr. Veröff. E.: VK d. BRD f. kulturelles Management im Kultursekr. NRW. H.: Musik, Literatur, Bergwandern, Skifahren, Schwimmen. (J.S.)

Richter Michael

B.: Gschf. FN.: Barbara Richter GmbH. DA.: 4020 Linz, Landstr. 12. PA.: 4060 Leonding, Haag 4. G.: Linz, 22. Okt. 1962. V.: Barbara, geb. Stadler. Ki.: Philipp (1990). El.: KommR. Herbert u. Frieder. S.: VS, HS, 1985 HAK-Matura, 1985-87 Stud. Betriebswirtschaft Linz, 1985-87 Werkmstr.-Schule f. Schuhind. K.: 1987-89 Univ.-Lehrgang f. Kaufleute, Tätigkeit im väterl. Betrieb, 1989 Apple Business School Wien, 1990/91 Marketingbereich Firma Brown St. Louis/Missouri Shoecompanie, 1991 Planungsphase u. Aufbau eines eigenen Unternehmens "Hullabaloo" Barbara Richter GmbH, 1992 Eröff. d. Pilotgeschäftes, 1994 Expansion. M.: Nfg. d. Schuhind., 1988/89 Vorst.-Mtgl. ECL Exportclub Linz, Industriellenver., Junge Wirtschaft. H.: Familie, Unternehmen, Tennis, Skifahren. (Ni.A.)

Richter Vladimir Dr. rer. nat. em.Univ.-Prof.

PA.: 6021 Innsbruck, Sillg. 6. G.: Chrlice b. Brünn/CZ, 14. Juli 1925. El.: Jan u. Apolonie. S.: hum. Gymn. Brünn, Stud., 1949 Prom. z. Dr. rer. nat., Stud Theol. in Innsbruck. K.: 1964 Univ.Doz. Innsbruck, 1969 a.o.Univ.-Prof. Innsbruck, 1974 o.Univ.-Prof. Innsbruck f. christl. Phil., 1993 em. Univ. Prof. P.: Aufsätze zu Ockham u. Scotus im Phil. Jahrbuch, Zeitschrift f. kath. Theol., Bücher: Untersuchungen z. operativen Logik d. Gegenwart (1965), Studien z. literarischen Werk v. Johannes Duns Scotus (1988). M.: Société intern. pour l'étude de la philosophie mediévale. (W.G.)

Richter Wilhelm

B.: Besitzer, Gschf. FN.: Contrast-Disc-Dancing-Club. DA.: 4060 Leonding, Neubruchstr. 30. PA.: 4060 Leonding, Neubruchstr. 31. G.: Prievidza/CSFR, 25. Nov. 1934. V.: Anneliese, geb. Kuhn. Ki.: Kurt (1957), Ernst (1958), Romana (1961), Gabi (1969). El.: Alois u. Laura. S.: VS, HS, 1949-52 Lehre als Maschinenbauer Hitzinger & Co Linz. K.: b. 1953 b. Fa.Hitzinger, dan. b. 1965 Geselle Chemie Linz AG, 1966 Eröff. d. Contrast-Club, 1970-79 Handelsvertr.Elektroger. Firma Elix. E.: 1956 Österr. Union Bundesmstr. v. Österr. in Handball. M.: 30 J. SPÖ. H.: Beruf, Autoliebhaber. (U.E.)

Richter Wolfram Dr. phil. o.Prof.

B.: Univ.-Prof. am Inst. f. Petrologie d. Univ. Wien. DA.: 1010 Wien, Dr.-Karl-Renner-Ring 1. PA.: 1140 Wien, Knödelhüttenstr. 23. G.: Villach, 13. Dez. 1938. V.: Gertrud, geb. Zerbst. Ki.: Andreas, Klaus, Lisa-Maria. S.: RG Villach, 1957 Matura, Stud. Univ. Wien Fachrichtung Erdwiss., 1963 Prom. K.: 1963-73 Ass. Univ. Wien Inst. f. Petrologie, 1974 Habil., 1975-77 OAss. ETH Zürich, 1971 Berufung an d. Univ. Wien, Prof. f. Mineralogie u. Petrographie am Inst. f. Petrologie, Schwerpunkt d. wiss. Arb.: Petrographie u. Geochemie d. metamorphen Gesteine. P.: Publ. in Fachzeitschriften. M.: 1981-86 Präs. d. Österr. Mineralog. Ges., 1985-88 Vors. d. Abt. Metamorphose d. Balkano Karpath. Geolog. Ass., seit 1976 Korr. d. geolog. BAnst. H.: Musik, Bergsport. (C.K.)

Richter-Springler Hedi
B.: Choreographin u. Pädagogin d. Ballettschule d. BTheater. DA.: 1010 Wien, Goetheg. 1. PA.: 1170 Wien, Heigerleinstr. 53/7. G.: Troppau/CSFR, 2. Juni 1936. V.: Bernd Springler. Ki.: Gregor (1978). El.: Ernst u. Helene, geb. Schustala. BV.: Urgroßvater Ignaz Schustala war Begründer d. Tatra Automobilwerke in Nesselsdorf/Mähren. S.: 1947-53 Ak. f. Musik u. darstell. Kunst (Tanz), Abschluß m. d. Staatspreis, weitere Stud. b. Tony Birkmeyer, Grete Wiesenthal, Tamara Rausa, Rosalia Chladek, 1965 Perfektion am Kirov-Theater Leningrad b. d. Solotänzerin Natalia Dudinskaja. K.: 1953 Solotänzerin am Raimund Theater, ab 1955 erste Solotänzerin an d. Volksoper, Gastspiele in d. ganzen Welt, Fernsehaufnahmen. E.: Silb. EZ f. Verd. um d. Rep. Österr. 1968, Gold. VZ d. Stadt Wien 1975. (N.A.)

Richter-Weissinger Lieselotte Dkfm. Mag. MinR.
B.: Ltr. d. Abt. Verwaltungsreform d. Bundeskanzleramts. DA.: 1010 Wien, Ballhauspl. 2. PA.: 1030 Wien, Ungarg. 17/2/6. G.: Zwettl, 17. Sep. 1946. El.: Johann u. Rosa. S.: VS, HAK, Matura 1964, Hochschule f. Welthandel, 1968 Dkfm., Wirtschaftspädag., 1970 Mag., Auslandsaufenth. i. GB. K.: 1968-81 Prof. a. HAK i. d. Fächern BWL, RW, Datenverarb., s. 1981 Bundeskanzleramt, 1981-87 i. Verfassungsdienst, s. 87 Leiterin d. Abt. Verwaltungsreform. BL.: 1988 Konzeption u. fachl. Ltg. d. Verwaltungsreform Projektes "Verwaltungsmanagement". P.: Veröff. z. Thema "Verwaltungsreform". M.: VÖWA, Verwaltungswissenschaftliche Gesell. H.: Musik, Natur, Sport. (E.J.)

Rick Helga
B.: Prok., Ltg. d. Finanzwesens. FN.: Morawa & Co. DA.: 1010 Wien, Wollzeile 11. PA.: 1238 Wien, Karl-Schwed-G. 76. G.: Wien, 4. Nov. 1943. Ki.: Wolfgang (1963), Angelika (1964). El.: KommR. Franz u. Gertrud Selch, geb. Morawa. S.: 8 J. RG m. Matura, 1 J. Abiturientenkurs an d. HAK. K.: 1968-87 Ltg. d. Buchhaltung d. Lesezirkels "Welt im Heim", 1987-93 Ltg. d. Finanzwesens d. Firma Morawa & Co. H.: Theater-, Konzert-, Opern- u. Museumsbesuche, Fernreisen.

Rick Wolfgang
B.: Prok., Geschäftsltg. FN.: Morawa Buch u. Presse. DA.: 1140 Wien, Hackinger Str. 52. G.: Wien, 20. Mai 1963. V.: Irene, geb. Kasper. Ki.: Felix (1991). El.: Harald u. Helga. BV.: Dichter Wolfgang Rick. S.: AHS-Matura, Buchhändler, Stud. Politikwiss. u. Publizistik. K.: stellv. Ltg. Zentralvertrieb, stellv. Ltg. Vertrieb NÖ, Betriebsltg. Vertriebszentrum Wien-West, Geschäftsltg. f. Logistik Gesamt Österr. H.: Kirchengeschichte, Lesen, Tennis, Squash.

Ridder Andreas Dr.
B.: Gschf. FN.: Richard Ellis GmbH Intern. Immobilienberatung. DA.: 1010 Wien, Teinfaltstr. 4. PA.: 2380 Perchtoldsdorf, Liechtensteinpromenade 10. G.: Aarau, 23. Apr. 1961. El.: Helmut u. Susanne, geb. Keppeler. S.: Schottengymn. Wien, 1979 Matura, Stud. d. Rechtswiss. a. d. Univ. Wien, 1984 Prom. Dr. iur. K.: 1985 Gerichtsjahr, 1987 Eintritt i. d. CA a. Traineeprogramm, dann Investment-Banking, 1990 i. d. CA-Immobilien-Development AG, s. 1991 Gschf. d. Richard Ellis GmbH. H.: Skifahren, Tennis, Architektur. (N.A.)

Ridder Helmut
B.: Gschf. Ges. FN.: A. Buschek GmbH Fleisch-Filialbetriebe. DA.: 1030 Wien, Seidlg. 22. PA.: 2380 Perchtoldsdorf, Schubertg. 82. G.: Waldshut, 25. Juni 1931. V.: Susanne, geb. Keppeler. Ki.: Thomas, Andreas. El.: Alfons u. Berta. S.: Privatschule in Luzern, Metzgerlehre u. kfm. HASCH. K.: Praxis in Fleischereien in Deutschland, Schweiz u. Österr., 1963-73 Gschf. Dir. b. Lukas Kunz (maßgebl. am Aufbau beteiligt), seit 1973 gschf. Ges. d. A. Buschek GmbH. M.: Lions-Club Perchtoldsdorf, Fliegerclub Aeroclub. H.: Fliegen, Arb., Skifahren, Schwimmen, Theater. (M.G.)

Riebe Max
B.: Ak. Maler. PA.: 4060 Leonding, Auf der Halde 19. G.: Öhling, 23. Aug. 1919. V.: Anna, geb. Thallinger. Ki.: Markus (1955), Stephan (1965). S.: Pflichtschulen, 1937 Stud. HS f. Angew. Kunst Wien, 1940 Stud. Ak. d. Bild. Künste Wien. K.: 1945 freiberufl. Tätigkeit in Bad Ischl u. Gmunden, Neuorgan. d. Künstlergilde Salzkammergut, 1946 Ausstellungen im Rahmen d. Gilde Salzkammergut gemeinsam m. Prof. Franz Zülow, Prof. Erwin Lange u. Prof. Franz Schicker, Beitritt Berufsver. d. Bild. Künstler Österr. Landesverb. OÖ, 1948 Designer u. künstler. Berater d. Gmundner Keramik, Entwurf u. Ausführung div. Einzelstücke, Keramikrelief f. d. Firma Pawlata Wien, 1953 Auslandsaufenthalt Dänemark, Insel Bornholm in Ronne, Entwurf eines Keramikfrieses f. ein Bankgebäude, 1954 Rückkehr nach Österr., freischaff. Maler u. Grafiker, 1962 Studienreise Paris, 1964 Grafiker im Werbeatelier eines Großkaufhauses in Linz, 1969 Sommeraufenthalt in La Faute, 1976 Studienreisen Paris u. Rom, 1972 Aquarellstudien La Faute u. La Rochelle, 1980 freischaff. Maler u. Grafiker, 1981 Teilnahme an einer Gemeischaftsausstellung d. Berufsver. d. Bild. Künstler Österr., 1982 Ausstellung Raika-Galerie Waidhofen/Ybbs, 1986 Einzelausstellung Ursulinenhof Linz, 1990 Ausstellung Raika Linz-Urfahr. E.: 1942 Abendaktpreis, 1943 Meisterschulpreis. (P.H.)

Riebenbauer Gerhard Dr.
B.: öff. Notar. DA.: 8700 Leoben, Franz-Josef-Str. 4. PA.: 8010 Graz, Hochsteing. 103. G.: Hartberg, 4. Jan. 1942. V.: Elfriede, geb. Pirsch. Ki.: Sabine. El.: Dr. Leo u. Christine. S.: VS, Ak. Gymn. Graz, 1960 Matura, Jusstud. Univ. Graz, 1965 Prom. K.: Gerichtsj. in Graz u. Hartberg, Präsenzdienst, Notariatskandidat in Bruck/Mur u. Graz, 1977 eigene Kzl. in Pöllau b. Hartberg, seit 1985 Kzl. in Leoben. M.: Mtgl. d. "Club 41". H.: Wandern, Skilanglauf, Waldlauf, Tennis. (K.K.)

Riebler Alois
B.: Beh. konz. Installateur- u. Schlossermstr., allg. gerichtl. beeid. Sachv. d. Installationsgewerbes. GT.: seit 1987 Landes- u. Bez.Innungsmstr. d. Sanitär- u. Heizungsinstallateure f. Ktn. DA. u. PA.: 9800 Spittal, Lieserstegg. 6-8. G.: Spittal, 29. Okt. 1934. V.: Gilda, geb. Warmuth. El.: Alois u. Marianne. S.: Pflichtschule. K.: Schlosser- u. Installationslehre b. 1951, TGM Wien b. 1956, Praxisj. b. Österr. Körting AG Wien, 1958 Mstr.Prüf., b. 1968 Praxisj. im elterl. Betrieb in sämtl. Bereichen, 1968 Grdg. einer OHG, gschf. Ges. b. 1980, Umwandlung in jetzige Einzelfa. u. Alleininh. d. Fa. Alois Riebler & Söhne OHG. BL.: Entwicklung vor d. Jdht.Wende auf d. Gebiet d. Wasserinstallation u. Schlosserei zu einem führenden Unternehmen m. versch. Ausz. im In- u. Ausland, 1950 J. Firmenbestand, in 4.

Generation jetzt tätig. M.: Präsidialmtgl. d. Sportver. SVS Spittal. H.: Skilanglauf, Schwimmen, Wirtschaftsliteratur. (Hat.)

Rieck Gottfried Oskar

B.: Einsatzltr. f. Lokomotiven in d. ÖBB-Dion., Dir. Firma Le Majestic. DA.: 1010 Wien, Franziskanerpl. 5/10. PA.: 1010 Wien, Weihburgg. 18. G.: Wien, 22. Okt. 1948. V.: Sibylle, geb. Graf. Ki.: Agnes (1983), Astrid (1985), Alexander (1988. El.: Oskar u. Elfriede. S.: VS, Gymn., Lehrwerkstätte d. ÖBB. K.: Lokomotivführer b. ÖBB, erst Heizer dann Lokomotivf. auf Dampflokomotive, Prüf. f. 17 versch. E-Lokomotiven, Prüf. f. alle Dampflokomotiven, 2. Bild.-Weg Dienststellenltr., Einsatzltr. f. Lokomotiven b. ÖBB-Dion. Wien, 1990 Grdg. Firma Le Majestic, Bau v. 3 nostalg. Waggons, Charterreisen f. Firmen. H.: Laufen, Skifahren, Tennis, Segeln, Reiten, Tauchen, Segelfliegen, Schiffsführerpatent. (J.M.)

Rieckh Werner

B.: Gschf. Ges. d. Fa. Franz Rieckh Söhne. DA.: 8020 Graz, Niesenbergerg. 39. PA.: 8010 Graz, Panoramag. 54. G.: Graz, 5. Mai 1925. V.: Doris, geb. Lorenzoni. Ki.: Mag. Nikolaus, Dipl.-Ing. Martin, Dipl.-Ing. Thomas, Andreas. El.: Hermann u. Elisabeth. BV.: Urgroßvater Franz Rieckh Gründer d. Fa., Mitbegründer d. Steir. Escompte-Bank (heutige CA-BV). S.: VS, RG, einige Sem. Vw. K.: Eintritt in d. väterl. Unternehmen, Aufbau d. total zerstörten Lederfbk., 1970 Grdg. d. Fa. Auto Rieckh GmbH, 1971 Stillegung d. Ledererz., 1968 u. 1970 Errichtung v. 2 Autowaschstraßen. H.: Bergsteigen, Skifahren, Segeln, Forstwirtschaft. (R.A.)

Rieckmann Heijo Dr. rer. soc. oec

B.: o.Univ.-Prof. am Inst. f. Wirtschaftswiss. d. UBW Klagenfurt. DA.: 9020 Klagenfurt, Universitätsstr. 65-67. PA: 9020 Klagenfurt, St. Primusweg 73. G.: Hildesheim/BRD, 13. Apr. 1946. El.: Herbert u. Malla. S.: Gymn. u. Abitur in Essen, Stud. d. Sozialwiss. u. Verhaltenswiss., Phil. in Bochum u. Mannheim. K.: 1972-78 Manager b. Procter and Gamble, BRD, 1978-85 Univ.Ass. an d. Univ. Wuppertal (Inst. f. Wirtschaftswiss., Fachgebiet: Organisationsentwicklung u. Personalwirtschaft), Unternehmensberater, seit 1985 Univ.-Prof. in Klagenfurt. P.: "Auf d. grünen Wiese Organisationsentwicklung einer Werksneugründung. Sozio-techn. Design u. offene System-Planung" 1982, zahlr. Aufsätze u.a.: "20 Thesen z. zukünft. Managemententwicklung in d. Wirtschaft", "Tendenzen d. Organisationsentwicklung", "Was ist Organisationsentwicklung", "OE-Interventionen. Ein Systematierungs-versuch in 2 Teilen", Managing the Unmanageable: Der OSTO-System-Ansatz, Dynoxibility, oder: Wie systemisches Management i. d. Praxis funktionieren kann. M.: Ges. f. Organ.Entwicklung. (Sitz München). (D.M.)

Riedel Claus Josef Prof. Dr. h.c.

B.: Industrieller. FN.: Claus Josef Riedel Tiroler Glashütte GmbH. DA.: 6332 Kufstein, Weissachstr. 28. PA.: 6332 Kufstein, Glashüttenstr. 10. G.: Polaun/Nordböhmen, 19. Febr. 1925. V.: Dkfm. Ute, geb. Eckert. Ki.: Georg, Josef, Barbara, Pia, Nicolaus, Wenzel. El.: KR Ing. Walter Riedel u. Claudia. BV.: Josef Riedel a.Ä.: Erfinder d. Bijouterie u. Begründer v. Gablonz, Josef Riedel d.J.: Erfinder d. drei Signalfarben, Ing. KommR. Walter Riedel (Vater), Erfinder d. verspinnbaren Glasfaser. S.: Chemiestud. an d. Univ. Innsbruck. K.: 28-facher Staatspreisträger. E.: Gr. EZ f. Verd. um d. Rep. Österr., Gold. Verd.Zeichen d. Landes OÖ, Orden Cavaliere Ufficale della Republica Italia. M.: Österr. Inst. f. Formgebung. H.: Segeln, Harley Davidson.

Riedel Gerhard Ing.

B.: Gschf. d. Mannesmann Rexroth. DA.: 1190 Wien, Weimarer Str. 104. PA.: 1190 Wien, Hansi-Niese-G. 8A. G.: Wien, 15. Mai 1941. V.: Gerhilde, geb. Koslik. Ki.: Thomas, Birgit. El.: Wilhelm u. Margarethe. S.: HTL, Ing. 1960. K.: 1960-62 Konstrukteur b. Fa. Ruthner in Wien, 1962-70 Fa. Hörbiger-Fluid (dam. Fa. Mabeg) Wien, zun. Verkaufsing. u. 1968-70 Verkaufsltr., s. 1970 b. Mannesmann Rexroth: Gschäftsstellenltr. Wien, 1973 Prok., s. 1985 Gschf. H.: Tennis, Skifahren. (M.B.)

Riedel Hans

B.: Cand. phil. publ. et art. DA. u. PA.: 1070 Wien, Neubaug. 7. G.: Rio de Janeiro, 17. Febr. 1963. El.: Dipl.-Ing. Engelbert u. Hedwig, geb. Kucher. S.: 1982 Matura, seit 1983 Stud. Phil. u. Kommunikationswiss. Univ. Wien u. HS f. angew. Kunst. K.: seit 1984 Tätigkeit auf d. Gebiet d. Objektkunst, Objektdesign u. akzentuierten Lichtgestaltung. P.: Hrsg. d. Zeitschrift "Artefakt" (1983-85). H.: Leben. (N.A.)

Riedel Wernfried

B.: Dir. d. Sonderschule Bischofshofen. DA.: 5500 Bischofshofen, Sportplatzstr. 15. PA.: 5600 St. Johann/Pongau, Ludwig-Pech-Str. 1A. G.: Werfen, 13. Aug. 1948. Ki.: Birgit (1975), Christina (1979). El.: Walter u. Priska. BV.: Großvater Prof. Dr. Josef Vielgratner Mittelschulprof., Mitgründer d. Christl. Lehrerver. S.: 1969 Matura, 1969-71 Päd. VS-Lehrerausbild. K.: 1971 Lehrer Sonderschule Wagrain, 1975 Prüf. f. Sonderschullehrer, 1977-84 Sprachheillehrer im Raum Altenmarkt, seit 1984 Dir. d. Sonderschule Bischofshofen, Aufgaben: Unterrichtsgeschehen, Päd. u. Administration, Zusammenarb. m. Heilpäd. Beobachtungsstation Sbg. u. Ambulatorium f. entwicklungsgestörte Kinder. BL.: Integration d. Sonderschüler in d. Beruf, Ermöglichung d. HS-Abschluß. P.: Art. in regionalen Printmedien. M.: Christl. Lehrerver. H.: Renovieren u. Restaurieren. (G.P.)

Riedelbauer Karl

B.: Inh., staatl. gepr. Immobilienmakler, Hausverw. u. gewerbl. Bauträger. FN.: Realitäten Riedelbauer Immobilienvermittlung. DA.: 4600 Wels, Kaiser-Josef-Pl. 53 u. 4810 Ried/InnKr., Bahnhofstr. 38. PA.: 4651 Stadl-Paura, Angerweg 20. G.: Lambach, 27. Nov. 1947. V.: Margit, geb. Kuen. Ki.: Olivia. S.: kfm. Ausbild. (Bürokaufmann), Praxis im Bankwesen, 3 J. Auslandsaufenth. (Australien). K.: 1975-86 Verkaufsleiter in österr. Großbank, 1981 Konzessionsprüf. f. Makler u. Hausverwalter, seit 1986 selbst. (Vermietung, An- u. Verkauf Immobilien u. Unternehmungen), Kammerfunktionär. M.: 1. Welser Segelclub. H.: Hochseesegeln, Reisen, Garten. (P.H.).

Riedelsberger Peter Dr. iur.

B.: selbst. RA. GT.: ehrenamtl. AufsR.-Vorst. b. d. Raiffeisenkasse Walding-Ottensheim. DA.: 4040 Linz, Kaarstr. 2. PA.: 4100 Ottensheim, Linzer Str. 35. G.: Wels, 13. Febr. 1957. V.: Christine, geb. Wagner. Ki.: Stefan (1981), Gerald (1984), Caroline (1987), Martin (1988). El.: Richard u. Inge. S.: VS, AHS, 1975 Matura, b. 1979 Univ. Linz, BH. K.:

Gerichtsj., Praxis b. RA in Eferding Dr. Hochleitner u. Dr. Broinger. M.: Gewerbever. Ottensheim, Sportver. H.: Golf, Jagd, Tennis, Skifahren, Kultur, Festspiele, Oper. (U.A.)

Rieder Adalbert

B.: Red. d. Ktn. Tageszeitung. GT.: Pressefotograf. DA.: 9800 Spittal/Drau, Villacher Str. 53. G.: Spittal/Drau, 26. Juni 1952. Ki.: Robert. El.: Adalbert u. Leopoldine. S.: VS, HS, Gymn., HTL-Werkmstr.Schule. K.: 1972-79 Ltg. d. Fa. Markowitz in Spittal/Drau als Elektromstr., 1979-80 Red. d. Volkszeitung f. Klagenfurt, seit 1980 Red. d. Ktn. Tageszeitung. E.: Ktn. Ehrenkreuz f. Lebensretter 1985. M.: SPÖ. H.: Sohn, Beruf, Esoterik. (M.B.)

Rieder Albert

B.: Goldschmiedmeister, Inh. FN.: Juwelier Albert Rieder. DA.: 5700 Zell/See, Kircheng. 33 Stadtpl. PA.: 5700 Zell/See, Belevueweg 4. G.: Zell/See, 27. Jän. 1952. V.: Helene, geb. Höck. Ki.: Michael (1979), Karoline (1980). El.: Albert u. Siglinde. S.: VS, HS, Poly., 3 1/2 J. Goldschmiedlehre, 1970 BH, Meisterprüf. 1975. K.: 1977 Selbst., 1980 Dipl. f. Diamantgutachter erhalten, zahlr. Ausstellungen. BL.: Anfertigung v. Ehrenringen d. Pinzgaues u. D. Europasportregion Zell/See Kaprun. P.: Art. i. reg. Printmed. M.: Eishockeyclub, Lions Club, Golfclub. H.: Eishockey, Golf, Mountainbike. (J.F.)

Rieder Anna Dr.

B.: Mtgl. d. steir. Landesreg. FN.: Stmk. Landesreg. DA.: 8010 Graz, Landhaus. G.: Ungar. Hradisch, 6. Dez. 1943. V.: Dipl.Ing. Gert Rieder. Ki.: Robert (1970). El.: Dr. Franz Revera u. Herta. S.: VS, Gymn., 1961 Mat., Stud. d. Rechtswiss. a. d. Karl Franzens Univ. Graz, 1966 Prom. K.: 1966-67 Gerichtsj. Bg. Leoben, 1967-72 Konzipient. b. Dr. F. Jöllinger, 1972 Eintr. i. d. stmk. Landesdienst, Ausbild. b. d. BH Bruck/M. u. b. d. Rechtsabt. 3 u. 4 i. Graz, ab 1973 d. BH Leoben dienstzuget., RefLtr. Jugendwohlf. u. Soz.Hilfe, 1989-90 zus. Ref. Wasserrecht, Jagd, Forst u. Fischerei, BezHptm.-Stellvertr., 1991-94 BezHptm. v. Leoben, s. 25.1. 1994 Mtgl. d. Stmk. Landesreg., zuständ. f. Sozialh., Behindertenh. u. Jugendwohlf.

Rieder Gottfried Prof

B.: Mittelschulprof., Musiker, intern. Zithersolist, Ltr. d. Herrnauer Volksmusik, Prof. am Oberstufen-RG. DA.: 5020 Salzburg, Akademiestr. 21. PA.: 5020 Salzburg, Ulrich-Schreier-Str. 4. G.: Salzburg, 5. Aug. 1931. V.: Irmgard, geb. Fischwenger. Ki.: Karin (1956). El.: Simon Obenholzer u. Juliane Aigner, geb. Rieder. S.: VS, HS, Sem. f. Musikerzieh. am Mozarteum, 1970 Abschluß, 10 J. Stud. f. Höheres Zitherspiel b. Prof. F. Brandlhofer. K.: Lehrer f. Hackbrett, b. 1990 Musiklehrer f. Volksmusikinstrumente im Musikschulwerk, 1955-75 im Erzbischöfl. Gymn. Borromäum, seit 1970 Musikprof. am Oberstufen-RG Akademiestraße Sbg. BL.: Gründer u. Ltr. d. Sbg. Advent in St. Peter, Teilnahme am Grand Prix d. Volksmusik, 1950 Zitherspieler v. "Der dritte Mann" in Sbg. P.: Autor: Volksmusikhefte d. Reihe: Salzburger Notenbüchl Nr. 1-5, Komponist v. 500 kl. Werken f. Zither, Akkordeon u. Volksmusikensemble z.B. "Sbg. Spielbuch f. Gitarre", "Spiel ma oans", "Stubaitaler Gitarrenländler f. 3 Gitarren u. Kontrabass", kl. Publ. b. Wr. Verlagen, ca. 15 bespielte Tonträger z.B. "Herrnauer Volksmusik", ca. 5 Weihnachts-schallplatten, Mitwirkung in versch. Filmen z.B. "Der Weibsteufel", Radio- u. Fernsehauftritte, Auftritt b. Sbg. Festspielen als Zithersolist, "Schönes Blühnbachtal" (1993). H.: Fußball, Boxen, Tischtennis, Radfahren, Reisen. (U.E.)

Rieder Hans

B.: Mtgl. d. NatR., Kfm., Gschf. FN.: Betonwerk Rieder GmbH Maishofen. GT.: Gschf. SZW Oberndorf, BW Nageler Lienz, Isospan Ramingstein, Ertex Rieder Wien. DA. u. PA.: 5751 Maishofen, Atzing 111. G.: Maishofen, 9. Nov. 1940. V.: Christine, geb. Stanek. Ki.: Wolfgang (1968), Christine (1972), Barbara (1976). El.: Wolfgang u. Ida. S.: VS, HS, HASCH. K.: 1958-60 Ang., ab 1961 Ges. dann Gschf. u. Alleinunternehmer, 1979-83 Mtgl. d. GemR. u. 1983-90 Bgm. v. Maishofen, stv. Landesinnungsmeister d. Bauhilfsgew. v. Sbg., 1989 Obm.-Stv. d. Wirtschaftsbundes Pinzgau u. s. 1991 Obm.-Stv. d. WB Sbg., s. 11/1990 Abg. z. NatR. M.: VÖB, ÖVP. H.: Fotografieren, Musik.

Rieder Hellmuth jun.

B.: Inh. u. Vorst.-Mtgl. FN.: Hellmuth Rieder KG, Ringschuh Gen.m.b.H. DA.: 9800 Spittal/Drau, Hauptpl. 23, 8042 Graz, Händelstr. PA.: 9800 Spittal/Drau, Ledererg. 14 A. G.: Spittal/Drau, 5. Mai 1951. V.: Roswitha, geb. Oberlecher. Ki.: Alexander (1978), Daniela (1980), Christian (1986). S.: HS Spittal/-Drau, 1985-91 Ge-meinderat i. Spittal/Drau, 1970 EBS (europ. Bildungsforum f. Schuheinzelhandel) Pirmasens (BRD), 1971-73 Akad. f. Prakt. Betr.-Wirt. München, Abschl. m. Betr.- u. Marktwirt. K.: 1974 Einst. i. elterl. Schuheinzelhandelsbetr., s. 1985 Komplementär b. Hellmuth Rieder KG, s. 1993 Vorst.-Mtgl. b. Ringschuh. H.: Golf, Surfen, Yachting. (I.G.)

Rieder Hubert Dipl.-Ing. HofR.

B.: Ltr. d. ASbt. III f 4 b. Amt d. Tir. LRg. GT.: 1. Vors. d. Tir. Forstver. DA.: 6020 Innsbruck, Bürgerstr. 36. PA.: 6020 Innsbruck, Schillerstr. 19. G.: Steinach am Brenner, 20. Okt. 1932. V.: Margaretha, geb. Gstrein. Ki.: Hubert, Michael, Gabriele, Georg u. Helga. El.: Dipl.-Ing. Hubert (LForstdir., HofR.) u. Maria. BV.: Großonkel Ignaz Rieder: Fürst Erzbischof v. Sbg. um 1920. S.: Hum. Gymn., Stud. an d. HS f. Bdk. Wien, Spons. 1956 in Wien. K.: 1957 Eintritt in d. Forstdienst d. Landes Tir., 1959 b. d. Forstbetriebseinr., 1969 Ltr. d. Bez.Forstinsp. Steinach am Brenner, seit 1983 Ltr. d. Abt. III f 4 b. Amt d. Tir. LRg. BL.: Zus. m. Dr. Deutsch (Südtir.) wesentl. beteiligt am Aufbau d. ARGE (Bayern, Südtirol, Tirol, Graubünden) m. d. Ziel, fachl. Erfahrungen grenzüberschreitend auszutauschen u. Maßnahmen gegen die Walderkrankung zu vereinheitlichen. P.: Regelmäßig Fachart. in d. Zeitschrift "Tiroler Forstdienst", fallweise in d. "Österr. Forstzeitung" u.a. E.: Gold. EZ d. österr. Rodelverb., Silb. EZ d. Tir. Rodelverb. M.: Präs. d. Tir. Rodelverb., Mittelschulkartell Teutonia. H.: Schwimmen, Wandern, Lesen. (H.T.)

Rieder Josl

B.: Hotelier. A.: 6631 Lermoos, Sporthotel Loisach. G.: Lermoos, 3. Dez. 1932. V.: Heidemarie. El.: Karl u. Ida. S.: Untergymn. (Mittlere Reife), HASCH, Hotelfachschule. K.: Skisport: 1952-62 1. Stufe: Aktiver Rennläufer, 2x Lauberhornsieger, 1x Hahnenkammsieger, Weltmstr., 1x Gold, 2x Silber, 2. Stufe: Trainer, 3. Stufe: 3x Träger d.

Olympia-Flamme. F.: Sporthotel Loisach (Familienbesitz). E.: Gold. Verd.Kreuz d. Rep. Österr. M.: Präs. d. Skiclubs Lermoos.

Rieder Karl
B.: Inh. d. Atelier-Galerie "3A". DA.: 1040 Wien, Mittersteig 3A. PA.: 1040 Wien, Fleischmanng. 5. G.: Poysdorf/NÖ, 21. Sept. 1952. V.: Brigitte. Ki.: Florian (1986). El.: Karl u. Elfriede, geb. Ferchländer. S.: 1966-71 RG Wien, 1971-73 Stud. Päd. Ak., 1981-82 Fremdenführerkurs, künstler. Ausbild. in Selbststud. K.: seit 1974 Lehrer, 1988 Grdg. einer Schulgalerie, 1990 Grdg. d. Atelier-Galerie "3A" u. d. Initiative "Kunst u. Kultur am Mittersteig", Aussstel-lungstätigkeit, seit 1980 als Maler u. Graphiker tätig. P.: zahlr. Einzel- u. Gemeinschaftsausstellungen im In- u. Ausland. M.: Berufsver. bild. Künstler. H.: Kunst, Reisen. (N.A.)

Rieder Kurt
B.: selbst. Kfm., Gschf. FN.: Intercar Rieder Kfz GmbH. DA.: 1120 Wien, Altmannsdorfer Str. 89. PA.: 1130 Wien, Schweizertalstr. 35. G.: Wien, 16. Juli 1944. Ki.: Richard (1970), Nadine (1975). El.: Karl u. Margarete. S.: RG Stubenbastei, 1963 Matura. K.: seit 1964 selbst. Kfm. Autoverleih, 1966 Grdg. d. Fa. Intercar Rieder Kfz GmbH Automobile u. Verleih. BL.: 1973 u. 1974 Staatsmstr. f. Automobile u. Bergmstr. H.: Tennis, Skifahren, Motorradfahren. (J.S.)

Rieder Luis
B.: Unternehmer. FN.: Luis Rieder. DA.: 1210 Wien, Rappg. 7. PA.: 1190 Wien, Sandg. 43. G.: Nickolsdorf b. Lienz, 4. Feb. 1924. V.: Erika, geb. Schulte. Ki.: Norbert (1948), Wolfgang (1949), Gerhard (1952), Annelie (1956). El.: Alois u. Josefine. S.: Kfm. Lehre. K.: 1948-55 selbst. Handelsvertreter f. Fa. Pfaff Nähmaschinenfabrik, 1951 Protokollierung d. Fa. Luis Rieder, 1955-79 Gen.-Vertr. d. Fa. "Nordmende" Bremen, ab 1965 Gen.-Vertr. d. Fa. "Jamo" Dänemark, ab 1980 Gen.-Vertr. d. Fa. "Samsung" Korea, ab 1972 zusätzl. Gen.-Vertr. d. Fa. "Sansui" Japan. M.: Förderung v. Sportver. H.: Fischen. (M.M.)

Rieder Manfred

B.: Gschf. Ges. FN.: "Time & Work" Zeitarbeit, Elektro- u. Industriemontage Untern. GmbH & Co KG. DA.: 4020 Linz, Lüfteneggerstr. 13; 4614 Marchtrenk, Kindergartenstr. 3. PA.: 4614 Marchtrenk, Artlerweg 6. G.: Wels, 24. Nov. 1960. V.: Gabriele, geb. Arthofer. Ki.: Julia (1993). El.: Johann u. Aurelia. S.: VS, HS, kfm. Lehre 1979, Abendschule HTL- Elektrotechn., 1980 BH, versch. Seminare u. Kurse: Organ., Verkauf, Retorik. K.: 1985 selbst. m. Ges. Fa. RIKU, 1987 Fa. Demon, Maurerbauer, 1989 Fa. Time & Work, gewerbl. Elektroinstallationsbetrieb, konz. Personalbereitstell.-Betrieb, gewerbl. Schlosserei - 1994. M.: Ausschußmtgl. d. SC Marchtrenk. H.: Familie, Tennis, Skifahren, Jagd. (N.A.)

Rieder Max Prof.
B.: Bildhauer, freischaff. Künstler. PA.: 5020 Salzburg, Linke Glanzeile 9a. G.: Salzburg, 17. Jan. 1909. Ki.: Eleonore, Waltraud. S.: Lehrzeit als Bildhauer in Sbg., 1930 Stud. Kunstgewerbeschule u. Ak. in Wien b. Anton Hanak. K.: 1934-35 künstler. tätig in Ankara/Türkei, 1936-45 in München, ab 1946 wieder in Sbg., 1967-69 Mitarb. in d. Bildhauerkl. d. Intern. Sommerak. f. Bild. Kunst in Sbg., seit 1970 Lehrer f. Bildhauerei an d. Sommerak., Reisen nach Frankreich, Türkei, Schweiz, Deutschland, Holland, Italien, Teilnahme an d. Jahresausstellungen d. Sbg. Kunstver., d. Sbg. Gruppe, d. Biennale christl. Kunst u. d. Amerikan. Informationszentrums in Sbg., Kollektive in Sbg. Kunstver. (Residenz), Arbeiterkam. Sbg., Forum Stadtpark Graz, Städtische Galerie Konstanz am Bodensee, Haus d. Kunst München, Galerie Penelope Rom, Citta di Firenze Florenz, Fränk. Galerie Nürnberg, Traunstein Bayern, Roman. Keller d. LHypothekenanst. Sbg., Kollektive, Öff. Werke: u.a. Zwei Figuren f. d. St.-Andrä-Kirche in Sbg. (1970), Hochradfahrer Wiestalstraße (1971), Versch. Arb. in Kirchen, Reliefwand BH Sbg.-Stadt (1973), Hirte St. Koloman (1973/74), Relief im Schalterraum d. LBrandschutzvers., Arb. in Schwyz, Luzern, Bern, Fribourg, Basel, Essen, Wien, Orleans, North Carolina/USA, Gundelfingen/Donau, Brissago/Lago Maggiore, Tanzende Kinder f. eine Schule in Sbg.-Lehen (1975). E.: 1. Preis f. Bildhauerei d. Sbg. Kunstver. 1957, 1968, 1973, 2. Preis f. Bildhauerei d. Sbg. Kunstver. 1953, Gr. Preis f. Bildhauerei d. Sbg. Wirtschaft 1975. (A.W.)

Rieder Reinhard
P.: FN.: GPU, Buchprüfungs-, Beratungs- u. Treuhandges.mbH. DA.: Leopold-Werndl-Str. 18, 4400 Steyr. PA.: Sichlraderstr. 11, 4400 Steyr. G.: Steyr, 23. Nov. 1946. V.: Margarete, geb. Schönleitner. Ki.: Klaus, Alexander (1969). El.: Johann u. Else. S.: Gymn., HAK Steyr. K.: bis 1967 Fa. Lubra Küchen (Verkauf), anschl. Lohnverrechng., seit 1967 Fa. Ludwig Walterer (Name später geändert), 1983 Prok., 1990 Gschf. P.: Vortragender u. Prüfer WIFI 1986-88, Kzltr. d. Zweigst. i. Steyr, Firmensitz i. 6391 Fieberbrunn, seit Jan. 1994 besch. in Steyr. EDV-Broschüren, Zeitungsbeiträge. Ehrenring i. Gold d. SK. Vorwärts Steyr. M.: Mtgl. d. Präs. SK Vorwärts Steyr. H.: Fußball, Schifahren, Südtirol. (N.A.)

Rieder Sepp Dr.
B.: ehem. Mtgl. d. NatR., Vizebürgermeister u. StadtR. f. Gesundheits- u. Spitalswesen d. Gem. Wien. BBmtr. DA.: 1082 Wien, Rathaus, Lichtenfelsg. 2. G.: Wien, 25. Dez. 1939. S.: VS, BG, 1957 Matura, Univ. Wien, 1961 Dr. iur. K.: Neunmonatiger Präsenzdienst im österr. BH, 1962-65 Richteramtsanw., 1965 Ernennug z. Bez.Richter, Zuteilung z. BMJ, Ministerialbmtr.Laufbahn, zuletzt Ltr. d. Abt. II/2 (Straflegislative) u. Pr2 (Öffentlichkeitsarb.), 1982 Ernennung z. MinR., Lehrbeauftragter f. Medienrecht u. Berufsrecht d. Journalisten am Publizistikinst. d. Univ. Sbg. E.: Gold. EZ f. Verd. um d. Rep. Österr.

Rieder Siegfried
B.: Transportunternehmer. FN.: Fremdenpension Rieder; Palfinger-Rieder Transport GmbH. DA.: 5771 Leogang, Hirnreit 69. PA.: 5771 Leogang, Rosental 21. G.: Saalfelden, 8. Feb. 1937. V.: Christine, geb. Schösswender. Ki.: Sieglinde (1961), Christian (1966). Gerhard (1971). El.: Christian u. Maria. K.: 1960 in e. Fremdenpension gebaut u. eröff., 1963 Grdg. d. Fa. Siegfrid Rieder, intern. Transporte im In- u. Ausland, 1190 Palfinger-Rieder Transport GmbH gegründet. E.: 1989 Verleihung d. Titels KommR. M.: s. 1970 Grdg. Mtgl. d. Leoganger Bergbahnen, 1971 AufsichtsR. Mtgl. d. Leoganger Bergbahnen, s. 1980 Wirtschaftskammer e. Fachgruppenvorsteherstellv. im Güterbeförderungsgewerbe. H.: Skifahren, Bergsteigen. (D.E.)

Rieder Thomas Maximilian Dir. Univ.-Lektor
B.: Ltr. d. Österr. Inst. f. Verpackungswesen (ÖIV) an d. WU Wien, Lehrbeauftragter am Inst. f. Technologie u. Warenwirtschaftslehre WU Wien. DA.: 1090 Wien, Aug. 2-6. G.: Wie, 6. Juli 1953. V.: Mag. Eva-Maria, geb. Bauer. Ki.: Christian (1976). El.: Arch. Dipl.-Ing. Franz u. Margarete, geb. Führer. S.: 1971 Matura, BH, 1972-80 Stud.

Maschinenbau TH Wien, 1975-80 Stud. Betriebswirtschaft WU Wien, 1981 Stud. VW Univ. Wien. K.: 1975-76 freier Mitarb. ÖIV Wien, 1976-77 wiss. Mitarb. ÖIV, 1977-86 Ltr. d. Prüfstation ÖIV, 1977 Mitarb. in mehreren Aussch. d. Österr. Normungsinst., 1977 Mitarb. im Standards Committee d. Federation Europeenne des Fabricants de Carton Ondule, 1984 Vertreter d. Prüfgemeinschaft "Verpackung gefährlicher Güter", 1984 rem. Lehrbeauftragter WU Wien, 1985 Mitarb. im Expertenaussch. "Gefahrgutverpackungen" im BMÖWV, 1985-86 stellv. Ltr. d. staatl. autorisierten Versuchsanst. d. ÖIV, 1986 wiss. u. administrativer Ltr. d. ÖIV, 1986 Mitarb. im VerpackungsbeiR. d. BMWA, 1986 Vors. d. Fachnormenaussch. "Verpackungswesen" im ON, 1990 allg. beeid. gerichtl. Sachv. b. HG Wien, 1990 Österr. Delegierter zu mehreren Aussch. d. Europ. Normenorgan. CEN. E.: Silb. Ehrennadel d. ON 1989. (J.E.)

Riederer Franz

B.: Gem.-Rat, Verwaltungs-Beamter. FN.: Gemeinder.LH St. Pölten. DA.: 3100 St. Pölten, Rathauspl. 1. PA.: 3100 St. Pölten, Eybnerstr. 53. G.: Gutenbrunn/Gem. Herzogenburg, 15. Jan. 1944. V.: Edith, geb. Pobel. Ki.: Jürgen (1967), Alexandra (1969). El.: Franz u. Josefa. S.: VS, HS, HASCH, RG, 1969 Mat. K.: 1960 Eintr. Gem.-Dienst Mag. St. Pölten a. Verwalt.-Beamter, 1968 Soz.-Wesen, a. 1968 Schulverwalter, s. 1970 Personalvertr., 1988 Vors. d. Pers.Vertr. u. d. Ortsgr. d. Gew. d. Gem.-Bed., 1962 Eintr. SPÖ St. Pölten Sek. 10, 1968 Funktionär, 1974 Vors. Stellv., 1968-77 Vors. Jungen Gen. i. SPÖ St. Pölten, s. 1993 Gem.-Rat d. LH St. Pölten, Gesundh.-, Wohlfahrts-,-Schul-, u. Kulturaussch.. H.: Lesen, Schrebergarten. (M.M.)

Riederer Walter

B.: Gschf. Dir. FN.: VA Krems GmbH. DA.: 3500 Krems, Schmidhüttenstr. 5. (V)

Riedl Adolf KommR.

B.: Vorst.Dir. FN.: Tagger Kraftfutterwerk u. Mühlen AG. GT.: Gschf. Ferdinand Koch GmbH Amstetten. DA.: 8020 Graz, Puchstr. 17. G.: Stadl/Mur, 14. Sept. 1938. Ki.: Andrea, Birgit. K.: b. 1983 Prok. b. Konsum Österr. Leoben, seit 1983 Prok. Fa. Tagger, seit 1986 Gschf. Fa. Tagger, seit 1989 Vorst.Dir. Fa. Tagger. H.: Wandern, Jagd.

Riedl Alfred Mag. Ing.

B.: Gschf. Ges. FN.: Ing. Mag. Alfred Riedl & Co KG. DA.: 3430 Tulln, Schubertstr. 8. PA.: 3484 Grafenwörth, Marktpl. 4. G.: Grafenwörth, 7. Nov. 1942. V.: Ingeborg, geb. Gmeiner. Ki.: Barbara (1977), Christina (1978), Elisabeth (1984). El.: Alfred u. Anna. S.: VS, HS, HLBLA Francisco Josephinum, 1972 Matura, Stud. Wirtschaftspäd. WU Wien, 1978 Spons. z. Mag., 1980 Ing. K.: 1975-85 Lehrer HAK Wien, 1978-85 parallel Dienstnehmer in d. Wirtschaftsprüf. u. Steuerberatungsges. Exinger Wien, seit 1985 Gschf. Ges. d. Firma Ing. Mag. Alfred Riedl & Co KG Tulln, ab 1992 neuer Sitz d. Firma in St. Pölten u. Filiale in Tulln. M.: seit 1990 Bgm. v. Grafenwörth, Obm. d. Abfallwirtschaftsverb. Tulln. H.: Jagd, Skifahren, Tanzen (Volkstanz). (M.M.)

Riedl Christine

B.: Gschf. FN.: Südstadt-Reisen. DA.: 2344 Maria Enzersdorf, Südstadtzentrum 1/2. PA.: 2380 Perchtoldsdorf, Markfeldg. 9. G.: Wien, 13. März 1940. V.: Harald Riedl. Ki.: Sabine (1966). El.: Rudolf u. Rosl Napravnik. S.: 1958 Abschluß HAK Wien. K.: 1958-66 Bilanzbuchhalterin Firma Berrick Bros, 1966-69 Mutter u. Hausfrau, 1969-75 Buchhalterin HEA Werke Südstadt, 1975-78 Buchhalterin Südstadt Reisebüro, 1978 Ltg. d. Reisebüros, seit 1982 Gschf., 1982 Konzessionsprüf. F.: Optimale Reisen, RCC-Riedl Computer GmbH. M.: VPräs. ÖVT, seit 1985 Aussch.-Mtgl. HK NÖ, Prüfer b. Lehrabschlußprüf. f. Reisebürogewerbe, Laienrichter b. Arbeits- u. Sozialgericht Wien VIII, Scal Club. H.: Kochen, Lesen, Sport. (I.K.)

Riedl Elfie

B.: Maßschuhmacherin. DA.: 1010 Wien, Schenkenstr. 2. G.: Neusiedl/Zaya, 7. Aug. 1956. V.: Willibald Himler. Ki.: David (1987). S.: HASCH Wien, Berufsausbild. z. Maßschuhmacher Firma Materna. K.: seit 1978 selbst., Eröff. d. eigenen Werkstatt, Spezialisiert auf Maßschuhe auch Erzeugung v. Orthopäd. Schuhoberteilen. (J.S.)

Riedl Eva

B.: Stardesignerin, Inh. Eva Riedl Design. DA.: 1010 Wien, Rotenturmstr. 16-18. G.: Wien, 3. Febr. 1931. Ki.: Peter (1961), Dieter (1964). El.: Adolf u. Hilde. S.: 1951 Matura, Chemiestud. HTL, Ing. K.: Arb. in d. pharmazeut. Ind., 1973 Arb. b. Wr. Designer-Team, 1976 selbst. als freischaff. Designerin Komplett-Ausstattung u. Entwürfe f. Hotel "Villa Mozart" Meran, 1978 Arb. an Ausstattung f. Hotel "König v. Ungarn" in Wien, 1979 1. Ausstellung v. Stoffen u. Möbel in Wien, eigenes Geschäft am Spittelberg, Ausgestaltung d. Erholungs- u. Tagungszentrums d. Newag am Erlaufsee, 1980 1. Kimono- u. Modekollektion, zahlr. Privatwohnungsgestaltungen, 1981 1. Teppichkollektion f. d "Nepalische Hilfsgemeinschaft" in Stuttgart/Katmandau, 1983 Geschäft in d. Wr. Innenstadt, 1985 Winterkollektion f. Trendmodenschau d. Modesekr., 1986 1. gr. Modenschau im Museum f. angew. Kunst, 1987 Modenschau "East of Fashion" b. U-Mode im Messepalast, 1988 Erfindung d. Projektes "Vienna Art Shirt" m. Spenden zu Gunsten d. Österr. BMuseen, Teppichentwürfe f. Roesner Stuttgart, 1989 Modenschau in d. Galerie Insam Wien 1, Einzelausstellung in d. Galerie Handwerk in München Teppich- u. Textilausstellung in Stuttgart, Entwürfe u. Arb. f. Hotel "Windegg" Steinberg in Tirol, 2. Vienna Art Shirt Kollektion, Kollektion f. Sbg. Art Shirt f. d. Sbg. Museen, 1990 Art-Shirt Kollektion f. 4 gr. Münchener Museen, Kollektion "No Fashion 90" f. Modenschau, Bühnenkostüme f. "Klangräume", Ballettproduktion v. Sebastian Prantl Mai 1990, Nov. 1991 Ausstellung d. Gesamtwerkes im Histor. Museum d. Stadt Wien. (M.M.)

Riedl Ewald Johann

B.: Wirtschaftstreuhänder u. Steuerberater. DA.: 5026 Aigen, Leonhard-Posch-Weg 11. G.: Ried, 25. Aug. 1953. V.: Margit, geb. Weißauer. Ki.: Michael. El.: Johann u. Maria. S.: 1971 Matura, Stud. HS f. Welthdl. Wien. K.: 1972-76 Finanzamt Sbg., 1976-80 Kzl. Dr. Plewka Sbg., 1980 Steuerberaterprüf., 1980-85 alleiniger Kzl.Inh., seit 1985 in Partnerschaft m. Mag. Rechberger. M.: Segelclub Schwarzindien. H.: Familie, Segeln, Reisen. (A.W.)

Riedl Ferdinand Prof.

B.: Arch. DA.: 1060 Wien, Otto-Bauer-G. 6. PA.: 1190 Wien, Billrothstr. 66. G.: Wien, 17. Sept. 1920. V.: Hedda, geb. Kawan. Ki.: Gabriele (1965), Isabella (1967), Johanna (1971). S.: 1939 Matura, Arbeitsdienst, Militär, Stud. TH Wien, 1944 Abschluß in Dresden. K.: ab 1945 selbst., Gem.-Aufträge, ÖBB, Rudolfspital, seit 1965 Prof., Hauptwerke: BMW-Motorenfbk. Steyr, Teile d. Porsche-Fbk. in Stuttgart/Weissach, Ramada Hotels Karlsruhe u. Wien. (M.M.)

Riedl Franz Ing.
B.: Gschf. Ges. FN.: Neumann & Riedl GmbH Galvanisierungsanst. DA.: 1140 Wien, Kienmayerg. 15. G.: Wien, 27. März 1953. V.: Gabriele. S.: 1972 Matura TGM Kunststofftechnik. K.: 1972-76 Sachbearb. b. versch. Firmen, 1976-86 Ass. d. Geschäftsltg. d. Firma Rejlek, 1986-91 Betriebsltr. in d. Galvanisierungsanst. u. 1991 Neugrdg. Neumann & Riedl GmbH. H.: Radfahren, Eislaufen. (M.-L.A.-M.)

Riedl Franz Dipl.-Ing. Prof.
B.: Arch., Bmstr., Ziviltechniker. DA.: 1060 Wien, Hirscheng. 10/1/17. G.: Oberpullendorf, 23. März 1956. V.: Waltraud. Ki.: Barbara. El.: Franz u. Margareta. S.: 1974 Matura, Stud. TU Wien, 1980 Abschluß. K.: Praxis b. Planungsabt. d. Univ.-Bau u. div. Arch., 1986 eigenes Büro u. HTBLUVA Wr. Neustadt, Lehrauftrag Fachgebiet Bautechnik-Hochbau, seit 1989 Bmstr., Schwerpunkt: Althaussanierung, Büro- u. Verw.-Bau, Wohnbau. H.: Segeln, Sport. (J.E.)

Riedl Gunther Mag.
B.: Prok., Gschf. FN.: Katzenberger Beton- u. Fertigteilwerke GmbH. DA.: 2201 Gerasdorf, Seyringer Straße. PA.: 1210 Wien, Kirchhoffg. 1/2. G.: Wien, 5. März 1944. V.: Monika, geb. Madera. Ki.: Franz. El.: Peter u. Lieselotte. BV.: Großvater Franz Gesinger Arch. in Wien. S.: Mittelschule, 4 Sem. TU Wien Bauing., Welthdl., Betriebswirtschaft, 1972 Mag. K.: 1971-72 SGP betriebswirtschaftl. Abt., 1972-79 Österr. HIAG Werken Ass. d. Gesamtvorst., seit 1979 H. Katzenberger kfm. Ltr., 1984 Prok. u. Gschf. H.: Famile, Sport, Lesen. (A.K.)

Riedl Günther
B.: Journalist u. ltd. Red. d. ORF. DA.: 1040 Wien, Argentinier Str. 30A. PA.: 1232 Wien, Anton-Baumgartner-Str. 44/B7/191. G.: Wien, 7. Juni 1926. V.: Erika, geb. Huka. Ki.: Peter, Günter, Gabriele. S.: VS, RG, 4 J. LBA, 1944 Matura. K.: 1944-45 Wehrdienst, 1945-61 Lehrer, 1954 1. Hörspiel f. Rundfunk geschrieben, 1955-62 als freier Mitarb. b. Rundfunk, ab 1962 Fachred. u. später ltd. Red., seit 1976 Ltr. d. Familienred. Wien, ab 1. Mai 1987 Pension u. gleichzeitig weiterhin Gestaltung einiger Sendungen. BL.: in ltd. Position d. LStudio Bgld. aufgebaut. P.: Mitarb. an Büchern u. Zeitschriften über Verkehrserziehung. E.: Silb. Verd.Med. d. Österreichischen Roten Kreuzes. M.: BSA, SPÖ, Österr. Journalistengewerkschaft, Österr. Journalistenclub. H.: Skifahren, Schwimmen, Wandern, Lesen, Musik. (M.B.)

Riedl Helmut Dr. o.Univ.-Prof.
B.: Vorst. d. Inst. f. Geographie d. Univ. Sbg. DA.: 5020 Salzburg, Hellbrunnerstr. 34. PA.: 5020 Salzburg, Haunspergstr. 25. G.: Wien, 22. Juni 1933. V.: Lätitia, geb. de Stefani. Ki.: Helmut (1957), Hans (1959), Peter (1961), Michael (1965), Maria (1967), Bernhard (1973). BV.: Univ.-Prof. Dr. Willibald Kammel. S.: 1952 Matura, 1958 Doktorat Geographie u. Geologie. K.: 1967 Habil. in Graz, 1969 Ordinarius f. Geographie Sbg., 1973 Begrdg. d. Alpinen Forsch.-Station Sameralm, Ltg. zahlr. Forsch.-Projekte über Ägais, 1990/91 Prädekan, 1991-95 Dekan d. Naturwiss. Fak. Sbg. P.: 220 Veröff. in wiss. Zeitschriften, 3 Bücher: "Gleisdorf. Ein Beitrag z. Sozialgeographie d. Kleinstadt" (1971), "Die Ergebnisse d. Mab-Projektes Sameralm" (1983), "Beiträge z. Landschaftsökologie d. Sbg. Kalkalpen" (1987). E.: 1959 Hampelpreis. M.: Vorst.-Mtgl. d. Österr. Geograph. Ges. (N.M.)

Riedl Johannes Dr.
B.: Dir. (karenziert), Amtsführ. Präs. LSchulR für OÖ. DA.: 4010 Linz, Steingasse 14. G.: St. Georgen/Gusen, 2. Okt. 1937. V.: Erna Elisabeth, geb. Mayer. El.: Johann u. Elisabeth. S.: VS, Berufsschule, RG f. Berufstätige, LBA, Univ. P.: Leistungsbeurteilung - konkret (Hrsg.), Lehrerbildung heute (Hrsg.), Zeitschriftenart. u. Buchbeitr., Aufsätze u. Buchbesprechungen. M.: RC Linz, Kath. Preßver. Linz. (U.A.)

Riedl Josef Dr. iur. Mag. Ing.
B.: Mag.Dir. d. Stadt Sbg. DA.: 5024 Salzburg, Schloß Mirabell. PA.: 5020 Salzburg, Theodebertstr. 10. G.: Engerau, 22. Apr. 1941. V.: Gerlinde, geb. Dürrnhammer. Ki.: Andrea-Nicoletta. S.: HTL Sbg. Fachrichtung Elektrotechnik, 1960 Matura, 1965 RG Matura, Stud. an d. Univ. Sbg. Jur. Fak., 1970 Prom., 1979 Spons. K.: 1960-70 Fernmeldebetriebsamt Sbg. als Techniker, 1960-61 ROA-Ausbild., 1970 Eintritt in d. Mag. d. Stadt Sbg., Mag.Dion.: Präsidialdienst, 1978-87 Gschf. d. Untersbergbahn, 1980-87 Dir. d. Sbg. Stadtwerke-Lokalbahnen, 1986 Dir. d. gesamten Verkehrsbetriebe d. Stadt Sbg., seit 1987 Mag.Dir. P.: div. Art. in Fachzeitschriften, Broschüre über ein Fahrzeug d. Sbg. Lokalbahnen. H.: Wandern, Natur, Garten. (A.W.)

Riedl Kurt Mag.
B.: Dir. d. HAK u. HASCH Sbg. GT.: Mtgl. d. Arge f. Sbg. f. Franz. f. d. kfm. Schulen, Schulbuchautor. DA.: 5020 Salzburg, Johann-Brunnauer-Str. 4. PA.: 5020 Salzburg, Rottweg 35. G.: Salzburg, 4. Aug. 1944. El.: Rudolf u. Josefine. S.: VS, Gymn., Matura, Stud. Engl. u. Franz. Univ. Sbg., Mag. phil., Auslandsaufenthalte z. Fortbild. in England, Frankreich u. Amerika. K.: Eintritt in d. Lehramt, Dir., Ref. auf Fortbild.-Seminaren regional u. nat. BL.: Mitarb. am Lehrplan u. Anerkennung durch d. BMU f. d. Mitarb. am erfolgr. Abschluß d. geplanten Reformmaßnahmen. P.: 4-bändiges Lehrwerk "Contacts", Französisch-Buch "Europe-France-Cie". M.: ÖAAB, S.I.E.C. H.: Musik (Trompete, Gitarre), Sport (Tennis, Skifahren). (U.E.)

Riedl Otto Dipl.-Ing. BauR. h.c
B.: Vorst.-Dir. i.R., Ziviling. i.R., Univ.-Lektor i.R. A.: 1190 Wien, Felix-Mottl-Str. 50. G.: Wien, 8. März 1920. V.: Mag. Waltrude, geb. Kranebitter. El.: Wilhelm u. Adele. S.: Hum. Gymn., Univ. Wien (b. Doktorandum in Chemie), Univ. f. Bdk. Wien, Dipl.-Ing. f. Lebensmittel- u. Biotechnologie. K.: Kons. d. Lebensmittelversuchsanst. Wien, dann Vors. Vorst.Dir. J. Manner & Comp. AG Wien. P.: mehrere Veröff. in Fachzeitschriften wie "Ernährung", "Süsswaren" etc. M.: Obm. d. Verb. d. Süßwarenind., Vors. d. Lebensmittel-versuchsanst. u. Forsch.Inst. d. Ernährungswirtschaft, AufsR. Josef Manner & Comp. AG, AufsR. Vs. Vereinigte Volksbanken in Wien rGenmbH.

Riedl Robert

B.: Dir. d. Johann Böhm-HS Heidenreichstein. DA.: 3860 Heidenreichstein, Anton-Ullrich-G. 7. PA.: 3860 Heidenreichstein, Färbereiweg 33. G.: Wien, 6. Juli 1950. V.: Anna, geb. Neubauer. Ki.: Bernhard (1978), Verena (1983). El.: Johann u. Aloisia, geb. Schuch. S.: VS, HS, RG, 1969 Matura, b. 1971 Mus.-Päd. Ak. K.: Eintritt in d. Schuldienst: VS-Lehrer Irnfritz, Absolvent weiterführender Kurse z. Ausbild. als HS-Lehrer, ab 1972 HS-Lehrer HS Irnfritz, ab 1975 Unterricht HS Heidenreichstein, ab 1992 Ltr. d. Schule. M.: Obm. d. Sozialdemokrat. Lehrerver. im Bez. Gmünd, seit 1990 Obm.d . HS-Gem., seit

1990 StadtR. Ressort Schule u. Kindergarten Heidenreichstein, zahlr. Mtgl. in örtl. Ver. u. Organ. H.: Modelleisenbahn, Familie. (M.M.)

Riedl Robert

B.: Gschf. Ges. FN.: Welldone GmbH. DA.: 1090 Wien, Marianneng. 14/12. PA.: 1170 Wien, Seemüllerg. 1-3/B3. G.: Linz, 16. Aug. 1955. V.: Dr. Monika, geb. Petz. Ki.: Benjamin (1987). El.: Dipl.-Ing. Robert u. Maria. S.: VS, Gymn., 1973 Matura, 1974 Med.-Stud. K.: 1979 Ass., Studienltr. Fessl u. GFK-Inst., 1987 Ogilvy & Mather, 1992 Gschf. u. Inh. Welldone GmbH. H.: Skifahren, Tauchen, Kultur, Kunst, Musik. (J.M.)

Riedl Rupert Univ.-Prof.

B.: Vorst. d. Inst. f. Zoologie. PA.: 1190 Wien, Zuckerkandlg. 47. G.: Wien, 22. Febr. 1925. V.: Smoky, geb. Frühmann. El.: Ak. Bildhauer Josef u. Anna. S.: Realschule, Univ. Wien, Studien: Med., Anthropologie, Zoologie. K.: 1958 Habil., 1960 Prof. in Wien, 1966 visiting Prof., ab 1976 Prof. f. Zoologie u. Marine Wiss. an d. Univ. Chapel Hill North Carolina (USA), ab 1971 Vorst. d. Inst. f. Zoologie. P.: 10 Bücher, ca. 60 Publ. in wiss. Zeitschriften. E.: Förderungspreise d. BPräs. u. d. Stadt Wien. M.: Mtgl. d. Jugoslaw. Ak. d. Wiss., d. Museum of Natural History New York, d. European Science Research Council, d. Intern. Oceanographic Commission, Präs. d. Forums Österr. Wiss. f. Umweltschutz, Präs. d. Intern. Ges. f. Umwelttechnik. H.: Graphik, alte Seekarten.

Riedl Sabina

B.: freie Mitarb. FN.: ORF - Wiss. Redaktion. DA.: 1130 Wien, Würzburgg. 30. G.: Wien, 14. Mai 1965. El.: Univ.-Prof. Dr. Rupert u. Smoky, geb. Frühmann. S.: Humanistisches Gymn. i. d. Gymnasiumstr. i. Wien, 1984 Matura, Stud. Dolmetsch. K.: Übersetzer Engisch-Italienisch, Übersetzung v. Sendungsskripts beim ORF; Beiträge f. ZIB, Wissen Aktuell, s. 1987 freie Mitarb. beim ORF. P.: Übersetzungen englischer Symposiumsbeiträge. H.: Reisen, Tennis, Bücher. (J.M.)

Riedl Walter

B.: Steuerberater. FN.: Dkfm. O. Frummel - W. Riedl Ges.m.b.h. Steuerberatungskzl. DA.: 2136 Laa/Thaya, Stadtpl. 16. G.: Laa/Thaya, 17. Juli 1952. V.: Edith, geb. Nadler. Ki.: Thomas (1976), Stephan (1979), Elisabeth (1984). El.: Friedrich u. Aloisia. S.: 1972 HAK m. Matura Laa/Thaya. K.: ab 1973 Ang. bzw. Berufsanw. in Steuerberatungskzl., 1977 Steuerberaterprüf., ab 1980 selbst. Steuerberater, ab 1983 Mitinh. d. Steuerberatungskzl. Dkfm. O. Frummel - W. Riedl m. Kzl. in Laa/Thaya u. Wolkersdorf. M.: ab 1973 ÖVP, 1982-.88 FinanzstadtR. Laa/Thaya, 1990-91 u. 1993 Mtgl. d. NatR., Hauptbez.-Parteiltg.-Vorst.-Mtgl. d. ÖVP, Präsidiumsmtgl. d. NÖ Wirtschatsbundes, VPräs. Hypobank NÖ, koopt. Mtgl. im HK-Aussch. Mistelbach, Aussch.-Mtgl. d. Bez..-Stelle d. Roten Kreuzes. H.: Lesen. (T.T.)

Riedl Wolfgang Dipl.-Ing.

B.: Marketing Dir. u. Prok. b. GLOCK GmbH Deutsch-Wagram. PA.: 1180 Wien, Hildebrandg. 25. G.: Oberndorf, 3. Apr. 1947. V.: Margarete. El.: Gen.-Dir. i.R. Hans u. Isolde. S.: VS, BRG Sbg., Matura m. Ausz., Stud. allg. Maschinenbau an d. TU Wien, sowie Betriebswiss.-/Betriebstechnik, Dipl.-Ing. K.: 1975 Eintritt in d. Fa. Bakalowits als Betriebsltr., später Exportltr. Fernost, 1977-79 techn.-betriebswirtschaftl. Projektltr. b. d. Steyr-Daimler-Puch AG, Hauptverw. Wien, ab 1979 Prok. d. Steyr Anlagenbau GmbH (Gesamtprok.), 1982-85 Ltr. d. Japanbüros d. Steyr-Daimler-Puch AG (Gesamtprok.). H.: Bauen v. Modellflugzeugen. (E.L.)

Riedl-Aslan Tonio

B.: Burgschauspieler i.R. PA.: 1090 Wien, Strudelhofg. 13/14. G.: Wien, 17. Feb. 1906. El.: Franz u. Adelheid Riedl, später adoptiert v. Burgschauspieler Raoul Aslan. K.: Als Schauspieler Autodidakt, 1925-26 Schauspielbühne Bad Godesberg, 1926-27 Stadttheater Konstanz, 1927-29 Kammerspiele München (Berufung d. Falkenberg), 1929-38 Volkstheater Wien, 1936 Thalia-Theater Hamburg, währ. d. Nazizeit war er wegen "Nichttragbarkeit" an 2 Provinzbühnen tätig, 1945-68 Schauspieler d. Wr. Burgtheaters, spielte in mehr als 100 Rollen, u.a.: Romeo, Fabrizius, Jakob Dorn, Don Carlos, Prinz v. Homburg, Jason, Phaon. (N.A.)

Riedl-Riedenstein Florian

B.: Abt.Dir. f. Anlagenberatung u. Börsenhdl. d. Schoeller & Co Bank AG. DA.: 1010 Wien, Renng. 1-3. PA.: 3034 Maria Ansbach. G.: Wien, 30. März 1942. V.: Andrea, geb. Bibus. Ki.: Marie Luise, Jakob. El.: Friedrich u. Marlies. S.: HS f. Bdk. (Forstwirtschaft), Inst. of Studies Finance in New York. K.: 1967 Eintritt in die Schoeller & Co Bank AG, s. 1969 in d. Effektenabt., s. 1982 Abt.Dir. f. Anlagenberatung u. Börsenhdl. P.: In versch. nat. u. intern. Zeitungen. H.: Reiten, Skifahren, Lesen, Fischen. (M.B.)

Riedler Josef Dir.

B.: Chefred., Gschf. d. Grazer Kabel TV GmbH Graz, Kabel TV Stmk. GmbH Graz, Kabel TV Eisenerz GmbH Eisenerez, "TVS" Ges. f. Beschaffung u. Transport v. Programmsignalen GmbH Graz, Leykam Alpina Verlags u. Vertriebs GmbH Graz, Leykam Buchhdls. GmbH Graz, Leykam Buchverlags GmbH Graz, Leykam Univ.Buchdruckerei GmbH Graz, NZ Zeitungs u. Zeitschriften Verlags GmbH Graz, Zeitungs- u. Zeitschriftendruck GmbH Graz u. Media Süd-Ost Beratungs u. Beteiligungs GmbH Graz. DA.: 8054 Graz, Ankerstr. 4. M.: Vorst.Mtgl. d. Leykam AG Graz u. Austria Presse Agentur (APA) rGenmbH Wien.

Riedler Karl

B.: Inh. FN.: Karl Riedler Sägewerk. DA./PA.: 4816 Gschwandt, Laudachtal 13. G.: Gschwandt, 23. Nov. 1926. V.: Friederike, geb. Huemer. Ki.: Adelheit (1955), Karl (1956), Elfriede (1960). El.: Alois u. Elisabeth. S.: VS, HS, Staatsgewerbesch. f. Zimmerer, 1944-47 Kriegsdienst (Gefangensch. in Sibirien),1948-50 Lehre als Müllner, 1950 Meisterprüf. Müllner. K.: 1950 Einstieg in elterl. Betr., 1972 Stillegung d. Mühle u. Aufbau d. Sägewerks. M.: Kameradschaftsbund, Kulturver., Kath. Aktion. H.: Beruf. (G.E.)

Riedler Leonhard Dr. univ. med.

B.: Univ.-Prof., FA f. Chir., Prim., Ltr. d. Chir. Abt. d. AKH Dornbirn. DA.: 6853 Dornbirn, AHK. PA.: 6853 Dornbirn, Hatlerstr. 8a. G.: Kantitsch, 6. Juni 1937. V.: Margit, geb.

Walser. Ki.: Iris, Alexandra. El.: Michael u. Maria. S.: Hum. Gymn., Med. Fak. in Innsbruck. K.: 1973 FA f. Chir., 1981 Habil., 1983 Univ.-Prof. P.: 140 wiss. Arb., 100 wiss. Vorträge. M.: wiss. BeiR. in mehreren Fachzeitschriften, Dt. u. Österr. Ges. f. Chir., Intern. Ges. f. Rehabilitaionsmed.

Riedler Willibald Dr. techn. Dr. phil. Dipl.-Ing. Dr.-Ing. e.h. o.Univ.-Prof.
B.: Vorst. d. Inst. f. Nachrichtentechnik u. Wellenausbreitung d. TU Graz. GT.: Dir. d. Inst. f. Weltraumforsch. d. Österr. Ak. f. Wiss., Ltr. d. Inst. f. angew. Systemtechnik d. Forsch.Ges. Joanneum. DA.: 8010 Graz, Inffeldg. 12. PA.: 8010 Graz, Wilhelm-Raabe-G. 17. G.: Wien, 1. Sept. 1932. V.: Lilli, geb. Ristola. Ki.: Karin, Birgit, Peter. El.: Karl u. Augustine. BV.: Willi Boskovsky Dirigent. S.: VS, MS, TU Wien, Univ. Wien. K.: 1956-62 Ass. am Inst. f. Hochfrequenztechnik d. TU Wien, 1961 Prom. Dr. techn., 1966 Dr. phil., 1962-69 Abt.Ltr. am Geophys. Observatorium Kiruna d. Kgl. Schwed. Ak. d. Wiss., 1966-69 Scientific Dir. eines Großteils d. v. ESRANGE durchgeführten Raketenkampagnen, 1968 o.Prof., seit 1970 Abt.Ltr., 1981-84 stellv. Dir., seit 1984 Gschf. Dir. d. Inst. f. Weltraumforsch. d. Österr. Ak. d. Wiss., 1993 wirkl. Mtgl. d. Österr. Ak. d. Wiss., seit 1978 Ltr. d. Inst. f. Angew. Systemtechnik d. Forsch.Ges. Joanneum, seit 1969 Mtgl. d. Staats- bzw. Dipl.Prüf.Kmsn. f. Elektrotechnik d. TU Graz, 1973-74 Vors. d. Studienkmsn. f. Elektrotechnik, 1973-75 Dekan d. Fak. f. Maschinenwesen u. Elektrotechnik, 1975-77 Rektor d. TU Graz, 1977-78 Prorektor d. TU Graz, 1975-78 Mtgl. d. Präsidialaussch. d. Österr. Rektorenkonferenz, seit 1978 Auslandsref. d. TU Graz, seit 1977 Berater d. BMW, seit 1979 Chairman u. Co-Chairman, COSPAR Panel on Scientific Ballooning, Mtgl. Science Policy Committee (SPC) d. Europ. Weltraumorganisation ESA, Techn. Committee on Telecommunications (TCT) d. EU. BL.: Ltg. d. ersten österr. Beteiligung an Weltraumprojekten, Projektltr. AUSTROMIR (Flug d. ersten österr. Kosmonauten z. Raumstation MIR). P.: Verfasser u. Mitverfasser v. über 270 wiss. Veröff. in intern. Fachzeitschriften, Hrsg., Mitverfasser u. Übersetzer v. mehreren wiss. Büchern. E.: EKWuK I. Kl., StGrGEZ, finn. LOKmdK, Sowjet. Orden d. Völkerfreundschaft, Gold. EZ um d. Verd. d. TU Graz, Kardinal-Innitzer-Forsch.-Würdigungspreis, Österr. Staatspreis f. bes. Leistungen in Wiss. u. Technik, StGrGEZ m. Stern, Viktor-Kaplan-Med., Erwin-Schrödinger-Preis d. Österr. Akad. d. Wiss., Wilhelm-Exner-Med., VO d. Rep. Ungarn. M.: Lions-Club, Präs. d. österr.-finn. Ges. f. Stmk., VPräs. d. Ges. Österr.-GUS f. Stmk., IAGA, IEEE, AGU, ÖVE, Dt. Geophys. Ges. H.: Musik. (Pau.)

Riedlsperger Anton
B.: Gschf., Zimmermstr. FN.: Riedlsperger Holzbau GmbH. DA. u. PA.: 5710 Kaprun. G.: Zell am See, 5. Aug. 1962. El.: Anton u. Erika. S.: VS, HS, Zimmererlehre im elterl. Betrieb, Militär, 5 J. Praxis, Polierschule in Hallein. K.: 1987 Übernahme d. elterl. Betriebes, 1990 Mstr.-Prüf. M.: Mtgl. versch. örtl. Ver. H.: Skifahren, Fußball. (M.T.)

Riedlsperger Hans
B.: Coiffeur. DA.: 1190 Wien, Hartäckerstr. 67. PA.: 1190 Wien, Gugitzg. 12. G.: Saalfelden, 24. Apr. 1953. El.: Josef u. Olga. S.: Lehre Friseur u. Perückenmacher, Mstr.-Prüf. K.: Mitwirken b. d. Landesmeisterschaften, zahlr. Preise, Tätigkeit in versch. prominenten Kurorten im In- u. Ausland, danach in Wien als Friseur tätig, seit 1986 selbst. M.: Mstr.-Kl. H.: klass. Musik, Oper, Sport, Esoterik. (N.A.)

Riedmann Josef Dr. phil. Univ.-Prof
B.: Univ.-Prof. DA.: 6020 Innsbruck, Innrain 52-711. G.: Wörgl, 9. Sept. 1940. V.: Irmgard, geb. Gföller. Ki.: Raimund, Bettina. S.: Phil.Stud. in Innsbruck, Marburg/Lahn u. Wien, 1966 Prom., Stud. am Inst. f. Österr. Geschichtsforsch. in Wien. K.: 1966-69 Univ.Ass. am Inst. f. Österr. Geschichtsforsch. Wien, 1969-77 Univ.Ass. am Inst. f. Geschichte an d. Univ. Innsbruck, 1975 Habil. f. österr. Geschichte an d. Univ. Innsbruck, 1977 a.o.Univ.-Prof. f. österr. Geschichte an d. Geisteswiss. Fak. d. Univ. Innsbruck, 1982 o.Univ.-Prof. f. Geschichte d. Mittelalters u. histor. Hilfswiss. an d. Geisteswiss. Fak. d. Univ. Innsbruck. P.: 5 Bücher u. ca. 70 Aufsätze z. mittelalterl. Geschichte u. z. Geschichte Tir. M.: Inst. f. Österr. Geschichtsforsch., korresp. Mtgl. d. phil.-histor. Kl. d. Österr. Ak. d. Wiss. Wien, korresp. Mtgl. d. Zentraldion d. Monumenta Germansae Histrorica München. (J.S.)

Riedmann Kurt Mag.
B.: Gschf. FN.: Tischler Rohstoff. DA.: 6845 Hohenems, Ermanstr. 15. G.: Lustenau, 1. Juni 1949. V.: Mag. Christa. Ki.: Stefan (1977), Thomas (1979). El.: Hermann u. Maria. S.: Gymn., 1967 Matura, Stud. Betriebswiss. Univ. Linz, 1971 Spons. K.: 1971-74 Innenrevision Versandh. Konzern, 1974-87 VK-Ltg. Computerbranche, 1987-88 Ndlg.-Ltr. Computergroßkonzern, 1988 Gschf. Tischler Rohstoff Hohenems. P.: Absatzprognose f. d. Wellpappeind. M.: 4 J. GemR. Lustenau im Bild.-Wesen, Sportclub Austria Lustenau, MKV, Bild.-Aussch. Sekt. Hdl., Gremium Holz- u. Baustoffhdl., AufsR. d. Vbg. Volksbank. H.: Fußball, Skifahren, Radfahren, Kunst, Filmen. (I.D.)

Riedmann Michael
B.: Kunstschmied. DA. u. PA.: 6363 Westendorf, Mühltal 9. G.: Westendorf, 21. Sept. 1958. V.: Margrethe, geb. Stöckl. Ki.: Michael (1980), Thomas (1985). El.: Michael u. Anna. S.: VS, HS, Kunstschmiedelehre, 1976 Gesellenprüf., 1981 Mstr.-Prüf. K.: Geselle in einer Kunstschmiede, seit 1987 selbst. in eigener Kunstschmiede, exklusive, kreative, mod. Schmiedekunst, eigene Entwürfe, Anfertigung v. Besonderheiten jegl. Art m. Messing, Kupfer, Schmiedebronze, Nirosta, Eisen, Herstellung v. Wappen u. Bildern in Kupfer. E.: 3x Goldmed. im Lehrlingswettbewerb. M.: Bergrettung, Fußballclub, Skiclub. H.: Skifahren, Zeichnen, Musik, Fußball. (M.W.)

Riedmann Werner
B.: Inh. Grafik Art Design, Bürokfm. DA.: 6845 Hohenems, Kaiser-Franz-Josef-Straße. PA.: 6800 Feldkirch, Wolfgangstr. 26. G.: Lustenau, 22. Juni 1960. Ki.: Dany (1990). El.: Oskar u. Margaritha. S.: VS, HS, 1976 Bürokfm.-Lehre. K.: 1978-79 Tätigkeit in sämtl. Bereichen in Klischee- u. Lithoanst. Lustenau, 1979-81 Vbg. Tageszeitung, 1991 Werbeagentur, 1989 selbst. m. Grafik Art Design Hohenems. H.: Beruf, Familie, Skifahren, Computergrafik, Antimation. (I.D.)

Riedmayer Lina

B.: Reg.-Rat. PA.: 2410 Hainburg, Landstr. 5. G.: Hainburg, 18. Apr. 1926. Ki.: Gerhard (1952), Beatrix (1958), Wolfgang (1960), Peter (1963). El.: Anna Fischer. K.: 1940-45 LBA Krems. engl. Fräulein, Dir. d. HS Hainburg, 1975 Zentralausschuß d. Pflichtschullehrer Wien, 1980-91 Bez.-Schulinsp. Gänsern-dorf; Kult. Tätigkeit: ab 1980 Vors. d. Versch. Kultur Ver. Hainburg, Vors. d. Partnerschaftsausschusses d. Stadt Rodgau (BRD), 1979 Org.-Theatergruppe VHS, 1974 Org. v.

Kulturreisen weltw., ab 1994 Org. d. Donaufestivals Hainburg. E.: Silb. Bürgermed. d. Stadt Rodgau, Gold. EN d. Stadt Hainburg, Oberleutnant HC. M.: Gem.-Rat Hainburg, Jugendrotkreuz, örtl. kult. u. soz. Vereine, Kulturausschuß d. Gem., Fahnenpatin Karpatend. Kameradschaftsbund.

Riedmüller Johann
B.: Fleischhauermstr. FN.: Leopold Riedmüller & Sohn KG. DA.: 3002 Purkersdorf, Hauptpl. 5. PA.: 3002 Purkersdorf, Herreng. 6. G.: Preßburg, 29. Okt. 1934. V.: Elisabeth, geb. Kühnel. Ki.: Hans, Elisabeth, Ulrike. S.: Fleischerlehre, 1968 Mstr.Prüf. K.: seit 1968 b. d. Fa. Riedmüller, zunächst 12 J. als Geselle, dann 10 J. als Mstr., Betriebsübernahme. (C.K.)

Rief Gerhard Dr. phil. HofR.
B.: Dir. d. Ak. Gymn. Innsbruck. DA.: 6020 Innsbruck, Angerzellg. 14. PA.: 6060 Hall, Herzog-Otto-Str. 1. G.: Hall, 5. März 1934. V.: Olga-Maria, geb. Buzzi. Ki.: Manuela, Domenico. El.: Wendelin u. Elsa. S.: Gymn., Univ. Innsbruck, Wien, Germanistik, Latein, Vergleichende Sprachwiss., 1959 Prom. K.: b. 1961 Lektor an d. Univ. Pavia Dt. Sprache u. Literatur, b 1975 Prof. Haller-Gymn., 1975 Dir. Ak. Gymn. Innsbruck, 1969-75 Ltr. d. LArge d. Germanisten an d. AHS Tir., 1971-77 Lehrbeauftragter an Pädak Tir. E.. Officier dans l'Ordre des Palmes Académiques. M.: 1974 GemR. Stadt Hall, VPräs. d. Volks-HS Tir., AV Austria, kath. Österr. Stud.Verb. Sterncorona, Ak.Bund, Ritterorden v. Hl. Grab zu Jerusalem. H.: Lesen, Reisen, Skifahren, Radfahren, Bergwandern. (Matt)

Riefenthaler Franz

B.: Inh. d. Gasthauses z. Schwarzen Adler; Leeberg Disco Großmugl, Cafe-Pub. DA.: 2002 Großmugl, Marktpl. 112. G.: Stockerau, 16. Juni 1953. V.: Helma, geb. Hartner. Ki.: Franz (1982), Helma (1985). S.: HS Stockerau, Lehre Restaurant Stadtkrug Klosterneuburg, Fachschule f. d. Gastgewerbe Waldegg. K.: Praxis in d. Babenbergerhalle Klosterneuburg, Hotel Silvrettasee Vbg., Restaurant Schmidt im Palais Schwar-zenberg Wien, Konzessionsprüf. u. Lehrlingsausbilderprüf., 1980 Übernahme d. elterl. Gasthofes, 1980 Eröff. Leeberg Disco Großmugl, 1989 Zubau Cafe-Pub. P.: Fachbeiträge in Fachzeitschriften. M.: in Aussch. d. Fachgruppe Gastronomie Sekt. Fremdenverkehr d. HK, 1992 Landesobm. d. Konzertlokalbesitzerverb. f. NÖ, 1993 Bez.-Vertr.-Obm. d. Gastronomie Bez. Korneuburg, Bundesvorst. d. KLBV. H.: Beruf, Familie, Jagd. (T.T.)

Riefenthaler Johann OIng.
B.: Prok., Verkaufsltr. FN.: Pumpenfbk. Ernst Vogel. DA.: 2000 Stockerau, Prager Str. 6. PA.: 2100 Korneuburg, Brückenstr. 6. G.: Korneuburg, 1. Mai 1948. V.: Herta. Ki.: Sabine, Karin. El.: Johann u. Anna. S.: RG, 4 J. HTL Maschinenbau, 1967 Matura, div. Seminare. K.: 1968 Konstrukteur Fa. Vogel, 1973 Ltr. d. Forsch. u. Entwicklungsabt., seit 1984 Bereichsltr. Ind.Pumpen, seit 1987 Prokura. BL.: div. Patente. P.: f. Kundenschulungen. H.: Fotografieren. (A.K.)

Riefler Elisabeth

B.: Dir. FN.: Volksschule Aigen. DA.: 5026 Salzburg, Reinholdstr. 18. PA.: 5020 Salzburg, Johann-Lugert-Str. 4. G.: Salzburg, 10. Apr. 1942. v.: Ludwig (Direktor i.A. der Wiener Städtischen Liebermannringträger). Ki.: Rene, Oliver. El.: Matthias u. Elisabeth, geb. Schmid. S.: 1960 Matura, Bürotätigkeit und Sacharbeiterin bei versch. Firmen; 1974 Stud. PÄDAK, 1976 Lehramt f. VS mit Ausz. abgeschl., 7 J.. in Liefering i.d. VS als Lehrerin tätig, 1983 Dir. VS Aigen, Intensiver Einsatz für d. Schulversuch "Innovierte Grundstufe" (verbale Beurteilung, keine Ziffernbenotung in den ersten zwei Jahren). BL.: Beschäftigung mit innovierte Grundstufe (Durchsetzung 1983 u. d. kindgemäßen Lernformen), Engagement f. Lehrerfortbild., insb. Kurse zum Übertritt: Kindergarten Vs weiterführende Schulen. H.: Lit., Garten, Familie. (D.E.)

Riefler Oliver
B.: Verkaufsdir. f. Österr., Italien u. Schweiz. FN.: LTU-Gruppe. DA.: 5020 Salzburg, Franz-Saner-Str. 46-50. PA.: 5020 Salzburg, Maria-Cebotari-Str. 65/5. G.: Salzburg, 1. Juli 1967. El.: Ludwig u. Elisabeth. S.: Lehre Reisebüroass., Bürokfm., 1987 Abschluß, Touristik- u. Hotelierseminaren. K.: seit 1987 Aufbau d. LTU-Gruppe in Österr., 1988 Ausbild. z. Verkaufstrainer, Training v. Führungskräften im Touristikbereich, seit 1989 Verkaufsdir. P.: Veröff. in Fachzeitschriften f. Touristik, Marketing u. Manage-menttraining. E.: Ausz. als jüngster Verkaufsltr. einer Fluglinie d. Zeitschrift Touristik-Management. M.: Gremium d. HK, Sprecher d. Werbegemeinschaft West. H.: Reisen, gut Essen (ausländ. Küche). (M.S.)

Rieger Felix

B.: Gastwirt Gasthof Brückenwirt. DA. u. PA.: 5400 Hallein, Rifer Hauptstr. 3. G.: Hallein, 19. Juli 1958. V.: Johanna, geb. Greisberger. Ki.: Michaela (1979), Johanna (1983). El.: Felix u. Paula, geb. Öttl. S.: VS, HS, Gastgewerbeschule Klessheim, BH. K.: seit 1976 Tätigkeit im elterl. Betrieb, 1987 selbst. Übernahme d. Betriebes. M.: Gschf. Obm. u. Trainer Union Hallein. H.: Fußball, Tennis. (S.P.)

Rieger Franz
B.: Inh. FN.: Spielwaren Beyerl. DA.: 4020 Linz, Landstr. 31. PA.: 4020 Linz, Raimundstr. 13. G.: Linz, 27. Dez. 1931. V.: Hermine, geb. Lindtner. Ki.: Franz (1963), Maria (1966). El.: Bernard u. Juliane. S.: VS, Unterrealschule, HAK, 1951 Matura. K.: nach d. Matura 1 J. Filialltr. einer Post Exchange (Kaufhaus f. amerik. Soldaten in Österr.), 7 J. Filialltr. Fa. Palmers, davon 4 J. in Deutschland, 1959 Rückkehr nach Österr., Übernahme d. elterl. Greislerei, 1966 Eröff. eines SB

Ladens in d. Innenstadt v. Linz, 1972 Kauf d. Fa. Spielwaren Beyerl in Linz, Landstraße. H.: Arbeiten, Familie, Trekking in fernen Länder. (U.A.)

Rieger Franz

B.: Inh. FN.: Garant Inkasso Auskunftei. DA. u. PA.: 5020 Salzburg, Franz-Sauer-Str. 46. G.: Salzburg, 31. Juli 1949. Ki.: Alexander (1972), Markus (1981). El.: Josef u. Emelie. S.: kfm. Berufsschule u. Lehre in Linz, 1968 Gesellenprüf. K.: Tätigk. im väterl. Betrieb, Werkzeugschleiferei u. -handel, 1967-74 bei Morawa & Co, Kontrolle des Wareneinganges u. -ausganges, LKW-Disposition, Stv. d. Versandltr., 1978-82 bei Sped. Kirchner & Co, 1983 Gerichtsvollziehertätigkeit, 30.5.85 Kanzleiprüf., bis 1986 Gerichtsvollzieher am Gericht, 29.1.86 Konzessionsdekret f. Inkassogewerbe (Garant Inkasso), 1993 2 weitere Garant Unternehmen. BL.:1988 Konzessionsdekret f. Versteigerungen, 1989 u. 1990 Veranstaltung v. Oldtimer- u. Klassikauktionen in Kleßheim. M.: Vorst.-Mtgl. bei IVÖ, Prüfungsausschuß zur Gewerbeberechtigungsprüf. f. Inkassogewerbe. H.: Bergwandern, Skifahren, Joggen. (D.E.)

Rieger Franz Karl Dir.

B.: Österr. Hdls.Delegierter in Portugal. PA.: 1100 Lissabon, Rua Rodrigues Sampaio, 18-50. G.: Wien, 18. Juli 1927. V.: Margarethe, geb. Leisser. El.: Franz u. Hermine. S.: Matura. K.: seit 1949 Ang. d. BKam. d. Gewerbl. Wirtschaft, 1954-56 an d. Außenhdls.Stelle Rio de Janeiro, 1956-60 an d. Außenhdls.Stelle in Buenos Aires, 1960-63 Hdls.Delegierter in Luanda, 1964-73 Hdls.Delegierter in Guatemala, 1974-76 Hdls.Delegierter in Sao Paula, seit 1983 Hdls.Delegierter in Lissabon. E.: GV, Oficial da Ordem do Infante Dom Henrique. M.: OeCV-Marco Danubia. H.: Haus u. Garten.

Rieger Irmentraud Dr. Dkfm. HofR.

B.: Dir. d. Höh. BLA f. wirtschaftl. Berufe. DA.: 3430 Tulln, Donaulände 72. PA.: 3500 Krems, Sigleithenstr. 75. G.: Armschlag, 16. Okt. 1933. El.: Friedrich u. Juliane. S.: LBA b. d. Schwestern v. "Armen Kinde Jesu" Wien, 1952 Matura, HS f. Welthdl. Wien, 1956 Dkfm., 1958 Dr., 1963 Lehramtsprüf. Fachgruppe A u. 1966 Fachgruppe B f. kfm. u. rechtskundl. Fächer. K.: 1958-60 kfm. Ang. Firma Ettl & Co KG Worms/-Rhein BRD, 1961-62 kfm. Ang. Firma Ing. Josef Fürst Wien, 1962-84 Lehrer f. kfm. Fächer HTL Krems, 1962-68 u. 1975-85 parallel Lehrer Fachschule f. Damenkleidermacher u. wirtschaftl. Frauenberufe Krems, 1964-65 Lehrer Bundes-HAK Krems, ab 1984 Dir. Höhere BLA f. wirtschaftl. Berufe Tulln, 1991 HofR. M.: Mitarb. in d. Neulehrerausbild., Club d. Wirtschaftsakademiker Krems-St. Pölten, Mitarb. im ÖAAB u. in d. Gewerkschaft Öff. Dienst, Golfclub Ottenstein, Club Wachau d. Berufs- u. Geschäftsfrauen. (M.M.)

Rieger Johann

B.: Gastronom. FN.: Restaurant Prinz Ferdinand. DA.: 1080 Wien, Bennopl. 2. G.: Voitsberg, 24. Sep. 1955. Ki.: Manuela (1979). El.: Johann u. Elisabeth. S.: Berufsausbild. z. Kellner in Bad Gleichenberg. K.: Praxis in Deutschl., Schweiz u. Irland, s. 1977 in Wien in versch. Positionen im Gastgewerbe tätig, u.a. Gschf., Servicechef u. Oberkellner, 1991 Neueröff. d. Restaurant Prinz Ferdinand. E.: Ausz. österr. Gourmet-Führer wie Gault-Millau, A la Carte u. ausl. Führer u. Fachzeitschr., Ausz. f. d. hohe österr. Weinkultur. H.: Malen, Tennis, Skifahren, Sport, Lesen, Theater. (J.S.)

Rieger Reinhard M. o.Univ.-Prof.

B.: Abt.Ltr. d. Abt. f. Ultra-Struktur-Forsch. u. Evolutionsbiologie am Zoolog. Inst. d. Univ. Innsbruck. DA.: 6020 Innsbruck, Technikerstr. 25/5. PA.: 6176 Völs, Aflingerstr. 21/6. G.: Linz, 10. Mai 1943. V.: Dr. Gunde, geb. Reinwald. Ki.: Roland. El.: Othmar u. Josefine. S.: RG Fürstenfeld, Matura, Stud. d. Zoologie u. Botanik an d. Univ. Wien, 1969 Doktorat. K.: 1969-71 Research Associate Department of Zoologic Univ. North Carolina at Chapelhill, 1971-81 Assistant Prof./Associate Prof., 1981 Full-Prof. Zoology and marine sciences, 1981 Habil. f. Zoologie an d. Univ. Wien, 1985 Ordinarius f. Zoologie an d. Univ. Innsbruck. BL.: Entdeckung einer neuen Tiergruppe (lobato cerebride), Moderator b. d. Dahlem-Konferenz Phanerozoiclife: Pattern and Processes. P.: zahlr. wiss. Publ. z. Evolution d. niedrigen Tiere. E.: 1973 Dr. Theodor Körner-Preis f. Method. Arb. über sandlebende Mikrofauna, 1988 Fellow American Assoc. for the Advancement of Science. M.: D.Z.G., A.A.A.S., ASZ, zahlr. Mtgl. b. nat. u. intern. Dachverb. H.: allg. Sport, Malerei, Archäologie. (W.G.)

Riegler Ewald Dr. med.

B.: Arzt. A.: 1010 Wien, Kärntner Str. 12. G.: Waidhofen/Ybbs, 2. März 1940. V.: Mag. pharm. Friedhild, geb. Heesen. El.: Franz u. Josefine. S.: Matura, Med.Stud. an d. Univ. Wien, 1965 Prom. K.: 1965-73 Ass. an d. II. Med. Univ.Klinik b. Prof. Fellinger, dann selbst. als Internist. P.: Veröff. über Krebserkrankungen, Diabetes, Cholesterin, Blutfette, Harnsäure, Morbus Crohn u. Übergewicht in Fachzeitschriften, "Dr. Rieglers Migränediät", "Dr. Rieglers Schlankheitsfibel", "Werde alt u. bleib gesund". M.: Ges. d. Ärzte in Wien, Ges. f. Innere Med. in Wien, Kardiologieges. in Wien.

Riegler Ingrid

B.: Moderatorin, Redakteurin, Showmaster d. ORF. DA.: 1136 Wien, Würzburgg. 30. G.: Wien, 18. Nov. 1950. Ki.: Rüdiger (1969), Nina (1973). El.: Richard u. Maria Hintersteininger. S.: HTL Wr. Neustadt Hochbau. K.: Modelltätigkeit, Ass. Vico Toriani, Quiz m. Peter Nidetzky, ab 1980 Am dam des-Sendung, Film: Schüler Gerber, Sketchparade m. Maxi Böhm, Theaterstücke im Simpl, Kinderwurlitzer, Kindersendungen im Hörfunk, gegen Tierversuche, Auftritte f. Nachbar in Not. BL.: Einführung Ball d. Fotomodelle u. Künstler. P.: Ingrid u. Taxilo, Superspaßbuch, Kinder-schallplatte u. -hörspielkassette. E.: Ehrung durch Frau Dr. Kirchschläger. H.: Mountainbike, Waldlauf, Reiten, Tischfußball, Rollschuhlaufen. (J.E.)

Riegler Gerold Dr. Dipl.-Ing.

B.: Vors. d. Vorst. u. zuständig f. d. Ressort Markt u. Verkauf. FN.: FAG Austria AG. DA.: 1150 Wien, Moeringg. 10, 2560 Berndorf-St. Veit, Ferdinand-Pölzl-Str. 2. G.: Enns, 8. Juni 1956. V.: Sabine, geb. Pankratz. Ki.: Nadine (1988), Peter (1990). El.: Ernst u. Gertrude. S.: 1974 Matura, Stud. Allg. Maschinenbau TU Wien, 1979 Dipl., 1982 Doktorat. K.: b. 1979 Tätigkeit in einer Patentanw.-Kzl., 1979-84 wiss. Tätigkeit Forsch.-Zentrum Graz, ab 1984 FAG Kugelfischer

KGaA Schweinfurt/BRD, zunächst Forsch., Entwicklung, Anwendungstechnik zuletzt Marketing, 1987/88 FAG Stamford Connecticut USA, seit 1989 FAG Austria, seit 1990 Mtgl. d. Vorst. zuständig f. d. Ressort Markt u. Verkauf, seit 1991 Vors. d. Vorst. P.: 1 Buch u. Fachart. während d. Tätigkeit am Forsch.-Zentrum. H.: Reisen, Skifahren, Schwimmen, Musik. (J.S.)

Riegler Josef Dipl.-Ing.
B.: Bundesminister a.D. PA.: 8051 Graz, Wiener Str. 256. G.: St. Peter ob Judenburg, 1. Nov. 1938. S.: 1944-52 VS, 1952-55 Mitarb. am elterl. Hof, 1955-56 Ldw. Fachschule, 1956-60 Höhere BLehranst. in Raumberg b. Irdning, 1960-65 HS f. Bdk. in Wien, Studienrichtung Ldw., Präsenzdienst. K.: Berufl.: 1965-71 Ldw.Lehrer an versch. ldw. Schulen in d. Stmk., in dieser Zeit Diözesanführer d. Kath. Jugend (1965-67) u. Gen.Sekr. d. Kath. Aktion (1968-70), 1971 Bestellung z. Dir. d. ldw. Fachschule in Stainz, polit.: 1972-80 Dir. d. Steir. Bauernbundes, 1975-83 Abg. z. NatR., 1976-86 Agrarsprecher d. ÖVP, 1980-83 Dir. d. Österr. Bauernbundes, 1983-87 Mtgl. d. Stmk. LRg., LR. f. Ldw., Umwelt u. Wohnbau, 1987-89 BMin. f. Land- u. Forstwirtschaft, 1989-91 VKanzler, BMin. f. Föderalismus u. Verw.Reform, ÖVP Parteiobm u. Kanzleramtsmin., 1991-1993 Abg. z. NatR. u. Präs. d. Österr. Ges. f. Land- u. Forstwirtschaftspolitik. E.: GrGE/B, GrGE, St GEZ. (M.B.)

Riegler Josef
B.: Ndlg.Ltr., Prok. A.: 3300 Amstetten, Reitbauernstr. 26. G.: Ybbs, 5. Juni 1945. K.: Baultr. b. 1970, anschl. Grdg. d. Ndlg. Klagenfurt, Ndlg.Ltr., seit 1979 Prok. E.: Präs. d. ASKÖ Poggersdorf. H.: Bergsteigen, Tennis.

Riegler Klaus
B.: Inh., Gschf. Ges. FN.: Blumen Riegler GmbH, Gärtnerei Klaus Riegler. DA.: 5700 Zell am See, Knappenweg 12. G.: Zell am See, 11. Juni 1962. V.: Martina, geb. Rainer. Ki.: Sabrina (1991). El.: Richard u. Katharina. S.. VS, HS, Gartenbaufachschule. K.: Praxis b. Fa. Schmid in Innsbruck m. Gesellenprüf, 1981 im elterl. Betr. tätig, 1986 Mstr. Prüf. in Langenlois absolv. u. in d. Fam. Ges.m.b.H. zus. m. d. Geschwistern eingetretten, s. 1989 Gschf. Ges. d. Ges.m.b.H. u. Inh. d. Gärtnerei. M.: Sportverein, Pinzgauer Eisbären Zell am See, Vize Obm. u. Grdg. Mtgl, Mtgl. div. örtl. Vereine. H.: Familie, Berufe, Sport. (D.E.)

Riegler Lois Pius
B.: Vers.-Makler. FN.: Riegler Lois Vers. u. Maklerbüro, Vers. u. Maklerbüro Riegler u. Pfuner. DA.: 5600 St. Johann im Pongau, Hauptstr. 6. PA.: 5600 St. Johann im Pongau, Salzachweg 5. G.: Bischofshofen, 21. Sept. 1957. V.: Maria, geb. Kreuzberger. Ki.: Peter (1986), Rene (1989). El.: Alois u. Ernestine. S.: 1973-75 Maschinenschlosserlehre, b. 1978 Ausbild. in Vers. u. Maklerbüro, 1978-89 Wr. Allianz, 1989 Grdg. Vers. u. Maklerbüro, 1991 Grdg. Riegler u. Pfuner Großkundenberater, Vermittlung v. Gründen u. Liegenschaften. P.: Art. in regionalen Printmedien. M.: Vorst.-Mtgl. Golfclub Goldegg, Tennisclub St. Johann im Pongau. H.: Golf, Tennis, Skifahren, Surfen. (G.P.)

Riegler Rudolf
B.: Inh. FN.: Rudolf Riegler Elektromaschinenbau. DA.: 4020 Linz, Ehrentletzbergerstr. 2-4. PA.: 4201 Gramastetten, Untergeng 61 u. 69. G.: Wien, 19. Jän. 1934. V.: Edeltrude, geb. Hackenberg. Ki.: 7 Kinder. El.: Markus u. Friederike Grünberg. S.: VS, HS, Lehre Elektromechanik u. Maschinenbau in Weyer. K.: b. 1954 Hilfsarb. in d. Firma, 1 J. Geselle, Gesellenprüf., HASCH, 2 J. Knecht, Mstr.-Prüf., 1961 selbst. H.: Bergsteigen, Wandern, Politik, Literatur, Russ. Literatur, Adalbert Stifter. (U.A.)

Riehl Eckhart Ing.
B.: Präs. d. "Forum Ost" Ver. z. Förd. d. Ost-West Kooperation. DA.: 1070 Wien, Urban-Loritz-Pl. 3/13. G.: Graz, 27. Aug. 1949. V.: Dr. Maria, geb. Tomajkova. Ki.: Elisabeth, Dorothee, Marek, Tobias, Peter. S.: HTL Elektrotechnik Mödling, 1969 Matura. K.: 1970-71 Siemens, b. 1979 Kiepe Elektrik Wien, Berufspause, 1983-86 Außendienstvertreter Keilitz, Grdg. d. Ver. "Forum Ost", 1985 Informationsveranstaltung f. Ostländer, 1991 Statutenänderung, Projekt Freundschaftsdorf, Hilfeleistung im eigenen Kulturkreis, Hilfslieferung v. Werkzeug u. div. Hilfsgüter, Hilfestellung an Hilfsbedürftige, Bulgarien, Rumänien, Ungarn u. Ostländerhilfe. H.: Familie. (J.E.)

Riemer Kurt Dr. rer. soc. oec.
B.: Gschf. Ges. FN.: Stadion Schuhwarenerzeugung GmbH. DA.: 1070 Wien, Burgg. 24. G.: Wien, 18. Juli 1948. V.: Dr. Marion. Ki.: Stefan, Kathrin. El.: Kurt u. Gertrude. S.: 1967 Matura, Stud. Betriebswirtschaft, 1976 Prom., 1972 Spons. K.: 1972 Eintritt in elterl. Betrieb, schrittweise Übernahme v. Führungsaufgaben, Spezialisierg. auf Kindergarten-, Schul- u. Gymnastikschuhe. M.: Aussch. d. Bundes- u. Wr. Landesinnung, Berufsgruppenobm. d. Serienschuherzeuger. H.: Sport, Skifahren, Tennis, Schwimmen, Wandern, Reiten. (J.E.)

Riemer Robert

B.: Gschf. Ges., Koch, Kellner. FN.: Egri Frost HandelsgesmbH. DA.: 2333 Leopoldsdorf, Arbeiterg. 26. G.: Hollabrunn, 19.Dez. 1961. V.: Marion. Ki.: Nadine (7 J.), Rebecca (5 J.). El.: Robert u. Helga. S.: VS, HS, 1 J. GAFA, Lehre Koch u. Kellner, 1983 Konzessionsprüf. K.: 1981 Imbißst. Schlingermarkt, b. 1989 alle gastr. Betr. im Laaerbergbad übern. u. gef., 1988 Eintr. i. d. elterl. Betr. Fa. Egri, 1989 Betr. übern. u. ausgeb. E.: 1993 27. Pl. i. d. Rangl. d. Top-100-Jungunternehmer, 1994 Pl. 33. M.: Mtgl. Verein d. Diätass. H.: Tennis, Fischen. (W.M.)

Riemer Walter Dipl.-Ing.
B.: Ing.Kons. f. Elektrotechnik, Prof. HTL. A.: 2102 Bisamberg, Roseng. 9. G.: Wien, 30. Juni 1940. El.: Hans u. Maria. S.: RG, TU Wien (2. Staatsprüf. 1964). K.: 1965-68 Hochspannungslabor Fa. Elin-Union Wien-Stadlau, seit 1967 Lehrer am TGM, seit 1974 Ing.Kons. f. Elektrotechnik, 1968-74 ltd. Tätigkeit im Österr. Verb. f. Elektrotechnik, seit 1977 allg. beeid. gerichtl. Sachv. P.: je 3 Lehrbücher über "Grundlagen d. Elektrotechnik" u. "Elektr. Maschinen u. Anlagen", Lehrbücher "EDV m. PASCAL", "Maschinennahes Programmieren unter MS-DOS". M.: Österr. Verb. f. Elektrotechnik, American Field Service Intern. Scholarships.

Riener Ernst
B.: Bmstr. FN.: Bauunternehmen, Transportbeton, Sand- u. Schotterwerke Ernst Riener Telfs. DA. u. PA.: 6410 Telfs, Hanffeldweg 58. G.: Telfs, 17. Mai 1927. Ki.: Dorothea, Helmut. El.: Heinrich u. Berta. S.: HTL Innsbruck, 1953 Bmstr.Prüf. K.: 1954 Grdg. d. Bauunternehmens Riener, 1964 Eröff. d. Schotterwerks, 1968 Eröff. d. Transportbeton-Unternehmens, größere Bauvorhaben: Hallen- u. Freischwimmbad Telfs, Arge Hagebank Innsbruck, Hotel Kaltschmied Seefeld, Ortserneuerung Telfs, Ind.Bau Liebher Telfs. E.: Verd.-Medaille d. Landes Tir. M.: Obm. d.

Fremdenverkehrsverb. Telfs-Mösern, GemR., Sportver., Turnver., Fußballclub, Skiclub. H.: Wandern, Langlaufen. (W.G.)

Riener Rudolf
B.: Chefred. d. Tir. Tageszeitung. DA.: 6020 Innsbruck, Ing.-Etzel-Str. 30. PA.: 6020 Innsbruck, Höhenstr. 17a. G.: Linz, 7. Apr. 1942. V.: Karin, geb. Fleck. Ki.: Christian (1970), Cordian (1981). El.: Rudolf u. Maria. S.: Grundschule, Gymn., 1960 Abschluß, 1960-64 Gerichtsstud. Wien, Inst. f. Geschichtsforsch., Journalist. Ausbild. Tyrolia Innsbruck. K.: 1972 Reisekorrespondent in Südamerika, freier Korrespondent in d. BRD, Alleinred. f. Tageszeitung Schongauer Nachrichten im Schonau, 1967-69 Chef v. Dienst f. Volksboten München, Ressortltr. Außenpolitik f. Schwäbische Zeitung, seit 1990 Tir. Tageszeitung. E.: 1976 Theodor Wolff-Preis. H.: Literatur, Musik, Wandern. (M.W.)

Riener Wolfgang

B.: Gschf. FN.: Therme Loipersdorf GmbH & Co KG. GT.: AufsR. d. Thermen Golf GmbH Loipersdorf, AufsR. d. SPA Admission GmbH. DA.: 8282 Loipersdorf 152. PA.: 8261 Sinabelkirchen. G.: Linz, 18. Nov. 1960. V.: Christiane, geb. Auer. Ki.: Raphael (1994). El.: Ing. Walter u. Viktoria. S.: VS, HS, HBLA f. Fremdenverkehr Bad Ischl, 1980 Grad. K.: 1980-83 Restaurantltr. im Wienerwald Konzern, 1983-85 Oberkellner b. Bankettmanager im 5 Sterne Hotel Eldorado Wien, Restaurantltr. - stellv. Dir. - Dir. im Hotel Mercur, 1985-89 verantwortl. f. Gastronomie d. Firma Ankerbrot, 1989-93 Familia Konzern, seit 1993 Gschf. Therme Loipersdorf GmbH & Co KG. M.: Pfadfinder Österr., stellv. Obm. d. Tourismusverb. Loipersdorf, stellv. Obm. d. Regionalverb. Erlebniswelt Fürstenfeld, im Vorst. d. steir. Thermenlandes, Steir. Marketing Club. H.: Segeln, Skifahren, klass. Musik, zeitgenöss. Literatur. (I.G.)

Riepl Anton
B.: Fleischermstr., Inh., Gschf. FN.: Fleischmanufaktur u. Gasthaus. DA.: 4210 Gallneukirchen, Dienerg. 5. PA.: 4210 Gallneukirchen, Dienerg. 10. G.: Gallneukirchen, 15. Feb. 1960. V.: Andrea, geb. Pointner. Ki.: Doris (1984), Birgit (1987), Anton (1993). El.: Anton u. Karoline. S.: VS, HS, Büroschule, Berufsschule. K.: seit 1989 Gschf. in o.g. Firma. H.: Familie, Konzerte. (L.G.)

Riepl Erwin
B.: Gschf. Ges. FN.: CSI Computer Software Informatik Handels GmbH. DA.: 4600 Wels, Salzburger Str. 127. PA.: 4600 Wels, Europastraße. G.: Wels, 21. März 1946. Ki.: Petra (1968), Roland (1980). El.: Rosa u. Wilhelm. S.: Lehre als Einzehandels-Kfm., ab 1967 EDV-Ausbild. b. IBM. K.: 1970 Aufbau d. 1. Welser Rechenzentrums u. dort 10J. tätig, 1980 Grdg. d. eig. Firma, zusätzl. Gschf. d. IP Handels GmbH u. d. SIAG Handels GmbH. H.: Autos, Tennis, Schifahren. (P.H.)

Riepl Franz
B.: Zentralsekretär. FN.: Gewerkschaft Metall, Bergbau, Energie. DA.: 1041 Wien, Plößlg. 15. G.: Wien, 23. März 1949. V.: Christa, geb. Dörffel. Ki.: Martina (1971), Stefan (1982), David (1985), Dominik (1989). El.: Franz u. Hedwig. S.: 5 J. Mittelschule, Lehre a. Elektromech. K.: n. d. Lehre i. erlernten Beruf a. Elektromech. i. e. Wr. Metallbetrieb gearb., 1973 i. Gewerkschaftsbereich umgestiegen u. a. Sekretär d. Gewerkschaft Metall, Bergbau, Energie tätig, s. 1988 Zentralsekretär d. Gewerkschaft MBE, s. 1988 Landtagsabgeordneter u. Gem.-Rat d. SPÖ i. Wien, s. 1974 Kammerrat i. d. AK Wien. (F.S.)

Riepl Gottfried

B.: Innenarch. u. Tischlermstr. FN.: Tischlerei Riepl. DA. u. PA.: 9064 Pischeldorf, Sillebrücke 5. G.: Klagenfurt, 2. Dez. 1952. V.: Evelyn, geb. Sereinig. Ki.: Bettina (1974), Daniela (1980). El.: Gottfried u. Berta. S.: VS, Gymn., 1967-70 Tischlerlehre u. Berufsschule, 1970-74 HTL Tischlerei u. Raumgestaltung Graz, 1974 Matura, Mstr.-Prüf. K.: Übernahme d. elterl. Betriebes, s 1991 gerichtl. beeid. Sachv. f. Holzverarb., Möbel u. Tischlerarb., Messebe-teiligungen: Interieur Wien, Häuslbauer Klagenfurt u. Austria-Slovenja Laibach, Organ. v. versch. Kursen u. Kulturveranstaltungen im Rahmen d. Kultur- u. Bürgerforums in Zusammenarb. m. nat. u. intern. Künstlern. E.: 1991 Wahl z. Tisch d. J. Österr. Interieur Wien, 1993 Ktn. Design Preis f. Tisch. M.: Gründer gemeinsam m. Dr. W. Wadl d. Kultur- u. Bürgerforums St. Thomas/Magdalensberg u. Obm.-Stellv. seit 1991, PfarrgemR. St. Thomas/Magdalensberg, seit 1986 Stellv. Vors., Das maßgebende Handwerk. H.: Sport, Familie, Kultur, Kochen. (G.L.)

Riepl Hermann Dr. Prof. HofR.
B.: Bibliotheksdir. A.: 1150 Wien, Minciostr. 9. G.: Hollabrunn, 3. Apr. 1938. V.: Dorith, geb. Schulz. S.: Gymn. Hollabrunn, Univ. Wien (Publizistik, Germanistik, Gechichte), Prüf. f. d. höheren Bibl.Dienst an d. Österr. Nat.Bibl. K.: Journalist, Bibl. P.: zahlr. histor., lkundl. u. bibl.wiss. Abhandlungen, Bücher: 50 Jahre Landtag v. NÖ, Die NÖ Landesbibliothek, Der Landtag in NÖ, Werden-Wesen-Wirken, NÖ 1945, Die NÖ Landeshauptstadt. E.: Österr. Ehrenkreuz f. Wiss. u. Kunst, Josef Bick-Med. d. Ver. Österr. Bibl., Leopold Kunschak-Preis. M.: Ver. österr. Bibl., Ver. f. LKunde v. NÖ, Ver. f. Geschichte d. Stadt Wien.

Riepler Christiane

B.: Gastronomin Restaurant Talblick. DA. u. PA.: 5600 St. Johann im Pongau, Talblickstr. 6. G.: Wagrain, 6. Dez. 1959. V.: Franz Riepler. Ki.: Theresa, Christian. El.: Rupert u. Josefa Fritzenwallner. S.: VS, HS, Polytechn. Lehrgang, 1976 Einzelhdls.-Kfm.-Lehre, 1979 Abschluß. K.: 1980 Fremdenverkehrsbüro Dorfgastein, 1981-84 Gschf. Fremdenverkehrsver. Werfen, 1984 Erwerb d. Gasthofes Talblick, 1985 Kur- u. Fremdenverkehrsdir. H.: Familie, Schreiben v. Mundartgedich-ten, Schießen, Skifahren. (A.W.)

Riepl Peter Dipl.-Ing.
B.: Arch. DA.: 4020 Linz, Hopfeng. 15. PA.: 4040 Linz, Hoppichlerstr. 26. G.: Wels, 18. Febr. 1952. V.: Gabriele, geb. Althaler. Ki.: Tobias (1983), Raphaela (1985), Larissa

(1990). El.: Wilhelm u. Ilse. S.: VS, RG, 1970 Matura, Arch.-Stud. TU Innsbruck, 1977 Dipl.-Ing., 1978 BH. K.: 1978 Arb. in versch. Arch.-Büros u. in d. OÖ Landesbaudion., 1985 eigenes Atelier, 1987 Arge Arch. Riepl Moser. E.: mehrere Wettbewerbserfolge u. Preise u.a. 1989 Kulturpreis d. Landes OÖ, 1990 Preis d. Zentralver. d. Arch. Österr., Preis VÖZ Verb. Österr. Zementhersteller, mehrere 1. Preise in div. Wettbewerben. (Ni.A.)

Riepler Franz

B.: Gastronom u. Koch Restaurant Talblick. DA. u. PA.: 5600 St. Johann im Pongau, Talblickstr. 6. G.: Wagrain, 11. Apr. 1960. V.: Christiane, geb. Fritzenwallner. Ki.: Theresa, Christian. El.: Josef u. Theresia. S.: VS, HS, Polytechn. Lehrgang, 1976 Kochlehre Restaurant Bacher St. Johann, 1979 Gesellenprüf. K.: b. 1984 Koch im elterl. Betrieb, 1984 Gasthof Talblick erworben, 1986 Übernahme d. väterl. Skihütte Wagrain. M.: Bauernschützenver. H.: Familie, Skifahren, Tontauben-schießen, Jagd. (A.W.)

Rieseder August Dipl.-Ing.

B.: Gschf. FN.: Hoval Österr. DA.: 4614 Marchtrenk, Hovalstr. 11. G.: Wien, 21. Aug. 1938. V.: Gisela. Ki.: Ulrike, Alexander, Christoph. El.: August u. Johanna. S.: Grundschule, RG, TU Wien f. Maschinenbau u. Betriebswiss. K.: 1962 Maschinenfa. Haid, 1967 BRD Kaiser Aluminiumkonzern in Koblenz, 1980 Gschf in Schweizer Tochterfa. in Bern, 1986 zu Fa. Hoval. P.: Art. in Fachzeitschriften. M.: Lions-Club, Präs. v. Arge f. Umwelt. H.: Tennis, klass. Musik.

Rieseneder Franz KommR.

B.: KommR. i.R., Gschf. versch. Firmen. PA.: 4020 Linz, Langgutstr. 20. G.: Linz, 19. März 1923. V.: Marta, geb. Drimal. El.: Johann u. Johanna. S.: VS, Gymn., HAK, 1 Sem. Stud. Welthdl. Wien, danach Militär, Kriegsgefangenschaft. K.: nach Krieg Wiederaufbau d. Firma Rieseneder, Gschf. Ges. d. Baustoffhdl., Ziegelwerk Ottensheim u. Pregarten, seit 1990 in Pension. P.: Art. in Fachzeitschriften. E.: 1973 Ehrenring d. Gem. Pregarten, 1974 KommR., 1983 Silb. EZ d. OÖ Landesrg., 1973 Silb. Ehrenmed. d. Kam. d. gewerbl. Wirtschaft, 1983 Silb. EZ d. OÖ Landesjagdverb., Ehrenring d. Verb. Österr. Ziegelwerke, 1990 Ehrenmed. in Gold f. bes. Verd. f. d. Vereinigung Österreichischer Industrieller. M.: Österr. Ziegeleiverb., Landesjagdaussch. H.: Jagd, Reisen. (U.E.)

Riesenfelder Gert Dr. Dkfm. Ing.

B.: Vors. d. AufsR. d. IBM Österreich GmbH. DA.: 1020 Wien, Obere Donaustr. 95. G.: Wien, 25. Mai 1938. S.: RG, HTL, HS f. Welthdl., versch. Ferialpraktika sowie 1 J. als kfm. Ang. in New York. K.: 1963/65 Eintritt in d. IBM Deutschland, Mitarb. d. Organ.Abt. d. Prod.Bereiches, 1966/70 ltd. Systemberater, danach versch. Management-Positionen in Systemberatung u. Verkauf in IBM ROECE Wien, 1971 Ernennung z. Ltr. d. IBM Geschäftes in Jugoslawien, 1973/74 Abordnung in d. europ. Hauptquartier d. IBM in Paris, betraut m. d. Ltg. d. Anwendungsentwicklung f. Europa, 1975 Ernennung z. Dir. of Marketing f. IBM ROECE in Wien, 1977 Ernennung z. Mtgl. d. Geschäftsltg. d. IBM Österr., 1983 neuerl. Übersiedlung nach Paris ins europ. Hauptquartier d. IBM m. Ernennung z. Area-Gen.-Dir. über eine Gruppe v. 7 IBM LGes., 1985 Ernennung z. VPres. Communications IBM Europe, 1987 Ernennung z. Gen.-Dir. d. IBM Österr. E.: Gold. EZ f. Verd. um d. Rep. Österr., Gold.EZ f. Verd. um d. Land Wien, Gold. EZ d. Landes Sbg., Ehrensenator d. WU Wien. M.: Funktionen: AR-Mtgl. d. IBM Deutschland, Mtgl. d. VerwR. d. IBM Schweiz, Vorst.Mtgl. VÖI, LGruppe Wien, Mtgl. d. Beirats d. Creditanst. Bankver. Wien, Mtgl. d. Vorst. d. Amerikan. HK in Österr., Mtgl. d. Kuratoriums d. Industriewiss. Inst. (P.R.)

Riesenhuber Jörg Dipl.-Ing.

B.: Arch., staatl. befugter u. beeid. Ziviltechniker. DA.: 1180 Wien, Schumanng. 14. G.: Wien, 10. Juli 1947. V.: Ursula, geb. Ruttner. Ki.: Hannes (1982), Silvia (1983). El.: Walter u. Mathilde. S.: RG, 1965 Matura, Stud. an d. TU Wien, Studienreisen nach USA u. Canada, 1972 Dipl.Abschluß. K.: Mitarb. im Atelier 18, 1979 Ziviltechnikerprüf. u. Befugnisverleihung, seit 1979 eigenes Arch.Büro m. Arbeitsbereich: Wohnbau, Büro-Banken-Geschäftsbau, Revitalisierung u. Stadterneuerung, seit 1985 EDV-Baubüro m. Spezialaufgaben: Baubetreuung, Baukostenkontrolle u. Baukoordinierung. E.: 1. Preis Entwicklung v. Typen f. Kleingartenhäuser, 1. Preis Gerichtsgebäude Steyr. (H.J.S.)

Rieser Adolf KommR.

B.: Gastronom d. Hotel Kristall. DA.: 6213 Pertisau 51. G.: Pertisau, 30. Mai 1943. V.: Anni, geb. Duftner. Ki.: Anni, Maria, Birgit, Silvia u. Adi. El.: Johann u. Anna. K.: Seit d. Kindheit im väterl. Betrieb tätig, m. knapp 16 J. selbst., Beginn 1960 m. Hotel Kristall, 1967 Bau d. 1. Schwimmbades in Pertisau, 1969 Erwerb d. Pension Christina, 1971 Erwerb einer Ldw. in Leutasch, 1982 Erwerb eines Geschäftshauses in Pertisau u. Einrichtung d. Geschäftes "Kunst u. Glasstüberl", s. 1967 Obm. d. FV Pertisau, s. 1975 Aussch.Mtgl. (KamR.) d. HK, Sekt. Fremdenverkehr, Obm.-Stellv. d. BSekt. Fremdenverkehr. H.: Firmenexpansion, Familie, Skifahren. (M.W.)

Rieser Eleonore

B.: Gschf. Ges. FN.: Ing. N. Rieser GmbH. DA.: 4040 Linz, Rudolfstr. 47. PA.: 4040 Linz, Riesenederfeld 23. G.: Linz, 21. Nov. 1940. V.: Norbert Rieser. Ki.: Ing. Norbert (1958), Mag. Peter (1962). El.: Erich u. Maria Freudenthaler. S.: VS, RG, 1956 Studienberechtigungsprüf. Linz, 1956 Geschäftsgrdg., Sprachstudien in Spanien, Frankreich, England, Italien, 1987 einige Sem. Stud. BWL. K.: seit 1968 im Geschäft tätig, seit damals Gschf. Ges. H.: Sprachen, Kulturen anderer Länder, Geschichte. (U.A.)

Rieser Herbert Dr. phil.

B.: Bibl. A.: 1140 Wien, Gusenleithnerg. 28a/17. G.: Salzburg, 3. Febr. 1929. V.: Ema Malita, geb. Holzmann. El.: Johann u. Josefine. Ki.: Simone (1970), Markus (1972), Lukas (1983). S.: 1939-47 RG Sbg., 1960 Abs. theol. Univ. Innsbruck, Dr. phil. (Reine Phil., Psych., Urgeschichte), Phil. Fak. Univ. Wien 1963, 1967/68 Scholar u. 1968-73 Forsch.Ass. in d. Abt. Soz. am Inst. f. Höhere Studien in Wien, 1973-75 Bibl.Ausbild. an d. Österr. Nat.Bibl. K.: nach d. Abitur 20 J. Jesuit, zuletzt HS-Seelsorger an d. Univ. Innsbruck, 1967-68 Scholar, 1968-73 Forsch.Ass. am Inst. f. Höhere Stud. u. Wiss. Forsch. in Wien, seit 1973 Bibl. an d. Österr. Nat.Bibl., seit 1986 Kons. d. Unesco. P.: div. Zeitungs- u. Zeitschriftenart., Forsch.Berichte im Inst. f. Höhere Studien, Bücher: Der Geist d. Josephinismus, Wohnwünsche d. Wr. Bevölkerung, Trilogie "Mein alter Gott - mein neuer Gott", "Bonzen - Pfaffen - Halsabschneider", "Was mir von Gott geblieben ist", 1990-93. H.: Ideengeschichte, Fragen d. Evolution, Weltreisen.

Rieser Otmar Dipl.-Ing.

B.: Ges. u. Gschf. mehrerer Baufirmen u.a. IBP Inter Bau Projekt GmbH, Ziviling. f. Bauwesen, Bmstr. DA.: 1130 Wien, Steinlechnerg. 31. Ki.: Helmut. S.: TU Wien, 1932 Dipl.-Ing. K.: 1939 Firmengrdg. Rieser Bau GmbH, Spezialgebiete d. Baufaches im Fels- u. Grdg.Bau. E.: Ausz. d. Sbg. LRg. f. bes. Leistungen d. Baufa. M.: Berufsver., Kam.Ver. (Lar.)

Rieser Peter Mag.

B.: Verw.-Dir. d. Bez.-KH Schwaz. DA.: 6130 Schwaz, Swarovskistr. 1. PA.: 6130 Schwaz, Dr.-Körner-Str. 3. G.: Mayrhofen, 20. Juni 1947. V.: Maria, geb. Kohnhauser. Ki.: Katrin (1981), Sebastian (1984), Anna (1988). El.: Max u. Maria. BV.: Großmutter war d. Nichte v. Kardinal Katschtaler Sbg. S.: Grundschule, Hum. Gymn., 1965 Matura, Jusstud. K.: Auslandsaufenthalt, 1967 zurück nach Österr, BH, b. 1975 Stud. Betriebswirtschaft, danach techn. Einkauf, 1976 Exportltr. f. England, USA u. Australien d. Firma Morandell, seit 1977 Verw.-Dir. im KH Schwaz. M.: TU Schwaz, Sekt. Skilauf, ULZ Handball. H.: Skifahren, Fußball, Handball, Tierwelt, Literatur. (M.W.)

Riesner Gottfried

B.: Inh. FN.: Elektroinstallationen Riesner. GT.: Gschf. Riesner GmbH Elektroinstallationen, Blitzschutzbau. DA.: 2352 Gumpoldskirchen, Thallernstr. 6; 2511 Pfaffstätten, Preyhsg. 17. PA.: 2511 Pfaffstätten, Preyhsg. 17. G.: Mödling, 9. Sep. 1959. V.: Gerlinde, geb. Payer. Ki.: Marianne (1986), Gottfried (1988), Andreas (1990). El.: Ferdinand u. Maria. BV.: Großeltern waren bekannte Weinbaubes. in Gumpolds-kirchen. S.: VS, HS, 1 J. HASCH, Lehre, Gesellenprüf., Meisterprüf. K.: 1979-89 Tätigkeit im erlernten Beruf b. Austrian Airlines, seit 1989 selbst. m. eigenem Elektroinstallationsunternehmen in Gumpoldskirchen, 1992 Grdg. einer GmbH in Pfaffstätten. M.: Wirtschaftsbund. H.: Volksmusik. (F.S.)

Riess Herbert Mag.

B.: Kfm. Ltr., Ges. FN.: Dipl.-Ing. A. Winkler & Co Bau GmbH. DA.: 1040 Wien, Wiedner Hauptstr. 52. PA.: 1060 Wien, Webg. 37. G.: Wien, 23. Jan. 1955. V.: Johanna, geb. Moschna. Ki.: Michael (1986), Thomas (1992). El.: Rudolf u. Gertrude. S.: 1973 Matura, Stud. Betriebswirtschaft WU Wien, 1980 Spons. K.: 1980-81 Erste Österr. Spar-Casse, 1981-85 SGP Bilanzabt., 1985 Eintritt in d. Dipl.-Ing. A. Winkler & Co Bau GmbH, seither kfm. Ltr. M.: Kleingartenverb. Wien-Döbling. H.: Familie, Sport (Fußball, Skifahren), Computer. (J.S.)

Rieß Hubert Dipl.-Ing.

B.: Arch. d. Arch.-Büro Riess Graz, Univ.-Lektor d. TU Graz. DA.: 8020 Graz, Wiener Str. 6, 8020 Graz, Rechbauerstr. 12. PA.: 8044 Graz, Tannhofweg 14. G.: Obernberg/Inn, 14. Okt. 1946. V.: Rita, geb. Schlepphorst. Ki.: Anna (1985), Jahn (1987), Elisabeth (1990). El.: Franz u. Anna. S.: Pflichtschulen, HTL OÖ m. Schwerpunkt Theater u. Bühnenbild, 1967-75 Arch.-Stud. Graz, 2x Sommerak. Sbg., Dipl. über d. Wasserläufe v. Graz u. ihre Reintegration in d. Stadtbild, 1976 Auftrag Stadtplanungsamt "Linksseitiger Mühlgang - Erhaltung - Nutzung", 1978-79 Stipendium Ak. in Stockholm. K.: 1976-77 Ass. b. Gastprof. Jan Gezelius aus Stockholm an d. TU Graz, 1980 Eintritt Büro v. Ralph Erskine, zahlr. Wettbewerbe u. Projekte f. versch. Länder Europas, zahlr. Vorträge. BL.: 1981 1. Preis Wettbewerb Wienerbergergründe in Graz, 1983 1. Preis Wettbewerb Tannhofgründe Graz, 1984 3. Preis Wohnbebauung Liezen, 1985 1. Preis Modell Stmk. "Holz im Wohnbau", 1985 2. Preis Wohnbebauung Dr. Empergerweg, 1986 2. Preis Wohnbebauung Ragnitz, 1987 2. Preis Carl-Spitzweg Billigwohnbau, 1988 1. Preis Wohnbebauung Allerheiligen b. Wildon, 1989 1. Preis Wohnbebauung "Stadtgrenze" Graz, 1989 1. Preis Turnhallenzubau Aigen im Ennstal, 1991 1. Preis Städtebaul. Wettbewerb d. Marktgem. Spielberg, 1991 1. Preis Wohnbebauung St. Marein. P.: "Mühlgangstudie", "Murstudie". E.: 1988 Landespreis d. Stmk. f. Arch., 1988 Gr. Österr. Wohnbaupreis, 1991 Gerambrose f. d. Projekt Tannhofgründe. (P.M.)

Riess Rudolf

B.: Radiotechn. Mstr., Gschf. Ges., Inh. FN.: Rudolf Ries Kabel TV Ges.m.b.H. u. Funkberater Rudolf Riess. DA./PA.: 5204 Straßwalchen, Braunaustr. 17. G.: Golling, 23. Dez. 1946. V.: Pauline, geb. Pöchersdorfer. Ki.: Rudolf (1969), Barbara (1974). S.: VS, HS, 4 J. Elektroinstallateurlehre m. Gesellenprüf., 2. J. Radio- u- Fernsehtechnikerlehre anschl. m. Gesellenprüf., 1969 Mstr. Prüf. f. Radio- u. Fernsehtechnik. K.: 2 J. Sbg. halblwöchentlich gearbeitet, 1969 als Geschf. Ang. bis. 1988 unter d. Namen d. Mutter weitergeführt, 1988 alleiniger Gschf. M.: Vors. d. Mstr. Prüf. Kmsn. in Sbg, Mtgl. d. Österr. Amateurfunkverband, Sportverein. H.: Armateurfunktätigk. (D.E.)

Riess Susanne

B.: Clubobfrau u. Gschf. der FPÖ, Bundesratsfraktion. FN.: Dipl. Ing. Karl Loysch. DA.: 3390 Melk, Pielach 6. PA.: 3341 Ybbsitz, Maisberg 29. G.: Mödling, 15. Sept. 1961. El.: Leopold u. Viktoria. S.: VS, HS, HBLA Straßerg. Matura, Stud. WU, Praxis i. d. Bank. K.: s. 1989 i. d. Gschfltg. d. Fa. H.: Politik, Skifahren, Kunst. (J.M.)

Rieß Wilhelm Dr. phil.

B.: Museumsdir. d. Stadtmuseum Wels. DA.: 4600 Wels, Burgg. 13. PA.: 4600 Wels, Hofmannsthalstr. 12. G.: Wels, 4. Nov. 1939. V.: Jutta, geb. Jäger. Ki.: Martin Georg Zauner (1962), Wilhelm Viktor Rieß (1969). S.: Matura, 1961 BH, OLt. d. Res., 1962 Stud. d. Geschichte, Volkskunde u. Germanistik, 1967 Prom. z. Dr. phil. K.: 1967-71 Ltr. d. VHS d. Stadt Wels, 1970 Übernahme Museums- u. Archivverw., 1971 Museumsdir. BL.: 1971 Eröff. Galerie im Museumsgebäude, 1975 Errichtung einer Restaurierwerkstätte f. Museumsbestände, 1976 Neugestaltung d. archäol. Sammlung, 1983 Restaurierung d. Burg Wels zu einem musealen u. kulturellen Zentrum. P.: Zahlr. fachwiss. Veröffentichungen im In- u. Ausland, Fachvorträge in Österr. u. Deutschland. (H.B.)

Rießberger Klaus Dr. techn. Dipl.-Ing. Univ.-Prof

B.: Prof. f. Eisenbahn- u. Verkehrswesen, Vorst. d. Inst. f. Eisenbahnw. an d. TU Graz. DA.: 8010 Graz, Rechbauerstr. 12. PA.: 8010 Graz, Angelo-Eustacchio-G. 70. V.: Dr. Hannelore, geb. Födinger. Ki.: Ulrike (1970). El.: Dipl.-Ing. Friedrich u. Friedegun. BV.: Großv. Prof. Urbanek (o.ö.Prof. f. mechan. Technologie TH Wien). S.: AHS Gmunden, Stud. Maschinenbau TH Wien (Grad. 1966, Prom. 1970, Habil. 1979). K.: 1965 WH, 1966-70 HS-Ass. am Inst. f. Fördertechnik TH Wien, 1970 Fa. Franz Plasser GmbH Wien u. Linz, Ltr. d. Forsch. u. Versuchsabt., 1984 Univ.-Prof., seit 1972 Spezialvorles. über Spurführungstechnik TU Wien, weltweite Gastvorlesungen. P.: Zahlr. Veröff. aus d. Geb. d. Eisenbahnbaues u. zu verkehrspolit. Fragen. M.: ÖIAV, Österr. Verkehrswiss. Ges., Area american railroad engineering assoc., permament way institution of India, Rotary Club. H.: Skifahren, Basteln, Umgang m. Menschen. (C.H.S.)

Rietzler Hubert

B.: Dekan. DA.: 6460 Imst, Pfarrg. 15. G.: Fiss, 5. Juli 1931. S.: Hum. Gymn. in Innsbruck u. Schwaz, Paulinum. K.: 1956 Priesterweihe in Innsbruck, Kooperator in Landeck, Pfarrer in Feichten u. Fließ, seit 1987 Dekan u. Pfarrer in Imst, Consiliarius. BL.: Erfinder d. Lichtweges: Auferstehung in 12 Stationen. H.: Bergsteigen. (W.S.)

Rietzler Peter

B.: Sport Redakteur. FN: Familia Press. DA.: 1211 Wien, Ignaz Köckstr. 17. G.: Fiss, 28. Juni 1962. Ki.: Jacqueline, geb. jourdan. El.: Peter u. Maria. S.: VS, HS, Mus.-pädagogisches Oberstufenrealgymn., Matura, Stud. Publiszistik u. Politwiss. währ. Stud. K.: währ. Stud. Volontär b. Profil, freier Redakteur b. Sportmagazin, 1987-92 Tiroler Tageszeitung in Wien, 1992 Sport Redakteur b. Täglich Alles, 1994 Ltr. d. Sportredaktion. H.: Kino, Skifahren, Tennis, Essen u. Kochen. (J.M.)

Riewe Roger Dipl.-Ing.

B.: Arch. FN.: Arch.-Büro Riegler & Riewe. DA.: 8010 Graz, Merang. 1. PA.: 8010 Graz, Hugo-Wolf-Gasse. G.: Bielefeld, 22. Juli 1959. V.: Elisabeth, geb. Steiner. Ki.: Nina (1992). El.: Günter u. Rosemarie. S.: VS, HS, Gymn., 1978 Matura, Stud. Arch. RWTH Aachen, 1985 Dipl. K.: Tätigkeit in Arch.-Büros in Österr., 1987 Bürogrdg. Riegler & Riewe Graz, ab 1991 Zweitbüro Zwergg. 5 Graz, Ausstellungsbeteiligungen: 1987 Brüssel, Budapest, 1988 Zagreb, Graz, 1989 München, Zug, Ljubljana, Prag, Zagreb, 1990 Lyon, Wien, 1992 Paris, wichtige Projekte: 1987 Österr. Wohnbaupreis, 1988 Wettbewerb Hauptplatz Fürstenfeld 1. Preis, 1988 Wohnbauwettbewerb Mautern 1. Preis, Wohnbauwettbewerb Graz Casa Nostra 1. Preis, 1989 Intern. Wettbewerb Landesgalerie Bregenz, 1. Ankauf, Wettbewerb Flughafen Graz, 1. Preis, 1990 Arch.-Preis d. Landes Stmk., 1992 Realisierung Wohnbau Graz-Strassgang. P.: Wettbewerbe (A) 1987-91, L'Architecture d'Aujourd'hui (F) 1989, Archi Cre (F) 1990, Archis (NL) 1991, Arch. u. Bauforum (A) 1991, 1992, Gastvorträge Prag, Zagreb, Lyon, Graz, Wien, Buenos Aires, Aachen. M.: Vorst.-Mtgl. d. ZV Stmk. (M.Gr.)

Riff Sepp

B.: TV-Produzent. FN.: Sepp Riff GmbH. DA.: 1180 Wien, Gersthofer Str. 9. PA.: 1190 Wien, Weilg. 1A/11. G.: Neuhofen, 17. Febr. 1928. Ki.: Bernhard, Ursula, Alexander. El.: Josef u. Cäzilia. S.: Lehre als Fotograf, Gesellenprüf. K.: Arbeitsdienst, Luftwaffe Fallschirmjäger, 1945 brit. Gefangenschaft in Holland, Mstr.Kl. in d. Graph. Lehr- u. Versuchsanst. in Wien, Kameramann b. Fox-Wochenschau, versch. Kurzfilme in Österr. sowie 15 Spielfilme, 1957-1974 f. Visnews-BBC tätig, Blitzeinsätze in d. ganzen Welt, Kriegsberichterstatter, zusammen m. Hugo Portisch TV-Dokumentationen f. d. ORF, anschl. Kameramann d. Sendereihe "Apropos Film", ab 1982 gr. histor. TV-Dokumentation "Österr. II". E.: Gold. Kamera, Gr. Gold. EZ d. Landes Stmk., Volkbild.Preis. (P.R.)

Riffert Walter

B.: Gschf. Ges. FN.: Text u. Bild Satz/Reprotechnik GmbH & Co KG. DA.: 4020 Linz, Dinghoferstr. 54. PA.: 4020 Linz, Hollandstr. 13. G.: St. Aegidi, 15. Dez. 1950. V.: Emerida, geb. Diaz-Herrera. Ki.: Manuel (1977), Laura (1980), Martin (1983), Mario (1991). El.: Kaspar u. Susanne. S.: VS, HS, Lehre Schriftsetzer. K.: 1965-69 Fidelis-Druckerei, 1969/70 BH, 1970-71 Fidelis, ab 1971 Grafiker in München, Abschlußprüf. Gebrauchsgrafik 1972, 1971-74 Grafiker u. Schriftsetzer b. Spezialdruckerei Etiketten Schreiner, b. 1980 Betriebsltr. dieser Fa., 1980-86 Werbekfm. Jeschke & Lampl Linz, 1982 Konzessionsprüfung, 1986-87 Bez.-Ltr. Bausparkasse Wüstenrot, 1988 Grdg. Text u. Bild GmbH & Co KG. P.: teilweise Abhaltung v. Führungen in d. Firma, einige Beiträge in Fachzeitschriften. M.: seit 1987 im AufsichtsR. b. d. Pfadfindern, 1989 Mtgl. d. Lateinamerikainst. H.: Familie, Lesen, Reisen, Geselligkeit, soz. Interesse. (U.A.)

Rigaud Ludwig Mag.

B.: Kfm. FN.: Stranz & Scio Delikatessen, Partyservice, Weinkontor. DA.: 5020 Salzburg, Getreideg. 9. V.: Renate, geb. Vital. Ki.: Marcel (1978), Dominique (1979), Denise (1981), Jeaninne (1986), Maurice (1988). S.: VS, Bundesrealschule, 1969 Matura, 1969-70 Abiturientenkurs HAK, Stud. Betriebswirtschaft Wien, 1974 Mag. K.: Übernahme d. väterlichen Betriebes m. Bruder Peter Rigaud, 1974 Grdg. d. Restaurant u. Imbisslokals "Hagenauer Stuben", seit 1981 Mitgschf. d. Firma Syspro, seit 1982 Alleininh. d. elterlichen Unternehmens. E.: 1985 Österr. Staatswappen. (N.M.)

Rigele Christiane

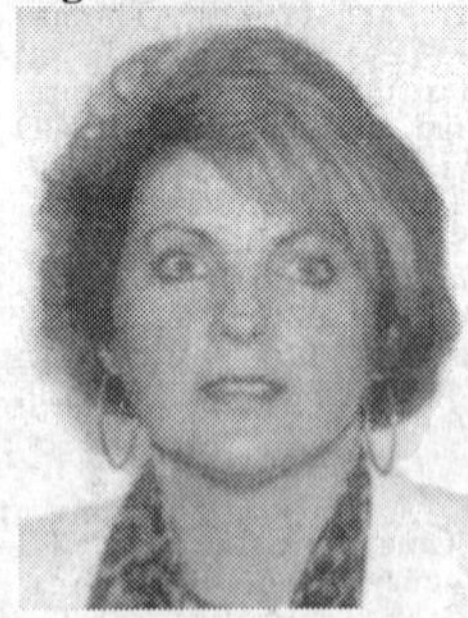

B.: Lehrerin, Inh. Villa Vogelsang. DA. u. PA.: 3370 Ybbs/Donau, Reiteringerstr. 12. G.: Linz, 15. Nov. 1950. V.: Ing. Bernd Rigele. Ki.: Nicole (1979), Nadine (1985). El.: Hans u. Franziska Tempelmayr. S.: VS, HS, LBA Linz. K.: 12 J. Schuldienst in OÖ, 1990 Grdg. Villa Vogel-sang. H.: Malen, Lesen, Hotelbetrieb, Reisen. (J.M.)

Rigby Kurt
B.: Gschf. FN.: Autohaus Tschann GmbH. DA.: 5020 Salzburg, Samerg. 24. PA.: 5020 Salzburg, Plainstr. 18A. G.: Wr. Neustadt, 14. Sept. 1942. V.: Elfriede, geb. Kaska. Ki.: Andreas (1977), Markus. S.: VS, HS, Berufsschule Bäcker- u. Konditorlehre, kfm. Ausbild. K.: 8 J. in d. Heizungsbranche im Verkauf tätig, 22 J. b. d. Firma Autohaus Frey Sbg., Verkäufer u. Gebietsltr. u. 2 J. Verkaufsltr., seit 1992 Verkaufsltr., ab 1992 Gschf. M.: ÖVP, seit 1990 Stadtobm. ÖAAB, seit 1992 GemR. Sbg. H.: Freizeitskipper, Familie. (N.M.)

Rigler Felix
B.: Bgm. v. Neunkirchen, Bez.Stellenltr. d. NÖ Gebietskrankenkasse. DA.: 2620 Neunkirchen, Hauptpl. 1. PA.: 2620 Neunkirchen, Spiegelg. 23. G.: Neunkirchen, 14. Jan. 1931. V.: Margarethe, geb. Gruber. Ki.: Gerhard, Andreas. El.: Ernst u. Adele. S.: BRG Neunkirchen, 1949 Matura. K.: seit 1949 Ang. b. d. NÖGKK, seit 1964 Abt.Ltr., seit 1975 Bez.Stellenltr., 1965 Wahl in d. GemR., 1967 StadtR., 1972 3. VBgm., 1974 1. VBgm., seit 1984 Bgm. v. Neunkirchen. M.: seit 1984 Bez.Obm. d. Sozialist. Gemeindevertreterverb., Mtgl. d. LParteivorst. NÖ, versch. Fachver. H.: Skifahren, Fischen, Briefmarken sammeln, Fotografieren (M.B.)

Rigler Helmut
B.: Gschf. Ges. FN.: Helmut Rigler GmbH. DA. u. PA.: 2640 Gloggnitz, Hauptstr. 22. G.: Neunkirchen, 7. Aug. 1950. V.: Waltraud, geb. Braun. Ki.: Martina (1972), Sonja (1979), Christian (1979). El.: Heinrich u. Helene. S.: VS, HS, 1964-67 Glaserlehre Bruck/Mur, 1975 Glasermstr. K.: 1967 Eintritt in d. elterl. Betrieb Firma Heinrich Rigler Glaserei, 1983 Übernahme d. Glaserei, 1987 zusätzl. Übernahme d. Handelsgeschäftes u. Eintritt d. Ehegattin Waltraud in d. Firma, 1988 Umstrukturierung in GmbH. M.: seit 1984 Mtgl. d. Landesinnungsaussch. d. Glaser, Bez.-Innungsmstr. d. Glaser, Prüf.-Kmsn., seit 1988 GemR. (ÖVP) in d. Stadtgem. Gloggnitz. H.: Tennis, Skifahren. (M.M.)

Riha Oswald Dr. Prim.
B.: FA f. ZMuK. DA.: 1080 Wien, Lange Gasse 70. G.: Wien, 27. Mai 1947. V.: Brigitte, geb. Grünberger. Ki.: Bettina, Markus. El.: RgR. Oswald u. Hildegard. K.: 1967 Beginn m. d. Stud., 1972 Abbruch u. Eintritt in d. Gem. Wien in d. Verw.Dienst, 1979 Fortsetzung d. Stud., 1982 Prom., FA-Ausbild. an d. Univ. Zahnklinik b. 1984, 1985-88 OA an d. Zahnklinik, s. 1985 eigene Praxis, 1989 Vorst. d. Jugendzahnklinik d. Stadt Wien. P.: in d. Zeitschrift f. Stomatologie. H.: Skifahren, Schwimmen, Tennis. (E.L.)

Rihs Friedrich Mag. OStR. Prof.
B.: Schulltr. d. HAK IV u. HASCH VIII d. Fonds d. Wr. Kaufmannschaft. DA.: 2340 Mödling, Maria Theresieng. 25. PA.: 2346 Maria Enzersdorf, Südstadt, Ottensteinstr. 99. G.: Wien, 18. Okt. 1933. V.: Erika, geb. Götz. El.: August u. Rosa. S.: 1953 AHS-Matura, Wien, 1953-62 Stud. Naturgesch. u. Leibeserz. Univ. Wien u. Stud. Warenkunde u. Technolog. Grundlagen d. BWL u. Buchhaltg. a.d. HS f. Welthandel. K.: Neben Stud.Tätigk. als Lehrer, 1960-61 Unterr. HTL Mödling, 1961-63 Unterr. HTL u. AHS Wr. Neust., s. 1963 Lehrer HAK Mödling, 1965 Titel Prof. verliehen, 1984 Titel OStR verliehen, s. 1992 Ltr. d. Schule Mödling. P.: Schulbuch "Biologie u. Warenkunde". E.: "Schöffel Preis", "Silb. Ehrenz. d. Rep. Ö." M.: Obm. d. Naturschutzver. "Schöffel", Vizepräs. d. Ges. d. Warenwirtschaftslehre. H.: Musik, Sport, Familie, Reisen. (I.K.)

Riiner Ülo Dr.
B.: Gen.-Dir. FN.: Felix Austria GmbH. DA.: 7210 Mattersburg, Konsul-Herbert-Felix-Str. 24. G.: 3. Dez. 1935. Ki.: Linda, Jan. K.: seit 1987 b. Felix Austria GmbH. H.: Joggen, Wandern, Schwimmen.

van de Rijdt Frans Dipl.-Ing.
B.: Verw.Dir. d. Sanatorium Privatspital Grinzingerberg Betriebs GmbH. DA.: 1190 Wien, Ettingshauseng. 10. PA.: 1140 Wien, Wurzbachtalg. 2. G.: Ravenstein/Holland, 3. Juli 1954. V.: Claudia, geb. Wutte. Ki.: Sander, Karen. El.: Piet u. Maria. S.: VS, Gymn., TU in Eindhoven. K.: AKPE Betriebsorgan., ÖGEFA Betriebsltr., Wr. Privatklinik Ass. d. Gschf., seit 1986 Dir. Privatspital Grinzingerberg. H.: Tennis, Skifahren, Musik. (Kas.)

Rik Gunnell

B.: Consultant f. Gastronomie u. Nacht-Club's "The Londoner English Pub's GmbH"; "La Fonda Gaststättenbetriebs GmbH". DA.: 6370 Kitzbühel, Franz-Reisch-Str. 4. G.: Hamburg, 23. Juli 1931. V.: Edith, geb. Staffa. Ki.: Nina (1976), Romy (1980). El.: Harry u. Elspeth. S.: HS, b. 1947 College. K.: 2 J. Tätigkeit in Steuerberatungskzl., 1950-52 Militär, 1 J. Jazz-Club London, 1954 Flamingo Club London, 1960-71 Bag O'nails London, 1964 Agentur u. Management, Music Verlag, "Showbiz" London, New York, Los Angeles, 1976 Pub "Londoner" Kitzbühel, 1977 "Londoner" St. Johann, 1978 "Londoner" Kirchberg, 1980 "Londoner" Kitzbühel, 1983 "Londoner" Kössen, 1993 Grdg. u. Eröff. Bar-Restaurant "La Fonda" Kitzbühel. H.: Boxen, Schwimmen. (J.F.)

Rika Peter Dr. Dkfm.
B.: Steuerberater, allg. beeid. Buchsachv. DA.: 4400 Steyr, Stadtpl. 7. PA.: 4400 Steyr, Schlühslmayrstr. 99. G.: Steyr, 4. Nov. 1937. V.: Erna, geb. Dobernig. Ki.: Markus, Klaudius. El.: Karl u. Gertrude. S.: RG Steyr, 1956 Matura, 1956-61 Stud. Welthdl. Wien, 1961 Prom. K.: 2 J. Verkauf in Grazer Glasfbk., b. 1977 Ltr. d. Rechnungswesen in Metallverarb. Firma in Steyr, b. 1979 Kurs f. Steuerberater Linz, seither als selbst. Steuerberater tätig, seit 1977 Sachv. P.: Veröff. im Rahmen d. Sachv.-Tätigkeit. M.: Kam. d. Wirtschaftstreuhänder, seit 1964 Rotary. H.: Jagen. (P.H.)

Riklin Alexander Dr.
B.: Vorst.Dir. FN.: Europapier AG. GT.: AufsR. b. Neusiedler Budapest. DA.: 1210 Wien, Autokaderstr. 86-96. G.: St. Gallen, 3. Juli 1957. V.: Barbara, 3 Kinder. S.: Grundschule, Gymn., WU Wien, Diss. K.: 1982-87 Wirtschaftsprüf.Unternehmen, ab 1987 b. Europapier Kontroller. H.: Sport.

Rill Heinz Peter Dr. Univ.-Prof.
B.: Univ.-Prof. d. WU Wien. DA.: 1090 Wien, Althanstr. 39-45. PA.: 1180 Wien, Peter-Jordan-Str. 145/2/2. G.: Wien, 13. Juni 1935. V.: Mag. Herta, geb. Postl. Ki.: Ulrike, Konstanze. El.: Dr. Heinrich u. Mimi. S.: Stud. d. Rechtswiss. in Wien, 1971 Habil. K.: 1959-71 Ass. an d. rechtswiss. u. staatswiss. Fak. Wien, 1971/73 Ref. b. d. BKam. d. gewerbl. Wirtschaft, 1973 o.Prof. d. WU Wien, s. 1976 Vorst.d. Inst. f. Verfassungs- u. Verw.Recht, 1985/87 Rektor d. WU Wien. P.: 1976 Grdg. d. Zeitschrift "Zeitschrift f. Verw.", 1972 "Gliedstaatsverträge", mehrere selbst. Publ. z. Raumord-

nungsrecht u. Aufsätze z. Verfassungsrecht, Wirtschaftsverw.Recht u. z. Rechtstheorie. E.: Theodor Körner-Preis, 1971 Kardinal Innitzer-Preis, 1981 WU-Preis d. Wr. HK. M.: Mtgl. d. Ver. Dt. Staatsrechtslehrer, Mtgl. d. Österr. Juristenkmsn., Mtgl. d. IVR Österr. Sekt. H.: Wandern, Reisen. (M.B.)

Rimmer Dora Mag. pharm. SenR.

B.: Apothekerin. GT.: 1986-91 Präs. d. KH-Apotheker v. Österr. DA.: 1030 Wien, Juchg. 25. PA.: 1050 Wien, Schönbrunner Str. 88/7. G.: Wien, 3. Jan. 1926. V.: Anton. El.: William u. Anna Schüssler. S.: RG, Med.Stud., Pharm.Stud. K.: Apothekerin in öff. Apotheken in Wien, seit 1961 im öff. Dienst, Ltg. d. Anst.Apotheke in d. Krankenanst. Rudolfstiftung in Wien. M.: Mtgl. d. Pharmazeut. Reichsverb. f. Österr., unterstützendes Mtgl. d. Hospitaldienstes d. Souveränen Malteser-Ritter-Ordens in Österr., Arge f. künstl. Ernährung (AKE), Österr. Alpenver. H.: Kunst, Musik, Sprachen, Bergsteigen. (M.B.)

Rinder Laurenz Dr. techn. Dipl.-Ing. o.Univ.-Prof.

B.: o.Univ.-Prof. f. Maschinenelemente, Lehrbefugnis Maschinenelemente u. Getriebebau d. TU Wien. GT.: Lehrbeauftragter Univ. v. Bdk. Wien. DA.: 1060 Wien, Getreidemarkt 9. PA.: 1220 Wien, Rosenbergstr. 63. G.: Wien, 25. Juni 1942. El.: Laurenz u. Josefine. S.: VS, Realschule, 1960 Matura, Stud. Maschinenbau TU Wien, 1965 Dipl.-Ing., Univ.-Ass., 1968 Prom. z. Dr. techn., 1978 Habil. K.: Univ.-Ass., Univ.-Doz., Konstruktionsltr. f. Drucklufttechnik b. d. Leobersdorfer Maschinenfbk. AG (Babcock), Entwicklungsabt. Trane-Company La Crosse USA, 1986 o.Univ.-Prof. TU Wien. P.: 28 Veröff. in wiss. Zeitschriften u. 5 Bücher. M.: Österr. Ing. u. Arch.-Ver., wiss. Ges. f. Maschinenelemente u. Konstruktionsforsch., Normenaussch. "Verzahnungen".

Rinder Peter

B.: Gschf. Ges. FN.: Peter Rinder Warenhdls. GmbH & Co KG. DA.: 4060 Linz/Leonding/Doppl, Wiener Bundesstr. 8. PA.: 4020 Linz, Beethovenstr. 26. G.: Linz, 5. Mai 1946. El.: Josef u. Karoline. S.: VS, HS, kfm. Lehre b. Fa. Aschl Bosch-Dienst. K.: 1963-67 Ang., 1 J. Außendienst f. Autozubehör b. d. Fa. Cladrova, 1968-71 selbst. als Tankstellenpächter, nebenbei Beginn d. Autozubehörhdls. bzw. Import, 1971 Grdg. d. Fa. Rinder-Kneuer OHG, 1973 Erwerb eines Grundstückes in Linz-Kleinmünchen, Vermietung an d. OHG, Eröff. eines Reifendienstes, 1975 Grdg. d. Peter Rinder Warenhdls. GmbH & Co KG, 1976 Übernahme d. Büros Wiener Str. 4a (zentrale Verw.), 1978 Grdg. d. Fa. Peter Rinder in Leun/BRD, 1982 Stillegung, 1979 Grdg. d. Peter Rinder AG in Zürich (Import v. Waren aller Art aus Fernost). F.: Peter Rinder Warenhdls. GmbH & Co KG, Export-Import-Transit-Grohdl., Diskontgeschäft, Reifendienst, Peter Rinder AG Zürich. M.: Präs. d. Fußballclubs SK Donau Linz, Motor-Yacht-Club Nibelungen. H.: Fußball, Tennis, Segeln. (Deu.)

Rinderer Viktor Otto Dipl.-Ing.

B.: Bmstr., Gschf. d. Otto Rinderer Bauuntern. u. d. Bauträger Vbg. Kommunalbauten GmbH. GT.: Vorst.Mtgl. u. Obm.Stellv. d. Raiffeisenbank Bludenz, Vorst.Mtgl. u. Obm. d. Raiffeisenverb. Vbg., Mtgl. d. Länderkurat. d. GZB. DA.: 6700 Bludenz, Austr. 59. PA.: 6700 Bludenz, Obdorfweg 40a. G.: Bludenz, 13. Juni 1933. V.: Gerlinde, geb. Sander. Ki.: Monika (1965), Gertrud (1970), Andrea (1973), Cornelia (1978). El.: Bmstr. Otto u. Agnes, geb. Bonner. S.: RG Bludenz, 1953 Matura, 1953-59 TH Graz, Dipl.-Ing. f. Bauwesen, 1971 Bmstr.Prüf. K.: 1959-60 Baultr. b. versch. Wohn- u. Ind.Bauten im elterl. Betrieb, 1960-61 Ing.Büro in Zürich (Statik u. Konstruktion), ab 1961 im elterl. Betrieb (Kalkulation, Oberbaultg. u. Gschf.), 1964 Einzelprok., 1972 Konzession f. Baugewerbe u. Übernahme d. Fa. als Alleininh. M.: Rotary-Club Bludenz. H.: Jagd, Skifahren, Wandern. (M.G.)

Rindfleisch Franz

B.: Autobusunternehmer. DA. u. PA.: 6020 Innsbruck, Zeughausg. 3. G.: Innsbruck, 5. Nov. 1937. V.: Paula, geb. Köck. Ki.: Franz, Sonja. El.: Franz u. Frieda. S.: VS, HS, abgeschlossene Kfz-Mechanikerlehre. K.: 1956 Eintritt in d. väterl. Betrieb, seit 1974 Alleininh. d. Fa. "Franz Rindfleisch Autobusunternehmen". M.: Skal-Club Innsbruck. H.: Skifahren, Schwimmen. (Schm.)

Rindt Wolfgang Dipl.-Ing. SenR.

B.: Ltr. d. MA 25 (Techn.-Wirtschaftl. Prüfstelle f. Wohnhäuser, bes. Angelegenheiten d. Stadterneuerung). DA.: 1082 Wien, Rathausstr. 4. PA.: 3003 Gablitz, Dingelstedtg. 57. G.: Varasdin, 7. Juli 1927. V.: Marianne, geb. Fuchs. Ki.: Hannelore, Bernhard. Ki.: Dipl.-Ing. Dr. Erhard, Anna. S.: RG Graz, 1946 Matura, Stud. an d. TU Graz, Arch., 1950 II. Staatsprüf. K.: 1950-51 Atelier Prof. Engelhart, b. 1953 Fa. Rella & Neffe, b. 1956 Gesiba Baultr., 1956-79 MA 24 (Städt. Wohnhausbau), 1979-82 MA 27 Ltr.Stellv. (Erhaltung städt. Wohnhäuser), 1982 Ltr. d. MA 25. P.: div. Art. in Fachzeitschriften, Vortragstätigkeit über Stadterneuerung u. Umweltbewußtsein. H.: Bergsteigen, Garten, Astronomie, Lesen. (A.W.)

Ring Josef

B.: Gschf. Ges. FN.: Josef Ring GmbH & Co KG. DA.: 1150 Wien, Robert-Hamerling-G. 15. PA.: 2540 Bad Vöslau, Mühlg. 30. G.: Wien, 21. Feb. 1947. V.: Christine, geb. Rotter. Ki.: Michaela (1973), Alexandra (1976). El.: Josef u. Ernestine. S.: Hotelfachschule. K.: zunächst als Barmixer i. ganz Europa tätig, a. 1968 i. elterl. Sped.-Betrieb, Bürodienst u. Fernfahrer, a. 1977 gewerberechtl. Gschf., Bez.-Rat, Aussch.-Mtgl. f. Güter- u. Personenbeförderungsgewerbe, seit 1994 KommR., Beisitzer im OLG, Konzessionsprüfer im Mietwagen- u. Speditionsgewerbe, im Rechnungs-Aussch. d. HK, Laienrichter, Rechnungsrat d. Ersten Öst. Spar-Casse. H.: Fernreisen. (R.T.)

Ring Norbert Josef Ing.

B.: Bmstr., Prok., Ltr. d. Ndlg. Wien. FN.: Ferro-Betonit-Werke AG. GT.: Konzessionen f. Bmstr.-Gewerbe u. Bauträger. DA.: 1170 Wien, Jörgerstr. 24/1. PA.: 4052 Ansfelden, Ahornweg 28. G.: Pregarten, 30. Mai 1953. El.: Josef u. Anna. S.: 1972 Matura HTL f. Hochbau Krems, 1982 Bmstr.-Prüf. K.: 1972 Eintritt Firma Ferro-Betonit-Werke AG Linz, Beginn als Techniker, zuletzt Baultr., seit 1987 in Wien, Aufbau d. Ndlg. Wien, 1990 Prokura. H.: Tennis, Langlaufen, Skifahren, Jagd, klass. Musik. (J.S.)

Ring Roman RgR. Ing.

B.: gerichtl. beeid. Sachv. f. Kälteanlagen i.R. PA.: 1140 Wien, Hackinger Str. 38/5/1/4. G.: Heiligeneich, 19. Juli 1926. V.: Stefanie, geb. Berger. Ki.: Susanna (1962). El.: Anton u. Anna. S.: VS, HS, HTL Maschinenbau, 1944 Matura. K.: 1944-46 Kriegsdienst u. franz. Gefangenschaft, 1946-47 Konstruktur im Chemiewerk Pischelsdorf/Tulln, 1947-49 Baultr. m. Rekonstruktion d. Werke I u. IV d. Wr.

Metallwerke, 1949-55 Konstrukteur b. Simmering-Graz-Pauker in Abt. f. Kranbau, 1955 Eintritt Gem. Wien - Stadtbauamt als Techn. Betriebsltr. f. Schlacht- u. Marktbetriebe d. Gem. Wien, 1974 Übernahme d. Gruppenltr.-Stelle f. Kälteanlagen, Großwäschereien, Großküchen, Verbrennungsanlagen, allg. Maschinenbau, 1984 RgR., 1989 Eintritt in d. Ruhestand. M.: Delegierter im Normenaussch. Fachgebiet Kälteanlagen u. Gastronomie, Vors. d. Preisprüf.-Kmsn. d. MA 32. H.: Tennis, Wandern. (M.M.)

Ringauf Ilse
B.: Telefonistin d. Sozialvers.Anst. d. Bauern f. Bgld., Lyrikerin. DA.: 7000 Eisenstadt, Krautgartenweg 4. PA.: 7022 Loipersbach, Bahnstr. 35. G.: Wr. Neustadt, 30. Dez. 1946. S.: VS, HASCH. K.: 1968 erblindet, 1969-70 Umschulung in d. Blindenerziehungsanst., Berufsumschulung z. Telefonistin, seit 1971 Telefonistin b. d. Sozialvers. d. Bauern, Lyrik. P.: Sendungen im Bgld. Rundfunk. H.: Lesen, Musik. (M.B.)

Ringel Franz
B.: Bild. Künstler. PA.: 1090 Wien, Porzellang. 45/3a. G.: Graz, 1. Apr. 1940. V.: Dr. Hildegard Maria, geb. Feistritzer. S.: Kunstgewerbeschule, Ak. d. Bild. Künste in Wien. K.: umfangreiche Ausstellungstätigkeit in Wien, Linz, Graz, Sbg., Innsbruck, Klagenfurt, Bregenz, Vicenza, Berlin, Köln, Darmstadt, Paris, Basel, Frankfurt, München, Mailand, Amsterdam, Alexandria, Brüssel, New York, Sidney, Zürich, Werke befinden sich in priv. u. öff. Sammlungen z.B. Albertina, Österr. Galerie d. 20. Jhdt., Museum Mod. Kunst, Museum d. 20. Jhdt. Wien, Tamayo-Museum Mexico-City u.a. P.: Theodor-Körner-Preis, Würdigungspreis d. Stadt Wien, 1991 Monographie "Franz Ringel" (Ed. Deuticke). M.: Wr. Secession u. Forum Stadtpark. (C.K.)

Ringel-Ferdinandy Angelika Dr. phil.
B.: Dir. d. BAk. f. Sozialarb. St. Pölten. PA.: 1190 Wien, Hansi-Niese-G. 2-4. G.: Budapest, 27. Juli 1930. V.: Univ.-Prof. Dr. med. Erwin. S.: 1948 Matura am Sacre Coeur Budapest, Stud. Geschichte, Franz. u. Phil. Einführungsunterricht, Prom. 1963 aus Geschichte u. Kunstgeschichte. K.: Ab 1963 Lehramt in Deutschland, 1967-74 Präfekt am neusprachl. Gymn. in Preßbaum, ab 1976 Dir. d. Sozialak. St. Pölten. H.: Individualpsych. (P.R.)

Ringer Peter Maria

B.: Gschf. FN.: Ringer KG. DA.: 4844 Regau 126. PA.: 4840 Vöcklabruck, Unterpilsbach 37. G.: Vöcklabruck, 29. Juni 1958. V.: Maria, geb. Steininger. Ki.: Philipp (1990). El.: Josef u. Maria. S.: VS, HS, 1973-77 Fachschule f. Maschinenbau Vöcklabruck. K.: 1977 Einstieg in d. elterl. Betrieb, 1983 Mstr.-Prüf. als Schlosser, Lehrlingsausbilder im Betrieb, 1990 Gschf. Ringer KG. H.: Basketball, Squash, Skifahren, Laufen. (G.E.)

Ringhofer Norbert Dipl.-Ing.
B.: Dir. HTBLA Pinkafeld. DA.: 7423 Pinkafeld, Meierhofpl. 1. PA.: 7435 Günseck 53. G.: Günseck, 24. Aug. 1943. V.: Rosa, geb. Kalchbrenner. Ki.: Michaela (1967), Martin (1970), Hans (1980). El.: Josef u. Irma, geb. Laschober. S.: VS, BRG, 1962 Matura, Stud. Maschinenbau TU Wien, 1970 Spons. z. Dipl.-Ing. K.: 1970-73 Dion.-Ass. f. Rationalisierung COOP Konsumgüterind. GmbH Wien, 1973 Eintritt in d. Schudienst als Lehrer f. Maschinenbau, Heizung, Lüftung u. Klimatechnik HTBLA Pinkafeld, seit 1982 Landesschulinsp. f. alle berufsbild. höheren Schulen d. Bgld., seit 1984 Dir. HTBLA Pinkafeld. E.: 1993 Gold. EZ d. Stadtgem. Pinkafeld, zahlr. weitere Ehrungen. M.: Mitarb. Päd. Inst. f. d. Weiterbild. d. Lehrer Techn. Lehranst., Kurator d. Ev. Kirchengem. Holzschlag, 1978-88 Gem.-Vorst. Unterkohlstätten. H.: Wandern, Skifahren. (M.M.)

Ringhofer Helmut Ernst

B.: Unternehmer. FN.: Agentur Ringhofer. DA.: 9020 Klagenfurt, Schloßteichweg 36; 2700 Wr. Neustadt, Baumgartg. 4b. PA.: 9020 Klagenfurt, Schloßteichweg 36. G.: Wr. Neustadt, 21. März 1954. V.: Ingrid, geb. Zwarnig. Ki.: Maximilian (1993). El.: Manfred u. Hilde. S.: 1972 Matura, 1973-75 Hotelfachschule Schloß Kleßheim. K.: 1977-79 Verkaufsrepräsentant im Hotel Intercontinental in Wien, 1980-82 Verkaufsdir. im Hotel Holiday in Garmisch Partenkirchen, 1982-83 Marketingdir. d. Hunsruck Ferienparkes in Deutschland, 1985-86 Fremdenverkehrsdir. in Lermoos in Tir., 1987-92 Fremdenverkehrsdir. in Klagenfurt, Vorbereitung u. 1994 Grdg. d. eigenen Unternehmens. M.: Skal-Club, Österr. Weinbruderschaft. H.: Squash, Tennis. (G.L.)

Ringhoffer Emanuel-Josef Lic. phil.
B.: außenpolit. Red. FN.: APA Austria Presse Agentur. DA.: 1199 Wien, Gunoldstr. 14. PA.: 1180 Wien, Cottageg. 21. G.: Wien, 9. Sept. 1950. El.: Ferdinand Wenzel u. Arminia, geb. Klinger. BV.: Ururgroßvater Franz Frhr. v. Ringhoffer (1817-1873) Großindustrieller u. Philanthrop. S.: 1969-76 Stud. Politikwiss., Geschichte u. Sinologie Paris u. Peking, Lizentiat Paris-Sorbonne. K.: seit 1977 APA-Red. E.: 1990 Phanar-Ehrenplakette d. Ökumen. Patriarchats v. Konstantinopel. M.: 1986/87 VPräs. d. Verb. d. UNO-Korrespondenten (UNCAV), 1987-93 Mtgl. d. Ehrengerichts d. Presseclubs Concordia, seit 1982 Delegierter z. BSektionstag d. Sekt. Journalisten d. Gewerkschaft Kunst, Medien, freie Berufe, Sekr. d. Ges. Österr.-Vietnam, Mtgl. d. Herald.-Genealog. Ges. "Adler", Stiftung Pro Oriente. H.: Reisen. (N.A.)

Ringitscher Anton
B.: Graveur, Inh. FN.: Ringitscher & Penker Gravur Atelier. DA.: 9020 Klagenfurt, Kramerg. 3. G.: Klagenfurt, 30. Okt. 1967. El.: Anton u. Juliane. S.: VS, HS, 4 J. Fachschule Ferlach, 1989 Mstr.-Prüf. K.: 1 J. Auslandstätigkeit, 1989 selbst. Gravurbetrieb, Schilder- u. Schmuckgravuren, Hdl. m. Zinnwaren, Stempel aller Art. H.: Firma, EDV allg., Radfahren, Wassersport. (W.M.)

Ringler Jakob Mag.
B.: Gschf. d. "Tyrolean-Jet-Service" u. d. "Tyrolean-Air-Ambulance". DA.: 6026 Innsbruck, Fürstenweg 180. G.: Innsbruck, 23. Febr. 1947. S.: 1965 Matura, Stud. d. Wirtschaftswiss. an d. Univ. Innsbruck, 1971 Spons. K.: 1965-69 Flugliniendiensteter in Innsbrck, 1969-70 flugbetriebl. Organ.Ltg. b. d. "Biafra Luftbrücke" d. Ver. Kirchenhilfe, 1971-77 in d. Luftfahrtind. Deutschland tätig, 1978 betraut m. d. Aufbau d. Tyrolean Airways, dzt. Gschf. b. Tyrolean-Jet-Service u. Tyrolean-Air-Ambulance. (Schm.)

Ringlhofer Helmut

B.: Gschf. FN.: Helmut Ringlhofer GmbH. DA.: 3104 St. Pölten, Salcherstr. 77. PA.: 3133 Franzhausen 37. G.: Franzhausen, 31. Jän. 1945. V.: Christa, geb. Steiner. Ki.: Jürgen (1968), Thomas (1970). El.: Josef u. Inge. S.: FS f. Maschinenbau i. St. Pölten. K.: 1984 Techn. b. Installationsfa., 1985 Mstr.-Prüfung f. Gas-Wasser-Heizung, 1984 Firmengrdg. H.: Wassersport, Reisen.

Ringseis Doris

B.: Geschäftsfrau. FN.: Wollgalerie Ringseis. DA.: 3430 Tulln, Hauptpl. 3. PA.: 3425 Langenlebarn, Donaulände 20. G.: Tulln, 6. Sept. 1958. Ki.: Barbara. El.: Rudolf u. Alexandra Biedermann. S.: AHS, Matura 1977, autodidakt. Ausbild. z. Designerin. K.: 1977-84 Bankang. Sparkasse Tulln, 1984 Eröff. d. eigenen Wollgalerie, vorerst spez. auf Pulloverdesign, s. 1989 Design u. Entwurf d. vollständigen Outfit sowie f. d. z. jeweiligen Kleidungsstück passenden Modeschmuck, Organ. u. Gestaltung v. Modeschauen in Tulln. P.: In Fachzeitschriften wie z.B. "Für Sie". M.: Tullner Kunstwerkstatt s. 1988. H.: Beruf, alte Möbel sammeln u. abstrakt bemalen. (M.B.)

Ringsmuth Alexander

B.: Inh. FN.: A. Ringsmuth Kfz-Ersatzteile u. Zubeh. Groß- u. Einzelhdl. DA.: 1100 Wien, Raxstr. 22. PA.: 3573 Rosenburgn 134. G.: Wien, 20. Nov. 1963. V.: Michaela, geb. Wolf. Ki.: Christoph (1989), Markus (1991). El.: Karl u. Maria. S.: 4 J. AHS, 3 J. HAK. K.: 1980-89 Tätigk. bei Fa. Dworzak KG Wien, zuerst als Verkäufer danach als Repräsentant im Aussendienst, 1989 Grdg. eig. Fa. u. seither selbst., 10/1994 Übersiedlung v. Grdg. Standort, 1994 Eröff. d. Filialbetriebes in Rosenburg. H.: Fußball, Sport jeder Form. (F.S.)

Ringsmuth Michaela

B.: Unternehmerin. FN.: A. Ringsmuth Kfz-Ersatzteile u. Zubeh. Groß- u. Einzelhdl. DA.: 1100 Wien, Raxstr. 22. PA.: 3573 Rosenburg 134. G.: Wien, 13. Aug. 1965. V.: Alexander. Ki.: Christoph (1989), Markus (1991). El.: Heinz u. Krimhilde Wolf. S.: 5 J. HBLA, Stud. a. d. Wirtsch. Univ. Wien. K.: seit 1989 Unterstützung d. Gatten d. Grdg. u. beim Aufbau d. eig. Untern. H.: Skifahren, Sport in vielfältiger Form. (F.S.)

Rinke Roman

B.: Gschf. d. Restaurant Siddharta Veget, Restaurant Rinke R., Stangl P., Wolf G. OHG. DA.: 1010 Wien, Fleischmarkt 16. PA.: 2512 Tribuswinkel, Siegerhofg. 21. G.: Wien, 3. Nov. 1943. V.: Christa, geb. Dolezal. Ki.: Doris, Daniela. El.: Wilhelmine Rinke. S.: Mittelschule Wien, Berufsschule f. Koch. K.: 1958-61 Lehre f. Koch, 1961-81 Küchenchefkoch in Österr. u. d. Schweiz, 1981 gschf. Ges. d. Fa. Siddharta. M.: Obm. d. Ver. d. Buddhisten. H.: Garten, Tiere. (Fels.)

Rinke Werner

B.: Kfm. FN.: Rinke Leuchten. DA.: 1170 Wien, Ottakringer Str. 44. PA.: 1080 Wien, Hamerlingpl. 9. G.: Wien, 1. Mai 1936. Ki.: Michael (1960, Inh. Maderna Lichtdesign GmbH), Evelyn (1965). El.: Werner u. Hermine. BV.: Urgroßvater Johann Rinke bereits selbst. Gürtler u. Silberschmied. S.: Berufsausbild. z. Konditor. K.: Tätigkeit b. d. k.u.k. Hofbäckerei Walter Sild, Berufswechsel, Kurse u. Seminare f. kfm., 1956-76 b. Arch. Wilhelm Vest, ab 1965 Einzelprok. d. Firma Vest Leuchten Wien, zuständig f. Ein- u. Verkauf, Aufbau d. Exportgeschäftes d. Firma, seit 1976 selbst., Grdg. d. Firma Rinke Leuchten, Detailgeschäft u. Einrichtungen v. Objekten. H.: Firma, Radfahren, Skifahren, Tennis. (J.S.)

Rinner Alois Mag. HofR.

B.: Dir. d. Höheren BLA f. wirtschaftl. Berufe u. Höhere gewerbl. BLA Fachrichtung Mode u. Bekleidungstechnik. DA.: 9010 Klagenfurt, Fromillerstr. 15. PA.: 9100 Völkermarkt, Ritzingstr. 23/1. G.: Zeltschach, 22. Juni 1939. V.: Annemarie, geb. Mößlacher. Ki.: Alois (1967), Albert (1968), Martina (1971), Monika (1979). El.: Andreas u. Theresia. S.: 1960 Matura, 1960-66 Stud. Math. u. Physik Wien, 1966 Mus.-Päd. RG Klagenfurt u. 1966-75 Expositur Althofen. K.: 1973 Päd. Ltr. HAK Althofen, 1975-79 Administrator HAK Althofen, 1980 Dir. Fachschule f. Wirtschaftl. Frauenberufe Völkermarkt, 1987 Klagenfurt, 1990 HofR. P.: Schulbuchautor - Lehrbuch f. HAK, ca. 5 Art. "Zukunfts Forum" d. BMU, Lehrbuch f. HAK - Math. 3. Lehrgang. E.: Bronz. EZ f. Verd. um d. Komunalpolitik d. Gem. Althofen, Gold. EZ d. Kath. Bildungswerkes, Gold. Verd.-Nadel f. Chorltr., Silb. EZ d. Ktn. Sängerbundes, Silb. EZ d. ÖAAB. M.: 1967 Österr. Lehrerbund, 1966 Ktn. Sängerbund, 1982 Ktn. Bildungswerk, 1990 Kollegium d. LandeschulR. Ktn. H.: Musik, Chor, Wandern, Fotografieren, Orgel, Klavier.

Rinner Günther Franz Dr. med.

B.: FA f. Zahn- u. Kieferheilkunde. DA.: 6500 Landeck, Stampfle 77. PA.: 6500 Landeck, Stampfle 97. G.: Grins, 12. Apr. 1954. V..: Cäcilie, geb. Thurner. Ki.: Alexander, Thomas. El.: Emmerich u. Friederike. S.: VS, Gymn. Landeck, Med.Stud. Univ. Innsbruck, FA-Ausbild. Univ.Klinik Innsbruck. K.: Zahn- u. Kieferabt. LKH Innsbruck, 1984 selbst. Praxis Landeck. P.: Neben d. üblichen zahnärztl. Praxis, Elektro-Akupunktur, Materialverträglichkeitsprüf. v. zahnärztl. Werkstoffen im menschl. Körper, Neuraltherapie, Kurse: Voll, Beisch, Hopfer, Dorci, Thompsen. M.: Österr. Akupunkturges., Kiwanis-Club Landeck. H.: Literatur, Musik, Theater, Sport, Wein. (W.G.)

Rinner-Blum Jutta Natalie

B.: Freischaff. Schriftstellerin, Lehrerin an d. HAK Bregenz. PA.: 6850 Dornbirn, Hatlerstr. 17a. G.: Gaißau, 2. Juli 1957. Ki.: Simin (1978). El.: Blum Helmut u. Elisabeth, geb. Zechner. S.: HAK Bregenz, Matura 1976, Stud. Germanistik u. Anglistik in Wien u. Innsbruck. K.: Lehrerin am Gymn. Schoren Dornbirn u. HAK Bregenz, s. 1983 freiberufl. Schriftstellerin, Ltg. d. Literar. Forum Spielboden, 1987 Stipendium Theater Vbg. (Regiehospitanz), s. 1987 wieder Lehrerin. P.: Hörspiel "Schwarze Weihnachten" (1985), "Frauenzimmer", "Dreiunddreißig", "Kindheit im Nachkrieg", Lyrikbeiträge in div. Zeit. z.B. "Die Rampe" (OÖ), 1987 Uraufführung d. Stückes "Wechselspiel" an d. Probebühne Bregenz, ab 1989 Arb. an neuem Roman. E.: Förderungspreis f. Kunst, Wiss., Literatur u. Kultur d. Landes Vbg. 1985, Förderpreis d. Landes Vbg. im Rahmen d. 1. Harder Literatuwettbewerbs. M.: Grdg.Mtgl. d. Vbg. Autorenverb., Tennisclub Höchst, Mtgl. d. Spielbodener Chors in Dornbirn. H.: Lesen, Musik (Gitarre, Mozart, Beethoven, Schubert, Jazz), Tennis, Langlaufen, Gymnastik, Schwimmen. (M.G.)

Rinnerhofer Gerhard

B.: Gschf. FN. Rinnerhofer GmbH. DA.: 1170 Wien, Dornbacher Str. 117, 1180 Wien, Währingerstr. 156. G.: Kindberg, 16. Nov. 1944. V.: Grete, geb. Dreywurst. Ki.: Claudia (1970), Karin (1974). El.: Ferdinand u. Hedwig. BV.: Vater Ferdinand Rinnerhofer Schriftsteller, Dichter u. Maler, Gedichtband u. Märchenbuch im Verlag Jugend & Volk. S.: Berufsschule m. kfm. Ausbild., Kurse f. Management, Marketing u. Betriebswirtschaft. K.: Gebietsverkaufsltr. f. Wien, NÖ, Bgld. u. OÖ d. Firma Wander, 1979 Grdg. d. Rinnerhofer GmbH f. d. Spielwarengroßhdl., seit 1991 zusätzl. Generalvertretung f. Pro One u. f. Buccaneer New York (NFL u. World League f. American Football, NHL f. Hockey, MLB f. Baseball, Europa League f. Football u. f. d. Univ.-Mannschaften Basketball). H.: Gartenarb., Fußball, Skifahren, Lesen, Reisen. (J.S.)

Rinnhofer Johannes

B.: Büchsenmachermstr. FN.: Fachgeschäft f. Jäger-Fischer-Bogenschützen. GT.: seit 1985 Vortragender f. Jungjägerkurse betr. Waffentechnik u. Handhabung. DA.: 8230 Hartberg, Ressavarstr. 52. PA.: 8232 Grafendorf 84. G.: Hartberg, 24. März 1968. El.: Manfred u. Anna. S.: VS, HS, Fachschule f. Büchsenmacher u. Schäfter in Ferlach, 1988 Abschluß, 1989 Mstr.-Prüf. K.: seit 1991 selbst., Fachgeschäft f. Jäger-Fischer-Bogenschützen, eigene Werkstätte f. Erzeugung, Reparaturen u. Instandsetzung f. alle Arten v. Waffen. M.: Steir. Jagdschutzver. H.: Jagd, Radfahren. (I.G.)

Rintersbacher Robert Mag.

B.: Leiter d. General Sekr. d. Bundes Ing.Kammer GT.: Mitglied d. Arbeitnehmerschutzksmn., Delegiert z. UmweltbeiR. im BMin. f. Umwelt u. Familie u. z. interministeriellen Kmsn. f. EG-Fragen, Gschf. d. BIK Verlags GmbH. DA.: 1040 Wien, Karlsg. 9. PA.: 1160 Wien, Erdbrustg. 42. G.: Wien, 23. Mai 1953. Ki.: Monica Christine (1978). El.: Dr. Robert Rudolf u. Dr. Elisabeth, geb. Wlasak. BV.: Großvater Dr. Richard Wlasak Gen.-Dir. d. Austria Tabak Werke AG, Großvater Hans Rintersbacher Ak. Maler, Onkel HofR. Dr. Hans Rintersbacher Mitbegründer d. NÖ LMuseums u. Jagdmuseums Marchegg, Ltr. d. Kulturabt. d. NÖ LRg. S.: 1971 Abitur, 1971-74 Jusstud. an d. Univ. Wien, 1987 Mag. K.: 1974-78 Finanzverw. Finanzamt f. Körperschaften, seit 1976 im Metallwarenhdl. Firmenlogistik u. Automatisierung, 1980-85 BH, OLt. d. Res., Weiterbild. im Rahmen d. Stud., 1987 Abschluß, Gerichtsjahr, seit 1987 in d. BIng.Kam. M.: Souveräner Militär. u. Hospital. Orden St. Lazare. H.: Eislaufen, Reiten, Operette, Wr. Musik, EDV-Logistik. (J.S.)

Rippel Andreas Dipl.-Ing. OStR. Prof.

B.: Patentanw. DA. u. PA.: 1130 Wien, Maxingstr. 34. G.: Wien, 21. März 1927. V.: Hermine, geb. Huber. Ki.: Andreas Oskar (1965). El.: Andreas u. Anna. BV.: Großvater Wiener GemeindeR. S.: TH Maschinenbau, 1953 Dipl. K.: ab 1953 im Österr. Patentamt, ab 1958 Prof. an d. HTL Wien, ab 1962 Patentanw. neben d. Lehrtätigkeit, ab 1977 OStR., ab 1983 Abt.-Vorst. M.: Österr. Heeres Yacht Club. H.: Bootssport. (M.M.)

Rippel Karl Ing. Mag.

B.: GSchf. FN.: AC-Service GmbH. DA.: 1200 Wien, Romanog. 28. PA.: 2372 Gießhübl, Schillerstr. 4. G.: St. Veit/Gölsen (NÖ), 27. Apr. 1951. V.: Elfriede, geb. Obermaier. Ki.: Stefan (1977), Katrin (1979). El.: Karl u. Emma, geb. Kurka. S.: HTL, 1970 Matura, d1971-76 Stud. Betriebswirtsch. WU Wien. K.: 1976-84 im Vertrieb d. Fa. Sperry, 1984-87 im Verkauf u. Verkaufsmanagement b. d. Fa. Hewlett Packard Informatik, seit 1992 Gschf. d. Fa. AC-Service. H.: Skifahren, Bergsteigen, Wildwasser, Tennis, Lesen. (N.A.)

Rippitsch Andreas

B.: Inh. FN.: Kunststofftechnik Rippitsch. DA.: 9020 Klagenfurt, Rosentaler Str. 6. PA.: 9063 Maria Saal, Keltenweg 4. G.: Klagenfurt, 9. Feb. 1968. V.: Andrea, geb. Plieschnig. Ki.: Patricia (1992). El.: Othmar u. Maria. S.: VS, HS, Polytechn. Lehrgang, Berufsschule u. Lehre f. Tischler. K.: nach d. Lehre LKW-Fahrer, anschl. Tätigkeit b. Siemens, 3 J. in d. Kunststofftechnik, seit 1992 selbst. m. eigener Firma. H.: Motorradfahren. (F.S.)

Risak Johann Dr. Dkfm. Ing. o.Univ.-Prof.

B.: Vorst.-Vors. FN.: Chemie Linz GmbH. GT.: AufsR. Hafslund Nycomed, Eisner. DA.: 4021 Linz, St. Peterstr. 25. PA.: 1090 Wien, Alserstr. 26/2a. G.: Wien, 13. Sept. 1940. V.: Dkfm. Christiane, geb. Sebekovsky. Ki.: Martin (1969), Andrea (1971), Petra (1976). El.: Univ.-Prof. Dr. Erwin u. Gertrude. S.: RG, Fachschule f. Bau- u. Möbeltischlerei, HTL, HS f. Welthdl., Habil. K.: HS-Ass., Univ.-Doz., o.Univ.-Prof., ÖMV Dir., Chemie Linz, Vors. d. Vorst.

Risak Veith A. Dr. techn. Dipl.-Ing.

B.: Dir. d. Siemens AG Österr., Österr. Univ.Doz. d. Univ. Sbg. A.: 1020 Wien, Lichtenauerg. 1/2/10. G.: Wien, 31. Aug. 1936. V.: Ulrike, geb. Schöny. El.: Prof. Dr. Erwin u. Gerta. S.: Gymn., TU Wien, Nachrichtentechnik, 1960 Dipl.-Ing., 1962 Dr. techn., 1990 Univ.Doz. K.: seit 1960 b. Siemens in d. Software-Entwicklung, dzt. Abt.Ltr. u. Abt.Dir., seit 1983 Lehrauftrag an d. TU Wien. P.: ca. 20 Art. in Fachzeitschriften auf d. Gebiet d. Informatik u. Kybernetik, 2 Bücher in d. Reihe Computer-Monographien. E.: Kardinal Innitzer-Preis. M.: Österr. Ing. u. Arch.Ver., Association f. Computing Machinery.

Ristic Milan

B.: Inh. d. Restaurant "Edelschmankerl". DA.: 1090 Wie, Liechtensteinstr. 94. PA.: 1020 Wien, Taborstr. 51/1/19. G.: Bijeljina/Jugoslawien, 5. Okt. 1959. V.: Dyka. Ki.: Veselin (1986), Aleksandar (1988). El.: Vaslija u. Jelena. S.:

Gastgewerbeschule, Konzessionsprüf. K.: ab 15. März 1992 selbst., Übernahme d. Restaurants "Edelschmankerl" m. Wr. Küche. H.: Fußballschiedsrichter, Sport aktiv. (N.A.)

Ritsch Carl

B.: Gschf. FN.: Carl Ritsch GmbH Hopfgarten, Carl Ritsch AG Zug Schweiz. DA./PA.: 6361 Hopfgarten, Brixentalerstr. 56. G.: Innsbruck, 20. Feb. 1956. El.: Carl u. Frieda. S.: VS, HS, Gymn., 1974 Matura, BWL HSG, 1980Dipl. K.: 1976-77 Frankr. u. Australien, 1980-84 Grdg. Fa. in d. Schweiz,1991 Grdg. Fa. in Belgien. M.: Fachverb. Lederindustrie, AR Argele GmbH. H.: Sport, Musik, Literatur. (M.H.)

Ritsch Horst

B.: Ltr. d. Städt. Wirtschaftshofes. DA.: 6900 Bregenz, Druckerg. 5. PA.: 6900 Bregenz, Prälatendammstr. 55. G.: Eggern, 18. Nov. 1942. V.: Maria, geb. Putz. Ki.: Andreas. El.: Johann u. Theresia. S.: Maurerlehre, Bauhandwerkerschule. K.: seit 1968 im Stadtdienst, b. 1974 Techniker im Bauamt, seit 1974 Ltr. d. Städt. Wirtschaftshofes. BL.: Initiator d. Bregenzer Abfallwirtschaftskonzeptes. H.: Lesen, Skifahren, Radfahren, Kegeln. (A.K.)

Ritsch Walter

B.: Inh., Tischler. FN.: Ritsch Qualitätsmöbel. DA.: 6850 Dornbirn, Schwefel 90 PA.: 6850 Dornbirn, Schwefel 94. G.: Bregenz, 5. Nov. 1962. V.: Ruth. Ki.: Anika (1986), Viktoria (1988), Sebastian (1992). El.: Emmerich u. Elisabeth. S.: VS, HS, HAK, 1982 Matura, Tischlerlehre, 1984 Abschluß, 1988 Mstr.-Prüf., 1984/85 Militär. K.: 1985-86 Planung u. Baultg. in Arch.-Büro Dornbirn, 1989 Übernahme d. elterl. Betriebes Möbel- u. Innenausbau. M.: Wirtschaftsbund, Pfadfinder, ÖVP. H.: Familie, Modelleisenbahn, Wandern, Skifahren. (I.D.)

Ritschel Karl Heinz Dr. phil. Prof.

B.: Journalist, Schriftsteller. A.: 5023 Salzburg, Heuberg 144. G.: Oberaltstadt, 20. Jan. 1930. V.: Regina, geb. Trocha. S.: Stud. Rechtswiss., Publizistik u. Kunstgeschichte. K.: seit 1948 freischaff. Journalist, 1954 Reporter b. "Bildtelegraph", 1955 Red. d. "Kleinen Zeitung" Graz, ab 1956 Red. f. Innenpolitik d. "Bildtelegraph", 1958 Chefred., seit 1964 Chefred. d. "Sbg. Nachrichten". P.: "Südtirol - ein europ. Unrecht", "Wiener Charme ist zu wenig. Ist Österr. integrationsreif?", "Diplomatie um Südtirol", "Venedig - Königin d. Adria", "Salzburg - Anmut u. Macht", "Unbekanntes Italien: Le Marche", "Julius Raab" (Biogr.), "Bruno Kreisky - Der Pragmatiker". E.: Theodor-Körner-Preis (1961 u. 1967), Karl-Renner-Preis f. Publ. (1967), Leopold-Kunschak-Preis (1970), Preis d. intern. Verb. d. Chefred. (Paris 1970), Rene-Marcic-Preis d. Landes Sbg., Österr. EK f. Wiss. u. Kunst I. Kl., Gold. EZ d. Landes Sbg., Ring d. Stadt Sbg., Kommandeurskreuz d. Päpstl. Sylvesterordens, Ehrenring d. Landes Sbg. u.a. M.: Ver. d. Parlamentsred., P.E.N.-Club. H.: Alte Bücher, bild. Kunst.

Ritschl Franz Dr. med. MedR. HofR.

B.: ärztl. Dir. d. AKH Wien i.P. PA.: 1180 Wien, Haizingerg. 13/9. G.: St. Veit/Triesting, 14. Juli 1908. El.: Franz u. Maria. S.: Stiftsgymn. Kremsmünster, Matura 1928, Med.-Stud. an d. Univ. Wien, Prom. 1935. K.: Turnusausbild. KH Lainz, 1940-45 Militärdienst San-Ersatzabt. 17, ab 1946 ang. b. d. Gem. Wien als Sekr. d. Amtsf. Stadtrates f. Gesundheitswesen, ab 1948 Referent im Anstaltenamt f. d. Spitalswesen, 1961-74 Ärztl. Dir. d. AKH Wien, gleichz. Dir. d. Krankenpflegeschule d. Stadt Wien u. d. Krankenpflegeschule d. Burgenlandes, s. 1974 i.P. P.: Als freier Mitarb. journalist. tätig f. d. "Furche", Art. in Fachzeitschr. zu sozialmed. u. kulturellen Themen. M.: 1946 Grdg.-Mtgl. d. Vereinig. Österr. Ärzte, Vorst.-Mtgl. u. Obm. d. Akademikerhilfe, Mtgl. d. CV. E.: WrGE, OÖSE, NÖGrE, Ritter d. Sylvesterordens 1968, MedR. u. HofR. 1970. H.: Musik, Klavier- u. Orgelspielen. (J.S.)

Ritt Hans Dipl.-Ing.

B.: selbst. Arch. i.R., behördl. autor. Ziviltechniker. DA.: 4020 Linz, Untere Donaulände 8. PA.: 4040 Linz, Wolffhuberstr. 9. G.: Ternberg, 4. Sept. 1919. V.: 1. Edeltraut, geb. Strehlow, 2. Margit, geb. Gillmayr. Ki.: Markus-Johannes (1974). BV.: Vater Josef, Bgm. u. Landtagsabg., Gold. EZ f. Verd. um d. Rep. Österr. S.: Hum. Gymn. Kremsmünster, 1938 Matura, Arch.-Stud., TH Graz 1946-49, Bildhauerschule Köln. K.: Praxis b. Arch. Dr. Schlager Linz, 7 J. Austro-Chemie, 1961-84 selbst. Arch. BL.: Plang. u. Baultg. Einfam.-Häuser, Bungalows, Miet- u. Eigentumswohungen, Großobj. f. Handel, Gewerbe u. Ind., Kirchen d. Neuapostol. Kirche in Österr. E.: Sudetennadel, EK II., Ltnt. d. Reserve. M.: nebenberufl. Neuapostol. Priester. H.: Malen, Bildhauerei. (P.H.)

Rittenbacher Karl

B.: Bmstr., Gründer u. Ges. FN.: Rittenbacher Bauunternehmung GmbH. DA. u. PA.: 2353 Guntramsdorf, Falkeng. 40. G.: Großmörbisch, 17. Dez. 1933. V.: Maria, geb. Schlacher. Ki.: Ingrid (1958). El.: Karl u. Rosina. S.: Maurerlehre. K.: 2 J. Maurer u. Polier in d. Schweiz, Rückkehr nach Wien, 3 J. führende Position b. Umbau d. Österr. Botschaft u. Hdls.-Vertretung in Moskau, Um- u. Neubauten im AKH u. Lainzer KH im Auftrag d. Baufirma Losert, seit 1975 selbst. Grdg. & Bauunternehmung Rittenbacher & Sommer GmbH, seit 1977 alleinige Führung, seit 1993 Eintritt in d. Pension, weiterhin Berater d. Unternehmens. E.: I. Rang Orden v. Hoch- u. Deutschmeister, Europa Orden v. Hoch- u. Deutschmeister. M.: Hoch- u. Deutschmeister Ver. H.: Planen, Bauen, Fotografieren. (I.K.)

Ritter Fritz

B.: Inh. FN.: Imbiß Ritter. DA.: 6330 Kufstein, Kaiserbergstr. 1. G.: Kufstein, 20. Jän. 1949. V.: Claudia, geb. Piffer. Ki.: Markus (1982), Mathias (1988). El.: Viktoria u. Egidius. S.: VS, HS, 3 Lj. Metzger i. elterl. Betr., Gesellenpr., Praxis, 1970 elterl. Betr., 1974 Meisterpr. K.: 1984 Inh. P.: PR i. Kaiserboten, Art. i. reg. Print. Med. E.: zahlr. Pokale u. Medaillen i. Reitsport, einige Gold u. Silbermedaillen verliehen durch d. Bundesinnung d. Erzeugung v. Fleisch u. Wurstwaren. M.: Reisportverein, Mtgl. Zahlr. örtl. Vereine. H.: Reisport, Tennis, Skifahren. (J.F.)

Rittenschober Helga

B.: Inh., Gschf. FN.: Elektro Rittenschober OHG. DA./PA.: 4816 Gschwandt Nr. 340. G.: Gmunden, 3. Sept. 1948. V.: Adolf Rittenschober (+ 1991). Ki.: Henriette (1967), Isabella (1976). El.: Friedrich u. Margareta Höllwerth. S.: VS, HS,

1962-65 kfm. Lehre. K.: 1965-67 kfm. Angest.Fa. Fural, 1967-70 Privatsekr. v. Hr. Hecht, 1969 Grdg. d. Fa mit Gatten, 1983 Grdg. OHG, 1988 Grdg. Handelsagentur, 1991 allein. Führg d. Betr., 1994 Eröffn. einer Zweigst. in Gmunden. M.: b. 1986 GemR., Wirtschaftsbund. H.: Lesen. (G.E.)

Ritter Gerhard
B.: Gschf., Kfz-Mechanikermstr. FN.: LAMAG Kfz-Reparatur GmbH. DA.: 6900 Bregenz, Wuhrbaumweg 6. PA.: 6900 Bregenz, Rheinstr. 36. G.: Andelsbuch, 7. März 1933. Ki.: Monika (1958), Doris (1961), Harald (1963). El.: Kaspar u. Katharina. S.: VS, 1947-50 Bundesgewerbeschule f. Kfz u. Maschinenbau, 1958 Mstr.-Prüf. K.: 1950-52 sämtl. Abt. Maschinenbaufirma Hard, 1953 Eintritt als Kfz-Mechaniker Firma Lamag, 1964 Übernahme d. Mstr. u. Betriebsltr.-Posten in Bregenz, 1974-84 Gschf. in Nenzing, 1982 Gschf. d. Betriebe Nenzing, Bregenz u. Lustenau. M.: seit 1979 HK Mstr.-Prüf.-Kmsn., 1976 gerichtl. beeid. Sachv. f. Kfz u. Landmaschinen, 1988 Aussch. Innung, 1990 Innungsmstr.-Stellv. H.: Lesen, Skifahren, Bergwandern, Reisen. (I.D.)

Ritter Helmut Dkfm.
B.: Steuerberater, Wirtschaftstreuhänder. DA.: 1010 Wien, Kohlmarkt 5/1/1/5. PA.: 3061 Ollersbach, Oberndorferstr. 3. G.: Wien, 11. Juli 1940. V.: Hemma, geb. Lehensteiner. S.: VS, HAK, HS f. Welthdl. K.: 1967 z. Steuerberater bestellt u. eigene Kzl. in d. Rotenturmstraße, Steuerberater, versch. Kam.Funktionen, 1972 Eröff. d. Wirtschaftstreuhandkzl. in Wien I., Kohlmarkt. M.: Mtgl. Österr. Ges. f. Wirtschaftstreuhänder. H.: Reiten, Bauernhof. (M.B.)

Ritter Herbert Dkfm.
B.: Dir. u. Prok. A.: 1130 Wien, Kremser G. 13. G.: Wien, 8. Okt. 1926. V.: Dr. Lisbeth, geb. Bochskanl. El.: Wilhelm u. Helene. S.: Hum. Gymn., HS f. Welthdl. K.: Textilkfm., seit 1949 im Mineralölgeschäft, Dir. u. Prok. d. Esso Austria AG, Prok. d. Österr. Feuerwärme GmbH, Prok. d. Mineral-ölverkaufs GmbH Wien. M.: Motorpresseklub Austria, Verb. Österr. Wirtschaftsak., Beis. b. Arb.Gericht Wien u.a.

Ritter Irmi Marie
B.: Dir. d. Löwen-Hotel. DA.: 6780 Schruns, Löwen-Hotel. PA.: 6863 Egg, Buchenrain 339. G.: Egg, 20. Jan. 1951. El.: Leopold u. Luise. K.: Volontärin, Rezeptionssekr. in versch. Betrieben, seit 1978 im Löwen-Hotel in Schruns tätig, zunächst Chef d. Rezeption, 1981-82 Dion.Ass., ab 1982 Dir. H.: Beruf. (Schm.)

Ritter Johann
B.: Bgm. v. Hainburg/Donau. DA.: 2410 Hainburg/Donau, Hauptpl. 23. PA.: 2410 Hainburg/Donau, Feldg. 11. G.: Kittsee, 28. Mai 1931. V.: Elfriede, geb. Gruber. Ki.: Elisabeth. El.: Karl u. Leopoldine. S.: VS, HS, Lehre als Mechaniker in d. Austria Tabakwerken. K.: seit 1945 als Mechaniker in d. Austria Tabakwerken tätig, jetzt freigestellt, seit 1983 Bgm. v. Hainburg/Donau. P.: im Informationsblatt d. Gem. E.: Gr. EZ f. Verd. um d. Land NÖ. M.: Sport- u. Musikver., Feuerwehr, Rotes Kreuz. H.: Lesen. (E.L.)

Ritter Michael Dr.
B.: RA. DA.: 5020 Salzburg, Hellbrunnerstr. 7. PA.: 5061 Elsbethen. G.: Feldkirch, 16. Aug. 1958. V.: Elisabeth, geb. Waldmann. Ki.: Bernadette (1987), Cornelia (1989). S.: BRG Innsbruck, Stud. Innsbruck, 1984 Prom. K.: seit 1989 selbst. (N.M.)

Ritter Sebastian Dr. iur. can. Prälat
B.: Domdechant, Dir. d. Diözesan-Finanzkam. DA.: 5020 Salzburg, Kapitelpl. 2. PA.: 5020 Salzburg, Kapitelpl. 1. G.: Reith, 6. Juli 1917. El.: Sebastian u. Elisabeth. S.: Privatgymn. Borromeum Sbg., Theol. Fak. Sbg., Päpstl. HS Gregoriana Rom, 1951-53 Kananist. Inst. d. Univ. München, Doktorat in Kanon. Recht. K.: 1953-73 Präfakt u. Regens d. Kollegium Borromeum Sbg., seit 1973 Dir. d. Diözesan-Finanzkam. Sbg. P.: Kirchl. Vermögensverwaltung in Österr. (1954), Festschrift z. 70. Geburtstag, Administrator Bonorum, Bauten d. Erzdiözese Sbg. E.: Ehrenbürger d. Gem. Reith b. Kitzbühel u. d. Stadt Rattenberg, Gr. EZ d. Landes Sbg. u. Tir. (K.K.)

Ritter-Schwarz Petra

B.: Tennisprofi. PA.: 3100 St. Pölten, Eckelbacherg. 18. G.: Wien, 24. Mai 1972. V.: Christoph Schwarz. El.: Hilde u. Karl. BV.: Vater Fußballer d. Nationalteams, Mutter Staatsmeisterin im Eiskunstlauf. S.: Sportgymn. K.: seit d. 8. Lbj. Tennis gespielt, ab d. 10. Lbj. b. Wiener Tennisverb. mit 12 J. 1. internat. Jgnd. Turnier; seit 15. J. im Bundessportzentrum Südstadt. 1WTA-Turniere ab d. 19. Lbj. Profispielerin; 1990 Staatsmeisterin (Klagenfurt); Jgnd. Europameisterin unter 16 J; WTA 16. Platz; 1. Österr. b. French open 1/4 Finale. (I.J)

Ritthammer Harald
B.: Schuldir., Musiklehrer, Musikarrangeur, Musiker, Musikmanager. FN.: Sunny Girls Intern. Damen-Musikkapelle. DA. u. PA.: 2700 Wr. Neustadt, Zehnergürtel 7. G.: Wien, 23. Okt. 1941. Ki.: Manuela (1965), Claudia (1966). El.: Josef u. Maria. S.: 1962 Matura, LBA Wr. Neustadt. K.: 1962 HS-Prüf. f. Math., Musik, Handarb. u. Päd., Lehrer Bruck/Leitha, nebenbei Vereinsspieler Basketball u. Trainer d. Damen UBBC Wr. Neustadt u. Musiker, 1963-65 Schuldir. Winzendorf/Muthmdf., 1965 VS Kirchschlag, 1966 Grdg. Musikschule Kirchschlag, , Unterricht Akkordeon, Gitarre, Klavier, Trompete, Schlagzeug, Auftritte i.d. PAssionsspielhalle, 1971 Grdg. einer Big-Band, 1973 Grdg. Topsy-Girls, 1977 Grdg. Sunny Girls, seither ca. 800 Auftritte in Österr., Luxemburg, Deutschland u. Italien, seit 1992 VS-Dir. Felixdorf. E.: 1960 Österr. Staatsmstr. m. Handballmannschaft (Tormann) bei Bundeskampfspielen in Graz (Bundessieger). H.: Musik, Basketball, Fußball, Lesen. (R.T.)

Rittinger Bernhard Mag. Dr.
B.: Wiss. Ltr. d. Erzbischöfl. Dom- u. Diözesanmuseums Wien. DA.: 1010 Wien, Stephansplatz 6. G. Wien, 16. Juni 1946. V.: Mag. Elisabeth, geb. Schönweitz. Ki.: Wolfgang, Agnes. El.: W.HofR. Dr. Hans u. Dr. Gertrud. BV.: Urugroßv.: Joseph v. Führich, Vorf. lassen s. bis in d. Mitte d. 17. Jhdts. zurückverfolgen. S.: 1965 Reifeprüf. BRG Wien 10, Präsenzdienst Bundesheer, 1966 Stud. Gesch. u. Phil. Univ. Wien, 1968 Stud. Kunst- u. Werkerzieh. Ak. d. Bild. Künste sowie Stud. Kunstgesch. Univ. Wien, 1973 Lehramtsprüf., 1976 Prom. K.: währ. d. Stud. Ausstellungsführer, 1975-78 Ass. am Inst. f. Kunstgesch. an d. Ak. d. Bild. Künste, 1976-87 Lehrauftrag an Meisterschule f. Restaurierg. u. Konservierg. Ak. d. Bild. Künste, seit 1978 AHS-Lehrer f. Bildn. Erzieh., seit 1988 Lektor f. christl. Kunst an d. Kath.-Theol. Fak. d. Univ. Wien. P.: D. karoling. Martinskirche von Linz, in: Kunstjahrb. d. Stadt Linz 1986, Zur Entwickl. d. nazaren. Wandmalerei, in: Wiener Jahrb. f. Kunstgesch., XLI, 1988, Joseph Ritter v. Führich: "Er ist auferstanden" (1991), Ave Maria. Die Darstell. Mariens in d.

bild. Kunst auf d. Boden d. Erzdiöszese Wien. Ausstell. 1992. E.: Prof.-Dr.-R.-Feuchtmüller-Stip. d. J.-W.-v.-Goethe Stift. 1977. H.: Wandern, Bergst., Schif. Schwimmen, Radf. (J.E.)

Rittler Christoph Dr. iur.

B.: Anw. DA.: 6020 Innsbrk, Anichstr. 42. G.: Innsbrk, 5. Juni 1948. V.: Ingrid, geb. Tauscher. Ki.: Margarete, Manfred, Michael, Maximilian, Mauritius. El.: Dr. Manfred u. Eva. BV.: Großv. Univ.-Prof. DDr. Theodor Rittler Ordinarius f. Strafr. S.: VS, Gymn., 1967 Matura, Militär, 1968-73 Stud. Med. Uni. Innsbrk, 1973-77 Stud. Jus. K.: 1976-79 Ass. Inst. f. Strafrecht Innsbrk, 1979 Gerichtspr., 1980-82 RA-Anw. b. Dr. Ernst-Friedrich Mayr, s 1983 selbst. RA in Kzl. Gemeinsch. m. Dr. Ernst-Friedrich Mayr. H.: Wasser-sport, Motorrad.

Rittler Georg Dr. med.

B.: Arzt. DA.: 6020 Innsbruck, Schießstandg. 6. G.: Kitzbuhel, 7. Dez. 1944. V.: Ulrike, geb. Haid. El.: Dr. Manfred u. Eva. S.: VS, RG, Univ., FA-Ausbild. K.: Freiberufl. tätig als FA f. Zahn-, Mund- u. Kieferheilk.. M.: Ak. Corps Athesia, Bergrettg, Skiclub, Yachtclub, Tennis-club. H.: Sport. (J.S.)

Rittler Harald Dr.

B.: RA, Verteidg in Strafsachen. FN.: Rittler & Rittler. DA.: 6020 Innsbruck, Anichstr. 42/II. G.: 25. Nov. 1953. V.: Magdalena, geb. Wirth. Ki.: Philippine (1989), Ferdinand (1990), Verena (1992). BV.: Großvater Prof. Dr. Dr. h.c. Theodor Rittler, Strafrechtsgelehrter in Innsbruck, Großvater: Hofrat Dr. Paul Ottenthaler von Ottenthal, Herr und Landmann in Tirol. S.: VS, Gymn., 1975 Matura, Stud. jur. in Innsbruck, Salzburg, Linz, Promotion 1981, 1981-82 Gerichtspr. OLG Innsbruck. K.: 1982-86 Konzip. in Innsbruck u. Kitzbühel, 1986 Eröff. d. RA-Praxis. M.: Pennalcorps Cheruskia zu Innsbruck, Akad. Corps Athesia Innsbruck. H.: Reisen, Geschichte, Essen, Singen, Musik, Brauchtum. (A.W.)

Rittsteuer Franz

B.: StadtR. f. Fremdenverk.; Gastwirt. FN.: Gasthof z. Traube. DA. u. PA.: 7100 Neusiedl/See, Hauptpl. 9. G.: Wien, 15. Juni 1948. V.: Elisabeth, geb. Reiter. Ki.: Ingrid (1974), Vera (1975), Franz (1979). El.: Heinrich-Matthias u. Anna. S.: VS, HS, HASCH, Berufsschule Gastgewerbe. K.: b. 1973 im elterl. Betrieb tätig, 1974 Übernahme d. Betriebes. M.: StadtR. Neusiedl, Obm. d. ÖBW Neusiedl. H.: Tennis. (F.S.)

Rittsteuer Paul

B.: Landesrat, Agrarref. d. Bgld. Landesrg., Ldw.-Mstr. DA.: 700 Eisenstadt, Freiheitspl. 1. PA.: 7100 Neusiedl am See, Hauptpl. 18. G.: Neusiedl am See, 30. Nov. 1947. V.: Elisabeth, geb. Koppitsch. Ki.: Bettina (1976), Christiane (1977), Paul (1987). El.: Johann u. Elisabeth. S.: 1963-65 Ldw. Fachschule Eisenstadt, Prüf. z. Facharb., 1972 Ldw.-Mstr. K.: seit 1987 Mtgl. d. Bgld. Landesrg., 1982-87 Abg. z. Bgld. Landtag, 1973-93 KamR. d. Bgld. Ldw.-Kam., 1977-91 GemR. d. Stadtgem. Neusiedl am See, 1984-90 Landesobm.-Stellv. d. Bgld. Bauernbundes, seit 1988 Bez.-Parteiobm. d. ÖVP d. Bez. Neusiedl am See, 1984 Bez.-Obm.-Stellv. d. Bauernbundes, seit 1990 Landesobm. d. Bgld. Bauernbundes. (M.G.)

Ritzberger Albert Dr. iur.

B.: RA. DA.: 9500 Villach, Widmanng. 43. PA.: 9500 Villach, Unterwollaniger Str. 50. G.: Klagenfurt, 14. Okt. 1932. V.: Rosemarie, geb. Oremus. Ki.: Klaus, Fritz. El.: Fritz u. Walpurga. BV.: Großonkel Albert Ritzberger bekannter Maler um d. Jahrhundertwende. S.: Jusstud. Univ. Graz, 1955 Prom. K.: nach d. Stud. Gerichtspraxis, 1962 Grdg. d. Kzl. m. Dr. Piesch, seit 1991 selbst. P.: Art. in Fachzeitschriften über Rechtsfragen. H.: Ideengeschichte, Bergsteigen. (D.M.)

Ritzberger-Wimmer Walter

B.: Gen.-Dir. FN.: Norica Hotels Österr. GT.: Gschf. d. Norica Hotel Holding, Norica Kur- u. Sporthotel GmbH, Norica GmbH Maria Alm, Pannonia GmbH Feriendorf Pannonia Seewinkel, Cottage Hotelbetriebs GmbH, Winkler Hotelbeherberungs u. Restaurations GmbH, Ldw. DA.: 5020 Salzburg, Franz-Josef-Str. 7-9. PA.: 5020 Salzburg, Hotel Cottage, Josef-Messner-Str. 12. G.: Linz, 4. Febr. 1942. Ki.: Verena, Patricia, Franz-Josef. BV.: Großonkel Ritzberger berühmter Goldhaubenmaler. S.: hum. Gymn. Kremsmünster, Hotelfachschule Bad Gastein, Fremdenverkehrsak. Sbg. Schloß Kleßheim, 1966 Matura. K.: 1964 Saison Hoteldir. in Capri Alberge Tirenia, seit 1967 Dir. Hotel Winkler, 1968 Chicago Plaza Hotel, 1968-77 Dir. Hotel Mönchstein, 1977-79 selbst. in Nairobi Kenia, 1980-84 Hotel Cottage, seit 1984 Gen.-Dir. Hotel Winkler, Hotel Cottage u. Ferienwohnanlage St. Gilgen-Irlreith. M.: gerichtl. beeid. Sachv. f. Hotelerie u. Gastronomie, VPräs. d. europ. Hotelclub Venedig, FremdenverkehrsbeiR.Mtgl. d. Stadt Sbg. H.: Reiten, Skifahren. (A.W.)

Ritzinger Franz

B.: Landesobm., Chefred., Immobilienmakler d. Haus- u. Grundbesitzerbund OÖ. DA.: 4010 Linz, Spittelwiese 13. PA.: 4820 Bad Ischl, Hahnlfeldstr. 32. G.: Bad Ischl, 8. Nov. 1947. Ki.: Peter, Paul. El.: Franz u. Maria. S.: Kfm. Ausbild., Jusstud. K.: 1965-70 ÖBB (Fahrdienstltr., Bhf.-Vorst.), Sozialak. d. Arbeiterkam., 1970-74 Parteisekr. d. Landesparteiobm. d. ÖVP, seit 1979 im Immobiliensektor tätig, 1976 Erwerb d. Konzession f. Immobiliengewerbe, 1979 Konzession f. Schank- u. Gastgewerbe, 1980-82 Gschf. zweier Lokale d. Sbg. Bergsportclubs, 12 J. als Sozialarb. tätig gewesen, Bundesobm. d. "Vereinigung aktiver Katholiken Österr.", Pressesprecher d. "Engelwerks", seit 1984 Landesobm. d. Haus- u. Grundbesitzerbundes OÖ, Vortragstätigkeit f. Erwachsenenbild., Chefred. d. Zeitschrift "Haus u. Grund". P.: Buch über Wohnungssektor. M.: Präsidium d. Österr. Haus- u. Grundbesitzerbundes. H.: Amateurfunker, Diskussionen. (P.H.)

Ritzl Anton KamR.

B.: Gastwirt. DA.: 6263 Fügen, Dorfpl. 79-80. G.: Fügen, 19. Dez. 1929. V.: Christine, geb. Ortmayer. Ki.: Robert (1965), Reinhard (1966). El.: Anton u. Maria. S.: RG. K.: Ab 1945 tätig im väterl. Ldw.Betrieb, s. 1950 Großverwalter im elterl. Betrieb (Hotel Post) u. später Übernahme d. Betriebes, GemR .Mtgl., 2 J. Bgm., in versch. Aussch. d. Tir. HK u. BWK Wien. E.: Österr. Mstr. im Sportsch. 3x Vizeeuropamstr., Jury-Mtgl. u. BSchützenrat f. Sportschießen. (M.W.)

Rizner Erich

B.: Gschf. Ges. FN.: Fotosatz Studio Rizner. DA.: 5020 Salzburg, Stabauerg. 5. PA.: 5020 Salzburg, Merianstr. 32. G.: Salzburg, 5. Okt. 1944. V.: Marianne, geb. Perkhofer. Ki.:

Thomas, Sonja. El.: Ing. Josef u. Anna. S.: HS, Litographik-Lehre, Konzessionsprüf. K.: 1972 Grdg. d. eigenen Betriebes, Graph. Unternehmen m. 23 Mitarb., spezialisiert auf Periodika. M.: Mtgl. d. Hpt.Verb. u. d. Innungsvorst. d. Graph. Unternehmung., VPräs. d. ÖSC (Österr. Sportfliegerclub). H.: Fliegen, Tennis, Skifahren. (Foed.)

Rizy Wolfgang Mag. pharm. KommR.
B.: Apotheker d. Dreifaltigkeitsapotheke Grieskirchen. GT.: Pharmagroßhdl. DA.: 4020 Linz, Mozartstr. 26/I. PA.: 4710 Grieskirchen, Stadtpl. 28. G.: Wels, 24. Jan. 1936. V.: Gertraud, geb. Breitwieser, 2 Kinder. El.: Mag. Gustav u. Berta. S.: 1954 Matura, Stud. Pharm. in Wien u. Innsbruck, 1962 Spons. K.: Eintritt in d. elterl. Apotheke, 1971 Übernahme, Aufbau eines Pharmagroßhdls. E.: Gold. EZ d. Landes OÖ 1982, KommR. 1984, Gold. EZ f. Verd. um d. Rep. Österr. 1986. M.: seit 1979 3x z. Präs. d. OÖ Apothekerkamm. gewählt, a.o.Mtgl. d. LSanR. f. OÖ, AufsR.Mtgl. d. Fa. Herba AG in Wien, Rotary Club Grieskirchen. H.: Jagd. (H.D.)

Rizzi Ruggiero-Savino
B.: Dir. A.: 3012 Wolfsgraben, Pater-Effenberger-Str. 3. G.: 29. Jan. 1943. El.: Giuseppe u. Hildegard. S.: Matura. F.: Gschf. Ges.: G. Rizzi GmbH, NEOIMPEX Wien, ROMEX Wien. E.: Verd.-Dipl. um Exporte Israels, Verd. um Exporte Italiens. M.: Mtgl. d. Campagnereiter-Ges., Alt Kalksburger.

Robinson Krassnitzer Sepp
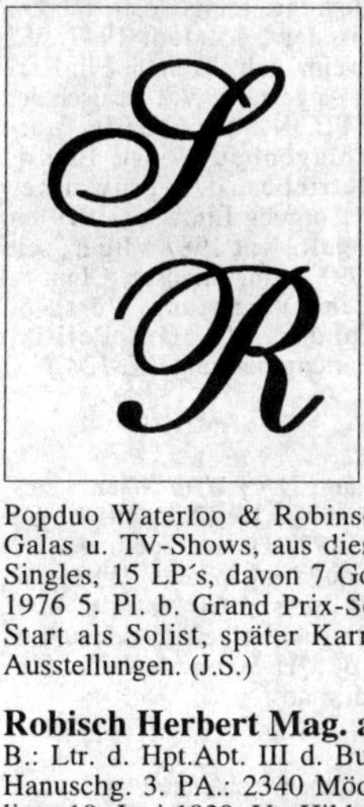
B.: Dipl.-Grafiker, Musiker u. Maler. DA.: 4020 Linz, Kellerg. 4. PA.: 4040 Linz, Hagenstr. 67. G.: Straßburg, 15. Apr. 1947. V.: Herta, geb. Fierlinger. Ki.: Simone (1975), Nina (1981). El.: Josef u. Maria. S.: Berufsausbild. z. Elektrotechniker, anschl. Dekorateur, Stud. Grafik, Literatur u. Kunstgeschichte Kunst-HS Linz, 1973 Dipl., 7 J. Geigeausbild. am Brucknerkonservatorium. K.: Umstieg auf Gitarre, Mtgl. einer Band, Auftritte in ganz Österr., 1969 Beginn d. Karriere m. d. Popduo Waterloo & Robinson, Gastauftritte b. weltwieten Galas u. TV-Shows, aus dieser Partnerschaft resultieren 50 Singles, 15 LP´s, davon 7 Goldene sowie 1 Diamantene LP, 1976 5. Pl. b. Grand Prix-Songcontest in Den Haag, 1982 Start als Solist, später Karriere als Maler m. weltweiten Ausstellungen. (J.S.)

Robisch Herbert Mag. arch. HofR.
B.: Ltr. d. Hpt.Abt. III d. Bundestheater. DA.: 1010 Wien, Hanuschg. 3. PA.: 2340 Mödling, Managetta 20. G.: Mödling, 10. Juni 1930. V.: Hildegard, geb. Schmid. Ki.: Herbert (1951), Judith (1959). El.: Franz u. Rosa. S.: 1949 Matura, 1949-54 Arch.Stud. an d. Ak. d. bild. Künste b. Prof. Welzenbacher, Abschluß Mag. arch. K.: ab 1954 Praxis in versch. Arch. Berufe, anschließend freiberufl., s 1970 im öff. Dienst, zuerst verantwortl. f. öff. Bauten in Wien im Rahmen d. BBaudion., später im Rahmen d. Gebäudeverw. d. BTheater tätig, als Stellv. d. Ltr. d. III. Abt., seit 1989 Ltr. d. III. Abt. d. BTheater. E.: 1985 Gold. EZ f. Verd. u d. Rep. Österr., 1990 Gr. EZ f. Ver. u d. Rep. Österr. H.: Sport. (N.A.)

Robl Dietmar H.
B.: Bilderrahmenhersteller, Gschf. FN.: Rahmenstudio Robl. DA.: 5020 Salzburg, Gabelsbergerstr. 28. PA.: 5020 Salzburg, Josef-Ressel-Str. 16. G.: Salzburg, 26. Dez. 1961. El.: Alois u. Erna. S.: VS, RG, Einzelhdls.-Kfm.-Lehre K.: Dekorateur, 1982-92 Gendarmeriebmtr., 1992 Eröff. d. eigenen Bilderrahmen- u. Spiegelstudios. H.: Gourmet, Kunst, Kultur. (E.S.)

Robl Gerhard Ing. Mag.
B.: Gschf. FN.: Agrana Stärke GmbH. DA.: 1020 Wien, Hollandstr. 2. PA.: 2100 Leobendorf, Hofgartenstr. 4. G.: Wien, 28. Okt. 1958. V.: Roswitha, geb. Tacha. Ki.: Bernhard (1987), Claudia (1989). El.: Josef u. Maria. S.: 1978 HTL Matura, 1978-79 BH, 1979-83 Stud. a. WU Wien. K.: 1984 Techn. Ass. f. d. Tullner Zuckerfabrik, 1985-88 EDV Einf., 1989-93 Prok., Ltr. Controlling., s. 1994 Gschf. Agrana Stärke GmbH. M.: Österr. Vereinig. d. Organisatoren, Mtgl. d. Controllinstituts. H.: Sport, Fußball, Volleyball, Laufen. (E.J.)

Robl Kurt Dr.
B.: Richter am LG f. Zivilrechtsachen Wien. DA.: 1016 Wien, Museumstr. 12. PA.: 2333 Leopoldsdorf, Hauptstr. 24. G.: Wien, 5. Juli 1955. V.: Dr. Maria, geb. Presolly. Ki.: Eva (1979), Christa (1981), Gabriel (1982). El.: Kurt u. Edith, geb. Nechyba. S.: 1973 Matura, Stud. Rechtswiss. Univ. Wien m. Prom. z. Dr. iur., Gerichtspraxis. K.: 1979 Übernahme in d. richterl. Vorbereitungsdienst, 1982 Richter, ab 1990 Obm. d. Fachgruppe Zivilrecht in d. Österr. Richterver. H.: Musik, Lesen, Sport. (N.A.)

Roblegg Walter Peter Dr. med.
B.: selbst. FA f. Chir. DA.: 8010 Graz, Lange G. 19. PA.: 8010 Graz, Lange G. 31. G.: Graz, 22. Okt. 1943. V.: Dr. Gertraud, geb. Schindler. S.: BRG II Graz, 1961 Matura, Med.Stud. Univ. Graz, 1968 Prom. K.: Turnus- u. FA-Ausbildg., Abschluß 1974, anschl. b. 1978 OA im Elisabethinen-Spital, 1979 Eröff. d. eigenen Praxis, 1979 Kassenpraxis, seit 1982 Anst.Arzt im LG. P.: div. kleine Fachveröff. M.: Round-Table. H.: Familie, Wandern, Skifahren, Motorboot. (War.)

Rocek Roman Dr. phil.
B.: Schriftsteller, Ltr. d. Hpt.Abt. Kulturelles Wort im ORF-Hörfunk. A.: 2345 Brunn/Gebirge, Am Platengrund 8f. G.: Wien, 31. Jan. 1935. V.: Johanna, geb. Stangl. El.: Anton u. Augusta. S.: RG, Univ. (Phil., Psych., Germanistik, Päd.). K.: b. 1959 Bmtr., b. 1964 Univ.Ass., b. 1967 Ltr. d. Päd. Arb. Stelle b. Verb. Wr. Volksbildung, b. 1975 Ltr. d. Abt. Wiss. u. Volksbildung im ORF-Hörfunk, seither Ltr. d. Hpt.Abt. Kulturelles Wort im ORF-Hörfunk. P.: Phil. Antropologie heute, Mediengefahr-Mißverständnisse, Analysen, Wirkungen, Weisheit d. Heiterkeit. E.: Förderungspreis d. Stadt Wien, Ehrenkreuz f. Wiss. u. Kunst. M.: Vorst.Mtgl. d. Österr. P.E.N.-Zentrum d. Österr. Schriftstellerverb., Mtgl. d. Literaturkreises Podium.

Roch Karl Dr. Dkfm.
B.: MinR. im BMF. GT.: AufsR.Vors. d. Bad Ischler Salz GmbH Wien, AufsR.Vorst.Stellv. d. Österr. Salinen AG Wien, AufsR. Österr. Forsch.Zentrum Seibersdorf. DA.: 1070 Wien, Lindeng. 25. E.: Gr. EZ f. Verd. um d. Rep. Österr.

Rochelt Rainer
B.: Immobilienmakler. DA.: 6230 Birxlegg, Herrenhauspl. 9. PA.: 6232 Münster 398. G.: Hall, 13. Mai 1963. El.: Dietmar u. Helene. S.: VS, HS, HAK, gelernter Sped.-Kfm. K.: seit 1986 selbst. i. d. Vers.-Branche, Wüstenrot, Finan-zierungswesen u. Maklerei, Verkaufsschulungen, Vertriebsorgan., 1989-91 Prok. bzw. Ges. e. Immobilienuntern., s. 1991 eigene Firma: Immobilienmakler, Anlageberatung, Hausverw. u. Bauträger. H.: Skifahren, Schwammerlsuchen, Schwimmen, Squash, Radfahren. (M.W.)

Rochowanski Irene-Margarita
B.: selbst. Tanzpädagogin. DA.: 1238 Wien, Taglieberstr. 55-57, 1220 Wien, Schickg. 26. PA.: 1120 Wien, Hetzendorfer Str. 16/1/1. G.: Wien, 25. Mai 1954. Ki.: Nikolai (19869. El.: Mag. Erich u. Ingeborg Rochowanski, geb. Rottler. BV.: Urgroßvater Dr. Emil Rochowanski war Bgm. v. Troppau in d. Monarchie. S.: Ausbild. z. Tänzerin an d. Ak. f. darstell. Kunst Schönbrunn, prakt. Ausbild. z. Tanzpädagogin Wr. Staatsoper, 1975 Ballettrainerprüf., weitere Ausbild. in Deutschland, Schweiz u. England. K.: seit 1970 Ballettunterricht, 1979 Grdg. d. eigenen Schulen f. Kinder u. Erwachsene (Ballett, Jazz, Akrobatik, Step, Bewegungstraining, Schwangerschaftsgymnastik). H.: Gartengestaltung, Handarb. (N.A.)

Röck Wolfgang
B.: Gschf. FN.: Österr. Anti-Germ Gerhard Ruff & Co GmbH, G. & H. Ruff Chemikalien GmbH. DA.: 5202 Neumarkt am Wallersee, Pfongauerstr. 17. PA.: 5143 Feldkirchen b. Mattighofen, Kampern 10. G.: Gallspach, 25. Mai 1942. V.: Nicolise, geb. Carstens. El.: Karl u. Eva. S.: HS, LBA m. Matura 1966 in Sbg., Stud. Jus. u. Vw. Univ. Innsbruck. K.: 1 J. Bankausbild., anschl. Fa. Marx Hallein, 1970 Eintritt in d. Fa. Österr. Anti-Germ-Ges. in Henndorf b. Sbg. (Erzeugerbetrieb f. Ind.Reiniger), 1974 Neubau d. Firmengebäudes in Neumarkt am Wallersee, Expansion d. Geschäfte, 1980 m. dt. u. österr. Partnern Grdg. eines Chemikaliengroßhdls. f. Westösterr. M.: Mtgl. eines Arb.Aussch. b. d. BKam. f. Gewerbl. Wirtschaft, Sekt. Hdl. H.: Tiefschneefahren, Tennis, Bergwandern, Reisen. (Foed.)

Rock-Mach Luzia M.B.A.
B.: Vorst.-Mtgl. FN.: Bankhaus Kathrein & Co AG. DA.: 1010 Wien, Wipplingerstr. 25. G.: Linz, 25. Nov. 1945. V.: Prof. Dr. Wilhelm Rock. Ki.: Patricia (1971). El.: Franz u. Theresia Mach. S.: 1963 Matura, 1963-66 Stud. HS f. Welthdl., 1978 Immobilienmaklerlizenz Michigan/USA, 1981 M.B.A., 1983 Securities Exchange Commission Stockbrokers Lizenz USA, 1970-74 Sprachstud. Schweiz. K.: 1963-67 Mitarb. im elterl. Betrieb, 1967-70 Ass. d. Gen.-Dion. Olivetti AG Wien, 1970 Übersiedlung in d. Schweiz, 1974 Übersiedlung in d. USA, 1983-88 Broker, Portfoliomanager u. Asset Management Konsulent E.F. Hutton & Comp. Inc. Michigan, 1989 Rückkehr nach Österr., 1989-92 Prok. u. Abt.-Ltr. Girozentrale Wien, seit 1992 Vorst.-Mtgl. Bankhaus Kathrein & Co AG Wien. P.: zahlr. Fachbeiträge in vielen Publ. E.: Golden Key National Honor Society f. hervorragende Studienerfolge, Intern. Preis f. Aufbau d. Private Banking in Österr. v. I.I.P.P. H.: Reitsport, Flugsport (Flugschein), Wassersport, Skifahren, Skilanglaufen, Theater, Musik, Reisen (Amerika, Asien, Afrika). (F.S.)

Rockenbauer Günter Dipl.-Ing.
B.: Gschf. seit Juni 1989. FN.: Thomainfor-Thomson Computer Services GmbH. DA.: 1030 Wien, Barichg. 40-42. PA.: 1050 Wien, Kettenbrückeng. 21. G.: Wien, 21. März 1942. El.: Franz u. Frida. S.: 1961 Matura, Stud. d. Techn. Physik an d. TU Wien, 1968 Diplom. K.: 1970-72 Systemanalytiker b. Fa. Siemens, 1973-89 Systemanalytiker b. Control-Data, 1975 Gruppenltr., 1977 Ltr. d. Softwareabt., 1981 im Bereich Öffentlichkeitsarb. tätig, 1986 Übern. d. Bereiches Techn. Dienst u. Dir. f. Marketing. P.: Zahlr. Arb. f. d. Fach- u. Tagespresse. M.: Österr. Computerges. H.: Musik, Sport, Garten. (N.A.)

Rockenbauer Hannelore
B.: Gschf. Ges. FN.: E & W Zeitschriftenverlags GmbH. DA.: 1160 Wien, Wilhelminenstr. 91/2. G.: Wien, 24. Juli 1946. V.: Helmut Johannes Rockenbauer. Ki.: Dipl.-Ing. Andreas (1967), Ronald (1972). El.: Robert u. Maria Blobner, geb. Konopitzky. BV.: Johann Baptist Blobner bekannter Komponist, nach dem eine Straße in Wien benannt ist. S.: VS, HS, HASCH. K.: ab 1962 Tätigkeit in einer Werbeagentur, 1973 Grdg. Motopress Hannelore Rockenbauer, zusätzl. 1980-88 Tätigkeit in d. Werbeagentur, 1983 Grdg. E & W Zeitschriftenverlags GmbH. H.: Sammeln v. Keramik, Glas u. Puppen. (F.S.)

Rockenbauer Helmut J.
B.: Zeitschriftenhrsg. FN.: E & W Zeitschriftenverlags GmbH. DA.: 1160 Wien, Wilhelminenstr. 91/2. G.: Wien, 18. Jan. 1943. V.: Hannelore, geb. Blobner. Ki.: Dipl.-Ing. Andreas (1967), Ronald (1972). El.: Johann u. Maria. S.: RG, Univ.-Lehrgang Marketing u. Werbung WU Wien. M.: Motor Presse Club Austria, Golfclub Brunn. H.: Golf, Segeln. (F.S.)

Rockenschaub Gerwald
B.: Maler, Künstler. DA. u. PA.: 1040 Wien, Rienößlg. 12. S.: ab 1978 Stud. HS f. angew. Kunst b. Prof. Tasquil in Wien. K.: 1981 1. gr. Einzelausstellung im "Forum Stadtpark" m. gemeinsamen Konzept m. Herbert Brandl, 1984 1. Ausstellung in d. Galerie nächst St. Stephan, 1985 Ausstellung b. Paul Maenz in Köln, 1987 b. Barbara Gladstone in New York, Arbeitsschwerpunkt: neo-konzeptuelle Kunst. (R.J.)

Rockenschaub Karl Ing.
B.: Bgm. d. Stadt Steyregg, Energieberater. DA.: 4040 Steyregg, Stadtamt. PA.: 4221 Steyregg, Langfeldstr. 69. G.: Eisenerz, 15. Juni 1947. V.: Evelin, geb. Kreindl. El.: Karl u. Angela. S.: VS, Realschule, HTL. K.: Sachbearb. Ind.-Anlagenbau Voest, Ltr. d. Betriebes d. Fernwärmeversorgung Linz, seit 1979 im GemR., seit 1987 VBgm., seit 1991 Bgm. M.: Bez.-Obm. d. Gem.-Vertretung, Vorst. d. Landesverb. H.: Politik, Gartengestaltung. (K.-J.M.)

Rockenschaub Michael Dr.
B.: Mtgl. d. Bundesrates, Bankang. DA.: 1017 Wien, Dr.-Karl-Renner-Ring 3. G.: Schärding, 16. Dez. 1954. S.: Gymn., 1973 Matura, WU Wien, 1981 Dr. rer. soc. oec. K.: 1980-83 Ang. im Kunst- u. Antiquitätenhandel, s. 1983 b. d. Allg. Sparkasse OÖ Bank AG Linz, s. 1990 Abt.-Ltr. u. s. 1992 Prok., 1977-80 Vors. d. Ringes Freiheitl. Studenten u. Mandatar im Zentralaussch. d. ÖH Wien, Militäroffz. (ObLt.), s. 10/1991 Mtgl. d. Bundesrates.

Roczek Paul Prof
B.: o.HS-Prof. f. Violine u. "quartet in residence", z.Zt. Ltr. d. Intern. Sommerakad., stellv. Rektor seit 1984. DA.: 5020 Salzburg, Mirabellpl. 1/2070. PA.: 5026 Salzburg-Aigen, Gyllenstormstr. 5. G.: Wien, 9. Juni 1947. V.: Cordelia, geb. Höfer. Ki.: Leonhard (1983), Saskia (1986). El.: Eduard u. Franziska. BV.: Bruder Mtgl. d. Wr. Symphoniker, Onkel Dr. Theodor Laufer Ing. b. Dornierwerke. K.: Violinstud. b. Samohyl u. Rostal, 1963 Mtgl. d. Wr. Philharmoniker, 1964 Mtgl. d. Wr. Solisten, 1965 Matura, 1966 Grdg. d. Österr. Streichquartetts, seit 1969 an d. HS Mozarteum Prof. f. Violine u. "quartet in residence", 1980 Grdg. d. Streichtrios "Anton Webern", Schallplatten- u. Rundfunkaufnahmen. P.: 1966 Intern. Violinwettbewerb München, 1967 Intern. Violinwettbeweb Wien. M.: VPräs. d. Ver. d. Freunde d. HS Mozarteum. H.: Sport (Tischtennis, Skifahren, Bergwandern). (M.S.)

Röd Ragnhild
B.: Freisch. Textilkünstlerin. DA.: 3430 Tulln, Langen-lebarner Str. 58. G.: Allden/Norwegen, 24. Mai 1946. V.: Alfons Zubeck. El.: Röd Elin u. Lasse. S.: 1 J. HAS, 5 J. Kunstschule in Norwegen u. 1/2 J. in Schweden, 4 J. HS f. angew. Kunst in Wien. K.: 1973-76 Beg. b. Prof. Schulz, vorerst seine Entwürfe nachgewebt, dann freischaff. Textilkünstlerin, Einzelausst.: Österr. Kulturzentrum (1976), NCR Galerie (1977), Textilmuseum Tilburg, Holland (1982), Neue Galerie Wien (1983), Museum f. angew. Kunst (1984), Röhska Museet Göteborg (1985), Neue Galerie Wien (1987) u.a. sowie Ausstellungsbeteil.: Künstlerhaus, Wr. Secession, Schloß Halbthurn, Bauhaus Kölln u.a., Ankauf d. Arb. d. BMU, Museum f. angew. Kunst Wien, NÖ LReg., NÖ Dokumentationszentrum, Norweg. Kulturrat sowie priv. Ankäufe aus d. In- u. Ausland. M.: S. 1988 Obm. d. Tullner Kunstwerkstatt. H.: Lesen, Keramik. (M.B.)

Rodax Heinz Ing.
B.: Inh. FN.: Rodax u. Skarics GmbH. DA.: 2514 Traiskirchen, Hochmühlstr. 32. PA.: 2514 Traiskirchen, Mörikeg. 8. G.: Tattendorf, 12. Nov. 1941. V.: Margit, geb. Lietz. Ki.: Heinz Peter (1962), Gerhard (1965). El.: Franz u. Anna. S.: Pflichtschulen, HTL Maschinenbau. K.: 1956-72 Semperit Traiskirchen: zuerst Lehrling, dann Tätigkeit im Techn. Büro u. anschl. mitverantwortl. f. techn. Planung u. Entwicklung, 1967-72 Abend-HTL, staatl. geprüfter Schweißfaching., 1972-89 Betriebsltr. in einem Stahl- u. Anlagenbaubetrieb, seit 1989 selbst. m. Bau einiger Tennishallen im Freizeitzentrum Traiskirchen, zuerst gemeinsam m. Partner, seit 1970 allein. M.: SparkassenR. d. Stadtsparkasse Traiskirchen. H.: Tennis, Fußball. (F.S.)

Rode Bernd Michael Dr. Univ.-Prof.
B.: Univ.-Prof. DA.: 6020 Innsbruck, Innrain 52a. G.: Innsbruck, 14. Juli 1946. V.: Eveline Veronika, geb. Rödlach. El.: Hans Wolf u. Gabriele. S.: VS, ak. Gymn., 1964 Matura, 1965-73 Chemiestud. an d. Univ. Innsbruck, 1973 Prom. sub auspiciis praesedentis. K.: 1976 Habil., 1979 Ernennung z. Univ.-Prof. f. anorgan. u. theoret. Chemie, Forsch.-Aufenthalte in d. BRD, Japan u. Schweden, zahlr. Einladungen zu Gastprof. in Japan, Thailand, Griechenland, Grobritannien, Ständ. Beauftragter d. Österr. Rektorenkonferenz f. universitäre Kooperation m. Ostasien, Mtgl. d. Entwicklungshilfebeirates d. Österr. Bundesreg. P.: 3 Monographien, 2 Enzykl., ca. 190 Veröff. in wiss. Journalen. E.: Kommandeurkreuz d. Ordens v. d. thailänd. Krone, Gold. EZ f. Verd. um d. Rep. Österr., Kommandeurkreuz d. Thailänd. Ordens v. Weißen Elefanten, Österr. Ehrenkreuz f. Wiss. u. Kunst. M.: Ges. Österr. Chemiker, Österr.-Thailänd. Ges. H.: Musik, Sprachen (u.a. Griechisch, Japanisch, Thailändisch). (Schm.)

Röder Maria Magdalena Mag. OStR. Prof.
B.: Ak. Malerin. PA.: 1210 Wien, Pragerstr. 177. G.: Wien, 21. Sept. 1911. El.: Ing. OBauR. Erwin u. Maria-Magdalena Röder, geb. Pappert. S.: Matura in Wien, 1932-37 Stud. an d. Phil. Fak. d. Univ. Wien u. Stud. d. Malerei an d. Kunstak. Wien, Abschluß Mag. u. Lehramtsprüf. f. Kunsterziehung u. Handarb. K.: 1937-74 Schultätigkeit an Mittelschulen in Wien (Darstell. Geometrie, Zeichnen u. Handarb.), Vorstellungen im Theater d. Jugend m. Puppenspielen u. Puppenschattenspiele (Musik, Text, Bühnenbilder, Puppen), Gestalt. v. kunstgesch. Bildreihen u. Tonbändern f. d. Kunstunterr. in d. Österr. Lichtbildstelle, 1953 Prof., 1962 OStR., 1972 Mag. art., 1971 u. 1973 provisor. Ltg. d. Mädchengymn. im 3. Bez., Sommerkurse in NÖ f. Kinder im Alter v. 3-12 J. P.: Künstler. Tätigkeit (Ölbilder, Pastelle, Monotypien - Blumen u. Landschaften), Ausstellungen b. Atelier d. I. Österr., im Lehrerhausver. v. Ärztevortragssaal, Schaffung eines Glasfensters in Wien. E.: 1974 Gold. EZ f. Verd. um d. Rep. Österr., Anerkennungsschreiben u. Belohnungen f. d. Arb. an d. Schule. H.: Arch., Innenarch., Handwerkarb., Gartenarb. (N.A.)

Rödhammer Johann
B.: wiss. Kons. d. OÖ Landesrg., Sachbearb. d. OÖ Gebietskrankenkasse. DA.: 4020 Linz, Gruberstr. 77. PA.: 4040 Linz, Linke Brückenstr. 8. G.: Raab, 3. Nov. 1922. V.: Hermine, geb. Einsiedl. Ki.: Harald (1973), Manfred (1974). El.: Alois u. Maria. BV.: Familie stammt aus d. Innviertel u. war eine alteingesessene Bauernfamilie, d. Name Rödhammer kann b. 1172 nachgewiesen werden. S.: VS, HS, 1938-40 Kurse u. Lehrgänge f. techn. Zeichnen u. Praktikant in versch. Betriebe, 1940-41 Techn. Zeichner, ab 1941 Wehrmacht, b. 1943 Unteroffz., 1944 Lt. d. Res., 1942 Dipl.-Bibl., Dipl.-Archivar, Dipl.-Volkspfleger, Kurse im Luftschutzdienst, Überstellung z. Luftschutz nach Verwundung. K.: ab 4. Juli 1946 Verw.-Ang. u. zuletzt Sachbearb. b. d. OÖ Gebietskrankenkasse, 1. Dez. 1981 Pensionierung. P.: ca. 50 wiss. Arb. in Zeitschriften u. Zeitungen, in OÖ Heimatblättern, Rieder Rundschau in d. Beilage "Die Heimat", Autor v. 4 Bücher: "Die Hessen 1733-1918. Das Linzer Hausregiment J.R. 14 u. d. Traditionsträger", "Reminiszenzen an d. k.u.k. Kriegsmarine", "Ein seltsame Frau. Elisabeth Kaiserin v. Österr. u. Königin v. Ungarn 1837-1898", "OÖ Wehrgeschichte seit 1848". E.: Kriegsverd.-Med., Kriegs-VZ 1. u. 2. Kl. ohne Schwerter, Kriegs-VK 1. u. 2. Kl. m. Schwerter, Luftschutz-EZ 3. u. 4. Stufe, Verwundetenabz. in Silber, Reichssportabz. in Silber, Rettungsmedaille, Ehrenkreuz am Bande u. Ehrenkreuz 1. Kl. u. Gold. EZ u. Gr. Gold. EZ v. Schwarzen Kreuz, Silb. u. Gold. Verd.-Med. u. Landes-VZ in Gold d. Kameradschaftsbundes, Humanitätsmed. d. Stadt Linz. M.: seit 1960 Mtgl. d. Österr. Schwarzen Kreuzes, seit 1980 Kuratoriumsmtgl. d. Schwarzen Kreuzes, Kameradschaftsbund, Landeschronist d. OÖ Kam.-Bundes. H.: wiss. Forsch. (U.E.)

Rödler Friedrich Ludwig Andreas Dipl.-Ing. Mag.
B.: beeid. Wirtschaftsprüfer u. Steuerberater, gschf. Ges. FN.: GRT ROBOL & Co, GRT Revisions u. Treuhand GmbH. DA.: 1040 Wien, Prinz-Eugen-Str. 72. PA.: 1180 Wien, Colloredog. 4. G.: Wien, 21. Juni 1950. V.: Dr. Maria, geb. Bergamini. El.: Dr. Friedrich u. Marianne. BV.: Großvater d. Gattin Carol Bergamini Admiral d. ital. Flotte 1943. S.: Gymn. Wien, 1968 Matura, Militär, TU Wien Informatik, Stud. an d. WU Betriebswiss. K.: b. 1980 Unicont Revisions u. Treuhand Ges., s. 1980 Prok. b. GRT Revisions u. Treuhand Ges., s. 1980 Steuerberater, seit 1983 Wirtschaftsprüfer, seit 1985 gschf. Ges. b. GRT ROBOL & Co, GRT Revisions u. Treuhand GmbH. BL.: div. fachl. Vorträge in Steuerrecht, Ltr. d. Steuerabt., spricht engl., franz., ungar., ital. M.: Kam. d. Wirtschaftstreuhänder, seit 1986 Mtgl. d. Fachsenats f. Steuerrecht, St. Johannes-Club, Tennisclub Colony-Club. H.: Tennis, Skifahren, Bridge, klass. Musik. (M.G.)

Rodlsberger Walburga
B.: Gschf. FN.: Rodlsberger GmbH, Erdbewegungen, Transporte, Sprengungen, Schlosserei. DA.: 5721 Piesendorf 443. PA.: 5721 Piesendorf 51. G.: Piesendorf, 21. Jän. 1963. V.: Hans. Ki.: Nikole (1985), Kathrin (1986). El.: Walter u. Flora Bürgler. S.: 3 J. Frauenfachschule i. Bramberg, 2 J. b. Steuerberater Prodinger i. Zell/See tätig, 2 J. b. Bauwesen Mayer i. Piesendorf als Sekretärin tätig, s. 1983 Betrieb H. Rodelsberger m. künftigen Gatten übernmommen, 1993 Erweiterung u. eine Schlosserei. H.: Sport, Berggehen.

Rodney James Mays
B.: Gschf. Ges. FN.: R.M. Touristik - Service GmbH. DA.: 5035 Salzburg, Innsbrucker Bundesstr. 95. PA.: 5322 Hof b. Sbg. 266. G.: Halifax, 20. März 1947. V.: Jutta, geb.

Meisriemel. Ki.: Jacqueline (1968), Danja (1972). El.: William John u. Jenny. S.: Grundschule, Techn. College. K.: 1967 Reiseltr. b. Cosmos-Holidays in Österr., 1972-78 Abt.-Ltr. Alders in Crajden/England, seit 1978 Ltr. d. FVV Fuschl am See, 1983 Grdg. R.M. Touristik Service GmbH. M.: Schloß Fuschl Golf- u. Jagdclub. H.: Golf, Skifahren, Tennis, Reisen. (M.C.)

Roessler Dietrich Dr.

B.: RA, Mtgl. d. österr. VfGH, Ges. d. RA-Gemeinschaft Roessler, Pritz & Partner. DA.: 1010 Wien, Schwedenpl. 3-4. G.: Wien, 10. Febr. 1926. V.: Dr. Brigit. Ki.: Dr. Peter, Katharina, Marianne, Maria. El.: Dr. Wilhelm u. Alix. S.: VS, Univ. (rechts- u. staatswiss. Fak.). K.: jur. Dr. 1948, 1 J. b. versch. Gerichten, 6 J. RA Dr. Rinesch, Pr. Dr. Kaan u. Dr. Werner, 1955 eigene jur. Praxis als RA in Wien, Vorst.-Mtgl. d. Österr. Sekt. d intern. Fiskal-Organ., sowie d. Wr. Jur. Ges. u.a. jur. Ges., viele J. hindurch Prüfer f. Handels- u. Wechselrecht an d. Univ. Wien u. in d. Folge Prüfer f. d. RA- u. Richteramtsprüf., seit 1967 Ersatzmtgl. u. seit 1968 o.Mtgl. d. VfGH. P.: Mitautor d. österr. "Steuer-Index" (verfassungsrechtl. Teil), zahlr. steuerrechtl. Arb., lfd. Berichterstattung über d. Rechtsprechung d. VfGH, in d. Steuer- u. Wirtschaftskartei u. Österr. Juristenzeitung, Buch: "Die Rechtsprechung d. VfGH" in Steuersachen 1946-86. E.: Gr. Gold. u. Silb. EZ f. Verd. um d. Rep. Österr., Gr. Silb. EZ f. Verd. um d. Land Wien. M.: Wr. RA-Club Soupirium, Rotary-Club Wien-Süd, Wr. Park-Club (Tennis). (J.S.)

Rögelsperger Andreas Dipl.-Ing.

B.: Gschf. Ges., Informatiker. FN.: Ing. Rögelsperger & Co. GmbH. DA.: 1230 Wien, Jochen-Rindt-Str. 37. PA.: 1238 Wien, Maurer Lange G. 111. G.: Wien, 3. Nov. 1959. V.: Dr. Patrizia. Ki.: Isabella (1992), Thomas (1987). El.: Ing. Herbert u. Gertrude. S.: 1978 Matura a. d. AHS i. Wien, 1979 Bundesheer, 1979-86 Stud. d. Informatik a. d. TU Wien, 1986 Sponsion z. Dipl.-Ing. K.: 1986-89 a. Treenie b. d. Fa. Digital später im Vertrieb, 1990 i. elterl. Betrieb Gschf. u. Ges. H.: Familie, Tennis, Skifahren, EDV. (I.K.)

Rogers Gerda

B.: Astrologin. DA.: 4040 Linz, Rosenauerstr. 23.PA.: Alt Lichtenberg. G.: CSFR, 1. Jan. 1942. Ki.: Ronald. El.: Paul u. Frieda. S.: 1946 nach Deutschland, 1949 nach Österr., Grundschule, 3 J. Schauspielschule unter Prof. Kraus in Wien. K.: 1980 erste Kontakte z. Astrologie, Esotherik, zahlr. Seminare in d. USA u. Rom, erste astrolog. Tätigkeit in Rom, 1986 selbst. in Linz, astrolog. Beratung f. Kunden aus Österr., USA u.a. europ. u. außereurop. Ländern, Firmen- u. Unternemensberatungen, Radiosendungen v. Ö3, Serie in Radio OÖ, 1992 Ö3-Serie Nachtradio. P.: Veröff. in Fachzeitschriften. H.: Pferde, Natur, Esotherik. (P.H.)

Rogetzer Klaus

B.: Gschf. Ges. FN.: InfraSoft Datenservice GmbH. DA.: 1040 Wien, Mayerhofg. 1. G.: Horn, 16. Nov. 1958. V.: Andrea, geb. Doninger. Ki.: Lisa-Maria (1992), Theresa (1993). S.: Gymn., 1977 Matura, Stud. Techn. Physik TU Wien, nicht abgeschlossen. K.: 1983-84 IBM Österr., 1985-86 IBM Labor Wien, 1986 Softwareentwicklung b. Wr. BAZAR, 1987 EDV-Ltr., 1988 Wechsel zu Firma InfraSoft als Ltr. d. Software-Entwicklung, seit 1989 Gschf. u. Ges. d. Firma InfraSoft Datenservice GmbH. M.: MKV, ÖCV. H.: Schach, Literatur. (M.-L.A.-M.)

Rogl Helmut Dr.

B.: Werbeltr. u. Presseref. FN.: OÖ Wechselseitige Vers. DA.: 4010 Linz, Gruberstr. 32. G.: Enns, 2. Apr. 1960. V.: Regina, geb. Reicher. El.: Hermann u. Maria. S.: VS, Gymn., 1978 Matura, Stud. BWL i. Linz, 1985 Prom., b. 1986 Mozarteum Salzburg, s. 1985 b. heutiger Fa. Marketingsass., s. 1990 i. heutiger Pos. P.: 1993 CD m. Titel "Helmut Rogl" u. viele Prod. i. Rundfunk u. Kompositionen, 1985 Diss. erschienen i. Trauner-Verl. E.: 1986 DDr. Büche-Preis d. Allg. Sparkasse, 1989 Kulturpreis d. Stadt Linz, 1984 Förderungspreis d. Landes OÖ f. Kompositionen. M.: Round Table 15. (U.A.)

Rogner Robert

B.: Kfm., gschf. Ges. d. Rogner GmbH. DA.: 9500 Villach, Widmanng. 43. V.: Melitta, geb. Aschgan. Ki.: Robert, Jasmin. S.: Pflichtschulen. K.: ab 1967 selbst. Bauunternehmer in Österr. m. Firmengrdg. d. Rogner GmbH. BL.: Idee d. Bauerndörfer, u.a. wird d. "Sünnhofidee" auch im Ausland verbreitet, weiters d. Idee m. landesübl. Mitteln (z.B. Bulgarien) Touristikzentren zu bauen. F.: Fewotel, Betriebsges., Rognertouristik, Fewotour Reisebüro. E.: 1983 Dipl. "Europa Nostra". H.: Skifahren, Bergsteigen. (Hat.)

Rogner Walter Dr. techn. Dipl.-Ing. BauR. hc.

B.: Prok., Ltr. Betriebs- u. Ing.Wesen, Sicherheit u. Umweltschutz. FN.: Sandoz Forsch.Inst. GmbH. GT.: Univ.Lektor TU Wien, staatl. befugter Ziviling. f. Maschinenbau, allg. beeid. gerichtl. Sachv. DA.: 1235 Wien, Brunner Str. 59. PA.: 2344 Südstadt, Donaustr. 19. G.: Wien, 21. Sept. 1930. V.: Elfriede. Ki.: Mag. Wolfgang, Alexandra. El.: Rudolf u. Elisabeth. S.: Matura an d. HTBLVA in Wien, 1956 2. Staatsprüf., 1957 Prom. TU Wien, 1957 Management-Seminare TU Wien. K.: Lehrauftrag an d. TU Wien u.a. über Dampfturbinen, Gasturbinen, Flugtriebwerke, Turbokompressoren, kalorische Kraftwerke, div. Forsch.Aufträge an d. TU Wien: Bunzl & Biach AG: Ltr. d. Energiebetriebe, Energieberater d. Sandoz AG Basel: Energieanalysen u. Ausarb. v. Energiekonzepten, Maßnahmen z. Rationalisierung industrieller Energieeinsätze, Anwendung alternativer Technologien in Brasilien, Sanierung bestehender Energieversorgungsanlagen, Forsch. u. Planungsaufträge, Konsulenten- u. Gutachtertätigkeiten, Fachvorträge u. Publ. über mehrere Gasturbinen, Hochtemperatur - Wärmepumpen, Energierationalisierung in d. Haustechnik u. im industriellen Bereich, Maßnahmen z. Betriebskostensenkung, Wärmerecycling etc. E.: Viktor Kaplan-Förderungspreis 1955, Theodor Körner-Stiftungspreis z. Förd. v. Wiss. u. Kunst 1956, Prämierung wiss. Arb. über Gasturbinen 1964, Kardinal Innitzer-Anerkennungspreis 1964. H.: Familie, Beruf (Technik), Skifahren, Tennis, Tischtennis, Surfen, Musik. (E.L.)

Rögner Robert E

B.: Firmeninh. FN.: REPRO Rögner, Robert Rögner Repro Studio. GT.: Lehrabschlußprüf.-Kmsn., gerichtl. beeid. Sachv., beis. Richter im Arbeits- u. Sozialgericht. DA.: 8010 Graz, Grazbachg. 21-23. G.: 31. März 1939. V.: Elisabeth, geb. Bayer. Ki.: René (1980). El.: Franz u. Franziska. S.: Gymn., Prakt. Lehr- u. Versuchsanst. Wien. K.: Reprotechniker in versch. Firmen, ab 1969 techn. Ltr. d. Repro b. Kurier, Zeitungsverlag, Waldheim-Eberle, 1979 Übernahme d. bestehenden Firma v. Onkel Hans Rögner, techn. Erweiterung v. Buchdruck Klischeeproduktion in Offset u. Siebdruckreproduktion m. Einbindung d. Elektronik. M.: Lions Club. H.: Tennis, Skifahren, Reisen. (F.K.)

Rogon Burkhart

FN.: Basalto Brokerage Group GmbH. DA.: 40213 Düsseldorf, Bäckerstr. 2.

Rogy Lisbeth Dr. rer. soc. oec. Mag.

B.: beeid. Wirtschaftsprüfer u. Steuerberater, gerichtl. beeid. Sachv. f. d. Buch- u. Rechnungswesen. DA.: 1030 Wien, Geusaug. 39/8. G.: Hermagor, 21. Mai 1952. V.: Heimo Rogy. Ki.: Martina, Viktoria, Roberta. El.: Reinhold u. Lisbeth Kandolf. S.: Mus.-Päd. RG, WU Wien, Mag. d. Wirtschaftspäd., Dr. d. Vw. K.: Revisionsass. b. Consultatio

Revisions- u. Treuhandges., seit 1981 selbst. P.: "Steuer-Ecke" in einer Zeitschrift. H. : Zeichnen, Klavierspielen, Skifahren, Kochen. (A.W.)

Rohan Albert Dr.

B.: Gesandter im BMAA. DA.: 1010 Wien, Ballhauspl. 2. V.: Elisabeth, geb. Burghardt. El.: Karl Anton u. Maria, geb. Apponyi. BV.: Großvater Albert Apponyi war bedeutender ungar. Politiker. S.: Hum. Gymn. Sbg., Feldkirch, Vannes/Frankreich, 1954 Matura, 1955-60 Stud. Rechtswiss. Univ. Wien u. Graz m. Prom. K.: 1960/61 Vers.-Ges. Le Monde Paris, 1961/62 Europa Kolleg Brügge/Belgien, 1963 Eintritt ins BMAA, 1963-66 Multilaterale Wirtschaftsabt., 1966-68 Botschaft Belgrad, 1968-74 Botschaft London, 1975-76 Multilaterale Wirtschaftsabt., 1977-81 Dir. im Kabinett d. UN-Gen.-Sekr. New York, 1982-85 Ltr. d. Abt. II.5, 1985-90 Botschafter in Argentinien, Uruguay u. Paraguay, 1990 Ltr. d. Abt. II.3. E.: KmdK d. frz. Ord Nat Mér. H.: Geschichte, Politik, Bridge, Musik. (N.A.)

Rohm Gertraud Dr. OStR.

B.: wiss. Ass., Prof. i.Pens. PA.: 4040 Linz, Neufahrerg. 6. G.: Brünn, 18. April 1918. V.: Dipl.-Ing. Gottfried. Ki.: Mag. Willfried (1952), Mag. Angelika (1950). El.: Prof. Dr. Hans u. Rudolfine. S.: VS, Gym., 1936 Matura, Deutsche Univ. Prag: Gesch., Engl. bis 1942, Prom. K.: 1938 3 Mon. England, 1942 Umzug n. Wien, Unterrichtstätigk. in Englisch, f. München Verlag über wiss. Arbeit über bek. Teiln. d. Wiener Kongresses 1813-1814, 1945 Flucht n. Zell am See, Englisch-Unterr. u. Dolmetsch., 1947 n. Wien (Dolmetsch. Stiftskaserne), Gerichtskorr. in d. Schweiz, 1947 Ingenieurbüro Zürich (Englisch-Korresp.), 1947-50 Wiener Kurier in Wien (Dolm. u. Übersetz.), 1958 Prof. f. Englisch Körnerschule, 1959 Prof. u. Kursltr. Hammerlingschule, 1967-69 Austauschlehrerin in Fulbright/USA, 1967-68 Reusselaer Polytechnic Inst. Troy, N.Y., 1968-69 University Laramie (Wyoming) Unterrichtstätigk. in Deutsch, 1969/71 wirtsch. Realgym. Österr., 1971-83 RGB u. RG Urfahr Feuerbaustr. als Prof. u. Ltr. BL.: Deutsch, Tschechisch, Französ., Latein, Englisch. M.: Intern. ZONTA-Serviceclub, bis 1991 als Auslandskorresp. H.: Schwimmen, Heilgymnastik, Spazieren. (U.A.)

Rohn Heinz

B.: Volksschauspieler i.R. A.: 5020 Salzburg, Siebenstädterstr. 9. G.: Eger, 23. März 1905.V.: Elisabeth, geb. Denk. El.: Adam u. Aloisia. S.: VS, Gymn. K.: seit d. 15. Lebensj. b. d. Bühne, begonnen als Chorsänger, Chargenspieler, Komiker u. Reg. div. dt.sprachiger Theater, 30 J. am LTheater Sbg. sowie Sbg. Festspiele. E.: Ring d. Stadt Sbg., Bürgerbrief d. Stadt Sbg., Silb. Verd.Zeichen d. Landes Sbg. u.a. Ausz. M.: Ehrenmtgl. d. LTheaters Sbg. H.: Tagebuch schreiben, Wanderungen. (N.M.)

Rohner Reinhard

B.: Inh. FN.: Top Shop. DA.: 6850 Dornbirn, Marktpl. 10. PA.: 6922 Wolfurt, Inselstr. 6. G.: Wolfurt, 23. Aug. 1949. V.: Sigrid. El.: Johann u. Paula. S.: VS, HS, HTL, 1968 Matura, 1968/69 Militär, 1974 BWL-Stud. Univ. Innsbruck. K.: 1974 Grdg. eines Textileinzelhdls. in Bregenz zusammen m. Partner, 1975 Übersiedlung nach Dornbirn, 1979 Eröff. Top Shop Dornbirn Freizeitmode f. junge Leute. F.: Tennisclub Wolfurt. M.: Alpenver. Wolfurt, Obstbauver. Wolfurt. H.: Bergwandern, Lesen, Garten, Obstgarten. (I.D.)

Rohr Reinhart Ing.

B.: Mtgl. d. Bundesrates, Landesparteisekr. DA.: 1017 Wien, Dr.-Karl-Renner-Ring 3. G.: Unteralm, 24. Okt. 1959. S.: Francisco Josephinum, 1979 Matura, Präsenzdienst. K.: 1980-89 Landessekr. u. danach Landesparteisekr. d. SPÖ Ktn., s. 1980 Landesvorst. d. SPÖ Bauern, Mtgl. d. Landesbildungsaussch., Obm.-Stv. d. Sekt. Villach Fellach, Mtgl. d. Landesparteipräsid. u. -vorst., s. 10/1991 Mtgl. d. Bundesrates, 1984-91 AR-Mtgl. d. Hypothekenbank, 1988-90 AR-Mtgl. u. s. 1990 Vorst.-Mtgl. d. Baugen. "Heimat".

Rohr Lilo

B.: Lebzelter- u. Wachszieher-meisterin. FN.: Lilo Kerzen. DA.u.PA.: 9062 Moosburg, Gradenegg 17. G.: Moosburg, 16. März 1934. V.: Herbert. Ki.: Uta (1958), Bernd (1961), Lebzelter- u. Wachsziehermeisterin Edda (1965). El.: Erich u. Elisabeth Brandner. BV.: Maler Reinhard u. Rudolf Brander, Brüder. S.: VS, HS, Berufsschule u. Lehre zum Konditor u. Lebzelter-Wachszieher b. Fa. Perkonigg in Straßburg, Meisterprüfung 1957, Tät. in Vorarlberg. K.: 1958 Gründung d. eigenen Untern. BL.: Kerzen u. Wachsmodel in Handarbeit nach alten Lebkuchenmodeln in enger Zusammenarbeit mit dem Kärntner Heimatwerk. (G.L.)

Röhr Max Dr. Dipl.-Ing. o.Prof.

B.: o.Univ.-Prof. d. TU Wien. GT.: Konsulent biotechn. Firmen. DA.: 1060 Wien, Getreidemarkt 9/9. PA.: 1238 Wien, Franz-Asenbauer-G. 32. G.: Kufstein, 11. März 1931. V.: Susanne, geb. Kovarcz. Ki.: Peter. El.: Max u. Maria. S.: VS, RG, Stud. d. Chemie u. Techn. Chemie an d. Univ. Innsbruck u. TU Wien, 1962 Prom. K.: 1969 Doz. f. Techn. Biochemie, seit 1973 o.Prof. f. Biochem. Technologie u. Mikrobiologie. P.: ca. 180 wiss. Veröff. E.: Silb. Med. am Roten Band 1967. M.: Mtgl. mehrerer wiss. Ges. H.: ernste Musik, mod. Kunst. (J.S.)

Rohracher Mario Dipl.-Ing.

B.: Gschf. FN.: Schrack Luft- u. Raumfahrt Projekte GmbH. GT.: seit 1988 AufsR.Mtgl. in d. Österr. Ges. f. Weltraumfragen GmbH. DA.: 1120 Wien, Breitenfurter Str. 106-108. PA.: 1080 Wien, Trautsong. 3. G.: Wien, 7. Okt. 1951. V.: Renate, geb. Majer. Ki.: Irina. El.: Dr. Herbert u. Mag. Eleonore. BV.: DDr. Andreas Rohracher war Erzbischof v. Sbg., o.Univ.-Prof. Dr. Hubert Rohracher war Gründer u. langjähr. Präs. d. Wiss. Fonds z. Förd. d. wiss. Forsch. u. Ordinarius f. Psych. an d. Univ. Wien. S.: 1969 Matura, Stud. Physik u. Elektrotechnik, 1978 Dipl.-Ing. K.: Präsenzdienst, 1980 Beginn b. d. Fa. Schrack in d. Stabstelle f. intern. Zusammenarb., Mitarb. im Bereich Militär-Elektronik, ab 1983 Marketing Manager f. d. Abt. Militär-Elektronik u. Weltraumtechnik, seit 1988 Gschf. d. Fa. Schrack-AEROSPACE Luft- u. Raumfahrt Projekte GmbH. P.: Co-Autor "Raumfahrt als Schrittmacher intern. Kooperation", Buch "Europ. Raumfahrt", seit 1986 Vortragstätigkeit über "Europareife Österr. Industrie". M.: Management Club. H.: Lesen, Musik, Theater, Windsurfen, Tennis, Tiefschneefahren. (M.B.)

Rohrbach Wolfgang Dr. Univ.-Lektor

B.: Ltr. d. Vorst.-Abt. f. Presse u. PR Austria Collegialität Vers.-Konzern. DA.: 1020 Wien, Untere Donaustr. 25. PA.: 1020 Wien, Praterstr. 17. G.: Wien, 11. Juni 1947. V.: Gordana, geb. Djokic. Ki.: Alexander (1970), Philipp (1979). El.: Ing. Rudolf u. Juliane, geb. Popovic. S.: 1966 Matura, Stud. Wirtschafts- u. Sozialgeschichte, Slaw. Philol Univ. Wien, 1972 Prom. z. Dr. phil. K.: während d. Stud. Betreuung v. offiziellen Delegationen aus d. Sowjetunion, 1973-77 Statistiker, dann Ersteller v. Fachpubl. im Verb. d. Vers.

Österr., 1978-79 Berater Winter Bank Simon Moskovics, seit 1980 o.g. Position. P.: zahlr. Fachpubl. in div. Medien, Hauptautor "Versicherungsgeschichte Österr." (1988). M.: VPräs. "Austria Nostra" Österr. Initiative z. Schutz d. europ. Kulturbes. u. z. Förd. d. Landschafts- u. Denkmalpflege, stellv. Obm. UWN. H.: Basketball, Radfahren, klass. Musik, Math. (N.A.)

Rohrböck Gerhard Dkfm.

B.: Dir. d. Eisenbahnsektors d. Intern. Schlafwagen u. Touristik GmbH. DA.: 1015 Wien, Akademiestr. 2. PA.: 2540 Bad Vöslau, Mühlg. 25. G.: Wien, 6. Aug. 1938. V.: Herta, geb. Mitterlehner. Ki.: Birgit, Barbara. El.: Oskar u. Karoline. S.: Matura Schottengymn. 1956, Stud. an d. HS f. Welthdl., Dipl. 1961. K.: 1961-62 in Steuerberatungskzl., 1962-67 b. Fa. Philips, s. 1967 Intern. Schlafwagen u. Touristik GmbH: Finanzchef, stellv. LDir., s. 1988 Dir. M.: Fachverb. d. BKam., Franz.-Österr. HK. H.: Musik, Skifahren. (P.R.)

Rohregger Bernd

B.: Hotelier. FN.: Hotel Fischerwirt. DA.: 5700 Zell a. See, Seeg. 5. G.: Salzburg, 8. Okt. 1961. V.: Monika, geb. Raudaschl. Ki.: Johannes (1990). El.: Britta u. Christian. BV.: Traditionelle Hotelierfam. S.: VS, Gymn., Hotelfachschule i. Bad Hofgastein, Hotelkfm., 1980 BH. K.: b. 1987 i. allen Bereichen d. Hotellerie m. Auslandspraxis i. d. Schweiz besch., 1987 Übern. d. Familienbetr. M.: zahlr. örtl. Vereine. H.: Musik, Literatur. (J.L.)

Rohrer Andreas Ing.

B.: Inh. FN.: CADPLAN Ing. Andreas Rohrer. DA.: 1210 Wien, Gmündstr. 1. PA.: 1238 Wien, Rodauner Str. 18. G.: Wien, 13. Aug. 1955. V.: Monika, geb. Kuntner. Ki.: Barbara (1984), Florian (1990). El.: Faustinus u. Gertrude. S.: HTL Wien, 1975 Matura, 1984 Konzessionsprüf. K.: 1975-80 Mitarb. im Konstruktionsbereich d. AEG, 1980-88 Tätigk. im gewerblichen Bereich, s. 1989 selbst. mit neugegründeter eig. Firma CADPLAN. P.: Lehrauftrag am WIFI Wien für CAD. H.: Familie, Wandern, Fotografieren. (F.S.)

Rohrer Anneliese Dr. phil.

B.: Journalistin, Ressortltr. Innenpolitik. FN.: Die Presse. DA.: 1010 Wien, Parkring 12A. G.: Wolfsberg/Ktn., 24. Sept. 1944. Ki.: Katharina (1980). E.: Hanno u. Maria, geb. Riedel. S.: 1963 Matura, Stud. in d. USA, 1964-71 Stud. Wirtschaftsgesch. u. Phil. Univ. Wien, Prom. K.: 1971-74 Lehramt in Neuseeland (Gesch.), 1974 Eintritt Die Presse, seit 1986 Ressortltr. M.: American Field Service. H.: Reisen. (N.A.)

Rohrer Anton

B.: Kirchenmusiker, Ind.-Kfm., Pfarrsekr., Kirchenmusiker. DA.: 6700 Bludenz, St. Peterstr. 2. PA.: 6700 Bludenz, Schillerstr. 53. G.: Bludenz, 14. Jän. 1941. V.: Erika, geb. Scheibenstock. Ki.: Bernhard (1968), Thomas (1970), Beate (1972), Angelika (1975). El.: Felix u. Irma. S.: HS, kfm. Berufsschule, Landeskonservatorium Innsbruck. K.: 1955 Eintritt als Lehrling Ind.-Kfm., 1958 Abschluß, 1964 Ind.-Kfm. in Textilbetrieb, 1964-68 Landeskonservatorium, 1964 Eintritt Pfarre Bludenz als Kirchenmusiker u. Pfarrsekr., Messe in D v. Antonin Dvorak, Cecilienmesse v. Ch. Gounod, Te Deum M.A. Charpontier. M.: Bludenzer Geschichtsver., Komitee d. Trentiner u. ihre Nachkommen in Vbg., Chorltr. b. Bludenzer Kirchenchor u. Sängerrunde. H.: Musik, Geschichte über d. Trentinereinwanderung in Vbg., Wandern. (I.D.)

Rohrer Hanne

B.: Schauspielerin d. LTheater Sbg. DA.: 5020 Salzburg, Schwarzstr. 22-24. PA.: 1030 Wien, Hofmannsthalg. 8/4/1. G.: Klagenfurt, 16. Juni 1942. El.: Hanno u. Maria Rohrer. S.: Stud. d. Germanistik u. Theaterwiss. in Wien, Abschluß d. Schauspielausbild. K.: seit 1965 Schauspielerin im Studententheater "Die Arche", Theater d. Courage, Volkstheater, Theater im Künstlerhaus, Engagements in Hannover u. Hamburg, daneben Tourneetheater, Film u. Fernsehen, dzt. am LTheater Sbg. H.: Reisen, Gartenpflege. (M.B.)

Rohrer Jörg Peter Mag.

B.: Verkaufsltr. FN.: Austria Draht GmbH. DA.: 8600 Bruck/Mur, Bahnhofstr. 2. PA.: 8654 Fischbach 49. G.: Graz, 2. Jan. 1959. V.: Rosemarie, geb. Hierzerbauer. Ki.: Julia Simone (1986), Tanja Viktoria (1989). Ki.: Karl u. Gertrude. S.: VS, Gymn., Stud. Betriebswirtsch., Sponsion 1986. E.: Wehrdienstmed. in Silb. u. Gold (MilKdo Stmk.). M.: Offz.-Ges. Stmk. H.: Sport, Privatisieren.

Rohrer Rudolf Mag

B.: Musikschulltr. d. Musikschule d. Stadt Stockerau. DA.: 2000 Stockerau, Bräuhausg. 9. PA.: 2011 Sierndorf, Zelkingg. 10. G.: Günzburg/Donau, 9. Okt. 1943. V.: Traude, geb. Bauer. El.: Rudolf u. Magdalena. S.: Kfm. Berufsschule, glz. 2 J. Stmk. Landesmusikschule u. 3 J. Stmk. Landeskonservatorium in Graz, 2 J. Stmk. Ak. f. Musik u. Darst. Kunst in Graz, 1968-71 HS f. Musik in Wien, 1971 Abschluß m. Dipl.-Prüf. Konzertfach Trompete b. Prof. Wobisch, 1986-88 Ergänzungsstud. HS f. Musik, Mag. art. K.: 1957-63 Kfm. Ang. Textilgroßhdl. Graz, 1964-65 Ang. b. Fa. SGP Graz, 1965-67 Engagement als 1. Trompeter Stadttheater Klagenfurt, 1967-68 Kurorchester Badgastein u. 1969-80 Raimundttheater Wien, 1971-80 glz. Lehrtätigk. Musikschule Stockerau, 1980 Ernenn. z. Ltr. d. Musikschule. H.: Musik, Lesen, Radfahren, Schifahren. (M.M.)

Röhrer Herbert jun.

B.: Gschf. FN.: Röhrer Intern. Speditions-u. Transportgesmbh. DA.: 2301 Groß Enzersdorf, Industriestr. 2 . G.: Wien, 17. Mai 1965. V.: Elke. EL.: Herbert u. Johanna. S.: VS, Integr. Gesamtschule, HTL. K.: Ltr. d. Spedition Intercontinentale, Ltr. d. Zollabt. b. Sped. Bico Trans, im elterl. Betrieb leit. Position, 1991 selbst. Röhrer Sped.- u. TransportgesmbH int. Transport u. Logistikuntern., ausl. Niederlassungen in Prag, Bratislava, Warschau, Grenzbüros - Zollabfertigungen: Petrzalka, Ruzovce u. Kuty-Landshod., Logistik in allen Reformländern, Satellitenunterstützter Fuhrpark, Übernahme "outsourcing". H.: Hochseefischen, Firma. (W.M.)

Rohrhofer Elisabeth

B.: Gschf. FN.: Anton Rohrhofer KG Nfg.GmbH. DA. u. PA.: 1110 Wien, Kopalgasse 7. G.: Wien, 5.1.1958. V.: Richard Wolfsberger. EL.: Anton, Herta. BV. Stadtrat A. Rohrhofer. S.: HBLA f. wirt.Frauenber. 1978 Matura. K.: 1978-84 kauf. Ang. im elt. Betr, 1980 Erwerb d. Konzes. f.d. Güterbe-förderungsgewerbe, 1981 Spediteurprüfung, seit 1984 Übernahme u. Führung d. elterl. Betr. H.: Segeln, Schifahren. (G.B.)

Rohrhofer Franz Xaver Dr. iur.

B.: Chefred. d. Aktuellen Dienstes d. Landesstudio OÖ. DA.: 4010 Linz, Frankstr. 2A. PA.: 4040 Linz, Keplerstr. 25. G.: Linz, 11. Apr. 1938. V.: Elfriede, geb. Langmair. Ki.: Dr.

med. Thomas (1964), Dipl.-Ing. Ulrike (1967). El.: Franz u. Josefine. S.: VS, Gymn., 5 J. LBA m. Matura, Militär, 2 J. VS-Lehrer u. Lehrbefähigung m. Ausz., Jusstud. Univ. Wien, 1965 Prom. K.: Gerichtspraxis, b. 1969 innenpolit. Ressortltr. b. Linzer Volksblatt, danach ORF Landesstudio OÖ zuerst Red., seit 1981 Chefred., lfd. Seminare über Medien b. versch. Bild.-Einrichtungen, Ref. b. OÖ Journalistenschule. P.: Veröff. v. versch. Medienart. E.: Filmpreis v. Radio Bremen über einen Beitrag f. Regionales Fernsehen. M.: Vorst.-Mtgl. d. OÖ Presseclub, Mtgl. im Kuratorium d. Bild.-Werkes Puchberg b. Wels. H.: Beschäftigung m. Zeitgeschichte, Laufen, Langlaufen, Reisen. (U.E.)

Rohrhofer Leopold

B.: Vorst.Mtgl. u. Obm.Stellv. d. Winzergen. Krems/Donau, Weinbauer. DA.: 3500 Krems, Sandgrube 13. PA.: 3500 Krems-Egelsee, Herrenburg 2. G.: Egelsee, 27. Okt. 1931. V.: Berta, geb. Mayer. Ki.: Elisabeth, Berta, Leopold. El.: Karl u. Maria. S.: Fachschule f. Weinbau in Krems. K.: 1946-56 Weinbauer im elterl. Betrieb, 1956 Übern. d. elterl. Betriebes, seit 1966 Vorst.Mtgl. d. Winzergen. Krems, seit 1986 Bez.Bauernratsobm.Stellv., seit 1986 Obm.Stellv., 1965-70 gschf. GemR. v. Egelsee, 1970-72 VBgm., 1972-77 im GemR. v. Krems, 1977-87 StadtR. v. Krems. E.: 1977-87 FF-Ref. v. Krems, hohe FF-Ausz., Kammermed. in Silber (1987). H.: Weinbau, Jagd. (M.B.)

Rohrhofer Werner

B.: Ltr. d. Austria Presse Büro. DA.: 4020 Linz, Franckstr. 2a. PA.: 4040 Linz, Rapetzederweg 7. G.: Linz, 21. Aug. 1949. V.: Gerlinde, geb. Walchetseder. Ki.: Markus (1975), Eva-Maria (1978). El.: Franz u. Josefine. K.: s. d. 17. Lebensj. journ. tätig b. versch. Zeitungen, s. 1972 auch b. ORF u. s. 1975 b. APA. M.: Präsid. d. Kuratoriums "Sicheres Österr." Landesclub OÖ. H.: Phil., Theol., Publizistik, Politik, schriftstellerische Tätigk. f. Kabarett. (H.B.)

Röhrich Christina

B.: Gschf. FN.: Wanek Sbg. GmbH. DA.: 5021 Salzburg, Gabelsberger Str. 1B. PA.: 5020 Salzburg, Johann-Wolf-Str. 4. G.: Hof/Saale (BRD), 2. Jan. 1957. V.: Erwin Röhrich. Ki.: Isabella. El.: Harald u. Margot Spreer. S.: Techn. Fachabitur, Modeschule Naila/BRD. K.: Tätigkeit u.a. f. d. Fa. Loden-Frey in München u. Fa. PUMA Österr. als Textileinkäuferin, seit 1984 Gschf. d. Fa. Wanek Sbg. GmbH, einem Produktionsbetrieb f. exklusive Leder- bzw. in jüngerer Zeit mod. Trachtenbekleidung. H.: Golf, Tennis, Reisen.

Röhrich Erwin Mag. rer. soc. oec.

B.: Gschf. Ges. FN.: Röhrich Heizung u. Ind.Bedarf GmbH. GT.: Armatec Armaturen u. Anlagenzubehör GmbH. DA.: 5020 Salzburg, Rottweg 93. G.: Salzburg, 11. Dez. 1952. V.: Christine. Ki.: Isabell, Philipp, Julia. S.: VS, RG, Univ. Innsbruck (Vw.). K.: Nfg. d. Betriebsgründers. M.: Aussc.Mtgl. im Gremium d. Außenhdls. d. Kam. d. gewerbl. Wirtschaft SBg., VÖWA. (R.A.)

Röhrig Floridus DDr. Univ.Doz.

B.: Stiftsbibl. u. Archivar, Univ.Doz., Prof. f. Kirchen- u. Kunstgeschichte. DA. u. PA.: 3400 Klosterneuburg, Stiftspl. 1. G.: Wien, 27. Aug. 1927. El.: Dr. Karl u. Friederike. S.: Gymn., Univ. Wien, 1951 Dr. phil., 1960 Dr. theol. K.: 1956 Archivar, 1956 Kirchengeschichte u. Kunstgeschichte. BL.: LKurat d. NÖ Pfadfinder, spricht engl., franz. u. ital. P.: Bücher: Der Verduner Altar, Alte Stifte in Österr., Klosterneuburg in alten Ansichten, Babenberger Stammbaum, Stift Klosterneuburg u. seine Kunstschätze, Leopold d. Heilige, histor. u. kunsthistor. Fachzeitschriften, Jahrbücher. M.: Lions Club, Vorst.Mtgl. Ges. d. Freunde d. bild. Künste, Kunsthistorikerverb., Verb. d. Österr. Archivare u. Bibl., Mtgl. d. Inst. f. Österr. Geschichtsforsch. H.: Heraldik. (M.G.)

Rohringer Eduard

B.: Gschf. FN.: SSC Schwimmbad Sauna Center GmbH. DA.: 4020 Linz, Waldeggstr. 8. PA.: 4060 Leonding, Im Grenzwinkel 6. G.: Rossatz, 13. März 1944. V.: Anneliese, geb. Mayrhofer. Ki.: Doris (1971), Ursula (1974), Peter (1980). El.: Eduard u. Cecilia. S.: VS, HS, b. 1962 Lehre in Vereinigte Metallwerke Ranshofen, 1963-65 Werkmstr.-Schule. K.: Konstrukteur f. Straßenbaumaschinen b. Maschinenbaufirma, ab 1970 Firma Tari Braunau, 1972-76 Außendienst d. Firma Strobl Sbg., 1976 selbst. Geschäftsgrdg. in Linz f. Schwimmbadbau, 1988 Saunabau aus eigener Produktion, 1971 Geschäftseröff. in Wien. M.: Tennisclub. H.: Schwimmen, Eisenbahnmodellbau. (U.A.)

Rohrmanstorfer Franz

B.: Zahntechnikermstr. FN.: Dentallabor Rohrmanstorfer GmbH. DA.: 5020 Salzburg, Faberstr. 12. PA.: 5026 Salzburg, Thorakstr. 21. G.: Kammerschlag, 5. Feb. 1922. V.: Anna, geb. Mendl. Ki.: Erwin (1953), Eva (1956). El.: Raimund u. Agnes. S.: Grundschule, 1933 nach Bad Reichenhall, 1936 kfm. Lehre Bad Reichenhall, 1937 Zahntechnikerlehre Bad Reichenhall, 1941 Luisenschule München m. Gesellenprüf. als Zahntechniker, 1941-45 Wehrmacht, 1944 Zahntechniker Univ. Prag. K.: 1945 Rückkehr in d. Labor in Bad Reichenhall, 1949 Mstr.-Prüf. Wien, 1946-52 Ltg. Dentallabor Sbg., 1953 Kauf Dentallabor Sbg. M.: Kam.-Tätigkeit, Prüf.-Kmsn. f. Lehrabschlußprüf. H.: Bergsteigen, Skitouren gehen. (J.L.)

Rohrmoser Alois KommR.

B.: Inh. FN.: Atomic Skifabrik. DA. u. PA.: 5602 Wagrain. G.: 11. Juli 1932. V.: Margarete. Ki.: Elisabeth, Maria Theresia. S.: VS, Lehre, Mstr.Prüf. als Wagner. K.: Wagnerei (Schlittenbau u. Wagenräder), 1955 Grdg. d. Fa. Atomic-Ski, 1974 VBgm. in Wagrain, Vertriebstochterfirmen in d. BRD, Frankreich, Kanada, Schweiz u. USA, 1977 Übernahme d. Franz. Skifa. Dynamik, 1989 Übernahme d. Skibindungshersteller Ess in Altenmarkt, Koflacher Skischuhfbk., 1983 Übernahme d. Skistockhersteller Komperdell. E.: 1989 Mann d. Jahres. H.: Skifahren.

Röhrs Wolfgang Robert KommR. Ing.

B.: Bauing., Gschf. Ges., Hon.-Konsul d. Rep. Ungarn f. Kärnten. A.: 9100 Völkermarkt, Südtiroler Str. 1. G.: Klagenfurt, 1. Sept. 1932. V.: Barbara, geb. Majdic. S.: RG, HTL f. Hochbau, 2 Mstr.Prüf. K.: 1953 Eintritt in d. Fa. Eberschnig-Röhrs, Auf- u. Ausbau d. Unternehmens. F.: FEBAURÖHRS GmbH Völkermarkt, FEBAURÖHRS Vertriebs GmbH Klagenfurt. P.: div. Art. in Fachzeitschriften. E.: Silb. Ehrennadel d. Verb. Österr. Beton- u. Fertigteilwerke, Gold. VK d. Rep. Österr. M.: Obm. d. Verb. Ktn. Beton- u. Fertigteilwerke, VPräs. d. Kulturver. Spanheim, Grazer Yachtclub, Völkermarkter Jagdges. u. Jagdges. Halbthurn Bgld., KATC, VST, Rotary-Club Völkermarkt, Vorst. d. Ind.Ver. Ktn., Sekt.Obm.Stellv. IHK Ktn.

Röhsler Annette

B.: Dramaturgin, Künstler. Ltr. FN.: Jura-Soyfer-Theater. DA.: 1070 Wien, Neubaug. 3. PA.: 1030 Wien, Kölblg. 26. G.: Hamburg, 2. Okt. 1946. El.: Univ.-Prof. Dr. Ulrich Fleischer u. Ilse, geb. Bramman. S.: 1968-77 Stud. German., Angl., Theaterwiss. u. Psych. Univ. Hamburg u. Wien. K.: 1976-78 in Filmprod. in Kenya tätig, 1978-85 in Österr., 1985 Eintritt b. Jura-Soyfer-Theater, ab 1992 Künstler. Ltr. M.: J.-Soyfer-Ges., Dramaturg. Ges., Brecht-Ges. H.: Theater, Lit., Musik. (N.A.)

Röhsler Kurt Ing.

B.: Inh., Gschf. FN.: ILV Hdls. GmbH. DA.: 1210 Wien, Steinheilg. 3. G.: Wien, 28. Apr. 1953. V.: Gerda Friederike. Ki.: Rita (1991). El.: Kurt Peter u. Edith. S.: VS, AHS, TGM, 1974 Matura, Collegeausbild. K.: Ing. im Elektronikbereich im In- u. Ausland, Wechsel ins Management, seit 1989 selbst. m. ILV Hdls. GmbH. H.: Sport (Tennis, Joggen, Skifahren), Reisen, Kultur. (W.J.)

Rohsmann Arnulf Dr.

B.: Ltr. d. Ktn. Landesgalerie. GT.: allg. gerichtl. beeid. Sachv. f. d. Bereich Ktn. u. Stmk. DA.: 9020 Klagenfurt, Burgg. 8. PA.: 9020 Klagenfurt, Koschatstr. 8. G.: Feldkirchen, 10. Juli 1952. V.: Dr. Brunhilde, geb. Temel. Ki.: Katharina (1978). El.: Dr. Otto u. Henriette. S.: 1972 Matura, Stud. Kunstgeschichte, Phil., Germanistik u. Geschichte Graz, 1977 Prom. K.: 1978 Kunsthistoriker Stadtmuseum Linz, Vorlesungen über Farbtheorie HS f. Gestaltung u. industrielle Formgebung Linz, 1979 Kustos f. Kunstgeschichte am Landesmuseum f. Ktn. Klagenfurt, 1987 Ltr. d. Ktn. Landesgalerie Klagenfurt, Durchführung v. Ausstellungen. P.: Aufsätze in Katalogen, Manifestationsmöglichk. u. Zeit in d. bild. Kunst d. 20. Jhdts. (1984), Bischoffshausen. Struktur-Monochromie-Reduktion (1991), Markus Pernhart. Die Aneignung v. Landschaft u. Geschichte (1992). M.: Österr. Kunsthistorikerverb. H.: Kunst u. Arb., Lesen, Schreiben. (K.K.)

Rohsmann Hans Winfried Prof. h.c.

B.: freischaffender Völkerkundler. DA./PA.: 1010 Wien, Stephansplatz 6. G.: Gleisdorf, 25. Dez. 1918. V.: Ulla Jacobsson, schwed. Schaus-pielerin. Ki.: Ditte (1953), Martin (1955), Lai Ha (1957). El.: Stefan u. Johanna. S.: VS Graz, Gymn.-Internat, Stud. in München, Brüssel, Rom, Philosophie, Naturwissenschaften, Ethnologie; 9J. Soldat (amerik. u. franz. Kriegsgefangenschaft). K.: 1947-49 Erziehungsltr. d. Wr. Sängerknaben, ab 1950 Stu-dienreisen nach Island, Grönland, Russland, Afrika, Süd- u. Mittelamerika, Alaska u. Asien, Gastvorträge in Audimax, Universitäten, Kultur- u. Bildungsorganisationen in Europa u. Übersee, Themen: Maya u. Inkakulturen, Bantu u. asiat. Kulturen mit Berücksichtigung d. Religionen, etc., Reiseltr. u. Vorträge im In- u. Ausland. P.: div. Publ. in Fachzeitschriften, i. d. "Neuen Presse", österr. u. dt. Zeitungen. E.: Ritter v. Hl. Grab zu Jerusalem, Grd. d. Ges. d. Athosfreunde, Vorst.-Mtgl. d. österr. Kulturvereinigung, Mtgl. d. Freunde d. österr. Nationalbibliothek. H.: Bergsteigen, Wandern, Schwimmen, Literatur, Musik. (J.M.)

Roider Richard

B.: Schankanlagenbauer. FN.: Gastronomie-Kontroll-Schanksysteme. PA.: 5163 Mattsee, Obernberg 157. G.: Salzburg, 27. Aug. 1963. Ki.: Richard (1994). El.: Johann u. Margarete. S.: VS, HS, Berufssch. Lehre als Elektroinstallat., BH. K.: 1982-86 Schanktechniker, 1983-85 Werkmeister, 1986-88 Elektro Konzessonsmstr., selbst. Fa. Schank-Elektroanlagenbau Richard Roider. H.: Reiten, Skifahren. (S.P.)

Rois Werner

B.: Bürgermeister. d. Marktgemeinde Peggau. DA.: 8120 Peggau 85 u. 8120 Peggau 352. G.: Hartberg, 9. Okt. 1943. V.: Erika, geb. Klinkan. Ki.: Claudia (1967), Michaela (1970), Werner (1973). El.: Josef u. Aloisia. S.: VS, HS Friedberg, Missionsprivatgymn. b. 1962, Pestalozzigymn. b. 1967, Gendarmerieschule Graz b. 1965. K.: b. 1966 Gendarmerieposten Deutschfeistritz, 1966-82 Gemeinde Peggau, Buchhaltung u. Rechnungswesen, 1975-82 Gemeinderat, s 1979 Gemeindeamtsltr., 1982 Vizebürgermeister, s. 1990 Bürgermeister, s. 1984 Standesbeamter, s. 1985 Feuerwehrkommandant. M.: ÖKB, Sportverein Peggau, Edelweißverein, Verein d. Oberlandler, Tennisclub Peggau. H.: Feuerwehr, Wandern, Singen. (I.G.)

Roiser Erich

B.: Unternehmer. FN.: CAMARO. GT.: Ges. d. Fa. KOMPERDELL. DA.: 5310 Mondsee, St. Lorenz 30. G.: Klosterneuburg, 22. Juni 1939. V.: Heide, geb. Bachmann. K.: 1972 Grdg. d. Fa. CAMARO, in Europa führender Hersteller v. Wassersportanzügen f. Surfen, Segeln, Tauchen u. Wasserski, 1983 Übernahme d. Fa. KOMPERDELL (Skistockprod.). H.: Wasserski, Surfen, Tennis, Skifahren. (Foed.)

Roiser Karl

B.: Gschf. Ges. FN.: CASA SASSO Steinmetz GesmbH. DA.: 4053Haid, Ritzlhofstr. 68. G.: Sankt Marien, 13. Okt. 1962. V.: Sabine, geb. Derflinger. Ki.: Lukas (1988), Fabian (1992). El.: Karl u. Anna. S.: VS, HS, 1976-81 HTL f. Hochbau Linz, 1981-82 allgem. Präsenzd. K.: 1982-86 Fa. Leidinger Steyr, 1987-91 Fa. Marmor Cosmo Traun, ab 1991 Gschf. Ges. CASA SASSO Steinmetz GmbH. H.: Tennis, Bergsteigen, Lesen. (G.E.)

Roither Franz Friedrich Ing.

B.: Ges. Gschf., Inh. FN.: Roither Maschinenbau GmbH & Austropressen F. Roither. DA.: 4863 Seewalchen/-Attersee, Industriegelände 11. PA.: 4863 Seewalchen, Neissingerstr. 10. G.: Seewalchen, 15. Apr. 1950. V.: Mathilde, geb. Maringer. Ki.: Marlene (1987), Philipp (1988), Lukas (1990). El.: Franz u. Maria. S.: VS, HS, HTL- f. Maschinenbau i. Steyr. K.: 1968-73 BRD i.d. Konstruktion tätig, 1973 Einstieg i.d. elterl. Betr., 1978 Übern. d. elterl. Betr., Produktionsumstellung Abfallpressen, 1990 Grdg. d. GmbH u. Standortverlegung. H.: Wander, Fischen. (G.E.)

Roither Horst-Franz

B.: Dir d. OÖ Lehrer-Kranken u. Unfallfürsorge DA.: 4020 Linz, Waldeggstr. 7. PA.: 4070 Eferding, Molkereistr. 7. G.: Seewalchen, 6. Jan. 1936. V.: Hildegard, geb. Breiteneder. Ki.: Dr. jur. Barbara Trixner (1961), Beate Ullmann (1963). El.: Alois u. Elisabeth. S.: BLBA Linz 1950-55. K.: Vertragsang. in d. Landesbau-Dion. Linz, ab 1956 Lehrer, ab 1973 Personalvertreter b. Zentralaussch. f. Landeslehrer b. Amt d. OÖ L-Reg., 1979-83 Vors. d. Zentralaussch. f. Landeslehrer, Mtgl. d. Landesvorst. d. GÖD s. 1981, ab 1986 Landes-Obm.-Stv. u. 1988-90 Landes-Obm. d. Christl. Lehrerver., Mtgl. d. Verw.-Rates d. Lehrer-Kranken- u. Unfallfürsorge OÖ s. 1976 u. ab 1980 1. Dir.-Stv. P.: Verfasser e. ABC f. dienst- u. besoldungsrechtl. Fragen, Publ. in versch. Zeitschr., vor allem z. Dienst- u. Besoldungsrecht d. Pflichtschullehrer. E.: Gold. Verd.-Abz. d. Landes OÖ. H.: Musik (Zither), Schifahren, Schwimmen. (P.H.)

Roithinger Franz Xaver

B.: Gschf. Ges. FN.: Franz Roithinger KG. DA./PA.: 4871 Zipf, Langwies 11.G.: Vöcklabruck, 2. Aug. 1934. V.: Anna-Maria, geb. Bachleitner. Ki.: Franz (1961), Wolfgang (1963), Dorothea (1968). El.: Franz u. Margarethe. S.: VS, HS, HASCH in Sbg. K.: 1950-54 Lehe als Säger u. Müllner im elterl. Betr., 1954 Abschl. in beiden Berufen, 1961 Müllnermeisteprüf., u. Übern. d. elterl. Betr. H.: Wandern, Schwimmen, Beruf. (G.E.)

Roithmayr Friedrich Dr. o.Univ.-Prof.

B.: Vorst. d. Inst. f. Wirtschaftsinformatik d. Univ. Innsbruck. GT.: Vors. d. Informatik-Lenkungsaussch. d. Univ. Innsbruck, Vors. d. Studienkmsn. Betriebswirtschaft, Gutachter d. Dt. Forsch.-Gemeinschaft, Mithrsg. d. Zeitschrift "Wirtschaftsinformatik". DA.: 6020 Innsbruck, Innrain 52. PA.: 6020 Innsbruck, Mitterweg 63B. G.: Linz, 15. Okt. 1946. V.: Inge. Ki.: Carola (1977). El.: Friedrich u. Christine. S.: VS, HS, Mittelschule, 1966 Matura Linz, Stud. Betriebswirtschaft, Nebenberuf Programmierer u. Analytiker, 1971 Mag. d. Sozial- u. Wirtschaftswiss. K.: 1971-73 Ass. am Inst. f. Statistik u. Informatik an d. Univ. Linz, 1973-86 Ltr. eines Großrechenzentrums, 1977 Prom., 1987 Habil., 1986-88 Prof. f. Wirtschaftsinformatik Univ. Bamberg, 1988 Prof. f. Wirtschaftsinformatik an d. Univ. Innsbruck, lfd. Projektarb. im öff. Bereich. BL.: 13-jährige Ltg. eines Rechenzentrums parallel zu wiss. Arb. P.: Autor zahlr. Fachbücher u.a. Controlling v. Informations- u. Kommunikationssystemen (1988), Wirtschaftsinformatik-Lexikon (1989), weitere Bücher, Zeitschriften u. Sammelwerke. M.: Verb. d. HS-Lehrer f. Betriebswirtschaft, Ges. f. Informatik (BRD). H.: Segeln, Skifahren. (G.P.)

Roithner Robert Ing.

B.: Gschf. Ges. FN.: Hydrolux Hdls. GmbH. DA.: 4040 Linz-Urfahr, Blütenstr. 23. G.: Linz, 17. Febr. 1941. V.: Erika, geb. Heide. Ki.: Sibylle (1969). El.: Karl u. Hilde. BV.: Großvater Ehrenbürger d. Stadt Linz. S.: VS, Realschule, Lehre Maschinenschlosser Voest Alpine, 1961 HTL-Matura Maschinenbau, 1962 BH. K.: Tätigkeit in Düsseldorf, b. 1970 Tätigkeit in amerikan. Firmen f. Firma Abex u. Firma Vickers (Sperry), später Firma in Österr., lfd. Kurse, seit 1984 heutige Position. BL.: 1959-67 7x Österr. Mstr. im Rudern, Europa- u. Weltmeisterschaftsteilnehmer, 3x Europamstr.-Titel im Rudern. M.: WDF, Ruderver., Tennisver. H.: klass. Musik, Sport, Tennis, Rudern. (U.A.)

Rojak Franz

B.: Ltr. GKK Stmk. DA.: 8680 Mürzzuschlag, Hammerpark 1. PA.: 8680 Mürzzuschlag, Obere Bergg. 33a. G.: Wagna, 13. Dez. 1958. Ki.: Martin (1984). El.: Franz u. Maria. S.: VS, HS, Lehre Modelltischler. K.: b. 1978 Modelltischler, 1978-83 Kunststoffverarb., seit 1984 GKK Stmk., Beitragsabteilung, Springer f. Außenstellen, seit 1991 Ltr. in Mürzzuschlag. BL.: 1984 Trainerausbild. f. Eishockey, 1992 Verb.-Trainer f. Österr. Eishockeyverb., 1976/77 Eishockeymstr. M.: Eishockeyver. H.: Tennis, Eishockey, Sport. (K.K.)

Freiherr v. Rokitanskiy Karl Dr. phil.

B.: Gew. Hon.-Doz. d. HS f. Bdk. Wien, Betriebschemiker d. Hefefbk. Mautner-Markhof in Wien. A.: 1180 Wien, Gentzg. 38/12. G.: Graz, 1. Nov. 1904. V.: Frieda, geb. Wagner v. Wagenried. El.: Dr. Karl u. Gertrude, geb. Keil v. Bündten. BV.: Urenkel d. weltber. Wr. Pathologen Dr. Carl Frhr. v. Rokitansky. S.: RG, Univ. Graz, Hauptstud. Chemie, daneben noch Pflanzenphysiologie, 1 J. an d. TH Wien Mikrobiologie. K.: Praktikant in d. Zuckerfbk. Leopoldsdorf b. Wien, 1929-71 als Betriebschemiker in d. Hefefbk. v. Mautner-Markhof, dort als Laborltr. u. Forsch.-Chemiker tätig, 1953 Erfindung d. Hefedrehfilters gekoppelt m. d. Salzverfahren z. direkten Herst. v. Backhefe v. jeder gewünschten Trockenheit bzw. Konsistenz, 1960 Weiterent-wicklung dieses Drehfilters durch Aufbringen einer Kartoffelstärkeprecoatschicht z. Schnellfilter m. sign. erhöhter ständl. gr. Hefeprod. (d. Schnellfilter hat weltweit d. bislang verw. Filterpresse ersetzt), 1948-62 Hon.-Doz. an d. HS f. Bdk. Wien. P.: Erfahr. m. e. Vakuumdrehfilter in d. Backhefefiltration (1954), Zur Theorie u. Praxis d. Alkoholbestimmung, (1954), The "Hülltauch"-Filter. A New Typo of Rotary Vacuum Filter, Filtration & Separation (1973). H.: Botanik: Kenntnis d. heimatl. Pflanzenwelt.

Rökk Marika

B.: Schauspielerin am Theater an d. Wien. DA.: 1060 Wien, Leharg. 5. PA.: 2500 Baden, Mozartstr. 15. G.: Kairo, 3. Nov. V.: Fred Paul. S.: Ausbild. als Tänzerin. K.: Engagements als klass. Tänzerin, Gastspiele in ganz Europa u. d. USA, gegenwärtig Mtgl. d. Theaters an d. Wien, Filme: "Leichte Kavallerie", "Heißes Blut", "Der Bettelstudent", "Gasparone", "Karussell", "Eine Nacht im Mai", "Es war eine rauschende Ballnacht", "Korra Terry", "Der Tanz mit d. Kaiser", "Die Frau meiner Träume", "Das Kind d. Donau", "Maske in Blau", "Die geschiedene Frau" u.a., Auftritte in versch. TV-Shows, z.B. "Eine Frau aus unseren Träumen", "Ja-Das Temperament", "Unsere kleine Show", "Musik ist Trumpf" u.a. P.: "Herz mit Paprika" (Memoiren 1974). H.: Kochen, Wandern, Schwimmen.

Roland Peter Dr. Mag.

B.: Inh. u. Ltr. d. Maturaschule Dr. Roland. A.: 1140 Wien, Lautensackg. 9. G.: Wien, 12. Dez. 1938. V.: Eva-Maria, geb. Langegger. Ki.: Katharina (1969), Matthias (1970), Christoph (1972). El.: HofR. Dr. Erich u. Margarete. S.: Matura, Jusstud., danach freies Stud., versch. staatswiss. u. phil. Fächer. K.: nach d. Matura Militärdienst, danach Univ.Stud. Übernahme d. Maturaschule als Inh. u. Dir., Vorst.Mtgl. versch. österr. u. intern. Berufsverb., Vors. d. Österr. Fernschulverb., Lektor d. ev. Kirche in Wien/Hütteldorf, Gründer u. Vorst.-Mtgl. d. Dr. Roland GmbH (Haupttätigkeit: Erwachsenenbild.). P.: eigene Lehrgänge in Geschichte, Wirtschaftskunde u. Lerntechnik. H.: Bergsteigen, Skilanglauf, Langstreckenlauf.

Rolin Rolf

Bürgerl.: Wöran-Rolin Rolf. B.: Maler, Graphiker, Restaurator. DA.: 1050 Wien, Schönbrunnerstr. 24. G.: Wien, 14. Juli 1941. V.: Monika, geb. Kollegger. Ki.: Andreas (1979), Rainer (1980). El.: Josef u. Johanna, geb. Keßler. S.: 1974-76 Wr. Kunstschule (Malerei, Graphik). K.: seit 1978 freischaff. Künstler. P.: div. Ausstellungen im In- u. Ausland. M.: Berufsverb. bild. Künstler Österr., Verwertungsges. d. bild Künstler, Künstlerver. "K-5". H.: Sportschütze, Ur- u. Frühgeschichte, Musik. (N.A.)

Rollepatz Thomas

B.: Ges. Gschf. FN.: I.D.A. Werbemittelherstellungs- u. Handelsges.m.b.H. DA.: 4813 Altmünster, Lindenstr. 1. PA.: 4850 Vöcklabruck, Untergallaberg 16. G.: Vöcklabruck, 21. Apr. 1963. El.: Viktor u. Ingeborg. S.: VS, Gymn., HTL f. Maschinenbau, 1980-84 Lehre als Elektrotechn., 1984 Gesellenprüf. K.: 1985-88 Fa. Nöhmer als Service-Techn. u. Verkauf, 1988 Fa. Artdeko - Aussendienst, 1989 Grdg. d. Fa. Rollepatz & Magloth & CO OHG, 1990 Eintragung in d. GmbH, seit 1994 alleiniger Gschf. M.: Leo Club, Wasserski-Club. H.: Wasserski, Mointin-Bike, Skifahren, Sport. (G.E.)

Roller Hermann

B.: Zimmermeister. FN.: Holzbau Hermann Roller. DA.: 2443 Deutsch Brodersdorf, Untere Hauptstr. 62. PA.: 2443 Deutsch Brodersdorf, Obere Hauptstr. 2. G.: Wien, 26. Okt. 1953. V.: Elisabeth, geb. Gall. Ki.: Hermann (1978), Evelyne (1981). El.: Josef u. Katharina. S.: VS, HS, Polytechnikum, 1969-72 Zimmermannlehre, 1977 Meisterprüf. K.: 1969 Eintritt in d. väterl. Betrieb, 1977 Übernahme. H.: Jagd. (M.D.-H.)

Rolles Edith

B.: Moderatorin d. ORF-Fernsehens. DA.: 1136 Wien, Würzburgg. 30A. PA.: 1190 Wien, Sievering. G.: Wien, 6. Juni 1959. V.: Mag. Andreas Vana (Ressortltr. Kinderprogramm ORF/Fernsehen). Ki.: Constantin (1989), Carolin (1992). El.: Albert Michael u. Dr. Margarete Rolles, geb. Czurda. S.: VS, Mittelschule, Päd. Ak. m. Abschluß VS-Lehrer. K.: 1980-84 Auslandsaufenthalt in Paris als Mitarb. einer Österr. Zeitung, 1985 Eintritt ORF, zuerst b. Bdl.-Redaktion, dann "Am Dam Des", später b 3SAT "Tips u. Trends" als Moderatorin tätig, 1986-94 "Ich u. Du", "Kindernachmittag" u. "Kinderwurlitzer", dzt. Moderatorin "Wurlitzer". P.: Buch "Mehr Spaß am Lernen" (1991). H.: Beschäftigung m. Kindern, Skifahren, Reisen. (N.A.)

Rollett Brigitte Univ. Prof. Dr.

B.: Vorst. d. Abt. f. Entwicklungspsychologie u. Pädagogische d. Inst. f. Psychologie d. Univ. Wien.GT. Psychotherapeutin, Klinische Psychologien u. Gesundheitspsychologin, eingetragen i.d. Supervisorenliste. DA.: 1010 Wien, Liebigg. 5. G.: Graz, 9. Okt. 1934. V.: DIng. Dr. Gerald. Ki.: Gerald (1960), Wolfram (1967), Alexandra u. Constanze (1969). El.: Univ. Prof. DIng. Dr. Georg u. Dr. Ilse Gorbach. S.: 1952 Matura, 3. BRG Graz, Stud. d. Psychologie a.d. Univ. Graz. 1957 Promotion, anschl. Psychotherapieausbildung. K.: 1954-64 Stud. Hk. bzw. Univ.-Assist., 1964 Habilitation f. d. Fach Psychologie a.d. Univ. Graz. 1965-71 Lehrstuhl f. Psychologie a.d. Abt. Osnabrück d. PH Niedersachsen. 1971-75 Prof. f. Pädagogische Psychologie u. Kinderpsychotherapie, Gesamthochschule Kassel. 1975-79 Prof. f. Pödagogische Psychologie, Ruhr-Univ. Bochum, 2 Funktionsperioden Institutdirektorin. seit 1979 o. Prof. f. Entwicklungspsychologie u. päd. Psychol., Univ. Wien u. Vorstand d. Abt. f. Entwicklungspsychologie u. Pädagogische Psychologie. 1986-90 Vorst. d. Inst. f. Psychologie d. Univ. Wien. P.: Autorin v. Büchern wie z.B. "Einführung i.d. Pädagogische Psychologie, "Praxisbuch Autismus", "Der Anstrengungsvermeidungstest". Zahlr. wissenschaftl. Arbeiten. E.: Gr. Silbernes Ehrenzeichen f. Verdienste um d. Rep. Österr. Psychologiebeirat d. BM f. Gesundheit., Stellvertr. Vors. d. American-Austrian Educational Association Cooperation, National Correspondant d. European Association of Research in Learning and Instruction (EARLI), Gründgs.Präs. d. Österr. Ges. f. Psychologie. M.: Dtsch. Ges. f. Psychologie, Intern. Society for the Study of Behavioral Development, Ges. f. Lerntheraphie. H.: Archäologie, Literatur, Wandern, Schwimmen. (J.S.)

Rollett Walter Dr

B.: Inh. d. Privatinst. f. Physikal. Med. u. ständig gerichtl. beeid. Sachv. DA. u. PA.: 5020 Salzburg, Franz-Josefs-Kai 35. G.: Salzburg, 7. Dez. 1918. V.: Mag. pharm. Hildegund, geb. Haupolter. El.: Prim. Dr. Humbert u. Karoline. S.: Univ. P.: mehrere wiss. Arb. (M.Mo.)

Rollo Gebhard

B.: Schriftsteller u. Dokumentarfilmer. A.: D-83707 Bad Wiessee, An der Bayersäg 7. G.: Salzburg, 7. Juli 1921. El.: Arthur-Heinrich u. Marie-Josephe, geb. v. Carlowitz. BV.: Carl-Adolph v. Carlowitz (1771-1837) Preuss. Gen.-Lt., Russ. Gen., Adjutant d. Zaren Alexander. S.: 1939 Abitur, Fotograf. Ausbild., Hotelfachschule. K.: 3 Weltumsegelungen im kleinen Boot, 2x allein, 1x m. Partnerin. P.: Fernseh- u. Vortragsfilme: "Ich segelte allein um d. Welt", "Im Inselreich d. Pazifik", "Unter Segeln um d. Welt", "Leinen los, wir segeln um d. Welt", Bücher: "Ein Mann u. sein Boot", "Seefieber", "Leinen los, wir segeln um d. Welt", "Mein Pazifik", "Rolling Home". E.: Ritter v. Halt-Med., Gold. Plakette d. Kreuzerabt. d. D.S.V., BVK am Bande. M.: Seglerver. Cuxhaven, Segel Club Würmsee, Transozean. H.: Opern, Konzert, Schauspiel.

Rollwagen Friedrich Dipl. Ing. BauR. h.c.

B.: Arch., em. Bauanw. d. ev. Kirche i. Österr., Altpräs. d. Ing.-Kam. f. Wien, NÖ u. Bgld. GT.: Gerichtssachv. DA.: 1140 Wien, Serravag. 13. G.: Wien, 13. Apr. 1922. V.: Ingeborg. Ki.: Linda (1950), Rudolf (1951), Dorothea (1956). El.: Georg u. Gabriele. S.: VS, RG, TU Wien, 1947 Dipl. K.: seit 1953 freie Berufsausübung als Arch., Bestellung z. kirchl. Bauanw., 1971 Präs. d. Ing.-Kam., Mtgl. d. polizeil. Verfahrens in Wien, Fachzeitschriften, Mitautor d Buches "Die Nutzfläche im Wohnrecht", bis 1993 Präs. d. HV d. gerichtl. Sachv. Österr. E.: Godl EZ f. Verd. um d. Stadt Wien 1977, Gr. Silb. EZ f. Verd. um d. Rep. Österr., Gr. EZ d. Landes NÖ, Ehrenring d. Bundesing.-Kam. H.: Psch., Psychoanalyse, Parapsychol. (M.A.)

Rollwagen Rudolf Dipl.-Ing.

B.: selbst. Arch. DA.: 1190 Wien, Sieveringerstr. 36/I. PA.: 1140 Wien, Franz-Schubert-Str. 15-17. G.: Wien, 9. Febr. 1951. V.: Vivian Elisabeth Lundquist. Ki.: August (1976), Philip (1978), Viktor (1982). El.: Friedrich u. Lisbeth. S.: VS, Gymn., Arch.-Stud. Univ. Wien u. München. K.: Praxis b. Arch. Anton Schweighofer in Wien u. Arch. Riepl München, anschl. selbst., wichtigste Projekte: Generalsanierg. Daringerhof in 1190 Wien, Generalsanierg. Palais Kielmannsegg als Residenz d. Japan. Botschaft in 1190 Wien, Generalsanierg. Palais Guttmann als Bürohaus d. Raiffeisen Vers. in 1040 Wien, Büro- u. Wohngebäude Grinzinger Allee in 1190 Wien, Wohngebäude Gratian Marxstr. in 1110 Wien. E.: 1. Preis b. öff. Wettbewerb d. "Ringturms" in 1010 Wien. H.: Kinder, Sport. (N.A.)

Rom Hilde
B.: Schauspielerin. PA.: 1080 Wien, Lange G. 17/13. G.: Preßburg, 3. Jan. 1930. V.: Josef Hendrichs. Ki.: Michael (1955), Gabriele (1961). El.: Bernhard u. Albine, geb. Maersky. K.: Rainhardt-Seminar, 1. Engagement am Landestheater Sbg., ab 1962 Burgtheater, Theater in d. Josefstadt, Volkstheater, s. etwa 20 J. komische Rollen an d. "Löwinger-Bühne", Teiln. an div. Freiluftaufführungen u.a. in Laxenburg u. Krems, Mitwirkung in d. FS-Serie "Die liebe Familie", div. Fernsehspiele u. Spielfilme. P.: LP "Bleib' a Mensch". H.: Schwammerl suchen, Nähen. (N.A.)

Rom Karl Dr. OMedR.
B.: Chefarzt d. NÖ Gebiets- u. Ldw.Krankenkasse. A.: 1020 Wien, Engerthstr. 237b/g/VIII/52. G.: Oberdeutschau, 18. Dez. 1902, gest.: 6. Dez. 1963. V.: Maria, geb. Kempinger. El.: Matthias u. Josefa. S.: Gymn. m. Matura 1922, Med.Stud. an d. Univ. Graz, 1928 Prom. in Graz. K.: Sekundarärztin Villach u. Klagenfurt, Sprengelarzt in Spittal/Drau, Oberdrauburg u. Ferlach, prakt. Arzt in Wien, Vors. d. Soz. Ärztever. Österr., VPräs. d. Ärztekam. Wien. P.: 1938 Rebillion in d. Gottschee (Roman), 1946 Arztprobleme in d. Soz.Vers., 1949 Der Arzt in d. Krise d. Zeit, Vademecum f. d. Kassenärzte NÖ. M.: Österr. Ges. f. Vogelkunde u. Vogelschutz in Wien, Österr. Naturschutzbund Wien, NÖ LJagdverb. H.: Vogelliebhaber u. Vogelhalter v. einheimischen Weichfressern.

Rom Siegfried Dipl.-Kfm. Dr. MBA
B.: Gschf. FN.: Karl Knäbchen GmbH Kakao-Schokoladenfabrik; Cirkel Kaffee-Rösterei GmbH; Döblinger Herrenhauskellerei GmbH. DA.: 1120 Wolfgangg. 58-60. PA.: 1190 Wien, Billrothstr. 42. G.: St. Andrä/Kärnten, 22. Dez. 1943. V.: Christine Mark. Ki.: Maria (1970), Peter (1972). S.: 1961 HAK Matura Klagenfurt, Wirt.-Univ. Wien Dkfm. Dr. 1970 MBA, Western Michigan Univ. USA. K.: 1968 GÖC-Großeinkaufsges.m.b.H.; 1978 Konsum Österreich, 1980 Gschf. i. Konsum-Tochterunternehmen, Kommerzialrat. Vorst.-Mtgl. Süßwarenind. H.: Tanzen, Tennis, Musik. (Th. H.)

Rom Toman
B.: Werbeberater, Gschf. Ges. FN.: Werkstudio Werbeagentur GmbH. DA.: 1060 Wien, Linke Wienzeile 10. G.: Altheim/OÖ, 21. Febr. 1947. Ki.: Siad (1970), Judith (1972). El.: Hedwig u. Dietfried. S.: 1965 Matura, anschl. in Wien Bauarb., Künstler, Nachtwächter, Psych.-Student. u. gleichz. freier Mitarb. b. versch. Werbeag.. K.: 1968 fix b. Darbo, 1976 Wechsel zu Team BBDO, 1978 Grdg. d. Werkstudios, seitd.Gschf. Ges., s 1979 zun. Engagement im Gesundheitswesen, s. 1983 exkl. u. ausschließl. spezial. f. Gesundheitsprodukte z.B. Arznei-mittel, Institutionen, Selbsthilfegruppen, Privatspitäler, seit 1985 Werbeberatung auch im Ausld. f. Dt. u. Schweizer Pharmakonzerne. E.: 1991 Gold u. Silber v. Creativ Club Austria, Österr. Staatspreis, Gewinnende Werbung Frankfurt, Berliner Type: Bronze, Effie: 3 Ausz. H.: Squash, engagierter Hobbykoch, Weintrinker. (J.S.)

Rom Walter
B.: Kunstgießer. DA. u. PA.: 6250 Kundl, Dr.-Bachmann-Str. 40. G.: Kundl, 6. Apr. 1952. V.: Yin-Nor, geb. Li. Ki.: Juliana-Maria (1988). El.: Georg u. Juliana. S.: VS, HS, Lehre als Eisen- u. Metallgießer, 1970 Abschluß, 1971 Mstr.-Prüf. K.: 13 J. Gießermstr. BMW-Werk Deutschland, in d. Freizeit Kunstgießer gelernt, div. Kunstausstellungen, Leopoldsbrunnen in Innsbruck. H.: Kunstgießerei. (M.W.)

Rom Colthoff Derk Hendrik
B.: Gschf. FN.: Nedlloyd Road Cargo Intern. Spedition GmbH. DA.: 5023 Salzburg, Warwitzstr. 3. G.: Maassluis/NL, 3. Jän. 1958. V.: Monique, geb. van Woensel. Ki.: Kiki. El.: Cornelius Jan u. Anna-Maria. S.: Atheneum Niederlande, HND Business Cambridge England, PMD Harvard Business School Cambridge USA. K.: 1981-83 Internatio Muller New York u. Houston, 1983-91: Div. Damco Intern. Rotterdam, Damco Intern. Hong Kong, Damco Intern. Paris, Nedlloyd Air New York, Daf Finance B.V. Eindhoven, Gschf. Nedlloyd Road Cargo Österr. H.: Skifahren, Segeln. (M.Mo.)

Roman Peter jun.
B.: Cafetier. FN.: Absolut GmbH Café-Bar. DA.: 1010 Wien, Börseg. 1. G.: Innsbruck, 14. Mai 1963. El.: Peter u. Waltraud. S.: HTL Innsbruck Elektrotechnik, 1981 Abschluß, 2 J. Werkmstr. f. Elektrotechnik. K.: neben d. Stud. Tätigkeit als Elektrotechniker u.a. Lichtplanung im AKH Wien, Alarm- u. Brandmeldeanlagen, 4 J. Tontechniker b. ORF, gleichzeitig Erstkontakt m. d. Gastronomie, April 1992 Eröff. d. Absolut Bar, Partnerschaft m. Absolut-Vodka Schweden. H.: Skifahren. (J.S.)

Rombold Günter DDr. Prof.
B.: HS-Prof. DA.: 4020 Linz, Bockg. 3. G.: Stuttgart, 2. Jan. 1925. El.: Karl Stefan u. Gertrud. S.: 1943 Matura, 1945-50 Theol.Stud. in Linz, 1954 Dr. theol. in Graz, 1955-58 Stud. d. Phil. u. Kunstgeschichte in München, 1958 Dr. phil. in München. K.: 1959 Religionsprof. am Ak. Gymn. Linz, 1969-71 Lehrauftrag an d. Univ. Graz f. christl. Kunstgeschichte, 1971 a.o.Prof. f. Phil. u. Kunstgeschichte an d. kath.-theol. HS in Linz, seit 1972 o.Prof., 1958-70 Schriftltr. d. christl. Kunstblätter, 1971-90 Hauptschriftltr. d. Zeitschrift Kunst u. Kirche, seit 1991 deren Hrsg., 1984-86 Rektor d. kath.-theol. HS in Linz. P.: 1976 "Kunst, Protest u. Verheißung", 1983 "Christus in d. Kunst d. 20. Jhdt.", 1988 "Der Streit um d. Bild", Mitautor v. vielen Arb. in Zeitschriften u. Sammelwerken. M.: P.E.N.-Club. H.: Wandern, Reisen. (Deu.)

Romé Helmut Dr.
B.: Hrsg. d. Falstaff-Magazin Intern. Zeitschrift f. Essen, Trinken, Reisen. GT.: Experte in alten Weinen. DA.: 1010 Wien, Opernring 1/E/4. G.: Graz, 21. Nov. 1939. Ki.: Herwig (1974). El.: Erich u. Pauline. S.: Hum. Gymn. Graz, Jusstud. Univ. Graz, 1966 Doktorat, Auslandsstud. Wirtschaft in London u. Paris. K.: Wirtschaftsjournalist. Tätigkeit f. versch. Zeitungen, Auslandskorrespondenzen, 1980 Grdg. d. Falstaff-Magazins gemeinsam m. Hans Dibold. P.: Bücher u.a. "Die gr. Weine Österr.", "Die gr. Weine d. Toskana", "Wein-Guide Toskana". E.: div. Preise f. journalist. Arb. M.: zahlr. intern. weinwirtschaftl. Ver. H.: Schwimmen, Wandern, Vorliebe f. d. gr. Bordeaux-Weine, Rieslinge v. d. Wachau. (J.S.)

Romeder Franz
B.: Präs. d. NÖ Landtages, Präs. d. Österr. Gem.Bundes. DA.: 1014 Wien, Herreng. 13/1. PA.: 3931 Schweiggers. G.: Schweiggers, 16. Okt. 1938. V.: Margareta, geb. Schubert. Ki.: Karin, Claudia. El.: Franz u. Maria. S.: VS, hum. Gymn. (Stift Zwettl), Univ. Wien. K.: Sekr. d. NÖ Bauernbundes, 1969 LAbg., seit 1987 Präs. d. Österr. Gem.Bundes, 1981-88 Dritter Präs d. NÖ Landtages, Bürgerm. v. 1971-1993 d. Gem Schweiggers, seit 1988 Landtagspräs. E.:NÖ SKmtk St (1986), Nö GKmtk St(1988), Ö GrGE St (1993) ,mehrere Ehrenbürgerschaften, Gold. Komturkreuz m. Stern f. Verd. um d. Bdl. NÖ. H.: Wandern, Gartenarb., Lesen. (R.A.)

Römer Alfred KommR.
B.: Juwelier, Uhrmachermstr. u. Firmeninh. FN.: Alfred Römer Uhren-Juwelen. GT.: Vorst.-Stellv. d. Landesgremiums Wien f. d. Einzelhdl. m. Juwelen, Gold- u. Silberwaren u. Uhren, im Vorst. d. Arge Juwelen-Uhren. (AJU). DA.: 1090 Wien, Alserbachstr. 4. PA.: 1090 Wien, Fuch-

sthallerg. 6. G. Wien, 3. Aug. 1939. Ki.: Alfred Josef (1965), Wolfgang Matthias (1967). El.: KommR. Alfred u. Emilie. S.: Pflichtschulen, Bundesfachschule f. Uhrmacher, HASCH, 1957 Mstr.-Prüf. K.: Tätigkeit in Wien, Linz u. Frankfurt/Main, 1969 zurück nach Wien, 1975 Übernahme d. Betriebes. H.: Segelsport. (J.S.)

Römer Alfred Josef

B.: selbst. Goldschmied. FN.: Alfred J. Römer. DA.: 1090 Wien, Alserbachstr. 4. PA.: 1090 Wien, Viriotg. 20/24. G.: Frankfurt/Main, 24. März 1965. El.: KommR. Alfred u. Ute. S.: 1983 Matura, 1984-86 Goldschmiedelehre im Atelier Boltenstern m. Lehrabschlußprüf., ab 1986 Stud. Physik u. Math. Univ. Wien, 1988 einschlägiger Aufenthalt in Kapstadt/-Südafrika, 1990 Mstr.-Prüf. z. Goldschmied, Beginn d. Phil.-Stud. Univ. Wien. K.: seit 1991 selbst. Goldschmied, Ausstellungstätigkeit. E.: 1985 2. Preis d. Schmuckge-staltungs-Wettbewerbes d. Intern. Gold Corp., 1993 nominiert f. d. Österr. Staatspreis. (J.S.)

Römer Franz Dr. phil.

B.: o.Univ.-Prof. A.: 1180 Wien, Sommarugag. 8/6. G.: Wien, 19. Juli 1943. V.: Ottilie, geb. Rott. El.: Franz u. Anna. S.: Matura, Stud. d. Klass. Philol. an d. Univ. Wien. K.: 1968 Univ.Ass. Wien, 1972 Lehrbeauftragter Wien (1977 Sbg.), 1975 Habil. Wien, 1978 Berufung z. o.Prof. f. Klass. Philol. an d. Univ. Wien,1993 Prodekan. P.: Augustinus-überlieferung (Sb. Wien 276, 281, 289), Tacitus Ann. 15-16 (WS Beiheft 6, 1976), Aufsätze z. röm. u. z. neulatein. Literatur sowie Forsch.Berichte in in- u. ausländ. Fachzeitschriften. M.: Eranos Vindobonensis, Wr. Hum. Ges.

Römer Kurt KommR.

B.: Bundesinnungsmeister d. Fotografen Österr.; Fotograf. DA.: 1040 Wien, Wiedner Hauptstr. 63. PA.: 4040 Linz-Urfahr, Nisselstr. 26. G.: Bad Ischl, 15. Okt. 1921. V.: Eva, gb. Baumheier. Ki.: Peter, Heinz. S.: 1936 Lehre als Fotograf, anschl. Kriegsdienst. K.: 1946 Wiederaufbau d. väterl. Betriebes, 20 J. als Pressefotograf tätig, 1960 Filmdokumentation f. Rundfunk, anschl. Ausbau seines Portraitstudios, ab 1960 Funktionen in d. HAKA Organ. BL.: Mitbegründer u. 1. Vors. d. Rechts-schutzverb. d. Österr. Berufsfotografen, Initiator d. Restaurierung d. Marmor Schlössls Bad Ischl u. Schaffung eines d. schönsten Fotomuseen d. Welt. E.: Gold. EZ f. Verd. um d. Rep. Österr., KommR., Gold. EZ d. Zentralverb. d. dt. Fotografen u. BInnung Österr., 1. Träger d. Ehrenringes d. Österr. Berufsfotografen. M.: Vorst. b. "Secon World Congreß d. World Council Professional Photographer", Funktion als Dir., Präs. d. Ver. Freunde d. Fotografie u. ihre Geschichte. H.: Fotografie. (G.E.)

Romich Alfred

B.: Gschf. Ges. FN.: J. Frühwirth Waagen Maschinen GmbH. DA. u. PA.: 8020 Graz, Grießg. 42. G.: Graz, 25. Jän. 1937. V.: Karin, geb. Steiner. Ki.: Friedrich (1968). El.: Friedrich u. Hermine. S.: Pflichtschule, Lehre als Waagenmacher, 1953 Abschluß, 3 J. Bulme, BH. K.: 1957 Eintritt ins elterl. Geschäft, 1974 Umwandlung in GmbH u. Eintritt als Teilhaber bzw. Gschf. Ges. H.: Fischen, Motorboot an d. Adria. (F.K.)

Romig Leonhard Dr. iur.

B.: RA. DA.: 1010 Wien, Dobblhoffg. 5. PA.: 1030 Wien, Hintzerstr. 4. G.: Wien, 8. März 1955. V.: Annie, geb. Griviciclimau. Ki.: Francesca (1987), Lucia (1989). El.: Dr. Friedrich u. Dr. Annemarie. S.: 1973 Matura, Stud. d. Rechtswiss., 1977 Prom. K.: Gerichtsjahr, während d. Stud. Auslandsaufenthalte in Frankreich u. England, seit 1984 eingetragener RA. H.: Kunst d. 20. Jhdt. (P.R.)

Römlein Renate

B.: Theatermalerin, Betriebsrat. FN.: Bundestheater-Dekorationswerkstätten Arsenal. G.: Wien, 2. Aug. 1947. V.: Franz. Ki.: Andrea (1965). El.: Herbert u. Ursula. S.: HTL Rosensteing. i. Wien u. div. Kurse f. Malerei a. d. Künstl. VHS Wien. K.: 7 J. i. d. Holzforschung tätig, 1974 Berufswechsel z. Theatermalerei f. d. Bundestheater-Dekorationswerkstätten, Bühnenbilder vorw. f. d. Wr. Staatsoper, u. a. f. Fidelio, Parsifal, Carmen, Lohengrin, Figaro, s. 1985 Betriebsrat. P.: Autorin v. kl. Theaterstücken f. d. Wolkersdorfer Theatergruppe. M.: Club Creativ Wolkersdorf, Gewerkschaftsmtgl., Fachgruppe Szenischer Dienst. H.: Umweltschutz, Tiere u. Tierschutz, Kunsthandwerk. (J.S.)

Ronacher Günter

FN.: Thermen Hotel Ronacher. DA.: 9546 Bad Kleinkirchheim, Bach 18.

Ronacher Hans Günther

B.: Hotelier. DA. u. PA.: 9546 Bad Kleinkirchheim. G.: Bad Kleinkirchheim, 31. Dez. 1936. V.: Helga, geb. Rainer. Ki.: Elisabeth, Eva, Markus Maximilian. El.: Max u. Käthe Wegscheider. BV.: Großvater Hans Ronacher war d. Pionier im Kirchheimertal, 1. Hotel 1908. S.: Pflichtschulen, Handelsschule, Hotelfachschule Bad Hofgastein, 1955 Abschluß, 1955 Übernahme d. elterl. Betriebes "Alte Post" in Bad Kleinkirchheim, 1963 Hotel "Ronacher", 1969 Fusionierung d. beiden Hotels "Alte Post" u. "Ronacher". BL.: ab 1957 v. 80 auf 325 Betten ausgebaut u. d. intern. Hotelstandard angepaßt, mod. Therapiestation unter d. Ltg. v. MedR. Dr. Ernst Werner. M.: Präs. d. Österr. Hotelier-vereinigung, Vizepräs. u. Vorst. d. Finanzaussch. d. Bad Kleinkirchheimer Bergbahnen Sport- u. Kuranlagen GmbH & Co KG, Vizepräs. d. Kärntner Sparkasse, 27 J. Obm. d. Fremdenverkehrsverb. Bad Kleinkirchheim, 21 J. im GemR. tätig. E.: Verleih. d. Collegium Touristicum Carintha. H.: Skifahren, Langlauf, Golf.

Ronacher Josef

B.: Inh., Antiquitätenhändler. FN.: Antiquitäten Ronacher. Da.: 5071 Wals, Waberstr. 381. G.: Goldegg, 28. Nov. 1928. V.: Andrea, geb. Berger. Ki.: Wolfgang, Gerald, Erich, Isabell, Franz. El.: Matthias u. Katharina. S.: Pflichtschule. K.: s. d. 11 Lebensj. i. d. elterl. Ldw. i. sämtl. Bereichen tätig, 1954 Übernahme d. Landwirtschaft, 1956 Übersidlung nach Salzburg, bis 1959 als Autoverkäufer tätig, 1959-65 als selbstst. Bodenverleger tätig, 1969-69 Gastwirt i. Filzmoos im Gasthof Salzburgerhof, s. März 1969 selbstst. m. Antiquitätenhandel u. antiquitätentischlerei i. Salzburg Stadt, s. 1975 Betrieb n. Wals übersiedelt. H.: Familie, Beruf, Hund. (J.F.)

Rondonell Erich Mag.
B.: Mtgl. d. Vorst. FN.: Elektrizitätswerk Wels AG. DA.: 4600 Wels, Stelzhamerstr. 27. PA.: 4600 Wels, Billrothstr. 62. G.: Wels, 29. Nov. 1945. V.: Edith, geb. Kühberger. Ki.: Melanie (1980). S.: HASCH, HAK, Univ. Oklahoma u. Linz. K.: Lohnverrechner, kfm. Dion.Ass. Durisolwerke, Personal- u. Organ.Ltr. Sport AG Ried, Gschf. Europa Sportart. GmbH Deutschland, Gschf. Dynafit Skischuhe Graz, Vorst.Mtgl. Elektrizitätswerk Wels AG. M.: Mtgl. Personal- u. Rechtsaussch., Vereinigung Österr. Elektrizitätswerke, Rotary Club Wels-Burg. H.: Familie, Lesen, Natur.

Ronge Eduard Dr. phil. w.HofR.
B.: Bibl.-Dir. i.R. PA.: 3400 Weidling, Hauptstr. 39. G.: Weidling, 28. Dez. 1928. V.: Isolde, geb. Haider. Ki.: Christoph, Isolde, Irene. El.: Wilhelm u. Barbara. S.: 1947 Matura in Klosterneuburg, Stud. d. Germanistik, Theaterwiss. u. Psych. an d. Univ. Wien, 1951 Prom. z. Dr. phil. K.: 1 J. Univ.Ass. an d. Univ. Wien Inst. f. Theaterwiss., 1952-54 Erzieher in Eggenburg, 1955 Eintritt in d. NÖ LRg., 1975-89 Ltr. d. LBibl., 1978 w.HofR., seit 1963 in d. berufl. Interessensvertr. d. LDienstes bzw. öff. Dienstes (Personal-vertr. Gewerkschaft Öff. Dienst). M.: im Aussch. d. Ver. f. LKunde v. NÖ. H.: Kunstreisen, Bergwandern.

Ronge Hans Rudolf Dr. med.
B.: FA f. Zahn-, Mund- u. Kieferheilkunde. DA.: 1100 Wien, Ada-Christen-G. 2A. G.: Wien, 24. März 1949. V.: Brigitte, geb. Hersan. Ki.: Christian. El.: Franz u. Gertrud. S.: hum. Gymn., 1967 Matura, BH, Stud. Univ. Wien Med. Fak., 1974 Prom., Stud. f. Humanbiologie, antike Numismatik u. klass. Archäologie. K.: 4 J. wiss. Mitarb. am Inst. f. Mikromorphologie u. Elektronenmikroskopie, FA-Ausbild. Zahnklinik Wien, 1976 FA-Prüf., div. Vertretungen, 1977 Praxiseröff. P.: div. Art. in Fachzeitschriften, Reizleitungssystem der Zähne. M.: FDI, ZIV, Österr. Ges. f. Zahn-, Mund- u. Kieferheilkunde, Österr. Archäolog. Ges., Ges. d. Freunde Carnuntums, Mödlinger Museumsver., Linzer Museumsver. Neue Galerie Linz, Kunstver. Arcade Mödling. H.: Archäologie, Numismatik, mod. bild. Kunst, Tennis.

Ronge Helmut Dr. phil.
B.: Prok., Laborltr. d. Krems-Chemie GmbH, Ziviling. f. Techn. Chemie. DA.: 3500 Krems, Hafenstr. 77. G.: Wien, 8. Sept. 1929. Ki.: Roland, Sylvia, Dr. med. Michael. El.: Rudolf u. Justine. S.: RG, Stud. an . Univ. Wien, 1954 Prom. K.: Ass. d. Pharm. Inst. in Wien, Chemie Linz, 1956 Eintritt in d. Krems-Chemie GmbH, 1960 Laborltr., 1964 Befugnis als Ziviling., 1972 Handlungsvollmacht, 1982 Prok., gerichtl. beeid. Sachv. f. Techn. Chemie, 1977-83 GemR. d. Stadt Krems. P.: Vorträge, div. Publ. in Fachzeitschriften. M.: Vorst.Mtgl. d. Ges. f. Chemiewirtschaft, Beis. u. Vors. d. Lehrlingsprüf.Kmsn. f. Chemielaboranten. H.: Pistolenschießen, klass. Musik. (Kern)

Ronge Irene Dr.
B.: Dramaturgin. PA.: 1190 Wien, Strasserg. 13. G.: Wien, 6. Jän. 1907. El.: Otto u. Irene Ronge. S.: Gymn., 1926 Matura, Justud. Univ. Wien, 1931 Dr., gleichzeitig Theaterschule. K.: 1931-33 Phoenix-Vers. in Triest, ab 1933 Phoenix-Vers. Wien, 1937 Theaterprüf., anschl. an versch. Bühnen schauspiel. tätig, während d. Krieges Regieass. in Metz, b. 1944 Sperrung d. Theater, ab 1947 Inszenierung versch. Szenen f. d. Frauentage d. Soz. Partei, 1948 Engagement am Volkstheater, 1948-82 Dramaturgin am Volkstheater, 1961-89 Inszenierungen v. Kinderstücken f. d. Kinderfreunde z. Weihnachtszeit, vor u. nach d. Pensionierung am Volkstheater, Vorträge klass. u. mod. Gedichte u. Prosa gegen d. Krieg, Märchenerzählerin in Kindergärten. M.: Soz. Partei, Bund Soz. Akademiker. H.: Lesen, Theater, Geselligkeit. (J.S.)

Ronzal Wolfgang Dir.

B.: Bereichsltr. f. Marketing u. Werbung d. Erste Österr. Spar-Casse. DA.: 1010 Wien, Brandstätte 7-9. G.: Wien, 8. Mai 1942. V.: Ebba, geb. Schrattenbach. Ki.: Gudrun (1968). El.: Norbert u. Katharina. S.: Realschule, HAK, 1960 Matura. K.: 1960 Eintritt Erste Spar-Casse, 1967 Filialltr. Kagran, b. 1984 in zentraler Stelle, 1984 Regionaltr. f. 13 Filialen, seit 1987 Chef Marketing u. Werbung, seit 1989 Bereichsltr. f. 35-40 Filialen. (J.M.)

Roon Gertrude
B.: selbst. Heimltr. d. Privataltenheim Roon. DA. u. PA.: 8051 Graz, Thal 174. G.: Graz, 25. Dez. 1924. Ki.: Gerald (1942), Gabriela (1944). El.: Dr. Maximilian u. Ursula Lieb. S.: Gymn. Graz. K.: seit 1970 Heimltr. H.: Lesen, Schwimmen.

Roos Peter M.A.
B.: freisch. Schriftsteller u. Publizist. PA.: 1040 Wien, Argentinierstr. 53/17. G.: Ludwigshafen, 30. Juni 1950. S.: Abitur am Mus. Matthias-Grünewald-Gymn. Würzburg 1970, Stud. Philosophie, Germanistik u. allgem. Rhetorik, Kulturwissenschaften, in Tübingen, Würzburg, Bochum, St. Louis/USA (M.A.), Stud. Italianistik in Siena u. Perugia. P.: Bücher: "Genius loci Gespräche über Literatur", Tübingen (1978), "Trau keinem über 30" (1980),"Von d. Abschaffung d. Tageslichts" (1981), "Kaputte Gespräche" (1982), "Vespa Stracciatella" (1985), "Vespa bella donna" (1990), Félicien Rops: "Der weibl. Körper - der männl. Blick" (m. F. Hassauer, 1984), "Die Frauen m. Flügeln, die Männer m. Blei" (m. F. Hassauer, 1986), Jean Giraudoux/Chas Laborde - "Straßen u. Gesichter", Berlin 1930 (m. F. Hassauer, 1987), "Die wilden 40er" (1992), Filme: "Der infame Fély" (m. F. Hassauer, WDR 1985), "Vespa-Fieber" (ARD/WDR 1989), Mitarb.: "Der Spiegel, Zeit", F.A.Z., Süddt. Zeitung, Weltwoche.

Ropac Thaddäus K.
B.: Galerist. DA.: 5020 Salzburg, Kaig. 40/I. G.: Klagenfurt, 16. Jan. 1960. El.: Johann u. Elisabeth. S.: VS, RG, 1979 Matura, Kunstgeschichtestud. in Wien. K.: 1980 Londonaufenthalt, 1981 Eröff. d. eigenen Galerie in Lienz m. Einzelausstellungen: Arnulf Rainer, Siegfried Anzinger, Karl Prantl u.a., 1983 Eröff. d. zweiten Galerie in Sbg. m. eigener Ausstellung d. intern. führenden Malers Markus Lüpertz, Verlagerung d. Programmes auf intern. führende Malerei, wichtige Ausstellungen: Mimmo Paladino, Per Kirkeby, Arnulf Rainer, Sandro Chia, 1984 Beginn d. Teilnahme an d. intern. Kunstmessen in London, Madrid, Stockholm, Chicago, Basel, Nice, Paris, Köln u. Zürich, seit 1983 Ausbau d. Editionsprogramms f. Graphikmappen u. Kunstkataloge (Mimmo Paladino "Hunter Tage f. Sbg.", Radierungen, Jakob Gasteiger "Goldene Stunden", Lithographien, Arnulf Rainer - Christus, Farbpubl.), in d. Galerie vertretene Künstler: Anzinger, Attersee, Chia, Clemente, Gasteiger, Kirkerby, Lüpertz, Paladino, Rainer, Scheibl, R. Schumacher, Sedlak, Strau u.a. P.: versch. Publ. u. Buchveröff. in d. Edition. H.: Sbg. Festspiele. (Hat.)

Roppert Alois

B.: Mtgl. d. NatR. seit 1979, Bmtr. d. ÖBB. DA.: 1017 Wien, Dr.-Karl-Renner-Ring 3. G.: Sollenau, 25. Mai 1934. S.: Pflichtschulen, BLBA in Wr. Neustadt (1953 Matura), 1967/68 Sozialak. K.: 1953 Lehrer an d. HS Leobersdorf, seit 1953 Bmtr. d. ÖBB (Fahrdienstltr., Verkehrsbmtr.), seit 1970 b. d. BBDion. Villach (Personalaussch., dzt. auch Sachverw. b. d. Transportabt.) tätig, 1958-70 Vertrauensmann u. Ortsgruppenfunktionär u. seit 1976 Dion.Sekr. d. Gewerkschaft d. Eisenbahner Villach, 1970-72 Obm.Stellv. u. 1972-76 Obm. d. Personalaussch. d. ÖBB Villach, 1974-76 KamR., ab 1976 VPräs. u. Fraktionsführer d. Soz. Gewerkschafter d. Kam. f. Arb. u. Ang. f. Ktn., seit 1953 Mtgl. d. SPÖ, seit 1972 Obm.Stellv. d. SPÖ Villach/Sekt. VI, seit 1971 Gen. Funktionär b. d. Spar- u. Darlehenskasse Österr. Eisenbahner Villach, 1976-88 AR-Mtgl. b. d. Eisenbahn Siedlungsges. Villach. M.: Präs. d. ASKÖ Flugsportverb. Österr., Vizepräs. d. Österr. Aero-Clubs Wien. E.: RegR., GrGE, GE.

Rosam Roland

B.: Gschf. Ges. d. Alois Berdnik GmbH & Co KG. DA.: 9800 Spittal/Drau, Ortenburger Str. 25. G.: Spittal/Drau, 14. Juli 1948. V.: Sigrid, geb. Scheiber. Ki.: Stephan, Claudia. El.: Martin u. Maria. S.: Mittelschule, 3 J. Lehre als Bürokfm. b. Fa. Berdnik, versch. Fortbildungskurse. K.: Nach d. Lehre tätig b. Fa. Berdnik im kfm. u. techn. Bereich, s. 1986 gschf. Ges. d. Fa. Berdnik. E.: Silb. Med. d. Ktn. HK. M.: Sportver. H.: Familie, Skifahren, Radfahren, Schwimmen. (M.B.)

Rosam Wolfgang

B.: Gschf. Ges. FN.: Publico Public Relations GmbH. GT.: Journalist. DA.: 1110 Wien, Mautner-Markhof-G. 45. PA.: 1130 Wien, Gaheisg. 1. G.: Spittal/Draun, 4. März 1957. V.: Andrea, geb. Nikoll. El.: Martin u. Maria. S.: VS, RG Spittal/Drau, 1976 Matura, AHS LSchulsprecher v. Ktn., OLt. d. Res., anschl. nach Wien College f. Management u. Organ., WU Lehrgang f. Werbung u. Verkauf, 1979 Abschluß. K.: danach Eintritt b. Mautner Markhof als Marketing Manager, 1983 Eintritt in d. Publico als Agenturltr., 1979-84 Journalist b. Ktn. Volkszeitung u. Kl. Zeitung Graz u. Klagenfurt, 1987 Erwerb d. Publico u. alleinger Ges. P.: 30-teilige Serie "Die Manager" in d. Kl. Zeitung Graz, div. Gastart. in versch. Medien, spezialisiert auf d. Thema Öffentlichkeitsarb. E.: Staatspreis f. Public Relations 1984. M.: Wirtschaftsforum d. Führungskräfte, Marketing Club Österr., VPräs. Club Carinthia. H.: Reisen, Fotografieren, Schreiben. (G.E.)

Rösch Elisabeth Dr. iur.

B.: RA. DA. u. PA.: 1070 Wien, Kaiserstr. 6/9. G.: Wien, 18. Okt. V.: Dr. Kurt G. Ki.: Eva-Maria, Michael, Dr. Heinrich, Susanne. El.: Adolf u. Emma Roczek. BV.: Univ.-Prof. Dr. Arzt (Vorst. d. Univ.Klinik f. Haut- u. Geschlechts-krankheiten). S.: VS, RG, Univ. Wien, 1943 Prom. K.: ab 1946 NEWAG Chefin d. Rechtsabt., Konzipientin, 1958 Anw.Prüf., 1959 eigene Kzl. H.: Reiten. (R.A.)

Rösch Kurt G. Dr. iur.

B.: RA. DA. u. PA.: 1070 Wien, Kaiserstr. 6/9. G.: Untermais-Meran, 24. Mai 1912. V.: Dr. Elisabeth, geb. Roczek. Ki.: Eva-Maria, Michael, Dr. Heinrich, Susanne. El.: Hermann u. Josefa. S.: VS, RG, Univ. Innsbruck u. Wien, 1935 Prom., b. 1937 in Vbg. K.: b. 1936 Gerichtspraxis b. LG Feldkirch, BG Bludenz, LG Feldkirch, HG Wien, 1937-38 RA-Anw. (Dr. Steinbauer, Dr. Heinrich Scheer), 1939 Militärdienst (Pioniere), an Anämie erkrankt (Lazarett), wieder Pioniere Ukraine, 1942 in Liste d. RA eingetragen, 1944 zurück, anschl. Görlitz, danach zu Stab nach Italien, 1945 engl. Kriegsgefangenschaft, Kriegsende Übersiedlung nach Vbg., 1946 nach Wien, Kzl.Gemeinschaft m. Dr. Stern, 1949 eigene Kzl. in Wien IV, seit 1951 in Wien VII, seit 1986 im Ruhestand. M.: 1933-34 Vors. d. Dt. Studentenschaft an d. Univ. Innsbruck, Ak. Verbindung Austria Innsbruck. H.: klass. Musik, Zeitgeschichte. (J.S.)

Roschek Christian

B.: Musiker, Mtgl. d. Wr. Symphoniker, Geschf. FN.: "Wr. Concert-Verein". DA. u. PA.: 2102 Bisamberg, Vogelsangg. 35. G.: Mürzzuschlag, 5. Apr. 1954. V.: Jacqueline, geb. Morard. Ki.: Celine (1983), Christoph (1986). El.: Harald u. Helene. S.: Mat., Stud. d. Wr. Musikhochschule, Dipl. 1981, gleichz. einige Sem. Stud. Kunstgesch. Univ. Wien. K.: s. 1980 Mtgl. d. Wr. Symphoniker, Kontrbassist, 1987 Grdg. d. Kammerorch. "Wr. Concert-Verein" aus Mtgl. d. Wr. Symphoniker, Konzertreisen i.d. ganzen Welt, Konzertzyklen in Wien u. Graz, gleichz. Mitwrikender b. zahlr. u. and. Orch. u. Kammerorch. P.: Unzähl. schallplatten-, CD- u. Radioaufnahmen sowohl m. d. Wr. Symphonikern als auch m. Wr. Concert-Verein. M.: Ges. d. Sinfonia. h.: Lesen, Sport, Reisen, Theater, bild. Kunst. (J.S.)

Roscher Wolfgang Dr.

B.: Rektor d. HS f. Musik u. Darstell. Kunst Mozarteum Sbg. DA.: 5020 Salzburg, Mirabellpl. 2. PA.: 5020 Salzburg, Aufnerg. 7. G.: Komotau/Böhmen, 29. Mai 1927. V.: Eva. Ki.: Angela (1953). El.: Franz u. Martha. S.: Unterricht in Klavier, Orgel, Cembalo, Harmonie-, Formen- u. Kontrapunktlehre, Stiftsorganist d. Prämonstratenser-Abtei Tepl b. Marienbad, ab 1946 in Bamberg Tonsatz b. Konrad Lechner, Musik- u. Kulturphil. b. Wolfgang Heilmann, Literaturgeschichte b. Paul Stöcklein, Fundamentaltheol. b. Faulhaber, seit 1948 Erlangen Musikwiss. b. Rudolf Steglich, Literaturwiss. b. Burger, Prang u. Schwerte, Phil. b. Günther u. Zocher, Päd. b. Cirtautas u. Seiler, ab 1955 in München Komposition b. Carl Orff, 1951 Prom. K.: Komponist u. Musikkritiker, Kirchen- u. Schulmusiker in Bayern, ab 1960 Niedersachsen als Ordinarius f. Musikerziehung, später f. Musik u. Auditive Kommunikation Univ. Hildesheim, 1981 HS Mozarteum Sbg., seit 1982 Ltr. d. Inst. f. Integrative Musikpäd. u. Polyästhet. Erziehung, 1991 Rektor d. HS f. Musik u. Darstell. Kunst Mozarteum. P.: seit 1986 Mithrsg. d. Zeitschrift "polyaisthesis", Bücher: Polyästhet. Erziehung (1976), Integrative Musikpäd. I/II (1984), Musiktheater im Unterricht (1989), Daniel-Dokumentation einer Musiktheaterprod. (1991), Musik, Kunst, Kultur als Abenteuer (1994), Buch- u. Zeitschriftenbeiträge sowie Übersetzungen, Hrsg. v. Buchreihen u. Zeitschriften, Schriften z. Person, Kompositionen: Vokal- u. Instrumentalwerke, Musiktheater u. Klangszene, Oratorium u. Mysterienspiel, Musikfilm u. Filmproduktionen. M.: Österr. Rektoren-konferenz, Bayer. Benediktiner-Ak., Europ. Ak. d. Wiss. u. Künste, seit 1982 Präs. d. Intern. Ges. f. Polyästhet. Erziehung. (N.M.)

Roschko-Burda Ulrike

B.: Inh. FN.: Georg Burda GmbH. GT.: Inh. Firma Krug. DA.: 1050 Wien, Margaretenstr. 64, 1010 Wien, Dominikanerbastei 17. PA.: 3400 Klosterneuburg, Passauerg. 30. G.: Klosterneuburg, 28. Nov. 1947. V.: Roschko Günther. Ki.: Eric (1976), René (1981). El.: Lackermayer Josef u. Elisabeth, geb. Felbermayer. S.: VS, HS, HASCH Wien, Maturaschule Akademia in d. Hörlgasse (1966). K.: 1965-66 Ang. im Bundesmin. f. E-Wirtschaft, 1967 Eintritt in d. Geschäft d. Ehemannes Drucksortenverlag Burda GmbH, nach d. Tod d. Mannes Übernahme d. Ltg., 1991 Einkauf d. Firma Krug - Einzel- u. Großhdl. f. Papier u. Schreibwaren. H.: Esoterik, Religion. (N.A.)

Roschütz Reiner Ing.

B.: Gschf. FN.: Berthold & Stempel GmbH. DA.: 1110 Wien, Hebbelpl. 7. G.: Salzburg, 25. Juli 1942.

Roscic Nikola Mate Mag. theol. Pater
B.: Rektor. d. Minoritenkirche u. d. Ital. Nationalkirche. DA. u. PA.: 1010 Wien, Minoritenpl. 2a. G.: Grabovac, 8. Jan. 1940. El.: Nikola u. Vica. S.: Theol.Stud. Zagreb, Rom u. Wien. K.: 1968-71 Prof. in Rom, 1973-80 Zagreb, 1981-89 Split, 6 J. Provinzial in Zagreb, 6 J. Guardian, Pfarrer in Split, verantwortl. Red. "Veritas" Zagreb (1971-77), Mtgl. d. Red. "Crkva suijetu" (Split), seit 1990 Rektor d. Minoritenkirche u. d. Ital. Nationalkirche. P.: 2 Bücher, viele wiss., histor.-theol. Art., Poesie, Mitarb. d. "Kroat. Biograph. Lexikons". H.: Fischen, Aktenforsch. (R.J.)

Rosei Peter Dr. iur.
B.: freier Schriftsteller. PA.: 1180 Wien, Hildebrandg. 24. G.: Wien, 17. Juni 1946. El.: Franz u. Gertrude. S.: Univ.Stud., Dr. P.: zahlr. Buchveröff. u.a. Landstriche (1972), Bei schwebendem Verfahren (1973), Wer war Edgar Allan? (1977), Nennt mich Tommy (1978), Regentagstheorie (1979), Das schnelle Glück (1980), Die Milchstraße (1981), Reise ohne Ende (1983), Die Wolken (1986), Der Aufstand (1987), u.v.a.

Rosen Johannes Prof.
B.: Ak. Bildhauer u. Kunstpädagoge. PA.: 6622 Bergwang 45. G.: Höflein, 20. Apr. 1910. V.: Martha, geb. Singer. El.: Mathias u. Rosalia. S.: Lehrzeit als Bildhauer u. Graveur, Fachschule f. Bildhauer, Mstr.Prüf., Ak. f. angew. Kunst in Wien, Lehramtsprüf. K.: Unterricht an Wr. Schulen, an d. Kunstschule in Sbg. u. am Rehabilitationszentrum in Häring, 10 J. am BRG Kufstein als Kunsterzieher, Ltr. d. eigenen Kunstschule Rosen m. d. Spezialunterricht f. Gemmen u. Elfenbeinschnitzerei, diese Schule ist d. einzige dieser Art in Österr., freischaff. tätig u. Ltr. d. HS-Kurse. P.: in Kunstzeitschriften u. Zeitungen d. In- u. Auslandes. E.: Werkstättepreis d. Kunstak., Anerkennungen v. div. Ausstellungen im In- u. Ausland. M.: Mtgl. d. Berufsver. bild. Künstler Tir., gerichtl. beeid. Sachv. f. Kunst in Tir. H.: Musik u. Filmen.

Rosenauer Artur Dr. phil. o.Univ.-Prof.
B.: Vorst. d. Inst. f. Kunstgeschichte d. Univ. Wien. DA.: 1010 Wien, Universitätsstr. 7. PA.: 1180 Wien, Khevenhüllerstr. 6. G.: Sitzendorf, 8. Mai 1940. V.: Dr. Monika, geb. Neubauer. Ki.: Jakob (1965), Nikolaus (1967), Benjamin (1978). El.: Walter u. Stefanie. S.: 1958 Matura, Stud. d. Kunstgeschichte u. Archäologie an d. Univ. Wien, 1965 Prom., Studienaufenthalte in Italien, 1973 Habil. K.: 1978 a.o.Univ.-Prof., seit 1982 o.Univ.-Prof., Spezialgebiete: ital. u. österr. Kunst d. 15. Jhdt, Arb. über Donatello, Arb. zu Methoden d. Kunstgeschichte. M.: seit 1990 korr. Mtgl. d. Akad. d. Wiss. (J.S.)

Rosenauer Elmar
B.: Wirtschaftstreuhänder u. Steuerberater. DA.: 4800 Attnang-Puchheim, Billrothg. 10. PA.: 4840 Vöcklabruck, Radetzkytr. 8. G.: Linz, 11. Nov. 1942. V.: Anneliese, geb. Englmann. Ki.: Siegrid (1977), Elke (1980). El.: Anton u. Berta. BV.: Martin R.: 1885-86 Bgm. v. St. Georgen im Attergau. S.: 1961 HAK-Matura. K.: Betriebsprüfer, seit 1970 selbst. Steuerberater, seit 1961 Milizoffz.Regimentskdt., Dienstgrad Oberstlt. E.: Österr. Ehrenpreisträger d. Miliz. M.: Intern. Ordens-Union. H.: Familie. (E.Hö.)

Rosenauer Otto Dr. med. OMedR.
B.: Prakt. Arzt, Kneipp-Kurarzt. DA. u. PA.: 7123 Mönchhof, Klosterg. 3A. G.: Kittsee, 14. Juni 1920. V.: Frieda, geb. Haydelmayer. Ki.: Dr. Otto, Mag. Monika. El.: Leopold u. Maria. S.: Gymn. Wien, Univ., 1947 Dr. K.: 1969-85 Ltr. u. Gründer d. Kneipp Hauses Marienkron, 1950 selbst. prakt. Arzt d. Mönchhof, praktizierender Homöopath. P.: einige Publ. in Fachzeitschriften über Kneippen. M.: VPräs. d. Bgld. Ärztekam., Lions-Club (Grdg.Präs.). H.: Jagd, Sport. (Fels.)

Rosenauer Walter
B.: Leiter Admin. u. Finanz FN.: SPORT-LEHNINGER DA.: 1230 Wien, Karl Tornay-G. 38. PA.: 1070 Wien, Seideng. 29. G.: Wien, 12. Nov. 1940. V.: Christa. Ki.: Oliver, Dominik, Gregor. El.: Franz u. Margartha. S.: Kfm. Lehre, 1958 Abschluß. K.: kfm. Ang., Bilanzbuchhalterkurs, 1965 Prüf. Steuerberater, b. 1974 Revisionsass., Ltr. d. Rechnungswesen Parfumerie Warengroßhdl., 1984-89 Kontroller Commodore, 1/2 J. Chanel, 1990-93 Prok. u. Controller Ralston Battery Systems GmbH. BL.: 1978-80 Wifi-Lehrauftrag f. Buchhaltung. M.: Bilanzbuchhalterclub. H.: Konzerte, Theater, Kulinarik. (J.E.)

Rosenbauer Ilse
B.: Inh. FN.: Modetreff Kleiderhaus f. Übergrößen f. Damen. DA.: 4020 Linz, Rathausg. 9. PA.: 4210 Gallneukirchen, Blütenstr. 13. G.: Graz, 4. Sept. 1938. Ki.: Liselotte, Renate. El.: Prim. Dr. Erich u. Lotte Kriechbaumer. S.: Gymn. Graz. K.: 1986 Grdg. d. Spezialgeschäftes f. Übergrößen f. Damen. M.: Tauchclub. H.: Tauchen, Kochen, Familie, Natur, Wandern, Pilze. (P.H.)

Rosenberg Bernd Dr. techn. Dipl.-Ing.
B.: Gschf. FN.: Mannesmann Handel GmbH. DA.: 1030 Wien, Schwarzenbergpl. 7. G.: Graz, 8. Dez. 1941. V.: Brigitte, geb. Kaulartz. Ki.: Michael. El.: DDr. Gerhard u. Ilse. S.: 1959 Matura, Stud. TH Wien, 1967 Dipl.-Ing., 1975 Prom. K.: 1969 Eintritt in d. Mannesmann Konzern BRD, 1983 Rückkehr nach Österr., seit 1984 Gschf. H.: Segeln. (E.L.)

Rosenberg Emmerich
B.: Kfm. d. Polycommerz. GT.: Awimpex GmbH. DA.: 1010 Wien, Johannesg. 12. PA.: 1010 Wien, Singerstr. 6. G.: Ungarn, 10. Febr. 1921. V.: Edith, geb. Kohn. Ki.: Vivian (1956). El.: Emmanuel u. Ilona. K.: 1936 Weinhdl., 1942-44 Arbeitslager, seit 1947 in Wien 1952 selbst., 1960 Grdg. Polycommerz, 1963 Grdg. Awimpex GmbH. M.: Humanist. Ges. H.: Pfeifensammler, Weinsammler. (N.A.)

Rosenberg Inge
B.: freischaff. Schauspielerin. DA. u. PA.: 1030 Wien, Geusaug. 47/8. G.: Wien, 31. Dez. 1922. V.: Prof. Paul Kont. Ki.: Simone (1957). El.: Dr. Hugo u. Anni. S.: Tanzstud. b. Lilly v. Wieden, Reinhardt-Seminar. K.: 1939 1. Auftritt: Volksoper Wien "Klärchen" im Ballett "Der Nußknacker". Engagements: "Die Insel" (Leon Epp), 1946 Grdg. d. Theaters "Die Tribüne" in Sbg. m. Harald Benesch, Wien: Simpl, Bürgertheater, Scala, Josefstadt, Volkstheater, Burgtheater, Vereinigte Bühnen Graz (1950-56), 1956-58

Wuppertal, seit 1958 freischaff., Züricher Schauspielhaus, Mittel- u. Kellerbühnen. Gastspiele: München, Bonn, Heidelberg, Linz, Klagenfurt, 13 Tourneen: Österr., Deutschld., Holland, Schweiz, Südtirol, Film, Fernsehen, Funk, Vortragsabende. (J.S.)

Rosenberg Peter Mag.

B.: Inh. d. Fa. "Hifi CD Master", Intern. Klangberater. DA.: 1190 Wien, Schegarg. 13-15. PA.: 1190 Wien, Billrothstr. 12/29. G.: Wien, 16. Jan. 1950. V.: Barbara, geb. Teller. Ki.: Benjamin (1988). El.: Oskar u. Rosalie, geb. Haber. S.: 1970 Matura, 1973-80 Stud. BWL WU Wien. K.: seit 1970 mittätig im Familienunternehmen, ab 1982 selbst. in d. Hifi-Branche, angefangen m. einem Verkaufsbüro b. z. Aufbau d. Gschäftes m. 14 Generalvertretungen v. sehr hochwertigen spezialisierten Marken f. Österr., Deutschland, Ungarn u. CSFR, Groß- u. Einzelhdl., Mitaufbau u. aktive Teilnahme an d. Gestaltung d. Hifi-Ausstellungen in Österr. P.: Rundfunk- u. Fernsehinterviews. E.: zahlr. nat. u. intern. Ausstellungsanerkennungen f. d. bes. guten Klang. M.: Vienna High Fidelity Club, Tennisclub. H.: Sport insbes. Tennis, Musik, Musikreproduktion. (N.A.)

Rosenberger Fritz Dr.

B.: Ltr. d. Gruppe V/D im BMU. DA.: 1010 Wien, Wipplingerstr. 20. G.: Wien, 14. Febr. 1942. V.: Margarethe. Ki.: Sabine. El.: Richard u. Maria. S.: LBA, 1961 Matura, VS- u. HS-Lehrer an Pflichtschulen Wien, ab 1973 Stud. Päd. u. Politikwiss. Univ. Wien, 1978 Prom. K.: seit 1978 Zentrum f. Schulversuche u. Entwicklung, 1980-87 Kabinett v. Min. Sinowatz als Min.-Sekr., seit 1984 Ltr. d. Gruppe im BMU. E.: Gold. EZ f. Verd. um f. Rep. Österr. M.: Präs. d. Intern. Reading Assoc. H.: Ausbau d. Erwachsenenbild., Förd. d. Filmwirtschaft u. Produzenten, Musik. (J.E.)

Rosenberger Heinrich J.

B.: Restaurateur, Hotelier, Gschf. Ges. FN.: Rosenberger Hotelbetriebsführungs GmbH, Rosenberger Autobahnrasthaus & Motel Restaurant Betriebs GmbH & Co KG. DA.: 3104 St. Pölten, Harlanderstr. 112, 3033 Großram. G.: Wallsee, 10. Apr. 1937. V.: Beverly Ann, geb. Brine. Ki.: Melina, Kristopher. S.: Konditorlehre, Kochlehre, Hotelfachschule, Auslandstätigkeit in England, Canada, Bermuda, Kurse an d. Cornel Univ. f. d. Hotelgewerbe in Itaka. K.: 1958 Arb. im Hotelgewerbe im Ausland, v. Koch, Konditor b. z. Manager u. VPräs. einer Hotelkette, 1972 Rückkehr nach Österr. u. Eröff. d. ersten Autobahnraststätte in St. Pölten. P.: Rosenberger Journal. E.: Hamburger Preis 1987 f. gastronom. Leistungen, Ehrentrophäe Gastronomie 1992. M.: Rotary Club, Bierkonvent Intern. e.V., American Restaurant Ass., American Motel and Hotel Ass. H.: Tennis, Skifahren. Golf.

Rosenberger Siegbert

B.: HS-Dir. d. HS Gleisdorf II. DA.: 8200 Gleisdorf, Alois-Grogger-G. 12. PA.: 8200 Gleisdorf, Jahng. 13. G.: Graz, 13. Nov. 1943. V.: Gerda, geb. Znidarsic. Ki.: Peter (1970), Georg (1972), Karin (1974), Ruth (1977). El.: Florian u. Maria. S.: Pflichtschule, LBA, 1962 Matura. K.: 1962 Eintritt in d. Lehrdienst in Heilbrunn, 1965/66 BH, weitere Stellen in Pacher, St. Ruprecht, Hartmannsdorf, Sinabelkirchen, Gleisdorf, seit 1984 Dir. d. HS Gleisdorf II,, seit 1990 2. VBgm. v. Gleisdorf, Ltr. d. Heimatmuseums in Gleisdorf, P.: Mithrsg. u. Co-Autor eines Heimatbuches (1979), Zeitschrift "Gleisdorf" mit Stadtchronik. M.: stellv. Bez.-Ltr. d. Roten Kreuzes Weiz, Ltr. d. Landarge Geografie u. Wirtschaftskunde f. d. Steir. HS-Lehrer, Lehrplankmsn. Geografie u. Wirtschaftskunde, Begutachterkmsn. Geografie u. Wirtschaftskunde. H.: Reiten, Lesen, Münzen sammeln. (F.K.)

Rosenbichler Josef

B.: Direktor d. Wr. Allianz Lebensversicherung AG, LLtr. Personenversicherung LandesDion. urgenland., VBürgermeister. v. Schwarzau/Steinfeld. DA.: 7000 Eisenstadt, Neusiedler Str. 67. PA.: 2625 Schwarzau, Wechselbundesstr. 53. G.: Schwarzau/Steinfeld, 4. Okt. 1930. V.: Alice, geb. Reis. Ki.: Gabriela. El.: Josef u. Hermine. S.: kfm. Lehre, Berufsschule. K.: 1944-47 Konsum NÖ, 1947-65 kfm. Tätigkeit, 1965 Wr. Allianz f. NÖ Ost, 1965-67 Leben-Fachinsp. b. Wr. Allianz, ab 1967 in Eisenstadt b. Wr. Allianz Leben-Fachinsp., 1973 Ltr. d. LDion. Bgld. Personenvers. E.: Gold. Leistungsabz. d. Feuerwehr d. Landes NÖ III. Kl., Lebensschiff-Ehrenurkunde Wr. Allianz Bgld. M.: VBgm. v. Schwarzau, Lions-Club Mattersburg (Grdg.Mtgl.), Feuerwehr, Columbus-Club. H.: Reisen, Schwimmen, Literatur. (Fels.)

Rosenbichler Martin Dr. Mag.

B.: LANCIA Divisionsltr. FN.: Steyr-Automobil Vertrieb GmbH. DA.: 1120 Wien, Schönbrunnerstr. 297-307/2. G.: Wien, 15. Okt. 1957. V.: Gabriele, geb. Karal. Ki.: Sandra, Andrea. El.: Ing. Martin u. Edith. S.: VS, AHS, 1976 Matura, 1976-81 Stud. Betriebswirtschaft WU Wien, 1981 Spons. z. Mag. "Die Trink- u. Nutzwasserversorgung im südl. Wr. Becken", 1981-83 WU Wien, Diss.: "Probleme u. Aspekte d. Zweitwohnens im südl. Wr. Becken unter bes. Berücksichtigung d. Gem. Au/Leithagebirge u. Laab im Walde", 1983 Prom., 1983-84 BH-Kraftfahrer. K.: 1984-87 Kreditsachbearb. f. Großkunden b. d. BAWAG, 1988-91 Gebietsltr. b. d. Fa. AGIP Austria AG, kfm. u. betriebswirtschaftl. Verantwortung f. d. Tankstellennetz Ost-Österr., Lancia-Verkaufsltr. f. d. gesamte BGebiet, Prok. d. S.A.V. GmbH. E.: Division Lancia Österr. H.: Motorsport, Sport (Schwimmen, Skifahren, Laufen, Surfen), Familie, Haus u. Garten. (J.E.)

Rosendorfer Karl

B.: Gschf., Inh. FN.: Kaufhaus Rosendorfer KG. DA. u. PA.: 6370 Kitzbühel, Josef-Pirchl-Str. 26a-28. G.: Kitzbühel, 27. Feb. 1943. V.: Karin. Ki.: Christoph (1967), Michael (1971). El.: Fritz u. Adelheid. S.: VS, Gymn., 1959-61 kfm. Berufsschule Kufstein, 1963 DEKO-Fachschule München. K.: b. 1965 in DEKO Abt. tätig, BH, Dekorateur Firma Steinadler, 1967-77 Außendienst als Dekorateur in Westösterr., 1977 Übernahme d. väterl. Betriebes, 1987 Bettspezialgeschäft eröff. H.: Tennis, Skifahren, Radfahren. (A.W.)

Rosendorfsky Erich

B.: Kaufmann., geschäftsführender Gesellschafter FN.: Johann Rosendorfsky GmbH & Co KG. PA.: 2301 Groß Enzersdorf, Lobaustr. 81. G.: Nisch, 29. Apr. 1929. V.: Anna, geb. Tordy. Ki.: Peter, Erich, Christian, Maria, Anna. El.: Johann u. Leonie. S.: Berufsschule f. Groß- u. Einzelhdl., 1946-48 im elterl.ichen Betrieb, 1948-50 Agent d. Steyr-Daimler-Puch Vertr. in Luxemburg, 1950 Rückkehr in d. elterlichen Betrieb, 1979 Umwandlung d. Fa. in GmbH & Co KG, Gschf. Ges. M.: Rotes Kreuz. H.: Hausbauen, Maurern. (A.W.)

Rosenkranz Klaus

B.: Gschf., Prok. FN.: Erste Invest Consult; Erste Österr. Sparkasse. DA.: 1010 Wien, Am Graben 21. PA.: 2440 Moosbrunn, Trumauerstr. 7/1/6. G.: Judenburg, 9. Apr. 1958. V.: Dagmar, geb. Aichmayr. Ki.: Denise (1983). El.: Sebastian u. Maria, geb. Eisbacher. S.: 1976 Matura, 1-Jähriger Abiturientenlehrgang f. Management u. Org. K.: 1978-80 Erste Österr. Sparkasse, 1980-82 Org.-Abt. d. Ersten Österr. Sparkasse, 1982-90 Intern. Capital Markets, 1987-89 zusätzl. Fondsmanag. d. EKA-Bond, 1989-90 Stellv. Ltr. d. Intern. Capital Markets, ab 1991 Ltr. d. Division Bondhandel i. d. EIC u. Prok. d. Ersten Österr. Sparkasse, s. 11/1993 GF. d. EIC GesmbH. H.: Familie, Theater, Kabarett, Wandern , Tennis, Skifahren. (N.A.)

Rosenmayr Agathe Dr. Univ.-Doz.

B.: Ltr. FN.: Österr. Knochenmarkspendezentrale. DA.: 1080 Wien, Florianig. 38. G.: New York, 23. März 1953. El.: Univ.-Prof. Leopold u. Dr. Hilde Rosenmayr. S.: VS, Gymn., 1971-77 Med.-Stud. Univ. Wien. K.: 1976-77 Demonstrator am Inst. f. Path. Anatomie d. Univ. Wien, seit 1977 am Inst. f. Blutgruppenserologie d. Univ. Wien, 1979 Stipendium Univ. Essen, 1983 Stipendium Centre d´Immunologie in Marseille, 1986 Forsch.-Aufenthalt Antony van Leeuwenhock-KH, 1989 Venia dozendi Univ. Wien, 1990 FA f. bakteriolog.-serolog. Labordiagnostik, 1991 Vors. d. Knochenmarkspende Österr., 1991 Gutachterin f. Serologie am OLG Wien, 1991-92 Ltg. Inst. f. Blutgruppenserologie d. Univ. Wien, zahlr. Forsch.-Projekte, dzt. Ltg. d. Österr. Knochenmarkspenderzentrale. P.: 100 Publ., Vorträge u. Seminare u.a. HLA-Typisierung m. Hilfe d. Isoelektroforcussierung (EF) Anwendung einer einfachen u. praktikablen Methode in d. Praxis d. Gewebetypisierung (1988), HLA-haplotype an HIV infection (1988), Biochemical HLA typing I, A population study in 112 Caucasians (1988), Biochemical HLA typing II. Identification of HLA-C locus antigens by one dimensional IEF (1989), Knochenmarkspende Österr. - Knochenmarkspenderzentrale eines kl. Landes (1994). E.: Ehrenurkunde d. Austrotransplant. M.: Österr. Ges. Transplantation u. Genetik. H.: Bergsteigen, Skifahren, Renovierung u. Sanierung alter Bauernhöfe. (M.-L.A.-M.)

Rosenmayr Christian Dr. med. vet.

B.: Prakt. Tierarzt. DA. u. PA.: 3910 Zwettl, Gerungserstr. 18. G.: Zwettl, 12. Apr. 1959. V.: Mag. Eva Maria, geb. Schulmeister. Ki.: Johannes (1991). El.: Dr. Edgar u. Anna Maria, geb. Schmutzer. S.: Realgymn., 1977 Matura, Stud. a. d. Vet. Med. Univ. Wien, 1984 Sponsion, 1985 Prom. Dr. med. vet. b. Prof. Dr. Glawischnig Wien. K.: s. 1984 Mitarb. i. väterl. Praxis i. Zwettl, Prakt. Tierarzt m. Schwerpunkt Kleintiere, a. 1992 Übern. d. Praxis. M.: Mtgl. d. Vereinig. Österr. Kleintierpraktiker (VÖK), Mtgl. d. Österr. Ges. d. Tierärzte, Mtgl. d. 5-er Gruppe d. Tierärzte d. EG-Schlachthofes Rumpold Martinsberg. H.: Musik (Klavier), Skifahren, Oldtimer-Fahrzeuge. (M.M.)

Rosenmayr Edgar Dr. med. vet. Vet.Rat

B.: Prakt. Tierarzt. DA.: 3910 Zwettl, Gerungserstr. 18. PA.: 3910 Zwettl, Karl Hagl-Str. 15. G.: Tottendorf, 5. Sep. 1927. V.: Anna Maria, geb. Schmutzer. Ki.: Eva Maria (1953), DI Dr. Edgar (1956), Dr. med. vet. Christian (1959). El.: Alois u. Johanna, geb. Wagner. S.: Bundesrealgymn., Matura 1946, Stud. a. Tierärztl. HS, 1953 Prom. Dr. med. vet., 1954. Physikatsprüf. K.: 1953 Eröff. e. eig. Praxis a. Prakt. Tierarzt i. Zwettl, 1977 Verleihung d.Titels Vet. Rat., 1958-70 Gemeinderat (ÖVP) i. Zwettl: Ressort Schulausschuß u. Krankenhausausschuß, 1960-68 Obmann d. Turn- u. Sportunion Zwettl, 1960-70 Obmann d.Eislaufver. Zwettl, Vors. d. AufsR. Volksbank Zwettl, a. 1990 Beirat d.Volksbank Zwettl-Krems. P.: Publ. i. Vet.-Med. Fachzeitschriften, Mitarb. a. Heimatbuch der Stadt Zwettl. E.: Gold EZ f. langjährige Tätigk. i. Gem.-Bereich, Ehrendiplom d.Tierärztekammer. M.: Obmann d. Hundesportver., Mtgl. d. Ges. f. Tierärzte. H.: Beruf, Fotografie, Musik: Klavier, Orgel, Klarinette, Ziehharmonika. (M.M.)

Rosenmayr Leopold Dr. o. Univ.-Prof.

B.: Prof. f. Soz. u. Sozialphil. an d. Univ. Wien, Ltr. d. Ludwig Boltzmann-Inst. f. Sozialgerontologie u. Lebenslaufforsch. in Wien. DA.: 1080 Wien, Alserstr. 33. PA.: 1080 Wien, Trautsong. 3/1/10. G.: Wien, 3. Feb. 1925. Ki.: Stefan, Agathe, Sophie, Irene. El.: Leopold u. Anna. S.: Gymn., 1936-38 Jugendbewegung, 1943-45 Kriegsteilnahme u. -gefangenschaft, 1946-49 Mitarb. in d. Österr. Hochschülerschaft, b. 1953 Lehr- u. Wanderj. in Frankreich u. in d. USA. K.: ab 1954 Untesuchungen über Großstadt, kleine Gem., Familie, Jugend u. Alter, z.Zt. multidisziplinäre Grundlagenforsch. über Generationenbeziehungen im Kulturumbruch ländl. u. städt. Ges. in Westafrika, gegenwärtig auch empirische Untersuchung über d. Bild d. höheren Alters in d. österr. Ges. u. histor.-vergleichende Studien zu einer Soz. d. Lebensalter u. empirische Untersuchung z. Ges. Individualisierung deren polit. Konsequenzen. P.: Die späte Freiheit. Das Alter ein Stück bewußt gelebten Lebens (1983), Arbeit, Freizeit, Lebenszeit. Grundlagenforsch. zu Übergängen im Lebenszyklus (1988), Älterwerden als Erlebnis (1988), Die Kräfte d. Alters (1990), Altenhilfe - ein soz. Anliegen d. Jahrhundertwende (1991), Streit d. Generationen? (1992), Plus que la sagesse. Viellir s´Sonongo (1994). E.: 1980 Österr. EK f. Wiss. u. Kunst I. Kl., 1985 Gold. EZ d. Stadt Wien. M.: w.Mtgl. d. Österr. Ak. d. Wiss., Ltr. u. Initiator v. Forsch.-Projekten in europ. u. außereurop. Ländern, in d. vergangenen beiden Jahrzehnten versch. Funktionen als Kons. d. OECD, UNESCO, WHO u. EuropaR. (N.A.)

Rosenmayr Ronald Mag. iur.

B.: Sektionschef, Ltr. d. Sektion III. im Bundesministerium f. Umwelt, Jugend u. Familie. DA.: 1010 Wien, Franz-Josefs-Kai 51. G.: Wien, 4. Febr. 1943. V.: Katharina, geb. Holzmann. Ki.: Martina (1979). El.: Dipl.-Kfm. Walter u. Anna. S.: Matura, Stud. d. Rechtswiss. K.: s. 1972 Staatsdienst, Finanzlandesdirektion Wien, NÖ, Bgld., Verwaltungsgerichthof, 1978 Bundesmin. f. Finanzen,

Budgetsektion f. Ressort Unterricht u. Kunst, Wiss. u. Forschung, s. 1993 Sektionschef im Bundesmin. f. Umwelt, Jugend u. Familie. H.: Familie, Politik, Kunst. (U.Z.)

Rosenstein Peter

B.: Inh. FN.: CCS-Rosenstein Computersysteme. DA.: 2700 Wr. Neustadt, Stadionstr. 36 a. PA.: 2700 Wr. Neustadt, Arndtstr. 15. G.: Wr. Neustadt, 5. Feb. 1958. V.: Klaudia, geb. Dragosits. Ki.: Thomas (1989), Michael (1991). El.: Bruno u. Elsa. S.: VS, Gymn., HTL-Elektrotechnik, 1977 Matura, Präsenzdienst. K.: 1978-89 Tätigkeit in d. Entwicklung, 3 J. Projektltr. u. 4 J. Gruppenltr. b. Firma Siemens, 1989 selbst. in Wr. Neustadt, Grdg. d. Firma Wahgdy & Partners GmbH, Ndlg. in RIZ, 1990 Übersiedlung d. Firma n. Wien u. Grdg. einer Alleinfirma, Strukturvertriebsunternehmen gem. m. Gattin, ab 1993 Mitbeteiligung d. Firma Spirit AG in Bratislava. M.: Vorst.-Mtgl. Spirit AG. H.: Familie, Firma. (I.J.)

Rosenstingl Peter

B.: Mtgl. d. NatR., Gschf. DA.: 1017 Wien, Dr.-Karl-Renner-Ring 3. G.: Wien, 6. Sept. 1951. S.: Berufsschule (kfm. Ang.). K.: 1971-77 Ang. m. Ausbild. im Steuerrecht, s. 1978 Prok. e. Steuerberatungsges., 1986 Grdg. d. Unternehmensbeteiligungsges. u. Gschf., 1990 Kammerrat d. HK NÖ, s. 11/1990 Abg. z. NatR.

Rosenstrauch Oskar KommR.

B.: Ges. FN.: RO-OL Hdls. GmbH. DA.: 1010 Wien, Franz-Josefs-Kai 53/8. G.: Polen, 9. Aug. 1918. V.: Dr. Edith. Ki.: Univ.-Prof. Hellen, Dr. Hazel. El.: Jakob u. Ella. S.: 1936 Matura, Textilfachschule, 1938 Abschluß, Kriegszeit in England. K.: 1944 nach Österr., Direktor d. Wiener Metallwaren- u. Schnallenfbk. (heute Tyrolia), b. 1986 Gschf. Ges. Pulkavbon, Grdg. RO-OL Handels. GmbH. E.: Gr. EZ f. Verd. um d. Republik Östereich., Gold. EZ f. Verdienste um d. Rep. Österreich, 1982 KommR. H.: Tennis, Skifahren, Lesen, Theater. (J.E.)

Rosenthal Josef Dr. phil.

B.: Red. u. Reg. im ORF, Abt. Wiss. DA.: 1136 Wien, Würzburgg. 30. PA.: 3400 Klosterneuburg, Roseggerg. 63. G.: Wien, 14. Juli 1938. V.: Dr. Elfie, geb. Weber. Ki.: Cordula (1970), Constanze (1972). El.: Rudolf u. Pauline. S.: Matura 1957 in Wien, Stud. Phil., Ethnologie u. German., Prom. 1967. K.: S. 1967 in d. Kulturred. d. ORF/FS, Wiss.Red. P.: Buch u. Film: "Gibt es Gott? - Naturwissenschafter antworten", Dokumentation über phil. Grundfragen d. Menschen, z.B. "Was ist der Mensch?", "Worauf können wir hoffen?", "Was sollen wir tun?", "Wozu dieses Leben? - Auf d. Suche nach d. Sinn", "Was ist Wahrheit?", "Was ist Liebe?", "Ist Friede möglich?", "Als d. Heiden Christen wurden" (Filmdreiteiler u. Buch), insg. ca. 60 Dokumentationen spez. über Tiere z.B. "Wildtiere neu entdeckt", "Wunderwelt am Korallenriff", "Das Krokodil in d. Badewanne", "Dummer Fuchs u. schlaue Gans", "Sind Pinguine katholisch?", etc. E.: 1. Preis d. UNDA-Festivals d. relig. Films f. d. Film "Gibt es Gott?", Österr. Wiss.-Staatspreis f. Publizistik, Kardinal Innitzer Förderungspreis f. wiss. Publizistik. (J.E.)

Rosenthaler Johann Dipl.-Ing.

B.: staatl. bef. u. beeid. Ing.-Konsulent f. Vermessungswesen; Geometer. DA.: 3300 Amstetten, Eggersdorfer Str. 49. PA.: 3300 Amstetten, Friedlstr. 9. G.: Amstetten, 25. März 1957. V.: Brigitta, geb. Hanosch. Ki.: Johannes (1984), Alexandra (1989). El.: Johann u. Rosa. S.: VS, Gym., 1975 Mat., Stud. TU Wien, 1982 Dipl.-Ing. f. Vermessungswesen, 1982/83 BH, Diplomarb. Refraktionsmessungen im vert. Dreieck. K.: 1983 Univ.-Ass. TU Wien, 1988 Büro Mayerhofer als Mitarb., 1990 selbst. Vermessung d. Bestandes v. Stadt Amstetten, Bauwerke, Straßen, Leitungen, Hoch- u. Tiefbau, 1988 Konsulenten-Prüfung, Ziviltechn. f. Vermessungswesen. M.: MKV Kartell-Verband, Sportvereine, AR-Mtgl. d. Pfadfinder. H.: Bergsteigen, Touren-Skifahren, Golf, Lesen. (N.A.)

Roser Hans-Dieter Prof.

B.: Künstl. Betriebsdir. d. Dt. Staatsoper Berlin, Dramaturg. DA.: 1090 Wien, Tendlerg. 17/43. G.: Allensgschwendt, 6. Jan. 1941. El.: Johann u. Maria. S.: Pflichtschulen, BG Krems, Univ. Wien u. Bern, Stud. Germanistik, Geschichte u. Theaterwiss., Schauspielausbild. K.: Regieass. am Stadttheater Bern, 1965-67 Dramaturg an d. LBühne Schleswig Holstein, 1967-72 pers. Ref. d. Dir. d. Theater an d. Wien u. Mitarb. d. Wr. Festwochen, 1972-75 Chefdisponent u. Musikdramaturg am Staatstheater Kassel, 1975-81 Ltr. d. Dion.Büros am Burgtheater Wien, 1981-86 stellv. Dir. an d. Volksoper Wien, 1986-91 Betriebsdir. an d. Staatsoper Wien, Lehrbeauftragter am Inst. f. kult. Management d. HS f. Musik u. darstell. Kunst Wien, Inszenierungen: Kammeroper Wien, Wr. Festwochen, Staatstheater Kassel, Theater d. Stadt Trier, LTheater Detmold. P.: versch. Publ. in Zeitschriften u. Programmheften, Übersetzungen. (Lar.)

Roser Peter Dr. iur.

B.: Gesandter; Ltr. d. Abt. VI1 im BMA. DA.: 1010 Wien, Ballhauspl. 2. G.: Wien, 28. Juni 1941. V.: Elisabeth, geb. Kaar. Ki.: Stephan (1973), Viktor Paul (1977). El.: Johann u. Anna, geb. Rausch. S.: 1959 Matura, Stud. Rechtswiss. Univ. Wien m. Prom. z. Dr. iur, 1965-67 Stud. Dipl.-Ak. Wien. K.: 1967 Eintritt BMA, 1969-72 Österr. Botschaft in New Dehli, 1972-76 Botschaftssekr. dann BotschaftsR. in d. Österr. Botschaft in Sofia, 1976 Rückkehr nach Wien, Sekr. d. Bundesmin. f. Auswärtige Angelegenheiten, danach Stellv. d. Personalabt. VI1, ab 1979 Gen.-Konsul in Los Angeles, 1985-89 Botschafter in Seoul/Süd Korea, 1989 Tätigkeit in d. Abt. II10 im BMA, 1990 Ltr. d. Abt. IV2, seit 1991 Ltr. d. Abt. IV1. E.: KmdK d jord UO III Kl., KmdK d span ZVO. H.: Schachspielen, histor. Bücher, klass. Musik. (N.A.)

Roshdy Reda

B.: Solotänzer, Trainingsltr., Ass., Choreograph am Tir. LTheater. DA.: 6020 Innsbruck, Wopfnerstr. 6. G.: Kairo, 3. Sept. 1955. V.: Andrea, geb. Vettorazzi. Ki.: Alexandra, Marco. S.: Grundschule, Ballettausbild., 2 J. GITEAS. K.: 1973/76 Oper Kairo, 1977 Staatsoper Berlin, 1977/78 Dt. Oper Berlin, 1978/83 LTheater Innsbruck, 1983/84 Staatsoper Wien, seit 1984 LTheater Innsbruck. BL.: Tanzwettbewerb Warna. E.: Ballettdipl. m. Ausz. H.: Fischen, Musikhören, Fußball.

Rosifka Toni

B.: beh. autor. Berg- u. Skiführer, staatl. geprüfter Skilehrer. PA.: 4822 Bad Goisern, Kogl 17. G.: Bad Ischl, 24. Nov. 1945. V.: Monika, geb. Maschke. Ki.: Monika Maria (1986). El.: Anton u. Pauline. S.: b. 1959 HS Bad Ischl, 1959-62 Tischlerlehre, 1962 Gesellenprüf. K.: in d. Jugend bereits Bergsteiger, Skifahrer u. Kletterer, 1967 Staatl. Skilehrerprüf., 1967-69 Österr. Bergführerausbild., seit 1967 hauptberufl. Skilehrer u. Bergführer, 1969-89 im Ausbild.-Team d. Österr. Bergführer- u. Skilehrerverb. u. in d. Prüf.-Kmsn., 1969 Aiger Nordwand. E.: 1970 Gold. Med. am Roten Bande

f. Verd. um d. Rep. Österr. M.: 1975-92 Obm. d. OÖ Bergführer- u. Skiführerverb. u. im Vorst. d. Österr. Bergführer- u. Skiführerverb., seit 1979 Lehrbeauftragter d. Bundesanst. f. Leibeserziehung in Innsbruck f. Alpinausbild. d. staatl. Skilehrer, seit 1976 Pächter d. Simonyhütte am Dachstein. H.: Holzarb. v. Bau b. z. Fertigprodukt, Mushing-Schlittenhunde im alpinen Bereich. (E.Hö.)

Rösler Michaela
B.: Mtgl. d. BundesR., Angestell. FN.: Parlament. DA.: 1017 Wien, Dr.-Karl-Renner-Ring 3. G.: Murau, 30. Dez. 1961. S.: VS, HBLA f. wirts. Berufe, 1981 Matura. K.: s. 1982 Kammer f. Arb. u. Ang. f. Stmk., s. 1990 Mtgl. d. GemR. d. Stadt Murau, 1993 Mtgl. d. BundesR.

Rosner Edmund Dkfm.
B.: Dir., Gschf. d. Bally GmbH. A.: 1238 Wien, Heissg. 68. G.: Kutscherau, 5. Okt. 1928. V.: Luise, geb. Wielinger. S.: RG, Wirtschafts-HS. K.: 1952-67 Nestle GmbH Wien, Ltr. d. Finanz- u. Rechnungswesen, 1967-76 Revlon GmbH Wien, Gschf., Administration, Finanz- u. Rechnungswesen, seit 1975 Bally GmbH Wien, Gschf., Administration, Finanz- u. Rechnungswesen. M.: Österr. Ak.Bund, Österr. Philatelistenverb. H.: Lesen, Fotografieren, Briefmarken, Sport.

Rosner Ignaz

B.: Inh. FN.: Ignaz Rosner, Spenglerei u. Hallenbau. GT.: Bet. an e. Gasthaus in Namibia. DA u. PA.: 2544 Leobersdorf, Kurze G. 11. G. .Kemeten/Bgld., 23.Jul. 1946. VG.: Maria, geb. Friedrich. KI.: Doris (1976), Markus (1979). EL.: Josef u. Maria. S.: VS, HS. K.: Spengler Ausbildg., Berufsschule, Mstr. Prüfung 1976, 1960-63 Lehre in Oberwart, 1964-76 tät. i. e. Spenglerbetrieb, seit 1976 selbst. m. eig. Spenglerei, später im Bereich Hallenbau auch im Ausland tätig, 1990 Grdg. d. DWS GesmbH (Planung und Verkauf im Hallenbau). M.: Präs. d. ASC Rosner Leobersdorf, Ehren-Präsident d. Minigolf-Clubs Leobersdorf (1989). H.: Excl. Autos, Skifahren.(F.S.)

Rosner Walter
B.: Inh. FN.: I.S.V. Intern. Show & Veranstaltungsservice. DA.: 1180 Wien, Staudg. 69. PA.: 1160 Wien, Horvathg. 20. G.: Wien, 3. Sept. 1955. El.: Josef u. Margarethe. S.: 1973 Berufsschule f. Malerei. K.: Tätigkeit als Maler, 1979 Einstieg in d. Verkaufsbranche b. einem Dt. Großkonzern, Aufstieg z. Verkaufsltr. Ostösterr., 1984 Eröff. d. 1. eigenen Unternehmens, 1987 Grdg. d. Rowa's Disco-Show u. Erweiterung d. Betriebes 1989 m. d. Fa. I.S.V. H.: Erfinden v. neuen Veranstaltungen, Fotografie, Literatur. (N.A.)

Rösner Falko R.
B.: Inh. FN.: CRA Central Reinigungsanst., CRB Central Reinigungsbedarf Vermietungen u. Verpachtungen. DA. u. PA.: 4600 Wels, Franz-Fritsch-Str. 3. G.: Breslau, 24. Jan. 1936. V.: Erika. Ki.: Falko M. (1970), Silke (1977). S.: Gymn. K.: seit 1956 Fa. in d. BRD, 1973 Grdg. CRA 1. Gebäudereinigungsfa. in Wels, 1986 Grdg. d. CRB, Funktionär d. Kam. in Linz. BL.: 1957-62 Lizenzspieler b. Hannover 96, b. 1971 Betreuer, 1971-73 b. 1860 München. E.: Silb. u. Bronz. VK Rotes Kreuz. M.: PSV Schießen. H.: Schießen, Schmetterlinge, Waffen, Angeln. (P.H.)

Rossacher Hannes
B.: Reg., Journalist. FN.: DoRo Produktion GmbH. DA.: 1150 Wien, Winkelmannstr. 8. PA.: 1130 Wien, Kupelwieserg. 12. G.: Steyr, 16. Okt. 1952. V.: Brigitte, geb. Novotny. El.: Walter u. Isolde. S.: 1971 Matura, 1972-75 Stud. an d. HS f. Film u. Fernsehen. K.: seit 1975 freier Mitarb. d. ORF, Arb. f. d. Jugendred. im ORF "Ohne Maulkorb", "Okay", "X-Large", "Musikszene", zusammen m. Rudolf Dolezal Einführung d. journalist. Berichterstattung über Pop-Musik im ORF sowie Journalist u. Kolumnist v. "Kurier", "Wiener", "Basta", "Tempo", 1985 Grdg. d. eigenen Produktionsfa. DoRo Produktion GmbH, Arb. f. d. ARD, ZDF, Shows m. Thomas Gottschalk, Intern. Arb. als Video-Reg. m. Künstlern wie: Rolling Stones, Queen, Falco, Sting, Nina Hagen u.v.a., TV-Portraits v. Künstlern wie Frank Zappa, Tom Waits, Beatles, Doors, Frank Sinatra, Placido Domingo. E.: Bronz. Löwe v. Cannes, Gold. Rose v. Montreux, Silver Screen Award f. Queen, 1988 "Art Dir. Club Berlin" Bester Werbespot d. Jahres in Deutschland. H.: Musik, Sport, Fernsehen. (P.R.)

Rossacher Kurt
B.: Möbelrestaurator, Kunst- u. Antiquitätenhändler. DA. u. PA.: 4400 Steyr, Badg. 1. G.: Steyr, 14. Febr. 1958. V.: Simone, geb. Aigner. Ki.: Jakob (1980), Valerie (1982). S.: VS, Gymn., 1977 Matura, Ausbild. in elterl. Werkstätte. K.: 1983 Übernahme d. elterl. Betriebes. H.: Antiquitäten sammeln, autentische Volksmusik. (U.A.)

Rossacher Kurt Dr. phil. Prof.
B.: Kunstexperte, Dir. d. Sbg. Barockmuseums. A.: 5024 Salzburg, Imbergstr. 1. G.: 31. Juli 1918. V.: Else, geb. Frankenbach. S.: S.: Univ. Frankfurt, Prag u. Wien, Dr. phil. K.: b. 1958 Inh. einer Galerie in Sbg., seit 1960 Hrsg. d. Zeitschrift "Alte u. Moderne Kunst", intern. Kunstexperte, seit 1973 Dir. d. Sbg. Barockmuseums. P.: Bücher "Der Schatz d. Erzstiftes Sbg.", "Visionen d. Barock", kunsthistor. Aufsätze in Fachzeitschriften. E.: Prof.Titel f. Verd. um d. Kunst u. Wiss.

Roßbacher Franz-Xaver
B.: Kfm. FN.: Roßbacher Kopiertechnik GmbH. DA.: 8020 Graz, Kalvariengürtel 67. PA.: 8052 Graz, Neupauerweg 83. G.: Graz, 20. Nov. 1961. V.: Christine, geb. Schattinger. Ki.: Agnes (1986). El.: Maximilian u. Dr. Ingrid. S.: VS, Gymn., Lehre Büromaschinenmechaniker, 1985 Mstr.-Prüf. K.: ab 1985 selbst., Aufbau d. eigenen Firma als Einzelunternehmen, 1989 Umwandlung in GmbH m. Schwerpunkt Hdl., Vermietung u. Reparatur v. Fotokopiergeräten, Einzel- u. Großhdl. u. Export. P.: Erstellung v. Image-Broschüren. F.: Beteiligung an Firma in Kroatien "Domino-Tim" D.O.O. M.: Aussch.-Mtgl. im Metallgewerb d. HK Stmk. H.: Musik, Reisen. (M.Gr.)

Rossbacher Hannes

B.: Grafik-Designer u. freier Art-Dir. FN.: "Grafic-Design". DA.: 1160 Wien, Wilhelminenstr. 60. PA.: 1140 Wien, Erdenweg 4. G.: Pöls, 8. März 1947. Ki.: Dina (1973). El.: Karl u.Cecilia, geb. Hasler. S.: VS, Gym, Fachschule f. Wirtschaftswerbung, 1969 Abschluß. K.: Nach d. Ausbildg. in versch. Wr. Studios tätig, u.a. "o'key", "Eins A", s. 1979 selbst. Grafik-Desinger; zusätzl. fallweise Gestaltung d. "Top"-Magazin; grafische Gestaltung d. ORF-Send. "X-Large" u. "X-Ray". E.: Mehrere Staatspreise f. Werbung, Silb. Litfaßsäule, Art-Dir.-Clubpreis. H.: Tennis, Urlaub. (N.A.)

Rössel Christian Dr. iur.
B.: Jurist, Gschf. Ges. FN.: "tabletop" Dr. Rössel GmbH; Christian Rössel GmbH. DA.: 2352 Gumpoldskirchen, Industriestr. 8. PA.: Maria Enzersdorf, Sonnbergstr. 36. G.: Wien, 17. Nov. 1957. V.: Dr. iur. Irene, geb. Thiel. El.: KommR. Dr. iur. Gottfried u. Helga. S.: 1975 Matura, 1975-79 Jusstud. Univ. Wien, 1979 Prom. z. Dr. iur. K.: 1977-80 Ass. am Inst. f. Zivilrecht b. Prof. Koziol, 1979-80 Gerichtsj. Wien, 1979 Grdg. tabletop u. seither Gschf., 1980 Eintritt in d. elterl. Firma Josef Riedel GmbH, 1981 Eröff. 1. Detailgeschäft in Wien, seit 1992 Gschf. Dr. Rössel GmbH. M.: Round table Austria b. "RT5". H.: Skifahren, Tennis, Reisen, Fotografieren, (I.K.)

Rössel Gottfried Dr. iur. KommR.
B.: Gschf. Ges. FN.: "tabletop" Dr. Rössel GmbH (vorm. Josef Riedel GmbH). DA.: 1010 Wien, Freyung 3 (Palais Ferstel). G.: Wien, 8. Juli 1928. V.: Helga, geb. Hochreiter. Ki.: Dr. Christian. S.: VS, RG, Univ. Wien, 1951 Prom. K.: Gerichtsjahr, Praxis b. Anw., Ind.Anw. (Stölzle), seit 1955 selbst., 1960 Fa. Josef Riedel GmbH gegründet, außerdem b. 1983 Gschf. d. Tir. Glashütte u. Glashütte Schneegatten. E.: 1972 Gold. EZ f. Verd. um d. Rep. Österr., 1978 KommR. H.: Skifahren, Tennis, Bergsteigen. (R.A.)

Rössel-Majdan Hildegard
B.: o.Prof. d. HS f. Musik u. darstell. Kunst Wien, Kammersängerin d. Wr. Staatsoper. GT.: seit mehr als 20 J. in d. Volkbsild. tätig, Gesangsunterricht. DA.: 1150 Wien, Penzinger Str. 7. PA.: 1190 Wien, Agnesg. 13. G.: Moosbierbaum, 30. Jan. 1921. V.: DDDr. Karl. Ki.: Dr. Elisabth. S.: HAK, 1939 Matura, 1945-49 Musikak. K.: nach Ak. f. Musik u. darstell. Kunst Mitwirkung in Rundfunksendungen wo sie durch Verläßlichkeit u. Musikalität unentbehrl. wurde, 1951 wurde sie Otto Klemperer empfohlen, mußte einspringen u. v. Fleck weg in G. Mahlers Zweite singen, Start z. Weltkarriere durch Vertrag m. d. Wr. Staatsoper, 1952 gr. Erfolg m. d. konzertanten Matthäus Passion unter Furtwängler im gr. Konzerthaussaal, von da ab sang sie in allen intern. Stätten d. Musikkultur alle Oratorien, 1955-56 Aufnahme d. gesamten Bach-Litratur, Konzerte m. fast allen Mstr. d. Liedes u. Dirigenten, Triumphe in Opern v. Richard Wagner in Italien u. ital. Opern in Deutschland, 1962 Kammersängerin, Päd. Laufbahn: 1966 Berufung als Lehrbeauftragte an d. Musik-HS Graz, 1969 a.o.Prof., 1971 Berufung an d. HS f. Musik u. darstell. Kunst, 1976 o.Prof., seit 1963 Volksbild.Arb. E.: EZ in Gold f. Kunst u. Wiss. 1981, Goldmed. d. Stadt Wien 1986. M.: Ehrenkuratorium d. Kuratorium f. künstler. u. heilende Päd. H.: Cello spielen, Lesen, Geisteswiss. (C.K.)

Rössel-Majdan Karl Dr. iur. Dr. phil. Dr. rer. pol.
B.: Präs. d. Kuratoriums f. künstler. u. heilende Päd., Ltr. d. Goetheanist. Konservatoriums u. d. Waldorfpädagog. Akad., Gen.Sekr. d. Verwertungsges. Bild. Künstler, Gschf. VPräs. d. Österr. Künstler-Union, Gen.Sekr. d. Arge af. Kunst u. Wiss. a. D. DA.: 1070 Wien, Siebensterng. 27. PA.: 1190 Wien, Agnesg. 13. G.: Wien, 2. Dez. 1916. V.: Kammersängerin Prof. Hilde. Ki.: Dr. Elisabeth. El.: Prof. Karl u. Margarete, geb. Soldan. BV.: Erfinder d. Schiffschraube Josef Ressel, Botaniker Soldan, Karl Rossel-Majdan sen. Opernsänger, k.u.k. Offz. m. Theresienorden. S.: Ak. Gymn., 1935 Matura, 1939 Dr. iur., 1949 Dr. phil., 1952 Dr. rer. pol. K.: Tätigkeit b. ORF, wiss. Ref., Personalref., stellv. Dir., Ltr. d. Abt. f. Rundfunkforsch., Hpt.Abt.Ltr. d. Auslandsdienstes auf Kurzwelle, seit 1961 Lehrer in d. Erwachsenenbild., zahlr. sonstige Kurse, Vorträge, Seminare, intern. Tagungen, Rundfunkkurse u. -sendungen wiss. u. literar. Art. P.: Bücher: "Verlogene Demokratie" (1948), "Rundfunk, Vorgeschichte u. Wesen" (1953), "Rundfunk u. Kulturpolitik" (1962), "Ich bin d. Mensch von heut", "Vom Wunder d. menschl. Stimme" (1975), Hrsg. u. Coautor "Waldorfpädagogik - ein Weg zur Persönlichkeitsbildung" (1984), Hrsg. u. Coautor "Musiktherapie u. therapeutische Integration" (1988), "Ich und Uncle Sam" (1956), Hörspiele, Hörfolgen, Theaterstück "Der Jude", Märchen, div. wiss., künstler., soz., päd., kulturpolit., gewerkschaftl. Art. u. Abhandlungen in Zeitschriften d. In- u. Auslandes, ca. 3000 Vorträge, Kurs, Rundfunksendungen. E.: Med. d. Österr. Widerstandes, Gold. EZ f. Verd. um d. Land Wien, Gr. Silb. EZ f. Verd. um d. Rep. Österr. (P.R.)

Rossi Alexander
B.: Burgschauspieler. DA.: 1010 Wien, Dr. Karl Lueger Ring 1. PA.: 1150 Wien, Wurmserg. 43/5. G.: Wien, 13. Dez. 1960. V.: Imke, geb. Büchel. El.: Dipl.-Kfm. Karl u. Christa. BV.: Vater i. Dir. d. WÖK u.Wigast. S.: 1979 Matura Linz, 1980 BH, 1980-82 Stud. Medizin Univ. Wien, 1982-85 Abschl. Max Reinhardt Sem. K.: Engagements schon währ. Stud. z.B. i. Linz, Sbg, Wien-Kellerth., Schauspielh., Josefst., s. 1986 a. Burgth. u. parallel perman. Engag. i. Radio, Film u. Ferns., s. 1985 i. Radio a. Schausp. u. Moderator, s. 1993 Stud. a. Schubertkons. i. Wien, Rollen: Don Baker i. "Schmetterlinge sind frei", Rocky Horror i. "Rocky Horror Picture Show", Blaubart i. "Blaubart", Biron i. "Liebes Leid u. Lust", Marquis v. Dorset i. "Richard III", u.v.m., i. Film u. Ferns.: Franz Bernadone i. "Bruder Feuer" ORF, Kompos. u. Interpret. eig. Kompos. H.: Klavier, Jazz. (I.K.)

Rossi Alfred Mag. art. Prof.
B.: Ak. Maler, AHS-Lehrer. DA.: 1210 Wien, Anton-Böck-G. 37. PA.: 1190 Wien, Saarpl. 20. G.: Wien, 24. Jan. 1942. El.: Ernst u. Rosa, geb. Heinz. S.: 1960 Matura, 1961-67 Stud. Malerei u. Kunsterziehung b. Prof. Andersen an d. Ak. d. Bild. Künste Wien, 1967 Lehramtsprüf. u. Dipl. (Akad. Maler), 1975 Mag. art., 1976-80 Austauschstipendium Japan Tokyo National Univ. of Fine Arts, Graphikkl. Prof. Nakaba-

yashi u. Noda, Master of Arts. K.: seit 1969 Lehrtätigkeit am Privatgymn. d. Schulbrüder in Strebersdorf. P.: zahlr. Ausstellungen im In- u. Ausland, 1970/6 Raumeckobjekte "Umwelt & Design", 1978 Art. im Kunstmagazin "Pirika" (Japan), 1978/79 "Contemporary ink painting Ass." (Tuschmalerei), "Fune 78", "Fune 79" (Radierungen), 1985 Sonderpostmarke "400 J. Karl Franzens-Univ. Graz", 1987 Sonderpostmarke "10 J. Volksanwaltschaft", 1988 Beteiligung an d. Wanderausstellung "Spectrum 88" (Frankreich, veranst. v. Österr. Kulturinst. Paris), Vortragstätigkeit im Rahmen d. Ausstellung "Shogunherrschaft u. Kaiserreich - japan. Kunsthandwerk d. XIX. Jh." im MAK (1985). E.: Silb. Fügermed. 1963. M.: 1985 Mitgründer u. VPräs. (b. 1989) d. Ak. Arbeitskreises Japan. H.: Joggen, Bergsteigen. (N.A.)

Rossi Dante Dr.
B.: Gen.-Dir. FN.: Agip Austria AG. GT.: AufsR. Adria-Wien Pipeline GmbH Klagenfurt, Vorst.Vors. Agip Austria AG Wien. DA.: 1040 Wien, Favoritenstr. 7. (V)

Rossipaul Friedrich Wilhelm
B.: Theatertechn. Ltr. FN.: Österreichische Bundestheater. PA.: 1238 Wien, Franz-Asenbauer-G. 40. G.: Wien, 10. Okt. 1947. V.: Maria, geb. Nemeth. El.: Friedrich u. Albine. S.: HTL-Fachschule f. Hochbau. K.: ab 1970 "Show" Beleuchter i. Italien, Mitwirk. b. Festspielen i. Bayreuth", 1971-79 Techn. Ass. u. Werkstattltr. a. "Städt. Bühnen" Frankfurt/M. Zusammenarb. m. Regisseuren wie Bondy, Fassbinder, Gruber, Löscher, Neuenfels, Peymann, 1979-83 Techn. Ltr. a. Lds.-Theater Salzburg u. b. Salzburger Festspielen, Zusammenarb. m. Regisseuren wie Bergmann, Mirdita, Noelte, Schell, Schenk, Peymann, 1983-86 Techn. Dir. a. "Schillertheater" u. "Schloßparktheater" unt. Boy Gobert, Hans Hollmann u. a., Planung u. Erricht. neuer Werkstattgebäude f. d. Schloßparktheater, 1986-90 Techn. Dir. a. Schauspielhaus Bochum m. Regisseuren Steckel, Marquard u. a., 1990 Techn. Ltr. d. Wr. Burgtheater u. Akademietheater. M.: "DThG - Dt Theatertechn. Ges. u. ÖThg - Österr. H.: Bergwandern. (M.M.)

Rosskopf Ernst Franz
B.: Bez.Gendarmeriekdt. DA.: 6700 Bludenz, Sparkassenplatz. PA.: 6830 Rankweil, Churer Str. 42. G.: Bludenz, 27. Sept. 1931. V.: Lucia, geb. Manahl. Ki.: Dietmar (1960), Christine (1967). El.: Ernst u. Seraphina, geb. Riedler. S.: Kfm. Berufsschule Bludenz, 1951/52 Gend.Grundschule Bregenz, 1962-63 Fachlehrgang f. dienstführ. Bmtn. in Mödling. K.: Eintritt b. Gendarmerie: 1952-54 Satteins, 1954-62 Feldkirch, 1963-82 Kdt. d. Verkehrsposten Feldkirch, Lebensrettung/Alpineinsatz, 1979-87 Vors. d. Personalvertretung f. d. Bediensteten d. LGend.Kdo. f. Vbg., seit 1978 Vors. d. Kameradschaft d. Exekutive Österr. Land Vbg., seit 1980 Vors. d. GÖD LSekt. Vbg. E.: Silb. Med. am roten Band d. Bundes (f. Lebensrettung), Gold. Verd.Abz. d. ÖAMTC f. Verd. in d. Schulverkehrserziehung - Schülerlotsenausbild., EZ f. bes. Verd. auf d. Geb. d. örtl. Sicherheitspolizei d. Vbg. LReg., Silb. EZ f. Verd. um d. Rep. Österr. M.: Vors. d. Gewerkschaft d. Sekt. Gend. Bregenz, LVors. d. Kameradschafts-Exek. Vbg., Mtgl. d. Alpenver. Bludenz. H.: Bergwandern, Schwimmen, Radfahren, Lesen, Theater, U-Musik. (M.G.)

Rosskopf Otto Dr. iur. Mag. HofR.
B.: BBmtr. i.R. A.: 2380 Perchtoldsdorf, Kunigundbergstr. 9.. G.: Perchtoldsdorf, 28. Juli 1919. V.: Therese, geb. Schröckmair. El.: Anton u. Theodora. S.: VS, Mittelschule, HS. K.: BBmtr. E.: EK I u. II, Gold. EZ u. Gr. EZ f. Verd. um d. Rep. Östrr., Prinz Eugen-Ehrenkreuz u.a. österr. u. bundesdt. Ausz. v. Soldatenver. M.: Präs. d. Verb. Österr. Kameradschaften, Kameradschaftsführer Prinz Eugen, Obm. d. Wanderkameradschaft "Der edle Ritter", ÖTB, Freiheitl. Ak.Bund. H.: Ver.Tätigkeiten, Wandern, Garten, Journalistik.

Rössler Eduard Dr. iur.

B.: Bankangestellter, Gschf. FN.: Sparkasse Baden, S-Leasing GmbH. DA.: 2500 Baden, Hauptpl. 15. PA.: 2540 Bad Vöslau, Lange Gasse 10/5. G.: Wien, 21. März 1960. V.: Dr. Andrea, geb. Leitner. Ki.: Karin (1988), Birgit (1991). El.: Eduard u. Hedwig. S.: 1978 Matura Gymn. Bruck/-Leitha, 1979-84 Stud. Rechtswiss. Univ. Wien. K.: 1984-85 Rechtspraktikum Wien, 1985-88 Rechtsabt. d. Giro Zentrale Bank d. Österr. Sparkassen, 1988 Kreditabt. d. Sparkasse Baden; s. 1989 Gschf. d. S-Leasing GmbH, s. 1992 Geschäftsstellenleiter Filiale Hauptplatz. H.: Hausbauen, Sport, Kinder. (I.K.)

Rössler Gerhard Peter Alexander Dipl.-Ing.
B.: Arch. DA.: 1080 Wien, Josefstädter Str. 30/20. PA.: 1170 Wien, Neuwaldegger Str. 41. G.: Wien, 31. März 1942. V.: Eva, geb. Hunger. Ki.: Christoph (1971). El.: Othmar u. Margarethe. BV.: Schwager Heinrich Hunger bekannter Maler. S.: RG Bruck/Leitha, 1960 Matura, b. 1967 Stud. an d. TH Wien, 1968 Stud. in England, Militär, 1976 Ziviltechnikerprüf. K.: seit 1969 Mitarb. b. Fa. Requat & Reinthaller, ab 1977 Tätigkeit als freier Arch. u. Eröff. d. eigenen Ateliers im 17. Bez., ab 1989 Atelier im 8. Bez., Projekte: Karl Seitz-Hof, Wohnhäuser im 21. u. 3. Bez., Haus Kneissl Strebersdorf, Ordination Dr. Langthaler, ARAL-Tankstelle Triester Str., PM-Märkte. M.: Ordre d. Anysetiers Wien. H.: Züchtung v. Bonsai-Pflanzen, Golf, Reisen, Schwimmen, Lesen, Politik. (M.G.)

Rössler Hubert Dr.
B.: FA f. Augenheilkunde, ehem. Projectleader in WHO. A.: Villa Christina, 18 Juno Heights, Marsaxlokk, Malta, 1120 Wien, Tivolig. 67/17. G.: Erlach, 21. Dez. 1923. V.: Christl, geb. Mollner. El.: Franz u. Anna. S.: VS, Mittelschule, Univ. Wien, 1950 Prom. Dr. med., FA-Ausbild. u. FA f. Augenheilkunde, bes. Spezialisierung auf ansteckende Augenkrankheiten, Riverblindness (Onchocerciasis) in WHO. K.: 3 J. m. Government v. Indonesien, Schiffsarzt, Intern. Rotes Kreuz (Congo), UN-Kontingent Österr. f. d. Congo, FA in Saudi Arabien, Kontrakt m. WHO in: Sudan, Libyen, Tanzanien u. Nigerien. P.: Behandlung d. Herpes Zooster ophtalmicus, Publicationen innerhalb d. WHO. E.: Kriegsausz., Erinnerungsmed. d. Intern. Roten Kreuzes f. d. Congo, Medal of Peace d. UN f. d. Congo. M.: Rotary Intern., Freemasons. H.: Elektronik, Sport, Musik, Amateurfunker.

Rössler Leopold Prof. Dir.
B.: Gemmologe, Diamant- u. Farbsteingutachter, Goldschmied, Dir. d. Berufsschule f. Chemie, Leder, Papier, Tapezierer, Goldschmiede u. Uhrmacher. DA.: 1150 Wien, Hütteldorfer Str. 7-17. PA.: 1210 Wien, Mayerwegstr. 2-8/22.

G.: Gänserndorf, 13. Apr. 1942. V.: Christine, geb. Voracek. Ki.: Sabine (1966). El.: Johann u. Aloisia, geb. Sklenar. S.: Goldschmiedlehre, Meisterprüf., Ausbild. z. Gemmologen, Lehramtsprüf. f. Berufssch. K.: 1960-68 Werkstätten-Ltr. b. Fa. Karl Fidler, s. 1969 Lehrer an Berufssch. f. Goldschmiede, Vortragender u. Seminar-Ltr. b. WIFI in ganz Österr., 1983-86 Berufsschul-Dir.-Stv., ab 1986 Dir., Hauptexperte in d. Goldschmiedebranche, s. 24. April 1992 Prof. BL.: Grdg. d. Wr. Gold- u. Silberschmiedemuseums (dzt. Dir.), Grdg. e. gemmolog.Ausbild. z. Edelsteinfachberater am WIFI. P.: zahlr. Fachpubl., Fachbuch: Schmucklexikon (1985). E.: "Gold. Lupe" 1991, 1993 Gold. VDZ d. Stadt Wien. M.: Mitgr. d. Österr. Gutachterverb. f. Preziösen u. Uhren (dzt. Vizepräs.), s. 1990 Präs. d. Österr. Gemmolog. Ges. H.: Hund, Literatur, Kunst- u. Weltgesch., Innenarch., Gartengestaltung. (N.A.)

Rößler Manfred

B.: Projektmanager. FN.: Mosburger AG. DA.: 1234 Wien, Ketzerg. 112. PA.: 2823 Pitten. G.: Brunn, 5. Dez. 1943. V.: Ilse, geb. Drobits. Ki.: Andreas (1966), Yvonne (1969). El.: Manfred u. Margarethe, geb. Gervautz. S.: VS, HS, 3 J. Maschinenbau. K.: 1964 Eintritt Mosburger AG, 1970 Betriebsass., 1975 Projektltg., seit 1992 Projektsltg. H.: Bergwandern, Radfahren, Schwimmen. (N.A.)

Rößlhuber Wolfgang Dr. med. MedR.

B.: Sprengelarzt. DA u. PA.: Straßwalchen, Roidwalchnerstr. 5. G.: Salzburg, 23. Apr. 1936. V.: Mag. pharm. Eva, geb. Joich. KI. :Josef, Katarina, Roswitha, Georg, Wolfgang. EL.: Med.R. Dr. Josef u. Elsa. S.: VS, Realgym., 1955 Matura, 2 Sem. Chemie in Wien, Stud. d. Medizin, Feb. 1994 Abgeschl., Spitalsausb. in Sbg., danach zu Barmherzigen Brüdern in Wien bis 1968, 1968 in Straßwalchen Spengelarzt, Schularzt. BL.: Freiw. Rettung in Straßwalchen gegr., Pflegeverein m .Station, Errichtung d. Altenheimes in Sraßwalchen. E.: Wappenmedaille, versch. Orden v. Roten Kreuz. M.: Arbeitskreis d. Vorsorgemedizin. H.: Jagd, Skkifahren, Urlaub, Oper, Konzerte. (D.E.)

Rossmanith Elisabeth

B.: Einkaufsltr. im Modehaus Rossmanith. DA.: 1090 Wien, Nußdorfer Str. 8. G.: Schönfeld an d. Wild, 27. Apr. 1934. V.: KommR. Gerhard. Ki.: Ria, Petra, Walter, Günther. S.: 1948-51 Modeschule Herbststraße, 1954 Mstr.Prüf., b. 1956 LBA. K.: Lehrerin an d. Modeschule Herbststraße, seit 1962 Einkaufsltr. d. Fa. Rossmanith (Markenmodelle v. Betty Barcley, Elkont, Esprit, Triangel u.a. aktuelle Mode f. Teenager u. modebewußte Frauen), 2 weitere Filialen in Wien. M.: Katag (Europas größte Textileinkaufs-gemeinschaft). H.: Wassersportarten, Skifahren. (Sei.)

Rossmann Franz Dir.

B.: Gschf. FN.: ÖWM, ÖMGes. DA.: 8010 Graz, Schillerpl. 4. PA.: 8042 Graz, Waltendorfer Hauptstr. 141. G.: Großsteinbach, 6. Mai 1933. V.: Ernestine. Ki.: Eva (1962), Elisabeth (1963). El.: Franz u. Thersia. S.: VS, Gymn., 1951 Matura, Abiturientenkurs HAK Graz. K.: Buchhalter in einem Großhdls.-Haus, alle Sparten in einer Steuerberatungskzl., 1969 Eintritt ÖWG als Gschf., 1974 Grdg. u. Gschf. d. ÖWGes. H.: Tennis. (M.Gr.)

Rossmann Harald Dr. iur. Mag. a.o.Univ.-Prof.

B.: Sekr. d. Volksanw. Dr. Kohlmaier in d. Volksanw. d. Rep. Österr. DA.: 1010 Wien, Singerstr. 17. PA.: 1170 Wien, Kalvarienbergg. 7/16. G.: Wien, 21. Jan. 1948. El.: Ludwig u. Anna. S.: VS, BG Wien, 1966 Matura m. Ausz., 1966-70 Stud. d. Rechtswiss. an d. Univ. Wien, 1971 Prom. z. Dr. iur. K.: 1971-75 Ass. am Inst. f. Staats- u. Verw.Recht an d. Univ. Wien, 1975-77 BMLF, 1977 Berufung z. Sekr. d. Volksanw. Dr. Franz Bauer. P.: div. über Verw.Recht. E.: SE, BglEZ, VK I. Kl. ddVO, b EM-LHU, EinsM-LHW, KmtK OSLJ, VRK, OSLJ. M.: Lazarus Orden. H.: Surfen, Skifahren.

Rossmann Helga Ing.

B.: Ges. FN.: Ing. H. Rossmann Warenhdls. GmbH f. industriellen Wasserbau u. Schwimmbadtechnik. DA. u. PA.: 2345 Brunn am Gebirge, In den Schön-Mauern 10. G.: Wien, 21. Febr. 1929. Ki.: Sigrid (1962), Ralf (1967). El.: Ing. Alfred u. Maria. S.: HTBLVA f. Textilind., 1950 Matura. K.: ab 1977 selbst. m. Fa. Ing. H. Rossmann, 1989 Umwandlung in GmbH. (M.M.)

Rossmann Josef

B.: Prok. u. Ges. FN.: Ing. H. Rossmann Warenhdls. GmbH f. industriellen Wasserbau u. Schwimmbadtechnik. DA.: 2345 Brunn am Gebirge, In den Schön-Mauern 10. PA.: 1230 Wien, Reklewskigasse. G.: Mährisch-Schönberg, 23. Jan. 1929. V.: Wilhelmine, geb. Thomschitz. Ki.; Sigrid (1962), Ralf (1967). El.: Josef u. Emmy. S.: 1948 RG-Matura, Techn.-Kfm. Abiturientenlehrgang. K.: 1950-59 techn. Ang. f. Anbot u. Export Fa. EHT, seit 1959 Außendienst f. industriellen Wasserbau u. Schwimmbadtechnik Wien, 1976 selbst. m. Fa. Josef Rossmann, 1990 Kauf durch GmbH. (M.M.)

Rossmann Ralf

B.: Gschf. Ges. FN.: Ing. H. Rossmann Warenhdls. GmbH f. industriellen Wasserbau u. Schwimmbadtechnik. DA. u. PA.: 2345 Brunn am Gebirge, In den Schön-Mauern 10. G.: Wien, 12. Jan. 1967. El.: Josef u. Ing. Helga. S.: 1985 AHS-Matura, 1987 Matura im HAK-Kolleg, Stud. Betriebswirtschaft. K.: ab 1989 Mitges. u. seit 1990 Gschf. Ges. d. Fa. Ing. H. Rossmann WarenhandelsgesmbH. M.: Präs. d. R.S.F. Mödling. H.: Motorrad, American Football. (M.M.)

Rossmy Fritz Hans Dipl.-Ing. Arch.

B.: Ziviling. FN.: Architekturbüro Dipl.-Ing. Fritz Rossmy. DA./PA.: 9020 Klagenfurt, Sariastr. 9. G.: Graz, 25. Mai 1922. Ki.: Petra (1958), Mag. Claudia (1962). El.: Fritz u. Therese, beide verst. S.: VS, Akad. Gymn. Graz, Matura, Kriegsteiln. als Offizier, 1945 Stud. Maschinenbau, Abschl. Arch., 1954 Grad. K.: Tätigk. in Privatwirts., Mitarb. im Büro Haas & Weingraber, s. 1958 selbst. Ziviltechn., SP.: Wohnungsbau, Industriebau, Stahlbau, Renov., Werkstätten, Reitanlagen, Proj.: Komplex Corso, Pfarrplatz Klagenfurt, Altenheim d. Diakoniewerkes Waiern, Fabrik Viktor Schmidt & Söhne Tulln, Kleinoschegg Graz, Fabrikserweit. Fa. Iglauer Klagenfurt. H.: Hochsee-Segeln, Reiten, Privatpilot, Motorradfahren, Rest. v. Autos. (G.L.)

Rostok Josef Dr. med.

B.: FA f. Innere Med. DA.: 3100 St. Pölten, Kremser G. 41. G.: Maria Ansbach, 6. Juni 1925. V.: Helga, geb. Jäger. Ki.: Christina. El.: Josef u. Anna. S.: Gymn. Wien, Med.Stud. an d. Univ. Wien. K.: Dt. Wehrmacht, 1956 Prom., primär Ausbild. z. prakt. Arzt, sekundär z. FA f. Innere Med., 1965 FA. f. Innere Med. in St. Pölten, Mjr.Arzt d. Res. b. Österr. BH. M.: Kardiolog. Ges., Ges. f. klin. Chemie, Van Swieten Ges. H.: Tennis, Skifahren, Bergsteigen. (Kern)

Roth Brigitte Dr. med.
B.: FA f. ZMuK. DA.: 9020 Klagenfurt, Wulfeng. 4. PA.: 9020 Klagenfurt, Heideng. 12. G.: Villach, 29. März 1948. Ki.: Nina, Johnny. El.: Karl u. Inge Petrovic. S.: BRG Klagenfurt, Stud. in Graz (Dr. med. univ.). K.: Ausbild. z. FA an d. Univ.Klinik Graz, Ausbild. f. Kieferchir. an d. Kieferchir. Abt. im LKH Klagenfurt, 1976 Eröff. d. eigenen Praxis. BL.: sportl. sehr aktiv, beste Surferin in Ktn. H.: Mountain Bike, Snow Board, Lesen, Kochen. (D.M.)

Roth Ernst Ing. KommR.
B.: Zimmermstr., Gschf. Ges. FN.: Holzbauwerke Ing. E. Roth GmbH. GT.: VPräs. d. Österr. Fertighausverb., Landesinnungsmstr. STV d. Zimmerer. DA. u. PA.: 9560 Feldkirchen, Glan 8. G.: Feldkirchen, 28. Dez. 1934. V.: Heidemarie, geb. Sturm. Ki.: Ernst, Tanja. El.: Franz u. Ida. S.: VS, hum. Gymn., HTL Villach. K.: nach Schule Eintritt in elterl. Unternehmen, seit über 25 J. in d. Innung tätig. E.: Silb. Ehrenmed. d. Kam. d. gewerbl. Wirtschaft, Fa.: Fertighaus Gütezeichen, Austria Gütezeichen. M.: Lions Club, Präs. d. SV Wigo Haus Feldkirchen, VPräs. d. Eisschützen-LVerb., dzt. Ehrenmtgl. H.: Tennis, Skifahren, Jagd, (R.A.)

Roth Franz X. Dr. iur.
B.: Prok., Ltr. d. Rechtsabt. d. Fa. Österr. Nestle GmbH. DA.: 1051 Wien, Emil-Kralik-G. 6. PA.: 1010 Wien, Biberstr. 11. G.: Nikolsburg, 30. Okt. 1929. V.: Mag. Biserka, geb. Trojnar. Ki.: Dr. iur. Andrea Maria, Dr. med. Alexander. El.: Karl u. Franziska. K.: 1950-55 b. d. Fa. Rotax Motorenfbk. im Rechnungswesen tätig, 1956 Fa. Franck & Kathreiner Linz, 1973 Fa. Nestle aufgekauft, im Rechnungswesen tätig, 1973 b. Fa. Nestle Wien Ltr. d. Rechtsabt. H.: Musik, Sport. (Fels.)

Roth Gerhard
B.: Schriftsteller. G.: Graz, 1942. S.: Med.-Stud. K.: Organ.-Ltr. im Rechenzentrum Graz, Romane "die autobiographie d. albert einstein" (1972), "Künstel. Ein Fragment" (1972), "Der Ausbruch d. Ersten Weltkrieges" (1972), "How to be a detectiv" (1972), "Der große Horizont" (1974), "Ein neuer Morgen" (1976), 1973 1. Drama "Lichtenberg", "Sehnsucht" (1977), "Roman" (1978), "Der stille Ozean" (1980), Drama "Dämmerung" (1978).

Roth Gerhard Dr.
B.: RA. DA.: 8850 Murau, Hauptpl. 8. PA.: 8850 Murau, Fernersiedlung 4. G.: Mariahof, 2. Dez. 1947. Ki.: Kathrin. El.: Dr. Kurt u. Hilde. S.: VS Murau, Mittelschule Graz, 1966 Matura, Präsenzdienst, Jusstud. in Graz, 1972 Prom. K.: Gerichtsj. in Graz, Anw.Praxis in Graz u. Leoben, 1977-81 eigene Kzl. in Neumarkt, seit 1981 Kzl. in Murau. M.: OLt. d. Res., Mtgl. d. Burschenschaft "Carniola" Graz, Obm. d. Ak.Verb. Murau, Mtgl. d. Schützenver. Murau, Rechtsberater d. ÖAMTC Murau. H.: Jagd, Tennis, Skifahren. (Tra.)

Roth Gottfried Dr. med. MedR. Prof.
B.: FA f. Neurologie u. Psychiatrie. GT.: Präs. d. Kath. Ärztegilde Österr., seit 1971 Univ.-Lektor f. Pastoralmed. an d. Kath.-Theol. Fak. d. Univ. Wien, seit 1977 Doz. f. Pastoralmed. an d. Phil.-Theol. HS Heiligenkreuz, Consultor d. Päpstl. Rates f. d. Krankenapostolat. DA.: 1140 Wien, Stockhammerng. 7. G.: Retz, 7. Jan. 1923. V.: Ingeborg, geb. Buchgraber. Ki.: Dr. phil. Barbara (1953), Thomas (1954), Christina (1957), Hedwig (1958), Albert (1960). El.: Kfm. Vinzenz u. Theresia, geb. Mayr. S.: Hum. Gymn., 1941 Matura, Med.-Stud. in Innsbruck u. Wien. K.: FA-Ausbild. in Wien, Innsbruck u. Bern f. Neurologie u. Psychiatrie, MedR., 1955-88 Hpt.-Schriftltr. d. Vierteljahrschrift f. med.-eth. Grundsatzfragen "Arzt u. Christ", seit 1990 Prof. f. Pastoralmed. am Intern. kirchl. ak. Inst. in Rolduc/NL. E.: EZ f. Wiss. u. Kunst. M.: o.Mtgl. d. Wr. Kath. Ak., Mtgl. d. Red. d. vatikan. Zeitschrift "Dolentium hominum", Mtgl. d. Vorst. d. Intern. Ver. f. Religionspsychologie u. Religionswiss., Mtgl. d. Vorst. d. Europ. Ver. d. kath. Ärztegemeinschaften. H.: Geistesgeschichte d. Med. (N.A.)

Roth Hans KommR.
B.: Gründer d. Hans Roth KG, d. Taxi- u. Transportunternehmens Roth, Tank Roth, d. Eisen- u. Baumarktes Roth, d. Heizöle Roth, d. Roth-Fernwärme, d. Supermarktes u. d. Modehäuser Roth, Roth-Umweltschutz-Saubermacher, Kompl. d. Hans Roth KG, Inh. d. Trafik Roth, Ges. d. Roth Beteiligungs u. Organ. mbH. GT.: Kons. d. Fa. Saubermacher Heizöle u. Tank Roth, BundeskamR. a.D. (Delegierter d. BHK). DA. u. PA.: 8342 Gnas 14. G.: Obergnas, 6. Mai 1916. V.: Maria, geb. Leopold. Ki.: Hans, Rudolf, Ferdinand, Maria, Helmut, Ewald. El.: Hans u. Sophie. BV.: Vater NatR. Hans Roth. S.: VS, Ldw.-Schule Kirchberg/W., zahlr. Ausbild.-Seminare u. Kurse, 34-Monate kfm. Lehrzeit in Eisenerz, 1 J. Volontär. K.: Funktionen v. 1945-91: Gschf. d. Fleckviehzuchtgen., Bez.-Stellenltr. Handel Feldbach, Obm. d. Fremdenverkehrsver. Gnas, GemR. in Gnas, Bez.-Stellenobm.-Stellv., Aussch.-Mtgl. d. Fachgruppe Personenverkehr, Aussch.-Mtgl. d. Fachgruppe V10, d. Gremiums H2, Gremiums H22, Gremiums H4, Gremiums H21, kooptiertes Mtgl. d. Sektion Hdl., Obm. d. Arge Obst, Gschf. OrtschulR.-Obm., Bundesgremialaussch.-Mtgl., Obm. d. Sportver. Gnas, Mtgl. d. Vermittlungsaussch. d. Arbeitsamtes, Bez.-SchulR.-Mtgl., BundeskamR. - Delegierter d. BHK, Obm. d. Sportjägerclubs, Vorst. d. Raiffeisenkasse Gnas, Gremialvorst. d. Gremiums H4, Schiedsrichter d. Grazer Produktenbörse, Bundesgremial-vorst. H4. E.: seit 1974 KommR., Träger d. Gold. EZ d. Rep. Österr., Gr. EZ d. Landes Stmk., Gold. Bundes-EZ d. Sportunion, Gold. EZ d. Jagdschutzver., Landessportabz., viele weitere Ausz. M.: Gründer v. ca. 30 Ver., Protektor d. Kameradschaftsbundes. (P.M.)

Roth Hans Dipl.-Ing.
B.: Arch., Inh. d. Arch.-Büros Roth. DA.: 4600 Wels, Pollheimerstr. 7. PA.: 4600 Wels, Dr.-Groß-Str. 25. G.: Linz, 8. Apr. 1947. V.: Heidemarie, geb. Brandstetter. Ki.: Ulrike (1980), Klaus (1981). El.: Josef u. Aurelia. S.: Grundschule, 5 J. HTL f. Hochbau Linz, 1969-76 Arch.-Stud. TU Wien. K.: b. 1980 Ang., seit 1981 eigenes Büro, 1988 Standort-verlegung, Schwerpunkt: Ind. u. Wohnungsbau. H.: Sport, Musik. (P.H.)

Roth Hans Dipl.-Ing.
B.: Gschf. FN:: Hamberger Bau GmbH. DA.: 4010 Linz, Bürgerstr. 11. PA.: 1030 Wien, Hegerg. 9. G.: Schiefling, 20. Nov. 1936. V.: Ehrentraud, geb. Pötsch. Ki.: Astrid (1971), Georg (1977). El.: Jakob u. Katharina. S.: b. z. 18. Lebensj. Mitarb. im elterl. Betrieb, 1954-60 Zimmerer, 1960-66 Bautechniker u. Externistenmatura, 1966-71 Stud. and. TH Graz. K.: 1971-75 Baultr. in Graz u. Klagenfurt, 1975-80 Filialltr. in Wien, seit 1980 Gschf. H.: Laufen, Oper, Ballett. (P.R.)

Roth Johann Dkfm.
B.: Vorst.Dir. FN.: Steirische Montanwerke AG. DA.: 8700 Leoben, Donawitzerstr. 39. G.: Leoben, 9. Dez. 1933. S.: RG, HS f. Welthdl. K.: b. Steir. Montanwerke begonnen. H.: Tennis, Skifahren, Musik.

Roth Peter Dr. Dipl.-Geograph
B.: Dir. d. Dt. Zentrale f. Tourismus (DZT). GT.: Lehrauftrag Marketing im Reiseverkehr Univ. Trier. DA.: 1010 Wien, Schubertring 12. G.: Erfelden/Deutschland, 7. Jän. 1951. V.: Elke, geb. Henzel. Ki.: Franziska (1988), Valerie-Sophie (1990). El.: Martin u. Anneliese. S.: 1968 Abitur, Stud.

Geographie, Geologie u. Wirtschaftswiss. J.W. Goethe-Univ. Frankfurt/Main, 1975 Dipl.-Geograph, 1980 Dr. phil. K.: 1975 Ass. Geograph. Inst. Univ. Frankfurt, 1976 Ass. d. Dir. d. DZT Frankfurt, 1980 Ltr. d. Marktforsch. d. DZT, 1992 Dir. DTZ Wien. P.: Veröff. in d. Bereichen: Regionalforsch., Regionalplanung, Städtebau, Soz. Wandel, Reiseverkehr, Marketing im Reiseverkehr. H.: gute Musik, Eisenbahn, Wein, USA.

Roth Richard

B.: Malermstr. DA.: 4820 Bad Ischl, Kaltenbachstr. 6. PA.: 4820 Bad Ischl, Kaltenbachstr. 2. G.: Bad Ischl, 9. Jan. 1947. V.: Irmgard, geb. Hörl. Ki.: Eva, Bettina. El.: Albin u. Auguste. S.: Gymn., kfm. Berufschule, Mstr.Prüf. K.: Tätigkeit als Betriebsrationalisierer, seit 1974 Alleininh. d. 1885 v. Großvater gegründeten Unternehmens, 1980 Eröff. einer Filiale in Bad Goisern. H.: Lesen, Reisen. (Foed.)

Roth Rupert Dr. iur.

B.: Österr. Hdls.Delegierter f. d. BRD m. Sitz in Frankfurt. PA.: D-6370 Oberursel-Stierstadt, Karlsbader Str. 11. V.: Erika, geb. Pail. El.: Dr. Rupert u. Maria. S.: Univ. Graz, London School of Economics. K.: 1958 Eintritt in d. Außenhdls.Organ. d. österr. BWK, 1960-64 Verw. an d. Hdls.Delegationen in Paris u. London, 1965-73 Österr. Hdls.Delegierter in Hamburg, 1974-76 Westeuroparef. in d. Zentrale Wien, 1977-79 Österr. Hdls.Delegierter f. Norwegen u. Island, seit 1980 Österr. Hdls.Delegierter f. d. BRD m. Sitz in Frankfurt/Main. P.: zahlr. Publ. E.: Offz. d. Königl. St. Olav's Orden Norwegen 1978, BVK I. Kl. d. BRD 1982, Gold. EZ f. Verd. um d. Rep. österr. 1984. M.: Übersee-Club Hamburg, Frankfurter Ges. f. Hdl., Ind.. u. Wiss. H.: Reisen, Literatur, Geschichte, Musik, Briefmarken.

Rothauer Sepp Dipl.-Ing.

B.: Ziviling. f. Hochbau, staatl. befugter u. beeid. Ziviltechn. FN.: D. I. Rothauer. DA.: 1190 Wien, Sieveringer Str. 82. PA.: 1220 Wien, Powolnyg. 2. G.: Wien, 8. Apr. 1941. V.: Maria, geb. Wasl. Ki.: Doris. El.: Josef u. Hildegard. BV.: Vater Arch. St. Wolfgang. S.: Hum. Gymn., TU Wien Hochbau, Ziviltechniker. K.: Prof. Grünberger als Bäderspezialist, Ziviltechnikerpraxis b. div. Arch., 1976 selbst. Ziviltechnikerbüro f. Arch., Prof.Ing.Leistungen. BL.: Renovierung u. Neuerrichtung v. Schwimmbädern, Freibädern u. Kuranst. M.: Grdg.Mtgl. Lions Club Wien Johann Strauß. H.: Musik, Tennis, Gartenpflege, Basteln, Fischen. (Kas.)

Rothbauer Gerhard Dr. med. univ. MedR. Prim.

B.: Vorst. d. Inst. f. Zahn-, Mund- u. Kieferheilkunde d. Stadt Wien-Lainz. A.: 1180 Wien, Bastieng. 105. G.: Wien, 13. März 1927. V.: Christa, geb. Car. S.: Gymn., Stud. an d. Med. Fak. d. Univ. Wien, 1956 Doktorat, zahnärztl. Lehrgang, 1959 Staatsprüf. K.: seit 1964 Konziliar-FA f. Zahn-, Mund- u. Kieferheilkunde, seit 1974 Inst.Vorst. im KH d. Stadt Wien-Lainz Neurolog. KH Rosenhügel u. im Pulmolog. Zentrum Baumgartnerhöhe. P.: 62 wiss. Publ. u. Vorträge, 16 populärwiss. Vorträge im ORF. E.: Gold. EZ d. Ärztekam. f. Wien, Comturkreuz d. päpstl. Sylvesterordens, EZ d. Österr. Dentistenkam. M.: Rotary-Club, wiss. Ver., Ak. Skiclub u.a. H.: Skifahren, Segeln.

Rothbucher Heinz Dr. Prof.

B.: Dir. d. Päd. Gymn. Sbg., Univ.-Lektor, Psychotherapeut, Existenzanalyse u. Logotherapie nach Viktor Franke, Transaktionsanalyse. DA.: 5020 Salzburg, Akademiestr. 23. PA.: 5020 Salzburg, Fürstenbrunnstr. 4. G.: Teisendorf/-Bayern, 24. Juli 1939. V.: Dr. Monika, geb. Lechner. Ki.: Dorothea, Johann, Bernhard. El.: Luitpold u. Theresia. S.: 1958 Matura, Stud. Psych. u. Päd. Univ. München u. Sbg., 1966 Prom. z. Dr. phil., Lehramtsstud. Deutsch, Religion u. Phil. f. Höhere Schulen u. Pflichtschulen. K.: 1970-79 Doz. an d. HS f. Phil. München, ab 1979 Dir. d. Päd. Gymn. Sbg. P.: zahlr. Buch- u. Zeitschriftenpubl. auf d. Gebiet Psych. u. Päd. M.: Österr. Bundesverb. f. Psychotherapie (ÖBVP), Ges. f. Existenzanalyse u. Logotherapie, Österr. Ges. f. Transaktionsanalyse, Vors. d. Entwicklungspolit. BeiR. Sbg. Landesrg. H.: Tennis. (M.Mo.)

Rothe Peter Dipl.-Ing.

B.: OberforstR. d. Forstverw. Neuwaldegg. DA. u. PA.: 1170 Wien, Neuwaldegger Str. 48. G.: Wien, 28. Nov. 1938. V.: Krista, geb. Blazsovsky. Ki.: Ursula (1970). El.: Otto u. Elisabeth, geb. Fritze. S.: VS, AHS, 1957-62 Stud. Forstwirtschaft Univ. f. Bdk. Wien. K.: 1964-65 zugeteilter Forstass. in d. Forstverw. Gusswerk, 1966-76 Gen.-Dion. d. Österr. Bundesforste Forsteinrichtung, 1976-89 Ltg. d. Forstverw. Preßbaum, seit 1989 Forstverw. Neuwaldegg, ab 1982 Mtgl. d. Staatsprüf.-Kmsn. f. d. Forstdienst d. BMLF. E.: Ehrenmtgl. d. Landwehrstammregimentes 21. H.: Bergsteigen, Skifahren, Gartenarb., Literatur. (N.A.)

Rothe Utz Mag. art. Prof.

B.: ak. Maler, Prof. an d. AHS Wien. DA.: 1180 Wien, Wurzingerg. 2. G.: Wien, 2. Dez. 1940. V.: Dr. med. Gertraud, geb. Blaschke. Ki.: Ulrike, Alexander. El.: Otto u. Johanna. S.: 1940 Matura, Stud. an d. Ak. d. Bild. Künste, 1967 Dipl. u. Lehramtsprüf. K.: Tätig als Maler u. Kunsterzieher in Wien, zahlr. Ausstellungen u. Ausstellungsbeteiligungen, Werke im Besitz d. BMU, d. Gem. Wien u. in Privatbesitz. M.: Mtgl. d. Ges. bild. Künstler Österr., Künstlerhaus, BFÖ. H.: Fußballspielen. (A.W.)

Rothenpieler-Winkelmayer Ingeborg Dr. med.

B.: FA f. ZMuK, Inh. eines Hotels auf d. Flattnitz. DA.: 9020 Klagenfurt, Bahnhofstr. 49. PA.: 9360 Friesach, Bahnhofstr. 20. G.: Leoben, 5. Aug. 1925. V.: MedR. Dr. med. Heinz Rothenpieler. Ki.: Dr. med. Eva Maria, Dr. rer. nat. Elisabeth Ingeborg, Dr. med. Brigitte Helga. BV.: Hugo u. Otto Meixner v. Zweienstamm: Generäle d. kaiserl. Armee (Vorf. mütterlichs.). S.: Gymn. in Leoben, Med.Stud. in Graz, 1. Apr. 1950 Prom. K.: FA-Ausbild. in Graz, seit 1952 eigene Praxis, seit 1972 Hotelbes. M.: Zahnärzteverb. H.: Enkelkinder, Handarb., Garten, Reisen, klass. Musik, Biologie, Mineralogie, Briefmarken. (D.M.)

Rothenthal Adalbert Dipl.-Ing.

B.: Arch. A.: 5020 Salzburg, Sigmund-Haffner-G. 16. G.: Wien, 19. Nov. 1940. V.: Maria, geb. Dürfeld. El.: Heinrich Freiherr v. Rothenthal u. Anna-Sofie Freifrau v. Rothenthal. S.: TU Wien, Arch. K.: Büropraxis in Wien u. Sbg., in d. USA u. England, staatl. befugter u. beeid. Ziviltechniker. H.: Sandburgen u. Luftschlösser bauen.

Rothländer Herbert Dir. Mag.

B.: Dir. FN.: Bundesrealgymn. St. Pölten. DA.: 3100 St. Pölten, Schulring 16. PA.: 3140 Pottenbrunn, Maria Jeutendorf 42. G.: Bukarest, 9. Sept. 1940. V.: Edeltraud, geb. Reiber. Ki.: Herwig, Christiane. El.: Josef u. Valerie. S.: VS, 1946-59 Gymn. Linz, 1958-67 Stud. Gesch. u. Latein Univ. Wien. K.: 1963 Lehrerbild.-Anst. St. Pölten, 1967 Musisch-Päd.-Realgymn. St. Pölten, 1977 BRG/BORG St. Pölten, s. 1989 Dir., 1975-87 Pers.-Vertr. d. Schule, 1987-89 Administrator d. Schule. E.: gold. Sport-EZ d. Landes NÖ, gold. Ehrennadel d. Österr. Fechtverb.M.: Vizepräs. d. NÖ Fechtverb., Präs. d. Sportunion NÖ. H.: Fechten, Fußball, Skifahren, Lesen, Musik. (M.G.)

Rothleitner Hans

B.: Zahntechniker, Unternehmer. FN.: Rothleitner Zahntechnik. DA. u. PA.: 9400 Wolfsberg, Libellenweg 5. G.: Wolfsberg, 16. Juni 1951. V.: Margret, geb. Kos. Ki.: Elisabeth (1982), Christina (1983). El.: Hans u. Maria. S.: VS,

HS, Lehre als Zahntechniker b. Dentist Aichmaier u. Berufsschule in Baden, 1969 Gesellenprüf., BH, 1976 Mstr.-Prüf. K.: 1979 Firmengrdg. E.: div. Ausz. u. Preise b. sportl. Aktivitäten Radrennen/Gebirgspässe, Waldlauf, Segelfliegen), Silber u. Gold C m. Brillanten. M.: Aero Club Wien, Flugver. KLV Wolfsberg, Österr. Versuchssenderverb. Bez.-Gruppe Wolfsberg. H.: Drachenfliegen (Pionier im Lavanttal), Segelfliegen, Modellfliegen, Amateurfunker. (G.L.)

Rothleitner Helmut Dipl.-Ing.

B.: Abt.Ltr. d. Abt.Übertragung, Fernmeldetech. u. Elektronik. FN.: Dr. techn. J. Zelisko GmbH. DA.: 2340 Mödling, Steinfelderg. 12. PA.: 2340 Mödling, Dr.-Ludwig-Rieger-Str. 53/Haus 4. G.: Wien, 19. Jan. 1942. V.: Jutta, geb. Brantner. El.: Dr. Richard u. Josefa. BV.: Schwiegerv. Dr. Franz Brantner Grder d. österr. Kneippbund. S.: Gymn., HTL Nachrichtentechn., Physikstud. an d. TH Wien. K.: 1969 Eintritt in d. Fa. Siemens, 1974-76 Brown Boveri, UHER-Wien (Konzerntochter d. Fa. Siemens), ab 1980 Fa. Dr. techn. J. Zelisko GmbH, seit 1984 Handlungsbev. H.: Tauchen, Reiten, Hochseesegeln, Computertechn.,, klass. Musik. (Ch.K.)

Rothmayer Erich Ing.

B.: Gschf., Elektrotechniker. FN.: AET Allgem. Elektrotech. GmbH. DA.: 1110 Wien, Dreher-str. 5. G.: Wien, 2. Juni 1941. Ki.: Marion, Ing. Thomas. El.: Rudolf u. Maria. S.: 4 Kl. Mittelschule, 5 Kl. HTL. K.: 1961-65 in div. Firmen als Techn., 1965-89 Fa. Honeywell techn. Werkstättenltr., s. 1989 selbst. Betrieb, Werkstätte mit 4 Mitarb. übernommen, Steuerschränke u. Regelsysteme gebaut, zur Zeit 11 Mitarb., div. Um- u. Ausbauten. M.: Alpenverein. H.: Laufen, Radf., Video-filmen. (W.M.)

Rothmayer Michael Ing.

B.: Unternehmer. FN.: Teleplan. DA.: 1220 Wien, Hirschstettnerstr. 95. PA.: 1220 Wien, Hirschstettnerstr. 95A. G.: Wien, 12. Jän. 1949. V.: Patricia, geb. Beechey. Ki.: Nicole (1982), Michèle (1983). El.: Rolf u. Gerda. S.: HTL Wien, 1968 Abschluß, 1969-73 Stud. Nationalök. Univ. Wien. K.: 1969-74 Projekting. b. zahlr. Projekten u.a. 1972-74 Einrichtung d. ORF-Centers Wien, 1974-78 Projekting. im Sultanat Oman f. Austroconsult Dr. Sobotka, seit 1978 selbst., Grdg. Firma Teleplan Techn. Büro f. Elektro-, Nachrichten- u. Installationstechnik, 1986 Grdg. d. Teleconsult GesnbR m. Dipl.-Ing. Untersalmberger Dienstleistungsangebot f. Kommunikationsstudien, 1989 Grdg. d. Firma Seltech f. Heizung, Sanitär u. Klimatechnik, 1990 PHC GmbH f. Planung u. Beratung im Hotelbau, 1991 Grdg. ProConsult f. Med.-Techn. BL.: Aufbau d. gesamten Fernseh- u. Rundfunksystems im Sultanat Oman. F.: Teleconsult GesnbR Wien, Seltech GmbH Wien, PHC GmbH Budapest, ProConsult GmbH Wien. M.: IEE, Royal Television Society, ÖVE, VÖI. H.: Skifahren, Computertechnik, Lesen, Theater, Reisen. (J.S.)

Rothmüller Gerfried

B.: Inh. FN.: Fahrschule Alpenland. DA.: 9020 Klagenfurt, 8.-Mai-Str. 47. PA.: 9020 Klagenfurt, Beethovenstr. 41. G.: Spittal/Drau, 1. Apr. 1931. V.: Hermine, geb. Brenner. Ki.: Mag. Elisabeth (1965). El.: Leo u. Elisabeth. S.: Hum. Gymn., 1949 Matura, Berufsschule, 1951/52 Fachschule f. Autobau Steyr m. Abschlußprüf., Lehrgänge als Kundendienstberater, Lehrgang f. Porsche-Spezialist. K.: 1949-61 Kfz-Lehrling Firma Kirchbaumer Klagenfurt, 1952-57 Kundendienstberater VW-Knoch Klagenfurt, 1957-62 Fahrschullehrer u. Ltr. d. Fahrschule Alpenland, 1962 Übernahme d. Fahrschule Alpenland u. seither selbst. Unternehmer u. Inh. H.: Haus- u. Gartenarb., sportl. Aktivitäten. (F.S.)

Rothstein Christine Prof.

B.: Puppenspielerin u. Musikerin. GT.: freie Mitarb. b. ORF. PA.: 1230 Wien, Eigelg. 11. G.: Lilienfeld, 20. Juli 1945. V.: Prof. Mag. Arminio. El.: Leopold u. Hedwig Groeber. BV.: Musikerfamilie. S.: Stud. d. Germanistik u. Phil. K.: ehem. Prof. f. Deutsch u. Phil. an AHS, seit vielen J. Puppenspielerin im Theater u. in div. TV-Sendungen ihres Mannes, komponiert, experimentiert u. schreibt Hauptrollen: Tobias, Mimi u. d. Kasperl im Puppenzirkus Habakuk, verantwortl. f. d. Koordination des Puppomobils. M.: UNIMA. H.: Musik, Puppenmachen. (E.L.)

Rothstein Gordana

B.: selbst. Puppenkünstlerin. DA. u. PA.: 1010 Wien, Franz-Josefs-Kai 45/1/7. G.: Belgrad, 7. Nov. 1947. El.: Bratislav u. Jelisaveta Veselinovic. S.: 1965-66 Stud. Keramik an d. Ak. f. Angew. Kunst Wien, Mstr.-Kl. Prof. Leinfellner, 1966-68 Stud. Bildhauerei an d. Ak. d. Bild. Künste Wien, Mstr.-Kl. Prof. Wotruba. K.: 1967 Mitbegrdg. d. Arlequin-Theters im Cafe Mozart Wien, 1973 Grdg. Gordanas Puppentheater: über 100 Theatervorstell. f. Kinder im TV, Auftritte m. Puppen in div. TV-Shows u. TV-Kabarettsendungen, Schallplatten: Mitwirk. (Gesang) b. "Sabres" u. "Kaikukas", lfd. Kreationen v. Puppen f. Fernsehen, Werbung, Filme u. Kabarett, Schwerpunkt: Porträtpuppen, insgesamt über 600 Puppen, Theaterauftritte im In- u. Ausland, Teilnahme an Festspielen, zahlr. Ausstellungen in Europa. P.: Autorin v. Bücher f. Kinder u. Jugend, Fernsehdrehbücher, Märchen, Lyrik, Übersetzungen aus d. serbokroat. Sprache. E.: Prix Danube 2. Preis f. TV-Kindersendung. M.: UNIMA, Interessensgemeinschaft österr. Autoren, Ver. hauptberufl. Autoren, Literar. Verwertungsges., VBK. H.: Puppen kreiieren. (N.A.)

Rottenbacher Christine Dipl.-Ing.

B.: Landschaftsplanerin u. Landschaftsökologin. DA. u. PA.: 2093 Geras, Vorstadt 2. G.: Innsbruck, 31. Mai 1962. Ki.: Marlene (1984). El.: Helmut u. Ingrid Rottenbacher. S.: VS, 1980 AHS-Matura, Stud. BOKU Wien, 1991 Spons. z. Dipl.-Ing. K.: Tutorin Univ. Wien, freie Mitarb. b. Dorferneuerungsprojekten, 1990 Übersiedlung nach Geras. M.: ÖGLA. H.: Lesen. (M.M.)

Rott Anna Maria o.Prof.

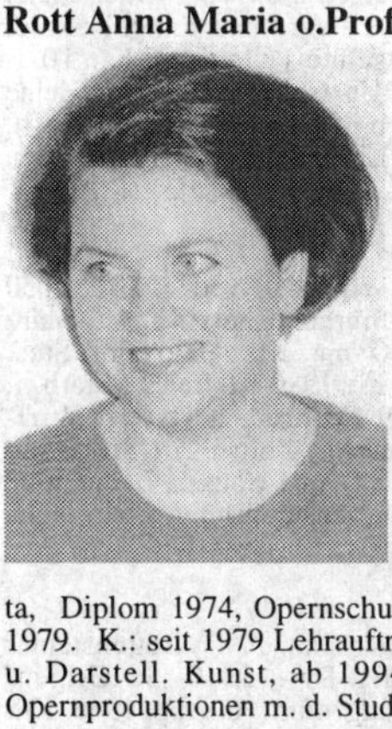

B.: o.Prof. f. Gesang an d. HS f. Musik u. Darstell. Kunst. DA.: 1030 Wien, Metternichg. 8. PA.: 1090 Wien, Binderg. 11. G.: Wien, 30. Aug. 1949. El.: Oberst Josef u. Anna Rott, geb. Raab. S.: ab 1966 Gesangsstud. Privatkonservatorium, 1968 Konservatorium d. Stadt Wien (Gesang und Klavier), ab 1970 HS f. Musik : Gesangsstudium später auch Klavierpädagogik; Simmbildung bei Kammersängering Rössl-Majdanl, Diplom 1976, Lied- und Oratorienklasse bei Kammersänger Anton Dermota, Diplom 1974, Opernschule bei Alexander Kolo, Diplom 1979. K.: seit 1979 Lehrauftrag Abt. Musikpäd. HS f. Musik u. Darstell. Kunst, ab 1994 o.Prof., ab 1992 Organ. v. Opernproduktionen m. d. Studenten. H.: Haustiere. (N.A.)

Rott Gebhard

B.: Prok. FN.: Pfeiffer Seil- u. Hebetechnik KG. DA.: 5020 Salzburg, Merianstr. 38.PA.: D-83454 Aufhang, Staufenstr. 9C. G.: Eger, 23. Juli 1940.V.: Gertraud, geb. Leiner. Ki.: Dominik. El.: Anton u. Maria. S.: VS, Mittelschule, 2 J. Kfm. Lehre, Ind.-Kfm. K.: 1958-61 kfm. Ang. Lager- u. Versandtätigkeit, 1961-64 Bundeswehr, 1964-65 kfm. Ang. Frankfurt Import-Export, 1966-68 Firma Pfeiffer Memmingen, 1968-71 Firma Pfeiffer München, 1972-74 Firma Pfeiffer Memmingen, seit 1974 kfm.-techn. Ltr. Sbg., seit 1975 Gesamtprokura. H.: Kochen. (D.E.)

Rottensteiner Franz Dr.

B.: Schriftsteller, Hrsg., literar. Agent. A.: 1060 Wien, Marchettig. 9/17. G.: Waidmannsfeld, 18. Jan. 1942. El.: Franz u. Hedwig. S.: Realschule, Univ. Wien (Publizistik, Anglistik, Geschichte). K.: 1971-75 Hrsg. d. "Science Fiction d. Welt" im Insel-Verlag u. d. "Phantastischen Romane" im Zsolnay-Verlag b. 1984, Editorial Consultant b. Science-Fiction Studies. P.: "The Science Fiction Book", "The Fantasy Book", "View from Another Shore", "Polaris 1-10", "Die Ratte im Labyrinth", "Insel Almanach auf d. Jahr 1972", "Gespenstergeschichten aus Polen", "Über H. P. Lovecraft", "The Slaying of the Dragon", Stanislaw Lem's "Microworlds", "Das große Buch d. Märchen, Sagen u. Gespenstergeschichten", "Gespenstergeschichten aus Österr.", "Gespenstergeschichten aus Nordamerika", "Gespenstergeschichten aus d. Südsee", "Die andere Zukunft", "Phantastische Träume", "Silberne Labyrinthe" u.a., Aufsätze in dt. u. amerikan. Zeitschriften u. Anthologien.

Rottensteiner Hanna Mag. phil.

B.: Simultan Dolmetscherin am Dolmetschinst. d. Univ. Wien, Übersetzerin im Heine Verlag. DA.: 1010 Wien, Karl-Lueger-Ring 1, D-8000 München, Türkenstraße. PA.: 1060 Wien, Marchettig. 9/17. G.: Warschau, 5. Sept. 1947. V.: Dr. Franz. Ki.: Joachim-Jan. El.: Anton u. Sabina Jarosinski. BV.: Großeltern mütterlichers. Gutsbesitzer (poln. Adel v. Tatay), Mutter in d. Jugendz. Sängerin. S.: VS, Mittelschule, Matura, Dolmetschinst. d. Univ. Warschau, Linguistiktud. Wien, Konservatorium Warschau (Klavier). K.: 10 J. Lektorin an d. Univ. Wien, dzt. Übersetzerin b. Verlag Heine sowie Simultandolmetscherin b. Tagungen, Kongressen u. div. Veranstaltungen. P.: Literaturkritische Art. in Fachzeitungen. M.: SF-Club. H.: Musik, Konzerte. (R.A.)

Rottensteiner Johannes

B.: Fachjournalist. FN.: Österr. Wirtschaftsverlag. DA.: 1050 Wien, Nikolsdorfg. 7-11. G.: Sigmundsherberg, 17. März 1962. El.: Johann u. Hella. S.: Gymn. Klosterneuburg, Stud. Jus, Geschichte u. Politikwiss. K.: 1980-91 freier Mitarb. i. ORF, Radio u. Sport, s. 1989 Fachred. i. Österr. Wirtschaftsverlag, Österr. Fleischerztg., Zeitschrift Spiel und Sport, Magazin für Lehrlinge. H.: Tennis, Squash, Badminton, Fußball, Schwimmen, Schallplattensammlung, historische Bücher, moderne Musik. (J.M.)

Rottensteiner Robert

B.: Illustrator u. Graphikdesigner, Inh. FN.: Rottensteiner Imagination Conception GmbH. DA.: 5340 St. Gilgen/Thalgau, Thalgau-Egg 12. G.: Klagenfurt, 6. Aug. 1960. Ki.: Rebecca, Maximilian. El.: Josef u. Gerda. S.: Hum. Gymn., HTL Nachrichtentechnik, Kunstgewerbeschule Graz, Lithograph. K.: seit 1985 selbst. als Werbegraphiker, 1989 Grdg. d. Werbeagentur Rottensteiner & Giesemann, 1991 Grdg. Imagination Conception GmbH. H.: Sport aller Art. (M.Mo.)

Rotter Eva

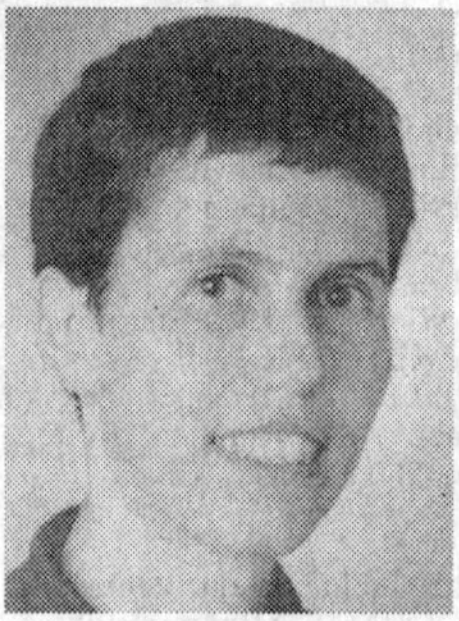

B.: Akad. geprüfte Kulturmanagerin, Ltr. FN.: Kulturhalle Remise. DA.: 1060 Wien, Capistrang. 3/3/21. G.: Wien, 27. Dez. 1959. El.: Hermann u. Erika. S.: Kulturmanagementlehrgang a. d. Univ. Linz, 1993 Diplom, derzeit Teiln. a. int. Lehrgang "Europäisches Kulturmanagement". K.: 7 J. f. d. Fluglinien Austrian Airlines u. Lauda Air tätig, Reservierungskontrolle-Steuerung d. Flugauslastung v. Linienflügen u. Einschulungen f. Computerreservierungssysteme, anschl. Freelancer i. Kulturbereich, Organisatorin v. int. Architektursem. i. Auftrag d. Geschäftsgruppe Stadtplanung, s. 1991 Ltr. d. Kulturhalle Remise: Projektltg., Öff.-Arb., Marketing u. Verwaltung d. Halle, Projektltg. u.a. von Ausstellungen wie Les Levine, Walter Pichler etc., von Performances wie Jim Whiting, von Filmfestivals u.a. "Filmreise" u. "Taxifilmfestival" und von Fest- u. Buchpräsentationen wie z.B. "Fremdes Wien" v. Lisl Ponger. H.: Reisen, Kulturveranstaltungen u. Sport. (J.S.)

Rotter Ferry

B.: Grafikdesigner. FN.: Landesverlag Druckservice GmbH & Co KG. DA.: 4020 Linz, Hafenstr. 1-3. G.: Linz, 2. Okt. 1934. V.: Elke, geb. Schumann. Ki.: Claudia (1962), Clemens (1965). El.: Ferry u. Hermine. S.: VS, HS, 1949-53 Lehre als Schriftsetzer Firma J. Wimmer, 1960-65 Ausbild. Kunstschule d. Stadt Linz b. Prof. Friedrich Neugebauer. K.: ab 1953 b. jetziger Firma als Schriftsetzer tätig, ab 1977 techn. Ang. u. Abt.-Ltr.-Stellv., seit 1986 Grafikdesigner, selbst. Grafiker. BL.: Gestalter einer Sonderbriefmarke 1985 m. 3,5 Mill. Auflage. E.: 3. Preis im Napp-Wettbewerb 1988 in Atlanta/USA, 2. Preis im Napp-Wettbewerb 1989 in New Orleans/USA. H.: Beruf, Tiere, Natur, Schmuck. (U.A.)

Rotter Georg Ing.

B.: Dir., Gschf. FN.: HSK Small GmbH Wärme-, Klima- u. Sanitäranlagen. DA.: 1100 Wien, Daumeg. 1. PA.: 1230 Wien, Kronfußg. 18. G.: Znaim/Tschechien, 8. Sep. 1940. V.: Ingrid. Ki.: Monika, Katharina. El.: Egon u. Lucia. S.: VS, Mittelschule, 5 J. HTL. K.: Gschf. Zenti Zentral GmbH, 1961 Übernahme d. Mannesmann Anlagenbau, 1988-90 Vorst. Dir. Mannesmann, seit 1991 Gschf. Firma Small. M.: Lions Club. H.: Tennis, Golf, Skifahren. (W.M.)

Rotter Gerhard

B.: Geschäftsstellenltr. f. OÖ d. EDV GmbH. DA.: 4020 Linz, Figulystr. 34. PA.: 4040 Linz, Altenbergerstr. 37. G.: Linz, 28. Juli 1952. V.: Ulrike, geb. Sinn. Ki.: Alexandra (1971), Gerald (1980). El.: August u. Anna. S.: Polytechn. Lg., 3J. Lehre als Dreher, 1970-73 HTL (Maschinenbau) Linz. K.: 1970-75 Facharbeiter, dazw. 1974-76 EDV-Abendschule m. staatl. Prüf., 1975-84 Betriebslehrer am BFI OÖ, ab 1985 Geschäftsstellenltr. M.: SPÖ (s. 1974). H.: Bergwandern, Radfahren, Schwimmen. (P.H.)

Rotter Hans Dr. MedR.

B.: FA f. Nerven- u. Geisteskrankheiten. DA.: 1080 Wien, Alserstr. 19. G.: Wien, 5. Apr. 1919. V.: Liselotte, geb. Eminger. Ki.: Ursula, Hans. El.: Adolf u. Leopoldine. S.: 1950 Prom. K.: 1956 FA, 1958 Privatordination, 1960-65 Ltr. d. Ref. 12 d. MA 15 (Wien), Gründer d. Referates f. Psychohygiene, Mitaufbau v. Kalksburg, 1967 Austritt aus d. Gem. Wien, 1974 Psychiatr. Ambulanz HSP Wien-Stammersdorf, b. 1984 als Oberst A. d. Res. i.P. P.: 54 Publ., Film: "Alkoholismus", Lehrbuch: "Die Rehabilitation Alkoholkranker". E.: Dr. Karl-Renner-Preis 1962, Gr. Gold. VZ d. Rep. Österr., VS-Mtgl. "Settlement". H.: Ägyptologie. (J.E.)

Rotter Hans Dr. theol. o.Prof.

B.: Univ.-Professor am Institut f. Moraltheologie u. Ges.Lehre. DA.: 6020 Innsbruck, Sillgasse 6. G.: Hemhof/BRD, 6. Okt. 1932. El.: Georg u. Zäzilie. S.: Gymnasiumm. Abitur, Eintritt in d. Jesuitenorden, Studium d. Philosophie u. Theologie, 1967 Dr. theologie, 1969 Habilitation f. Moraltheologie K.: 1969 Doz. f. Moraltheologie an d. Theologischen Fakultät d. Univ. Innsbruck, 1970 o.Prof. f. Moraltheologie u. Vorstand d. Inst. f. Moraltheol. u. Ges.Lehre an d. Univ. Innsbruck. P.: "Christliches Handeln, seine Begründung u. Eigenart", "Spannungsfeld Ehe u. Familie", "Grundgebot Liebe", "Die Berufung", "Die Würde des Lebens", "Heilsgeschichte u. eth. Normen", "Sexualität u. christl. Moral", "Glaube u. Handeln", "Neues Lexikon d. christlichen Moral" (Hrsg. Rotter/Virt), "Person u. Ethik". M.: Mitglied d. theologischen Komission d. Österr.eichischen Bischöfe. (J.S.)

Rotter Manfred Dr. med. dip. bact (London)

B.: Univ.-Prof., Arzt. A.: 1080 Wien, Ledererg. 7. G.: 6. Juni 1940. El.: Dr. Hans u. Herta. BV.: Urenkel v. A. Nehr, Schöpfer d. "Rathausmannes" in Wien. S.: VS, hum. Gymn. Sbg., 1958 Beginn d. Med.Stud. in Wien, 1965 Prom. u. Ass.Arzt am Hygieneinst. d. Univ. Wien, 1970-71 Aufenthalt in London (London School of Hygiene and Tropical Medicine), Abschluß m. Dip. bact. K.: seit 1972 Ltr. d. Abt. Bakteriologie, Hygieninst. d. Univ. Wien, zusätzl. 1973-85 Ltr. d. bakt. Lab. d. Klinik f. Chemotherapie d. Univ. Wien, 1976 Habil. f. d. Fach Hygiene u. Mikrobiologie, 1979 a.Univ.-Prof. f. Hygiene u. Mikrobiologie. P.: ca. 350 Publ., darunter ein Buch "Die Hygiene d. Teppichbodens". E.: 1975 Unilever-Preis, 1976 Österr. Hygiene-Preis, 1982 R. Schülke-Preis, 1984 Düsseldorfer Hygiene-Preis. M.: Mtgl. zahlr. Fachges., 1982-84 Präs. d. Österr. Ges. f. Hygiene, Mikrobiologie u. Präventivmed., 1985-89 Präs. d. Österr. Ges. f. Chemother., Mithrsg. d. Zeitschrift "Hygiene u. Med.", Editorial adviser d. Journal of Hospital Infection, Foreign editorial adviser d. Zeitschrift "Infection Control", Mtgl. im editorial board v. Alpe Adria Journal of Microbiology, BeiR. d. Zeitschrift f. antimikrob. antineopl. Chemotherapie. H.: klass. Musik, Garten, Sport.

Rotter-Le Beau Magdalena Mag. pharm.

B.: Apothekerin d. Heilborn Apotheke. DA.: 1150 Wien, Europapl. 1. PA.: 1060 Wien, Gumpendorfer Str. 74. G.: Wien, 19. Okt. 1921. Ki.: Dr. Fritz, Mag. Elisabeth, Mag. Christine, Wolfgang. El.: Dr. Stefan u. Marianne Lehner. S.: 1939 Matura, 2 J. Praxis in Baden in d. Hl. Geist Apotheke, Stud. Pharmazie in Wien, während d. Semesterferien Ferialpraxis in 12 versch. Apotheken, 1944 Mag. pharm. K.: 1944-45 Ang. Apothekerin d. Apotheke in d. Praterstr. 66, 1945-47 Ltg. u. Führung d. Apotheke in Neufeld/Leitha, 1948/49 Ang. in d. Apotheke "Zum Bären" Wien, 1950 Grdg. u. Aufbau einer eigenen Apotheke "Heilborn Apotheke". H.: Gartenarb., Lesen, Schwimmen. (M.B.)

von Rotterdam Verena

B.: freisch. Künstlerin. DA. u. PA.: 1090 Wien, Liechten-steinstr. 22A/2/23. G.: Wien, 1. März 1965. El.: Paul u. Rougette. BV.: Fam. von Loeper, bek. Pferdezüchterfam., Dolores Repoldi, bek. Operndiva. S.: 1983 Mat., Stud. Malerei Akad. d. Bild. Künste Wien, Vervollkommnung d. Ausbild. in USA. K.: Inspiriert v.d. Großeltern (Pferdegutsbes.), Schwerpunkt d. Tätigk.: Pferde- u. Pferdesportbilder sowie Papageien u. tropische Vogelbilder in Acryl auf Leinen, Hauptan-liegen: Schutz d.v. Aussterben bedrohten Tierarten i.d. Regenwäldern d. Amazonas u. Umweltschutz. Ausstellung in BRD u. Österreich wie z.B. Pferdemesse Equitana, Galopprennverein Freudenau, Galerie Prisma, 1993 Galerie 22, Galerie Lehar, Ferge Fine Arts, Hotel Hilton, 1994 Kunsthaus Siedler, Ringstraßengalerien, Messepalast Wien, Palais Palffy, Schloß Schloßhof NÖ. P.: Literaturquelle: Dr. H. Fuchs. M.: Kulturverein Innere Stadt. H.: Kunst, Hunde, Reiten, Golf, Umweltschutz. (J.S.)

Rottmann Janko Dr. Mag.

B.: Gschf. Ges. FN.: MCR Management Consulting Dr. Rottmann DA.: 8010 Graz, Alber-Str. 9. G.: 29. März 1956. V.: Mag. Ilse, geb. Steyrer. El.: Janko u. Sieglinde. S.: HAK Graz, 1975 Matura, 1981 Mag. rer. soc. oec. an d. Karl-Franzens-Univ. Graz, 1983 gepr. Unternehmensberater, 1988 Dr. rer. soc. oec. an d. Karl-Franzens-Univ. Graz. K.: 1975-81 ARGE Olympiapark München (Controller u. Ltr. d. EDV), 1981-84 A. Derstvenscheg-GmbH & Isolierglaserzeugung GmbH Graz (Personalltr. u. Ltr. EDV u. Organ.), 1984-1993 Gschf. d. Managementberatung Dr. J. F. Jenewein, s. 1993 Gschf. Ges. d. MCR Management Consulting Dr. Rottmann, s. 1986 ger. beeid. Sachv. f. Arbeits- u. Betriebsorgan., sowie Planung, Führung u. Ausbild. v. Führungskräften, s. 1991 Vorst. d. Intern. Ges. f. Weltwirtschaft in Berlin (Ltr. d. Sekt. Öst.), s. 1992 Mtgl. im Advisory Board d. Frauenministeriums (zuständig f. d. Bereich "Karriereplanung f. Frauen"). M.: WdF, VÖI. H.: Tennis, Squash, Surfen, Joggen, Schifahren, fernöstl. Kampfsportarten, betriebs- u. personalwirtschaftl. Fachliteratur.

Rottmeyer Franz Robert

B.: Vorst. FN.: OPEL Austria GmbH. DA.: 1220 Wien, Groß Enzersdorferstr. 59. G.: Knittelfeld, 22. Febr. 1939. V.: Helga, geb. Vockel. Ki.: Monica (1965). El.: Franz u. Maria. BV.: Maler Johann Michael Rottmayr. S.: Gymn. Knittelfeld, HTL b. 1962, div. Seminare., Harvard Univ. Sommer Sem. 94 K.: b. 1964 Düsseldorf, b. 1965 Arb.Vorbereitung Fa. Golnow-Stahlbau, Arb.Vorbereitung Bremer Atlas-Werke, b. 1968 Ing. f. Zeitstudien Fa. Balcke Frankenthal, b. 1971 Ass. d. Werksdir. Fa. Hallberg, 1971-74 OIng. MAN München, Ass. d. Vorst.Vors. f. Produktivitätsplanung, Verw. u. Rationalisierung, 1974-84 Personalchef Fa. Pfanni, 1984-89 Vorst.Dir. f. Personal b. General Motors, 1989-9.94 Werksdir. P.: Art. in versch. Fachzeitschriften, div. Vorträge, Buch "Langfristige Unternehmenssicherung durch richtige Auswahl, Förderung u. Bezahlung v. Nachwuchskräften" (1979). M.: 1974-85 Sprecher d. Münchner Personalltr.Kreises DGFP, Mtgl. d. Tarifkmsn. f. Nahrungs- u. Genußmittel, 1975-88 Mtgl. d. RKW-Rationalisierungs-Kuratoriums d. Dt. Wirtschaft, Ref. im Bild.Werk d. Bayer.

Wirtschaft. H.: Sport (Rennradfahren, Skifahren, Bergsteigen), Reisen: Asien, Theater, Musik (Mozart), Sammeln v. alten Schlüsseln u. Schlössern. (M.G.)

Rottner Rudolf

B.: Maler u. Anstreichermstr. FN.: Farbenhaus Rottner Ges.m.b.H. & CO KG. DA./PA.: 4880 St. Georgen, Römerstr. 2. G.: Steyregg, 24. Feb. 1940. V.: Luise, geb. Unseld. Ki.: Werner (1959), Bernhard (1967), Barbara (1968), Sigrid (1971). El.: Rudolf u. Anna. S.: VS, HS, Lehre b. Fa. Birgmayer, 1957 Lehrabschlußprüf., 1958-61 Wintersem. a. d. Malerschule d. Österr. Malerhandwerkes. K.: in d. Sommermonate Thun/CH u. Schweden, 1961 Mstr.Prüf., 1962-63 b. KommR Gustav Menlik, 1963 Grdg. d. Farbenhauses, bis 1986 als Einzelfa., ab. 1986 Gschf. d. GEs.m.b.H & CO KG. E.: 1980 Silb. Ehrennadel d. Bundesinnung d. Österr. Malerhandwerks, 1986 Gold. Ehrennadel d. Bundesinnung d. Österr.Malerkunsthandwerks, 1989 Silb. Kammermed., Silb. Verdienstz. d. Österr. Kammeradschaftsbund, Silb. Verdienstz. d. Roten Kreuz, Gold. Verdienstz. d. Hilfsgem. d. Körperbehinderten Österr. M.: seit 1975 Mtgl. d. Landesinnungsaussch. d. Maler, seit 1980 Landesinnungsmstr. Stellv. d.Maler, ständig gerichtl. beeid. Sachverständiger, Mtgl. d. GemeindeR u. Gemeindevorst., Bgmstr. d. Gem. St. Georgen bis 1990. H.: Fischen, Skifahren, Beruf. (S.P.)

Rötzer Heinz

B.: Gschf. FN.: K & R Speditionsges mbH. DA.: 5222 Mutterfing. PA.: 5023 Salzburg, Pirolstr. 7. G.: Wien, 6. Mai 1942. V.: Doris, geb. Schneider. Ki.: Dagmar (1977), Thomas (1979), Christine (1982). El.: Fritz u. Franziska. S.: 1969/70 Auslandsaufenthalte, 1983 Spediteurprüf., 1984 Güterfernverkehrprüf. K.: 1982 Grdg. d. K & R Spedtionsges mbH. E.: 1967/68 Österr. Mstr. im Rudern. M.: 1. Wr. Ruderclub LIA, Ruderclub Möve. H.: Rudern, Langlaufen. (M.S.)

Rötzer Rudolf KommR

B.: Druckereibes., Verleger u. Hrsg. einer literar. Kunstzeitschrift. DA.: 7000 Eisenstadt, Mattersburger Str. 25. PA.: 7000 Eisenstadt, Joachimstr. 18. G.: Eisenstadt, 6. Apr. 1933. V.: Lieselotte, geb. Anderle, 2 Söhne. El.: Michael u. Maria. S.: RG, graph. Lehr- u. Versuchsanst. Wien u. zusätzl. Lehre 1951-55. K.: Arb. im elterl. Betrieb, 1956 Gschf., 1969 GmbH Übernahme. BL.: langsames u. stetes Wachstum, Modernisierungs-Offset, Grdg. Edit. Rötzer-Verlag, intern. Tätigkeit Redaktion Sebestyen György. E.: seit 1983 KommR. M.: Vorst. d. Eisenstädter Fußballklub "Weinritter", Rotes Kreuz, Österr.-Sowjet. Ges. u. d. Amerikan. Ges. H.: Städtereisen, Lesen, Segeln, Schwimmen, klass. Musik, Bildkunst. (M.G.)

Roubin Ernst Dr. techn. Dipl.-Ing.

B.: Gschf. u. Dir., Ziviling., Univ.Lektor an d. TU Wien. A.: 1220 Wien, Harlacherweg 2. G.: 6. Juni 1940. V.: Notburga, geb. Pieczkowski. S.: 1958-64 Bauing.Stud. an d. TU Wien. K.: 1965-86 b. Allg. Bauges. A. Porr AG, 1975 Erteilung d. Gesamtprokura, 1977 Ernennung z. Dir. u. Berufung in d. Vorst., seit 1989 Gschf. u. Dir. d. Vereinigung d. Österr. Zementind. P.: Industrialisierung u. Rationalisierung im Brückenbau, Österr. Spannbetonbrückenbau 1975-80, Konstruktions- u. Wirtschaftlichkeitsmerkmale, Objekt L 32 - Hangbrücke Puchreit, Die Methoden d. Ausführung v. Massivbrücken m. Hilfe v. Vorschubrüstgen. M.: Vorst. Österr. Betonver., IVBH, Vorst. Intern. Ver. f. Brücken- u. Hochbau, Ing. u. Arch.Ver., div. Fachnormenaussch. u. Arbeitsgruppen im ÖIAV, Vorst. d. Österr. Komitee f. Spannbeton.

Roussarian Agop Dipl.-Ing. HofR.

B.: Vorst. d. Techn. Abt. II d. Österr. Patentamtes. DA.: 1010 Wien, Kohlmarkt 8-10. PA.: 1030 Wien, Arsenal Obj. 7/Stg. 8/7. G.: Xanthi/Griechenld., 14. Mai 1939. Ki.: Sonja (1977). El.: Takor u. Araxi. S.: Stud. Maschinenbau TU Wien. K.: wiss. Hilfskraft Inst. f. Mechan. Technologie u. Meßtechnik, anschl. b. Fa. Allplan (Konstruktion u. Projektierg.), 1978 Österr. Patentamt, ab 1991 Vorst. d. Techn. Abt. (Überwachg. d. Qualität u. Quantität d. erledigten Akten d. Abt.-Mtgl. u. Verwalt. d. eig. Patentklassen). H.: Tennis. (N.A.)

Routil Wolfgang Dr. med.

WR

B.: prakt. Arzt (Arzt f. Allg.-Med.), Präs. d. Ärztekammer Stmk. DA.: 8052 Graz-Wetzelsdorf, Steinäckerstr. 23, 8010 Graz, Kaiserfeldg. 29. PA.: 8052 Graz, Neupauerweg 29A. G.: Graz, 16. Okt. 1953. V.: Hermi, geb. Gassinger. Ki.: Teresa-Simone (1985), Julia-Katharina (1991). El.: Alfred u. Viktoria. S.: VS, Gymn., 1973 Matura, ab 1974 Med.-Stud. Karl Franzens-Univ. Graz, Wien u. Bern, 1983 Prom. K.: Ausbild. z. Prakt. Arzt in Graz, während d. Stud. 2 J. Tätigkeit in versch. Funktionen in d. Österr. Hoch-schülerschaft u. in intern. Studentenorgan., Ausbild. LKH Graz u. Barmherzige Brüder, 1985 erstmalige Kandidatur in d. Ärztekammer Stmk., Obm. d. Turnusärzte d. Stmk. u. Vorst.-Mtgl. d. Ärztekam., 1987 Eröff. einer Allg.-Praxis in Graz-Wetzelsdorf, 1989 Präs. d. Ärztekam. in d. Stmk., seit 1990 Präsidialref. f. d. Österr. Ärztekam. f. Ärztl. Aus- u. Fortbild., seit 1991 in d. Europ. Ak. f. Ärztl. Fortbild. als Ref. M.: seit 1988 Obm. d. Ver. Österr. Ärzte d. Stmk. H.: Musik, Literatur, Design u. Arch., Sport (Wandern). (M.Gr.)

Roux Johannes Petrus Dr.

B.: a.o. u. bev. Botschafter d. Rep. Südafrika in Österr. G.: Pretoria, 26. Okt. 1942. V.: verh., 3 Kinder. K.: 1976-80 Stv. Kommissionär f. Gefängnisse u. Verw.-Hilfsdienste, 1980-82 Abt.-Ltr. f. Sozialplanung, 1981-82 Stv. Gen.-Dir. südafrikan. Innenmin., 1982 Sekr. Büro d. Premierministers, 1983 Gen.-Dir. Büro d. Premiermin., 1984-92 Gen.-Dir. Büro d. südafrikan. Staatspräs., 1982-92 Protokollführer im südafrikan. Kabinett, 1982-92 Ltr. d. Kzl. f. Ordensvergaben, s. 12/1992 a.o. u. bev. Botschafter d. Rep. Südafrika in Österr. E.: 1975 VM, 1979: Med. f. loyalen Dienst, VM f. Offiziere, "Star of Merit" Orden (S.P.M.), "Star of Mertoriousness" (S.P.O.), 1987 VO d. Staatspräs., 1991 "Brilliant Star with Violet Grand Cordon" (Orden v. Taiwan).

Rowhani Behrouz Dr.

B.: Fa. f. Zahn-, Mund- u. Kieferchir. DA.: 1190 Wien, Billrothstr. 29. PA.: 3400 Klosterneuburg, Ottog. 17, Nicolaihof. G.: Kermanschah, 23. Juli 1942. Ki.: Marcel (1974). El.: Musau u. Maria. S.: Matura m. Ausz. Iran, Med. Stud. Univ. Wien, Dipl. m. Ausz. , FA-Ausbildung a.d. Univ.-Klinik f. Zahn-, Mund u. Kieferheilkunde, Abschluß m. Ausz. K.: 1977 Studium d. Human Biology, Univ.-Ass. i. Wien, OA d. Zahninst. im KH Lainz, seit 1979 ltd. OA im Neurolog.

KH Rosenhügel u. Privatpraxis in Wien 19. P.: zahlr. Fachpubl., Buchbeiträge, Vorträge im In- u. Ausland. M.: gew. Präsident d. Biological Research Canada, gew. Mitglied d. Int. College of Dentists, gew. Mtgl. d. Ärzte i. Wien. M.: gew. Präsident der Biological Research Canada, gew. Mitgl. d. Inter. Colleg of Denstists, gew. Mitgl. d. Ärzte in Wien. H.: Fliegen, Reiten, Sohn (N.A.)

Rowley Theodore W.
B.: Besitzer u. Vorst.-Vors. d. Intern. Preparatory School Sbg., Gschf. Ges. Rowley GmbH. DA.: 5020 Salzburg, Moostr. 106. PA.: 5026 Sbg., Traunstr. 30. G.: New York, 29. Juni1952. V.: Marina, geb. Gräfin v. Drechsel. Ki.: Edward, Victoria, Patricia, Richard. El.: Theodore u. Eva-Maria. S.: 1971 Matura, Stud. Geschichte Univ. Sbg. K.: Dion.-Ass. d. Sea Bines-School in Bruwster/USA, 1977 Grdg. d. Intern. Preparatory School in Sbg. P.: päd. Fachliteratur f. d. Intern. Schulwesen. M.: VPräs. d. Österr.-Amerikan. Ges. in Sbg., versch. intern. Schulverb. H.: Segeln, Skifahren. (M.Mo.)

Royer Ernst Ing.
B.: Bauunternehmer (Bahnbau), Hotelier. A.: 1010 Wien, Wipplingerstr. 21. V.: Ingrid, geb. Kraml. S.: Grundschule, HTL. K.: Baultr., Gschf., Firmeninh. F.: Inh.: Bauunternehmung Ing. Royer Wien, Sporthotel Royer Schladming, Steir. Rauchkuchl Schladming. M.: Chaine des Rotisseurs. H.: Sport.

Royer Hans
B.: Vers.Kfm. A.: 8970 Schladming, Pfarrg. 23. G.: Rohrmoos, 14. Mai 1951. S.: Stud. d. Werbung u. Verkauf an d. HS f. Welthdl. Wien. K.: Autorennfahrerlaufbahn Formel III u. Formel II f. Chevron in England, Vers.Büro in Schladming, Bau v. Geschäftshäusern in Schladming, Graz u. Pension in Pichl. F.: Reiteralmbergbahnen Pichl. P.: Veröff. in div. Tages- u. Motorsportzeitschriften. E.: div. Sportehrungen. M.: Bürgerschaft in Schladming. H.: Skifahren.

Roznovsky Max

B.: Gschf. u. Prok. FN.: Harald Burkert Anlagen u. Maschinen f. d. Holzbearb. Kanten Echtholz-Kunststoff, Folien, Schleifmittel. DA.: 1101 Wien, Laxenburgerstr. 62. PA.: 1101 Wien, Neilreichg. 139a. G.: Wien, 25. März 1947. V.: Christine, geb. Kiesenbauer. Ki.: Gerhard (1972), Michaela (1972). El.: Max u. Anna. S.: VS, HS, Berufsschule, 1-jährige HASCH. K.: seit 1970 kfm. Ang. Firma Burkert, seit 1989 Gschf. u. Prok. Firma Burkert. M.: AufsR. d. Pfadfindergruppe 66. H.: Skifahren, Radfahren, Wandern, Fotografieren. (G.B.)

Rozsenich Franz Dr.
B.: Dir., Prok. FN.: Immuno AG. DA.: 1220 Wien, Industriestr. 20. G.: Nikitsch, 6. Dez. 1937. S.: VS, Gymn., Univ. Wien, 1963 Prom. K.: Gerichtsj., Vers.Ang., seit 1966 Fa. Immuno (Rechts- u. Finanzabt., admin. Dion.). (R.A.)

Rubaschkin Boris
B.: Opernsänger, Volksliedersänger, Modetänzeerfinder. A.: 5020 Salzburg, Lambergg. 21. G.: Sofia, 17. Juni 1932. V.: Peronoska, geb. Blagorodna. El.: Simeon u. Theodora. S.: Folklore u. Ballett-Tänzer, Dkfm., Gesangstud. in Wien b. Prof. Maria Brand, in Italien b. Mario del Monaco. K.: Tänzer in Bulgarien u. CSSR, Absolvent d. HS f. Ökonomie in Prag, danach Emigration nach Österr. - Lagerarb., Tänzer am Theater an d. Wien u. Volksoper Wien, Alleinunterhalter als Sänger in Wr. Lokalen, Komponist u. Texter d. Modetanzes "Casatschok", Opernsänger in Sbg. 1967, Staatsoper Wien, Amerika u. ganz Europa, nach 20 J. Verbot f. seine Kunst erstmal. Einladg. nach Rußland 1989, seitdem zahlr. Konzerte, FS-Sendungen u. biograph. Filme. P.: mehrere Kompositionen Verlag Schneider Wien, 15 Langspielplatten, ca. 50 Singles, Liedertexte. E.: Stadtsiegel d. Stadt Sbg. in Gold als einziger Sänger, Träger d. Stiers d. Sbg. Narrensenats in Holz u. Porzellan, einziger Doppelträger. M.: AKM Wien, Sbg. Narrensenat. H.: Bergsteigen, Schwimmen.

Rubel Erwin
B.: Mitbesitzer. FN.: Fleischhauerei f. Rubel Ges.m.b.H & Co KG. DA.: 2500 Baden/Wien, Rathausg. 13. PA.: 2500 Baden/Wien, Rohrfeldg. 23. G.: Wien, 7. Okt. 1944. V.: Monika, geb. Witti. Ki.: Thomas (1968), Sabine (1971). El.: Franz u. Philipine. S.: VS, HS. K.: Fleischhauerlehre, 1965 Mstr.-Prüf., 1961 Mitarb. im elterl. Fleischhauerbetrieb in Baden, 1982 gem. m. Bruder übern. d. elterl. Betriebes, Eröff. e. Filiale in d. Wienerstr., Umbau u. Restaurierung d. 105 J. alten Geschäftes m. sorgfältiger Bedachnahme auf d. Erhaltung d. historischen Ambientes. M.: 10 J. Lehrabschlußprüfer. H.: Modelleisenbahn. (F.S.)

Rubenbauer Hugo
B.: Konditormstr. Ausseer Lebkuchen Cafe Lewandofsky. DA. u. PA.: 8990 Bad Aussee, An der Bundesstr. B145, 8990 Bad Aussee, Kurhauspl. 144. G.: Bad Aussee, 14. Febr. 1942. V.: Gertraud, geb. Klima. El.: Hugo u. Centa. BV.: Hugo Cardignano d. Maler d. Ausseerlandes. S.: VS, HS, 3 J. Konditorlehre, Hotelfachschule Bad Reichenhall. K.: versch. praxisbezogene Aufenthalte im In- u. Ausland, Gschf. im Wienerwald München, Gschf. Truckstore München, Gschf. Ponyhof am Chiemsee, 1971 Übernahme d. Kurhaus-Cafe Lewandofsky Bad Aussee, seit 1987 Großerzeugung v. Ausseer Lebkuchen. P.: in Verbindung m. Lebkuchen Veröff. in sämtl. Tages- u. Regionalzeitungen u. Illustrierten f. WIR, Land u. Leute, Jahrmarkt usw. M.: GemR., Fremdenverkehrsobm., Lionsclub, Oldtimerclub Aussee. H.: Fernreisen, Oldtimer, Bauen. (M.T.)

Rubes Ernst
B.: Kfm., Alleininh. d. Fa. Bohlinger & Huber u. d. Boutique Trussardi. DA. u. PA.: 1010 Wien, Tuchlauben 11. G.: Wien, 27. Febr. 1940. El.: Ernst u. Berta. S.: b. 1958 Rosensteinschule in Wien. K.: 1958-59 Millitär in Wien, 1959-79 selbst. Buchhändler in Wolkersdorf, 1977-79 Volontär b. Modedesigner Trussardi in Bergamo, 1979 Eröff. d. Boutique Trussardi in Wien u. eigene Produktion exclusiver Damen- u. Herrenmode. (Sch.M.)

Rübig Günter Dipl.-Ing.
B.: Gschf. FN.: Rübig GmbH & Co KG. DA.: 4600 Wels, Schafwiesenstr. 56, 4600 Wels, Durisolstr. 12. G.: Wels, 9. Aug. 1950. V.: Dr. Angelika, geb. Beltranic. Ki.: Beate (1982), Bernd (1985). El.: Helmut u. Margarete. S.: VS, HS, HTL Steyr, 1970 Matura, b. 1978 Stud. Wirtschaftsing.-Wesen u. Maschinenbau Graz. K.: 1979-86 versch. Funktionen Firma BMW München, 1986 Firmengrdg. P.: fallweise Fachgebietsvorträge z. Thema: Beschichtungstechnik auf div. Spezialkongressen. M.: Industriellenver. H.: Fliegen, Sport allg., EDV. (U.A.)

Rubin Helmut Dr. techn. o.Univ.-Prof.
B.: Vorst. d. Inst. f. Baustatik d. TU Wien. DA.: 1040 Wien, Karlspl. 13. PA.: 3400 Kierling, Feldg. 55. G.: Schwenningen/BRD, 20. Dez. 1939. V.: Melanie, geb. Christiany, 3 Kinder. S.: VS, Gymn., Stud. Bauing.Wesen Univ. Karlsruhe.

K.: 1966-69 wiss. Ass. am Lehrstuhl f. Stahl- u. Leichtmetallbau d. Univ. Karlsruhe, 1969-70 Aufbaustud. in d. Fächern Angew. Math. u. Mechanik an d. Univ. Karlsruhe als Stipendiat d. Studienstiftung d. Dt. Volkes m. abschl. Examen, 1970-72 Doktorand am Lehrstuhl f. Stahl- u. Leichtmetallbau als Stipendiat d. Studienstiftung d. Dt. Volkes, 1969-72 Mentor am Inst. f. Mechanik d. Univ. Karlsruhe, 1972 Prom., 1972 Ind.Tätigkeit b. d. Fa. Rheinstahl Dortmund, 1972-73 wiss. Mitarb. u. 1973-74 wiss. Ass. an d. Versuchsanst. f. Stahl, Holz u. Steine, 1974-80 OIng. am Inst. f. Baustatik u. Meßtechnik d. Univ. Karlsruhe, 1976 Habil., 1980 Berufung als o.Univ.-Prof. an d. TU Wien. E.: 1968 Tulla-Preis. (P.R.)

Rubin Ludwig Dr. med.
B.: Arzt. GT.: Miteigentümer d. Fa. Beck Währinger Schuhmoden, Schuhpassage Bittmann. DA. u. PA.: 1020 Wien, Gredlerstr. 5. G.: Wien, 7. März 1948. S.: BRG, 1966 Matura, Med.Stud. Univ. Wien, 1976 Prom., 1978 ECFMG. K.: 1977-81 KH Floridsdorf Rudolfstiftung, KH Wilhelminenspital, 1981 Fa. Bender Entwicklung v. Herz- u. Kreislaufmedikamenten, seit 1982 eigene Ordination. (C.K.)

Rubin Marcel Dr. Prof.
B.: Komponist. A.: 1040 Wien, Graf-Starhemberg-Str. 6. G.: Wien, 7. Juli 1905. V.: Hilde, geb. Eble. El.: Dr. Erwin u. Augustine. S.: Musikak. Wien, Dr. iur. d. Univ. Wien. P.: Oper "Kleider machen Leute", Heiligenstädter Psalm, 10 Symphonien, Sonatine f. Orchester, Sinfonietta f. Streicher, Konzerte f. Kontrabaß, Trompete, Fagott u. Orchester, Tanzstück "Die Stadt", Kammermusik, Liederzyklen. E.: Gr. Österr. Staatspreis 1970, Österr. EZ f. Wiss. u. Kunst 1980. M.: Ehrenmtgl. d. Ges. d. Musikfreunde in Wien.

Rubinigg Leo
B.: Bäckermstr. GT.: Prüf.Mstr.Beis. d. Innung, Arbeitsgerichtsbeis. 2. Instanz. DA. u. PA.: 8772 Timmersdorf, Hauptstr. 20. G.: Trofaiach, 25. Mai 1921. V.: Hermine. Ki.: Manfred, Helga. S.: VS, HS, Lehre in Donawitz, 1939-45 Kriegsdienst, 1945 Mstr.Prüf. K.: Gschf. d. Bäckerei Brand in Trofaiach, 1954 Ankauf d. Bäckerei in Timmersdorf u. Auf- u. Ausbau d. Bäckerei. E.: 1980 Gold. EZ d. Stmk., Ehrenring d. Gem. Traboch, Ehrenring d. Musik u. d. Fliegerclubs, div. öff. Ausz. M.: 20 J. GemR. in Traboch, 25 J. Obm. d. Musikver. Traboch, 15 J. Gem.Obm., Schöffe, BäderR., Initiator d. Segelflugplatzes. H.: Betrieb, Lesen. (Tra.)

Rubner Luise
B.: freiberufl. Journalistin, Autorin, Werbebüro, Postkartengroßhdl., Werbegentur, Fotograf f. Werbung u. Landschaft. PA.: 9900 Lienz, Sepp-Innerkofler-Str. 13. G.: Windischgarsten, 22. Nov. 1917. Ki.: Thomas (1956). El.: Otto u. Maria. BV.: Großmutter Josefa Haiplik direkter Nachkomme v. böhm. Landadel. K.: Haushaltsgehilfin, Verkäuferin, 1938 Bürokraft Wehrbez.-Kdo. Spittal/Drau, Postdienst, Ltg. Postamt Obertilliach, 1940 Telegraphenbauamt Klagenfurt, Tätigkeit b. Firma Mayreder, 1948 Beginn d. journalist. Tätigkeit, Interviews, Reportagen, Wintersportberichte, ab 1964 Tätigkeit ausschließl. f. d. "Kleine Zeitung", 1965-82 Werbebüro, hrsg. v. über 700 Farbpostkarten, Gästebroschüre über Lienz, Zimmerbelegungsplan, Fotobrief. P.: Autorin "Gebrannte Siena", Beitrag f. Osttir. Bote, Tirolerin, Ganze Woche. M.: Grdg.-Mtgl. u. 1. Mtgl. d. Osttir. Tierschutzver. H.: Blumen, Tiere, Schach, Tanzen, Lesen. (M.T.)

Ruckenbauer Peter Dr. Dipl.-Ing.
B.: o.Univ.-Prof. am Inst. f. Pflanzenbau u. -züchtung d. Univ. f. Bdk. PA.: 1190 Wien, Weinbergg. 1/2. G.: Wr. Neustadt, 13. Apr. 1939. V.: Inge, geb. Matschiner. Ki.: Thomas (1969), Roland (1970), Norbert (1972). El.: Dipl.-Ing. Wilhelm u. Hedwig. S.: 1961-65 Stud. Ldw., 1967 Prom. K.: 1970-72 Forsch.-Aufenthalt Cambridge/England, 1974 u. 1975 Entwicklungshilfe Projekte Guatemala, 1977 Habil., 1983 Lehrstuhl f. Angew. Genetik u. Pflanzenzüchtung Univ. Hohenheim Stuttgart, 1989 Univ. f. Bdk. P.: 55 wiss. Veröff., 83 Vorträge, 1 Buch: Technik u. Biologie im Wandel. E.: 1978 Tschermak-Seysemegg Preis. M.: Obm. Stv. d. Ö. Pflanzenzüchter, ständiger Gutachter d. DFG, Vorst.-Mtgl. Dt. Ges. f. Pflanzenzüchtung, Red.-Mtgl. wiss. Zeitschriften. H.: Wandern, Literatur.

Ruckendorfer Heinz Dipl.-Kfm.
B.: Hon.-Konsul d. Rep. Mali in Österr., Immobilien- u. Ind.-Makler. DA.: 1060 Wien, Mariahilfer Str. 5. PA.: 1238 Wien-Mauer, Kaserng. 26. G.: Wien, 8. Sept. 1929. Ki.: Christine (1965), Georg (1966), Alexander (1967). El.: Rudolf u. Ludmila, geb. Pamer. S.: RG, 1947 Matura, 1947-54 Stud. HS f. Welthandel. K.: 1954 Eintritt in d. väterl. Firma, 1971 Übernahme d. Führung, seit 1991 Hon.-Konsul d. Rep. Mali in Österr. H.: Reisen, Filmen, Tennis, Schifahren, Tauchen. (N.A.)

Ruckenstuhl Anton Ing.

B.: Gschf. Ges. FN.: Kurt Koller Ges.m.b.H. DA.: 2700 Wr. Neustadt, Prof.-Dr.-Stephan-Koren-Str. 6a. PA.: 8492 Halbenrain 9. G.: Radkersburg, 6. Sep. 1952. V.: Charlotte, geb. Reinhart. S.: HTL Graz Abt. Maschinenbau. K.: 1973 Montageltr. b. VW-Wolfsburg, 1974-78 Verk. b. Fa. Andritz-weltweit, 1979 b. British Petroleum-Graz i. Außendienst, 1980-81 b. SKF-Graz a. Büroltr., 1982-89 Prok. Verk.-Ltr. SKF-Wien, 1990 a. Verk.-Ltr. SKF-Deutschland-weltweit, 1991 Gschf. SKF-Wien, a. 1992 Gschf. Ges. d. Kurt Koller Ges.m.b.H. H.: Lesen, Reisen, Sport, Italien. (I.J.)

Rücker Gerd Mag. phil.
B.: Gschf. FN.: ISFO Sport, Fitness u. Reisen GmbH. DA.: 1100 Wien, Heuberggstättenstr. 1. G.: Klagenfurt, 28. Apr. 1942. V.: Theresia, geb. Pribernig. Ki.: Clarissa (1966), Christina (1969), Consuela (1971). El.: Theresia u. Werner. S.: 1963 HTL-Matura in Klagenfurt, Stud. Leibesüb. (Lehramt) u. Germanistik in Wien, Spons. 1971. K.: Bereits währ. d. Studienzeit Aufbau d. ISFO, Lehrbeauftragter d. Univ. Wien. H.: Sport, Skilehrerausbilder. (R.J.)

Ruckser Ivo
B.: Reisebürokfm., Verkaufsltr. f. Westösterr. d. Reisebüro Dr. Degener & Co. GT.: VPräs. d. WATA World Ass. of Travel Agencies. DA.: 5020 Salzburg, Linzer G. 4. PA.: 5026 Elsbethen, Oberwinkel 85. G.: Salzburg, 23. Aug. 1937. El.: Josef u. Hedwig. S.: 1951-54 Lehre f. Zahntechniker, 1963-64 Hotelfachschule Bad Reichenhall. K.: 1961-63 Austrian Travel in London, 1964-65 in d. Gastronomie tätig, 1966 Eintritt in d. Reisebüro Dr. Degener & Co in Gmunden, 1968 Büroltr. Gmunden, 1972 Verkaufsdir. in Sbg., 1975 Dir. f. d. Zentrale in Gmunden, 1978 Dir. f. alle Büros außerhalb v. Wien, 1980 zentrale Verkaufsltg. Westösterr. M.: Skal-Club. H.: Bergsteigen, Skifahren, Lesen. (A.W.)

Ruckser Reinhold Dr. iur.
B.: Parlamentsdir. DA.: 1017 Wien, Dr.-Karl-Renner-Ring 3. G.: Wien, 27. Febr. 1927. Ki.: Dr. med. Reinhard (1960), Elisabeth (1965). El.: Karl u. Rosalia. S.: Stud. d. Rechtswiss.

Univ. Wien, 1953 Prom. z. Dr. iur. K.: 1946 Eintritt in d. Parlamentsdienst, 1952 Überstellung in d. Höheren Dienst, 1969 Bestellung z. Kzl.Dir. d. BundesR., 1989 Ernennung z. Parlamentsdir., Gen.Sekr. d. Österr. Gruppe d. Interparlamentar. Union. E.: GrSE/St, Wr. GEZ, GrK d. Jord. UO, GVK/St d. Dt. VO. M.: ASGP. H.: Schach, Sport. (J.S.)

Rudas Andreas

B.: Pressesprecher d. ORF, Ltr. d. Öffentlichkeitsarb. DA.: 1136 Wien, Würzburgg. 30. PA.: 1190 Wien, Gustav-Tschermak-G. 21. G.: Budapest, 30. Nov. 1953. V.: Dr. Sabine, geb. Tschinkel. Ki.: Emanuel. El.: Dr. Emmerich u. Prof. Dr. Barbara. S.: Gymn., Matura 1973, Stud. d. Med. K.: Während d. Stud. Studentensprecher, 1975-81 Ltd. Ang. d. Vereins Jugendzentrum, 1981 Pressesekr. v. Karl Blecha, 1983 Pressechef d. BMI, s. 1986 Pressesprecher u. Ltr. d. Abt. Öffentlichkeitsarb. d. ORF. P.: Über Gesundheitspolitik, vor allem über Medizinerausbild. M.: SPÖ, Wr. Austria. H.: Kultur, Theater, Oper, Fußballspielen, Reiten, Tennis, Skifahren. (M.Br.)

Rudel Ernst Dr. phil.

B.: Vorst. d. Abt. f. Klimatologie d. Zentralanst. f. Meteorologie u. Geodynamik. DA.: 1190 Wien, Hohe Warte 38. G.: Wien, 4. Mai 1948. V.: Elisabeth, geb. Ghirin. Ki.: Roland (1976). El.: Walter u. Hertha. S.: Gymn., 1966 Matura, Stud. Physik, Meteorologie u. Geophysik Univ. Wien, 1973 Prom. K.: 1973 Eintritt in d. Zentralanst. f. Meteorologie u. Geodynamik Abt. f. Klimatologie, seit 1985 Ltr. d. Abt. P.: wiss. Art. in Fachzeitschriften auf d. Gebiet d. Klimatologie u. Meteorolog. Instrumente. M.: Commission for Climatology d. WMO, Commission for Instruments and Meteorological Observing Systems d. WMO. H.: Sport (Tennis, Skifahren, Fußball), Kunstgeschichte, Geschichte. (J.S.)

Rudelstorfer Karl Dr. techn. Dipl.-Ing. MinR. a.D. Univ.-Prof.

B.: o.Univ.-Prof. d. Univ. Innsbruck, Vorst. d. Inst. f. Straßenbau u. Verkehrsplanung, Ziviling. f. Bauwesen. GT.: Ing.Büro f. Bauwesen. DA.: 6020 Innsbruck, Technikerstr. 13. PA.: 6152 Trins. G.: Linz, 26. Juni 1924. BV.: Oskar Ritter v. Rudelstorfer. S.: Realschule in Linz, Bauing. Wesenstud. an d. TH Wien, Abschluß: Dipl.-Ing., Dr. techn., Diss. Straßenverkehrstechnik, Kurzstud. Math. (Informatik) an d. TU Berlin. K.: Univ.Ass. b. Prof. Hanka an d. TU Wien, Baupraxis (Tunnel u. Straßenbau), Beratungen u. Vorträge in Europa, Afrika, Asien u. Südamerika (Kenia, Namibia, Marokko, Thailand, China, Chile, Argentinien u.v.a.), Bauabt.Ltr. d. Simmering Graz Pauker AG, MinR. im BMB, Grdg. eines Ziviling.Büro f. Bauwesen, 1969 Berufung als Inst.Vorst. an d. Univ. Innsbruck, 5 J. Dekan d. Baufak. u. Mtgl. d. Ak. Senates d. Univ. Innsbruck, seit 1985 ernannter Gastprof. f. Gebirgsstraßenbau an d. Chulalongkorn Univ. Bangkok, ständiger Vertreter Österr. in Paris OECD-AIPCR. BL.: Verkehrsplanung in 14 Städten im In- u. Ausland, über 400 Straßenprojekte u. 8 Straßentunnel, verantwortl. Planung aller österr. Autobahnen. P.: 25 Forsch.Vorhaben (Schriftenreihe d. BMB), 17 Hefte d. Schriftenreihe "Inst. f. Straßenbau", rd. 120 Fachaufsätze im In- u. Ausland. E.: div. Kriegsausz., Ehrenkreuz f. Kunst u. Wiss. 1. Kl., Gold. Verd.Zeichen d. Landes OÖ, Gold. Verd.Med. d. Tir. Schützenbundes, EZ d. Österr. Ing. u. Arch.Ver., Träger d. Ehrenbandes d. Univ. Sängerschaft "Skalden", Ehrenoberschützenmstr., Intern. Jagdorden "Silb. Bruch". M.: Österr. Ing. u. Arch.Ver., Österr. Forsch.Ges. f. Straßen- u. Verkehrswesen, Dt. Forsch.Ges. f. d. Verkehrs- u. Straßenwesen, Dt. u. Österr. verkehrswiss. Ges., Rotary Intern. H.: Gebirgsjagd, Bergsteigen, Golf. (J.S.)

Rudelstorfer Rudolf C. Dr. med. Doz. Dir.

DA. u. PA.: 4600 Wels, Ringstr. 28. G.: Linz, 19. Nov. 1952. V.: Micaela. Ki.: Constance (1983), Christina (1984), Claudia (1992). El.: Franz u. Erika. S.: Gymn. Kremsmünster, Matura 1971, Stud. Med. Wien, 1974/75 Stip. Bern (bed-side teaching), Prom. 1977, Turnus 1978-79 AKH Linz, Turnus 1979 Wien, Anästhesie 1980, 1980-87 FA-Ausbild. II. Univ.-Frauenklinik Wien, 1982-84 Stip. Los Angeles, 1990 Habil. Wien, 1991 ärztl. Dir. Landes-Frauenklinik, 1992 Eröff. Privatord. in Wels. P.: Fetal Heat Flux (1990), über 100 Publ. in wiss. Fachzeitschr. E.: 1987 Preis d. Dt. Ges. f. Perinatologie, 1989 Hugo-Huslein-Preis. M.: Ges. d. Ärzte Wiens, Ibokrates (Ver. f. intern. Wissenstranfer). H.: Familie, Segeln. (U.A.)

Rüdenauer Meinhard

B.: Komponist, Kulturjournalist, Gen.Sekr. FN.: Mozart Company. PA.: 1020 Wien, Haidg. 14/15. G.: Wien, 30. Juni 1941. EL.: Otto u. Herta, geb. Radmayer. S.: 1960-66 Stud. Komposit. an d. HS f. Musik u. darst. Kunst, Stud. Musikwiss. u. Kunstgeschichte an d. Univ. Wien, 2 Sem. in Darmstadt u. Gaudeamus. K.: im 8 Lj. Beginn d. Komposition, 1967 erste bed. Uraufführ. "Liederzyklus "Tanka" durch Ensemble "Die Reihe", Schwerp. d. Schaffens: Konzerte f. Kammerorchester, Kinderopern, wicht. Aufführ.: Kinderoper "Zauberbär u. Wünschelstimme" (Carinth. Sommer 1983), Violinenkonzert Oberes Belvedere 1989, Ballett f. Kinder "Les papillons" (Wr. Staatsoper 1989), Kinderoper "Bussi f. die Bären" (Breg. Festspiele 1990), Streichersymphonie "Mit den Seelen über Hiroshima" (Festkonzert f. d. Ver. Nationen 1991), "Moskauer Konzert" (Gr. Saal d. Moskauer Konservatorium 1991), Antifasch. Kantata "Pax Humana" (Petropawlowsk 1995). P.: zahlr. Artikel über Kultur u. Kunst in d. intern. Medien. E.: zahlr. Förderungspreise. M.: AKM. H.: Tennis. (N.A.)

Rudhardt Wilfried Dipl.-Ing.

B.: Ges., beh. befugter u. beeid. Ziviling. FN.: Ing.-Gemeinschaft Manahl & Rudhardt Siedlungswasserbau, Kommunale Bereiche. DA.: 6900 Bregenz, Arlbergstr. 139. PA.: 6972 Fußach, Bilke 34. G.: Bludenz, 1. Dez. 1944. V.: Helga, geb. Stüttler. Ki.: Gabriele (1970), Heimo (1972), Edda (1977). El.: Leo u. Elisabet. S.: 1962 Matura BRG Bludenz, 1962/63 Med.-Stud. Innsbruck, 1964-72 Stud. Kulturtechnik BOKO Wien, 1986 Ziviling. K.: 1972/73 Landeswasserbauamt Bregenz, seit 1973 Zusammenarb. m. Dipl.-Ing. Manahl, 1987 Ges.-Grdg. u. Ges. M.: CV. H.: Segeln, Bergwandern, Reisen, Malen. (A.K.)

Rudiak Georg Dkfm.

B.: Verkaufsdir. IBM Österreich, Prok. G.: Wien, 1942. S.: RG, Stud. an d. HS f. Welthdl. in Wien. K.: 1968 Eintritt in d. IBM Österr., 1969-71 Verkaufsrep. im Bereich Hdl. u. Dienstleistungen, 1972-77 Vertriebsltr., vorerst im Bereich Hdl., anschl. im Bereich Kreditwesen, 1978 Übernahme eines intern. Projektes als Verantwortl. d. Marketing Conventions v. 12 europ. Ländern, 1979 Rückkehr in d. IBM Österr. als Dir. f. Unternehmensverbindungen, Schwerpunkt: Aufbau eines Intern. Einkaufsbüros z. Entwicklung österr. Lieferantenbeziehungen zu d. Produktionswerken d. IBM in Europa u. USA, 1980-82 Abordnung in d. europ. Hauptquartier d. IBM als Ass. d. Präs. d. IBM Europa, 1982 Ernennung z. Verkaufsdir. d. IBM Österr. f. d. Großkundenbereich, 1984-86 Übersiedlung in d. Konzernzentrale d. IBM nach Armonk USA u. Ernennung z. Dir. of Market Operations, 1986 Ernennung z. Group Dir. of Systems Marketing u. anschl. z. Group Dir. of Market Development, Public Sector im europ. Hauptquartier d. IBM in Paris, 1987 Ernennung z. Verkaufsdir. d. IBM Österr.

Rüdiger Hugo W. Dr. med. o.Univ.-Prof.

B.: Abt.-Vorst. d. Abt. f. Arbeitsmed. d. Univ. Wien. DA.: 1090 Wien, Währinger Gürtel 18-20. G.: Dresden, 6. März 1939. V.: Dr. med. Roswitha, geb. Wehn. Ki.: Stefan (1968), Jochen (1970), Gerrit (19719. El.: Dr. Hugo u. Dr. Juliana, geb. Behn. S.: 1959 Matura, 1960-66 Med.-Stud. Univ. Marburg, Wien u. Tübingen, 1968 Prom. z. Dr. med., 1973 Habil. f. Humangenetik, 1979 Habil. f. Innere Med. K.: 1968-73 wiss. Ass. am Inst. f. Humangenetik Hamburg, 1973-83 wiss. Ass. 1. Med. Univ.-Klinik Hamburg, 1983 a.o.Prof., 1986-92 Abt.-Ltr. am Ordinariat f. Arbeitsmed. d. Univ. Hamburg, seit 1992 Ordinarius f. Innere Med. u. Arbeitsmed. d. Univ. Wien. P.: über 200 Publ. H.: Musik, Theater, Literatur, Computer, Sport. (N.A.)

Rüdisser Michael

B.: Elektroniker, Gschf. u. Inh. v. Tandem Gliding exclusiv Montafon. DA.: 6780 Schruns, Silbertalstr. 26. PA.: 6780 Schruns, Latang 10. G.: Schruns, 27. Mai 1966. El.: Franz u. Helene. BV.: Großvater Dr. Erich Schneider mehrere Ausz. a. kulturellem Gebiet). S.: Lehre a. Elektroniker, div. berufsbez. Weiterbildg. K.: 1985-89 i. Entwicklungsbüro f. Elektronik, 1989 selbst. a. Servetechn., 1988 Beg. m. Ausb. z. Paragleiten, Teiln. an versch. Wettbewerben, 1992 Vizestaatsmstr., 1993 WM (Silb.-Med. m. österr. Mannschaft), inh. d. 1. Vlbg. Tandem Gliding Beförderungsunternehmen. E.: Ehrung d. Welt- u. Europamstr. 1993 durch Bundesminister. M.: Grdg.-Mtgl. u. Obm. d. Gleitschirmclub Montafon, Mtgl. d. Österr.-A-Team i. Paragleiten. H.: Fliegen, Reisen, Skifahren, Wasserskifahren. (I.D.)

Rudle Gunter

B.: Gschf. Ges. FN.: Rudle GmbH. DA.: 5020 Salzburg, Fürbergstr. 27. PA.: 5020 Salzburg, Fasaneriestr. 2. G.: Hallein, 10. Juni 1940. V.: Heidrung, geb. Brandner. Ki.: Stefan, Nina. El.: Hans u. Blanka. S.: VS, HS. K.: kfm. Lehre b. Gehmacher Salzburg, 1964 Schweiz, Firma Böhm Bregenz, Tätigkeit im Außendienst, nach 10 J. zurück z. Firma Böhm, 20 J. Filial- u. Gebietsltr. v. Sbg., Kauf einer Filiale in Sbg., seit 3 J. Gschf. Ges., Ver. d. freiwilligen Böhmpartner. H.: Berggehen, Skifahren, Turnen. (D.E.)

Rudlstorfer Johann Dr.

B.: Abt.-Ltr. FN.: Bundespolizeidir. Linz. DA.: 4010 Linz, Nietzschestr. 33. G.: Leopoldschlag/OÖ, 26. Nov. 1953. V.: Martha, geb. Hoffelner. Ki.: Christoph (1979), Daniel (1983), Laura (1988). El.: Johann u. Katharina. S.: Gynm, 1973 Matura, Jus-Stud. in Linz, 1984 Prom., 1973-74 BH. K.: Eintr. i. Raiffeisenbank Linz-Traun, s. 1975 b. Polizei als Sicherheitswachbeamter (nebenbei Stud.), s. 1984 i. A-Dienst, als Referent i. Strafamt i. Kriminalpolizeil. Abt., s. 1992 Abt. Ltr. E.: s. 1993 Oberrat, 4.3.1994 Gold. Verdienstzeichen d. Landes OÖ. H.: Sport, Lesen, Familie. (U.A.)

Rudnay Alexander Dr.

B.: beeid. Wirtschaftsprüfer, Steuerberater, gschf. Ges. d. Alpentreuhand GmbH. PA.: 6900 Bregenz, Kolumbanstr. 4. G.: Kaposvar, 27. Dez. 1946. V.: Johanna, geb. Witt-Dörring, 4 Kinder. S.: Grundschule in Ungarn, Lausanne, franz. Lizeum Wien, Jusstud. in Wien, 1972 Prom. K.: seit 1984 gschf. Ges. d. Alpentreuhand GmbH. H.: Sport. (Schm.)

Rudofsky Hans Georg Dr. iur.

B.: Österr. Botschafter in Kopenhagen/Finnland. DA.: E Esplanadikatu 18, SF 00130, Helsinki 13. PA.: 2100 Kopenhagen, Svanemöllevej 30. G.: Znaim/CSFR, 30. Mai 1930. V.: Elisabeth, geb. Rezner. El.: Mag. pharm. Ruprecht u. Hertha. S.: Gymn. in Znaim u. Wien, Rechtswiss. an d. Univ. Wien, 1956 Dr. iur., "post graduate" Studien am Inst. Politique Grenoble u. London School of Economics. K.: 1960 Eintritt in d. österr. auswärtigen Dienst, 1960-62 BMA Wien, 1962-66 Österr. Botschaft Oslo, 1966-70 BMA Wien, 1970-75 Ministre-Conseiller Österr. Botschaft Washington, 1976-81 BMA Wien, seit 1982 Österr. Botschafter in Kopenhagen. E.: KmdK d. grbrit. ViktO, OffK d. norw. StOO, GrK d. dän. DO.

Rudolf Erich Jakob jun.

B.: Geschf. Ges. FN.: Paul Rudolf GmbH & Co KG. DA.: 9100 Völkermarkt, Klagenfurterstr. 46. PA.: 9100 Völkermarkt, Resselstr. 14. G.: Klagenfurt, 14. Nov. 1958. V.: Angelika, geb. Kummer. Ki.: Emanuela (1990). El.: Erich sen. u. Emma. BV.: Großel. Paul u. Olga Grdg.193 Untern. S.: 1977 Mat., 1978-84 Stud. Jus., ab 1984 Mitarb. im elterl. Betr., 1988 Übern. u. Umstrukt. in eine Co KG. Schwerpunkt: Transport, bes. Gefahrenguttransporte, Zertif. ISO 9002, Mineralölhdl., Kies- u. Schottergewinnung, Ltr. f. Qualitätssicherheitssyst. F.:100% Völkermarkter Kies GmbH, 50% Eisenkappler Edelsplittwerk GmbH, 25% Jauntaler Kies GmbH. BL.: Stellv. Fachgr.-Vorst. im Güterbef.-Gew., Sektion Verk. i.d. WK Ktn. (s. 1993). M.: Golfclub St. Kanzian Klopeinersee. H.: Ski, Wasserski. (G.L.)

Rudolf Horst Hermann

B.: Gschf. FN.: ASWO Elektronik Vertriebs GmbH. DA.: 1230 Wien, Jochen-Rindt-Str. 1. PA.: Hinterbrühl, Sonnleiten 9. G.: Dunsen, 22. Mai 1952. V.: Heike. Ki.: Pierre (1980), Nils (1982), Benjamin (1993). El.: Erich u. Erika. S.: 1969 Realschulabschluß, Lehre als Einzelhdls.-Kfm., BH. K.: 1974-76 Aufbau ASWO Deutschland, Außendienst, seit 1983 Gschf. ASWO Österr. H.: Seminare, Wandern, Fußball, Motorradfahren, Tennis, Segeln. (R.T.)

Rudolf Paul Josef

B.: Geschf. Ges. FN.: Paul Rudolf GmbH & Co KG. DA.: 9100 Völkermarkt, Klagenfurterstr. 46. PA.: 9100 Völkermarkt, Quellenweg 2. G.: Klagenfurt, 20. Sept. 1955. Ki.: Anja (1987). El.: Friedrich sen. u. Emma. BV.: Großel. Paul u. Ola Grdg. 1923 Untern. S.: HTL Fachrichtg. Masch.-Bau Wien u. Klgft., Mat., ab 1976 Mitarb. im elterl. Betr., 1988 Übern. u. Umstrukt. v. Einzeluntern. in Co KG, Schwerpunkt: Transport, bes. Gefahrenguttransp. m. Zertif. ISO 9002, Mineralölhdl., Kies- u. Schottergewinnung. F.: 100% Völkermarkter Kies GmbH,

50% Eisenkappler Edelsplittwerk GmbH, 25% Jauntaler Kies GmbH. M.: Golfclub St. Kanzian Klopeinersee. H.: Wasserski, Ski. (G.L.)

Rudolf Egon Dr. techn. Dipl.-Ing.

B.: Werksdir. d. Steyr-Daimler-Puch AG Graz i.R. PA.: 8010 Graz, Klosterwiesg. 26. G.: Graz, 17. März 1928. V.: Mag. pharm. Olga, geb. Langer. El.: Otto u. Fredda. S.: VS, RG, TU Graz, 1955 Dipl., 1975 Prom. K.: nach Stud. als Konstrukteur tätig, danach Abt.Ltr. d. Versuchsabt., Ltr. d. Geschäftsbereiches Vierrad, Werksdir. d. Steyr-Daimler-Puch AG Graz i.R., Hon.Prof. d. TU Graz. BL.: Inh. einiger Patente (Konstrukteurtätigkeit). P.: Publ. in Fachzeitschriften über Abgasverhalten, Umweltschutz, Allradtechnik. E.: Gold. Ver.Zeichen d. Rep. Österr., Commandeur d. jordan. Unabhängigkeitsordens, Gr. Gold. EZ d. Landes Stmk., Gold. EZ d. Stadt Graz. M.: KamR. u. Vorst. d. Fachgruppe d. Fahrzeugind. d. HK Stmk., Mtgl. d. Vorst. d. Industriellenver. LGruppe Stmk. H.: Sport, Beruf, Familie. (R.A.)

Rudolf Peter Mag.

B.: Ges. d. P. Rudolf GmbH & Co KG u. Geschf. Eisen-kappler Edelsplittwerk GmbH. DA.: 9100 Völkermarkt, Klagenfurterstr. 46. PA.: 9100 Völkermarkt, Umfahrungsstr. 15. G.: Klagenfurt, 17. Sept. 1960. V. Isolde, geb. Moritz. Ki.: Katharina (1990). El.: Friedrich sen. u. Emma. BV.: Großel. Paul u. Olga Grdg. 1923 Untern. S.: 1978 Mat., Stud. Jus Univ. Wien, 1988 Sponsion, 1991 Eintr. i.d. Untern. Schwerpunkt: Transport , bes. Gefahrengut-transp., Mineralölhdl., Zertif. ISO 9002, Kies- u. Schottergewinnung. F.: 100% Völkermarkter Kies GmbH, 50% Eisenkappler Edelsplittwerk GmbH, 25% Jauntaler Kies GmbH. M.: Golfclub St. Kanzian Klopeinersee. H.: Wasserski, Ski, Musik. (G.L.)

Rudolf Walter

B.: Inhaber FN.: F & E Rudolf KG Bau- u. Konstruktionsschlosserei. DA.: 1210 Wien, Floridusg. 62. PA.: 1200 Wien, Kapaunpl. 4/2/2. G.: Wien, 1. Juni 1959. El.: Friedrich u. Pauline, geb. Schmid. S.: Schlosserlehre m. Mstr.-Prüf., 1977 Matura. K.: 1977 Eintritt in d. väterl. Betrieb als Schlosserlehrling, 1980 Übernahme dieses Betriebes, 1988 Grdg. Rudolf GmbH. F.: Rudolf GmbH Bau- u. Konstruktionsschlosserei. H.: Sport (Skifahren, Tennis.). (N.A.)

Rudolph Herbert Ing.

B.: VPräs. d. StadtschulR. f. Wien. DA.: 1010 Wien, Dr.-Karl-Renner-Ring 1. G.: Wien, 31. März 1959. V.: Barbara, geb. Rudnicki. Ki.: Florian (1982). El.: Maximilian u. Ingrid. S.: HTL Wien Abt. Flugtechnik, 1980 Matura, BH. K.: Tätigkeit in d. Privatwirtschaft, b. 1984 im Öff. Dienst, b. Österr. BH in d. Abt. f. d. Techn. Betreuung d. Luftfahrzeuge, 1984-91 Klubsekr. d. Landtags- u. GemR.-Klubs d. FPÖ, 1991-92 Mtgl. d. Wr. Landtages u. GemR., seit 1992 VPräs. d. StadtschulR. f. Wien. P.: div. Fachart. M.: FPÖ, seit 1987 Mtgl. d. Döblinger Bez.-Vertretung. H.: Ldw., Flugwesen. (J.S.)

Rudolph Peter

B.: Gschf. Ges. FN.: Repro-Rudolph u. Connex Repro-Print Fullservice u. Kunststofftechnik. DA.: 4600 Wels, Eferdinger Str. 72-74. G.: Wien, 27. Nov. 1948. Ki.: Angelika (1970), Alexander (1971). El.: Hildegard u. Wilhelm. S.: HTL (Fachr. Tiefbau) b. 1968. K.: 1968 Einstieg in d. elterl. Betrieb, dazw. div. Schulungen b. Agfa, 2 Sem. Exportlehrgang an d. Uni. m. Abschluß, 1984 Grdg. d. Fa. Connex, s. 1988 alleiniger Gschf. d. Fa. Rudolph, dan. Unterrichtstätigk. an d. HTL Linz in elektron. Bildbearb., Laienrichter am Sozialger., stv. Landesinnungsmstr. d. graph. Gewerbes f. OÖ. P.: Veröff. in div. Fachzeitschr. M.: Präs. d. Weißen Möwe, Wels, Mtgl. d. Kiwanis Club. H.: Reiten, Fliegen, Segeln, Haus u. Garten. (P.H.)

Rudorfer Erich Ing.

B.: Baumeister. FN.: E. Eigner GmbH. DA.: 2301 Gr. Enzersdorf, Schießstattring 5 u. 1050 Wien, Zentag. 31. PA.: 2335 Liesing, Khekg. 23. G.: Wien, 21. Aug. 1939. V.: Charlotte, geb. Kremlaczek. Ki.: Andrea Schuster, Erich Windisch, Karin Windisch. El.: Josef u. Olga. S.: 5 J. Oberschule, HTL-Fach-richtung Hochbau, Matura. K.: 1953-58 Bautechn. b. Fa. Millig u. Neffe, 1958 Sozialbau, 1959 Baultr. b. Union Bauges., 1960 Baultr. b. Bischof & Co, v. 1961-64 Baultr. u. Prok. d. Fa. Favorit, 1964 Grdg. d. eig. Fa. Ing. Erich Rudorfer b. 1968, dann Fa. Eigner u. ab 1973 Ges. u. Eröff. d. Filialniederlassung i. Wien 1974, Schwerpunkt d. Fa. s. 20 J. sind Abbruchsarb. H.: Wandern, Fotografie. (I.J.)

Rudorfer Gottfried Mag. Ing.

B.: Univ. Assistent. FN.: WU Wien, Inst. f. Informationsverarbeitung. DA.: 1090 Wien, Augasse 2-6. V.: Sabine, geb. Maroscher. K.: Marie-Theres 1993. El.: Adolf u. Maria, geb. Sulzbacher. S.: 1973-77 VS, 1977-81 HS, 1981-86 HTL f. Nachrichtentechnik u. Elektronik, 1986-93 WU Wien, Studienrichtung Betriebswirtschaft mit den Speziellen Operations Research u. Informationswirtschaft. K.: 1990-93 Studienass. und s. 1994 Univ.-Ass. a. d. WU Wien, Inst. f. Informationsverarbeitung u. Informationswirtschaft, Administration d. Computerausstattung u. d. Netzwerks d. Abteilung, s. 1990 beratende Tätigk. bei Unternehmen, Hard- u. Softwareherstellern im Bereich heterogene Computerumgebungen. P.: "Time Series Forecasting Using Neural Networks" 1994. (M.A.)

Rueff Hans

B.: Tanzlehrer, Bes. Tanzschule Rueff. DA.: 1080 Wien, Friedrich-Schmidt-Pl. 4. PA.: 1080 Wien, Strozzig. 29. G.: Frankenthal/Pfalz, 1940. V.: Simone, geb. Potrebny. Ki.: Markus (1973), Yvonne (1975). El.: Anton u. Maria. S.: VS, Gymn. Deutschland, 1955 nach Wien gekommen, 1955-56 RG Wien, 1956-61 HTL f. Maschinenbau, 1961 Matura, 1961-66 Stud. allg. Maschinenbau u. Betriebswiss. TH Wien, 1966 I. Staatsprüf. K.: seit 1962 Ass. in Tanzschulen, 1963-66 Tanzlehrerausbild., 1966 Tanzlehrerprüf., 1966 Grdg. d. eigenen Tanzschule, 1978-80 Ausbild. z. staatl. Turniertrainer, 1980 Abschluß. E.:

1970-72 Österr. VStaatsmstr. in Lateinamerikan. Tänzen. M.: Österr. Tanzlehrerverb., Ehrenmtgl. im Tanzsportclub Forum. H.: Lesen, Wandern. (I.K.)

Rüegg Mathias

B.: Künstler, Obm. d. Vienna Art Orchester. DA.: 1070 Wien, Westbahnstr. 10. G.: Zürich, 8. Dez. 1952. El.: Robert u. Anna-Maria. S.: 1972 Stud. Musikak. Graz, Wr. Konservatorium Klavier u. Komposition. K.: Jazzveranstaltungen in Europa, Wr. Festwochen 1980 mulitmedial. Happening "Der achte Tag", 1981 Donaueschinger Musiktage, Parodie "Johnny tritt ab", Auftritte in Asien u. 1984 in Amerika, Serie v. teils preisgekrönten Platteneinspielungen m. "Tango from Obango" 1980, "Konzerto piccolo" 1981, "Sweet for the green Eighties" 1982, "For no time to rag time" 1983, "The Minimalism of Erik Satie" 1984, Unterricht an d. Ak. Wien, 1983 Grdg. d. Vienna Art Choir. M.: Amnesty Intern., Greenpeace. H.: Musik, Zeitung, Squash, Laufen. (J.E.)

Rueppрrecht von Andrea

B.: Gschf. FN.: Cura- Privater Pflegedienst GesmbH. DA. u. PA.: 1040 Wien, Prinz Eugen Str. 28. G.: Geislinger Steige, 23. Nov. 1956. V.: Hans-Leonhard. Ki.: Tania (1974). El.: Karl u. Inge Krapf. S.: VS, MS, 1977 Mat., Krankenschwesternschule u. Ausbild. z. Krankenpfl. K.: 1979-84 Stationsschw. u. Pflegedienstltr. i. div. KH. u. Pflegeheime, dan. Aufb. u. Eröffn. d. priv. Pflegedienst. i. Dtschl., 1994 Grdg. d. Cura GesmbH. i. Wien. H.: Tiere, Spazieren gehen, Lesen. (N.A.)

Rueprecht Katharina Dr. iur.

B.: RA, Präs. d. Verb. Österr. Juristinnen, Autorin. DA.: 1010 Wien, Goldschmiedg. 5. PA.: 1070 Wien, Siebensterng. 17. G.: Vöcklabruck/-OÖ, 17. Nov. 1943. Ki.: Eva (1963), Florian (1965). El.: Jochen u. Marlen Tostmann. S.: Modeschule Michelbeuern, 1961 Mstr.-Prüf., 1966-68 Stud. Franz. u. Ital. Dolmetschinst. Erlangen, 1977-81 Stud. Rechtswiss. Univ. Salzburg, Prom. K.: seit 1987 eig. Kanzlei Wien (Wohnungsrecht), 1992 Kand. d. Grünen f. d. Amt d. Präs. d. Rechnungshofes. P.: Fachpubl., Roman: Die Rechthaber. Aus d. Männerwelt einer Anwaltskanzlei (1993 4.A.), Mein kriminelles Tagebuch. Aufzeichnungen aus d. Gerichtsalltag (1993 2.A.). M.: Österr. Juristenkmsn., Simone-de-Bouvoir-Ges. H.: Niederschreiben d. Beobachtungen. (N.A.)

Ruetz Christian

B.: Bäcker, Gschf. FN.: Der Bäcker Ruetz. GT.: Vors. Markenbäcker GmbH. DA.: 6175 Kematen, Sportplatzweg 2. PA.: 6094 Axams, Kalchgruben 2. G.: Innsbruck, 11. Febr. 1954. V.: Margit, geb. Fagschlunger. Ki.: Alexandra (1978), Christian (1981), Benedikt (1991). S.: VS, HS, Gymn. K.: Bäckerlehre, Geselle, Mstr. F.: 67% Der Bäcker Ruetz, 33% Arlberger Dorfbäckerei, 14% Markenbäcker GmbH. M.: Initiator u. Obm. d. Ver. d. Österr. Markenbäcker. H.: Skifahren, Schwimmen, Bergwandern, Bäckerei.

Ruetz Eduard

B.: Bgm., OInsp. FN.: Austria Vers.Ges. DA.: 6500 Landeck, Malser Str. 52. PA.: 6591 Grins 60. G.: Grins, 5. Okt. 1937. V.: Ottilia, geb. Starjakob. Ki.: Thomas, Michael, Eduard. El.: Eduard u. Josefa. S.: VS, HS, Berufsschule, Schlossergesellenprüf. K.: 8jähr. Tätigkeit im Kraftwerk d. Donau Chemie Landeck, Eintritt Austria Vers.Ges., 1974 GemR., 3. VBgm. v. Grins, seit 1980 Bgm. v. Grins. BL.: Bau d. Mehrzweckhauses, Errichtung d. Trinkwasser versorgung u. Abwasserbeseitigung, Kindergarten-Neubau, Gem. Straßen-Bau. P.: Einrichtung einer eigenen Gem. Zeitung, div. Beiträge. M.: seit 1948 akt. Mtgl. d. Musikkapelle Grins. H.: Skifahren, Bergsteigen, Schwimmen, Musik, Literatur, Familie. (W.G.)

Ruetz Raimund

B.: Personaldir. ANA Grand Hotel Wien. DA.: 1010 Wien, Kärntner Ring 9. PA.: 2532 Heiligenkreuz, Am Pelzacker 2. G.: Stögersbach, 30. Juli 1941. V.: Erika, geb. Heschl. Ki.: Gerald (1974). El.: Johann u. Pauline, geb. Trimme. S.: 1959 HAK-Matura. K.: 1959-60 BH, 1960-61 Firma Nakowitsch, 1961-63 Dt. Reederei Poseydon, 1963-66 Steuerberater, 1965-68 Personalwesen/Einkauf DAS-Vers., 1968-75 Ltr. d. Lohnbüros u. Personalkostenkontrolle Hotel Intercontinental Wien, 1975-77 Personalltr. Hotel Hilton Wien, 1978-91 Personaldir. Hotel Intercontinental Wien, 1991-93 Ltr. d. Personalwesens ALAG Leasing/CA leasing, seit 1994 Dir. f. Personal u. Sicherheit ANA Grand Hotel. H.: Tennis, Skifahren, Vorträge halten. (N.A.)

Ruf Gerhard Dipl.-Ing.

B.: Forstwiss. A.: 1140 Wien, Sonnenweg 81. G.: Wien, 7. März 1939. V.: Mag. Sieglinde, geb. Vogelhuber. El.: Raimund u. Maria. S.: Realschule, HAK, Univ. f. Bdk., Fachrichtung Forstwirtschaft, Staatsprüf. f. höheren Forstdienst. K.: 1957-61 kfm. Ang., 1961-66 Stud. in Wien, 1967-69 forstl. BVA Wien, 1970 Wildbach- u. Lawinenverbauung, 1971 Forstbetrieb, seit 1972 Ltr. d. Abt. Hydrologie d. Inst. f. Wildbäche u. Lawinen d. Forstl. BVA Wien. P.: zahlr. fachl. Publ. M.: Intern. Union of Forestry Research Organ. H.: Musik, Alpinismus, Sport.

Rüf Walter Ing.

B.: Bgm. d. Marktgem. Alberschwende. DA.: 6861 Alberschwende, Hof 3. PA.: 6861 Alberschwende, Fisch-bach 615. G.: Alberschwende, 31. Juli 1949. V.: Monika, geb. Gmeiner. Ki.: Harald (1976), Bettina (1978), Robert (1981). El.: Gedeon u. Katharina. S.: HBLA f. alpenländ. Ldw. Raumberg, 1972 Matura, 1972/73 BH, Stud. Betriebswirtschaft Fernuniv. Hagen, Univ.-Lehrgang f. angew. Betriebswirtschaft, 1988 rer. soc. oec. K.: 1973-74 Verkehrsamtsltr. Alber-schwende, 1974-89 Vbg. Illwerke, 1989 Bgm. d. Gem. Alberschwende, seit 1975 Gem.-Vertreter, 10 J. Standesbmtr., 1980-92 Obm. d. Raiba Alberschwende, Obm. Wasserverb. Alberschwende, seit 1992 Vorst. d. Bregenzerwälder Feuervers. M.: Vorst.-Mtgl. Raiba Alberschwende, AufsR.-Mtgl. Region Bregenzerwald, Rotary Club Bregenzerwald. H.: Wandern, Natur, Fotografieren. (I.D.)

Ruff Andreas

B.: Geschäftsführender Gesellschafter. DA./PA.: 1230 Wien, Tenschertstr. 14. G.: 10. Feb. 1967. V.: Claudia, geb. Zachel. Ki.: Stephanie (1992). El.: Werner u. Elisabeth. S.: VS, HS, Gastgewerbeschule, Kochlehre K.:seit1983 als Koch in versch. Restaurants in Österr. u. in der Schweiz tätig, 1993 zus. Geschäftsführender Gesellschafter der oben erwähnten Firma. H.: Tennis, Skifahren. (N.A.)

Ruff Elisabeth

B.: Geschäftsinh. FN.: Hans Böhle Delikatessen. DA.: 1010 Wien, Wollzeile 30. GT.:Partyservice, 1230 Wien, Gorskistr. 18. G.: Ocmanice, 10. Mai 1945. V.: Werner Ruff. Ki.: Andreas (1967), Wolfgang (1970). El.: Erwin u. Anna Zeman. S.: VS, HS, HASCH, Zahnarztass.-Lehre. K.: 6 J. Zahnarztass., seit 1966 Tätigkeit Fa. Ruff Feinkost. H.: Handarb., Lesen. (J.M.)

Ruff Lajos

B.: Chefred. Trend Das Österr. Wirtschaftsmagazin. GT.: Schriftsteller. DA.: 1010 Wien, Marc-Aurel-Str. 10-12. PA.: 3400 Klosterneuburg, Hildebrandg. 15. G.: Budapest, 18. Juli 1931. El.: Lajos u. Maria. S.: Hum. Gymn. Budapest, 1949 Matura, Stud. Phil. Wien. K.: 1956-57 Red. b. Intern. News Services, 1957-58 Schriftsteller in d. USA, freiberufl. f. versch. Zeitschriften tätig, 1959 Rückkehr nach Österr., Wr. Korrespondent f. "Forum Magazin", 1959 Mitbegründer d. Trend Verlages, vorerst ltd. Red., seit 1978 stellv. Chefred., seit 1982 Chefred. v. Trend. P.: "The Brain Washing Maschine" (1959), "Tume" (1961), "Lob der Königsarznei" (1967). H.: Karate, Jogging. (M.B.)

Ruff Werner

B.: Einzelhdls.-Kfm., Inh. FN.: Ruff Delikatessen. DA.: 1030 Wien, Salesianerg. 1B; 1030 Wien, Neulingg. 48. G.: Wien, 14. Jan. 1942. V.: Elisabeth, geb. Zeman. Ki.: Andreas (1967), Wolfgang (1970). El.: Karl u. Gerhard. S.: VS, HS, Berufsschule f. Einzelhdls.-Kfm. K.: m. 18 J. nach Wien, 1966 Ankauf d. Geschäftes, 1972 Umstellung auf Selbstbedienung. E.: Gold. Merkur v. Lebensmittelhdl., Gold. Waage, 1989 Dank u. Anerkennung f. 25 J. erfolgreiche Unternehmensführung f. d. WHK. H.: Radfahren, Skifahren. (J.M.)

Ruggenthaler Alfred

B.: Unternehmer. FN.: Raum & Möbeldesign Alfred Ruggenthaler. DA.: 9900 Lienz, Südtiroler Pl. 4. PA.: 9900 Lienz, Alpenrauteweg 23. G.: Lienz, 16. Juli 1944. V.: Christine, geb. Lamprecht. Ki.: Norbert (1965), Roland (1966), Alfred (1967), Evelyn (19739, Christine (1975), Jürgen (1986). El.: Johann u. Maria. S.: VS, Tischlerlehre m. Abschluß, Wechsel in d. Verkauf durch Schulungen u. Seminare, 1989 Eröff. d. Geschäftes Raum & Möbeldesign Alfred Ruggenthaler, selbst., FPÖ b. z. Stadtparteiobm., Bez.-Parteiobm., Vorst. in d. Landespartei. M.: Bez.-SchulR., Bez.-Raumordnungskmsn. H.: Bergsteigen, Skifahren, Wandern, Lesen. (M.T.)

Ruggeri Ruggero

B.: Dir. f. Österr., Ungarn, Tschechien u. Slowakei FN.: ENIT Staatl. Ital. Fremdenverkehrsamt. DA.: 1010 Wien, Kärntner Ring 4. PA.: 1060 Wien, Linke Wienzeile 40. G.: Amaseno, 16. März 1938. Ki.: Silvia (1966), Stefan (1971). El.: Luigi u. Maria. S.: Stud. Rom, 1958/59 Dipl., 1960/61 Fak. f. Hdl. u. Wirtschaft Univ. Rom. K.: 1962 Einstieg b. ENIT, VDir. in d. Delegation ENIT Düsseldorf, 1972-77 u. 1977-80 ltd. Dir. in d. Delegation ENIT Frankfurt, 1981 Gen.-Dir. ENIT Rom, 1986-92 Dir. Delegation ENIT Chicago, ab 1992 Ltg. d. Delegation ENIT Wien. (N.A.)

Ruhaltinger Franz

B.: Pensionist, SPÖ Abg. z. NatR. DA.: 1017 Wien, Dr.-Karl-Renner-Ring 3. PA.: 4020 Linz, Scheibenbogenstr. 46. G.: Neukirchen, 13. Aug. 1927. V.: Friederike, geb. Wimmer. Ki.: Friederike, Günther. El.: Josef u. Katharina. S.: Pflichtschulen, Gewerkschaftsschule, Lehrling f. Schmiedehandwerk. K.: 1944 Reichsarb.Dienst u. Dt. Wehrmacht, 1945-47 Russ. Kriegsgefangenschaft, 1948 VOEST Walzwerk Hüttenarb., 1952 Vertrauensmann, 1957 BetriebsR., 1972 BetriebsR.Obm.Stellv., 1974 BetriebsR. Obm., seit 1974 Obm. d. OÖ Gebietskrankenkasse, 1977 Vors. d. ZentralbetriebsR., 1979 NatR.Abg. BL.: Erhaltung d. Sozialleistungen f. d. gesamte Belegschaft d. VOEST ALPINE. E.: Gold. EZ f. Verd. um d. Bdl. OÖ. M.: SPÖ, Präs. d. SK Voest. H.: Fußball, Wandern, Skifahren, Kegeln, Eisstockschießen. (A.K.)

Ruhdorfer Alfred

B.: Gschf. d. Antenne Austria Ost, Vorst. d. Medien AG. DA. u. PA.: 1130 Wien, Neukräfteng. 27. G.: St. Veit/Glan, 9. Jan. 1958. El.: Alfred Kerndle u. Maria Ruhdorfer. S.: HS, kfm. Lehre, Seminare. K.: 1977-80 techn. Meß- u. Regeltechnik Jumo Wien, Außendienst, 1980 Grdg. einer eigenen Handelsagentur, 1984 FPÖ Ktn., 1985-87 BJugendobm. d. FPÖ, 1988 Aufbau u. Organ. Privatrundfunksender Österr. u. d. Nachbarländern, Studios in Wien, Villach, Innsbruck, Sterzing u. Camporosso. BL.: div. Vorträge an versch. Inst. H.: Reisen, Tennis, Skifahren, Lesen, Radio - Sammler v. Unikaten, polit. Interesse. (M.G.)

Rühl Werner Dipl.Vw.

B.: Gschf. FN.: Klepper Werke Kufstein GmbH & Co KG. DA.: 6330 Kufstein, Kaiseraufstieg 17. G.: Ludwigsburg, 11. Juni 1930. V.: Ingeborg, geb. Heimerdinger, 2 Kinder. S.: 1949 Matura, Stud. an d. TU Stuttgart, 1952 Dipl.Vw., Ausbild. z. Steuerberater. K.: 18 J. als kfm. Ltr. in d. Bauind. tätig, einige J. Fin.Vorst. in d. Elektroind., 1978 alleiniger Gschf. d. Klepper Werke Rosenheim, seit 1984 zusätzl. Gschf. d. Klepper Werke ufstein. M.: Vors. d. Prüf.Kmsn. f. Ind.Kaufleute d. IHK f. München u. Oberbayern. H.: Leichtathletik, Segeln, Skifahren, (Schm.)

Ruhland Alfons Ing.

B.: Gschf. Ges. FN.: Tir. Jagd- u. Sportwaffenfbk. Voere GmbH & Co. DA.: 6330 Kufstein, Untere Sparchen 56. G.: Horb/BRD, 4. Juni 1934. V.: Margit, geb. Voetter, 3 Kinder. S.: RG, 1954 Matura, Ing.Schule f. Feinwerktechnik in Furtwangen, 1958 Abschluß. K.: 1965 Prok. d. Fa. Voere Sportwaffen u. ab 1968 gschf. Ges. M.: Rotary-Club Kufstein. H.: Skifahren, Tennis, Wandern. (Schm.)

Ruhnau Klaus KommR.
B.: Gschf. Ges. FN.: Blumenzentrum Ruhnau GmbH. DA.: 1010 Wien, Schwarzenbergstr. 1-3. PA.: 1220 Wien, Schilfweg 88/5. G.: Wien, 28. März 1943. V.: Gertrude, geb. Blasi, 3 Kinder. El.: Rafael u. Therese, geb. Skoumal. S.: Gärtnerei- u. Floristikausbild. b. d. MA 42 u. b. d. Mutterblumenbinderei. K.: 1964-73 selbst. Friedhofsgärtner, 1973 Übernahme d. Blumenbinderei in d. Singerstr. 26 u. Grdg. d. eigenen Firma, seit 1984 gerichtl. beeid. Sachv., seit 1991 Laienrichter u. KommR. M.: Innungsmstr. Floristen Wien. H.: Bonsai, Briefmarken, Steine, Fischen. (N.A.)

Ruhri Herbert
B.: Gschf. Ges. FN.: Hallenbau GmbH. DA.: 8055 Graz, Spitzäckerweg 19. PA.: 8510 Stainz, Ettendorf 43. G.: Graz, 31. März 1952. V.: Margarethe, geb. Grundner. El.: Anton u. Maria. S.: Pflichtschule, Maurerlehre, 1968 Abschluß, BH, HTL Hochbau Graz. K.: 13 J. ang. Baultr., 1986 Firmengrdg., seit 1993 Hauptges. H.: Sport. (F.K.)

Ruis Helmut Dr. o.Univ.-Prof.
B.: Biochemiker, o.Univ.-Prof. f. Biochemie. FN.: Univ. Wien. DA.: 1030 Wien, Dr.-Bohr-G. 9. G.: Wien, 16. Juni 1940. V.: Dr. Agnes, geb. Somogyi. Ki.: Martin (1971), Michael (1973). El.: Franz u. Hermine. S.: Stud. Chemie Univ. Wien, 1964 Prom., 1965-67 Post-Doctoral-Fellow Cornell Univ. USA. K.: Ass. Univ. Wien, 1972 Habil. f. Biochemie, ab 1975 a.o.Univ.-Prof., seit 1986 o.Univ.-Prof. an d. Univ. Wien, dzt. Vorst. d. Inst. f. Biochemie u. molekulare Zellbiologie; Konsulent. BL.: Hauptverantw. u. Koordinator f. d. Neubau d. Gebäudes d. Wiener Biozentrums Wien III, 1984-89 Koordinator u. Sprecher eines Forschungsschwerp. (Gentechnologie). P.: über 60 Experimentalarb. in intern. Fachzeitschr. u.a. z. Thema Molekularbiologie d. Hefe. M.: mehrere wiss. Vereinigungen. H.: Laufen, Schifahren, Musik, Konzerte, Theater, Lesen, Geschichte, Reisen. (J.S.)

Ruiss Gerhard
B.: Freiberufl. Schriftst. GT.: Gschf. d. Berufsver. österr. Autoren. PA.: 1090 Wien, Günentorg. 15/21. G.: Ziersdorf, 29. Mai 1951. Ki.: Harald, Iris. El.: Gerhard u. Friederike. S.: Schriftsetzerl.. K.: Versch. graph. Berufe, s. 1978 Schriftsteller. P.: Essays, Lyrik, Kurzprosa, Erzählungen, Liedtexte, Sachbücher u.a.: "Single Swingers" (Gedichte, Lieder, Skizzen), "Literar. Leben in Österr." (Handbuch), "Der Zeit ihre Kunst, der Kunst ihre Freiheit, der Freiheit ihre Grenzen?" Handbuch f. Autoren u. Journalisten. E.: Förderungspreis f. Literatur z. Arbeitswelt d. AK OÖ 1977, Förderungspr. d. Wr. Kunstfonds 1978, Fördergspr. d. Theodor Körner-Stiftungsfonds 1979, Josef Luitpold Stern-Preis d. ÖGB 1984. M.: VPräs. d. Grazer Autorenersammlg., Gschf. d. IG Autoren s.1980. H.: Musiker, Schauspieler, Regisseur. (E.L.)

Ruisz Johann
B.: Unternehmer. G.: St. Kathrein, 22. Apr. 1949. V.: Brigitte. Ki.: Nicole. S.: VS, HS, HASCH. K.: s. 1978 Fa. Hogast, bis 1992 Gschf., anschl. selbst. m. Service- u. Dienstleistungsunternehmen. H.: Literatur, Bonsai-Züchter, Psychologie.

Rümmele Elmar Dr. iur.
B.: Gschf. Ges., Wirtschaftsprüfer, Steuerberater. FN.: RTG Dr. Rümmele, Treuhand OHG, Steuerberatungsges. DA.: 6850 Dornbirn, Riedgasse. PA.: 6850 Dornbirn, Zanzenberg 13. G.: Dornbirn, 21. Aug. 1927. V.: Herta. Ki.: Elisabeth (1955), Dr. Manfred (1959). El.: Felix u. Luise. S.: Gymn. Dornbirn, Matura 1946, Stud. Jus Univ. Innsbruck, Prom. 1950, Kriegsdienst 1944-45. K.: 1951 Ang. in Wirtsch.-Treuhand- u. Steuerberat.-Kanzlei, 1954 Steuerberaterprüf., 1966 Prüf. f. Wirtsch.-Prüfer u. beeid. Steuerberater, 1990 Gründ. d. Sozietät u. Aufnahme v. Jungpartnern. F.: RÄTIA-TREUHAND GmbH (Dornbirn), DR. IUR. ELMAR RÜMMELE (Dornbirn), RTG DR. RÜMMELE TREUHAND OHG (Dornbirn). E.: Silb. EZ Vbg., Gold. EZ Rep. Österr. M.: Mtgl. d. Vbg. Landesreg. 1974-84, ehem. Mtgl. d. Leichtathletiknationalmannsch. H.: Sport, Bergsteigen, Schifahren, Reisen, Lit., Musik. (I.D.)

Rümmele Manfred Dr.
B.: Wirtschaftstreuhänder, Steuerberater, Gschf. FN.: RTG Dr. Rümmele Treuhand OHG. DA. u. PA.: 6850 Dornbirn, Riedg. 11. G.: Dornbirn, 7. Juni 1959. El.: Dr. Elmar u. Herta. S.: BG, 1977 Matura, Jusstud. Innsbruck, 1983 Prom. z. Dr. iur. K.: Tätigkeit in Wirtschaftsprüf.-Kzl. in Innsbruck, seit 1986 in d. gemeinsamen Kzl. m. seinem Vater als Wirtschaftstreuhänder u. Steuerberater tätig. H.: Fliegen (Motorflug), allg. sportl. Interesse. (W.R.)

Rümmele Wolfgang Dipl.-Ing.

B.: Vize-Bgmstr. d. Stadt Dornbirn, Prof. am Realgym. Dornbirn. DA.: 6850 Dornbirn, Realschulstraße. PA.: 6850 Dornbirn, Häfenberg 15. G.: Dornbirn, 25. Juni 1946. V.: Reinelde, geb. Kohler. Ki.: Susanne (1973), Karoline (1976), Julia (1981. S.: RG Dornbirn, 1964 Matura, Univ. f. Bodenkultur in Wien, 1970 Grad. K.: 1971 Vertrags-lehrer am Bundesgym. Dornbirn, 1973 pragm., Prof. f. Biologie, früher auch Geographie. P.: Langj. Herausg. der Vlbg Waldzeitung, Buch: "Verjüngungsanalysen in Vorarlbergs Wäldern". M.: Ltr. d. Spielmusik d. Gymn. Dornbirn, 1980 MG der Stadtvertr., 1984 Vize-Bürgerm. / Stadtrat f. Kultur u. Stadtplanung, Kartellverb. H.: Musizieren, Waldwanderungen. (I.D.)

Rumpf Brigitte
B.: Photographen-Mstr. FN.: Fotoatelier Tollinger. GT.: Untern. DA.: 9020 Klagenfurt, Alter Platz 31/II. PA.: 9020 Klagenfurt, Villacherstr. 149. G.: Klagenfut, 11. Okt. 1951. V.: Univ.Doz.Dr. Helmut. Ki.: Inghild (1980). El.: Arch. Dipl.-Ing. Hermann Schmidhofer u. Berta, geb. Tollinger. BV.: Walter Tollinger, Grdg. d. Ateliers 1929. S.: 1969 Mat., Mitarb. u. Lehre im mütterl. Betr. sowie Fortsetzg. d. Ausbild. in Graz u. Dornbirn, 1970 Ges.-Prüf., 1971-72 Bes. d. Mstr.-Klasse f. Photogr. a.d. graph. Lehr- u. Versuchsanst. Wien, 1972 Dipl. u. Mstr.-Prüf., 1973 Eintr. i.d. mütterl. Betr., 1976 Übern. E.: 1984 Europ. Mstr. d.Photogr. f.d. "Portraits zeitgen. Künstler", Austell. im Klgft. Künstlerhaus u. 1991 Bolschoi Ballet im Klgft. Stadttheater. M.: APPI. H.: Klass. Musik, Photographie. (G.L.)

Rumpf Eva-Lena
B.: Administrative Assistentin d. Schwed. Außenhdls.-Stelle. DA.: 1010 Wien, Universitätsstr. 5. PA.: 1230 Wien, Breitenfurter Str. 426/14. G.: Klippan/Schweden, 14. Sep. 1955. V.:

Helmut Rumpf. El.: Lennart Tuveson u. Anna Lena. S.: 1973 Gymn. m. Matura, 1976 Jusstud. K.: 1978 nach Österr. gekommen, 1981 Ang. Schwed. Außenhdls.-Stelle, seit 1993 Adm. Ass. M.: aktives Mtgl. WWF u. Tierhilfswerk. H.: Reiten, Wandern, Literatur. (T.T.)

Rumpf Gerhard Dr. med.

B.: Prakt. Arzt. GT.: Vertrauensarzt d. Ver. Bühnen. DA.: 8010 Graz, Morellenfeldg. 4, 8010 Graz, Kaiser-Josef-Pl. 10. PA.: 8010 Graz, Morellenfeldg. 4. G.: Graz, 12. Okt. 1941. V.: Marina, geb. Kromm. Ki.: Jakob, Tanja. El.: Hans u. Irmgard. BV.: traditionelle Akademikerfamilie, Dichter Theodor Fontane, 2. Frau Peter Rosseggers: Anna Knaur. S.: Matura, Stud. d. Med., 1972 Prom. K.: Turnusausbild. in Graz, ab 1976 Praxis, Vertrauensarzt d. Ver. Bühnen, Verfasser eines Ärzteprogrammes nach Art eines Expertensystems, unter Einbindung d. EDV in d. Allg.Med., langj. Tätigkeit im Vorst. d. Ak. f. Allg.Med., Vortragstätigkeit, Lehrpraxis, Betriebsarzt, sachv. Sportarzt, Flugarzt. M.: Mtgl. d. Ak. Sekt. d. Grazer Alpenver., Mtgl. d. Ak. f. Allg.Med.

Rumpf Hans Dipl.-Ing.

B.: Gschf. FN.: Adria-Wien Pipeline GmbH. GT.: Fachvertreter d. Erdölind. HK Ktn. DA.: 9020 Klagenfurt, Arnulfpl. 2. PA.: 9062 Moosburg, Pestalozzistr. 10. G.: Santiago/Chile, 20. März 1939. V.: Carola, geb. Gass. Ki.: Francisco (1965), J.-Matias (1966). El.: Hans u. Sofia. S.: 1957 Matura, Stud. Techn. Chemie u. Verfahrenstechnik, 1963 Abschluß, Aufbaustud. Wirtschaftswiss. RWTH Aachen, 1974 Abschluß. K.: 1963-68 Produktionsing. u. Technologe Erdöl Konzern in Chile, 1969-72 Prof. u. Mtgl. TH St. Maria Chile, 1975-77 Techn. Projektltr. Fritz Werner Ind.-Ausrüstungen GmbH BRD, 1977-92 ÖMV Wien, Ref. d. Unternehmensplanung, Ass. d. Gen.-Dir.-Stellv., Ltr. d. Abt. Betriebswirtschaft, seit 1992 Gschf. Adria-Wien Pipeline GmbH. M.: Österr. Ges. f. Erdölwiss. (K.K.)

Rumpold Gernot

B.: Bundesgschf. d. FPÖ. DA.: 1010 Wien, Kärntner Str. 28. PA.: 9500 Villach, Tschinowitscherweg 52. G.: Villach, 11. Sept. 1957. V.: Roselinde, geb. Wutte. Ki.: Carina (1985), Markus (1986), Anna Maria (1989). El.: Ing. Karl u. Edda, geb. Vohn. S.: VS, HS, HTL f. Heiz- u. Lüftungstechnik in Pinkafeld. K.: 1982-84 persönl. Ref. d. Landesparteisekr. Dr. Jörg Haider, 1984-86 Landesgschf. d. FPÖ Ktn., 1986-90 persönl. Ref. d. Bundesparteiobm. Dr. Jörg Haider, 1989-90 Bundesrat, ab 1. Dez. 1990 Bundesgschf. d. FPÖ. BL.: Vorbereitung d. Abwahl d. amtierenden VKanzlers u. Bundesparteiobm. d. FPÖ Dr. Norbert Steger 1986. M.: Ktn. Abwehrkämpferbund. (N.A.)

Rumpold Joseph-René DDr. Mag.

B.: Opernsänger (Tenor). PA.: 1020 Wien, Blumauerg. 11/13. G.: Klagenfurt, 25. Jan. 1959. El.: Hildegard u. Josef. S.: RG, HAK m. Matura, Stud. Theater- u. Musikwiss., Germanistik an d. Univ. Wien, Schauspielunterr. b. Kammerschauspieler Prof. Fritz Muliar u. Operngesang b. Carol Mayo. K.: Engagements: Staatsoper Wien, Volksoper Wien, Kammeroper Wien, Glimmerglas-Theatre New York, Gloomsbury-Theatre London, Olimpico-Teatro Roma, etc., Tourneen: Japan, China, Korea, USA, Europa, div. CD-Aufn. v. Musicals u. Opern. H.: Fitness, Body-Forming, Reisen, Lesen, Malen, Kostüm, Kleidungs- u. Innenraumdesign.

Runck Paul Otto Dr. rer. nat. Mag

B.: o.Univ.-Prof. an d. J. Kepler-Univ. Linz. DA.: 4040 Linz, Altenbergerstraße. PA.: 4040 Linz, Bachlbergweg 73. G.: Berlin, 6. Dez. 1930. V.: Daniela, geb. Schirdewan. Ki.: Joachim (1963), Annette (1965). El.: Friedrich-Paul u. Karoline. S.: 1950 Abitur RG Ludwigshafen, 1950-57 Math.-Stud. Univ Saarbrücken u. Mainz, Lehramtsprüf., 1959 Prom. Dr. rer. nat. K.: 1958-68 Ass. Univ. Mainz u. Würzburg, 1965 Habil., 1968 wiss. Rat u. Prof. TU Clausthal, seit 1969 o.Prof. Univ. Linz, 1971-73 Dekan d. Techn.-Naturwiss. Fak., seit 1981 Vorst. d. Inst. f. Math. P.: Analysis, speziall Approximationstheorie u. Interpolationstheorie, Vers.-Math., insbes. f. Sachvers., Didaktik d. Math. M.: ÖMG, DMV, AMS. H.: klass. Musik, Querflöte, Lesen, Diskutieren über Phil. u. Theol. Themen. (U.E.)

Runggaldier Ulrich Dr. Univ.-Prof.

B.: Ordinarius f. Sozial- u. Arbeitsrecht d. WU Wien, o.Univ.-Prof. DA.: 1090 Wien, Althanstr. 39-45. PA.: 1190 Wien, Zahnradbahnstr. 10/2/3. G.: Brixen, 27. Dez. 1949. V.: Ingrid, geb. Gratzer. Ki.: Daniel, Judith. El.: Josef u. Annemarie. S.: Klass. Lyzeum, Stud. d. Rechtswiss. in Florenz, Prom. Dr. iur. 1972. K.: b. 1974 Forschungsaufenthalt an d. FU Berlin, 1974-75 Militärdienst, 1975-77 Ass. an d. rechtswiss. Univ. in Florenz, 1977-84 Ass. an d. Univ. Innsbruck, 1983 Habil. f. d. Fach Arbeits- u. Sozialrecht, 1984 Berufung an d. WU Wien als Ordinarius f. Arbeits- u. Sozialrecht. P.: 80 wiss. Publ., darunter 4 Monographien, Habil.Schrift: "Kollektivvertragl. Mitbestimmung b. Arbeitsorganisation u. Rationalisierung" (1983), Hrsg. v. Sammelbänden, Handbuch z. betriebl. Altersversorgung (1987), Österr. Arbeitsrecht u. d. Recht d. EG (1990), Abfertigungsrecht (1991). (M.B.)

Ruotolo Domenico

B.: Somelier. FN.: Trattoria "Martinelli". DA.: 1010 Wien, Freyung 3. PA.: 1100 Wien, Leibnizg. 32/4-5. G.: Neapel, 22. Apr. 1963. El.: Angela Amoroso u. Domenico Ruotolo. S.: 1986 Matura, Ausbildung als Somelier in Wien bei "Da Conte". K.: 1988 Niederlassung in Wien, 1991-94 Somelier in "La ninfea", danach i. d. obenerwähnten Position. H.: Autos, Motorräder. (N.A.)

Rupaner Franz RegR.

B.: Bez.-Vorst. FN.: Mag. Bezirksamt. DA.: 1120 Wien, Schönbrunner Str. 259/2. G.: Weckerledorf, 24. Juli 1935. G.: Hedwig, geb. Chmelar. El.: Anton u. Katharina. S.: Matura, Jus-Stud. in Wien (abgebrochen). K.: ab 1960 Verw.-Beamter d. Stadt Wien, mehr. J. Amtsvormund im Jugendamt, Wechsel in Innenrevisionsstelle d. Magistratsdir., Prüf.-Tätigk. u. Dienstaufsicht. M.: s. 1987 Mtgl. d. Gem.-Rates u. Landtags in div. Aussch., s. 1991 Bez.-Vorsteher v. Wien Meidling. H.: Motorradfahren. (J.S.)

Rupf Alfred Mjr.

B.: Suchtgiftref., ltd. Krb. d. Pol.Einsatzstelle Flughafen Wien-Schwechat. A.: 2320 Schwechat, Wiener Str. 13. G.: Purgstall, 13. Sept. 1938. V.: Annemarie, geb. Straif. El.: Roman u. Josefa. S.: VS, HS, Berufsschule, Pol.Schule Wien, Krim.Fachschule, Offz.Schule, B-Matura, versch. Fachschulungen. K.: Pol. prakt. Dienst, Fachschule z. Gruppenführer, 2 J. Fachschule z. ltd. Krim.Bmtr. (Offz.). P.: Publ. in d. Presse sowohl in in- u. ausländ. v. div. Amtshandlungen, weiters versch. Art. wie z.B. im Kurier "Porträt d. Woche", Interviews in Rundfunk u. Fernsehen. E.: Sicherheitspreis f. NÖ. M.: IPA Wien. H.: bild. Kunst, Malen.

Rupp Brigitte
B.: Ges. u. Konsulentin. FN.: Robert Rupp GmbH. DA.: 1230 Wien, Leo Mathauserg. 51. PA.: 1230 Wien, Stipcakg. 9-17/6. G.: Wien, 10. Juli 1955. V.: Robert. Ki.: Robert (1980), Andreas (1981). El.: Josef u. Helene. S.: VS, HS, Lehre als EH Kfm. bei Fa. Gazelle, danach mehrere Firmen im Verkauf gearbeitet zuletzt Fa. Cobra-Jeans bis 1978, 1978 Eintritt in d. Fa. Robert Rupp GmbH als Büroltr. bereits vorher in d. Fa. d. Gatten mitgearbeitet. H.: Familie, Firma. (R.T.)

Rupp Franz Gen.-Dir.
B.: Gen.-Dir. d. NÖ Gebietskrankenkasse. DA.: 3100 St. Pölten, Dr.-Karl-Renner-Promenade. PA.: 3100 St. Pölten, Steinfeldstr. 26. G.: Wiesing, 8. Febr. 1938. V.: Ingrid, geb. Heiling. Ki.: Bernhard (1961). El.: Josef u. Maria. S.: VS, HS, Berufsschule Karrosseriebau. K.: 1956 Eintritt in d. NÖ Gebietskrankenkasse St. Pölten, Tätigkeit im Melde-, Vers.- u. Beitragswesen, Beitragsprüfer, 1988 Dion.-Sekr. u. Ltg. d. Organ. m. d. zusätzl. Aufgabengebieten EDV sowie Schulungs- u. Prüf.-Wesen, ab 1990 d. ltd. Ang. z. Aufgabenerledigung im Bereich d. Verw.-Gruppe 1 beigegeben, 1992 Gen.-Dir. BL.: seit 1962 nach VHS-Kursen als Maler tätig, Seminare in Wien, St. Pölten u. Sigmundsherberg Prof. Robert Schmitt, Selbststud. durch Experimente, 1974 Grdg. St. Pöltner Künstlergruppe Penta, 1979 Mitgestalter d. Gaminger Malerwochen, 1985 Ltg. v. Aquarellseminaren in Herzogenburg u. Errichtung eines eigenen Ateliers im Geburtshaus Wiesing 4, Aquarelle im Impressionist. Stil, vorwiegend Landschaftsbilder u. Akte, zahlr. Ausstellungen im In- u. Ausland. M.: Arbeitskreis b. Hauptverb. d. Österr. Sozialvers.-Träger, Projektltr. f. d. Strukturanalyse d. Österr. Sozialvers., Obm.-Stellv. im Gesundheitsforum NÖ St. Pölten, Obm.-Stellv. d. St. Pöltener Kulturbundes, Landesverb. Nö Kunstver. (M.M.)

Rupp Franz
B.: Bgm. d. Gem. Höflein, Abg. z. NÖ Landtag, Ldw. u. Weinhauer. DA.: 2465 Höflein 137, Gemeindeamt. PA.: 2465 Höflein 21. G.: Höflein, 16. Apr. 1938. V.: Elfriede, geb. Zwickelstorfer. Ki.: Maria, Gabriele, Franz. K.: 1961 Übernahme d. elterl. Betriebs, Abschluß d. Berufsausbild. m. d. Ldw.Mstr., seit 1965 in d. Kommunalpolitik (ÖVP), ab 1975 Bgm. d. Gem. Höflein, seit 1981 Mtgl. d. NÖ Landtag als Mandatar d. Bez. Bruck/Leitha. E.: Prämierungen b. Weinpräsentationsveranstaltungen. H.: Wein. (Ch.K.)

Rupp Gertrud KommR.
B.: Gschf. FN.: Josef Rupp GmbH. DA.: 6911 Lochau, Kugelbeerweg 3. (V)

Rupp Heidi
B.: Gschf. FN.: Elekta Ästhetik u. Schlankheits GmbH. DA.: 6020 Innsbruck, Seilerg. 5. PA.: 6091 Götzens, Brunnenfeldweg 16. G.: Graz, 10. Dez. 1946. Ki.: Christoph (1968), Bernhard (1976), Michael (1977). El.: Leo u. Sophia Totz. S.: Grundschule, Höhere BLA f. Frauenberufe, 1966 Abschluß, 1966-69 Apothekenlaborantin, Ausbild. am Kosmetiksektor. K.: Tätigkeit im Apothekengroßhdl., seit 1991 Gschf. d. Firma Elekta Ästhetik u. Schlankheits GmbH. H.: aktive Gymnastik (Langlaufen, Radfahren), Malen (Blumenaquarelle), Glasgravuren, Literatur. (M.W.)

Rupp Günther
B.: Prok., kfm. Ltr., stellv. Gschf. FN.: FLÄKT GmbH. DA.: 1230 Wien, Dirmhirng. 10. PA.: 1040 Wien, Wiedner Gürtel 26. G.: Unterloiben, 15. Juli 1946. Ki.: Natascha. El.: Josef u. Adolphine. S.: Realschule, HAK, Matura. K.: 1/2 J. CA, Südafrika im kfm. Bereich, in d. Schweiz in Fa. Fritz Gegauf AG u. Sperirry Rand Remington, 1975 in Wr. Filiale, Fa. Fez Huyck Wien, nachher Fa. Knoblich-Licht, b. 1985 selbst. Betriebsvermögensberater, seit 1985 b. Fa. Fläkt GmbH. H.: Fußball, Boxen, Sport. (E.L.)

Rupp Herbert Dr. phil.
B.: Ltr. d. Österr. Tabakmuseums. DA.: 1070 Wien, Mariahilfer Str. 2. PA.: 1080 Wien, Lerchenfelder Str. 6. G.: Wien, 1. Jan. 1952. V.: Dr. Monika, geb. Linsmaier. Ki.: Herbert, Maximilian. S.: BRG, 1970 Matura, Phil.-Stud. Univ. Wien, 1979 Prom. K.: seit 1979 museale u. kulturelle Aufgaben b. Firma Austria Tabak, Planung u. Aufbau d. Sammlung v. Austria Tabak, seit 1981 Ltr. d. Museums u. d. Kulturzentrums, Zusammenarb. u. Förd. v. jungen österr. Künstlern, Organ. v. Ausstellungen v. tabakbezogenen u. spezifisch österr. Themen. P.: Tabakbezogene Publ. wie "Sozialgeschichte d. Unternehmens Austria Tabak", Festschriften, Ausstellungskataloge, Fachpubl. M.: Grdg.-Mtgl. d. Academie intern. de la pipe, Präs. d. Österr. Pfeifen Clubs, div. histor. u. museale Ver. H.: Musik, Literatur, Photographie. (J.S.)

Rupp Hubert Adolf
B.: Unternehmer, Gschf. Ges. FN.: Adolf Rupp Herrmühle Nahrungsmittelbetrieb. DA.: 6912 Hörbranz, Herrmühlenstr. 40. PA.: 6912 Hörbranz, Herrmühlenstr. 44. G.: Bregenz, 27. März 1952. V.: Brigitte, geb. Kolm. Ki.: Christoph (1976), Sabine (1977), Florian (1978). El.: Josef u. Agathe. BV.: Großvater Adolf Rupp 1. Hafermühle Westösterr. S.: VS, HS, HASCH, Dipl.-Müllertechniker m. Chemieausbild. K.: Müllerlehre im elterl. Betrieb, 1972 Gesellenprüf., 1972-73 Intern. Müllereifachschule St. Gallen/Schweiz, 1975 Mstr.-Prüf., Einführung d. Rupp-Hundeflocken, 1984 Ges. M.: Vorst.-Mtgl. Raika Hörbranz. H.: Oldtimer, Wassersport, Kegeln, Radfahren, Skifahren, Bergwandern, Tiere. (I.D.)

Rupp Josef Dr. iur.
B.: Vorst. d. Jugendgerichtes Graz. DA.: 8010 Graz, Paulustorg. 15. G.: Unterzirknitz, 9. Okt. 1942. V.: Adelheid, geb. Zechner. S.: 1962 Matura, Stud. Jus in Graz, 1969 Prom. K.: 1969 Eintritt in d. Justizdienst, 1972 Richteramtsanw., 1973 Richter, 1974 Richter d. Jugendgerichtes Graz, 1978 Vorst. H.: Musik, Sport, Wandern, Skifahren.

Rupp Josef Jakob Dr. iur. Mag. lic. oec.
B.: Gschf. FN.: Rupp Käsle GmbH. GT.: seit 1990 Gschf. Alpe Intern. Prag. DA.: 6911 Lochau, Kugelbeerweg 3. PA.: 6911 Lochau, Spehler 1. G.: Bregenz, 13. Okt. 1959. El.: Josef u. KommR. Gertrud. S.: 1978 Matura, 1979-84 Stud. BWL St. Gallen, 1979-85 Jusstud. Innsbruck. K.: 1983 Gschf. Alpenhof BRD, 1987 Gschf. Rupp Käse Export. M.: Innungsmstr.-Stellv. HK, Fachgruppenvorst.-Stellv. Sekt. Ind., Gem.-Vertretung, Rotary Club. H.: Kunst, Essen, Segeln. (A.K.)

Rupp Karl
B.: Inh. Bar-Kaffee. DA.: 8020 Graz, Mariahilferstr. 19. PA.: 8047 Kainbach, Hönigtal 181. G.: Göttingen, 5. Nov. 1941. V.: Roswitha, geb. Schmidl. Ki.: Priska (1982), Alina (1988). El.: Karl u Paula. S.: VS, Berufsschule, Tischlerlehre, 1964-68 Koch/Kellnerlehre Hamburg. K.: 1971-76 Koch auf Handelsfrachtern, Ober Gasthof Spitzwirt, 1977-79 Gschf. Flughafenrestaurant, 1979 selbst. ESV Buffet im Autal, 1992

selbst. Cafe Baccara-Chat-Noir u. Sauna Bar. M.: Eisschützenver., Österr. Rettungshundebrigade. H.: Reiten, Schwimmen, Tiere. (R.S.)

Rupp Kurt Dr. iur. KommR.

B.: Vorst.-Vors. d. Landes- u. Hypothekenbank Vbg. GT.: Präs. d. Verb. d. Österr. Landeshypothekenbanken, AufsR.-Vors. d. Beteiligungsfond WEST AG Sbg. u. VRZ Vbg. Kreditbank. DA.: 6900 Bregenz, Hypo Passage 1. PA.: 6900 Bregenz, Stützstr. 5. G.: Bregenz, 15. Aug. 1934. V.: Ilse, geb. Unteregger. Ki.: Brigitte, Rainer, Beate. El.: Hermann u. Maria. S.: 1953 Gymn. Matura, 1953-57 Jusstud. Innsbruck. K.: 1958 Gerichtsj., 1959-60 Wr. Allianz, 1961-67 Finanzamt, seit 1967 Dion.-Ass. Hypo Bank, 1974 Dion. Hypo Bank, seit 1975 Vors. d. Vorst. M.: Lions Club. H.: Garten- u. Waldarb., Wassersport, Tennis. (A.K.)

Rupp Martin Dr. MinR.

B.: Abt.-Ltr. FN.: BM f. Finanzen, Abt. IV/8. DA.: 1010 Wien, Himmelpfortg. 4. PA.: 1020 Wien, Obere Donaustr. 43. G.: Krems/Donau, 21. März 1937. V.: Elisabeth, geb. Perchter. Ki.: Monika (1964), Thomas (1967). El.: Martin u. Katharina, geb. Schellenbacher. S.: 1955 Matura, 1962-67 Stud. d. Rechtswiss. a. d. Univ. Wien, 1968 Prom. z. Dr. iur. K.: 1955 Eintritt i. Finanzverw., 1955-58 Finanzamt Gmünd, 1959-67 Finanzamt 2/20 Wien, 1968-71 Finanzamt 9/19 Wien, danach BM f. Finanzen, a. 1989 i. d. obenerwähnten Pos. E.: Gr. EZ f. Verdienste um die Republik Österr. H.: Musik, Technik. (N.A.)

Rupp Robert Günther

B. Geschäftsführender Gesellschafter, Schlosser. FN.: Robert Rupp GmbH. DA.: 1230 Wien, Leo Mathauserg 51. PA.: 1230 Wien, Stipcakg. 9-17/6. G.: Wien, 5. Juni 1942. V.: Brigitte. Ki.: Robert (1980), Andreas (1981). El.: Thomas u. Maria. S.: VS, HS, Lehre zum Schlosser im elterl. Betr., 1970 Geselle, schon frühzeitig auf Tankstellen spezialisiert zuerst Fa. Agip (Reparaturen u. Aufbauten) stetiger Ausbau d. Betr., arbeiten f. d. U3, HBW, UNILEVER, 1970 elterl. Betr. übernommen, 1979 Gmbh grd. M.: MSC Burgenland. H.: Motorcrossfahren. (R.T.)

Rupp Siegfried Mag.

B.: Gschf. Wirtschaftswoche. DA.: 1070 Wien, Seideng. 11. G.: Bregenz, 16. März 1956. Ki.: Marlene. El.: Wilhelm u. Hildegard. S.: 1974 Matura, Stud. WU Wien, 1984 Mag. K.: Produktmanager KURIER, Werbeltr., 1988 Verlagsltr. Wochenpresse, 1991 Gschf. Wirtschaftswoche. H.: Fernreisen, Naturverbundenheit, Kulturenvölker, Schwimmen. (J.E.)

Rupp Sieghardt

B.: Kammerschauspieler. A.: 1180 Wien, Khevenhüllerstr. 17. G.: Bregenz, 14. Juni 1931. El.: Bartholomäus u. Maria. S.: BG, HS f. Welthdl., Max Reinhardt-Seminar. K.: seit 1958 Theater in d. Josefstadt, Österr. u. Dt. Fernsehen (ca. 40 Fernsehspiele), 94 Filme im In- u. Ausland. H.: Schwimmen, Reiten, Angeln.

Rupp Veronika Dr. med. univ.

B.: FA f. Augenheilkunde. DA.: 9300 St. Veit, Bahnhofstr. 22. PA.: 9314 Launsdorf, St. Martin 3. G.: Rain, 24. Mai 1949. V.: Gero Rupp. Ki.: Werner, Thomas. El.: Rudolf u. Leopoldine. S.: Pflichtschulen, Mädchengymn. Klagenfurt, 1967 Matura, Med.Stud. in Graz, 1974 Prom. K.: FA-Ausbild. im LKH Klagenfurt, seit 1983 eigene Praxis in St. Veit. M.: Österr. Ophthalmolog. Ges., Med.-Wiss. Ges. Ktn. H.: Skifahren, Lesen, Schwimmen. (S.G.)

Rupp Walter

B.: Prok., Verkaufsltr. FN.: ISTA Haustechnik GesmbH. DA.: 1110 Wien, Simmeringer Hauptstr. 497a. PA.: 3380 Pöchlarn, Lindenstr. 7. G.: Melk, 2. Nov. 1954. V.: Silvia, geb. Krompaß. Ki.: Alexander (1976), Johannes (1978), Christina (1991). El.: Ferdinand u. Aloisia. S.: Ausb. zum Sanitär- u. Heizungsinst., Mstr.-Prüf. K.: 1975-79 Installateur u. Heizungsbauer d. Stadtgemeinde Melk, 1980 Wassermstr.-Stv. d. Stadtgemeinde Melk, 1980-82 Verkaufsberater i. Außen-dienst b. Österr. Armaturen AG i. Wien, 1983-85 Außendienst-Verkauf b. Elektra-Bregenz, 1986-88 Wechsel i. eine ganz andere Branche zu Firma Cyklop i. d. Verpackungsbereich, 1988 Rückkehr i. den erlenten Beruf u. Eintritt in die Fa. Ista Wien, b. 1991 Fachberater i. Verkauf u. s. 1992 Verk.-Ltr. f. Gesamt-Österreich, 1992 Erteilung d. Prokura. M.: Tennisklub Hitiag Golling, Modellflugverein Pöchlarn. H.: Tennis, Modellflug, Alpen- u. Wasser-Skifahren, Wandern.

Rupp Walter Ing.

B.: Vorst. FN.: Tungsram Austria AG. DA.: 1211 Wien, Hofherr-Schrantz-G. 4. G.: Geldrop/NL, 27. Jan. 1938. S.: Mittelschule, HTL, TGM, Radio- u. Fernsehtechnik, Ing. K.: 1957 Sachbearb. b. Philips, Product Manager Marketing, Manager, 1975 Prokura, 10 J. Ltr. Komm.Abt. Licht, 1985 Dir. d. Fa. Tungsram, seit 1986 Vorst. u. gewerberechtl. Gschf. H.: Musik, Fußball, Skifahren, Tischtennis. (E.L.)

Rupp-Löwenstein Martina

B.: Moderatorin ORF, Ö3. DA.: 1040 Wien, Argentinierstr. 30A. PA.: 1238 Wien, Karl-Schwed-G. 113. G.: Wien, 27. Juli 1961. V.: Stephen. Ki.: Nicola (1984), Tobias (1991). El.: Ing. Karl u. Irene, geb. Musil. S.: 1979 AHS-Matura, Stud. Publizistik, Politologie u. Päd. Univ. Wien u. Päd. Ak. K.: seit 1979 Aspirantin b. versch. Zeitungen u. b. Jugendprogramm "Zick-Zack" Ö3,.ab 1981 Organ.-Ass. im Kulturservice, Spezialgebiet Schülerbetreuung, anschl. Rundfunk "Treffpunkt Ö3", "Radio Holiday", "Freizeichen", "Sex-Hotline", "Ö3-Wecker", Fernsehen "Ohne Maulkorb", "Wer bietet mehr", "Schau hin u. gewinn", "Superflip" u. "Live am Samstag", seit 1990 Fixvertrag b. ORF, lfd. Moderatorin, Texterin, Sprecherin u. Schauspielerin. H.: Musik, Tanzen, Musizieren, Cineastin, Ges.-Spiele, Kinderwelt, Arch., Comics, Soz. (N.A.)

Ruppe Hans Georg Dr. iur. Dr. rer. pol. o.Univ.-Prof.

B.: Ersatzmtgl. d. VfGerH., Vorst. d. Inst. f. Finanzrecht d. Univ. Graz. DA.: 8010 Graz, Grillparzerstr. 26. PA.: 8020 Graz, Johann-Haiden-Str. 15. G.: Wien, 16. Juni 1942. V.: Mag. Johanna, geb. Schreder. El.: Dr. Hans u. Christa. S.: Hum. Gymn., Stud. Univ. Wien. K.: Ass. Wien, Freiburg, Breisgau u. Graz, seit 1972 o.Prof. Univ. Graz. P.: Die Ausnahmebestimmungen d. Einkommensteuergesetzes (1971), Finanzverfassung im Bundesstaat (1977), Grundriß d. österr. Steuerrechts (1981), Handbuch d. Familienverträge (Hrsg., 1985), Österr. u. d. EG-Steuerrecht (1988), ca. 80 Beiträge in div. Fachzeitschriften. M.: Dt. Steuerjurist. Ges., Intern. Fiscal Assoc. H.: Musik, Theater, Bergsteigen. (C.H.S.)

Rupprecht Manfred Dr. Mag. HofR.
B.: Vorst. d. Rechtsabt. 3 u. Umweltschutzkoordinator d. Amts d. Stmk. Landesrg., Univ.-Lektor TU Graz. DA.: 8010 Graz, Landhausg. 7, 8010 Graz, Rechbauerstraße. PA.: 8010 Graz, Angelo-Eustacchio-G. 58. G.: Graz, 12. Aug. 1939. V.: Pia-Maria, geb. Eustacchio. Ki.: Brigitta (1968), Anita (1971). El.: Victor u. Valerie. S.: 1958 Matura, 1966 Mag. iur. Univ. Graz, 1967 Prom. Dr. iur. Univ. Graz. K.: 1968 Eintritt in d. Landesdienst, 1971-80 Sekr. d. Landeshptm. v. Stmk., 1980 w.HofR., 1981 Vorst. d. Rechtsabt. 3. P.: "Das steir. Umweltschutzrecht", "Bauschriften f. d. Land Stmk.", zahlr. Fachart. über Bau- u. Umweltrecht in div. Fachzeitschriften. H.: Gärtnern, Skifahren, Wandern, Wassersport, Schwimmen, Segeln, Zeichnen, Filmen, Dichten. (P.M.)

Rupprecht-Reingruber Fidelio M. KommR.
B.: Kfm. Dir. A.: 1010 Wien, Wipplingerstr. 16. G.: Wien, 3. Aug. 1936. S.: HS f. Welthdl. K.: Schauspieler, Ltr. d. Rechnungswesens in Schuh- u. Glasfbk., 1956 Prok. d. Intern. Warenhdls. Ges. Karl List & Co KG, 1958 Komm., 1959 Übernahme d. Fa., 1969 Dir. d. Vereinigten Tuchfbk. Runatex u. Sinadalan Florenz, 1983 Ernennung z. KommR. durch d. BPräs. F.. Inh. d. intern. Warenhdls.Ges. Karl List & Co KG in Wien. P.: lfd. Veröff. in einschlägigen Fachzeitschriften als Modefachmann, Modeberater. E.: Goldmed. u. Gold. Ehrennadel d. Österr. HK, Dipl. d. franz. Botschaft in Würdigung d. Verd. z. Förderung d. Hdls.Beziehungen m. Österr., Commandeur u. Comptur d. Pro Concordatia Ordens, 1986 staatl. Auszeichnung durch d. Verleihung des österr. Staatswappens. M.: HK Wien, Kreditschutzverb. v. 1870, Mtgl. d. Mexikan. HK.

Ruprecht Johann
B.: Kfm. FN.: Johann Ruprecht GmbH. DA./PA.: 5301 Eugendorf, Eugenbach 29. G.: Bürmoos, 22. Nov. 1956. V.: Elisabeth, geb. Fux. Ki.: Johannes (1982), Markus (1991). S.: VS, HS, HTL-Steyr, KFZ Wesen, BH. K.: 1983 selbst. Betr. i. Elixhausen gegründ., 1987 KFZ-Ruprecht Fachbetr. GmbH gegründ. M.: USV - Elixhausen. H.: Fußball, Sport. (S.P.)

Ruprechter Kurt
B.: Alleininh. d. Fa. Kurt Ruprechter u. d. Fa. Keragran. GT.: Kons. d. Fa. Fiandre. DA.: 1100 Wien, Landgutg. 12. PA.: 1230 Wien, Wildag. 13. G.: Rachau/Knittelfeld, 11. Sept. 1942. V.: Anna, geb. Oszvald. Ki.: Kurt, Klaus. El.: Franz u. Cäcilia. S.: Berufsschule, Lehre f. Hafner, Fliesenleger, Töpfer u. Keramiker, Mstr.Schule Wien, 1966 Mstr.Prüf. in Graz. K.: 1956-60 b. Fa. Schlacher u. 1963-66 b. Fa. Schwarz in Knittelfeld, 1967 Grdg. d. Fa. Kurt Ruprechter. M.: Flugver. Wr. Neustadt. H.: Fliegen, Fernreisen. (A.W.)

Ruprechtsberger Erwin M. Dr. Univ.-Doz.
B.: Dir. d. Stadtmus. Linz - NORDICO DA.: 4010 Linz, Bethlehemstr. 7. PA.: 4470 Enns, Weyermayrgutstr. 9. G.: Linz, 22. März 1952. V.: Gabriele, geb. Schreibmüller. Ki.: Judith, Stephan. S.: Stud. Klass. Philol., Archäologie, Alte Geschichte u. Frühchristl. Archäologie Wien u. Sbg. K.: seit 1978 Archäologe am Museum d. Stadt Linz, 1986 Venia docendi als Univ.-Doz. f. Röm. Altertumskunde u. Provinzialarchäologie Univ. Sbg., regelmäßige Vorlesungstätigkeit am Inst. f. Alte Geschichte u. Altertumskunde, 1988/89 Gastdoz. Univ. Graz. P.: wiss. Arb., wiss. Konzeption u. Organ. v. Ausstellungen u.a. 1984/85 Etrusker - Aspekte etruskischer Kunst, 1985 Frühes Christentum in OÖ im Rahmen d. OÖ Landesausstellung, 1987 Palmyra - Kunst u. Kultur d. syrischen Oasenstadt, 1989 wiss. Mitarb. an einer Armenien-Ausstellung, 1990/91 antikes Lentia, 1992 Mitarb. an u. Teilplanung d. Bier-Ausstellung in Linz, 1993-1995 wiss Planung u. Leitung der Aaustell. "Syrien - von den Aposteln zu den Kalifen"(Linz, Schallabrg, Klagenfrt.) , alljährl. Exkursions- u. Surveytätigkeit in Nordafrika u. d. Nahen Osten, 1989 Aufenthalt in d. Sahara Südlibyens u. Dokumentation d. antiken Stätten d. Garamanten, Verfasser v. ca. 20 monograph. Schriften, von über 100 Aufsätzen, Fundberichten u. Rezensionen. E.: 1978 Talentförderungspreis d. Landes OÖ f. Junge Wissenschaftler. M.: zahlr. nat. u. intern. museale Ver. u. Ges. (P.H.)

Rupsch Karl

B.: Inh. FN.: Installationsunternehmen Karl Rupsch. DA.: 2544 Leobersdorf, Südbahnstr.5. PA.: 2560 Grillenberg, Hauptstr. 8. G.: Grillenberg, 20.Jan. 1941. V.: Annemarie, geb. Wimmer. KI.: Annemarie (1965), Herbert (1967). EL.: Franz u. Franziska. S.: VS, Gym. K.: Installateur u. Spengler, Mstr. Prüfung in beiden Berufen. K.: 1955 Eintritt i. d. Installationszentrum Steinhauser in Leobersdorf zuerst als Lehrling dann als geselle, 1970 Übern. d. Firma. M.: Gem.R. d. Gem. Hernstein, Vorstandsmitglied d. Raika. (F.S.)

Rüsch Karl Werner
B.: Ziviling. PA.: 6850 Dornbirn, Angelika-Kauffmann-Str. 1. G.: Teheran/Iran, 29. Sept. 1937. S.: VS in Wallgau u. Dornbirn, BRealschule in Dornbirn, 1956 Reifeprüf., 9 Sem. Stud. an d. TH München, 1962 Dipl. K.: Militärdienst, 1962 Büro Dipl.-Ing. Werner Rüsch, 1962-63 Büro Dipl.-Ing. Dr. R. Pönninger, 1963-66 Baufa. A. Kunz & Co in Bludenz, 1966-67 Büro Dipl.-Ing. Werner Rüsch, 1967 Ziviltechnikerprüf. f. d. Fachgebiet Bauwesen, 1967-69 Baufa. G. Hinteregger in Bregenz, 1967 Verleihung d. Befugnis eines Ziviling. f. Bauwesen, seit 1969 selbst. berufstätig als Ziviling. f. Bauwesen in Dornbirn, 1969-74 LAbg. in Vbg., 1976-84 Mtgl. d. Vbg. LRg., seit 1974 2. VPräs. d. Österr. Nationalbank. (A.K.)

Rüscher Otmar
B.: Betriebsvors. d. E-Werke Sbg., LVors. d. Gewerkschaft Metall, Bergbau, Energie. DA.: 5020 Salzburg, Auerspergstr. 13. PA.: 5020 Salzburg, Franz-Peyerl-Str. 17/1/4. G.: Salzburg, 14. Sept. 1942. V.: Rosa, geb. Rothenwänder. Ki.: Otmar, Sonja. S.: Lehre f. Starkstromtechnik, 2 J. Werkmstr.Schule. K.: 1957 Sbg. Stadtwerke E-WErke, 1969 BetriebsR., seit 1972 BetriebsR.Vors., seit 1980 LVors., seit 1983 Obm.Stellv. H.: Angeln, Wandern, Hochseefischen.

Rüscher Wolfgang Ing.
B.: Gschf., Baumeister. FN.: Rüscher & Söhne GmbH. DA.: 6800 Feldkirch, Münkafeld 7. PA.: 6830 Rankweil, Ilgenweg 24. G.: Schoppernau, 19. Sept. 1958. El.: Kurt u. Elisabeth. S.: VS, HS, HTL f. Hoch- u. Tiefbau, 1979 Matura, 1979/80 Militärmusik Bregenz. K.: 1980 Eintritt in väterl. Betrieb

Planung u. Baultg., Mitarb. b. Erweiterung d. Firma, spezialisiert auf schlüsselfertige Reihenhäuser u. Mehrfamilienwohnhäuser. M.: Stadtmusik Feldkirch, seit 1973 Tauchclub Vbg. H.: Musik, Surfen, Skifahren. (I.D.)

Rusin Thomas Mag.

B.: Gschf. FN.: Connex Marketing- u. Werbeagentur. DA.: 4600 Wels, Linzerstr. 28-30. PA.: 4600 Wels, Kolpingstr. 8. G.: Wels, 4. Juli 1956. El.: Heinz u. Elsa Rusin. S.: VS, Gymn.,1974 Matura, Stud. d. Handelswiss. in Wien b. 1980. K.: 5J. bei Fa. Imperial in Linz, s. 1986 selbst., Grdg. d. eigenen Untern. Connex Marketing- u. Werbeagentur in Wels. E.: Österr. Direktmarketingpreis in Gold (1992 u. 93), in Silber (1993), in Bronze (1993), EPICA Award 1992, Senator '93 f. außergewöhnliche Leistungen a. d. Gebiet d. Werbung, 1992 u. 93 Printissimo. H.: Lesen, Reisen. Sport. (P.H.)

Ruso Oswald Martin Dr. VetR.

B.: Dipl.Tierarzt. A.: 2000 Stockerau, Parkg. 11. G.: Stockerau, 27. Aug. 1924. V.: Hermine, geb. Waditschatka. El.: Engelbert u. Theresia. S.: RG, Tierärztl. HS, Abschluß m. Tierärztl. Dipl., Diss. an d. Tierärztl. HS Wie, Dr. med. vet. K.: 1948 Vors. d. Hochschülerschaft an d. Tierärztl. HS, 1950 Eröff. d. Tierärztl. Praxis in Stockerau, ab 1954 Funktionen in d. LKam. d. Tierärzte NÖ u. in d. BKam. d. Tierärzte Österr., 1965 VPräs. d. BVerb. d. Freiberufstierärzte, 1968 Präs. d. LKam. d. Tierärzte NÖ, 1969 Präs. d. BKam. u. Tierärzte Österr. P.: Hpt.Schriftltr.d. "Österr. Tierärztezeitung". E.: Gr. EZ f. Verd. um d. Rep. Österr., EPräs. d. BUkam. d. Tierärzte Österr., Komturenz Land NÖ

Russ Eugen A.

B.: Verlagskfm. DA.: 6900 Bregenz, Kirchstr. 35. G.: Bregenz, 6. Jan. 1961. V.: Mag. Irene, geb. Krenböck. El.: DDr. Anton u. Rosa. S.: Gymn., 1980 Matura, z.Z. Jusstud. K.: zu 51 % eigener u. Gschf. Ges. d. Vbg. Graph. Anst. Eugen Russ & Co. (Schm.)

Ruß Hans-Erich

B.: Red. u. Schriftsteller. A.: 4231 Untergaisbach 74. G.: Senftenberg, 23. Dez. 1925. V.: Margit, geb. Hofer. El.: Dipl.-Ing. Hans u. Anna. S.: Hum. Gymn., kath. Theol. in Linz, Wien u. Innsbruck, daneben soz. u. med. Studien. K.: 1942-43 Chefred. einer Schülerzeitung, 1943-46 Kriegsdienst u. Gefangenschaft, 1951-55 als Erzieher u. Ketechet tätig, 1955-64 Prod.Ltr. b. Veritasverlag, anschl. Tonmstr. b. Geyerfilm Linz, 1965-72 Korrektor b. Druckerei Wimmer Linz, seit 1972 Red. in d. Presseabt. d. HK OÖ, daneben immer schriftstellerisch oder als freier Journalist, seit 1985 nur noch freiberufl. tätig. P.: zahlr. Bücher, 50 Hörspiele u. Tonbilder, Broschüren, Übersetzungen u. Zeitungsart. M.: Österr. Alpenver., Presseklub OÖ. H.: Bergsteigen, Schachspielen, Fotografieren, Schießsport.

Ruß Josef

B.: Hohlglasfeinschleifer. FN.: Ruß Bleikristallschleiferei. DA. u. PA.: 3970 Weitra, Böhmstr. 77/78. G.: Gmünd, Apr. 1964. V.: Erika, geb. Haumer. Ki.: Reinhard (1982). El.: Josef u. Barbara. S.: VS, HS, Berufsschule. K.: 1979-88 Lehrausbild. u. Glasschleifer Firma Haumer Lauterbach, 1988 Grdg. u. Inh. Josef Ruß Bleikristallschleiferei. M.: Werbegemeinschaft Weitra. (M.M.)

Russ Kurt Dr. HofR. Univ.-Prof.

B.: Dir. d. BAnst. f. Pflanzenschutz. DA.: 1020 Wien, Trunnerstr. 5. PA.: 1230 Wien, Gatterederg. 8/4/20. G.: Puch b. Waidhofen/Thaya, 1. Jan. 1929. Ki.: Dr. Andrea (1958), Susanne (1962). El.: Hans u. Anna. S.: Gymn., 1947-52 Stud. an d. Univ. Wien Zoologie u. Botanik, 1952 Prom., 1968 Habil. K.: 1952 Unterwasserexpedition m. Prof. Riedl im Golf v. Neapel, 1953-54 Ver. z. Förd. d. Zuckerrübenprod., 1954 BAnst. f. Pflanzenschutz, Obst- u Weinbau, seit 1984 Dir. d. BAnst. f. Pflanzenschutz, lfd. Vorlesungen an d. Univ. Wien u. HS f. Bdk. BL.: Mitautor, Darsteller u. Mitorganisator d. Films "Fließendes Leben". P.: ca. 80 wiss. Publ., ca. 300 Vorträge populärwiss. Art, Veröff. im Ausland. M.: OINP, seit 1979 im Beratergremium d. IOBC/WPRS, Österr. Delegierter d. BMLF b. d. EPPO, wiss. Beirat d. Forsch. Zentrums Seibersdorf. H.: Musik, Oper, Theater, Forsch. d. menschl. Verhaltens, Schreiben, Hobbygärtner, Bastler, Tennis. (M.G.)

Ruß Reinhard

B.: Gschf. Ges. FN.: Telecom Nachrichtentechn. Anlagen GmbH. DA.: 1190 Wien, Heiligenstädter Str. 215. PA.: 1190 Wien, Heiligenstädter Str. 131. G.: Wien, 15. Jän. 1944. V.: Sonja, geb. Wallach. Ki.: Susanne (1964), Reinhard (1967), Mario (1987). El.: Roman u. Herta, geb. Schopf. S.: Kfm. Ausbild. K.: 1960-64 kfm. Bürotätigkeiten, seit 1964 im Verkaufsaußendienst, 1970-75 Verkaufsltr. b. d. Firma Texaco Österr., seit 1976 Vertriebsltr. f. Pager Rufempfänger b. d. Firma Center, b. 1976 Verkauf d. ersten Autotelefone in Österr., 1979 Grdg. d. eigenen Firma. H.: Skifahren, Radfahren. (N.A.)

Russegger Georg Ing.

B.: Bmstr., gerichtl. beeid. Sachv. f. Hoch- u. Tiefbau u. Liegenschaftsschätzungen. FN.: Ing. Georg Russegger Planung, Ausführung, Berechnung, Ltg. DA. u. PA.: 5441 Abtenau, Au 106. G.: Abtenau, 25. Dez. 1950. V.: Irmgard, geb. Schmiederer. Ki.: Georg (1977), Silke (1980), Bernhard (1987). El.: Johann u. Anna. S.: VS, 3 J. Maurerlehre Firma Kronreif Abtenau, 1968 Abschluß als Geselle, 1969-70 BH. K.: b. 1973 Tätigkeit Firma Kronreif, Polierschule, 1973-76 HTL f. Hochbau Sbg., 1976 Matura, 1976-79 Baultg. Firma Spillutini Schwarzach, 1979 Ing., 1979 Bmstr.-Prüf. f. Hoch- u. Tiefbau, b. 1981 Tätigkeit Firma Spillutini, seit 1981 selbst. M.: Sportver. Abtenau, Strubberg Schützen. H.: Skifahren. Tennis. (J.F.)

Rußheim Hannes

B.: Tankstelleninh. d. Shell Station. DA.: 8020 Graz, Reininghausstr. 82. PA.: 8042 Graz, Eichenweg 41. G.: Graz, 7. Okt. 1964. V.: Elisabeth, geb. Murlasits. Ki.: Kristina (1986), Benjamin (1987). El.: Franz u. Juliane. S.: VS, HS, HTL, Lehre Bürokfm., 1985 Abschluß. K.: 1 J. Immobilien Innen- u. Außendienst, anschl. b. Esso im Innen- u. Außendienst in d. Funktion Nachwuchspächter, b. 1990 Schulung, 1990 Pacht d. Shell Station. H.: Beruf. (F.K.)

Russo Yvonne Mag.

B.: Auslandsfilm-Vertretung im Österr. Filmförderungsfonds. DA.: 1150 Wien, Plunkerg. 3-5. PA.: 1070 Wien, Hermanng. 20/21. G.: Wien, 17. Febr. 1962. El.: Antonio Kusturin u. Judith, geb. Erdös. S.: 1980 Matura Wien, 1981 Dolmetschstud., Stud. d. Rechtswiss. an d. Univ. Wien, 1984

Abschluß. K.: ab 1990 Gschf. d. Austrian Film-Comission, seit 1990 Vertreterin Österr. b. Expertenkomitee "Kino" im EuropaR., ab 1991 Vertreterin b. efdo u. b. Enzimages, seit 1991 Auslandsfilm im Österr. Filmförderungsfonds. H.: Cinema, Geschichte. (N.A.)

Russwurm Vera

B.: Journalistin. DA.: 1190 Wien, Muthg. 2. G.: Wien, 7. Nov. 1959. V.: Dr. Peter Hofbauer. El.: Arch. Georg u. MedR. Dr. Margarete Russwurm. S.: VS, AHS, neusprachl. Zweig, Matura, High-School in Texas, Graduate, Med.Stud. K.: 1978 zurück in d. Staaten, Tritsch-Tratsch Girl in Fernsehsendung m. Guido Baumann, Radio: Mini Box, Radio Holiday, Okt. 1979 Test f. Okay-Sendung, ab Nov. 1979 Moderatorin f. Okay, Ö3: "Hallo Ö3" f. Radio auf Draht, v. Präsentation z. Red. Okay, 1981 1. Live-Sendung, 1981-84 "Kärnten Intern.", Song-Contest Ausscheidung 1984: "Aus 12 mach 1", Apr. 1984 z. Kronen Zeitung, Ressortltr. d. Jugendseite "Insider", Dez. 1984 "Hallo Fernsehen", Dez. 1984 2-SAT. E.: Dez 1985 Ernennung v. Bild u. Funk z. besten Moderatorin im dt. Raum. H.: Sport, Skifahren, Wasserskifahren, Tennis, Reisen. (E.L.)

Rustenberg-Becic Cornelius

B.: ak. Maler. PA.: 8010 Graz, Schillerstr. 30. G.: Graz, 7. Dez. 1910. S.: 1921-25 Kunstakademie Zagreb. K.: während d. Stud. Aufträge f. Film-plakate f. "Metro-Goldwyn-Mayer" u. "UFA", Illustration d. Buches "Les miserables" v. Viktor Hugo u. ein Kinderbuch, 1941 Rückkehr nach Graz, freischaff. Künstler, Portraits v. Landtagspräs. Dr. Kaan u. Frau Landeshptm. Krainer, Erzbischof Dr. Schoißwohl, Bischof Weber, Söhne f. fürstl. Familie Liechtenstein-Habsburg. BL.: Jugoslaw. Mstr. im Turniertanz, 1984 Österr. Mstr. im Turniertanz. E.: 1949 1. Preis f. ein Werbeplakat "Der Steirerbua", Gr. Gold. Med. f. beste Grafik Paris. H.: Musik, Tanzen. (I.G.)

Rustler-Ourth Renate

B.: Theaterdir. d. Elisbethbühne u. Schauspielschule Elisabethbühne, Reg., Schauspielerin. DA.: 5020 Salzburg, Plainstr. 42. PA.: 5020 Salzburg, St. Julien Str. 4A. G.: Salzburg, 6. Apr. 1949. V.: Georges Ourth. Ki.: Alexander. El.: Johann u. Barbara Rustler. S.: 1967 Gymn.-Matura, 1968 HAK-Matura, 8 J. Tanz- u. Klavierstud., 1975 Schauspielprüf. in München m. Ausz. K.: seit 1980 Reg. an d. Elisabethbühne Österr., Erstaufführung: Der Turm (P. Weiss), Leben Eduards (B. Brecht), Das Gauklermärchen (M. Ende), Der Untergang der Titanic (H. M. Enzensberger), Die Neger (Jean Genet), Die Trauung (W. Gombrowicz), seit 1988 Ltg. d. Elisabethbühne, 1992 Lektorat an d. Univ. Sbg. (M.B.)

Rutar Mara

B.: Gschf. Ges. FN.: Rutar Center GmbH. GT.: Prok. d. Jauntaler Hdls.Ges. DA.: 9141 Eberndorf, Eisenkappelerstr. 10. PA.: 9141 Eberndorf, Gemeindestr. 12. G.: St. Michael ob Bleiburg, 28. März 1941. V.: Emilian Rutar. Ki.: Christian. El.: Georg u. Elisabeth Kuschej. BV.: Onkel Andreas Kumer ÖkR., Bgm. v. Moos/Bleiburg. S.: Pflichtschulen, kfm. Lehre. K.: seit 1962 in d. Fa. Rutar Center tätig (Buchhalterin), ab 1987 Gschf. Ges. d. Fa. Rutar Center GmbH. H.: Kultur, Lesen. (S.G.)

Ruthner Eberhardt Dr. Dipl.-Ing.

B.: Gschf. FN.: ÖSA Österr. Serviceges. f. Agrarmarketing GmbH. DA.: Obere Donaustr. 12, 1020 Wien. PA.: Pfeilg. 21, 1080 Wien. G.: Bad Gastein, 20. Sept. 1945. V.: Sophie, geb. Nasria. Ki.: Bernhardt (1974), Christian (1977), Petrissa (1988). El.: Senator Prof. Dr. Dipl.-Ing. Othmar u. Helene. S.: Kollegium Kalksburg, Matura 1964, Stud. Landwirtsch. Justus-Liebig-Univ. Gießen/D, Dipl. 1971, Prom. 1975. K.: Univ.-Ass. Inst. f. Angew. Botanik TU Wien, Gschf. d. Pioneer Saaten GmbH in Parndorf/Bgld., dzt. Gschf. d. ÖSA, Vortragender z. Thema Agrarmarketing. H.: Segeln, Schifahren, Tennis, Weinkultur. (J.S.)

Rüting Wolfgang Dipl.-Vw.

B.: Wirtschaftstreuhänder, Steuerberater. DA.: 4020 Linz, Kürnbergweg 4a. PA.: 4073 Wilhering, Am Hang 1. G.: Flensburg, 31. Juli 1943. V.: Dr. med. Erika, geb. Steinhöfler. Ki.: Heidi (1971), Wolfgang (1977). El.: Werner u. Erika. BV.: Großvater war Hanseat. Kfm. in Hamburg. S.: VS, 1965 Nordseegymn. St. Peter Ording, b. 1974 Stud. Wirtschaftswiss. Bonn, Köln, Bochum u. Innsbruck, Auslandsaufenthalt in Schweden u. Norwegen. K.: ab 1977 Ausbild. z. Wirtschaftstreuhänder in Linz, ab 1984 selbst. Steuerberater in Linz, seit 1989 Ges. u. Gschf. d. Rüting & Partner GmbH Amstetten. M.: ÖRC Sbg., EFG Linz. H.: Tennis, Natur- u. Esother. Weltanschauung. (U.E.)

Rutschmann Josef

B.: Gschf. FN.: Hammerschmid & Co GmbH. DA.: 1150 Wien, Sechshauser Gürtel 5. PA.: 2404 Petronell, Hauptstr. 102. G.: Hainburg, 8. Juni 1949. Ki.: Markus. El.: Josef u. Anna. S.: VS, HS, Berufsschule Bäcker u. Konditor, 1975 Mstr.Prüf. Bäcker, 1976 Mstr.Prüf. Konditor. K.: seit 1963 b. Fa. Hammerschmid tätig, anfängl. Lehre, nach Gesellenprüf. Militär, anschl. versch. einschlägige Betriebe z. weiteren Ausbild. u. nach Rückkehr zu Fa. Hammerschmid ab 1975 gewerberechtl. Gschf. u. seit 1984 100 % Ges. u. Gschf. im 150 J. existierenden Betrieb in Petronell reine Verkaufsndlg. F.: Josef Rutschmann Petronell. H.: Segeln. (G.E.)

Ruttenstorfer Wolfgang Dr. Mag.

B.: Gen.-Dir.-Stellv., Vorst. f. Finanzen u. Controlling. FN.: ÖMV AG. GT.: AufsR.-Vors. AGRO Linz Melamin GmbH u. Chemie Linz GmbH, Stellv. AufsR.-Vors. PCD GmbH. DA.: 1090 Wien, Otto-Wagner-Pl. 5. G.: Wien, 15. Okt. 1950. V.: Dagmar, geb. Renner. Ki.: Wolfgang (1978), Bernhard (1980). El.: Werner u. Hertha. S.: VS, BRG, Stud. Hdls.-Wiss. WU Wien, Mag. u. Dr. K.: 1976 Eintritt ÖMV, 1976 Traineeprogramm u. Controllingtätigkeiten, 1978 zuständig f. Energiepolitik, 1985 Leiter strat. Planung d. ÖMV Gruppe, seit 1989 Reorgan. d. ÖMV-Gruppe, 1990 Übernahme d. Geschäftsbereiches Mineralölproduktenvertrieb zunächst als Prok., seit 1991 Dir., 1992 Vorst.-Mtgl. f. Finanzen, Controlling u. Chemie, 1992 Gen.-Dir.-Stellv. (J.M.)

Rütting Barbara (Waltraud Gräfin v. Einsiedel)

B.: Schauspielerin.l PA.: 5202 Neumarkt am Wallersee, Sommerholz 30. G.: Wietstock, 21. Nov. 1927. K.: Filme u.a.: "Die Spur führt nach Berlin", "Die letzte Brücke", "Heideschulmeister Uwe Karsten", "Das zweite Leben", "Canaris", "Spionage", "Wer hat Angst vor Virginia Woolf", Bühnenauftritte: "Fräulein Julie", "Die ehrbare Dirne",

"Nekrasson", Gründer d. "Gemeinn. Ver. z. Förd. ganzheitl. Lebensweise" m. Seminarzentrum in Oberhofen/OÖ, arbeitet an d. Verwirklichung eines Öko-Dorfes. P.: "Diese maßlose Zärtlichkeit" (Roman 1970), "Mein Kochbuch" (1976), "Ach du grüner Kater" (Kinderbuch 1979), "Mein neues Kochbuch", "Koch- u. Spielbuch f. Kinder", "Auf d. Flcuht mit Mirto" (Kinderbuch), "Mein Gesundheitsbuch". E.: 1952 BFilmpreis.

Ruttinger Walter R.

B.: Gschf. Ges. FN.: Multimedia GmbH & Co KG. DA.: 5021 Salzburg, Warwitzstr. 8. G.: Salzburg, 2. Juli 1950. S.: RG, Univ. Sbg. Publizistik, Soz. K.: 1970 zu British Leyland (Ass., 1971-74 Werbeltr.), 1974-77 zu Creative Werbeagentur (Prok.), 1977 Grdg. Multimedia, 1981 auf Multimedia-Center erweitert. M.: Aussch.Mtgl. d. Fachgruppe Werbung HK Sbg. H.: Homöopathie, Skifahren, Tennis. (R.A.)

Rutzinger Erwin

B.: Presseref. d. Sozialvers. d. Bauern i.R. GT.: Mundartdichter u. seit 1957 freier Mitarb. d. ORF. PA.: 5020 Salzburg, Henri-Dunant-Str. 44. G.: Salzburg, 12. Apr. 1924. V.: Gertrude, geb. Starchl. El.: Hermann u. Genoveva. S.: LBA Sbg. K.: 1942-45 Wehrdienst, 1945-51 versch. Tätigkeiten in d. Wirtschaft, 1951-57 Bediensteter b. Finanzamt in Sbg., ab 1957 Sachbearb. u. anschl. auch. Presseref. d. Sozialvers.Anst. d. Bauern, LSt. Sbg. P.: 3 Mundartbände "Salzburger Gwürzsträußl" (1982), "Tannazapfn" (1970), "Salzachkiesel" (1988), Beiträge in: "Sprache d. Heimat", "Die Mundartdichtung in Salzburg", viele Hörfunksendungen seit 1957, Verfasser d. Broschüre "Der Bauer hat's leichter" (1984), zahlr. Beiträge u. Interviews über Sozialvers. Angelegenheiten f. d. ORF u. in Ldw. Fachzeitschriften, Reiseberichte "Westl. Pforte d. Abendlandes", "Zauber d. Fachwerks", Gedichtveröff. in HS-Lesebüchern. M.: Sbg. Bildungswerk, Stadtver. Sbg., Mtgl. d. Stelzhamer-Bundes, Ges. z. Förd. d. Wiederaufbaus d. Frauenkirche Dresden. H.: Schreiben. (M.B.)

Ruzicka Ferdinand Karl Dr. phil.

B.: Univ.-Doz., Ass.-Prof., Univ.-Lehrer.GT.:Persönl. wissensch. Labor "Zytophysikal. Grundlagenforschung" 1222 Wien, Dorning. 15. A.: 1222 Wien, Doning. 15. G.: 10. März 1941. V.: Maria, geb. Mayer. El.: Ferdinand Franz u. Karoline. S.: 1961 Matura BRG Wien, 1969 Prom. z. Dr. phil. Fächer: Physik, Diss.: "Neue Untersuchg an Fluoreszenz-farbstoff." b. Prof. Dr. Reeger u. Prof. Dr. Weinzierl, Mathematik b. Prof. Dr. Hofreiter, 1975 Verleihung d. Lehrbefugnis f. med. Physik m. bes. Berück-sichtigung d. Zytophysik an d. Med. Fak. d. Univ. Wien. K.: 1970-76 Ludwig-Boltzmann-Inst. f. Leukämieforsch. u. Hämatologie b. Prof. Dr. Stacher, 1972 Studienaufenthalt am Inst. f. Hämatologie d. Ges. f. Strahlen- u. Umweltforsch. mbH München b. Prof. Dr. Huhn, 1976 Red. d. med. Zeitschrift "Biomed", 1976-78 Histolog. embryolog. Inst. d. Med. Fak. d. Univ. Wien b. Prof. H. G. Schwarzacher, 1979 Ltr. d. Abt. Zahnheilkundl. Grundlgforsch. an d. Univ.-Klinik Wien b. Prof. Dr. Keresztesi u. Mitarb.d. Ludwig-Boltzmann-Inst. f. Paradontologie, 1983 Inst. f. Humanbiol. Arbeitsgr. Mikroskopie. P.: 140 wiss. Arb. u.a. 3 Bücher. E.: 1978 Verleihg d.Theodor-Körner-Preis f. Wiss. u. Kunst, 1990 Adolf-Schärf-Preis f. Wiss. (Human-biol.). M.: Österr.Ges. f. Elektromikrosk., Mtgl. d. Großgerätekmsn. Elektronenmikroskopie. H.: Mikroskopie,Elektromikroskopie, Film, Foto.

Ruzicka Richard

B.: Journalist. FN.: ARBÖ. DA.: 1150 Wien, Mariahilfer Str. 180. PA.: 1210 Wien, Pastorstr. 5. G.: Wien, 17. Jan. 1932. S.: Lehre als Schriftsetzer, 1948-58 Schriftsetzer b. div. Wr. Druckerein, freier Journalist, 1962-72 Kronen Zeitung, 1972-76 Kurier, seit 1977 ARBÖ als Motorjounalist, Chef v. Dienst d. Clubjournals "Freie Fahrt". (C.K.)

Ruzicka Roman Dr. Dir.

B.: 1010 Wien, Herreng. 12. E.: Gold. EZ f. Verd. um d. Rep. Österr. M.: Vorst.Mtgl. d. Österr. Credit-Inst. AG Wien, AufsR. d. Bausparkasse Gemeinschaft d. Freunde Wüstenrot gemeinn. rGenmbH Sbg., Mercur Kredit u. Leasing GmbH Wien, Realia Immoiblien Verwertungs AG Wien, Treibacher Chem. Werke AG Treibach u. "Wr. Stadterneuerungsges." Gemeinn. Wohnbau, Planungs u. Betreuungs GmbH Wien.

Ruzowitzky Erich Ing.

B.: Gschf. FN.: Kaltenbach GmbH. GT.: seit 1981 Bes. eines selbst. Ing.-Büros. DA.: 1230 Wien, Siebenhirtenstr. 13. G.: Wien, 15. Okt. 1931. V.: Eva, geb. Neubacher. Ki.: Michael (1959), Stefan (1961). El.: Franz u. Ernestine. S.: HTBL, 1951 Matura. K.: 1951-54 Maschinenfbk. Haid, 1954-65 Ing.-Büro Stastna, 1965-74 Wotan-Werke, 1974-81 Kraus-Maffei Austria, 1982-92 Metorà Maschinenfbk., seit 1993 Gschf. Kaltenbach GmbH, zwischendurch immer wieder längere Auslandsaufenthalte in Deutschland, Frankreich u. d. USA. H.: Golf, Skifahren, Lesen. (F.S.)

Ryam Sualk (Mayr Klaus) Dipl.-Ing.

B.: Arch., District Manager v. AAA Alabama Art Agency. DA.: 9020 Klagenfurt, Khevenhüllerstr. 8. G.: Klagenfurt, 25. Juni 1940. El.: Arch. Walter Georg u. Erna Mayr-Thallmayer Goldschmiedin. BV.: Georg Mayr (Uronkel väterls.): 1. bürgerl. Bischof d. Diözese Gurk. S.: Realschule, Stud. Germanistik u. Arch. an d. Univ. Graz, Dipl.-Ing. 1971. K.: Nach d. Stud, 5 J. Praxis in Deutschland u. Klagenfurt, s. 1977 ZT-Befugnis u. eigenes Büro, viele in- u. ausländ. Wettbewerbe, u.a. 1. Preise Wohnbau "Modell Stmk.", Freizeit Faak, Torbau Minimundus Klagenfurt, enge Zusammenarb. m. in- u. ausländ. Künstlern, zahlr. Ausstellungen.: Galerie Hildebrand Klagenfurt 1980, "Architektur aus Graz" 1981, "Kunst im öffentl. Raum" Wien 1984, Künstlerhaus Klagenfurt: Film "Innen u. Außen" 1986, 1976 Grdg. d. Alabama Art Agency. H.: Zeichnen, Dichten, Radfahren. (D.M.)

Rybicka Vratislav Ignaz Julius Dr. techn. Dipl.-Ing.

B.: SenR. i.R. A.: 1180 Wien, Gersthoferstr. 142-146/4/7. G.: Wien, 9. Febr. 1902. El.: Vratislav Guido Ignaz u. Emilie. S.: Realschule, TH. K.: Eintritt in d. AEG, Prom. z. Dr. d. Techn. Wiss. 1933, 1936 Eintritt in d. Wr. Städt. Elektrizitätswerke, tätig in versch. Abt. d. Gruppe Kundendienst, 1944 Meßbüro d. Gruppe Leitungsnetze, 1946 OStadtbauR., Projektierung eines Meßwagens f. Hochspannungsnetze, Untersuchung d. Kabelnetze d. Hütte Linz, 1949 Projektierung u. Ausbau d. Tonfrequenzrundsteuerungsanlagen, Abg. in d. Gen.Dion. d. Wr. Stadtwerke. P.: mehrere Publ. aus d. Fachgebiet. E.: Gold. EZ f. Verd. um d. Rep. Österr., 1984 Gold. Doktordipl. d. TU Wien. M.: ÖVE, Österr. Ing. u. Arch.Ver. H.: Fernreisen, klass. Musik (Komponisten: Mozart, Richard Wagner, Richard Strauß).

Rysanek-Grossmann Leonie

B.: Opernsängerin, Mtgl. d. Staatsoper Wien. DA.: 1010 Wien, Staatsoper. PA.: D-8021 Altenbeuern. G.: Wien, 14. Nov. 1926. V.: Rudolf Grossmann. El.: Bildhauer Peter u. Josephine. S.: Gesangs- u. dramat. Ausbild., Stud. am Konservatorium. K.: 1949 Debüt in Innsbruck, Engagements: 1950-52 in Saarbrücken, 1951 in Bayreuth, 1956 in San Francisco, 1959 an d. Metropolitan Opera New York, 1966 in München, Gastspiele in Paris, London, Rom, Neapel, Mailand, Wien, Hamburg, Stuttgart, Opern: "Macbeth", "Aida", "Othello", "Tosca" u.a.

Saathen Friedrich

B.: Schriftsteller. DA. u. PA.: 1020 Wien, Schüttelstr. 21A. G.: Wien, 17. Febr. 1922. V.: Gisela, geb. Mossdorf (verwitwet). Ki.: Michael. S.: 1938-45 Musikstud. (Klavier, Gesang, Theorie). K.: Musikkritiker, Musikjournalist, Lektor, Übersetzer, 1942-45 Kriegsdienstverpfl., 1946-53 Red. d. Österr. Musikzeitschrift, 1946-55 Kritiker d. Arbeiterzeitung, 1955-58 freier Mitarbeiter d. ORF, 1958-67 Propagandaleiter d. Universal Edition, 1967-78 freier Mitarbeiter d. Universal Edition (Lektor, Übersetzer), ab 1967 freier Schriftsteller. P.: Ernst Krenek/Ein Essay (1958), 1958-64 Herausgeber v. Schriften Ernst Kreneks (1971/72), Dt. Fassung v. Schriften v. R. Murray Schafer u. v. John Paynter (Klang u. Ausdruck 1972), Musik im Spiegel d. Zeit (1975), Übersetzung Arnold Schoenberg/Vorschule d. Kontrapunkts (1977), Einem Chronik/Dokumentation u. Deutung (1982), Von Kündern, Käuzen u. Ketzern/Biographische Studien z. Musik d. 20. Jhdt. (1986), Hrsg. u. Kommentator: Anna Nahowski u. Kaiser Franz Joseph (1986), Dt. Fassung v. John L. Stewart: Ernst Krenek. Eine krit. Biographie (1990), Wandererfantasie. En Schubertbuch (1992). (J.S.)

Sabaditsch Hans Dr. iur. Mag.

B.: Diplomat, Gesandter. PA.: 1130 Wien, Schweizertalstr. 5. G.: Wien, 3. Apr. 1941. V.: Elfriede, geb. Schandl. Ki.: Elisabeth (1971), Christine (1973). El.: Sen.Präs. i.R. Dr. Johann u. Käthe. S.: VS, Mittelschule, jur. Fak. d. Univ. Wien. K.: BMH, ständige Vertretung b. d. EFTA in Genf, BMA, Konsul am Österr. Gen.Konsulat in New York, BotschaftsR. an d. Österr. Botschaft in Teheran, Iran, Charge d'Affaires ad interim an d. Österr. Botschaft in Bagdad, Gen.Konsul in Chicago. H.: Oper, klass. Musik, Sport (Skifahren, Tennis, Bergwandern).

Sabani Ekrem

B.: Koch, Gastwirt. FN.: Restaurant La Taverna. DA.: 6800 Feldkirch, Vorstadt 18. PA.: 6800 Feldkirch, Montfortg. 13. G.: Gostivar, 23. Feb. 1962. V.: Lazime. Ki.: Camile (1984), Isin (1987), Camil (1991). El.: Abdurahim u. Minnre. S.: VS, Gymn., Matura, Kochlehre, 1985 Mstr.-Prüf. K.: 1985-87 Berufspraxis in Deutschland u. Schweiz, 1987-89 Küchenchef Pizzeria Bella Napoli Dornbirn, 1989-90 Küchenchef Pizzeria Vesuvio Petneu, 1990 Küchenchef Pizzeria Roma Due Dornbirn, 1990 Pacht La Taverna Feldkirch. H.: Kochen, Wandern, Reisen. (I.D.)

Sabeff Georg Dkfm.

B.: Gschf. FN.: Adolf Lichtblau & Co. GT.: Chefred d. hausinternen Zeitung "Neues v. Lichtblau", Inh. d. Fa. Georg Sabeff. DA.: 1160 Wien, Paltaufg. 12-14. PA.: 1190 Wien, Strehlg. 40. G.: Wien, 20. Sept. 1946. V.: Ingeborg, geb. Altrichter. Ki.: Roman. El.: Russi u. Petja. S.: HAK, 1964 Matura, Stud. an d. HS f. Welthdl., 1968 Dkfm. K.: Fa. Nestler Verkaufsltr., 1969 Eintritt in d. Austria Tabak, 1981 Gschf. d. Fa. Lichtblau. M.: Managementclub. H.: Lesen, Tenis, Skifahren. (A.W.)

Sabitzer Astrid Mag. phil.

B.: Geschäftsführer., Verkaufsleiter, selbständige Kauffrau. PA.: 9300 St. Veit, Schubertstraße 12. G.: Klagenfurt, 16. Apr. 1959. El.: Wilhelm u. Charlotte. S.: VS, Gymn., Stud. d. Englisch u. Französisch Philologie an d. Universität Klagenfurt, 1987 Mag. phil. K.: mehrerer Studienaufenthalte in England, Frankreich u. USA, 1 J. Unterricht in Frankreich, Erzieherin in Ferienlagern in Österr. u. in Italien, nach dem Studium Probejahre in der Schule, 1989 Springer Reisebüro Krumpendorf, Verkaufsleiter f. eine Firma f. Gesundheitsproduktion u. Kosmetik, selbständige Kauffrau M.: Ferlacher Stadtchor. H.: Reisen, Lesen, Musik, Autos, Skifahren, Schwimmen, Malen. (D.M.)

Sabitzer Robert

B.: Verkaufs- u. Marketingltr. FN.: Polaroid GmbH. GT.: Mitarb. in intern. Bereich f. mittelfristige Strategie. DA.: 1233 Wien, Eitnerg. 13. PA.: 3003 Gablitz, Graben 33/28. G.: Wien, 21. Dez. 1953. El.: Viktor u. Edith. S.: Mittelschule, 3 J. Ind.Kfm. K.: Lehrling b. Fa. Licona, 3 J. Außendienst b. Fa. Gillette, 5 J. Außendienst b. Fa. Polaroid, 3 J. Product Manager b. Fa. Black & Decker, seit 1983 Verkaufsltr. b. Fa. Polaroid GmbH. P.: Informationen in d. Fachpresse. M.: Marketingclub, Managementclub. H.: Wassersport, Gartenarb., Musik.

Sabo Roland

B.: Gschf., Bilanzbuchhalter. FN.: PCS Personal-Consulting Software GmbH. DA.: 6850 Dornbirn, Eiseng. 34. PA.: 6923 Lauterach, Einödstr. 38. G.: Bregenz, 25. Juni 1959. V.: Lisa. S.: HS, Bundesoberstufen-RG Lauterach, 1979 Matura, Abiturientenlehrgang HAK Bregenz, 1980-81 BH. K.: 1980 Finanzamt Bregenz, Ausbild. in sämtl. Abt., div. Fachprüf., 1 1/2 J. Betriebsprüfer, 1984 Eintritt in Steuerberatungskzl. Mag. Wilfried Lenz als Bilanzsachbearb., 1988 Weiterbild. u. Kurse in EDV, 1989 Grdg. d. PCS GmbH. M.: Tennisclub Hard, 5 J. Gschf. Fußballclub Lauterach. H.: Kanufahren, Tennis, Fußball. (I.D.)

Sachatonicsek Karl

B.: Gschf. Ges., selbst. Kfm. FN.: Primaco HandelsgesmbH Wien. DA.: 1232 Wien, Laxenburger Str. 365. PA.: 2460 Bruck/Leitha, Deutsche Sätzen 15. G.: Bruck/Leitha, 3. Apr. 1960. Ki.: Georg (1988). El.: Josef u. Margarete. S.: AHS, Lehre Sped.- u. Einzelhandelskfm. K.: kfm. Tätigk. i. Sped u. Handel, 1989 Grdg. d. eig. Firma, Spezialagentur f. d. weltweiten Obst- u. Gemüseimport. H.: Lesen, Radfahren, Antiquitäten u. deren Restaurierung. (R.T.)

Sacher Erwin

B.: Dir., Gschf. Vorst.-Dir. FN.: Ringschuh Einkaufsvereinigung Graz Reg. Gen.m.b.H. GT.: AufsR. Quick-Schuh, Geschäftsltg. Riga, Gschf. RSG Österr., Gschf. Fun Shoe Ges.m.b.H. DA.: 8042 Graz, R.-H.-Bartsch-Str. 17. G.: Ybbsitz/NÖ, 31. März 1947. V.: Gertraude geb. Tazreiter. Ki.: Martina (1971), Andreas (1974). El.: Eduard u. Romana. S.: VS, Hauptschule, Lehre Maschinenbau i. Amstetten, b. 1968 Abendschule techn. Zeichner i. Wien. K..: 1968-72 Sportartikelverk. b. Sport Klepp, kfm. Abendkurse b. Wifi, 1972-79 Einkäufer f. d. Sportbereich b. Stiefelkönig Graz, 1979-86 Ausb. f. Objektfinanzierung Girozentrale, 1986-88 Gschf. b. Fa. Brühl Graz, 1988-91 Einkaufsltr. b. Stiefelkönig-Delka, ab 1991 Marketingltr. b. Ringschuh, 1991-92 Gschf., ab Juli 1992 Gschf. Vorst.-Dir. M.: s. 25 J. Bergrettungsdienst, Österr. Skiverb. H.: Skifahren, Tennis, Golf, Harley Davidson. (I.G:)

Sacher Ewald Dir.
B.: Dir. d. VS Krems/Lerchenfeld, VBgm. d. Stadt Krems. DA.: 3500 Krems, Rathaus. PA.: 3500 Krems, Judenburger Str. 21. G.: Krems, 3. Aug. 1940. V.: Anna, geb. Kargl. Ki.: Alexandra, Claudia. El.: Martin u. Christine. S.: Matura in Krems, HAK in Krems, 1970-72 Pädak Krems. K.: kfm. Ang., HS-Lehrer, 1981 Ltr. u. Dir. d. VS Lerchenfeld, seit 1979 Stadtparteiobm. d. SPÖ, seit 1980 im GemR. tätig, 1982-83 StadtR., 1983 VBgm., Bez.Bildungsref., AufsR. d. Gedes AG, Kultur- u. Bildungsref. P.: zahlr. Publ. im SPÖ-Pressedienst. M.: mehrere öff. Inst. u. Ver. H.: musische Betätigung, Gartenbau, Fachliteratur, Ausgleichssport. (Glom.)

Sacher Michael Mag.
B.: Gschf. Ges. FN:: Domotec Bauträger GmbH. DA.: 1070 Wien, Museumstr. 3. G.: Wolfsberg, 29. Nov. 1953. El.: Josef u. Annemarie. S.: VS, HS, HAK, Stud. BWL WU Wien. K.: 1982-88 Ltg. d. Inlandscontrolling RZB, 1988-89 Ass. d. Vorst. d. Hild Hdls. AG, 1989 Kolm & Co Bauträgerges., 1992 Grdg. Domotec Bauträger GmbH. H.: Tennis, Golf, Musik, Literatur. (J.M.)

Sacher Veronika Dkfm.
B.: Unternehmerin. FN.: Dkfm. Veronika Rauer, Sacher GmbH. DA.: 1238 Wien, Friedensstr. 7. G.: Wien, 22 März 1942. V.: Roman Sacher. Ki.: Stephanie (1968), Charlotte (1971), Sophie (1974). El.: Heribert P. u. Pauline Lovrek. BV.: Urgroßvater d. Ehemannes Eduard Sacher Erfinder d. Sachertorte. S.: 1960 Matura Sacré-Coeur Wien, Stud. HS f. Welthdl., 1964 Dipl. K.: Werbeabt. Steyr-Daimler-Puch Graz, 1968-71 Charlotte Northcaroline USA, seit 1971 wieder in Österr. u. seitdem selbst. f. d. Großhdl. m. jugendl. Mode Firma Rauer: Boutiquelieferant, Firma Sacher. H.: Meer in Griechenland. (J.S.)

Sacher Wilhelm DDr.
B.: Verw.-Jurist. A.: 4020 Linz, Kaiserg. 18. G.: Aurolzmünster, 6. Juli 1917. El.: Josef u. Zäzilia. S.: VS, hum. Gymn., HS-Stud. in Theol., Rechtswiss. (beide Studien m. Dr.Abschluß, Studienstätten Wien u. Innsbruck). K.: Kriegsdienst in d. dt. Luftwaffe, Kriegsgefangenschaft, Seelsorger, Kirchl. Schulverwaltungstätigk., Habil. (Univ. Sbg.) f. Staatslehre u. Politikwiss. (1966), Univ.Doz., Verw.Jurist in d. LRg. OÖ, Lehrtätigkeit (Politikwiss. u. Polit. Bild.), Päd. Ak., Univ. Sbg. u. Linz. P.: Die Kathol. Schule, ein Beitrag z. österr. Schulfrage, Innsbruck 1954, Politikwiss. als Staatsführungslehre, Linz 1965, Politik, Wirklichkeit u. Gestaltung d. staatl. verfaßten Gesellschaft, Eisenstadt 1977. E.: Kardinal-Innitzer-Preis, Gold. EZ f. Verd. um d. Rep. Österr., Berufstitel a.o.Univ.-Prof. H.: Lesen, Reisen.

Sachs Johann M. Mag. iur. Mag. rer. soc. oec.

B.: MinR., Sekt.-Ltr.-Stellv. bilaterale Außenwirtschaftspolitik im Wirtschaftsmin., Abt.-Ltr. Grundsatz f. bilaterale Beziehungen. DA.: 1011 Wien, Stubenring 11. G.: Scheibbs, 18. März 1944. V.: Margarete. El.: Prof. Mag. Dr. Hans u. Karoline. S.: Schottengymn. Wien u. Gymn. Klosterneuburg, 1962 Matura, Stud. Rechtswiss. Univ. Wien, Mag. iur., Stud. Sozial- u. Wirtschaftswiss. Univ. Linz u. WU Wien, Mag. rer. soc. oec., Stud. Geisteswiss. Univ. Wien u. Athen. K.: b. 1976 Univ.-Ass. u. Lehrbeauftragter Johannes Keppler-Univ. Linz, seit 1974 Außenhdls.-Sekt. d. Handelsmin./Wirtschaftsmin., Bereiche Osteuropa, Baltikum, GUS u.a. arab. Raum u. nicht integriertes Europa, MinR. u. Sekt.-Ltr.-Stellv. BL.: 1992-94 Verhandlungsltr. sämtl. außenwirtschaftl. Staatsverträge u.a. m. allen UdSSR-Nachfolgestaaten. P.: Vorträge, Seminare, Veröff. in div. Fachzeitschriften. E.: Großoffz. d. Jordan. Unabhängigkeitsorden, Gold. EZ d. Rep. Östgerr., BHDZ 2 u. 3, WDM in Bronze u. Silber. H.: Geschichte, Kunst u. Kultur d. Ostägäis, Bergsteigen, Schlittenhundesport. (M.M.)

Sachs Siegmar Franz Dr. med.
B.: FA f. Zahn-, Mund- u. Kieferheilkunde. DA.: 5620 Schwarzach, Bahnhofstr. 6. PA.: 5622 Goldegg, Hasling 22. G.: Ostermiething, 15. Febr. 1956. V.: Gertraud, geb. Eberherr. Ki.: Kristina (1983), Julia (1984). El.: Georg u. Anna. S.: 1974 Matura Braunau, 1974-80 Med.-Stud. Innsbruck, 1980 Prom. K.: 1980-83 Ausbild. z. Prakt. Arzt im LKH Sbg., 1983-87 Ausbild. Kiefer- u. Gesichtschir., 1987-89 Ausild. z. FA f. Zahn-, Mund- u. Kieferheilkunde in Graz, 1991/92 Zusatzausbild. Kieferorthopädie, seit 1989 eigene Praxis. BL.: 1973 OÖ Landesjugendmstr. im Geräteturnen. P.: mehrere wiss. Arb. z. Thema Kiefer- u. Gesichtschir., mehrere Vorträge auf versch. Kongressen. E.: Österr. Olympiamed. f. Mitarb. b. d. Organ. d. Olymp. Winterspiele 1976 in Innsbruck. M.: Kulturverein, Tennisclub Goldegg, Eisschützenver., Turnver. Goldegg. H.: Tennis, allg. Sport, Lesen. (G.P.)

Sachs Walther Georg Dr. iur.
B.: Vorst.-Mtgl. FN.: Österr. Brau Beteiligungs AG (BBAG). DA.: 4020 Linz, Poschacherstr. 35. G.: Wien, 1943. Ki.: 1 Sohn. K.: 1967-70 Schoeller & Co Privatbank Wien, 1970-80 Procter & Gamble Wien, 1980-86 Marketing Manager Österr. Brau AG Linz, 1986-92 Schweppes AG Oberalm b. Hallein, Sales/Marketing Dir. b. 1987, Intern. Marketingkoordinator, Alleinvorst., seit 1989 Area Dir. auch f. Schweiz u. Schweden, seit 1992 Vorst.-Mtgl. d. Ressort Alkoholfreie Getränke d. BBAG Linz.

Prinzessin v. Sachsen-Coburg u. Gotha Edith Herzogin zu Sachsen
B.: Privatiere. A.: 5020 Salzburg, Makartkai 15. G.: Budapest, 31. Mai 1913. El.: Alexander u. Aloisia Kózol. S.: Privatunterricht, Grundschule, Bürgerschule, Mädchenkollegium, 1932 Matura, 1935 Mstr.Prüf. als Modeschöpferin, 1945 Gewerbeschein als Kunstgewerblerin, 1951 (nach d. Flucht) Dipl.Kosmetikerin. E.: Eheschließung 1940 in Budapest, bis 1945 Apanage aus d. Prinz Ferdinand Coburgschen u. Gfl. Kohárischen Familienfidei-kommißgütern in Ungarn, Lady-Patronat b. Schwed. Roten Kreuz in Budapest. F.: 1946 Teilhaberin einer Bekleidungs- u. Lebensmittel AG in Budapest, 1947 Pächterin eines Weingutes in Tokaj u. Mitarb. in einem kunstgewerbl. Atelier in Budapest, 1949 Flucht, Ndlg. in Sbg., 1951 Dolmetscherin b. d. Intern. Refugee Organ. (IRO), 1952 kfm. Ltg. u. Teilhaberin einer Gablonzer Schmuckwarenerzeugung, 1963 Mitarb., später Ltg. eines Immobilienbüros in Graz u. Sbg. P.: Vorbereitung einer Geschichte d. Kath. Linie d. Herzogl. Hauses Sachsen-Coburg u. Gotha (in Gemeinschaft m. Herrn Rg.Dir. a.D. Wilpert). M.: Ehrenpräs. d. Insituto del Sacro Romano Impero, Florenz, Heraldisch-Genealog. Ges. "Adler" Wien, Histor. Ges. Coburg e.V., Prinz Albert Ges. e.V. Coburg, Dt.-Brasilian. Ges. e.V. Bonn, Ehrenpräs. d. Förderkreises dt. Kultur in Brasilien, Paneuropa Union Deutschland e.V. Bonn. H.: Musik, Literatur, Kunst, Geschichte, Kunstgeschichte, Genealogie, Tanz, Sport.

Sachsenmaier Wilhelm Dr. Mag. o.Univ.-Prof.
B.: Vorst. d. Inst. f. Experimentelle Krebsforsch. an d. Leopold Franzens-Univ. Innsbruck. DA.: 6020 Innsbruck, Fritz-Pregl-Str. 3/7. PA.: 6020 Innsbruck, Mariahilfpark 1/103. G.: Kufstein, 24. Febr. 1927. V.: Hildegund, geb. Dillersberger. Ki.: Markus, Cornelia, Christoph. El.: Lorenz u. Frieda. BV.: mütterlicherseits verwandt m. Vbg. Freiheitskämpfer Batlogg. S.: VS, Gymn. Kufstein, Univ.Stud. Chemie u. Pharmazie mit Prom. z. Dr. phil. u. Spons. z. Mag. pharm. in Innsbruck, Univ.Stud. Med. (Vorklin.) in Heidelberg. K.: Univ.Ass. Innsbruck, 1953-55 Ind.Tätigkeit in Darmstadt, Univ.Ass. in Heidelberg, 1961 Habil. f. Physiol. Chemie Univ. Heidelberg, Dt. Krebsforschungszentrum, Forschungsaufenthalt in USA 1961/62, Univ. Wisconsin, 1969 Princeton Univ., 1970 Berufung z. o.Univ.-Prof. f. Biochemie Univ. Innsbruck. P.: wiss. Arb. auf d. Gebiet d. Zell- u. Tumorbiologie in Fachzeitschriften. E.: 1977-79 Präs. d. Österr. Biochem. Ges., 1970-77 Präs. d. Sekt. Tir. d. Österr. Krebsges., 1985-91 Präs. d. Österr. Schützenbundes. M.: 1976-84 Vorst.Mtgl. d. Ges. dt. Naturforscher u. Ärzte. H.: Wintersport: Ski alpin u. Langlaufen, Segeln, Schießsport, Literatur, Musik, Kunst, Reisen. (W.G.)

Sachweh Stefan
B.: Optikermstr., konz. Kontaktlinsenoptiker. FN.: Univ.Optiker Werner Kraft. DA.: 1090 Wien, Spitalg. 3, 1090 Wien, Lazarettg. 17. PA.: 1160 Wien, Liebhartstalstr. 42-44. G.: Berlin, 5. Sept. 1948. V.: Paula, geb. Schiessler. Ki.: Richard, Susanne. El.: Richard u. Margareta. BV.: Stiefvater Werner Kraft Inh. d. Geschäftes. S.: VS, HS, Lehre: Schule f. Optik u. Fotohdl., Hdl. m. Ophthalmolog. Geräten, 1967 Abschluß, 2 J. in München, seit 1971 wieder in Österr. als Optiker Eintritt in väterl. Betrieb, b.1982 Ang., 1982 Übernahme d. Geschäftes, 1977 Mstr.Prüf., 1979 Konzession. M.: Mstr.Optiker. H.: Lesen. (S.S.)

Sack Heinz Dipl.-Ing.

B.: Ltr. MD-ADV. FN.: Magistratsdir. d. Stadt Wien, Automat. Datenverarb. DA.: 1030 Wien, Viehmarktg. 4. PA.: 1230 Wien, Anton Baumgartner Str. 44 B2/083. G.: Hadersdorf/Kamp, 20. Apr. 1948. V.: Brigitte, geb. Walzer. Ki.: Robert, Katharina, Daniel, Michael, Monika, Christian. El.: Josef u. Klara, geb. Sattler. S.: 1967 Matura, Stud. Industrielle Elektronik a. d. TU Wien, 1975 Abschluß. K.: 1970-71 freier Praktikant b. IBM, danach Eintritt b. d. Stadt Wien, s. 1988 i. obenerwähnter Position, ab 1989 Ltr. d. Ludwig Boltzmann Inst. f. Wiss. u. Verwaltungsinformatik, 1988-93 Lehrbeauftragter an d. TU u. WU Wien. H.: Wildwasserfahren, Drachenfliegen, Hochsegeln, Modellfliegen, Tauchen. (N.A.)

Sackel Walter Mag.
B.: Arch. DA.: 1020 Wien, Schrottgießerg. 1. G.: St. Pölten, 17. Mai 1933. V.: Heidelore, geb. Muth. Ki.: Robert, Margarethe, Stefan. El.: Walter (Vorst.Dir. d. Fa. Zellwolle Lenzing AG) u. Helene. BV.: Urgroßvater Eduard Egger (bek. Arch. in St. Pölten). S.: HTL, Stud. an d. Ak. f. angew. Kunst Wien, 1960 Mag. arch. K.: 9 J. Praxis im Arch.Büro Dipl.-Ing. Leo Splett, zul. als freier Mitarb., seit 1966 selbst. Arch., Schwerp.: Geschäftsumbauten f. Papier- u. Buchhandl. M.: Ing. u. Arch.Kam. H.: Handwerkl. Tätigk., Skifahren, Tennis. (M.B.)

Sackl Bernhard Dr. techn. Dipl.-Ing.

B.: Inh. FN.: Hydroconsult. Da.: 8045 Graz, St. Veiter Str. 11A. PA.: 8046 Graz, Im Hoffeld 31. G.: Graz, 27. Aug. 1954. Ki.: Christoph (1982), Philipp (1984). El.: Johann u. Anna. S.: 1972 Mat., einige Sem. Stud. Maschinenbau, ab 1975 Stud. Bauing., 1982 Dipl.-Ing., 1987 Dr. techn. (Diss.: "Ermittlung v. Hochwasser-Bemessungsganglinien in beobeachteten u. unbeobachteten Einzugsgbieten"). K.: 1992 Grdg. d. Fa. Hydroconsult, Tätigkeitsbereich: Wasserbau u. -wirtschaft, insbes. Hochwasserschutz, Gefahrenzonenplanung u. Lösung v. hydrolog. u. hydraulischen Sonderprobl., 1982 - 1991 Univ.Ass. am Inst.f. Hydromech., Hydraulik u. Hydrologie TU Graz, 1988 allgem. Beeid. ger. Sachverständiger, Teilnahme an der Aktion "Wissensch. f.d. Wirtsch. u. Wissensch. gründen Firmen", 1989 interdisziplinäre Arbeitsgruppe z. Erstell. v. Richtlinien f. Planung, Bau u. Betrieb v. Hochwasserrückhalteanlagen. BL.: Forschungsprojekte: "Ermittl. d. Regimecharakteristik u.d. Gesamtwahrscheinlichkeit v. Hochwasserereignissen in kleinen, unbeobachteten Einzugsgebieten Österr. a.d. Grundlage v. Gebietskennwerten", "Auswertung v. Hochwasserereignissen an Schreibpegeln Österr.". P.: "Hydrolog. Bemessungsgrundlagen Ermittlungsmethoden u. Unsicherheiten", Schriftenreihe d. ÖWWV, "Determination of design flood hydrographs using a twodimensional approximation method based on regional hydrological data" 3rd Scientific Assembly of IAHS, USA, "Safety of dams of flood detention basins design flood criteria" Int. Conf. on Water Resources, Lausanne. Mitarb. in Gremien u. Arbeitsgruppen: 1987-89 ÖNORM/Ausschuß "Durchflußmessung in offenen Gerinnen", 1987-91 ÖWWV, Fachgr. Wasserbau u.- Ökologie, Arbeitsausschuß "Wasserkraftnutzung im Gebirge", Lehrauftrag seit 1987/88 "Wasserkreislauf u. Wasserhaushalt" Lehrauftrag 1987/88. M.: IAHS, ÖWAV. H.:Oldtimermotorräder, Skitouren, Bergsteigen. (I.G.)

Sackl-Kahr Sagostin Robert W.
N.: Sackl-Kahr Design & Graphics. DA.: 8010 Graz, Klosterwiesg. 63. G.: Graz, 1960. S.: Marieninst. Graz, 1978 Reifeprüf., fotograf. Ausbild. im großmütterl. Fotoatelier, Pressefotograf u. Zeitungsillustrator, Stud. Phil., Psych. u. Kunstgeschichte Graz, Malerei, Grafik u. Ind.-Design Kunstak. Milano u. Parma, Studienaufenthalte in Venedig, Florenz, Rom u. Neapel, 1983 Arb. an d. "16 Oggetti Romani per Castellammare", Aufenthalt Österr. Kulturinst. Rom u. Villa Monteoliveto in Castellammare, 1984 Dipl. f. Malerei u. Grafik, Titel Maestro Accademico Bedriacense. K.: 1980-85 freier Mitarb. d. Kulturred. d. Südost Tagespost Graz u. Arte Oggi Salsomaggiore Terme, zahlr. Personalausstellungen im In- u. Ausland u.a. 1983 Museo Cavellini Brescia, 1985 Retrospektive im Stadtmuseum Graz, zahlr. Ausstellungsgestaltungen u. Präsentationsplanungen f. Museen u. Galerien im In- u. Ausland, 1986 Titel Cavaliere durch d. Accademia Bedriacense in Calvatone, seit 1989 Arb. an d. Fotodokumentation "Die Landschaft u. Arch. Istriens - Verfallsprozesse zwischen Triest u. Pula", seit 1986 selbst. Grafiker u. Designer in d. Werbebranche, PR-Berater versch. in- u. ausländ. Firmen u. Inst. P.: Hermann v. Königsbrun 1823-1907. M.: Accademia Bedriacense Calvatone, Istituto Italiano d'Art Moderna Rivoltella del Garda, Grazer Kunstver. (M.Gr.)

Sadjadi Mehrdad Mag.
B.: Drehbuchautor, Reg., Inh. d. Sadjadi Filmproduktion. DA.: 1030 Wien, Weißgerber Lände 50. PA.: 1238 Wien, Rudolf-Waisenhorn-G. 86. G.: Teheran, 18. Nov. 1948. Ki.: Mathias (1973), Michael (1982). BV.: Vater war Hofmaler u. Diplomat am Hofe d. letzten Kaisers v. Persien Schah Reza Pahlewi. S.: HS f. Musik u. darstell. Kunst 1972, Mag. art. K.: Drehbuch, Kamera u. Regie b. Ind.-Filmen, ab 1975 Reg. b. Werbefilmen f. intern. Konzerne im In- u. Ausland, 1990 Grdg. d. eigenen Filmproduktion, Beteiligung b. div. anderen Firmen. E.: div. nat. u. intern. Preise, Anerkennungen u. Ausz. f. Filme. H.: Phil., Reisen. (M.M.)

Sadler Hans

B.: Inh. FN.: Sadler Lichtkuppeln. DA.: 2512 Traiskirchen, Süddruckg. 16. PA.: 2512 Tribuswinkel, Schafflerhofg. 5. G.: Wien, 26. Juni 1932. V.: Christine, geb. Twarocska. Ki.: Martina (1964), Manuela (1969). El.: Hans u. Waltraud. S.: VS, Gymn., Matura, Abiturientenkurs, Fortbild.-Kurse. K.: 1956-65 kfm. Ang. Firma Hager-Werke AG, 1965-69 Auslandsaufenthalte, seit 1969 selbst. m. eigener Firma, seit 1980 auch Erzeugung v. Lichtkuppeln, b. 1989 Standort Wien, 1989 neue Produktionsstätte Traiskirchen-Süd, 1993 Übergabe d. Geschäftsführung an Tochter Manuela. E.: 1994 25-jähriges Firmenjubiläum. M.: ÖKV. H.: Skifahren, Schwimmen, Reisen. (F.S.)

Saferding Josef RegR. Dir.
B.: Amtsdir. d. Arbeitsamtes f. Grafik u. Papier. DA.: 1200 Wien, Pasettistr. 74. PA.: 1220 Wien, Quadenstr. 73/4/2/20. G.: Wien, 6. Mai 1923. V.: Gertrude, geb. Zach. Ki.: Reinhart. El.: Josef u. Maria. S.: 1962 Beamtenmatura, div. Kurse f. Führungskräfte, Lehre f. Silberschmiede u. Juweliere. K.: 1948-56 Fa. Reichart: Mechan. akt. BetriebsR., 1956 Eintritt in d. öff. Dienst, Abt.Ltr. Arbeitsvermittl. Unterweiser, Arbeitsmarktservice, 1966 Amtsltr.Stellv., 1980 Amtsltr. d. Arbeitsamtes f. Grafik u. Papier, seit 1982 RgR., Bildungsref. d. Gewerkschaft f. Metall, Bergbau u. Energie u. im Fachaussch. f. Mechaniker, seit 1977 Vors.Stellv. d. Heimarbeiterkmsn. (Metallverarb.), seit 1985 Prüf.Beis. f. Feinmechaniker, Gold- u. Silberschmiede u. Juweliere, im Schulaussch. b. d. Berufsschulförd. d. Gold- u. Silberschmiede u. Juweliere u. im Bereich Nachrichtenelektronik u. Fernmeldemonteure. P.: div. Art. in Fachzeitungen. E.: Gold. EZ f. Verd. um d. Rep. Österr. 1986, 40jähr. Gewerkschaftsjubiläum 1987, Gold. Ehrennadel d. Mechanikerinnung. M.: Gewerkschaft Druck u. Papier, Metall, Bergbau u. Energie u. öff. Dienst, Wr., NÖ u. Bgld. LJagdverb. H.: Joggen, Garten, Kochen, Reisen. (M.G.)

Sagan Dietrich
B.: Gschf. Ges. d. "Esterházykeller". DA.: 1010 Wien, Haarhof 1. PA.: 1010 Wien, Wallnerstr. 4. G.: Wr. Neustadt, 10. Juli 1955. V.: Monika, geb. Walka. Ki.: Benjamin (1988). El.: Josef u. Erna, geb. Gerdenits. S.: Schriftsetzerlehre, Gastronomieausbild. K.: 1971-79 Tätigkeit im graf. Gewerbe, ab 1980 in d. Gastronomie u.a. "Cafe Korb", Restaurant "In Ferstel", "Hotel Sacher", seit 1990 Gschf. Ges. d. "Esterházykeller". H.: Tai Chi Chuan, Musik, Lesen, Skifahren. (N.A.)

Sagadin Joze

B.: Gschf. FN.: Activ Hdls. GmbH. DA.: 8041 Graz, Neufeldweg 146. PA.: 8047 Graz, Rosenhang 34. G.: Laibach, 21. Jan. 1949. V.: Polona, geb. Rihar. Ki.: Matija (1975), Marusa (1978). El.: Karl u. Marija. S.: VS, Univ. Laibach, 1974 Dipl.-Vw. K.: 1975-86 Produktmanager u. Marketingdir. Firma Kolinska Lebensmittel Laibach, 1987-88 Engineering Nahost d. Firma Smelt Laibach, 1988-90 Vorst.-Mtgl. f. Marketing u. intern. Finanzen Firma IMV Renault, seit 1991 in Österr. Firma Activ Hdl. m. Waren aller Art im Energie- u. Stahlbereich, Ersatzteile u. Montage in Ostländern, Autobranche Ersatzteile, Ost-West-Handel, Tischkultur in Süd- u. Osteuropa. H.: Tennis, Lesen. (I.G.)

Sagasser Martin Paul Ing.
B.: Komplementär. FN.: Viktor Brausewetter Industrieofenbau. DA. u. PA.: 2542 Kottingbrunn, Wagramer Hauptstr. 1. G.: Rottenmann, 10. Apr. 1944. El.: Otto August Ritter v. Sagasser u. Gertrude Paula Therese Maria . S.: Gymn., Montanische HS Leoben, Oberleutnant d. Res. K.: 1971 Eintr. Fa. Brausewetter, s. 1977 Komplementär. H.: Modelleisenbahn. (S.F.)

Sagasser Walter Dir.

B.: Unternehmensberater, Management Consultant, Vorst.-Vors. FN.: Hiro Swissair Immobilien-verwertung AG u. Am Stadtpark Unternehmensbeteiligung AG. DA.: 1030 Wien, Landstraßer Hauptstr. 2. PA.: 1210 Wien, Jedlersdorfer Str. 263. G.: Aussig/CSFR, 27. Apr. 1933. V.: Helga, geb. Weber. Ki.: Mag. iur. Christian (1968). El.: Arnold u. Juliane. S.: Gymn. Aussig, Höhere Wirtschaftsschule Hannover, Ausbild. z. Großhdls.-Kfm., Bilanzbuchhalter-, Kostenrechner- u. Personalsachbearb.-Prüf. K.: interner Revisor, kfm. Betriebsass. u. Abt.-Ltr. Betriebswirtschaft b. einem Österr. Privatkonzern, anschl. Ltr. Finanz- u. Rechnungswesen in einer Immobilienges. einer Österr. Großbank, Management Consultant b. einer Amerikan. Beratungsges. in Zürich, ab 1979 Gschf. Dir. d. Hiro Swissair Immobilien-verwertungs GmbH u. Am Stadtpark Unternehmensbeteiligungs GmbH s. 1993 Vorst.-Dir., u. s. 1994 Vorst.-Vors., Tochterges. d. Swissair, Eigentümerges. d. gesamten Hiltonkomplexes in Wien. P.: Vorträge u. Fachart. z. Thema Betriebswirtschaft u. Organ. M.: Fachverb. d. Unternemensberater. H.: Wandern, Fotografieren, Reisen, Lesen, Theater. (J.S.)

Sagburg Günter Dr. iur. MinR. Hon.-Prof.
B.: Ltr. d. Abt. III/1, Ltr. d. Ref. B im Kultusamt d. BMU. DA.: 1010 Wien, Wipplingerstr. 28/6. PA.: 5023 Salzburg, Ghegastr. 9. G.: Wien, 5. Okt. 1928. V.: Helga, geb. Wiesner. Ki.: Gernot (1968), Helfried (1971). S.: Matura, 1947-51 Stud. Rechtswiss. Univ. Wien m. Prom. z. Dr. iur., 1951-52 College d'Europe Brügge, Gerichtsj. K.: 2 J. wiss. Hilfskraft an d. Lehrkanzel f. öff. Recht an d. Univ. Wien, 1953 Eintritt

BMU, seit 1981 Hon.-Prof. f. Kirchenrecht an d. Ev.-Theol. Fak. d. Univ. Wien. E.: Silb. EZ f. Verd. um d. Rep. Österr., Gr. EZ f. Verd. um d. Rep. Österr., Gr. Silb. EZ f. Verd. um d. Rep. Österr., Gr. Tir. Adlerorden, Gr. EZ f. Verd. um d. Land Bgld., Gr. EZ f. Verd. um d. Land Sbg. M.: zahlr. insbes. im Bereich d. ev. Kirche. H.: Bücher, Pfeifen. (N.A.)

Sageder Franz

B.: Gschf. FN.: Picco-Trans Botendienst. DA.: 1170 Wien, Bergsteigg. 1. PA.: 1020 Wien, Böcklinstr. 64/3. G.: Schärding/Inn, 8. März 1954. V.: Eva Maria, geb. Pittner. Ki.: Gregor (1980), Martin (1982), Romana (1982). El.: Franz u. Franziska. S.: Berufsschule Tapezierer, Abschluß 1972, Meisterprüf. f. Bodenbeläge, Werbegestaltung. K.: selbst. seit 1980 m. Bodenlegearb. in Wien, später Antiquitätenbranche, 1985 Gründ. d. Einzelfa. Picco-Trans, Botendienst f. Österr. u. angrenzende Länder. M.: Tauchschule Alte Donau Wien. H.: Radfahren, Tauchen, Schifahren. (M.W.)

Sageder Gustav Prof.

B.: Prof. am BBlindenerziehungsinst. Wien. A.: 1140 Wien, Satzbergg. 13. G.: Wien, 20. Juli 1928. V.: Martha, geb. Halbwachs. El.: Peter u. Maria. S.: Grundschule, LBA m. Matura, Lehrbefähigungsprüf. f. VS, Prüf. f. d. Lehramt an HS (Deutsch, Geographie, Geschichte), Lehramtsprüf. f. blinde u. sehgestörte Kinder. K.: 1959 Prom. am BBlinden-erziehungsinst., auf Eigeninitiative Wiedererrichtung u. Aufbau d. "Museums d. Blindenwesens", 1973 Eröff., Informator in d. Lehrerausbild. P.: Päd. Fachart. E.: Ausz. d. StadtschulR. f. Wien, fin. Anerkennung durch d. BMU. M.: Christl. Lehrerschaft Wiens, Ver. d. Blindenlehrer Österr., Ver. z. Förd. d. Blindenbild., Intern. Arbeitskreis Sonnenberg, Österr. Alpenver., Sekt. Lehrer.

Sageder Werner

B.: Gschf. Ges. FN.: A&S OEG (Handel mit Gewürzen). DA.: 6900 Bregenz, Mariahilfstr. 43. PA.: 6900 Bregenz, Josef- Hutter-Str. 1. G.: Bregenz, 31. März 1968. El.: Alois u. Erika. S.: VS, HS, Karosseurlehre bei Kraftfahrzeugbetrieb in Lauterach, 1989-90 BH. K.: 1990 b. Fa. Rieger Orgelbau in Schwarzach, 1990-91 in Schweiz. Großkonzern in Produktentw., 1991-92 Grdg. d. Cafe Jedermann u. Grafikbüro Gebhard in Bregenz, 1992 Gründ. d. Fa. Aubrecht u. Sageder OEG in Bregenz. H.: Motorradfahren, Lesen, Fernsehen, Computer. (I.D.)

Sagl Theodor Dr. phil. wHofR. Prof.

B.: Anst.Ltr. im Jugendstrafvollzug i.R., Fachpsychologe. A.: 1130 Wien, Elisabethallee 95c/16/9. G.: Wien, 18. Okt. 1925. V.: Edith, geb. Sypta. El.: Roman u. Julia. S.: RG, Stud. an d. Univ. Wien Hauptfach Psych., Ergänzungsfächer Päd. u. Phil., Nebenfach Anthropologie, 1949 Prom. z. Dr. phil. K.: 1950 Eintritt in d. BDienst, nach d. Tätigkeit als Erzieher u. Fürsorger an d. BAnst. f. Erziehungsbedürftige Kaiserebersdorf, Berufung als Psychologe an d. Wr. Jugendgerichtshilfe b. JGH Wien (1953), 1958 Bestellung z. Ltr. d. Gefangenenhauses f. Jugendliche Wien-Favoriten, 1970-85 Ltr. d. Sonderanst. f. Jugendliche Gerasdorf/-Steinfeld, 1976 Ernennung z. w.HofR., 1959-85 Lehrer an d. Justizwachschule Wien (Behandlung junger Rechtsbrecher, Gesetzeskunde u. Einführung in d. Psych.). P.: mehrere einschlägige Publ. aus d. Fachgebiet. E.: Gr. EZ f. Verd. um d. Rep. Österr., Verleihung d. Titels Prof., Inh. d. Päpstl. Ordens "Ritter v. Hl. Gregor", Floriani-Plakette-Ausz. f. bes. Verd. um d. Feuerwehrwesen (NÖ). M.: Ehrenmtgl. Berufsverb. Österr. Psychologen, Intern. Polizei-Assoziation.

Sagmeister Raimund Dr. theol.

B.: Prof. Päd. Akad. d. Bundes. DA.: 5020 Salzburg, Akademiestr. 23. G.: Tamsweg, 2. Dez. 1949. El.: Raimund u. Agnes. S.: Borromäum Sbg., 1969 Matura, 1969-74 Stud. d. Phil. u. Theol. an d. Päpstl. Univ. Gregoriana in Rom. K.: 1974-75 Diakonatsjahr u. Pflichtschulunterricht in Westendorf, 1975 Priesterweihe, 1975-77 Lizentiatsstud. an d. Gregoriana in Rom, 1977 Lizentiat d. Theol., 1977-80 Doktoratsstud. in Rom, ab 1980 Kaplan in Saalfelden, Wörgl u. Lehrtätigkeit am BRG u. an d. HAK/HASCH in Wörgl, 1982-83 Vorlesungen über Moraltheol. an d. Religionspäd. Ak. in Wien bzw. Sbg., seit 1983 Univ.Ass. am Inst. f. Kirchenrecht bzw. seit 1982 am Inst. f. Moraltheol. an d. Theol. Fak. in Sbg., 1989-92 nebenberufl. Tätigkeit als Pfarrprovisor in Anif, s. 1989 Prof. an d. Päd. Akad. d. Bundes in Slbg. (P.R.)

Sagmeister Romana Mag.

B.: Gschf. FN.: Vana GmbH. DA.: 1020 Wien, Wolfgang-Schmälzl-G. 6. PA.: 1040 Wien, Johann-Strauß-G. 39/9. G.: Wien, 7. Apr. 1962. El.: Franz u. Maria. S.: 1980 Matura, Pharmaziestud. Univ Wien, 1986 Spons. K.: 1986 Tätigkeit in d. Registrierung Fa. Vana, 1986-87 Aspirantenj. in einer Apotheke in Wien m. Aspirantenprüf., 1987 Ltg. einer Apotheke, 1987 Übernahme d. Geschäftsführung Vana GmbH. H.: Musik, Tennis, Skifahren. (M.M.)

Sagmeister Wolfgang Dr. med.

B.: Majorarzt, prakt. Arzt u. ärztl. Ltr. d. Maria-Theresien-Kaserne. DA.: 1020 Wien, Wehlistr. 131-143/6/4. PA.: 1100 Wien, Quellenstr. 201. G.: Oberpullendorf, 26. Feb. 1959. V.: Elisabeth, geb. Edelbacher. Ki.: Christian (1987). El.: Dr. med. Werner u. Wilma. BV.: Schwester Mag. Phil. Claudia Gahm: verh. m. Dipl. kfm. Joakim Gahm Ltr. Wertpapier-abteilung Fa. Penser, Stockholm. S.: Schulausbild. in Schweden, Westafrika, Österr. u. Deutschland, Matura in Schweden, ab 1978 Med.-Stud. Univ. Wien, 1985 Prom. K.: b. 1988 Turnusausbild. Oberpullendorf, BH. b. 1993 Res.-Off.-Ausbild., ab 1988 Notarzt im KH Baden, 1990 Eröff. d. eigenen Ordination f. Allg.-Med., zusätzl. seit 1994 ärztl. Ltr. d. Maria-Theresien-Kaserne Wien. M.: Wirtschaftskreis Österr. Josef Schmidt Colleg. (J.S.)

Sagris Andreas

B.: Gschf. Ges. FN.: Blitzko Blitzschutzbau u. Handelsagentur GesmbH. DA.: 8020 Graz, Feuerbachg. 24. PA.: 8020 Graz, Annenstr. 23. G.: Graz, 17. Juli 1968. El.: Aris Sagris u. Dagmar Caganis, geb. Russheim. S.: HS, 1985 HASCH,

1985-87 BH. K.: 1988 gemeins. m. Vater Fa. erworben, weitergef. u. ausgebaut, 1989 Untern.-Schule absolv., 1991 Absolv. d. HTL Elektrotechnik, 1993 Mitbegr. einer Hdls.-Ges. (Schwerpkt. Computertechn.) i. Kroatien. H.: Squash, Golf. (I.G.)

Sahin Mustafa Ing.

B.: Gesellschafter. FN.: Sahin Gruppe. DA.: 1100 Wien, Dieselgasse 10. G.: Ankara, 1.1.1959. V.: Sylvia, geb. Habeck. Ki.: Denise, Sascha, Jasmin. EL.: Mühür, Sebahatt. S.: HTL Elektrotechnik, 1979 Matura. K.: 1980-81 Techn. b. Fa. UNIVAC, 1952-85 selbst. m. e. Tankstelle, 1985 Gründung d. Fa. IMEX (Strassenmark. u. Fassaden-bau.) bis 1989 Gschf., 1990 Kauf d.Fa. Pulmetall KG, 1991 Gründg. d. Fa. Pulmetall GmbH, Gründg. d. Sahin Holding. M.: Straßenmarkierungsausschuß,akt. Fußballsp. im FAVAL. H.: Fußball. (G.B.)

Sailer Elfriede

B.: Großhdls.-Kauffrau. FN.: Friesenecker-Floristenbedarf. DA.: 5212 Schneegattern, Hocheck 34. PA.: 5212 Schneegattern, Hocheck 35. G.: Schneegattern, 30. Dez. 1953. V.: Karl Sailer. Ki.: Karl (1971), Judith (1972), Sebastian (1979), Anna (1982). El.: Josef u. Hilda Friesenecker. S.: VS Schneegattern, HS Straßwalchen, 3 J. Fachschule f. wirtschaftl. Frauenberufe Sbg. K.: 9 J. im elterl. Betrieb tätig, 1980-89 im Büro d. Mannes tätig Gartengestaltung, 1989 gemeinsam m. Mann Firma d. Eltern übernommen, seit 1994 alleinige Führung d. Betriebes. H.: Lesen, Kino, Reisen, Skifahren. (J.L.)

Sailer Franz

B.: gerichtl. beeid. Sachv., Konsulent d. Österr. Museums f. Angew. Kunst, Inh. FN.: Galerie Sailer GmbH Antike Teppiche-Textilkunst. DA.: 5020 Salzburg, Wr.-Philharmoniker-G. 3. PA.: 5020 Salzburg, Offingerweg 11. G.: Graz, 10. Apr. 1937. V.: Ingrid Maria, geb. Hämmerle. Ki.: Nadja, Daniela, David. El.: Ferdinand u. Wilhelmine. S.: Pflichtschulen, Ldw. Fachschule, 1958 Ausbildg. im Teppichfachhdl. Graz, 1964-70 Gesangsstud. HS f. Musik u. darstell. Kunst Graz und Mozarteum Salzburg K.: diverse Engagements in Deutschland als lyr. Tenor, 1976 Übersiedlung nach Sbg. u. Eröff. d. ersten österr. Teppichgalerie, 1987 Konsulent Museum f. Angew. Kunst Wien, 1979 gerichtl. beeid. Sachv., Ankäufe bedeutender Privatsammlungen u. gr. Ausstellungen, regelmäßige Beteiligung an gr. Antiquitätenmessen. P.: versch. Kataloge m. Spezialthemen z. Textilkunst. M.: Rotary-Club Sbg. H.: Beruf, Musik. (M.Mo.)

Sailer Gerhard Dr. iur.

B.: Präs. d. Bundesdenkmalamtes. DA.: 1010 Wien, Hofburg, Säulenstiege. G.: Wien, 29. Nov. 1931. V.: Edith, geb. Ruttensteiner, 1 Tochter. El.: Karl u. Hertha, geb. Pointner. S.: 1949 Matura am hum. Gymn. Wien Döbling, 1953 Prom. Dr. iur. Univ. Wien. K.: Staatsdienst, 1955-82 Finanzprokuratur, 1982 Präs. d. BDkmA. P.: 26 tourist. Sachbücher, jur. Art. E.: Gr. EZ u. Gold. EZ f. Verd. um d. Rep. Österr., Komturkreuz d. Liechtenstein. Verd.Ordens, Gold. EZ f. Verd. um d. Land Wien, KmtK 1. Kl. d. schwed. NStO. H.: Reisen, Malen, Oper, Theater. (N.A.)

Sailer Johann

B.: Bürodir., ORechnungsR. d. BH St. Pölten. DA.: 3100 St. Pölten, Bischofsteich 1. G.: Amstetten, 28. März 1939. V.: Hilda, geb. Gansberger. Ki.: Andrea, Sylvia, Michael, Thomas. El.: RgR. Johann u. Ottilie. S.: Gymn. Amstetten, 1957 Matura. K.: Mitarb. Sportredaktion "Express", 1963 Eintritt in d. LDienst, 10 J. in d. Personalabt. d. Wr. LRg., BH St. Pölten (Strafsachen etc.), seit 1979 ORechnungsR., ab 1980 Bürodir. d. BH St. Pölten (Ltr. d. Inneren Dienstes f. 119 Ang. im Haus u. 87 Kindergärtnerinnen auf d. Bez. verteilt). M.: Obm. d. ÖAAB Betriebsgruppe, Mtgl. d. ÖAAB-Fachgruppenltg., Mtgl. d. Bez.Ltg. d. Gewerkschaft Öff. Dienst, Personalvertretungsobm. d. BH St. Pölten, Lions Club Amstetten. H.: Lesen, Jagd. (Kern)

Sailer John

B.: Galerieltr. DA.: 1010 Wien, Opernring 21. G.: Wien, 30. Nov. 1937. El.: Hans u. Dr. Erna. S.: 1938-40 Paris, 1940-47 New York. K.: s. 1974 geschäftsf. d. Ges. d. Ulysses Kunsthandels GmbH Wien, 2 J. Lehrbeauftragter am Inst. f. Kulturelles Management Wien, Studienreisen in d. USA. M.: Sbg. Seminar of American Studies - Schloß Leopoldskron (Board of Directors). (Wist)

Sailer Josef (Joschi)

B.: Hotelier d. Hotel Sailer. DA.: 6020 Innsbruck, Adamg. 6-10. G.: Innsbruck, 7. Mai 1939. V.: Maria, geb. Schwaige. Ki.: Joschi. El.: KommR. Josef u. Jolanda. S.: BRealschule, 2 J. HASCH, 2 J. Hotelfachschule. K.: Auslandsaufenthalt in England, Frankreich u. Italien, Mitarb. im väterl. Betrieb, 1974 Übernahme d. Betriebs u. Umbau u. Ausbau zu 4 Stern Hotel. BL.: Kenner d. fernöstl. Marktes in Bezug auf Fremdenverkehr. M.: Bez.Obm.Stellv. Innsbruck-Stadt, Vorst.Mtgl. d. Gastwirtegen., Vors. d. Werbeaussch. d. Fremdenverkehrsverb. Innsbruck-Igls, Tir. HK, Sekt. Fremdenverkehr, Vors. d. Prüf.Kmsn. d. Kellner. H.: Familie, Feinschmecker, Golf, Skifahren. (Schm.)

Sailer Lieselotte

B.: Gschf. d. Hotel "Wildsee-Schlössl". DA. u. PA.: 6100 Seefeld, Innsbrucker Str. 195. G.: Innsbruck, 20. Jan. 1957. S.: Gymn., 1977 Matura. K.: Auslandspraxis im Gastgewerbe in Italien u. Deutschland, 1983 Konzessionsprüf., seit 1984 Gschf. d. Hotel Wildsee-Schlössl in Seefeld. H.: Musik, Golf, Skifahren. (Schm.)

Sailer Sepp

B.: Fachvorst. HLA f. Tourismus, Gschf. Produzentengemeinschaft Weinserie "Pannonischer Reigen", Inh. Galerie Vinothek Kaisergarten Frauenkirchen, Kons. Weinhaus Kaisergarten Mönchhof. DA.: 7100 Neusiedl/See, Bundesschulstr. 4. G.: Podersdorf/See, 30. Okt. 1953. V.: Annemarie, geb. Ruttrich. Ki.: Panja Maria (1976), Dominik Martin (1979). El.: Alois u. Rosalia, geb. Roiss. S.: VS, HS, LBS, Päd. Ak. Wien, 1985 Lehramtsprüf. f. AHS u. BHS, 1985 Lehramtsprüf. f. LBS. K.:

1969-72 Kellnerlehre Podersdorf/See, ab 1973 Wanderj. in Berchtesgaden, Saalbach-Hinterglemm u. Kaprun, 1976-85 Restaurantltr. "Birkenhof" Gols, ab 1981 Lehrer HLA f. Tourismus Neusiedl/See, ab 1991 zusätzl. Lehrbeauftragter Krudy-Gymn. Gyor, ab 1992 Fachvorst. HLA, Kulinar. Betreuung d. Österr.-Hauses während d. Winterolympiade in Lillehammer 1994, 1987 Erstellung d. Marketingkonzeptes "Panonischer Reigen", 1988 Grdg. d. "Verb. d. Großen Weine", 1990 Grdg. Kaisergarten Vertriebs GmbH Mönchhof, 1992 Eröff. Galerie u. Vinothek Kaisergarten Frauenkirchen. BL.: Organ. v. Intern. Weinpräsentationen. M.: Österr. Weinbruderschaft, Ordre Mondial De Gourmet Degustateurs Paris. H.: Golf, Radfahren, Skifahren, Wein, Weinreisen. (M.M.)

Sailer Toni

B.: Ski-Rennläufer, Schauspieler, Hotelier, Ltr. d. Kinder-Skischule Kitzbühel, Repräsentant Atomic-Ski u. Dachstein-Skischuhe. DA.: 6370 Kitzbühel Gundharing 19. G.: Kitzbühel, 17. Nov. 1935. V.: Gabriele, geb. Rumeny. Ki.: Florian. El.: Anton u. Maria. S.: HASCH, abgeschl. Lehre als Installateur, Skiführerprüf. u. staatl. Skilehrerprüf. K.: 1953 Tir. LMstr., 1956 3 Goldmed. b. d. Olymp. Spielen v. Cortina d'Ampezzo, 7 WM-Goldmed., 1 WM-Silbermed., 1959 Rücktritt v. aktiven Rennsport, 1972-76 Techn. Dir. d. österr. Skiverb. P.: 1956 Buch: "Mein Weg zum 3fachen Olympiasieger", 1961: "Toni Sailer Skischule - Skiunterricht", 1986: "Toni Sailer - Junior Skischool", div. Veröff. in Tageszeitungen, Illustrierten u. Fachzeitschriften. E.: div. Ausz. v. Staat, Land, Bez. u. Gem. Kitzbühel u. v. Fachverb. u. Clubs. M.: Präs. Golf-Club Kitzbühel, Vorst.Mtgl. Öst. Golf-Verb., Mtgl. d. Executive Boards d. Alpin-Komitees d. FIS, Vorst. d. Kitzbühler Ski-Clubs. H.: Skifahren, Golf, Tennis, Bergsteigen u. -wandern, Schauspiel, Oper, Musicals. (W.G.)

Sailer Viktor Dipl.-Ing.

B.: Baudir. FN.: Bundesgebäudeverw. II Graz. DA.: 8010 Graz, Pappenheimg. 12. PA.: 8071Dörfla b. Graz, Sattlerstr. 91. G.: Graz, 29. Juli 1948. V.: Klara, geb. Kropf. Ki.: Sigrid (1974), Simone (1976), Martin (1978). El.: Viktor u. Juliana. S.: Keplergymn. Graz, 1966 Matura, 1966-67 Präsenzdienst, 1967 Arch.-Stud. i. Graz, 1975 Dipl.-Ing. K.: 1975-82 i. div. Arch.-Büros i. Graz, s. 1982 Bauabt. i. Amt d. Stmk. Landesregierung, s. 1985 Aufb. d. Büro f. Bürgerberatung, 1987-93 Ltr. d. Büros, s. 1993 Baudir. d. Bundesgebäudeverw. II. M.: Ver.-Obmann d. Kapellengem. Dörfla b. Graz, Mtgl. d. steir. Diözesanrates. H.: klass. Musik,Tanzen. (I.G.)

Sailer Walter

B.: Drogist, Inh. FN.: Die gewußt wie Drogerie. DA.: 1180 Wien, Währinger Str. 133. PA.: 1090 Wien, Porzellang. 13/22. G.: Wien, 24. Febr. 1954. V.: Mag. Bernadette, geb. Halbron (geb. in Marseille). Ki.: Katherina (1985), Roman (1986). El.: Walther (verst. 1993) u. Romana. S.: VS, BRG, HAK, bis 1972 Lehre als Drogist. K.: Drogist im väterl. Betr., 1972-76 Abendschule, 1979-80 DM-Drogeriemarkt als Drogist, 1980-81 Auslandsaufenth. in Frankr., 1982 Konzessionsprüf., s. 1984 selbst. zuerst in Wien 18., Kreuzg., 1985 Eröffn. d. Fil. in Währingerstr., 1987 Beitritt Die Gewußt wie Drogerie, 1993 Schl. d. Fil. Kreuzg. H.: Schifahren, Radfahren, Wandern, Paragleiten, Schwimmen. (U.Z.)

Sailer Walter Dipl.-Ing.

B.: Gschf. FN.: Holiday Gesundheits- u. Schönheitsfarm BetriebsgmbH. DA.: 9220 Velden, Beethovenallee 3. PA.: 8502 Lannach/Weststmk., Quellenweg 3. G.: Leoben, 11. Nov. 1948. V.: Alice, geb. Lorber. Ki.: Monika (1984), Doris (1987), Sonja (1987). El.: Johann u. Maria Saulauf. S.: 8 J. Gymn., Univ. Leoben m. Stud.-Zweig Betriebs- u. Energiewirt. i. Hüttenwesen m. Abschluß Dipl.-Ing. K.: 1978-79 Planer f. Heizungs- u. Lüftungsplanung i. Ziviling.-Büro, 1980-92 Energieplaner m. Schwerpunkt Projektierung, Ausf. u. Verk. v. Energie i. Form v. Fernwärme b. WärmebetriebsgmbH., 1991 Grdg. u. Eröff. d. Holiday Gesundheits- u. Schönheitsfarm i. Velden m. Schwerpunkt Vorsorgemed., Ganzheitsmedizinische Diagnosen u. Therapien, Ernährungsberatung, Früher-kennungsmethoden v. Krankheitssymptomen, Mentaltraining, Kosmetik, Massagen. P.: st. Vortragsveranst. u. Sem. H.: d. eig. Untern., Segeln, Surfen, d. Wörthersee genießen, Skifahren. (F.S.)

Sakotnik Astrid

B.: Inh. FN.: Porzellanhaus Sakotnik. DA. u. PA.: 9020 Klagenfurt, Alter Pl. 5. G.: Frankfurt/Main, 1. Jänner 1944. V.: Dkfm. Dr. Michael. Ki.: Stephanie. El.: Rudolf u. Eleonore Kahnt. BV.: Großvater war Dir. d. Rhein/Main Molkereien. S.: Pflichtschulen, Gymn. in Frankfurt. K.: in d. Touristikbranche tätig, Ltg. eines Reisebüros in Frankfurt, 1978 Eröff. d. Porzellanhaus Sakotnik. H.: Musik, Literatur, Sport. (D.M.)

Sakotnik Michael Dr. Dkfm.

B.: Unternehmer. DA. u. PA.: 9020 Klagenfurt, Alter Pl. 5. G.: Wien, 8. Dez. 1941. V.: Astrid, geb. Kahnt. Ki.: Stephanie. El.: Ing. Karl u. Maria. BV.: Vorfahren mütterlicherseits waren bekannte Tuchfabrikanten Fa. Kluge, Großvater war Patentanw. in Wien. S.: Hum. Gymn. in Sekau, Stud. an d. HS f. Welthdl. in Wien, 1972 Prom. K.: Tätigkeit im techn. Büro seines Vaters, Dir.Ass. b. d. KELAG, 1978 selbst. M.: Lions-Club Klagenfurt-Carinthia. H.: Kunst, Literatur, Bücher, Musik. (D.M.)

Sakrausky Oskar

B.: Ev. Bischof i.R. PA.: 9712 Fresach 60. G.: Linz, 24. März 1914. V.: Herta, geb. Strzalkovski. Ki.: Oskar (ev. Pfarrer v. St. Ruprecht), Margarethe (Lehrerin). El.: Oskar u. Martha. S.: Gymn. in Prag, 1933 Matura, Stud. d. Ev. Theol. in Erlangen u. Wien. K.: 1938-39 Vikar in Steyr, 1939 Pfarramtsprüf., 1939-41 Pfarrvikar in Prag, 1941 Polenfeldzug, 1939-49 Kriegsdienst u. -gefangenschaft, 1950 Flüchtlingsgeistlicher in Wallern b. Wels, 1950-62 Pfarrer in Stmk. u. Ktn., 1962-68 Geistl. Oberkirchenrat in Wien, 1968-83 Bischof d. ev. Kirche A.B. v. Österr., s. 1960 Obm. d. Ev. Diözesanmuseums v. Ktn., Präs. d. Bekennden euro. Gemeinschaften (BRD) Vorst.Mtgl. d. Inst. f. Österr. Kirchengeschichte Wien. P.: Publ. in d. Carinthia I, Bücher: "Primus Truber", "St. Ruprecht am Moos", "Evang. Österr.", "Agoritschach" u.a., Kataloge zur Ausstellung d. österr. Nationalbibl., Vortragstätigkeit in Österr. u. BRD. H.: Bergsteigen. (M.B.)

Salaba Kurt

B.: Unternehmer. FN.: "Olympic" Sauna-Fitness-Solarium-Thai-Massage. DA.: 1160 Wien, Hasnerstr. 63. PA.: 1150 Wien, Fenzlg. 11/3/33-36. G.: Wien, 3. Aug. 1956. V.: Somkhid. El.: Kurt u. Margarita, geb. Schreiber. S.: RG, Berufsschule f. Großhandelskfm. u. Buchh., 1974-77 Grundwehrdiener. K.: 1977-82 b. d. Bundespolizei, 1982-86 Tätigk. i. Gastgewerbe, Salzburg, 1985-88 Gschf. v. Gewerbebetrieben i. Wien (Besitz d. Grafen Auersberg), 1989-92 Besitzer eines Bierlokals, 1992-93 Aufenthalt i. Thailand, Ausb. z. Thai-Masseur b. d. buddhistischen Mönchen, 1994 Eröff. d. 1. österr. Thai-Massage Zentrums. H.: Buddhismus, Geschäft. (N.A.)

Salachner-Magnus Vasitti Mag.

B.: Bühnen- u. Kostümbildnerin, Malerin. PA.: 5020 Salzburg, Franz-Schalk-Str. 11. G.: Bad Hofgastein, 5. Febr. 1946. V.: Ing. Gunther Salachner. El.: Josef u. Rosita Magnus. BV.: 4 Generationen Künstler, Großvater Bildhauer u. Elfenbeinschnitzer. S.: HTL f. Textil, 1965-68 Ak. Mozarteum Sbg., Dipl. Bühnenbild u. Kostüm. K.: Europa-Tourneen, Bühnenausstatt. f. Bühnen in Deutschld., Österr., Schweiz, Spanien, Amerika zu Opern, Operetten, Musicals, Singspielen, Sprechstücken u. f. Ballette, Ausstatt. f. FS-Serien ZDF 1982, 1984, 1985, Ausstell. in Österr., Italien, Deutschld., Luxemburg, Niederl. P.: Buch: "Magnus, Magnus, Magnus" 1982, "Das Gute" 1981/82, "die waage" 9/1970, "Vorhang auf" 1990, "Künstlerinnen in Sbg." 1991, "Madame" 1970 u.v.a., Illustrationen f. Tages- u. Fernsehzeitungen in Österr., Deutschland u. Holland, zahlr. Applikationen, Aquarelle, Zeichnungen, Modelle u. Kleinplastiken, Werke in Sammlungen d. In- u. Ausld. E.: Preise b. Wettbewerben, Kunstförd.-Preis. M.: Berufsver. d. bild. Künstler Sbg. H.: Malen, Tennis, Reisen. (M.S.)

Salcher Alois

B.: Geschäftsinh., Schlosser, Bürokfm. FN.: AMB Personalleasing GmbH. DA.: 6800 Feldkirch, Mühletorpl. 4. PA.: 6751 Braz, Krenzweg 18. V.: Sieglinde, geb. Fetzel. Ki.: Tama (1971). El.: Peter u. Hedwig. S.: HS, Berufsschule, 1967 Abschluß, 1967 Militärdienst, berufsbezogene Weiterbild. K.: 1968 Auslandsmontagen im Hallen- u. Anlagenbau, 1984-85 selbst. m. Werksvertrag, 1985-90 Gschf. b. Firma Salcher Personalleasing, 1990 Ltr. d. Firma AMB Personalbereitstellung, 1992 Tischlerei u. Schlosserei f. Anlagenbau GmbH. M.: Aussch.-Mtgl. im Personalbereich d. HK, Fußballclub Oberes Metniztal, unterstützendes Mtgl. Fußballclub u. Eishockeyclub Oberes Metniztal, Skiver. WSV Braz. H.: Skifahren, Fußball, Tennis, Kochen, Essen u. Trinken. (I.D.)

Salcher Herbert Dr. Mag.

B.: Inh. FN.: Franz Voglsanger KG, Salcher & Co Maschinenhdls. OHG KG. DA.: 6020 Innsbruck, Herzog-Friedrich-Str. 20. PA.: 6040 Innsbruck, An der Lan Str. 18. G.: Innsbruck, 31. Mai 1926. V.: Anna-Maria. El.: Ernest u. Paula. BV.: Familie Voglsanger-Salcher seit 1630 im Besitz d. Geschäftes in Innsbruck. S.: 1944-45 Widerstandsbewegung, 1944 Matura Innsbruck, b. 1945 Militärdienst als Flak-Helfer u. Offz.-Anw. b. d. Luftwaffe, Jusstud. Univ. Innsbruck, Zürich, Urbino/Italien u. Wien, 1948 Prom., 1952 Diplomatenprüf. am Amt f. Auswärtige Angelegenheiten. K.: 1948-55 Legationssekr. im BMAA, Auslandsverwendung in Ungarn, 1955-60 Unternehmer in Kanada, 1960 Übernahme d. Familienfirma in Innsbruck, 1964 Grdg. Salcher & Co. M.: Obm. d. Studentenunter-stützungsver. Innsbruck. K.: Reisen, Sprachstudien. (G.P.)

Salcher Leopold

B.: Ang. FN.: Mode Salcher. DA.: 6232 Münster, Hopfgarten. G.: Maria Luggau, 11. Nov. 1951. V.: Brigitte Gschösser. El.: Peregrin u. Filomeniz. S.: VS, 3 J. Kochlehre. K.: 12 J. i. Gastgewerbe tätig, 1972 BH, 1977 Fa. gegründet. 1980 Geschäft i. Hopfgarten gegründ. M.: Alpenverein, Kirchenchor Münster. H.: Radfahren, Skitouren, Bergsteigen, Singen, Musik, Zieharmonika. (M.H.)

Saleh Fawzi Dipl. med.

B.: Gschf. d. Plasmapharm Sera GmbH & Co KG. DA.: 2352 Gumpoldskirchen, Industriestr. 5. PA.: 2345 Brunn/Geb., Pöllaugraben 33. G.: Sentris/Ägypten, 3. Jan. 1940. V.: Ingrid. Ki.: Tamara, Tareh u. Alia. S.: Gymn. Kairo, Stud. an d. HS f. Welthdl. in Kairo, ab 1959 Stud. an d. Univ. Wien, Med. Fak., 1969 MTA-Diplom. K.: 1970-73 Hanusch-KH, Zentrallabor, 1973-80 Prod.Ltr. d. Fa. Schwab & Co, seit 1980 Gschf. d. Plasmapharm. M.: Ägypt. Club Wien, Österr.-Arab. Ges. H.: Lesen. (A.W.)

Salehi Khosrow Dr.

B.: freischaff. Maler, Inh. "Studio Wienblick". DA.: 1010 Wien, Augustinerstr. 12. PA.: 1010 Wien, Walfischg. 11. G.: Persien, 21. März 1950. V.: Alexandra, geb. Gregoritsch. Ki.: Barbara (1986), Viktor (1989). El.: Ali u. Shokat. S.: 1981 Arch.-Stud. Florenz, Prom. z. Dr. d. techn. Wiss., 2 Sem. Belle Arte, 1983 Stud. Restauro dei monumenti am Collegio di Ingenieri civili. K.: freischaff. Maler (Spezialgeb. Graphik), div. Einzelausstell. im In- u. Ausld., 1985 Eröff. d. Geschäfts in Wien, eig. Kreationen, Wiener Ansichten v. hoher architekton. Präzision, Toscanalandschaften, 1991 Eröff. Kunstgalerie in Italien. H.: Prod. v. Chianti-Weinen u. Olivenöl. (N.A.)

Salem Georg Dr. med. univ. Prim. Univ.-Prof.

B.: FA f. Chir. u. Gefäßchir., Vorst. d. Chir. Abt. im Schwerpunkt-KH St. Pölten. DA. u. PA.: 3100 St. Pölten, Neugebäudepl. 3. G.: Wien, 13. Jan. 1945. V.: Dr. Birgit, geb. Heinrich. Ki.: Sylvia, Marlene. El.: Univ.-Prof. Dr. med. Georg u. Maria. S.: 1963 Matura, Med.Stud. an d. Univ. Wien. K.: 1970 Prom., FA-Ausbild. an d. 2. Chir. Univ.klinik Wien, 1976 FA-Anerkennung, 1978 Habil., seit 1984 Vorst. u. Prim. d. Chir. Abt. im Schwerpunkt-KH St. Pölten, 1986 Univ.-Prof., seit 1984 FA-Ordination f. Chir. u. Gefäßchir. in St. Pölten, 1974-78 Ltr. d. Experimentellen Abt. d. 2. Chir. Univ.Klinik Wien, 1982 Präs. d. Österr. Ges. f. Experimentelle Chir., 1981 u. 1983 deren VPräs., 1982-84 Ltr. d. Endoskopie u. d. Magenfunktionslabors d. 2. Chir. Univ. Klinik Wien. P.: 120 einschlägige wiss. Arb., nat. u. intern. Vorträge. E.: 1975 Hoechst-Preis. M.: Mtgl. v. Ver. d. Theres. Ak., Sek. d. 1986 gegründeten Med. Ges. f. NÖ, Mtgl. zahlr. nat. u. intern. Chir. Ges. H.: klass. Musik, Theter, Reisen. (Kern)

Saletu Bernd Dr. med.

B.: Univ.-Prof., OA d. Psychiatr. Univ.Klinik. DA.: 1090 Wien, Währinger Gürtel 18-20. PA.: 1190 Wien, Rudolf-Kassner-G. 30. G.: Wien, 21. Febr. 1942. Ki.:Alexander-Bernd (1972), Michael-Timothy (1974). El.: MedR. Dr. Erwin u. Herta, geb. Lubjenka. S.: 1960 Matura, Stud. Med. Fak. Univ. Wien, 1967 Prom. K.: FA-Ausbild. u. 1967-69 Ass.Arzt Psychiatr.-Neurolog. Univ.Klinik Wien, 1969 FA-Ausbild. USA, 1974 Ltr. d. Ber. f. Pharmakopsych. an d. Psychiatr. Univ.Klinik, 1975 FA f. Psych. u. Neurol., 1976 Univ.Lektor f. Psych., 1977 Habil., s. 1978 OA an d. Psychiatr. Univ.Klinik Wien, 1982 a.o.Prof. f. Psychiatrie Med. Fak. Univ. Wien, 1985 FA f. Klin. Pharmakol., s.1990 Klinikvorst.Stellv. d. Psychiatr. Univ.Klinik Wien. P.: 10 Bücher u.a.: Psychopharmaka, Gehirntätigkeit u. Schlaf (1976), Neuro-Psychopharmacology (1979), Biologische Psych.(1989). E.: 1972 A.E. Bennett Award for Clinical Res. in Psychiatry, 1990 Österr. EK f. Wiss. u. Kunst. M.: Hrsg. Gremien v. 11 Zeitschriften, Österr. Arge f. Neuropsychopharmakologie u. Biolog. Psychiatrie, American Society of Biological Psychiatry, GWAN, American Psychiatric Assoc., AGNP, C.I.N.P., World Psychiatric Assoc., Dt. Ges. f. Psychiatrie u. Nervenheilkunde, WPA, Österr. ArzneimittelbeiR. H.: Musik/Theater, Sport: Segeln, Skifahren, Basketball. (N.A.)

Salfenauer Heinrich Dr.

B.: Dir. d. VHS Sbg. DA.: 5020 Salzburg, Faberstr. 16. PA.: 5020 Salzburg, Erich-Fried-Str. 36. G.: Salzburg, 23. Sept. 1950. V.: Brigitte, geb. Aberer. Ki.: Isabella (1980), Hubert (1984). El.: Heinrich u. Agnes S.: VS, HS, 1969 Matura, 1969-71 Päd. Ak., 1971-78 Stud. Päd. u. Politologie Univ. Sbg. K.: 1971-80 HS-Lehrer, Werkstudententätigkeit u. Studienass.,b.1988 Vertragsass.,Ass.Univ. f. Erziehungswiss., seit 1988 Sbg. VHS. M.: Präs. d. Sbg. Radsportverb., GemR. Stadt Sbg. H.: Lesen, Radfahren, Skifahren, Wandern. (N.M.)

Saliger Arthur Dr. phil.

B.: Dir. d. Dom- u. Diözesanmuseums, Konser. d. Erzdiözese Wien. DA.: 1010 Wien, Stephanspl. 6. PA.: 1010 Wien, Rauhensteing. 1. G.: 26. Mai, 1944. El.: Dipl.-Ing. Wilhelm u. Margarita. S.: VS, Mittelsch., Stud. Kunstgesch u. klass. Archäologie, Theaterwiss. an d. Univ., Opernregie an d. Ak. K.: 1971 am BDA ttg f. d. Gebiet d. Diözese St. Pölten südl. d. Donau, 1972 Ass. im kunsthistor. Museum in d. Antikensammlg, 1972-74 MA 7 (Kulturamt d. Stadt Wien, Ref. f. Stadtbildpflege) parallel unter Prof. Feuchtmüller im Dom- u. Diözesanmuseum tätig, Katalogisierung, neue Präsentation d. Museums, Basis z. Diözesankonservator, s.1974 Diözesankonservator, 1982 gschf. Ltr., 1984 Dir. d. Museums. P.: Katalog d. Museums, 1973 u. 1987. M.: Präs. d. Ver. z. Erhaltg d. Karthause Gaming, stellv. Vors. in d. Regau (Revitalisierungsges. Alte Univ.), Schriftführer d. Ver. d. Freunde d. Papstorgel. H.: Beruf, Reisen, Theater, Musik. (E.L.)

Salinger Peter Dr. jur.

B.: Bezirkshauptmann. FN.: Land O.Ö. Bez. Vöcklabruck. DA.: 4840 Vöcklabruck, Sportplatzstr. 1. PA.: 4840 Vöcklabruck, Am Pfarrerfeld 34. G.: Wien, 17. Febr. 1950. V.: Ilse, geb. Clemens. Ki.: Ulrike (1978), Stephan (1981). El.: Dipl.-Ing. Josef u. Josefa, geb. Brendinger. S.: VS, Bundesgymn. Kufstein u. Slb., Österr. BH, 1969-74 Univ. Wien, Jurist. Fak. mit Prom. K.: 1974 Gerichtsjahr in Bezirksgericht Mondsee, 1975 Versetzung an d. BH Vöcklabruck, div. Referatsltg., 1993 Bestell. zum Bez.-Hauptmann. M.: Feuerwehr VK II. Stufe d. Landes O.Ö. M.: Pfarrgem.R. Vöcklabruck, Österr. Alpenver., Ver. Soz.-Zentrum Vöcklabruck. H.: Familie, Lesen, Bewegung in freier Natur. (C.D.)

Freiherr v. Salis- Grüsch Gubert Dietegen

B.: Ges. d. Fa. Salis & Braunstein. PA.: 8010 Graz, Rungeweg 4. G.: Graz, 24. Juli 1913. V.: Josefine, geb. Tafeit. El.: Albert v. Salis u. Aurelia. BV.: Aus Graubündner Adel abstammend. S.: VS, Realschule, Pilotenausbild., Seefahrtsakademie. K.: Dt. Handelsmarine, Kapitänspatent, Handelsschiffsoffz. d. kgl. holl. Reederei, 1938 Mitbegr. d. Fa. Salis & Braunstein Graz, dzt. Ges. BL.: seit J. d. größte Opel-Händler Österr., ca. 250 Beschäftigte. P.: Fachart. in versch. Zeitungen, Buch: Baudenkmäler d. Fam. v. Salis in Graubünden (1992). E.: 1975 KommR. M.: Gründer d. Österr. Lions Clubs. H.: Seefahrt, Fliegen, Skifahren, Schach. (R.A.)

Salis-Samaden Thomas Mag. rer. soc. oec.

B.: Kunsthändler. DA.: 5020 Salzburg, Goldg. 13. G.: Salzburg, 13. Dez. 1950. V.: Anna Christine, geb. Pflüger. Ki.: Ferdinand, Johann. El.: Prim. i.R. HofR. Dr. Rudolf u. Felizitas. S.: VS, BG Reutte m. Matura, Lehrabschlußprüf.: Bürokfm., Chemielaborant, Einzelhdls.Kfm., Großhdls.Kfm., Ind.Kfm., Physiklaborant, Werkstoffprüfer (1970-71), HS f. Welthdl. in Wien f. Sozial- u. Wirtschaftswiss., (BWL Studienrichtung m. Sponsion 1979). K.: 1977 Gschf. d. Galerie b. Theresianum in Wien, 1980 Grdg. d. Galerie SALIS im Schloß Rif b. Hallein, 1982 Eröff. d. Galerie SALIS in Sbg. BL. Spezialisierung auf erstklassige Gemälde d. 19. u. 20. Jhdt. m. d. Schwerpunkten dt. u. österr. Romantik u. d. Klass. Moderne, wichtige Ausstellungen: Klass. Moderne, Fernando Leger, Serge Polliakoff, Herbert Boekl, Camille Pissarro, Anton Faistauer, Paul Bonnard-Eduard Vuillard. P.: Kataloge z. d. Ausstellungen. M.: C.I.N.O.A., A.A.A., VPräs. d. I.F.A.A. H.: moderne Kunst. (Hat.)

Sallaberger Joachim

B.: Obm. d. Samariter-Bund Linz. DA.: 4040 Linz, Schmiedeg. 20. PA.: 4040 Linz, Jägerstr. 12. G.: Wels, 13. Okt. 1962. El.: Johann u. Hermine. S.: VS, Gym., 1983 HAK-Mat. K.: 1983-84 Zivildienst bei Samariter-Bund Linz, anschl. Mitarb. bis Nov. 1988, seit Nov. 1988 bei Steuerberater Ditachmair als Berufsanwärter in Linz, seit Nov. 1988 ehrenamtl. Tätigk. beim Samariter-Bund, seit 1990 Obm. d. Samariter-Bundes, Stud. BWL. H.: Skifahren, Studium, Lesen. (U.A.)

Saller Ferdinand

B.: Schlossermstr. FN.: Saller Werkstätte f. Stahl u. Aluminium Konstruktionen Metallbau Ges.m.b.H. DA. u. PA.: 5500 Bischofshofen, Dr. Hans Liebherrstr. 1. G.: 2. Apr. 1940. V.: verheiratet; 4 Kinder. El.: Ferdinand u. Maria. S.: Schlosserlehre von 1955-59, 1959 Gesellenprüf. K.: Facharb. im Lehrbetrieb, 1964 Mstr.-Prüf. im Schlossergewerbe in Salzburg, 1966 die Werkstätte des ehemaligen Lehrherren gepachtet, 1978 Schweißwerksprüf. in Salzburg, 1976 Übersiedlung ins neue Gebäude. H.: Bergsteigen, Wandern. (A.W.)

Saller Helmuth Dkfm.

B.: Wirtschaftstreuhänder, Steuerberater. DA.: 5500 Bischofshofen, Sparkassenstr. 16. PA.: 5531 Eben/Pongau 186. G.: Prag, 16. Nov. 1944. V.: Ehrentrude, geb. Schilchegger. El.: Richard u. Margarethe. S.: Bundesrealschule, HS f. Welthdl. K.: 1968-73 Revisionsass. d. Fa. K. Hess in Bischofshofenm ab 1973 selbst. als Wirtschaftstreuhänder. F.: Goldegger Komm. d. Golf u. Freizeitanagen Ges.m.b.H & Co KG. E.: Melvin Jones Fellow. M.: Grdg. Mtgl. d. Lions Club Pongau u. d. Kulturver. "Spectrum", Präs. d. Tennisclub Bischofshofen, Vorst. Mtgl. d. Golf-Club Goldegg, Beirat Volksbank Sbg. H.: Golf, Tennis. (J.F.)

Saller Karl

B.: Bgm. d. Stadt Bad Ischl, Postbmtr. i.R. GT.: AufsR. b. d. Katrin AG. DA.: 4820 Bad Ischl, Pfarrgasse. PA.: 4820 Bad Ischl, Faschlweg 22. G.: Wien, 28. Febr. 1927. V.: Gertrude, geb. Stickelberger. Ki.: Karl, Waltraud, Anneliese. El.: Karl u. Therse. S.: VS, HS. K.: 1941-44 Beschäftigung als Postjungbote in Bad Ischl, nach Ablegung aller erforderl. Dienstprüf. als OInsp. d. Post 1987 in Pension gegangen, 1967 in d. GemR. v. Bad Ischl gewählt u. m. StadtR.Mandat betraut, 1969 VBgm. u. seit 1972 Bgm. v. Bad Ischl. M.: Obm. d. Roten Kreuzes in Bad Ischl, Präs. d. Operettengem., VPräs. d. Österr. Heilbäder u. Kurorteverb., VPräs. d. OÖ Fremdenverkehrsverb. u. div. anderer Ver. H.: Tennis, Skifahren, Bergsteigen. (M.B.)

Saller Manfred

B.: Baumchirug. FN.: Baumchirurgie Saller Ges.m.b.H. DA.: 1010 Wien, Rosenbursenstr. 2. G.: 21. Okt. 1962. El.: Josef u. Gertrude. S.: Gartenbaufachschule, Mstr. Prüf., 1981-83 Ausbild.m in Baumpflege u. Chirurgie. in d. USA, BRD u. England. K.: 1. J. im elterl. Gärtnerbetrieb tätig, 1984 Grdg. Baumchirurgie Saller GmbH; Baumpflege, Baumchir., Schnitt, tiefe Eingriffe in Bodenbereich, Anfuhrschäden, Bodenverdichtung, Kronenverankerung, Stützen, Krankheitsvorsorge, Service um d. Baum, 1992 Grdg. d. Fa. Landschaft: Tochterfirmen in Linz u. Klagenfurt, Stadtplanung, Park-, Gärten- u. Sportanlagen, Wintergärten, Dachgärten u. Biotopen, 1994 Grdg. d. Fa. Grünplan GmbH. Wien Landschaftsarch. BL.: Patent f. Computertomograph f. Bäume, Einführ d. Seilmethode in Österr., Patent f. Wurzelvereisung m. Stickstoff, älteste Eiche Europas (Stmk.), Judas-Baum. Batn. Garten Neuseeland, Baum v. Franz v. Assisi. F.: Fa. Euro Tree m. Sitz in Deutschl. Mtgl. u. Vorst. P.: Regelmäßige Vorträge in Fachrichtung Baumpflege, Artikel u. a. in Krone, Kurier, Standard, Trend in dt. schweiz. Zeitungen u. Fachzeitschriften, Beiträge in Radio u. Fernsehen. M.: Intern. Soc of Arboriculture, USA (mtgl. u. Vicpres.), Qualitätsgemeinschaft Baumpflege u. -sanierung in BRD, Euro Tree (Mtgl. u. Vorst.). H.: Wasserski, Lesen, Beruf. (M.A.)

Sallhofer Hans Dr. rer. nat.

B.: Ind.-Physiker. FN.: Sallhofer GmbH. DA.: 5280 Braunau, Bahnhofstr. 36. G.: Braunau, 12. Dez. 1925. S.: VS, Realschule Linz, Matura, Stud. Math. u. Physik Univ. Innsbruck, Dr. rer. nat., Tätigkeit McGill Univ. Montreal/ Canada, K.: 1960 Übernahme d. elterl. Betriebes, Ind.-Physiker Sallhofer GmbH. BL.: 1965-90 div. Patentanmeldungen, 10-12 grundlegende Patente. P.: Maxwell-Dirac-Isomorphism (1978). H.: Budd. Soz. (S.P.)

Sallinger Antonia

B.: Alleininh. FN.: Oreste Bastreri KG. DA.: 1050 Wien, Nikolsdorferstr. 37. G.: Wien, 20. Feb. 1919. Witwe v. KommR. Ing. Rudolf Sallinger, d. v. 1964-90 Präs. d. Bundeswirtschaftskammer war. Ki.: Ing. Ilse, Dr. Eva. El.: Robert u. Katharina. S.: HASCH. K.: Tätigkeit im kfm. Bereich d. elterl. Betrieb, 1943 Übernahme d. Betriebes m. Ehemann. M.: Caritative Organ. H.: Kochen, Handarb. (N.A.)

Salm-Reifferscheidt-Raitz Marie Elisabeth

B.: Bez.Insp. Erste Allg. Generali. DA.: 1010 Wien, Kohlmarkt 1. PA.: 1040 Wien, Prinz-Eugen-Str. 36. G.: Raitz/CSSR, 17. Aug. 1931. Ki.: Georg Cubuk (1958), Leopold Cubuk (1961). BV.: Niklas Salm war einer d. Verteidiger v. Wien während d. 1. Türkenbelagerung, Hugo Franz Salm-Reifferscheidt-Raitz war einer d. ersten d. d. Eisenind. v. England zu uns brachte, Hugo Salm-Reifferscheidt-Raitz Mibegründer d. Industriellen Ver. in Wien. S.: Matura in d. CSSR, 1957 nach Wien gekommen. K.: 1963 Beginn b. d. Ersten Allg. Generali im Außendienst. H.: Theater, Oper. (H.J.S.)

Salman Ramzi Dr.

B.: Deputy Secretary General d. OPEC. DA.: 1020 Wien, Obere Donaustr. 93. G.: Baghdad, 23. Nov. 1935. V.: Dr. Shafa. Ki.: Reem (1969), Ahmed (1970), Rasha (1973), Mustafa (1984). S.: 1952 Baccalaureate Baghdad, 1958 BSc degree Petroleum Production Engineering Univ. of Birmingham United Kingdom, 1961 PhD. in Chemical Engineering Univ. of Birmingham United Kingdom. K.: 1964 Eintritt Iraqi National Oil Company als Petroleum Engineer, 1968-70 Ltr. d. Techn. Abt., 1972-91 Präs. State Oil Markting Organ. (SOMO), 1982-91 Iraqi Governor d. OPEC , Mtgl. v. d. Inst. u. Aussch. Vortragstätigkeit im Rahmen v. OPEC. P.: zahlr. Fachart. in d. Intern. Presse. M.: Gen.-Sekr. d. Iraqi Engineers Ass. 1964-65, Secretary Iraqi Engineers' Society 1966, Society of Petroleum Engineers of AIME 1960. H.: Musik, Bernstein u. geolog. Fossilien. (N.A.)

Salmen Walter Dr. phil. em. o.Univ.-Prof.

B.: Em. am Inst. f. Musikwiss. d. Univ. Innsbruck. A.: D-7815 Kirchzarten, Markenhofstr. 14. G.: Paderborn, 20. Sept. 1926. V.: Gabriele, geb. Busch. El.: Josef u. Elisabeth. S.: Grundschule, Stud. d. Musikwiss. an d. Univ. Heidelberg, 1949 Prom. an d. Univ. Münster, 1959 Habil. an d. Univ. Saarbrücken. K.: 1967 o.Prof. an d. Univ. Kiel, 1974-92 Vorst. in Innsbruck, mehrmals visiting Prof. in d. USA. P.: vollständiges Verzeichnis mehrerer Bücher, etwa 250 wiss. Aufsätze. M.: Mtgl. mehrerer musikwiss. Fachorgan.

Salnikow Nikolai Dr. phil.

B.: o.Univ.-Prof. f. Slawistik an d. Johannes Gutenberg-Univ. Mainz. PA.: D-76726 Germersheim, Berwartsteinerstr. 1, 9020 Klagenfurt, Neptunweg 1. G.: Belgrad, 2. Nov. 1932. V.: Eva Maria Mag. Dr. phil., geb. Ritter. S.: Reifeprüf. Klagenfurt, Dipl.Dolm. Univ. Graz, Dr. phil. Univ. Graz 1970, Habil. Univ. Klagenfurt, o.Univ.-Prof. Mainz. K.:

Lehrauftrag f. Russ. am Inst. f. Übersetzer- u. Dol-metscherausbild. d. Univ. Graz, Lehrauftrag f. "Techn. Russ." an d. TH Graz, Lehrauftrag f. Russ. am Inst. f. Slawistik d. Univ. Graz, Lehrauftrag f. Russ. am Inst. f. Slawistik d. Univ. Wien, Prof. am Inst. f. Übersetzer- u. Dolmetscherausbild. d. Univ. Graz, Lehrauftrag f. Russ. an d. Univ. f. Bildungswiss. Klagenfurt, Univ.Doz. an d. Univ. f. Bildungswiss. Klagenfurt, o.Univ.-Prof. an d. Johannes Gutenberg-Univ. Mainz. P.: Über 100 Publikationen in wiss Zeitschr. im In- u. Ausl, Mithrsg. d. Schriftenreihe Sprachwiss. (Festschrift f. A.V. Issatschenko), Verlag Johannes Heyn Klagenfurt. M.: seit 1974 Editorial Secretary d. Intern. linguist. Zeitschrift Russian Linguistics, seit 1980 Mtgl. d. Editorial Board v. Russian Linguistics. Mithrsg. d. Schriftenreihe Publ. d. Fachber. Angew. Sprach- u. Kulturwissenschaft der Johannes Gutenberg Univ. Mainz in Germersheim. H.: Musik, Numismatik.

Salomon Erich Dkfm.

B.: Weingutbes., Geschäftsführender Gesellschafter FN.: Fritz Salomon KG "Weingut Undhof", Kloster Und Betriebs GmbH. DA. u. PA.: 3500 Krems-Stein, Undstr. 10. G.: Krems, 25. Juni 1943. V.: Elisabeth, geb. Hauptman. Ki.: Elisabeth, Anna. El.: Fritz u. Edith. BV.: Großvater letzter Bgm. d. Stadt Stein, Vater 1. Präs. d. Österr. Weininst. S.: VS, Realschule, HAK, 1963 Matura, Militärdienst, Welthdls.Stud. an d. WU Wien, 1968 Dipl. K.: 1 J. USA-Aufenthalt, 2 J. einschlägige Tätigkeit Wien u. Spirituosen in Wien, 1971 Übernahme d. väterl. Betriebes eines Weingutes in Krems-Stein, welches 1792 gegründet wurde u. sich in d. 7 Generation in Familienbesitz befinde, Ankauf d. Klosters Und in Krems-Stein eines ehemaligen Kapuzinerklsoters "Maria Bründl zu Und" (einstmals Wallfahrtsort m. wundertätiger Quelle), Aus- u. Umbau d. ehrwürdigen Räume in d. "Weinkolleg Kloster Und" f. Weinprobe, fachl. kommentierte Weinkost, Wachauer Jause oder Galadiner sowie Festlichkeiten, auch als kulturelles Zentrum wird d. Kloster und ein reichhaltiges Programm, wie Konzerte, Lesungen, Theater u. Ausstellungen bieten, 1987 Eröff. F.: Prod. u. Vermarktung eigener Weine "Weingut Undhof" Fritz Salomon KG, Kloster Und Betriebs GmbH. M.: Rotary Club Krems-Wachau. H.: Familie, Weinverkostungen, Skifahren. (Kern)

Salomon Franz-Josef Ing.

B.: Gschf. FN.: Salomon Automationstechnik GmbH. DA.: 8114 Stübing, Friesach 67. PA.: 8010 Graz, Untere Teichstr. 34c. G.: Bruck/Mur, 6. Dez. 1959. V.: Elisabeth, geb. Péllischek. El.: Josef u. Theresia. S.: VS, HTL Kapfenberg, 1980 Matura. K.: 1981-83 Entwicklung u. Konstruktion v. Ind.-Anlagen Schering Berlin, 1983-87 TU Graz, ab 1986 Gschf. E.: 1989 Jungunternehmerinnovationspreis d. Bundesmin., Innovationspreis d. Innerschweizer IHK. F.: Salomon Automationstechnik Ulm/Deutschland, Salomon Automationstechnik AG Schweiz. H.: Tauchen, Skifahren, Kochen. (R.S.)

Salomon Heinrich

B.: Großhdls.-Kfm. FN.: Heinrich Salomon Spielwarengroßhandel, Pyrotechnik- u. Neujahrsartikel. DA.: 1070 Wien, Neubaug. 82. PA.: 2102 Kleinengersdorf. G.: Wien, 8. Juni 1941. V.: Elfriede, geb. Wokoun. Ki.: Heinrich (1966), Wolfgang (1967). El.: Heinrich u. Anna. S.: Berufsausbild. z. Großhdls.-Kfm. Wien. K.: b. 1982 Ein- u. Verkaufsltr. d. Firma Wind, seit 1983 selbst. Grdg. d. Firma Heinrich Salomon Spielwarengroßhdl., Pyrotechnik- u. Neujahrsartikel, Nachfolgefirma d. Firma Wind. F.: Gschf. Ges. Krone Spielwarengroßhdl. Bratislava/CSFR u. Astroma Spielwarengroßhdl. Budapest/Ungarn. H.: Fußball, Tennis. (J.S.)

Salomonowitz Erich Dr. med. Univ.-Prof. Prim.

B.: Ltr. d. Zentralinst. f. Radiologie am A.ö. KH d. Landeshauptstadt St. Pölten. DA.: 3100 St. Pölten, Kremser Landstr. 36. PA.: 3100 St. Pölten, Mozartstr. 9. G.: 16. Juni 1950. S.: VS, Lycee Francais, 1968 Matura, Med.-Stud. Univ. Wien, 1973 Prom. z. Dr. med. K.: Ausbild. z. Prakt. Arzt u. Teilausbild. z. Chir., 1975 Eintritt in d. Radiologie im KH Wr. Neustadt, 1978 Ausbild. z. Radiologie 1. Med. Klinik, im Zentralinst. f. Radiodiagnostik u. Univ. of Minnesota, zahlr. Auslandsaufenthalte, seit 1992 Ltr. d. Zentralinst. f. Radiologie am A.ö. KH St. Pölten. P.: ca. 250 wiss. Publ. E.: zahlr. Ausz. f. wiss. Arb. M.: Mtgl. in zahlr. in- u. ausländ. Ges. u. Lektor 2er amerikan. Zeitschriften. (M.M.)

Salpius Eugen Dr.

B.: RA. A.: 5020 Salzburg, Pausingerstr. 5. G.: Salzburg, 12. Apr. 1946. V.: Sylvia, geb. Bleckmann. El.: Dipl.-Ing. Eugen u. Hedwig. S.: Univ. Wien, Dr. iur., MGU Moskau, Rollins College Winter Park FLA Fellow, Sbg. Seminar u. Hague Academy of intern. Law. K.: IBM-Regional Office Europe Central and East, Lecturer McGeorge School of Law, Univ. of the Pacific, Calif. USA (European Program) u. Univ. Sbg. P.: Legal Aspects of alien Acquisition of real Property, Transnational Legal Practice. E.: Verd.Med. Olymp. Winterspiele Innsbruck 1964. M.: VPräs. Österr. Aero Club, div. professionelle Ver.

Salvadori Faiti Dr.

B.: Botschaftsrat d. Ital. Botschaft. DA.: 1030 Wien, Rennweg 27. PA.: 1130 Wien, Sauraug. 20. G.: San Miniato/-Italien, 14. Apr. 1946. V.: Giuliana, geb. Marinari. Ki.: Cristiano (1974), Jeremy (1977), Valentina (1979). El.: Univ.-Prof. Concilio u. Ilvana. BV.: Vater Univ.-Prof. Concilio Salvadori Bgm. v. San Miniato/Italien. S.: 1965 Matura Pontedera, Stud. Polit. Wiss. Univ. Florenz, 1970 Doktorat. K.: Tätigkeit in Banken im In- u. Ausland, seit 1978 Diplomat. Dienst, 1979-82 Kamerun, 1983-87 Konsul in Freiburg/-Deutschland, seit 1989 Österr. BotschaftsR. d. Ital. Botschaft in Wien. H.: Tennis, Lesen. (J.S.)

Salvini-Plawen Luitfried Dr. phil. Univ.-Prof.

B.: a.o.Univ.-Prof. f. Zoologie an d. Univ. Wien. PA.: 1030 Wien, Pettenkofeng. 2. G.: Wien, 1. Juni 1939. Ki.: Alena, Verena. El.: Robert (ak. Bildhauer u. Maler) u. Utha. BV.: Österr. Adel. S.: Gymn. Garmisch-Partenkirchen, 1959 Matura, 1959-61 Offz.Schule u. Gesangsstud., 1961-66 Stud. an d. Univ. Wien (Zoologie u. Botanik). K.: 1969-77 Ass. u. OAss. am I. Zoolog. Inst. d. Univ. Wien, 1972 Habil., 1977 a.o.Univ.-Prof. f. Zoologie, seit 1986 Ltr. d. Abt. Spez. Zoologie u. Entwicklungsgeschichte am Inst. f. Zoologie d. Univ. Wien, 1975 Gastprof. Harward Univ. Cambridge, zahlr. Forsch.Reisen an europ. Meeresstationen. P.: 95 wiss. Veröff., Monographie in Zoologica, div. Lehrbuchbeiträge, 11 Forsch.Projekte. E.: Förderungspreis d. Stadt Wien 1972. H.: Geschichte (wiss. Veröff.), Operngesang, Archäologie. (M.G.)

Salzer Heinrich Dr. med. Univ.-Prof.

B.: Vorst. d. gynäkolog. geburtshilfl. Abt. im Wilhelminenspital d. Stadt Wien . DA.: 1171 Wien, Montleartstr. 37. PA.: 1190 Wien, Langackerg. 3. G.: Wien, 23. Sept. 1947. V.: Ulla Margit, geb. Engqvist. Ki.: Christian, Alice. El.: Prof. Dr. Georg u. Dr. Elisabeth. BV.: Karl Wittgenstein. S.: VS,

Gymn., Stud. d. Med., 1971 Prom. K.: 1971-73 Turnus im KH Klagenfurt anschl. Ass.-Arzt, seit 1974 an d. I. Univ.-Frauenklinik Ass.-Arzt, seit 1973 FA, 1981 OA, ab 1983 Univ.-Doz., ab 1988 Univ.-Prof., seit Mai 1992 Vorst. d. gynäkolog. geburtshilfl. Abt. im Wilhelminenspital d. Stadt Wien. P.: über 150 wiss. Publ. in Fachzeitschriften, 6 Buchbeiträge, mehr als 300 Vorträge. M.: zahlr. wiss. Ges. H.: Reisen, Segeln. (M.B.)

Salzer Josef
B.: Gschf. u. Firmenteilhaber. FN.: Salzer & Ramsmeier GmbH. DA.: 1060 Wien, Linieng. 44. PA.: 1220 Wien, Flurschützstr. 7/37. G.: Meires, 3. Okt. 1940. V.: Helga, geb. Willer. El.: Josef u. Theresia, geb. Goldnagel. S.: 1956-59 Kfz-Mechanikerlehre, 1970 Mstr.Prüf. K.: 1959-67 Tätigkeit in einer Fiat-Werkstatt in Waidhofen/Thaya, Übersiedlung nach Wien u. Tätigkeit b. d. Firmen Auto Zinkl (1967-69) u. Janko (1969-80), seit 1980 selbst. Tätigkeit in einer Werkstatt im 7. Bez. (Richters), 1984 Grdg. d. Fa. Salzer & Ramsmeier. H.: Tennis, Lesen. (N.A.)

Salzer Lieselotte

B.: Kauffrau, Inh. FN.: Feinkost Salzer, Partyservice u. Vinothek. DA.: 1030 Wien, Baumg. 23. PA.: 1030 Wien, Eslarng. 15. G.: Wien, 17. Okt. 1940. Ki.: Helmut (1962). El.: Ernst u. Hermine. S.: VS, HS, Lehre Einzelhdl., dan. Verk. K.: 1972 selbst. m. Feinkostgesch., 1985 Umbau, s. 1986 bestsortiertes Bierfachgesch., 1989 Vinothek, Partyservice. E.: 1993 Kauffrau d. Jahres, Gold. Merkur, 1994 Silb. Ehrennadel d. Vereinig. Österr. Kaufleute. M.: Lds.-Gruppenobmannstellvertreter Vereinig. Österr. Kaufleute, Bez.-Vertrauensfrau d. Kaufleute im 3. Bez. H.: Wandern, Lesen, Theater. (J.M.)

Salzer Michael Dipl.-Ing.
B.: Gschf. d. St. MATTHÄUS Beteiligungs-Verwaltungsges. mbH, 1091 Wien, d. MATTHÄUS SALZER'S SÖHNE Papierfabrik GmbH, 3100 St. Pölten u. d. SALZER KUNSTSTOFF Verarbeitung GmbH, 3100 St. Pölten. DA.: 1091 Wien, Alser Str. 24. GT.: Vizepräs. d. Vereinigung österr. Industrieller (VÖI), Präs. VÖI - Landesgruppe NÖ, Sekt.-Obm.-Stellv. Industrie HK NÖ, Vorst.-Mtgl. Vereinigung Österr. Papierindustrieller, Stellv. AufsR.-Vors. d. Europapier AG, Wien u. d. Hannover Intern. AG f. Industrieversicherungen, Wien, AufsR.-Mtgl. d. Österr. Papierverkaufsges. mbH, Wien u. d. KNEISSL DACHSTEIN Sportartikel AG, Molln, VerwR.-Mtgl. d. NÖ Landesbank-Hypothekenbank-Holding, Mtgl. d. Sparkassenrates - Sparkasse Region St. Pölten.

Salzl Stefan Dr.
B.: Tierarzt, LAbg. d. FPÖ. PA.: 7131 Halbturn, Budapester Str. 91. G.: Illmitz, 29. Juni 1948. V.: Rosa, geb. Lidy. Ki.: Christoph (1974), Stefan (1980). El.: Rudolf u. Emilie. S.: Gymn., Stud. Vet.-Med. Fak. Wien. K.: 5 J. Praxis Mönchhof, Amtstierarzt d. Bgld. Landesrg. Eisenstadt-Umgebung u.

Rust, seit 1981 Tierarztpraxis in Halbturn, 1987 Übernahme d. elterl. Weinbauwirtschaft Illmitz u. Erzeugung v. Spezialitätenprodukten, während d. Stud. polit. Aktivitäten b. RSF, ab 1991 LAbg., 1992 Bez.-Parteiobm. u. Landesparteiobm.-Stellv. sowie Bgm. v. Halbturn, 1993 Obm. d. freiheitl. Gem.-Vertreterverb., seit 1994 Bez.-Parteiobm. u. Stellv. d. Landesparteiobm. M.: Sportver. Halbturn, Tennisver. u. 2 Reitver. H.: Pferde, Jagd, Tennis, Fußball. (I.J.)

Salzmann Alexander

B.: Bgm. in Hof. DA.: 5322 Hof 290. PA.: 5322 Hof, Gitzen 84. G.: Unken, 18. Jan. 1940. V.: Marianne, geb. Ebner. Ki.: Hermine (1959). El.: Nikolaus u. Maria, geb. Stockklauser. S.: VS, Maurerlehre, b. 1959 Bauhandwerker-schule Sbg. K.: Tätigkeit als Polier, 1974-77 Bauberater b. Raiffeisenverb.,1977-85 Gechäfsführer Lagerhaus Hallein, 1985 schwere Krankheite, 1986 aus gesundheitl. Gründen in Pension, seit 1986 Bgm. in Hof, 1974-79 Gem.-Vertreter, 1979-84 GemR., 1984-86 VBgm. in Hof. M.: Vors. d. Bild.-Werkes, Obm. d. Seniorenverb., Obm. d. Wasserverb. H.: Wandern, Musik, Theater. (S.P.)

Salzmann Franz Josef Dkfm.
B.: Kfm. Dir. d. Bregenzer Festspiele. DA.: 6900 Bregenz, Symphonikerplatz. PA.: 6900 Bregenz, Staufenweg 1. G.: Bregenz, 23. Juli 1942. Ki.: Florian. El.: Eugen u. Aloisia, geb. Holzer. S.: Hum. Gymn. Bregenz, Matura 1961, Stud. Vw. an d. Univ. Innsbruck u. HS f. Welthdl. Wien, Dkfm. 1968. K.: Siemens AG München u. Frankfurt (Elektrogeräteverkauf) b. 1971, Industrieanlagen Industriegase München, Mannheim b. 1975, Gschf. b. Eisen-Rhomberg, seit 1982 kfm. Dir. d. Bregenzer Festspiele. P.: Versch. Vorlesungen aus d. Bereich d. kultur. Managements in Österr. M.: Rotary Club, Vbg. Alpenver. H.: Natur, Leichtathletik (ehem. Mittelstreckenläufer), Skifahren, Joggen, Wandern, Lesen, Musik. (M.G.)

Salzmann Günter Richard Dr. et Mag. phil.
B.: Gymn.Prof., Journalist, Autor. G.: Bregenz, 30. Nov. 1040. V.: Hildegard, geb. Erne. E.: Richard u. Maria. S.: Univ. Wien, Univ. Innsbruck, Fächer: Latein, Griechisch, Englisch, Phil., Päd. K.: 4 J. Unterrichtstätigkeit an d. King Alfred's Grammar School in Wantage, Oxon, Unterrichtstätigkeit am BG Dornbirn, freier Journalist - Kultur-, Feuilleton-, Reise-Autor - Zeitschriften, Anthologien, Rundfunk. P.: Skripten z. modernen englischen Literatur, Erzählungen, Satiren, Feuilletons, Kritiken etc. in Zeitungen, Anthologien, Rundfunksendungen. M.: Kunstkmsn. d. Landes Vbg., Programmaussch. d. Bregenzer Festspiele, Vbg. Autorenverb., BeiR. d. Bregenzer Volks-HS, Schriftführer d. Vbg. Bild.-Werkes. H.: Musik, Schach, Reisen, Lesen.

Salzmann Hermann

B.: Inh. u. Tischlermstr. FN.: Bau- u. Möbeltischlerei Salzmann. GT.: Hotel in Ungarn "Landhaus Hasik". DA.: 5760 Saalfelden, Loferer Bundesstr. 17. G.: Saalfelden, 2. Sept. 1938. V.: Herta, geb. Zehentmayer. Ki.: Sabine, Susanne, Evelin. El.: Franz u. Marianne. S.: VS, HS, BS in Saalfelden, 1955 Gesellenprüf., K.: bis 1965 b. d. Tischlerei Hagn i. Saalfelden tätig, 1964 Mstr. Prüf. i. Sbg. absolv., seit 1966 selbst. m. Tischlerei i. Saalfelden i. e. Pachtraum, 1970 in d. neu errichtete Werkstätte im Anwesen Loferer Bundestr. 17 übersiedelt. M.: 5 J. Sektionltr. Saalfelden 1. SSK-Saalfelden, 9 J. Präs. d. Reitclub Brandlhof. H.: Reiten, Tennis, Jagd. (J.F.)

Salzmann Walter Dr. med.

B.: FA f. Neurol. u. Psychiatrie. DA. u. PA.: 1010 Wien, Dorotheerg. 9. G.. Hallein, 11. Apr. 1942. El.: Bez.-Hptm. Dr. Theodor u. Maria. BV.: Gottfried Salzmann, Cousin, Maler. S.: hum. Gymn., 1 J. High School Cleveland/USA, Uni.Wien, 1970 Prom., Ausbild. im Neur. KH Rosenhügel b. Prof. Tschabitscher, WG-KK. K.: s.1981 eig. Ordination, mehr. J. Tätigkt b. WG-KK. H.: Wandern, passiver Kunstgenuß, Malerei, Musik jeder Art, Ausstgsorgan. in eig. Räumen, Reisen. (M.M)

Samblowsky Franz W.

B.: Vermessungsing., General Manager. FN.: Sokkia GmbH Zentrale u. Service-Center; Sokkia Vertriebs GmbH. DA.: D-50996 Köln, An der Wachsfabrik 25; 1130 Wien, Fichtnerg. 10A. G.: Köln, 30. Juni 1944. V.: Edda. Ki.: Sven (1977), Inka (1979). El.: Franz u. Helene. S.: Religionsstud. Univ. Essen, Abschluß Ing. K.: 22 J. Firma Carl Zeiss, 1991 General Manager Firma Sokkia. P.: Veröff. in asiat. Fachzeitschriften. H.: Wassersport, A-Schein. (W.M.)

Samesch Wolfgang Dieter Dkfm.

B.: Stellv. Gen.-Dir., seit 1986 Stellv. Vorst.-Vors. FN.: Meinl Bank AG. DA.: 1014 Wien, Bauernmarkt 2. G.: Wien, 8. Aug. 1944. V.: Barbara, geb. Beliczey. Ki.: Eliette u. Dominik (1971), Valerie (1978). El.: Dr. Oskar u. Katharina, geb. Sagl. BV.: Urgroßvater KommR. Johann Sagl Gold. EZ d. Rep. Österr., Großvater KommR. Dipl.-Ing. Karl Sagl Gold. EZ d. Rep. Österr. S.: Schottengymn., 1963 Matura, 1964-68 Stud. an d. HS f. Welthdl., Studienaufenthalt in Oxford. K.: b. 1970 AICO Treuhandges. Wien, Rev.Ass., 1970 Militär, 1971 Österr. Kommerzialbank später Chase Manhattan Bank (Austria) AG, 1972 Chase Manhattan Bank NA Frankfurt, 1972-74 New York, 1974-76 Hongkong, 1976 Chase Manhattan Bank (Austria) AG Vorst.Mtgl., stellv. Gen.-Dir., 1981-86 Dir. Girozentrale Wien, 1986 Meinl Bank. P.: lft. Art. in Fachzeitungen, div. Vorträge. M.: 1983-89 Vorst.Mtgl.d. Österr. Ges. z. Bekämpfung d. Muskelkrankheiten, seit 1989 Grdg.Mtgl. u. VPräs. d. Ges. z. Erforsch. d. Muskelkrankheiten v. Kindern, seit 1985 Mtgl. u. seit 1987 Vorst.Mtgl. d. Rotary-Club, Wien. (M.G.)

Samhaber Elisabeth

B.: Gschf. Ges. FN.: Franz Riesinger & Co KG Skifbk. GT.: Gschf. Ges. d. Riesinger Betriebs GmbH. DA.: 4810 Gmunden, Bahnhofstr. 54. PA.: 4810 Gmunden, Birkenweg 15. G.: Gmunden, 14. Dez. 1936. V.: Ludwig. Ki.: Andrea, Elke. El.: Franz u. Elisabeth Riesinger. BV.: Vater Franz Riesinger Gründer d. Fa. Franz Riesinger. S.: VS, HS Gmunden. K.: 1951 Eintritt in d. väterl. Betrieb Franz Riesinger, 1958 Ges., 1964 Umwandlung in Franz Riesinger & Co KG, 1968 Prokura, 1979 Grdg. d. Fa. Riesinger Betriebs GmbH. H.: Gartenarb. (A.W.)

Saminger Erich

B.: Inhaber, Kunst- u. Möbeltischlermeister, Antiquitätenhändler, DA.: 4600 Wels, Flugplatzstr. 3. PA.: 4600 Wels, Flugplatzstr. 5. G.: Bad Hall, 27. Jan. 1944. V.: Margarete, geb. Schachermayr. Ki.: Ingrid, Erich. BV.: Vater maßgebl. beteiligt am Wiederaufbau zerstörter Linzer Stadtteile n. d. Krieg. S.: Elektrikerausbild., Praxis, 1963-66 Ausbild. zum Kunst- u. Möbeltischler im väterl. Betrieb, 1977 Meisterprüf. K.: seit 1981 selbst. Kunst- u. Möbeltischler u. Antiquitätenhändler, inf. Grdg. d. eigenen Kunsttischlerei in Wels u. eines Antiquitätengschf. i. Linz, Mozartstr. 26 (Schwerp.: Restaurier. u. Verkauf v. Möbeln aus d. Renaissance bis zur Moderne, dem Barock, Biedermeier u. Jugendstil; bes. Schwerp.: Restaurier. extrem desolater Möbelstücke); bes. Anliegen: Erhaltung u. Pflege alten Kulturgutes, Arbeiten f. das Denkmalamt sowie allg. im ges. dtschspr. Raum, Ausbild. v. Fachkräften in alter Handwerkskunst, Ausstellungstätigk. in OÖ u. Salzburg, Gestalt. v. Ausstellungen u. Förderung junger Künstler. BL.: Laienrichter am Arbeitsgericht. H.: Beruf, soziale u. karitative Tätigkeit, Kunstausstellungen, Restaurierung alter u. Errichtung neuer Architektur, Musik, Fischen, Ski. (P.H.).

Samitz Christian

B.: Hotelier Hotel Ambassador, Hotel Glocknerhof, Seevilla Samitz u. Badestrand u. Pension Angelina. DA.: 9210 Pörtschach, Moosburger Str. 51. PA.: 9210 Pörtschach, Hauptstr. 163. G.: Klagenfurt, 18. Dez. 1966. V.: Marion, geb. Baumhackl. Ki.: Julia-Emma (1989), Sebastian- Josef (1991). El.: Wilhelm u. Emma. S.: VS, HS, HAK, Matura, Ausbild. z. Hotelkfm., 1985 Dipl. f. Gastgewerbe u. Konzession. K.: Mitarb. im elterl. Betrieb u. nach Tod d. Vaters alleinige Führung, 1978 Ankauf d. Hotels Glocknerhof. M.: Österr. Kurzhaarclub, Jagdhundeprüf.-Ver., Hunderichter. H.: Jagd, Aufsichtsjäger in Pörtschach, Hunde. (G.L.)

Sammer Alfred Dr. iur. Mag. theol. HofR. Prof. Militärkurat

B.: Akademiedir. Ak. d. Bild. Künste Wien a.D. GT.: Präs. d. Österr. Ges. f. Christl. Kunst, Lehrbeauftragter f. Rechtskunde u. Sakralsymbolik an d. Ak. d. Bild. Künste, Röm.-Kath.

Militärpfarrer Wien, Rektor d. Schloßkapelle im Oberen Belvedere, Kustos d. Schatzkammer d. Ritterl. Kreuzherrenordens m. d. Roten Stern u. d. Dt. Ordens Wien. DA. u. PA.: 1040 Wien, Kreuzherreng. 1. G.: Wien, 21. Dez. 1942. El.: Alfred u. Hermine. S.: RG Wien, Jusstud. Univ. Wien, 1966 Prom. z. Dr. iur., gleichzeitig Stud. Kunstgeschichte Univ. Wien, später Theol.-Stud. Univ. Wien u. Theol. Lehranst. Stift Heiligenkreuz, 1988 Spons. z. Mag. theol. K.: ab 1968 Rektoratsdir. u. 1988-92 Akademiedir. d. Ak. d. Bild. Künste, 1989 HofR., 1991 Priesterweihe, seit 1992 im Militärordinariat Wien. BL.: Organisator vieler bilateraler Ausstellungen. P.: zahlr. Monographien u.a. "Der Mariazeller Hochaltar v. Johann Bernhard Fischer v. Erlach", "Der Türkenpapst Innozenz XI", "Über d. ersten Rektor d. Wr. Ak.: Michelangelo Unterberger", Katalogbeiträge sowie kulturwiss. Aufsätze. E.: Cavalliere v. Ital. Staat, Stephanusorden in Silber d. Erzdiözese Wien. M.: KunstR. d. Wr. Erzdiözese u. d. Kath. Medienak., seit 1993 Kuratoriumsmtgl. d. Kath. Sozailakad. Österr., Österr.-Ital. Kulturges. H.: Zeichnen u. Malen, Reisen: Kunstreisen nach Italien, Kunst sammeln. (J.S.)

Sammer Gerd Dr. Dipl.-Ing. Univ.-Doz.

B.: Ass.-Prof., Ltr. d. Abt. f. Verkehrsplanung u. Verkehrstechnik d. TU Graz, Ziviling. GT.: Lehrtätigkeit TU Graz, Akad. f. Führungskräfte, 1986-89 Gastvorlesung TU Dresden, TH Györ/Ungarn. DA.: 8010 Graz, Rechbauerstr. 12, 8010 Graz, Leonhardstr. 12. PA.: 8043 Graz, Am Mariagrüner Wald 10. G.: Graz, 1. März 1944. V.: Mechthild, geb. Mayer. Ki.: Philipp (1968), Katharina (1974). El.: Heinrich u. Anna. S.: 1954-62 BRG Lichtenfels Graz, 1962-68 Stud. Bauing.-Wesen HS Graz, 1968 Dipl. f. Bauing.-Wesen, 1971 Prom., 1973 Ziviling., 1981 Habil. K.: 1968-69 Ang. im Ziviling.-Büro o.Univ.-Prof. Dipl.-Ing. Dr. techn. J.R. Dorfwirth Wien, seit 1968 Univ.-Ass. TU Graz, seit 1973 Mtgl. d. Forsch.-Ges. f. d. Verkehrs- u. Straßenwesen, seit 1982 Ltr. d. Arbeitsaussch. "Radverkehr" u. seit 1985 d. Arbeitsaussch. "Querschnittsgestaltung", seit 1974 Projektltr. f. Arb. im In- u. Ausland, seit 1975 wiss. Berater f. versch. Gebietskörperschaften, 1979 redaktionelles Mtgl. d. Zeitschrift "Verkehrsforum", 1982 Ltr. d. Forsch.-Projektes "Modellvorhaben Fahrradfreundliche Stadt", 1983 Ltr. d. Abt. f. Verkehrsplanung u. Verkehrstechnik, Grdg. eines Ing.-Büros f. Verkehrsplanung u. Verkehrstechnik Graz, 1988 Ass.-Prof., 1989 Mtgl. d. Leitungsaussch. d. Österr. Forsch.-Ges. f. d. Verkehrs- u. Straßenwesen, 1990 prov. Inst.-Vorst., Mitarb. b. nat. u. intern. Forsch.-Projekten (z.B. Transport-ation-Communications and Mobility d. Europ. Science Foundation). BL.: Preisträger v. Planungswettbewerben. P.: über 200 Veröff. in Deutsch, Engl., Ungar., Vortragstätigkeit. M.: Mitarb. u. Mtgl. b. einer Reihe v. Österr. u. Intern. Forsch. u. Fachver. H.: Bergsteigen, Skitouren, Kultur, Theater, Pfadfinderjugendbewegung. (P.M.)

Sammer Luis Mag. art. Prof.

B.: AHS-Lehrer i.R., freisch. Künstler. DA.: 8010 Graz, Langeg. 2. PA.: 8010 Graz, Körösistr. 23/16. G.: Stainz, 4. Mai 1936. V.: Eleonore, geb. Sticha. Ki.: Maria (1961), Barbara (1964), Johanna (1965). S.: Ak. d. bild. Künste Wien, Lehramt u. Dipl., Mstr.-Schule Prof. R.C. Andersen u. Prof. H. Boeckl. K.: Personalausstellungen: 1964 Graz (Joanneum), 1966 Linz (Galerie Beyvl), 1967 Wien (Kleine Galerie), 1968 Zagreb, 1970 Rom, 1972 Bamberg, 1974 Osijek, Kronberg-Frankfurt, 1977 Berlin, 1980 Graz (Stadtmuseum), 1985 Graz, 1987 Sarajewo, Dubrovnik, Venedig, Maribor, Salzburg (Galerie Welz), 1990 Pula, 1991 Kronberg/Frankft., Graz (Neue Galerie), 1992 Sbg., Klagenft., St. Pölten, Wien (Neue Galerie), div. öff. Aufträge, 1965 Glasfenster f. d. Kapelle d. Bischöfl. Gymn. Graz, 1971 Glasfenster f. d. Taufkapelle Straden/Stmk., 1972 Gestaltung d. bischöfl. Kapelle in Graz, 1975-76 Keram. Raumgestaltung d. Hallenbades Mitterdorf/Stmk., 1976-77 Keram. Wandgestaltung d. Hallenbades im Bischöfl. Gymn. Graz, 1984 Gestaltung d. Eingangbereiches d. B.S.Z. Bad Aussee/Stmk., 1985 Keram. Wandgestaltung d. Hauses Messerklinger Graz, 1986 Glasfenster f. Pfarrkirche Mitterdorf/Stmk. u. f. Pfarrkirche Knittelfeld/Stmk., 1988 Glasfenster f. Kapelle Göss/Leoben Stmk. E.: 6 Akademie-preise, 1961 Geist- u. Formpreis, 1962 Kunstförd.Preis d. Ak. d. bild. Künste Wien, 1978 Kunstförd.Preis d. Stadt Graz, Würdigungspreis d. Landes Stmk. f. bild. Kunst 1991. M.: Werkbund 1964-67. H.: Wein- u. Gartenwirtschaft. (C.H.S.)

Sammer Markus Dipl.-Ing.

B.: Gschf. FN.: ISA Innovative Systemlösungen f. d. Automation GmbH. DA.: 8010 Graz, Mandellstr. 22. PA.: 8071 Hausmannstätten, Eschenweg 8. G.: Passering, 25. März 1958. V.: Dr. Erika, geb. Mathais. Ki.: Thomas (1986), Eveline (1988), Michael (1991). El.: Hans u. Gerlinde. S.: VS, Mittelschule, b. 1986 Stud. Elektrotechnik TU Graz. K.: Firma Siemens Graz, Ass. Inst. f. Fördertechnik, 1989 Firmengrdg. m. Dipl.-Ing. Dr. Schaberl u. Dipl.-Ing. Dr. Pichler. P.: Veröff. in div. Fachzeitschriften. M.: Corps Joannea Graz. H.: Segeln, Tauchen. (R.S.)

Sammern-Frankenegg Dagmar

B.: Gen.Sekr. d. Österr. Segelverb. i.R. DA.: 1040 Wien, Gr. Neug. 8. PA.: 1010 Wien, Singerstr. 20. G.: Wien, 16. Jan. 1919. V.: Dkfm. Gustav Sammern-Frankenegg. S.: RG, 1937 Matura, Abiturientenkurs an d. HAK d. Kaufmannschaft Wien. K.: 1938-44 Gebr. Böhler & Co AG, 1955 Eintritt in d. Österr. Segelverb. Sekr., 1985 Pension. E.: 1981 Sport-EZ in Silber d. Ktn. LRg., 1986 Gold. Verd.Zeichen d. Rep. Österr. M.: Union Jacht-Club Wörthersee, Union Jacht-Stammver. (Wien). H.: Segeln, Teilnahme an div. Regatten. (A.W.)

Samohyl Franz Prof.

B.: o.HS-Prof. an d. HS f. Musik in Wien. A.: 1190 Wien, Döblinger Hauptstr. 40/3. G.: Wien, 3. Apr. 1912. K.: Konzertmstr. d. Wr. Staatsoper u. d. Wr. Philharmoniker, Prim. d. Wr. Philharmonia-Quartetts im In- u. Ausland, seit 1946 o.Prof. an d. HS f. Musik in Wien, Ltr. in- u. ausländ. Violinkurse, Juror zahlr. intern. Violin- u. Streichquartettwettbewerbe. E.: Ehrenkreuz f. Wiss. u. Kunst I. Kl., Gr. Ehrenkreuz f. Verd. um d. Rep. Österr., Mozartmed., Nicolai-Med. in Gold. d. Wr. Philharmoniker.

Sampl Johann Dr. phil. HofR.

B.: Vorst. d. Abt. Umweltschutz b. Amt d. Ktn. LRg. GT.: seit 1983 Univ.Doz. an d. Univ. Graz, Präs. d. Naturwiss. Ver. f. Ktn. DA.: 9020 Klagenfurt, Flatschacherstr. 70. PA.: 9063 Maria Saal, Arndorferstr. 26. G.: Mariazell, 31. Mai 1940. V.: Traude, geb. Wechselberger. Ki.: Elisabeth, Hannes. BV.: Johann Sampl, Geschäftsmann in Mariazell. S.: VS, RG, 1958 Matura, Stud. d. Biologie u. Organ. Chemie, 1965 Prom., 1983 Habil. K.: 1963-64 Ass. b. Prof. Findenegg in d. Biolog. Station Lunz/See, 1966 Zoologe am LMuseum f. Ktn., 1978 Grdg. d. Ktn. Inst. f. Seenforsch., 1980 Unterabt.Ltr. f. d. Unterabt. Gewässerschutz in d. Wasserbauabt., 1984 Vorst. d. Abt. Umweltschutz b. d. Ktn. LRg. BL.: Mitwirkung b. d. Seenreinhaltung in Ktn. u. einer Reihe v. Umweltaktivitäten. P.: über 100 wiss. Veröff. f. d. Bereich Gewässerreinhaltung, Umwelt- u. Naturschutz, 7 Bücher. E.: Theodor Körner-Preis, Förd.Preis d. Landes Ktn. f. Wiss., Würdigungspreis d. Landes Ktn. f. Wiss. M.: Naturwiss. Ver. f. Ktn., Österr. Wasserwirtschaftsverb., Intern. Ver. f. Limnologie. H.: Aquaristik, Schwimmen, Radfahren, Skifahren. (M.B.)

Sams Herbert Mag.

B.: Dir. d. Bundesfachschule f. Wirtschaftl. Berufe. DA.: 8990 Bad Aussee, Unterkinisch 150. PA.: 8992 Altaussee, Puchen 198. G.: Goisern, 9. Aug. 1948. V.: Erika, geb. Sevecek. S.: Alexandra (1975), Evelyn (1977), Michael (1979). El.: Herbert u. Elfriede. S.: BG Bad Ischl, 1966 Matura, 1967 Militär, Stud. Geographie u. Leibeserziehung Sbg., Lehramt, 1979 Prüf. f. Biologie/Warenkunde TH Wien. K.: 1973 Eintritt in d. Schuldienst, HASCH Bad Aussee, seit 1990 Ltg. d. Bundesfachschule f. Wirtschaftl. Berufe. M.: ÖVP-Obm. v. Altaussee, WSV-Altaussee. H.: Fotografieren, Sport, Philatelie. (M.T.)

Samwald Franz
B.: Mtgl. d. NatR. seit 1959, Ang. DA.: 1017 Wien, Dr.-Karl-Renner-Ring 3. G.: Pottschach, 17. Dez. 1931. S.: VS, Berufsschule, Sozialak. in Mödling, Werkmstr.Kurs. K.: erlernter Beruf: Schlosser, 1945-46 Hilfsarb. b. d. Fa. Semperit, 1946-49 Schlosserlehre in d. Fa. Schoeller-Bleckmann, dzt. Ang. d. Vereinigten Edelstahlwerke AG (VEW), 1945 Soz. Jugend, 1950 Bez.Obm. d. Soz. Jugend Neunkirchen, 1953 Parteiobm. d. SPÖ Pottschach, 1960-70 Bez.Sekr. u. seit 1970 Bez.Obm. d. SPÖ Neunkirchen sowie Mtgl. d. LParteivorst., seit 1970 Mtgl. d. LParteipräsidiums d. SPÖ NÖ, 1965-73 Bgm. d. Gem. Pottschach, seit 1974 AufsR. u. Mtgl. d. Vorst. d. "Konsum Süd", seit 1978 Mtgl. d. AufsR. d. "Konsum Österr.". E.: Gr. Silb. EZ f. Verd. um d. Rep. Österr.

San Martin Caro Alejandro Dr. iur. Dr. lit. MCS
B.: ao. u. bev. Botschafter d. Rep. Peru in Österr. DA.: 1030 Wien, Gottfried-Keller-G. 2. PA.: 1030 Wien, Prinz-Eugen-Str. 18. G.: Lima, 5. Nov. 1936. Ki.: Maria-Franziska, Monika, Claudia u. Alexandra. El.: Julius San Martin u. Franciska Caro. BV.: Gregoris Caro (bedeut. Pianist). S.: Sacre Coeur in Lima, 1956-60 Stud. d. Literatur in Peru, 1958-61 Stud. d. Rechtswiss. in Peru u. 1964-66 in Hamburg u. 1966-68 in Lüttich, 1968-72 Stud. d. Polit. Wiss. in Bonn u. v. 1975-78 in London, MSC 1977, Prom. Dr. iur. 1974, Prom. Dr. lit. 1974. K.: 1961-63 Beg. als Diplomat in Peru, 1963-66 3. Sekr. in Hamburg, 1966-72 3. u. dann 2. Sekr. in Bonn, 1972-75 Botschaftsrat in Peru, 1975-79 Min. in London, 1979-80 Min. in Venezuela, 1980-82 Botschafter in Israel, 1982-83 Gen.-Dir. f. Planung in Peru, 1983-85 Gen.-Dir. d. Diplomat. Ak. in Peru, 1984-85 Berater d. Min., 1984-85 Dir. d. Inst. f. Intern. Beziehungen, seit 1985 Botschafter v. Peru in Österr. u. Repr. d. UNIDO. P.: 5 Bücher: "Intern. Beziehungen intern. Politik u. Diplomatie" 1989, "Intern. Beziehungen: Strategie, System u. Abhängigkeit, Konflikt, Integrität", 1987, "Polit. Realismus in d. intern. Beziehungen", 1989, "Frieden u. Gewalt in d. heutigen intern. Beziehungen", 1984, "Essays über die Gewalt in Peru", 1985, sowie literar. Texte u. Prosa in versch. Zeitschriften. E.: VM d. BRD, San Martin Orden v. Argentinien u.a. M.: Ak. Ges. f. Peru in Lateinamerika, Inst. f. Strateg. Studien in London, Inst. f. Völkerrecht in Peru, Inst. f. Polit. Wiss. in Peru. H.: Literatur, Musik, Barock. (M.B.)

Sanader Dusan J. Dipl. oec.
B.: Präs. FN.: GDS Handels u. Management Consulting GmbH. DA.: 1130 Wien, Hietzinger Hauptstr. 140A. PA.: 1130 Wien, Mariensteig 3. G.: Jugoslawien, 28. Juni 1936. V.: Gordan. Ki.: Sandra (1983). El.: Ivo u. Maria. S.: Stud. BWL Univ. Zagreb u. Tübingen m. Dipl.-Abschluß. K.: 1965-70 stellv. EDV-Ltr. Fa. BEKA, 1970-72 Systemltr. Honeywell, 1972-74 Ltr. d. Organ. u. Programmierung Fa. Kienzle, 1974-80 Ltr. Zentrale Datenverarb. Univ. Frankfurt, 1981-90 selbst. Unternehmensberater, seit 1990 Präs. d. GDS. H.: Lesen, Tennis, Schwimmen. (N.A.)

Sanader Gordana
B.: Gschf. FN.: GDS Handels GmbH. DA.: 1130 Wien, Mariensteig 3/2/9. G.: 27. Sept. 1956. verh., 1 Tochter. S.: Grundschule, Bautechn. Schule, 1975 Arch. Bautechn. Schule, Ausbild. als Architekton. Technikerin. K.: 1976-85 Firma f. Bauprojektierung, Projektantenmitarb., Marketingsachbearb. u. Ltr. d. kfm. Abt., 1986-87 Stud. Wirtschaft u. Informatik HS f. Wirtschaft u. Informatik Belgrad, seit 1989 Stud. z. Übersetzer- u. Dolmetscherausbild. Univ. Wien, seit 1990 Gschf. d. GDS Hdls. GmbH Wien.

Sanai Peter L.
B.: Botschafter d. Rep. Indien. DA.: 1010 Wien, Kärntner Ring 2. G.: Bangalore, 14. Juni 1933. V.: Rowena Dias. Ki.: Roy (1966), Anthony (1967), Anita (1969), Roma (1972). S.: BA Math. Elphinstone College Bombay, MA Economics St. Stephens College New Delhi, MA Jurisprudence Christ Church Oxford. K.: 1957 Eintritt Indian Foreign Service, 1959-61 Tätigkeit in d. Botschaft d. Rep. Indien in Baghdad, 1961 Handelskommissar in Kuwait, 1962-63 Min. f. auswärtige Angelegenheiten, 1963-66 Botschaft d. Rep. Indien in Bonn, 1966-69 High Commission of India Colombo, 1969-72 Dir., Min. f. auswärtige Angelegenheiten, 1973-77 Botschaft d. Rep. Indien in Moskau, 197-78 Verb.Sekr. u. Protokollchef in New Delhi, 1979-83 Botschafter d. Rep. Indien in Baghdad, 1983-85 stellv. Ltr. d. Gesandtschaft in Washington, 1985-89 Min. f. auswärtige Angelegenheiten in New Delhi. P.: "New Lamps for Old" (1980), Bibliography on Administration of External Affairs (1974). H.: Lesen. (P.R.)

Sanchez-Rodriguez Mauricio

B.: Inh. FN.: Saturn Reisebüro GmbH. DA.: 1080 Wien, Kochg. 30. PA.: 1030 Wien, Klimschg. 28/9. G.: Toledo/-Spanien, 6. März 1937. V.: Maria Dolores, geb. Alonso. El.: Mauricio u. Inocenta. S.: 1955 Matura Madrid, 1955-60 Span. Kriegsmarine, ab 1961 Stud. f. Tourismus in Madrid. K.: 1965-74 Ang. Melia-Reisebüro Frankfurt, 1974-77 Ang. Melia-Reisebüro Wien, 1977-80 Ang. ÖAMTC-Reisebüro Wien, seit 1980 selbst. Saturn Reisebüro GmbH. M.: seit 1979 Mtgl. v. Gold. Helm, Mtgl. d. Ritter-Orden "Caballeros del Imperial Monasterio de Yuste". H.: Malen, Gitarre, Orgel, Segeln, Reiten, Tennis. (J.M.)

Sanchez de la Cerda Philipp
B.: Bausachv. FN.: A. & Ph. Sanchez de la Cerda Bau GmbH. DA.: 1100 Wien, Siccardsburgg. 60. PA.: 2831 Gleissenfeld, Sonnenweg 136. G.: Wien, 17. Aug. 1941. V.: Anneliese. Ki.: Philipp, Eugen. El.: Philipp Sanchez de la Cerda. BV.: Familie m. span. Ursprung zog 1714 im Rahmen d. Span. Erbfolgekrieges m. Karl VI., d. Vater v. Kaiserin Maria Theresia nach Österr. u. war b. 1919 im Dienste d. Hauses Habsburg tätig. S.: HTL Innsbruck Tiefbau, 1966 Bmstr.Prüf. K.: ab 1959 Praxis in Wr. Bauunternehmen, Baultr. b. div. Mittelbaustellen, vorwiegend Wohnungsbau b. Bmstr. Ing. Karl Mühlburger, Erlernung d. Sachv.Wesens in d. Praxis, 1970-81 Haus SV d. Bundesländer Vers., 1982 als VS selbst., gleichzeitige Grdg. d. Baufa., Mitarb. d. beiden Söhne im Betrieb, SV-Beratertätigkeit f. Wohnbaugen. hinsichtl. zu sanierender Eigentumswohnungen, 1986 Umstellung auf Computer. E.: Ehrennadel v. Malteserorden u. Arbeitersamariterbund. H.: Reitstall Gleissenfeld seit 1976 m. 14-tätigen Wanderritten, Skifahren, Touren- u. Tiefschneefahren.

Sand Walter Mag. art. Prof.
B.: Graphiker u. Maler. DA. u. PA.: 1030 Wien, Schützeng. 27/1. G.: Wien, 17. Apr. 1926. V.: Maria, geb. Golan. S.: neusprachl. Gymn., Ak. f. angew. Kunst. K.: 1946-48 Ass. v. Raimonde Delpy, 1953-68 Aufbau u. Ltg. d. ÖBB-Lichtbildstelle, ÖBB-Graphik-Design, 1969-80 ÖBB-Graphik-De-

sign, Film u. Kunst. BL.: 1960 erste Fusion v. Fotografie u. Malerei in Farbe, Bahnbrecher auf d. Gebiet d. Foto-Mischtechniken, 1981 Entwickl. d. Technik d. DYE Transfer Farb-Monotypie auf edlen Papieren. P.: Publ. in 20 Ländern d. Erde, 1984 "Die Photo-Mischtechniken", Exkurs zu "Die Kunst d. Photographie" v. W. Koschatzky. E.: 1965 Theodor Körner-Preis, 1969 u. 1981 Silb. Reisekutsche f. d. beste int. Fremdenverkehrsplakat, Berlin; 1981 Tourist Austria Werbe Grand Prix. M.:.Künstlerhaus. (J.S.)

Sandbach Gerald Dr. med.

B.: FA f. Unfallchir., OA d. Univ.-Klinik f. Unfallchir. Wien. DA.: 1090 Wien, Spitalg. 23. PA.: 1060 Wien, Linke Wienzeile 108. G.: Wien, 31. Dez. 1939. El.: Leopold u. Therese, geb. Söllner. S.: VS, RG, Univ. Wien, 1965 Prom. K.: während d. Stud. Ass. am Physiolog. Inst., 3 J. Turnusarzt am Wilhelminenspital, seit 1969 II. Unfallchir., 1970 u. 1974 ärztl. Betreuer d. UNO-Truppe in Cypern, ab 1982 eigene Praxis. P.: experimentell unfallchir. Publ. über Knochenbruchheilung, sowie Arb. auf d. Gebiet d. Katastrophenmed. E.: Croce di Cavaliere Al Merito della Repubblica Italiana, In the Service of Peace (UN). M.: Österr. Ges. f. Unfallchir., Österr. Ges. f. Katastrophenmed., Ges. d. Ärzte in Wien, Ges. d. Osteologen. H.: Skifahren. (N.A.)

Sandbichler Adolf

B.: Fabrikant. A.: 6250 Kundl. G.: Wildschönau, 24. Jan. 1934. V.: Kathi. El.: Josef u. Monika. S.: Gym., Holzfach-Berufsschule, kfm. Schule, Auslandspraxis. K.: 1955 Eintritt in d.väterl Fa., 1957 Umbau Sägewerk, 1965 Erweiterung d. Betriebes auf Großwerk, 1973 Neubau d. VELOX Plattenwerkes. F.: Adolf Sandbichler GmbH, VELOXWERK Sägewerk, Sandbichler GmbH Sägewerk, Komplettbau GmbH Baufa. M.: Kam.Mtgl., Aussch.Mtgl., GemR., gerichtl. beeid. Sachv.

Sandgruber Roman Dr. Prof.

B.: o.Univ.-Prof. am Inst. f. Sozial- u. Wirtschaftsgeschichte d. Johannes Kepler-Univ. DA.: 4040 Linz, Altenbergerstr. 69. PA.: 4040 Linz, Reinbauerweg 30. G.: Rohrbach, 20. Febr. 1947. V.: Margit, geb. Schleischitz. Ki.: Julia (1979), Theresa (1980). El.: Karl u. Leopoldine. S.: VS, Hum. Gymn., 1965 Matura, Stud. Geschichte, Germanistik u. VWL Univ. Wien, Ass. Univ. Wien, 1974 BH, 1982 Habil. K.: seit 1988 in Linz, Unterrichtstätigkeit an d. Central European Univ. of Budapest. P.: Publ. in wiss. Fachblättern, Bücher: Die Anfänge d. Konsumges. (1982), Bittersüße Genüsse - Kulturgeschichte d. Genußmittel (1986), Strom d. Zeit - Das Jahr d. Elektrizität (1992). E.: 1988 Preis d. Firma Sandoz f. Geisteswiss., 1989 Staatspreis d. Bundesmin. f. Wiss. u. Forsch. Freiherr v. Vogelsang, 1991 Kulturpreis d. Landes OÖ f. Sozial- u. Wirtschaftswiss. M.: Ges. f. Sozial- u. Wirtschaftsgeschichte, Ges. f. Unternehmensgeschichte. H.: Bergwandern. (Ni.A.)

Sandheim Peter W.

B.: stv. Hoteldir., Wirt.-Dir. FN.: Hotel Bristol. DA.: 1010 Wien, Kärntner Ring 1. PA.: 1100 Wien, Stinyg. 6/58/3. G.: Wien, 24. März 1954. V.: Eveline, geb. Tuma. Ki.: Anno (1986), Pia (1990). El.: Helen u. Karl. S.: 1969-72 Berufsschule gastgewerbl. Fachklasse f. Kellner, 1972 Kellner-Lehrabschlußprüf., versch. Fachkurse i. Ausland. K.: 1969-72 Kellnerlehre Hotel Imperial Wien, 1972-81 Tätigk. i. versch. Hotels und Restaurants Österr., 1973-75 eigenes Restaurant, 1981-93 Tätigk. als Hotel- u. Restaurantmanager i. Ausland, oftmaliger Wechsel d. Wirkungsstätte, Hauptstärke Personalbehandlung u. Beachtung d. wichtigen menschl. Aspektes, Ende 1993 Rückkehr n. Österreich, 1994 stv. Dir. u. Wirt.-Dir. i. Hotel Bristol Wien. M.: Food & Beverage Manager Club. H.: Familie, Drachenfliegen, Basteln, Musik. (F.S.)

Sandhofer Friedrich Dr. Prof.

B.: Vorst. d. I. Med. Abt. d. Landeskrankenanst. Sbg. DA.: 5020 Salzburg, Müllner Hauptstr. 48. PA.: 5020 Salzburg, Gärtnerstr. 2. G.: Salzburg, 1. Aug. 1934. V.: Elisabeth, geb. Habsburg-Lothringen. Ki.: Anton (1966), Margarete (1968), Andrea (1969), Elisabeth-Viktoria (1971). El.: Dr. Josef u. Emma. S.: 1958 Prom. Wien, 1968 Habil. Univ. Innsbruck. K.: 1975 Prof., ab 1973 Vorst. d. I. Med. Abt. d. Landeskrankenanst. Sbg. m. Schwerpunkt Lipoproteinstoffwechsel. H.: Tennis, Skifahren, Jagd. (N.M.)

Sandhofer Gerhard Georg

B.: Gschf. FN.: GESA Transporttechnik GmbH. DA.: 9020 Klagenfurt, Hirschg. 35. PA.: Fromillerstr. 40/3. G.: Spital/-Drau, 19. Sep. 1948. V.: Renate Schrott. Ki.: Dagmar (1960). El.: Friedrich u. Sieglinde. S.: Schlosserlehre, Geselle, b. 1967 Facharb., 1972 HTL Maschinenbau, 1973-81 in den Ferien jeweils i. Schweden i. Metallbearbeitungsbetrieb gearb., 1981 Grdg. d. Fa., 1990 Umwandlung i. GmbH. BL.: Patent: GESA 2000 - Energieschleife f. Luftkissen, s. 1990 d. GmbH gegründet. Mtgl. Golfclub, Karawankenbären i. Pörtschach. H.: Golf, Aquaristik, Garten, Wandern. (R.T.)

Sandhofer Magdalena

FN.:Familienbetrieb Weingut Sandhofer. DA.: 7083 Purbach, Kellerg. 6. V.: Michael. Ki.: Dipl.-Ing. Hubert (1960), Birgit (1966), Michaela (1971). K.: 1956-63 Mitarb. i. versch. Kellereibetrieben i. fachlich ltd. Pos. 1963 Mitarb. i. elterl. Weinbetrieb u. Übern. d. Weinbetriebes. E.: 1989 schönster Weinkeller Österr., mehrere Med. d. Weinveranst., Vinothek m. Weinen b. i. J. 1965. (M.N.)

Sandhofer Michael Ing.

FN.: Familienbetrieb Weingut Sandhofer. DA.: 7083 Pubach, Kellerg. 6. G.: Purbach, 11. Juli 1935. V.: Magdalena, geb. Guttmann. Ki.: Dipl.-Ing. Hubert (1960), Birgit (1966), Michaela (1971). El.: Michael u. Hermine. S.: HTBLA Klosterneuburg f. Wein- u. Obstbau. K.: 1956-63 Mitarb. i. versch. Kellereibetrieben i. fachlich ltd. Pos., 1963 Mitarb. i. elterl. Weinbetrieb u. Überm. d. Weinbetriebes. E.: 1989 schönster Weinkeller Österr., mehrere Med. b. Weinveranst., Vinothek m. Weinen b. i. J. 1965. M.: 16 J. Obmann v. Weinbauver., 10 J. Vizebgm. v. Purbach, Vorst. d. Raiffeisen Lagerhauses, BV d. WBT Österr. H.: Wein, Reisen (Weinstud.-Reisen). (M.N.)

Sandhofer Renate

B.: Gschf. FN.: GESA Transporttech. GesmbH. DA.: 9020 Klgft. Hirschstr. 35. PA.: Fromillerstr. 40/3. G.: Klgft. 18. März 1941. V.: Georg. Ki.: Dagmar (1960). El.: Johann u. Elfriede Schrott. S.: Bürokfm., neb.bei Managm.urseu. EDV-Kurse, 1955-81 Ltg. d. Personal- u. Rechnungsw., 1981 Coca Cola 170 Personen, 1985 Transporttech. auf 2000 m2 gebaut. H.: Golf, Familie, kochen. (R.T.)

Sandholzer Karlheinz

B.: Präs. d. Milizverb Vbg, Vizepräs. d. Bundesvereinigung d. Milizverb. in Sbg., Vizepräs. d. Stiftg. f. friedenserhaltende MAßnahmen in Europa mit Sitz in FL, Landesbeamter. FN.: Bezirkshauptmannschaft. DA.: 6800 Feldkirch, Schloßgraben 1. PA.: 6830 Rankweil, Landhaus Sandholzer. G.: Dornbirn, 28. Jän. 1958. V.: Kunsttischlermstr. Angelika, geb. Knünz. Ki.: Bernhard (1991). El.: Anton u. Rosemaria. S.: Hasch Bludenz, Großhandelskfm.-Lehre b. Fa. Rauch i. Rankweil, 1976 Abschluß. K.: 1977 Einrückung zum österr. BH zur 1. Kap. des JbG 23 in Lochau, GWD b. Militärkommando Vbg., Beg. d. Miliz-Laufbahn als Miliz-Unteroffizier, 1978 Eintr. i.d. Bez.Hauptmannschaft Feldkirch, Sachbearb., Initiator d. Proj. "Waffe am Mann", Ausgabe der StG 77 a.d. Milizsoldaten nach Schweizer Modell. E.: EZ a. Bande d. Österr. Schwarzen Kreuzes, WDZ in Bronze, Silber, Gold, Strahlenschtzabz. d. österr. Forschungszentrums Seibersdorf in Silber Promerito, Silb. Verdienstmed. d. Rep. Österr., Träger d. General Rommel Med., Ehrenoberst. d. CAF Midland Texas, Ehrenzeichen d. Milizverb. Wien, Kurator b. österr. Schwarzen Kreuz Landesgeschäftsstelle Vbg. H.: Jagd, Reiten, Kochen, Segeln, Skifahren, Reisen u. Exkursionen z. militär. Veranstaltungen weltweit, Lit. über Wehrtechn. (I.D.)

Sandler Friedrich

B.: Gschf. FN.: Gerling Konzern, Allg. Vers. AG Dion. Österr. GT.: Prok. d. Gerling Gruppe Vers. Service. DA.: 1040 Wien, Prinz-Eugen-Str. 8. PA.: 1170 Wien, Händelg. 1. G.: Wr. Neustadt, 21. Apr. 1942. V.: Brigitte, geb. Latin. El.: Dir. OSR. Friedrich u. Anna. S.: VS, HS, HASCH Wien, RG Wien, Matura, Lehrgang f. Vers.Recht Univ. Wien. K.: Vers.Ang. Wr. Allianz, 1974 Gerling Konzern, Handlungsbev. Prok. im Gerling Konzern, 1987 Mtgl. d. Ges. d. Gerling Konzern. BL.: Aufbau d. Gerling Konzerns in Österr. P.: Publ. in Firmenzeitschriften, Art. in div. Fachzeitschriften. M.: Wirtschaftsforum d. Führungskräfte (WdF), Managementclub Wien, RC St. Florian Wolfsgraben. H.: Reiten, klass. Literatur. (H.P.)

Sandler Gerhard Dipl.-Ing.

B.: Gschf. FN.: Walter Köck GmbH. DA.: 1170 Wien, Ortliebg. 5-9. PA.: 2353 Guntramsdorf, Roseng. 30. G.: Pöchlarn, 24. Aug. 1950. S.: VS, Mittelschule, 1968 Matura, Stud. d. Nachrichtentechnik Wien, 1977 Dipl.-Ing. K.: b. Siemens gleichzeitig Kurzstud. Exportkfm. an WU Wien, Verkaufsltr. b. Fa. Stuzi, Betreuung d. Intern. Hdls.Vertreter, 1979-83 b. Fa. Donauland, Programmltr. f. Geräte, Service, Schulungen, 1983-90 Gschf. d. Bücherbundes, seit 1990 Gschf. b. Fa. Köck. M.: Marketingclub Österr. H.: Tennis, Wandern.

Sandmair Johannes Dr. MedR.

B.: Prakt. Arzt. DA.: 1120 Wien, Meidlinger Hauptstr. 33-35. PA.: 1120 Wien, Reschg. 29. G.: Amstetten-St. Pantaleon, 10. Apr. 1917. V.: Maria, geb. Marzit. Ki.: Brigitte. El.: Martin u. Rosina. S.: Stiftsgymn. Seitenstetten, Matura, 1948 Dr. K.: Turnusausbild. im Wilhelminenspital, Psych. KH Steinhof 1954-77, Abt.Arzt, seit 1954 eigene Ordination, 1963 Mutterberatungsarzt, Führung d. Mutterschule. M.: Wr. Männergesangsver. H.: Singen, Musik. (Fels.)

Sandmayr Gedeon

B.: Inh. FN.: Creativ Werbung Gestaltung-Design-Werbung. DA.: 6874 Bizau. G.: Dornbirn, 27. Sep. 1952. V.: Herlinde, geb. Dünser. Ki.: Julia (1990). El.: Hans u. Elisabeth. S.: HASCH, Lehre Maler und Schriftenmaler, 1969 Abschluß, 1969/70 BH, Abendschule HS als Grafiker u. Designer. K.: 1972-89 Innenarch. u. Werbung Möbelhaus Dornbirn, 1989 Grdg. Creativ Werbung Bizau, später Atelier in Reutte, seit Dez. 1993 Produktionsbetrieb Creativ 5 Schriften & Siebdruck (6 Mitarbeiter). P.: Beiträge in Fachzeitschriften rund ums Wohnen, Vorträge auf Seminaren. M.: Junge Wirtschaft Vbg., Wirtschaftsbund, Obm. Faschingszunft, AufsR.-Mtgl. Österr. Bergrettung. H.: Radfahren, Skifahren, Bergsteigen. (I.D.)

Sandner Herbert Ing.

B.: Gschf. FN.: Sotronik Herbert Sandnern, Katronik Elektronik GmbH. DA.: 9800 Spittal/Drau, Ortenburger Str. 28. PA.: 9800 Spittal/Drau, Ortenburger Str. 28, 9800 Spittal/Drau, Dr.-Albertini-Str. 5. G.: Villach, 28. Aug. 1947. V.: Roswitha, geb. Schellmann. Ki.: Sophie (1983) El.: Emmerich u. Thea. BV.: Fam. Griese - Offz.-Familie. S.: VS, HS, HTL Mödling Feinwerktechnik, Militär, 1968-71 Südafrika. K.: Tätigkeit im Kraftwerkbau, anschl. Verkaufsing. u. Prok. Matronic Tübingen, 1982 Rückkehr nach Spittal/Drau, 1982-85 Vertriebsing. Firma Leitgeb, 1985 Grdg. Katronik GmbH. M.: Alpenver., Präs. Volleyballclub Spittal/Drau, Präs. Club 41 Österr. Spittal/Drau. H.: Bergsteigen, Mountainbiken, Tennis. (M.T.)

Sandner Herwig

B.: Gschf. FN.: WEHA Edelstahl Hdls. GmbH. DA.: 4020 Linz, Stefan-Fechtner-Weg 8. G.: Steyr, 17. Mai 1956. V.: Margarete, geb. Hobl. Ki.: Birgit (1928), Stefan (1987). El.: Friedrich u. Helma. S.: VS, HS, b. 1974 Kfm. Lehre Voest Stahlhdl., 1978 BH. K.: Tätigkeit b. Voest, Einkauf, Verkaufsacharb., 1986-92 Abt.-Ltr., seit 1993 Gschf. WEHA Edelstahl Hdls. GmbH. H.: Tennis, Eishockey, Familie. (U.A.)

Sandner Wilhelm

B.: Kfm., techn. Radio- u. Fernsehmstr. DA.: 9020 Klagenfurt, Kempfstr. 27. PA.: 9073 Viktring, Polstenteichstr. 14. G.: Klagenfurt, 17. Dez. 1937. V.: Annemarie, geb. Makina. Ki.: Wilhelm (1960), Michael (1966), Gloria (1981). El.: Wilhelm u. Leopoldine. S.: VS, Gymn., Automechanikerlehre, Umschulung Radio- u. Fernsehtechniker, 1983 Mstr.-Prüf. K.: 1981 selbst. m. Radio- u. Fernsehhdl. M.: HK Mstr.-Prüf.-Kmsn., div. Fachverb., Präs. d. Sportver. Viktring (Bogenschießen). H.: Tennis, Skifahren, Schach. (K.K.)

Sänger Christian

B.: Inh. Tier & Wir Sänger. DA.: 1010 Wien, Singerstr. 11. G.: Wien, 19. Sep. 1967. El.: Heinz u. Ursula. S.: Mittelschule Perchtoldsdorf, 1988 Matura. K.: 1988-94 Bankkfm., 1994 Übernahme v. Tier & Wir. H.: Meerwasseraquaristik, Tauchen, Lesen. (T.T.)

Sankl Isabella Maria Dr. phil. Mag.

B.: klin. u. Gesundheitspsychologin u. Psychotherapeutin. FN.: AVS-Pädag.psycholog. Dienst-Bez. Völkermarkt. DA.: 9100 Völkermarkt, Ritzingerstr. 33. PA.: 9020 Klagenfurt, Kempfstr. 16. G.: Klagenfurt, 3. Aug. 1960. El.: Johann u. Anna. S.: Vs, Wirtschaftskundolisches Mädchengymn., Matura, 1981-85 Stud. d. Pädagogik u. Psychologie, 1985 Sponsion m. Auszeichnung, 1987 Promotion m. Auszeichnung. K.: mitarb. beim Proj. über schulischen Integration sehbehinderter Kinder in Österr. in Zusammenarb. zwischen Univ. Klagenfurt u. BMfUKS, 1987-89 Tätigk. im Rahmen d. AVS im Bereich d. heilpädag. Abt. d. LKH Klagenfurt, seit 1989 ABS-Bezirksstelle Völkermarkt m. Schwerp.: psycholog. Beratung aller probleme im Bereich Kind, Jugendlichen, Familie u. Ehe, 1992 Listę d. klinschen u. Gesundheistpsychologen, 1992 Gerichtl. beeid. SV f. heilpädagogik, allgem. Psychologie, Jugendpsychologie, 1993 Liste d. Psychotherapeuten, Vortragstätigk. sowie Supervision f. versch. Berufsgruppen u. Gruppenarbeit. M.: ABM (Arbeitsgem. f. Verhaltensmodifikationen) Österr., Sbg. Univ.-Bund Klagenfurt, Ges. f. Heilpädagogik, SPÄ u. Gewerkschaft d. Priv. Ang., H.: Reisen, Theater, Kleinkunst, moderne Musik. (G.L.)

Santer Hellmut Mag. theol.
B.: Superint. d. ev. Diözese AB NÖ, Präs. d. Österr. Bibelges., Vors. d. Hörfunk- u. Fernsehkmsn. d. ev. Kirche in Österr. DA. u. PA.: 2540 Bad Vöslau, Florastr. 27. G.: Fresach, 7. Jan. 1932. V.: Irene, geb. Fischer. Ki.: Hellmut, Martina, Sabine, Renate. El.: Josef u. Maria. S.: 1951 Matura am BRG Spittal/Drau, 1951-56 Theol.Stud. in Wien u. Mainz. K.: 1956-57 Lehrvikar in Neunkirchen, 1957-58 Vikar in Gloggnitz, ab 1958 Pfarrer in Gloggnitz, 1966 Mitarb. im Rundfunk u. Fernsehen d. ev. Kirche, 1972 Wahl z. Senior, Gesamtltg. d. Lektorenarb. d. ev. Kirche, 1977 Wahl z. Vors. d. Hörfunk- u. Fernsehkmsn., 1977 Wahl z. Superint. v. NÖ, 1978 Obm.d. Gustav Adolf-Ver. f. NÖ, Präs. d. Österr. Bibelges. P.: Meditationsbücher: Über allem d. Liebe, O Heiland reiß d. Himmel auf, Das Vaterunser, Die 10 Gebote, Auferstehung - Sieg d. Liebe. E.: Silb. EZ d. Stadt Gloggnitz, Gr. Gold. EZ f. Verd. um d. Rep. Österr., Silb. Komturkreuz m. d. Stern d. EZ f. Verd. um d. BLand NÖ, EZ f. Wiss. u. Kunst d. Österr. Albert Schweitzer-Ges. M.: Synode AB, Generalsynode A u. HB, korresp. Mtgl. d. Österr. Albert Schweitzer-Ges., Lions Club Baden-Bad Vöslau. H.: Tennis, Skifahren, (C.K.)

Santer Helmut Dipl.-Ing.
B.: Manager. A.: 9620 Hermagor, Neudorf 37, D-80538 München, Unsöldstr. 2. G.: Villach, 7. Dez. 1924. V.: Paulina, geb. Flaumitsch. El.: Anton u. Pauline. S.: VS, Gymn. in Villach, Ing.Schule Klagenfurt, TH Graz, Fak. f. Maschinenbau. K.: Konstrukteur Österr. Alpine Montan, beratender Ing. f. Mineralölfragen in d. BRD, Manager Dt. Shell AG. P.: Österr. Art. im Ost-West-Journal. E.: Steckkreuz f. bes. Verd. um d. Bayer. Rote Kreuz. H.: Skifahren, Tennis.

Santer Reinhard
B.: Gschf. FN.: Domig Personalbereitstellung. DA.: 6840 Götzis, Wiedeng. 9. PA.: 6840 Götzis, Kalkofenweg 16. G.: Hohenems, 5. Febr. 1956. El.: Engelbert u. Gertrude. S.: 1970-73 HASCH. K.: 1973-79 Perma im Lohnbüro, 1979-86 Immobilien Kohlmaier, seit 1986 b. Firma Domig, seit 1987 Gschf. H.: Jazz. (A.K.)

Santner Armin DDr. Dipl.Vw.
B.: RA. A.: 6020 Innsbruck, Bürgerstr. 2/1. G.: St. Jakob, 22. Okt. 1921. V.: Marietta, geb. Mauthner. El.: Josef u. Elisabeth. S.: VS, Mittelschule, Stud. d. Wirtschaftswiss. u. Rechtswiss., Gerichtspraxis, Praxis als RA-Anw., seit 1952 RA. P.: Jur. Fachart. M.: Prüf.Kmsr. f. Richteramtsprüf. b. OLG Innsbruck.

Santner Erich
B.: Altbgm., Amtsdir. i.R., RgR. A.: 2640 Gloggnitz, Hauptstr. 58A. G.: Weissenbach, 11. Mai 1920. V.: Cilli, geb. Malik. Ki.: Erich. El.: Karl u. Klara. S.: Pflichtschule, Fachkurse u. Beamtenaufstiegsprüf. K.: nach 41jähr. Dienstzeit im Öff. Dienst seit 1981 im Ruhestand, seit 1982 Altbgm. P.: Publ. in versch. Fachzeitschriften im In- u. Ausland. E.: Silb. EZ f. Verd. um d. Rep. Österr., Floriani-Plakette, Silb. Ehrennadel d. Blasmusikverb., Gr. Ehrenring d. Stadtgem. Gloggnitz, Gold. EZ f. Verd. um d. Land NÖ, Bronz. Med. d. Lazarus Ordens, Rochdale Med. M.: SPÖ, ÖGB-GÖD, versch. Ver. H.: Lesen, Reisen, Wandern, Blumenzüchten, Konzert- u. Theaterbesuche.

Santner Erika
B.: Schauspielerin. PA.: 1210 Wien, Autokaderstraße 3-7/25. V.: Heinz Gerstinger. Ki.: Claudia. El.: Jakob u. Maria Santner. S.: Pflichtschulen, LBA, Kindergartenausbildung K.: seit 1968 Schauspielerin am Volkstheater, verschiedene Wriener Kellerbühnen, Sommerspiele Neulengbach, sowie Film u. T V, verschiedene Rollen: "Frau des Grenzwächters" von Hochwälder, Marie in "Woyzeck", Anna in "Bergwerk v. Falun" v. Hoffmannstal u.v.a. H.: Bergwandern. (Lar.)

Santner Franz
B.: Bgm. d. Gem. Köstendorf. DA.: 5203 Köstendorf 54. PA.: 5203 Köstendorf, Tödtleinsdorf 36. G.: St. Andrä/-Lungau, 2. Mai 1943. V.: Walpurga, geb. Seebrunner. Ki.: Franz (1966), Rupert (1969), Petra (1974). El.: Alois u. Katharina. BV.: Brüder Alois Santner 17 J. Bgm. v. St. Andrä/Lungau, Johann Santner 12 J. VBgm. in Elsbethen, Neffe VBgm. in Maria Pfarr. S.: b. 1958 HS, b. 1962 Fernmeldemonteurschule Graz, 1966 Werkmstr.-Prüf. Linz. K.: 1964-68 Obm. d. JVP Schleedorf, 1966-69 Bez.-Obm.-Stellv. d. JVP Flachgau, 1974-80 Obm. d. ÖAAB Köstendorf, 1980-85 Bez.-Obm. d. ÖAAB Flachgau, 1974-84 Gem.-Vertreter, 1984-88 GemR., seit 1988 Bgm. M.: Obm.-Stellv. v. Reinhalteverb. Wallersee-Nord, Obm.-Stellv. d. ÖVP Köstendorf. H.: Skifahren, Bergtouren, Tennis, Mundharmonika (TV-Auftritte m. eigener Gruppe "Die Frankies", größte Mund-harmonika d. Welt, 2,20m lang). (E.Hö.)

Santner Gerhard Dipl.-Ing.
B.: Geschäftsführender., General Manager. FN.: Stahlcord. DA.: 8280 Fürstenfeld, Jahnstraße 11. PA.: 8280 Fürstenfeld, Speltenbach 15. G.: Wien, 5. März 1940. El.: Max u. Katharina. S.: VS, Realgymnasium, HTL, Montan-Universität Leoben. K.: Böhler Kapfenberg, Pengg Johann Thörl, seit 1974 Firma. Stahlcord. M.: Lions Club. H.: Tennis, Segeln. (R.A.)

Santner Hans -Peter

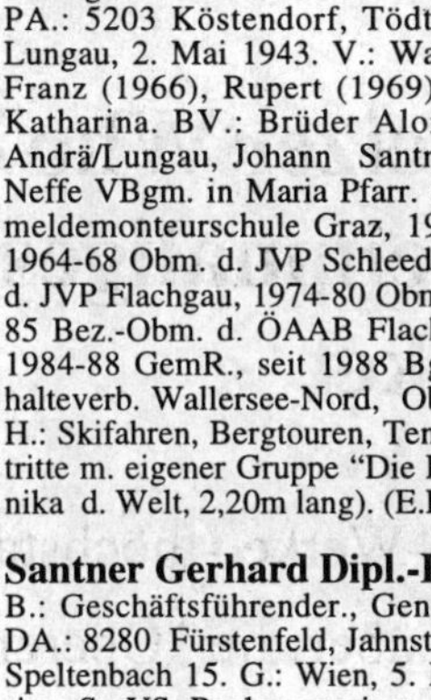

B.: Gesellschafter. FN.: SAVE SANTER GmbH Wartberg/-Krems Nr. 265 DA.: 4552 Wartberg/Kreis 265. PA.: 4552 Wartberg, Strienzing 86. G.: Kirchdorf, 28.11.1961, V.: Eva Maria, geb. Tragler. EL.: Johann, Rosa. BV.: Mutter w. 1955 erste Dachdeckermeist. Öst. S.: HASCH, K.: Meisterprüfung Spengler u. Dachdekker, 1990 Gründung des Betriebszweiges Übersee- u. Luftfrachtverpackungen aus Holz, seit 1985 gewerberechtl. GF d. "Johann Krakowitzer Nachfolger Santner GmbH.", seit 1988 geschäftsführender Gesellschafter der SAVE SANTER GmbH. M.: Gemeinderat in Wartberg, Mitgl. d. Prüfungsausschusses H.: Snowboard, Reisen. (W.B.)

Santner Manfred Leo
B.: Gastwirt, Inh. Gasthof Pension Waldwirt. DA. u. PA.: 9020 Klagenfurt, Josefiwaldweg 2. G.: Feldkirchen, 15. Juni 1947. V.: Inge, geb. Polesnig. Ki.: Rolanda (1976), Peter (1981). El.: Leo u. Rolanda. S.: VS, HS, Kochlehre,

Auslandsauf-enthalte in Holland, Kanalinseln, Irland, England, Konzessionsprüf. K.: Mitarb. im Familienbetrieb, 1982 Übernahme d. Gasthofes Waldwirt u. d. Messerestaurants. BL.: seit 10 J. Sponsor d. Kinder-Fußballver. "Waldwirt Kreuzbergl Knirpse". E.: Anerkennungsdipl. d. Klagenfurter Messe f. "25 J. GAST" u. "50 J. Holzmesse". M.: Grdg.- u. Vorst.-Mtgl. d. Klubs d. Köche Ktn. H.: Schwammerlsuchen, Schwimmen, Radfahren. (F.S.)

Santner Herbert KommR. KamR. Ing.
B.: Inh. eines techn. Büros f. Hoch- u. Tiefbau. A.: 9500 Villach, Warmbaderallee 11a. G.: Villach, 19. März 1923. V.: Anna, geb. Kury. El.: Matthias u. Katharina. S.: VS, HS, HTL Villach. K.: 1941 Techn. Ang. im Arch.Büro Moritz & Hayek Villach, 1941 Reichsarb.Dienst, 1945-48 russ. Kriegsgefangenschaft, 1948-54 Techn. Ang. b. Baufa. Tschernutter Villach, 1954 Anmeldung eines techn. Büros f. Hoch- u. Tiefbau Villach. E.: Ehrendipl. d. Kam. d. gewerbl. Wirtschaft f. 25-jähriges selbst. Tätigkeit, Ehrennadel d. techn. Büros, KommR. f. d. Statistik d. Außenhdls., Gold. Ehrennadel d. Freien Wirtschaftsverb., Silb. EZ f. Verd. um d. Rep. Österr. M.: KamR. d. Kam. d. gewerbl. Wirtschaft Ktn., Flugsportverb., Polizeisportver., Ski-Pool Skiclub Fresach, Naturfreunde, ARBÖ, Freier Wirtschaftsverb., BSA, Verb. Österr. Ing., LObm. d. techn. Büros Ktn. H.: Bergsteigen, Skifahren, Schneegleiten, Schwimmen.

Santner Rainer Dr.
B.: RA. DA.: 6800 Feldkirch, Schillerstr. 4 PA.: 6800 Feldkirch-Nofels, Brünneleweg 13. G.: Bregenz, 25. Febr. 1961. V.: Mag. Eva-Maria. El.: Norbert u. Erika. S.: Gymn. Bregenz, 1979 Matura, 1979 Militär, Jusstud. Univ. Innsbruck, 1984 Prom. K.: 1984 Gerichtsj. BG Bregenz u. LG Feldkirch, 1985-88 RA-Anw. in Bregenz u. Feldkirch, 1987 RA-Prüf., 1989 selbst. RA in Feldkirch m. Schwerpunkt Zivilrecht u. Strafverteidigung. M.: Disziplinarratsmtgl. d. Vbg. RA-Kam., Lions Feldkirch-Montfort. H.: Skifahren, Musik, Reisen, Tennis, Lebensqualität. (I.D.)

Santner Ulrich Dipl.-Ing.
B.: Gschf. Ges. FN.: Anton Paar KG. DA.: 8054 Graz, Kärntner Sr. 322. PA.: 8054 Graz, Rebenweg 56. G.: Unternberg/Lungau, 27. Aug. 1932. Ki.: Barbara (1960), Maria (1961), Katharina (1964), Elisabeth (1966), Notburga (1968), Gertraud (1971), Heinrich (1974). El.: Johann u. Anna. S.: 1951 Matura, Stud. Bauing.-Wesen TU Wien, 1. Staatsprüf., Stud. Wirtschaftsing.-Wesen TU Graz, 1956 Grad., 1959 Master of Science. K.: Ass. u. Lehrbeauftragter f. Operations Research TU Graz, parallel dazu Gschf. d. A. Paar KG, seit 1973 ausschließl. b. A. Paar KG, Entwicklung z. Erzeuger wiss. Instrumente aus einem Schlossereibetrieb, seit 1979 Beteiligung an 10 gegründeten Auslandsfirmen. P.: div. Veröff. zu Fachtagungen. E.: Viktor Kaplan-Med., Josef Krainer-Med., Planseepreis, Gr. Gold. EZ d. Landes Stmk. M.: AufsR. in mehreren steir. Unternehmen, Mtgl. d. 2. Staatsprüf.-Kmsn. TU Graz. H.: Bergsteigen, Skifahren, Familie, Musik. (F.K.)

Santner Volker Dr. med.
B.: FA f. Orthopädie u. Allg. Chir., Gschf. FN.: Physico Therapeut. Ambulatorium GmbH. DA.: 8330 Feldbach, Ringstr. 25. PA.: 8010 Graz, Untere Teichstr. 31b. G.: Bruck/Mur, 23. Apr. 1943. V.: Dr. Christine, geb. Gatterer. El.: Dr. Alois u. Margarethe. S.: 1962 Matura, Med.-Stud., 1976 Prom., BH, 1 J. Chir. Univ.-Klinik Graz. K.: 1977/78 LKH Feldkirch, 1978-87 FA-Ausbild. f. Orthopädie u. Allg. Chir. Chir. Klinik Graz, 1988 Grdg. d. Praxis in Feldkirch, 1990 Installation d. Physico Therapeut. Ambulatoriums, Konzilliartätigkeit b. d. Barmherzigen Brüdern in Graz. P.: fachbezogene Vorträge u. wiss. Arb. M.: Obm.-Stellv. d. Fachgruppe Orthopädie b. d. Ärztekam. H.: Sport, Malerei. (F.K.)

Santner-Cyrus Inge Dr.
B.: Journalistin. DA. u. PA.: 1190 Wien, Telekyg. 13. G.: Wien, 7. Juli 1925. El.: Wilhelm u. Barbara Santner. S.: 1943 Matura, 1945 Stud. Romanistik, Anglistik, Publizistik Univ. Wien, 1948 Prom. K.: 1946-53 Kurier - Politik, 1949 Zeitungswiss. New York, 1953 Tagesspiegel - Politik, 1957 Wr. Korrespondent Der Spiegel u. f. d. Weltwoche Zürich (aktuell). H.: Reisen, Lesen, Sport. (J.E.)

Sapinski Leopold Ing.
B.: Bgm. FN.: Bauunternehmung Ing. Leopold Sapinski GmbH. DA.: 9900 Lienz, Zettersfeldstr. 2. PA.: 9900 Lienz, Kärntner Str. 61. G.: Lienz, 15. Febr. 1949. V.: Brigitte, geb. Weiskopf. Ki.: Lisa (1988). El.: Leopold u. Theresia. S.: VS, HS, HTL Krems m. Matura 1969, Militär, 1976 Bmstr.-Prüf. K.: 1976 Übernahme d. elterl. Betriebes, 1985 Umwandlung in GmbH. M.: Innung, HK, Reitver., Tennisclub. H.: Reiten, Hundesport, Tennis. (M.T.)

Sapinsky Herbert Stephan Dr. med.
B.: Prakt. Arzt, FA f. Anästhesiologie. DA.: 6020 Innsbruck, Claudiastr. 9. G.: Innsbruck, 23. Aug. 1951. V.: Christine, geb. Warmer. Ki.: Damian u. Laura. El.: Dr. med. Herbert u. Dr. med. Prisca S. S.: Ak. RG Innsbruck, Stud. d. Med. 1969-75, Prom. an d. Univ. Innsbruck. K.: 1975 Ass.Arzt am Pharmakol. Inst. d. Univ. Innsbruck, 1977-79 Turnusausbild. z. prakt. Arzt, 1979-83 Ass.Arzt an d. Univ.Klinik f. Anästhesiologie Innsbruck, 1984 Eröff. einer eig. Praxis, s. 1994 auch stationäre Therapie im Sanatorium d. Barmherzigen Schwestern, Innsbruck-Saggern. P.: Grundlagenforschung Nebennierenmark, div. Arb. über Hypertonus u. Hypertonie-Behandl. E.: ECFMG-Certificate (Good Sam. Hosp., Phoenix, Arizona, 1976), Dipl. d. Österr. Ärztekam. f. Geriatrie u. Umweltschutz, Dipl. f. Arbeitsmedizin. M.: Österr. Ges. f. Anästhesiologie, Ges. f. Akupunktur u. Auriculotherapie, Van Swieten-Ges., Akad. Skiclub Innsbruck. H.: Jagd, Skifahren. (H.T.)

Sapletan Leopold
B.: Poet. PA.: 1170 Wien, Alszeile 73. G.: 10. Mai 1908. V.: Aloisia, geb. Wobransky. (C.K.)

Sappl Heinz
B.: Rauchfangkehrermstr., Kfm., Red. "Der Rauchfangkehrer". GT.: Bez.Innungsmstr. DA.: 6330 Kufstein, Münchner Str. 7. PA.: 6330 Kufstein, Siedlerweg 19. G.: Kufstein, 9. Jan. 1939. Ki.: Andrea, Birgit, Christiane. S.: VS, Gymn., Berufsschule, Fortbild.Kurse. K.: Rauchfangkehrermstr.Prüf., selbst. Kfm., Sachv. f. Ölfeuerungsanlagen, Mstr.Prüf.Vors., Vors. d. Lehrlings-Wettbewerbskmsn., Red. P.: lfd. Publ., Red.Tätigkeit " Der Rauchfangkehrer". E.: Gold. Innungsmed., Ehrenring d. WIFI f. d. Lehrtätigkeit im WIFI, Silb. Ehrenmed. d. Tiroler HK, EZ in Gold. d. Tiroler u. Österr. Taekwondo-Verb., Sport-EZ d. Stadt Kufstein, Ehrenpräs. d. Kufsteiner Taekwondo-Ver., Ehrenpräs. d. Tir. Taekwondo-Verb., Ehren-Dan d. Taekwondo-Weltverb., div. Ausz. d. Roten Kreuz, Leistungsabz. in Bronze, Silber u. Gold d. Wasserrettung Kufstein. M.: Präs. d. Heeressportver. Kufstein. H.: Taekwondo, Schießen, Rotes Kreuz u. Wasserrettung, Wassersport, Küsten- u. Binnenschiffahrtspatent.

Sara Robert
B.: Inh. FN.: Stroh-Tankstelle J. u. R. Sara OHG. DA.: 1210 Wien, Leopoldauer Str. 131. PA.: 1210 Wien, Kendeg. 4/10/29. G.: St. Martin, 9. Juni 1946. V.: Marianne, geb. Walek. Ki.: Nicole (1970). El.: Josef u. Maria. S.: Pflichtschule, 3 1/2 J. Lehre Kfz-Spengler m. Schweißtechnik. K.: bereits m. 8 J. b. Donauver. Fußball gespielt, 1963 z. Austria geholt, 1965-85 in d. Kampfmannschaft d. Austria gespielt, 1986/87 Spieler b. FAV AC, 1988 FAV, ab 1988 3 J. Trainer b. Austria: 2x Mstr., 1x Cupsieger, 1x Supercup, Gewinner d. Stadthallenturniers, seit 1983 Betreiber d. Tankstelle m. Kfz-Werkstätte in Wien 21. E.: 9x Österr. Mstr., 8x Österr. Cupsieger, 1978 Europacup-Finale, 2x Europacup-Semifinale, 3 WM-Teilnahmen, 55 Länderspiele f. Österr., über 1000 Meisterschaftsspiele. H.: Tennis, Bergwandern, Radfahren, Laufen, Lesen. (F.S.)

Sarata-Rajer Birgit

B.: Konzertsängerin. PA.: 1010 Wien, Gluckg. 2/7 G.: Wien, 26. Juni. V.: Hon. Konsul KommR. Kurt Rajer. El.: Kurt Georg u. Hedy Sarata. S.: Matura, Stud. klass. Gesang, Klavier, Lied u. Oratorium Konservatorium d. Stadt Wien. K.: m. 18 J. 1. Sängerin in Sbg., Bregenzer Festspiele u. Engagement im Opernhaus Nürnberg, Gastspiele an fast allen dt. Bühnen, mehrj. Gastvertrag an Volksoper Wien, 30 Premieren an d. kgl. Oper Belgien, Gastspiele in Italien u. Frankreich, 200 Orchesterkonzerte in d. USA, Konzerttourneen in ganz Europa, Kanada, Südamerika u. Japan, zahlr. Stargastauftritte im dt. TV, 50 Musikproduktionen in d. DDR, zahlr. Starauftritte auf intern. Kreuzfahrtschiffen. H.: histor. Bücher.

Sarcletti Mario Wolfgang Mag.

B.: Dir. d. BORG Radstadt. DA.: 5550 Radstadt, Moosallee 7. PA.: 5550 Radstadt, Schüttstr. 16. G.: Salzburg, 28. Sept. 1944. V.: Eva, geb. Rusch. Ki.: Jenny-Melanie (1987), Eva Natalie (1988). S.: 1963 Matura Braunau, Stud. Geschichte, Engl. Soz. u. Psych. Stockholm, London, Innsbruck u. Sbg., 1981 Mag. K.: 1978-81 Lehrer HTL Sbg., seit 1981 Dir. Radstadt, StadtR. f. Kulturwesen, Verhaltens- u. Kommunikationstrainer. BL.: Mitbeteiligung an Päd. Innovationen. P.: Referate, Konferenzen, Seminare zu Päd. u. Psych. Aspekten. E.: zahlr. Würdigungen durch d. öff. Hand f. Päd. Leistungen. M.: Bundesvorst. Junge SPÖ, Landesparteivorst., Schulpolit. Kmsn. im Parlament. H.: Lesen, Informationen sammeln, Sport. (G.P.)

Saremba Wilfried

B.: Steuerberater. DA.: 9020 Klagenfurt, Mießtalerstr. 30. PA.: 9020 Klagenfurt, Sterneckstr. 78. G.: Klagenfurt, 1. März 1940. V.: Gieslinde, geb. Kielzer. Ki.: Wilfried, Simone, Katharina. El.: Karl u. Edith. S.: Gymn. in Klagenfurt. K.: Betriebsprüfer im Finanzamt, Berufsanw. als Steuerberater, Steuerberaterprüf., 1971 Eröff. einer eigenen Kzl. M.: Mtgl. d. Berufsverb. u. Ver. H.: Sport, Bergsteigen, Radfahren, Fischen. (D.M.)

Sares Otto

B.: Ges. FN.: F. Seitenberg GmbH. GT.: Prüf.Beis. b. Lehrabschlußprüf. (Graph. Gewerbe). DA.: 1030 Wien, Rasumofskyg. 26. PA.: 1100 Wien, Oberlaaer Str. 193. G.: Wien, 3. Apr. 1921. V.: Johanna, geb. Engelmaier. Ki.: Claudia, Otto, Stefan. El.: Franz u. Anna. S.: Realschule, Lehre f. Thermometererz., Berufsschule (Glasbläser, Optiker, Fotographie), 1937 Lehre f. Schriftsetzer, 1940 Gehilfenprüf. K.: 1940 RAD Lechfeld/Augsburg, 1941 Dt. Wehrmacht, 1943 Armeeoberkdo., 1944 Nachrichtenaufklärung, 1945 Rückkehr nach Wien, 1945-48 Univ.Druckerei, 1960 Druckerei Seitenberg, 1971 Kauf d. Druckerei Seitenberg u. Umwandlung in KG, 1984 Ltg. in d. Händ d. 3 Kinder übergeben, Umwandlung in GmbH. M.: Obm. d. Kleingartenver. "Aus eigener Kraft" Rothneusiedl. H.: Gärtnerei, Lesen. (A.W.)

Sares Otto

B.: Gschf. Ges. FN.: Sapperlot Satz u. Druck GmbH u. d. Graph. Kunstanst. Otto Sares GmbH. DA.: 1060 Wien, Mariahilfer Str. 101. G.: Wien, 16. Juni 1948. V.: Susanne. Ki.: Otto, Robert. El.: Otto u. Johanna. S.: Schriftsetzerlehre. K.: 1970-81 selbst. Druckerei Seitenberg, 1988 Grdg. d. Fa. Sapperlot Satz u. Druck GmbH. H.: Lesen, Schwimmen, Wandern. (A.W.)

Sargant Alwin Dr.

B.: Filialdir. FN.: Dorotheum Auktions, Versatz u. Bank GmbH. DA.: 5027 Salzburg, Schranneng. 7. PA.: 5020 Salzburg, Vierthalerstr. 16A. G.: Bregenz, 29. Okt. 1956. V.: Ursula, geb. Riener. Ki.: Benedikt. El.: Josef u. Elisabeth. S.: Staatl. Gymn. Bregenz, 1975 Matura, Stud. Publizistik u. Kunstgeschichte Univ. Sbg., 1983 Prom. K.: freier Journalist b. ORF u. Sbg. Nachrichten, 1983-84 ak. Training Ver. Medienagentur, seit 1984 Ang. d. Dorotheum, 1984 Gschf. d. Filiale u. seit 1986 Dir. d. Filiale Sbg. P.: Festschrift 40 J. Sbg., Vorträge b. Meinungsträgern. H.: Malen, Schreiben, Kunstreisen, Kunst, Film. (M.Mo.)

Sarnig Franz

B.: Gschf. Ges. DA.: 8020 Graz, Überfuhrg. 47. PA.: 8010 Graz, Morellenfeldg. 39/I. G.: Wolfsberg, 8. Aug. 1953. V.: Ida, geb. Töfferl. Ki.: Franz-Lorenz. El.: Franz u. Theresia. S.: Ind.Kfm.Lehre. K.: nach d. Lehre zu Holzbetrieb Fa. Capelari Wolfsberg, v. dort 3 J. in Udine tätig, 1975 zu Bertolini Lino in Graz, 1977 Gschf., 1983 Anteile an d. Bertolini Holzexport GmbH übernommen. H.: Tennis, Reisen, Skifahren. (R.A.)

Sarnitz August Ernst Dr. Mag.

B.: Arch.Historiker an d. Ak. d. Bild. Künste. DA.: 1010 Wien, Schillerpl. 3. PA.: 1030 Wien, Beatrixg. 16a. G.: Innsbruck, 13. Mai 1956. V.: Dr. Brigitte, geb. Stampfer. El.: Ernst u. Wilhelmine. S.: 1982 Mag., 1983 Prom. K.: seit 1985 Lehrbeauftragter an d. Ak. d. Bild. Künste Wien, Ausstellungskmsr. f. d. BMAA, Ausstellungskmsr. f. BMBT. P.: Drei Wr. Architekten 1984, Rudolf Schindler 1986. E.: 1981 Förderpreis f. Arch., Sheperd Fund Fellow 1982. M.: Mtgl. d. Österr. Ges. f. Arch. Wien, Mtgl. d. American Society of Arch. Historians. H.: Tennis. (M.G.)

von Sas-Zaloziecki Alexander Dr.

B.: öff. Notar d. Notariatskzl. Dr. Sas-Zaloziecki. DA.: 1010 Wien, Wipplingerstr. 18. PA.: 1080 Wien, Laudong. 39. G.: Wien, 16. Apr. 1941. V.: Heidelinde, geb. Haller. Ki.: Markus (1970), Roman (1973). El.: Dr. Roman u. OStR. Prof. Xenia. BV.: Großvater HS-Prof. in Lemberg u. Wien, Spezialist f. Erdöl u. Wachs, Engl. Vizekonsul, Onkel Univ.-Prof. Dr. Wladimir v. Sas-Zalozieski Univ.-Prof. f. Kunstgeschichte u. Byzantinistik Univ. Graz. S.: 1959 Matura, 1 J. Freiwilliger b. Militär, Reserveoffz., Jusstud. Univ. Wien, 1966 Doktorat. K.: Gerichtspraxis Wien, seit 1968 im Notariat, 1985 Ernennung z. Notar, seither selbst. M.: Präs. d. Altkalksburgerver., Kirchenchor zu St. Barbara in Wien I. H.: Tennis, Bridge, Garten, Lesen. (J.S.)

Sasin Franz

B.: Gschf. FN.: F. Sasin Heizung GmbH. DA.: 2103 Langenzersdorf, Wienerstr. 94. G.: Wien, 25. Juli 1947. V.: Karin, geb. Capellaro. Ki.: Oliver (1974), Natascha (1971). El.: Franz u. Anna. S.: HTL-Fachschule f. Maschinenbau. K.: div. Berufe während 2jähr. Weltreise, 1968 techn. Zeichner b. Fa. Weiko-Inst., Ablegung v. Heizungstechnikkursen, v. 1970-73 Heizungstechn. d. Fa. Rauhofer Wien, 1973 selbst. Heizungstechn., anfänglich nur Materialverkauf, 1980

Eröff. Büro i. Langenzersdorf, Grdg. Fa., 1990 bauliche Erweiterung u. Ablegung d. Konzessionsprüf., v. 1976-89 Besitzer e. Tauchsportgeschäftes i. Wien mit Tauchbasen in Sri Lanka u. Malediven. H.: Fliegen (Motor- u. Segelflieger), Tauchen, Motorradfahren, Reisen. (I.J.)

Saska Alois
B.: Hotelier d. Hotel Restaurant Heimgartl, Inh. d. Städt. Campingplatz. DA. u. PA.: 6020 Innsbruck, Hoher Weg 12. G.: Thaur, 28. Jan. 1933. V.: Marianne, geb. Widmann. Ki.: Harald, Gerhard. S.: VS, HS, Hotelfachschule, Lehrabschluß als Kellner. K.: Auslandspraxis in Frankreich, Schweiz u. BRD, 10 J. im Hotel "Maria Theresia" in Innsbruck, seit 1972 selbst., 1979 Erwerb d. "Heimgartl", 1971 kompletter Umbau u. Adjustierung d. gesamten Objektes zu einem Hotelbetrieb. H.: Beruf. (Schm.)

Sasse Gerhard
B.: Inh., Schlossermstr. FN.: H. Sasse KG, Lochbleche u. Metallarbeiten. DA.: 1110 Wien, Simmeringer Hauptstr. 192a. PA.: 1190 Wien, Salmannsdorferstr. 11. G.: Wien, 22. Jän. 1936. V.: Elisabeth, geb. Adelhofer. Ki.: Elisabeth (1961), Gerhard (1962), Daniela (1976). El.: Gerhard u. Elisabeth. BV.: Ururgroßvater Heinrich Sasse hat i. Jahre 1860 das Unternehmen gegründet. S.: 3 J. TGM, Ausb. zum Schlosser, 1959 Mstr.-Prüf. K.: 1953-55 Berufsausb. bei Fa. Knotz, 1955 Eintritt als Mitarb. i. d. väterl. Betrieb Heinrich Sasse, 1974 Übern. d. väterl. Betriebes. M.: 2. Obmann d. Fußballvereines Fortuna 05 (Wiener Liga). H.: Sport, Musik (Klavierspielen). (F.S.)

Sassmann Bernhard
B.: Dipl.-Grafiker, Art Dir. FN.: McCann Erickson DA.: 1190 Wien, Gregor Mendelstr. 50 PA.: 1140 Wien, Krassnigg.13. G.: Wien, 23. Sept. 1959. V.: Ingrid, geb. Schachner. Ki.: Christoph. S.: höhere Graph. Lehr- u. Versuchsanst. Wien, Mstr.Kl. m. Dipl.Abschluß. K.: 1 1/2 J. als Reinzeichner b. Fa. DDB Werbeagentur, 3 J. b. Werbeagentur Demner & Merlicek, 1 J. als selbst. Graphiker u. im Atelier Badian, 7 J. als Art Dir. b. Lintas-Wien, s. 1994 b. Werbearg. McCann Erickson als Art Dir. E.: Ausz. in d. beiden Österr. Kreativclubs CCA u. ADC, Intern. Ausz. CLIO Award 1988 f. Hansaplast-TV. M.: CCA, ADC. H.: Tennis, Skifahren, Schwimmen. (C.K.)

Sassmann Hanns Dr. phil.
B.: Gen.-Dir. d. Druck- u. Verlagshauses Styria. DA.: 8010 Graz, Schönaug. 64. PA.: 8010 Graz, Mucharg. 28. G.: Wien, 30. Juni 1924. V.: Stephanie, geb. Kittler, 4 Kinder. El.: Johann u. Maria. S.: Stud. an d. Univ. Wien, 1949 Prom. z. Dr. phil. K.: Red. d. Wochenzeitung d. Kath. Jugend Österr., 1951 Eintritt in d. Verlagshaus Styria, 1954 Dir.Sekr. d. Gen.Dion., 1959 Dir. d. Zeitungsverlages, 1964 Stellv. d. Gen.-Dir., seit 1968 Gen.-Dir. P.: viele Publ. in div. Medien. E.: Commandeurkreuz d. Gregoriusordens m. Stern, Gold. EZ f. Verd. um d. Rep. Österr., EZ f. Verd. um d. Befreiung Österr., Österr. Ehrenkreuz f. Wiss. u. Kunst, Gr. Gold. EZ d. Landes Stmk., Ehrenring d. Stadt Graz. M.: Gr. Gold. EZ d. Landes Ktn., 1. Vors.Stellv. d. Ver. Kath. Presse-Agentur KATHPRESS, Vorst.Mtgl. d. Verb. kath. Publizisten Österr., Präs. d. Gem. kath. Zeitungs- u. Zeitschriftenverlage Österr., Vorst.Mtgl. d. Verb. Österr. Zeitungshrsg., seit 1976 Hrsg. d. österr. Wochenzeitung "Die Furche", seit 1973 Kurator d. stmk. LMuseums Joanneum, seit 1968 Senator h.c. d. Karl Franzens-Univ. Graz, 1980-86 Präs. d. Kath. Weltunion d. Presse (UCIP). H.: Politik, Geschichte, Zeitgeschehen, Literatur. (War.)

Satke Michael

B.: Inh. FN.: Reiss-Bar Champagnertreff. DA.: 1010 Wien, Marco-d'Aviano-G. 1. PA.: 1180 Wien, Pötzleinsdorfer Str. 112. G.: Wien, 17. Dez. 1943. V.: Brigitta, geb. Butka. Ki.: Clemens (1966), Carina (1971). El.: Wilhelm u. Maria. S.: 1969 Matura, 1968-73 Stud. Rechtswiss. u. HS f. angew. Kunst. K.: 1974-79 Tätigk. in versch. Werbeagenturen, Marketing- u. Vertriebsdir. in Industriekonzernen, 1977 Eröff. d. Reiss-Bar, 1978 Mitbegründer d. Zeitschrift "Wiener", 1981 Eröff. d. Musiklokals "Roter Engel", 1986-88 Veranstalter d. "Champagnerballs", 1994 Eröff. d. Bars ""Rum & Soda" u. "First Floor" in Wien I., Seitenstettengasse. F.: Inh. d. Fa. Poys Schaumweine in Wien u. Poysdorf. P.: Hrsg. d. Buches "Mythos Bar" (1992). H.: Schifahren, Tennis, Bücher, zeitgenöss. Bilder, Musik. (J.S.)

Satke-Butka Brigitta Mag. art.
B.: Metalldesignerin. DA.: 1010 Wien, Johannesg. 22/1. G.: Wien, 16. Aug. 1951. V.: Michael Satke. El.: Otto u. Gerda. S.: hum. Gymn., 1969 Matura, HS f. angew. Kunst, 1978 Diplom b. Prof. Auböck. BL.: Ausstellungen im In- u. Ausland, Schmuck, Kleinplastiken, Objekte, Lampen. H.: Kreativität. (J.S.)

Satran Gerhard
B.: Koch, Gschf. PA.: 2571 Altenmarkt, Hauptstr. 91. G.: Altenmarkt, 5. Aug. 1947. V.: Christine, geb. Gössler. Ki.: Gerhard (1970), Erich (1971). El.: Otto u. Maria. S.: VS, HS, Kochlehre Hotel Imperial. K.: 3 Hotelbetriebe gemeinsam m. d. Gattin aufgebaut, 1980 Kauf d. Burgruine Finkenstein. E.: 1. u. 2. Pl. Lehrlingswettbewerb Wien, 1. Preis Lehrlingswettbewerb CSFR, 1. Preis Bundesländer Kochwettbewerb, Staatsmed. Tel Aviv/Israel, Kette d. Chaine des Rotisseurs, EZ in Gold Intern. Kochausstellung Wien, Silbermed. WM d. Köche Basel, 1984 Staatspreis f. Denkmalpflege, 1987 Landesbaupreis f. Ktn., Gr. Gold. EZ f. bes. Dienste f. d. Land Ktn. M.: Chaine des Rotisseurs. (R.T.)

Satrapa Peter Dr. OSR.
B.: Dir. d. Kontrollamtes d. Stadt Wien. DA.: 1082 Wien, Rathausstr. 9. G.: Wien, 15. Apr. 1939. El.: OSR. Dr. Karl u. Anna. S.: Mittelschule, Gymn. Wien, 1957 Matura, 1957-58 Abiturientenkurs an d. HAK, Stud. d. Rechtswiss. an d. Univ. Wien, 1964 Prom. K.: 1958-64 Mitarb. b. d. CA später Übertritt z. Stadt Wien in d. Finanzverw., 1971 Mag.Dir. d. Stadt Wien, 1978/83 Ltr. d. Präsidialbüros d. Stadt Wien, 1983 Dir. d. Kontrollamtes durch d. GemR. d. Stadt Wien. P.: div. Fachart. auf d. Gebiet d. Kommunalen Steuerrechts. H.: Literatur, Sprachen, Bergsteigen. (M.B.)

Sattler Erich
B.: Baumeister, Gschf. Ges. FN.: E. Sattler GmbH. DA.: 1234 Wien, Ketzerg. 57. PA.: 2344 Maria Enzersdorf, Erlaufstr. 5. G.: Maria Rojach, 2. März 1936. V.: Waltraud, geb. Urban. Ki.: Barbara (1958), Eva (1966). El.: Valentin u. Juliana. S.: HTL-Matura, 1977 Bmstr.Prüf. K.: ab 1954 Bautechniker in div. Firmen, 1963-81 Bautechniker Fa. Rella, 1981 Grdg. u. Gschf. Ges. E. Sattler GmbH. (M.M.)

Sattler Christine

B.: Dipl.-Kosmetikerin, Inh. FN.: Kosmetik Bellezza. DA.: 8020 Graz, Keplerstr. 36A/9. PA.: 8020 Graz, Eckertstr. 83. G.: Graz, 13. Jan. 1966. El.: Hannes u. Helene. S.: VS, b. 1984 Gymn., 1985-86 Büroschule Uranschek Graz, 1986 Kosmetikschule Anina, Abschluß Dipl.-Kosmetikerin. K.: 1986-89 Ang. Kosmetik Ulbing Graz, 1990 Unternehmerschule WIFI, Aubild.-Kurs f. Heilmasseur u. Heilbademstr. LKH Graz, 1990 Konzessionsprüf. f. Kosmetik u. Fußpflege, seit 1990 selbst. Kosmetik Bellezza. H.: Lesen, Stricken, Radfahren, Hund. (I.G.)

Sattler Erich

B.: Baumeister, Gschf. Ges. FN.: E. Sattler GmbH. DA.: 1234 Wien, Ketzerg. 57. PA.: 2344 Maria Enzersdorf, Erlaufstr. 5. G.: Maria Rojach, 2. März 1936. V.: Waltraud, geb. Urban. Ki.: Barbara (1958), Eva (1966). El.: Valentin u. Juliana. S.: HTL-Matura, 1977 Bmstr.Prüf. K.: ab 1954 Bautechniker in div. Firmen, 1963-81 Bautechniker Fa. Rella, 1981 Grdg. u. Gschf. Ges. E. Sattler GmbH. (M.M.)

Sattler Mick

B.: Maler. DA.: 1200 Wien, Rauscherstr. 7/28. G.: Linz, 8. März 1966. S.: Autodidakt. 1981-83 Berufsausbild. z. Lithographen b. einer Tageszeitung. K.: 1985 1. Ausstellung hauptsächl. Karikaturen, 1986 5 Gemeinschaftsausstellungen, 1988/89 Ausstellungen zugunsten d. Kinderkrebshilfe, ab 1992 Schwerpunkt Pop-Art u. realist. Bilder in eigenem Stil auf Leinwand, 1993 Präsentation v. Porträts nordamerikan. Indianer während d. Menschenrechtskonferenz in d. Wr. UNO-City, Radiointerviews, 1995 Einladung d. Gesundheitsmin. v. Maine/USA z. Besichtigung d. Reservate, neben Acrylarb. auch Tonplastiken. M.: Intern. Ges. f. bedrohte Völker. H.: Gitarre spielen, Billard, Tischtennis. (J.S.)

Sattler Reinhard

B.: Betriebsltr. FN.: KBO Kunststoffpulverbeschichtung Erich Ostermann GmbH & Co KG. DA.: 8075 Hart b. Graz, Industriestr. 7. PA.: 8047 Graz, Sartorig. 23. G.: Köflach, 17. Apr. 1946. V.: Erna, geb. Luttenberger. Ki.: Wolfgang (1970), Thomas (1971). El.: Anton u. Margaretha. S.: VS, HS, Lehre Werkzeugmacher u. Maschinenschlosser b. Steyr Daimler Puch, 1965 Abschluß, 1966-70 div. Kurse (Meisterschule, REFA Hydraulik-Pneumatik, Sicherheitstechn. Kurse). K.: 1970-78 Werkmstr. Hutter & Schrantz Graz, 1978-79 Betriebsltr. Fa. Rebau, s. 1979 Betriebsltr. Fa. KBO, 1985 Aufbau eines neuen Betriebes f. Fa. KBO. M.: erweit. Vorst. Landesgruppe Stmk. u. Ktn., ÖGO Österr. Genossenschaft f. Oberflächentechn. H.: Sport, Familie, Weiterentwickl. i. d. Oberflächentechn. (I.G.)

Sattmann Didi

B.: selbst. Fotokünstler. PA.: Weinviertel. G.: Rottenmann, 28. Aug. 1951. V.: Karin, geb. Bindar. Ki.: 5 Kinder. El.: Ludwig u. Margarete, geb. Gusenbauer. S.: 1971 Matura, Stud. Forstwirts. u. Rechtswiss. K.: versch. Tätigk., ab 1979 profess. Fotograf, u.a. f. renommierte Zeitschriften, "Der Spiegel", "Die Zeit", "Stern", ab 1985 Fotograf d. Wr. Festwochen, Schwerp.: Künstlerporträts, mehr. Ausstell. u. Fotobücher, 1987 "Die Wiener Szene", 1989 "Das Tabu d. Nacktseins", 1993 "Theaterpersönlichkeiten", 1994 "Journalisten, Jäger u. Gejagte". (N.A.)

Sattmann Otto

B.: Inh. Cafe-Restaurant Koschat. DA.: 9073 Viktring, Stift Viktring Str. 1. PA.: Maria Rain, Guntschach 7. G.: Klagenfurt, 9. Sep. 1955. V.: Herta, geb. Bruckner. El.: Otto u. Rotraud. S.: VS, Mittelschule, Kochlehre, Praxis u. Weiterbild. in versch. Hotel- u. Restaurantbetrieben. K.: Koch in versch. Betrieben u.a. Österr. Hof Sbg., Alpenrose Zürs, Hotel Löwen Serfaus, Norweg. Kreuzfahrtschiff Sagafjord, seit 1980 selbst. zuerst m. Pension u. Restaurant Maria Rain, ab 1990 Cafe-Restaurant Koschat Viktring, 1992 Grdg. eines zusätzl. Unternehmens: Pizza-Schnitzel-Service Süd Klagenfurt, 1993 Erweiterung Pizza-Schnitzel-Service Nord Klagenfurt. H.: Jagd, Segeln, Bogenschießen, Bergsteigen, Bergwandern. (F.S.)

Satzinger Heinz Mag.

B.: freischaff. Bildhauer u. Grafiker. DA. u. PA.: 1130 Wien, Josef-Gangl-G. 1b. G.: 24. Juni 1921. V.: Dr. Ingeborg, geb. Kunewalder. Ki.: Michael (1956), Johanna (1965). El.: Heinrich u. Barbara. S.: 1931-40 RG u. TU Wien, 1940-45 Militärdienst, 1948-51 Stud. an d. Ak. d. Bild. Künste unter Prof. Franz Santifaller, 1951 Dipl. ak. Bildhauer. K.: seit 1951 als freischaff. Künstler tätig m. Auslandsaufenthalten: 1953-55 Indien, 1959-69 Ägypten, 1975-85 Japan, zahlr. Reisen wie z.B. BRD, Frankreich, Holland, Türkei, Iran, Irak, China, Taiwan, Australien, zahlr. Ausstellungen im In- u. Ausland z.B. 1948 Wien, 1953 Bombay, 1954 New Delhi, 1961 Kairo, 1979 Bangkok, 1980 Tokio, 1984 Seoul, 1988 Wien, 1961-87 Restaurator u. Zeichner b. d. österr. archäolog. Ausgrabungen in Ägypten: Nubien, Luxor, Tell el Daba'a, Gastprof.: 1961/62 Academy of Fine Arts Kairo, 1962/63 American Univ. Kairo. E.: 1949 Gold. Med. d. Gemeinschaft d. bild. Künstler Österr., 1954 Silbermed. d. Academy of Fine Arts in Amritsar Indien, 1958 Kolkoks Förd.Preis d. Ges. bild. Künstler Österr. Wien. M.: seit 1956 Ges. bild. Künstler Österreichs, Künstlerhaus, seit 1959 Le Atelier Kairo, seit 1980 Intern. Friendship Art Assoc. Tokio. (M.M.)

Satzinger Helmut Georg Dr. phil. Univ.-Prof.

B.: Dir. an d. ägypt.-oriental. Sammlung d. Kunsthistor. Museum. A.: 1030 Wien, Krieglerg. 17/29. G.: Linz, 21. Jan. 1938. V.: Inge, geb. Planinger. El.: Otto u. Friederike. S.: S.: Dr. phil. (Ägyptologie, Arabistik). K.: 1964-69 wiss.

Tätigkeit am Ägypt. Museum Berlin, seit 1969 wiss. Tätigkeit an d. ägypt.-oriental. Sammlung d. Kunsthistor. Museums in Wien, seit 1978 Dir. d. Sammlung, 1977 Habil. f. Ägyptologie an d. Univ. Wien. P.: Die negativen Konstruktionen im Alt- u. Mittelägyptischen, Koptische Urkunden III, Neuägyptische Studien, Stel. d.Mittleren Reiche, zahlr. Katalog-Texte f. Museum u. Ausstellungen, zahlr. Aufsätze u. Buchbesprechungen. M.: Intern. Ägyptologenver. (IAE), Intern. MuseumsR. (ICOM).

Satzke Klaus Dr. phil. Oberrat

B.: Abt.Ltr. im BMU. DA.: 1010 Wien, Minoritenpl. 5. PA.: 1100 Wien, Favoritenstr. 184/1/3/13. G.: Brünn, 2. Nov. 1943. V.: Krista, geb. Gerhofer. El.: Dkfm. Lothar u. Gertrude. S.: HS, LBA, Stud. Psych. u. Anthropologie an d. Univ. Wien. K.: 1963-71 VS-Lehrer, Stud. nebenberufl., 1971 Prom., 1971 Schulpsychologe, Eintritt in BMU als Mitarb. in d. Pflichtschulabt., Referatsltr. f. Schulversuche u. Grundschulangelegenheiten, ab 1979 Abt.Ltr. f. päd. Angelegenheiten d. allg.bild. Pflichtschulen (VS, HS, Sonderschule, Polytechn. Lehrgänge), zuständig f. Lehrplanangelegenheiten, Schulversuche, Lehrerfortbild. P.: Coautor v. 2 Büchern, zahlr. Art. in einschlägigen Fachzeitschriften. E.: Gold. EZ f. Verd. um d. Rep. Österr. M.: Soz. Lehrerver. H.: Lesen (psych. Fachliteratur), Schach, Reisen, Tennis. (Bauer)

Saubart Erich L.

B.: Kons., Prok., Grundstücksmakler. A.: Bovina, New York 13740, USA. G.: Bärnbach, 12. Febr. 1933. El.: Konrad u. Rosa. S.: Pflichtschule, Ausbild. z. Skilehrer, R.Coach in Österr., Schweden u. Kanada, Ausbild. z. Skilehrer u. Hochalpinskitourenführer u. Kampfrichter f. alpine u. nord. Bewerbe. K.: allg. Makler, Immobilienmaklerkons., Prok., Skischulbes. F.: Erich L. Saubart Intern. Immobilienbürondlg. in Österr., BRD, Liechtenstein u. Kanada. P.: Skilehrgang in 1/2-stündiger Fernsehserie, Zeitungsart. E.: V.I.P. b. d. Olymp. Spielen in Lake, Placid, Vereinssilbermed. Skiclub St. Anton/Arlberg. M.: Skiclub St. Anton/Arlberg, Gentleman Farmer, US Conference Board.

Sauberer Christian Ing.

B.:Reproduktions- u. Drucktechniker; Gschf. FN.: Druckerei Philipp GmbH. DA. u. PA.: 2500 Baden, Grabeng. 27. G.: Baden, 8. Juni 1965. V.: Sonja, geb. Butta. El.: Anton u. Friederike. BV.: Urgroßvater Wilhelm Philipp gründete 1898 d. Buchdruckerei Philipp i. Baden. 1943-70.S.: VS, BRG Baden, 1980-83 Flachdruckerlehre m. Lehrabschlußprüf. m. Ausz., 1983-86 Höhere Graf. Bundes Lehr- u. Versuchsanstalt Wien m. Matura. K.: 1987-88 Praktikant in Druckereien in Wien u. München, 1988 Eintritt als techn. Ang. in d. Druckerei Philipp, seit 1992 Gschf. d. Druckerei Philipp.F.: i. d. vierten Generation M.: Prüf.-Kmsn. f. Lehrabschlußprüf. d. graf. Gewerbe. H.: Segeln, Skifahren. (F.S.)

Sauberer Johann

B.: Kfm., Bgm. DA.: 3550 Langenlois, Rathausstr. 2. PA.: 3550 Langenlois, Kaserng. 18. G.: Mautern, 3. Nov. 1922. V.: Berta, geb. Litschauer. Ki.: Berta, Hans. S.: VS, HS, HASCH. H.: Reisen, Wandern, Lesen. (Hau.)

Sauer Georg Dr. theol.

B.: o.Univ.-Prof. DA.: 1130 Wien, Veitingerg. 35. G.: Altenschönbach, 12. Sept. 1926. V.: Elisabeth, geb. Grether. Ki.: Johann, Anna-Maria, Katharina. El.: Franz u. Elfriede. S.: hum Gymn., Univ. Jena, Erlangen, Marburg u. Basel. K.: 1961 Dr. theol. an d. Univ. Basel, 1961 Habil. f. Alttestamentl. Wiss. an d. Univ. Erlangen-Nürnberg, 1968 a.o.Univ.-Prof., 1970 o.Univ.-Prof. f. Alttestamentl. Wiss. u. Bibl. Archäologie an d. Ev.-Theol. Fak. d. Univ. Wien. P.: "Die strafende Vergeltung Gottes in d. Psalmen", "Die Sprüche Agurs", "Jesus Sira (Ben Sira)", Beiträge zu Festschriften u. in wiss. Zeitschriften, Mithrsg. "Jordanien" 1985. E.: Ehrenmed. d. BHpt.Stadt Wien in Gold., "Zur Aktualität d. alten Testaments" Festschrift zu. 65- Geburtst. 1992. M.: Dt. morgenländ. Ges., Dt.-Palästina Ver. (A.W.)

Sauer Gottfried Dr.

B.: Vorst. d. Unfallchir. Abt. d. öff. KH d. Barmherzigen Brüder. DA.: 7000 Eisenstadt, Esterhazystr. 26. PA.: 7000 Eisenstadt, Sandgrubweg 17. G.: Wien, 7. Nov. 1941. V.: Gisela, geb. Seidel. Ki.: Gerlinde, Birgit. El.: Heinz u. Maria. S.: VS, Schottengymn., Med.Stud. an d. Univ. Wien, 1969 Prom. K.: Anfangstätigkeit an d. 2. Chir. Univ.Klinik Wien, weiters an d. 2. Univ.Klinik f. Unfallchir., 1975 FA, 1978 Horn Chefstellv., ab 1979 Chefstellv. im KH Eisenstadt zugleich m. d. Grdg. d. Unfallabt., seit 1986 Prim., Schwerpunkt Sportunfälle u. Kniegelenkschir. P.: 35 Art. in Fachzeitschrifen. M.: Lions-Club Eisenstadt, Ges. d. Ärzte Wiens, Österr. Ges. f. Unfallchir., Österr. Ges. f. Chir., Arge f. Arthroskopie, Altschotten. H.: Jagd, Tennis. (E.L.)

Sauer Heinz-Christian Dr. iur.

B.: Vorst.Dir. d. Hirtenberger AG. GT.: Freier Mitarb. b. ORF. PA.: 1030 Wien, Beatrixg. 14a. G.: Wien, 3. Apr. 1943. V.: Beatrix, geb. Widmar. Ki.: Dominique, Catherine. El.: Dkfm. Heinz u. Christine. BV.: Großvater Dr. Rudolf Kohlruss: Diplomat u. Gesandter b. Hl. Stuhl. S.: Franz. Lycee in Rom u. Wien, Matura 1961, Stud. an d. Univ. Wien, Prom. 1968. K.: Gerichtsjahr, b. 1978 Fa. Gehbauer & Lehrner, Mtgl. d. Geschätsführung, Gschf. d. Transex Analgenbau GmbH, 1981 Prok. Klimatechnik, zunächst f. Bereich Verkauf, seit 1982 f. Vertrieb u. Marketing zust. in d. MULTIVAL AG, 1983 Eintritt in d. Fa. Hirtenberger, seit 4/1987 stellv. Vorst.Mtgl., seit 7/87 Vorst.Dir. M.: Rotary-Club Wien Stadtpark. H.: Skifahren, Tennis, Squash, Golf, Fotografieren. (A.W.)

Sauer Hugo Dr. med. o.Univ.-Prof.

B.: Vorst. d. Univ.-Klinik f. Kinderchir. Graz, Prim. A.: 8047 Graz, Berliner Ring 71. G.: Graz, 9. Okt. 1928. V.: Dr. med. Grete, geb. Wahlmüller. El.: Ing. Hugo u. Maria. S.: Ak. Gymn. Graz, Med. Fak. d. Univ. Graz. K.: Chir. Ausbild. Linz, Kinderchir. Ausbild. Linz u. Bremen, 1969 Habil. f. Kinderchir. Innsbruck, 1972 a.o.Prof. f. Kinderchir. Innsbruck, 1974 o.Prof. f. Kinderchir. Graz. P.: 160 Publ. zu versch. Problemen d. Kinderchir., Buchveröff.: Das verletzte Kind, Checkliste Kinderchir. E.: Ehrenmtgl. d. griech., ungar. u. poln. Ges. f. Kinderchir., korresp. Mtgl. d. Österr. Ges. f. Kinderheilkunde u. d. Schweiz. u. Dt. Ges. f. Kinderchir. M.: Mtgl. d. Österr. u. Dt. Ges. f. Kinderchir., 1972-76 Präs. d. Österr. Ges. f. Kinderchir., 1983-85 Dekan d. Med. Fak. Graz.

Sauer Maria

B.: fünffache Europamstr. u. zwölffache Österr. Staatsmstr. im Amateurtrabrennfahren. PA.: 1220 Wien, Breitenleerstr. 135. G.: Wien, 1. Aug. 1954. V.: Friedrich Sauer. Ki.: Claudia (1977), Michael (1980). El.: Josef u. Margarethe Koller. S.: Lehre Bankkauffrau. K.: b. 1977 b. d. Ersten Österr. Spar-Casse zuletzt als Kassier tätig, Trabrennen: 1973 Amateurfahrerprüf., 1979 Europamstr. in Deutschland, 1985 Europamstr. in Wien, 1987 Europamstr. in Budapest, 1988 Europamstr. in Belgien, 1989 Europamstr. in Wien, Gewinnerin v. ca. 180 Amateurrennen, Galopprennen: Gewinnerin v. 2 Prominentenrennen in d. Freudenau, Fußball: 2 1/2 J. aktive Fußballerin b. SV-Kagran. E.: Sport-EZ d. Stadt Wien. H.: Tiere, jede Art v. Sport u. Musik. (J.S.)

Sauer Richard Dkfm.
B.: Prok. d. Krems-Chemie GmbH. PA.: 3500 Krems, Am Steindl 26. G.: Wien, 17. Aug. 1943. V.: Christiane, geb. Popper. Ki.: Christoph, Verena. El.: Rudolf u. Margarete. S.: HAK, 1962 Matura, HS. f. Welthdl. K.: 1969 Dipl., 1969 Eintritt in d. Krems-Chemie GmbH, zuständig f. d. Rechnungswesen, 1974 Handlungsvollmacht, 1982 Prok., Ressortltr., Bereich Finanzen (Finanzbuchhaltung, Rechtsangelegenheiten, allg. Unternehmensverw., Steuern, Vers., Bank). H.: Tennis, Skifahren. (Kern)

Sauer Robert Dr. Dkfm.
B.: Vorst.Dir. d. Inku AG. DA.: 1190 Wien, Nußdorfer Pl. 8. PA.: 3400 Klosternburg, Ödbergstr. 7. G.: Wien, 5. März 1939. V.: Dkfm. Heidemarie, geb. Kaufman. El.: Richard u. Margarete. S.: RG Wien, Stubenbastei, Welthdl., 1963 Dr. an d. Univ. Wien. K.: 14 J. b. Danubia AG tätig, Ass. d. Rehnungswesen, 1970 Prok., 1975 Gschf., 1970 kfm. Dir. b. Inku AG, 1980 Prok., 1981 Vorst.Mtgl. M.: Wirtschaftsforum d. Wirtschaftskräfte. H.: Reiten, Skifahren, Garten. (Fels.)

Sauer Thomas
B.: Gschf. FN.: Ignaz Kosztelitz Elektrogroßhdls. GmbH. DA. u. PA.: 1010 Wien, Spiegelg. 13. G.: Wien, 4. Nov. 1965. El.: Peter u. Julianna. S.: VS, Mittelschule, HAK, 1986 Matura. K.: seit d. Kindheit bereits Mitarb. im elterl. Betrieb Fa. Peter Sauer Textilbranche, seit 1986 Gschf. d. Fa. Ignaz Kosztelitz. H.: Bootfahren, Skifahren, Squash.

Sauer Werner Dr. phil.
B.: Ass. am Inst. f. Phil. DA.: 8010 Graz, Heinrichstr. 26. PA.: 8010 Graz, Friedrich-Hebbel-G. 2. G.: Graz, 18. Mai 1942. S.: Kfm.Gehilfenprüf., 1971 Externistenmatura, 1971-80 Stud. klass. Philol. u. Phil. K.: ab 1977 Studienass., 1980 Prom., ab 1980 Vortragsass. P.: Veröff. z. Gesciche d. österr. Phil., Neopositivismus, Erkenntnistheorie, über Kant, Weltanschauungskritik.

Sauer Wolfgang
B.: Inh., Kfm. FN.: Frischwarenmarkt Partydienst Sauer. DA.: 8010 Graz, Waltendorfer Hauptstr. 99. G.: Graz, 25. Sept. 1960. V.: Ingrid, geb. Stadler. Ki.: Christoph (1989). El.: Josef u. Margarethe. S.: VS, AHS. K.: Kfm.-Lehre b. Fa. Sauer, 1982 Praktikum in Sbg. (Partydienst), seit 1983 wieder b. Fa. Sauer, seit 1992 Inh. d. Firma. M.: A & O (Funktionär), Wirtschaftsbund ÖVP. H.: Sport (Faustball), Familie. (C.R.)

Sauerwein Günter J.
B.: Gschf. FN.: AVIS Autovermietung GmbH. GT.: Obm. d. Verb. d. Autovermieter Österr. DA.: 1100 Wien, Gudrunstr. 179A. G.: Innsbruck, 22. Mai 1943. V.: Auguste, geb. Nagele. Ki.: Eva (1969), Georg (1974). El.: Franz u. Elisabeth. S.: Matura 1962, 1963 Bundesheer. K.: 1964-65 in d. Verkaufsltg. b. ITAG machinery manufactures, Bolzano-Roma, 1965-69 Regionalverkaufsltr. Ruf-Buchhaltungs-Anlagen Italien, Madrid, 1969 Eintritt AVIS Innsbruck, 1970-79 Stationsltr. f. Westösterr., 1979-80 Organisatiosltr., 1980-81 Gen.-Dir. Hertz Austria, seit 1992 Gschf. AVIS Autovermietung GmbH Austria, 1986/87 interimist. Mitgschf. AVIS Deutschland in Frankfurt, seit 1987 wieder Alleingschf. AVIS Österr., seit 1992 verantw. f. d. Niederlass. in Tschechien. M.: Mtgl. d. Amerikan. u. Dt. Handelskammer, Skal-Club, ÖRV. H.: Lesen, Skilaufen, Bergsteigen. (J.S.)

Sauerzopf Franz Dr.
B.: chem. LHptm.Stellv. u. Mtgl. d. Bgld. LRg. PA.: 7210 Mattersburg, Flurg. 1. G.: Mattersburg, 17. Mai 1932. G.: Maria, geb. Gesellmann. Ki.: Ulrike, Hans Peter, Michael, Eva. El.: Franz u. Hermine. S.: Mittelschule, Univ. (Dr. iur.) u. HS f. Welthdl. (Mag.). K.: Richter, Gerichtsvorst., HAK-Prof., LHptm.Stellv. E.: Komturkreuz. M.: UNION, Akademikerbund. H.: Tennis, Skifahren, Schwimmen, Ballspiele, Lesen. (mod. Literatur, Phil. u. Zeitgeschichte). (G.E.)

Saumwald Johann
B.: Postang., Musiker, Inh. FN.: Lions Musik- u. Veranstaltungsagentur. GT.: Ilse´s Trachtenstrickstube St. Johann b. Neunkirchen. DA.: 2620 Neunkirchen, Schillerg. 29. PA.: St. Johann/NÖ, Schönblickstr. 23. G.: Neunkirchen, 14. Aug. 1953. V.: Ilse. Ki.: Martin, Susanne, Udo. El.: Johann u. Hilda. S.: Elektrikerlehre, staatl. geprüfter Kranführer f. Turm-, Dreh- u. Laufkräne, Musiklehrer, gelernter Kellner. K.: 1972-80 Musiker u. Ltr. zweier Musikschulen, 1978-80 Bes. eines Gasthauses, 1976 Gründer u. Leader d. Lions Combo, unzählige Auftritte in ganz Österr., 1980-85 im Ausland tätig, seit 1991 zusätzl. Inh. d. Lions Musik- u. Veranstaltungsagentur. BL.: spielt 15 Musikinstrumente, spricht mehrere Fremdsprachen (Franz., Engl., Griech., Ital.). E.: Österr. Mstr. im Akkordeonspielen. M.: Ritterrunde Grimmenstein, GWCA Austria, Ldw.-Kam., Owners Club, Österr. Ges. f. histor. Fahrzeuge. H.: Sammeln v. Oldtimern, Motorradfan, Amateurfunker, Elektronik, Reisen, Fotografieren.(F.S.)

Saurer Bruno Dipl.-Ing.
B.: Vorst. d. Fachabt. IIIa (Wasserwirtschaft) d. Amtes d. Stmk. LRg. GT.: AufsR. d. Sparkasse Hartberg-Vorau. DA.: 8010 Graz, Stempferg. 5-7. PA.: 8230 Hartberg, Schildbach 61. G.: Hartberg, 7. Jan. 1940. V.: Mag. Annemarie, geb. Trinkl. Ki.: Georg (1965), Ullrich (1966). El.: Bruno u. Luise. S.: BRG Fürstenfeld, Montanuniv. Leoben (Grad. 1965), Studienaufenthalt in BRD u. Schweden. K.: seit 1965 im LDienst, Baubez.Ltg. Hartberg, 1968 Ref.Ltr. Wasserbau, 1983 Vorst. d. Baubez.Ltg., seit 1989 Vorst. d. Fachabt. IIIa-Wasserwirtschaft, Koordinator f. wasserwirt. Angel. P.: Zahlr. Fachart., 1982 Broschüre "Wasserbaulehrpfad Lugitzbach". E.: Ehrenring d. Gem. Stubenberg u. Rohrbach/Lafnitz, LSport-EZ. M.: Ver. f. Heimatschutz, Naturschutzbund, Histor. Ver. Hartberg, Othmar Rieger-Ges., Kulturver. Schielleiten, Bez.Obm. d. Akademikerbundes, Turn- u. Sportver. Hartberg, Union Hartberg-Umgebung, 1973-87 Obm. d. Tennis-Club Hartberg, seit 1989 Präs. d. Steir. Tennisverb. H.: Enkel, Garten, Tennis. (C.H.S.)

Saurer Ewald
B.: Gschf. Ges. FN.: Fenstertechnik Handels- u. Montage GmbH. DA.: 8020 Graz, Neubaug. 107. PA.: 8570 Voitsberg, Siedlungsstr. 8. G.: Voitsberg, 6. Okt. 1962. V.: Ingrid, geb. Schögler. Ki.: Martina (1986), Christian (1993). El.: Franz u. Maria. S.: 1973-78 AHS Köflach, 1978 Lehre techn. Zeichner Fa. Brandl Heizungswesen Graz, 1982 BH. K.: 1983-88 Baultr. Fa. Internorm, Lannach, 1988-91 Techn. Ltr. Fa. Internorm, s. 1991 selbst. Fa. Fenstertechnik Graz. H.: Tennis, Squash, Schwimmen, Reisen. (I.G.)

Saurer Herbert KommR. Ing.
B.: Zimmermstr. FN.: Ing. Herbert Saurer KG. DA.: 6600 Reutte, Lutterottistr. 5. PA.: 6600 Breitenwang, Neumühle 2. G.: Elbigenalp, 3. Nov. 1930. V.: Margarethe, geb. Fritz. El.: Franz u. Laura. S.: VS, HS, HTL f. Holztechnik in Mödling. K.: 1965 Zimmermstr.Konzession, seit 1963 selbst., seit 1986

KommR. E.: Verd.Med. d. Landes Tir. M.: Obm. d. HK Reutte, LInnungsmstr. d. Zimmerer, GemR. d. Gem. Reutte. H.: Jagd. (Schm.)

Sauseng Adalbert

B.: Firmeninh. FN.: Bau- u. Möbeltischlerei A. Sauseng. DA. u. PA.: 8045 Graz, Statteggerstr. 135. G.: Graz, 16. Mai 1952. V.: Brigitte, geb. Sattler. Ki.: Elke (1975), Ulrike (1977), Wolfgang (1984). El.: Emmerich u. Josefine. S.: Pflichtschule, Tischlerlehre, 1967 Abschluß, 1976 Mstr.-Prüf. K.: 1978 Übernahme d. elterl. Betriebes. H.: Skifahren, Radfahren, Tennis. (F.K.)

Sauseng Helmut M. Mag. rer. nat.

B.: Gschf. Ges. FN.: O. Sauseng OHG. DA. u. PA.: 1160 Wien, Lienfelderg. 32. G.: Wien, 24. Dez. 1953. V.: Francine, geb. Hansen. Ki.: Christoph (1982), Philippe (1986). El.: Otto u. Johanna. S.: 1972 Matura, Chemiestud. Unv. Wien, 1978 Spons. z. Mag. rer. nat., 1979-80 Stud. in Polymerchemie am C.N.R.S., C.R.M. Strasbourg/Frankreich. K.: 1980-81 Market Development Officer ICI Europa Ltd. Belgien, zuständig f. d. Markteinführung neuer Produkte, erste Verkäufe u. Erstellung v. Marktanalysen, 1981-83 Verkaufsmanager b. HRC Deutschland GmbH Münster, seit 1983 Gschf. Ges. O. Sauseng OHG f. d. Großhdl. v. photograph., elektron. u. elektrotechn. Artikeln m. u.a. Generalvertretungen f. Panasonic, Fotogeräte Ind.-Batterien, Slik Stative Steiner Optik. H.: Tennis, Skifahren, Laufen. (J.S.)

Sausgruber Herwig Dr. med.

B.: Ärztl. Ltr. d. Sozialpsychiatrie GmbH Bregenz u. Psychiater u. Psychotherapeut in freier Praxis. A.: 6900 Bregenz, Kaiserstr. 28. G.: Bregenz, 5. Juni 1942. El.: Dr. phil. Kurt u. Luise. S.: Hum. Gym. in Bregenz, Stud. d. Med. u. Phil. in Innsbruck, Ausbild. z. FA f. Psychiatrie u. Neurologie in Innsbruck, Wil/St. Gallen, Valduna. K.: Klin. Fachausbild., Industrielle Antidepressivaforsch. unter Prof. Dr. Theodor Wagner v. Jauregg in d. Sekt. Klin. Pharmakologie d. Forsch.Abt. d. Siegfried AG Zofingen, seit 1979 Fachpraxis, 1990 Ärztl. Ltr. d. Sozialpsychiatrie Bregenz GmbH. F.: Ges. d. Sozialpsychiatrie Bregenz GmbH. P.: Fachpubl. in klin. Psychopharmakologie, Traumanalyse in d. Gruppe, Traumserienanalyse, Autogenem Training u. Sozialpsychiatrie: "Traumdeutung in d. Gruppe" Profil Verlag München 1984, "Ein Modell d. Nahraumversorgung psychisch Kranker-Sozialpsychiatrie Bregenz" in Das öffentliche Gesundheitswesen L/4/1988, "Strukturanalyse" (1991) u.a. M.: Vbg. Ges. f. Psychiatrie u. Psychotherapie VGPP, Österr. Ges. f. Autogenes Training u. allg. Psychotherapie, Ass.interdisciplinare di ricerca e didattica sul Autogenicita AIRDA Treviso u.a. H.: Malerei, Graphik.

Sausgruber Leopold

B.: Landesstatthalter. FN.: Landesreg. Vorarlbg. DA.: 6900 Bregenz, Landhaus. G.: 24. Juli 1946. V.: Ilga, geb. Gstrein. Ki.: 2 Söhne, 1 Tochter. S.: VS, Gymn., Stud. Innsbruck, 1970 Prom. z. Dr.iur., BH i. Bregenz u. Feldkirch Absolv. d. Gerichtsprax. K.: 1972-75 BH Bludenz, Feldkirch u. Bregenz Polizeiref. u. Ref. f. Gewerbe-, Bau- u. Wasserrecht, Ltr. d. Jugendamt., 1975 Amt d. LReg. u. Gemeindevertr. i. Höchst, 1978 Gemeindevorst. i. Höchst, 1979 Landtag, 1981 Nom. z. Klubobm. d. ÖVP-Landtagsfrakt., 1986 Landesparteiobm., 1989 Angelob. z. LRat. v. Vorarlbg. Landtag, 1990 Best. z. Landesstatthalt.: Betreuungsgeb. Verkehrspol., Verkehrsrecht, Wohnbauförd. u. Inneres, ab 1994 Ressorts Gesetzgeb., Finanzangel., Wohnbauförd., Feuerwehr, Rettungswes. u. Katastrophenbekämpf.

Sauter Friedrich H. Dr. phil. o.Univ.-Prof.

B.: Ordinarius f. Organ. Chemie an d. Techn. Univ. Wien, Ltr. d. Abt. f. Organ. Synthese am Inst. f. Organ. Chemie d. TU Wien. DA.: 1060 Wien, Getreidemarkt 9. PA.: 1070 Wien, Zollerg. 2. G.: Wien, 23. Mai 1930. V.: Susanne. El.: Anton u. Margarete. S.: Matura 1948, Stud. Chemie u. Biologie Univ. Wien, Dr. phil. 1957. K.: ab 1954 Ass.-Tätigk. Univ. Wien (I. Chem. Lab. d. Univ.), 1970 Habil. f. Organ. Chemie TU Wien, 1973 a.o.Univ.-Prof. u. Abt.-Ltr. TU Wien, 1978 o.Univ.-Prof. f. Organ. Chemie u. Vorst. d. Inst. f. Organ. Chemie TU Wien. BL.: Organisation zahlr. intern. Fachtagungen, Kooperation m. and. wiss. Fachrichtungen, chem. Untersuchungen f. Kunst u. Archäologie (Archäometrie), über 30 Fachpubl. P.: ca. 150 wiss. Veröff. in Fachzeitschr., bes. über Synthese heterocycl. Verbindungen, zahlr. Patente, bes. auf d. Pharma-Gebiet u. über umweltfreundl. Pflanzenschutzmittel. E.: Kuriensprecher d. Chemieprof. an d. TU Wien, Vorst.-Mtgl. d. Ges. Österr. Chemiker (GÖCh). M.: GÖCh (Obm. d. Arbeitsgruppe "Chemie d. Heterocyclen"), Österr. Pharmazeut. Ges. (ÖPhG), Österr. Ges. f. Ur- u. Frühgeschichte (Vorst.-Mtgl.). H.: Kunst u. Archäologie m. entspr. Reisetätigk.

Sautner Heinz

B.: Gschf. Ges. d. Fa. Klocker & Sautner KG, Kompl. DA.: 6130 Schwaz, Pill 4. G.: Pill, 12. Mai 1945. V.: Monika, 3 Kinder. El.: Franz u. Marianne. S.: VS, Gymn., 1966 HAK-Matura. K.: Schweiz u. amerikan. Müllereifachschule, Auslandspraxis, seit 1975 selbst. H.: Berufserfolg. (Schm.)

Sautner Martin Mag. rer. soc. oec.

B.: Gschf. Ges. FN.: ASM Sautner GesmbH & Co KG, Waagen + elektron. Wiegetechnik. DA.: 4810 Gmunden, Pletznerstr. 16b. PA.: w.o. G.: Gmunden, 11. März 1961. V.: Eva-Maria, geb. Heissl. Ki.: Christoph (1988), Thomas (1990). El.: Alois u. Christiane, geb. Schmid. S.: 1975-80 HAK, 1980-85 Stud. WU Wien, Fachr. Unternehmensführung. K.: 1985 Eintr. in väterl. Unternehmen, 1987 Übern. d. Geschf. P.: Veröffentl. d. Diplomarbeit "Unternehmensgründung". M.: Round Table Wirtschaftsbund. H.: Tennis, Schifahren, Lit. (C.D.)

Saverschel Richard

B.: Prok., Ndlg.Ltr. FN.: Estermann, Kirchner & Co GmbH. DA.: 4010 Linz, Ledererg. 67. PA.: 1090 Wien, Althanstr. 7/6. G.: Wien, 10. Juli 1946. V.: Renate, geb. Raufer. Ki.: Alice, Nicole. El.: Richard u. Luise. S.: HTL Wien Maschinenbau, 1964 Matura. K.: 1964-68 Hospitalplan (Betriebsberatung), 1968-70 selbst. Kfm., Betriebsberatung, 1970-74 Traffic-Manager b. Vienna-Sightseeing-Tours Wien, 1974-78 Dr. Richard Verkehrsbetriebe, Gschf. d. Golden KG, 1978-82 Dir. d. Pressesped. Fallenegger, 1982-86 Verkaufsltr. d. Sped. Kühne & Nagel, 1986 Verkaufsltr. d. Fa. Kirchner Intern. Transport AG, seit 1987 Ndlg.Ltr. u. Prok. Fa. Estermann, Kirchner & Co Linz. M.: Wirtschaftsforum d. Führungskräfte. H.: Skifahren, Tennis. (A.W.)

Savic Zoran Dr. med. vet.

B.: Gschf. Ges. FN.: VICTUS Lebensmittelbed. Vertriebs GmbH. DA.: 1140 Wien, Felbigerg. 38. PA.: 1130 Wien, Veitlisseng. 3a. G.: Belgrad, 13. Jan. 1958. V.: Selena. El.: Prof. Dr. Isidor u. Ljubica. S.: 1976-81 Vet.-med. Univ. Belgrad, 1984-86 Vet.-med. Univ. Wien, Inst. f. Fleischhygiene, Fleischtechnologie u. Lebenmittelkunde, Doktorat. K.: 1982-86 Verkaufsltr. u. Consulent Uniproject Wien, Errichtung v. Fleischbetrieben im Nahen Osten, 1986-89 Verkaufsltr. u. Consulent Firma J. Laska & Söhne Wien,

1990 Grdg. Firma VICTUS Wien, 1991 Grdg. Firma VICTUS Hungaria Budapest, 1993 Beginn d. Kunst-Wursthüllen VICTAN, Vertrieb in Zentraleuropa. P.: Fachpubl. in Fachzeitschriften m. d. Thematik Fleischhygiene u. Fleischtechnologie. H.: Tennis, Franz. Kultur. (T.T.)

Sawicki Jerzy Dkfm. Mag.

B.: Gschf. FN.: Ostrana Intern. Hdls. GmbH. DA.: 1130 Wien, Hietzinger Hptstr. 22. G.: Polen, 8. Sept. 1932. V.: Halina, geb. Wyrozembska. Ki.: Urszula, Piotr. S.: Univ. Warschau, Planung u. Statistik, Außenhdls.Fak. K.: ab 1957 im Außenhdl. tätig, 1984 Gschf. Fa. Ostrana. P.: in div. Fachzeitschriften f. Außenhdl. H.: histor. Literatur, Schwimmen.

Sawires Roman Dr. med.

B.: Ltr. d. Anästhesie Ambulanz im Stadtspital Dornbirn. DA.: 6850 Dornbirn, Lustenauer Str. PA.: 6850 Dornbirn, Gutenbergstr. 15. G.: Alexandria, 1. Mai 1939. V.: Elisabeth, geb. Werth. Ki.: Josef (1966), Michael (1968), Martin (1976). El.: Dkfm. Sedik u. Jannetta. S.: 1958 Med.-Stud. Univ. Innsbruck, 1966 Prom. K.: Hochalpine Kinderheilstätte Davos, St. Nikolai-KH Höxter/BRD, Barmherzige Brüder St. Veit/Glan, Anästhesieinst. Innsbruck, 1973 Ltr. d. Anästhesie-Abt. im KH Dornbirn, 1988 Schmerzpraxis in Dornbirn. P.: Anästhesie Methodenwahl u. bestimmende Faktoren, Schilddrüsenoperation Vorbereitung v. Nachbehandlung, Die Prophylaxe postoperativer Komplikationen, Klin. Erfahrung b. Strumaoperationen in Sitzlage m. Elektrostimulationsanästhesie. M.: seit 1991 Präs. u. Fortbildungsref. d. Vbg. Ärzteges. f. Akupunktur. H.: Phil., Theol., Tischtennis, Schwimmen.

Sawkoff Erika

B.: Inh. u. Gschf. FN.: Blumengroßhdl., Obst u. Gemüse Erika Sawkoff. DA.: 4600 Wels, OPberfeldstr. 117. G.: Wels, 2. Mai 1940. Ki.: Sawi-Christoph (1959), Michael (1961). El.: Karl u. Maria Stehlik. S.: VS, HS, Lehre als Einzelhdls.-Kfm. in Buchhdlg. K.: Tätigkeit in Wild- u. Geflügelgroßhdl. Witzmann Wels, 1958 Tätigkeit Firma Just, nebenbei Weiterbild. u. Tätigkeit b. Notar Dr. Exenberger, 1962 Grdg. eines Obst- u. Gemüsegeschäftes, 1970 Eintritt in Firma d. Mannes, Import v. Blumen u. Christbäumen, 1987 Übernahme d. Firma. H.: Skifahren, Tanzen. (U.A.)

Saxinger Herbert Mag. art.

B.: Landesschulinsp. f. allgem. bild. Pflichtschulen. FN.: Landesschulrat O.Ö. DA.: 4010 Linz, Steing. 14. PA.: 4020 Linz, Kapuzinerstr. 55. G.: Grieskirchen, 1. Dez. 1941. V.: Brigitte, geb. Märzinger. Ki.: Dr. Elke (1963), Dr. Werner (1966). El.: Josef u. Karoline, geb. Plohberger. S.: VS, HS, 1956-61 Lehrerbild.-Seminar Linz, ab 1966 Univ. Slbg., 1980 Spons. zum Mag. art.. K.: 1961-89 Unterricht an VS u. HS, Gymn. u. Päd. Akad.; 1970 Dipl. f. Lied - Sologesang u. Oratorien, 1980 Abtl.-Vorst. f. d. Stud.-Gänge Päd. d. Diözese Linz, 1989 Berufung zum Landesschulinspektor. BL.: Aufstieg v. prov. VS Lehrer zum ersten Päd. d. Landes, Stud. neben Fam. u. Beruf. P.: Lehrbücher f. Musikerziehung "Palette", "Spielräume", viele Einzelpubl. in Musikpäd. u. Sprecherziehung. E.: 1966 Kulturmed. d. Stadt Linz. M.: s. 1961 Christl. Lehrerver. H.: Musik, Chorltg. u. Gesang, Instrumente. (C.D.)

Saxl Erich RgR.

B.: Amtsltr., Amtsdir. d. Arbeitsamt Schwaz. DA.: 6130 Schwaz, Swarovskistr. 22. PA.: 6130 Schwaz, Paracelsusstr. 5. G.: Schwaz, 8. März 1929. V.: Hermine, geb. Nagl. Ki.: Armin (1951). El.: Engelbert Saxl u. Anna Kofler. S.: Grundschule, Tischlerlehre, 1943 Abschluß, zahlr. Kurse, Fachprüf. f. Amt. K.: 22 J. Tischler Jenbacher Werk, Verw. v. Werkzeuglager, später in d. Zeichenverw., 1969 Vermittler Arbeitsamt Schwaz, b. 1982 Rehab-Berater u. AMFG, seit 1982 Amtsltr., mitmaßgebend f. Grdg. d. geschützten Werkstätte Schwaz. E.: RgR., Amtsdir. M.: 14 J. Kassier b. Fußballclub Schwaz. H.: Heimwerken. (M.W.)

Sbandi Pio Dr. Univ.-Prof.

B.: o.Univ.-Prof. f. Pastoralpsych. A.: 6020 Innsbruck, Sillg. 8. G.: Neapel, 21. Juni 1927. El.: Dr. Mario u. Adele. S.: 1964 Dipl. in Psych. München, 1966 Dr. theol. Innsbruck, 1972 Habil. an d. Theol. Fak. Innsbruck, Grenzfragen d. Patoraltheol., f. Sozialpsych., 1973 o.Univ.-Prof. f. Pastoralpsych., 1977 Univ.-Doz. f. Sozialpsych. an d. Naturwiss. Fak., 1991 Vorst. d. Senatsinst. f. zwischenmenschl. Kommunikation. P.: Gruppenpsychologie, Lebenselement Gruppe, mehrere Veröff. in Fachzeitschriften. M.: Zentrum f. Angew. Gruppenpsych., Dt. Arbeitskreis f. Gruppenpsychotherapie u. Gruppendynamik, Österr. Arbeitskreis f. Gruppentherapie u. Gruppendynamik, Berufsverb. Dt. Psychologen, Berufsverb. Österr. Psychologen, Österr. Berufsverb. f. Psychotherapie.

Scalet Andreas

B.: Red. d. Neuen Vbg. Tageszeitung. GT.: freischaff. Werbetexter f. Werbeagenturen. DA.: 6900 Bregenz, Kornmarktstr. 18. PA.: 6900 Bregenz, Kirchstr. 17. G.: Lustenau, 14. Apr. 1962. El.: Arthur u. Renate. S.: HS, Spengler, Graphiker, b. 1986 div. journal. Kurse. K.: seit 1987 b. "Neue Vbg. Tageszeitung" als Red. d. Ges.Rubrik u. Kultur. BL.: 1983 graph. Mitarb. am Buch "Wer sagt, die Vögel sterben aus", 1984 graph. Mitarb. am Buch "Wo d. Prominenz verkehrt", 1987 Kritik im "Literaturspiegel", 1989 Ltg. u. Organ. Diskussionsveranstaltung f. d. Arbeiterkam. M.: Kulturver. Bregenz. H.: mod. bild. Kunst, Vbg. Kunst, Skifahren. (M.G.)

Scarpatetti Claudia

B.: Schauspielerin. DA.: Vienna People, 1060 Wien, Esterhazygasse. G.: Graz, 19. Feb. 1970. El.: Walther u. Brigitte Scarpatetti. S.: VS, Gymn., 3 J. Schauspielstud. Konservatorium d. Stadt Wien, 1992 Dipl.-Prüf. K.: freiberufl. Schauspielerin, Ensembletheater Petersplatz: Tartuffe, Draußen v. d. Tür, Klagenfurter Ensemble: Affabulationen oder d. Königsmord, Uraufführung: Jeder boy, 1994 Mödling Bühne Maya: Das Kaffeehaus v. Goldoni, Filme: ORF-Produktion TOHUWABOHU, Kinofilm "Lucona-Affaire", RTL-Produktion: Racing Star Das ist Dein Ende, 1994 Kulturfilm über Ludwig van Beethoven. H.: Motorradfahren, Tanz u. Gesang, Lesen. (J.M.)

Scarsini Hans KommR.

B.: Gschf. FN.: Scarsini Fachwerkstätte f. Malerei u. Tapezierarb. DA.: 9020 Klagenfurt, Koningsbergerstr. 20. PA.: 9020 Klagenfurt, Rosentalerstr. 5. G.: Klagenfurt, 3. Okt. 1924. V.: Pauline, geb. Wagner. Ki.: Elisabeth (1961),

Hannes (1965). El.: Hans u. Maria Theresia. S.: Mittelschule m. Matura in Klagenfurt, Oberschule, nach d. Krieg Mstr.Schule in Wien m. Ausz. absolviert. K.: Tätigkeit im väterl. Betrieb, 1952 Übernahme d. Geschäftsführung, seit 1956 Recht d. Fa. z. Führung d. Stadtwappens, seit 1989 Recht d. Fa. z. Führung d. LWappens. BL.: 1952-56 Mtgl. d. Österr. Nationalmannschaft im Eishockey (Olympische Spiele in Innsbruck), Intern. Schiedsrichter b. d. Universiade in Turin u. Innsbruck, 1967-74 Jugendtrainer b. KAC (6x m. d. Mannschaft Österr. Jugendmstr.), Jugend- u. Wettspielref. im Ktn. Eishockeyverb. E.: 1991 Berufstitel KommR., 1992 EZ d. Landes Ktn. sowie viele Sportausz. z.B. Gold. Ehrenring d. KAC, Gold. EZ d. Landes Ktn. f. Spieler u. Funktionäre, Gold. Edelweiß d. Ktn. LRg. H.: Sport (Eishockey). (D.M.)

Schaaf Alexander Dr. Dipl.-Ing. KommR.

B.: VPräs. d. ESU, Obm. d. Wr. Schausteller, Schausteller, Gastwirt, Inh. div. Praterunternehmungen. A.: 1020 Wien, Volksprater 45. G.: Wien, 5. Okt. 1923. V.: Erika, geb. Leitner. S.: VS, HS, HASCH, ITS-Fribourg/Schweiz. K.: Familie seit 1866 im Wr. Prater tätig, selbst. seit 1945, Inh. bekannter Praterattraktionen wie Lachkabinett, div. Schießhallen, Spielotheken, Autodrom, Karussells, Espressobetriebe, Watschenmann, Lukas, Kraftapparate, Unterhaltungsspiele versch. Art u.a. E.: Gr. Silb. Ehrenmed. d. HK Wien, EZ d. kath. u. ev. Schaustellerseelsorge, Ehrenmed. d. Freien Wirtschaftsverb. M.: Obm. d. Wr. Schaustellerverb., Vorst.Stellv. d. Berufsgruppe Schausteller in d. BKam., VPräs. d. Europ. Schaustellerunion, Ehrenmtgl. versch. öster. Berufs-LOrgan. H.: weite Reisen, Filmen, deren Vorführung u.a.

Schaar Franz Christian Dr. rer. oec. Dipl.Vw.

B.: Wirtschaftstreuhänder u. Steuerberater. DA.: 6020 Innsbruck, Pradlerstr. 83. PA.: 6020 Innsbruck, Ampfererstr. 29. G.: Hall/Tir., 21. Juli 1920. V.: Margareth, geb. Ittlinger. Ki.: Angelika, Mag. Christian. S.: 1940 Matura, Militärdienst b. d. Fallschirmtruppe (mehrfach schwer verwundet, 70% kriegsbeschädigt), Stud. Innsbruck, 1947 Prom. K.: 7 J. Finanzdienst als Betriebsprüfer, seit 1955 selbst. Steuerberater. E.: versch. Kriegsausz. H.: Schwimmsport, Literatur.

Schabauer Anna

B.: Dir. ASO Gloggnitz. DA.: 2640 Gloggnitz, Schulg. 4. PA.: 2640 Gloggnitz, Bogeng. 1. G.: Gloggnitz, 24. Dez. 1952. V.: Johann Schabauer. Ki.: Johann (1977), Josef (1979). El.: Josef u. Anna Ehrenböck, geb. Stranz. S.: VS, HS, RG, 1971 Matura, 1971-75 Päd. Ak., HS-Lehrerausbild. K.: 1975 Lehrer ASO Winzendorf, ab 1976 Lehrer ASO Gloggnitz, seit 1990 Dir. d. Schule. M.: Sekt.-Ltr. d. "Lebenshilfe Sekt. Gloggnitz", Beratungsfunktion b. "Bunter Schirm - Hilfwerk NÖ", Pfadfindergilde Gloggnitz-Wartenstein. H.: Handarb., Wandern. (M.M.)

Schabauer Brigitte

B.: Prok., Gschf. FN.: I.T. Beteiligungs GmbH, WHT GmbH, Atlantis. DA.: 1090 Wien, Thurng. 8. PA.: 1120 Wien, Ludwig-Martinelli-G. 10. G.: Wien, 24. Juli 1956. Ki.: Mario Alfred (1975). El.: Franz Schabauer u. Margarete Trebenscheg. S.: 3 J. Großhdls.Kfm. m. Abschluß. K.: Konzernbuchhaltung Fa. Gerngroß, b. 1983 b. einer Baufa., 1986 Grdg. d. I.T. Beteiligungs GmbH, seit 1987 Prok., 1988 Grdg. d. WHT GmbH, Prok., 1991 Fa. Alantis, Gschf. u. Ges. M.: Rotes Kreuz, Tennisclub Alt Erlaa. H.: Tennis, Schwimmen, Musik, Theater. (J.S.)

Schabbauer Gottfried ÖkR. Ing.

B.: Dir. d. Stift Schotten Wien 1. DA. u. PA.: 1220 Wien, Breitenleerstr. 247. G.: Wien, 8. Juli 1939. V.: Anna-Maria, geb. Schiefer. Ki.: Wolfgang (1960), Regina (1963), Johannes (1967), Bernhard (1970). El.: Gottfried u. Hermine. S.: Mittelschule d. Schulbrüder Wien, HBLA f. Ldw. Wieselburg, 1959 Matura. K.: 1960-66 Gutsverwalter b. Graf Althann Zwentendorf, ab 1966 b. Stift Schotten, BezR. im 22. Bez. P.: zahlr. Fachart. im Ldw.-Bereich über Schweinemast u. -haltung, Mineral u. Bodenbearb. E.: Träger d. Silb. VZ am Bande d. Stadt Wien, 1994 ÖkR. M.: Obm.-Stellv. d. Wr. Bauernbundes, Obm. d. ZEG Wien 1, Gründer u. Vorst.-Mtgl. d. Öl- u. Eiweißpflanzenbauern, Vorst.-Mtgl. d. Absolventen d. höheren ldw. Lehranst., Kuratoriumsvors. am Franzisko-Josefinum Wieselburg. H.: Jagd.

Schabert Johann

B.: selbst. Lizenznehmer. FN.: Schabert GmbH. DA.: 1010 Wien, Singerstr. 4. G.: Mainburg, 10. März 1947. V.: Rita Brandl-Schabert. Ki.: Oliver (1975), Jasmin (1983), Nils (1991). El.: Johann Friedrich u. Rosina. S.: VS, HS, Gymn. K.: 1965-74 Kriegsmarine, Oberleutnant z. See u. Kapitänleutnant i. Reserve, 1975 Abmusterung, z. Mc Donalds München als Trainer Manager, Restaurant Manager, Field Service Manager Bayern u. Italien, 1989 n. Wien: erste Mc Donalds Restaurant gekauft, weitere gekauft. BL.: Mittelgewichtmstr. i. Boxen Nord-D. 1963-64, Schwarzer Gürtel i. Allkampf. M.: Präs. d. American Football "Vienna Ringers". H.: Familie, Sport. (M.A.)

Schabetsberger Helmut Franz Mag.

B.: Bereichsdir. FN.: Sprecher Energie Österr. GmbH. DA.: 4020 Linz, Frankstr. 51. PA.: 4060 Leonding, Schießstättengang 13. G.: Linz, 21. Juli 1953. V.: Gabriele, geb. Baumgartner. Ki.: Irene (1983), Thomas (1986). El.: Franz u. Hermine. S.: VS, Gymn., 1972 Matura, b. 1978 Stud. BWL Univ. Linz. K.: seit 1978 in heutiger Firma tätig, Ass. d. kfm. Dir., anschl. Finanzbuchhaltung, seit 1981 Ltr. d. Abt. Finanzbuchhaltung, 1987 Handlungsvollmacht, ab 1992 Prok. u. Bereichsdir. M.: seit 1992 Mtgl. d. Wirtschaftsforum d. Führungskräfte. H.: Schwimmen, Skifahren, Radfahren, Gartenarb., Lesen (Fachliteratur, Sachbücher). (U.A.)

Schabhüttl Gabriele

B.: Inh. d. Fa. Autohaus Gabriele Schabhüttl. DA.: 7400 Oberwart, Wiener Str. 39. PA.: 7400 Oberwart, Mozartg. 41. G.: Stegersbach, 23. Dez. 1922. El.: Franz u. Rosa Derkits. S.: 1937 Praktikum im elterl. Betrieb, ab 1940 Führung d. Betriebes, 1945 Dienstverpflichtung an d. Stadtgem. Kapfenberg, anschl. Graz, 1947 m. Bruder Aufbau u. Wiedereröff. in Stegersbach, 1949 Übersiedlung nach Oberwart u. Miete einer Taxikonzession, 1954 Eröff. d. Ford-Verkaufsstelle, 1956 Standortveränderung u. Neubau

(Werkstätte u. Tankstelle), 1960 Ford-Händler, 1973 Übernahme d. Österr. Wirtschaftsbundes, Ford-Händler-Verb. Österr., Sportver. Oberwart. H.: Tierliebhber, Garten, Blumen, Fotografie. (War.)

Schabus Rudolf Dr. Univ.-Doz.

B.: Stellv. d. Vorst. d. Univ.-Klinik f. Unfallchir. im AKH. DA.: 1090 Wien, Höferg. 5. PA.: 1090 Wien, Liechtensteinstr. 53. G.: Neupriessenegg, 11. Sep. 1954. V.: Univ.-Doz. Dr. Brigitte, geb. Schurz. El.: Jakob u. Bertha. S.: 1973 Matura, Med.-Stud. Wien, 1978 Prom. K.: Unfallchir. Ausbild. b. Prof. Dr. E. Trojan 1979, ab 1984 stationsführender OA an d. 1. Univ.-Klinik f. Unfallchir., 1985 FA-Dekret, seit 1985 Ltr. einer sporttraumatolog. Ambulanz, 1988 Venia docendi f. Unfallchir., Pragmatisierung-Ass.-Prof., 1990 Sportarztdipl., 1991 stellv. Vorst. d. 1. Univ.-Klinik f. Unfallchir., 1992 Stellv. d. Vorst., Initiator d. sporttraumatolog. Ausbild. im Rahmen d. unfallchir. Faches. P.: über 200 wiss. Publ. M.: ÖGU, DGU, AGA, GOTS, ESSKA, ORS, ÖTV, STMS. H.: Malen, Skifahren, Tennis, Surfen, Radfahren, Sammeln v. Bronzefiguren. (S.H.)

Schachel Alfred

B.: Inh. FN.: Display u. Decowaren. DA.: 1010 Wien, Wipplingerstr. 1. G.: Korneuburg, 7. Nov. 1939. El.: Karl u. Stephanie. S.: 1956 Matura, elterl. Betrieb Fachbereich Textilien, 1972 Aufenthalt in d. Schweiz Fachbereich Dekoration, 1973 Dekorateur Wien, selbst., 1981 Ang. in Dekorationsgeschäft, seit 1982 selbst. H.: Garten. (J.E.)

Schachel Herwig

B.: Werbefachmann. FN.: Studio z. Ideenfindung Kommunikationsforsch. u. Werbung GmbH. DA.: 1180 Wien, Scheidlstr. 38. G.: Wien, 29. März 1935. Ki.: Irene (1965), Claudia (1967). El.: Eduard u. Anna. S.: Matura, Med.Stud. u. an d. WU. K.: Mitarb. versch. Werbeagenturen, seit 1974 Inh. d. Studios z. Ideenfindung, d. Veranstaltungs- u. Künstleragentur Der Würfel, Repräsentant d. Australian Tourist Commission. (R.J.)

Schachenhofer Kurt Dr. med. univ. MedR.

B.: FA f. Chir. i.R. PA.: 1130 Wien, Auhofstr. 78c. G.: Wien, 6. Sept. 1922. V.: Katharina, geb. Wallner. El.: Dr. Anton u. Margarethe. S.: hum. Gymn., Univ. Wien, Med. Fak. K.: 1961 FA f. Chir., OA b. Prof. Knoflach u. Prof. M. Wenzl, 1963 Ndlg. als Chir. E.: Silb. EZ f. Verd. um d. Land Wien, Gr. EZ d. Ärztekam. f. Wien. M.: 1962-73 Mtgl. d. Vollversamlung d. Ärztekam. f. Wien, em.Obm. d. Personalgruppenaussch. Abt. Ärzte d. Gewerkschaft d. Gemeindebed., Rotary Intern. d. Rotary-Club Wien Donau. H.: Jagd. (C.K.)

Schachermayer Heinz KommR.

B.: Gschf. FN.: Schachermayer Großhdls. GmbH. GT.: Schachermayer Holding GmbH, J. Rechberger GmbH & Co KG, Jacob Schreiber KG. DA.: 4021 Linz, Schachermayerstr. 2. G.: Linz, 5. Juni 1922. V.: Brunhilde, geb. Stadelmann. Ki.: Roland, Univ.-Prof. Mag. Dr. Walter, Dr. Brigitte Urbanek. El.: Rudolf u. Johanna. E.: mehrere Ausz., Gold. VZ d. Rep. Österr., Gold. EZ d. Rep. Österr., Silb. EZ d. Landes OÖ, Gold. u. Silb. EZ d. Roten Kreuzes, Gr. EZ f. Verd. um d. Rep. Österr. M.: Fachverb. u. Arge, Aussch.-Mtgl. in Krankenkasse u. Bankenwesen, Rotary-Club Linz (Past-Präs.), Grdg.-Mtgl. d. Golfklub Linz u.a. H.: Forellenfischen, Wandern, Skifahren, Golf. (P.H.)

Schachermayer Peter Wilhelm

B.: Hoteldir., Gschf. FN.: Parkhotel Kärnten GmbH. DA.: 9500 Villach, Moritschstr. 2. PA.: 9583 Faak/See, Dietrichsteinerstr. 26. G.: Linz, 24. Juli 1939. V.: Gottfriede, geb. Orou. Ki.: Gebhard. El.: Josef u. Marianne. S.: VS Hollabrunn, VS Linz, HS Linz 1953-56 Berufsschule, 1972 Mstr.Schule München, 5 Sem. Fernschule Konstanz. K.: 1953-56 Kochlehre Linzer Stadtkeller, 1956-57 Jungkoch Kurhotel Schruns, 1957 Commis Gardemanger Innsbruck Hotel Europa, 1957-58 Commis Saucier Schruns Kurhotel Schruns, 1959 Alleinkoch Zürs Hotel Lorünser, 1956-60 Gardemanger Zürs, 1960 Alleinkoch Zürs, 1960-61 Sou Chef Zürs, 1961 Hor's doeuvre Gstaad Palace, 1961 Küchenchef Zürs, 1962 Chef Tournant Villars Palace, 1962-63 Küchenchef Zürs, 1963 Küchenchef Millstatt Hotel Hering, 1963-64 Küchenchef Zürs, zu Attersee 1965-67, 1964 in Bjuv (S) Fa. Findus Entwicklung d. Fertiggerichte, 1964-67 Pächter Strandbad Attersee, 1964-71 Küchenchef Zürs, 1968 Küchenchef Pörtschach Hotel Europa, 1969 Sou Chef Bürgenstock Palace, 1972-73 Küchenchef St. Anton Hotel Tirol, 1970-74 Küchenchef Hotel Bad Schachen BRD, 1972-73 Küchenchef St. Anton Hotel Tirol, 1973-75 WIFI Klagenfurt, 1975-76 Haus Mellon Kitzbühel, 1976 Hoteldir. Parkhotel Kärnten, 1988 Gschf. Parkhotel Villach. BL.: m. OSR. Scheibenpflug u. Küchenmstr. Max Dick Küchenmstr.Prüf. f. Ktn. eingeführt, Vorträge f. Konzession- u. Küchenmstr.Prüf. F.: Pension m. 30 Betten am Faaker See. E.: als Koch b. Ausstellungen 2x Gold, 1x Silber, 2x Bronze. M.: Österr. Kochverb., Dt. Küchenmstr.Ver. H.: Gastronomie, Tennis, Skifahren, Kochen. (U.A.W.)

Schachinger Franz Ing.

B.: Pressesprecher. FN.: Steyr Landmaschinentechnik GmbH. DA.: 4300 St. Valentin. PA.: 1170 Wien, Haslingerg. 20. G.: St. Marienkirchen, 7. Febr. 1941. V.: Marianne, geb. Gubo. Ki.: MMag. Sabine (1969), Alwine u. Ulrike (1973). El.: Johann u. Theresia. S.: VS, HS, 1956-59 Lehre, 1959-64 Höhere Ldw. BLA Francisco-Josephinum Wieselburg. K.: 1964-65 Landtechniker Firma Eibl & Wondrak Wien, Schulungen, Maschinenvorführungen u. Verkaufsförderung, 1965-66 Ref. d. Abt. Techn. Schrifttum u. Mitarb. im Konstruktionsbüro d. Landmaschinenfirma Hofherr-Schrantz Wien, seit 1966 Red. d. Zeitschrift "traktor aktuell" u. Presseref. d. Steyr-Daimler-Puch AG Wien, 1967-69 Univ.-Lehrgang Werbung u. Verkauf WU Wien, 1976 Gewerbeschein f. Werbung, seither selbst. Werbeberater u. -mittler, seit 1981 Chefred. d. Zeitschrift "traktor aktuell", Ltr. d. Presseabt. f. Land- u. Forstmaschinen, 1984 Vortrag über Fachzeitschriftengestaltung in Moskau, seit 1990 Ltr. d. Presseabt. d. Steyr-Landmaschinentechnik GmbH St. Valentin, Alleinred. v. "traktor aktuell". El.: 1985 Preis d. Österr. Fachpresse f. Art. in "traktor aktuell", Ehrenmed. in Silber f. außerordentliche Verdienste auf dem Gebiet der Agrarjournalistik. H.: Familie, Studentenverbindung. (M.M.)

Schachinger Josef Dr.

B.: Dir.-Stellv. d. OÖ Gebietskrankenkassa. DA.: 4010 Linz, Gruberstr. 77. PA.: 4040 Linz, In der Stockwiesen 13. G.: 20. Febr. 1941. V.: Helga, geb. Reiter. Ki.: Gisela (1964), Karin (1695). El.: Georg u. Brigitte. S.: 1959 Abschluß d. Lehre als Zimmerer, 1966 Matura (Abendschule), Jusstud. Johannes Kepler-Univ. Linz, 1971 Prom. K.: 1961-72 Tätigkeit b. Sozialvers., 1972-88 Tätigkeit b. Kam. d. gewerbl. Wirtschaft, seit 1988 b. OÖ Gebietskrankenkassa. P.: Beiträge in Fachzeitschriften z. sozial-rechtl. Problemen. M.: Kiwanis. H.: Sport, Tennis, Skifahren, Reisen, klass. Musik. (U.E.)

Schachinger Max Dr. Dkfm. KommR.
B.: Gschf. Ges. FN.: Intern. Spedition Max Schachinger GmbH & Co KG. GT.: Sparkassenrat d. Allg. Sparkasse Linz, Gschf.: Schachinger Holding GmbH Linz, Spedition Schachinger Paketdienst GmbH Hörsching, Max Schachinger Intern. Kraftwagentransporte GmbH Linz, Ludwig Hohlie Transport GmbH Linz, Schachinger Betriebs u. Hdls. GmbH Hörsching, Prok.: Intern. Spedition Max Schachinger GmbH & Co KG Hörsching, APS Austria Paket System GmbH Wien, AufsR.Vors. Ökombi Österr. Ges. f. d. kombinierten Verkehr GmbH Wien, AufsR. Österr. Zollfreizonen Betriebs AG Linz. DA.: 4063 Linz-Hörsching, Fischerweg 10. PA.: 4020 Linz, Schultestr. 14.

Schachinger Rudolf Dr.
B.: Inh. FN.: Gustav Schachinger Mode f. Männer. GT.: Inh. Textilfachgeschäft Wilhelm Schweitzer Linz. DA. u. PA.: 4020 Linz, Spittelwiese 1. G.: Linz, 14. März 1946. V.: Edith, geb. Zimmerbauer. Ki.: Gustav (1967), Mathias (1972), Sebastian (1977). El.: Gustav u. Hilda. S.: VS, Gymn., Jusstud. Wien u. Linz, 1971-80 nebenberufl. Stud. K.: Tätigkeit im elterl. Betrieb. E.: mehrmaliger Staatsmstr. im Motorfliegen. H.: Fliegen, Oldtimer sammeln. (U.A.)

Schachinger Wolfgang Dr. med.

B.: Prakt. Arzt. DA.: 4910 Ried/Innkr., Bahnhofstr. 19. G.: Obernberg/Inn, 19. Nov. 1953. Ki.: Emanuel, Daniel, Alexander, Valeria, Liona. El.: Dr. Hans u. Ernestine. S.: Realgymn. Ried, 1972 Matura, Stud. d. Med. Innsbruck, 1979 Prom., 1974 Ausb. z. Lehrer f. transzendentale Meditation, 1979-82 Turnusausb. Krkh. Ried, Ausb. in Maharishi Ayur-Ved in Indien, Schweiz, Holland u. Italien. K.: s. 1984 eig. Praxis, 1993 Grdg. Maharishi Ayur-Ved Gesundheitszentrum in Ried, Grdg. d. Österr. Ges. f. Ayur-Veda-Med., Seminartätigkeit i. Ber. Ayur-Veda f. Laien u. Ärzte, Abh. v. transzendentalen Medit.-Seminaren. P.: Beiträge für Wir-Vital ORF. H.: Meditation, Kinder, Sport. (P.H.)

Schachinger Wolfgang Friedrich Dr. iur.
B.: RA. DA.: 5640 Badgastein, Straubingerpl. 5. PA.: 5640 Badgastein, Kaiser-Franz-Josef-Str. 28. G.: Badgastein, 29. Juli 1936. V.: Charlotte, geb. Gugganig. Ki.: Rupert (1971), Manfred (1975), Maria Fatima (1981). El.: Dr. Friedrich u. Hildegard. S.: 1955 Matura, 1959 Prom. K.: 1960 Gerichtsj., 1961-65 Konzipient in einer Anw.-Kzl., ab 1967 selbst. Anw.-Kzl. Schwerpunkt Vertragsangelegenheiten. P.: Veröff. in regionalen Zeitungen, Veröff. in versch. Zeitschriften, Thema: Bergsteigen, Skitouren u. Kajak. M.: Obm. d. Alpenver. Badgastein, Museumsver., 15 J. Mtgl. d. Kurkmsn. H.: Kajak, Skifahren, Skitouren, Literatur. (G.P.)

Schächl Thomas Dr.
B.: Prim., Abt.-Ltr. Anästhesie u. Operative Intensivtherapie im Kardinal Schwarzenberg-KH. DA.: 5620 Schwarzach, Krankenhaus. PA.: 5620 Schwarzach, Schloß Schernbergstr. 16. G.: Niederndorf, 7. Febr. 1937. V.: Rosemarie. Ki.: Michaela (1964), Brigitte (1965), Thomas (1966). S.: 1955 Matura, b. 1962 Med.-Stud. Univ. Innsbruck. K.: 1962-67 Turnusausbild., 1967-70 Fachausbild. Anästhesie Univ. Innsbruck, seit 1970 Ltr. d. Anästhesieabt. KH Schwarzach. M.: CV. H.: Skifahren, Langlaufen, Musik, Reisen. (G.P.)

Schachner Eberhard Mag.
B.: Inh. d. Apotheke z. Hl. Barbara. DA. u. PA.: 8784 Trieben, Marktstraße 3. G.: Klagenfurt, 30. Mai 1941. V.: Hertha, geb. Hofer. Ki.: Hermann, Elisabeth, Christina, Eberhard, Eva-Maria. El.: Hermann u. Maria. S.: BRG Villach, 1959 Matura, Stud. Pharm. in Wien, 1965 Mag. K.: Arb. in versch. Apotheken in Wien, St. Veit, Landeck, 1978 Neugrdg. d. Apotheke in Trieben m. Drogerie u. Parfumerie, Abhaltung v. Kursen über Heilpflanzenkunde in d. Volks-HS u. im Kath. Bildungswerk. M.: Grdg.-Mtgl. d. Ver. Östrr. Apotheker im Ländl. Raum, Mtgl. d. Schlaraffia. H.: Sprachforsch., Astronomie. (Tra.)

Schachner Hanns
B.: Musikschriftsteller in Wien u. Berlin. PA.: 2230 Gänserndorf, Rehg. 34. S.: Matura HAK. K. u. P.: Textautor vieler Lieder in Filmen, wie z.B.: Robert Stolz "Millionäre", Frank Fox "Florentine", "Der Wildvogel", "Herz ist Trumpf" u. "Große Freiheit" m. Hans Albers (darin d. populäre Seemannslied "Schön ist d. Liebe im Hafen"), Textautor vieler Wiener- u. Schlagerlieder f. Interpreten wie Zarah Leander, Hans Albers, Lolita, Heinz Conrads u.v.a., Librettist v. Operetten m. Musik v. Nico Dostal "Bravissimo, Angelina!", "Große Tänzerin Barbarina" (Uraufführung 1942 im Opernhaus in Chemnitz), Musikal. Lustspiele m. Musik v. Hans Lang "Bitte um Diskretion" u. "Viel Glück, junger Mann!" (Uraufführung 1939 Theater in d. Praterstraße Wien), Musical m. Musik v. Hazy Osterwald "Piccadilly Circus" (Uraufführung 1974 Städt. Bühnen in Münster/BRD), Initiator d. 1. Österr. Modetanzes "Tanganilla" u. Textautor d. Original-Tanganilla "Spiel mir einen Tanganilla". E.: 1. Preis d. Soldatenlieder-Wettbewerb d. BML f. d. Marsch "Wer will mit uns marschieren?" u. ein weiterer Preis f. d. Lied "Wunderschöne Mädchen", viele Ausz. z.B.: "Der lustige Augustin", 1988 Österr. Ehrenkreuz f. Kunst u. Wiss. M.: Disziplinarkmsn. d. AKM, Vorst. d. Verb. Österr. Textautoren (VÖT), Ver. "Das Wienerlied", Robert Posch-Ver., Badener Veranstaltungs- u. Kulturver. H.: Beruf, Lesen, Natur. (H.P.)

Schachner Hans-Peter DDr. Mag.
B.: Industrieller. A.: 1060 Wien, Schmalzhofg. 8. G.: Wien, 7. Nov. 1939. El.: Hans u. Eva. S.: VS, Gymn. Stift Melk, HAK, WU, Univ. Wien, Mag., DDr. K.: 1962 selbst., Hutfbk., 4 Detailgeschäfte, Großhdl. P.: Dipl.Arb.: Analyse eines Mischbetriebes, Diss.: Unternehmenspolitische Entscheidungen, Ungleichgewicht d. Sozialpartner. E.: Großkreuz Intern. Templerorden, Großkomm. d. o. Equestre de St. Georges de France, Gr. Kommandeurkreuz d. Ordens St. John of Jerusalem, Gold. VZ d. Rep. Österr., Gold. EZ d. BLänder Ktn. u. Wien u.a. M.: Intern. Ordensunions, Ver. Österr. Industrieller, Verb. Österr. Wirtschaftsak., Österr. Wirtschaftsbund, Österr. Modeclub. H.: klass. Musik, wiss. Politik.

Schachner Helmut Dr.
B.: FA f. Zahn-, Mund- u. Kieferheilkunde. A.: 4020 Linz, Kircheng. 2. G.: Linz, 27. Mai 1924. V.: Gertraude, geb. Ritzberger. El.: August u. Laura. S.: VS, RG, 10 Sem. HS (Med.), 4 Sem. FA-Stud. K.: 1954 Ordination FA f. Zahn-, Mund- u. Kieferheilkunde in Linz. M.: Ver. Österr. Zahnärzte, Med. Ges. f. OÖ. H.: Malen, Landschaften u. Genremalerei.

Schachner Maximilian
B.: Zwg.Stellenltr. d. Volkskreditbank Schwertberg. PA.: 4320 Perg, Naarnerstr. 21. G.: Perg, 8. März 1948. V.: Renate, geb. Brandeis. Ki.: Manuela. El.: Max u. Berta. S.: Kfm. Berufsschule Perg. K.: kfm. Ang. in Perg u. Amstetten,

Volksbankenprüf. I. u. II., 1971 Volksbank Perg, seit 1975 Zwg.Stellenltr. d. Volkskreditbank Schwertberg. M.: Union Perg. H.: Fußball, Paddeln, Tischtenis, Sport, Reisen. (A.W.).

Schachner Peter Dipl.-Ing.

B.: Betriebsltr. FN.: Opel Günther Ges.m.b.H. & Co KG. DA.: 4020 Linz, Hammerlingstr. 13-15. PA.: 4030 Linz, Salisstr. 22. G.: Linz, 16. Sep. 1962. V.: Dipl.-Ing. Dr. Daniela, geb. Haider. Ki.: Bianca-Maria, Mercedes. El.: Robert u. Margareta. S.: VS, Gymn., 1981 Matura, Stud. Maschinenbau a. d. TU Wien, 1989 Dipl.-Ing. K.: BMW Motoren- u. Dieselmotorenentw. b. 1992, seitd. heutige Pos. P.: Aufladetechn. Konferenz i. Darmstadt a. Vortragender u. Veröff., Buch m. d. Thema "Akustische Optimierung v. Abgasturboladern". H.: Bau v. Modelldampfmaschinen. (U.A.)

Schachner-Blazizek Peter Dr. iur et rer. pol. o.Univ.-Prof.

B.: 1. Landeshptm.-Stellv. d. Steir. Landesrg. DA.: 8010 Graz, Landhaus. G.: Mürzzuschlag, 20. Okt. 1942. V.: Emanuela. Ki.: Daniela. El.: DDr. Alfred u. Maria Schachner. S.: 1960 Matura, 1964 Prom. Dr. d. Rechte, 1965 Prom. Dr. d. Staatswiss., 1965-67 Gerichtspraxis u. Militärdienst. K.: 1967-70 Ass. u. Lehrbeauftragter f. Handelsrecht Johannes Kepler-Univ. Linz, 1970 Mag. Graz Finanzabt., 1971 Habil., 1974 a.o.Univ.-Prof. f. Finanzwiss. u. öff. Finanzwirtschaft, 1975 Vorst.-Vors. u. Gen.-Dir. d. Grazer Stadtwerke AG, ab 1990 1. Landeshptm.-Stellv. d. Stmk., ab 1990 Vors. d. SPÖ-Landesorgan. Stmk. P.: "Finanzausgleich in Österr." (1967), "Kommunale Finanzwirtschaft" (1970), "Ein Plädoyer f. ein Zentralortekonzept" (1976), "Probleme einer gesellschaftsbezogenen Unternehmensrechnung" (1977), Art. u.a.: "Die Gemeinden im Finanzausgleich" (1974), "Die dritte Bilanz" (1976), "Gesellschaftsbezogene Rechnungslage" (1978), "The Current Relevance of Schumpeter's Theory of the Decay of Capitalismus" (1984). H.: Lesen, Reisen, Besuch v. Theaterveranstaltungen. (P.M.)

Schachner-Pamer Gabriela

B.: Inh. eines Naturkosmetikinst. DA. u. PA.: 4040 Linz, Kircheng. 2. G.: Linz, 8. Sept. 1954. Ki.: Agnes (1989). El.: Dr. Helmut u. Adele. S.: VS, Kreuzschwesternschule Linz, b. 1972 Lehre Kosmetikerin. K.: Tätigkeit im Beruf, 1975 Eröff. d. eigenen Geschäftes, Gewerbeschein f. d. chem. Gewerbe u. Hdl., 1975 Erz. v. Naturkosmetikprodukten. P.: gelegentl. Vorträge über Kosmetik. E.: 1992 Kulturmed. d. Stadt Linz. M.: Grdg.-Mtgl. Bürgerinitiative Alturfahr Ost, Pressesprecherin dieser Initiative, Jurymtgl. d. Arch.-Wettbewerbes v. Alturfahr Ost. H.: Beruf, künstler. tätig: Malen, Zeichnen, Tonarb., Künstlerpuppen, Umwelt, Grenzwiss., Tiere. (U.A.).

Schacht Hermann Prof.

B.: Inst.-Vorst. Univ. f. Bdk. DA.: 1190 Wien, Peter-Jordan-Str. 82. PA.: Hainburg/Donau, Hummelstr. . G.: Bonn/Rhein, 14. Juli 1938. V.: Dorothea, geb. Stumer. Ki.: Jürgen, Birgit, Veronika. El.: Hermann u. Margarete. S.: 1958 Matura, 1958-61 Stud. Biologie Univ. Wien, 1962-68 Stud. Landschaftsgestaltung u. Ökologie TU München. K.: 1968 Ltr. d. Abt. Landschaftsplanung u. Naturschutz am Inst. f. Raumplanung Wien, 1986 o.Prof., 1986-94 Vorst. d. Inst. f. Landschaftsgestaltung u. -ökologie, 1994 Vorst. d. Inst. f. Freiraumgestaltung u. Landschaftspflege. P.: Kartierung ausgewählter Kulturlandschaften Österr., Stand d. Identitätsfind.-Prozesses d. Landschaftsökologie, Städt. Kinderfreibäder, Prüf. d. Umweltverträglichkeit d. Kraftwerkes Freudenau. M.: stellv. Vors. Wiss.-BeiR. Nationalpark Neusiedler See, Wiss.-BeiR. Nationalpark Donauauen, FachbeiR. f. Gestaltungsformen d. Stadt Wien, Vorst.-Mtgl. Wr. Naturschutzbehörde. H.: Fotografieren v. Landschaften u. Tieren, Wandern, Reisen, Garten. (T.T.)

Schächter Robert Ing.

B.: Gschf. Ges. FN.: PETROMONTAN GmbH & Co KG. DA.: 1190 Wien, Obersteinerg. 11/2. PA.: 2531 Gaarden/NÖ. G.: Wien, 30. Apr. 1958. El.: Sigmund u. Helene. S.: Gymn., HTL Maschinenbau, 8 Sem. Betriebswirtschaft. K.: PETROMONTAN Prok., seit 1984 Gschf. Ges. E.: Fa. Staatswappenträger seit 1987. H.: Skifahren, Lesen, Kaffeehaus. (A.K.)

Schachtner Gerda

B.: Pächterin d. 1. Österr. Ballettschuherz. DA. u. PA.: 1180 Wien, Edelhofg. 6. G.: Laab, 7. Jan. 1950. V.: Wilhelm Schachtner. Ki.: Elisabeth, Wilhelm El.: Erich u. Aurelia. BV.: Cousin Dirigent an Budapester Staatsoper, Urgroßvater Theologe in Budapest. S.: VS, HS, Berufsschule. K.: Stenotypistin, Mitarb. in Fa., 1977 Übernahme d. Betriebes. H.: Lesen, Sport. (E.L.)

Schaden Kurt Franz RegR.

B.: Dir. d. LBerufsschule Lilienfeld. DA.: 3180 Lilienfeld, Berghofstr. 14. PA.: 3180 Lilienfeld, Berghofstr. 18. G.: St. Pölten, 2. Sept. 1940. V.: Ingrid. Ki.: Bernhard. El.: Franz u. Margarethe. S.: Aufbaugymn. in Horn, Matura 1960. K.: Lehrer u. Erzieher ab 1960 an d. LBS Lilienfeld, ab 1966 Lehrer d. Polytechn. Lehrgänge in Lilienfeld u. Hohenberg, seit 1975 Berufsschuldir.Stellv. u. seit 1977 Berufsschuldir., Vortragender im WIFI-NÖ seit 1964, Res.Offz.: Hauptmann, Verbindungsoffz. BH Lilienfeld. BL.: Organ. v. Landes- u. BundesSkimeisterschaften f. Lehrer u. Schüler, Obm. d. "Lilienfelder Advents". E.: Gold. VZ d. Rep. Österr., Ehrenkreuz d. Stiftes Lilienfeld, gold. EZ d. ÖKB, BH-Dienstz. II. Kl., Silb. EZ d. ÖAAB, VZ d. österr. Bauordens, Silb. EZ d. österr. Tapeziererhandwerks, Bronz. EZ d. österr. Malerhandwerks, Silb. EZ d. MSVÖ, Gold. EZ d. Union. M.: NÖ Offz.Ges., Union Lilienfeld, Tennisclub Lilienfeld, Bootsclub Lilienfeld, Hohenberger u. Türnitzer Jägerschaft, Stud.Verb. "Waldmark Horn" u. "Babenberg Lilienfeld". H.: Jagd, Skifahren, Bootfahren. (Ch.K.)

Schaden Walter Mag.

B.: Apotheker. DA.: 4020 Linz, Siemensstr. 4. PA.: 4060 Leonding/Bergham, Schatzstr. 5. G.: Klagenfurt, 6. März 1933. V.: Mag. Brunhilde, geb. Kindermann. El.: Ludwig u. Theresia. S.: Mittelschule Klagenfurt, 1951 Matura, Pharmaziestud. Univ. Graz, 1960 Mag. K.: Aspirant in St. Veit/Glan, 1964-66 Ang. d. Mariahilf-Apotheke Linz, 1968-83 Pächter d. Salvator-Apotheke in Kirchdorf/Krems, 1981 Eröff. d. Bären-Apotheke (Neukonzession) druch d. Gattin in Linz, seit 1983 Ltg. d. Bären-Apotheke Linz. M.: Lions-Club Linz Danublus. H.: Sport, Tischtennis (Bez.Kl.), Musik, Reisen, Natur, Bergwandern. (Deu.)

Schader Peter Paul Dipl.-Ing. HofR.

B.: Ltr. d. BGebäudeverw. I f. d. Bereich Ktn. im Amt d. Ktn LRg. DA.: 9020 Klagenfurt, Völkermarkter Ring 31. PA.: 9020 Klagenfurt, Theodor-Prosen-G. 44. G.: Amlach b. Greifenburg, 29. Okt. 1928. V.: Irmgard, geb. Sprekelsen. Ki.: Irene, Peter, Martin. El.: Johann u. Anna. S.: VS, HS, Gymn., 1949 Matura, TH Wien, 1957 Dipl.-Ing. K.: während d. Stud. versch. Tätigkeiten als Techniker im In- u. Ausland, 1957 Arch. b. Prof. Dipl.-Ing. K. Kupsky in Wien, 1957-59

Arch. b. Prof. Dipl.-Ing. C. Auböck in Wien, 1959-60 Arch. b. Arch. F. Lukesch in Klagenfurt, 1960-63 Österr. Draukraftwerke in Klagenfurt, anschl. unter Arch. Nitsch als Arch. gearb., 1969 Beginn als Vertragsbed. b. Amt d. Ktn. LRg., ab 1979 Stellv. d. Abt.Vorst., 1984 HofR., 1986-91 Ltr. d. Gebäudeverw. P.: Publ. u. Beiträge z. Eröff. versch. Gebäude, zahlr. Vorträge. E.: Gr. EZ f. Verd. um d. Rep. Österr. M.: Zentralver. d. Arch. bis 1994, Ing. u. Arch.Ver., Vorst.Mtgl. im Ver. Josefinum b. 1994, PfarrgemR. H.: Geschichte, Kunst. (M.B.)

Schadlbauer Friedrich G. Dr. M.A.

B.: Gschf. d. Club Intern. Universitaire (CIU) u. Ltr. d. Österr. Dokumentationszentrums f. Auslandsstudien (ÖDOZA) im CIU. DA.: 1010 Wien, Schotteng. 1. PA.: 1100 Wien, Reumannpl. 17/II/11. G.: Wien, 7. Dez. 1939. V.: Mag. Eva Maria, geb. Habel. Ki.: Friedrich W., Günther M. El.: Friedrich u. Karoline, geb. Pfeiler. S.: 1959 BLA Wien, Stud. Univ. Wien, 1967 Prom. z. Dr. phil., Univ. d. Oranje Freistaates Bloemfontein Rep. Südafrika, 1971 M.A. (J.E.)

Schaefer Michael Mag. art.

B.: Industriedesigner. FN.: Schaefer Design. DA.: 1140 Wien, Einwangg. 23. G.: Wartberg Stmk., 30. Apr. 1960. V.: Susanne, geb. Wiery. Ki.: Jakob, Nikolaus. El.: Johann u. Gertrude. S.: Abteigymn. Seckau, HS f. angew. Kunst, s. 1984 selbst. i. Bereich Prod.-Design u. Grafikdesign, 1988 Wertanalyse u. Quality-Circle Ausb. H.: Design.

Schaefer Solf

B.: Abt.-Ltr. Musik im Landesstudio Stmk. DA.: 8010 Graz, Marburger Str. 20. PA.: 8010 Graz, Schubertstr. 62. G.: Bremen, 21. Aug. 1948. V.: Helene, geb. Seethaler. Ki.: Sebastian (1980). El.: Wulf u. Ilse. BV.: Urgroßvater Th. Schaefer veröff. 1. Goethe-Biographie, Vater Wulf Schaefer Arch. u. Archäologe. S.: 1966 Matura Bremen, Musikstud. Musik-HS Detmold Querflöte b. Prof. Dr. Hans-Peter Schmitz, anschl. Mstr.-Kl. b. Prof. André Jaunet Zürich. K.: 1971-73 Musikverlag B. Schohs' Söhne London-Mainz, 1973-74 Promotionmanager b. d. Dt. Grammophonges. Hamburg, 1974-77 Ltr. d. Konzert- u. Bühnenabt. b. Musikverlag Breitkopf & Härtel Wiesbaden, 1978-91 ltd. Red. Neue Musik b. Radio Bremen, seit 1986 auch zuständig f. d. Festival "pro musica nova", seit 1991 Ltr. d. Musikabt. im ORF Graz, zuständig f. d. Musikprotokoll im Steir. Herbst. P.: versch. Art. in Fachzeitschriften. M.: seit 1986 VPräs. d. IGNM Deutschland, im Vorst. d. Österr. MusikR. H.: Tennis, Familie. (M.Gr.)

Schaendlinger Anton Cornelius Dr. phil.

B.: Univ.-Prof. (Turkologie) Univ. Wien, Inst. f. Orientalistik. A.: 1080 Wien, Lerchenfelder Str. 54/13. G.: Plavna, 28. Okt. 1931. V.: Dr. phil. Olga, geb. Haring. El.: Franz u. Katharina. S.: Dr. phil., Studienrichtung Turkologie u. Islamwiss., Kunstgeschichte u. Numismatik an d. Univ. Wien u. Istanbul. P.: Osmanische Numismatik, Die Feldzugstagebücher d. ersten u. zweiten ungarischen Feldzugs Suleymans I., Art. in versch. oriental. Zeitschriften. M.: Dt. morgenländ. Ges., Oriental. Ges. Wien.

Schäfer Anton

B.: Gschf. Ges.; Betriebs-Ltr. FN.: Bungee Jumping GmbH. DA.: 6850 Dornbirn, Karrenseilbahn u. Bödelelift. PA.: 6850 Dornbirn, Am Gerbergraben 4a. G.: Hohenems, 31. Aug. 1960. Ki.: Emanuel Walter (1986), Anika Eleonore (1993). El.: Anton Josef u. Elsa. S.: Elektrikerlehre, Gesellenprüf. 1984, Meisterprüf. 1993. K.: nach d. Lehre 3J. im Lehrbetrieb tätig, 1 Saison als Gärtner, zwischenzeitl. Elektriker, Aufenth. in Indien, 1989 Eintritt b. Karrenbahn u. Bödelelift als Betriebs-Ltr., 1991 Grdg. d. Bungee Jumping GmbH u. deren gschf. Ges. M.: Schiverein Dornbirn, Greenpeace, Tierschutzver., Vorst.-Mtgl. d. Bungee Jumping Ver. H.: Bungee jumping, Lesen, Lernen, Geschichte. (I.D.)

Schäfer-Elmayer Thomas Dipl.-Kfm.

B.: Gschf. Ges. FN.: Tanzschule W. Elmayer-Vestenbrugg GmbH. DA.: 1010 Wien, Bräunerstr. 13. PA.: 6853 Dornbirn, Ob der Bahn 13. G.: Zell/See, 4. Feb. 1946. V.: Aloisia, geb. Wutti. Ki.: Tina, Pascal. El.: Dipl.-Kfm. Dieter u. Dipl.-Arch. Nora. S.: Gymn., 2 J. Stud. Welthdl. in Wien, Wirtschaftsstud. in St. Gallen, Dipl.-Kfm. 1969. K.: 1970 n. Basel z. Fa. Ciba-Geigy AG, 1970-76 Ltr. d. Planung u. Marketing Abt. in Johannesburg, 1977 Fa. VAW AG in d. BRD, zun. Ltr. außereurop. Export, 1981 Handlungsvollmacht, 1983 Prok., 1984-87 im AR d. VMR in Norwegen (Tochterges. d. VAW AG), s. 1987 Gschf. Ges. d. Tanzschule Elmayer-Vestenbrugg GmbH. P.: "Der Elmayer - Gutes Benehmen gefragt" (1991, Nachfolgebuch z. Buch s. Großvaters "Gutes Benehmen wieder gefragt" u. z. Buch s. Eltern "Gutes Benehmen immer gefragt"). H.: Reiten, Tennis, Schifahren, Schwimmen. (J.S.)

Schaffar Edith

B.: Prok. d. Appartement Pension Josefstadt. DA.: 1080 Wien, Alserstr. 125/Haus 22, Kochstr. 36. PA.: 1220 Wien, Spargelfeldstr. 125/22. G.: Wien, 22. Dez. 1942. Ki.: Andrea (1974), Michael (1975), Robert (1975). El.: Eduard u. Maria Schaffar. S.: HASCH. K.: 1958-62 Buchhaltung Welser Papierfbk., Inlandsverkauf u. 6 J. Ost-Export b. Dragoca (Jugoslawien, Ungarn, Rumänien, Bulgarien), Unternehmensberatung Huber, Exportltr. Austria Plibrico, Prok. Lang & Co Medial Leasing, seit 1991 Prok. Appartement Pension Josefstadt. H.: Schreiben, Schwimmen,, Lesen, Theater, Oper. (R.J.)

Schaffarik Kurt

B.: Inh., Maler u. Anstreicher. FN.: Kurt Schaffarik, Malerei- u. Tapeziererarbeiten. DA.: 1230 Wien, Kirchenpl. 5. G.: Wien, 19. Juli 1962. V.: Andrea, geb. Pichler. Ki.: Raffael (1987), Oliver (1991). El.: Kurt u. Erika. S.: VS, HS, 1 J. HASCH. K.: Maler- u. Anstreicherlehre, nach d. Lehre bei Fa. Zulus tätig, s. Juli 1992 selbst. E.: 1977 u. 1979 Lehrlingswettbewerb gewonnen. H.: Tennis, Reisen, Familie. (W.M.)

Schaffelhofer Walter Dr.
B.: Gen.-Sekr. V.Ö.Z. Österr. Zeitungshrsg. u. -verleger. DA.: 1010 Wien, Schreyvogelg. 3. PA.: 1160 Wien, Thaliastr. 109. G.: Wien, 7. Okt. 1943. V.: Gerda, geb. Moche. Ki.: Walter (1968), Thomas (1971), Elisabeth (1974). El.: Dipl.-Ing. Walter u. Gertrude. S.: BRG Wien 16, 1961 Matura, Jusstud. Univ. Wien, 1966 Prom. K.: 1966-71 Gen.-Sekr. d. Kath. Aktion Österr., 1971-77 Gen.-Sekr. d. Verb. Österr. Zeitungshrsg. u. -verleger, 1977-92 Verlagsltr. d. Wochenzeitung "Die Furche" Firma Styria, 1983 Gen.-Sekr. d. Österr. Katholikentages, 1992 Wiederbestellung z. Gen.-Sekr. d. VÖZ. M.: IAA, Verb. Kath. Publizisten, Managementclub, Concordia.

Schaffer Alois
B.: Dipl.-Graphologe, Astrologe. DA./PA.: 1010 Wien, Fleischmarkt 18/2/28. G.: Wien, 15. Jan. 1933. El.: Alois u. Leopoldine. S.: Lehre als Drogist, Ausb. Graphologieverband München, Österr. Ges. f. Schriftpsych. u. Prof. Dr. W. R. Muckenschnabel. K.: 16 J. Doz. f. Graph. u. Astrologie a. d. Künstl. Volks-HS Wien, längere Auslandsaufenthalte (Ägypten, Schweiz, Deutschland), s. 1969 selbst. Graph., Astrologe. P.: Zahlr. Art. i. Fachzeitschr. M.: Funkt. d. theosoph. Ges., Ltr. esoterischer Kreise. H.: Reisen, Lesen, Sport, Wandteller sammeln.. (J.S.)

Schaffer Brigitte Dr. phil.
B.: Bibl.-Ltr. d. Studienbibl. d. päd. u. berufspäd. Ak. d. Bundes d. Stmk. DA.: 8010 Graz, Theodor-Körner-Str. 38. PA.: 8020 Graz, Keplerstr. 36. G.: Graz, 7. Jan. 1946. El.: Josef u. Rosa. S.: Hum. Gymn. Graz, 1965 Matura, 1965-71 Stud. Orientalistik, Semit. Sprachen u. Altertumsgeschichte Univ. Graz, 1971 Prom. K.: 1971-78 Univ.-Ass. Univ. Graz, ab 1978 Bibl.-Ltr. d. Studienbibl., Mitarb. am österr. Normungsinst. BL.: Aufbau d. Studienbibl. zu einer Zentralbibl. f. Bildungswesen m. eigenständiger Mediathek, Einführung d. EDV in d. Bibl.-Wesen d. Unterrichtsmin., Mitaufbau eines österr. Bibl.-Verbundsystems. P.: Diss.: "Sabäische Inschriften aus verschiedenen Fundorten" (1972), zahlr. Veröff. aus d. Bibl. u. EDV-Bereich. M.: div. fachspezif. Organ. H.: Lesen, Vogelkunde. (P.M.)

Schaffer Dieter
B.: Gschf. Ges. FN.: Road Trans Warenhdls. Transport GmbH. DA.: 5101 Bergheim, Handelszentrum. PA.: 5023 Salzburg, Heuberg 193. G.: Baden, 21. Juli 1944. Ki.: Alexander (1972), Tanja (1973). El.: Rudolf u. Anna. S.: VS, Realschule, HAK, Schauspielunterricht. K.: 1962/63 Schauspieler Theater in Wien, 1964 Ang. Computerbranche, Organ. f. Datenverarb. in Wien, Organ. b. Siemens, b. 1972 Datenverarb. Nixdorf, 1973 Gschf. Möbelfbk., seit 1976 selbst. b. Interway, seit 1983 Road Trans. F.: Limousine u. Service Autovermietung Oldtimer Sbg., MZD Möbelzustelldienst GmbH. M.: ÖSC, Kammervollversammlung, Vorst. d. RFW Obm. belcanto chor sbg. H.: Fliegen, Chor, Auto. (M.C.)

Schaffer Eduard Dr. Dkfm.
B.: Gen.-Dir.-Stellv., Gschf. d. Panalpina Unterstützungskasse GmbH Wien, Panalpina GmbH Sbg., Panalpina Lagerhaus Immobilien GmbH Wien u. Panalpina GmbH Klagenfurt, Prok. d. Panalpina GmbH Graz, Panalpina GmbH Leoben, Panalpina GmbH Innsbruck, Panalpina Winkler GmbH Linz, Panalpina GmbH Wels u. Air Sea Charter Transport GmbH Wien. PA.: 1080 Wien, Josefstädter Str. 87/18: M.: Vorst. Vors.Stellv. d. Panalpina AG Wien, AufsR.Vors. d. Wechselseitige Haftpflicht- u. Sachschadenvers.Anst. f. Gleis- u. Magazinsanlagen (Gleimag) Wien, AufsR.Vors. d. "Confracht" Container Transport GmbH Wien.

Schaffer Erich
B.: Dir. FN.: ÖSPAG. DA.: 3150 Wilhelmsburg, Färberg. 11. PA.: 3100 St. Pölten, Neugebäudepl. 3. G.: Deutschlandsberg, 8. Nov. 1941. V.: Hiltrud, geb. Stern. Ki.: Alexandra (1970), Christina (1977). El.: Franz u. Friederike. S.: VS, HS, Lehre z. Technokeramiker Porzellanfbk. Frauenthal, 5 J. HTL Graz, Silikattechniker. K.: ÖSPAG: Betriebsass., Betriebsltg., Produktionsltg., 1982 Prok. u. seit 1983 Dir. H.: Musik, Sport (Motorradfahren). (J.M.)

Schaffer Hans

B.: Inh. FN.: Sägewerk Gotthard Schaffer. DA.: 8741 Eppenstein 2. PA.: 8741 Eppenstein, Hintersieding 12. G.: Eppenstein, 10. März 1950. V.: Brigitte, geb. Rafael. Ki.: Rafaela (1972), Markus (1973). El.: Gotthard u. Justine. S.: VS, HS, Lehre im elterl. Betrieb, Berufsschule f. Säger, 1967 Abschluß, div. Kurse u. Seminare. K.: 1980 Grdg. d. KG, 1987 Übernahme d. Betriebes. M.: Fachgruppenvorst. d. steir. Sägeind., div. Fachaussch. H.: Wandern, Jagd, Radfahren. (I.G.)

Schaffer Martin
B.: Gschf. Ges. FN.: Mitras-Krawatten Hdls. GmbH. DA.: 1070 Wien, Lindeng. 65. PA.: 1090 Wien, Schwarzspanierstr. 11. G.: Waidhofen/Thaya, 20. Juli 1945. V.: Herta, geb. Hutter. S.: VS, HS, 1959-62 Ind.-Kfm.-Lehre, 1970-73 2. Bild.-Weg HAK Wr. Neustadt, 1973 Matura, 1973-74 4 Sem. HS f. Welthdl. K.: 1968-78 Prok. u. später Gschf. b. Hellental & Co Österr., 1978 Grdg. u. Gschf. Ges. Mitras-Moden, 1986 Neugrdg. u. Gschf. Ges. Mitras-Krawatten Schals-Tücher, 1991 Grdg. u. Gschf. Ges. Martin Schaffer Textil GmbH, seit 1991 Ges. Profil-Krawatten GmbH Olmütz/Tschechien. H.: Theater, Oper, Musik, Tennis. (M.-L.A.-M.)

Schäffer Elisabeth
B.: Inh. FN.: Schäffer & Ettl KG Flaschenwein-Importe. DA.: 8020 Graz, Keplerstr. 114. PA.: 8010 Graz, Fraueng. 7. G.: Wien, 7. Dez. 1958. Ki.: Jeanette (1978), Philipp (1986). El.: Robert u. Ilse Klein-Ehrenwalten. S.: VS, Mittelschule, 1976-78 Aufenthalt in d. Schweiz, Internat Sorbonne Französischabschluß. K.: 1979-80 Tätigkeit in Steuerberatungsbüro Dr. Kleiner, 1981-86 elterl. Betrieb Klein-Ehrenwalten Weinhdl., seit 1986 selbst. Schäffer & Ettl KG. E.: 1992-93 Salonsieger Kategorie Sekt. H.: Sport, Lesen, Musik. (I.G.)

Schäffer Gerhard Mag. Prof.
B.: Mtgl. d. NatR. seit 1982, Präs. d. LSchulR. f. Sbg. DA.: Bundeskanzleramt, 1010 Wien, Ballhausplatz 2. PA.: 5020 Salzburg, Glockmühlstr. 21a. G.: Werbas/Jugoslawien, 26. Sept. 1942. V.: Renate, geb. Neuwirth. Ki.: Michael, Sabine, Ellen. El.: Prof. Franz u. Maria. S.: Lehramtsprüf. an d. Univ. Graz. K.: 1966 Dienstantritt im Bereich d. LSchulR. Sbg., Unterricht an versch. Schulen, Gymn. Hallein, 1969 Lehrauftrag an d. Univ.Turnanst. Sbg., 1972 Mtgl. d. Prüf.Kmsn.

f. d. Lehramt an HS, Ltg. eines Abiturentenkurses an d. HAK, Obm. d. Dienststellenaussch. an OStufengymn., 1974 zusätzl. Lehrauftrag am Inst. f. Leibeserziehung d. Univ. Sbg., Fachaussch.Mtgl. d. Personalvertretung, 1976 Ernennung z. Ltr. d. BOStufen-RG Sbg., 1977 Mtgl. d. Dienstbeurteilungskmsn. im LSchulR. Sbg., Obm. d. ÖAAB d. LFachgruppe Sbg. f. Höhere u. Mittlere Schulen, 1978 Mtgl. im Kuratorium d. Päd. Ak. Sbg., 1979 Präs. d. LSchulR. f. Sbg., 1982 Abg. z. NatR., 1983 Bildungssprecher d. ÖVP, 1990 A Präs.; P.: Schulfunksendungen im ORF. M.: KV Studentenverb. Suevia Graz, FCG, VCL, ÖAAB, Lions-Club Hohen-Sbg. H.: Tennis, Skifahren, Reisen. (Föd.)

Schäffer Heinz Dr. o.Univ.-Prof.

B.: o.Univ.-Prof. am Inst. f. Verfassungs- u. Verw.-Recht d. Univ. Sbg. DA.: 5020 Salzburg, Kapitelg. 5. PA.: 1040 Wien, Große Neug. 6/14. G.: Wien, 25. Apr. 1941. Ki.: Jörg. El.: Cyrill u. Grete. S.: Matura, Stud. Rechtswiss. Univ. Wien, Forsch.-Studien BRD. K.: 1963 Univ.-Ass., 1971 Univ.-Doz., 1973-76 im Verfassungsdienst d. BKA, 1976 o.Univ.-Prof. Univ. Sbg., 1979-81 Dekan d. Rechtswiss. Fak. d. Univ. Sbg. P.: Verfassungsinterpretation in Österr. (1971), Fälle u. Lösungen z. Verw.-Recht (1985, 3.A. 1993), Theorie d. Rechtssetzung (1988), Neuordnung d. Kompetenzverteilung (1991), Österr. Verfassungs- u. Verw.-Gesetze (ab 1981, seither 24 Erg.-Liefg.), ca. 250 Aufsätze in Fachzeitschriften. E.: 1967 Theodor Körner-Preis, 1968/69 Fellow of the Alexander v. Humboldt-Stiftung, 1974 Förd.-Preis d. HS-Jubiläumsstiftung d. Stadt Wien, 1975 Förd.-Preis aus d. Stiftungsfonds 600 J. Univ. Wien. M.: Ver. Dt. Staatsrechtslehrer, European Group of Public Administration, Österr. Inst. f. Raumplanung, Österr. Juristentag, Präs. d. Österr. Ges. f. Gesetzgebungslehre. (N.M.)

Schafferer Nikolaus

B.: Wr. Symphoniker. DA.: 1010 Wien, Leharg. 11. PA.: 1210 Wien, Puschmanng. 1/Haus 2. G.: Mutters, 19. Sept. 1945. V.: Anna Maria, geb. Krug. Ki.: Jörg (1972). El.: Josef u. Juliana, geb. Falkner. S.: 1960-64 Erlernung d. Kunstschmiedehandwerks, 1965-69 Tätigkeit in d. Militärmusikkapelle in Innsbruck b. Prof. S. Somma, gleichzeitig Stud. f. Baßtuba b. Prof. A. Hell am Konservatorium m. Reifeprüf. ebendort. K.: seit 1969 Engagement b. d. Wr. Symphonikern, Kammermusiktätigkeit in versch. Ensembles ("Prisma", "Reihe", "Kontrapunkte", u.a.), ab 1987 o.Prof. in d. HS f. Musik u. darstell. Kunst Wien. BL.: Pflege durch aktives musizieren d. Blechbläsermusik. H.: Wandern. (N.A.)

Schaffler Ernst

B.: Firmengründer i.R. FN.: Bürosysteme Schaffer KG. DA.: 8010 Graz, Grazbachg. 17. PA.: 8010 Graz, Bergmanng. 19. G.: Graz, 3. Jän. 1923. V.: Ilse, geb. Gromann. Ki.: Eva (1953). El.: Josef u. Maria. S.: Pflichtschule, Lehre als Büromaschinenmechaniker, 1942 Abschluß, Dt. Wehrmacht. K.: 1956 Grdg. d. eigenen Firma Schaffer & Co OHG Büromaschinen Reparatur u. Hdl., 1968 Umstellung in Einzelfirma, 1989 Umwandlung in KG. BL.: Lehrlingsausbildner. H.: alte Uhren restaurieren, Filmen. (F.K.)

Schaffler Helmine

B.: Malerin. A.: 5020 Salzburg, Gaswerkg. 12. G.: Obernberg, 4. Febr. 1940. S.: BHAK m. Matura, Aquarell-Technik b. Prof. Alberto Susat. K.: Tätig im Sbg. LReisebüro, in Wirtschaftstreuhandkzl., Red. d. Sbg. Nachrichten, 1971 BMA, Botschaftsdienst (Österr. Botschaft in Bern), 1972 Österr. Botschaft in Rom, Malerin in Italien, Auslandsaufenthalte.

Schaffler Gernot

B.: Filmproduzent. FN.: Filmhaus Wien; Filmhaus West. DA.: 1070 Wien, Schottenfeldg. 60; 818 Hampton Drive Venice, California 90291. G.: Graz, 16. Juni 1962. El.: Rudolf u. Maria. S.: VS, Gymn. K.: seit 1984 in d. Filmbranche tätig, 1984 Grdg. Filmhaus m. 2 Partnern, seit 1993 Filmhaus West Los Angeles, Produzent u. Reg. v. Werbefilmen, Produzent v. Spielfilmen, seit 1984 Werbefilme. E.: Gold., Silb. u. Bronz. Veneri, Berliner Klappe, Top Spot, New York Film u. TV-Festival, Österr. Staatspreise, EFFI. H.: Leichtathletik, Schwimmen, Wasserski, Theater, Oper. (J.M.)

Schaffler Sepp

B.: Inh. u. Werbefotograf d. Schaffler Foto-Design-AWI. DA.: 4020 Linz, Dinghoferstr. 22. PA.: 4061 Pasching, Schulstr. 27. G.: Graz, 24. Febr. 1937. Ki.: Roland (1966), Jörg (1968). El.: Ernst u. Rosalia. S.: VS, HS, 1955 Lehre als Fotograf, Wanderjahre als Fotograf in Vbg. u. Süddt., Tätigkeit b. versch. Firmen, 1962 Mstr.-Prüf. K.: 1963-68 Katalogfotograf Firma Moden-Müller, 1968-73 Werbefotograf Firma Quelle Linz, 1975 Firmengrdg. Schaffler Foto-Design. P.: Ausstellung 1981 unter d. Motto "Wenn Venedig Maske trägt", 1991 Ausstellung v. 15 Werbefotografen in Moskau. E.: 1984 1. Preis f. d. Plakat "Mädchen m. Goldhaube" b. Plakatwettbewerb Catania, 1989 Gr. Schlüssel f. Fotografie d. Landes OÖ. M.: ab 1990 Funktionär d. HK. H.: Skifahren, Schach. (U.E.)

Schäffner Michael Ing.

B.: Verkaufsdir. FN.: Pirelli Österr. GmbH. DA.: 1210 Wien, Scherenstr. 16. PA.: 2241 Schönkirchen-Reyersdorf, Tannengasse. G.: Wien, 27. Aug. 1963. V.: Ingeborg, geb. Liskowetz. Ki.: Kevin (1986), Samuel (1988), Daniel (1989), Katja (1993). El.: Ing. Hermann K. u. Eleonore, geb. Richter. S.: Gymn., HTL Feinwerktechnik Mödling, 1983 Matura. K.: 1983/84 Aufenthalt in Amerika, 1985-87 Servicetechniker im Kundendienst-Bereich d. Firma Minolta, 1987-88 Techn. Berater f. Filteranlagen b. Firma Hamco, 1988 Übersiedlung nach Klagenfurt, 1989-90 Gebietsltr. f. d. Raum Südl. Österr. b. Firma Pirelli, 1991-93 Gschf. d. Pirelli-Tochterunternehmens Pirelli GmbH Feldbach, seit 1994 Verkaufsdir. f. Gesamtösterr. b. Pirelli GmbH Wien. M.: Kirche Jesu Christi d. Heiligen d. Letzten Tage. H.: Familie, sportl. Aktivitäten. (F.S.)

Schafhauser Roman R. Dr.

B.: FA f. Zahn-, Mund- u. Kieferheilkunde. DA.: 1190 Wien, Krottenbachstr. 106/3/5. PA.: 1190 Wien, Windhaberg. 2. G.: Braunau/Inn, 30. Jan. 1943. V.: Silvia, geb. Hickl. Ki.: Christina, Helene. El.: Roman u. Emma. S.: Matura, Med.Stud. Univ. Wien, 1983 Dr. K.: Ausbild. Zahnklinik Wien, 1985 Praxiseröff. M.: Ärztekam., Ges. f. Zahn-, Mund- u. Kieferheilkunde. H.: Musik, Schmalfilmen. (A.K.)

Schafhuber Herbert Dr.

B.: Vors. d. Geschäftsltg. FN.: CIGNA Insurance Company of Europe S.A.-N.V. Dion. f. Österr. DA.: 1090 Wien, Alserbachstr. 18. PA.: 1030 Wien, Hegerg. 11. G.: Hafing, 6. Juli 1955. V.: Hedwig, geb. Olschbauer. El.: Rudolf u. Helene, geb. Wendner. S.: 1974 Matura, 1975-80 Jusstud. Univ. Wien, Mag. iur., 1982 Prom. Dr. iur. K.: 1980-81 Gerichtsjahr, 1981-85 Ltr. d. Sachschadenabt. b. Basler Vers. AG in Österr., 1986-87 Ltr. d. Haftpflicht-Unfallabt. b. Hannover Intern. AG f. Ind.Vers., 1987 Eintritt CIGNA, Prok., Ltr. Sach- u. Haftpflichtabt., ab 1990 Mtgl. d. Geschäftsltg., ab 1991 Vors. d. Geschäftsltg. H.: Literatur, Sport, Jagd. (N.A.)

Schafhuber Hubert

B.: Kfm. DA.: 5020 Salzburg, Münzg. 2. G.: Trofaiach, 26. Aug. 1950. V.: Hermenegilde, geb. Hirschberger. Ki.: Sophie Anna (1985). S.: VS, HS, 1965-69 Forstschule Bruck/Mur, Wechsel z. kfm. Bereich. K.: seit 1974 Schmuckbranche, Verkauf Außendienst, seit 1980 1. Geschäft Rainerstraße (Detailgeschäft u. Großhdl.). H.: Sport. (N.M.)

Schafler Andreas Ing.

B.: Inh., Gschf., Oenologe. FN.: Weingut u. Heurigenbetr. DA/PA.: 2514 Traiskirchen, Wiener Str. 9-11. G.: Mödling, 17. Sep. 1966. V.: Catherina, geb. Lust. Ki.: Michael (1992). El.: Ferdinand u. Maria. BV.: Ur-Urgroßv.: Ignaz Dünstkoch, i. Weingeb. NÖ die Rebveredelung a. Schutz vor Reblaus eingef. S.: 1986 Mat. HBLVA Wein u. Obstbau Klosterneub., 1986-88 4 Sem. Fremdenverk.-Koll. Wien, 1988 Abschl. II. Mat. K.: 1988 Pacht. d. elterl. Betr., 1988-90 Prakt Dtschl., Schweiz, Kaliforn., 1990-92 Neuaufbau d. elterl. Betr., Management, erste Exporterfolge, 1993 Übern. d. Betr., staatl. geprüf. Weinverkoster. BL.: seit 8 Generationen Weinbau. P.: Ber. i. Fachzeitschr. E.: mehrm. Landessieger versch. Weinsorten, 1993 unter den 100 besten Weingütern Österr. M.: Kathol. Stud.-Verbind. H.: Schilaufen, Windsurf, Kinder. (I.K.)

Schafschetzy Günther

B.: Inh. FN.: Kunstkabinett, Stiegengalerie, Schafschetzy Studio. DA.: 8010 Graz, Färberg. 2; 8010 Graz, Sporg. 21 u. 22. G.: Knittelfeld, 1. Juli 1932. V.: Helga, geb. Ritonja. Ki.: Margit (1961). El.: Emil u. Lotte. S.: VS, Mittelschule, HASCH Knittelfeld, 1949 Abschluß. K.: 1949-66 Galerie Moser Graz, 1958 Ltg. Galerie Moser, 1966 selbst. Kunstkabinett, 1980 Filiale Stiegengalerie Sporg. 21 Graz, 1992 Ausstellungsraum Sporg. 22 f. mod. Kunst; zusätzl.: ger. beeid. Sachv. f. Kunst, Antiquitäten u. Bilder. M.: Grdg.-Mtgl. Ver. Steir. Kunsthändler (VSK). H.: Schach, Kunst. (I.G.)

Schager Karl jun.

B.: Ltr. d. Bez.-Musikschule Völkermarkt. FN.: Kärntner Landesmusikschulwerk. DA.: 9100 Völkermarkt, Griffnerstr. 15. PA.: 9100 Völkermarkt, Neudenstein 23. G.: Klagenfurt, 15. Jän. 1955. V.: Irmgard, geb. Grilz. Ki.: Thomas (1984), Kerstin (1989). El.: Musikschulltr. Karl u. Sieglinde. S.: VS, HS, BORG Klagenfurt, Matura, Ausbild. zum Musiklehrer (Violine) am Landeskons. f. Kärnten 1974-77, Musikunterr. am Landeskons. in Klgf. f. Violine u. Trompete. K.: 1977-86 Tätigk. als Musiker am Klgf. Stadttheater, 1979-89 Unterr. am Ktn. Landesmusikschulwerk, s. 1989 Ltg. d. Bez.-Musikschule Völkermarkt, Arb. mit Volksmusik auf d. Geige, Aufnahme auf Tonträger, s. 1989 Kapellmstr. d. Stadtkapelle Völkermarkt; Kompositionen: "Neudensteiner Polka", "Auf die Ruhstatt", "Am Teufelsfels", Ltr. u. Grd. d. Kärntner Geigenmusik, Jauntaler Streich, Südktn. Geigenmusik. M.: Arb.-Gem. f. Volksmusik, Land Ktn., s. 1992 Obm.-Stellv. H.: Musik. (G.L.)

Schagerl Ernst Mag. art.

B.: freischaff. bild. Künstler, AHS-Lehrer f. bildner. Erziehung. DA.: 1080 Wien, Tulpeng. 2. PA.: 1080 Wien, Lenaug. 11/1. G.: Waidhofen/Ybbs, 3. Aug. 1951. V.: Johanna, geb. Schönthoner. Ki.: Vera, Lili. El.: Johann u. Vera. S.: Mus.Päd. RG, Pädak., HS f. angew. Kunst (Prof. Tasquil u. Prof. Oberhuber), 1979 Mag. art. K.: S. 1979 als freischaff. Maler tätig, Beschäft. haupts. m. raumbez. Malerei u. Objektkunst, Ausstellungen in Österr. u.a.: "Raumbild Herbst" (Ausst. Serie), Bilderzyklus "Gefällte Bäume", s. 1981 AHS-Lehrer f. bildner. Erziehung am Schottengymn. P.: "Aneignung u. Verarbeitung psychopath. Materials b. Arnulf Rainer" (Diplomarb.). E.: Preis d. Landes Sbg. b. Wettbewerb "Geist & Form" 1976, Förderungspreis d. Landes NÖ 1979. (M.B.)

Schagerl Marlies

B.: Nagelmodellistin, Inh. FN.: Nagelstudio Marlies. DA. u. PA.: 6370 Kitzbühel, Franz-Reisch-Str. 4. G.: Großwangen/Schweiz, 1. Nov. 1954. Ki.: Andreas (1984). El.: Wilhelm u. Alice Schagerl. S.: Pflichtschule Luzern, Berufsschule, 3 J. Lehre Einzelhdls.-Kauffraum in einem Modegeschäft in Luzern. K.: b. 1980 redaktionelle Texte u. Inserate "Anzeiger" Luzern, seit 1981 in Kitzbühel, b. 1985 Führung eines Fitneß-Centers, 1985-90 Ltg. Schönheitscenter "Topsun", 1990-92 Führung Sonnenstudio, seit 1992 Nagelmodellistin, 1984 Eröff. d. Nagelstudio Marlies. H.: Skifahren, Reisen, Sport allg. (J.F.)

Schagginger Karl Dr. Dipl.Vw. TechnR. Ing.

B.: Ltr. d. Techn. Büros "Energie-Technik in Ind. u. Gew.", Gschf. A.: 1010 Wien, Teinfaltstr. 9. G.: Wien, 15. März 1911. V.: Dr. Gertraude, geb. Vischer. S.: Ausbild. z. Elektromonteur, Reifeprüf. an einer Höheren Techn. Mittelschule u. an einem RG, Stud. d. Wirtschaftswiss. an d. Univ. Wien. K.: Elektromonteur u. später techn. Ang. in einem Elektrizitätsversorgungsunternehmen, Flieger-Stabsing. d. B., Gschf. d. Österr. Energiekonsumenten-Verb. P.: Berichte f. d. Weltenergiekonferenz Moskau 1968 u. Detroit 1974, zahlr. Art. in Fachzeitschriften u. Vorträge. E.: Verleihung d. Titels "TechnR.", Gold. EZ f. Verd. um d. Rep.

Österr. M.: Österr. Nat.Komitee f. Weltenergiekonferenz, Österr. Ing. u. Arch.Ver., Österr. Verb. f. Elektrotechnik, Österr. Club, Österr.Inst.

Schalber Irene

B.: Gastwirtin. FN.: Restaurant Grillalm. DA.: 6534 Serfaus, Feld 6. G.: Fließ, 26. Apr. 1954. V.: Herbert. Ki.: Regina (1978), Claudia (1981), Franz (1983). El.: Aloisia u. Franz Wille. S.: 1965 Hasch in Fließ, 1971 Abschluß. K.: 1971-74 im kfm. Bereich in Serfaus, 1974 Heirat, Mitarb. im Restaurant d. Gatten, Grillalm in Serfaus m. Blick ins Inntal u. zum Kaunertal, 1986 zusätzlich Neubau d. "Hax'n Tenne", Gasthof u. Restaurant in Serfaus. H.: Stricken, Beruf. (I.D.)

Schalber Josef Oberst

B.: Offz. u. Regimentskdt. d. Rainer-Kaserne. DA.: 5061 Elsbethen, Halleiner Landesstraße. G.: Schönwies, 25. Sept. 1940. Ki.: Alexander (1969). BV.: LAbg. in Tir. Josef Schalber. S.: 1959 Matura, 1959 BH, 1960-63 Ausbild. Militärak. Wr. Neustadt, 1963 ausgemustert als Lt. z. Panzergrenadierbataillon 15 St. Johann/Pongau. K.: 1965 Versetzung nach Sbg., 1968 Versetzung nach Ebelsberg/Linz, 1969 zurück nach Sbg., 1973-79 3 J. Dienst b. UNO, 1980 Ausbild.-Ref. Militärkdo. Sbg., 1989-90 Truppenkdt.-Kurs Wien, ab 1990 Kdt. d. Landwehrstammregiment 82 in Glasenbach. E.: Silb. VZ u. Silb. EZ d. Rep. Österr., 3 UNO-Med. v. Zypern, Golan u. Naher Osten. H.: Sport. (N.M.)

Schalk Horst

B.: Grafiker, Cartoonist, Gschf. FN.: Graphik + Werbung vlgo. Hagal - Horst Schalk; Zeitungsverlag + Medien GmbH. DA.: 8570 Voitsberg, Conrad-von-Hötzendorf-Str. 14a. PA.: 8570 Voitsberg, Ganghoferweg 12. G.: Voitsberg, 9. Juni 1960. Ki.: Tanja (1982). El.: Felix u. Anna. S.: Hauptsch. Krottendorf, HTBL Graz-Ortweinplatz. K.: 1978-84 Bankang. in Voitsberg, seit 1984 selbst. Werbegrafiker, seit 1989 Mitarb. d. Zeitung "Der Weststeirer", seit 1992 Gschf. d. Zeitungsverlag + Medien GmbH (m. Dr. Wolfgang Klobassa); Haupttätigk. Graphik u. Werbung vlgo. Hagal. H.: Arbeit, Astrologie, Esoterik. (R.S.)

Schalko Anton Ing.

B.: Bgm., gschf. Ges. d. Fa. Paul Berghöfer KG. DA.: 1050 Wien, Klieberg. 13. PA.: 1210 Wien, Kerpeng. 78. G.: Willings, 3. Nov. 1930. V.: Ingeborg, geb. Steiner. Ki.: Wolfgang, Martin, Elisabeth. El.: Anton u. Marie. S.: HTL Wien. K.: 1951 Baufa., 1963 selbst. Ltr., 1971 Grdg. d. Einzelfa., 1976 Umwandlung in eine KG. H.: Jagd. (Fels.)

Schall Francois

B.: Gen.-Dir. FN.: ICL Intern. Computers GmbH. DA.: 1120 Wien, Meidlinger Hauptstr. 51-53. PA.: 1170 Wien, Steinmüllerg. 26. G.: Paris, 6. Juli 1948. V.: Birgit, geb. Kühnel. Ki.: Dana (1981), Natalie (1985). El.: Heinrich u. Frieda. S.: Matura. K.: Intern. Projektmanagement b. Rank Xerox, 5 J. selbst. als Unternehmensberater, 5 J. b. Nixdorf Computer als Verkaufsltr./Bereich Hdl., seit 1989 Verkaufltr. b. ICL, seit 1990 Gschf. b. ICL. H.: Reisen, Lesen, Konzert, Golf, Tennis. (M.M.)

Schallaböck Margarete Dr. MedR.

B.: FA f. Nervenkrankheiten. GT.: Psychotheraphie, autogen. Training, Gesprächstheraphie. DA.: 8700 Leoben, Kaiserfeldg. 6. PA.: 8793 Trofaiach, Nowakg. 8. G.: Linz, 17. Mai 1917. V.: Dr. Rudolf Schallaböck. Ki.: Veronika, Christoph. El.: OStR. Prof. Karl u. Marianne Schallaböck. S.: VS, hum. Gymn. Freistadt, 1936 Matura, 1936-41 Stud. Med. in Graz u. Wien, 1941 Prom. in Graz. K.: Fachausbild. an d. Univ.Nervenklinik Graz 1942-49, 1949 als FA in Leoben niedergelassen, seit 1989 MedR. M.: Mtgl. d. Clubs d. Soroptimistinnen. H.: Reisen, Kunstgeschichte. (Tra.)

Schalle Hannes Michel

B.: Gschf., Medienproduzent. FN.: Schalle Doyle & Partner. DA. u. PA.: 5020 Salzburg, Steing. 14. G.: Warmbad Villach, 9. März 1963. V.: Kristin, geb. Willroider. El.: Norbert u. Gerlinde. S.: Stud. Boston. K.: 1982-86 freier Mitarb. ORF, Produktionsass., 1989 Grdg. d. Firma. P.: CD's, Fernseh- u. Filmpubl. im Bereich d. klass. Musik. H.: Illuminati Intern. (N.M.)

Schalle Veit Dir.

B.: Gschf. d. Sport Klepp Sportartikel Hdls. GmbH Wien, Billateria Selbstbedienungsrestaurants GmbH Wr. Neudorf, Schalle & Co Freizeitanlagen GmbH Wien, u. Bipa Parfumerie GmbH Wr. Neudorf. PA.: 2340 Mödling, Bernhardg. 9. M.: Vorst.Vors. d. Fa. Johann Andert Fleischwaren AG Wr. Neudorf, Billa Warenhdls. AG Wr. Neudorf, Merkur Warenhdls. AG Wr. Neudorf, BML Vermögensverw. AG Wien.

Schallenberg Wolfgang Dr.

B.: Gen.-Sekr. d. BMin. f. ausw. Angelegenheiten. DA.: 1014 Wien, Ballhausplatz 2. G.: Prag, 3. Juni 1930. V.: Gabriele, geb. Schaefer, 3 Kinder. El.: Dr. Herbert u. Vera. S.: Abitur, Stud. d. Rechtswiss. in Wien, Großbritannien, Frankreich. K.: Eintritt in d. Höheren Auswärtigen Dienst 1953, Diplomat. Posten in Paris, London, Buenos Aires, Caracas u. Bern, Ltr. d. Abr. f. Presse u. Information im Außenminist. 1970-74, österr. Botschafter in New Delhi 1974-78, 1978-82 a.o. u. bev. Botschafter in Madrid, 1982-88 Ltr. d. Kulturpol. Sekt. (V) im BMfAA, 1988-92 a.o. u. bev. Botschafter in Frankreich, seit Sept. 1992 Gen.-Sekr. f. ausw. Angelegenh. E.: GV, GrOffK d. ital. VO, GrOffK d. mex. MJO, OffK d. frz. Ord. d'Etoile noire, RK d. frz. EL, RK d. iran. TO, RK d. lux. OdEK, GrK d. sp. ZVO, KmdK d. frz. EL, GrOffK d. belg. LO, 1986 Kommandeurkreuz d. frz. Ehrenlegion, 1990 Gr. Silb. EZ f. Verd. um d. Rep. Österr., 1992 Großoffz.-

Kreuz d. frz. Ordens de Mérite Civil. M.: Jockey Club f. Österr., St. Johanns Club, Club de la Puerta de Hierro, Madrid. H.: Reisen, Menschen, Lesen.

Schaller Anton Dr. med.

B.: FA f. Frauenheilkunde u. Geburtshilfe, Univ.Doz., OA d. II. Univ.Frauenklinik Wien. A.: 1090 Wien, Spitalg. 29/9. G.: Wien, 15. Dez. 1933. V.: Dr. phil. Christa, geb. Loidl. El.: MinR. Dr. Alfred u. Maria. S.: BG, Med. Fak. d. Univ. Wien, Dr. univ. med. 1959. K.: FA f. Frauenheilkunde u. Geburtshilfe 1969, 1976 Lehrbefugnis als Univ.-Doz. f. Gynäkologie u. Geburtshilfe, 1988 a.o. Univ.-Prof. P.: Habil.-Schrift: "Geburtsmed. Teratologie", "Die Wertheim-Klinik. Eine Geschichte d. II. Univ.-Frauenklinik in Wien" (1992). M.: Anatom. Ges., Österr. Ges. f. Gynäkologie u. Geburtshilfe, Ges. d. Ärzte in Wien.

Schaller Friedrich Dr. rer. nat. Dr. h.c. Prof.

B.: em. Univ.-Prof., Prof. am Inst. f. Zoologie. DA.: 1090 Wien, Althanstr. 14. PA.: 1170 Wien, Rebenweg 1/Haus 14. G.: Gleismuthhausen/BRD, 20. Aug. 1920. V.: Brunhilde, geb. Wilfert. Ki.: Friederike, Dietlinde, Wolfgang. El.: Nikolaus u. Dorothea. S.: 1931-39 Hum. Gymn. Bamberg, 1939 Matura, 1939-44 Univ. Wien, Stud. Zoologie, Botanik, Palaeontologie, Anthropologie u. Bdk., 1944 Prom. z. Dr. rer. nat. K.: 1941-44 wiss. Hilfskraft am Zoolog. Inst. d. Univ. Wien, 1945 freier Mitarb. am Zoolog. Inst. Erlangen, 1946 Ass. Marburg/Lahn, 1946-51 Ass. am Zoolog. Inst. d. Univ. Mainz, 1951-56 OAss., 1956 Ernennung z. Diätendoz., 1956 z. apl. Prof., 1950 Habil. Naturwiss. Fak. d. Univ. Mainz, 1958 Ord. f. Zoologie an d. TH Braunschweig u. Dir. d. Zoolog. Inst., 1958 Ernennung z. Dir. d. Staatl. Naturhistor. Museums Braunschweig, 1967 Univ. Wien, Ltg. d. I. Zoolog. Inst. an d. Phil. Fak., 1988 em. P.: ca. 200 Veröff., zahlr. Vorträge auf nat. u. intern. Tagungen u. Beiträge in versch. Zeitschriften, Mithrsg.: Oecologia, Zoolog. Anzeiger, Zoologica. M.: 8 J. Gutachter d. Dt. Forschungsgemeinschaft, 1962-68 Vors. d. VDB, 1972-74 Vors. d. DZG, seit 1964 Mtgl. d. Braunschweig. Wiss. Ges. H.: Arbeitsgebiete: Bodenbiologie, Sexualbiologie, Tropenbiologie, speziell Amazonasforschung (lauterzeugende u. luftatmende Fische), Bergfahrten u. Reisen in exotische Länder. H.: Bergsteigen. (N.A.)

Schaller Henning Prof.

B.: Dipl. Bühnen- u. Kostümbildner, Ltr. d. Fachklasse Bühnenbild a. d. HS f. Bildende Künste Dresden. DA.: 01288 Dresden, Güntzstr. 34. PA.: 13187 Berlin, Wollankstr. 128. G.: Altenburg/Th., 21. Jan. 1944. V.: Irena, geb. Scheidler. Ki.: Matthias (1964), Frederike (1971), Konrad (1975). El.: Joachim u. Liselotte. BV.: Schwester Edda Schaller-Keyn Kammersängerin Dt. Staatsoper Berlin, Bruder Ulrich Schaller Tanzlehrer in Altenburg. S.: 1962 Abitur, Lehre als Plakatmaler, 1964-67 Graphikstud., 1967-71 Stud. Bühnenbildstud. b. Prof. Heinrich Kilger, 1971-1973 Mstr.Schüler b. Prof. Karl v. Appen a. Berl. Ensemble. K.: 1. Engagement Landestheater Halle/Saale, 2. Engagement Volksbühne Berlin, 3. Engagement M.-Gorki-Theater Berlin, s. 1992 Professur i. Dresden, Gasttätigkeit a. Theatern i. NL, CH, Rußland u. vielen dt. Bühnen, Zusammenarb. m. d. Regisseuren: Thomas Langhoff, Fritz Marquardt, Rolf Winkelgrund, u. a. E: 1991 Verd.kreuz a. Bande d. Verd.ordens d. BRD. H.: meine Arbeit, Musik. (B.K.)

Schaller Heribert Mag.

B.: Marketingmanager. FN.: Druckerei u. Zeitungshaus J. Wimmer GmbH. DA.: 4020 Linz, Promenade 23. PA.: 4020 Linz, Baumbachstr. 15. G.: Klagenfurt, 3. März 1948. V.: Kirstin, geb. Nurminen. Ki.: Pauli (1984), Lisa (1990). El.: Walter u. Maria. S.: VS, Gymn., HTL Fachrichtung Elektrotechnik, 1969 Matura, b. 1984 BWL-Stud. Wien u. Linz. K.: 1978-84 Offz. b. Hubschraubergeschwader, seit 1984 stellv. Werbeltr. Druckerei u. Zeitungshaus J. Wimmer GmbH, seit 1985 heutige Position. M.: Vorst. Marketingclub, VÖZ, Vorst. d. Ver. Mediaanalyse, Ver. Linzer Automobilaussteller. H.: Sport (Tennis, Schwimmen, Skifahren), Lesen (Fachliteratur, zeitgenöss. Literatur), Familie, Reisen (Skandinavien). (U.A.)

Schaller Herbert Dr. iur.

B.: RA. DA.: 2514 Traiskirchen, Wiener Str. 75. PA.: 1040 Wien, Gußhausstr. 6. G.: Klagenfurt, 6. Feb. 1923. V.: Herta, geb. Mokisch. Ki.: Dr. iur. Herbert Christian (1945), Dr. iur. Elisabeth Constance (1948), Ingrid Regina (1950; Schausp.). El.: Ernst u. Auguste. S.: b. 1939 Gymn. Klagenfurt, 1939-40 Theresianum Wien, 1940 Reifeklausel, 1941-44 Wehrdienst in Rußl. (2x verwundet; OLt. d. Inf., Batt.-Adj. u. Kompanieführer), 1945 im Lazarett in Bad Ischl, 1945-48 Univ. Innsbruck u. Univ. Wien, 1948 Prom. K.: 1948-52 Gerichtspraxis u. RA-Anw., 1952-87 selbst. RA in Wien, ab 1987 RA in Traiskirchen; zusätzl. Treuhandges. f. ausländ. Untern. E.: EK I u. II, Inf.-Sturm-Abz., Verw.-Abz. H.: klass. Musik, Geschichte, Naturwiss. (I.K.)

Schaller Norbert Dr. phil.

B.: Dir. d. BG. DA.: 4020 Linz, Ramsauer Str. 94. PA.: 4060 Leonding, Radmayrweg 8. G.: Freistadt, 29. Nov. 1944. V.: Sylvia, geb. Pracher. Ki.: Melanie, Henrik. El.: Ernst u. Maria. S.: Gymn. Linz, 1962 Matura, b. 1969 Stud. Wien, Lehramtsprüf. u. Doktorat f. Latein u. Geschichte. K.: seit 1969 im Schuldienst tätig, 1970 Ausbild.-Abt. d. VOEST-Alpine u. Quelle AG, seit 1971 Gymn. Ramsauer Straße, 1979-88 Vors. d. Personalvertr. d. AHS-Lehrer, seit 1985 Organisator, Veranstalter u. Obm. d. Ver. christl. Lehrer an höheren Schulen in OÖ, seit 1988 Dir. d. Gymn., seit 1983 Mtgl. d. Kollegium d. LandesschulR., seit 1983 Mtgl. d. Gremiums f. Objektivierungskriterien f. Führungspositionen im Schuldienst, seit 1985 Kuratorium f. d. Päd. Ak., Mitarb. d. Arbeitskreises polit Bild. LandesschulR. f. OÖ, Ref. im Päd. Inst. f. Lehrerausbild., 1980-88 Arge f. Schülerberater in OÖ. M.: seit 1979 ÖVP, ehem. Vorst. d. AHS-Lehrer im ÖAAB in OÖ, Organisator u. Veranstalter versch. Seminare im päd.-wiss. u. schulpolit. Bereich. P.: Schulpolit. u. bild.-polit. Veröff., 1981-89 Begründer u. Hrsg. einer schulpolit. Zeitung. H.: Tennis, Skifahren, Surfen, Radfahren, Lesen, Fortbild., Bild.-Reisen. (P.H.)

Schaller Norbert

B.: Gschf. FN.: Schaller Lebensmitteltechnik Norbert Schaller GmbH. DA.: 1190 Wien, Heiligenstädterstr. 51-53. PA.: 2102 Bisamberg, Föhrenstr. 9. G.: Korneuburg, 12. Juni 1951. Ki.: Robert (1974), Christina (1975). El.: Johann u. Gertrude, geb. Bergmann. S.: 1967 AHS-Matura. K.: 1970-71 Exportsachbearb., 1971-89 Exportltr. f. Maschinen u. Anlagen f. Fleischbearb. Ind. f. CSFR, Bulgarien, Rumänien u. Sowjetunion, 1989 Grdg. d. Schaller Lebensmitteltechnik, Schwerpunkt: Planung, Erzeugung, Lieferung, Montage u. Inbetriebnahme v. Maschinen u. Anlagen in d. Fleisch- u. Backwarenind. H.: Segeln. (N.A.)

Schaller Oskar DDr. em. o.Univ.-Prof.
B.: em. o.Univ.-Prof. am Inst. f. Anatomie d. Vet.-Med. Univ. Wien. PA.: 1030 Wien, Löweng. 20. G.: Linz, 5. Juli 1923. V.: Hermine, geb. Kutner. Ki.: Thomas(1957), Peter(1960), Nikolaus(1962). El.: Dr. Oskar u. Antonie. S.: Univ. Graz (Med.), Univ. Wien (Vet.Med.), Univ. Wien (Med.), 1951 Prom. (vet.), 1958 (med.) K.: 1950 Univ.Ass. Wien, 1957 Univ.Doz., 1962 o.Univ.-Prof. u. Inst.Vorst., 1974-77, 1981-83 u. 1987-91 Rektor. P.: versch. Art. in Fachzeitschriften darunter "Anatom. Grundlagen d. Röntgendarstellung d. Hundeherzens", "Segmentale Innervation d. Haut b. Rind", "Illustrated Veterinary Anatomical Nomenclature", "Nomina anatomica veterinaria", Festschrift Mithrsg. 200 J. Tierärztl. HS in Wien, Vorträge im In- u. Ausland. E.: 1958 Tschermak-Seysenegg-Preis, 1979 EK f. Wiss. u. Kunst I. Kl., 1989 Ehrenmed. d. BHauptstadt Wien in Gold, 1991 Gr. Gold. EZ f. Verd. um d. Rep. Österr. M.: Weltver. d. Vet.Anatomen, Anatom. Ges., Österr. Ges. d. Tierärzte. H.: Neuere Geschichte, Tennis. (R.A.)

Schaller Rochus
B.: Zahntechniker (selbst.). FN.: Rochus Schaller Zahntechnik. DA.: 4600 Wels, Herreng. 3. PA.: 4600 Wels, Herreng. 5. G.: Linz, 25. Mai 1947. V.: Ursula, geb. Spring. Ki.: Michael, Urs. S.: Ausbildung z. Zahntechniker, 1972 Mstr.prfg. K.: s. 1974 selbständig, Kursveranstalter in Polen, Teilnahme an zahlr. Fachseminaren im Inland u. deutschspr. Ausland. BL.: 1962-74 aktiver Radrennfahrer, 1963 Jugendstaatsmeister, 1968 5. Platz Staatsmeisterschaften, 1966 Teilnahme a. Österreichrundfahrt, 1967-72 NÖ Rundfahrtsteilnehmer. M.: Union-Wels. H.: Beruf, Tennis, Ski. (P.H.)

Schallert Johann Mag.
B.: Gschf. f. d. Bereich Lebensmittelhdl. FN.: F.M. Zumtobel Gruppe. DA.: 6851 Dornbirn. G.: Bludenz, 15. Aug. 1959. verh., 1 Tochter (1992). El.: Otto u. Luise. S.: 1977 Matura, 1978 BH, 1978-83 BWL-Stud. Univ. Innsbruck, 1983 Spons. K.: lfd. Tätigkeiten in d. Privatwirtschaft, Ferialarb. in Produktionsbetrieben u. später Volontär, 1984 Eintritt als Ltr. d. Finanzbuchhaltung TYROLIT Schleifmittelwerke Swarovski KG Schwaz, 1985 Abt.-Ltr. f. Auftragsbearb. u. Logistik, zahlr. Weiterbild.-Kurse, 1988 Eintritt als Ass. v. Dkfm. Martin Zumtobel, 1989 Übernahme d. Geschäftsführungsbereiches Finanzen u. Verw. in d. F.M. Zumtobel Gruppe, 1991 zusätzl. Übernahme d. Alleingschf. Firma Elektro Köck, seit 1991 Gschf. f. d. Bereich Lebensmittelhdl. (DOGRO, familia, A & O). H.: Bergwandern, Skifahren, Tennis, Squash, Segeln, Reisen, Musik, Konzerte, EDV u. PC speziell, Fachliteratur.

Schallgruber Roland
B.: Kfz-Mechanikermstr., Karosseur, Gschf. FN.: Josef Schallgruber GmbH. DA.: 2000 Stockerau, Josef-Jessernig-Str. 10. G.: Wien, 15. Nov. 1966. V.: Hilda, geb. Hirsch. El.: Josef u. Roswitha. S.: VS, HS, HTL, seit 1984 Tätigkeit im väterl. Betrieb, Lehre Kfz-Mechaniker u. Karosseur, Abschluß, Mstr.-Prüf., Ausbild. f. Lackierungen. K.: Gschf., Um- u. Ausbau d. Betriebes, 1991 Mazdavertretung. BL.: Techn. Kurse, lfd. Fortbild., Ausbild. z. gerichtl. beeid. Sachv. H.: Tennis, Golf, Oldtimerrestaurierung, Skifahren, Squash. (W.M.)

Schallmayer Rudolf
B.: Inh. FN.: Rudolf Schallmayer, Auto Handel u. Reparatur. DA.: 2512 Oeynhausen, Jochäckerg. 3 u. 7. PA.: 2514 Traiskirchen, Tribuswinklerstr. 8. G.: Baden, 12. Jan. 1955. Ki.: Hannes (1984). El.: Rudolf u. Margaretha. S.: VS, HS, Polytechn.-Lehrgang. 23 J. Tätigk. in Brown Boveri, 1987 Baugbeginn d. eig. Firmengebäudes, 1988 Eröff. d. eig. Fa., 1989 Erweiterungd. Firmenstandortes Jochäckerg., 1993 weitere Vergrößerung d. Fa. durch d. Eröff. e. neugebauten zweiten Betriebes in d. Jochäckerg. M.: SPÖ. H.: Beruf, Fußball, Politik. (F.S.)

Schallmeiner Hans
B.: Gastwirt. FN.: Zum Hois'n Wirt. DA. u. PA.: 4810 Gmunden, Traunsteinstr. 277. G.: Linz, 21. Okt. 1960. V.: Rosa, geb. Fischinger. Ki.: Johanna (1990). El.: Johann u. Adelgunde. BV.: Urgroßvater baute Gasthaus auf, jetzt in 4. Gen. s.: VS, Hs, FS f. Fremdenverkehr in St. Pölten, 3 J. in Zürich im Mövenpick Feldschlößchen, Praxis als Koch, 1984 im elterl. Betr. tätig, 1988 Übern. u. Erw. d. elterl. Betr. M.: Mtgl. der "Traunseewirte", Vorst. d. Kurkomm. H.: Hochseesegeln, Schifahren. (J.L.)

Schally Hugo-Maria Dr. iur.
B.: Botschaftsrat b. d. ständ. Vertretung Österreichs b. d. Vereinten Nationen in Genf. DA.: CH-1211 Genf 20, 9-11 Rue de Varembé. G.: Klagenfurt, 28. Okt. 1958. El.: Dr. iur. Hugo u. Dr. phil. Hedwig (s. dort). S.: Pflichtschule, Realgymn., Matura 1976, Jusstud. Univ. Graz, Prom. 1980, Rechtsanwaltsprüf. 1984, Diplomat. Akad. Wien 1984-86. K.: UNDP Ovagadougou, Burkina Faso bis 1987, 1988-91 Konsul b. Österr. Gen.-Konsul Los Angeles, seit 1991 Botschaftsrat wie oben in Genf, Zwischendienstzeiten im Außenministerium, Wien.

Schambeck Herbert Dr. iur. Dr. h.c. o.Univ.-Prof.

B.: Vize-Präs. d. Bundesrates, Mtgl. d. Bundesrates seit 1969; o.Univ.-Prof. DA.: 1017 Wien, Dr.-Karl-Renner-Ring 3, 4040 Linz-Aufhof, Universität. PA.: 2500 Baden, Uetzg. 3. G.: Baden, 12. Juli 1934 G.: Elisabeth, geb. Hartmann (+). Ki.: Ruth. El.: Herbert u. Gusti. S.: Hum. Gymn., 1958 Dr. iur., 1959-64 Ass. an d. Univ. Wien, 1964 Doz. Univ. Wien, 1966 a.o.Prof. an d. Univ. Innsbruck. K.: seit 1967 o.Prof. f. öff. Recht, polit. Wiss. u. Rechtsphil. d. Univ. Linz, seit 1969 als Entsandter d. NÖ Landtages Mtgl. d. Bundesrates, seit 1975 im Präsidium d. Bundesrates u. ÖVP Fraktionsobm. d. Bundesrates, VPräs. d. Bundesrates, 1988 Vors. d. Bundesrates, 1988-92 Vizepräs. d. Bundesrates, 1992 Präsident d. Bundesrates, Gastvorlesungen in versch. Erdteilen. P.: Autor: "Kirche - Staat - Ges." 1966, "Der Begriff d. Natur d. Sache" 1964, "Grundrechte u. Sozialordnung" 1969, "Vom Sinnwandel d. Rechtsstaates" 1970, "Das Volksbegehren" 1971, "Die Ministerverantwortlichkeit" 1971, "Richteramt u. Ethik" 1972, "Ethik u. Staat" 1986, "Kirche, Staat, Demokratie" 1992, über 300 Publ. aus öff. Recht, polit. Wiss., Rechtsphil. u. kath. Soziallehre u.v.m. E.: GK: d. Päpstl. Gregoriusordens, d. Thail. Kronenordens, d. Span. ZVO, d. Souv. Malteser RO, d. Dt. BVO, d. Chilen. O'Higinsordens, d. Liechtenstein. VO, d. Belg. Kronenordens, Gr. Silb. EZ am Bande f. Verd. um d. Rep. Österr., Bayr. VO, GrK d. Ital. VO, GrGE/St, GKmtK/St, OÖ GrEZ, S GrEZ, T GrAO, Wr GrGEZ, jap. SO I. Kl, GrK d. jord. StO, GrK d. lux. VO, EZ f. kulturelle u. zivile Verd. v. Sao Paulo, Ehrendoktorat d. Kath. Univ. v. Chile Santiago. M.: ÖVP, Ver. dt. Staatsrechtslehrer, Mtgl. d. Ak. d. Wiss. in Padua, Vatikan, Madrid u. Düsseldorf. (N.A.)

Schanda Rudolf

B.: AR-Vors. u. Executive Manager. FN.: Nova-Photo-Graphik Ges.m.b.H. Intern. Pictorial Licensing System. DA.: 1230 Wien, Anton-Freunschlagg. 27. V.: Heidrun, geb. Schönauer. Ki.: Rudolf, Jasmin, Viola. El.: Rudolf u. Theresia. S.: VS, Graphische Lehr- u. Versuchsanst., 5 J. Reproduktionstechn., 3 J. Litographie. K.: 1972 Selbst. Unternehm.: Colorplastik/ Schanda Ges.m.b.H. 1976 Gründ. d. Nova-Photographik & Agentur Schanda. Wird Weltweit an ca. 20 Partnerfirmen verliehen. Photostudios in: Holland, Frankreich u. Australien (Melbourne), Weltgrößtes Bildarchiv f. Gartenbau. Nova-Landespartner in Europa, USA, Australien, Neuseeland u. Brasilien. H.: Bootfahren, Skifahren. (W.J.)

Schandl Hellmut

B.: Kfm., Eigentümer. FN.: SEBA-Meßtechnik GmbH & Co KG. DA.: 9020 Klagenfurt, Feldkirchner Str. 50. PA.: 9020 Klagenfurt, Pierlstr. 5. G.: Klagenfurt, 23. Dez. 1935. V.: Helga, geb. Hirr. Ki.: Harald, Barbara. El.: Walter u. Maria Wadl. BV.: Großvater: Josef Schandl war einer d. ersten Elektrizitäts-Kraftwerksbauer in Ktn. S.: Pflichtschule. K.: Lehre als Rohrleger b. 1953, Ausbild. z. Wasserrohrbruchsucher u. Geselle b. d. Stadtwerken Klagenfurt, BRD-Aufenthalt in einem Spezialuntern. f. Untersuchungen v. städt. Trinkwasserversorgungsltg. auf Leckstellen, Tätigkeit auch im Ausland, Grdg. d. österr. Firma SEBA Meßtechnik GmbH & Co KG. E.: 1989 Österr. Staatswappen. M.: Österr. Ver. f. Gas-Wasser-Wärme. H.: Skifahren, Wassersport, Wandern. (K.K.)

Schandl Johannes Ing.

B.: Gschf., Heizungstechniker. FN.: Ing. J. u. G. Schandl Installations GmbH. DA.: 7000 Eisenstadt, Neusiedlerstr. 28, 7023 Pöttelsdorf, Hauptstr. 60. G.: Wien, 13. Sept. 1957. V.: Beatrix. El.: Johann u. Maria. S.: VS, HS, HTL Pinkafeld. K.: i. eig. Betr. tätig, 1977-79 BH. H.: Triathlon, Lesen, Betr. (W.M.)

Schandl Reinhard

B.: Bankmanager. FN.: Bank Austria AG. DA.: 1210 Wien, Am Spitz 11. PA.: 2100 Leobendorf, Kapellenstr. 52. G.: 9. Aug. 1960. V.: Irene, geb. Baldast. Ki.: Christoph (1989), Tamara (1992). El.: Eleonore u. Johann. S.: AHS, HAS, 1980-91 Ausb. z. Bankmanager. K.: s. 1991 Bankmanager, seit 1992 Ausb. f. Ernährungsberatung, erste Erfolge bzgl. Heilung d. Osteoporose. V.: Veröff. im Buch "Biofeedback", Gedicht: "Gesundheit". E.: 1992 GrK d. Eulenordens, 1993 Schatzmstr. d. Eulenordens. (M.N.)

Schano Herbert

B.: Tischlermstr., Firmenteilhaber. FN.: Schano GmbH. DA.: 1090 Wien, Nußdorfer Str. 50. PA.: 1090 Wien, Nußdorfer Str. 68. G.: Wien, 21. Juni 1933. V.: Erika, geb. Rathmaier. Ki.: Gabriele, Thomas. El.: Franz u. Anna. S.: VS, HS, HTL, Möbelbau, Tischlerei, 3 J. Abendkurse, 1956 Werkmstr., 1959 Mstr. K.: in mehreren Firmen als Tischler tätig, Abt.Ltr. b. Fa. Umdasch Amstetten, 4 1/2 J. Chefass. in Wr. Tischlerei Johann Wanecek & Söhne, 1960 Betriebsgrdg. m. Tischlermstr. Hans Raimann, 1965 Entwicklung eines begehbaren Schrankraumes, 1971 Verkaufsgeschäft erweitert, seit 1974 befaßt m. schweiz. Bettsystem Lattoflex, seit 1981 Spezialisierung auf d. Schlafbereich. P.: Vorträge an Fachkongressen, f. Therapeuten u. sonst. Interessenten, Art. in Fachzeitschriften u.a. regelmäßig in "Besser Wohnen", "Die Presse". E.: 1967 Ehrenpreis d. Staates, 1972 staatl. Anerkennung, 1977 staatl. Ausz. M.: Wirtschaftsbund. H.: Radfahren, Wandern, Skilanglauf. (S.S.)

Schanovsky Hugo Prof.

B.: Sozialvers.Ang., dzt. Pens., Schriftsteller. A.: 4040 Linz, Urbanskistr. 6. G.: Steyr, 29. Nov. 1927. V.: Dorothea, geb. Klaproth. El.: Leo u. Anna. S.: VS, Ak. Gymn., Matura 1946. K.: 1967 Wahl in d. Linzer GemR., 1969 Wahl in d. Stadtsenat - Ressort: Wohlfahrtswesen, 1979 Wahl zum 1. VBmg. d. Stadt Linz, Ressorts: Kultur, KH-Wesen, Gewerbe u. Wirtschaftsbetriebe. 1984-1988 Bürgermeister, Ressorts Kultur, Schulen, Fremdenverkehr, etc. P.: 33 Buchveröff. darunter: "Ein Strand f. Nichtschwimmer", "Nur eine Erde", "Paradiesgarten", "Hommage an Adelheit Stifter", "Diesen Tag Sarajevo". E.: Gold. Med. f. Verd. um d. Rep. Österr., Silb. EZ d. oö. Kriegsopferverb., Kunstförderungspreis d.

Stadt Linz f. Literatur, Josef Luitpold Stern-Preis d. ÖGB, Verleihung d. Berufstitels "Prof.". M.: Mtgl. d. P.E.N.-Clubs, d. Autorenringes Linz, d. Mühlviertler Künstlergilde, Ehrenpräs. d. Club d. Begegnung, Vorst.Mtgl. d. Pensionistenverb. Österr., Vors. d. Arbeitskreises f. d. Förd. v. tierversuchsfreier Forschg., Vorst.mtgl. d. Linzer Volksbildungsver. H.: Literatur, Kunstgeschichte, Reisen, Wandern.

Schanta Norbert

B.: Bankang. FN.: Bank Burgenland AG. DA.: 7000 Eisenstadt, Hauptstr. 31. PA.: 7035 Steinbrunn, Wr. Neustädter Str. 15. G.: Eisenstadt, 24. Sep. 1958. V.: Eva Maria, geb. Premlechner. Ki.: Claudia (1986), Thomas (1990). El.: Matthias u. Theresia. S.: HAK Eisenstadt, 1979 Matura. K.: 1980 Eintritt in d. Lds.-Hypo.-Bank Burgenland, 1983 Aufbau d. Auslandsabt., 1989 Betriebsrat, 1991 AR-Mtgl. d. Bank Bgld.; Ltr. u. Manager d. Musikgruppe "Schanta Buam". H.: Musik, Keyboard, Tennis. (M.G.)

Schantin Gerald

B.: Prok. FN.: Morawa Buchvertrieb. DA.: 1010 Wien, Wolzeile 4. PA.: 1160 Wien, Gaullacherg. 18/4/7. G.: Graz, 18. Juli 1953. V.: Hildegard, geb. Massong. Ki.: Nicol. El.: Adolf u. Rosa. S.: VS, Gymn., Ausbild. f. Buchhändler. K.: 7 J. selbst. Buchhändler, 1981 Morawa Außendienst, Ltr. d. Buchvertriebs, 1985 Prok. u. Mtgl. d. Geschäftsltg. H.: Tennis, Surfen, Literatur.

Schantl Josef Mag. iur. w.HofR.

B.: Ltr. d. Abt. I/3 u. II/6 d. NÖ Landesrg. DA.: 1014 Wien, Herreng. 13. G.: Aspang/Wechsel, 29. Nov. 1932. V.: Erna, geb. Gundacker. Ki.: Nikolaus (1970), Alexander (1972). El.: Josef u. Marianne, geb. Hainthaler. S.: BRG, 1950 Matura, Werkstudent Rechtswiss. Univ. Wien, 1969 Abschluß. K.: 1950 Beginn d. Tätigkeit im Landesdienst NÖ, ab 1983 Abt.-Ltr.-Stellv., seit 1992 Ltr. d. Abt. f. Staatsbürgerschaftsangelegenheiten, Wahlen, Personenstandswesen u. f. d. Kriegsgräber. H.: Studentenhistoriker. (N.A.)

Schantl Josef OAmtsR.

B.: 1. Präs. d. Ktn. Landtages, LVors. d. Gewerkschaft Öff. Dienst. DA.: 9021 Klagenfurt, Landhaushof 1. PA.: 9020 Klagenfurt, Akazienhofstr. 90. G.: Leoben, 1. Juni 1929. V.: Hildegard, geb. Stemberger. Ki.: Wolfgang, Christian, Ursula. El.: Josef u. Franziska. S.: VS, HS, Fachschule f. Maschinenbau. K.: 1951-59 Verw.Ang. im LKH Klagenfurt, 1959-74 BetriebsR.Obm. im LKH Klagenfurt, 1974-79 ZentralbetriebsR.Obm., seit 1970 Abg. z. Ktn. Landtag, 1975-79 Clubobm.Stellv. d. Clubs d. soz. LAbg. in Ktn., 1979-83 3. Präs. d. Ktn. Landtages. E.: Gr. EZ f. Verd. um d. Rep. Österr., Ktn. LOrden in Gold. M.: Vors. d. Österr. Organ. d. Europ. Bewegung, Vors. d. Österr. Föderation d. Europahäuser, Europ. Bild.Werk in Österr. H.: Tennis, Wandern, Lesen.

Schantl Peter Dipl.-Ing.

B.: Produktionsltr. FN.: Bombardier. DA.: 1210 Wien, Donaufelderstr. 73-79. PA.: 8740 Zeltweg, Erzstr. 17. G.: Leoben, 12. Okt. 1955. Ki.: Manuel. El.: Hans u. Grete. S.: 1973 Matura, Stud. Montan-Univ. Leoben, 1978 Abschluß. K.: VOEST-ALPINE Zeltweg Bereich Maschinenbau, Stahlbau, Service, Auslandstätigkeiten, 1990 Produktionsltr. Bombardier. BL.: Vorträge b. ÖGO u. weitere Intern. Neuschaffung d. Firma Layout, neue Produktpalette im Bereich Raumfahrt-Sonderalu. H.: Schach, Tennis, Familie. (J.E.)

Schantz Peter

B.: Buchdrucker, Gschf., Dir. FN.: St. Norbertus Buch- u. Kunstdruckerei vorm. Roller & Comp. GmbH. DA.: 1030 Wien, Kollerg. 7. PA.: 2486 Pottendorf, Otto-Glöckl-Str. 20. G.: Pottendorf, 5. April 1949. V.: Eva-Maria, geb. Bankl. Ki.: Thomas (1971), Petra (1976), Stefanie (1982). El.: Josef u. Ludmilla. S.: VS, HS, 1 J. Graf. Lehr- u. Versuchsanst. Wien (Reprotechnik), Setzer- u. Buchdruckerlehre Ebreichsdorf, 1968 Gesellenprüf. K.: b. 1987 Betriebltr., 1987 Prok. Firma Norbertus, seit 1992 Gschf. M.: Wirtschaftsbund. H.: Tuschezeichnen, Familie, Lesen, Karikaturen. (R.T.)

Schapira Josef Dr.

B.: RA. A.: 1040 Wien, Margaretenstr. 27/2/3/11. G.: Czernowitz, 5. Apr. 1913.V.: Rosy, geb. Schmulenson. El.: Isak u. Rosa. S.: Univ.Stud., Dr. iur. K.: RA-Anw., selbst. RA, AufsR. d. Wr. Messe-AG, Anw. d. Stadt Wien. M.: B'nai Brith - Loge Wien. H.: Gartenarb., Radfahren, Schwimmen.

Schapler Christian

B.: LInnungsmstr., Bäckermstr. DA.: 6780 Schruns. PA.: 6780 Schruns, Prof.-Tschol-Weg 1. G.: Vandans, 4. Okt. 1939. V.: Martha, geb. Amman. Ki.: Johannes (1966). El.: Johann u. Resi. BV.: Großvater Christian Schapler: langjähr. Bgm. u. Ehrenbürger v. Vandans. S.: Bäckerlehre. K.: 1962 selbst. m. Pachtbetrieb, 1969 Aufbau d. eig. Bäckerei. E.: Gold. EZ d. Vbg. Schützenbundes u.a. M.: Langjähr. Mtgl. d. Schützengilde, Gruppenf. d. Feuerwehr-Skiver. H.: Jagd, Sportschießen, Hunde. (I.D.)

Schar Heribert Dr. iur.

B.: RA. DA.: 6020 Innsbruck, Maria-Theresien-Str. 4. G.: Axams, 23. Juni 1946. V.: Birgit, geb. Hagsteiner, 1 Sohn. S.: VS, ak. Gymn., Jusstud. u. einige Sem. Betriebswirtschaft an d. Univ. Innsbruck, 1973 Prom. K.: Gerichtspraxis, Konzipient, seit 1978 selbst. RA. M.: Ak. Club, Ambassador Club. H.: Reisen, Bergsteigen, Tennis. (Schm.)

Scharang Michael Dr. phil.

B.: Schriftsteller. DA. u. PA.: 1210 Wien, Gerasdorfer Str. 55/173/1. G.: Kapfenberg, 3. Febr. 1941. V.: Ilse, geb. Fleischhacker. El.: Michael u. Anna. S.: RG, Univ. Wien, 1965 Prom. z. Dr. phil. K.: Freier Schriftsteller. P.: 7 Buchveröff., darunter d. Romane "Charley Traktor", "Der Sohn eines Landarb.", "Harry. Eine Abrechnung", u. d. Essayband "Die List d. Kunst", zahlr. Hörspiele, zuletzt "Der Beruf d. Vaters", 2 Filme "Die Kameraden d. Kolomann Wallisch"., "Eine Heimkehrergeschichte", Gastvorlesungen an österr., engl. u. amerikan. Univ., zahlr. Vortragsreisen. E.: zahlr. Literaturpreise, darunter Förderungspreis d. Rep. Österr., d. Stadt Wien, sowie d. Elias Canetti-Stipendium. (P.R.)

Scharf Gerhard Dipl.-Ing. Mag. rer. nat. Prof.

B.: staatl. befugter u. beeid. Ziviling. f. techn. Physik. DA.: 1040 Wien, Schwindg. 18. PA.: 1070 Wien, Kaiserstr. 83. G.: Wien, 23. Jan. 1944. V.: Maria, geb. Kargl. Ki.: Robert (1975). El.: Franz u. Josefa. S.: 1964 Matura, 1969-72 Techn. Physik u. Naturwiss. Univ. Wien, 1972 Spons. K.: ab 1972 Prof. HTL Wien, ab 1972 Ang. als Techniker in einem Ziviling.Büro, seit 1983 selbst. Ziviling. H.: Fischen, Fotografieren. (M.M.)

Scharf Helmut Prof.

B.: Lehrer, Schriftsteller. A.: 9220 Velden, Parkstr. 3. G.: Villach, 28. Nov. 1915. V.: Hertha, geb. Kueß. El.: Albert u. Mary. S.: Untergymn., LBA, Befähigungsprüf. f. VS u. HS. K.: 1936-38 Schuldienst an Ktn. LSchulen, 1938-45 Enthebung durch d. NS-Regime, 1945-68 Verwendung an d. BLehrer- u. Lehrerinnenanst. als Lehrer f. Schulpraxis u. Prof., 1968-75 Prof. an d. Päd. Ak. d. Bundes in Klagnfurt, 1967-80 Ltr. d. Arbeitskreises f. Literatur b. Ktn. Bildungswerk, 1973-80 Initiator u. Red. d. Informationsblattes "FIDIBUS" b. Ktn. Bilundgswerk, seit 1963 Grdg. u. Vorst.Mtgl. d. Josef Friedrich Perkonig-Ges., später auch deren Veranstaltungsltr. u. stellv. Vors. P.: "Als Toter leben", "Saumpfad" Lyrik, "Das Haus zu den drei Löwen" Jugendbuch, "Ktn. Impressionen" Essay u. Lyrik (1983), "Über Grenzen u. Jahre" Lyrik, "Der Mittelmäßige" Roman, "Tschebon - Trauer um ein Dorf", "Lebenszeichen", "Seitensprünge eines Versfußgängers", "Meine kleinen Kavaliere" Romane, Lyrik, Essays, Erzählungen, Hörspiele, Filmmanuskripte, Beiträge in Anthologien z.B. Neue Gedichte aus Österr (1982), Verlassener Horizont (1979), Kleine Lyrikreihe (1985). E.: Literaturförderungspreis d. LHpt.Stadt Klagenfurt, Preis aus d. Fond d. Theodor Körner-Stiftung, Ehrenring d. Marktgem. Velden, Silb. EZ f. Verd. um d. Rep. Österr., Lesepreis f. Ges. d. Freunde dt.sprachiger Lyrik, Gr. Gold. EZ d. Landes Ktn. M.: Österr. Schriftstellerverb., Österr. P.E.N.-Club. H.: Graphik. (D.M.)

Scharf Hermann Günther Mag. art.

B.: Grafiker, Designer, Maler, Gschf. Ges. FN.: Mag. Scharf GmbH Werbeagentur. GT.: Inh. Mag. Scharf Maler, Grafik u. Designer Studios. DA.: 2346 Maria Enzersdorf, Südstadt-Zentrum 1/23. PA.: 2344 Maria Enzersdorf, Stojanstr. 28. G.: Graz, 28. März 1938. V.: Erika, geb. Gugl. Ki.: Christian (1964), Angelika (1967), Martin (1972), Peter (1978). El.: Emil u. Maria. S.: 1958 Matura, 1958-62 Stud. Grafik u. Design HS f. Angew. Kunst Wien, 1961-62 Vors. Österr. Hochschülerschaft HS f. Angew. Kunst, 1962 Spons. z. Mag. K.: seit 1963 selbst. Grafik-Designer, Grdg. d. eigenen Studios f. Grafik u. Design Wien, 1964 Expansion u. Umzug nach Maria Enzersdorf, 1967-84 Neuformulierung d. CD d. Gesamtunternehmens Steyr Daimler Puch, 1969 Steyr BRD u. Frankreich, 1970-86 Eröff. eines Studios f. Messe u. Ausstellungsgestaltung, seit 1985 auch als Maler tätig, 1986 Grdg. eigener Werbeagentur Maria Enzersdorf, 1990 Neugestaltung d. CD u. d. Erscheinungsbildes f. "Freytag & Berndt". P.: unzählige Aufträge im Bereich Grafik-Design, viele Ausstellungen als Maler, 1987 "Zärtl. Landschaften", 1989 "Liebenswertes Österr.", 1989 "Österr.", 1991 "Wien". E.: 1977, 1986, 1987, 1988 u. 1993 NÖ Landespreis f. Werbung, 1988 Staatspreis f. Bene Wirtschafsfilm, 1991 Preis d. Gem. Wien. M.: seit 1989 Vorst.-Mtgl. Grafik-Designer Austria GDA, seit 1993 Vorst.-Mtgl. d. Fremdenverkehrsver. Maria Enzersdorf. H.: Gestaltung d. Lebensumfeldes, Malerei, Gartenarb. (I.K.)

Scharf Werner Mag.

B.: Gschf. Ges. FN.: SMI Lernen & Reisen. DA.: 1100 Wien, Senefelderg. 6. PA.: 2333 Leopoldsdorf, Oberlaaer Str. 47. G.: Wien, 11. Sep. 1960. V.: Andrea, geb. Loiskandl. Ki.: Stefanie. El.: Franz u. Helene, geb. Jelinek. S.: 1978 Matura, Stud. Lehramt Math. u. Darstell. Geometrie TU Wien, 1983 Abschluß. K.: 1984-94 AHS-Lehrer, 1984-86 Taxiunternehmer, seit 1986 Lehrer Aus- u. Weiterbild., 1986 Grdg. Firma SMI, 1992 Umstrukturierung GmbH m. Namen SMI Lernhilfe durch Prof., 1994 Grdg. SMI Lernferien in Wien, 1994 Grdg. Schwesterfirma in San Francisco "SMI-Education and Travel". P.: wiss. Veröff. auf d. Gebiet d. darstell. Geometrie. H.: Skifahren, Fußball, Lesen. (N.A.)

Scharf Wolfgang Dr. med. Univ.-Prof.

B.: Facharzt f. Unfallchirurgie, Vorst. d. Unfallchirurgie Abt. im Hanusch KH. DA.: 1140 Wien, Heinrich Collinstr. 30. PA.: 1020 Wien, Rembrandtstr. 36. G.: 3. Mär. 1950. V.: Brigitta, geb. Hinterleitner. El.: Johann u. Irma. S.: 1970 Matura, Stud. d. Med. a.d. uni. Wien, 1976 Prom., 1976-73 Facharztausb. im UKH Wien-Meidling u. a.d. 1 Uni. Klinik. K.: seit 1983 Facharzt u. Stationsführender o.A. a. d. 1. Uni. Klinik f. Unfallchirurgie, 1984 Habilitation, 1990 A. O. Univ. Prof. u. Stv./Vors. d. 1. Univ. Klinik f. Unfallchirurgie, seit 1. Feb. 1991 i..d. oben erwähnten Pos. P.: Zahlr. wiss. Publ. im In- u. Ausland. M.: Bei zahlr. int. u. nat. wiss. Ges. H.: Golf (N.A.)

Schärf Alexander Dr. iur.

B.: Industrieller. DA.: 2700 Wr. Neustadt, Dr.-Alexander Schärf-Str. 4. G.: Klosterneuburg, 25. Juni 1923. V.: Hilge, geb. Steiner. Ki.: Hermine, Gotthard, Roman, Norbert, Reinhold, Lothar, Ronald, Dolores. El.: Dr. Adolf u. Malwine. S.: abgeschl. Jusstud. K.: Gründer d. Fa. Dr. Alexander Schärf & Söhne GmbH 1959 in Wr. Neustadt, Zweitndlg. in d. USA, Filiale in Kaprun, die Fa. (Kaffeemaschinen, Großküchen u. komplette Lokaleinrichtungen) ist berechtigt seit 1980 d. Staatswappen zu führen. M.: Rechtswiss. Ges. Wien. H.: Turnen, Lesen phil. Bücher. (Kern)

Schärf Gotthard

B.: gschf. Ges., Ltr. d. Filiale Kaprun d. Fa. Dr. Alexander Schärf & Söhne GmbH. DA.: 2700 Wr. Neustadt, Dr.-Alexander-Schärf-Str. 2. G.: Baden, 30. Dez. 1947. V.: Christine, geb. Volkmer. Ki.: Miriam, Raffael, Tamara. El.: Dr. Alexander u. Gertrude. S.: Schauspielschule, Mittelschule. K.: Innenarch., selbst. m. Cafehaus u. HiFi-Studio, Eintritt in d. väterl. Betrieb Okt. 1978, Fa. Dr. Alexander Schärf & Söhne GmbH, die 1959 gegründet wurde, mit einer Zweitndlg. in d. USA, Filiale in Kaprun, die Fa. (Kaffeemaschinen, Großküchen u. komplette Lokaleinrichtungen) ist berechtigt d. Staatswappen zu führen. F.: Dr. Alexander Schärf & Söhne GmbH. H.: Privatfliegen (Motor), Skilauf, Grasskifahren, Eishockey, Fußball, Segeln. (Kern)

Schärf Lothar Ing.

B.: Innenarch. DA.: 2700 Wr. Neustadt, Dr.-Alexander-Schärf-Str. 2. G.: Wien, 1. Febr. 1961. El.: Dr. Alexander u. Gertrude. K.: Gewerbeschein f. Innenarch., Praktikum in Amerika, Eintritt in d. väterl. Betrieb 1981, Fa. Dr. Alexander Schärf & Söhne GmbH, d. 1959 gegründet wurde, Zweitndlg. in d. USA, Filiale in Kaprun, d. Fa. ist berechtigt d. Staatswappen zu führen. F.: Dr. Alexander Schärf & Söhne (Kaffeemaschinen, Großküchen u. komplette Lokaleinrichtungen). H.: Eishockey, Moto-Cross, restaurieren v. alten Möbelstücken. (Kern)

Schärf Norbert

B.: gschf. Ges. d. Fa. Dr. Alexander Schärf & Söhne GmbH. DA.: 2700 Wr. Neustadt, Dr.-Alexander-Schärf-Str. 2. G.: Baden, 26. Juni 1951. V.: Roswitha, geb. Sperl. Ki: David, Simon, Lukas. El.: Dr. Alexander u. Gertrude. S.: Turnlehrerprüf., Praktikum in Australien. K.: Eintritt in d. väterl. Betrieb im Sept. 1976, Fa. Dr. Alexander Schärf & Söhne GmbH, d. 1959 gegründet wurde, mit einer Zweitndlg. in d. USA, Filiale in Kaprun, d. Fa. (Kafeemaschinen, Großküchen, sowie komplette Lokaleinrichtungen) ist berechtigt d. Staatswappen zu führen. F.: Dr. Alexander Schärf & Söhne GmbH. H.: Sammeln v. Kunstgegenständen (Bilder, Keramik), Eishockey, extremer Sport. (Kern)

Schärf Reinhold
B.: gschf. Ges. d. Fa. Dr. Alexander Schärf & Söhne GmbH. DA.: 2700 Wr. Neustadt, Dr.-Alexander-Schärf-Str. 2. G.: Baden, 11. März 1957. V.: Isabella, geb. Franzin. Ki.: Marko. El.: Dr. Alexander u. Gertrude. K.: Eintritt in d. väterl. Betrieb im Sept. 1975, Fa. Dr. Alexander Schärf & Söhne GmbH, d. 1959 gegründet wurde, mit einer Zweitndlg. in d. USA, Filiale in Kaprun, die Fa. (Kaffeemaschinen, Großküchen u. komplette Lokaleinrichtungen) ist berechtigt d. Staatswappen zu führen. F.: Dr. Alexander Schärf & Söhne GmbH. H.: Eishockey, Motor Cross. (Kern)

Schärf Roman
B.: gschf. Ges. d. Dr. Alexander Schärf & Söhne GmbH. DA.: 2700 Wr. Neustadt, Dr.-Alexander-Schärf-Str. 2. G.: Baden, 23. Apr. 1950. V.: Ing. Elisabeth, geb. Wolf. Ki.: Iris, Simone, Boris. El.: Dr. Alexander u. Gertrude. K.: Eintritt in d. väterl. Betrieb im Nov. 1967, Fa. Dr. Alexander Schärf & Sähne GmbH, d. 1959 gegründet wurde, mit einer Zweitndlg. in d. USA, Filiale in Kaprun, die Fa. (Kaffeemaschinen, Großküchen u. komplette Lokaleinrichtungen) ist berechtigt d. Staatswappen zu führen. F.: Dr. Alexander Schärf & Söhne GmbH, Roman Schärf GmbH Wien, Daniel Moser GesnbR (Cafe-Bar, Records). (Kern)

Schärf-Hameder Hermine
B.: gschf. Ges. d. Fa. Dr. Alexander Schärf & Söhne GmbH. DA.: 2700 Wr. Neustadt, Dr.-Alexander-Schärf-Str. 2. G.: Lippstadt, 5. Juli 1946. V.: Herbert Hameder. Ki.: Sandra, Nicole, Sonja. El.: Dr. Alexander u. Gertrude Schärf. K.: Eintritt in d. väterl. Betrieb im Sept. 1961, Fa. Dr. Alexander Schärf & Söhne GmbH, d. 1959 gegründet wurde, mit einer Zweitndlg. in d. USA, Filiale in Kaprun, die Fa. (Kaffeemaschinem, Großküchen u. komplette Lokaleinrichtungen) ist berechtigt d. Staatswappen zu führen. F.: Dr. Alexander Schärf & Söhne GmbH. H.: Reisen, Glaubens- u. Religionsgeschichte. (Kern)

Scharfetter Christian
B.: Fleischermeister. FN.: Fleischerei Scharfetter. DA. u. PA.: 5600 St. Johann/Pongau, Wagrainer Str. 3a. G.: Salzburg, 4. Apr. 1972. El.: Friedrich u. Christine. S.: VS, HS, 1986 Fleischerlehre. K.: 1989 Landesmeister b. 1. Wettbewerb, 1989 Berufsschule, 1989 Gesellenprüf., 3. Pl. Bundeswettbewerb Sbg., 1991 nach München, zurück nach St. Johann, 1991 Meisterprüf. Sbg. H.: Pferde. (A.W.)

Scharfetter Friedrich

B.: Fleischermeister. FN.: Fleischerei Scharfetter. DA. u. PA.: 5600 St. Johann/Pongau, Wagreiner Str. 3a. G.: Bad Gastein, 15. Juli 1939. V.: Christine, geb. Sinnegger. Ki.: Franz, Friedrich, Christian. El.: Franz u. Frieda, geb. Lafentaler. K.: Ang. in väterl. Gastronomie u. Ldw., 1963 Fleischerlehre Imst, 1965 zurück nach Hause, 1966 Übern. d. Betriebes, 1975 Eröff. d. Filiale. BL.: 29 J. b. d. Feuerwehr, 5 J. im GemR., Innungsaussch. d. Fleischer, AufsR.-Vors., Bez.-Innungsmeister, Vors. SAWIF, Vors. b. d. Prüf.-Kmsn. H.: Skifahren, Jagd, Natur.

Scharfetter Leonhard

B.: Inh., Gastwirt. FN.: Jugend-Sporthotel Ennstalerhof. DA.: 5541 Altenmarkt, Lackeng. 270. G.: Reitdorf, 7. Okt. 1940. V.: Maria, geb. Lackner. Ki.: Manuela (1973), Gudrun (1974), Elke (1977), Bernhard (1980). El.: Stefan u. Theresa. S.: 1 Sem. Landw. Schule in Bruck. K.: anschl. im elterl. Landw. tätig, 1965 Holzwirts. u. Holzbringung, ab 1965 Erwerb d. Konzession f. Spedition u. Gastgewerbe, 1968-70 Bau u. Eröffn. Jugendpens. Ennstalerhof, 1975 1. Zu- u. Umbau d. Pens., 1989 nach mehreren Etappen d. Jungend-Sporthotel Ennstalerhof errichtet. H.: Wandern, Radfahren. (J.F.)

Scharinger Franz
B.: Ltr. d. Uhrenmuseum d. Stadt Wien. DA.: 1010 Wien, Schulhof 2. G.: Wien, 21. Sept. 1936. V.: Berta, geb. Redl. Ki.: Denise (1966). El.: Franz u. Barbara. S.: Berufsausbild. z. Uhrmachermstr. K.: 20 J. b. d. Firma Omega tätig, seit 1977 Dir. d. Uhrenmuseums d. Stadt Wien. P.: Kataloge u. Fachart. z. Thema Uhren. M.: Ver. f. Geschichte d. Stadt Wien, Astronom. Ver. d. Univ.-Sternwarte, Sonnenuhrfreunde. H.: Segeln. (J.S.)

Scharinger Ludwig Dr. Mag.
B.: Gen.-Dir. Raiffeisen Landesbank f. OÖ. DA.: 4020 Linz, Raiffeisenpl. 1. PA.: 4040 Linz, Am Sonnenhang 4. G.: Arnreit/Mühlviertel, 19. Okt. 1942. V.: Anneliese, geb. Hofer. Ki.: Judith, Eva, Lucia, Zita. S.: landw. Fachschule, 1963-68 HLBLA Francesco-Josephinum Wieselburg (Landtechnik), Stud. Betriebs- u. Sozialwirtsch. Univ. Linz, 1973 Prom. K.: 1972 Raiffeisen-Zentralkasse, 1978 Gschf., 1985 Gen.-Dir. E.: 1989 KommR. (N.A.)

Scharinger Rainer
B.: Mtgl. d. Geschäftsführung. FN.: Reichl & Part Werbeagentur GmbH. DA.: 4020 Linz, Rainerstr. 6-8. PA.: 4040 Linz, Kreuzstr. 5. G.: Grießkirchen, 4. Mai 1958. V.: Edith, geb. Hartwagner. Ki.: Lisa Marie (1992). El.: Gottfried u. Helga. S.: VS, Gymn., 1977 HAK-Matura, 1977/78 BH, Stud. Betriebswirtschaft Univ. Linz, 1983 Mag. K.: Programmierer während d. Stud., 1983 Schwerpunkt Marketing u. Controlling, Ind.-Anlagenbau d. VOEST, Verkauf v. Anlagen f. Asien, 1991 Fa. Hainzl Ind.-Systeme Aufbau - Marketingabt., 1992 Geschäftsführung Reichl & Part. P.: Jahrbuch d. Rechnungswesens - Computergestützte Plankostenrechnung. M.: während d. Studienzeit Präs. d. Rotaract Club Linz, VÖWA, VÖYWS. H.: Segeln, Skifahren, Familie. (N.A.)

Scharinger Rudolf Franz Ing.
B.: Gschf. Ges. FN.: Elektro Scharinger GmbH. DA. u. PA.: 4050 Traun, Baderg. 12. G.: Linz, 25. Nov. 1965. El.: Edith u. Rudolf. BV.: Großeltern, Firmengründer 1949. S.: VS, 5 J. Gymn., HTL Linz (Elektrotechnik), Matura 1986. K.: 1987 Militärdienst, Elektroinstallateur im großväterl. Betrieb, 1990 Konzessionsprüf., anschl. Prüf. f. d. Lehrlingsausbild.-Berechtigung, seit Juni 1991 Ltr. H.: Computer.

Scharkosi Jürgen K.
B.: Inh. Maritime Hotel Management. DA.: 5071 Salzburg, Schloß Kleßheim, Kavalierhaus. G.: Graz, 16. Juni 1953. V.: Annette. Ki.: Sophia (1984), Helene (1988), Alexandra

(1989). El.: Karl u. Eleonore. BV.: Rudolf Scharkosi. S.: 3 J. Gastgewerbefachausbild. Schloß Hofen Vbg., versch. Fach- u. Managementlehrgänge in Europa u. USA. K.: 5 J. Hotels in Österr., Schweiz, Barbados u. Curacao, 12 J. Kreuzschiffahrt auf Royal Viking Line, Home Line, Royal Caribbean Cruise Line, Cunard Line, Oberoffz. d- Brit. Handelsmarine, 1987-90 freiberufl. Management Consultant f. Kreuzschiffahrt, Miami/Fla., seit 1990 eigene Firma. BL.: Gründer u. Dir. d. "Scharkosi Institute of Maritime Hotel Management" in Kleßheim, weltweit erstes Inst. f. Hotelmanagement in d. Kreuzschiffahrtind., Initiator d. jährl. "International Cruise Ship Congress of Human Resources" in Sbg. F.: Maritime Hotel Personnel Nassau Bahamas, MariTrade, Miami/Fla. P.: Computer Aided Hotel Controlling For Cruise Vessels (1990), F&B Controlling on Passenger Ships (1992), MariTIMES (1990, 1991, 1992). E.: Pres. MariTeam, Assoc. of Professional Hotel Employees in the Cruise Ship Industry, reg. Sbg. H.: Skifahren, Schwimmen, Lesen. (M.Mo.)

Scharl Heinz Dr. iur. Mag.

B.: Wirtschaftsjurist; Gschf. FN.: Petruzalek GmbH. DA.: 2331 Vösendorf, Ortsstr. 20. G.: St. Pölten, 26. Nov. 1959. V.: Beate, geb. Böck. Ki.: Florian (1985), Anna 81991). El.: Josef u. Maria. S.: 1977 Matura a. Gymn. i. St. Pölten, 1977-81 Stud. Betriebswirt. a. d. WU Wien, 1981 Abschluß Mag. rer. soc. oec., 1979-84 Stud. d. Rechtswiss. a. d. Univ. Wien, 1984 Abschluß Dr. jur., 1984-85 BH. K.: 1985 Mitarb. d. Wifi i. St. Pölten, 1985 Einstieg Fa. Teich AG i. Owergrafendorf, 1985-87 Ass. i. Finanz- u. Rechnungswesen, 1987-89 a. Ass. d. General Dir., 1989 Frankreich-Aufenthalt a. interimist. Gschf. e. Tochterges., 1990 Marketing Management tätig, s. 1990 lfd. Gschf. d. Fa. Petruzalek GesmbH. BL.: u. seiner Gschf. wurde d. Recycling d. Fleischtassen i. allen Supermärkten eingeführt, Grdg. v. 2 Tochterges. i. Tschechei. M.: aktiver Fußballspieler i. Sportverein St. Pölten. H.: Familie, Tennis, Hausbauen. (I.K.)

Scharl Manfred Ing.

B.: Techn. Gschf. d. Ktn. Flughafen Betriebsges. DA.: 9020 Klagenfurt, Flughafenstr. 60. PA.: 9063 Maria Saal, Ratzendorf 9. G.: Klagenfurt, 29. Okt. 1941. V.: Doris, geb. Kavallar. Ki.: Alexnder, Margarita, Ulla. BV.: Vorfahren mütterls. Fam. Schmidt war eine bek. Zollfelder Familie, bes. bek. war ÖkR. Josef Schmidt. S.: BRS, HTL (Elektrotech.). K.: Präsenzdienst b. d. Luftwaffe, dan. als Konstrukteur zu KELAG als Koordinator, ab 1973 Betriebsltr. d. Ktn. Flughafen Betriebsges. (schon 1971 hier nebenberufl. Pilot), seit 1976 techn. Gschf. u. v. Zeit zu Zeit Pilot im Air-Taxi-Untern. E.: viele Sportausz. M.: Obm. d. Ktn. Motorfliegver., s. 1979 VPräs. d. Österr. Aeroclubs. H.: Tennis, Schwimmen, Skifahren, Bergwandern. (D.M.)

Scharler Gerald Mag. rer. soc. oec.

B.: Kanzlei Ltr.; Prof. a. d. HAK, Ges. FN.: HAK St. Johann; Louise-Plegé Cosmetic. PA.: 5500 Bischofshofen, Hochkönigg. 8. G.: Schwarzach, 21. Sept. 1962. V.. Birgit, geb. Schnell. Ki.: Christina (1988), Gerald (1992). El.: Peter u. Paula. S.: VS, Missions priv. Gymn. St. Rupert in Bischofshofen, Matura, Leopold -Franzens Univ. in Innsbruck, Stud. Wirtschaftspädagogik u. 1989 Mag. rer.soc.oec. K.: 1988 Unterricht a.d. HAK St. Johann, Berufsanwärter, s. 1989 in einer Wirtschaftskanzlei, seit 1992 Gesellschafter d. Luise -Plegé Cosemtic GmbH & Co KG d. d. Vater 1967 erworben hat. E.: 1986 Österr. Manschaftsstaatsmstr. in Tennis Innsbruck. H.: Tennis, Skifahren. (J.F.)

Scharler Ferdinand

B.: Tischlermstr., Inh. FN.: Bau- u. Möbeltischlerei Scharler u. Möbelhdl. DA. u. PA.: 5730 Mittersill, Felberstr. 59. G.: Mittersill, 29. Jan. 1951. V.: Elisabeth, geb. Schragl. Ki.: Wolfgang (1975), Christina (1977), Julia (1991). El.: Vitus u. Apolonia. S.: 3 J. Tischlerlehre Firma Franz Brennsteiner Mittersill, 1968 Abschluß als Geselle. K.: b. 1972 tätig in Mittersill, 1973 Mstr.-Prüf., 1 J. Mstr. in Tischlerei Franz Lechner Uttendorf, ab 1974 selbst. M.: Bürgermusik, Vorst.-Mtgl. d. Alpinen Segelflugschule Zell/See. H.: Familie, Motorflug, Blasmusik.

Scharler Peter Mag.

B.: Gschf. FN.: Scharler & Deller Werbeagentur. DA.: 5020 Salzburg, Erzabt-Klotz-Str. 9. PA.: 5081 Anif 438. G.: Hallein, 31. Aug. 1957. V.: Rosemarie. Ki.: Peter (1981), Theresa (1987). El.: Peter u. Paula. S.: VS, Gymn., 1974-79 HTL Saalfelden, 1979 BH, 1980-84 Betriebswirtschaftsstud. Innsbruck. K.: 2 J. elterl. Baufirma, 3 J. elterl. Vertriebsfirma, Grdg. d. Werbeagentur m. Partner Dieter Deller. BL.: 1990 Unternehmensberaterprüf. H.: Tennis, Skifahren. (N.M.)

Scharmüller Helfried Dr.

B.: Ltr. d. Staatsanwaltschaft Sbg. DA.: 5020 Salzburg, Rudolfspl. 2. (Biographie folgt im Loseblattsystem)

Scharnagel Erwin Dr. med. a.o.Univ.-Prof.

B.: FA f. Plast. Chir., HS-Lehrer f. Ästhet. u. Rekonstruktive Chir., Ltr. d. Klin. Abt. f. Plast., Ästhet. u. Rekonstruktive Chir. PA.: 8010 Graz, Schumang. 25. G.: Marburg/Lahn, 18. Febr. 1945. V.: Dr. Elisabeth, geb. Maier. Ki.: Barbara (1975), Michael u. Andreas (1980). El.: Dipl.-Ing. Klaus-Wolfdietrich u. Liselotte. S.: 1964 Matura, Med.-Stud., 1971 Prom. K.: Demonstrator Histor. Inst., 1969 Aufenthalt in d. USA, 1980 FA f. Allg. Chir., 1981 FA f. Plast. Chir., Tätigkeit auf d. Gebiet d. Plast. Chir. im Ausland, 1978 Budapest, 1979 Glasgow, 1981 München, 1982 Innsbruck, 1986 Habil., 1979 Begründer d. Replantationsdienstes, 1989, 1992 Vizepräs., 1991 Präs. d. Österr. Ges. f. Plast., Ästhet. u. Rekonstrukt. Chir., 1991 Veranstalter d. 27. u. 29. Jahrestagung dieser Ges., 1989 Veranstalter d. 12. Jahrestagung d. deutschsprach. Arge f. Mikrochir., 1989 u. 1990 tit.Prof., ab 1992 prov. Ltr. d. Department f. Plast. Chir., 1992 a.o.Univ.-Prof. f. Plast. Chir. Graz, gleichzeitig Ltr. d. Abt. f. Plast, Ästhet. u. Rekonstr. Chir. Univ. Graz, seit 1986 Privatordination, seit 1987 gerichtl. beeid. Sachv. f. Plast. Chir. P.: u.a. Komplikationen u. Mißerfolge b. d. freien Lappentransplantation, Rekonstruktive Microchir. - freier Gewebstransfer, Die Plast. Chir. als integrierende Disziplin in d. Chir., Großreplantation unter bes. Berücksicht. flankierender Maßnahmen. M.: Österr. Ges. f. Chir. u. Plast. Chir., Deutschsprachige Arge f. Microchir., Arge f. Chir. Onkologie, Assoc. of Plastic Surgeons, seit 1990 Beobachter d. Union Europ. of Medical Specialist, Österr. Ges. f. Handchir. H.: Schifahren, Segeln, Radfahren, Kleinldw., Malerei. (M.Gr.)

Scharndorff Werner Prof.

B.: Intern. Berater, Konsulent, Korrespondent. A.: 5010 Salzburg, Postfach 34. G.: Wien, 24. Juli 1925. El.: Prof. Hermann u. Hermine. S.: Matura, Dr. phil., Univ. Wien. K.: Widerstandsbewegung "Freies Österr.", Dt. Militärger., Konsulent USFA, entführt durch sowjet. Abwehr, 25 J.

Zwangsarb., Lager im Raum Workuta, Rückkehr nach Staatsvertrag, intern Sonderkorrespondent f. österr., westdt. u. schweiz. Zeitungen, Lehrbeauftragter HS f. Politik, München, Gastprof. Armed Forces Univ. Tapei/Taiwan, Vortragsreisen Kanada, USA, Japan, Lateinamerika, Südostasien, 1992: nach schwerem Unfall Einschränkung d. Konsulententätigkeit. P.: "Geschichte d. KPdSU" 1960, "Der intern. Kommunismus" 1961, 1976, "Moskaus permanente Säuberung" 1964, "Moskaus Kampf f. d. gesamteurop. Sicherheitskonferenz 1954-75", 1976 zehntausende Arb. in Tagespresse u. Fachzeitschriften. E.: "Order for distinguished military research" R. O. C., Ak. Mtgl. "China Academy" Taipei, Taiwan, Ehrenmtgl. d'Inst. f. Staatsrecht, Staatsphil. u. polit. Wiss. d. Univ. Sbg., Yiang-Yien-Order, 1992 Dr. h.c. KDK-Inst. Tokio, Dr. h.c. Mexico u.a. M.: Verb. d. Auslandspresse, Founding member Intern. academy of Poets, Intern. biographical association, I.A.S., Intern. Confederation of Chivalry 1986 u.a. H.: weltweite Brieffreundschaften.

Scharner Adolf Ing.

B.: Bez.-Vorst.-Stellv. d. IV Wr. Bez., Hauptlastverteiler Verbundges. DA.: 1010 Wien, Am Hof 6A. PA.: 1040 Wien, Goldegg 15. G.: Wien, 21. März 1941. V.: Helga, geb. Zwischenberger. Ki.: Christine (1975). El.: Adolf u. Emma, geb. Kikal. S.: VS, HS, HTL. K.: 1961 Eintritt Verbundges., ab 1962 Hauptlastverteiler, 1973 in d. Bez.-Vertretung, ab 1983 Bez.-Vorst.-Stellv. P.: Artikelserien in d. Bez.-Zeitungen. E.: Gold. VZ d. Stadt Wien. M.: SPÖ. H.: Kabarett, Skifahren. (N.A.)

Scharner Christoph Mag.

N.: Eurofina Liegenschaftsverwertungs GmbH. DA.: 1080 Wien, Josefstädter Str. 43. G.: Wien, 4. Jan. 1958. Ki.: Katharina (1979), Marlies (1983). El.: Ing. Paul u. Edith. S.: 1976 Matura, Stud. Hdls.Wiss. u. spezielle BWL: Transport WU Wien, 1983 Spons., 1984 Spediteurprüf. K.: 1982-84 Adria Sped. Überseeverkehr, Tarifbüro, Donau-Seeverkehr, 1984 Repräsentant f. Österr. d. Westermann Sped. Münster/BRD, 1984-85 hdls. u. gewerberechtl. Gschf. Eurocont Sped. Wien, 1986-88 Organ.Ass. u. Ltr. d. Bereiches Weinhdl. Dr. Kernstock Rohstoffhdl. u. Hdl. m. exclusiven Weinen, 1988-91 Prok. u. kfm. Ltr. Trace elektron. Geräte GmbH, seit 1991 Eurofina Liegenschaftsverwertungs GmbH. M.: Vorst.Mtgl. u. Präs. d. SV Arminen, Vorst.Mtgl. im Österr. Hockeyverb., Colony Golfclub Himberg. H.: Hockey (aktiver Spieler), Tennis, Golf, Politik. (J.S.)

Scharon Peter

B.: Gastronom. FN.: Ada's Konditorei, Hopfen u. Malz Bierstube Gustav Pieler GesmbH. DA.: 1150 Wien, Schweglerstr. 55. PA.: 1030 Wien, Hainburgerstr. 55/19. G.: Wien, 26. Mai 1942. El.: Karl u. Hilda. S.: Urgroßvatear väterl. Dipl.-Ing. Wenz maßgeblich a. d. Elektrifizierung bzw. Straßenbeleuchtung Wiens beteiligt, n. ihm ist die Wenzg. i. Wien 13. benannt. S.: 4 J. Gymn., anschl. Berufsausb. z. Huf- u.Wagenschmied. K.: n. d. Ges.-Prüf. Auslandsaufenthalte i. ganz Europa, i. versch. Berufen vorw. i. Deutschland, Belgien u. Frankreich tätig, s. 1967 wieder i. Wien u. seitdem selbst i. d. Gastronomie tätig, Kauf u. Sanierung d. Kaffeerösterei Aroma-Kaffee, später Verk. a. F.M. Zumtobel, 1991 Übern. d. Gustav Pieler Ges.m.b.H., kompletter Umbau d. Lokalitäten u. Eröff. d. Hopfen u. Malz Bierstube i. Dez. 1991 u. d. Konditorei Ada's. H.: Sport bes. Krafttraining, EDV u. Schreiben. (J.S.)

Scharrer Bettina Elia

B.: Gschf. Ges. FN.: Max Scharrer Porzellan Glas Silberwaren Besteck Edelhausrat. DA. u. PA.: 4020 Linz, Bürgerstr. 49. G.: Linz, 17. Dez. 1960. El.: KommR. Maximilian u. Lieselotte. S.: VS, Gymn., 1979 Matura, b. 1980 Abiturientenkurs HAK, 1/2 England, 1/2 Kanada. K.: seit 1984 heutige Position. M.: ehrenamtl. im Gremium d. Eisenwarenhdls. IHK OÖ, Soroptimistclub Linz. H.: Reisen, Inland, Lesen, Theater, Kunst. (U.A.)

Scharrer Brigitte

B S

B.: Gschf. FN.: Sport-Consulting. DA. u. PA.: 3100 St. Pölten, Valkastr. 10. G.: Wien, 29. Juni 1960. V.: Gerald. Ki.: Pamela (1989), Carola (1993). El.: Erwin u. Magdalena. S.: Gymn., Fremdenverkehrsschule Modul, 1981 Matura. K.: 4 J. i. versch. Bereichen tätig wie Reisebüros, Sped., Fa. Sport Kennex, 1989 selbst. Vertretung v. Sunshine-Sportmoden, 1992 Aktionärin b. Pro Kennex, Hauptaktionärin b. Hueble Freizeitanl. AG, Gschf. v. Sport-Consulting Ges.m.b.H. Sport u. Anlagenbau, Vertrieb v. Sportmoden, Betreiben v. Anlagen i. In- u. Ausland, 1993 selbst. m. Sportbekleidungserzeugung u. Design f. Fa. Pro Kennex. H.: Sport. (I.J.)

Schasching Karl

B.: Friseurmeister, Pächter. FN.: Schasching Intercoiffeur. DA.: 4020 Linz, Blumauerstr. 7. PA.: 4060 Leonding, Gaumbergstr. 82. G.: Linz, 9. Juli 1967. El.: Karl u. Violanta. S.: VS, HS, Hasch, 1982 D Friseurfachschule, Meininghaus (Deutschland), Nürnberg Junior u. Michaelis, Friseurlehrling, 1985 Geselle. K.: 2 Mt. London Vital Sasoon, London Toni & Guy, Young Stylist, 1984 - 86 Fa. Wella Seminare, abends, Wochenenden bei Mutter gearbeitet, 1985 Ernst Peter Meumann Wien, 1986 Gruppa Ultima Wien (Fa. Schwarzkopf abgeworben in Wien), Young Stylist, Seminare f. Top Stylist, 1987 zurück n. Linz: BH, Meisterprüfung, 1990 als Friseur in Südafrika (1 J.), Amerika (2 Mt.), Rom (3 Wo.), London (3 Wo.), 1992 Übernahme des Geschäftes Blumauerstr. 7, seit 2 J. freier Mitarbeiter d. Fa. Schwarzkopf. BL.: mit 17 J. Seminare f. Fa. Wella geleitet, jüngster Meister Österreichs, Landesliga Stadtmeister Leonding im Tennis. P.: Artikel in Clipp (Friseurzeitschr.). E.: 3facher Landesmeister (Fernsehen), einige Preise bei Gesellen-Preisfrisieren in Österr., Einberufung ins Nationalteam aus Zeitgründen abgelehnt. M.: Harley Davidson Club USA. H.: Tennis, Motorrad, Skifahren. (N.A.)

Schasching Wilhelm
B.: Amtsrat i.R. A.: 2320 Schwechat, Himbergerstr. 19. G.: Wien, 14. Jan. 1921. El.: Wilhelm u. Maria. S.: Matura, Ausbild. z. Air Traffic Controler (Flugverkehrsltr.). K.: Kriegsdienst u. Gefangenschaft, Regieass. u. kommerzieller Dir. an d. oö Bühnen, seit 1953 in d. Luftfahrt tätig, Grdg.Mtgl. d. Österr. Luftfahrtverb., seit 1968 Präs. M.: Österr. Luftfahrtverb. (Präs.).

Schaschl Erhard DDr.
B.: Gen.-Dir. u. Vors. d. Vorst. FN.: Wienerberger Baustoffind. AG. DA.: 1102 Wien, Wienerbergtr. 11. G.: Singerberg, 12. Jan. 1943. V.: Diana, geb. Lechner, 2 Kinder. E.: Gabriel u. Theresia. S.: RG, Jur. Fak. d. Univ. Graz, HS f. Welthdl. Wien, BH. K.: 1967-80 Creditanst. Bankver., zunächst Kons., ab 1972 Prok., ab 1975 OProk., ab 1977 Abt.Dir., durchgehend im Bereich Konzern tätig, verantwortl. f. d. Bankbeteiligungen d. Branchen Chemie u. Hdl., seit 1971 Mtgl. d. Vorst. d. "ALWA" Güter u. Vermögensverw. AG, seit 1981 Gen.-Dir. u. Vors. d. Vorst. d. Wienerberger Baustoffind. AG sowie Gschf. div. Tochterges., AufsR. d. Semperit AG Wien, AufsR. AGA Werke Wien GmbH. M.: Mtgl. d. Vorst. d. Ver. Österr. Industrieller, VPr. d. Verb. Österr. Ziegelwerke u. Delegierter z. Fédération Européenne des Fabricants de Tuiles et de Briques.

Schattauer Ingrid
B.: Sozialpädagogin, Ltr. d. Tagesheimes Liebenberg. DA.: 1150 Wien, Staglg. 3/4. G.: Waidhofen/Thaya, 5. Okt. 1952. El.: Friedrich u. Irene. BV.: Johann Andreas Frhr. v. Liebenberg Bgm. v. Wien z. Zt. d. 2. Türkenbelagerung. S.: Inst. f. Heimerziehung Wien, 1972 Abschluß. K.: Erzieherin am Blindenerziehungsinst. Wien, Stud. Rechtswiss., PR u. Management d. Inst. Liebenberg. H.: Teppichknüpfen n. eig. Entwürfen. (N.A.)

Schattauer Margit

B.: Sonderpäd., Kindergärtnerin, Inh. d. Kindergartens Liebenberg. DA.: 1150 Wien, Staglg. 3/4. G.: Wr. Neustadt, 8. Sept. 1963. El.: Friedrich u. Irene. BV.: Mütterlichers.: Johann Andreas Frhr. v. Liebenberg (Bgm. v. Wien z. Zeit d. 2. Türkenbelagerung). S.: Bildungsanst. f. Kindergärtn., Abschluß 1981. K.: Kindergärtnerin i. Privatkinderg. Wien, 1990 Gründ. d. Inst. Liebenberg, 1990 Übern. d. Kindergartens Liebenberg. P.: Art. i. Fachzeitsch. H.: Musik, Literatur, Theater, Malerei. (N.A.)

Schattauer Wolfgang Mag. phil.
B.: Univ.-Lektor d. Germanist. Inst. d. Univ. Stockholm. DA.: S-10691 Stockholm. PA.: 5020 Salzburg, General-Keyes-Str. 14. G.: Salzburg, 13. März 1931. V.: Margaret. Ki.: Maximilian (1961), Clemens (1962), Carolina (1967), Sebastian (1971). El.: Dipl.-Ing. Richard u. VS-Dir. Hedwig. BV.: Großvater HofR. Matthias Schattauer, in Sbg. Landesrg. S.: 1950 Matura, 1950-54 Stud. Elektrotechnik TH Wien, 1954 Stud. Germanistik, Anglistik u. Päd. als Werkstud. Univ. Stockholm, Mag. phil. K.: 1959 Ass. am Germanist. Inst. Stockholm, 1964 Univ.-Lektor. BL.: lehrt "Deutsch als Fremdsprache" in Stockholm im Sommer in Sbg., in Stockholm auch in Reg.-Kanzlei, Außenministerium u. Militärhochschule, Fortbild.-Kurse in Stockholm, Mitarb. b. Schulfunk u. Fernsehen, aktive Mitarb. in d. Schwed. Akademikergewerkschaft, ehrenamtl. Tätigkeit an d. Dt. Schule Stockholm u.a. Vors. d. Dt. Schulver., im Organ.-Komitee d. Olymp. Spiele München 1972 als Dolmetscher. P.: Tyska Tentamensstilar (1967), Vierländerkunde (1972), Neue Dreiländerkunde (1992). H.: seriöse Musik u. Jazz, Fliegen. (M.C.)

Schättle Franz
B.: Mitges. FN.: EVS Vers.Büro. DA.: 1010 Wien, Eßlingg. 15. G.: Wien, 9. März 1928. V.: Elfriede, geb. Baretta. Ki.: Gerhard, Magdalena, Franz. El.: Franz u. Magdalena. K.: 1962-70 Filialltr. d. Ersten Allg., 1970-80 Gebietsltr. f. BLV, seit 1973 selbst. H.: Garten. (J.E.)

Schattovits Helmuth Dr. Dipl.-Ing.
B.: Dir. d. Inst. f. Ehe u. Familie. DA.: 1010 Wien, Spiegelg. 3/8. G.: Edlitz, 14. Jul. 1939. V.: Renate, geb. Ruff. Ki.: Thomas (1965), Gottfried (1967), Johann (1969), Katharina (1973). El.: Josef u. Maria, geb. Fixl. S.: 1957 Matura, Stud. Betriebswiss. TU Wien, 1965 Spons., 1976 Prom. K.: 1961-63 Vors. d. Hochschülerschaft TU, wiss. Hilfskraft TU, 1966 Univ. Ass. an d. Techn. Versuchs- u. Forsch. Anst., 1969/70 Ltr. d. Büros d. Unterrichtsmin., 1970-83 Ass. am Inst. f. Arbeits- u. Betriebswiss. TU, 1984 Dir. d. Inst. f. Ehe u. Familie, Schwerpunkte: Forsch., Hilfestellung f. Praxis d. Ehe- u. Familienarb., Anliegend d. Praxis an d. Wiss., Beratungsdienst, 1970-78 Präs. d. Kath. Familienverb., 1982-87 Mtgl. d. Päpstl. Rates f. d. Familie. E.: Gold. EZ f. Verd. um d. Rep. Österr., Komturkreuz m. Stern d. Päpstl. Ordens d. Hl. Sylvester. M.: Kmsn. Mtgl. z. Wahrung d. Rundfunkgesetzes, Koordinator f. d. Erstellung d. Familienberichtes 1989, Gschf. d. Österr. Ges. f. interdisziplinäre Familienforsch., Koordinator d. Arb.-Kreises d. Österr. Nationalkomitees f. das Intern. Jahr d. Familie 1994. H.: Skifahren, Bergwandern, Gartenarb., Wohngemeinschaft B.R.O.T. (N.A.)

Schatz Franz
B.: Inh. FN.: Cafe Restaurant Schatz. DA.: 6364 Brixen 148. G.: Deutsch-Landsberg, 12. Mai 1948. V.: Rita. El.: Maria. S.: VS, HS, 3 J. Kellnerlehre Hotel Weitzer Graz, Gesellenprüf. K.: 1965-66 Saison in Leutasch, Amerika, Hotel Down Town Placa, Conneticut, Canada, 1967 Bermudas, 1968 Heimat, BH, 1970 Hessen als Zahlkellner i. ungarisch. Spezialität.rest. , 1971-77 Bermudas: Captain, Senior-Captain, Assisten-Matrity, Hotel-Matrity u. Assistent-Manager, 1977-79 Kitzbühel Hotel Tenne, dann Hotel Jägerwirt, dann Tennisbuffet gepachtet, 1980 Voller Rest.Betr., A la Carte Rest. (A.W.)

Schatz Karl Prof.
B.: Dir. d. Musikschule Linz. DA.: 4020 Linz, Fabrikstr. 10. PA.: 4701 Bad Schallerbach, Grieskirchner Str. 87. G.: St. Pantaleon/NÖ, 19. Dez. 1928. V.: Rosa, geb. Wolfsmeier. Ki.: Karl-Heinz (1959), Wolfgang (1962). S.: Akad. Gymn. Linz, 1946-50 Musikstud. Brucknerkonservat. Linz, anschl. Musik-HS Wien, Reifeprüf. im Konzertfach "Klarinette" u. Dipl. im Konzertfach "Viola" an d. HS in Wien. K.: 1953-69 Lehrer an MSch. d. Stadt Linz (Violine, Viola, Klarinette), 1969 Bestellung z. Dir., Künstler. Tätigk.: 1970 Grdg. d. Kammerorch. "Collegium musicum" u. seith. künstler. Ltr., lfd. Konzerttätigk., Rundfunkaufn. u.a., Durchführ. d. Silvesterkonzerte im Brucknerhaus 1977-84, s. 1964 Bratschist d. "Arzt Quartett" Linz, viele Konzerte u. Aufn. im In- u. Ausland, 1976-86 Mtgl. d. Sbg. Kammerensembles "Divertimento Sbg.", Konzerte im In- u. Ausl., Tourneen in d. Türkei, Schweiz, n. Deutschl., Italien, Luxemburg, Rundfunk- u. Schallplattenaufn., 1970 große Tournee m. d. Linzer Trio (Wiplinger, Kubizek, Schatz) in d. Orient, viele Jahre ständ. Mtgl. d. ORF Kammerorch. Landesstudio OÖ als Solist u. Stimmführer, mehrere Duoabende im "Alten

Rathaus" u. im "Brucknerhaus" m. W. Wöss u. N. Wipplinger (lfd. Urauff. OÖ Komponisten), Mtgl. d. Musikschulbeirates u. Fachgruppen-Ltr. f. Saiteninstr. im OÖ Landesmusikschulwerk, Gem.-Rat in Bad Schallerbach. E.: 1984 Prof.-Titel, 1991 Kulturmed. d. Stadt Linz. H.: Schwimmen, Schifahren, Bergwandern. (P.H.)

Schatz Reinhold

B.: Gschf., Gen.Manager. FN.: Grothusen KG Vertrieb v. Audio u. Video Produkten. DA.: 1140 Wien, Albert-Schweitzer-G. 5. G.: Salzburg, 11. Apr. 1948. V.: Elisabeth, geb. Cap. Ki.: Florian, Gabriel, Ursula. El.: Dr. Oswar u. Jakeline. S.: 1970 Lehrausbild. Chemie, Ausbild. Chemieing. München. K.: Kfm. Unterhaltungselektronik, Außendienst, 1981 Grothusen KG, Gschf. Ges. H.: Sport, Kultur, Literatur, Klavier, Geschichte. (J.E.)

Schatz Roland

B.: Gschf. FN.: B.C. Büroservice GmbH. DA.: 1070 Wien, Zieglerg. 6. PA.: 1060 Wien, Webg. 7. G.: Kloster Neuburg, 24. Sep. 1961. El.: Gerhard u. Wulfhilde. S.: 1982 HAK-Matura. K.: 1963 Ang. Firma Schatz, 1983 Grdg. Büro-Service m. Hr. Wagner, 1985 Trennung v. Teilhaber u. Grdg. einer Einzelfirma, 1986 Grdg. GmbH. M.: Wasserrettung Klosterneuburg, Sportfliegerclub Austria u. Dimona. H.: Kunstflug, off-shore-Tauchen, Thaiboxing, Shingodo, Motorradfahren, Musik. (I.J.)

Schatz Stefan Mag.

B.: Chefred. "PRINZ". DA.: 3400 Klosterneuburg, Wasserzeile 35. PA.: 1060 Wien, Stumperg. 64. G.: Linz, 30. Apr. 1966. El.: Ing. Hermann u. Dorothea. S.: HTL Elektrotechnik Linz, 1985 Matura, 1985 Stud. Hdls.-Wiss. WU Wien, 1992 Spons. z. Mag. rer. oec. K.: b. 1991 freier Red. im Wirtschaftsteil d. Kronen Zeitung, freier Mitarb. "Profil", 1991 freier Mitarb. Cash flow, seit 1994 Chefred. "PRINZ". H.: Reisen, Gespräche m. Menschen, Sammlung v. Magazinen aller Art. (J.M.)

Schatzdorfer Günther

B.: Schriftsteller, Maler. DA.: 5026 Salzburg, Aignerstr. 27. G.: Grieskirchen, 4. Mai 1952. V.: Georgia, geb. Hellwagner. Ki.: Katharina, Georg. El.: Friedrich u. Augusta. S.: Stud. Publizistik Wien, Berlin u. Bremen. K.: seit 1973 Schriftsteller u. Maler, Ausstellungen u. Ausstellungsbeteiligungen im Mitteleurop. Raum, Griechenland u. Japan, Gourmetjournalist u. Gastrokritiker. P.: Veröff. in Rundfunk, Fernsehen, 5 Bücher, Beteiligungen an mehreren Anthologien, Texte f. Theater, Kabaretts, Zeitungen u. Zeitschriften in Österr., Deutschld. u. d. Schweiz, Bücher "Stil-Leben", "Denk-Schriften", "Küstenland". E.: Literaturpreise: Rauriser Förderungspreis u. Friedrich Torberg-Preis. M.: P.E.N. Club Liechtenstein, Präs. d. Liberalen Clubs Salzb., AKM, LVG, Associazione Bocciofila Duinese in Duino b. Triest. H.: klass. Musik, Jazz, Essen, Trinken. (N.M.)

Schatzl Erna

B.: Kellnerin, Firmeninh. FN.: Erna u. Ernst Schatzl "Dorfschenke". DA. u. PA.: 1210 Wien, Manhartstr. 42. G.: Wien, 7. Aug. 1956. V.: Ernst Schatzl. El.: Roman u. Theresia Gangelberger. S.: VS, HS, Gastgewerbeschule, 1974 Konzessionsprüf. K.: 1981 Eröff. d. Dorfschenke. H.: Gatte, Kochen, Reisen, Operetten, Musik allg. (W.M.)

Schatzmann Herbert Ing.

B.: Baumstr., Inh. FN.: Herbert Schatzmann, Bautechn. Büro. DA.: 6804 Feldkirch, Reichstr. 35. PA.: 6804 Feldkirch, Reichstr. 30. G.: Klaus, 5. Juni 1959. El.: Meinrad u. Ida. S.: HTL Rankweil, Matura 1978, Militär 1979 (b. Militärmusik). K.: 1980 Ing.-Büro in Feldkirch in sämtl. Bereichen, 1989 Baultr. im ges. österr. Raum, Ltr. Bauabt. Neusiedler Papierfabrik, 1988 Filialltr. f. Ing.-Büro in Wien, 1987 Baumstr.-Prüf. 1990 selbst. als planender Baumstr., Gesamtplanung u. Baustatik. M.: div. Sportver. H.: Sport (Segeln), Musik. (I.S.)

Schaudy Johann Mag.

B.: Gschf. u. Ltr. Betriebsorg. FN.: SHD Soft- u. Hardware Handels- u. DienstleistungsgesmbH. u. Stmk. Bank u. SparkassenAG. DA.: 8010 Graz, Sparkassenpl. 4. PA.: 8010 Graz, Kerschhoferweg 6. G.: Pölfing Brunn, 24. Feb. 1949. V.: Ilse, geb. Griehser. Ki.: Philipp (1973), Patrick (1976). El.: Hans u. Maria. S.: Bischöfl. Gymn. Graz, 1967 Matura, Theol. u. Betriebswirt.-Stud. Univ. Graz, 1974 Mag. K.: 1975 Eintritt i. Stmk. Bank u. Sparkassen AG (Kreditbereich, Betriebsorg.), s. 1993 Ltr. d. Abt., 1.1.1992 Gschf. d. SHD. M.: Absolventenverein d. Sozial- u. Wirtschaftswiss. H.: Sport, Fußball, Skilaufen, Squash, Chorgesang. (I.G.)

Schauer Alois

B.: Bmtr. d. Univ. Sbg. DA.: 5020 Salzburg, Kapitelg. 4-7. PA.: 5020 Salzburg, Theodebert Str. 9. G.: Waizenkirchen, 12. Mai 1944. V.: Helga, geb. Koller. Ki.: 3 Buben, 1 Mädchen. El.: Alois u. Rosa. S.: Grundschule, Berufsschule, 1980 Verw.-Ak. Wien, Unteroffz.-Ausbild. Enns-Zwölfaxing, 1964-71 Unteroffz. K.: seit 1971 Ltr. d. Direktionskanzlei d. gesamten Univ. Sbg. H.: Sport, Skifahren,Tennis. (H.S.-P.)

Schauer Brigitte

B.: Gschf. FN.: Atelier West. DA.: 1150 Wien, Johnstr. 10. G.: Wien, 27. Juni 1960. El.: Erich u. Brigitte Dvorsky. S.: 1975-80 zahnärztl. Ass., 1983 Kfm.Schule. K.: seit 1980 im elterl. Betrieb, seit 1984 Gschf., Spezialanfertigung f. Innenausstattung d. gehobenen Klasse, 1992 Übern. d. Fa., Grdg. Atelier West HandelsgmbH. H.: Tennis. (J.E.)

Schauer Erwin KommR.

B.: VPräs. d. HK NÖ, gew. Gschf. FN.: Köck GmbH. DA.: 1010 Wien, Herreng. 10. PA.: 2753 Piesting, Guttensteinstr. 33. G.: Piesting, 7. Febr. 1927. V.: Gertrude, geb. Lehn. Ki.: Gertrude, Mag. Ulrike, Erwin. S.: Ing.Schule f. Maschinenbau Wr. Neustadt, Dachdeckerlehre, 1947 Gesellenprüf., 1949 Mstr.Prüf. K.: seit 1950 selbst., seit 1953 Berufsschullehrer, 1954 Grdg. einer Baustoffhdls., 1955 Übernahme d. elterl. Betriebes u. Umbenennung in Erwin Schauer OHG m. Filiale in Pernitz, 1980 Übergabe d. Fa. an d. Sohn, seit 1953 Kam.Funktionär, 1960-73 LInnungsmstr., 1965-73 BInnungsmstr. d. Dachdecker, 1973-75 Sekt.Obm. Gewerbe, 1975-80 Präs. d. HK NÖ, seit 1980 Rg.Mtgl. d. NÖ LRg., 1986 LandesR. f. Wirtschaft u. Fremdenverkehr u. VPräs. d. HK NÖ. M.: seit 1954 Obm. d. Raiffeisenbank Piesting, Vorst. d. Länderbank d. Raiffeisen f. NÖ u. Wien, seit 1977 im AufsR. d. NÖ Vers. Brandschaden. P.: div. Art. in Fachzeitschriften. E.: Kam.Med. in Gold d. HK in NÖ, KommR., Gr. Silb. EZ m. d. Stern f. Verd. um d. Land NÖ, Ehrenringe d. Sektion Hdl., d. Gem. Natschbach-Loipersdorf, d. Marktgem. Piesting, d. LInnung d. Dachdecker, d. ÖVP Landtagsclub NÖ, d. Wieselburger Volksfest AG, sowie alle Raiffeisenausz. d. Ldw.Kam. H.: Jagen, Tennis, Skifahren. (A.W.)

Schauer Franz

B.: freiberufl. Bildjournalist. PA.: 8943 Aigen/Ennstal, Sallerberg 11. G.: Stainach, 2. Jän. 1930. V.: Sieghilde, geb. Weghofer. Ki.: Sigrid (1951), Elfgard (1953), Wolfmar (1955). El.: Johann u. Anna. S.: Mittelschule, 1945 Berufslehre Elektroinstallationshandwerk, 1949 Gesellenprüf. K.: Eintritt ÖBB, Verschubdienst, Stellwerksaufseher, 1951 Fahrdienstltr., 1968 Prüf. als Schulungsbmstr., ausgeschieden als Bundesbahnoberrev., Berufswechsel, Gebietsbmtr. Raum Oberstmk., seit 1974 selbst. P.: Bilder f. Geographiebücher, Kalender. E.: 1992 1. Schauer Ausstellung "Bilder aus aller Welt". M.: Lions Club Liezen. H.: Wandern. (M.T.)

Schauer Gernot

B.: Friseurweltmstr. u. Bild. Künstler. DA.: 1010 Wien, Spiegelg. 13. G.: Wolfsberg, 30. Sept. 1940. V.: Dagmar, geb. Steinbichl. Ki.: Alexandra, Markus. El.: Karl u. Maria. S.: Friseurlehre, 1957 Abschluß. K.: versch. Wettbewerbe, intern. Preise, 1. Preise im In- u. Ausland, 1962 WM Amsterdam, Eröff. d. 1. Geschäftes, Modetourneen im In- u. Ausland f. Kosmetikfirmen, 1975 Eröff. weiterer Filialen, Ausbild. Bild. Kunst b. Prof. Karl Stark, zahlr. Ausstellungen. H.: Beruf, Kunst. (J.E.)

Schauer Irene

B.: ak. geprüfte Werbekauffrau, Inh. DA.: 1140 Wien, Rosentalg. 12. G.: Wien, 28. Juni 1960. V.: Martin Schauer. El.: Rudolf u. Rudolfine. S.: RG, Jusstud., Lehrgang f. Werbung u. Verkauf WU Wien. K.: 5 J. unselbst. in Branche f. Verkaufsförderung, 1993 selbst.: Organisation u. Durchführung v. Verkaufsförderungsaktivitäten am POS. H.: Lesen, Theater, Kino, Reisen. (J.M.)

Schauer Jakob Dr. iur.

B.: Gschf. FN.: VOEST-ALPINE Consulting Engineering GmbH. DA.: 4040 Linz, Schulstr. 9. PA.: 4040 Linz-Puchenau, Großambergstr. 46. G.: St. Marien, 3. März 1945. V.: Ingeborg, geb. Lehner. Ki.: Ronald, Rainer. S.: Gymn. Linz, 1963 Matura, 1964-68 Stud. an d. Univ. Graz jur. Fak., 1968 Prom. K.: Gerichtspraxis am BG u. LG Linz, 1969 Wr. Städt. Vers., 1969 Eintritt in d. VOEST Linz Finanzbereich, Verkauf, 1972-75 VOEST Krems GmbH Ltr. d. Personal- u. Rechtsabt., 1975-80 Ltr. d. Abt. Personalwirtschaft Ang. Linz-Liezen-Traisen u. Kontaktstelle Ind.Anlagenbau Linz, 1981 Bestellung z. Alleingschf. d. Consulting Engineering. H.: Sport (Skifahren, Tennis, Radfahren, Schwimmen, Reiten). (A.W.)

Schauer Robert

B.: Profibergsteiger, Filmproduzent. PA.: 8502 Lannach, Mooskirchnerstr. 46. G.: Graz, 27. Aug. 1953. Ki.: Jakob Batek, Armin Czech. El.: Josef u. Hertha. S.: HTL f. Hochbau, 5 Sem. Med.Stud. K.: Seit 1982 Profibergsteiger, seit 1974 Expeditionen im Himalaya, 1975 Besteigung d. Hidden Peak (8064 m), 1976 Naga Parbat (8125 m), 1978 erster Österreicher am Mount Everest (8848 m), 1981 Makalu (8463 m), 1984 Broad Peak (8047 m), 1985 Erstdurchsteigung d. Gasherbrum IV Westwand (7984m), Grdg. d. gleichnam. Filmproduktionsges. 1987. BL.: Initiator u. Organisator d. intern. Grazer Bergfilmfestivals. P.: E.: Gr. EZ d. Landes Stmk., Gold. Sport-EZ d. Stadt Graz. H.: Musik, Literatur, Badmington.

Schaufler Alfred Mag. rer. soc. oec.

B.: Vorst.-Dir. FN.: Hafslund Nycomed Pharma AG. DA.: 4020 Linz, St. Peter-Str. 25. PA.: 4040 Linz, Langfeldstr. 27. G.: St. Thoma, 4. Mai 1942. V.: Christa, geb. Adrigan. Ki.: Alfred (1961), Susanne (1975). El.: Franz u. Franziska. S.: Grundschule, Chemiebetriebsjungwerkerlehrling, BRG f. Berufstätige (AMS Linz), Stud. BWL. K.: Chemiebetriebsjungwerkerlehrling, Laborfacharb., Personalref., Vorst.-Ass., stellv. Ltr., Verkauf Pharma Inland, Ltr. Spartenbüro, Handlungsbev. Ltr. Verkauf Pharma, Prokura, Ltr. d. Sparte Pharma, Dir. d. Chemie Linz AG, Gschf. d. Firmen Leopold & Co GmbH Graz u. Heilmittelwerke Wien GmbH, Gschf. d. Hormon Chemie München, seit 1992 Vorst.-Dir. v. Hafslund Nycomed Pharma AG. E.: Eduard Haas-Preis. M.: Vorst.-Mtgl. (Obm.-Stellv.) d. Fachgruppe Wirtschafter d. BSA OÖ, Mtgl. d. Landesaussch. d. BSA OÖ, SPÖ. H.: Filmen, Fotografieren, Marken u. Münzen sammeln, Jagd. (J.M.)

Schaufler Alfred

B.: Baumstr. FN. A. Schaufler Bauunternehmen GesmbH & Co KG. DA.: 3341 Ybbsitz, Am Wöhr 24. PA.: 3341 Ybbsitz, Am Sonnenhang 24. G.: Landskron, 20. Jan. 1941. V.: Waltraud, geb. Mahrer. Ki.: Sabine (1966). El.: Johann u. Gertrude, geb. Unzeitig. S.: VS, Gymn., HTL Krems, Hochbau, 1961 Mat., 1966 Bmstr.-Prüf. K.: 1964 Übern. e. Baubetr. u. Geschf.Ges., Rest. d. Stiftes Seitenstetten, Vergrößerung d. Sportschule Lindabrunn u.a. BL.: 1949-71 aktiv. Fußballer. M.: Obm. d. 1. Bundesliga NÖ (Fußball), Präs. d. FC Waidhofen, Präs. d. Eisschützenver., Lions-Club. H.: Briefmarken, Reisen, Fußball. (M.M.)

Schaufler Engelbert

B.: Mtgl. d. Bundesrates, Gem.-Sekr. DA.: 1017 Wien, Dr.-Karl-Renner-Ring 3. PA.: 2323 Mannswörth, Römerstr. 104. G.: Steinakirchen/Forst, 11. Nov. 1941. S.: Pflichts., Berufss. f. Landwirts., Soz.-Akad. K.: 1955-63 in elterl. Landwirts. tätig, 1963-80 Kraftfahrer u. BetriebsR.-Vors. d. Arb. im Raiffeisenlagerhaus Gramatneusiedl, 1980-81 Gewerkschaft d. Privatangestell., Rechtsabtl., s. 1981 Sekr. Gewerkschaft Agrar-Nahrung-Genuß, 1981-91 Vors.-Stellv. Gewerkschaft Land-Forst-Garten, s. 1991 Mtgl. d. Vorst. d. Gewerkschaft Agrar-Nahrung-Genuß, s. 1977 KamR. d. NÖ Landarb.-Kammer, s. 1987 deren Präs., s. 1987 Vors. d. Österr. Landarb.-Kammertages, s. 1980 Mtgl. d. GemR. d. Stadtgem. Schwechat, s. 1990 StadtR.; s. 1993 Mtgl. d. Bundesrates.

Schaumayer Maria Dr. Dkfm. KommR.

B.: Präs. d. Oesterr. Nationalbank. DA.: 1090 Wien, Otto-Wagner-Pl. 3. G.: Graz, 7. Okt. 1931. S.: RG Fürstenfeld, 1949 Matura, HS f. Welthdl. Wien, alle Staatsprüf. m. Ausz., 1952 Dkfm., 1952-54 Univ. Innsbruck, 1954 Dr. rer. oec, neben d. Stud. Praxis in Ind. u. Großhdl. K.: 1954 Eintritt b. CA-BV Wien, zweijährige Nachwuchsschulung f. Führungskräfte, 1961 Erteilung d. Handlungsvollmacht, 1957-65 BetriebsR. d. CA-BV, 1965 Berufung in d. Wr. LRg., 1965-69 amtsführender StadtR. f. d. Städt. Untern. (E-Werke, Gaswerke, Verkehrsbetriebe, Bestattung, Ldw. Betrieb), 1969-73 Sprecherin d. ÖVP-Fraktion in d. Wr. LRg. u. amtsführender StadtR. f. baubehördl. u. sonstige techn. Angelegenheiten, 1970-74 Obm.Stellv. d. Österr. Städtebundes, 1973 GemR. u. LAbg., 1973 Ausscheiden aus d. Wr. LRg., 1974-82 Vorst.Mtgl. d. Österr. Kommunalkredit AG Wien, 1978 GemR. u. LAbg., stellv. Vors. d. Beteiligungskmsn., Stellv. Vors. d. GemR.Aussch. f. Vermögensverw., Städt. Dienstleistungen u. Konsumentenschutz, Mtgl. d. Kontrollaussch. d. Stadt Wien, 1982-89 Vorst.Mtgl. d. ÖMV AG, 1990 Präs. d. Oesterr. Nationalbank, 1986-90 Vors.Stellv. d. AufsR. d. ÖMV Hdls. AG, 1988-90 AufsR. d. Petrochemie Danubia GmbH, 1988-90 BeiR. d. Total Austria GmbH, 1985-90 Mtgl. d. Fachverb.Aussch. d. Fachverb. d. Erdölind. Österr., 1984-90 AufsR. d. Raiffeisen Landesbank NÖ-Wien, 1974-90 AufsR. d. Raiffeisnbank Wien, 1966-89 AufsR. d. Wr. Städt. Wechselseit. Vers.Anst., 1977-83 Vorst.Mtgl. d. Europ. Frauenunion (EFU). E.: 1973 Gr. Gold. EZ f. Verd. um d. Rep. Österr., 1984 Gr. Gold. EZ f. Verd. um d. Land Wien, 1992 Ehrensenator d. WU Wien. H.: Bridge, Skifahren, Tennis. (G.E.)

Schaumburger Felix

B.: Bgm. d. Gem. Obertrum. DA.: 5162 Obertrum, Jakobistr. 6. PA.: 5162 Obertrum, Rotschernweg 2. G.: Obertrum, 17. Nov. 1933. V.: Maria. Ki.: Felix, Herbert, Peter, Maria. El.: Josef u. Anna. S.: 1945 Schulabschluß. K.: Tätigkeit als Ldw., seit 1969 Gem.-Vertreter, seit 1979 VBgm., seit 1981 Bgm. M.: 25 J. Musikkapelle, langjähriger Obm. d. Lagerhaus. H.: Schwimmen, Radfahren. (E.Hö.)

Schaunigg Norbert Dir.

B.: Dir. d. Vers.Anst. öff. Bediensteter (BVA), LGSt. f. Ktn. DA.: 9010 Klagenfurt, Paradeiserg. 12. PA.: 9020 Klagenfurt, Ankerg. 2. G.: St. Veit/Glan, 4. Nov. 1930. Ki.: Wolfgang. El.: Franz u. Maria. S.: VS, HS, HAK Klagenfurt, 1949 Matura. K.: 1949-51 Buchhalter b. Fa. Klimbacher in St. Veit/Glan, 1951-52 Sekr. b. d. Treibacher Chem. Werken, seit 1952 b. d. BVA in versch. Aufgabenbereichen, ab 1966 Dir.Stellv., seit 1984 Dir. d. BVA. E.: Gold. Verd.Zeichen d. Rep. Österr. 1983. H.: Wandern, Video filmen, Briefmarkensammeln. (M.B.)

Schaup-Weinberg Wilhelm Dr. phil. Prof.

B.: Gschf. d. Sbg. Inst. f. Raumforsch. A.: 5020 Salzburg, Mascagnig. 4a. G.: Salzburg, 29. Nov. 1919. V.: Else, geb. Rings. El.: Dr. Otto u. Leopoldine. S.: Päd. Übungsschule Sbg., RG, Univ. Innsbruck u. Sbg., Post graduate, Seminare u. Lehrgänge im In- u. Ausland. K.: Kriegsdienst, Kriegsgefangenschaft, ab 1948 Journalist, Schriftsteller u. Verlagsmitarb. in Sbg., 1951-64 Ressortltr. b. d. "Sbg. Nachrichten", 1964-68 wiss. publizist. Tätigkeit, Lehrauftrag an d. Univ. Sbg., 1968-71 Gen.Sekr. d. EFTA in Genf, verantwortlich f. d. deutschsprachigen Dienst, 1972 zur bes. Verfügung d. Gen.Int. b. ORF, seit 1973 Gschf. d. Sbg. Inst. f. Raumforsch., zahlr. Studienreisen in fast allen Staaten Europas, in Canada, Mexico, den USA u. Afrika, Gastred. einer US-Zeitung, verkehrstechn. u. wirtschaftswiss. Untersuchungen, Lektor d. Sbg. VHS, längjähriger Präs. d. Sbg. Presseklubs u. d. Österr.-Amerikan. Ges., Prüfer d. Österr. Segelverb. P.: 13 Bücher über Sbg., über 400 Fachbeiträge aus Geographie, Politologie, Geschichte u. Kunstgeschichte in zahlr. österr. u. ausländ. Periodika, Schriftltr. d. fünf Publ.Serien d. SIR, bes. EDV-Literaturdokumentation SIRDOC. E.: Ehrenbürgerschaft d. Stadt New Orleans, EZ f. Verd. um d. Fremdenverkehr, Max Reinhardt-Med. d. Landes Sbg., Preis d. Österr. Fahrradwirtschaft, Preis d. Motor-Presse-Clubs Austria, M.: BeiR. d. Österr. Inst. f. Raumplanung, Arbeitskreis f. neue Methoden in d. Regionalforsch., Verkehrshaus d. Schweiz, Luzern, Österr. Geograph. Ges., Sbg. LVer. f. Höhlenkunde, Ges. f. Sbg. LKunde, Österr. Nationalkomitee d. Intern. Geograph Union (IGU).

Schaur Franz Dr. Dkfm.

B.: Gschf. Ges. FN.: O. M. Meissl & Co GmbH. GT.: Vorst-Mtgl. d. österr. Stahlbauverbandes. DA.: 1030 Wien, Marxerg. 39. PA.: 1030 Wien, Ziehrerpl. 4. G.: Donawitz, 1. Aug. 1915. V.: Gerda, geb. Sedlaczek, 1 Tochter. (P.R.)

Schausberger Norbert Dr. phil. Mag.

B.: o.Univ.-Prof., Vorst. d. Inst. f. Zeitgeschichte an d. Univ. Klagenfurt. A.: 9020 Klagenfurt, Universitätsstr. 67. G.: Wien, 11. Dez. 1928. S.: Univ. K.: Seit 1953 Gymn.Prof., 1972 Habil., seit 1974 o.Univ.-Prof. an d. Univ. Klagenfurt, Prof. an d. Päd. Ak. u. an d. Militärak. in Wr. Neustadt. P.: "Der Griff nach Österr.", "Rüstung in Österr.", "Politische Bildung als Erziehung zur Demokratie", "Österreich 1918-1980. Der Weg d. Republik", "Zeitzeugen in Kärnten 1945-1955", "1938 - Zeitungen in Kärnten" sowie ca. 150 Aufsätze in versch. Zeitschriften. E.: Förderungspreis d. Stadt Wien. M.: Mtgl. d. Histor. Kmsn. z. Erforsch. d. Geschichte d. Rep. Österr. u. d. Histor. Kmsn. d. dt. päd. Ges. H.: Antiquitäten, Reisen. (D.M.)

Schebeczek Helmut Josef

B.: Gschf. d. VÖEST ALPINE ROHSTOFFHANDEL GmbH. DA.: 1072 Wien, Schottenfeldg. 79. PA.: 1050 Wien, Franzensg. 16. G.: Wien, 19. Okt. 1940. V.: Inge, geb. Weixler. El.: Josef u. Maria. S.: HS, Kfm. Berufsschule, 1957 HK-Prüf. K.: Ang. d. Fa. Petzolt & Sohn, Schlieker Konzern BRD Otto R. Krause, 1963-66 VÖEST Linz Verk. Stahl (Industrieverk.), 1966 Rhein-Donaustahl (m. Handelsvollm.), 1974 Prok., ab 1984 Gschf., dann Gschf. VÖEST ALPINE ROHSTOFFHANDEL GmbH. BL.: 1965 Grdg. Rhein-Donaustahl, intern. Schrotthdl., am Aufbau maßgebl. beteiligt, 1968 legendäres Tauschgeschäft ÖBB-DDR (alte schrottreife Lokomotiven, Drehkäne). M.: SV Schwechacht (Handball), Handballver. Wien. H.: Handball, Skifahren, Lesen, Geschichte. (P.R.)

Schebelik Franz Leopold

B.: Eigentümer, Fotografenmstr. u. akkreditierter Pressefotograf. FN.: Foto-Studio-Labor Schebelik. DA. u. PA.: 2320 Schwechat, Bruck-Hainburgerstr. 1a. G.: Wien, 19. Nov. 1950. V.: Michaela, geb. Pogoriutschnigg. Ki.: Isabella (1983), Reinhard (1986). El.: Stefan u. Anna. BV.: Großvater Adolf Schebelik war Komponist, hat Partituren f. Orgel- u. Kirchenorch. geschrieben. S.: 1965-1968 Berufsl. a. Fotograf i. Wien, 1970-71 BH., 1971-77 i. väterl. Betrieb a. Geselle gearb., Schwerpunkte d. Arbeit: Portraitfotogr., Archit.- u. techn. Aufn., 1977 Mstr.-Prüf. K.: 1980 Grdg. eig. Fa. i. Schwechat, Studio m. Labor u. Verkauf. P.: Portraits (künstl. Aufnahmen). H.: Elektronik, Modellbau, Tischlerarb., Esoterik u. Dianetik, schöne Musik.

Schebernik Anton

B.: Gschf. Ges. FN.: Schebernik Ges.m.b.H. & Co KG. DA. u. PA.: 8141 Unterpremstätten, Hauptstr. 193. G.: Graz, 27. Dez. 1956. V.: Sophie, geb. Loibner. Ki.: Christoph Anton (1981), Sandra (1985). El.: Anton u. Maria. BV.: Großv.: Geschäftsgrdr. 1931. S.: VS, HS Straßburg, HTL Graz, Berufsausbild. im elterl. Betrieb, Elektrotechn., 1976 Abschl. K.: s. 1987 Gschf. Ges., Elektrotechn., Sanitär, Heiz., Gas, Lüft.-Install. u. Handel. M.: Obm. d. Sportver. Unterpremstätten. E.: div. Pokale f. Skifahren, Fußball. H.: Skifahren, Fußball, Tennis, Familie. (I.G.)

Schebesta Helmut

B.: Gschf., Steuerberater. FN.: Schebesta & Holzinger Wirtschaftstreuhandgesellschaft OHG, Steuerberatungsgesellschaft. DA.: 3101 St. Pölten, Schreinerg. 6. PA.: 3100 Flinsbach, Steinbergsiedlung 24. G.: Wien, 29. Mai. 1929. V.: Heide, geb. Stachelberger. El.: Josef u. Marie. S.: Gymn. m. Matura. K.: 1947-61 Bmtr. b. Finanzamt St. Pölten, ab 1961 Ang. im Steuerbüro Dkfm. Altreiter, 1963 Ablegung d. dritten Teiles d. Steuerberaterprüf., b. 1974 Ang. Steuerberater, ab 1974 Gschf. d. "Schebesta & Co" nunmehr "Schebesta & Holzinger" Wirtschaftstreuhandges. OHG, 1990 Beitr. Partnerges. Wirtschafts-Treuhand "E.C.A. Partner". M.: Kam. d. Wirtschaftstreuhänder, Vereinigung Österr. Wirtschaftstreuhänder u. Ges. d. H. Schebesta u. Mag. O. Holzinger Wirtschaftstreuhand OHG, Management-Club d. Österr. Wirtschaftsbundes. H.: Segeln, Skifahren, Bergwandern. (S.H.)

Schebesta Edith

B.: Gschf. Ges. FN.: Rostschutzges. E. Schebesta GmbH. DA.: 1104 Wien, Fernkorng. 88. PA.: 2321 Hinterbrühl, Gaadnerstr. 63. G.: Wien, 28. Nov. 1944. Ki.: Michael, Stefan. El.: Wilhelm u. Anna Frühwirth. BV.: Ihre Vorfahren b. z. 16. Jhdt. waren Unternehmer. S.: Grundschule, HASCH, 1 J. Schulungslehrgang z. Immobilienmakler. K.: Ausbild. z. Immobilienmakler b. Zwonarz Immobilien, seit 1970 Immobilienmakler u. Hausverwalter, Tätigkeit b. Fa. d. Mannes d. Österr. Rostschutzges. R. Schebesta & Co KG, seit 1987 Kompl. d. Fa., 1989 Grdg. d. Fa. Rostschutz E. Schebesta GmbH, seit 1983 Gschf. u. Prok. Omega GmbH Mödling. M.: Mtgl. d. Frau in d. Wirtschaft. H.: Golfspielen, Tennis, Skifahren. (M.B.)

Scheder Johann

B.: Kfm. FN.: H. Scheder GmbH Gas-, Wasser- u. Heizungsinstallation. DA. u. PA.: 1100 Wien, Laxenburger Str. 99. G.: Wien, 16. Mai 1942. V.: Helga, geb. Mach. Ki.: Johann (1967), Henriette (1977). El.: Johann u. Mathilde. S.: Berufsbild. Schule, Feinblechnerlehre. K.: ab 1959 Ang. als Einzelhdls.Kfm., 1967-75 selbst. Einzelhdls.Kfm., ab 1975 Mitinh. gemeinsam m. Helga Scheder d. Fa. H. Scheder GmbH, seit 1980 Vermietung eines Ferienhauses b. Oslip/ Bgld. H.: Familie, Modelleisenbahn, Jagd, Sport. (M.M.)

Schediwy Robert Dr. Mag.

B.: Jurist, Ökonom, Publizist. FN.: Wirtschaftskammer Österreich (WKÖ). DA.: 1050 Wien, Wiedner Hauptstr. 63. G.: Wien, 2. Juli 1947. V.: Kristina Wolf. KI.: Yasmin (1988). EL.: Johann u. Rosa. S.: Gym., Matura mit Ausz., 1969 Jus-Doktorat, Fulbright Stipendium, 1971 Masters Degree in Economics am Saint Louis Univ. K.: Assist. am Inst. f. Genossenschaftswesen an d. Uni Wien, 1973-75 Konsumverband, s. 1976 Gemeinwirtschaftsreferent d. WKÖ. P.: Consumer Co-Operatives in a changing world, Empirische Politik, Grün in d. Großstadt. H. : Lesen, Tennis, Reisen. (J.M.)

Schedl Gerhard Mag. art.

B.: Dir. d. Österr. Filminst. DA.: 1070 Wien, Stiftg. 6. G.: Wien, 3. März 1941.V.: Mag. Brigitte, geb. Exler. Ki.: Thomas (1983). El.: Karl u. Maria, geb. Hirsch. S.: HTL, 1960 Matura, 1960-63 TU Wien, 1963-66 Stud. Abt. Film Ak. f. Musik u. Darstell. Kunst, Stud. WU u. IKM. K.: 1963-81 Filmschaffender, ab 1970 Produktionsltr., Gestalter u. Kameramann, 1981-93 Gschf. d. Österr. Filmförd.-Fonds, ab 1994 o.g. Position, seit 1984 fallweise Lehrbeauftragter Univ. Sbg. P.: Mithrsg. d. Buches "Nahaufnahme. Zur Situation d. Kinofilms in Österr.", zahlr. einschlägige Publ. z. Thema "Film". (N.A.)

Schedl Herbert KommR. Prof.

B.: techn. Konsulent. FN.: Eurotax Verlags GmbH. DA.: 1080 Wien, Albertg. 33. PA.: 1110 Wien, Simmeringer Hauptstr. 190. G.: Himberg, 13. Feb. 1928. V.: Helga, geb. Strauß. Ki.: Mag. Silvia, Helga, Michaela. S.: 1943-45 Ing.-Schule i. Mödling, Maschinenbau, 1946 Ausb. z. Automech., 1952 Abendschule d. Arb.-Kammer Wien f. KFZ-Technik, 1960 Mstr.-Prüf. f. d. Kraftfahrzeuggewerbe, 1950-60 Omnibusprüfer b. d. ÖBB, 1960-70 techn. Ltr. d. ARBÖ, 1970-81 Ltr. d. techn. Büros b. Verband d. Vers.-Unternehmungen Österr., 1977 Grdg. d. Fa.

Auto-Service-Schedl GesmbH. u. KFZ techn. Büro, s. 1981 techn. Konsulent b. Eurotax, Lehrbeauftragter a. d. techn.-gewerbl. Abendschule, i. Beirat f. Unfallreperaturen d. Bundeskammer f. gewerbl. Wirt., Mtgl. i. Fachverb. d. ständig gerichtl. beeideten Sachverständigen, Mtgl. i. Motorpresse-club Österr., 1994 Verleihung d. Berufsbezeichnung Prof. H.: Oldtimer, Restaurierung v. KFZ, Kultur, Literatur, Fußball, Laufen.

Schedl Rudolf Dr. med. Prim. Univ.-Prof.

B.: FA f. Unfallchir., ärztl. Ltr. d. UKH d. Allg. Unfallvers.-Anst. DA.: 9021 Klagenfurt, Waidmannsdorfer Str. 35. PA.: 9021 Klagenfurt, Eckeng. 17. G.: Wien, 11. Dez. 1946. V.: Dr. Isabella, geb. Giovannoni. Ki.: Pascal (1977), Patrick (1978). El.: Josef u. Luise. S.: VS, Gymn., 1965 Matura, 1965-74 Med.-Stud. Univ. Wien, 1974 Prom., BH. K.: Ass.-Arzt am Inst. f. med. Chemie d. Univ. Wien, 1974-75 Turnusarzt UK Lorenz Böhler u. Kaiserin Elisabeth Spital Wien, 1975-77 Ass.-Arzt II. Chir. Univ.-Klinik Wien, 1977 II. Univ.-Klinik f. Unfallchir. Univ. Wien, 1980 Anerkennug als FA f. Unfallchir. u. gleichzeitig OA d. Klinik, 1981-86 ständiger unfallchir. Konsilarius an d. Abt. f. Intensivtherapie d. Klinik f. Anästhesiologie u. Intensivmed., 1985 Habil. u. Lehrbefugnis f. Unfallchir., 1986 Ltg. einer unfallchir. Station d. Klinik, 1990 a.o.Prof., 1990 ärztl. Ltr. d. UHK Klagenfurt. P.: über 120 wiss. Publ. u. Vorträge in div. nat. u. intern. Fachzeitschriften. M.: div. nat. u. intern. wiss. Ver. H.: Reisen, Bergsteigen, Jagd. (G.L.)

Schedler Herbert

B.: Bildhauer. DA.: 6850 Dornbirn, Bachg. 41. G.: Andelsbuch, 12. Nov. 1936. Ki.: Dipl.-Grafikdesigner Clemens (1962), Dr. Andreas (1964), Judith (1968), Claudia (1971). El.: Theobert u. Anna-Katharina, geb. Moosbrugger. S.: VS, Stukkateurlehre, Praktikum, Mstr.-Prüf., 1958-60 Ausbild. als Bildhauer Bundesfachschule Hallein. K.: 2 J. Restaurateur Residenz München, seit 1963 freischaff. mod. Stukkatur u. Stukkaturrestauration, 1976 Beginn bildhauer. Tätigkeit in Bronze, Experimente in Epoxyhaizen d. Serie "Licht v. Bewegung", 1979 1. Ausstellung v. Epoxy- u. Bronzeplastiken, mehrere Ausstellungen im In- u. Ausland u.a. 1981 "25 J. ars felix", 1983 Galerie auf d. Stubenbastei Wien, 1984 Museum f. angew. Kunst, 1988 Künstler aus d. Bodenseeraum Haus d. Landes Baden-Württemberg, 1989 Galerie "Ninety-Seven" Hong-Kong, 1989 4th Intern. Exhibition of Miniatur Art Toronto. M.: Berufsverb. d. bild. Künstler Österr., VVA Verein. Vbg. Akademiker. H.: Hohe Wohnkultur, Natur, Fischen im Gebirgsbach, Bergwandern, Schifahren. (I.D.)

Schedler-Forster Sieglinde

B.: Kostümbildnerin, Schneiderin. DA. u. PA.: 6850 Dornbirn, Marktstr. 65. G.: Bregenz, 4. März 1935. Ki.: Irmgard (1955), Roman (1957), Winfried (1961), Markus (1962), Sonja (1967), Siegrid (1971). S.: Schneiderlehre, 1952 Abschluß. K.: 1957 Beginn Puppenerzeugung, 1965 Umstellung auf Karnevalskostüme, 1970 Einkleidung d. Prinzenpaare u. Faschingsgilden im Lande Vbg., 1989 Erzeugung extravaganter Kostüme f. Shows, Theater u. Karneval. P.: "Immergrün" (Biografie). E.: versch. Urkunden u. Med. d. Gilden u. Zünfte. M.: ehrenamtl. im Sozialbereich. H.: Schreiben, Kontakte pflegen. (I.D.)

Schedlmayer Friedrich KommR.

B.: Gschf. Ges. FN.: BSM Diagnostica GmbH. DA.: 1080 Wien, Alserstr. 25. G.: Wien, 7. Mai 1939. V.: Hermina, geb. Weber. Ki.: Dr. Johanna. El.: OStR. Wilhelm u. Hedwig. S.: VS, BRG, 1957 Matura, b. 1962 Chemiestud. Univ. Wien, gleichzeitig HS f. Welthdl., 1964 Stud. beendet. K.: Eintritt Raiffeisenorgan. als Ltr. neu gegründeter Filialen in Klosterneuburg u. Wien, Pachtung Tankstelle mit Espresso u. Reifenservice, Ltr. d. Buchhaltung in Klosterneuburg Altenheim/Wohnheim Weidling, 1969 Eintritt Pharmabranche, Außendienstmitarb. Hoechst Austria, 1975 Errichtung Wr. Tochterfirma d. BYK Malickrodt Konzerns in Österr., 1984 Ltg. Malinckrodt Deutschland/Europa, 1988 Kauf d. Österr. Tochter u. seither selbst. E.: s. 1988 KommR. M.: förderndes Mtgl. Dt. u. Österr. Ges. f. Nuklearmed., förderndes Mtgl. European Assoc. of nuclear medicine, Affiliated member of the Society of Nuclear Medicine. H.: Fotografie, Theater, Konzert, Oper, Sammlung mod. Gläser. (J.M.)

Scheed Heinz Ing.

B.: Gschf. Ges. FN.: Faller Technics International. DA.: 4631 Krenglbach, Haiding 24. G.: Ternitz, 27. Jän. 1950. V.: Elisabeth, geb. Riedl. Ki.: Michael. S.: Ausb. z. Dreher, 1968-21 HTL Hüttentechn. K.: 1971-82 VEW-Ternitz a. Projektltr., 1983-89 Fa. Engel a. Prod.-Ltr., 1990/91 Lindpointner Tore a. techn. Gesamtltr., s. 1991 Gschf. b. Mengele Epple, s. 1992 Gschf. Ges. b. Faller. H.: Tennis, Segeln, Ski. (P.H.)

Scheed Kristian

B.: Antiquitätenhändler, Gschf. Ges. FN.: D & S Antiquitäten. DA.: 1010 Wien, Dorotheerg. 13. G.: Wien, 19. Dez. 1947. S.: Gymn., Matura, Päd. Ak. K.: 10 J. Sonderschullehrer u. Ausbildner f. Sonderschullehrer, seit 1979 Gschf. Ges. D & S Antiquitäten, Spezialgebiet: antike Wr. Uhren. M.: Canoa Ver. d. Österr. Kunsthändler. (J.S.)

Scheel Kurt

B.: staatl. anerkannter Restaurateur. DA. u. PA.: 6800 Feldkirch, Gilmstr. 3. G.: Feldkirch, 20. Juli 1928. V.: Helene. Ki.: Angelika (1953), Elisabeth (1958), Alexandra (1966). El.: Florus u. Maria. BV.: Vater Florus Scheel Kunst- u. Dekorationsmaler. S.: Ausbild. als Restaurateur im elterl. Betrieb, 1946-47 b. Prof. Braun München, 1947-49 b. Prof. Heischinek in Wien, 1949-51 b. Prof. Brachert Zürich. K.: im elterl. Betrieb 1952-61, ab 1961 als selbst. staatl. anerkannter Restaurator tätig, Gesamtrestaurierung v. 44 Kirchen, Fresken u. Tafelbildern. M.: Heimatpflege u. Museumsver., Obm. d. SV. H.: Jagd, Natur. (I.D.)

Scheer Carl
B.: Bottier d'Art u. Orthopädieschuhmacher. FN.: Rudolph Scheer & Söhne. DA.: 1010 Wien, Bräunerstr. 4. PA.: 1180 Wien, Gymnasiumstr. 35. G.: Wien, 19. Jän. V.: Ingeborg, geb. Pauls-Höfken. Ki.: Eleonore, Gabriele, Michaela. El.: Carl Gustav u. Auguste. BV.: Johann Scheer Firmengründer 1816, Rudolph Scheer wurde k.u.k. Hofschuhmacher, belieferte d. Kaiser u. Europ. Potentate. S.: Theresianum Wien, Matura, Berufsausbild. z. Orthopädieschuhmacher im Familienbetrieb in Wien, London u. Paris. K.: 11 J. VPräs. d. Wr. Skiverb., Betreuung d. Wr. Jugend, Ltr. d. Skiver. USVW, Ehrenmtgl. d. Wr. Skiverb. F.: Lederwarenfirma Carl F. Scheer. E.: Gold. VZ f. Verd. um d. Rep. Österr., Staatspreis d. Landes Bayern. H.: Skifahren, Tauchen. (J.S.)

Scheer Hubert

B.: Fotograf, Bürgermeister. GT.: Bez.-Gschf. d. SPÖ. DA.: 8591 Maria Lankowitz, Puchbacher Straße. PA.: 8591 Maria Lankowitz, Kirchbergstr. 102. G.: Voitsberg, 14. Juni 1952. V.: Margit, geb. Marx. Ki.: Nicole. S.: Hauptsch., Lehre Fotograf, 1969 Gesellenprüf. K.: 3 Mo. Hilfsarb. b. Fa. Junior, b. 1975 Ang. d. Werbeabt. Fa. Junior, 1975 LSekr. d. Soz. Jugend Stmk., 1978 Bez.-Sekr. d. Bez. Radkersburg, 1979 Bez.-Sekr. d. Bez. Voitsberg, 1975-80 GemR., 1980 VizeBürgermstr., 1981 Bürgermstr. v. Maria Lankowitz. BL.: Kanalisation d. Gem., Erricht. d. Freizeitzentrums, Umstell. d. Gem. auf EDV, Einführ. eines Sozialdienstes, Umbau d. Kindergartens, Umbau d. Gem. v. Ind.- zu Tourismusgem., Orterneuerung. E.: Gr. Floriani-Plakette d. LFeuerwehr, Gold. Förderabz. d. LBlasmusikverb. M.: Mtgl. aller örtl. Vereine. H.: Sport, Schifahren. (R.S.)

Scheer Klaus Dieter
B.: Gschf. u. Inh. FN.: Scheer Hatto Georg GmbH. DA.: 4020 Linz, Hafenstr. 24. PA.: 4050 Traun, Albert-Schweitzer-Allee 30. G.: Linz, 1. Mai 1960. V.: Judith, geb. Pobatschnig. El.: Hatto Georg u. Lydia. S.: VS, Gymn. Linz, 5 J. HAK Linz, 1981-82 Einrichtungsberaterschule Kuchl, 1979-80 Militär. K.: Prok. Firma Scheer, 1987 Gschf. Ges., seit 1991 alleiniger Gschf. u. Hauptges. P.: lfd. versch. Beiträge. M.: Grdg.-Mtgl. u. Vorst.-Mtgl. Round Table 42 Linz, Wirtschaftsbund "Junge Wirtschaft". H.: Reisen. (U.E.).

Scheer Lothar Dr. iur. MinR.
B.: Ref. f. d. Koordination legistischer Angelgenheiten im BM f. Arb. u. Soziales. DA.: 1010 Wien, Stubenring 1. PA.: 2103 Langenzersdorf, Hohlfelderg. 50. G.: Karlowac/ Jugoslawien, 20. Aug. 1939. El.: Mag. pharm. Alexander u. Anna. S.: 1957 Matura, tud. d. Rechtswiss. in Wien, 1964 Abs. iur., 1965 Prom. K.: Gerichtsjahr, 1965 Eintritt ins BM f. Hdl. u. Wiederaufbau, 1966-68 Wechsel ins BM f. Soz. Verw., Sekr. d. BMin. Greta Rehohr, ab 1968 Ref. f. d. Koordinierung legistischer Angelegenheiten. K.: seit 1964 im BVorst. d. österr. Amateurboxverb., ab 1968 VPräs., ab 1970 Präs., seit 1975 Mtgl. d. Exekutivkomitees d. europ. Amateurboxverb., seit 1986 Vors. d. Techn. u. Regelkmsn. dieses Boxverb., Mtgl. d. Vorst. d. österr. olymp. Komitee, seit 1985 Kassier, Mtgl. d. CV-Verb. Saxo-Bavaria Prag in Wien. H.: Musik,, Opern, Kunst, Kultur. (P.R.)

Scheer-Schäzler Brigitte Dr. phil. Mag. o.Univ.-Prof.
B.: Vorst. d. Inst. f. Amerikanistik d. Univ. Innsbruck. GT.: Senatsbeauftr. f. d. Academic Coop. with the Univ. of Florida in Gainesville, Vors. d. Senatsunterkmsn. f. d. Erhöhung d. Frauenanteils am wiss. Personal. DA.: 6020 Innsbruck, Innrain 52. PA.: 6060 Mils, Speckkarstr. 24. G.: Wien, 17. März 1939. El.: Margarethe u. Gustav Schäzler. S.: RG Wien, Stud. Engl. u. Deutsch an d. Univ. Wien, Lehramtsprüf. f. beide Fächer. K.: 1962-66 Lehrerin f. Engl. u. Deutsch an RG in Wien, 1963, 1964 Doz. Oberlin College u. Queens College, 1964 Prom., 1966-73 HS-Ass. Univ. Sbg., 1969-71 Fellow American Council of Learned Societies, 1972 Habil. in Sbg., 1973 Prof. f. Engl. an d. Univ. Regensburg, 1973 o.Prof. u. Vorst. d. Inst. f. Amerikanistik d. Univ. Ibk. BL.: 1977-79 1. weibl. Dekan in Österr. nach UOG, Hrsg. d. Buches "Nordgriechenland" (Kunst- u. Reiseführer) v. Rudolf Scheer. P.: Amerik. Literatur d. 19. u. 20. Jhdt. u. vergleich. Literaturwiss., z.B. "Heracles and Bunyan's Pilgrim" (1971), Saul Bellow (1972), Nathaniel Hawthorne. Der scharlachrote Buchstabe (1973), Konstruktion als Gestaltung. Interpretationen zum zeitgenöss. amerikan. Roman (1975), Experimentelle amerikan. Prosa (1977). M.: Vorst.Mtgl. d. österr. Ges. f. Amerikastudien. H.: Reisen, Fotografieren, klass. Musik, Garten, Graupapageien. (H.T.)

Scheffknecht Dieter Ing.

B.: Gschf. Ges. FN.: Mantech Oberflächtentechn. m. Vorsprung. DA.: 6900 Bregenz, Brielg. 27. PA.: 6890 Lustenau, Schillerstr. 34. G.: Lustenau, 30. Jän. 1963. V.: Cornelia, geb. Fischer. Ki.: David (1984). El.: Erwin u. Charlotte. S.: HTL Bregenz, 1983 Matura, Univ.-Lehrgang d. Univ. Innsbruck, Exportkfm. u. akad. geprüfter Betriebsökonom, Botchelor degree of Business Administration -BBA Zürich 1992, 1983-84 Bundesheer. K.: 1984-86 Fa. Grass Beschläge Arb.-Org., 1986-91 SFS Stadler, Ltr. Marktentw., 1992 Fa.Berkmann Ltr. Marketing u. Verk., 1993 Grdg. d. Fa. Mantech Oberflächtentechn. m. Vorsprung. P.: Patent i. Absauganlagen m. überlegenem Wirkungsgrad. M.: VS MG Exportclub Vlbg. H.: Radfahren (mehrmaliger Landesmstr. i. Radrennfahren), Skifahren, Langlaufen, Joggen, Squash, Musik. (I.D.)

Scheffler Hans-Heinz
B.: freischaff. Maler u. Grafiker. PA.: 6176 Völs, Prinz-Eugen-Str. 3. G.: Danzig, 1. Apr. 1925. V.: Irmgard, geb. Schwatlo. El.: Ernst u. Elisabeth. BV.: Urgroßvater Michael Sokolowski war Organist. S.: Grundschule, RG Danzig, 1943 Abitur, 1949-52 Staatsgewerbeschule Innsbruck, Abendkurse an d. Univ. Innsbruck. K.: 1954-72 Grafiker b. Cliché + Fotolitho Löpfe KG Lustenau, Entwürfe f. Weihnachtskarten, Urkunden, Firmenzeichen, div. Schriften u. viele Rabattmarken f. d. Schweiz u.a., zahlr. Landschaftsaquarelle, Wandbilder, Gemeinde- u. Familienchronika, 1972 Übersiedlung nach Völs, seit 1972 Ang. d. Tir. Univ.-Bibl., Studienfahrten Provence, Ischia, Engadin, Griechenland u. Korsika, Entwurf u. Ausführung zahlr. Wandbilder, Sgraffiti u. Mosaiken in d. Schweiz, Vbg. u. Tir. u.a.: 1955 "St. Christoph" Völs, 1959 Kreuzkirche Völs "Der sinkende Petrus" (Sgraffito + Mosaik), 1963-68 Gestaltung d. Südseite d. Volksschule Völs (4 Sgraffiti, danach 1990 innen 12 Kreideschnitte), 1966 "Schwäne" Lustenau, 1970 Westseite Volkssch. Ranggen, 1974 "Rothirsch" Grinzens, 1992

Wappen d. Donauschwaben in Völs, zahlr. Ausstellungen u.a.: 1972 u. 1987 Personalausstellungen in d. Stadtturmgalerie Innsbruck, 1980 Aquarellausstellungen in d. HS u. Sparkasse Völs, 1982 Personalausstellung m. Werkskatalog in Farben, Kunstpavillon im Hofgarten in Innsbruck. E.: 1962 Bez.-Sieger im Landesgartenwettbewerb: Ziergärten. M.: seit 1950 Alpenver., seit 1968 Tir. Künstlerschaft, Gartenbauver. Innsbruck, Kulturkreis Völs seit 1990. H.: Gärtnerei, Bergwandern, Sprachen, Literatur, Fotografie. (M.W.)

Scheffold Fritz Ing.

B.: Gschf., Kfz-Mechanikermstr. FN.: Scheffold Autohdls. u. Reparatur GmbH, Ford-Vertretung. GT.: Kranbetrieb Scheffold GmbH & Co KG. DA.: 6300 Wörgl, Salzburger Str. 33. PA.: 6300 Angerberg/Achleit. G.: Wörgl, 21. Juni 1943. V.: Christine, geb. Track. Ki.: Christian. El.: Hans u. Else. BV.: Hans Scheffold sen. Firmengründer. S.: HTL Innsbruck, Kfz-Mechanikermstr.Prüf. K.: Fahrschultätigkeit in Innsbruck, Eintritt in väterl. Betrieb, Trennung d. väterl. Betriebes u. Erweiterung d. div. Betriebssparten. H.: Motorradsafaris.

Scheffold Hans

B.: Gschf., Kfz-Mechaniker- u. Autoelektrikermstr., gerichtl. beeid. Sachv. FN.: Autodienst Wörgl GmbH Mercedes Benz Vertretung. GT.: Kranbetrieb Scheffold GmbH & Co KG. DA.: 6300 Wörgl, Salzburger Str. 33, 6300 Wörgl Brixentaler Str. 74. PA.: 6300 Angerberg/Achleit. G.: Wörgl, 14. Juli 1940. V.: Inge, geb. Pehnelt. Ki.: Christina, Hannes, Susanne. El.: Hans u. Else. BV.: Hans Scheffold sen. Firmengründer. S.: HTL, Kfz-Mechaniker- u. Elektrikermstr.Prüf., gerichtl. beeid. Sachv., Auslandsaufenthalt in England. K.: Trennung d. väterl. Betriebes u. Erweiterung d. div. Betriebssparten. H.: Motorradsafaris.

Schefz Hermann

B.: Kfm., Gschf. Ges. FN.: M. Stöger GmbH. DA.: 1190 Wien, Billrothstr. 85, 1190 Wien, Weinbergg. 14, 1190 Wien, Obkircherg. 43. PA.: 1190 Wien, Görgeng. 27. G.: Ybbs/Donau, 15. Juli 1931. V.: Dkfm. Gerda, geb. Löscher. Ki.: Maximilian (1967), Paul (1968). El.: Franz u. Marie, geb. Esserer. S.: HASCH, kfm. Ausbild. K.: 1955-65 ltd. Position Firma Greisinger St. Pölten, 1965-75 Prok. Thaener & Voos, 1971 Übernahme d. Firma Stöger Buch u. Papier. H.: Wandern, Faltbootfahren, Lesen vor allem Zeitgeschichte. (N.A.)

Schefzig Kurt Ing.

B.: Gschf., kfm.Techniker. FN.: Austyrol Dämmstoffe GmbH. DA.: 2340 Mödling, An der Laxenburgerbahn, PF 159. G.: Wien, 18. Sep. 1936. V.: Johanna, geb. Kostner. Ki.: Thomas (1963), Nadja (1968). El.: Ignaz u. Maria. S.: 1950-53 HTL i. Wien, FS f. Mechaniker u. Schlosser, 1953-57 i. div. Betrieben a. Schlosser tätig, 1957-61 HTL f. Maschinenbau, Abendschule, 1961 Matura, parallel dazu a. Techn. gearb. K.: 1961-73 techn. Ang. i. d. Luft- u. Kältetechn.-Branche tätig, 1973-86 Ges. d. Interna GmbH, 1986 Grdg. d. Fa. Austyrol Dämmstoffe i. Mödling (Familienunternehmen). H.: Beruf. (I.K.)

Scheib Wilfried Prof.

B.: Hpt.Abt.Ltr. i.R., "Musik" im ORF-TV, Gen.Sekr. d. intern. Musikzentrums, Musikkonsulent d. Österr. Fernsehen. DA.: 1030 Wien, Lothringer Str. 20. PA.: 1130 Wien, Jakob-Stainer-G. 24. G.: Linz, 22. Aug. 1922. V.: Silke, geb. Schwinger. Ki.: Marie-Helene, Constanze. El.: Emanuel u. Helene. S.: Sängerknabe in St. Florian, LBA in Linz, Ak. f. Musik in Wien, Stud. d. Musik- u. Zeitungswiss. an d. Univ. Wien. K.: Kapellmstr. d. Wr. Sängerknaben, Ltr. d. Opernbühne u. Musikref. d. Österr. Hochschülerschaft, Prof. an d. Musikak. Wien Abt. Film u. Fernsehen, VPräs. d. UNESCO-Inst. "Mediacult", Past Governor v. "Kiwanis Inern.". E.: Ehrenmed. d. Stadt Wien, Gold. EZ f. Verd. um d. Rep. Österr., EZ f. Wiss. u. Kunst I. Kl., Gr. EZ d. Landes Stmk., Gold. Verd.Kreuz d. Landes Sbg. (P.R.)

Scheibelhofer Maria Dr.

B.: prakt. Ärztin. GT.: Beschäftigung m. Psychotherapie, Notdienst, Ausbild. RADIX. DA.: 1070 Wien, Halbg. 9/11. PA.: 1040 Wien, Seisg. 8. G.: Hainburg, 18. Juli 1950. Ki.: Elisabeth, Georg, Paul. El.: Hans u. Wilhelmine Heiss. S.: VS, BEA, 1 J. Schüleraustausch in Paris, 1968 Matura, Med.Stud. 1968-74. K.: Turnus in Hainburg, Fortsetzung d. Turnus in Wien Sophienspital b. 1978, Kurhotel Esplanade, ASB Wien, seit 1984 Privatpraxis, seit 1986 Kassen- u. Privatpraxis. BL.: 1976 Grdg. eines Kinderladens bzw. Kindergruppe f. 1-2 jähr. Kinder auf Privatbasis m. Ganztagsbetreuung, Schule - Ver. f. emanzipator. Erziehung. M.: Grdg.Mtgl. d. Ver. f. emanzipator. Erziehung. H.: Gedichte schreiben, Malen. (H.P.)

Scheibenpflug Alfred

B.: Gschf. Ges. FN.: HKL. DA.: 7000 Eisenstadt, Langreuterstr. 6. G.: Wr. Neustadt, 15. Feb. 1949. El.: Josefine u. Alfred. S.: VS, HS, Lehre, Gesellenprüf., Abendschule m. Matura, 1975 Ing. K.: i. Installationsbetr. kfm. Lehre abgeschl., 1 1/2 J. Ziviltechniker, Ing. f. Bauwesen u. Gschf., 1969-75 Planungsbüro Ing. Frohner, Matura Pinkafeld, 1975 Gründ. Fa. HKL. M.: Sponsor div. Sportvereine. H.: Untern. (W.M.)

Scheibenpflug Heinz

B.: Ltr. Kfz-Leasing, Prok. Z-Leasing GmbH & Co KG. GT.: Handlungsbev. Eurolease Holding GmbH. DA.: 1030 Wien, Seidlg. 21. PA.: 1232 Wien, Jochen-Rindt-Str. 22. G.: Wien, 24. Aug. 1959. V.: Gabriele, geb. Schleicher. Ki.: Markus (1981), Nina (1986), Jennifer (1989). El.: Rudolf u. Elfriede, geb. Winter. S.: HASCH, 7 J. Bankausbild. AVA Bank GmbH. K.: 1983 Eintritt Z-Leasing GmbH, 1983-84 Immobilienbereich, 1984-86 Mobilienbereich, seit 1986 Ltr. Kfz-Leasing, 1989 Prokura. H.: Tennis, Schwimmen. (N.A.)

Scheibenpflug Martin Dr. iur.

B.: Landesdir. d. Sozialvers.-Anst. d. Gewerbl. Wirtschaft Landesstelle OÖ. DA.: 4020 Linz, Dinghoferstr. 7. PA.: 4040 Linz, Keplerstr. 3e. G.: Wien, 2. Juli 1957. V.: Renate, geb. Wagner. Ki.: Christian, Markus. El.: Herbert u. Brigitta. S.: Gymn. Mödling, 1975 Matura, 1975-76 BH, 1976-80 Jusstud. Linz. K.: 1. Sept. 1980 Eintritt in d. Anst., 1982 Pensionsabt., 1984 Gruppenltr. d. Pensionsabt., ab 1985 Jur. Sachbearb., ab 1988 prov. Pensionsabt.-Ltr., ab 1989 Pensionsabt.-Ltr., 1.

Aug. 1990 Ltg. d. Landesstelle, seit 1. Jän. 1991 Landesdir., Hptm. d. Österr. Miliz. P.: div. Veröff. in OÖ Gem.-Zeitung. (P.H.)

Scheibenstock Hermann
B.: Gschf. Ges. FN.: BCS Büro u. Computer Studio Handels GmbH. DA.: 6840 Götzis, Wiedeng. 26. PA.: 6807 Feldkirch, Hohle G. 1b. G.: Schruns, 2. Nov. 1954. V.: Jutta, geb. Müller. Ki.: Daniel (1979), Caroline (1982). El.: Gebhard u. Maria. S.: Onkel Emil Scheibenstock Schriftsteller. S.: HAK, 1975 Matura, 19757/6 BH, Univ.-Lehrgang Export Import Fernstud. Wirtschaftswiss. K.: 1976-83 Verw.-Ang. Elektro Metall Rankweil, kfm. Ltr., 1983-85 kfm. Ltr. b. Transportfirma, 1985-88 Prok. u. Ltr. Schönbichler-Lodag GmbH, 1988 Kauf d. Firma u. gleichzeitig Umbau in Büro u. Computerstudio. M.: Tennisclub Feldkirch. H.: Tennis, Skifahren, Radfahren. (I.D.)

Scheiber Herbert Dr. iur.
B.: Dipl.-Dolmetsch; RA. DA. u. PA.: 1040 Wien, Karolinerg. 5. G.: Wels, 19. Dez. 1920. V.: Ruth, geb. Festner. Ki.: Dipl.-Ing. Ulrike (1946), Dipl.-Ing. DDr. Elke (1948), Dr. Ines (1962), Mag. Barbara (1964). El.: Oberst Egon u. Dorothea, geb. Schütze. BV.: Geschichte d. Familie Scheiber geht in d. XV. Jhdt. zurück. S.: 1939 Matura, b. 1945 Kriegsdienst, 1950-53 Stud. Rechtswiss. u. Dolmetsch Univ. Wien m. Prom. z. Dr. iur. K.: 1953-56 RA-Anw., seit 1957 eigene Kzl. m. Schwerpunkt Wirtschaftsrecht, seit 1975 Oberst d. Res. d. Österr. BH. E.: Abz. v. II. Weltkrieg. M.: Offz.-Ges., Dolmetschverb. "Universitas". H.: Skifahren, Obstbau.

Scheiber Herbert Dr. HofR.
B.: BHptm. v. Völkermarkt. DA.: 9100 Völkermarkt, Sponheimerstr. 2. PA.: 9020 Klagenfurt, Hagenstr. 5. G.: St. Ulrich b. Feldkirchen, 27. Jan. 1928. V.: Olga, geb. Melcher. Ki.: Barbara (1953), Arnulf (1957). El.: Franz u. Anna. S.: Realschule b. 1947. K.: Laborant in Treibach/Althofen 1947-50, Jusstud. an d. Univ. Innsbruck, Gerichtspraxis b. 1958, Eintritt in d. Amt d. Ktn. LRg. 1958, Finanzabt., Sekr. d. LHptm. 1965-74, Landtags-Amtsdir. 1974, Abt.Ltr. f. wirtschaftl. Angel. d. LKrankenanst. in Ktn., s. 1977 BHptm. v. Völkermarkt. H.: Fliegen-Fischen, Skifahren. (A.L.)

Scheiber Johann

B.: Dipl. Graphik Designer. FN.: Visual-Design, Johann Scheiber. DA.: 6330 Kufstein, Mitterndorferstr. 16. G.: Kufstein, 24. Okt. 1947. V.: Iris, geb. Odermatt. Ki.: Sebastian (1983), Simon (1985). El.: Josef u. Theresia. S.: VS, HS, 3 1/2 Lj. als Chemiefacharb. in Kundl. 1965 Chemiefacharbeiterbrief abgeschl. K.: 1966-68 als Volanteur bei einem Werbefotographen in Kufstein tätig. 1968-70 Ak. d. Ang. Künste in Wien. 1970-74 a.d. Bergischen UNI im Wuppertl Abt. Design Stud. u. m. Mag. abgeschl. 1974-77 Auslandspraxis in einem Designerstudio im Amsterdamm eingeholt, 1977-78 als Art. Dir. in einer Werbeagentur in Ulm tätig. 1978 Zivildienst geleistet. 1979 Selbst. als Graphik Designer. 1991 Studioerweiterung u. d. Zt. 2 Besch. P.: Puplikationen in Fachspezifischen Magazinen, Nennung im: Internat. Novum Kalenderwettbewerb, in d. Graphikbienale Brünn, In CCA-Creativclub Austria, Tiroler Werbepreis f. Wirtschaftspuplikationen. M.: Vorst.-mtgl. u. Bundesbeauftragter f. Tirol i.d. Berufsorganisation DA-Design-Austria-Wien, Obm. d. Kufsteiner Inn-Galerie u. Jurymtgl. in intern. Fachjurien. H.: Kunst u. Kultur, Theater, Literatur, Handwerk, Sport. (J.F.)

Scheiber Jürgen Dipl.-Ing.
B.: Gschf. FN.: Gepard Ges. f. parallele Datenvearb. mbH. DA.: 1110 Wien, Am Kanal 27. PA.: 1030 Wien, Petrusg. 16. G.: Imst, 26. Mai 1961. El.: Edgar u. Hilde, geb. Pregartner. S.: 1979 Matura, 1980-86 Stud. techn. Math. an d. TU Wien. K.: 1983-85 Wiss. Mitarb. an wirtschaftl. Studien am Inst. f. Höhere Studien, 1984-87 Ass. an d. TU Wien, 1987-88 Mitarb. an d. Umweltprojekten am Österr. Bundesinst. f. Gesundheitswesen, 1988 Mitbegründ. v. Gepard. BL.: Arb. im Umweltschutz, techn. Simulationen u. Satellitenbildverarb. H.: Drachenfliegen, Musik, Bergsteigen, Lesen. (N.A.)

Scheibert Hans-Henning Dr. Dkfm.
B.: Dir. in Pension, freiberufl. Wirtschaftsberater u. Fin.- u. Immobilienmakler. A.: 9210 Pörtschach, Teichweg 8. G.: Bertelsdorf/Schlesien, 1. Dez. 1920. V.: Elfriede Ludmilla, geb. Bezina. El.: Hans u. Erika. S.: Gymn., Agr.Ing. (Witzenhausen/BRD), Stud. d. Betriebswirtschaft u. Vw. an d. Univ. Hamburg (Dipl.Kfm.), HS f. Welthdl. Wien (Dr. rer. comm.). K.: 1939-45 Kriegsdienst, 1945-60 teils studierender, teils mittätiger vollhaftender Mitges. in "Deutsche Schlauchbootfabrik OHG" Berlin, Uslar u. D-2345 Eschershausen, 1960-62 Errichtung d. Fremdenpension "Etosha" in Pörtschach, 1962-70 als Hdls.Agent u. Vermögensberater tätig, 1970-76 in Südwestafrika (Namibia) berufl. tätig, 1972 Grdg. d. "Africa Investors Service" in Windhoek als Manager u. Alleininh., 1975 Co-Dir. d. "Capricorn Meat Industries Ltd." Windhoek/Namibia, 1979 Grdg. d. Ktn. Süd- u. Südwestafrikan. Club. P.: mehrere ökon. u. steuerrechtl. Publ. E.: div. Kriegsausz. M.: Österr.-Südafrikan. Club in Wien, Dt. SWA-Namibia Ver., Verb. Österr. Wirtschaftsak. Wien, Bez.Obm. d. Ver. "Freunde naturgemäßer Lebensweise" Ktn., Südafrikan.-Dt. Kulturver. (SADK) Pretoria. H: Großwildjagd, Fischerei, Numismatik, Philatelie. (D.M.)

Scheibl Hubert
B.: Künstler. DA.: 1070 Wien, Burgg. 58.G.: Gmuden, 15. Apr. 1952. EL.: Juliane u. Franz. S.: 1976-81 Stud.a. d. Akad. d. bild. Künste. K.: Lebt u. arbeitet in Wien, Ausstellungen: Galleria Emilio Mazzoli Modena, Wr.Secession, Jack Tilton Gallery New .York,u.v.a., lfde Ausstellungen s. 1984 mit d. Galerie Ropac, Slzbg., Paris. H.: Reisen. (J.S.)

Scheibl Thomas
B.: Inh. DA.: 1120 Wien, Eichenstr. 44. G.: Grieskirchen, 4. Aug. 1949. V.: Sidonie. Ki.: Sebastian, Gregor. El.: Friedrich u. Maria. S.: Optikerlehre, 1972 Mstr.-Prüf. K.: Eröff. d. Betriebes, Spezialisiert: Großhändler u. Importeur v. Opt. Markenprodukten, Werkstätteneinrichtung u. Untersuchungsgeräte im Augenärztl. Bereich. H.: Reiten. (J.E.)

Scheiblbrandner Anton
B.: Inh., Kfm., Unternehmer. FN.: Scheiblbrandner. GT.: öffentl. Tankstelle f. Diesel in Habach. DA.: 5630 Bad Hofgastein, Stubnerg. 1. PA.: 5630 Bad Hofgastein, Vorder Schneeberg 117. G.: Bad Hofgastein, 22. Jan. 1940. V.:

Edeltraud, geb. Gappmaier. Ki.: Karin (1962), Margit (1965), Doris (1972). El.: Josef u. Emma. K.: Mai 1959 in d. elterl. Landwirtschaft tätig, 1960-62 b. Fa. Angerer in Badgastein als Baumaschinenführer u. LKW-Fahrer tätig, seit Mai 1962 selbst., 1964 m. 2 LKW in d. Fernverkehr eingestiegen u. bis 1968 selbst gefahren, 1968 Ölgeschäft im Gasteiner Tal eröff., 1976 um Festbrennstoff erweitert, 1972 LKW u. Tanklager erbaut, 1976 Überdachtes Kohlenlager, 1978 Am Bahnhofsgelände Hofgastein Lager m. eig. Gleisanschluß erbaut, 1982-83 Lager u. Garagenhalle errichtet, d. Betr. laufend vergrößert u. erweitert. E.: durch d. Kammer 30 J. Selbst. ausgezeichnet. M.: Mtgl. zahlr. örtl. Vereine. H.: Schiffe, Tauchen, Skifahren. (J.F.)

Scheiblhofer Adolf
B.: Textilkfm., Gschf. Ges. FN.: Max Schmidt Textilhandels GmbH. DA.: 1010 Wien, Neuer Markt 6. G.: Kaindorf i. d. Stmk., 05. Jun. 1939. V.: Christiane geb. Puchberger. Ki.: Gilbert (1974), Richard (1976). El.: Adolf u. Franziska. S.: VS, HS, Textilschule i. Dornbirn, Textilkfm.. K.: Filialinsp. b. Gazelle, Gschf. e. Herrenmodengeschf. i. Linz, 1970 Don Gil gegr. u. aufgeb., 1991 Max Schmidt Herrenmoden übern., vorw. auf italienische Fabrikaten ausg.. (J.M.)

Scheiblhofer Michael
B.: Inh. FN.: Michael Scheiblhofer City Reisebüro. DA.: 4020 Linz, Bethlehemstr. 3. PA.: 4020 Linz, Rosseggerstr. 17. G.: Linz, 15. Mai 1947. V.: Ingeborg, geb. Watzer. Ki.: Raphael (1979), Bernhard (1981). El.: Josef u. Charlotte. BV.: Großvater Ing. Rieder ltd. Ing. b. d. Elektrifizierung d. Arlbergtunnels u. d. gesamten Semmering- u. Arlbergstrecke, Vater Josef Scheiblhofer war Erfinder, viele Kriegsausz. u. viele Patente, Bildhauer, 1947 größte freistehende Baukeramikstatue d. Welt. S.: VS, b. 1964 versch. höhere Schulen, ab 1967 HTL f. Fremdenverkehrsberufe Kleßheim. K.: 1968-72 Reisebüro u. Gastronomie Deutschland, ab 1972 Reisebüro u. Gastronomie Österr., Gewerbescheine, seit 1980 Gschf. b. 3 Reisebüros in Linz, seit 1990 selbst. m. eigenem Reisebüro. H.: Modellbau v. Flugzeugen u. Schiffen, Beruf, Fußballspielen, Reisen. (U.A.)

Scheibmaier Karl
B.: Künstlermanager, Musikverleger, Konzertveranstalter, Inh. FN.: Edition Scheibmaier, Scheibmaier Promotion GmbH & Co KG. GT.: Mtgl. versch. Juries b. Festivals. DA.: 1040 Wien, Argentinierstr. 71. PA.: 1040 Wien, Theresianumg. 14. G.: Scharten, 4. Jan. 1938. V.: Heidi, geb. Nerath. Ki.: Marcus Boris (1967). El.: Karl u. Gabriele. S.: VS, Internat d. Wr. Sängerknaben, Internat d. Florianer Sängerknaben, Gymn., Fransisco-Josefinum (HTBLA f. Ldw.), Hotelfachschule Sbg., HS f. Musik in Wien (Gesang). K.: 1971 Engagement Wr. Kammeroper, 1973 eigenes Theater (Vienna Operetic Show), Veranstaltungsltr. v. Profil-Promotions, Aufbau d. Fa. Musikverlag Pro-Edition, 1982 Grdg. v. Edition Scheibmaier, 1983 Scheibmaier Promotion. BL.: Entdeckung v. Ludwig Hirsch. Aufbau v. Reinhard Fendrich, STS, Hermann van Veen in Österr. E.: 7 Platin- u. 14 Gold. Schallplatten im eigenen Verlag. M.: Greenpeace, Amnesty Intern., Menschen f. Menschen. H.: Tennis, Surfen. (C.H.S.)

Scheibner Hansjoachim Dr. iur.
B.: RA. DA.: 1010 Wien, Franz-Josefs-Kai 5. G.: Wien, 12. Febr. 1943. V.: Ildiko, geb. Jaklitsch. Ki.: Johannes, Michael, Benjamin, Nikolaus. S.: hum. Gymn., 1963 Matura, Jusstud. an d. Univ. Wien, 1968 Prom., 1966 Stipendium in New York. K.: RA-Anw. b. 1974, ab 1974 RA in Wien. P.: Studien auf d. Gebiet d. intern. Privatrechtes. H.: Musik, Bergsteigen, Tennis. (C.K.)

Scheibner Herbert Mag.

B.: Mtgl. d. NatR. d. FPÖ Klubs, Bundesgeschäftsstelle; Generalsekretär. DA.: 1010 Wien, Kärntnerstr. 28. G.: Wien, 23. April 1963. S.: Gymn., 1982 Matura, s. 1982 Stud. Rechtswiss. u. BWL an d. Univ. Wien u. WU Wien. K.: 1988 freiberufl. Versicherungsmakler, 1983 Eintr. in d. FPÖ, 1987-90 BezR. d. FPÖ Wien - Rudolfsheim/Fünfhaus, 1989-93 Bundesobm. d. RFJ, 1990 Wahl in d. Bundesvorst. d. FPÖ, s. 1990 Abg. zum NatR; 1992 Generalsekretär der FPÖ. (N.A.)

Scheich Manfred Dr. rer. comm. Dkfm.
B.: Botschafter, Sektionschef, Ltr. d. Integrations- u. wirtschaftspolit. Sekt. im BMA, Vors. d. interministeriellen Kmsn. DA.: 1010 Wien, Ballhauspl. 2. PA.: 1180 Wien, Heinrich-Maier-Str. 9. G.: Troppau, 26. Apr. 1933. V.: Catharina, geb. de Ribbing. Ki.: Adrienne (1965), Charlotta (1968). El.: Rudolf u. Margarethe. S.: 1951 Matura, Stud. HS f. Welthdl., 1957 Prom., 1957-58 Stud. am Bologna-Center d. John Hopkins-Univ. K.: 1958-64 im BKA, 1960 b. d. österr. Vertretung b. d. OEEC in Paris, danach ständige österr. Delegation b. d. EFTA, ab 1964 BMA in Wien, Kabinett d. Staatssekr. f. auswärtige Angelegenheiten, 1967-69 österr. Officer zwischen d. UNIDO u. d. österr. Rg., 1969-74 Gesandter an d. österr. Botschaft in Bern, 1974-78 österr. Botschafter in Algerien, 1978-83 Ltr. d. Abt. f. europ. Integration im Außenmin. in Wien, 1983-86 österr. Botschafter b. d. Europ. Gemeinschaft in Brüssel, seit 1987 Ltr. d. Integrations- u. wirtschaftspolit. Sekt. im BMA, seit 1990 Sonderbeauftragter f. Europ. Integration, 1967-69 BRef. d. ÖAAB f. Außenpolitik. E.: OffK d. norw. StOO, KmdK d. norw. StOO, GrK d. jord. UO. H.: Sport (Tennis, Skifahren). (P.R.)

Scheichbrein Michael
B.: Immobilien- u. Vermögenstreuhänder. FN.: Michael Scheichbrein Immobilien GmbH. DA. u. PA.: 1080 Wien, Lange G. 20. G.: Wien, 7. Juli 1943. V.: Ulrike, geb. Golitschek-Elbwart. El.: Karl u. Erika, geb. Hickl. S.: 1967-73 Vers.Kfm. K.: 1973-84 Ges. u. Gschf. "Alfa-real", 1984 Kauf d. Hausverw. "Reckendorfer GmbH", später Namensänderung auf Michel Scheichbrein Immobilien GmbH. BL.: Spezialist f. stilgerechte Altstadterneuerung. F.: Gschf. u. Ges. Fa. Blumauer GmbH Bauträger. M.: Lions-Club. (N.A.)

Scheichelbauer Elisabeth Mag.
B.: Gschf. Ges. FN.: Mag. Elisabeth Scheichelbauer Public Relations GmbH. DA.: 1180 Wien, Riglerg. 13/8. G.: Wien, 2. Mai 1954. El.: Dr. Peter u. Valerie. S.: 1972 Matura, 1977 Spons., Mag. d. Sozial- u. Wirtschaftswiss. K.: b. 1979 Geld- u. Devisenhdl. Österr. Länderbank, 1980-84 PR-Agentur Publico Public Relations GmbH, zul. Kontaktgruppenltr., 1984 Grdg. eigener PR-Agentur: Wirtschafts-PR, Kommuni-

kationsaufgaben f. Interessengemeinsch., Öffentlichkeitsarb. im Spez.-Ber. Gesundheit/Med., Kooperation auf nat. u. intern. Ebene. M.: ARGE PR AUSTRIA, Grdg.-Mtgl. EUROMED-INFO-Gruppe, European Network of Health Information, Public Relations Verb. Austria. H.: Beruf, Sport.

Scheichelbauer Peter Dr. Mag.
B.: RA. GT.: Ges. d. Neue Laxenburger Wohnungseigentumsges. mbH & Co KG, Bauträger GmbH, Gschf. Ges. d. Neue Laxenburger spol. sro., Prag, Gschf. d. Laxenburger-Ujezd nad Lesy, spol. sro., Prag. G.: Wien, 30. März 1930. V.: Zdenka, geb. Beranek. Ki.: Mag. Elisabeth, Michaela, Barbara, Katharina. El.: Oskar u. Maria. BV.: Onkel HofR. Bernhard Scheichelbauer, Großmeister d. Freimaurerloge Österr., Orden d. Eisernen Krone im Ersten Weltkrieg, Vater Amtsdir. u. RgR. S.: Univ. Wien. K.: seit 1983 RA m. eigener Kzl.

Scheicher Alois Dr. Dkfm.
B.: Betriebswirt, Vorst.-Dir. FN.: EVN Energie Versorgung NÖ AG. DA.: 2344 Maria Enzersdorf, Johann-Steinböck-Str. 1. PA.: 2752 Wöllersdorf, Schulg. 3. G.: Wöllersdorf, 26. Okt. 1939. S.: 1958 Reifeprüf., 1958-64 Stud. HS f. Welthdl. Wien, 1964 Spons., 1968 Prom. K.: Auslandspraktika im Rahmen d. AIESEC 1960 Niederlande, 1964 Frankreich u. 1965 USA, 1965-68 Quästor am Inst. f. höhere Studien u. wiss. Forsch. Wien, seit 1968 EVN Energie Versorgung NÖ AG, 1969 Ltr. d. Abt. Finanzwesen, 1974 Ltr. d. Hauptabt. Betriebswirtschaft m. Gesamtprokura v. NEWAG u. NIOGAS, 1992 Vorst.-Mtgl. d. EVN. E.: Gold. EZ f. Verd. um d. Bdl. NÖ. M.: VEÖ, ÖVGW, IGU, AufsR.-Vors. Gemeinschaftskraftwerk Tullnerfeld GmbH Zwentendorf, Vors.-Stellv. d. AufsR. d. CA-Elektrizitätsversorgungs AG Wien, AufsR. Austria Ferngas GmbH Wien, AufsR. Österr. Forsch.-Zentrum Seibersdorf GmbH, AufsR. UPONOR Kft Budpaest. H.: Skifahren, Radfahren, Tennis, Hallenfußball. (I.K.)

Scheicher Hans-Jörg
B.: Inh. FN.: Tanzcenter Scheicher. DA.: 4844 Regau 109. PA.: 4840 Vöcklabruck, Graben 2. G.: Vöcklabruck, 24. Dez. 1958. V.: Irene, geb. Schöberl. El.: Johann u. Rita. S.: VS, HS, Lehre Bootsbauer, Gesellenprüf. K.: seit 1983 gemeinsam m. Ehefrau 1. u. einziger Rock´n Roll Tanzprofi Österr., 1988 eigener Rock´n Roll Club, seit 1993 eigenes Tanzstudio. E.: 4facher Österr. Mstr. Rock´n Roll Akrobatik, 2x 3. Pl. World Cup, Eintragung in Guiness Buch d. Rekorde seit 1989 f. d. meisten Schulterkugeln im Rock´n Roll, Auftritte in Österr., Deutschland, Schweiz, Skandinavien, Irland, Griechenland, Türkei u. Kenia. H.: Fischen, Bogenschießen, Berge. (W.B.)

Scheicher Harald sen. Dr. med. MedR.
B.: Prakt. Arzt i.R. DA. u. PA.: Griffner Straße 4, 9100 Völkermarkt. G.: Völkermarkt, 10. März 1919. V.: Hildegard, geb. Berg. Ki.: Dr. Harald (1959), Mag. Hemma (1961), helga (1962), Haldis (1969). El.: Josef u. Sabine. S.:. VS, Realgymnasium i. Klagenfurt, Matura 1937, Studium d. Medizin i. Wien u. Graz, Promotion 1944, Assistenzarzt a. d. russ. Front, 1945 Tätigkeit im LKH Klagenfurt, s. März 1948 eigene Praxis i. elterl. Haus, 1987 Ruhestand, 1949-75 Lehrtätigkeit a. d. Landwirtschaftl. Schule Goldbrunnhof f. d. Bereiche gesundheitslehre u. Hygiene, Feuerwehrarzt, 1974 Verleihung d. Titel Medizinalrat, Gründungsmitglied u. Alleininitiator d. Völkermarkter Stadtmuseums, d, 1975 gleichzeitig mit d. Dokumentation d. Kärntner Abwehrkampfes 1918-19 eingerichtet wurde. Exponate stammen aus Familienbesitz u. seinen Sammlungen, nach Bombenanschlag u. Zerstörung d. Museums 1979 Umgestaltung u. erweiterung d. Sammllungen an einem anderen Standort. E.: Goldene Doktordiplom 1994 Graz, 1984 Goldenes Ehrenzeichen d. Landes Kärnten, 1994 Ehrenring d. Stadt Völkermarkt. M.. Geschichtsverein f. Kärnten. H.: Geschichtsforschung m. Schwerpunkt Kärnten bzw. Völkermarkt u. Umgebung. (G.L.)

Scheicher Harald Dr. med.

B.: Prakt. Arzt u. Arzt f. Arbeitsmedizin. Da./PA.: 9100 Völkermarkt, Griffnerstr. 4. G.: Klagenfurt, 4. Dez. 1959. Ki.: Julian (1983), Leon (1991). El.: MR. Dr. Harald u. Hildegard, geb. Berg. BV.: Großvater Prof. Dr. Werner Berg, Maler (1904-1981). S.: VS, Gymn. in Völkermarkt, 1978 Matura, 1979-84 Medizinstud. in Wien u. Graz, 1984 Prom. K.: 1984-87 Turnusarzt in St. Veit u. Klagenfurt, 1987 Übernahem d. väterlichen Ord., 1989 Arzt f. Arbeitsmed., 1993 Umweltarzt. BL.: seit 1981 Verwalter d. künstlerischen Nachlasses v. Großvater in dieser Funktion Organ. u. zahlr. Austellungen. P.: 1984 "Werner Berg - seine Kunst, sein Leben" Ritter, 1994 " Werner berg - Werkkatalog d. Gemälde" Heyn. E.: Kuratoriumsmtgl. d. Stiftung Werner Berg Bleiburg. H.:Intensive Beschäftigung m. d. Malerei, div. Ausstellungen eig. Werke in Kärntner Raum, Ankäufe durch priv. Sammler. (G.L.)

Scheicher Irene
B.: Inh. FN.: Tanzcenter Scheicher. DA.: 4844 Regau 109. PA.: 4840 Vöcklabruck, Graben 2. G.: Linz, 29. Jan. 1957. V.: Hans-Jörg Scheicher. El.: Wilhelm u. Erika Schöberl. S.: VS, HS, Lehre Bürokauffrau. K.: seit 1983 gemeinsam m. Ehemann 1. u. einzige Rock´n Roll Tanzprofi Österr., 1988 eigener Rock´n Roll Club, 1993 eigenes Tanzstudio. E.: 4facher Österr. Mstr. Rock´n Roll Akrobatik, 2x 3. Pl. World Cup, Eintragung Guiness Buch d. Rekorde seit 1989 f. d. meisten Schulterkugeln im Rock´n Roll, Auftritte in Österr., Deutschland, Schweiz, Skandinavien, Irland, Griechenland, Türkei u. Kenia. H.: Kochen, Tanzen. (W.B.)

Scheicher Rudolf Dkfm. Mag. HofR.
B.: Stadtrat, Wirtschaftstreuh. DA.: 2700 Wr. Neustadt, Neunkirchnerstr. 18. PA.: 2700 Wr. Neustadt, Wetzsteing. 18. G.: Wöllersdorf, 7. Okt. 1931. V.: Helga, geb. Koegler. El.:

Rudolf u. Maria. S.: HAK, Lehramtsprfg. f. kfm. Berufsschulen, Dipl. d. HS f. Welthandel Wien, Lehramtsprfg. f. mittl. u. höhere kfm. Schulen, Steuerberaterprfg., Prfg. f. Buchprüfer, Buchhalter. K.: Berufsschullehrer, HAK-Dir. i. P., Steuerberater, Buchprüfer, ständig gerichtl. beeid. Sachv. f. d. Rechnungsfach. F.: Gschf. Ges. d. WNW-Wr. Neustädter Wirtschaftstreuhand GmbH, 1985 Vizbgm. v. Wr. Neustadt, s. 1990 Stdtr. f. Fremdenverkehr u. Bildg. P.: Lehrbücher f. kfm. Rechnen an HAK u. HASCH, Mitautor d. Sammelwerkes "Wirtschaftsprüfung". E.: Silb. Ehrennadel d. ÖAAB, gold. EZ f. Verd. um die Rep. Österr., 1981 Verl. d. Titels Hofrat. M.: ÖVP-Gem. R. v. Wr. Neustadt, Vorst. Mtgl. d. Skiklubs "Christiania" Wr. Neustadt, Vorst. Mtgl. d. Fremdenverkehrsver. d. Stadt Wr. Neustadt u. d. Fremdenverkehrsverb. Wr. Neustadt-Hohe Wand-Piestingtal, Sparkassenr. Mtgl. H.: Schi, Hallenfußball, Fernreisen, Familie. (I.J.)

Scheickl Otto

B.: Dentist. A.: 1180 Wien, Geyerg. 5. G.: Hercegszanto, 15. Apr. 1928. V.: Elisabeth, geb. Fischer. Ki.: Gabriele (1954), Michael (1957). El.: Oskar u. Margit. S.: Pflichtschule, Lehrinst. f. Dentisten Wien, Staatsprüf. 1954, Ass.Jahr, seit 1955 selbst. Dentist, Externistenmatura. K.: Ab 1965 Tätigkeit in d. Fachwiss. Ges. Österr. Dentisten (FGÖD), ab 1977 Sekr. d. LVerb. Wien d. FGÖD, ab 1978 Vorst.Mtgl. im BVerb. d. FGÖD, 1979 Fusion m. d. Österr. Ges. f. Zahn-, Mund- u. Kieferheilkunde (ÖGZMK), seitdem Vorst.Mtgl. im Vorst. d. ÖGZMK, seit 1979 Vortragender am Lehrinst. f. Dentisten in Wien, Helferinnenausbild., seit 1980 KamR. d. Österr. Dentistenkam., seit 1984 Vortragender am Dr. Wilhelm Brenner-Inst., Wien, VPräs. d. LStelle Wien d. Österr. Dentistenkam., ab 1994 Obm. d. Ges.-Klubs Österr. Dentisten (GÖD). P.: Arbeiten in der "Quintessenz-Journal, versch. Fachwiss. Arbeiten in d. Österr. Dentistenzeitschrift. E.: Gold. VZ d. Rep. Österr., Ehrendiplom d. Fachwiss. Ges. Österr. Dentisten, EZ in Silber u. Gold d. Fachwiss. Ges. Österr. Dentisten, VZ d. Österr. Dentistenkammer, EZ d. Österr. Dentistenkammer, Gold. VZ d. Stadt Wien. H.: Musik.

Scheid Hellmut Dr. KommR.

B.: Ges. d. ÖGUSSA. FN.: Scheid & Roessler GmbH & Co KG. GT.: Gschf. d. GOLTH GmbH. DA.: 1061 Wien, Gumpendorfer Str. 83-85. PA.: 1090 Wien, Porzellang. 43. G.: Wien, 4. Mai 1919. Ki.: Sylvia, Ernst, Martin. El.: Ludwig u. Ella. BV.: Großvater besaß größte Schmuckfbk. in Europa, Fa. in Budapest, Bukarest u. Prag. S.: RG, 1937 Matura, 1937-45 Kriegseinsatz, 1945-47 Weiterstud., Prom. Dr. med. K.: 1947-48 Gastarzt d. Path.-Anatom. Inst. d. Univ. Wien, 1948-51 Ausbild. z. FA f. innere Med. an d. 1. Med. Univ.Klinik, 1951-53 Aspirant an d. 1. Med. Univ.Klinik, 1953-68 klin. Hilfsarzt an d. 1. Med. Univ.Klinik, 1959-61 Ang. d. G. A. Scheid'sche Affinerie, 1962-74 Gschf. Ges. d. ÖGUSSA KG, 1974 Gschf. Ges. d. ÖGUSSA GmbH, 1978-84 Gschf. d. F. Nicodemus GmbH, lfd. Gschf. d. GOLTH GmbH, weiters ständig als Betriebsarzt tätig. E.: Gold. EZ d. Rep. Österr. M.: Präs. d. Österr. Chemiewirtschaft, Österr. Industriellenverb., stellv. Vors. d. BeiR. d. ÖGUSSA. H.: Geschichte u. Kunstgeschichte, jährl. 2 Kunstreisen, Jagen. (E.L.)

Scheidbach Heinz Dr. iur. Mag.

B.: Konsul. FN.: P + R Immobilien, Immobilientreuhänder und Bauträger. PA&DA.: 8010 Graz,Schubertstr. 26. G.: Köflach, 20. Okt. 1945. V.: Prof. Mag. Dr. Ute, geb. Hehenberger. Ki.: Birgit (1973), Christine (1975). El.: Heinz u. Margarethe. S.: VS, HS, 1959-63 Bundes-HAK Graz, 1963-64 BH, Res.-Offz.-Laufbahn b. z. OLt. d. Res., Jusstud., 1971 Prom. Dr. iur. K.: 1971-74 Ang. u. später Gschf. Fa. Eurobau Villach, 1974-75 Notariatskandidat b. öff. Notar Dr. Cholewa Villach, seit 1975 Ang., 1977 HBV, 1984 Prok. u. 1989 Dir. Fa. Mayreder, Keil, List & Co Bau GmbH Graz, seit 1985 Gschf. Mayreder Wohnbau u. Grundstücksverwertungs GmbH Graz, seit 1986-06.1995 , anschl. Selbstständig, Gschf. GPI Ges. Planender Ing. Kaminneubau u. Kaminsanierungs GmbH Graz, seit 1985 Hon.-Konsul d. Königreich Norwegen, seit 1987 fachkundl. Laienrichter Arbeits- u. Sozialgericht, OLG Graz, seit 1989 Fachgruppensprecher d. Bauträger HAKA Stmk. M.: WDF, Obm. d. Clubs Stmk. H.: Bergsteigen, Wandern. (P.M.)

Scheide Heinz Dipl.-Ing.

B.: Freiberufl. Arch. A.: 1130 Wien, Hietzinger Hauptstr. 140. G.: Mödling, 28. Jan. 1924. V.: Lucia, geb. Dolocy. El.: Heinrich u. Gertrude. S.: Realschule, TH Wien. K.: Stadtplanung Wien, Werksarch. d. Österr. Donaukraftwerke AG, seit 1961 selbst., Bauten: Rechnungshof, Schiffahrtszentrum Wien, Österr. Normungsinst., Radio-Austria AG, P.: Div. Art. in Fachzeitschriften. E.: EK II, Silb. Verd.Zeichen d. Rep. Österr. M.: Campagnereiter-Ges.

Scheidegger Adrian E. Dr. o.Prof.

B.: Prof. f. Geophysik. A.: 1140 Wien, Linzer Str. 352/4/2. G.: Basel, 2. Mai 1925. V.: Mary, geb. Ammann. El.: Eugen Scheidegger. S.: Gymn., ETH Zürich, Dipl.Phys. 1948, Univ. of Toronto Ph. D. 1950. K.: 1950-52 Lektor an d. Queen's Univ. Kingston, Canada, 1952-54 Res. Eng., Imperial Oil Ltd., Calgary Canada. 1954-57 Seismologist, Dominion Observatory, Ottawa Canada, 1957-61 Res. Eng., Imperial Oil Ltd., Calgary Canada, 1962-62 Assoc. Prof., Univ. of Calgary, 1962-71 Prof., College of Engineering, Univ. Illinois, Urbana IL USA, 1971-91 o.Prof. u. Vorst. d. Abt. f. Geophysik, seit 1991 Em. d. TU Wien. P.: "Physics of Flow through Porous Media (auch russisch), "Principles of Geodynamics" (auch spanisch), "Theoretical Geomorphology" (auch polnisch u. japanisch), "Systematic Geomorphology", "Physical Aspects of Natural Catastrophes", "Foundations of Geophysics" u. ca. 300 wiss. Arb. in Zeitschriften. M.: Senior Fellow GSA, Senior Member SSA, AGU u.a.

Scheidel Wilhelm Ing.

B.: Kältetechn., Abt.-Ltr. FN.: ABB Installationen Ges.m.bH., Abt. Stal-Astra Kälteanlagen. DA.: 1101 Wien, Wienerbergstr. 11B. PA.: 1230 Wien, Meyrinkgasse 8/1. G.: Vukovar, 9. Dez. 1934. V.: Emma, geb. Becherer. Ki.: Dr. med. Wolfgang (1960), Birgit (1963), Veronika (1965), Georg (1966), Ing. Wilhelm (1968). El.: Johann u. Katharina. S.: 1954 TGM-Matura Maschinenbau. K.: 1954-71 Tätigk. in d. Kälteabt. ALFA Separator Wien, 1971 Prok. Stal-Astra Kälteanlagen Ges.m.b.H., 1975-93 Gschf. Stal-Astra Kälteanlagen Ges.m.b.H., 1993 Integration von Stal-Astra Kälteanlagen Ges.m.b.H. bei ABB Installationen Ges.m.b.H. M.: Kältetechn. Ver. H.: Segeln, Surfen. (I.K.)

Scheider Anton Dir.

B.: Ltr. d. Pensionsvers. d. Arb. in Ktn. DA.: 9020 Klagenfurt, Bahnhofpl. 1. PA.: 9020 Klagenfut, Lindwurmweg 12. G.: Venedig, 20. Juni 1933. V.: Heleonore, geb. Guppl. Ki.: Günther, Christian, Nicole. El.: Josef u. Maria. S.: Gymn. Klagenfurt, 1951 Matura. K.: 1951-56 Privatwirtschaft, seit 1956 b. d. Pensionsvers. tätig (Gruppenltr., Abt.Ltr.), seit 1978 Ltr. d. Pensionsvers. Ktn.

E.: Gold. Verd.Zeichen f. Verd. um d. Rep. Österr. M.: Vorst.Mtgl. d. Ktn. Tennisverb., Vorst.Mtgl. d. ASKÖ. H.: Tennis, Wandern, Skifahren, Lesen. (S.G.)

Scheider Wolfgang

B.: Sänger, Mtgl. d. Wr. Staatsoper. DA.: 1010 Wien, Opernring 2. PA.: 1130 Wien, Grenzg. 13. G.: Wien, 26. Okt. 1939. V.: Monika, geb. Schramek. Ki.: Andreas (1962), Martin (1963), Susanne (1966), Thomas (1971). S.: Mittelschule, Ausbild. z. Kfm., parallel Gesangstud. b. Prof. Alfred Tuschak, Geige- u. Klarinettenstud. K.: seit 1969 hauptberufl. Sänger Theater an d. Wien, ORF-Chor, seit 1972 Mtgl. d. Wr. Staatsoper im Chor u. Solopartien, Engagement zu d. Sbg. Festspielen durch Herbert v. Karajan, Sbg. Sommer- u. Osterfestspiele, seit 1975 BetriebsR. d. Wr. Staatsopernchors, seit 1980 Gschf. d. Konzertver. Wr. Staatsopernchor. H.: Segeln. (J.S.)

Scheidl Alfred

B.: Tischler, Abt.-Insp., Bgm. d. Marktgem. Göllersdorf. DA.: 2013 Göllersdorf, Gemeindeamt. PA.: 2013 Eitzersthal 56. G.: Groß Stelzendorf, 13. Juni 1948. V.: Marianne. Ki.: Johannes (1971). El.: Karl u. Josefine. S.: VS, 3 J. Berufsschule Tischler, 2. Berufslauffahn Justizwachebmtr., Fachdienstprüf., BH. K.: 1968 Eintritt in d. Staatsdienst Arbeitshaus Göllersdorf Dienstaußenstelle Korneuburg, 1984 Rückkehr in d. Justizanst. Göllersdorf, Dienstführender d. Justizwachepersonals, seit d. 15. Lebensj. polit. tätig, ÖVP, ÖAAB, 1983 Gem.-Parteiobm. d. Großgem. Göllersdorf, 1985 Wahl in d. GemR., VBgm,., 1987 Bgm. E.: Gold. Verd.-Med. d. Rep. Österr., div. Ausz. M.: FC Göllersdorf, Verschönerungsver., Blasmusikkapelle Göllersdorf, Kirchenchorltr. Gem. Groß Stelzendorf, Theaterver. Göllersdorf. H.: Musik, spielt Orgel, Violine, Schlagzeug, Horn, Münzen, Briefmarken, Schallplatten. (W.M.)

Scheidl Konrad Dr.

B.: Regional General Sales Manager. FN.: Dow Austria. DA.: 1040 Wien, Wohllebeng. 6. PA.: 3011 Tullnerbach, Kriehuberstr. 36. G.: Wien, 7. Jan. 1944. V.: Ursula, geb. Schwanen. Ki.: Thomas, Stefan. El.: Univ.-Prof. Dr. Leopold u. Eva. S.: Piaristengymn., HS f. Welthdl., Dkfm. u. Dr. K.: 1969-76 Fa. Dow, 10 J. Auslandstätigkeit f. Fa. Dow, seit 1986 im Verkauf u. Marketing in Österr. tätig. M.: Vorst. v. Transithändlerverb. Österr. VÖWA, KV Aggstein. H.: Tennis, Wandern, Skifahren, mod. Belletristik. (E.L.)

Scheidl Michael Ing.

B.: Bmstr., gschf. Ges. d. Firma Austrian Construction Chemicals Inc., Walter Friedl & Co, Ing. Walter Meinharter GmbH, gewerberechtl. GF. d. Maro-Bauträger GesmbH., Partner von Arch. Neversal (Proj. Ärztezentren, Spitäler, Hauptfeuerwache Floridsdorf. DA.: 1010 Wien, Lobkowitzpl. 1. G.: Mistelbach, 21. Aug. 1945. Ki.: Andreas (1966), El.: Franz u. Antonia. S.: HTL Wien, 1974 Bmstr.-Prüf. K.: Baultr. d. Universale Hoch- u. Tiefbau AG, versch. Bauprojekte in Afghanistan (Lyzeum Esteglal/Kabul, Getreidesilo Herat) u. in Wien (Verw.-Gebäude d. SGP, d. Farbfernsehgerätefbk. Grundig u. d. BASF), seit 1979 Unternehmer, Umbau d. Privatklinik Rudolfinerhaus Wien, Einrichtung div. gastronom. Betriebe, Neu- u. Umbauten v. Reihenhausanlagen, Hotel- u. Ärztezentren. BL.: Entwicklung eines Zusatzmittels f. zementsparende Frühhochfestigkeit v. Beton, Geschäftsverbindungen nach d. USA, Ägypten, Saudi-Arabien u. Tunesien. H.: Tennis, Skifahren, Schwimmen, Windsurfen, Wandern. (N.A.)

Scheidl Peter

B.: Kfm. Gschf. FN.: Klosterneuburger Kunsthandwerk. DA.: 3400 Klosterneuburg, Rathauspl. 20. PA.: 3400 Klosterneuburg, Roman Schozpl. 4. G.: Wien, 23. Sep. 1941. V.: Martha, geb. Huber. El.: Franz u. Zita, geb. Klepetko. S.: VS, HS., Konditorei u. Patisserielehre, Wr. Kunstschule. K.: 1956-64 Tätigk. b. Fa. "Uhl-Breunig", 1964-66 Fa. "Heiner", 1966-70 kfm. u. graph. Tätigk. Porzellanfabrik "Frauenthal", 1970-73 Drukkerei "Goldmann" Tulln, 1973-77 Verkaufsltr. Fa. "Konwallin", 1972 Eröff. d. Fa. Klosterneuburger Kunsthandwerk - kaufm. Gschf. M.: Langjähr. Mtgl. d. Öst. Pfadfinderbewegung. H.: Zeichnen, Malen, Fotografie, Darst. Kunst, insb. Guckkasten, histor. Mat. üb. d. Heimat Klosterneuburg, Bergwanderungen. (N.A.)

Scheidl Roman

B.: Maler. DA.: 1090 Wien, Boltzmanng. 12/9. G.: Leopoldsdorf, 29. Juni 1949. El.: Willi Kurt u. Sonja. S.: 1969-75 Ak. d. bild. Künste Wien. K.: Studienreisen nach Skandinavien, USA, Frankreich, Schweiz, Ausstellungen im In- u. Ausland. BL.: seit 1969 freischaff., 1976 u. 1984 Ausstellung in d. Albertina, Grdg. d. Fly Agaric Press 1983 Wien-Zürich-New York, 1981 Grdg. d. "Fliegenpilzmuseums" m. Franz Edinger, Entdeckung d. RO-PI Effektes, Patentanmeldung 1984 Wien, 1985 Bern, (gemeins. m. Bettina Nisoli, Unicorn-Film Zürich), 1987 "12 Räume" im Frauenbad/Baden b. Wien, Konzept einer ganzheitlichen Malerei, 1988-90 Live-Bühnenbildzeichnungen f. 3 Theaterproduktionen d. NISOLI-Tanzensembles, 1989 TERO Keramikserien m. Felix Vogler, 1990 Wien Grdg. d. Vereins TA-MA-MU, Werke im priv. u. öff. Sammlungen. H.: Reisen, Theater, Tanz, Musik. (Wist.)

Scheidle Elmar

B.: Kfm., Elektrotechniker. DA.: 6600 Reutte, Lindenstr. 25. G.: Bach/Lechtal, 20. Dez. 1939. S.: Pflichtschule, HTL Innsbruck. K.: Gschf. Ges. d. Fa. Elektrohaus Scheidle KG. M.: Lions-Club Reutte-Außerfern. H.: Sportflieger, Skifahren. (Schm.)

Scheidler Hermann

B.: Textilkfm. FN.: Textil-Trachten Scheidler. DA.: 5202 Neumarkt/Wallersee, Hauptstr. 37. PA.: 5202 Neumarkt/Wallersee, Hauptstr. 26. G.: Neumarkt, 4. Feb. 1942. V.: Elisabeth, geb. Kriechbaum. Ki.: Hermann (1966), Eva-Maria (1968), Karl (1971). El.: Karl u. Maria, geb. Eder. BV.: s. 1908 Kfm.-Fam. S.: 1956-59 Lehre in Sbg., 1959 Eintr. i.d. elterl. Betrieb als Lebenmittelkfm. K.: Grdg.-Mtgl. von ADEG-Sbg., 1980 Eröffn. Fachgesch. f. Textil in Neumarkt (Fam.-Betr., 4 Ang., Spez. Österr. u. Südtir. Trachten). M.: Ausschußmtgl. d. Grem. Textil, Lionsclub, Schachclub, u,.a. (S.P.)

Scheiflinger Evelyne

B.: Inh. FN.: Bastei Beisl. DA.: 1010 Wien, Stubenbastei 10. PA.: 1090 Wien, Währingerstr. 20/14. G.: Wien, 5. Juli 1943. Ki.: Erwin (1961). El.: Ferdinand u. Eugenie Fellinger. S.: VS, HS, Berufsschule, 1960 Abschluß. K.: 1970-75 selbst. m. Fleischerei in Wien 1090, danach Wien 1210, Wiens größte Kegelbahn errichtet, 1978 Eröff. d. Bastei Beisl, 1980 Verkauf d. Kegelanlage, ab 1985 alleinige Führung d. Betriebes. M.: Bund Österr. Gastlichkeit. H.: Gästebetreuung, Handarb., Schwimmen.

Scheiflinger Hans Peter Prof.

B.: Inh. FN.: SUCCESS-Group. DA. u. PA.: 1010 Wien, Walfischg. 9/2/16. G.: Mühldorf, 23. Juli 1950. Ki.: Rafael (1974), Ruth (1977). El.: Johann u. Maria. S.: VS, RG, 1970 Matura, Theol.-Stud. Univ. Innsbruck, 1975 Mag. K.: ab 1975 kfm. Ausbild. b. Firma Esso u. 3M, 1977-83 Religionslehrer Gymn. Schwechat, nebenbei Ausbild. u. Tätigkeit als Vers.-Makler u. Bausparberater b. Wüstenrot, 1978 Prof. f. Entwicklungsarb. im Dienste d. Innenmin. auf d. Gebiet d. Flüchtlingsintegration in Österr., 1983 Austritt aus d. Schuldienst u. selbst. als Vers.-Makler, 1986 Grdg. u. Vorst.-Dir. Counter Trade AG, 1987 ausgeschieden u. Tätigkeit im Immobilienbereich, 1989 Übernahme Young Lee Lee GmbH, 1991 Grdg. SUCCESS Bau GmbH, nebenbei in Innovation, Produktentwicklung u. Projektmanagement tätig. BL.: Skilehrerausbild., ehem. Fußballer in Wr. Liga. (M.M.)

Scheimpflug Wolf Dietger Mag. arch. Ing.

B.: Arch., staatl. befugter u. beeid. Ziviltechniker. DA.: 1030 Wien, Erdberger Lände 6/7. G.: Mödling, 16. Apr. 1936. V.: Dr. Chrisa-Maria, geb. Ladstätter. Ki.: Gabriela (1964), Florian-Georg (1977), Constanze (1979). El.: Josef-Wolfgang u. Karoline. BV.: Theodor Scheimpflug 1865-1908 Erfinder d. Aerofotogrammetrie. S.: 1956 Matura an d. HTL Wien, Stud. an d. Ak. d. Bild. Künste in Wien, Mstr.Schule, 1960 Staatsprüf. u. Dipl., 1960-61 Österr. College Stipendium Finnland, Schweden, Dänemark, Norwegen, 1966 Intern. Sommerak. Sbg. K.: 1963 Ziviltechnikerprüf., 1966 Befugnis z. Arch., 1967 Eröff. eines eigenen Ateliers, Wohn-, Ind. u. Sportbauten, Läden, Hotelbauten, Revitalisierung u. Umnutzungen, Ausstellungen: Gestaltung v. Messeständen im In- u. Ausland, Städtebaul. Arb., Wettbewerbe, Baumanagement. H.: Sport, kulturelle Interessen.

Scheinbogen Werner

B.: Inh., Elektroinstallateurmstr., Kfm. FN.: Elektro-Möbel Scheinbogen. DA.: 4063 Hörsching, Ofteringerstr. 2. PA.: 4063 Hörsching, Ofteringerstr. G.: Linz, 22. Juli 1959. El.: Ernst u. Anna. BV.: K. u. K. Hofschätzmeister - Urgroßvater. S.: Ausb. z. Radio- u. Fernsehmech. u. Elektroinstallateur, sowie kfm. Ausb., s. 1982 Radio- u. Fernsehmech.-Mstr., s. 1984 Elektroinstallateurmstr. K.: 1984 Übern. d. elterl. Betriebes, 1992/93 Grdg. d. Möbelhäuser, Betreiber e. Kabelfernsehanlage u. Errichter, Inh. e. Konzession z. Errichtung v. Alarmanlagen, Wirtschaftsbundobmann d. Bez. Hörsching s. 1986. M.: Golfclub Wels, Hörsching FC (Vizepräs.). H.: Golf, Ski, Modellhubschrauber. (P.H)

Scheinecker Herbert

B.: Dir. Berufsschule f. Tischlerei. DA.: 4550 Kremsmünster, Kirchberg 8. PA.: 4600 Wels, Am Rosenhaag 33. G.: Wels, 27. Okt. 1937. V.: Eva, geb. Mallinger. Ki.: Helmut (1962), Wolfgang (1963), Johannes (1965), Christian (1971). El.: Johann u. Hermine. S.: VS, Gymn., 1956 Matura. K.: 1957-70 Bundesfinanzschule (Finanzbmtr.), ab 1970 Lehrer an d. Berufsschule Kremsmünster, 1972-73 Stud. an d. Berufspäd. Ak. Linz, 1973 Lehramtsprüf. f. d. betriebswirtschaftl. Unterricht f. Kfm. u. gewerbl. Berufsschulen, b. 1985 als Lehrer tätig, seit 1986 Dir. E.: Silb. Verd.-Med. d. Stadt Wels. M.: Arge Berufsschuldir. H.: Herstellen v. Dokumentarfilmen, Filmen. (G.E.)

Scheiner Annette Mag.

B.: Journalistin, Red., Moderatorin d. ORF. DA.: 1136 Wien, Würzburgg. 30. PA.: 2380 Perchtoldsdorf, Petersbachg. 12B. G.: Minden/Deutschland, 15. Juni 1948. V.: Prof. Dr. Otto Scheiner. Ki.: Stefan (1977), Philipp (1979). El.: Dr. Ernst u. Renate van Delden, geb. Wagner. S.: 1967 Hum. Gymn., 1967-73 Stud. Publizistik, Polit. Wiss. u. Amerikan. Kulturgeschichte Univ. München, Studienaufenthalt in Boston. K.: 1973 Ndlg. in Österr., 1975-77 Red. b. Facultas Verlag, 1982 Eintritt b. ORF, Teletext-Red., seit 1989 aktueller Dienst Fernsehen, ZIB Außenpolitik. M.: Bridgeclub Mödling, BetriebsR. b. ORF. H.: Bridge, Skifahren, Musik.

Scheiner Otto Dr. phil. Univ.-Prof.

B.: Ltr. d. Abt. f. angew. u. experimentelle Path. am Inst. f. allg. u. experimentelle Path. d. Univ. Wien. DA.: 1090 Wien, Währinger Gürtel 18-20. PA.: 2380 Perchtoldsdorf, Petersbachg. 12B. G.: Wien, 3. Dez. 1944. V.: Mag. Annette, geb. van Delden. Ki.: Stefan (1977), Philipp (1979). El.: Otto u. Helene. S.: 1962 Matura, Stud. Phil. Fak. Univ. Wien, 1976 Prom. K.: Univ.-Ass. am Inst. f. Allg. u. Experimentelle Path., 1982 OA, 1984 Habil., 1988 Ass.-Prof. am Inst. f. Allg. u. Experimentelle Path., 1991 a.o.Univ.-Prof., b. 1982 Forsch.-Aufenthalt am Inst. f. med. Mikrobiologie Mainz. P.: 145 wiss. Publ., 161 Kongreßbeiträge auf intern. Kongressen. E.: zahlr. wiss. Preise. M.: Collegium Immunologicum Vindobonense, Collegium Intern. Allergologicum, Ges. f. Immunologie BRD, Österr. Biochem. Ges., Österr. Ges. f. Allerogie u. Immunologie, Österr. Ges. f. Path., Österr. Ges. f. Tropenmed. u. Parasitologie. H.: Musik, Turnierbridge. (S.H.)

Scheiner Otto KommR. Gen.-Dir. a.D.
B.: Pensionist. A.: 1190 Wien, Gustav-Tschermak-G. 34. E.: Gr. Gold. EZ f. Verd. um d. Rep. Österr., Kommandeurkreuz d. Span. Ord. d. Isabella d. Kath. M.: Exekutivkomiteemtgl. d. intern. Hotelver.,

Scheipner Erwin Georg Dr. iur.
B.: Wirtschaftstreuhänder. FN.: Tischendorf & Scheipner Wirtschaftstreuhänder. DA.: 8330 Feldbach, Bismarckstr. 14. PA.: 8330 Feldbach, Banaterweg 3. G.: Feldbach, 25. Dez. 1958. V.: Doris, geb. Vertacnik. Ki.: Erwin Georg (1992). El.: HofR. Erwin u. Anita. S.: 1978 HAK-Matura, BH, Stud. d. Rechte, 1983 Prom. K.: Gerichtj., Berufsanw. Süd Ost Treuhand AG Wien, ab 1989 Steuerberater, 1989 Steuerberaterprüf., 1991 Eintritt als Ges. ins bestehende Unternehmen. M.: Lions Club, Vorst. Golfclub Bad Gleichenberg. H.: Golf, Skifahren. (F.K.)

Scheit Johann
B.: Unternhemer-Firmeninh. FN.: K & M Schlögelhofer Ges.m.b.H u. J. Scheit-Gemüsehdl. DA.: 1100 Wien, Laxenburgerstr. 365 Halle A6. PA.: 2285 Leopoldsdorf, Landesbahnsiedlung 24. G.: Wien, 9. jän. 1950. V.: Erika, geb. Harlacher. Ki. Christian, Petra. El.: Adolf u. Ottilie. S.: VS, HS, Landwirtsch. Fachschule. K.: b. 1972 Bewirtschaftung d. elterl. Betr. , 1972 Grdg. e. eig. Feldgemüsebaubetr. Vertrieb- u. Großabnehmer, Vermarktung, 1980 Aufkauf v. Zustellbetr. , 1988 Grdg. e. Obst- u. Gemüseimportfa., 1989 Errichtung v. 2. Gemüsedistributionshallen, 1991 Errichtung d. 1. Bananenreifeanlage, 1992 Grdg. d. Vertriebsges. Eurobanana Fruchthdls. GmbH, 1994 Erweiterung d. Bananenreifeanl. in Hegeyshalom. M.: Mtgl. d. "Landesgremiums d. Landesproduktenhdls, H.: Tennis, Radfahren, Snowboard, Traberzuchte. (W.J.)

Scheithauer Peter H.
B.: Inh., Werbegrafiker, Werbegestalter u. Objektkünstler. DA. u. PA.: 4040 Linz-Puchenau, Akaziengang 17. G.: Zwickau, 6. Juli 1941. El.: Kurt u. Hertha. S.: Gymn. Linz, Kunstschule München. K.: ab 1966 Grafiker Quelle, Werbeltr. b. Krauss-Maffay, Werbeltr. Christlacke, seit 1985 selbst.: alle graf. Arb. f. Mittel- u. Großbetriebe, Gestaltung an Grafikcomputer, Zusammenarb. m. Reproanst. u. Druckereien, Ausstellung m. Objektkunst im Nordico Linz u. Oberbank Traun. H.: Fotografieren, Restaurieren, Reisen, Modellbau.

Scheitl Rudolf Dr.
B.: Verkaufsdir. FN.: Martin Miller. GT.: Gschf. Skomab Intern. DA.: 1130 Wien, Bergheideng. 4. PA.: 2500 Baden, Halsriegstr. 62. G.: Wien, 24. Sept. 1926. V.: Gabriele, geb. Klement. Ki.: Elisabeth, Christian. S.: Matura Wien, Univ. Wien Phil., 1949 Prom. K.: Hanf Jute Textilind. Exportltr., seit 1956 Martin Miller AG Verkaufsdir. BL.: Aufbau d. Export. H.: Bergsteigen, Skifahren, Religionsphil. (A.K.)

Scheiwein Robert Prof.
B.: Musiker, Cellist d. Wr. Philharmoniker. DA.: 1010 Wien, Opernring 2. PA.: 1130 Wien, Hietzinger Hauptstr. 27. G.: Wien, 26. Mai 1935. V.: Mag. Adelheid, geb. Kurz. Ki.: Alexander (1979). S.: Ausbild. in Wien b. Frieda Litschauer-Krause u. Prof. Nikolaus Hübner. K.: 1960 Probespiel an d. Staatsoper unter Herbert v. Karajan, Aufnahme in d. Staatsopern-Orchester, 1962 1. Solocellist d. Wr. Philharmoniker, weltweite Konzerte, 10 J. Kammermusik m. Willy Boskowsky u. Walter Weller. H.: Aufspüren v. histor. Aufnahmen v. Instrumentalsolisten. (R.J.)

Schekulin Manfred Dr. rer. soc. oec. Mag.
B.: beeid. Wirtschaftsprüfer u. Steuerberater, Ges. u. Gschf. FN.: Prodinger & Partner Steuerberatungs GmbH. GT.: Gschf. Allkontroll Zell am See Wirtschaftsprüf. GmbH. DA.: 5600 St. Johann im Pongau, Ing.-Ludwig-Pech-Str. 1. PA.: 5622 Goldegg. G.: Wr. Neustdt, 21. Aug. 1955. V.: Susanne, geb. Gesinger. Ki.: Matthias (1991). El.: Martin u. Stefanie. S.: 1973 Matura BRG Wr. Neustadt, Stud. WU Wien, 1977 Mag., 1980 Prom. K.: ab 1978 Praxis b. Wirtschaftsprüfer, 1983 Prüf. f. Steuerberater, seit 1989 b. Prodinger & Partner, 1991 Wirtschaftsprüferprüf. E.: Diss. m. Ausz. M.: Intern. Wirtschaftstreuhänderorgan. ACPA, Golfclub Goldegg, Lions Club St. Johann. H.: Reisen, Sport, Essen. (G.P.)

Schelander Ulrike Mag.
B.: Ltr. d. Neuen Mobilen Dienste "Caritas" d. Erzdiözese Wien. DA.: 1130 Wien, Trauttmansdorffg. 15. PA.: 1180 Wien, Pötzleinsdorfer Höhe 3. G.: Stuttgart, 29. Okt. 1959. V.: Robert Schelander. Ki.: Esther (1983), Marie-Luise (1986), Charlotte (1987). El.: Konrad u. Sigrid Weik, geb. Förster. S.: VS, Gymn., 1987-84 Stud. Ev. Theol. München, Wien, Schottland u. Tübingen. K.: 1984-87 Vikarit Tübingen u. Dätzingen, 1990-91 Aufbau u. Ltg. v. Gruppenangeboten f. Kurgäste im Kurhotel Salzerbad, parallel freie Mitarb. b. ORF Studio Wien, s. 1991 Aufbau u. Ltg. d. Referates "Zuhause Altwerden" in d. Caritas parallel dazu Lehrerin im Lehrgang f. Heimhilfe im Caritas Ausbildungszentrum in dem Fach "Kommunikation u. Supervision. (N.A.)

Schelesniker Herbert Dr. o.Univ.-Prof.
B.: Vorst. d. Inst. f. Slawistik d. Univ. Innsbruck. DA.: 6020 Innsbruck, Innrain 52/Neubau. PA.: 6020 Innsbruck, Karl-Innerebner-Str. 88. G.: Graz, 6. Dez. 1926. V.: Liane, geb. Jurin. Ki.: Christian. El.: Anton u. Maria. S.: Ak. Gymn. Graz, Stud. Slawistik u. vergl. Sprachwiss. in Graz, 1953 Dr. K.: 1953-59 Erzieher an einem Schülerheim d. Landes Stmk., 1959 Ass. am Inst. f. Slawistik u. Südostforsch. Univ. Graz, 1964 Habil., seit 1970 Vorst. d. Inst. f. Slawistik d. Univ. Innsbruck. P.: Arb. z. slaw. Sprach-, Kultur- u. Geistesgeschichte in in- u. ausländ. wiss. Zeitschriften. E.: Kardinal Innitzer-Preis 1963. H.: Reisen, klass. Musik, Literatur, Bergwandern. (W.G.)

Schell Dieter
B.: Inh., Gschf. FN.: Dipl.-Ing. Anton Hofstätter GmbH. DA.: 8020 Graz, Wiener Str. 10. G.: Graz, 3. Mai 1963. V.: Marion, geb. Tazreiter. Ki.: Viktoria (1992). S.: HASCH Graz, Kfm. Lehre. K.: Tätigkeit in div. Firmen, 1987 Kauf Firma Dipl.-Ing. Hofstätter GmbH. H.: Radfahren, Motorsport, Klettern, Skitouren. -(R.S.)

Schell Horst
B.: Gschf. FN.: Klöckner Austria GmbH. DA.: 1010 Wien, Seilerg. 14. PA.: 1070 Wien, Mariahilferstr. 52/19. G.: Hof/Deutschland, 15. Okt. 1932. Ki.: Markus (1961), Martin (1963). El.: Hubert u. Helene, geb. Bauer. S.: 1950-53 Lehre als Ind.Kfm., 1956-61 Auslandsaufenthalte in England, Spanien u. Frankreich. K.: 1954-56 als Korresp. in d. Textilind. tätig, 1961-69 Verkaufsltr. in einer Kunstlederfbk., seit 1969 b. Klöckner & Co in Deutschland, Projektmanagement, Kompensationsverträge, Ein- u. Verkauf Kunststoffe u. organ. Chemikalien, ab 1982 in Wien b. Klöckner Austria GmbH als Gschf. tätig. H.: Lesen. (N.A.)

Schellander Gerhard Dipl.-Ing.
B.: Dipl.-Ing. Maschinen- u. Nachrichtentechnik. FN.: Spardat d. Informatikpartner, Sparkassen-Datendienst AG. DA.: 1110 Wien, Geiselbergstr. 21-25. PA.: 1180 Wien, Erndtg. 26. G.: St. Veit/Glan, 17. Aug. 1942. V.: Renate. Ki.: Sabine (1977). El.: Theresia. S.: VS, Realschule Marianum Klagenfurt, HTL Maschinenbau, 1963 Matura. K.: 1971 Eintritt in d. Firma IBM, Ausbild. System Telekommumikation, b. 1974 tätig im Verkauf, anschl. Vertriebsltr f. Banken, 16 J. verantwortl. Tätigkeit f. d. Zentralsparkasse, verantwortl. f. Bankomatentwicklung, 1989 Gschäftsltg. d. Spardat, gesamtverant-

wortl. f. Produktion u. Personalwesen, Softwareentwicklung f. Client Server, Kundenbereich u. Revision verantwortl. BL.: 1976 entscheidende Tätigkeit an d. Installation u. Entwicklung d. 1. Bargeldausgabeautomat in Österr., Verkauf d. Produkte (Spardat) am offenen Markt. M.: Vorst.-Mtgl., Golf-Club Schloß Ebreichsdorf, Velden, Klosterneuburg. H.: Golf. (W.M.)

Schellander Michael

B.: Gschf. FN.: Trend Set Welthandel. DA.: 1090 Wien, Währingerstr. 70. PA.: 1090 Wien, Newaldg. 3/28. G.: Klagenfurt, 21. Jan. 1960. El.: Michael u. Martha, geb. Wiester. S.: VS, HS, THL, Matura, 1983 Stud. d. BWL a. d. TU Wien. K.: 1979-80 Tätigk. als Nachrichtentechn. in Deutschl., 1981-83 Nachrichtentechn. in München, s. 1983 paralell z. Stud.-berufl. Tätigk., 1990-92 bei Radio CD, s. 1993 selbst. H.: Schwimmen, Eislaufen, Reisen. (N.A.)

Schellander Peter Valentin

B.: Tischlermstr. DA. u. PA.: 9020 Klagenfurt, Ankershofenstr. 20-22. G.: Klagenfurt, 17. Jni 1948. V.: Roswitha, geb. Schwarz. Ki.: Norbert, Barbara, Andreas, Elisabeth, Manuela. El.: Valetin u. Christine. S.: Pflichtschulen, Lehre im elterl. Betrieb, nach 3 J. Praxis Mstr.Schule in Villach, 1969 Mstr.Prüf. K.: Gschf. im Witwen-Fortbetrieb b. 1975, 1976 Umwandlung in eine KG, Kompl. Schellander Peter u. Komm. Gattin Schellander Roswitha, um individuellen Möbelbau erweitert, um Planungsbüro erweitert, Umrüstung im maschinellen Bereich. BL.: Ein Betrieb d. b. voller Kapazität umweltfreundl. arb. M.: gewählter Funktionär im LInnungsaussch. d. Tischler in Ktn. H.: Familie, Skifahren, Auto. (D.M.)

Schelle Günter

B.: Gschf. Ges. FN.: Schelle GmbH. DA.: 1120 Wien, Altmannsdorfer Str. 75. PA.: 1200 Wien, Jägerstr. 89. G.: Wr. Neustadt, 21. Nov. 1961. V.: Patrizia, geb. Roiss. El.: Karl u. Brigitte. S.: VS, BRG, 1978 HASCH-Abschluß. K.: 1978-85 Raiffeisenbank Wr. Neustadt, 1985-89 Disponent b. d. Handelsfirma Schneider, 1989 selbst. Grdg. d. Schelle GmbH. BL.: Neueinführung v. kompostierbaren Einwegtellern u. Holzbestecken f. d. Gastronomie. H.: Beruf, schön u. gut Essen, Hobbykoch. (J.S.)

Schellenbacher Maximilian

B.: Bootsbaumeister. FN.: Bootswerft Max Schellenbacher. DA.: 4020 Linz, Am Winterhafen 15. PA.: 4048 Puchenau, Reuterleiten 6. G.: Linz, 19. März 1966. El.: Max u. Gertrude. S.: VS, Gesamtschule, HAK, Berufsausbild. als Bootsbauer in d. väterl. Firma, Gesellenprüf., 1986 Mstr.-Prüf. K.: 1994 Übernahme d. väterl. Firma. H.: Wassersport (Rudern, Segeln, Motorboot), Skifahren, Musik (Blasmusik). (L.G.)

Schellenberger Helmut

B.: Gschf. u. Ges. d. Fa. Ray-Werk. PA.: 1030 Wien, Weißgerberlände 38. G.: Wien, 24. Apr. 1934. V.: Marianne, geb. Sobotzik. Ki.: Thomas, Barbara. El.: Johann u. Johanna. S.: Pflichtschulen, Realschule. K.: 1959 Firmengrdg. - chem. Erz., 1964 Kauf d. Fa. Ray-Werk. M.: VPräs. v. Golfclub Wien. H.: Golf. (Lar.)

Schelling Franzjörg Dipl.-Ing.

B.: Industrieller, Gschf. Ges. d. Fa. Schelling & Co, Maschinenfabrik u. Eisengießerei. A.: 6858 Schwarzach, In d. Scheibe 2. G.: Bregenz, 22. Febr. 1936. V.: Marlen, geb. Büsch. El.: KommR. Josef u. Margarethe. S.: Matura in Dornbirn, Abschluß TU Graz, als Dipl.-Ing., Fachrichtung Wirtschaftsing.Wesen, Maschinenbau. K.: Eintritt als 23 jähriger Dipl.-Ing. in d. väterl. Unternehmen, im Jahre 1960, Gschf. Ges. ab 1966. F.: Alleiniger Kompl. d. Fa. Schelling & Co KG. M.: VPräs. d. Ver. österr. Industrieller - LGruppe Vbg., Vorst.Mtgl. d. Ringes freiheitl. Wirtschaftstreibender, u.a. H.: Polit. Literatur, Fischen, Skifahren.

Schelling Günther Dr. techn. Dipl.-Ing. o.Univ.-Prof.

B.: Rektor d. TU Graz, Prof. am Inst. f. angew. Geodäsie u. Photogrammetrie an d. TU Graz. GT.: Ing.-Kons. f. Vermessungswesen, nat. u. intern. Vermessungsexperte, Mitveranstalter d. Intern. Kurse d. Ing.Vermessung, Österr. Vertreter f. Ing.Geodäsie FIG. DA.: 8010 Graz, Rechbauerstr. 12. PA.: 8010 Graz, Merang. 25. G.: Dornbirn, 1. Nov. 1923. V.: Gerda, geb. Ritter. El.: Adolf u. Agatha. S.: VS, RG Dornbirn, Stud. d. Math. Univ. Innsbruck, Univ. Graz, Stud. d. Darstell. Geometrie u. Geodäsie TU Graz, 1950 Dipl. K.: 1950-54 Ass. am Inst. f. Geodäsie TU Graz, 1955 Ass. v. Prof. Schermakorn ITC Delft, Ausbild. z. Photogrammeter, 1956 Ing.Kons. in Dornbirn, Ltg. d. Vermesseungsabt. d. Vbg. Illwerke AG, Expertentätigkeit f. intern. Großprojekte, seit 1981 o.Univ.-Prof. an d. TU Graz. P.: Beiträge u. versch. Publ. F.: Teilhaber d. Arge Vermessung Dornbirn (AVD). M.: Österr. Ver. f. Vermessungswesen, Österr. Kmsn. f. intern. Erdmessung. H.: Skifahren, Tennis, Fotographie, Theater, Malerei, Musik. (C.H.S.)

Schelling Werner Dr. phil.

B.: Landesgschf., HofR., Stadtvertr. Bregenz. FN.: Arbeitsmarktservice Vorarlberg. DA.: 6900 Bregenz, Rheinstr. 32. PA.: 6900 Bregenz, Prälatendammstr. 29. G.: Alberschwende, 21. Feb. 1947. V.: Klothilde geb. Bertsch. Ki.: Sibylle (1984), Julia(1987). El.: Albert u. Brigitte. BV.: müttl. Seite: Rudolf Thiel, Schriftst. v. 1899-1981. S.: Gymn. Bregenz, 1965 Mat., Univ. Innsbr., Wien, Southern California, Los Angeles, 1974-76 Inst. f. höh. Stud., Wien, 1975 Prom. Wien (Dr. phil. Geschichte), 1976 Dipl. d. IHS f. Politikwiss. K.: 1976 Eintr. Landesarbeitsamt Vlbg. a. Berufsber. f. Maturanten, Stud., Akademiker, 1981 Referatsltr., 1986 Abt.-Ltr., 1987 Stellv. Ltr., 1980 Stadtvertr., 1981 StadtR. f. Kultur, 1990 StadtR. Bauwesen, 1991-94 StadtR. f. Schule, Bild., Intern. Kontakte, 1988-90 Vize-Bgmstr., Init. v.: 7 Intern. Theaterabende, Breg. Meisterkonzerten, Breg. Frühling, Reihe Jazz Breg., Freizeithaus a. d. Ach m. Jugendtreff Westend, Postamt Siedl. a. d. Ach. P.: Zeitschrift d. SPÖ Breg., Diss. Karl Alexander v. Müller 1882-1964. M.: 1977 Gründungsmtgl., 1984 Obmann Aktionsgemeinsch. Achsiedlung, Mtgl. Hauptaussch. Verein d. Freude d Breg. Festspiele, 1981-90 Vors. Breg. Kunstverein, Gründungsmtgl. Symphonieorch. Vlbg. u. i. d. ersten Jahren Vize-Präs. H.: Bergwandern, Schwimmen, Schifahren, Fotografieren. (I.D.)

Schender Horst

B.: Volksanwalt. DA.: 1015 Wien, Singerstr. 17. PA.: 4040 Puchenau, Mittelpromenade 21. G.: Linz, 16. Aug. 1938. V.: Erika, geb. Reisinger. Ki.: Volkmar (1962), Reinulf (1963), Rüdiger (1974), Gudrun (1978). El.: Franz u. Elisabeth. S.: BLBA. K.: 1960-65 Landesobm. d. Ring freiheitl. Jugend (RFJ), 1967-73 GemR. in Linz, 1973-89 LAbg. u. Klubobm. d. FPÖ, 1972-89 Landesparteiobm. d. FPÖ OÖ, seit 1989 Volksanwalt.

Schendl Peter Dr. theol. Dr. phil. Prof.
B.: Prof. f. AHS, Fachpsych. f. Klin. Psych. FN.: Psychol. Beratung. A.: 5280 Braunau, Laaber Holzweg 39. G.: Ebensee, 20. Sept. 1942. V.: Dr. phil. Martha, geb. Mayrhuber. S.: Hum. Gymn., Stud. d. Theol. in Linz u. Graz, Prom. z. Dr. theol. in Graz, Lehramt f. AHS (Religion), Stud. d. Psych., Psychopath. u. Psychiatrie an d. Paris Lodron Univ. Sbg., Psychoanalyt. Ausbild. K.: AHS-Lehrer, Psychotherapeut. Ausbild.: Lehranalyse, Gruppentrainer f. analyt. Selbsterfahrungsgruppen, Autogenes Trainig, freie psych. Privatpraxis, Gschf. d. Linzer Arbeitskreises f. Tiefenpsych. P.: Zusammen mit E. Ardelt u. M. Schendl: Beispiele z. Elterntraining, Geben u. Nehmen - Interaktion im lebenslangen Erziehungsprozeß, Mitarbeit b. DORSCH, Psych. Wörterbuch. M.: Bund Österr. Psych. (BÖP), ÖAGG-Mtgl., Österr. Arbeitskreis f. Tiefenpsych. Linz. H.: Literatur, Musik, Sport. Karate.

Schener Peter

B.: Gschf. FN.: PSA GesmbH. DA.: 1220 Wien, Großenzersdorferstr. 24. PA.: 1170 Wien, Hernalser Hauptstr. 16/4. G.: Wien, 27. März 1952. Ki.: Nadja (1990). El.: Josef u. Hanni. S.: VS, HS, HTL Elektrotechnik. K.: Optikerlehre Fa. Böhmert, Gesellenprüf., Präsenzdienst, ab 1970 im Verkauf tätig, 1973-74 Tankstelleninh. in Hadersdorf, 1975 Tankenstellenltr. u. Autoverkäufer Fa. Pirngruber, 1976-77 Autoverkäufer Fa. Karl in Krems, 1977 Übersiedl. nach Wien, 1978 Verkäufer Neckam Fiat, ab 1985 selbst., Verkauf v. Gebrauchtwagen in Wien, 1990 Reise nach Amerika u. 1. Import v. amerik. Fahrzeugen nach Österr., Verleg. d. Geschäftes nach Wien 22., Spez. auf Hdl. mit amerik. Oldtimer. H.: amerik. Oldtimer, Tennis, Sauna, Reisen. (I.J.)

Schenk Ernst Dr. med. univ.
B.: Prim., Vorst. d. Path. Inst. d. AKH Wr. Neustadt. DA.: 2700 Wiener Neustadt, Corvinusring 3-5, 2700 Wiener Neustadt, Wiener Str. 12/3/15. G.: Wiener Neustadt, 22. Dez. 1929. V.: Maria, geb. Eidler. Ki.: Dr. Karin-Maria, Mag.Barbara-Maria. El.: Andreas u. Valeria. BV.: Großonkel Bmstr. Koblischek Restaurator d. Wr. Neustädter Domtürme, Erbauer d. Wassertürme in Wr. Neustadt. S.: VS, hum. Gymn., 1948 Matura, Med.Stud. an d. Univ. Wien. K.: 1955 Prom., seit 1956 am AKH Wr. Neustadt, Turnusausbild. z. prakt. Arzt, ab 1960 Abt.Ass. am Path. Inst. v. AKH Wr. Neustadt, Ausbild. z. FA f. Path. u. Zytopath., ab 1972 OA, seit 1980 Abt.Vorst. u. Prim. am Path. Inst., allg. beeid. Sachv. b. KG Wr. Neustadt f. gerichtl. Med., allg. Med. u. Path., Berechtigung z. Ausübung ärztl. Tätigkeit im öff. Dienst, Amtsarzt. F.: Sachv.Büro Prim. Dr. Ernst Schenk. M.: Med. Ges. f. NÖ, Van Swieten Ges., Ges. f. Path., Ges. f. gerichtl. Med., Ges. f. Zytologie, Verb. Österr. Dir. H.: PPL f. Motorflugzeuge, Segelflugschein. (Kern)

Schenk Ewald Mag. Ing.
B.: Selbst. Berater. DA.: 1100 Wien, Bucheng. 133/30 PA.: 1100 Wien, Bucheng. 133/30. G.: Linz, 22. Jan. 1943. V.: Verena, geb. Pollak. Ki.: Marion (1965), Markus (1968). El.: Franz u. Margarethe, geb. Fürst. S.: 1962 Matura Steyr, 1963-70 Stud. BWL u. Intern. Marketing WU Wien u. Linz. K.: 1971-77 Dion.-Ass., Ltg. Verkaufsgruppe "pharma", Prok. Fa. Tari GmbH, 1977 Eintritt in d. VTR als Gschf., ab 06.1986 Geschf Gesellschafter v. VTR-Verlag, ab 07.1994 selbst. Berater M.:Vorstand i. d. WWG (Werbewissenschaftl. Ges.) Marketing Club Wien. H.: Skifahren, Wandern. (N.A.)

Schenk Heinz
B.: Inh., Gastwirt. FN.: Hotel Pension Lug ins Land. Da.: 5541 Altenmarkt, Schwimmbad 122. G.: Wien, 12.Dez. 1936. V.: Anita geb. Powell. Ki.: Elisabeth Oberthaler, Karl. El.: Karl u. Berta. S.: VS, HS. K.: Berufsschule, 3 J. Lehre a. Konditor, 2 j. Lehre a. Koch, beides m. Gesellenbrief abgeschlossen, 1974 Konditormeisterprüf., Auslandspraxis i. Italien a. Pattisier, 8 J. Wales GB a. Küchenchef u. Pattisier tätig, s.1964 selbst. Cafe u. Pension eröffnet, 1988 Umstrukturierung d. Betr. z. Hotel u. Pension, s. 20 J. Wifi Kurse f. Konditorei. E.: Ausz. f. 25 J. FF, 25 J. Bergrettung. M.: Gemeinde Vertr., V.Bgm. v. Altenmarkt. H.: Bergsteigen, Schifahren. (J.F.)

Schenk Helmut
B.: Hotelkfm., Gastwirt. FN.: Gasthofes Lamm. DA.: 6900 Bregenz, Mehrerauerstr. 51. G.: Bregenz, 23. Juli 1943. V.: Ingeborg. Ki.: Peter (1967), Daniel (1972). El.: Peter u. Genoveva. S.: VS, Gymn., Hotelfachschule Lochau, Kellner- u. Kochlehre, 1966-67 BH. K.: 3 Saisonen als Koch u. Kellner in Südtirol, 1965 Eintritt in d. elterl. Betrieb, 1970 Gschf., 1980 Übernahme d. elterl. Betriebes, 1993 gekürt zu einem d. besten Bierlokale Österr. M.: Junges Gastgewerbe, Präs. d. 1. Vbg. Fahrver. (Gespannfahren). H.: Gespannfahren. (I.D.)

Schenk Ingeborg Dr. phil. Mag. phil.
B.: Prof. A.: 1070 Wien, Westbahnstr. 35. G.: Wien, 4. Mai 1923. El.: Karl u. Helene Schenk. S.: Oberschule f. Jungen sprachl. Zweig (Matura 1941), Univ. Wien: 1946 Dr. phil., Sommer 1947 Lehramtsprüf. Mag., viele Kurse u. Seminare. K.: 1949-55 Sekr. b. einem RA., ab 1955 im Schuldienst - Gymn. Prof., über 25 J. an d. Maturaschule Roland, Betreuung d. Fernunterrichtes, zahlr. Beamtenkurse, seit 1965 am Franz Schubert-Konservatorium, Abt. Schauspiel, Unterricht in Theater- u. Literaturgeschichte, Kostümkunde, Theaterrecht seit 1965, ca. 3 J. Unterricht in d. Krankenpflegerschule Baden, später Mödling in Musikgeschichte, Diskussionstechnik, Redelehrgang. P.: Zahlr. Theaterkritiken, Gedenkart. in versch. Zeitungen u. Zeitschriften, zahlr. astrolog. Fachart. M.: VPräs. d. Österr. Astrolog. Ges., Vorst. Mtgl. d. Österr. Ges. f. Parapsychologie, Mtgl. d. "Droit Humain", u.v.a. H.: Kreative Beschäftigung wie Schneidern, Basteln, Handarbeiten, Musik, Schmalfilmamateur.

Schenk Karlheinz Dr. Univ.-Prof.
B.: Augenarzt in Wien, OA d. 1. Univ.Augenklinik. A.: 1090 Wien, Spitalg. 19. G.: Wien, 17. Okt. 1925. V.: Friederike, geb. Hitzinger. El.: Dr. Karl u. Luise. S.: OSchule u. Med.Stud. in Wien. K.: Tätigkeit an d. 1. Univ.Augenklinik, a.o.Univ.-Prof. P.: Zahlr. Publ. in med. Fachzeitschriften. E.: Versch. Kriegsausz. M.: Ges. d. Ärzte in Wien, Ophthalmolog. Ges. in Wien u. Österr., Dt. Ophthalmolog. Ges.

Schenk Klaus-Detlef
B.: Gschf. FN.: Jungheinrich Manchester. DA.: 1232 Wien-Inzersdorf, Industriegebiet Drasche-West. G.: Pausa, 22. Nov. 1945. V.: Barbara. Ki.: Stefan, Andrea, Fabian. S.: Mittlere Reife, Ausbild. z. Werkzeugmacher b. Fa. Philips Hamburg,

Bundeswehr, 1968-70 Ausbild. z. Ind.Kfm. Fa. Blaupunkt. K.: 1970-72 Exportsachbearb. u. Außendienstmitarb., 1972-74 Betriebsltr. b. Hamburger Bosch-Dienst, 1974 Eintritt Fa. Jungheinrich Hamburg Ndlg.Ref. b. Verkaufsltg. Inland, Ass. Vertriebsgschf., stellv. Abt.Ltr. Auftragsabwicklung, 1977-81 Kundendienstltr. d. Ndlg. München, 1981/82 Kundendienstltr. Bielefeld, 1982-89 Ltr. d. Jungheinrich Ndlg. München, 1989 Alleingschf. P.: Art. in Fachzeitschriften. H.: Tennis, Sammeln. v. Jugendstilvasen u. -kacheln. (A.W.)

Schenk Martin Dr.
B.: Psychologe; Mitbegr. SOS Mitmensch. DA.: 1010 Wien, Elisabethstr. 1. PA.: 1050 Wien, Wehrg. 4/5. G.: Wien, 30. Mai 1970. V.: Katharina, geb. Mair. Ki.: Simon (1993). El.: Otto u. Elisabeth. S.: Gymn., 1988 Matura, Zivildienst, Stud. v. 1989-93. K.: s. 1989 i. d. Jugendpädagogik u. Jugendsozialarb. tätig, Mitbegr. d. österr. Plattform gegen Fremdenhaß u. Rassismus, Mitbegr. v. SOS-Mitmensch. P.: Zahlr. Veröff. i. Tages- u. Wochenzeitg., Studie "Armut u. Wohnen" M.: Vors. d. Kath. Jugend. H.: Lesen, Fußball, Fotographieren. (E.J.)

Schenk Otto Kammerschauspieler
B.: Dir. d. Theater in d. Josefstadt. PA.: 1010 Wien, Rudolfspl. 6. G.: Wien, 12. Juni 1930. V.: Renée, geb. Michaelis. Ki.: Constantin. K.: seit 1988 Dir. d. Theater in d. Josefstadt. E.: Kammerschauspieler. H.: Eislaufen.

Schenk Paul Mag. w.HofR.
B.: w.HofR. d. NÖ LRg., Amtsltr. d. gew. BerufsschulR. f. NÖ. DA.: 1010 Wien, Landskrong. 5. G.: Wien, 14. März 1937. V.: Hermine, geb. Sparholz. Ki.: Michael, Martina. El.: HofR. Dr. Paul u. Karoline. S.: Hum. Gymn., Stud. d. Rechts- u. Staatswiss. an d. Univ. Wien. K.: Bmtr. d. BPol.Dion. Wien, d. BM f. Inneres u. d. Bundeslandes NÖ, seit 1980 Amtsltr. d. Gew. BerufschulR. f. NÖ, Aufgabengebiet 20 Landesberufschulen, wichtigste Bauten: Landesberufschule in Baden, Neunkirchen, Waldegg, Mistelbach, Theresienfeld u. Zistersdorf. (Hau.)

Schenk Peter
B.: Unternehmer, Gschf. Ges. FN.: Bruno Schenk GmbH Spenglerei-Glaserei-Schwarzdeckerei. DA. u. PA.: 6380 St. Johann, Salzburger Str. 21. G.: St. Johann, 30. Apr. 1967. El.: Bruno u. Waltraud. S.: VS, HS, HTL f. Hochbau Saalfelden, 1987 Matura. K.: 1989 Eintritt in d. elterl. Unternehmen, 1988 Grdg. einer GmbH, seit 1991 Gschf. Ges. M.: Bergrettung, Basketballclub. H.: Bergsteigen, Basketball. (J.F.)

Schenk Peter DDr. Univ.-Prof.
B.: Univ.-Prof. d. Hals-, Nasen- u. Ohrenklinik d. AKH. DA.: 1090 Wien, Garnisonsg. 13. PA.: 1090 Wien, Hoferg. 13. G.: 10. Juni 1941. El.: MedR. Dr. Paul u. Elisabeth, geb. Puchtinger. BV.: Urgroßvater Schenk (Lehrstuhl f. Geographie Univ. Wien), Baron v. Natorn Kgl. Kaiserl. Großkfm. S.: Med.-Stud. Wien u. Innsbruck, 1965 Prom., Aus- u. Weiterbild. in Köln, Lübeck, Stockholm, 1975 Prom. u. Habil., 1987 Univ.-Prof. Wien. K.: 1972 Ultrastrukturelle Forsch. über Kehlkopfkrebs, 1978 Laserforsch., 1984 Aidsforsch., z.Zt. Forsch.-Nachweis v. HIV Viren in Epidermis u. Schleimhäuten. P.: über 100 wiss. Publ. in intern. med. Journalen: Journal of Biology, Acta Otolaryngologica, Archives of Otolaryngo, wiss. Mitarb. d. Thieme Verlages, d. wiss. Springer Verlages, d. Almkvist, Wiksell-Verlage Schweden, Vorträge Sevilla, Libyen, Pakistan, Deutschland. E.: 1978/83 jeweils d. Carl-Reiner-Preis d. Österr. HNO-Ges., Prof.-Kressner-Preis d. Österr. HNO-Ges., Theodor-Billroth-Preis d. Ärztekam., Hoechst-Preis, Förderungspreis d. Ersten Österr. Sparkasse, Teilnahme auf Einladung zu Vorträgen d. Univ. Stockholm, Düsseldorf, Ljubljiana über Aidsforsch. u. Kehlkopfkrebs. M.: Mtgl. d. Österr. HNO-Chir., Österr. Ges. f. Elektronenmikroskopie, Ges. d. Ärzte in Wien, Dt. u. schwed. HNO-Ges. H.: Arabistik, Sprachen, Sport. (N.A.)

Schenkenfelder Roland
B.: Kfm. DA. u. PA.: 4020 Linz, Pollheimerstr. 20. G.: Linz, 22. März 1941. V.: Ulrike, geb. Wagner. Ki.: Michael, Susanne. El.: Friedrich u. Gertrude. S.: 3 J. Wr. Gastwirtefachschule. K.: 3 J. im In- u. Ausland tätig (Gastronomie), 1961 Eintritt in d. elterl. Unternehmen Weinhof Schenkenfelder, in weiterer Folge Übernahme d. Firmenltg. E.: Mtgl. d. Ordre Mondial des Gourmets Degustateurs. M.: Lions-Club Linz Mitte. H.: Wein, Sport allg. (Deu.)

Schenker Stefan Dipl.-Ing.

B.: Präs. FN.: Hauptverb. d. Land- u. Forstwirtschaftsbetriebe Österr. DA.: 1010 Wien, Schauflerg. 6/V. PA.: 2870 Aspang, Mariensee 62. G.: Mariensee, 8. Nov. 1946. V.: Dipl.Ing. Elisabeth, geb. Habsburg-Lothringen. Ki.: Thomas (1973), Stefanie (1975), Paul (1978), Sebastian (1985). El.: Forstrat Dipl.Ing. Dr. Ulrich u. Marianne. BV.: Großv. Hermann Schenker (Abg. i. NÖ. Landtg.). S.: Human. Gymn., 1965 Matura, Präsenzdienst, 1966-71 Stud. d. Forstwirtsch. a. d. Univ. f. Bodenkult. Wien. K.: 1971-72 Vertr.Ass. a. Inst. f. Waldbau a. d. Univ. f. Bodenkult., 1972 Eintr. i. d. väterl. Betrieb, 1974 Ableg. d. Wirtschaftsführerprüf., 1976 Übernahme d. Betriebes Forstverw. Schenker, ab 1976 ständ. Experte m. Stimmrecht i. Plenum d. Bundesholzwirtschaftsrates, s. 1990 Präs. d. Hauptverb. d. Land- u. Forstwirtschaftsbetr. Österr. P.: zahlr. Art. i. Fachzeitschr., Co-Autor d. Bücher: "Die Chance Holz" (1989), "Der österr. Wald" (1993). M.: Präs. d. Bundesholzwirtschaftsrates, Präsidentenkonf. d. Landwirtschaftskammern Österr., Österr. Wirtschaftsbund, Österr. Bauernbund. H.: Reisen, Natur. (E.J.)

Schenner Josef Ing.
B.: Gschf. Ges. FN.: Schenner GmbH Holzwaren-Drechslerei, Groß- u. Einzelhdl. DA. u. PA.: 4820 Bad Ischl, Kurhausstr. 3. G.: Bad Ischl, 17. März 1947. V.: Barbara, geb. Moser. Ki.: Katharina (1978), Josef (1982). El.: Josef u. Ottilie. S.: 1967 Tischlermstr.-Prüf., 1971 Dipl.-Ing., Fachschule f. Holz- u. Kunststofftechnik Rosenheim/ Deutschland. K.: 1972-80 Export Alkor München, 1980-82 freier Mitarb., seit 1982 Gschf. Schenner GmbH. H.: Sport (Tennis, Segeln, Skifahren), Geselligkeit, Literatur. (E.Hö.)

Schenner Siegfried
B.: Soloklarinettist im Symphonieorchester d. Österr. Rundfunks. DA.: 1040 Wien, Argentinierstr. 30A. PA.: 1090 Wien, Schubertg. 22/9. G.: Wilhelmsburg, 11. Juli 1956. V.: Kuniko, geb. Atsuki. El.: Siegfried u. Margarethe, geb. Katzenschlager. S.: 1969-76 Stud. HS f. Musik u. darstell. Kunst in Wien b. Prof. Rudolf Jettel, Dipl. m. Ausz. K.: 1974-82 Klarinettist im Orchester d. Wr. Volksoper, ab 1982 Soloklarinettist im Symphonieorchester d. Österr. Rundfunks, ständiges Mitwirken b. d. Ensembles XX. Jhdt., Kontrapunkte u. d. ORF-Bläserquintett, Auftritte b. d. Sbg. Festspielen u. d. Festival Schubert, Schubert & Schubert in Washington. P.: zahlr. Schallplattenaufnahmen m. d. Wr. Volksoperorchester, ORF-Symphonieorchester u. d. Wr. Bläserquintett, div. Rundfunkproduktionen, hauptsächl. v. d. zeitgenöss. Musik. H.: Tennis, Radfahren. (N.A.)

Schenner Walter
B.: Hotelier d. Hotel Schenner, Rut Reise Service GmbH. GT.: Reisebürokfm., Lehramt an d. Hotelfachschule Bad Ischl. DA.: 4820 Bad Ischl, Schulg. 9. G.: Bad Ischl, 17. Sept. 1948. V.: Eva Maria, geb. Lienbacher. Ki.: Patricia, Dominik. El.: Walter u. Hildegard. BV.: Familie seit 1620 in Bad Ischl. S.: VS, HS, Hotelfachschule Bad Reichenhall, Lehre als Bäcker u. Konditor. K.: prakt. Auslandsaufenthalte: BRD, USA, Karibik als Steward u. Bankett-Manager, Food u. Beverage-Manager f. d. Sheraton Hotelkette in Südamerika, 1973 Übernahme d. fam. Frühstückspension Schenner in Bad Ischl u. ständiger Ausbau z. erstklassigen Hotel in Bad Ischl, seit 1979 Lehrbeauftragter an d. Hotelfachschule Bad Ischl. BL.: Grdg. d. Hogast Grdg.Mtgl., 1978 Aufbau d. Hotelbuchungsstelle in Bad Ischl, später deren Ausbau z. Buchungsstelle f. d. Region Salzkammergut, 1982 Übernahme d. GA Vertretung v. Rut Reisen f. Österr., 1983 f. d. Schweiz u. Bayern, 1986 Eröff. eines Reisebüros in Österr. E.: div. Ausz. u. Anerkennungen v. Hotelgewerbe u. d. Gastronomie. M.: Hogast, Skal Club, Verb. z. Hebung d. Fremdenverkehrs, Obm.Stellv. d. Gastgewerbes Salzkammergut. H.: Tauchen, Reisen. (M.B.)

Schenz Marco
B.: Red.-Ltr. KRONEN-ZEITUNG-BUNT. DA.: 1190 Wien, Muthg. 2. G.: Wien, 20. Nov. 1948. V.: Jolanda. Ki.: Norman, Nino. El.: Wilhelm u. Gertrude. S.: 1968 Matura, 1969-70 Publizistikstud. K.: 1970 Lokalred. b. Kurier, 1972 Red. u. Autor BURDA, 1985 Grdg.-Mtgl. "Die Ganze Woche", Chefred. d. TV-Magazin u. Hauptltr., ab 1990 Kolumnist KURIER, seit 1992 Red.-Ltr. d. KRONE-BUNT. P.: autorisierte Biographie d. Bundespräs. Kirchschläger, Biographie Heinz Conrads, "Der Mann d. Weltmeister wurde", "Die Lebensgeschichte d. Erik Schinegger". H.: Familie, Beruf. (J.E.)

Schenz Richard Dipl.-Ing. Dr. KommR.
B.: Vors. d. Vorst. u. Gen.-Dir. FN.: ÖMV AG. GT.: Vors. d. AufsR.: ÖMV Duetschland GmbH, Adria-Wien-Pipeline GmbH, PCD Polymere GmbH, Aprolin, Melamin GmbH, Voest-Alpine-Ind.Anlagenbau GmbH. DA.:A-1090 Wien, Otto-Wagner-Pl. 5. G.: Wien, 25. Jan. 1940. Ki.: 1 Tochter, 1 Sohn. S.: VS, HS, Matura an d. BGewerbeschule, Abt. f. Elektrotechnik, Stud. d. Techn. Physik an d. TH in Wien, 1964 Dipl.-Ing., 1967 Prom. z. Dr. K.: 1956-64 Ferialpraxistätigkeit im In- u. Ausland, 1965-67 wiss. Mitarb. am Ludwig Boltzmann-Inst., 1968-69 Ass. am Inst. f. Angew. Physik an d. TU in Wien, 1969 Leihtechniker in d. Computerabt. d. ÖMV, 1971 Abt. Produktionsplanung, 1975-78 Arb. in d. Stabstelle "Raffinerie-Erweiterung", 1979 Ltr. d. Abt. "TV-Produktionsplanung", 1985 Dir., 1987 Ltr. zweier Projektgruppen (Erwerb d. DMP-Raffinerie u. Gestaltung d. neuen PCD durch Fusion d. Kunststoffaktivitäten d. ÖMV u. Chemie Linz), 1988 Mtgl. d. Vorst. f. d. Bereich Erdölverarb., seit 1990 Gen.-Dir.-Stellv., zuständig f. Erdölverarb. u. Vertrieb, 1992 Bestellg. z. Vors. d. Vorst. u. Gen.-Dir., s. 1993 Vorst. d. Fachverb. d. Erdölindustrie.

Scherbantin Alfred Dr. HofR.
B.: LSchulinsp. f. d. AHS i.R. GT.: Lektor an d. Univ. Klagenfurt. PA.: 9020 Klagenfurt, Koschatstr. 7. G.: Linz, 1. Dez. 1928. V.: Edith, geb. Krainz. Ki.: Annette. El.: Josef u. Josefine. BV.: Josef Scherbantin ehem. StadtR. in Linz u. Schulamtsdir. S.: VS u. Ak. Gymn. Linz, 1946 Matura, Stud. d. Klass. Philol., Archäologie u. Alte Geschichte in Graz, 1952 Prom., Lehramtsprüf. f. Latein u. Griech. K.: während d. Studienzeit Ausgrabungsass. in Carnuntum u. Lauriacum, 1952-59 Prof. BG Tanzenberg, 1959-66 Prof. BG u. RG Klagenfurt, 1967-76 Prof. u. Administrator 2. BG sowie ab 1969 an d. HAK u. ab 1970 am BG f. Berufstätige Klagenfurt, 1962-76 Mtgl. d. Externistenreifeprüf.Kmsn. f. Latein u. Griech., 1976-93 LSchulinsp. f. AHS, seit 1973 Lektor an d. Univ. Klagenfurt, ab 1993 Präs. d. Ktn. Univ.-Bundes, 1955-66 Mtgl. d. Ausgrabungsstabes auf d. Magdalensberg. BL.: Initiator f. d. Realisierung d. Gymn. f. Berufstätige in Ktn. P.: Veröff. im Rahmen d. Grabungsberichte d. Magdalensberges, Fachbeiträge sowie Fachveröff. in versch. Zeitungen u. Zeitschriften. E.: 1962 Theodor-Körner-Preis, 1963 Silb. VZ d. Rep. Österr., 1992 Gr. EZ d. Rep. Österr. M.: Ktn. Geschichtsver., Naturfreunde, Ktn. Univ.-Bund. H.: Lesen, Bergsteigen, Langlaufen. (M.B.)

Scherber Johann

B.: Trabertrainer, Obm. d. Ver. d. Trainer u. Fahrer d. Österr. Trabrennsports. DA.: 1020 Wien, Trabrennplatz Krieau. PA.: 2351 Wr. Neudorf, Mitterfeldg. 13. G.: Wien, 5. Okt. 1940. V.: Ingeborg, geb. Wiedermann. El.: Johann u. Irma, geb. Wallisz. S.: VS, HS, Bankenkurse. K.: 1956-67 Bankang., seit d. Kindheit Beschäftigung m. Pferden, ab 1958 Teilnahme an versch. Rennen, seit 1968 Trabertrainer. BL.: Österr. Rekordchampion m. 224 Siegen in einem J. E.: mehrfacher Österr. Amateur-Traberchampion, Österr. Profichampion, 5x Österr. Traber-Derbysieger. (N.A.)

Scherer Albert Franz
B.: Hotelkfm., Kompl. FN.: Siegfried Scherer Römerhof KG. DA. u. PA.: 5672 Fusch, Großglocknerstr. 77. G.: Taxenbach, 10. Mai 1955. V.: Helga, geb. Etzer. Ki.: Nadine (1988), Nicole (1990). El.: Siegfried u. Franziska. S.: VS, HS, 3 J. Hotelfachschule Hofgastein, 1971-75 Praxis im In- u. Ausl., 1975-76 BH, Sommersaison Tätigkeit im elterl. Gastbetrieb, Wintersaison Skilehrer, 1976 Grdg. KG, b. 1992 Komm. u. seither Kompl. E.: Bronzemed. im Dreikampf in d. Österr. Meisterschaften. M.: Obm. Fremdenverkehrsverb. u. Wirtschaftsbund, Akt. Mtgl. d. Wasser- u. Bergrettung, Paragleiter. H.: Sport. (J.F..)

Scherer Anton Dr. phil. Mag. phil.
B.: Prof. u. Univ.-Lektor i.R. A.: 8044 Graz, Waldhofweg 6. G.: Oberndorf/Batschka, 19. Juli 1922. V.: Siglinde. Ki.: Arbeo Wolfram. El.: Stefan u. Magdalena. S.: Mag. phil. 1947, Dr. phil. Univ. Graz 1955. K.: Ltr. d. Donauschwäb. Bibliograph. Archivs. Graz. P.: "Die nicht sterben wollten. Donauschwäb. Lit. v. Lenau b. z. Gegenwart", "Donauschwäb. Bibliographie" (Ungarn, Rumänien, YU, Deutschld., Österr., Frankr., USA, Canada, Brasilien) u.a.m. E.: Theodor-Körner-Preis, Kulturpreis d. Donauschwaben, Gold. VZ d. Rep. Österr. u.a. M.: Südostdt. Hist. Kmsn, Tübingen, Südostdt. Kulturwerk, München.

Scherer Hans-Jörg Dipl.-Ing.
B.: Ltr. d. Techn. Organ. f. ganz Österr. FN.: Mercedes Benz Österr. GT.: seit 1984 Prok. d. Fa. Automobil Vertriebs AG. DA.: 5020 Salzburg, Griesg. 2. PA.: 5201 Seekirchen, Uferstr. 134. G.: Wien, 17. Dez. 1940. V.: Wilhelmine, geb. Konrad. Ki.: Angelika, Roswitha, Jennifer. El.: Johann u. Gertrude. S.: 1959 Matura, Stud. an d. TU Wien Fachrichtung Maschinenbau, 1965 Dipl.-Ing. K.: 1965-70 Versuchsing. Fa. KHD Köln, 1970 Fa. Mercedes Benz Zentralbüro, vorerst Ass. d. Techn. Chef b. 1974, 1974-80 Führungsbereich d. Techn. Abt., seit 1980 Prok. u. Ltr. d. Techn. Organ. f. ganz Österr. d. Mercedes Benz Österr. P.: Publ. über d. Fa. in Tages- u. Fachzeitschriften. M.: Aussch.Mtgl. d. Fachverb. d.

Fahrzeugind. als Vertreter d. Fa. Automobil Vertriebs AG. H.: Sport, Schwimmen, Langlaufen, Geräteturnen, Hausbauen. (M.B.)

Scherhammer Alfred Dr. Dkfm.

B.: Vorst.-Vors. Adria Bank AG. DA.: 1010 Wien, Tegetthofstr. 1. (N.A.)

Scheriau Johann Michael

B.: Bez.-Gschf. d. FPÖ Bez.-Ltg. Völkermarkt. DA.: 9100 Völkermarkt, Hauptpl. 22. PA.: 9100 Völkermarkt, Obersielach 9. G.: Klagenfurt, 26. Juni 1963. V.: Karoline, geb. Lamprecht. Ki.: Eva-Maria (1987). El.: Erich u. Margarethe. S.: VS, HS, HASCH, Berufsschule u. Elektrikerlehre, BH. K.: 1982-89 Tätigkeit in d. Privatwirtschaft, seit 1990 Bez.-Stellenltr., Bez.-SchulR. Völkermarkt, Obm. d. Ortsgruppe St. Peter/Wallersberg. P.: Autor u. Hrsg. d. örtl. Zeitungen "Der freiheitl. Gem.-Kurier" u. "Neue freiheitl. Zeitung" sowie Mitarb. b. d. "Ktn. Nachrichten". E.: 1993 Silb. EZ Ktn. Abwehrkämpferbund. M.: Ktn. Abwehrkämpferbund. H.: Tennis, Sauna, Eishockey, Schießen, Autofahren. (G.L.)

Scherleithner Siegfried

B.: Unternehmer. FN.: Bäckerei Siegfried Scherleithner. GT.: Bez.-Vertrauensmann d. Bäckerinnung. DA. u. PA.: 1030 Wien, Wasserg. 16. G.: Trattenbach, 8. Febr. 1959. V.: Sabine, geb. Klug. Ki.: Matthias (1984), Wolfgang (1986), Barbara (1990) El.: Alois u. Hermine. S.: Berufsausbild. z. Bäcker u. Konditori in Wien, 1980 Bäckermstr.-Prüf., 1982 Konditorgesellenprüf. K.: 1978 Übernahme d. Familienbetriebes, 1982, 1989 u. 1993 Eröff. d. 3 Filialen, verstärkte Tätigkeit b. Bäckereifachmessen in ganz Österr. E.: Anerkennung v. StadtschulR. f. bes. Leistungen in d. Berufsschule, zahlr. Ausz. b. Lehrlingswettbewerben. H.: Skifahren, Squash. (J.S.)

Scherleitner Johann Oberst

B.: LGendarmeriekdt. v. Ktn. DA.: 9020 Klagenfurt, Völkermarkter Ring 23. E.: SE, GV. (Biographie folgt im Loseblattsystem)

Scherling Günter

B.: Unternehmer. PA.: 1238 Wien, Kalksburger Str. 6/4. G.: Graz, 27. Juni 1940. V.: Margareta, geb. Falconetti. El.: Gottfried u. Anna. S.: Mittelschule, Drogistenschule, Abend-HAK m. Matura, nebenberufl. Stud. d. BWL. K.: 1955-58 Drogistenlehre in Herba Apotheker AG Graz, 1958-64 Drogist, 1964-69 Stellv. d. Filialltr. u. nebenberufl. Berufsschullehrer, 1969 Berufung in d. Gen.Dion. d. Herba AG Wien, 1973 Prok. u. Ltr. d. EDV u. Betriebsorgan., 1979-91 Mtgl. d. Vorst. d. Herba Apotheker AG, seither selbständig. P.: "Ein integrietes Auftragsannahme- und Kommissioniersystem in einem GroßHBetrieb". H.: Musik, Tischtennis, Wandern.

Schermaier Josef Dr. Univ.-Prof.

B.: Univ.-Prof. am Inst. f. Erziehungswiss. d. Univ. Sbg. PA.: 4800 Attnang-Puchheim, Drosselweg 4. G.: Mühlau b. Ottnang, 17. Nov. 1933. V.: Liselotte, geb. Semmelbauer. Ki.: Elisabeth-Maria (1962), Dr. iur. Martin-Josef (1963), Dr. med. Maria-Christine (1964), Judith-Maria (1970), Stefan-Josef (1974). El.: Johann u. Anna. S.: 1954 Matura. K.: 1954-69 Lehrer an gewerbl. Berufsschule Attnang-Puchheim, Lehramtsprüf. f. betriebswirtschaftl. Unterricht u. polit. Bild. an HASCH Vöcklabruck u. f. Werkmstr.-Schule, 1949-61 außerschul. Jugendarb., 1964-69 nebenberufl. Stud. Päd., Rechts- u. Staatsphil. u. Psych. Univ. Sbg., 1969 Diss., 1969 Prom. Dr. phil., seit 1961 am Inst. f. Erziehungswiss. Univ. Sbg., seit 1971 Lehrtätigkeit am Berufspäd. Inst. d. Bundes in Linz, Habil., 1987-89 Ausbild. in Existenzanalyse u. Logotherapie, seit 1990 Ltr. einer Arbeitsgruppe z. Einrichtung d. Psychotherap. Propädeutikums Sbg., seit 1992 Ltr. d. HS-Lehrganges f. Psychotherap. Propädeutikum. P.: zahlr. Publ., Hrsg., Zeitschriften- u. sonstige Beiträge, wiss. Projekte, Buchrezensionen, Vorträge, u.a. Berufsfelder u. Beschäftigungsmöglichkeiten f. Diplompädagogen (1982), Geschichte u. Gegenwart d. allg.-bild. Schulwesens in Österr. unter bes. Berücksichtigung d. AHS (1990), Freiheit statt Strafe. Psychosoz. Auswirkungen v. Inhaftierung - Alternativen z. herkömml. Strafvollzug (1986), Arbeitslos, Langzeitarbeitslos, Obdachlos (1988). H.: Bergsteigen, Bergwandern, Skifahren, Langlaufen, Familienfeste. (E.Hö.)

Schermer Andreas

B.: Orthopädie-Schuhmachermstr., Inh. FN.: Schuhhaus Schermer. DA.: u. PA.: 6345 Kössen, Alleestr. 26. G.: St. Johann, 17. Feb. 1962. V.: Waldtraud, geb. Wimmer. Ki.: Waldtraut (1988), Christiane (1992). El.: Matthias u. Helga. S.: VS, HS, Polytechn. Lehrgang, 3 J. Orthopädie-Schuhmacherlehre Firma Horngacher, 1980 Gesellenbrief, 1982-83 BH. K.: 1983-84 Orthopäthie-Schuhmacherschule St. Pölten, 1984 Mstr.-Prüf. f. Orthopädie Innsbruck, seit 1984 im elterl. Betrieb tätig, seit 1992 selbst., Übernahme d. Betriebes. E.: 1979 u. 1980 2x Landessieger d. Orthopädieschuhmacher in Tirol. M.: FF Kössen, seit 1987 Kdt.-Stellv., Skiclub, Sportver., ASV. H.: Skifahren, Berggehen, Schwimmen. (J.F.)

Schermer Markus

B.: Gschf., Inh., Landwirt. FN.: Hotel Restaurant Schermer. DA./PA.: 6363 Westendorf, Hauptstr. 13. G.: Brixen, 26. Juni 1928. V.: Elisabeth, geb. Hölzinger. Ki.: Lisbeth, Markus Jakob, Christine. El.: Markus u. Maria. S.: VS, i. elterl. Betr. tät. K.: 1954-55 Holztransport tätig, Starthilfe f. d. Heirat, 1957 Heirat, 1959 Milchbar eröffnet, 1963 statt d. Milchbar Imbißstube m. Vollpension errichtet, 1965 Imbiß zu Gasthaus umgebaut, 1972 kompletter Umbau d. Hauses, 1972Erwerb e. kl. Bergbauernh. u. v. Ländereien, 1975 Landw. v. Vater übernommen, 1976 Schotterwerk eröffnet. BL.: Goldenes Milchgütesiegel, 1982 Kraftwerksbau f. eig. Gebrauch. H.: Landwirt, Arbeit, Skifahren. (A.W.)

Schernberger Ludwig

B.: Gschf. Ges. FN.: Ludwig Schernberger GmbH. DA.: 4134 Putzleinsdorf 48. PA.: 4134 Putzleinsdorf 71. G.: Putzleinsdorf, 27. Juni 1939. V.: Isolde, geb. Ippoldt. Ki.: Uta

(1962), Judith (1963), Sabine (1969). El.: Ludwig u. Maria. BV.: Urgroßvater Franz Binder 1870 Erfinder u. Musiker. S.: VS, HS. K.: Silerlehre, 1957 Praktikum im Fam. Betr., 1968 Betriebsübern. M.: Rotarier. H.: Radfahren, Wandern. (U.Z.)

Schernhammer Kurt

B.: Dir., allg. beeid. gerichtl. Sachv. FN.: Pfandleihanst. u. Auktionshaus Nagler & Eberle GmbH. DA.: 1070 Wien, Westbahnstr. 18. PA.: 1070 Wien, St. Ulrichspl. 4/1/9. G.: Wien, 3. Juli 1936. El.: Norbert u. Theresia, geb. Schwarz. S.: VS, HS, div. Kurse, Ausbild. im Bereich Juwelen, Textilien, Pelze u. Teppiche, Kleinhdls.-Kfm. K.: 1975 Schätzmstr. b. d. Firma Nagler & Eberle GmbH, 1975-90 selbst. Auktionator, 1990 Ankauf d. Firma Nagler & Eberle, 1955 Grdg. Kopling-Bühne Meidling. H.: Theater. (N.A.)

Schernthaner Guntram Dr. a.o. Univ.-Prof.

B.: Primararzt, FA f. Innere Med., Vorst. d. I. Med. Abt. Rudolfstiftung. DA.: 1030 Wien, Juchg. 25. PA.: 3411 Weidling, Siedersbergg. 11. G.: Abtenau, 30. Mai 1947. V.: Dr. Hanna, geb. Brabetz. Ki.: Gerit (1974), Rüdiger (1980),Cosima (1985). El.: Dr. Günther u. Hanna, geb. Hippmann. S.: Ak. Gymn., 1965 Matura, Univ. Innsbruck, Berlin u. Wien Med. Stud. K.: Ass. Phys. Inst. Wien, 1973 Ass. Prof. Fellinger, 1976 Ass. Prof. Dr. Geyer, 1981 Habil., seit 1987 Extraordinarius u. a.o. Univ.-Prof., ab 1988 -vors. d. 1. Med. Abt. d. Rudolfstiftung Wien. P.: ca. 400 wiss. Pupl. über Stoffwechsel, Diabetes, Hormonkrankheiten, Atherosklerose, Fettstffw., Osteoporose,Tumorkrankheiten, Buch: Immunpathologenese u. Immuntherapie d. Typ 1 Diab. 1982. E.: Bertram-Preis d. Dt. Diab. Ges. 1981, Höchst-Preis d. Univ. Wien, Staatspreis f. Rheumatologie. M.: Vorst.-Mtgl. d. European Soc. for Clinical Investigation, V.Präs. 1982-86, Member of the American Diabetes Assoc., Member Intern. Diab. Federation, European Ass.f. Endocrinology, Society of Immunology, European Assoc. f. Study Diab., Vorst.-Mitgl. d. Österr. Ges. f. Innere Med., Wr. Ges. f. Innere Med. u. Österr. Diab. Ges., 1991-92 Präs. d. Österr. Dieatenges. H.: Musik, Sport (Tennis,Skifahren) , Kunst., Literatur. (T.T.)

Scherr Hans Jörg Prof.

B.: Musiker, Dir. d. LKonservatoriums u. Musikschulwerkes f. Ktn., Komponist , Dirigent, Chorleiter, Lehrer. DA.: 9020 Klagenfurt, Mießtaler Str. 8. PA.: 9556 Liebenfels, Karnberg 25. G.: Roding, Bayern, 1. Aug. 1935. V.: Inge, geb. Kreß. Ki.: Brigitta (1962), Sylvia (1964), Wolfgang (1969), Joachim (1972). El.: Georg u. Franziska. BV.: Erzbischof v. Regensburg (v. d. väterl. Seite). S.: Hum. Gymn. (Regensburger Domspatzen - 1. musikal. Grundlagen), 1950-52 Kirchenmusikschule in Münnerstadt, 1952-55 Konservatorium in München, 1958-60 Studien in Dirigieren u. Komposition, 1960 Staatl. Reifeprüf. in Dirigieren. K.: 1955-58 Organist an d. Stadtpfarrkirche u. Lehrer in Musik an d. Realschule in Tirschenreuth, 1960-64 Korrepetitor u. Kapellmstr. an d. Städt. Bühnen Münster, 1964-67 Chordir. u. 2. Kapellmstr. Stadttheater Klagenfurt, s. 1967 Ktn. LKonservatorium (Lehrer f. Theorie, Chorltg., Schulorchester u. musikal. Grundausbild.), seit 1973 Mtgl. d. Direktionsbeirates, seit 1980 Dir. d. Ktn. LKonservatoriums u. Musikschulwerkes, Werke: "Der letzte Tag Jesu" (musikal. Drama), Liederzyklen, Kammermusik, "Streichquartett 68/72", Messen, "Was der Wind erzählt" (sinfon. Ballade), versch. Orchesterstücke, Schulwerke u.a. E.: 1961 Dipl. b. Kompositionswettbewerb "Gian Battista Viotti" in Vercelli (Ital.), 1971 1. Kompositionsauftrag d. Ktn. Landesreg., 1974 Förderpreis f. Musik, 1974 2. Preis b. Intern. Chorwettbewerb in Montreux m. d. Ktn. Kammerchor, 1989 Würdigungspreis d. Landes Ktn. H.: Briefmarkensammeln. (D.M.)

Scherrer Christian

B.: Inh., Koch. FN.: Wirtshaus Zum Werbenhof. DA.: 6850 Dornbirn, Höchsterstr. 120. G.: Feldkirch, 24. Aug. 1952. V.: Brigitte, geb. Surreau. Ki.: Sebastian (1976), Natali (1977). El.: Hermann u. Agnes. S.: Kochlehre i. Feldkirch, 1970 Abschluß, 1974 BH. K.: 1 Saison a. Koch i. Chur, 1 J. i. München, 9 Monate i. England, 10 J. Küchenchef i. Hotel "Lieben Rotflüh" i. Tannheimertal, 1989 Kauf Wirtshaus Zum Werbenhof i. Dornbirn. E.: b. Lehrlingswettbewerben i. Linz u. Klagenfurt Silb.-Med. H.: Kochen, Freizeit m.d. Familie genießen. (I.D.)

Schertler Franz Anton Dr. Mag. rer. soc. oec.

B.: selbst. Wirtschaftstreuhänder. GT.: Prüfer im kfm. u. rechtl. Teil im WIFI. DA.: 6858 Schwarzach, Im Weingarten. PA.: 6858 Schwarzach, Binzaweg 5. G.: Schwarzach, 9. Juni 1946. V.: Renate Maria, geb. Rusch. Ki.: Mike, Johannes. El.: Johann u. Maria. S.: 1968 HAK-Matura Bregenz, 1969-73 Stud. Szial- u. Wirtschaftswiss., 1973 Mag., 1975 Dr. K.: Praxis im Steuerberatungskzl., Ass. u. Lehrbeauftragter am Inst. f. Wirtschaftspolitik, 1976-79 Praxis in Wirtschaftstreuhandkzl., seit 1980 selbst. Wirtschaftstreuhänder. H.: Ldw., Kochen. (A.K.)

Scherübel Herbert Ing.

B.: Kompl. FN.: Scherübel KG Installationsuntern. DA. u. PA.: 8793 Trofaiach, Hauptstr. 49. G.: Leoben, 7. Dez. 1959. El.: Herbert u. Gertrud. S.: Pflichtschule, HTL Pinkafeld Heizung, Lüftung, Klimatechnik, 1983 Matura, WU Wien. K.: 1983 Eintritt in d. 1921 v. Großvater gegründete Fa., 1985 Umwandlung d. GmbH in Scherübel KG. M.: Feuerwehr u. Tennisclub. H.: Sport, insbes. Tennis u. Skilauf. (Tra.)

Scherübl Alois

B.: Obm. d. Stmk. Blindenvereins. DA.: 8051 Gösting/Graz, Aug. 132. PA.: 8410 Wildon, Kainachthalstr. 2. G.: Wildon, 12. Febr. 1936. V.: Walburga, geb. Eckert. Ki.: Martha, Monika, Alois. El.: Alois u. Theresia. S.: Ottilien-Blindeninst., Lehre f. Faßbinder: K.: Handweber, Fabriksarb. im Alpenländ. Kunststoffwerk, Lagerhalter v. Kleinbestandteilen, Telefonist, seit 1989 i.R., seit 1989 Obm. d. Stmk. Blindenver., verantwortl. f. Brauchtum u. Volkstanz im Großraum Wildon, Volksmusikant. M.: ÖBV. E.: Ausz. f. 25jähr. Betriebszugehörigk. u. f. 25jähr. Mtgl. im Bund d. steir. Landjugend. H.: Arb. m. Holz, Musik, Volkstumspflege. (C.H.S.)

Scherz Friedrich Dr.

B.: FA. DA.: 2700 Wr. Neustadt, Neunkirchner Str. 13. PA.: 2700 Wr. Neustadt, Maria-Theresien-G. 16. G.: Breitenau, 7. Aug. 1923. V.: Hildegard, geb. Lovranich, 2 Kinder (beide Ärzte). El.: Friedrich u. Maria. S.: Hum. Gymn. Wr. Neustadt, Matura 1942, 1945 Militär, 1945-50 Med.Stud. Wien. K.: FA-Ausbild. Wr. Neustadt 1950-61, 1961 Grdg. Ordination. P.: Div. Art. in Fachzeitschriften. M.: Stellv. Kol. Arzt d. Roten Kreuzes, Obm. d. Jagdclubs, Fechtklub r. Neustadt. H.: Klass. Musik, Jagd, Fechten, Reiten. (M.G.)

Scherz Karl Dr. med.

B.: Prakt. Arzt u. Stadtarzt. DA.: 2540 Bad Vöslau, Hochstr. 1. G.: Wien, 10. Sept. 1954. V.: Dr. med. Anna Katharina, geb. Zauza. Ki.: Nina (1978), Karl-Philipp (1989). El.: RgR. Karl u. Maria. BV.: Großvater Johann Haderer war VBgm. u. Ehrenbürger d. Stadtgem. Bad Vöslau, Vater RgR. Karl

Scherz ist Stadtamtsdir. i.R., Träger d. Ehrenringes d. Stadtgem. Bad Vöslau. S.: 1972 Matura Theresianum, Med.-Stud. Univ. Wien, 1978 Dr. med. K.: 1979-84 Turnusausbild. UKH Lorenz Böhler Wien, KH Wr. Neustadt u. KH Mödling, 1985-86 Ang. im RZ Felbring, ab Juli 1986 Prakt. Arzt in Bad Vöslau, ab Juli 1987 zusätzl. Stadtarzt u. Schularzt in Bad Vöslau. BL.: Rotkreuzarzt. H.: Literatur, Sport. (M.M.)

Scherz Franz

B.: Inh. FN.: Sporthotel-Restaurant Glockenhof. DA. u. PA.: 8572 Bärnbach, Hochtregister Str. 25. G.: Voitsberg, 23. Mai 1956. El.: Rudolf u. Maria. S.: HS. Bärnbach, Kellnerlehre Bad Gleichenberg 1970-74, Brauhaus Puntigam/Graz. K.: 1974-88 Café Christl, Graz, 1988 Kauf d. Betriebes, Ausbau, Reitbetrieb, OTS-Tennisschule, Hallen- u. Freibad, Dampfbad, Sauna, Kneipp-Station, Seminarhotel. H.: Tennis, Reiten, Motorrad, Schifahren. (R.S.)

Scherzer Egon KommR.

B.: Juwelier, Geschäftsmann. DA.: 1010 Wien, Wipplingerstr. 3; 1010 Wien, Schottenring 14. PA.: 1190 Wien, Cobenzlg. 14. G.: Wien, 2. Aug. 1952. Ki.: Vanessa (1986), Sebastian (1988). El.: KommR. Egnon sen. u. Ilse, geb. Niemcek. S.: kfm. Ausbild. im elterl. Betrieb. K.: ab 1989 selbständig in d. Juwelier- sowie in d. Textilbranche. H.: Pferde, Reiten. (N.A.)

Scherzer Egon KommR.

B.: Juwelier u. Kunsthändler. FN.: Scherzer Juwelier u. Kunsthandel. DA.: 1170 Wien, Kalvarienbergg. 36, 1010 Wien, Schottenring 14. PA.: 1190 Wien, Cobenzlg. 14. G.: Wien, 31. März 1921. V.: Ilse, geb. Niemek. Ki.: Ilse (1948), Egon (1952). El.: Anton u. Barbara. S.: Glaser, Glasschleifer m. Mstr.-Prüf., 4 J. Frontdienst u. 3 J. Kriegsgefangenschaft in Amerika, Fernkurse in Gefangenenschule Texas, Arizona, Kalif. u. Oklahoma f. spätere Berufslaufbahn. K.: 1946 Heimkehr, Spezialisierg. auf Restaurieren v. Kirchenfenstern, Erzeugg. v. Bleiverglasg. m. Glasmalerei, 1950 Eröff. d. Galerie Scherzer f. d. Verkauf v. selbstgemalten Ölbildern u. unter Mitwirkg. v. namhaften Künstlern, Mitbegr. d. Verein. Ring österr. Maler sowie Mtgl. d. Bayr.-Österr. Kulturverein., in diesen Künstlergemeinsch. Ausstellgs.- u. Verkaufsltr., somit Ermögl. v. Arb. f. mehr als 100 Künstlern, im eig. Betrieb Restaurierg. u. Vergoldg., durch eig. Schmuckentwürfe Einstieg in d. Juwelenbranche, Eröff. d. Gsch. u. Werkstätten f. d. Verkauf v. altem u. neuem Schmcuk u. d. Erzeugg. v. Eigenprod. BL.: Initiator d. Wanderkunstausstellg. im In- u. Ausld. H.: Malen, Reisen, Reiten, Bergsteigen. (J.S.)

Scherzer Erich Dr. med. Prim. a.o.Univ.-Prof.

B.: Prim. d. Rehabilitationszentrums Wien/Meidling. DA.: 1120 Wien, Kundratstr. 37, 1120 Wien, Kundratstr. 39. PA.: 1130 Wien, Vitusg. 14. G.: Wien, 3. Febr. 1930. V.: Ernestine, geb. Etzenberger. El.: Leopold u. Maria. S.: 1948 Matura Wien, Stud. Med. Wien, 1955 Prom. K.: FA-Ausbild. am Neurolog. KH Rosenhügel, Univ.Nervenklinik Wien u. Kaiser Franz Josef-Spital, FA-Anerkennung 1962, seit 1962 b. d. AUVA Allg. Unfallvers.Anst. Österr., seit 1974 Prim. d. Rehabilitationszentrums Wien/Meidling., a.o.Prof. auf d. Gebiet d. Neurologie. P.: über 250 wiss. Publ., mehrere Bücher. M.: Mitpräs. d. Österr. EEG-Ges., Vorst.Mtgl. d. Österr. Gutachterges., VPräs. d. Sekt. Neurologie d. Ges. Österr. Nervenärzte u. Psychiater, Ex-Präs. d. Österr. Ges. f. Neurorehabilitation, Vors. d. Komitees f. Schädelhirngeschädigte d. Weltorgan. f. Psychosoziale Rehabilitation, Ex-Präs. d. Europ. Ges. f. Aphasiologie. H.: Reisen, Fremdsprachen.

Scherzer Gerhard Dr. iur.

B.: Trafikant. PA.: 1130 Wien, Erzbischofg. 42. G.: Wien, 21. Febr. 1940. V.: Valentina, geb. Tributsch. Ki.: Alexander. El.: Anton u. Maria. S.:Matura am RG Wien 14., Astg. 3. Rechtshist. Fakult. d. Univ. Wien, Prom. 1972 zum Dr. d. Rechte. K.: 1972 Übernahme d. väterl. Trafik, 1975 Wahl in d. Wr. HK, v. 1980-1990 Vorst. d. Wr. LGremiums d. Tabaktrafikanten, v. 1982-1991 Obm. d. Wohlfahrtseinrichtg. d. österr. Tabaktrafikanten, 1985-1990 Vorst. d. Bgremiums d. Tabaktrafikanten, v. 1980-1990 KamR. d. Wr. HK, Mtgl. d. Sektionsltg. u. d. Kam.Vollversammlung, Mtgl. d. Besetzungsbeirates f. Trafiken. Fachkundiger Laienrichter beim Arbeits- u. Sozialger. i. Wien. M.: Österr. Wirtschaftsbund, Gründungs- u. Vorst.mtgl. d. Österr. PfeifenClubs, Senator d. Meidl. Faschingsgilde, Recent Racing Club 13, Automobil Veteranen Club Austria, Piloten Club Wien, Absolventenverband d. BRG u. BG 14., Liquis. H.: Reisen, Oldtimerautomobile, Fliegen, Tennis, Golf, Handwerken u. Hobbygärtnern.

Scherzer Ingeborg Mag. OStR. Prof.

B.: Dir. BG Ingeborg Bachmann. DA.: 9020 Klagenfurt, Jergitschstr. 21. PA.: 9020 Klagenfurt, Fischlstr. 29. G.: Wien, 30. Mai 1933. Ki.: Michaele (1960), Wolfgang (1963). El.: Hans u. Hermine Zoder. S.: VS, Mädchengymn., 1951 Matura, 1951-56 Stud. Germanistik u. Musik Wien, 1956 Lehramtsprüf. K.: Probej. in Wien, 1956-89 Gymn. Klagenfurt, seit 1989 Dir. BG Ingeborg Bachmann, 1984 OStR., 1976-82 Lektorin d. Univ. Klagenfurt f. Schulpraktikum. M.: mehrere Funktionen in d. Personalvertretung sowie in versch. Gremien d. Gewerkschaft (ÖVP), 1983 Fachaussch., 1987-89 Vorst. d. Fachaussch., seit 1987 Vorst.-Mtgl. ÖAAB Ktn., seit 1987 Bundesltg., seit 1992 stellv. Vors. d. PfarrkirchenR. Klagenfurt, Ltg. d. Kirchenchores u. Organistin. H.: Lesen, Musik, Kochen, Gäste, Kontakte zu Schülern u. ehem. Schülern, Enkel. (G.L.)

Scherzer Julius

B.: Bildhauer. DA.: 1200 Wien, Karajang. 27. PA.: 1100 Wien, Oberlaaer Str. 200-204/28. G.: Baden, 27. Feb. 1950. V.: Dr. Dorothea. El.: Julius Hornung u. Katharina Österreicher. S.: VS, HS, 1964-67 Dreher in Mödling, 3 J. Berufsschule, Facharb.-Prüf. K.: b. 1976 versch. Berufe, Reisen in Europa, 1975 Kunsteindrücke in Amsterdam, seit 1982 freischaff. Künstler (Bildhauer), Stein- u. Holzbildhauerei, Restauration v. Kunstgegenständen, Werbegestaltung f. Messen. M.: Berufsverb. d. bild. Künstler Österr. H.: Sport (Skifahren, Radfahren, Motorradfahren), Reisen, Modelleisenbahn. (J.M.)

Scherzinger Gerhard Ing.

B.: Prok. FN.: Kärntner Maschinenfabriken Epper GmbH. GT.: Betreuung v. Tochterunternehmungen. DA.: 9500 Villach, Italiener Str. 62. PA.: 9241 Wernberg, Trabenig 76. G.: Villach, 29. Apr. 1944. V.: Waltraud, geb. Gfrerer. Ki.: Bernhard. El.: Norbert u. Sidoria. S.: VS, HS. K.: seit 1963 in d. Fa. Ktn. Maschinenfbk. Epper GmbH tätig, ab 1968 Ltg. d. Stahlbauabt., ab 1972 Ltg. Anlagenbau u. Montage, ab 1975 gesamttechn. Ltg., Ltg., Montage u. Vertrieb f. Stahl u. Anlagenbau u. Prokura. BL.: Einführung neuer maschineller Technologien im europ. Markt. (S.G.)

Scheschy Herbert Dr.

B.: Augen-FA. FN.: Mirabell-Optik GmbH. DA.: 5020 Salzburg, Franz-Josef-Str. 33. PA.: 5061 Elsbethen, Habeggutstr. 10. G.: Neufelden, 5. Juni 1934. V.: Wiltrud, geb. Prevedel. Ki.: Ulrike (1965), Herbert-Nikolaus (1969). El.: Hans u. Maria. S.: 1949-57 Optiker in Linz, 1957 Abendmatura, Stud. Graz, 1964 Prom. K.: 1964-66 Ausbild. z. FA f. Zahnheilkunde, 1966-72 Ausbild. z. FA f. Augenheilkunde, seit 1972 Ordination in Sbg., Schwerpunkt: Kontaktlinsenanpassung, seit 1972 Gewerbe: Einzelhdl. m. opt. Geräten, 1975 Grdg. d. Mirabell-Optik Sbg., seit 1975 Gschf. P.: wiss. Arb.: Augensymptome b. Kraniopharyngeom, Klin. Erfahrungen in d. Ultraschall-Diagnostik intraokularer u. orbitaler Erkrankungen, Optikusatrophie durch indirekte Traumen, Zur Plombeneinpflanzung nach Enukleation. M.: Sbg. Ärzteverb. H.: Radfahren, Bergwandern, Langlaufen, Lesen. (M.S.)

Scheuba Wolfgang Dr.

B.: Ind.Kfm. A.: 2380 Perchtoldsdorf, Schiessgrabensteig 8a. G.: Braunau, 15. Nov. 1929. V.: Dr. Helene, geb. Lischka. S.: Hum. Gymn., Stud. d. Rechts- u. Staatswiss. an d. Univ. Wien, Prom. z. Dr. d. Rechte 1955, Wirtschaftswiss. Stud. an d. Univ. of Chicago. K.: b. 1959 Fachref. d. Österr. Raiffeisenverb., b. 1967 Dir. d. Kartonfbk. Franz Mayr-Melnhof & Co, seit 1967 Alleingschf. d. Feldmühle Wien GmbH, d. Stora Kopparberg GmbH, d. Comtrade Hdls. GmbH. H.: Skifahren, Tennis.

Scheubrein Josef

B.: Gschf. Ges. FN.: Scheubrein Golfplatzerrichtungs u. Betriebs GmbH. DA. u. PA.: 2095 Autendorf 18. G.: Ranzern/CSR, 18. Nov. 1939. V.: Helga, geb. Hauer. Ki.: Gunther (1967), Gerald (1969), Rainer (1973). El.: Josef u. Leopoldine, geb. Polly. S.: VS, HS, Ldw. Fortbild.-Schule. K.: 1967 Eintritt in d. elterl. Ldw.-Betrieb Autendorf: Schweinezucht u. -mast, 1992 Planung u. Baubeginn eines 18-Loch-Golfplatzes m. Übungsanlagen in Autendorf, ab 1994 Spielbetrieb. M.: Gesangsver. Drosendorf. H.: Beruf, Gesang, Sammeln u. Restaurieren v. Oldtimern. (M.M.)

Scheuch Fritz Dr. Dkfm. o.Univ.-Prof.

B.: Rektor d. WU Wien, o.Univ.-Prof. am Inst. f. Absatzwirtschaft. GT.: Ltr. d. interuniversitären Lehrganges f. Projektmanagement im Export. DA.: 1090 Wien, Aug. 2-6. PA.: 1190 Wien, Görgeng. 32. G.: Wien, 24. Mai 1945. V.: Herta, geb. Terts. Ki.: Alexander (1971), Michael (1975). El.: Herta u. Franz. S.: 1963 Matura, Stud. HS f. Welthdl. Wien, 1968 Prom. K.: ab 1968 Ass. am Inst. f. Warenhdls.-Betrieb, 1976 Habil., 1979 o.Prof. am Inst. f. Absatzwirtschaft, seit 1991 Rektor d. WU Wien. P.: Verfasser v. Bücher u.a. Investitionsgüter-Marketing (1975), Export Marketing (1979), Entscheidungen im Marketing (1981), Dienstleistungsmarketing (1982), Marketing (1993). E.: Gr. EZ f. Verd. um d. Rep. Österr. H.: Österr. Marketing Club, Österr. Ges. f. Absatzwirtschaft, American Marketing Assoc., UTC Döbling. H.: Tennis, Musik. (J.S.)

Scheuch Manfred Friedrich Dr.

B.: Chefred. "SPÖ-Wien-Telegramm" Wien. A.: 1070 Wien, Schottenfeldg. 24. G.: Wien, 31. Juli 1929. V.: Christine, geb. Baum. El.: Karl u. Melanie. S.: RG, Dr. phil. (Geschichte). K.: 1959-62 Österr. Länderbank, 1963 Eintritt in d. Arbeiter-Zeitung, 1970-89 Chefred. P.: "Geschichte d. Vbg. Arbeiterbewegung", "Europa im 20. Jhdt.". "Asien, Afrika, Amerika im 20. Jhdt.", "Hist. Atlas Österr." M.: SPÖ, Journalistengewerkschaft, Concordia.

Scheuchenpflug Heinz

B.: Gschf. Ges. FN.: Heinz Scheuchenpflug GmbH & CoKEG. DA.: 4400 Steyr, Wieserfeldpl. 9. PA.: 4523 Neuzeug, Wagnerstr. 29. G.: St. Valentin, 2. Sept. 1957. V.: Anita, Geb. Leopolseder. Ki.: Magdalena (1982). El.: Johann u. Hermine. S.: VS, HS, 1 J. Polytechn. Lehrgang, kfm. Lehre b. Fa. EBG Steyr, 1975/76 BH. K.: b. 1977 Tätigkeit b. Fa. EBG, Fa. Breitschopf Küchen Steyr u. Fa. Aveg Linz, b. 1984 Fa. EBG, 1984-89 Filialltr. Fa. EBG, s. 1989 selbst. H.: Beruf, Wandern, Tennis, Squash. (U.A.)

Scheucher Georg

B.: Installateur u. Kfm. PA.: 6600 Breitenwang, Dorfstr. 4. G.: Reutte, 25. Juni 1940. V.: Anna, geb. Phale. Ki.: Christoph, Raimund. K.: Seit 1971 selbst. u. gschf. Ges. d. Fa. Scheucher Installations GmbH & Co KG. M.: Innungsvertrauensmann d. Gas- u. Wasserleitungsinstallateure, Hundestaffelführer d. Bergwacht, Präs. v. österr. Ver. dt. Schäferhunde. H.: Ausbild. u. Zucht v. dt. Schäferhunden. (Schm.)

Scheucher Hannes Mag. art.

B.: Maler. PA.: 1090 Wien, Hahng. 14/2/24. G.: Raning/Stmk., 7. Mai 1939. El.: Johann u. Anna. S.: 1956-59 Kunstgewerbeschule in Graz, Freskomalerei b. Prof. Spohn, 1959-65 Ak. d. bild. Künste Wien b. Prof. Gütersloh u. Prof. Boeckl, 1965 Dipl. K.: 1967-68 freischaff. Maler in Hamburg, 1968-71 Restaurator in Leoben, Ausstellungen im In- u. Ausland. E.: 1962 Preis f. sakrale Kunst an d. Ak. v. Kardinal König, 1963 Meisterschulpreis d. Ak., 1984 Graphikpreis "Musikland Österreich", am 5.9.1992 im "Künstler-Lexikon" ORF2. H.: Habsburgerportraitkupferstichsammlung.

Scheucher Hannes

B.: Gschf. FN.: Scheucher Fleisch GmbH. DA. u. PA.: 8091 Jagerberg, Ungerdorf 1. G.: Graz, 11. Okt. 1959. V.: Marion, geb. Waik. Ki.: Nina (1986), Tobias (1987), Julia (1989). El.: Johann u. Margarethe. S.: HAK m. Matura. K.: seit 1989 Ltg. d. Betriebes. H.: Golf, Tennis.

Scheucher Reinhold

B.: Mtgl. d. NatR. seit 1. Okt. 1984, Sozialvers.Ang. A.: 8580 Köflach, Ackerweg 3. G.: Pichling b. Köflach, 16. Aug. 1937. S.: Pflichtschulen, Berufsschule, 1951 Schlosserlehre, 1954 Gesellenprüf., 1955-57 zweijähr. Tageswerkmstr.Schule f. Maschinenbau an d. BLehranst. f. Maschinenbau u. Elektrotechnik in Graz-Gösting (Werkmstr.). K.: seit 1. Juli 1957 Ang. d. Vers.Anst. d. österr. Bergbaues in Graz, dzt. als

Ltr. d. Organ.Einheit Innenrevision/Öffentlichkeitsarb. tätig, 1957-58 Obm. d. Sozialistischen Jugend d. Bez. Voitsberg, v. 1957-72 Mtgl. d. Jungen Generation, Bez.Obm.Stellv. bzw. Bez.Obm. d. Bez. Voitsberg u. v. 1970-72 LObm.Stellv. d. Jungen Generation Stmk., seit 1957 Mtgl. d. Stadtparteiaussch. d. SPÖ Köflach, 1975-77 Organisationsref. d. SPÖ-Stadtorgan. Köflach u. Mtgl. d. Stadtparteivorst., seit 1977 Stadtparteivors.Stellv. (Juni 1979 bis März 1987 Gschf. Stadtparteivors.) d. SPÖ Köflach, seit 1967 Mtgl. d. Bez.Aussch., 1972-84 Bez.Bildungsobm., seit 1979 Mtgl. d. Bez.Vorst. u. Bez.Schriftführer, seit 22. Okt. 1984 Bez.Vors.Stellv. u. seit 24. April 1987 Bez.Vors. d. SPÖ-Bez.Organ. Voitsberg, seit Jän. 1985 Mtgl. d. LParteivorst. d. SPÖ-LOrgan. Stmk., Mai 1970 bis Mai 1987 Mtgl. d. GemR. (Mai 1975 bis Juni 1985 StadtR. bzw. Finanzref.) d. Stadtgem. Köflach, März 1972 bis März 1987 Obm. d. Fremdenverkehrs- u. Verschönerungsver. d. Stadt Köflach, seit 1972 Aussch.Mtgl. d. Bez.Fremdenverkehrsverb., seit Nov. 1983 1. Bez.Obm.Stellv. d. Bez.Fremdenverkehrsverb. Voitsberg, April 1972 bis Juni 1987 Mtgl. d. AufsR. d. Volksbank Köflach, seit Mai 1982 Gschf. Obm. d. "Regionalen Entwicklungsverbandes Köflach-Maria Lankowitz-Pack- und Stubalpe". E.: 1982 Verleihung d. Steir. Verd.Abz. f. Fremdenverkehr, 1985 Verleihung d. Gold. Verd.Zeichen d. Rep. Österr.

Scheucher-Giorgas Justine

B.: Kauffrau. FN.: Franz Schiebel. DA.: 8010 Graz, Murg. 11. PA.: 8010 Graz, Jabor-Redtenbacher-G. 22. G.: Graz, 9. Sept. 1950. V.: Dipl.-Ing. Dr. Sotirios Giorgas. El.: Karl u. Josefa. S.: VS, Gymn., 1968 Matura, 1968/69 Abi-Kurs HAK Graz. K.: Eintritt elterl. Betrieb (Sägewerk, Hobelwerk, Mühle, Ölpresse), Betriebsführung u. Buchhaltung, 1980 Grdg. d. eigenen Firma als exclusives Geschäft f. Mode u. Wäsche f. Damen u. Herren. F.: Tiso GmbH, Ges. Marathon Restaurant-Taverne. H.: Natur, Reisen. (M.Gr.)

Scheuchl Anneliese

B.: Inh. Cristall-, Edel- u. Halbedelsteine. DA. u. PA.: 4663 Laakirchen, Gmundner Str. 3. G.: Gmunden, 11. Aug. 1956. Ki.: Manuela (1976), Gerald Andreas (1983). El.: Stefan u. Anna Palzer. S.: 1974 Ausbild. z. Bürokfm. K.: 1974-76, 1978-83 u. 1986-90 kfm. Tätigkeit, 1986 Rebirthing-Ausbild. (Atemtherapie), 1990 Ausbild. f. Kosmobiologie, 1992 Ausbild. f. Ohr-Akupunktmassage nach Luck Wien, 1991 selbst., Grdg. d. Firma Cristall, weiters Seminare u. Beratung f. gesundheitsunterstützende Edelsteine u. Edelsteinessenzen, Aromatherapie, Bachblüten u. Kosmobiologie. M.: Kosmobiolog. Forsch.-Gemeinschaft Wien. H.: Beruf, Musik, Singen, Gedichte schreiben, Tanz, Sport (Schwimmen, Skifahren), Literatur. (E.Hö.)

Scheuchl Reinhold Walter

B.: Gschf., Dipl.- Betriebswirt. FN.: Tour & Andersson Ges.m.b.H. DA.: DA.:2353 Guntramsdorf, Tour u. Andersson Str.2. PA.: 2353 Guntramsdorf, Franz-Liszt-Str. 27. G.: Oberndorf, 26. Feb. 1946. El.: Christian u. Luise. Ki.: Andrea (1973), Michael (1977), Peter (1963). BV.: stammt aus d. s. 1438 bestehenden Geschlecht d. Ritter v. Scheuchl. S.: Wirtschaftsgymn., 1956-61 i. München, Lehre a. Maschinenschlosser München, Groß- u. Außenhandelskfm. m. Prüf. Abschluß. K.: 1965 in d. väterl. Betrieb eingetreten, 1967 Fachgroßhandel, 1968 TA Außendienst München, 1971 Geb. Verkaufsltr. f. Süddt., 1971-74 Verw. u. Wirtschaftsak. München m. Abschluß, 1976 Dir. f. Vertr. u. Marketing BRD, 1982 K-Stab Stockholm, Marketingltr. f. Europa, s. 1982 GF TA-Austria, s. 1994 zus. GF TA-Deutschl. P.: div. Fachart. f. Fachliteratur i. Österr. u. Dt., Hrsg. d. Firmenztg. "TA Austria". M.: ÖVGW, Mtgl. d. Ver. f. Gas- u. Wasserfachleute Österr., Mtgl. div. Normenaussch., Fernwärmegruppe Österreich-Schweden. H.: Schwimmen, Tanzen, Skifahren, Lesen, Oper, Operette, Theater, Kochen, Reisen, Gartenarb.

Scheuer Rudolf Ing.

B.: Elektroing. FN.: Elektrohaus Ing. Rudolf Scheuer. DA.: 4910 Ried, Hoher Markt 2. PA.: 4910 Ried, Karl-Rauschweg 6. G.: Ried, 12. Feb. 1935. V.: Gabriele. Ki.: Gabriele (1959), Rudolf (1961), Elisabeth (1963). El.: Rudolf u. Franziska. S.: HTL Elektrotechnik in Salzburg, 1955 Matura, bis 1966 Geschäftsführer in Elektrogeschäft in Ried, ab 1966 Übern. d. Betriebes, stetig vergrößert mit Zu- u. Neubauten. M.: Mtgl. d. Stadtkapelle Ried, Lions-Club. H.: begeisterter Musikant, Bergwandern, Radfahren, Blasmusik. (J.L.)

Scheuer Walter

B.: Schauspieler. PA.: 1010 Wien, Kurrentg. 10/28. G.: Schwechat, 7. Okt. 1927. S.: Gymn., kfm. Ang., Dt. Wehrmacht, Schauspielschule Wien, dramat. Pädagogikum. K.: 1951 Beginn d. Schauspielkarriere BRD, 1953-54 Theater in Baden u. Wr. Neustadt, Courage Wien, Engagement Schweiz (Chur, Winterthur), Tournee m. Paul Hörbiger Schweiz u. BRD, Komödie am Kurfürsten Damm, 1958 Wien Raimundtheater, Theater Tribune, Courage, Löwinger Bühne, danach Boulevard Theater, Josefstädter Theater, Kammerspiele, Kleine Komödie, Fernsehfilme, ORF-Prod. M.: Franz. Bulldoggen-Club. (A.W.)

Scheurecker Stefan

B.: Inh. u. Gschf. Ges. FN.: Hotel - Gaststätten Scheurecker GmbH & Co. GT.: Taxi- u. Mietwagen Scheurecker Schärding. DA.: 4780 Schärding, Innsbruckstr. 6-8. G.: Schärding, 22. Juli 1939. V.: Michaela, geb. Fink. Ki.: Victor (1985), Nikolai (1988). El.: Anton u. Pauline. S.: VS, Gymn., 1957-61 Hochschule f. Welthandel Wien, 1961-63 Univ. Wien Jurid. Fak., 1. u. 2. Staatsprüf. K.: 1963 Eintr. in elterl. Untern., Weinstube u. Restaurant, 1967 Pacht "Schärdinger Hof", Umbau-Ausbau-Modernisierung-Erweiterung angrenz. Bauten, 1969-83 Handelskammer Funktion, 1972 Grdg. HOGAST, Sbg. aus ERFA-Gruppe O.Ö., Radweg Inn, Erfunden u. Beworben, s. 1974 Tourismusverb. Schärding, s. 1981 Vorsitz, s. 1979 Region Innviertel/Hausruckwald, Grd. u. Vorst., s. 1980 Tourismusbelebung d. Region Schärding. BL.: Aufbau d. Hauses u. Halten d. Standards. P.: Dipl.-Arb. "Österr. Mietenrecht". H.: Wasserschi, Tennis, Familie, Wohnmobil. (C.D.)

Scheuringer Johann

B.: Gschf. Ges., Tischlermstr. FN.: JOSKO-Nordholz Fenster u. Türen GmbH. GT.: Gschf. Ges. d. Fa. Ekutherm Andorf. DA.: 4794 Kopfing-Rasdorf. PA.: 4794 Kopfing 127. G.: Kopfing, 14. Aug. 1934. V.: Johanna, geb. Reiter. El.: Alois u. Katharina. S.: VS, gewerbl. Berufsschule, Mstr.Prüf. K.: 1960 Betriebsgrdg., b. 1975 Bau- u. Möbeltischlerei, 1975 Spezialisierung auf mod. Bau u. Fertigungsstr. M.: Gem.Vorst. u. Obm. d. Wirtschaftsbundes d. Ortes, Stellv. Bez.Obm. d. Wirtschaftsbundes, Kam.Funktionär d. HK. H.: Fußball.

Scheutz Wilfried

B.: Sänger, Produzent. FN.: Wildfried-Productions. DA.: 1080 Wien, Lerchenfelderstr. 158/23. PA.: 3021 Preßbaum, Nikodemusg. 3. G.: Bad Goisern, 24. Juni 1950. V.: Marina, geb. Tatic. Ki.: Hannibal Jovan (1981). El.: Wilhelm Posch u. Hermine Scheutz. S.: VS, HS, HAK, 5 Sem. Stud. Engl. u. Franz. Univ. Graz. K.: 1972 Beginn d. musikal. Laufbahn (Mary, de Mary, Ziwui, Ziwui), 1976-81 Theater an d. Wien "Mayflower", Tanzausbild., 1978 Grdg. d. Ersten Allg. Verunsicherung (Hpt.Darsteller), 1980-84 Deutschlandaufenthalt "Heidelbeeren", 1986 "Ikarus", 1988 Song Contest, Filmrollen: "Holocaust", "Neon Mix". P.: "Night in the city", "Hilde, das Dienstmädchen" (DDR), Kitty Kuno: "Die Nachtmeerfahrt", "Tatort", neues Album: "Feuer auf dem Dach". E.: Rennbahnexpreß: Sänger d. Jahres 1979. M.: o.Mtgl. d. AKM. H.: Reiten, Skifahren, Mountain Biking. (C.H.S.)

Scheutz Josef

B.: Inh. FN.: Friedrich Scheutz. DA./PA.: 4820 Bad Ischl, Kaiser Franz Josef Str. 12. G.: Bad ISchl, 20. Juni 1947. Ki.: Gerald (1974). El.: Friedrich u. Maria. S.: VS, HS, Handelsschule. K.: 1963 Einstieg i. elterl. Betr., 1973 Übernahme. E.: 1980 u. 81 1. Platz Feuerwerkswettbewerb in Cannes, 1984 Linzer Klangwolken, s. 1984 intern. tätig u. a. CH, E, F, SA, Isr. M.: Sportverein Bad Ischl. H.: Fußball, Radfahren, kl. Musik, Feuerwerkschießen. (G.E.)

Scheyerer Maximilian

B.: selbst. Kfm. FN.: Scheyerer Getränkehandel GesmbH; Max Scheyerer Import u. Export Handelsges.m.b.H.; Scheyerer-Laner GesmbH, Gastronomie u. Gastronomie-Maschinen. DA.: 5753 Saalbach 610. PA.: 5753 Saalbach 595. G.: Landeck, 21. März 1951. V.: Christine, geb. Zehentner. Ki.: Maximilian (1971), Christian (1974). El.: Maximilian u. Klara. S.: Bankkaufmannlehre i. d. Raika Saalbach. K.: Grdg. d. Betriebes 1980. M.: aktives Mtgl. beim Roten Kreuz. H.: Skifahren, Schwimmen, Motorradfahren. (A.W.)

Schibl Johann Dipl.-Ing.

B.: AgraroberbauR. in Pension. GT.: Prüf.-Kmsr. f. d. Fachprüf. f. d. agrartechn. Dienst, Amtssachv. in Sachen Agrargemeinschaften u. Holz- u. Streubezugsrechte, seit 1986 FCI-Formwertrichter. PA.: 8700 Leoben, Pambichlerweg 10A. G.: Klagenfurt, 12. März 1931. V.: Rolande, geb. Hribernik. Ki.: Domique (1967), Roland (1969), Colette (1971). S.: VS, BRG Klagenfurt, 1949 Matura, Stud. Forstwirtschaft Univ. f. Bdk. Wien, 1955 Dipl.-Ing. K.: 1955-56 Forstbetriebseinrichtung Mayr-Mellnhof Frohnleiten, 1956-58 Prinz v. Cory´schen Forstbetrieb Scheifling, 1958-91 Ref.-Ltr. Abt. f. Teilungen u. Regulierungen b. d. Agrarbez.-Behörde Leoben, 1972 AgraroberbauR. P.: div. Art. in Clubzeitschriften über Hunde. E.. 1958 Med. f. Hochwassereinsatz. M.: Ehrenobm. Österr. Rassehundever. Ortsgruppe Leoben-St. Peter/Freienstein, stellv. Vors. d. Österr. Dalmatinerclub, VPräs. d. Österr. Club f. Beauceronx, ÖGV Leoben, Club des Amis du Beauceronx. H.: Fischerei, Hunde. (I.G.)

Schicher Friedrich

B.: Bmstr., Inh. eines Hoch- u. Tiefbauunternehmens, Berufsschullehrer an d. BS Völkermarkt. DA.: 9125 Kühnsdorf, Nord 53. G.: Klagenfurt, 27. Febr. 1939. V.: Irmtraud, geb. Prapertnik. Ki.: Thomas (1975). El.: Friedrich u. Cölestine. S.: Grundschule, Baufachschule in Villach, Abschluß 1962. K.: 1962-66 Baupraxis in Wien, 1968-70 Gschf. b. Fa. Morri in Völkermarkt, 1970 Grdg. d. eigenen Firma. H.: Singen (Chormitgl.), Klarinette. (D.M.)

Schicho Marga KommR.

B.: Inh. d. Inst. f. Kosmetik, Fußpflege u. Massage. GT.: LInnungsmstr. f. Sbg. u. BInnungsmstr., Gerichtl. beeid. Sachv. DA.: 5020 Salzburg, Kaig. 31. G.: Salzburg, 30. Juli 1925. S.: Fachschule f. Kosmetik, Fußpflege u. Massage K.: 1949 Grdg. d. Inst. BL.: Grdg. d. Berufsverb. d. österr. Fußpfleger, d. österr. Fachkosmetikerinnen u. d. österr. Heil-, Sport- u. Bademasseure, gesetzl. Anerkennung dieser 3 Berufe zu gebundenen Gewerben, Schaffung v. Lehrabschlußprüf. u. strengeren Regelungen d. Befähigungsnachweise, Schaffung eigener Innungen, Vors. d. EFTA-Rates in d. Fédération intern. de Podologie, Gründerin u. Organisatorin d. ÖKOFUMA-Kongresse. P.: monatl. Fachzeitschrift "Der österr. Kosmetiker, Fußpfleger, Masseur". E.: 1975 Gold. EZ f. Verd. um d. Rep. Österr., 1985 KommR., Gold. EZ d. Verb. Kosmetik, Fußpflege, Massage, Gold. Ehrenbrosche d. Landes NÖ, 1989 Gold. VZ f. Verd. um d. BLand Sbg., 1992 Gr. Silb. Ehrenmed. f. außerord. Verd. um d. Wirtschaft d. BLandes bzw. d. Hk Sbg., 1992 Verleihung d. Bürgerbriefes d. LHauptstadt Sbg. f. bes. Verd. M.: seit 1960 Kammerfunktionär.

Schick Angela

B.: Chefred., Ges. FN.: PRO Alles f. Menschen über Fünfzig. DA.: 8051 Graz, Wiener Str. 287. PA.: 8020 Graz, Mühlg. 52. G.: Graz, 9. Sep. 1965. El.: Gerald u. Erika. BV.: Großvater Hans Eckl Mitkonstrukteur d. Olympiahalle München. S.: 4 J. Keplergymn. Graz, HAKGraz, 1984 Matura. K.: 1984-88 freier Mitarb., 1988-93 Redakteurin b. d. Kleinen Ztg. Graz, Berichte über Hilfsaktion f. krebskranke Kinder. H.: Arbeit, Reisen, Garten. (I.G.)

Schick Ferdinand ÖkR. Ing.

B.: Gärtner. A.: 1220 Wien, Süßenbrunner Str. 5. G.: Wien, 23. Febr. 1926. V.: Elisabeth, geb. Vrabec. El.: Ferdinand u. Maria. S.: Gymn., Gartenbauschule Klosterneuburg. K.: 1950 Betriebsübernahme, 1963-75 Obm. d. LFachsekt. Baumschulen, 1975-81 Obm. d. BFachsekt. Baumschulen, 1975-84 LJägermstr. v. Wien, 1975 Ernennung z. ÖkR., 1982 Ehrenobm. d. BFachsekt. Baumschulen, 1975 Vorst.Mtgl. d. Gen. d. österr. Gartenbaues. E.: 1983 Gold. EZ f. bes. Verd. d. LJagdverb. Wien, Gold. Ehrennadel d. BVerb. d. Erwerbsgärtner Österr. M.: LJagdverb. Wien, BVerb. d. Erwerbsgärtner Österr., Intern. Garten-Center-Verb.

Schick Konrad

B.: Inh. FN.: Maler, Anstreicher u. Lackierer Konrad Schick. DA. u. PA.: 8020 Graz, Südtiroler Pl. 9. G.: Graz, 21. Nov. 1933. V.: Gertrude, geb. Grande. Ki.: Daniela (1961). El.: Konrad u. Stefanie. BV.: Urgroßvater Dollberger war kaiserl.-kgl. Bmstr., Mitgestalter d. Ringstraße in Wien. S.: VS, HS, Berufsschule f. Maler, Anstreicher u. Lackierer. K.: 1957-61 Berufsschullehrer in d. Berufsschule Graz-St. Peter. M.: Grazer Sportclub (1944-52 aktiv), 1956-64 SC Wacker Graz, GAK Graz (1982-87 im Vorst.). H.: Fußball, naive Malerei, Reisen, ca. 6000 Dias, Sammeln v. Reiseandenken. (R.S.)

Schick Peter Joachim Dr. iur. o.Univ.-Prof.

B.: o.Univ.-Prof. am Inst. f. Strafrecht, Strafprozeßrecht u. Kriminologie d. Univ. Graz. DA.: 8010 Graz, Universitätsstr. 27. PA.: 8010 Graz, Wormg. 9. G.: Graz, 31. Juli 1941. V.: Dr. Ingeborg, geb. Weikmann. Ki.: Agnes-Sonja, Christoph. S.: 1959 Matura, Stud. Univ. Graz, 1964 Prom. K.: 1964 Ass. Inst. f. öff. Recht, 1966 Univ.Ass. Inst. f. Strafrecht Univ. Sbg., ab 1974 Univ.Ass. Univ. Graz, 1977 Habil., 1977 o.Univ.-Prof. f. Strafrecht, Strafprozeßrecht u. Kriminologie an d. Univ. Graz, 1981-83 Dekan d. Rechtswiss. Fak. d. Univ. Graz, seit 1980 Hon.Prof. an d. rechtswiss. Fak. Sbg. P.: Veröff. aus d. Bereichen Wirtschaftsstrafrecht, Umweltstrafrecht u. Arzthaftung. M.: American Society of Criminology, AIDP, Ges. f. d. gesamte Kriminologie, Gschf. Aussch. d. österr. Juristentages, Mtgl. d. Scientific Council of Criminology b. Komitee f. Strafrechtsfragen d. EuropaR. Straßburg. H.: Tennis, Segeln.

Schicker Alexander Dkfm.

B.: Gschf. FN.: AGFA GEVAERT GmbH. DA.: 1150 Wien, Mariahilfer Str. 198. PA.: 1180 Wien, Währinger Str. 136. G.: Heidenreichstein, 19. Juli 1945. V.: Edith, geb. Peterseil. Ki.: Michael. S.: BRG, 1963 Matura, HS f. Welthdl., Dkfm. K.: 1968-71 Nixdorf Computer Abt. Organ. u. Public Relation, 1971-74 Auditor Wirtschaftsprüfer u. Steuerberatungskzl. Prüf.Ltr., 1974-80 Entwicklungs u. Erneuerungsfonds GmbH bzw. Finanzierungsgarantie GmbH, seit 1980 Fa. AGFA GEVAERT GmbH, zunächst als Ltr. d. Rechnungswesens, Ltr. d. Finanzabt. u. Verw.Ltr., ab 1981 Prokura u. Dir. Finanzen u. Verw., ab 1992 Gschf. (C.K.)

Schicker Gerhard

B.: Gem.-Vorst. SPÖ Neufelden a.d.L., 1. Ltr. d. Zentralen Geldverw. d. Bank Bgld. DA.: 7000 Eisenstadt, Neusiedler Str. 33. PA.: 2491 Neufeld, Anton-Proksch-G. 37. G.: Wien, 2. Mai 1937. V.: Helga, geb. Rust. El.: Julius u. Wilhelmine. S.: VS, kfm. Lehre b. Konsum. K.: 1954-58 Filialltr. Konsum Ebenfurth u. Zillingdorf, 1958-68 Außendienstbmtr. d. Gem. Wien, ab 1968 Ang. d. Landeshypothekenanst. jetzige Bank Bgld., zunächst als Kundenberater, ab 1969 Hauptkassier, 20 J. BetriebsR. d. Bank, davon 15 J. ZentralbetriebsR., 1968 GemR. in Neufeld, 1972 Gem.-Vorst., 2 J. Gschf. d. Seerestaurant Neufeld. E.: Goldene Ehrenzeichen d. SPÖ, Goldenes Ehrenz.d.ÖGB M.: BeiR. d. Feuerwehr, Naturfreunde, Sportver., Rotes Kreuz, 8 J. Obm. d. Fremdenverkehrsaussch. H.: Gymnastik, Bergwandern, Schwimmen, Radfahren. (I.J.)

Schicker Johanna

B.: Mtgl. d. Bundesrates seit 1986, Sekr. G.: Bruck/Mur, 15. Mai 1943. S.: VS, Mittelschule, HASCH. K.: seit 1960 Ind.Ang. d. Fa. Brigl & Bergmeister AG, seit 1966 Chefsekr. derselben Fa. bzw. d. Fa. Leykam Mürztaler AG, seit 1984 Sekr. d. Bez.Organ. d. SPÖ/Leoben, seit 1975 Mtgl. d. GemR. u. seit 1985 VBgm. d. Gem. Niklasdorf, 1988-91 Schriftführerin d. Bundesrates.

Schickhofer Helmut Mag. art.

B.: Akad. Maler u. Grafiker, Lehrer am BG u. BRG Zwettl. DA/PA.: 3910 Zwettl, Babenbergerg. 1. G.: Stockerau, 14. Apr. 1942. V.: Erika, geb. Pelikan. Ki.: Matthias (1967), Paul (1969), Anna Clara (1976). El.: Alois u. Friederike, geb. Renk. S.: VS, Reals., 1960 Mat. in Krems, Stud. Akad. d. Bild. Künste, Bildn. Erzieh., Malerei, Grafik, Stud. an Univ. Wien, Geog., 1966 Dipl. f. Malerei, 1966 "Meisterschule Preis" f. Malerei bei Gütersloh. K.: 1967 Eintr. in Schuldienst, Gymn. Krems u. Stockerau, 1968 Wechsel an BG u. BRG Zwettl, Bildn. Erzieh., Werkerzieh., Geog. BL.: s. 1965 freisch. Künstler, Maler u. Grafiker m. zahlr. Einzelaustell. im In- u. Ausland, zahlr. Beteil. an Gem.-Ausstell., 1985 Grdg. einer Atelier-Galerie in Zwettl, 1988 Umwandl. in die "Blau-Gelbe Viertels-Galerie", Grdg. d. "Zwettler Kunstver.". M.: 1984 Grdg. "Kritischer Klub", Initiative "Klinik" m. Martin Anibas, Veranstalt. v. Literatur, Musik u. bild. Kunst. (M.M.)

Schickhofer Peter

B.: Gschf. Ges. FN.: Fortuna Blumenhdls. GmbH. DA.: 8020 Graz, Burenstr. 47. PA.: 8051 Graz, Thal-Linak 632. G.: Graz, 6. Mai 1954. V.: Theres, geb. Auer. Ki.: Birgit (1982), Lisa (1986). El.: Peter u. Theresia. S.: Pflichtschule, HASCH, 1969 Abschluß. K.: b. 1979 im Export Firma Humanic, b. 1981 Ang. b. Interblumen, 1981 Grdg. d. bestehenden Unternehmens, Weiterbild.-Kurse f. Engl. M.: Obm.-Stellv. v. Sportver. Thal, Obm.-Stellv. v. Eisschützenver. Thal. H.: Skifahren, Eisschießen. (F.K.)

Schicklberger Gottfried

B.: Prälat, Domdechant. FN.: Bischöf. Kurie. DA/PA.: 4020 Linz, Herrenstr. 19. G.: Linz, 7. Dez. 1927. El.: Johann u. Maria. S.: VS, Gymn., 1943-45 Einber., Luftwaffenhelfer, a. 1944 Reichsarb.-Dienst, anschl. amerik. Gef.-Schaft, a. 1945 Gymn., 1946 Mat., Eintr. Priesterschule u. Stud. Theol., 1950 Priesterweihe. K.: 1951 Seelsorge a. Kaplan Uttendorf u. Eferding, a. 1953 bischöf. Sekr. u. ständ. Begleiter, u. a.: II vatik. Konzil, 1953 stellv. Diöz.-Dir., 1954 Dir., s. 1959 Hausdir. Bischof, 1971 Domkapitolar, s. 1991 Ordinariatskanzler u. stellv. Generalvikar, mehr. Tätigk. i. d. Kirche. E.: 1986 päpstl. Ehrenprälat, s. 1990 Diöz. a. Firmenspender tätig, 1981Ehrenkreuz 1. Klasse d. Schwarzen Kreuzes, 1989 gold. Ehrenkreuz d. österr. schwarzen Kreuzes. M.: Diöz.-Dir. d. päpstl. Missionswerk, Gschf. Obm. d. Dombauver. H.: Musik, Gesch., Kirchengesch., Klavierspielen. (U.A.)

Schickmayr Monika

B.: Zentrumsltr. FN.: EGA-Frauenkommunikations- u. Kulturzentrum. DA.: 1060 Wien, Windmühlg. 26. G.: Salzburg, 25. Sept. 1964. El.: Rudolf u. Leopoldine. K.: 1981 Ministerium f. Unterr. u. Kunst (Seminarorganisation), 1989 Wahlkommitee Dr. Vranitzky, 1990 Presseabt. SPÖ (Organ. Pressekonf.), 1992 EGA. H.: Squash, Surfen, Musikgymnastik, Camping. (M.G.)

Schiebel Hans sen. Dipl.-Ing.

B.; Inh. FN.: Dipl.-Ing. Hans Schiebel, Elektronische Geräte Gesellschaft m.b.H.; Schiebel Maschinenbau Gesellschaft m.b.H.; Schiebel Gesellschaft m.b.H. DA.: 1050 Wien, Margaretenstr. 112.; 1232 Wien, Josef Benc-Gasse 4. G.: Untermöschach, 23. Sep. 1919. V.: Gertraud, geb. Schlatte. K.: Hans-Georg (1962), Elisabeth-Felice (1963), Klaus (1969). El.: Artur u. Margarethe. S.: VS, Realschule, TH Wien, Elektromechaniker Mstr..-Prüf. K.: 1938-45 Dienst b. d. Luftwaffe, dann HS, nach Abschluß dieser 3 J. Praxis b. Firma Ing. Richard Fonovit 1170 Wien, Mstr.-Prüf., Grdg. d. Firma Schiebel Holding GmbH, Dipl.-Ing. Hans Schiebel Elektron. Geräte GmbH, ab 1990 Schiebel Hdls. GmbH, Schiebel Ind.-Beteiligungs GmbH. BL.: div. Patente. M.: Motorflug Union Wien, Intern. Normenaussch., Beis. Mstr.-Prüf.-Kmsn. f. d. Elektromechanikergewerbe, Beis. Berufssen. d. Finanzlandesdion. f. Wien, NÖ u. Bgld. H.: Elektronik, Wasserski, Drachenfliegen, Motorfliegen. (R.T.)

Schiebel Rudolf
B.: Chefproducer Information Fernsehen. FN.: ORF. DA.: 1136 Wien, Würzburgg. 30. PA.: 2352 Gumpoldskirchen, Bahnzeile 30. G.: Brünn, 2. Aug. 1936. V.: Brigitta, geb. Irouschek. Ki.: Boris (1975), Barbara (1984). El.: Anton u. Ottilie. K.: 1960 Eintr. b. ORF, Disponent, Prod.-Ltr., Chefprod.-Ltr. Programmwirtsch.-Ltr., Prod.-Chef, seit 1. 8. 1991 Chefproducer Information Fernsehen. BL.: Pionierarbeiten im ORF, Verfechter von Job-Rotations. H.: Malerei, Fotografie. (J.S.)

Schiechtl Hugo Meinhard Dr. phil. Ing. Prof. h.c.
B.: Wissenschafler, Ing.Biologe, Künstler, Landschaftsarch. A.: 6020 Innsbruck, Wurmbachweg 1A. G.: Innsbruck, 17. März 1922. V.: Agnes, geb. Tusch. El.: Anton u. Friedericke. S.: Pflichtschulen, HTL, Univ. Innsbruck (Botanik u. Geologie, 5 Sem. Arch. u. Kunstgeschichte). K.: 1948-55 Ing. b. d. Wildbach- u. Lawinenverbauung Innsbruck. Seit 1955 Abt.Ltr. b. d. Forstl. BVersuchsanst. Innsbruck, 1956 Prom., 1966 Gastdoz. an d. TU Hannover, Erfinder mehrere ing.biolog. Baumethoden, Inh. mehrerer Patente, 1974 Verleihung d. Titels Prof. h.c. Seit 1946 Künstler (Maler u. Graphiker). P.: Bioengineerning, Tir. Wanderbuch 2 u.v.a. E.: Peter Josef Lenné-Med. M.: Österr. Naturschutzbund, Österr. Alpenver., Sbg. Kunstver. u.v.a. H.: Bergsteigen, Skifahren, Musik, Blumen.

Schieder Peter
B.: Mtgl. d. NatR. 1970-73 u. seit 1984. DA.: 1017 Wien, Dr.-Karl-Renner-Ring 3. G.: Wien, 20. Aug. 1941. S.: VS, RG, Matura, einige Sem. Jus. K.: Arb. als Journalist, 1962-64 Chefred. d. Zeitschrift "Trotzdem", 1964-72 Vors. d. Sozialistischen Jugend Österr. u. 1969-71 Präs. d. "World Assembly of Youth", 1973-76 Amtsführender StadtR. f. Umwelt u. öff. Einrichtungen, Sept. 1976 Amtsführender StadtR. f. Inneres u. Bürgerservice, übernahm 1979 Geschäftsgruppe Umwelt u. Freizeit, 1973-84 Amtsführenden StadtR., 1974-84 Vertreter d. Landes Wien, 1984-88 Zentralsekr. d. SPÖ, Vors. d. österr. Delegation z. parlam. Versammlung d. Europarates, Vors. d. Kontaktgruppe z. Europ. Parlament u. s. 1991 Vors. d. sozialist. Frakt. im Europarat.

Schiedlbauer Zdena Dir.
B.: Dir. d. Priv. VS u. HS Komensky-Schule. DA.: 1030 Wien, Sebastianpl. 3. PA.: 1020 Wien, Kleine Pfarrg. 14/6. G.: Klatovy/CSFR, 22. Sept. 1935. V.: Rudolf Schiedlbauer. Ki.: Josef, Rudolf. El.: Frandisek u. Anna Coldinsey. S.: Grundschule, Päd. Inst. Carlsbad, Teilfak. Pilsen, Pressburg. K.: Computerprogrammiererin Math. Prag, seit 1968 in Österr. Computerprogrammiererin im RZ Wien, Computerprogrammiererin Gem. Wien, 1980 Lehrerin Komensky-Schule, seit 1990 Dir. d. Komensky-Schule. BL.: Ideenlieferant z. neuen Haushaltsliste d. Gem. Wien, Schulmodell f. in Österr. bestehende Fremdsprachenschulen. P.: Astrologiepubl. in Prag. H.: Astrologie, Computer. (E.H.)

Schiefer Diether Ing.
B.: Bgm. d. Stadtgem. Waidhofen/Thaya, Landesbmtr. NÖ. DA.: 3830 Waidhofen/Thaya, Hauptpl. 1. PA.: 3830 Waidhofen/Thaya, Josef-Liebl-Str. 10. G.: Waidhofen/Thaya, 28. Juni 1947. V.: Brigitte, geb. Glock. Ki.: Thomas (1982). El.: Edmund u. Ilse, geb. Irschik. S.: VS, BRG, HTBLA Hochbau. K.: 1967 Eintritt in d. NÖ Landesdienst, Techniker in d. NÖ Straßenbauabt. 8 in Waidhofen/Thaya, 1990 Berufstitel BauinspR., ab 1980 GemR. ÖVP Stadtgem. Waidhofen/Thaya, ab 1985 StadtR., 1990-95 VBgm. u. StadtR. f. Gesundheit, seit 1995 Bgm., seit 1989 ÖAAB-Obm. Waidhofen/Thaya, seit 1990 Fraktionsobm. d. ÖVP im GemR., 1979-93 Aufbau u. Ltg. d. Waidhofner Bürgerkorps u. seit 1993 Ehrenmjr., Vorst.-Mtgl. SV Sparkasse Waidhofen/Thaya, Vorst.-Mtgl. Union Waidhofen/Thaya. BL.: ehem. aktiver Fußballer u. Tennisspieler. E.: zahlr. Ausz. u. Ehrungen. H.: Familie, Tennis, Skifahren. (M.M.)

Schiefer Ferdinand
B.: Betriebsltr. Stadtwerke Gmunden Gaswerk. DA.: 4810 Gmunden, Gaswerkg. 4. PA.: 4810 Gmunden, In der Au 15. G.: Gmunden, 13. Mai 1935. V.: Brigitta, geb. Gehrke. Ki.: Jens (1969). El.: Ferdinand u. Agatha. S.: VS, HS, 1950-53 Lehre als Betriebsschlosser. K.: 1953-59 Betriebsschlosser in Gmunden, 1959 Monteur Städt. Gaswerk Gmunden, 1963 Mstr.-Prüf. f. Gastinstallationen, Gem.-Beamtenprüf., seit 1964 Betriebsltr.-Stellv., seit 1972 Betriebsltr., Kons. f. d. Sportwesen OÖ. M.: Obm. ASKÖ Gmunden, Bez. Fachw. TT d. ASKÖ Salzkammergut, Mtgl. d. GemR. H.: Tischtennis, Schwimmen, Skifahren, Allround-Sport. (G.E.)

Schiefer Herwig

B.: Unternehmer, Gastwirt. FN.: Herwig Schiefer Ges.m.b.H. & CoKG. DA.: 5700 Zell am See, Loferer Bundesstr. 28. G.: Leoben, 28. Juli 1954. Ki.: Denis (1977). El.: Martha. S.: VS, HS. K.: Lehre als Industriekfm. Zellmetall Kaprun, anschl. BH i. Saalfelden, anschl. kfm. Angestellter b. Fa. Getränke Wieder, Aufstieg z. Verkaufsleiter, anschl. selbst UN m. Kleinmöbelgeschäft i. Zell am See, 1983 Einstieg i. d. Gastronomie, Eröffnung d. Dico Club "Vissage", 1984 eröffnung Berghotel Schmitteh, 1985 Eröffnung d. Auerwirt i. Zell a. See, 1988 Eröffnung Hubertushof i. Kaprun, 1988 Disco Visage i. Badgastein, 1988 Übernahme d. Cafe Gastein, 1989 Eröffnung d. Disco Visage i. Saalbach, 1991 Hotel Unterbrunn, 4 Sterne i. Neukirchen, 1992 Betriebserweiterung Hotel Unterbrunn, 1994 Eröffnung d. Pizza u. Pasta i. Neukirchen. H.: Golf, Skifahren, Reisen. (E. H.)

Schieferer Anna
B.: Dir. Sport-HS Pleinstraße. DA.: 5020 Salzburg, Pleinstr. 40. PA.: 5020 Salzburg, Erzbischof-Gebhard-Str. 1. G.: 16. Nov. 1952. El.: Ernst u. Anna Schieferer. S.: VS, Gymn., Pädak. K.: 1974-76 Unterricht HS Wagrain, seit 1976 Sport-HS Pleinstraße, seit 1989 Vors. d. Gewerkschaft Pflichtschullehrer in Sbg., 1992 Dir. P.: 20 Veröff. über päd. Themen u. Schulrecht. (J.F.)

Schieferer Gernot
B.: Hotelier im Hotel Kapruner Hof. DA. u. PA.: 5710 Kaprun, Schulstr. 559. G.: Mattsee, 21. Juni 1943. V.: Magdalena, geb. Schenk. Ki.: Marcel (1970), Maren (1972). El.: Adam u. Johanna. S.: VS, HS, Kellnerlehre im Grand Hotel in Zell am See, Berufserfahrung im In- u. Ausland. K.: 1970 Bau u. 1972 Eröff. d. Pension, 1980 Umbau u. Erweiterung z. 4-Sterne-Hotel, 7 J. Tätigkeit als Aussch.-Mtgl. im Fremdenverkehrsverb. Kaprun, 6 J. im Vorst. d. Golfclubs d. ESR Zell am See u. Kaprun, Vorst. d. ESR Kaprun u. Zell am See. M.: Skalclub, ÖHV, Golfclub. H.: Golf, Skifahren. (M.T.)

Schiegl Wolfgang
B.: Hauptges., Firmeninh. FN.: Schiegl GmbH Kälte, Wärme, Klima, Schiegl Maschinenhdl. DA.: 8041 Graz, Liebenauer Hauptstr. 14. PA.: 8010 Graz, Plüddemanng. 91A. G.: Dornbirn, 7. Sept. 1952. V.: Ilse, geb. Salchenegger. Ki.: Alexandra (1973), Eveline (1977). El.: Karl u. Elisabeth. S.:

Pflichtschule, Lehre Elektroinstallateur u. Mechaniker, 1970 Abschluß, Umschulung als Kälte- u. Klimatechniker in d. BRD, 1975 Abschlußprüf. K.: Monteur in d. BRD, Rückkehr nach Österr., 3 J. Monteur im Bereich Klima- u. Ind.-Klte, 1981 Grdg. Schiegl GmbH, 1992 Grdg. Maschinenhdl., Gen.-Vertretung d. Firma Mitsubishi f. Klimaanlagen u. Wärmepumpen. BL.: Funktionär Rechnungswesen u. Organ. d. Sport College Team 10, Organ. v. Sportveranstaltungen f. Schulen m. Sportlehrern d. Kategorie A u. B (Surfen, Tennis, Reiten). H.: Team 10. (F.K.)

Schiejok Walter

B.: Journalist, Chefred. u. Präsentator d. monatl. Livesendung "Argumente", Hauptabt.-Ltr. "Service" im ORF-Fernsehen. DA.: 1130 Wien, Würzburgg. 30. G.: Felixdorf, 16. Mai 1942. V.: Hannelore, geb. Raab. El.: Walter u. Maria, geb. Murlasits. S.: Stud. am Inst. f. Zeitungswiss. d. Univ. Wien. K.: 6 J. Reporter f. d. zeitkrit. Sendung "Horizonte" d. ORF, 1974 Übernahme d. ersten eigenen Sendereihe Magazin "Stop", seit 1978 Chefred. u. Präsentator "Argumente", 1983-86 Gestaltung u. Präsentation d. Motor- u. Verkehrsmagazins Vorrang, seit 1985 Ltr. d. Hauptabt. "Service", ab 1992 Ltr. u. Präsentator d. Sendung "Konflikte". (N.A.)

Schiel Gerold Dipl.-Ing.

B.: Ges., Gschf. FN.: B. Reiter Werkzeuge KG. DA.: 5023 Salzburg, Bachstr. 72. PA.: 5301 Eugendorf, Knutzing 21. G.: Graz, 10. Sept. 1933. V.: Herma, geb. Reiter. Ki.: Gernot (1964), Gudrun (1967). El.: Dr. Peter u Rosa. S.: Agraring. Univ. f. Bdk., 1959 Abschluß. K.: 3 J. Tätigkeit in Schweden in gr. ldw. Gut, Rückkehr nach Österr., Grdg. d. eigenen Hdls.-Agentur, Gschf. Stanley AG, 3 J. General Motors, 1972 Einstieg als Gschf. u. Inh. Firma Reiter. H.: Bergsteigen, Fachliteratur. (M.C.)

Schiel Rainer

B.: HS-Dir., Bgm. d. Gem. Breitenau. DA.: 2630 Ternitz, Ternitzer Str. 25, 2624 Breitenau, Neunkirchner Str. 21. PA.: 2624 Breitenau, Sportg. 13. G.: Breitenau, 20. Aug. 1946. V.: Helga, geb. Baumgartner. Ki.: Hannes. El.: Rudolf u. Anna. S.: VS, HS, LBA Wr. Neustadt, 1965 Matura. K.: 1964-71 vorerst VS-Lehrer in Puchberg dann in Pitten, Grimmenstein u. Loipersbach, 1971 Lehramtsprüf. z. HS-Lehrer, ab 1971 HS-Lehrer in Scheiblinkirchen u. seit 1973 an d. HS in Pottschach, seit 1984 HS-Dir. d. HS Ternitz-Pottschach, ab 1975 Wahl in d. GemR. als Gschf. GemR., 1980 stellv. Bgm., seit 1986 Bgm. v. Breitenau. BL.: Initiator u. Organisator d. Radwandertages d. ARBÖ Breitenau. M.: SPÖ, Obm.Stellv. v. ARBÖ. H.: Briefmarkensammeln, Modellbau. (M.B.)

Schielin Jörg KommR.

B.: Dir. d. Personalentwicklung d. Julius Meinl AG. DA.: 1160 Wien, Julius-Meinl-G. 3-7. PA.: 1150 Wien, Schweglerstr. 45. G.: 12. Sept. 1950. Ki.: Silke, Birgit. El.: Walter u. Elfriede. S.: Kfm. Lehre - Meinl, Einzelhandelskfm., Bürokfm., Ausbilder. K.: 9 J. Verkaufspraxis, 1973 Lehrinst. Julius Meinl, Unterrichts-Seminartätigk., Ltr. d. Lehrlingsref., 1979 Disponent, 1985 stellv. Dir. Lehrinst. Julius Meinl, seit 1990 Ltr. d. Personalentwicklung. P.: div. Fachpubl., Buch: "Wien - persönlich" (1988). E.: 1986/89 u. 94 Ernenn. z. KommR. M.: Vors. Prüfungskmsn. Ausbilderprüf., Lehrabschlußprüf. EH.Kfm., Mtgl. Berufsausbildungsaussch. d. BSekt. Hdl., fachkundiger Laienrichter Arbeits- u. Sozialgericht; Präs. d. Ges. z. Förd. d. Rhythm. Sportgymnastik. H.: Schreiben, Wien, Natur. (M.B.)

Schiemer Georg Dr.

B.: Gen.-Dir. u. Vorst.Vors. d. Verlagsanst. Tyrolia GmbH. A.: 6020 Innsbruck, Ampfererstr. 50. G.: Innsbruck, 25. Aug. 1925. V.: Rosmarie, geb. Winkler. S.: Hum. Gymn., Univ. Stud., Dr. iur. K.: 1949 Eintritt in d. Verlagsanst. Tyrolia als Dion.Sekr., 1952 Gen.Sekr. u. Prokura, seit 1958 Vorst.Mtgl., 1969 Gen.-Dir. u. Vorst.Vors. d. Verlagsanst. Tyrolia. P.: Div. Art. in Zeitungen u. Zeitschriften. E.: Gold. EZ f. Verd. um d. Rep. Österr., Verd.Kreuz d. Landes Tir., EZ d. Univ. Innsbruck, Silvesterorden. M.: Vorst.Mtgl. in div. Fachorgan. d. Buchhdl. u. Verlagswesens.

Schiemer Karl Dr. iur.

B.: Dir. FN.: Vorarlberger Gebietskrankenkasse. DA.: 6850 Dornbirn, Jahng. 4. PA.: 6850 Dornbirn, Rohrbach 44. G.: Dornbirn, 25. Mai 1949. V.: Dr. med. Ilga. Ki.: Angelika (1974), Michael (1977), Lukas (1982), Florian (1989). El.: Karl u. Herta. S.: Gymn. Bregenz, 1967 Matura, Stip.f. High School Cambridge i. Minnesota, 1969 Uni Innsbruck, Prom. Rechtswiss. 1973 Dipl.-Akad. Wien,1975 Dipl.-Prüf. K.: 1974-75 Ger.-Praxis i. Bez.-Ger. Bludenz, 1975-79 Bed. d. Landes Vorarlberg, 1980 Eintr. Vorlbg. Gebietskrankenkasse u. stv. Ltr., 1980 Ltr. d. Rechtsabtlg., 1986 zus. Ltr. d. Dir.-Sekr., 1989 2. Stv. d. ltd. Ang, s. 1993 ltd. Ang. M.: Kammerrat d. Vorlbg. Arbeiterkammer, Vors. d. sozialpol. Aussch., Betriebsrat-Vors. d. Vorlbg. Gebietskrankenkasse. H.: Musik (aktiv i. Orchestern u. Ensembles, Violine u. Viola), Schisport, Tischtennis, Bergwandern, Wassersport. (I.D.)

Schiendl Heinz

B.: Gschf. FN.: Austria Tabak Intern. DA.: 1090 Wien, Porzellang. 51. PA.: 1100 Wien, Gußriegelstr. 30. G.: Wien, 1. Dez. 1943. V.: Doris, geb. Blaha. Ki.: Heinz (1964). El.: Johann u. Maria, geb. Guttmann. S.: HAK, Stud. WU Wien, Ausbild. im Pensionsvers.-Bereich f. Ang. K.: 1965 Eintritt Austria Tabakwerke AG als Sachbearb., 1970 Export/Import Ltr., 1975 Prok. b. d. AG, 1980 Hauptbereichsltr. d. AG, 1992 Gschf. Austria Tabak Intern. H.: Sonne, Wandern, Schwimmen, Musik. (N.A.)

Schierholz Patrick

B.: Gschf. Ges. FN.: DDB Needham Heye & Partner. DA.: 1190 Wien, Eroicag. 1, 1190 Wien, Cobenzlg. 32. PA.: 1190 Wien, Himmelstr. 55A. G.: Detmold/Deutschland, 17. Okt. 1948. El.: Theodor u. Elsa, geb. Michalowski. S.: Gymn. Detmold, 1967 Matura, abgebrochenes Arch.-Stud., Lehre als Werbefotograf in Bielefeld u. London. K.: Werbetexter in Zürich, seit 1970 in Wien, Texter b. versch. Werbeagenturen, Freiberufler z.B. Autor u. Moderator d. Sendung "The Roaring Sixties" ORF, 1983-89 Gschf. d. Werbeagentur GGK Wien, seit 1989 selbst., Grdg. einer eigenen Agentur m. Amerikan. Beteiligung. F.: DDB Needham Budapest, Warschau u. Prag, Rapp & Collins Direktmarketing Wien. E.: zahlr. nat. u. intern. Werbepreise u.a. 3x Print-Oscar. M.: CCA Creativ Club Austria. H.: Sammeln v. Blechspielzeugautos. (J.S.)

Schierhuber Agnes

B.: Mtgl. d. BundesR. seit 1986, Bäuerin. G.: Reith/NÖ, 31. Mai 1946. S.: Pflichtschulen, Ldw. Berufsschule, Ldw. Fachschule f. Mädchen. K.: 1964-67 Mitarb. im elterl. Betrieb, 1967 Übernahme d. ldw. Betriebes Lugendorf, seit 1977 Mtgl. d. Orts-, Gem., Bez. u. HBez.Parteiltg. d. ÖVP, seit 1974 Bez.Bäuerin, seit 1975 Obm.Stellv. d. Bez. Bauernkam., seit 1979 AufsR.Mtgl. u. seit 1980 Stellv. Vors. d. AufsR. d. Raiffeisenkasse Ottenschlag-Martinsberg, seit

1985 Mtgl. d. Präsidiums d. NÖ Bauernbundes, 1982-86 Mtgl. d. AufsR. u. seit 1986 Obm.Stellv. d. Biogenrohstoffgen., 1985-87 KamR. d. NÖ LLdw.Kam.

Schierhuber Christian
B.: Gastwirt. FN.: Gasthof "Dichter Hamerling". DA/PA.: 3910 Zwettl, Galgenbergstr. 3. G.: Zwettl, 19. Dez. 1960. V.: Maria, geb. Trauner. Ki.: Michael (1992), Magdalena (1993). El.: Josef u. Ottilie, geb. Rieppl. BV.: Gasthof seit 1898 im Familienbesitz, 1913 Verleih. d. Gasthofnamens durch K.u.K. Abg. Georg Ritter v. Schönerer. S.: VS, HS, Bäcker u. Konditorlehre in Wien. K.: 1980-85 Fa. A & O Kastner, Zwettl, s. 1985 Mitarb. im elterl. Betrieb, 1988 Übern. d. Betriebes. H.: Fischen. (M.M.)

Schierhuber Erwin
B.: Ref. f. Finanz- u. Sozialpolitik d. HK Gmünd, Zweigstellenltr. d. WIFI Gmünd. DA.: 3950 Gmünd, Bahnhofstr. 31. PA.: 3910 Zwettl, Waldrandsiedlung 104. G.: Neuhof, 20. Juni 1954. V.: Bernadette, geb. Almeder. Ki.: Martin (1984), Stefan (1985). El.: Leopold u. Amalia, geb. Müller. S.: VS, HS, HAK Krems, 1973 Matura, 4 Sem. WU Wien. K.: 1974 Eintritt HK-NÖ Wien, Fachgruppensekr. im Hdl., 1987 Wechsel z. HK-NÖ Gmünd, Ltr. d WIFI-Zweigstelle u. Ref. f. Finanz- u. Sozialpolitik in d. Bez.-Stelle d. HK-NÖ, Ortsgruppenltg. d. ÖVP Stift Zwettl, Funktionär d. Tennisclub Stift Zwettl. H.: Lesen, Fotografie, Eislaufen, Radfahren, Tennis. (M.M.)

Schierz Franz

B.: Gschf. Ges. FN.: Franz Schierz Zahnlabor GmbH. DA.: 4017 Linz, Derfflingerstr. 12. PA.: 4040 Puchenau, Eschenbachweg 17. G.: Linz, 28. Jan. 1943. V.. Notburga, geb. Nimmervoll. Ki.: Christine, Bernhard. El.: Karl u. Margarethe. S.: VS, HS, 1958-62 Lehrzeit als Zahntechniker b. KMZR Stiebler, 1962 Prüf. K.: versch. Berufsstellen, zurück nach Wien, 1966 Mstr.-Prüf., Tätigkeit b. Praxistechniker in Linz, 1970 selbst., 1980 GmbH. M.: Regiemtgl. b. Arch.-Wettbewerb v. Gem. Linz als 1. Laie, Mtgl. b. "Linzer Bürgern", Veranstaltung v. WIFI-Kursen u. Lehrabschlußprüf., Mtgl. d. Bundesinnungsaussch., seit 1980 Stellv. d. Fachgruppe, Landesinnungsstellv. H.: Skisport, Rondo Veneziano.

Schießl Bernhard Dr. MinR.
B.: Ltr. d. Gruppe Bundespolizei im BMI. DA.: 1014 Wien, Herreng. 7. G.: Wien, 18. März 1942. V.: Anna Maria, geb. Rauter. Ki.: Sabine (1967), Claudia (1971). El.: Emil u. Angela. S.: Stud. Rechtswiss. Univ. Wien. K.: 1968 Eintritt in d. Dienst d. Bundespolizeidion. Wien, tätig in versch. Kommissariaten u. b. d. Wirtschaftspolizei, seit 1971 im Innenmin. tätig u.a. zuständig f. Organ.- u. Wirtschaftsangelegenheiten d. Bundespolizei, f. d. Vollziehung d. Zivildienstes u. f. Personal- u. Schulungsangelegenheiten d. Bundespolizei, seit 1990 Ltr. d. Gruppe Bundespolizei. E.: SE, Ö Olymp M. H.: Reisen. (J.S.)

Schiestl Hans
B.: OAmtsdir., Bmtr., Ltr. d. Stadtbücherei Innsbruck. GT.: LObm. d. Gewerkschaft d. Gem.Bediensteten LRg. Tir. DA.: 6020 Innsbruck, Maria-Theresien-Straße. PA.: 6060 Gnadenwald 69. G.: Gnadenwald, 30. Okt. 1929. V.: Hilda, geb. Unterberger. Ki.: Richard, Martin, Christian. El.: Adolf u. Hanni. BV.: Großvater Sprengelarzt in Fulpmes. S.: 1951 Matura. K.: 1952-63 Bibl. Univ.Bibl. Innsbruck, seit 1964 b. d. Stadt Innsbruck, 1966-80 Bgm. in Gnadenwald. E.: Ehrenkreuz d. Tir. Blasmusikkapellen, Ehrenkreuz d. Tir. Schützenkompanie. M.: Mtgl. Ver. d. Österr. Bibl., Tir. Mittelschülerverb. H.: Bergwandern, Langlaufen, Hobbygärtner, Fotograf.

Schiestl Peter Ing.
B.: Gschf. FN.: KWS Kunststoffwerk Schiestl GmbH. DA.: 6200 Jenbach, Huberstr. 34. PA.: 6020 Innsbruck, Jahnstr. 6. G.: Schwaz, 16. Juli 1955. V.: Susanne, geb. Wechsler. Ki.: Daniela (1986), Sabine (1987). El.: Anton u. Antonia. S.: Grundschule, AHS, 1976 Matura, TGM Wien, 1979 Abschluß, 1987 Prüf. gerichtl. beeid. Sachv. K.: 1 1/2 J. techn. Verkäufer Firma Alpine Deutschland, 1982 Exportltr. Firma Tirolia Schwaz, 1983 Geschäftsführung d. elterl. Betriebes, 1987 Brand u. Wiederaufbau, Schwerpunkt: Bau- u. Freizeitind. H.: Malen, Klettern. (M.W.)

Schiestl Werner Dipl.-Ing. w.HofR.
B.: Ltr. d. Unterabt. hochbautechn. Angelegenheiten d. Bundes im Amt d. OÖ Landesrg. DA.: 4020 Linz, Kärntner Str. 12. PA.: 4600 Wels, Kaiser-Josef-Pl. 28. G.: Radkersburg, 30. Apr. 1940. S.: VS, HS, 1954-59 HTL Graz, Matura, 1959-67 TH Graz, BH. K.: Amt d. Stmk. Landesrg., Auslandspraxis in Wiesbaden u. Kassel, 1970-77 Bauabt. Stadtamt Braunau, ab 1978 Amt d. OÖ Landesrg., 1978 Dienstprüf., seit 1981 Unterabt.-Ltr. P.: intern. Preise u. Bildveröff. in d. Fotografie. E.: 1985 w.HofR. M.: seit 1992 Vorst.-Mtgl. d. Organ. "Rettet d. Kind". H.: Fotografieren, Lesen, Musik. (U.A.)

Schieting Edeltraud
B.: Inh. d. Baufa. Beraneks Erben. DA.: 1180 Wien, Simonyg. 2A/15/1. G.: Wien, 2. Sept. 1940. K.: 1950 wurde Fa. gegr., 1958 Eintritt in Fa. Heinrich Beraneks Erben, 1977 Übernahme d. Fa. M.: Wirtschaftsverb. H.: Tennis. (Fels.)

Schiffer Matthias

B.: Inh., Gschf. FN.: Grand Slam Gastronomiebetriebs GmbH. GT.: Gschf. Ges. Grand Slam Tours Reisebüro GmbH. DA.: 1235 Wien, An den Steinfeldern 2A. PA.: 1180 Wien, Gersthofer Str. 100. G.: Wien, 10. Feb. 1966. V.: Renate, geb. Haas. Ki.: Matthias (1993). El.: Friedrich u. Mathilde. S.: 1976-80 Gymn., 1980-81 HTL f. Maschinenbau, 1981-83 HAK Wien. K.: 1983-87 i. versch. gastronom. Betr. i. Kärnten, München u. Wien, Gschf. Discothek u. Rest. "Pueblo-Palette", 1988-89 Vers.-Kfm., 1990 Grdg. d. Gastronomiebetr. Grand Slam, 1993 Grdg Grand Slam Tours Reisebüro. E.: 1992 u. 1993 unter d. Top 100 Jungunternehmern Österr., Ausz. d. öst. Weinmarketingges. f. Wein-, Service- u. Gläserkultur, als österr. Musterbetr. i.d. Gastronomie ausgez. u. d. "Austria Gütez." bekommen. H.: Familie, Beruf, Skifahren. (I.K.)

Schiffer-Ekhart Armgard Dr. phil. Wiss. OR
B.: Ltr. d. Bild- u. Tonarchivs am LMuseum Joanneum Graz. DA.: 8010 Graz, Sackstr. 17. PA.: 8054 Graz, Rotmoosweg 25. G.: Kalwang, 8. Dez. 1933. El.: Dr. Leonhard u. Germana. S.: Frauenoberschule, Stud. d. Phil., vgl. Sprachwiss. u. Kunstgeschichte, Prom. 1958. K.: 1958 Restau-

ratorenpraktikum, 1959-61 vollberufl. tätig in d. Erwachsenenbild., 1962 Europa-Verlag Wien (Lektorat), 1963 Organ. u. Durchführ. d. 1. Dreiländer-Biennale TRIGON f. zeitgenöss. Kunst in Graz, 1964-67 wiss. Ass. am LMuseum Oldenburg. P.: "Der Raumbegriff in d. Architektur d. Gegenwart", "Gefährdetes Kulturgut am Beispiel Stmk.", "Ein unbekanntes Gemälde v. Pietro de Promis. Die Kaiserkrönung Ferdinand II., 1619 im Palais Attems entdeckt", zahlr. fotohistor. Beiträge in Ausstellungskatalogen u. Fachzeitschr. M.: AGAVA, Ver. d. Freunde d. Österr. Fotomuseums in Ischl, ÖGDI, ICOM, Österr. Museumsb., IASA u.a. H.: Reisen, Schwimmen, Lesen, Sammeln v. Eindrücken u. wertlosen aber reizvollen Dingen. (C.H.S.)

Schifferer Hanno

B.: Inh. d. Fa. Schifferer-BMW Vertragshändler. DA.: 6850 Dornbirn, Hatlerstr. 72. G.: Dornbirn, 24. Juli 1948. V.: Ursula, geb. Schatzmann. Ki.: Stefan (1976), Barbara (1989). El.: Armin u. Barbara, geb. Kronberg. BV.: Mütterlichers. Fam. v. Kunstmalern, verwandt m. d. bek. Stadtbaumeister Rhomberg. S.: HTL Bregenz, Kfz-Mechaniker-Ausbild. K.: Praxis im elterl. Betrieb, 1983 Übernahme d. Betriebes. M.: Tennisclub Dornbirn. H.: Tennis, Skifahren, Wandern, Reisen. (M.G.)

Schiffinger Manfred

B.: Komponist, Werbemanager. FN.: SounD Design Manfred Schiffinger & Max Posch GmbH &Co KG. DA.: 1040 Wien, Schwarzenbergpl. 10. G.: Wien, 16. Aug. 1957. V.: Beatrix, geb. Bulla. El.: August u. Margareta, geb. Kellner. S.: 1975 Matura, klass. Klavier, Selbststud. Komposition, Teilstud. Ldw. HS f. BOKU. K.: eigenes Tonstudio f. Werbejingles als führender Komponist d. Werbebranche, gleichz. Ton- u. Kompositionsstudio in Kitzbühel, Schwerpunkte b. souD Design: Komponieren, Werbemanagement, audiovisuelle technik u. Software, Inh. d. Restaurants "Zur Hexenkuchl" u. Fa. Gartenbau Schiffinger. E.: Div. Staatspreise f. audio-visuelle Werbung. M.: Creativ Club Austria. H.: Tennis (Landesliga), Golf (HC 7), Porsche, schnelle Autos. (N.A.)

Schiffler Beatriz

B.: Mitinh. FN.: Inst. f. Ganzheitskosmetik u. Gesundenvorsorge Art of Cosmetic. DA.: 1080 Wien, Wickenburgg. 2. PA.: 1080 Wien, Schösselg. 5. G.: Caracas, 7. Juni 1951. El.: Hans Stiassny u. Johanna Aichelburg. S.: Schweizer HAK, Europ. Sekr.-Ak. in Wien, Kosmetikausbild. in d. Privatschule Kunze, Massageausbild. in BAZ, Akupunkturausbild. in Deutschland. K.: Tätigkeit in d. Laenderal Verw.-Anst., Chefsekr. in d. "Wochenpresse", ab 1989 selbst. H.: Musik, Fachliteratur über d. menschl. Körper u. d. Seele. (N.A.)

Schifko Peter Dr.

B.: Univ.-Prof. A.: 1040 Wien, Mayerhofg. 5/1/10. G.: Marburg, 9. Dez. 1938. V.: Ana Isabel, geb. Marténez Cubas. Ki.: Georg Anton, Alexander Joseph. El.: Alois u. Johanna. S.: RG in Graz, 1959-63 Stud. d. Romanistik, Germanistik, Phil. an d. Univ. in Wien, 1964-65 Stud. d. Hispanistik an d. Univ. in Madrid. K.: 1963-64 Gymn.Lehrer in Wien, 1965-81 Univ.Ass. am Inst. f. Romanistik d. Univ. Wien (1976 Habil. im Bereich Roman. Philol.), 1981 Berufung auf eine Lehrkanzel am Inst. f. Roman. Sprachen d. WU Wien. P.: Bücher, Aufsätze u. Buchbesprechungen in versch. linguistischen u. wirtschaftswiss. Fachzeitschriften u. Sammelbänden. M.: Société de Linguistique Romane, Dt. Romanistenverb., Wr. Sprachges., Österr. Lateinamerika-Inst. H.: Musik, Tennis.

Schifko Werner Dipl.-Ing.

B.: Prok. FN.: Sattler Textilwerke OHG. DA.: 8041 Graz, Sattlerstr. 45. PA.: 8042 Graz, St. Peter Hauptstr. 159b. G.: Graz, 15. Nov. 1941. V.: Hermine, geb. Fantal. Ki.: Martin (1969), Angelika (1972), Michael (1980). El.: Eduard u. Mathilde. S.: 1959 Matura, Stud. Wirtschaftsing.-Wesen TU Graz, 1966 Grad., Präsenzdienst. K.: Eintritt Firma Sattler, zunächst Organ.-Bereich, nach 5 J. Prokura. H.: Skifahren, Wandern. (F.K.)

Schifter Günther

B.: Freischaff. Künstler. GT.: Werbemittlung. DA.: 1090 Wien, Rotenlöweng. 19/3. PA.: 1232 Wien, Putzendopplerg. 2. G.: Wien, 23. Dez. 1923. V.: Martha, geb. Machaliczky. El.: Maximilian u. Wilhelmine. S.: VS, Gymn., Internat Kalksburg, 1942 Matura, HS f. Welthdl. Wien. K.: ab 1949 Sendergruppe Rot-Weiß-Rot in Wien (Sprecher, Autor, Produzent, Geräuschemann, etc.), 1951-53 Manager Kosmos Theater, 1953 ORF Kurzwellendienst, ab 1953 z. ORF Fernsehen als Schauspieler, Reg., Sendungen: Klingende Kleinigkeiten, Der alte Plattenmann, Schellacks, Schellacks ..., Western Saloon, Fernsehen: Sendungen Western Saloon (Howdy), Schellacks, Schellacks ... betreute als Reg. d. Sendungen Horizonte, Rendevous m. Tier u. Mensch (Otto Koenig) u. fast alle Jazzsendungen, Präsentator div. Unterhaltungsprogramme in d. Wr. Stadthalle, Wr. Konzerthaus, etc. P.: Zahlr. Art. über Country and Western Music, Schellacks, alte Grammophone in intern. Zeitungen u. Zeitschriften. M.: Lions Club. H.: Schellacks, Schellacks, alte Abspielgeräte wie Grammophone, Phonographen, Literatur, Zeitgeschichte (1880-1956) über mechan. Musik. (C.K.)

Schifter Herbert Ernst Ing.

B.: Gschf., Elektroing. FN.: Schifter Maschinen Vertriebs GmbH. DA.: 1020 Wien, Innstr. 16. PA.: 1190 Wien, Langackerg. 23. G.: Wien, 19. Febr. 1921. Ki.: Robert. El.: Gustav u. Margarethe. S.: RG, Matura 1939, Militär, TU Wien u. Berlin, Ing.Prüf. K.: 1943 Ing.Offz. d. Luftwaffe, 1949-50 Firmengrdg. Schifter & Co., später/1973 umgewandelt in "Schifter Maschinen Vertriebs GmbH", eigenes Bürogebäude m. Zollager. (Erh.)

Schilcher Bernd Dr. iur. o.Univ.-Prof.

B.: Präs. d. LSR f. Stmk. GT.: Mtgl. d. AufsR. d. Stmk. Krankenanst. GmbH. DA.: 8010 Graz, Körblerg. 23, 8010 Graz, Universitätspl. 3. PA.: 8047 Graz, Waldteufelweg 8. G.: Graz, 22. Juli 1940. V.: Silvia, geb. Ebner. Ki.: Ruth, Eva, Helena, Bernhard, Stefanie. S.: Matura Graz 1958, Wehrdienst, Stud. Rechtswiss. K.: HS-Politik, Öffentl.Arb., Entw. d. "Modell Stmk.", durch Vorwahlen 1974 in d. stmk. Landtag, 1975 Habil. aus Privatrecht, Aufenthalt in d. USA, 1978 o.Univ.-Prof. f. Privatrecht, 1984 Klubobm. d. ÖVP, 1989 Präs. d. LSR f. Stmk. P.: Privatrechtl. Publ. u. Hrsg. v. Büchern über Schadenersatz, Konsumentenschutz, Gesetzgebung, Erricht. eines Europarechts-Inst., Arb. an d. Übern. d. Schweizer Modells f. d. österr. Verfassung, Universitätsreform etc. H.: Lesen, Tennis, Schwimmen, Bergwandern. (P.R.)

Schilcher Heinrich

B.: Prok. FN.: Scania Österr. GmbH. DA.: 2345 Brunn am Gebirge, Johann-Steinböck-Str. 4. PA.: 2731 Neusiedl, Fliederweg 162. G.: Wien, 20. Juli 1943. V.: Franziska, geb.Messavilla. Ki.: Birgit (1970), Margot (1973). El.: Mag.

Leopold u. Helene. S.: VS, HS, Berufsschule, div. Bild.-Kurse. K.: Ltr. f. Ersatzteilwesen b. G. u. H. Perl u. Firma Stahl, tätig im Dion.-Bereich f. Filialorgan. b. Firma Wolfgang Denzel AG, anschl. Prok. u. Betriebsltr. d. Josef Faber GmbH, 1989 hdls.-rechtl. Prok. Firma Scania. P.: Chefred. d. Firmenzeitschrift "Future", Verfasser mehrer Art. E.: Plakatausz., Bewertung d. 3 besten Plakate in Österr., div. sportl. Ausz. u.a. Leistungsabz. f. Skifahren, Tauchen, Fallschirmspringen, Segeln, Motorküstenpatent u. Donauschein. M.: Sportver.: TCA, NOFC. H.: Fallschirmspringen, Tauchen, Segeln, Surfen, Reiten, Skilanglauf, Lesen, leichtes Theater. (W.M.)

Schilcher Heinz
B.: Kfm. FN.: Sport Schilcher. DA.: 8054 Graz, Straßganger Str. 380b. PA.: 8046 Graz, Neudorf 109. G.: Fohnsdorf, 14. Apr. 1947. V.: Elin, geb. Veenhuyzen. Ki.: Mikis (1974), Jiri (1978). El.: Ernst u. Rosa. S.: VS, Gymn., 1965 Matura, Stud. Chemie TH Graz. K.: 1971 Profifußballer b. Ajax Amsterdam, 1974 Frankreich, Paris, Nimes, Strassburg Profikarriere, 1979-82 zurück zu Sturm Graz, 1980-88 Gebietsverkaufsltr. f. Stmk. u. Ktn. d. Firma Adidas, ab 1988 selbst. m. einem Sportgeschäft, ab 1990 Sportartikelgroßhdl. m. einem Partner, seit 1992 Sportmanager b. Sturm Graz. BL.: 1972 u. 1973 Gewinner d. Europacup, 1973 Weltcup f. Mannschaften. F.: SGS Schilcher Gerhartinger Sportartikelvertrieb. H.: Familie, Sport, Fotografieren. (M.Gr.)

Schilcher Helmut Ing.
B.: Prok., kfm. u. techn. Ltr. FN.: Obtus GmbH Oberflächentechnik. DA.: 4823 Steeg/Bad Goisern, Au 133. PA.: 4822 Bad Goisern, Ramsau 78. G.: Bad Ischl, 12. Aug. 1958. V.: Gertraud, geb. Gamsjäger. Ki.: Raffael (1987), Yasmin (1990). El.: Franz u. Theresia. S.: 1972-77 HTL Steyr. K.: seit 1978 Obtus GmbH vorm. Optos. M.: Schützenmstr. im Armbrustschützenver. St. Agatha, ASKÖ Bad Goisern, Sekt. Luftgewehr, Eisschützenver. St. Agatha. H.: Armbrustschießen, Eisstockschießen. (E.Hö.)

Schilcher Hermine

B.: Gschf. FN.: Fa. Heinrich GesmbH & Co KG. DA. u. PA.: 5023 Salzburg, Möselweg 15. G.: Bielitz/Polen, 8. Okt. 1936. V.: Friedrich. Ki.: Brigitte (1956), Wilma (1963), Friedrich (1967). El.: Viktor u. Sophie Heinrich. S.: Ausb. z. Bürokauffrau, gearb. i. elterl. Betrieb, 1956 Heirat. K.: 1957 Aufbau u. Erw. d. Familienbetriebes, 1970 Umstellung auf KG, Eintritt als Mitgschf., 1994 15 Ang., 60 Arb. H.: 5 Enkelkinder, Theater, gute Musik, Entspannen, Hund (Dt. Schäfer). (S.P.)

Schilcher Josef
B.: Gschf. FN.: Klosterhof. DA.: 4020 Linz, Landstr. 30. PA.: 5541 Altenmarkt, Römerstr. 464. G.: Tamsweg, 1. Juli 1962. V.: Petra, geb. Eibl. Ki.: Dominik (1984), Corina (1988). El.: Anton u. Rosina. S.: Gymn., Kochlehre. K.: Saisontätigk. in Tirol, Ktn. u. Sbg., 1985 Wienerwald, stv. Gschf., s. 1988 Gschf., s. 1981 Gschf. v. Klosterhof, Schulungsltr. b. Wienerwald (Verkaufs- u. Produktschul.). H.: Schifahren, Lesen, Sprachen, Mountain Bike. (P.H.)

Schilcher Johann

B.: Prokurist u. Kfm. FN.: Installationstechnik Johann Schilcher. DA.: 6330 Kufstein, Klammstr. 28a. G.: Kufstein, 23. Feb. 1938. V.: Kunigunde, geb. Stöger. Ki.: Johann (1964), Kunigunde (1968). El.: Johann u. Susanne. S.: Grundschule. K.: bis 1953 als Hohlglasbläser tätig. 1953-54 Im Zementwerk Lechner Eiberg im Labor sowie im Steibruch tätig. 1954-56 im Fernverkehr. 1956-71 in d. Bauchemie u. Betonerzeugung tätig. 1971-90 im Sanitär u. Heizungsbau sowie Steinhandel u. Bau tätig. 1980-90 das Schilcherstüberl in Kufstein geleitet. 1992 laufend um Rationalisierungsvorschläge f. Betriebe u. Institutionen bemüht. M.: Kleintierzuchtverein. H.: Teppichproduzieren, Kontakt m. Menschen. (J.F.)

Schilcher Peter Dr.
B.: FA f. ZMuK. Da.: 6060 Hall/T., Sewerstr. 4. PA.: 6020 Innsbruck, Hinterwaldnerstr. 11. G.: Bozen, 15. Apr. 1956. V.: Dr. Ingrid, geb. Mössmer. Ki.: Christoph. El.: Christian u. Christine. S.: VS, RG Bozen, Med.Stud. an d. Univ. Innsbruck. K.: FA-Ausbild. an d. Univ. Zahnklinik Innsbruck, seit 1988 eigene Praxis in Hall. M.: Round Table Austria. H.: Skifahren, Bergsteigen, Fotografieren, klass. Musik. (W.G.)

Schilcher Reinhard

B.: Dir. FN.: Anker Versicherung. DA.: 3100 St. Pölten, Linzer Str. 7. G.: Ziegesdorf/Kärnten, 23. Dez. 1939. V.: Marion. Ki.: Claudia, Sophie, Thomas. El.: Karl u. Aurelia. BV.: Graf v. Udine S.: Lehre als Zahntechn., 1960-63 Militär, Standesführer b. Panzerbatt. 10. K.: 1963 Vers.-Vertreter, 1966 Organisationsvertreter, 1970 Gruppenltr. Ber. St. Pölten, Gschltr., s. 1975 Regionaldir., 1993 Landesdir. E.: Ehrennadel d. Österr. Skiverbandes. H.: Jagen, Skifahren, Fischen, Tennis. (C.G.)

Schilcher Wolfgang

B.: Inh. FN.: Fleischhauerei Schilcher. DA.: 4820 Bad Ischl, Kaiser Franz-Josefstr. 14. G.: Bad Ischl, 5. Jän. 1948. V.: Helga, geb. Holzmann. Ki.: Friedo (1971), Philipp (1975), Philomena (1981). El.: Karl u. Anna. S.: 1961-64 Berufsschule Fleischhauer, 1963-66 Kfm. Berufsschule. K.: 1970-80 Fleischhauer i. elterl. Betrieb, 1981 Übern. d. Betriebes, 1984 Geschäft gebaut u. Betrieb erneuert, 1994-95 Neueröff. Fleisch-Wurst-Imbisse Schilcher. M.: Turn- u. Fußballverein, Eisschützenverein, Alpenverein. H.: Skifahren, Tennis, Bergsteigen, Radfahren, Schach. (M.G.)

Schild Christine

B.: Einzelhandelskfm. FN.: PopCorn Junge Mode. DA.: 4770 Andorf, Hauptstr. 27. PA.: 4770 Andorf, Großschöngern 41. G.: Andorf, 6. Feb. 1951. V.: Matthias. Ki.: Bianca (1974), Katrin (1982). El.: Johann u. Katharina. S.: 1965-68 Berufsschule u. Lehre als Einzelhandelskfm. K.: 18 J. im Einkauf bei einem Textilhaus tätig, die letzten 2 J. als Gschf., 1988 selbst. mit Kindermode u. junger Mode, 1990 zusätzlich Erwachsenenmode, 1989 Eröff. d. Filiale in Schärding. H.: Mode. (J.L.)

Schild Vilma Dr. MedR.

B.: prakt. Ärztin. DA.: 2351 Wr. Neudorf, Parkstr. 33, 2345 Brunn, Anton-Bruckner-G. 13. G.: Wien, 13. Okt. 1925. V.: Gerhard. Ki.: Martina, Michael. El.: Dr. Emil Friedl u. Karolina Hait. S.: VS, Gymn., 1943 Matura, Univ. Wien, 1950 Prom. K.: prakt. Stud. Lainz, Mauthner Kinderspital, seit 1957 Ordination, 1957-64 KH Mödling Chir. E.: 1982 MedR. H.: Unterwassertherapie. (H.W.)

Schild Wilhelm Dipl.-Ing. wHofR.

B.: Ltr. d. Abt. B/2 F Straßenplanung im Amt d. NÖ LRg. GT.: Lehrbeauftragter an d. TU Wien. DA.: 1041 Wien, Operng. 21. PA.: 1238 Wien, Lindauerg. 5/4. G.: Wien, 20. März 1926. Ki.: Georg, Martin, Elisabeth. S.: RG, HTL, 1944 Matura, Stud. Tiefbau TU Wien, 1954 Prom. K.: seit 1954 im Amt d. NÖ LRg. tätig, 1976 Ernennung z. w.HofR., seit Studienjahr 1986-87 Lehrbeauftragter d. TU Wien über "Bürgerbeteiligung, Straßenplanung u. -verw.". E.: Gr. EZ f. Verd. um d. Rep. Österr. 1982, Silb. Komturkreuz d. EZ f. Verd. um d. Bundesland NÖ 1987. (C.K.)

Schildberger Franz

B.: Gschf. FN.: CSD Management Consulting GmbH. DA.: 1130 Wien Amalienstr. 68. PA.: 1170 Wien, Kainzg. 10/8. G.: Tulln, 30. Jan. 1965. El.: Franz u. Antonia. S.: RG Tulln, 1984 Matura, Informatikstud. TU Wien. K.: neben d. Stud. Halbtagstätigkeit b. d. Gem. Wien/Mag.-Abt. f. automat. Datenverarb., Tätigkeitsbereich: Programmierung f. Großcomputer, nach 2 J. interne Überwechslung z. System VAX-VMS, Entwicklung eines EDV-Systems "Profi", 1990 SPP/Software Distributor, Übernahme d. techn. Abt., 1992 selbst. u. Grdg. CSD Management Consulting, seit 1993 auch authorisierter Client/Server-Partner d. intern. Firma Gupta, seit 1994 Vertreter d. Firma CSA Computer Systems Advisers f. Österr., seit 1994 authorisiertes Gupta-Schulungscenter f. Österr. P.: Vorträge über Client/Server Technologie b. Veranstaltungen u. Seminaren. H.: Volleyball, Beruf. (F.S.)

Schildt Gerhard H. Dr.-Ing. Prof.

B.: o.Univ.-Prof.; Vorst. d. Inst. f. Automation d. TU Wien. DA.: 1040 Wien, Treitlstr. 3. PA.: 3423 St. Andrä-Wördern, Richard-Gebhardt-G. 18. G.: Berlin, 27. Jan. 1942. Ki.: Sigrid (1971). El.: Otto u. Almuth. S.: FHS-Stud.: Antriebs- u. Regelungstechnik, 1966 Abschl. Ing. (grad.); Stud. d. Datenverarb. u. Nachrichtentechnik an d. TU Braunschweig, 1973 Abschl. m. Dipl.-Ing.; 1976 Prom. an der TU. K.: 1966-68 Projektleiter f. Nachrichtentechnik b. Siemens AG, 1968-69 Entwicklungsing. auf d. Geb. Farbfernsehen, 1969-74 Ltr. d. Labors f. Strahltriebwerktechnik b. d. Dt. Forschungs- u. Versuchsanst. f. Luft- u. Raumfahrt, 1974-76 wiss. Mitarb. an d. TU Braunschweig, anschl. als beratender Ing. selbständig tätig, ltd. Ang. b. Siemens AG, 1988 Ruf an die TU Wien, Inst. f. Techn. Inform. (FB Informatik), s. 1991 Vorst. am Inst. f. Automation. P.: Publ. auf d. Geb. d. Echtzeitsysteme u. Prozeßsteuerungen u.a.: "Analyse d. zeitlichen Verhaltens verteilter Echzeitsysteme" Fachtagung "Entwurf komplexer Automatisierungssysteme", Braunschweig 1992, "An Approach to Job-Shop Scheduling applying CBR; Workshop "Automation and Control Technology Education 2001", Vienna, Jan. 1993, IAEA Specialists´ Meeting Moskau, Mai 1993, "A Double - Channelled Safety Critical Process Visualization". M.: IEEE (Inst. f. Electronic a. Electrical Engineers), GI - Ges. f. Informatik, VDI - Ver. Dt. Ing., VDE - Ver. Dt. Elektrotechniker, GMA - Ges. f. Mess- u. Automatisierungssysteme. H.: Kirchenorgelmusik, Schach, Tennis. (N.A.)

v. Schilhawsky Paul o.Prof.

B.: o.HS-Prof. am Mozarteum. DA.: 5020 Salzburg, Mirabellpl. 1. PA.: 5020 Salzburg, Binderg. 2./ F 75015 Paris, 8 Rue Jean Daudin. G.: Salzburg, 9. Nov. 1918. V.: Sophie geb. Lauriot Prevost. Ki.: Marie-Christine. El.: Sigismund u. Paula BV.: Großvater, Onkel u. Vater waren Generäle (Vater höchster letzter General Österr. d. 1. Rep.). S.: VS, Theresian. Ak. Wie, 1936 Matura, 1939 Stud. Kulturwiss. Univ. München, 1942 wegen Kriegsereignisse unterbrochen, 1937-41 Mozarteum. K.: 1942-45 Korrepetitor am Landestheater Sbg. u. in d. Opernschule d. Mozarteums, 1945 am Landestheater Sbg. Operndirigent, in d. Wintermonaten 1948, 1949, 1950 Aufbau einer Opernschule in Lissabon, 1951 musikal. Ltg. d. Opernschule am Mozarteum, 1953-57 Klavierkl., seit 1958 Kl. f. Konzertgesang, 1959 Fachgruppenvorst. f. Gesang, 1960 a.o.HS-Prof., 1970 o.HS-Prof., 1971-79 Rektor d. HS Mozarteum, 1972-82 Ltr. d. Intern. Sommerak., als Solist u. Begleiter bereiste er Europa, Asien, Afrika, Nord-, Mittel- u. Südamerika. E.: Gr. Silb. EZ f. Verd. um d. Rep. Österr., Silb. Med. d. Stadt Paris, Ehrenmtgl. d. Mozarteums, Das goldene Wappen der Stadt Salzburg. M.: Rotary Club Sbg., Ver. d. ehem. Theresianisten. (R.A.)

Schille Heinz Dr. HofR.

B.: Landesgschf., Mtgl. d. Präsidiums. FN.: Stmk. Gemeindebund Interessenvertretung d. steir. Gem. DA.: 8010 Graz, Burgring 18. PA.: 8010 Graz, Obere Teichstr. 25a. G.: Graz, 23. Sept. 1943. V.: Ursula, geb. Pfaffmann. Ki.: Petra (1972), Martin (1975). El.: Herbert u. Anna. S.: BRG, 1961 Matura, ab 1961 Stud. Rechtswiss. Graz, 1966 Prom. K.: 1966-67 Gerichtsjahr als Rechtspraktikant, 1967-68 Präsenzdienst, 1968 Richteramtsanw., 1969 Exportkfm. Fa. Vogl & Noot Wartberg, 1970 Eintritt steir. Landesdienst als Strafref. in d. BH Mürzzuschlag, ab 1985 stellv. Ltr. d. Gem. u. Wahlabt. d. Amtes d. Stmk. Landesrg., ab 1989 Bez.-Hptm. in Voitsberg, seit 1991 Stmk. Gemeindebund. BL.: 1972-82 Obm. d. Interessengemeinschaft "Berliner Ring". P.: Fachpubl. in Fachzeitschriften, Mitautor "Handbuch d. steir. Gemeindrechtes". M.: ÖVP, 1989-91 Fremdenverkehrsobm. d. Region Weststmk. H.: Reisen, Malerei, Wassersport (Schwimmen, Segeln, Surfen), Skifahren. (P.M.)

Schille Herbert H. Mag. Prof.

B.: Dir. d. Fremdenverkehrsschulen d. steir. Hotelfachschulver. in Bad Gleichenberg. A.: 8344 Bad Gleichenberg 170. G.: Bad Gleichenberg, 8. Mai 1926. V.: Martha, geb. Zwicker. El.: Herbert u. Theresia. S.: Mittelschule, HS-Stud. in Graz, Ohio State Univ. K.: Nach Beendigung d. Lehramtsprüf. Tätigkeit am US-Forsch.Inst. in Österr., dann Lehrer, ab 1971 Dir an d. Steir. Hotelfachschule. P.: Lehrbücher "Englisch f. d. Gastgew.", "At your Service", "Correspondence". M.: EUHOFA - Ver. Europ. Hotelfachschuldir. Bad Gleichenberg.

Schiller Birgit Ruth Fredegild Mag. theol.
B.: Pfarrerin Ev. Pfarrgem. A u. HB Horn. DA. u. PA.: 3580 Horn, A.-Fischer-G. 8. G.: Ried/Innkreis, 12. Dez. 1964. El.: Karl-Erwin u. Heidemarie, geb. Pfandl. S.: VS, Gymn., 1983 Matura, Theol.-Stud. Univ. Wien u. Univ. Erlangen-Nürnberg, 1988 Spons. z. Mag. theol. K.: 1990-92 Vikariat Graz "Heilandskirche", 1993 Vikariat Horn, seit 1993 Pfarrerin in Horn. P.: Mitarb. in d. Pressearb.: Zeitschrift "Saat", Red. d. Diözese NÖ. M.: Ver. "Christus Medicus" - Zentrum z. Lebensbewältigung im Christl. Geist, Pfarrver. H.: Katzen, Handarb., Lesen. (M.M.)

Schiller Franz Dipl.-Ing.

B.: Vorst. FN.: Software AG. DA.: 1190 Wien, Cobenzlg. 32. PA.: 1190 Wien, Hofstätten 7-9. G.: Amstetten, 16. Apr. 1946. V.: Angelika, geb. Schmid. Ki.: Gregor (1976), Nikolaus (1977), Clemens (1980), Katharina (1982). El.: Dr. Eduard u. Hilde. S.: 1964 Matura, Stud. Nachrichtentechn. an der TU Wien, 1972 Abschl. K.: 1974-85 bei Fa. Hewlett & Packard in versch. Pos., zul. Districmanager f. Int. Major Account District, 1985 Grdg. der Fa. "Tandem", 1989 Übern. der Verantw. f. die ges. Osteuropaaktivitäten, 1993 Grdg. der "Tandem" Hung. u. seit der Zeit Vizepräs., s. Sep. 1993 Alleinvorst. der Software AG m. Verant. f. Aktivit. in Ungarn. M.: Forum "Alpbach" f. Europ. Kultur. H.: Tennis, Golf, Sport im Allgem. (N.A.).

Schiller Friedrich KommR.
B.: Gschf. Ges. FN.: Friedrich Schiller GmbH. DA.: 1060 Wien, Mariahilfer Str. 117. G.: Wien, 3. Sept. 1947. V.: Jeannine, geb. Fleischmann. El.: Ludwig u. Marie. S.: Matura in Wien. K.: 1966 Eintritt in d. elterl. Betrieb Kindermoden Mary, 1973 Grdg. d. Piff-Paff Kindersupermärkte, 1984 gschf. Ges. d. Fa. M.T.M., Gschf. Ges. Friedrich Schiller GmbH. M.: Präs. d. Modeclubs d. Textilkaufleute, HK-Mtgl., Gremialaussch.-Mtgl. d. Wr. Textilhdls., Allg. beeid. gerichtl. Sachv. H.: Politik, Wirtschaft u. Theater. (N.A.)

Schiller Herbert
B.: Ref. f. Umweltschutz, Wohnbauförd. d. Ktn. LRg. DA.: 9020 Klagenfurt, Arnulfpl. 1. PA.: 9232 Rosegg 27. G.: Villach, 11. Mai 1946. V.: Helene, geb. Traby. Ki.: Daniel, Andreas. El.: Katharina Schiller. S.: Pflichtschulen, HAK, PÄDAK Klagenfurt. K.: 1973 GemR. v. Rosegg, 1978 VBgm., 1979-88 Bgm. v. Rosegg, 1977 Lehramtsprüf. u. Unterricht in Deutsch u. Geschichte HS Velden, 1988 Rg.Mtgl. M.: seit 1968 Mtgl. d. SPÖ, Naturfreunde, unterstützendes Mtgl. v. vielen Naturschutzorgan. z.B. WWF. H.: Familie, Musik, Sachliteratur, Lyrik, Tennis, Skifahren. (D.M.)

Schiller Karl E. Dr. theol. Prof.
B.: ev. Pfarrer i. R. A.: 4910 Ried/I., Ammeringstr. 9. G.: Kaltenbuch/Bayern, 18. März 1928. V.: Heidemarie, geb. Pfandl. Ki.: Edith (1962), Birgit (1964), Cornelius (1968), Frank-Claudius (1974). El.: Ludwig u. Betty. S.: ORealschule, journalist. Ausbild., Stud. d. Psych., Phil. u. Theol. K.: Journalist (Red.), Stud., Gstl. Heimltr., Pfarrer d. ev. Gem. AB Ried/I. u. Ltr. d. ökumen. Ak. "Hilfe u. Heil (Arzt u. Seelsorger)", Chefred. d. Zeitschr. "Hilfe u. Heil", Familienref. d. Evang. Kirche i. Österr. (i.R.). P.: "Curatio Christo - iussa (Heilendes Handeln im Christusglauben)", "Ketzer u. Christ - Das Christuszeugnis Martin Luthers im Spiegel d. II. Vatikan. Konzils", Aufsätze i. Zeitschr. u. Sammelbänden, Hrsg. d. Tagungsberichte d. Österr. Arge "Arzt u. Seelsorger". E.: 1981 Verleihung d. Berufstitels "Prof." durch d. BPräs., 1993 Gold. Verdienstzeichen d. Landes OÖ. M.: Gründer u. Präs d. Österr. Arge "Arzt u. Seelsorger", Gründer u. Obm. d. Ver. "Christus Medicus-Centrum z. Lebensbewältigung im christl. Geist". (P.H.)

Schiller Rudolf Ing. Dir.
B.: Gschf. d. Fa. Goerz Electro. DA.: 1100 Wien, Sonnleithnerg. 5. PA.: 1220 Wien, Mergentalerpl. 9. G.: Wien, 20. Nov. 1928. V.: Friederike, geb. Richter. Ki.: Gerhard, Walter. El.: Rudolf u. Maria. S.: Matura, Jusstud. K.: 1942 als Lehrling b. Fa. AEG tätig, seit 1974 b. Fa. Goerz Electro tätig. M.: Dt. HK in Österr., Präs. d. Ruderclub Pirat. H.: Sport, Fotografie. (E.L.)

Schilling Hannemarie

B.: Kunsthändlerin, Inh. FN.: Treffers´s Nfg. Kunsthdlg. u. Rahmenwerkstätte. DA.: 9020 Klagenfurt, Burgg. 8. PA.: 9020 Klagenfurt, Bahnhofstr. 41. G.: Klagenfurt, 28. Juli 1941. Ki.: Hans (1963), Bernhard (1974). El.: Hans u. Maria Treffer. S.: Pflichtschulen, Berufsschule f. Hdl. u. Gewerbe, Abschlußprüf. K.: 1955 Eintritt in d. elterl. Kunsthdlg., zuerst als Lehrling dann als Ang., 1972 Übernahme d. Betriebes als selbst. Inh. M.: Wirtschaftsbund, Golf-Club M.G.C. Pernitz. H.: Golf. (F.S.)

Schilling Helmut Dr. Dkfm.
B.: Prok. FN.: ECO-PLUS Betriebsansiedlung u. Regionalisierung in NÖ GmbH. DA.: 2351 Wr. Neudorf, Ind.-Zentrum Süd, Straße 3. PA.: 1130 Wien, Fehlingerg. 11. G.: Wien, 2. Okt. 1938. Ki.: Mag. Martin (1963), Mag. Heinrich (1966), Johannes (1969). El.: Dipl.-Ing. Heinrich u. Eva. S.: 1957 Realschulmatura, 1957-62 Stud. Betriebswirtschaft WU Wien, 1961 Dkfm., 1962 Dr. K.: 1962-73 Projektltr. im Österr. Inst. f. Raumplanung, 1973-82 Gschf. in NÖ Ramordnungs, Betriebsansiedlungs u. Strukturverbesserungs GmbH, 1982 Gschf. Industriezentrum NÖ-Süd GmbH, 1976-88 Gschf. d. Firma Ennshafen GmbH, 1983-87 Gschf. d. Firma ECO-PLUS, ab 1987 Einzelprok. d. Firma ECO-PLUS: Leistungsbereich Management d. Ind.-Zentren. H.: Bergsteigen, Skifahren. (M.M.)

Schilling Peter Dr.
B.: Beeid. Wirtschaftsprüfer u. Steuerberater. DA.: 1040 Wien, Wohllebeng. 13. G.: Wien, 16. März 1941. V.: Elfriede Hildegard, geb. Ruscher. El.: Alois u. Christine. S.: Grundschule, kfm. Lehre, Mittelschule, Univ. K.: kfm. Lehrling, Bilanzbuchhalter, Steuerberater (1969), Mitarb. einer gr. intern. Wirtschaftsprüf.Ges., Wirtschaftsprüfer (1974), seit 1974 selbst., intern. Gutachten auf d. Gebiete d. Schadenersatzrechtes. F.: Dynama Wirtschaftstreuhand GmbH, Econic Unternehmens-Beratungs GmbH. P.: "Die GmbH & Co aus d. Blickwinkel d. unternehmerischen Ertragssteuerstrategie", "Wirtschaftstreuhänderjahrbuch 1978", "Wirtschaftstreuhänderjahrbuch 1979/80". M.: Mtgl. d. Vorst. d. Kam. d. Wirtschaftstreuhänder, Inst. österr. Wirtschaftsprüfer. H.: Musik, Geschichte, Kunstgeschichte, Literatur, Malerei d. 19. Jhdt. (J.S.)

Schillinger Helmut Ing.
B.: Inh. d. Fa. Schillinger KG. DA.: 1090 Wien, Marktg. 12. PA.: 1180 Wien, Pötzleinsdorfer Str. 21. G.: Wien, 3. Nov. 1941. V.: geb. Turek. Ki.: Bernhard, Hannes. BV.: Urgroßvater war k.u.k. Hofspengler in Wien. S.: Gymn. Wien, HS. K.: Übernahme d. 1826 gegr. Fa. M.: Innungsaussch.Mtgl., Vorst. im Öpros, Obm. d. Spenglerverb. H.: Modellfliegen, Sport. (Fels.)

Schima Dr. med. HofR. a.o.Univ.-Prof.
B.: Vorst. d. Chir. Abt. d. KH Mistelbach. A.: 2130 Mistelbach, A.-Petzold-Str. 1B. G.: Wien, 26. Sept. 1930. V.: Dr. iur. Johanna, geb. Thuniot. El.: Prof. Dr. Hans u. Thea. S.: Hum. Gymn., Med.Stud. an d. Univ. Wien, Prom. z. Dr. med. univ. 1954. K.: 1954-70 Ass.Arzt, später OA an d. I. Chir. Univ.Klinik, FA f. Chir. 1960, 1963 FA f. Unfallchir., 1971 Habil. f. Chir., 1978 a.o.Univ.-Prof., seit 1971 Vorst. d. Chir. Abt. d. KH Mistelbach, o.Mtgl. d. LSanR. f. NÖ, ärztl. Dir. d. KH Mistelbach. P.: Monographie: "Die Schädelbasisfraktur", 58 Veröff. in Fachzeitschriften, vorwiegend aus d. Fachgebieten Unfallchir., Abdominalchir., Proktologie. M.: Ges. d. Ärzte in Wien, Österr. Ges. f. Chir., Dt. Ges. f. Chir., Wr. Ak. f. ärztl. Fortbild.

Schima Josef Dr.
B.: RA. DA.: 1010 Wien, Rotenturmstr. 17. PA.: 1140 Wien, Kuefsteing. 33/5. G.: Wien, 12. Aug. 1945. V.: Ilse, geb. Hofbauer. El.: Josef u. Anna. S.: VS, RG Wien, Jusstud. Univ. Wien. K.: Gerichts- u. Anw.Praxis, 1978 RA. BL.: Urheberrecht, Vertragsrecht, Hdls.Recht. (H.P.)

Schima Werner
B.: Chefred. Basta, Rennbahnexpreß Zeitschriftenverlag GmbH. DA.: 1050 Wien, Krong. 6. PA.: 1060 Wien, Kundendorferstr. 118A. G.: Klosterneuburg, 3. Juli 1956. V.: Angelika, geb. Deutsch. Ki.: Anna. El.: Friedrich u. Elfriede. S.: VS, Gymn., 1974 Matura, Stud. d. Politikwiss. in Wien. K.: 1980-81 Red. Extrablatt, anschl. freier Journalist, dann freier Mitarb. Profil, teilweise f. Trend geschrieben, seit 1984 freier Mitarb. anschl. Red. u. seit 1987 Chefred. Basta. P.: berufsbez. Publ. M.: Gewerkschaftsmtgl. H.: Lesen, gut essen u. trinken. (M.B.)

Schimanko Hans
B.: Kfm. DA. u. PA.: 2371 Hinterbrühl, Anninger Str. 3. G.: Wien, 4. Febr. 1955. V.: Gertrude, geb. König. Ki.: Markus (1980). S.: HS, kfm. Lehre. K.: 1970-89 Tätigkeit in Raumausstattungsbranche, 1985 selbst. m. eigener Firma in Raumausstattung, 1991 Erweiterung d. Betriebes auf Geschenkartikel. H.: Schwimmen, Sauna, Tennis. (M.M.)

Schimanko Heinz Werner
B.: Gastronom. GT.: Inh. Eden Bar, Moulin Rouge, Hotel Orient u.a. DA.: 1010 Wien, Walfischg. 11. G.: Wien, 15. Febr. 1944. V.: Christine, geb. Somogyi. Ki.: Michaela (1964), Dietmar (1972), Rüdiger (1981). El.: Johann u. Katharina, geb. Proßer. S.: RG Wien. K.: 7 J. b. Österr. BH (Ranger-Ausbild.), seit 1971 selbst. Gastronom. H.: Oper, Theater, Jagd, Fallschirmspringen. (N.A.)

Schimatzek Roland
B.: Pensionist; ehrenamtl. Ltr. d. Welser Tierheimes. DA.: 4600 Wels, Schafwiesen 62. G.: Wien. S.: 1957-89 Lokführer d. ÖBB (Dampf-, Diesel- u. E-Lok), Mitarb. i. d. Personalvertretung, u.a. Organisator d. "Eisenbahnerbälle" Wels u. Linz, 1957 Bau d. Eisenbahner-Sportanlage i. Wels, 1966 Grdg. d. Eisenbahner-Modellbahn-Clubs Wels (EMC-Wels), Bau e. d. größten Modellbahnanlagen i. Österr., s. 1989 verantw. Funktionär b. Welser Tierheim, Initiator d. Welser Tierrettung u. d. Tierarzt-Notdienstes, s. 1992 Obmann, Schwerpunkt Rettung v. herrenlosen, ausgesetzten und gefährdeten Tieren, ehemals aktiver Bergsteiger u. Sportschütze. E.: div. Vereinigungen, s. oben. M.: Umweltschöffe i. Wels. H.: Tiere, Eisenbahn (gr. u. klein), Bergsteigen. (P.H.)

Schimek Helmut Dipl.-Ing.
B.: Arch. DA.: 4040 Linz, Rosenauerstr. 44. G.: Linz, 18. Juni 1939. V.: Rosemarie, geb. Pichler. Ki.: Gundula (1964), Olivia (1971). El.: Oskar u. Olga. S.: VS u. HS Linz, Bundesgewerbeschule Linz, 1959 Matura, b. 1967 Arch.-Stud. TU Wien. K.: seit 1974 selbst. Arch. m. Ziviltechn. Befugnis, seit 1976 allg. beeid. gerichtl. Sachv., 1982-86 Obm. d. Bundesfachgruppe Arch., 1986-92 Präs. d. Ing.-Kam. f. OÖ u. Sbg., seit 1992 Präs. d. Bundesing.-Kam. P.: viele Veröff. in Fachzeitschriften u. Beiträge. E.: 1989 1. Preis in Arge m. Arch. Karrer SBL Linz, 1991 1. Preis Brucknerkonservatorium Linz, 1992 1. Preis Seniorenzentrum Franckviertel, 1988 Grdg. u. Initiator d. BeiR. f. Stadtgestaltung, 1990 Kulturmed. d. Stadt Linz. H.: Fußball, Skifahren, Bergsteigen, Malerei d. 20. Jhdts., Lesen. (U.A.)

Schimek Susanne Mag.
B.: Lehrerin an Höheren Schulen, Ltg. d. VHS Tulln. DA. u. PA.: 3430 Tulln, Siegmundg. 9. G.: Hallein, 29. Aug. 1945. V.: Dipl.-Kfm. Leopold. Ki.: Michael (1972). El.: Werner u. Maria. S.: VS, 1963 AHS-Matura, Stud. Germanistik u. Slawistik Univ. Wien u. 1968 Univ. Moskau, 1971 Lehramtsprüf. f. Dt. u. Russ. - Mag. phil. K.: 1968 Eintritt in d. Schuldienst als Lehrer an d. HASCH Tulln, seit 1972 auch Lehrer an d. HAK Tulln. BL.: seit 1987 Ltr. d. VHS Tulln, seit 1992 Mtgl. d. Landesvorst. d. Verb. d. NÖ VHS. E.: 1988 Silb. EZ f. Verd. um d. Rep. Österr. M.: Vorst. d. Arge d. Deutschlehrer an HAK NÖ. H.: Lesen, Reisen. (M.M.)

Schimetschek Herbert Gen.-Dir.
B.: Vorst.-Vors. FN.: Austria-Collegialität Österr. Versicherungs AG. DA.: 1021 Wien, Untere Donaustr. 20. PA.: 1190 Wien, Bauernfeldg. 2. GT.: Vorstandsvorsitzender des Austria Versicherungsvereines a.G., Mtgld. d. Präsidiums d. Verbandes d. Versicherungsunternehmen Österreichs, Obmannstellvertreter d. Sektion Geld-, Kredit- u. Versicherungswesen d. Bundeskammer d. gewerblichen Wirtschaft, Präsident d. Autria Österr. Hotelbetriebs AG, Präsident d. Fa. August Rath u. Söhne AG, Präsident d. Sparkassenrates u. d. Aufsichtsrates d "DIE ERSTE Österr. Spar-Casse-Bank", vizepräsident d. ÖAMTC, Vizepräsident d. Kuratoriums f. Verkehrssicherheit.

Schimetschek Margarete
B.: gschf. Ges. d. Fa. Sioux Hdls. GmbH. DA.: 8010 Graz, Reitschulg. 16. PA.: 8010 Graz, Schörgelg. 51. G.: Graz, 24. Juli 1922. El.: Josef u. Hedwig Schalk. S.: VS, HS, LBA Graz, 1941 Matura. K.: b. 1945 als Lehrerin in Jugoslawien, ab 1945 in Graz tätig, ab 1955 Mitarb. in Betrieb d. Gatten, Ausbau d. Fa. u. 1966 Eröff. d. Filiale in Köflach, ab 1980 gschf. Ges. H.: Gartenarb., Sprachen. (War.)

Schimka Paul Dr.
B.: Syndikus d. Sekt. Tourismus u. Freizeitwirtsch. d. Wirtsch.kammer Österr. GT.: Mtgl. d. Direktoriums d. Österr. Werbung, VPräs. d. AufsR. d. Casinos Austria AG, VerwR. d. ÖBB, AufsR.-Mtgl. d. Österr. Hotel- u. Fremdenverkehrs Treuhand GmbH, Gschf. d. Kuratoriums d. Österr. Fremdenverkehrs. DA.: 1045 Wien, Wiedner Hauptstr. 63. PA.: 1090 Wien, Pasteurg. 4. G.: Amstetten, 1. Jän. 1934. V.: Maria-Theresia, geb. von Mühlvenzl. Ki.: Benedict (1978). El.: Hugo u. Paula. S.: 1952 Matura, Stud. Rechtswiss. Univ.

Wien, 1959 Prom. K.: 1959 Gerichtsj., 1960 Auslandspraxis in Schweden, 1961 Eintritt in d. Bundeskam. d. Gewerbl. Wirtschaft, 1969-73 Gschf. d. Fachverb. d. Reisebüros, 1973-80 Gschf. d. Fachverb. d. Österr. Hotellerie, seit 1980 Syndikus d. Bundessekt. Fremdenverkehr. P.: div. Fachpubl. E.: 1985 Tir. Adlerorden in Gold, 1987 Gr. EZ f. Verd. um d. Rep. Österr. M.: Mtgl. vieler in- u. ausländ. Organ. u.a. AIEST, AIH, Horeca. (J.S.)

Schimpel Hans Ing.
B.: Inh. FN.: Techn. Büro H. Schimpel, Personal Leasing. DA.: 8010 Graz, Sandg. 39. G.: Leutschach, 13. Aug. 1052. V.: Mag. Gertraud, geb. Huber. El.: Johann u. Anna. S.: HTL Graz. K.: Ing.-Büro Offenbach a. Main/Deutschld., 1974-85 Maschinenfbk. Andritz: 7 J. Konstrukteur Papiermaschinenbau, 5 J. Entwässerungstechnik, 1 J. Abt.-Ltr. f. Klärschlammentsorg. Fa. Saubermacher. M.: Obm. MFC Grashüpfer Andritz, Österr. Hovawart Club, Österr. Fischereiges. H.: Modellfliegen, Fischen, Segeln. (R.S.)

Schimpelsberger Karl

B.: Unternehmer. FN.: Containertransport GmbH Karl Schimpelsberger. DA. u. PA.: 5340 St. Gilgen, Pöllach 76. G.: St. Gilgen, 3. Okt. 1940. V.: Monika, geb. Macher. Ki.: Markus (1969), Bettina (1979). El.: Karl u. Paula. S.: VS, HS, Mechanikerlehre. K.: 1960 Grdg. d. Transportunternehmens, Eröff. "Loipenstüberl", seit 1984 Sonderabfallentsorgung. M.: Bürgermusik, Schützenver., Yachtclub, Faschingsgilde St. Gilgen. H.: Jagd, Tennis. (S.P.)

Schimpl Günter
B.: Kunstmaler. DA. u. PA.: 4400 Steyr, Unterhimmlerstr. 11. G.: Dietach, 22. Juli 1949. Ki.: Elisabeth, Viktoria, Silvia. S.: Malerausbild. im Schloß Leßdorf/Wien, 1971-75 Restaurator, seit 1977 Kunstmaler (Aquarell, Öl, japan. Malerei), bemalen v. Bauernkästen u. Keramik, Ausstellung in Steyr. M.: Bogenschützenver. H.: Bogenschießen, Malen. (P.H.)

Schinagl Josef
B.: Bgm. v. Alberndorf in d. Riedmark, Buchhalter d. ÖAAB. DA.: 4211 Alberndorf, Gemeindeamt, 4020 Linz, Humboldtstr. 24. PA.: 4210 Gallneukirchen, Spattendorf 43. G.: Alberndorf, 13. Okt. 1942. V.: Margareta, geb. Moser. Ki.: Katharina (1978), Elisabeth (1980), Matthias (1982). El.: Paulus u. Maria, geb. Dorninger. S.: VS, HS, b. 1964 Lehre Bürokfm. Linz. K.: 1969 Eintritt als Ltr. d. Buchhaltung ÖAAB OÖ, b. heute Lohnverrechnung u. Beitragswesen, seit 1967 im GemR., seit 1973 im Gem.-Vorst., 1979 VBgm., seit 1984 Bgm. P.: Vortragstätigkeit. E.: 1991 Ausz. f. Verd. um d. OÖ Jugend, Ausz. v. Land, 1992 Silb. Ehrenring d. Gem. Alberndorf. M.: seit 1991 Ver. z. Förd. d. Österr. Jugend, Obm. d. Jugendheimes Grünau/Almtal, 1972-91 ÖVP-Obm. d. Gem. Alberndorf. H.: Fischen, Schwammerlsuchen, Sport, Skifahren, Langlaufen. (U.A.)

Schindel Robert
B.: selbst. Schriftsteller. DA. u. PA.: 1020 Wien, Schüttelstr. 93. G.: Bad Hall, 4. Apr. 1944. El.: René u. Gertrude. S.: VS, Mittelschule, Buchhdls.-Lehre, 1960-67 div. Berufe u. Auslandsaufenthalte, 1967 Externistenmatura u. b. 1972 Stud. Phil. K.: 1972-75 div. Berufe, 1975-81 Bibl. d. Wr. Städt. Hauptbücherei, 1981-83 AFP-Nachtred. u. seit 1983 freier

Schriftsteller. P.: Gedichte "Ohneland" (1986), "Geier sind pünktl. Tiere" (1987), "Im Herzen d. Krätze" (1988), "Ein Feuerchen im Hintennach" (1992), Roman "Gebürtig" (1992), Erzählungen "Die Nacht d. Harlekins" (1993), Essays "Gott schütz uns v. d. guten Menschen" (1995). E.: Förderpreis Kreis Dt. Ind., Literaturförderpreis d. Stadt Maribor, Förderpreis Österr. Literatur, Europ. Preis d. BNAI BRITH, Erich Fried-Preis u. Canetti-Stipendium. (M.-L.-A.-M.)

Schindelar Josefine
B.: Inh. FN.: Grinzinger Trachtenstadl. DA.: 1190 Wien, Cobenzlg. 12. G.: Graz, 6. März 1957. V.: Franz Schindelar. Ki.: Christoph. S.: HASCH, 1975 Abschluß, b. 1987 kfm. Praxis im Techn. Bereich. K.: 1988 Grdg. d. eigenen Firma im Grinzinger Trachten- u. Souvenirbereich, 1991 Eröff. d. Grinzinger Trachtenstadl. H.: Sport, Reisen, Seminare. (J.E.);

Schindhelm Rudolf
B.: Augenprothetiker. FN.: Inst. f. Augenprothetik. DA.: 8010 Graz, Grazbachg. 17. PA.: 8010 Graz, Leonhardstr. 54. G.: Thüringen, 5. Sept. 1914. V.: Irmgard, geb. Müller-Hipper. Ki.: Gisela (1940), Reinhard (1943). El.: Anton u. Alma. S.: Mittelschule b. Kriegsausbruch, 1946 Fachausbild. im Betrieb d. Schwiegervaters, Fachausbild. (Auge), Fachprüf. 1949 Handelskammer, Befähigungsprüf. u. Nachweis BRD (sowjet. besetzte Zone), Betrieb enteignet. K.: 1950 Übersiedl. nach Westdeutschld. (Bad Godesberg), 1953 nach Graz, selbst., Zusammenarb. m. Ärzten, Spitälern, Optikern u. Augenkliniken, Reisetätigk. in Österr. u. teilweise im ehem. Jugoslawien. P.: Art. in Tageszeitungen in Österr. u. ehem. Jugosl. M.: Kammer, Optikerinnung, Ver. deutschspr. Kunstaugeninst. (VDKI). H.: Wandern, Geigespielen. (R.S.)

Schindl Liesbeth Dr. med. Prim.
B.: FA f. Physik. Med. u. Rehabilitation am Inst. f. Lasermed. u. Physikozentrum. DA.: 3400 Klosterneuburg, Rathauspl. 4. PA.: 3411 Weidling, Hauptstr. 146. G.: Klosterneuburg, 23. Aug. 1941. V.: Dr. jur. Franz. Ki.: Dr. med. Martin (1968), Dr. med. Andreas (1968), Stephan (1973). El.: Alois u. Maria Turba. S.: Mittels., Fachschule f. Biochemie in Wien, 1960 Abschl. als Biochem. techn. Ass. K.: 1960.63 IMMUNO Wien, 1963-64 Pharmakol. Inst. Univ. Wien, 1964-73 IAEA Dep. of. Nucl. Med.: Entwickl. u. Test. med. diagn. Geräte zur Tumordiagnostic (Nuclear Chicago u. Pickerscanner), 1977 Berufsreifeprüf. an d. Univ. Wien zum Stud. d. Med., 1983 Prom. Dr. med., 1983-86 Turnus, 1986-90 Ausbild. zum FA f.Physik. Med., 1990-92 OA im Wilhelminenspital, 1991 Prim. an d. Paracelsusklinik Grinzingerberg, 1993 Grdg. d. Inst. f. physik. Med. u. Rehab. Gmünd, Herbst 1993 Physikozentrum Klosterneuburg mit Inst. f. Lasermed. P.: "Influence of Low-Incident-Energie Laser Irradiaton on the Arthus Phenomenon Induces on the Rabbit´s Cornea: A Cotrolled Study by L. Schindl, R.v.

Baehr, A. Krause, H. Kern, m. Schindl, and A. Schindl, Effect of Low Lebel Laser Irradiation on Indulent Ulcers caused by Buergers Diseas; A preliminary Report L. Schindl, A. Kainz, H. Kern. M.: Organ. d. intern. Wirbelsäulenkongr. H.: Architektur, Reisen, Puppensammeln, Golf. (S.H.)

Schindl Peter Ing.

B.: Flugbetriebsltr. FN.: Sport- u. Fliegerclub Austria. DA.: 2700 Wr. Neustadt, Wiener Str. 120. PA.: 2380 Perchtoldsdorf, Saliterg. 8. G.: Wien, 5. März 1940. V.: Raimunda, geb. Sousa. Ki.: Valdeilda (1978), Georg (1985). El.: Viktor u. Leopoldine. S.: HTL Elektrotechnik Wien, 1960 Matura. K.: 1961 Heizungstechniker Firma Uniterm, 1962-88 Techniker im väterl. Sanitätsbetrieb, dann Gschf., 1971 Privatpilotenschein u. Instrumentenflug, ab 1976 Fluglehrer Wr. Neustadt, dann zusätzl. Ausbild.-Ltr., 1979 Berufspilotenschein m. Lehrberechtigung, 1988 Schließung d. Sanitärbetriebes u. Übernahme d. Ltg. d. Flugplatzes m. Fluglehrtätigkeit, Management u. Flugabwicklung. M.: Sport-Fliegerclub Austria, Airoclub. H.: Reisen, Lesen, Kleinbahn, Mitfahren auf Lokomotiven. (I.J.)

Schindlauer Johann Mag. art.

B.: selbst. Arch. FN.: Ideenwerkstätte. DA. u. PA.: 4407 Dietach-Steyr, Venusg. 11. G.: Unterach/Attersee, 25. Febr. 1948. V.: Gabriele, geb. Pesendorfer. Ki.: Hans-Dieter (1971), Martin (1974), Maria (1977), Benjamin (1982). El.: Jakob u. Emma. S.: VS, HS, b. 1965 Lehre als Tischler Unterach/Attersee. K.: b. 1967 Tischler, Mstr.-Schule f. Tischlerei u. Raumgestaltung HTL Graz, 1971 Mstr.-Prüf., 4 Monate Tätigkeit in Schweden, 1971-74 Tätigkeit in Innenarch.-Büro, 1975-80 Stud. an d. HS f. künstler. u. industrielle Gestaltung in Linz, Meisterkl. f. Innenarch. b. Prof. Goffitzer, seit 1980 selbst. Tätigkeit als Arch. P.: lfd. Vorträge, Veröff. in Zeitschrift "Renovation", seit 1992 Schulungstätigkeit v. angehenden Bmstr. über Baustilkunde u. Entwurf im BWZ Linz. E.: 1980 Staatspreis f. bes. künstler. Leistungen, 1988 1. Preis Wettbewerb Strandbadgestaltung Unterach/Attersee. M.: 1989 Lions Club St. Ulrich. H.: Zeichnen, Malen, Fotografieren, Reisen in d. Asiat. Raum, Wassersport, Kunst, Lesen, Belletristik, Literatur. (U.A.)

Schindlbauer Hellmuth Dr. techn. Dipl.-Ing.

B.: a.o. Univ.-Prof.,Chemiker. PA.: 2344 Maria Enzersdorf, Donaustr. 56. G.: Wels, 19. März 1930. V.: Hedwig, geb. Dechant. El.: Karl u. Therese, geb. Raudaschl. S.: Mittelschule,TU Wien,Techn. Chemie, 1957 Dipl.-Ing., 1960 Dr.techn. K.: 1970 Doz. f. Organ. Chemie, 1973 a.o. Univ.-Prof., Ltr. d. Forschungsinst. f. Chemie u. Technologie v. Erdölprodukten d. TU Wien. P.: Mehr als 100 Veröff. auf d. Gebiet d. organ., phosphororgan., makromolekularen Chemie u. Petrochemie, Beirat d. Zeitschr. "Erdöl, Erdgas, Kohle" u. d. "Österr. Chemiezeitschr.". E.: Kardinal Innitzer-Preis. M.: Präs. d. Österr. Ges. f. Erdölwiss., Mtgl. d. Ges. Dt. Chemiker, d. American Chemical Society. H.: Musik u. Bergwandern. (N.A.).

Schindlecker Fritz

B.: Drehbuch-, Kabarett- u. Theaterautor. G.: Tulln, 15. Juli 1953. V.: Edith Hollenstein. El.: Friedrich u. Maria. K.: seit 1983 freier Autor, Kabarett-Texte f. Lukas Resetarits, Edith Hollenstein u. Erwin Steinhauer, Revuen f. Peter Kraus u. d. Schmetterlinge, Drehbücher f. ORF u. Dt. Sender, Theaterstücke: "Alles Walzer" (1988), Couplets f. "Der Schützling" (1989), "Aufruhr in Krampanien" (1990), "Lisa u. d. Frösche" (1993), Couplets u. Quodlibets f. "Der Talisman" (1993). M.: AKM, Verb. Österr. Drehbuchautoren. (J.M.)

Schindler Alfred

B.: Inh., Hafnermstr. FN.: Alfred Schindler Hafnermeister. DA./PA.: 2340 Mödling, Lercheng. 4. G.: Breitenfurt, 6. Dez. 1944. V.: Elisabeth, geb. Vockathaler. Ki.: Christoph (1969). El.: Franz u. Maria. S.: 1958-61 Lehre Hafner i. Mödling, 1969 Meisterprfg. K.: 1961-69 Geselle b. damaligen Besitzer d. Geschäftes, 1969 Übern. d. Geschäftes. BL.: Restaurierungen v. antiken Kachelöfen. H.: Windhunderennen, Tennis. (I.K.)

Schindler Beat Ing.

B.: Gschf. Ges. FN.: Schindler KG. DA.: 6921 Kennelbach, Wuhrkopfweg 1. PA.: 6921 Kennelbach, Ahornweg 6. G.: Wien, 30. Okt. 1937. V.: Margaretha. Ki.: Andreas (1961), Désiree (1968). El.: Fritz u. Stefanie. BV.: Großvater Friedrich Wilhem 1. elektr. Licht. S.: VS, Mittelschule, 1963 Textilschule Reutlingen. K.: 1956/57 Studienaufenthalt in Holland, 1957/58 Baumwollgeschäft Amerika, 1958/59 Textilhdl. Südafrika, 1959 Eintritt in väterl. Betrieb (Textilfbk.), 1965 alleinige Führung, 1958 Textilfirma Spinnerei, Weberei. M.: Ring Freiheitl. Jugend, 5 J. Obm. Wasserskiclub Vbg., 6 J. Obm. Fußballclub. H.: Fotografieren, Jugendarb. im Sozialbereich, Reisen. (I.D.)

Schindler Christoph Dr. iur.

B.: Gschf. FN.: Fischer GmbH. DA.: 4910 Ried/Innkreis, Griesg. 11. PA.: 4910 Ried, Pohlstr. 30. G.: Reichenberg, 21. Jan. 1942. V.: Ulla. S.: 1967 Doktorat Univ. Innsbruck, Rechtswiss. K.: Fa. Transalpine Ölleitung: Sachbearb. f. Wegerecht, 1969 Eintritt Fa. Fischer: Exportsachbearb., Verkaufsltr. Europa, Spartenltr. Langlauf u. Tennis, seit 1985 Gschf.

Schindler Désireé

B.: Landesobfrau FN.: Ring Freiheitlicher Jugend. GT.: PR Ass. Fa.Klaus J. Stöhker AG Zollikon. PA.: 6921 Kennelbach, Ahornweg 5. G.: Hard, 11. Jan. 1968. El.: Ing. Beat u. Margarethe. S.: Gymn. Bregenz u. Dornbirn, Studienaufenth. Paris, 1988-90 Inst. Minerva Zürich. K.: 1990 Elektro Watt Ingenieur Unternehmen Zürich, s. 1994 PR-Ass. Stöhlker AG; s. 10. Lj. Mtgl. Ring Freiheitlicher Jugend, 1989-93 stv. Bundesobmann, 1990 Landesparteivors., Mtgl. d. Parteivorst., 1994 stv. Bezirksobmann, Del. i. IF of Liberty and radikal youth. H.: Kunst u. Kultur, Reisen, Lesen, Schreiben, Malen. (I.D.)

Schindler Erwin Dr. Univ.-Prof.

B.: FA f. Radiologie u. Neurologie, Ltr. d. Abt. f. Neuroradiologie d. Univ.-Klinik f. Radiodiagnostik. DA.: 1090 Wien, Währinger Gürtel 18-20. G.: Wien, 13. Apr. 1940. V.: Karin, geb. Strobl. El.: Dr. Erwin u. Dr. Christine. S.: Gymn. Wien, Med.-Stud. Univ Wien, 1965 Prom. K.: Ausbild. z. FA f. Neurologie u. Psychiatrie, anschl. FA f. Radiologie, 1987 Habil., 1973-84 Univ. Mainz, 1984-91 Röntgenabt. d. Neurochir. Univ.-Klinik Wien, seit 1991 Ltr. d. Abt. f. Neuroradiologie d. Univ.-Klinik f. Radiodiagnostik AKH Wien. M.: Präs. d. Österr. Ges. f. Neuroradiologie, Mtgl. zahlr. med. Fachges. H.: Literatur, Musik, Reisen, Skifahren. (J.S.)

Schindler Franz

B.: Weinbau- u. Kellermstr. FN.: Weingut Franz Schindler. DA.: 7072 Mörbisch, Neustiftg. 6. PA.: 7072 Mörbisch, Neustiftg. 6. G.: Mörbisch, 6. Mai 1951. V.: Käthe, geb. Lang. Ki.: Christina (1972), Anita (1975), Franz (1979). El.: Franz u. Emilie. S.: VS, Hauptschule, Weinbauschule Eisenstadt m. Mstr.-Prüfung. K.: 1971 Eintritt i. d. elterl. Weinbaubetrieb u. Mitbesitzer s. 1979. BL.: Initiator d. Opernballwein-Prog., Int. bek. Cuvees: Cuvee d'Or u. Cuvee d'Argent. E.: zahlr. Erwähnungen i. nat. u. int. Fachpubl., z.B. Johnson 1992, Vinum-Deutschland, Der Winzer-Spiegel, A la Carte, Gault Millaut u.a. H.: Der Wein (Weinreisen, -degustationen u. -präsentationen). (M.M.)

Schindler Hanns

B.: GF Modeversand Ritter . DA.: 6923 Lauterbach, Reiterschulstr. 7. PA.: 6921 Kennelbach, Klosterfeldstr. 9. G.: Zürich, 23. Aug. 1941. V.: Monika. Ki.: Phillipp (1977), Oliver (1979), Dominic (1981), Katharina (1987). El.: Fritz u. Stella. BV.: Großvater Friedrich Schindler Gründer d. Vbg. Kraftwerke, in Kennelbach d. 1. elektr. Licht, Erfinder d. Anwendung d. elektr. Stromes im Haushalt. S.: Matura, 1966 1. Dipl. Elektroing., Stud. ETH Zürich, 1986 Dipl.-Betriebswirtschaft. K.: 1969 IBM Klagenfurt, 1972 nach Bregenz, seit 1986-92 Dir. IBM Bregenz, 1991 Kauf Ritter Modeversand Kennelbach. M.: Rotary Club Vbg. H.: Sport, Wasserskifahren, Tennis, Golf, Skifahren. (I.D.)

Schindler Horst

B.: Präs. d. Clubs d. Trabrennstallbesitzer & Traberzüchter Österr. DA.: 1030 Wien, Landstraßer Hauptstr. 28. G.: Wien, 20. Aug. 1938. V.: Doris. Ki.: Claudia, Martin. El.: Anton u. Berta. S.: Konditorlehre, 1957 Mstr.-Prüf. K.: Saisontätigkeiten als Konditor in Europa, Abt.-Ltr. b. Napoli, 1969 selbst. m. Konditorei "Konditorei Schindler". BV.: Veranstalten v. vielen Wohltätigkeitsveranstaltungen. E.: Gr. EZ d. Stadt Wien. M.: Innungsmstr. d. Wr. Konditoren, Bez.-Vorst.-Stellv. a.D. u. Obm. d. WB Landstraße. H.: Fußball, Tennis, Radfahren, Skifahren, Musik. (J.E.)

Schindler Hubert Dr.

B.: Prim., Vorst. d. I. Med. Abt. d. Hanusch-KH, ständ. Vertreter d. Chefarztes. DA.: 1010 Wien, Werdertorg. 4. PA.: 3400 Klosterneuburg, Anzengruberg. 16-18. G.: Pivonitz/CSFR, 15. Aug. 1927. V.: Dr. Donata, geb. Tommaseo-Panzetta. Ki.: Marion. El.: Josef u. Theresia. S.: Gymn. Wien, 1946 Matura, Stud. in Wien. K.: kurze Zeit im St. Anna Kinderspital, dann Hanusch-KH, Zentrallabor Prof. Steffen, 1958 Ass. b. Prof. Dr. H. Fleischhacker, 1976 I. Med. Abt. übernommen Prim., seit 1985 ständiger Verteter d. Chefarztes. BL.: Die I. Med. Abt. hat als Schwerpunkt: Endokrinologie, Diabetologie, Gastroenterologie, m. 5 Spezialambulanzen. P.: zahlr. wiss. Publ. auf diesen Gebieten sowie Vorträge, Fortbild.Veranstaltungen m. seinen Mitarb. M.: Ges. d. Ärzte, Dt. Ges. f. Endocrinologie, Österr. Diabet. Ges. (M.G.)

Schindler Ingeborg

B.: Tagesmutter, Einsatzltr. f. Tagesmütter d. Familienhilfe Mödling NÖ Hilfswerk. PA.: 2340 Mödling, Bruneckerg. 12. G.: Wien, 26. Okt. 1947. V.: Helmut Schindler. Ki.: Günther (1967), Reinhard (1969). El.: Josef u. Elisabeth Wernegger. S.: 1961-62 kfm. Lehre Wien. K.: 1963-67 Übernahme d. elterl. Geschäftes f. Handarb. Wien, 1967 Verkauf d. Geschäftes u. Umzug nach Mödling, Mutter u. Hausfrau, 1969 Beginn als Tagesmutter, seit 1980 aktive u. engagierte Arb. m. d. Hilfswerk in Mödling u. seither Einsatzltr. f. Tagesmütter im Bez. Mödling. E.: Silb. Ehrennadel d. NÖ Hilfswerk, Silb. Ehrennadel d. Gem. Mödling, 1994 Frau d. Jahres. M.: Österr. Frauenbewegung, Mödlinger Förderungsver. H.: Kinder, Handarb., Garten, Wandern. (I.K.)

Schindler Karl

B.: Vors. d. Gewerkschaft Gemeindebediensteter d. LGruppe NÖ, Vors.Stellv. d. Gewerkschaft d. Gemeindebediensteten Österr. DA.: 1090 Wien, Maria-Theresien-Str. 11. PA.: 2700 Wr. Neustadt, Alfred-Neubauer-G. 1/18/2. G.: Frohsdorf, 19. Nov. 1928. Ki.: Manfred (1953), Andrea (1958). El.: Karl u. Maria. S.: 1943-47 Lehrausbild. z. Vermessungstechniker m. d. fachl. Fortbild.Schule. K.: seit 1945 im Mag. Wr. Neustadt tätig, 1955 Gem.Beamtendienstprüf., 1960 Ing., Referatsltr. f. Vermessung b. d. Stadt Wr. Neustadt, ÖGB: 1950 Vertrauensperson, 1974 Bez.Obm., 1978 LVors., 1986 BVors. Stellv. d. Gewerkschaft d. Gem.Bediensteten Österr., 1958-76 Funktionär b. d. "Kinderfreunden", 1954-65 Gschf. GemR. f. Bauwesen d. Gem. Sollenau, SPÖ-Parteifunktionen d. Ortsbez.Aussch. b. LVorst. E.: Silb. Verd.Zeichen d. Rep. Österr., Silb. Stadtwappennadel v. Wr. Neustadt, Gr. EZ f. Verd. um d. Bdl. NÖ. H.: Skifahren. (P.R.)

Schindler Manfred

B.: Dipl.-Sozialarb., Dir. d. VHS Hietzing; Lehrbeauftr. an d. Bundesakad. f. Sozialarb., Herausg. d. Zeitung "Hot Line" d. VHS Hietzing. DA.: 1130 Wien, Hofwiesengasse 48. G.: Wien, 13. Juni 1954. El.: Emil u. Gisela. S.: 1975 Dipl. an d. Akad. f. Sozialarb. d. Stadt Wien. K.: 1972-85 Tätigk. in versch. Bereichen d. Sozialarb. wie Jugendamt, Sozialamt, Flüchtlingsbetr., Psych., Obdachlosenbetr., 1973-74 Mitarb. Im Jugendcafé Pfeilg. u. Lt. d. Jugendcafés Großfeldsiedl., 1974-75 Mitarb. am Forschungsproj. "Lücken in d. Ausb. u. Berufssit. d. Sozialarb. in Österr." d. "European Center f. Social Welfare Training a. Research", 1975-77 Ausb. z. Rhetorik- u. Kommunik.-Trainer, 1974-79 Red.Mtgl. d. Zeitschr. "betrifft:Sozialarb.", 1988-90 Planung u. Lt. d. 1jähr. Lehrgangs f. ltd. Sozialarb. an d. Akad. f. Sozialarb. d. Stadt Wien "Leiten u. Planen", seit 1.2.89 Dir. d. Volkshochschule Hietzing, seit Sept. 91 Lehrauftr. an d. Bundesak. f. Sozialarb. mit d. Themenstellung "Erwachsenenbild. u. Sozialarb.", 1990-92 Besuch d. Lehrgangs "Bildungsmanagement" der ARGE Bildungsmanag., Abschlußarb.-Bericht: "Modellprojekt, Entw. u. Ums. einer bew. Corporate Identity an d. Volkshochschule Hietzing". P.: seit 1975 Vortrags- u. Semi.tätigk. (Rhetorik, Kommun., Gesundheitsp., Sozialpol. usw., permanente eig. Fortbildung im Rahmen d. Verwaltungsakad. d. Stadt Wien usw. E.: Ludo Hartmann Förderungspreis f. Idee u. Gest. d. Hietzinger Gesundheitstage. M.: 1976-80 Vorstandsmtgl. d. Wiener u. d. Österr. Berufsverb. d. Diplomsozialarb., Mitarb. in d. gewerksch. Vertr. d. Sozialarb., 1980-89 Sekret. bzw. Büroltr. d. amtsführenden Stadtrates f. Gesundh. u. Soz., Vorstandsmtgl. d. Vereins EBIS (Erwachsenenbildung-Inform.system), Präsidiumsmitgl. d. ÖKSA (Österr. Komm. f. Sozialarb.). H.: Kultur, Musik, Reisen, Radfahren, Methoden d. Bürgerbeteiligung. (J.S.)

Schindler Nikolaus Dr. iur.
B.: RA u. freier Wissenschaftler. DA.: 1010 Wien, Wipplinger Str. 24/26. PA.: 1070 Wien, Neubaug. 64. G.: Wien, 20. Okt. 1948. V.: Dr. Renate, geb. Filz. Ki.: Julia, Maximilian. El.: Dr. Johann u. Dr. Berta. S.: hum. Gymn., 1966 Matura, Stud. an d. Univ. Wien Jur. Fak. u. Logistik an d. Phil. Fak., 1970 Prom. K.: 1970-71 IBM Labor, 1971-85 Univ.Ass. am Inst. f. Völkerrecht u. Intern. Beziehungen u. Konzipient in d. väterl. Kzl., seit 1982 eingetragener RA, 1983 Übernahme d. väterl. Kzl. P.: Computeranalysen "Abstimmungsverhalten in d. U.N.", On the theoretical limits of automation in the law or formal standard against understandability, zahlr. Beiträge. (A.W.)

Schindler Otto G. Dr.
B.: Oberrat an d. Univ.-Bibl. Wien u. Ltr. d. Fachbibl. f. Theaterwiss. an d. Univ. Wien. DA.: 1010 Wien, Hofburg. PA.: 1230 Wien, Anton-Baumgartner-Str. 44/A3/044. G.: Neunkirchen, 24. Juni 1941. V.: Luise, geb. Urbanek. Ki.: Stefan (1975), Maria (1976). El.: Otto u. Klara. S.: Gymn., 1959 Matura, Stud. Natur- u. Geisteswiss. Univ. Wien, 1971 Doktorat Theaterwiss. K.: Univ.-Ass. am Inst. f. Theaterwiss. u. Univ.-Lektor f. Theaterwiss., 1973 Gastlektor an d. State Univ. of New York, seit 1980 Ltr. d. Fachbibl. f. Theaterwiss. an d. Univ. Wien. P.: Herausgeber: Jahrb. d. Wr. Ges. f. Theaterforschung; fbtw-Materialien; Quellen zur Theatergeschichte; Stegreifburlesken d. Wanderbühne, 1990, zahlr. Arb. auf d. Gebiet d. Theaterwiss. u. -dokumentation. E: Fulbright Travel Grant 1973; Theodor-Körner-Preis 1994. M.: Wr. Ges. f. Theaterforsch., Ver. Österr. Bibl., Ver. f. Landeskunde v. NÖ, American Theatre Library Assoc., SIBMAS. H.: Bergsteigen, Botanik. (J.S.)

Schindler Raoul Dr. med.
B.: Psychiater, Psychoanalytiker, Gruppentherapeut. DA. u. PA.: 1080 Wien, Bennog. 8. G.: Wien, 11. März 1923. V.: Jutta, geb. Pflanzl. Ki.: Judith, Johannes, René, Ruth. S.: Theres. Ak., 1946 Prom. Univ. Wien. K.: 1946-60 Psych. Univ.Klinik Wien, 1961-88 Aufbau u. Ltg. d. Ref. Psychohygiene am Gesundheitsamt, 1963-88 Vorst. d. VII. Abt. d. Psych. KH Wien, 1959 Grdg. d. Österr. Arbeitskreises f. Gruppentherapie u. Gruppendynamik, 1967 Grdg. d. Ges. "Pro Mente Infirmis Wien", seit 1982 Präs. d. Intern. Föderation d. Arbeitskreises f. Tiefenpsychologie. P.: über 100 wiss. Arb., Begründung d. "Rangdynamik" u. "Bifokalen Familientherapie", sowie z. "schizophrenen Persönlichkeitsabwandlung". (P.R.)

Schinegger Erik
B.: Skischulltr., Gastronom, Ex-Skirennläufer. FN.: Pension, Restaurant, Disco, Skischule Erik Schinegger. DA. u. PA.: 9560 Feldkirchen, Agsdorf St. Urbansee 1. G.: Agsdorf, 19. Juni 1948. V.: Renate, geb. Neubacher. Ki.: Claire. El.: Hans u. Erika. S.: Hotelfachschule, Staatl. Skilehrerausbild. K.: 1961 1. Skirennen - Jugendskitag in Feldkirchen, 1953 dreifacher Ktn. Jugendmstr., 1964 Aufnahme in d. Österr. Nationalkader, 1965 Junioreneuropamstr., 1966 Sieg in 3 Weltcuprennen,, 1966 Weltmstr. Damenabfahrtslauf Portillo/Chile, 1967 Weltcupsiege (Riesentorlauf, Slalom, Abfahrt), 1967 Rücktritt v. aktiven Sport, 1968 nach 6 Mon. KH-Aufenthalt als Erik Schinegger vorgestellt, 1969-72 mehrere intern. Siege in Herrenrennen (5 Europacupsiege, einige Ktn. Mstr.Titel), 1988 Med.Rückgabe an Marielle Goitschel, ab 1973 Skischulinh. P.: Buch: "Mein Sieg über mich" 1988. E.: Gold. EZ d. LSkiverb., Silb. EZ d. Österr. Skiverb., EZ d. Berufsskilehrerverb., Silb. EZ d. Ktn. LRg. M.: seit 1985 Obm.Stellv. d. Berufsskilehrerverb., seit 1985 Mastersref. d. Skiverb. H.: Sport, Lesen, Geschichte. (S.G.)

Schinkinger Franz

B.: Gschf. u. Inh. FN.: Franz Schinkinger GmbH. DA./PA.: 4100 Ottensheim, Hostauerstr. 25. G.: Ottensheim, 15. Jän. 1944. V.: Regina, geb. Januschko. Ki.: Eva (1968), Katharina (1978). El.: Franz u. Maria Katzinger. S.: 1950 VS, 1954 HS, 1959 Elektromechaniker-Lehre, Mstr.-prüf. (U.Z.)

Schinko Heimo Dipl.-Ing.
B.: Freischaff. Künstler, Ind.Planer b. d. Chemiefaser Lenzing AG. A.: 4852 Weyregg am Attersee 252. G.: Linz, 23. Juli 1943. V.: Christa, geb. Kaltenböck. S.: BRG, TU Graz. K.: Künstler. Ausbild. unter d. Prof. Anderl, Weber u. Schaukal, Weiterbild. als Autoditakt, anfänglich Aquarelltechnik, dann Entwicklung eines eigenen Stils b. d. Hinterglasmalerei, hauptsächl. Landschaftsimpressionen in Erdfarben. P.: Viele Ausstellungen. H.: Laufen, Radfahren, Kunstreisen.

Schinko Hellmuth Dr. med.
B.: Prim. d. VI. Psychiatr. Abt. im Psychiatr. KH d. Stadt Wien, Baumgartner Höhe, FA f. Neurol. u. Psychiatrie, Abt.Vorst. A.: 1090 Wien, Frankg. 1. G.: Wien, 27. Apr. 1926. V.: Doris, geb. Matievic. El.: Dr. rer. pol. Rudolf u. Margarethe. S.: RG Mödling u. kriegsbed. Wien, Matura, 1944-46 Soldat, POW, 1946 Forts. Med.Stud. Univ. Wien, Dr.med. 1951. K.: 1952-63 tätig in der Psychiatr.-Neurol. Univ. Klinik Wien, zuletzt OA u. Ltr. d. Ambulanz neben Forschungsaufg. auf d. Gebiet d. Multiplen Sklerose, Sklerodermie, Liquorproteinchemie (1. Liquor-Elektrophorese in Österr.), Morbus Wilson, Morbus Erb, sowie pharmakopsychiatr. Untersuchungen etc. P.: 59 Publ. vor allem über Pathogenese, Proteinchemie u. Therapieversuche b. Multipler Sklerose, Sklerodermie, Myopathien, sowie degenerativen neurol. Erkrank. E.: Theodor Körner-Preis 1957, 1959 u. 1962. M.: Ges. d. Ärzte in Wien, Ges. Österr. Nervenärzte u. Psychiater, Ver. f. Psychiatrie u. Neurologie Wien, Dt. Ges. f. Innere Med. Wiesbaden, u.v.a. H.: Musik, Fotografie, Wassersport. (M.G.)

Schinko Karl Franz Ing.
B.: Gen.Sekr. d. Österr. Caritaszentrale. DA.: 1010 Wien, Nibelungeng. 1. PA.: 2301 Groß Enzersdorf, Probstdorf 120. G.: Klosterneuburg, 23. Nov. 1939. V.: Hermine, geb. Zehetbauer, 4 Kinder. El.: Franz u. Maria. S.: HS, Ldw.Praktikant, 1957-61 Höhere Ldw. BLehranst. Francisco-Josefinum in Wieselburg m. Matura. K.: 1962 Eintritt in d.

Kath. Jugendwerk Österr. als Zentralsekr. d. Kath. Landjugend m. Hauptaufgabe Landjugendarb., Entwicklungshelfer-Betreuung, 1965-73 Gen.Sekr. d. KJWÖ, 1973-76 Kfm. Ltr. d. Fährmann-Verlages, 1976-82 Ltr. d. Pfarr-Ref. d. Caritas Wien, seit 1982 Gen.Sekr. d. Österr. Caritaszentrale, s. 1994 Präs. d. österr. Komitees f. soziale Arbeit. BL.: 1969-74 Vors. d. Österr. B Jugendringes m. Hauptaufg. Zusammenarb. d. Jugendorgan. in Österr. (Förderung d. außerschul. Jugend, Auslands- u. Inlandsarb.). M.: Behindertenwerkstättenzentrum Wien. H.: Familie, Lesen, Wandern, Schwimmen.

Schinko Michael Ing.

B.: Inh. u. Gschf. FN.: Johann Hauser u. Neon Hochmayer GmbH. DA.: 1100 Wien, Favoritner Gewerbering 7. G.: Wien, 15. März 1951. El.: Ferdinand u. Anna. S.:1966-71 HTL Elektrotechnik. K.: 1972-75 Computerfirma Potter Instruments Co, 1975-78 Neon Hauser, 1978 Übernahme d. Firma Johann Hauser, 1983 Übernahme d. Firma Neon Hochmayer GmbH, 1991 Übernahme d. Glasbläserei Hubert Mann u. Integration in d. Hochmayer GmbH, Messen in Genf, Frankfurt, Turin, Amsterdam. H.: Fernreisen, Tiefseetauchen, Filmen.

Schinner Hans Dr. GstlR.

B.: Dechant u. Pfarrer. DA.: 1140 Wien, Laurentiuspl. 2. G.: Wien, 20. Juli 1931. S.: Mittelschule, Stud. d. Kath. Theol. an d. Univ. Wien, Prom. 1975. K.: 1955 Kaplan in Pernitz/NÖ, 1960 Kaplan in Wien-Breitensee, 1967 Pfarrer, 1971 Dechant im 14. Wr. Gem.Bez., seit 1966 Mtgl. d. Wr. PriesterR., seit 1976 dessen gschf. Vors. P.: "Breitensee-Vom Dorf z. Großstadtpfarre", Art u. Beiträge in versch. theol. u. kulturpolit. Zeitschriften. E.: Msgr. Kaplan seiner Heiligkeit.

Schinnerl Herwig

B.: Büromaschinentechniker, Gschf. FN.: SBS Büromaschinen & Service GmbH. DA.: 8580 Köflach, Grazer Str. 15. PA.: 8580 Köflach, Grubweg 15a. G.: Fladnitz/Teichalm, 28. Mai 1959. V.: Gertrude, geb. Weber. Ki.: Thomas (1989). El.: Franz u. Maria. S.: Hauptsch. Passail, Berufsschule Graz, Meisterschule (Büromaschinen) Graz, daneben in Voitsberg gearbeitet. K.: 1984 Gründ. d. Fa. P.: div. Veröff. in Fachzeitschr. u. Tageszeitungen. E.: Berufsschul- u. Lehrabschluß m. Ausz., Lehrabschluß m. Gold. Handwerksnadel. M.: Obm.-Stellv. d. Blasmusikkapelle Fladnitz an d. Teichalm, Feuerwehr, Vorst.-Mtgl. Sparver. Köflach. H.: Schifahren, Musik, Segeln, Lesen. (R.S.)

Schinnerl Peter

B.: Inh. FN.: Lurgrotte Semriach. DA.: 8102 Semriach. PA.: 8124 Übelbach 75. G.: Frohnleiten, 17. März 1941. V.: Mathilde, geb. Ferstl. Ki.: Peter (1963), Rudolf (1965), Andreas (1969), Christine (1975). El.: Peter u. Maria. S.: ldw. Fortbild.-Schule Frohnleiten, 1958 Abschluß. K.: Betriebsführer d. elterl. Forst- u. Ldw., 1969 Übernahme d. Ldw. d.

Schwiegervaters in Übelbach, 1982 Übernahme d. elterl. Betriebes im Semriach, seit 1975 treibende Kraft u. Finanzier b. Wiederaufbau d. Lurgrotte Semriach, d. gr. Tropfsteinhöhle Österr. E.: 1993 Goldenes Ehrenzeichen d. Landes Steiermark. M.: versch. örtl. Ver., seit 1975 Gem.-Bauernobm. Übelbach, seit 1980 Obm.-Stellv. d. Lagerhausgen. Frohnleiten, Obm. versch. Straßenbaugemschft.. H.: Führungen in d. Lurgrotte.

Schinnerl Wolfgang F. Ing.

B.: Gschf. Ges. FN.: Tucon Vertriebs GmbH. DA.: 1040 Wien, Schlüsselg. 8. PA.: 1170 Wien, Franz-Glaserg. 140. G.: 3. Juli 1956. V.: Henrike, geb. Wanik. Ki.: Sandra, Stefanie, El.: Friedrich u. Maria. S.: TGM, Matura. K.: Tätigk. im Bereich Regel- u. Steuerungstechnik, 2 J. in München als Stellv. Ltr. e. Software Unternehmens, 1991 zurück n. Österr. Verkaufsltr. b. Alcatel Bürokommunikation, 1993 Kauf d. Melotte-Rohrtechnik d. 1878 gegründ. wurde, Produktionswerk in London, Tochterges. in BRD. H.: Wandern, Gartenarbeit.

Schipek Georg

B.: Redaktionsltr. d. Steyrer Zeitung. DA.: 4400 Steyr, Blumauerg. 30. PA.: 4407 Steyr-Gleink, Kronbergweg 22. G.: Steyr, 16. Febr. 1952. V.: Christine, geb. Peternell. Ki.: Jürgen (1979). El.: Georg u. Ingeborg. S.: b. 1969 HASCH Steyr. K.: 4 J. Bürotätigkeit im Kreisgericht Steyr, 1973 Redaktionsaspirant b. Linzer Volksblatt, 1974 Red. b. Steyrer Zeitung, 1990-91 Chefred., 1991 Redaktionsltr. P.: einige Kurzgeschichten u. Erzählungen. E.: 1973 Preis f. d. beste Bergsteigergeschichte. H.: Bergsteigen, Langlaufen, fernöstl. Phil.

Schipflinger Walter

B.: Gold- u. Silberschmiedemstr., Gschf. Ges. FN.: Walter Schipflinger Optik-Schmuck GmbH & Co KG. DA.: 6020 Innsbruck, Innstr. 3/I. PA.: 6020 Innsbruck, Jagdgasse. G.: Innsbruck, 2. Febr. 1949. V.: Anna, geb. Hakel, 3 Kinder. El.: Richard u. Eleonore. S.: Goldschmiedelehre, Auslandspraxis in England u. Schweden. K.: seit 1980 selbst. Schmuckatelier in Wattens, seit 1981 Filiale in Steinach/Brenner, seit 1983 Zentrale in Innsbruck. P.: Ausstellungen f. Schmuck im Hauptbetrieb in Innsbruck, Teilnahme an Wettbewerben. H.: Beruf, allg. Sport, Kunst, Literatur, Musik. (W.G.)

Schippl Harald

B.: Bes. Hausverw. u. Immobilienbüro, Inh. Toskan. Weintreff "Bocca della veritá", Weinhdl. Sekt u. Wein hotline. DA.: 1030 Wien, Seidlg. 21; 1040 Wien, Große Neug. 31. PA.: 1060 Wien, Esterhazyg. 28. G.: Wien, 2. Juli 1961. El.: Karl u. Anna, geb. Puhr. S.: VS, HS, HASCH, Ind.-Kfm. b. Steyr-Daimler-Puch. K.: 1984 Auslandsaufenthalt in Siena/Italien, 1980 Grdg. d. Immobilienverw., 1994 Eröff. d. Toskan. Weintreffs "Bocca della veritá". H.: Harley Davidson, Schwimmen, Reisen. (N.A.)

Schirak Josef Ing.

B.: Firmenges. DA.: 3106 St. Pölten, Porschestr. 33. PA.: 3130 Herzogenburg, St. Pöltner Str. 50. G.: Herzogenburg, 23. Aug. 1937. V.: Hermine, geb. Scherrer. S.: Grundschulen, HTL m. Matura. K.: 1962 Eintritt in d. elterl. Betrieb, Grdg. eines eigenen Betriebes in Ober-Grafendorf, 1976 Übernahme d. elterl. Betriebes, 1973 Grdg. eines Betriebes in St. Pölten. F.: Beteiligung an Fa. Brüder Schirak OHG Herzogenburg u. Fa. Schirak GmbH St. Pölten u. Schirak KG St. Pölten.. E.: Bronz. Verd.Zeichen d. Bdl. NÖ. M.: Gremialvorst. d. HK NÖ, AufsR. d. Volksbank Herzogenburg. H.: Ski, Wassersport.

Schirak Wolfgang Ing.

B.: Gschf. Ges. FN.: Schirak Kraftfahrzeug Hdls. u. Reparatur GmbH & Co KG. DA.: 3100 St. Pölten, Porschestr. 33. PA.: 3100 St. Pölten, Neugebäudepl. 2/3/37. G.: St. Pölten, 9. Aug. 1960. El.: Ing. Josef u. Hermine. BV.: KommR. Josef Scherrer. S.: RG, HTL Fachrichtung Betriebstechnik, 1979 Matura, BH. K.: 1980 Eintritt in d. väterl. Betrieb d. Schirak Kraftfahrzeug Hdls. u. Reparatur GmbH & Co KG, Direkthändler v. Talbot, Nissan u. Saab f. St. Pölten Stadt u. Land, 1983 Übernahme d. Geschäftsltg. d. Schirak Kraftfahrzeug Hdls. u. Reparatur GmbH & Co KG u. d. Marken Fiat u. Volvo. F.: Schirak Kraftfahrzeug Hdls. u. Reparatur GmbH & Co KG, Fullservicebetrieb f. PKW u. leichte Nutzfahrzeuge. E.: 1976 u. 1978 Basketball LMstr. M.: VPräs. d. Österr. Fiathändlerverb., Round Table Tisch 9. H.: Das ges. Leben, Tennis, Skifahren. (Kern)

Schirmböck Gerold Dkfm.

B.: Manager. FN.: Kodak AG Stuttgart. PA.: 1130 Wien, Einsiedeleig. 14/1/1. G.: Mürzzuschlag, 6. Apr. 1938. V.: Rosemarie, geb. Gabmayr. El.: Josef u. Maria. S.: Matura 1956, HS f. Welthdl., Abschluß 1962, BH. K.: 1963 KODAK GmbH, 1963 Verkaufsrepräsentant f. Mikrofilmprod., 1966-70 Administration Mitarb. Buchhaltung, 1971-72 Abt.Ltr. Buchhaltung, 1972 Financal Services Manager, 1972 Prok., 1981 Finanzdir., 1983-84 Zentrale Rochester New York, 1984-85 europ. Zentrale London, Dir. Financal Services Copy Prod. Europe, 1987-92 Gen.-Dir. KODAK Austria, s. 1992 Kodak AG Stuttgart. H.: Radfahren, Bergsteigen, Lesen, klass. Musik. (A.K.)

Schirmer Christian

B.: Gschf. FN.: Dräger GmbH. DA.: 1010 Wien, Spiegelg. 21. PA.: 1020 Wien, Praterstr. 15. G.: Salzburg, 29. Dez. 1954. V.: Micheline, geb. Haja. Ki.: Gregor (1987), Philipp (1989). El.: Heinrich u. Gertrude, geb. Pfandler. S.: VS, Mittelschule, HTL. K.: 1974 Eintritt Dräger GmbH, seit 1988 Gschf. M.: Wr. Park-Club. H.: Tennis, Skifahren, klass. Musik. (N.A.)

Schirmer Gerhard Dr. Dkfm.

B.: Wirtschaftstreuhänder, Steuerberater. DA.: 6020 Innsbruck, Stafflerstr. 18. G.: Innsbruck, 24. Jan. 1941. V.: Lotte, geb. Hartl, 2 Kinder. El.: Fritz u. Maria. S.: 1959 Matura, 1963 Dipl., 1968 Prom. K.: 15 J. Gschf. f. Hdl. u. Ind. im Familienbetrieb Schirmer Ludwig Modehäuser, 1982 Steuerberaterprüf., seit 1983 selbst. Steuerberater. M.: Lionsclub. H.: Kunst, Tennis, Skifahren. (Schm.)

Schirmer Rudolf

B.: Vizedir. Projekte & Sondertransporte. FN.: INTERCONT. DA.: 1111 Wien, Bleibtreustr. 2. PA.: 1210 Wien, Schwaigerg. 4/40. G.: Wien, 10. Aug. 1939. V.: Anna, geb. Schubert. El.: Rudolf u. Hedwig. S.: Volkssch., Hauptsch.,

Großhandelsgewerbesch. K.: 1954 Intercont, 1954-57 Lehrzeit m. Absolv. d. Großhdls.-Gewerbesch., 1957-58 Filiale Leibnitz/Stmk. m. Expositur Spielfeld tätig, ab 1958 Wien, Abt. Spezial- u. Sondertransporte, glzt. Ausbildner v. Lehrlingen, 1979 Handlgs.-Bev., 1981 Prokura, seit 1983 gewerberechtl. Gschf. "Verleih v. Eisenbahnwaggons" (Spezialtiefladewaggons b. 500 t u. Spezialtransporte auf d. Straße), seit 1986 Vizedir. E.: 1979 Bronz. u. 1989 Gold. Mitarb.-Med. d. Kammer d. gewerbl. Wirtsch. Wien. H.: Wandern, Radfahren, leichter Sport. (J.S.)

Schirnhofer Erwin

B.: Inh. FN.: Schirnhofer Werkzeugmaschinen u. Werkzeuge. DA.: 2552 Hirtenberg, Leobersdorfer Str. 46. PA.: A-2551 Lindabrunn, Steinbruchstr. 3. G.: Bad Vöslau, 9. März 1954. V.: Helene, geb. Chen. Ki.: Mario (1988), Nadine (1993). El.: Othmar u. Anna. S.: 9 J. Pflichtschulen, Werkzeugmacherlehre m. Abschluß. K.: 13 J. Auslandstätigkeit (Südafrika, Sowjetunion, Südamerika), Exportltr. einer dt. Schleifmaschinenfirma, seit 1987 selbst. m. Grdg. d. eigenen Firma. BL.: Mitarb. b. Neuentwicklung b. dt. Schleifmaschinenfirma. H.: Skifahren, Bergsteigen. (F.S.)

Schiruk Anton

B.: Gesamtprok., Geschäftsbereichsltr. Schienenfahrzeuge u. Metall, Verkaufs-, Konstruktions- u. Projektltr. FN.: BWS Bombardier Wien Schienenfahrzeuge AG. DA.: 1211 Wien, Donaufelderstr. 73-79. PA.: 2213 Bockfließ, Engersdorfer Str. 12. G.: Wien, 14. Juli 1948. El.: Franz Eduard u. Liselotte, geb. Heins. S.: VS, HS, Berufsschule f. Großhdl., div. Seminare u. Kurse. K.: Sped.-Kfm., ab 1970 b. Electrovac im Verkauf, 1977 Vertriebsltr., 1984 Geschäftsbereichsltr. f. Thermostate u. Sensoren, 1986 Ndlg.-Ltr. d. Werks Klosterneuburg, ab 1989 Geschäftsbereichsltr. f. Schienenfahrzeuge u. Metallbau b. BMS Bombardier Wien Schienenfahrzeuge AG. P.: div. Fachart.

Schischkow Georg Mag. pharm.

B.: Apotheker d. Schützenapotheke u. Drogerie. DA.: 6020 Innsbruck, Schützenstr. 56-58. PA.: 6060 Mils, Neufeld 6. G.: Plovdiv/Südbulgarien, 13. Mai 1921. V.: Anna, geb. Pfeifer. Ki.: Sylvia, Georg-Franz-Ferdinand. S.: VS, Gymn., 1940 Matura, 1 J. Pharmapraktikum, Pharm.Stud. in Innsbruck, 1944 Spons., 1944-45 Praxis, Ablegung d. Zulassungsprüf. K.: 1944-53 Andreas Hofer-Apotheke Innsbruck, 1953-63 Prinz Eugen-Apotheke Innsbruck, seit 1962 selbst. Apotheker im olymp. Dorf Innsbruck. E.: 1985 Tir. Adler-Orden in Silber. M.: Österr. Apothekerkam., Österr. Apothekerverb., Tir. HK "Drogistenverb.". H.: Tischlern, Gartenarb.

Schistek Gerhard Maximilian Mag.

B.: Geschäftsltr., Gen.-Dir. FN.: AT&T Telekommunikations u. Service GmbH. u. AT&T Global Information Solutions Österr. Ges.m.b.H. DA.: 1131 Wien, Hietzinger Kai 101. G.: Wels, 7. Juli 1951. V.: Sabine, geb. De Beaufort. Ki.: Olivia (1992), Alexander (1994). El.: Maximilian u. Franziska. S.: VS, RG, 1969 Matura, BH, Welthdls.-Stud. HS f. Welthdl. K.: 1970-76 Mag.,1977-84 Verkauf Philips Data Systems, Wien, 1985-87 Verkaufsdir. NOR Systems Österr. GmbH, Wien,1988-89 Marketiing Dir. Öff. Verwaltung, NCR Europe, London, England, 1990-92: Ass. Vice Präsident, Commerce & Government, NCR Europe,London, England, 1993: Ass. Vice Präsident, Marketing Service, Dayton, Ohio, USA,1994 Präsident, AT&T GIS, Zentr.- u. Osteuropa, Wien. M.: Amerikan. Kam., BeiR. d. CA-BV. H.: Familie, Sport, Golf, Tennis, Segeln, klass. Musik, Oper, Theater. (R.T.)

Schitkowitz Leopold

B.: Bgm., Ldw. DA.: 2620 Natschbach, Loipersbacher Str. 20. PA.: 2620 Natschbach, Am Natschbach 7. G.: Natschbach, 29. Nov. 1946. V.: Gertrude, geb. Leister. Ki.: Andreas, Leopold. Martin, Elisabeth. El.: Johann u. Johanna. S.: VS, HS, Ldw. Fachschule, Ldw. Mstr.Kurs, 1969 Ldw. Mstr.Prüf. K.: 1967-68 Sprengelltr. d. Sprengels Neunkirchen d. LFW, 1968-69 Bez.Obm. v. Neunkirchen, 1969-71 Mtgl. d. LBeiR., seit 1969 Mtgl. d. OrtsbauernR., seit 1971 Vorst.Mtgl. d. Lagerhausgen. Neunkirchen/Gloggnitz, 1974 Obm.Stellv. d. Lagerhausgen., 1981 OrtsbauernR.Obm. v. Natschbach-Loipersbach, 1971 Wahl in d. GemR., 1984 Wahl in d. Gem.Vorst., seit 1986 Bgm. v. Natschbach-Loipersbach, seit 1972 auch Ldw., Bez.BauernkamR., Jugendref. in d. Bez.Bauernkam. M.: Sportver., OLöschmstr. b. d. Feuerwehr, Musik- u. Singgemeinschaft Natschach-Loipersbach. H.: Versuche in d. Land- u. Forstwirtschaft, Fischen. (M.B.)

Schittengruber Maximilan Dr.

B.: Ltr.d . Staatsanw. St. Pölten. DA.: 3100 St. Pölten, Schießstattring 6. PA.: 1130 Wien, Kraelitzg. 22. G.: Wien, 18. Nov. 1937. Ki.: Mag. Martin (1968), Belinda (1980). El.: Maximilian u. Rosina. S.: VS, Gymn., Jusstud. Wien, 1961 Prom. z. Dr. iur. K.: 1961 Rechtspraktikant b. Gericht, 1962 richterl. Vorbereitungsdienst, 1965 Richter: Sprengelrichter d. OLG Wien, 2 1/2 J. Untersuchungsrichter b. KG St. Pölten, 2 1/2 J. BG St. Pölten, seit 1970 Staatsanw., seit 1983 Stellv. d. Behördenltr., seit 1994 Ltr. d. Staatsanw. St. Pölten. H.: Jagd, Konzerte, Opern, Theater, Skifahren, Bergwandern. (J.M.)

Schittler Alfred

B.: Kfm., Techniker, Musiker. FN.: Austrophon Studios im Konzerthaus. GT.: AGS-Verlag. DA.: 1030 Wien, Lothringerstr. 20. PA.: 1200 Wien, Marchfeldstr. 16-18/6/27. G.: Wien, 18. Febr. 1943. V.: Anneliese. S.: kfm. Lehre m. Abschlußprüf., musikal. Privatunterricht in Klavier u. Gitarre. K.: v. Verkäufer über Gschf., Vertreter z. Techniker, 1970 Kreierung d. "Alfi's Gitarrensound", d.h. ein ganzes Orchester über Mehrspurtechnik nur m. einer Gitarre gespielt, im ORF produziert, seit 1982 Tontechniker u. Ges. b. Austrophon, jetzt tätig als Techniker, Produzent, Komponist u. Musiker, Prod. v. jährl. einer LP. P.: 14 LP's u. div. Kassetten, Unterhaltungsmusik. H.: Musik u. Technik. (C.K.)

Schlacher Gerda Mag. rer. soc. oec.

B.: Gschf. FN.: Schlacher Werbeagentur GmbH. DA.: 9020 Klagenfurt, Alter Platz 24. PA.: 9020 Klagenfurt, Paracelsusg. 12. G.: Klagenfurt, 30. Jan. 1958. El.: Johann u. Margarethe Schlacher, geb. Glantschnig. S.: VS, Gymn., 1976 Matura, 1976-81 Stud. Hdls.-Wiss. WU Wien, 1981 Spons. K.: 1981-89 b. McCann Erickson, Werbeagentur Wien, 1989-91 Tätigkeit in d. Werbeagentur Bachinger Klagenfurt, 1991 Grdg. d. eigenen Unternehmens m. Schwerpunkt Werbung als Kommunikationsinstrument. BL.: Lehrtätigkeit an WIFI, Mitorgan. "Tag d. Werbung in Ktn." u. d. Werbewirtschaftl. Tagung. E.: 2 Preise im Rahmen d. 1. Ktn. Werbepreises 1992. H.: Bewegung, Natur, Kultur, Lesen, Freundeskreis. (G.L.)

Schlack Gerhard

B.: ltd. Gschf. FN.: Heimatwerbung GmbH. DA.: 1014 Wien, Teinfaltstr. 1. PA.: 7035 Steinbrunn, Ulmeng. 303. G.: Wien, 2. Mai 1941. Ki.: Sabine (1973). H.: Schifahren, Tennis. (J.S.)

Schlader Hannes

B.: Kfm., freischaff. Künstler. FN.: Fischer & Schlader Vergnügungsbetriebe OHG. DA.: 1010 Wien, Annag. 1-3. G.: Wien, 8. Apr. 1938. V.: Maud, geb. Bühn. Ki.: Brigitte, Wolfgang u. Hannes. El.: Johann u. Rosa. S.: RG u. HAK. K.: Bereits m. 13 J. Auftritte als Musiker in div. Lokalen, 1955 Grdg. einer Band, 1. Profiengagement 1956, seit 1958 b. d. "Bambies" u. zahlr. Tourneen m. d. damaligen Popgrößen, eigene Plattenprod. u.a. m. d. Welterfolg "Melancholie", zahlr. Fernseh- u. Filmauftritte, parallel dazu Ltg. v. gastronom. Betrieben (Tenne Wien, Krumpendorf, Weissenbach/Attersee, Beim Hannes etc.), gastronom. Betreuung f. österr. Institutionen b. intern. Messen im Ausland. BL.: Bekannt als "Diplomat d. Wiener Musik" seit 1974. E.: Verd.Med. f. d. Wienerlied, Platinschallplatten. M.: AKM, LSG, Austro Mechana, NÖ LJagdverb., Österr. Fischereiverb. H.: Fischen, Tauchen, Camping, Hobbyschiffahrt (alle österr. Sportkapitänspatente, Adriaküstenpatent). (G.E.)

Schlaffer Peter Dr. iur.

B.: Gschf. d. Ver. f. Sachwalterschaft u. Patientenanw. DA.: 1150 Wien, Stättermayerg. 28-30. PA.: 1180 Wien, Paulineng. 18. G.: Wien, 16. Juni 1957. El.: Lorenz u. Marianne, geb. Haan. S.: 1975 Matura, Stud. Vw., Psych. u. Rechtswiss. Univ. Wien, 1981 Prom. z. Dr. iur., Gerichtspraxis, 1981-83 Zivildienst. K.: 1983 Eintritt Ver. f. Sachwalterschaft u. Patientenanw., 1978-92 Gen.-Sekr., seit 1993 Gschf., seit 1992 Mtgl. d. Hrsg.-BeiR. d. Zeitschrift "Betreuungsrechtl. Praxis". H.: Wildwasserpaddeln, Literatur, Reisen. (N.A.)

Schlaffer Rita
B.: Ltr. d. Lebenshilfe Bischofshofen. DA.: 5500 Bischofshofen, Turng. 1. PA.: 5423 St. Koloman, Taugl 214. G.: Deutsch-Schützen, 12. Mai 1954. El.: Josef u. Elisabeth. S.: VS, HS, mus.-päd. RG Güssing, 1974 Erzieherausbild. in Baden. K.: 1975 Erzieherin Bundeskonvikt in Lienz, 1976 Au Pair in Paris, 1977-79 Fürsorgeheim "Stadt d. Kindes", 1980 Erzieherin im Schülerheim Ried, Mädchenwohngemeinschaft in Hallein, 1986 wieder in Ried, 1987 Psychiatr. Pflegeschule Sbg., 1988 Sportleistungsmodell Bundessportzentrum Südstadt, 1988-90 Bundesinst. f. Heimerziehung in Baden, Sozialbetreung f. psych. beeinträchtigte Menschen im Arbeitstrainingszentrum, seit 1991 Lebenshilfe Bischofshofen. H.: Theaterspielen, Lesen, Bewegung. (G.P.)

Schlagbauer-Convalexius Elisabeth
B.: Kauffrau u. Designerin Le Chat. DA.: 6300 Wörgl, Speckbacherstr. 19. Ki.: Franc. S.: VS, HS, Drogistenlehre. K.: Tätigkeit im elterl. Betrieb, seit 1969 selbst. m. Damenfachgeschäft, seit 1990 eigene Mark Le Chat, dzt. Betrieb v. über 300 Detailgeschäften in ganz Österr. H.: Reisen, Katzen, Mode. (A.W.)

Schlager Friedrich

B.: Bürgerm. DA.: 4702 Wallern, Marktpl. 1. PA.: 4702 Wallern, Breitwiesen 1. G.: Wallern, 20. Sept. 1943. V.: Helga, geb. Aigner. Ki.: Friedrich (1964), Ursula (1967). El.: Anton & Anna. BV.: Vater 1961-81 NationalR.abg. S.: VS, HS, 1957 elterl. Betr., 1959-61 Landwirtschaftsfachschule i. Lambach, BH. K.: 1973-83 Bauernbundobm., 1983 Bezirksbauernbundobm., Bezirksbauernkammerobmann, 1979 Gemeiderat i. Wallern, Ortsbauernobm., 1982-90 Vizebgm., 1990 Bgm. M.: Sportverein. H.: Pferdehaltung, Reiten, Skifahren. (G.E.)

Schlager Gerhard Dipl.-Ing.
B.: Arch. DA.: 1070 Wien, Lindeng. 56/2/20. PA.: 1030 Wien, Fasang. 55/27. G.: Hönigsberg, 18. März 1956. El.: Dipl.-Ing. Walter u. Eleonore, geb. Ranacher. S.: 1974 Matura, Arch.-Stud. TU Wien, 1983 Abschluß. K.: 1984-85 Forsch.-Ass. Inst. f. Örtl. Raumplanung b. Prof. Moser, 1985-90 freier Mitarb. im Atelier v. Prof. Krischanitz, seit 1991 selbst., Teilnahme an versch. Wettbewerben. E.: 1989 Gr. Österr. Wohnbaupreis, 1993 Anerkennung b. Europan. H.: Arch. (N.A.)

Schlager Heinz
B.: Gschf. FN.: Schlager GmbH. GT.: seit 1991 Gschf. HS-Gaststätten Betriebs u. Hdls. GmbH "No Name" Graz, Gschf. Ost-Styria-Recycling GmbH. DA.: 8020 Graz, Wetzelsdorfer Str. 76. PA.: 8051 Graz, Göstinger Str. 144. G.: Gaal, 25. Mai 1946. V.: Christina, geb. Gerencser. Ki.: René (1974), Michael (1984), Christian (1985). El.: Hans u. Leondine. S.: VS, HS, Kfz-Mechanikerlehre Firma Michalitsch Murau, 1964 Abschluß. K.: 1964-70 Mechaniker Firma Veeberger Pöls Autowerkstätte, 1970-74 selbst. Tankstellenpächter Pöls, seit 1974 selbst. Firma Schlager Abfallbeseitigung u. Recyclingunternehmen. H.: Skifahren, Wassersport. (I.G.)

Schlager Josef Dr. Mag.
B.: Wirtschaftstreuhänder. GT.: Univ.Lektor, Gerichtssachv. DA. u. PA.: 4040 Linz, Wolfauer Str. 26. G.: Vöcklabruck, 8. Okt. 1947. V.: Maria. Ki.: Eva-Maria, Stephan. El.: Franz u. Karoline. S.: RG Gmunden, 1967-72 Stud. d. BWL u. Wirtschaftpäd. an d. Univ. Graz u. Linz. K.: 1972-81 Univ.Ass. an d. Univ. Linz, 1977 Steuerberaterprüf., 1984 Buchprüfer u. Steuerberaterprüf., 1990 Bestellung z. Wirtschaftsprüfer u. Steuerberater. P.: div. Fachpubl. insb. d. unternehmerische Steuergestaltung Wien 1978, Enteignungsentschädigung Wien 1981. (Mayr)

Schlager Josef-Reinhold
B.: Innenarch. FN.: ENT Design. DA.: 1090 Wien, Tendlerg. 8. G.: Graz, 8. Febr. 1967. El.: Gottfried u. Katharina. S.: HTL Höhere Abt. f. Innenausbau Mödling, 1987 Matura, einige Semester Arch.-Stud. TU Wien. K.: Tätigkeit im elterl. Tischlereibetrieb in Heiligenkreuz am Waasen, Ablauforgan., Entwurf u. Raumkonzeptionen, Ltr. d. Entwicklungsabt., seit 1992 Innenarch. d. Arge ENT Design Dr. Mehringer - H.F. Schöchtner - Innenarch. Schlager, f. Planung, Gestaltung u. Auftragsabwicklung zuständig. H.: Literatur d. 20. Jhdt., Musik, Reisen. (J.S.)

Schlager Manfred Mag.
B.: Werbegrafiker. FN.: Computer Promotion Art. DA.: 1150 Wien, Alberichg. 5. PA.: 5020 Salzburg, General-Arnold-Str. 4. G.: Salzburg, 13. Juli 1964. El.: Johann u. Gisela, geb. Baumgartner. S.: 1983 Matura, 1984-90 Stud. Betriebswirtschaft WU Wien. K.: 1990 Amerikaaufenthalt, 1990 Grdg. d. eigenen Fa. Computer Promotion Art. H.: Sport, Reisen. (N.A.)

Schlagholz Heinz
B.: Marktlr. FN.: Euro-Center. DA.: 9400 Wolfsberg, Priel 298. PA.: 9431 St. Stefan, Kleinedling 427. G.: Wolfsberg, 6. Aug. 1950. V.: Marianne, geb. Eberhard. Ki.: Mario, Bettina. El.: August u. Lotte. S.: Pflichtschulen, kfm. Lehre. K.: 1978 Vertriebsmitarb. b. d. Fa. ADEG, 1978-82 C u. C Markt Klopein Marktltr., seit 1982 Marktltr. Euro-Center. H.: Skifahren, Tennis. (S.G.)

Schlappack Lothar Ing.
B.: Gschf. FN.: Koller & Partner, Ingenieurbüro f. Energietechnik. DA.: 6900 Bregenz, Mariahilfstr. 24. PA.: 6900 Bregenz, Holzackerg. 36. G.: Bregenz, 20. Apr. 1968. El.: Otto u. Maria. S.: HTL, Heizung, Klima, Kältetechn., Jennbach, 1988 Mat. K.: 1989-92 Fa. Intemann Bregenz a. Techn., 1993 Eintr. Fa. Koller & Partner a. Techn., 1994 Gschf. d. Fa. Koller, Ingenieurb. f. Energie, Heiz., Lüft., Klima u. Sanitär. M.: Einsatztaucher Österr. Wasserrettung. H.: Tauchen, Reisen, Schifahren.(I.D.)

Schlappack Elmar Rudolf Ing.

B.: Gschf. Ges. FN.: GAT Ges. f. angewandte Telematik GmbH. DA.: 6904 Bregenz, Haldenweg 18. PA.: s. DA. G.: Bregenz, 14. Juni 1961. V.: Gabriele geb. Schäftner. Ki.: Martin (1983), Andrea (1985), Stefanie (1989). El.: Karl u. Freida. S.: Gymn. Bregenz, HTL Elektrotechn. Bregenz, 1980 Mat. m. gutem Erfolg, Fernstud. Univ. Hagen, Wirtschaftswiss., 1981-82 BH Zivild. K.: 1980-81 Siemens AG Wien, Entwickl., Digit. Telefonanlagen, 1982-90 Österr. Post Fernmeldebetr., 1990 Gschf. GAT Ges. f. angew. Telematik (Ing.-Büro Elektrotechn.). M.: 1985-90 ordentl. Mtgl. Stadtvertr. Bregenz. H.: Tanzen, gesell. Beisammensein.(I.D.)

Schlate Andreas Mag.

B.: Gschf. FN.: Iro & Partners. DA.: 5020 Salzburg, Reichenhaller Str. 6-8. PA.: 5023 Hallwang, Mayrwies 210. G.: Spittal/Drau, 7. Okt. 1961. V.: Bettina, geb. Cehovin. El.: Adolf u. Maria. S.: VS, HS, 1976-81 HAK, 1 J. Ausland Dolmetscher f. Ital. u. Span., 1982-87 Stud. Welthdl. Wien. K.: 1987-89 Marketing u. Vertriebsmanagement Österr. Brau AG, anschl. Iro & Partners, Beratung v. Intern. Unternehmungen im Bereich Strateg. Marketing, Vertriebsmarketing. P.: Veröff. in Fachzeitschriften, Art. in "Marketing News". H.: Sport, Schwimmen, Leistungssport, Tourenskifahren, Mountainbike. (N.M.)

Schlatte Friedrich Gerald Prof.

B.: Inh. Tennisklub Schlatte, BHS-Turnlehrer. GT.: Landesfachwart d. ASKÖ Wien u. d. WAT. DA.: 1120 Wien, Sagederg. 10-12. G.: Klagenfurt, 1. Juli 1947. V.: Christine, geb. Huber. Ki.: Mathias (1980), Maximilian (1987). El.: Friedrich u. Friederike. S.: Fachausbild. f. Sportlehrer in Wien. K.: 1969/70 Turnlehrer an d. HTBLA Wien, seit 1970 Turnlehrer an d. HAK 2 d. Wr. Kaufmannschaft Wien 8, 1970 Grdg. u. Beginn d. Aufbaus d. Tennisklubs Schlatte u. d. ÖTS-ÖTV-Tennisschule. BL.: Spezialisiert auf Kinder- u. Jugendtennis. E.: Bronz. EZ d. Wr. Tennisverb. f. d. Wr. Jugendarb. M.: b. 1993 Vorst.-Mtgl. Bereich Jugend d. Wr. Tennisverb., ÖTS-ÖTV-Tennisschulen. H.: Sport allg., Esoterik, Sportliteratur, Musik bes. Tschaikowsky u. Elton John. (J.S.)

Schlatte Kurt

B.: Kfm., Inh. v. 2. Modewarengeschäften. DA.: 1190 Wien, Obkircherg. 23 u. 28. PA.: 1180 Wien, Hasenauerstr. 77. G.: Mährisch Ostrau, 30. Jän. 1937. V.: Maria, geb. Röhmer. Ki.: Peter (1967), Gerhard (1969). El.: Otto u. Maria, geb. Haas. S.: Höhere Kfm. Lehrausbild. f. Textilind., Praxis-Repräsentant f. in- u. ausländ. Textilfbk. K.: kfm. Tätigkeit f. Österr. Firmen, 1970 Übernahme d. elterl. Betriebes, Umbau, 1985 Eröff. d. 2 Geschäftes. M.: Intern. Ges. f. Menschenrechte (IGfM). H.: Musik, Reisen, gut Essen. (N.A.)

Schlauer Rudolf Dr. techn. Dipl.-Ing. OSenR.

B.: Gschf. FN.: Piller Druck. DA.: 1070 Wien, Neustiftg. 73-75. PA.: 3010 Purkersdorf, Fürstenbergg. 8. G.: Wien, 20. Jan. 1925. V.: Lieselotte. El.: Rudolf u. Hermine. S.: 1943 Matura, 1945-50 Stud. Chem. TU Wien, Abschl. Dipl.-Ing, 1964 Ziviltechn.-Prfg, 1994 Prom. Dr. techn. K.: 1949-51 Chemiker Bundesanst. f. Lebensmittelunters. Wien, 1951-90 versch. Funkt. b. Wr. Stadtwerke-Gaswerke, 1982-90 Dir., s. 1990 Gschf. Piller Druck Wien. E.: 1969 Gold. EZ Land Wien, 1986 Gr. Silb. EZ Land Wien, 1989 Gold. Ehrenring d. Inst. Innung Wien, 1989 Gold. Ehrennadel d, Österr. Vereinig. f. d. Gas- u. Wasserfach. H.: Fliegen. (S.H.)

Schlawa Manfred Dipl.-Wirt.-Ing.

B.: Gschf. FN.: Bizerba-Waagen Ges.m.b.H. & Co KG. DA.: 1231 Wien, Birostr. 12. G.: Berchtesgaden, 30. März 1944. V.: Heidi. S.: Stud. Dipl.Wirtschaftsing. K.: 1972 Eintritt in d. Fa. Bizerba u. 18 Monate Job-Rotation im Stammhaus, 1974-77 Industrieverkauf in München u. Büro Ltg. in Augsburg, 1977 Tätigk. als Ltr. d. Verkaufsbüros Mannheim für Handel, Gewerbe und Industrieverkauf sowie die Betreuung d. Groß- u. Fil.Kunden, Jän. 1990 Gschf. d. Fa. Bizerba-Österr. mit Produktion Wien. M.: Mtgl. im Kuratorium und im Wirtschafts-Club der DHK. H.: Skifahren, Reisen. (W.M.)

Schlecht Ernst

B.: Obm. d. WIHUP rGenmbH. GT.: Dir. d. Wiener Automobil, Lohnwagen u. Garagen Betriebs rGenmbH. DA.: 1100 Wien, Absbergg. 17. PA.: 1210 Wien, Wildnerg. 92. G.: Wien, 16. Sept. 1941. V.: Charlotte, geb. Bertel. Ki.: Sylvia, Christian u. Irene. El.: Leopold u. Emma. S.: Berufsschule, Lehre f. Maschinenschlosser, Facharbeiterprüf. 1959. K.: 1955-65 bei Fa. Wertheim, 1965-70 Taxilenker, seit 1970 selbst. Taxiunternehmer. M.: Freier Wirtschaftsverb., Aussch. Mtgl. d. Fachgruppe d. Personenfuhrwerkzeuggewerbes. H.: Skifahren, Gartenarb., Reisen. (A.W.)

Schlechta Robert Ing.

B.: Technical Dir. FN.: Bussetti & Co. DA.: 1171 Wien, Rötzerg. 57. G.: Wien, 29. Okt. 1936. V.: Gertraude, geb. Heinz. Ki.: Bernhard, Thomas. El.: Karl u. Leopoldine. BV.: Vater Karl Heinz Hobbymusiker. S.: VS, BRG, HTL, Abschluß m. Ausz. K.: 2 J. b. Fa. Gebauer & Griller (Kabelfbk.) als Chemiker tätig, 5 J. Fa. Wallenfels & Co (später Schill & Zeilacher) als Betriebsltr., 1963 ausgeschieden, seit 1964 b. Fa. Bussetti & Co als Chemiker, Auslandstätigkeiten in Amerika, Kuba, Kanada, Mexiko u. Persien, 1971 Prok., 1980 Einzelprok., seit 1984 Gschf. P.: in Fachzeitschriften über Lederfettung. E.: Ehrenbürger v. Staate Washington USA. H.: Industriellenverb., Ver. Österr.

Ledertechniker, Ver. Österr. Papier u. Zellstoffchemiker. H.: 29 J. aktiv Eishockey, Tennis, Lesen, Skifahren, Garten u. handwerkl. Tätigkeit. (E.L.)

Schlechter Ludwig

B.: Gschf., Kfm. FN.: Kitzsport GmbH. DA.: 6370 Kitzbühel, Hinterstadt 19. G.: St. Johann, 24. Juni 1963. V.: Christine. Ki.: Janine (1986), Christine (1988). El.: Hans-Jörg u. Christine. S.: VS, HS, HASCH. K.: b. 1983 Ang. im elterl. Betrieb, Militär, 1984-92 selbst. Spar-Kfm. in Jochberg, 1990 Ang. im elterl. Betrieb, 1991 Gschf., 1994 alleiniger Gschf. M.: Obm.-Stellv. SV Kitzsport. H.: Laufen, Radfahren. (A.W.)

Schlegel Günter Werner Ing.

B.: Textiling., Gschf. DA.: 9330 Treibach/Passering. PA.: 9330 Treibach, Muschk 22. G.: Chemnitz/DDR, 8. März 1938. V.: Jutta, geb. Höselbarth. Ki.: Uwe, Sonja. El.: Ing. Prof. Dr. Werner u. Margarethe. S.: VS. K.: 3 J. Maschinenstrickerlehre, Technikum in Neumünster, Reutlingen u. Münster (Textiling.), Praxisj. b. versch. einschlägigen Firmen in d. BRD, ab 1963 als Gschf. d. Fa. M. Brüstle KG & Co. M.: Lions-Club, VPräs. im Reitclub RCD (Reitclub Diensthof). H.: Reiten, Wandern, Skilauf. (Hat.)

Schlegel Herbert Dr. Dipl.Vw. KommR.

B.: Dir. u. Vors. d. Vorst. d. Tir. Hdls. u. Gewerbebank rGenmbH i.P. DA.: 6020 Innsbruck, Meinhardstr. 1. PA.: 6064 Rum, Eibenweg 9. G.: Innsbruck, 22. Feb. 1927. V.: Agnes, geb. Moser. Ki.: Mag. Eva Maria, Birgit, Mag. Monica, Christof. El.: Herbert u. Antonie. S.: Stella Matutina Feldkirch, HAK Innsbruck, HS-Stud. an d. Univ. Innsbruck. K.: Dir.Sekr. b. LHypothekenbank Tir., 1975 Dir. u. Gschf. Vorst.Mtgl. d. Hagebank Tir., Vors. d. Vorst. u. Geschäftsltr. 1981-88. P.: "Die Tir. Landes-Hypothekenanst." 1966. E.: 1986 KommR. M.: Ritter d. RO v. Hl. Grab Komturei Innsbruck, Rotary-Club Innsbruck-Goldenes Dachl. H.: Segeln, Fotographieren, Fernreisen.

Schlegel Theodor

B.: Schuhkaufmann. FN.: Contact Shoe Company Ges.m.b.H. & Co KG. DA.: 6330 Kufstein, Waldeck 29. G.: Weißenfels, 17. Juni 1930. V.: Evelyne. Ki.: Uwe-Theodor, Cornelia. El.: Franz u. Frieda. S.: Wirtschaftsoberschule in Leipzig, 1945 in elterl. Betrieb tätig, 1950 nach Tod des Vaters den elterl. Betrieb übernommen, 1960 wegen Verstaatlichung nach Österr. gegangen, Firma Gabor in Spital a. d. Drau mitaufgebaut u. als Dir. u. Einzelprok. tätig, 1963 in Kiefersfelden Firma Oswald Schuhfabrik gegründet u. 1975 auf Handel umgestiegen, 1975 Firma Contact Shoe Company übernommen. H.: Arbeit, Reiten. (A.W.)

Schlegel Otto Benedikt Dkfm. Abs. phil.

B.: Stellv. d. Ombudsmannes d. "Neuen Kronenzeitung". A.: 1190 Wien, Felix-Mottl-Str. 6. G.: Wien, 8. Apr. 1923. El.: Julius u. Martha. S.: Matura, 1946 Dkfm. an d. HS f. Welthdl. Wien, 1948 Absolutorium d. Phil. Fak. d. Univ. Wien. K.: 1945-55 Dolm. u. Sprachlehrer b. US-Army Österr., 1955-61 BKA, 1961-74 Sprachkursltr. b. Intern. Atomenergieorgan. Wien, seit 1975 Stellv. d. Ombudsmannes d. "Neuen Kronenzeitung" Wien.

Schleich Gernot

B.: Wirtschaftstreuhänder, beeid. Buchprüfer u. Steuerberater. GT.: seit 1975 allg. beeid. gerichtl. Sachv. f. d. Buch- u. Rechnungswesen u. Bilanzierung. DA.: 8010 Graz, Sparbersbachg. 63. PA.: 8010 Graz, Plüddemanng. 83b. G.: Graz, 5. Apr. 1942. V.: Helga, geb. Reiter. Ki.: Birgit, Martina. El.: Josef u. Anna. S.: VS, HS, HAK, Stud. d. Staatswiss. u. Betriebswirtschaft, 1967 Fachprüf. f. Steuerberater. K.: 1960 Berufsanw. b. Steuerberater, seit 1969 selbst. als Steuerberater, Aufbau d. Kzl., 1985 Fachprüf. f. beeid. Buchprüfer. E.: Pro merito ÖAMTC, Silb. EZ d. ÖAMTC 1978, Silb. EZ d. Landes Stmk. 1981. M.: ÖVP, Wirtschaftsbund, ÖAMTC, Alpenver., Hpt.Verb. d. allg. beeid. gerichtl. Sachv. Österr., Österr. Ges. d. Wirtschaftstreuhänder. H.: Bergsteigen, Radfahren, Tennis, Skifahren, Langlaufen, Theater, Reisen. (C.H.S.)

Schleicher Stefan Dr.

B.: o.Univ.-Prof. d. Karl Franzens-Univ. Graz, Inst. f. VWL u. Volkswirtschaftspolitik. DA.: 8010 Graz, Universitätspl. 3. PA.: 3001 Mauerbach, Groissaustr. 16. G.: Knittelfeld, 5. Jan. 1943. V.: Hildegund Mag., geb. Burkhard. Ki.: Christoph, Sebastian, Eva. El.: Stefan u. Mathilde. S.: Dipl.-Ing. u. Dr. Ing. an d. TU Graz, Univ.Doz. d. Univ. Wien. K.: 1967-78 Inst. f. Höhere Studien, dazwischen Gastprof. an d. Univ. Bonn 1975, Gastprof. an d. Stanford Univ. 1976 u. 1977, seit 1978 o.Univ.-Prof. an d. Univ. Graz. P.: Mithrsg. d. Handbuchs d. österr. Wirtschaftspolitik. M.: American Economic Assoc., Econometric Society, Austrian Chapter d. Club of Rome.

Schleidt Wolfgang M. Dr. habil. Univ.-Prof.

B.: Mtgl. d. Vorst., Konrad-Lorenz-Inst. f. Evolutions- u. Kognitionsforschung. DA.: 3422 Altenburg, Adolf-Lorenz-G. 2. PA.: 2440 Moosbrunn, Hauptstr. 79. G.: Wien, 18. Dez. 1927. V.: Monika, geb. Stuhlpfarrer. Ki.: Dr. Christiane, Katharina, Philipp. S.: 1951 Dr. phil. K.: 1951-55 wiss. Ass. Max Planck-Ges. BRD, 1964-65 Visiting Research Assoc. Departments of Zoology and Psychology, Duke Univ. Durham USA, 1965-67 Visiting Research Prof., 1967-85 Prof. of Zoology, Dept. of Zoology, Univ. of Maryland College Park, 1972, 1979, 1983 Gastprof. Univ. Wien, 1985-92 Abt.Ltr. am Inst. f. Vergl. Verhaltensforsch. d. Österr. Ak. d. Wiss., 1985 Habil, seit 1990 Vorst.-Mtgl. d. K.-Lorenz-Inst. f. Evolutions- u. Kognitionsforschung. P.: ca. 75 Veröff. in wiss. Zeitschriften, Signale in der Tierwelt (1966). M.: Dt. Naturforscher u. Ärzte, Etholog. Ges. e.V., A.A.A.S., Intern. Soc. for Human Ethology Fellow, A.B.S. H.: Handwerk, alte Technologien (C.K.)

Schleifer Peter

B.: Inh. FN.: Pediform Fußgesundheit. DA.: 1140 Wien, Hütteldorferstr. 181, 1150 Wien, Camillo-Sitte-G. 19, 7000 Eisenstadt, Beim Alten Stadttor 11-12. PA.: 7083 Purbach, Türkenhayn A3/27. G.: Wien, 22. Dez. 1962. El.: Karl u. Helga. S.: VS, HS, HASCH, Berufsausbild. z. Kfz-Mechaniker, 1986 Mstr.-Prüf., ab 1986 Weiterbild. in Abendschulen u.a. kfm. Ausbild. u. Fußpflegegewerbescheine. K.: Ltr. einiger Kfz-Werkstätten Wien, 1986 Grdg. Firma Pediform Fußgesundheit Camillo-Sitte-Gasse, 1988 Eröff. d. Filiale in d. Hütteldorferstraße, 1993 Erweiterung d.

Firma in Eisenstadt. P.: Art. z. Thema Fußgesundheit in Zeitungen. H.: Squash, Mountainbike, Segeln, Skifahren, Hobbypianist. (J.S.)

Schleifer Rudolf Brigadier

B.: Vors. d. Bundessekt. Landesverteidigung u. d. Zentralwahlaussch. b. BMLV, Vizepräs. d. Europ. Organ. d. Militärverb. (EUROMIL), Vizepräs. d. Europ. Föderation d. Öff. Bediensteten (EUROFEDOP). DA.: 1080 Wien, Roßauer Lände 1/11/1/20, BMLV. PA.: 2380 Perchtoldsdorf, Bernhard-Weiß-G. 6. G.: Wien, 6. Juli 1930. Ki.: Sonja (1957). El.: Rudolf u. Karoline, geb. Stöhr. S.: 1949 Polizeischule, 1956 Militärak. K.: 1958-62 Zugskdt., 1962-70 Kompaniekdt., FMO FlBrigKdo., FMKdt. FlDiv. FlH Langenlebarn, 1970-89 Vors. d. Zentralaussch. b. BMLV d. Personalvertretung, seit 1971 Vors. d. Bundessekt. Landesverteidigung in d. Gewerkschaft Öff. Dienst, ab 1989 Vors. d. Zentralwahlaussch. b. BMLV. P.: "Truppendienst", Organ d. GÖD "Der öff. Dienst", div. europ. militär. Fachzeitschr. E.: Bundesheer-VZ 1., 2. u. 3. Kl., Gold. VZ d. Rep. Österr., Gold. EZ d. Rep. Österr., Olympiamed. (Winterspiele 1976), Gold. Verd.-Med. d. ÖRK, Gr. Silb. u. Gold. EZ f. Verd. um d. Land NÖ, Gr. Tiroler Adlerorden, Gr. EZ d. Landes Stmk., Gr. EZ d. Landes Ktn. H.: Leichtathletik, Radfahren, Schilaufen, Fotografieren, Musik, Theater, Schildkrötenzucht. (N.A.)

Schleimecker Anna Maria Mag. art.

B.: Innenarch. (freisch.). DA.: 1070 Wien, Kaiserstr. 8. G.: OÖ, 26. Feb. 1972. Ki.: Juliette (1972). El.: Alois u. Maria, geb. Grabner. S.: 1970-76 Stud. an d. Kunstschule u. an d. HS f. Ind. u. Künstler. Gestaltung in Linz. K.: Ab 1976 Mitarbeit in versch. Innenarch.-Büros, s. 1984 freisch. Innenarch. in Wien, Gestaltung e. Ausgedinge-Wohnung im Rahmen d. Rieder Messe. M.: Bund Österr. Innenarch. H.: Lesen, Reisen, Schwimmen, Schifahren. (N.A.)

Schlein Bertie Dr. med.

B.: Selbst. prakt. Ärztin, Schularzt. DA. u. PA.: 8010 Graz, Glacisstr. 37. G.: Graz, 9. Aug. 1951. V.: 2 Kinder. El.: HofR. Dr. Friedrich u. Gisela Koppitsch. BV.: Urgroßmutter mütterlicherseits v. Below (preuß. Adel), Urgroßvater mütterlicherseits Graf v. Reinhart. S.: VS, hum. Gymn. Graz, Matura 1969, Med.Stud. an d. Karl Franzens-Univ. Graz, Prom. 1977. K.: Turnusausbild. in Graz seit 1980, selbst. prakt. Ärztin m. Spez. auf Geriatrie, Venenkrankheiten. H.: Skifahren, Tennis, Autorennfahren. (War.)

Schleinzer Friedrich Dr. Mag. Univ.-Prof.

B.: Univ.-Prof. am Inst. f. Pastoraltheol. DA.: 5020 Salzburg, Universitätspl. 1. PA.: 5020 Salzburg, Lederwaschg. 20/7. G.: Unterretzbach, 5. März 1948. El.: Friedrich u. Anna. S.: 1968 Matura, 1968-69 Noviziatsj. im Zisterzienserstift Lilienfeld, 1969-75 Stud. Phil. u. Theol. an d. Theol. Fak. d. Univ. Sbg., 1971-76 Soz.-Stud. am Inst. f. Soz. u. Kulturwiss. d. Univ. Sbg., 1974 Priesterweihe, 1975 Mag., 1976 Univ.-Ass. f. Pastoraltheol., 1976-80 Doktoratsstud. an d. Theol. Fak. Sbg., 1980 Diss., 1980 Prom. z. Dr. theol., 1981 Lehramtsprüf., 1987 Habil. K.: seit 1987 Lehrstuhlvertretung f. Pastoraltheol. an d. Theol. Fak. Sbg., seit 1988 o.Univ.-Prof. f. Pastoraltheol. an d. Theol. Fak. d. Univ. Sbg., 1970 Österr. Prof.-Vertreter im BeiR. d. Konferenz d. dt.-sprachigen Pastoraltheologen, 1990 Direktoriumsmtgl. d. Sbg. HS-Wochen, 1991 Vors. d. Österr. Pastoraltheologen, seit 1992 Vors. d. Studienkmsn. d. Theol. Fak., 1992 Mtgl. d. PastoralR. d. Erzdiözese Sbg., 1992 Kuratoriumsmtgl. f. Gem.-Entwicklung u. Gem.-Organ. P.: Die Situation d. älteren Leute in Österr. u. Konsequenzen f. d. kirchl. Seelsorge in Altenheimen (1986), Priesterbild u. Priesterausbild. als nachkonziliares Problem (1988), Stadtseelsorge am Beispiel Maxglan (1991), Das Volk Gottes u. d. Konflikte (1992), Soziale Erwartungen an Seelsorger (1993). (N.M.)

Schleinzer Mario Mag. art.

B.: freischaff. Maler. GT.: Lehrbeauftragter an d. Kunstschule Wien 9. DA.: 1090 Wien, Lazarettg. 27. PA.: 2325 Himberg, Anton-Dreher-G. 12/1/1/7. G.: Wien, 31. März 1961. El: Horst u. Christine, geb. Dell'Antonio. S.: 1985-87 Ausbild. Kunstschule Wien, 1987-92 Stud. d. Malerei HS f. Angew. Kunst Wien, Meisterkl. Prof. Hutter. K.: seit 1990 Lehrbeauftragter an d. Kunstschule Wien 9. P.: Ausstellungen: 1989 Tabakmuseum, Raiffeisenbank, Immuno-Galerie Wien, Einzelausstellung in Himberg, 1990 Kurmittelhaus Wien-Oberlaa, Creditanst. Wien, 1991 Immuno-Galerie. H.: Malen. (N.A.)

Schleiss Christian

B.: Musiker, Inh. FN.: Creative Piano - Musikstudio. DA.: 4810 Gmunden, Anton-von-Satori-Str. 7. PA.: 4816 Gschwandt, Steig 4. G.: Gmunden, 17. März 1956. El.: Peter u. Kreszentia. BV.: Urgroßv.: Bgm. v. Gmunden, Gründ. d. Gmundner Keramik. S.: Gymn. Gmunden, Brukkner-Konservatorium Linz (Klavier), Studium der Musikwissenschaft und Erziehungswissenschaften an der UNI Salzburg, 1987 Künstler, Reifeprüfung. K.: seit 1983 Klavierlehrer an d. Landesmusiksch. Ebensee, seit 1974 Konzerttätigk. (Klavierabende) in OÖ u. Sbg., seit 1989 Musikstudio: Musikprod., hauptsächl. Klassik, z.B. Jeunesse Orchester, Orchester Linz, Rainer Wolf, Stadtchor Vöcklabruck, Tassilo Quartett, Entspannungsmusik f. Psychologin, Arb. m. intern. Künstlern, z.B. Daniel Adni; erfolgr. Teiln. an mehreren Wettbewerben. P.: Klavierschule (in Vorbereitung). M.: Yachtclub Traunsee, CLV. H.: Oldtimer, Lesen, Bergwandern. (P.H.)

Schlemmer Michael Dr. med. Univ.-Doz.
B.: Ass. Prof. d. Abt. f. Pädiatr. Kardiologie. FN.: Univ. Kinderklinik Wien. DA.: 1090 Wien, Währinger Gürtel 18-20. PA.: 1180 Wien, Währinger Gürtel 41/15. G.: Wien, 8. Juni 1948. V.: Dr. Elisabeth, geb. Fric. Ki.: Florian (1977), Matthias (1979), Marie Theres (1990). El: MR Dr. Erich u. MR Dr. Johanna, geb. Riezelmayer. S.: VS, Hum. Gymn., Med. Stud. an d. Univ. Wien, Prom. K.: 1974-75 Gastarzt Pathologie Rudolfsstiftung u. Sekundararzt II, Med. Abt. G Rudolfsstiftung, s. Apr. 1975 Ass. d. Univ. Kinderklinik Wien, b. 1977 Ausbild. a. d. Univ. Tübingen u. Orthopäd. Univ.-Klinik, II Chir. Univ.-Klinik u. II HNO Univ.-Klinik, Aug. 1980 FA f. Kinderheilkunde, Apr. 1987 Venia docendi f. Pädiatrie, ab. Juli 1992 Stellv. Abt. Vorst., Spezielles Betätigungsfeld: Pädiatrische Kardiologie insbes. invasive Diagnostik sowie Interventionelle Maßnahmen im Rahmen d. invasiven Untersuchung. P.: Sommer 1981 in Cambridge sowie Teiln. an div. Kongressen im In- u. Ausland, ca. 50 Pupl. M.: Österr. Ges. f. Kinder- u. Jugendheilkunde, Dt. Ges. f. Pädiatrische Kardiologie, Assoc. of European Pediatric Cardiologists. H.: Lesen, Philosophie, Skifahren, Tennis. (M.M.)

Schlenk Michael Dkfm. M.B.A.
B.: General Manager. FN.: Abbott GmbH. DA.: 1150 Wien, Diefenbachg. 35. G.: Eutin, 22. Jan. 1955. V.: Pia, geb. Bolduan. Ki.: Bennet (1989), Alexa (1991). El.: Gerhard u. Heidi, geb. Buisman. S.: 1976-81 Dkfm. Univ. Hamburg, 1982-83 M.B.A. Bradford/England. K.: 1978 stellv. Gschf. Hotel Eleuthera/ Bahamas, 1983-84 Unternehmensberatung Kopenhagen/Dänemark, 1985-87 Gschf. Unternehmensberatung Kuala Lumpur/Malaysia, 1988-89 Manager Strategic Management Sandoz Pharma Basel/Schweiz, 1990 Management Development Programm Sandoz Pharma New Jersey/ USA, 1991-94 Area Manager Asia-Pacific/Africa Sandoz Pharma Basel/Schweiz, seit 1994 Gschf. b. Abbott GmH. H.: Golf, Fliegen, Surfen, Skifahren, Jazz, Reisen. (J.M.)

Schlesinger Harald
B.: Einzelhdls.Kfm., Foto u. HiFi Groß- u. Einzelhdl. DA.: 6020 Innsbruck, Rilkestr. 1. G.: Innsbruck, 9. Okt. 1951. S.: HASCH. K.: 1972 Fotosouveniereinzelhdl., 1973 Einstieg in Fotobranche, 1974-76 Souveniergroßhdl.Vertrieb "Seefelder-Bauer" u. Olympiaprodukte, 1980 Einstieg in d. HiFi-Branche, 1981 Einstieg in d. Kopierbranche. H.: Surfen, Skifahren, Tennis. (J.S.)

Schletzer Ludwig
B.: LInnungsmstr. d. LInnung Wien d. Fußpfleger, Kosmetiker u. Masseure. GT.: BKamR. DA.: 1050 Wien, Ziegelofeng. 31. PA.: 1190 Wien, Daringerg. 5. G.: Wien, 21. Okt. 1932. V.: Hildegard, geb. Lösch. El.: Ludwig u. Josefina. S.: 1948-51 HAK Wien. K.: 1952-54 Zolldienst, 1954-57 Justizdienst, 1957-63 Ind.Ang., seit 1963 Privatang., seit 1964 Gewerbetreiber, ab 1970 Innungsmstr., seit 1985 BKamR., Fachmänn. Laienrichter b. Arbeits- u. Sozialgericht Wien. BL.: 1964-83 BezR. d. Stadt Wien. P.: Leitart. in Fachzeitschriften. E.: Silb. VZ, Gold. VZ, Silb. EZ f. Verd. um d. Bdl. Wien. M.: Berufssenat d. Finanz-LDion. f. Wien, NÖ u. Bgld., Vors.Stellv. d. LStelle f. Wien, NÖ u. Bgld. d. Pensionsvers.Anst. d. Arb. H.: Politik, Sport, Videofilmen. (N.A.).

Schleyer Erich
B.: freischaff. Schauspieler, Autor, Fotograph. DA.: D-8000 München 40. G.: Dresden, 1. März 1940. El.: Erich u. Augusta. S.: 1958 Matura, Bühnenjahr, 1959-62 Theater-HS Leipzig m. Dipl. K.: feste Engagements Greiz, Chemnitz,

Berlin-Ost, 1968 Eintritt BRD, Düsseldorf, Dt. Theater München, Thaliatheater Hamburg, Auftritte f. Bühne, mehrere Filme ab 1970 in d. BRD, Serie: "Das feuerrote Spielmobil", Filme: "Die wunderbaren Jahre", "Grete Minde", ca. 200 Fernsehspiele, 1977 erster Wienauftrit "Mayflower", 1982 Volkstheater "Einer flog über d. Kukuksnest", Hans Gratzer-Schauspielhaus "Was Ihr wollt" u. Rocky Horror Picture Show, 1989/90 in Sbg., Orlowsky Die Fledermaus, Burgtheater Tabori Gastauftritt, lfd. Schauspielhaus Wien u. ORF, "Hallo, ich bin d. Erich!", "Clip", seit 5 J. "Erich's Chaos", Drehbücher u. Talk's, seit 1988 Dokumentationen aus d. ganzen Welt, Doku: "Als d. Heiden Christen wurden", journalist. Tätigkeit im Bereich Europamagazin "Kompass" ORF, "Zwischen d. Regenzeiten", Tätigkeit als Fotograf m. Ausstellungen in Österr. u. New York. P.: Kinderbücher "Aber d. Geschichte ist nicht v. hier" (1986), "Katze Nora" (1987), "Olympiade d. Tänze" (1988), "Neue Freunde "(1989), Schallplatte "Erich f. Kinder". E.: 1966 Radio DDR-Ausz. H.: Kochen, Süden, Natur. (J.E.)

Schlichtinger Friedrich Ing.
B.: Stadtbmstr., Bauing. FN.: Stadtbmstr. Ing. Friedrich Schlichtinger GmbH. GT.: Beratung v. RA u. langjähr. Kunden. DA.: 1070 Wien, Kircheng. 38. PA.: 1070 Wien, Kandlg. 7/2/2. G.: Wien, 22. Mai 1923. V.: Brigitte, geb. Praxmarer. Ki.: Barbara, Magdalena. S.: VS, Gymn., HTL Mödling, 1942 Ing. K.: Kriegsdienst, 1945 Bauing. b. versch. Firmen, 1946-57 Bauing. b. d. Fa. Schrott, seit 1957 selbst. Stadtbaumstr. H.: Schwimmen, Musizieren.

Schlick Kurt Dr.
B.: Vors. d. Vorst. d. Felbertauernstraße AG. GT.: AufsR. d. Lienzer Bergbahn AG. DA.: 9900 Lienz, Albin-Egger-Str. 17. PA.: 9900 Lienz, Am Haidenhof 2. G.: Scharnitz, 15. Mai 1923. V.: Elisabeth, geb. Seidl. El.: Rudolf u. Christine. S.: Jusstud. an d. Univ. Innsbruck, Prom. 1952. K.: 1953-63 tätig b. HK NÖ u. BWK (Sekt. Geld, Kredit) u. Ltr. d. Bez.Stelle Lienz, ab 1963 Vorst.Dir. d. Felbertauernstraße AG, 1968-74 StadtR. in Lienz, 1972-79 Vorst.Mtgl. d. Raiffeisenbezirkskasse Lienz, 1972-76 Präs. d. Österr. Skiverb., 1972-76 VPräs. d. Österr.-Olymp. Komitees, 1974-76 Mtgl. d. Executivekomitees f. d. Olymp. Spiele in Innsbruck, 1972-79 Gschf. d. österr. Plöckentunnelges. E.: EZ in Gold. f. d. Verd. um d. Rep. Österr., Gr. EZ f. Verd. um d. Rep. Österr., EK u. EZ d. Landes Tirol, Ehrenpräs. d. österr. Skiverb., Ehrenring d. Stadt Lienz. M.: Österr. Skiverb. H.: Skifahren, Briefmarken sammeln. (S.G.)

Schlick Sigrun Dr.
B.: LAbg., Managementtrainerin. GT.: Gesundheitssprecherin in Wien f. d. Wr. ÖVP, Lektor an d. WU Wien. DA.: 1080 Wien, Josefstädter Str. 51. G.: Feldkirchen, 23. Sept. 1941. V.: Dr. Rudolf Zucha. Ki.: Alexander, Birgit. El.: Josef u. Gertrude Leeb. BV.: Villacher Gewerbefamilie. S.: 1959 Matura, HAK Klagenfurt, 1959-64 Stud. d. BWL an d. WU Wien, 1964 Dipl., 1980 Prom., 1966-69 Stud. in d. USA. K.: 1964-66 MS Prof. in Villach, 1969-82 b. d. IBM Verkaufsberatung in Wien, Comecon u. UdSSR, 1976-82 freigestellter Betriebsratsobm. im EDV-Aussch., 1978 Wahl in d. Wr. Landtag, 1982 Beginn d. freiberufl. Tätigkeit auf d. Gebiet d. Personal u. Organ.Entwicklung im Rahmen d.

Psychol. Inst. f. Persönlichkeits u. Organ.Entwicklung. P.: 1980 "Der Kranke als Opfer" (soz. Innv. im KH), Aufsätze z. versch. Themen: Frauenemanzipation, Technologie, Computerzukunft in d. Zeitschrift: Zeitschrift f. Sozialpsych. u. Gruppendynamik, Zeitschrift f. BWL, Argumente-Alternativen. M.: ÖVP, Kummerinst. Österr. Frauenbewegung, Ak.Bund. H.: Sport, Vorträge, Gegenwartsliteratur. (M.B.)

Schlick Walter Wilhelm Dr.

B.: RA. A.: 8020 Graz, Maria-Troster-Str. 148. G.: Belgrad, 18. Mai 1931. V.: Mag. pharm. Brigitte, geb. Rengo-Solymossy. El.: Franz u. Theodora Margaretha. S.: RG, Staats- u. Rechtswiss. Fak. d. Univ. Graz u. Sprachphil. Fak. - serbokroatisch. K.: Jugendführer d. Stmk., Hochschülerschaft, Prok. d. Fa. Imporex, Ostexportkfm. f. d. Maschinenfbk. Andritz, ÖAMTC Wien, RA. F.: Colorklischee Schlick KG Graz. P.: Versch. Zeitungsart. M.: Lions-Intern. Joanneum Graz.

Schlick Werner Dr. med. Univ. Prof.

B.: Internist. FN.: Klinik f. Herz- u. Thoraxchirurgie i. AKH. DA.: 1090 Wien, Währinger Gürtel 18-20. PA. u. Ord.: 1130 Wien, Opitzg. 16. G.: Jauernig/Sudetenland, 25. Feb. 1940. V.: Angela, geb. Kalk. Ki.: Alexander (1969), Birgit (1975), Marian (1987). El.: Heinrich u. Gunthild. S.: Matura i. Villach, Med.-Stud. a. d. Univ. Wien, Prom. 1965, Turnus i. LKH Villach, FA-Ausb. f. Innere Med., 3 J. i. USA, 1 J. Ohio u. 2 J. Phoenix Arizona. K.: a. 1969 a. d. I. Med. Univ.-Klinik b. Prof. Dr. Erwin Deutsch, Wiss. Arb. a. Gebiet: Stoffwechsel, Diabetes u. Lungenerkrankungen, 1976 Habil. z. Thema Lungenemphysem., Ltr. d. Inst. f. Atemphysiologie d. II. Chir. Univ.-Klinik, s. 1981 a.o. Univ.-Prof., s. 1987 Ltr. d. int. Betreuung d. II. Chir. Univ.-Klinik, Forschungsschwerpunkte: Lungentransplantation, Lungenemphysem u. Asthma Bronchiale, Org. v. Ärztekongressen wie z.B. 1992 ERS-Kongreß Austria-Center Wien. P.: über 200 wiss. Publ. m. Hauptgebiet: Stoffwechsel, Diabetes, Lungen- u. Herzerkrankungen. M.: Mtgl. zahlr. wiss. Ges. u.a. Europ. Ges. f. Lungenerkrankungen. H.: Bergsteigen, Literatur, Philosophie. (J.S.)

Schlieben Richard

B.: Vors. d. Betriebsrates Tech. Personal. FN.: Volksoper. PA.: 1020 Wien, Czernyng. 6/1/3/22. G.: Wien, 21. März 1941. V.: Herta, geb. Vojna. Ki.: Hanspeter (1966), Michael (1967), Berndt u. Dieter (1970). El.: Alfred u. Emilie, geb. Edlinger. S.: VS, HS, Tischerlehre, 1970 Mstr.-Prüfung. K.: 1970-74 selbst. Tischler, 1975 Eintritt Volksoper a. Bühnenarb., 1978 Betriebsratsmtgl., 1981 Bühnenvorarb., 1987 Stv. Betriebsratsvors., s. 1990 Betriebsrat, s. 1992 gewählter Betriebsratsvors. H.: Bergsteigen, Skiwandern, Reisen, Lesen, Jugendgruppenführer. (N.A.)

Schlinger Stephan

B.: Abt.Ltr. f. Satz. FN.: Interset Foto- u. Schreibsatz GmbH. DA.: 1190 Wien, Muthg. 56. G.: Wien, 9. Mai 1948. V.: Ingrid, geb. Mitter. El.: Rudolf u. Stefanie. S.: Lehre als Schriftsetzer. K.: 1962 Eintritt Interset, heute Abt.Ltr. H.: Tennis, EDV. (R.J.)

Schlinke Diether Dipl.-Ing.

B.: Prof., Fachbuch- u. Sachbuchautor. PA.: 2371 Hinterbrühl, Gaadner Str. 8 B/1. G.: Wien, 26. Dez. 1933. Ki.: Christian (1963), Elisabeth (1967), Alexander (1970). El.: Ing. Mag. pharm. Otto u. Mag. pharm. Dr. phil. Hildegard. S.: Hum. Gymn., Maschinenbaustud. TU Wien u. München u. Abschluß durch Dipl.-Prüf. K.: Techn. Überwachungsver. Wien, Brown-Boveri Cie in Baden/Schweiz, ab 1968 Prof. an d. HTBLVA Mödling, 1992 Eintritt in d. Ruhestand. P.: "Zerstörungsfreie Werkstoffprüf.", "Kelten in Österr." (10987). M.: seit 1990 Präs. d. Österr.-Irischen Ges. (M.M.)

Gräfin v. Schlippenbach Luise Dr.

B.: Red. A.: 9530 Bad Bleiberg 145, D-8000 München 40, Ackermannstr. 12. G.: Bad Oeynhausen/BRD, 6. Febr. 1922. V.: Dr. iur. Stefan Graf v. Schlippenbach. El.: Dr. Hubert u. Gertrud Butenuth. S.: Abitur, Stud. d. Betriebswirtschaft, Dkfm. in Frankfurt, Prom. Dr. rer. pol. 1946. K.: Ref. im BWirtschaftsmin. unter Prof. Erhard, Parlamentsjournalistin (Wirtschaftspolitik) in Bonn, Ltr. d. Stabsabt. Informationszentrum (Presse u. Werbung) in d. Konzernltg. d. Agrippina-Vers.Konzerns, Prok. d. Konzernltg. P.: "Gewinn- u. Verlustrechnung d. AG", zahlr. Veröff. in d. namhaftesten dt. Zeitungen als Wirtschaftsred. E.: Anerkennung durch d. Gen.Dion. d. Agrippina (Goldtaler). M.: Ver. d. Adels in Bayern, ehemals Ltr. d. Wirtschaft d. "Rhein. Merkur", später Sprecher f. d. Umweltschutz im Inst. d. dt. Wirtschaft Köln. H.: Musik, Theater, Geselligkeit, Tagesgeschehen, Wirtschaft, Lesen.

Schlögel Johann Dr. HofR.

B.: Ltr. d. Kriminalpolizeilichen Abt. u. Stellv. Polizeidir. FN.: Bundespolizeidir. DA.: 3100 St, Pölten, Linzer Str. 47. PA.: 3100 St. Pölten, Kleiststr. 30. G.: Loosdorf b. Melk, 3. Feb. 1936. V.: Ingrid, geb. Schubert. Ki.: Harald (1961), Angelika (1964), Bernhard (1970), Max (1974). El.: Johann u. Johanna. S.: VS, Gymn., Matura, Jus. Stud. K.: Sparkasse St. Pölten, Zweigstellenltr. in 3 versch. Fil., nebenbei Jus. Stud., 1962 Eintritt in Polizei St. Pölten, Einschulung b. Juli 1963 in Wien, s. !963 St. Pölten,, Strafreferent, Abt. Ltr., s. 1966 Abt. Ltr. d. Krimpol. Abt. u. Stellvertr. d. Pol.Dir., s. 30 J. Sachverständiger in NÖ - Lenkerprüf. Kmsn., 1963-75 Organ. d. Babyhilfsturnier, haupts. v. Fußballveranst. P.: Beiträge zur Kriminalistik. E.: Neben versch. and. Orden Gr. EZ d. Rep. Österr., Inh. d. Gold. Ischlerherzens. M.: VIP beim VSE-Fußball-Club. H.: Fußball, Wandern, Lesen, Garten, Schwimmen. (J.M.)

Schlögel Robert Dr.

B.: Prim., Brigadier, FA f. Chir. u. Plast. Chir., Kdt. u. ärztl. Ltr. d. Militärspitals 2, AG Dr.-Glatz-Straße. PA.: 6020 Innsbruck, Reichenauerstr. 63. G.: Wien, 8. Apr. 1947. V.: Christine, geb. Ploner. El.: MedR. Dr. Robert u. Dr. Gertrud. S.: Gymn., Med.Stud., Studienass. am Inst. f. Physiologie d. Univ. Innsbruck. K.: FA f. Plast. Chir., seit 1985 Kdt. u. ärztl.

Ltr. d. Militärspitals Innsbruck. BL.: Aufbau d. 1. Militärspitals v. Österr. P.: Publ. auf d. Gebiet d. Durchblutungs-Messung, chir. u. plast.-chir. Arb., Vorlesungen an d. Univ. Innsbruck über KAT-Med. E.: Gold. EZ d. Rep. Österr., Orden f. persönl. Tapferkeit d. UdSSR, BH-Dienstz. 1. Kl., Gold. Verd.Med. d. Österr. Roten Kreuzes, KAT-Einsatz in Armenien u. Iran. M.: Rotary Club, Österr. Rotes Kreuz LVerb. Tir., Österr. Wasserrettung, Österr. Ges. f. Chir., Österr. Ges. f. plast. Chir., Österr. Ges. f. Katastrophenmed., Ges. f. Wehrmed. u. Wehrpharmazie. H.: Segeln, Fechten, Skifahren, Jagen, Fischen, Geschichte, Kunst. (P.G.)

Schlögl Herbert Kammerrat KommR.

B.: Vorsteher d. Wr. Landesgremiums f. d. Einzelhandel m. Lebens- u. Genußmittel. FN.: WHK Wr. Handelskammer, Haus d. Kaufmannschaft. DA.: 1050 Wien, Margaretenstr. 84; 1040 Wien, Schwarzenbergpl. 14. PA.: 1030 Wien, Landstr. Gürtel 11. G.: Wien, 16. Okt. 1940. V.: Ingeborg, geb. Pausch. Ki.: Doris (1967), Roland (1969). El.: Leopold u. Josefa. S.: VS, HS, bis 1957 Lehre im Lebensmittelh. K.: 1954 Eintr. in Geschäft d. Onkels Wintersberger, 1974 Kauf d. Geschäftes Wintersberger, Umbau, Ausbau, H. Schlögl Feinkost u. Partyservice; 1975-80 Bez.-Vertrauensmann f. d. 5. Bez., Landesgremium f. d. Lebens- u. Genußmittel-Einzelhandel, ab 1980 Ausschußmtgl. d. Lebensmittelgrem., 1983 Vorsteher-Stellv. d. Lebensmittelgrem.,s. 1989 Vorst. d. Lebensmittelgrem., s. 1990 Vors. d. Fachausschusses d. Lebensmittelhandels im Bundesgrem., s. 1990 Mtgl. d. Sek.-Ltg. d. Sek. Handel, 1980 beisitz. Mtgl. d. Prüf.-Kmsn. f. Lehrabschlußprüf., s. 1985 Vors. Mtgl. d. Prüf.-Kmsn., s. 1990 Mtgl. d. Schulausschusses in d. Berufsschule Lebensmitteleinzelhandel in Wien, s. 1975 Mtgl. d. Verein. Österr. Kaufleute, 1978-85 Vizepräs. d. Verein. Österr. Kaufleute, s. 1982 Bez.-Gruppenobm. d. 5. Bez. d. Verein. Österr. Kaufleute, s. 1964 Mtgl. d. Wirtschaftsbundes, s. 1980 Bez.-Gruppenobm.-Stellv. d. Wirtschaftsbundes. F.: Gschf. Ges. d. Feinkost Herber Schlögl u. Co GesmbH. M.: s. 1986 Beirat d. Kreditver. d. Zentralspark. Wien, s. 1987 fachkund. Laienrichter im Handeslgericht Wien. E.: 1993 große silb. EM d. WK, 1993 gold. EZ f. d. Verdienste um die Rep. Österr. H.: Tennis, Schifahren, Garten, Familie, Sauna. (U.Z.)

Schlögl Johanna

B.: Inh. d. Werkstätte f. exklusive Unikate. DA. u. PA.: 1010 Wien, Rabensteig 1. G.: Bad Vöslau, 31. Juli 1955. El.: Schlögl Leopold u. Stefanie, geb. Pirkner. S.: HAK St. Pölten, 1974 Matura, 1975-76 Textilfachschule Design u. Farbgestaltung, Textiling. K.: Beginn d. selbst. Tätigkeit, Entwicklung d. Kerzenleuchte u. Patentierung, Übergang v. Batik zu Seidenmalerei, ab 1980 Ausstellung auf Fachmessen im In- u. Ausland, 1985 Teilnahme an Gruppenausstellung "Ver. Bild. Künstlerinnen Österr." in Wien, ab 1985 präsentiert d. Unikate in "Österr. Werkstätten" Wien als Vertreterin d. jungen Künstler Wiens, 1986 Mtgl. d. Ver. Bild. Künstlerinnen Österr., 1986 Teilnahme an Gruppenausstellung "Kunst m. Seide" Airport Gallery in Frankfurt, 1986 Verkauf eigener Unikate im Rahmen d. Ausstellung "Traum u. Wirklichkit" in Wien u. Paris, 1987 Ausstellung in Wien "Ver. Bild. Künstlerinnen Österr.", 1988 Teilnahme an Gruppenausstellung "Intern. Muster-Triennale" Museum Ernst in Budapest. M.: Grdg.Mtgl. d. Art Austria Gruppe Förd. Österr. Kunsthandwerks m. Niveau u. Organ. (1987/88). H.: Antiquitäten, Theater, Musik, Reisen, Skifahren, Wandern. (M.G.)

Schlögl Josef

B.: Gendarmerieabt.-Insp., Bez.-Gendarmeriekdt. d. Bez.-Gendarmeriekdo. Landeck. DA.: 6500 Landeck, Innstr. 11. PA.: 6500 Landeck, Pascheg. 22. G.: Innsbruck, 15. Okt. 1933. V.: Maria, geb. Hueber. Ki.: Sonja, Andrea, Stefan, Angelika. S.: VS, Berufsschule f. Werkzeugschmiede Fulpmes. K.: 1953 Eintritt in d. BGendarmerie, 1955 Übernahme, in Folge Laufbahn b. z. Bez.Gendarmeriekdt., langjähriger Personalvertreter, GemR. d. Stadt Landeck. P.: div. Veröff. in Gendarmeriezeitungen. E.: Silb. Verd.Zeichen d. Rep. Österr. M.: Obm. d. Stadtmusikkapelle Landeck, Mtgl. d. Christophorus Bruderschaft St. Christoph/Arlberg. H.: allg. Sport: Skifahren, Schwimmen, Wandern, Musik, Literatur.

Schlögl Karl

B.: Gschf., Drogist. FN.: Karl Schlögl KG, Kräuterschlögl. DA.: 8010 Graz, Färberpl. 11. PA.: 8010 Graz, Kerschhoferweg 15. G.: Graz, 15. Apr. 1947. V.: Edeltrude geb. Maday. Ki.: Ulrike (1968), Monika (1971), Mathias (1986). El.: Karl Heinrich u. Maria. BV.: Vater, Verdienste d. Volksgesundheit, Geschäftsgründer 1937. S.: Drogistenschule u. Berufsschule Fröbelpark Graz. K.: 1970-74 Kraft- u. Kranfahrer Fa. Sonja Eibl, Schreibmasch.-Vertr., Maschinschreibkurs- u. Deutschkursverk., s. 1983 hauptberufl. im Geschäft. M.: Kneippbund, Naturschutzbund, Alpenverein, Gesangsverein, Demeterbund (biol. Anbau). H.: Bergsteigen, Wandern, Schifahren, Radfahren, Singen. (R.S.)

Schlögl Karl Mag.

B.: Mtgl. d. Nationalrates. DA.: 1017 Wien, Dr.-Karl-Renner-Ring 3. G.: Wien, 28. Jan. 1955. S.: Gymn., 1974 Matura, Stud. Rechtswiss., Stud. Politikwiss. u. Geschichte. K.: 1980-85 Bildungssekr. d. SPÖ NÖ, 1985-92 Ltd. Sekr. d. SPÖ-Zetralsekretariats, 1978-85 1. Vors. u. Stellv. BVors. d. Soz. Jugend NÖ, seit 1985 Mtgl. d. GemR. Purkersdorf, 1987-91 Mtgl. d. Bundesrates, seit 1989 Bürgermeister d. Stadtgem. Purkersdorf, seit 10/1991 Mtgl. d. NatR.

Schlögl Manfred Ing.

B.: Zimmer- u. Brunnenmstr., Inh. eines Holzbaubetriebes u. Sägewerkes. FN.: Ing. Manfred Schlögl Holzbau. DA.: 3143 Pyhra, Heuberg 37. PA.: 3143 Pyhra, Heuberg 1. G.: St. Pölten, 24. Juni 1942. V.: Christa, geb. Köberl. Ki.: Karina, Alexandra. S.: VS, Realschule, HTL Krems Fachrichtung Hochbau, BH. K.: 1965 Eintritt in d. elterl. Betrieb eines Sägewerkes, Zimmerei- u. Holzbauuntern., d. v. ca. 100 J. gegründet wurde u. sich in d. 4. Generation in Familienbesitz befindet, 1965 Zimmermstr., 1966 Brunnenmstr. M.: 5 J. GemR. d. Marktgem. Pyhra, 4 J. Obm. d. Wirtschaftsbundes, dzt. Obm. d. Union in Pyhra. H.: Familie, Tennis. (Kern)

Schlögl Walter

B.: Unternehmer, Teilhaber. FN.: Walter Schlögl GesnbR. DA.: 6200 Wiesing 408a. G.: Schwaz, 20. Juni 1956. Ki.: Bernd (1980), Bernadette (1984). El.: Walter u. Josefine. S.: Pflichtschule, Polytechn. Lehrgang. K.: seit 1971 im elterl. Betrieb in Wiesing beschäftigt, in sämtl. Bereichen tätig, 1974 Betrieb übersiedelt, ab 1992 zusammen m. Bruder Grdg. GesnbR u. Übernahme d. väterl. Betriebes. P.: 5 LP, 1 CD zusammen m. d. "Bergkristall-Quintett". M.: 21 J. aktiv m. d. "Bergkristall Quintett". H.: Musik, Hund, Fußball. (J.F.)

Schlögl Werner

B.: Unternehmer, Teilhaber. FN.: Werner Schlögl GesnbR. DA.: 6200 Wiesing 408a. PA.: 6200 Wiesing 494. G.: Schwaz, 21. März 1954. V.: Christine, geb. Wiedner. Ki.: Andrea (1973), Katja (1979). El.: Walter u. Josefine. S.: Pflichtschule, Polytechn. Lehrgang, Berufsschule. K.: seit 1969 im elterl. Betrieb in Wiesing beschäftigt, in sämtl. Bereichen tätig, 1974 Betrieb übersiedelt, ab 1992 zusammen m. Bruder Grdg. d. GesnbR, u. Übernahme d. väterl. Betriebs. H.: Skifahren, Radfahren, Berggehen. (J.F.)

Schlöglhofer Herbert Mag.

B.: Dir. d. BORG. DA.: 3270 Scheibbs, Schacherlweg 1. PA.: 3270 Scheibbs, Am Burgerhof 41. G.: Amstetten, 21. Juni 1939. V.: Edda, geb. Mader. Ki.: Marielis (1966), Isolde (1969), Judith (1971). El.: Alois u. Rosina. S.: VS, HS, LBA St. Pölten, Math. u. Physikstud. Univ. Wien. K.: 1962 Lehrer u. Erzieher in d. LBA St. Pölten, 1964 zusätzl. Lehrer in d. neugegründeten Schule in Scheibbs, seit 1965 Lehrer RG Scheibbs, zusätzl. Lehrer Franzisko Josefinum Wieselburg, ab 1966 nur mehr Gymn., seit 1983 Dir., seit 1978 Ltr. d. Kammerorchesters Scheibbs, b. 1987 Ltr. d. Kirchenchors. P.: Nachforsch.-Arb. über Herkunft d. Barock-Komponisten Johann Heinrich Schmelzer u. Feststellung, daß dieser im 17. Jhdt. in Scheibbs geboren wurde. M.: MKV, CV, Gewerkschaft, Ver. christl. Lehrer. H.: Musik (aktiv u. passiv), Natur, Wandern, Lesen. (F.S.)

Schlorhaufer Walter Dr. o.Prof.

B.: Vorst. d. Univ.Klinik Innsbruck f. Hör-, Stimm- u. Sprachstörungen, Schriftsteller. DA.: 6020 Innsbruck, Anichstr. 35. G.: Innsbruck, 14. Okt. 1920. V.: Ilse. Ki.: Dr. Betina, Peter-Daniel. El.: Franz u. Luise. S.: Grundschule, hum. Gymn. Innsbruck, Med.Stud. in München u. Innsbruck. K.: 1945 Prom., 1958 Habil., 1968 Lehrkanzel f. Audiologie u. Phonometrie, 1972 umgewandelt in Univ.Klinik f. Hör-, Stimm- u. Sprachstörungen. BL.: Päd. f. Frühhörgeschädigte Kinder, Grdg. d. 1. Logopädenschule in Österr. u. Mitbegründer d. 1. Logopädenschule in Bozen. P.: wiss. Art. in Fachzeitschriften, 2 Monographien, Lyrik, Hörspiele f. ORF u. SWF. E.: Wiss.Med. M.: zahlr. wiss. Ver. H.: Bergsteigen.

Schlöss Erich Dr. techn. Dipl.-Ing. BauR. h.c.

B.: Arch., Sachv. f. Arch., Hochbau, Denkmalschutz Stadtbildpflege u. Innenarch. PA.: 2344 Maria Enzersdorf, Dobrastr. 102. G.: Wien, 20. Jan. 1920. V.: Gunnel, geb. Bladh; 4 Söhne. BV.: Adolf M. Pleischl, Erfinder d. metallfreien Emails, Vater Arch. Heinrich Schlöss war Experte auf d. Gebiet d. Wr. Siedlungswesens. S.: RG, Arch.-Stud. TU Wien. K.: Mitarb. u. Ass. b. Prof. E. Boltenstern (Staatsoper, TU Wien), seit 1956 freischaff. BL.: Wohnbauten, Schulen, Geschäftshäuser, Ind.-Bauten, Revitalisierung histor. Gebäude. P.: Theresianum, Wr. Stadtbahn, Ziviltechnikerwesen, Österr. mod. Arch., Korr.-Zeitschrift d. Bundesing.-Kam. "Konstruktiv". E.: Ehrenring d. Bundesing.-Kam., BauR. h.c., EK f. Wiss. u. Kunst I. Kl., 1990 Med. d. Stifterin d. Theresian. Ak. in Gold. M.: Arch.-u.Ing.Kons.-Kam. f. Wien, NÖ u. Bgld., ZV d. Arch. Österr., Hauptverb. d. allg. beeid. gerichtl. Sachv. Österr., Ver. f. Geschichte d. Stadt Wien, Öst.Ing.u.Arch.Ver., Öst.Sekt.d.IIC, Heraldisch-Genealog. Ges. Adler Wien, Inst. f. d. Erforsch. d. frühen Neuzeit Wien. H.: Zeichnen, Reisen, intern. Beziehungen, Geschichte. (I.K.)

Schlosser Christine Anna Katharina

B.: Eigentümerin. FN.: Hotel Orgler KG. DA. u. PA.: 5710 Kaprun, Schloßstr. 19. G.: 7. Apr. 1954. V.: Harald Schlosser. Ki.: Lukas, Lisa. El.: Alois u. Katharina Huber. S.: VS, HS, Fremdenverkehrsschule, 1973 Matura. K.: 1975 Tätigkeit im elterl. Betrieb, 1979 Lehramtsprüf. f. höhere Schulen, b. 1987 Tätigkeit in Fremdenverkehrsfachschulen, seit 1985 Gschf. Orgler KG, 1987 Eröff. d. neuerbauten Hauses. H.: Sportgeschichte, Sprachen. (W.B.)

Schlosser Horst Dr. HofR.

B.: Hofrat. FN.: Oberster Gerichtshof. GT.: s. 1993 Vors. d. Kartellobergerichtes, stv. Vors. d. Bundesvergabeamtes, Seminargestalter f. Untern.- u. Wirt.-Recht. DA.: 1016 Wien, Museumstr. 12. PA.: 2100 Korneuburg, Hans Kudlich Str. 26. G.: Heidenreichstein, 19. März 1939. V.: Mag. jur. Dr. phil. Astrid geb. Troll. Ki.: Lothar (1974). El.: Adolf u. Hedwig. S.: 1957 Matura i. Waidhofen a.d. Thaya, Stud. d. Rechtswiss. Univ. Wien, 1961 Prom., anschl. Stud. d. Staatswiss. Univ. Wien. K.: s. 1983 Hofrat b. Obersten Gerichtshof, Schwerpunkt d. Tätigk. i. Wasser- u. Amtshaftungsrecht. P.: Fachbücher z. Thema Wirtschaftsrecht. H.: Reisen. (J.S.)

Schlösser Wilhelm Dr.

B.: Inh. FN.: Dr. Wilhelm Schlösser Wäschefbk. DA.: 8010 Graz, Körösistr. 17. PA.: 8010 Graz, Leechg. 31. G.: Köln, 13. Dez. 1919. Ki.: Dr. Elisabeth (1949), Margit (1952), Dr. Peter (1960), Michael (1965). El.: Peter u. Margarete. S.: Gymn. Berlin, Matura, Militärdienst, ab 1945 Jusstud. Univ. Graz, 1948 Prom. K.: 1951 Grdg. d. eigenen Firma, 1958 Firmensitzverlegung. (I.G.)

Schludermann Heinz Dr. Dkfm.

B.: Ltr. d. SOMAS-Inst., Inst. f. Sozial- u. Marktforschung Sbg. A.: 5020 Salzburg, Faberstr. 6. G.: Wien, 21. Juni 1940. El.: Dipl.-Ing. Wilhelm u. Josefine. S.: AHS (Realschule), HS f. Welthdl. Wien. H.: Skifahren, Bergsteigen.

Schlungs Wolfram Dkfm.

B.: Gschf. u. Dir., Kfm. FN.: Thyssen Marathon Edelstahl, Verk.-GmbH. DA.: 2331 Vösendorf, Konsumstr. 2. PA.: 2500 Baden, Weilburgpl. 1. G.: Krefeld/BRD, 5. Juli 1938. V.: Martha, geb. Göttgens. Ki.: Christiane (1964), Katharina (1971). El.: Dr. phil. Heinrich u. Maria. S.: 1958 Matura am Gymn. Schleiden/Eifel, 1958-69 kfm. Lehre u. parallel Stud. d. Hüttenkunde u. Betriebswirtschaftslehre in Erlangen-Nürnberg. K.: 1969-71 im Bereich Untern.-Org. b. d. Dt. Edelstahl-Werken, 1971-74 Verk.-Ltr. b. August Thyssen Hütte in Duisburg, 1974-84 b. Thyssen Ind., Verk.-Dir. im Bereich Bergbau, 1984-86 Thyssen Ind. im Bereich Maschinenbau, Verk.-Ltr. f. Thyssen Wagner Dortmund, 1986-88 Gschf. d. Emil Wolf GmbH. Essen, s. 1988 lfd. Dir. u. Gschf. v. Thyssen Marathon Edelstahl. M.: Mtgl. d. Kuratoriums d. Dt. Handelskammer Ö. H.: Sport, Leichtathletik. (I.K.)

Schlusche Wienfried Dr. iur.
B.: AR-Vors. FN.: Dorotheum. DA.: 1011 Wien, Dorotheerg. 17. G.: CSFR, 2. Apr. 1925. V.: Elisabeth, geb. Rudolf. Ki.: Birgit. S.: Matura, Kriegsdienst, Jusstud., Prom. K.: seit 1948 Staatsdienst, Min. f. Wirtschaftsplanung, seit 1950 im BMF, Budgetsekt. f. d. Ressorts Unterricht u. Kunst, Wirtschaftsverw., Finanzverfassung, Finanzausgleich, 1986-91 Sekt.-Chef im BMF, s. 1990 AR-Vors. d. Dorotheum. E.: Gr. Gold. EZ f. Verd. um d. Rep. Österr. H.: Theater, Kunst, Musik. (P.R.)

Schlüter Peter
B.: Ltr. d. Kulturamtes d. Stadt Stockerau. DA.: 2000 Stockerau, Rathauspl. 1. PA.: 2000 Stockerau, Grafendorfer Str. 9. G.: Hamburg, 15. Nov. 1940. V.: Elfriede, geb. Straka. Ki.: Gerald (1963). El.: Hermann u. Margarete. S.: HS, Schriftsetzerlehre. K.: 1968-73 Gschf. in Stockerauer Druckereien, ab 1973 Ang. in d. Stadtgem. Stockerau als Ltr. d. Kulturamtes. M.: div. Stockerauer Kultur- u. Sportver. H.: Kochen, Jazz. (M.M.)

Schmaelz Rainer Ing.
B.: Kfm., Gschf. FN.: Eduard Schmaelz Lustererzeugungs u. Hdls. GmbH. DA.: 1070 Wien, Burgg. 73. G.: Wien, 10. Mai 1941. V.: Karin, geb. Wallner. El.: Eduard u. Edith. S.: Gymn., HTL, 1963 Matura, 1972 Ing. K.: 1957-60 Lehre als Lustergürtler im elterl. Betrieb, 1960 Gesellen u. 1965 Mstr.-Prüf., Abendstud. Absolv. d. HTL, seit 1973 Gschf. Eduard Schmaelz GmbH, 1975 Grdg. d. MAZ-Technik Magnetaufzeichnungen GmbH, seit 1975 Ing. Rainer Schmaelz Elektroklein- u. -großhdl. BL.: 1978 d. Monopol d. ORF-Video Prod. durch seine Firma Maz-Technik gebrochen. M.: Lions Club Johann Strauß, Vorst.-Mtgl. d. Wr. Kulturkreises. H.: Reisen, klass. Musik. (J.E.)

Schmaldienst Ernst
B.: VBgm. v. Oberwart u. gschf. Ges. d. Fa. Parkett Schmaldienst GmbH u. d. Fa. E. Schmaldienst Holzhdl., Mühle, Säge u. Holzfriesenerz. DA. u. PA.: 7400 Oberwart, Heideg. 3. G.: Oberwart, 28. Dez. 1934. V.: Ingrid, geb. Schabhüttl. El.: Ernst u. Rosina. S.: HASCH Oberwart. K.: Müllermstr., 1951 Eintritt in väterl. Betrieb (Sägewk. u. Mühle), 1963-64 Auslandsaufenthalt in Südafrika, 1972 Übernahme d. väterl. Betriebes, 1973 Erweiterung d. Betriebes auf Holzfriesenerz. u. 1980 auf Parkettherst. M.: GemR., AufsR. d. Begas, AufsR. d. Oberwarter Siedlungsgen., Gem.Vorst. H.: Fischen. (War.)

Schmalhart Sylvia

B.: Dir. d. Allg. Sonderschule Gleisdorf. DA.: 8200 Gleisdorf, Franz-Josef-Str. 2. PA.: 8200 Gleisdorf, Dr.-Hans-Klöpfer-G. 6. G.: Wien, 30. Apr. 1949. V.: Eduard Schmalhart. Ki.: Friedrich (1984). El.: Friedrich u. Gertrude Strohmeier. S.: 1968 Matura, 1969 HAK-Matura, 1969-71 Päd. Ak. Graz-Eppenberg, 1971 Abschluß. K.: 2 J. VS-Lehrer in Hartmannsdorf, 1 J. VS Preßgut, 1 J. St. Margarethen m. angeschlossener ASO-Kl., 1976 ASO Gleisdorf, 1977/78 Prüf. f. Sonderschule, Schwerpunkt Schwerstbehinderte, 1979 Sonderschullehrer, 1985 Dir. d. ASO Gleisdorf. P.: Projektdarstellungen in d. Lokalzeitungen. M.: Päd. BeiR. d. Bez. Weiz. H.: Schwimmen, Radfahren, Badminton. (F.K.)

Schmalstieg Werner
B.: Inh. d. Fa. Schmalstieg-Elektronik. DA.: 1060 Wien, Hirscheng. 7. G.: Wien, 23. Nov. 1940. V.: Elisabeth, geb. Arlett. Ki.: Susanne (1970), Christine (1972). S.: Realschule, 1959 Matura, 1959-62 Stud. Nachrichtentechnik an d. TH Wien, 1962-64 Stud. Mathem. u. DG an d. Univ. Wien. K.: 1964 Eintritt in d. Fa. d. Vaters, 1966 Automatisierung d. Exportbetriebes, 1968 Übern. d. väterl. Betriebes (Mill-grifrädchen-Erzeugung), 1974 Entwicklung, Herstellung u. Vertrieb d. Synputer-Tonsystems, 1987 Gen.-Vertr. v. HVS-Köln (Softwarehaus), 1990 Ausbau d. Fa. z. Spezialuntern. f. Video-Schnitt u. Vertonungs-Computer f. semiprofess. Anwendung. BL.: 1974 Erfind. d. Synputer-Tonsystems f. Filmvertonung u. weitere Erfind. auf d. Gebiet, 1974-82 Inh. in- u. ausländ. Patente, 1983 bes. Würdigung d. Erfindungshöhe im Urteil d. Dt. Bundespatentgerichts. H.: Filmen, Segeln, Schilauf, Tennis. (M.M.)

Schmalvogl Werner

B.: Gschf. "Burg Leopoldsberg". FN.: General Commerc Hdls. GmbH Grünbach. DA.: 1190 Wien, Am Leopoldsberg 1. PA.: 2733 Grünbach/Schneeberg, Neubaustr. 6. G.: Waidhofen/Ybbs, 29. Okt. 1942. V.: Dorit, geb. Saletu (1943). Ki.: Alexander (1973), René (1977). El.: Theodor u. Juliane, geb. Grabner. BV.: Vorfahre Matthias Schmalvogl wurde in Anerkennung seines Einsatzes in zahlr. Kämpfen gegen d. Türken am 24. Jan. 1609 v. Kaiser Rudolf in Prag geadelt. S.: Hotelfachschule Fremdenverkehrsak. Sbg. K.: Gschf. "Jagdhof" München, danach Pächter, Pächter "Schloßrestaurant Aigen" Sbg., Ltr. d. Ressorts Gastronomiebetriebe b. "Billa" Wien, "Österr. Verkehrsbüro" - Hotelkette, Gschf.-Stellv., Hoteldir., "Eurest", Ltg. d. Betriebsrestaurants; Auslandsstud., Aufbau eines neuen Fernverpflegesystems (EMS Menüsystem), "Chorherrenstift Klosterneuburg", Management d. Stifts-Gastronomiebetriebe (NÖ Landesausstellung), "General Commerc GmbH", Pächter d. "Burg Leopoldsberg", "Gschf., Schwerpunkt: gutbürgerl. Betriebsführug nach "Altwiener Tradition", größtmögl. Serviceleistungen f. bes. Feste u. Veranstaltungen, wie stilvolle "Hochzeitsfeste" sowie "Ritterfeste" nach altertüml. Bräuchen, Kooperation m. Künstlern u. Agenturen. P.: "Gesundes Österr.". E.: Gold. Ehrenausz. f. beste Präsentation u. Information. H.: Segeln. (M.M.)

Schmalzbauer Herbert KommR. Ing.
B.: Stellv. Gschf., Marketingdir. A.: 1020 Wien, Große Mohreng. 21. G.: Wien, 7. Nov. 1925. V.: Hildegard. El.: Karl u. Hedwig. S.: Staatslehr- u. Versuchsanst. f. Textilind., TH Wien, HS f. Bdk. K.: 1950 Fachjournalist, 1953 Delegierter d. Österr. BRg. z. Europ. Stud.Mission in d. USA, Berufsschullehrer, 1955 Werbeltr. d. Coca-Cola GmbH, 1959 Verkaufsltr., 1961 Prok., 1963 Marketingltr., 1967 Marketingdir., 1976 LLtr. CSSR, 1977 Dir. f. Marketing u. Public Relations, stellv. Gschf. d. Coca-Cola GmbH Wien, 1966 Intern. Ambassador of the Hemisfair, 1968 San Antonio, Texas USA. P.: Viele Publ. in in- u. ausländ. Fachzeitschriften. E.: Österr. Olympia-Med. f. d. Organ. d. Olymp. Spiele 1964 u. 1976, Berufstitel KommR. f. Verd. um d. Österr. Wirtschaft. M.: Vorst.Mtgl. d. Marketing-Clubs Österr., Aussch.Mtgl. d. Österr.Inst., Intern. Advertising Association u. Grdg.Mtgl. d. Austrian Chapter, Association Intern. de la Presse Sportive, Österr. Ges. f. Absatzwirtschaft,

Ehrenmtgl. d. Österr. Olymp. Comités, Träger d. gold. Pierre de Coubertin-Med., Pr. d. Österr. Verb. Moderner Fünfkampf.

Schmalzl Franz Dr. Univ.-Prof. Prim.

B.: Prim. d. Internen Abt. am BKH Hall. DA.: 6060 Hall, Milser Str. 10. PA.: 6020 Innsbruck, Rennweg 16. G.: Rimini/Italien, 27. Jän. 1939. V.: Gisela, geb. Kölsch. Ki.: Bettina (1968), Stephan (1972). El.: Anton u. Caroline. S.: Mittelschule, 1957 Matura, Med. Fak. Univ. Innsbruck, 1963 Prom. z. Dr. med. univ. K.: 1964-65 Arb. am Path. Inst. d. Univ. Bonn, wiss. Arb., seit 1965 Univ.-Klinik f. Interne Med. Innsbruck, Ausbild. z. Internisten, 1973 Habil. z. Univ.-Doz., 1981 tit.a.o.Univ.-Prof., 1985 a.o.Univ.-Prof. f. Innere Med., 1987 Chefarzt d. Internen Abt. d. BKH Hall. P.: über 150 wiss. Veröff. über versch. Gebiete d. inneren Med., meist betreffend d. Hämatologie (Leukozytenfunktion, Zytochemie, Monozyten, Leukämiediagnostik u. -therapie, quantitative Zytochemie), Hrsg. v. 4 Büchern. M.: Intern. Society of Hematology, Österr. Ges. f. Hämatologie u. Onkologie, Dt. Ges. f. Hämatologie u. Onkologie. H.: Fotografie, Geschichte, Reisen. (M.W.)

Schmaranz Gerhard Mag. art.

B.: Gesangslehrer, Prof. am Konservatorium in Graz. DA.: 8027 Graz, Nikolaig. 2. PA.: 8042 Graz, Karl-Schönherr-G. 17. G.: Villach, 16. Jän. 1945. V.: Eva, geb. Meixner. Ki.: Christian (1973), Leonore (1977). El.: Siegried u. Josefine. BV.: Urgroßmutter Berta Hochkofler Dorfbaderin. S.: VS, HS, Gymn., 1967 Matura, versch. Tätigkeiten während d. Stud., Privat-Gesangsstud., Stud. HS f. Musik u. Darstell. Kunst Graz Gesang: Lied, Konzert, Oper, Gesangspäd., 1975 Dipl., 1977 Lehrbefähigung. K.: während d. Stud. schon kleine Rollen an d. Grazer Oper, Musiklehrer am BG u. BRG Gleisdorf, rege Konzerttätigkeit im In- u. Ausland, dann Gesangslehrer am Konservatorium in Graz, 1979 Grdg. eines eigenen Gesangsensemble f. Oper, Musical u. Operetten, "Grazer Operetten- u. Musical-Ensemble", rege Konzerttätigkeit, Engagement als Baß an d. Kammeroper Wien, Sommerspiele im Schloß Schönbrunn u. St. Pölten, intensive Beschäftigung m. d. Technik d. Belcanto, versch. Studien z.B. m. George London, Lucy Evans, Frau Prof. Langer-Rühl, viele Auftritte, Konzerte u. Liederabende. H.: Schwimmen, Tiefseetauchen. (M.Gr.)

Schmatz Wolfgang Dr. med. univ.

B.: Prakt. Arzt. GT.: Betriebsarzt d. Brau AG u. d. Fa. Zizala. DA. u. PA.: 3250 Wieselburg, Josef-Riedmüller-Str. 3. G.: Ybbs/Donau, 9. Juli 1949. V.: Iris, geb. Möldner. Ki.: Gundula, Anna, Stefanie. El.: Dr. Karl u. Ursula. S.: 1967 Matura, Med.Stud. an d. Univ. Wien. K.: 1974 Prom., b. 1977 Turnusausbild. im KH Krems, 1978 Praxiseröff., seit 1980 Betriebsarzt d. Brau AG, Betriebsarzt d. Fa. Zizala. M.: Lions Club Wieselburg. H.: Klass. Musik. (Kern)

Schmatzberger Erich Dr. Dir.

B.: Prok. d. ÖMV AG Wien, Gschf. d. Aktiv Mineralöl Hdls. GmbH Wien. PA.: 1180 Wien, Laudong. 55/12. M.: AufsR. d. Adria Wien Pipeline GmbH Klagenfurt, Erdölraffinerie GmbH i. L. Wien, Ges. f. Weltraumfragen u. Sonnenenergie GmbH Wien u. PCD Petrochemie Danubia GmbH Wien.

Schmauszer Georg Dr. Mag.

B.: Vorst.-Obm. FN.: Sbg. Siedlungswerk Gemeinn. Wohnbau GenmbH. DA.: 5033 Salzburg, Friedensstr. 1a. PA.: 5020 Salzburg, Vierthalerstr. 6. G.: Bikács, 22. Aug. 1938. V.: Johanna. Ki.: Doris, Gernot. El.: Georg u. Rosina. S.: VS, HS, Berufsschule Bereich Feinmechanik. K.: versch. Berufe (Zeitsoldat b. BH, Post, Hdls.-Unternehmen, Finanzamt, Bausparkasse), 1964-67 Gymn. f. Berufstätige, 1974-78 Jusstud., 1978-80 Bankausbild. als Firmenkundenberater, 1980 Eintritt Siedlungswerk, nach 1 J. Handlungsbev., nach 3 J. Prok., 1 J. später Vorst. M.: Abiturientenver., Lions-Club, Obm. d. Landesgruppe Eigenheim, Vorst.-Mtgl. d. GHS - Gemeinnütz. Hauptgen. d. Siedlerbundes Innsbruck. H.: Radfahren, Langlaufen, Skifahren. (D.E.)

Schmegner Karl Peter Dir.

B.: Gschf. Ges. FN.: Invest-Finance Vermögensverwaltungsgesmbh. DA.: 1050 Wien, Leitgebg. 9/1. G.: Arndorf, 2. Apr. 1942. V.: Margit, verwitwete Ritter. Ki.: Helmut (1966), Claudia (1969), Sabine (1971). El.: Josef u. Anna. S.: Matura in Leoben, 5 J. Finanzamtsdienst, danach 3 J. Ausbildung u. Filialdienst CABV. K.: Zahlstellenltr., in der Folge Managementkurse, Bilanzbuchhalterprüf., Eintritt in die Baumaschinenbranche: Manager in Finanz- u. Rechnungswesen, anschl. i. d. Investitionsgüterbranche im int. Konzernwesen in ltr. Pos., s. 1.1.1982 selbst. als Finanzberater, schließlich behördlich konzessionierter Vermögensverwalter, s. 1991 Dir. d. Hermes-Imperial für Betreuung u. Beratung v. rund 20.000 Kunden, 1994 Grdg. d. Invest-Finance GmbH gemeinsam mit d. Ehefrau Margit Schmegner. P.: Finanz- u. Servicebrief. H.: Philatelie, Literatur, Musik (aktiv u. passiv), ehemaliger Kampfsportler: Judo u. Boxen). (J.S.)

Schmeiser Hans Dr. med. vet. OVetR.

B.: Präs. d. LKam. d. Tierärzte Stmk., VPräs. d. BKam. d. Tierärzte. GT.: Prakt. Tierarzt in St. Stefan im Rosental, Amtstierarzt b. d. BH Feldkirch, Schlachthoftierarzt. DA.: 8330 Feldbach, BH Feldbach. PA.: 8083 St. Stefan im Rosental 167. G.: Wien, 31. Juli 1930. V.: Anne, geb. Daw. Ki.: Hans-Georg, Leonhard, Ursula, Katharina, Anna, Veit, Nikolaus, Georg, Benedikt. El.: Dr. Hans u. Maria. S.: VS, AHS, Stud. an d. Tierärztl. Univ. Wien, 1955 Prom. K.: 1953 tierärztl. Praxis, 1976 VPräs. d. LKam. d. Tierärzte, 1980 Präs. d. LKam., 1983 VPräs. d. BKam. d. Tierärzte, 1983 VetR., seit 1988 RgOVetR. BL.: Aufbau v. Gesundheitsdienst in d. Intensivtierhaltung v.a. Steir. Schweinegesundheitsdienst, Aufbau eines Qualitätssicherheitssystems f. Lebensmittel tier. Herkunft. (C.H.S.)

Schmeisser Ernst

B.: Fiaker. DA. u. PA.: 5020 Salzburg, Glockmühlstr. 6. G.: Salzburg, 1. Juli 1956. V.: Anna, geb. Schmiedbauer. Ki.: Ernst (1975), Daniel (1977). BV.: Großvater Leonhard Schmeisser Gründer d. Sbg. Fiaker 1956. S.: 1973 Elektrikergesellenprüf., BH. K.: Eintritt in väterl. Fiakerbetrieb, 1973/74 3 Konzessionen, 9 Kutschen, Mitwirkung in versch. Filmen u.a. "Der Gefangene v. Zender", "Wolf-Dietrich", "Heidi", Mozartfilm u. ca. 10 weitere Filme als Fiaker. H.: Pferde, Skifahren. (U.E.)

Schmelczer Thomas

B.: Textilkfm., gschf. Ges. FN.: Uzel & Sohn KG. GT.: Gen.Vertreter. f. ausländ. Textilfirmen. DA.: 1010 Wien, Lugeck 7. PA.: 1180 Wien, Hasenauerstr. 63. G.: Jànoshalma/Ungarn, 18. Juni 1943. V.: Doris, geb. Türkfeld. Ki.: Michael, Tamara. El.: Siegmund u. Margit. S.: 1961 Matura in Budapest, seit 1961 in Wien, Stud. Med. Wien. K.: Hdls.Ang. in div. Branchen, Gschf. d. Victoria Warenhdls.Ges., seit 1981 Gschf. d. Fa. Uzel. H.: Familie, Tennis, Musik, Lesen. (H.P.)

Schmerda Siegfried

B.: Importkfm. DA.: 1020 Wien, Novarag. 27. PA.: 1100 Wien, Troststr. 74/14/4. G.: Wien, 23. Juli 1927. V.: Christa, geb. Somerauer. Ki.: Renate. El.: Gerhard u. Anna. S.: RG, 1943 Matura, Jusstud. an d. Univ. Wien. K.: Dt. Wehrmacht (Fallschirmjäger), 1950-66 Gschf. d. Fa. Kahlhofer, seit 1966 selbst., spezialisiert auf Friseureinrichtungen u. Apparate. H.: Schwimmen, Lesen. (A.W.)

Schmerlaib Gert Erich Dr.

B.: freiberufl. Sachv. f. Qualitätssicherung. DA. u. PA.: 4020 Linz, Spaunstr. 101. G.: Judenburg, 14. Nov. 1930. V.: Margot, geb. Graff (gest. 1980). Ki.: Gerlinde (1953), Iris (1958). El.: Gottfried u. Anna. BV.: Bmstr. Schmerlaib Kirchenbauer 17. Jhdt. S.: VS Judenburg, RG, 1948 Matura Klagenfurt, Stud. Univ. Graz, 1954 Diss. K.: 1954-57 Chemiker im Forsch-Zentrum Unilever England (Österr.), Übernahme d. Ing.-Büros d. Schwiegervaters 1957, Tätigkeit f. Firma Kennedy & Donkin seit 1964, 1991 Lead Assessor of Quality Systems England, Spezialgebiet Produkte u. Anlagen f. Energieerzeugung u. Verteilung. BL.: Beteiligung b. Patent d. Firma Unilever. P.: Veröff. während Englandaufenthalt in Fachzeitschriften. E.: seit 1979 Fellow Inst. of Quality Assurance. M.: Grazer Ak. Burschenschaft Cheruskia, FPÖ. H.: Sprachen, Schwimmmen, Politik, Kultur, Verfechter d. alten Tradition d. Zentraleurop. Kulturkreises. (U.E.)

Schmerold Heinz Ing.

B.: Dir. d. Berufsschule f. Elektromechanik. DA.: 1060 Wien, Mollardg. 87. PA.: 3172 Ramsau/Hainfeld 95. G.: Wien, 11. Okt. 1939. V.: Maximiliane, geb. König. Ki.: Regina (1967), Oliver (1969). El.: Leopold u. Leopoldine, geb. Matous. S.: VS, Fachschule f. Elektrotechnik, HTL Nachrichtentechnik, 1965 Matura, 1973 BPA-Wien. K.: 1957-72 Techniker in Elektronikind., 1972 Eintritt in d. Schuldienst als Berufsschullehrer f. Radio- u. Fernsehtechnik Wien, seit 1974 zusätzl. Tätigkeit in d. Erwachsenenbild. an d. TGA, 1986 Dir. d. Berufsschule f. Elektrotechnik, seit 1991 Dir. d. Berufsschule f. Elektromechanik. M.: 1979-91 Ltr. d. SchulgemR. d. SSR f. Wien f. Kultur u. Sport d. Wr. Berufsschulen, Landesref. f. d. Wr. Berufsschulen d. ÖJRK. (M.M.)

Schmertzing Georg

B.: Werbeberater. FN.: Tell Werbeagentur GmbH. DA.: 1150 Wien, Winckelmannstr. 8. G.: Budapest, 27. Aug. 1937. V.: Evamaria, geb. Thonet. Ki.: Georg, Leopold. S.: Matura, Antiquariatsbuchhändler. K.: HAGER-Werbeges., seit 1963 selbst. M.: 1991/92 Rotary Club "Stadtpark". H.: Bücher. (J.E.)

Schmertzing-Thonet Evamaria

B.: Gschf. Ges. FN.: Gebr. Thonet Vienna. DA.: 1010 Wien, Kohlmarkt 6. G.: Wien, 15. Aug. 1951. V.: Georg. Ki.: Leopold, Georg. El.: Fritzjakob u. Thea. BV.: Michael Thonet 1796-1871 Erfinder d. Holzbiegens, Gründer d. Thonet Bugholzind. S.: 1969 Matura, Stud. Werbung, Verkauf u. Welthdl. K.: 1971 Eintritt in d. Untern., 1973 zusammen m. Bruder Führung d. Untern. H.: Literatur, Skifahren. (E.L.)

Schmertzing Stefan

B.: Gschf. Ges. FN.: Tell-Werbeagentur. DA.: 1150 Wien, Winckelmannstr. 8/11. PA.: 1200 Wien, Burghardtg. 21/5a. G.: Innsbruck, 13. Mai 1965. El.: Georg u. Eleonore. S.: VS, Gym., Matura, 1985-89 Betriebswirtschaftsstud. K.: 1989-91 Bozell-Austria (Kontakter), 1991-93 J. Walter Thompson Frankfurt (Seniorberater), seit 1993 Tell-Werbeagentur. H.: Reiten, Kunst. (M.N.)

Schmickl Helfried Dr. techn.

B.: Vorst.Dir. FN.: ABB Goerz AG. DA.: 1100 Wien, Sonnleithnerg. 5. G.: Graz, 27. Dez. 1941. El.: Dipl.-Ing. Gottfried u. Maria. S.: VS, RG, 1956-61 HTL Fachrichtung Hochfrequenztechnik, 1961-67 TU Graz Stud. Elektrotechnik, Dipl.-Ing. K.: b. 1970 HS-Ass. am Inst. f. Elektronik Graz, 1970 Prom., 1970-73 Ltr. d. techn. Entwicklung b. Siemens in Deutschlandsberg, 1973-77 Ltr. Technik u. Qualität Philips Farbbildröhrenwerk in Lebring, 1977-79 Innovationschef Bauelementewerk Philips Klagenfurt, 1979-84 Zentraler Enwicklungschef u. Artikelmanager b. Philips in Zwolle/NL, 1984-89 Produktmanager f. d. Bereiche Innovation, Produktion u. Marketing im Bauelementewerk Philips Klagenfurt, 1988-89 Philips Videowerk Wien, Qualitätschef d. Businessgruppe Video Recorder Philips weltweit, seit 1989 Techn. Dir. u. seit 1989 Vorst. d. ABB Goerz AG Wien, seit 1976 Univ.Lektor f. Fernsehtechnik an d. Univ. Graz. BL.: 11 Patente. P.: ca. 30 wiss. Veröff. in intern. Fachzeitschriften, ca. 40 wiss. Vorträge intern. M.: Industriellenver., Rotary Intern. (P.R.)

Schmid Adolf

B.: Sommelier. FN.: Restaurant "Steirereck". DA.: 1030 Wien, Rasumofskyg. 2. PA.: 1080 Wien, Bennog. 5/3/2/4. G.: Kirchberg/Walde, 8. Juni 1954. V.: Margit, geb. Zechmann. Ki.: Claudia (1980), Nicole (1983). El.: Adolf u. Berta, geb. Huber. S.: Kellner- u. Kochlehre, Praxis in Österr. K.: s. 1976 Kellner im "Steirereck", Beteilig. am Aufbau d. Restaurants, ab 1980 Sommelier. E.: 1985 Sommelier d. Jahres. M.: Sommelierclub Österr. H.: Alles über den Wein, weltweit (N.A.)

Schmid Aglaja

B.: Kammerschauspielerin. PA.: 1180 Wien, Dr.-Heinrich-Maier-Str. 38. G.: Scheibbs, 9. Aug. V.: Prof. Rudolf Steinboeck. El.: Johann u. Helene Schmid. S.: Pflichtschulen, Gymn., Reinhardseminar. K.: Engagements: T. Tasso/Prinzessin, Emilia Galotti, Maria Stuart (Wien-New York), Wallenstein, Thekla, Don Carlos, Elisabeth (Berlin-Wien-Film), Faust ein Poet, Sarah (Wien-Sbg. Festspiel-Tourneen), gefesselte Phantasie, Liebelei, Christine, Das weite Land, Genia, Amphytrion, Der Schwan, Dame Kobold (Sbg. Festspiele), Meeres u. d. Liebe Wellen, Hero, Weh dem d. lügt, Edita, Stella, Viel Lärm um Nichts u.a., Filme: Das andere Leben, D. Seelenbräu, D. Regimentstochter, "Ich heiße Nicki", Verträumte Tage, Das Joch. E.: Ehrenmed. d. BHpt.Stadt Wien in Silber, 1963 Ernennung z. Kammerschauspielerin, 1977 Österr. Ehrenkreuz f. Wiss. u. Kunst I. Kl. H.: Griech. Archäologie. (Lar.)

Schmid Anton Dr.

B.: Kinder- u. Jugendanw. v. Wien. DA.: 1090 Wien, Sobieskig. 31. PA.: 1100 Wien, Zülowg. 10. G.: Wien, 2. Juli 1953. V.: Elisabeth, geb. Weiskopf. Ki.: Ranjit (1992). El.: Walter u. Hedwig, geb. Feiler. S.: 1972 Matura, Stud. Erziehungswiss. u. Psych. an d. Univ. Wien, 1983 Prom. K.: während d. Stud. in d. Jugendarb. tätig, u.a. Betreuer auf d. betreuten Abenteuerspielplatz in Wien 19, Wr. Kinderfreunde, Päd. Ref. b. d. Österr. Kinderfreunden, 1984-93 stellv. Landesjugendref. v. Wien, seit 1994 in. o.g. Position. P.: Fachart. im In- u. Ausland. H.: Malerei u. Grafik aktiv, Fußball. (N.A.)

Schmid August

B.: Einzelhdls.-Kfm., Gschf. FN.: Moden Pokorny Hdls. GmbH. DA.: 2344 Maria Enzersdorf, Hauptstr. 41. PA.: 2340 Mödling, Ludwig-Höfler-G. 23. G.: Gresten, 25. Sep. 1959. V.: Elisabeth, geb. Mann. Ki.: Isabella (1982), Sandra (1986). El.: Wenzel u. Anna. S.: VS, HS, 1975-78 Berufslehre als Farbenhändler in Ktn. u. NÖ. K.: 1979 Eintritt Firma Pokorny, 1979-87 Verkäufer u. Kfm., seit 1987 Umwandlung d. Firma in Hdls. GmbH u. seither Gschf. H.: Sauna. (I.K.)

Schmid Christian Ing.

B.: Gschf. Ges. FN.: Heinz Schmid GmbH & Co KG. DA.: 4800 Attnang Puchheim, Wiener Str. 40. PA.: 4810 Gmunden, Dr.-Thomas-Str. 12. G.: Steyr, 12. Juli 1960. Ki.: Markus-Volker (1989). El.: Heinrich u. Brigitta. S.: VS, 2 J. Gymn., HS, HTL f. Maschinen- u. Kfz- Bau. 1979-81 Präsenzdienst. K.: 1981 techn. Ang. im väterl. Betrieb, 1982 Prok., 1984 Ing., 1987 Meisterprüf. Kfz-Mechaniker, Übernahme d. Gschf., 1989 Gastgewerbekonzessionsprüf. M.: Yachtclub Vöcklabruck u. Gmunden, Segelclub Traunkirchen, junge Wirtschaft. H.: Segeln, Beruf. (G.E.)

Schmid Eduard Dr. med. Prim.

B.: FA f. Kinderheilkunde. DA. u. PA.: 7400 Oberwart, Bahnhofstr. 7. G.: Maria Lanzendorf, 26. Apr. 1919. V.: Roswitha, geb. Kolder. El.: Artur u. Friederike. S.: VS, Mittelschule in Wien, 1938 Matura, Med.Stud. an d. Univ. Wien u. Innsbruck, 1945 Prom. K.: 1945 Fachausbild. an d. Kinderklinik Glanzing, Gegenfächer Interne Chir. im Franz-Josef-Spital u. Orthopädie u. HNO im AKH Wien, 1950 Fachausbild. in Speising beendet, Amtsarztprüf., 1951 Eröff. einer eigenen Praxis in Oberwart, 1958 Einrichtung d. fahrbaren Mutterberatung, 1962 Eröff. d. Säuglingsabt. im LKH Oberwart u. Übernahme als Ltr., Ernennung z. Prim. M.: Österr. Ges. f. Kinderheilkunde, Dt. Ges. f. Kinderheilkunde, Perinatolog. Ges., Wr. Philharmoniker. H.: Musik, Lesen. (War.)

Schmid Egbert Dr. iur.

B.: RA. GT.: Mtgl. d. Disziplinarrates d. RA-Kam. DA.: 1030 Wien, Landstraßer Hauptstr. 113. PA.: 1020 Wien, Obere Donaustr. 73. G.: Wien, 29. Dez. 1941. V.: Maria, geb. Paczejka. Ki.: Berit (1966), Börge (1972), Berend (1978), Gerwin (1981), Gwen (1989). S.: hum. Gymn., 1959 Matura, Jusstud. Univ.Wien, 1964 Prom. K.: 1964-71 Gerichtsjahr u. Konzipiententätigkeit in d. Kzl. d. Vaters Dr. Franz Schmid u. Dr. Michael Stern, seit 1971 selbst. RA, tätig in Zivil- u. Strafsachen. M.: Vizepräs. d. Österr. Eislaufverb., Vizepräs. d. Yacht Clubs Donau, Greifenstein. H.: Eisschnellauf, Musik (klass. u. Jazz, Volksmusik), Binnen- u. Seeschiffahrt, Skifahren, Bergsteigen, Reisen. (C.K.)

Schmid Elisabeth Mag. HofR.

B.: Ltr. FN.: Bundes-Bild.-Anst. f. Kindergartenpäd. u. Soz.-Päd. DA.: 3100 St. Pölten, Dr.-Theodor-Körner-Str. 8. PA.: 3390 Melk, Dorfnerstr. 16. G.: Melk, 10. Aug. 1938. El.: Karl u. Margarete. S.: VS, 1948-52 HS, 1952-57 Gymn. d. Engl. Fräulein St. Pölten, 1957 Matura, 1957-64 Stud. Gesch., Geogr. u. Lebenswirt.-Kunde, Abschl. 1964, Lehramtsprfg. Gesch. u. Geogr. K.: 1964-74 Lehrer f. Geogr., Gesch. BRG. Scheibbs u. Wieselburg, 1974-75 Lehrerin b. d. Engl. Frl. u. a. Realgymn. a. d. Bild.-Anst. St. Pölten, 1976 stv. Ltr. i. d. Bild.-Anst. f. Kindergartenpäd., 1977 Ltr., 1978 Grdg. d. Bundesbild.-Anst. f. Kinderg. m. Ausb.-Mögl. f. Sonderkindergärtnerinnen, 1991 Hofratstitel. M.: Mtgl. b. Österr. Geogr. Ges., Mtgl. d. Inst. f. Österreichkunde, Mtgl. d. Museumsvereins Melk. H.: Reisen, Lesen, Geographie. (M.G.)

Schmid Elmar Dr. iur. SenR.

B.: Ltr. d. Finanzabt. d. Stadtmag. Innsbruck. DA.: 6020 Innsbruck, Maria-Theresien-Str. 18. PA.: 6020 Innsbruck, Gutenbergstr. 6. G.: Innsbruck, 4. Sept. 1941. V.: Christina, geb. Schaller. Ki.: Claudia, Arno, Gerald. El.: Franz u. Judith. S.: Gymn. Innsbruck, 1960 Matura, Stud. Univ. Innsbruck, 1965 Prom. K.: Finanz-LDion. Innsbruck, 1974 Stadtmag. Innsbruck, seit 1983 Ltr. d. Finanzabt. H.: Tennis, Skifahren.

Schmid Erich Ing.

B.: Gschf. FN.: E.A. Schmid GmbH. DA.: 2281 Raasdorf, Kleine Feldg. 26. G.: Wien, 28. Okt. 1967. El.: Josef u. Emma. S.: Gymn., TGM Maschinenbau u. Kfz-Technik, Matura, BH. K.: Techn. Ang. Firma Beko, anschl. Firma Plasser & Theurer, 1990 Grdg. d. Firma. M.: Tennisver. Raasdorf. H.: Beruf, Tennis. (I.J.)

Schmid Erich Dr. Univ.-Prof.

B.: Univ.-Prof. an d. Inst. f. Analyt. Chemie d. Univ. A.: 1190 Wien, Peter-Jordan-Str. 39. G.: Wien, 10. Febr. 1937. V.: Dr. Helga, geb. Schulz. El.: Univ.-Prof. Dr. Leopold u. Dr. Käthe. S.: Hum. Gymn., Univ.-Stud. d. Chemie u. Physik, Prom. z. Dr. K.: Univ.-Ass., Ind.-Tätigkeit 1963-68 in Belgien, Habil. an d. Univ. Wien, Ernennung z. a.o.Univ.-Prof. an d. Univ. Wien, Ltr. d. Abt. Molekülspektrometrie am Inst. f. Analyt. Chemie d. Univ. Wien. P.: 118 Originalarb. in Fachzeitschriften, 19 Übersichtsart., 2 Bücher. E.: Feigl-Preis d. Österr. Ges. f. Mikrochemie u. Analyt. Chemie. M.: Ver. Österr. Chemiker, Ges. Dt. Chemiker, Chem.-Physikal. Ges. u.a. H.: Tennis, Bergsteigen, klass. Musik u.a.

Schmid Erich Maximilian Dr. iur. M.A.
B.: Österr. Botschafter in Japan. DA. u. PA.: 1-1-20, Moto Azabu, Minato-ku, Tokio 106. G.: Wien, 18. Sept. 1929. V.: Dr. Elfriede, geb. Hellemann. El.: Dr. Franz u. Dr. Margarethe. S.: Staatsgymn. Linz, Univ. Wien, Univ. of Chicago. K.: 1954 Eintritt in d. Diplomat. Dienst, Auslandsposten: Den Haag, Genf, Bangkok, Botschafter in : Lima, Jakarta, New Delhi (1983-87), 1987-90 Polit. Dir. im Außenmin., seit Jan. 1991 Botschafter in Japan. E.: GrE, GrK d per SO, GrK d bol KO, GrOffK d tahil WEO, KfdK d schw NStO, RK d nrdl OvON, GrK d indo BJUO, philipp SO, KmdK d norw StOO, GrVK d d VO, GrK d jord UO, GrOffK 1. Kl s syr OmayadenO, GrOffK d zypriot VO. M.: Österr. Ges. f. Außenpolitik, Österr. Liga d. Vereinten Nationen. H.: Theater, Golf.

Schmid Franz Dipl.-Ing. Prof.
B.: Arch., Ziviltechniker. DA.: 1030 Wien, Hegerg. 8/10. G.: Wien, 25. Mai 1947. El.: Franz u. Therese. S.: Hum. Gymn., Matura 1965, Stud. an d. TU Wien, Dipl.-Ing. 1974. K.: 5 J. Praxis b. Arch. Prof. Schwanzer, seit 1980 selbst. Arch., Schwerp.: zeitgem. Architektur in Verbind. m. histor. Bausubstanz, seit 1986 Gerichtssachv., seit 1988 Abt.Vorst. d. HTBLA Krems, Abt. Bautechnik, Restaurierung u. Stadterneuerung. P.: In Fachzeitschriften u.a. über Methoden zeitgem. Sanierung, seit 1985 Abhalt. v. Seminaren am Berufspäd. Inst. H.: Tennis, Skifahren, Beruf. (M.B.)

Schmid Franz Eugen Dipl.-Ing.
B.: Vorst.-Vors. FN.: Hallein Papier AG. DA.: 5400 Hallein, Salzachtal Bundesstraße Süd 88. (V)

Schmid Franz Josef Dr.
B.: Österr. Botschafter in Ungarn. DA.: Benczur utca 16, H-1068 Budapest. PA.: 1180 Wien, Colloredog. 25. G.: Lochau, 27. Juli 1930. V.: Jenefa, geb. Crane. El.: Franz u. Maria. S.: VS, BRG, Univ. Wien, 1955 Prom., HS f. Welthdl. in Lausanne. K.:1957 intern. Bmtr. d. OECE, 1961 Eintritt ins BMA, 1964-67 Österr. Vertretung b. UNO in New York, 1967-69 BotschaftsR. an d. Österr. Botschaft in Belgrad, 1969-74 Chefrechtsberater d. Europ. Kernforsch.Organ. in Genf (CERN), 1974-75 BMA, 1975-77 Gesandter an d. Österr. Botschaft in Peking, 1977-83 Botschafter im Königreich Saudi-Arabien, 1983 Ltr. d. Abt. f. multilat. Entwicklungshilfe im BMA, 1985 Ltr. d. Sekt. Entwicklungshilfe im BMA, dzt. Botschafter in Ungarn. E.: Komturkreuz d. jug. FO, poln. VO III. Kl. H.: Wandern, Geschichte, Literatur. (R.A.)

Schmid Friedrich
B.: Wopfinger Stein- u. Kalkwerke Schmid & Co. GT.: Dämmstoffe Nowotny 7423 Pinkafeld, Am Kreuzweg 42, Murexin KG 1014 Wien, Herreng. 14, Embecon GmbH 7423 Pinkafeld, Am Kreuzweg 42, Actual Kunststoff-Fenster GmbH 2401 Fischamend, Bergg. 5. DA.: 2754 Waldegg/Wopfing. PA.: 2754 Waldegg 272. G.: Wien, 30. Jan. 1943. S.: RG, HAK, HS Leoben, Praxis in d. BRD u. Amerika. K.: 1964 Eintritt väterl. Unternehmen, 1969 Übernahme d. Unternehmens als gschf. Ges. F.: Alleininh.: Dämmstoffe Nowotny Pinkafeld, Murexin KG Wien, Embecon GmbH Pinakfeld, gschf. Ges. bzw. Mehrheitsges.: Wopfinger Stein- u. Kalkwerke Schmid & Co Waldegg/Wopfing, Actual Kunststoff-Fenster GmbH Fischamend. M.: Obm. d. Berufsgruppe Kalk, Obm. d. Gen. d. Boden- u. Düngekalk, Mtgl. d. Industriellenver., Mtgl. d. Rotary-Club Wr. Neustadt, Obm. d. Ver. d. Freunde Gutensteins. H.: Tennis, Jagd. (C.K.)

Schmid Franz R. Dipl.-Ing.
B.: Normungstechniker. GT.: allg. beeid. ger. Sachverständiger, Kommunikationsberater, Konfliktfachmann. PA.: 7083 Purbach, Am Brucker Tor 12. G.: Wien, 8. Apr. 1949. V.: Jutta, geb. Giefing. Ki.: Constanze (1975), Gregor (1978), Franz (1992), Franziska (1993). El.: Franz Josef u. Hildegard. S: VS, Bundesrealschule, 1967/68 Matura, 1977 erste Staatsprüf. Bauingenieurwesen, 1986 Dipl.-Ing. f. Raumplan. u. Raumordnung a. d. TU Wien. K.: ab 1971 freiberufl. Tätigk. bei Architekten, Statiker, Wirtschaftsförderungsinst., 1977 Wechsel Österr. Normungsinst. BL.: 1985 Allg. beeid. gerichtl. Sachverständiger E.: 1980 Silb. EZ d. Bundesinnung d. Dachdecker. M.: Volkswirt. Ges. H.: Ganzheitsforschung. (M.M.)

Schmid Fritz H.
B.: Dir. d. Top Hotel Illpark. DA.: 6800 Feldkirch, Leonhardspl. 2. PA.: 6800 Feldkirch, In der Grützа 3. G.: Wien, 20. Juli 1950. V.: Michaela, geb. Winkler. Ki.: Dominic (1973), Lisa Marie (1992). El.: Fritz u. Herta. S.: VS, HS, Berufsschule, 1967 Abschluß, 1980 Konzessions- u. Ausbilderprüf. K.: 1961-68 Commis Soucier Granhotel Europa Badgastein, 1968 BH, 1969 Alleinkoch Schloßhotel Freienhof Thun/Schweiz, 1970 Privatkoch d. Dt. Botschafters in Genf, 1971 Sous-Chef Hotel de Champery Schweiz, 1972 Sous-Chef Albergo Antico Chiasso/Schweiz, 1972-74 Gschf. Wienerwald München, Versetzung nach Wien z. Eröff. d. Tourotels, 1974-75 Ass., 1975-80 Manager u. stellv. Dir., 1980-82 Manager u. stellv. Dir. Sporthotel Schladming, 1982-83 Hoteldir. Schladming, 1983-87 Hoteldir. Bad Kleinkirchheim, 1988 selbst. m. Tagescafe Villach, 1990 parallel Dir. am Schloßhotel Velden. M.: Chaine de Rotisseur. H.: Fotografieren, Bonsai, Lesen, Essen u. Trinken, Radfahren. (I.D.)

Schmid Georg
B.: Maler, Graph., Bühnenbildner. DA. u. PA.: 1040 Wien, Mayerhofg. 1. G.: Wien, 18. Jan. 1928. V.: Epi Schlüsselberger. Ki.: Daniel (1956), Valerie (1958). El.: Prof. Leopold u. Mathilde. S.: Stud. a.d. Akad. f. angew. Kunst Wien, Malerei, Dipl. 1950, anschl. Stud. b. Prof. Haerdtl, Arch. K.: 1954-55 Lehrauftr. a.d. Akad. f. angew. Kunst, 1969-72 Lehrauftr. a.d. Akad. d. bild. Künste, Ltr. d. Inst. f. graph. Schriftgest., ornamentale Schrift u. Heraldik. Graph. Arb.: Gesamtkonzept. f.d. Mus. d. 20. Jh., Austell.-Plakate und Kat. f. Theatermus., Rupertinum Sbg., Kunsthaus Graz, etc., Beratungsauftrag: UNIDO-Mission a.d. türk. Min. f. industr. Entw. in Ankara. Ausstell.-Arb.: Mitarb. a.d. Weltausstell. Brüssel, Montreal u.v.a., Bühnenbilder: Ausstatt. f. ca. 100 Prod. u.a. Volkstheater, Theater i.d. Josefst. u.a., Personalausstell.: Galerie Würthle, Biennale Venedig, Modern Art New York u.v.a. E.: Kainzmed. d. Stadt Wien f.d. beste Bühnenbild d. J., Pr. d. Stadt Wien f. angew. Kunst, Ehrenkr. f. Wiss. u. Kunst, versch. Preise u. Dipl. M.: Alliance Graphique International. (J.S.)

Schmid Gerd Dr. med. univ.

B.: FA f. Zahn-, Mund- u. Kieferheilkunde. DA.: 6850 Dornbirn, Haselstauden/ Mitteldorfg. 7b. PA.: 6842 Koblach, Sorgenwies 7. G.: Dornbirn, 7. Dez. 1957. V.: Doris. Ki.: Johanna (1988), Barbara (1990). El.: Reinhard u. Herta. S.: Realgym. Dornbirn, 1976 Matura, Univ. Innsbruck, 1984 Prom. K.: 1985-89 Turnusarzt Dornbirn u. Hohenems, abgeschl. Turnus, 1989-90 Assistenzarzt in Radiol. Abt. in Dornbirn, 1990-92 Facharztausb. Univ. Zahnklinik Innsbruck, 1992 Praxiseröffn. in Dornbirn. H.: Tennis, Fotografieren, Reisen. (I.D.)

Schmid Gerfried Dr.

B.: Gschf. FN.: Metallwerk Möllersdorf Hdls. GmbH. GT.: Gremialvorsteherstellv. d. Landesgremiums Wien f. d. Großhandel m. Stahl, Metallen u. Sanitärartikeln. DA.: 1140 Wien, Lützowg. 12-14. PA.: 3423 St. Andrä-Wördern. G.: Klosterneuburg, 29. Juni 1940. V.: Inge, geb. Pfeiler. Ki.: Susanna, Barbara. El.: Johann u. Thusnelda. S.: VS, RG, Univ. Wien, 1966 Prom. K.: Gerichtspraxis BG Tulln, 1967-68 SGP, 1968-74 ÖIAG, 1974-84 Prok. VMW, seit 1984 Gschf. Metallwerk Möllersdorf Hdls. GmbH. H.: Segeln, Fischen. (J.S.)

Schmid Gerhard Dr. iur.

B.: Dir. FN.: GiroCredit Bank AG. DA.: 6850 Dornbirn, Marktstr. 18a. PA.: 6900 Bregenz, Am Brand 26. G.: Lustenau, 6. Juni 1952. B.: Brigitte. Ki.: Daniel (1983). El.: Hans u. Erna. S.: Gymn., 1972 Matura, Univ. Innsbruck, Studeinaufenth. i. Frankreich u. Spanien, 1977 Prom., 1979 Diplomat. Akad. Wien. K.: 1979-80 Bundeskammer Wien, 1980-87 Vers.-Konz., Ass. d. Gen.-Dir., 1987 Eintritt i. d. Österr. Creditanst. AG Wien, 1988 Wechsel z. Landesdion. Vbg. als Dir. M.: Kiwanis Club, Tennisclub Bregenz. H.: Tennis, Kultur, Reisen, Musik. (I.D.)

Schmid Gerhard Dr. iur.

B.: Richter. DA.: 8010 Graz, Marburger Kai 49. PA.: 8043 Graz, Stenggstr. 55. G.: Graz, 12. Aug. 1932. V.: Elisabeth, geb. Rossa. Ki.: Birgitt (1963), Martin (1967). El.: Franz u. Anna. S.: AHS, Abiturientenkurs HAK, Jusstud. Univ. Graz, Prom. 1956. K.: 1956 Eintritt RA-Anw., 1958 Richteramtsanw., 1960 Richteramtsprüf., 1961 Richter in Villach, 1961/62 Judenburg, 1962/63 Bruck/Mur, 1963-66 Voitsberg, 1966 BG f. Strafs. Graz, 1966-72 BG f. ZRS, seit 1972 LE f. ZRS, 1972-79 OLGR., seit 1987 Vors. eines familienrechtl. Rechtsmittelsenates, 1972-77b Ltr. d. Einzelrichterabt., 1977-86 Senatsmtgl. eines Rechtsmittelsenats. M.: Richterver. H.: Musik. (C.H.S.)

Schmid Gerhard Obstlt.

B.: LGendarmeriekdt. v. NÖ. DA.: Meidlinger Kaserne, 1120 Wien, Ruckerg. 62. E.: GM, Ö Olymp M, NÖ FVZ 2. (Biographie folgt im Loseblattsystem)

Schmid Günter

B.: Kfm. FN.: "Belvedere Stöckl", Hotel "Sacher" Baden, "Thomas Keller". DA.: 1030 Wien, Prinz-Eugen-Str. 25, 1010 Wien, Postg. 1, 2500 Baden, Helenenstr. 55. PA.. 1040 Wien, Prinz-Eugen-Str. 28. G.: Wien, 27. Juni 1940. El.: Johann u. Hermine. S.: VS, RG, Ak. f. angew. Kunst. K.: Gebrauchsgrafiker, Ski- u. Sportlehrer, ab 1969 Restaurant "Belvedere Stöckl", 1973 "Thomas Keller", 1984 Übernahme "Hotel Sacher" in Baden. E.: Staatsmstr. im Schwimmen (1955-62). M.: Obm. Tennis Club "Belvedere". H.: Tennis, Wasserski, Eishockey. (R.A.)

Schmid Günter

B.: Inh. FN.: Autohaus Günter Schmid. DA.: 6820 Frastanz, Feldkircher Str. 33. G.: Feldkirch, 5. Okt. 1956. V.: Manuela, geb. Golner. Ki.: Alexander (1984), Mattias (1986), Johannes (1989). El.: Edwin u. Alberta. S.: Kfz-Mechanikerlehre, 1976/77 BH, 1979 Mstr.-Prüf. K.: seit 1972 im elterl. Betrieb, 1990 Übernahme u. Totalumbau Spenglerei u. Lackiererei, Mazda-Vertragshändler. E.: Ausz. v. Mazda f. Marktanteile BH. M.: Vorst.-Mtgl. Wirtschaftsbund, Figl-Ver. H.: Radfahren, Figeln, Bergsteigen, Lesen. (I.D.)

Schmid Günther

B.: Kfm. FN.: Film- u. Fernsehproduktion Schmid-Film. DA.: 5020 Salzburg, Münchner Bundesstr. 107. PA.: 5020 Salzburg, Hugbertstr. 16. G.: Salzburg, 18. Sept. 1948. S.: VS, HS, 1962-66 Lehre Elektromechanik München, ab 1968 Praktikum, Seminare, Abendkurse f. Film- u. Videotechnik. K.: seit 1976 selbst. m. Grdg. d. eigenen Unternehmens in Sbg. H.: Sport, Radfahren. Skifahren, Schwimmen, Fliegen. (N.M.)

Schmid Hanns Dr. HofR.

B.: Ltr. d. Bgld. LMuseums, Geologe u. Bmtr. GT.: Abt.Vorst. f. Wiss. u. Forsch. b. Amt d. Bgld. LRg., seit 1965 Fachref. f. d. Erschließung v. Bodenschätzen, seit 1978 im Komitee d. Rohstofforsch. u. Sicherung, seit 1989 koresp. Mtgl. d. Geolog. BAmtsstelle in Wien. DA.: 7000 Eisenstadt, Museumstr. 1-5. PA.: 7000 Eisenstadt, Hotterweg 33. G.: Wien, 5. Dez. 1937. V.: Agnes, geb. Kovats. Ki.: Hans Peter, Martin. El.: Johann u. Ingeborg. S.: 1957 Matura, Stud. Geologie, Paläontologie, Mineralogie u. Phil., 1961 Prom. K.: 1961-64 b. BMin. f. Ldw. u. Forstwirtschaft m. Fragen d. Wassererschließung f. d. Stadt Sbg., Bischofshofen u. Saalfelden u. m. Karsthistograph. Aufnahmen u. Vorarb. z. Errichtung d. 3. Hochquellenwasserltg. f. d. Stadt Wien beschäftigt, 1965 BH, 1965-75 LGeologe d. Bgld. LRg., 1975 stellv. Abt.Vorst. f. Wiss. u. Forsch., seit 1980 Abt.Vorst. b. Amt d. Bgld. LRg. f. Wiss. u. Forsch., Museumswesen u. Fachexperte v. Bgld. im Rahmen d. Erschließung d. Bodenschätze, seit 1980 Ltr. d. Bgld. LMuseums. BL.: Mitinitiator f. d. Wiedereröff. d. Bgld. LMuseums, zahlr. Erschließungen v. Heil-, Mineral- u. Trinkwasser. P.: 50 wiss. Publ. über d. landeskundl. Forsch. in Bgld. u. z. Museumswesen d. Landes Bgld. E.: Ehrenring d. Gem. Bad Sauerbrunn f. Verd. um d. Erschließung v. Heilwasser, Ehrungen v. mehreren in- u. ausländ. Gem. H.: Zeitgeschichte, Beruf. (M.B.)

Schmid Hans Dkfm.

B.: Vorst.Dir d. BIRKO Holding AG FN.: BIRKO Holding AG GT.:DDM Wien (Direct Data) Mehrheitsges.:BIRKO Holding AG, METRO Verlag (Wiener, Wienerin, Skip, Club Ö3 Mag.), D+R Verlag(Ala Carte, Skylines, Österr. a la Carte Restaurantführer), PAN MEDIA GmbH, GGK Werbeagentur GmbH, SATZ & GRAFIK GmbH, GGK OCCIDENTAL (GGK Budapest, GGK Prag, GGK Moskau, GGK Bratislava, GGK Bukarest, GGK Sofia, GGK Warschau, GGK Ljubliana)

DA.: 1144 Wien, Linzer Str. 375. G.: Villach, 2. Juni 1940. S.: Grundschule, HAK, WU Wien. K.: 1965 selbst. Werbeagentur His-Plus gegründet, 1972 GGK mitgegründet. P.: Art. in Fachzeitschriften. H.: Golf, Fliegen.

Schmid Harald

B.: Gold- u. Silberschmied. FN.: Die Goldschmiede Harald Schmid. DA.: 5020 Salzburg, Kaig. 4. PA.: 5020 Salzburg, Grillparzerstr. 5. G.: Salzburg, 4. Mai 1947. V.: Erna, geb. Schindlauer. Ki.: Daniela (1987), Miriam (1989). S.: VS, HS, Goldschmiedlehre i. Sbg., Gesellenj., 1969 Meisterpr. K.: 1972 Selbst. m. eig. Gsch. u. Werkstätte, 1993 Ausst. b. "Body and Soul" Wettbewerb 3. Pl., Ausst. z. Eröff. WIFI Sbg., 1994 Teilnahme am Staatspreis f. gestaltendes Handwerk, spez. electronisch illuminierte Schmuckcreationen. M.: Pfadfindergilde - Erwachsenenorg., 1994 Hilfsproj. i. Rumänien, Bau e. Berufschule, Berufsvereinigung d. bildenden Künstler Österr. H.: Lesen, Malen Unterhaltung. (S.P.)

Schmid Hubert

B.: Maler, Grafiker u. Holzschneider Atelier-Galerie "Zur Dreifaltigkeit". DA.: 3500 Krems, Dreifaltigkeitspl. 1. PA.: 3500 Krems, Bahnhofpl. 17. G.: Amstetten, 28. Sept. 1923. V.: Paula, geb. Grabenwöger. S.: VS, HS, kfm. Lehre, HAK Linz m. Matura, Lehramtsprüf. f. Mittlere u. Höhere Schulen Österr. K.: 1949 Eintritt in d. Schuldienst als Lehrer f. Stenotypie, Phonotypie u. Textverarb. in Horn, Retz u. HAK Krems, 1984 Eintritt in d. Ruhestand, seit 1964 freischaff. Künstler: Ölbilder, Aquarelle, Zeichnungen u. Holzschnitte, seit 1978 eigene Galerie in Krems, insgesamt 125 Einzel- u. Kollektivausstellungen im In- u. Ausland u.a. Teilnahme an Österr. Exlibris-Ausstellungen in Jaroslawl/UdSSR u. Shanghai/China bzw. Intern. Exlibris-Ausstellungen in Mönchengladbach, Hongkong, Tokio, Sapporo, Aufnahme in d. Dt. Monogramm Lexikon europ. Exlibris-Künstler u. in d. Portugies. Enzyklopädie d. zeitgenöss. Exlibriskunst, Jahrbücher d. Österr. Exlibris-Ges. sowie in Dr. Fuchs "Die österr. Maler d. 20. Jhdts." P.: Mitarb. b. Anthologien m. eigenen Gedichten u. Illustrationen. E.: Wappenplakette in Gold d. Stadt Krems, Silb. EZ f. Verd. um d. Rep. Österr., Gold. EZ f. Verd. um d. Bdl. NÖ. M.: Österr. Exlibris-Ges. Wien. H.: Sammeln u. Restaurieren v. Antiquitäten, Sammeln v. alten Schreibmaschinen: Dauerausstellung Hubert Schmid HAK Krems. (M.M.)

Schmid Ina-Maria

B.: Fingernagelkosmetikerin. DA. u. PA.: 9500 Villach, Brauhausg. 18. G.: Warmbad, 20. Juni 1957. El.: Hurbert u. Anni Pirker. S.: VS, HS, HAK m. Matura, Gastgewerbekonzessionsprüf., Lehrlingsausbilderprüf., Skilehrerprüf. d. Sbg. Berufsskilehrerverb., staatl. geprüfter VÖWS-Windsurfinstructor, Amerikan. Nail-Artist-Ausbild., geprüfter Naildesigner u. Trainer. K.: sämtl. Tätigkeiten im Bereich Hotel, Supermarkt u. Café im elterl. Ferien-Appartement-Hotel Faaker See Latschach, sämtl. Tätigkeiten im Bereich Hotel u. Ldw. Hotel Zollner Gödersdorf, selbst. Führung d. Walserstube Hotel Arlberghaus Zürs/Arlberg, selbst. Führung d. Boutique Danilou Monte Carlo/Monaco, selbst. Führung d. Restaurants "Seealm" Gesinger-Schellhorn OHG Goldegg, Skilehrerin Ski- u. Rennschule Kitzsteinhorn Kaprun, Skilehrer Skischule Saalbach, Barchefin Drop In Kitzbühel, selbst. Verkauf v. Sportdokumentationen Österr. Sporthilfe OSB Wien, selbst. Führung d. Tanz-Tenne St. Oswald-Bad Kleinkirchheim, seit 1980 selbst. m. Surfschule, seit 1986 selbst. m. Fingernagelstudio. BL.: 1987 Österr. Mstr. u. 1988 Europamstr. d. Nageldesigner. F.: Surfschule Olympia am Faaker See, Villacher Nagelstudio in Villach. M.: Chaine des Rotisseurs. H.: Snowboard, Surfen, Skifahren, Tennis, Segeln. (K.K.)

Schmid Jeanette

B.: Künstlerin. GT.: Mitarb. am Lexikon d. Dt. Mundartliteratur b. d. Univ. v. New Mexico. PA.: 1020 Wien, Zirkusg. 37/2/10. G.: Wallern/CSFR, 6. Nov. El.: Maximilian u. Susanna, geb. Sitter. BV.: Hans u. Peter v. Prachatitz Mitbmstr. d. Stephansdom. S.: Stud. Ballett u. Gesang in München. K.: während d. 2. Weltkrieges erste Auftritte f. amerikan. Besatzungssoldaten in Deutschland u. Österr., Engagements in Berlin "Neue Scala", Hansa-Theater Hamburg, Gastspiele in über 30 Ländern u.a. Europa, Orient, Asien, Amerika, Auftritte m. Josephine Baker, Bob Hope, Marlene Dietrich, Charles Rivel u. Edith Piaf, Die Kunst v. Jeanette haben König Feisal u. Hussein, sowie Tito u. Nasser genossen, erster Auftritt als Kunstpfeiferin in Persien f. d. Schah v. Persien u. seiner Frau Soraya. BL.: Pflege d. Altwr. Musiktradition d. Kunstpfeiferei. P.: zahlr. Publ., Kurzgeschichte, Reisebeschreibungen, Dialektgedichte, Lesungen. E.: Ehrenmed. in Gold d. Schweizer Artistenverb., Ehrennadel d. Sowjet-Zirkus, Goldmünze d. Moulin Rouge in Wien, Ehrenurkunde f. heimattreue d. Böhmerwaldbundes in Ingolstadt u. weitere intern. Ausz., Urkunde f. hervorragende Leistungen in Kultur u. Kunst, anerkannt durch d. Wr. Liederver. Robert Posch. M.: Münchner Artistenloge, d. Vertriebenen- u. Flüchtlingsorgan. Deutschlands, Böhmerwaldbund (BRD), Mundarchiv in Grevenbroich, o.Delegierter b. Seniorenbund in Wien. H.: Literatur, Malen. (N.A.)

Schmid Josef Dr. Univ.-Prof.

B.: Arzt (Internist). GT.: Computer Medizin (seit 25 J.). DA.: 1010 Wien, Walfischg. 10. PA.: 3021 Preßbaum, Badbergstr. 8. G.: Langau/NÖ., 14. Febr. 1919. V.: Inge, geb. Kugler, 2 Kinder. S.: VS, HS, Stud. Med. in Wien. K.: 1945-46 Ass.-Arzt in d. Klinik Jagic, ab 1951 Internist, 1946-57 OA u. Doz. Klinik Fellinger, 1957 Eröff. eigener Praxis, ab 1958 Chefarzt im Inst. f. Computermed., seit 1989 Univ.-Prof. P.: Datenjournal (1968-81), ca. 250 wiss. Publ., 5 Fachbücher: "Die Blutgerinnung in Theorie u. Praxis", "Klinik u. Therapie d. chronischen Gelenkrheumatismus", "Neuraltherapie", "Computer Medizin", "Manual for Computer medicine". M.: ehem. Präs. d. Intern. Ges. f. prosektive Med., Grdg.-Mtgl. d. Golfclubs Enzersfeld. H.: Tennis, Golf, Skifahren. (J.E.)

Schmid Josef

B.: Hoteldir. d. Hotel Tyrol. DA. u. PA.: 6416 Obsteig 243. G.: Radstadt, 19. Apr. 1962. El.: Stefan u. Rita. S.: Hotelfachschule Kleßheim/Sbg., Praxis in d. Schweiz, Frankreich, Österr. K.: seit 1982 F+B-Manager, seit 1984 Hoteldir. Hotel Tyrol Obsteig. H.: Tennis, Skifahren. (W.G.)

Schmid Karl Ing.

B.: Konsulent. FN.: Techn. Büro f. Elektroplanung Ing. Karl Schmid. DA. u. PA.: 1040 Wien, Schikanederg. 11. G.: Wien, 9. März 1940. V.: Helga, geb. Lichtblau. Ki.: Robert (1962), Horst (1963). El.: Karl u. Johanna, geb. Hainzl. S.: VS, Mittelschule, Elektrolehre m. Gesellen-, Werkmstr.- u. Mstr.-Prüf., HTL Abendschule. K.: 1970-71 Planer in gr. Arch.-Büro München, 1971-72 im Organ.-Komitee f. Olymp. Sommerspiele München, verantwortl. f. d. gesamte Elektroenergieversorgung aller Spielstätten, 1972 Rückkehr nach Wien, Eröff. d. eigenen Büros, Schwerpunkt: Consulting f. Theater u. Veranstaltungsstätten, Neu- u. Umbau. H.: Reisen, Fallschirmspringen. (N.A.)

Schmid Karl Dr. phil. w.HofR.

B.: Staatsbibl. i.R. PA.: 2540 Bad Vöslau, Nägelistr. 14. G.: Graz, 20. Aug. 1909. V.: Klothilde, geb. Köstlinger. Ki.: Erich (1937). Eleonora (1939). BV.: Urgroßvater war 1. Bgm. in Bad Vöslau (1849-55). S.: Hum. Gymn., 1928 Matura, Phil.-Stud. Univ. Wien, 1940 Dr. phil. K.: 1941-53 Bibl. an d. Univ.-Bibl. Wien, ab 1953 Ltr. d. Studienbibl. Klagenfurt, zuletzt Dir. d. Bibl. d. Univ. f. Bild.-Wiss.

Klagenfurt, Beförderung z. w.HofR., 1974 Eintritt in d. Ruhestand. BL.: Beschäftigung m. Erkenntniskrit. u. -psycholog. Problemen d. Parapsychologie im weiteren Sinn. P.: Zeitschriftenaufsätze in d. Zeitschrift "Grenzgebiete d. Wiss.". E.: Gr. EZ f. Verd. um d. Rep. Österr. M.: Ver. "Imago Mundi" Innsbruck. (M.M.)

Schmid Klaus-Dieter Dipl.-Ing.

B.: Gschf. Ges. FN.: ETECH Elektroinstallations GmbH. DA.: 4040 Linz-Urfahr, Gewerbepark Urfahr 6. G.: Linz, 9. März 1958. V.: Barbara, geb. Fetka. Ki.: Florian (1985), Sophie (1986). El.: Heimo u. Elfriede. S.: VS, Gymn., HTL f. Elektrotechnik, 1977 Matura, b. 1983 Stud. Elektrotechnik Graz. K.: Techn. Ang. im elterl. Betrieb, 1989 Ziviling.-Prüf. f. Elektrotechnik, 1991 Kauf d. Bereiches Elektroinstallationen aus d. väterl. Firma. H.: Sport, Bergsteigen, Skibergsteigen, Klettern, Paddeln, Familie, kulturelle Veranstaltungen (Konzerte, Theater). (U.A.)

Schmid Kurt Mag.

B.: Gschf. Ges. FN.: Safeware GmbH. DA.: 4030 Linz, Magerweg 35. PA.: 4030 Linz, Panholzerweg 20/3. G.: Linz, 27. Apr. 1961. V.: Ingrid, geb. Schnabl. El.: Dr. Otto u. Rosa. S.: VS, RG, 1979 Matura, 1980 BH, b. 1987 Stud. Betriebsinformatik. K.: 1980-82 Compudata GbR, 1982-84 freiberufl. im DV-Bereich, 1984 Bereich Informatik d. VOEST ALPINE, b. 1986 Systeming., 1988 Grdg. d. heutigen Firma, Tochterfirma d. Linz Textil Holding AG, Gschf. Ges. BL.: 1986-88 Lehrtätigkeit im WIFI f. Betriebswirtschaft, Miterfinder v. 3 Patenten. P.: lfd. Beiträge in Fachzeitschriften, Vorträge. E.: 1978 1. Pl. d. Chemieolympiade b. Landeswettbewerb. H.: Musik: Klassik, Jazz, Klavierspielen, Kultur: Kunst, Konzerte, Veranstaltungen, Kulturreisen, Italienliebhaber. (U.A.)

Schmid Lotte Dr. MedR.

B.: Ltd. Ärztin d. Kurmittelhaus. DA.: 7431 Bad Tatzmannsdorf, Parkstr. 16. PA.: 1040 Wien, Schaumburgerg. 20. G.: Wien, 4. Sept. El.: Dr. Gustav u. Hanna Schmid. BV.: Großvater Ing. Prof. Heinrich Schmid Stadtpolitiker v. Wien. S.: VS, Mittelschule, Matura in Wien, Med.Stud. u. Prom. an d. Wr. Univ. K.: Turnusausbild. in Wien, Badehospiz Bad Gastein, Ass. d. Chefs in St. Johann/Pongau, 3 J. im Ausbildungszentrum f. manuelle Therapie in Hamm/Westfalen als OA, selbst. Badeärztin in Bad Gastein (Wirbelsäule) u. Ltr. im Kurzentrum Bad Hofgastein, seit 1970 med. Ltr. d. Kurzentru, Bad Tatzmannsdorf. BL.: Verantwortl. f. d. med. Bereich b. Aufbau d. Kurzentrum Bad Hofgastein u. Bad Tatzmannsdorf. M.: Österr. u. Dt. Ges. f. Manuelle Therapie. H.: Musik, Literatur, Bridge, Hund, Sport. (War.)

Schmid Michael

B.: Abg. z. NatR., Mtgl. d. EuropaR. FN.: Stmk. LandesReg. DA.: 8010 Graz, Landhaus. G.: Mühldorf am Inn, 7. Jun. 1945. V.: verh. Ki.: 2 Kinder. El.: Dr. Adolf Schmid u. Luise, geb. Gruber. S.: VS, Mittelschulreife, Stud. d. Architektur. K.: s. 1980 Arch., 1989 steir. Landesparteiobm. d. FPÖ, 1990 Abg. z. NatR. u. Bestell. z. EuropaR., s. 1991 Steir. Landesreg. f. Ber. Wohnbau, Raumordn., Baurecht, techn. Umweltsch. u. d. Landes- u. Bundeshochbaues.

Schmid Olga

B.: Modistinmstr., Inh. FN.: L.J.H. Theaterkostümverleih-Maßschneiderei. DA.: 1040 Wien, Margaretenstr. 25. G.: Linz, 22. Juli 1962. El.: Leonhard u. Olga Schmid, geb. Egger. S.: Modistinlehre m. Mstr.-Prüf. K.: 1980-86 Tätigkeit b. Lambert Hofer, anschl. selbst. (N.A.)

Schmid Oskar

B.: Journalist/Verleger. FN.: Fachjournal Verlags GmbH. GT.: gschf. Ges. Zeitschr. "Architektur Aktuell". DA. u. PA.: 1130 Wien, Maxingstr. 28a. G.: Wien, 30. Juli 1936. V.: Traude, geb. Ulrich. Ki.: Andreas. El.: Ernst u. Hermine. K.: Chem. Ind. Betriebsass. (Fa. Sidol), Autobranche Verkaufsltr., 1967 Firmengrdg., ab 1971 als GmbH, Verlag d. Fachzeitschrift "Architektur Aktuell" f. Arch., Baugewerbe u. Wirtschaft. P.: Buch über Holzbaukunst "Architektur in Budapest" 1987 im Eigenverlag. M.: Lions-Club. H.: Segeln, Funken. (C.K.)

Schmid Peter

B.: Ltr. d. Theater am Kornmarkt. DA.: 6900 Bregenz, Seestr. 2. PA.: 6900 Bregenz, Amnianustr. 1. G.: Riefensberg, 19. Jan. 1934. B.: Hilde, geb. Kralinger. Ki.: Mag. Hansjörg (1961), Mag. Christian (1964), El.: Franz Xaver u. Magdalena. S.: Elektrikerlehre i. Bregenz, 1951 Abschluß, Vorbereitung a. d. Meisterpfg. i. Dornbirn. K.: 5,5 J. Betriebselektriker CH, 3,5 J. Elektriker Textilfabrik Bregenz, 1974 Eintritt Amt d. Landeshautpstadt Bregenz a. Straßenbeleuchter u. Verkehrsbeauftragter, Ltr. D. Theaters am Kornmarkt. M.: GM d. Wohlfahrtseintrichtung d. Bediensteten d. LH Bregenz, GM d. Sportver. d. Bediensteten, 1984 Sektionsobmann Sportkegeln, 1988 Präsident d. Sportkegelverb. Vbg. E.: Goldene Ehrennadel d. Bregenzer Festspiele, Siegel d. LH Bregenz, SE d. österr. Sportkegelverbundes. H.: Fischen, Kegeln, Wandern Schifahren, Reisen. (I.D.)

Schmid Peter

B.: Inhaber. FN.: AV-Media-Film. DA.u. PA.: 8570 Voitsberg, Franz Schöpferg. 36. G.: Voitsberg, 15. Sept. 1955. Ki.: Olaf (1977). El.: Alfred u. Christine. S.: VS, HS Voitsberg, Radiotechnikerlehre i. Graz, abgeschl. 1974, 1974-81 Techniker b. Computerfa. Unisyss, Wien, 1981-84 Computerverkauf i. Wien u. Graz, 1984-87 Techniker b. SR-Film u. Videoproduktion, 1987-89 Geschäftsleiter b. Fa. Hartlauer i. Voitsberg, s. 1988 selbstst. AV-Media-Film, Filmproduktion u. Werbegraphik f. Industrie u. Tourismus, Postproduction u. Studiovermietung, tätig f. Landesregierung, Tourismusverbände, Stmk. Teichwirteverb, Palacehotel Zagreb, Wr. Volkshilfe u.v.m., 1991 Filmproduzentenprüfung. H.: Photographieren, Filme, Landwirtschaft. (I.G.)

Schmid Rainer Ing.

B.: Eigner. FN.: Treffpunkt Motorsport. DA.: 5500 Bischofshofen, Salzburger Str. 88. PA.: 5452 Pfarrwerfen, Laubichl 31. G.: Salzburg, 11. März 1960. V.: Ingrid, geb. Greimeister. Ki.: Alexander (1988), Julia (1990). El.: Anton u. Gerlinde. BV.: Großvater u. Vater Oberförster. S.: VS, HS, 1978 Matura Mödling, BH. K.: 1980 Porsche Austria, 1985 Seat, 1988 Grdg. d. eigenen Betriebes. M.: Skiclub, Naturfreunde. H.: Skifahren, Surfen, Motorradfahren. (G.P.)

Schmid Renate

B.: Päd. Ltr. d Intercultura Sprach- u. Kulturinst. DA.: 1010 Wien, Bauernmarkt 18. PA.: 1030 Wien, Kundmanng. 5/13. G.: Herzogenburg, 28. Jan. 1956. El.: Wilhelm u. Leopoldine, geb. Grill. S.: 1974 Matura St. Pölten, ab 1974 Stud. d. Anglistik u. Romanistik Univ. Wien. K.: 1978-79 Studienaufenthalt u. Unterrichtstätigkeit in Frankreich, ab 1981 Unterrichtstätigkeit in Wien b. div. Sprachinst., 1987 Eintritt z. Intercultura als päd. Ltr. BL.: persönl. Engagement b. d. Integration d. Ausländer in d. österr. Leben. P.: Erstellung v. Lehrmaterial f. d. Unterricht. H.: Lesen, Reisen, Bergsteigen, Theater. (N.A.)

Schmid Roland Dr. med. Prim.

B.: Abt.Vorst., FA f. Frauenheilkunde u. Geburtshilfe. DA.: 2130 Mistelbach, Liechtensteinstr. 67. PA.: 2130 Mistelbach, Bahnstr. 39. G.: Dornbirn, 6. Jan. 1944. V.: Christine, geb. Hirczy. El.: Dir. Fridolin u. Adolfine. S.: RG, Matura, Med.Stud. an d. Univ. Wien. K.: Prom. 1970, I. Univ.Frauenklinik Wien, ab 1983 Prim. d. AKH Mistelbach. P.: Über 50 Fachpubl. in in- u. ausländ. Zeitschriften. H.: Musik, Malerei, Geschichte.

Schmid Roland Dr. rer. oec.

B.: Wirtschaftsprüfer u. Steuerberater. DA.: 1080 Wien, Lange G. 72/6. PA.: 1080 Wien, Wickenburgg. 4/13. G.: Wien, 5. Okt. 1931. V.: Friederike, geb. Karlin. El.: Dipl.-Ing. Oskar u. Karoline. S.: Matura 1949 in Wien, Stud. an d. HS f. Welthdl., Dipl. 1953, weiteres Stud. an d. rechts- u. staatswiss. Fak. d. Univ. Innsbruck, 1954 Prom. Dr. rer. oec. K.: Nach kurzer Praxis in einem Ind.Betrieb Zuwendung z. Wirtschaftstreuhandberuf, zun. als Prüf.Ass. eines bek. Wirtschaftsprüfers, dan. 4 J. Teilnahme an einem Hatha-Yoga-Lehrgang, 1960 Zulassung als Steuerberater u. 1966 als Wirtschaftsprüfer, seit 1962 gerichtl. beeid. Sachv., innerh. d. Berufsorgan. zun. Funktionär d. Kostenaussch., ab 1982 Vors. dieses Aussch. m. bundesweiter Kompetenz. P.: Gelegentl. Publ. z. Thema Honorarrecht (Vertragsrecht) in Fachzeitschriften. M.: Mehrjähr. Vorst.Mtgl. d. intern. Bundes d. Tierversuchsgegner. H.: Sport, insbes. Leichtathletik, Tennis, Skilauf, Oper. (P.R.)

Schmid Simone

B.: Dir. Schloßberghotel. DA.: 8010 Graz, Kaiser-Franz-Josef-Kai 30. PA.: 8010 Graz, Grazbachg. 47. G.: Graz, 4. Apr. 1963. El.: Ewald u. Elisabeth. S.: BRG, Höhere Lehranst. f. wirtschaftl. Frauenberuf. K.: Praxis Schweiz, Frankreich u. Österr., seit 1986 Rezeption, 1989 Dir. BL.: 1990 Jüngste Hoteldir. Österr. P.: Gastrozeitschriften, Standard, Wienerin. H.: Skifahren, Tennis, Arb. (R.S.)

Schmid Thomas Alexander

B.: Marketingltr. FN.: Denzel AG Mitsubishi Motors. DA.: 1230 Wien. PA.: 1040 Wien, Wiedner Hauptstr. 61/1A. G.: Wien, 16. März 1959. V.: Margit. El.: Dr. Johannes u. Erna Eleonore. S.: VS, BRG, 5 Sem. Stud. Wr. Neustadt, 12. Sem. Med.-Stud. K.: 1980-83 d. ganze Welt bereist, 1986 Rezeptionist in einem Wr. Hotel, 1989-90 Verkäufer Fiat Lancia Zentrum Schönbrunner Straße, 1989-91 Kurzstud. Werbung u. Verkauf WU, Gebrauchtwagenmanager f. Fiat, 1991 Werbeleiter f. Fiat, 1993 zur Denzel AG. H..: Beruf, Segeln, Tennis, Lesen, Musik, Malen. (R.T.)

Schmid Ulla

B.: Journalistin. FN.: "KURIER" Innenpolitik. DA.: 1070 Wien, Seideng. 11. PA.: 1140 Wien, Gurkg. 26. G.: Wr. Neustadt, 17. Juni 1966. El.: Gerhard u. Christine, geb. Ostermann. S.: VS, Gymn., 1984 Matura, Stud. Publizistik Univ. Wien. K.: 1986-88 freie Mitarb. bei NÖ-Nachrichten in Wr. Neustadt, 1989-91 Red. "AZ" Wr. Kommunalpolitik, Eintritt beim "KURIER", ab 1992 in d. innenpolit. Abtl., Schwerp.: Zuwanderungsthemen, Soz. u. Frauen. H.: Sport, Treffen mit Freunden, Lesen. (N.A.)

Schmid Walter Dkfm.

B.: Buchprüfer u. Steuerberater. FN.: Schwarz & Schmid Treuhand u. Revisions GmbH Nfg. KG Wirtschaftsprüf. u. Steuerberatungsges. DA.: 1010 Wien, Wipplingerstr. 24-26. G.: Wien, 18. Nov. 1941. V.: Theresia, geb. Dubovy. Ki.: Walter (1973), Wolfgang (1975). El.: Josef u. Josefine, geb. Kratky. S.: 1959 Matura, Stud. Revision HS f. Welthdl. Wien, 1963 Abschluß. K.: 1963-81 Wr. Treuhand u. Wirtschaftsberatung GmbH, 1981 Grdg. d. Firma Schwarz & Schmid, 1991 Grdg. d. Büros Laa/Thaya f. d. Geschäftsbeziehungen z. CSFR. H.: Italien, Oper, Franz. u. Ital. Literatur, Schmalspurbahnen. (N.A.)

Schmid Willibald

B.: Unternehmensberater, Gschf. FN.: ABB Informations u. Management Service GmbH. DA.: 1100 Wien, Wienerbergstr. 11b. PA.: 2551 Enzesfeld-Lindabrunn, Felsenweg 1. G.: St. Veit/Glan, 19. Mai 1949. Ki.: Patrik (1971), Susanne u. Simone (1979). El.: Willibald u. Roswitha. S.: HAK, WU/Controllerinst. Wien, Deyhle-Inst. München. K.: 1967-74 kfm. Geschäftsbereichsltg. Treibacher Chem. Werke AG, 1974-78 Vorst.-Mtgl. u. Vorst.-Vors. Holländ. Tochterges. d. Grondmet NV Rotterdam, 1978 Organ.-Management FRC-Möbelfbk. Villach, 1979-83 kfm. Ltg. f. Steyr Nigeria Ltd. Lagos, 1984 Gschf. Steyr Daimler Puch AG Schweiz, 1985-87 Ltg. Controlling sämtl. in- u. ausländ. Tochterges. v. Steyr Daimler Puch AG Wien, 1987-89 Vorst.-Mtgl. KTM Motorfahrzeug AG Mattighofen, 1990 Ltg. Controlling b. ABB Verkehrstechnik GmbH, 1992 Geschäftsführung ABB Schaltanlagen GmbH, 1993 Geschäftsführung ABB Informations u. Management Service GmbH Wien. M.: Efficiency Club Intern. Frankfurt. H.: Sport (Skifahren, Tennis, Golf, Segeln, Surfen). (F.S.)

Schmid-Klien Elisabeth Dr. med. univ.

B.: FA. f. Lungenheilkunde. GT.: Ltr. d. TBC Referates d. Gesundheitsamtes d. Stadt Wien. DA.: 1190 Wien, Döblinger Hauptstr. 1. PA.: 1180 Wien, Herbeckstr. 4. G.: Wien, 26. Mai 1952. Ki.: Michael. El.: Dr. Anton u. Dr. Elfriede Klien. BV.: Vater ist Schriftsteller. S.: VS, Gymn., 1970 Matura, Stud. an d. Med. Fak. d. Univ. Wien, 1978 Prom. K.: Turnusarzt KH Hollabrunn, 1979-84 LKH Grimmenstein unter Prim. Dr. Neumann, 1984 FA-Anerkennung, Eröff. d. eigenen Praxis 1985, Amtsarzt b. d. Stadt Wien seit 1984, seit 1987 PhysikatsR. u. Ltr. d. TBC Referates d. Gesundheitsamtes d. Stadt Wien, nebenberufl. Theaterarzt in d. Josefstadt u. in d. Kammerspielen. P.: wiss. Arb. über Formaldehyd. M.: Österr. Ges. f. Lungenerkrankungen u. Tuberkulose, Süddt. Ges. f. Bronchialheilkunde, Ges. d. Ärzte. H.: Sporttauchen, Theater. (G.E.)

Schmid-Korlath Herbert Dr. nat. techn. Dipl.-Ing. Prof.
B.: Prof. f. chem. Verfahrenstechnik, Ziviling. f. Gärungstechnik, staatl. befugt u. beeid. A.: 1190 Wien, Hackenbergg. 29/33/3. G.: Wien, 10. März 1927. V.: Anna Maria, geb. Wassiczek. El.: Andreas u. Maria. S.: Matura, Ing. f. Maschinenbau, Dipl.-Ing. f. Gärungstechnik, Dr. nat. techn. d. Univ. f. Bdk., Ziviling. f. Gärungstechnik. K.: Konstrukteur b. Fa. Werner & Pfleiderer Wien, Betriebsass. b. Fa. Julius Meinl, Betriebsltr. d. Joh. Klein- Wr. Milchverwertung Wien, Prok. b. W. Schmidt KG u. Gschf. Wien u. Seekirchen, Prof. an d. HBLVA f. chem. Ind. Wien. F.: Pyrolyse GmbH f. Umwelttechnik Wien, als Ziviling.: Kzl.Sitz Wien 19. P.: Publ. u. div. Art. in Fachzeitschriften über Molkereiwesen u. Umweltschutz, Pat.Anmeldungen. M.: Grdg.Mtgl. d. Ver. Österr. Lebensmittel- u. Gärungstechnologen, Österr. Brauerbund, Kam.Mtgl. d. Ing.Kam. f. Wien, NÖ u. Bgld. u.a.

Schmid-Priwitzer Waltraud Dipl.-Ing.
B.: Dir. d. Bereiches Bild. u. Familie in d. NÖ Landesldw.-Kam. GT.: ab 1984 Gschf. Arge d. Bäuerinnen. DA.: 1010 Wien, Löwelstr. 12. PA.: 2344 Maria Enzersdorf, Josef-Weinheber-G. 17. G.: Wien, 12. Okt. 1951. V.: Harald Schmid. Ki.: Gerlinde (1979), Ingeborg (1981). El.: HofR. Dipl.-Ing. Matthias u. Gertrude Prewitzer, geb. Menhofer. S.: 1970 Matura, Stud. Ldw. BOKU Wien, 1977 Abschluß. K.: 1978 Eintritt NÖ Landesldw.-Kam., b. 1983 Abt. Vieh u. Milchwirtschaft, b. 1990 Ref. f. Ldw. Haushaltsberatung, ab 1994 o.g. Position. P.: Fachart. in div. Ldw.-Zeitungen. M.: Vors.-Stellv. Arge d. Ldw. Lehrerinnen u. Beraterinnen Österr. H.: Familie, Sport, Lesen. (N.A.)

Schmid-Schmidsfelden Michael Ing.
B.: Gschf. Ges. F.: ISTOR Spann- Ankertechnik. DA.: 2512 Oeynhausen, Süddruckg. 26. PA.: 2500 Siegenfeld, Bühelweg 32. G.: Wien, 2. Sept. 1955. V.: Maria, geb. Gerhardus. Ki.: Doninica (1990), Xaver (1991), Rupert (1993). El.: Georg u. Adelina, geb. Bandian. S.: Gymn., 1976 HTL-Matura: Gießereitechnik. K.: 1977-84 versch. mehrjähr. Auslandsaufenthalte verbunden m. d. Errichtung v. Gießereianlagen als gesamtverantwortl. Montage-/Baustellenleiter auf d. arab. Halbinsel u. in Mittel- u. Osteuropa, 1985 Aufbau d. Firma ISTOR: Erzeugung u. Vertrieb v. Spann- u. Ankerstangen f. d. Hallen-, Tunnelbau sowie z. Liftstützenverankerung. M.: Junge Industriellenvereinig., Bruderschaft St. Christoph. H.: Skifahren, Paragleiten, Jagd, Reiten. (M.M.)

Schmid-Schmidsfelden Walther Dipl.-Ing.
B.: Industrieller. PA.: 3133 Traismauer. G.: Wasendorf, 20. Juni 1935. V.: Christine, geb. Kammerlander. Ki.: Ferdinand, Martin, Dorothea, Carolin. El.: August u. Dora. S.: Mont. HS Leoben, Fachrichtung Hüttenwesen, 1961 Dipl.-Ing. K.: Kauf d. Martin Miller AG u. Eintritt in dieselbe, Produkte: kaltgewalzter Bandstahl, Werkzeuge f. d. Holz- u. Metallverarbeitung, Sgemaschinen, Alleinvorst. F.: Martin Miller AG Traismauer, Skomab Intern. GmbH Wien, Metora Maschinenfbk. Neuhofen/Krems. M.: Vorst.Mtgl. d. Industriellenver., Vors. d. arbeitsrechtl. Aussch. d. Fachverb., Fachverb. d. Eisen- u. Metallwarenind., div. Funktionen in d. Bundeskam. d. gewerbl. Wirtschaft. H.: Fliegen, Wassersport, Ski, Tennis, Jagd, klass. Musik, Lesen. (Kern)

Schmid-Ströhle Anita
B.: Inh. FN.: Glaskunstwerk u. Seidenmalerei. DA.: 6900 Bregenz, Kirchstr. 15. PA.: 6845 Hohenems, Altacherweg 2. G.: Hohenems, 5. Juni 1949. El.: Hildegard. S.: VS Weiterbild., im Verkauf, autodidakt. Weiterbild. in Malerei, Seidenmalerei u. Mischtechnik. K.: als Näherin in Textilfabrik in Hohenems, später Nähatelier (paralell Kurse), 1974-78 Filialltr. b. Kunst aus Asien in Dornbirn, 1984 Filialltr. Fa. Berndorf in Dornbirn, 1985 Fa. Capo Hut u. Mützen GmbH in Feldkirch u. Dornbirn, b. Stickereifirma im Kleinverkauf in Hohenems, 1990 selbst. m. Glasstudio in Bregenz (kunsthandwerkliches Glas/exkl. handgefert. Modeschmuck). P.: 1979 Beginn m. Malerei, Ausstellungen Aquarelle u. Seidenmalerei. H.: Radfahren, Wandern, Tierfreundin. (I.D.)

Schmidauer Franz
B.: Kurdir. d. Kurverw. Bad Schallerbach. GT.: Gschf. d. Gästezentrums Bad Schallerbach GmbH. DA.: 4701 Bad Schallerbach, Kurpromenade 1. PA.: 4710 Grieskirchen, Tennisweg 5. G.: Peuerbach, 24. Okt. 1952. V.: Silvia, geb. Baumgartner. El.: Franz u. Theresia. S.: Gymn. Grieskirchen, Matura 1971. K.: b. 1981 im Amt d. OÖ LRg., zun. Presseabt., dann im Büro d. LHptm., 1981 Eintritt in d. urverw. Bad Schallerbach als Kurdir. H.: Lesen, Hunde abrichten, Skifahren. (H.D.)

Schmidbauer Rudolf Ing.

B.: Dir. Berufsschule III. DA.: 5020 Salzburg, Makartkai 1. PA.: 5071 Wals, Käferheimer Str. 92. G.: Salzburg, 4. Apr. 1932. Ki.: Barbara, Andreas. El.: Rudolf u. Karoline. S.: Ausbild. als Techniker, 2. Bild.-Weg., Lehramtsstud., 1973 Lehramtsprüf. f. Berufsschulen - graphische Abteilung, Stud. Ing.-Techniken, Mstr.-Schule f. Druck- u. Satztechnik Düsseldorf, 1954-68 ltd. Funktion graf. Betrieben in d. BRD, 1968 zurück nach Sbg. u. Lehrer a.d. Berufschule, graph. Abt., Fachinstruktor d. Paris-Lodron Univ. f. Schriftsatz, Stud. Geografie u. Publizistik, seit 1988 Berufsschuldir. P.: Autor v. Fachbüchern, Mitarb. an intern. Fachzeitschriften, Erwachsenenbild. in Abendkursen, Erwachsenenbild. in Grafik u. Design, Graf. Bild.-Verb. E.: Dipl. f. Verd. um d. Fotosatz in Österr. H.: Grafik-Design, Reisen. (D.E.)

Schmidbauer-Fuchs Monika
B.: Unternehmerin. FN.: Entsorgungsbetrieb Fuchs. GT.: Gschf. Kanal-Wimmer GmbH. DA. u. PA.: 5020 Salzburg, Glanhofen 19. G.: Untertauern, 19. Sept. 1949. V.: Mag. Manfred Schmidbauer. El.: Alois u. Martha Rieder. S.: Grundschule, kfm. Ausbild., Spezialkurse f. Sondermüll, Konzessionsprüf. f. Fernverkehr. K.: seit 1969 gemeinsamer Aufbau d. eigenen Betriebes, seit 1985 alleinige Besitzerin u. Führung d. Entsorgungs- u. Kanalräumungsbetriebes. BL.:

aktive Mitarb. f. Umweltschutz. M.: Aussch.-Mtgl. f. Sondermüll, HK Sbg., VÖEB Bischofshofen. H.: Reisen, Golf, Lesen. (K.K.)

Schmidberger Christian Dr. Mag.
B.: gschf. Prok. DA. u. PA.: 1120 Wien, Rosag. 27-29. G.: Wien, 5. Okt. 1953. V.: Rosa, geb. Hendler. Ki.: Petra. El.: Josef Schmidberger. S.: Gymn., Univ. Wien. K.: 1977 im väterl. Betrieb gschf. Prok. H.: Sport. (Wels.)

Schmidberger Harald
B.: Gschf. Ges., Gastronom. FN.: "Fabrik" Tanzpalast Restaurations GmbH & Co KG. DA.: 3105 St. Pölten, Radlberger Hauptstr. 60. G.: St. Pölten, 21. Nov. 1951. El.: Karl u. Margarete. S.: Kfz.-Mechanikerlehre, landesbester Lehrling NÖ's (im letzten Lehrjahr). K.: Eintritt in d. Standard Werke (Großküchen) St. Pölten, tätig in sämtl. Abt., Übernahme d. Betriebsltg., 1983 Übername d. Gschf., Erstellung u. Errichtung d. "Fabrik", Österreichs führender Tanzbetrieb m. Disco, Pizzeria, Club, Bierbrunnen, Technik d. Superlative m. Europaniveau, seit 1983 gschf. Ges. d. "Fabrik". F.: "Fabrik" Tanzpalast Restaurations GmbH & Co KG. H.: Afrika, Reisen, Windsurfen, Diskutieren. (Kern)

Schmidberger Johann
B.: Kunstschmied. DA.: 4591 Molln 8. G.: Molln, 17. März 1951. V.: Hildegard, geb. Oberbichler. Ki.: Andrea, Christian, Johann, Georg, Elisabeth. El.: August u. Paula. S.: VS, HS, Schmiedelehre. K.: 1978 Mstr.Prüf., 1980 Übernahme d. Familienbetriebes. BL.: Projekt f. Kanada - eine Brunnenskulptur "Die Vierjahreszeiten". H.: Malerei.

Schmidberger Kurt
B.: Inh., Gschf. Ges., Hotelkfm. FN.: Pizzeria Masianco. GT.: Cafe Platzl, Gasthof z. Bären. DA u. PA.: 6380 St. Johann, Speckbacherstr. 30a. G.: St. Johann, 7. März 1963. V.: Maria, Geb. Hötzendorfer. KI.: Tina (1986). EL.: Johann u. Irmgard. S.: VS, HS, Hotelfachschule in Innsbruck. K.: 1980 Hotelkfm., 1981Konzesionprüfung in Innsbruck, Fachpraxis in Seefeld, in Frankreich u. im elterl. Gasthof Hinterkaiser in St. Johann, s. 1984 selbst. mit Spezialitätenrest. in St.Johann, Disco in St. Johann, s. 1986 Inh. d. Pizzeria Masianco, s. 1990 Gschf. Ges. d. "Cafe Platzl" u. s. 1991 "Gasthof z. Bären". H.: Fußball Tourismus in Österr. (J.F.)

Schmidberger Peter
B.: Gschf. Ges. FN.: Friedrich Kornfeind Geflügel, Wild u. Eier KG. DA. u. PA.: 1120 Wien, Bischoffg. 20. G.: Wien, 9. Juli 1961. V.: Brigitta, geb. Marek. El.: Josef u. Elisabeth. S.: VS, Mittelschule, 1980 Matura, BH. K.: Ang. im Bereich Ein- u. Verkauf im elterl. Betrieb, seit 1991 Gschf. d. Kornfeind KG. M.: seit 1992 im Innungsaussch. d. Fleischerinnung. H.: Fischen. (G.B.)

Schmidhofer Ludwig
B.: Techniker, Bgm. d. Stadtgem. Weiz. DA.: 8160 Weiz, Hauptpl. 7. PA.: 8160 Weiz, Hofmühlg. 10. G.: Birkfeld, 12. Jan. 1930. V.: Ingrid, geb. Röthl. Ki.: Klaus, Heimo. El.: Ludwig u. Helene. S.: BULME Graz, Werkmstr. f. Maschinenbau. K.: 1944 Werkzeug- u. Maschinenschlosser Stmk. LBahnen, nach Schulabschl. Fa. Elin, 1955 Gruppenltr. Maschinenbau, 1976 Fertigungsltr. f. Betriebseinrichtungen, seit 1946 Funktionär b. d. SJ, 1965 GemR., 1974 VBgm. u. Bgm., Stadtparteiobm. 1964-80, Obm. d. Wasserverb. Oberes Raabtal u. d. Mülldeponiegem. Weiz. E.: u.a. Gold. VK d. Kameradschaftsbundes, Florianiplakette. M.: SPÖ, ÖGB, Hauptaussch. d. Städtebundes, örtl. Ver. H.: Skifahren, Wandern, Musik. (H.Z.)

Schmidhuber Franz Maximilian
B.: Gschf. A.: 5201 Seekirchen, Wallerseestr. 132. G.: Seekirchen, 25. Sept. 1946. V.: Christina, geb. Költringer. El.: Franz u. Maria. S.: HS, HAK. K.: 1974 GemR. u. FPÖ-Fraktionsobm., 1980 FPÖ-Ortsparteiobm. v. Seekirchen sowie Mtgl. d. Bez. u. LParteilltg., seit 1979 Stellv. LObm. d. Ringes freiheitl. Wirtschaftstreibender u. Mtgl. d. BVorst., seit 1981 Mtgl. d. AufsR. d. SAFE. F.: Teilhaber d. Fa. Wasser-Schmidhuber. P.: Zahlr. Referate z. wirtschaftl. Lage. E.: Ehrenmtgl. d. CDSF. M.: FPÖ, Ring freiheitl. Wirtschaftstreibender, HK, Turnver., Sportver. H.: Politik, Sport.

Schmidhuber Walter

B.: Inh., Radio u Fernsehtechnikermeister. FN.: Radio & Fernseh Elektro, Walter Schmidhuber. DA.: 5500 Bischofshofen, Gasteinerstr. 40. PA.: Südtirolerstr. 47. G.: Siering i. OÖ, 26. Apr. 1949. V.: Theresia, geb. Steibacher. Ki.: Günter (1974), Susanne (1977). S.: VS, HS, 3 Lehrj. bei Fa. Dipl.-Ing. Göschl, 1967 Gesellenbrief. 1969 zu Fa. Körting i. Grödig gleichz. Meisterbrief. Bis 1977 als Abt.-Ltr. in Sbg besch., seit 1976 selbst. m. Radio u. Fernsehtechnik. 1988 in neu Erworbenen Anwesen Betrieb eröffnet u. erweitert. M.: Obmann d. BSK, mtgl. zahlr. örtlichen Ver. H.: Arbeit, Skifahren, Schwimmen, Fußball, Tennis. (J.F.)

Schmidinger Dolores
B.: Schauspielerin. PA.: 1160 Wien, Roterdstr. 45. G.: Wien, 21. Sept. 1946. Ki.: Theresia, Sophie. El.: Josef u. Johanna. K.: Schauspielschule, 1 J. Kärntnertor-Theater, 14 J. Volkstheater, seit 1979 am Theater an d. Josefstadt, seit 1970 eigene Liedtexte, 2 LP's, Film, Fernsehen, Musical, Gastspiele. E.: Karl Skraupp-Preis, Nestroyring. H.: Lesen, Musikhören. (P.R.)

Schmidinger Elfriede Dr. Prof.
B.: Landesschulinspektorin. A.: 4040 Lichtenberg, Steiningerweg 23. G.: Freistadt, 12. Dez. 1943. El.: Johann u. Hildegard Schmidinger. S.: Lehramtsprüf.Zeugnis f. VS, Doktorat d. Phil. (Päd. Psych.). K.: 5 J. Pflichtschullehrer an VS, HS u. Sonderschulen, 1970-90 Prof. an d. Päd. Ak. d. Bundes in Linz (Unterrichtswiss., Päd. Psych.), Ref. in d. Lehrerfortbild., Arbeitsschwerpunkte: Lehrverhaltenstraining, Förderunterricht, Curriculumentwicklung. P.: Förderunterricht - mehr als Gratisnachhilfe?, Informieren, üben, beobachten. Materialien z. schulprakt. Grundstud. f. Lehrer. E.: 1988 Silb. EZ f. Verd. um d. Rep. Österr. M.: Vorst.Mtgl. d. psych. Ges., Berufsverb. Österr. Psychologen u. d. Päd. Ges., Vorst.-Mtgl. d. Schul- u. Erziehungszentrums, Vorst.-Mtgl. d. SLÖ.

Schmidinger Hans
B.: VS-Dir. i.R., Präs. d. Sbg. Landtages i.R. GT.: Bgm. d. Marktgem. Thalgau. DA.: 5303 Thalgau, Gemeindeamt. PA.: 5303 Thalgau, Bräufeldsiedlung 239. G.: St. Georgen, 12. Mai 1926. V.: Maria, geb. Reiter. Ki.: VS-Dir. Hans. S.: 1944-45 Kriegsdienst u. Gefangenschaft, 1947 Matura u. Abschluß d. Ausbild. z. VS-Lehrer. K.: 1954 Mtgl. d. Gem.Vertretung Thalgau, 1959 GemR., 1959-63 VBgm., seit 1959 Mtgl. d. Sbg. Landtages, seit 1963 Bgm. d. Marktgem. Thalgau,, 1968 Klubobm. d. ÖVP-Landtagsklubs, seit 1974 Präs. d. Landtages. E.: Gold. EZ f. Verd. um d. Rep. Österr. 1969, Gr. Gold. EZ m. d. Stern f. Verd. um d. Rep. Österr. 1979, Gr. EZ d. Landes Sbg. 1984, OSR. 1985, Ring d.

Landes Sbg. 1986, Gr. Silb. EZ am Bande f. Verd. um d. Rep. Österr. 1989, Ehrenring d. Marktgem. Thalgau 1976, Gold. Ehrenring d. ÖAAB, Ehrenmtgl. zahlr. örtl. Ver. u. d. Marktgem. Thalgau, Ehrenbürger d. Gem. St. Georgen. H.: Jagd. (A.W.)

Schmidinger Karl

B.: Dir. d. Landesmusikschule Stadl-Paura/Lambach. DA. u. PA.: 4651 Stadl-Paura, Marktpl. 1. G.: Oberhaid/ Böhmerwald, 31. Dez. 1937. V.: Irene, geb. Keßler. Ki.: Angela (1963), Wilfried (1965), Leonhard (1966), Karl-Julian (1970). El.: Karl u. Katharina. S.: Violinstud. m. Reifeprüf. b. Prof. Eduard Arzt am Brucknerkonservatorium Linz, Klarinette b. Prof. Rudolf Nones u. Josef Niederhammer. K.: Holzblasinstrumentenbauer, 4 J. Soloklarinettist u. Saxophonist b. OÖ Militärmusik, 23 J. Kirchenchorltr. d. Dreifaltigkeitskirche Stadl-Paura, 18 J. Kapellmstr. d. Blaskapelle Stadl-Paura, ab 1962 Musiklehrer, seit 1972 Ltr. d. Orchesters Stadl-Paura/Lambach, seit 1976 Ltr. d. Landesmusikschule Stadl-Paura/Lambach m. Zweigstellen in Lambach, Steinerkirchen, Gunskirchen u. Pichl b. Wels, 1989 Konsulent f. Musikpflege. BL.: jährl. Orchesterkonzerte m. d. Musikschulorchester. P.: Kompositionen: Streichquartette "Melodie", "Böhmerwald-Fantasie", Chorwerke "Advent-Kantate", "Messe f. Verstorbene", Orchesterwerke "Traun-Bilder", Blasorchesterwerke "Stadlinger-Schiffermarsch", "Blau-Weiß-Marsch", "Marsch-Synkopen", "Tief drin'im Böhmerwald", weitere Gebrauchsmusik f. d. Unterricht. H.: Musik, Bergsteigen. (E.Hö.)

Schmidl Alois

B.: Gastronom d. Fürstl. Esterházy'sche Rotisserie Schloß-Taverne Eisenstadt. DA.: 7000 Eisenstadt, Esterhazypl. 5. PA.: 7000 Eisenstadt, Haydng. 4. G.: Marz, 30. März 1923. V.: Stefanie, geb. Reisner. Ki.: Harald, Alfons, Heiko. El.:Alois u. Maria. S.: Koch- u. Kellnerlehre, Hotel Erzherzog Johann u. Grand-Hotel Panhans-Semmering, Grand-Hotel St. Wolfgang, Hotel Bristol Wien, Dt. Wehrmacht, Hotel "Waldhaus Dolder" Zürich, Fortbildungskurse Hotel Montana Luzern, 1949 Barmeister, Dipl. b. Harry Schraemli, Auslandspraxis in Paris u. London. K.: 1955 Dir. v. Kerzenstüberl/Wien, 1955 Gschf. d. Brioni GmbH, v. Hr. Blatzheim als Betriebsdir. nach Köln geholt, 1965 Eröff. v. "Haus d. Nationen" im Europacenter/Berlin, Vorstand d. Aschinger AG Berlin, f. d. Berliner Kindl-Brauerei Aufbau d. "Zapfhahn Gaststätten", selbst. ab 1968 m. d. "Pulvermühle" in Spandau, ab 1975 "Martinihof" in Neudörfl, seit 1979 Fürstl. Esterházy'sche Rotisserie Schloß-Taverne u. Schloßheuriger in Eisenstadt. P.: Buch: Bgld. Pannonisch "Gut kochen - gesund würzen", Tonbandcass.: "Kochen b. Zigeunermusik", Beiträge in Lokalzeitungen u. f. d. "Hör zu" Rezeptseite. E.: Silb. Med. f. Verd. um d. Fremdenverkehr, 1986 Gold. EZ d. Bdl. Bgld. M.: Bd. Österr. Gastlichkeit, Landesltr. Bgld. seit 1976 u. Grdg.Mtgl. d. BÖG, 1978 d. Wr. Kulinarischen Wochen ins Leben gerufen, Arge "Pannonische Küche". H.: Lesen. (Kern)

Schmidl Herwig

B.: Red. d. Tir. Kurier. FN.: Kurier AG. DA.: 6020 Innsbruck, Wilhelm-Greil-Str. 18. PA.: 6073 Sistrans 276. G.: Landeck, 3. Okt. 1944. V.: Ingrid, geb. Storf. Ki.: Eberhard, Jutta, Elisabeth, Lorenz. El.: Josef u. Margarethe. S.: 1962 Matura, 1962-66 Stud., 1967 Militär. K.: 1967-73 Tir. Tageszeitung, 1973-77 Südkurier Konstanz, 1977-85 Kurier Wien, 1985 Tir. Kurier. P.: Buchveröff.: Eduard Wallnöfer "Mein Leben für Tirol", ca. 30 Broschüren. E.: Hans Kudlich-Preis. H.: Bergsteigen, Schach, Lesen.

Schmidl Josef Mag.

B.: Einkaufsltr., Prok. FN.: Krems Chemie AG. DA.: 3500 Krems, Hafenstr. 77. PA.: 3500 Krems, Mitteraustr. 7/35. G.: Rossatz, 8. Mai 1948. V.: Brigitta, geb. Kousek. Ki.: Maria (1972), Monika (1975), Elisabeth (1979). El.: Franz u. Rosina, geb. Wolfsberger. S.: VS, Hum. Gymn., Stud. Betriebswirtschaft. K.: 1975 Eintritt als Einkäufer in d. Krems Chemie, ab 1983 Handlungsvollmacht, ab 1991 Prokura u. Ltg. d. Ressorts Einkauf. M.: Trachtenkapelle Rossatz. H.: Musik, Tennis.

Schmidl Peter Prof.

B.: Soloklarinett d. Wr. Philharmoniker, HS-Prof. f. Klarinette, HS f. Musik Wien. A.: 1040 Wien, Johann-Strauß-G. 38/14. G.: Olmütz, 10. Jan. 1941. El.: Viktor u. Olga. S.: Gymn. m. Matura 1959, HS f. Musik Wien (Klarinette b. Prof. Rudolf Jettel), Dipl.Prüf. 1964. K.: 1965 Orchester d. Wr. Staatsoper, 1967 Kl. f. künstler. Ausbild. Klarinette an d. HS f. Musik Wien, seit 1968 Soloklarinettist d. Wr. Staatsoper u. d. Wr. Philharmoniker, Mtgl. d. "Wr. Oktetts" u. d. "Wr. Bläsersolisten", zweier Kammermusikensembles d. Wr. Philharmoniker. Neben d. Orchestertätigkeit m. d. Wr. Philharmonikern in vielen Ländern d. Welt auch zahlr. Konzerte als Soloklarinettist m. d. Berliner Philharmonikern unter Herbert v. Karajan, große Anzahl v. Schülern in bed. Orchesterpositionen in- u. ausländ. Orchester. P.: Sinfonia concertante, Mozart Klarinettenquintett, Mozart Trio, Brahms Trio, 5 LP's mit Bläserquintetten v. Hindemith, Danzi, Mozart, Haydn, Beethoven, Francaix u.a. H.: Bergsteigen, Motorradfahren, Jogging.

Schmidl v. Seeberg Gabriele

B.: Kfm., Bandagistin. FN.: Arthur Schmidl & Söhne. DA.: 8010 Graz, Albrechtg. 7. PA.: 8071 Vasoldsberg, Landstr. 38. G.: Graz, 13. Juli 1958. Ki.: Susanne (1983), Andreas (1984). El.: Artur u. Mabel. BV.: Familie 1601 durch Kaiser Rudolf II. in d. Adelsstand erhoben. S.: VS, Gymn., 1976 Matura, 1977 Abi-Kurs HAK, Berufsschule f. Bandagisten, 1980 Gesellenprüf., 1983 Mstr.-Prüf. K.: 1984 Übernahme d. elterl. Firma Orthopäd. Inst. u. Miedersalon, 1993 Grdg. einer Filiale in Zeltweg. H.: Schwimmen, Reisen, Beruf. (M.Gr.)

Schmidl-Urbanski Christine Dr. med. univ.

B.: Zahnärztin, Prakt. Ärztin. DA.: 3150 Wilhelmsburg, Conrad Lester Hof 2/1/6. PA.: 3100 St. Pölten, Birkeng.77. G.: Hirschau BRD, 28. Aug. 1954. V.: Friedrich Schmidl. KI.: Matthias (1983), Constanze (1985), Florian (1991). EL.: Med.R.Dr. Margarethe u. Med.R.Dr. Felix Urbanski. S.: Gym. d. engl. Fräulein in St. Pölten, 1972-78 Med. Stud. in Wien, 1978-81 Turnus in Melk u. St. Pölten, Ius Practicandi. K.: 1981-83 Abt. f. Haut-u. Geschlechtskrankheiten am KH St. Pölten,1983-85 Univ. Zahnklinik Wien,, 1985-86 Schulzahnaarzt d. Ld.Hptst. St. Pölten, Okt. 1985 Übern. d. väterl. Zahnarztpraxis in Wilhelmsburg, 1987-89 Spez. Ausb. f. Kieferorthopädie bei Prim. Hangl in Wien. M. :Reitclub St. Pölten, Zahnärztl. Interessensverb. H. :Reiten, Tennis, Joga, Skifahren, Segeln, Radfahren, Theater. (J.M.)

Schmidle Ludwig Mag. art.

B.: Bildhauer, Grafiker. DA.: Staatsatelier, 1020 Wien, Mauereistr. 245. PA.: 1020 Wien, Handelskai 222/4/62. G.: Herigswill/Schweiz, 21. März 1929. K.: Wrke im In- u.

Ausland in priv. u. öff. Sammlungen, ausgestellte Werke: Mutter und Kind im Gehen (Gips) 1956, Vier sitzende Frauen (Tuschzeichnung) 1957, Einsame Frau (Kunststein) 1958, Stadtansicht (Aquarell) 1955, Christus, Maske (Gips) 1956, Selbstbildnis (Bleistiftzeichnung) 1957, Karl Stotz, Fußballspieler (Gips) 1955, Verrat (Aquarell m. Kohle) 1956, Christus (Kunststein) 1957, Madonna St. Germain des Prés (Paris) 1957, Ing. Gerhard Hanappi, Fußballspieler (Gips) 1955, Hinterbrühl (Tusch-Bleistiftzeichnung) 1957, Arch. Oskar Payer (Bronze) 1957, Petrus hört den Hahn (Kunststein) 1955, Mädchenkopf (Gips) 1957. (P.R.)

Schmidlehner Rudolf Dkfm.

B.: Konsulent, Teilhaber. FN.: Münzboy; Münzboy Brünn/Budapest; Cafe-Bar. DA.: 1090 Wien, Boltzmanng. 22. PA.: 1090 Wien, Widerhoferg. 7. G.: Wien, 20. Nov. 1927. V.: Alice, geb. Klawonn. Ki.: Regina (1961), Mag. Michael (1964). El.: Franz u. Helene. S.: VS, Gymn., Stud. HS f. Welthdl., 1952 Dipl.-Prüf., 2 J. Stud. Politik Paris. K.: 2 J. Exportsachbearb. Steyr-Daimler-Puch, Bürochef in d. größten Export-Import-Firma Caracas, 1960 Führung einer Lebensmittelfirma in Venezuela, Getränkeautomatengeschäft in Österr. begonnen, 1993 Verkauf an Leipnik/Lundenburger, seit 1989 Filialbetriebe in Budapest, Brünn u. Kattowitz, Automaten auf WU laufen unter "Cafe-Bar". M.: Rotary-Club, Studentenverbindung, seit 1947 ÖVP, Alpbacher Club, Controller-Inst., Grdg.-Mtgl. Europ. Automatenverb. London, Mtgl. u. VPräs. d. Österr. Automatenverb. H.: Golf, Bridge, Fitness, Schwimmen, Wandern.

Schmidleithner Irmgard

B.: VPräs. u. ÖGB Frauenvors. DA.: 1010 Wien, Hohenstaufeng. 10-12. PA.: 1090 Wien, Porzellang. 36. G.: Weißkirchen, 10. Feb. 1948. Ki.: Maria (1968). El.: Irmgard u. Josef Fischill. S.: Grundsch., 2. Bildungsw. Lohnbuchhalterprüf., Berufsreifeprüf. Soziol. a. d. Univ. Linz, einig. Sem. Stud. d. Bildungs- u. Kommunikationsoziol. a. d. Univ. Linz. K.: 17 J. i. d. Privatindust. i. OÖ als Lohnbuchh. tät., 1980-87 ÖGB Frauensekr. OÖ, 1988-91 Ltr. d. bundesw. ÖGB-Bildungsabt. i. Wien, 1991 z. ÖGB-Fraiuenvors. gewählt, dann VPräs. BL.: Östw. Aufbau v. gewerksch. Stud.Zirkeln, Aktivität. i. d. Friedensarb. M.: Mtgl. d. Frauenaussch. d. intern. Bund. Freier Gewerksch., Mtgl. "Mauthausen aktiv" u. d. Vereins "Niemals vergessen". H.: Lesen, Wandern. (J.S.)

Schmidleithner Rudolf

B.: Geschäftsltg. FN.: Texas Instruments GmbH. DA.: 1100 Wien, Laxenburger Str. 52. PA.: 3032 Eichgraben, Rosenstr. 5. G.: Ried/Innkreis, 27. Juli 1958. V.: Silvia, geb. Celeda. Ki.: Lisa (1991). El.: Georg u. Margarete. K.: 1977-81 Verkauf Foto Quelle, 1981-88 Aufbau Einkaufsorgan., Marketing- u. Einkaufsltr. Foto Quelle, 1988-91 Gschf. einer Konsumgütervertriebsfirma, seit 1992 Geschäftsltg. Texas Instruments Österr. m. Vertriebsltg. in Osteuropa Texas Instruments Peripherie Product Division. H.: Familie, Fliegen, Computer. (J.S.)

Schmidmayer Karl

B.: Fleischhauermstr. DA.: Strauchg. 2, 1010 Wien. G.: Wien, 24. Okt. 1946. V.: Angelika. El.: Karl u. Rose. S.: Lehre Fleischh. 1963 m. Ausz. abgeschl., 1969 Mstr.-Prüf. K.: Praxis im elterl. Betrieb, Übernahme 1978. E.: Ausz. Berufschulwettbew. 1963. H.: Foto, Filmen, Briefmarken. (J.E.)

Schmidt Adalbert Dr. phil. habil.

B.: o.Univ.-Prof. A.: 5020 Salzburg, Gstöttengutstr. 7. G.: Wien, 12. Juli 1906. V.: Margarete, geb. Diener. El.: Dr. Adalbert u. Johanna. S.: Hum. Gymn., Stud. d. dt. Sprache u. Literatur, d. Phil. u. Geschichte an d. Univ. Wien, Prom. 1930. K.: Habil. f. Neuere Dt. Literaturgeschichte an d. Univ. Wien, Univ.Doz. an d. Univ. Wien u. Sbg., o.Prof. u. Vorst. d. Inst. f. Dt. Sprache u. Literatur an d. Univ. Sbg., Vorträge u. Gastvorlesungen an ausländ. Univ. P.: "Wege u. Wandlungen moderner Dichtung", "Dichtung u. Dichter Österr. im 19. u. 20. Jahrhundert" u.a., zahlr. Publ. in Fachzeitschriften. E.: Prof. h.c. M.: o.Mtgl. d. Adalbert Stifter-Inst. d. Landes OÖ, Mtgl. d. Josef Weinheber-Ges.

Schmidt Albert Dr.

B.: MinR. i. R. DA.: 1080 Wien, Loidoldg. 4. PA.: 1020 Wien, Untere Augartenstr. 5/4/15. G.: Wien, 27. Nov. 1922. V.: Ilse. Ki.: Dr. Harald, Mag. Waltraud. El.: Albert Roman u. Josefa. S.: VS, Gymn., 1940 Matura, Werkstudent, Beruf Finanzbmtr., ab 1946 nebenbei Jusstud. Wien, 1950 Abschluß, 1951 Dr. K.: Sachbearb. Finanzamt, anschl. Abt.-Ltr., 1971 BMF, nebenbei polit. VDU später FPÖ, 1959 Wr. GemR., seit 1963 Klubobm. d. FPÖ Fraktion im GemR., 1971-79 NatR., Rückkehr ins Finanzmin. Ltr. d. Vermögensabt. , 1977 Pension, seit 1991 Bundesobm. Österr. Seniorenring. E.: EK 2 u. Verwundetenabz., Gr. Gold. EZ d. Rep. Österr., Gold. EZ d. Stadt Wien. M.: Österr. Turnerbund, FPÖ. H.: Musik, Konzerte, Oper, Tennis, Reisen. (H.S.)

Schmidt Alexander Dr. iur.

B.: Vorst. d. Bez.-Gerichts f. Handelssachen. DA.: 1010 Wien, Riemerg. 7. PA.: 1130 Wien, Spohrstr. 11/5. G.: Wien, 7. Okt. 1953. V.: Gertraud, geb. Riedl. Ki.: Bernhard (1984), Clemens (1986), Daniel (1988), Fabian (1990). El.: Karl u. Elly, geb. Flesche. S.: 1971 Matura, Stud. Rechtswiss. Univ. Wien, 1978 Prom. z. Dr. iur. K.: 1974-78 Studienass., dann Vertragsass. Univ. Wien, Gerichtspraxis, 1979-81 Richteramtsanw., seit 1981 Richter, ab 1985 Handelsgericht Wien, seit 1991 Gerichtsvorst. P.: kommentierte Ausgabe z. Gebührenanspruchsgesetz "Krammer-Schmidt" (1987). H.: Familie, Volleyball, Tennis. (N.A.)

Schmidt Alfred

B.: Gschf. Ges. FN.: Computer-Box Alfred Schmidt GesmbH. DA.: 1100 Wien, Gudrunstr. 158. G.: Wien, 31. Okt. 1949. El.: Alfred Schmidt u. Margarete Braunsteiner. S.: gelernter Buchhändler. K.: nach d. Buchhändlerlehre als Buchhändler gearb., dann Wechsel in d. Fotobranche u. zeitweise auch im Hi-Fi-Bereich tätig, s. 1989 selbst. m. eig. Unternehmen im EDV-Bereich mit Schwerpunkt Unterhaltung, 1991 Grdg.

einer Filiale in Wien 3 und 1993 Eröff. eines weiteren Geschäfts im 1. Bezirk. H.: klass. Musik, Hi-Fi, Lesen, Barmixen, Amateur-Zauberer. (N.A.)

Schmidt Alfred

B.: Schlossermstr. FN.: Bau- u. Kunstschlosserei Alfred Schmidt. DA.: 5020 Salzburg, Herreng. 12. PA.: 5020 Salzburg, König-Ludwig-Str. 6. G.: Salzburg, 20. Apr. 1937. V.: Annemarie, geb. Wilfing. Ki.: Wolfgang (1965), Heidi (1966). El.: Alfred u. Johanna. S.: VS, HS, 3 1/2 J. Lehre b. Schlosserei Summerer Sbg. K.: 1 J. Tätigkeit Schlosserei Summerer Sbg., 1955-56 elterl. Betrieb, 1956-57 Schlosserei Schwarz Wien, 1958-59 BH, 1959-60 Fachschule f. Kunstschlosserei Stuttgart, 1960 Mstr.-Prüf., 1960-67 Teilhaber im elterl. Betrieb, 1967 Übernahme d. Betriebes. E.: Gold. EZ d. Schlosserinnung. H.: Rennradfahren, Marathonlauf, Langlauf. (J.F.)

Schmidt Anna Wilhelmine Dr. MedR.

B.: Prakt. Ärztin. A.: 1200 Wien, Winarskystr. 18/V/1/5. G.: Wien, 17. Jan. 1910. V.: OMedR. Dr. Anton. El.: Preyß Franz Ritter v. Werthempreyß u. Anna. S.: Matura 1933, Prom. 1939. K.: 1944 nach Beendigung d. Turnus Übernahme d. Praxis d. z. Wehrmacht eingezogenen Gatten. M.: Mtgl. d. Organ. d. Ärztinnen.

Schmidt Annette

B.: Gschf. Ges. FN.: Schmidt Dentallabor GmbH. DA.: 4020 Linz, Goethestr. 7. PA.: 4600 Wels, Birkenstr. 6. G.: Wolverhampton, 25. März 1966. El.: Walter u. Margarete. S.: VS, HS, HTL f. Chemie, 1982 Ausbild. f. Zahntechnik in Wels. K.: zahntechn. Laboratorium Firma Prüser, b. 1986 Schule in Baden, ab 1987 Firma Rosenberger Linz, 1990 Kauf Firma Rosenberger. M.: Obfrau d. Jungen Generation. H.: Reisen, Afrika, England, Ausstellungen. (U.A.)

Schmidt Anton-Heinz Dr. Mag. Prof.

B.: RA u. Verteidiger in Strafsachen i.P. A.: PA.: 5351 Aigen-Voglhub 246. G.: Wien, 17. Juli 1942. V.: Sigrun Selma Luise, geb. Franke. Ki.: Johannes (1972), Angelika Elsa Waltraut (1983). El.: Johann u. Elsa. S.: VS, RG, Univ. Wien, Jur. Fak., postgraduate studies u. Fortbild.Seminare. K.: Schule u. Stud., sowie nach Gerichtslaufbahn anwaltl. Ausbild. u. nebenberufl. Tätigkeit als Prof. an d. städt. HAK u. HASCH in Gmunden, seit 1974 selbst. RA. P.: Diss.: Rezeption d. röm. Rechtes in Rußland, Österr. Arbeitsrecht im Spiegel päpstl. Sozialenzykliken. M.: Intern. Law Commission, Intern. Juristenkmsn., Österr. Ak.Bund, Österr.-Dt. Kulturges., Österr.-Sowjet. Ges., Österr. Alpenver., ÖCV, MKV u.a. H.: Schwimmen, Tennis, Segeln, Skifahren, Bergsteigen.

Schmidt Arno

B.: Gastronom, Küchenchef. A.: 411 Colwell Court, Ridgewood, N.J. 07450 USA. G.: Salzburg, 13. Apr. 1931. V.: Agnes, geb. Luebken. El.: Herman u. Margarethe. S.: Lehre u. Berufsschule in Sbg., Weiterbild. in Schweden, Schweiz, Colombia, Canada u. USA. K.: Küchenchef, The Waldorf-Astoria, Supervising Instructor, The Culinary Inst. of America, Gastlektor, School of Hotel Management, Cornell Univ., Ithaca, N.Y. Gastlektor Fairleigh Dickinson University, Teaneck N.J., VPr., Bally Hotel Casino, Atlantic City N.J. Consultant Hemsley Hotels, NYC, Trustee, The Culinary Inst., Chairman of Educational Policy Committee, Board of Directors, The intern. Wine and Food Society, Board, Confrerie de la Chaine des Rotisseurs, Past Pr., American Culinary Federation, New York City Chapter, Member Society Culinaire Philanthropique, Member Chef de Cuisine Association. P.: Notes from the Chef's Diary, Artikel in Fachpresse, Fernsehsendungen, Radiosendungen. E.: Silb. Med. d. Österr. Fremdenverkehrswerbung, Goldmed. HOSPES 1954, Escoffier Ausz., Culinary Inst., zahlr. andere Ausz., Ehrenmtgl. d. Verb. d. Köche Österr. M.: Chaine des Rotisseurs, Intern. Wine and Food Society, Societe Culinaire Philanthropique, Chef de Cusinise Association, Österr. Kochverb., American Culinary Association. H.: Klass. Musik, Wandern, Lesen, Kochen, Weinkunde.

Schmidt Carl W.

B.: Dir. d. Sbg. Seminar. DA.: 5020 Salzburg, Leopoldskronstr. 56. G.: New Jersey, 1. Nov. 1935. V.: Rika, geb. Kohler. Ki.: Charles (1962), Ann (1963). El.: Carl-Hermann u. Dorothy S.: B.A. Intern. Relations Dartmouth College, 1957 M.A., 1961 Fletcher School of Law and Diplomacy. K.: 1961-88 im diplomat. Dienst (Amerikan. Konsulate in Wien, Warschau, Prag, Bangladesh, Sbg.), Dir. d. Intern. Handelsdelegation, 1962-64 VKonsul Wien, 1963 VKonsul Sbg., 1966-67 Staff Ass. Ass. Secr. F.Econ Affairs, 1960-72 Handelsdelegierter Prag, 1972-74 Konsul f. Wirtschaftsangelegenheiten Warschau. P.: "Urban Enterprise Zones: Will they Work?", "U.S. Policies Toward Eastern Europe in d. 1990's". M.: Vorst. d. Österr.-Amerikan. Ges. in Sbg. H.: Langlaufen, Golf, Segeln, Philatelie. (U.E.)

Schmidt Caroline DDr. MedR.

B.: FA f. Zahn-, Mund- u. Kieferheilkunde. PA.: 1030 Wien, Schrottg. 3/7. G.: Saarlouis/BRD, 21. Jan. 1915. El.: Martin u. Caroline Schmidt. S.: Matura in Saarlouis, Sprachstud. in Frankreich, BRD, Zahnmed.Stud. in Freiburg, 1937 Univ. München, 1940 Prom. Dr. med. dent., 1951 Dr. med. univ. K.: Ass. b. Zahnarzt in München u. Wien, 1942 eigene Zahnarztpraxis, 1988 MedR. H.: Reisen, Oper, Beruf. (A.K.)

Schmidt Christian Dipl.-Ing.

B.: Gschf. FN.: ALLPLAN Ges.m.b.H. DA.: 1040 Wien, Schwindg. 10. G.: Wien, 4. Jän. 1957. V.: Brigitte, geb. Wittmann. Ki.: Johanna, Philipp, Thomas. El.: Karl u. Ingeborg. S.: VS, Gymn., 1975 Matura, Stud. an d. BOKU Wien, Kulturtechn. u. Wasserwirts., 1980 Dipl., Stud. d. Betriebswiss. in Zürich. K.: Leitgeb AG, GBI Ges. f. Bundesbeteiligungen, s. 1991 Allplan, s. 1992 Gschf. BL.: Transfer österr. Know-how im Bereich Umwelt durch Engeneering & Consulting in Intern. u. Osteurop. Raum, Kooperation mit Weltbank, wichtige Wirtschaftspolit. Komponente f. Österr. H.: Golf, Klass. Musik. (W.J.)

Schmidt Christoph Gewerke Ing. KommR.

B.: Unternehmer. A.: 2770 Gutenstein, In d. Quick. G.: Wien, 27. Jan. 1943. V.: Renate, geb. Pfister. S.: VS, Hum. Gymn., HTL-Maschinenbau. K.: 1962-65 techn. u. kfm. Führungsfunktionen, seit 1966 Geschäftsltg. im fam.eigenen Unternehmen. F.: Alleininh. d. Carl Schmidt, Draht-, Drahtstifts- u. Drahtwarenfbk., 2770 Gutenstein. M.: Mtgl. d. Vorst. d. Industriellenver., d. Sekt.Ltg. Ind. u. HK NÖ, d. Exekutivkomm. d. Fachverb. d. E-M-Ind. Österr., d. Vorst. d. NÖ Gebietskrankenkassa. H.: Skisport, Wassersport, Musik, Malerei.

Schmidt Erich

B.: Reprotechniker. FN.: Repro Schmidt. DA. u. PA.: 6850 Dornbirn, Tobelg. 1. G.: Klagenfurt, 8. Mai 1947. Ki.: Herbert (1971). El.: Carl u. Maria. S.: Allg. Schulbild., Lehrausbild. Litografie u. Chemigraphie. K.: Grdg. d. eigenen Reprobetriebes, Vorreiter d. elektron. Bildverarb., Kataloge f. Großfirmen. H.: Kunst, Musik, Natur, Sport, Bergwandern. (W.R.)

Schmidt Erich Mag.

B.: Wirt.-Treuhänder u. Steuerberater. FN.: Schmidt & Schmidt KEG. DA.: 2130 Mistelbach, Bahnzeile 10. PA.: 2130 Mistelbach, Stiegelsteig 13. G.: Neusiedl/See, 10. Feb. 1960. V.: Mag. Ruth, geb. Krakhofer. El.: Franz u. Ernestine. S.: VS, Gymn., 1979 Matura, 1985 Mag. rer. soc. oec. K.: 1985-90 Berufsanwärter i. Wirt.-Treuhandkanzlei F. Schmidt i. Mistelbach, ab 1990 selbst. Steuerberater, ab 1992 Gschf. Ges. d. Kanzlei Schmidt & Schmidt KEG, 1992 Partnerschaft m. Steuerberatungsges. Krottendorfer & Schmidt i. Korneuburg, 1993 Erwerb d. Österr. Revisions- u. Treuhand GmbH i. Wien, gem. m. Mag. Glanzner. M.: ab 1994 Mtgl. b. Alliot Peirson Int. H.: Paragleiten, Tennis. (M.M.)

Schmidt Erich Dr.

B.: Gschf. Ges. FN.: IBG Ind.-Beteiligungs GmbH. GT.: AufsR.: Finanzierungs u. Garantie GmbH, CA-BV AG, 1979-83 Abg. z. NatR. DA.: 1010 Wien, Renng. 4. G.: Wien, 14. Aug. 1943. S.: VS, BG, 1961-70 Stud. Rechtswiss. Univ. Wien, Prom. z. Dr. iur., Post-graduate-Stud. Wr. Inst. f. Höhere Studien u. Wiss. Forsch. K.: 1970-83 vw. Abt. d. OÖ Gewerkschaftsbundes, Vertreter d. Österr. Gewerkschaftsbundes in zahlr. Gremien d. österr. Sozialpartnerschaft, 1983-86 Staatssekr. im BMH, 1986-87 Bundesmin. f. Land- u. Forstwirtschaft, seit 1987 Gschf. Ges. IBG Ind.-Beteiligungs GmbH.

Schmidt Erich Dipl.-Ing.

B.: Ing.-Konsulent f. Vermessungswesen (selbst.). DA.: 1060 Wien, Linke Wienzeile 118. PA.: 1040 Wien, Frankenbergg. 9. G.: Wien, 23. Apr. 1929. V.: Elisabeth, geb. Traindl. Ki.: Regina, Barbara, Andreas. El.: Anton u. Maria. S.: Mittelschule, TH: Stud. Vermessungstechnik, Dipl.-Ing. 1952. K.: 1952-53 Ang. in einem Vermessungsbüro, 1953-54 im BDienst (Vermessungsamt Waidhofen/Ybbs), 1954-60 in d. Vermessungsabt. d. Stadt Wien, seit 1960 selbst. Ing.-Konsulent, 1970-87 Funktionär d. Ing.Kam. f. Wien, NÖ u. Bgld. (1983-87 VPräs.), 1982-87 Funktionär in d. BIng.Kam. H.: Interesse f. Kultur u. Ges.Politik. (M.B.)

Schmidt Erna

B.: Schriftstellerin. PA.: 2630 Ternitz, Wechselstr. 49. G.: Ternitz, 2. Apr. 1925. Ki.: Sylvia. El.: Franz u. Leopoldine Haubenwallner. S.: städt.-kfm. Wirtschaftsschule. P.: Mundart-Gedichtband "Nur nix übertreibm", Kinderbuch "Wastls Tagebuch", Gedichte und Kurzgeschichten i. Ztg., Zeitschriften u. zahlr. Anthologien i. Österr. u. i. d. BRD sowie i. Rundfunk Hörspiele: Liebe Tante Mutz, Irren is menschlich. E.: Hans-Czettel-Med., Ehrenpreis f. Lyrik i. Gold 1983, 1. Preis f. Lyrik 1984, 3. Preis f. Lyrik "Soli Deo Gloria", BRD, 1984 Gold. Ehrennadel d. Stadt Ternitz 1991. M.: s. 1957 Ltr. d. Literarischen Zirkels Ternitz, Red. d. 10 Anthologien und d. Zeitschrift "Litzik" d. Ver., Repräsentantin f. NÖ d. Ges. f. Lyrikfreunde, Mtgl. d. Kulturver. "Der Kreis", Wien, Verb. kath. Schriftsteller, Obmann-Stv. d. Bildungsver. Ternitz. H.: Lesen, Zeichnen, Malen. (F.S.)

Schmidt Eva Mag. rer. soc. oec.

B.: Steuerberater. DA. u. PA.: 1060 Wien, Mariahilfer Str. 117/2/3/24. G.: Wien, 13. Juni 1951. V.: Ernst. Ki.: Eugen, Edith. El.: Mag. Dkfm. Erwin u. Erna Holzacker. S.: RG Wien, 1969 Matura, Stud. an d. HS f. Welthdl., BW, 1974 Spon. K.: 1974 Eintritt in eine Steuerberatungskzl., 1978 Steuerberaterprüf., seit 1979 selbst. H.: Sport, Handarb., Familie. (A.W.)

Schmidt Franz

B.: Inh. FN.: Franz Schmidt. DA./PA.: 4901 Ottnang/Hausruck, Niederottnang 35. G.: Ottnang, 17. Okt. 1937. V..: Anna, gab. Asamer. Ki.: Ursula (1973), Eva (1976). El.: Josef u. Maria. S.: VS, HS. K.: Huf- u. Wagenschmiedelehre, anschl. Kfz-.Lehre m. Gesellenprüf., Mstr. Prüf. in beiden Berufen, f. 6 J. in Frankenmarkt als Kfz-Mstr. tätig, 3 J. Mechanikermstr. in Hallein, s. 1969 selbst., zunächst Fahrzeugreparaturen, 1973 Fordvertretung dazugekommen, gerichtl. beeid. Sachverständiger bei Kfz Angelegenheiten. E.: div. Auszeichnung bei d. Feuerwehr, Ehrennadel in Silb. d. Gem., Bezirksmed. in Silber u. Bronze, Bundesverdienstkreuz 3. Stufe. M.: Feuerwehr, Musikverein, Kammer. H.: Fußballspielen, Musik, Kartenspiele. (D.E.)

Schmidt Fritz Werner Dr. iur. MinR.

B.: Abt.-Ltr. f. Nuklearangelegenheiten im BKA. DA.: 1014 Wien, Hohenstaufeng. 3. PA.: 1190 Wien, Görgeng. 23/2/12. G.: Weildorf/Oberbayern, 30. Mai 1945. V.: Mag. Dr. Ingrid, geb. Retzer, 2 Kinder. El.: Julius u. Katharina. S.: VS, RG, Univ. Wien, 1969 Prom. K.: 1969-71 Gerichtspraxis, seit 1971 BKA Nuklearbereich, dazw. Erfahrungen Auslandstätigkeit London, während Stud. mehrmals in Schweden u.a. europ. Ländern. P.: Fachvorträge, div. Publ. im Bereich nukleare Sicherheitskontrolle u. Exportkontrolle (Normproliferation). M.: Mtgl. div. intern. Gremien im Nuklearbereich, Vors im ZANGGER-Komitee (intern. Kontrolle d. nuklearen Technologietransfers). H.: Musik, Theater, Auslandsreisen, Geschichte. (R.A.)

Schmidt Georg Dr. Dipl.-Ing.

B.: Gschf. FN.: Bio Brennstoffe Wärmelieferungs GmbH. DA.: 8010 Graz, Kaiserfeldg. 5-7. PA.: 8700 Leoben, Klein Gössgraben 11. G.: Leoben, 26. Apr. 1949. V.: Maria, geb. Reiter. Ki.: Andreas (1971), David (1972), Susanne (1976), Georg-Benedikt (1979). El.: Raimund u. Valerie. S.: 1968 Matura, 1 J. BH, Stud. Maschinenbau u. Wirtschaftsing.-Wesen TU Graz, 1977 Grad., 1987 Diss. K.: Ass. d. Werkstättenltg. an d. HTBLV Gösting, techn. Ltr. u. Staffelpilot als Offz. m. Sondervertrag, 1980-86 Hauptref.-Ltr. Flugzeuge im Amt f. Wehrtechnik, seit 1988 Gschf. Bio Brennstoffe Wärmelieferungs GmbH. H.: Fliegen, Natur. (F.K.)

Schmidt Gerd Dkfm.

B.: Gschf. FN.: IC Info-Consult GmbH. DA.: 1040 Wien, Apfelg. 4. PA.: 1040 Wien, Paniglg. 17. G.: Wien, 16. Dez. 1943. V.: Waltraud, geb. Strodl. Ki.: Michael, Simone. El.: Julius u. Katharina. S.: Mittelschule Sbg., Fremdenverkehrsak. Sbg., Stewart Swedish American Line u. Holland American Line, 1966-70 HS f. Welthdl., 1970 Dkfm. K.: 1971 Tätigkeit b. Austria Olivetti AG, 1980 Country/Sales

Manager b. Data 100 GmbH/Prok., 1985 Vertriebsdir. b. Sperry GmbH, 1987 Gschf. b. Info-Consult GmbH. M.: Präs. d. Ver. AOUG. H.: Golf, Wandern, Literatur. (J.E.)

Schmidt Gerhard Dr. phil. Prof.

B.: emer. o.Univ.-Prof. GT.: Vors. d. kunsthistor. Ges. Wien. DA.: 1010 Wien, Universitätsstr. 7. PA.: 1140 Wien, Linzer Str. 352/8/1. G.: Wien, 11. Mai 1924. V.: Gunthilde, geb. Tschinkel. Ki.: Ulrike Maria, Florian Gerald Walter. El.: Dr. Walter u. Elisabeth. BV.: Großvater Prof. Wilhelm Trabert Dir. d. Meterolog. Anst. Wien. S.: Schulen u. Univ.Stud. in Wien. K.: 1952 Dr. phil., 1959 Univ.-Doz. in Wien, 1968 o.Prof. Wien, Gastprof. Columbia Univ. New York (1963) u. Freiburg (1965), Visiting Member d. Inst. for Advanced Study Princeton (1964 u. 1970), Slade Prof. Cambridge 1981/82. P.: Neue Malerei in Österr. (1956), Die Armenbibeln d. XIV. Jhdt. (1959), Die Malerschule v. St. Florian (1962), Krumauer Bildercodex (1967), Gotische Bildwerke u. ihre Meister (1992), ca. 100 Aufsätze zur mittelalterl. Malerei u. Skulptur in Fachzeitschriften. M.: w.Mtgl. d. Österr. Ak. d. Wiss. (H.P.)

Schmidt Günter Erik RgR.

B.: Archivbmtr. d. Österr. Staatsarchiv. PA.: 1210 Wien, Wenhartg. 3. G.: Wien, 24. Dez. 1922. El.: Erich u. Maria, geb. Krapfenbauer. S.: 1950 Matura in Wien. K.: 1946-51 freischaff. Journalist, seit 1952 Bmtr., gleichzeitig Beginn d. schriftstell. Tätigkeit, Entstehung erster Erzählung u. Hörspiel f. "Rot-Weiß-Rot", 1965-75 Tätigkeit b. ORF, Creation v. Histor. Sendungen, 1961-82 RgR. b. Staatsarchiv Wien. BL.: Forsch. d. österr. Geschichte, insbes. d. Ordensgeschichte im zeitgeschichtl. Gesichtspunkt. P.: "Ehrenzeichen u. Medaillen d. Rep. Österr. u. d. Bundesländer ab d. Jahre 1945" (1960), "Österr. Ehrenzeichen u. Orden d. Zwischenkriegszeit 1918-1938" (1994) im Verlag Leykam Graz, Veröff. im "Zeitspiegel", Beitrag z. "Buch v. Wienerwald" (1967), Beitrag z. Festschrift "Franz Grillparzer. Ein Finanzbeamter u. Archivdirektor" (1991), zahlr. Art. u. Erzählungen. Berufstitel Prof. im Juli 1993 M.: wiss. BeiR. in d. österr. Ges. f. Ordenskunde, Beethoven Verein. H.: Geschichte, Malerei, Schreiberei. (N.A.)

Schmidt Günther Dr.

B.: FA f. HNO, Sanatorium Dr. Schmidt. DA.: 8230 Hartberg, Flurg. 2. G.: Jennersdorf, 13. Mai 1939. V.: Jutta, geb. Weinhandl. Ki.: Günther (1964), Gert (1965). El.: Josef u. Karoline. S.: BRG Graz, 1958 Matura, Med.-Stud. Univ. Graz, 1964 Spons. K.: 1964 Ausbild. z. FA Univ.-Klinik Graz, OA d. Univ.-Klinik b. Prof. Messerklinger, 1974 Eröff. einer Ordination,1975 Einrichtung einer priv. Bettenstation, ab 1976-77 eigenes Sanatorium f. HNO-Erkrankungen. H.: Handwerkl. Tätigkeiten, Hund, geschichtl. Literatur, Studienreisen. (I.J.)

Schmidt Günther Dkfm.

B.: ltd. Red. d. ORF. DA.: 1130 Wien, Würzburgg. 30. G.: Wien, 24. Nov. 1941. V.: Veronika Dkfm., geb. Engelhardt. Ki.: Barbara, Georg, Katharina. S.: RG Wien, Matura, Stud. Physik, Math. Univ. Wien, HS f. Welthdl. b. z. Dkfm. K.: 1964-68 Nachrichtenagentur Reuter, Wr. Büro, 1968-72 Aufenthalt in London (Dt. Dienst d. BBC, Los Angeles Times/Washington Post News Service), seit 1972 b. ORF Aktueller Dienst Fernsehen, zunächst Mtgl. d. außenpolit. Red., 1975-80 Ressortltr. Außenpolitik f. d. Zeit im Bild 1, seit 1980 Ressortltr. d. Wirtschaftsred. u. Ltr. u. Moderator d. Wirtschaftsmagazins "Schilling". M.: Präs. Österr.-Brit. Ges. H.: Skifahren, Tennis, Lesen, Musik. (C.K.)

Schmidt Hannelore

B.: Inh. d. Modeagentur HSM. DA.: 5020 Salzburg, Vogelweiderstr. 91. G.: Salzburg, 10. Juli 1953. V.: Rudolf Schmidt. Ki.: Karin (1975). El.: Georg u. Irmgard Haslinger. S.: VS, HS, 1968-71 Ausbild. z. Spediteur Sbg., 1971 Abschluß. K.: 1973-75 Alleinsekr. in einer Hdls.-Firma, 1975-78 Karenz, 1978-80 Chefsekr. in einem gr. Produktionsbetrieb, 1981-87 Sachbearb. in einer Textilspedition, 1987 Gewerbeberechtigung, ab 1987 Modeagentur. BL.: Kollektionspräsentationen im Rahmen d. MGC Modeordertagen u. Hotelschauen, seit 1992 vertreten m. d. Kollektionen im Fashion Mall Sbg. M.: freier Wirtschaftsverb. Sbg., SPÖ, GemR.-Kandidatenliste, Vorst.-Mtgl. d. Bürgerforum Schallmoos, Sekt.-Stellv. u. Frauenref., Bez.-Frauenkomitee. (N.M.)

Schmidt Hans Otto Dr.

B.: RA. GT.: Obm. d. Schiedsger. Europ. Wirtschaftsverb. Außenhdl. e.V. DA.: 1030 Wien, Hegerg. 9/10. PA.: 1030 Wien, Hegerg. 9/12. G.: Wien, 29. Nov. 1947. V.: Dr. Helene, geb. Levar. Ki.: Veronika. El.: HofR. Dr. Erwin u. OStR. Dr. Ilse. BV.: k.u.k. Feldmarschall Lt. Carl-Rainer v. Lindenbüchl (18. Jhdt.), Ururgroßvater Blasius v. Rainer, Burgrichter in Deutsch-Bleiburg (Anfang 18. Jhdt.). S.: VS, RG, Univ. Wien, 1970 Prom. K.: Mag. iur., Univ.Ass., Rechtspraktikant, Anw.Praxis (5 J.), BH (Mjr. d. Intendanzdienstes d. Res.), seit 1976 Anw., seit 1984/85 Obm. E.: Silb. Verdienstz. d. Rep. Österr. M.: BezR. d. SPÖ Wien-Landstraße, Vorst.Mtgl. d. Soz. Juristen in BSA, Obm.Stellv. d. soz. Offz. im BSA, Vorst.Mtgl. im Heeressportver. Wien (Rechtsref.), Obm. d. Arge forschrittl. Milizsoldaten. H.: Klavierspielen, Bücher, Sport (Marathonlauf, Joggen, Tennis, Skifahren, Schwimmen, Segeln), Singen (Baß) im Chor d. Jeunesse musicale. (R.A.)

Schmidt Harald

B.: Ind.-Designer u. Musterbauer. FN.: Design & Function Schmidt. DA.: 1150 Wien, Illekg. 22. PA.: 3001 Mauerbach, Bergg. 8. G.: Wien, 10. Jan. 1957. V.: Dorothea, geb. Reiter. Ki.: Julia (1983), Maximilian (1990). El.: Gerhard u. Eleonore. S.: VS, HS, HTL Maschinenbau, BH. K.: 1 1/2 J. Konstrukteur Techn. Büro, 3 J. Modellbaufirma Prehoda, selbst. in Arch.-Modellbau, 1983-89 Arch. u. Funktionsmodellbau, seit 1989 Arch.-Modellbau, Maschinen- u. Anschauungsmodellbau. E.: Ausz. f. Design d. Schwingbiegemaschine. H.: Tennis, Schwimmen, Skifahren. (J.M.)

Schmidt Harald Dkfm. KommR.

B.: Gschf. Ges. FN.: Erich Schmidt Autozubehör Großhdls. GmbH. DA.: 1071 Wien, Siebensterng. 28. G.: Wien, 24. Juni 1944. El.: Erich u. Dr. Stefanie. S.: 1962 Matura, 1968 Stud. WU Wien, Dkfm. K.: b. 1972 Personalltr. b. Raiffeisen Landesverb. NÖ/Wien, b. 1974 Projektmanager b. IBM, 1974 alleiniger Gschf. Firma Erich Schmidt Autozubehör Großhdls. GmbH, seit 1986 Mtgl. im BeiR. f. Statistik d. Außenhdl. b. BKA. P.: Dipl.-Arb.: Die Risiken d. Exports in d. Entwicklungsländer. E.: 1986 KommR. (J.M.)

Schmidt Harald Dr.

B.: Bez.-Stellenltr. d. HK NÖ Bez.-Stelle Melk. DA.: 3390 Melk, Abt-Karl-Str. 19. PA.: 3380 Pöchlarn, Regensburger Str. 6. G.: Wien, 19. Aug. 1943. V.: Sieglinde, geb. Eder. Ki.:

Margit (1969), Heidelinde (1973). El.: HofR. Dr. Franz u. Elisabeth. S.: VS, Schulausbild. b. d. Wr. Sängerknaben u. nach Stimmbruch Gymn. Wien 8, 1962 Matura, Jusstud. Univ. Wien, 1969 Prom. z. Dr. iur. K.: 1968 Gerichtspraxis b. Bez. u. Kreisgericht St. Pölten, 1969 Eintritt in d. Dienst d. HK NÖ, 1970 Sozialpolit. u. finanzpolit. Ref. an d. Bez.-Stelle Melk, seit 1973 Bez.-Stellenltr. BL.: während Ausbild.-Zeit b. d. Wr. Sängerknaben zahlr. Auslandstourneen u.a. Frankreich, England, Deutschland, Australien u. Neu Seeland. M.: zahlr. polit. u. kommunale Funktionen u.a. Stadtgruppenobm. d. ÖWB, GemR., StadtR. u. 1974-88 VBgm. v. Pöchlarn, Obm. d. IDP, Lions Club Pöchlarn. H.: Elektronik (geprüfter Amateurfunker), Muik, Video. (M.M.)

Schmidt Harald A. Dr.

B.: RA, Verteidiger in Strafsachen. DA.: 1040 Wien, Rainerg. 30. PA.: 1190 Wien, Silberg. 19. G.: Wien, 27. Dez. 1956. V.: Dr. Maria-Christine, geb. Dangl. El.: MinR. Dr. Albert u. Hilde. S.: 1975 Matura, Stud. Rechtswiss. Univ. Wien, 1986 Prom., Lt. d. Res. K.: Mag. iur., Rechtspraktikant, 5 J. RA-Anw., seit 1991 RA, Eröff. d. eigenen Kzl. Schwerpunkt Familienrecht. M.: Österr. Juristenver. H.: Sport (Joggen, Tennis, Skifahren, Schwimmen, Wandern), Wandern, Reisen, Musik. (J.S.)

Schmidt Heide Dr. iur. Mag. rer. soc. oec.

B.: Bundessprecherin u. Klubobfrau d. Liberalen Forums. DA.: 1017 Wien, Dr.-Karl-Renner-Ring 3. G.: Kempten/Allgäu, 27. Nov. 1948. V.: Arch. Günther Schmidt. S.: RG, 1966 Matura, Stud. Wien, 1971 Dr. iur., 1976 Spons. z. Mag. rer. soz. oec. K.: Gerichtsjahr am Straf-LG Wien u. BG Innere Stadt, 1972-77 in d. legist. Abt. d. BMUK, 1977-83 persönl. Sekr. u. Ltr. d. Geschäftbereich v. Volksanw. Gustav Zeillinger u. 1983-88 v. Volksanw. Dipl.-Vw. Helmuth Josseck, 1987-90 Mtgl. d. BundesR., 1988-90 Gen.-Sekr. d. FPÖ, ab 1990 Mtgl. d. NatR., 1990-1994 3. Präs. d. NatR. u. Justizsprecherin d. FPÖ, 1993 Austritt aus FPÖ u. Gründ. Liberales Forum, ab 1994 Kultur- u. Justizsprecherin d. Liberalen Forums (11 Mandate). E.: GV, 1993 Frau d. Jahres (Österr. Journalistinnen). H.: Literatur. (N.A.)

Schmidt Heinrich

B.: Textilbetriebswirt, Gschf. FN.: Linzer Bettwarenfabrik GmbH. DA.: 4020 Linz, Pummererstr. 12. PA.: 4600 Wels, Kalvarienbergg. 10d. G.: Grieskirchen, 15. März 1945. V.: Ursula, geb. Däcker. Ki.: Petra (1970). El.: Norbert u. Gertrude. S.: HASCH Wels, Praxis im elter. Betrieb, Textilfachsch. in Nagold/BRD 1967/68. K.: 10J. Gschf. Ges. b. Textilfirma in Wels, s. 1988 Gschf. in Linzer Bettwarenfabrik, langjähr. Seminartätigk. (Rationalisierung im Einzelhdl.). M.: Kiwanis Club Wels. H.: Musik, Schifahren, Wandern. (P.H.)

Schmidt Heinrich

B.: Pächter. FN.: Tankstelle, Service, Waschanlage ESSO Schmidt. DA.: 8045 Graz, Grabenstr. 248. PA.: 8051 Graz, Thal 578. G.: Graz, 18. Nov. 1952. V.: Christine, geb. Pusnik. Ki.: Kathrin (1980). El.: Heinrich u. Maria. S.: VS, HS, Elektromechan. Lehre. K.: Tankstelle Andreas Schmid, Schilderfbk., Kleiderfbk., seit 1983 selbst. ESSO Volksgartenstraße, seit 1987 ESSO Grabenstraße. M.: Kameradschaftsbund Thal, Musikver. Thal, Sportver. ML Bau Thal. (R.S.)

Schmidt Heinz

B.: Juwelier, Gschf. Ges. FN.: Caesar's Juwelen-Handels GmbH. DA.: 1010 Wien, Graben 26. PA.: 2385 Breitenfurt, Apfelbrunngraben 55. G.: Wien, 30. Jan. 1944. V.: Regine, geb. Feiler. Ki.: Christine (1979), Michaele (1981), Matthias (1984). El.: Max u. Maria, geb. Cicek. S.: Mittelschule, Juwelierschule, Ausbild. b. Juwelier A.E. Köchert. K.: 1969-79 b. Fa. A.E. Köchert, ab 1979 selbst. im Juwelen- u. Perlengroßhandel tätig, 1992 Eröff. d. Geschäfts in Wien I. BL.: Musical Traumania (Komp. Bernd Stromberger), d. z. 1. Mal b. Perl-Records erschienen ist, wird v. Norddt. Fernsehen u. ORF aufgezeichnet. F.: Gschf.: Perl-Records Schallplattenprod. u. Musikverlag. H.: Musik, Reisen, Tennis. (N.A.)

Schmidt Irene

B.: Ges. FN.: Friedrich Otto Schmidt GmbH seit 1853 antike Wohnungseinrichtungen. DA.: 1090 Wien, Währinger Str. 28. PA.: 1190 Wien, Iglaseeg. 25. G.: Wien, 13. Juli 1910. V.: Erich Schmidt. Ki.: Irene, Lorenz. El.: Theodor u. Irene Eder. BV.: Großvater Josef Zahn Inh. d. Firma Josef Zahn & Co. S.: Matura, Stud. Turnen u. Geschichte Univ. Wien. K.: seit 1942 Prok. im Familienbetrieb, Spezialisiert auf antike Inneneinrichtungen m. hauseigenen Werkstätten f. alle Handwerksarbeiten b. z. stilreinen Nachbau passender Möbel. H.: Kunst, Gartenpflege, Lesen. (J.S.)

Schmidt Josef

B.: Landwirt, Oberbgm. DA. u. PA.: 3141 Kapelln, Rassing 24. G.: 2. Okt. 1938. V.: Ernestine. Ki.: 2 Töchter, 1 Sohn. S.: Berufsschule Tullnerbach. K.: 1956 Übern. d. elterl. Betriebes, 1961 politische Jugendorg. LFW, 1963 Wahl zum Vertreter d. Bauern, 1970 Bauernobmann, 1975 Bez.-Bauernobmann u. Kammerobmannstv., 1975 Vorst. d. Bez.-Partei Herzogenburg, 1980 Bgm. Markt Kapelln, 1985 Obmann Müllverb. Bez. St. Pölten Land, 1990 Kammerobmann. E.: Bezirkshauptmannschaft Land NÖ. M.: Musikkapelle Kapelln, Obmann Jagdgenossenschaft, Feuerwehr. H.: Jagd.

Schmidt Jürgen E.

B.: Schallplattenprod. DA.: 1010 Wien, Jasomirgottstr. 5/7. G.: Berlin, 14. Jan. 1937. El.: Hermann u. Eva. S.: Pflichtschulen, 1951-54 kfm. Lehre in Wien. K.: 1955-59

Tätigkeit b. Österr. Columbia Graphophon Ges. zuletzt als deren Aufnahmeltr., 1959 Wechsel zu Preiserrecords, Aufbau einer Sprechplattenprod., 1. Erfolg "Der Herr Karl" m. Helmut Qualtinger, allmähl. Beginn einer bescheidenen Klassikprod., 1966 Beginn d. Serie "Lebendige Vergangenheit", d. Stimmporträts berühmter Sänger d. Vergangenheit bietet, b. z. heutigen Tage sind über 500 Langspielplatten erschienen, 1972 Ges. d. Fa., 1975 Prod. "Buch m. sieben Siegeln". E: 1988 Verleihg. d. Prof.-Titels, 1991 Preis d. Dt. Schallplattenkritik f. d. Lebenswerk. (P.R.)

Schmidt Michael
B.: Kfm., Inh. FN.: Michael Schmidt KG. DA.: 1010 Wien, Hegelstr. 17. PA.: 1010 Wien, Kantg. 3. G.: Wien, 16. Apr. 1954. V.: Evelyn, geb. Lukele. Ki.: Max (1990). El.: Kurt u. Libussa, geb. Jaros. S.: 1972 Matura, Fachausbild. z. Büromaschinenmechanikermstr. K.: 1974 Eintritt in d. elterl. Unternehmen, 1977 Mstr.-Prüf., 1984 Übernahme d. Führung d. Firma. (N.A.)

Schmidt Peter Ing.
B.: Gen.-Dir. FN.: Ed. Ast & Co Bau GmbH. DA.: 8010 Graz, Burgring 16.

Schmidt Raimund Ing.
B.: mehrfacher Staatsmstr. im Rudern Einer u. Weltrekordinh. 100km im Vierer. DA. u. PA.: 1220 Wien, Erzherzog-Karl-Str. 6. G.: Wien, 4. Sept. 1960. V.: Anita, geb. Ziegler. Ki.: Lena (1985), Martin (1987). El.: Raimund u. Hilda. BV.: Vater Raimund Schmidt 1942 Großdt. Mstr. im Rudern. S.: 1979 Matura, TGM Maschinen- u. Kfz-Bau Wien, 1982 Mechanikermstr.-Prüf. K.: m. 14 J. Österr. Schülermstr. im Einer u. Vierer, m. 16, 17 u. 18 J. Österr. Jugendmstr., 1978 4. Pl. b. d. WM Belgrad im Einer, 1980 Österr. Staatsmstr. im Einer u. Teilnahme an d. Olympiade Moskau, 1981 Staatsmstr., 1985 Übernahme d. Familienbetriebes d. Kfz-Fachwerkstätte, 1992 Weltrekord im Vierer in Amsterdam, 1992 Staatsmstr. im Vierer. F.: Kfz-Fachwerkstätte Ing. R. Schmidt. M.: Ruderclub Lia. (J.S.)

Schmidt Regine Dr. phil. Oberrat
B.: Ltr. d. Sammlung d. 20. Jhdt. in d. Österr. Galerie Belvedere u. Ltr. d. Gustinus Ambrosi-Museums. DA.: 1030 Wien, Prinz-Eugen-Str. 27. G.: Wien, 9. Jän. 1947. El.: Univ.-Prof. w.HofR. Dr. Leopold (Dir. d. Museums f. Volkskunde) u. Margarete Schmidt. BV.: Urgroßvater Johann Paß Bildhauer, Onkel Herbert Paß Ak. Maler. S.: Hum. Gymn., 1965 Matura, Stud. Klass. Archäologie, Mittlere u. Neuere Kunstgeschichte Univ. Wien. K.: ab 1976 an d. Österr. Galerie Wien, 1976 u. 1977 BKunstförd. P.: im Rahmen d. Österr. Galerie z.B. "Malerei u. Plastik v. 1918-1938", "Franz Wiegele", "Georg Mayer-Marton", "Das Bildhaueratelier d. Gustinus Ambrosi", zahlr. Ausstellungskataloge. H.: Reisen, spezielles Interesse f. GB, Wandern, Literatur. (J.S.)

Schmidt Roland
B.: Steuerberater u. Wirtschaftstreuhänder. GT.: im AufsR. d. Concorde AG. DA.: 1040 Wien, Prinz-Eugen-Str. 42. G.: Wien, 18. März 1947. V.: Evelin, geb. Walder. Ki.: Elisabeth. El.: Leopold u. Erika. S.: HAK-Matura, Hotelfachschule in Hofgastein. K.: 1984 Steuerberaterprüf. u. seitdem selbst., Spezialist f. Gastronomiebetrieb. M.: Vorst.Mtgl. Rapid Wien. H.: Fußball, Reisen. (A.W.)

Schmidt Rudolf
B.: Industrieller, Gewerke, Gschf. d. Schmidtstahlwerke Beteiligungs GmbH Wien. DA.: 1030 Wien, Salesianerg. 31. M.: Mtgl. d. Arb.Gruppe Bildungspolitik im Aussch. f. Fragen d. Bildungs- u. Ges.Politik d. Ver. Österr. Industrieller u. Vers.Verb. d. Industriellen Vers.Ver. a. G. Wien.

Schmidt Ulrich Dr. med.
B.: Vorst. d. Inst. f. Klin. Arzneimittelforsch. GT.: Gschf. d. Arbeits- u. Arzneimittelforsch.-Ges. DA. u. PA.: 5020 Salzburg, Gaswerkg. 20. G.: Dresden, 1. Mai 1931. V.: Hildegard, geb. Roeren. Ki.: Thomas, Stefan. El.: MedR. Dr. Gerhard u. Maria. S.: 1952 Matura, Med.-Stud. Innsbruck, Graz u. München, 1968 Prom. K.: 1962-70 wiss. Abt. Schering Wien, 1970-7 Ltg. klin. Forsch. ICI Deutschland, 1975-84 Ltg. klin. Forsch. II Nattermann, Köln, seit 1976 Ref. f. Verkehrsmed. d. Arbeits- u. Forsch.-Gemeinschaft f. Straßenverkehr u. Verkehrssicherheit, Inst. an d. Univ. zu Köln, 1976 Grdg. d. Inst. f. Arzneimittelsicherheit im Verkehr, 1984 Grdg. d. Arbeits- u. Forsch.-Gemeinschaft f. Arzneimittel-Sicherheit Köln, 1989 Grdg. projektgerichteter Töchter: Inst. f. klin. Arzneimittelforsch. GmbH Sbg., Inst. f. Geriatrie u. Geroprophylaxe "Der Mensch im Alter" Köln, "Tagesklinik" in Köthen/Halle, 1991 Lehrauftrag an d. Univ. Sbg. P.: ca. 120 Publ., mehrere Buchbeiträge, über 100 wiss. Vorträge. M.: im Vorst. KVDA in Deutschland, Dt. Verkehrsmed., Ver. Dt. Med. Fach- u. Standespresse e.V. H. Fotografieren, klass. Musik. (M.Mo.)

Schmidt Walter J. Dr. phil. o.Univ.-Prof.
B.: Geologe, Vorst. d. Inst. f. Prospektion, Lagerstättenerschließung u. Mineralwirtschaft d. Montan-Univ. Leoben. A.: 1090 Wien, Lustkandlg. 44. G.: Urbau, 11. Aug. 1923. V.: Emma, geb. Rogner. El.: Emil J. u. Gisela. S.: Dr. phil. 1949 Univ. Wien, 1953 Dr. habil., TU Wien. K.: Positionen in Staat, Wirtschaft u. Univ. P.: Über 100 wiss. Publ. M.: Mtgl. aller relevanten Berufsorg. H.: Moderne Kunst u. Leichtatlethik.

Schmidt Wenzel

B.: Kfm. FN.: Schmidt Gebäude-Reinigungs-Service. DA. u. PA.: 4910 Ried, Bahnhofstr. 68a. G.: Ampflwang, 12. Okt. 1958. V.: Edda, geb. Payer. El.: Alois u. Paula. S.: VS, HS, Berufsausbild. als Techn. Zeichner u. Arbeitsvorbereitung, 1976 Abschluß, BH. K.: 1978-80 in d. Arbeitsvorbereitung u. in d. Produktion d. Firma GFM Ampflwang tätig, lfd. Kurse, 1982 Marktanalysen am Reinigungssektor, 1983 selbst. M.: Obm. d. SV Marco Polo Ried. H.: Fußball, Reiten, Lesen. (J.L.)

Schmidt Willy KommR. Ing.
B.: Gschf. Ges. FN.: Hdls. u. Stahlbau GmbH. DA.: 1090 Wien, Bergg. 18. PA.: 1190 Wien, Hackhoferg. 11. G.: Wien, 17. Apr. 1942. V.: Renate, geb. Kaspar. Ki.: Claudia. El.: Wilhelm u. Hermine. S.: BGewerbeschule. K.: nach d. Matura Übernahme d. elterl. Betriebes, 1970 Zusammenlegung d. beiden Einzelbetriebe z. Ing. Schmidt Hdls. u. Stahlbau GmbH, 1975 KommR. H.: Motorbootfahrt, Schwimmen. (P.R.)

Schmidt Wolfgang Mag.
B.: Superintendent d. ev. Superintendentur A.B., Diözese Sbg. u. Tir. DA. u. PA.: 5020 Salzburg, Sinnhubstr. 10. G.: Wien, 1. Nov. 1929. V.: Ingrid, geb. Kauschka (Sekr., Religionslehrerin). Ki.: Barbara (Musikpäd., Orff), Ursula (Ergotherapeutin), Dipl.-Ing. Johannes (Arch.), Dorothea (Dipl.Tierpflegerin). El.: Walter u. Käthe. S.: 1949 Matura, Stud. ev. Theol. in Wien u. Lund (Schweden), 1954 Examen pro cand., prakt. Ausbild. in Kapfenberg, Waiern b. Feldkirchen i. K. u. Innsbruck, 1957 Examen pro ministerio

u. Ordination. K.: 1957-58 gewählter Pfarrer d. Ev. Pfarrgem. A.B. Weißbriach-Weißensee, 1958-80 Pfarrer d. Ev. Pfarrgem. A. u. H.B. Kufstein, b. 1968 m. Bez. Kitzbühel, Bautätigk.: Errichtung d. Holzmeisterkirche u. d. Pfarrhauses in Kitzbühel, Gemeindezentrum in Wörgl u. Kufstein, 5/1980 Wahl z. Superintendenten, seit 1959 Res.Offz. d. Ev. Militärseelsorge, Mitwirk. in d. ev. Rundfunk- u. Pressearbeit, div. Veröff. E.: Gold. EZ d. Stadt Kufstein, Silb. EZ u. Gr. Gold. EZ f. Verd. um d. Rep. Österr., Gr. Tiroler Adlerorden, BH-Dienstz. I. Kl. M.: 1965 Rotary-Club Kufstein, 1981 Sbg. H.: Theologie u. Seelsorge, Natur, Segeln, Schwimmen, Chorsingen. (A.W.)

Schmidt-Bleek Friedrich Dr. Prof.

B.: Ltr. Technology, Economy u. Society Program d. IIASA. DA.: 2361 Laxenburg, Schloßpl. 1. PA.: Biedermannsdorf, Mühleng. 42. G.: Bandung, 16. Juli 1932. V.: Hedwig, geb. Leg. Ki.: Friedrich-Burdun, Christopher-Lorenz, Cornelia-Maria, Martin, Jessica-Katherina. El.: Prof. Dipl.-Ing. Karl (Rektor d. TH in Karlsruhe) u. Lore. BV.: Karl Theodor Bleck (Chef d. Präsid.Amtes in Bonn). S.: Bismarck-Gymn. in Karlsruhe, Matura 1950, Stud. d. Chemie, Mineralogie u. Physik in Bonn, Prom. 1960. K.: 1960-64 Post-Graduate Stud. an d. Univ. Cansas (USA) Arb. m. Prof. F. L. Roland sowie Vitising Prof. an d. Univ., 194-69 Prof. in Chemistry an d. Univ. Tennessee, 1969-74 Prof. in Chemistry u. Dir. d. Abbalachian reserces Products an d. Univ. Tennessee, s. 1974 b. Umweltbundesamt, vorerst zuständ. f. d. Forschungscoord. u. ab 197 f. d. Chem. icalien Kontrolle, 1982-84 b. OECD als Head Chemical Divn. zust. f. d. Chemikalien Kontrolle, 1985-88 Projektltr. f. d. Früherkenn. v. Umweltschäden im Auftrag d. BMF, gleichzeit. Dir. d. Umweltbüros d. Weltwirtschaftsgipfels, seit 1988 Program Leader f. Technology, Economy u. Society d. IIASA. P.: Ca. 150 wiss. Arb. ü. Grundlagenforsch. in d. Chemie, Genetik u. Thermodynamik, Mitautor v. "Chemikaliengesetz: Kommentar u. Vorschriftensamml. z. ges. Chemikalienrecht", Konzept f. Früherkenn. u. Beurteil. v. Umweltveränderungen 1987 u.a. M.: Versch. wiss. Ver. H.: Malen (Öl u. Aquarell), Sport, Wandern, Lesen. (M.B.)

Schmidt-Chiari Guido

B.: Gen.-Dir. u. Vorst.-Vors. d. Creditanstalt-Bankverein. DA.: 1010 Wien, Schotteng. 6-8. PA.: 1190 Wien, Kaasgrabeng. 30. G.: Wien, 13. Sept. 1932. V.: Stephanie, geb. Strachwitz. Ki.: Annunziata, Carlotta, Guido, Camillo, Valerie, Stanislaus. El.: Guido u. Maria. BV.: Vaters Guido Schmidt war 1936-38 Österr. Außenmin. S.: Mittelschule Innsbruck, Llanelli/Wales u. Bregenz, 1950 Matura, 1956 Prom. K.: 1952-57 Auslandsaktivitäten, Rio de Janeiro, Sao Paulo, New York, 1958 Eintritt in CA, Tätigkeit in d. wichtigsten Geschäftsabt. u. in einer Außenstelle d. Bank, 1971 Bestellung z. Vorst.-Mtgl., 1981 Bestellung z. Gen.-Dir.-Stellv. u. Vors.-Stellv., seit 1988 Gen.-Dir. u. Vorst.-Vors. P.: Fachart. E.: Offz. d. Ehrenlegion, Gr. Silb. EZ f. Verd. um d. Rep. Österr. M.: Rotary Club. H.: Skifahren, Jagd, Theater. (A.K.)

Schmidt-Dengler Wendelin Dr. Mag. o.Prof.

B.: Univ.-Prof. am Inst. f. Germanistik d. Univ. Wien. DA.: 1010 Wien, Dr.-Karl-Lueger-Ring 1. PA.: 1180 Wien, Gersthoferstr. 85/4. G.: Zagreb, 20. Mai 1942. V.: Maria, geb. van Hattem. El.: Josef u. Elisabeth. S.: Gymn. Wien, 1960-66 Stud. Klass. Philol. u. Germanistik, 1965 Prom. K.: 1966 Lehramt an Gymn., 1966 Ass. am Inst. f. Germanistik Wien, 1974 Habil., Gastprof. Klagenfurt, Sbg. n. Graz u. Stanford, 1980 Extraordinarius f. neuere dt. Sprache u. Literatur Wien, seit 1989 Ordinarius. P.: Genius, Zur Wirkungsgeschichte antiker Mythologeme in d. Goethezeit, Eine Avantgarde aus Graz, Hrsg. v. Werken aus d. Nachlaß Heimito v. Doderers, Erasmus v. Rotterdam, Thomas Bernhard, Der Übertreibungskünstler, ca. 70 Arb. in Fachzeitschriften. E.: Theodor Körner-Preis, Förderungspreis d. Gem. Wien, Kardinal Innitzer-Förderungspreis, Österr. Staatspreis f. Literaturkritik. M.: Heimito v. Doderer-Inst., Grillparzer-Ges., Dokumentationsstelle f. neuere österr. Literatur, Grazer Autorenversammlung. (F.S.)

Schmidt-Gsellmann Monika

B.: Firmeninh. FN.: Handelsagentur Schmidt-Gsellmann. DA. u. PA.: 8010 Graz, Brockmanng. 53. G.: Graz, 15. Apr. 1957. V.: Hans Schmidt. El.: Franz u. Maria. S.: Pflichtschule, kfm. Lehre, 1975 Abschluß. K.: b. 1983 Gschf. mehrerer Boutiquen in Graz m. Verantwortung f. Ein- u. Verkauf, 1977 parallel selbst. Großhdls.-Kfm. f. Konfektion, ab 1983 ausschließl. in diesem Bereich tätig, 1989 Einstieg in d. Bereich Design v. kommerzieller Strickware m. eigener Fertigung m. europaweiter Vertriebsexpansion. H.: Bergsteigen, Tennis, Skifahren. (F.K.)

Schmidt-Lauber Hans-Christoph D. Dr. theol. M.A.

B.: o.Univ.-Prof. f. Prakt. Theol. Univ. Wien. DA.: 1090 Wien, Rooseveltpl. 10. PA.: 1170 Wien, Dornbacherstr. 25. G.: Lübeck, 4. Febr. 1928. V.: Brigitte, geb. Gülzow. Ki.: Martin (1956), Katharina (1957), Naemi (1960), Gabriele (1962), Brigitta (1965). El.: Pastor Erwin u. Margarethe, geb. Lauber. S.: Abitur, Stud. Ev. Theol. Marburg, Tübingen, Heidelberg u. Birmingham/England, 1952 M.A., 1953 Dr. theol. K.: 1955-61 Pastor Lübeck-Siems, 1961-63 Dir. d. Christl. Ak. Süd- u. Südwestafrika, 1963-77 Pastor St. Nikolai in Kiel, 1977 Ordinarius f. Prakt. Theol. Wien. P.: Die Eucharistie als Entfaltung d. verba testamanti (1957), Die Zukunft d. Gottesdienstes (1990), Gottesdienst (1992), Theologia scientia eminens practica (1979), ca. 100 Aufsätze z. Liturgiewiss. u. Pastoraltheol. E.: Ehrendoktorat d. Theol. Klausenburg/Hermannstadt 1992, Dekan d. Ev.-Theol. Fak. Wien 1984-86 u. 1992-94. M.: seit 1957 Luth. Liturg. Konferenz, seit 1971 Liturg. Aussch. d. VELKD, Grdg.-Mtgl. d. Societas Liturgica, 1981-83 deren Präs., Delegierter d. ÖRKiÖ zu d. Vollversammlungen d. ÖRK Vancouver 1983 u. Canberra 1991. H.: Eisenbahn, Elektronik.

Schmidtbauer Hans Peter Dr. KommR.

B.: Verlagsdir. d. NÖ Nachrichten. GT.: Gschf. Birkenverlag GmbH, AufsR. d. Volksbanken Herzogenburg/Loosdorf u. NÖ-Mitte, VPräs. d. Österr. Zeitschriftenverb. DA.: 3100 St. Pölten, Gutenbergstr. 12. PA.: 3130 Herzogenburg, Schulg. 6. G.: St. Pölten, 18. Sept. 1946. V.: Mag. Helga, geb. Hofmeister. Ki.: Florian, Monika. El.: Hans u. Luise. S.: RG, Stud. d. Rechtswiss. u. Vw., Prom. z. Dr. iur. K.: Währ. d. Stud. als freier Journalist b. zahlr. Zeitungen im In- u. Ausland, 1969-70 Aufbau einer Marktforschungsabt. b. d. Fa. Eybl, 1970 Beg. b. NÖ Pressehaus, 1972 Ressortchef f. Politik, 1973 Verlagslehre b. d. Rhein. Post in Düsseldorf u. Axel Springer Verl. Hamburg sowie b. d. Zeitung "Dolomiten" in Südtir., 1974 Verlagsltr. d. NÖN, 1974-89 Vorst.Mtgl. d. Arge Mediaanalysen, seit 1981 im Vorst. d. Österr. Kuratoriums f. Journalistenausbild., seit 1988 Verlagsdir. d. NÖN. BL.: Seine Initiative f. d. Realisierung d. Hauptstadt St. Pölten. P.: Autor mehrerer Sachbücher über NÖ, BRD u. Herzogenburg. E.: 1988 KommR., 1988 Gold. EZ f. Verd. um d. Rep. Österr. sowie sportl. Ausz. M.: Obm.

d. Ver. d. Freunde Herzogenburgs, Rotary Club St. Pölten. H.: Marathon (Teiln. u.a. in New York, Wien, London, Berlin), Basketball, Triathlon. (M.B.)

Schmidtmayer Gerhard

B.: Gschf. Ges. FN.: Schmidtmayer GesmbH. DA.: 4600 Wels, Pfarrgasse 26. G.: Steyr, 8. Okt. 1953. V.: Edith, geb. Brunner. Ki.: Katrin (11. Jan 1990). El.: Karl u. Gertrude. S.: Vs, Hs, Berufsschule, 1970-73 Lehre als Einzelhandelskafm., 1973 Gesellenprüfung, 1974-75 Textilschule i. Dornbirn, 1975-77 a. d. Lehranstalt d. deutschen Textileinzelhandels. K.: 1977-78 Filialgeschäftsf., Fa. Rowin i. Karlsruhe, 1978 4 Monate Sprachaufenthalte i. Perugia, 1978-80 Einkäufer u. Assistent d. Geschäftsführung Modehaus Fa. fischerer i. Frankfurt a. Main, 1980-82 Einkäufer f. mehrere Filialen d. Fa. Schmidtmayr GesmbH. P.: laufend Artikel i. versch. Zeitungen. M.: Lions Club. H.. Radfahren, Skifahren, Lesen, gut essen, Reisen. (G.E.)

Schmidtmayer Gertrud

B.: Inh. FN.: "Casa Moda" Donna E Uomo Gertrud Schmidtmayer. DA.: 4400 Steyr, Grünmarkt 7. G.: Steyr, 22. Febr. 1948. El.: Karl u. Gertrude. S.: VS, HS, HASCH Linz. K.: b. 1976 selbst. Führung d. Textilgeschäftes d. Eltern in Steyr, 1977-80 Übernahme d. elterl. Geschäftes, 1980 Eröff. Damenbekleidungsgeschäft Steyr, 1980 Eröff. Modefachgeschäft f. Damen u. Herren Steyr, 1981 Eröff. Sportwearladen Steyr, 1983 Kauf eines histor. Altstadthauses u. Übersiedlung. P.: lfd. Art. in Zeitungen u. Modezeitschriften. E.: 1992 Ausz. d. Modezeitschrift "DIVA". M.: BTE Köln, seit 1984 Erfa f. dt., österr. u. schweiz. Einzelhändler. H.: Bergsteigen, Skifahren, Golf spielen, mod. Kunst, Design. (U.A.)

Schmidtmeier Herbert KommR.

B.: Mtgl. d. NatR. seit 1986, Kfm. A.: 1070 Wien, Westbahnstr. 56-58. G.: Wien, 21. Juli 1937. V.: Elisabeth, geb. Gelpke. El.: Hubert u. Klara. S.: Höhere kfm. Lehranst. f. Textilind. K.: Praxis in versch. Österr. Unternehmungen d. Ind. u. d. Hdls., Übernahme d. elterl. Fa., Mtgl. d. Sekt.Ltg. Hdl. d. Kam. d. Gewerbl. Wirtschaft f. Wien, Mtgl. d. Kam.Vollversammlung d. Kam. d. Gewerbl. Wirtschaft f. Wien, Delegierter d. Kam. Wien in d. BKam.Tag, fachmänn. Laienrichter b. HG, Mtgl. d. WirtschaftsbeiR. d. Stadt Wien, AufsR. d. Fonds d. Kaufmannschaft Wien, seit 1980 VPräs. d. Kam. d. gewerbl. Wirtschaft f. Wien, 1983-86 Abg. z. Wr. Landtag u. Mtgl. d. Wr. GemR. F.: Kompl. u. einziger gschf. Ges. d. Fa. M. KUNSTADT KG, Großhdl. m. Lederwarenzubehör, Import u. Export sowie Gen.Vertr. d. DUO-FAST, Hand-, Preßluft- u. Elektroheft- u. Nagelgeräte Wien. M.: BVorst. d. Freien Wirtschaftsverb. Österr., LVorst. d. Freien Wirtschaftsverb. Wien, Obm. d. Sekt. Hdl. d. Freien Wirtschaftsverb.

Schmied Arnold sen.

B.: Gschf. FN.: Silhouette Intern. GmbH. GT.: Gschf.: Schmied Beteiligungs AG, A. Schmied Verw. GmbH Linz, Silhouette-Modebrillen A. Schmied Vertriebs GmbH Linz, Silhouette-Modebrillen A. Schmied Fabrikations GmbH Linz. DA.: 4021 Linz, Ellbognerstr. 24. M.: Mtgl. d. SparkassenR. Allg. Sparkasse Linz.

Schmied Christoph

B.: Inh. FN.: Immobilienbüro Christoph Schmied. DA. u. PA.: 4820 Bad Ischl, Traunkai 29. G.: Gmunden, 12. März 1944. V.: Friederike, geb. Schmidsberger. Ki.: Nikola (1968), Alexander (1970). El.: Engelbert u. Liselotte. S.: Malerlehre, 1961-64 Mstr.-Schule, BH. K.: 1966-70 Grafiker, 1971-75 Fachberater in d. Ind., seit 1975 selbst. Immobilienmakler in Bad Ischl, 1977 Makler- u. Hausverw.-Prüf. M.: 1980-89 Schatzmstr. im Salzkammergut-Golfclub, Mtgl. Salzkammergut Immobilienring. H.: Segeln (Regatta), Golf (Turniere), Skifahren. (E.Hö.)

Schmied Christian

B.: Gschf. FN.: Schmied & Fellmann. DA.: 3151 St. Pölten-St. Georgen, Trapplstr. 8. PA.: 3151 St. Pölten-St. Georgen, Griesmaierstr. 7. G.: St. Georgen, 9. Feb. 1954. V.: Heide, geb. Schwarzenbohler. Ki.: Isabell (1991). El.: Franz u. Anna. S.: Elektrolehre 1973, 1989 b. Klenk & Meder. K.: 1989 Grdg. d. eig.Fa., Filiale i. 1170 Wien, Jörgerstr. u. 3184 Türnitz. H.: Münzensammeln.

Schmied Eleonora

B.: HS-Dir. d. HS Brunn am Gebirge. DA.: 2345 Brunn am Gebirge, Jubiläumsstr. 1-5. PA.: 2340 Mödling, Grutschg. 22. G.: Mödling, 9. Juli 1940. V.: Heinz. Ki.: Peter (1966), Susanna (1968), Eleonore (1971). El.: Stefan u. Hermine. S.: 1960 LBA-Matura, HS-Lehrerausbild. K.: VS-Lehrerin, HS-Lehrerin in d. HS Hinterbrühl, ab 1989 Dir. d. HS Brunn am Gebirge. BL.: Landesfachwart f. NÖ f. Geräteturnen d. NÖ Fachverb. f. Turnen u. Unionfachwart f. NÖ. H.: Sport. (M.M.)

Schmied Josef Prof.

B.: Prof. Pädak Diözese Linz. PA.: 4802 Ebensee, Kalvarienbergg. 5. G.: Ebensee, 10. März 1927. V.: Johanna, geb. Wiesauer. Ki.: Dr. phil. Roman (1953), Dr. phil. Barbara (1954), Mag. phil. Josef (1954), cand. phil. Johanna (1957), Dipl.-Ing. Matthias (1964). El.: Engelbert u. Juliane. S.: 1946 Matura, Stud. Päd. u. Psych., zwischendurch Ausbild. z. VS-Lehrer, 1962 Fortsetzung d. Stud., 1965 Studienabschluß. K.: 1964 Berufung an d. Bischöfl. LBA Linz, 1967 erste Veröff. "Die heutige Familie u. ihr Erziehungsauftrag" (1967), "Mitte u. Maß in d. Sexualerziehung" (1969), "Schule u. Sexualerziehung" (1971), "Sexualpäd." (1972), 1969 Expertenseminar z. Vorbereitung d. Sexualerziehung in d. Schulen im Min., 1964-86 Lehramt f. Päd. Soz. u. Erziehungswiss. Pädak, 1975-85 Lehrauftrag an d. Theolog. HS Linz (Sozialpsych.), seit 1970 Familien-, Jugend-, Eltern- u. Eheberatung, seit 1968 zahlr. Vorträge in Erziehungsfragen, seit 1991 SMB - Initiator u. Organisator d. Altenhilfe in Ebensee, seit 2 J. Ausbildner d. Lehrpersonals f. Krankenpflegerschulen. M.: SMB, Lazarus-Runde. H.: Bergsteigen, Skifahren. (E.Hö.)

Schmied Karl

B.: Betriebsltr. d. Walzerschiff "Johann Strauss". DA.: 1010 Wien, Schwedenplatz - Kleine Donau. PA.: 2304 Orth/Donau, Wörtlstr. 18. G.: Mödling, 12. Juni 1948. V.: Helga, geb. Friedrich. Ki.: Elisabeth (1982). El.: Karl u. Erna, geb. Mayer. S.: 1962-66 Kellnerlehre, zahlr. Managementlehrgänge u. Seminare. K.: 1966 Kellner im Schloßhotel Velden, 1967 Hospitzhotel, 1968-70 Tätigkeit im "Le palais" Wien, 1970-88 Spezialitätenrestaurant "Winkler", begonnen als Kellner, anschl. Gschf., 1988 Konzessionsprüf., Eintritt ins Walzerschiff "Johann Strauss". M.: Chaine de rotisseurs. H.: Amateurfunker OE3KSS, Familie. (N.A.)

Schmied Klaus

B.: Koch. FN.: Albrecht u. Schmied OEG. DA.: 6020 Innsbruck, Gramartstr. 100. G.: 2.Dez.1972, Ibk. V.: Elisabeth Albrecht. El.: Josef Schmied u. Doris Tancredi. S.: VS, HS, Kochlehre. K.: 1993 Alpengasthaus Frau Hit gepacht., 1902 Frau Hit gebaut, 1906 i. Besitz Franz Schindl. M.: Musikveranstaltungsverein Braual Grdg.-Mtgl., Country Veranstaltungen i. Frau Hit. H.: Musik, Computer, Schlafen. (M.H.)

Schmied Reinhard Ing.

B.: gschf. Ges. d. Lubo Pumpen Maschinenfabrik GmbH. DA.: 1110 Wien, Grillg. 15. PA.: 1070 Wien, Neubaug. 3. G.: St. Pölten, 2. Aug. 1958. El.: Franz u. Berta. S.: TGM, Univ. f. Bdk. K.: Zun. Fa. Körting, dann im elterl. Betrieb tätig, 1985 Kauf d. eigenen Betriebes. P.: Fachart. H.: Sport, Lesen. (E.L.)

Schmied Wolfgang

B.: Bez.Vorst. Alsergrund. DA.: 1090 Wien, Währingerstr. 43/1/16. G.: Wien, 31. März 1942. V.: Helga, geb. Marschall. Ki.: Bernhard (1980). El.: HofR. Wilhelm u. Hilde. S.: 1961 Matura, 1. Jur. Staatsprüf., Stud. d. Publizistik. K.: Journalist in d. Pressestelle d. Verteidigungsmin., ÖVP-Pressedienst, Pressestelle d. Wr. HK, 1978 Bez.Vorst. Alsergrund. E.: Gold. EZ f. Verd. um d. Land Wien, Silb. EZ f. Verd. um d. Land Wien, Silb. EZ d. Wr. ÖVP, Silb. EZ d. ÖAAB, Bez.Parteiobm. d. ÖVP Alsergrund, OLt. d. Res., 1969 jüngster BezR. v. Wien, 1978 jüngster Bez.Vorst. H.: Wandern, Lesen, Musik. (R.J.)

Schmied-Luthringshausen Uta Mag. phil.

B.: Psychologin, Psychotherapeutin, Sozial- u. Lebensberater, Physiotherapeutin, Persönlichkeitsberater. DA. u. PA.: 5020 Salzburg, Klein-Gmainerg. 7b. G.: Linz, 4. Aug. 1955. Ki.: Bettina (1981), Michael (1983). El.: Dr. Hermann u. Annelies. S.: BRG Linz. K.: Physiotherapeut. Ausbild., 1976 Abschluß, 4 J. Behinderteninst. Bobath, Hippo u. MC Millan Therapie, 1985-90 Psych.-Stud. Paris Lodron-Univ. Sbg., seit 1985 Organ.-Psych. Tätigkeit f. wiss. Studien, seit 1987 Co-Therapien in Gruppen f. Persönlichkeitstraining, seit 1990 eigenständige Ltg. v. Gruppen, körperorientierter Selbsterfahrung, seit 1990 eigene Psychotherapeut. Praxis. M.: ÖAGKB, ÖBVP. H.: Musik, Kunst, Literatur, Skifahren, Natur. (M.C.)

Schmiedbauer Karl

B.: Gschf. d. Wiesbauer GmbH. DA.: 1130 Wien, Auhofstr. 25. PA.: 3001 Mauerbach, Steinbachstr. 44. G.: Wien, 20. Feb. 1944. V.: Anita, geb. Michel. Ki.: Thomas, Sonja. El.: Karl u. Hermine. S.: Einzelhdls.Kfm. Lehre in einer Fleischwarenfbk., Abendkurse f. BWL an d. WU Wien. K.: 1976 Eintritt in d. Fa. Wiesbauer als Chef-Ass., seit 1983 alleinverantwortl. Gschf., Mtgl. einer intern. Erfahrungsaustauschgruppe im Bereich Fleischwaren, Erfinder d. Leichtwurst u. d. damit verb. Innovationen weiterer Prod. H.: Motorboot, Skifahren, Fischen. (P.R.)

Schmiedl Peter Hans Walter

B.: Inh. FN.: Peter Schmiedl Requisitenverleih. DA.: 1170 Wien, Geblerg. 36-40. PA.: 1060 Wien, Linieng. 38/37. G.: Wien, 1. Febr. 1944. V.: Ingeborg, geb. Brass. Ki.: Marcus. El.: Hans u. Friederike. BV.: Großvater Hans Gründer d. Fa. ca. 1915. S.: RG, Graph. Lehr- u. Versuchsanst., Ak. f. Innenarch. K.: 1965 in Fa. eingetreten, seit 1966 Alleininh. M.: Ver. d. Freunde d. Seccession. H.: Tennis, Kunst, Kulturreise, Jazz, Kochen. (M.G.)

Schmiedl Thomas Ing.

B.: Alleininh. FN.: Thomas' Living Bath Rooms. DA. u. PA.: 1050 Wien, Krong. 17. G.: Stanz, 17. Juni 1951. V.: Martha, geb. Mayer. Ki.: Christian (1980). El.: Walter u. Irene, geb. Malik. BV.: Großvater Hans Schmiedl Requisitenverleih f. Film u. Theater, Cousin Peter Schmiedl führt weiter. S.: HS, HTL Mödling, 1972 Matura, Stud. Innere Arch., Ing. K.: ab 1973 im väterl. Betrieb als Innenarch. tätig, 1974 Grdg. d. Fa. Thomas' Living Bath Rooms, exklusives Badezimmer-Design, Badewannen, Armaturen, Lieferung f. Prominente u. exklusive Kundschaften im In- u. Ausland, 1990 Auflösg. d. Fa. Th. Living Bath Rooms u. Gründg. d. Thomas Badausstattung Handels GmbH. M.: seit 1990 Österr. Patentinhaber- u. Erfinderverb. H.: Fischen, Radfahren, Kochen - gut essen. (M.G.)

Schmiedleitner Friedrich Ing. Dir.

B.: Prok. u. Ltr. FN.: Alpine Bau GmbH. GT.: Bau- u. Zimmermstr. DA.: 4780 Schärding, Wieninger Str. 2. PA.: 4755 Zell an d. Pram. G.: Zell an d. Pram, 2. Aug. 1931. V.: Theresia, geb. Klaffenböck, 4 Kinder. El.: Felix u. Cecilia. S.: Pflichtschule, Gymn. u. HTL Tiefbau, 1952 Matura, 1956 Bau- u. Zimmermstr.Prüf. K.: seit 1954 Baufa. Kapsreiter als Techniker, 1968 Prok. u. 1973-86 Gschf., seit 1986 Ndlg.Ltr. b. d. Alpine Bau GmbH in Linz u. Schärding. M.: langjähriger Obm. d. Liedertafel Zell an d. Pram, Lion Club "Schärding-Pramtal". (H.D.)

Schmiedleitner Georg Mag.

B.: Künstl. Ltr. d. Theater Phönix. DA.: 4020 Linz, Wiener Str. 25. PA.: 4060 Leonding, Wöberweg 6. G.: Linz, 2. Jän. 1957. V.: Roswitha, geb. Knierzinger. Ki.: Barbara (1981), Valentin (1983). El.: Prof. Felix u. Dr. Elisabeth. S.: 1975 Matura, 1975-82 Stud. Germanistik u. Geschichte. K.: 1980 Mitbegrdg. d. freien Theatergruppe "Junge Bühne" Leonding, nach Stud. Lehrtätigkeit als Prof. in Gymn., später Umzug ins Theater Phönix, Dez. 1989 Eröff. d. Theater Phönix. BL.: zahlr. Regiearb., außerdem Zusammenarb. m. Peter Turrini u. Erfolge m. Inszenierungen d. Autors, intensive Theaterpäd. Arb. m. Schülern u. Lehrer. P.: Publ. in hauseigener Theaterzeitung: E.: Anerkennungen durch Bühnenjury d. BMU. H.: Wandern. (U.E.)

Schmiedt Heinrich Dr. iur.

B.: Verteidiger in Strafsachen. DA.: 6370 Kitzbühel, Bichlstr. 1. PA.: 6370 Kitzbühel, Aschbachweg 1. G.: Wien, 13. Nov. 1950. V.: Tiziana, geb. Gregori. Ki.: Diana. El.: Dr. Hubert u. Dr. Paula. S.: hum. Gymn., Univ.Stud. Rechtswiss., Gerichtsjahr, RA-Ausbild. in Sbg. u. Kitzbühel. K.: ab 1980 selbst. Anw. in Kitzbühel. P.: Veröff.: Sektor - Time sharing, Wohnungseigentumsrecht, Fremdenverkehr. M.: Präs. v. Porsche Club Tir. H.: Klaviermusik, Skifahren, Autosport. (W.G.)

Schmiedt Herbert

B.: gschf. Ges. d. Fa. Schmiedt GmbH. DA.:1140 Wien, Kuefsteing. 17-19. G.: Wien, 22. Okt. 1940. Ki.: Alexander, Christian. El.: Karl u. Maria. S.: Matura, WU Wien, weitere Ausbild. in Engl. u. d. Schweiz, Job Rotation im Bereich Werbung u. kfm. Agenden (British Distillers Plastic Group, Zenith Uhrenfbk.) K.: 1961 Eintritt in d. Familienunternehmen, seit 1981 gschf. Ges., Großhdl. u. Vertr. d. Uhrenmarken Orient Puma, Favorit, Guess, Esprit, Girard-Perregaux, Tag-Heuer. BL.: Marketing u. Werbung, 1960-66 Mtgl. d. österr. Hallenhandballteams (mehrmals Staatsmstr.). M.: Kam.Mtgl., Lions-Club, Österr. Ges. d. Templer. H.: Theater, antike Uhren, Tennis, Ski. (Sei.)

Schmieger Heinz Dr. iur. HofR.
B.: Erster Staatsanw. DA.: 1082 Wien, Landesgerichtsstr. 11. PA.: 1180 Wien, Alseggerstr. 34/12. G.: Wien, 16. Juli 1927. V.: Rosi, geb. Altenburger. El.: Heinrich u. Margit. BV.: Onkel Prof. Willy Schmieger: Rundfunkkommentator b. d. RAVAG f. Sportereignisse. S.: Schottengymn., Matura 1945, Jusstud. an d. Univ. Wien, Prom. 1950. K.: 1950-53 im väterl. Textilbetrieb tätig, 1953 Eintritt in d. Staatsdienst im LG f. Strafsachen Wien, 1956 Richteramtsprüf., 1957-60 Untersuchungsrichter in Korneuburg, 1960 Ref. b. d. StA Wien, 1961 Spezialref. f. polit. u. Presseangel., 1976 Gruppenltr., 1980 VChef, seit 1986 1. Staatsanw. P.: Beiträge in d. Österr. Juristenzeitung, eine Abhandl. über Befehlsnotstand u. über d. Pressegesetznovelle. E.: 1970 HofR. M.: Justizsportver. f. Tennis. H.: Sport, Musik, Tiere, Autos. (C.K.)

Schmierer Kurt
B.: Gschf. FN.: Gebrüder Schmierer. DA.: 4780 Schärding, Innsbruckstr. 4. PA.: 4780 Schärding, Ebenhechtg. 1. G.: Schärding, 14. Juli 1940. V.: Ingeborg, geb. Tischler. Ki.: Patrick. El.: Ferdinand u. Theresia. S.: Hasch, 1 J. i. Deutschland in Einzelhandelsbetrieb i. d. Bekleidung, Volunteur, 1969 Übern. d. Betriebes d. Vaters u. Umstellung auf Damenbekleidung gem. mit Gattin, 7 J. später exklusive Herrenbekleidung ins Sortiment aufgenommen. M.: Lions-Club i. Schärding. H.: Golf, Skifahren, Lesen. (D.E.)

Schmitke Heinz R.
B.: Betriebsdir. FN.: Granitwerke Niederschrems u. Schrems d. Schärdinger Granitindustrie GmbH. DA.: 3943 Schrems, Postfach 33. PA.: 3943 Schrems, Bergzeile 7. G.: Schärding/Inn, 10. Okt. 1941. G.: Schärding/Inn, 10. Okt. 1941. V.: Rosmarie Brigitte, geb. Leidinger. Ki.: Sabine (1964), Michael (1969). El.: Ferdinand u. Elvira, geb. Gemassmer. S.: Bundesgymn., 1960 Matura. K.: Eintritt i. Fa. Schärdinger Granitind. GmbH, Zentrale Schärding a. Bürokfm., parallel dazu techn. Ausb. über Ferntechnikum Bregent u. techn. Ausb. f. Großbohrlochsprengungen, 1965 Übersiedlung v. Schärding n. Schrems, Betriebsltr.-Stv. i. d. Filialbetrieb "Granitwerke Niederschrems u. Schrems Natursteinuntern. m. 70 Beschäftigten, s. 1970 Betriebsltr. u. s. 1976 Betriebsdir. M.: Vorst.-Mtgl. d. Bez.-Gruppe Schrems d. Wirtschaftsbundes, s. 1990 ÖVP Gem.-Rat d. Stadtgemeinde Schrems. E.: Ordensträger d. Dynamit pro pace. H.: Beruf, Lesen, Wandern. (M.M.)

Schmitt Ewald Dkfm.
B.: Verleger. A.: 1030 Wien, Rennweg 79. G.: Wien, 22. März 1944. S.: Diplom d. WU Wien. M.: Präs. d. Österr. Diät- u. Reformwarenverb., Präs. d. Kuratoriums Gesundes Leben, Vorst.Mtgl. d. Österr. Zeitschriftenverb. H.: Ski, Reiten.

Schmitz Georg Dr. iur.
B.: Ltr. d. Kulturabt. d. NÖ Landesrg. DA.: 1014 Wien, Herreng. 9. G.: Wien, 23. Mai 1939. V.: Waltraud, geb. Wiltschke. Ki.: Georg (1968), Ursula (1974). El.: Hans u. Maria, geb. Habel. S.: 1958-65 Stud. Rechtswiss. Univ. Wien m. Prom. z. Dr. iur., seit 1988 Univ.-Doz. Univ. Wien, Geisteswiss. Fak. K.: 1965 Eintritt in d. Landesdienst NÖ, 1970-71 VwGerH. Wien, 1965-84 versch. Dienststellen d. NÖ Landesrg., ab 1984 Ltr. d. Kulturabt., 1984-86 Lektor Univ. Wien, 1988 Habil. P.: Publ. auf d. Gebiet d. neueren österr. Verfassungs- u. Verw.-Geschichte, 4 Monographien u.a. "Die Vorentwürfe Hans Kelsens f. d. österr. Bundesverfassung" (1981), "Karl Renners Briefe aus Saint Germain u. ihre rechtspolit. Folgen" (1991). H.: Rechtsgeschichte, zeitgenöss. Kunst. (N.A.)

Schmitz Richard
B.: Inh. FN.: Technisches Büro f. Maschinenbau, Ingenieurbüro. DA.: 6300 Wörgl, Boden 3. PA.: 6364 jBrixen i. Th. G.: Hollabrunn, 10. Jänner 1945. V.: Freya, geb. Podesser. Ki.: Dominik (1970), Silke (1971), Heike (1973), Franke (1975), Freya (1979). El.: Franziska u. Richard. BV.: Vater d. Gattin gründete d. Sonnberglifte u. Bgmstr. v. Brixen. S.: VS, HS, BS, HTL in Wien, ab 1969 Stahlbauschlosserlehre Brüggenbau b. Wagner-Büro Wien, 1963 Facharbeiterbrief, 1962-63 BH, 1 J. Praxis b. Kapsch Wien. K.: ab 1972 Verleih. d. Ing. Titel b. Chemie u. Metall als. tech. Zeichner, Fa. Friedmann u. Maier v. 1968-70, danach Beamter i. d. BGV i. Wien u. Dienstverpflichtet f. d. AKH Wien, s. 1974 selbst. als techn. Büro f. Maschinenbau. P.: zahlr. Artikel i. Fachzeitsch., s. 1990 im WIFI Innsbruck als Lehrer tätig, M.: s. 1988 Ausschußmtgl. f. d. Erstellung neuer Normen. H.: langjährig Fallschirmspringen, Jägerei. (J.F.)

Schmitz Richard Dr. iur.
B.: Bezirksvorsteher d. Inneren Stadt. GT.: Gschf. Ges. Perückenhaus Rudolf Schiff, 1010 Wien. DA.: 1010 Wien, Wipplingerstr. 8. G.: 29. Jan. 1940. V.: Dr. Sophie, geb. Weissel. Ki.: drei Kinder. S.: Gymn. u. Univ. Wien, Stud. Rechtswiss., 1966 Prom. K.: s. 1991 Dressur-Richter. P.: bildungspol. u. ideolog. Art. M.: Österr. Wirtschaftsbund, Österr. AKB - Wien, ICD Österr., Mtgl. d. .Campagnerreiter Ges. Wien Nord-Ost, Rotary. H.: Reiten, klass. Musik. (J.S.)

Schmitz-Kreissl Anna Dr. Dkfm.
B.: Unternehmerin. FN.: BabyShop. DA.: 1140 Wien, Hütteldorfer Str. 119. G.: Wien, 29. Jän. 1937. Ki.: Mag. Anna-Maria (1962). El.: Josef u. Anna Kreissl. S.: HAK Wien, Stud. HS f. Welthdl., 1961 Prom. K.: Eröff. u. Ausbau d. BabyShop: Umstandsmoden, textile Babyausstattung, Kinderwagen, Autositze u. Kindermöbel. F.: Bettwaren 1140 Wien, Hütteldorfer Str. 133. H.: Bridge, Sport, Babies u. Kinder. (J.S.)

Schmitz-Mayr-Harting Elisabeth Dr. phil.
B.: AHS-Prof., Schriftstellerin. PA.: 1180 Wien, Anastasius-Grün-G. 54. G.: Wien, 22. Juni 1929. V.: Dr. Wolfgang Schmitz. Ki.: Mag. Johanna, DDr. Dorothea, Dr. Therese, Veronika, Stefan. S.: RG, 1947 Matura, Stud. an d. Univ. Wien als Werkstudentin, Literaturwiss., Germanistik, Anglistik, Romanistik, Phil., Politikwiss., 1949 Engl. Staatsprüf. in Wien, 1948-49 Stud. in Amerika im Chestnut Hill College Pensylviania. K.: ab 1949 Englischunterricht in Wien 19., 1953-54 Mittelschullehramtsprüf., Unterricht an Maturaschule Akademia, 1961 Dr., Gründerin d. Katastrophenhilfe Österr. Frauen, 1981 Grdg. d. "Grünen Forums Österr." Antiatom. P.: Übersetzungen: Grundfragen d. Religionswiss., Kath. Soziallexikon, Die Dt. Katholiken u. Hitlers Kriege, Drama: Dichtung aus Österr., Prosa, Versepik u. Lyrik, Hörspiel zus. m. Prof. Kindermann, Dietrich, Mühlher u. Thurnher, Grillparzer-Forum Forchtenstein, Im Namen Kaiserl. Majestät - Die innere Handlung im Bruderzwist, Kinderbücher, 10 J. Katastrophenhilfe Österr. Frauen - Sozialarb. aus Gewissensgründen, Wir tragen Verantwortung f. d. Welt von morgen - Energie u. Umwelt im Sonnenzeitalter - 1. Intern. Atomgegnersymposion Wien, Ave Maria Medjugorje Pilgerbuch. E.: Gold. EZ f. bes. Verd. um d. Rep. Österr., Verd. f. NÖ, Bgld., Stmk. u. Sbg. (C.K.)

Schmitzer Herbert

B.: Gschf. Ges. FN.: Schmitzer Dachdecker, Spengler u. Bau GmbH. GT.: allg. beeid. gerichtl. Sachv. f. d. Dachdecker-, Spengler- u. Schwarzdeckergewerbe, Mtgl. d. Innungsaussch. f. Dachdecker. DA.: 1230 Wien, Richard-Strauß-Str. 37. PA.: 1150 Wien, Märzstr. 63. G.: Wien, 27. Mai 1947. V.: Inge, geb. Havranek. Ki.: Ing. Harald (1969), Sabine (1981). El.: Hans u. Adolfine. S.: AHS-Matura, Stud. Betriebswirtschaft WU Wien, gleichzeitig Berufsausbild. z. Dachdecker- u. Spenglermstr. K.: 1965 Eintritt in d. Familienunternehmen, 1980 Übernahme d. Firma, 1983 zusätzl. Bmstr.- u. Zimmermstr.-Konzession. H.: Sport bes. Tennis u. Skifahren. (J.S.)

Schmitzer Peter, geb. Janauschek

B.: Gesch. Ges. FN.: Brendel GesmbH. DA.: 5073 Wals/SBG, Bundesstr. 4. PA.: 2223 Hohenruppersdorf, Hauptstr. 349. G.: Wien, 16. Nov. 1946. V.: Ingrid Schmitzer. KI.: Kristina (1981), Andreas (1982). EL.: Margarethe u. Josef. S.: VS, HS, 1974-78 HAK Abendschule.K.: Lehre als Optiker m. Gesellenprüfung, Bürotätigk. bei Honeywell, 1961-65 Optikergeschäft, 1967-71 Opt. Industrie, 1980 Vertriebsmitarb. bei Svarovsky, 1990 selbst. Handelsvertr., 1994 Design, Gschf. bei Brendel. M.: Ausschußmtgl. im Sportverein Ruppersdorf, Grdgsmtgl. TC Ruppersdorf. H.: Radfahren, Tennis. (D.E.)

Schmögner Walter

B.: Maler, Grafiker u. Schriftsteller. DA.: 1010 Wien, Spiegelg. 2/40a. G.: Wien, 11. Juni 1943. Ki.: Thomas. El.: Theobald u. Rita. S.: 1949-53 Toledo (Spanien), graph. Lehr- u. Versuchsanst. Wien. K.: 1. Einzelaustellung 1961 (Federzeichungen) Wien, zahlr. Einzelausstellungen in ganz Europa, u.a. 1976 Graph. Sammlung Albertina Wien, 1977 Kulturhaus Graz, 1978 Galerie Würthle Wien, 1979 Galerie Facchetti Paris, 1980 Galerie Facchetti Zürich, 1983 Galerie Würthle Wien, 1991 Schirn, Kunsthalle, Frankft., 1992 Rupertinum, Sbg. P.: 17 Bücher, davon 10 Kinderbücher ("Das Drachenbuch", "Das unendliche Buch", "Das guten Tag-Buch"), Kunstbücher ("Böse Bilder", "W. Schmögner", "Zeit z. Aufbrechen", "Magische Räume"). E.: Dt. Jugendbuchpreis 1971. (R.A.)

Schmoigl Anna

B.: Gschf. FN.: TBR Schmoigl GmbH. DA. u. PA.: 4062 Thening/Hörsching, Rübenstr. 2. G.: Minichreith, 15. Okt. 1943. V.: Josef. Ki.: Josef (1960), Christiane (1975), Daniel (1985). El.: Aloisia, Philipp. K.: 1965 Firmengrdg., s. 1991 Grdg. d. Fa. TBR. M.: Präs. d. SV aTSV Aistental. (P.H.)

Schmolke Michael Dr. phil.

B.: o.Univ.-Prof. A.: 5020 Salzburg, Rudolfskai 42. G.: Gleiwitz/Oberschlesien, 13. Febr. 1934. V.: Juta, geb. Kleemann. Ki.: Wenzel, Lucia, Ferdinand. El.: Karl u. Katharina. S.: Abitur 1954, Prom. 1965, Habil. 1970. K.: 1958-62 Journalist, 1962-70 Univ.Ass., 1970 apl.Prof. Münster/Westf., 1971-73 Dir. eines Forsch.Inst., seit 1973 o.Univ.-Prof. in Sbg. P.: Adolph Kolping als Publizist, Die schlechte Presse, Wegbereiter d. Publizistik i. Östrr., Kirchenpresse am Ende d. Jahrtausends, u.a., zahlr. Aufsätze in Fachzeitschriften. M.: Österr. Ges. f. Publizistik- u. Kommunikatinswiss., Dt. Ges. f. Publizistik- u. Kommunikationswiss., Studienkreis Rundfunk u. Geschichte, Intern. Association for Mass Communication Research u.a. H.: Eisenbahn.

Schmoll Josef

B.: Verkaufsltr., Werkzeugmacher. FN.: Kutzendörfer & Dworak GmbH; Industriebedarf u. Fahrzeugtechn. DA.: 1232 Wien, PF 197, Kolpingstr. 17. PA.: 1100 Wien, Neusetzg. 4/14. G.: Wr. Neustadt, 6. Apr. 1950. V.: Eva. Ki.: Michael (1978). El.: Franz u. Johanna. S.: VS, HS, Werkmstr. Lehrgang f. Maschinenbau, Gewerbemstr. Kurs, Lehrlingsausbild. Kurs, Betriebsltr. Kurs. K.: 1965-70 Fa. F. Kohmaier & Sohn, als Lehrling u. Werkzeugmacher, 1970-71 Fa. Alfa-Laval AG, Voreinsteller f. NC-Maschinen, 1971-77 Fa. E. Schrack EAG, als Lehrlingsausbild. u. Betriebsplaner, 1977-79 Fa. Futurit Werk AG, als Betriebsass., 1979-80 Fa. Terranova-Ind. GmbH, als Betriebsass., 1980-81 Fa. Waema Ges.m.b.H, als Betriebsltr., 1981-85 im eig. Gewerbebetr. Gschf., 1986-87 Fa. 3M Österr. Ges.m.b.H, Verkaufsltr., s. 1987 Außendienstltr. H.: Fotographie, Reisen, Unterhaltungsmusik. (W.M.)

Schmoll Karl Dr. Prim.

B.: ärztl. Ltr. Sonderkrankenanst. f. Gesundheitsvorsorge u. Rehabilitation. DA.: 1051 Wien, Hartmanng. 2B; 1100 Wien, Quellenstr. 45. G.: Wien, 21. Juli 1955. V.: Silvia, geb. Meier. Ki.: Karl (1983), Sabina (1987). El.: Karl u. Rosina. S.: VS, Gymn., 1975-80 Med.-Stud. Univ. Wien. K.: 1980-87 FA-Ausbild. f. Innere Med. 1. Med. Abt. d. Kaiser Franz Josef-Spital b. Prof. Tragl, 1987-90 OA Rehabilitationszentrum Hochegg, seit 1990 Prim. Sonderkrankenanst. f. Gesundheitsvorsorge u. Rehabilitation. M.: Kardiolog. Ges., Ges. f. Innere Med., ÖGUM. H.: Radfahren, Schwimmen, Musik, Lesen, Wandern. (J.M.)

Schmoller Hansjörg Dr. Univ.-Prof.

B.: Primararzt am Zentralröntgeninst. d. Landeskrankenanst. Sbg. G.: Seewalchen, 20. Juni 1941. V.: Christiana, geb. Wittigschlager. Ki.: Markus (1973), Lukas (1974), Hans Jörg (1980). El.: Anton u. Maria. S.: VS, HS, LBA, Med.-Stud. Linz, 1967 Prom., 1979 Habil. K.: 1985 Prof., seit 1986 Vorst. d. Radiologie. P.: ca. 100 Publ., 1 Buch. E.: Preis d. Sbg. Ärzteges. M.: Sbg. Ärzteges., Van Swieten-Ges., Österr. Ges. f. Senologie, ÖGUM. H.: klass. Musik, Aquarellmalerei, Lesen, Jagd. (U.E.)

Schmöller Rupert Dr. Dipl.-Ing. Univ.-Prof.

B.: Ltr. d. Inst. f. Angew. Geophysik. DA.: 8700 Leoben, Roseggerstr. 17. PA.: 8700 Leoben, Turmg. 3. G.: Graz, 2. Juli 1932. V.: Edeltraud, geb. Rosenberger. Ki.: Gudrun (1966), Reinhard (1970). El.: Augustin u. Gerda. S.: 1952 Matura, Stud. Techn. Physik Univ. Graz, 1958 Abschluß. K.: 1958-72 Geophysiker in d. Erdölind., 1976 Prom. z. Dr. mont., 1980 Habil., 1985 a.o.Univ.-Prof., 1988 Ltr. d. Inst. f. Angew. Geophysik d. Forsch.-Ges. Joanneum, seit 1972 Vorlesender am Inst. f. Geophysik d. Montanuniv. Leoben.

E.: 1977 Anerkennungspreis f. Wiss. Arb. d. Österr. Ges. f. Erdölwiss. M.: E.A.E., D.G.G., Österr. Geolog. Ges. H.: Schwimmen, Bergsteigen, Skifahren, Tennis, Musik. (K.K.)

Schmollgruber Friedrich

B.: Inh. FN.: Friedrich Schmollgruber. DA.: 4400 Steyr, Enge G. 19, 4400 Steyr, Grünmarkt 2, 1070 Wien, Burgg. 3, 8010 Graz, Franziskanerpl. 10. PA.: 4400 Steyr, Grünmarkt 2. G.: Ried/Innkreis, 5. Sept. 1935. V.: Gertraud, geb. Dutzler. Ki.: Pere (1957), Annette (1959), Elisabeth (1961), Sabine (1966), Susanne (1970), Mark (1974), Viviane (1982), Vallerie (1990). El.: Friedrich u. Elisabeth. BV.: Großvater war als Pionier u. Unternehmer bekannt. S.: VS, HS, Uhrenschule Karlstein, 1952 Gesellenprüf. K.: 1952-57 Praxis Schweiz, Deutschland u. Frankreich, 1957 Mstr.-Prüf., ab 1957 Goldschmiedelehre Firma Miemelauer St. Valentin, b. 1960 Grazer Goldschmiedeschule, b. 1963 Stud. Ak. f. Angew. Kunst Wien, seit 1958 selbst., seit ca. 20 J. freischaff. Künstler im Schmuckdesign. P.: lfd. Berichte in Fachpresse u. Zeitungen. E.: oftmaliger Preisträger f. Schmuckdesign, viele Preise b. Schmuckwettbewerben v. allem im Ausland. M.: 1974-77 Ltr. d. Jungen Wirtschaft Steyr, Lions Club. H.: Design, Haus in Südfrankreich (Züchtung v. Feigenbäumen u. exot. Bäumen), Tennis, Skifahren, Waldläufe. (U.A.)

Schmolz Rudolf M. Ing.

B.: Schriftsteller. PA.: 2103 Langenzersdorf, Uferstr. 6. G.: Wien, 11. Juni 1920. V: Gertrud. Ki.: Rudolf (1943), Dagmar (1948), Karin (1967). El.: Schmolz Rudolf St., Anna, geb. Kornmüller. S.: VS, HS, Abitur, HTLA Wien. K.: Kfm., Ing., Pensionist. P.: Bücher "Meine heitere Welt", Lyrik, Anthologien, Romane "Die ich rief, d. Geister ...", "Die Untoten v. Hartberge", "Das gläserne Schwert Caladbolg", "Mord ist auch nur ein Geschäft" (Roman, 1994). E.: Kulturpreis 1989. H.: Lyrik, Prosa - Schriftstellerei, Mtgl. d. Museumsver. Langenzersdorf u. Korneuburg.

Schmölz Alfred Prof.

B.: Prof. HS f. Musik u. darstell. Kunst. DA.: 1010 Wien, Singerstr. 26. PA.: 1130 Wien, Gheleng. 42/7. G.: Wien, 9. Dez. 1921. V.: Prof. Henriette, geb. Berger. S.: VS, Realschule, 1941 Matura, 1941-43 Kriegsdienst, 1943-46 Amerikan. Gefangenschaft, ab 1946 div. Stud. an d. Ak. f. Musik u. darstell. Kunst Wien, 1950 Staatsprüf. f. Klavier, Privatmusiklehrer, 1963 Dipl. f. Musikheilkunde. K.: ab 1965 div. Lehrverpflichtungen an d. HS f. Musik u. darstell. Kunst Wien, ab 1970 Ltg. u. Ausbau d. HS-Lehrgangs für Musiktherapie, intern. Vortrags- u. Seminartätigkeit, Mitarb. b. d. Errichtung ausländ. musiktherapeut. Ausbild.-Inst. P.: zahlr. Veröff. u. Dokumentationen im In- u. Ausland, "Die Bedeutung der Musiktherapie für die Musikerziehung" in Hören u. Gestalten - Pädagog. Verlagsges.,Wien 1980; "Die Wiener Schule der Integrierten Musiktherapie" in Musktherapeut. Umschau 3/1982, Fischer Stuttgart; "Musiktherapie bei psychosomatischen Erkrankungen" in Spintge/Droh (Hrsg.), Musik in d. Medizin, Springer Berlin 1985; "Entfremdung - Auseinandersetzung - Dialog", Hamburger Jahrbuch 2/1988; "Selbsterfahrung im Rahmen der Musiktherapie", WUV - Univ.Verlag Wien 1991. E.: 1992 Gold. EZ f. Verd. um d. Rep. Österr., 1974 Förderungspreis d. Theodor Körner Stiftungsfonds. M.: 1985 Grdgs.- u. Vorst.-Mtgl. d. Intern. Ges. f. Kunst, Gestaltung u. Therapie, Ges. f. Klin. Psychosomatik, Arge d. Musikerzieher Österr., Österr. Berufsverb. d. Musiktherapeuten. H.: Wandern, Literatur. (M.A.)

Schmölzer Christoph

B.: 3-facher Ruderweltmeister, Zeitsoldt d. HSNS, Med.-Student. FN.: Ruderclub Pirat. DA.: 1220 Wien, Kaisermühlendamm 92. G.: Wien, 30. Nov. 1962. V.: Gabriele. Ki.: Lisa (1993). El.: Rudolf u. Gerhild. S.: Matura Wien, dzt. Med.-Stud. Univ. Wien. K.: während d. Schulzeit wettkampfmäßig Schwimmen, Leichtathletik, Fußball, Judo u. Skifahren, ab 1977 Spezialisierung auf Rudern, 1981 1. Österr. Meistertitel, 1982 1. WM-Teilnahme, 1989 WM-Goldmed. im Leichtgewichtsdoppelzweier m. Walter Rantasa in Bled/Slowenien, 1990 Bronzemed. WM Tasmanien/ Australien, 1991/92 Silbermed. WM Wien u. Montreal, ab 1993 Leichtgewichtsdoppelvierer m. Walter Rantasa, Gernot Faderbauer u. Wolfgang Sigl: 1993 WM-Goldmed. in Roudnice/Tschechien, 1994 WM-Goldmed. in Indianapolis/ USA. E.: "Mannschaft d. J." gewählt v. d. österr. Sportjournalisten, 2x Gr. Sportpreis d. Stadt Wien, Träger d. Wappenringes d. Gem. Gerasdorf, Gold. Siegelring d. Österr. Ruderverb., u.a. Ausz. H.: Tochter, Kochen, Eseen. (J.S.)

Schmölzer Erwin

B.: Dipl.-Grafiker (selbst.). FN.: Atelier f. Kunst & Design. DA.: 4020 Linz, Herrenstr. 4. PA.: 4040 Linz, Claraweg 5f. G.: Linz, 3. Okt. 1954. El.: Erich u. Gertraud. S.: 1969-75 Kunstgewerbeschule Linz, 1974 Mstr.-Kl. f. Gebrauchsgrafik Linz, Dipl.-Grafiker. K.: Art Dir in mehreren Werbeagenturen, seit 1982 selbst. Art Dir., 1983/84 Lehrbeauftragter an d. Mstr.-Kl. f. Gebrauchsgrafik, Arbeitsschwerpunkte: Grafik, Design, Filme, Bühnenbilder, Musik f. Theaterproduktionen. P.: Veröff. im In- u. Ausld. M.: Creativclub Austria, Grafik-Design Austria, Theater Phönix, Grdg.-Mtgl. d. Waldviertler Hoftheater, Fliegerver. H.: Fliegen, Musik. (P.H.)

Schmölzer Hildegund Ingrid Maria Dr.

B.: Autorin. DA. u. PA.: 1140 Wien, Hochstr. 22a. G.: Linz, 25. Jan. 1937. Ki.: Michael. El.: RA Dr. Hans u. Hertha Schmölzer, geb. Czermak, verw. Oosterbaan. S.: Gymn. Steyr, 1956 Matura, Bayr. Staatsanst. f. Fotografie in München m. Gesellenprüf. 1958, einige Sem. Schauspielschule Zerboni München, 1958-59 Arb. in Wr. Fotoatelier, 1959 Stud. in Wien Publizistik u. Kunstgeschichte, einige Sem. Theaterwiss. K.: priv. Schauspielunterricht, kurze Zeit Mtgl. einer Pantomimengruppe in Wien, 1966 Prom., 1966-67 als freiberufl. Journalistin Europa bereist, 1967 Indien, 1968-74 München, danach 1 J. in d. Schweiz, 1975 nach Wien. P.: 1973 "Das böse Wien", 1980 "A schöne Leich, Der Wiener u. sein Tod", 1982 "Frau sein und schreiben, österr. Schriftstellerinnen definieren sich selbst", 1983 zusammen m. Gerhard Tötschinger "Österr. in Farbe", 1985 "Die Pest in Wien", 1986 "Phänomen Hexe, Wahn und Wirklichkeit im Laufe der Jahrhunderte", 1990 "Die verlorene Geschichte d. Frau", 1993 "Die Frau, das gekaufte Geschlecht", div. Tätigkeiten f. d. ORF u. Presse, div. Fotoveröff. in versch. Zeitschriften. E.: Anerkennungspreis d. Wettbewerbs d. Österr. Fachpresse 1989. M.: Interessengemeinschaft österr. Autoren, P.E.N.-Club. H.: klass. Musik, Theater, bild. Kunst. (M.G.)

Schmölzer Maximilian

B.: Maler, Gastwirt. FN.: "Zum Posthorn". DA.: 1030 Wien, Posthorng. 6. PA.: 1010 Wien, Landhausg. 2. G.: Treffen/Villach, 21. Dez. 1950. V.: Karin, geb. Bartl. Ki.: Julia (1978), Maximilian (1982). El.: Maximilian u. Irmgard, geb. Aichner. S.: VS, HS, HAK, Hotelfachschule, Stud. Malerei Ak. d. Bild. Künste b. Prof. Gustav Hessing Wien. K.: 1967-73 aktives Mtgl. b. d. Künstlerver. "Begegnung in Ktn.",

Werkstätte Krastal, Schüler v. Bildhauer Otto Eder, 1976 Grdg. d. Lokals "Max" Wien I, 1986 Verkauf d. Lokals, Eröff. d. Gasthauses "Zum Posthorn", lfd. Ausstellungen in ganz Österr. H.: Musik, Ornithologie, Bogenschießen. (N.A.)

Schmölzer Sepp Prof.

B.: Gold- u. Silberschmied, Gebrauchsdesigner, Fotograf. DA. u. PA.: 9020 Klagenfurt, Blumeng. 58. G.: Feldkirchen, 16. Nov. 1919. V.: Helene, geb. Pluch. El.: Josef u. Josefine. S.: LBA Klagenfurt, Ak. d. Bild. Künste Wien, Ausbild. z. Goldschmied. K.: 1955-62 Lehrer, nebenbei Gebrauchsgrafiker u. Fotograf, seit 1962 als Gold- u. Silberschmied tätig, 1967-71, 1977, 1979 u. 1980 Ltr. d. Goldschmiedkl. f. bild. Kunst Sbg., 1985-95 Ltr. d. 1. Intern. Werkstätte in Zlatarne Celje Jugoslawien, zahlr. Ausstellungen im In- u. ausland. P.: Fotospiegelungen (1981), Schwarzbuch (1984), div. Fachart. in Fachzeitschriften. E.: 1962 Theodor Körner-Preis Wien, 1963 Ausz. Intern. Kunsthandwerk Stuttgart, 1972 ORF Wien Fernsehfilm "Zu Gast b. Sepp Schmölzer", 1972 Prof., 1977 Kulturpreis d. Landes Ktn., 1980 Österr. EK f. Wiss. u. Kunst 1. Kl., 1991 Silb. EZ d. Landes Ktn. M.: Bund österr. Gebrauchsdesigner, Dt. Ges. f. Goldschmiedekunst, versch. nat. u. intern. Künstlerver. H.: Literatur, Musik, Lesen Leichtathletik. (G.L.)

Schmuck Hans KommR.

B.: Kfm., gschf. Ges. d. Schmuck GmbH. DA.: 2544 Leobersdorf, Mühlg. 6. PA.: 2544 Leobersdorf, Roseggerg. 3. G.: Baden, 24. März 1923. V.: Elfriede, geb. Schierl. Ki.: Maria, Hans, Klaus. El.: Johann u. Josefine. S.: Kfm. Wirtschaftsschule. K.: 1939-45 Kriegsdienst, 1946 nach OÖ, tätig in d. LRg., 1947-48 als Ind.Kfm. in einer Schuhfabrik in Gmunden, 1948 Übernahme d. elterl. Betriebes gem. m. d. Bruder, seit 1980 Innungsmstr. d. Kunststoffgewerbes. E.: HK-Med., Julius Raab-Ehrenmed. H.: Skifahren, Bergsteigen. (M.Br.)

Schmuck Helmut Dr. iur.

B.: Öffentl. Notar. DA.: 7350 Oberpullendorf, Hauptpl. 1. PA.: 7350 Oberpullendorf, Mühlg./Neub., 7521 Eberau 17. G.: Eberau, 10. Juni 1935. V.: Ingrid, geb. Pialek. El.: MedR. Dr. Albin u. Valerie. S.: VS, II. BRG Graz, Matura 1954, 1954-59 Jusstud. in Wien, 1959 Dr. iur., 1959-61 Stud. d. Staatswiss. u. Sprachstud. K.: 1962-72 Substitut in Neusiedl/See, 1973 Substitut in Gloggnitz, 1974-76 Substitut in Oberpullendorf, seit 1977 ern. Notar in Oberpullendorf, Jagdpächter Oberpullendorf u. Eberau. H.: Jagd, Fischen. (War.)

Schmuck Siegfried

B.: Kfm. DA.: 5010 Salzburg, Universitätspl. 6. G.: Salzburg, 14. Sept. 1942. V.: Erika. Ki.: Brigitte (1969), Siegfried (1975). S.: VS, HS, HAK, Militär: RO. K.: seit 1971 selbst. Übernahme d. Geschäftsstelle R.AZET. M.: Fachgruppenvorst. d. HK, Fachgruppenvorst. d. Klassenlotteriegeschäftsstelle Sbg., Laienrichter. (N.M.)

Schmucker Michael Ing.

B.: EDV-Systemspezialist. FN.: Tektronix GesmbH, Computergraphik u. Meßtechnik. DA.: 1100 Wien, Doerenkampg. 7. PA.: 2551 Enzesfeld-Lindabrunn, Fasang. 14. G.: Wien, 18. Juli 1963. V.: Christine, geb. Cabak. El.: Ing. Ernst u. Brigitte. S.: Realgymn., 5 J. HTL Mödling, Höhere Abt. f. Nachrichtentechn. K.: 1982-84 Tätigk. i. techn. Rechenzentrum d. Fa. Kapsch, s. 1984 b. Tektronix, zuerst Alleinverantwortlicher EDV-Systemspezialist f. Österr., später zusätzlich auch f. d. Schweiz. H.: Kochen, Skifahren, Radfahren. (F.S.)

Schmudermaier Leopold Mag. pharm.

B.: Apotheker, 1. VPräs. d. Österr. Apothekerkam. u. Obm. d. Abt. d. ang. Apotheker. GT.: Mtgld. d. Vorstand. d. Österr. Apotheker u. Pharm. Gehaltsk.f. Österr. DA.: 1091 Wien, Spitalg. 31. G.: Eggenburg, 1. Okt. 1949, whft. i. Pulkau. V.: Anna, geb. Zaussinger. Ki.: Bernd (1977), Martin (1979). El.: Anton u. Maria. S.: 1969 Matura, 1969-70 BH, 1970-76 Stud. Pharmazie Univ. Wien, 1977 Aspirantenj. K.: seit 1977 lfd. Vertretungsberechtigter Apotheker, Mitarb. in d. Organ. d. ang. Apotheker, 1987 VPräs. Landesgeschäftsstelle Wien d. Österr. Apothekerkam., seit 1987 VPräs. d. Österr. Apothekerk., seit 1992 Mtgl. d. Exekutivkomitees d. Europharm. Forums b. d. WHOi. Kopenhagen, . Mtgl. d. FIP d. Weltverb. d. Apotheker, AufsR.: b. 1994 i. d. Österr. Apothekerbank, b. 1993 AufsR. im Apotheker Verlag, seit 1988 lfd. AufsR. in d. Herba Apotheker AG, seit 1987 Mtgl. in d. Österr. Delegation d. Ver. d. EU Apotheker, seit 1994 VPräs. d. Europhram Forums, nat. u. intern. Vortragstätigkeit. H.: Reisen, Musik, Chorsänger, Radfahren, Lesen. (I.K.)

Schmutterer Klaus Dkfm.

B.: Gschf. FN.: LIWEST. DA.: 4020 Linz, Wolfgang-Pauli-Str. 2. PA.: 4040 Linz, Freistädter Str. 77. G.: Klosterneuburg, 30. Dez. 1936. Ki.: Anne-Saskia (1970), Georg-Matthias (1974). El.: Dipl.-Ing. Josef u. Emma. S.: 1955 Matura, TU Wien (Bauing.), 1J. Abiturientenlehrg. HAK, WU Wien (Welth.), Abschluß 1965. K.: 12 J. Praxis Fa. ALLBAU (PORR), s. 1980 LIWEST, zun. Prok., s. 1988 Gschf. M.: Fachgruppenaussch. Verkehr d. BWK. H.: Haus, Garten, klass. Musik. (P.H.)

Schmutz Erich Dr. phil. Mag. HofR.

B.: Dir. d. Kollegium Kalksburg. DA.: 1230 Wien, Promenadeweg 3. PA.: 2345 Brunn/Gebirge, Sulzfeldg. 16. G.: Hoheneich/NÖ, 30. März 1932. V.: Hildegard, geb. Siderits. Ki.: Johanna (1959), Martin (1964). El.: Franz u. Johanna. BV.: Prof. Schmutz berühmter Germanist u. Sprachforscher. S.: 1950 Matura, Stud. d. Lehramtes f. Latein u. Griech. Univ. Wien, 1954 Spons. Mag., 1955 Prom. Dr. phil. K.: 1954-56 Lehrer am Privatgymn. "Stella Matutina" Feldkirch/Vbg., 1956 Lehrer am "Kollegium Kalksburg", 1969 Dir. d. Schule, 1984 HofR., seit 1976 Vors. d. Schulbuchkmsn. d. Unterrichtsmin. f. Latein u. Griech., seit 1983 Vors. d. Lehrplanprojektgruppe f. Latein u. Griech. BL.: Reiseltg. v. Studienreisen f. Prof. E.: 1980 Komturkreuz d. Silvesterordens m. Stern, 1990 Gold. EZ f. Verd. um d. Rep. Österr. M.: 1972-79 Präs. d. Kath. Aktion d. Erzdiözese Wien, 1975-89 Präs. d. Intern. Sportver. Kath. Schulen. (M.M.)

Schmutz Rudolf Dipl.-Kfm.

B.: Vorst.-Dir. österr. Unilever, Gschf. Elida Fabergé. A.: 1011 Wien, Schenkenstr. 8. G.: Wien, 17. Mai 1933.

Schmutzer Dieter Dr. phil.

B.: selbst. Kommunikation- u. Sexualberater. DA./PA.: 1030 Wien, Baumg. 33/32/5. G.: Wien, 2. März 1953. El.: Karl u. Margareth, geb. Reichel. S.: 1972 Matura, Stud. Germanistik u. Theaterwiss. an d. Univ. Wien, 1981 Prom. K.: 1981-87 Päd. Ass. "Wr. Urania", 1987-91 Gschf. d. Österr. Aidshilfe, danach Selbst., Schwerpunkt: Erwachsenenbild., Kommunikationstraining, AIDS-Hilfe Lebens- u. Sozialberatung,

Sexualpäd. u. Sexualberatung, 1989-94 Experte d. Ö-3 Sex-Hotline, s. 1989 Mitarb. im Ver. "Ich bin o.k." f. behind. u. nichtbehind. Menschen. P.: zahlr. Publ. in div. österr. Medien, mehr. Bücher, u. a. 1989 "Homosexualität in Österr.", 1991 "Aids - ein lexikal. Handbuch", 1993 "Wienerisch g´redt" - Geschichte d. Wr. Mundartdicht. M.: Vorst.-Mtgl. d. Österr. Ges. f. Sexualforsch., Vorst.-Mtgl. d. Österr. Aids-Informations- u. Dokumentationszentrums. H.: Reisen, Musik, Theater, Kochen. (N.A.)

Schmutzer Friedrich

B.: Betriebselektr. gschf. Obmann. FN.: ASBÖ Arbeiter-Samariter-Bund Gruppe Ternitz-Pottschach. DA.: 2630 Ternitz, Hans Czettel Platz 1G. PA.: 2630 Ternitz, Gfiederstr. 36. G.: Wr. Neustadt, 6. Apr. 1940. V.: Ulrike, geb. Preinfalk. Ki.: Andrea (1967). El.: Adolf u. Margarete. S.: VS, HS, Berufsschule, Werkmstr.-Schule, Sanitätsausbild., Sanitätsgehilfenkurs, Bereitschaftsleiterkurs. K.: 1954 Gruppe Ternitz, s. 1964 ASBÖ Pottschach, 1974-84 Obm. d. Gruppe Ternitz, 1984 Zusammenleg. Ternitz u. Pottschach, Gschf. Obm. d. Gruppe. E.: 1993 Oberrettungsrat. H.: Samariterbund. (G.B.)

Schmutzer Heinz B. KommR.

B.: Dir. Verlag Schmutzer GmbH. DA.: 2345 Brunn/Geb., Bahnstr. 6. PA.: 2345 Brunn/Geb., Am Platengrund 7a. G.: Wien, 20. Sept. 1923. V.: Elisabeth, geb. Ilg. Ki.: Nicole Isabelle u. Lucas Mario. El.: Josef u. Elisabeth. S.: RG Wien, HS f. angewandte Kunst. K.: selbst. als Schuhhandelsuntern. m. 3 Verkaufsgeschäften u. 4 Reparaturwerkst., div. Kurse f. Weiterbild. besucht, später tätig im Bereich Verkaufswerbung, 1965 Mieter-Mappe, Mieterinformation, spez. auf Kataloge f. d. Sektor Bauwesen, seit 18 J. Bes. d. Österr. Bauverlages, versch. Bau-Handbücher. E.: 1986 Ernennung z. KommR. P.: 1982 Buch: "V. Wirtschaftschaos z. Schlaraffenland", "100 Millionen Menschen zuviel", "Umweltreport", Herausgeber u. Verfasser d. "Bau-News". M.: Obm. Österr. Ges. z. Förd. d. Bauwirtschaft, Präs. d. Österr. Ges. d. Umweltschutzes f. Energieforsch. H.: Arb., Antiquitäten, Lesen, Skilaufen. (M.G.)

Schmutzer Leopold

B.: Reisebürokfm. DA.: 1030 Wien, Landstraßer Hauptstr. 9. PA.: 1210 Wien, Schenkendorfg. 23/7. G.: Zwettl, 28. Juni 1934. V.: Ingrid, geb. Hajek. Ki.: Isabella. El.: Josef u. Maria. S.: Gymn., LBA. K.: 2 J. Fremdsprachenlehrer, 3 J. Fahrdienstltr. (ÖBB), seit 1960 Gschf. d. Reisebüros "Renner". M.: Tennisclub Langenlois, Österr. Fischereiges. H.: Tennis, Hochseefischen, Skifahren. (Bauer)

Schmutzer Manfred E. A. Dr. phil. Dipl.-Ing. Univ.-Prof.

B.: Vorst. d. Senatsinst. f. Technik u. Ges. d. TU Wien. DA.: 1040 Wien, Resselg. 5. PA.: 2721 Bad Fischau, Bahng. 1. G.: Salzburg, 4. Sept. 1939. V.: Eva, geb. Hollensteiner. El.: August u. Maria. BV.: Ferdinand Schmutzer - bek. Graphiker um die Jhd.-Wende in Wien. S.: Matura, Stud. Maschinenbau TU Wien, 1967 Spons., Stud. Politikwiss. am Inst. f. Höhere Stud. Wien, 1970 Dipl. f. Politikwiss. K.: Ass. am Inst. f. Höhere Stud. Wien, einige J. Research Fellow d. British Council an d. Univ. of Essex, Großbritannien u. Lecturer an d. Univ., anschl. Ass. am Inst. f. Soz. d. Univ. Wien, Mitarb. an Forschungsproj. über Ausbild. v. Dipl.-Ing., 1978-82 Aufbau u. Ltr. d. Interdisziplinären Forschungszentrum f. Technik, Naturwiss. u. Ges., gleichz. Herausgeber d. Zeitung "technik kontrovers", ab 1982 1J. zu Forschungszwecken in Schweden an d. Univ. Linköping, 1983 Grdg. u. Aufbau d. Inst. f. Technik u. Ges. BL.: mabgebl. beteil. am Aufbau einer spez. Soz. d. Technik. P.: Autor u. Herausg. v. zahlr. Büchern wie z.B. "Ingenium u. Individuum", eine soz.-wiss. Theorie v. Wiss. u. Technik, 1994, viele wiss. Art. M.: Dt. Ges. f. Soz., Alpenver. H.: Garten, Bergsteigen, Langlaufen. (J.S.)

Schmutzhart Fritz

B.: Dir. Verkauf. FN.: Ford Motor Company (Austria) KG. DA.: 5020 Salzburg, Fürbergstr. 51. G.: Salzburg, 25. Nov. 1952. verh., 3 Kinder. K.: seit 1973 b. Ford, seit 1993 Dir. im Verkauf b. Ford. (N.M.)

Schnaars Gerhard

B.: Werbekfm., Journalist. FN.: IGL Werbedienst GmbH. DA.: 5020 Salzburg, Jahnstr. 19. G.: Bremen, 10. Juni 1932. V.: Regina, geb. Lurz. Ki.: Eberhard (1958), Andrea (1971). El.: Gerhard u. Pauline. S.: VS, RG, kfm. Lehre in Sbg., Stenotypistenprüf., Bilanzbuchhaltungsprüf. K.: seit 1955 im Verlagswesen tätig, Aufbau u. Ltr. d. Werbebüros Kiesel-Döpke, 1966 Grdg. d. eigenen Unternehmens, Verlagsvertretung insbes. f. Auto- u. Reisezeitschriften d. In- u. Auslandes, spezialisiert auf Tourismus-Werbung, Verlagsrep. f. Deutschland, Dänemark, Niederlande, Schweiz u. Italien, 1969 Grdg. d. 1. Gratis-Zeitung in Sbg., 1977 Bau d. 1. Österr. Sommerrodelbahn in Haag am Hausruck. M.: Grdg.-Mtgl. v. d. Kulisse Sbg. H.: Skifahren, Schwimmen, Phil. Gespräche. (K.K.)

Schnabel-Kuehn Michael Ing.

B.: Vorst.Dir. FN.: Rich. Klinger AG. DA.: 2352 Gumpoldskirchen, Am Kanal 8-10. G.: Honau/BRD, 3. Okt. 1944. K.: seit 1990 Fa. Rich. Klinger.

Schnabl Gerhard Dr. phil.

B.: Bildjournalist Presse & PR Photos. DA. u. PA.: 2344 Maria Enzersdorf, Siedlungsstr. 36. G.: Wien, 3. Aug. 1956. El.: Eduard u. Ottilie. S.: 1974 AHS-Matura, Jusstud. Univ. Wien, Stud. Publizistik u. Kunstgeschichte Univ. Wien, 1984 Dr. phil. K.: seit 1975 freier Bildjournalist: Presse & PR Photos, Haupttätigkeit im Raum NÖ f. "Kronen-Zeitung" u. ORF, fotograf. Öffentlichkeitsarb. f. Kunden d. Politik u. Wirtschaft. M.: Vorst.-Mtgl. d. Journalistengewerkschaft, Bundesobm. d. Bildreporter in d. Journalistengewerkschaft, Vortragender am Kuratorium f. Journalistenausbild. H.: Hund, Motorrad. (M.M.)

Schnabl Herbert

B.: Tischlermstr. DA.: 9555 Glanegg, Friedlach 41. PA.: 9555 Glanegg, Friedlach 58.G.: Paindorf, 12. Apr. 1948. V.: Christiane, geb. Werzin. Ki.: Susanne, Nicola. El.: Josef u. Hanna. S.: VS, Lehre als Tischler, 1 J. Mstr.Kl. in Villach. K.: im väterl. Betrieb tätig, seit 1980 selbst. P.: Bauwerkreportagen in Fachzeitschriften. E.: 3x BSieger b. Lehrlingswettbewerb. H.: Fischen. (U.A.W.)

Schnabl Norbert

B.: Gschf. d. "Agrarwelt" Zeitungsverlags u. Vertriebs GmbH Wien, Buchhdlg. Alpenverlag GmbH Wien, Bilder Zeitung GmbH Wien, "Danubia" Verlag Univ.-Buchhdlg. Braumüller & Sohn GmbH Wien, Danubia Werbung GmbH Wien, Druckhaus Vorwärts GmbH Wien, Druck- u. Verlagsanst. "Forum Verlag" GmbH Wien, Buchhdlg. Wilhelm Frick GmbH Wien, Verlag d. SPÖ GmbH Wien, Wr. Volksbuchhdlg. GmbH Wien u. "Dahms itm praktiker"

Elektronik Zeitschriftenverlag u. Hdls. GmbH Wien. PA.: 1040 Wien, Viktorg. 16. M.: Vorst.Mtgl. d. Vorwärts AG Wien.

Schnabl Peter Ing. Dir.

B.: Dir. u. Gschf. d. ISTA HAUSTECHNIK GMBH. DA.: 1110 Wien, Simmeringer Hauptstr. 497a. PA.: 1130 Wien, Palmayg. 34. G.: Wien, 14. Juni 1944. V.: Renate, geb. Dürnbeck, 2 Söhne. El.: Josef u. Leopoldine. S.: RG, HTL, 1963 Matura, 4 Sem. Welthdl. K.: 1965 Tätigkeit im Labor u. Entwickl. b. Fa. Gebe Wien, 1970 VDir. b. Fa. Integral Wien, 1979 Gschf. Fa. AWAS Wärmeabrechnungsservice. BL.: Aufbau d. Fa., Ausbau d. Filialnetzes, Geräteentwicklung. P.: div. Publ. in Fachzeitschriften "Laufende Information". M.: Tennisclub Hietzing, ESV Hetzendorf (Eisschießen), Golfclub Salzkammergut, Ver. Österr. Ing. (VOI) Wien. H.: Golf, Tennis, Eisschießen, Skifahren, Schwimmen, Wandern, Lesen, Operette, Theater, Radfahren. (M.G.)

Schnabl Walter

B.: Akad. Maler u. Designer. DA. u. PA.: 3961 Waldenstein 59. G.: Kapfenberg, 17. Juni 1949. Ki.: Melia (1973), Mirko (1983). El.: Wilhelm u. Liane, geb. Schöggl. S.Jarvix Collegiate Inst. for Arts & Science in Toronto, Kanada, 1971-76 Stud. a. d. Univ. Essen,/BRD: Malerei u. Design, 1976 Abschluß m. Diplom. K.: s. 1976 freischaffender bild. Kkünstler f. Malerei u. Design, Ausstellungen i. In- u. Ausland, s. 1982 i. Waldenstein i. Waldviertel mit eig. Atelier ansässig.

Schnack-Herbosegg Herbert Dr. med. a.o.Univ.-Prof.

B.: Prim., Vorst. d. I. Med. Abt. d. Wilhelminenspital. GT.: Ltr. d. Gesundenuntersuchungsstelle d. Gem. Wien. DA.: 1160 Wien, Wilhelminenspital. PA.: 1010 Wien, Opernring 21. G.: Wien, 15. Dez. 1924. V.: Elisabeth, geb. Wittasek. Ki.: Dr. Felix u. Maria. BV.: Großvater Ing. Karl Schnack-Herbosegg Erbauer d. Schmalspurbahn Mostar-Sarajevo. S.: VS, Mittelschule, 1942-46 Kriegsdienst, Gefangenschaft, 1946-48 Stud. in Innsbruck Med., 1948-52 Stud. in Wien, 1952 Prom. K.: 1952 Gastarzt b. Prof. Lauda 1. Univ.Klinik, 1 J. Volontärarzt in d. Schweiz, 1954 Rückkehr zu Prof. Lauda als Hilfsarzt, 1955-56 Stipendium in USA, 1956 Rückkehr, 1962 FA f. Innere Med., 1964 OA an d. I. Med. Univ. Klinik Prof. Deutsch, ab 1965 teilbeschäftigter Ltr. d. Gesundenuntersuchung, 1967 Habil., 1970 ärztl. Abt.Vorst. Wilhelminenspital, 1974 a.o.Univ.-Prof. BL.: Mitarb. als Sekt.Ltr. d. Aktion Kampf d. Krebs d. Wr. Sekt. d. Österr. Krebsliga. P.: 150 wiss. Arb. zu Lebererkrankungen, Porphyrien, Stoffwechselerkrankungen, Eisenstoffwechsel, Vorsorgemed., Risikogruppen, Frühdiagnostik b. Krebs, Beiträge zu Handbüchern u. Übersichtsarb. M.: Vorst. Wr. Ges. f. Innere Med., Vorst. Österr. Ges. f. Innere Med., Sekt.Ltr. d. Österr. Krebsliga. H.: Familie, Kunstgeschichte, Tennis, Skifahren, Lesen.

Schnaller-Pluch Maria-Olga

B.: Kosmetikerin u. Fußpflegerin. FN.: Kosmetik u. Fußpflege Schnaller. DA. u. PA.: 6020 Innsbruck, Anichstr. 27. G.: Absam, 13. Dez. 1911. V.: Adolf Pluch. El.: Josef u. Ida Kolb. S.: VS, HS, 1925-29 Friseurlehre, Militär, 1948 Dipl.-Prüf. f. Fußpflege u. Kosmetik Innsbruck. K.: 1950-57 Fußpflegerin u. Kosmetikerin im Salon Grießer, 1957-58 Salon Dolores Innsbruck, seit 1958 selbst., b. 1985 Tätigkeit im Beruf. BL.: Boxerzüchtung, Teilnahme an Skirennen. M.: Mitgründerin d. Mandolinenclubs Innsbruck. H.: Musik (Mandoline), Natur, Schwimmen, Bergwandern, Radfahren, Skifahren. (A.W.)

Schnalzer Walter

B.: Inh. FN.: Autohaus Schnalzer Alfa Romeo u. Renault. DA.: 8280 Fürstenfeld, Fehringer Str. 13. PA.: 8280 Altenmarkt 182. G.: Ilz, 8. Dez. 1967. V.: Hermine, geb. Erlacher. Ki.: Christoph (1990), Georg Walter (1991). El.: Walter u. Margarete. S.: VS, HS, Polyt. fürstenfeld, kfm. Lehre i. Feldbach, Abschl. 1986. K.: b. 1988 i. Buchhaltungsb. e. Vers. Büro u. Kfz-Handel, 1988-91 tät. b. Alfa Romeo u. Seat Handel i. Breitenfeld, 1991-92 Betr. übernommen, 1992 selbst. Betr. i. Fürstenfeld eröffnet, Alfa Romeo u. Renault Bezirksvertr. M.: Sportverein Breitenfeld geschf. Obm. H.: Fußball, Sport. (I.G.)

Schnattl Wilhelm

B.: Inh., dipl. Küchenmeister. FN.: Restaurant Schnattl. DA.: 1080 Wien, Lange Gasse 40. G.: St. Stefan ob Stainz, 10. Mai 1956. El.: Franz u. Christine. S.: Kochlehre in Bad Gleichenberg. K.: 2 J. Praxis in München u. Berlin bei Siegfried Rockendorf, anschl. 4 1/2 J. in d. Schweiz (Montreux: Grandhotel Palace, Davos: Hotel Belvedere, Grindelwald: Grand Hotel Regina, Genf: Rest. Lion d´Or, Zürich: Rest. Zunfthaus zum Rüden), 1 J. in Miami in Coral Gables, Florida: Rest. Vintons, anschl. Seefeld in Tirol: Küchenchef im Hotel-Rest. Karwendelhof, 1985 Küchenmeisterprüfung in Tirol, 1987 Eröffnung des Rest. Schnattl in Wien. H.: Skifahren, Tennis, Reisen. (J.S.)

Schnattler Gerhard Dipl.-Ing. BauR. h.c.

B.: Ziviling. f. Bauwesen. DA.: 9020 Klagenfurt, Bahnhofstr. 24/6. PA.: 9201 Krumpendorf, Lannerweg 52. G.: Stammersdorf, 17. Mai 1930. S.: VS, HTL f. Tiefbau, TU Wien (Fak. Bauwesen). K.: 7 J. Konstrukteur b. d. ÖDK, seit 1966 als selbst. Ziviling. u. a. f. stat. Berechnungen f. Hoch- u. Tiefbau, sowie Siedlungswasserbau tätig. E.: Förderungspreis 1979 f. Objekt d. Geschiebesperre Lieserfluß/Ktn., seit 1986 BauR. h.c. M.: seit 1978 KamR., seit 1982 VPräs. d. Ing.Kam. f. Stmk. u. Ktn. (Hat.)

Schneck Peter Dr. Prof.

B.: Ltr. d. Abt. f. Kinder- u. Jugendliteratur im BMUK. DA.: 1014 Wien, Freyung 1. PA.: 1100 Wien, Maillyg. 4/10/10. G.: Wien, 12. Febr. 1943. V.: Antonia, geb. Heigl. Ki.: Christof, Wolfgang, Stefan. El.: Viktor u. Margarete. S.: LBA Wien, 1962 Matura, Stud. Päd. u. Politikwiss. Univ. Wien, 1975 Dr. K.: VS-Lehrer, HS-Lehrer u. Lehrer Polytechn. Lehrgang Bez. Scheibbs, 1970 Rückkehr nach Wien, Lehrer am Polytechn. Lehrgang Wien u. d. Schulversuchs: Integrierte Gesamtschule, gleichzeitig Stud. Päd. u. Politikwiss. Univ. Wien, ab 1975 Tätigkeit u. seit 1985 Dir. am Päd. Inst. d. Stadt Wien, seit 1992 Ltr. d. Abt. f. Kinder- u. Jugendliteratur im BMUK, Ltg. d. Kmsn. f. Kinder- u. Jugendliteratur b. BMUK, Chefred. d. Zeitschrift "1000 u. 1 Buch". P.: Aufsätze zu d. Themen Päd., Kinder- u. Jugendliteratur u. Leseforsch. M.: 1990-92 Vors. d. Intern. Development in Europe Comitees d. Intern. Reading Assoc. H.: Lesen, Wandern, Radfahren, Reisen. (J.S.)

Schneckenburger Roland
B.: Prok., Marketing u. Vertrieb d. Fa. Stolllack, Zentralstellenltr. DA.: 2353 Guntramsdorf, Mödlinger Str. 15. PA.: 2500 Baden, Weilburgg. 105. G.: Schwenningen/BRD, 21. Juni 1942. El.: Hugo u. Gertrud. S.: Matura, techn. Kfm., prakt. Lehre als Werkzeugmacher, kfm. Lehre. K.: Produktionsplanung b. Fa. Kienzle in Schwenningen, im Vertriebsbereich verkaufsförd. Maßnahmen (Messen, direkte Werbung), 1965 Dion.Ass. als Vertreter d. dt. Stammwerk Kienzle in d. neugeschaffenen Vertriebsndlg. in Wien, 1967 Verkauf-Innendienst b. Fa. Stollack, 1977 direkt d. Vorst. unterstellter Bereichsltr. f. d. Bereich Verkauf-Innendienst, 1982 Prokura b. Fa. Stollack, 1984 Übernahme d. gleichen Funktion als Ltr. d. Zentralstelle Verkauf-Innendienst f. alle Unternehmen d. ÖLG (Österr. Lack-Gruppe) d. Fa. Hoechst. H.: Jagd, Malerei. (E.L.)

Schneckenleitner Josef

B.: Gschf. Ges. FN.: Citroen Verkauf-Service-Ersatzteile Schneckenleitner GmbH. DA.: 3300 Amstetten, Karl-Benz-Str. 4. PA.: 3300 Amstetten, Kleingreinsfurth 3. G.: Waidhofen/Ybbs, 8. März 1951. V.: Helga, geb. Hameseder. Ki.: Thomas (1976), Kerstin (1980). El.: Josef u. Margarete, geb. Pöchlauer. K.: 1973 selbst. m. Tankstellenbetrieb in Amstetten, 1978 Erweiterung auf Autohdl., Werkstatt u. Spenglerei, ab 1983 Gebietsvertretung f. Citroen f. Amstetten u. Waidhofen/ Ybbs. H.: Familie, Sport, Skifahren. (M.M.)

Schnedlitz Christine

B.: Gesundheitsschwester. GT.: Inst. b. Dr. Soukup 9020 Klagenfurt, Villacher sTr. 1a. DA./PA.: 9020 Klagenfurt, Koschatsstr. 110. G.: Langenwang, 12. Juli 1950. Ki.: Alexander (1976). El.: Julius u. Anna. S.: VS, HS, Lehre als Bürokfm., 1970 Dipl.-Kosmetikerin, Mannequin, 1974-77 Ausb. z. Gesundheitsschwester Graz, Dipl.-Prüf. K.: 1976-89 Golfhotel Ktn., s. 1982 selbst. Inst., ab 1990 Praxis i. Koschatsstr., Schwerpkt: Fuss-Rflexzonen Lymphdrainage, Atemgymnastik, applied kinesiology, Chakramassage, Cellulitebehandlung n. Phytobiodermie. P.: div. Zeitungsart. M.: Vors. i. d. Prüf.-Kmsn., Innung, Vorst. d. Masseure. (G.L.)

Schnedlitz Peter Dr. o.Univ.-Prof.
B.: Ordinarius am Inst. f. Warenhdl. d. WU Wien. DA.: 1090 Wien, Aug. 2-6. G.: Murau, 30. Sep. 1954. V.: Roswitha, geb. Krenn. Ki.: Lena Kathrin (1992). El.: Franz u. Berta. S.: Matura, Stud. BWL u. Psych. Univ. Graz, 1980 Prom., Habil. K.: 1980-90 Ass. am Inst. f. Hdl. u. Marketing, 1983 Inst. of Technology Massachusetts/USA, nach Habil. 1990 Gastprof. Univ. Innsbruck, 1991 Prof. Univ. Trier, 1992 o.Univ.-Prof. Univ. Lüneburg, WU Wien u. Univ. f. Bdk. Wien, seit 1992 Ordinarius am Inst. f. Absatzwirtschaft. P.: zahlr. einschlägige Fachpubl. E.: 1992 Staatspreis f. d. Marketingltg. d. Projektes "Austromir 1991". F.: Gschf. Ges. d. Werbeagentur Dr. Schnedlitz & Partner 2542 Baden, Schloßg. 1. M.: Mtgl. berufsspez. Ges. z.B. Ges. f. Absatzwirtschaft, Assoc. of Consumer Research. H.: Tennis, Skifahren. (J.S.)

Schneeberger Erwin KommR.
B.: Inh. d. Erwin Schneeberger Betonwerk. GT.: seit 1986 Gschf. Ges. d. Fa. Fertigbeton Schneeberger OHG Steinbrunn, seit 1989 Ges. d. Fa. Rimertem Mauerwerk u. Fertigdeckenerz. Schneeberger & Gissenwerer GmbH. DA.: 7022 Loipersbach, Geldgasse Neubau. PA. 7022 Loipersbach, Hauptstr. 39. G.: Loipersbach, 20. Sept. 1939. V.: Helga, geb. Bauer. Ki.: Sabine, Bettina, Mario. El.: Michael u. Anna. S.: Lehre als Maurer. K.: 1958 Grdg. u. Aufbau d. Betonwerkes in Loipersbach gemeinsam m. d. Vater, seit 1985 VPräs. d. HK f. Bgld., seit 1985 VPräs. d. Eisenstädter Bank, seit 1981 LObm. d. Ver. Wirtschaftsverb. v. Bgld., seit 1987 AufsR. d. BEWAG. E.: 1981 Gr. EZ d. Landes Bgld., Silb. u. Gold. Verd.Zeichen d. Bgld. Fußballverb., Floriani-Orden d. Feuerwehr, 1978 KommR. M.: SPÖ, SV, Musikver., ehem. Obm. d. SV u. d. Verschönerungsver. v. Loipersbach. H.: Fußballspielen. (M.B.)

Schneeberger Hans Peter Mag.

B.: Gschf. Ges., Gschf., Ges. FN.: IMS, IMS Connection, IMS Holding GmbH. DA.: 4020 Linz, Hauptstr. 83-85. PA.: 4020 Linz-Zaubertal, Lärchenauerstr. 29. G.: Matrei, 4. Aug. 1963. V.: Ina Maria, geb. Seidel. Ki.: Anna Karina (1987), Konstantin (1992), Maximilian (1993). El.: Peter Paul u. Ingrid. S.: VS, Gymn., 1982 Matura, 1983 BH, Stud. BWL Linz m. Schwerpunkt Betriebsinformatik u. Marketing. K.: Ass. Univ. Linz, Univ.-Lektor f. Datenverarb., 1988-89 freiberufl. EDV-Berater, Schulungen u. EDV-Kurse im WIFI, Akademikertraining u. Marketing u. Werbeanalyse, 1989 Grdg. d. Firma m. Partnern, 1992 Grdg. IMS Holding. P.: Art. in Fachzeitschriften. H.: Familie, sportl. Aktivitäten m. Kindern, Kochen, Japan. Küche. (U.A.)

Schneeberger Klaus Mag.
B.: Vizebgmstr., Abg. z. NÖ Landtag. DA.: Rathaus, 2700 Wr. Neustadt, Neuklosterpl. 2. PA.: 2700 Wr. Neustadt, Kaisersteing. 97. G.: Lienz, 18. Apr. 1950. V.: Elfriede, geb. Hainzel, Mag. Ki.: Axel, Christoph, Tina. El.: Josef u. Friederike. S.: HAK, 1970-76 WU Wien, BWL, Mag. K.: 5J. Unterr. HAK Wr. Neustadt, 1977 Personalref., 1985 Parteiobm. ÖVP, s. 1986 Vizebgmstr., 1993 Abg. NÖ Landesreg., a. 1984 Personalltr. EVN. M.: Ver. z. Förd. d. RIZ, Sparkassenbeir. Wr. Neustadt, Golfclubmtgl. Föhrenwald. H.: Golf, Ski. (I.J.)

Schneeberger Paul

B.: Kfz-Hdl. FN.: Schneeberger Alfa Romeo. DA./PA.: 5230 Mattighofen, Furth 6. G.: Pfarrkirchen, 18. Mai 1947. El.: Johann u. Helene. S.: VS, HS, Technikerschule Kfz Mechaniker im Ausland. K.: 1973 Mstr. Prüf., 1978 übernahme d. Betr. H.: Tennis, Fußball, Motorsport, Skifahren. (M.G.)

Schneeberger Walter

B.: Bahnhofvorst. m. Zolldienst in Sopron, ÖBB-Bmtr., Bgm. d. Gem. Loipersbach. DA.: 1020 Wien, Nordbahnstr. 50. PA.: 7022 Loipersbach, Herreng. 31. G.: Loipersbach, 4. Okt. 1936. V.: Margarethe Erika, geb. Pöttacher. Ki.: Walter, Sylvia, Sabine, Eva. El.: Johann u. Theresia. S.: 1956 Matura. K.: 1956 Sped. Bischof in Wien, seit 1956 b. d. ÖBB, Ausbild. z. Fahrdienstltr., anschl. an 35 versch. Bahnhöfen tätig, 1965-70 Bahnhofvorst. in Sauerbrunn, 1970 BFinanzschule am Rennweg in Wien, 1970 Abschluß m. staatl. Zollprüf., 1971-73 Zolldeklarant in Wien Westbhf., 1973-76 Zolldeklarant in Wr. Neustadt, seit 1976 Bahnhofvorst. m. Zolldienst in Sopron, 1962 GemR., 1972 Gem.Vorst., seit 1977 Bgm. d. Gem. Loipersbach. E.: Silb. Verband-EZ d. BFV, Gold. EZ d. ASKÖ. M.: SPÖ, seit 1963 Schriftführer in d. Gem.Vertretung d. Ev. Kirche, Kontrollausschl.Mtgl. d. Bgld. Müllverb., seit 1977 Delegierter z. Bgld. Wasserleitungsverb., seit 1985 Vorst.Mtgl. im soz. Gem.Vertreterverb. v. Bgld., 1955-74 aktiver Fußballer in Loipersbach, seit 1980 in d. Seniorenmannschaft tätig. H.: Sport, Wandern, Bergsteigen, Schwimmen, Fußballspielen, Schachspielen, Lesen. (M.B.)

Schneeweiß Hannes

B.: alleiniger Inh., Gschf. u. Gastronom. FN.: Hotel Schneeweiß. DA. u. PA.: 6100 Seefeld, Heilbadstr. 104. G.: Innsbruck, 30. Aug. 1957. V.: Geoegette. Ki.: Michelle (1991). El.: Johann u. Margarete, geb. Blechinger. S.: 1971-75 Gymn. in Stams, 3 J. Hotelfachschule in Bad Gleichenberg, 1978-85 Auslandsaufenthalte in Schottland, England u. Schweiz, i. d. Schweiz dann als Commis de Rang, Chef de Rang, Barman, F & B Controler, danach als Einkäufer, Bankett Manager, Personal Chef u. zuletzt Vize Dir. im Hotel Winterthur, 1985 zurück in den elterl. Betrieb, 1985 Konzessionsprüf. in Innsbruck, 1982 Heirat. 1 J. im elterl. Betrieb tätig, 1.10.1985 Übern. d. elterl. Betriebes, 1987-88 Ausbau u. Erweiterung, 1990 Renovierung d. Hallenbades u. Saunabereichs, 1992 Umbau d. Bar u. Renovierung d. Hauses. H.: Sport, Squash, Tennis, Golf, Skifahren, Tauchen. (A.W.)

Schneeweiß Hermann Dr. iur.

B.: Notar. PA.: 4470 Enns, Dr.-Karl-Renner-Str. 14. G.: Wien, 9. Jan. 1943. V.: Rosemarie, geb. Steinmeyr. Ki.: Robert, Katrin, Hermann. El.: Dr. iur. Alfred u. Cäcilia. S.: BRG Linz, 1961 Matura, Stud. an d. Univ. Wien, Jur. Fak., 1965 Prom., 1966 Sommerstipendium an d. Univ. Luxemburg, Gerichtsj. in Wien u. Linz. K.: 1966-68 RA-Konzipient b. RA Dr. Werner Mäntler, 1968-78 in d. väterl. Kzl. b. Notar Dr. Alfred Schneeweiß, seit 1978 selbst. Notar in Enns. M.: Tennisclub Enns. H.: Tennis, Skifahren. (A.W.)

Schneeweiß Hermann Georg

B.: Gschf. Hoteldir. d. Hotel Astoria Seefeld. DA.: 6100 Seefeld, Geigenbühelstr. 185. G.: St. Georgen, 28. März 1933. V.: Marita, geb. Heitkämper. S.: VS, Gymn., Hotelfachschule Bad Gastein. K.: Auslandspraxis in Holland, Frankreich u. England, Eintritt in d. Intercontinental-Gruppe, Manager b. Aufbau u. Eröff. d. Intercontinental Hotel in Amman, Mitaufbau u. Führung d. Hotel Astoria im Kühtai, seit 1974 Hotel Astoria Seefeld. M.: Mitbegründer u. Schatzmstr. d. Golfclub Seefeld, Mitbegründer d. Reitanlage Seefeld. H.: Klass. Musik, Golf, Reiten, Segeln. (Schm.)

Schneeweiß Wolf Dieter Dr. Ass.-Prof.

B.: OA d. Univ. Frauenklinik Graz. DA.: 8010 Graz, Auenbruggerpl. 14. G.: Linz, 20. Apr. 1941. V.: Edith, geb. Nawratil-Kronenschild. Ki.: Claudia (1971), Jörg (1974). El.: Dr. Karl u. Gerda. BV.: Prof. Dr. Ritter v. Helly, 1. Vorst. d. Klinik f. Frauenheilkunde u. Geburtshilfe in Graz. S.: RG, 1959 Matura, Stud. Univ. Graz, anschl. St. Luke's Hospital New York. K.: FA f. Frauenheilkunde u. Geburtshilfe (Zytodiagnostik). P.: mehrere wiss. Publ. u. Vorträge im In- u. Ausland. E.: Silb. EZ f. Verd. d. Ärztekam. f. Stmk. M.: Kiwanis Graz-Schloßberg, Club 41 Graz. H.: Jagd, Reisen, Musik, Biologie, Zoologie. (R.S.).

Freiherr v. Schnehen Herbert Dr. phil. Prof.

B.: OStR. i.R. A.: 8600 Bruck/Mur, Erzherzog-Johann-G. 2. G.: Graz, 14. Juni 1901. V.: Dr. phil. Hermine, geb. Kleweta. El.: Rudolf u. Marianne. S.: Hum. Gymn., Reifeprüf. m. Ausz., Univ., Rigorosen m. Ausz., Dr. phil., Mag. f. Deutsch, Latein u. Griech. K.: Prof. an versch. österr. Gymn. P.: Familiengeschichte v. Schnehen 1200-1977, "Glanz d. frühen Jahre", Roman erschienen in d. Zeitschrift "Der eiserne Brunnen" 1970-1983, Deutsche Sprache - Deutsches Denken, zahlr. german. u. genealog. Aufsätze in versch. Zeitschriften, "Walther v. d. Vogelweide ein Frankfurter - sein Bruder Konrad Dichter des Nibelungenliedes?" 1981, "Eine sechste Abstammung von Kaiser Karl d. Großen am Brucker Gymn." 1982, "Die Herren von Sulingen" u. "Wer war Dorothea v. Sulingen" 1985, "Sechs österr.-ungar. Genealogen Nachkommen v. Niklas Graf Zrinyi" 1987/88. E.: Gold. Ehrennadel d. Alpenländ. Kulturverb. "Südmark", Médaille de mérite 1985 d. "Confédération intern. de généalogie et d'héraldique" in Brüssel, Doppeladler-Ehrenkreuz d. Verb. d. Österr. z. Wahrung d. Geschichte Österr. M.: Herald.-Genealog. Ges. "Adler" Wien, Ver. Dt. Studenten Graz, Alpenländ. Kulturverb. "Südmark", Histor. Ver. f. Stmk., Österr. Ak.Bund, Alter Orden v. St. Georg, Dt. Ak. f. Bildung u. Kultur München, Schlaraffia. H.: Familienforsch.

Schneid Herbert

B.: Unternehmer. FN.: Schneid Electronic. DA. u. PA.: 8054 Graz-Pirka, Fahrschulweg 9. G.: Salzburg, 19. Nov. 1961. V.: Roswitha, geb. Slapar. El.: Herbert u. Edith. S.: VS, RG, HTL ET, 1981 Matura, Stud. Elektrotechnik u. Telematik Graz. K.: Grdg. einer eigenen Softwarefirma Graz, 1988 1. Studienabschnitt, 1989 Grdg. GmbH u. Umsiedlung nach Graz-Pirka, Büros auch in Sbg. u. Wien, ab 1993 Büro in Zagreb, Ausstatter im PC-Bereich aller Österr. AHS u. HTL, Mtgl. einer intern. Einkaufsgemeinschaft m. Büro in Taiwan. BL.: 1990/1992 Förd. d. FFF über d. Energieoptimierung im Fernwärmebereich. H.: Volleyball, Skifahren. (M.Gr.)

Schneider Albert
B.: Bgm. d. Marktgem. Stadl-Parua. DA.: 4651 Stadl-Paura, Marktpl. 1. PA.: 4651 Stadl-Paura, Dr.-Edmund-Merl-Str. 3. G.: Neu Pasua, 9. Okt. 1930. V.: Gertrud, geb. Mörtenhumer. Ki.: Cornelia. El.: Josef u. Eva, geb. Reder. S.: 1945 Schulabschluß. K.: 1946-90 Tätigkeit in metallverarb. Betrieb, 1973-79 GemR., 1979-83 Gem.-Vorst., 1983-84 VBgm., seit 1984 Bgm. d. Marktgem. Stadl-Paura. M.: Musikver., Sportver. H.: Garten, Familie. (E.Hö.)

Schneider Albert Ing.
B.: Mitinh. u. Gschf. d. Fa. Transistor Vertriebs GmbH & Co KG. DA.: 1210 Wien, Bahnhofspl. 3. G.: Maria Enzersdorf, 15. Juni 1944. V.: Christine, geb. Schöny. El.: Michael u. Maria. S.: Mittelschule, HTL, Nachrichtentechnik. K.: Seit 1971 selbst. H.: Reisen. (Lar.)

Schneider Angelika
B.: Gschf. Ges. FN.: Dr. W. Kosmath GmbH & Co KG. DA. u. PA.: 6800 Feldkirch, Liechtensteiner Str. 59. G.: Feldkirch, 17. Nov. 1945. V.: Luis. Ki.: Gerald (1969). El.: Karl u. Erika. S.: 1963 1. weibl. Lehrling Sped.-Kfm., Konzessionsdekret, 1980 Erz. Balneolog. Präparate. K.: 1963 Verkehrsltr. im Lehrbetrieb d. Sped., b. 1971 Karenzurlaub, 1971 Ang. Firma Dr. Kosmath in Produktion u. Versand, 1990 Kauf d. Firma m. Gatten Luis, Peloidin Tiefenmoor-Kurmittel u. Kosmetika, Erzeugung u. Vertrieb. H.: Skifahren, Radfahren, Reisen, Filmen, Natur genießen. (I.D.)

Schneider Arno
B.: Goldschmied u. akad. Bildhauer. FN.: Goldschmiede Schneider-Rappel. DA.: 6130 Schwaz, Wopfnerstr. 9. PA.: 6130 Schwaz, Gilmstr. 57. G.: Innsbruck, 8. Juli 1946. Ki.: David (1985). El.: Prof. Herbert Julius u. Anna, geb. Rappel. BV.: traditionsreiche Goldschmiedefamilie, 1875 Grdg. d. Goldschmiedewerkstätte, ca. 1899 Vergoldung d. "Goldenen Dachl" Innsbruck, Kirchenaufträge, Bischofsstäbe, Bgm.-Ketten, Tabernakel. S.: 1964 Matura, 1964-68 Ausbild. z. Gold- u. Silberschmied, 1969/70 Stud. FHS f. Gestaltung in Pforzheim/BRD, 1970-76 Stud. u. Dipl. d. Bildhauerei Ak. d. Bild. Künste München. K.: 1976-85 Kunst- u. Werkerzieher Gymn. Paulinum Schwaz, 1981 Brunnengestaltung Schulzentrum Schwaz, 1990 Anerkennungspreis b. Staatspreiswettbewerb "Schmuck aus Edelmetall", 1992 Urkunde b. "Diamonds-Intern.-Awards 92", Ausstellungsbeteiligungen: 1970 Pforzheim, 1974 Schwaz, 1974/75/76/77 Haus d. Kunst München, 1976 Skulpturen BTV Schwaz, 1985 Goldschmiede in Innsbruck, 1988 Schmuckpräsentation "Baustelle Schloß Kapsburg" Kitzbühel, 1989 "90 J. Kunst in Schwaz" Schwaz, 1990 Wanderausstellung "Schmuck aus Edelmetall" Wien, Graz, Klagenfurt, Innsbruck, 1991 Österr. Inst. f. Formgebung Wien, 1992 "BergWerk" Galerie V&V Wien, Galerie EL-Avantgarde Linz, 1992 "Austria Design Diagonal" Museum f. zeitgenöss. Kunst Sevilla EXPO 92 Marinemuseum Barcelona, 1992 Österr. Inst. f. Formgebung Wien. H.: Bogenschießen. (M.W.)

Schneider Arthur Dr. Dipl.-Ing. KommR.
B.: Dir., techn. Ltr. Ndlg. u. Milchhof Wien. FN.: Schärding OÖ Molkereiverb. rGenmbH. GT.: Gschf. Ges. Milchverwertung Anton Schneider OHG. DA.: 1140 Wien, Linzer Str. 223-231. PA.: 3352 St. Peter 178. G.: Wien, 20. März 1936. V.: Dkfm. Edeltraud, geb. Seidl. Ki.: Arthur, Elisabeth, Reinhold. El.: KommR. Alois u. Antonia. BV.: Großvater Anton Schneider Bürger d. Stadt Wien. S.: hum. Gymn., 1955 Matura, Stud. d. Bdk., 1959 Dipl., 1963 Dr. K.: 1965 Übernahme d. Geschäftsführung in St. Peter, 1969-74 Prok., 1974-77 Gschf. d. Miag Milchind. GmbH in Wien, seit 1970 BInnungsmstr. d. Molkereien u. Käsereien, seit 1978 techn. Dir. Schärdinger, fachkundiger Laienrichter im HG St. Pölten. P.: Fachvorträge in d. österr. Milchwirtschaft. E.: Silb. Kam.Med. d. HK NÖ, Bauernbund, Hl. Hypolit I. Kl. d. Diözese St. Pölten. M.: Stellv. Vors. d. Volksbank Alpenvorland, Fachvertreter d. Molkereien u. Käsereien d. HK NÖ. H.: Wandern, Skifahren, bild. Kunst. (E.L.)

Schneider Bruno
B.: Prok. FN.: Heizbösch KG. DA.: 6890 Lustenau, Grüttstr. 11. Ki.: 1. S.: Grundschule, HAK in Bregenz. Ki.: in Sbg. begonnen, ab 1952 b. Fa. Heizbösch.

Schneider Ekkehard
auptbereichsltr. f. Materialwirtschaft u. techn. Dienste, Kfm. DA.: 6971 Hard, Rheinstr. 1. PA.: 6900 Bregenz Kassian-Hard-G. 1. G.: Hard, 17. Apr. 1961. El.: Engelbert u. Johanna. S.: HS, HAK, 1981 Matura, 1981 BH, Univ.-Lehrgang f. angew. Informatik, ak. geprüfter Informatik Techniker, versch. Seminare Einkauf ÖPWZ Wien. K.: 1982 Eintritt Firma Alma als Ass. d. Hauptbereichsltr. f. Materialwirtschaft u. techn. Dienste, 1988 Übernahme d. Ltg. M.: Basketballclub Hard. H.: Basketball, Tennis, Mountainbike, Schwimmen, Tauchen, Reisen, Bergwandern. (I.D.)

Schneider Emil Theodor Dir.
B.: Mtgl. d. Vorst. d. Vbg. LVers. GT.: Mtgl. d. AufsR. d. Kapitalbeteiligungsges. f. d. Wirtschaft Vbg. AG seit 1980, Mtgl. d. BeiR. d. Hypothekenbank d. Landes Vbg. seit 1986, Sekt.Ltr.Stellv. d. Sekt. Geld-, Kredit- u. Vers.Wesen d. HK Vbg. seit 1985. DA.: 6901 Bregenz, Bahnhofstr. 35. G.: Bregenz, 12. Aug. 1939. V.: Hedy, geb. Winder. Ki.: Claus (1972), Christoph (1978). El.: Julius u. Sophie. S.: Gymn., HAK, div. Seminare. K.: Tätigkeit am Finanzamt Bregenz, 1959 Eintritt in Vbg. LVers. E.: 1989 30jähriges Dienstjubiläum. H.: Familie, Garten, Bergwandern, Radfahren, Reisen, Briefmarken sammeln. (M.G.)

Schneider Engelbert Dr. iur.
B.: Stadtamtsdirektor. FN.: Stadtamt Landeck. DA.: 6500 Landeck, Innstr. 23. PA.: 6500 Landeck, Perfuchsberg 43. G.: Landeck, 11. Apr. 1946. V.: Inge, geb. Rauscher. Ki.: Mag. Michael (1967). El.: Engelbert u. Emma. S.: Gymn. Landeck, 1964 Matura, Stud. a. d. Univ. Innsbruck, 1969 Prom. K.: 1970 Eintritt als Stadtamtsdir. in d. Stadtgemeinde Landeck. M.: Obmann Gemeindesportverein Landeck, Kiwanis Landeck-Imst, Vors. Alpenverein Landeck. H.: Bergsteigen, Lesen, Geschichte, Kunst u. Kultur. (I.D.)

Schneider Erich Dr. phil. Prof.

B.: ehem. Prof. PA.: 6900 Bregenz, Rheinstr. 37. G.: Wien, 8. Jän. 1911. Ki.: Kurt (1941), Edeltraud (1943), Helene (1946). El.: Karl u. Helene. S.: Sängerknabe i. Zisterzienserstift Zwettl, Bundeserziehungsanst. Wien, Matura 1930, phil. Fak. a. d. Univ. Wien, 1935 Prom. Germanistik, Musikwiss. u. Gesch. K.: 1938-72 Porf. HAK i. Bregenz, 1937 Prof. a. d. HAK i. Lustenau, 1974-91 Archivar d. Vlbg. Volksliedarchivs, s. 1947 freier Mitarb. b. ORF, 1965 Oberstud.-Rat, 1972 Ruhestand, 1 Jahr Lehrbeauftragter a. Landeskonservatorium Musikalische Volkskunde, 1974 Archivar d. Voralbg. Volksliedarchivs. P.: Blasmusik i. Vorarlbg., Musik i. Bregenz einst u. jetzt, Musik u. Theater i. Lustenau. E.: 1971 Med. d. Vorarlbg. Sängerbundes, 1975 Gold. EZ, 1978 EZ d. Univ. Innsbruck, Gold. EZ d. Landesverb. d. Vorarlbg.

Blasmusik, 1988 Verdienstmed. d. Diözese Feldkirch, 1989 Verdienstabz. d. Landes Vorarlbg. M.: Kiwanis Club Bregenz, Grdg. u. Ehrenvorst. d. Richard Wagner Ges., Vorarlbg. Volksliedwerk. H.: Klavierspielen, musikwiss. Arbeiten. (I.D.)

Schneider Ernst Ing.

B.: Kfm., Elektrotechniker. DA.: 9500 Villach, Bahnhofstr. 9. PA.: 9504 Warmbad Villach, Schächtestr. 21. G.: Villach, 25. Jan. 1948. V.: Heimtraut, geb. Obmann. Ki.: Wolfgang, Alexandra, Ernst-Mario. El.: Ernst u. Erna. S.: VS, HS, HTL Elektrotechnik Graz, Matura 1967, Praxisj. im elterl. Betrieb in sämtl. Bereichen b. 1973, ab 1973 Gschf. Ges. d. gegründeten OHG, 1981 zusätzlich GmbH. BL.: Leistungsfähiger EL-Installationsbetrieb m. öff. Aufträgen v. namhaften Ind. u. Geschäftsbauten in Ktn. F.: Techn. Büro f. EL-Technik im Warmbad Villach. M.: Ehrenmtgl. b. versch. Sportver. H.: Surfen, Joggen, Tennis, Skifahren, Langlauf, Musik, Filmen. (Hat.)

Schneider Franz

B.: Maschinenschlosser, Gastwirt. FN.: Gasthof Wasserfall. DA. u. PA.: 5672 Fusch, Glocknerstr. Z 119. G.: Maishofen, 4. Dez. 1957. V.: Renate, geb. Di-Centa. Ki.: Rebecca (1989). El.: Leonhard u. Frieda. S.: Maschinenschlosserlehre b. Fa. Rieder i. Zell/See, 1976 Gesellenprüf., BH, Hotel Lohninghof i. Thumersbach mit div. spez. Fachkursen im Gastgewerbe begonnen, 1987 Heirat, m. Gattin i. Berghotel Komperdel i. Serfaus tätig, s. 1988 selbst. i. Angerberg, s. 1990 Anwesen Hotel Wasserfall i. Fusch. M.: Sportverein, Eisschützenverein. H.: Bergsteigen, Eisschießen, Radfahren. (J.F.)

Schneider Franz

B.: Küchenchef d. Restaurant Himmelpforte. DA.: 1010 Wien, Himmelpfortg. 24. PA.: 1110 Wien, Neugebäudestr. 18/6/5. G.: Schwechat, 20. April 1947. V.: Alma, geb. Forster. Ki.: Belinda, Jeremy. El.: Franz u. Maria. S.: Berufsschule, Koch-Gehilfenprüf. 1964, Auslandsaufenthalte u. Praxis in Frankreich u. Schweiz. K.: 1970-72 Jungkoch im Hotel de France, 1973-78 Pächter d. Kantine BAmt f. Eich- u. Vermessungswesen, 1080 Wien, 1979-83 Hotel Palais Schwarzenberg, ab 1981 Küchenchef, Banketterfahrung (b. 1.000 Pers.), 1982 Österr.-Wochen in Zürich, 1983-85 Küchenchef im Restaurant Kuchelmasterei, ab Okt. 1985 Küchenchef Restaurant Himmelpforte. BL.: Maßgebl. Beteiligung an d. Entwicklung d. "Neuen Küche" in Wien während d. Beschäftigung im Hotel Palais Schwarzenberg. P.: Mitarb. am Buch "Die neue Wiener Küche" v. Dr. Bernert (Heine-Verlag 1984). H.: Fußball, Tennis, Joggen, Kochen. (C.K.)

Schneider Franz Dr.

B.: RA. GT.: Ehrenpräs. d. Wr. Jur. Ges. u. d. Österr. British Ges. DA.: 1010 Wien, Stephanspl. 8A. PA.: 1060 Wien, Nelkeng. 2/12a. G.: 13. Dez. 1909. V.: Dr. Anda, geb. Uiberall. Ki.: Dr. Ronald Peter, Dr. Graham Paul. El.: Franz u. Theresia. S.: Gymn. Kollegium Kalksburg, Stud. in Wien, 1931 Dr., 1936 Anw.Prüf. K.: 1939-46 in England als VPräs. d. Österr. Auslandsvertretung, 1946 Eröff. d. Kzl. E.: Gold. EZ f. Verd. um d. Rep. Österr., Officer of the Order of the British Empire. M.: AufsR.Vors. d. Amatil Getränke (Wien) GmbH Wien, Huyck Fez GmbH Wien, AufsR. d. Gazelle AG Strümpfe u. Wäsche Wien, Brüder Kunz GmbH Wien. (S.S.).

Schneider Franz Ferdinand Dipl.-Ing.

B.: Staatl. beeid. u. bef. Ing.Kons. A.: 1190 Wien, Pfarrwieseng. 4. G.: Wien, 21. Dez. 1915. V.: Helga, geb. Suppan. El.: Franz u. Berta. S.: Realschule, Stud. an d. Univ. Wien u. THS Wien, Dipl.-Ing. f. Geodäsie. K.: 1938-40 Dt. Luftwaffe, Luftgaukommando II u. VIII, Sonderaufgaben b. Anlage v. Flugplätzen in CSSR u. Polen, 1941-45 Dt. Kriegsmarine Sperrversuchskommando Kiel, Sonderaufgaben Unterwasserwaffenentwicklung, 1945-52 Land- u. Erdvermessung in Österr., ab 1952 Ing.Kons., eigene Kzl. in Neusiedl am See, geodät. Aufgaben, Neuparzellierungen, Straßen- u. Autobahnanlgen. P.: Div. Publ. aus d. Fachgebiet Geodäsie. M.: BIng.Kam. Österr., Rotary Intern. H.: Skilaufen, Wassersport.

Schneider Friedrich-Georg Dr. rer. soc. o.Univ.-Prof.

B.: Dekan d. Sozial- u. Wirtschaftswiss. Fak. Johann Kepler-Univ. DA.: 4040 Linz, Altenbergerstr. 69. PA.: 4020 Linz, Am Winklerwald 6. G.: Konstanz/BRD, 16. Febr. 1949. V.: Irmgard. Ki.: Alexandra-Helen (1979), Melina-Ursel (1982), Stefanie-Anna-Lisa (1989). El.: Eberhard u. Ursula. S.: 1968 Abitur, 1968-70 Bundeswehr, Lt. d. Res., 1970-77 Stud. Vw. Konstanz, Prom. Dr. rer. soc., Ausbild. z. Programmierer. K.: 1972-74 freier Mitarb. b. Telefunken/Computer als selbst. Programmierer, 1975/76 USA-Aufenthalt, 1976-79 wiss. Ass. Inst. f. empir. Wirtschaftsforsch. u. Lehrbeauftragter d. Univ. Zürich, 1982 Visiting Assoc. Prof. Univ. Stockholm, 1979-83 Lehrbeauftragter Univ. Zürich, 1983 Habil., 1983-84 Visiting Assoc. Prof. Carnegie-Mellon Univ. Pittsburg/USA, 1984-85 Assoc. Prof. Ökonom. Fak. Univ. Aarhus Dänemark, 1985 Univ. Linz, b. 1987 Gastprof. La Trabe Univ. Melbourne/ Australien, seit 1986 o.Univ.-Prof. Johann Kepler-Univ. Linz, 1990-92 Dekan d. Sozial- u. Wirtschaftswiss. Fak. d. Johann Kepler-Univ. Linz. P.: Bücher u.a. "Öffentliche Bürokratie" (1980), "Der Einfluß v. Interessengruppen auf d. Wirtschaftspolitik" (1985), "Biosprit in Österr." (1987), "Ökonomische Probleme d. Gesundheitsversorgung in Deutschland u. Frankreich" (1990), "Bargeldhaltung" (1990), 61 Art. in wiss. Zeitschriften u.a. "Wie stehts mit Trittbrettfahren?" (1980), "Illusion in Fiscal Politics" (1980), "Das Wachstum d. Staatsausgaben in Österr." (1988), "Der Rechnungshof auf d. Prüfstand" (1989), 17 Beiträge in Lexika u.a. "Politische Ökonomie" (1983), "Intern. Tendenzen in d. Wirtschaftspolitik in d. achtziger Jahren" (1989), "Mechanik u. Ökonomie: Keplers Traum u. d. Zukunft" (1991), 47 Beiträge in Tagungs- u. Sammelbänden, 37 Buchbesprechungen, Ref. f. versch. wiss. Fachzeitschriften, Hrsg. d. Fachzeitschrift "Public Choice", Mithrsg. d. Österr. Schriftenreihe d. Inst. f. Sparkassenwesen Linz, Organisator v. 4 wiss. "Workshops" u. 3 wiss. Tagungen, 13 Forsch. Projekte, Teilnahme an ca. 100 wiss. Tagungen u. Präsentationen eines eigenen Beitrages, ca. 70 gehaltene Lehrveranstaltungen an in- u. ausländ. Univ. M.: wiss. Ltr. Ludwig Boltzmann-Inst. Wien, American Economy Assoc., Ver. f. Sozialpolitik, Österr. Weinbruderschaft. H.: Kochen, Garten. (P.H.)

Schneider Gebhard

B.: Hotelier. A.: 6764 Lech am Arlberg, Hotel Almhof-Schneider. V.: Hannelore, geb. Hofpointner. El.: Leopold u. Maria. S.: Grundschule, HASCH, div. Spezialkurse. K.: Übernahme d. elterl. Stammbetriebes u. kompletter Neubau d. Hotel-Schneider Almhofes. F.: Skilift Ges. Ing. Bildstein & Co, Rüfikopfseilbahn, Tiefgarage Anger, Parkgarage Mühle. M.: Österr. Hotelierver., VPräs. d. Vbg. LFremdenverkehrsverb.

Schneider Gerhard

B.: Inh,. Gschf. Ges. FN.: G. Schneider Tankstelle, G. Schneider GmbH Tankstelle, Kaffeehaus, Hdl. m. Waren aller Art. DA.: 8020 Graz, Kärntner Str. 30, 8020 Graz, Triester Str. 121. G.: Graz, 25. Sept. 1957. V.: Christine, geb. Horvatits. Ki.: Sandra (1983), Thomas (1990). El.: Walter u. Maria. S.: Pflichtschule, Lehre als Glaser u. Einzelhdls.-Kfm., 1977 Abschluß, Grundwehrdienst. K.: kfm. Ang., 1 1/2 J. Filialltr. b. Billa, dann Marktltr. b. Konsum, in dieser Zeit

Seminare in geschäftl. Weiterbild., selbst. Handelsvertreter im Außendienst, 1991 1. Tankstellenübernahme, 1992 Grdg. d. GmbH. H.: Segeln. (F.K.)

Schneider Gerold Dr. phil. Mag. rer. nat. HofR. Prof.

B.: Dir. d. BHAK Linz. A.: 4020 Linz, Tauberweg 1. G.: Braunau/Inn, 1. Mai 1926. V.: Charlotte, geb. Tröster. El.: Hans u. Hilde. S.: VS, Mittelschule, Univ. Wien. K.: Seit 1950 Prof. an d. BHAK Linz, seit 1975 Dir., 1976-78 Lektor an d. Joh. Kepler-Univ. Linz, Mitautor eines 4-bd. Lehrbuches d. Math. u. 1-bd. Lehrbuches Wirtschaftl. Rechnen f. HAK, sowie eines Lehrbuches f. Physik. P.: Div. Fachart. im "Weg in d. Wirtschaft", 5 J. Mitarb. d. Lehrzielbank f. Math. an HAK (Auftrag d. BMU). E.: Prom. sub auspiciis praesidentis. H.: Sport, Reisen.

Schneider Günter-Karl

B.: Wirtschaftstreuhänder, Steuerberater, Musiker, Autor, Komponist. DA.: 5020 Salzburg, Mildenburgg. 6. G.: Irdning, 14. Mai 1941. V.: Ingrid, geb. Wessely. Ki.: Michaela-Ellen, Hanna-Isgard. El.: Karl u. Margarethe. S.: HAK, 1959 Matura, 1955-63 Musikerausbild. Mozarteum Sbg. u. an d. Musikak. Graz. K.: 1968 Eintritt in d. Steuerberatungskzl. Dr. Zobl, 1972 Steuerberatungsprüf. H.: Musik. (A.W.)

Schneider Günther

B.: Inh., Modellbauer. FN.: Schneider Modellbau. DA./PA.: 6330 Kufstein, Einfangstr. 16. G.: Kufstein, 18. Juni 1953. V.: Marlene, geb. Zott. Ki.: Bernd (1973), Rene (1976), Jürgen (1978). El.: Franz u. Rosamunde. BV.: Onkel mütterl. war L´Allemond bek. Maler, Gemälde i. Schloß Schönbrunn. S.: VS, HS, HASCH Wörgl. K.: als tech. Zeichner b. Arch. Adamer u. i. Stadtbauamt i. Kufstein bis 1980 tät., 1980-81 Ausb. u. Abschl. z. Berufshubschrauber Piloten, i. d. USA u. S-Afrika als Hubschrauberpilot besch., 1982-87 wieder als tech. Zeichner tät., 1987-91 als Fernfahrer b. Fa. Unterer i. Kundl tät., ab 1991 Selbst. als Hersteller v. Ausstellungs-Planungs u. Funktionsmodellen, seither Architekturpräsentationsmodelle u. a. f. Projekt Kollensberger, Autohaus i. Innsbruck, Proj. Brauhaus Steyr, Proj. Erlebnishotel Ellmau. M.: s. 1973 Mitbegr. d. Modellfliegerclubs. H.: Bergsteigen, Modellbau. (J.F.)

Schneider Heinrich Dr. phil. o.Univ.-Prof. i. R.

B.: Stv. Deleg.- Ltr. d. Hl. Stuhls bei der Org. f. Sicherh. u. Zusammenarb. in Wien. PA.:2391 Kaltenleutgeben, Doktorberg 3/4. G.: Brandenburg, 10. Aug. 1929. S.: Stud. in Bamberg, Cleveland, Ohio u. München, Dr. phil. 1955. K.: Tätigkeit in d. Europabewegung b. 1958, Doz. an d. Ak. f. Polit. Bild. 1959-62, Prof. f. Polit. Wiss. Hannover 1963-68, 1968 Prof. f. Phil. d. Politik d. Politik u. Ideologiekritik, 1971-91 o.Prof. f. Politikwiss. an d. Univ. Wien, Direktoriumsvors. d. Inst. f. Europ. Politik (Bonn), Vizepräs. d. Ges. f. pol.-strateg. Studien (Wien), ehem. Vors. d. Wiss. BeiR. d. Österr. Inst. f. polit. Bild., ehem. Kuratoriumsvors. d. Kath. Sozialak. Österr., ehem. Vors. d. Geistes- u. Sozialwiss. Kmsn. b. Bundesmin. f. Landesverteidigung u.a.m. ,bis 1993:KSZE P.: Über 200 Publ. zu Themen d. Polit. Phil., d. Politikwiss., d. Polit. Bild., d. Friedensforsch. u. d. Europapolitik. E.: Gr. Silb. EZ d. Rep. Österr., Komtur d. päpstl. Gregorius-Ordens, Komtur m. Stern d. Ritterordens v. Hl. Grab zu Jerusalem, BVK I. Kl. d. BRD, Europa-Union-Med. M.: Mtgl. versch. wiss. Ver.

Schneider Heinrich Mag. Prof.

B.: Prof. d. Päd. Ak. Bgld. in Eisenstadt, Bgm. v. Laxenburg. DA.: 2361 Laxenburg, Schloßpl. 7-8. PA.: 2361 Laxenburg, Max.-Neuwirth-G. 11. G.: Wien, 16. Aug. 1937. V.: Adelheid, geb. Seymann, 2 Söhne, 1 Tochter. El.: Prof. Hans u. Mathilde. BV.: Vater Musikdir. in Bad Gastein u. Dir. d. Mozarteum-Orchester. S.: RG Wien, Matura 1955, Stud. an d. Ak. f. Musik u. darst. Kunst u. Univ. Wien, Lehramtsprüf. f. Musikerz. u. Engl., Lehrbefähigungsprüf. Gesang 1963. K.: Ausbildner v. VS- u. HS-Lehrern in d. Fächern Engl. u. Musikerz., seit 1959 als Lehrerbildner tätig, Lehrauftrag f. Sologesang am Joseph Haydn-Konservatorium Eisenstadt, 1964-86 Ltg. der von ihm gegründeten Sektion Eisenstadt d. Musikal. Jugend Österr., seit 1985 Bgm. d. Marktgem. Laxenburg. BL.: Gründer d. Laxenburger Schloßkonzerte. E.: 1981 Silb. EZ f. Verd. um d. Rep. Österr., 1985 EZ d. Landes Bgld., Kulturpreis d. Landes Bg. 1985 als Förderungspreis. P.: div. Arb. in Fachzeitschriften, Mitverfasser eines bekannten Österr. Lehrwerk. f. Musikerz. M.: 1975-87 Obm. d. LGruppe Bgld. d. Arge d. Musikerzieher Österr. (AGMÖ), seit 1980 GemR. in Laxenburg. H.: Radfahren, Reisen, Wandern, Gartenarb. (H.P.)

Schneider Herbert Josef Dr. Dkfm.

B.: Wirtschaftstreuhänder, beeid. Buchprüfer u. Steuerberater. DA.: 5020 Salzburg, Franz-Josef-Str. 4. PA.: 5020 Salzburg, Richard-Strele-Str. 12. G.: Altenmarkt/Pongau, 13. Apr. 1932. V.: Lee Ann, geb. Vanderford. Ki.: Barbara, Christopher, Katrin. El.: Franz u. Barbara. S.: VS, Gymn., 1951 Matura, 2 J. Hotelfachschule Bad Gastein, 2 J. Auslandspraxis, 1955-60 Stud. Welthdl. Wien, 1958 Dkfm., 1960 Prom. K.: 1960-64 AMF, zuletzt Prok., 1964 Übersiedlung nach Sbg. , seit 1979 selbst. als beeid. Buchprüfer u. Steuerberater. M.: mehrere J. im Vorst. d. Sbg. Kunstver., 1993-94 Präs. d. Sbg. Kunstver. H.: Skifahren, Wandern, Windsurfen, Kunst. (D.E.)

Schneider Herwig Dipl.-Ing.

B.: Österr. Hdls.Delegierter in Vancouver. DA.: 736 Granville St., Suite 1220, Vancouver, B.C., Canada, V6Z 1J2. G.: Allentsteig, 25. Apr. 1925. V.: Margarethe, geb. Schabetsberger. El.: Anton u. Martha. S.: VS Allentsteig u. Wien, Mittelschule in Wien, Univ. f. Bdk. Wien, Fak. f. Kulturtechnik u. Wasserwirtschaft. K.: 1953-61 Tätigkeit als Baultr. u. Rg.Experte in Österr., Türkei, Irak u. Ghana, 1962-68 HdlsR. b. d. österr. Botschaft in Baghdad, Irak, 1968-69 Schoeller & Co, 1970-81 HdlsR. b. d. österr. Botschaft in Beirut, Libanon, ab 1981 österr. Hdls.Delegierter in Vancouver, Kanada. E.: Gold. EZ f. Verd. um d. Rep. Österr., Großoffz. d. Ord. v. "Al-Istiqlal", Jordanien. H.: Alpiner Skilauf, Golf, Musik.

Schneider Horst

B.: Gschf. FN.: Hotel Maria Theresien Schlößl GmbH. DA. u. PA.: 5020 Salzburg, Morzgerstr. 87. G.: Salzburg, 10. Okt. 1939. V.: Adelheid, geb. Scharfotter. Ki.: Angela. El.: Josef u. Angela. S.: VS, HS, 2 J. HAK, Hotelfachschule Bad Hofgastein. K.: Tätigkeit England, Frankreich, Schweiz u. Deutschland, 1959-84 Lech/Arlberg, 1982 elterl. Unternehmen gepachtet, 1986 auf Leibrente übernommen. H.: Skifahren, Lesen, Meer.

Schneider Jakob Dr.

B.: Bmtr. d. Österr. Nat.Bank. A.: 1080 Wien, Bennog. 18. G.: Krcedin, 26. Juli 1926. V.: Erika, geb. Miller. El.: Jakob u. Elisabetha. S.: RG, 1946 Matura in Tulln, 1950 Dr. iur. an d. Univ. Wien, 1951 Dipl.Absolvent d. Intern. Konsularstud. Wien. K.: 1950-52 Rechtspraktikant b. 4 Wr. Gerichten, 1952

Bmtr. d. Österr. Nat.Bank., seit 1959 Experte f. d. Oststaaten in d. Österr. Nat.Bank. P.: Zahlr. Aufsätze über Wirtschafts- u. Währungsprobleme d. Oststaaten in versch. Fachzeitschriften Österr., Gedichte u. Prosa in Literaturzeitschriften d. Auslandes. M.: Schwabenver., Ev. Ver. f. Innere Mission. H.: Gedichte schreiben, Photographieren, Radfahren.

Schneider Johann KommR.

B.: Hotelier. A.: 6764 Lech am Arlberg, Hotel Arlberg. G.: Lech/Arlberg, 28. März 1926. V.: Helga, geb. Lingenhöle. S.: Grundschule, Berufsschule. K.: Umfassende Ausbild. im Hotelgewerbe, Fremdsprachen engl., franz., In- u. Auslandspraxis, seit 1956 selbst. Hotelier u. Alleinbes. d. Hotel Arlberg in Lech Kategorie A, KamR. d. Vbg. HK, Fachgruppenvorst. d. Vbg. Beherbergungsbetriebe, Mtgl. d. fremdenverkehrspolit. Aussch. d. BKam., GemR. d. Gem. Lech seit 1970, Bgm. d. Gem. Lech-Zürs seit 1980. F.: Rüfikopf Seilbahn GmbH Lech, Parkgarage Mühle Lech (Gschf.). E.: Gold. Sportabz. u. Gold. Ehrennadel d. Ski-Club Arlberg, Ehrenmtgl. d. Trachtenkapelle Lech, Träger d. Gold. EZ d. Vbg. Harmoniebundes, Gold. EZ f. Verd. um d. Vbg. Fremdenverkehr. M.: Mtgl. d. Ordens "Der silberne Bruch", Rotary-Club Bludenz.

Schneider Josef

B.: Solocellist d. Mozarteumorchesters Sbg. DA.: 5020 Salzburg, Erzabt-Klotz-Straße. PA.: 5020 Salzburg, Hans-Pfitzner-Str. 17. G.: Laufen/Bayern, 16. Juli 1932. V.: Prof. Dr. Maria Michaela, geb. Cuvay. Ki.: Dipl.-Ing. Arch. Ursula (1961). El.: Josef u. Rosa. BV.: Onkel Morasch Konzertmstr. Staatsoper München, Prof. Dr. Roxane Cuvay Prof. f. Kunsterziehung Linz. S.: 1953 Matura, ab 1953 Mozarteum Sbg., 1957 Abschlußprüf. f. Violoncello, Stud. Musik-HS München, Sommerak. Sbg. b. Enrico Mainardi. K.: 1954 Grdg. Sbg. Klavier-Trio, seit 1953 Mozarteumorchester, seit 1961 Mtgl. Sbg. Mozartspieler, seit 1956 Unterricht am Sbg. Musikschulwerk. BL.: Konzerttourneen durch alle Länder Europas, USA, Mexiko, Nord- u. Südamerika, Fernost, Japan, Korea, Taiwan, Hongkong, 1991 Weltreise m. Mozart-Ensemble, Grd. 1979. E.: 1957 Österr. Staatspreis, Gold. EZ f. Verd. um d. Rep. Österr. H.: Bilder (Malerei). (U.E.)

Schneider Karin

B.: Gschf. FN.: Mann GesmbH, Zoofachgeschäft. DA.: 1220 Wien, Donaustadtstr. 1. PA.: 1160 Wien, Arnethg. 39/10. G.: Mödling, 20. Jän. 1968. S.: 1 J. HS Hinterbrühl, 3 J. integrierte Gesamtschule, 3 J. Höhere BLA f. wirt. Frauenberufe. K.: 1986/87 Sachbearb. bei Hapag-Lloyd Austria, 1987 gemeinsam mit Schwester Zoofachgeschäft d. Mutter übernommen und bis 1990 geführt, dann das Geschäft d. Schwester überlassen und bei Fa. Mann, einem Zoofachgeschäft als Gschf. eingetreten. H. Reiten, Skifahren. (F.S.)

Schneider Karl Herbert

B.: Gschf. FN.: Bauerfeind GmbH. DA.: 1230 Wien, Dirmhirng. 68-72. PA.: 1230 Wien, Ketzerg. 300. G.: Dietmanns b. Gmünd/NÖ, 25. Okt. 1945. V.: Gabriele, geb. Augsberger. Ki.: Marion (1966), Stefan (1979). El.: Karl u. Anna. S.: 1960-63 kfm. Lehre Julius Meinl AG Wien. K.: 1961-66 Verkäufer Julius Meinl AG, 1965 Wehrdienst, 1966-67 1. Verkäufer Julius Meinl AG, 1967-68 Filialinsp. Banfy & Co, 1968-73 Außendienstmitarb. Beiersdorf GmbH Wien, 1973-76 Vet.-Med. Mitarb. Bayer GmbH Österr., 1976-77 Außendienstmitarb. Fa. Labaz Österr., 1977-79 Gebietsltr. Fa. Labaz Deutschland, Pharmaref.Prüf., seit 1980 Außendienstltr. Fa. Ebewe-Nordmark, 1981 Verkaufsltr. u. ab 1984 Gschf. Bauerfeind GmbH. H.: Jagd, Familie, Garten, Wandern, Tennis. (M.M.)

Schneider Karl-Heinz

B.: Küchenchef. FN.: Restaurant zum Rathaus. DA.: 6890 Lustenau, Kirchstr. 1. PA.: 6890 Lustenau, Weiherstr. 8a. G.: Bregenz, 23. Apr.1943. V.: Gerda, geb. Hollenstein. Ki.: Dominik (1982). El.: Karl u. Alma. S.: Kochlehre Alte Krone i. Kleinwalsertal, 1961 Abschl. Hotelfachsch. Schloß Hofen. K.: Auslandsaufenth. i. Schweden, 2 Jahre a. d. Schiff "New Amsterdam", 10 J. Küchenchef Fa. Haberl München, Ltr. d. Grillstation Olympiazentrum, Engl. Garten i. München, Küchenchef auf intern. Messen u. Staatsempfängen, 1992 Übern. Rest. Zum Rathaus u. Reichshofsaal Lustenau. H.: Lektüre übers Kochen, Radfahren, Reisen, Fitnesscenter. (I.D.)

Schneider Klaus-Peter

B.: Journalist. GT.: Hrsg. d. "VIDI" Magazin. DA.: 1040 Wien, Margaretenstr. 26. PA.: 1040 Wien, Margaretenstr. 72. G.: Neuberg, 24. Nov. 1945. V.: Konstantia, geb. Nicolaides, 4 Kinder. El.: Dr. Kurt u. Erika. S.: VS, LBA Matura 1964, danach einige Sem. Phil.Stud. an d. Univ. Wien. K.: Lehrtätigkeit in NÖ, danach Pressefotograf u. redaktionelle Mitarb. b. versch. Jugendzeitschriften, 1972-79 "Trend" u. "Profil" Red., 1979-80 freier Mitarb. b. ORF Fernsehen, Wirtschaftsmagazin Schilling, 1980 Grdg. d. "VIDI" Magazins, parallel dazu Beginn einer Videoprod. u. "electronic publishing" in d. VIDIBASE, Zielsetzung: Nachrichtenagentur, was mit d. Erwerb d. "Zentralverteilungsstelle f. Information u. Nachrichten" seinen Anfang nahm, d. Hdls.Betrieb HITS wurde 1987 gegründet. P.: Hrsg. d. VIDI Magazins, div. Artikel im Trend u. im Profil, Pressearb. f. div. Filme. E.: Förderungspreis "MOBIL" Aspekte weltweit. M.: Österr. Journalistenclub (ÖSC), Wirtschaftsforum d. Führungskräfte (WDF), Arge Datenverarb. (ADV), Österr. Computerges. (OCG). H.: Fotografieren, Filmen, Musik. (G.E.)

Schneider Kurt

B.: Gschf. FN.: Schoeller Bregenz GmbH. DA.: 6900 Bregenz, Mariahilfer Str. 29. G.: Bregenz, 19. Nov. 1940. V.: verh., 5 Kinder. S.: Grundschule, HTL. K.: 1 J. Schweiz, seit 1963 b. Schoeller Bregenz. P.: Art. in Fachzeitschriften. M.: HK, Kiwanis-Club. H.: Segeln, Schwimmen, Skilanglauf, Musik.

Schneider Kurt Karl

B.: Steuerberater; Ges. u. Gschf. FN.: Contitreu Wirtschaftstreuhand GmbH; Schneider & Schneider Datenverarb. u. -betriebsberatungs GmbH; AHD-Datensystem GmbH; Proy GmbH. DA.: 1060 Wien, Mariahilfer Str. 89/21. G.: Wien, 31. Aug. 1951. V.: Elisabeth, geb. Rumpel. Ki.: Sebastian, Florian. El.: Kurt u. Helene. S.: HAK. K.: 4 J. Lehrer m. Sondervertrag an d. HAK, 3 1/2 J. Berufsanw. an einer Steuerberaterkzl., 1980 Steuerberaterprüf., seither selbst. M.: ÖVP, BezR., Mtgl. d. Bez.Parteivorst. Fin.Ref. (Lar.)

Schneider Leopold KommR.

B.: Präs. d. Bundes Österr. Jagdvereinigungen. DA.: 1030 Wien, Marxerg. 10. PA.: 3400 Klosterneuburg, Roseggerg. 64. G.: Wien, 16. Dez. 1920. Ki.: Mag. Leopold (1949), Lucia Prilisauer (1950). El.: Leopold u. Josefa. S.: Untermittelschule, Hotelfachschule, Militärdienst u. Kriegsgefangenschaft b. 1946, dann Fremdenverkehrsak. K.: 1958 Übernahme d. elterl. Betriebes (Gastwirtschaft), 1959

Übernahme d. Marktkantine in d. damaligen Wr. Großmarkthalle Wien 3, 1971 Buffet am Blumengroßmarkt, 1985 Cafe "Caramel", seit 1960 Aussch.-Mtgl. d. Fachgr. Gastronomie, seit 1961 KamR. d. Sekt. FV, 1965-85 Vorst. d. Fachgr. Gastronomie, seit 1965 Sekt.-Obm. d. Sekt. FV, seit 1965 Aussch.-Mtgl. d. Fachverb. Gastronomie, 1965-73 Obm.-Stellv. d. Selbst. KK d. FV f. Wien, NÖ u. Bgld., seit 1973 Vorst.-Mtgl. d. SVA d. gewerbl. Wirtschaft, 1981-92 Vors. d. LStelle Wien d. SVA d. gewerbl. Wirtschaft, seit 1978 Beis. u. Prüfer d. Konzessionsprüf., seit 1983 Präs. d. Verb. d. Konzertlokalbes. u. Veranst. Österr., seit 1984 Mtgl. d. Gen.-Vorst. d. Intern. HO RE CA, BezR., Bez.-Vorst.-Stellv. 3. Bez., LAbg. u. GemR., Vors. d. Wr. GemR. bis 1985, Sekt.-Obm. d. Wr. HK u. FV-Verb. Wien bis 1991, seit 1992 Präs. d. Bd. Österr. Jagdvereinigungen. E.: KommR. 1967, Gold. EZ f. Verd. um d. Rep. Österr. 1974, Gold. EZ f. Verd. um d. Land Wien 1981, Gr. Silb. Ehrenmed. d. Kam. Wien 1970, Gr. Silb. EZ d. Rep. Österr. H.: Jagen, österr. Münzen, Reisen. (M.G.)

Schneider Michael

B.: Tischlermstr., Kfm., Kompl., Gschf. Ges. FN.: Intersport Schneider. DA. u. PA.: 5541 Altenmarkt 15. G.: Altenmarkt, 6. Juli 1959. V.: Renate, geb. Windhagauer. Ki.: Michael (1991), Bernhard (1993). El.: Michael u. Maria. S.: VS, HS, Berufsschule u. Tischlerlehre, 1977 Gesellenbrief, 1978 BH. K.: Praxis b. Firma Scherübl, 1981 Mstr.-Schule, 1982 Mstr.-Prüf., seit 1982 im elterl. Wagnereibetrieb u. Sportartikelgeschäft tätig,seit 1990 Kompl., seit 1990 Führung d. Filiale Zauchensee. M.: FF Altenmarkt, Sportclub. H.: Tennis, Skifahren, Langlaufen. (J.F.)

Schneider Oswald

DA.: 5541 Altenmarkt 124. G.: Altenmarkt, 27. Aug. 1939. Ki.: Barbara (1972), Oswald (1974), Alfred (1975). El.: Jakob u. Barbara. S.: VS, HS, 1954-57 Schneiderlehre, 1957-60 kfm. Lehre. K.: Praktikum im In- u. Ausland, 1964 Schneidermstr.-Prüf., 1964 Einstieg in elterl. Betrieb, 1964 konfektionsmäßige Fertigung.

Schneider Otmar

B.: Bäcker- u. Konditormeister; Inh. u. Gschf. FN.: Backhaus Annamühle. DA. u. PA.: 2500 Baden, Heiligenkreuzer G. 3-5. G.: Pilgersdorf, 30. Okt. 1935. V.: Elfriede, geb. Schermann. Ki.: Gabriela (1963), Manfred (1966), Henrietta (1970). El.: Franz u. Anna. S.: 1950-53 Bäckerlehre in Klosterneuburg, 1953-56 Konditorlehre in Wien b. Fa. Holzer. K.: 1956-59 Gesellenjahre in Bad Gastein, St. Wolfgang, Zell am See u. Wien, 1959 Meisterprüf. als Bäcker in Eisenstadt, 1960 Meisterprüf. als Konditor in Wien, 1960-66 tätig in versch. Bäckereien, 1967 Übern. d. Bäckerei Hendrich in Baden;

1973-78 Funktionär b. BÄKO in Wien, ab 1975 Bez.-Innungsmeister d. Bäcker in Baden, Vors. d. Meisterprüf. d. Bäcker, Vors. d. Gesellenprüf. f. Bäcker, Konditoren u. Zukkerbäcker, ab 1980 Landeslehrlingsvorst. d. Bäcker, ab 1985 Landesinnungsmeiter-Stv. d. Bäcker f. NÖ, ab 1990 Bundesmeister-Stv. d. Bäcker. M.: Österr. Richemot-Club (ab 1980 im Vorst., ab 1986 Präs.); österr. u. intern. Kolpingwerk. H.: Fußball, Skifahren, Bergsteigen. (I.K.)

Schneider Robert

B.: Gschf. FN.: Mobilstation J. Schneuder. DA.: 1220 Wien, Donaustadtstr./Lange Allee. PA.: 1210 Wien, Hopfeng. 7/8/12. G.: Wien, 20. Juli 1964. V.: Andrea, geb. Reidinger. Ki.: Patrick (1989), Nicole (1990). El.: Johann u. Elisabeth. S.: 5 J. Gymn. in Strebersdorf, Tischlerlehre bei Fa. Pulkert, Gesellenprüf. K.: BH, anschl. Mitarb. a. d. Tankstelle des Vaters, 1980 Installierung einer Computerausstattung u. Veränderung d. Angebotes, seit Mai 1993 Übern. d. Ltg. u. Geschf. M.: Tennisclub Seyring Vorst.-Mtgl. H.: Tennis, Fußball, Familie. (I.J.)

Schneider Robert Franz

B.: Keramiker, Gschf. FN.: Cselley-Mühle Kulturaktionszentrum. DA.: 7064 Oslip, Sachsenweg. PA.: 7081 Schützen/Gebirge, Eisenstädter Str. 54. G.: Schützen, 30. Jan. 1950. Ki.: Caroline (1982). El.: Josef u. Magdalena. S.: HS, 4 J. Keramikfachschule Stoob. K.: während d. Schulzeit bereits b. Töpfermstr. gearb., 1969 Präsenzdienst, anschl. freischaff. Keramiker in Schützen, 1972-74 Ateliergem. Mag. Josef Laubner, Grdg. eines literar. Kabaretts u. weiterer künstler. Aktivitäten, seit 1975 Gschf. Cselley-Mühle, seit 1966 Grdg.-Mtgl. Musikgruppe "The Rocks", 1974 Arbeiten in Chicage-Symphosium, 1975 Austellung in Chicago "Circle Gallery", danach Beschäftigung "Öfen als Platik im Raum, 1989 Schweißtechnik auf Keramik, 1992 Einladung z. Fashion Moda - New York BL.: Arb. m. versch. Materialien, Gestaltung v. Gebrauchs- u. Kunstgegenständen, 2x jährl. Spontanauftritte m. Spitzenmusikern u. Laien gemeinsam Bau des größten fahrenden Backofens ider Welt.. H.: Erkennen u. Sehen v. Wesentlichem. (I.J.)

Schneider Ronald Dr. iur.

B.: Studienltr. d. Wr. Staatsoper. GT.: Begleiter b. Liederabenden. DA.: 1010 Wien, Staatsoper. PA.: 1010 Wien, Führichg. 6/5/14. G.: Manchester, 28. Sept. 1941. El.: Dr. Franz u. Dr. Anda. S.: VS, hum. Gymn., Univ. Wien, 1963 Prom., HS f. Musik u. darstell. Kunst. K.: 1968-70 Korrepetitor am Opernhaus Graz, 1970-74 Studienltr. u. Kapellmstr. am Opernhaus Luzern, 1974-77 Studienltr. u. Kapellmstr. am Opernhaus Graz, ab 1977 Korrepetitor an d. Wr. Staatsoper, seit 1982 Studienltr. an d. Wr. Staatsoper, Liederabende m. José Carreras, Katia Ricciarelli, Giuseppe Taddei, Marta Eggerth, Liederschallplatten m. José Carreras

u. Oskar Czerwenka, TV-Sendungen: "Licht ins Dunkel", "Opernführer" m. Marcel Prawy usw. H.: Schallplattensammeln, Bergsteigen, Klettern. (R.A.)

Schneider Rudolf Dr. Dkfm. Dir.

B.: Mtgl. d. Vorst. FN.: Creditanst. Bankver. GT.: kgl. Norweg. Hon.Kon. DA.: 1010 Wien, Schotteng. 6. PA.: 1130 Wien, Hanselmayerg. 11. G.: Baden, 6. August 1929. V.: Gertrude, geb. Eugl. Ki.: Markus Alexander, Boris Johannes, Clemens Georg. S.: VS, Gymn., Stud. an d. HS f. Welthdl. in Wien, 1951 Prom. K.: 1948-51 Werkstudent, 1951-53 USOM, 1953-58 Wirtschaftspol. Berater im Parlament u. d. ÖGB, 1958-61 BKA Sekt. f. wirtschaftl. Koordination, 1961-67 im Auftrag d. BMF Gschf. d. Österr. Vermögensschutz GmbH u. m. d. Verwertung d. Sondervermögens d. Rep. Österr. betraut, 1968-71 Mtgl. d. Vorst. d. Österr. Credit-Institut AG, seit 1971 Mtgl. d. Vorst. d. Creditanst. Bankver. BL.: Mitwirkung am Wiederaufbau d. Wirtschaft d. USOM, Privatisierung v. Sondervermögen d. Rep. Österr., Ausbau d. Hdls. u. Wirtschaftsbeziehungen Österr. m. EBW u. VAZ. E.: Ehrenbürger d. WU Wien, Gr. EZ f. Verd. um d. Rep. Österr. M.: versch. Ver. u. Organ. H.: Musik, Skifahren, Schwimmen, alte u. mod. Arch., Zeitgeschichte. (M.Br.)

Schneider Stefan

B.: Dir. FN.: Schischule Lech am Arlberg. DA./PA.: 6764 Lech/Arlberg, Zug 246. G.: Zug, 27. April 1958. V.: Elisabeth. Ki.: Michaela (1987), Martin (1989), Christina (1990). El.: Helmut u. Anni. S.: HAK, 1978 Matura; staatl. geprüf. Schilehrer u. Untern.-Prüf. K.: 1979-82 Angest. Verkehrsamt Lech, 1982-85 Schilehrerausbild., 1982 Eintr. Schischule Lech als Schilehrer, 1988 Ltr. d. Schischule; 1991 Vorst.-Mtgl. Gem. Lech, 1993 VBgm., 1987 VS MG Vlbg. Schilehrerverb. M.: Prüf.-Kms. Schilehrerausbild., Lawinenkms. u. Lawinensprengmannschaft, Bruderschaft St. Christoph. H.: Skifahren, Schwimmen, Musik, Lesen. (I.D.)

Schneider Ulrich Dr. techn. Dipl.-Ing.

B.: o.Univ.-Prof. TU Wien, Ordinariat f. Baustofflehre. GT.: Ing.-Kons. DA.: D-76646 Bruchsal, Gustav-Laforsch-Str. 25. PA.: 3002 Purkersdorf, Sagbergstr. 10. G.: 17. Juli 1942. V.: Karin, geb. Peemöller. Ki.: Ulrike (1973), Caroline (1976), Isabelle(1987), Madeleine (1989). S.: Stud. TU Braunschweig, Doktorat TU Wien, Dr. Ing. Habil TU Braunschweig K.: 1979 Privatdoz. TU Braunschweig, 1981 Univ. Prof. Gesamt-HS Kassel 1981 Univ. Prof Bergische Univ. GH-Wuppertal, 1990 o.Univ.-Prof. TU Wien, 1992 Univ.-Prof. Univ. Hannover. P.: über 140 Veröff., 2 Bücher, 2 Schriftenreih. (Hg). M.: ÖVM, RILEM, CIB.

Schneider Viktor

B.: Bgm. GT.: ZBO-Vors. d. Petro-Chemie Danubia-Schwechat. DA.: 2404 Petronell-Carnuntum u. 2323 Schwechat, Danubiastr. 23-25. PA.: 2404 Petronell-Carnuntum, Heidentorg. 253. G.: Petronell, 10. Jan. 1943. V.: Christine, geb. Denk. Ki.: Kurt, Hermann, Eva-Maria. El.: Viktor u. Josefine. S.: 3jähr. Berufsschule u. Lehre f. Betriebsschlosser, 1960 Gesellenprüf., Wehrdienst b. Gardebataillon. K.: b. 1970 b. SGP als Schlosser tätig, dann als Feuerwehrmann in d. Petro-Chemie Schwechat, Hauptbewerter b. Abshnitts- u. Bezirksbewerben v. LFeuerwehrkdo., 1986 Ern. z. Bewerbsltr. u. Hauptbewerter b. Leistungsbew. v. NÖ, 1964 Obm. d. Gewerkschaftsjugendgr. Petronell, 1965-71 Bez.Obm., 1968-70 BR b. SGP, 1980 GemR. v. Petronell, seit 1983 Bgm. v. Petronell u. BR in d. Petro-Chemie Schwechat, seit 1987 AR-Mtgl. d. Raiffeisenbank Petronell-Carnuntum, seit 1988 ZBO-Vors. u. AufsR. d. Petro-Chemie Schwechat. E.: Div. Leistungsabz. d. FF u. div. EZ d. In- u. Auslandes. H.: Familie, Briefmarken sammeln. (M.B.)

Schneider Ulrike

B.: Gschf. FN.: Werkhof Hdls. GmbH. DA.: 8020 Graz, Griesg. 14. PA.: 8071 Hausmannstätten, Aschenbachberg 52. G.: Graz, 28. Juni 1948. V.: René Schneider. Ki.: René (1967), Christof (1968), Markus (1971), Christina (1972). El.: Ambros u. Anna Hoffmann. S.: VS, HS, 3 J. HLA f. Wirtschaftl. Frauenberufe Graz, 1966 Abschluß, 1 J. LBA-Ausbild. als Handarbeitslehrerin. K.: 10 Monate Handarbeitslehrerin St. Stefan ob Stainz, 1988 Gschf. d. Werkhof Hdls. GmbH, regelmäßig Ausstellungen aus versch. Bereichen. H.: privates Schloß- u. Schlüsselmuseum, Galerie Werkhof. (I.G.)

Schneider Walter

B.: Gastwirt Ruster-Weinstube. DA. u. PA.: 2483 Ebreichsdorf, Wiener Str. 52. G.: Wien, 12. Apr. 1966. V.: Rosalia, geb. Wallner. Ki.: Nicol (1987), Jasmin (1993). El.: Franz u. Susanna. S.: VS, HS, 1 J. Hotelfachschule, Koch- u. Kellnerlehre Höldrichmühle Hinterbrühl, 1989 Konzessionsprüf., autodidakte Kenntniserwerbung d. Datenverarb. K.: 1985-87 Koch u. Kellner im elterl. Betrieb Hainfeld, Präsenzdienst, 1990 Erwerb d. Ruster-Weinstube Ebreichsdorf, Übernahme d. Gastronomiebetriebes d. Kulturheims Ebreichsdorf u. d. Sportplatzkantine, 1974 Grdg. eines Dienstleistungsbetriebes f. elektron. Datenverarb. BL.: im Gastbetrieb Organ., Gestaltung u. Ausführung v. Außenhausservice, Organ. v. künstler. Veranstaltungen m. in- u. ausländ. Künstlern. M.: Freiwillige Feuerwehr, Musikver., Präs. ASKÖ, Schriftführer d. Fischereiver. H.: Computer, Fischen, Sportschütze. (I.J.)

Schneider Walter Dipl.-Ing.

B.: Vorst.-Vors. FN.: ELIN Energieversorgung GmbH. DA.: 1141 Wien, Penzingerstr. 76. G.: Wiesbaden, 3. Nov. 1931. V.: Monika. El.: Otto u. Margarethe. S.: Grundschule, ORealschule m. Matura, TH Graz, Dipl.-Ing. f. Starkstromtechnik. K.: 1959 Eintritt b. Brown Boveri Cie in Mannheim, 1959-61 Verkaufs- u. Projekting., 1961-65 Projektierungs- u. Inbetriebnahmeing., 1966-78 Entwicklungsing. u. Projektltr., 1970 Handlungsvollmacht, 1972 Abt.-Ltr., 1974 Hpt.-Abt.-Ltr., Prokura, 1978-83 Bereichsltr., 1983-86 Vors. d. Geschäftsbereiches Großmaschinen u. Kraftwerke, 1987 Wechsel v. BBC Mannheim z. ELIN Union AG als Vorst.Dir. P.: Art. über Leittechnik in Kraftwerken u.

Umweltschutz in div. Fachzeitschriften. M.: Mtgl. d. Dt. Inst. z. Förd. d. ind. Führungsnachwuchses. H.: Wasserski, Alpinski, Segeln, Tauchen, Reisen, Radfahren, Lesen.

Schneider Werner Ing.

B.: Bgm. FN.: Gemeinde Höchst. DA.: 6973 Höchst, Hauptstr. 15. PA.: 6973 Höchst, Zehentstr. 20. G.: Gaißau, 18. Nov. 1951. V.: Ursula. Ki.: Tobias (1978). El.: Ernst u. Stefanie. S.: HTL Maschinenbau Bregenz, 1971 Matura, BH. K.: 1972 Konstrukteur i. Beschlägefa., 1980 Betriebsltr. Pfändertunnel Bregenz, 1987 Bgm. i. Höchst. M.: 1973 Grdg. d. Jungen ÖVP Höchst, 1975 Ersatz-Mtgl. Gem.-Rat, Gem.-Rat, 1986 Gem.-Vorst., Mtgl. d. Aufs.-Rates d. Vlbg. Gasges. H.: Skifahren, Fußball, Fischen, Wassersport. (I.D.)

Schneider Wilfried Dr. Univ.-Prof.

B.: o.Univ.-Prof. DA.: 1238 Wien, Halbritterg. 4. G.: Wien, 5. Jan. 1936. V.: Dr. Helga, geb. Lebner. El.: Hans u. Wilhelmine. S.: Dr. rer. comm. WU Wien. K.: Berufsschullehrer, Untern.Berater, HS-Ass., o.Prof. f. Wirtschaftspäd. an d. WU Wien seit 1971 (Prorektor 1979 u. 1980). P.: Unterrichtsplanung, Programmierter Wirtschaftsunterricht, Medieneinsatz, Textverständlichkeit, Fernstudienentwicklung. E.: Kardinal Innitzer-Preis 1971. M.: Dt. Ges. f. Programmierte Instruktion. H.: Bild. Kunst. (M.B.)

Schneider Wilhelm Dr. techn. Dipl.-Ing.

B.: Univ.-Prof. A.: 1140 Wien, Knödelhüttenstr. 21/1. G.: 3. Mai 1938. V.: Sonja, geb. Androsch. Ki.: Wolfgang (1965), Peter (1970). El.: Josef u. Anna. S.: RG, Maschinenbaustud. u. Prom. an d. TH Wien. K.: 1961-63 wiss. Hilfskraft, 1964-68 wiss. Mitarb. am DVL-Inst. f. Theoret. Gasdynamik, Aachen, 1968-69 Senior Research Associate am Jet Propulsion Laboratory, California Inst. of Technology, 1970 Habil., 1969-73 Abt.Ltr. am DFVLR-Inst. f. Theoret. Gasdynamik Aachen, 1973 o.Prof. f. Gasdynamik u. Thermodynamik d. TH Wien u. d. Vorst. d. Inst. P.: Buch: "Mathemat. Methoden d. Strömungsmechanik", Trends in Appl. of Math. to Mech., 90 Publ. in wiss. Zeitschriften u. Bericht-Serien. E.: Ernst Mach-Preis d. Dt. Ges. f. Flugwiss., korr. Mtgl. d. Österr. Ak. d. Wiss. Rektor - Intern. Centre for Mech. Science-Udine M.: Ges. f. angewandte Math. u. Mechanik, Dt. Ges. f. Luft- u. Raumfahrt.

Schneider Wilhelm Erich Mag. HofR.

B.: Vorst. d. Geschäftsabt. 5 d. Finanzlandesdion. f. OÖ. DA.: 4020 Linz, Zollamtsstr. 7. PA.: 4040 Pöstlingberg, Hohe Straße 187. G.: Linz, 25. Juli 1940. V.: Margreth, geb. Kerber. Ki.: Rebecca (1970), Daniela (1974). El.: Erich u. Anna. S.: Gymn. Kollegium Aloisianum, Matura 1961, Stud. Rechtswiss. HS Innsbruck b. 1967. K.: 1967 Finanzamt Linz, 1969 Gruppenltr., 1973 Hauptgruppenltr. f. Einkommensteuer, 1980 Fachbereichsltr. f. Einkommensteuer, Bild.-, Gesellschafts- u. Hdls.-Recht, seit 1984 Ltr. d. Veranlagung, 1985 Finanzlandesdion., versch. Kmsn. u. Aussch., Lehrer an HAK, HASCH u. HTBLA, Mtgl. d. Landesschulrates, Landesvorst. f. OÖ, Dienstgebervertreter Versich.-Anst. Öff. Bediensteter, stellv. Vors. d. Prüf.-Aussch. f. Steuerberater. P.: Vorträge u. Sem. E.: 1986 HofR. M.: CV-Verb. H.: Musik, Fotografieren, Reisen, Stöcke, Hüte, Füllfedern. (N.A.)

Schneider Wismar Dr.

B.: HofR. i.R. PA.: 6973 Höchst, Konsumstr. 62. G.: Bregenz, 7. Mai 1931. V.: Erna, geb. Marent. El.: Dr. Fritz u. Maria. S.: VS, Hum. Gymn. in Bregenz, Univ., jur. Fak. in Innsbruck u. Wien, jurid. Doktorat 1956. K.: 1956/57 einjährige Ger.Praxis in Feldkirch u. Bregenz, anschl. in d. Vw. d. Landes Vbg. tätig b. BH Bludenz, Feldkirch u. Bregenz, sowie b. Amt d. Vbg. LRg. in Bregenz (als Vorst. d. Abt. Inneres, Fin. u. d. Verkehrsabt.). M.: Obm. d. Raiffeisenbank Höchst, Vorst.Mtgl. d. Krankenpflegever. Höchst/Fußach. H.: Bergsteigen, Skifahren, Musik, Theater, Reisen, Museen.

Schneider Wolfgang Dir.

B.: gewerbeberechtl. Gschf. FN.: S. Spitz Ges.m.b.H. & Co. KG. DA.: 4041 Linz-Urfahr, Karl-Fiedler-Str. 6. PA.: 4221 Steyregg, Lachstatt 38. G.: Fels am Wagram, 3. Mai 1948. V.: Silvia, geb. Embacher. Ki.: Hannes (1988), Lisa (1990). El.: Dr. Karl u. Luise. S.: VS, Piaristengym. Krems, Mat 1967, 1968 - 70 Hotelfachschule Wien, Abschluß mit Diplom, 1968 - 69 Hochschullehrgang f. Fremdenverkehr, Hochschule f. Welthandel, 1976 Cornell University, Ithaca New York. K.: 10/70-04/71 Chef de rang & Barman Hotel Albona, Zürs, 09/71-04/72 Management Trainee, Sutton Place Hotel, 04/72-10/72 Maître d´hôtel, Restaurant "Galleon Grill, Annapolis, MD, USA, 02/73-05/75 Junior Assistant Manager, Berlin Hilton, 05/75-01/77 2. Front Office Manager, Wien Hilton Intern., 02/77-10/78 Front Office Manager, Lahore Hilton Int. Pakistan, 11/78-07/79 Rooms Division Manager in charge of sales, Jakarta Hilton Int., Jakarta, Indonesien, 07/79-05/81 Gschf. Dir. Vortmann Gaststätten, Düsseldorf, 07/81-09/84 Direktor Eurotel, Badgastein, seit 10/84 Gschf. Dir.: Best Western Spitz Hotel (Eröffnung 5/85), Landgraf Suites (Eröffnung 2/93), Exklusiv Caterer Design Center Linz (11/93), Exklusiv Party Service (9/89), WIFI-Kursleiter, Votragender. P.: div. Artikel in Fachzeitschr.. M.: WDF, Skal Club, European Chapter Cornell Society of Hotelmen. H.: Bergsteigen, Skifahren, Arobic. (N.A.)

Schneider Wolfgang Dr. Mag.

B.: Gschf. FN.: Air Travel Card Vertriebsges.m.b.H. DA.: 1100 Wien, Fontanastr. 1. G.: Wien, 14. Jan. 1951. V.: Brigitta, geb. Lukasiewicz. Ki.. Sandra (1978), Verena (1980). El.: Dr. Georg u. Maria. S.: VS, RGm, Musisch-pädagogisches RG Wien, 1970 Matura, Stud. Betriebswirtsch. a. d. Hochschule f. Welthdl., 1977 Sponsion zum Mag. rer. soc. oec., 12/1978 Prom. zum Dr. rer soc.oec. K.: 1979 Eintritt bei Austria Airlines als Referent d. Betr. Wirtsch. , ab 1983 Senior Referent f. Finanzplanung, 1984 Abt. Ltr. f. Finanzadministration u. Stellv. Hauptabt. Ltr. f. Finanzen u. Versicherungen, 1987 Prok. d. Air Plus Travel Card Vertriebsges., 1991 Gschf. d. Air Plus Ges., 1993 Vors. d. Airline-Vollversammlung im IATA Bank Settlement Plan. H.: Musik, Bildnerische Darstellung, Theater, Skifahren, Tennis. (F.S.)

Schneider Wolfgang

B.: Gschf. Ges. F.: Falko Standard EDV Software Entwicklungs u. Vertriebs GmbH. DA.: 2340 Mödling, Technikerstr. 36. PA.: 1220 Wien, Rennbahnweg 27/15. G.: Wien, 3. Sept. 1957. V.: Helene, geb. Ringler. El.: Josef u. Theodora. S.: HS, Elektromechanikerlehre, EDV-College. K.: 1975-80 Hardware-Techniker in Computerbranche, 1980-90 Softwaretechniker, ab 1990 Gschf. u. Ges. d. Firma Falko

Standard (Herstellung v. Computer-Software f. d. Techn. Bereich: CRT u. CRM). P.: zahlr. Fachart. in Fachzeitschriften, Fachvorträge im In- u. Ausland. M.: Mitarb. in versch. Aussch. wie DIN, CEN, ESPRIT. H.: Tennis, Sport, Reisen. (M.M.)

Schneider Wolfgang Johann Stephan Dr. iur.

B.: Unternehmensberater f. Datenverarb. A.: 1200 Wien, Wolfsaug. 9. G.: Wien, 15. Apr. 1949. V.: Johanna Veronika, geb. Marischler. El.: Rudolf u. Gertrud. S.: Stud. d. Rechtswiss., Absolutorium 1971, Prom. 1972, d. Betriebswirtschaft an d. Univ. Wien, Rechentechnik an d. TU Wien, Harward Law School PIL'82. K.: Ausbild. b. mehreren Hardwareherstellern u. Softwarehäusern, selbst. Berater seit 1972, seit 1975 Kons. v. Tochterfirmen d. Konzerne Singer, Sybron, Music Corporation of America, Heraeus, Combustion Engineering Buderus, Karatesportler seit 1966, Teilnahme an intern. Turnieren, 3. Dan Shotokan-Ryu, 4. Dan All-Style Karate, 6. Dan Kickboxen, seit 1984 Schatzmstr. d. österr. BFachverb. f. Kickboxen. M.: National Association of Accountants, American Chamber of Commerce in Austria, German American Lawyers Association, American Bar Association, Association for Computing Machinery, Harvard Club of Austria, Dt. HK in Österr.

Schneider Wolfgang Johann Dr. techn. Dipl.-Ing. Prof.

B.: o.Univ.-Prof.; Vorstand d. Instituts f. Molekulare Genetik, Biozentrum. DA.: 1030 Wien, Dr. Bohr-Gasse 9. G.: Wien, 5. April 1949. V.: Lieselotte, geb. Frauendorf. Ki.: Jeannine. El.: Rudolf u. Herta. S.: Studium d. Biochem. Technologie u. Mikrobiologie a. d. TU Wien, Sponsion 1973, Promotion 1975. K.: 1976-78 Postdoctoral Fellow am Inst. f. Biochem, Med. Fak. d. Univ. of British Columbia. 1978-85 Ass.-Prof. f. Biophysik u. Molekulare Genetik am Inst. f. Molekulare Genetik, Univ. of Texas Sciences Health Center at Dallas, 1985-89 Assoc. Prof. u. 1989-91 o. Prof. f. Biochemieam Inst. f. Biochemie, Univ. of Alberta, Edmonton, Kanada. Seit 1991: o. Univ. Prof. u. Vorstand d. Inst. f. Molekulare Genetik, Biozentrum Wien. Forschungsschwerpunkt Lipoproteinrezeptoren, zahlr. Gastprofessuren. P.: ca. 130 Publikationen vorwiegend zum Thema: Molekularbiologische Untersuchungen am Fettstoffwechsel. E.: Established Investigator of the American Heart Association, Scholar of the Alberta Heritage Foundation of Medical Research, Heritage Medical Scientist of Alberta Heritage Foundation for Medical Research, Scientist of the Medical Research Council of Canada. Forschungspreise: Travelling Fellowship, Clinical Research Institute of Montreal, Gabor Szasz Prize of the German Society for Clinical Investigation, Curt Adam Prize of the Society for Continuing Education of Physicians, Berlin, Bristol Laboratories Senior Scientist Research Award, Heinrich-Wieland Preis, u.v.a. M.:Mitgl. zahlr. nation. u. intern. Gesellschaften. H.: klass. Musik, Malen, Schifahren. (J.S.)

Schneider-Manns-Au Rudolf Mag. art.

B.: Bühnenbildner, Arch. DA. u. PA.: 1230 Wien, Promenadeweg 18. G.: Steinschönau/CSFR, 13. Dez. 1935. Ki.: Clemens (1967), Lucas (1969). El.: Karl u. Maria. S.: Bundesgewerbeschule Sbg., 1953 Matura, Ak. d. Bild. Künste, 1958 Dipl. Mag. art., Ak. Bühnenbildner. K.: seit 1958 freiberufl. tätiger Bühnenbildner u. freischaff. Arch., Arb. f. d. ORF u. an div. Wr. Theatern: Volkstheater, Theater in d. Josefstadt, Akademietheater, Landestheater Sbg. u. an weiteren in- u. ausländ. Theatern, Mitarb. b. Filmproduktionen nach Umbauten f. d. Imperialgruppe z.B. Restaurant Corso im Hotel Bristol, Einrichtung v. Geschäftslokalen z.B. Heldwein, Augarten, 1966-72 Lehrbeauftragter u. Ass. an d. Ak. d. Bild. Künste. E.: Staatspreis f. Dipl.-Arb. an d. Ak. d. Bild. Künste. H.: Reiten. (M.M.)

Schneider-Manns-Au Burgi

B.: Red. d. ORF. DA.: 1130 Wien, Würzburgg. 30. PA.: 1130 Wien, Lainzer Str. 121. G.: Wien, 21. Febr. 1943. Ki.: Clemens, Lucas. El.: Dr. Werner u. Dr. Charlotte Hohenwarter. S.: Gymn., Hotelfachschule Hofgastein, Stewardess b. AUA. K.: freiberufl. tätig, Mode, Schmuck, Theaterkostüme, Theater in d. Josefstadt, Theater an d. Wien, Imperial Hotel-Kette, Hotel CCA, als Innenarch. b. 1980 tätig, seit 1972 freie Mitarb. ORF, seit 1980 ORF-Red., seit 1982 "Mode", 1987 Intern. Mode Paris, Mailand, London, New York, Porträts intern. Modekünstler. H.: Golf, Tennis, Skifahren, Theater, Musik. (M.G.)

Schneider-Manzell Toni Prof.

B.: Bildhauer. DA.: 5020 Salzburg, Residenz. PA.: 5020 Salzburg, Arenbergstr. 33. G.: Friedrichshafen, 22. Febr. 1911. V.: Dr. Erika, geb. Anders. Ki.: Dr. Christoph, Barbara. El.: Anton u. Maria-Theresia. S.: hum. Gymn., Stud. d. Phil. u. Theol. Univ. Wien u. Innsbruck, Ak. d. bild. Künste in München. K.: 1938-44 Lehramt in Ambach u. München, 1940 Prof., ab 1945 freier Bildhauer, seit 1954 Atelier in d. Sbg. Residenz, Hauptwerke: "Tor d. Glaubens", Kanzel u. Taufbeckendeckel Sbg. Dom., Traklbrunnen Sbg., Julius Raab-Denkmal Wien, Hauptportal Dom Speyer/BRD, Denkmal f. Kardinal Clemens August Graf v. Galen Münster/BRD, Portale u. Kreuzweg Dom Essen/BRD, Denkmal f. Graf F. v. Zeppelin Friedrichshafen/BRD. E.: zwei erste Preise d. Sbg. Kunstver., 1958 Gr. Österr. Staatspreis, Oberschwäb. Kunstpreis, 1967 Rembrandtpreis d. J. W. v. Goethe-Stiftung Basel, Ritter d. Silvester-Ordens, 1973 Gr. BVK d. BRD, 1976 Gold. EZ d. Landes Sbg., Verdienstmed. d. Landes Baden-Württemberg, 1982 Österr. Ehrenkreuz f. Wiss. u. Kunst 1. Kl., Ring d. Stadt Sbg., Gold. Ehrenmed. d. Univ. Sbg., u.a. H.: Segeln, Lesen. (Foed.)

Schneider-Siemssen Günther Dr. h.c. Prof.

B.: Bühnenbildner. PA.: 1090 Wien, Schlickg. 4. G.: Augsburg, 7. Juni 1926. V.: Eva, geb. Mazar. Ki.: Alexander, Christopher, Phillip, Vivian. El.: Fritz u. Rosa. S.: Gymn., prakt. Ausbild. an d. Münchner Staatsoper, gleichzeitig Stud. an d. Ak. f. angewandte Kunst, Ak. f. bild. Kunst u. Opernschule in München, außerdem Stud. Theaterwiss. an d. Univ. München b. Prof. Kutscher. K.: 1947-50 erste selbst. Aufträge an versch. Kleinbühnen in München-Schwabing, sowie Film-Arch. in München-Geiselgasteig u. Berlin-Tempelhof, 1951-54 Ausstattungschef am LTheater Sbg., 1954-62 Ausstattungschef am Staatstheater Bremen, erste Versuche d. kosmischen Raumgestaltung, 1952-85 ständiger Mitarb. d. Sbg. Marionetten, Inszenierungen für alle Welttourneen, techn. Erweiterungen d. Bühne u. Beleuchtung, Konstruktion d. ersten Drehbühne f. Marionetten, bes.

Neuinszenierungen f. d. Mozartopern. Mitte d. 50er J. erste Gastspielabrufe an benachbarte dt. Theater, dann Schweiz, London Coventgardens Opera u. intern. Opernhäuser in Europa, USA, Südamerika, 1960 erste Inszenierung m. Herbert v. Karajan an d. Wr. Staatsoper, 1962-64 persönl. Berater v. Herbert v. Karajan f. Fragen d. Ausstattungswesens, 1965-85 Festspielhaus Sbg., 1973 aufsehenerregende Welturaufführung v. Carl Orffs "De Temporum Fine Comoedia", 1967-93 Metropolitan Opera New York, Teatro Colon, Buenos Aires 1993, Uraufführung "Unre in ascolto", Salzburger Festspiele 1965-89, 1976-86 Chefbühnenbildner d. österr. Bundestheater, 40 Staatsoperninszenierungen, seit 1969 Lehrauftrag f. Bühnenbild, Licht- u. Projektionskunst an d. Intern. Sommerak. Sbg., Inszenierungen in Österr. u. BRD, Gestaltung v. Lichtsymposien in Salzburg (m. Osram, BRD), 1986, Eröff. d. neuen Opernhauses "Akropolis" in Nizza, 1985, Eröff. d. Opera Los Angeles mit "Othello", 1987-89 Salzburger Osterfestspiele u. Festspiele, Staatsoper Wien, Deutsche Oper Berlin, Warschau, MET N.Y., London Festival Ballett, Kapstadt, Salzburger Marionettentheater, Verzaubern u. Verändern v. Gebäuden m. Licht- u. Projektionseffekten (Pilotprojekt Schloß Kleßheim 1985), Autor u. Moderator d. 6-teiligen TV-Serie "Kulissenzauberei" ORF, ZDF u.a., Fernsehspiele, Ausstellungen in Wien, Berlin, München u. New York, Erforschung d. Holographie erstmals in Bühnenbereich, Opern- u. Kulturplanung f. Performing Arts Center Caracas 1993-95, 1990-95 Opernregie in USA u. Deutschld. P.: 1976 "Bühne als kosmischer Raum" Herausgeber Kurt Beccsi. M.: Rotary Club Wien-West, eigener Ver. - Forschunginst. "Bühne d. Zukunft", Zusammenarb. u. Fellow MIT-Cambridge Massachusetts, MBB München, seit 1982 Opernregie Kapstadt (noch b. 1988). (R.A.)

Schneiderbauer Paul

B.: Inh., Gschf. FN.: Paul Schneiderbauer GmbH & Co KG. DA.: 4751 Dorf/Pram 23. G.: Lambrechten, 9. Apr. 1949. V.: Pauline, geb. Greifeneder. Ki.: Heidi, Sabine. El.: Paul u. Maria. S.: VS, HS, Tischlerlehre Firma Ecker Andorf, 1966 Gesellenprüf., div. Arch.-Weiterbild.-Seminare, Farblehre in Wien, 1971 Mstr.-Prüf. Wien. K.: 1972 Übernahme d. elterl. Tischlereibetriebes, 1973 1. Erweiterung, 1975 Grdg. d. Arch.-Büros, 1982 KG, seit 1986 Gschf. d. Produktion KG u. d. Planungs GmbH. M.: seit 1984 div. Kammerfunktionen, Bez.-Lehrlingswart, Mitarb. versch. Arb.-Kreisen, Ltr. d. Kirchenchor Dorf/Pram. H.: Musik (Orgel, Klavier), Singen, Radfahren, Skifahren.

Schneiderbaur Alfred Dr. Prof.

B.: Prim. am KH Lainz d. Stadt Wien. PA.: 1130 Wien, Jagdschloßg. 49. G.: Pottenbrunn, 15. Apr. 1904. V.: Dr. med. Christine, geb. Wollenstein. El.: Dr. med. Josef u. Anna. S.: Gymn., Med.Stud. Univ. Wien, Fachgebiet innere Med. (Hämatologie u. Hepatologie). P.: Lehrbuch d. inneren Med. f. Schwestern). E.: EZ f. Verd. um d. Rep. Österr. M.: Ges. d. Ärzte Wien, Dt. Ges. f. innere Med. H.: Touristik, Zeitgeschichte. (Lar.)

Schneiderhan Wolfgang Prof.

B.: Kammermusiker. A.: 1190 Wien, Kaasgraben 98 A. G.: Wien, 28. Mai. S.: 1918 Erster Geigenunterricht b. d. Mutter, ab 1923 Unterricht b. Prof. Ottokar Sevcik, später b. Prof. Julius Winkler. K.: 1926 Debut m. Orchester in Kopenhagen, erste Europareise, b. heute ständige Reisen durch Europa, gem. Auftreten m. Martha Eggerth, Maria Jeritza, Jan Kiepura, Lotte Lehmann, Poldi Mildner, Jarmile Novotna, Paul Robeson, Fjodor Schaljapin, Irmgard Seefried u.v.a., 1933-37 1. Konzertmstr. d. Wr. Symphoniker, 1937-49 1. Konzertmstr. d. Wr. Philharmoniker, 1937-51 Quartett: Wolfgang Schneiderhan, Otto Strasser, Ernst Moravec, Richard Krotschak, 1938-56 Prof. am Mozarteum während d. Sbg. Festspiele, 1939-50 Prof. an d. Staatsak. in Wien, 1949-55 Trio: W. Schneiderhan, Edwin Fischer, Enrico Mainardi, seit 1949 Mstr.Kl. am Konservatorium in Luzern, 1956 Grdg. d. Festival Strings Lucerne mit Rudolf Baumgartner, 1960 Oberltg. d. Mstr.Kl. am Konservatorium Luzern, 1965 1. Dirigiertätigkeit m. d. Wr. u. Berliner Philharmonikern, 1975 Ordinarius an d. HS f. Musik in Wien, seit 1949 in Luzern. E.: 1927 Schubert-Med. in Wien, 1938 Titel: Kammermusiker, 1940 Ehrenmtgl. d. Robert Schumann-Ges. Zwickau, 1941 Erste Mozartmed., 1942 Nicolai-Med. d. Wr. Philharmoniker, 1950 Titel Prof., Ernennung durch d. österr. BPräs., 1953 Zweite Mozartmed., 1960 Span. Beethoven-Plakette, 1961 Gr. Ehrnkreuz 1. Kl. f. Kunst u. Wiss. in Wien, 1965 Gr. Verd.Kreuz d. Verd.Ordens d. BRD, 1952 Gold. Schallplatte d. DGG, div. Grand-Prix f. Schallplatten, 1980 Ehrennadel d. Stadt Luzern, 1980 Gr. Silb. EZ f. Verd. um d. Rep. Österr. M.: Mtgl. d. Kgl. Musikal. Ak. Stockholm, Ehrenmtgl. d. Ver. d. Beethoven-Hauses, Bonn. Präs. d. Österr. ESTA, Gründer u. Vors. d. Intern. Fritz Kreisler-Wettbewerbes in Wien, 1980 Ehrenmtgl. d. Österr.-Dt. Kulturges.

Schneidewind Peter Mag.

B.: wiss. Ltr. d. Österr. Inst. f. Raumplanung. GT.: Regionalforscher. DA.: 1010 Wien, Franz-Josefs-Kai 27. G.: Wien, 18. Apr. 1948. V.: Ruth, geb. Matiasek. Ki.: Jakob (1982), Martin (1985), Agnes (1986). S.: 1974 Stud. VWL HS f. Welthdl. K.: 1974-79 Regionalforscher am Wr. Inst. f. Standortberatung, 1979-85 freiberufl. Tätigkeit, Gschf. d. SOREF GmbH, 1985-89 Regionalbeauftragter d. Bundes f. NÖ-Süd, 1987-89 Gschf. d. RIZ NÖ-Süd, seit 1989 wiss. Ltr. d. ÖIR. P.: div. Publ. in Bücher u. Fachzeitschriften. (N.A.) .

Schneitler Christian Ing.

B.: Inh. FN.: Holz Schneitler. DA. u. PA.: 4710 Grieskirchen, Industriestr. 27. G.: Wels, 25. Dez. 1955. Ki.: Michael (1979), Julius (1985), Christian (1987). El.: Ing. Kurt u. Gertrude. S.: VS, Gymn., HAK, 1972 Holztechnikum Kuchl. K.: 1977 Praktikum Deutschland, 1979 Praktikum Österr., 1981 Praktikum Familienbetrieb, 1982 Betriebsübernahme u. Grdg. d. Detailverkaufs, 1987 Umbau v. Sägewerk in Holzhdl. M.: ÖTV Turnerbund, FPÖ. H.: Skifahren, Tanzen, Lesen, Schwimmen, Fußball. (U.Z.)

Schneitler Kurt

B.: Sägewerkstechniker, Holzhändler, Restaurantsbes. d. Berghof Memory. DA. u. PA.: 8054 Graz-Seiersberg, Berghofstr. 17. G.: Griesskirchen, 1. Aug. 1945. Ki.: Marcel (1968), Kurt (1969), Daniela (1987). El.: Kurt u. Helene. S.: VS, HS, Mittlere Reife Hamburg, Sägefachschule Kuchl. K.: ab 1966 Sägewerksltr., ab 1969 Tätigkeit als Steward auf Passagierschiffen, versch. Positionen, 1974 selbst. Übernahme eines Lokals, Aufbau z. einer Diskothek, 1977 Eröff.

eines 2. Lokales in d. Stmk., 1982 Kauf eines bestehenden Betriebes am. Südl. Stadtrand v. Graz, Umbau u. Ausbau zu einem exklusiven Restaurant u. Tanzbar. BL.: ständige Beschäftigung m. d. Musik als Liederkomponist, Sänger u. Texter, Auftritte m. Band. P.: Schallplattenaufnahmen z.B. "Liebe & Leben". E.: 1990, 1991 u. 1992 Ausz. f. d. beste Tanzbar Österr. "Gold. Disc". M.: Yachtclub 1. Styria-Yachtclub Graz, Grazer Narrengilde. H.: Motoryachting, Sport, Musik. (M.Gr.)

Schnell Karl Dr. med.
B.: LandesR. DA.: 5010 Salzburg, Chiemseehof. G.: Flachau, 7. Apr. 1954. verh., 3 Kinder. S.: Pflichtschule, Gymn., Stud. Med. Fak. Univ. Wien. K.: Turnusarzt KH Zell am See, 5 J. Prakt. Arzt Saalbach-Hinterglemm. M.: FPÖ. H.: Fliegen, Tauchen.

Schnell Veronika
B.: Gschf. Ges. FN.: Jakob Schnell GmbH & Co. DA. u. PA.: 6800 Feldkirch, Liechtensteinstr. 2. G.: Feldkirch, 5. Nov. 1921. V.: Franz Schnell. Ki.: Irene (1943), Edeltraud (1947), Mag. Veronika (1952), Dr. Anita (1954), Mag. Ruth (1956). El.: Josef u. Maria. S.: VS, HS, 1938 kfm. Lehre im Einzelhdl. Feldkirch. K.: 1938 kfm. Ang. im Lehrbetrieb, m. Kriegsbeginn alleinige Führung d. Geschäftes (Lebensmittel u. Bäckerei), 1950 zusätzl. kleines Cafe u. Konditorei, 1960 Vergrößerung. E.: 1938 Ausz. f. besten Prüf.-Erfolg (Gewerbe). H.: Skifahren, Bergwandern, früher m. Kindern Natur erleben. (I.D.)

Schnell-Breitfuß Christine
B.: Hotelierin d. Hotel Gemmtalerhof. GT.: ehem. Obfrau d. Verkehrsverb. Saalbach-Hinterglemm, Obfrau Sekt.-Ltg. d. Kam. Sekt. Beherbergung, momentan AufsR. d. SLT (Sbg. Landes-Tourismus-Ges.). DA. u. PA.: 5754 Hinterglemm 150. G.: Zell am See, 5. Juni 1951. V.: Dr. Karl Schnell. Ki.: Florian (1979), Hermann (1988), Jörg (1990). El.: Bartl u. Gertraud Breitfuß. S.: 1970 Abschluß HAK, 1972 Übernahme d. elterl. Betriebes, 1973 Aufnahme d. Verb.-Tätigkeit im Werbeaussch., im Laufe dieser Zeit b. z. Obfrau, gleichlaufend Wirtschaftsbundobfrauvertretung im Ort, Kam.-Mtgl. d. Sekt. Beherbergung. H.: Kinder, Skifahren, Tauchen. (M.T.)

Schnelzer Wolfgang

B.: Dir. Neue Mittelschule Puntigam. DA.: 8055 Graz, Gradner Str. 24. PA.: 8043 Graz, Am Föhrengrund 4. G.: Kirchdorf/Krems, 22. Juli 1948. V.: Renate, geb. Jank. Ki.: Boris (1989). El.: Karl u. Margaretha. S.: VS, Privatgymn., 1968 Matura, Päd. Ak. Graz, 1970 Abschluß, Zivildienst. K.: 13 J. Sport-HS Graz, 1987 Bestellung z. Dir. d. Neuen Mittelschule Puntigam. P.: Lehrbücher f. d. Skiunterricht. M.: Vors. d. Steir. Kinderfreunde, Vors. d. SLÖ. H.: Musik, Sport. (F.K.)

Schnetz Erich Dr. med. Prim.
B.: FA f. Innere Med., Prim. d. Pflegezentrum Sophienspital. DA.: 1160 Wien, Mildepl. 7/4. PA.: 1130 Wien, Jenbachg. 80. G.: Bad Tatzmannsdorf, 1. Aug. 1931. V.: Dr. Elisabeth. Ki.: Wolfgang, Maria-Elisabeth. El.: Guntram u. Margarete. S.: Gymn., Med.Stud. in Innsbruck u. Wien. K.: 1967 Eröff. d. eig. Praxis, wiss. Arb. u. Vorträge, intensive Befassung m. Geriatrie, 1. Arzt einer Betreuungsstation. H.: Ges. d. Ärzte Innerer Med., Ges. f. Lungenerkr., Ges. d. Geriatrischen Clubs. H.: Lesen, Gartenarb., Musik. (K.A.)

Schnetzer Walter

B.: Maler u. Grafiker. DA.: 6832 Sulz, Allmeinstr. 27. PA.: 6380 Rankweil, Vorderlandstr. 31. G.: Bezau, 1. Juli 1956. El.: Elmar u. Aloisia. S.: 1974 Matura, 1976-77 Militär. K.: 1974-76 Lehre als Textildesigner, 1979 selbst. als Maler u. Grafiker, Heraldiker, Portraits, Aquarelle, Ölbilder, Akte, Dekorations Auftragsarb. P.: Einzel- u. Gemeinschaftsausstellungen in München, St. Gallen, Wien, Sbg. H.: Tauchen, Reisen, Radfahren. (I.D.)

Schnider Andreas Dr. theol. Mag. theol.
B.: Prof. u. Abt.Ltr. am Religionspäd. Inst. d. Diözese Graz-Seckau, Verleger Andreas Schnider Verlags - Atelier Buch-, Kunst- u. Musikalienverlag. GT.: Chefred. d. "Pfeil", Zeitschrift f. junge Menschen, Religionslehrer an einer Grazer AHS, Verantwortl. f. d. Jugendarb. am Grazer Dom. DA.: 8010 Graz, Bürgerg. 14. PA.: 8010 Graz, Garteng. 22/II. G.: Graz, 3. Dez. 1959. S.: VS, ak. Gymn., Stud. d. Theol. Univ. Graz, 1982 Spon., 1985 Prom. K.: Pastoralpraktikant am Grazer Dom, 1982-89 AHS-Lehrer f. Religion an versch. Schulen, seit 1983 Univ.Ass., seit 1989 Prof. u. Abt.Ltr. am Religionspäd. Inst. d. Diözese Graz-Seckau. BL.: Redaktion u. Mitarb. b. d. Erstellung v. Religionsbücher f. 1.-4. Kl. HS, erster österr. Kinderdomführer "Grazer Dom und Mausoleum" 1987, Mitarb. an fachspez. Büchern u. Lehrmitteln/Behelfen. P.: "Katechetische u. pastorale Kriterien f. d. Gotteskatechese bei Schülern zw. reifer Kindheit u. Adoleszenz" 1985, "Mit jungen Menschen v. Gott sprechen" 1988, "Fenster z. Glauben" 1991, "Bilder einer inneren Galerie" 1993, Beiträge in div. Fachzeitschriften u.a. "Christl. päd. Blätter", Academia, Zeitschrift f. Politik u. Kultur. M.: Kath. Österr. HS-Verbindung Carolina Graz, Verb. Kath. Publizisten Österr. Wien. H.: Schreiben, Fotographieren, Malerei, Kunst, Sprache. (C.H.S.)

Schnitzer Günter Dr. iur.
B.: RA, Galerist. DA.: 9020 Klagenfurt, St. Veiter Str. 1/2. G.: Wien, 28. März 1935. Ki.: Susanne (1964), Mag. Sonja (1966), Silvia (1968). BV.: altes Geschlecht zurück b. ins 15. Jhdt. S.: Jurastud. in Wien, 1959 Dr. iur. K.: Nach d. Stud. Gerichtspraxis, dann als Konzipient tätig, 1965 Grdg. d. eigenen Kzl., 1978 Eröff. d. Galerie "Schnitzer", 6x im J. Ausstellungen v. allem Alpen-Adria-Kunst, Galerie f. mod. Kunst, Kunstmäzen u. Kunstsammler. M.: RA-Ver., Kunstver. (G.L.)

Schnöll Josef
B.: Hotelier d. Hotel Restaurant Kaiserhof. DA. u. PA.: 5081 Anif, Niederalm. G.: Niederalm, 9. Dez. 1928. V.: Theresia, geb. Haslauer. Ki.: Josef, Johann, Anton, Helmut. El.: Johann

u. Theresia. K.: 1976 Kauf d. Kaiserhofes u. Umbau zu einem komfortablen Hotel u. Restaurant m. Tanzcafe Kaiser-Ranch, Inh. d. Gasthöfe Weinleitner u. Strasserwirt in Niederalm. M.: Mtgl. d. HK Sbg. (Foed.)

Schnöll Karl

B.: Gastwirt u. Hotelier "Doktorwirt". DA. u. PA.: 5020 Salzburg, Glaserstr. 9. G.: Salzburg, 20. Juni 1939. V.: Anneliese, geb. Durrer. Ki: Elisabeth, Caroline, Karl. E.: Karl u. Rosalie. S.: Heizungsmonteur u. Kochlehre, Wifi-Kurse. K.: 1962 Übern. d. familieneig. Gasthofes "Doktorwirt" i. Salzburg-Aigen, d. Geschichte d. Hauses läßt sich zurückverfolgen b. 1412, a. 1760 Name "Doktorwirt" (durch d. Leibarzt d. Sbg. Erzbischofs Wolf Dietrich, Dr. Franz Mayr), s. 1892 i. Besitz d. Familie Schnöll. BL.: n. Übern. stufenweiser Aufbau u. Modernisierung, Ansprüche d. Gäste angepaßt, z.B.: Bad, WC, Dachbodenausbau, alle Zimmer m. Kalt- u. Warmwasser ausgestattet. H.: Skifahren.

Schnöll Peter Dir.

B.: Dir. FN.: VS Josefiau. DA.: 5020 Salzburg, Billrothstr. 4. PA.: 5020 Salzburg, Bergheimerstr. 69. G.: Salzburg, 23. Apr. 1943. V.: Monika, geb. Moser. Ki.: Christina, Barbara. El.: Herta. S.: 5 J. LBA, 1962 Matura. K.: 1962-68 Lehrer i. Flachgau i. versch. Orten, 1968 BH, Militärakad. Wr. Neustadt b. 1972, Berufsoff. i. Absam i. Tirol, 1975 Lehrer a. d. VS Mülln (2 J.), danach 7 J. i. Nonntal als Lehrer, 7 J. VS Gnigl und 1990 Dir. i. Josefiau. BL.: politisch aktiv i. Köstendorf, Bez.-Obmann d. Jungen ÖVP i. Flachgau, i. jeder Gem. eine Ortsgruppe d. ÖVP gegründet, Grdg. Fußballverein in Michelbeuern u. Köstendorf. M.: Lehrervereinig. H.: Fußball (m. Schülern und Fan v. Casino SBG), Tennis spielen, Gartenpflege, Fernsehbegeistert. (D.E.)

Schnöll Wilfried

B.: Unternehmer. FN.: W + M Schnöll Transport. DA.: 5411 Oberalm, Madlg. 287; 5421 Gaißau 190. G.: Oberalm, 16. Nov. 1953. V.: Margit, geb. Schnötzlinger. Ki.: Evelyne (1976), Andrea (1993). S.: VS, HS, HTL Elektrotechnik Sbg. K.: 1975-80 Betriebsltr. Gaißauer Bergbahnen, 1977 selbständig u. Konzessionsprüfung, Grdg. Transportunternehmen im Fernverkehr m. Partner, 1978 Grdg. Erdbewegung W + M Schnöll Transport, 1980 Anteile d. GmbH Fernverkehr verkauft. M.: Freiwillige Feuerwehr Oberalm, Kameradschaftsbund, Trachtenverein. H.: Sport, Feuerwehr. (S.P.)

Schnöll Rupert Ing.

B.: Techn. Ltr. d. ORF Sbg. DA.: 5010 Salzburg, Nonntaler Hauptstr. 49D. G.: Kuchl, 28. Apr. 1958. El.: Josef u. Maria. S.: VS, HS, Gymn., 1973-78 HTBLA f. Elektrotechnik Sbg., 1978-79 Präsenzdienst. K.: ab 1979 ORF Sbg., Meßass. in d. HKR, 1979-80 FM im HF u. FS-Bereich, ab 1980 Tonmstr., ab 1983 Bildmstr., ab 1985 Produktionsltr., seit 1992 Techn. Ltr., Regie f. Sportveranstaltungen. H.: Paragleiten, Tauchen. (U.E.)

Schnöll Wilhelm

B.: Fotograf. FN.: Fotostudio Wilhelm Schnöll Werbung, Arch., Touristik. DA. u. PA.: 5020 Salzburg, Samstr. 9. G.: Salzburg, 25. März 1947. V.: Erika, geb. Essl. Ki.: Alexandra (1978), Stefan (1980). S.: VS, HS, 1978 Mstr.-Prüf. als Fotograf. K.: seit 18 J. selbst. H.: Bergsteigen, Abenteuerreisen in alle Länder d. Welt. (S.P.)

Schnölz Rudolf

B.: Küchenchef d. Restaurant Mattes. GT.: Prok. u. Gschf. d. Fa. Steger & Höck OHG, Mitarb. d. Zeitschrift "Gusto". DA.: 1010 Wien, Schönlaterng. 8. G.: Pfronten BRD, 15. März 1960. El.: Martin u. Margit. S.: Kochlehre in Pfronten Hotel Berghof, Ausbild. b. Siegfried Schaber in München u. b. H. Wergus in Ulm (Pflugmerzler). K.: 1983-84 Taudris (München) b. H. Winkler, 1983 Schaukochen Kopenhagen, 1984 Korso Wien, 1985 London (Koch f. d. Königin Mutter), seit 1985 Restaurant Mattes. M.: Dt. Köcheclub, World Mission Children. H.: Wein, Kochen. (A.W.)

Schnölzer Helga

B.: Firmeninh., Trafikantin. FN.: Trafik Helga Schnölzer. DA.: 1200 Wien, Vorgartenstr. 90. G.: Wien, 19. Sept. 1958. V.: Erich. El.: Josef u. Berta Kromsian. S.: VS, HS, Polytechn. Lehrgang, Lehre als Bürokfm. K.: im väterl. Betr. als Verkäuferin, s. 1986 selbst., Tradionsbetr. "Treffpunkt Trafik". E.: 1992 zur freundlichsten Trafikantin v. Brigittenau gewählt. H.: Lesen, Handarbeiten, Gartenarbeit. (W.J.)

Schnorr Gerhard Dr. iur. Prof.

B.: ehem. Vorst. d. Inst. f. Arbeits- u. Sozialrecht Leopold Franzens-Univ. Innsbruck. GT.: Prädekan f. d. Studienj. 1988/89 d. rechtswiss. Fak., Dekan 1970-72, 1989-93, em. Sept. 1993 an d. rechtswiss. Fak. PA.: 6074 Rinn/Tir., Hauptstr. 10. G.: Chemnitz, 2. Mai 1923. V.: Marianne, geb. Lustig. Ki.: Charlotte (1949). El.: Curt u. Charlotte. S.: Hum.

Gymn., Stud. Rechtswiss. Univ. Leipzig, 1946 Referendarprüf., 1948 Prom., 1959 Habil. Univ. Köln. K.: ab 1960 Diätendoz. rechtswiss. Univ. Köln, 1966 apl. Prof. Univ. Köln, 1967 o.Univ.-Prof. rechtswiss. Univ. Innsbruck. P.: Das Arbeitsrecht als Gegenstand intern. Rechtsetzung (1960), Öff. Vereinsrecht (1965), Die f. d. Arbeitsrecht spezifischen Rechtsquellen (1969), Arbeits- u. sozialrechtl. Fragen d. europ. Integration (1974), Irschen - eine Gemeindechronik (1975), Ausländer-Beschäftigungsgesetz (3. Aufl. 1995), Die gewerbsmäßige Arbeitnehmerüberlassung (1979), Einführung in d. Rechtswiss. u. ihre Methoden (1988). E.: Festschrift z. 65. Geburtstag "Arbeitsleben und Rechtsordnung" (1988). M.: Österr. Ges. f. Arbeitsrecht u. Sozialrecht, Österr. Ges. f. Arbeitsbeziehungen, Dt. Sozialgerichtsverb., Kmsn. z. Codifizierung d. österr. Arbeitsrechts b. BMA, Tir. jur Ges. H.: Eisenbahn-Technik, Geologie, Natur. (W.G.)

Schnötzinger Herbert Mag.

HS

B.: Dir. FN.: AKH. DA.: 2700 Wr. Neustadt, Corvinusring 3-5. PA.: 2700 Wr. Neustadt, R. Kumbeing. 5. G.: Wr. Neustadt, 29. Nov. 1960. Ki.: Anna (1989). El.: Richard u. Hilde. S.: Realgymn., 1978 Matura, 1.J. Heeres-, Sport u. Nahkampfschule, 1980-86 Stud. BWL u. Wi.-Päd. an d. WU Wien. K.: 1985 kfm. Ass. HAK, 1988 Ass. d. Gschltg. AKH Wr. Neustadt, 1990 stellv. Dir., 1993 Verw. Dir. H.: Rafting, Tennis, Skifahren. (I.J.)

Schnurrer Werner

B.: Gschf. Ges. FN.: Astra Industriefußboden GmbH; Astra Chemie GmbH. DA. u. PA.: 2325 Himberg, Wiener Straße Parzelle 1693. G.: Tamsweg, 1. Juni 1945. V.: Sylvia, geb. Streit. Ki.: Ursula (1974). El.: Franz u. Maria. S.: HAK, Matura, chem.-techn. Ausbild. K.: seit 1967 Gschf. u. Ges. d. Astra-Chemie, 1984 Grdg. Astra Industriefußboden u. seither Prok. d. Unternehmens, Vertretung Firma WAKOL-Chemie. H.: Tennis, Reisen. (F.S.)

Schobel Hans Dr. med. Prof.

B.: FA f. HNO, Konsiliarius d. Ev. KH Wien-Währing. DA.: 1180 Wien, Hans-Sachs-G. 10-12, 3100 St. Pölten, Fuhrmanng. 20. PA.: 3100 St. Pölten, Feßlerstr. 57. G.: Hochneukirchen, 3. März 1924. V.: Dr. med. Edeltraud, geb. Klausriegler. Ki.: Dr. phil. Eva (1955), Dr. med. Johannes (1956), Dr. iur. Peter (1962). El.: Felix u. Anna. S.: VS, Stiftsgymn. Seitenstetten, BG St. Pölten, 1942 Matura, 1942-45 Kriegsdienst u. russ. Gefangenschaft, Med.-Stud. Univ. Wien, 1950 Prom. z. Dr. med. K.: 1950-57 Ausbild. z. FA f. HNO am KH St. Pölten, 1957-60 Intern. Studien an ausländ. Kliniken u.a. HNO-Klinik Freiburg, Würzburg, Padua, Mailand u. Zürich, 1959 Eröff. einer FA-Praxis f. HNO St. Pölten, 1960 Prim. HNO-Abt. KH St. Pölten, 1986 Prof., 1991 Eintritt in d. Ruhestand, Konsiliarius d. Ev. KH Wien-Währing. BL.: Entwickl. eig. Operationsmethoden f. d. rekonstr. Mittelohrchir. bei u. nach chron. Mittelohrentzünd. u. bei Otosklerose, bei Vereng. v. Luftröhre u. Kehlkopf, Vortragender b. zahlr. internat. Kongressen in Europa, Asien, Nord- u. Südam. u. Operationskursen, Ehrenmtgl. d. HNO-Ges. v. Italien, Ungarn, Polen, DDR, Chile, Kolumbien, Uruquay, Österr., korresp. Mtgl. d. BRD u. Argentinien. E.: 1985 Gold. EZ d. Bdl. NÖ, 1992 Gold. EZ f. Verd. um d. Rep. Österr. M.: 1963-88 Vors. d. Fachgruppe Primarärzte d. Ärztekam. NÖ, 1962-90 KamR. d. Ärztekam. f. NÖ. H.: Fotografie, Operations-Videoaufzeichnungen. (M.M.)

Schobel Peter Dr.

B.: RA. FN.: Kanzleigemeinsch. Dr. Fasching, Pennersdorfer, Haftner, Schobel. DA.: 3100 St. Pölten, Herreng. 4. G.: St. Pölten,19. März 1962. V.: Mag. Sigrid, geb. Kamitz. Ki.: Selina-Magdalena. El.: Primar Dr. Hans u. Edeltraut. S.: VS, Gymn. St. Pölten, 1980-85 Stud. Jus., Wien. K.: 1985-86 BG u. LG St. Pölten, 1986 3 Mo. b. Anwalt, 1987 Ausb. b. Anw. i. St. Pölten, 1989 Anw.-Prfg. z. selbst. Rechtsanw., s. 1994 i. jetziger Kanzleigemeinschaft. H.: Wandern, Kino, Amateurfilm, Schmalfilm, Porsche. (C.G.)

Schöbel Ursula

B.: Augen- u. Kontaktlinsenoptikerin. FN.: Brillendesign Binder. DA.: 1010 Wien, Kärntner Ring 5-13, Ringstraßen-Galerien Top 47. PA.: 1140 Wien, Linzer Str. 408/3/6. G.: Wien, 12. Jän. 1966. V.: Werner Schöbel. El.: Günter u. Christiane, geb. Baar. S.: Fachausbild., 1988 Meisterprüfung u. Kontaktlinsenkonzession. K.: seit 1988 selbst. H.: Reiten, Sport allg. (N.A.)

Schober Edgar Ing. Prof.

B.: Insp. f. Ldw.Schulen, dzt. Abg. z. NÖ. Landtag. PA.: 3251 Purgstall, Sölling 29. G.: Klein Eibenstein b. Gmünd, 31. Okt. 1926. V.: Paula, geb. Salomon. S.: Untermittelschule, Höhere ldw. BLA "Francisco - Josephinum". K.: 1948-64 Ldw. Berufsschullehrer, 1964-74 Insp. f. Ldw. Fach- u. Berufsschule, seit 1974 polit. tätig. P.: Mitarb. an ldw. Büchern. E.: Ehrenbürger d. Marktgem. Purgstall, Träger d. Gold. Ehrenringes d. Marktgem. Purgstall. H.: Gartenarb., Lesen. (Kern)

Schober Felix KonsR.

B.: Dir. d. Piaristen-VS Maria Treu. GT.: Ordenspriester, Rektor d. Piaristencollegiums 3500 Krems/Donau. DA. u. PA.: 1080 Wien, Piaristeng. 43. G.: Wien, 14. Apr.1930. El.: Prof. Johann u. Johanna. BV.: Großonkel Dr. Schober Bundeskanzler u. Polizeipräs. v. Wien. S.: Gymn. Wien, 1949 Matura, 1949 Eintritt in d. Piaristenorden, Theol.-Stud. Univ. Wien u. Theol. Lehranst. St. Pölten, 1952 VS-Lehrerausbild. LBA Krems. K.: 1954 Priesterweihe, 1954-59 Lehrer Piaristen-VS St. Thekla Wien IV, 1959-83 Konviktspräfekt u. Ltr. in Krems, Religionslehrer am BG Krems, seit 1983 Dir. d. Piaristen-VS in Wien u. Rektor d. Piaristenkollegiums Krems/D. M.: CV Norica. H.: Wandern, Puzzles. (J.S.)

Schober Herfried Michael

B.: Inh. FN.: Schober & Schober GmbH. DA./PA.: 8010 Graz, Rosenberggürtel 21. G.: Graz, 29. Okt. 1958. V.: Rosemarie, Geb. Pail. Ki.: Markus (1985), Georg (1988), Thomas (1992). El.: Norbert Maria u. Ines. S.: 1975-80 HTL, BWL Stud., 1. Dipl. Prüfg. K.:1980-91 Prokurist b. ECHO-Schallplatten, 1986 Grdg. Handelsagentur, 1992 Grdg. Fa. Schober & Schober GmbH f. Dienstleistg. im Baugew. H.: Tennis, Lesen.

Schober Johann Dr.

B.: Steuerberater, Wirtschaftstreuhänder, Mittelschullehrer. DA. u. PA.: 5020 Salzburg, Gstöttengutstr. 47. G.: St. Johann/Pongau, 18. Dez. 1938. V.: Gertrude, geb. Winter. Ki.: Sigrid (1969). El.: Johann u. Maria. BV.: Vater Johann Schober Chorltr. u. Kapellmstr. in Altenmarkt, Schwager Alfred Winter Gründer d. "Szene d. Jugend". S.: VS, Gymn., LBA Sbg., 1959 Matura, Jurid. Fak. Univ. Wien, 1965 Prom., Militär. K.: 1966 Finanzamt Sbg., Eintritt Finanzverw., 1969 Abschluß, ab 1970 Gruppenltr. Finanzamt Sbg., ab 1972 Finanzlandesdir. Steuerlandesinsp., ab 1977 Stellv. d. Steuerlandesinsp. v. Sbg., seit 1980 Mittelschullehrer in Fremdenverkehrsschule Klesheim u. Bischofshofen, seit 1982 selbst. als Wirtschaftstreuhänder u. Steuerberater, Prüfer in d. Prüf.-Kmsn. f. Steuerberater. P.: div. Fachvorträge im In- u. Ausland. M.: ehem. Prüf.-Organ an d. Bundesfinanzschule, ehem. Rechnungsprüfer d. "Freunde d. Sbg. Adventsingens", Kiwanis-Club Sbg. H.: Tennis, Skifahren. (U.E.)

Schober Karl

B.: Gschf., Koch- u. Küchenmstr. FN.: Hotel Restaurant Theresia Hohnecker. DA. u. PA.: 3003 Gablitz, Wagnerg. 4-6. G.: Baden, 29. Juni 1948. V.: Lebensgefährtin Theresia Hohnecker. El.: Karl u. Gertrude. S.: 1962-65 Kochlehre i. St. Pölten, 1965-83 versch. Hotels i. Österr., Schweiz, Italien, Deutschland. K.: s. 1983 Küchenchef u. Gschf. i. Hotel Hohnecker Gablitz. P.: div. Fachbeiträge i. d. Fachlit. u. Zeitschriften. E.: 80 Gold. u. 20 Silbermed. v. Int. Kochkunstausstellungen i. Basel, Frankfurt, Strassburg, Osaka, Montreal, Italien, Koch Oscar d. amerik. kulinär. Akad., 3 Goldmed. v. d. Kocholympiade i. Frankfurt, 1989 Gold. EZ v. Verb. d. Köche Österr. M.: Ambassador d. FCEE f. Österr. (Föderation Kulinär exklusiv de Europe), s. 1970 Verb. d. Köche Österr. H.: alte Banknoten sammeln, Mineralien. (I.K.)

Schober Karl

B.: Einsatzltr. FN.: Cottage-Dektektivagentur. DA.: 1190 Wien, Barawitzkag. 27. PA.: 2264 Sierndorf/March 66. G.: Wien, 20. Juli 1951. V.: Elisabeth, geb. Emericzy. Ki.: Michael (1977). El.: Karl u. Josefine. S.: VS, HS, Spenglerlehre m. Abschluß. K.: Gräf & Stift, Post, Petrochemie Schwechat, hauptberufl. Cottage Detektivagentur, Security Abt. Hotel Marriott, Kzl.-Hilfskraft PVA, Werkschutz Firma Siemens, Samariter Bund, hauptberufl. b. Verkehrsbetriebe im Gleisbau, seit 1976 nebenberufl. Einsatzltr. Cottage-Detektivbüro, Leibwächterausbild. b. Josef Quasni Prana, Sicherheitsbmtr. in Amerikan. Residenz unter Henry Grünwald. M.: Österr. Detektivverb. H.: Hundesport, Judo, Kriminologie. (J.M.)

Schober Peter

B.: Gschf.; Schmiedemeister, Landmaschinentechniker u. KFZ-Mechanikermeikster. FN.: Marktverwaltung GesmbH. DA.: 5630 Bad Hofgastein, Weitmoserstr. 1. G.: Bad Hofgastein, 7. Nov. 1931. V.: Waltraud, geb. Lagger. Ki.: Peter, Trude, Johanna, Monika, Wilfried, Waltraud u. Paul. El.: Rupert u. Maria. S.: VS, HS, Fachschule, 3 Lehrjahre als Huf- u. Wagenschmied. K.: 1955 Meisterprüf. f. Schmied u. Landmaschinenbau selbst. mit eig. Werkstätte f. Schmiede Fahrzeug- u. Maschinenbau, 1965 Mstr.-Prüf. f. KFZ Technik erw. Werkstätte sowie Fahrzeughandel u. Tankstelle. M.: Innungsmstr. f. Landmaschinentechniker f. Salzburg, 19 J. im Gemeinderat. H.: Skifahren, Wandern, Bergsteigen. (J.F.)

Schober Peter jun.

B.: Hrsg. FN.: Photo Schober Oberktn. Nachrichten. DA.: 9800 Spittal/Drau, 10.-Oktober-Str. 66. PA.: 9813 Möllbrücke, Karl-Zill-Str. 9. G.: Spittal/Drau, 24. Feb. 1965. V.: Gerda, geb. Kandolf. Ki.: Christin (1994). El.: Peter u. Eveline. S.: VS, Sportgymn. Saalfelden, HS, Berufsschule u. Lehre Offsetdrucker, Abschluß, BH, Weiterbild., Seminare. K.: Tätigkeit in d. Privatwirtschaft u. Mitarb. im 1965 gegründeten elterl. Betrieb, 1988 Konzessionsprüf., 1993 Übernahme d. Betriebes. H.: Sammeln u. Restaurieren v. alten Alfa Romeos, Familie. (G.L.)

Schober Reinprecht

B.: Arch.-Modellbauer, Grafiker. DA. u. PA.: 4040 Linz, Harruckerstr. 6. G.: Linz, 12. Juli 1941. V.: Ingeborg, geb. Reisinger. Ki.: Manfred, Ulrich. El.: AmtsR. Friedrich Ernst u. Viktorine. BV.: Dr. Schober Österr. Bundeskanzler. S.: VS, Gymn., Matura, Kunstschule d. Stadt Linz. K.: seit 1965 selbst. Modellbauer. M.: Mühlviertler Künstlergilde, BVÖ. H.: Antiquitäten, Garten, Foto, Reisen, Wandern. (W.B.)

Schober Richard Dr. phil.

B.: Univ.Prof.. f. österr. Geschichte, OR. d. Tir. LRg. im Tir. LArchiv. GT.: Univ.Prof. an d. geisteswiss. Fak. Innsbruck. DA.: 6020 Innsbruck, Herreng. 1. PA.: 6020 Innsbruck, Fliederg. 2. G.: Innsbruck, 7. Juni 1945. V.: Angelika, geb. Vesely. Ki.: Christian, Martin. S.: Gymn., LBA, 1965 Matura, Lehrtätigkeit als VS- u. HS-Lehrer b. 1972, 1968-72 nebenberufl. Stud., 1972 Prom. K.: 1972 Eintritt ins Tir. LArchiv., 1977 z. Rat ernannt, 1983 OR., 1984 Habil., 1993 a.o. Univ.-Prof., 1994 Gemeinderat d. LHptst. Innsbruck. P.: ca. 50 Aufsätze in histor. Fachzeitschriften, 7 Bücher: "La lotta sul progetto d'autonomia per il Trentino degli anni 1900-1902, secondo le fonti austriache" (1978), "Die Tiroler Frage auf der Friedenskonferenz von Saint Germain" (1982), "Geschichte des Tiroler Landtages im 19. und 20. Jahrhundert" (1984), "Storia della dieta Tirolese 1816-1918" (1987), "Parlamentarismus in Tirol" (1988), "Die Urkunden d. landschaftl. Archivs zu Innsbruck 1342-1600" (1990), "Theodor Freiherr v. Kathrein 1842-1916. Briefe u. Dok. z. kath.-konservat. Pol. um d. Jahrhundertwende (1992). E.: Leopold-Kunschak-Preis 1985, Gold. EZ d. Rep. Österr., 1985 Gold. VK d. Landes Sbg. 1985, Gold. EZ d. Kameradschaftsbundes 1985, Commendatore Ordine Sovrano dei Cavalieri del Tempio di Gerusalemme d'Italia 1993. M.: VPräs. d. Ges. z. Förd. d. Landesverteidigung in Tirol, wiss. BeiR. d. intern. Inst. f. Nationalitätenrecht u. Regionalismus, Studentenverb. TMV Alemannia, Verb. Österr. Archivare, Studi Trentini di scienze storiche. H.: Musik, Bergsteigen, Schwimmen.

Schober Siegfried
B.: Betriebsltr., Molkereimstr. FN.: Obersteir. Molkerei Frischmilchbetrieb Kapfenberg. DA.: 8605 Kapfenberg, Maierhofstr. 5-7. PA.: 8642 St. Lorenzen/Mürztal, Pogierstr. 76. G.: St. Lorenzen, 10. Febr. 1942. V.: Elfriede, geb. Kaiser. Ki.: Michael (1971), Daniela (1974). El.: Raimund u. Maria. S.: VS, HS, 1956-59 Tischlerlehre. K.: b. 1960 Geselle im Tischlerwesen, seit 1963 in d. Molkerei, Lehrling, Facharb., Abt.-Ltr., Ang., Betriebsltr., 1971 Molker- u. Käsermstr.-Prüf., seit 1987 Betriebsltr., lfd. Fortbild. u. Fachseminare. E.: 1985 3. Preis b. Butterqualität. M.: Fachverb. d. Molkerei- u. Käsereifachleute. H.: Lesen, Sport, Radfahren, Politik. (K.K.)

Schober Ullrich

B.: Abt.-Ltr. Sonderverkauf. FN.: Morawa Pressevertrieb GmbH. DA.: 2301 Groß Enzersdorf, Industriestr. 2. PA.: 1220 Wien, Gartenheimstr. 23. G.. Löbau/BRD, 3. Dez. 1949. V.: Christine, geb. Hatos.Ki.: Anja (1980). El.: Franz u. Alice. S.: 1968 Lehre Maschinenschlosser u. Elektromonteur. K.: 1971 Auslieferungsabt. Firma Morawa, 1974 Transportabt. Gesamtösterr., 1980 Abt. Sonderverkauf, 1990 Übersiedlung nach Groß Enzersdorf. H.: Tennis, Radfahren, Volleyball, Skifahren, Hund. (T.T.)

Schober Walter
B.: Inh. FN.: TBS Techn. Büro Schober. DA.: 9020 Klagenfurt, Peter-Mitterhofer-G. 36. PA.: 9073 Viktring, Keltenstr. 63. G.: Friesach, 23. Mai 1965. El.: Helmut u. Maria. S.: VS, HS, Polytechnikum, Lehre Maschinenbau b. Philips, Abendschule HTL. K.: 1980 Eintritt b. Philips, zuerst als Lehrling f. Maschinenbau, dann als Konstrukteur f. Sondermaschinenbau, 1991-93 Konstrukteur in d. Entwicklungsabt. d. Firma SEZ, 1993 selbst. m. eigener Firma. H.: Sport, Schwimmen. (F.S.)

Schober Walter Dr. techn. Prof.
B.: o.Univ.-Prof., Vorst. d. Inst. f. Bodenmechanik, Felsmechanik u. Grundbau an d. Univ. Innsbruck Fak. f. Bauing.Wesen u. Arch. DA.: 6020 Innsbruck, Technikerstr. 13/III. PA.: 6073 Sistrans, Am Kreuz 174. G.: Klagenfurt, 6. Okt. 1924. V.: Margarethe, geb. Scharf. Ki.: Evelyn, Heimo, Günter. El.: Anton u. Maria. S.: Realschule, RG, 1942 Matura, 3 J. Kriegsdienst, Stud. d. Technik u. Bauing.Wesen an d. TU Graz. K.: Ass. am Inst. f. Wasserbau d. Univ. Graz, 1953 Dr. techn., TIWAG Innsbruck, Sachbearb. in d. Planungsabt. f. Wasserfassung u. Talsperren, 1971 Prof. an d. Univ. Innsbruck. BL.: seit 1976 Forsch. m. Schwerpunkt f. Staudammbau. P.: zahlr. Veröff. über Staudammbau, publ. Tätigkeit über Straßenforsch. M.: Ing.Ver., Dt. Ges. f. End- u. Grundbau, Österr. Ges. f. Felsmechanik, Vorst.Mtgl. d. Österr. Nationalkomitee f. gr. Talsperren, seit ca. 20 J. Mtgl. d. Staubeckenkmsn., Ltr. d. Normungsaussch. H.: allg. Sport, Lesen, Kunst, kulturelle Tätigkeiten, Musik. (W.G.)

Schober Wilhelm Dr.
B.: Unternehmensberater. FN.: schoconsult Marketingberatung. GT.: Gschf. Hipro Trading Handels GmbH. DA. u. PA.: 8045 Graz, Nepomukg. 21. G.: St. Peter, 8. Dez.1948. V.: Dr. Brigitte, geb. Lukas. Ki.: Caroline (1977), Oliver (1980). S.: 1968-71 Stud. Chemie u. Physik Univ. Graz, 1973 50. Intern. Sommerkolleg v. BASF BRD. K.: 1974-79 Getzner AG Bludenz, Techn. Dir. R&D, Produkt Manager Automotive Industry, 1980-86 Naintsch Mineralwerke Graz, Dir. Marketing & Sales, seit 1986 schoconsult. BL.: Marketing f. Rohstoffe, Chemikalien, Papier, Investitionsgüter u. Ind.-Mineralien, Patente: "Schlauchartiges, vorzugsweise aus geflochtenen Litzen bestehendes Schleppseil", "Verfahren z. Herstellung einer Dämmzwischenlage f. d. elast. Lagerung d. Bettung v. Gleiskörpern". P.: "Talc in Europe: Optimistic views are prevailing" (1987), "Precipitated Calcium Carbonate: A quiet market expects excellence" (1989), "Talc consumption looks set to grow" (1991), "Industrial Minerals in Thermoplastics: Strategic Gaps in Purchasing, Marketing and R&D Coordination" (1991). M.: Marketing-Club Österr., WDF. H.: Sport, Musik, Natur. (C.R.)

Schoberberger Rudolf Dr. phil. Doz.
B.: Ass.-Prof. am Inst. f. Sozialmed. d. Univ. Wien. DA.: 1080 Wien, Alserstr. 21. PA.: 1140 Wien, Keferg. 21. G.: Wien, 1. Juni 1952. V.: Christa, geb. Studeny. Ki.: Bettina (1980). El.: Rudolf u. Helene, geb. Streit. S.: RG, 1970 Matura, Stud. Med., Psych. u. Humanbiologie Univ. Wien, 1979 Prom. z. Dr. phil. K.: 1975-91 Psycholog. Berater im Gesundheitsamt d. Stadt Wien zuständig f. Raucher- u. Ernährungsberatung, seit 1979 in d. Abt. f. Sozialmed. am Hygieneinst. d. Univ. Wien, ab 1983 am Inst. f. Sozialmed. m. Schwerpunkt Gesundheitspsych., mehrere Lehraufträge an d. Univ. Wien. P.: ca. 150 wiss. Publ. m. Schwerpunkt Complianceforsch., Lebensstil, Gesundheitsförd. u. Gesundheitspsych. M.: Bundesvorst. d. Sekt. Klin. Psych. u. Gesundheitspsych. im Berufsverb. d. Österr. Psychologinnen u. Psychologen. H.: Tennis, Skifahren. (N.A.)

Schöberl Hartwig

B.: Gschf. Ges. FN.: Creaplus Werbe GmbH. DA.: 4020 Linz, Schubertstr. 21. PA.: 4600 Wels, Traunaustr. 15. G.: Wels, 25. Nov. 1954. V.: Annelies, geb. Gimpel. Ki.: Daniela (1976). El.: Franz u. Irmtraud. S.: VS, HS, 1970-74 Fachschule f. Werbe- u. Gebrauchsgrafik m. Mstr.Kl., 1974 Dipl., 1977-80 Freie HS f. Farbe u. Umwelt Sbg., 1980 Dipl.-Farbberater. K.: 1974-78 als Grafiker tätig, 1978-82 Werbeltr. b. Handelskette, 1982-85 Mitarb. in Werbeagentur, seit 1986 selbst. Werbeberater u. Werbungsmittler, selbst. Dipl.-Farbberater,

Lehrtätigkeit WIFI, Vorträge in ganz Österr. P.: Aquarelle u. Ölbilder, Wandmalerei, Ausstellungen im In- u. Ausland. H.: Kochen, Reisen. (H.B.)

Schöberl Reinhard Herwig Ing.
B.: Techn. Ltr. FN.: Inzersdorfer Nahrungsmittelwerke GmbH. GT.: Gschf., Umweltschutzbeauftragter, Sicherheitstechniker. DA.: 1232 Wien, Draschestr. 107. PA.: 2346 Maria Enzersdorf, Donaustr. 98/6. G.: Wien, 18. Sept. 1959. V.: Karin, geb. Saalmann. Ki.: Marion Jenny (1987). El.: Ing. Herbert u. Maria. S.: VS, 4 J. Theresianum, HTL Mödling, BH. K.: 1980 Eintritt Firma Inzersdorfer als Ass. d. techn. Ltr., Mitarb. in jeder Abt. d. Firma, Ltg. zweier Produktionsabt., seit 1992 techn. Ltr. BL.: Umweltschutzengagement in öff. Arbeitskreisen. P.: Geschlossene Wasserkreisläufe in d. Sterilisation d. Konservenind. M.: Fachverb. d. Nahrungs- u. Genußmittelind. in div. Arbeitskreisen, Österr. Kälte- u. Klimatechn. Ver. H.: Fotografie (Personen, Makro, Mikro), Radfahren, handwerkl. Betätigungen.

Schöberl Susanne Mag.
B.: Gschf. u. Inh. FN.: Alexander Moser. DA.: 1230 Wien, Richard-Strauß-Str. 35. PA.: 2371 Hinterbrühl, Dreisteinstr. 4. G.: Wien, 3. Apr. 1956. V.: Dr. Franz. Ki.: Miriam, Alexandra, Iris. El.: Alexander u. Herta Moser. S.: AHS, WU, 1978 Matura. K.: Eintritt in Fa. d. Vaters, sämtl. Tätigkeiten. H.: Kinder, Sport, Skifahren, Tennis, Wandern, Haus u. Garten. (E.L.)

Schobesberger Dietrich Dipl.-Ing.
B.: Vorst.Mtgl. FN.: Stuag Bau AG Wien. GT.: Gschf.: Storf Asphalt-, Beton- u. Schotterwerk GmbH Weißenbach, Rieder Asphalt GmbH Ried im Zillertal, Zeller Bauunternehmung GmbH Breitenwang, Anton Beirer Hartsteinwerke GmbH Reutte, Asphalt GmbH Lienz. Da.: 1015 Wien, Seilerstätte 18-20.

Schobesberger Erich
B.: Künstler. FN.: Arts & Communication GmbH. DA.: 5020 Salzburg, Georg-Wagner-G. 1. G.: Salzburg, 23. Jän. 1959. S.: VS, Gymn., Lehre als Reisebürokfm. K.: seit 1990 freischaff. Künstler, Ausstellungen Wien, Los Angeles, New York, Peuerbach, Sbg., Köln, Frankfurt. P.: Buchveröff.: 1990 manufakte, 1992 Cortison. H.: Wellenreiten, Reisen, Kunst sammeln. (N.M.)

Schobesberger Hans Prof.
B.: OAmtsR. i.R. A.: 4020 Linz, Gruberstr. 26. G.: Linz, 6. Juli 1914. V.: Maria, geb. Obermüller. El.: Johann u. Karoline. S.: VS, Bürgerschule, Beamtenmatura, Beamten-Fachprüf. K.: 1933-45 Berufssoldat, 1941 Lt., 1942-45 OLt., nach 1945 Bilanzbuchhalter, Mag.Bmtr., 1961 AmtsR., 1968 OAmtsR., seit 1976 i.R., seit 1945 div. Funktionen im ASKÖ. P.: Versch. Publ., darunter 2-bänd. Geschichte d. Linzer Arb.T. u. Sp.Bew., 750 Seiten. E.: Gold. EZ f. Verd. u. d. Rep. Österr., Stadtsport-EZ, Gold. LSport-EZ u.v.a., 1984 Prof. H.: Mod. Kunst, Bücher, klass. Musik, Sport.

Schobesberger Karl
B.: Bez.-Stellenltr. d. Arbeiterkam. Ried. DA. u. PA.: 4910 Ried/Innkreis, Peter-Rossegger-Str. 26. G.: Wels, 10. März 1935. V.: Annemarie, geb. Casapiccola. El.: Karl u. Anna. S.: VS, HS, 3 J. Lehre f. Müller. K.: Tätigkeit als Müllergeselle, 1958-73 Bergbau/Braunkohle Wolfsegg-Traunthaler Kohlewerks AG, 1971-72 Sozialak. Mödling, seit 1973 Bez.-Stellenltr. d. Kam. f. Arb. u. Ang. Ried. M.: Laienbeisitzer b. Schiedsgericht. H.: Reisen, Lesen, Musik. (E.Hö.)

Schobesberger Wolfgang Franz Ing.

B.: Gschf. Ges. d. Fa. Ing. W. Schobesberger GmbH. DA. u. PA.: 4020 Linz, Zaubertalstr. 10. G.: Linz, 16. Mai 1946. V.: Eva Maria, geb. Fnadschek. Ki.: Gregor. El.: Franz u. Leopoldine. S.: HTL Hochbau, Matura 1967. K.: Ang. d. Postdion. (Bauabt.), Chemie Linz AG (Bauabt.), Grießler Handelsagentur Wien - Vertr. v. Gipsprod., bes. Einführ. v. Gipskartonplatten d. Knauf Gipswerke/BRD nach Österr., 1971 Grdg. d. Fa. Ing. W. Schobesberger GmbH - Stukkateuruntern., seit 1982 gerichtl. beeid. Sachv. f. baugew. Tätigk. u. Stukkateurgew. f. Gerichte u. Vers. F.: Eva u. Wolfgang Schobesberger Wohnungsvermietungsges. M.: Aussch. f. Bauhilfsgew. H.: Sportfliegen (Cessna 182), Kanusport, Skifahren, Tennis, Jagd, Reisen. (Deu.)

Schöch Heribert

B.: Gast- u. Landwirt. FN.: Gasthof Stern. DA.: 6811 Göfis, Walgaustr. 137. G.: Feldkirch, 26. Apr. 1943. V.: Liselotte. Ki.: Katharina (1988). S.: Grundschule. K.: tätig im elterl. Betrieb (Gast- u. Landwirtschaft), s. 1982 Führung d. Betriebes. H.: Volksmusik. (I.D.)

Schocher Franz

B.: Gschf. Strandhotel Seerose. DA. u. PA.: 5330 Fuschl am See. G.: Feldbach, 28. Mai 1958. V.: Gabriele, geb. Schmidlechner. Ki.: Sebastian (1985), Valerie (1992). El.: Franz u. Anneliese, geb. Jokesch. S.: VS, HS, Lehre Schloß Fuschl. K.: Wintersaison Hotel Zürserhof, 1980 Restaurant "La Grape D´Or" Lausanne, 1981 Kreuzfahrt MS-Sagafjord, 1982 Kitzbühler Tenne, 1982 Winter in Amerika, 1983 schwiegerelterl. Betrieb in Fuschl als Gschf. übernommen, 1986 Grdg. Pizzeria am Obertauern. M.: Tennisclub. H.: Tennis, Mountainbike, Skifahren. (S.P.)

Schöchl Gottfried

B.: Kfm. A.: 5163 Mattsee 339. G.: Mattsee, 29. Juni 1928. V.: Elisabeth, geb. Herbst. El.: Johann u. Stefanie. S.: Grundschule, BSchule f. Holz. K.: Tischlerhandwerk, Kriegsteilnahme, BFachschule f. Tischlerhandwerk, Mstr.Prüf. F.: Johann Schöchl. & Söhne OHG, Schöchl Sportbootswerft GmbH & Co KG. E.: 7-facher Staatsmstr. im Segelsport. M.: Österr. Segelsportver.

Schöchl Johann

B.: Kfm. A.: 5163 Mattsee 351. G.: Mattsee, 12. Juni 1925. V.: Erna, geb. Reitshammer. El.: Johann u. Stefanie. S.: Grundschule, BFachschule f. Holz. K.: Tischlerlehre, Kriegsteilnahme, BFachschule f. Holzarb., Mstr.Prüf. d. Tischlerhandwerks, 1958 Tischlermstr., Eröffnung d. Bootswerft, 1960 Schöchl OHG, 1975 Gschf. d. Schöchl Bootswerft GmbH & Co KG. F.: Johann Schöchl & Söhne OHG, Schöchl Sportbootswerft GmbH & Co KG. E.: 7-facher Staatsmstr. im Segelsport. M.: Österr. Segelsportver., Österr. Reitsportver.

Schöchl Manfred Ing.

B.: Gschf. Ges. u. Mitinh. FN.: Schöchl Yachtbau GmbH & Co KG. GT.: Gschf. Yachting Schöchl Italia; Sunbeam Croatia. DA.: 5163 Mattsee 138. PA.: 5163 Mattsee, Rohrmoserstr. 144. G.: Unken, 8. Nov. 1952. V.: Beatrice, geb. Bichsel. Ki.: Andreas (1982), Michael (1983). El.: Gottfried u. Elisabeth, geb. Herbst. S.: 1967-71 Fachschule f. Tischlerei u. Raumgestaltung Hallein, 1971/72 BH, 1972 Auslandsaufenthalt England, 1973-76 Einstieg HTL Maschinenbau u. Kunststofftechnik TGM Wien. K.: 1976 Eintritt elterl. Betrieb, 1980 Übernahme Entwicklung u. Formenbau, 1981 erste eigene Konstruktion, 1990 alleiniger Gschf. d. Unternehmens. BL.: 6-facher Staatsmstr. Korsar, VEuropamstr., 2x Murter Cup, Austria Cup 1993. E.: seit 1991 Staatswappen. M.: Segelclub Mattsee IYRU. H.: Segeln, Radfahren, Sport allg. (C.D.)

Schöchtner Helmut F.

B.: Kfm., Manager. FN.: ENT Design. DA.: 1090 Wien, Tendlerg. 8. G.: Raabs/Thaya, 21. Dez. 1957. Ki.: Manuel (1984). El.: Helmut u. Elfriede. S.: Schulbrüder Strebersdorf, HASCH Wien, Gewerbescheine u.a. f. Import-Export, Großtransportkonzession, gr. Küstenpatent. K.: Tätigkeit im elterl. Import-Exportbetrieb im Verkauf u. Marketing, anschl. Verkaufsltr. v. Novotel Österr., Gründer d. Reisebüros Traveller im Hilton, seit 1992 Ges. d. ENT Design Dr. Mehringer - H.F. Schöchtner - Innenarch. Schlager, zuständig f. Marketing u. Management. P.: div. Zeitungsart. M.: ehem. UKS-Mtgl. H.: Rallyes, Wasserskifahren, Reiten, Tennis. (J.S.)

Schock Eduard DDr.

B.: Bankang., LAbg. d. FPÖ. DA.: 1014 Wien, Rathaus. G.: Wien, 18. März 1959. V.: Barbara, geb. Frotzler. Ki.: Stefanie (1985), Heidi (1987). El.: Eduard u. Lotte. S.: Gymn., 1977 Matura, Stud. Rechtswiss. u. Vw. Univ. Wien, 1986 Prom. z. Dr. iur., 1985 Prom. z. Dr. rer. soc. oec. K.: 1983-85 Univ.-Ass., 1985-87 BMF, 1987-91 Clubsekr. d. FPÖ im Parlament, seit 1991 Creditanst., 1987-91 BezR. in Favoriten, seit 1991 LAbg. H.: Wandern, Skifahren. (N.A.)

Schöck Gunther Dr. o.Univ.-Prof.

B.: o.Prof. f. Physik, Univ. Wien. A.: 1190 Wien, Paradisg. 27. G.: Tuttlingen, 8. Jan. 1928. El.: MedR. Alfred u. Johanna. K.: 1954 Prom. Univ. Stuttgart, 1954-59 Forsch.Tätigkeit in USA (Westinghouse Research Laboratories), 1959-61 Forsch. u. Beratungstätigkeit (Comission National de Energia Atomica) u. Professur (Instituto de Fisica Bariloche) in Argentinien, 1961-62 Forsch.Tätigkeit b. General Atomic Laboratories La Jolla USA, 1965-66 Gastprof. in Stuttgart, 1969-70 Gastprof. an Rice Univ., Houston USA, 1971 Berufung als o.Prof. an d.

Univ. Wien. P.: Über 90 wiss. Veröff. u. Review Art. aus d. Gebiet d. Festkörperphysik. M.: New York Academy of Sci.. H.: Bergsport, Skifahren, Reisen

Schodl Franz Dr. techn. Dipl.-Ing.
B.: Gschf. Ges. FN.: PDTS GmbH Ges. f. industrielle Datenverarb. DA.: 1040 Wien, Rainerg. 1. PA.: 1010 Wien, Werdertorg. 17/11. G.: Poysdorf, 17. Apr. 1952. V.: Mag. Martha. Ki.: Katharina (1985), Johanna (1987). El.: Franz u. Maria. S.: 1971 Matura HTL Mödling, Stud. Energietechnik TU Wien, 1978 Spons. z. Dipl.-Ing., 1987 Prom. z. Dr. techn. K.: 1979-85 Ass. am Inst. f. Elektr. Regelungstechnik d. TU Wien, 1985-88 selbst. Einzelunternehmen, 1988 Mitbegrdg. u. Gschf. Ges. PDTS GmbH. H.: Hobbytischler, Hobbymaler. (M.M.)

Schödl Gottfried
B.: Präs. d. Österr. Gewichtheberverb., Präs. d. Intern. Gewichthebeverb. G.: 28. Juli 1924. V.: Eva Lissa. Ki.: Gottfried. El.: Gustav u. Anna. S.: VS, HS, kfm. HASCH. K.: 1968 kfm. Ang., Gen.Sekr. d. Gewichtheberverb., 1968-73 Red. d. Ärztekam. Wien, 1973-83 gschf. Präs. d. Verb., seit 1983 Präs. d. Verb. P.: Verbrauchszeitung d. österr. Gewichtheberverb. d. Gewichtheber, seit 1982 lfd. Magazin d. intern. Gewichtheberverb. world weightlifting, 1979 unzählige Lehrart. E.: Silb. EZ f. Verd. um d. Rep. Österr., zahlr. Ausz. d. Verb., Ehrenbürger d. US-Staates Oklahoma, Ehrenmtgl. vieler nat. Gewichtheberverb. H.: Musik, Video, Foto, Filmen. (E.L.)

Schödl Michael
B.: Inh. d. Werbeagentur M. Schödl. DA.: 1180 Wien, Gentzg. 70. PA.: 1070 Wien, Neubaug. 17. G.: Wien, 1. Apr. 1960. V.: Monika, geb. Dorfstätter. El.: Dr. Alfred u. Ingeborg, geb. Küblböck. S.: Werbefachschule Wien. K.: 1982-86 Tätigk. als Kontakter b. Werbeagentur HDM Dorland, 1986-87 Kundenberater b. J. W. Thompson, 1987 Kundenberater b. Haupt-Stummer, 1988 Grdg. d. eig. Werbeagentur. BL.: Anzeigen-Plakat-Kampagne f. Fernseh Kratky KG, Einführungskampagne f. Computer May. M.: Werbewiss. Ges. Wien. H.: Wasserball (aktiv), Rad- u. Schifahren. (N.A.)

Schoell Barbara Dr. iur.
RA. DA.: 1040 Wien, Mattiellistr. 2-4. PA.: 1130 Wien, Meytensg. 17. G.: Wien, 30. Sept. 1955. El.: Norbert u. Dr. Emilie Schoell. S.: 1973 Matura, Stud. Jus., 1978 Prom. K.: Gerichtsjahr, ab 1979 Konzipient, 1981 RA-Prüf., ab 1983 als eingetragener RA tätig. H.: Kunst, Kultur, Oper, Theater, Zeichnen, Reisen. (P.R.)

Schoeller Herbert Dr.
B.: Gen.-Dir. d. Bankhaus Schoeller & Co AG i. Ruhe. E.: Gr. EZ f. Verd. um d. Rep. Österr.

Schoeller Philipp Dipl.Vw.
B.: Industrieller, Kompl. d. Fa. Erste Wr. Walzmühle Vonwiller-Schoeller KG Wien-Schwechat, VPräs. d. Ver. österr. Industrieller, Obm. d. Sekt. Ind. d. BKam. d. gewerbl. Wirtschaft, Präs. d. Österr. u. d. Wr. Vw. Ges. u. Ver. d. Freunde Span. Hofreitschule, Ges. d. Großhdls.Haus Gebr. Schoeller Wien. DA.: 1190 Wien, Coblenzg. 33. E.: Gr. Verd.Kreuz d. Verd.Ord. d. BRD. Ehrenbürger d. WU Wien. M.: Mtgl. d. PräsidialR. d. Ver. Österr. Industrieller, Vorst.Mtgl. d. Dt. HK Wien u. Donaueurop. Inst., Kuratoriumsmtgl. d. Österr. Inst. f. Wirtschaftsforsch., Mtgl. d. I.O.C., Vorst. d. Wr. Konzerthausges. Wien u. Direktorium d. Ges. d. Musikfreunde Wien, Vorst.Vors. d. Leipnik Lundenburger Ind. AG Wien, AufsR.Vors.Stellv. d. Veitscher Magnesitwerke AG Wien, AufsR. d. Österr. Investitionskredit AG Wien, Felten & Guilleaume Fbk. elektr. Apparate AG Schrems-Eugenia, Österr. Brown Boveri Werke AG Wien, Wr. Allianz Vers. AG Wien u. ITT Austria GmbH Wien, BeiR. d. Aral Austria GmbH Wien u. AMF Inc Headquarters New York.

Schoellhammer Hans Peter Dipl.-Ing.
B.: Ing.Konsulent f. Vermessungswesen, Zivilgeometer. A.: 4820 Bad Ischl, Esplanade 24. G.: Linz, 30. Juni 1943. V.: Dipl.-Ing. Senta, geb. Mühlfellner. El.: Johann u. Katharina. S.: VS, RG Linz, TU Wien. K.: 1970-76 Techn. Ang. in Wien, seit 1976 selbst., Büro f. Technik u. Katastervermessung, seit 1976 f. intern. Consultings Arb. im Nahen u. Mittleren Osten, sowie Nord-Afrika. F.: Arge m. Herrn Dipl.-Ing. Greiner.

Schoemaker Willem
B.: Gen.Kons. HON d. Rep. Österr. in d. Niederlanden (Amsterdam). DA.: NL-3721 AP Bilthoven, Prins Hendriklaan 79. G.: Deventer/Niederlande, 18. Febr. 1920. V.: Simone Jannette, geb. Piccardt. El.: Johannes Gerardus u. Maria Theresia. S.: 1935-40 ORealschule, 1940-41 Med.Stud. an d. Univ. v. Groningen, Unterbrechung d. Stud. durch Schließung d. Univ. durch d. Besatzungsmacht. K.: Seit 1972 Gen.Kons. HON d. Rep. Österr. in d. Niederlanden (Amsterdam), 1953-80 Manager b. d. Fa. Philips-Duphar (pharm. chem. Division d. Philips Gloeilampenfbk. in Eindhoven/Niederlande), ab 1980 Berater d. Fa. Duphar-Solvay. BL.: 1943-45 Chef d. Geheimdienst Niederlanden (G.D.N.) in d. besetzten Niederlanden, Belgien, Frankreich, Deutschland, in diesem G.D.N. arbeiteten 1200 Geheimagenten, d. militäre, wirtschaftl. u. polit. Informationen sammelten, es wurde v. drei geheimen Radiosendeverbindungen zwischen d. besetztem Gebiet u. England Gebrauch gemacht, über Bern, Stockholm u. Lissabon wurden 12.000 Mikrofotos m. geheimen Daten nach England geschickt, darunter d. techn. Zeichnungen d. dt. Vergeltungswaffe, d. V-I. E.: Bronz. Leeuw, Oorlogskruis, Verzetsherdenkingskruis, Zilveren Eremedaille van de stad Amsterdam, The King's Medal for Courage in the Cause of Freedom, persönl. Dankschreiben v. Feldmarschall Montgomery, La Croix du Combattant, La Méd. de Résistance, La Méd. de la guerre, La Méd. Militaire de la guerre, Gr. EZ f. Verd. um d. Rep. Österr. M.: ASIS (American Society of Industrial Security), Mitbegründer u. viele J. Vors. d. niederländ. Ver.: "Allied Aircrew helpers during the war 1940-45".

Schoeps Julius H. Dr. Prof.

B.: Dir. d. Jüdischen Museums d. Stadt Wien; Univ.-Prof. f. Neuere Geschichte; Dir. d. Moses Mendelssohn Zentrums f. europ.-jüd. Studien an d. Univ. Potsdam. DA.: 1010 Wien, Rabensteig 3/21. G.: Djursholm, Schweden, 1. Juni 1942. V.: Ursula, geb. Pradler. El.: Hans-Joachim u. Charlotte. S.: Abitur, Stud. d. Geschichte, Politikwiss., Kommunikations- u.Theaterwiss. in Erlangen u. an d. FU Berlin,1963 Prom. GT.: K.: Tätigkeit als Verlagsdir. u. freier Publizist, Habilitation 1973, 1974-91 Prof. f. Polit. Wiss. u. Dir. d. Salomon Ludwig Steinheim-Inst. f.deutsch-jüdische Geschichte an d. Univ. Duisburg, seit 1992 Prof. f. Neuere Geschichte (mit Schwerpunkt deutsch-jüd. Geschichte) u. Dir. d. Moses Mendelssohn Zentrums f.europ.-jüd. Studien an d. Univ. Potsdam; Gastprof. in Budapest, Tel Aviv, New York, Oxford, Seattle; seit 1993 nebenamtlich Gründungsdir. d. Jüd. Museums d. Stadt Wien, seit 1984

Vors. d. Ges. f. Geistesgeschichte. P.: Über Juden u. Deutsche (1986), Leiden an Deutschland (1990), Neues Lexikon des Judentums (Hrsg.,1992), Bürgerliche Aufklärung u. liberales Freiheitsdenken. A. Bernstein und seine Zeit (1992), Hrsg.: Menora. Jahrbuch f. deutsch-jüdische Geschichte (1989 ff.), Studien zur Geistesgeschichte (1982 ff.), Mithrsg.: Theodor Herzl. Briefe und Tagebücher (1982 ff.), Zeitschrift f. Religions-u. Geistesgeschichte (1985 ff.). M.: P.E.N. Zentrum. (J.S.)

Schöfberger August

B.: Einkaufsltr. f. Lebendvieh. FN.: Handlbauer GmbH. DA.: 4600 Wels, Marcusstr. 21. PA.: 4723 Natternbach, Baumühl 4. G.: Natternbach, 11. Juli 1959. V.: Christine, geb. Humer. Ki.: Christoph (1988), Bianca (1990). El.: August u. Rosa. S.: VS, HS, Ldw.-Schule, 1979 Mstr.-Prüf. K.: nebenbei Ldw., seit 1980 jetzige Firma in d. Viehübernahme u. Abt.-Ltr. d. Schlachthauses, seit 1987 Einkaufsltr. M.: 1985-91 im GemR., ÖVP. H.: Skifahren, Bergsteigen. (U.A.)

Schöfer Robert Mag. Prof.

B.: Kameramann, o. HS-Prof. f. Bildtechnik u. Kamera. PA.: 1030 Wien, Sechskrügelg. 6/7. G.: Wien, 6. März 1926. V.: Karoline, geb. Schauenstein. S.: Matura, Ausbild. z. Kameramann, Stud. HS f. Musik u. Darstell. Kunst, 1985 Mag. art. K.: Kameramann, 1983-93 Dir. d. HS f. Musik u. Darst. Kunst Wien, s. o. HS-Prof. f. Bildtechnik u. Kamera an d. Abt. Film u. Fernsehen d. HS f. Musik u. Darstell. Kunst Wien. M.: Ver. d. Freunde d. Abt. Film u. Fernsehen, Österr. Kameramannverb. H.: Fotografieren, Musik. (L.S.)

Schöfer Wilfried Dipl.-Ing.

B.: Sales Manager f. Österr. b. Digital Equipment. A.: 2813 Lichtenegg zerstreut 31, 1160 Wien, Neumayrg. 21/20. G.: St. Pölten, 23. Febr. 1942. V.: Eva, geb. Pomassl. El.: Josef u. Pauline. S.: Pflichtschule, HTBLA f. Elektronik (Abschluß Ing.), TU Wien, Abschluß Dipl.-Ing. f. Techn. Physik (Dipl.Arb. auf d. Gebiet d. Experimentalphysik). K.: 1970/71 Übernahme d. Physik. Forsch.Abt. b. d. Fa. Semperit, Arbeitstätigkeit Keilriemenforsch., Sicherheitsauto u. Entwicklung physik. Prüfmethoden, 1972-75 Umstieg in d. EDV b. Control Data Wien, Übernahme d. Verkaufsgebietes Österr., 1975 Wechsel zu Digital Equipment Corp., Aufstieg v. Vertriebsltr. Bereich. F.: Aktien b. Digital Equipment Corp. E.: Firmeninterne Ausz. über bes. Leistung. H.: Klass. Musik, Historie, Renovieren eines alten Gebäudes, Ökologie.

Schöffl Harald

B.: Vorst.Mtgl., Student. FN.: Arbeitskreis f. d. Förd. v. tierversuchsfreier Forsch. DA. u. PA.: 4060 Linz-Leonding, Harterfeldstr. 26. G.: Steyregg, 28. Mai 1966. Ki.: Dominik Harald (1990). El.: Hubert u. Ernestine. S.: Med.Stud. Wien u. Innsbruck. K.: 1988 Grdg. d. Arbeitskreises, 1990 Planung d. 1. Kongresses, 1991 1. Österr. Intern. Kongreß, Grdg. d. LStelle f. Wien, NÖ u. Bgld. P.: Veröff. in Fachzeitschriften, Buchveröff. M.: Rotes Kreuz. H.: Tennis, Lesen, Theater. (P.H.).

Schöffmann Ernst Albert Dr. techn. Dipl.-Ing.

B.: Ziviling. f. Maschinenbau. GT.: Lehrer am Ausbildungszentrum d. Österr. Papierind. in Steyrermühl, Ltr. d. Produktmanagements f. Vliesstoffmaschinen b. NEUE BRUDERHAUS GmbH, Reutlingen, BRD. DA.: 2700 Wr. Neustadt, Am Reitweg 46. G.: Graz, 11. Aug. 1932. V.: Karin, geb. Knuth. Ki.: Mag. Birgit Schöffmann, Dr. med. Margit Anja Ladek-Schöffmann. El.: Dipl.-Ing. Ernst u. Magda. S.: TU Graz, Abt. Papier-, Zellstoff- u. Verfahrenstechnik, 1960 Grad., Diss. u. Prom. 1969. K.: 1960-69 Forsch. u. Entwicklungsarb. an Zellstoff-, Papier- u. Kartonmaschinen, insbes. Entwicklung d. Schrägsiebmaschine f. Vliesstofferzeugung u. Nebenaggregaten in d. Papiermasch.-Versuchsanst. d. J.M. Voith GmbH, Heidenheim, 1970-71 Ltr. Forsch.-Zentrum Ulmerfeld d. Neusiedler AG, 1972-73 Inbetriebnahme u. Kundendienst f. J.M. Voith, Heidenheim, in Übersee, 1974-79 Ltr. Forsch. u. Entwicklung Bunzl & Biach AG, 1979-81 Abt.-Ltr. Vliesstoffmaschinen Bruderhaus GmbH Reutlingen, BRD. P.: Veröffentlichte Vorträge u.a. für TAPPI u. INDA, USA sowie versch. Publ. in Fachzeitschriften. M.: Rotary-Club Wr. Neustadt, APV Graz, ÖZEPA-Verein Wien. H.: Garten, Reisen, Briefmarken, Wasserzeichen. (E.Hö.)

Schöffmann Ferdinand Dr. med.

B.: Arzt. DA.: 1010 Wien, Opernring 1. PA.: CH-8125 Zollikerberg, Am Ahorn 8. G.: Friesach, 2. Febr. 1920. V.: France-Luce, geb. Rondat, 1 Kind. S.: Matura, Med.Stud. in Prag u. Graz. K.: versch. Univ.Kliniken, 10 J. Tätigkeit Zahn-, Mund- u. Kieferklinik Univ. Graz, 5 J. ärztl. Tätigkeit im Kongo, 2 J. USA, 2 J. Vietnam, ab 1970 Schweiz versch. med. Tätigkeiten, Alternativmed., seit 1985 eigene Ord., selbst. Ausbilder f. Akkupunktur u. Therapeuten d. Raucherentwöhnung in d. Schweiz. (P.R.)

Schöffmann Kurt Mag. et Dr. phil.

B.: Unternehmensberater, Lehrbeauftragter am Univ.-Sportinstitut Klgft., Gerichtsdolmetscher, Oberst i. R. A.: 9020 Klagenfurt, Sterneckstr. 71. G.: Klagenfurt, 15. Aug. 1934. Ki.: Mag. Birgitt, Mag. Klaus. El.: Karl u. Maria. S.: Militärak., Univ.-Sprachausbild., Stud. Päd. u. Gruppendynamik. Jujitsu-Experte (7. Dan, Kyoshi), Trainerausbild. in Japan. K.: Funktionen im Rahmen d. Intern. Martial Arts Federation (IMAF): Councilor Headquarters Japan, European Technical Director, Technical Director Denmark, Branchdirector Austria u. a. P.: "Aspekte kooperativer Führung" (ein bildungswissenschaftl. Beitrag), "Wirkungssystem Mitarbeiterführung" (Päd. Grundlegung menschl. Denkens u. Handelns im soziotechn. System Betrieb) u. a., div. Arbeiten betr. jap. Kampfsport in dt. u. dän. Fachzeitschriften. E.: Gold. EZ d. Rep. Österr., Silb. VZ d. Rep. Österr., Ausz. d. Landes Kärnten, div. Ausz. d. BH, Gold., Silb., Bronz. Verd.-Med. d. Roten Kreuzes, Gold. Karl-Med. d. Lazarus Ordens, IMAF-Special-Award, KYOSHI u. a. M.: IMAF-Hqrs. Japan, Orden d. Ritter d. Hl. Lazarus, Lions Club, u. a. (. (D.M.).

Schöffthaler Helmuth

B.: Chefred. d. Blickpunkt Zeitungsverlag. GT.: freier Mitarb. b. ORF. PA.: 6460 Imst, Höhenweg 6. G.: Imst, 2. März 1944. V.: Reinelda, geb. Tiefenbrunner. Ki.: Monika, Peter. El.: Josef u. Herta. S.: Berufsschule. K.: gelernter Drogist u. Fotograph, Schaufensterdekorateur, Vertreter, seit 1974 Journalist b. "Blickpunkt". M.: Ski-Club. H.: Skifahren, Schwimmen, Jagd, Tennis. (W.G.)

Schofnegger Josef Dr. phil. Univ.-Ass. Prof.

B.: Univ.-Ass. Prof. am Inst. f. Psych. d. Univ. Klagenfurt, Klin. Psychologe u. Gesundheitspsychologe, lehrtätig an d. Univ. Graz. A.: 9073 Klagenfurt-Viktring, Fasang. 4. G.: Klagenfurt, 7. Febr. 1936. V.: Christine, geb. Rampitsch. El.: Anton u. Theresia. S.: Grundschule, Gymn., Univ. K.: Lehrer an Pflichtschulen, Prof. an Päd. Ak., Berufung an d. Univ. Klagenfurt als Univ.Lektor u. Prof. P.: Bücher u. mehrere Art. z. Thema: Schulklima, sowie Personalentwicklung am Arbeitsplatz. dztg. Forsch.schwerpkt.:Neurofeedback in

Therapie u. Forschung E.: EZ d. BVerb. d. Elternver. an höheren u. mittleren Schulen Österr., Dank u. Anerkennung f. d. Tätigkeit als Lehrer, Lob u. Anerkennung f. verdienstvolle Tätigkeit als Lehrer. M.: Berufsverb. österr. Lektoren an Univ. u. HS, Berufsverb. österr. Psychologen. H.: Musik.

Schöggl Christian

B.: Inh. FN.: Christian Schöggl Dachdeckerei u. Spenglerei. GT.: seit 1983 Hdl. m. antiken Uhren, seit 1990 auch neuzeitl. Uhren u. Schmuck in Zeltweg, Bahnhofstr. 36. DA. u. PA.: 8740 Zeltweg, Floßweg 5. G.: Oberzeiring, 5. Dez. 1955. V.: Heidemarie, geb. Freitag. Ki.: Michael (1983), Robert (1985), Joachim (1987). El.: Alfred u. Agnes. S.: VS, HS, Spengler- u. Dachdeckerlehre im elterl. Betrieb, 1974 Abschluß. K.: 1977 Mstr.-Prüf. Spengler, 1982 Mstr.-Prüf. Dachdecker, 1990 Übernahme d. Betriebes. M.: Round Table Seckau. H.: antike Uhren, Oldtimer. (I.G.)

Schöggl Friedrich

B.: Stadtrat. PA.: 3100 St. Pölten, Schwaighoferstr. 20. G.: St. Pölten, 26. Jän. 1931. V.: Anna, geb. Noisternigg. Ki.: Manfred (1962). El.: Josef u. Eleonora. S.: VS, Gymn., 1949 Matura. K.: 1949 Eintritt i. d. NÖ Gebietskrankenkasse, 1972 stv. Abt.-Ltr. i. Personalbüro, 1975 Ref.-Ltr. f. Organ., 1976-82 Abt.-Ltr. f. EDV-Organ., 1983 Abt.-Ltr. f. Vers.-Wesen, 1.3. 1993 Eintritt i. d. Ruhestand, 1946 Mtgl. d. Soz. Jugend, 1952 Mtgl. d. SPÖ, 1969 Sektionsltr. d. Sektion 8., Bez.-Vorst., bis 10. 1993 Landesparteivorst., 1965 Gem.-Rat, 1975 Stadtrat, 1982 Obmann d. KH-Aussch., 1985 Stv. d. Bgm. BL.: ehem. Landesmstr. i. Hammerwerfen, Fünfkämpfer u. Zehnkämpfer. E.: Gold. Sport-EZ NÖ, Silb. EZ NÖ, Gold. EZ d. Rep. Österr. M.: Bez.-Obmann u. Landesobmannstv. d. ASKÖ, Obmann d. Ver. z. Führung v. Werkstätten v. Behinderten in St. Pölten, AufsR.-Mtgl. d. Kreditver. d. Bank Austria AG, AufsR.-Vorst. d. Ges. Werkst GesmbH in St. Pölten, Obmann d. Ver. z. Ausb. v. Zahnärzten. H.: Sport, Skifahren. (M.M.)

Schoissengeier Johannes Dr. Prof.

B.: Prof. am Inst. f. Math. d. Univ. Wien. DA.: 1090 Wien, Strudlhofg. 4. PA.: 1160 Wien, Payerg. 4. G.: Linz, 6. Juli 1948. El.: Hermann u. Hilde. S.: VS, HS, BRG, 1967 Matura, BH, Stud. Physik u. Math., 1973 Dr. K.: 1973 wiss. Hilfskraft, 1973 Vertragsass. Math. Inst. d. Univ. Wien, seit 1974 Univ.-Ass., seit 1978 Univ.-Doz., 1980 Gastprof. Univ. Sbg., 1983 Gastdoz. Univ. Klagenfurt, seit 1990 a.o.Univ.-Prof. P.: The Connection between the Zeros of the Zeta-Function and Sequences (g/p), prime mod. 1 (1979), Change of variables in a multiple integral for local fields (1992), The discrepancy of (na) (1993). E.: Hlawka-Preis. M.: Österr. Math. Ges., Dt. Math. Ges. H.: Mykologie, Wandern, Wiss., Kartographie. (R.T.)

Schoiswohl Franz

B.: Kfz-Händler. FN.: Fiat Franz Schoiswohl. DA.: 3292 Gaming, Promenade 5. G.: Gaming, 24. März 1942. V.: Lieselotte Christine, geb. Schlögl. Ki.: Claudia (1969), Elfriede (1972), Maria (1973), Christine (1982), Elisabeth (1983), Franz (1985). El.: Franz u. Maria, geb. Simmlinger. S.: VS, HS, BGSch-Mödling: KFZ-Bau. K.: 1960/61 Fa. Mercedes-Benz u. Fa. Tarbuk in Linz, 1961 Eintritt in den elter. KFZ-Betrieb in Gaming, 1966 Übern. d. Betriebes, s. 1973 Fiat-Vertragshändler. M.: s. 1964 Mtgl. d. FF Gaming, s. 1976 Mtgl. d. Ötscherland-Trio. H.: Musik, Skifahren. (M.M.)

Schokarth Brigitte

B.: freie Journalistin m. Werkvertrag b. Metro-Verl. stv. Chefredakt. Club-Ö3-Magazin. DA.: 3400 Klosterneuburg, Donaustr. 102. PA.: 1050 Wien, Franzensg. 13/9. G.: Wien, 20. Juni 1959. El.: Gustav u. Edith Schokarth, geb. Wild. S.: 1977 Matura, Stud. Informatik u. Datentechnik, 1981 Aschluß. K.: seit 1979 Tätigkeit b. d. Kulturzeitschrift "Trichter", 1982-87 Red., Ltr. d. selbstaufgebauten Musikred., Chef v. Dienst b. "Rennbahn Express", ab 1988 Insider b. d. Kronen Zeitung, ab 1989 ltd. bis ende 1992. Ab Sommer 1993 Club-Ö3-Magazin. S. Mitte 94 stv. Chefredakt. P.: zahlr. Veröff. in "Wiener", "Musik Express/Sound", "Wochenpresse", Gestaltung v. Features, Serien u. Kurzgeschichten f. Ö3. H.: Musik hören, Gitarre spielen, Singen, Reisen, Lesen. (N.A.)

Scholda Ingeborg Mag. pharm.

B.: Apothekerin. DA.: 2500 Baden, Leesdorfer Hauptstr. 28. PA.: 2500 Baden, Hochstr. 7b. G.: Iglan/Mähren, 30. Juli 1936. V.: Mag. Dr. Reinhard Scholda. Ki.: Dr. Christoph, Reinhard, Ursula u. Markus. S.: Matura, Stud. d. Pharm. an d. Univ. Wien. K.: 2 J. Apotheker-Prakt. in d. Weilburg Apotheke Baden, seit 1969 Mitarb. in d. familieneigenen Marien-Apotheke in Baden. M.: Apothekerkam. H.: Lesen, Tennis, Skifahren, Theater. (M.B.)

Schöler Walter Dr. phil.

B.: em. o.Univ.-Prof. DA.: 9020 Klagenfurt, Universitätsstr. 65-67. PA.: 9201 Krumpendorf, Rudolf-Kattnig-Weg 1. G.: Schwaan (Mecklenburg), 20. Aug. 1928. V.: Hannelore, geb. Cuder. Ki.: Evamarie. S.: Gymn. in Parchim u. Plön, Stud.: Päd., Phil., Psych., Slawistik u. Geschichte in Rostock, 1955 Prom. z. Dr. d. Päd. an d. Univ. Greifswald. K.: 1946-52 Lehrer u. Rektor d. Fritz Reuter-Schule in Parchim, 1952-55 Stud., 1956-60 OAss. u. Doz. am Päd. Inst. d. Univ. Rostock, 1963-68 Wiss. Ass. u. Doz. am Inst. f. Erziehungswiss. d. RWTH Aachen, 1967 Habil., 1969-70 Vorst. d. Inst. f. Allg. Päd. an d. HS f. Welth. in Wien, 1970-74 Grdg.Rektor d. UBW Klagenfurt, gleichz. an d. Lehrkanzel f. Unterrichtswiss. berufen, 1978-86 Vorst. d. Inst. f. Unterrichtswiss. u. HS-Didaktik, seit 1986 i.R., 1969-78 Gastprof. an d. Univ. Loewen in Belgien. P.: "Der fortschrittl. Einfluß d. Philanthropismus auf d. niedere Schulwesen im Fürstentum Anhalt-Dessau 1785-1800" (1957), "Geschichte d. naturwiss. Unterr. im 17.-19. Jhdt." (1970), "Geschichte d. Päd. v. H. Weimer. 18. vollst. neubearb. Aufl. v. W. Schöler" (1976, Übers. in Jap. 1979), (gem. m. J. Zielinski) "Päd. Grundl. d. Programm. Unterweisung unter empir. Aspekt" (1964, Übers. i. Span. 1970), "Strukturen u. Modelle d. Unterr." (1977), "Lehrverhaltenstraining f. Unterr. in Schule u. Betrieb" (gemeinsam m. G. Pongratz 1978), "Ausbild. am Arbeitsplatz, Bildungsprobl. im Prozeß v. Arbeiten u. Lernen" (1989), Hrsg.: "Aspekte päd. Innovation" (s. 1986, inzw. 18 Bde.), "Kommunikation u. Begegnung, Reflexionen u. pragmat. Ansätze d. Päd. Festschr. z. 75. Geburtst. v. J. Zielinski" (gem. m. H. Levenig 1989), zahlr. wiss. Abhandl. auf d. Gebiet d. Unterrichtswiss., d. hist. Päd., d. Berufs- u. Betriebspäd., Schr. ü. dens.: Wirkunssyst. u. Reformans. i. d. Päd., Festschr. z. 60. Geburtst., hrsg. v. E. Lechner u. J. Zielinski (1988), Forsch. u. Feiern, Red. z. 60. Geburtst. (1989). E.: 1971 Offz.Kreuz d. belg. Leopold Ordens, 1975 Gr. Silb. EZ f. Verd. um d. Rep. Österr., 1983 Gr. Gold. EZ f. Verd. um d. Land Ktn., 1988 Österr. EK f. Wiss. u. Kunst 1. Kl. M.: Dt. Ges. f. Erziehungswiss., Österr. Päd. Ges., Präs. d. Österr. Ges. f. Histor. Päd. u. Schulgeschichte. (D.M.)

Scholl Susanne Dr.
B.: ORF-Korrespondentin i. Moskau. FN.: ORF. DA.: 1136 Wien, Würzburgg. 30. G.: 19. Sep. 1949. Ki.: Zwillinge Laura u. David (1983). El.: Prim. Friedrich u. Dorothea. S.: Gymn. Stubenbastei Wien, Stud. a. staatl. Univ. in Rom: Slawistik, 1972 Prom. zum Dr. phil., 1973/74 Studienaufenthalt i. Leningrad mit Österr. Stipendium. K.: Wien Redaktionsass. für Korrespondenten von Le Monde f. Osteuropa, Kurzwellendienst beim ORF, Auslandsred. d. APA f. 5 Jahre, 1986 ORF-Osteuropared. Prof. Lendvai, 1989 Korrespondentin in Bonn, 1991 Korrespondentin in Moskau, s. 1994 Bürochefin in Moskau. P.: Russisches Tagebuch. H.: Lesen, Aquarell-Malen, Klavierspielen, Musikhören. (J.M.)

Schöll Hans
B.: Mtgl. d. NatR., Kfm. DA.: 1017 Wien, Dr.-Karl-Renner-Ring 3. G.: Wien, 4. Juni 1941. S.: Gymn., 1959 Mautra, Jus-Stud. an d. Univ. Wien, 2 Staatsprüf. K.: s. 1964 selbst. kfm. Tätigk., s. 1990: Kammerrat d. Kammer d. gewerbl. Wirtschaft f. Wien u. Aussch.-Mtgl. d. Fonds d. Wr. Kaufmannschaft, Kuratoriums-Mtgl. d. Wr. WIFI, 1990-91 AR-Mtgl. d. Heizbetriebe Wien GmbH, s. 1986 Obm. d. Ringes Freiheitl. Wirtschaftstreibender Landesgr. Wien, 1987 Mtgl. d. Landesparteiltg. d. FPÖ Wien, s. 12/1991 Abg. z. NatR. E.: KommR., Silb. Ehrenmed. d. Kammer d. gewerbl. Wirtschaft f. Wien.

Schöll Heinrich Dr.
B.: RA, Verteidiger in Strafsachen. DA.: 1200 Wien, Wallensteinpl. 6. PA.: 1200 Wien, Straudingerg. 17-19/15. G.: Wien, 31. März 1927. V.: Dr. Ingeborg, geb. Post. Ki.: Ulricke, Dr. Rainhard, Wolfgang, Claudia. El.: Dkfm. Hans u. Leopoldine. S.: 1944 Matura, 1945-49 Stud. d. Rechtswiss. in Wien, 1949 Prom. Dr. iur. K.: 1943 Luftwaffenhelfer, 1944-45 Wehrdienst, 1949-50 Gerichtspraxis in Wien u. Klagenfurt, 1951-56 Konzipient b. d. Anw.Praxis Dr. Otto Schaffer, 1956 RA-Prüf., Eröff. eigene RA-Kzl. P.: Publ. in Zeitschrift "Reiter Orden Prinz Eugen". E.: Ver. d. Cavallero de Yuste. M.: seit 1984 Gschf. VPräs. d. Reiter Ordens Prinz Eugen, Kameradschaftsbund. H.: Bergsteigen, Reiten, Musik, Interesse f. Oper. (M.B.)

Schöll Ilse Wilhelmine
IS
B.: Gschf. Ges. FN.: Arkadia. DA.: 7350 Oberpullendorf, Hauptstr. 27. PA.: 7223 Sieggraben, Obere Hauptstr. 30. G.: Wien, 7. Apr. 1954. Ki.: Claudia (1973). El.: Julius u. Maria Kondar. S.: Gymn., Zahntechnikerausb. b. 1980, Haushalt u. Kindererziehung, Übern. d. elterl. Lebensmittelgeschäftes u. Imbißstube i. Oberlaa, 4 J. Mitarb. i. Wr. Immobilienbüro u. Aneignung d. Fachkenntnisse, 1992 Eröff. d. eig. Immobilienfa. i. Oberpullendorf m. Tätigk. i. Wien u. Burgenland, Eröff. einer Filiale i. Wien. H.: Beruf, Jagd. (I.J.)

Schöllberger Hans-Peter
B.: Inh., Gschf. FN.: Auto-Delta Hdls. GmbH. DA.: 1160 Wien, Baldiag. 14. G.: Gußwerk, 29. Aug. 1944. V.: Elfriede, geb. Goldgruber. Ki.: Hans Peter (1970), Birgit (1974). El.: Johann u. Walpurga. S.: VS, HS, Lehre Automechanik, Fahrzeugbau, Schlosserei, 1962 Gesellenprüf. K.: Fernfahrer, Fuhrparkltr., 1983 Meister- u. Gewerbeprüf., selbst. m. 2 Betrieben in Wien. H.: Wandern, Skifahren, Motorboot. (W.J.)

Schöllenbauer Helmut
B.: selbst. m. Presseagentur-Werbeagentur. DA.: 8700 Leoben, Kärntnerstr. 192. PA.: 8700 Leoben, Sauraug. 14. G.: Leoben, 27. Febr. 1956. V.: Maria, geb. Hafner. Ki.: Alexander (1990). El.: Josef u. Gerlinde. S.: VS, HS, 1971-74 Elektrikerlehre. K.: Fotograf. Weiterbild., Film, Produktionsltr. b. Video-Med., Auslandserfahrung im Filmbereich, seit 1988 selbst. m. Presseagentur in Leoben, seit 1990 auch eine eigene Werbeagentur. H.: Sport, Skifahren, Schwimmen, Beruf. (K.K.)

Scholler Helga Mag. art.
B.: ak. Maler. PA.: 8042 Graz, Eisteichg. 16/21/5. G.: Leoben, 31. März 1938. El.: Ing. Alfred u. Erna Scholler. S.: 1956 Matura, Kunstgewerbeschule, 1960-64 Ak. d. Bild. Künste Wien, Dipl. als ak. Maler u. Mag. art. K.: b. 1970 freiberufl. tätig, 1970-78 Unterricht an AHS Graz, ab 1979 freiberufl. Tätigkeit in Graz, zahlr. Ausstellungen im In- u. Ausland u.a. Österr., Jugoslawien, Schweiz u. Deutschland. E.: 1970 Kunstpreis Insel Rab, 1975 Ehrenmed. d. Landeshauptstadt Graz, 1976 Kunstförderungspreis d. Stadt Graz. M.: Stmk. Kunstver. H.: Beruf, Musik, Reisen. (A.-R.W.)

Schöller Josef
B.: Gschf. DA.: 4020 Linz, Regensburger Str. 3. PA.: 4020 Linz, Landwiedstr. 7. G.: Arbesbach, 10. Nov. 1936. V.: Hedwig, geb. Schwarzinger. Ki.: Klaus, Peter. El.: Josef u. Franziska. S.: VS, HASCH Zwettl, 1953 Praxis b. Fa. Fraberger in Langschlag. K.: 1956 Fa. Br. Kunz, 1957 b. z. Auflösung 1962 Fa. Linzer Fruchthof, 1962-78 Ein- u. Verkäufer b. Fa. Manseer in Linz, Stellv. d. Juniorchefs, 1978-83 b. Fa. VOG GmbH (Ltr. d. Frischdienst-Obst- u. Gemüseimport), seit 1984 Gschf. d. Fa. Josef Ahorner GmbH & Co KG, Früchte-Import-Großhdl., Zweigstelle Linz, weiters Index-Bearbeiter f. d. Österr. Stat. Zentralamt Wien. H.: Skifahren, Schwimmen. (Deu.)

Schollum Walter Mag.

B.: Assistenzprof. FN.: BUKO. GT.: Bundeskonferenz d. wiss. u. künstl. Personals d. Univ. KAS. DA.: 1090 Wien, Liechtensteinstr. 22/2/1. PA.: 2100 Leobendorf, Jägerstr. 12. G.: Wien, 13. Sep. 1940. El.: Robert u. Theresia, geb. Dusek. S.: Pflichtschule, Ausbild. Modellbauer, Externistenprüf., immatrik. a. d. HS f. Musik u. darst. Kunst Wien, Stud. Musikpäd., Ass. a. Inst. f. Musikanalytik a. d. Wr. Musik-HS, s. 1990 Vertreter d. KHS i. Präsidium, s. 1993 Vros. d. BUKO. H.: Rad, Tennis, Bergsteigen. (T.H.)

Schölmberger Hermann

B.: Gschf. Ges. FN.: Lehner Schölmberger KG. DA.: 4070 Eferding, Brandstätterstr. 15. PA.: 4070 Eferding, Wörth 41. G.: Aschach, 12. Sep. 1939. V.: Edith, geb. Groiss. Ki.: Clemens (1985), Ursula (1982). El.: Alois u. Anna. S.: VS, HS, 1954-58 Tischlerlehre Aschach, 1958-62 Bundesfachschule f. Holzverarb. in Hallstatt, 1962 Tischlermstr.-Prüf. K.: 1963 Betriebsltr. Firma Karl Lehner, 1968 Umwandlung in Lehner Schölmberger KG, seither Gschf. Ges. M.: b. 1993 Präs. Kiwani Club Eferding. H.: Skifahren, Malen. (G.E.)

Schöls Alfred

B.: Vors. d. GÖD-NÖ. DA.: 3100 St. Pölten, Julius Raab-Promenade 27/1. PA.: 3001 Mauerbach, Römerstr. 1. G.: Horn, 15. Mai 1951. V.: Ingrid, geb. Keck. Ki.: Monika (1972), Thomas (1974), Stefan (1987), Christoph (1989). El.: Josef u. Paula. S.: VS, HS, Kaufm. Lehre. K.: 1970 Vertragsbed. NÖ LR., 1972 Mitarb. d. Zentr. Personalvertr., 1974 LL. Obm. d. christl. Jugendgewerksch., 1979 Bundesobm., 1981 LObm. Stellv. d. jungen ÖVP NÖ, 1990 Fraktionsobm. d. Wählergr. ÖAAB FCG, s. 1989 Vors. d. Gewerksch. öffentl. Dienst NÖ. M.: Vors. d. Gemeinde u. L.-Bediensteten v. EOROFEDOP, 1993 L. Obm. d. Christl. Gewerksch., Mtgl. div. Organ. H.: Reiten, Pfeifen. (I.J.)

Scholten Rudolf Dr. iur.

B.: Bundesmin. f. Wissenschaft, Forschung u. Kunst. DA.: 1010 Wien, Minoritenplatz 5. G.: Wien, 3. Nov. 1955. V.: Dr. med. Christine, geb. Neumann-Spallart. El.: Gerhard u. Sophie. S.: Schottengymn. Wien, 1973 Matura, 1974-78 Stud. d. Rechtswiss. u. VW an d. Univ. Wien, Prom. z. Dr. iur. K.: 1976-83 Österr. Kontrollbank Wien, Sekretariat d. Vorst., Intern. Finanzierungen, 1983 USA/ New York, Morgan Stanley, Morgan Guaranty, Intern. Finanzierungen, 1984 Österr. Kontrollbank in Wien, 1984-86 BMin. f. Finanzen, Wirtschaftspol. Sekretär, 1986-88 Kabinett d. BKanzlers, Wirtschafts- u. Kulturpol. Berater, 1988 Gen.-Sekr. d. Österr. BTheaterverb., 1990-1994 BMin. f. Unterricht u. Kunst, seit Nov. 1994 BMin. f, Wissenschaft u. Forschung u. Kunst. H.:Kino, Lesen, Kaffeehaus. (N.A.)

Scholtes Ernst-Friedrich Dipl.-Ing.

B.: Gschf. FN.: Gersheim GmbH. DA.: 9722 Gummern 20. PA.: 9722 Puch 148. G.: Bistritz, 3. Dez. 1929. V.: Christl, geb. Fritsch. Ki.: Stefan, Kirsten. El.: Ernst-Friedrich u. Gertrud. S.: Matura, Lehre u. Werkmstr.Prüf. Chem. Ind., Stud. Verfahrenstechnik, Chemie, Examen Dipl.-Ing. K.: Ing.Betriebsltr. in Finnland, Malta, Südamerika, Gschf. Fa. Frace GmbH BRD, Dir. Manufacturing European Grace Chem. Division, seit 1978 Gschf. Gersheim GmbH. M.: Österr. Industriellenver. H.: Jagen, Fischen, Fotografieren.

Scholz Antony Dr. techn. Dipl.-Ing.

B.: Ltr. d. Grazer Verkehrsbetriebe, Vorst.-Dir. d. Schöckelseilbahn AG. DA.: 8010 Graz, Steyrerg. 114. G.: London, 2. Mai 1945. V.: Elfriede, geb. Platzer. Ki.: Kathrin (1972), Tanja (1984). S.: RG, 1964 Matura, ab 1964 Wirtschaftsing.-Stud. Richtung Maschinenbau TU Graz, 1972 Dipl.-Ing., 1975 Dr. techn., 1981 Ziviltechnikerprüf. f. Wirtschaftsing.-Wesen. K.: ab 1971 wiss. Hilfskraft TU, 1972-76 HS-Ass. TU, ab 1976 Ltr. d. EDV-Abt. Grazer Stadtwerke AG, ab 1984 Ltr. d. betriebswirtschaftl. Abt. Grazer Stadtwerke AG, seit 1985 Prok. seit 1990 Ltr. u. Prok. d. Grazer Verkehrsbetriebe, seit 1990 Vorst.-Dir. d. Schöckelseilbahn AG. H.: Lesen, Skifahren, Tennis. (P.M.)

Scholz Gottfried Dr. phil. o.HS-Prof.

B.: Prof. f. Musikanalytik, Rektor d. HS f. Musik Wien. A.: 1120 Wien, Schönbrunner Allee 39b. G.: Wien, 11. Sept. 1936. V.: Uta-Maria, geb. Klaus. El.: Franz u. Margarethe. S.: Univ. Wien, Ak. f. Musik Wien. K.: a.o.Prof. 1969, o.Prof. 1977, Ltr. d. Inst. f. Musikanalytik d. HS f. Musik u. darstell. Kunst Wien, Gastprof. an Indiana University u. Stanford University (USA), Präs. d. Österr. Musikrates, Präs. d. Intern. Musikrates d. UNESCO. P.: Auf d. Gebiet d. Musikgeschichte u. Analytik (Haydn, Mahler, Schmidt, Methodologie) u. Musikpäd. E.: Gr. EZ f. Verd. um d. Rep. Österr. M.: Ges. f. Musikforsch., Ges. f. Musikwiss., Intern. Musikrat.

Scholz Helga Dr. HofR.

B.: Dir. HS-Bibl. d. HS f. Musik u. darstell. Kunst. DA.: 1030 Wien, Lothringerstr. 18. G.: Wien, 15. Feb. 1935. V.: o.HS-Prof. Dr. Rudolf Scholz. El.: Ing. Alfred u. Anna Michelitsch. S.: 1953 Matura, Landeskonservatorium Graz, ab 1959 Stud. Kunstgeschichte u. Musikwiss. Univ. Graz, ab 1960/61 Stud. Musikwiss. u. Kunstgeschichte Univ. Wien, 1967 Prom. K.: 1967 Eintritt als Bibl., seit 1982 Dir. d. HS-Bibl. d. Wr. Musik-HS, seit 1970 Lehrauftrag an d. Wr. Musik-HS, 1966-80 Musikkritikerin f. Wr. Tageszeitungen. P.: Das Klavierwerk v. Georg Christoph Wagenseil (1966), Das Orchester- u. Kammermusikwerk v. Georg Christoph Wagenseil (1972), Emilio de Cavalieris "Rappresentatione di anima, e di corpo" (1975), Georg Christoph Wagenseil (1980), Der Musikwissenschaftler als Bibliothekar (1984). E.: 1969 Theodor-Körner-Preis. M.: Ver. Österr. Bibl., Mtgl. d. ltd. Kmsn. d. Ges. z. Hrsg. v. Denkmälern d. Tonkunst in Österr. H.: Literatur, Theater, Oper, Konzert, Museen. (J.S.)

Scholz Klaus

B.: Gschf. Ges. FN.: Klaus Scholz GmbH. DA.: 1120 Wien, Abermanng. 8. G.: Brunn/Gebirge, 10. Juli 1941. V.: Elisabeth. Ki.: Marion, Wolfgang. El.: Ing. Konrad u. Käthe. S.: Lehre Kunstschlosserei, 1959 Abschluß. K.: Geselle Fachbereich Kunstschlosserei, 1968-75 Werkstättenltr., 1975-82 Betriebsltr., 1982 Eröff. d. eigenen Firma. H.: Revitalisierung v. Gebäuden, Sport. (J.E.);

Scholz Hugo

B.: Kfm. FN.: Intersport Scholz. DA. u. PA.: 5700 Zell/See, Bahnhofstr. 13. G.: Zell/See, 26. März 1937. V.: Monika, geb. Gaser; 3 Kinder. El.: Hugo u. Maria. S.: VS, HS, HASCH, 1 J. kfm. Ausbild. m. Praxis, Kfm.-Gehilfenprüf., BH. K.: 1962 Eintritt Hugo Scholz & Söhne OHG als Ges., ab 1981 Gschf. BL.: 1991 Grdg. d. Hilfsorgan. Help Croatia. E.: VK in Gold d. Gen.-Verb., Ehrenurkunden d. Städte Zardar u. Pag. M.: 1971 AufsR. d. Gen. Intersport Österr., seit 1986 AufsR.-Vors., 15 J. Gem.-Vertreter FPÖ Fraktion Zell/See, 20 J. ehrenamtl. Gschf. d. Fremdenverkehrsges. Zell/See, Grdg.-Mtgl. Rotary Club Zell/See, Obm. d. Tauchclubs Zell/See, HK Sbg. (J.F.)

Scholz Kurt Dr. Mag.

B.: Präs. d. Stadtschulrates f. Wien. DA.: 1010 Wien, Dr. Karl Renner Ring 1.PA.: 1190 Wien, Radelmayerg. 8. G.: Ernstbrunn, 19. Aug. 1948. V.: Mag. Inge, geb. Strasser. S.: VS, BRG, 1966 Matura, b. 1973 Stud. Germanistik u. Gesch. Univ. Wien, Abschl. Mag. Germ. u. Gesch., Dr. Gesch. K.: Prof. a. Wr. öff. Schulen, Tätigk. i. Erwachsenenbildg. u. Abendgymn., 1975 Berfg. BMUK, Aufb. Ber. Zeitgesch., staatsbürgerl. Erz., 1984 Wr. Stadtverw. Tätigk. i. Präsidialbüro, insb. i. Ber. intern. Beziehungen, s. 1985 verantw. f. Gestaltung d.Stadtaußenbeziehungen Wiens, koord. Tätigk. i. Schul- u. Kulturfragen, s. 1991 Ber.-Ltr. f. Kultur u. Schule i. Wien; 7/1992 z. Amtsf. Präs. d. Stadtschulrates f. Wien gewählt. P.: Mithrsg. v. Sammelwerken, Aufs. i. Fachzeitschr.

Scholz Rudolf Dr. phil.

B.: HS-Prof. an d. HS f. Musik u. darstell. Kunst in Wien. A.: 1030 Wien, Ungarg. 71/5/4. G.: Wien, 26. Sept. 1933. V.: HofR. Dr. phil. Helga, geb. Michelitsch. El.: Rudolf u. Hildegard. S.: RG, Univ. Wien (Musikwiss., Kunstgeschichte), 1963 Dr. phil., Ak. f. Musik u. darstell. Kunst in Wien (Orgel, Komposition), 1964 Dipl. K.: Päd., künstl. u. wiss. Laufbahn an d. HS f. Musik u. darstell. Kunst in Wien: seit 1964 Lehrbeauftragter f. Methodik d. Orgelspiels, Improvisation, Orgelliteratur, Generalbaß, 1969 auch Ass. f. Orgel (Konzertfach), seit 1974 a.o.HS-Prof. f. Orgel (Konzertfach, seit 1979 o.HS-Prof., seit 1975 Vorst. d. Inst. f. organolog. Forsch. u. Dokumentation an d. Wr. Musik-HS, seit 1981 Ltr. d. Abt. Tasteninstrumente an d. Wr. Musik-HS, zahlr. Orgelkonzerte im In- u. Ausland, Organist d. Wr. Musikver., b. d. Sbg. Sommer-, Oster- u. Pfingstfestspielen, d. Wr., Berliner u. Luzerner Festwochen, Ltr. v. Sommerkursen f. Orgel, Juror b. intern. Wettbewerben, Rundfunk- u. Schallplattenaufnahmen. P.: Diss.:"Strukturelle u. kompositionstechn. Untersuchungen an ausgewählten Orgelwerken v. Franz Schmidt", versch. Publ. in Fachzeitschriften u.a., Hrsg. d. Publ.Reihe "Organa Austriaca", Editionen alter u. neuer Musik. E.: Dipl. b. Intern. Orgelwettbewerb Graz-Seckau 1960, Gr. Silb. EZ f. Verd. um d. Rep. Österr. M.: w.Mtgl. d. Ges. z. Hrsg. v. Denkmälern d. Tonkunst in Österr., Vorst.Mtgl. d. Franz Schmidt-Gem. Wien u. d. Wr. Bach-Gem., Ges. d. Orgelfreunde, Intern. Schönberg-Ges., Österr. Ges. d. Musikwiss., Österr. Orgelforum.

Schön Andrea

B.: selbst. Unternehmer. A.: 4600 Wels, Kreßstr. 18. G.: Wels, 19. April 1961. El.: Hermann u. Ingeborg Schön. S.: VS, HS, HAK, Matura. K.: Eintritt in d. elterl. Betrieb, Teilh. d. Fa. Schön GmbH Wels. M.: BeiR. im Bez.Aussch. d. Jungen Wirtschaft OÖ, Mtgl. Golf-Club Wels. H.: Mode, Golf, Wirtschaftspolitik.

Schön Eberhard

B.: Alleininh. d. Fa. E. Schön, Kunstanst. f. Kupferdruck u. Kupferstich. DA.: 1010 Wien, Naglerg. 4. G.: Wien, 21. Dez. 1930. V.: Ingeborg, geb. Ullmann. Ki.: Wolfgang (1958). El.: Adalbert u. Maria, geb. Burda. S.: VS, Mittelschule, Berufsschule f. graph. Gewerbe, 1 J. Höhere Graph. Bundeslehr- u. Versuchsanst. K.: ab 1969 selbst. BL.: Prominentendruckerei, einziger Betrieb in Österr. f. handgefertigte Visitenkarten u. Briefpapier in Kupferdruck u. Kupferstich, d. vornehmsten aller Ausführungen f. d. traditions- u. kulturbewußten Personenkreis. M.: Innungsmtgl. H.: Urgeschichte, Sammeln kleiner Andachtsbildchen. (N.A.)

Schön Franziska

B.: Goldschmiedemstr. DA.: 5084 Großgmain, Salzburger Str. 270. G.: Seekirchen, 11. Juni 1947. Ki.: Brigitte (1972), Christine (1973). S.: 1961-65 Lehre als Goldschmied, Gesellenj., 1965 Gesellenprüf., 1968 Mstr.-Prüf. K.: 1 J. Goldschmied Zell/See, 1 J. Werkstättenmstr. Sbg., selbst. in Seekirchen, seit 1975 Geschäft in Großgmain. K.: Kleinantiquitäten. (N.M.)

Schönangerer Willi Mag. phil.

B.: Dir. f. Tourismusschulen in Bludenz. DA.: 6700 Bludenz, Schillerstr. 10. PA.: 6700 Bludenz, Außerg. 9. G.: Graz, 16. Dez. 1953. V.: Brunhilde, geb. Neyer. Ki.: Mathias (1985), Barbara (1990), Balthasar (1992). El.: Wilhelm u. Hilda. S.: Gymn. Graz, 1972 Matura, Karl Franzens-Univ. Graz, 1979 Spons. Mag. phil., 1972-73 Militär. K.: 1979 Probej. im Schuldienst Oeversee-Gymn. Graz, 1979 Prof. f. Deutsch u. Geschichte Gastgewerbefachschule u. Fachschule f. wirtschaftl. Frauenberufe Bludenz, 1992 Dir. f. Tourismusschulen. H.: Schachspielen, Psych., Wandern, Lesen. (I.D.)

Schönauer Gustav

B.: gschf. Ges. FN.: PRO Kaufland SB Warenhaus GmbH & Co. DA.: 4040 Linz, Lindeng. 16. PA.: 4204 Reichenau, Affenberg 80. G.: Linz, 22. Okt. 1941. V.: Edeltraud. El.: August u. Rosa. S.: kfm. Lehre, Volontärausbild. b. Dt. Warenhauskonzern. K.: 1963-70 8 J. Einkaufsltr. eines Österr. Warenhauskonzerns, 1971-73 Gschf. eines Verbrauchermarktes Nähe Linz, 1974 Gschf. bei PRO Linz-Urfahr, dzt. 200 Mitarb., 440 Mio. Umsatz. M.: div. Sportver. H.: Sport, Hinterglasmalerei. (J.G.)

Schönauer Hans Günther Mag.

B.: Gschf. Ges. FN.: HGS Hans Günther Schönauer Unternehmensberatung. DA.: 4600 Wels, Pestalozzistr. 66. G.: Wels, 14. Aug. 1949. V.: Helene, geb. Neissl, Ki.: Hans Günther (1970), Birgit (1975). El.: Johann u. Maria. S.: VS, Gym., 1969 HAK-Mat., bis 1973 Stud. BWL Linz. K.: bis 1975 Wirtschaftstreuhandbüro in Deutschl., 1975-77 Ltr. Steuerber.-Büro Wels, 1975 Grdg. d. eig. Fa. (Unternehmensber.), 1980 Grdg. Fa. BIG Beratung f. Ind. u. Gewerbe. P.: mehrf. Publik. f. Baugewerbe, 2 Bücher "RKS I" u. "RKS II", Rechnungswesen u. Kontrollsyst. f. d. Baugewerbe, Betriebsvergl./Baugew. f. OÖ. E.: mehrf. Landesmstr. in Basketball. H.: Skitouren, Langlaufen, Bergsteigen, Segeln. (U.A.)

Schönbauer Ernst Dr. iur. Mag.

B.: Hofrat, Ltr. d. Gesch.-Gruppe I. FN.: Post u. Telegraphendir. f. OÖ u. Slbg. DA.: 4010 Linz, Domgasse 1. PA.: 4020 Linz, Grundbachweg 23. G.: Gmünd, 24. Jul. 1934. V.: Susanne, geb. Scheibenreif. Ki.: Dieter, Mag. (1960). El.: Ernst, Univ.-Prof. DDr., u. Karoline. S.: VS, RGymn., Jus.-Stud. Wien. K.: 1957 Eintr. Telegr.-Zentralstat. Wien, 1963

Mag., 1966 Dr., 1966 Gerichtsjahr, 1967 stellv. Abt.-Ltr. d. Postdir. Linz, 1973 Postinsp. tätig, anschl. stellv. Ltr. d. Postinsp., v. 1980-93 Ltr. d. Postinspektion Linz, s. 1993 Ltr. d. Gesch.-Gruppe I; s. 1993 Vors. Aufsichtsrat d. Wirt.-Gen., Vors. versch. Kommissionen Postdir. Linz. P.: einige Art. "Postrundschau". H.: Tennis, Golf, Reisen, Lesen. (U.A.)

Schönbauer Michael Otto Johannes Karl Dr. med. vet.

B.: Tierarzt, Dir. d. Bundesanst. f. vet.-med. Untersuchungen. GT.: privates vet.-med. Labor Innsbruck. DA.: 6020 Innsbruck, Langer Weg 27. PA.: 6020 Innsbruck, Andechsstr. 48. G.: Wien, 7. März 1950. V.: Andrea, geb. Kapeller. Ki.: Harald, Pia (1989). El.: Dr. Otto u. Dr. Elfriede. BL.: Großvater Prof. Leopold Schönbauer Ordinarius f. Chir. Wien, Prof. Dr. Ernst Schönbauer Ordinarius f. röm. Recht. S.: VS, Hum. Gymn., Kollegium Kalksburg, 1969 Matura, Stud. Math., Physik u. Chemie Univ. Wien, Stud. Vet.-Med. an d. Tierärztl. HS Wien, Stud. Med. Physik u. Humananatomie Univ. Wien, 1971 Arb. am Inst. f. med. Physik, 1971 Tutor d. Summer-School of the Vienna Univ. in Strobl/Wolfgangsee, 1972 Arb. an d. Versuchstierabt. d. Firma Boehringer Mannheim, 1976 Übernahme einer Diss. u. Praktikum sowie parasitolog. Arb. am Bundesinst. f. Gewässerschutz u. Fischereiwirtschaft in Scharfling/Mondsee, 1979 Abschluß d. tierärztl. Stud. m. Dipl. u. Eintritt als Ass.-Arzt am Inst. f. Path. u. Gerichtl. Vet.-Med. d. Vet.-Med. Univ. Wien, 1980 Prom. K.: zahlr. Kurse, Hörer u. Vortragender an zahlr. Kongressen, 1984 stellv. wiss. Ltr. d. Biomed. Forsch.-Ges. Linz, 1985 Dir. d. Bundesanst. f. vet.-med. Untersuchungen, seit 1991 Oberrat. P.: ca. 50 wiss. Arb. Hauptgebiet Vergleichende Tumorforsch. u. Infektionskrankheiten d. Tiere. E.: Bronz. Verd.-Med. d. Österr. Ges. v. Roten Kreuz. M.: Europ. Veterinärpathologenver., Weltveterinärpathologenver., Österr. Ges. d. Tierärzte u. Ges. d. Ärzte in Wien. (B.R.)

Schönberger Elfriede

B.: Kfm., Gastwirtin Lindenwirt. DA. u. PA.: 9020 Klagenfurt, St. Ruprechter Str. 56. G.: Maria Saal, 27. Aug. 1945. V.: Ernst Schönberger. Ki.: Petra (1967), Karl-Heinz (1969), Jutta (1972). El.: Anton u. Ursula. S.: VS, 1951-62 HS u. Berufsschule, Lehre z. Kfm. K.: danach sofort Umstieg u. Arb. in d. Gastronomie, 1981 Konzessionsprüf. u. seit 1988 durch Ankauf d. seit 1914 bestehenden u. unter Denkmalschutz stehenden Gasthauses Lindenwirt selbst. H.: Blumen. (G.L.)

Schönbichler Paula

B.: Präs. d. Kath. Aktion d. Erzdiözese Wien. GT.: Ref. in d. Erwachsenenbild. im Rahmen d. Kath. Frauenbewegung u. d. Bild.-Werkes. DA.: Präsidium d. Kath. Aktion, 1010 Wien, Stephanspl. 6/5. PA.: 1030 Wien, Eslarng. 27/19. G.: Theiß b. Krems, 6. Juni 1931. V.: Leopold Schönbichler, Textilkfm. Ki.: Thomas (1958), Andrea (1962), Martin (1966). El.: Adolf u. Paula Donaubaum, geb. Thiery. S.: RG Krems, 1949 Matura, Höhere Büroschule, HASCH Wien. K.: 1951-59 Vers.-Ang., Familie, 1970 Beginn d. Tätigkeit in d. Kath. Aktion auf Pfarrebene u. Dekanat, 6 J. Diözesanltr. d. Kath. Frauenbeweg. u. als solche Mtgl. d. Präsidiums d. Erzdiöz. Wien, 1991 Wahl z. Präsidentin d. Kath. Aktion, seit 1980 Seminartätigkeit m. Schwerpunkt "Persönlichkeitsbildung". M.: KFB. (J.S.)

Schönböck Max Dipl.-Ing.

B.: Gschf. Ges. FN.: Joos GmbH & Co KG. DA.: 4040 Linz, Mostnystr.4. PA.: 4600 Linz, Lüfteneggerstr.11. G.: Linz, 3. Mai 1930. EL.: Max u. Maria. S.: RG, Fachschule f. Maschinenbau Linz, Fachschule f. KFZ Steyr, KFZ-Mstr.PRüf., Externistenmatura Gymn. Linz. K.: 1952-54 Fa. Sprecher & Schuh Linz, 1955 Eintr. in d. Fa. Dipl.Ing. Günther KG Linz, Kundendienstberater, Kundendienstltr., 1982 Betriebsltr. d. Fa. Dipl.Ing Günther & Co KG Wels, s. 1983 Gschf. d. Fa. Dipl.Ing. Günther GmbH Linz, 1991 Austritt aus d. Fa. Dipl.Ing. Günther, s. 1993 Gschf. Ges. d. Fa. Joos GmbH & Co KG. M.: Gerichtssachverw., 15 J. Beis. d. Mstr.Prüf.Kmsn. H.: Fischen, klass. Jazz, Gartenarbeit. (A.W.)

Schönborn Christoph Dr. theol. Pater

B.: Bischofsvikar f. Wiss., Kunst u. Kultur f. d. Erzdiözese Wien. DA. u. PA.: 1010 Wien, Wollzeile 2. G.: Skalken/Böhmen, 22. Jan. 1945. El.: Hugo u. Eleonore, geb. Doblhoff. BV.: Geschichte d. Fam. Schönborn geht in d. XII. Jhdt. zurück, bedeutende Bischöfe im Süddt. Raum: Johann Philipp Bischof v. Mainz u. Würzburg, Lothar Franz, Johann Philipp, Friedrich Karl Bauherren vieler Barockkirchen, Schlösser Würzburger Residenz. S.: 1963 Eintritt Dominikanerorden, Stud. Phil., Psych. u. Theol. Walberberg b. Bonn, Regensburg, Wien u. Paris, 1970 Priesterweihe, 1974 Prom. K.: 1973-75 Studentenseelsorger Grazer HS-Gem., 1975-91 Prof. f. Kath. Dogmatik Fribourg/Schweiz, seit 1980 Mtgl. d. Intern. Theologenkmsn., seit 1984 Vorst.-Mtgl. d. Stiftungsfonds "Pro Oriente", seit 1987 Red.-Sekr. d. Katechismus f. d. Weltkirche, 1991 Bischofsweihe, 1991 Bischofsvikar. P.: Sophrone de Jérusalem (1972), Die Christusikone (1984), Existenz im Übergang (1987). H.: Lesen (Puschkin). (N.A.)

Schöndorfer Manfred

B.: Landesvorst. d. Gewerksch. d. Post, Vors. d. Personalausschußes. FN.: Postdirektion. DA.: 4020 Linz, Domg. 1. G.: Antiesenhofen/Innviertel, 24. Okt. 1943. V.: Roswita, geb. Schmiedbauer. Ki.:Thomas (1966). El.: Karl u. Anna. S.: Gymn. K.: Privatwirtschaft tätig b. 1962, dann Postamt Schärding, Hilfsdienst als Schalterbediensteter b. versch. Postämtern, insg. 177 in OÖ i. Schalterdienst u. Leitung, s. 1977 Mitarb. FSG-Fraktion Gewerksch. d. Postamt Fernmeldedienstes, s. 1978 i. Schärding als Obm. d. VPA, 1986 Personalvertretungsfunktion, i. Personalausschuß i. Linz f. Amtsbereich OÖ, Mtgl. d. Landesgruppenltg. d. Gewerksch. d. Post- u. Fernmeldebediensteten, s. 1987 Stellv. d. Personalausschußes, s. 1988 Vors. d. Personalauss. f. Amtsber. OÖ, Vors. d. Landesgr. OÖ d. Gew. Post- u. Fernmeldebed., s. 1990 Stellv. Vors. d. Gewerksch. d. Post- u. Fernmeldebediensteten. M.: Postsportverein, Postmusik. H.: Fischen, Schifahren. (U.A.)

Schönegger Karl

B.: Kreditsachbearb. u. stellv. Bankstellenltr. d. Raiffeisenkasse Bruck-Fusch-Kaprun. DA.: 5710 Kaprun, Fazokastr. 257. PA.: 5710 Kaprun, Berglandstr. 633. G.: Dienten am Hochkönig, 16. Okt. 1953. V.: Ingrid, geb. Gappmaier. Ki.: Thomas (1982), Andreas (1984). El.: Bartholomäus u. Elisabeth. S.: VS, 1968-70 Ldw. Fachschule in Bruck. K.: 1971-75 Raiffeisenverb. Sbg.-Bankabt., zwischenzeitl. Besuch d. Bankschule über d. WIFI u. weitere Kurse in Buchhaltung u. Engl., 1975-76 jeweils 1/2 J. in

Dienten u. Piesdorf in d. Raiffeisenkasse tätig, seit 1976 in Kaprun. M.: Obm.-Stellv. d. WSK Kaprun, Obm.-Stellv. u. Kassier b. WSK Jugend, Kassier Hobbyfußballclub HFC Auhof, Mtgl. u. Kassier im Kleingartenver. Kaprun, Kassier im Fußballanhängerclub, Mtgl. b. weiteren div. Ver. H.: Hobbygärtner, Bergwandern, Skifahren. (M.T.)

Schöner Andreas

B.: Chefkoch. FN.: "Drei Husaren". DA.: 1010 Wien, Weihburgg. 4. PA.: 1140 Wien, Zehetnerg. 5/14. G.: Wien, 16. Jän. 1960. El.: Karl u. Margarete. S.: 1966-74 Grundschule Wien, 1974-77 Gastgewerbefachschule Wien. K.: ab 1977 Jungkoch, s. 1992 Chefkoch. P.: Mitgestalter d. Buches "Gute Küche". E.: 1992 Österreichgewinner v. Bocuse dOr/Wettfinale in Lion, 1993 Österreichsieger in Paris/Taittinger. H.: Wandern, Schwimmen. (L.S.)

Schöner Helga

B.: Verkaufsltr. FN.: Kellner & Kunz AG. DA.: 1230 Wien, Großmarktstr. 14. PA.: 1030 Wien, Krummg. 2/5. G.: Wien, 2. Dez. 1939. Ki.: Wolfgang (1962), Brigitta (1969), Martin 1971), Michael (1974). El.: Gustav u. Margarete Wenzel, geb. Scholz. S.: Hauptschule, Großhandelskfm., div. Kurse u. Sem. K.: 1957-78 im elterl. Betrieb tätig, 1978-80 selbst., 1981 Eintritt b. Fa. Kellner & Kunz, ab 1985 Verkaufsltr. H.: Lesen, Musik, Skifahren, Schwimmen. (N.A.)

Schöner Herbert

B.: Prok. d. Filiale. FN.: Bankhaus Spängler & Co. AG. DA.: 5700 Zell am See, Stadtpl. 7. PA.: 5700 Zell am See, Anton-Wallner-G. 5. G.: Salzburg, 26. Sept. 1943. V.: Barbara, geb. Cossmann. Ki.: Magdalena (1982). El.: Anna Maria. BV.: Großonkel Prof. Anton Schöner Konzertmstr. am Mozarteum. S.: VS, HS, HAK, 1962 Matura. K.: 1 J. in d. Ind. tätig, danach Spängler Bank Ausbild. intern, 1966-67 Ausbild. in Paris b. d. Credit Commercial de France, weitere Ausbild. b. ÖCI Wien u. Bankhaus Schoeller, Teilnahme b. versch. berufsspezifischen Bankseminaren im In- u. Ausland. E.: Gold. VZ d. Rep. als Sportfunktionär, gold. Sport-EZ d. Landes Sbg., Silb. Sport-EZ d. Sbg. Tennisverb. M.: Rotary Club Zell am See seit 1973, Präs. d. Zeller Tennisclubs, Präsidiumsmtgl. d. ASVÖ Sbg., AufsR. d. Golfclub Europasportregion Zell am See Kaprun GmbH & Co KG., Vorst.mtgl. d. Fremdenverkehrsverb. Zell am See. H.: Musik, Beruf, Sport. (M.T.)

Schöner Susanne Margarete Mag.

B.: Gen.-Sekr. d. Juristenverb. u. d. Österr. RA-Ver. DA.: 1016 Wien, Museumstr. 12. G.: Wien, 28. Dez. 1942. Ki.: Stefan. El.: Konrad u. Dir. Margarete Schöner. S.: 1960 Matura, Abiturientenkurs d. HAK, Stud. d. Rechte, 1966 Absolutorium. K.: Gerichtsj. im OLG-Sprengel Wien, s. 1965 Tätigk. b. Wr. Juristenver.-Konzipientenverb., Aufgaben: ges. Adm., Organ. d. alljährl. Juristenballes, sowie v. Vorträgen, Seminaren, Banketten, Reisen etc., Präs. d. Kontaktkommitees d. Wr. Nobelbälle, Kons. d. IBA-Balles 1984 in d. Wr. Hofburg. P.: Hrsg. v. "100J. Justizpalast", "100J. Parlament" u. 30J. Staatsvertrag". E.: Gold. VDZ d. Rep. Österr., EZ d. Univ. Wien. H.: Lesen, Geschichte, Kunstgeschichte. (A.W.)

Schönfeld Thomas Dr. Prof.

o.Univ.-Prof. f. spezielle anorgan. Chemie am Inst. f. Anorgan. Chemie d. Univ. Wien. DA.: 1090 Wien, Währinger Str. 42. PA.: 1100 Wien, Kudlichg. 27. G.: Wien, 27. Juni 1923. V.: Maria, geb. Förster. Ki.: Dipl.-Ing. Georg, Kitti. El.: Dr. Bruno (RA) u. Edith. S.: VS, Mittelschule in Wien, GB u. USA, College Stud. in d. USA, 1940-44 u. 1947-50 Stud. d. Chemie Univ. Wien, 1950 Prom. K.: ab 1950 Univ.Ass. am I. Chem. Inst., 1962 Ernennung z. Prof., ab 1963 Univ.-Doz., 1972 Ernenn. z. Prof. P.: 65 wiss. Publ. in Fachzeitschriften, 2 Bücher "Die techn. Anwendungen d. Radioaktivität", "Radiochemische Methoden d. Mikrochemie". P.: Theodor-Körner-Preis, Wegscheider-Preis d. Österr. Ak. d. Wiss. M.: versch. Fachverb., Mtgl. d. Strahlenschutzkmsn. b. BMin. f. Gesundheit. (M.B.)

Schönfeld Walter Dr. HofR.

B.: Stadthptm. d. BPolizeidion. Wien, Jurist. DA.: 1200 Wien, Pappenheimg. 33. G.: Hainburg, 27. Mai 1923. Ki.: Peter. S.: 1941 Matura Gmyn., 1945-48 Univ., Prom. 1948. K.: Gerichtsj. Bez.Ger. Hainburg, 1949 BPolizeidion. Wien, 1973 HofR., 1957 Stadthptm. Simmering 1959 Stadthptm. Donaustadt, 1960 Stadthptm. Brigittenau. E.: Silb. u. Gr. EZ f. Verd. um d. Rep. Österr., Gold. EZ f. Verd. um d. Land Wien, Exekutivdienstzeichen. M.: seit 1964 Gewerkschaftsfunktionär, Vors. d. sozialist. Polizeijuristen, seit 1977 Obm. d. Zentralaussch., Vorst.Mtgl. d. BSA, ARBÖ XX., VHS XX., LVorst. d. BVA, u.a. H.: Naturliebhaber, Gartenarb. (Erh.)

Schönfelder Dagmar

B.: Unternehmerin. FN.: Hotel Restaurant Jerolitsch. DA. u. PA.: 9201 Krumpendorf am Wörthersee, Jerolitschstr. 43-44. G.: Klagenfurt, 9. Mai 1955. V.: Ing. Alfred Schönfelder. Ki.: Josef-Walter (1980), Peter-Johannes (1982). El.: Josef u. Ingeborg Walter. S.: 1969-70 Frauenberufsschule i. Klagenfurt, 1970-73 Hotel-FS i. Villach, Praktikum i. Frankreich, England und ab 1974 Mitarb. i. elterl. Betrieb, der 1990 übernommen wurde, eig. Wörthersee-Fischerei ausschließlich für den Bedarf i. eig. Betrieb, sowie Prod. aus d. eig. Landwirt. H.: Fischen, Schwimmen u. Skifahren.

Schönfelder Gertrud

B.: Steuerberaterin. FN.: Wirtschaftstreuhandkanzlei Gertrud Schönfelder. DA.: 9020 Klagenfurt, St. Ruprechterstr. 38. PA.: 9020 Klagenfurt, Seeg. 14. G.: Klein Rojach, 15. März 1939. V.: Mag. Kurt. Ki.: Dr. iur. Kurt (1961), Dipl.Ing. Dr. ph. D. Apollonia (1963). El.: Oskar (+) u. Anna Gaugg. S.: VS, HS, HAK, Matura, Ausbild. z. Steuerberater b. namhaften WT-Kanzleien i. Klgft. K.: Tätigk. b. Philipps Industrie in Klagenfurt, 1970 Prüf. u. Angelobung als Steuerberaterin u. selbst., 1973-75 Eintritt in d. Kanzlei L. Traugott u. H. Schmid, 1975 Übernahme d. Kanzlei Schmid. H.: Gartengestaltung, Landwirtschaft, Mathematik, Singen, Sport, Bungee-jumping. (G.L.)

Gräfin Schönfeldt Christl Dr.

B.: Musikschriftstellerin. PA.: 1090 Wien, Severing. 6. G.: Wien, 29. Apr. 1916. V.: Graf Carl Schönfeldt. El.: k.u.k. ObstLt. Paul u. Else. BV.: Cousin mütterlichseits d. Dichter Felix Braun, Offiziere väterlichseits. S.: Gymn., Matura, Wr. Univ., Fächer Anglistik, klass. Phil., Musikwiss., Absol. 1938, Prom. 1940. K.: Privatsekr. v. Prof. Dr. Erich Schenk, Privatsekr. d. Ethnologen Prof. Hugo Bernatzik, ab 1945 freie Mitarb. d. Ravag f. Kultursendungen u. Rot-Kreuz-Sendung (Suchdienst), 1946-48 Musikreferentin d. Senders Rot-Weiß-Rot, ab Febr. 1948 freie Mitarb. in unzähligen Sendungen (Rot-Weiß-Rot), SWD Rundfunk Baden/Baden, ab März 1955 persönl. Referentin v. Dr. Karl Böhm, Dir d. Wr. Staatsoper, vom 1956-80 Organisatorin d. Wr. Opernballs, nebenbei Musikschriftstellerin. BL.: 1982 d. Frankfurter Opernball ins Leben gerufen. P.: zahlr. Feuilletons u. Art., 1957-64 Programme d. Wr. Staatsoper, Bücher "Die Geschichte d. Wr. Philharmoniker", "Wiener Walzer", "Der

Wiener Opernball". E.: 1962 Ritterkreuz d. Ordens Oranien/Nassau, 1970 Gold EZ f. Verd. um d. Rep. Österr., 1970 BVK 1. Kl. d. VO d. BRD, 1974 Cavaliere Ufficiale nell Ordine al Merito della Republica Italiana, 1979 Gr. VK d. Bundes-VO d. BRD, 1979 "Lazo de Dama" d. Zivildienstordens v. Spanien, 1980 Gr. EZ v. Verd. um d. Rep. Österr. M.: Mitbegründerin u. Präs. v. "Künstler helfen Künstlern". H.: Musik hören u. Klavierspielen, Lesen, Gobelinsticken. (J.S.)

Schönfuß Hans Dir.
B.: Gschf. FN.: Gemeinn. Bauver. Wohnungseigentum GmbH. DA.: 1060 Wien, Mariahilfer Gürtel 12/8. PA.: 1060 Wien, Mariahilfer Gürtel 12/8. G.: Wien, 22. Okt. 1930. El.: Johann u. Gabriele. S.: RG, 4 Sem. Univ. Jus. K.: 1 J. Franz. Pressedienst, 3 J. Humanic Verkäufer, 1 J. Staatsdienst, seit 1953 Gemeinn. Wohnungseigentum. E.: Gr. Silb. Verbandsabz. H.: Bücher, Briefmarken, Musik. (Kas.)

Schöngrundner Gerald

B.: Dir. Thermenhotel Stoiser. GT.: seit 1993 Vors. d. Tourismusverb. Loipersdorf. DA. u. PA.: 8282 Loipersdorf 153. G.: Graz, 2. Juni 1967. V.: Stefanie, geb. Löschnig. Ki.: Christina (1988), Patrick (1991). El.: Kurt u. Gertraud. S.: VS, BRG, Hotelfachschule Bad Gleichenberg, Hotelkfm., 1984 Abschluß. K.: seit 1984 Hotel Stoiser Loipersdorf, 1985-86 BH, seit 1986 Dir. Hotel Stoiser. H.: Familie, Hotel Stoiser, Fußball, Tennis, Eishockey. (I.G.)

Schönherr Otto Dr. phil. Dkfm. Prof.
B.: Chefred.i.R. FN.: APA Austria Presse Agentur. PA.: 1180 Wien, Hasenauerstr. 31. G.: Wien, 7. März 1922. V.: Elisabeth, geb. Roessler. Ki.: Christine, Charlotte, Georg. El.: Dr. Alois u. Anna. BV.: Großonkel Karl Schönherr öserr. Dramatiker. S.: Schottengymn., ak. Gymn., 1940 Matura, Stud. Univ. Wien, 1948 Dr. phil., HS f. Welthdl., 1951 Dkfm., Auslandssem.: 1947-48 Sorbonne (Paris), 1950 School of Journalism, Univ. of Columbia, Missouri. K.: 1947-48 Übersetzer u. Auslandsred. APA, 1948-54 innenpolit. u. Wirtschaftsred. "Die Presse", 1954-59 Chefred. "Kleine Zeitung", 1959-87 Chefred. APA. P.: Zeitungsart. u.a. in "Berichte und Informationen", "Europ. Rundschau", "Handelsblatt". E.: Gold. EZ d. Rep. Österr., Silb. EZ f. Verd. um d. Land Wien, Kommandeur d. finn. roten Löwenordens, Offz. d. franz. Nat. Verd.Ordens, Offz. d. Luxemburg. Ordens d. Eichenkrone, Verd.Kreuz 1. Kl. d. BRD, Olympiamed. 1964 u. 1978, Prof. 1982, Gr. Silb. EZ f. Verd. um d. Rep. Österr. 1987. M.: Vorst.Mtgl. Presseclub Concordia (Wien), Rotary Club Wien, Ver. d. Altschotten. H.: Travelwriting, Wandern.

Schönholz Manfred

B.: Schuhmacher. DA.: 1210 Wien, Floridsdorfer Hauptstr. 46. G.: Wien, 6. Nov. 1960. V.: Evangeline. Ki.: Phillip (1984), Eveline (1989). El.: Otto u. Wilhelmine. BV.: Dichter Friedrich Anton v. Schönholz. S.: VS, HS, Gesellenprüf. Schuhmacher. K.: versch. Tätigkeiten, seit 1984 selbst. M.: Freier Wirtschaftsverb., Beis. im Innungsaussch. H.: Garten, Schwimmen. (W.M.)

Schönitzer Diether
B.: Vorst. d. Zentralinst. f. Bluttransfusion, FA f. mikrobiolog.-serolog. Laboratoriums-Diagnostik d. Univ.Klinik Innsbruck. GT.: Lehrtätigkeit an d. Univ. Innsbruck. DA.: 6020 Innsbruck, Anichstr. 35. PA.: 6091 Birgitz, Herreng. 13. G.: Innsbruck, 22. Jan. 1940. V.: Jutta, geb. Prantner. Ki.: Oliver, Markus. El.: Johann u. Lotte. BV.: Heinrich Kühn größter Kunstfotograf d. Jahrhundertwende. S.: Gymn., Med.Stud. Univ. Innsbruck. K.: Habil., seit 1968 Tätigkeit am Inst. f. Bluttransfusion, seit 1989 Vorst. d. Inst. E.: Gold. Verd.Med. d. Österr. Roten Kreuzes f. Verd. um d. Blutspendewesen. M.: Dt. Ges. f. Transfusionsmed. u. Imunhämatologie, American Assoc. for Blood Bank. H.: Fotografieren, Tischlern, Botanik, Garten. (W.G.)

Schönlaub Hans Peter Dr.

B.: Dir. d. Geol. Bundesanstalt. DA.: 1030 Wien, Rasumofskyg. 23. PA.: 1070 Wien, Ahorng. 1/2/12A. G.: Güstrow/ Mecklenburg, 19. Jan. 1942. V.: Walburga, geb. Lackner. Ki.: Peter (1969), Sigrid u. Isabell (1974). El.: Dipl.Ing. Siegfried u. Sigrid. S.: VS, Realgymn., Matura 1961, 1961/62 Präsenzdienst, 1962-1968 Stud. a. d. Karl-Franzens-Univ. Graz i. d. Fäch. Geographie u. Leibeserziehung bzw. Geologie/Paläontologie u. Mineralogie, 1970 Promotion. K.: 1969-71 Wissenschaftl. Hilfskr. u. Vertragsass. a. Inst. f. Geologie u. Paläontologie d. Univ. Graz, 1973-74 Stip. d. Ohio State Univ., Columbus/ USA, ab WS 1975/76 Lehrauftr. a. Geol.-Paläont. Inst. d. Univ. Sbg., 1979 Habil., a. SS 1981 Vorl. a. Inst. f. Geol. a. d. Univ. Wien, 1981 Verl. e. Forschungsstip. d. Alexander von Humboldt-Stiftg., 1982-83 Alex.-v.-Humb.-Stip. a. Inst. f. Geol. d. RWTH Aachen, s. 1991 Best. z. Leiter d. Fachabt. Paläontologie a d. Geol. Bundesant., 1992 Verl. d. Berufstitels

Ao. Univ. Prof., s. 1993 Direktor d. Geol. Bundesanstalt. BL.: Klärung d. Frühgesch. d. Alpen, Vergleichsu. zw. Österr. u. Südwest-Europa a. Init. f. d. Gesch. d. Erdaltertums. P.: 1969 "Das Paläoziokum zw. Bischofalm u. Hoherm Trieb"; 1978 "The early history of the Eastern Alps"; 1979 "Das Paläozoikum i. Österr."; 1981 "Die Grauwackenzone i. d. Eisenerzer Alpen"; 1988 "Vom Urknall zum Gailtal"; 1989 "Die Katastrophe, die aus d. Weltall kam". M.: Mitgl. i. zahlr. erdwissenschaftl. Vereinen. H.: Schwimmen, Schifahren. (E.J.)

Schönleitner Florian

B.: Inh. FN.: Florian Schönleitner. DA.: 4810 Gmunden, Habertstr. 3. PA.: 4810 Gmunden, Seilerg. 22. G.: 6. Jan. 1932. V.: Luise, geb. Jocher. Ki.: Eva (1967), Florian (1969). El.: Berthold u. Maria. S.: VS, HS, 1946-49 Schneiderlehre, 1949 Gesellenprüf., 1954 Mstr.-Prüf. K.: 1950-57 Tätigkeit in div. Modegeschäften in Gmunden, 1957 Grdg. d. Firma. M.: SV Gmunden. H.: Golf, Skifahren, Schwimmen. (G.E.)

Schönleitner Georg

B.: Tischlermstr. FN.: Georg Schönleitner Bau- u. Möbeltischlerei KG. DA. u. PA.: 5431 Kuchl, Markt 125. G.: Hallein, 11. Sep. 1960. El.: Georg Schönleitner sen. S.: Holzfachschule i. Hallein v. 1976-80, 1980-81 BH, 1985 i. elterl. Betrieb, 1986 Mstr.-Prüf., 1989 elterl. Betrieb übernommen. H.: Sport, Motorsport. (S.P.)

Schönlieb Egon

B.: Verw.-Ltr. d. KH Kapfenberg. DA.: 8605 Kapfenberg, Anton-Buchalka-Str. 1. PA.: 8605 Kapfenberg, Waldemarg. 6. G.: Graz, 3. Febr. 1940. V.: Inge, geb. Schuster. Ki.: Karin (1971), Martin (1973). El.: Anton u. Anna. S.: VS, 2 J. Mittelschule, seit 1954 Firma Böhler u. Folgeges., 1954 Lehre Ind.-Kfm. K.: Kostenrechner u. Organ., 1964 Abt.-Ltr. Organ., 1986 Abt.-Chef d. Werksverw., 1991 KH, seit 1992 Verw.-Ltr. M.: 1966-85 BetriebsR. f. Ang., einige J. Obm. d. Privatang. d. Ortsgruppe Kapfenberg. H.: Lesen, PC, Sport (Skifahren, Radfahren), Ital. Oper. (K.K.)

Schönlieb Manfred Dipl.-Ing.

B.: Gschf., Vorst.-Dir. FN.: Salzach Kohlenbergbau GmbH. DA.: 5120 St. Pantaleon, Trimmelkam 23. PA.: 5120 St. Pantaleon, Trimmelkam 97. G.: Hundsdorf, 22. Feb. 1947. V.: Elisabeth, geb. Sator. Ki.: Camillo (1981), Martin (1984), Anna (1988). El.: Martin u. Rosa. S.: VS, Bundesrealschule, 1965 Matura, Stud. Bergwesen Montanuniv. Leoben, 1974 Dipl.-Ing., BH. K.: 1975/76 Betriebsass., 1976-86 Betriebsltr.-Stellv., 1986-87 Betriebsltr., 1987-91 Berginsp., seit 1991 Techn. Gschf., seit 1993 alleinger Gschf. M.: Präs. v. Sportver., Präs. v. Knappenclub. H.: Sport (Fußball, Skifahren,Tennis). (D.E.)

Schönlieb Renate Dr. iur.

B.: Gschf. d. hogast Einkaufsgen.,reg. GenmbH DA.: 5071 Wals Pannzaunweg 1A PA.: 5071 Wals-Siezenheim 321. G.: St. Pölten, 2. Febr. 1948. Ki.: Thomas u. Daniela. El.: Alfred u. Hedwig Grundmann-Hügel. S.: RG St. Pölten, Matura 1967, Fremdenverkehrsak. Kleßheim, Bilanzbuchhalterprüf. K.: 3 J. Praxis b. Steuerberater, Jusstud. in Sbg., 1 Gerichtsj., 2 J. Reisebüro, 1983 Eintritt in d. HOGAST (Ltr. d. Rechnungswesens), ab 1985 Prok., seit 1987 Gschf., s. 1989 Vorst. d. hogast H.: Surfen, Tennis, Skifahren. (P.R.)

Schönowitz Franz

B.: Ges. d. Tennisschule Arsenal. GT.: Organisator v. Tenniscamps im In- u. Ausland. DA.: 1030 Wien, Arsenalstr. 1, 2823 Brunn/Pitten, Goldsteindlstr. 59. PA.: 2823 Brunn/Pitten, Goldsteindlstr. 59. G.: Neunkirchen, 28. Juli 1962. V.: Christine, geb. Spitzer. Ki.: Martina (1989). El.: Franz u. Johanna. S.: Gymn. u. HAK Neunkirchen, Tennislehrerausbild. am Univ.-Sportinst. Wien, staatl. geprüfter Tennislehrer. K.: Beginn als Tennistrainer in d. Tennisschule Girg im Arsenal, gleichzeitig Aufbau d. Tennisschule in Wr. Neustadt, 11 J. Meisterschaftsspieler d. Staatsligaver. Gloggnitz, zahlr. Turniererfolge zuletzt 2x 3. im Einzel d. Österr. Tennislehrermeisterschaften, 1989 Übernahme d. Tennisschule Arsenal gemeinsam m. Paul Trisko, Mtgl. im Verb. d. Österr. Tennisschulen m. Lizenz d. Österr. Tennisverb., seit 1992 Zweigstelle f. Tenniscamps d. 4-Stern Sporthotel Glockenhof in Bärnbach. F.: Tennisschule Franz Schönowitz 2700 Wr. Neustadt, Martinsgasse. M.: Obm. d. Tennis-Clubs Union Wr. Neustadt. H.: Skifahren, Eislaufen, Mountainbike, Schach. (J.S.)

Schönpflug Ingo Max Ing.

B.: Kunst- u. Antiquitätenhändler. FN.: Schönpflug Kunsthdl., Innenarch., Antiquitäten. DA.: 6020 Innsbruck, Innrain 40. PA.: 6020 Innsbruck, Schneeburgg. 80A. G.: Zell/See, 9. Okt. 1948. Ki.: Helene (1985). El.: Egon u. Ingeborg. BV.: Adelsgeschlecht Schönpflug v. Gamsenberg 1722 v. Kaiser Karl VI in d. Adelsstand erhoben, 1743 v. Maria Theresia in d. Ritterstand erhoben. S.: 1968 Matura HTL Hochbau Sbg., Arch.-Stud. TH Innsbruck, Auslandspraxis. K.: 1981 Grdg. d. Kunsthandelsfirma, 1989 Grdg. d. Filiale, 1991 Eröff. Galerie z. Gr. Gott. BL.: 1979 Europamstr. d. Europa-Cup-Laufs in Innsbruck-Igls. P.: Hörfunk- u. Fernsehsendung z. Thema Unterschied zwischen Trödler u. Antiquitätenhändler, Art. in d. regionalen Printmedien. M.: Univ.-Sängerschaft Skalden zu Innsbruck, Funktionär in d. HK. H.: Skifahren. (G.P.)

Schönthaler Walter Mag.

B.: Gschf. FN.: Felix-Austria. DA.: 7210 Mattersburg, Felixstr. 24. PA.: 1130 Wien, Maxingstr. 14/2. G.: Wr. Neustadt, 21. Okt. 1954. V.: Elke, geb. Bayer. Ki.: Katharina (1984), Charlotta (1989). El.: Karl u. Julia. S.: RG Wr. Neustadt, Handelsakademie Wr. Neustadt, Matura 1973, 1973-74 Präsenzdienst, 1974 Eintritt i. d. IBM Österrich als Werkstudent, gleichz. Stud. BWL a. D. Hochschule f. Welthandel, 1978 Sponsion Mag. K.: 1978-82 Unilever, Wien, Manager, 1982-86 Pepsi Cola Inc., 1986-90 A. DArbo GmbH, Tirol, 1990 Felix Austria GmbH. Gschf. E.: Großes Ehrenzeichen Lànd Bgld. H.: Skifahren, Tennis. (M.N.)

Schönwälder Thomas

B.: Gschf. d. Tourismusverb. Wörgl. DA.: 6300 Wörgl, Bahnhofstr. 4A. PA.: 6300 Wörgl, Ladestr. 38/IV. G.: Waagna, 13. Juni 1961. El.: Dir. Dipl.-Ing. Wilhelm u. Ingeborg. BV.: Vater Dir. Dipl.-Ing. Wilhelm Schönwälder Werksdir. Perlmooser Zementwerke. S.: VS, RG, 1980 Matura, 1980-85 Med.-Stud. Graz, 1985 BH, 1987-88 Fremdenverkehrskolleg Bad Gleichenberg. K.: 1988/89 Gschf. d. Tourismusverb. Tir. in Waidring, seit 1989 Dir. d. Tourismusverb. Wörgl u. Ltr. d. Incomingabt., ab 1994 Gschf. d. TVB Wörgl-Angerberg-mariastein. BL: 1989 Organ. Ltg. u. Durchführung d. Dipl. Ausfluges d. Österr. Außenmin., maßgebend bei d. Zusammenschluß d. 3 TVB Wörgl, Angerberg u. Mariastein, Aufbau d. neuen Organisationsform u. Marketinglinie. M.: Bundesverb. d. Österr. Kur- u. Tourismusdir., Tir. Landesverb. d. Österr. Kur- u. Tourismusdir., Vorst.-Mtgl. Akademia Vocalis Tirolensis. H.: Hundeausstellungen, Tauchen. (G.P.)

Schönwetter Julius

B.: Inh. d. Druckerei J. Schönwetter. DA. u. PA.: 8230 Hartberg, Michaelig. 26. G.: Graz, 14. März 1941. V.: Waltraud, geb. Semmler. El.: Julius u. Erika. BV.: Fam. Remscheid mütterlicherseits war Steindruckerdynastie in d. BRD. S.: VS, Gymn. Fürstenfeld, Lehrausbild. als Schweizer Degen (Satz- u. Druckausbild.), 1959 Abschluß. K.: Praktikum in Graz, anschl. BH, 1962 Eintritt in d. väterl. Betrieb in ltd. Funktion, 1972 Übernahme d. väterl. Betriebes u. Ausweitung durch neue Technologien, 1968 Offsetdruck, 1972 eigene Repro- u. Plattenherstellung, 1976 Einführung d. Lichtsatzes. M.: LInnungsmstr.Stellv. d. LInnung Druck d. Graphikergew., Hauptvorst. d. Graphikerunternehmen Österr., Vors. d. Lehrabschlußprüf.Kmsn. H.: Wandern, Skifahren. (War.)

Schopf Friedrich

B.: Gschf., Inh. FN.: Ozeanum GmbH Intern. Meeresausstellung, Spenglerei u. Flachdach GmbH. DA. u. PA.: 4020 Linz, Pillweinstr. 41. G.: Linz, 27. Febr. 1941. V.: Christa, geb. Weber. Ki.: Karoline (1964), Evelyne (1968). El.: Ferdinand u. Aloisia. S.: Spenglerausbild., 1962 Mstr.-Prüf. K.: 1962 selbst., 1989 Grdg. d. Ozeanums, zahlr. Ausstellungen im In- u. Ausland (Wien, Wels, Graz, Deutschland, Holland), größte Ausstellung dieser Art in Europa. P.: div. Veröff. in in- u. ausländ. Fachzeitschriften, Berichte in d. Tagespresse. M.: Greenpeace, WWF, National Geographics, GFA, Tauchclub. H.: Ozeanum, Malen, Garten, Heilkunde. (P.H.)

Schopf Karl

B.: Gschf. FN.: Karl Schopf GmbH Detektivinst. GT.: Prok. ISS Securisystem Marischka GmbH. DA.: 1030 Wien, Am Modenapark 10; 1210 Wien, Brünner Str. 85. G.: Wien, 16. Aug. 1953. K.: Prok. ISS Securisystem Marischka GmbH, Gschf. Karl Schopf GmbH Detektivinst. M.: Vorst.-Mtgl. u. Bundesgschf. FÖBD, FSPD, WAD, Staatl. Kmsn. f. Berufsdetektive. (M.-L.A.-M.)

Schopf Oswald

B.: Dachdeckermstr., Inh. d. Fa. Oswald Schopf, gschf. Ges. d. Fa. Schopf-Fassadenbau GmbH. GT.: LInnungsmstr. u. gerichtl. beeid. Sachv. DA.: 4020 Linz, Hasnerstr. 5. G.: Linz, 20. Jan. 1938. V.: Rosa, geb. Swoboda. Ki.: Oswald, Christian, Thomas. S.: Lehre als Dachdecker, 1956 Gesellenprüf., 1959 Meisterprüf. K.: 1953 Eintritt in d. väterl. Betrieb, 1964 Übern. d. Betriebes, 1965 Innungsmstr., 1975 Grdg. d. Fa. Schopf-Fassendenbau GmbH, 1975-80 BInnungsmstr.Stellv., 1985 KamR., seit 1976 gerichtl. beeid. Sachv. E.: Silb. EZ f. Verd. um d. Rep. Österr., Gold. Dachdeckernadel. M.: Ges. d. Freunde d. bild. Kunst, Ver. d. Freunde d. Neuen Galerie Linz, div. Sportver. H.: Malen, Filmen u. Fotografieren. (A.W.)

Schopf Walter

B.: Landes-Sekr. FN.: Gewerksch. Metall-Bergbau-Energie OÖ. DA.: 4020 Linz, Weingartshofstr. 2. G.: Steyr, 23. Nov. 1956. V.: Herta, geb. Aumayr. Ki.: Walter (1982), Arnold (1986). El.: Alois u. Maria. S.: Lehre als Maschinenschlosser Steyr Daimler Puch AG, Zivildienst, BBRZ - Berufl. Bildungs- u. Rehab. Zentr. Linz. K.: s. 1979 i. ÖGB, s. 1988 Landes-Sekr.; s. 1992 Gemeinderat d. SPÖ d. Gemeinde Pregarten, s. 1992 Vorst.-Mtgl. d. AK. H.: Familie, Sport, Lesen. (U.A.)

Schopf Walter

B.: Gschf. Ges. FN.: Schopf EDV-Organ. DA.: 1180 Wien, Bischof-Faber-Pl. 14. PA.: 1130 Wien, Hagenbergg. 5. G.: Wien, 14. Juni 1952. V.: Roswitha, geb. Ritter. Ki.: Thorsten (1986), Michelle (1989). El.: Friedrich u. Anna. S.: Berufsausbild. z. Großhdls.-Kfm. Wien. K.: Kfm. Lehrling Firma Pressel Büroorgan., 1971-80 Firma Systemform, seit 1980 selbst. Grdg. d. Firma Schopf EDV-Organ., spezialisiert auf ergonom. EDV-Zubehör. P.: Art. in versch. Fachzeitschriften z. Thema Ergonomie. H.: Skifahren, Literatur, Musik. (J.S.)

Schöpf Anton Dr. Dr. med. Univ.-Prof.

B.: Vorst. d. Inst. f. Finanzwiss. an d. WU Wien. A.: 1070 Wien, Kaiserstr. 57. G.: Wien, 17. Febr. 1930 V.: Nikoline, geb. Rosenkranz. S.: WU Wien 1956 Dkfm, 1960 Dr. d. Handelswiss., 1969 a.o.Univ.-Prof., 1972 o.Univ.-Prof. K.: Univ. Wien - med. Fak., 1979 Dr. med. P.: Das Prognoseproblem in d. Nationalökonomie, Berlin 1966 Finanzpolitik, Berlin 1972. E.: Kardinal Innitzer-Preis 1966.

Schöpf Christine Dr.

B.: Ltr. d. Abt. Kultur-Wiss. im ORF-Landesstudio OÖ. DA.: 4010 Linz, Franckstr. 2A. PA.: 4020 Linz, Landwiedstr. 49. G.: Linz, 27. Jän. 1948. El.: Dr. Albert u. Barbara. S.: VS, HS, Gymn., 1966 Matura, 1966-67 Abi-Kurs LBA, 1967-68 Latinum u. ORF-Mitarb., 1968-78 Stud. Germanistik u. Romanistik Univ. Wien. K.: seit 1977 b. ORF tätig, b. 1978 freier Mitarb. im Kulturbereich, anschl. Red. aktueller Dienst, seit 1981 Ltg. d. Abt., seit 1980 Ars Electronica, seit 1987 Prix Ars Electronica. P.: im Zusammenhang m. Ars Electronica Vortrags- u. Publikationstätigkeit im Ausland, Red. d. Bücher "Der Prix Ars Electronica" 1987-92. E.: Regionalwettbewerb Radio Bremen (1987), Ehrende Anerkenn. f. "Plus-Minus", Kulturmed. d. Stadt Linz. H.: Lesen, Reisen. (U.A.)

Schöpf Ernst Mag.

B.: Bgm., Betriebswirt d. Pension Bergblick. GT.: Fremden-Frühstückspension. DA.: 6450 Sölden, Gemeindeamt. PA.: 6450 Sölden 361. G.: Sölden, 13. Aug. 1960. V.: Regina, geb. Arnold. El.: Hermann u. Karoline. BV.: Großvater Knofele, gefürchteter Schmuggler u. Wilderer v. Ötztal u. Passeiertal. S.: VS, HS, Gymn. Stams, Stud. d. BWL an d. Univ. Innsbruck. K.: Präsenzdienst, seit 1986 Bgm. P.: regelmäßige Art. in d. Gemeindezeitung. M.: Mtgl. b. div. örtl. Sportver. H.: Lesen, Skifahren, Reisen, Musik. (W.G.)

Schöpf Gerlinde

B.: Gschf., Inh. FN.: Gasthof Glocknerhof. DA./PA.: 9900 Lienz, Schillerstr. 4. G.: Lienz, 29. Juli 1941. V.: Kaspar Buxbaum. Ki.: Harald (1965). El.: Maria u. Josef. S.: VS, Lehre als Kellner, 1960 Gesellenprüf., 1964 Heirat. K.: 1969 Haus gepachtet, 1977 Übernahme. (A.W.)

Schöpfer Gerald Dr. iur. Dr. rer. pol. o.Univ.-Prof.

V.: Christa. Ki.: Andreas, Gabriele. El.: Dr. phil. et iur. Friedrich u. Marianne, geb. Frenzl. BV.: Dr. Friedrich Schöpfer Maler. S.: 1962 Matura. K.: 1966-68 Rechsref. in d. Gen.Dion. d. Grazer Wechselseitigen Vers.Anst., Jusstud. als Werkstudent, 1967 Prom., seit 1968 Ass. am Inst. f. Wirtschafts- u Sozialgeschichte an d. Rechts- u. Staatswiss. Fak., 1972 Diss. b. Prof. Kafka u. Ibl über Anton Menger u. Prom. z. Dr. d. Staatswiss., Teilnahme an zahlr. intern. Seminaren, seit 1972 Chefred. d. Kulturzeitschrift "steirische berichte", 1974 Habil., 1977 o.Prof., seit 1972 Lehrbeauftragter an d. TU Graz f. VWL u. Staatswiss. II, Gastvorträge u.a. in Triest, Maribor u. Lodz, 1986-89 Dekan d. SOWI-Fak. P.: zahlr. wiss. Publ. E.: Theodor Körner-Förderungspreis f. Wiss. 1973, Josef Krainer-Preis f. Wiss. 1975. M.: in zahlr. Volksbild.Inst., Vorst.Mtgl. d. Vw. Ges., Präs. d. Urania, Vorst.Mtgl. d. Volksbild.Werkes. (P.R.)

Schöpp Thea

B.: Obfrau d. Sbg. Bürgerinnen m. Gold- u. Berghauben. DA. u. PA.: 5071 Wals, Unterfeldstr. 31. G.: Münster, 3. Nov. 1920. BV.: Gatte Josef Schöpp (+1976) Landesobm. d. Kameradschaftsbundes. S.: VS, HASCH. K.: Mitarb. im elterl. Betrieb während d. Krieges, 1945 nach Sbg., seit 1978 Obfrau d. Sbg. Bürgerinnen m. Gold- u. Berghauben. BL.: Aufbau d. Ver. P.: zahlr. Veranstaltungen in d. Stadt, Land Sbg. u. Bdl., sowie Bayern. E.: 1x Fahnenmutter, 4x Fahnenpate, Glockenpatin v. Maria-Plain, Ö.K.B. Tapferkeitsmed. M.: Kameradschaft Hohensalzburg, Ehrenmtgl. Ö.K.B. Gnigl. H.: Handarbeiten, Lesen, Musik (Klassik, Volkslied), Basteln. (U.E.)

Schoppe Robert Christian Ing.

B.: Gschf. FN: Solco Spezialtiefbau GmbH. DA.: 1030 Wien, Kölblg. 2. PA.: 1210 Wien, Wenhartg. 11. G.: Wien, 17. Feb. 1952. V.: Jutta. Ki.: Christine (1974), Alexander (1976), Stefan (1993). El.: Kurt u. Maria. S.: HTL Tiefbau, 1971 Matura. K.: 5 J. Firma Mayreder zuletzt Baultr, 1977 Oberbaultr. f. Ostösterr. Insond GmbH, 1981 Prok., 1987-90 BRK Budapest, seit 1991 Gschf. Solco. BL.: Europapatent f. Schlitzwandfugenausbild., Vortragender b. Veder Kollogium. M.: VÖBÜ. H.: Philatelie, Tennis, Skifahren. (R.T.)

Schopper Fritz

B.: Gschf. Ges. Gasthof Eisenerzer Hof. DA. u. PA.: 8790 Eisenerz, Hieflauer Str. 17. G.: Llinz, 27. Juli 1950. V.: Auguste, geb. Praher. Ki.: Jörg (1975), Anita (1979). El.: Valentin u. Maria. S.: VS, HS, Koch- u. Kellnerlehre Gmunden, 1967 Abschluß. K.: 1967-72 div. Saisonen im In- u. Ausland u. auf Schiff, 1972-75 Arbeitermittelschule Linz, 1976-83 selbst. Pachtbetrieb Restaurant in Rohrbach, 1983-84 Pacht d. Eisenerzer Hofes, 1984 käufl. erworben u. renoviert, 1989 Gasthof Reininghaus Bräu Eisenerz, käufl. erworben u. renoviert, Eisenerzer Hof GmbH. M.: Vorst. d. Tourismusverb. Eisenerz. H.: Tennis, Segeln. (I.G.)

Schopper Wolfgang Dr.

B.: Abt.-Ltr. Kultur u. Wiss. d. ORF Tir. DA.: 6020 Innsbruck, Rennweg 14. PA.: 6060 Hall in Tir., Salvatorg. 14. G.: Linz, 11. Juni 1948. V.: Margit, geb. Stotter. Ki.: Verena (1978), Thomas (1981). El.: Wolfgang u. Paula. S.: Grundschule, 1967 Matura, 1973 Univ. Innsbruck. K.: seit 1974 ORF Tir., aktueller Dienst m. Schwerpunkt polit. Berichterstattung, 1987 Übernahme d. Abt. Wiss., 1991 Wiss. u. Kultur, Tir. Kulturjournal, 1979 Stipendium Eduard Wallnöfer. BL.: seit 1982 Hörerkontaktsendung "Hallo Nachbar". P.: 1990 Mithrsg. d. Buches "Uni 2000". E.: EZ d. Univ. Innsbruck. H.: Sammeln v. Bierkrügen, Krawatten u. Mascherl, Schwimmen, Tischtennis, Kegeln. (M.W.)

Schöppl Gerhard

B.: Kfm. f. Antiquitäten, Bilder u. Kunstgegenstände aller Art. DA.: 5020 Salzburg, Gstätteng. 5. G.: Salzburg, 7. Apr. 1949. V.: Brigitte, geb. Hofer. Ki.: Angela, Alexander, Michael. El.: Adolf u. Edith. S.: VS, Gymn., Biologiestud. in Sbg., kfm. Ausbild. K.: 1970 Einstieg in elterl. Betrieb, seit 1982 selbst. Antiquitätenhändler, ab 1984 Alleininh. d. Fa. Antiquitäten Schöppl. BL.: 1934 Grdg. d. Fa. in einem Haus aus d. 14. Jhdt., Ausstellungsgewölbe m. Kunstgegenständen beginnend v. Gotik b. z. Gegenwartskunst, Antiquitäten aus allen Kunstepochen, z.B.: Renaissanceengel, gotischer Christus, Barockskulpturen, Gemälde v. Hunter, Salles, Werner, Alt-Sbg. Fayencen v. Pisotti, seltene Uhren, Barockbauernmöbel, 1985 Eröff. einer Galerie spez. auf Kleinkunst zeitgen. Künstler, sowie Sonderausstellungen f. Textil u. Teppiche. M.: Rotes Kreuz. H.: Antiquitäten, Schach, Darstellungen (Graphiken) v. Fischen u. niederen Tieren. (Hat.)

Schöps Richard Dr. med.

B.: FA f. Frauenheilkunde u. Geburtshilfe. DA.: 6890 Lustenau, Schillerstr. 2. G.: Wien, 27. Jan. 1940. V.: Bianca, geb. Lutz. Ki.: Dagmar (1969), Bernhard (1972), Daniel (1979), Vanessa (1992). El.: Richard u. Margarethe. S.: 1958 Matura, 1968 Promotion. K.: Turnusarzt in Wien, FA-Ausbild. Semmelweis-Klinik, 1972 Ass.-Arzt u. OA KH d. Stadt Bregenz, 1987 Praxiseröff. Lustenau, FA f. Frauenheilkunde u. Geburtshilfe, Ltg. Entbindungsheim Lustenau, Initiator d. alternativen Geburtshilfe. P.: Laienfortbild., Vorträge über geplante Elternschaft, Sexualprobleme, Alternativmed. sowie mehrere wiss. Beiträge. M.: zahlr. med. Ver., 10 J. Funktionen in d. Ärztekam. H.: Garten, klass. Musik, Lesen. (I.D.)

Schoretits Johann Dr. HofR.

B.: Sicherheitsdir. f. d. Bgld. DA.: 7000 Eisenstadt, Freiheitspl. 1. (Biographie folgt im Loseblattsystem)

Schörg Elisabeth Dr.

B.: Vers.-Makler, Journalist. DA.: 1180 Wien, Staudg. 42. G.: Rohrendorf/Krems, 15. März 1953. V.: Dir. Peter. Ki.: Patrick, Birgit. El.: Dipl.-Ing. Gerhard u. Elisabeth, geb. Rennert. S.: 1971 Matura, 1972 HAK, Abiturientenlehrgang, Bankkfm., 1. Berater Erste Österr. Sparkasse, b. 1981 Stud. Phil., Psych. u. Germanistik, 1981 Prom. K.: seit 1986 Vers.Makler. H.: Literatur, Kultur, Reisen. (J.E.)

Schörg Josef

B.: Gschf. Ges. FN.: J. Schörg GmbH. DA. u. PA.: 1180 Wien, Gersthoferstr 101. G.: Haugsdorf, 8. Febr. 1948. V.: Christa, geb. Windholz. Ki.: Karin (1972), Doris (1975). El.: Josef u. Maria, geb. Reuther. S.: Kfz-Mechanikerlehre m. Mstr.-Prüf. K.: 1968-81 Pannenfahrer b. ÖAMTC, 1981-84 KFZ-Mstr. b. d. Firma Zuckermann, 1984 Grdg. d. eigenen Firma: Autoverkauf, Mechan. u. Spengler. Reparaturen. H.: Tennis. (N.A.)

Schörgel Wolfgang

B.: Gschf. Ges. FN.: Manhatten Computer Hdls. GmbH. DA.: 1080 Wien, Uhlpl. 3. G.: Wien, 20. Juli 1963. V.: Susanne. Ki.: Patrick. El.: Johann u. Elisabeth. S.: HTL Hochbau, Großhdl.-Kfm., 1981 Abschluß, 1984 Bilanzbuchhalterprüf. K.: 1984-88 Personalchef Zahlungswesen einer Computerfirma, selbst. Eröff. d. Manhatten Computer Hdls. GmbH. P.: lfd. Fachausbild. f. Netzwerklaufwerke. F.: Inh. u. Importeur Twin-Computer, 4020 Linz, Goethestr. 7. H.: Bergsteigen, Motorradfahren, Geländemotorradfahren, Modelleisenbahn. (J.E.)

Schörgel Justine Franziska

B.: Prok., Art-Dir. FN.: FREUND Werbeagentur GmbH. DA.: 4021 Linz, Rainerstr. 14/6. PA.: 4020 Linz, Ledererg. 32b. G.: Wien, 9. Jän. 1948. El.: Johann u. Justine Schörgel. S.: VS, HS, Gymn., Kunstschule Prof. Buchegger u. Dr. Ortner. K.: 1970 als Freelancer begonnen, 1970 Seminare - Führung - Management. P.: Statement über Ausbild. d. jungen Grafiker. E.: zahlr. nat. Preise. M.: Graphik Design Austria. H.: Bergsteigen, Schwimmen, Malen, Handarb., Lesen, Sammeln: Katzen, Elefanten, Briefmarken, Beruf. (Ni.A.)

Schörghofer Georg

B.: Gastwirt Hotel Restaurant "Weißes Kreuz". DA. u PA.: 5020 Salzburg, Bierjodlg. 6. G.: Salzburg, 21. Jän. 1945. V.: Waltraud, geb. Plojer. Ki.: Georg (1964), Gabriele (1967). El.: Eduard u. Hilde. S.: VS, HS, 2 J. Hotelfachschule. K.: 1959-60 Gastein u. 1960-61 Kleßheim, Sommersaison in Felden, St. Wolfgang, Mondsee, Wintersaison Gastein, St. Anton, 1967-74 elterl. Betrieb, danach Übernahme "Weißes Kreuz". P.: Berichte in in- u. ausländ. Zeitungen. M.: seit 1974 Bund Österr. Gastlichkeit. H.: Sport. (N.M.)

Schörghofer Rupert

B.: Inh., Gschf. FN.: Zimmerei Schörghofer. DA. u. PA.: 5400 Hallein, Vigaun 48. G.: Vigaun, 30. März 1938. V.: Anna, geb. Felder. Ki.: Rupert (1967), Maria (1968). El.: Rupert u. Maria, geb. Liembacher. S.: VS, HS, Bundesfachschule f. Zimmerer, 3 J. Lehre, 8 J. Praxis, 1964 Zimmermstr.-Prüf. K.: 1964 Aufbau d. Betriebes, 1966 Bau d. Werkstätte, 1968 Bau d. Sägewerkes, 1972 Bau d. Abbundhalle, 19976 Bau d. Marktforsch.-Gebäudes in Vigaun, 1987 Bau d. Bürogebäudes m. Schnitzelanlage. M.: seit 25 J. Bauaussch.-Obm., seit 1968 Wirtschaftsobm. Bauträgerges. Schörghofer. H.: Musik, Sauna. (A.W.)

Schörghuber Franz Dipl.-Ing. w.HofR.

B.: w.HofR. d. NÖ LRg. DA.: 1010 Wien, Herreng. 11. PA.: 3413 Hintersdorf, Haselbacherstr. 1a. G.: St. Peter, 31. Mai 1936. V.: Hedi, geb. Haidinger. Ki.: Friedrich, Ingrid. El.: Johann u. Anna. BV.: Ansiedlung d. Vorfahren im J. 1360 in St. Peter. S.: Untergymn., HTL Abt. Hochbau, TU Wien Arch. K.: 1956-62 Praxis b. Baufirmen u. Arch., ab 1962 Bmtr. in Amt d. NÖ LRg., seit 1974 Lehrbeauftragter an d. TU Wien. F.: Hausanteile Bautreuhand Sbg. P.: div. Fachart. in Bauzeitschriften, Broschüre: "Holzheizen 1986", "Aussiedlung in NÖ". E.: Bronz. Ehrennadel d. ÖAAB. M.: Mtgl. d. Österr. Ges. f. Raumforsch. u. Raumplanung, Österr. Ak.Bund, d. KöStv. Nordgau-Wien, d. ÖAAB, Verb. Österr. Ing., Obm. d. Absolventen d. HTL Krems. H.: Skilauf, ernste Musik, Briefmarken, Schwimmen. (H.P.)

Schörkmayr Josef B. Mag. art.

B.: Musiktherapeut, Musiker, Schriftsteller. PA.: 9020 Klagenfurt, Priesterhausg. 8. G.: Salzburg, 14. Okt. 1954. V.: Julia, geb. Schäfer. Ki.: Wernher (1991), Thorid (1992). El.: Josef u. Ida. S.: Gymn., Stud. an d. MHS Graz, Dipl. f. klass. Schlagwerk, Mag.-Dipl. (Jazzrock u. Lyrik). K.: Begründer d. No Problem Music Therapiekonzeptes (Musiktherapie f. erwachsene geistig u. geistig-körperl. Behinderte), seit 1990 Ltr. d. NO PROBLEM Musiktherapiezentrums Ktn. P.: Bücher: "Anekdoten aus dem Leben Igor Rozols" 1982, Verl. Ploetz & Außenhofer, "Möwenmenschen" 1985, Roman, Verl. Ploetz & Außenhofer, "Musik mit Behinderten" 1986, G. Fischer Verlag, Stuttgart-New York, 1989: Weltpatente f. d. NO PROBLEM Musiktherapie u. Musiktherapieinstrumente, 1990 Buch: "Integrative Musiktherapie" (Aram Verl. Wien), Schallplatten: LP "Paukengewitter", Amadeo (Konzerte f. klass. Schlagwerk u. Klavier), 1981: LP "angebliche Uranvorkommen in Lappland" CBS, 1983. BL.: 1988/89 Weltpatente: "No Problem Keyboad", "No Problem Orchestra", "Integrative Musiktherapie" (US-Pat. 4,730,533).

Schorn Hildegard

B.: Mtgl. d. NatR. seit 1987, Bäuerin. G.: Wien, 10. Jan. 1947. S.: Pflichtschulen, ldw. Fachschule, Mstr.Prüf. in ländl. Hauswirtschaft. K.: 1984 Bez.Bäuerin d. Bez. Schwechat, seit 1980 Mtgl. d. Gem.Parteiltg. u. seit 1986 Mtgl. d. Bez. Parteiltg. d. ÖVP, seit 1984 Mtgl. d. Bez.Bauernvorst., seit 1985 KamR. d. Bez.Bauernkam. Schwechat, s. 1990 Vors. d. Bez.-Bauernrates Schwecht, s. 1990 Gebietsbäuerin..

Schoss Heimo Mag. art.

B.: Dipl.-Innenarch. A.: 5061 Salzburg-Elsbethen, Brunnleitenweg 8. G.: Bad Hofgastein, 12. März 1943. V.: Margaretha, geb. Stöckl. El.: Hugo u. Maria. S.: Fachschule f. Tischlerei, Praxis - Vereinigte Werkstätten f. Kunst u. Handwerk in München, 1961-66 Stud. Innenarch. an d. HS f. angew. Kunst in Wien, 1966 Dipl., Mag., Vorl. HS f. angew. Kunst in Wien. K.: Praxis in d. Hochbauplanungsabt. d. Tauernkraftwerke in Sbg., seit 1967 teilb. als Lehrer, später als Prof. an einer HTL f. künstl. u. techn. Fächer (Darst. Geometrie, ZS, EWZ, KÜ, FZ u.a.), teils selbst. als Innenarch. in Österr., teilw. im Ausld. P.: versch. Design-, Innenausbau- u. Umbauprojekte sowie Arb. im Bereich Arch., versch. Berichte v. Presse u. Rundfunk, 1991 Zuerkennung eines Patentes f. Ausführ. im Gesamtbereich d. Arch. vorzügl. f. Massivholzverarb. m. Anerkenn. eines Beitrages z. Umwelt-Ausstell. m. Vortrag an d. Univ. (Naturwiss. Fak.) in Sbg., u.a. Ausstellungsgestalt., zahlr. Pläne, Modelle, Prototypen, Entwürfe, Skizzen. M.: früher Vorst.-Mtgl. d. Bundes Österr. Innenarch. u. Berufsvereinigung bild. Künstler in Österr. H.: Bergsteigen, Skifahren, Naturbeobachtungen.

Schösswender Gerhard

B.: Gschf. FN.: S. Schösswender Werke GmbH. DA.: 5021 Salzburg, Gnigler Str. 46. PA.: 5034 Salzburg, Offingerweg 19. G.: Salzburg, 8. Juni 1956. El.: Sebastien u. Krezentia. BV.: Vater Sebastian Schösswender hat 1953 Firma gegründet. S.: VS, HS, 1970-73 Lehre als Einzelhdls.-Kfm. Firma Steiner Eisen Bergheim. K.: b. 1975 Verkauf Firma Steiner Eisen, 1975-76 BH, 16 J. Firma Schösswender. M.: Obm.-Stellv. d. Sbg. Betriebssportver. H.: Squash, Eishockey, Skifahren, Surfen. (N.M.)

Schößwendter Angelina
B.: Puppenmacherin, Seidenmalerin, Designerin, Inh. d. Geschäftes "Der Kunstgriff". DA.: 5760 Saalfelden, Loferer Str. 15. PA.: 5760 Saalfelden, Berglandstr. 11. G.: Zell am See, 9. Juni 1956. V.: Josef Schößwendter. Ki.: Iris (1973), Jeanne (1975). El.: Erich u. Helga Hinterseer. S.: Frauenfachschule f. Damenkleidermacher. K.: 1977-86 Textildesignerin, 1986 Eröff. d. Geschäftes "Der Kunstgriff", 1986 Modellierung d. ersten Puppe, Ausstellungen: 1987 Maishofen, 1987 Intern. Künstlerpuppenausstellung Zug/ Schweiz, 1988 Gemeinschaftsausstellung m. Maler, 1988 Puppenmacherausstellung Rosenheim Galerie, 1988/89 Puppenmacherausstellung Washington/New York/Chicago, 1990 Gemeinschaftsausstellung m. Keramik u. Seidenmalerei Saalfelden, 1991 WM-Maskottchen kreiiert, 1991 Velden-Casino-Ausstellung. P.: Veröff. in versch. Regional- u. Tageszeitungen, TV (ORF, ARD, 3SAT). H.: Literatur, Tai Chi. (M.T.);

Schott Erich Ing.
B.: Managing Dir. v. Tupperware Österr. Dart Industrie GmbH. DA.: 2500 Baden, Mühlg. 58. G.: Linz, 15. Dez. 1933. V.: Helga, geb. Tidl. Ki.: Hannelore, Peter u. Wolf Dieter. El.: Gunther u. Luise. BV.: Großvater Anton Schott: Schriftsteller. S.: Ldw. Fachschule im Franzisko Josefinum in Wieselburg, Matura 1956. K.: 1956-60 innerbetriebl. Ausbild. b. d. Österr. Warenvermittlung in Linz, 1960-80 Gschf. d. Kremstaler Lagerhausgen. Neuhofen/Krems, 1980-81 Marketingdir. u. seit 1981 Managing Dir. v. Tupperware Österr. H.: Skifahren, Schwimmen, Lesen. (M.B.)

Schott Gerald
B.: Steuerberater. DA.: 3430 Tulln, Obere Gwendtg. 4. PA.: 3430 Tulln, Rudolf-Buchinger-Str. 37. G.: Wien, 13. Jan. 1961. V.: Maria, geb. Grießler. Ki.: Bernhard, Christoph. El.: Dkfm. Wilfried u. Gerda. S.: Gymn., 1981 Matura, Stud. BWL. K.: b. 1984 Berufsanw. in d. elterl. Kzl., 1984-87 Berufsanw. Fa. Witwen u. D., 1987 Steuerberaterprüf., seither Führung d. eigenen Kzl. H.: Familie, Musik. (M.B.)

Schott Helmut F.
B.: Exportkfm. FN.: Export Consult Handels GmbH. DA. u. PA.: 1130 Wien, Wlassakstr. 64-66. G.: 16. Juli 1923. V.: Maria, geb. Rosenauer. Ki.: Alexander, Martina, Barbara. El.: Josef u. Ludmilla. S.: Gymn. (Kriegsreifeprüf. 1941), TH Braunschweig, 2 J. Ausbild. als techn. Exportkaufmann, Vw.Kurse in Innsbruck u. München. K.: seit 1955 Exportkfm., 1955-58 Auslandsabt. Bauuntern. München, 1959-67 Auslandsabt. Firmen Klinger Int. u. Moosbrunner Glasfabrik AG, 1967-71 IBM-Manager f. Kompensation-Osteuropa, 1972-82 Gschf. Fa. Glahe Int. Osteuropa, ab 1982 Export Consult Inc. M.: Mtgl. Österr. Transithändler. H.: Skifahren, Schwimmen, Lesen. (C.K.)

Schottenhamml Lothar Dr.
B.: Rechtsanwalt. DA.: 1040 Wien, Karlsg. 7/7. PA.: 1080 Wien, Schlösslg. 8. G.: Wien, 23. Mai 1944. V.: Maria, geb. Budschedl. El.: Karl u. Hilda. S.: VS, Gymn., 1962 Matura, Jus.Stud.; Promotion 1967, Bundesheer. K.: Gerichtsjahr, 1969 Rechtsanwaltsanw.; 1974 Rechtsanwaltsprüfung; s. 1976 eigene Kanzlei. M.: Div. Vereine. H.: Geschichte, Segeln. (E.J.)

Schottkowsky Friedrich Dr. phil.
B.: Pensionierter Offz. d. Österr. BH, früher ak. Berufsberater u. Psychologe b. Arbeitsamt. A.: 1130 Wien, Fasangartensiedlung 12. G.: Triest, 12. März 1913. V.: Maria Magdalena, geb. Raup. El.: Friedrich u. Adelheid. S.: VS, RG (Matura), Ther. Mil. Ak. (Lt.), abgeschl. Univ.Stud. (Dr. d. Phil. m. Hauptfach Psych. u. Nebenfach Psychiatrie sowie Dolmetscherprüf. aus Franz. u. Ital., Ausbild. z. Berufsoffz. sowie z. Psychologen u. ak. Berufsberater. K.: Berufsoffz. b. 1. Österr. BH, Dt. Wehrmacht u. 2. Österr. BH, Beendigung d. Karriere als Oberst im BMLV, seither Pensionist. P.: Vor allem psychologischer Natur im In- u. Ausland. E.: Hohe Friedens- u. Kriegsausz., Ehrendipl. usw. M.: Offz.Ges. Wien, Ges. f. Psych., Berufsverb. Österr. Psychologen usw. H.: Lektüre milit. u. psych. In- u. Auslandsliteratur, Konzert u. Theaterbesuche usw.

Schottleitner Othmar
B.: Bgm. d. Marktgem. Kottingbrunn. DA.: 2542 Kottingbrunn, Hauptstr. 16. PA.: 2542 Kottingbrunn, Arbeiterg. 8. G.: Kroisbach, 16. Juni 1929. V.: Liane, geb. Pazdernik. Ki.: Liane, Christa, Gerda, Karin. K.: seit 1955 SPÖ Mtgl., 1960 GemR., seit 1963 Bgm. d. Marktgem. Kottingbrunn, ab 1956 BetriebsR., b. 1974 ZentralbetriebsR. E.: Gold. Nadel v. Fuß- u. Faustballverb., Gr. Silb. Ehrenmed. v. Bundesland NÖ, Gr. Floriani-Plakette v. Feuerwehrkdo. NÖ, Silb. Ehrennadel f. d. Förd. d. Österr. Jugendfußballes. M.: Abwasserverb. Raum Bad Vöslau, Triestingtaler Wasserleitungsverb., AufsR. Volksbank Baden, Kinderfreunde, Feuerwehr Kottingbrunn, Schachver. Kottingbrunn. H.: Kleintierzüchter, Fischen, Briefmarkensammeln. (Kern)

Schrabauer Rudolf Dr.
B.: Volksschuldir. DA.: 1020 Wien, Leopoldsg. 3. PA.: 1030 Wien, Ungarg. 9. G.: Erlauf, 27. Aug. 1942. S.: Ausb. a. d. Lehrerbildungsanstalt i. Krems, a. 1974 Stud. d. Psychologie u. Päd. a. d. Univ. Wien, 1980 Prom. Beratungslehrer zur Betreuung verhaltensauffälliger Kinder, s. 1987 Dir. d. VS Leopoldsg. BL.: Integration behinderter u. schwerstbehinderter Kinder i. d. VS Leopoldsg. H.: Musik, Ausstellungen vorw. Malerei, Lesen. (J.S.)

von Schrader Harald-Heinrich
B.: Ev. Gem.Pfarrer u. Religionslehrer in Gmunden. A.: 4810 Gmunden, Georgstr. 9. G.: Gut Rosenkrantz/Kiel, 8. Apr. 1924. V.: Eva, geb. Sperling. El.: Otto u. Axeline. S.: Univ. Mainz, Marburg, Kiel, Göttingen - Ev. Theol., Lehrvikariat u. Predigerseminar in Holstein. K.: 1957-59 Pfarrvikar Wien, seit 1957 Vertragslehrer an höheren Schulen, 1959-63 Pfarrer in Knittelfeld, 1963-73 Pfarrer in Linz-Urfahr u. halb Mühlviertel, seit 1973 Pfarrer in Gmunden. P.: Viele Beiträge u. Publ. in Tageszeitungen u. Zeitschriften. M.: Presbyter d. hochkirchl. St. Johannes-Bruderschaft, Johanniter-Orden, "Kommende" Österr. (Ehrenritter), Österr. Kameradschaftsbund LVerb. OÖ, Freiheitl. Ak.Verb. Ortsgruppe Gmunden, Societas Liturgica. H.: Philatelie, lit. Zeitgeschichte.

Schragl Engelbert Dr. KommR.
B.: Gen.-Dir., Vorst. d. Österr. Autobahnen- u. Schnellstraßen- AG DA.:5020 Salzbrg, Alpenstr. 94. PA.: 1180 Wien, Edmund Weiß-G. 7.

Schragl Gerhard
B.: Gschf., techn. Ltr. FN.: Schragl Planungs GesmbH. DA.: 3300 Amstetten, Preinsbacher Str. 10. PA.: 3322 Viehdorf, Hainstetten 45. G.: Ybbs/Donau, 26. Sep. 1954. V.: Christiane, geb. Wadsak. Ki.: Markus (1981), Christina (1983), Paul (1991). El.: Karl u. Anna. S.: HTL-Elektrotechn., 1978 Matura, 1983 Konz.-Prfg. Oberstufe Elektrot. Meister. 1978-79 BH. K.: 1974 Maschinenschlosser JM Voith AG St. Pölten, 1979 Techn. Ass. Fa. Neon Marderthaner Amstetten, 1984 Mon-

teur Maschinenbau Fa. Lisec Glastechnik Ind. Ulmerfeld, 1985 selbst. Planungsbüro f. Elektrotechnik, s. 1992 Planungsbüro Schragl GesmbH. M.: Vorstand Sportfliegergruppe Ybbs, Musikverein Viehdorf. H.: Sportfliegen, Jagd, Musik, Segeln. (N.A.)

Schragner Walter Ing.
B.: Bmstr. FN.: SW Bauen Bmstr. Walter. GT.: Nußbaumer GmbH Hoch- u. Tiefbau, Gschf. Königsbad Hotelerrichtungs u. Betriebs GmbH. DA. u. PA.: 5310 Mondsee, Hierzenbergerstr. 6. G.: Mondsee, 1. Febr. 1948. V.: Pauline, geb. Gruber. Ki.: Thomas (1975), Peter (1977), Sabine (1983), Werner (1986). El.: Lorenz u. Katharina. S.: Maurerlehre m. Abschluß, HTL Sbg., Bmstr.-Prüf. K.: 1 J. Tätigkeit als Statiker Firma Cemetia, 14 J. freier Baultr. u. Planungsarb. b. Arch. Rausch Wien/Sbg., seit 1983 selbst. M.: UNION, Turnver. SV, Schützenver. Mondsee, Parteiobm. v. Mondsee, Bez.-Parteiobm. v. Vöcklabruck, Landesltg.-Mtgl., Mtgl. d. Bundes- u. Landeskam. f. d. Baugewerbe u. Bauind. H.: Radfahren, Basteln, Fliegen, Segeln. (M.T.)

Schrahböck Wolfgang

B.: Inh. FN.: Wolfgang Schrahböck Haus- u. Küchengeräte, Spielwaren. DA. u. PA.: 2540 Bad Vöslau, Wr. Neustädter Str. 2. G.: Baden, 5. Juni 1959. El.: Johann u. Elfriede. S.: BRG Berndorf, HAK Baden, Matura. K.: 1988 Übernahme d. elterl. Betriebes. M.: Vors. d. Projektes Stadt-Marketing Bad Vöslau. H.: Triathlon, Tennis, Langlaufen, Skifahren. (F.S.)

Schram Jörg Dkfm. Dr.
B.: Gschf. FN.: Finanzierungsgarantie GmbH. GT.: Lehrbeauftragter d. WU Wien. DA.: 1041 Wien, Prinz-Eugen-Str. 8. PA.: 2371 Hinterbrühl, Waldg. 20/23. G.: Bregenz, 1. Mai 1939. V.: Helga, geb. Bürbaumer. Ki.: Florian, Isabel. El.: Kurt u. Irene. S.: VS u. BG Bregenz, HS f. Welthdl. Wien, 1966 Prom. K.: BKam. d. gewerbl. Wirtschaft, Ref. d. Wirtschaftspolit. Abt. 1964-69, 1965-69 Gschf. d. BeiR. f. Wirtschafts- u. Sozialfragen, ab 1969 Gschf. d. Entwicklungs u. Erneuerungsfonds GmbH, seit 1976 Lehrbeauftragter an d. WU Wien. P.: div. Aufsätze in Fachzeitschriften. E.: Gr. Gold. Tir. Adler. H.: Musik, Literatur. (H.P.)

Schramek Herbert
B.: Kfm. DA.: 1030 Wien, Adolf-Blamauer-Gasse Tor 3. PA.: 1050 Wien, Wehrg. 23. G.: Wien, 30. Aug. 1925. V.: Helene, geb. Ratzenböck. Ki.: Peter, Martin, Verena. El.: Rudolf u. Anna. S.: VS, HS, HASCH. K.: Übernahme u. Erweiterung d. väterl. Betriebes. H.: Fotografieren, Reisen. (Kest.)

Schramek Paul Dr. Univ.-Doz.
B.: OA d. Urolog. Abt. d. KH Lainz, FA f. Urologie. DA.: 1130 Wien, Wolkersbergenstr. 1, 1210 Wien, Am Spitz 7. PA.: 1190 Wien, Eroicag. 16B. G.: Wien, 19. Apr. 1951. V.: Dr. Rose-Marie, geb. Gerstner. Ki.: Julian (1978), Daniel u. Sebastian (1981). El.: SenR. Dr. iur. Oskar u. Maria, geb. Piwowarsky. S.: 1957-61 VS Schulbrüder, 1961-69 BRG, 1969-75 Med.-Stud. Univ. Wien m. Prom. z. Dr. med. univ. K.: 1975-76 postpromotionelle interne Ausbild. am Wilhelminenspital d. Stadt Wien, 1976-77 Chir. KH d. Stadt Wien-Floridsdorf, 1977-78 Urologie Allg. Poliklinik d. Stadt Wien, 1979 Chir. Allg. Poliklinik d. Stadt Wien, 1979 Gynäkologie u. Geburtshilfe Franz Joseph Spital d. Stadt Wien, 1979-91 Urologie Allg. Poliklinik d. Stadt Wien, seit 1. Mai 1991 Urolog. Abt. d. KH Lainz Wien, 1980-91 Urolog. Konsiliarius f. d. KH d. Stadt Wien-Floridsdorf. Studienaufenthalte in d. Schweiz, Österr. u. Deutschld., seit 1983 FA f. Urologie, ab 1986 Spital-OA an d. Urolog. Abt. d. Allg. Poliklinik d. Stadt Wien, 1990 venia docendi f. Urologie. P.: über 100 wiss. Publ. in nat. u. intern. urolog. Journalen, zahlr. allg. med. Publ. u. Berichte über eigene med. Tätigkeit in d. Medien. E.: 1984 Stipendiat d. Alexander v. Humboldt-Stiftung, 1984-86 1. Sekr. d. Österr. Ges. f. Urologie, 1986 1. Preis d. Europ. Ges. f. Urologie, 1989 zweifache Nennung b. d. Präsentation v. Höhepunkten wiss. Leistungen in d. Ges. d. Ärzte in Wien. M.: 1979 Ges. d. Ärzte in Wien, 1980 Österr. Ges. f. Urologie, 1981 Dt. Ges. f. Urologie, 1989 Intern. Society for Impotence Research, seit 1991 Grdg.-Mtgl. d. Rotary Clubs Wien-Oper, 1986-91 Grdg.-Mtgl. d. Ausbild.-Kmsn. d. Österr. Ges. f. Urologie, ab 1993 Vors. d. Fortbild.-Kmsn. d. Österr. Ges. f. Urologie. H.: Kunst (Musik, Malerei), Kultur, Sport (Tennis). (N.A.)

Schramke Elisabeth
B.: Inh. d. Fa. Mothwurf Ernst KG. DA.: 8010 Graz, Albrechtg. 6. PA.: 8051 Graz, Thalbachweg 20. G.: Graz, 26. Jan. 1920. Ki.: 3 Söhne. S.: Gymn. Graz, Matura 1938, Sekr.-Schule. K.: 1938 Eintritt in d. väterl. Fa. in d. Herreng., Erweiterung auf Trachtenstrickwaren u. Trachtenkonfektion, 1975 Eröff. d. Hauptsitzes in d. Albrechtgasse, 1980 Eröff. d. Filiale Klagenfurt. H.: Garten, Musik. (War.)

Schramke Helmut
B.: Inh., Gschf. Ges. FN.: Mothwurf GmbH Couture in Austrian Style. DA.: 8101 Gratkorn, Am Hartboden 35. PA.: 8051 Graz, Thalbachweg 20. G.: Graz, 17. März 1959. V.: Stefanie, geb. Andraschko. Ki.: Dominik-Manuel (1984), Anna-Katharina (1988). El.: Paul u. Elisabeth. S.: VS, HS, kfm. Lehre, Herrenstein-Seminar. K.: 1978-88 Mitarb. im mütterl. Betrieb, 1987 Aufbau d. eigenen Betriebes. P.: Tonträger: Purbur/Graz, 1 CD, 5 Singles, Fernsehauftritte, Ö3 Hitparade/Adler im Wien. M.: Golfclub Thal. H.: Golf, Musik, Segeln, Tennis, Kinder. (R.S.)

Schraml Karl

B.: Ldw. u. Gastwirt, 1984-94 Bgm. d. Stadtgem. Groß Gerungs. PA.: 3920 Wurmbrand 4. G.: Wurmbrand, 31. Juli 1931. V.: Gertrude, geb. Hahn. Ki.: Johann (1959), Elisabeth (1960), Maria (1962). El.: Karl u. Anna, geb. Göschl. S.: VS, HS, Ldw. Ausbild. Edelhof/Zwettl. K.: 1949 Eintritt in d. elterl. Ldw.-Betrieb in Wurmbrand, 1959 Übernahme d. Betriebes, 1962 zusätzl. Übernahme eines Gast- u. Ldw.-Betriebes in Wurmbrand, ab 1960 Bgm. v.

Wurmbrand, 1968 VBgm. v. Groß Gerungs, 1984-94 Bgm. v. Groß Gerungs. E.: Ehrenmed. in Silber f. Verd. um d. Land NÖ. M.: Vorst.-Mtgl. Müll- u. Abgabenverb. Zwettl, Gründer u. Obm. d. Bez.-Musikschulverb. Groß Gerungs u. zahlr. weiterer örtl. Ver. u. Organ. H.: Wandern. (M.M.)

Schraml Wolfgang Mag.

B.: Gschf. Ges., Kfm. FN.: Hoteltextil Schraml GmbH & Co. DA.: 6714 Nüziders, In der Enge 7a. PA.: 6714 Nüziders, In der Enge 7. G.: Dornbirn, 4. Dez. 1949. V.: Martina, geb. Krobath. Ki.: Andreas (1985). El.: Karl u. Irma. S.: RG, 1968 Matura, Stud. Univ. Innsbruck u. Wien, 1974 Spons., 1968/69 BH. K.: 1974-77 Produktmanager Firma Suchard, 1978 Eintritt in kfm. Bereich d. elterl. Textilbetrieb Nüziders, Ltr. Finanzwesen, Personalwesen, Organ., Kundenbetreuung. M.: Gem.-Vertretung, Grdg.-Mtgl. Round Table 27 Feldkirch, Junge Wirtschaft Vbg., Österr. Alpenver. H.: Skifahren, Bergsteigen, Radfahren, Reisen, Kochen. (I.D.)

Schramm Alfred Dr. Univ.-Prof.

B.: Univ.Lehrer am Inst. f. Rechtsphil. an d. Univ. Graz, Ltr. d. Abtlg. f. Rechtsinformatik an d. Univ. Graz. DA.: 8010 Graz, Universitätsstr. 27. PA.: 8046 Graz, An der Kanzel 34. G.: Linz, 20. Okt. 1943. V.: Margarita, geb. Czechtizky. Ki.: Alfred, Markus. El.: Dr. Alfred u. Wilhelmine. S.: VS, HS, Lehrbefähigung f. Englisch an Pflichtschulen, kfm. Arbeiterschule, Stud. d. Phil., 1976 Prom. K.: 1976-78 Studienaufenthalt London School of Economics, seit 1976 Univ.Ass., 1986 Habil., 1993 tit. a.o. Univ.Prof. P.: Theorienwandel oder Theorienfortschritt (1975), Normfolger ohne Normenlogik (1984), Ein Dilemma f. Chisholms "Begriffe d. opistemischen Bewertung" (1986), Beiträge in Handbüchern, Zeitschriften u. Sammelbänden zu Problemen d. Logik, Entscheidungstheorie u. Rechtsinformatik. Präs. d. Österr. Ges. f. Philosophie. M.: Phil. Ges. d. Univ. Graz, Ges. f. wiss. Grundlagenforsch., Arge f. Datenverarb. (ADV), ÖCG (Österr. Computer Ges.). H.: Sport, Oper. (C.H.S.)

Schramm Erwin Dr. MedR.

B.: Prakt. Arzt, Ltd. Arzt d. Kuranstalt Hydrotherapie u. Akupunktur. DA.: 1160 Wien, Brüßlg. 4/6/5. PA.: 1180 Wien, Cottageg. 43. G.: Mährisch-Ostrau, 1. Apr. 1921. V.: Dr. Albine. Ki.: Dr. phil. Ingrid, Dr. med. Wolfgang, Waltraud, Dr. iur. Johannes, Susanne Mag.pharm., Wilhelm Ing.Hochbau. S.: 1940 Matura in Reichenberg, Stud. in Wien, 1948 Prom., 3 J. Chinesisch-Stud. K.: Klinikarzt div. Spitäler, 1953 Eröff. d. eig. Praxis. BL.: Vor ca. 30 J. Beginn m. Akupunktur (Lehrer Dr. Leung-Tit-Sang), homöopath. Studien, Testungen . Dr. Voll (Elektroakupunktur), 17 J. Eigenentw., Sonderform d. biolog. Testmed., Kongresse in Sbg., München, Hannover, Spanien, Florida, Mexiko, Guatemala, Ecquador, Argentinien u. Chile. P.: Biolog. Testmed., 1. u. 2. Aufl. E.: W SEZ, Silb. VM d. Hofmusikkapelle. M.: Akupunkturges. d. Ak. f. Biolog. Med., Ltr. d. Forschungskreises f. Biolog. Testmed. H.: Klass. Musik, Malerei, Kunstausstellungen. (K.A.)

Schramm Fritz

B.: Antiquitätenhändler. FN.: Burg Antik. DA/PA.: 1080 Wien, Lange Gasse 72. G.: Wien, 11. Jul. 1941. Ki.: Tanja (1982), Ben (1986). El.: Friedrich u. Maria. S.: VS, Gymn., 1958 Mat. Münster, Stud. Phil., Kunstgesch., 1969 abgeschl. K.: Anstell. Pädagoge Erwachs.-Bild. HAS Münster, 1973 Auswand. Israel/Jerusalem, m. Antiqu. geh., 1980 nach Wien, 1. Bez. Antikkeller- Liebiggasse, "Burg-Antik" eröffn. 1983, 199 Übers. a. o. Adresse. (R.T.)

Schramm Michael Ing.

B.: Maschinenbauing., Gschf. FN.: Schramm GmbH. DA.: 1130 Wien, Amalienstr. 62. G.: Heidenleim, 27. Juni 1947. Ki.. Christine (1976). El.: Mattlocha u. Walpurga. S.: VS, HS, Maschienenbaulehre, Abitur, FHS f. Maschinenbau, 1968 Dipl. K.: techn. Ltr. im Verkauf d. dt. Firma Mayer, Quereinstieg in d. Gartenbau-Maschinenbranche, durch Ostblocköff. Vertrieb v. Gartenbaumaschinen nach Polen, Ungarn, Tschechien f. d. Firma Mayer, 1974 nach Wien, Grdg. einer GmbH m. süddt. Unternehmen, ab 1984 Schramm GmbH. H.: Tennis, Golf, Segeln. (W.J.)

Schramm-Strolz Sylvia

B.: Hotelierin. FN.: Hotel Mohnenfluh. DA.: 6888 Schröcken, Heimboden 4. G.: Dornbirn, 1. Sep. 1947. Ki.: Christian (1972). El.: Alfons u. Lydia Strolz. S.: HASCH Feldkirch,Hotelfachschule Bad Reichenhall, Studienaufenth. Paris u. England. K.: 1967 i. elterl. Betrieb, nach Tod d. Vaters Führg. d. Schilifte i. Schröcken, 1 J. Hotelmanagerin i. Stuttgart, 1981 Brandkatastrophe i. elterl. Betr., 1982 Aufbau u. Neueröffnung, s. 1990 Gem.-Vertr. M.: Musikverein Schröcken. H.: Wandern, Schifahren, Theater u. Konzerte, Schwimmen, Reisen, Handarbeiten. (I.D.)

Schrammel Anton

B.: VBgm. d. Marktgem. Gars/Kamp. PA.: 3571 Gars/Kamp, Leopold-Figl-G. 416. G.: Wolfshof/Gars, 30. März 1929. V.: Herta, geb. Busch. Ki.: Günter (1957), Christa Maria (1958), Heidemarie (1958), Ulrike (1962). El.: Karl u. Anna, geb. Lackner. S.: VS, HS, kfm. Ausbild. u. Touristikausbild. K.: 1944-47 kfm. Lehre im Handelshaus Julius Kiennast Gars/Kamp. K.: 1947-79 Ang. u. 5 J. Ltr. d. 1. Selbstbedienungsmarktes d. Bez. Horn, danach Reisender d. Handelshauses f. Hdl. u. Gastronomie im Wald- u. Weinviertel, Wachau, ab 1979 Tourismusdir. f. d. Region Wald- u. Weinviertel Gars/Kamp, 1990 Eintritt in d. Ruhestand, seit 1949 Mtgl. FCG, 1954-79 BetriebsR. Firma Kiennast, 1960 Eintritt ÖVP Gars/Kamp, 1961 Obm. d. ÖAAB Ortsgruppe, seit 1969 gschf. Obm. d. ÖVP, seit 1970 Gem.-Parteiobm., seit 1971 gschf. GemR., seit 1989 VBgm., 1965-85 Mtgl. d. Landesltg. d. GPA NÖ, 1960-85 Beis. in d. Kfm.-Gehilfenprüf.-Kmsn., 1977 Mitbegründer d. Bürgermusikkapelle Gars/Kamp, 1988 Mitbegründer d. RK-Ortsstelle Gars/Kamp, seit 1946 aktives Mtgl. d. Gesang- u. Musikver. u. d. Kirchenchores, 1946-61 aktiver Fußballer, anschl. Funktionär u. seit 1984 VPräs. d. Sport-Union Gars/Kamp, seit 1970 Mitarb. u. seit 1984 Ltr. d. NÖ-BUHW Gars/Kamp, seit 1990 Bez.-Obm.-Stellv. d. Volksmusikschulverb. Horn, seit 1980 Funktionär u. seit 1994 Obm. d. ÖKB Ortsverb. Gars/Kamp, seit 1989 Bez.-Obm. NÖ Seniorenbund u. Organ.-Ref. f. d. Waldviertel u. Mtgl. d. Landesltg. BL.: 1977 Initiator d. Garser Bürgerrunde, 1986 1. Veniltuch-Wasserrutsche Österr. im Sportbad Gars/Kamp, Initiative f. d. Garser-Standort d. Dungl-Zentrum. E.: Silb. EZ d. Landes NÖ, 1989 Gold. Ehrenring d. Marktgem. Gars/Kamp, Wilhelm Pieck-Med. d. GPA-NÖ, Gold. Sport-

EZ d. Landes NÖ, Gold. Landes-EZ d. ÖKB NÖ, Silb. EZ d. ÖKB NÖ, Silb. EZ d. NÖ-BUHW. H.: Politik, Musik, Sport, Radfahren, Wandern, Schwimmen. (M.M.)

Schrammel Dieter Mag.
B.: Gschf. Ges. FN.: GCA Ges. f. Computeranwendungen mbH. DA.: 4020 Linz, Untere Donaulände 36. PA.: 4061 Wilhering, Dörnbacher Str. 128. G.: Magdeburg, 7. Dez. 1944. V.: Christine. Ki.: Sabine, Günther. El.: Hubert u. Katharina. S.: 1959-64 HTL f. Maschinenbau Linz, 1964-66 HS f. Welthdl. Wien, 1966-70 Stud. BWL Schwerpunkt Datenverarb. u. Marketing Kepler-Univ. Linz. K.: 1970-74 wiss. Mitarb. eines Entwicklungsteams z. Realisierung v. Verw.-Informationssysten im Auftrag d. HS-Informations GmbH Hannover, wiss. Mitarb. Univ. Erlangen-Nürnberg, 1979 Mitgründer d. GCA in Nürnberg, 1980-87 Konzeptionelle Ltg., als Berater d. GCA, eines integrierten Produktionsplanes u. Steuerungssystem f. d. Hütte Linz d. VÖEST-Alpine, 1987 Grdg. u. Gschf. d. GCA Linz u. Grdg. u. Gschf. d. Tochterfirma ELDAT GmbH Linz, Hauptarbeitsbereich: CIM, PPS, Großprojektcontrolling, 1981-91 Lehrbeauftragter an d. Univ. Erlangen-Nürnberg f. Softwaretechnologie. BL.: Inh. versch. Patente im Bereich alternative Energien. P.: Gemeinschaftsveröff. in d. Werk Arbeitsberichte d. Inst. f. math. Maschinen u. Datenverarb. v. d. Univ. Erlangen-Nürnberg. H.: Tennis, Segelfliegen, Skifahren. (P.H.)

Schrammel Werner Dipl.Vw.
B.: Prok. PA.: 6020 Innsbruck, Arzler Str. 50a. G.: Innsbruck, 31. Okt. 1943. S.: VS, RG, 1961 Matura, Stud. an d. Univ. Innsbruck, 1966 Dipl. K.: 1967 als Programmierer u. Organisator b. Fa. Katzinger AG (später Philips Data) tätig, danach in Wien als Softwarechef b. Fa. Kienzle, 1976 Übernahme d. Bereiches Wien, 1980 Ausscheiden aus d. Fa., dann f. CTM d. Österr.-Bereich aufgebaut, 1983 Rückkehr z. Fa. Kienzle, Übernahme d. Bdl.-Bereich m. Sitz in Innsbruck. M.: Österr. Offz.Ges., MjrdRes. d. österr. BH. H.: Dichten, Skifahren, Pilze sammeln. (Schm.)

Schranz Edgar Dr.
B.: Mtgl. d. NatR. seit 1971, Ltr. Sozialvers.Ang. DA.: 1017 Wien, Dr.-Karl-Renner-Ring 3. G.: Wien, 2. Juni 1930. S.: VS, RG (1949 Matura), Werkstudent, Univ. Wien u. Graz (1961 Dr. rer. pol.). K.: 1949-65 Bediensteter d. Pensionsvers.Anst. d. Arb., zuletzt Ltr. d. Presseref., nebenberufl. Journalist u. Publizist (mehrere Preise f. wiss. Arb.), ab 1975 Dir. in d. Österr. Bauernkrankenkasse, seit 1974 Gen.-Dir.-Stellv. d. Sozialvers.Anst. d. Bauern, seit 1945 Funktionär in d. Sozialistischen Jugend, seit 1947 in d. SPÖ, Bez.Obm. d. SPÖ Wien/Leopoldstadt, Mtgl. d. BParteivors. u. d. Wr. Vorst. d. SPÖ, seit 1979 Vorst.Mtgl. d. Klubs d. sozialistischen Abg. u. BundesR., Mtgl. d. Verbandsvorst. u. d. Präsidiums d. Pensionistenverb. Österr., 1970-71 Mtgl. d. BundesR.

Schranz Ernst
B.: Oberkellner, VBgm. DA. u. PA.: 7431 Bad Tatzmannsdorf, Edelweissg. 6. G.: Mönichkirchen, 8. Dez. 1947. V.: Edith, geb. Wukits. El.: Johann u. Anna. S.: Gastgew.-Schule. K.: seit 1962 im Gastgew. tätig, seit 1970 Oberkellner, seit 1982 im GemR. u. VBgm. M.: AufsR. d. Kurbad Tatzmannsdorf AG, LLtg. d. Gewerkschaft Hotel- u. Gastgew. f. NÖ u. Bgld. H.: Skifahren, Schwimmen, Radfahren. (War.)

Schranz Harald Dr. Mag.
B.: Gschf. d. Intermarket Factoring GmbH. DA.: 1150 Wien, Linke Wienzeile 234, Tel. 85 76 26/220. G.: Wien, 9. März 1952. V.: Dr. iur. Evelyn. S.: RG, WU Wien, 1979 Prom. K.: selbst. Betriebsberater (Gewerbeschein), Abt. Unternehmensanalyse d. Girozentrale (1980-81), anschl. Gschf. d. Sparconsult, seit 1983 Gschf. d. Intermarket Factoring GmbH (1971 als Tochterinst. d. Girozentrale gegr.) P.: Publ. in Fachzeitschriften z. d. Themen "Sanierungsproblematik" u. "Factoring". M.: Factors Chain Intern. H.: Tennis, Skifahren, Fotografieren. (Sei.)

Schranz Herbert Dkfm.
B.: Dir., Gschf., Einzelprok. DA.: 1110 Wien, Haidequerstr. 3. PA.: 1190 Wien, Sauerburgg. 7. G.: Oberschützen, 23. Febr. 1928. Ki.: Gerlinde, Günther. El.: Josef u. Karoline. S.: Mittelschule, HS f. Welthdl. K.: Engl. Korrespondent, kfm. Ltr., Prok., Hauptges. H.: Tennis, Garten, Literatur, Lesen. (Fels.)

Schranz Hermann
B.: Tischler, Inh. FN.: Schranz Hotelausstattung. DA.: 9020 Klagenfurt, Anzengruber Str. 37. G.: Bernstein, 28. Nov. 1940. V.: Anna Maria. Ki.: Eva (1971), Ines (1973), Jürgen (1983). El.: Johann u. Maria. S.: VS, HS, Berufsschule, Gesellenprüf. Tischler. K.: 5 J. Tätigkeit im Tischlergewerbe, Außendiensterfahrung Textilfirmen, seit 1978 selbst. H.: Joggen, Wandern, Sport allg., Fußball, Tennis. (W.M.)

Schranz Josef Dipl.-Ing.
B.: Betriebsltr., Agraring. FN.: NÖM. GT.: Vorst. Milchprüfring NÖ Ost. DA.: 1200 Wien, Höchstädtpl. 5. PA.: 1200 Wien, Höchstädtpl. 5/8. G.: Holzschlag, 6. Juli 1929. V.: Herta, geb. Bruckner. Ki.: Elisabeth, Martin. El.: Josef u. Anna. S.: 1949 Matura, Stud. BOKU 1953 Dipl. K.: Praktikant in mehreren Betrieben, Laborltr. in Oberwart, Betriebsltr. Privatmolkerei PARTIK, seit 1970 NÖM Betriebsltr.Stellv., seit 1985 Betriebsltr. E.: 1976 Gold. Verdienstz. d. Rep. Österr. H.: Heimwerker, Häuslbauer, Schwammerlsuchen. (Erh.)

Schranz Karl KommR.
B.: Hotelier Hotel Karl Schranz. GT.: Journalist, Kolumnist. DA.: 6580 St. Anton/Arlberg. PA.: 6580 St. Anton/Arlberg, Oberdorf 372. G.: St. Anton/Arlberg, 18. Nov. 1938. V.: Evelyn, geb. Keglevich. Ki.: Anna-Maria (1983), Christiane (1985), Katharina (1989). El.: Anton u. Anna. S.: Kfm. Berufsschule. K.: 1956-72 Skinationalmannschaft, 2x WM-Silber, 1x WM-Bronze, 1x Olympia Silber, 3x Weltmstr., 2x Weltcupgesamtsieger, Kandahar- u. Hahnenkammsieger. P.: Bücher: Weißer Lorbeer, Die Karl Schranz Skischule. E.: Gold. VZ d. Rep. Österr., EZ d. Landes Tir. H.: Golf, Tennis, Skifahren, Oper, Musik, Lesen.

Schranz Kurt Mag.
B.: Marketingberater. FN.: Freund-Werbeagentur. DA.: 4021 Linz, Rainerstr. 14. PA.: 6020 Innsbruck, Philippine-Welser-Str. 84. G.: Innsbruck, 18. Dez. 1959. El.: Franz u. Irma. S.: HASCH Innsbruck, 4J. ÖBB, 2J. Aufbaulehrg. Telfs, HAK-Matura, BWL-Stud. in Innsbruck 1983-88. K.: 1J. Sydney/Australien, 1988-91 selbst. m. Werbeagentur Adcom in Innsbruck, s. 1991 b. Freund-Werbeagentur Linz (verantwortl. f. Marketingberat., Konzeption, Kontakte). P.: in div. Tagesz., Pinn-Ztg. (Abschied v. klass. Marketing). M: Marketing-Club Linz. H.: Kunstsammler (moderne intern. Künstler), Literatur, Reisen. (P.H.)

Schranz Siegfried Dir.

B.: Gschf., Kfm. u. Techniker. FN.: Rolba Intropa Baumaschinen Handels GmbH. DA.: 5101 Bergheim, Grafenholzweg. PA.: 1222 Wien, Wagramer Str. 98. G.: Mörbisch am See, 5. März 1941. V.: Christine, geb. Schönwetz. Ki.: Christian, Sabine, Caroline. El.: Adolf u. Caroline. S.: VS, HS, BGewerbeschule Mödling. K.: 1963-67 Fa. Purator, 1967 Verkauf Außendienst b. Fa. Rolba, 1974 Abt.Ltr., 1977 Prokura, 1981 Dir. f. d. Geschäftsbereich Wien m. Anlagenbau u. Kommunalmaschinen, 1986 Gschf. d. neu gegründeten Rolba Innsbruck GmbH Sbg., 1989 Abgabe d. Agenden Rolba Wien, Gschf. d. Rolba Intropa Baumaschinenhandels GmbH. P.: lfd. Publ. in d. Firmeninternen Zeitung. H.: Sport, Statistik, Lesen. (M.B.)

Schranz Sieghart

B.: Hotelier, Kellner. FN.: Sporthotel Astoria. DA.: 6534 Serfaus, Untere Dorfstr. 18. G.: Zams, 7. Apr. 1941. V.: Johanna, geb. Schwarz. Ki.: Silvia (1968), Karin (1973). El.: Alois u. Anna. S.: Kellnerlehre in Innsbruck, 1959 Abschluß, 1974 Konzessionsprüf., 1960 BH. K.: 1962-63 Praxis auf d. Holland Amerika Lyns, mehrere Weltreisen, 1963-64 in Genf u. Hotel Ritz in Paris, verschiedene Kurse u. Seminare f. Sprache u. Fachkenntnisse, 1966-76 Gschf. Tourismusverband Serfaus, 1970 Bau d. Sporthotels Astoria in Serfaus, 1976 Führung d. Hotels zusammen mit d. Gattin. M.: Kammer d. gewerbl. Wirtschaft Sektion Gastgewerbe, AufsR.-Mtgl. Mitgliederbetreuung Sportverein Serfaus, Sektionsltr. Tennis. H.: Tennis, Skifahren, Jagd. (I.D.)

Schratt Ferdinand

B.: Gschf. FN.: Wollers Komet - Woller GmbH. DA.: 1120 Wien, Schönbrunnerstr. 230. G.: Eggenburg, 31. Dez. 1941. V.: Maria. Ki.: Alexander, Katharina. El.: Alois u. Angela. S.: Grundschule, HS, HASCH. K.: 1958 Raiffeisen Lagerhaus Horn, 1969 Komet. H.: Jagd.

Schratter Dagmar Dr. phil.

B.: Biologin, Vogelkurator. FN.: Tiergarten Schönbrunn GesmbH. DA.: 1130 Wien, Maxingstr. 13B. PA.: 1130 Wien, Fürstenstöckl 19. G.: Klgf., 26. Mar. 1954. El.: Erich u. Gerda. S.: 1973 Mat., 1973-84 Stud. Biologie Uni Graz m. Prom. z. Dr. phil. K.: 1979-81 freie Mitarb. Inst. f. vergleichende Verhaltensforsch. Wilhelminenberg, 1981-93 wissenschftl. Angestell., a. 1989 Ltr. d. Abt. Staning-Enns Inst. f. angewandte Ökoethologie, 1993 Eintr. Tiergarten Schönbrunn. P.: Publ. z. ökolog. Aufwert. v. menschenveränderten Lebensräumen. E.: Zettel-Preis (NÖ. Naturpreis). M.: Vorst.-Mtgl. d. Forschungsgemeinschaft Wilhelminenberg, wissenschftl. Beirat Ver. Ökologie u. Umweltforsch. H.: Reisen, Lesen.(N.A.)

Schratter Gerlinde

B.: Steuerberater. DA.: 1130 Wien, Anton-Langer-G. 51/II/6. G.: Wien, 12. Apr. 1944. El.: Rudolf u. Hedwig Schratter. K.: 1979 Steuerberaterprüf., seit 1979 selbst. Berufsausübung. (Lar.)

Schratter Hans Siegfried Dr. phil.

B.: Biologe, Vors. Forsch.-Gemeinschaft Wilhelminenberg, Landesbeauftragter f. Natur- u. Landschaftsschutz d. OÖ Landesrg. DA.: 1090 Wien, Glaserg. 20. PA.: 4431 Haidershofen, Dorf a.d. Enns 68. G.: Wolfsberg, 17. Apr. 1953. El.: Johann u. Theresia. S.: 1972 Matura, 1972-75 Stud. Päd. Ak. Klagenfurt, 1975 HS-Lehrer f. Naturgeschichte u. Engl., 1975 Lehramtsprüf., 1975-80 Stud. Biologie Univ. Graz. K.: seit 1976 Mitarb. in d. Forsch.-Gemeinschaft Wilhelminenberg u. am Inst. f. vergleichende Verhaltensforsch. ÖAW Wien, seit 1980 Ltr. d. Inst. f. angew. Öko-Ethologie in Staning, 1984-88 Stellv. v. Prof. Otto Koenig u. Vorst.-Mtgl. d. Ver. f. Ökologie u. Umweltforsch., seit 1985 Univ.-Lektor f. Ökologie TU Wien, seit 1988 Landesbeauftragter f. Natur- u. Landschaftsschutz d. OÖ Landesrg., 1983 Prom. z. Dr. phil., seit 1994 Vors. d. Forsch.-Gemeinschaft Wilhelminenberg. P.: zahlr. fachspez. Publ. u. wiss. Filme am IWF Göttingen u. Mitautor v. versch. Fachbüchern, Vortragstätigkeit verbunden m. zahlr. In- u. Auslandsstudienreisen. M.: Grdg.-Mtgl. d. Kunstver. Steyr, Zoolog. Ges. Braunau, Intern. Ges. f. Alpenornithologie, Round Table Nr. 7 Steyr. H.: Bücher, Reisen, Fotografieren, Jazz. (I.K.)

Schratter Rudolf

B.: Bgm., Beamter. FN.: Marktgemeindeamt Hüttenberg. DA.: 9375 Hüttenberg, Reiftanzplatz 1. PA.: 9376 Knappenberg, Großkoll 62. G.: Lölling, 9. Juni 1953. V.: Sigrid, geb. Juritsch. Ki.: Rudolf (1977), Andrea (1983). El.: Eduard u. Rosalia. S.: VS, Akad. Gymn. Graz, 1967-72 BORG Althofen, Mat. K.: Tätigk. in Privatind. in BRD, 1974 Tätigk. i.d. Gem. Hüttenberg als Beamter, s. 1991 Bgm. BL.: Durch die 1978 erfolgt Schließung d. Bergbaues Mitarb. am Aufbau d. Geo-Zentrums Knappenberg, Schaubergwerk Knappenberg u. Mineralienschau, d. H. Harrer Museums u. Freilichtsmuseums Heft, f.d. 1985 d. Staatspreis vergeben wurde, ab 1987 Projektentw. f.d. 1995 stattfind. Landesausstell. F.: s. 1989 Stellv. Obm. "Norische Region", s. 1990 Stellv. Obm. Österr. Schaubergwerke u. Höhlen. E.: Gold. EZ Ktn. Bildungswerk, Bronz. EM Ktn. Sängerbund. P.: "Wanderungen durch Hüttenberg", Klgft. 1981 "Lingkor - Weg des tibetischen Buddhismus", Kgft. 1994 u. div. Art. in versch. Publ. M.: Obm. MVG Stahlklang Hüttenberg, div. örtl. Vereine. H.: Singen, Völkerkunde, Gesch., Sport. (G.L.)

Schrauf Wolfgang Dipl.-Ing.

B.: selbst. Unternehmer. FN.: Kfz-Technik Schrauf. DA.: 1040 Wien, Johann-Strauß-G. 40. PA.: 1210 Wien, Dopschstr. 29. G.: Wien, 11. Dez. 1947. V.: Erika, geb. Heckenast. Ki.: Wolfgang (1971). El.: Ing. Johann u. Mag. Angela, geb. Salomon. BV.: Großvater Ing. Salomon war Oberrev. b. d. ÖBB, Betriebsltr. Streckenltg. Nord, Erfinder v. Patenten d. im Techn. Museum Wien ausgestellt sind. S.: 1970 Matura, 1971-76 Stud. Gießerei u. Hüttenwesen TU

Duisburg. K.: 1976-77 Außendienst im In- u. Ausland, 1977-79 Gießerei- u. Betriebsltr. Armaturenwerke Krammer Wr. Neustadt, 1979-80 Techn. Dir. Frings Tonbergbau, 1980-82 Gießerei- u. Betriebsltr. b. d. Ktn. Maschinenfbk., 1982-83 Projektltr. f. eine Stahlgießerei in Lybien, 1984-86 gewerberechtl. Gschf. d. Stahlwerks Ybbs/Donau, ab 1987 selbst., seit 1968 im intern. Rennsport tätig, Teilnehmer an Staats-, EM u. WM, Bergrekorde. E.: 1989 Intern. Bergpreis Speed-Weekend-Preis, mehrere andere Ausz. M.: Innungsmtgl. H.: Musik (Geige, Klavier, Orgel). (N.A.)

Schreckeneder Werner Dr.

B.: Gschf. FN.: Stern & Hafferl Verkehrs GmbH. DA.: 4810 Gmunden, Kuferzeile 32. PA.: 4810 Gmunden, Dr.-Thomas-Str. 18a. G.: Berlin, 31. Juli 1939. Ki.: Doris (1972), Ines (1976). El.: Ingobert u. Gwendolin. BV.: Vater Ingobert Stern Kammerfunktionär f. Verkehrswesen, Güterverkehr u. Sped., Aussch.-Mtgl. v. Fachverb. f. Schiffahrtsunternehmungen, Urgroßvater Fritz Schröder Erbauer d. Achensee-Bahn, Urgroßvater Alfred Kaizl Dir. d. Südbahn. S.: 1959 Matura, 1 J. BH, Jusstud., 1965 Prom., Gerichts- u. Notariatspraxis im väterl. Betrieb b. Stern & Hafferl GmbH. K.: seit 1965 Tätigkeit f. Stern & Hafferl GmbH, Aufbau d. Touristiktätigkeit u. Expansion d. Autobusbetriebes zu bedeutendem Betriebszweig d. Verkehrsunternehmung, seit 1967 aktienrechtl. Vorst. einiger d. v. Stern & Hafferl GmbH betriebene Lokalbahnen, 1984-89 Prok., seit 1989 Gschf. M.: Skal-Club Salzkammergut. H.: Kultur (Ausstellungen, Galerien), Kulturreisen, Musik, Wandern, Gartenkultur. (E.Hö.)

Schreder Alfred Dr.

B.: beeid. Wirtschaftsprüfer u. Steuerberater. DA.: 1040 Wien, Prinz-Eugen-Str. 16. PA.: 1130 Wien, Lainzer Str. 80. G.: Salzburg, 27. Juni 1950. V.: Gabriele Dr., geb. Chiari. Ki.: Martin, Theresa. S.: Ak. Gymn. Sbg., Univ. Wien, WU Wien, Univ. Graz. K.: 1975-81 Süd-Ost Treuhand AG Wien, seit 1981 selbst. Wirtschaftsprüfer u. Steuerberater. P.: div. Art. in Fachzeitschriften. M.: Vorst.Mtgl. in d. Österr. Ges. d. Wirtschaftstreuhänder, Mtgl. d. Fachsen. f. Steuerrecht. H.: Skifahren, Golf, Segeln, klass. Musik. (Hau.)

Schreder Elfie

B.: freischaff. Designerin. PA.: 4020 Linz, Stefan-Fechter-Weg 2. G.: Bad Ischl, 16. Nov. 1943. El.: Franz Xaver u. Luise. S.: VS, HS, Einzelhdls.-Dekorationslehre, 1962 Kfm.-Gehilfenprüf. K.: seit 1962 selbst. Dekorateurin im In- u. Ausland: Klingele Basel/Schweiz, Stoff Kastner Linz, Viktor Gollhofer Sbg., Max Homolka Linz, Jacob Egger Linz, Gertrude Schmidtmayer Chasa-Moda Steyr, 1983-88 Consulententätigkeit f. Stefanel Intern. Italien, Aufbau u. Ltg. aller Deko-Aktivitäten in Folge d. intern. einheitl. franchising Dekorationsauftritts, Lokalgestaltung in Linz, Wohnungsgestaltung, Design v. T-Shirts. P.: versch. Berichte. E.: Preise b. Schaufensterwettbewerben. H.: Beruf, Gestalten, Musik, Sammelleidenschaft. (U.E.)

Schreder Reinhard

B.: Hotelier, Inh. FN.: Schreder Hotel u. Gaststätten KG. DA.u. PA.: 6348 Waidring, Kirchg. 1. G.: St. Johann i. T., 7. Sep. 1956. V.: Roswitha, geb. Nußbaummüller. Ki.: Sandra (1976), Florian (1981). El.: Markus u. Barbara. S.: VS, Gymn., Hotelfachschule, 1974 Hotelkfm., 1976 BH. K.: Auslandspraxis in Frankreich, Hotel Post St. Anton, seit 1979 in d. elterl. Hoteleriebetrieben tätig, Gschf. d. Gasthauses Steinplatte u. 1987 Übernahme d. Hotels Tiroler Adler u. d. Gasthaus Steinplatte. M.: FF Waidring, Bogensportclub. H.: Bogensport, Skifahren, Radfahren. (J.F.)

Schreder Josef

B.: Tischlermstr., Inh. FN.: Schreder Fensterbau Möbeltischlerei. DA.: 5524 Annaberg 104. PA.: 5524 Annaberg 153. G.: St. Martin, 26. Nov. 1954. V.: Johanna, geb. Grasmugg. Ki.: Andreas (1981), Rupert (1985). El.: Johann u. Katharina. S.: VS, HS, 4 J. Tischlerfachschule Hallein, 1972 Gesellenprüf. K: 1972-77 Praxis im elterl. Betrieb, 1977/78 Mstr.-Schule Hallein, 1978 Mstr.-Prüf., seit 1988 Inh. H.: Radfahren, Tennis, Modelleisenbahn. (J.F.)

Schrefl Nikolaus

B.: Society Reporter. FN.: Täglich Alles. DA.: 1210 Wien, Office Ignaz Köckstr. 17. G.: St. Lambrecht, 9. Juli 1964. El.: Georg u. Maria Schrefl. S.: Hotel-FS i. Innsbruck, 1985-90 Filmakademie West Berlin, Filmregiestud. i. Mailand, 1991 2 Filme i. Wien: Experimental-Film mit Mitteln d. BM f. Unterricht u. Kunst, Cafe-Film über Aida. K.: s. 1992 Society-Reporter bei "Täglich Alles". P.: über Alan Turring i. int. Magazinen. H.: Kampfsportarten, Schwimmen, Wellenreiten, Bücher v. Balzak (Menschliche Komödie).

Schrefl Werner Dipl.-Ing.

B.: Ing. Konsulent f. Vermessungswesen. DA.: 3130 Herzogenburg, Rathauspl. 8. PA.: 3130 Herzogenburg, Griesfeldg. 4. G.: St. Pölten, 7. Aug. 1950. El.: Ing. Ernst u. Hedwig. S.: HTL Hochbau Krems 1964-69, 1970-78 TU Wien. K.: 1978-85 Vermessung AKH Wien b. Prof. Peters Korschineck, s. 1985 selbst. Ing. Konsulent f. Vermessungswesen i. Herzogenburg. M.: Obm. Sportfliegerclub Herzogenburg. H.: Segelfliegen.

Schregenberger Ilse

B.: Ltr. Seniorenheim Lauterach. DA.: 6923 Lauterach, Montfortpl. 1. PA.: 6923 Lauterach, Lindenweg 8. G.: Bregenz, 3. März 1940. El.: Ing. Michael u. Berta Schregenberger. S.: Pflichtschule, HASCH, Haushaltungsschule, 1 J. Frankreich, Dipl. f. Franz. Sprache, 1961 Dipl. Kinder- u. Säuglingsschwester. K.: Krankenschwesterausbild. m. Praktikum Univ.-Klinik Innsbruck, 1961 Dipl., KH Bregenz, 8 J. Chir. Abt., 1969 Stationsschwester b. Neugeborenen u. Frühgeburten, 1976 persönl. Begleitung

eines adoptierten Säuglings nach Monte Vista/Südafrika, 1976 Ltr. Seniorenheim Lauterach, Initiatorin d. Seniorengymnastik. M.: Hundesportver. Hard, einige J. in d. Gem.-Vertretung Lauterach, Österr. Krankenpflegever., Tierschutzver. H.: Hundesport, Musik (Klavier, Geige). (I.D.)

Schreiber Harald Mag. arch.

B.: bild. Künstler. DA.: 1060 Wien, Schadekg. 18, Tel. 587 54 99, 9371 Brückl, St. Johanner Str. 24. G.: St. Veit/Glan, 21. Febr. 1952. V.: Dr. Sylvia, geb. Glabischnig. Ki.: Anna Paloma. El.: Norbert u. Paula. S.: HTL (Hochbau), HS f. angew. Kunst in Wien (Ind.Design, Prof. H. Hollein), Ak. d. Bild. Künste in Wien (Arch., Prof. G. Peichl), 1983 Dipl. (300 Freistellungen arch. Gebilde aus Alfred Kubin's Zeichnungen, Planung eines Kubin-Museum), Diss. TU Wien (Thema: v. Künstlern geplante u. gebaute Häuser u.a. v. Emil Nolde, Walter Pichler, Gero Schwanberg, Othmar Jaindl), seit 1983 Lehrbeauftragter an d. HS f. angew. Kunst in Wien. K.: seit 1975 entstand täglich mindestens eine Zeichnung (Spurensicherung in Form eines zeichnerischen Tagebuches), Geschehenes, Gesehenes, Gehörtes, Gefühltes spiegelt sich wieder, die intensive Auseinandersetzung u.a. m. Picasso, F.I. Wright, J. Hoffmann, Eames, C. G. Jung, Eliade, Brancusi, Calder, Max Ernst, Klee u. Leonardo wird dokumentiert, Geburts- u. Todeszeichnungen sind Persönlichkeiten d. Geschichte gewidmet. Besonderes Interesse gilt d. Archäologie, Völkerkunde, Kulturgeschichte u. vergleichende Religionswiss., d. Arb. d. Künstlers sind in Richtung "Gesamtkunstwerk" ausgerichtet, Verbindung v. Architektur, Design, plast. Gestalten, Malerei, Graphik, Vergangenheit, Zukunft u. Leben, als Signet kehrt in allen Arbeiten ein Flugsymbol wieder, ca. 100 Ausstellungen im In- u. Ausland, u.a. 1971 Secession, 1976 Künstlerhaus Klagenfurt, 1976-80-86 Tir. LMuseum Ferd., 1980 Gal. Hilger Wien, 1980 Künstlerhaus Wien, 1983 Bologna Kunstmarkt, 1983 Gal. Contact Wien, Udine Intart, 1984 Gal. Carinthia Klagenfurt, 1985 Uno City Wien, 1986 Stadttheater Klagenfurt, 1986 Palais Thurn u. Taxis Bregenz, 1987 Gallerie Holzer Villach, 1987 Architekturmuseum Frankfurt, 1987 Cooper Union New York, 1989 Künstlerhaus Sbg. P.: 1985 Planung u. Realisierung eines Bierlokales in Wien. E.: 1976 Preis d. BRD b. 15. Österr. Graphikwettbewerb Innsbruck, 1976 1. Preis b. Ideenwettbewerb, 1977 Preis b. Arch.Wettbewerb, 1978 Förd.Preis d. Wr. Kunstfonds, 1980 Preis d. Landes Bgld. b. 17. Österr. Graphikwettbewerb Innsbruck, 1981 Österr. Staatsstipendium f. Bild. Kunst, 1981 Anerkennungspreis b. Graphikwettbewerb d. Koref-Stiftung Linz, 1983 Meisterschulpreis Ak. d. Bild. Künste Wien, 1986 Preis d. Landes Vbg. b. 20. Österr. Graphikwettbewerb Innsbruck. H.: Videothek, Kunst, Bücher, Reisen. (M.B.)

Schreiber Heinz Dr. techn. Dipl.-Ing. Mag. rer. nat.

B.: Sektionschef. Ltr. d. Sekt. I Bundesmin. f. Umwelt. DA.: 1031 Wien, Radetzkystr. 2. PA.: 1190 Wien, Reimersg. 16. G.: Wien, 21. Juni 1939. V.: Christiane, geb. Vogt. Ki.: Birgit (1970), Christian (1972). El.: Georg u. Anna, geb. Schönbeck. S.: 1957 Matura, 1957-69 Werkstudent TH Wien, Studienrichtung Techn. Chemie, 1969 Sponsion z. Dipl.-Ing., 1974 Prom. z. Dr. techn., 1974-76 Lehramtsstud. Univ. Wien, 1976 Spons. z. Mag. rer. nat. K.: 1975 Eintritt BMWF, 1986 Ltr. d. Abt. f. wirtschaftsbez. Forsch. im BMWF, seit 1987 Ltr. d. Sekt. I im Bundesmin. f. Umwelt, Jugend u. Familie. P.: Univ.-Lektor, Honorarprof. a. d. TU Wien. div. Fachpubl. in Fachzeitschriften, Vortragstätigkeit. E.: Gr. Gold. EZ f. Verd. um d. Rep. Österr. H.: Naturwiss., Politik. (N.A.)

Schreiber Herta Eva Dr. iur.

B.: RA. DA.: 4600 Wels, Maria-Theresia-Str. 19. PA.: 4600 Wels, Fabrikstr. 35. G.: Bad Hall, 30. Juli 1944. V.: Mag. Johannes. Ki.: Sibylla. El.: Dr. Anton u. Herta Eidherr. S.: Gymn. Wels, 1962 Matura. K.: 1962-69 Postdiensttätigk. B in Wels, Verkehrsdienstprüfung III, Jusstud. in Linz, Dez. 1973 Prom. (Begabtenstip.), Gerichtsj. in Wels, 3 J. Praxis bei RA, weiterer Dienst am Gericht Wels, seit 1979 eigene Kanzlei (Schwerpunkt: Familienrecht, Strafrecht). M.: Frau zu Frau. H.: Wandern, Schwimmen, Langlaufen. (P.H.)

Schreiber Michael Dr. Mag.

B.: Univ. -Ass. FN.: Inst. f. Absatzwirtschaft. DA.:1090 Wien, Aug. 2-6. PA.: 1020 Wien, Gr. Sperlg. 4/8. EL.: Evelyn u. Ernst. S.: 1978 Matura, bis 1984 Stud. Schauspiel, Meditation, Aufenth. ín BRD u. anderen europ. Ländern. K.: 1985 Reiseführer, 1986 Ausb. bei Matsushita Electric u. Verkaufsrepr. in Asien, bis 1988 Konsulent u. Organisator f. Festivals in Österr., 1987 Diplom WU Wien Betriebswirtschaftslehre, Aufbau d. abt. Planung u. Organisationsentwickl. d. Rektorates a. d. WU, Kooperation mit d. Büro d. Unternehmensberatung CASTFounding Director d. New Hampshire Center f. Eastern Europ. Transaction, s.1990 Univ. Assist. am Inst. Forschungsschwerpunkt: Anwendung d. Theorie d. Traktale im Marketing sowie Untersuchung d. Informationsmarktes Internet. M.: Östrr. Studienges. f. Kybernetik, Grünungsdir. d. New Hampshire Zentrums f. Handel u. Ausb. P.: Fraktale Differenzierung ursprüngl. Vollbeschäftigung Hadrian Marketing, Initiaing Sustainable Urbanization, Fractal Concepts for Mananging Urban Development. H.: Malen, Dichten, Tanzen. (W.J.)

Schreiber Vitalis Dr. agr. Dipl.-Ing.

B.: Zentraldir., VPräs. d. Versuchsstation f. d. Gärungsgew. Wien, Gschf. d. Güssinger Mineralwasser GmbH Gerersdorf-Sulz, VBV Vereinigte Beteiligungs u. Vermögensverw. GmbH Sbg. u. Pago Fruchtsäfte GmbH Klagenfurt. PA.: 4020 Linz, Bockg. 4a.

Schreiber Wilhelm Dr.

B.: FA f. Innere Med. DA.: 1200 Wien, Dresdner Str. 48-54/7/1/5. PA.: 1130 Wien, Schloß Schönbrunn Hauptgebäude 9. G.: 4. Okt. 1914. Ki.: Christina, Dr. Wilhelm. El.: Dr. Karl u. Franziska. S.: VS, Gymn., 1933 Matura, 1933-39 Stud. d. Med. Wien, 1939 Prom. K.: b. 1940 an II. Chir. Abt. d. II. Univ.Klinik, b. 1945 b. Militär, b. 1947 in russ. Gefangenschaft, danach KH Lainz II. Med. Abt., seit 1956 selbst. FA f. Innere Med., Spezialgebiet: Rheumatologie. BL.: 48-85 Arb. m. Prim. Leopold Altmann auf d. Gebiet d. Herdlehre, zahlr. Vorträge u. Arb. P.: "Langzeitbehandlung d. prim. chron. Polyarthritis b. Umstellung auf Ultralan", 1978 zahnärztl. Tagung in Sbg. "Innere Med. u. Herdgeschehen". M.: Ges. f. Innere Med. H.: Wandern, Radfahren, Schwimmen, Literatur. (S.S.)

Schreiberhuber Edeltraud

B.: Besitzerin d. Hotel-Restaurants "Lauriacum" GmbH & Co KG. PA.: 4470 Enns, Wiener Str. 5-7. G.: Linz, 24. Juli 1950. V.: Wolfgang Heubel. Ki.: Enrico. El.: KommR. Leopold u. Maria Schreiberhuber. S.: Frauenberufsschule. K.: 1968-72 selbst. Stadthotel Enns, 1972 Bau d. Hotels Lauriacum, 1982 Eröff. d. "Le café" in Asten. M.: Golfclub Linz, Hotelver. H.: Golf, Reisen, Musik. (A.W.)

Schreiberhuber Leopold KommR.

B.: Kfm., Industrieller. PA.: 4470 Enns, Volkersdorf 6. G.: Enns, 13. Juni 1922. V.: Maria, geb. Eigner. Ki.: Edeltraud, Leopold, Ewald, Irmgard, Irene. El.: Leopold u. Maria. S.: VS, HS. K.: 1936 Eintritt in d. elterl. Betrieb (Kies- u. Transportwerk), 1941-45 Dt. Wehrmacht, 1946 selbst. Übernahme d. elterl. Betriebes "Schreiberhuber" Transportunternehmen u. d. elterl. Landwirtschaft., 1947 Grdg. d. Fa. Betonwk. Schreiberhuber in Volkersdorf, 1958 Grdg. eines Zweigbetriebes in Asten, 1972 Bau d. Hotels Lauriacum in Enns, 1973 Bau d. Zweigwerkes Fertigteilbeton II in Asten. E.: KommR. 1980, silb. EZ f. d. Verd. um d. Rep. Österr., silb. EZ d. Landes OÖ u. d. Donaueurop. Inst. Wien. M.: Kam. d. Fachgruppe Stein- u. keram. Ind., Allg. Innung, BKam. Wien, LGruppenobm. d. Verb. OÖ Beton-Steinwerke. H.: Jagd. (A.W.)

Schreibmüller Christian Erich

B.: Bild. Künstler. DA.: 1070 Wien, Zieglerg. 14. PA.: 1070 Wien, Stuckg. 3. G.: Asten/OÖ, 6. Juni 1949. V.: Ursula, geb. Grosser. Ki.: Delia (1978). El.: Dr. Erich u. Therese. S.: 1967 Matura, mehrere Stud. u.a. HS f. Angew. Kunst b. Prof. Unger (Malerei u. Foto-Grafik) b. 1972, zusätzl. Stud. d. Germanistik, Beschäftigung m. Fotografie in schwierigen Randbereichen d. Ges. z.B. Punks, Sandler, Haftentlassene, anarchistische Jugendbewegungen, sexuelle Emanzipationsbewegungen u. grün-alternative Themen, Initiator mehrerer selbstverwalteter Häuser f. künstler. u. polit. Aktivitäten. P.: zahlr. Fotokataloge, Beiträge in Bücher u. Zeitschriften z.B. "Wiener", "Profil", "Basta", "Wochenpresse", "MO2" etc., Ausstellungen: Snacks: Museum d. Zwanzigsten Jahrhunderts Wien 1980, Eltern, Schüler, Lehrer: Museum Nordico Linz 1982, Wiener Szene 1972-1982: Secession Wien 1983, Schwule Menschenrechte: Wien 1984, Ljubljana 1985, Sprax Back: Wien 1985, Männerkörper: Wien 1985, 1986, Manipulierte Freunde: Wien 1986, Herren ohne Hüllen: Berlin 1987, Wien 1987, Nürnberg 1989. (P.R.)

Schreier Franz

B.: Betriebsratsobm. d. Vorwärts AG u. Vors. d. Arbeiterbetriebsrates, Schriftsetzer. FN.: Druckhaus Vorwärts AG. DA.: 1030 Wien, Viehmarktg. 4. PA.: 1030 Wien, Markhofg. 12-18/7/1. G.: Wien, 19. Juli 1931. V.: Irma, geb. Janisch. Ki.: Renate, Silvia. El.: Franz u. Rosa. S.: Pflichtschulen, Fachschule f. Schriftsetzerlehre. E.: Zentralvorst.Mtgl. d. Gewerkschaft Druck u. Papier, Gold. EZ f. Verd. um d. Rep. Österr., Ehrennadel in Gold f. langjähr. Mitarb. in d. SPÖ seit 1951, 25 J. Ehrenabz., ehrenamtl. Mitarb. d. SPÖ-Landstraße, Sekt. 18. M.: SPÖ, Gewerkschaft Druck u. Papier, Club-Mtgl. d. FSG. H.: Schrebergarten, Sport (allg.), Computer-Schach.

Schreiner Alfred Dr. rer. oec.

B.: Dipl.-Betriebswirt, Inh. FN.: Atebo Schreiner OHG Import, Export, Groß- u. Einzelhdl., Ind.-Bedarf, Autobedarf, biopur Chem. Produkte, Elektromaschinen. DA. u. PA.: 5322 Hof b. Salzburg, Gitzen 74. G.: Budweis, 21. Juli 1942. V.: Wiltrud, geb. Twrdy. Ki.: Edith (1978). El.: Georg u. Margarethe. BV.: Familie 1638 bereits urkundl. erwähnt, Familienwappen, Familie seit Jhdt. Kaufleute (Salz- u. Tuchhdl. Sbg.-Böhmen). S.: VS u. HS Schärding, Wirschaftsaufbauschule Passau, 1960 Abitur. K.: Präsenzdienst, Ang. b. Länderbank, Sparkasse u. Bayer. Staatsbank Passau, anschl. Verkaufsltr. einer Bohrerfbk. b. Passau, Banker, Produktion (1968-73), 1973-76 Gschf. f. Tübinger Steinbohrerfbk. nahe Passau, seit 1976 selbst. m. Verkauf v. Bohrerwerkzeugen, 1976 Grdg. Atebo Sbg., seit 1979 Betriebsndlg. in Hof b. Sbg., seit Apr. 1994 promov. zum Dipl.Bw. Dr. rer.oec. BL.: Fabriksbaukonzepte f. Südamerika. M.: Gründer u. Obm. d. Förderungsver. f. Behindertenarb. in Sbg. (1987). H.: Tennis, Meer, Familie. (E.Hö.)

Schreiner Alfred

B.: Betriebsdir. d. LKH Deutschlandsberg. DA.: 8530 Deutschlandsberg, Radlpaßstr. 29. PA.: 8530 Deutschlandsberg, Föhrenweg 11. G.: Graz, 22. Juni 1935. Ki.: Gabriele (1960), Angelika (1962), Raffaela (1968), Stefan (1989). El.: Alfred u. Ludmilla. S.: VS, Gymn., 1954 Matura. K.: 1955 Eintritt Verw.-Dienst LKH Graz, sämtl. Sparten d. Verw.-Dienstes durchlaufen, 1966 Verw.-Ltr. LKH Mariazell, 10 J. Dir., ab 1976 Verw.-Ltr. d. LKH Bruck/Mur, ab 1984 Dir. LKH Deutschlandsberg, 1985 Eröff. d. LKH Deutschlandsberg u. seither Ltr. dieser Anst. H.: ausgebildeter Opernsänger, Gesangsstud. b. Prof. Herma Handl Graz, Opernreife Prüf. am Konservatorium Graz. (M.Gr.)

Schreiner Alfred

B.: LSekr. d. ÖGB Bgld., Ang., seit 1988 Bgm. d. Gem. Hirm-Antau, seit 1989 KamR. d. Bgld. Arbeiterkam. DA.: 7000 Eisenstadt, Wiener Str. 7, 7024 Hirm-Antau, Hauptstr. 19. PA.: 7024 Hirm, Halbg. 1. G.: Wr. Neustadt, 16. Dez. 1954. El.: Paul u. Paula. S.: 1975-76 Sozialak. d. AK Wien. K.: 1969-73 Lehre als Schlosser, 1974 Präsenzdienst, 1974-75 Schlosser b. Fa. Kurz in Pöttelsdorf, seit 1975 b. ÖGB, 1975-81 Jugendsekr. d. Gewerkschaft Textilbekleidung u. Leder, 1981-84 Bild.Sekr., 1984-88 LSekr. f. Bgld., seit 1988 ÖGB LSekr., 1977-80 LObm. d. soz. Jugend f. Bgld., 1985-89 Obm.Stellv. d. Bgld. Gebietskrankenkasse, 1982-87 GemR. d. Gem. Hirm-Antau, 1987-88 Gem.Vorst.Mtgl., seit 1989 Bgm. d. Gem. Hirm-Antau. P.: Art. in d. Gewerkschaftszeitschrift über versch. Themen. M.: SPÖ, Österr.-Sowjet. Ges. H.: Beruf, Reisen. (M.B.)

Schreiner Alois

B.: Chef de Cuisine Penta Hotel, Restaurant Borromäus. DA.: 1030 Wien, Ungarg. 60. PA.: 1120 Wien, Hohenbergstr. 44/1/3. G.: Wagna, 30. Jän. 1960. V.: Eva Maria, geb. Kaufmann. Ki.: Margret Maria Rosanna (1991). El.: Johann u. Maria. S.: Koch- u. Kellnerlehre. K.: Praxis in versch. Hotels u. Restaurants u.a. Tirol, Ramada-Hotelkette, Austria Hotel-Kette (Souschef), Küchenchef d. "Zur Ebenen Erde u. im Ersten Stock", Cafe "Servus", seit 1991 Küchenchef in Penta Hotel-Kette. H.: Kulinar. Reisen um neue Ideen als Koch zu sammeln. (N.A.)

Schreiner Bernd

B.: Augenprothetiker, Inh. FN.: Inst. f. Augenprothetik. DA.: 8010 Graz, Grazbachg. 17. G.: Graz, 22. Juni 1966. El.: Hans Jürgen u. Gisela. Großvater Rudolf Schindhelm, Firmengrdg. in Graz. S.: HIB Liebenau, 1984 Matura, Ausbild. in großväterl. Fa. K.: Kunstaugen f. Mensch, Tier u. Puppen aus Glas, Zusammenarb. m. Ärzten, Spitälern u. Augenkliniken, Reisetätigk. in Österr. u. teilw. im ehem. Jugoslawien. M.:

Kammer, Optikerinnung, Ver. deutschspr. Kunstaugeninst. (VDKI). H.: Sport (Radfahren, Schifahren, Tennis), Musik. (R.S.)

Schreiner Erich L. Mag. Ing.

B.: Wirtschaftstreuhänder, NatR.-Abg. DA.: 1017 Wien, Dr.-Karl-Renner-Ring 3. PA.: 3550 Langenlois, Kremser Str. 15. G.: Wien, 26. Juni 1950. V.: Anita, geb. Harml. Ki.: Maximilian (1992). El.: MedR. Dr. Herbert u. Adelgis, geb. Dam. S.: Höhere BLVA f. Wein- u. Obstbau Klosterneuburg, 1970 Matura, 1971-77 Stud. Hdls. u. Betriebswiss. Univ. St. Gallen/Schweiz u. Wien. K.: 1977-82 Prok. in einer Wirtschaftstreuhandges., seit 1982 selbst. Wirtschaftstreuhänder, seit 1990 stellv. Landesparteiobm. d. FPÖ NÖ u. Abg. z. NatR., Finanzsprecher d. FPÖ-Clubs. M.: Tennisclub Langenloise, Kremser Presseforum, Kremser Wassersportclub. H.: Tennis, Skifahren, Bergwandern, Radfahren, Reisen, Lesen. (N.A.)

Schreiner Ernst Dipl.-Ing.

B.: Braumstr., techn. Dir. FN.: Stieglbrauerei zu Riedenburg b. Sbg., Franz Huemer & Comp. GT.: Prok. GSG Sbg. DA.: 5017 Salzburg, Kreuzbrücklstr. 9. PA.: 5020 Salzburg, Nußdorferstr. 6. G.: Schrattenberg/NÖ, 6. Dez. 1947. V.: Mag. phil. Rosa, geb. Bogensperger. El.: Leopold u. Hedwig, geb. Kade. S.: 1957-66 Gymn. Graz, 1965 Auslands-Trimester Paris, 1966-67 Bundesheer, 1967-74 Univ. f. Bodenkultur Wien, 1971 Auslands-Semester USA/Calif. K.: 1975 Eintritt Stieglbrauerei Sbg., 1978 Braumstr.-Stv., 1978-92 Ltr. Prod., 1990 Braumstr. P.: Coautor Jubiläumsbuch 500 J. Stieglbrauerei. M.: Kiwanis Club Rupertus Sbg., Bund Österr. Braumstr., Reserveoff.-Oberleutnant. H.: Skifahren, Tennis, Kochen, Wein u. Bier, Frankreich (reisen). (C.D.)

Schreiner Evelyn Dr. phil.

B.: Dramaturgin d. Volkstheater Wien. DA.: 1070 Wien, Neustiftg. 1. PA.: 1130 Wien, Amalienstr. 3. G.: Wien, 22. Juni 1955. V.: Dr. Edwin Deutsch. Ki.: Philipp. El.: Willibald u. Ernestine Schreiner. S.: 1974 Matura, 1974-80 Stud. d. Theaterwiss. u. Zeitgeschichte an d. Univ. Wien, 1981 Prom., Ludwig Jedlicka-Preis f. Österr. Zeitgeschichte f. Diss.: "Nationalsoz. Kulturpolitik in Wien". K.: 1981-84 Dramaturgin f. Sprechtheater am Landestheater Linz, ab 1984 Dramaturgin am Volkstheater in Wien, 1984 Mitarb. b. d. Uraufführung "Zwölfeläuten", 1985 österr. Textfassung f. Savary's "Weihnachten an d. Front" in Zusammenarb. m. Reg. Peter Gruber, 1986 m. Gerd Heinz "Die Roten Nasen". H.: Sozialwiss. Feminismus. (M.B.)

Schreiner Franz

B.: Prod.Ltr. FN.: Eduscho Kaffee Karl Struppe GmbH. DA.: 1110 Wien, Hasenleiteng. 73. PA.: 2521 Trummau, Tulpeng. 1. G.: Guntramsdorf, 1. Apr. 1940. V.: Hermine, geb. Aigner. El.: Franz u. Hedwig. S.: VS, HS, Lehre als Maschinenschlosser, 1968 Maschinenschlossermstr. K.: 1962-68 Maschinenschlosser, 1968-72 Werkmstr., 1972-77 Betriebsltr. Fa. Blei- u. Kunststoffwerk Gumpoldskirchen, 1978-81 Montageltr. d. Fa. Karl Berger, seit 1981 Prod.Ltr. d. Fa. Eduscho Kaffee Karl Struppe GmbH. H.: Sport, Fußballspielen, Schwimmen, Quash, Radfahren, Reisen. (M.B.)

Schreiner Franz Dr.-Ing.

B.: Inh., Ziviling. FN.: Dr.-Ing. Franz Schreiner Consulting. DA.: 4020 Linz, Derfflingerstr. 14. PA.: 4020 Linz, Elisabethstr. 7a. G.: Linz, 5. Apr. 1944. V.: Rita, geb. Pfaffstaller. Ki.: Christian (1980), Michael (1984). El.: Franz u. Hedwig. S.: VS, BRG, 1962 Matura, TH Wien, 1969 Dipl.-Ing., TU Bologna, 1976 Dr.-Ing. K.: 1969-72 Firma Kraus Maffei München, 1973-82 Betriebsltr. Sarner Tirol AG Italien, 1977 selbst. Techn. Büro Bozen, 1982-85 Ind.-Anlagenbau VOEST, Bereich Techn. Verkauf Südostasien, 1985/86 Unterricht in Mechanik- u. Maschinenbauelemente HTL Linz, 1984 Nebenaufbau d. eigenen Büros, 1985 Ziviling.-Prüf., 1990 staatl. autorisierte Prüf- u. Versuchsanst. F.: Joint Venture m. div. Firmen in D, CH, I. P.: Buch: "Industrielärm", "Feuerschaden-Risiken, Vorsorge, Sanierung" (1989), "Brandschadensanierung im Maschinen- u. Anlagenbereich" (1989), "Musikproberäume, eine Frage d. akustischen Qualität", "Verkehrstechn. Lösungen im Ballungsraum", "Lärmminderung am Arbeitsplatz". E.: Gran Croce al Merito del Lavoro, Intern. Business Corp. 1981, Certificate of Award 1983. M.: VPräs. Pedrazza Motorsport, Österr. Normungsinst., Ing.-Kam. im ÖAL, Österr. Arbeitsring f. Lärmbekämpfung, VDI, DAL, Associazione Italiana di Acustica. H.: Motorsport, Musik. (Ni.A.)

Schreiner Franz Mag.

B.: Senior Investment Adviser d. Bank Austria. DA.: 1010 Wien, Am Hof 2. G.: Innsbruck, 21. Juni 1956. V.: Gerda, geb. Koczan. Ki.: Stefanie (1986). S.: VS, Gymn., 1974 Matura, 1974-75 Militärdienst, 1975-81 Stud. WU Wien, Spons. z. Mag. K.: 1981-83 Oberascher Gießerei u. Maschinenfbk. Sbg., 1983-85 Ausbild. z. Account Executive u. Verleihung d. Brokerlizenz Dean Witter Reynolds, 1985-87 Teilhaber u. Ang. Schuhfbk. Elizabeth Mattsee, 1987 Lektor Univ. Wien, 1987-90 Zentralsparkasse u. Kommerzialbank Wien, seit 1991 Senior Investment Adviser Bank Austria, 1994 Wertpapierexperte f. Intern. Privatkunden, 1994 Sprecher f. Wirtschaft u. Finanzen d. Liberalen Forum Landesgruppe Wien. P.: Buch "Der geschlossene Kreis - Wertschöpfung u. Währungspolitik" (1987), "Exterritorial Börse Moskau" (1992), "Der Beteiligungsschein als Ausweg aus d. Finanzierungskrise" (1993). H.: Skifahren, Skipper, Segeln, Wasserskifahren. (M.-L.A.-M.)

Schreiner Franz

B.: Gürtlermstr. DA.: 1150 Wien, Arnsteing. 14A. G.: Wien, 14. Febr. 1958. El.: Franz u. Krimhilde. S.: Lehrausbild. im elterl. Betrieb z. Gürtler, 1976 Abschluß, 1981 Mstr.-Prüf. K.: 1986 Originalnachbildung v. O. Wagner Leuchtkörper, Firmenübernahme, 1987 Hotelausrüstung (Ananas) m. Leuchtkörpern sowie Rathaus, Hotelausstattung f. Mariott in

Warschau, Kollektion v. Bronze, Jugendstil. P.: Veröff. in div. Fachzeitschriften. H.: Konzertgitarre, Fotografieren. (J.E.)

Schreiner Helmut Dkfm.

B.: Wirtschaftstreuhänder, beeid. Buchprüfer u. Steuerberater, gerichtl. beeid. Buchsachv. FN.: MGI-Graz Steuerberatung GesmbH. GT.: Mehrheitsges. u. Gschf. d. MGI-Steuerberatungsgesellschaften in Wien, Graz, Liezen, Schladming, Radstadt, Attnang-Puchheim u. Kirchdorf/Krems. DA.: 8940 Liezen, Fronleichnamsweg 15/2. PA.: 8940 Liezen, Höhenstr. 16. G.: Graz, 21. Sept. 1938. V.: Reingard, geb. Prattes. Ki.: Günther (1977), Monika (1980). El.: Alfred u. Augustine. S.: HS, 1964 Abschluß, 1965 Bestellung z. Steuerberater, 1965 Bestellung z. Gerichtsbeeideten, 1982 Bestellung z. Buchprüfer. H.: Skifahren, Tennis, Wandern, Reisen. (M.T.)

Schreiner Helmut Dr.

B.: Univ.-Prof., Landtagspräs. G.: Krenglbach, 4. Dez. 1942. V.: Dr. Elisabeth, geb. Ettenauer. Ki.: Stefan (1970), Wolfgang (1974), Rupert (1978). El.: Helmut u. Maria. S.: VS, Gymn., Jusstud. K.: 1979 Habil., 1982 Univ.-Prof., 1969 LAbg., 1977 Klubobm. ÖVP, 1989 Landtagspräs. P.: ca. 50 wiss. Publ.

Schreiner Herbert Anton

B.: Pensionist. PA.: 2700 Wr. Neustadt, Rechte Kanalzeile 26. G.: Wr. Neustadt, 9. Dez. 1930. V.: Monika, geb. Kerbl, 1 Tochter. El.: Franz u. Johanna. S.: HS, HAK Wr. Neustadt, Abschluß 1950. K.: 5 J. Volksbank u. Sparkasse Wr. Neustadt, ab 1956 b. Länderbank als Bankang., Oberbuchhalter, Innenltr. u. stellv. Ltr. tätig, bis 1990 Filialdir. M.: Ehrenmtgl. d. Kam. f. ltd. Ang. E.: Silb. Nadel d. NÖ Handballverb. BL.: seit 1980 GemR. M.: Obm. d. Kontrollaussch. d. Statutarstadt Wr. Neustadt, Allround-Sportklub, Pro-Wr. Neustadt, Briefmarkenver. Philatelie, Alpenver. H.: Handball, Briefmarken, Elektronik, Kochen, leichte Musik, klass. Theater, Reisen, Wandern. (M.G.)

Schreiner Hubert

B.: Landesgschf. FN.: FPÖ Landesgruppe OÖ. DA.: 4041 Linz, Blütenstr. 21/1. PA.: 4040 Linz, Karl Renner Str. 8. G.: Schärding, 13. Nov. 1966. El.: Hubert u. Erna. S.: VS, BR-Gymn., HAK, 1987 Matura, 1987-88 BH. K.: 1988 Aspirant f. Filialltr. Lebensmittelgeschäft St. Georgen/Attergau, Fa. Ferdinand Gruber & Co "Prima Kauf", 1988-90 Filialltr., 1990-92 Bezirksgschf. d. FPÖ OÖ, f. d. Bezirk Linz, s. 1992 Landesgschf. FPÖ OÖ. M.: Burschenschaft "BI Scardonia zu Schärding". H.: Politik, Sport.(U.A.)

Schreiner Hubert

B.: Lehrer, BKapitän, Nationalteamtrainer. A.: 3100 St. Pölten, Landsbergerstr. 30. G.: St. Pölten, 1. Nov. 1949. V.: Renate, geb. Hiesberger. El.: Hubert u. Klara. S.: Matura, Stud. Univ. Wien, Leibeserziehung, Phil., Psych. u. Päd. - Lehramt. K.: Im österr. Spitzenbasketball seit 1966 als Spieler u. Trainer tätig. Als Lehrer im BRG III Wien u. Schule f. Fremdenverkehr St. Pölten. M.: Sportver., MKV. H.: Skifahren, Tennis.

Schreiner Karl Ing.

B.: Verwalter Siegendorfer Zuckerfbk. PA.: 7011 Siegendorf, Roseng. 32. G.: Würnsdorf, 21. Okt. 1927. V.: Maria, geb. Wugeditsch, 1 Sohn, 1 Tochter. El.: Josef u. Cäcilia. S.: HS, Elektromech. Lehre, Prüf. 1944, 1945-49 techn. Mittelschule Wien. K.: 1949 AEG-Ang., 1952 Ang. d. Siegendorf-Zuckerfbk. Abt. Elektro, 1979 Verwalter d. Tullner-Zuckerfbk. Wk. Siegendorf. BL.: Modernisierungen d. Fa. P.: div. Fachvorträge. H.: Skifahren, Radfahren, Tennis, Gartenarbeit, Wandern, Lesen, Hundeliebhaber. (M.G.)

Schreiner Markus

B.: Kfm. FN.: Markus Schreiner Hdls.-Agentur; LTV Schreiner Vertriebs GmbH. DA. u. PA.: 6020 Innsbruck, Andechsstr. 16. G.: Innsbruck, 2. Juli 1962. El.: Josef u. Margarete. S.: VS, HS, Polytechn. Lehrgang, 1977-79 Bürokfm.-Lehre, 1979 Abschluß. K.: 1987Übernahme d. Betriebes v. Onkel, 1993 Grdg. LTV Schreiner. H.: Sport. (A.W.)

Schreiner Martin Dr. iur. OberR.

B.: Ltr. d. Gruppe IIIB, zuständig f. Allg. Rechtsangelegenheiten im BMUK. DA.: 1014 Wien, Minoritenpl. 5. PA.: 1125 Wien, Jägerhausg. 2-4/A. G.: Linz, 3. Jän. 1951. V.: Maria, geb. Maierhofer. El.: Dr. Walter u. Inge, geb. Holocher. S.: BRG, 1970 Matura, Stud. Rechtswiss. Univ. Wien, 1975 Prom. z. Dr. iur., Gerichtspraxis. K.: 1976 Eintritt BMU, 1982 Referatsltr., 1983 Abt.-Ltr., seit 1986 Gruppenltr. E.: Silb. EZ f. Verd. um d. Rep. Österr. M.: AufsR. d. Österr. Bundesverlags GmbH, im StiftungsR. d. Österr. Schule Budapest. H.: Bücher. (N.A.)

Schreiner-Kislinger Marietta Dr.

B.: Psychotherapeutin (Analyt. Psychotherapie); Univ.-Ass. f. Ital. u. Span. DA.: 5084 Großgmain, Untersbergstr. 375. G.: Linz, 30. Aug. 1957. V.: Mag. Edgar Schreiner-Kislinger. S.: Gymn., Matura, Stud. Ital., Span. u. Publizistik Sbg., 1982 Abschluß Univ. Perugia Italien. K.: ab 1983 Univ.-Lektorin, 3 J. Ass., ab 1984 Ausbild. z. Psychotherapeutin in Italien, seit 1989 in Österr. als Psychotherapeutin tätig, Praxis in Sbg. m. Bruder, eigene Praxis f. Bioenergetik, analyt. Psych. u. Hypnose, 3 J. Ausbild. als Hypnosetherapeutin, seit 1993 Inst. f. Biokybernetik u. Feedbackforsch. P.: "Il Problema Esistenziale E Religioso Nella Vita E Nelle Opere di Cesare Pavese", "L'Interpretatione Psicoanalitica della Religiositá di Cesare Pavese". M.: wiss. Mitarb. im Bereich d. mod. Literatur d. Univ. Perugia/Italien. H.: Sport, Ballett, Gymnastik, Skifahren, Literatur, mod. u. klass. Musik.

Schrempel Michael

B.: Inh., Radio-, Fernsehtechn.-, Elektroinstallateurmstr. FN.: Radio- u. Fernsehtechnik Schrempel. DA.: 5760 Saalfelden, Leogangerstr. 30. G.: Wien, 20. Apr. 1961. V.: martina, geb. Hartl. Ki.: Harald (1990). El.: Wilhelm u. Karoline. S.: VS, HS. K.: Radio- u. Fernsehtechn. Lehre in Winden am See, 1980 Gesellenprüf., 1980 zu Fa. Heiru als Kabelprüf. gew. v. Betreibselektriker über Ltr. d. Kabellabores zum Prod. Ltr. aufgestiegen, 1988 nach Saalfelden gezogen u. b. Fa. Pichl in Maria Alm d. Radio u. Fernsehtechn.ausgebaut u. geführt, Mai 1990 Mstr. Prüf., 1991 selbst. m. Geschäft Radio- u. Fernsehtechn. in Saalfelden eröff., 1991 Konzessionprüf. f. Elektrotechn. in Sbg., s. 1993 Betr. in d. Leogangerstr. übersiedelt u. neu eröff. (J.F.)

Schrems Andreas
B.: Gschf. FN.: Benzler Antriebstechnik GmbH. DA.: 4050 Traun, Urnenhainweg 7. G.: St. Martin, 26. Jan. 1965. V.: Claudia, geb. Tscholowitsch. El.: Johann u. Irma. S.: VS, Gymn. Steyr, 1980-85 HTL Maschinen-Kfz-Bau Steyr. 1985-86 Präsenzdienst. K.: 1986 im techn. Verkauf d. Firma Benzler tätig, 1988 Ing., ab 1991 Verkaufsltr., seit 1994 Gschf. M.: UTC Tennisclub Kronstorf. H.: Beruf, Sport, Tennis, Golf. (G.E.)

Schremser Michael Ing.
B.: Vorst.-Dir., Division Communications. FN.: Landis & Gyr (Österreich) AG. DA.: 1231 Wien, Breitenfurter Str. 148. PA.: 2500 Baden, Emil-Kraft-G. 19. G.: Wien, 21. Dez. 1937. V.: Elisabeth. Ki.: Irene, Klaus-Michael, Maximilian. El.: Michael u. Hertha. S.: Techn. Mittelschule Wien, College in Wien u. Zürich. K.: 1956-57 Österr. Brown Boveri, BH, Österr. Philips, 1961 Eintritt Landis & Gyr GmbH, Sachbearb. f. Heizungs-, Lüftungs- u. Klimaregelgeräte, Übernahme d. Serviceabt., 1971 Übernahme d. Bereiches Ind., 1983 Marktbereichsltr. P.: "Geschichte d. Münzfernsprechers" 1985, "Fischerei einst u. jetzt", 1983 Mitgestalter d. NÖ LAusstellung in Orth/Donau. M.: Vorst.Mtgl. d. Österr. Fischereiges., NÖ Fischereirevierverb. I. H.: Fischen, Fotografieren, Bergsteigen, Tennis. (A.W.)

Schrenk Annemarie Dir.
B.: Pflegedir. d. AKH d. Stadt St. Pölten, Schuloberin d. Krankenpflegeschule St. Pölten. DA.: 3100 St. Pölten, Propst-Führer-Str. 4. PA.: 3100 St. Pölten, Petzoldstr. 43. G.: St. Pölten, 18. März 1941. V.: Leopold. Ki.: Christian. El.: Johann u. Anna Amon. S.: Pflichtschulen, 1 J. Lehrkurs, 3 J. Frauenberufschule, Fachprüf. Stenotypie. K.: 1959 Eintritt in d. Krankenpflegeschule St. Pölten, 1963 Dipl., in versch. Abt. d. KH St. Pölten tätig (Dermatologie, OP, Blutbank), Stationsschwester-Vertr., Unterrichtsschwester an d. Krankenpflegeschule, Sonderausbild. in Wien z. Ltg. eines KH, 1978 prov. z. Oberin ernannt, PGM-Seminar, 1984 Ablegung d. B-Matura, 1985 Ernennung z. Dir. d. Pflegedienstes d. KH St. Pölten, 1986 fachkund. Laienrichter am Landesgericht St. Pölten - s. 1991 lfd. Laienrichter, s. 1993 Schuldir., s. 1988 Fachref. d. RK f. KH-Angelegenh. im Bereich Bez.-Stelle St. Pölten. E.: Bronzemed. d. Roten Kreuz, 1986 Gold. VDM d. RK, Floriani-Med. d. RK, 1993 VDK 1. Kl. d. ASBÖ Österr. M.: Vorst.Mtgl. d. ARGE Pflegedienstleistungen u. Schuloberinnen NÖ, Mtgl. d. Ver. d. Fortbild. v. auchzahnärztl. tätigen Ärzten NÖ. H.: Sammeln v. Mineralien u. Fossilien, Stud. d. Rechtswiss. (Kern)

Schrenk Franz

B.: Gschf. FN.: RS Components Hdls. GmbH. DA.: 3950 Gmünd, Albrechtser Str. 11. PA.: 3932 Kirchberg/Walde. G.: Gmünd, 25. Apr. 1939. V.: Maria, geb. Binder. Ki.: Gudrun (1963), Rainer (1966). El.: Hans u. Viktoria. S.: VS, HS, Elektroinstallateurausbild., 1959-63 BH. K.: 1963-67 Elektroinstallateur Firma Meinl Schrems, 1967-73 Werkmstr. Felten & Guillaume Schrems, 1973-76 Manager Firma Datentechnik Wien, 1976-80 Außendiensttätigkeit Firma Vero Bremen, seit 1980 Gschf. RS Components Hdls. GmbH. M.: Aussch.-Mtgl. Ver. z. Förd. d. Access Industrial Park Gmünd. H.: Beruf, Laufen. (M.M.)

Schrenk Michael
B.: freier Journalist, Haupttätigkeit b. ORF. PA.: 1120 Wien, Defregger Str. 95. G.: Wien, 8. März 1948. V.: Edith, geb. Spacek. El.: Emmerich u. Erika. S.: Grundschulen, HASCH, Ak. Musik u. darst. Kunst, Schauspielstud. parallel Journalistenpraxis. K.: freiberufl. in Österr. tätig. P.: seit 26 J. f. ORF tätig, Gestalt. v. Marketingkonzepten u. Präsentation v. Programmen, ca. 300 Filme f. d. ORF v. Spot/Kurzfilm b. 25 Min. Dokumentationen, Schwerpunkt Sicherheitspubl. E.: Journalistenpreise, Gr. EZ f. d. Verd. um d. Land Bgld. H.: Erforsch. d. Körpersprache. (N.A.)

Schrepfer Kurt

B.: Produktionsltr. u. Musical-Darst. FN.: Theater a. d. Wien, Vereinigte Bühnen Wien. PA.: 1050 Wien, Reinprechtsdorferstr. 57/4/9. PA: CH-9532-Rickenbach, Hochbühlstr. 19. G.: Frauenfeld, 9. Dez. 1966. El.: Rudolf u. Hanni. S.: Banklehre i. d. Schweiz, Offizier d. Schweizer Armee. K.: 1990 Studio Theater Wien, bis 1992 Musicalausbildung am Tanz-, Gesangs-Studio Theater a.d. Wien. Schauspielunterricht bei Ida Krottendorf, Studium f. klass. Gesang a. Konservatorium d. Stadt Wien. Engagements: "Mass" v. L. bernstein i. Innsbruck, Linz u. Nürnberg (Solist "Non Credo"), "Freudiana" i. Theater a. d. Wien (Mtgl. d. Mittwochsges., Wolfsmann u. Tänzer), "Elisabeth" i. Theater a. d. Wien (Fürst Schwarzenberg, Graf Grünne, Kardinal Rauscher, Prof. Totentänzer u. Dancecaptain d. Orig.vers.), "Kuß d. Spinnenfrau" i. Raimundtheater Wien (Gabriel, ausbrechend. Gefangener, Dancecaptain u. Abendspielltr.), "Arian" NÖ Tournee (Choreograph), "Graece" i. Raimund Theater Wien (Produkt.ltg. Choreographie-Ass. Dancecaptain, Vince Fontaine); div. Werbespots. H.: Skifahren, Schwimmen, Lesen. (J.M.)

Schretter Reinhard Dr. iur. KommR.
B.: Gschf. Ges. d. Fa. Schretter & Cie. DA.: 6682 Vils. G.: Innsbruck, 7. Juli 1924. V.: Dorothea, geb. Fritz. Ki.: Gertrude, Reinhard, Bernhard. S.: Gymn., 1942 Matura, Kriegsdienst, Jusstud. an d. Univ. Innsbruck, 1949 Prom. K.: 1949 Eintritt in d. Fa. F.: 100%ige Tochterfa. Gipswerk Schretter & Cie GmbH. E.: Ehrenbürger d. Stadt Vils. M.: Vorst.-Mtgl. d. VÖI Tir., Rotary Club Reutte. (Schm.)

Schretter Sepp
B.: Inh. FN.: Sport Schretter, Tennis Schretter. DA.: 8042 Graz-St. Peter, Hauptstr. 63, 8042 Graz, Artur-Michl-G. 11. PA.: 8042 Hart, Teichweg 8. G.: Radenthein, 28. Sept. 1951. V.: Brunhilde, geb. Hasler. Ki.: Marlene (1980), Julia (1982), Simon (1987). El.: Josef u. Waltraud. S.: Pflichtschule, Lehre als Einzelhdls.-Kfm., 1970 Abschluß, BH. K.: Eintritt in elterl. Betrieb, parallel 1970-73 Musiker b. Unterhaltungsband, 1975-80 Gschf. Sport Tscherne Graz, 1980 Grdg. d. eigenen Geschäftes, 1983 Übersiedlung in d. bestehenden Standort, 1988 Kauf d. Tennisanlage. M.: Aussch.-Mtgl. HK-Gremium Sport. H.: Tennis, Skifahren, Wildwasserfahren. (F.K.)

Schretzmayer Leopold KommR.
B.: Betriebsinh. A.: 2104 Spillern, Wiener Str. 68. G.: Spillern, 18. Mai 1917. V.: Edith, geb. Hickel. S.: VS, HS, HASCH. K.: 8 J. Militärdienstzeit, erlernter Beruf Schriftsetzer, 1949 1. Gewerbeschein "Werbungsmittlung", auf "Werbeunternehmen" ergänzt durch Einstieg ins

Kalendergeschäft, 1956 Konzession f. Druck v. Kalender erhalten, Beruf als Schriftsetzer aufgegeben u. selbst. gemacht, Aufbau d. Betriebes u. Erweiterung d. Druckerei, Buchbinderei, Offsetabt. u. Fotosatz z. führenden Kalenderfabrik Österr. E.: Berufstitel KommR., Mtgl. d. Kuratoriums d. HK d. Rep. Panama in Österr. M.: Donaueurop. Inst., VPräs. d. HK Panama in Österr. H.: Jagd, Fischerei.

Schreyer Jörg Dr. Mag.

B.: Univ.-Lektor u. Regionalforscher am Inst. f. Wirtschafts- u. Sozialgeschichte d. Univ. Graz. DA.: 8010 Graz, Burgring 10. PA.: 8020 Graz, Rebeng. 24. G.: Graz, 13. Juli 1948. El.: Dipl.-Ing. Johann u. Gertraud. S.: 1955 Matura BRG Leibnitz, 1967/68 Präsenzdienst, 1969-75 Stud. Betriebs- u. Vw. Univ. Graz, 1976 Spons. K.: 1976-77 freier Mitarb. an d. Österr. Ak. f. Führungskräfte (ÖAF) Graz, ab 1977 Vertragsass. u. seit 1980 Univ.-Ass. an d. Univ. Graz, 1982 Prom. z. Dr. rer. soc. oec., seit 1987 Lehrtätigkeit als Univ.-Lektor an d. Univ. Graz u. selbst. Tätigkeit als Regionalforscher, Vorträge u. Seminare an d. ÖAF u.a. Inst. (WIFI, BFI). P.: "Institutionen d. Wirtschaftsstatistik in Österr." (1985), weitere Publ. auf d. Gebiet d. angew. Statistik, "Statistikmanuel Österr.". M.: Verb. Österr. Wirtschaftsakademiker, Österr. Statist. Ges., Österr. Ges. f. Raumplanung, BeiR. d. Wiss.-Kmsn. b. BMLV, Offz.-Ges. Stmk. H.: Sport (Off-Shore-Segeln, Tennis, Langlaufen), kulturelle Aktivitäten (Literatur, Theater, Musik). (P.M.)

Schreyvogl Gerhard Dkfm.

B.: AufsR.Mtgl. Meinl Bank AG, Vorst.Mtgl. Julius Meinl AG Int., Cremage Julius Meinl Rt., Budapest, Cremage-Julius Meinl Kft, Budapest, Julius Meinl Baliarne a.s., Bratislava, Julius Meinl Praha spol. s.r.o., Prag, JMR Coffee and Tea GmbH, Moskaw. GT.: Gschf. d. Fa. Julius Meinl GmbH München, Julius Meinl GmbH & Co Import u. Export KG München, JM Rußland Kaffee- u. TeehandelsgmbH Wien. DA.: 1014 Wien, Bauernmarkt 2. PA.: 1030 Wien, Jacquingasse. 23.

Schreyvogl Konrad

B.: Musiker. PA.: 3423 St. Andrä-Wördern, Greifensteiner Str. 29/7. G.: Wien, 23. Mai 1935. Ki.: Elisabeth (1959), Konrad (1971), Florian (1975). El.: P.T. Friedrich Schreyvogl, österr. Dichter, Dir. d. Burgtheaters v. 1955-58, Mtgl. d. Berliner Akademie d. Künste, Ritter d. EhrenlegionTräger versch. Orden. S.: 1954 Matura, Stud. d. Theaterwiss. a. d. Univ. Wien, Absolv. d. Musikakademie Wien, Mitglied d. NÖ Tonkünstlerorchester 1961-90 , 1970-74 Vorstandsmitgl., H.: Photographie, Philosophie, Musik, Literatur. (T.T.)

Schriefl Josef Ing.

B.: LBau-OAmtsR. im Amt d. Bgld. LRg. Maschinenbauabt. GT.: gerichtl. beeid. Sachv. f. Kraftfahrzeugwesen. DA.: 7000 Eisenstadt, Rusterstr. 135. PA.: 7052 Müllendorf, Hauptstr. 78. G.: Wr. Neustadt, 19. März 1936. S.: VS, BRG, HTL-TGM Wien. K.: nach Schule zu Krupp, Konstruktionsbüro Lokomotivbau, 1958 zu Arbeitsinspektorat Eisenstadt, 1964 z. Bgld. LRg., seit 1969 gerichtl. beeid. Sachv. M.: Lions Club Eisenstadt. H.: Autos, Reisen, Jagd. (R.A.)

Schriefl Friedrich

B.: Inh. FN.: Schriefl GmbH. DA. u. PA.: 9020 Klagenfurt, Schachterlweg 60. G.: Bad St. Leonhard, 21. Juni 1962. V.: Renate, geb. Neges. Ki.: Daniela (1986). El.: Ludwig u. Rosa. H.: Computer, Tennis, Skifahren, Schwimmen. (I.G.)

Schrittwieser Elisabeth

B.: Vors. "Kath. Familienverband" d. Diözese St. Pölten. DA.: 3100 St. Pölten, Schreinerg. 14. G.: Linz, 26. April 1937. V.: Josef. Ki.: Martina, Christian, Elisabeth-Maria, Michael, Veronika, Gudula, Markus. El.: Robert u. Josefa Bäck. K.: bereits m. 14 J. führend in d. Jugendarb. tätig, Mitarb. b. d. "Ehevorbereitung" (Ref. m. Diskuss.), seit 1972 Vorst.Mtgl. d. Diözesanverb. St. Pölten, 1972-84 VPräs. d. Kath. Familienverb. Österr., ab 1980 Vors. d. Laienrates d. Diözese St. Pölten, ab 1981 Diözesanvors. d. Diözese St. Pölten, seit 1983 Mtgl. d. DiözesankirchenR., seit 1981 Mtgl. im BeiR. f. Fam., Jugend, ältere Generation, seit 1985 Präs. d. Interessensvertretung NÖ Familien (Initiativen f. d. Spielplatzgesetz, Tagesmütter u.s.w.), Gründ.-Mtgl. d. Arge d. kath. Fam.-Verbände in Europa. P.: div. Veröff. in d. Schriftenreihe d. "Kath. Familienverb.", "Brennpunkt Familie", NÖ Chronik, "Familie im Wandel". E.: 1985 Silb. EZ f. Verd. um d. Rep. Österr., Ehrenmed. d. BM f. Umwelt, Jugend u. Fam. H.: Langlauf, Lesen. (Kern)

Schrittwieser Heimo Mag. OStR. Prof.

B.: Freischaff. Maler u. Grafiker, Prof. i.R. an d. Päd. Ak. A.: 2384 Breitenfurt, Laaberstr. 31/8. G.: Wien, 28. Apr. 1928. V.: Ingeborg, geb. Richtar. El.: Karl u. Leopoldine. S.: VS, Gymn.-Matura, Ak. d. bild. Künste u. Univ. Wien, Abschluß Mag. art. K.: 1944-45 Kriegsteilnahme, anschl. Stud. Malerei b. Prof. Grutschnigg (priv.), Univ. Wien Kunstgeschichte u. Völkerkunde, Broterwerb als Auslangenarrangeur, 1954-58 Kursltr. an d. künstler. VHS, daneben Stud. an d. Ak. d. Bild. Künste u. Univ. Wien, seit 1958 Lehrtätigkeit am Gymn., 1963-68 Prof. am Österr. St. Georgs Kolleg, Istanbul, seit 1968 Prof. an d. Pädak. d. Bundes, 1960 Mitbegründer u. künstl. Ltr. d. Gruppe u. Galerie Synthese, 1970-82 Mitbegründer u. Mtgl. d. Kulturver. Pannonia, Organisator u. Begr. d. Ausstellungsserie "Kontrast", 1953-74 wurden 60 Wandbilder an öff., kirchl. u. priv. Geb. durchgef., darunter: ein 40 m2 Mosaik in Istanbul, Altarbild d. Botschaftskapelle in Istanbul, Kriegerdenkmal in Breitenfurt, Mariensäule Wien, Entree d. Hagelvers. Wien usw., 1951-90 wurden 58 Ausstellungen in Europa u. Orient durchgef., Ankäufe v. öff. Hand wie: BMU, NÖ Landesmuseum, Stadtmuseum St. Pölten, versch. Gem. Österr., versch. Banken, Sparkassen, Firmen, Jap. Ölges., Kuwait, maßgebl. Sammler in Europa u. Orient, Kulturinst. im In- u. Ausland. P.: Gewerkschaftskalender 56, Gruppe Synthese Kat. 61/73, Kontrast, Kat. 1,2,3,5,7, Stilbrüche u. Grenzsituationen d. real. Kunst d. 20 Jh., Westentaschenmuseum d. NÖ Dokumentationszentr. f. mod. Kunst, Alte u. Mod. Kunst, Arte factum, Wortmühle, Dokumentation 77-Gegenwartskunst im Bgld., Kunstband meisterbildender Künste, Band 1, Die österr. Maler d. 20. Jhdts. usw., zahlr. Fernseh- u. Rundfunkreportagen, als Gast bei bekannten Livesendungen u. Diskussionssendungen b. ORF.

Schrittwieser Walter
B.: Dir., Geschäftsstellenltr. d. Raiffeisenbank Wien. DA.: 1020 Wien, Hollandstr. 2. PA.: 2104 Spillern. G.: Leitzersdorf, 6. Okt. 1943. V.: Elfriede, geb. Wimmer. Ki.: Dr. med. Harald. El.: Friedrich u. Margaretha. S.: 1959 HASCH-Abschluß. K.: 1960-67 kfm. Ang. in d. Gold- u. Juwelenbranche, 1967-70 Raiffeisenbank Wien, 1970-75 Zweigstellenltr. in Hietzing, seit 1975 Zweigstellenltr. im Raiffeisenhaus Wien u. Regionalltr. f. d. 2., 8., 9. u. 20. Bezirk. E.: Silb. EZ d. Rep. Österr. M.: VPräs. d. Lions Club Kreuzenstein. H.: Jagen, E-Musik, Beruf. (Schm.)

Schröck Karl
B.: Prok. u. gewerberechtl. Gschf. Fantastica Ital. Spezialitätenrestaurants. DA.: 1220 Wien, Wagramer Str. 154, 1220 Wien, Donauzentrum, 1030 Wien, Erdbergstr. 87. G.: Wien, 17. Okt. 1943. V.: Herta, geb. Demmer. Ki.: Roland (1968), Hertha (1981). El.: Alexander u. Stefanie. BV.: Familie Schröck seit 1876 Kfm.-Familie in Kagran. S.: Gymn., 1961 Matura, 1962/63 BH. K.: ab 1963 Gschf. im elterl. Betrieb (spezialisiert auf Farben, Lacke u. Gartenbedarf), 1977 Eröff. d. Heurigenlokals St. Georgskeller auf d. Wagramer Straße, 1980-84 Au-Restaurant im Donaupark, 1983 Mitbegründer d. 1. Pizzeria in d. Wagramer Straße gemeinsam m. Herrn Drobny u. Herrn Schwarz. H.: Tennis, Wandern. (J.S.)

Schröckenfuchs Heinz
B.: Pädagoge u. Heimltr. in einem SOS-Kinderdorf. DA. u. PA.: 4600 Wels, Gabelsbergerstr. 14. G.: Wien, 30. Aug. 1940. V.: Anneliese, geb. Nickel. Ki.: Michaela (1964), Dipl.Grafiker Wolfram (1965), Christoph (1969). El.: Maximilian u. Hedwig. BV.: div. Familienmtgl. bekleideten versch. Hofämter, ab 1515 kontinuierl. Betätigung im Eisenwesen (Eisenwurzen). S.: VS, Mittelschule, 1955 Konservatorium f. Violine, 1961 Konservatorium f. Operngesang, 1964 Päd. Dipl. u. Lehrwartprüf. f. Jugendturnen u. Leichtathletik, BH. K.: 1961 Erzieher im Heim d. Stadt Wien in Eggenburg, 1965/66 Regenschore in Stadtpfarrkirche Eggenburg. BL.: spielte bereits im 13. Lebensj. 3. Geige im Kirchenchor Eggenburg, Titelrolle (Bariton) "Der Apotheker" v. Joseph Haydn u. div. Liederabende, 1982 Gastauftritt (Violine) im Mozarteum Sbg. P.: Bücher: "Sport u. Spiel aber wie" (1972), "Sport in d. Heimerziehung", weitere Veröff. in Vorbereitung. M.: Hans Sachs-Chor Wels, Ver. z. Erhaltung d. Kultur d. Sensenschmiede Micheldorf. H.: Malerei, Bildhauerei, Terrakottaplastiken, Ahnenforsch. (H.B.)

Schröckenfuchs Norbert Christoph Mag.
B.: Maler u. Graphiker. DA.: 1050 Wien, Zentag. 18/26. PA.: 1080 Wien, Piaristeng. 35/13. G.: Sigmundsherberg, 2. Febr. 1949. V.: Eva Maria, geb. Winkler. El.: Maximilian u. Hedwig. BV.: "Schwarze Grafen": Sensenschmiede in Eisenwurzen, Erasmus Schröckenfuchs war Humanist Anfang d. 16. Jhdts. S.: Hum. Gymn., Höh. Graph. BLVA, HS f. angew. Kunst b. Prof. Unger. BL.: 2 J. Mtgl. d. Handball-Staatsliga, 1968 Jugendstaatsmstr. im Weitsprung, zwei Mal BMstr., sieben Mal LMstr. K.: Seit 1974 selbst., Glasfenster, Wandmalereien, nach kurzer Lehrtätigkeit an d. Päd. Ak. (Malerei, Graphik, Fotografie) u. am Berufsförderungsinst. (Werbegraphik), Lehrer f. Graphik-Design an d. GLV Wien, "Humanes Leben in einer synthetisch-technokratischen Umwelt", Ausstellungen in Österr., Werke in Privatbesitz in Deutschland, England, Frankreich, Guatemala, Japan, Liechtenstein, Schweiz, USA. P.: Prospekte f. musikal. Veranstaltungen. H.: Tennis, Kochen, Fotografie, kl. Musik. (Bauer)

Schröcker Viktor Ing.
B.: Gschf. FN.: Caliplan-Consult. DA.: Bartensteing. 4, 1010 Wien. G.: Schlierbach, 27. Feb. 1937. Ki.: Rebecca-Viktoria. El.: Josef u. Rosalia. S.: techn. Ausbild. Maschinenbau, abgeschl. 1957. K.: Techniker im Fachgebiet Haustechnik b. führ. Firmen, 1977-79 Aufbau techn. Büro, 1979 Eröff. Caliplan, 1982 Gründ. Caliplan-Consult. H.: Reisen. (J.E.)

Schröder Gerhard
B.: Inh. Konzertdion. Schröder. DA. u. PA.: 4040 Linz, Am Steinbruch 20. G.: Linz, 1. Juli 1924. V.: Melitta, geb. Stipka. Ki.: Andreas, Michael, Nikolaus. S.: Gymn., 1942 Matura, BH, Res.-Offz., 1946 Stud. Welthdl. K.: 1946 Beginn m. Linzer Konzertbüro, seit 1948 Konzertdion., b. zu 300 Konzertveranstaltungen pro J., In- u. Auslandskonzerte z.B. Rumänien, Ungarn, CSFR, Rußland, BRD, Schweiz, GB, Skandinav. Länder u. Südamerika, Organisator d. Musikantenstadl. E.: EK f. Kunst u. Kultur, Wirtschaftsmed. d. Stadt Linz. M.: HK, Fechtclub. H.: Fechten (Österr. Mstr., 1942 Großdt. Jungmstr., Bayer. Mstr., CSFR-Mstr.), Schwimmen, Garten, Tischtennis, Eishockey. (P.H.)

Schröder Harald Dkfm.
B.: Beeid. Buchprüfer u. Steuerberater. DA.: 2563 Pottenstein, Gutensteinerstr. 8. PA.: 2340 Mödling, Dr.-Rieger-Str. 46. G.: Baden, 9. Febr. 1925. V.: Elfriede, geb. Horvath. Ki.: Dr. Christiane, Friedrich. El.: Richard u. Jantje. S.: RG, HS f. Welthdl. m. Dipl., Fachprüf. f. beeid. Buchprüfer u. Steuerberater. BL.: 10 J. GemR. in Mödling, Präs. d. NÖ Eislaufverb. E.: Sport-EZ d. Stadt Mödling. M.: Mtgl. d. Vorst. d. Fachverb. f. Turnen. H.: Tennis, Fachliteraturstud. (E.L.)

Schröder Klaus Albrecht Dr. phil.
B.: Dir. d. Kunstforums Bank Austria. DA.: 1010 Wien, Freyung 8. PA.: 1070 Wien, Kaiserstr. 64. G.: Linz, 15. Sep. 1955. El.: Albrecht u. Maria. S.: 1975 AHS-Matura, Stud. Kunstgeschichte, Phil. u. Geschichte, 1995 Prom. zum Dr. phil. K.: 1984-89 Ltr. d. Kulturabt. d. Länderbank, ab 1985 Ltr. d. "Sammlung Fotografis", 1988 persönl. Ref. d. amtsführenden LStadtR. f. Kultur d. Stadt Wien, s. 1987 Hrsg. d. "Kunstpresse", 1988/89 Berater d. Finanzmin. in Kulturangelegenheiten, s. 1989 Direktor des Kunstforums Wien. P.: Autor und Hrsg. zahlr. Bücher u.a. "Alfred Kubin" (1985), "Die Eisenbahn in der Kunst" (1987), "Egon Schiele und seine Zeit" (1989), "Ferdinand Georg Waldmüller" (1990), "Richard Gerstl" (1993), Mitautor u. Hrsg. in zahlr. Fachbüchern u.a. "Wirtschaft u. Kunst" (1989), "Oskar Kokoschka" (1991), "Lovis Corinth" (1992), "Wiener Biedermeier - Maler zwischen Kongreß und Revolution" (1993), "Chagall bis Picasso - Meisterwerke aus dem Guggenheim Museum New York" (1994), "Herbert Boeckl" (1994), "Die Neue Sachlichkeit in Österreich" (1995), u.v.a., zahlr. Aufsätze in Fachzeitschriften. M.: Vorst.-Mtgl. d. Kunstver. Wien. (M.M.)

Schrödl Heinz
B.: Gschf. Ges. FN.: Schrödl GmbH. DA.: 1235 Wien, Brunnerstr. 77-79. PA.: 1100 Wien, Laxenburger Str. 124/6/6. G.: Wien, 23. Febr. 1940. V.: Eleonore, geb. Fürnsinn. Ki.: Thomas (1966). El.: Josef u. Ludmilla, geb. Tetzel. S.: Werkzeugmacherlehre, Werkmstr.-Kurs. K.: seit 1966 Konstrukteur f. Kunststofformen, seit 1987 selbst., Kustode f. Volkskunde im Bez.-Museum Favoriten. H.: Bücher, sammeln v. Antiquitäten, Familien- u. Namensforsch. (N.A.)

Schrödl Peter Dr. med.
B.: FA f. Frauenheilkunde u. Geburtshilfe. GT.: Fachgruppenobm. d. Fachgruppe Gynäkologie d. Ärztekam. f. Stmk. DA.: 8580 Köflach, Piberstr. 4. PA.: 8580 Köflach, Weggerstr. 92. G.: Anger, 19. Mai 1947. V.: Waltraud, geb.

Schmoll. Ki.: Michaela, Martin. El.: Johann u. Anna. S.: VS, AHS, 1965 Matura, Stud. Graz, 1972 Prom. K.: 1974-80 Turnus u. FA-Ausbild. in Bad Ischl, Linz, Rottenmann, Univ.Frauenklinik Graz, 1981 OA im LKH Voitsberg, seit 1982 Praxis in Köflach, Gschf. "Menosan", Inst. f. Osteoporose- u. Hormondiagnostik im Klimakterium GmbH, Graz. P.: Veröff. in versch. Fachzeitschriften. M.: Past President Lions Club, stellv. Obm. HC Volksbank Köflach, Jagdpächter d. Gem.Jagd. H.: Musik, Opernbesuche In- u. Ausland, Jagd, Tennis, Skifahren, Golf. (H.Z.)

Schröer Helmut Ing.

B.: Prok., gewerberechtl. Gschf., Konzessionär. FN.: RSA Regel- u. Schaltanlagen GmbH. DA.: 1210 Wien, Brünner Str. 57. PA.: 1220 Wien, Rennbahnweg 13/18/2. G.: Wien, 27. Aug. 1959. V.: Helga, geb. Schab. Ki.: Kathrin, Johannes, Raphael. El.: Bernard u. Leopoldine. S.: VS, RG, HTL Elektrotechnik, 1978 Matura, einige Sem. Betriebswirtschaft, Mstr.Prüf. Elektromechanik 1985, Konzessionsprüf. f. Elektroinstallation 1986, div. Seminare u. Kurse in Richtung Verkauf u. Marketing. K.: seit 1981 in Fa. RSA tätig, 1985 Prok. u. kurz darauf gewerberechtl. Gschf., Gschf. d. Fa. Elconsult, Gesamtverantwortung f. Rechnungswesen, Verkauf u. Prod. H.: Segeln. (G.E.)

Schröfelbauer Herbert Dr. Dipl.-Ing. Dir.

B.: Vorst.Dir. d. Österr. Draukraftwerke AG. GT.: AR-Vors.: GWK, AR-Mtgl.: RKM, Verbund-Plan GmbH, Teerag-Asdag, VPräs. u. Vorst.Mtgl. d. Ges. f. Energiewesen, VerwR.Mtgl.: TÜV, Mtgl. PPA, SUDEL, IAHR, Lastverteilungsbeirat, Lestin & Co., Ständ. österrr.-jugosl. Kmsn. f.d. Drau, Österr. Ges. f. Umwelt u. Technik, Ktn. GKK. DA.: 9010 Klagenfurt, Kohldorferstr. 98. PA.: 9073 Viktring, Am Birkengrund 79. G.: St. Pölten, 6. Dez. 1946. V.: Johanna, geb. Stackl. Ki.: Thomas (1975), Bärbl (1977). El.: Franz u. Frieda. S.: HTL f. Maschinenbau in St. Pölten, Matura 1966, Stud. an d. TU Wien b. 1973, Prom. an d. TU Graz 1977. K.: S. 1973 b. ÖDK als Betriebsing. in Voitsberg, ab 1975 als Sachbearb. in Klagenfurt, ab 1978 Abt.Ltr. f. Instandhaltung masch. Anlagen, 1985 Betriebsdir., seit 1987 Vorst.Dir. P.: Mehrere Veröff. auf d. Geb. d. Umweltschutzes in div. techn. Zeitschriften. H.: Skifahren, Tennis, Literatur, Theater. (A.L.).

Schrofner Anton Josef

B.: Inh. FN.: Schrofner Vakuum-Wurstfüllautomaten. DA.: 5303 Thalgau, Enzersberg 154. PA.: 5303 Thalgau, Eiterer-Schober-Weg 257. G.: Thalgau, 24. Mai 1942. V.: Monika. Ki.: Anton (1963), Norbert (1964), Ursula (1966), Bernhard (1988). El.: Anton u. Elisabeth. S.: 1956 Schulabschluß, 1956-59 Schlosserlehre. K.: 1960-76 Service u. Verkauf im Fleischereimaschinenhdl., seit 1976 selbst., begonnen m. Service u. Hld., 1981 Konstruktion einer eigenen Maschine z. Wurstfüllen, Weiterentwicklung u. weltweiter Vertrieb. H.: schnelle Autos, Skifahren. (E.Hö.)

Schroll Erich Dr. phil. HofR. i.R. a.o.Univ.-Prof.

B.: Gen.-Sekr. d. Vereinigung kooperativer Forschungsinst. Österreichs. A.: 2700 Wr. Neustadt, Haidbrunng. 14. V.: Karoline, geb. Flegel. El.: Alois u. Hedwig. S.: Hum. Gymn., Univ. Wien, Mineralogie u. Petrographie, Dr. phil. 1950. K.: 1942-45 Militärdienst, 1950 Univ.-Ass. an d. Univ. Wien, Mineralogie, 1951 Ind.-Praxis, 1953 Ltr. d. chem. Laboratoriums d. BVFA Arsenal, 1956 Doz. f. Mineralogie u. Geochemie d. Univ. Wien, 1963 tit.a.o.Univ.-Prof., 1964-88 Ltr. d. Grundlageninst., seit 1974 Geotechn. Inst. d. BVFA Arsenal. P.: "Analytische Geochemie", ca. 200 wiss. Veröff. aus d. Fachgebiet. E.: EK f. Wiss. u. Kunst I. Kl., Gr. EZ d. Rep. Österr., Gold. EZ ÖAAB, Preis d. Theodor-Körner-Stiftung. M.: Acad. Scient. et Art. Europ., Geochemical Society, Österr. Minerolog. Ges. u.a.

Schroll Josef

B.: Inh. d. Atelier f. Juwelen-, Gold- u. Silberschmuck. DA.: 6370 Kitzbühel, Hinterstadt 22, 6370 Kitzbühel, Vorderstadt 23. PA.: 6370 Kitzbühel, Sonnenhofweg 12. G.: Kitzbühel, 18. März 1945. V.: Karin, geb. Windhager. Ki.: Christopher (1967), Johannes (1977), Katharina (1983). S.: VS Brixen-Hopfgarten, HTL Steyr Abt. Gold- u. Silberschmiede, Intern. Weiterbild.-Zentrum f. Management u. Marketing d. Uhren- u. Schmuckbranche, 2 Monate Intensivprogramm (Dipl.) in Lausanne. K.: Auslandstätigkeiten in Ulm u. Kassel, berufl. Tätigkeiten in Innsbruck, 1969 Geschäftsgrdg., Übersiedlung in d. Vorderstadt 23, Neubau u. Eigentumserwerb Hinterstadt 22, Anfertigung v. Einzelschmuckstücken u. Hdl. m. hochwertigen Uhren. M.: Vorst.-Mtgl. u. Schriftführer Golfclub Kitzbühel-Schwarzsee. H.: Golf, Skifahren, Malen. (M.T.)

Schroll Manfred Ing.

B.: gschf. Ges., Bmstr. FN.: Bauunternehmung Ing. M. Schroll, Schroll Bau GmbH, WIBAU GmbH. DA.: 3500 Krems, Wilhelm-Gause-G. 2. PA.: 3500 Krems, Ringstr. 20. G.: Kössen/Tirol, 5. Mai 1941. V.: Eva, geb. Witzmann. Ki.: Alexander, Manfred, Michaela. El.: Bmstr. Albin u. Rosina. S.: VS, HS, HTL Krems Fachr. Hochbau. K.: 1966 Bmstr.Prüf., 1968 Übernahme d. Fa. Witzmann, Bauuntern. d. vor über 100 J. gegr. wurde, Hochbauten, Altstadtsanierung, Industriebau. F.: Bauunternehmen, Schotter-, Sand- u. Kieswerk, Lichtpausanst. M.: Mtgl. Wirtschaftsbund, Mtgl. LInnung, Präs.Mtgl. d. Kresta Union Krems (Handball), Präs.Mtgl. d. Kremser Skiklubs. H.: Skifahren, Tennis, Surfen, Weinbau. (C.K.)

Schröpel Werner Albert

B.: Kfm., Dir. d. Musikschule Wolfurt u. Lauterach. DA.: 6922 Wolfurt, Unter Hub 6. PA.: 6922 Wolfurt, Martinsweg 13. G.: Lustenau, 1. Feb. 1946. V.: Ilse, geb. Horatschek. El.: Ernst u. Johanna. S.: VS, HS, kfm. Berufsausbild., Militärmusik Bregenz, Dirigentenausbild. Konservatorium Feldkirch, Klarinette b. Prof. Brandhofer, 1972-74 Sped.-Kfm. K.: 1974 Eintritt Musikschule Wolfurt als Lehrer f. Klarinette u. Saxophon, 1975 Intern. Ltr. d. Schule, 1987 Dir. d. Schule, Initiator f. Popularmusik u. Jazzseminaren, Grdg. einer Jugendblaskapelle, Grdg. einer Bid Band d. Musikschule Wolfurt u. eines Symphon. Streichorchesters m. d. umliegenden Musikschulen, 20 J. Kapellmeister d. Blasmusik Wolfurt u. Balgach/Schweiz. E.: Silb. Ehrennadel d. Vbg. Blasmusikverb. M.: Personalvertreter d. Musikschule, Prüfer b. Jungmusiker Leistungsabz. H.: Videofilmen, Bergwandern, Reisen. (I.D.)

Schrötter Barbara Alexandra Mag.

B.: Gschf. Ges. FN.: Max Scharrer Porzellan Glas Silberwaren Besteck Edelhausrat. DA.: 4020 Linz, Bürgerstr. 49. PA.: 4020 Linz, Dinghoferstr. 30. G.: Linz, 21. Dez. 1957. V.: Dipl.-Ing. Klaus Dieter Schröter. Ki.: Nikolaus-Maximilian, Sebastian-Johannes. El.: KommR. Maximilian u. Lieselotte. S.: VS, Gymn., 1976 Matura, b. 1982 Stud. BWL WU Wien. K.: Auslandspraktikum in Zürich u. Inland, seit 1982 jetzige Position. H.: Reisen, Sport, Theater, Oper, Lesen, Geschichtl. Bücher, Literatur. (U.A.)

Schröter Herbert Ing.

B.: Gschf., Inh. FN.: AKIBA, TBS Unternehmenslogistik. DA.: 6010 Innsbruck, Neurauthg. 10-12. PA.: 6020 Innsbruck, Schmuckg. 2. G.: Hall, 5. Apr. 1960. Ki.: Lisa (1985), Patrizia (1986). El.: Karl u. Dorothea. S.: 1980 Matura Fulpmes, BH. K.: 1981-90 Ltr. d. Bereiches Unternehmenslogistik in einer Planungsfirma, 1990 Grdg. Firma TBS, seit 1991 Ges. u. Gschf. d. Firma AKIBA, Schwerpunkt: Fabriksplanungen, Techn. Logistik, Organ. M.: Wirtschaftsbund. H.: Segeln, Luftfahrt, Auto, Reisen. (G.P.).

Schröter Wilfried Dkfm.
B.: AR-Vors. d. C.T. Liegenschaftsverwaltung AG, Vorst. d. C.T. Beteiligungs AG. DA.: 1140 Wien, Hüttelbergstr. 6. G.: Hattingen/BRD, 14. Aug. 1951. Ki.: Alexander (1987), Sebastian (1988), Anja (1990), Fabian Heinz Wilhelm (1991). El.: Edeltraud u. Heinz. S.: Stud. BWL in Bochum u. Mannheim, Dkfm. 1984. K.: 1984-86 Vorst.-Ass. b. Lebensversicherungs in Karlsruhe, 1986 Umzug n. Wien u. Grdg. d. Schröter GmbH, ab 1989 C.T. Beteiligungs AG. H.: Golf, Tennis. (R.J.)

Schroth Anton

B.: Inh., Fleischermeister. FN.: Fleischhauerei Schroth. DA.: 5621 St. Veit i. Pongau, Markt 6. PA.: 5621 St. Veit i. Pongau, Lehen 11. G.: St. Veit i. Pongau, 17. Okt. 1940. V.: Jutta, geb. Schroll. Ki.: Anton (1960), Jutta (1962), Franz (1964), Heidi (1971), Iris (1973), 6 Enkelkinder. El.: Franz u. Johanna. S.: VS, HS, BS, zahlr. Fort- u. Wieterbildungskurse. K.: 3 Lehrjahre als Metzger m. Gesellenbrief 1957 abgeschlossen, s. 1954 i. sämtl. Bereichen d. elterl. Metzgerei tätig, März 1962 als jüngster Metzger Österreichs d. Meisterprüfung abgeschlossen, s. 1970 selbstst. durch Übernahme d. 1930 gegründeten Metzgerei, 1990 Eröffnung d. Filiale i. Schwarzach. E.: 5 Silbermedaillen i. d. intern. Wurstolympiaden, Auszeichnung f. 25 Jahre Vereinstätigkeit durch die Markt Gemeinde St. Veit i. Pongau. M.: Trachtenvereine, St. Veiter Gesangsverein, usw. H.: Musik u. Gesang, Motorrad, exotische Haustiere. (J.F.)

Schrott Dorothea
B.: Gschf. FN.: Mirasol. DA. u. PA.: 8051 Graz, Wiener Str. 311. G.: Graz, 11. Mai 1925. Ki.: Otto (1952), Gabriela (1959). El.: Florian u. Josefine Grinschgl. S.: VS, Gymn., 1943 Matura, Arbeitsdienst u. Kriegseinsatz. K.: 1944-48 Tätigkeit im elterl. Betrieb, Delikatessen, 1950 Tätigkeit b. Gatten b. Mirasol, Erzeugung v. Chem.-Techn. Produkten in Richtung Objektpflege, Groß- u. Kleinhdl. v. Maschinen u. Geräten, Verkauf, Vermietung u. Entsorgung v. Anschluß-WC-Kabinen im Rahmen d. Umweltschutzes. H.: Antiquitäten sammeln, Familie, Reiten. (M.Gr.)

Schrott Ewald

B.: Bgm. DA.: 8221 Hirnsdorf 125. PA.: 8221 Hirnsdorf 2. G.: Gleisdorf, 31. Okt. 1938. V.: Hedwig, geb. Huber. Ki.: Ewald (1967), Christian (1971). El.: Theodor u. Anna. S.: VS, Kfz-Mechaniker- u. Schlosserlehre in Gleisdorf, 1954 Abschluß. K.: 1954-78 Ang. Firma Patthy Gleisdorf, Firma Nebel Graz, seit 1980 Gschf. Obm. d. Wasserverb. Feistritztal, 1978-83 GemR. Gem. Hirnsdorf, 1983-88 VBgm. Gem. Hirnsdorf, seit 1988 Bgm. Gem. Hirnsdorf. M.: Obm.-Stellv. d. Sportver. Hirnsdorf. H.: Fußball, Skifahren, Radfahren. (I.G.)

Schrotta Werner Dr. Dkfm.
B.: Verlagsltr., Gschf. FN.: Druckerei u. Zeitungshaus J. Wimmer GmbH. DA.: 4020 Linz, Promenade 23. G.: Asch/CSFR, 13. Mai 1935. V.: Hanni. Ki.: Walter, Karin, Barbara, Margit, Christian. S.: VS, RG, HS f. Welthdl., Studienaufenthalt USA. K.: 1957 Dipl.Prüf., 1960 Prom. z. Dr. d. Handelswiss., 1964-78 Gschf. d. Wochenpresse GmbH, 1978 Fa. J. Wimmer, Vorst.-Mtgl. d. Austria Presse Agentur, seit 1991 Präs. d. Verb. Österr. Zeitungsherausgeber u. Verleger. E.: VK u. Gold. EZ f. Verd. um d. Rep. Österr. M.: Rotary Club. H.: Segeln, Lesen (Zeitgesch.), Musik (Klassik).

Schrottenbaum Erich

B.: Inh. Kfm. FN.: Zweiradsport. DA.: 6130 Schwaz, Dr. Dorrekstr. 40. PA.: 6130 Schwaz, Anton-Öfnerstr. 8. G.: Schwaz, 8. Aug. 1941. V.: Anita, geb. Clara. Ki.: Werner (1972), Peter (1977). El.: Edmund u. Maria. S.: VS, HS, 3 Lj. EH-Kfm. in einem Zweiradgeschäft, 1959 abgeschl. u. bis 1965 tätig. 1965-67 beim Bau d. Transalpinen Ölleitung als Ltr. d. Fuhrparks u. Chauffeur d. obersten Aufsichtsorgane tätig. 1968 Selbst. in Schwaz als Zweiradhändler, 1972 Betriebübersiedelung in Anwesen Dr. Dorrekstr. 40. Betr. laufend vergrößert, erweitert u. auf d. neuesten Stand gebracht. E.: Pokale u. Medaillen aus div. sportlichen Bereichen. M.: Gründ.-mtgl. d. MC Schwaz, Ausschußmtgl. d. Touring-Club, langjährig mtgl. zahlr. örtl. Vereine. H.: Allgemein Sport, Radfahren, Bergwandern. (J.F.)

Schrötter Hermann
B.: Vors. d. Vorst.-Dir. FN.: Duropack Holding AG. GT.: Gschf. d. Schumacher Verw. GmbH Ansbach/BRD. DA.: 1235 Wien, Brunnerstr. 75. G.: Kollnbrunn, 16. Apr. 1940. V.: Christa, 2 Kinder. S.: Grundschule, HASCH, Ausbild. HS f. Welthdl. in Abendkursen, Seminar in Fontainebleau, Stanford INSEAD Advanced Management Program, Northwestern Univ., Executive Program, 1958-63 Fa. Schmidberger, 1963-67 Südost-Treuhand, seit 1967 Duropack. M.: Rotary. H.: Tennis, Bergwandern.

Schrottmaier Johann Dr. techn. Dipl.-Ing. HofR.
B.: Ltr. d. Bundesanst. f. Landtechnik. DA.: 3250 Wieselburg, Rottenhauserstr. 1. G.: Scheibbs, 4. Juin 1948. V.: Traudl, geb. Freiberger. Ki.: Johann Johannssson (1984), Waltraud Cornelia (1986). El.: Johann u. Maria. S.: HTL Heimwerktechnik Mödling, Stud. Techn. Physik TU Wien. K.: seit 1972 in d. Bundesanst. f. Landtechnik tätig: Forsch.-Arb. in d. Bereichen Meßtechnik, Ergonomie, Verwertung v. Abwärme im Gartenbau, Bergbauerntechnik als Ltr. d. Abt. Landtechn. Entwicklung u. Meßtechnik, seit 1988 Dir. d. Bundesanst., zusätzl. 20 J. Lehrkraft, 1972/73 Physik an Gymn., 1973-92 Unterricht Höhere Ldw. BLA Francisco Josephinum Wieselburg. P.: zahlr. Veröff. auf d. Gebiet d. Landtechnik u. d. nachwachsenden Rohstoffe. M.: Verkehrsver. Wieselburg, Kuratorium f. Landtechnik, European Union Club of Advanced Engineering f. Agriculture. H.: Bergwandern, Skifahren, Reisen, gemeinsame Aktivitäten m. d. Kindern, Arb. am Haus. (F.S.)

Schröttner Helmuth
B.: Kfm. FN.: Eudora-Schröttner Management. DA.: 8020 Graz, Herrgottwiesg. 79. PA.: 8054 Graz, Zahläckerweg 72. G.: Graz, 24. Febr. 1950. V.: Waltraud, geb. Tropper. Ki.: Jörg (1971), Marion (1975). El.: Josef u. Angela. S.: VS, HS,

kfm. Lehre. K.: 1976 Übernahme als jüngster Eudora-Händler in Österr. v. Herbert & Sophie Tropper, ab 1982 auch tätig im Musikbereich, 1988 Grdg. eines Vocalensembles "Voice Company", Kontaktadresse z. größten Mannequin- u. Dressmanschule in Österr. H.: Tennis, Musik. (M.Gr.)

Schrotzberg-Hölbling Gerty Prof.

B.: Schauspielerin u. Prof. i. R. an d. HS f. Musik u. darstell. Kunst. PA.: 1140 Wien, Weinzierlg. 12. G.: Berlin, 1. Sept. 1929. Ki.: Friederike (1950). El.: Dipl.-Ing. Rudolf u. Stilla Hölbling. BV.: Ururgroßvater Franz Stohl (befreundet m. Schubert), Michael u. Heinrich Stohl (Maler), Eleonore Schrotzberg (Sängerin), Molenaer (Maler). S.: Stud. Schauspiel, Klavier, Gesang, Geige u. Orgel am Konservatorium Prayner Wien, am Bruckner Konservatorium Linz u. am Mozarteum Sbg. K.: 1946-49 Stadttheater Steyr, 1951-57 LTheater Linz, 1958-62 Sbg. LTheater, 1964-65 LTheater Baden, 1967-81 am Wr. Burgtheater, zusätzl. Gastspiele u. Tourneen in Deutschland, Österr. u. Schweiz, Hamburger Kammerspiele, Sbg. Festspiele, Melker Sommerspiele, freie Mitarb. b. ORF u. Film, seit 1972 Lehrauftrag an d. HS f. Musik u. darstell. Kunst Wien. E.: 1975 Prof. M.: Wr. Goethever., künstler. Vorst. in d. Hebbel-Ges. H.: Musik, Natur. (J.S.)

Schruf Markus

B.: Jugendleiter Austria Memphis u. Geschäftsf. d. Leistungszentrums. DA.: Ernst Happel Stadion Sektor D, 1020 Wien, Meiererstr. 7. PA.: 1070 Wien, Mariahilferstr. 52/4. G.: Zürich, 9. Nov. 1964. El.: Margarete u. Othmar. BV.: Skipionier Schruf. S.: Hak Perg, Studium BWL Linz, gleichzeit. staatl. Fußballtrainerausbildung, 1988 Diplom m. Auszeichnung, s. 1990 Studium d. Pädagogik, Psychologie u. Sport a. d. Univ.Wien, derzeit Diplomarbeit. K.: 1989 fußballtrainer f. Kinder u. Jugendl. a. d. Academica Sportivo Cantalao i. Peru, 1990 Soccer Program i. San Diego, 1989-93 Kinder- u. Jugendtrainer b. ehem. SK Voest Linz, 1993 Eintritt b. Austria Memphis, Trainer f. Kinder u. Jugendl. b. 18 Jahre, s. 1994 Jugendleiter u. Geschäftsführer d. Leistungszentrums. M.: Verband Österreichischer Wirtschaftsakademiker, Österr. Sportlehrerverband. H.: Musik, Tennis, Skifahren, Reisen.

Schrumpf Richard

B.: Fremdenverkehrsdir. d. Stadt Graz, Gschf. FN.: Grazer Tourismus GmbH. GT.: VerwR.-Präs. Moores of Ashbourne AG Luzern, VerwR. Lugastro AG Luzern, Dir. d. Travel West Inc. Phoenix/Arizona/USA, VerwR.-Präs. Moores-Blessind AG Luzern. DA.: 8010 Graz, Hans-Sachs-G. 10. PA.: 8010 Graz, Schmiedg. 15. G.: Zürich, 23. Apr. 1941. V.: Gabriela, geb. Moore. Ki.: Mark Antony Dönis (1965), Julian Charles (1968). El.: Hans u. Hanna. S.: Primar- u. Sekundarschule, HASCH, 1960 Eidgenöss. Fähigkeitsausweis, Stud. Swiss Mercantile School London, 1962 Abschluß. K.: 1960-61 Ang. Mathey-Doret & Cie Genf, 1961-62 Schalterang. Reisebüro Lissone-Lindeman (London) Ltd. London, 1962-64 Schalterang. b. Reisebüro Kehrli & Oeler Bern, 196-66 Gschf. Bucher & Co AG Luzern, 1967 Dir. Schmid AG Wettingen u. Baden, 1968 Delegierter d. VerwR., 1966-90 Inh. Schrumpf Travel Organization Küssnacht, Luzern u. Lincolnshire/Illinois/USA, 1990-91 Teilhaber u. Verw.-Prüs. Jetland Tours Inc. Luzern, seit 1973 Dir. All Europe Tours (Contractors) Ltd. Brentford/Mittlesex England, seit 1990 Fremdenverkehrsdir. d. Stadt Graz, Gschf. Grazer Tourismus GmbH. BL.: Patentinh. z. Betrieb einer Passage- u. Auswanderungsagentur. M.: Grdg.-Mtgl. Intern. Ak. Kempten/Allgäu, AufsR. Royal Castle Club Hohenschwangau, AufsR. Ferienwohnpark Oberallgäu. (F.K.)

Schrutek Karl Dipl.-Ing. wHofR.

B.: Bmtr. im Ruhestand d. NÖ LRg. DA.: 1010 Wien, Herreng. 11-13. PA.: 1180 Wien, Hockeg. 28. G.: Nachod/CSFR, 21. Aug. 1915. V.: Rita, geb. Lücke. Ki.: Elmar (1947), Karl (1953). El.: Karl u. Sophie. S.: 1934 Matura, Stud. Maschinenwesen TU Wien, 1939 Dipl.-Ing. K.: seit 1945 wieder in Wien, seit 1946 in d. NÖ LRg., Amtssachverst. u. gerichtl. beeid. Sachverst. auf d. Fachgebiet Elektrotechnik. Aufgabengebiet: Elektrifizierung weiter Teile v. NÖ u. Bau v. Kraftwerken, Umspannwerken etc. Weitere Tätigk.: Vors. b. Konzessionsprüf. f. d. Elektroinstallationsgewerbe, Mitarb. im Österr. Verband f. Elektrotechn. (Vorschriftenaussch.), Amtssachverst. f. d. Kraftfahrwesen (Lenkerprüf.), Mtgl. div. Prüf.-Kommiss., 1978 Ltr. d. Abt. B/5 f. d. Fachgebiete: Fördertechnik, Dampfkesselwesen, Druckrohrbau, Maschinenbau, Wärme- u. Gewerbetechnik, Elektrizitätswirtschaft u. Elektrotechnik, seit d. Pensionierung noch als kraftfahrtechn. Amtssachv. b. Amt d. NÖ LRg. tätig. E.: Silb. Komturkreuz d. EZ f. Verd. um d. Bdl. NÖ. H.: Gesteinskunde, Mineralien, Ölmalereien. (J.S.)

Schrutka Erna Dr. med.

B.: Prakt. Ärztin. DA.: 1040 Wien, Favoritenstr. 20/18. G.: Wien, 29. Dez. 1926. V.: Dr. Rainer. Ki.: Dr. Wolfgang, Susanne. BV.: Prof. Emil Schrutka-Rechtenstamm, Univ.-Prof. d. Jur. Fak. S.: Gymn., Univ. Wien. K.: Spitalsausbild. Franz Josef-Spital, 1979 Übernahme d. Praxis v. Dr. Schrutka. H.: klass. Musik, Jazz, Sport (Tennis, Ski). (Hau.)

Schuba Trixi

B.: Kfm. Ang. A.: 1010 Wien, Salzgries 12. G.: Wien, 15. Apr. 1951. S.: VS, Mttelschule, kfm. Schule. K.: 6x Österr. Meisterin in Eiskunstlauf Damen-Einzel 1967-72, 2x Europameisterin 1971 u. 1972, 2x Weltmeisterin 1971 u. 1972, Olympiasiegerin 1972 in Sapporo. M.: Mtgl. d. Wr. Eislaufver. H.: Theater, Lesen, Tennis, Skilauf.

Schubert Edwin Dr.

B.: RA, Verteidiger i. Strafsachen. FN.: RA Dr. Edwin Schubert. DA.: 2620 Neunkirchen, Triesterstr. 21. G.: Wr. Neustadt, 14. Nov. 1955. S.: Mittelschule, 1974-79 Stud., b. 1985 Ausb. K.: Ger.-Jahr i. Wr. Neustadt u. Gloggnitz-Neunkirchen Dr. Wippel, s. Mai 1985 selbst., s. 1993 m. Dr. Rammel. H.: Tennis, Skifahren.

Schubert Günter Dr.

B.: Vizepräs. d. OGH. DA.: 1016 Wien, Museumstraße 12/1/201. PA.: 1238 Wien, Leiteng. 31. G.: Wien, 25. Nov. 1929. V.: Christa. Ki.: Dr. Claudia Fuhrmann. El.: Leopold u. Leopoldine. S.: 1953-56 Bankver. CA, Auslandsabt., 1962 PräsidialSekr. OLG Wien, 1975 Ref., b. 1994 Vizepräs. i. OGH , Mtgl. d. obersten Patent- u. Markensenat, Vors. d. Personalvertretung, Aufsichtskommission i. BKA, Vors. d. Bundesentschädigungskommission, Vors. d. Disziplinarsenats d. Ärztekammer (Wien, NÖ, Bgld.), Disziplinaranwalt d. Ing.-Kammer. P.: Fellner - Schubert, Beamten - Dienstrecht, (Koautor Rummel, Kommentar ABGB) M.: Mtgl. d. Museumsfreunde. H.: Hochseesegeln, Lesen-Kunstgeschichte. (T.H.)

Schubert Harald Dr. med.

B.: ärztl. Ltr. d. LNerven-KH Hall in Tir.; a.o. Univ.-Prof. DA.: Prag/CSFR, 11. Aug. 1943. V.: Dr. phil. Anne, geb. Larsen. Ki.: Maria (1970), Astrid (1978), Gustav (1980). El.: Prof. Dr. Gustav u. Herta, geb. Tutschka. S.: VS, Lycée Francaise, 1961 Matura, Med.Stud. in Wien, 1968 Prom. K.: 1969 Sekundararzt d. Chir. Abt. d. KH Floridsdorf, 1969-74 Ass.Arzt an d. Psychiatr.-Neurolog. Univ.Klinik Wien, 1975-84 OA an d. Univ.Klinik f. Psychiatrie in Innsbruck, 1983 Habil., seit 1984 Ltr. d. LNerven-KH Tall in Tir. P.: 84 Publ. m. Schwerpunkt Psychopharmakologie u. Tyrontopsychiatrie, Habil.Schrift "Bewußtseinsstörungen u. Liquormetabolismus". M.: Präs. d. österr. Ver. f. Psychiatrie, Mtgl. d. Arge f. biolog. Psychiatrie. (H.T.)

Schubert Helmut Dipl.-Ing.

B.: Umweltbiologe, Therapeut,Trainer, Managment Berater, Bewegungspädagoge. FN.: " Yee Kung"-Zentrum f. alte Chinesische Entspannungsübungen u. Vitalisierungsübungen. DA.: 1060 Wien, Mariahilferstr. 115. PA.: 1150 Wien, Flachg. 33. G.: Lünen/BRD, 5. JUn. 1953. S.: Stud. Umweltbiologie. K.: 1978-83 wiss. Mitarb. d. Univ. Gießen, 1975-83 Ausbild. z. Gruppenltr. f. Autogenes Training u. Taoitische entspannungsmethoden, z. Yoga- u. Tai Chi Lehrer u. in Ernährungslehre (n. Dr. Brucker), s. 1978 als Trainer f. Streßbewältigung u. Streßtransformation tätig, 1983 Grdg. e. Gesundheitszentrum in Gießen, Ltg. dieses Zentums b. 1988, s. 1988 Gschf. u. Cheftrainer d. Intern. Tai Chi Chuan Assoc. (ITCCA) in Österr., Rahmenprojekte in zusammenarb. m.d. Projektmanagement Austria, d. WU u.d. Exportkad. d. BWK; öffentl. Seminare in Tai Chi Chuan in Wien, Linz, Salzb., Weiz u. Sardinien. (N.A.)

Schubert Karl Georg

B.: Kfm., Gschf. u. Verw. von Miethäusern u. Grundstücken, Firmenges. DA.: 2460 Bruck/L., Kircheng. 28. G.: Bruck/L., 22. März 1927. Ki.: Michael Ekkehard. El.: Dr. Karl u. Anna. BV.: Dr. Otto Tschadek (ehem. Justizmin. u. LHptm.Stellv. v. NÖ). S.: RG Bruck/L., Matura 1947, Hotelfachschule Pichl/Enns b. 1949, div. Seminare im kfm. Bereich. K.: 1943-45 Kriegsdienst (Luftwaffenhelfer u. Kriegsmarineseekadett), 1947-63 Hotelkfm. in d. Schweiz, Deutschland u. Österr., 1962-64 Dion. Hotel Panhans/Semmering, 1964-70 Fa. Morawetz/Schwechat u. Denzel/Wien. M.: Verwaltungstätigkeit Ver. d. Freunde u. Förderer d. Gendarmerie NÖ. H.: Radfahren, Schwimmen, Wasserski, Skifahren, Theater, Oper. (M.G.)

Schubert Odo Dr.

B.: FA f. Röntgenologie. A.: 5061 Elsbethen, Erich-Landgrebe-Str. 4. G.: 25. Juli 1923. V.: Margarethe, geb. Radauer. El.: Johann u. Maria. S.: VS, Hum. Staatsgymn. Sbg., Univ. Graz, Innsbruck, Prag. K.: Privat Radiologie, 7 J. Ltr. d. Röntgenabt. KH Schwarzach. P.: 3 wiss. Arb. H.: Fischerei, Schnitzen.

Schubert Renate

B.: Pensionistin, Malerin. PA.: 1160 Wien, Friedmanng. 13/9. G.: Wien, 5. Jan. 1911. S.: VS, HAK, 1929 Matura, 1944-52 Privatschülerin b. Prof. Rudolf Heinz Keppel. K.: 1929-40 Tätigkeit in d. Fa. d. Eltern, 1942-78 Ang. in d. Privatwirtschaft, seit 1952 als Malerin tätig. P.: 1954-63 Gast b. Ausstellungen im Künstlerhaus, Landschaften in Öl, Aquarelle u. Graphiken. M.: seit 1959 BVÖ. H.: Musik, Klavierspielen. (M.B.)

Schubert Werner

B.: Dir. HS Favoriten. DA.: 1100 Wien, Knöllg. 61. PA.: 1100 Wien, Otto-Probst-Str. 3/41/1. G.: Wien, 4. Febr. 1941. Ki.: Michaela (1968). El.: Oskar u. Elisabeth. BV.: Alaskaforscher John Schubert. S.: 1959 Matura. K.: 1961-63 Erster BJugendsekr. d. TVN, ab 1962 Einführung d. Orientierungslaufes in Österr. durch Veranstaltung v. Kursen, 1962 Erster öff. Orientierungslauf in Kapfenberg, 1964 u. 1965 Österr. Staatsmstr. OL, 1965-66 Heeres-Nahkampfschule - Einführung d. Orientierungslaufes im BH, seit 1966 Lehrer, seit 1988 HS-Dir., 1965-68 Sekr. d. Österr. Fachverb. f. Orientierungslauf, seit 1971 Kustos d. Bez.Museums Favoriten, seit 1975 Ltr. d. Museums, ab 1971 Sekr. dann Präs. d. gr. Wr. Skiclubs, seit 1987 BezR., 1992 Titel Prof. durch d. Bundespräs. P.: "Favoriten - Von d. Siedlung z. Großstadt". H.: Skifahren. (P.R.)

Schuberth Friedrich Paul Dr. phil.

B.: InformationsOffz, Miliz-UOffz. A.: 1170 Wien, Veronikag. 29/10. G.: Wien, 12. Apr. 1943. El.: Bmst. Ing. Friedrich Viktor u. Adele, geb. Miklas. S.: RG, BLBA (Matura), Univ. Wien u. Jefferson (Dr. phil.). K.: Erzieher in öff. u. priv. Heimen, Organ.Ref. d. ÖJAB, Presseref. d. Steyr-Daimler-Puch AG, danach Lt. d. Abt. Öffentlichkeitsarbeit, Mtgl. d. Obersten Rates u. Großbailli v. Österr. d. Mil. u. Hosp. Ordens d. Hl. Lazarus v. Jerusalem (Obedienz Malta). P.: div. Fachpubl. E.: GV, WDZ2,3, WDMG, WDMB, K.EMK, VK-RK, Gold. u. Silb. VM-RK aBdBSD, bVM-RK,VZ/Band-ASBÖ g EM-ASBÖ, BlutspenderVK, g u b päpstl. EK Leo XIII, GK u. Amtskt Lazarus Ritterorden, VGrOffzK Lazarus Ritterorden, g u s u b VK Lazarus Ritterorden, PolenDankM Lazarus Ritterorden, ERK HospitaliterO, u.v.a., Ehrenbürger v. New Orleans (USA), d. Bundesstaates Alabama (USA), ObstLt. h.c. d. National Guard v. Alabama (USA), u.a. M.: St. Lazarus Hilfswerk (Mgld. d. BLtg), ÖGB-Journalistengewerkschaft, Ver. f. Psych. u. Päd. im BSA, Int. Ges. f. Ordenskunde (Vorst.Mtgl.), u.a.

Schuberth Gerhard Ing.

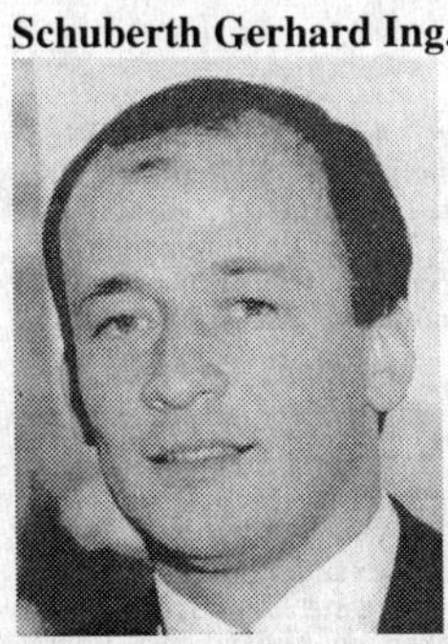

B.: Dir., Gschf. FN.: Philips Med. Systeme GmbH. DA.: 1230 Wien, Gutheil-Schoder-G. 17. PA.: 3390 Melk, Hufnaglweg 2. G.: Kuffarn, 28. Jan. 1960. V.: Ilse, geb. Wawra. Ki.: Christina (1981). El.: Dr. med. vet. Wolf u. Johanna. S.: 1980 Matura. K.: 1981 Hardware-Entwicklungslabor Firma Philips Wien, 1987 Projektltg. u. Gruppenltr., 1989 Projektltg. b. Med. Technik, 1990 Ltr. Profi Centers-Service, 1991-93 hat Projekt Management als Abt.-Form in Deutschland, Österr. u. Schweiz implementiert, 1993 Projekt- u. Service-Manager f. Österr., seit 1994 Gschf. u. Dir. v. Philips Med. Systeme. M.: Rotes Kreuz, Sport Union Melk. H.: Beruf, Sport (Badminton, Radfahren, Skifahren). (I.K.)

Schuberth Ludwig Dr.

B.: Vorst.-Dir. FN.: Errichtungsges. Marchfeldkanal. DA.: 2232 Deutsch Wagram, Franz-Mair-Str. 47. G.: Wien, 22. Juni 1939. V.: Martha, geb. Gratzll. Ki.: Michael, Marianne, Monika. El.: Ludwig u. Aloisia. S.: RG, 1957 Matura, Stud. Rechts- u. Staatswiss. Univ. Wien, 1966 Mag. iur., 1968 Dr. iur. K.: 1957-68 Mag. d. Stadt Wien, 1968-70 Fachinnendienst d. Wr. Allianz Vers., seit 1970 b. BM f. Bauten u. Technik als VB, b. 1981 Sekr. u. anschl. Büroltr. d. jew. Min., 1976-81 Ltr. d. Rechtsabt., 1981-82 Ltg. d. Sekt. Wohnungs- u. Siedlungswasserwirtschaft, 1983-93 Präsidialvorst. u. Sekt.-Chef im BMW, 1993 Vorst.-Dir. d. Errichtungsges. Marchfeldkanal. BL.: maßgebl. beteiligt b. d. Realisierung d. Marchfeldkanals, Initiative u. Realisierung d. Zusammenlegung d. BMH u. BMB z. BMW 1987. E.: 1981 Gold. EZ f. Verd. um d. Rep. Österr., 1988 Gr. Gold. EZ f. Verd. um d. Rep. Österr., ÖOlympM. M.: SPÖ. H.: Bergsteigen, Skifahren, Tennis. (G.B.)

Schuberth Waltraud

B.: Kfm. FN.: "Reico" KG. DA.: 5500 Bischofshofen, Gasteiner Str. 37. G.: Bischofshofen, 7. Okt. 1939. V.: Gotthard. Ki.: Ursula (1959), Dr. Alexander (1961). El.: Walter u. Antonia Reisinger. S.: VS, HS, HAK. K.: 1957-61 im elterl. Betrieb tätig, 1962 Raumausstattungsbetrieb in Bischofshofen eröffnet, 1966 Übersiedelung, 1991 Neuerricht. d. Betriebes. H.: Lesen. (J.F.)

Schuberth Wolfgang Rainer

B.: Gastronomieltr. PA.:1170 Wien, Natterg. 21/4. G.: Wien, 27. Juni 1947. V.: Leopoldine, geb. Haider. Ki.: Gerald. El.: Bmstr. Ing. Friedrich u. Adele, geb. Miklas. S.: Pflicht- u. Berufsschule. K.: Kochausbild., Militärdienst, Auslandspraxis (Schweiz), Großküchenltr., Gastronomieltr., LKdt. v. Wien Lazarus Hilfswerk, Konzession. E.: WDM br., gVM-RK aBdBSD, sEM-ASBÖ, VZI-LHW, bVM-LHW, gEM-LHW, gub päpstl. EK Leo XIII, GrKmtK OSLJ, VOffK OSLJ, EK II-LHW, Blutspender VK, s VM A.Schweitzer G., g ÖSTA, g. Naturfreundeabz., u.a. M.: Lazarus Hilfswerk u.a. H.: Sammeln v. Miniaturfläschchen.

Schubrig Alfred

B.: Bauunternehmer, Bmstr., Arch. A.: 1010 Wien, Jasomirgottstr. 4. V.: Dr. Cornelia, geb. Kaltenböck. K.: KommR., Gen.Konsul d. Rep. Island u.a. F.: Bauunternehmung Schubrig KG Krems, Bauunternehmung Alfred Schubrig KG Wien, Hotel "Weiße Rose" Krems u.a. E.: Großritterkreuz d. isländ. Falkenordens, Präs. u. Vorst.Mtgl. div. Inst. öff. u. kultureller Art.

Schuch Andreas

B.: Unternehmer. FN.: Pharao, Institut f. Mentaltraining u. Lebensberatung. DA.: 4400 Steyr, Franz-Siebek-Str. 4/2/7. PA.: 4400 Steyr, Sebekstr. 4/2. G.: Steyr, 14. Juli 1963. V.: Michaela, geb. Hadinger. Ki.: Alexander (1991), Sophie Sanaya (1994). El.: Wilhelm u. Margarte. S.: VS, HS, HAK, 1983-84 BH. K.: b. 1986 Tätigkeit im Außendienst, Repräsentation d. PSK m. Postämterbetreuung, div. Dienstprüf., 1988 Eröff. d. Gebietsltg. in Vöcklabruck, 1990-94 Vorst. d. Mercurbank AG, Steyr. H.: Golf, Skifahren, Familie, Squash, Tennis, Esoterik, Psych. (U.A.)

Schuch Gerhard

B.: Gschf. FN.: "Der Hammer" Auktions u. Hdls. GmbH. DA.: 1150 Wien, Stättermayerg. 32. G.: Wien, 16. März 1961. El.: Walter u. Hildegard, geb. Ostermeier. S.: VS, AHS. K.: 1979-92 Sachbearb. u. Auktionator im "Dorotheum", danach selbst. H.: Literatur. (N.A.)

Schuchlenz Walter Dr.

B.: Gen.Sekr. A.: 1190 Wien, Hackhoferg. 9a/12. G.: Graz, 15. Apr. 1928. V.: Paula, geb. Schoeller. El.: Georg u. Angela. S.: RG Graz, 1947-50 jur. Fak. Karl Franzens-Univ. Graz, 1951 Prom. z. Dr. iur. K.: ab 1947 Finanz-LDion. Graz, ab 1956 b. ÖAMTC, ab 1963 Stellv. Gen.Sekr., ab 1982 Gen.Sekr. d. ÖAMTC. M.: Präs. d. ÖCC.

Schuchter Gabriele

B.: Schauspielerin, Sängerin. PA.: 1010 Wien, Seilerstätte 16/19. G.: Salzburg, 2. März 1956. V.: Mag. Mag. Bernhard Dolna. Ki.: Maria (1986), Anna (1988), Seraphin(1990), Gabriel (1992). El.: Gilbert u. Maria Schuchter. BV.: Vater Gilbert Schuchter: Dirigent u. Pianist, bes. Vorliebe f. Schubert, Mozart u. Pfitzner, spielte deren Gesamtwerk f. Klavier auf CD ein. S.: Matura i. Salzburg, Mozarteum: Klavier u. Cello; Wr. Musikhochschule: Cello u. Gesang, Max-Reinhardt-Seminar. K.: Beginn d. Schauspielerkarriere als Elvin am Burgtheater, 7 J. Ensemblemitglied a. Burgtheater u. Akademietheater, 1984 Freiwillige Helferin b. Mutter Teresa i. Kalkutta, Indien, anschl. freie Schauspielerin, Stückverträge a. versch. Bühnen, zahlr. Auftritte b. d. Salzburger Festspielen, Coproduktion Steir. Herbst u. Wr. Staatsoper, Burgenländische Festspiele, Melker Festspiele u.v.a., gelegentl. Auftritte a. d. Wr. Volksoper. Derzeit vorwiegend a. Volkstheater Wien wie "Polly" Dreigroschenoper, "Die schöne Helena", "Nora" (Jelinek), Nestroy u. Raimund. Gleichzeitig Mitwirkende i. versch. Film- u. Fernsehproduktionen, Hörspiele u.a. v. Christine Nöstlinger, Jörg Mauthe, Michael Scharang. H.: Musizieren, Wandern, Reisen. (J.S.)

Schueller Johann

B.: Journalist, Apotheker. A.: 3910 Zwettl, Hauptpl. 11. G.: Zwettl, 8. Mai 1934. V.: Mag. pharm. Dorit, geb. Jurenitsch. El.: Mag. pharm. Josef u. Maria. S.: BRG, Stud. d. Med., Pharm. u. Zeitungswiss.-Publizistik an d. Univ. Wien, Managementkurse. K.: Seit 1950 freischaff. Journalist, Mitarb. in- u. ausländ. Massenmedien, freier Mitarb. d. ORF, d. Austria-Presse-Agentur, seit 1970 Hrsg. d. Pressedienste PDS, Grdg. d. Kunstgalerie "zwettl-aktuell", 1971 Grdg. d. Nachrichtenagentur IMA, 1964-72 Gastvorträge an d. Univ. Publizistik Berlin, Leipzig u. Rostock. F.: Alleininh. d. "Apotheke zum schwarzen Adler, Zwettl", Beteiligung am "european-kometiklabor- schüller", Hrsg. d. Zeitschrift "zwettl-aktuell", Kons. d. "Kaiser Distributors Ltd." mit d. Firmensitz Richmond-Kanada f. Österr. P.: Journalist. Arb. m. d. Schwerpunkt "Politik", wiss. Publ. M.: Österr. Mtgl. d. "Österr. Inst. f. Wirtschaftsforsch. Wien, Vertreter Österr. u. IAMCR, Mtgl. d. Ver. z. Erforsch. u. Dokumentation d. Werkes Oskar Kokoschkas u.a.

Schüffel Werner Dipl.-Ing.

B.: Senior Chef. FN.: DI Schüffel, DI Forsthuber. GT.: Ingenieurbüro. DA.: 5020 Salzburg, Julius-Welser-Str. 15. PA.: 5061 Elsbethen, Bucheweg 8. G.: Villach, 9. Feb. 1927.

V.: Ing. Gertraud, geb. Ratzka. Ki.: Dr. Roswitha, DI Eberhard. El.: Ing. Rudolf u. Karoline. S.: Mittelschule, 8. Kl. aufgelöst, Zeugnis m. Vermerk "Reife", 1946 Stud. i. Wien a. d. TU, 1951fertig, 2. Staatsprüf. m. Dipl.-Ing., 1952 b. amerik. Behörden angestellt, 1955 b. DI Krieger i. e. Ing.-Betrieb eingetreten, 1958 gemeinsam m. Krieger selbst., 2-3 Mann Büro, 1965-70 dann Alleininh. d. Büros, 1970 Ing. Forsthuber, a. Teilhaber aufgenommen, s. 10 J. eine zusätzliche GesmbH f. Auslandsgeschäfte gegründet (derzeit 60 Mitarb.). H.: Skifahren, Schwimmen, Golf spielen.

Schügerl Herbert Mag.

B.: Ak. Grafiker, freischaff. Künstler. PA.: 7531 Kempten, Obere G. 14. G.: Neudörfl, 18. Apr. 1948. V.: Brigitta, geb. Paul. Ki.: Sebastian (1981). El.: Franz u. Hermine. S.: BG, 1967 Matura, Stud. Theol. u. Phil. Univ. Wien, ab 1968 Stud. Ak. d. Bild. Künste b. Prof. Melcher, Lehramt Mag. K.: 1971-74 Lehrtätigkeit am Kollegium Kalksburg, 1974 Lehramt f. Werkerziehung u. Dipl. als ak. Graphiker, 1974-85 BG Oberschützen, 1985-86 Karenz, ab 1986 Fachschule f. Keramik u. Ofenbau Stoob, 1990 prov. Dir., seit 1993 Dir., ständige Tätigkeit als freischaff. Künstler, Ausstellungen im In- u. Ausland. P.: "Schwarze Bilder". M.: Künstlergruppe Bgld., Lionsclub Südbgld. H.: Reisen, Lesen, Weine, Fußball. (I.J.)

Schuh Alfred

B.: Grafik-Designer. FN.: Atebu Design. DA. u. PA.: 2823 Pitten, Neue Austr. 528. G.: Wien, 20. Nov. 1964. El.: Alfred u. Anna. BV.: Fam. mütterlicherseits: Barone György (Ungarn). S.: AHS, HAK Wien, Matura 1984, lfd. Stud. Univ. Wien (Publ., BWL). K.: ab 1984 freiberufl. Öff.-Arb. b. Fa. Skills in PR, ab 1985 Fa. Comic Forum, lfd. graph. Arb., 1986-89 Chefred. "Comic Forum", seit 1989 Productmanager b. Comic Verlagsges. mbH., 1987-89 zusätzl. im Druckereiwesen, 1989 Gründ. v. Transportunternehmen, 1990 Gründ. Fa. Ersalina f. d. gesamten Immobilienbereich, 1992 Gründ. Werbegraphikstudio in Pitten, ab 1993 ständige Betreuung d. Immobilien-Marketings bei "Prisma" Projektentw. F.: Gschf. Ges.: Comic Forum - Comic Verlagsges. mbH, 1010 Wien. P.: Veröff. vorw. in "Comic Forum", Büchern u. div. Zeitungen zum Thema Comic. H.: Graphik, Malerei, Musik, Literatur, Sport. (J.S.)

Schuh Arnold Dr. Mag.

B.: Univ. Assistent. FN.: WU Wien, Inst. f. Absatzwirtschaft. DA.: 1090 Wien, Augasse 2-6. PA.: 1160 Wien, Baumeisterg. 32/5/3. V.: Maria-Karina, geb. Prischl. Ki.: Gabriel 1989, Leonard 1993. S.: 1965 - 69 Evangelische VS Karlsplatz Wien, 1969-77 Neusprachliches Gymnasium, 1977-82 Studium d. BWL a. d. WU Wien, Schwerpkte: Absatzlehre, Marketing, Unternehmensführung, 1982-86 Doktoratsstudium a. d. WU Wien, 22. Dez. 1986 Promotion zum Dr.rer.soc.oec. K.: 1983-86 Vertragsassistent am Inst. f. Absatzwirtschaft d. WU Wien, 1990-91 Gastprofessor am Department of Marketing, College of Business and Economics, Univ. Kentucky, Lexington, Kentucky USA, s. 1. Mai 1986 Univass. am Institut Absatzwirtschaft d. WU Wien. P.: Marketing i. East Central Europe: An Evolutionary Framework for Marketing Strategy Developement, 1995; Krisenmanagement im Skandalfall, 1994; Internationalization and Marketing Projects, 1993; Internationales Marketing im Spannungsfeld zw. kulturgebund. u. globalen Konsummustern, 1992. M.: Verband d. österr Wirtschaftsakad., Verband d. Hochschullehrer f. BWL, Academy of Internat. Business, American Marketing Association. (M.A.)

Schuh Gottfried

B.: Bgm., Bankang. GT.: Raiffeisen-Zentralbank. DA.: 3400 Klosterneuburg, Rathaus. PA.: 3400 Klosterneuburg, Franz-Rumpler-Str. 20. G.: Scheiblingstein, 22. Juni 1944. V.: Herta, geb. Merth. Ki.: Daniela, Christina. El.: Wilhelm u. Maria. S.: Gymn., Stud. Univ. Wien Publizistik u. Wirtschaftsges., 1969 Abschluß. K.: 1970 Gen. Zentralbank Marketingbereich, 1989 Raiffeisen Zentralbank AG Dir.-Stellv., Ltr. d. Marketingabt., 1975 GemR. Klosterneuburg, 1980 VBgm., 1985 Bgm. BL.: Klosterneuburg m. hoher Wohnqualität zu erhalten, d. Überbesiedlung zu verhindern. P.: Fachart. M.: Rotary Club. H.: Lesen, Wandern. (A.K.)

Schuh Hans Dipl.-Ing. HofR. i.R.

B.: Vermessungsinsp. f. Ktn. u. Stmk. i.R. d. BAmt f. Eich- u. Vermessungswesen. GT.: Lehrbeauftragter f. Katasterwesen an d. TU Graz, ehem. Mtgl. d. Prüf.Kmsn. f. Ziviltechniker. PA.: 8042 Graz, St. Peter Hauptstr. 31C. G.: Rettenbach, 21. Okt. 1925. V.: Else, geb. Neubauer. Ki.: Peter, Wolf-Dieter, Barbara. El.: Tobias u. Elisabeth. S.: RG, OSchulen, TU Wien u. Graz, 1954 Grad. K.: 1955-82 Ltr. v. Vermessungsämtern Güssing, Oberwart, Graz, ab 1982 Vermessungsinsp., seit 1988 i.R. BL.: Umstellung d. Katasterwesens auf EDV. E.: Gr. EZ d. Rep. Österr., Gr. EZ d. Landes Stmk. M.: Österr. Ver. f. Vermessungswesen. H.: Reisen, Campen. (C.H.S.)

Schuh Herbert

B.: Installateurmstr. FN.: Herbert Schuh. DA.: 6020 Innsbruck, Bichlweg 19. G.: Innsbruck, 21. Mai 1941. V.: Elke, geb. Neubarth. Ki.: Verena, Oliver. El.: Paul u. Anna. S.: VS, HS, Lehre f. Sanitär u. Heizung (1958), 1965 Mstr.-Prüf. K.: Monteur Rutzinger, Monteur Firma Stolz, seit 1968 selbst. Gründer d. jetzigen Betriebes. E.: Werksdipl. Vaillant Wien, Viessmann BRD. M.: Schützenkompanie Amras, Turnerschaft Innsbruck. H.: Skifahren, Tennis. (B.R.)

Schuh Josef

B.: Gastronom. FN.: Restaurant Schuh. DA. u. PA.: 1030 Wien, Landstraßer Hauptstr. 117. G.: Wien, 4. Sep. 1941. V.: Sieglinde, geb. Ebner. Ki.: Susanne (1970). El.: Josef u. Barbara. S.: 3 J. Hotelfachschule, 5 J. Auslandspraxis i. Gastgewerbe. K.: 1956-58 Lehrzeit i. Restaurant Smutny, 1959-60 Tätigk. i. Hotel Panhans a. Semmering, 1960-65 Auslandstätigk. (München, Nürnberg, Frankfurt), 1966-69 Tätigk. i. Restaurant Scheiderbauer i. Wien, 1970 Übern. d. elterl. Betriebes, 1980 Umbau d. Gasthauses i. ein Restaurant m. Schwerpunkt Wr. Küche. M.: Bund Österr. Gastlichkeit. H.: Tennis, Fußball. (F.S.)

Schuh Josef Dr. MinR.

B.: BBmtr. DA.: BMS/Sekt. II., 1010 Wien, Stubenring 1. G.: Groß Sieghart, 4. Dez. 1928. V.: Edith, geb. Vetter. Ki.: Dr. Ursula Bauer-Schuh, Andrea. El.: Josef u. Maria. S.: Pflichtschulen, RG Waidhofen/Thaya, Jurastud. Univ. Wien, 1953 Prom. Dr. K.: 1953 Eintritt in d. BMS, seit 1970 Ltr. d. Abt. f. intern. Sozialvers., 1973 MinR., 1960 Österr. Reg.Vertreter im Europarat, Österr. Reg.Vertreter im Expertenkomitee f. Soz. Sicherheit d. Intern. Arb.Org. Genf. E.: Orden Commandeur de l'Ordre de Merite du Grand-Duché de Luxembourg (1975), Gr. EZ f. Verd. um d. Rep. Österr., Gr. Verd.Kreuz d. Verd.Ordens d. BRD (1980). H.: Reisen, Sport, Lesen. (Lar.)

Schuh Kurt

B.: Opernsänger (Tenor) u. Schauspieler, freischaff. Gesangspädagoge u. gastierender Sänger. DA.: 1090 Wien, Canusiusg. 11/2/19. PA.: 1020 Wien, Leopoldg. 43. G.: Wien, 8. Mai 1926. V.: Christa, geb. Papez. Ki.: Claudia (1971). El.: Franz u. Käthe, geb. Fisteren. BV.: Vater Franz Schuh war Oberlehrer im 2. Bez. u. berühmter Schwimmer. S.: 1946-52 Stud. Wr. Staatsak. f. Musik u. darstell. Kunst b. Kammersänger Tino Pattiera. K.: 1955-56 Städt. Bühnen Hagen in Westfalen, 1957 Gastspiele in England m. Wr. Operette, 1958 Teilnahme an Wr. Operettenshow während d. Weltausstellung in Brüssel, 1960-65 Tätigkeit im Stadttheater St. Gallen u. Biel-Solothurn Schweiz, 1966-67 Stadttheater Baden, Konzerttournee in d. CSFR m. d. Gottwaldov-Philharmonie, Konzerte, Liederabende, 1969 Teilnahme an Wr. Festwochen, 1979 Tätigkeit im Theater an d. Wien, zusätzl. Theater d. Westen Berlin, Operettenhaus Hamburg, Stadttheater Klagenfurt, Landestheater Detmold, ca. 20 Hauptrollen im Repertoire, ORF-Programme, Fernsehaufnahmen, Mitwirkung an Festspielen Röttingen, Operetten Festspiele Bad Hall, ab 1974 Gesangsunterricht. P.: zahlr. Schallplattenaufnahmen. H.: Theater. (N.A.)

Schuh Manfred Dr. iur.

B.: Ltr. d. Bibliothek u. Dokumentation. FN.: ÖBB. DA.: 1020 Wien, Praterstern 3. G.: Wien, 29. Sep. 1943. V.: Christine, geb. Röschel. Ki.: Elisabeth (1967), Brigitte (1975). El.: Siegfried u. Johanna, geb. Zwerlitsch. S.: 1962 Matura, Jus-Stud. an d. Univ. Wien, 1969 Prom. K.: Gerichtspraxis, anschl. Praxis in RA-Kzl., 1971 Eintritt b. ÖBB, zun. Organisationsplanung, s. 1986 Ltr. d. Bibliothek u. Dokumentation. P.: Beiträge in Büchern u. Zeitschr. H.: Geschichte d. Eisenbahnen, Reisen. (N.A.)

Schuh Matthias

B.: Red., Moderator u. Entertainer ORF. DA.: 1136 Wien, Würzburgg. 30. G.: Wien, 6. März 1965. El.: Univ.-Prof. Dr. Erich u. Elfriede. S.: VS, Gymn. Baden, Mus.-Päd. Gymn. Hegelg. K.: seit 1984 ORF-Red. d. Unterhaltungsabt., 1993 Radio: Mad Mat m. Schuh-Show. H.: Musik, Unterhaltung, Tennis, Skifahren, Klavierspielen, Gitarrist, Gesang. (J.M.)

Schuh Rainer

B.: Inh. FN.: Karl Schuh & Sohn Karosseriebau. DA. u. PA.: 2700 Wr. Neustadt, Willendorferg. 32. G.: Wien, 23. Jan. 1960. V.: Irmgard, geb. Steiner. Ki.: Jakob (1985), Katrin (1988), Philipp (1992). El.: Karl u. Anna. S.: HTL Maschinenbau, 1981 Mechanikermstr.-Prüf. K.: 1978-81 Mechaniker Firma Mercedes u. Scania, Eintritt väterl. Betrieb u. 1992 Übernahme. H.: Surfen, Skifahren. (I.J.)

Schuh Maximilian Dr. med. vet. o.Univ.-Prof.

B.: Ordinarius u. Vorst. d. II. Med. Univ.-Klinik f. Klauentiere d. Vet.-Med. Univ. Wien. DA.: 1030 Wien, Linke Bahng. 11. PA.: 2345 Brunn/Gebirge, Liechtensteinstr. 70/2/4. G.: Gutau, 14. Apr. 1943. Ki.: Alexandra (1969), Christoph (1972). El.: Dr. med. vet. Friedrich u. Adrienne. S.: 1963 Matura, Stud. Tierärztl. HS Wien, 1972 Prom., 1977/78 Studienaufenthalt Iowa State Univ., Ausbild. in klin. Toxikologie u. med. Mykologie. K.: 1975 Tierärztl. Physikatsprüf., 1978 Aufbau eines klin.-toxikolog. Labors Univ.-Klinik, 1982 Habil., ab 1984 Ltr. d. Abt. f. Klin. Toxikologie b. Klauentieren an d. II. Med. Univ.-Klinik f. Klauentiere, seit 1992 Inst.-Vorst., zahlr. Forsch.-Aufträge m. Schwerpunkt. P.: ca. 90 wiss. Publ. in intern. anerkannten Fachmagazinen, Vorträge b. Kongressen u. Tagungen, Fortbild.-Veranstaltungen f. Tierärzte im In- u. Ausland. M.: Österr. Ges. d. Tierärzte, World Assoc. of the Veterinary Laboratory Diagnosticians, Ges. d. Freunde d. Vet.-Med. Univ. Wien, Assoc. Official of Analytical Chemists. H.: Musik, Kunst, Reisen, Radfahren, Laufen, Tennis. (J.S.)

Schuhböck Johann

B.: Gschf. Ges. FN.: HAlO Dienstleistungs GmbH Beratung f. Betriebs- u. Persönlichkeitsentwicklung (Deutschl.) u. HAlO Unternehmensberatungs GmbH (Wien). DA.: D-8221 Grabenstädt, Marwang 19 u. A-1010 Wien, Tegetthofstr. 3. G.: Siegsdorf/BRD, 13. Mai 1944. V.: Christa, geb. Huber. Ki.: Christian (1967) u. Martina (1968). El.: Peter u. Emma. S.: Kfm. Lehre, 1970 Ausbild. z. Betriebswirt im 2. Bildungsweg, Ausbild. in Körpersprache b. Sammy Molcho, Wien, Ausbild. in NLP-Neurolinguist. Programmieren, in HDI Hole Brain Dominance Instrum. in Atlanta, USA, Abschluß m. Master of HDI. K.: 1960 Abt.-Ltr. b. Fa. Dallmayr, München, 1965-72 Prod.-Ltr. in e. Pulverkaffeefabrik in Berlin, 1972 Prod.-Ltr. b. Fa. Meggle, Wasserburg (BRD), 1983 Gesamtwerks-Ltr. u. Mtgl. d. Geschäftsleitg. d. Fa. Meggle, 1987 Werks-Ltg. Fa. BMU, Landshut, 1989 Grdg. u. Alleinges. d. HAlO Dienstleistungs GmbH, d. HAlO Unternehmensberatungs GmbH, HAlO-Sofia. M.: Aktiver Förderer div. Sportver. in Deutschl. u. Österr. (M.M.)

Schuhböck Josef

B.: Zentralsekr. d. ÖGB Land/Forst/Garten. GT.: VPräs. d. Kam. f. Arb. u. Ang. in Land- u. Forschwirtschaft NÖ. DA.: 1010 Wien, Wipplinger Str. 35/7. PA.: 1230 Wien, Anton-Baumgartner-Str. 44. G.: Wr. Neustadt, 3. Mai 1944. V.: Elfriede, geb. Handler. Ki.: Hannes, Andreas. El.: Josef u. Anna. S.: Grundschulen, 3 J. Berufsschule, Fahrzeugbau u. Landmaschinenrep., 1 J. Sozialak. K.: 1 J. Berufsausübung, 2 J. als techn. Zeichner im Mag. Wr. Neustadt tätig, 4 J. Verw. in einem Erholungsheim, Sekr. b. Gewerkschaft Land u. Forst NÖ, 1980 LSekr. NÖ, seit 1982 Zentralsekr. d. ÖGB Land/Forst/Garten, LSekr. Wien, NÖ, Bgld., Intern. Organ. Dachverb. f. d. Land- u. Forstarb., Auslandstätigkeit, viele Reisen innerhalb Österr. P.: einige Art. im "Landboten". M.: seit 1958 SPÖ u. ÖGB. H.: Lesen. (E.L.)

Schühler Friedrich

B.: Prok., Geschäftsltg. FN.: Eduard Hildebrand GmbH Kücheneinrichtungen f. d. Gastronomie. DA.: 1232 Wien, Don-Bosco-G. 1-5. PA.: 2525 Günselsdorf, Lannerstr. 5. G.: Baden, 10. Aug. 1954. V.: Ruth, geb. Hrabal. El.: Friedrich u.

Barbara. S.: VS, HS, Lehre als Ind.Kfm., Abschluß HK-Prüf. K.: 1974 Eintritt in Fa. Hildebrand, 1980 Prok. H.: Skifahren, Schwimmen. (E.L.)

Schuhmacher Karl

B.: Zuckerbäckermstr. FN.: Therme Oberlaa Confiserie-Patisserie. DA.: 1100 Wien, Kurbadstr. 14. PA.: 1020 Wien, Weintraubeng. 25-27/3/3/11. G.: Großpetersdorf/Bgld., 13. Sep. 1934. V.: Elise, geb. Bechinger. Ki.: Gabriele (1958). El.: Helene u. Karl. S.: Berufsschule, Lehre i. d. Konditorei Hofman Wien 18, Genzg. 145, Mstr.-Prüf. 1954. K.: Zuckerbäcker i. versch. Saisonbetrieben, anschl. 18 J. b. Gerstner i. Wien, zuletzt Backstubenltr., danach Tätigk. i. d. Café-Konditorei Sluka i. Wien u. Backstubenltr. d. Stammhauses i. Linz d. Fa. Niemetz-Schwedenbomben, 1974 Eröff. d. Kurbetriebes u. d. Kur-Kaffee-Konditorei Oberlaa, seitdem f. d. Confiserie u. Patisserie verantw. BL.: ca. 30 x Zuckerbäcker b. Österreichwochen i. Ausland, f.d. Mehlspeisenpräs. zuständig. P.: Mitautor d. Buches "Wiener Süßspeisen", Trauner-Verlag. E.: div. Goldmed. u. Ehrenpreise a. nat. u. int. Ausstellungen. M.: National Guild of Pastry- and Baking-Professionals. H.: Sport u. Fachbücher. (J.S.)

Schuhmacher Michael

B.: Unternehmer. DA.: 2352 Guntramsdorf, Kameringstr. 15. G.: Frauenkirchen, 7. Jan. 1946. V.: Lucia, geb. Zoubek. Ki.: Sylvia, Isabella, Michael. BV.: Samuel Schumacher. K.: Lehre als Mechaniker, anschl. tätig in einer Holzbearbeitungsmaschinenfbk., dan. in einem Betrieb f. d. Herst. v. Kunststoffbearbeitungsmaschinen tätig, seit 1970 selbst. m. einer Fa. Schneidewerkzeuge f. Holz- u. Metallverarb. H.: Sauna. (M.Br.)

Schuhmann Gerhard Dr. med.

B.: Teilh. FN.: Laserkorrektur am Auge. DA.: 8010 Graz, Sporg. 6/III. PA.: 8044 Graz, Eggwald 3. G.: Graz, 15. Okt. 1945. Ki.: Katrin (1974), Julia (1977), Maximilian (1991). El.: Walter u. Hilde. S.: 1964 Matura, Stud. Med. Graz, 1976 Prom. K.: 1971-76 Gerichtsmed. Graz, 1976-82 FA Augenklinik Graz, 1982 OA, 1984 Ass.-Prof. s. 1993 Fa. Laserkorrektur am Auge. P.: Geographische Augenheilkunde, Glaukom, Operationstechnik d. vorderen Augenabschnittes. M.: Zahlr. Fachges. H.: Bergsteigen, Skifahren, Reisen, Lesen. (I.G.)

Schuhmayer Manfred

B.: Chefred., Journalist. DA.: 1190 Wien, Muthg. 2. PA.: 1180 Wien, Haizinger G. 50/II/13. G.: 1. Sept. 1939. V.: Elfriede, geb. Sedlecky. El.: Fritz u. Anna. S.: RG, Univ. Wien, WH Wilhelmshaven. K.: Freier Mitarb. b. Neues Österr., Kronen Zeitung, 1961-67 Wirtschaftsred. d. "Presse", 1970-74 Ressorltr. d. Economist d. "Presse", seit 1974 Eigentümer, Hrsg. u. Chefred. v. "Regal", Kons. d. Bauind. F.: Manfred Schuhmayer GmbH, Zeitschrift "Regal". P.: Wirtschaftsberichte in in- u. ausländ. Zeitschriften. H.: Lesen, Skifahren, Fußball, Wandern, Politik. (Kas.)

Schukoff Alexander

B.: Filmproduzent, Filmreg., Autor. DA. u. PA.: 1010 Wien, Griecheng. 7. G.: Wien, 23. Aug. 1956. El.: Otto u. Elfriede, geb. Kabas. S.: 1974-79 Stud. Regie u. Drehbuch an d. Filmak. Wien. K.: 1979-83 Tätigkeit im Österr. Fernsehen, Zusammenarb. m. Kuno Knöbl u. Franz Kreuzer, Creation v. Kurzfilmen u. Unterhaltungsshows, 1982-83 Creation u. Produktion v. Wahlwerbefilm f. SPD in Deutschland, 1982 Ausarb. u. Etablierung v. Satellitenprogramm 3 SAT, ab 1983 Produktion v. Werbefilmen, 1984 Creation u. Etablierung "Mini-ZiB", 1984 Grdg. d. Fa. Alexander Schukoff Film, Produktion v. Auftragsfilmen f. gr. Ind.Firmen, Werbeagenturen, sowie f. BWK, Gem. Wien etc. BL.: Geschichtl. Dokumentation über SPD, Dokumentation über "Porsche, Audi", 1982 Prod. v. Musikshow m. Beteiligung v. jungen österr. Künstler im Fernsehen, Modefilme f. BWK - Modetrend d. kommenden J. E.: Anerkennungspreis f. Filmproduktion b. Festivals in Seefeld u. Rom. H.: Reisen, Tennis. (N.A.)

Schula Willy KommR.

B.: Friseurmstr. DA.: 1180 Wien, Währinger Str. 138. PA.: 1180 Wien, Edelhofg. 27. G.: Wien, 1. Sept. 1938. V.: Christine, geb. Schedelbauer. Ki.: Thomas, Brigitte. El.: KommR. Willibald u. Aloisia. K.: 1952-57 Coiffeur Ausbild. in Wien b. div. führenden Salons, 1957-59 Auslandstraining b. Hebe-Hairstyling London, 1960-65 Tätigkeit in väterl. Betrieb in Wien, Ablegung d. Mstr.Prüf., 1965 Grdg. d. ersten eigenen Salons. BL.: Hairstyling Modefrisurentwürfe, Teilnahme an intern. Wettbewerben, Spezialgebiet Anfertigung v. Zweitfrisuren in eigener Werkstätte, insb. f. im Blickpunkt d. Öffentlichkeit stehende Personen. M.: Innung. H.: Reisen. (Fels.)

Schulcz Kurt Ing.

B.: Prok., Verkaufsltr. FN.: Benedict Schroll's Sohn GmbH. GT.: Verkaufstrainer. DA.: 1232 Wien, Deutschstr. 4. PA.: 1220 Wien, Schiffmühlenstr. 104/7/15. G.: Zwittau/CSFR, 25. Juni 1937. V.: Liane, geb. Krejcirik. Ki.: Linda. El.: Oskar u. Antonia. S.: Gymn., Textilschule, Fortbild.Seminare. K.: Abt.Ltr. d. Vereinigte Färbereien in Wien, Ass., Abt.Ltr., techn. Betriebsltr., Ges. Betriebsltr. u. Gschf. in Fa. Vereinigte Färbereien in Vöslau, Betriebsltr. u. Gschf. Stoffdruck Möllersdorf, Prok. u. Verkaufsltr. d. Fa. Benedict Schroll's Sohn, war gerichtl. beeid. Sachv. f. Textilchemie u. Ausrüstungswaren. E.: Gschf. d. Österr. Konditionenkartells. M.: Vorst.Mtgl. d. Österr. Ver. Textilchemiker u. Koloristen, Vors. d. Österr. Normenaussch. f. Bettwäsche. H.: Sport, Skifahren, Tennis, Lesen, Theater, Musik (Jazz). (E.L.)

Schuldes Wolfgang Dr. ORgR.

B.: Abt.Ltr. d. Abt. Soz.Vers. im Amt d. NÖ LRg. DA.: 1014 Wien, Teinfaltstr. 8. G.: Wien, 24. Juli 1946. V.: Inge, geb. Schmid. El.: Franz u. Gertrude. S.: VS, RG, Univ. Wien Rechtswiss. Fak., Geschichte, 1969 Prom. K.: nach Gerichtsj. zu Amt d. NÖ LRg., seit 1987 Abt.Ltr. P.: Kulturbeiträge in versch. Zeitschriten. H.: Kulturgeschichte, Musik, Chorsänger, Klavierspielen, Reisen. (R.A.)

Schülein Johann August Dr. phil. o.Univ.-Prof.

B.: Vorst. Inst. f. Allg. Soz. u. Wirtschaftssoz. WU Wien. DA.: 1090 Wien, Aug. 2-6. G.: Göttingen, 19. Feb. 1947. Ki.: Fritz Thomas (1984), Hanna Sophie (1987). El.: Dr. med. Fritz u. Dr. med. Goele. S.: 1953-66 Schulbesuch, 1966-8 Stud. Soz., Politikwiss. u. Psych. Gießen, 1968-69 Stud. Soz., Phil. u. Psychoanalyse Frankfurt, 1969-72 Stud. Soz., Phil. u. Psychoanalyse Gießen, 1973 Prom. K: 1973-76 wiss. Mitarb.

u. Lehrbeauftragter f. Soz. Univ. Gießen, 1976 Doz., 1978 Habil., 1982 Heisenberg-Stipendium d. Dt. Forsch.-Gemeinschaft, 1984 Prof. f. Soz. Univ. Gießen, 1985 Ordinariat f. Allg. Soz. u. Wirtschaftssoz. d. WU Wien, 1986 Prof. WU Wien, 1991 Hon.-Prof. Justus Liebig-Univ. Gießen. P.: zahlr. Veröff. u.a. Das Gesellschaftsbild d. Freudschen Theorie (1979), Selbstbetroffenheit. Über Aneignung u. Vermittlung sozialwiss. Kompetenz (1986),Theorie d. Institution (1986), Die Geburt d. Eltern. Über d. Entstehung d. mod. Elternposition u. d. Prozeß d. Aneignung u. Vermittlung (1990), Soz. Theorien (1994). M.: ÖGS, DVPW. H.: Kinder, Lesen, Sport, Musik. (M.-L.A.-M.)

Schulenburg Ulrich N.

B.: Gschf. Ges. FN.: Thomas Sessler Verlag GmbH, Bühnen u. Musikverlag. GT.: Inh. d. Buchhandl. "Souffleurkasten" in Wien, Mitinh. d. Wien Film GmbH, Teilh. d. Ulrich Schulenberg Verlag München. DA.: 1010 Wien, Johannesg. 12. PA.: 1190 Wien, Grinzingerstr. 16. G.: Wien, 17. Juni 1941. V.: Sabine, geb. Zeiz. Ki.: Constantin Alexander (1970), Sebastian (1976). El.: HofR. Prof. Dr. Alfons u. Maria. S.: Realgymn., 1959 Matura, Lehrgang f. Werbe u. Verkaufstechn. a. d. HS f. Welthandel, 1963 Abschl. K.: 1964-68 Verkaufsltr. Fa. Olivetti, 1968 Prok. Thomas Sessler Verlag, 1970 Gschf. d. Verlages, 1984 Hauptges. d. Verlages., vertr. Verlagsprogramm umfaßt mehr als 1000 Autoren mit über 4000 Werken aus Theater, Film, Fernsehen, Hörfunk u. Musik, z.B.: H.C. Artmann, W. Bauer, P. Turinni, P. Kohout, O. Kokoschka, Ödön v. Horvath, A. Wildgans, H. Qualtinger, G. Barylli, u.v.a. H.: Literatur, Musik. (S.H.)

Schuler Erwin

B.: Geschäftsinh. d. Fachinst. Schuler Massage, Fußpflege, Aromakosmetik. DA.: 6900 Bregenz, Brandg. 2. PA.: 6900 Bregenz, Schillerstr. 3. G.: Zams, 14. Dez. 1930. V.: Trude, geb. Bungert. Ki.: Christof, Thomas, Stefan, Michael, Mathias. S.: 1949-51 Ausbild. f. Ballett u. Operette Innsbruck, 1960/61 Umschulung z. Masseur u. Fußpfleger. K.: 1951-59 Landestheater Innsbruck als Solotänzer u. Buffo, 1961-69 Kuranst. Schruns als Masseur, seit 1969 selbst. M.: Innungsmstr. Massage, Fußpflege u. Kosmetik d. HK Vbg., 1. Vorst. d. Verb. Österr. Heil-, Sport- u. Bademasseure, 1. Vorst. d. Verb. d. Österr. Fußpfleger. H.: Musik, Theater, Schauspielerei. (A.K.)

Schuler Fritz Dr. iur.

B.: Selbst. RA. DA.: 6900 Bregenz, Kaiserstr. 7. PA.: 6922 Wolfurt, Brühlstr. 1. G.: Bregenz, 22. Juli 1944. V.: Ruth Maria. El.: MedR. Dr. Fritz u. Anna. S.: 1962 Matura Gymn., 1962-67 Jusstud. Innsbruck. K.: Gerichtsj., 1968-75 Tätigkeit in intern. Anw.-Kzl., Ausbild. z. Wirtschaftsanw., seit 1975 selbst. M.: Ambassador Club. H.: Skifahren, Golf, Tennis. (A.K.)

Schuler Johann Dr. med. MedR.

B.: Prakt. Arzt i.R. PA.: 6845 Hohenems, Goethestr. 4. G.: Hohenems, 28. Nov. 1922. V.: Ella. Ki.: Dr. med. Christoph (1956), Juliane (1957). El.: Dr. med. Anton u. Maria. BV.: Schwefelbad Hohenems war 86 J. in Familienbesitz. S.: Stella Matutina, Oberschule f. Jungen in Feldkirch, 1941 Matura, Univ. Innsbruck, 1951 Spons. K.: 1941-46 Kriegsdienst, 1951 Turnusarzt Hohenems, Dornbirn u. Univ.-Klinik Innsbruck, 1954 Praxisgrdg. in Hohenems, Kontrollarzt f. d. Postbediensteten, 1986 Übergabe d. Praxis an Sohn. E.: Dr. Toni Ruß-Preis, Gr. VZ d. Landes Vbg., 1986 MedR., 1978 Gold. Sportabz. ÖSTA. M.: 1953 Grdg. einer Trachten- u. Volkstanzgruppe, 1975 Grdg. d. Landesverb. f. d. Hauskrankenpflege, b. 1989 Obm., über 30 J. Mitarb. b. Betreuung v. Gehörlosen, Tätigkeit in d. Seniorenbetreuung im Rahmen d. Kath. Bild.-Werkes. H.: Skiwandern, Bergwandern, Fahrradtouren, Umrundung fast aller Mitteleurop. Seen, Garten, Holzarb. (I.D.)

Schuler Reinhold Erich

B.: Gschf. Ges. FN.: Schuler Planungs-u. Einrichtungsgesmbh. DA.: 5081 Anif 23, Atelier beim Schloß. PA.: 5322 Hof bei Sbg, Gitzen 102. G.: Urbach/Würtemberg, 26. Feb.1950. V.: Renate, geb. Conzelmann. Ki.: Silke Britta, Jan Patrik. EL.: Erwin u. Gertrud. S.: VS, HS, Realschule, Ausbild. Ind.- u. Möbelkfm. K.: Prakt. bei versch. Firmen in Bereich Küchen- u. Einrichtungsplan. sowie Studio- u. Messedesign, s. 1971 selbst. Einrichtungs-Studio u. Planungsbüro in Dtl., s. 1980 spez. Küchenarchitektur u. Design, s. 1990 in Slbg., Planungsbüro u. Vertrieb Bulthaup-Küchen. M.: VKG-Küchen-Verb., Produktausschuß Fa. Bulthaup. H.: Architektur, Wandern, Skifahren, Tennis, Gesang. (D.E.)

Schuler Werner Dr. Dipl.-Vw.

B.: Ltr. d. Landesarbeitsamtes Vbg. GT.: 2. Vors. d. LVST GÖD, 2. Vors. d. LVST BVA. DA.: 6900 Bregenz, Rheinstr. 32. PA.: 6971 Hard, Margaretendamm 36. G.: 28. Febr. 1930. El.: Alois u. Eugenie. S.: 1951 Matura, b. 1956 Vw.-Stud. Innsbruck, 1957 Doktorat. K.: 1959 Landesarbeitsamt Vbg., 1962 Abt.-Ltr. Landesarbeitsamt, 1986 stellv. Ltr. Landesarbeitsamt, seit 1987 Ltr. d. Landesarbeitsamtes. H.: Tennis, Skifahren, Eisstockschießen. (A.K.)

Schuller Erich

B.: Gschf. FN.: SM Kühltechnik. DA.: 6020 Innsbruck, Stadlweg 40. PA.: 6020 Innsbruck, Claudiastr. 4. G.: Wien, 26. Aug. 1939. V.: Katja, geb. Görz. Ki.: Erich, Wolfgang. El.: Georg u. Maria. S.: VS, HS, Lehre als Kühlmaschinenmechaniker, 1957 Abschluß. K.: Mitwirken an Entwicklung im Bereich Kälte- u. Tiefkühltechnik b. Dr.-Ing. Oskar Göring IWEX Kältetechnik, 1960-72 Monteur Firma Linde, 1973 Übersiedlung nach Innsbruck, 1973-78 Kühlanlagenmonteur, 1978 Grdg. SM Kühl GmbH (Gschf), in d. folg. Jahren Bau v. Kühlhäusern etc. m. größerer techn. Anford., 1990 1. Verbundanlage im Hotelbereich, 1991 Konservierung d. 5300 J. alten "Mann im Eis". P.: Beiträge in Fachzeitschriften. H.: Skifahren, Schwimmen, Fotografieren, Hunde. (B.R.)

Schuller Rudolf

B.: Fleischhauer, Inh. d. Fa. Schuller, Pferdefleischhauerei. DA. u. PA.: 1210 Wien, Schwaigerg. 31. G.: Wien, 22. Febr. 1940. V.: Gertrude, geb. Ambros. Ki.: Christine, Rudolf. El.: Rudolf u. Juliane. S.: Pflichtschulen, Fleischhauerlehre im väterl. Betrieb, 1962 Mstr.Prüf. K.: 1970 Übernahme d. Betriebes. M.: Trabrennver. H.: Skifahren. (Lar.)

Schüller Helmut Mag.

B.: Dir. d. Caritas d. Erzdiözese Wien, Präs. d. Österr. Caritas. DA.: 1130 Wien, Trauttmansdorffg. 15. G.: Wien, 24. Dez. 1952. El.: Dr. Emil u. Gertraud, geb. Hofer. S.: 1971 Hum. Gymn. Hollabrun, 1971-77 Stud. Kath. Theol. Univ. Wien u. Freiburg/Deutschland, Wr. Priesterseminar. K.: 1977-81 Kaplan in d. Pfarre St. Brigitta Wien XX, 1976-84 Religionsunterricht an HS u. an einer HTL, 1981-87 Diözesan Jugendseelsorger, 1987-88 Ass. d. Caritas-Dir. d. Erzdiözese Wien, seit 1988 Dir., ab 1991 Präs. d. Österr. Caritas. E.:

WU-Manager d. Jahres 1993. H.: Schwimmen, Skilanglaufen, Eislaufen, Lesen, Musizieren (Orgel) u. Singen, Spazierengehen. (N.A.)

Schüller Fritz Dipl.-Ing.

B.: Gschf. FN.: Ascom Austria GmbH. DA.: 1120 Wien, Hohenbergstr. 20-22. G.: Wien, 27. Okt. 1948. V.: Antonia, geb. Fritsch. Ki.: Isabel (1983). El.: Dipl.-Ing. Fritz u. Maria. S.: VS, AHS, TU Wien, 1972 Dipl.-Ing. K.: 1972 Eintritt Wr. Schwachstromwerke, 1972 Übernahme Wr. Schwachstromwerke durch Firma Elin, ab 1974 Ltr. eines Prüffeldes d. Firma Elin, 1983-87 stellv. Abt.-Ltr. f. Kommunikationstechnik d. Firma Elin, 1987-90 Ltr. d. Kommunikationstechnik b. Elin, 1990 Eintritt Firma Ascom, seit 1991 Gschf. Firma Ascom. M.: Arbeitskreis d. Fachverb. d. Elektronikind., Arbeitskreis d. ÖCG. H.: klass. Musik, Wandern, Tennis. (G.B.)

Schüller Matthias

B.: Vorst. d. GemR. DA.: 7083 Purbach, Rathaus. PA.: 7083 Purbach, Untere Bahng. 43. G.: Purbach, 22. Okt. 1945. V.: Maria, geb. Raditsch. Ki.: Heinz (1968), Harald (1969), Rainer (1971). El.: Johann u. Judith. S.: VS, 1960-64 ldw. Tätigkeit, 1964-65 Grundwehrdienst. K.: 1965-70 Kraftfahrer in versch. Betrieben, 1970 angelernter Facharb. ÖBB, 1985 Remisenoberaufseherkurs u. Aufstieg z. Remisenoberaufseher, polit. Karriere: 1962 Beginn ÖVP Jugend, 1965 Eintritt ÖAAB, 1987 GemR., 1992 Vorst. d. GemR. M.: ÖVP; seit 1983 Schriftführer Weinbauver., Obm. d. Theatergruppe. H.: Weinbau, Reisen. (M.N.)

Edler v. Schuller-Götzburg Viktorin Dr. phil. Dkfm.

B.: Industrieberater, Partner, International Consulting Network, Vaduz, Liechtenstein. PA.: 1010 Wien, Nibelungeng. 3/1/2 und 8050 Zürich, Allenmoosstr. 142. G.: Wien, 1. Juli 1924. El.: Viktorin u. Paula, geb. Binder. BV.: Großvater Wenzel Edler v. Schuller-Götzburg (Generalstabsarzt k.u.k. Hauptquartier Baden), Großonkel Arthur Maurer v. Mörtelau (Feldmarschallllt. d. k.u.k. Armee), Urgroßvater Viktorin Edler v. Oberleitner (Großindustrieller, um 1860), Urgroßonkel Heinrich v. Oberleitner (Mtgl. d. Herrenhauses), Urgroßonkel Max v. Oberleitner (Komponist d. Opern "Der eiserne Heiland" u. "Aphrodite"), Großvater Moritz Binder (Dir. d. Länderbank, Ltr. e. Konsortiums z. Bau d. Herzeg.-Bosn. Eisenbahn, Großgrund- u. Waldbes. in Jugosl., Eigentümer v. Antimongruben u. Taninfbk.). S.: Staats-RG, Matura 1943, Stud. Chemie an d. Sorbonne (Abschl. 1948), Diss. aus organ. Chemie Univ. Wien (1954), Stud. Welthdl. (Abschl. 1957). K.: 1953-58 Ass. am Inst. f. Technologie u. Warenwirtschaftslehre (HS f. Welthdl.), 1958 techn. Berater d. Fa. Contra Werk, Schweiz, 1959-60 Intern. Fellow Stanford Univ. f. SRI intern., 1960-68 Ltr. d. Wirtschaftsabt. d. Intern. Betriebsberatungs GmbH Wien, gleichz. b. Fiducaire Intern. Paris, seit 1968 b. SRI intern. BL.: Risiko Beratungssystem f. Chemikalien (1975-77 f. EWG-Kmsn.), Unterstützung b. Aufbau d. EDCIN (Datenbank f. Chemikalien) in Ispra (Italien), Untersuchung d. Exposition v. Formaldehyd in s. versch. Anwendungsgeb. b. Herst. u. Verwend. f. BA f. Arbeitsschutz Dortmund. M.: Verb. d. österr. Wirtschaftsakademiker, European Ind. Marketing Assoc., European Chemical Marketing Research Assoc., Ver. österr. u. dt. Chemiker, St. Georgs Orden. H.: Musik, Tennis, Skifahren, Wandern, Reisen, Kunst. (P.L.)@

Schullin Hans Dr. F.G.A.

B.: Juwelier, Gschf. Ges. FN.: Schullin & Söhne. DA.: 8010 Graz, Herreng. 3, 1010 Wien, Kohlmarkt 7. G.: Graz, 16. Okt. 1941. V.: Jeanine, geb. Keller. Ki.: Nathalie, Nena, Niki. El.: Hans u. Karoline. S.: VS, RG, WU Wien, 1962 Prom. K.: seit 1968 Ges. d. Fa., zahlr. Studienreisen. F.: Arcade GmbH Graz. E.: Gold. Rose v. Baden/Baden, Gold. Lupe v. Frankfurt, Fellowship of the Gemmological Ass. 1970, Bauherrenpreis 1985. H.: Sport, Erkenntnistheorie, Musik. (R.A.)

Schullin Herbert

B.: Juwelier. FN.: Schullin & Söhne KG. DA.: 1010 Wien, Kohlmarkt 7. G.: Graz, 19. Mai 1946. V.: Beate, geb. Goritschnig. Ki.: Lukas. El.: Hans u. Karoline. S.: 1964 Matura, Stud. d. Staatswiss. in Graz, 1972 Prom. K.: 1965-68 Lehre als Goldschmied, 1971 Mstr.Prüf., 1971-74 Gschf. Ges. b. Schullin in Graz, 1974-82 Gschf. Ges. Fa. Schullin am Kohlmarkt in Wien, seit 1987 Inh. d. Fa. Schullin am Kohlmarkt. P.: Diss.: "Die wirtschaftl. Bedeutung d. Schmuck-Diamanten". E.: 1984 Diamants intern. Award. H.: Fliegen (Berufspilotenschein), Beschäftigung m. Optik, Bedeutung d. Edelsteinfarben, Sport. (M.B.)

Schulmann Inga

B.: Schauspielerin d. Kammerspiele. PA.: 1010 Wien, Werdertorg. 4. G.: Moskau, 28. Febr. 1962. El.: Dr. Gregor u. Larissa Kotlarenko. S.: VS, HS, Reinhardt-Seminar, Straßberg-Schule New York. K.: Filme in BRD, Italien, Österr. (ORF), Montreux-Beitrag, Theaterauftritte: Kleine Komödie, Schauspielhaus, Theater d. Jugend, dzt. Engagement am Theater d. Josefstadt, Filmrolle in Hollywood (USA-UdSSR-Prod.), ca. 20 Rollen: "Diener zweier Herren", "Rodoo", "Was d. Butler sah", etc. H.: Spielzeugsammeln. (R.A.)

Schulmeister Eleonore

B.: Gschf. Ges., Lyrikerin. FN.: Hotel-Pension Pannonia Restaurant Cafe. DA.: 7100 Neusiedl/See, Seestr. 38a. PA.: 7100 Neusiedl/See, Seestr. 18a. G.: Moson-Szent-Peter/Ungarn, 20. Aug. 1949. V.: Kurt Schulmeister. Ki.: Alexandra, Tina, Daniela. El.: Franz u. Theresia. S.: HASCH. K.: Bilanzbuchhalterin in Neusiedl/See u. in Bruck/Leitha, Tätigkeit im elterl. Betrieb, 1987 Übernahme d. Hotels Pannonia, Lyrik geschrieben bereits während d. Schulzeit. P.: Buch : "Manchmal frage ich" (1986), seit 1983 Publ. d. Gedichte in Literaturzeitschriften, Sendungen über lyr. Arb. "Kennwort Literatur" im Radio Bgld. M.: Kulturver. nördl. Bgld., IG Autoren. H.: Radfahren, Lesen, Handarb. (M.B.)

Schulmeister Paul Dr.

B.: Deutschland-Korrespondent d. ORF (in Bonn). DA.: 1130 Wien, Würzburgg. 30. PA.: 1040 Wien, Prinz-Eugen-Str. 34/11. G.: Wien, 17. Sept. 1942. V.: Dr. Ursula, geb. Baudisch. Ki.: Philipp, Johannes, Irene, Clemens. S.: Gymn., Stud. Rechtswiss. Wien u. München, 1967 Prom. K.: 1968 Volontär, 1969-71 Red. in d. außenpolit. Red. d. Tageszeitung "Die Welt", 1972-79 Red. in d. Auslandsred. d. FS in Wien, 1979-84 ORF-Korrespondent f. Hörfunk u. FS in Bonn, seit 1984 Ltr. d. Auslandsred.,1991- Ende 1994 Stellv.

Chefred. in Wien. P.: "Ende d. Eiszeit - Von Gorbatschow zu Havel" (1990), Sammelwerke über gesellschafts- u. kulturpolit. Fragen, Mitarb. eines Buches über d. Besuch d. Papstes 1988 sowie Aufsätze in versch. Tages- u. Wochenzeitungen. E.: BVK 1. Kl. M.: 1985-88 Präs. d. Kath. Aktion Österr., Rotary-Club. H.: Lesen. (M.B.)

Schulte Irene Theresia Dr. rer. soc. oec. Mag.

B.: Ak. geprüfte Markt- u. Meinungsforscherin. FN.: Glanz-Consulting. DA.: 1030 Wien, Ditscheinerg. 3/12a. PA.: 1040 Wien, Frankenbergg. 2-4/14. G.: Wien, 20. Juni 1964. El.: Adolf u. Marianne Schulte. S.: VS, Gymn., 1983 Stud. Sozial- u. Wirtschaftswiss. Linz u. Wien, 1990 Spons z. Mag., 1985 Prom. z. Dr. rer. soc. oec., 1988/89 Gasthörer in Sbg., Forsch.-Ass. in Sbg., 1988/89 Studienaufenhalt in Griechenland. K.: ab 1991 an d. Österr. Ak. d. Wiss.: Forsch.-Ass., Studienltr., 2 J. Ausbild. z. ak. geprüfter Markt- u. Meinungsforscher Univ. Wien, freier Mitarb. Ak. d. Wiss., Ang. b. Beratungsfirma Glanz-Consulting. P.: Diss. "Musikland Österr.". M.: VMÖ, Soziologenverb., Ver. d. Österr. Berufs- u. Geschäftsfrauen. H.: Kochen, Familie, Golf, Segeln, Organ. v. Seminaren u. Kongressen, EDV. (J.M.)

Schulte-Hermann Rolf Dr. med. o.Univ.-Prof.

B.: Vorst. d. Inst. f. Tumorbiologie u. Krebsforsch. d. Univ. Wien. DA.: 1090 Wien, Borschkeg. 8A. G.: Gelsenkirchen/BRD, 15. Okt. 1939. V.: Brigitte, geb. Madjera. Ki.: Sabine (1972), Kathrin (1975). El.: Werner u. Olga, geb. Vetter. S.: 1958 Matura, Stud. Pharmazie Bonn, 1963 Abschluß, 1963-72 Med.-Stud. Bonn, Berlin u. Marburg, 1968 Prom. z. Dr.rer. nat., 1974 Habil. K.: 1968-74 Ass. am Inst. f. Toxikologie u. Pharmakologie d. Univ. Marburg, 1974-85 Prof., 1985 Berufung nach Wien als Vorst. d. Inst. f. Tumorbiologie u. Krebsforsch. P.: über 100 Publ. auf d. Gebiet d. Toxikologie u. Krebsforsch. M.: Vors. d. Österr. Ges. f. Toxikologie, zahlr. intern. wiss. Ges. H.: Lesen, Wandern. (N.A.)

Schulter Wolfgang DDr.

B.: RA. DA.: 1010 Wien, Fleischmarkt 28. PA.: 1050 Wien, Franzensg. 12/12. G.: Wien, 27. Apr. 1957. V.: Elisabeth, geb. Krygiel. Ki.: Leander (1988), Alexander (1990). El.: Alfred u. Gertrud. BV.: Urgroßvater Franz Schulter langjähriger Bgm. v. Fehring/Stmk. S.: BRG Wien, 1975 Matura, BH, ab 1976 Jusstud. Univ. Wien, ab 1977 Stud. Publizistik u. Soz., 1985 Dr. iur., 1989 Dr. phil. K.: ab 1979 Werkstudent b. Dr. Michael Stern, ab 1985 Konzipient b. Dr. Stern, RA-Prüf. im Rahmen d. Ausbild. b. Dr. Stern, seit 1989 selbst., spezialisiert auf Fremdenrecht, Straf- u. Eherecht. BL.: ehemaliges Mtgl. d. Basketballver. Union Döbling, 1972-74 3-facher Österr. Staatsmstr. H.: Familie, Sport: Tennis, Tischtennis, Skifahren, Autos. (J.S.)

Schultes Hermann

B.: Inh. FN.: Hermann Schultes Schmuck & Uhren, Groß- u. Detailhandel. DA. u. PA.: 1100 Wien, Oberlaaerstr. 75. G.: Wien, 28. Jän. 1939. V.: Julianna, geb. Holzschuh. Ki.: Harald (1960). El.: Josef u. Hermine. S.: VS, HS, Roland-Abendschule, Kanzleiprüf., versch. Kurse. K.: Schriftsetzerlehre, s. 1945 Handel mit versch. Waren, schon während Schulz. Schreiben u. Verk. v. eigenen Romanen, 1960 Angest. Finanzlandesdion., Versicherungsagent, abendl. Tätigk. an Tankstelle, 1962 selbst. Handelsreisender Fa. Luis Vogain - Schmuck- u. Uhrengroßhandel, 1979 Eröffn. Schmuck- u. Uhrengroßhandel, 1987 neuerl. Aufbau d. Geschäftes, 1989 Eröffn. Detailhandel in Oberlaa, 1990 Mitbegrd. Fa. Toxa Borel, Vertret. versch. Großhandelsfa. BL.: Organisation v. Schmuckaustell., Publ.-Arb. u. Fachvorträge, Veranstalt. v. Reisen. M.: Kammer, ortsans. Ver., Initiative Oberlaa. H.: Pendeln, Minigolf, Golf, Wandern, Tiere, Schreiben. (I.J.)

Schultes Karl Anton Dr. techn. Dipl.-Ing.

B.: Univ.-Lektor, Vorst.-Dir. Kaposzucker AG. GT.: Lehrbeauftragter an d. TU Wien, Ziviling. f. Techn. Physik. A.: 2285 Leopoldsdorf, Paul-Ferstel-Siedlung 2, 1030 Wien, Am Rennweg 96/3. G.: Wien, 30. Dez. 1950. V.: Beatrix Antonia, geb. Petioky. El.: Ing. Gunter u. Huberta Ida. S.: 1969 Matura, 1975 Dipl.-Ing., 1976 Dr. techn., 1980 Studiensemester TU Braunschweig. K.: 1974-77 Univ. Ass. TU Wien, 1977-79 Dion.Ass. Enns, ab 1978 Lehrbeauftrager TU Wien, 1979-80 Dion.Ass. Leopoldsdorf, 1980-85 Hauptabt.-Ltr. Hohenau, 1985-91 Ass. d. Geschäftsführung, ab 1981 Ziviling. f. Techn. Physik, ab 1991 Vorst.-Dir., Kaposzucker AG, ab 1993 Vorst.Vors. F.: Ziviling.-Büro Dr. Schultes. P.: 27 intern. techn.-wiss. Vorträge, 13 intern. techn.-wiss. Veröff. E.: Wehrdiensterinnerungsmed., BH-Verdienstz. 2. u. 3. Kl. M.: 77/78 Präs. d. Cartellverb., 1980-heute Präs. d. Sportver. Austria Hohenau, 1980-85 GemR.;

Schultz Robert

B.: Bez.Vorst. DA.: 1220 Wien, Schrödingerpl. 1. G.: Wien, 30. Apr. 1940. V.: Friederike, geb. Karpf. El.: Josef u. Maria. S.: 1954-58 Schriftsetzerlehre. K.: b. 1973 Tätigkeit als Schriftsetzer, þ. 1974 Bez.Sekr. d. SPÖ Donaustadt, 1973 Wahl in d. GemR., seit 1969 Donaustädter Bez.Vertreter, seit 1981 Bez.Vorst. E.: 1989 Gold. EZ d. Stadt Wien. H.: Garten, Literatur. (J.E.)

Schulz Anton Dr. MinR.

B.: Ltr. d. Gruppe Staatspol. Dienst im BMI. DA.: 1014 Wien, Minoritenpl. 9. PA.: 1180 Wien, Schulg. 29. G.: Oberrohrbach, 30. Jan. 1926. V.: Theresia, geb. Reinsperger. Ki.: Dr. Elisabeth, Dr. Friedrich. El.: Anton u. Theresia. S.: VS, BRG, Univ. Wien, 1949 Prom. K.: Rechtspraktikant OLG Sprengel Wien, anschl. Konzipient in RA-Kzl., ab 1953 im BMI, Konzeptsberater b. d. BPol.Dion. Wien, 1963 BMI

(OKmsr., Rat, OR., MinR.), immer im Staatspol. Dienst tätig. E.: Gold. Verdienstz. d. Rep. Österr., Gr. EZ f. Verd. um d. Rep. Österr. M.: Mtgl. d. FB-Ver. Austria. H.: Jagd, Fußball. (R.A.)

Schulz Christian Dkfm.

B.: kfm. Dir. FN.: Rank Xerox Austria GmbH. GT.: Gschf. Rank Xerox Vertriebsges. DA.: 1190 Wien, Nußdorfer Lände 29-31. PA.: 2325 Himberg, Krautgarteng. 14. G.: Wien, 8. Nov. 1944. V.: Sylvia, geb. Gartner. Ki.: Sandra, Silke, Stephan. El.: Bruno u. Anna. S.: Matura, HS f. Welthdl., 1970 Abschluß. K.: 9 Mon. b. ESSO, 1971 Rank Xerox Austria, Planung, Ltr. d. Buchhaltung, Ltr. d. Kundenbuchhaltung, 2 J. Rank Xerox Ltd London, Administr. Systeme f. ganz Europa zuständig, 1 J. v. Österr. aus Administration f. Österr. u. Schweiz zuständig, 3 J. Ltr. d. Kundenbuchhaltung, seit 1983 Kfm. Dir. (Planung, Buchhaltung, Kundenbuchhaltung, EDV). H.: Sport, Garten, Lesen, Briefmarkensammeln, Büchersammeln. (A.K.)

Schulz Josef

B.: Maler u. Gobelinweber. DA.: 1080 Wien, Josefsg. 8. PA.: 1170 Wien, Dornbacher Str. 77. G.: Altlengbach, 5. Nov. 1933. V.: Beatrix, geb. Grasel. Ki.: Maria (1954). S.: 1955 Dipl. an d. Ak. f. angew. Kunst Fachrichtung Malerei u. Tapisserie. K.: freischaff. Künstler, ab 1957 Ass. an d. Ak. f. angew. Kunst, Ltr. d. Textilabt. an d. Ak. f. angew. Kunst, 1975 Berufung an d. Ak. d. bild. Künste, o.HS-Prof., ab 1975 Ltr. d. Inst. f. textiles Gestalten, seit 1988 Ltr. d. Meisterschule f. Tapisserie, Ausstellungen in Wien u. im Ausland, Werke vertreten in österr. u. ausländ. Museen u. Privatsammlungen. P.: u.a. "Das große Buch d. Tapisserie" (1965), "Wandteppiche d. 20. Jhdts." u. "Josef Schulz-Tapisserie" (1975).

Schulz Walter

B.: Inh. FN.: Metallwerkstätte Walter Schulz GmbH Bau- u. Kunstschlosserei. DA.: 1050 Wien, Hamburger Str. 5. PA.: 1130 Wien, Biraghig. 67. G.: Muschau/Südmähren, 9. Jän. 1932. V.: Charlotte, geb. Modlik. Ki.: Hermann, Michaela, Gabriele, Andrea. El.: Anton u. Stefanie. S.: Gymn., Lehre als Bau- u. Kunstschlosser, Mstr.Schule in Stuttgart m. Abschluß, Metallbildhauer- u. Glasmosaikausbild. K.: 1962 Betriebsgrdg. Bl.: Restaurierung v. Otto Wagner-Stadtbahnstation am Karlsplatz u. vieles ähnliches, Schwergewicht auf Lehrlingsausbild. M.: Grdg.Mtgl. u. Vorst.Mtgl. einer heilpäd. Inst. u. zweier Privatschulen. H.: Päd. u. kultureller Bereich, Musik, Wandern. (M.M.)

Schulz Wolfgang Dr.

B.: Univ.-Prof. G.: Wien, 10. Juli 1940. El.: Anton u. Hilde. S.: Matura in Wien, Stud. d. Psych. u. d. Kunstgeschichte in Wien. K.: Inst. f. Höhere Studien, freiberufl. Tätigkeit als Marktforscher, Arb. an d. Beratungsstellen d. Gem. Wien f. Alkoholkranke, Ass. am Inst. f. Soz., Habil. Wien, Prof. in Bielefeld, Prof. in Wien. P.: Normales Trinken u. Suchtentwicklung, Familienbericht d. Österr. Bundesrg., Sozialkontakte in d. Großstadt. M.: Dt. Ges. f. Soz. H.: Ethnologie, Hochseesegeln, Klettern.

Schulz-Buschhaus Ulrich Dr. phil.

B.: o.Prof. am Inst. f. Romanistik d. Univ. Graz. DA.: 8010 Graz, J.-Fux-G. 30. PA.: 8020 Graz, Doblerg. 3. G.: Plettenberg, 16. Juni 1941. V.: Verena, geb. Schultz-Gerstein. El.: Erich u. Hanna. S.: 1961 Matura, Stud. Romanistik, Germanistik u. Phil. Univ. Hamburg u. Aix-au-Provence, 1968 Prom. K.: Ass. in Hamburg, 1971 Ass.-Prof. Univ. Trier, 1973 Habil. u. a.o.Prof. in Trier, 1976 Berufung Univ. Klagenfurt, 1989 Berufung Univ. Graz. P.: Bücher: "Das Madrigal" (1969), "Formen u. Ideologien d. Kriminalromanes" (1975), "Literar. Erziehung - Wozu?" (1976), div. Fachaufsätze. M.: korresp. Mtgl. d. Österr. Ak. d. Wiss. H.: Bergsteigen. (F.K.).

Schulze Gerald Mag.

B.: Ltr. d. Abt. Kommunikation. FN.: Österr. Elektrizitätswirtschafts AG. DA.: 1011 Wien, Rudolfspl. 13a. PA.: 1130 Wien, Weidlichg. 12a. G.: Linz, 12. Okt. 1958. El.: Fritz u. Sylvia. K.: Red. am Inst. f. Wirtschaft u. Politik, Red. u. Öff.-Arb. b. d. Industriellenver., 1989 Gschf. im Wirtschaftsforum d. Führungskräfte, ab 1993 Mtgl. d. Geschäftsführung b. Henke & Partner, seit 1994 Ltr. d. Abt. Kommunikation b. d. Verbundsges. E.: 4x Österr. Mstr. in d. 4x100m Staffel. M.: Vorst.-Mtgl. d. WdF. H.: Tennis, Mountainbike, Skifahren. (U.Z.)

Schumacher Hans-Peter Dr. med.

B.: selbst. FA f. Kinderheilkunde. DA.: 6020 Innsbruck, Anichstr. 40. G.: Innsbruck, 1. Okt. 1926. V.: Doris, geb. Mayer-Nessler. Ki.: Nikolaus, Ursula, Peter. El.: Dir. Hans u. Margarethe. S.: Gymn., 1943 Matura, Militär, Stud. Med. in Innsbruck, 1951 Prom. K.: Ass. u. OA d. Univ.Kinderklinik Innsbruck, wiss. Arbeitsgebiet: Elektrokardiographie u. allg. Kinderkardiologie, 1968 Ndlg. als Kinderarzt in Innsbruck m. Praxisschwerpunkt Naturheilverfahren. P.: Veröff. über Thermoregulationsdiagnostik b. Kindern, chron. Sinusitis, Lasertherapie, Moratherapie, regelmäßige Seminare über naturheilkundl. Diagnostik u. Therapieverfahren b. Kindern. M.: Vorst.Mtgl. d. Dt. Ges. f. Thermoregulation, Mtgl. d. Dt. Bio-Resonanz-Ärzteges., Mtgl. d. Dt. Ges. d. Ärzte f. Erfahrungsheilkunde, Dt. Ges. f. Naturheilverfahren, Österr. Ges. f. Homöopathie, Österr. Ges. f. Akupunktur. H.: Garten, Bergwandern.

Schumak Wilhelm

B.: Prok. FN.: Itterheim Technik-Grafik-Zentrum. DA.: 1070 Wien, Neubaug. 64-66. PA.: 1010 Wien, Kärntner Str. 17/5/15. G.: Berndorf, 2. Nov. 1954. El.: Josef u. Anna. S.: VS, HS, Polytechn. Lehrg., 2J. HAK, Lehre als Ind.-Kfm. Leobersd. K.: 1974-75 Einkaufs-Sachbearb., 1976 Fa. Tschoner St. Gallen, Aussendienstmitarb., 1977-79 Fa. DICOPA Ltr. Einkauf, Auftragsabwickl. u. Fakt., Nov. 1979 Fa. Itterheim Dr. Tree u. Co KG, Gschf. u. Prok; Kurse: Manag.-Kurs Hernstein, Bioenergetische Analyse. H.: Tennis, Laufen, Skifahren. (R.T.)

Schumann Heiner Ing.

B.: Prok., Bauing. FN.: PMG Bauprojektmanagement GmbH. DA.: 2334 Vösendorf, SCS-Bürocenter 2. Bürogeschoß. G.: Hof, 1. Feb. 1939. V.: Ulrike, geb. Pfeiffer. Ki.: Heide (1967), Diana (1971), Rainer (1972). S.: HTL. K.: im Ind.-Bau in Deutschland tätig, Bau- u. Projektltr. im Ing.-Büro München, Aufbau u. Umgestaltung d. BMW-Werke München, Berlin u. Dingoffing, freier Mitarb. d. Ing. Büro Achmann A.T.P. Innsbruck, b. Universale Bau AG, Überstellung zu PMG, Projektmanagement, seit 1992 Prok., Controlling b. Neubau "SCS" u. City Group, Projektltg. Neu IKEA Vösendorf, 1993-95 div. Wohnhausanlagen in Wien, Großwohnanlagen m. Schule, Kindertagesheimen, div. Geschäften. H.: Musik, Jazz, mod. Literatur. (W.M.)

Schumann Rudolf Christian

B.: Prok., Abt.-Ltr. Rechnungs- u. Personalwesen. FN.: Siems & Klein KG Auto-Werkstatt-Technik. DA.: 1232 Wien, Großmarktstr. 10-12. PA.: 1190 Wien, Barawitzkag. 27/1/11. G.: Wien, 25. Dez. 1957. El.: Rudolf u. Anna. S.: 1975 Matura, Stud. Hdls.-Wiss. WU Wien. K.: 1981 Eintritt Siems & Klein KG, zunächst freier Mitarb., seit 1986 Prok., seit 1987 Abt.-Ltr. Rechnungs- u. Personalwesen, zuständig auch f. d. Tochterfirmen in Prag, Budapest u. Warschau. P.: Publ. in Studentenzeitungen u. in Mtgl.-Organen v.

Gesinnungsgemeinschaften. M.: Reichsbund - Bewegung f. Christl. Ges.-Politik u. Sport in d. Bundes- u. Sportltg. u. in d. Sportsekt. tätig, RSVM Post 17. H.: Sport, Journalismus, Grafik. (J.S.)

Schunn Simon

B.: Graveur, Firmeninh. FN.: Angerer GmbH. DA. u. PA.: 9020 Klagenfurt, August-Jaksch-Str. 53. G.: Soll Bad Hall, 15. Jan. 1965. V.: Renate. Ki.: Sabrina (1990). El.: Simon u. Friederike. S.: VS, HS, Gymn., 1 J. Abendmatura. K.: 1 1/2 J. Vers.-Kfm., 1987 selbst. in Klagenfurt Pokalgroßhdl., 1992 Mstr.-Prüf. Graveur u. Guillocheure, Hdl. m. Waren aller Art, Schilder- u. Stempelproduktion, Sonderanfertigung v. Pokalen u. Schilder. M.: Polizeisportver. u. Tennisver. Klagenfurt. H.: Musik, Sportschießen, Radfahren, Familie. (W.M.)

Schuöcker Dieter Dr. Dipl.-Ing. Univ.-Prof.

B.: Inst.-Ltr. d. Forsch.-Inst. f. Hochleistungsstrahltechnik, Gerichtl. beeid. SV f. Lasertechn. DA.: 1030 Wien, Franz-Grill-Str. 1. PA.: 1130 Wien, Oskar-Jaschar-G. 58. G.: Wien, 6. Apr. 1941. V.: Dr. iur. Ingrid, geb. Proidl. Ki.: Birgit (1972), Georg-Dieter (1976). El.: Eduard Georg u. Augusta Georgia. S.: VS, Realschule, 1959-65 Stud. Maschinenwesen u. Elektrotechnik TU Wien, 1965 Dipl.-Ing., 1968 Dr., 1974 Habil. K.: 1979-81 Projektltr. Voest-Alpine AG Linz, 1982 Befugnis als Ziviling. u. Eröff. eines Büros in Wien 4, 1984-91 Gschf. Arge f. Lasertechnik ARGELAS, 1987 Grdg. d. Forsch.-Inst. f. Hochleistungsstrahltechnik, 1988 Vors. d. Intern. Arbeitsgruppe f. theoret. Modell d. Lasermaterialbearb., 1991 Eröff. d. neuen Laserapplikationslabors, 1991 Konsulentenvertrag m. d. Forsch.-Zentrum Seibersdorf, 1992 Mtgl. d. Kuratoriums d. Schweißtechn. Zentralanst., 1993-94 Vors. Eureka-Eurolaser Projekte. P.: zahlr. Veröff., zahlr. Vorträge in aller Welt. M.: Präs. d. Ver. f. Lasersicherheitstechnik, Editorial Boards d. Fachzeitschrift Laser in Engineering U.K., Österr. Ver. f. Elektrotechnik SPIE. H.: Segeln in d. Adria, Skifahren, Wirtschaft, Geographie. (R.T.)

Schupp Wilhelm

B.: Intendant d. Operettenfestspiele Bad Hall, Sänger. DA.: 4540 Bad Hall, Rathaus, Hauptpl. 5. Ki.: Nicole (1981). El.: Karl u. Gisella, geb. Hromatko. S.: Matura an d. HAK, Gesangs- u. Schauspielstud. am Konservatorium d. Stadt Wien, Absolvierung d. Operetten- u. Musicalkl. K.: während d. Stud. Engagements an vielen Wr. Kellertheatern, 1969-84 Mtgl. d. Wr. Volksoper, Engagements im Theater an d. Wien, Kammeroper, Seefestspiele Mörbisch, seit 1979 im Stadttheater St. Pölten, Gründer u. 15 J. Dir. d. Thalia-Theaters Wien, ab 1984 Int. d. Operettenfestspiele Bad Hall, zahlr. Konzerte in Deutschland, Schweiz, Italien u. CSFR sowie TV- u. Rundfunkaufnahmen, über 100 Rollen gespielt, bedeutenste Rollen: Symon (Bettelstudent), Sou-Chong (Land d. Lächelns), Adam (Vogelhändler), Leopold (Im Weißen Rössl), Barinkay, Homonay (Zigeunerbaron), Graf Zedlau (Wiener Blut). P.: Stückebearbeitungen, Inszenierungen. E.: Robert-Stolz-Med. in Gold, Silber u. Bronze, UFA-Film Pokal, Der Silberne Operettentaktstock. M.: VPräs. d. Robert Stolz-Club Österr., Ehrenmtgl. v. ELITE. H.: Wandern, Bücher, Musik. (N.A.)

Schuppich Martin Dr.

B.: RA. DA.: 1010 Wien, Falkestr. 6. G.: Wien, 5. Nov. 1952. V.: Veronika, geb. Grohs. Ki.: Dominik, Christian. El.: Dr. Walter u. w.HofR. Dr. Margareta. S.: 1970 Matura, Stud. Jus u. Musik Univ. Wien, 1974 Prom. K.: 1975 gemeinsam m. d. Vater Praxis, 1978 RA-Prüf., 1980 eingetragener Anw. H.: Musik, Schach. (P.R.)

Schuppich Walter Dr. iur.

B.: Ehrenpräs. d. österr. RA-Kammer. G.T.: Gründ. u. Mitgl. "Partnerschaft Schuppich, Sporn & Winischhofer". DA.: 1010 Wien, Falkestr. 6. PA.: 1190 Wien, Rudolf-Kassner-G. 18. G.: Wien, 22. Mär. 1921. V.: w.HofR. Dr.iur. Margareta. Ki.: Dr. iur. Martin. El.: Rudolf u. Maria S.: Univ. Wien, Prom. 1943. K.: RA-Anw. b. Dr. Schrekkenthal, s. 1949 RA i. Wien, Ehrenpräs. d. österr. RA-Kammer-Tages, Ehrenpräs. d. RA-Kam. f. Wien, Präs. d. österr. Juristenkmsn., Vors. d. Hörer- u. Sehervertretung d. ORF, Vorst.Mtgl. d. BKonferenz d. Kammer d. freien Berufe. P.: zahlr. Publ. u.a.: "Österr. Testamentsrecht"; "Jugendrecht- u. Jugendwohlfahrt"; 1993 "Haft u. Rechtsschutz"; 1993 "Vorverfahren u. Verteidigungsrecht"; 1994 Rechtsanwaltsordnung/5. Aufl.".E.: 1972 Gr. Silb. EZ f. Verd. u. d. Rep. Österr., 1973 Commandeurkreuz f. Verd. u. d. Rep. Italien, 1976 EZ "Merito Commercial" I.Kl. d. Mexikan. HK i. Wien, 1977 Gr. Silb. EZ f. Verd. u. d. Land Wien, 1979 Gold. Abz. d. VO d. Volksrep. Polen, 1979 Gr. VK d. VO d. BRD, 1981 Silb. Komturkreuz d. EZ f. Verd. u. Bgld. NÖ, 1982 EZ v. Wiss. u. Kunst I. Kl., Gr. Gold. EZ. M.: Vorst. d. Wr. Jur. Ges., d. Ges. d. Freund. d. Ak. d. Wiss., d. bild. Künstl. Österr. (Künstlerhaus), d. Museum Moderner Kunst, Guntramsdorfer Druckfbk. AG, AufsR. v. Opernringhof Bau- u. Betriebsges., BeiR. b. Zu. CA, AufsR. d. Bank f. Wirtschaft u. Freie Berufe AG, Konstruktiva AG, stv. Vors. v.: RSG-Leasing GmbH, Vorst. v. Kuratorium f. Sicheres Österr., VPräs. v. UIA (Union Intern. d. Advocates), Präs. u. Gründ. d. Europ. Präsidentenkonferenz Wiener Advokatengespräche, Präs. d. Freunde d. Wr. Polizei, Ehrenmitgl. American Bar Association, Ehrenmitgl. IBA, Beirat Bank Austria, AufsR. Neue Reform, Bau Porr AG. H.: Musik u. Literatur. (E.J.)

Schurer Bruno Dr. o.Univ.Prof.

B.: o.Univ.-Prof. Johannes-Kepler-Univ. Linz, Inst. f. Wirtschaftspäd. DA.: 4040 Linz, Auhof. PA.: D-83404 Ainring, Hausmoning 25. G.: Riedlingen (D), 16. Juni 1947. V.: Rotraud, geb. Kräutle. Ki.: Florian (1977), Daniel (1980). El.: Julius u. Anna. S.: VS, Gym. Reifepr. 1966, 1966 Univ. Tübingen, 1967/68 BH, 1968 Univ. Köln (Abschluß Dipl.-Hdl. 1973). K.: 1973-78 Univ.-Assistent in Köln in Wirtschaftspäd. (Prof. Schmiel), Prom. 1977, 1978-81 Ass. Päd. Hochschule in Aachen, Ass. Univ. Köln (Prof. Stratenwerth), 1983 Habil. Köln, 1985 Ernennung z. Univ.-Prof., 1.1.89 Berufung an d. Johannes-Kepler-Univ. Linz. P.: Projekt Bundesmin. f. Bildung u. Wissenschaft in Bonn, Verbesserung d. Berufsausbild. u. Weiterbild. im Handwerk, Sem. f. Ausbildner, Veröff. über Gestaltung im Handwerk, kreative Gestaltung, Veröff. z. Didaktik d. berufl. Bildung, insbes. Auseinandersetzung mit d. handlungstheoret. Didaktik. M.: Dt. Ges. f. Erziehungswiss., Bundesvereinigung f. ök. Bildung Deutschland, Vereinigung d. Univ.-Prof. f. Wirtschaftspäd. H.: Bergsteigen, Tennis, Fotografieren. (N.A.)

Schürer Wilhelm Josef
B.: Inh. FN.: Wilhelm Josef Schürer Floristenfachgeschäfte/Dekorationsfirma f. Pflanzen aus Seide. DA. u. PA.: 4040 Linz, Donnererweg 57. G.: Linz, 5. Apr. 1951. V.: Eva, geb. Skola. Ki.: Claudia (1974), Werner (1983), Andrea (1987). El.: Josef u. Ingeborg. S.: VS, HS, HTL, 1976 Matura, b. 1969 Lehre Kfz-Mechaniker Firma Voggenhuber, 1969-70 BH, BWL-Stud. Linz. K.: b. 1976 Außen- u. Innendienst Steiner Floristengroßhdl., 1976-78 Ind.-Vertreter Firma Ochsner, 1978-79 techn. Innendienstltr. Firma Austro-Waren, seit 1980 selbst. m. Floristengeschäft, 1985 Floristenprüf. M.: Junge Wirtschaft. H.: Reiten, Beruf, Familie. (U.A.)

Schurich Wolfgang Dipl.Vw.
B.: Gschf. Ges. FN.: E. Schurich. DA.: 5020 Salzburg, Sterneckstr. 19. G.: Salzburg, 17. Dez. 1939. El.: Dipl.-Ing. Hans u. Trude. S.: VS, RG, WU Innsbruck. K.: nach Stud. in väterl. Untern. tätig, 1975 Übernahme d. Betriebes (Heizung, Lüftung, Klimaanl.). M.: Rotary Club,, Industriellenver. (Vorst.Mtgl.). H.: Skifahren, Bergsteigen, Jagd. (R.A.)

Schurm Herbert
B.: Dipl.-Math.; Mitbegründer u. Ltr. d. Softwareentwicklung. FN.: GEOCOMP Handels GmbH. DA.: 4840 Vöcklabruck, Salzburger Str. 1. G.: Wegscheid/Bayern, 1. Apr. 1954. V.: Roswitha. Ki.: Robert (1982), Johanna (1984), Martin (1988). El.: Friedrich u. Josefine. S.: VS, Gymn., 1974-82 Stud. Math. Univ. Regensburg, Abschluß Dipl.-Math. K.: 1983-84 zuständig f. Entwicklung Geodäsie-Software b. DCS Mitterfelden, 1984-87 Entwicklung kommunaler Software in COBOL b. Verlag Eduard Beck Straubing, seit 1987 zuständig f. Softwarenentwicklung b. GEOCOMP. H.: Schwimmsport (Schwimmtrainer in Österr. u. Kampfrichterwesen in Bayern). (E.Hö.)

Schürr Thekla Maria
B.: Dichterin. PA.: 9020 Klagenfurt, Eppensteinerstr. 6. G.: Gut Auenhof am Wörthersee, 24. Febr. 1897. El.: Arch. Josef u. Thekla Schürr. BV.: Vater Josef Schürr Arch. u. Kunstbmstr. in Wien, Erfinder d. nichtrotierenden Gasexplosionsturbine, LFörderer v. Ktn. S.: Pflichtschule, Privatunterricht in allen Bildungsfächern, einige Sem. Stud. Kopf- u. Aktzeichnen in d. Univ. Innsbruck. K.: 1918-23 BBmtr. d. Finanz-LDion. Klagenfurt tätig, seit 1932 schriftstellerisch tätig. BL.: Volkserzieherische Vorträge im Rundfunk, seit 1946 Veröff. v. Friedensappellen an d. Welt. P.: O Mensch, erwache! (1982), Leben ist nur, wenn die Seele schwingt (1981), Balladen, Romanzen, Epen (1984), Antlitz der Erde (1962), Doch in der goldenen Schale (1966),Im Hexenkreis (1957), Veröff. v. Lyrik u. Prosa in Zeitungen u. Zeitschriften. H.: Literatur, Malen. (S.G.)

Schurz Heribert Maria
B.: Marketing- u. Werbeberater, Agenturinh. FN.: Josef + Maria, Josef Rauch & Heribert Maria Schurz, Werbe-, Marketing-Beratungsges. mbH. DA.: 8010 Graz, Adolf-Kolping-G. 2/III. G.: Leoben, 23. Sept. 1958. V.: Mag. Beatrix, geb. Mörth. El.: Johann u. Franziska. S.: BG u. BRG Leoben, HTL Elektrotechnik Kapfenberg, Stud. Fachtheol. Karl Franzens-Univ. Graz. K.: 1975-80 Redaktionsmtgl. b. d. Kleinen Zeitung, anschl. Werbe- u. PR-Berater b. div. Agenturen, 1984-90 Werbe- u. Marketingltr. Hans Roth KG Gnas-Graz, 1975-90 journalist. Tätigkeit in div. Bereichen. H.: Billard, Reisen, Geisteswiss. (P.M.)

Schurz Josef Dr. phil. Dr. h. c. o.Univ.-Prof.
B.: Vorst. d. Inst. f. physikal. Chemie d. Univ. Graz. DA.: 8010 Graz, Heinrichstr. 28. PA.: 8044 Graz, Maria Troster Str. 172f. G.: Zeltweg, 23. Dez. 1924. V.: Dr. Grete, geb. Koller. Ki.: Dr. Gerhard, Dr. Robert. El.: Josef u. Rosa. S.: 1943 Abitur, Stud. Univ. Graz, 1951 Prom., 1958 Habil. K.: 1951-52 Research Fellow H.F. Mark in Brooklyn/USA, 1952-54 Forsch.Chemiker b. d. Vereinigten Glanzstoff-Fabriken AG Oberbruch/BRD, Ass. O. Kratky Graz, 1966 a.o.Prof. Univ. Graz, 1969 o.Prof. TH Darmstadt, Dir. d. Inst. f. Makromolekulare Chemie u. Inh. d. Lehrstuhls Makromolekulare Chemie I, 1970 Hon.Prof. f. Physikal. Chemie Univ. Graz, 1974 o.Prof. f. Physikal. Chemie an d. Univ. Graz u. Vorst. d. Inst. f. Physikal. Chemie, 1971/72 Dekan d. Fachbereichs 9 d. TH Darmstadt, 1974/75 Vors. d. Chem. Fachgruppenkmsn. d. Univ. Graz, 1976/80 Dekan d. Naturwiss. Fak. d. Univ. Graz, Emer. 1993. P.: 400 wiss. Aufsätze in Fachzeitschriften, 6 Handbuchart., 12 Bücher u.a. "Strukturrheologie" 1974, "Physikalische Chemie der Hochpolymeren" 1974, "Von der Röntgenkleinwinkelstreuung zum Small Angle X-Ray Scattering" 1987, 8 Patente, zahlr. Vorträge, Mithrsg. d. Zeitschriften: Cellulose Chemistry and Technology, Die Angewandte Makromolekulare Chemie, Die Makromolekulare Chemie, Rheologica Acta, Journal of Wood Chemistry and Technology, Holzforschung, Österr. Chemie-Zeitschrift. E.: 1964 Wilhelm Bölsch-Med., 1981 Wilhelm Exner-Med., 1983 Erwin Schrödinger-Preis d. Österr. Ak. d. Wiss., 1983 Österr. Ehrenkreuz f. Wiss. u. Kunst I. Kl., 1987 H.F. Mark-Med. M.: Österr. Ak. d. Wiss., Intern. Academy of Wood Science, New York Academy of Sciences, seit 1968 Organisator u. Ltr. d. "Rundgesprächs f. Cellulosechemiker" b. d. Zellcheming-Hpt.Versammlung, seit 1974 Obm. d. Arbeitsgruppe Rheologie u. Vorst.Mtgl. d. Ges. Österr. Chemiker, seit 1975 Ltr. d. Laboratoriums f. Kolloidforsch. in d. Forsch.Ges. Joanneum GmbH Graz. (P.R.)

Schuschnig Josef
B.: Unternehmer, Büchsenmachermstr. FN.: Josef Winkler Jagdwaffen Ferlach. DA. u. PA.: 9170 Ferlach, Neubaug. 1. G.: Ferlach, 7. Aug. 1925. Ki.: Gerald, Alexander. El.: Josef u. Berta. BV.: Prof. Dr. Thomas Schuschnig Univ.-Prof. in Marburg. S.: Pflichtschulen, Berufsfachschule f. Handfeuerwaffen in Ferlach. K.: seit 1946 in d. Fa. Josef Winkler tätig, 1948 Mstr.Prüf., 1952-54 in Canada als Werkzeugbauer tätig, 1962-76 Gschf. d. Fa. Winkler, ab 1976 Firmeninh. M.: Feuerwehr Ferlach. H.: Bergsteigen, Photographieren, Feuerwehrwesen, Schwimmen. (S.G.)

Schuss Alexander
B.: Gschf. FN.: Schuss-Gruppe, Hantor Warenhdl. GmbH, Fa. Robert Streit. DA.: 1071 Wien, Kircheng. 3. G.: Wien, 18. Mai 1959. V.: Christiana, geb. Marian. El.: Ing. Alfred u. Maria Christine. BV.: Großvater KommR. Adolf Schuss Begründer d. Fa. Schuss. S.: Matura, Betriebswirtschaftslehrgang (WIFI). K.: 1 J. Trainee b. CA, 1 J. Ass. d. Geschäftsltg. Fa. Schuss, 1 J. Aufenthalt in d. USA Sikorski Helicopter, 1985-87 Gschf. d. TA-Biromatic, seit 1986 Prok. d. Fa. Schuss, seit 1989 Gschf. d. Schuss-Gruppe. H.: Tauchen, Fallschirmspringen, Theater.

Schuss Alfred Ing.
B.: Gschf. i.R., Mitinh. d. Fa. Schuss-Gruppe. FN.: Schuss Adolf/Hantor/Streit. DA.: 1070 Wien, Kircheng. 3. G.: Wien, 26. Okt. 1924. V.: Ilse. Ki.: Alexander (1959), Monika (1963). El.: Adolf u. Rosl. BV.: Adolf Schuss Gründer d. Fa. Schuss. S.: 1943 Matura, anschl. Kriegsdienst b. d. Luftwaffe. K.: 1945 Eintritt als Ges. in Fa. Schuss, 1949 Mstr.Prüf. f. Büromaschinenmechanik, 1961 Grdg. d. Fa. Büromatic, 1968 Kauf d. Fa. Hantor, 1980 Kauf d. Fa. Streit. E.: 1979 Berechtigung z. Führung d. Staatswappens. H.: Golf, Wassersport, Tennis, Skifahren.;

Schuss Günter

B.: Gschf. FN.: Schuss-Gruppe, Hantor Warenhdl. GmbH, Fa. Robert Streit. DA.: 1070 Wien, Kircheng. 3. G.: Wien, 28. Jan. 1942. V.: Mag. Monika, geb. Reischl. Ki.: Claudia (1962), Barbara (1977), Georg (1979), Martin (1988). El.: Adolf u. Theresia. BV.: Vater Adolf Schuß Gründer d. Fa. Schuß. S.: 1958-63 Büromaschinen Mechanikerlehrling, 1963-64 San Franzisko, 1964 Gschf., alle Abt. d. Fa., 1979 Gschf. aller Firmen. H.: Eigenbauwein, Jagd, Tiefschneefahren.;

Schussek Michael

B.: Gschf. FN.: Austroconsult. DA.: 1070 Wien, Zieglerg. 7. PA.: 1040 Wien, Tilgnerstr. 4/6. G.: Wien, 27. März 1957. V.: Susanne, geb. Sobotka. Ki.: Elisabeth (1983), Sophie (1985), Martin (1990). El.: Dipl.-Ing. Kurt u. Eva. S.: Matura am Akad. Gymn. Wien, Stud. d. Elektrotechnik TU Wien, 1981 Dipl. mit Auszeichn., 1986 Prom. K.: 1981 BBC Baden Schweiz, 1981-85 Vertragsass. am Inst. f. elektr. Anlagen u. Hochspanntechnik, Abtl. Schalterbau TU Wien, 1985 Eintritt Fa. Austroconsult, 1987 Gewerbeschein Techn. Büros, s. 1987 Mtgl. Ing.-Kammer, s. 1988 Gschf. Austroconsult. H.: Tennis, Skifahren, Bergwandern. (J.S.)

Schüssel Wolfgang Dr.

B.: Bundesminister f. wirtschaftl. Angelegenheiten. DA.: 1011 Wien, Stubenring 1. G.: Wien, 7. Juni 1945. V.: Krista. Ki.: Nina, Daniel. S.: VS, Gymn. (1963 Matura), Univ. Wien (1968 Dr. iur.). K.: 1968-75 Sekr. d. Parlamentsklubs d. ÖVP, 1975 Gen.-Sekr. d. ÖWB, 1979 Abg. z. NatR., 1989 BMin. f. wirtschaftl. Angelegenheiten. E.: Gr. Gold. EZ am Bande f. Verd. um d. Rep. Österr. 1993.

Schüssler Eduard

B.: VPräs. u. Hpt.-Gschf. d. Österr. Jungarbeiterbewegung. DA.: 1060 Wien, Mittelg. 16. PA.: 2384 Breitenfurt, Hirschentanzstr. 96. G.: Obeb/Rumänien, 21. Sept. 1940. V.: Mag. Romana, geb. Kubiak. Ki.: Monika, Thomas. El.: Josef u. Margarethe. S.: HASCH, Arbeitermittelschule f. Berufstätige Linz, Matura 1962, Stud. Maschinenbau, Wahlplan C (Betriebswiss.), TH Wien. K.: 1957-62 kfm.-techn. Ang., ab 1964 Tätigkeit in d. Österr. Jungarbeiterbewegung (ÖJAB), seit 1979 Hpt.-Gschf. d. ÖJAB (gemeinn. Ver.: 24 Heime m. 4000 Heimplätzen) H.: Sport, spez. Fußball, Tennis, Skifahren, Bergsteigen, Wandern, klass. Musik, Theater. (J.S.)

Schüssler Erika

B.: Geschäftsltg. FN.: Dendia-Werk GmbH. DA.: 1230 Wien, Jochen-Rindt-Str. 21. PA.: 2000 Stockerau, Dr.-Konrad-Lorenz-Str. 42. G.: Budapest, 21. März 1943. V.: Ulrich Schüssler. Ki.: Dunja (1969), Ruth (1978). El.: Georg u. Maria Metzger. S.: HAK BRD, kfm. Lehre. K.: Umzug v. d. BRD in d. Schweiz, Abt.Ltr. in statist. Abt. eines Konzerns, 1967 Umzug nach Wien, zunächst b. Honeywell Bull in d. EDV tätig, 1972 Sped. Kirchner Valuten-Buchhaltung-Zahlungsverkehr, Maschinenfbk. Elb Haid USO AG, 1977/78 maßgebl. am Exportprojekt v. Maissaatmaschinen nach Polen beteiligt, 1985 Dion.Ass. d. Fa. Asphalt u. Beton f. Österr.-Ost, 1987 Elb Haid USO als Vertretung d. Gschf. f. sämtl. kfm. Belange, 1991 Geschäftsltg. d. Dendia-Werk GmbH. H.: Lesen, Musik, Pflanzen, Garten. (R.J.)

Schüssler Werner M. G. H. jun.

B.: Photograph. FN.: Foto Schüssler. DA.: 9100 Völkermarkt, Herzog Bernhard Pl. 2. PA.: 9100 Völkermarkt, Dr. Siegfried Stugger-G. 1. G.: Klagenfurt, 14. Juni 1962. El.: Kom.-Rat Werner sen. u. Eleonore. BV.: Großvater Gottfried (1980) gründete 1908 Fotoatelier in Wolfsberg u. d. 1. Kino in Ktn., 1930 Gründ. d. Fotogeschäftes i. Völkermarkt, Vater Werner sen. Stadtrat in Völkermarkt, Innungsmstr., Präs. d. Verb. d. Ktn. Lichtspieltheater, Träger d. Silb. Ehrenz. f. d. Verdienste um d. Rep. Öst, Ehrenzeichen in Gold um d. Verdienste d. Berufsfotografie, Julius Raab Ehrenmedaille. S.:1978-83 Höh. graph. BLVA, FS Fotografie in Wien, 1985-86 Mstr.-Klasse, 1986 Mstr.-Prüf., BH, s. 1987 akt. Mitarb. im elterl. Betr. , 1991 Übern., Prüf.-Kom. f. Lehrlinge i.d. WK Ktn. E.: 1989 Internat. Wettbew. in Krakau (3. Pl.), 1989 Certificate of Excellence for outstanding archievement by Artstudies in N.Y., 1991 2. Pr. d. OÖ Photographie, 1993 1. Pr. Internat. Portraitwettbew. d. Profis. P.: s. 1988 jährl. Ausstell. in Ung., versch. Ausstell. in Span., Frankr., Polen, BRD, Ital., Österr., 1992 N.Y., Grand Exhibition Art Gallery. M.: Color Art. H.: Photographie, Segelfliegen, Ski. (G.L.)

Schüssling Roman Leopold Dipl.-Ing.

B.: Abt.-Vorst. f. Bautechnik, stellv. Ltr. d. Versuchsanst. d. HTL Rankweil. DA.: 6830 Rankweil, Negrellistr. 50. PA.: 6833 Klaus, Bruderhof 33. G.: Götzis, 8. Juni 1938. V.: Erna, geb. Loacker. Ki.: Simone (1974), Philipp (1975), Martin (1984). El.: Ernst Ludwig u. Josefine. S.: HTL Bregenz Maschinenbau, 1958 Matura, TH Wien, 1967 Grad. K.: 1958-59 Berechnung v. Skiliften Firma Doppelmayer Wolfurt, 1967-73 Reaktorlabor Brown Bovery Baden/Zürich, 1973-75 Nordostschweizer Kraftwerke, 1975 Eintritt HTL Rankweil. P.: Erstellung v. Bauphysikal. Gutachten, Bauphysikal. Seminare f. Firmen im In- u. Ausland. M.: ÖNorm 044B, Prüf.- u. Versuchswesen Arbeitsgruppe Asphaltstraßen. H.: Bergwandern, Radfahren. (I.D.)

Schuster Andreas

B.: Wirtschaftsdir. FN.: Hotel Inter-Continental Wien. DA.: 1030 Wien, Johannesg. 28. G.: Braunschweig, 18. Apr. 1965. V.: Carla Cristina, geb. Targa. El.: Univ.-Prof. Dr. Rainhart u. Ingrid. S.: Gymn., 1983 Matura, Wehrdienst, Tourismusausbild. am Fremdenverkehrs Colleg in Bad Gleichenberg, 1986 Abschluß. K.: 1986 Kellner im Grand Hotel National Luzern/Schweiz, Portugies. Sprachstud. u. Hotelmanagementkurs im Brasilton in Brasilien, 1987-88 Chef de Rang Sonester Beach Hotel Bermudas, 1988 zurück Grand Hotel National Luzern als Food & Beverage Ass. Manager, 1988-89 Wirtschaftsenglischkurs Univ. Graz, 1989-91 Account Manager in Charge of Food & Beverage Hotel Sacher Wien, anschl. Ass. Food & Beverage u. Bankett Manager Holiday Inn Crowne Plaza Peking/China, 1992-94 Food & Beverage

Manager Hotel Holiday Inn. Xiamen/China, 1994 zurück nach Österr. u. seither Wirtschaftsdir. Hotel Inter-Continental Wien. H.: Tennis, Reisen, Modellbau, Modellfliegen. (F.S.)

Schuster Christine
B.: Designer. FN.: Shakeda Fashion Design. DA. u. PA.: 1060 Wien, Stiegeng. 20. G.: Loretto, 12. Febr. 1956. El.: Johann u. Maria Schuster. S.: Modeschule Wien mit anschl. Praktikum, 1975 Mstr.-Prüf. f. Kleidermacher. K.: 1976 Praxis in Haute Couture, 1977 Designer Ausbild. m. Industriepraktikum, 1980-85 Theater - Kostümerfahrung, 1985-87 Fernseh- u. Filmpraxis, 1988-89 Erstellung v. DOB Kollektionen f. d. Privatwirtschaft, Planung einer neuen Linie mit geschütztem Lable, 1989 Eröff. d. Shakeda Design Studios mit Show-Room, Erstellung v. Unikaten, Show Outfits u. Order-Kollektionen f. Damen u. Herren, 1989-91 Aufbau d. Einzelhdls., Teilnahme an Avantgarde Modemessen "Off-Line" Vienna. 1992 Einstieg in d. Intern. Markt mit d. FR/SO 93 Kollektion "Harmony", Messen u.a. CPD Düsseldorf, V.I.P. Vienna Intern. Pret, Fashion Premiere Sbg., Pret a Porter Paris, Porträts in "Wienerin", Burda Internat.", "Kurier", "ÖTM", "Freundin", "VIP Vienna Intern. Pret", "Feine Adressen", 1992 Offline Cover m. Supermodel Naomie Champbell. H.: Musik, Reisen, Kulturaustausch. (J.S.)

Schuster Elisabeth
B.: Reg. PA.: 1190 Wien, Leopold-Steiner-G. 56. G.: Wien, 22. Febr. 1948. El.: Willibald u. Karoline Schuster. BV.: Dr. Herbert Schuster, Wiederaufbau Wr. Neustädter Wasserturm, über Wr. Neustadt mehrere Bücher geschrieben. S.: Franz. Schule Wien, Matura, 1978 Theaterwiss. u. Romanistik Univ. Wien, Diss.: Melker Sommerspiele. K.: 1968-78 Sekr. ORF, Fremdsprachenkorr. u. Dolmetsch b. Renault/Schrack, Regieass. Ateliertheater/Naschmarkt, Melker Sommerspiele, Bühne 64 Zürich, Theater d. Tribüne, Stadthalle, 1981-83 Künstl. Ltg. Theater am Auersperg, ab 1981 freiberufl. Reg., Inszenierungen: Theater Forum, Ateliertheater, Autorentheater u.v.m., Fernsehen: Die geputzten Schuhe (1985). P.: Lyrik, Chansons. E.: 1968 Preis f. schönstes Lied Schlagerfestival in Kronstadt, 3. Preis im ORF-Wettbewerb "Das moderne Kirchenlied". M.: Verb. Österr. Literaturfreunde u. Autoren. H.: Klavierspielen, Zeichnen, Lesen, Hund, Garten. (A.K.)

Schuster Erwin Mag. phil. OMagR.
B.: Kustos d. Städt. Museums, Historiker, Obm. d. Personalvertretung d. Magistrates Steyr, Vors. d. Bez.-Gr. Steyr-Stadt d. Gewerkschaft d. Gemeindebediensteten. DA.: 4400 Steyr, Stadtpl. 27. PA.: 4400 Steyr, Ortskai 25/2. G.: Steyr, 20. Sept. 1954. V.: Dagmar, geb. Grill. Ki.: Simon (1977), Sebastian (1983), Stephan (1990). S.: AHS Steyr, 1974 Matura, 1974-79 Stud. Univ. Wien. K.: 1979-83 Vertragsltr. f. Geschichte u. Deutsch, seit 1983 Kustos d. Städt. Museums, seit 1991 Obm. d. Personalvertretung u. Vors. d. GdG Steyr-Stadt. P.: Veröff. in div. Fachzeitschriften. M.: SPÖ, BSA, Zentralvorst. d. GdG Wien, Landesvorst. d. GdG OÖ Linz, Obm. d. Magistratssportver. Steyr. H.: Tennis. (P.H.)

Schuster Friedrich Franz Oberstlt.
B.: BMLV, Gen.Stabsabt., Präsidentd. LFV f. Reiten u. Fahren in NÖ, VPräs. d. Fédér. Equestre National d'Autriche. PA.: 1220 Wien, Rennbahnweg 56/1/12. G.: Wien, 30. Nov. 1939. El.: Friedrich u. Leopoldine. S.: HS, Matura, Abendschule. K.: Offz.Kurse, BH: Fernmeldebatt. I Wien Maria Theresien-Kaserne. BL.: seit 1960 intensive Widmung f. d. Reitsport, Schwergewicht Campagnereiten, Engagement f. versch. Grundeigentümerprobleme m. Bezug auf Geländereiten, Reitregelung österr. BForste Organ. d. Wanderrittes Wien-Budapest 1983 (100 Reiter), Besuch v. intern. u. nat. Kongressen sowie Vortragstätigkeit im Reitsport, seit 1977 Abhaltung v. Lehrgängen f. Wanderreiten im gesamten BGebiet, seit 1986 Turnierrichter im Springsport f. Österr. P.: Fachbroschüren u. Art. in versch. Fachmagazinen über d. Reitsport in Italien, England u. Ungarn, "Reiter-Knigge", "Wien-Budapest", "Wanderreiten-Jagdreiten", "EG - Fragen d. österr. Reitsport betreffend". E.: zuletzt Gr. EZ f. Verd. um d. Rep. Österr. 1989, versch. Reiterausz. M.: Heeresreitsportver. St. Georg-Gut Reichersberg/Riederberg. H.: Lesen, Reiten, Tierliebhaber, Natur, Österr.-Fan, Gesellschaftsmensch, Hobbykoch, Reisen, Bergwandern, Theater, Sammeln v. Bierkrügen, Militaria.

Schuster Franz

B.: Optikermstr. FN.: Optik Schuster. DA.: 5700 Zell am See, Bahnhofstr. 6. G.: Saalfelden, 31. Aug. 1935. V.: Hilde, geb. Klotz. El.: Karl u. Rosa. S.: VS, HS, Optikerlehre. K: 1950 Firma Holter Wels, 1950 Abschluß d. Lehre, danach Firma Pini Gaggenau, Wesel u. München, Tätigkeit im elterl. Betrieb, Mstr.-Prüf., Übernahme d. Betriebes. H.: Soz. Einsatz, Beruf. (A.W.)

Schuster Georg
B.: Gschf. Ges. FN.: GOWI Spielzeug Georg Schuster GmbH. DA.: 8055 Graz, Auer-Welsbach-G. 54. G.: Graz, 28. Juli 1939. V.: Ursula, geb. Kreuzig. Ki.: Michael (1962), Martin (1967), Elisabeth (1979). El.: Leopold u. Christine. S.: Pflichtschule, HTL f. Maschinenbau u. Elektrotechnik, 1957 Matura. K.: Eintritt in d. elterl. Betrieb, 1960 GOWI, 1970 Übernahme d. Betriebes u. Übersiedlung an d. bestehenden Standort, 1979 Umwandlung in GmbH. M.: Fachverb.-Vors. d. Steir. Kunststoffverarb. H.: Reiten, Motorradfahren. (F.K.).

Schuster Gerhard Mag. rer. nat. HofR. Prof.
B.: Dir. d. BRG Wr. Neustadt, seit 1981 Lektor an d. Univ. Wien. A.: 2560 Berndorf, Hügelg. 6. G.: Wien, 11. Apr. 1937. V.: Prof. OStR. Mag. rer. nat. Gertraud, geb. Handler. Ki.: Dipl.-Ing. Dr. Gerald (1966), Dipl.-Ing. Dr. Günter (1968). S.: LBA Wien, Univ. Wien, Stud. d. Math. u. Physik, Lehramt f. höhere Schulen, Mag. rer. nat. K.: 1961-65 Lehrer am BG Bruck/Leitha, 1965-76 Prof. am BG Berndorf, seit 1976 Dir. d. BRG. Wr. Neustadt, seit 1974 auch Prof. an d. Päd. Ak. Baden, Lehrauftrag f. Math. b. HS-Lehrerausbild. P.: Didaktische Arb. über Math. u. Physik in Fachzeitschriften. E.: 1989 HofR. M.: Österr. Math. Ges.,Mtgl. v. Standesvertretungen. H.: Reisen, Fotografie.

Schuster Gerhard Ing.
B.: Vorst.-Dir. i.R. PA.: 1140 Wien, Spallartg. 1/6. G.: Wien, 22. Febr. 1931. V.: Emilie. El.: Gottlieb u. Barbara. S.: HTL, HAK, Werkstudent in Zürich Statistik u. Math. K.: 1955 Wechsel v. österr. Siemenswerken zu BBC-Schweiz gls. Sachbearb. f. Elektromaschinen, 1965 Ass. v. Prof. Wiedemann BBC, 1970 Prok., 1972 stellv. Bereichsltr., 1981 VDir., 1985 Dir. u. Unternehmensbereichsltr. f. d. Konzern, 1986-92 Vorst.-Dir. H.: Neuere Geschichte, Finanzwirtschaft, klass. Musik. (H.J.S.)

Schuster Godwin
B.: Bmt. FN.: ÖBB. GT.: LAbg. u. GemR. d. Stadt Wien. DA.: 1050 Wien, Margaretenstr. 166. PA.: 1070 Wien, Schottenfeldg. 30-32/1/46. G.: Kirchberg/Wild, 26. Febr.

1951. V.: Melitta, geb. Bednar. Ki.: Michael (1981), Manuel (1982). El.: Gotwin u. Gertrude, geb. Schmid. S.: VS, Mittelschule. K.: 1969 Eintritt b. d. ÖBB, Bundesbahndion. Wien, 1980 Zentralaussch. d. ÖBB, 1985 Ltr. d. Zentralsekr. d. Gewerkschaft d. Eisenbahnen, ab 1989 LAbg. u. GemR. d. Stadt Wien, Sicherheitssprecher im Wiener Landtag. M.: seit 1972 SPÖ. H.: Laufen, Wandern, Fußball. (N.A.)

Schuster Hanno

B.: Großhdls.-Kfm., Landesgschf. d. SPÖ Vbg. DA.: 6850 Dornbirn, Viehmarktstr. 3. PA.: 6900 Bregenz, Herbert-Reylg. 1. G.: Zürich, 20. Aug. 1955. Ki.: Marco (1978). S.: VS, Lehre, 1985 Studienberechtigung, 1974 Militär. K.: 1974 kfm. Ang. im Lehrbetrieb in Feldkirch u. Bludenz, 1978 Verkauf u. Beratung in Sanitärgeschäft, 1981 Landesstellenltr. im Dr.-Karl-Renner-Inst. Vbg., 1988 Landesgschf. d. SPÖ Vbg. M.: langjähriger Funktionär d. Soz. Jugend Österr., Kulturver. Bregenz, Mitgründer d. Jugendhauses "Munterstein" Bludenz. H.: Oper, Gemäldesammeln, Lesen, Joggen, Schwimmen, Fußball. (I.D.)

Schuster Heinrich Dr. phil.

B.: Gschf. Ges. d. Fa. Außenwerbung Dr. Heinrich Schuster KG. DA.: 1090 Wien, Spittelauer Lände 13. PA.: 3400 Klosterneuburg, Peter-Rosegger-G. 21. G.: Preßburg, 21. Juni 1941. Ki.: Martin, Markus. BV.: Vater Dr. Helmut Schuster: Chefred. d. Süd-Ost-Tagespost u. GemR. in Graz. S.: Hum. Gymn. in St. Paul/L., Matura 1959, Stud. an d. Univ. Wien (Geschichte), Prom. 1965. K.: 1964-70 Publico PR-Ges., 1970 Österr. Verlag, 1971-82 Heimatwerbung GmbH, 1982 Grdg. d. Fa. Außenwerbung Dr. Heinrich Schuster KG. M.: CV, Wirtschaftsbund, IAA, Fachgruppenausschuß d. Fachgr. Werbung, Fachverbandausschuß, Fachgruppenvorst.Stellv. P.: Div. Art. in Fachzeitschriften. H.: Tarock, Golf. (A.W.)

Schuster Heinz Ing.

B.: Berufsschuldir. d. Landesberufsschule Fürstenfeld f. Tischler, Tapezierer u. Schuhmacher. DA.: 8280 Fürstenfeld, Gürtelg. 8. Pa.: 8280 Fürstenfeld, Buchwaldstr. 29. G.: Hartberg, 11. Apr. 1956. V.: Sylvia, geb. Hubmann. Ki.: Christoph (1988). El.: Heinrich u. Maria. S.: Pflichtschule, HTL f. Möbel- u. Innenausbau Mödling, 1975 Matura, 1975 Mstr.-Prüf. f. Tischler. K.: 1976 Lehrer an d. Landesberufsschule Fürstenfeld, 1980 Lehramtsprüf. f. Berufschulen, 1988 Dir.-Stellv., seit 1991 Dir., parallel z. berufl. Werdegang polit. Betätigung, Bez.-Obm.-Stellv. d. ÖVP, Vorst. u. Grdg.-Mtgl. d. Jazz- u. Kleinkunstclubs Fürstenfeld. H.: Bergwandern, Skifahren, prakt. Betätigung als Tischler. (F.K.)

Schuster Helga H.

B.: Prok., Ltr. d. Finanz- u. Rechnungswesen. FN.: Egmont Verlag GmbH. DA.: 1120 Wien, Tivolig. 52. PA.: 1050 Wien, Kettenbrückeng. 21. G.: Wien, 24. Sept. 1939. V.: Dipl.-Ing. Manfred. Ki.: Martin, Stefan. El.: Paul u. Margarethe Novara. S.: HAK Wien, 1958 Matura. K.: 1958-64 Österr. Philips GmbH, Ltr. d. Wechselreferates, 1964-82 Fa. Sommer AG Gschf., Vorst.Mtgl., 1983 Egmont Verlag GmbH Ltr. d Finanz- u. Rechnungswesen. H.: Sport, klass. Musik, Jazz, Zeichnen, Malen. (A.W.)

Schuster Helmut Dr.

B.: o.Univ.-Prof. d. Univ. Linz. A.: 4203 Altenberg, Windpassing 6. G.: Wien, 4. Febr. 1939. V.: Paulete, geb. Money. El.: Dr. Hans u. Hilde. S.: Matura, B.com. d. Univ. Birmingham/England 1959, Dr. rer. oec. d. Univ. Innsbruck 1963, Dr. habil (venia f. VWL) d. Univ. Münster/BRD. K.: 1970 o.Prof. f. Vw.Theorie d. TU Berlin, 1972 Gastprof. d. Massachusetts Inst. of Technology, Cambridge USA, 1972-73 Vors. d. Fachbereiches Wirtschaftswiss. d. TU Berlin, 1973-74 Economic Development Inst. d. Weltbank, Washington, mit Tätigkeit in USA, Kanada, Madagaskar, Kenya u. Elfenbeinküste, 1975 Berufung als o.Prof. an d. Univ. Linz, Kons. d. Weltbank Washington, seit 1973 Mitherausgeber d. Atlantic Economical Journal, Richmond, USA. P.: Zahlr. Art. in versch. Fachzeitschriften u.a. M.: VPräs. d. Atlantic Economic Society 1978/79.

Schuster Helmut

B.: Landesgschf. Soz. Jugend Bgld., Ang. d. SPÖ Bgld. DA.: 7000 Eisenstadt, Permayerstr. 2. PA.: 7041 Wulkaprodersdorf, Roseng. 3. G.: Eisenstadt, 16. Feb. 1968. El.: Johann u. Eva. S.: Pflichtschule, HASCH. K.: 1984 SJ-Mtgl. Ortsvors. Wulkaprodersdorf, GemR. Wulkaprodersdorf, 1987 Vors. im Bez.-Aussch. Eisenstadt, seit 1989 Vors. im Landesvorst., seit 1989 Landesgschf. d. SJ Bgld. P.: Parteipubl. M.: SJ SPÖ, Österr. Diabetikerverb., Interessenverb. Kultur u. Dokumentation, Blasmusik Jugendkapelle Wulkaprodersdorf. H.: Reisen, Fischen. (W.M.)

Schuster Helmut Andreas Dr. Dkfm.

B.: Vorst.-Vors. d. Ankerbrot AG. DA.: 1100 Wien, Absbergg. 35. G.: 25. Apr. 1932. V.: Christa. Ki.: Andreas. El.: Gottlieb u. Barbara. S.: RG u. HS f. Welthdl., 1955 Dr. K.: 1956 Varta GmbH Stellv. Verkaufsltr., 1957 IBM Salesman, Geschäftsstellenltr., 1968 IBM Verkaufsltr. Österr., 1974-76 IBM Transfer nach Paris u. Verkaufsltr. f. Rußland, 1977 IBM Verkaufsltr. IBM-Österr. stellv. Gen.-Dir., 1978 AufsR.-Vors. Hirtenberger Patronenfbk. u. Ankerbrot AG, 1980 Einstieg in Hirtenberger Patronenfbk., 1981 Ankerbrot AG Kauf Ankerbrot AG, 1982 Ankerbrot AG Konsulent b. Ankerbrot AG, seit 1983 Ankerbrot AG Vorst.-Vors. d. Ankerbrot AG, seit 1993 AufsR.-Vors. ÖBB. H.: Sport, Skifahren, Surfen, Jagd. (A.W.)

Schuster Herbert Dr. Dkfm. Prof.

B.: Wirtschaftsprüfer u. Steuerberater, allg. beeid. gerichtl. Buchsachv. DA.: 1070 Wien, Kaiserstr. 37. El.: Franz u. Hermine. S.: RG, WU Wien. K.: Finanz-LDion. Wien, Aufbau einer eigenen Wirtschaftsprüf u. Steuerberatungskzl., gerichtl. beeid. Sachv. f. d. Buch- u. Rechnungsfach, Mtgl. d. Fachsenates f. Steuerrecht d. Inst. f. Betriebswirtschaft, Steuerrecht u. Organ. d. Kam. d. Wirtschaftstreuhänder, Mtgl. d. Inst. f. Finanzwiss. in Wien, KamR. f. d. Finanzwesen d. Camera Mexicana de Commercio, Mtgl. d. dt. Steuerjurist. Ges. F.: EUROREVISION Intern. Treuhand GmbH, Prof. Dr. Herbert Schuster Wirtschaftsprüf. u. Steuerberatungs GmbH. P.: Steuerindex, Österr. Steuerzeitung. E.: Berufstitel Prof. M.: Lions Club Papageno.

Schuster Johann

B.: Mtgl. d. NatR. seit 1983, Ldw. DA.: 1017 Wien, Dr.-Karl-Renner-Ring 3. G.: Linz, 30. Dez. 1942. S.: Pflichtschulen, ldw. Fachschule (1969 Ldw.Mstr.Prüf.). K.: seit 1968 selbst. Ldw., seit 1970 Obm. d. OÖ Bauern- u. Nebenwerwerbsbauernbundes v. Wartberg ob d. Aist u. seit 1979 Ger.Bez.Obm. (Pregarten), seit 1974 Mtgl. d. Vorst. d. GemR. u. Obm.Stellv. d. Raiffeisenkasse v. Wartberg ob d. Aist.

Schuster Johann Dr. iur.

B.: Inh. FN.: Autohansa Dr. Johann Schuster. DA.: 1020 Wien, Franzensbrückenstr. 20. G.: Wien, 21. Dez. 1927. V.: Eva, geb. Schmidberger. Ki.: Dr. Johannes, Dipl.-Ing. Dr. Martin. El.: Johann u. Maria. S.: 1945 Matura, Stud. Univ. Wien, 1953 Prom., Gerichtsjahr. K.: Fa. Weiner & Co, 1955 Grdg. d. Fa. Dr. J. Schuster, 1960 Autohansa. M.: Schweizer HK. H.: Schwimmen. (A.W.)

Schuster Johannes

B.: Steuerberater (selbst.). DA. u. PA.: 4600 Wels, Bruckhofstr. 21. G.: Schärding, 10. Mai 1949. V.: Inge. Ki.: Carmen u. Bernhard. S.: Gym. Wels, 1978 Matura, Bankausbildung. K.: 1981-84 Ausbild. z. Steuerberater in Steyr, seit 1989 selbständig. P.: div. Fachpublikationen, Initiator von Steuerreformänderungen. M.: Verein d. WT, Österr. Hochseeyachtclub. H.: Hochseesegeln, Ski, Tennis. (P.H.)

Schuster Julius Dr. iur.

B.: RA. GT.: Kollarritter d. Ordens v. Hl. Grab zu Jerusalem. DA.: 1010 Wien, Am Hof 13. PA.: 1190 Wien, Krottenbachstr. 166. G.: Wr. Neustadt, 9. Juni 1921. V.: Dr. Margareta, geb. Stampfer. Ki.: Dr. Julius, Dr. Markus, Margret, Dr. Andrea. S.: 1939-47 Arbeitsdienst, Kriegsdienst, Lt. d. Luftwaffe, Gefangenschaft. K.: seit 1951 RA. M.: Ehrenstatthalter d. Ritterordens v. Hl. Grab zu Jerusalem, Großoffz. d. päpstl. Gregoriusordens, Kurator d. Österr. Hospizes in Jerusalem, VPräs. d. Österr. Ges. v. Hl. Land. (P.R.)

Schuster Karl KommR.

B.: Vorst.Mtgl. d. Bank f. OÖ u. Sbg. PA.: 4040 Linz, Glaserstr. 30. G.: Neuhaus, 6. Jan. 1929. S.: Gymn. K.: Bauhilfsarb., Siemens Halske, 1946 Eintritt in d. Oberbank, Zwg.Stelle Landstraße, 1951 Aufenthalt in England, 1952 Eintritt in d. Arbeitermittelschule, 1957 Matura, b. 1964 Tätigkeit in d. Kreditabt./Rechtsabt., 1964-66 Ltr. d. Zwg.Stelle Wiener Straße, 1966 Transfer in d. Auslandsabt., div. Auslandsaufenthalte in London, Hamburg u. Berlin, 1967 Übernahme d. Ltg. d. Auslandsabt., Erteilung d. Prokura, 1982 Berufung in d. Vorst. d. Bank f. OÖ u. Sbg. E.: Silb. EZ d. Lande OÖ, Gr. EZ f. Verd. um d. Dt. HK in Österr. u. d. dt.-österr. Wirtschaftsbeziehungen. M.: AufsR.Mtgl. d. TELEFUNKEN electronic GmbH Vöcklabruck, AufsR.Mtgl. d. OÖ Kreditgarantie GmbH Linz, Mtgl. d. Kuratoriums d. Dt. HK in Österr. Wien, KamR. d. Schweiz. HK in Österr. Wien, Vors. d. Zwg.Stelle OÖ d. Österr.-Poln. Ges. Wien, VPräs. d. portugies. intern. Bankers Club, Mtgl. d. Overseas Bankers Club London. (P.R.)

Schuster Kurt

B.: Büchsenmachermstr., Inh. FN.: Kurt Schuster, Alles f. d. Jagd u. Fischerei. DA.: 9020 Klagenfurt, Osterwitzg. 1; 9020 Klagenfurt, Tessendorfer Str. 30. PA.: 9020 Klagenfurt, Tessendorfer Str. 30. G.: Klagenfurt, 13. März 1946. V.: Anita, geb. Leitner. Ki.: Josef Kurt (1990), Anna Maria (1992). S.: VS, HS, Berufsschule f. Büchsenmacher in Ferlach, 1983 Büchsenmachermstr.-Prüf. K.: 1960-82 Werkstättenltr. Firma Alois Werner Büchsenmacher Klagenfurt, ab 1984 selbst. m. eigenem Büchsenmacherbetrieb Tessendorfer Straße, 1990 Übernahme d. Firma Werner in d. Osterwitzgasse. E.: Sport-EZ d. Stadt Klagenfurt. M.: Vorst.-Mtgl. Schützenver. Klagenfurt, Jagdver. Nigglai. H.: Jagd. (F.S.)

Schuster Peter Dr. phil.

B.: o.Univ.-Prof. f. Theoret. Chemie d. Univ. Wien. DA.: 1090 Wien, Währinger Str. 17/4. PA.: 1180 Wien, Dr.-Heinrich-Maier-Straße. G.: Wien, 7. März 1941. V.: Dr. Ingeborg, geb. Sarang. Ki.: Manfred. El.: Karl u. Elisabeth. S.: BRG, 1959 Matura, Stud. Chemie, Nebenfach Physik, Univ. Wien, 1967 Prom., 1971 Habil. K.: 1972 Berufung Ordinariat f. Theoret. Chemie TU Berlin, 1972-73 Berufung Ordinariat f. Theoret. Chemie Univ. Wien, 1963-67 Vertragsass. am Organ.Chem. Inst. Univ. Wien, 1968-69 Post doc Ass. Max Planck-Inst. f. Physikal. Chemie Göttingen, 1970-73 HS-Ass. am Inst. f. Theoret. Chemie Univ. Wien, 1973 o.Prof. f. Theoret. Organ. Chemie, 1973 Vorst. d. Inst. f. Theoret. Chemie u. Strahlenchemie Univ. Wien, 1979 o.Prof f. Theoret. Chemie Univ. Wien. P.: ca. 170 wiss. Arb., Fachgebiete Theoret. Chemie, Zwischenmolekulare Kräfte u. Evolutionstheorie, "The Hydrogen Bond - Recent Developments in Theory and Experiment", "The Hypercycle, A Principle of Natural Selforganization". E.: 1971 Theodor Körner-Förderungspreis, 1971 Jubiläumspreis d. Österr. Ak. d. Wiss. M.: Mtgl. d. Ges. f. Physikal. Biologie BRD, Korresp. Mtgl. d. Österr. Ak. d. Wiss., Korresp. Mtgl. d. Academie Europenne des Sciences, des Arts et des Lettres Paris, Mtgl. d. Kuratoriums oder FachbeiR. v. wiss. Zeitschriften oder Verlagen. H.: Skifahren, Bergsteigen. (C.K.)

Schuster Reinhart Dr. phil. o.Univ.-Prof.

B.: Vorst. d. Inst. f. Zoologie d. Karl Franzens-Univ. Graz. DA.: 8010 Graz, Universitätspl. 2. PA.: 8043 Graz, Erzherzog-Johann-Str. 6. G.: Graz, 24. Aug. 1930. V.: Ingrid, geb. Riepenhoff. Ki.: Andreas. El.: Johann u. Josefine. S.: 1949 Matura, Stud. Biologie Univ. Graz, Diss.: Zoologie, 1954 Prom., Forsch.Stipendien v. versch. europ. wiss. Inst. K.: 1957 Univ.Ass. am Zoolog. Inst. Graz, 1962 Habil., 1962-67 Diätendoz. am Zoolog. Inst. d. TH Braunschweig/BRD, 1967 Ordinarius Univ. Kiel, 1971 o.Univ.-Prof. Univ. Graz, Vorst. d. Zoolog. Inst. Abt. f. Morphologie u. Ökologie, seit 1979 deren Ltr. P.: 76 Veröff., Mitarb. an 3 Büchern. E.: Theodor Körner-Preis, Erzherzog Johann-Forsch.Preis d. Landes Stmk., Intern. Red.Stab d. Zoolog. Fachzeitschriften "Acarologia", u. "Intern. Journal of Acarology", Korrespondent d. Österr. Entomol. Ges., Forsch.Reisen nach Südamerika, Mittelamerika, Bermudas. M.: Dt. Zoolog. Ges., Grdg.Präs. EURAAC, executive member of the ICA, Mtgl. d. Intern. Nomenklatur-Kmsn. London, 1972-75 Präs. d. Naturwiss. Ver. f. Stmk., 1974 Präs. d. Intern. Kongresses f. Milbenforsch., 1973-74 Dekan d. phil. Fak. d. Karl Franzens-Univ. Graz.

Schuster Robert KommR.

B.: Fotograf. A.: 1150 Wien, Mariahilfer Str. 186. G.: Wien, 26. Nov. 1922. El.: Franz u. Anna. S.: VS, HS, Graph. Lehr- u. Versuchsanst., Mstr.Kl. m. Dipl. K.: Fotograf, Fotografenmstr., Innungsmstr., BInnungsmstr. P.: Div. Ausstellungen in d. Fotografie. E.: Standeszeichen Silber u. Gold, EZ Silber u. Gold. H.: Fliegen, Segeln, Reiten, Schach, Fotografie.;

Schuster Rosi

B.: Goldschmiedemstr. PA.: 5760 Saalfelden, Ramseiderstr. 4. G.: Saalfelden, 18. Nov. 1936. El.: Karl u. Rosa. BV.: seit Ende d. 19. Jhdt. Traditionsgeschäft, Mutter Rosa Schuster 1. Uhrmachermstr. Österr., Vater Karl Schuster gelernter Seilermstr., 1. Optikermstr. im Pinzgau. S.: VS, HS, Kunstgewerbeschule Graz. K.: b. 1960 Tätigkeit in Wien, Goldschmiedemstr.-Prüf., anschl. London, 4 J. Paris, 1970 Übernahme d. elterl. Geschäftes in Saalfelden. M.: 20 J. aktives Mtgl. Theatergruppe Saalfelden. H.: Reiten, Reisen, Skifahren. (M.T.)

Schuster Roland

B.: Grafikdesigner. DA.: 6890 Lustenau, Bahng. 3a. G.: Lustenau, 25. Juli 1954. El.: Alois u. Frieda. S.: Kunstgewerbeschule Innsbruck u. Basel, 1975 Abschluß, 1976 BH. K.: 1977-84 Grafiker in einem Werbebüro, 1984 selbst. m. Grafikdesign Lustenau, Entwurf v. Logos, Verpackungsdesign, Corporate-Design, Gestaltung v. Plakaten u. Prospekten. E.: 1. Preis Display Verpackung Tiroler Landespreis, Teilnahme Ausstellung Grafikdesign Vbg., Logoentwurf f. d. Stadt Feldkirch. M.: Design Austria. H.: Zeichnen, Malen, Tennis, Radfahren. (I.D.)

Schuster Susanne Gertrude

B.: Inh. FN.: Susanne Schuster Textil-Kunst. DA.: 1150 Wien, Schwenderg. 20/12. G.: Wien, 15. Sept. 1944. Ki.: Claudia. El.: Karl u. Maria. K.: Praktikum b. Steuerberater, 1961 Abschluß, weiterhin Büropraxis, 1969 Antiquitätenhdl., Geschäftseröff., b. 1983 Erzeugung v. Trachtenjacken, Teddybärerzeugung. H.: Zeichnen, Malen, Garten. (J.E.)

Schuster Wilhelm Dr. iur.

B.: RA. DA.: 1010 Wien, Universitätsstr. 11. G.: Wien, 2. Aug. 1941. V.: Ingrid, geb. Mora. S.: VS, RG, Stud. d. Rechte. K.: Gerichtsj., 6 J. Anw.Praxis, seit 1973 selbst. RA. M.: Dt. HK in Wien, Aktion "Der gute Film", Weißer Ring, Schweiz. HK. H.: Reiten. (P.R.)

Schuster Wolfgang

B.: Mtgl. d. Orchester d. Wr. Staatsoper (Schlagwerk), Mtgl. d. Wr. Philharmoniker, Mtgl. d. Hofmusikkapelle Wien (Pauke). G.: Wien, 30. Aug. 1942. V.: Mag. Christa-Maria, geb. Schmidt. Ki.: Philipp (1975). El.: Prof. Gustav u. Maria. S.: Hum. Gymn., Ak. f. Musik u. Darstell. Kunst, 1961 Abschluß. K.: 1982-90 Lehrbeauftragter d. HS f. Musik u. darstell. Kunst in Wien, mehrmaliges Mtgl. d. Verw.-Aussch. d. Wr. Philharmoniker, 1970-80 Vorst.-Mtgl. d. Ges. f. Musiktheater, 1976-84 Vorst.-Mtgl. d. Österr. Interpretenges. (ÖSTIG), seit 1982 Gründer u. Alleininh. d. Firma Wr. Schlaginstrumentenbau, 1985/86 Gründer u. 1. künstler. Ltr. d. Styriarte Graz, seit 1980 Gründer u. Int. d. Attergauer Kultursommers, seit 1989 Ltr. d. Presseref. d. Wr. Philharmoniker. E.: EK d. Marktgem. St. Georgen, Paul-Harris-Fellow d. Rotary Club München-Schwabing, Gold. VZ d. Landes Sbg., Silb. EZ f. Verd. um d. Rep. Österr., Ehrenring d. Wr. Philharmoniker. M.: Rotary Wien Süd PPR. H.: Jagd, Segeln, Tennis. (J.S.)

Schuster Wolfgang

B.: Gschf. FN.: AMK-TRICHEMA GmbH. GT.: Inh. u. Gschf. d. Fa. Karl Pingitzer. DA.: 1010 Wien, Bauernmarkt 24. G.: Wien, 28. Dez. 1939. Ki.: Christian, Eva. El.: Franz u. Cäcilia. S.: Realschule, HAK, Matura. K.: Tätigkeit über 20 J. b. Fa. Shell Austria zuletzt in ltd. Position, seit 1980 Inh. d. Fa. Haitinger & Dick. H.: Musik, Sport, Literatur.

Schuster Zaoure Dr. phil.

B.: Gschf. Inh. FN.: ASCONT OEG. DA.: 1070 Wien, Mariahilfer Str. 32. G.: Alma Ata/ Kasachstan, 3. Mai 1953. V.: Claus-Christian Schuster. Ki.: Ninon-Daredjan (1978), Ed-

mund-Philipp (1980), Arno-Christian (1982). El.: Aidpaj u. Zinaida Schanscharow. S.: 1971 Matura Alma Ata, 1971-75 Stud.Musik-Wiss. Moskau, 1975 Übersiedlung nach Wien, 1978-89 Stud. Slavistik Univ. Wien, Prom., Diss. K.: 1981-91 Unterricht Österr.-Sowjet. Ges., 1991 Grdg. ASCONT OEG. P.: 1988 Diss. über Leonid Andreev. H.: Musik. (M.-L.A.-M.)

Schütky Gerlinde

B.: Geschäftsinh. FN.: Oberbauer Mode. DA.: 8010 Graz, Reitschulg. 10. G.: Graz, 30. Jän. 1943. V.: Horst Schütky. El.: Helmut u. Anna Oberbauer. S.: 3 J. Lehre als Schirmerzeuger im väterl. Betrieb, nebenbei Lehrgang f. Mode m. Abschluß, Praktikum in In- u. Ausland. K.: Mitarb. im elterl. Schirmgeschäft als Gschf., 1964 Mstr.-Prüf., 1968 Geschäftsübernahme als 4. Generation m. Totalumbau in ein Damenmodengeschäft, 1993 25-jähriges Firmenjubiläum. M.: seit 1990 Aussch.-Mtgl. im Gremium Textilhdl., seit 1980 Fachvertreter f. Schirmmacher. H.: Natur, Familie, klass. Musik (Wagner). (F.K.)

Schutovits Gerhard DDr. Dkfm. MMag.

B.: Referendar u. Assessor, beeid. Wirtschaftsprüfer u. Steuerberater, Gschf. in d. Ges. Euro Treuhand Wirtschaftsprüf. u. Steuerberatungs GmbH. DA. u. PA.: 1190 Wien, Billrothstr. 11. G.: Wien, 25. Sept. 1918. V.: Melitta, geb. Orthofer. Ki.: Dieter (1962), Gert (1966). El.: Dr. Otto u. Anna, geb. Haut. S.: 1936 Matura, Stud. Jur. Fak. Univ. Wien u. HS f. Welthdl. Wien, 1944 Prom. Dr. d. Wirtschaftswiss., 1956 Prom. Dr. d. Rechte. K.: berufl. Tätigkeit in Österr., Deutschland u. England, Wirtschaftsprüf.-Tätigkeit auch im amerikan. u. afrikan. Raum, seit 1962 selbst., 1968 Grdg. d. Euro Treuhand. H.: Bergsteigen, Skifahren, Musik, Fremdsprachen, Geschichte u. Kulturgeschichte. (N.A.)

Schütt Norbert

B.: Bürgermeister. FN.: Marktgemeinde Schönkirchen-Reyersdorf. DA.: 2241 Schönkirchen, Schulstr. 2. G.: Wien, 31. Okt. 1948. V.: Anni geb. Naxer. Ki.: Beate (1978), Robert (1984), Monika (1993). S.: Hasch in Wien, 1966 Eintritt i. d. Landesdienst. K.: 1970-75 Brauerei Schwechat, 1978 Landesdienst, Personalvertretung, Kommunalpolitik, 1980-85 Vizebürgermstr. Schönkirchen-Reyersdorf, 1985-95 Bürgermeister Schönkirchen-Reyersdorf, 1990 Obmann d. Bundes d. NÖ Erdöl- u. Erdgasgemeinden. E.: Ehrenzeichen d. Fachgruppe d. Landesbed. in Gold, Florianiplakette d. Bundes, Silb. Ehrennadel d. NÖ Fußballverbandes, Silb. Verdienstzeichen d. Österr. Roten Kreuzes, Großes Ehrenkreuz Bundesvereinigung Kameradschaft Feldmarschall Radetzky. H.: Beruf, Kommunalpolitik, Jagd, Sport. (T.T.)

Schütte Franz Dkfm.

B.: Dir. Finanz u. Administration. FN.: Jacobs-Suchard Gruppe Österr., Suchard Schokolade GmbH. DA.: 6700 Bludenz. PA.: 6805 Gisingen, Austr. 88. G.: Husum/BRD, 4. Mai 1952. V.: Karin. Ki.: Hendrik, Steffen. S.: Hum. Gymn., Univ. Göttingen. K.: Beginn b. Unilever, 7 J. Jacobs Kaffee Bremen (Controller), 1 1/2 J. Head Office (Controller Benelux, Spanien, Südamerika), seit 1988 jetzige Position.

BL.: Deutschlandsieger im Ganzjahresplanspiel MARGA. M.: Controllerver., Wirtschaftsforum d. Führungskräfte (WdF). H.: Familie, Wasser, Lkw's.

Schüttelkopf Franz

B.: Falkner d. Burgruine Landskron. DA.: 9523 Landskron. PA.: 9220 Velden, Hangstr. 15. G.: Velden, 1. Juni 1962. S.: VS, RG, HTL f. Hoch- u. Tiefbau, 1 J. Stud. Univ. f. Bdk. in Wien, 1979 Jagdprüf. u. anschl. Falknerprüf. K.: BH, seit 13. Lebensj. m. Greifvögeln beschäftigt, Greifvögel z. Pflege bekommen, trainiert, ausgebildet f. d. freie Wildbahn, durch versch. Experimente d. Verhaltensweisen d. Vögel studiert, v. Österr. Falknerbund versch. Greifvögel bekommen u. f. d. Beizjagd trainiert, 1982-83 b. Burgruine Landskron am Nordwesthang Besuchergelände gegründet, 1983 probemäßig m. Vorführungen begonnen, 1984 offiziell z. einer Adlerwarte erklärt, seither Flugvorführungen v. Mai-Oktober, zusätzl. Zucht v. Greifvögeln. BL.: Sibir. Habichte gezüchtet. M.: WWF, Österr. Falknerbund, Ktn. Jägerschaft. H.: Skifahren, Eishockey, Klettern, Wasserski, Fußball. (M.B.)

Schüttelkopf Irmi

B.: Ltr. Special Training for Roomservice-Number one in Austria, Gastronomin Seeappartements Christophorus. DA. u. PA.: 9220 Velden-Auen, Süduferstr. 183. G.: Wolfsburg, 10. Dez. 1947. V.: Heinrich Georg Schüttelkopf. Ki.: Gert Heinz (1966), Wolfgang Rainer (1971). El.: Franz u. Stefanie Lackner. S.: VS, HS, Haushaltungsschule, 1963-65 Hotelfachschule Bad Gleichenberg. K.: Mitarb. im ehel. Betrieb "Tannenhof Dellach, 1991 Übergabe d. Betriebes an d. Sohn Gert Heinz, 1978 Eröff. eines Kiosk-Imbißstand-Geschäftes Dellach, 1982 Eröff. d. Appartementhauses, ständige Weiterbild. u. Kurse, 1985/86 erstmalige Schulung f. Stubenmädchen im Rahmen d. WIFI Ktn., 1993 Grdg. d. berufsbild. Schule, Tätigkeit in ganz Österr., Südtirol, Deutschland u. übriges Europa, sowie Nordafrika. M.: Landesobfrau Junges Gastgewerbe Ktn., Aussch. Fachgruppe d. Gastronomie, Wirtschaftskam. f. Ktn., Vorst. Fremdenverkehrskomitee Schiefling, Aussch. Fremdenverkehrsverb. Velden, Deligierte Wörthersee Gebietsverb., VIVA-Frau 1994. H.: Pilze sammeln, Familie, Beruf. (G.L.)

Schüttengruber Karl Dr. phil. Mag.

B.: Dir. d. Päd. Ak. d. Bundes in NÖ. DA.: 2500 Baden, Mühlg. 67. PA.: 2500 Baden, Franz-Gehrer-Str. 47. G.: Heiligeneich, 8. Juli 1940. V.: Ilse, geb. Lechner. Ki.: Nora (1972), Bernd (1974). El.: Johann u. Maria. S.: LBA St. Pölten, 1959 Matura, Stud. Päd. u. Psych. Univ. Wien, 1965 Lehramt, 1967 Prom. Dr. phil. K.: 1959-65 Pflichtschullehrer in div. Schulen in d. Bez. Gmünd u. Tulln, 1965-67 Lehrer LBA St. Pölten u. Krems, 1967 BH, seit 1968 Prof. an d. Päd. Ak. in Baden, 1987 Abt.-Vorst. f. d. Studiengänge, 1990 Dir. H.: Oper, Tennis, Basketball. (M.M.)

Schutting Julian Dr. phil.

B.: Schriftsteller. G.: Amstetten, 25. Okt. 1937. P.: "Baum in O." (Prosa 1973), "Tauchübungen" (Prosa 1974), "Parkmord" (Erzählungen 1975), "Lichtungen" (Lyrik 1976), "Sistiana" (Erzählungen 1977), "Am Morgen vor d. Reise" (Geschichte 1978), "Der Vater" (Erzählung 1980), "Der Wasserbüffel. Geschichte aus d. Provinz" (1981), "Liebesgedichte" (1982), "Liebesroman" (1983), "Das Herz eines Löwen" (1985), "Hundegeschichte" (1986), "Traumreden" (Gedichte, 1987), "Reisefieber" (Gedichte, 1987), "Aufhellungen" (1990), "Flugblätter" (Gedichte 1990), "Wasserfarben" (Erzählung 1991), "Der Winter im Anzug" (1993), "Zuhörerbehellingungen" u. "Leserbelästigungen" (Poetikvorlesungen 1991, 1993). E.: Würdigungspreis z. Staatspreis 1985, Kulturpreis d. Stadt Wien 1988, Georg-Trakl-Preis 1989. (M.B.)

Schütz Franz Ing.

B.: Bmstr., Sprengmstr., Gschf. DA.: 3610 Weißenkirchen, Landstr. 198. G.: Weißkirchen, 18. Juni 1951. V.: Anna, geb. Kainrath. Ki.: Birgitt, Alice. El.: Arch. Ing. Franz u. Helene. S.: HTL Hochbau, Matura 1970, BH. K.: 3 J. in Deutschland einschläg. Erfahrung gesammelt, konz. Sprengmstr., seit 1980 Gschf. d. Franz Schütz GmbH, Hoch- u. Tiefbau, Betonwerk u. Zimmerei in Kottes, Fil. in Krems. F.: Franz Schütz GmbH. M.: VPräs. d. "Wassersportclub Weißenkirchen", Tennisclub. H.: Wassersport (Segel- u. Motorboot), Skifahren. (Kern)

Schütz Harald Ing.

B.: Unternehmer. FN.: Ing. Harald Schütz Techn. Büro f. Elektronik, Beratung, Planung, Simulation, Lager, Materialfluß- u. Fertigungssysteme. DA.: 5020 Salzburg, Jakob-Haringer-Straße. PA.: 5110 Oberndorf, Bahnhofstr. 9. G.: Kufstein, 3. März 1956. V.: Edith, geb. Meschik. Ki.: Melanie (1981), Alexander (1983). El.: Werner u. Gerda. S.: VS, HS, HTBLA Sbg., 1976 Matura. K.: 1977-78 Projekting. Firma Dipl.-Ing. Walter Hopferwieser, 1978-79 Außendienst Firma Impex, 1979-84 Projekting. Mannesmann Demag Fördertechnik GmbH Sbg., 1984-85 Systemanalytiker ITT Austria GmbH Sbg., 1985 Gewerbeberechtigung Planer, seit 1985 selbst., seit 1988 im Technologiezentrum, Planung u. Computersimulationen, Lager-, Materialfluß- u. Verkehrssysteme. H.: Tennis, Radfahren, Surfen. (N.M.)

Schütz Hermann Dr. med. MedR.

B.: FA f. Innere Med. DA.: 9020 Klagenfurt, Bahnhofstr. 3. PA.: 9020 Klagenfurt, Pichler-Mandorf-Str. 7. G.: Zadar, 30. Juni 1912. V.: Luise, geb. Bäck. El.: Hermann u. Maria, geb. Schacherl. BV.: Großvater Kosmas Schütz Dir. d. Ackerbauschule in Klagenfurt u. Kaiserl. Rat. S.: VS, RG, 1931 Matura, 1931-38 Med.-Stud. Innsbruck u. Graz, 1938 Prom. K.: Tätigkeit im LKH Villach u. 1941-45 Klagenfurt als OA u. ltd. FA d. I. Med. Abt., 1944 FA-Anerkennung, 1944-45 Ltr. d. Zentralstelle f. Diabetiker in Ktn., 1945-46 Internierung in Wolfsberger Lager u. gleichzeitig Ltg. Abt. f. Innere Med., 1946-47 Lager Weißenstein u. nach d. Freilassung 1947 FA in Klagenfurt. E.: 1978 MedR. H.: Jagd, Fischen. (G.L.)

Schütz Manfred

B.: Gschf., Ges. FN.: PCA Professional Computer Application Datenverarb. GmbH. DA.: 7222 Rohrbach, Kurzg. 3; 7210 Mattersburg, Sätzg. 3. PA.: Bad Sauerbrunn, Reichelg. 1/4/1/4. G.: Eisenstadt, 10. Juli 1962. V.: Edith, geb. Jahnel. Ki.: Markus 81992), Teresa (1994). El.: Ferdinand u. Theresa. S.: HAK Wr. Neustadt, Stud. Datentechnik u. Wirtschaftsinformatik. K.: 1985-88 Tätigkeit im EDV-Bereich d. AEG, 1988 selbst. m. Grdg. d. Firma PCA, b. 1990 Firmensitz in Wien, ab 1991 Firmensitz im Bgld. E.: Silb. Verd.-Med. d. Roten Kreuzes. M.: Rotes Kreuz, Wirtschaftsver. H.: Tennis. (F.S.)

Schütz Hubert

B.: Wirtschaftstreuhänder, Steuerberater. FN.: Schütz & Scheck WT-Union. DA. u. PA.: 3571 Gars/Kamp, Feldg. 595. G.: Horn, 26. Juli 1961. V.: Gertrude, geb. Gräf. Ki.: Tanja (1986), Sandra (1988). S.: VS, HS, HAK, 1981 Matura. K.: 1981 Eintritt Kzl. Scheck WT-Union als Steuerberaterberufsanw. in Wien, ab 1991 Steuerberatungskzl. in Gars/Kamp, gleichzeitig im Werkvertrag f. d. Scheck WT-Union in Stockerau tätig. H.: Filmen, Skifahren. (M.M.)

Schütz Manfred

B.: Gschf. Ges. FN.: VDS Computer Hdls. GmbH. DA.: 1060 Wien, Gumpendorferstr. 65 u. 4020 Linz, Marienstr. 4. G.: Wien, 18. Juni 1967. El.: Manfred u. Gertraud. S.: 1985 Matura, Stud. Informatik TU Wien. K.: 1990 Mitbegründer d. Fa. VDS Computer f. d. HDL m. EDV gemeinsam m. Gerhard VAvra, Unteroffizier d. Miliz. M.: Schriftführer eines Rollenspielver. H.: Kampfsport (z.B. Mittelalterl. Schwerkampfspiele), Reiten, Restaurieren. (J.S.)

Schütz Peter

B.: freischaff. Journalist, Psychotherapeut u. Managementberater. DA.: 1140 Wien, Texbergg. 1/19. G.: Wien, 21. Aug. 1952. El.: Eric u. Herma. BV.: Arthur Schütz (Erfinder), Siegmund Freud. S.: Gymn., Stud. d. Betriebswirtschaft, Soz. u. Psych., 1977 Mag., Teilstud. d. Med. K.: 1976-79 Studienrichtungsvertreter, ab 1978 freiberufl. Berater u. Trainer, 1974-86 Red. d. Zeitschrift "Report", ab 1978 Journalist f. Amerikan. u. Engl. Medien, ab 1979 Lehrauftrag f. Kommunikationstraining u. Gruppendynamik am Inst. f. Soz., 1982-86 Lehrauftrag f. Med. Psych. an d. Med. Fak., daneben Ausbild. in Gruppendynamik u. Psychodrama, 1982 Groupworker, 1987 Gruppentrainer, 1983-85 Ausbild. in Neurolin. Progr. in GB u. in d. USE, 1987 NLP Trainer, 1989 Gschf. d. Fa. Harramach Schütz & Partner. M.: AOPA. H.: Gerätetauchen, Fliegen, Lesen, Weiterbildung. (M.B.)

Schütz Peter

B.: Red. FN.: "Blickpunkt" Landeck. DA.: 6580 St. Anton, Malser Str. 66. PA.: 6580 St. Anton, Nasserein 506. G.: Zams, 11. Dez. 1954. V.: Stefanie, geb. Müller. Ki.: Barbara, Sandra. El.: Josef u. Klara. S.: VS, Gymn.Matura Landeck, 2jähr. Fremdenverkehrskolleg Innsbruck. K.: Reiseltr., seit 1984 "Blickpunkt"-Red. P.: lfd. Publ. im "Blickpunkt". M.: Pressesprecher Sportver. Landeck. H.: Fußball, Skifahren, Bergwandern, Literatur, Musik. (W.G.)

Schütz Rainer Ernst

B.: Präs. FN.: Club unabhängiger Liberaler. DA./PA.: 1030 Wien, Weißgerberlände 50/15. G.: Tachau b. Marienbad, 5. Febr. 1945. V.: Elisabeth, geb. Weber. El.: Dr. Alfred u. Maria, geb. Menzl. S.: 1963 Matura, Stud. d. Physik u. Mathem., Logistik, Philos., Politol. u. Publ. an d. Univ. Wien. K.: 1972-86 Mitarb. in polit.-wiss. ARGE "Atterseerkreis", s. 1983 Vorst.-Mtgl. d. Inst. z. Förd. d. Liberalismus u. d. Marktwirtsch., s. 1993 dessen VPräs., 1986 Grdg. d. Club unabh. Liberaler, 1987 Grdg. d. Zeitschrift "liberal aktuell", s. 1989 Zusammenarb. mit d. Carl Menger Inst., s. 1992 Vorst.-Mtgl. d. Österr. Gruppe d. Liberalen Intern., 1993 Mitbegrd. d. polit. Partei "Liberales Forum", April 1993 Rückzug aus d. Proponentenkommitee d. Liberalen Forums u. Fortsetz. d. überparteilichen Tätigk. im Club unabh. Liberaler. P.: zahlr. Publ. im Rahmen d. Zeitschrift "liberal aktuell", im "Standard" u. i. d. Zeitschrift "TOP". H.: Literatur. (N.A.)

Schütz Waltraud Mag.

WS

B.: Sozialwissenschaftlerin, Abg. z. Nationalrat. DA.: 1010 Wien, Dr. Karl Renner Ring 3, Parlament. PA.: 4020 Linz, Liststr. 15. G.: Linz, 7. Feb. 1957. El.: Josef u. Anna, geb. Schmidjell. S.: 1977 Mat., Stud. Sozialwirtsch. a.d. Univ. Linz, 1983 Abschl. K.: m. 14 J. Beg. d. polit. Engagements (versch. Funkt. sozialist. Jugend), 1978 Eintritt b.d. Frauenbeweg., ab 1980 Frauensekr. d. SPÖ, 1978-82 Gschf. d. ersten Linzer Frauenhauses, s. 1986 Vors., parallel dazu versch. Funktionen b. d. Partei, ab 1986 Abg. z. Nationalrat, zuständ. f. Entwicklungs- u. Sozialarbeit m. d. 3. Welt, s. 1993 Vorsitz. d. ARGE "3.Welt" d. SPÖ. P.: Div. Art. u.a. z. Thema Frauenfragen, Gewalt gegen Frauen, "3. Welt", West-Sahara, Angola, zahlr. Ber. z. polit. Themen. M.: Div. Vereinig. u. Gesellschaften. H.: Reisen, m. Schwerp. polit. Engagement f. Afrika, jede Form v. Wassersport, spez. Tauchen, Kochen. (N.A.)

Schütz-Hahn Brigitte

B.: Vers. u. Großhdl.Kfm. im Vers.Maklerbüro Brigitte Schütz-Hahn. GT.: Inh. California Concepts Toningstudio, 8680 Mürzzuschlag, Wiener Str. 61. DA.: 1010 Wien, Spiegelg. 4. PA.: 1200 Wien, Heinzelmanng. 10, 8629 Neuberg/Mürz, Tirol 1. G.: Wien, 3. Okt. 1951. V.: Günther Schütz. El.: Bmstr. Ing. Herbert u. Luise Hahn, geb. Kammerstätter. S.: HS Wien, Fachschule f. Vers.Wesen m. Abschlußprüf. 1967. K.: ab 1967 Tätigkeit b. einer Vers.Anst., später in einer Werbeagentur, 1971-80 Groß- u. Außenhdl. m. Waren aller Art, 1980 Grdg. d. eigenen Betriebe m. Intern. Kontakten. F.: Beteiligung an div. Hdls.Firmen. M.: Österr. Vers.Maklerring. H.: Lesen, Österr. Geschichte, Ägypt. Archäologie, Antiquitäten, Jagd, Fischen. (N.A.)

Schütz-Seidl Irene Dr. med.

B.: FA f. Phys. Medizin. DA. u. PA.: 5020 Salzburg-Herrnau, Stumpfeggerg. 3. G.: Linz, 21. Juli 1935. El.: Dr. med. Josef u. Margarete. S.: RG d. Kreuzschwestern Linz, 1953 Matura, Med.-Stud. Univ. Wien, 1961 Prom. K.: Ausbild. z. prakt. Arzt im LKH Steyr, Sbg. u. Wien, FA-Ausbild. an d. Rheuma-Univ.-Klinik Zürich u. Hanusch-KH Wien, 1970-72 Tätigkeit in d. Sonderheilanst. f. rheumat. Erkrankungen d. PVANG in Bad Hofgastein, 1972 Eröff. d. 1. FA-Praxis f. Physikal. Med. m. Physikotherapeut. Inst. in d. Stadt Sbg., ambulante Fastenkuren nach F.X. Mayr, Colon-Hydrotherapie,Softlaser, Naturheilverfahren m. Schwerpunkt Ernährungsberatung u. Symbioselenkung, Ismakogie. M.: Ges. d. Mayr-Ärzte H.: Bibellesen, Chorsingen, (Musik), Skifahren,Schwimmen, Wandern. (K.K.)

Schützenberger Wilhelm Dr. SenR.

B.: Ärztl. Ltr. d. AKH. DA.: 4020 Linz, Krankenhausstr. 9. PA.: 4030 Linz, Amselweg 20. G.: Linz, 27. Dez. 1949. V.: Mag. Elisabeth, geb. Kronowitter. El.: Josef u. Leopoldine. S.: 1968 Matura, 1974 Prom. K.: 1974-78 Ausbild. z. Prakt. Arzt, 1978-82 Ausbild. z. FA f. Innere Med., Kardeologe, 1982-86 AKH Linz, seit 1987 OA f. 1. Innere Med., Ärztl. Ltr. d. AKH. BL.: Ärztl. Ltr. d. Sonderausbild. f. d. Dipl.Krankenpflegepersonal, stellv. Ltr. d. Ak. f. med. Berufe u. Kurse am AKH, Intern. Expertenksmn. z. Beurteilung d. Vorkommnisse im KH Lainz. P.: ca. 100 Publ. "Kardeologie", "Krankenhausorgan. u. Krankenhausmanagement". M.: OÖ LSanR., Europ., Dt. u. Österr. Kardeologie. H.: Lesen, Tennis, Radfahren, Weine sammeln, Reisen. (H.B.)

Schützendorf Michael

B.: Gen.-Dir. FN.: Wien Hilton. DA.: 1030 Wien, Am Stadtpark. G.: Bad Godesberg, 26. Nov. 1943. V.: Traudel, geb. Häussermann. Ki.: Mark Peter (1973), Frank (1975). S.: Oberrealschule Coburg, Hotelfachschulen in Madrid u. Tegernsee/Wiessee m. Dipl. K.: s. 1969 b. Hilton Intern., zun. in d. Verkaufsabt. im Berlin Hilton u. im Jakarta Hilton, 1978 stellv. Gen.-Dir. Guam-Hilton, 1980 stellv. Gen.-Dir. Singapore Hilton, 1983-91 Gen.-Dir. Jakarta Hilton, 1991-92 Gen.-Dir. London Hilton on Park Lane, s. 1993 Gen.-Dir. Wien Hilton. M.: Skal Club, Chaine des Rotisseurs. H.: Lesen, Reisen, Wassersport. (J.S.)

Schützeneder Horst F.

B.: Direktor f. Kongresse u. Bankett Hotel Inter-Continental Wien, Gastronomischer Ltr. d. Wiener Hofburg Kongress-Ges. DA.: 1037 Wien, Johannesg. 28. G.: Linz, 10. Feb. 1942. V.: Anja, geb. Elpiö. Ki.: Kari-Michael (1966). El.: Josef u. Eleonore. S.: Washington State Univ., Cornell Univ., Yale Univ., USA. K.: 1956-59 Lehre Kremsmünsterer Weinstube Linz, 1959-67 Auslandsaufenthalte Schweiz, BRD, Niederlange, Großbritannien, Schweden, Holland American Line, Swedish American Line, Grand Hotel Saltsöbaden, Schweden, s. 1967 Hotel Inter-Continental Wien, 1971-74 Bankettdirektor, 1974-78 Ass. Manager, s. 1978 Dir. f. Kongresse & Bankette, gastronomischer Ltr. d. Hofburg Kongreß-Gesellschaft. P.: Fachpubl. f. int. wiss. Kongreßinst. Innsbruck. E.: einzig. europ. Nom. d. amerik. Magazins "Sucessful Manager". M.: Confrerie de la chaine des Rotisseurs, Weintritter d. Österr. Weinbruderschaft. H.: Tennis, Schwimmen, Lesen, Wein.

Schützenhofer Hans Dr. rer. pol. Dipl.Vw.

B.: Gschf. d. Sekt. Fremdenverkehr d. HK NÖ.s. Okt. 1991 in Pension. DA.: 1010 Wien, Herreng. 10. PA.: 2560 Berndorf, Franz-Schubert-Str. 8. G.: Baden, 26. Juni 1927. V.: Hedwig, geb. Anderl. S.: 1944 Matura, Kriegsdienst, ab 1946 Stud. d. Staatswiss. an d. Univ. Wien, 1948 Dipl., 1949 Prom. K.: 1949-50 tätig im Bankwesen, ab 1950 in d. HK NÖ, zun. in d. Außenstellen Neunkirchen u. Amstetten als Ref., ab 1953 in Wien, zuständig f. d. Gastronomie u. Hotellerie, ab 1977 Gschf. d. Sekt. Fremdenverk. E.: Gold. Ehrennadel d. Jungen Gastgewerbe u. d. Bäckergewerbes, Gr. EZ d. Landes NÖ. H.: Wandern, Schwimmen, Sammeln v. Briefmarken u. Büchern, Reisen. (P.R.)

Schützlhoffer Gerald

B.: selbst. Goldschmiedemstr. FN.: Gerald Schützlhoffer GmbH. DA.: 9500 Villach, Hauptpl. 7. PA.: 9500 Villach, Pogöriacherstr. 27. G.: Villach, 11. Apr. 1963. El.: Werner u. Silvia. S.: VS, HS, Fachschule f. Goldschmiede Ferlach. K.: 1981 Goldschmied in Südafrika, 1983 Mstr.-Prüf., b. 1987 Tätigkeit im elterl. Betrieb, 1987 Eröff. Geschäft in Drobolach, 1989 Eröff. "Die Goldschmiede" Villach, ab 1991 GmbH & Co KG, ab 1993 Bildhauerei. P.: Ausstellungen in Hotels, Kongreßhaus Villach, Italien, München, Wien, Stadtsaal Klagenfurt. M.: div. Fachver. H.: Körpertraining, Esotherik, Massieren. (K.K.)

Schwab Alfred Dr. Dipl.-Ing.

B.: Gschf. FN.: Intersport Austria GmbH. GT.: Einzelprok. d. Intersport GenmbH, Gschf.: Intersport GmbH, Intersport Marketing GmbH, Intersport Rent GmbH, AufsR. Welser Volksbank. DA.: 4600 Wels, Flugplatzstr. 10. G.: Wels, 26. Jan. 1940. V.: Sonja, 4 Kinder. S.: TU. K.: seit 1970 b. Intersport.

Schwab Andreas Mag. rer. nat.

B.: Ltr. d. Abt. Promotion u. PR d. Adidas Austria AG. GT.: ab 1994 Geschf d. österr. Sporthilfe DA.: 9073 Viktring, Adi-Dassler-G. 2. G.: Öblarn, 16. Nov. 1952. Ki.: Andreas, Nora.Mathias El.: Heinrich u. Mathilde. S.: HASCH Wien, Stud. d. Sportwiss. u. Geogr. an d. Univ. Sbg., 1983 Mag. K.: Nach d. Stud. 1 J. Prof. im ak. Gymn. in Nonntal, Sbg., seit 1983 b. Fa. Adidas, zun. Ltr. d. Abt. Prom., seit 1986 Ltr. d. Abt. Promotion u. PR. BL.: Erfolgreicher Sportler: 4. b. d. Olymp. Spielen in Innsbruck im Zweierbob, 6. im Viererbob, 2x österr. Mstr. im Fünfkampf, 2x österr. Juniorenmstr. im Gewichtheben. M.: Österr. Verb. f. PR. H.: Golf, Sport. (D.M.)

Schwab Christoph Dr. iur.

B.: selbst. RA. DA.: 4600 Wels, Eisenhowerstr. 19. G.: Salzburg, 1959. S.: HIB Saalfelden, 1978 Matura, 1978-83 Jusstud. Univ. Linz, Gerichtsj. Wels. K.: 3 J. Konzip. in Eferding u. Wien, seit 1988 eig. Kanzlei mit Umweltrecht, Strafrecht, Wirtschaftsrecht als Schwerpunkt. H.: Drachenfliegen, Squash, Segeln, Motorradfahren. (P.H.)

Schwab Fritz

B.: Kfm. FN.: Anton Schwab Söhne OHG. GT.: Bundesinnungsmstr. d. Buchbinder, Kartonagewaren- u. Etuierzeuger Österreichs, gerichtl. beeid. Schätzmstr. DA.: 6020 Innsbruck, Herzog-Otto-Str. 10. G.: Innsbruck, 1. Okt. 1932. V.: verw., 3 Kinder. El.: Fritz u. Anna. BV.: Großvater Anton Schwab gründete 1903 Buchbinderei. S.: VS, HS, Berufsschule, Gesellenprüf., 1954 Buchbindermstr., 1966 Kartonagenmstr. K.: In- u. Auslandspraxis, 1966 v. Vater eine Sortimentsbuchbinderei übernommen, dann Ausbau d.

Firma v. 15 auf 100 Arbeiter, graph. Betrieb, Buchbinderei-Kartonagen, Buchdruck, Offsetdruck. P.: Publ. in d. Bundeszeitschrift f. Buchbinderei u. Kartonagen Österr. E.: Gold. Ehrennadel v. Österr. u. Dt. Buchbinderverb., Gold. Ehrenring. E.: Augustinerorden. M.: Vors. d. Mstr. u. Gesellenprüf., Präs.-Mtgl. d. MDE (Mstr. d. Einbandkunst), Ehrenmtgl. d. Andreas Hofer-Musikkappelle, Präs. Fußballclub Wacker Innsbruck, gerichtl. beeid. Sachv., Vors. d. Mstr.-Prüf.-Kmsn. H.: Fußball, Skifahren. (B.R.)

Schwab Fritz Dkfm.

B.: Bankdir. A.: 1238 Wien, Greylederg. 4. G.: Wien, 10. Apr. 1929. V.: Elfriede, geb. Groer. El.: Friedrich u. Karoline. S.: HS f. Welthdl. K.: 1955-56 Ind.Unternehmen, 1957-64 Treuhandges., seit 1965 gschf. Dir. d. Bank d. Zentralsparkasse d. Gemeinde Wien GmbH Wien, seit 1982 Vors. d. Vorst. d. Z-Beteiligungsfonds AG Wien.

Schwab Karl

B.: Mtgl. d. BundesR., Landwirt. FN.: Parlament. DA.: 1017 Wien, Dr.-Karl-Renner-Ring 3. G.: Garmanns, 15. Sept. 1936. S.: Pflichts., landwirts. Fortbildungss. K.: 1950-62 Mitarb. im elterl. Betrieb, 1963 Übern. d. landwirts. Betriebes; Bez.-Parteiobm. d. FPÖ Mistelbach, Mtgl. Landesparteiltg. FPÖ NÖ, s. 1975 Mtgl. d. GemR. v. Ladendorf, 1992-93 Abg. zum NÖ Landtag; 1989-92 u. s. 1993 Ordner d. BundesR.

Schwab Martin

B.: Burgschauspieler. FN.: Burgtheater. PA.: 1130 Wien, Bergheideng. 35. G.: Möckmühl/Württemberg, 9. Nov. 1937. V.: Inga geb. Hoblik. Ki.: Florian (1968), Georg (1970). El.: Albert u. Hilde, geb. Pfeiffer. S.: 1956 Wirtschaftsmatura, 1956-59 Ausb. Chemiekfm., 1959-61 Ausb. Schauspieler a. d. Max Reinhardt-Schule in Berlin, 1962 Austauschstipendium am Reinhardt-Seminar in Wien. K.: 1962-63 Engagement b. d. Landesbühne Rheinland/Pfalz, 1963-68 Oldenburgisches Staatstheater, 1968-72 Ulmer Theater, 1972-79 Württembergisches Staatstheater Stuttgart, 1979-82 Schauspiel Bochum, 1982-87 Städt. Bühnen Frankfurt/Main, 1987 Eintritt Burgtheater, s. 1982 Salzburger Festspiele, Sommertheater Reichenau/Rax, Woyceck, Beaumarchais in "Clavigo" v. Goethe, Richter Adam in "Der Zerbrochene Krug" v. Heinrich v. Kleist, Willy Loman in "Tod eines Handlungsreisenden" v. Miller, Heidegger in "Totenauberg", Zusammenarb. m. Regisseuren Claus Peymann, Luc Bondy, Peter Zadek, Wim Wenders, Thomas Langhoff, Hans Hollmann, André Heller, Uraufführungen: Thomas Bernhard, Peter Handke, Peter Turini, Elfriede Jelinek. P.: Buchbeiträge. E.: Kainz-Med. d. Stadt Wien. H.: Musik, Literatur, Berge, Meer. (N.A.)

Schwab Viktor Dr. med.

B.: Prakt. Arzt. DA. u. PA.: 5441 Abtenau, Markt 103. G.: Salzburg, 8. Juni 1948. V.: Ingrid, geb. Wolf. Ki.: Christoph. S.: Drogist, 1970 Matura Gymn. f. Berufstätige Sbg., Stud. Univ. Innsbruck, 1979 Prom. K.: Turnus LKH Sbg. u Oberndorf, seit 1983 eigene Praxis in Abtenau, auch Akupunktur, Bioresonanztherapeut, Homöopathie. H.: Lesen, Mountainbike, Camping, Tennis. (M.Mo.)

Schwab Walter DDr. Dkfm.

B.: Sekt.-Chef u. Präsidialvorst. im Rechnungshof, Hon.-Prof. an d. TU. A.: 1180 Wien, Wallrißstr. 22. G.: Wien, 26. Okt. 1929. V.: Friederike, geb. Krombholz. El.: Dr. Erich u. Hermine. S.: RG, Univ. Wien Jus 1947-51, Univ. Wien Staatswiss. 1951-52, WU Wien 1955-61. K.: Gerichtspraxis 1952-53, Wiss. Sachbearb. am Österr. Inst. f. Wirtschaftsforsch. 1953-55, Mtgl. d. Rechnungshofes seit 1955, Vortragender an d. Verwaltungsak. d. Bundes, an d. TU u. an d. WU Wien, seit 1992 Gastprof. an d. Univ. Wien f. BWL d. Öff. Verwalt. P.: Budgetrecht u. Budgetpolitik d. Länder, Wien 1981, Beiträge über "Finanzkontrolle" in zahlr. Sammelwerken, seit 1970 Red. d. Vierteljahreszeitschrift "Das öffentl. Haushaltswesen in Österr.", "Wege z. besseren Finanzkontrolle" (1992). E.: Gr. EZ f. Verd. um d. Rep. Österr. 1978, Gr. Silb. EZ m. Stern f. Verd. um d. Rep. Österr. 1988. M.: Ges. f. d. öff. Haushaltswesen, Nationalökonom. Ges., Statist. Ges. H.: Schwimmen, Gartenpflege. (J.S.)

Schab Werner

B.: Gschf. Ges. FN.: Schoeller-Auto Renault Haupthändler f. OÖ. DA.: 4060 Leonding, Kremstal Bundesstr. PA.: 4040 Linz, Klausenbachstr. 17. G.: Linz, 27. Okt. 1944. V.: Elisabeth, geb. Schlögl. Ki.: Jürgen. S.: Ausbild. z. Großhdl.-Kfm. K.: s. 1970 i. d. Autobranche, Verkaufsltr. b. Renault-Geyerhofer Wels, s. 1977 gschf. Ges. Schoeller-Auto, s. 1982 zusätzl. als Bildreg. b. Sportübertragungen. f. d. ORF tätig, s. 1972 Organisator d. Balles "Galanacht d. Sports". H.: Reisen, Sport. (P.H.)

Schwabegger Manfred Dipl.-Ing. wHofR.

B.: Ltr. d. bautechn. Sachverständigen- u. Beratungsdienstes f. OÖ b. Amt d. OÖ Landesreg. DA.: 4020 Linz, Bürgerstr. 10. PA.: 4020 Linz, Harrachstr. 48. G.: Linz, 21. März 1940. El.: Josef u. Rosa. S.: VS Linz Otto-Glöckl-Schule, Realschule, Matura 1959, Stud. TU Wien, gleichz. berufstät. Voest u. Universale, 1969 Bauing.-Prüf. K.: Amt d. OÖ Landesreg., Sachverst. b. Bez.-Bauamt Linz b. 1979, b. 1989 Ltr. d. Bez.-Bauamtes Wels, ab 1989 heutige Pos. P.: Schulungen u. Vorträge. E.: Gold. Ehrennadel Union Linz. M.: Union Linz Lustenau (Obm.-Stellv.). H.: ernste Musik, Reisen, Schifahren. (N.A.)

Schwabel Rüdiger

B.: Unternehmer. FN.: Schwabel & Co. DA. u. PA.: 8046 Graz-Stattegg, Neudorf 106. G.: Graal-Müritz, 24. Dez. 1944. V.: Christa, gb. Glauer. Ki.: Carsten (1973). El.: Herbert u. Ruth. S.: VS, Gymn., 1967 Ausbild. z. Elektrotechniker, 1968 Abschluß m. Mstr.-Brief f. Radio- u. Fernsehtechnik. K.: Mitarb. b. AVL List, danach Ltr. d. Elektronikabt. b. Bosch, 1975 Umstieg auf Video, Repräsentant f. Österr. u. d. Südl. Nachbarländer, ab 1980 selbst. als Sony-Repräsentant, Mitarb. b. div. FS-Produktionen, Einrichtung v. FS-Studios, alle audiovisuellen Anlagen im Univ.-Bereich, 1989 Eröff. einer Filiale in Wien. M.: VPräs. d. 1. Yachtclub "Styria". H.: Tauchen, Motorboote, Sport. (M.Gr.)

Schwabenitzky Reinhard

B.: Regisseur, Autor. PA.: 80801 München, Kaiserstr. 47. G.: Salzburg, 23. Apr. 1947. V.: Elfi Eschke. Ki.: Markus (1972), Martina (1974). El.: Gerhard u. Elisabeth. BV.: Vater Gerhard Klingenberg. S.: HTL Elektrotechn. Mödling u. Salzburg, Stud. a.d. Filmakad., Dipl. in Kamera u. Regie. K.: Ass. b. A. Corti, F. Antel, O. Schenk, B. Wicki u.a., 1. wichtige Regiearb. u. Mitaut. "Ein echter Wiener geht nicht unter" (1975-77), in Folge TV-Filme u.a. "Feuer über d. Revolution 1848", versch. "Tatorte", "Der ganz normale Wahnsinn", "Büro, Büro" (Reg. d. ersten 39 Folgen), "In Zeiten wie diesen", "Kaisermühlen-Blues" (12 Folgen), "Ein idealer Kandidat"; Kinospielfilme "Der Doppelgänger", "Summertimeblues",

"Ilona & Kurti", "Verlassen Sie bitte Ihren Mann", Regie u.a. Theater a.d. Josefstadt, Landestheater Salzburg, Renaissancetheater Berlin. F.: Geschf. Ges. d. Prod.- u. Verleihfirma "Star-Film Ges.m.b.H." Salzburg. E.: 1978 Gold. Kam. f. "Ein echter Wiener...", 1978 Gold. Truhe, Sofia f. "Der Einstand...", 1992 Österr. Filmpreis u. E. Lubitsch-Preis d. dt. Filmkritik f. "Ilona & Kurti", 1994 Hauptpr. f. "Best Entertaining Film" in Zimbawe, zahlr. Festivalteilnahmen. H.: Musik, Tiere. (J.S.)

Schwabl Gudrun

B.: Tanzpädagogin Ballettstudio Sbg. DA. u. PA.: 5020 Salzburg, Auerspergstr. 45a. G.: Salzburg, 13. Nov. 1970. El.: Ing. Helmut u. Helga. BV.: Onkel Ingo Neureiter, Künstlername: Ingoneu, ak. Maler, intern. Ausz. S.: VS, 1989 Matura Sbg., seit 1983 Unterricht b. Leonard Salaz, 1984 m. Flamenco begonnen, 1989-90 3 Sem. Ausbild. in Linz, 1991 Aufenthalt in Madrid z. Weiterbild. b. Flamenco-Lehrern: Mercedes Y'Albano, Maria Mercedes León u.a., versch. Workshops in Stuttgart, Wien u. Sitges (E). K.: 1989 Übernahme d. Ballettstudios durch d. Mutter u. seit damals Unterricht, Übern. d. Sbg. Tanztheaters d. Amateure: Künstler. Ltg. u. Choreographie, EM f. Show-Dance 1991 Belgien: 2. Gruppenpl., div. Auftritte unter Leonard Salaz b.: Coppelia "Puppenfee", 1992 eig. Prod. "Froschkönig", Flamenco-Auftritte, Grdg. Gruppe "Los Payos". H.: Skifahren, Reiten, Lesen, Reisen, Spanien, Tanzen. (U.E.)

Schwabl Hans Dr. phil. o.Univ.-Prof.

B.: o.Univ.-Prof. am Inst. f. klass. Philol. d. Univ. Wien. DA.: 1010 Wien, Dr.-Karl-Lueger-Ring 1. PA.: 1130 Wien, Preindlg. 19/21. G.: Zell am See, 17. Dez. 1924. V.: Dr. Mathilde, geb. Schön. Ki.: Hans-Dominik, Magdalena, Theresa. S.: 1942 Matura, Kriegsdienst u. Kriegsgefangenschaft, 1947-51 Stud. d. klass. Philol. an d. Univ. Wien, 1950 Prom., 1951 Lehramtsprüf., 1951-52 Stud. an d. Univ. Oxford. K.: Univ.Ass. an d. Univ. Wien, 1968 Habil., 1960 o.Prof. f. klass. Philol. an d. Freien Univ. Berlin, ab 1968 o.Prof. d. klass. Philol. an d. Univ. Wien. P.: Publ. z. griech. u. röm. Literatur, antiken Phil. u. Religionsgeschichte, Hrsg. d. "Wiener Studien". M.: w.Mtgl. d. Österr. Ak. d. Wiss. seit 1975. (P.R.)

Schwager Raimund Dr. o.Univ.-Prof.

B.: Inst.-Vorst. d. Inst. f. dogmat. u. ökomen. Theol. d. Leopold-Franzens-Univ. Innsbruck. DA.: 6020 Innsbruck, Universitätsstr. 4. PA.: 6020 Innsbruck, Sillg. 6. G.: Balterswil/Thurgau, 11. Nov. 1935. El.: Rosa. S.: VS, Gymn., 1955 Matura. K.: 1955 Eintritt in d. Jesuitenorden, 1957-60 Phil.Stud. München, 1960-63 Päd. Praktikum Feldkirch, 1963-67 Theol.Stud. Lyon/Frankreich, 1967-69 Theol.Stud. u. Doktorat in Freiburg/Schweiz. K.: 1970-77 Mtgl. d. Red. "Orientierung" Zürich, seit 1977 o.Univ.-Prof. an d. Leopold Franzens-Univ. Innsbruck. P.: "Das dramatische Kirchenverständnis v. Ignatius v. Loyola" (1970), "Jesus - Nachfolge" (1972), "Brauchen wir einen Sündenbock?" (1978), "Der wunderbare Tausch" (1986), "Für Gerechtigkeit u. Frieden" (1986), "Jesus im Heilsdrama" (1990), "Dem Netz d. Jägers entronnen" (1991), regelmäßige Publ. in d. "Orientierung" u. in Zeitschriften f. kath. Theol. M.: div. Arge. H.: Bergwandern, Skifahren. (W.G.)

Schwager Tilman Horst Dr.

B.: selbst. RA. DA.: 4400 Steyr, Stadtpl. 19. PA.: 4400 Steyr, Wenhartstr. 3. G.: Wien, 26. Apr. 1938. Ki.: Mag. Wolf-Rüdiger (1965), Dipl.-Tierarzt Gerhild (1966). El.: DDr. Rudolf u. Mag. Edith. S.: VS, BRG Steyr, 1956 Matura, Jusstud. Univ. Wien. K.: Gerichtsj., RA-Praxis u.a. in väterl. Kzl., seit 1967 selbst. M.: seit 1991 GemR. Steyr, Rotary Club. (U.A.)

Schwaiger Brigitte

B.: Schriftstellerin. PA.: 1070 Wien, Schottenfeldg. 55/6. G.: Freistadt, 6. April 1949. V.: Michael Genner (Historiker). S.: Lehramt in OÖ, Malerei u. Plastik in Spanien. K.: Verlagslektorin, Übersetzerin aus dem Spanischen, seit 1976 freie Schriftstellerin. P.: Mehrere Hörspiele u. Einakter, Bücher: "Wie kommt das Salz ins Meer", "Mein spanisches Dorf", "Lange Abwesenheit", "Malstunde", "Die Galizianerin", "Der Himmel ist süß", "Mit einem möcht' ich leben". M.: P.E.N.-Club.

Schwaiger Fridolin F. Mag. art.

B.: Dipl.-Innenarch. FN.: Mag. art. Fridolin F. Schwaiger, Atelier f. Innenarchitektur + Design, IDC - Seminarinst. f. Innenarchitektur - Design + CAD, ATC - Autorisiertes AutoCAD Trainings-Center. DA.: 4040 Linz, Schulstr. 12. G.: Sbg., 6. Apr. 1947. El.: Friedrich u. Katharina. S.: VS, Mittelschule, 1965 Matura, Architektenstud. in Linz, 1972 Studienabschl. zum Dipl.-Innenarch., 1975 Zusatzstud. zum Mag. art., gleichz. versch. Stud. im Bereich Psychologie. K.: Ass. an d. Kunsthochschule, gleichz. Praktikum in einem Architekturbüro m. Aufgabenbereich Intern. Wettbewerbe, s. 1974 eig. Planungsbüro - Atellier f. Innenarchitektur + Design, 1976-92 Seminarltg. u. Vortragneder d. Seminarreihe Innenarchitektur - Raumgestaltung u. Farbenlehre, Fachakad. f. Innenausbau u. Raumgestaltung am WIFI Linz, Architektur u. Designerberatungen f. d. Privatwirtschaft, 1992 Grdg. eig. Seminarinstitute. P.: Art. in Fachzeitschriften über gemütliches Wohnen, Farbenlehre - Farbanwendung in d. Innenarchitektur, Farbpsychologie in d. Innenarchitektur. E.: Tennis-Meisterschaftspreis. M.: Bund d. österr. Innenarchtiekten, Segelclub, Tennisclub. H.: Tennis, Segeln in d. Ostsee, Skifahren. (N.A.)

Schwaiger Helmut

B.: Kfm. FN.: MCS Edition Helmut Schwaiger, Handel m. Noten u. Musikverlag. DA.: 4840 Vöcklabruck, Salzburger Str. 30. PA.: 4812 Pinsdorf b. Gmunden. G.: Bad Ischl, 26. Juni 1946. V.: Martina. Ki.: Michael, Florian. El.: Rudolf u. Maria. BV.: Vater Rudolf Schwaiger Schnitzer in Ebensee, Onkel Rudolf. Schwaiger Bildhauer. K.: Elektriker, Musiklehrer, Grdg. v. Musikagentur u. Musikgeschäft, 25 J. Mtgl. Gruppe "Los Atlantos", Komponist. H.: Musik (Klavier), Computertechnik, Verlagswesen. (E.Hö.)

Schwaiger Johann

B.: Hotelier, Gastwirt Hotel zum Stern. DA. u. PA.: 5630 Bad Hofgastein, Weitmoserstr. 33. G.: Bad Hofgastein, 24. Feb. 1947. V.: Elisabeth, geb. Heim. El.: Martin u. Katharina. S.: VS, HS, 3 J. Kochlehre Hotel Moser Bad Hofgastein, 1968 Hotelkfm. K.: ab 1968 im elterl. Betrieb tätig, seit 1980 Einzelunternehmen, Übernahme d. Betriebes. H.: Sport, Skifahren, Mountainbike, Golf, Vinothek. (J.F.)

Schwaiger Johann Dr. iur.

B.: Steuerberater. FN.: Dr. Kölbl - Dr. Schwaiger OHG. DA.: 6020 Innsbruck, Andreas-Hofer-Str. 4. PA.: 6170 Zirl, Fragensteinweg 25. G.: Innsbruck, 27. Jan. 1953. V.: Elisabeth, geb. Rundl. Ki.: Marietta, Georg. El.: Johann u. Cäcilia. S.: Gymn., 1971 Matura, Jusstud. in Innsbruck u. Abiturientenmatura an d. HAK Innsbruck, 1975 Prom. K.: Gerichtspraxis, 1976-78 Finanzamt Lienz, Bundesfinanzschule m.

Auszeichnung, 1979-81 Mtgl. d. Berufungssenates b. d. Finanz-LDion. f. Tir., ab 1981 b. Dr. Kölbl als Mitarb., 1982 Steuerberaterprüf., seit 1983 Ges. d. Fa. Dr. Kölbl - Dr. Schwaiger OHG. BL.: Lehrtätigkeit f. Steuerberater-Berufsanw. P.: Vorträge über Steuerrecht b. WIFI u. BFI. H.: Schwimmen, Bergwandern, Skifahren, Langlaufen.

Schwaiger Josef

B.: Küchenchef d. Hotel Imperial, Restaurant zur Majestät. GT.: Prüf.Kmsn. d. Kam. Gastgewerbeprüf.Abnahme in Wien. DA.: 1010 Wien, Kärntner Ring 16. PA.: 1200 Wien, Adolf-Schmidl-G. 6/2/27. G.: Weitersfelden, 7. März 1951. V.: Annamaria, geb. Thaler. Ki.: Arnold, Thomas. El.: Johann u. Pauline. S.: Berufsschule Waldegg, Lehrzeit im Marchfelderhof. K.: Hotel Ehrenbacherhöhe in Kitzbühel, Bad Türkheim in Deutschland Kurhotel, Bad Gastein Elisabeth Park, CCH Hamburg (Kongreßzentrum), Zillertal/Mayerhofen Hotel Neue Post, Elisabeth Park, seit 1976 Hotel Imperial: Saucier, Souchef, Ltr. d. Hotelküche u. Bankettabt., seit 1. Sept. 1988 Küchenchef im Restaurant zur Majestät. P.: 2 Kochkunstausstellungen. E.: 2 Gold. Med. f. d. Ausstellungen. M.: Kochverb. H.: Schwimmen, Skifahren, in alten Kochbüchern schmökern.

Schwaiger Martina

B.: Kauffrau, Inh. FN.: Musiccenter Schwaiger. DA.: 4840 Vöcklabruck, Salzburger Str. 30. PA.: 4812 Pinsdorf b. Gmunden. G.: Gmunden, 15. Febr. 1950. V.: Helmut Schwaiger. Ki.: Michael, Florian. El.: Aloisia Loidl. S.: Ausbild. als Drogistin, Apothekenhelferin u. Buchhalterin. K.: Grdg. eigener Musikagentur u. Musikgeschäft in Pinsdorf, seit 1979 Firmensitz in Vöcklabruck. BL.: 1. Detailgeschäft m. EDV in Österr., 1979 Grdg. d. Musikschule., Durchführung v. Musikseminaren u. Kursen. H.: Lesen, Malen, Gesang, Reisen. (E.Hö.)

Schwaiger Walter

B.: Bgm. FN.: Marktgemeinde Saalfelden. DA.: 5760 Saalfelden, Rathaus. PA.: 5760 Saalfelden, Parkstr. 6. G.: Saalfelden, 22. Aug. 1935. V.: Edith, geb. Uhl. Ki.: Petra (1959), Martin (1966). El.: Matin u. Barbara. S.: VS, HS. K.: Lehre als Kfz Mech. bei Fa. Rieger, Gesellenbrief, 1956-58 beim Kraftwerksbau in SchwarzachBirgl f. d. Fuhrpark zuständ., 1958 in d. Gem. Saalfelden eingetreten als Mech., Kraftfahrer, 1960 Wahl zum BetriebsR. d. Gem. Bedienstete, 1964-65 Sozial Akad. Wien, 1967 Ltr. d. Betr. Verwaltung, s. 1966 Mtgl. d. Gem. Vertr., 1969 Gem. Vorst., 1972 Wahl zum Vize Bgm, s. März 1978 Bgm d. Marktgem. P.: 1980 Errichtung d. Festsaales Saalfelden, 2 Kindergärten, 1984 Sonderschule, Ausbau d. HS Markt m. Fasadenerneuerung u. 2 zus. Turns., 1984 Rathauspl. errichtet u. Beginn Ausbau v. Fußgängerzone, 1988 Kultur Veranstaltungsräumlichk. "ECHO" errichtet, 1990 Feuerwehr Einsatz Zentrale d. FF, Schloß Farmach zum Seniorenheim ausgebaut, 1993 Erlebnisbad Obsmarkt, 1994 Fertigstellung d. Bildungszentr. in d. alten Feuerwehrzeugstätte, Ausbau d. Rizensee u. Heimatmuseum Schloß Ritzen. M.: Reinhalteverb. Pinzgauer Saalachtal, Grdg. Mtgl. u. Obm. s. 1978 in d. FF, s. 1978 AufsichtsR. d. ZEMKA, Obm. d. Sparver., Vorst. Mtgl. d. Sbg. Verb. u. Städtebund. H.: Bergwandern, Skifahren. (J.F.)

Schwaighofer Bernhard Dr. Univ.-Doz.

B.: Facharzt f. Radiologie. GT.: Vorstand d. Abt. f. bildgebende Diagnostik des Evang. Krankenhauses. FN.: Evang. KH Wien-Währung. DA.: 1080 Wien, Hans Sachsg. 10.12. G.: Linz, 27. Nov. 1957. El.: Dr. Gerbert Schwaighofer, Facharzt f. Gynäkologie u. Geburtshilfe u. Dipl.-Ing. Elisabeth, geb. Franck Chemikerin. S.: 1976 Matura in Linz, 1982 Prom. Univ. Wien, 1982-89 Fachausb. f. Radiologie Univ. Klinik Wien, Medizinische Univ. Klinik u. Zentralröngteninstitut. K.: 1989 Facharzt f. Radiologie, 1988-89Forschungsauftrag a. d. University of California San Diego (Forschungsarbeit auf dem Gebiet Neuroradiologie u. Magnetresonanztomographie), 1990 OA a. Zentralröngteninstitut d. Univ. Klinik Wien, 1991 Habilitation, s. 1991 Primarius d. Abteilung v. bildgebende Diagnostik d. Evang. KH Wien Währing, 1991 Habil., zahlr. Vorträge im In- und Ausland, Priv. Ordination. M.: mehrere nat. u. int. Radiolog. Ges. H.: Skifahren, Segeln, Surfen, Tennis, Natur, Theater, Reisen, Management, zeitgen. Malerei. (M.A.)

Schwaighofer Gerbert Dr. iur. Dr. rer. soc. oec.

B.: Kfm. Dir. d. Landestheater Linz. DA.: 4020 Linz, Promenade 39. PA.: 4020 Linz, Eisenhandstr. 23. G.: Linz, 7. Dez. 1952. El.: Dr. Gerbert u. Dipl.-Ing. Elisabeth. S.: VS, 1971 Matura, 1971-73 BWL-Stud. Univ. Linz, 1973-78 WU Wien Mag. Dr. rer. soc. oec., Univ. Wien Dr. iur. K.: 1974-76 Schauspielschule Kraus Wien, 1978-79 I.N.S.F.A.D. Fontainebleau/Frankreich, MBA (Master of Business Adminstration), 1979-84 Smithkline Co, 1979-81 Traineeprogramm Köln, Genf u. New York, 1981-82 Marketingmanager Stratford, CT, USA, 1982-84 Marketingdir. Köln, 1984-90 Gschf. Ges. Firma Appetito Betriebs GmbH Linz, seit 1990 Landestheater. M.: ULTV Linz, UYC Attersee. H.: Tennis, Segeln, Skifahren, Theater, Musik, Oldtimer. (Ni.A.)

Schwaighofer Günther ObstLt.

B.: Kfm., Münzen- u. Medaillenhändler. DA.: 5020 Salzburg, Gisela-Kai 15. G.: Salzburg, 3. Sept. 1941. Ki.: Julia, Rainer. El.: Bernhard u. Rosl. S.: VS, Realschule, HAK Sbg., 1960 Matura, HS f. Welthdl. K.: seit 20 J. m. Münzen u. Antiquitäten beschäftigt, 1983 Geschäftseröff. in Sbg. BL.: Experte f. Münzen u. Med. aller Länder aller Zeiten (zurückreichend b. ca. 3000 v. Chr.), sowie f. alte Stiche, Uhren, Gemälde, antiker Schmuck, antiquarische Möbel, Ausgrabungsgegenstände u.v.a. P.: Fachpubl. über Münzen u. Med. d. Erzbistums Sbg. M.: Numismat. Ges. Wien, Freunde d. Geschichte Sbg. H.: intensive Beschäftigung m. Antiquitäten aller Art, Sport. (Hat.)

Schwaighofer Hans

B.: Inh., gschf. Ges. FN.: Paul Zeuner's Söhne KG. DA.: 6021 Innsbruck, Egger-Lienz-Str. 3a. PA.: 6021 Innsbruck, Botanikerstr. 11. G.: Innsbruck, 18. Juni 1916. V.: Lotte, geb. Epp. Ki.: Doz. Mag. Dr. Klaus, Christa. El.: Hermann u. Maria, geb. Zeuner. BV.: Vater Schriftsteller, Freiballon-Fahrer, 1. Alpen-Überquerung, Urgroßvater: Bgm. v. Innsbruck. S.: VS, Gymn., HASCH, Heeres-Verw.Ak., Kriegsdienst, Kriegsgefangenschaft. K.: 1948 Eintritt Fa. Zeuner, 1974 Übernahme d. Fa. m. Bruder, Ausbau u. Entwicklung z. größten Spezialuntern. f. Konditorei-Bedarf in West-Österr., Alleinimporteur u. Vertrieb, Teigwarenfbk. Fellicetti Italien, Fruchtsäfte Zuegg Italien. P.: div. Veröff. in Fach- u. Sportzeitungen. E.: ehem. Tir. u. Ktn. Mstr. im Rückenschwimmen, ehem. Wasserballspieler, Gold. Sport-EZ d. Landes Tir. M.: VPräs. d. Tir. Wassersportver., langj. VPräs. d. LSchwimmverb. H.: Schwimmen, Skifahren, Fachliteratur, Boccia. (W.G.)

Schwaighofer-Schmidt Doris

B.: Kauffrau. FN.: Schwaighofer Computer Vertriebs GmbH. GT.: Gschf. d. Schwaighofer Systeme GmbH Innsbruck, Einzelhdl. im PC-Bereich. DA.: 6020 Innsbruck, Fanz-Fischer-Str. 10. G.: Wien, 22. Okt. 1955. El.: Josef u. Liselotte Oberdorfer. BV.: Urgroßvater väterl. Familie Schwabl: Weingut- u. Heurigenbes. in Baden, Urgroßvater mütterl. Adolf Hampel: Großgrundbes. u. Bez.Richter in Mährisch-Ostrau. S.: Gymn. Wien, 1975 Matura, Stud. Politikwiss. u. Soz. Univ. Wien. K.: Auslandsaufenthalt Schweden, Tätigkeit b. Siemens-Elema Schweden in versch. Bereichen, anschl. b. IBM Schweden Chefsekr., 1979/80 Rückkehr nach Wien, Beginn b. IBM Roece in d. Personalabt., ab Mai 1980 b. Fa. Control Data Auftragsbearb. f. d. Ostblock, anschl. eigenverantwortl. f. d. Zubehörgeschäft, 1984 Wechsel z. Fa. Apple Österr., 1 J. Aufbauarb. d. Ndlg., seit 1986 selbst., Grdg. d. Fa. Schwaighofer Computer Vertriebs GmbH, Großhdls.Unternehmen im PC-Bereich. E.: "Frau d. Jahres" d. Zeitung Computerwelt 1988. M.: Mtgl. d. NÖ Pferdezüchterverb. H.: Reiten, Lesen, Sprachen, Reisen, Schlittenhunde. (J.S.)

Schwald Josef Dkfm.

B.: Ang. d. BKam. d. gewerbl. Wirtschaft, Österr. Handelsdelegierter in Argentinien u. Uruguay. A.: Cerrito 1080, 11 piso, 1010 Buenos Aires/Argentinien. G.: Buerserberg, 10. März 1936. V.: Raquel Ema, geb. Saenz Araya. El.: Andreas u. Maria. S.: VS Buerserberg/Vbg., RG Bludenz, HS f. Welthdl. in Wien. K.: BKam. d. gewerbl. Wirtschaft, Abt. f. Handelspolitik u. Außenhandel, Wien - Sachbearb. an d. Außenhandelsstelle Buenos Aires 1962-68 - Österr. Handelsdelegierter in Argentinien 1969/72 - Ltr. d. Referates Lateinamerika, BWirtschaftskam. 1973/75 - Österr. Handelsdelegierter in Brasilien 1976/79 - Österr. Handelsdelgierter in Argentinien ab 1979. P.: Gelegentl. Art. in Zeitungen u. Zeitschriften. E.: Gold. EZ f. Verd. um d. Rep. Österr., Großkreuz d. Ritterordens Sao Paulo Apostolo. M.: Kath.-ak. Studentenverb. NORICA, Jockey Club Buenos Aires, Club Universitario Buenos Aires, Dt. Klub Buenos Aires u. Sao Paulo. H.: Golf, Ldw.

Schwaller Manfred

B.: Herrenkleidermacher. DA.: 1010 Wien, Graben 17. G.: Wien, 12. Juli 1950. V.: Dr. Andrea, geb. Schubert. El.: Otto u. Edith. BV.: Großvater Franz Schwaller Firmengründer 1936. S.: Berufsausbild. z. Herrenkleidermacher Michelbeuernschule Wien, Gesellenprüf., Praxis u. Mstr.-Prüf. f. Herrenmaßbekleidung, anschl. Textilschule Spengergasse Wien, Mstr.-Prüf. f. Herren- u. Damenbekleidung u. Arbeitstechniker f. d. Ind. K.: 1969 Eintritt in d. Familienbetrieb, 1983 Übernahme d. Geschäftes, spezialisiert auf Maßkleidung f. Herren. H.: Bergsteigen, Skifahren. (J.S.).

Schwamberger Klaus Dr. med. Prof. Prim.

B.: Vorst. d. Chir. Abt. d. KH d. Barmherz. Brüder Sbg. GT.: a.o.Prof. f. Chir. Univ. Innsbruck. DA.: 5020 Salzburg, Kajetanerpl. 1. PA.: 5020 Salzburg, Erzabt-Klotz-Str. 33. G.: Innsbruck, 14. Dez. 1942. V.: Renate, geb. Kloss. Ki.: Johannes, Andrea. El.: Dr. iur. Otto u. Luise. S.: Gymn. in Innsbruck, 1961 Matura, Med.Stud. Univ. Innsbruck, 1967 Prom. z. Dr. med. K.: Ausbild. am Anatom. Inst. d. Univ. Innsbruck, Chir. Univ.Klinik Innsbruck u. Med. Univ.Klinik Erlangen, 1973 FA f. Chir., Univ.Klinik f. Chir. II Innsbruck, 1977 Habil., seit 1983 a.o.Univ.-Prof. f. Gesamtfach Chir. in Innsbruck, seit 1985 Prim. KH Barmherz. Brüder Sbg. P.: etwa 200 Beiträge in in- u. ausländ. wiss. Fachzeitschriften u. Sammelwerken. M.: Österr. u. Dt Ges. f. Chir. H.: Kunstgeschichte, Sport. (Föd.)

Schwameis Werner Dipl.-Ing.

B.: staatl. befugter u. beeid. Ing.-Konsulent f. Maschinenbau. DA. u. PA.: 2371 Hinterbrühl, Dreisteinstr. 30. G. Wien, 20. März 1923. V.: Ilse, geb. Kunze. Ki.: Dr. Eva, Ursula, Dr. Birgit, Barbara. El.: Franz u. Karoline. S.: 1941 Matura Schottengymn., Stud. Maschinenbau TH Wien, 1954 Dipl.-Ing. K.: 1954-56 Ass. d. OIng. d. Firma Caliqua Wien, 1956-62 Abt.-Ltr. "Apparatebau" in Kühnle, Kopp & Kausch AG Frankental/Pfalz BRD, 1962-84 Werksltr. Firma Koreska Wien, ab 1984 Ziviltechniker in Mödling, 1991 Übersiedlung d. Firma nach Hinterbrühl u.a. Planung d. Blockheizkraftwerk im LKH Tulln, Haustechn. Planungen f. versch. Schulgebäude, Kontrolle v. Umweltschutzanl., Beratungen f. Großdruckereien, Verfahrenstechn. Entwicklungen. BL.: 1980-85 GemR. in d. Gem. Hinterbrühl, 1985-90 GemR.-Vorst.-Mtgl., 1985-90 Mtgl. d. Sekt.-Vorst. d. Ing.-Konsulenten in d. Ing.-Kam. f. Wien, NÖ u. Bgld., 1968-80 stellv. Vors. d. PfarrgemR. Hinterbrühl. H.: Musik (Kirchenchor). (M.M.)

Schwamm Walter OAmtsrat

B.: Vorst. d. Personalamtes d. Stadtmagistrat Innsbruck. DA.: 6020 Innsbruck, Maria-Theresien-Straße. PA.: 6020 Innsbruck, Ampfererstr. 3. G.: Innsbruck, 27. Apr. 1942. V.: Maria-Luise, geb. Westreicher. Ki.: Karin, Andrea. El.: Josef u. Edith. BV.: Mütterlicherseits Abstammung aus Adelsgeschlecht aus d. Elsaß. S.: Matura 1960, 6 Sem. Stud. Med. K.: 1962 Eintr. b. d. Stadt, 1977 z. Vorst. d. Personalamtes bestellt, Vertr. d. Stadt im Personalaussch. d. Städtebundes, im Theatererhalterverb., Orchesteraussch., Mtgl. im Kollektivvertr.Aussch. im Theatererhalterverb. P.: Versch. Fachart. u. Vortragstätigk. E.: Olympiamed. 1964 u. 1976, Heeres-VZ. M.: 6 J. Vors. d. Tir. Mittelschülerverb., VPräs. d. Heeres-Sportver. Innsbruck, Obm. d. Milizver. im Rathaus. H.: Skifahren, Bergwandern, Jugendstilmöbel restaurieren. (H.T.)

Schwammer Harald Dr. phil.

B.: Ang. am Inst. f. Zoologie an d. Univ. Wien. GT.: Ltr. d. ARDB, seit 1991 Ltr. d. Kmsn. f. Umweltschutz d. Tauchsportverb. Österr., Tauchlehrer u. Mitinh. d. Tauchschule "Diver Trainer College Explorer" Wien, wiss. BeiR. d. Tiergartens Schönbrunn. DA.: 1090 Wien, Althanstr. 14. PA.: 1030 Wien, Untere Weißgerberstr. 9/7. G.: Wr. Neustadt, 12. Sept. 1955. V.: Gabriele, geb. Ehrenböck. El.: Eduard u. Elsa. S.: 1973 Matura, Stud. d. Zoologie, Botanik, Erdwiss. u. Humanbiologie an d. Univ. Wien, 1984 Prom. K.: seit 1977 am Inst. f. Zoologie, seit 1986 allg. gerichtl. beeid. Sachv. f. Naturschutz, Artenschutz, Tierhandel u. Tierhaltung, Lehrauftrag f. zoolog. Präparation, terrestrisch-ökolog. Exkursionen im mediterranen Bereich, Speziallehrveranstaltungen f. Ökologie u. wiss. Arb. im Wadi Rum Jordanien, Zooexkursionen, Aufbau einer selbst. Forsch.-Station auf d. Insel Krk b. 1991. P.: zahlr. Veröff. H.: Tauchen, Bodybuilding. (J.S.)

Schwan Konrad Dr. rer. oec. Dipl.Vw.

B.: Unternehmer, Inh. d. Fa. Dr. Schwan & Partner, Betriebsberatung u. Wirtschaftsforsch. DA.: 6080 Innsbruck-Igls, Badhausstr. 19c. G.: Karlsruhe, 15. Juli 1940. V.: Ingeborg, geb. Frank. Ki.: Severin, Gebhard, Berthold. El.: Anton u. Valeria. S.: Matura, abgeschl. techn. Ausbild., Stud. Wirtschaftswiss., Prom. 1970, Dipl.Vw. 1966. K.: Gschf. "Verband christl. Unternehmer Österr.", s. 1970 selbst. P.: Fachpubl. über Unternehmensführ., Personal u. Führungsarb., Arbeitsökon., Lehrbeauftragter f. Betriebsberatung an d. Univ. Innsbruck, Lehr- u. Vortragstätigk. im In- u. Ausland, allg. beeid. gerichtl. Sachverst. M.: Funktionär HK. H.: Skifahren, Bergsteigen, Reiten, Laufen. (D.S.)

Schwanda Gerhard Dr. Dipl.-Ing.
B.: Gschf. Ges. FN.: LOGO-Data GmbH Elektron. Systeme. DA.: 1120 Wien, Rauchg. 11. G.: Wien, 24. Juli 1954. Ki.: Michael (1980), Eugen (1982), David (1992). El.: Gustav u. Elfriede. S.: Matura, Stud. Elektrotechnik TU, 5 J. Tätigkeit Elektrotechnik u. Biomed.-Technik Univ.-Klinik, Abschluß Dr. techn. K.: 1981-86 Univ.-Ass. 2. Chir. Abt. AKH Wien, seit 1986 selbst. BL.: 1989 Teilnahme Innovationswettbewerb, 2. Preis in Jungunternehmerbewertung. P.: ca. 50 Veröff. H.: Motorradfahren, Haus, Garten, Musik allg. (W.M.)

Schwandegger Johann

B.: Gschf. Ges. FN.: Datenverarb. RZ GmbH. DA.: 2700 Wr. Neustadt, Johann Giefingstr. 4. PA.: 2732 Würflach, Hettmannsdorferstr. 27. V.: Waltraud, geb. Blüml. Ki.: Johannes (1954), Wolfgang (1955). S.: Gymn. i. Hollabrunn, 1950 Matura, 1951-54 i. Öff. Dienst, 1955-68 ltd. Position i. kfm. Bereich b. Baufa., 1969 Grdg. d. Fa. Datenverarb. u. Rechenzentrum Wr. Neustadt m. Schwerpunkt kfm. Applikationen i. dt.-, ungar.- u. tschechischer Sprache. H.: Jäger, Natur. (I.J.)

Schwandner Helga
B.: Farb- u. Stilberaterin, Inh. FN.: "Color me beautiful" Helga Schwandner. DA. u. PA.: 4060 Linz-Leonding, Larnhauserweg 3/17. G.: Linz, 25. März 1953. V.: Roland Schwandner. Ki.: Iris (1973), Kerstin (1979), Desiree (1983), Patrick (1985). El.: Franz u. Theresia. S.: kfm. Lehre. K.: Einkäuferin u. Dekoltr. in einem Kindermodengeschäft, Ausbild. b. "Color me beautiful", seit 1987 selbst., lfd. berufsbild. Schulungen, lfd. Vorträge. H.: Beruf. (P.H.)

Schwandner Ines

B.: Journalistin. FN.: ORF Radio und TV. GT.: Freiberufliche Synchronisation, Werbung, Präsentation von Veranstaltungen. DA.: 1136 Wien, Argentinierstr. 30a. G.: Wien, 4. Aug. 1965. V.: László Maleczky. Ki.: Zwillinge Lisa u. Lena (1987). El.: Anton u. Sieglinde, geb. Schwingenstein. S.: AHS, abgebrochenes Theologie-, Philosophie-, Psychologie- u. Pädagogikstud. a. d. Univ. Wien. K.: s. 1983 beim ORF, zunächst Historisches Archiv, Feature-Red. Hörfunk, s. 1984 bei Ö3, Schwerpunkt "Ö3-Wecker", "Radio Holiday", "Weekend", gleichzeitig s. 1988 Landesstudio NÖ: Radiosendungen "Niederösterreich-heute", "Licht ins Dunkel", Sonder-TV-Sendungen. H.: Lesen, Theater, Sprachen, Squash, Rollerblade. (J.S.)

Schwaninger Dietrich Ernst Dipl.-Ing.
B.: Prok., Ziviling. f. Maschinenbau. PA.: 6020 Innsbruck, Karl-Innerebner-Str. 103. G.: Innsbruck, 10. Sept. 1952. El.: Anton u. Hildegard. S.: Ak. Gymn. m. Matura 1971, Maschinenbaustud. in Wien, 1978 Grad. Dipl.-Ing. K.: 1978 Eintritt in d. Fa. Hiesmayr, seit 1982 Prok. (Schm.)

Schwaninger Walter
B.: Industriekfm. FN.: Friedrich Stecher KG. DA./PA.: 5301 Eugendorf, Nordstr. 5. G.: Salzburg, 11. Okt. 1953. V.: Christine, geb. Stecher. Ki.: Walter (1984). El.: Friedrich (+1991) u. Marianne. S.: VS, HS, kfm. Berufsch., kfm. Lehre Industrie Kfm., BH. K.: 8 J. Fa. Weber, 1986 Betr. d. Fa. Stecher übernommen, als Komplementär. H.: Oldtimer, Motorräder, Technik. (S.P.)

Schwank Friedrich J. Dr. iur.
B.: RA, Schiedsrichter in intern. Wirtschaftsstreitigkeiten. DA.: 1010 Wien, Wipplingerstr. 34. G.: Imst, 2. Juni 1947. V.: Merran, geb. Loewenthal. Ki.: Stephan, Martin, Chloe. El.: Ing. Friedrich u. Johanna. S.: Jesuiten College in Feldkirch, 1966-72 Stud. Jus u. Vw. an d. Univ. Innsbruck, Prom. 1972. K.: 1970-75 weitere berufl. Ausb. als RA in Innsbruck, London u. Paris, seit 1976 eigene Kzl. in Innsbruck, seit 1986 Kzl. in Wien, 1978 Mtgl. d. Chartered Inst. of Arbitrators, London. P.: Vortragstätigk. über intern. Bank- u. Wirtschaftsrecht, Mithrsg. d. Zeitschrift "Int. Banking Law", Österr.Korrespondent v. Zeitschriften über intern. Wirtschafts- u. Finanzrecht, Hrsg. d. Werkes "Banks Abroad", Mitarb. d. Buches "Export-Import in d. Praxis" d. BWK. M.: Österr. Nationalkomitee d. Intern. HK, Österr. Ver. f. gewerbl. Rechtsschutz, Österr. Ges. d. Chemiewirtschaft, Schweizer. Ver. f. Schiedsgerichtsbarkeit, Comité Maritime Intern., Vors. d. Inst. f. Sozialberatung. H.: Oper, Reisen, Phil. (C.K.)

Schwanzar Christine Dr.
B.: Archäologin d. OÖ LMuseum Linz. DA.: 4020 Linz, Museumstr. 14. PA.: 4040 Puchenau, Kürnbergblick 5. G.: Linz, 14. Jan. 1951. El.: Dipl.-Ing. Walter u. Margareta Schwanzar. S.: Gymn. in Linz, Stud. Klass. Archäologie in Wien. K.: 1973-81 ständige Mitarb. d. Ausgrabungen d. Österr. Archöolog. Inst. in Aigeira/Griechenland, sowie Mitarb. desselben Inst. in Ephesos/Türkei v. 1982-83, Stipendien d. BMW f. Griechenland u. Rom, Werkvertrag in d. Kleinasiatischen Kmsn. d. Ak. d. Wiss., Werkvertrag m. d. Fond z. Förderung Wiss. Forsch., betreffend Publ. Hellen. Keramik, seit 1984 am OÖ LMuseum Linz, zuständig f. Römerzeit u. frühes Christentum, Ausgrabungstätigkeiten, Betreuung d. Sammlung, Führungen u. Ausstellungen. P.: Hrsg. d. Festschrift Kenner, Pro Arte Antiqua, Ein Bild d. Malers Alexandros im Museo Nazionale in Neapel, Die Keramik d. Audikoniums in Ephesos usw., Schriftltg. d. Berichtsbände d. OÖ Musealver. M.: Vorst.Mtgl. im OÖ Musealver., Mtgl. im Museumsver. Lauriacum, Mtgl. d. Ges. f. Ur- u. Frühgeschichte, Mtgl. d. Österr. Ges. f. Archäologie. (Mayr)

Schwanzar Walter Dipl.-Ing. Prof.
B.: Arch., Fachvorst. DA.: 4020 Linz, Scharitzerstr. 12. PA.: 4020 Linz, Ramsauerstr. 54. G.: Linz, 19. Dez. 1921. V.: Margareta, geb. Fuchs. El.: Hugo u. Ludovika. S.: VS, Oberrealschule, TH Wien. K.: Freischaff. Arch. seit 1951, Prof. HTL 1 Linz, beh. aut. Ziviling., Abt.Vorst. f. Hochbau an d. HTL 1 Linz ab 1974. P.: Bauplanung u. Wettbewerbe: Gewerbe- u. Industriebauten, Wohnbauten, Kindergärten, Schulen, spezialisiert auf Spitalsbauten. E.: OStR. M.: Ing.Kam. f. OÖ u. Sbg., OÖ Ing. u. Arch.Ver., Zentralver. d. Arch., Kulturring d. OÖ Wirtschaft, Club Nautico Motril (Granada). H.: Skilaufen, Fliegen, Reiten, Segeln.

Schwanzelberger Erich
B.: Weinbauer d. Weingut Erich Schwanzelberger. GT.: Bgm. d. Marktgem. Schönberg/Kamp. DA.: 3562 Schönberg/Kamp, Hauptstr. 16. PA.: 3562 Schönberg/Kamp, Hauptstr.

15. G.: Schönberg/Kamp, 14. Mai 1925. V.: Rosa, geb. Eggendorfer. Ki.: Paul, Maria, Anna. El.: Anton u. Dorothea. S.: Weinbauschule Langenlois, Reichsarbeitsdienst, Militär. K.: 1945 Eintritt in d. elterl. Betrieb, einer Ldw. m. d. Hpt.Augenmerk Weinbau, Übernahme d. Betriebes 1949, Ausbau, Modernisierung, Verdoppelung d. Grundflächen, Qualitätsweine, Hochprädikatsweine incl. Weinbrand, NÖ Bauernbund, 1960-67 gschf. GemR., seit 1968 Bgm. d. Marktgem. Schönberg/Kamp. BL.: Dauerbegrünung im Weinbau in Zusammenarb. m. d. Univ. f. Bdk. Wien. P.: Ref. b. d. Tagungen d. Intern. Arbeitskreises f. Begrünung im Weinbau. E.: 1980 Ehrenbürger d. Gem. Schönberg/Kamp, Silb. Verdienstabz. d. Landes NÖ. M.: NÖ Bauernbund, Österr. Gem.Bund, als Vertreter im Fremdenverkehrsaussch. f. d. Bdl. NÖ, Mtgl. v. Intern. Arbeitskreis f. Begrünung im Weinbau, Ehrenmtgl. v. 3 Feuerwehren aus d. Gem., Ehrenmtgl. d. Bez.Weinbauverb. Langenlois. H.: Betreuung einer Wetterstation d. LRg., Belange d. Gem., Fremdenverkehr. (Kern)

Schwanzer Johann Ing.
B.: Gschf. Ges. FN.: Ing. J. Schwanzer GmbH. DA.: 3430 Tulln, Josef-Reither-Str. 14. PA.: 3430 Tulln, Rudolf-Buchinger-Str. 22a. G.: Wien, 11. Juli 1938. V.: Erika, geb. Witsch. Ki.: Johannes (1963), Alexander (1967). El.: Johann u. Amalia. S.: HTL Maschinenbau u. Kfz-Technik, 1968 Matura. K.: 1958 Eintritt in elterl. Betrieb, 1962 Grdg. u. Inh. d. Einzelfirma Ing. J. Schwanzer, 1975 Umwandlung in eine GmbH: Herstellung u. Hdl. m. Produkten f. d. gesamte Haustechnik incl. Lüftungs- u. Klimaanlagen. H.: Jagd, Fischen, Radfahren, Skifahren. (M.M.)

Schwar Franz jun.
B.: Orthopädie-Schuhmachermstr. FN.: Franz Schwar KG. GT.: 2. Vors. d. Frankfurter Bild.-Gemeinschaft f. Orothopädie-Schuhtechnik e.V. DA.: 8010 Graz, Mandellstr. 3. PA.: 8010 Graz, Rosenberggürtel 27. G.: Graz, 1. Jan. 1948. V.: Margarete, geb. Krahulec. El.: Franz u. Sofie. S.: VS, HS, 1962-65 Lehrzeit im elterl. Betrieb, 1966 Präsenzdienst. K.: 1967 Rückkehr in elterl. Betrieb, 1970 Mstr.-Prüf. f. Schuhmacher, 1973 Mstr.-Prüf. f. Orthopädieschuhtechnik, 1973-74 2 Fachkurse f. Orthopädietechnik, seit 1979 selbst. M.: 1974 Mtgl. d. Frankfurter Bild.-Gemeinschaft. H.: Tennis, Skifahren, antike Möbel u. Teppiche. (P.M.)

Schwar Franz sen.
B.: Orthopädie-Schuhmachermstr. FN.: Franz Schwar KG. DA.: 8010 Graz, Mandellstr. 3. PA.: 8010 Graz, Leonhardstr. 12. G.: Gschnaidt, 18. März 1919. V.: Sophie, geb. Praprotnik. Ki.: Franz (1948). El.: Philipp u. Juliane. S.: 1935-38 VS u. gewerbl. Vorbild.-Schule, 1939-45 Dt. Wehrmacht. K.: ab 1945 Tätigkeit als Orthopädieschuhmacher, ab 1951 selbst., 1959-75 Gerwerbefunktionär, 1967-75 Fachlehrer, 1959-75 Innungsmstr. d. Orthopädieschuhmacher Österr., 1960-78 gerichtl. beeid. Sahv. H.: Sport, Skifahren, Wandern. (P.M.)

Schwartz Hellmuth Dr.
B.: RA. A.: 9560 Feldkirchen, Dr.-Arthur-Lemisch-Str. 1. G.: Waiern, 2. Apr. 1941. V.: Ingrid Gerlinde, geb. Haberl. El.: DDr. Siegfried u. Friederike. S.: VS, BRG, Univ. Graz, Prom. z. Dr. iur. 1969. K.: Ger.Praktikum an Ktn. Ger. seit 1974, freiberufl. als RA tätig, Vertrags- u. Wirtschaftskzl. E.: Vorst.Mtgl. d. gschf. Aussch. d. Raiffeisen Bez.Kasse Feldkirchen. M.: Freiheitl. Ak.Verb. H.: Politik u. Wiss.

Schwartz Dorothea

B.:Kunstmalerin. DA./PA.: 1150 Wien, Clementineng. 2. G.: Köln/D, 31. März 1926. El.: Emanuel, Portugiese/spaniolisch, Kfm., Experte f. Orientteppiche u. antonie Maria, Deutsche. S.: 1936-40 Irmgardis-Lyzeum Köln, 1940-42 Privatunterr. Irmgaris-Kloster, 12 Sem. Grafik u. Malerei a. d. Kunstschule Köln-Ubierring. 1 J. Städleak. Frankfurt b. Prof. G. MeistermaNN: K.: u. a. 2 J. Designerin v. Seidendrucken, ab 1951 freischaff. tätig, 1957 in Barcelona u. 1960-81 in Berlin lebend, 1981 Umzug nach Wien. Ausstellungen: 1952-56 mehrere Gemeinschaftsausstell. in Köln, Düsseldorf u. Berlin, 1976 Auftragsarb. d. Ausstell. "Schwebend-Heiter, einzelausstell.: 1972 Galerie Haus am Lützowplatz Berlin, 1981 u. 1982 Galerie Prisma Wien, 1983 Galerie Pels-Leusden KBerlin, Ankäufe: u. a. Privatmuseum Pels-Leusden, Stadtsenat Berlin u. Albertina Wien, Reisen in Europa u. Ostasien. 1977 Anfang von Jogastudien u. von der Befassung m. orientalischer Philosophie, Entwickl. ganz neuer, nirgends einzuordnender Bilder.(N.A.)

Schwartz Franz

B.: Ltr. d. Stadtkinos. DA.: 1070 Wien, Spittelbergg. 3. PA.: 1150 Wien, Reuenthalg. 2/4/23. G.: Wien, 27. Feb. 1950. Ki.: Sabine (1975), Philip (1978). El.: Franz u. Frieda. S.: RG Wien, Matura. K.: ab 1969 Ausbild. z. Bankkfm. in d. Zentralsparkasse, 2 J. Hrsg. d. Betriebszeitung, ab 1975 Konzept u. Verwirklichung d. Z-Clubs, ab 1981 Konzept u. Verwirklichung d. kommunalen Kinos "Stadtkino" u. d. "Stadtkino-Filmverleih", ab 1994 Konzeption u. Programm d. Repertoire-Kinos "Filmhaus". BL.: 1967/68 Österr. Meister im Basketball. F.: Ges. d. "Titra-Film Laseruntertitelung GmbH" u. d. "DeLuxe Videountertitelung GmbH". E.: 1992 Chevalier dans l´Ordre des Arts et Lettres. (J.S.)

Schwartz Peter Dr. med.
B.: Prakt. Arzt. DA.: 9500 Villach, Widmanng. 31. PA.: 9500 Villach-Landskron, Raunaweg 83. G.: Singen, 1. Dez. 1952. V.: Eveline, geb. Bartsch. Ki.: Christoph, Lukas. El.: Ing. Josef u. Adele. BV.: Großvater Dr. Reinhold Schwartz war Pionier im dt.sprachigen Raum auf d. Gebiet d. Heilfastenkuren. S.: Med.Stud. Innsbruck. K.: Ausbild. im LKH Villach, 1982 eigene Ordination. M.: aktiv im Roten Kreuz, Vortragstätigkeit. H.: Sport, Tennis. (D.M.)

Schwarz Erich Dipl.-Ing. HofR. Prof.
B.: LSchulinsp. f. d. Bdl. Sbg. A.: 5020 Salzburg, Guggenmoosstr. 20. G.: Wien, 27. Dez. 1919. V.: Gertrude, geb. Kratzert. El.: Josef u. Elisabeth. S.: VS, AHS, TU in Wien. K.: Ing. b. Fa. Fernseh GmbH Berlin - Prof. u. Abt.Vorst. an d. HTBL in Sbg. - LSchulinsp., Obm. d. "Österr. Automobil- u. Maschinen-Treuhänderverb.". F.: Inh. eines techn. Büros, ständig gerichtl. beeid. Sachv. b. LG Sbg. P.: Fernsehtechn. Art. in Fachzeitschriften, sowie päd.

Veröff. M.: Österr. Automobil- u. Maschinentreuhändervorst., Österr. Ak. u. Ang.Bund, Ak.Bund, Ver. christl. Lehrer, Nestroy-Verb.-Wien. H.: Restaurieren antiker Möbel.

Schwarz Alois Ing.

B.: Bgm. d. Stadt Eisenstadt. DA.: 7000 Eisenstadt, Rathaus. G.: Mogersdorf, 17. Okt. 1932. V.: Gerlinde. Ki.: Gabriela, Ingrid. El.: Vizebgm. iR. Julius u. Aloisia. S.: HTL Schellingg. K.: 1954-89 BEWAG, 1989 Dir. BEWAG, 17.1.89 Bgm., 1992 Bgm. d. Direktwahl; Sonst. Funkt.: bis 1979 Vizepräs. AK Bgld., 1968 Gem.-Rat Eisenstadt, 1971 Clubobm. ÖVP Club, 1977 Stadtrat f. Umweltschutz, Bauen, Planen. E.: Gold. EZ f. Verd. um d. Rep. Österr., M.: 1. Obm.-Stellv. d. Wasserltgs.-Verb. nördl. Bgld., Präs. d. Roten Kreuzes Landesverb. Bgld. H.: Radfahren, Fußball, Garten Lesen, Musik, Geschichte. (M.G.)

Schwarz Ferdinand

B.: Inh. FN.: Allrad-Zentrum. DA.: 2700 Wr. Neustadt, Fischauerg. 146. PA.: 7223 Sieggraben, Schwarzenbachstr. 27. G.: Schwarzenbach, 1. Juni 1954. V.: Ottilie, geb. Bauer. Ki.: Jochen (1975), Ferdinand (1976). El.: Ferdinand u. Anna. S.: VS, HS, 1972 KFZ-Lehrabschl. K.: 1973 b. 1977 KFZ Mech. Fa. Cezelitz, v. 1977-79 b. Fa. Gamsjäger, ab 1979 Werkstättenltr. b. Fa. Automobilia, 1982 KFZ Mech. Mstr. Prfg. u. gew. rechtl. Gschf. u. Werkst. Ltr. u. Autoverkäufer, 1983 Übernahme d. Fa. Frasel GmbH, d. spät. Fa. Allrad-Zentrum, Besuch v. versch. Kursen u. Seminaren. H.: Reiten u. Gespannfahren. (I.J.)

Schwarz Franz KommR.

B.: Immobilientreuhänder, allg. gerichtl. beeid. Sachv. DA.: 1010 Wien, Bäckerstr. 1. G.: Wien, 15. März 1927. V.: Hildegard, geb. Schiller. Ki.: Michaela (1961), Thomas (1963). El.: Michael u. Leopoldine, geb. Dedek. S.: Ausbild. z. Immobilientreuhänder. K.: seit 1959 selbst. M.: Vorst.-Vors. d. Wr. Immobilienbörse, Vorst.-Mtgl. v. div. intern. Organ., Landesinnung Wien u. NÖ, Bundesinnungsaussch. H.: Fischen. (N.A.)

Schwarz Franz

B.: selbst. Transportunternehmer. PA.: 8200 Gleisdorf, Flurg. 2/3. G.: Gleisdorf, 23. Mai 1928. V.: Maria, geb. Riedler. El.: Franz u. Johanna. S.: VS, HS, Kfz-Mechanikerlehre. K.: 1951 Eintritt in väterl. Fa., ltd. Position, 1959 Übernahme. E.: Gold. EZ d. Wirtschaftsbundes. M.: Bez.Stellenltr. d. Sekt. Verkehr f. d. Bez. Weiz, Aussch.Mtgl. d. Fachgruppe d. Autobus-Unternehmungen. H.: Pferde. (War.)

Schwarz Franz-Ferdinand Dr. phil. Mag. phil. Univ.-Prof.

B.: Vorst. d. Inst. f. Klass. Philol. u. Ltr. d. Abt. f. spätantike Literatur d. Univ. Graz. DA.: 8010 Graz, Universitätspl. 3. PA.: 8042 Graz, St. Peter Hauptstr. 31A/3. G.: Graz, 26. Dez. 1934. V.: Ass.Prof. Doz. Dr. Gerda, geb. Hubeny. Ki.: Franz-Stephan, Katharina-Valerie. El.: Franz-Johann u. Karoline. S.: 1955 Matura, Stud. klass. Archäologie u. klass. Philol. u. Indologie, 1961 Diss. Dr. phil., 1960 Lehramtsprüf. f. Griech. u. Lat., 1964 Lehrbefähigungsprüf. f. Alt-Indisch. K.: 1963-75 Mittelschullehrer, 1973 Habil. aus Klass. Philol. u. Univ.Doz., ab 1976 a.o.Univ.-Prof., ab 1982 o.Univ.-Prof. P.: ca. 60 Aufsätze, 6 Bücher. M.: American Philological Assoc., Cambridge Philological Society, Intern. Plutarch Soc. Cincinnati, Dt. Ges. f. allg. u. vergl. Literaturwiss., Hum. Ges. Stuttgart. H.: Motorrad.

Schwarz Georg Ing.

B.: Techn. Dir. FN.: Tektronix GmbH. DA.: 1100 Wien, Doerenkampg. 7. PA.: 3011 Untertullnerbach, Irenental 13. G.: Wien, 17. Jan. 1944. V.: Erika, geb. Fackelmann. Ki.: Louise (1971), Julia (1974). El.: Georg u. Emilie. S.: HTL-TGM, Matura 1963. K.: 1963-67 Reaktorzentrum Seibersdorf, 1967-83 in einem amerikan. Konzern (Perkin Elmer) techn. Berater, seit 1983 b. Tektronix als techn. Dir., zuständ. f. techn. Vertriebsaspekte, zusätzl. Ltr. einer Kalibrierstelle f. elektr. Meßgrößen. H.: Musik, Fotographie. (P.R.)

Schwarz Gerald

B.: Ltr. d. AK Bez.-Stelle Vöcklabruck. DA.: 4840 Vöcklabruck, Ferdinand-Öttl-Str. 19. PA.: 4840 Vöcklabruck, Gmundnerstr. 7. G.: Vöcklabruck, 30. Mai 1958. El.: Johann u. Pauline. S.: Lehrabschluß als Schlosser, 1981-82 Sozialak. d. AK. K.: seit 1. Aug. 1982 b. d. AK OÖ beschäftigt, seit 1. Nov. 1989 Ltr. d. Bez.-Stelle d. AK in Vöcklabruck, seit 7. Nov. 1985 Mtgl. d. GemR., seit 1. Jän. 1989 Ltr. d. Bez.-Stelle d. BFI, seit 1. Jän. 1989 Ltr. d. Zweigstelle d. VHS d. AK, seit 30. März 1990 SPÖ Vors.-Stellv. d. Bez. Vöcklabruck. E.: Landesmstr.-Titel in d. Farbfotografie d. Naturfreunde. H.: Fotografieren, Radfahren, Lesen, Skifahren, Reisen. (E.Hö.)

Schwarz Gerta

B.: Gschf. d. Fa. Etienne Aigner Shop, Inh. Roeckl GmbH. DA.: 1010 Wien, Am Graben 10. PA.: 1050 Wien, Margaretengürtel 52. G.: Wien, 2. Sept. 1925. Ki.: Daniela. S.: Modeschule Hetzendorf, 20 J. Entwurfsdirektrice. 1973 Eröff. Fil. d. Fa. Roeckl (Aigner Depot), 1982 Etienne Aigner Shop eröffnet. H.: Zeichnen, Tiere. (Fels.)

Schwarz Gottfried Dr.

B.: Hpt.Abt.Ltr. Unterhaltung, TV-Spiel u. Musik b. ORF-Fernsehen 2. A.: 1020 Wien, Böcklinstr. 44/21. G.: Linz, 21. Okt. 1935. V.: Elisabeth, geb. Aistleitner. El.: Adalbert u. Marianne. S.: Mittelschule, Lehrerseminar m. Matura, Max Reinhardt-Seminar u. Stud. an d. Phil. Fak. d. Univ. Wien (Theaterwiss. u. Kunstgeschichte), Prom. z. Dr. phil. 1967. K.: 1961-64 Lds.Theater Linz (Regieass. u. Schauspieler), 1964-67 Theater d. Jugend Wien (Dramaturg, Reg. u. Schauspieler), 1967-71 freischaff. als Reg. u. Schauspieler u. Autor tätig an versch. Theatern, Hörfunk u. Fernsehen, 1971-76 Künstlerischer Ltr. - Unterhaltung b. ORF Fernsehen, seit 1976 Hpt.Abt.Ltr. Unterhaltung, TV-Spiel u. Musik beim ORF Fernsehen 2. P.: "Wr. Panoptical" Musical, Kurzdramen u. Kabarett-Texte, Texte u. Drehbücher f. Fernsehsendungen. E.: Förderungspreis z. Kainz-Med.

Schwarz Günter Dr. med. vet.

B.: Dipl. Tierarzt. FN.: Tierklinik Hollabrunn. DA.: 2020 Hollabrunn, Ziegelofeng. 4. PA.: 2153 Stronsdorf. G.: Wien, 24. Feb. 1955. V.: Mag. pharm. Silvia, geb. Steurer. El.: Dr. Franz u. Elisabeth, geb. Österreicher. S.: BG Hollabrunn, 1973 Matura, Stud. a. d. Vet.-Med. Univ., 1978 Prom., Diss.: Zur Probenentnahme aus Einzelgemelken b. Verw. v. Milchmengenmeßeinrichtungen i. Rohrmelkanl. K.: 1978-79 Mitarb. i. d. väterl. Praxis, Wehrdienst i. Reitausb.-Zug d. Theres. Mil.-Akad. i. Wr. Neustadt, Hospitant i. d. Kleintierklinik Dr. Unger i. Augsburg, 1979 Niederl. a. prakt. Tierarzt i. Stronsdorf/NÖ, Gemischtpraxis, 1985 Errichtung e. Klinik f. Kleintiere i. Stronsdorf, 1986 Hospitanz i. d. Klinik a. Kaiserberg, 1988 Stud.-Aufenthalt i. USA, 1988 Wahl i. d. Wiss. Beirat d. Österr. Ges. d. Tierärzte, 1989 Hospitanz a. d. chir. Klinik d. Vet.-Med. Fak. d. Univ. Zürich, 1991 Einrichtung d. Tierklinik Hollabrunn, Mtgl. i. Arb.-Kreis f.

Vet.-Med. Orthopädie, 1991 Hospitanz a. d. Abt. f. Röntgenologie d. Vet.-Med. Fak. d. Univ. Zürich, 1994 Prüf. z. European College of Veterinary Surgeons "Diplomate ECVS". P.: zahlr. Vorträge a. Tierärztlichen Fortbild.-Veranst. sow. Publ. i. Fachzeitschriften. H.: Golf. (M.M.)

Schwarz Günther Dipl.-Vw.

B.: Vorst.-Dir. u. Sprecher d. Vorst. FN.: Agrolinz Melamin GmbH. DA.: 4021 Linz, St.-Peter-Str. 25. PA.: 4040 Linz, Reisingerweg 14 A. G.: Linz, 30. Apr. 1941. Ki.: Dieter (1966). El.: Johann u. Maria. S.: VS, Realschule, HAK, Univ. Innsbruck. K.: seit 1966 CHEMIE LINZ AG, s. 1986 im Vorst. d. CHEMIE LINZ AG, s. 1988 Gschf. d. Agrolinz Agrarchemikalien Ges.m.b.H., s. 1988 im Vorst. d. CHEMIE LINZ Holding AG, s. 1993 im Vorst. d. Chemie Linz GmbH, s. 1994 Agrolinz Melamin GmbH. H.: Tennis, Skifahren, Bergwandern, Schwimmen, Geschichte. (L.G.)

Schwarz Hans-Gorg

B.: stellv. Gschf. u. Bereichsltr. f. Markt u. Produkt Management. FN.: Sparkassen Datendienst GmbH. GT.: Prok. d. Fa. Fiducia Wirtschaftstreuhand GmbH. DA.: 1010 Wien, Pestalozzig. 6-8. PA.: 1130 Wien, Jagdschloßg. 13. G.: Adelsdorf, 27. Juli 1942. V.: Ingrid, geb. Njiokiktjien. Ki.: Gernot. El.: Georg Oskar u. Johanna. S.: HAK. K.: 1960-69 Sparkasse Gföhl Sparkassenang., ab 1968 stellv. Dir., 1969-70 Bankver. Lausanne/Schweiz, 1970 Rückkehr nach Österr. Ref.Ltr. d. Sparkassen Datendienst, 1976 Projektltr., 1977 Abt.Ltr. - Beratung, 1978 Abt.Ltr. - Systementwicklung Bank- u. Sparkassengeschäfte, 1979 Mitgrdg. d. WBG Wirtschaftsberatungs GmbH, Prok., 1982 Prok. d. Sparkassen Datendienst, 1982-84 Gschf. d. WBG, 1984 stellv. Gschf. d. Sparkassen Datendienst u. Abt.Dir., 1988 Bereichsltr. Markt u. Produkt Management. P.: Publ. in Fachzeitschriften. H.: Bergsteigen, Sport, priv. Vinothek. (M.B.)

Schwarz Helio Jose

B.: Vorstandsvorsitzender. FN.: Banco de Brasil. DA.: 1010 Wien, Tegethoffstr. 4. G.: Brasilien, 25. Sept. 1944. V.: Anna Railca, geb. Nogera. Ki.: Andrea, Daniela, Eduardo, Helio. El.: Ludwig u. Natalia. S.: Gymn., Rechtswiss. u. WU i. Brasilien. K.: 1963 Banco de Brasil, 1971 Dir. d. Filialen i. Sao Bernardo de Campo u. Blumenau, 1982 Kontrolldir. d. Auslandsfil., 1989 Ltr. d. Währungskontrolle u. int. Gsch., 1990 Vorst. d. Wr. Fil. H.: Bank. (T.T.)

Schwarz Helmut Ing.

B.: Gschf. Generalmanager. FN.: Chromos-Chempak. DA.: 1190 Wien, Celtesg. 18. PA.: 1030 Wien, Khunng. 22/38. G.: Wien, 10. Dez. 1952. V.: Johanna, geb. Muck. El.: Prof. Wilhelm u. Elfriede. S.: 1974 Matura. K.: b. 1976 selbst. Reprotechniker, 1976-82 Kundenberater Rota Print, 1983-84 Prod.Ltr. b. DDB Wien, 1984-87 Verkaufs- u. Produktmanager b. CTT Ettenauer Deutsch Wagram, 1987-89 Verkaufsltr. Crosfield Frankfurt, seit 1989 Chromos-Chempak. H.: Segeln. (J.E.)

Schwarz Helmut Dr.

B.: HS-Prof. A.: 2380 Perchtoldsdorf, Teschkostr. 28. G.: 31. Mai 1928. V.: Liselotte, geb. Rauchenberger. El.: Rudolf u. Josefine. S.: RG, Univ. Dr. phil. K.: Rundfunkreporter, Reg., 1951 Dramaturg d. Burgtheaters, 1960 Ltr. d. Max-Reinhardt-Seminars, 1977 Rektor d. HS f. Musik u. Darstell. Kunst Wien. P.: Theaterstücke, Hörspiele, Fernsehsendungen, versch. andere Publ. E.: Literaturförderungspreis d. Stadt Wien. M.: Verb. österr. Dramatiker, PEN-CLUB, I.G. Autoren.

Schwarz Herbert Dkfm. KommR.

B.: Beeid. Buchprüfer u. Steuerberater. DA.: 1090 Wien, Koling. 11. PA.: 1130 Wien, Veitingerg. 55. G.: Wien, 30. Mai 1929. V.: Monica. Ki.: Wolfgang, Susanne. S.: Gymn., HAK, HS f. Welthdl. K.: B. 1955 unselbst. in Hdls.Unternehmen bzw. in WT-Kzl., 1955 selbst. beeid. Buchprüfer u. Steuerberater. F.: Gschf. d. Wirtschaftstreuhand GmbH. P.: lfd. Art. in steuerrechtl. Fachzeitschriften. M.: 1980-85 VPräs. d. Kam. d. Wirtschaftstreuhänder. H.: Tennis. (Hau.)

Schwarz Herbert Heinz

B.: Prok., Verkaufsdir. FN.: Colgate-Palmolive GmbH. DA.: 1040 Wien, Argentinierstr. 22. PA.: 1238 Wien, Binag. 36. G.: Wien, 8. März 1942. V.: Gunda, geb. Reichel. Ki.: Herbert (1967), Phillip (1977). El.: Felix u. Anna. S.: gelernter Kfm. m. Abschluß, Weiterbild. auf d. Sektor Marketing u. Verkauf. K.: 1961-65 Verkaufsass. b. Kronen-Öl, 1966-76 Verkaufsltr. Fa. Dr. Hessle, 1976-86 Verkaufsltr. b. Tesa-Beiersdorf, ab 1987 Verkaufsdir. b. Colgate-Palmolive. P.: div. Art. in Fachzeitschriften. H.: Lesen, Laufen, Skifahren, Wandern, Kultur. (M.M.)

Schwarz Hildegard

B.: Ges. FN.: Olymp Werke GmbH. DA.: 6040 Innsbruck/Neu-Rum, Kaplanstr. 2. G.: Kitzbühel, 11. Nov. 1936. Ki.: Renate, Anton. El.: Hans u. Hilde Hinterholzer. S.: VS, HS, kfm. Lehre. K.: 1962 gemeinsam m. Herrn Schwarz Grdg. d. jetzigen Fa. Olymp Werke. E.: Silb. Nadel 25 J. ÖSV-Mtgl. E.: ehemals Tir. Jugend VMstr. im alpinen Skilauf, Mtgl. d. damaligen ÖSV-Jugendkaders. H.: Lesen, Skifahren, Freizeitsport. (J.S.)

Schwarz Ingrid Charlotte Dr.

B.: Schriftstellerin. A.: 5020 Salzburg, Moenchsberg, Villa Bianchi. G.: Aachen, 5. Jan. 1937. El.: Dr. Carl Valerian u. Charlotte Schwarz. S.: Matura 1955 in Sbg. BMädchen-RG, Abschluß Technolog. Gewerbemuseum, Hochfrequenztechnik, Dr. phil., Germanistik 1972 Paris-London- Univ. Sbg. K.: 1960-63 Fa. Siemens München, Hoch- u.Niederfrequenztechnik, 1965-68 Mitarb. als Kulturzensent f. Sbg. u. Wr. Zeitungen u. am Rundfunk, 1972 Prom.Arb. an d. Diss.: "Das Recht in dt. Dramen", 1982 Freie Mitarb. d. Sbg. Nachrichten. P.: Kulturrezensionen, "Der Traum Wolfdietrichs", Moenchsblätter u.a. M.: Kulisse Sbg., Autorenverb. im Ver. d. Geistig Schaffenden Wien. H.: Malen, Photographieren, Gitarre spielen, Basteln, Lesen, Diskutieren.

Schwarz Josef

B.: Inh. "Strassganger Hof", Bar "Adabeisl" u. "Steakhouse". DA. u. PA.: 8054 Graz, Kärntner Str. 418. G.: Graz, 29. Dez. 1962. V.: Andrea, geb. Steiner. Ki.: Johannes (1990), Katharina (1992). El.: Josef u. Herlinde. S.: VS, HS, HLA f. Fremdenverkehrsberufe Kleßheim Sbg., 1982 Matura, BH. K.: Tätigkeit im Bereich d. Fremdenverkehrs wie Verw., Küche, Service in Gstaad/Schweiz, Tätigkeit auf d. Kreuzfahrtschiff "Vistafjord", Lech/Arlberg, 1987 Übernahme d. elterl. Betriebes in Graz-Strassgang, 1990 Eröff. d. 1. Stehpub's m. Ausstellungen u. Musikveranstaltungen, Gestaltung einer eigenen Hauszeitung f. Stammgäste sowie Veranstaltungsprogramme. H.: Familie, Skifahren, Squash, Beruf, Weinkultur. (M.Gr.)

Schwarz Josef
B.: Eloxierer. DA.: 4400 Steyr, Pyrachstr. 1. PA.: 4400 Steyr, Molln 25. G.: Molln, 25. Nov. 1939. V.: Auguste, geb. Kogler. Ki.: Christian. El.: Johann u. Maria. S.: VS, Eloxierer-Lehrling, 12 J. als Eloxierer beschäftigt, anschl. Grdg. einer eigenen Fa. BL.: Vergrößerung d. Betriebes, Lieferungen ins In- u. Ausland. H.: Arbeit. (Bau.)

Schwarz Josef Dr. med. MedR.
B.: FA f. ZMuK. PA.: 7350 Oberpullendorf. G.: Südmähren, 13. Dez. 1919. V.: Ernestine, geb Thomas. S.: Gymn. in Nikolsburg 1938, anschl. Militär, Med. Stud. in München, Graz u. Innsbruck, FA-Ausbild. in Graz. K.: selbst. Praxis ab 1951, Spez. auf Kieferorthopädie Polyklinik Wien. M.: Rotary Club. H.: Segeln, Skifahren. (War.)

Schwarz Josef
B.: Dipl.Optiker. FN.: Josef Schwarz GmbH. DA.: 6370 Kitzbühel, Vorderstadt 22. PA.: 6370 Kitzbühel, Walsenbachweg 16b. G.: Preßburg, 6. Juni 1905. V.: Therese, geb. Nebel. Ki.: Josef, Maria, Inge. El.: Josef u. Maria. BV.: 1854 Josef Schwarz Preßburg. S.: HS f. Optik in Jena/DDR. K.: 1934 Übernahme d. elterl. Betriebes in Preßburg, b. 1945 in Preßburg, seit 1945 in Kitzbühel in selbst. Betrieb, 1978 Grdg. d. Filialen St. Johann u. Kirchberg. P.: div. Art. in Optiker-Fachzeitschriften in d. BRD. M.: Lions-Club, Schützengilde, Ski-Club. H.: Literatur m. Schwerpunkt Fachbücher, Musik, Reisen. (W.G.)

Schwarz Karl Dipl.Braumstr. KommR.
B.: Gschf. FN.: Brauerei Zwettl Karl Schwarz GmbH u. d. Karl Schwarz Zwettler Getränkevertrieb GmbH. DA.: 3910 Zwettl, Syrnauer Str. 22-25. G.: Zwettl, 10. Jan. 1936. V.: Stefanie, geb. Zwölfer. El.: Heinrich u. Karoline. S.: Grundschule, HAK, TH München, Fak. Brauwesen, Praxis in österr. u. dt. Brauereien. K.: 1957 Braumstr. in d. Brauerei Zwettl, 1959 Alleineigentümer, 1977 Umwandlung an d. Brauerei Zwettl GmbH u. d. Karl Schwarz Getränkevertrieb GmbH. M.: Ver. Österr. Ind., Ver. Österr. Privatbrauereien. H.: Skifahren, (Kern)

Schwarz Karl Friedrich
B.: Beeid. Buchprüfer u. Steuerberater. FN.: Prok. in Plan Treuhand GmbH Linz. GT.: gelegentlich WIFI-Vorträge. DA.: 4020 Linz, Kudlichstr. 43. PA.: 4020 Linz. Hörzingerstr. 11. G.: Linz, 2. Dez. 1956. V.: Veronika, 2 Töchter. El.: Friedrich u. Eleonore. S.: HAK 1971-76 (Matura), 1980/81 Vorbereitungskurse z. Steuerberaterprüf., 1981 Prüf. u. Bestellung z. Steuerberater, 1984/85 Vorbereitungskurse z. Buchprüferprüf., 1985 Prüf. u. Bestellung z. Buchprüfer u. Steuerberater. K.: Nach Matura 1976 Eintritt in Alpentreuhand GmbH, Wirtschaftsprüf. u. Steuerberatungsges. Linz, 1978 Übertritt in Plan Treuhand GmbH, Wirtschaftsprüf. u. Steuerberatungsges. Linz, 1986 Bestellung z. Prok. (Mayr)

Schwarz Karlheinz Dr. phil. a.o.Univ.-Prof.
B.: Univ.Prof. d. TU Wien. DA.: 1060 Wien, Gumpendorfer Str. 1a/3. PA.: 1130 Wien, Gemeindebergg. 73/2/2. G.: Wien, 16. Jan. 1941. V.: Dr. Christine, geb. Schuppich. Ki.: Caroline (1972). El.: Adolf u. Frieda. S.: BG, 1959 Matura, Chemiestud. Univ. Wien, Diss., 1968 Prom. z. Dr. phil. K.: 1967-68 wiss. Hilfskraft Inst. f. Statistik Univ. Wien, 1968-69 HS-Ass. Inst. f. Physikal. Chemie Univ. Wien, 1969-71 Post Doctoral Scientist Univ. of Florida, 1971-72 Post Doctoral Scientist IBM Research Laboratory San Jose, 1971-76 HS-Ass. Inst. f. Techn. Elektrochemie TH Wien, 1974 Gastwissenschaftler Max Planck-Inst. Stuttgart/BRD, 1974 Habil., 1975 HS-Doz., 1976 a.o.Univ.-Prof. u. Ltr. d. Abt. f. Theoret. Festkörperchemie, 1977 Gastprof. Inst. f. Experimentalphysik u. Theoret. Physik d. Ruhr-Univ. Bochum/BRD, 1978 Gastprof. Univ. Uppsala Schweden, 1981 Gastprof. Univ. de Montreal Canada, 1983 Gastprf. Japan, 1983-86 Summer Faculty Member at the IBM T.J. Watson Research Center Yorktown Heights New York, 1987 Gastprof. Bochum/Duisburg, 1988 Gastprof. Univ. of Florida, 1994 Science and Technology Agency Fellow, Tsukuba, Japan, 1979-83 Vorst. d. Inst. f. Techn. Elektrochemie d. TU Wien, 1990-1994 Vorst. d. EDV-Zentrums d. TU Wien. P.: zahlr. wiss. Publ., ca. 170 Originalarb. in wiss. Zeitschriften. E.: 1972 IBM World Trade Fellowship, 1972 SANDOZ-Preis, 1975 Kardinal Innitzer Preis f. Naturwiss. M.: American Physical Society, Chem.-Physikal. Ges., Ges. Österr. Chemiker, Österr. Physikal. Ges., New York Academy of Sciences. H.: klass. Musik, Reisen, Skifahren. (M.M.)

Schwarz Mario Dr. phil. a.o. Univ.-Prof.

B.: Univ. Prof. am Inst. f. Kunstgeschichte d. Univ. Wien. DA.: 1010 Wien, Universitätsstr. 7. PA.: 1070 Wien, Schottenfeldg. 82. G.: Wien, 16. Juli 1945. El.: Anton u. Maria. S.: 1963 Matura, Arch. Stud. TU Wien, Stud. Kunstgeschichte u. Archäologie Univ. Wien, 1975 Prom. Dr. phil., K.: 1980-83 Univ. Lektor f. Kunstgeschichte TU Wien, 1985 Habil., s. 1985 Vorlesungstät. a. d. Univ. Wien u. Graz, 1968-88 Teilnahme an 13 archäologischen Forschungsuntern. i. d. Türkei u. Ägypten als Grabungsarchitekt, 1994 A.o. Univ. Professor. P.: 80 kunstwiss. Publ., "Bauforschungen i. Selge", "Nag´el-Scheima", Vortragsreisen nach USA, Schweden, D, CH. M.: Vorst. mtgl. d. Österr. Ges. f. Denkmal- u. Ortsbildpflege, Austria Nostra, ICOMOS, Society f. Nubian Studies. H.: Reisen, Zeichnen, Malen. (L.S.)

Schwarz Martin Mag. art.
B.: BGschf. d. Management Clubs. GT.: Gründer u. Sprecher d. Initiation: "Wirtschaft f. Kunst e.V.". DA.: 1010 Wien, Kärntner Str. 8. PA.: 1060 Wien, Magdalenenstr. 21. G.: Wien, 20. Okt. 1952. V.: Dr. Josefine, geb. Gerö. Ki.: Jessica. El.: Ing. Wilhelm u. Martha. S.: 1972 Matura, Dolmetsch/Englisch, Sportwiss. Univ. Wien, Fulbright-Stipendiat in d. USA an d. Univ. v. Südkalifornien "masters of art" im Bereich Kultur- u. Freizeitmanagement, 8 J. Aufenthalt in USA, Mitarb. am John F. Kennedy-Center for the performing arts, zuständig f. intern. Kulturprogramme, 1985 Rückkehr nach Wien, Univ.Lektor an d. Univ. Wien, freischaff. Berater u. Univ.Lehrer, 1987 Gschf. d. Management Clubs. E.: 1982 Staatspreis f. Intern. Kulturmanagement, 1984 John F. Kennedy-Med. f. Verd. um d. Kennedy-Center. H.: Laufen, Skifahren, Kunst.

Schwarz Peter
B.: Inh., Optikermstr. FN.: Optiker Schwarz. DA.: 8010 Graz, Leonhardstr. 23. PA.: 8044 Graz, Hans-Mauracher-Str. 31. G.: Graz, 8. Juli 1941. V.: Helmtraud, geb. Harpf. Ki.: Thomas (1975), Nina (1978). El.: Vater, Gründer d. Fa. S.: Mittelschule Graz, Berufssch. Deutschld. u. Österr., Höhere Fachsch. f. Optik u. Kontaktlinsen in Österr. u. Deutschld. K.: 1968 Übern. d. väterl. Gsch. u. Grdg. d. Filiale in d. Leonhardstr., 1969 Mstr.-Prüf., 1979 behördl. konzessionierter Kontaktlinsenoptiker, 1981 Hörgeräteakustiker, Zucht v. schott. Hochlandrindern. M. Grazer Männerchor. H.: Tierzüchter (Pfaue, Schafe, Rinder, ect.), Musizieren, Natur, Jagd. (R.S.)

Schwarz Reinhard Dr. Mag.
B.: selbst. Wirtschaftsprüfer u. Steuerberater. DA.: 4400 Steyr, Bahnhofstr. 11-13. G.: Steyr, 9. Sept. 1962. V.: Christiane, geb. Fenzl. El.: Herbert u. Gertrude. S.: VS, Gymn., 1980 Matura, b. 1984 BWL-Stud. Linz, 1986 Diss. K.: ab 1984 Tätigkeit in jetziger Kzl., seit 1988 selbst., 1987 Bestellung z. Steuerberater, seit 1991 Lektor Univ. Linz, Seminartätigkeit. P.: div. Publ. in Fachzeitschriften. M.: seit 1990 Mtgl. d. Fachsenat f. Steuerrechte d. Kam. d. Wirtschaftstreuhänder, Inst. d. Österr. Wirtschaftsprüfer, IFA. H.: Skifahren, Tennis, Golf. (U.A.)

Schwarz Reinhard
B.: Dir. d. Hotel de France. DA.: 1010 Wien, Schottenring 3. PA.: 1190 Wien, Gebhardtg. 10. G.: Wien, 14. Dez. 1954. V.: Beatrice, geb. Kleibel. Ki.: Lukas (1983), Sophie (1986). El.: Karl u. Elisabeth. S.: 1960-64 Lycée Francais de Vienne, 1964-72 BRG Wien, 1972 Matura, 1973-75 Abiturientenlehrgang d. Hotelfachschule Sbg., 1984 Cornell Univ. Ithaca USA. K.: 1972 Rezeptions-Praktikant Hotel Vier Jahreszeiten München, 1975-76 Rezeptionist Hotel Intercontinental Düsseldorf, 1977-78 Mitarb. im elterl. Betrieb Restaurant Falstaff Wien, 1978-81 Night Manager, Ass. Banquet Manager Hotel Hilton Intern. Wien, 1982-86 Dion.Ass. Hotel Imperial Wien, 1986-87 Front Office Manager Hotel Hilton Intern. Wien, seit 1987 Rooms Division Manager Hotel Plaza Hilton Wien, ab 1989 Dir. Hotel de France. M.: Rotary Club Schwechat, Amicale Intern. des Chefs des Réception des Grands Hotels. H.: Joggen, Tennis, Skifahren, klass. Musik. (P.R.)

Schwarz Reinhold
B.: Weingastronom. FN.: Hölzl-Schwarz Weingasthof "Am Spitz". DA.: 7083 Purbach, Waldsiedlung 2. PA.: 7083 Purbach, Waldsiedlung 2. G.: Purbach, 28. Juni 1948. V.: Grete, geb. Prieler. Ki.: Thomas (1972), Wolfgang (1976). El.: Johann u. Anna. S.: VS, Gymn., Hotelfachschule i. Gleichenberg. K.: 1 Lehrj. i. Paris i. Hotel "Crillon", 1970 Eintritt i. d. elterl. Betrieb Weingasthof Am Spitz, 1975 Ges. u. a. 1988 Gschf. Ges. E.: 1993 Ausz. f. d. Pflege d. typisch Österr. f. d. Burgenland b. einem Wettbewerb v. Gault Millaut, 1994 1 Haube v. Gault Millaut. H.: Jagd, Golf. (M.M.)

Schwarz Robert Dr. HofR.
B.: Mag.-Dir. d. Mag. Wels. DA.: 4600 Wels, Stadtpl. 1. PA.: 4600 Wels, Schenkelbachweg 2. G.: Linz, 13. Sept. 1927. V.: Edeltraud, geb. Heitzinger. Ki.: Robert (1959), Michaela (1970). El.: Anton u. Marianne. S.: 1944-45 Deutsche Wehrmacht, 1946 Matura, 1946-52 Jusstud. Innsbruck, 1952 Prom. K.: 1952-53 Gerichtspraktikum LG u. BG Linz, 1953-64 OÖ LDienst, ab 1965 Mag.-Dir. d. Mag. Wels. (H.B.)

Schwarz Roland Dr. theol. Mag.
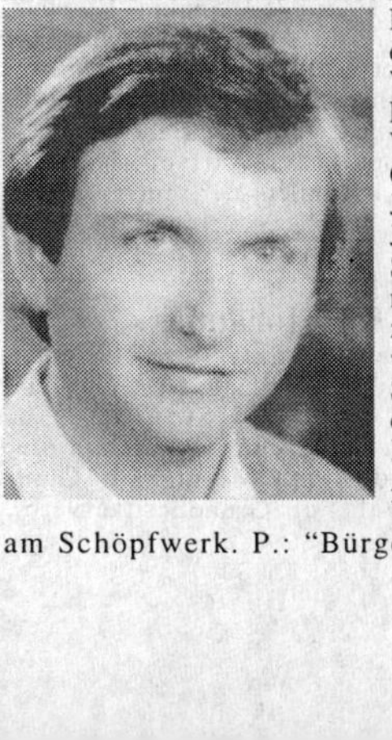
B.: Pfarrer, Diözesanvertreter d. Österr. Kath. Bibelwerkes f. Wien-Stadt. DA.: 1120 Wien, Lichtensterng. 4. PA.: 1120 Wien, Zanaschkag. 12/30/16. G.: Wien, 6. Mai 1950. El.: Josef u. Gertrude. S.: Gymn., 6 J. Theol.-Stud. Univ. Wien, Spezialausbild. in neutestamentl. Bibelwiss., 1982 Prom. z. Dr. theol. K.: 1974 Priesterweihe, 1974-79 Kaplan in Stockerau, gleichzeitig Präses d. Kolpingfamilie, 1979-83 Kaplan in Gersthof, Wien, 18; Ass. am neutestamentl. Inst. Univ. Wien, seit 1983 Pfarrer am Schöpfwerk. P.: "Bürgerl. Christentum im Neuen Testament" (1983 Eine Studie zu Ethik, Amt u. Recht i. d. Pastoralbriefen), 2 bibelpastorale Bücher (1987 u. 1990), "Bibel-Partys. Modelle, Anregungen, Tips f. Jugend- u. Ministrantengruppen", "Neue Bibel-Partys. Anregungen u. Tips f. Jugendarb. u. Katechese". E.: Gold. EZ d. Kolpingwerkes. H.: Wiss., Filme, Pflege guter Freundschaften. (J.S.)

Schwarz Sigrid
B.: Gschf. FN.: Horst Schwarz Farben, Umwelttechnik. DA.: 4600 Wels, Salzburger Str. 173. PA.: 4600 Wels, Ritterspornstr. 3. G.: Wels, 25. Nov. 1939. V.: Horst. Ki.: Erik (1965), Gerald (1969). El.: Hans u. Eleonore Lösch. S.: 1954-56 HASCH. K.: 1956-61 Bankkauffrau Volksbank Wels, 1961-73 kfm. Ltg. im elterl. Betrieb, 1973 Aufbau d. eigenen Fa. m. Ehegatten. H.: Kochen, Reisen, Familie, Skifahren, Wandern, Radfahren. (H.B.)

Schwarz Walter Dr. o.Univ.-Prof.
B.: o.Prof. f. Arbeitsrecht an d. Univ. Graz. DA.: 8010 Graz, Grillparzerstr. 26. PA.: 1050 Wien, Hartmanng. 5/2/8. G.: Hohenfurth/Südböhmen, 21. Juni 1926. V.: Dr. Margarete, geb. Hofbauer. El.: Ladislaus u. Maria. S.: AHS, 1944 Kriegsmatura, 1946 Stud. d. Rechtswiss. an d. Univ. Wien, 1950 Prom. K.: 1950-51 Gerichtspraxis, b. 1958 Bediensteter d. Wr. Arb.Kam., 1958-70 Bmtr. im Sozialmin., 1967 Habil. an d. Univ. Linz, 1970 Berufung als Ordinarius an d. Grazer Univ., Vorst. d. Inst. f. Arbeits- u. Sozialrecht. BL.: Mitverfasser v. Entwürfen zur Kodifikation d. Arbeitsrechts. P.: Arbeitsrecht (m. Günther Löschnigg), Kommentar zum Angestelltengesetz (m. Oswin Martinek), mehrere Monographien, Veröff. in Festschriften u. Fachzeitschriften, Nationalberichter d. "International Labour Law Reports" f. Österr. (gem. m. Fr. Dr. Gert-P. Reissner). E.: Gold. Verd.Zeichen u. Gold. EZ f. Verd. um d. Rep., Ehrenkreuz f. Wiss. u. Kunst I. Kl. M.: Vorst.Mtgl. d. Ges. f. Arbeits- u. Sozialrecht (Intern. Ges. f. Arbeitsrecht Genf), Österr. Juristenkmsn. H.: d. an d. Rechtswiss. angrenzenden Disziplinen. (C.H.S.)

Schwarz Werner
B.: Prok., Fin.Ltr. FN.: Autohaus Rudolf Wehinger & Co. DA.: 6850 Dornbirn, Schwefel 28. PA.: 6900 Bregenz, Sachsenheimstr. 1. G.: Bregenz, 18. Aug. 1944. V.: Carmen, geb. Thurnes. Ki.: Dèsirèe (1976), Catherine (1981), Veronique (1983). El.: Alfred Forster u. Anna Schwarz. S.: VS Dornbirn, versch. Kurse im kfm. Bereich. K.: 1958-61 Textilfbk. Herrburger & Rhomberg, Dornbirn, 1961-71 Elizabeth Arden Kosmetik, Dornbirn, 1971 Eintritt in d. Ford-Autohaus Wehinger & Co: Buchhalt., Finanzltg., Personalwesen, EDV-Leitung, seit 1989 Prok. BL.: aktiv tätig in Geistheilung, Ltg. v. Meditationsgr. in Vbg., seit 1985 jährl. Studienreisen n. Engl., Schwerpunkt: Geistheilung, Esoterik. H.: Familie, klass. Musik, Reisen. (M.G.)

Schwarz Wolfgang Dietrich
B.: Unternehmer. FN.: The Girls/The Boys Intern. Model Agency. DA.: 1010 Wien, Passauerpl. 1. PA.: 1190 Wien, Hackhoferg. 9. G.: Wien, 8. Juli 1950. V.: Caroline, geb. Gräfin v. Hoyos. Ki.: Christopher (1992). El.: Wolfgang Tibor u. Leopoldine, geb. Kaiser. S.: Theresianum, RG Baden, 1969 Matura, 2 J. Med.Stud. K.: 1/2 J. Gelegenheitsjob b. Bau d. schwed. Parlamentgebäudes, ab 1970 Fotomodell, anschl. Schauspielschule, Arb. an dt. Bühnen, kleine Fernsehfilme, div. dt.-österr. Unterhaltungsfilme, 1974 Grdg. d. Modellagentur "The Girls", 1975 Erweiterung auf "The Girls, The Boys" u. Übern. d. restl. Geschäftsanteile, 1981 Grdg. eines "Make-Up" Studios, 1981-84 Grdg. eines Tanzstudios zusammen u. unter d. Ltg. v. Hans Christian Wagner, seit 1986 Vertret. f. "Elite", größte Agenturkette d. Welt u. Veranstalt. d. Präsentation "The Look of the Year", ab 1992

auch in Tschechien, Slowakei u. Polen, 1991/92 Gründ. d. Agentur "Girls & Boys" in Ungarn, Tschechien, Slowakei u. Polen. E.: div. Pokale b. Union-West-Wien-Sekt. Handball. M.: Tennisklub Vienna. H.: Arb., Skifahren, Tennis, Handball, Fernsehen, Filme, Kochen, Auto-Fan. (N.A.)

Schwarz-Herda Herbert Ing.

B.: Gschf. Ges. FN.: Reventlow GmbH. DA.: 1150 Wien, Winckelmannstr. 12. G.: Wien, 13. Nov. 1952. Ki.: Manuela, Andreas. El.: Ing. Friedrich u. Hildegard. S.: Gymn., HTL, 1973 Matura, Kfz-Techniker. K.: b. 1989 gemeinsam m. Vater Kfz-Betrieb f. Peugeot, 1975 Mechanikermstr.-Prüf., 1987 Eröff. Reventlow Loden u. Trachten. H.: Tennis, Skifahren, Sport. (J.E.)

Schwarz-Klement Brigitte

B.: Lehrerin, Landtagsabg. d. FPÖ u. GemR. DA.: 1010 Wien, Rathaus. PA.: 1140 Wien, Linzer Str. 174. G.: Bad Ischl, 15. Dez. 1946. Ki.: Alexandra (1972). El.: Hans u. Margarethe Klement. S.: VS, RG, LBA, 1968 Matura. K.: VS-Lehrerin, 1974-85 Lehrerin in einer Spezialsonderschule f. Geistigschwerstbehinderte, 1985-91 Begleitlehrerin f. ausländ. Kinder in einer VS, ab 1992 in einer Ganztages-VS, seit 1986 Bez.-Ltg.-Mtgl. Wien 13, 1987 BezR., seit 1988 Bez.-Parteivors. Hietzing, ab 1991 Landtagsabg. u. GemR. zuständig f. Bild., Soz., Frauen, Jugend u. Familie. H.: Skifahren, Bergwandern, Porzellan, klass. Musik. (N.A.)

Schwarzacher Hans Georg Dr. med. o.Univ.-Prof.

B.: Vorst. d. Histolog.-Embryolog. Inst. d. Univ. Wien. A.: 1190 Wien, Armbrusterg. 11. G.: Heidelberg, 5. Apr. 1928. V.: Dr. med. Gertrude, geb. Demuth. El.: Univ.-Prof. Dr. Walther u. Hedwig. S.: Gymn., Med.Stud. an d. Univ. Wien u. Zürich, Dr. med. Wien 1953, Dr. med. Basel 1959, Dr. h.c. Marseille-Aix-en Province 1992. K.: 1955-61 Ass. am Anatom. Inst. d. Univ. Basel, 1961-66 Doz. d. Histolog.-Embryolog. Inst. d. Univ. Wien, 1966 Prof. f. Anatomie d. Univ. Giessen, 1969 Prof. f. Anatomie, Ltr. d. Abt. Experimentelle Biologie d. Univ. Bonn, 1971 o.Univ.-Prof. d. Histolog.-Embryolog. Inst d. Univ. Wien. P.: Chromosomes in: Handb. d. mikrosk. Anatomie (1976), Methods in Human Cytogenetics (m. U. Wolf 1974), zahlr. Aufsätze in Fachzeitschriften. M.: Anatom. Ges., Ges. f. Anthropologie u. Humangenetik, Dt. Akad. d. Naturforscher "Leopoldina", wirkl. Mtlg. Österr. Akad. d. Wiss., u.a. H.: Musik.

Schwarzbauer Erich OStR. Prof.

B.: Künstler. Ltr. d. Mozart-Sängerknaben. PA.: 1100 Wien, Bucheng. 30. G.: Ybbs/Donau, 14. Aug. 1921. V.: Prof. Gertud, geb. Haas. El.: Ernst u. Leopoldine. S.: VS, HS, LBA, Ak. (HS) f. Musik u. darstell. Kunst Wien: Komposition (Marx), Kapellmeisterschule (Clemens Krauß u. Swarowsky), Klavier (Schwertmann), Gesang u. Ak.Kammerchor (Grossmann). K.: 1952-53 Kapellmstr. b. d. Wr. Sängerknaben, 1953-55 Kapellmstr. b. d. Sängerknaben v. Wienerwald, seit 1956 künstler. Ltr. d. Mozart-Sängerknaben, Mitbegründer dieses Chores, Konzerte in Österr., Mitwirkung in d. Staats- u. Volksoper, in großen Chor-Orchesterwerken, Fernsehen, Rundfunk, Schallplatten, Tourneen in Europa, Japan u. USA, 1958-84 Prof. f. Musik-, Kunst- u. Sprecherziehung am BSeminar f. d. lw. Bildungswesen Wien-Ober St. Veit. P.: 1991 Polydor-Produktion v. Weihnachtslieder gesungen v. Mozart-Sängerknaben. E.: Berufstitel "Prof. u. "OStR", 1984 Österr. EZ f. Wiss. u. Kunst. M.: Österr. MusikR., Armin Kaufmann-Ges., Ver. d. Freunde Ferdinand Grossmann's. H.: Zeitgeschichte. (N.A.)

Schwarzböck Rudolf

B.: Mtgl. d. NatR. seit 1986. G.: Korneuburg, 9. Dez. 1947. S.: Ldw. Fachschule Mistelbach, 1970 Mstr.Prüf. f. Ldw. K.: seit 1973 Ldw., seit 1975 LKamR. u. seit 1985 Präs. d. NÖ LLdw.Kam., 1981-86 Abg. z. NÖ Landtag, seit 1990 Vors. d. Präs.-Konferenz d. Landwirtschaftskammern Österr.

Schwarzenbacher Sebastian

B.: Unternehmer, Inh. FN.: "Schwarzenbacher". DA.: 6250 Kundl, Liesfeld 234. PA.: 6300 Wörgl, Prandtauerstr. 32. G.: Brixen, 18. Mai 1939. V.: Erika, geb. Winkler. Ki.: Elke (1963), Walter (1967). El.: Johann u. Margarethe. S.: Pflichtschule, Berufsschule, 4 J. Elektroinstallationslehre, 1957 Gesellenbrief. K.: 1960-62 Elektriker in Firma TI-WAG, 1962-67 Ölbrennermonteur u. Heizungstechniker, 1966 Meisterprüf., 1967-76 Gschf. Ges. Firma Friedl St. Johann, seit 1976 selbst. m. Ölbrenner, Energiesysteme, Schwimmbadtechnik u. Klimaanlagen, seit 1980 Unternehmen in Kundl. H.: Firma, Skifahren, Radfahren. (J.F.)

Schwarzenbacher Wolfgang

B.: Betriebselektriker u. Musikant. FN.: TKW. DA. u. PA.: 5710 Kaprun, Nikolaus-Gassner-Str. 327. G.: Zell am See, 24. Juli 1966. V.: Theresia, geb. Berner. Ki.: Anja (1991), Bernd (1993). El.: Peter u. Erna. S.: VS, HS, Polytechn. Lehrgang, b. 1985 Berufsschule m. Abschluß Betriebselektriker m. ausgezeichnetem Erfolg in Hallein. K.: 1989-91 Werkmstr. f. industrielle Elektronik Wien/Sbg., seit d. 8. Lebensj. musikal. Ausbild. am Akkordeon, m. 9 J. Betritt d. örtl. Schuhplattlergruppe als Akkordeonspieler, zusätzl. Steir. Harmonika u. Orgelausbild., m. 14 J. in d. Familienmusik gespielt (Tanzmusik), 1988 Grdg. d. Kapruner Buam, Auftritte im In- u. Ausland, 1990 1. MC u. CD Titel Polkafest, 1992 2. MC u. CD Produktion "Auf z. Dorffest" u. div. Radiosendungen Bayern 1, Radio Uno, Radio Holiday.1994 3 MC u. CD Titel "...ganz normal...", Fernsehsendung im MTV M.: Volkstanz- u. Schuhplattlergruppe, Betriebsfeuerwehr. H.: Angeln, Skifahren, Radfahren, Elektronikbasteln, Programmieren u. komponieren v. Musiktiteln. (M.T.)

Schwarzenbacher-Rudiferia Gerda

B.: Tapezierermeisterin. FN.: Rudiferia Raumaustattung. DA.: 9853 Gmünd, Waschanger 28. PA.: 9853 Gmünd, Vorstadt 16. G.. Gmünd, 23. Sep. 1947. V.: Arnulf. Ki.: Christian (1970), Udo (1977). El.: Stefan u. Maria. S.: HS, 1962-65 Berufsschule u. Tapeziererlehre im elterl. Betrieb, 1968 Meisterprüf. K.: 1970 Übernahme d. elterl. Betriebes. K.: seit 1988 im Gremium d. Tapezierer, Wirtschaftskam., Goldhaubenfrauen Gmünd. H.: Blumen u. Kräuter, Lesen. (G.L.)

Fürst zu Schwarzenberg Karl Johannes

B.: Gutsbes. A.: 1030 Wien, Rennweg 2. G.: Prag, 10. Dez. 1937. V.: Dr. Therese, geb. Gräfin Hardegg. El.: Dr. Karl Fürst zu u. Antoinette. S.: Matura, Stud. Jus u. Forstwirtschaft in Wien, München u. Graz. P.: Art. in div. Zeitungen. E.: Ehrenbürger d. Stadt Murau u. d. Gem. Lassnitz. M.: Hpt.Verb. d. Wald- u. Grundbesitzerverb., Verb. Steir. Waldbes.

Schwarzenberger Georg Präs.
B.: Präs. d. Österr. Bauernbundes, Abg. z. NatR. DA.: 1040 Wien, Brucknerstr. 6. PA.: 5620 St. Veit/Pongau, Lindenweg 35. G.: St. Veit/P., 23. Jan. 1942. V.: Ottilie, geb. Ebster. Ki.: Gottfried (1962), Georg (1969), Elisabeth (1970), Bernadette (1975), Markus (1979). El.: Georg u. Anna, geb. Pirnbacher. S.: 1956-58 Ldw. Berufsschule, 1960-62 Ldw. Fachschule in Bruck/Glocknerstraße, Meisterprüf. 1972. K.: 1976 Übernahme d. elterl. Ldw.Betriebes, polit.: 1970-5 KamR. d. Bez.Bauernkam., 1974-89 GemR. in St. Veit/P., 1975-87 Obm. d. Bez.Bauernkam. St. Johann, seit 1982 Abg. z. NatR., 1987 Präs. d. Ldw.Kam. Sbg., seit 1989 Präs. d. Österr. Bauernbundes, sonst. Funkt.: Mtgl. u. Obm.Stellv. d. Ldw.Aussch., Schriftführer d. Sozialaussch. P.: Wöchentl. Art. in Sbg. Mitteilungsblatt "Von Bauern zu Bauern". E.: GrSE. M.: 1962-75 Mtgl. d. Trachtenmusikkapelle St. Veit/P. (Posaune). H.: Volksmusik, Hausmusik, Familie, Bergwandern, Lesen. (M.G.)

Schwarzenberger Kurt Dipl.-Ing.
B.: Besitzer, Gschf., Getränketechnologe, Oenologe. FN.: Schwarzenberger GmbH & Co KG. DA.: 6230 Brixlegg, Römerstr. 33-36. PA.: 6230 Brixlegg, Römerstr. 35. G.: Innsbruck, 11. Nov. 1959. Ki.: Philipp (1987). El.: Herrmann u. Ilse. S.: HTL f. Gärungstechnik, 1980 Abschluß, HS Geisenheim - Getränketechnologie, HS Berlin - Enzym u. Ferment Technologie u. Destillateur, HS Innsbruck - College f. Betriebsführung. K.: Praxis in Weinkellerei NÖ, Heilbrunn u. Stuttgart, seit 1986 Gschf. Schwarzenberger GmbH & Co KG. BL.: Gremium f. Lebens- u. Genußmittel. F.: Brau AG Tir. M.: Kiwanis Club, Tennisclub, Schützen, Sportver., Skiclub, Tauchclub, Golfclub. H.: Skitouren, Tauchen, Bergsteigen. (M.W.)

Schwarzenbrunner Erwin Mag. HofR.
B.: Unterabt.-Ltr. d. Liegenschaftsverw. FN.: Amt d. OÖ Landesregierung. DA.: 4020 Linz, Kärtnerstr. 12. G.: Linz, 24. Juli 1946. V.: Renate, geb. Shok. Ki.: Sonja (1966), Wolfgang (1967). El.: Alois u. Klara. S.: VS, Gymn., 1965 Matura. K.: Eintritt i. Amt d. OÖ Landesreg., nebenberufl. Jus-Stud., 1973 Prom., 1975 v. Beginn an i. d. heutigen Dienststelle u. 1984 Übertn. E.: 1986 wirkl. Hofrat. M.: Mtgl. d. Mittelschulerhaltungsverb. u. langjähriger Ltr. e. Studentenbewerbs. H.: Lesen, Musik, Wandern. (U.A.)

Schwarzenbrunner Walter
B.: Selbst. Kfm., Inh. d. Fa. Schörner & Co. DA.: 1150 Wien, Löhrg. 20. PA.: 1040 Wien, Pressg. 24/30. G.: Sichelbach, 25. Aug. 1941. V.: Karin, geb. Glatzmaier. Ki.: Gabriele. El.: Anton u. Maria. S.: Gymn. K.: 1970 Bilanzbuchhalterprüf., Steuerberatertätigkeit, Dir.Ass. d. Fa. Friedmann, 1974-78 Gschf. m. Einzelprokura d. Friedmann Gruppe (Egger, Eggochemia, Chlorodont), 1979 Alleininh. d. Fa. Schörner & Co. M.: Lions Club Baden-Helenental, Alpenver. H.: Alpines Bergsteigen, Heimwerken. (Fels.)

Schwarzenegger Arnold
B.: Hollywood-Star, Schauspieler, Bodybuilder, Businessman. DA.: 321 Hampton, Triefe Venice, Kalifornia, USA 90291 Suite 203. G.: Graz, 30. Juli 1947. V.: Maria, geb. Shriver. Ki.: Catherine Eunice, Christina Aurelia. K.: 1962 v. Kurt Marnul entdeckt, 1965 Wehrdienst, 1968 Fitneß-Club in München, 1966 Mister Europa Junior, 1968 nach New York, 1969 Mister Universum, Univ. Kalifornien, Dipl. in Wirtschaft u. Psych., Univ. Wisconsin, Mag., 1970 Filmdebut, Fotomodell Plattencover "Rock 77", versch. Fernsehserien "Die Straßen v. San Francisco", danach mehrere Filme u.a "Conan", "Terminator", "Kindergartencop", Eröff. mehrerer Fitneß-Studios, Immobiliengeschäfte. BL.: Behindertenolympiade Special Olympics, Vorträge über Körperkultur, Veranstaltungen d. Sportart Gewichtheben. P.: einige Art. f. Zeitschrift "Muscle and Fitness", 4 Bücher über Körperkultur. E.: 1993 Gr. Gold. EZ f. Verd. um. d. Rep. Österr.

Schwarzer Herbert Dr. Mag.

B.: Dir. FN.: Höhere Techn. Bundeslehr- u. Versuchsanstalt. DA.: 2700 Wr. Neustadt, Dr. Eckenerg. 2. PA.: 2700 Wr. Neustadt, Altabachg. 3. G.: Troppau/Schlesien, 9. Juni 1943. V.: Edeltraud, geb. Seper. Ki.: Gottfried (1971), Manfred (1972), Elsbeth u. Johannes (1977). El.: Dipl.-Ing. Dr. Johann u. Hilde. S.: Stud. d. Germ., Phil. u. Gesch. Univ. Graz, 1969 Doktorat, Ausb. a. Fernmeldetechn. u. Programmierer, Absolvent d. Truppenkommandantenkurses a. d. LAVAK. K.: s. 1970 Prof. a. d. HTL Wr. Neustadt u. wiss. Red. i. Österr. Bundesverl., 1972 Lehramtsprüfung, 1990-93 Ltr. d. Fremdenverkehrsschulen Semmering u. deren Ausb., a. 1993 Dir. d. HTL Wr. Neustadt. BL.: bundesweit lt. Tätigk. i. d. Lehrerfort- u. Ausb. v. Bild.-Ber. u. Fachdidaktikern, Mitarb. a. Lehrplänen f. d. berufsbildende Schulwesen. P.: zahlr. Veröff. i. Zeitschriften, Autor v. Schulbüchern u. dienst- u. besoldungsrechtl. Veröff., Mitautor d. Buches "D. Herausforderungen gewachsen, die österr. berufsbild. Schulen". E.: 1990 EZ d. Rep. Österr. M.: Dienstrechtsref., stv. Vors. d. Bundessektion u. d. Zentralaussch. f. Lehrer a. berufsbildenden mittleren u. höheren Schulen Österr. H.: Surfen, Reisen, Radwandern. (I.J.)

Schwarzer Renate
B.: freischaff. Bild. Künstlerin. DA. u. PA.: 4040 Linz, Ödmühlweg 36. G.: Freistadt, 4. Febr. 1945. El.: Ludwig u. Margarete Schwarzer. BV.: Vater war bedeutender Ak. Maler Wr. Schule d. fantast. Surealismus. S.: VS Linz, Gymn., 1963 Matura, Stud. Kunstgeschichte u. Archäologie Univ. Wien. K.: freischaff. Künstlerin. P.: viele Interviews im Radio u. Fernsehen, Art. über Frau Schwarzer in versch. Zeitungen, Zeitschriften u. Magazinen, versch. Publ. M.: Mühlviertler Künstlergilde. H.: Hunde, Gartenarb., Keramik malen. (U.E.).

Schwarzhans Karl Eberhard Dr. rer. nat. o.Univ.-Prof.
B.: Univ.-Prof. am Inst. f. anorgan. u. analyt. Chemie d. Univ. Innsbruck. GT.: Dipl.Chem., Privatdoz. an d. TU München. DA.: 6020 Innsbruck, Innrain 52A. PA.: 6020 Innsbruck, Frundsbergstr. 22. G.: Berlin, 14. Juli 1937. V.: Brigitte, geb. Berner. Ki.: Madeleine, Verena. El.: Dr. Karl u. Xenia. S.: 1957 Abitur, 1965 Prom. K.: 1968 Habil. an d. TU München, 1974 Berufung z. o.Prof. an d. Univ. Innsbruck. P.: über 80 Publ. Gebiet: Metallorgan. Chemie u. d. Komplexchemie. M.: Ges. Österr. Chemiker, Ges. Dt. Chemiker, Österr. Ges. f. künstl. Organe, Österr. Ges. f. Gen-Technik. H.: Bergwandern, Skifahren, Pilzesammeln. (J.S.)

Schwarzinger Alois
B.: LAbg. GT.: Mag.Bmtr. d. Stadt Linz, LObm. d. Gewerkschaft d. Gem.Bed. DA.: 4020 Linz, Klosterstr. 7. PA.: 4020 Linz, Figulistr. 38. G.: Wagram, 22. Mai 1927. V.: Erna, geb. Kinnesberger. Ki.: Ingrid. S.: Kochlehrling, 1944-45 Arbeits- u. Wehrdienst, 1945 russ. Gefangenschaft. K.: 1945-49 Privatwirtschaft als Koch, 1949-59 AKH Linz, Aufs.Organ d. Personalvertretung, Vertrauensmann u. BetriebsR.Obm., ab 1962 Wahl z. LFraktionsobm. d. Gewerkschaft d. Gem.Bed., 1973-87 LObm. d. Gewerkschaft

d. Gem.Bed., ab 1973 LAbg. bes. m. Aufgaben d. Personalwesen, 1987 Klubobm. E.: Gr. EZ f. Verd. um d. Rep. Österr., Gold. EZ f. Verd. um d. Rep. Österr., Gold. Verd.Med. d. Österr. Gewerkschaftsbundes, Gold. Verd.Med. d. Österr. Gem.Bed. H.: Fischen, Jagen. (J.G.)

Schwarzinger Hedwig

B.: Ges., Einzelprok. FN.: Schwarzinger & Co Intern. Sped. DA.: 1010 Wien, Stallburgg. 4. PA.: 1130 Wien, Auhofstr. 165. V.: Franz Schwarzinger (+). Ki.: Peter (1943). K.: 1948 Mitbegründer, Ges. u. Einzelprok. Schwarzinger & Co gemeinsam m. Ehemann. M.: Golf Club Ebreichsdorf. H.: Musik, Golf. (M.M.)

Schwarzinger Peter

B.: Gschf. FN.: Schwarzinger & Co Intern. Sped. DA.: 1010 Wien, Stallburgg. 4. PA.: 1130 Wien, Auhofstr. 165. G.: Wien, 19. Sept. 1943. El.: Franz u. Hedwig. BV.: Vater Franz Schwarzinger war Gen.-Dir. d. Firma Intercont, gründete 1948 Schwarzinger & Co u. war Gen.-Vertreter d. Dt. Bundesbahn. S.: VS, HS, TGM Mödling, 1962 Matura, Auslandsstudien im Eisenbahn-Tarifwesen Schweiz, Frankreich u. Deutschland. K.: ab 1980 Gschf. Ges. Schwarzinger & Co. M.: Grdg.-Mtgl. RCC Wien, Lions Club Auersperg, Golf-Club Ebreichsdorf. H.: Golf. (M.M.)

Schwarzinger Veronika Mag.

B.: Ltr. d. Galerie V & V. DA.: 1010 Wien, Bauernmarkt 19. PA.: 1060 Wien, Windmühlg. 9. G.: Prinzersdorf, 29. Mai 1953. El.: Erich u. Ingeborg. S.: 1971-76 HS f. angew. Kunst Wien, 1979 Stud. an d. Gerrit Rietveld Ak. Amsterdam. K.: seither freischaff. Künstlerin, 1982 Grdg. d. Galerie f. zeitgenöss. Schmuck "V & V" m. Verena Formanek, seither gemeinsame Ltg. d. Galerie, Einzelausstellungen: 1978 Kleine Galerie am Residenzplatz Passau, Studio Urban Wien, 1979 Galerie an d. Stadtmauer Villach, 1980 "Schmuck-Zugfedern" Galerie am Graben Wien, Ida Boelen Amsterdam, 1981 "Kleider zum Schmuck" Galerie Klosterstraße Linz, "Schmuck - Veronika Schwarzinger" Kleiner Festsaal Melk, "Reisinger -Schwarzinger" Kunstkabinett Brixen, "Berührungen - Formanek/Schwarzinger" Passagegalerie Künstlerhaus Wien, 1982 "Neuer Schmuck" Kleine Galerie am Residenzplatz, Gruppenausstellungen: 1978 "Schmuck u. Tischgerät aus Österr. 1904-1908 u. 1973-77", 1979 "Angewandte Kunst in Österr." Köln, "Schmuck aus Österr." Amersfort, 1980 "Email", "Schmuck Intern. 1900-1980", "Kremser Kunstmarkt", "Männerschmuck", 1981 Exempla Handwerksmesse München, 1982 "Tendenzen" Schmuckmuseum Pforzheim, 1983 "Intern. Japanische Schmuckschau" Tokyo Osaka, "5x Österr. Schmuck" München, Museum f. angew. Kunst Wien, 1984 "Contemporary Jewellery" Museum of Modern ARt Tokyo u. Kyoto, "Schmuck - zeitgenössische Kunst aus Österr." Biennale Venedig, 1985 "Schmuck aus Österr." Werkstattgalerie Berlin, "Schmuck" Österr. Postsparkasse Wien, 1986 "Glasschmuck" Kunsthandwerk Berlin. E.: Förderungspreis d. Zentralsparkasse 1979, Theodor Körner-Preis 1981, Postsparkassenpreis d. Künstlerhauses Wien m. Verena Formanek f. Galerie V & V 1984, Wettbewerb: "Läden-Lokale u. Portale" d. Zentralsparkasse f. Galerie V & V m. Verena Formanek u. Arch. Franziska Ullmann 1985, seit 1977 Mtgl. d. Künstlerhauses Wien, 1987 Grdg. d. Ver. V & V & V z. Förd. u. Verbreitung zeitgenöss. angew. Kunst (Vorst.Mtgl.), seit 1989 Prok. d. Fa. V & V Galerie f. angew. Kunst GmbH. (P.R.)

Schwarzjirg Herbert

B.: Inh. FN.: Repro & Druckformen KRC. DA.: 1140 Wien, Husterg. 4. PA.: 3013 Tullnerbach, Lawiesestr. 31. G.: Wien, 10. Mai 1956. V.: Daniela, geb. Gatja. Ki.: Bianca (1980), Alexandra (1986). El.: Franz u. Gertrude, geb. Krummer. S.: 1974-78 Lehre d. Druckformentechnik.K.: 1978 Tätigkeit als techn. Ang. b. d. Fa. Steyss, 1979 Eintritt Fa. KRC als ltd. Ang., 1984 Übernahme d. Fa. H.: Skifahren. (N.A.)

Schwarzkogler Reinhard Dr. iur.

B.: RA. DA.: 4650 Lambach, Marktpl. 2. PA.: Steinerkirchen/Traun, Niederheischbach 30. G.: Wels, 22. Dez. 1953. V.: Ilse, geb. Schick. Ki.: Hannes (1983), Christoph (1985). El.: Franz u. Herta. S.: 1973 Matura, BH, 1974-81 Jusstud. Univ. Wien. K.: Rechtspraktikum in Vöcklabrucker Anw.-Kzl., seit 1986 selbst. RA in Lambach. H.: Reisen, Bergwandern, Literatur. (E.Hö.)

Schwarzl Oswald

B.: Werbeagenturinh., Fotodesigner, Grafiker, Computergrafiker. FN.: AVANTAGE Werbung, Marketing, Fotodesign. DA.: 4020 Linz, Museumsstr. 20. G.: Langenstein, 7. März 1953. V.: Elisabeth, geb. Schiller. Ki.: Alexander (1988). El.: Franz u. Paula. S.: HTL. K.: 3 J. Grafiker Landesverlag Linz, 13 J. Grafiker Quelle, Mitarb. einer dt. u. einer gr. amerikan. Bildagentur, 1988 selbst. Agentur, seit 1990 Computergrafik. P.: Fotoausstellungen: Ausstellung in Genf, 1987 Ravenna, 1987 Buenos Aires, 1986 Elektr. Jahrh. Ursulinenhof, 1988 Brucknerhaus Linz, 1989 Kodak Wien. P.: Photo Creativ Fotomagazin, Makrofotografie (Buch). M.: Amateurkameraclub Linz, Fotoclub Kameraclub Linz. H.: Segeln. (P.H.)

Schwarzl Siegfried Dr. Prof.

B.: Musiker d. Staatsoper, Klimatologe. PA.: 1190 Wien, Krottenbachstr. 29. G.: Czechowitz/Polen, 13. Mai 1916. V.: Paula, geb. Ringholz. Ki.: Waltraud (1940), Winfried (1941), Gudrun (1945), Günter (1953). El.: Dipl.-Ing. Josef u. Hildegard, geb. Scholz. S.: 1934 Matura, 1930-38 Hornstud. b. Prof. Freiberg m. Reifeprüf. an d. HS f. Musik u. darstell. Kunst Wien, 1934-39 Stud. Meteorologie u. Physik Univ. Wien u. Innsbruck, 1944 Dipl.-Meteorologe, 1949 Prom. z. Dr. phil. nat. K: 1938-39 Hornist Städt. Orchester Innsbruck, 1939-76 Hornist Staatsoper Wien, 1951-76 Bühnenmusikinsp. d. Staatsoper, Lehrtätigkeit: 1951-87 Hornkl. Praynerkonservatorium, 1987-88 Hornkl. Schubertkonservatorium, Tätigkeit in Wr. Waldhornver. (WWV): 1951-53 Schriftführer, 1953-81 Obm., seit 1981 Obm.-Stellv. P.: ca. 40 Publ. in Fachzeitschriften u.a. "Entwicklung d. Horn-Ensemble-Musik" (1986), "Causes and Effects of Flood Catastrophes in the Alps - Examples from Summer 1987. Energy and Buildings" (1991), Art. "Klima, Klimaschwankungen u. Mensch" (1994), "Wasser als Gefahrenmoment", zahlr. Vorträge u. Veröff. über d. Horn sowie Hochwasserbekämpfung u. Bauklimatologie in Europa, USA u. Japan. E.: 1969 Prof., 1969 Jubiläumsring d. Wr. Staatsoper, 1976 Österr. EK f. Wiss. u. Kunst, 1983 Ehrenring u. Ehrenmtgl. d. WWV, 1985 Punto-Preis d. IHS, 1986 Gold. Ehrenmed. d. NÖ Landesjagdverb. M.: Sonnblickver., Österr. Meteorolog. Ges., Forsch.-Ges. f. Wohnen, Bauen u. Planen, Intern. Council for Building Research, Studies and Documentation, Ver. f. Landeskunde, IVWSR, Intern. Horn Society, Dt. Gildenschaft-HS-Gilde Thule Wien, Ak. Orchesterver., Wr. Waldhornver., Wr. Stadtmusik, ÖGB, Ak. Soz. Arge, Österr. Heimatbund Beskidenland, Ver. Schles. Heimatmuseum. (N.A.)

Schwärzler Erich Ing.
B.: Ang. d. LWK f. Vbg. DA.: 6900 Bregenz, Landhaus. PA.: 6951 Lingenau, Hof 11. G.: Lingenau, 20. März 1953. V.: Katharina geb. Koini. Ki.: 4 Kinder. S.: Ldw. Fachschule, Facharb.Prüf., 1976-80 Höhere BLA f. Ldw., 1980 Matura. K.: 1981-81 BSeminar f. ldw. Bildungswesen, 1968-70 Mithilfe im elterl. Betrieb, 1972-76 LWK f. Vbg. Schweinezuchtverb., seit 1981 wieder LWK f. Vbg., 1983 Lehramtsprüf. f. ldw. Fachausbild., 1985 VBgm. d. Gem. Lingenau, 1986 Mtgl. d. Vorst. d. Regionalplanungsgem. Bregenzerwald, 1984 Standesbez. Ing., 1988-1993 Mtgl. d. NatR., s. Okt. 1993 Landesrat d. Vorarlberger Landesregierung

Schwärzler Gerd

B.: Gschf. FN.: Mirabell Strickereiwaren Ges.m.b.H. DA.: 5020 Salzburg, Vogelweiderstr. 102/Mitterhofstr. 4. PA.: 6900 Bregenz, Am Tannenbach 7. G.: Lustenau, 14. Nov. 1953. V.: Gabriela, geb. Geiger. Ki.: Felicia. El.: Erich u. Lotte. S.: VS, HS, HASCH, während d. Schulzeit in d. Stickerei d. Vaters begonnen u. auch schon geführt, HTL Mstr.-Kl. K.: 1973-75 Entwicklung d. Stickereidesigns u. Umsetzung d. Technik in Kanada, 1975-78 techn. Ltr. einer Span. Stickerei, 1978/79 zurück nach Österr. in Textilschule, Textilkfm., b. 1982 Verkaufsltr. f. England, Textilind.-Berater in Portugal, 1991 Exportltr. Huber Konzern Benger Sportswear Bregenz, seit 1993 Gschf. Mirabell Strickerei. BL.: spricht 5 Fremdsprachen. M.: Management-Club. H.: Bootfahren, Segeln, Tennis, Skifahren, Fußball, Golf. (D.E.)

Schwärzler Gerhard
B.: staatl. geprüfter Trompetenlehrer, Privatlehrer f. histor. Blechblasinstrumente d. LMusikschule Ottensheim. PA.: 4064 Oftering 167. G.: Dornbirn, 5. Jan. 1959. V.: Isabella, geb. Peschek. Ki.: Fiona-Kassandra-Gabriela (1990). El.: Reinold u. Ludmilla. S.: Gymn. Dornbirn, Musikgymn. Wien, 1975-84 Musik-HS, 1981 Lehrbefähigungsprüf., Stud. Musikwiss. K.: seit 1982 Beschäftigung m. histor. Blasinstrumenten autodidakt u. Kurse, 1984 "Spektakel" Spectaculum. Trompeter, 1989 "Il Pomodoro", Ensemble: "Wiener Akademie", "Concilium Musicum", "La Follia" Sbg., "Gamerith- Consort", Mitbegründer d. Ensemble "Musica Parabolica" Wien, Mitbegründer "Tutta dell' Arte", zahlr. ORF-Auftritte, versch. Theaterverträge u. Auslandsauftritte (BRD, Schweiz, Japan, Ungarn). M.: Mtgl. im "Neuen Ensemble Linz"; 1. Trompeter im Linzer Domorchester; ÖCV. H.: Tanzen, Pfeife, Bier. (P.H.)

Schwärzler Nikolaus Dr. iur. Mag. rer. soc. oec.
B.: Landesvolksanw. v. Vbg. GT.: Kassier d. europ. Ombudsmann Inst. DA.: 6900 Bregenz, Römerstr. 14. PA.: 6923 Lauterach, Im Haag 4, 4273 Unterweißenbach, Hinterreith 11. G.: Sulzberg, 12. Aug. 1941. V.: Rosemarie, geb. Bröll. El.: Franz u. Angela. S.: VS, kfm. Lehre, Gmyn. f. Berufstätige, Stud. Rechtswiss. Univ. Innsbruck, Sozial- u. Wirtschaftswiss. HS f. Welthdl. Wien. K.: Buchhändler, Reisebüroltr., Finanzamt Bregenz, Finanzlandesdion. f. Vbg., Schriftführer, VwGerH., Wiss. Mitarb. VerfGerH., Präsidialvorst. d. Finanzlandesdion. f. Vbg., Präsidialvorst. d. VerfGerH., 1985 Wahl u. 1991 Wiederwahl z. Landesvolksanw. v. Vbg. P.: Kommentar zum Grunderwerbsteuergesetz, "Abriß d. Verw. u. Verfassungsgerichtsbarkeit u. über d. Palais d. böhmischen Hofkzl." (1983), versch. Aufsätze über d. Thema "Ombudsmann". M.: Obm. d. Ver. d. Finanzak. Vbg., Präs. d. Vbg. Jur. Ges. (A.K.)

Schwärzler Paul Dr. iur.
B.: Vorst. d. Abt. Wirtschaftsrecht im Amt d. Vbg. Landesrg. DA.: 6900 Bregenz, Römerstr. 15. PA.: 6958 Schwarzach, Kellaweg 52. G.: Wolfurt, 16. Jän. 1939. V.: Ute, geb. Leeb. Ki.: Wolfgang (1966), Michael (1969). El.: Karl u. Rosa. S.: 1957 Matura, 1957-61 Jusstud. Innsbruck. K.: seit 1963 im Landesdienst, 1964-66 BH, 1966-74 Sekr. d. LHptm., seit 1975 Vorst. d. Abt. Wirtschaftsrecht. H.: Bergwandern, Radfahren, Reisen. (A.K.)

Schwärzler Willi Mag. theol.
B.: Pfarrer, Vertragslehrer. DA.: 6890 Lustenau, Pestalozziweg 3. PA.: 6890 Lustenau, Hasenfeld. G.: Sulzburg, 5. Nov. 1954. El.: August u. Anna. S.: Gymn., Univ. Innsbruck u. München, Ergänzungsstud. f. Religionspäd. (Lehramt)., 1981 Spons. K.: 1981 Kaplan in Koblach u. Meiningen, 1982 Kaplan in Bregenz, seit 1987 Pfarrer in Lustenau-Hasenfeld. M.: Kurat. d. Pfadfinder Lustenau. H.: Basteln, Blumengestecke, Lesen, Wandern. (I.D.)

Schwärzler-Peschek Isabella
B.: Musikerin, Instrumentallehrerin (Blockflöte) d. OÖ LMusikwerkes u. d. LMusikschule Ottensheim. PA.: 4064 Oftering 167. G.: Wien, 16. Mai 1960. Gerhard Schwärzler. Ki.: Fiona-Kassandra-Gabriela (1990). El.: Alfred u. Edith Peschek. S.: RG, 1978 Matura, b. 1979 Ballettausbild. im Tanzstudio Gangl, Stud. Theater- u. Musikwiss., 1981-86 Stud. Blockflöte HS Wien. K.: ab 1987 Unterricht an d. Musikschule Linz, ab 1988 Unterricht am OÖ LMusikwerk, Ltg. v. Sommerkursen in histor. Tanz, Kurse in Ungarn u. Österr., viele Konzerte im Inland u. Ballettaufführungen im In- u. Ausland, "Erdenklang" 1982, Flötistin im Neuen Ensemble v. Hr. Peschek, Rundfunkaufnahmen, CD's, 2 Uraufführungen, Mitwirkung "Tutta dell' Arte". H.: Kochen (ital.), Tanzen. (P.H.)

Schwarzmair Karl

B.: Ltr. d. Volkshochschule d. Stadt Wels. FN.: Magistrat Wels. DA.: 4601 Wels, Stelzhamerstr. 16. PA.: 4600 Wels, Römerstr. 136. G.: Wels, 16. Okt. 1949. V.: Monika, geb. Eggerstorfer. El.: Karl u. Maria, geb. Holzinger. S.: VS, Gymn., BH. 1970-74 Stud. Slawistik u. Geschichte Univ. Slb. K.: 1974-82 Lehrverpflicht. HAK I. in Wels, s. 1970 Reiseltg. nach UdSSR, Engl., Europa, Neuseeland, Australien, Ozeanien, s. 1975 freiberufl. VHS Kurse Erwachsenenbild. in Russ. u. Engl., 1988 Aufn. in Magistrat Wels, 1992 Ltg. d. VHS Wels. BL.: Umgang mit Menschen in Erwachsenen- u. Berufsbild., Erfolgr. Vermittl. v. Wissen, insbes. Sprachen. M.: SPÖ s. 1973. H.: Film, Reisen, Vorträge. (C.D.)

Schwarzmann Erich Dr. med. vet.
B.: Prakt. Tierarzt in 6861 Alberschwende. GT.: Beratung f. Praxisorganisation u. EDV bei Tierärzten. G.: Bezau, 5. März 1958. V.: Angelika, geb. Kaufmann. Ki.: Jodok (1982), Aurelia (1986), Andrea (1988), Laurin (1989). El.: Dr. med. vet. Heinrich u. Anna. S.: 1976 Matura, 1982 Spons., Univ. Wien - vet. med., 1983 Prom., Dipl.-Tierarzt. K.: 4 Monate in Dtl. in einer Kleintierpraxis als Ass.-Arzt, 1982 selbst.

Tierarzt f. Groß- u. Kleintiere, Schwerpunkt Knochen u. Gelenke, Unfall u. Orthop. Chir., Akupunktur, Mtgl. einer intern. Tierärzte-Delegation m. Vorträgen an Chin. Univ., Disseration über vergleichende Genetische Analysen zwischen europ. u. asiat. Rindern, Organisator d. intern. Tierärztetagung in Bezau, Initiator u. VObm. d. Kulturforum Bregenzerwald, Elternratsobm. d. Pfadfinder Alberschwende, Mitarb. im OP bei versch. Tierarztpraxen. H.: Schifahren, Reisen. (I.D.)

Schwarzmayr Johann Mag.
B.: gschf. Ges. PA.: 6330 Kufstein, Schopperweg 30. G.: Kufstein, 31. Juli 1949. V.: Annie, geb. Schwarzmayr, 3 Kinder. El.: Mattias u. Therese. S.: Pflichtschule, Planseeschule Reutte (Metallurgie), Betriebswirtschaftsstud. an d. Univ. Innsbruck, 1974 Spons. K.: seit 1974 Verkaufsltr., ab 1979 gschf. Ges. d. Fa. Pirmoser KG in Kufstein. BL.: Min.Auftragsarbeit über: Energieversorgung Westösterr. H.: Segeln. (Schm.)

Schwarzmeier Josef D. Dr. Prof.
B.: FA f. Innere Medizin. DA.: 1090 Wien, Währinger Gürtel 18-20. G.: Salzburg, 14. Aug. 1939. V.: Dr. Lisa. Ki.: Jörg, Agnes. S.: Stud. i. Wien u. Paris. K.: 1964 FA-Ausbild. I. Med. Univ. Klinik Wien, dazw. Forschungsaufenthalt in BRD, USA (Humboldt-Stip., Fullbright, M.Kade): Schwerp. Hämatologie, Onkologie u. Molekular-Biologie, s. 1993 Leiter d. Ludwig Bolzmann Institutes f. Zytokinforschung. P.: Über 200 wiss. Arb., 4 Buchveröff. M.: New York Acad. Sci., Int. Soc. Hematology u. a. (I.K.)

Schwarzmeier-Langer Barbara Mag. pharm.
B.: Mag. d. Prinz Eugen-Apotheke Innsbruck. DA.: 6020 Innsbruck, Prinz-Eugen-Str. 70. G.: Salzburg, 30. Nov. 1943. S.: Gymn. Gmunden, Stud. Pharm. Wien. K.: viele Praktiken in Ind., Privatwirtschaft, Spitäler im In- u. Ausland, Neugrdg. d. Apotheke in Absam, 1988 Übernahme d. Prinz Eugen-Apotheke Innsbruck. H.: "Zeit"-Leserin, Journalistik, Literatur, Theater, Sport.

Schwarzwälder Rosemarie
B.: Inh. d. Galerie nächst St. Stephan. DA. u. PA.: 1010 Wien, Grünangerg. 1/2. G.: Basel, 7. Dez. 1945. S.: HASCH. K.: 1971-77 freie Kunst- u. Kulturjournalistin in Wien (ORF, Österr. Tageszeitungen, intern. Kunstzeitschriften), 1978 Gschf. Galerie nächst St. Stephan, 1987 Inh., Schwerpunkte: bedeutende intern. Ausstellungen in Wien, z.B. "Neue Skulptur" (1981, Ausstellung u. Kunstgespräch, Katalog), "Avantgarde in Wien 1954-82" (Kunst u. Kunstbetrieb in Österr., 1982, Ausstellung u. Buch), "Zeichen Fluten Signale" (1984, Ausstellung, Buch), "Über Mario Merz" (1983), "Abstrakte Kunst aus Europa u. Amerika" (Ausstellung u. Symposien 1987), "Kulturen-Verwandtschaften in Geist u. Form" (Ausstellung u. Kunstgespräch 1990), Durchführung v. intern. Kunstgesprächen, ab 1984 Ausrichtung auf Minimal-Concept-Art, Geometrie, Abstraktion auf intern. Basis, Aufbau d. intern. Sammlung f. d. Erste Österr. Sparkasse. (R.J.)

Schweiberer Manfred
B.: Bmstr. DA.: 8940 Liezen, Selztalerstr. 4. PA.: 8940 Liezen, Weißenbach 43. G.: Weißenbach, 5. Juni 1941. V.: Ingrid, geb. Klünder. Ki.: Martina, Doris, Sabine. El.: Ferdinand u. Martina. S.: VS, HS, Maurerlehre in Stainach. K.: 1954-61 aktiver Sportler, Rodeleuropamstr., 1959-62 Bauhandwerkerschule in Wien, 1962 Konstrukteur in Deutschland, 1963-72 Baultr. b. Fa. Fritz in Liezen, 1967-68 Bmstr.Prüf.in Wien, 1970-85 Kommunalpolitiker, 1972-83 Prok. d. Fa. Letmaier in Liezen, Mtgl. d. Ak. f. Führungskräfte, seit 1975 Vors. d. Lehrlingsprüf.Kmsn. in d. Stmk., seit 1978 allg. gerichtl. beeid. Sachv. f. d. Bauwesen, seit 1984 Prok. d. Ersten Liezener Betonwks. GmbH Liezen, Mitarb. b. Forschungsauftrag Massivabsorberheizung, Wärme aus Beton. M.: Mtgl. regionaler Ver. H.: Jagd, Schi. (R.A.)

Schweifer Herbert
B.: Ltg. Ang. FN.: Ellinger & Co. DA.: 1060 Wien, Hornpostelg. 2A. PA.: 1150 Wien, Schwerdg. 41/37. G.: Wien, 8. März 1965. V.: Margarete, geb. Zahradnik. Ki.: Bernadette (1984), Stefan (1986), Thomas (1990), Jasmine (1992). El.: Matthias u. Anna Schweifer. S.: 1984 Berufsschule Wien. K.: 1984 Ellinger & Co, 1989 Betriebsltr., Prod. von ätherischen Ölen u. Essenzen, 1989 Betriebsltr., 1990 Wirtschaftskurz d. Wifi Wien mit Schwerpunkt Grundstoffe f. d. Speiseeisprod., Grundstoffe f. d. Getränkeind., Parfümeriegrundstoffe, kurze Lieferfristen unter Verwendung von Naturrohstoffen. H.: Tennisspielen, Jagdhütte. (T.T.)

Schweiger Andreas
B.: Gschf. Ges. FN.: Fa. Dorfer. DA.: 1030 Wien, Marokkanerg. 21. PA.: 2201 Hagenbrunn, Brennleitenstr. 59-61. G.: Wien, 21. Okt. 1962. V.: Evelyn, geb. Neuhuber. Ki.: Florian (1992), Nina (1990), El.: Helga u. Walter. S.: VS, AHS, 3 J. Berufsschule f. Einzelhandel, während d. Berufsschule Lehrling b. Fa. Sport - Wächter. K.: 2 Wintersaisonen in St. Anton in Sportgesch., Aktivitäten in Surfschule auf Korfu u. Wasserskischule in Ibiza. Realitätenbüro, Fa lO.C. Österreich, Fa. Kodak: Verkäufer i. Großkundenber. f. Drucksysteme, 1991 Fa. Dorfer erworben. H.: Ansichtskarten, Kunstkarten u. Jhdtwende, alte Emailschilder u. Graphik u. d. Jhdtwende b. 50er J. (J.M.)

Schweiger Binia KommR.
B.: Dir., Gschf. Ges. FN.: Peterquelle Mineralwasser GmbH. GT.: Gschf. Peterquelle Mineralwasser GmbH u. Brunnenverwaltungsges. Kern & Co OHG. DA.: 8483 Deutsch-Goritz. PA.: 8430 Leibnitz, Altenmarkter Str. 8. G.: Leibnitz, 28. Juni 1926. El.: Dir. August u. Emma Schweiger. S.: VS, HS, HASCH, Staatsprüf. in Steno, Deutsch u. Maschinschreiben, zahlr. berufsbild. Kurse. K.: 10 J. Kzl.Ltr. in einer großen Anw.Praxis, 1959 Einstieg in d. heutige Fa. als Ges. u. Prok., seit 1965 alleinige Gschf. E.: Med. d. HK Graz, Orden Lyons Club "Medal of Merit", div. Gold. u. Silb. Förd.Med., Vorst. d. Fachvertretung in d. HK Stmk. f. Heilbäder, Kur- u. Krankenanst. sowie d. Mineralquellenbetriebe, Mtgl. d. Fachverb. in d. BKam. Wien. M.: Mtgl. d. Marketing Club Graz. H.: Musik (Oper, Konzerte), Reisen in Europa, Golf.

Schweiger Fritz Dr. o.Univ.-Prof.
B.: o.Univ.-Prof. f. Math. am Inst. f. Math. u. Didaktik d. Univ. Sbg. GT.: 1987-89 Rektor d. Univ. Sbg. DA.: 5020 Salzburg, Hellbrunnerstr. 34. PA.: 5020 Salzburg, Bäslestr.

13A. G.: Wien, 20. Sept. 1942. V.: Elfriede, geb. Binder. Ki.: Angela, Theresa, Michaela, Gottfried, Prisea. El.: Franz u. Theresia. S.: RG, 1960 Matura, Stud. d. Math. u. Physik an d. Univ. Wien, 1964 Prom. K.: 1964-69 Univ.Ass. an d. Univ. Wien, seit 1969 o.Univ.-Prof. an d. Univ. Sbg. f. Math., seit 1973 o.Prof. f. Math. u. Didaktik, 1987-89 Rektor d. Univ. Sbg. P.: über 50 wiss. Arb. über d. Math. u. über 30 Arb. über Didaktik. E.: Ehrendr. d. Univ. Bowling Green. M.: ÖMG, AMS, DMV, GDM. H.: Lesen, Musik, Klavier spielen, Theater, Jazz hören. (M.B.)

Schweiger Gabriele

B.: Ges. FN.: Somnifer Schweiger & Gera OHG. DA.: 1050 Wien, Franzensg. 25. PA.: 1050 Wien, Franzensg. 11. G.: Steyr, 24. Jän. 1959. Ki.: Magdalena (1978), El.: Karl u. Gertrude Jachs, geb. Böhm. S.: Kfm. HS. K.: 1978 Grdg. d. eigenen Firma m. Schwerpunkt Gesundheitsbetten, Designermöbel, Naturmatratzen u. exklusiven Waren d. Raumausstattung. H.: Lesen, Reiten. (N.A.)

Schweiger Harald Dr. w.HofR. Prof.

B.: Zoologe u. Geologe, Naturschutzdir. v. NÖ i.R. PA.: 1210 Wien, Michtnerg. 6. G.: Wien, 2. Juni 1927. V.: Stefanie, geb. Schmid. El.: HofR. Josef u. Ludmilla, geb. Lerch. S.: 1950 Prom. z. Dr. phil. K.: 1951-52 Ass. am Naturhistor. Museum Wien, weitere Tätigkeit im Landesmuseum: 1952-55 Ass., 1955-59 Vertragsbediensteter, 1959-61 Museumskonzipist, 1961 Kustos, 1962 Oberkustos, 1965 MuseumsR., 1969 ObermuseumsR., 1975 Naturschutzdir. v. NÖ, 1979 w.HofR., Ausstellungen: NÖ Landesausstellung Marchegg 1978 u. Orth/Donau 1983, Neuaufstellung d. Donaumuseums in Petronell, Jagdmuseum Marchegg, Fischereimuseum Orth/Donau u. Afrikamuseum Bad Deutsch-Altenburg, Einrichtung bzw. Grdg. v. 16 NÖ Naturparks, viele Sonderausstellungen in ganz Österr. P.: Moderne Türkei (1966), Land unter d. Regenbogen (1969), Das kleine Käferbuch (1975), zahlr. Ausstellungsführer, mehr als 550 populärwiss. Abhandlungen u. mehr als 120 wiss. Publ. in einschlägigen Zeitschriften. E.: 1964 Theodor Körner-Stiftungspreis, 1987 Österr. EK f. Wiss. u. Kunst I. Kl., 1986 Silb. Komturkreuz d. EZ f. Verd. um d. Bld. NÖ, 1989 Offz.-Kreuz d. St. Martins Ordens, 1989 Gold. EZ u. Ehrenmtgl. d. Naturparks Nordwald Großpertholz, 1989 Gold. Ehrenring d. Marktgem. Schwarzau/Gebirge, 1991 Gold. EZ d. Stadt Heidenreichstein, 1991 Kueffsteiner Ring, 1994 Gold. VZ d. Stadt Marchegg, Gold. Ehrenring d. Stadt Geras, Ehrenmtgl. d. Naturpark Hohe Wand, Ehrenmtgl. d. NÖ Naturwacht. M.: zahlr. wiss. Inst. u. Ver. d. In- u. Auslandes. H.: Besitzer d. größten privaten Käfersammlung im dt.-sprachigen Raum, über 500000 Exemplare u. dazu entsprechende Literatur. (N.A.)

Schweiger Helmut Dipl.-Ing.

B.: Arch. DA.: 4020 Linz, Volksfeststr. 1. PA.: 4020 Linz, Holzheimerstr. 196. G.: 16. Apr. 1943. V.: Elisabeth, geb. Fichtmüller. Ki.: Catherine, Christine. El.: Dipl.-Ing. Dr. techn. Hans u. Marianne. BV.: Großvater Josef Schweiger Stadtgartendir. d. Stadt Linz, Vater Präs. d. Ing.Kam. f. OÖ u. Sbg. S.: 1962 Matura Realschule Fadingerstraße, Stud. an d. TH Wien, Abschluß Dipl.-Ing. K.: 1970-77 im Atelier d. Vaters, 1978-82 in Arge m. d. Vater als freisch. Arch., ab 1983 freisch. Arch. (Mayr)

Schweiger Herbert

B.: Unternehmer. FN.: Frühstückspension, Segel- u. Surfschule Schweiger. DA. u. PA.: 9210 Pörtschach, 10.-Oktober-Str. 33. G.: Klagenfurt, 22. Juli 1958. El.: Hans u. Stefanie. S.: VS, HS, 1973-77 Tischlerei Fachschule Villach. K.: Einstieg in d. elterl. Betrieb, 1984 Übernahme d. Betriebes, seit 5. Lebensj. Segelsport u. Teilnahme an div. Wettkämpfen in d. versch. Bootsklassen, Staatsmeisterschaft etc. M.: Ktn. Yachtclub Pörtschach. H.: Segeln, Surfen, Squash, Radfahren, Lesen. (G.L.)

Schweiger Klaus

B.: Gastwirt "Goldener Ochs". DA. u. PA.: 4820 Bad Ischl, Grazer Str. 4. G.: Aigen/Ennstal, 15. Mai 1955. V.: Ingeborg, geb. Zeisner. Ki.: Romana (1978), Verena (1983). S.: VS, Gymn., 1970-73 Koch- u. Kellnerlehre am Dachstein, Schloß Laudern Wien, BH. K.: 5 J. Badgastein, 1976-78 Gschf. Hotel Eden Badgastein, 1978-89 selbst. "Gasthof Post" Neumarkt/Hausruck, ab 1989 Bes. d. "Goldenen Ochsen", 1994 Pension "Fallmann". H.: Familie, Segeln. (S.P.)

Schweiger Rupert Dipl.-Ing. RegR.

B.: freisch. Arch., Abteilungsvorstand f. Hochbau a.d. HTL Krems. PA.: 3500 Krems, Wachtbergstr. 7. G.: Ybbs/Donau, 18. April 1922. V.: Ing. Ilse, geb. Friedreich. Ki.: Wolfgang, Monika. S.: Realschule Krems, Reifeprüf., 4 1/2 J. Militär, TU Wien. K.: seit 1949 Dipl.-Ing., 1959 Ziviling.Prüf., Ziviltechniker, seit 1949 Prof. f. hochbautechn. Fächer an d. HTL Krems, seit 1964 Abt.Vorst. f. Hochbau, 1985 Grdg. einer höheren Abt. f. Restaurierung u. Ortsbildpflege. F.: Arch.Büro RgR. Dipl.-Ing. Arch. Rupert Schweiger, 3500 Krems, Wachtbergstr. 7. P.: Broschüre: Entwürfe z. Erneuerung d. Altstädte v. Krems u. Stein, div. Veröff. in Fachzeitschr. E.: 1975 päpstl. EZ (anl. Jahr d. Denkmalpflege), 1978 RegR., 1985 Gold. EZ f. Verd. um d. Rep. Österr. M.: Mtgl. des Expertengremiums d. Stadt Krems, Mtgl. d. 1. Österr. Weinbruderschaft. H.: Kunstgeschichte u. baugeschichtl. Arch. (C.K.)

Schweiger Walter Ing.

B.: Gschf. FN.: Ing. Schweiger Fulpmes GmbH. GT.: AufsR. d. Gen. d. "Stubai" Werkzeugind. DA.: 6166 Fulpmes. PA.: 6166 Fulmpes, Brunnachstr. 2a. G.: Innsbruck, 14. März 1936. El.: Ing. Hubert u. Maria. S.: VS, Realschule, Fachschule f. Metallbearb., HTBLA f. Maschinenbau, REFA A,B. K.: Gschf., gerichtl. beeid. Sachv. F.: Ing. Schweiger Fulpmes GmbH, Gesenkschmiede-Metallbearb. GmbH. E.: Vors. d. Prüf.Kmsn. f. Lehrabschlußprüf. Werkzeugmacher, Gem.Vorst. M.: Sachv.Verb., Verb. Österr. Ing. VÖJ, Arge Arbeitstechnik. H.: Sport, Musik, Briefmarken.

Schweighofer Anton Dr. h. c. Prof.

B.: Arch., Prof. an d. TU Wien. PA.: 1190 Wien, Hackhoferg. 14. G.: Ayancik/Türkei, 17. Nov. 1930. V.: Eva, geb. Gebhardt. Ki.: Martin. S.: Stud. d. Arch. an d. Ak. d. bild. Künste b. Prof. Holzmeister, Dipl. 1954. K.: Freischaff. Arch. seit 1959, Univ.-Prof. f. Gebäudelehre u. Entwerfen an d. TU Wien seit 1977, wichtigste Bauten: Kindergarten in Wördern u. Taegu, Kinderdorf in New Delhi, VS u. HS Allentsteig, Schwesternh. u. KH Zwettl, "Stadt d. Kindes" in Wien, Inst.Geb. d. Univ. f. Bdk. Wien, Wohnhäuser in Berlin (Kreuzberg) u. Wien (Gräf u. Stift-Gründe), Stadtvillen in

Wien, Studentenhaus Wien, Wohnhaus Berlin, Inst. f. Verhaltensforsch. Wien, Stadterneuerung Rennweg, Kulturhäuser Horn u. Mistelbach, Haus E.S. in St.A. Wördern, Wissenschaftl. Forschungsstation ARCTIS FJC Franz-Josefsland, Forsch.Arb.: Adolf Loos Forsch., Familiengerechtes Wohnen, Typologie-Forsch., Ausstellungen u. Vorträge in Europa, USA, Japan, Indien, Ägypten, Australien, Südafrika, Südamerika. E.: Theodor-Körner-Preis 1961, Förderungspreis f. Arch. d. BMfUK 1973, Europ. Stahlbaupreis 1976, Preis d. Stadt Wien 1977, Anerkennungspreise f. vorbildl. Bauten d. Landes NÖ 1973 u. 1979, Publikumspreis Adolf-Loos-Arch.-Preis 1992. M.: Vors. d. Ver. f. d. Adolf Loos Forsch., Vors d. Ver. d. Freunde d. Semperdepots, VPräs. d. Ver. z. Förd. d. Techn. Museums, Mtgl. d. Arb.Aussch. f. Bildungs- u. Kulturbauten d. Union Intern. des Architectes. (P.R.)

Schweighofer Gerald

B.: Gschf. FN.: Holzindustrie Schweighofer. DA.: 3531 Brand 44. G.: 16. Juni 1958.

Schweighofer Rudolf-Josef Dr. med. MedR.

B.: Prakt. Arzt, Schularzt. A.: 3261 Steinakirchen. G.: Ludweis, 28. Febr. 1926. V.: Dr. med. Maria, geb. Mittner. El.: Josef u. Leopoldine. S.: VS, Gymn., Univ. Wien. K.: Prom. 1951, 1951 Sek.Arzt KH Hollabrunn, 1953 Sek.Arzt KH Scheibbs, 1956 Ass.Arzt KH Scheibbs. E.: Anerkennungsdekret NÖ LSchulR. MedR. M.: Mtgl. Grdg.Komitee BG Wieselburg, Obm. u. Gründer Elternver. BG Wieselburg, u.a.H.: Archäologie, Reisen, Sport.

Schweigl Elmar Mag. iur. HofR.

B.: Richter am BG Hall/Tirol. PA.: 6020 Innsbruck, Schillerstr. 19. G.: Salzburg, 2. Aug. 1929. V.: Dr. Sylvia, geb. Walden. Ki.: Christoph, Corinna. El.: Dr. Hermann u. Anna. S.: Hum. Gymn. Innsbruck, 1948 Matura, HS Innsbruck. K.: LG Innsbruck u. Feldkirch, BG Innsbruck, Imst u. Lienz, Richteramtsprüf. u. Ernennung z. Richter 1958, seit 1961 Richter b. BG Hall/Tirol, seit 1985 Vorsteher d. BG Hall. H.: Reiten, expeditionsartige Autoreisen durch d. Sahara.

Schweigl Karl

B.: Kfm. Import u. Vertrieb. FN.: Schweigl Import. DA.: 2620 Neunkirchen, Lagerg. 5. PA.: 2823 Pitten, Leidinger Str. 10. G.: Wien, 1. Apr. 1941. V.: Christine, geb. Oswald. El.: Karl u. Berta. K.: 1968 Grdg. d. Schweigl Süßwarenimporte, 1973 aufgrund d. rasch expandierenden Untern. Übersiedlung nach Obersiebenbrunn, 1978 nach Neunkirchen, Schweigl Importe einer d. größten Süßwarenimporteure in Österr., Schweigl vertreibt namhafte Markenartikel, darunter auch sehr bekannte Österr. Erz., wichtigste Aufgabe d. Hdl. gegenüber: hochwertige, ertrags- u. umsatzstarke Prod. zu importieren u. zu vertreiben, MAOAM wurde v. 17 J. neu eingeführt u. z. heutigen Bekannt- u. Beliebtheit verholfen, 1987 neues Prod. KAUMY, kinderfreundl. Kaubonbon. H.: Autoraritäten sammeln. (Kern)

Schweikhardt Josef Dr. phil.

B.: Schriftsteller, Maler. GT.: Univ.Lektor audiovisuelle Med. Univ. Wien. DA. u. PA.: 1030 Wien, Untere Weißgerberstr. 43/18. G.: Wien, 29. Jan. 1949. V.: Beate, geb. Stopfer. Ki.: Jakob, Julia. El.: Josef u. Dorothea. BV.: Familie entstammt v. d. Schweikhardt's v. Sickingen (Mitstreiter Huttens), 19. Jhdt. Franz v. Schweikhardt Topographien u. Reiseschriftsteller. S.: 1968 Matura, Sud. Wien Theaterwiss. u. Kunstgeschichte. K.: seit 1974 freier Autor, Hörspiele, seit 1976 Ausstellungen in Wien, Sbg., Deutschland, Barcelona, 1978 Cucufate, 1980 Donnerpause, 1980 Ästhetik d. Fernsehens, 1980 Furlanische Reise, 1982 Exped. Mensch, 1984, Wien (1989), Eros unterm Doppeladler (1993), Filme (Jens. v. Österr. 1990, Napoleon auf II. Helene 1991) gem. m. F. Radax E.: 1980 Preis f. Film- u. Fernsehforsch., 1983 Theodor Körner-Preis f. Literatur. M.: Ges. f. Film u. Fernsehen, Ges. f. Filmtheorie. H.: Tennis, Kochen, Reisen. (M.G.)

Schweinberger Manfred Dipl.-Ing.

B.: Vorst.Dir. d. Ferro-Betonit-Werke AG, AufsR. Bayer. Granitwerke AG. DA.: 4020 Linz, Rainerstr. 17. S.: RG, TU Graz.K.: seit 1984 b. Ferro-Betonit-Werke.

Schweinfurter Kristian Dr. phil.

B.: Maler u. Grafiker. DA.: 1020 Wien, Schüttelstr. 3. PA.: 1020 Wien, Schüttelstr. 11. G.: Wien, 23. Jan. 1952. El.: Josef u. Melitta. S.: VS, Mittelschule, Univ. Wien, 1982 Prom. Dr. phil. K.: seit 1974 60 Ausstellungen, darunter: Kunstmesse Basel, San Vidal Venedig, Cartesius Triest, Galerie Rossbach Aalen (BRD), Ak. Cleveland (Ohio), Galerie am Doktorberg (Kaltenleutgeben), Kunstmesse Palais Liechtenstein Wien, 1982 Kunstmesse Museum d. 20. Jhdt. in Wien. P.: red. Beiträge in div. Kunstzeitschriften "Galerie-Spiegel". M.: Berufsverb. d. bild. Künstler Österr., Berufsver. d. bild. Künstler Österr., Mödlinger Künstlerbund, World Federation of Hungarian Artists, New York. H.: Tennis, Photo. (R.A.)

Schweinsteiger Simon KamR.

B.: Bäckermstr., Kfm. DA.: 6330 Kufstein, Klinkstr. 6. G.: Niederndorf, 5. Aug. 1928. V.: Winfrieda, geb. Zacherl. Ki.: Anton, Winfried. BV.: einer d. ältesten nachweisbaren Familiennamen im Familienmuseum München (1180). S.: HS, Bäckermstr.Prüf. K.: Seit 1951 selbst. Kfm. E.: Sport-EZ d. Landes Tir., Sport-EZ d. Stadt Kufstein, versch. EZ kommunaler Ver. u. Sportver. M.: VBgm. u. Stadtparteiobm. d. ÖVP Kufstein, Bez.Obm. d. Tir. HK Sekt. Hdl., AufsR. d. Volksbank Kufstein, AufsR. d. Kaiserlift Kuftstein, 16 J. Vorst.Mtgl. u. Kassier d. Fremdenverkehrsverb., versch. Mtgl. u. Ehrenmtgl. b. Sportver. H.: Organisator d. "Kaiserfest Kufstein" (Unterstützung d. Lebenshilfe u. Föderung v. Ver.). (Schm.)

Schweintzer Paul G. Ing.

B.: planender Bmstr., Kons. b. d. Fa. "Wohnungseigentümer GmbH". DA.: 1080 Wien, Josefstädter Str. 51. PA.: 8046 Graz, Im Hoffeld 21, 1080 Wien, Josefstädter Str. 16. G.: Graz, 2. Febr. 1944. V.: Sonja, geb. Hengl. Ki.: Philipp Alexander (1977), Antonia (1986). El.: Dr. Johann u. Liselotte, geb. Omersu. S.: Mittelschule, HTL m. Matura 1965, Arch.-Stud. TU Graz. K.: 1970-83 freier Mitarb. im Büro Arch. Bertram Klar, Projektltg. z. Errichtung eines Rehabilitationszentrums in d. Stmk., Mitarb. an d. Projekten b. Flughafen Schwechat, selbst. in Graz. P.: Fachart. in Wohnbauzeitschriften. E.: Arch.-Wettbewerbe. M.: Kiwanis Club, Ring d. planenden Bmstr. in d. Stmk. H.: Kochen, Weinkultur, Tennis, Skifahren, Squash. (N.A.)

Schweisgut Hans Dietmar Dr.

B.: Ltr. d. Sekt. III, Integrations- u. Zollsekt., im BMF. DA.: 1011 Wien, Himmelpfortg. 4/5/508. G.: Zams, 16. März 1951. V.: Kaoru. Ki.: Alexander. El.: Dir. Hans u. Frieda. S.: 1969 Matura, 1969/70 Präsenzdienst, 1969-74 Jusstud. Univ. Innsbruck u. Sbg., 1972/74 Franz.-Stud. Sorbonne Paris, 1974 Prom. z. Dr. iur., 1974/75 Stud. Völkerrecht u. Intern. Wirtschaftsrecht Southern Methodist Univ. Dallas Texas, 1975 Master-Dipl., 1975-77 Stud. Diplomat. Ak. Wien, 1976 Stage Ecole Nationale d'Administration Paris u. Escuela Diplomática Madrid. K.: 1977-79 Dienst im BMA, 1979-83 Mtgl. d. Ständigen Österr. Vertretung b. d. Vereinten Nationen in New York, 1983/84 Ltr. d. Büros d. Staatssekr. im BKA f. wirtschaftl. Koordination, 1984-86 Sekr. u. anschl.

Ltr. d. Büros d. Bundesmin. f. öff. Wirtschaft u. Verkehr, 1986/87 wirtschaftspol. Ref. d. Bundesmin. f. Finanzen, 1987-91 Gesandter d. Österr. Botschaft in Tokio, seit 1991 Sekt.-Ltr. im BMF. P.: Veröff. in div. Fachzeitschriften. H.: Sport, Musik, Literatur. (J.E.)

Schweisgut Richard Dr. Mag.

B.: beeid. Wirtschaftsprüfer, Steuerberater. GT.: Gschf. Ges. d. TRT Wirtschaftsprüf.Ges. Innsbruck, seit 1982 Mtgl. d. Prüf.Kmsn. f. Steuerberater, seit 1986 Delegierter v. finanzpolit. Aussch. d. Tir. HK. DA.: 6500 Landeck, Schrofensteinstr. 12. PA.: 6500 Landeck, Josef-Stapf-Straße. G.: Zams, 6. Febr. 1948. V.: Ingrid, geb. Brenn. Ki.: Wolfgang, Susanne. El.: Hans u. Frieda. S.: Gymn. Landeck, Matura, Stud. d. Wirtschaftswiss. Univ. Innsbruck, 1973 Dipl., 1976 Doktorat, 1978 Steuerberaterprüf. K.: seit 1978 selbst. in Landeck, 1984 beeid. Buchprüfer, 1985 beeid. Wirtschaftsprüfer. M.: 1979 Aussch.Mtgl. d. Jungen Wirtschaft, Grdg.Mtgl. d. Kiwanis Club Landeck-Imst. H.: Skifahren, Schwimmen, Theater, Literatur, Kunst-Malerei. (W.G.)

Schweitzer Florian KnsR.

B.: Pfarrer i. R. A.: 3842 Thaya, Florianig. 8. S. :Hum. Gym., Phil. u. theol. Stud. an d. Phil.-Teol. Lehranst. St. Pölten, Absolutorium d. Theol. u. Phil. z. Priester ordiniert 1939. K.: Kaplan in Gastern, Heiligeneich u. St. Valentin, Pfarrer in Felling 1947-58, 1958-92Pfarrer in Thaya, 1970-74 Dechant d. Dekanates Waidhofen/Thaya, 1972 Synodale d. Diözesansynode St. Pölten. p.: Festschrift "800 Jahre Thaya" - Pfarrl. Teil, Kirchenführer d. Pfarrkirchen Thaya, ständiger Mitarb. d. "Arb.Berichte d. Kultur- u. Museumsver. Thaya". E.: Gstl. R., Kns. d. bischöfl. Cosits St. Pölten, Gold. EZ f. Verd. um d. Bdl. NÖ. M.: Ver. f. Volkskunde. P.: 1994 Buch "Zwishcen Himmel und Erde - die Heiligtümer der Pfarre Thaya". H.: Flurdenkmalforschung.

Schweitzer Karl Mag.

B.: Mtgl. d. NatR., Lehrer an BHS. DA.: 1017 Wien, Dr.-Karl-Renner-Ring 3. G.: St. Michael, 7. Aug. 1952. S.: BRG, 1970 Matura, Univ. Graz, Lehramt f. Geogr. u. Leibesüb., 1976 Mag. phil. K.: s. 1976 Lehrer an d. BHAK u. BHASCH Oberwart, 1983 ARGE-Ltr. f. BHASCH u. BHAK Bgld., 1985 Berufung in d. OECD-Lehrerteam f. Umwelt- u. Schulinitiativen, Obm. d. VAL, 1980 Prof. E.: Bgl. EZ.

Schweizer Dieter Prof. Dr.

B.: Ltr. d. Abt. f. Cytologie u. Genetik a. Inst. f. Botanik. d. Univ. Wien. DA.: 1030 Wien, Rennweg 14. G.: Basel, 6. Juni 1938, V.: Claudia Dr., geb. Hess. Ki.: Georg, Anna, Clemens. S.: 1970 Prom. z. Dr. phil. "summa cum laude" a. Philosoph.-Naturwiss. Fakultät Univ. Basel, Postdoc-Ausb. Univ. Oxford u. J. Innes Inst. Norwich. K.: 1978 Habil. Univ. Wien, s. 1986 o. Univ. Prof. f. Cytologie u. Genetik/Botanik, 1980/82/89 Gastlehrauftr. a. Univ. Kaiserslautern, Mitbegr. d. Chromosomenbänderns, Mithrsg. d. Fachzeitschr.: Chromosoma, Cytogenetics Cell Genetics u. a. E.: Honorarprof. f. Cytogenetik a. d. Univ. Salzburg Wirkl. Mtgl. d. österr. Akad. d. Wiss. M.: u.a. Österr. Ges. f. Genetik u. Gentechnik, Sekretär d. Federation of Eureopean Genetical Societies (FEGS) (J.S.)

Schweizer Hanns-Joachim Dkfm.

B.: Gschf. FN.: Softlab GmbH. DA.: 1150 Wien, Moeringg. 20. G.: Bad Kreuzach/BRD, 1. Nov. 1948. V.: Maike, geb. Briese. Ki.: Nils (1985). El.: Hanns u. Auguste. S.: 1966 Matura, 1966-76 Stud. Sprachen u. Betriebswirtschaft im In- u. Ausland. K.: 1969-75 Traineeprogramm AEG/BRD, 1977-79 Tätigkeit in d. Luft- u. Raumfahrt, 1979-1988 District Ltr. Computervision, Oracle, 1992 Ndlg.-Ltr. Firma Cracle, 1993-94 Gschf. f. Österr. u. Ostgeschäfte ASK Ingres, ab 1994 Gschf. Firma Softlab GmbH, 1980 Pilotenausbild. (IFR). H.: Fliegerei, Segeln. (M.-L.A.-M.)

Schweizer Horst Dir.

B.: Vorst. FN.: Quelle Linz AG. DA.: 4021 Linz, Industriezeile 47. PA.: 4060 Leonding, Gaumbergstr. 82. G.: Mainz, 18. Juli 1941. V.: Ursula. Ki.: Marion. El.: Waldemar u. Erna. S.: 1961 Abitur, Stud. einige Sem. Naturwiss. u. Betriebswirtschaft, Certificat in Engl. d. Univ. Cambridge. K.: 1962-65 Kaufhof AG in versch. Pos. zuletzt Verkaufsltr. in Köln, seit 1965 Quelle, Führungsaufgaben in versch. Kaufhäusern in d. BRD, Zentralltg. f. 1/3 d. Quelle Kaufhäuser in Organ.Verw. u. Datenverarb. M.: mehrere J. in d. Tarifkmsn. BAG f. Einzelhdl. in Baden-Württemberg, im Präsidialrat d. Handelsverb. H.: Lesen, klass. Musik.

Schweizer Karl Ing.

B.: Gschf. FN.: Schweizer Pilger GmbH. DA.: 6800 Feldkirch, Studa 1. PA.: 6812 Meiningen, Rüttenenstr. 28. G.: Kirchheim/Teck, 4. Dez. 1944. V.: Margarete, geb. Liepert. Ki.: Richard (1974), Elisabeth (1977), Bernadett (1978). El.: Albert u. Friederike. S.: 6 J. Gymn., 1964 Lehre Elektromechaniker, Ing.-Stud. Esslingen, 1968 Ing. K.: Hirschmann Rankweil, 1968 Ltr. Technik Video, 1980 Firmengrdg. Feldkirch. F.: Teilhaber Schweizer u. Pilger Prag, Vertrieb u. Vermietung v. Videoanlagen. M.: Industriellenver. H.: Sprachen, Reisen, Skifahren, Schwimmen, Familie. (I.D.)

Schwelch Hans

B.: Inh. d. Planungsbüro f. Installationstechnik Ing. Schmied - Hans Schwelch. DA.: 1180 Wien, Haizingerg. 47/2 u. 2011 Sierndorf, Senning 65. G.: Wien, 13. Feb. 1944. V.: Heide, geb. Hofbauer. Ki.: Andreas (1964), Thomas (1967), Matthias (1979). El.: Hans u. Leopoldine. S.: Techn. berufsbild. Schule f. d. Fach Heizung, Lüftung u. Klimatechnik. K.: Zun. prakt. Tätigk. z. Berufsausbild., Erwerb d. theoret. Voraussetzungen im 2. Bildungsweg, Ang., 1985 Übern. d. Planungsbüro Ing. Schmied - Hans Schwelch, seither selbst., zusätzl. gerichtl. beeid. Sachv. f. Heiz-, Lüftungs- u. Klimatechnik. M.: BWK, Hauptverb. d. gerichtl. beeid. Sachv. (J.S.)

Schwemlein Emmerich

B.: Mtgl. d. NatR., Berufsschullehrer. DA.: 1017 Wien, Dr.-Karl-Renner-Ring 3. G.: Baja (Ungarn), 12. Juli 1950. S.: HASCH, Abendschule (HAK), 1973 matura, Stud. Politik- u. Erziehungswiss. an d. Univ. Sbg., Lehramtsprüf. K.: s. 1973 Lehrer an d. Berufsschule f. kfm. Lehrberufe in Zell am See, s. 1980 Schriftführer b. d. Ortsorgan. d. SPÖ Bruck, 1984-89 Mtgl. d. GemR. u. Frakt.-Vors. d. SPÖ d. Gemeinde Bruck, Kulturref. u. s. 1989 Finanzref. d. Gemeinde Bruck, s. 1986 Mtgl. d. Bez.-Vorst. u. s. 1990 Vors.-Stv. d. SPÖ Pinzgau, s. 1992 Bez.-Vors. d. SPÖ Pinzgau, s. 4/1992 Abg. z. NatR., 1981-90 Red. d. Brucker Rundschau.

Schwendenwein Hugo Univ.-Prof.

B.: o.Univ.-Prof., Inst.Vorst. A.: 8010 Graz, Schuberstr. 23. G.: Klagenfurt, 5. Nov. 1926. El.: HofR. Dr. Hugo u. Gabriele. S.: VS, Höhere Schule Klagenfurt, Laa/Thaya, Wien, Matura Wien 1944, Abgeschlossene Studien: Jus, Theol., iur. canonicum, Doktorate: Jus (Wien 1948), iur.canonicum (Rom 1964). K.: Priesterweihe 1954, versch. kirchl. Verwendungen, 1969 Erlangung d. Lehrbefugnis als Univ.Doz. f. Kirchenrecht (Habil.), Doz.Tätigkeit in Graz, 1973 o.Univ.-Prof., Ak. Senator 1973-76, Dekan 1976-79, Prodekan 197-80, Vorst. d. Inst. f. Kirchengeschichte u. Kirchenrecht b. 1977, ab 1977 Vorst. d. Inst. f. Kirchenrecht. P.: zahlr. Veröff. über d. Thema Religion, Das neue Kirchenrecht. Gesamtdarstellung (1983, 2. Aufl. 1984), Österreichisches Staatskirchenrecht (1992). E.: Kardinal Innitzer-Preis, Österr. Ehrenkreuz f. Wiss. u. Kunst, o.Mtgl. d. Wr. Kath. Ak., k.Mtgl. d. österr. Akademie d. Wissenschaften (1985). Gr. s EZ f. Verd. um d. Rep. Österr. 1990; Protonotar 1992. H.: Schwimmen, Wandern, Geschichte.

Schwendinger Ernst Hubert

B.: selbst. Grafiker. DA.: 6850 Dornbirn, Moosmahdstr. 9. G.: Friedberg, 2. Nov. 1954. El.: Gertaud u. Hubert Anton Edelbert. S.: Pflichtsch., HASCH Bregenz. K.: 1974 Eintr. i. Fa. d. Vaters - Gebäudereinigung u. Desinfektion, 1990 nach Pensionierung d. Vaters Verk. d. Fa. 1991 Gründung d. Fa. Grafik Design Dornbirn, Drucksachen, Werbekonzepte, Präsentationen. (schwerer Unfall - längere Zeit im Rollstuhl) - während dieser Zeit Verfass. eines autobiografischen Buches über Lebensabschnitt. P.: fachbez. Schulungen, mehrere Ausstell., Aquarelle, Computergrafiken, im Laufe d. Jahre d. Malerei beruf. verwertet. Teiln. an versch. Wettbewerben. H.: Fotografieren, Musik, Schwimmen. (I.D.)

Schweng Peter Dipl.-Ing.

B.: Gschf. FN.: Freissler Otis GmbH. DA.: 1232 Wien, Oberlaaer Str. 282. G.: Wien, 8. Sept. 1949. V.: Monika, 3 Kinder. S.: AHS, TU Wien. K.: seit 1975 b. Freissler-Otis.

Schwenk Kornelia

B.: Gschf. FN.: Sportobello Hdls. GmbH. DA.: 5084 Großgmain, Poststr. 360. G.: Wien, 4. Okt. 1950. V.: Otto Schwenk. Ki.: Felix (1979), Vera (1982). S.: VS, HS, kfm. Berufsschule Wien, 1969-70 Auslandsaufenthalt England. K.: 1971-77 Werbebranche, 1977-81 Sportgeschäf Wien, seit 1982 Sbg., Import v. Sportmode im gehobenen Preisniveau. H.: Sport, Skifahren, Windsurfen, Golf, Radfahren. (N.M.)

Schwenn Christian

B.: Prok. A.: 2571 Altenmarkt/Triesting, Hauptstr. 5, 1150 Wien, Oeverseestr. 13-19/XII/3. G.: 23. Nov. 1912. V.: Inge, geb. Zaar. El.: Christian u. Maria. S.: VS, RG (Matura), 4 Sem. Jus. K.: Dt. Reichsbmtr. (Reichspost), seit 1946 im Reisebüro Austrobus, seit 1957 Prok. Reisebüro Austrobus. E.: Silb. u. Gold. Mitarb.Med. d. Kam. Wien, "Johann Strauss-Med." Fremdenverkehrsverb. Wien, Verleihung d. "Goldenen Rose" d. Kurorte durch d. Tschechoslow. Staatsbäder, Gold. Verdienstz. d. Rep. Österr. H.: Gartenarb., Schnapsbrennen.

Schwenniger Erwin

B.: Kirchenrestaurator, Vergolder. DA.: 6100 Seefeld, Reitherspitzstr. 25. PA.: 6100 Seefeld 15. G.: Seefeld, 5. Apr. 1929. V.: Erika, geb. Rottenbacher, 5 Kinder. S.: Gymn., Handwerkslehre, 1953 Mstr.Prüf. f. Maler, 1954 Mstr.Prüf. f. Vergolderhandwerk. K.: seit 1954 selbst., Grdg. d. Fa., Vors. d. Mstr.Prüf.Kmsn. BL.: seit über 35 J. erfolgr. Restaurierungen v. Kirchen u. Kunstdenkmälern in Tir. u. Vbg., abgeschl. Restaurierung d. Stiftskirche Stams, ständige Zusammenarb. m. d. KA, Restaurierung d. Vestibüls/Stift Wilten, Restaurierung Innsbrucker Hofk., Ebertorgel u. Marienoratorium. E.: seit 1986 Träger d. Verd.Med. d. Landes Tir., Europa Nostra-Preis. M.: örtl. Kultureinrichtungen, Lyons-Club, Gem.Vorst. H.: Musik. (W.G.)

Schwertberger Gerald Mag. Prof. OStR.

B.: AHS-Lehrer, Lektor am Vorstudienlehrgang d. Wr. Univ. GT.: Komponist, Schulbuchautor. DA.: 1160 Wien, Ludo-Hartmann-Pl. 7. PA.: 1230 Wien, Anton-Baumgartner-Str. 44C7/0105. G.: Gresten, 2. Apr. 1941. V.: Heidrun, geb. Pongratz. Ki.: Klemens, Verena. El.: Stephan u. Stephanie. S.: Matura, Stud. Geschichte u. Germanistik Univ. Wien, Musikpäd. Musik-HS Wien. K.: Lehrtätigkeit AHS Wien, 8 J. Instituto Austriaco-Guatemalteco (Guatemala), ab 1986 am Vorstud.-Lehrgang d. Univ. Wien. P.: Kompositionen u. musikal. Bearb. f. Schule u. Instrumentalunterricht, Messen, Schulbücher f. Musikerziehung ("Klangwelt - Weltklang"), div. Schulbuch- u. Zeitschriftenbeiträge sowie Vorträge (Musikerziehung, Musik Lateinamerikas, Deutsch als Fremdsprache u.a.). M.: Österr. Komponistenbund, AGMÖ, Österr. Lateinamerikainst.,gschfd. Obmann d. VÖSA, Vorst.-Mtgl. d. "Musikedition". H.: Tontechnik, MIDI + Multiplay, Lyrik, Wandern. (E.L.)

Schwertmann Hermann o.HS-Prof.

B.: Prof. an d. HS f. Musik u. Darstell. Kunst Wien, Konzertpianist. A.: 1060 Wien, Gumpendorferstr. 74/18. G.: Wien, 5. Aug. 1919. V.: Christine, geb. Baumhackl. S.: RG, Univ. Wien (Musikwiss.), Klavierstud. an d. Ak. f. Musik u. Darstell. Kunst in Wien, Studienabschluß: Dipl. d. Mstr.Kl. Friedrich Wührers. K.: Zahlr. Konzerte, Rundfunkaufnahmen, Schallplattenaufnahmen, von 1959-1979 Ltr. d. Abt. Tasteninstrumente an d. Ak. f. Musik u. Darstell. Kunst Wien, seit 1946 Prof. f. Klavier, Organisator d. intern. Beethovenwettbewerbe f. Klavier in Wien, emeritiert seit 1984. E.: Titel o.HS-Prof., Gr. EZ f. Verd. um d. Rep. Österr. M.: Mtgl. örtl. Musikinst.

Schwerzler Herbert

B.: Gschf. Ges. FN.: Bürotechnik Feuerstein GmbH. DA.: 6850 Dornbirn, Wallenmahd 47. PA.: 6922 Wolfurt, Im Dorf 3A. G.: Dornbirn, 29. Okt. 1957. El.: Julius u. Emma. S.: Allg. Schulausbild., 4 J. Lehre Büromaschinenmechaniker. K.: Tätigkeit im Verkauf b. Firma Sautter, Minolta u. Rank Xerox, seit 1987 Gschf. u. Teilhaber d. Firma Bürotechnik Feuerstein GmbH Dornbirn. BL.: aktiver Fußballer im Österr. UEFA-Team. H.: Sommersport, Fußball. (W.R.)

Schwetz Hubert H. DDr.

B.: Österr. Hdls.Delegierter f. Thailand, Birma u. Laos (Commercial Counsellor). DA.: The Commercial Counsellor at the Austrian Embassy Bangkok, G.P.O. Box 495, 140 Wireless Rd., Kian Gwan House (9th Fl.), Bangkok, Thailand. G.: Wien, 20. Mai 1941. V.: Dr. Ingeborg E., geb. Neubauer. El.: Ing. w.HofR. Dkfm. Walter u. Prof. Dr. Leopoldine. S.: 1947-59 VS, Mittelschule RG 19 Wien, 1959-67 Univ. Wien, Dr. iur., Dr. rer. pol. (Vw.), Auslandssem. an d. Univ. Würzburg u. OECD Paris. K.: 1968 Bank-Trainée Österr. Landesbank Wien, 1969-71 Vorst.Ass. d. Degussa AG Frankfurt, 1971 Eintritt in d. BWirtschaftskam., 1972-75 Ass. Austrian Trade Commissioner in Sydney, Betreuungsbereich Australien, Neuseeland u. Pazifische Inseln, 1976-79 Vice-Delegato Commerciale d'Austria à Milan, Betreuungsbereich Norditalien, 1979-82 Stellv. Österr. Hdls.Delegierter f. d. BRD in Frankfurt, Betreuungsbereich Bundesrep. u. West-Berlin, 1982-84 BWirtschaftskam. Wien, Referat EDV-Außenhdl., 1984 Österr. Hdls.Delegierter f. Thailand, Birma u. Laos (Commercial Counsellor at the Austrian Embassy in Bangkok). E.: Ritter d. Souv. Malteser Ritterord. M.: Rotary-Club. H.: Kultur, Reisen, Sport (Golf, Tennis, Skilaufen).

Schwetz Otto Mag. iur. OMagR.

B.: OMagR. d. Mag.-Dion. Koordinationsbüro im Mag. d. Stadt Wien, Ltr. d. Arbeitskreises Verkehr u. Schiffahrt. DA.: 1082 Wien, Rathaus Stiege 4. PA.: 2500 Baden, Hochstr. 41a. G.: Wien, 12. Okt. 1945. V.: Brigitte, geb. Koss. Ki.: Verena (1985). El.: Arthur u. Johanna, geb. Steidl. S.: VS, BRG, 1964 Matura, Jusstud. Univ. Wien, 1973 Spons. K.: 1973/74 Gerichtsj. Wien, 1974-77 Mitarb. d. Wr. Inst. f. Standortberatung, seit 1977 Vertragsbediensteter u. später Bmtr. d. Stadt Wien, 1977-87 Jurist d. Koordinationsstelle Donaubereich, seit 1988 Mitarb. d. Koordinationsbüros, seit 1990 Ref. d. Arge Donauländer, zusätzl. seit 1987 gemeinsam m. Partner Betrieb d. Österr. Seefahrtsschule in Wien u. Italien, Ausbild. in Hochseesegeln, Prüfer d. Österr. Segelverb. f. Hochsee- u. Sportführerschein. H.: Modelleisenbahnbau, Segeln, Radfahren. (M.M.)

Schweyen Rudolf J. Dr. o.Prof.

B.: Prof. f. Genetik am Inst. f. Mikrobiologie u. Genetik. DA.: 1030 Wien, Dr.-Bohr-Gasse. G.: Prüm/BRD, 8. Mai 1941. El.: Theodor u. Maria, geb. Kob. S.: Matura, Stud. Biologie u. Chemie, 1968 Dipl. in Biologie, 1971 Prom. Univ. München Genetik, 1976 Habil. Genetik München. K.: 1980 a.o.Prof. Genetik München, seit 1985 Vorst., o.Prof. f. Mikrobiologie u. Genetik in Wien, Auslandsaufenthalte in Paris u. Utrecht. P.: über 50 u.a. Cell, Embo-J., N.A.R., J.Biol.Cam u.v.m., Bücher: Mitocondria, Mithrsg.: Curr. Genet. M.: zahlr. nat. u. intern. wiss. Ges. (N.A.)

Schwimmer Walter Dr.

B.: Nationalratsabgeordneter. DA.: 1010 Wien, Dr. Karl Rennerring 3. PA.: 1020 Wien, Taborstr. 20A. G.: Wien, 16. Juni 1942. V.: Dagmar. Ki.: Wilfried (1969), Roland (1972). El.: Walter u. Johanna. S.: BRG, 1960 Matura, BH, Jus-Stud., 1964 Doktorat. K.: 1964-71 Rechtsschutzsekr. d. Gewerkschaft d. Privatang., 1971-77 Bundes-Sekr. i. ÖAAB, 1977-79 Ltr. d. polit. Büros d. ÖAAB, 1979 Verw.-Gruppenltr. d. Wr. Gebietskrankenkasse, 1971 Wahl i. d. NR. P.: Gesch. d. christl. Gewerkschaft i. Österreich, Die sozialen Folgen d. Inflation im Vergleich Österreich zu Israel. M.: ÖAAB, Österr. Sigmund Freud Gesellschaft, Österr. Ges. f. Außenpolitik, Karl Kummerl Institut, FCG. ÖVP, Präs. d. Österr.-israelischen Ges., s. 1991 Mtgl. d. Österr. Delegation zur parlamentarischen Versammlung d. Europarates. H.: Sammeln (Philatelie, alte Bücher, usw.), Sauna, Weltoffenheit u. Kommunikation.

Freiherr v. Schwind Fritz Dr. Prof.

B.: em.o.Prof. d. Univ. Wien, Obm. d. Kmsn. f. Europarecht d. Österr. Akad. d. Wiss. DA.: 1010 Wien, Fleischmarkt 22. PA.: 1180 Wien, Franz-Barwig-Weg 20. G.: Innsbruck, 1. Juni 1913. V.: Christiane, geb. Groß. BV.: Großonkel Moritz v. Schwind Maler, o.Prof. Ernst v. Schwind Vater. S.: Hum. Gymn., Rechtswiss. Fak. Wien, Innsbruck, München, Mailand, Prom. Dr. iur. Wien 1936. K.: 1936-38 Gerichtspraxis in Wien, 1939-41 Univ.Ass. in Gießen, 1941-45 Kriegsdienst, 1940 Richteramtsprüf., 1945-47 Richter in Wien, 1948 Min.Sekr. im BMJ, 1949 a.o.Prof., 1955 o.Prof., 1956-57 u. 1964-65 Dekan, 1967-68 Rektor. P.: Kommentar zum Österr. Eherecht, 1. Aufl. 1951, 2. Aufl. 1984, Röm. Recht, Handbuch d. Österr. Intern. Privatrechts 1975, Lehr- u. Handbuch d. Intern. Privatrechts 1990, zahlr. Aufsätze. E.: Kommandeur d. kgl. niederländ. Ordens v. Oranjen-Nassau, Gr. Silb. EZ f. Verd. um d. Rep. Österr. m. d. Stern, Gr. VK d. dt. BVO, Komturkreuz d. ital. VO, Ehrendr. d. Univ. Freiburg, Innsbruck, Triest u. Budapest. M.: w.Mtgl. d. Österr. Ak. d. Wiss., Mtgl. d. Inst. de Droit Intern., Präs. d. Ges. f. Rechtsvergleichung, Mtgl. vieler wiss. Ver. d. In- u. Auslandes, Rotary-Club. (M.Br.)

Freiherr v. Schwind Johann August Dr. et Mag. iur.

B.: Sen.-Präs. d. OLG Linz i.R. PA.: 4040 Linz, Bachlbergweg 87. G.: Innsbruck, 5. Nov. 1909. V.: Herta, geb. Hopfinger. Ki.: Dr. Gertraud, Irmgard, Prof. Mag. Johannes Wilhelm. El.: Dr. Wilhelm u. Paula, geb. Edle v. Posch. BV.: Großonkel Moritz v. Schwind Maler. S.: hum. Gym., Univ. Wien u. Innsbruck, Stud. d. Rechts- u. Staatswiss., Richteramtsprüf. K.: Rechtspraktikant 1931, 1936 Richter, 1942-46 Dt. Wehrmacht, Kriegsgefangenschaft, 1952 LG Linz, 1956 OLG Linz, 1965 Sen.Präs. d. OLG Linz. E.: Gr. EZ f. Verd. um d. Rep. Österr., Gold. Doktordiplom d. Univ. Innsbruck 1981, Ehrenobm. d. OÖ Jur. Ges., Intern. Counsellor v. Lions Intern., KVK II. Kl. m. Schwertern. M.: Lions-Club Linz, OÖ Jur. Ges. H.: Kammer- u. Orchestermusik (Cellist) Farbfotografie, Kunstreisen, Genealogie. (A.W.)

Schwind Werner Dr. iur.

B.: RA. DA.: 1010 Wien, Wollzeile 20. G.: Wien, 16. März 1941. S.: 1960 Matura, VS-Lehrer, nebenbei Stud. Jus. Univ. Wien, 1970 Prom. K.: Konzipient, Gerichtsjahr, Konzipient, Anw.Prüf., 1976 Eintragung als RA. (P.R.)

Schwind Wilhelm J. Mag. art. Prof.

B.: akad. Maler, Gestalter, Organisator, Kunstvermittler, Kritiker. A.: 4020 Linz, Scharitzerstr. 39. G.: Radstadt, 26. Febr. 1949. V.: Prof. Mag. art. Sigrid Mairinger (Kunstkritikerin). El.: Dr. Hans S. u. Herta. S.: Matura, Univ. u. Ak. d. Bild. Künste Wien. K.: Div. Ausstellungen In- u. Ausland, Organisation: Kulturaktionen, Performance Festival, Didaktische Projekte, Ringaustellungen. M.: MAERZ-Künstlerver., Obm. d. Trägerver. MOVIEMENTO Kunstkino, Lions. H.: Go Spiel, Schach, Reisen.

Schwinger Georg

B.: Geschäftsltr. FN.: Henelit Lackfbk. Grüninger GmbH Farbfalter Farbenfachgeschäft. DA.: 9020 Klagenfurt-St. Ruprecht, EKZ Kinopl. 6. PA.: 9020 Klagenfurt, Rosenegger Str. 100; 9065 Klagenfurt, Zulechnerweg 2. G.: Krumpendorf, 13. Feb. 1939. Ki.: Sandra (1975), Nathalie (1982). El.: Josef u. Maria. S.: VS, HS, kfm. Berufsschule. K.: 1962-67 Gschf. Firma Farben-Knauf Klagenfurt, 1968-84 Gschf. einer namhaften Farbenfirma, seit 1984 Gschf. Firma Henelit Lackfbk. Grüninger GmbH Farbfalter Farbenfachgeschäft. BL.: 1954-65 Radrennsport als Hochleistungssport betrieben u. zahlr. Rennen vorwiegend in Ktn. gefahren, in einer Vierer-Mannschaft ein Langstreckenrennen bestritten. M.: 1976-78 Obm. d. Ktn. Radsportverb., Radfahrver., 25 J. DekanatsR. u. stellv. Vors. d. PfarrgemR. d. Diözese Gurk. H.: Radsport, Tennis. (F.S.)

Schwinger Helmut Dkfm.
B.: Dir. Öff.-Arb. u. Behördenkontakte. FN.: Ford Motor Company (Austria) KG. DA.: 5020 Salzburg, Fürbergstr. 51. PA.: 1130 Wien, Björnsong. 29. G.: 6. Aug. 1939. S.: Stud. HS f. Welthdl. Wien, 1962 Dipl. K.: b. 1988 Mtgl. d. Österr. BH, Beginn d. Karriere im Rechnungswesen b. BMW/ Volvo/Ferrari-Importeur, anschl. Sales-Manager einer Büromaschinenfirma, 1965 Eintritt in d. Firma Ford, Absatzplanung b. Ford Sbg., seit 1984 in Wien Manager f. Öff.-Arb. H.: Motorsport, Skifahren, Surfen, Ges.-Tanz, Musik. (J.S.)

Schwinger Monika
B.: Filmproduzentin. FN.: FFP Film- u. Fernsehproduktion GmbH & Co KG. DA. u. PA.: 1180 Wien, Sternwartestr. 65. G.: Wien, 5. Mai 1942. V.: Prim. Dr. Oswald. Ki.: Alexander (1957), Sonja (1963), Philipp (1981). El.: Rudolf u. Margarethe. S.: HASCH. K.: im Einkauf d. Studienges. f. Atomenergie tätig, später Kontaktass. b. McCann Erikson, 1971 Grdg. FFP: Werbefilme f. Österr. u. Ausland, TV- u. Kinospots. E.: Staatspreis f. ÖBB-Werbefilm 1991, Anerkennungspreis f. Kampagne "Die Lehre macht Karriere" 1991, "Huber ... Under Every Wear" 1990 in New York. H.: Familie, Feste organisieren u. feiern, Musik, Klavier spielen, Theater. (R.J.)

Schwinner Anton
B.: Pfarrer Röm.-Kath. Pfarramt Tull-St. Severin. DA. u. PA.: 3430 Tulln, Anton-Bruckner-Str. 12. G.: St. Valentin, 14. Jän. 1948. El.: Anton u. Anna. S.: 1967 Matura, Theol.-Stud. HS St. Pölten u. Univ. Graz, 1973 Priesterweihe. K.: 1973 Kaplan in St. Pölten-Wagram, 1974 Kaplan in Tulln-St. Stephan m. d. Aufgabe d. Betreuung d. Seelsorgezentrums St. Severin, 1982 Pfarrer d. neuerrichteten Pfarre Tulln-St. Severin, 1990 Eröff. d. neuen Pfarrzentrums Tulln-St. Severin, 1992 Feier 20 J. St. Severin m. Orgel- u. Tabernakelweihe. H.: Fotografieren, Videofilmen. (M.M.)

Schwödiauer Gerhard Dr. rer. pol. Dkfm.
B.: o.Prof. d. VWL an d. Univ. Bielefeld. A.: 1070 Wien, Schottenfeldg. 75A/5. G.: Linz, 12. Mai 1943. V.: Erika, geb. Mory. S.: Stud. d. Wirtschaftswiss. an d. WU Wien (Dkfm), an d. Univ. Wien (Dr. rer. pol.) u. am Inst. f. Höhere Studien (Postgraduierten-Dipl.). K.: Ass. am Inst. f. Höhere Studien, Ltr. d. Abt. Ök. d. Inst. f. Höhere Studien, Research Associate am Department of Economics d. New York Univ., 1971-73 Beigeordneter Dir. d. Inst. f. Höhere Studien, 1973-79 Dir. d. Inst. f. Höhere Studien, Sommersem. 1976 Visiting Prof. of Economics an d. New York Univ., Wintersem. 1976/77 Gastprof. am Inst. f. Math. Wirtschaftsforsch. d. Univ. Bielefeld. F.: Ges. d. ECOPLAN-Studienges. f. Unternehmungsplanung u. Wirtschaftsforsch. GmbH. P.: Calculation of A. Priori Power Distributions for the United Nations (1968), A. Glossary of Game Theoretical Terms (1971), Über d. zeitl. Nutzung d. Natur (1971), Bestimmungsgründe d. Lohnbewegung (1972), Spieltheorie (1976), Competition and Collusion in Bilateral Markets (1976), Equilibrium and Disequilibrium in Economic Theory (1978), Economic Equilibrium and Disequilibrium from a Dynamic Point of View (1978), Kreditkontakte u. Investitionsentscheidung (1978). M.: Econometric Society, American Economic Association, Ges. f. Wirtschafts- u. Sozialwiss. (Ver. f. Socialpolitik), Österr. Nationalök. Ges., Ges. f. Math., Ök. u. Operations Research u.a.

Schwödt Hans
B.: Prok. FN.: Asphalt Felsinger u. Squash Racket Sport. DA.: 1110 Wien, Wildpretstr. 11. PA.: 1220 Wien, Schiffmühlenstr. 98/13. G.: Wien, 17. Aug. 1941. V.: Monika, geb. Brückner. Ki.: Birgit (1971), Astrid (1972). El.: Hans u. Grete, geb. Benedikt. S.: HASCH, BH, Kurse. K.: Großhdl., Baunebengewerbe, 18 J. Firma Felsinger, ab 1975 Prok. M.: im Vorst. d. Wr. Fußballverb. H.: Genealogie, Squash, alte Bücher. (N.A.)

Schwoiser Karl
B.: Gschf. Ges. FN.: Farben-Schwoiser Malerbetriebs GmbH. DA.: 1200 Wien, Allerheiligenpl. 1. G.: Ollmütz/CSFR, 21. März 1941. Ki.: Karl (1966), Lydia (1968). El.: Wenzel u. Maria. BV.: Abstammung v. Eduard Schwoiser Hofmaler v. Ludwig II., bekanntes Gemälde "Friedrich Barbarossas Gang zu Canossa". S.: HS, Berufsschule: Maler u. Anstreichergewerbe, 3 J. Mstr.-Schule Baden, 1965 Mstr. im Malerhandwerk, 1965 Mstr.-Prüf. im Spaliergewerbe. K.: 1965 selbst. als Malermstr., Übernahme d. väterl. Betriebes, 1968 zusätzl. Gewerbeschein f. Vermittlungen v. Jagden u. Fischereien weltweit, 1989 Grdg. eines 2. Betriebes: Farben-Schwoiser Malerbetriebs GmbH. BL.: Tschechisch, Serbokroatisch u. Russ. in Wort u. Schrift, Engl. F.: Beteiligung an mehreren Betrieben i. d. C.R. M.: Tschech. Turnver. "Sokol". H.: Jagd, Fischerei. (M.M.)

Scoz Egon
B.: Bild. Künstler, Werbegraphik f. "Tirolwerbung" Innsbruck. DA. u. PA.: 6020 Innsbruck, Stafflerstr. 7. G.: Innsbruck, 7. Juni 1951. Ki.: Daniel. El.: Ernst u. Anna. S.: VS, Gymn., Militärdienst. K.: 3 J. als Buchhändler tätig, seit 1975 freischaff. bild. Künstler, Ausstellungen: Innsbruck, München, Wien, New York. P.: div. Veröff. in Kunst- u. Literaturzeitschriften, Katalog: Bildergeschichten (Happy Trails) Galerie Thomas Flora Innsbruck 1985, Comics in Fön-X Wien. E.: Friedenspreis d. Stadt Innsbruck 1987, Preis b. österr. Graphikwettbewerb 1988. M.: Tir. Künstlerschaft seit 1985, Eröff. d. Lazy Art Headquarters Innsbruck, Grdg. 1989, Orco Productions Innsbruck. H.: Literatur, Filmen. (W.G.)

Screm Manfred
B.: Gschf. FN.: Strein. DA.: 9020 Klagenfurt, Bahnhofstr. 35. PA.: 9073 Viktring, Annaweg 9. G.: Villach, 2. Jan. 1955. V.: Monika, geb. Padewit. Ki.: Julia Michaela (1981). El.: Othmar u. Dagmar. S.: VS, HS, HASCH. K.: 1971-80 Ktn. Druck- u. Verlagsges., 1980-82 Firma Gestettner Kopiergeräte u. Zubehör, 1982-84 Firma Fepla-Hirsch, 1984-90 Firma Odol-Pharmakon Wien, seit 1990 Gschf. Firma Strein Papier-Büro-Schule Groß- u. Detailhdl. M.: Schiedsrichter b. Österr. Eishockeyverb. H.: Eishockey, Tanzsport. (I.G.)

Scurk Vladimir Ing.

B.: Gschf. FN.: Rudis Anlagenbau u. Hdls. GmbH. GT.: Advicer of Managing Dir. b. Rudis-Engineering and Construction Trbovlje-Slovenia. DA.: 9020 Klagenfurt, Ehrentaler Str. 31. PA.: Trbovlje, Gimnazijska 2/A. G.: Trbovlje, 13. Mai 1936. V.: Josefa, geb. Krc. Ki.: Barbara (1961), Primoz (1969). El.: Stanislav u. Hilda. S.: Techn. Mittelschule, 1954 Matura, Techn. Fak. Ljubljana, 1966 Ing. K.: seit1966 tätig. b. Firma Rudis Trbovlje, 1988 Ltr. Exportabt. Firma Rudis in England, Rußland, Iran, Irak, Lybien, Algerien u. Sudan, 1988-91 Gen.-Dir. einer Maschinenfbk. Trbovlje, 1991 stellv. Gen.-Dir. Slovenien d. Firma Rudis, seit 1993 Gschf. Firma Rudis Österr. M.: Sozialdemokrat. Vereinigte Liste, Präs. Tennisclub Rudar, Präs. lokaler Wirtschaftskam. H.: Sport, Tennis, Skifahren, Basketball. (I.G.)

Sebernegg Wilfried
B.: Kfm., Inh. FN.: S u. S Bauträger u. Erdbau GmbH; WS Immobilien. DA.: 5541 Altenmarkt 12. PA.: 5542 Flachau 241. G.: Oberlaufenegg, 3. Sep. 1952. V.: Helga, geb. Stangl. Ki.: Michaela (1973). El.: Erwin u. Zita. S.: VS, HS, Berufsschule u. Lehre Büromaschinenmechaniker, 1971 Gesellenbrief, 1971 BH. K.: 1972-73 Mineur b. Bau d. Tauerntunnels, 1974 Firma Strabag,1974-76 Firma Pongauer Jägerzaun Altenmarkt, 1976-78 u. 1979-80 Gruppenltr. d. Generali-Lebensvers. AG, 1978-79 Inst. f. Vermögens- u. Anlagenberatung, 1980 Konzessionsprüf. f. Immobilienmakler-, Hausverw.- u. 1982 Vers.-Makler, 1980-84 Gschf. Ges. d. Bauträgerges. d. Wohnung, seit 1980 selbst. als Imobilien- u. Vers.-Makler, 1989 Grdg. d. Firma S u. S Bauträger u. Erdbau GmbH. E.: 1977 Ausz. f. bes. Verd. d. Generali- Lebensvers. AG. M.: seit 1981 WB. H.: Fußball, Tennis, Arb. (J.F.)

Seblatnig Heidemarie Dr. phil.
B.: Medienkünstlerin. PA.: 1220 Wien, Krallg. 6. G.: Wien, 13. Juni 1944. Ki.: Johannes, Martin. El.: Ing. Franz u. Edelburg Seblatnig. S.: 1963-70 Stud. d. Kunstgeschichte u. Archäologie in Wien u. Graz, 1970 Prom. z. Dr. phil., Sommerak. b. Mario Merz. K.: Lehrbeauftr. a. d. TU Wien s. 1994, Computeranimation, Coputergrafik Symposien, elektronischen Medien u. Kommunikationssystemen.P.: "Einfach den Gefahren ins Auge sehn" - Künstlerinnen im Gespräch 1988, Virtuelle Architektur 1989, Glasgow answer me 1990, "außenräme innenräume" Der Wandel d. Zeitbegr. im Zeitalter d. elektron. Medien 1991, Lichtarchitektur, Wien 1994 (Lar.)

Sebök Helene Dkfm. Mag. rer. soc. oec. HofR.
B.: Dir. BHAK u. BHASCH. DA.: 2230 Gänserndorf, Hans-Kudlich-G. 30. PA.: 1070 Wien, Neustiftg. 66/2/22. G.: Kittsee, 1940. S.: Externistenreifeprüf., Stud. HS f. Welthdl., Dkfm., Lehramtsprüf., Mag. rer. oec. soc. K.: 1966 Eintritt in d. Schuldienst als Ass. HAK Wien, Lehrer HAK f. Berufstätige Wien, Lehrer HAS Lehrer Aufbaulehrgang Wien, seit 1981 Dir. HAK u. HASCH Gänserndorf, s. 1981 Dir. HAK u. HAS Gänserndorf, s. 1991 BHAK u. BHASCH, 1993 HofR. P.: Mitautor eines Lehrbuches f. HAK. H.: Reisen, Kultur, Ausstellungen. (M.M.)

Seboth Ronald
B.: Schauspieler, Reg. PA.: 1080 Wien, Schlösselg. 24/19. G.: Wien, 8. Juni 1955. Ki.: Konstantin, Antonia. El.: Richard u. Josefine. S.: 1973 Matura, Stud. Univ. Wien, 1975 Max Reinhardt-Seminar Wien, 3jährige Gesangsausbild., 1984 Seminar f. Schauspielpäd. K.: zahlr. Auftritte u.a.: Stadttheater Pforzheim, Schauspielhaus Wien, Kammerspiele Wien, Volkstheater Wien, Staatsoper Wien, Theater im Kopf, Theater in d. Josefstadt, Jura Soyfer-Theater, Sommerspiele Perchtoldsdorf, seit 1985 Sprecher f. d. Sendungen APROPOS FILM u. Filmforum, seit 1986 Lehrer f. Dramatik u. Atem-, Stimm- u. Sprecherziehung am Franz Schubert-Konseratorium Wien.

Seda Ernest
B.: Eigentümer. FN.: Ernest Seda Ges.m.b.H. & Co KG. GT.: im Aufsichtsrat d. Raiffeisenbank Trofaiach-Leoben. DA. u. PA.: 8700 Leoben, Max-Tendler-Str. 17. G.: Gaal b. Knittelfeld, 31. Mai 1944. V.: Sofia, geb. Karathanassis. Ki.: Christoph (1978), Ernest (1990). El.: Ernst u. Elfriede. S.: Hasch in Leoben. K.: 1963 Eintritt in d. elterl. Immobilienverwaltungs-Betrieb, 1971 Übern. d. Betriebes, 1993 Umwandlung in Ges.m.b.H. & Co KG. F.: 50 % Fa. Seda & Böchzelt OHG seit 3/1979, 50 % Fa. Böchzelt & Seda OHG, Montanuniversitätsbuchhandlung Nüssler seit 5/88, 50 % Fa. Kastl Immobilienverwaltungsges.m.b.H. seit 9/90. H.: Lesen, Wandern, Tischtennis, Beruf. (I.G.)

Sedivy Otto Ing.
B.: Inh. d. Reisebüro Zuklin - Travel Agency. DA.: 1014 Wien, Herreng. 6, 1150 Wien, Felberstr. 12. G.: Wien, 16. Mai 1927. V.: Gertraude, geb. Zuklin. S.: 1946 HTL-Matura Wien. K.: Arb. in TUI-Reisebüro Hannover, später in Italien, 1964 Übernahme d. Fa. Zuklin in Wien, nach 1 1/2 J. Lizenz v. Intern. Transportation Assoc. H.: Schwimmen, Tiere (Hunde). (R.J.)

Sedlacek Erich Dir.
B.: Sped.Kfm. A.: 5020 Salzburg, Zwieselweg 17 e. G.: Salzburg, 22. Sept. 1941. V.: Gerlinde, geb. Binder. El.: Franz u. Leopoldine. S.: VS, HS, Berufsschule, Fortbildungskurse. K.: Seit 1955 ang. b. Fa. Lagermax Lagerhaus u. Sped. AG in Sbg., seit 1962 Importltr., seit 1970 Prok., ab 1984 Dir. dieser Fa. F.: Inh. d. Sped. Gustav Winternitz, Schwer- u. Maschinentransporte in Wien. H.: Squash, Surfen, Schwimmen, Skibob, Langlauf.

Sedlacek Hannes

B.: Weinkfm., Ltr. d. Vinotheken "Holzmann". PA.: 1170 Wien, Steinerg. 15. G.: Wien, 14. Apr. 1954. El.: Otto u. Johann. S.: Hotel-FS i. Gleichenberg, 1980 Konzessionsprüf. K.: praktizierender Koch i. Int. Betrieben "La reserve" Genf, "George 5" Paris, "Hilton" London u. i. renommierten Betrieben Österr., Ltr. e. int. Bar i. "Hilton" u. d. Kongreßabt. "Hilton", dann Ausstieg a. d. Gastronomie, s. 1988 i. Ltr. d. Vinotheken "Holzmann" im Shopping Center Nord. H.: Wein, Skifahren, Tennis, Gymn. (N.A.)

Sedlacek Johann

B.: Gschf. FN.: A. Haase GmbH Verpackung u. Werbung. DA.: 1170 Wien, Urbang. 18. G.: Wien, 26. Dez. 1933. V.: Friederike, geb. Schätzl. Ki.: Friederike (1961). El.: Ludwig u. Elisabeth. S.: Berufsschule f. d. Graph. Gewerbe, 1951 Abschluß. K.: 1955 Eintritt Fa. A. Haase GmbH Verpackung u. Werbung als Abt.-Ltr., ab 1978 Betriebsltr., seit Juli 1990 Gschf. E.: Silb. VZ d. Landes Wien. H.: Familie, Polit. Tätigkeit in d. Bez.-Vertretung d. 14. Wr. Bez., Wandern. (J.S.)

Sedlacek Josef KommR.

B.: Alleininh. d. Fa. Körner-Kloss, Neonlichter Buchstabenunternehmen, Elektrotechniker, Konzessionsträger u. Unternehmer. DA.: 1060 Wien, Barnabiteng. 10. PA.: 1060 Wien, Schadeg. 2. G.: Wien, 17. März 1930. V.: Pauline, geb. Nyman Ruthemeyer. Ki.: Georg Nikolaus. El.: Methodt u. Methodtia. S.: VS, HS, Ing.Schule. K.: einige J. selbst. Hdls.Vertr., dann Konzessionsbeauftragter d. Elektrotechnik, 1960 Übernahme u. Kauf d. Fa. Körner Kloss. BL.: Mitarb. in div. Aussch. d. Elektroinnung, Mitarb. f. Bau- u. E-Normen, Sachv. elektrotechn. Lichtreklamen. M.: Kam.Innung. H.: Tennis, Kultur. (E.L.)

Sedlar Christl

B.: Inh. Cafe Prückel. DA.: 1010 Wien, Stubenring 24. G.: Wien, 14. Sep. 1940. V.: Wilhelm Sedler. Ki.: Friedrich (1968). El.: Friedrich u. Emma Palouda, geb. Anton. S.: VS, HS, Fachschule f. Schneiderei Michelbeuern, 1958-61 Hotelfachschule. K.: 1961 Eintritt in d. elterl. Betrieb, 1971 Übernahme d. Führung. (N.A.)

Sedlinger Hans-J. Dr. med.

B.: prakt. Arzt. DA.: 1060 Wien, Linke Wienzeile 176/2. PA.: 1060 Wien, Linke Wienzeile 176/3. G.: Neunkirchen, 24. Jan. 1939. V.: Lucia, geb. Brodinger. Ki.: Elisabeth. S.: VS, HS, Gymn., Stud. d. Med. in Wien, 1968 Prom. K.: 1968-73 Ausbild. z. prakt. Arzt in Waidhofen/Ybbs, 1973-77 Ass.Arzt im Rehabilitationszentrum Fettring/NÖ, seit 1977 eigene Ordination als prakt. Arzt. H.: klass. Musik, Lesen, Radfahren.

Sedlitzky Tibor Alexander

B.: General Manager FN.: AISIN Zweigniederl. Österr.DA.: 1150 Wien, Diefenbachg. 42. PA.: 1180 Wien, Peter Jordan Str. 67. G.: Kempten/BRD, 17. Dez. 1956. V.: Eva Maria, geb. Niederwimmer. Ki.:Raphael (1991), Dominik (1993) S.: HTL Textiltechnik, 1975 Matura. K.: 1976-84 Ass. d. Geschäftsltg. Fa. Riccar-Europa, 1984-85 Produktmanager Fa. Husqvarna Elektrolux, seit 1985 Marketingmanager u. Betreuung Österr., Ungarn u. CFSR d. Fa. ABC.1993 Gen Man AISIN Österr. ein Unternehmen d. Toyota Gruppe,Betreuung: Österr., Ungarn, Tschech. Rep., Slowak. Rep., Slowenien, Bulgarien, Rumänien, Polen H.: Basketball, Tennis. (J.S.)

Sedlnitzky Christian Dr. rer. soz. oec. Mag.

B.: Gen.-Dir., Vors. d. Vorst. FN.: Raiffeisen Vers. AG. DA.: 1050 Wien, Wiedner Hauptstr. 100. G.: Innsbruck, 7. Mai 1946. S.: Matura, 1971 Ferialstelle d. AISEC b. d. EDF in Boulogne sur mer Frankreich, anschließend Sommeruniv. Lille, 1974 Prom. K.: 1974-76 stellv. Gschf. d. Steir. Vw. Ges. in Graz, seit 1975 Vortragender f. d. Polit. Ak., Josef-Krainer-Haus, Schloß Hernstein u. ÖAF, f. d. Bereiche Gruppendynamik, Verhaltenstraining, Kommunalpolitik, Rhetorik, Managementtechniken, Arbeitstechnik u. Selbstorgan., 1976-79 Ref. in d. BLtg. d. Österr. Wirtschaftsbundes in Wien, Sekr. d. Österr. Wirtschaftsbundes f. d. Exekutivkomitee d. Europ. Mittelstandsunion (EMSU), 1979 Ltr. d. Gesamtverkaufes u. Vertriebes sowie d. Werbe u. PR-Abt. d. Grazer Wechselseitigen Vers. m. Prok., 1980 Einladung d. US State Departments auf eine einmonatige Studienreise in d. USA, 1986 Mtgl. d. Vorst. d. Raiffeisen Vers. AG u. designierter Vors. d. Vorst. d. Raiffeisen Vers. AG, seit 1986 Vors. d. Vorst. u. Gen.-Dir. d. Raiffeisen Vers. AG. H.: Skifahren, Tennis. (P.R.)

Sedy Herbert Ing.

B.: Abt.-Ltr. Technik 2. im Ver. f. Konsumenteninformation. DA.: 1060 Wien, Linke Wienzeile 18. PA.: 1070 Wien, Neubaug. 4/11. G.: Wien, 24. Dez. 1943. V.: Elisabeth, geb. Herzl. Ki.: Sonja (1969), Barbara (1970), Michael (1972). El.: Anton u. Hermine, geb. Grihsmüller. S.: VS, HS, HTL, 1963 Abschluß. K.: 1963 Eintritt als Chemiker in d. Ver. f. Konsumenteninformation, seit 1967 Ing., seit 1975 Laborltr., seit 1991 o.g. Position. M.: Österr. Codexkmsn., Mtgl. in etl. Aussch., Vors. d. Fachnormenaussch. f. Spielzeug u. andere sicherheitsrelevante Kinderartikel. H.: Lesen, Tennis, Wandern. (N.A.)

Seebacher Brigitte

B.: Inh. FN.: 1. Linzer Botendienst. DA.: 4020 Linz, Waldeggstr. 114. PA.: 4060 Leonding, Antoniweg 19. G.: Linz, 11. Jan. 1953. Ki.: Wolfgang (1977). El.: Rudolf u. Anna Pointner. S.: VS, HASCH. K.: 1966-68 Schriftführerin LG Linz, 1968-70 Sekr. in einer Linzer RA-Kzl., 1970-73 Sekr. Firma Anger Traun, 1973-80 Ltr. d. Verkaufsabt. Firma Thermoplast, 1980-83 Projektentwicklung Firma A. Anger Traun, seit 1983 selbst. m. 1. Linzer Botendienst, Ausbau auf nat. bzw, grenzüberschreitende Ebene. H.: Tiere, Wochenendhaus. (G.E.)

Seebacher Günther

B.: Modecoiffeur. DA.: 9020 Klagenfurt, Villacher Ring 45. PA.: 9074 Keutschach, Reatz 67. G.: Gnesau, 9. Aug. 1953. V.: Auguste, geb. Hofmeister. El.: Gerold u. Dorothea. S.: Pflichtschulen, Berufsschule. K.: nach Lehre Teilnahme an zahlr. intern. u. nat. Wettbewerben, 1978 Eröff. d. Salon Seebacher. P.: Art. u. Kommentare f. d. Ktn. Illustrierten. E.: 1977 Österr. Coiffeur-VMstr. H.: Musik, Malen. (D.M.)

Seebacher Thomas Mag.

B.: Kfm., Gschf. GT.: Jagdvermittlung. DA.: 1190 Wien, Kaasgrabeng. 5a. G.: Salzburg, 15. Juni 1947. V.: Ulrike, geb. Wernhart. El.: Ing. Peter u. Marguerite. S.: RG, WU Wien. K.: Praktikum in Italien u. d. BRD, 2 J. Ang. dann Gschf. F.: Seebacher KG u. MTS. H. Jagd. (Kas.)

Seebacher Klaus Dipl.-Ing.

B.: Ltr. d. Arbeitsgebietes 8, Bau- u. Elektrotechnik. FN.: ÖBB Infrastruktur. DA.: 4020 Linz, Bahnhofstr. 3. PA.: 4020 Linz, Kudlichstr. 40. G.: Mödling, 16. Jan. 1944. V.: Gerhild, geb. Murgg. Ki.: Gernot (1969), Gunter (1971), Gerit (1974). El.: Friedrich u. Gisela. S.: VS, BRG, 1964 Matura, Techn. HS Graz, Bauing.-Wesen, Eisenbahnb. u. Seilbahntechn., 1973 grad. K.: 1973 Köflacher Eisenbahn Bearb. f. Oberbau, Stv. Mechan. Oberbau, 1 Gasweichenheizung entwickelt, 1980 i. Eisenbahntechn. - Seebacher Streckenleitung Selzthal, 1981 Wechsel zur ÖBB - Streckenltg. Selztal Bauarbeiten f. WM 1982 i. Schladming vor Eröffnung, 1982 Vorstand Streckenltg. Steyr, 1983 Vorst. Streckenltg. Linz Ltr. d. Abt. 8, 1987 i. Direktion best., 1989 z. Vizepräs. best. - ständ. Vertr. d. Ltrs. d. ÖBB Dion Linz. M.: Ing.- u. Arch. Verein OÖ im Vorstand, Freier Wirtschaftsverband, ESV Wels Präsident. H.: Eishockey - Schiedsrichter, 1966-82 Bundesligaschiedsrichter Eishockey Int., Schifahren. (N.A.)

Seebacher-Mesaritsch Alfred Prof. h.c.

B.: Historiograph, Schriftsteller, Dramatiker. PA. u. PA.: 8044 Graz-Fölling, Kollerweg 20. G.: Großlobming, 23. Aug. 1925. V.: Elfriede, geb. Siegl. Ki.: Claudia. El.: Vincentius u. Theresia. K.: b. 1985 Red. einer Grazer Tageszeitung. BL.: Vertiefung d. steir. Geschichte f. heutige Generation. P.: Das Neunte Gebot (1956), Hexen-Report (1972), Gold in Steirischen Bergen (1974), Hrsg. Kleinbuchreihe "Volkspoesie aus der Steiermark", dramat. Werke: Requiem für Anna, Der Bürgermeister, Hausspruch, Das Styralied, Das Schladminger Knappenspiel, Histor. Bücher über Bärnbach, Trofaiach, Bad Gams, Altenmarkt/Enns, Lannach, Weinitzen. E.: Polenpreis 1963, Dramatikerpreis d. Arnfelser Schloßspiele 1974, Literatur Förd.Preis d. Stadt Graz 1976, Prof. 1980, Europakreuz d. ÖKB 1980, Schladminger Literaturpreis 1983, Ehrenmed. d. Stadt Graz u. Gr. EZ d. Landes Stmk. 1984. M.: P.E.N.-Club, Werkbund Graz. (H.Z.).

Seebauer Barbara

B.: Journalistin. FN.: Aktueller Dienst, ORF Fernsehen. DA.: 1136 Wien, Würzburgg. 30. PA.: 1070 Wien, Lerchenfelderstr. 81. G.: Wien, 31. Jän. 1966. El.: Erich u. Inge. S.: AHS-Matura i. Wien, anschl. Stud. d. Theaterwiss., Philosophie u. Publizistik a. d. Univ. Wien. K.: nach d. Matura Initiatorin u. Ltr. v. Kursen f. Arbeitslose im Rahmen d. BFI, 1987 Eintritt beim ORF, Beginn d. Karriere beim "Inlandsreport" als freie Mitarb., 1989 Aktueller Dienst, s. 1991 Ang. Red., Schwerpunkt d. Tätigk.: Innenpolitik. H.: Klavierspielen u. Reisen. (J.S.)

Seeböck Haavard

B.: Filmproduzent, Schauspieler. PA.: 6020 Innsbruck, Franz-Fischer-Str. 55. G.: Lanersbach, 20. Dez. 1939. V.: Waltraud, geb. Gasser. S.: Gymn., Fotografenlehre, Archäologie u. Kunstgeschichtsstud. an d. Univ. Innsbruck, Mozarteum Sbg.: Schauspiel- u. Regiestud. K.: 1976 Grdg. d. HVS-Seeböck-Filmprod., seit 1964 am Tir. Landestheater. E.: 2x: Cork Film Intern., Irland, b. 30. Bergfilmfestival in Trient: Trofeo delle Nazioni, Woco 78 in Nairobi, Afrika, 1. Preisträger b. Festival f. wiss. Filme in Moskau 1958. M.: Lions-Club Hall. H.: Reisen, Filmen, Kunstgeschichte, Archäologie. (Schm.)

Seeböck Herwig

B.: Schauspieler, Kabarettist, Schriftsteller, Maler. PA.: 1120 Wien, Schönbrunner Str. 271. G.: Wien, 7. Dez. 1939. V.: Mottl Erika. Ki.: Ida, Jakob. El.: Herwig u. Anna. S.: VS, HS, RG, Ak. f. Angewandte Kunst, Schauspielschule (Skoda, Krauss). K.: Kabarettist, Fixengagements in Basel, Freiburg/Preisgau (Theater am Wallgraben) etc., danach 5 J. am Schauspielhaus Graz, anschl. Volkstheater u. Burgtheater, dazwischen einige TV-Aufzeichnungen u. Filme, b. 1987 Lehrer am Reinhardt-Seminar, außerdem Bilderausstellungen vorwiegend im Ausland, seit 1982 Sommerproduktionen im Sieveringer Steinbruch gekoppelt m. d. kulturellen Veranstaltung in Litschau/Waldviertel, 1990 Grdg. d. Seebück-Ensembles: Eigenproduktionen (u.a. Eule u. Kätzchen, Der zerbrochene Krug, Oscar, Minna v. Barnhelm, Educating Rita, einige Kabarett-Programme), 1992 Sprechrolle in d. Wr. Staatsoper: Priester im Baal v. Friedrich Cerha. BL.: neue schauspiel. Ausbildungsformen (basierend auf amerik. System). P.: Sammelband sämtl. geschriebener Theaterstücke. H.: Fechten, Radfahren, Tontaubenschießen, Shakespeare (in engl. Sprache, Lesungen), Dudelsckspielen. (J.S.)

Seebohm Andrea Dr. phil.

B.: Journalistin, Ltr. d. Musikabt. ORF-Studio Wien. DA.: 1040 Wien, Argentinierstr. 30a. PA.: 1090 Wien, Guntherg. 3. G.: Lissabon, 20. Dez. 1941. S.: 1961 Matura, Stud. Musikwiss. u. Germanistik Wien, 1968 Prom. K.: neben Stud. bereits ständ. Tätigkeit als Musikkritikerin b. Wr. Tageszeitung, Mitarb. in d. Musikal. Jugend Österr., Ausbild. am Konservatorium d. Stadt Wien: Oper - Lied - Oratorium Klasse, ab 1971 Musikkritikerin u. Kulturred. b. Kurier, seit 1982 ORF. P.: Hrsg. d. Bandes "Die Wiener Oper - 350 Jahre Glanz u. Tradition". H.: Skifahren, Tennis, Musik, Literatur. (P.R.)

Seeburger Peter Mag.

B.: Gschf. Ges. d. Schretter & Comp. GmbH & Co KG. DA.: 1040 Wien, Argentinierstr. 22. PA.: 2384 Breitenfurt, Grenzg. 4. G.: Wr. Neustadt, 20. Juni 1949. V.: Gerda, geb. Christian. Ki.: Alice u. Sabine. El.: Ferdinand u. Brigitte. S.: RG, Militär, HS f. Welthdl., Spons. 1973. K.: Seit 1970 in d. Werbebranche tätig, 1976 Prok. d. Werbeagentur Austria 3, ab 1978 Gschf. d. Schretter & Rausch, ab 1980 Ges., 1984 Umben. in Schretter & Comp. GmbH & Co KG u. Erwerb weiterer Gesellschaftsanteile. BL.: Spez. auf d. Geb. d. "social marketing" u. institutioneller Kommnikation (Banken, Land NÖ, Sporthilfe). P.: "Ein Bilderbuch v. einer Werbeagentur" (Eigenverl.), div. Publ. in versch. Fachzeitschr. E.: Staatl. Ausz. f. Zeckenkampagne, Ausz. b. CLIO Award f. div. Filme, mehrmals "Rundfunkspot des Monats", EFFI-Preis, Staatspreis f. eine Rundfunkkampagne. H.: Beruf, Kunst, Sport. (G.E.)

Seedoch Johann Dr. wHofR.

B.: Dir. FN.: Bgld. Landesbibliothek u. Landesarchiv. DA.: 7001 Eisenstadt, Freiheitspl. 1. PA.: 7035 Steinbrunn, Untere Hauptstr. 41. G.: Wiener Neustadt, 13. Okt. 1938. V.: Dorothea, geb. Milalkovits. Ki.: Thomas, Werner. El.: Johann u. Katharina. S.: BRG Mattersburg, Stud. Latein u. Geschichte an d. Univ. Wien, 1962 Prom., 1962-65 Inst. f. Geschichtsforsch. m. Staatsprüf. K.: 1963 Eintr. i. Landesarchiv, 1967 Landesarchivar, 1971 Landesoberarchivar, 1972

Landesarchivrat, 1978 Landesoberarchivrat, 1979 OReg.-Rat, 1988 wHofR., Best. z. Dir.; 1965-88 redaktionelle Tät., 1975-88 Ltr. d. Landesbibl., 1988 Hrsg. Bgld. Heimatblatt, u.a. wiss Werke, div. Nebenbesch. wie Prof. an d. PÄDAK Bgld. s. 1973. M.: Inst. f. Österr. Geschichtsforsch., Verb. österr. Archivare, Vereinig. Österr. Bibliothekare, Vereing. Bgld. Geographen, Südostdt. Histor. Kmsn., Verb. österr. Historiker u. Geschichtsver. P.: 75 wiss. Arb. z. Landesgesch. E.: Ehrenmed. Komitat Vas, Silb. u. Gold. Plak. d. Univ. Maribor, Jugoslaw., Stern am Halsb., Gold. EZ f. Verd. um d. Rep. Österr., Gold. EZ d. Landes Stmk., GrEZ d. Landes Bgld.,Gold. EZ f. Verd. um d. BUland. NÖ., Martinsorden in Gold, u.a. H.: Garten, Radfahren, Wandern. (M.G..)

Seefeldner Othmar Dr. iur. wHofR.

B.: Pensionist. PA.: 4020 Linz, Mozartstr. 33. G.: Komotau/Böhmen, 21. Nov. 1907. V.: Rosa, geb. Groß. Ki.: Dr. Brigitte (1940), Prof. Maria (1950). BV.: alte Radstädter Familie. S.: Stud. Rechtswiss. K.: Tätigk. b. Gericht u. RA-Kanzlei Dr. Trummer in Graz, 1934 OÖ LReg., OÖ Landes-Brandschaden-Vers.-Anst., 1938 Landratsamt im Sudetengau, 1941 Wehrmacht, 1945 Rückkehr v. Potsdam über Berlin gem. m. LHauptm. Dr. Gleißner, Wiederaufbauamt/Amt d. LReg., Ltr. d. Finanzabt., 1957 Ltd. Dir. d. OÖ LBrandschaden-Vers.-Anst., 1977 Pensionierg., 1977-90 AR-Mtgl., er bekleidete wichtige Funktionen in d. Versicherungswirtsch. u. maßgebl. Funktionen in d. verstaatl. Ind. E.: Gr. VK d. VO d. BRD, Komturkreuz d. norweg. St.-Olavs-Ordens, Kommandeur-Kreuz d. Königl.-Belg. Leopold-Ordens, 1964 Gr. EZ f. Verd. um d. Rep. Österr., 1976 Gr. Silb. EZ f. Verd. um d. Rep. Österr., 1975 Gold. EZ d. Landes OÖ. (U.A.)

Seefranz Eberhard Dkfm.

B.: Gen.-Dir. (Österr. Unilever) i. Ruhe. E.: Gr. Gold. EZ f. Verd. um d. Rep. Österr.

Seefried Mona

B.: Schauspielerin. G.: Wien, 30. März 1957. El.: Prof. Wolfgang Schneiderhan u. Kammersängerin Irmgard Seefried. S.: VS, Gymn., Max Reinhardt-Seminar Wien. K.: Engagements: 1973-74 Sbg. Festspiele, 1974-76 Basler Stadttheater, 1976-80 Thalia Theater Hamburg, 1980-85 Staatl. Schauspielbühnen Berlin, seit 1984 Gastschauspieler an d. Dt. Oper Berlin, 1985 Theater d. Westens Berlin, 1986 Bayer. Staatsschauspiel München, 1987 Schauspieltruppe Zürich, 1988 Theater in d. Josefstadt Wien, Repertoire u.a.: 1974 "Spiel der Mächtigen" Sbg. Festspiele, 1975-77 "Stern auf der Stirn" Roussel, "Spiel mit dem Feuer" Strindberg, 1977-80 "Faust 1 u. 2" 15 Rollen, "Wilhelm Tell", "Alice im Wunderland" 8 Rollen, 1980-85 "Ich steig aus und mach'ne eigene Show", "Sehnsucht", "Reigen", "Majakowski", "Trilogie der Sommerfrische", "Orpheus in der Unterwelt", "Die Dame vom Maxim", "Irma la Douce", 1985-87 "Der Erfolg", "Der seidene Schuh", "Midnight Show", 1988 "Hof- und Personalnachrichten", Film/Fernsehen: 1974 "Liliom", 1981 "Ich steig aus...", 1984 "Orpheus in der Unterwelt", "Eine Klasse für sich", "Nachtärzte", 1985 "Fundsache", "Der Prinz muß her", 1986-87 u. 1989 Praxis Bülowbogen, 1987 "Liebling Kreuzberg", "A.D.A.M.", 1988 "Liederzirkus", "Der Fahnder". H.: Kochen, Gartenarb., klass. u. mod. Musik.

Seeger Richard Dr. iur.

B.: Mag.Dir. i.R. A.: 5023 Salzburg-Gnigl, Reisenbergerstr. 20. G.: Perg, 7. Febr. 1896. V.: Marianne, geb. Eysn-Hinterschweiger. El.: Dr. iur. Rudolf u. Leopoldine. S.: Übungsschule, Hum. Gymn. Linz, Abiturientenkurs Linz, Univ. Innsbruck. K.: Gerichtsj., Mag. Steyr, Mag.Dir. Villach, Entlassung duch Nationalsozialisten, Stadtvw. Znaim, Flucht v. dort 1945, Bez.Hptm. in Kufstein. Ab 1947-62 aktiv als Mag.Dir. in Sbg., während d. Kriege k.u.k. Lt. bzw. Hptm. d. Dt. Wehrmacht. P.: Schriftstellerische Tätigkeit im jur. Fachbereich, teils in Tageszeitungen, vorwiegend in d. österr. Städte-Essays. E.: Tapferkeitsmed. aus 1. u. Kriegsverd.Kreuz aus 2. Weltkrieg. M.: Ein Jahrzehnt (1956-66) Lion, Präs. f. Sbg. H.: Genealog. intensive Tätigkeit.

Seeger Robert

B.: Red. d. ORF. DA.: 8042 Graz, Marburger Str. 20. PA.: 8042 Graz, Petersbergenstr. 160. G.: Graz, 22. Juli 1941. V.: Ingrid, geb. Kühnel. Ki.: Robert. El.: Robert u. Ilse. BV.: Vorfahren waren m. engl. Königshaus verwandt. S.: VS, BRG, HAK, HS f. Welthdl., 1 J. b. UNO in New York. K.: seit 1965 b. ORF, ab 1973 verantwortl. f. d. Sportabt. d. ORF Stmk., Teilnahme an 8 Olymp. Spielen, 4 Fußball-WM, Ski-WM, etc., BetriebsR.Obm. Stmk. u. Mtgl. d. Zentral-betriebsR. d. ORF. BL.: seit 1977 Autor eines Handbuches f. d. Alpinen Skisport. E.: zahlr. Ausz. u.a. Intern. Sport-Oscar, Goldmed. d. intern. Eishockey-Verb., 1987 b. Ski-WM d. Goldmed. f. d. besten deutschsprachigen Skikommentator, Gold. EZ d. Landes Stmk. M.: Panathlon-Club Graz. H.: Musicals (eine d. größten Musicalsammlungen Österr.), Sport (Fußball, Baseball). (R.A.)

Seel Helmut Dr.

B.: Mtgl. d. NatR., o.Univ.-Prof. DA.: 1017 Wien, Dr.-Karl-Renner-Ring 3. G.: Hollabrunn, 28. Febr. 1933. S.: BRG, LBA, 1953 Matura, Lehrbefähigungsprüf. f. VS u. HS, 1958-63 Univ. Graz (1962 Lehramtsprüf., 1963 Dr. phil.). K.: 1953-62 Lehrer Pflichtschulen, 1968-68 Prof. an BLBA Linz, 1968-70 Prof. an d. Pädak. d. Bundes in Linz, 1970-72 HS f. Bildungswiss. Klagenfurt, 1972 Habil., 1972-77 Ltr. d. Abt. I d. Zentrums f. Schulvers. u. Schulentwicklung d. BMUK Klagenfurt, anschl. wiss. Berater d. Inst., seit 1972 o.Univ.-Prof. f. Päd. Univ. Graz, 1977/79 Dekan d. geisteswiss. Fak. d. Univ. Graz, Mtgl. d. Schulreformkmsn., Obm. d. Fachgr. HS-Lehrer im BSA Stmk., 1981-88 Landesbildungsobm.-Stellv. u. seit 1988 Landesbildungsvors. d. SPÖ Stmk., Mtgl. d. NatR. 1983-87 u. seit 1988. E.: St GrGEZ.

Seel Ludwig

B.: Steuerberater u. Gschf. Ges. d. Ludwig Seel Steuerberatungs GmbH, allein. Ges. u. kfm. Gschf. d. Fa. Rentax Wirtschaftsplanungs- u. Beratungs GmbH. DA.: 4020 Linz, Greilstr. 12. PA.: 4042 Puchenau, Lorberrgang 2. G.: Hollabrunn, 28. Nov. 1934. V.: Gerhild, geb. Fischer. Ki.: Mag. Alexander (1959), Bernhard (1960), Ing. Christian (1962), Mag. Thomas (1968). El.: Dipl.-Ing. Franz u. Maria. S.: Unterstufengymn. Linz, HAK. K.: Betriebsprüf.-Dienst, Finanzverw. in Linz, glz. Stud. Welthdl. Wien, Großbetriebsprüf. f. OÖ, ab 1958 b. Steuerberater Köglberger in Linz, 1959 Zulass. als Betriebsberater, 1960 Steuerberaterprüf., selbst., 1960 Gründ. Steuerberat.-Büro, 1965 Gründ. Fa. Rentax, 1970 Gründ. Steuerberat.-GmbH. F.: Ges. d. Fa. Simon Redtenbacher, Inh. Apartementhotel in Bad Gastein, ehem. Handballspieler, Funktionär u. Sponsor. M.: Lions-Club Linz-Mitte u. Past Präs., Dt. HK in Österr., IFS (Intern. Fachinst. f. Steuerrecht). H.: Tennis, Reisen (insbes. Kreuzfahrten). (U.A.)

Seelaus Dietmar

B.: Elektromeister, Gschf. Inh. FN.: Dietmar Seelaus Elektro. DA./PA.: 6300 Wörgl, Aubachweg 12. G.: Wörgl, 2. Nov. 1954. V.: Hildegard, geb. Radinger. Ki.: Sylvia (1980), Daniel (1983). El.: Johann u. Maria. S.: VS, HS, 1971-74 HTL Innsbruck, 1974 Matura, BH, danach 10 Monate Canada, zurück i. elterl. Betr. K.: 1978 Übernahme d. elterl. Betr. H.: Tennis, Auto u. Motorsport, Wandern, Skifahren, Sauna, Fußball. (A.W.)

Seeleitner Manfred

B.: Graveur, Guillocheur, Ziseleur. FN.: Manfred Seeleitner Schilder, Stempel, Pokale. DA.: 5110 Oberndorf, Salzburger Str. 50. PA.: 5110 Oberndorf, Salzburger Str. 87b. G.: Oberndorf, 18. Juni 1961. V.: Adelheid, geb. Streitberger. El.: Franz u. Theresa, geb. Reichl. S.: VS, HS, Berufsschule Amstetten, 1985 Mstr.-Prüf. z. Guillocheur, Graveur u. Ziseleur, 1982 Schlosserausbild. BFI Sbg., Gesellenbrief. K.: seit 1985 selbst. M.: Vors. d. Mstr.-Prüf.-Kmsn. Sbg., VKdt. d. Feuerwehr. H.: Bergsteigen, Radfahren. (S.P.)

Seelhofer Monika

B.: Dir. FN.: Burg Hotel. DA./PA.: 6764 Lech/Arlberg, Oberlech. G.: Neunkirchen, 25. Mai 1955. El.: Josef u. Eva-Maria. S.: Hotelfachschule Wien, 1972 Abschl., 1983 Konzessionsprüf. mit Auszeichn. K.: s. frühester Jugend Mitarb. im elterl. Gasthof, Österr. Verkehrsbüro - Hotelabtl. u. Verwalt., 1973 2. Rezeptionschef in Hotel in Dtl., 1975 Eintr. Burg Hotel Oberlech als Rez., 1986 Gschf. d. Hotels. BL.: Hotel mit Sommerbetrieb in Oberlech. H.: Reisen, Tennis, Oper, Wandern, Kochen, Natur. (I.D.)

Seeliger Elisabeth-Maria Dr. med. univ.

B.: FA f. Psychiatrie u. Neurologie. GT.: Ärztl. Ltr. d. Privat-KH Oberthurnhof. DA. u. PA.: 5412 St. Jakob am Thurn 4. G.: Schwarzach, 16. Apr. 1946. El.: Dr. med. Hans FA f. Interne Med. u. Margarethe Seeliger. BV.: lückenlose Ahnenreihe v. 8 Jhdt., 1795 Rudolf Theodor Seeliger war verheiratet m. d. Tochter eines direkten Nachkommen d. Polenkönig Sobieski, deren Sohn Dr. Hugo Hans Ritter v. Seelige, Astronom, Geheimer Rat, Univ.-Prof., Präs. d. Ak. d. Wiss. in Bayern u. 1. Gelehrter d. uns d. Vorstellung d. Universums als einer endl. Welt gab (Berechnung d. Milchstraßensystems), Großvater: Dr. Hans Seeliger OLGR. Dr. iur. u. dessen Bruder Schriftsteller Obst. Emil Seeliger ("Hotel Sacher", "König d. Demokraten"), Großmutter: Pauline Toldt, Cousin Dr. iur. Alexander Toldt, Kabinettsdir. u. Präs. d. Dt. Volkstheaters, Neffe d. Anatomen Prof. Dr. Carl Toldt. S.: 1966 Matura, 1967 Lateinmatura, Stud. an d. Univ. Innsbruck, 1976 Prom., FA-Ausbild. an d. LNervenklinik Sbg. K.: 1982 FA f. Psychiatrie u. Neurologie, 1982-88 Sozialmed. Dienst, 1983 Eröff. d. Privatpraxis in Sbg. P.: Mitarb. am Buch: "Biokybernetik und Psychopathologie". M.: Österr. Arbeitskreis f. Gruppentherapie u. Gruppendynamik, Österr. Ges. f. Akupunktur u. Auriculotherapie, BVerb. Dt. Ärzte f. Naturheilverfahren. H.: Arch., Antiquitäten, Musik, Tanz.

Seeliger Gert RgR. Ing.

B.: Bmtr., Amtsdir. d. Österr. Statist. Zentralamtes (ÖSTAT). DA.: 1030 Wien, Hetzg. 2. PA.: 1100 Wien, Raaberbahng. 11/4/29. G.: Wien, 30. Sep. 1938. Ki.: Ulrike (1962), Andrea (1964), Gudrun (1966), Kurt (1967). El.: Otto u. Adele. S.: Höhere BLA f. alpenländ. Ldw., 1958 Matura. K.: 1959-68 in d. Betreuung d. bäuerl. Jugend u. in d. Lehr- u. Fachausbild.-Stelle tätig, 1968-69 Firma Suchard, 1969 Eintritt ÖSTAT, seit 1983 o.g. Position, zuständig f. Agrarzensus, ldw. Maschinenzählung, Bodennutzungs- u. Arbeitskräfteerhebung in d. Land- u. Forstwirtschaft, Weingartenerhebung, Almwirtschaftserhebung, Erhebung d. Anteils- u. Nutzungsrechte, Gartenbauerhebung, seit 1991 BezR. u. Clubobm. d. FPÖ Favoriten. M.: Stellv. Vors. d. Finanzaussch. H.: Lesen, Wandern, Fußball, Spazieren gehen, Schwimmen, Tischtennis. (N.A.)

Seeliger Renate

B.: LLtr. d. Katastrophenhilfe österr. Frauen. GT.: Schriftstellerin. DA.: 1010 Wien, Krugerstr. 3. PA.: 1238 Wien, Haymog. 51/1. G.: Wien, 29. Juni. V.: Ing. Otto. Ki.: Eva Meloun ak. Malerin, Dr. iur. Christine. El.: RA Dr. Otto u. Edeltraud Meloun. S.: RG, Matura, 3 Sem. Stud. Germanistik u. Kunstgeschichte. K.: Seit 11 J. verantwortl. LLtr. d. KÖF, Stellv. d. BLtr. P.: 9 Jugend- u. Kinderbücher u.a. "Haus d. Zuflucht" (Autobiogr.), "Wer ein solches Kind aufnimmt", "Ein Platz bleibt leer", zahlr. Kleinschriften, Arb. f. d. Rundfunk, Schulvorlesungen, "Gesichter d. Not" (Erzählungen 1992). "Vergiss die Angst" Lyrik (1994) E.: EZ d. Landes Bgld. 1993, Silb. EZ f. Verd. um d. Land Wien 1990, Silb. EZ f. Verd. um d. Rep. Österr. 1990, Gr. EZ f. Verd. um d. Land Stmk. 1991. M.: ÖVP, Vorst.Mtgl. d. Sozialhilfswerks. H.: Lesen. (E.L.)

Seelmann Mathilde

B.: Inh. FN.: E. & M. Seelmann. DA. u. PA.: 4606 Wels, Linzer Str. 146. G.: Linz, 28. Febr. 1954. V.: Erwin Seelmann. Ki.: Michael (1974), Gerold (1975). El.: Franz u. Olga. S.: VS, HS, 1 J. Haushaltungsschule, b. 1972 Floristenlehre Linz. K.: b. 1973 Tätigkeit in Topfpflanzenbetrieb, 1973 Firma Seelmann Wals, 1979 Übernahme d. Betriebes. M.: seit 1985 Mtgl. d. Prüf.-Aussch. u. d. Landesinnung v. OÖ, seit 1986 Mtgl. Ldw.-Kam. H.: Beruf, florale Bilder, Sport. (U.A.)

Seelos Helene

B.: Gastronomin. FN.: Hotel Residenz Hochland. DA./PA.: 6100 Seefeld, Wettersteinstr. 184. G.: Mitternwald, 4. Okt. 1940. V.: Johann. Ki.: Johann, Sonja. El.: Anton u. Mathilde. S.: VS, Haushaltss. K.: tätig in einem Haushalt, anschl. Frühstückspension, tätig in Bäckerei u. Konditorei, 7J. in Gastronomie in der Küche, tätig im Blumengeschäft, 1963 Übern. d. Pension u. Landwirts. (mit Gatten), 1964 Ausbau zur Vollpension, Übern. d. elterl. Betriebes, 1993 Ausbau 3 Sterne Hotel, 1994 Ausbau 4 Sterne Hotel. H.: Singen, Unterhalt., Wandern, Natur, Familie. (A.W.)

Seelos Karl
B.: Dipl.Graphiker, Bildhauer, Steinbildhauerei. DA.: 1030 Wien, Heeresgeschichtl. Museum-Arsenal. PA.: 3400 Klosterneuburg, Föhreng. 9. G.: Zirl, 10. Apr. 1931. V.: Herta, geb. Tauchner. K.: Maria, Elisabeth, Barbara, Georg, Martin, Dominika. El.: Franz u. Elisabeth. BV.: Hans Seelos war 1507 Gießer f. Wappen (Zeugbücher Kaiser Maximilians I., Band I, Wien Waffensammlung, kunsthistor. Museum). S.: 5 J. in Innsbruck b. Prof. Kirchmayer, Graph. Lehr- u. Versuchsanst., 1956 Meisterklasse in Wien (Ölmaler, Portrait, Fresken). K.: 1956-68 tätig im Buch- u. Kunstverlag d. Stifts Klosterneuburg, Glasfenster d. Kirche Floridsdorf, 1968 Heeresgeschichtl. Museum, Entwerfen d. Design Modelle, Plakatwettbewerb Schönbrunn. P.: D. Tanz auf einem Bein, Seitensprung ins Wunderliche, Kreuzweg m. Israel, D. Maximilian, D. Jugend d. letzten Ritters, Martin - Gr. Erlebnis, Jesus ruft d. Kinder, D. kleine Indo u. d. Mutter Gottes, Schwarz u. weiß. E.: Kulturpreis v. Klosterneuburg, Silb. Verd.Med. d. Rep. Österr. M.: Klosterneuburger Künstlerver., Verschönerungsver. H.: Reisen, Kultur, Island, Afrika. (Fels.)

Seeman-Pelicon Ingrid
B.: Hon.-Konsul v. Kenia f. Österr. DA.: 1190 Wien, Hohe Warte 7A. G.: Wien, 4. Aug. 1939. K.: seit 1974 Hon.-Konsul v. Kenia f. Österr. (N.A.)

Seemann Demeter Dr.
B.: Prim., Vorst. d. Neurolog. Abt. Wien-Lainz. A.: 1130 Wien, Bossig. 19. G.: Laibach, 27. Juni 1918. V.: Eleonore, geb. Blascherik. El.: Dr. Karl u. Maria. S.: Matura (Schottengymn.), Prom. 1947, Dr. med. univ, Univ. Wien. K.: Ausbild. z. prakt. Arzt u. Ausbild. z. FA f. Neurologie u. Psychiatrie, KH Lainz, Univ. Klinik Wien, Zürich, Göttingen. F.: Nervenfachärztl. Ordination: 1180 Wien, Laudong. 20. P.: Über 50 Publ. aus d. Spezialgebiet (Parkinson, Depression, Bioklimatik, Biochemie, zentr. Kreislaufstörungen). H.: Segeln, Wandern, Autosport, Rosenzüchtung.

Seemann Hans Dipl.-Ing.
B.: Gschf. Ges. FN.: Interelektrik GmbH & Co KG. DA.: 9500 Villach, Zehenthofstr. 24. PA.: 9500 Villach, Schillerstr. 13. G.: Spiegelau/Bayern, 2. Mai 1943. V.: Ingrid, geb. Lantzsch. S.: Matura auf d. 2. Bild.Weg, Stud. Fach-HS Regensburg (Werkstofftechnik Glas), 1972 Abschluß. K.: 1972-79 Betriebsltr. in d. Privatwirtschaft, 1979-83 Projektltr. im techn. Verkauf f. Osteuropa, Schwarzafrika, Südostasien (Ind.Anlagenbau), seit 1983 Gschf. Ges. Interelektrik GmbH & Co KG. M.: Österr. Ver. f. Qualitätssicherung, Ver. Österr. Industrieller, VDI, DGG. (S.G.)

Seemann Oswald Dipl.-Ing.
B.: Gschf. Ges. FN.: Seemann Software System GmbH. DA.: 2340 Mödling, Hauptstr. 79. G.: Wien, 21. März 1955. V.: Dr. Susanna, geb. Dobrovits. Ki.: Alexandra (1984), Raphaela (1986). El.: Oswald u. Walfriede. S.: 1975 AHS-Matura, Maschinenbaustud. TU Wien, 1982 Dipl.-Ing. K.: 1983-91 stellv. Ltr. d. Postautobetriebsltg., ab 1991 selbst. m. Seemann Software System GmbH Entwicklung v. Software-Verw.-Programmen f. Zahnärzte. H.: Fußball, Tennis, Skifahren. (M.M.)

Seemann Othmar Dr. med.
B.: FA f. Zahn-, Mund- u. Kieferkrankheiten. DA.: 1090 Wien, Sobieskig. 29. G.: Wien, 3. Sept. 1946. Ki.: Rudolf, Maximilian. El.: Prof. Dr. Otto u. Rosina. S.: Stud. d. Med. in Wien, 1971 Prom. K.: Turnusausbild. in Wien, Stud. d. Zahnmed., Zahnmed. Praxis Spezialgebiet Kieferorthopädie. P.: zahlr. fachl. Publ., drei bibliograph. Bücher, in Vorbereitung wiss. Abhandlung über allg. Enzyklopädie d. letzten 2000 J. (M.B.)

Seemann Susanna Dr. med.
B.: FA f. Zahn-, Mund- u. Kieferheilkunde. DA.: 2340 Mödling, Hauptstr. 79. G.: Wien, 21. Juli 1957. V.: Dipl.-Ing. Oswald Seemann. Ki.: Alexandra (1984), Raphaela (1986). El.: Josef u. Hermine Dobrovits. S.: 1975 AHS-Matura, Med.-Stud. Univ. Wien, 1982 Dr. med. K.: 1983-88 Sekundararzt im Wilhelminenspital Wien, 1988-90 Ausbild. z. FA an d. Univ.-Klinik Wien, 1990 FA f. Zahn-, Mund- u. Kieferheilkunde, seit 1990 selbst. m. Ordination in Mödling. H.: Tennis, Skifahren. (M.M.)

Seep-Langer Herta
B.: Autorin, Aquarellmalerin. PA.: 6851 Dornbirn, Prälat-Drexel-Str. 8. G.: Rohle, CSSR, 24. Juli 1921. S.: Klösterl. Lyceum in Prerau, HASCH in Mährisch-Schönberg, Abendsch. in Krakau (altösterr. Univ.), Kurs f. Textil-Design, Literatursem. b. OStR. Prof. Dr. Blahut u. Prof. Dr. Karlheinz Heinzle, Reinhardtsem. (Hedy Reichel), Privatunterr. in Zeichnen u. Aquarellieren, Sommer-Akad. in Italien, Griechenl. u. Österr. K.: Mitarb. im elterl. Textilbetrieb u. schließl. Übern. d. Fa., als Schriftstellerin bek. durch Auszüge a. d. Tagebuch: "Gewiß, Vergangenheit verblaßt ...", Beiträge in Tageszeit., Kulturzeit., Vbg. Lesebogen, Münchner Merkur, Würzburger Tageszeit. u. versch. Heimatblätter, s. 1973 lfd. Vorträge in Erlangen, Würzburg ("Meine letzte Heimkehr", "Das zweite Leben", "Reiseberichte 30 J. später", "Reiseberichte 35 J. später", "Erzähltes u. Erlauschtes von einst"), Lesungen in d. Wr. Urania, Dialogveranst. d. Österr. Kultur-Services, Vorträge Literatur i. Klassenzimmer f. versch. Schulstufen m. großem Erfolg, Kirchenlesungen in Würzburg, Dornbirn, Bildsteiner Wallfahrtskirche, s. 1978 Malerei m. lyr. Texten, Ausst. m. Ing. Krebitz in Bregenz, Dornbirn u. Hohenems. M.: Österr. Schriftstellerverb., Clemens-Gem. d. Heimatvertriebenen, Mundart- u. Brauchtumsforsch. d. Sudetendt. Landsmannschaft München, Chronistin d. Kunstkreises Dornbirn. H.: Musik, Natur, menschl. Kommunikation, Gartenarb., Wandern, Skifahren, Schwimmen. (M.G.)

Seer Friedl
B.: Inh. FN.: Transportunternehmen "Friedl Seer - Transporte u. Erdbewegungen". DA.: 5505 Mühlbach, Nr. 33. G.: 18.Feb.1964. EL.: Josef u. Anna. S.: VS, HS. K.: Lehre als KFZ-Mechaniker, 1983 Gesellenbrief, s. 1983 selbst. elterl. Betrieb übern., seit 1984 auf Erdbewegung erweitert. H.: Skifahren, Fischen. (J.F.)

Seewald Auguste

B.: Pächterin. FN.: Aral-Großtankstelle. DA.: 2564 Weissenbach/Triesting, Hainfelder Str. 1. PA.: 2564 Furth/Triesting, Maierhof 69. G.: Bad Vöslau, 3. Jan. 1950. V.: Anton. Ki.: Irene (1977), Philip (1982). El.: Franz u. Auguste. S.: VS, AHS, Lehre Einzelhdl.-Kfm.. K.: Nach Ausbild. b. 1971 Tätigkeit als Verkäuferin, 1972-78 Tätigkeit Fa. William Prym, Lohnbüro, s. 1978 Pächterin d. Aral-Tankstelle. H.: Handarbeiten, Lesen, Fotographie, Videofilmen u.a. (S.F.)

Seewald Friedrich
Dr. phil. Mag. rer. nat. Univ.-Doz.
B.: Prof. an d. Päd. Ak. DA.: 5020 Salzburg, Akademiestr. 23. PA.: 5020 Salzburg, Hans-Pfitzner-Str. 9. G.: Salzburg, 7. Mai 1941. V.: Margarethe, geb. Obinger. Ki.: Bernhard

(1971), Heidrun (1973). El.: Josef u. Elisabeth. S.: VS, Gymn., 1961 Matura, b. 1966 Stud. Innsbruck, Lehramt Biologie u. Leibeserziehung, danach Stud. Didaktik d. Biologie Sbg., 1976 Habil. K.: Gymn.-Lehrer u. Lehrbeauftragter d. Univ., seit 1989 Lehrauftrag f. Sportökologie. BL.: 1. Österr. Habil. über Didaktik d. Biologie, 1. Lehrauftrag in Österr. f. Sportökologie, zahlr. naturwiss. Expeditionen in alle Teile d. Welt m. Schwerpunkt Arktis u. Antarktis. P.: Lehrbuchautor, ca. 50 Publ. E.: Eduard Paul Trotz-Preis f. hervorragende naturwiss. Leistungen d. BL Sbg. H.: Biologie, Umwelterziehung. (U.E.)

Seewald Karlheinz Dr.

B.: Richter. FN.: Landesgericht f. Strafsachen. DA.: 1010 Wien, Landesgerichtsstr. 11. G.: Feldkirch, 5. Sep. 1957. Ki.: Jakob (1982), Joseph (1984). El.: Gebhard u. Ida. S.: 1975 Mat., 1975-79 Stud. Math., Chem., Phys. u. Psychol., 1976 Stud. Jura, 1980 Prom. K.: 1981-83 Gerichtspraxis, 1983-84 Finanzlds.-Dir. Vbg., 1985-65 Richteramtswärter Vbg., 1986-87 Untersuchungsrichter Vbg., 1987-88 Staatsanw. Vbg. f. pol. Delikte, 1989-90 Staatsanw. im Justizmin., Legislative u. Pers.-Bereich, 1990-91 Bez.-Richter, s. 1992 Richter am Lds.-Gericht f. Strafsachen, Vors. f. Wirtsch.-Strafsachen, s. 1994 Vors. d. Spruchsenates Finanzamt. H.: Philosophie, Literatur, Sport, Außenpolitik. (A.M.M.L.)

Seewald Rudolf Dr. iur. Dipl.Vw.

B.: RA. A.: 6850 Dornbirn, Riedg. 31. G.: Lustenau, 1. Dez. 1916. V.: Maria, geb. Scholz. El.: Johann Georg u. Rosa. S.: VS, hum. Gymn. m. Matura, 8 Sem. Jusstud., Doktorat, 2 Sem. Vw. m. Dipl.Abschluß. K.: 1940-45 Soldat (Dt. Wehrmacht), 1945-48 Anw.Praxis, seit 1948 selbst. Anw. u. Strafverteidiger. P.: Div. Veröff. in Lokalpresse (Reisebeschreibungen, pol. u. soz. Stellungnahmen u. Betrachtungen), 1993 Buchveröffentl. "Freuden u. Leiden eines Provinzadvokaten", 1994 Ausstell. "Tibetische Impressionen" im Stadtmuseum Dornbirn (mit Katalog). M.: Gründ. u. Ehrenpräs. d. "Vbg. Rechtsanwälte gegen Atomgefahr", Dornbirn, seit 1986. H.: Sprachen, Geschichte, Kunstgeschichte, Archäologie, Religionsgeschichte, Völkerkunde, insges. über 40 Reisen außerhalb Europas.

Sefcik Franz

B.: Saunabes. d. Marchfeld Sauna. DA.: 2301 Groß Enzersdorf, Roseng. 12. PA.: 2301 Groß Enzersdorf, Roseng. 4. G.: Wien, 6. Juni 1960. V.: Martina, geb. Nedomansky. El.: Julius u. Rosa. S.: VS, AHS, 3 J. Ausbild. Einzel- u. Großhdls.Kfm. Fa. Rudolf Holzmann, 1 J. HTL Mödling, BH. K.: 4 J. Sachberarb. Fa. Schachermayer, 1 J. Vertreter b. Fa. Dorma Sbg., seit 1986 Marchfeld Sauna. H.: Schwimmen, Skifahren, Diskutieren, Spazierengehen. (S.S.)

Seger Josef Prof.

B.: ak. Maler. PA.: 2340 Mödling, Meiereig. 14. G.: 12. Juni 1908. V.: Berta. S.: Graph. Lehr- u. Versuchsanst. u. Ak. d. bild. Künste in Wien. K.: langjährige Tätigkeit an d. Graph. Lehr- u. Versuchsanst. in Wien. M.: Wr. Künstlerhaus. (Ch.K.)

Seggl Wolfgang Dr. med.

B.: OArzt Univ.-Klinik f. Unfallchir. Graz. DA.: 8010 Graz, Auerbruggerplatz 1, Praxis: 8010 Graz, Neutorg. 17-19. G.: Graz, 29. April 1949. V.: Barbara, geb. Mörth. Ki.: Iris (1982). El.: Anton u. Ida. S.: Matura 1968, 1968/69 Res.Offiz.-Ausb., 1969 Stud. d. Med., 1971 Staatsprüf. f. Heilbademstr. u. Heilmasseur, 1977 Prom., 1977-79 Chirurgieausbild. u. Turnus in Bad Aussee, 1987 Cleveland Clinique Foundation Ohio/USA, 3-monat. sportmed. Managementausbild. K.: s. 1979 Univ.-Klinik, Abt. Chirurgie u. Unfallchir. P.: ca. 80 Publ. in div. med. Fachzeitschr. u. 85 Vorträge auf d. Gebieten d. Unfallchir. u. Sporttraumatologie, Frakturheilung nach Osteosynthesen, Knie- u. Schultergelenksverletzungen, Behandlung mehrf. Verletzer, Knochentumore u.a. M.: Clubarzt d. Eishockey-Bundesligaclub, d. GAK, d. Boxclub Heros, Mtgl. d. wichtigsten intern. Ges. f. Sportmed. u. Unfallchir. H.: Sport, Segeln, Antiquitäten, Kunst. (P.M.)

Ségur Heinrich Pater

B.: Rektor. FN.: Ges. Jesu. DA. u. PA.: 1010 Wien, Dr.-Ignaz-Seipel-Pl. 1. G.: Wien, 12. Mai 1929. S.: VS, HS, Stud. d. Phil. Innsbruck u. München, Stud. d. Theol. in Innsbruck, abschl. Probationsj. in Paray le Marial. K.: 4 J. Erzieher in Kalksburg, 2 J. Ltr. d. HS-Konkregation, Spiritual am Erzbischöfl. Priesterseminar in Wien, Regens d. intern. theol. Konviktes CANISIANUM zu Innsbruck, Spiritual im Priesterseminar in Brixen, 1974 Ltr. d. dt.sprachigen Abt. Radio Vatikan, 1983 Rektor d. Kollegium Kalksburg, 1987 Beend. d. Rektorats, ab 1988 Ltr. d. Exerzitienref. d. Erzdiözese Wien u. geistl. Ass. d. Kath. Medienakad. Österr. M.: Österr. Kartellverb., Österr. Studentenverb. (Ostarica). H.: Wandern, Reisen, Musik. (M.B.)

Seher Josef

B.: Kfm., Lüftungstechniker. FN.: LTS - SEHER GmbH & Co KG. DA. u. PA.: 8020 Graz, Lastenstr. 37. G.: Klagenfurt, 1. Okt. 1939. Ki.: Patrick (1980), Dorli (1982). El.: Josef u. Rosa. S.: Volks- u. Hauptsch. in Klagenfurt, Kfm. Lehre, Berufsschule. K.: Tätigk. als Glaser, b. Versicherungen, 16 J. freiberufl. Mitarb. d. AKM (Autoren, Komponisten, Musekverleger) f. Ktn. u. Osttirol, ab 1974 Aufbau d. dzt. Fa. f. Planung, Erzeug. u. Montagen v. Klimaanlagen, zuerst in Ktn., seit 1989 in Graz. H.: Firma. (M.G.)

Sehorst Hellmut Dr. med. univ. MedR.

B.: FA f. HNO-Krankheiten, prakt. Arzt. G.: Moravska Ostrava/CSFR, 2. Nov. 1930. V.: Dr. Liselotte, geb. Bacher. El.: Otto u. Rosa. S.: Gymn., Univ.Stud. an d. Med. Fak. d. Univ. Wien, Univ.Stud. d. Anthropologie an d. Univ. Wien, Spitalsausbild. als prakt. Arzt, 1959 Dr. med., 1962 Erlangung d. ius practicandi als prakt. Arzt, 1968 als FA f. HNO-Krankheiten, 1972 OA d. HNO-Abt. d. Hanuschspitals Wien, 1973-78 Ltr. d. HNO-Ambulanz d. Ambulatorium Nord Wien, seit 1977 Ltr. d. Krankenabt. d. Strafvollzugsanst. Hirtenberg, seit 1972 FA-Ordination in Wien 20, 1984 MedR. M.: Funkamateurclub f. Kurzwellenfunk, Tierschutz. H.: Funkamateurclub. (H.P.)

Seibert Jochen Mag.

B.: Gschf. FN.: Die erste Immo-Management-Holding GmbH. GT.: Gschf.: UBG Unternehmens- u. Beteiligungsges. mbH, Gschf.: Kontor - Bauges. mbH, Die erste Immo-Objekttechnikges. mbH, Die erste Baumanagementges. mbH. DA.: 1050 Wien, Bräuhausg. 3-5. PA.: 1120 Wien, Bonyg. 60/7. G.: Wien, 17. Dez. 1963. El.: Josef u. Hedda. S.: Gymn. Albertgasse Wien, Matura 1982, 1983 Wehrdienst, anschl. Stud. VWL u. BWL WU Wien. K.: 1985-87 Vors. Stud.-Gruppe Wien d. Akad.-Bundes, ab 1987 Werkstud. Personalber. d. Ersten Österr. Sparcasse Bank u. ab 1989 Beteiligungscontroller, seit 1992 dzt. Pos., verantw. f. wirtsch. Koordination d. Immobilien- u. Liegenschaftsmanagements. H.: Tennis, Golf, Basketball (14 J. aktiver Vereinsspieler), Klass. Musik (bes. russ. Musik), Wirtschaftstheorie, österr. Gesch. (J.S.)

Seibert-Wohlauf Hedda

B.: Gschf. DA.: 1030 Wien, Modecenterstr. 22. PA.: 1070 Wien, Halbg. 16. G.: Wien, 26. Mai 1940. Ki.: Jochen, Christoff. El.: OStR. Mag. Wilhelm u. Erna Wohlauf. S.: VS, Mittelschulmatura, kfm. College in Wien, Sprachenstud. an d. Univ. als a. o. Hörerin. K.: Gschf. d. Fa. Hermann Irringer GmbH. H.: Kunst, Kultur, Sport, Reisen. (Kest.)

Seibl Walter

B.: Werksvertretung u. Hdl. FN.: WVS Werksvertretung Seibl. DA.: 6380 St. Johann/Tirol, Speckbacherstr. 13. PA.: 6380 St. Johann/Tirol, Farberweg 32. G.: Saalbach, 27. Febr. 1952. V.: Margaret, geb. Gschwandtl. Ki.: Mario (1981), Alexander (1984). El.: Sebastian u. Marianne. S.: VS, HS, Berufsschule f. Großhdls.-Kfm., 1970 Abschluß, Bilanzbuchhaltung. K.: 1970-73 Verkaufs- u. Betriebsltr. Iowa Holzschuhe, 1973-79 Verkaufsltr. u. Organ. in Gastronomie, Hoteldir., Verkaufsltr. in d. Energiebranche, seit 1982 selbst. im Hdl. E.: Silb. EZ d. Österr. Aeroclub. H.: Fliegerclub, Tennis, Ballonfahren (Gschf. d. ballooning tyrol GmbH seit 1990). H.: Tennis, Fliegen, Skifahren. (M.W.)

Seicht Gerhard Dr. Dkfm. o.Univ.-Prof.

B.: o.Univ.-Prof. an d. WU Wien, Vorst. d. Inst. f. BWL d. Ind. DA.: 1090 Wien, Aug. 2-6. PA.: 1190 Wien, Wenckebachg. 15. G.: Graz, 28. Aug. 1939. V.: Margarethe, geb. Cerny. S.: HAK Graz, HS f. Welthdl. Wien. K.: 1962 Prom., 1969 Habil., Ass. b. Prof. Illetschko u. Prof. Loitlsberger, Ltr. d. Betriebswirtschaftl. Abt. d. Österr. Ind.Vw. AG, seit 1972 Ordinarius u. Inst.Vorst. P.: 15 Bücher aus d. Fachgebiet, u.a.: "Kostenrechung auf neuen Wegen", "Jahrbuch f. Controlling u. Rechnungswesen", "Moderne Betriebswirtschaft", zahlr. Aufsätze in in- u. ausländ. Fachzeitschriften. E.: Kardinal-Innitzer-Würdigungspreis, WU-Preis d. Wr. HK, EK f. Wiss. u. Kunst I. Kl. M.: Verb. d. HS-Lehrer f. Betriebswirtschaft e.V., Wiss. Kmsn. f. Betriebswirtschaftl. Steuerlehre d. Verb. d. HS-Lehrer u.a., Gutachter-, Sachv.- u. Kons.Tätigkeit. H.: Wildwassersport, Schifahren, Klettern, Motorradfahren. (P.R.)

Seida Michael

B.: Steptänzer, Sänger, Komödiant, Schauspieler, Fullentertainer. DA.: 1050 Wien, Bäreng. 3/9. G.: Wien, 3. März 1964. El.: Hermann u. Ernestine, geb. Svoboda. S.: Polytechn. Lehrgang, abgeschl. Lehre z. Kühler u. Spengler. K.: prof. Steptänzer u. Entertainer Wien, zahlr. Auftritte auf Luxuskreuzern, i. TV-Shows, i. Privatshows wie z.B. Jerry Lewis; eigene Shows: "Hot Feet", "Salut to Fred Astaire" u. 1993 "Dancing Man", (erlernt: Autodidakt), Initiator d. Traditionsshow "Tänzer f. Afrika", f. die Aktion Menschen f. Menschen, (J.S.)

Seidel Alfred Herbert Ing.

B.: selbst. Elektrotechniker. DA. u. PA.: 2840 Grimmenstein, Wechselbundesstr. 59. G.: Edlitz, 29. Okt. 1951. V.: Isabella, geb. Zieger. Ki.: Stefan (1981). El.: Alfred u. Maria. S.: VS, HS, HTL Elektrotechnik Mödling, 1973 Matura, BH. K.: b. 1974 Arb. im techn. Dienst b. Siemens Deutschland, danach Eintritt u. 1982 Übernahme d. elterl. Betriebes, 1980 Ing. H.: Sportklettern. (R.T.)

Seidel Hans Dkfm. Prof.

B.: Consulent d. WIFO, Hon.Prof. d. Univ. Wien, Vors. d. economic comittee d. EFTA. DA.: 1060 Wien, Stumperg. 56. PA.: 1040 Wien, Schwindg. 19. G.: Wien, 14. Okt. 1922. V.: Edith, geb. Pollak. Ki.: Elisabeth. El.: Karl u. Adelheid. S.: 1940 Matura, Kriegsdienst als Verwunderter, Stud. an d. HS f. Welthdl., 1943 Dipl., 1957 Studienaufenthalt b. Intern. Währungsfonds Washington. K.: 1946-80 am Österr. Inst. f. Wirtschaftsforsch. tätig, zuerst Ref., dann Ltr.Stellv., ab 1973 Ltr., 1981-83 Staatssekr. im BMF, seit 1991 Dir. d. Inst. f. Höhere Studien, seit 1991 Economic Comunity d. EFTA. P.: Arb. d. empir. Wirtschaftsforsch. (Spezialthemen Konjunkturforsch., Regionalforsch., Ind.Politik, Finanzpolitik) in d. Publ. d. Inst., in Fachzeitschriften u. Fachbüchern. H.: Fotografieren, Ski, Tennis, Tarock. (J.E.)

Seidel Kurt Dipl.-Ing. BauR. h.c.

B.: Ges. u. Gen.-Dir. FN.: Landis & Gyr GmbH, Reimer & Seidel KG. DA.: 1231 Wien, Breitenfurterstr. 148, 1180 Wien, Rieglerg. 6. PA.: 1180 Wien, Dr. Heinrich-Mayer-Straße. G.: 7. März 1930. V.: Christl, 1 Sohn, 1 Tochter.

Seidel Peter Dr. iur.

B.: Dir. FN.: Chemie Linz AG. GT.: AufsR. d. Fa. Merx GmbH. DA.: 4020 Linz, St. Peter Str. 25. PA.: 4020 Linz, Schiferweg 19. G.: Wien, 31. Dez. 1940. V.: Elisabeth, geb. Topp. Ki.: Peter, Ina. S.: RG Wien, 1958 Matura, Stud. an d. Univ. Wien Jur. Fak., 1963 Prom. K.: 1961-64 Anglo Elementar Vers. AG, 1964-66 Chemie Linz AG, Vorst.Ass. d. Danubia Petrochemie AG (Tochterges.), 1969 Chemie Linz AG, 1974 Ltr. d. Revision Handlungsvollmacht, 1980 Prok., 1983 Ltr. d. Bereiche Konzerorgan. u. Revision, 1985 Dir., 1986 Gschf. d. Fa. Merx, 1987 Dir. d. Bereiche BW, Informatik u. Revision, 1985 Seminar in d. USA, seit 1987 Dir. u. Prok. d. CL Pharma AG f. d. Bereich Finanzen, Controlling u. Administration. P.: Fachaufsätze auf d. Gebiet d. internen Revision. H.: Kultur, Wandern, Mittelalterforsch. (A.W.)

Seidel Wolfgang

B.: Briefmarkenstecher. DA. u. PA.: 8572 Bärnbach, Flurg. 16. G.: Tregist/Voitsberg, 14. Mai 1946. V.: Ingeborg, geb. Brunner. Ki.: Elisa. El.: Emmerich u. Luise. S.: VS, HS, Höhere Lehranst. f. Waffentechnik u. Werkzeugbau Abt. Graveure in Ferlach. K.: Praxis in d. BRD, Österr. Staatsdruckerei Wertzeichenatelier als Graveur, b. 1969 Selbstausbild. z. Briefmarkenstecher. BL.: Entwicklung "Kombinationsdruckverfahren", 250 Briefmarken f. Österr., Jugoslawien, Island, Liechtenstein, Luxemburg, San Marino, Senegal, Capverdsche Inseln u. Vereinte Nationen, Zusammenarb. m. Künstlern: Hundertwasser, Brauer, Hutter, Fuchs, Kumpf, Korab, Neuwirth u. Flora, durch Verbindung m. Hundertwasser kam es z. Umgestaltung d. St. Barbara Kirche in Bärnbach. E.: Premio Asia 60 (Wahl d. weltschönsten Briefmarke) 1977, 1978, 1980, 1983 u. 1985, Wahl d. schönsten Briefmarke Österr. 1982, 1983, 1985 u. 1987, Gr. Verd.Plakette d. Fürstl. Rg. in Vaduz. H.: Wandern, Restaurieren v. alten Bildern, alte Uhren. (H.Z.)

Seidelberger Friedrich Dipl.-Ing. OBauR.

B.: Sachbearb. d. Abt. B/9 f. Wasserwirtschaftl. Planungsorgan. d. NÖ LRg. DA.: 1040 Wien, Operng. 21. PA.: 2103 Langenzersdorf, Wiener Str. 81. G.: Wien, 24. Febr. 1940. V.: Monika, geb. Schimmel. Ki.: Hannes, Barbara. El.: Friedrich u. Margarethe. S.: Grundschulen, Matura, BRG Gmunden, HS-Stud. Kulturtechnik u. Wassertechnik an d. Univ. f. Bdk. m. Dipl. abgeschlossen. K.:

Univ.Ass. am Inst. f. Vermessungswesen u. Fernerkundung (Univ. f. Bdk.), seit 1978 in NÖ LRg. tätig. P.: Vorträge b. Kongressen (IWSA) u. Fachzeitschriften (Österr. Wasserwirtschaft). M.: Arb.Gruppe "Fernerkundung" (ASSA) b. d. Österr. Ges. f. Sonnenenergie u. Weltraumfragen GmbH, Ak. d. Wiss. (MAB-Programm) Österr. Nationalkommitee. H.: Sport, Skifahren, Tennis, Musik. (E.L.)

Seidemann Ernst

B.: Inh. FN.: Ernst Seidemann Reißverschluß Fabrikation, Nähfaden Vertrieb. DA.: 4600 Wels, Dr.-Groß-Str. 36/38. PA.: 4611 Buchkirchen, Radlach 32. G.: Wien, 7. Jän. 1935. V.: Brigitte, geb. Till. Ki.: Sylvia (1958). El.: Johann u. Elisabeth. S.: VS, Gymn., b. 1957 Lehre Ind.-Kfm. u. Offsetdrucker. K.: 1957-63 Firma Adametz Wien, b. 1965 Druckereiltr. Firma Schausberger Wels, 1965 Firmengrdg. M.: Kiwanis Club Maximilian. H.: Tennis, Jazz. (U.A.)

Seidinger Winfried OSR.

B.: Mtgl. d. NatR. seit 1986. GT.: Dir. d. HS Mürzzuschlag. PA.: 8680 Mürzzuschlag, Toni-Schruf-G. 3. G.: Langenwang, 1. Mai 1931. V.: Magdalena, geb. Jaklin. Ki.: Brigitte, Winfried. El.: Johanna u. Johann. S.: VS Langenwang, HS Langenwang u. Mürzzuschlag. K.: b. 1950 LBA Graz, Lehrer in Langenwang, Mürzsteg, Neuberg, Mürzzuschlag, 1967-77 Dir. d. Polytechn. Lehrganges, seit 1977-1991 Dir. d. Schachner HS Mürzzuschlag, seit 1970 GemR., seit 1975 StadtR., ab 1982 VBgm., 1983-87 Bgm. d. Stadt Mürzzuschlag, s. 1987 Obm. d. Regionalen Entwicklungsverbandes Mürzzuschlag (REV), s. 1992 Präs. d. Österr. Arbeiter Sängerbundes, s. 1993 Obm. d. Pensionistenverbandes Österr. Landesorganisation Stmk. (PVÖ) u. Vizepräs. d. PVÖ Osterr., s. 1994 Seniorensprecher d. SPÖ. M.: Stellv. Obm. d. Mürzverb., Mtgl. div. örtl. Ver, s. 1993 Mtgl. d. Präsidiums u. d. Vorstandes d. SPÖ. H.: Skilauf, Schwimmen. (Tra.)

Seidl Alfred Mag. Prof.

B.: Bildhauer. DA.: 1130 Wien, Speisinger Str. 121. PA.: 1030 Wien, Landstraßer Hauptstr. 58. G.: Wien, 5. Dez. 1919. V.: Lucia, geb. Novakowsky. Ki.: Monika, Florian, Rosa. S.: 1936-46 Stud. Ak. f. angew. Kunst in Wien, 1946 Abschlußdipl. K.: 1946-68 Ass. Ak. f. angew. Kunst Wien, Mstr.Prüf. d. Keramiker- u. Töpferhandwerkes, 1950-64 Grdg. u. Führung einer eigenen Werkstätte f. mod. Gebrauchskeramik u. keram. Plastik, 1946-56 Filmbildhauerei als Ass. b. Prof. Kreica, 1957-64 Filmbildhauer f. sämtl. österr. Prod. als Chefbildhauer in d. Filmind., 1965 Mitbegründer u. Lehrer d. Josef Hoffmann-Seminars f. keram. Gestaltung, 1961-80 Grdg. d. Studios d. Stölzle Glas AG, Chefdesigner u. Gestaltungsltr. d. Stölzle Glas AG, seit 1965 Juror f. "Gute Form" d. BMH, 1968-81 Ltr. Bildhauer d. ORF, 1969-81 Gründer u. Ltr. d. ORF-Werkstätte Kunststoffverarb., 1973-81 Gründer u. Ltr. d. ORF-Arbeitsgruppe Spezial-Effekte, 1977-78 Lehrauftrag an d. HS f. Angew. Kunst, seit 1982 freischaff. Künstler, seit 1988 Ltr. d. ORF-Studios Rosenhügel, Ausstellungen: auf allen intern. Messen, Ausstellung v. Filmplastiken im ORF-Zentrum, Kollektionen im Museum of Modern Arts New York, im Österr. Kulturinst. in Paris u. im Museum f. Angew. Kunst in Wien, 1983 Ausstellung im Künstlerhaus Wien: 30 J. Seidl-Design. E.: 1951 Goldmed. d. Mailänder Triennale, 1954 Silbermed. d. Mailänder Triennale, 1957 Dipl. d. Mailänder Triennale, 1953 Österr. Staatspreis f. angew. Kunst, 1969 Prof., 1967, 1969 u. 1970 Staatspreisanerkennung f. "Gute Form", 1983 Goldmed. d. Künstlerhauses, 1985 Staatspreis f. ind. Formgebung. M.: Mitbegründer d. Inst. f. Formgebung. H.: Wassersport (Tauchlehrer), Musik (Klarinettist). (C.K.)

Seidl Andrea

B.: Weinfachfrau. FN.: Vinothek "Holzmann", Shopping Center Nord, Herzmansky. PA.: 2460 Bruck/Leitha, Feldg. 34. G.: Wien, 13. Okt. 1970. El.: Gerhard u. Christine. S.: Gastgewerbeschule, Weinmanagement i. Krems. K.: 1988 Patissier i. Hotel "Ramada" Wien, 1989-90 i. elterl. Betrieb, s. 1992 i. d. oben erw. Pos. H.: Skifahren, Aquarelle malen, Fotografieren. (N.A.)

Seidl Bruno

B.: Arch., TechnR., Arch., Ing., gerichtl. beeid. Bausachv. u. Schätzmstr. i.R. PA.: 3430 Tulln, Frauentorg. 48. G.: Tulln, 21. Aug. 1910. V.: Johanna, geb. Moser. Ki.: Sieglinde (1938), Margarete (1939), Bruno (1942), Ovidia (1953). El.: Anton u. Sofie. S.: 1931 HTL-Matura Hoch- u. Tiefbau, 1934 Bmstr.-Prüf., 1935 gerichtl. beeid. Bausachv. u. Schätzmstr. K.: 1935 Grdg. u. Inh. d. Bauunternehmung Bruno Seidl Tulln: Entwurf, Planung u. Bauausführung versch. Großbauten sowie Wohnhausbauten in Klosterneuburg u. Wien, Ernennung z. Arch. durch d. NÖ Landesrg., Titel TechnR. durch d. Bundespräs., 1989 Eintritt in d. Ruhestand. BL.: zahlr. Preise in Leichtathletik u. Geräteturnen in d. Jugend. E.: 1989 Silb. Ehrenmed. HK NÖ f. 50-jähriges Wirken, 1986 Ehrenring d. Österr. Alpenver. M.: Ehrenpräs. d. S.C. Tulln. (M.M.)

Seidl Conrad

B.: Publizist u. Red. d. Standard. DA.: 1010 Wien, Herreng. 1. PA.: 1100 Wien, Columbusg. 20. G.: Wien, 11. Aug. 1958. V.: Viktoria, geb. Becker. Ki.: Titania. El.: Othmar u. Margarete. S.: VS, Gymn. K.: 1979-83 IBM Atombehörde, b. 1983 Programmierer, b. 1989 Innenpolit. Red. Kurier, seit 1989 Standard. E.: Staatspreis f. Verdienste um die geistige Landesverteidigung (1988). P.: Unser Bier, Noch ein Bier, Wehrhaftes Österr. M.: 1. Österr. Bierzunft Libertine. (H.S.)

Seidl Dieter

B.: Finanz, EDV u. Personal Manager. FN.: Österr. Homogenholz AG. DA.: 7201 Neudörfl, Bickfordstr. 6. PA.: 2333 Leopoldsdorf, Fichteng. 2. G.: Wien, 20. Jan. 1959. V.: Margit, geb. Kratschmar. El.: Werner u. Traude Wieland. BV.: Heinrich Seidl, Maler. S.: VS, Gymn., HAK. K.: 1978-81 Revisionsass. Fa. Philips, 1981-84 Buchhalter Fa. Hübner Gray, 1984-86 Union Carbide Controller, 1987-90 Controller Fa. Vetco Gray, 1990 Kfm. Ltr. Österr. Homogenholz AG, 1995 Geschäftsführer Fa. MTT Möbel Teile Thale D-06495 Thale, Fa. Primat Möbelteile GmbH D-06503 Warnstedt, Fa. MVO Möbel vertr. GmbH Ostharz, D-06502 Warnstedt. H.: Segeln, Wandern, Lesen. (M.Br.)

Seidl Elisabeth

B.: Dir. d. Pflegedienstes im Rudolfinerhaus, Ltr. d. Abt. Pflegeforschung d. Forschungsinstituts f. Pflege- u. Gesundheitssystemforschung d. Johannes-Kepler-Univ. Linz s. 1992. DA.: 1190 Wien, Billrothstr. 78. PA.: 1080 Wien, Bennog. 21/5. G.: 17. Nov. 1939. El.: Dr. Andreas u. Dipl.-Krankenschwester Emilie Seidl. S.: VS, BRG, 1958 Matura, 195861 Krankenpflegeschule am Rudolfinerhaus, Dipl., 1961 Dipl.-Krankenschwester, 1962 Lehrschwester am Rudolfinerhaus, 1972-73 Dipl.-Krankenschwester Hanusch-KH, 1973-78 Stud. Psych. u. Soz. Univ. Wien, 1978 Prom. K.: ab 1975 Dir. d. Pflegedienstes im Rudolfinerhaus u. Dir. d. Krankenpflegeschule d. Rudolfinerhauses Wien, ab 1962 Unterricht an d. Krankenpflegeschule d. Rudolfinerhauses, Vorträge u. Referte b. versch. Kongressen u. Tagungen in Athen, Bozen, Uppsala, Oslo, Prag, Sbg., Linz, Wien, Graz usw., Dir. d. Pflegedienstes. BL.: 1988 Organ. d. Symposiums "Pflegeberuf u. Univ." Wien, 1991 Organ. d. Symposiums "Pflegeberuf - Entwicklung u. Perspektiven" Wien. P.: Angst oder Information im Krankenhaus (1979), Der Patient u. d. Krankenhaus (1984), 2. Symposium:

Pflegeberuf - Entwicklung u. Perspektiven (1991), Pflege im Wandel (1991), Betrifft: Pflegewissenschaft (1993), Ende der Pflegekrise? (1994). M.: 1982-86 Mtgl. d. Steering Commitée "Workgroup of European Nurse Researchers". (J.E.)

Seidl Franziska

B.: Gschf. FN.: V. Seidl GmbH & Co KG. DA. u. PA.: 8605 Kapfenberg, Kernstockg. 24. G.: Farra/Italien, 5. Okt. 1913. V.: Dipl.-Ing. Viktor. Ki.: Britta. El.: Franz u. Nathalie Noha. S.: Pflichtschule in Jaispitz/Mähren, Maurerlehre, Gewerbeschule, techn. Ang. K.: Mitarb. in d. 1940 gegründeten Fa. Seidl & Slama in Brünn, 1941 im Baubüro Kapfenberg, m. Kriegsende endgültig nach Kapfenberg übersiedelt, Zusammenarb. m. div. Firmen, nach Konzessionserteilung u. Grdg. d. V. Seidl 1952 weiterhin als techn. Ang., Prok. u. Baustellenltr. in d. gemeinsamen Fa. tätig (Hoch- u. Tiefbau, Gleisoberbau, div. Patente f. Maschinen wie Seidrax-Stopfer), nach d. Tod d. Gatten Umwandlung d. Fa. in GmbH & Co KG m. Beteiligung d. Herren Wiesner u. Draxler, heutige Haupttätigkeit: Geschäftsführung. M.: Mtgl. d. Wirtschaftsverb. H.: Schach, Malen, Garten. (Tra.)

Seidl Günter

B.: Schriftsteller. DA. u. PA.: 1160 Wien, Redtenbacherg. 22-32/4/1. G.: Wien, 6. Apr. 1943. El.: Margarete Seidl. S.: VS, HS, Bäcker- u. Zuckerbäckerlehre, Externistenmatura. K.: in versch. Berufen tätig, seit 1985 freier Schriftsteller. P.: 10 Bühnenwerke, davon 8 aufgeführt, u.a. "Verschiedenes", "Bassena", "Die geputzten Schuhe", "Die Krankengeschichte d. Christine S.", "Brandl's Geige", "Solo-Pagat", "Der Brillant", "Eingeschneit","Die Abenteuer des braven Soldaten Schwejk", einige Hörspiel- u. Fernsehprod., 6 Bücher: u.a. "Wien auf d. Zungenspitze", "Abgeschoben", "Alle Jahre wieder", "Alle Jahre wieder" (Weihnachtsgesch.) 'bangerl' od. Der Kuß d. Muse" (gleichnam. CD m. Musik v. Ulli Baer), 1986/87 Auslandsreisen (USA, Israel, BRD, England), u.a. Vorlesungen an Univ. m. dt. Lehrstuhl. E.: Dramatikerpreis. H.: Briefmarkensammeln, Zeitgeschichte d. unmittelbaren Vergangenheit. (R.A.)

Seidl Hannes Johann Josef Mag. rer. soc. oec. Ing.

B.: Musiker. DA. u. PA.: 1170 Wien, Geblerg. 5/6. G.: Wien, 10. Apr. 1955. El.: Josef u. Theresia. BV.: Tante Maria Knoll, Tante Viktoria v. Ballasko dt. Adel. S.: AHS Wien, Militär, 1 J. Karosseriebau, 1 J. TU Maschinenbau, 2 J. Kunststofftechnik TGM, 1977 LKT, Musik-HS d. Stadt Wien Gitarre, m. 7 J. Jazz-Piano, 1979-84 Gesangstud. klass. Musical, Musical Dance. K.: 1975 Mitbegründer m. T. Böröcz d. Gruppe "Ostinato", Mtgl. d. Band b. 1980, 1976 b. versch. Musikwettbewerben wie Musik d. Konstraste, Popodrom, 1977 1. Plattenprod., 1977 Mtgl. d. Gruppe "ACID", 1978 m. Band Ostinato Südamerika-Tournee, 1980-85 Gruppe Minisex, 1979-83 b. Gruppe Drahdiwaberl als Akteur, 1980-87 Stud. an WU Hdls.Wiss. BL.: in d. Film "Mitgehangen - eingegangen" Hauptdarsteller, Komponist d. Musik, d. Filmmusik "Beck lebt" komponiert, spricht engl., portug., span. P.: div. Art., Wertanalyse-Forum, Übersetzungen ins portug., div. Art. in "Tschinbum". H.: Karate, Basketball, Eishockey, Jazz-Dance, Reisen, Astronomie, Astrophysik, Skifahren, Rollschuhfahren, Radfahren, Motorrad. (M.G.)

Seidl Johann

B.: Gschf. Progress NÖ, Facts, Gutenberg GmbH, Seminarhotel Baden. DA.: 1070 Wien, Seideng. 19. G.: 11. Febr. 1940. V.: Margarethe. Ki.: Thomas. S.: RG K.: Graph. Gew. Buchdruck, techn. Betriebsltr. H.: Tennis, Ski, Segeln. (Glom.)

Seidl Johann Ludwig

B.: Konditor, Inh. FN.: Johann Seidl Backwarenerzeugung. DA.: 2620 Loipersbach, Industriestr. 4. PA.: 2620 Neunkirchen, Mühlfelderstr. 10. G.: Neunkirchen, 11. Jan. 1952. Ki.: Johann (1980). El.: Johann u. Helene. S.: VS, HS, Konditorberufsschule, 1969 Gesellenprüf. K.: Eintritt in d. elterl. Betrieb, 1983 Übernahme d. Betriebes. M.: Obm. d. Ortsgemeinschaft Schrattenbach. H.: Jagd. (R.T.)

Seidl Karl

B.: Gold- u. Silberschmied. DA.: 5020 Salzburg, Jägerstr. 3A. PA.: 5020 Salzburg, Carnevalstr. 9. G.: Falkendorf, 15. Dez. 1957. Ki.: Christine (1989). El.: Peter u. Stefanie. S.: VS, HS, 1971-75 Lehre Firma Neufeld Tamsweg. K.: 1978-83 Firma Rudolf Ranft, 1983 Mstr.-Prüf., seit 1984 selbst. M.: Lions Club Sbg. H.: Judo, Radfahren, Mineralien. (N.M.).

Seidl Karl Heinz

B.: Vorst.Vors. d. Armaturenwerke Karl Seidl AG. A.: 3400 Klosterneuburg, Summerg. 9. G.: Wien, 7. Nov. 1942. V.: Ingeborg, geb. Spilauer. El.: Karl u. Maria. S.: Mstr.Prüf. d. Schlosserhandwerkes. K.: Werkzeugmachermstr., Ltr. d. Expedites, Gschf. F.: Beteiligungen an Armaturenwerke Karl Seidl AG, Armaturenwerke Karl Seidl GmbH, Seidl-Sanitär Armaturen GmbH. E.: Gr. EZ d. Marktgem. Matrei/Osttir. M.: Mtgl. d. OWB.

Seidl Kurt

B.: Gschf. FN.: Kurt Seidl Software Handels Ges.m.b.H. DA.: 1210 Wien, Strebersdorferstr. 123. PA.: 1210 Wien, Gerasdorferstr. 153/132. G.: Kapfenberg, 9. Apr. 1958. V.: Sonja, geb. Janker. Ki.: Lisa (1987). El.: Hubert u. Cordula. S.: VS, Gymn., HAK, Matura, 1978 Gewerbeschein f. Pressefotografie. K.: während d. Schulzeit als Pressefotograf, Mithrsg. u. Mitgestalter d. Zeitung "Bruck Aktuell" tätig, 1978-82 Pressefotograf d. "Kleinen Zeitung" in Graz, zus. Programmierer d. Fa. Böhler, 1983-84 Programmierer bei General Motors Wien, 1984 Erwerb d. Gewerbescheins f. Dienstleistungen i. d. EDV u.s. diesem Zeitpunkt selbst., 1984-85 Ass. d. Geschäftsltg. d. Fa. Golth-Dental, Aufbau d. EDV u. d. kfm. Abt., 1985-90 selbst. u. Erhalt d. EDV Handels Software Fa. Ges.m.b.H. u. Hardware Fa. als Einzelfirmen bis 1992, 1990 Haus in Wien 21 erworben u. Software Fa. dorthin verlegt, 1993 Grdg. e. Software Trading Ges.m.b.H. in München, Prok. u. Hauptges. H.: Familie, Sport, Reisen, Fotografieren. (I.J.)

Seidl Kurt

B.: Bootshändler, mehrf. Österr. Meiser i, Segeln. FN.: Kurt Seidl Boots- u. Windsurfcenter. DA u. PA.: 5020 Salzburg, Gnigler Str. 35. G.: Salzburg, 13. Juli 1947. B.: Annelise, geb. Stockinger. Ki.: Michael (1977), Bernhard (1981). El.: Kurt u. Eugenie; Bruder Ernst: Österr. Meiser im Segeln. S.: Ausbild. z. Ind.-Kfm. K.: Einstieg u. Übern. d. elter. Betriebes Seidl Boots- u. Segel GmbH, zusätzl Generalvertr. d. Fa. Mistral. BL.: 1973 6. Pl. FD-EM Segeln, 1972 Europateilnehmer im FD Kiel, 1968-73 Österr. Staatsmeiser FD, 1987 Topcat Formel II EM-Sieger m. Sohn Michael. M.: Segelclub Seeham am Obertrumersee. H.: Segeln, Surfen, Eishockey. (U.E.)

Seidl Kurt

B.: Baumeister, Inhaber. FN.: Franz Seidl GesmbH. DA.: 1210 Wien, Shutleworthstr. 19. Pa.: 1190 Wien, Haubenbigelstr. 21. G.: Wien, 9. Nov. 1943. V.: Elfriede. El.: Franz u. Juliane. S.: VS, AHS, HTL, 1964 Matura. K.: Nach Absolvierung des Präsenzdienstes b. Österr. Bundesheer 1965 Eintritt. i. d. elterliche Bauunternehmen, s. 1978 Geschäftsführer des Betriebes. H.: Segeln, Tauchen, Oldtimer. (F.S.)

Seidl Martin

B.: Dachdeckermeister, Gschf. FN.: V. Seidl GmbH. DA. u. PA.: 2860 Kirchschlag, Aignerstr. 28. G.: Wr. Neustadt, 11. Nov. 1955. V.: Monika, geb. Nechyba. Ki.: Matthias (1983), Christina (1985). El.: Vinzenz u. Juliana. S.: VS, 1972-75 Dachdeckerlehre elterl. Firma, 1975 Gesellenprüf., 1978 Mstr.-Prüf. K.: 1985 Übernahme d. Firma als Gschf. M.: GemR., Präs. d. Sportver. Kirchschlag, Männergesangsver. Kirchschlag. H.: Skifahren, Tennis, Musik, Singen, Rafting. (R.T.)

Seidl Michael

B.: Gschf. FN.: Bremer Fundgrube GmbH. DA.: 4062 Hörsching, Mühlbachstr. 2. PA.: 4063 Oftering 76. G.: Regensburg, 21. Juli 1951. V.: Eva Maria, geb. Gschwandner. Ki.: Christian (1974), Beate (1978), Mathias (1988), Phillip (1989). El.: Josef u. Anna. S.: VS, HS, Einzelhdls.-Kfm., 1970 BH. K.: 1970-75 Filialltr. im Lebensmitteleinzelhdl. d. Firma Offenbeck in Regensburg, nebenberufl. Stud. BWL Regensburg, 1975-79 Außendienst d. Firma Iduna, seit 1979 Verkaufsfahrer Bremer Fundgrube in Regensburg, 1983 Gschf. Bremer Fundgrube in Frindorf/Hörsching. P.: Art. in d. Zeitung Cash. M.: PfarrgemR. Hörsching, Obm. d. Sparver. (U.A.)

Seidl Nikolos

B.: Verkaufsltr. FN.: Viessmann GmbH. DA.: 1030 Wien, Adolf-Blamauer-Gasse. G.: Prinzendorf, 9. März 1938. V.: Ilse. Ki.: Claudia. S.: VS, Mittelschule, Installateurlehre. K.: Baultr. b. versch. Großfirmen, seit 1980 Fa. Viessmann zunächst im Außendienst, seit 1985 Verkaufsltr. H.: Wandern, Radfahren, Berufsbereich. (H.J.)

Seidl Paul Mag. art

B.: Ak. Bildhauer u. Medailleur. DA.: 1150 Wien, Geibelg. 23. PA.: 1160 Wien, Haberlg. 4/2/16. G.: Wien, 5. Dez. 1948. V.: Elisabeth, geb. Riegler. Ki.: Richard. El.: Max u. Gisela Dorn. S.: VS, Kunstgewerbeschule, Mstr.Prüf., Ak. d. bild. Künste Wien, Dipl. 1978 b. Prof. Welz. K.: Ab 1975 ca. 30 Ausstellungen im In- u. Ausland, div. freie u. Auftragsarb. d. Stadt Wien, Klosterneuburg, Wimpassing. P.: Kataloge 1982-85. E.: 1978 Welz-Preis, 1977 Preis. d. Ak. d. bild. Künste f. künstler. Gesamtleistung. M.: Berufsverb. bild. Künstler Wien, Mtgl. d. Sbg. Künstlerhauses. H.: Kleinstplastiken, Artdeco sammeln. (R.A.)

Seidl Roman

B.: Executive Chef d. SAS Palais Hotel Wien. GT.: Berater, Tester. DA.: 1010 Wien, Parkring/Weihburgg. 32. PA.: 2500 Baden, Emil-Kraft-G. 19/9. G.: Pitten, 1. Aug. 1952. V.: Marianna, geb. Kendler. Ki.: Barbara, Christian. El.: Roman u. Anna. S.: 3 J. gastgewerbl. Fachschule, Lehrzeit im Hotel Imperial, Tätigkeiten in Saisongebieten. K.: Passagierschiff Rotterdam: Holland-Amerika Line, Arlberg: Egon Zimmermann-Kristberg, Hotel Krone, Hotel Sauerhof zu Rauhenstein in Baden, Palais Schwarzenberg, Hotel Biedermeier, SAS Palais Hotel, seit 1987 Küchenchef. P.: Wiens feine Adressen, Kurier, Kochkurse f. Option. E.: Micheline Stern, Kochhaube. M.: Kochverb., Großküchenlt. H.: Familie, Wandern, Pilze, Schwimmen, gute Fachbücher, Lesen.

Seidl Peter

B.: Hotelier Berghotel Seidlalm. DA. u. PA.: 5753 Saalbach, Schönleitenweg 470. G.: Saalbach, 17. Aug. 1944. V.: Irmgard. Ki.. 1 Sohn, 1 Tochter. El.: Edmund u. Frieda Bauer. S.: VS, HS, Lehre. K.: 1962 Übernahme d. elterl. Betriebes, 1974 Bau d. Hotels, 1983 Hotel v. Vater übernommen. BL.: autorisierter Wanderführer m. staatl. Ausbild., Lawinenhundtrainer, Lawinenhund "Dago". M.: seit 30 J. aktives Mtgl. im Alpenver., Mtgl. u. Schriftführer Bergrettung Saalbach.

Seidl Ulrich Maria

B.: Autor u. Reg. DA. u. PA.: 1090 Wien, Wasserburgerg. 5/7. G.: Wien, 24. Nov. 1952. Ki.: Zenon (1984). El.: Friedrich u. Ulrike. S.: Gymn., Matura, Stud. Publizistik u. Theaterwiss. Univ. Wien, 1978-82 Regiestud. HS f. Musik u. darstell. Kunst Abt. Film u. Fernsehen. K.: Regieass. u. Tonmstr., Gestalter v. Fernsehbeiträgen f. d. Kulturabt. ORF, d. Wr. Landesstudio, 3 SAT, Fernsehdokumentationen, seit 1982 freischaff. Reg. u. Autor zahlr. Kinofilme u.a. 19891 Krieg in Wien, 1990 Good News. Von Kolporteuren, toten Hunden u. anderen Wienern, 1993 Mit Verlust ist zu rechnen, 1994 Tierische Liebe. E.: f. d. Film "Good News": 1991 Wr. Filmpreis, 1992 Prix des Bibliotheques Paris, Nomination for the "European Documentay Award 1991", f. d. Film "Mit Verlust ist zu rechnen": Preis d. Österr. Filmtage 1993, Runner Up Prize Yamagata/Japan 1993, The Jury Prize IDFA 1993 Amsterdam, Gold. Kader 1994. (J.S.)

Seidl Wilhelm

B.: Metalldrücker- u. Gürtlermstr., Inh. FN.: Wilhelm Seidl Metalldrücker u. Gürtler. GT.: Vors. d. Mstr.- u. Lehrabschlußprüf. f. Metalldrücker u. Gürtler, Präs. d. Ver. f. Magische Kunst Wien im Café Landtmann, Jurymtgl. u. Vorst.-Mtgl. d. Magischen Rings Austria. DA.: 1060 Wien, Mollardg. 85a/3/4. PA.: 1170 Wien, Engelmanng. 1. G.: Wien, 10. Dez. 1946. V.: Doris, geb. Borik. Ki.: Werner (1969), Andrea (1974). El.: Wilhelm u. Hermine. S.: VS, Mittelschule, Berufsschule f. Metalldrücker u. Gürtler, 1968 Mstr.-Prüf. K.: Lehre im Familienbetrieb, 1979 Übernahme u. Ausbau d. Firma f. d. Übernahme sämtl. Metallarb. laut Zeichnung oder Muster. P.: zahlr. Art. z. Thema Zauberei in Fachzeitschriften. E.: Silb. Abz. d. Bundeskam. d. Gewerbl. Wirtschaft, 1976 3. Preis b. d. WM f. Zauberei Sparte Mikromagie, zahlr. in- u. ausländ.

Ausz. f. Magie, Silb. Ehrenmed. d. Magischen Zirkels Deutschland. H.: Zaubern, Musizieren (Klavier, Orgel, Harmonika), Skifahren, Eislaufen, Schwimmen, Elektronik. (J.S.)

Seidl-Reiter Edda Mag.

B.: freischaff. Malerin u. Textilkünstlerin. DA.: 1020 Wien, Kleine Stadtgutg. 6-8. PA.: 4162 Julbach 147. G.: Wien, 9. Juni 1940. V.: Prof. Mag. Erwin Reiter. Ki.: Beate (1959), Rondine (1973). E.: Hedwig & Karl. S.: BLVA f. Textilind., Ak. f. angew. Kunst, 1962 Dipl. K.: 1965-67 Lehrauftrag an d. BLVA f. Textilind. Wien, 1967-68 British Council Scholarship, fängt m. 14 J. zu zeichnen an, 1970 erste textile Skulpturen, 1971 Anlegung einer Kartei v. Textilbezeichnungen in d. Alltags- u. Fachsprache, 1974 Organisatorin d. Wanderausstell. "Contemporary Textile Art From Austria" in Amerika (erste Gem.-Ausstell. v. österr. Textikünstlern), 1977 Mitbegründerin d. Intakt Wien, 1982 Realisierung eines Feuermauerprojektes, Chlorophyllassimilierendes Netz, 1984 "Tapisserie 2000", Konzeptkunst v. Stein u. Textil, 1984 "Eddas 1001-Tag-Märchen" (Porträtserie), 1980-90 im Künstl. BeiR. d. A.-Schärf-Fonds Wien, 1982-85 im Vorst. d. BKonferenz d. Bild. Künstler, seit 1982 Zus.-Arb. m. d. Österr. Kulturservice Wien (ÖKS), seit 1984 im Künstl. BeiR. d. H.-Gleisser-Kulturver.-Linz, seit 1988 Mitbegründerin, Zus.-Arb. u. im Vorst. d. OÖ Schulgalerie, 1988-92 u. 1992-96 Mtgl. d. OÖ LandeskulturbeiR. (1. u. 2. Periode), 1991 "Artist in Residence" Hallstatt/OÖ, zahlr. Ausstellungen in Österr., Europa u. Amerika u.a. Einzelwanderausstellung durch Polen 1980, Textil-Kunst 1981 Linz, VII. Biennale Sao Paulo, II. III. IV. Biennale Lausanne, Biennale d. Humors Gabrovo 1987, Schmuck-Zeichen am Körper Linz 1987, etc. Textil-Theater Bonn 1987. P.: Alles ist Leben (1988). E.: Theodor-Körner-Preis 1977, Einzelausstell.: 1992 Sbg., Wien, St. Maixant/Frankr., St. Pölten/NÖ u.a. Gruppenausstell., Gold. Med. d. Künstlerhauses 1992. M.: Künstlerhaus Wien, MAERZ-Linz, Künstlergilde Salzkammergut, Intakt, seit 1980 BeiR. d. DGPA dt.sprach. Ges. f. Psychopathologie d. Ausdrucks München, ÖGS Österr. Ges. f. Sexualforsch. H.: Langlaufen, Yoga, Schwimmen, Aneignung v. Kräuterwissen. (M.B.)

Seidler Horst Dr. o.Prof.

B.: Vorst. d. Inst. f. Humanbiologie. DA.: 1090 Wien, Althanstr. 14. PA.: 1090 Wien, Serviteng. 18/7. G.: Wien, 26. Juli 1944. V.: Dr. Ingeborg, geb. Zöhrer. Ki.: Iris. El.: Dr. Karl u. Luise. S.: 1964 Matura, Präsenzdienst, 1966 Stud. d. Humanbiologie u. Psych., 1972 Prom., 1978 Habil., 1980 Extraordinarius, 1983 Ordinarius. K.: seit 1980 Vorst. d. Inst. f. Humanbiologie, Schwerpunkt: Sozialanthropologie, Biometrie, Biologie u. Zeitgeschichte. P.: gem. m. Rett: 1980 Das hirngeschädigte Kind, 1982 Rassenbiologie im Nationalsozialismus, 1988 Rassenhygiene, 1991 Die Stärke in d. Unvollkommenheit - Einführung in d. Genetik, zahlr. Arb. im In- u. Ausland f. Fachzeitschriften. E.: Theodor Körner-Preis, Pr. d. Österr. Ges. f. Sozialanthropologie. H.: Bergsteigen, Schach. (E.L.)

Seidler Josef

B.: Inh. FN.: Sportwagen Center. DA. u. PA.: 8053 Graz, Kärntner Str. 105. G.: Leibnitz, 26. Sept. 1950. Ki.: Silvia (1980). El.: Johann u. Margarete. S.: VS, HS, 1965-72 Kfz-Mechanikerlehre Firma Steinbrenner. K.: 1977 Abt.-Ltr. Puchwerk, 1977 selbst. Aufbau d. Sportwagenhdl. E.: 5x Staatsmstr. Tourenwagen Gesamtsieger, Steir. Bergrallye, R5 Europacupsieger. H.: Autorennen, Tourenwagen, Skifahren. (R.S.)

Seidler Werner Ing.

B.: Gschf. Ges. FN.: Ing. Seidler GmbH. DA.: 4040 Linz, Nestroysr. 4-6. PA.: 4040 Linz, Karl-Renner-Str. 4. G.: Linz, 22. Jän. 1945. V.: Eva, geb. Gutenbrunner. Ki.: Nina (1973), Sonja (1976). El.: Adolf u. Margarete. S. VS, Gymn., HTL Tiefbau, 1966 Matura, 1966-67 BH. K.: 1967-69 Baultr. Firma Swietelsky, 1968-84 v. techn. Ang. b. Gschf. b. d. Firma Bergmann, seit 1984 selbst. H.: Tennis, Skifahren. (U.A.)

Seidler Wilhelm

B.: Inh., Kunsthändler, Galerist. DA.: 4020 Linz, Klosterstr. 14. PA.: 4020 Linz, Lessingstr. 11. G.: Linz, 21. Jän. 1939. V.: Therese, geb. Kubtik. Ki.: Alexander, Stefan. S.: Gymn., 1957 Matura, Jusstud. K.: 1966-70 Tätigkeit im väterl. Elektrogroßhdl., 1979 selbst. m. Kunsthandlung m. Galerie, 1991 Ausbau d. Galerie. P.: div. Veröff. H.: Kunst, Reisen, Weine. (P.H.)

Seifert Eduard Dr. phil. Univ.-Prof.

B.: Pensionist. A.: 5020 Salzburg, Arenbergstr. 19. G.: Graz, 23. Juli 1910. V.: Dr. phil. Edith, geb. Schuchter. Ki.: Josef (1945), Benedict (1947). El.: Eduard u. Maria. S.: VS, Realschule, Stud. Phil., Päd., Germanistik, Geschichte, Kunstgeschichte, Volkskunde an d. Univ. Graz, 1937 Prom. z. Dr. phil. K.: 1937-38 Lektor am Verlg Anton Pustet Sbg., 1947-67 BStaatl. Volksbild.Ref. f. Sbg., 1968-75 Vorst. d. Inst. f. Erwachsenenbild. Sbg., 1964-85 Lehrauftrag an d. Univ. Sbg., 1966-70 an d. Univ. Wien, 1969 Habil. f. Theorie d. Erwachsenenbild. an d. Univ. Sbg., 1974 Tit.a.o.Univ.-Prof. P.: Bücher: Zur Frage eines österr VB-Gesetzes. Vom Bildungswert d. Musischen. Sport u. Geist (Hrsg.), zahlr. Beiträge in Zeitschriften, Sammelwerken u. Handbüchern. E.: Gold. EZ f. Verd. u. d. Rep. Österr., Gold. Verd.Zeichen d. Landes Sbg., Silb. EZ d. Landes Sbg., Österr. Würdigungspreis f. Leistungen im Interesse d. Österr. Erwachsenenbild. M.: Intern. Congress of Univ. Adult Education, Österr. Päd. Ges. u.a. H.: Radio, Lektüre, Musik, Wandern. (M.B.)

Seifert Jürgen

B.: Gschf. FN.: Schering Wien GmbH. DA.: 1147 Wien, Scheringg. 2. G.: Berlin, 25. Mai 1935. Ki.: Dr. Roland (1960), Ute (1963). El.: Kurt u. Elly. S.: Ind.Kfm. K.: seit 1958 b. Schering, Gschf. in Pern, seit 1967 Prok. im Mutterhaus Schering AG Berlin, seit 1971 Dir. u. Mtgl. d. PHARMA Spartenltg., seit 1978 Gen.-Dir. d. Schering Wien GmbH. H.: Oper, Theater. (J.E.)

Seifert Karl Nikolaus

B.: Inh. FN.: Tanzschule Niki Seifert. DA.: 5020 Salzburg, Struberg. 6. PA.: 5101 Bergheim, Mühlbachweg 15. G.: Salzburg, 4. Jan. 1964. El.: Dipl. Ing. Karl u. Susanne. S.: Matura, Bundesoberst. Realgym. Salzb., 10 Sem. Biologie. K.: Tanzlehrerausb. in d. Tanzsch. Moll, ab 90 selbst., Trainier d. I Salzb. Fomations-Tanzclubs (im Finale v. Weltmeistersch. u. Europa-M.). (N.M.)

Seifert Richard Dr.

B.: Gschf. FN.: Möbel Lutz GmbH. GT.: Gschf. b. versch. Töchterfirmen. DA.: 4600 Wels, Römerstr. 39. G.: Ried/ Innkreis, 12. Aug. 1949. V.: Gabriele. Ki.: Michael, Roman. El.: Dr. Richard u. Gertrude. S.: Grundschule, AHS, Univ. f. Rechtswiss. K.: 1971 in d. mütterl. Betrieb eingetreten. H.: Tennis, Squash.

Seifert v. Eichenstark Rudolf

B.: Grafiker. PA.: 1030 Wien, Ungarg. 45/2/12. G.: Voorburg/NL, 11. April 1941. V.: Mag. Dr. phil. Maria, geb. Gridling. Ki.: Alexander Wolfgang. El.: Wolfgang u. Maria. BV.: Großvater Wolfgang Seifert v. Eichenstark, Senatspräs. d. Obersten Gerichtshofes. S.: RG Wien, 1961 Matura, Werbekurs in London, graph. Ausbild. in Darmstadt. K.: Agentur in Darmstadt u. Wien, Ass. d. Prod.Ltr., 1961-62 Werbeabt. Shell u. IBM, 1962-64 Prod.Ass. Werbeagentur Bachmann Darmstadt, Frankfurt, Wien, 1965-67 Werbeagentur in Portugal, IWG Publicitas Wien, 1968-70 LINTAS Portugal, 1970-75 Repräsentant f. Werbeagentur CRETER Wien zuständig f. Österr. u. Ostblock. BL.: Revitalisierung d. Palais Kinskey, Eröffnung d. Cafe, 1977-79 Griechenland Segel- u. Wasserskischule, 1979 selbst. im Kunsthdl. H.: Segeln. (A.W.)

Seiffarth Horst Peter Dr. techn. Dipl.-Ing.

B.: Ziviling. f. Hochbau, allg. gerichtl. beeid. Sachv., Gschf. Ges. d. Inst. f. Bauinform. GmbH. DA. u. PA.: 2500 Baden, Welzerg. 33. G.: Wien, 16. Aug. 1944. V.: Viktoria, geb. Wolf. Ki.: Oliver (1971), Marie-Louise (1991), Alexandra-Sophie (1993). El.: Josef u. Franziska. S.: BRS, Matura 1964, Arch.-Stud., 1972 Dipl.-Ing., 1981 Dr. techn. K.: 1976-82 Univ.-Ass. an d. Fak. f. Bauing.-Wesen TU Wien, ab 1982 selbst. als Baukonsulent u. Ausführ. v. Forschungsvorhaben, Sachv. u. Ziviling. f. Hochbau. BL.: Patente auf d. Brandschutzsektor, Produktentwicklungen. P.: Div. Artikel in Fachzeitschr., Forschungsberichte. M.: Lions Club Baden-Helenental, Österr. Ing.- u. Arch.-Ver., HV allg. ger. beeid. Sachv. Österr., Ing.-Kammer. H.: Fliegen, Reisen, Schifahren. (M.M.)

Seifried Adolf

B.: Gschf. Ges. FN.: Autohaus Seifried GmbH & Co KG. DA. u. PA.: 4710 Grieskirchen, Moos 12. G.: Gapoltshofen, 6. Dez. 1941. V.: Christiane, geb. Rapp. Ki.: Adolf, Jean-Pierre. El.: Rudolf u. Maria, geb. Holzmann. S.: VS, HS, Kfz-Mechanikerlehre, 1959 Gesellenprüf. K.: 1960-64 Zürich, Lausanne u. Genf, 1964-65 Verkäufer im Außendienst, 1965 Mstr.-Prüf., 1966 Einschulung Simca in Paris, 1967 Pacht eines Kfz-Betriebes in Altenmarkt, 1968 Pacht in Lambach, 1971 Grdg. d. jetzigen Betriebes Seifried, seit 1988 Gschf. Ges. M.: Bez.-Obermstr. d. Kfz-Mechaniker, Mtgl. d. Landesaussch., Vortragender in d. Berufsschulen Linz u. Mattighofen, Mtgl. d. Gesellenprüf.-Kmsn. H.: Reisen, Schach, Skifahren, Hobbyldw., Extrembergsteigen. (W.B.)

Seifried Wolf-Hannes Ing.

B.: Techn. Ltr. d. ORF Landesstudio Stmk. DA.: 8042 Graz, Marburger Str. 20. PA.: 8042 Graz, Otto-Loewi-G. 12. G.: Graz, 19. Jän. 1941. V.: Heidelinde, geb. Oswald. Ki.: Robert (1962), Karin (1964). El.: Johann u. Anna. S.: VS, HS, HTL Hochfrequenztechnik Graz, 1960 Matura. K.: 7 Monate Löwe Opta Kronach/Bayern, ab 1961 ORF zuerst Sendertechniker am Schöckl, 1967/68 Studiobetrieb, Gruppenltr., Meßdienstltr., Techn. Ltr. H.: Imker. (F.K.)

Seifriedsberger Wilhelm

B.: Inh. d. Restaurant "Wein Comptoir". DA. u. PA.: 1010 Wien, Bäckerstr. 6. G.: Salzburg, 31. Juli 1940. Ki.: Gabriele (1960), Johannes (1987), Alexander (1989). El.: Franz u. Maria. S.: Tischlerlehre m. Mstr.-Prüf. in Sbg. (1963), Stud. Innenarch. K.: 1958-59 Tätigkeit in d. Gastronomie in Zürich, 1965-66 Innenarch. in München, 1966 Ndlg. in Wien, selbst. Möbelhändler, 1971-79 Ladenbau b. div. Firmen, 1979 Eröff. eines Beherbergungsbetriebes in Sonnenfelsgasse ("Josefine"), 1981 Eröff. d. Lokals "Purpurschnecke", 1982 Eröff. d. "Wein Comptoir", seit 1989 Betreibung d. Österr. Weinkostes auf d. Wr. Messe. BL.: 1981 Organ. einer Ausstellung d. Malers Heinz Jonak. H.: Arch., Malerei, alte Musik (Orgel), Tennis, Skifahren. (N.A.)

Seiler Charles

B.: Werbung Spezialist (Touristik). A.: Av. Miremont 8c, 1206 Genève. G.: Lausanne/Schweiz, 7. Sept. 1919. V.: Natascha, geb. Volkowisky. El.: Henri u. Bernardine. S.: HASCH. K.: Selbst. im Geschäft b. 1948, seitdem in d. Tourist. Werbung auf eigene Rechnung. F.: Präs. u. Gen.-Dir. d. Charles Seiler AG, Genf, Intern. Tourist. Werbung. M.: American Society of Travel Agents, Intern. Hotel Association. H.: Reisen.

Seiler Gerhard

B.: Hauptschuldir. FN.: Hauptschule Hohenruppersdorf. DA.: 2223 Hohenruppersdorf 223. G.: Wien, 6. Juli 1939. Ki.: Waltraud (1967), Doris (1971). El.: Leopold u. Aloisia S. 1953-58 Lehrerbildungsanstalt Wr. Neustadt, 1963-64 Lehrerbefähigungsprüf. f. Hauptschulen. K.: 1964-70 Volksschulltr. Erdpress, Kollnbrunn, Kl. Harras u. Martinsdorf, 1970 Hauptschule Hohenruppersdorf, 1985 Dir. Hauptschule, Schwerpunkte: Sport- u. Musikförderung. M.: Grdr. d. Sportvereins Kl. Harras, Grdr. Sing- u. Spielgem. G. Seiler, eig. Kompositionen u. Arrangements. H.: Musik, Sport. (T.T.)

Seiler Hilde

B.: Vizepräs. d. ÖGB, Mtgl. d. NatR. DA.: 1011 Wien, Hohenstaufeng. 10-12/4. PA.: 1130 Wien, Mayg. 42/14/15. G.: Wien, 1931. El.: Ludwig u. Josefine Seiler. S.: Pflichtschulen. K.: 3 J. Büropraktikantin einer Taxigen. u. Abschluß d. kfm. Lehre, 9 J. im gleichen Betrieb als Allroundkraft tätig, seit 1946 b. Gewerkschaftsjugend u. Mtgl. d. SPÖ, Wander- u. Sportref., später Jugendobm. d. GPA, Gewerkschaftsjugend d. 16. Bez., glztg. Wahl z. BetriebsR. an ihrer Arbeitsstelle, 1957 Ang. b. d. Gewerkschaft d. Chemiearb., ab 1968 Funktion d. Frauensekr., 1971 Wahl z. Wr. LSekr. d. Gewerkschaft d. Chemiearb., 1973 Delegierte in d. ICEF, 1973 stellv. Vors., seit 1980 Vors. d. Frauen im ICEF, 1983 Wahl z. Vors. d. ÖGB-Frauen, seit 1983 VPräs. d. ÖGB, s. 1988 Abg. z. NatR. BL.: Seit 15. Lebensj. d. Idee f. Gewerkschaft zu arbeiten. P.: lfd. Publ. seit 15 J. in "Chemiearbeiter" (monatl.), Solidarität, Arbeit u. Wirtschaft. M.: Gewerkschaft seit 1946, SPÖ seit 1946, Naturfreunde, ARBÖ. H.: Lesen, Geschichte, Skifahren, Schwimmen, Reisen, Wandern, Sauna. (E.L.)

Seiler Robert Dr. Prof.

B.: o.Univ.-Prof. am Inst. f. Strafrecht in Graz, Hon.-Prof. f. Strafrecht in Sbg. DA.: 8010 Graz, Heinrichstr. 16, 5020 Salzburg, Kapitelgasse. PA.: 8010 Graz, Waltendorfer Hauptstr. 103c, 5020 Salzburg, Wartelsteinstr. 11. G.: Marburg/Drau, 11. Febr. 1931. V.: Dr. Eva, geb. Krainer. Ki.: Mag. Thomas (1962), Dr. Stefan (1968). El.: Friedrich u. Hermine. S.: VS, Gymn., 1950 Matura, Jusstud. Graz, 1954

Prom. z. Dr. iur. K.: 1955 Ass. am Inst. f. Strafrecht Graz, 1960 Habil., eingetragener Verteidiger in Strafsachen, 1964 a.o.Prof. Graz, 1966 nach Sbg., 1966 o.Univ.-Prof. Sbg., Aufbau d. Strafrechtsinst. in Sbg., 1973 o.Univ.-Prof. Graz, 1973 nach Sbg., 1973 Hon.-Prof. Sbg. P.: versch. Bücher u.a. "Der Strafrechtl. Schutz d. Geheimsphäre" (1960), Aufsätze u.a. "Die Bedeutung d. Handlungsunwertes im Verkehrsstrafrecht" (1972), "Die Beweisverbote im Strafprozeß" (1974), "Die Bedeutung d. Vorfragen f. d. Strafrichter" (1981), "Die Gewalt als Mittel z. Nötigung "(1989). E.: 1959 u. 1961 Förderungspreis d. Theodor Körner-Stiftungsfonds. H.: Fotografieren, Wandern. (U.E.)

Seiler Thomas

B.: gastronom. Künstler, Inh. FN.: Elsässer Gourmandisen Manufaktur. DA.: 1080 Wien, Albertg. 19; 1040 Wien, Naschmarkt 74/75. G.: Straßburg/ Frankr., 31. März 1953. V.: Gaby, geb. Pschickal. Ki.: Xavier (1975). El.: Paul u. Stephanie, geb. Leser. S.: 1971 Matura, Hotelfachschule Straßburg, 1973 Abschluß, prakt. Ausbild. b. Paul Bocuse u. Gebrüder Haeberlin. K.: Koch b. d. Königin v. Holland, b. Roy Souvereijhs in Belgien, Küchenchef im Schloß Landsberg/Elsaß, "Adidas" Clubhaus, "Kupferkanne", Insel Sylt, 1981 Übersiedlung n. Wien, Küchenchef in d. franz. Botschaft, 1983 Küchenchef Hotel Europa, Innsbruck, 1985 Küchenchef Hotel SAS, ab 1987 selbst., 1991 Eröff. Elsässer Gourmandisen am Naschmarkt, ab 1991 Gastprof. am Intern. College d. Hotelfachschulen Modul. P.: Mitautor einiger Kochbücher. H.: Jagd, Landwirtsch., Afrika, klass. Musik insb. Barock. (N.A.)

Seilern-Aspang Christian

B.: Maschinenbauing. FN.: Sbg. Leichtmetall Gießerei GesmbH. DA.: 5111 Burmoos, Wahastr. 25. G.: Litschau, 22. Juni 1948. V.: Sophie, geb. Gräfin Nostitz-Rieneck. El.: Franz u. Aglae. BV.: UrUrUrgroßvater Kanzler unter Maria Theresia. V.: Grundschule, HTL f. Maschinenbau. K.: 1965-70 Militärdienst, 1972-81 Prokurist i. Fa. Sbg. Leichtmetall Gießerei GesmbH, s. 1981 Geschäftsleiter d. selben Firma. E.: Herr u. Landmann in Tirol. M.: FV f. Gießereiind., Kammerrat. H.: Sport, Jagd, Schifahren. (M.G.)

Seilern-Aspang Johannes

B.: Gutsbes. DA. u. PA.: 3874 Litschau, Schloßweg. G.: Schloß Friedberg b. Volders, 6. Juni 1945. V.: Elisabeth, geb. Gräfin Goess. Ki.: Antoinette (1980), Franziskus (1981), Hubertus (1983), Valerie (1986). El.: Graf Franz Josef u.. Gräfin Aglea, geb. Gräfin Waldstein-Wartenberg. S.: Gutsbesitz in Litschau seit über 200 J. im Bes. d. Familie, Stammschloß väterlicherseits Schloß Leschna in Mähren, Stammschloß mütterlicherseits Schloß Hirschberg in Nordböhmen. S.: VS, Gymn. Kalksburg u. Gmünd, Matura. K.: div. Praktiken in div. Betrieben d. Sägeind. u. Forstwirtschaft, Sägeausbild. in d. Fachschule Kuchl, 1970 Eintritt in d. elterl. Gutsbetrieb: Ltg. d. forsteigenen Sägewerkes in Schönau b. Litschau, 1985 Wechsel z. Forstbetrieb, 1992 Übernahme u. Ltg. d. eigenen Forstbetriebes. M.: Herr u. Landmann in Tirol, seit 1945 Mtgl. d. Malteser Ritterorden, KMB, Vorst.-Mtgl. VCU, Reitver. Ginsterhof, Golfclub Waldviertel. H.: Golf, Reiten, Sportschießen, Skifahren, Expeditionen, Familie. (M.M.)

Seiller-Tarbuk Mario Dr.

B.: Gschf. Ges. FN.: F. M. Tarbuk & Co. DA.: 1101 Wien, Davidg. 90. G.: 1925. M.: Rotary.

Seimann Harald

B.: Gschf. Ges. FN.: Harald Seimann GmbH. DA.: u. PA.: 4050 Traun, Haidfeldstr 6. G.: Linz, 13. Feb. 1962. V.: Sieglinde, geb. Gusenbauer. Ki.: Daniel (1984), Manuela (1987). El.: Johann u. Katharina. S.: VS, HS, Maurer- u. Bautechn. Zeichnerlehre, 1981 Gesellenprüf., 1982 Präsenzdienst. K.: 1983 Maurer Firma Alexander Mössl, während d. Wintermon. Bauhandwerkerschule 3 Sem. HTL Linz, 1985 Techniker Firma Ing. Wirlinger, 1986 Techniker Firma Eiber-Bau Neuhofen, 1987-88 Abrechnunstechniker Firma Höhnel Linz, seit 1989 Gschf., Firmengrdg., 1994 Baumeisterprüf. M.: Volksmissionsgem. Traun. H.: Laufen, Radfahren, Wandern, Schwimmen, Gemeinde. (G.E.)

Seimayr Josef

B.: Gschf. FN.: Seimayr Ges.m.b.H. Restaurant, Keferfeldstube, Pub Dupond. DA.: 4020 Linz, Landwiedstr. 65. PA.: 4020 Linz, Steinackerweg 8. G.: Linz, 14. April 1959. V.: Ramona, geb. Scheiblhofer. Ki.: Christian (1979), Sylvia (1981), Ramona (1985), Markus (1987). El.: Josef u. Maria. BV.: Familie im Gastgewerbe seit Urgroßeltern 1920. S.: VS, HS, Koch u. Kellner 1979, Lehrzeit im Klosterhof Linz, BH 1980, seit 1981 im elterl. Betrieb. K.: 1991 Eröff. d. eig. Restaurants m. Partner Konditormeister Baumgartner, 1991 Cafe Konditorei, heute Pub Dupond, Ende 1991 Alleiniger Pächter. P.: Art. über Restaurant u. Pub. H.: Familie. (N.A.)

Seinitz Kurt

B.: Politischer Red. verantw. f. d. Außenpolitik. FN.: Neue Kronen-Zeitung. DA.: 1190 Wien, Muthg. 2. G.: Wien, 7. Jän. 1947. El.: Anna u. Karl. S.: nicht abgeschlossenes Stud. d. Publizistik, Wirtschafts- u. Sozialgeschichte a. d. Univ. Wien. K.: 1971 Eintritt b. d. Kronenzeitung, Abt. Außenpolitik, s. 1985 zusätzlich politische Samstag-Kolumne "7 Tage Weltgeschehen", ausgedehnte Reisetätigkeit. E.: 1994 Ehrenzeichen f. d. Verdienste um die Republik Österr. H.: Musik und Lesen. (J.S.)

Seipel Wilfried Dr. phil. Mag.

B.: Gen.Dir. d. kunsthistorischen Museum, Wien. G.T.: VPräs. d. OÖ. Kunstver. DA.: 1010 Wien, Burgring 5. G.: Wien, 5. Jun. 1944. V.: Ingrid. Ki.: Katja. El.: Mag. Rudolf u. Maria. B.V.: Prälat Dr. Ignaz Seipel (BKanzler). S.: human. Schottengymn., Wehrdienst, Stud. a. d. Univ. Wien, Heidelberg u. Hamburg i. d. Fächern Klass. Phil., Alte Geschichte, Archäologie, Ägyptologie, Kunstwiss., Mag.phil.Univ. Heidelberg u. Prom. Dr. phil.Univ. Hamburg. K.: Ass. a. d. Papyrussammlung a. d. Univ. Heidelberg, Ass. a. Lehrstuhl f. Ägyptologie d. FU Berlin, Ref. a. Österr.-Archäolog. Inst., Ass.Prof. a. Inst. f. Alte Geschichte d. Univ. Konstanz, Dir. d. städt. Museum Konstanz, Dir. d. OÖ. LMuseums, 1974-81 Ausgrabungstätigkeit i. Ägypten, s. 1990 GDir. d. kunsthist. Museum. P.: zahlr. wissensch. Publ.: u.a. 1989: Götter, Gräber u. d. Kunst; 1990: Mensch u. Kosmos; 1992: Gott, Mensch, Pharao; 1994, Milano: Kunsthis. Museum; Heruasg. d. Schriften d. kunsthist. Museum; zahlr. Beiträge: Lexikon d. Ägyptologie Wiesbaden 1971, zahlr. Übersetzungen u. Hrsg. bzw. Mitarb. an populärwiss. Werken (z.B. das alte Ägypten"). (E.J.)

Seipelt Wolfgang Ing.

B.: Gschf. d. Ing. Seipelt GmbH. DA.: 1210 Wien, Leopoldauer Str. 159. PA.: 1220 Wien, Tegelweg 7-9. G.: Wien, 1. Sep. 1948. V.: Sylvia, geb. Novak. Ki.: Wolfgard u. Alexandra. El.: Friedrich u. Editha. S.: Mittelschule, HTL Mödling. K.: 1971 Firmengrdg., Mitarb. in versch. Aussch. d. Kam. u. d. Innung. H.: Tennis, Elektrobiologie. (E.L.)

Seisenbacher Alois

B.: Inh. FN.: A. Seisenbacher GmbH. DA.: 1030 Wien, Landstraßer Hauptstr. 2/17/12. PA.: 3340 Waidhofen/Ybbs, Konradsheim 50. S.: Waidhofen, 29. Juni 1957. V.: Elisabeth, geb. Riedl. Ki.: Alexander (1989). El.: Alois u. Irmhilde. S.: Gymn., Fliesenlegerlehre. K.: 1979-82 ltd. Stellung im Baugeschäft in Ägypten, 1983 Grdg. u. Alleininh. d. Fa. A. Seisenbacher GmbH Keram. Arb., Fassadenbau u. Rekonstruktionen b. Hotel- u. Ind.Bauten, 1989 Grdg. einer Holding SEAL Beteiligungs GmbH. M.: ÖFB-VIP-Club. H.: Reisen. (M.M.)

Seisenbacher Hermann Dipl.-Ing.

B.: Ziviling. f. Bauwesen. DA.: 1130 Wien, Anton-Langer-G. 29. G.: Rosenbach, 31. Jan. 1937. V.: Lisl, geb. Berger. Ki.: Michael. S.: Ferdinand u. Maria. S.: Matura 1956 in Villach, Stud. Bauing.Wesen TH Graz, Abschl. 1964. K.: 1964-74 Bau AG Negrelli Graz, 1974-79 Ltr. d. Konstruktionsbüros d. Fa. Negrelli Wien, 1975-84 Gschf. d. "Neuen Gründungs-Technik GmbH", seit 1984 selbst. (P.R.)

Seisenbacher Peter

B.: Sporthilfe-Gen.Sekr., Spitzensportler. PA.: 1100 Wien, Brantingg. 63. G.: Wien, 25. März 1960. V.: Carol, geb. Michelson. Ki.: Lana (1987), Kevin (1989). S.: Lehre f. Goldschmied. K.: 1980-89 b. d. HSNS, 1975 Beginn d. sportl. Laufbahn (Judo), 6 J. Einzelstaatsmstr., 1984 Olympiasieger Los Angeles, 1985 Weltmstr., 1986 Europamstr., 1988 Olympiasieger, div. Platzierungen b. intern. Turnieren, insgesamt 8 mal b. EM. H.: Familie. (A.W.)

Seiser Bruno

B.: Journalist, Korrespondent d. Österr.-Red. d. Heinrich Bauer Verl., Hamburg. DA.: 1070 Wien, Burgg. 68/10. PA.: 1190 Wien, Hameaustr. 19. G.: Wien, 24. Juni 1938. El.: Rudolf u. Margarethe. S.: HAK. K.: Mtgl. d. Red. u. ab 1961 Chefred. d. "Kronen Zeitung", seit 1970 Chefred. u. Rep. d. Bauer Verl. P.: "Am Wendepunkt - die Wirklichkeit" (1979), "Anthologie Neue Deutsche Lyrik" (1983), "Trotzdem-Menschen, die sich nicht erschlagen lassen - was aus ihnen wurde". H.: Schreiben, Skifahren.

Seiser Friederike

B.: Inh. FN.: Carl Göbbel Eisenwaren u. Küchengeräte Kleinhdl. DA.: 1090 Wien, Liechtensteinstr. 24. PA.: 1140 Wien, Hickelg. 15-17. G.: Wien, 11. Juli 1933. V.: Walter. Ki.: Waltraud, Karl. El.: Fritz u. Katharina Göbbel. S.: 1947-50 kfm. Lehre b. d. Fa. "Zur Gold. Kugel" Hugo Hinze. K.: Eintritt in d. elterl. Betrieb, 1950-70 Komm., ab 1970 Alleininh., 1982 Eintritt d. Sohnes Karl. H.: Musik, Kochen, Wandern. (P.R.)

Seiser Heinz Dipl.-Ing.

B.: Arch. DA.: 2620 Neunkirchen, Raiffeiseng. 4. G.: Neunkirchen, 31. Juli 1946. El.: Heinrich u. Christine. S.: Realgymn. i. Neunkirchen m. Maturaabschluß 1965, Arch.-Stud. a. d. TU Wien, Abschluß m. 2. Staatsexamen 1973, Ziviltechn.-Prüf. 1976, Befugnisverleihung 1978. K.: s. 1976 Zusammenarb. i. Form e. Arb.-Gem. m. Arch. Dipl.-Ing. Herbert Mitteregger i. gem. Arch.-Büro NÖ-Süd. E.: Gewinner versch. Arch.-Wettbewerbe. (F.S.)

Seiser Josef Dipl.-Ing. OStR. Prof.

B.: Abt.-Vorst. f. Elektrotechnik an d. HTBLA Wien IV. DA.: 1040 Wien, Argentinierstr. 11. G.: Bad Vöslau, 30. Nov. 1926. V.: Hermi. Ki.: Gabriele. S.: VS, HS, Staatsgewerbeschule Mödling u. Wien, Stud. Maschinenwesen/Starkstromtechnik TH Wien. K.: seit 1950 Sachbearb. "Sport u. Toto" u. Konsulent d. "Glücksspielmonopolverwaltung" bzw. "Österr. Lotto-Toto-Ges.", seit 1952 im Schuldienst: HTBL Wien I, Berufsschule f. Elektrotechniker u. Radiomechaniker, HTBL Wien X u. HTBL Wien IV, Schulgründ. HTBL Wien 22. Ind.-Praxis: 1959-61 Elektrotechn. Versuchsanstalt ETVA, 1961-66 ELIN-Union/Montanbüro. BL.: Vortrags- u. Lehrtätigkeit VHS, Kneipp-Bund u. Rundfunk. P.: Lehrbücher f. Grundlagen d. Elektrotechnik, Gruppen- u. Laborunterricht nach Soziometr. Erkenntnissen, Grundschule d. Totosystematik. E.: Gold. EZ f. Verd. um d. Rep. Österr. M.: Intern. Ges. f. Ingenieurpäd., Normung u. Schule, Österr. Verb. f. Radiästhesie u. Geobiologie. (J.E.)

Seisl Franz Dkfm.

B.: Gschf. FN.: Gigant Hdls.Ges. f. mod. Verpackungsm. R. Fucik OHG. DA.: 1232 Wien, Triester Str. 201. PA.: 4040 Linz, Eschenbachweg 13. G.: Kirchberg, 27. Nov. 1936. V.: Hannelore, geb. Stüber. Ki.: Michael, Nikolaus. El.: Franz u. Johanna. S.: RG, HAK, HS f. Welthdl. K.: 1/2 J. Tätigkeit b. Fa. Lambacher, 4 J. Fa. Wötzl in Linz, Gschf. Fa. Fuchs GmbH Wien, anschl. Fusion, seit 1982 Fa. Gigant, gesamter Verw.Bereich, Einkauf, Lagerwirtschaft, EDV. H.: Skibergsteigen, Bergsteigen, Musik, Tennis, Lesen. (E.L.)

Seit Johann Richard Karl Dipl.-Ing. Dir.

B.: Vorst.Dir. Ressort Technik. FN.: FAG AUSTRIA Wälzlager AG. DA.: 2560 Berndorf, Ferd.-Pölzl-Str. 2. PA.: 2563 Pottenstein, Hausbergweg 24. G.: Kempten, 18. Juni 1933. V.: Karin, geb. Mai. Ki.: Monika, Hans-Peter, Jörg Christian. El.: Johann u. Kreszenzia. BV.: Familie reicht zurück b. z. 30 jährigen Krieg, alte Handwerkerfamilie, altes Familienwappen. S.: Gymn., Stud. TU München allg. Maschinenbau. K.: wiss. Mitarb. Inst. f. Metallurgie u. Metallkunde, 1960 Ltr. d. Allg. Werkstoffchemie b. G. J. Jaeger GmbH Wuppertal-Elberfeld, 1975 FAG Kugelfischerwerk Wuppertal, 1977 Abt. Techn. Prod.Vorbereitung Aufbau u. Ltg., 1977 FAG Kugelfischer Schweinfurth, 1977-78 St. Veit Allg. Kugellagerfbk. AG. BL.: 1960-75 div. Auslandsaufenthalte. P.: techn. Art. in Fachzeitschriften, 1960-63 Vorlesungen techn. HS München. E.: Floriani-Plankette d. LFeuerwehrkdo. NÖ f. bes. Verd. M.: Ver. Dt. Eisenhüttenleute, Kiwanis Club, Dt. Alpenv. u.a. H.: Gärtner, Fotografieren, Sammeln alter Kameras, Arbeit m. Holz, Skilanglaufen, Radfahren, Segeln, Reisen. (M.G.)

Seitelberger Franz Dr. med. em. o.Prof.

B.: FA f. Neurologie. GT.: ehem. Vorst. d. Neurolog. Inst. DA.: 1090 Wien, Schwarzspanierstr. 17. PA.: 1190 Wien, Weimarer Str. 97. G.: Wien, 4. Dez. 1916. V.: Dr. Erika, geb. Weber. Ki.: Edda (1954), Linda (1956), Rainald (1958). El.: Franz u. Bertha, geb. Heuritsch. S.: Hum. Gymn., 1935 Matura, Stud. Univ. Wien, 1940 Prom. z. Dr. med., 1950 Dipl.-FA f. Neurologie u. Psychiatrie. K.: 1951 Eintritt ins Neurolog. Inst., 1954 Habil., 1959-87 Vorst. d. Neurolog. Inst. 1959 a.o.Prof. f. Neurologie, 1964 o.Prof., 1970-91 Dir. d. Inst. f. Hirnforsch. d. Österr. Ak. d. Wiss., 1974/75 Dekan d. Med. Fak. d. Univ. Wien, 1975-77 Rektor d. Univ. Wien, 1977-78 Prorektor d. Univ. Wien, 1984-86 Fogarty Scholar in Residence, Nat. Inst. of Health, 1987 Em. E.: mehr als 430 wiss. Arb. u. Buchbeiträge. E.: 1968 Ehrenmtgl. d. Ungar. Ak. d. Wiss., Ehrenmed. in Gold d. Stadt Wien, 1987 Ehrenmtgl. d. Mexikan. Ak. d. Wiss., 1987 Erwin Schrödinger-Preis. 1989 Orden v. "Heiligen Schatz mit Stern,Gold. u. silb. Strahlen" (Japan) M.: 1966 IBRO, seit 1970 w.Mtgl. d. Österr. Ak. d. Wiss., 1954 wiss. Mtgl. d. Max-Planck-Ges., 1968 Dt. Ak. d. Naturforscher Leopoldina, 1974-78 Präs. d. Intern. Ges. f. Neuropath. H.: Phil., Anthropologie, handwerkl. Arb. m. Holz. (N.A.)

Seiter Herbert Prof.

B.: Komponist, Kapellmstr., Pianist. DA. u. PA.: 1050 Wien, Blechturmg. 1/13. G.: Wien, 23. Mai 1921. V.: Viktoria Gertrude, geb. Seewald. S.: VS, HS, Klavierstud. am Wr. Konservatorium HS f. Musik, 1937 Reifeprüf., 1938 Mstr.Kl. b. HofR. Emil v. Sauer u. Abschlußprüf. K.: 1941-44 Militär, 1943-45 Klavier-Soloabende in Wien, München u. Frankfurt, ab 1946 weitere Konzerte in Europa auch m. d. Philharmonikern, 1952 Solist b. gr. Orchester, Arrangeur, Komponist, Kapellmstr., 1962 Filmmusik z. "Das gr. Wunschkonzert" komponiert, dirigiert u. d. Klaviersolo m. d. Wr. Philharmonikern gespielt, seit 1970 Pianist u. musikal. Ltr. d. Sonntagssendungen "Was gibt es Neues" v. u. m. Heinz Conrads. BL.: einer d. vielseitigsten Musiker v. Österr. P.: ca. 600 Kompositionen geschrieben u. veröff. z.B. Alle Wasser d. Erde fließen, Kastalienwalzer. E.: Preis b. Klavierwettbewerb in England, Preis b. Wettbewerb in Genf, Ehrenkreuz f. Wiss. u. Kunst, Prof. M.: AKM, PPK, ÖKB. H.: Beruf, Tiere. (M.Br.)

Seiter Ilse Dr. med.

B.: FA f. Dermatologie. DA.: 1080 Wien, Josefstädter Str. 3, Kosmetikinst.: 1070 Wien, Kellermanng. 5. G.: Wien, 18. Apr. 1929. V.: Dipl.-Ing. Johann S. S.: Matura 1947, Stud. d. Med., Prom. 1953. K.: Bis 1960 FA-Ausbild an d. Univ. Erlangen, 1961-69 eigene FA-Praxis in Erlangen, ab 1971 in Wien m. eig. FA-Praxis u. Inh. eines Kosmetikinst. H.: Tiere, Theater, Oper, Literatur. (P.R.)

Seitinger Heinz K. DDr. M.A.

B.: Außenwirtschaftsorganisation-Marketing Wirtschaftskam. Österr. DA.: 1045 Wien, Wiedner Hauptstr. 63. PA.: 1040 Wien, Taubstummeng. 17/10. G.: Graz, 20. Mai 1938. V.: Karin, geb. Ilz. Ki.: Susanne (1978). El.: Rupert u. Stefanie, geb. Hutter. S.: VS, BRG, 1956 Matura, 1956-61 Stud. Karl Franzens-Univ. Graz, 1960 Prom. Dr. iur., 1961 Prom. Dr. rer. pol., 1961/62 Stud. Univ. of Toronto Kanada, 1962 Spons. z. M.A., 1962-63 Stud. Bologna Center d. Johns Hopkins Univ. Bologna/Italien. K.: 1964 Eintritt BWK, 1966-68 Sachbearb. AHSt New Orleans/USA, 1968-71 Sachbearb. AHSt Singapur, 1971/72 Inlandsdienst, 1971 Interimsltr. AHSt Kinshasa/Zaire, 1972-78 Handelsdelegierter Khartoum/Sudan, 1978-81 Länderref. Nordamerika, 1981-88 Handelsdelegierter Chicago/USA, 1988-92 Handelsdelegierter Sydney/Australien, 1990 Chairman European Travel Commission Australian Chapter, 1993 Außenwirtschaftsorgan. - Marketing BWK. E.: 1971 Gold. EZ d. Landes Stmk., 1979 Silb. EZ d. Landes OÖ, 1988 Ehrenbürger v. Chicago, 1989 Certificate of Appreciation United States Department of Commerce, 1990 Gr. Gold. EZ d. Landes Stmk., 1991 Ehrenplakette d. Österr. Werbung in Gold, 1992 Silb. EZ d. Landes Wien, 1992 Gold. EZ d. Verd. um d. Rep. Österr. M.: Rotary-Club Wien-West. H.: Lesen, Reisen, Wandern. (N.A.)

Seitler Franz

B.: LObm. u. Verb.Obm.Stellv. d. Pensionistenverb. Österr. GT.: ehem. Bez.Obm. d. 3. Bez. DA.: 1090 Wien, Alserbachstr. 23. PA.: 1030 Wien, Sebastianpl. 5/2/6. G.: Wien, 2. Sept. 1909. V.: Luise, geb. Sofeit. El.: Wilhelm u. Luise. BV.: Großvater Brünner GemR. S.: Bürgerschule, Buchdruckerlehre, Abendkurse. K.: Buchdrucker, Obermaschinenmstr. d. Fa. Buchgemeinschaft "Donauland", 1955 BezR. d. 3. Bez. v. Wien, 1959-73 Bez.Vorst., 1973 Bez.Obm. d. Pensionistenverb. d. 3. Bez., 1974 LObm., 1980 gschf. Obm. d. Pensionistenverb., 1983 BObm.Stellv. d. Pensionistenverb. Österr., dzt. Präs. d. Österr. SeniorenR. (BundesaltenR. Österr.). E.: Gold. EZ f. d. Verd. um d. Rep. Österr., Gold. EZ f. d. Verd. um d. Land Wien. M.: 1955-85 Vorst.Mtgl. d. Wohnbaugen. Sozialbau, 1959-84 Vorst.Mtgl. d. Wr. Urania, Treuhänderstellv. d. Wr. Städt. Vers. H.: Philatelist, Fotografieren, Radfahren, Schwimmen. (R.A.)

Seitlinger Karl Mag. SenR.

B.: Landestourismunsdir., Wien Tourismus. DA.: 1025 Wien, Obere Augartenstr. 40. G.: Knittelfeld, 29. Nov. 1948. V.: Gertrude, geb. Kogler. Ki.: Michael (1978), Julia (1981). El.: Albert u. Maria. BV.: Vater Albert S. 1965-75 Bgm. v. Knittelfeld. S.: Gymn. Knittelfeld, 1967 Matura, 1968-70 Stud. Sozial- u. Wirtschaftswiss. Univ. Graz, 1970-74 Stud. BWL u. Soz., 1974 Mag. K.: während d. Stud. journalist. Tätigk. im ORF u. b. d. AZ, ab 1. Juni 1975 im Presse- u. Informationsdienst d. Stadt Wien (PID), innerhalb d. PID folgende Funktionen: Redakteur, Ltr. d. Rathauskorrespondenz, Stellv. Abt.-Ltr., Pressesprecher v. VBgm. Hans Mayr, 16 J. im Medien- u. Werbereich tätig: alle Agenden d. Presse- u. Offentlichkeitsarb., Entscheidungen u. Beratung wie Information, Werbeaktivitäten (Kampagnen, Broschüren, Veranstaltungen, etc.), Beratung oberster Funtionsträger aus Politik u. Wirtschaft, beste Kenntnis d. Entscheidungsabläufe im öff. Dienst b. Interessenvertretungen u. Unternehmungen, Auslandstätigk., s. 1. aug. 1990 OMagR., s. 1. Aug. 1991 Landestourismusdir. v. Wien, Vors. d. ARGE Städtetourismus. P.: 6 Bücher über Kommunalpolitik u. Allg. Polit. Fragen. H.: Sport, Skifahren, Tennis. (J.S.)

Seitner Roland Ing.

B.: Gschf. Ges., Kfm. FN.: W & F Metallbau GesmbH. DA.: 2324 Rannersdorf, Zwölfaxinger Str. 21. PA.: 1120 Wien, Singrinnerg. 11. G.: Wien, 20. Feb. 1955. V.: Gabriele, geb. Cara. Ki.: Sandra (1982), Jörg u. Peter (1983), Tina (1988). El.: Herbert u. Hilde Seitner. S.: 4 J. Realgymn. i. Wien, 1974

Matura a. d. HTL f. Maschinenbau i. Wien. K.: 1976-80 Tech. u. Verkaufsberater b. mehreren Ind.-Unternehmen i. Raum Wien, 1980-86 Verkaufsgebietsltr. f. Österr. f. Verkauf v. Brandschutztüren u. Toren, s. 1989 selbst., Übern. d. Fa. Foit Stahlbau u. dessen Gschf., 1994 nach Fusion m. Fa. Witek Stahlbau Gschf. Ges. M.: Bundessektionsobmann u. Kammerrat d. Ind. i. freien Wirtschaftsverband, s. 26 J. aktives Mtgl. b. d. LIA-Ruder Club (ältester aktiver Sportver. Österr.). H.: Familie, Sport (Rudern). (I.K.)

Seitschek Hans Dieter

B.: Prok. d. Farinco. DA.: 1230 Wien, Erlaaer Str. 171. G.: Wien, 8. Sept. 1944. V.: Christine, geb. Schäfer. Ki.: Petra u. Hans-Dieter. S.: HASCH, 1965 Mechanikermstr. K.: 1968 selbst. - Einzelfa. H.D. Seitschek, Autohdl., 1975-78 Autorennfahrer, 1979 b. Farinco als Prok. H.: Skifahren, Schnelle Autos. (Lar.)

Seitschek Robert Dr. med. Dr. phil. MedR.

B.: FA f. Innere Med., praktizierte Therapie weitgehend Naturheilkunde Homöo-Isopathie. DA. u. PA.: 1190 Wien, Rathstr. 16. G.: Wien, 29. Juli 1917. V.: Gertrude, geb. Tasler. Ki.: Ursula, Jutta, Werner. El.: Rudolph u. Emilie. S.: Schulbrüder, Piaristengymn. Wien, 1935 Matura, Med.-Stud. Univ. Wien, 1939 Dr. med., Stud. klass. Phil. u. Literatur Univ. Wien, Prom. z. Dr. phil. K.: während d. Schulzeit wiss. u. prakt. Tätigkeit an d. I. Med. Klinik b. Prof. Eppinger, nach d. Krieg Gründer d. Österr. Ges. f. Homöopath. Med. gemeinsam m. Dr. M. Dorcsi u. Eröff. d. eigenen Praxis im Sinne klin. Homöopathie. P.: "Der wiss. Rahmen d. Homöopathie", zahlr. Veröff. in Fachschriften. E.: EK I. Kl., Verwundetenabz. M.: Lions. H.: Musik, Theater, Segeln. (J.S.)

Seitschek Viktor Ing.

B.: Gschf. d. Österr. Ver. f. Qualitätssicherung. GT.: Präs. d. Österr. Ver. z. Zertifizierung v. Qualitätssicherungs-Systemen u. Gschf. DA.: 1010 Wien, Gonzagag. 1/24. PA.: 4040 Linz, Magdalenastr. 20. G.: Lossdorf/Melk, 25. Juli 1943. V.: Christa, geb. Köck. Ki.: Thomas (1969), Andreas (1976). El.: Viktor u. Anna. S.: VS, HS, 5 J. HTBLA Wien Maschinenbau. K.: 1962-68 Konstrukteur, Betriebsass. u. Abt.-Ltr. Vogel Pumpen, 1968-72 Systementwicklung, Organ. Qualiätsdatenerfassung, Kostenrechnung, stellv. Ltr. Brown Boveri & Cie Baden/Schweiz, 1973-78 Ressortchef/Prok., Ltr. d. zentralen Qualitätswesen d. Werke, Dion.-Stab Brown Boveri & Cie BadenSchweiz, 1978-92 Ltr. d. Dion.-Bereiches Qualitätswesen u. Prok. Engel Maschinenbau GmbH. P.: mehr als 50 Veröff. in Fachzeitschriften u. Bücher, Gastvorträge intern. Konferenzen u. Kongessen in Europa, Brasilien, Japan, Korea, Taiwan, USA, Doz. d. Dt. Ges. f. Qualität, Lektor an d. TU Wien. E.: Silb. EZ f. Verd. um d. Rep. Österr. M.: VPräs. Intern. Accademy for Quality New York, Delegierter f. Österr. European Organ. for Quality (EOQ) Bern, Seniormember American Soc. for Quality (ASQC) New York, Dt. Ges. f. Qualität (DGQ). H.: Segeln, Tauchen. (T.T.)

Seitz Anton

B.: Bäcker, Cafetier u. Konditormstr. Bäckerei Seitz. DA.: 5084 Großgmain, Salzburger Str. 185. PA.: 5084 Großgmain, Am Sonnenlehen 246. G.: Salzburg, 19. Apr. 1949. V.: Vera, geb. Hörtlackner. K.: Anton Josef (1971), Sigrid (1977), Alexander (1981). El.: Anton u. Helen. S.: VS, HS, 1964-69 Berufsschule Konditor u. Bäcker, 1969 Gesellenprüf. K.: 1970-74 Gesellenj., 1974 Konditormstr., 1977 Bäckermstr., 1974-77 Gschf. im elterl. Betrieb, seit 1981 selbst. M.: Kameradschaftsver., Schützenver., Sportver. H.: Skifahren, Wandern, Tennis. (M.G.)

Seitz Bruno

B.: Bmtr., OInsp., Ltr. d. Verbundamtes Baden. FN.: Fernmeldebetriebsamt Baden. GT.: Bgm. d. Marktgem. Teesdorf. DA.: 2500 Baden, Kanalg. 7. PA.: 2524 Teesdorf, Bahnstr. 52. G.: 10. Sept. 1941. V.: Renate, geb. Wenger. Ki.: Erika, Andrea. S.: Berufsschule Elektromechanik, alle Dienstprüf. b. d. Post b. z. B-Beamten, 1972 B-Bematenprüf. K.: 1956-61 Fa. Kapsch Elektromechaniker, BH, 1962-67 b. d. Post Wien als Monteur, ab 1967 Dienst in Baden Werkmstr. im Fernschreibamt Baden, 1972-80 Tätigkeit als B-Bmtr. in Baden, 1981-87 Ltr. d. Verbundamtes Baden, polit. Tätigkeit: 1968-72 Beis. im Lokalaussch. d. SPÖ, 1972-74 Kassierstellv., 1975-85 gschf. GemR. u. Obm. d. SPÖ Teesdorf, 1985-87 Bgm. d. Marktgem. Steinfelden, seit 1988 Bgm. d. Marktgem. Teesdorf. P.: div. Art. in d. Gem.Zeitung, stellv. Museumsdir. E.: Österr. Schwarzes Kreuz, Dt. Schwarzes Kreuz, Samariterbund. M.: Obm. d. Turnver. Teesdorf, Mtgl. fast sämtl. Ver. d. Gem. H.: Fußball, Turnen. (C.K.)

Seitz Friedrich Martin Prof.

B.: Maler, Graphiker, Bildhauer, Lyriker. DA. u. PA.: 3100 St. Pölten, Wiener Str. 23. G.: St. Pölten, 11. Nov. 1925. V.: Erika, geb. Theiretzbacher. Ki.: Martin, Elisabeth. El.: Friedrich u. Elisabeth. S.: Glaserlehre, Holzfachschule Wels. K.: 1947 Glasermstr., b. 1985 selbst., 1959-64 Besuch d. Wiener Kunstschule, 1961-64 Gasthörer an d. Ak. d. Bild. Künste in Wien am Inst. f. sakrale Kunst b. Prof. Dr. Muck, ab 1974 jährl. Besuch d. Sommerak. in Sbg., 1978-80 ehrenamtl. Ass. (Wandmalerei), seit 1981 Bronzeguß m. Prof. Zenzmayer. P.: ab 1962 Einzelausstellungen "ARS MEDITATIVA" - religiöse Kunst v. Friedrich M. Seitz, Ausstellungsbeteiligungen im In- u. Ausland, Werke im Besitz BMUKS, Land NÖ, Land OÖ, Stadt St. Pölten, Diözese St. Pölten sowie in privaten Händen im In- u. Ausland. 2 Gedichtbände (Edition Limes) "Denn der Tag wird kommen" 1994. Das Umdrehbuch: "Der Name der Drüse", "Schau oba, Voda" 1995. E.: 1983 Ehrenmed. d. LVerb. d. NÖ Kunstver., 1984 Prof. Titel, 1986 EZ d. LHpt.Stadt St. Pölten. M.: seit 1973 Präs. d. St. Pöltner Künstlerbundes, Mtgl. Club d. Begegnung Linz, Mtgl. Berufsverb. d. Bild. Künste Österr., Mtgl. d. SIAC u. d. Österr. Ges. f. christl. Kunst. H.: Klass. Musik, Lesen. (Kern).

Seitz Gabriele

B.: freischaff. Künstler, Buchhalter. DA. u. PA.: 1140 Wien, Hernstorferstr. 11/17. G.: Wien, 9. Sept. 1960. El.: Paul u. Ernestine. S.: VS, HS, Berufsschule Buchhalter, Kunstschule f. Gold- u. Silberschmied. K.: div. Berufstätigkeiten, 1 1/2 J. Zahnass., Glaserlehre, Spiegelanfertigung aller Art, Entwicklung z. Bleiverglasung in "Tiffanytechnik", lfd. Aufträge f. Spiegel, Türen, Kirchenfenster, Auftrag Hypobank Schild, Ausstellung "Kurrent Treff" Galerie. H.: Beruf, Lesen, Musik, Tiere, Kaffeehaus. (W.M.)

Seitz Günter

B.: ak. geprüfter Werkfkm. FN.: SCC Werbeagentur. DA.: 1140 Wien, Viktor-Hagl-G. 2. G.: Wien, 20. Aug. 1943. Ki.: Valerie, Patrick. Ki.: Dkfm. Ernst u. Erna. S.: 1961 Matura. K.: 1963-66 Sekr. d. Jugendwerkes, 1966-68 Werbeass. Herder Verlag, 1968 Lehrgang u. Abschluß f. Werbung u. Verkauf, 1968-76 Kontakter, Texter u. Kreativdir. in div. nat. u. intern. Werbeagenturen, 1976 freiberufl. Kreativdir., 1988 SCC, Specialagentur f. Branding/Namensfindung. H.: Geisteswiss., Tischtennis. (J.E.)

Seitz Wilhelm Dr. Dkfm.

B.: Gschf. FN.: MSC Music Service Center GmbH. DA.: 1150 Wien, Hofmoklg. 1-5. PA.: 2500 Baden, Rohrfeldg. 29. G.: Lilienfeld, 20. Nov. 1936. V.: Irene, geb. Resl. Ki.: Claudia, Reinhard. El.: Wilhelm u. Herta. S.: VS, HS, AHS, WU, 1960 Prom. K.: Ang. b. Bauges. anschl. b. Fa. Hoval als Ltr. d. Finanzabt. tätig, danach Fa. Stihl als Prok., seit 1985 b. MSC. M.: Vors. d. Prüf.Kmsn. f. Lehrlinge in Mödling. H.: Sport. (R.A.)

Seitz Wolfgang Dr. med. Univ.-Prof.

B.: Ltr. d. Klinischen Abtl. f. Brachytherapie d. Univ.-Klinik f. Strahlentherapie u. Strahlenbiol., AKH d. Stadt Wien. GT.: FA f. Radiologie, FA f. Hochvolt u. Brachytherapie, a.o.Univ.-Prof. f. Strahlentherapie u. Strahlenbiologie unter bes. Berücksichtigung d. Brachytherapie. DA.: 1090 Wien, Währinger Gürtel 18-20. G.: Wien, 13. März 1944. V.: Gabriele, geb. Irlweck. Ki.: Stefan (1978), Bernhard (1983). El.: Herbert u. Kamilla. S.: RG Wien, Med.-Stud. Univ. Wien, 1970 Prom. GT.: seit 1977 Univ.-Klinik, 1978 Studienaufenthalt im Inst. Curie Paris b. Prof. Calle u. Villejuif Paris b. Prof. Chassagne, 1982 Studienaufenthalt in Creteil Paris b. Prof. Pierquin. P.: mehr als 100 wiss. Publ. M.: Sekr. d. Österr. Ges. f. Radioonkologie, Vorst.-Mtgl. d. ÖRG, Mtgl. div. Fachges. H.: Tennis, Bergsteigen, Skifahren. (J.S.)

Seiwald Franz

B.: Wirtschaftstreuhänder, Steuerberater, Prok. u. Ges. FN.: Michael Haslinger Wirtschaftstreuhand, Buchprüf. u. Steuerberater GmbH. DA.: 5500 Bischofshofen, Josef-Leitgeb-Str. 15. PA.: 5500 Bischofshofen, Forstg. 6. G.: Hüttau, 19. Juli 1956. V.: Sieglinde, geb. Salchegger. Ki.: Alexander (1984), Stephanie (1988). El.: Franz u. Cäcilia. S.: VS, HS, Praktikant b. Steuerberater, 1978-82 HAK f. Berufstätige, 1982 Matura. K.: Berufsanw.-Zeit b. Fa. Haslinger GmbH, 1986 Fachprüf. u. Bestellung z. Steuerberater, seit 1988 Prok. u. Ges., WIFI-Kurslehrer. H.: Skifahren, Bergwandern. (G.P.)

Seiwald Josef

B.: Inh. FN.: Gasthof Römischer Keller Josef Seiwald KG. DA. u. PA.: 5431 Kuchl, Markt 2. G.: Hallein, 28. Okt. 1960. V.: Annemarie, geb. Schönleitner. Ki.: Daniela (1982), Elisabeth (1987). El.: Leopold u. Elfriede. S.: VS, HS, 3 J. Gastgewerbefachschule Kleßheim Sbg. K.: Tätigkeit im elterl. Betrieb, BH, Einstieg u. Führung d. Gasthofes d. Mutter, 1988 Umwandlung in KG u. Gschf. M.: Kameradschaftsbund, im Vorst. d. Fremdenverkehrsverb., Skiclub. H.: Jagd, Skifahren, Schwimmen. (D.E.)

Seiwald Stefan Andreas

B.: Vermögensverwalter, Inh. FN.: VVS Vermögensverw. Stefan Seiwald. GT.: Lehrtätigkeit an d. Fremdenverkehrsschule z. Thema Investitionen, Finanzierungen. DA. u. PA.: 6380 St. Johann, Angererweg 11. G.: Kitzbühel, 31. Okt. 1969. El.: Stefan u. Christine. S.: VS, HS, HAK Kitzbühel, 1988 Matura, 1989 BH, Seminare Wertpapier- u. Aktiensektor, 1989 Seminar in Detroit/USA. K.: 1989 Grdg. d. eigenen Firma, 1990 Vermögensverwalterschein. P.: Broschüre "Grundgedanken z. Aktieninvestment". M.: Fußballclub St. Johann, mehrere örtl. Ver. H.: Lesen, vw. Themen, Squash, Mountainbike. (G.P.)

Sekal Zbynek

B.: Bildhauer, Maler. DA.: 1110 Wien, Hakelg. 10/12. PA.: 1090 Wien, Liechtensteinstr. 30. G.: Prag, 12. Juli 1923. V.: Maria-Christine, geb. Pulitzer. Ki.: Jan (1948), Andreas (1961). El.: Frantisek, Ruzena. S.: 1945-50 Studium a.d. Hochschule f. angewandte Kunst i. Prag, 1964/65 Keramisches Seminar in Gmunden. 1966 Bildhauersymposium in St. Margarethen, 1967 Bildhauersymposium in Vysne Ruzbachy, Slowakei. K.: 1970 Realisation einer großen Wand im David-Hansemann-Haus in Düsseldorf. Seit Sept. 1970 i. Wien. 1972-74 Lehrauftrag a. d. Akademie i. Stuttgart. 1973 Malerwochen Eisenstadt. 1977-79 Realisation d. Sakralbereichs i. d. Kirche "Zum guten Hirten" in Lustenau, Vorarlberg. Werke befinden sich im Besitz öffentlicher u. privater Sammlungen i. d. Tschechoslowakei, Österr., Frankreich, Italien, Japan, Deutschland u. i. d. Vereinigten Staaten. P.: zahlr. Ausstellungen u.a. 1977 Neue Galerie Graz, Museum Bochum-Kunst-Sammlung u. Museum d. 20. Jhdt. Wien; 1991 Rupertinum, Salzburg, 1992 Dum umeni, Brünn u. Stadtgelerie Troppau; 1993 Galerie Medium, Preßburg. (J.S.)

Sekotill Hartmut Dr. iur.

B.: Gschf., Gen.-Dir. FN.: Ögussa GmbH & Co KG. DA.: 1060 Wien, Gumpendorfer Str. 83-85. G.: Knittelfeld, 21. Okt. 1939. S.: Grundschule, Gymn., Univ. Graz. K.: seit 1988 b. Ögussa. H.: Golf, Tennis.

Sekula Oliver

B.: Gschf. FN.: Vital Club. DA.: 5020 Salzburg, Itzlinger Hauptstr. 93a. PA.: 83471 Schönau/Berchtesgaden, Hellielstr. 15. G.: Berchtesgaden, 7. Feb. 1966. V.: Erika, geb. Fegg. S.: Gymn., 10. Kl. abgebrochen-qualifizierter Abschluß, Ausb. z. Einzelhandelskfm., 1983-86 2 J. Fußballprofi i. d. Bundesliga, 1987-88 Computerfachberater, 1989-92 Fa. f. Rehabilitationsgeräte aufgebaut, daneben Fitneßcenter i. Düsseldorf eingerichtet, s. 1991 Geschäftsltr. d. Vital Clubs, März

1993 Gschf. d. Vital Clubs Management GesmbH, s. 3. 1994 In. Line Unternehmensberatung m. Zentrale i. Österr. H.: Skifahren, Eishockey, Fußball.

Sekyra Hugo Michael Dr.
B.: Gen.-Dir., Ltr. d. Bereiche Administration, Personal, Recht, Revision u. Öff.Arb. GT.: Vorst.Vors. d. Österr. Ind.Holding AG Wien, AufsR.Vors. d. VOEST ALPINE AG Wien, AufsR.: Ver. Edelstahlwerke AG Wien, Austria Metall AG, Zellstoff Pöls AG, Elin Union AG f. elektr. Ind. Wien, Siemens AG Österr. Wien. A.: 1015 Wien, Kantg. 1.

Selch Emmerich Dr.
B.: Gschf. Ges. FN.: MORAWA & Co. GT.: Gschf. d. Fa. Schnalzer-Bettenhauser. DA.: 1010 Wien, Wollzeile 11. PA.: 1130 Wien, Kirchmayerg. 5-7. G.: Wien, 7. Apr. 1955. V.: Michaela, geb. Protung. Ki.: Florian, Cornelia. El.: Franz u. Gertrud. BV.: Dr. Emmerich Morawa Gründer d. gleichnamigen Fa. S.: Gymn., 1973 Matura, Jusstud. Wien, 1977 Prom. K.: 1978 Eintritt in d. Betrieb, 1982 Übernahme d. Geschäftsführung. M.: Mtgl. im LGremialaussch. d. Buchhdl. Wien, Stellv. Vorst.Vors. d. Verb. d. Buchgrossisten. H.: Tennis, Skifahren, Lesen, Reisen. (P.R.)

Selden Kurt Dr. techn. Dipl.-Ing.
B.: Elektroing. A.: 5020 Salzburg, Fürstenallee 12g. G.: Salzburg, 27. Mai 1906. V.: Elisabeth, geb. Baronin Fraydenegg u. Monzello. El.: Karl u. Marianne. S.: Staatsrealschule, TH München, Dipl.Prüf. 1928, Dr. techn. 1930. K.: 1930-34 Siemens Schuckertwerke GmbH Wien, 1935-37 Siemens Schuckertwerke AG Berlin-Siemensstadt, 1937-47 Nordwestdt. Kraftwerke AG Hamburg (Chefelektriker u. Techn. Dir.), 1947-72 Gschf. d. Verb. d. Elektrizitätswerke Österr. u. Hpt.Schriftltr. d. ÖZE Österr. Zeitschrift f. Elektrizitätswirtschaft. P.: Div. Aufsätze u. Berichte in versch. Fachzeitschriften u.a. E.: Gold. EZ f. Verd. um d. Rep. Österr. M.: Österr. Verb. f. Elektrotechn. Wien, Österr. Alpenver., Sekt. Sbg. H.: Musik, Bergsteigen.

Seletzky Michael
B.: Reitstallbesitzer. DA.: 2325 Himberg, Hauptstr. 54. PA.: 2325 Himberg, Hauptstr. 1. G.: Wien, 24. Febr. 1958. Ki.: Patrick (1986). El.: Maria. S.: 1962-70 Grundschule, 1970-74 Schulbrüder Strebersdorf, 1974-80 HTL Wien. K.: 1980-82 Tätigk. im elterl. Betrieb, s. 1982 Eigentümer d. Reitstalls. M.: Club d. St. Georg Reiter Himberg. E.: Reitabzeichen in Silb., Reitabzeichen m. grünem Kranz, Ehrenmed. d. Marktgem. Himberg in Silb. H.: Reiten. (L.S.)

Seliger Alois Dipl.-Ing.
B.: Arch. DA.: 2320 Schwechat, Wiener Str. 36-38. G.: Wien, 24. Nov. 1941. V.: Hilde, geb. Hoffmann. El.: Alois u. Karoline. S.: VS Bad Deutsch-Altenburg, Gymn. Bruck/Leitha, 5 J. HTL in Mödling, 6 J. Stud. d. Arch. an d. TU Wien, 1966 Dipl.-Ing. K.: 2 J. Praxis b. Prof. Raimund Lorenz u. Arch. Orba, 5 J. b. Prof. Fritz Pfeffer, seit 1975 selbst. Arch., wichtigste Entwürfe: Stadion Schwechat-Rannersdorf, Feuerwehrgebäude Schwadorf, Ortszentrum Maria Ellend, Feuerwehrgebäude Schwechat. H.: Jazz, Bild. Kunst, Fußball. (M.B.)

Selim Annemarie
B.: Inh. d. Fa. A. Selim. DA. u. PA.: 8055 Graz, Pratog. 5. G.: Bruck/Mur, 20. Juni 1933. V.: Abdelwahab. El.: Hans u. Maria Lammer. S.: VS, HASCH Bruck/Mur. K.: Ausbild. als Diätköchin in Sbg. u. Bruck, ab 1952 im elterl. Betrieb, ab 1956 als Wirtschafterin in ev. Erholungsheim b. Wien, ab 1957 wieder im elterl. Betrieb, 1963 Kauf d. Liegenschaft Graz u. Lagereröff. u. Versand f. Fa. Bender & Co, 1971 Firmengrdg. (Spez. Express-Stadtzustellung) m. Gatten als Gschf. H.: Bergwandern, Lesen. (War.)

Sell Akelei
B.: Freischaff. Künstlerin. DA. u. PA.: 1060 Wien, Fillgraderg. 5/27. G.: Schweinfurt, 1941. S.: Russ. u. Franz. Stud., Dipl. K.: 1972-76 Dt. Botschaft Moskau, 1978 Übergang v. d. Fremdsprache z. eigenen Bild, Weg z. Malerei d. Reisen (Sowjetunion, Kyoto, Peking, Java, Bali), 1979/80 "School for Visual Arts" New York, 1980/81 Gaststud. an d. HS f. Angew. Kunst Wien, seit 1982 Atelier in Wien, Einzelausstellungen, Auswahl: 1985 "Raumgebilde - Bilder im Raum" Städt. Sammlungen Schweinfurt, 1986 "durchsichtige + undurchsichtige bilder + objekte" ATELIER 2000 (Wien), 1988 Goethe-Inst. Singapore, Yogyakarta, Bandung. (A.W.)

Sellemond Oswald Dr. Dipl.-Ing.
B.: Gen.-Dir. d. Biochemie. DA.: 6250 Kundl, Dr.-Hans-Bachmann-Str. 47. G.: Feldthurns/Südtir., 2. Aug. 1932. V.: Ida, 3 Kinder. S.: Stud. d. Techn. Chemie, 1957 Abschluß. K.: 1957 Metallwerk Plansee-Reute, 1958 Batelle Inst. in Genf, seit 1959 b. Biochemie. P.: Vorträge u. Zeitungsart. M.: Industriellenver., HK Tir. H.: Tennis, Bergsteigen.

Sellner Herbert Dkfm.
B.: Mtgl. d. Vorst. FN.: CA-BV. GT.: im AufsR. d. Semperit AG u. d. Treibacher Chem. Werke AG. DA.: 1011 Wien, Schotteng. 6. PA.: 1090 Wien, Bauernfeldpl. 4. G.: Wien, 13. Jan. 1942. V.: Eva. Ki.: Michael, Christian, Gregor. S.: BRG, 1960 Matura, Stud. an d. HS f. Welthdl. Wien, 1966 Dkfm. K.: 1967-88 Österr. Nationalbank Dir.Stellv., seit 1988 CA-BV. H.: Kunst, Sport, Musik. (A.W.)

Sellner Jörg Dr. Dipl.-Ing.
B.: Sprecher d. Vorst. FN.: VOEST-ALPINE STEINEL GmbH. GT.: Mtgl. d. Vorst. d. VOEST-ALPINE MASCHINENBAU GmbH. DA.: 4031 Linz, Lunzer Str. 64. PA.: 4020 Linz, Anton-Oberschneider-Weg 6. G.: Wels, 22. Mai 1948. V.: Mag. pharm. Margit, geb. Teufelmayr. Ki.: Annemarie, Theresa. El.: Josef u. Margarethe. S.: VS, BRG, TU Graz, ETH Zürich. K.: 1975 Eintritt VOEST-ALPINE AG Maschinenbau Linz, 1976 stellv. Werksltr. USA/Pennsauken, 1987 Volldir. VOEST-ALPINE AG, 1989 Vorst.-Mtgl. d. VOEST-ALPINE MASCHINENBAU GmbH, 1989 Sprecher d. Vorst. d. VOEST-ALPINE STEINEL GmbH. BL.: Entwicklung v. 2 Patenten z. flexiblen Fertigungszelle. F.: Bernhard Steinel Werkzeugmaschinenfbk. GmbH & Co Villingen-Schwenningen, Weiler Werkzeugmaschinen GmbH & Co Herzogenaurach, VOEST-ALPINE STEINL Vertriebs GmbH Berlin, INPRO Innovationsges. f. fortgeschrittene Produktionssysteme in d. Fahrzeugind., KESTAG Präzisionswerkzeuge GmbH Ferlach. P.: ca. 10 Fachveröff. aus d. Gebieten d. Hochfrequenztechnik u. d. Maschinenbaus/Automationstechnik. H.: Lesen, Segeln, Geschichte.

Sellner Rudolf
B.: Gschf. Ges. FN.: Rudolf Sellner Ges.m.b.H. - Füllhalterfabrikation. DA.: 4614 Marchtrenk, Freilingerstr. 102. PA.: 4614 Marchtrenk, Grillparzerstr. 2. G.: Nürnberg, 12. Dez. 1937. V.: Lieselotte, geb. Stadlbauer. Ki.: Andrea, Elke. El.: Rudolf u. Anna. BV.: Vater Gründer d. Fa. S.: HASCH/Wels, Einstieg in elterl. Betrieb, 1973 Übernahme d. Firma. H.: Joggen, Fischen, Wandern. (P.H.)

Selmeier Alfred Dr. rer. nat. Prof.
B.: Wissenschaftler am Univ.-Inst. f. Paläontologie u. histor. Geologie. DA.: D-8000 München 2, Richard-Wagner-Str. 10. PA.: A-5630 Bad Hofgastein, Monuthweg 3, D-8000 München 2, Gaiglstr. 23. G.: Freising b. München, 4. Juni 1923. Ki.: Bernd (1955). S.: 1942 Abitur, 1947 Rückkehr aus Gefangenschaft, Stud. Chemie, Botanik, Zoologie in München, 1958 Prom. K.: Bis 1989 Prof. an d. Staatl. FHS in München, Vorlesungen (Praktika) in Chemie u. umweltrelevanten biol. Themen, 1991 Mitarb. b. Aufbau einer Daten-

bank in Raleigh/USA z. Auswertung wiss. Publikationen über versteinerte Laubhölzer d. Erde. BL.: Anatomische Bestimmung versteinerter Holzreste aus d. Erdmittelalter u. d. Erdneuzeit. P.: Über 100 Publ., vorwiegend m. Arbeitsschwerpunkt mikroskop. Holzidentifizierung. M.: u.a. Deutsches Museum München, Bayer. Botan. Ges., Intern. Assoc. of Wood Anatomists. H.: Ski alpin, Radtouren. (G.P.).

Selmeier Bernd Michael
B.: Astrologe. FN.: Astrologie Live. DA. u. PA.: 5630 Bad Hofgastein, Monuthweg 3, 8000 München 2, Gaiglstr. 23. G.: München, 22. Juli 1955. El.: Alfred u. Albertin. S.: 1976 Fachabitur. K.: 1973 durch Prof. Dr. Hans Bender Begegnung m. d. Astrologie, Lehrer 1975-80: Thomas Ring, 1980-84 Praxis in Freising/München, s. 1985 Beratungspraxis in Bad Hofgastein, daneben: Astrologievorträge, Ausbildung, Seminare, Workshops in Österr., Deutschl., Schweiz u. Italien, Zusammenarb. m. Fitnesstrainer Günther Traub (St. Moritz) sowie m. Gesundheitshotels, Musikern, Künstlern, Horoskopdeutungen f. zahlr. Prominente (Prinz Leopold v. Bayern, Luis Trenker, Peter Lühr, Walter Maurer, Wolfgang Puschnig, Prof. h.c. J. E. Behrendt u.v.m.). BL.: Transformatorische Astrologie. P.: Veröff. in Fachzeitschriften, Journalen, Zeitungen. H.: Fotografieren, Klavierspiel, MU, Kino, Marcel Proust. (G.P.)

Seltmann Christine Dr.
B.: RA. DA.: 1030 Wien, Weißgerberlände 50. PA.: 1030 Wien, Landstraßer Gürtel 29. G.: Wien, 13. Sept. 1950. S.: VS, Mittelschule, 1973 Dr. iur., 1972 Dipl. de Droit Comparé d. Faculté Intern. Pour l'Eseignement du Droit Comparé, Beirut, u. a. Intern. Speditions- u. Transportrecht. K.: 1978 selbst. RA. H.: Windsurfen, Tiefenpsych., Interesse f. Luftfahrt, Hobbyköchin italien. Speisen, Grenzwiss., Stellung d. Frau in d. Ges. (R.A.)

Selzer Hilda Juliane Dr. med.
B.: FA f. Path. G.: Wien, 30. Okt. 1921. El.: Franz u. Barbara Selzer. S.: HAK, Univ. Wien, Stud. d. Med. K.: Gast- u. Sekundararzt im Wilhelminenspital, prakt. Ärztin seit 1955, FA f. Path. seit 1970, seit 1957 f. d. Philips Industrie in Weesp b. Amsterdam in d. med. Grundlagenforsch. am Univ.Inst. f. allg. u. experimentelle Path. tätig (Wien). P.: Experimentelle Untersuchungen d. visceralen Muskulatur, Publ. in med. Zeitschriften. M.: Wr. Biophysikal. Ges., Intern. Association for suicide prevention (IASP). H.: Bergwandern, Malen.

Semansky Ernst
B.: Gschf. Ges. FN.: ASA GmbH. DA.: 1030 Wien, Dampfschiffstr. 20. PA.: 1210 Wien, Schererstr. 38-42/7. G.: Wien, 25. Feb. 1943. Ki.: Marianne (1966). El.: Ernst u. Margarethe. S.: VS, MS, 1961 Matura. K.: 1961-70 Bei d. Fa. "Shell Austria AG", 1972-80 Bereichsltr. f. Transport, Zoll, Lager u. Marketing b. d. Fa. "ITT/Ingelen", 1982-86 Verkaufsltr. b. d. Fa. "Hofbauer", ab 1987 selbst. M.: Management Club. H.: Sport, Kultur. (N.A.)

Semenka Helga
B.: Geschäftsfrau, Inh. FN.: Pelze, Leder, Kristall Helga Semenka. DA. u. PA.: 6365 Kirchberg, Kitzbüheler Str. 1. G.: Brixlegg, 10. Nov. 1938. V.: Franz Semenka. Ki.: Susanne, Guido. El.: Erich u. Frieda List. S.: VS, HS, HAK. K.: 1953 Volontärj. Büro d. Jenbacherwerke, 1955 Übersiedlung nach

Kitzbühel, Fachausbild. im Gast- u. Hotelbetrieb, 1958 Aufbau u. Übernahme Alpenrestaurant Adlerhütte, 1976 Einstieg Pelz- u. Lederhdl. nach d. Fachausbild., 1976 Grdg. d. Geschäftes in Kirchberg, 1979 Erweiterung u. Swarovski Silver-Crystal Depot m. Schmuck Depot dazugenommen. BL.: seit 1985 1. gewählte Bezirksvorsitzende v. " Frau in d. Wirtschaft "im Bez. Kitzbühel, Österr. Wirtschaftsbund, Bez.-Vorst. d. Wirtschaftsbundes, 1990 Stellv. d. Wirtschaftsbund-Bez.-Obm., 1990 Bez.-Vertrauensfrau in d. arbeitsrechtl. Aussch. d. Gremiums Leder-Häute-Felle, seit 1990 Stellv. d. Sekt.-Obm. im Hdl., 1990 stellv. AufsR. d. Tourismusverb. Kirchberg, 1992 Vors. d. Kirchberger Kaufleute, Vorst.-Mtgl. im Kitzbüheler WirtschaftsR., 1988 Wahl z. Karriere-Frau, Initiatorin d. Christkindlmarktes in Kirchberg, 1952 3-fache Tir. Mstr. im Brustschwimmen, 1953 Österr. Mstr.-Titel d. Tir. Wassersportver. in Krems,nach jahrelangem Kampf Novellierung des Pflegegeldes - "Pflegegeld f. Behinderte!" - 1.7.92 in tirol, nun auch Bundesweit. H.: Familie, Gedichte, Schwimmen. (A.W.)

Semerad Heinz
B.: Unternehmer. FN.: Job Creation Betriebsansiedlungen GmbH, S.I.G. Wien. GT.: Ges. d. Business Creation Österr., Gschf. Ges.: Job Creation, S.I.G. Wien, AIZ Zeltweg. DA.: 1112 Wien, Am Kanal 27. PA.: 2372 Gießhübl, Perlhofg. 20. G.: Wien, 7. Juni 1940. V.: Armgard, geb. Weinberger. Ki.: Michaela (1967), Alexander (1972). S.: 1958 Matura, 1964 Auswanderung nach Südafrika, 1968 Dipl. Business Management Oxford Inst. K.: seit 1975 wieder in Österr., Gschf. d. Oce in Österr., 1977-84 Marketingdir. Oce in Australien, 1984 Rückkehr nach Wien, Aufbau d. Fa. Job Creation in Österr., seit 1989 Mehrheitseigentümer d. Fa. Job Creation, 1989 Grdg. S.I.G. Simmeringer Innovations u. Gründerzentrum, 1989 Grdg. d. Aichfeldzentrums Zeltweg, seit 1991 verantwortl. f. d. Aufbau d. Business Creation Europa im deutschsprachigen Raum Ungarn, CSFR, Polen. M.: Mtgl. d. Ver. Österr. Industrieller. H.: Golf, Psych. (J.S.).

Semertzoglou Christine

B.: Unternehmerin, Inh. d. Griech. Restaurants "Assi´s". DA. u. PA.: 1060 Wien, Joanellig. 9 (ident Luftbadg. 1. G.: Wien, 3. Juni 1949. V.: Azarias Semertzoglou. Ki.: Richard Nikolaus (1975), Christian Alexander (1977), Azarias-Philipp (1987). El.: Ralph u. Lieselotte Swetlik, geb. Thomas. S.: VS, AHS, Kfm. Ausbild. K.: 1969-74 Deutschunterricht in Griechenland, 1987 Eröff. d. Restaurants "Assi´s". H.: Familie, Kochen. (N.A.)

Semin Kurt

B.: Gschf., GemR. f. Bauwesen Marktgem. Ebreichsdorf. PA.: 2483 Ebreichsdorf, Gaernäckerstr. 50. G.: Wien, 3. Aug. 1926. V.: Stephanie, geb. Gilli. Ki.: Ingrid (1954). El.: Karl u. Auguste. S.: Gymn., Kriegsmatura, aktiver Militärdienst, ab 1948 Stud. Allg. Bauwesen TU Graz. K.: b. 1948 amerikan. Kriegsgefangenschaft, 1950 Eintritt ÖBB als Bmtr., Abt. Baudienst, 1985 OInsp. i.P., 1986 Übersiedlung nach Ebreichsdorf u. Mtgl. d. späteren "Bürgerliste", 1990 GemR. P.: regelmäßig Beiträge in d. Gem.-Zeitung. M.: Musikver., Pensionistenverb. H.: Hund, Garten, Modelleisenbahn. (I.J.)

Semler Gerhard

B.: Ltr. d. Handelsabt. d. San Paolo Bank. DA.: 1090 Wien, Türkenstr. 9. PA.: 1140 Wien, Glossystr. 22. G.: Eggenburg, 5. Apr. 1959. V.: Elisbeth, geb. Brunner. Ki.: Julia (1990). El.: Adolf u. Maria, geb. Reiss. S.: Mittelschule, HAK. K.: 1978-89 in d. Girozentrale Abt. Wertpapierhdl. als Prok. tätig, 1989-92 Gschf. einer Vermögensverw., ab 1992 Ltr. d. Handelsabt. d. San Paolo Bank. H.: Skifahren, Tennis. (N.A.).

Semler Hans-Ulrich

B.: Gschf. FN.: OLYMPIA Bürosysteme GmbH. DA.: 1232 Wien, Herzigg. 9. PA.: 2531 Gaaden, Skodag. 5. G.: Laubach/BRD, 30. März 1953. Ki.: Nina (1993). El.: Edgar u. Irmtraud Hornig. S.: Wirtschaftsschule Heidelberg, kfm. Ausbild. K.: 1969-71 kfm. Lehre Firma Schildkröt Kunststoffverarb., 1971-75 Angebotskalkulation f. Projektgeschäft Firma AEG Konstanz, 1975-90 Ablauforgan. AEG Seligenstadt, 1980 Supervisor for Sales-Calculations Firma Rockwell-Collins Weißkirchen/BRD, 1981 AEG Seligenstadt, 1982 Firma OLYMPIA Frankfurt, Produktmanager f. Bildschirmschreibsysteme, 1984 Übersiedlung ins Hauptwerk nach Wilhelmshafen, zuständig f. Marketing Europa f. Schreibsysteme, 1989 Übersiedlung nach Konstanz Marketingltr. f. PC-Systeme, 1991 Übernahme d. Geschäftsführung d. Firma OLYMPIA Wien. H.: Skifahren, Tennis, Golf. (M.M.)

Semlitsch Dieter

B.: Inh. d. Fa. Zakrajsek. DA.: 1030 Wien, Obere Weißgerberstr. 19. PA.: 8010 Graz, Hans-Brandstetter-G. 31. G.: Graz, 10. Juli 1943. V.: Eveline, geb. Offner. El.: Franz u. Gertrude. S.: VS, RG, kfm. Lehre b. Fa. Zakrajsek, Abschluß 1961. K.: ab 1961 als Ang. d. Fa. Zakrajsek tätig, BH, 1964 Auswanderung in d. USA, ab 1965 im Außendienst d. Fa. Zakrajsek, ab 1980 in ltd. Position, seit 1981 Inh. d. Fa. Zakrajsek. E.: Urkunde d. Kam. M.: Österr. Wirtschaftsbund. H.: Fußball, Basteln, Lesen. (War.)

Semlitsch Iganz

B.: Kfm., Innungsmeister-Stv. d. Landesinnung Wien d. Wäscher. DA. u. PA.: 1150 Wien, Märzstr. 34. G.: Lugatz bei Mureck, 28. April 1936. Ki.: Hauptmann Bernhard Pitsch (1957). El.: Maria Semlitsch. S.: VS, HS, 1950-54 Lehre f. Maschinenbau u. Dreherei bei d. Fa. Ing. Kurt Spiller, zur gl. Zt. Fachschulbesuch f. Maschinenbau, beides 1954 abgeschl. K.: 1954-56 als Facharb. bei d. Fa. Steyr-Daimler-Puch in d. Versuchsabt., anschl. bei Fa. Binder-Schwingförderanlagenbau als Werkstättenleiter in d. Konstruktionsabt., Ende 1956 Übersiedlung in die Schweiz zu Fa. Günther u. Walker als Facharbeiter, nach 1/2 J. Werkstättenleiter bis Ende 1959, 1960 Rückkehr nach Österr. u. Grdg. der eigenen Fa. "Semlitsch u. Hauser" (Automatenbau u. Patentverwertung) in Wien, 1964 allein. Inh. der Fa. (Entwicklung v. versch. Patenten u.a. Rasierautomaten mit hygienischer Desinfektionsanlage; elektrische Insektenvernichtern; Patentrechte auf Zeitungsverkaufsautom.), Entwicklung v. Dr. Winklers Gesundheitsliegen, 1972 Grdg. der Fa. QUICKPUTZ Wäscherei u. Putzerei, 1977 Ankauf der Fa. SCHULTHESS Wäscherei, 1978 Ankauf der Fa. LAUNDROMAT Wäscherei, 1980 Lehrabschlußprüfung für Chemischreiniger; 1980 Ausschußmitgl. der Landesinnung Wien, 1982 Fachkurs f. Lederreiniger in BRD, Besuch versch. Kurse u. Sem. f. Rethorik u. Kommunikation im WIFI, 1985 Innungsmeister-Stv. der Landesinnung, 1985 Ausschußmitgl. der Landesinnung Wien der Textilreiniger u. Färber. E.: Silb. EZ d. Landesinung Wien der Mechaniker, 1986 Berufstitels KommR., 1990 Ern. z. Kammerrat, 1993 Innovationspreis d. HK Wien "MERCUR", 1993 Ern. z. Bezirksrat. M.: Ausschußmitgl. der. Bundesinnung der Textilreiniger, Wäscher u. Färber, Mitgl. der Sektionsleitung der Sektion Gewerbe u. Handwerk in Wien. H.: Golf, Bauen, Architektur, Antiquitäten. (N.A.)

Semmelrock Hansjürgen Dr.

B.: Chemiker, Ltr. d. Labor f. Pharmakonie d. LKH Graz. DA.: 8036 Graz, Auenbruggerplatz. PA.: 8010 Graz, Auersbergg. 1. G.: Fohnsdorf, 8. Mai 1951. V.: Dr. Elisabeth, geb. Schlösser. Ki.: Martin (1983). El.: Johann u. Linde. S.: 1969 Matura, Chem.-Stud. Univ. Graz, 1976 Prom. K.: 1976 Ang. im LKH Graz, seit 1989 eigenes Labor. BL.: Drug-Monitoring, Überwachung v. Medikamentenspiegel aus Therapeut. Gründen. H.: Tennis, Golf. (E.H.)

Semmelrock Peter

B.: ständig gerichtl. beeid. Sachv. f. d. gesamte KFZ-Wesen.GT.:Geschf. d. Eurotax-Expert-Österr. DA. u. PA.: 5020 Salzburg, Struberg. 4b. G.: Kitzbühel, 8. Sept. 1940. V.: Sylvia, geb. Wild. Ki.: Sandra, Nina, Gregor. El.: Peter u. Burgi. K.: Mechanikerlehre, 1963 Mstr.Prüf., 1971 Sachv.Prüf., seither freiberufl. selbst. M.:Präs. d. Kfz-Sachverst. Union Österr., MAS, Hpt.Verb. d. gerichtl. beeid. Sachv. Österr., Lions Sbg.-Mirabell, Chaine d. Rotisseurs, Automobil-Veteranenclub Sbg., Golfclub Mondsee. H.: Oldtimer, Golf, Wasserskifahren, Eishockey. (A.W.)

Semmelrock Walter Mag.

B.: Gschf. FN.: Semmelrock Fleischwaren GmbH. DA.: 9020 Klagenfurt, Fleischmarkt 14. PA.: 9020 Klagenfurt, St. Veiter Str. 25. G.: Klagenfurt, 29. Jan. 1947. El.: Wolfgang u. Maria. S.: Gymn., Abendschule HAK m. Matura, parallel Fleischerlehre. K.: Praxis in versch. Fleischereibetrieben, Stud. Betriebswirtschaft Univ. Graz, 1978 Abschluß, 1979 Eintritt Firma Tann Fleischwarenerzeugung u. Tätigkeit im Rechnungswesen, 1981-87 Steuerberatungsbüro, Steuerberatungsausbild., 1988 Familienbetrieb übernommen u. seither alleiniger Gschf., nebenbei Weiterführung d. Ausbild. in Steuerrecht m. Ausübung berufl. Praxis. P.: Dipl.-Arb.: Betriebsgrößenprobleme d. Unternehmer. H.: Tennis, Segeln, Skifahren. (F.S.)

Semmelrock Wolfgang KommR.
FN.: Semmelrock Beton- u. Baustoffind. GmbH. DA. u. PA.: 9027 Klagenfurt, Stadlweg-Südring; 2333 Leobersdorf, Maria Lanzendorfer Str. 17. G.: Klagenfurt, 19. Okt. 1936. V.: Waltraud, geb. Erian. Ki.: Cornelia u. Nicole (1981), Werner (1985), Katrin (1988). El.: Wolfgang u. Maria. S.: VS, Gymn., HAK, 1954 Matura. K.: Tätigkeit in d. Privatwirtschaft, 1958 Grdg. Firma Semmelrock & Co, seit 1970 Mitarb. d. Bruders. E.: 1988 KommR. M.: seit 1979 Berufsgruppenausssch. BWK, Fachgruppenaussch. Wirtschaftskam. Ktn., seit 1990 Obm. d. Verw.-Gemeinschaft d. Gewerbe- u. Hdls.-Bank Klagenfurt u. Volksbank Friesach. H.: Familie, Skifahren, Tennis, Bergsteigen. (G.L.)

Semotan Elfie
B.: Fotografin. DA.: 1090 Wien, Koling. 20/10. PA.: 1090 Wien, Koling. 20/6. G.: Wels, 25. Juli 1941. V.: Kocherscheidt Kurt. Ki.: Ivo, August-Luis. El.: Otto u. Gisela Semotan. S.: VS, HS, Modeschule Hetzendorf. K.: in Paris Fotomodell, m. Fotografie beschäftigt, 1971 Rückkehr nach Wien u. als Fotografin gearb. P.: Publ. f. Römerquelle, Palmers, Men, Fernsehspots, f. div. Zeitschriften. E.: viele Ausz. f. beste Plakate. M.: CCA. (E.L.)

Semrad Johann
B.: Gschf. Ges. FN.: Druckerei Semrad GmbH. DA.: 1160 Wien, Gablenzg. 10. G.: Wien, 11. Mai 1939. V.: Renate, geb. Mayer. Ki.: Ursula (1975). El.: Johann u. Katharina S.: HS, Berufsschule, Ausbild. z. Buchdrucker. K.: nach d. Berufsausbild. in versch. Druckereien tätig, 1975 Grdg. d. eigenen Druckerei, 198 Umwandlung in GmbH, Schwerpunkt: Druck v. Kunstbüchern f. angesehene Kunsthändler b. z. Geschäftspapier. BL.: 1986 Initiator einer Aktion f. d. Kinderkrebshilfe, jährl. Kreation eines Weihnachtspapiers m. dzt. über 5 Millionen Schilling Reingewinn f. d. Krebshilfe. H.: Beruf, Singen. (J.S.)

Semrad Ludwig
B.: Gschf. FN.: Oregano Rest.-BetriebsgesmbH. DA.: 1150 Wien, Giselherg. 11. PA.: 1190 Wien, Paradisg. 65/18/8. G.: Slbg., 31. Dez. 1948. El.: Ludwig, Bankdir. BAWAG u. Wanda, Landw.-Dipl.-Ing. S.: Hotelfachschule: 1965 Klesheim, 1966 Wien, 1971 Mat. K.: 1973 Ass. d. Rest.-Man. Forum Kaufhaus GmbH, 1976 Ltr. d. Rest.-Kette, 1987-91 Vertriebsltr. f. Gerngross u. Forum Rest. GmbH, 1992 Bereichsltr. d. Organisations- u. Rechenwesen u. gewerbeberecht. Gschf. aller Betriebe, 1993 Gschf. d. Oregano Rest.-BetriebsgesmbH. H.: Fischen, Fotografieren.(L.S.)

Semsroth Klaus Dr. Dipl.-Ing. a.o. Univ. Prof.
B.: Univ.-Prof. f. kommunale Gestaltungsplan. am Inst. f. Städtebau d. TU Wien; selbst. Arch. DA.: 1040 Wien, Karlspl. 13; 1040 Wien, Wiedner Hauptstr. 5 (Atelier). PA.: 1170 Wien-Dornbach, Anderg. 70. G.: Bevensen/BRD, 5. Jän. 1939. V.: Univ.-Doz. Dr. med. Margot, geb. Wöhler. Ki.: Severin, Maren. El.: Hans u. Annemarie. S.: 1961 Matura, 1961Baupraktikum in Ülzen/BRD, Stud. d. Arch. an TU Wien, 1969 Dipl.-Ing., 1969-70 Städtebaul. Aufbaustud. an TU München b. Prof. Albers, 1974 Prom. Dr. d. techn. Wiss. K.: 1969-70 Tätigk. in Arch.-Büro Ernst Darik in München, 1970-86 Univ.-Ass. am Inst. f. Städtebau, Raumplan. u. Raumordn., 1973-86 Lehrbeauftr. f. Städtebau, Stadtgestalt. u. Stadt- u. Dorferneu., s. 1986 in Österr., s, 1986 Univ.-Doz. f. Städtebau, s. 1987 selbst. Arch., 1987-90 Ltr. d. Abt. Projektentwickl. NÖ LHpt.-Stadt Planungsges. St. Pölten, s. 1993 Vorst.-Vors. d. Österr.Ges. f. Raumplan. P.: wiss. Beiträge in Fachzeitschriften u. Forsch.-Vorhaben vor allem über Stadtplan., Städtebau, Stadtgestalt. u. Stadterneu. H.: Leichtathletik, Golf, Radfahren, Lesen, Musik. (M.B.)

Sendlhofer Josef

B.: Tapezierermstr., Möbelhändler. FN.: Möbelhaus Sendlhofer. DA. u. PA.: 5640 Bad Gastein, Miesbichlerstr. 30 u. 32. G.: Hofgastein, 31. Aug. 1952. V.: Marta, geb. Skrenar. Ki.: Birgitt, Iris, Josef, Klaus. El.: Josef u. Maria. S.: VS, HS, 1967-70 Tapeziererlehre, 1970 Gesellenprüf. K.: Einrichtungskurs in Kuchl, 1973 Mstr.-Prüf., 1976 Übernahme d. elterl. Betriebes. H.: Skifahren, Radfahren, Tennis. (A.W.)

Senekowitsch Hans
B.: Küchenchef, Meisterkoch d. Parkhotel. DA.: 9220 Velden, Süduferstr. 34. PA.: 8054 Graz-Gedersberg, Jägerweg 4. G.: Graz, 25. Juni 1948. V.: Adelheid, geb. Kienleitner. Ki.: Alexandra, Nina, Dominique. El.: Hans u. Friederike. S.: VS, HS, Berufsschule, 1967 Abschlußprüf. m. Ausz., 1979 Mstr.Prüf. m. Ausz. K.: 1964-67 Lehre als Koch im IFEN-Hotel im Walsertal in Hirschegg, 1967-68 Koch im Hotel Axelmannstein in Bad Reichenhall, 1969-70 Koch Hotel Kepinski in Berlin, 1971 Koch im Operakeller in Stockholm, 1972 Palace Hotel in d. Schweiz, 1973 Schneider Almof in Lech/Arlberg, 1974-77 Küchenchef im Hotel Tannberghof in Lech, 1978-79 Schloß Lebenberg in Kitzbühl, 1980-87 Hotel Alpenhof in Zürs, seit 1983 Chefkoch im Parkhotel Velden. P.: Rezeptveröff. in versch. Gastro- u. Fachzeitschriften. H.: Skifahren, Schnitzen, Segeln. (M.B.)

Senekowitsch Helmut
B.: Fußballtrainer. PA.: 3400 Klosterneuburg, Meynertg. 35. G.: Graz, 22. Okt. 1933. V.: Erika, geb. Fugger. Ki.: Rene (1957), Mag. Martin (1959), Dr. Christian (1961). El.: Anton u. Katharina. S.: VS, HS, Lehre Bau- u. Galanteriespengler. K.: 1954-58 Tätigkeit b. d. Gebietskrankenkasse Graz, 1958-61 Pensionsversicherungsanstalt d. Arb. Wien, 1954-55 Spieler Grazer Sportklub, 1955-58 Sturm Graz, 1958 Teilnahme Fußball-WM in Schweden, 1958-61 First Vienna Footballclub, 1961 Laufbahn Fußbalprofessional: 3J. Betis Sevilla Spanien, 7 J. Wacker Innsbruck, 1971 Fußballtrainer: 2 J. GAK Graz, 2 J. Vöest Linz (1974 österr. Meister), 1/2 J. Admira Wacker, zugleich Trainer d. öster. Olympiamanschaft, 1976-78 Bundestrainer d. österr. MNationalmanschaft, Teilnahme Fußball-WM 78 in Argentinien, Erreichung des Achtelfinales, 1 J. Guadalajara Mexiko, 1 J. Athletic Bilbao Spanien, 1 J. Panathinaikos Athen, 1 J Olympiakos Athen, 1 J. Eintracht Frankfurt, 1 J. AEK Athen (1984 griechisch. Cupsieger), 1 J. GAK Graz, 1985-88 Gudalajara Mexiko, 1 J. FC Cadiz Spnien, 1 J. Panionios Athen, 1 J. Omonia Nikosia (1991 zypriotisch. Cupsieger), 1991-93 LASK Linz (1992 österr. Meister 2. Div.). BL.: 19 Einsätze im österr. Fußballnationalteam. E.: Auszeichnungen d. Bundeslandes Steiermark. H.: Skifahren, Kochen, Garten. (F.S.)

Senekowitsch Horst Dipl.-Ing.
B.: Ziviling. f. Bauwesen, Prof. HTBLA Graz/Ortweingasse. GT.: AufsR. u. seit 1987 Vors. d. Ges. d. Generalplaner GmbH, Graz. DA.: 8020 Graz, Kalvariengürtel 38. PA.: 8045 Graz, Ziegelstr. 99a. G.: Graz, 9. Apr. 1939. V.: Anna-Lore, geb. Pfannhauser. Ki.: Mag. Martina (1965), Peter (1975), Susanne (1977). El.: Otto u. Stefanie. S.: Oeversee-Gymn. Graz, Stud. TU Graz, Dipl. 1965. K.: HS-Ass. f. Mechanik u. Hydromechanik TU Graz, Mitarb. Ziviling.-Büro Rosa de Pauli, Graz, 1971 selbst., Siedlungswasserbau, Umweltschutzmaßnahmen. M.: Club 41. P.: div. Veröff. in Fachzeitschr. über naturnahen Siedlungswasserbau. H.: Arbeiten, Radioästhesie, Tennis. (R.S.)

Senft Georg Ing.
B.: Inh., Schlossermstr. FN.: Georg Senft KG. DA. u. PA.: 1080 Wien, Auerspergstr. 13. G.: Wien, 1. Mai 1952. V.: Evelyn, geb. Bochan. El.: Erich u. Johanna. S.: VS, Mittelschule, TGM. K.: 1971-77 techn. Sachbearb. im elterl. Betrieb, 1977 Übernahme d. Fa. M.: Vors. d. Schlüsseldienstgruppe, Vors. d. Ver. Sicherheit u. Schlüssel. H.: Wassersport, Technik. (M.Br.)

Seng Michael Dr.
B.: Prakt. Arzt. GT.: Schularzt, Bergbahnarzt, Notarzt. DA.: 6370 Kitzbühel, Jos.-Pirchl-Str. 40. PA.: 6370 Kitzbühel, Hornstraße. G.: Innsbruck, 11. Dez. 1947. V.: Gunnel, geb. Casperson. Ki.: Lena. El.: Helmuth u. Gabriele. S.: RG, Med.Stud. in Innsbruck. K.: 2 J. Turnusausbild. in Schweiden, 3 J. KH St. Johann, 1/2 J. Univ.Klinik Innsbruck, 1981 Praxiseröff. in Kitzbühel. M.: RK, Sportver., Tennisclub. H.: Musik, Sport, Fachliteratur, Beruf. (W.G.)

Senger Gerti Mag. et Dr. phil.
B.: Autorin u. Gesundheitspsychologin. PA.: 1190 Wien, Strehlg. 32. G.: Wien, 31. Okt. V.: Dr. Gunther Gahleithner. Ki.: Daniel. El.: Dr. Maximilian Manfred u. Blanka Senger. S.: Matura, Stud. d. Psych., Ausbild. Verhaltenstherapie. K.: freie Mitarb. Krone als Journalistin, freie Journalistin u. Sachbuchautorin. P.: "Was heißt schon frigid?", "Noch einmal mit Gefühl", "Gute Männer sind so", "Was Frauen denken". BL.: Volksaufklärung Partnerschaft u. Sexualität. M.: Mtgl. d. Österr. Ges. f. Sexualforsch. H.: Theater, Lesen, Surfen, Sammeln. (A.K.)

Senger Rudolf
B.: Gschf. FN.: Harry W. Hamacher Spediteur. DA.: 5101 Bergheim, Metzgerstr. 54. S.: VS, HS, 1961-64 Speditionslehre b. Fa. Karl Kubicek. K.: 1964 kfm. Ang., 1965 Fa. Gebr. Weiss Wien, BH, 1966-67 kfm Ang. Fa. Schwarzinger Wien, 1967-71 Sped. Hamacher als Abt.ltr., 1971 Filialltr., 1989 Gschf. H.: Arbeiten, Lesen. (S.P.)

Senger-Weiss Heidegunde Dkfm.
B.: Gschf. FN.: Gebrüder Weiss GmbH. DA.: 6923 Lauterach, Bundesstr. 110. (V)

Senger-Weiss Paul Dipl.-Ing.
B.: Gschf. FN.: Gebrüder Weiss GmbH. DA.: 6923 Lauterach, Bundesstr. 110. (V)

Sengl Peter
B.: Maler. DA.: 1070 Wien, Neustiftg. 32-34. PA.: 1080 Wien, Laudong. 60. G.: Unterbergla, 4. März 1945. V.: Susanne, geb. Lacomb. Ki.: Deborah. El.: Anton u. Josefa. S.: RG, Ak. d. bild. Künste, Prof. Pauser. K.: Einzelausstellungen, 1971 Forum Stadtpark Graz, 1972 Galerie Ariadne Wien u. Köln, 1974 Galerie Curtze Wien, 1977 Neue Galerie Linz u. Kulturhaus Graz, 1978 Galerie Siau Amsterdam u. Museum Ulm, 1980 Austrian Inst. New York, 1982 Neue Galerie Wien u. Galerie Gierig Frankfurt, 1983 Galerie Welz, Sbg. u. Stuart Gerstmann Galleries Melbourne, 1984 Galerie Wiese München, 1985 Galerie Sigma Bregenz u. Neue Galerie Wien, zahlr. Illustrationen. Figurative Malerei ohne Zugehörigkeit zu bestimmter Stilrichtung, Mischung aus Ästetik u. Agression. E.: 1971 Steir. Kunstpreis, Forum Stadtpark Kunstpreis. (Bauer)

Sengstschmied Rudolf Dir.
B.: Schuldir. DA.: 3300 Amstetten, Preinsbacherstr. 17. PA.: 3300 Amstetten, Schmidlstr. 17. G.: Amstetten, 15. Dez. 1948. V.: Ulrike, geb. Fehringer. Ki.: Gerhard (1975), Elisabeth (1979). El.: Florian u. Hildegard. S.: VS, HS, Mus.-Päd. Realgymn., 1968 Matura, 1971 Lehramtsprüfung f. VS, 1975 Lehramtsprüfung f. HS: Math., Gesch., Physik, Chemie. K.: 1971-77 HS Neustadtl/Donau, 1977-90 HS II Amstetten, a. 1990 VS-Schulltr., 1991 Lehramtsprüfung f. EDV, Ausb. f. Erwachsenenbildung, s. 1985 Lehrerfortbildung, s. 1991 Obmann d. BLAG Amstetten u. Waidhofen/Y. M.: Führerausbilder i. Bundesverb. d. Pfadfinder. H.: Familie, Schule, Lehrerfortbildung. (N.A.)

Senn Christine
B.: Dir. d. aliantour. DA.: 1010 Wien, Parkring 10/2/2. G.: Innsbruck, 28. Jan. 1958. El.: Ingeborg u. Maximilian. S.: Kfm. Lehre, 1978 Abschluß. K.: Tätigk. im Betrieb d. Vaters, 1977-79 Englandaufenth. (Sprachstud.), 1979-81 Italien (Sprachstud.), s. 1982 b. Aliantour f. Italien, Österr., Ungarn u. CSFR. E.: Ausz. durch d. Stadt Wien "Sekt. Fremdenverk.". H.: Reisen, Schifahren, Antiquitäten. (J.E.)

Senn Elisabeth Dipl.-Ing.
B.: selbst. Arch., eig. Atelier. DA. u. PA.: 6020 Innsbruck, Templstr. 2. G.: Innsbruck, 19. Apr. 1949. El.: Bmstr. Josef u. Maria Senn. BV.: Franz Senn, Gründer d. Dt.-Österr. Alpenver. S.: VS, Gymn., HTL Hochbau, Arch.-Stud. K.: 1977-82 Ang., seit 1982 eigenes Atelier, teilweise Zusammenarb. m. Arch. Dipl.-Ing. Georg Pendl, wesentl. Projekte: Utopia-Veranstaltungszentrum Innsbruck, Einfamilienhäuser u. Siedlungen, Revitalisierungen, größere Dachbodenausbauten wie Jahnstr. in Innsbruck, Gestaltung d. Piller Landschaftssees in Tirol, 1992 3. Preis b. Wettbewerb f. d. Neubau d. Österr. Kulturinst. in New York, 1990 Bühnenbildass. b. P. Papst u. J. Schaaf an d. Oper in Frankreich, 1992 Bühnenbild Haller Burgspiele "Sommernachtstraum" (Regie J. Kuderna). P.: Veröff. in Fachzeitschriften. H.: Theater, Kunst, Literatur, Skifahren, Bergradeln. (B.R.)

Senn Manfred
B.: Gschf. FN.: Theodor Senn Ärzte- u. Spitalsbedarf, Orthopädie GmbH. DA.: 6020 Innsbruck, Maria-Theresien-Str. 42. PA.: 6060 Absam. G.: Innsbruck, 25. Sept. 1960. V.: Priska, geb. Nitzlnader. Ki.: Sabrina (1988), Christofer (1991). El.: Max u. Wilma. BV.: Großvater Theodor Senn. S.: VS, Gymn., HASCH, Lehrabschluß m. Ausz. K.: 1979 Eintritt in d. Firma d. Vaters, 1984 Übernahme d. Betriebes als Gschf. M.: Aussch.-Mtgl. HK, stellv. Berufsgruppenobm., Tennisclub Absam. H.: Tennis, Skifahren, Touren, Sport. (B.R.)

Senn Maximilian
B.: Kons. FN.: Theodor Senn Ärzte- u. Spitalsbedarf, Orthopädie GmbH. DA.: 6020 Innsbruck, Maria-Theresien-Str. 42. PA.: 6020 Innsbruck, Bienerstr. 22. G.: Hall, 6. Okt. 1923. V.: Wilma, geb. Kunst. Ki.: Ingrid (1959), Manfred (1960). El.: Theodor u. Maria. S.: VS, HS, HAK, 1946 Matura. K.: kfm. Ltr. Firma Senn, 1967 Gschf. d. Firma Senn, 1974-89 Berufsgruppenobm. d. Tir. HK, gerichtl. beeid. Sachv., in Prüf.-Kmsn. b. Lehrlingsprüf. E.: 1983 Silb. Kammermed., 1988 Silb. Ehrennadel d. HK, 1991 Gold.

Verd.-Med. d. Landes Tir., Gold. EZ d. Österr. Skiverb. M.: Innsbrucker Skiläuferver. H.: Bergsteigen, Skifahren, Touren. (B.R.)

Senzenberger Maria

B.: Inh. FN.: Repro-Druck Senzenberger. DA. u. PA.: 4910 Ried, Roseggerstr. 42b. G.: Linz, 4. Dez. 1925. V.: Georg Senzenberger. Ki.: Georg (1954), Maria Anna (1957), Hermann (1960). El.: Josef u. Anna Dürnberger. S.: VS, HS, 1941-44 Lehre als Vermessungstechniker im Zivilgeometerbüro Dipl.-Ing. Bohrn Linz, 1944 Lehrabschlußprüf. als Vermessungstechniker. K.: 1945-48 Vermessungstechniker in Zivilgeometerbüro Dipl.-Ing. Höllhuber Wels, 1948-60 Berufsj. in Zivilgeometerbüro Dipl.-Ing. Spindler Ried, 1950 Grdg. d. eigenen Firma als Lichtpausanst. Ried, 1967 Erweiterung z. Vervielfältigungsbüro, 1970-74 Ausbau z. Offsetdruck u. Kopierbereich "Xerographie", 1982 Eröff. d. Filiale Vöcklabruck, 1990 Ausbau d. Druckvorbereitung nach Computersystem Apple. E.: 1944 Reichssieger im Berufswettbewerb f. Vermessungstechniker in München. H.: Flaggensammlung d. Vereinten Nationen, Wandern, Yoga. (J.L.)

Seppi Rudolf

B.: Gastronom u. Inh. Berggasthof Hochbrunn. DA.: 6370 Kitzbühel, Hahnenkamm. G.: Meran, 2. Aug. 1929. V.: Brigitte, geb. Stürzlinger. Ki.: Verena (1973), Edina (1973). El.: Lorenz u. Anni. BV.: Familie b. 1750 nachweisbar aus Südtirol stammend, Familienname Seppi b. ins 12. Jhdt. zurückreichend. S.: VS, HS, HTL f. Elektrotechnik Klagenfurt, 1949 Matura, Radioinst. am TGM Wien. K.: 1950-51 Ang. Sporthotel Hochbrunn Kitzbühel, seit 1964 Pächter d. Sporthotel Hochbrunn, 1962-86 selbst. Cafe-Restaurant Waldvillen Velden am Wörthersee, seit 1969 Führung Rathausstüberl u. Strandcafe, 1984 Übernahme d. Sporthotel Hochbrunn, 1986 Eröff. SB-Restaurant Berggasthof Hochbrunn. P.: Art. u. PR in versch. Magazinen "News", "Trend", "Bunte". E.: Gold. Abz. d. Turnver. M.: 40 J. Turnver. Velden. H.: Fotografieren, Radiästhäsie. (J.F.)

Serafin Harald

B.: Kammersänger, Schauspieler, Intendant v. Mörbischer Seefestspielen. DA.: 7000 Eisenstadt, Schloß Mörbisch. PA.: 1010 Wien, Rudolfspl. 2/30. G.: 24. Dez. 1931. V.: Ingeborg. Ki.: Martina (1970), Daniel (1982). El.: Peter u. Helene. E.: Kammersänger, Juni 1987, Goldenes Ehrenabzeichen österr. Fremdenverkehrswerb. 1983, Lieber Augustin, 1987. H.: Lesen, Musik, Familie. (M.N.)

Serajnik Karl

B.: Kfm., Inh. FN.: Karl Serajnik Installationsunternehmen. DA.: 1170 Wien, Lorenz-Bayer-Pl. 16. PA.: 1180 Wien, Währingerstr. 135. G.: Unterzeiring, 11. Okt. 1937. V.: Ingrid, gb. Teuschel. Ki.: Christian (1960), Angelika (1976). El.: Franz u. Eva, geb. Lintschinger. S.: Lehre Gas-Wasser-Heizungs-Installateur, 1955 Mstr.-Prüf. K.: 1955-61 Monteur, 1962 Grdg. d. eigenen Firma m. Schwerpunkt Planung u. Ausführung v. Zentralheizungen, Sanitärinstallationen u. Schauräume f. Badezimmer. H.: Tennis, Skifahren. (N.A.)

Sereinig Johann Dr. phil.

B.: Kabinettchef v. Bundeskanzler Dr. Franz Vranitzky. GT.: Mtgl. d. ORF-Kuratoriums, AufsR. d. Wiener Städt. Allg. Vers. AG, AufsR.-Vors.-Stellv. d. Zementwerke Lorüns AG. DA.: 1010 Wien, Ballhauspl. 2. PA.: 1180 Wien, Gregor-Mendel-Str. 3/9. G.: Villach, 4. März 1952. El.: Maria u. Johann. S.: Matura 1970, Stud. d. Sozialwiss., Prom. 1976. K.: Österr. Länderbank AG (Aufgaben: Projektmanagement, Marketing, Personalentwicklung), Sekr. d. Gen.-Dir., 1984-86 Berater d. BMin. f. Fin., danach Berater d. BKanzlers, seit 1988 Kabinettchef. E.: KmdK. d. Jordan. SDO, KmtK./St. d. liechtenstein. VO, GrOffK. d. zypriot. VO. H.: Literatur, Theater. (P.R.)

Sereinigg Wilhelm Ing.

A.: 9500 Villach, A.-v.-Welsbach-Str. 25. G.: Triest, 17. Nov. 1913. V.: Gertraud, geb. Konetschnig. El.: Jakob u. Theresia. S.: VS, Bürgerschule, BLA f. Maschinenbau u. Elektrotechnik. K.: LAbg. u. VBgm. im Ruhestand, Vorst.Dir. d. Villacher Sparkasse i.R., AufsR.Vors.Stellv. Wr. Ver. E.: Silb., Gold. u. Gr. Gold. EZ f. Verd. um d. Rep. Österr., Gr. Gold. EZ f. Verd. um d. gemeinn. Wohnungsbau in Österr., Ehrenring d. gemeinn. Wohnungsbau in Österr., Gr. Gold. EZ f. Verd. um d. Land Ktn., Gold. EZ f. Verd. um d. Stadt Villach. M.: LVors. d. Ver. d. Freunde d. Feuerbestattung, Mtgl. d. Bez.Vorst. d. SPÖ, BSA. H.: Weltreisen. (D.M.)

Sernetz Klaus Mag.

B.: Gschf. FN.: ABB Ind. GmbH. DA.: 1100 Wien, Wienerbergstr. 11B. PA.: 1238 Wien, Endreßstr. 86. G.: Graz, 24. Aug. 1951. V.: Georgina, geb. Tax. Ki.: Alexandra (1978), Theresa (1982), Nikolaus (1984). El.: Dipl.-Ing. Dr. Heinz u. Margarete, geb. Wallner. S.: VS, RG, 1971-77 Stud. Sozial- u. Wirtschaftswiss. Karl Franzens-Univ. Graz. K.: 1977-86 Konzern d. Voest Alpine AG, b. 1986 Gschf. d. Voest Alpine do Brasil Ltda Rio de Janeiro, 1986-89 versch. Funktionen Simmering Graz Pauker AG, zusätzl. Übernahme d. Geschäftsführung d. Hoffmann Aircraft GmbH, 1989 Geschäftsbereich Elektr. Verteil- u. Installationstechnik Asea Brown Boveri AG, 1990 Gschf. ABB Installationen GmbH. M.: Industriellenver., Wirtschaftsforum d. Führungskräfte, Rotary Club. H.: Tennis, Skifahren. (J.M.)

Serschön Hubert

B.: Werbeltr. FN.: Eternit Werke Ludwig Hatschek AG. DA.: 1041 Wien, Prinz-Eugen-Str. 8. PA.: 1060 Wien, Webg. 37/2/2. G.: Graz, 8. Jan. 1954. V.: Angelika Mag., geb. Perner. El.: Dr. Walter u. Dr. Elisabeth. S.: VS, Gymn. Graz, Stud. Bauwirtschaft TU Graz, Betriebswirtschaft Organ. u. Marketing Univ. Graz. K.: seit 1980 Markforsch., 1986 Werbeltr. M.: Marketingclub, Verb. d. Marktforscher Österr. (VMÖ). H.: Eisenbahn (Modellbahn). (H.P.)

Sertschnig Franz

B.: Kaufmann. FN.: Getränke Sertschnig. DA./PA.: 9170 Ferlach, Johann Strauß Gasse 4. G.: 21. Mai 1931. El.: Franz u. Elisabeth. S.: VS, HS (davon 2 J. Gastschüler durch Warten auf e. Lehrst.), 1947-50 Berufschule u. Handelslehre b. d. Fa. Giendl in Völkermarkt. K.: 1952-57 Konsum Ferlach, Lagerhalter bei A & O, 1958-63 Filialleiter bei Fa. Amlacher,

1963 Gründung d. eig. Untern. M.: Freier Wirtsch.verb., Bezirksobmann Klagenfurt Land seit 1980, seit 1988 Vizepräs. d. Freien Wirtsch.-verb. Land Ktn., Vorstandsm. i. d. Bundesleitung d. Freien Wirtsch.verb., Landesgremialvorsteher Stllv. f. Wein- u. Spirituosenhandel d. WK Ktn., Vorstandsm. d. WK f. Ktn seit 1994. E.: Silbermedaille Handelskammer; Viktor Adler Plakette; Goldene Nadel d. Freien Wirsch.verb. H.: Schwimmen, Reisen. (G.L.)

Sery Angelika Mag.

B.: Jun.-Chef. FA.: Marketing/Werbeagentur Sery Ges.m.b.H. & Co KG. DA.: 4060 Linz Leonding, Ruflingerstr. 155. G.: Kirchdorf/Krems, 9. März 1966. El.: Rainer u. Rosalinde. S.: VS, Gymn, teilw. Schigymn., Österr. Leistungskader, 1985 Matura, 1985 Stud. BWL Marketing/Organisation, berufl. Aufbau elterl. Betrieb. K.: 1987 Gründ. Ortsgruppe "Die junge Wirtschaft", 1991-94 Landesvorst. d. "Junge Wirtschaft" OÖ, Stellv. Bundesvorsitz. d. "Junge Wirtschaft" Österr. BL.: vielf. Landesmeisterin OÖ Torlauf, Stadtweltmeisterin Riesentorlauf, E.: 1993 Europameisterin Jungunternehmer. M.: Mtgl. WDF. H.: Schirennlauf, Schitouren, Bergsteigen.(U.A.)

Sery Rainer

B.: Inh. d. Graphik Design Studios Sery, Prok. u. Art Dir. d. Sery Werbung GmbH & Co KG. A.: 4060 Leonding, Ruflingerstr. 153. G.: Linz, 27. Aug. 1943. V.: Rosalinde, geb. Feuersinger. El.: Karl u. Margarethe. S.: Nach Pflichtschule Stud. b. Kubin Schüler Prof. Dr. Alfons Ortner freie Graphik sowie angewandte Graphik u. Fotografie, Stud.Reisen mit anschl. freier künstl. Laufbahn, versch. Ausstellungen v. graph. u. gebrauchsgraph. Arb., u.a. m. Ankäufen d. BMU. K.: 1967 Grdg. d. Sery Graphik Design Studios in Linz, Entwicklung v. Visualkonzeptionen m. Identity Corporate Marken-Techn., 1972 Erweiterung z. Werbe Fullservice d. Grdg. d. Werbeagentur Sery. F.: Hauptanteile an d. Sery Werbeagentur. P.: Im CCA, in d. Fest Edition d. Kunst-HS Linz. M.: Marketing Club Linz. H.: Skifahren, Tennis.

Sery Rosalinde

B.: Gschf. FN.: Werbung Marketing Sery GmbH & Co KG. DA.: 4060 Leonding, Rufflingerstr. 155. PA.: 4060 Leonding, Rufflingerstr. 153. G.: Steyr, 2. Juli 1943. S.: kfm. Lehre Firma KommR. Heckl. K.: b. 1971 Tätigkeit in Eisengroßhdlg., seit 1970 Tätigkeit in Werbebranche, 1978 Grdg. Sery GmbH & Co KG u. Gschf. P.: lfd. Berichte in Fachzeitschriften. M.: WDF, Ver. "Frau u. Wirtschaft", seit 1982 Tätigkeit HK Fachgruppe Werbung. H.: Skifahren, Golf, Bodystyling, Tennis, Psych. (U.A.)

Sessitsch Dieter

B.: Kfm., Gschf. FN.: Heizölexpress Heizölhdls. GmbH. DA.: 8020 Graz, Karl-Morre-Str. 54. PA.: 8042 Graz, Peterstalstr. 41. G.: Graz, 15. Jan. 1940. V.: Rita, geb. Wohlmuth. Ki.: Michaela, Irina. El.: Theodor u. Maria. S.: VS, AHS, 2 J. Stud. Maschinenbau TU Graz. K.: 2 J. Auslandsaufenthalt, 1965 Tankstellengeschäft, Autohdls. u. Importges., 1970 Shell, seit 1983 Gschf. v. Heizölexpress. BL.: 4 J. Ralley u. Rennsport. H.: Tennis, Skifahren, Surfen. (C.H.S.)

Sestric Zeljko-Eduardo

ZS

B.: Inh. FN.: Modellbahn Eduard. DA.: 1020 Wien, Praterstr. 11. 3. PA.: 1180 Wien, Höheng. 25/8. G.: Zagreb, 20. Sept. 1946. V.: Barbara, geb. Banach. Ki.: Daniela (1972), Sandra (1974), Dominik (1978), Richard (1990). El.: Milan u. Milka, geb. Devcic. S.: VS, Gymn. Matura 1965. K.: 1969-72 Modelleisenbahnbetr. in Zagreb, 1972-74 Verkaufsltr. in Schallplattenfirma, 1975-79 Fa. Coca-Cola - Marketing, 1980-87 Marketing in Schuleinrichtungsfirma, 1974-87 Nebenberufl. Prod. v. Modelleisenbahnzubeh, 1988 Flucht n. Österr., 1988-90 Tätigk. in Oststmk. danach Übersiedlung n. Wien, Fa. Kober - Spielwaren Abt. Ltr. Modelleisenbahn, ab März 1994 selbst. Grd. d. Fa. Modellbahn Eduard. H.: Foto, Musik. (M.M.)

Séthy Andreas Dr. Dipl.-Ing. HofR.

B.: Forschungstechniker, i. R., Lehrbeauftr. an d. HTL Mödling. PA.: 1090 Wien, Liechtensteinstr. 32. G.: Budapest, 27. Aug. 1932. V.: Christiane, geb. Schall-Riaucour. Ki.: Gabrielle, Johanna, Anton, Franz. El.: Dr. Béla u. Dr. Kornelia. BV.: Großvater Anton Séthy (1873-1945) Jurist, Kronrat, Gestalter d. ungar. Rechtsordnung. S.: Hum. Gymn., TU Budapest (Ing.Dipl. 1954), TU Wien (Nostrif.), Elektroing., Univ. Wien, Dr. rer. pol. 1966, Univ. Wien, Int. Lehrgang (Dipl. aequival. m. Konsularak.). K.: 1954-56 Entwicklungsing. in Ungarn, Fachgeb. Geophysik, 1956 Immigration nach Österr., 1956-61 Entw.Ing. in Wien, Elektron. Ind., 1961-67 Laborchef b. Siemens Wien, seit 1967 Abt.Ltr. in d. Forschungsanst. Arsenal (HofR. seit 1984), in Pension ab 1994, seit 1973 Lehrer an d. HTL Mödling (Elektrotechnik, Elektron. Fachkunde). BL.: 1. prakt. Reflexionsmessungen vom Magma in Europa (1955), Konstr. eines "Autokorrelationsvocoders" (1961-64). P.: Ca. 80 Fachart. (techn.-wiss.), ca. 15 Publ. (gesellschaftspolit.), Buch "Forschungspolit. Programm f. Österr." (1969, Wien). E.: Gold. u. Gr. EZ d. Rep. Öst., Ehrenkreuz f. Wiss., Offz.Kreuz v. Verd. um d. MaltRO, versch. Ehrenämter in d. nat. (Österr. Verb. f. Elektrotech.) u. intern. Fachges. (I.E.C.) M.: Malteser Hospitaldienst (dzt. VPräs. d. Kurat.), Österr. Verb. f. Elektrotech. (dzt. VPräs. d. Ges. f. Informationstechnik), Verb. Dt. Elektrotech., IEEE, Dr. Karl Kummer Inst. f. Sozialpolitik u. Sozialreform (Vorst.-Mtgl.) H.: Forschungspolitik, Jagd, Tennis.

Setterl Peter

B.: Gschf. FN.: Vedes Spiel & Freizeit GmbH. DA.: 1080 Wien, Lerchenfelderstr. 40. G.: München, 2. Juli 1937. V.: Elisabeth. Ki.: Angelika. El.: Heinrich u. Anna. S.: Elektrotechn. Lehrausbild., 1955 Abschluß, Stud. HTL Elektrotechnik, 1963 Dipl. K.: seit d. Lehre b. Siemens, Techn. Entwicklung, Kfm., 1983 nach Wien, Einstieg in d.

Familienbetrieb, 1985 Übernahme d. Geschäftes u. Führung d. OHG m. Schwerpunkt Spielwarenfachgeschäft, Ganzsortiment f. jede Jahreszeit, seit 1988 Gschf. Vedes GmbH in Österr. P.: Veröff. in d. Fachpresse. M.: Fachaussch. Groß- u. Einzelhdl. H.: Reisen, Sport (Bergsport, Tennis), Lesen.

Setz Herbert

B.: Goldschmiedemeister. DA.: Obirstr. 26, 9020 Klagenfurt. G.: Waiern bei Feldkirchen, 1.12.1950. V.: Eva, geb. Scharmann. Ki.: Martina (1982), Barbara (1985). El.: Ing. Herbert u. Helga. S.: VS (1957-61), Gymnasium (1961-67), HTL Ferlach: Abteilung Gold-Silberschmiedeguß, Bundesheer, 1974 Meisterprüfung in Klagenfurt. K.: 1974-77 selbstst. im Rahmen der "X-Art", 1979 Standortverlegung Obirstr., Geshcäftsreisen nach Australien, Burma, Radjastan, Kashmir, Nepal, Afghanistan, Iran. 5 UN Einsätze in versch. Tätigkeitsbereichen (1977-91) im Nahen u. Mittleren Osten, dazwischen selbstst. Tätigkeit als Goldschmied in Klagenfurt. Ausstellungen: In Zusammenarbeit mit "X-Art" und mit dem Atelier Bretterbauer u. eigenständige Präsentationen. H.: Zoologie, Botanik, Reisen, Musik, Sport. (G.L.)

Setzer Manfred E. Dkfm. Dir

B.: Gschf., Verleger. FN.: Carl Ueberreuter GmbH. DA.: 1090 Wien, Alserstr. 24. PA.: 1030 Wien, Dietrichg. 26. G.: Wien, 22. Sept. 1946. V.: Renate, geb. Friml. El.: Dkfm. Dr. Edmund u. Hertha. S.: WU Wien. K.: Seit 1977 b. Verlag C. Ueberreuter. P.: Verfasser bildungs- u. schulpolit. Publ. E.: Staatspreis u.a. Ausz. f. hervorragende Publ. M.: Fachgruppe d. österr. Schulbuchverleger, Bildungspolit. Aussch. u. Schulbuchkomitee d. BWK, Vorst.Mtgl. d. Ver. f. Unterrichtsmedien, Ltg. d. Arge Schulbuch. H.: Fotografie, Tennis.;

Seubart Emmerich

B.: Bgm. d. Gem. Winden/See. GT.: ÖBB-Bediensteter. DA.: 7092 Winden/See, Hauptstr. 8. PA.: 7092 Winden/See, Joseph-Haydn-G. 14. G.: Winden/See, 13. März 1935. V.: Waltraud, geb. Schiller. El.: Emmerich u. Anna. K.: Maurerlehre, in d. Beruf tätig b. 1961, Eintritt b. d. ÖBB in d. unteren Verkehrsdienst u. nach Ablegen versch. kommerz. Prüf. Übern. in d. kommerz. Dienst, Bahnhofsltr. u. anschl. in d. Frachtberechnung tätig, polit. tätig seit d. 18 Lj., seit 1983 Bgm. v. Winden/See. M.: Obm.Stellv. FC Winden, unterst. Mtgl. d. Verschönerungs- u. Musikver. H.: Lesen, Weinbau. (G.E.)

Seuhs-Schoeller Christiane

B.: Gschf. FN.: Schoeller Consult Kommunikationsberatung; Gebrüder Schoeller GmbH. GT.: Kommunikationsberaterin. DA.: 1130 Wien, Veitinger G. 4. PA.: 1130 Wien, Neukräfteng. 27. G.: Salzburg, 3. Juni 1957. V.: Mag. Rudolf Seuhs. El.: Dipl.-Vw. Philipp u. Ida v. Schoeller, geb. Salm-Reiferscheidt. S.: VS, Mittelschule. K.: 1981-82 Rezeption Hotel "K & K" Wien, 1982-86 Hotel "Schloß Fuschl", 1987 "Creativ" Werbeagentur Sbg., 1988 Eintritt Familienunternehmen Gebrüder Schoeller, Grdg. d. eigenen Firma Schoeller Select Marketing Service, 1989 Intensivtraining f. d. Unternehmernachwuchs, 1990 Übernahme d. Geschäftsführung v. Gebrüder Schoeller, 1994 Schoeller Consult Kommunikationsberatung. M.: Industriellenver., Wirtschaftsforum d. Führungskräfte. H.: Reisen, Reiten, Musik. (N.A.)

Sevcik Jaroslav Dkfm.

B.: Gschf. d. CBS Schallplatten GmbH. DA.: 1150 Wien, Hofmolkg. 1-5. G.: Kalnica/CSSR, 7. Dez. 1938. V.: Milada. Ki.: Catherine. S.: Stud. in Prag an d. HS f. Ökonomie. K.: Nach d. Stud. tätig in d. Fa. ARTIA Prag, 1969 n. Österr., Lehrgangskurs b. CBS New York, dan. Übernahme d. österr. Ndgl. v. CBS als Gschf. H.: Golf. (H.J.)

Sexl Helmut

B.: selbst. Kfm. DA.: 7001 Eisenstadt, Hauptstr. 26. PA.: 7000 Eisenstadt, Bergstr. 19a. G.: Wien, 21. Jan. 21. V.: Doris, geb. Leibold. El.: KommR. Ludwig u. Rosa. S.: RG, Matura 1950, kfm. Lehre u. Buchhändlerlehre. K.: 1953 Ges. OHG, 1964 nach Ableben d. Vaters Übernahme d. Ltg., 1977 Umwandlung in KG, Filialen in Frauenkirchen, Mattersburg, Wr. Neustadt - 10 Verkaufsstellen, 1 Druckerei. BL.: Ausbau d. Fa., Aufnahme d. Spielwarensortiments. M.: Ver. d Fr. v. Ephesus, Ges. d. Ak. d. bild. Künste. H.: Briefmarken, Reisen, EDV. (E.L.)

Sexlinger Kurt Dr.

B.: RA. DA.: 5020 Salzburg, Rainerstr. 25. G.: Salzburg, 19. Mai 1925. V.: Erna, geb. Herb. S.: 1943 Matura, Kriegsdienst, Lt., 1947 Rückkehr aus Gefangenschaft, Stud. Univ. Innsbruck, 1950 Abschluß, Prüf. als Ak. Übersetzer. K.: 1952 RA-Anw., seit 1956 selbst. Anw. Sbg. BL.: seit 1991 Landesobm. Österr. Soldaten, Engagement in zeitgeschichtl. Fragen, Hörer an d. Univ. Sbg. M.: 2x Präs. d. LC Mattsee Lions. H.: Reisen, Wandern, Zeitgeschichte. (N.M.)

Seybold Günther H.

B.: Gschf. Ges. FN.: Werndl Austria GmbH. DA.: 4020 Linz, Winterhafen 1. PA.: 4614 Marchtrenk, Wasserturmstr. 5. G.: Bad Pertholz, 14. Aug. 1962. V.: Andrea, geb. Haubner. Ki.: Christian Johannes (1990), Theresa Elisabeth Maria (1992), Josef Benedikt (1993). El.: Helmut Josef u. Elisabeth. S.: VS, Marianum Freistadt, Fremdenverkehrsak. K.: Reiseltr. in Krems, Mitgründer v. Georeisen, 1. Venezuelaveranstalter, Fremdenverkehrsdir. St. Gilgen, 1982 Gastgewerbekonzession, 1988 Reisebürokonzession, versch. andere berufsbedingte Kurse, Unterricht im BFI Sbg. Marketing u. Angebotsgestaltung im Tourismus, Betriebsberaterprüf., Kurse f. positives Denken, Mental Seminare unter d. Ltg. v. Alfred Tonner, Schellbach Ak. Baden-Baden/Deutschland, Grdg. Büro- u. Design-Vertriebsges., Prok. Campo Vital Mondsee, 1992 Grdg. Werndl Austria. M.: Pan Europa Bewegung, Golfclub Bad Ischl, Sportfliegerclub Sbg. H.: Golf, Motorradfahren, Lesen, Neokathechonaler Weg. (Ni.A.)

Seyed-Ahmadian Mohamadali Dr. med.

B.: Facharzt f. Frauenheilkunde u. Geburtshilfe. DA.: 4614 Marchtrenk, Linzerstr. 43. PA.: 4600 Wels, Max-Mell-Str. 2. G.: Teheran/Iran, 11. Dez. 1938. V.: Schahindocht. Ki.: Faranak, Siamak, Bobak. El.: Morteza u. Hashemieh. BV.:

Adelsgeschlecht. S.: 1959 Matura in Teheran, Deutschstudium in Teheran, 1960 Zahnmedizinstudium in Kiel, Medizinstud. in Österr., 1973 Prom. K.: Turnusarzt in Linz, 1976-1980 Facharzt-Ausbild. an d. Landesfrauenklinik Wels, 1985 eig. Praxis in Marchtrenk, Votrags- u. Kongreßtätigk. M.: Lions-Club Marchtrenk, Österr. Gynokologenverb. H.: Tennis, Ski, Lesen. (P.H.)

Seyer Johann Dr. iur. OSenR.

B.: Bez.-Verw.-Dir. d. Landeshauptstadt Linz. DA.: 4041 Linz, Hauptstr. 1-5. PA.: 4210 Engerwitzdorf, Sonnenpromenade 4. G.: Langenstein, 26. Apr. 1939. V.: Hermine, geb. Hofstätter. Ki.: Wolfgang, Andrea, Michaela, Silvia, Petra. S.: AMS, Jusstud. Linz, 1973 Prom. K.: seit 1963 im Personalamt b. Mag. Linz, 1973-74 Jurist b. Präsidialamt, ab 1975 Abt.-Ltr. f. Verfassungs- u. allg. Rechtsangelegenheiten im Präsidialamt, 1985-88 Ltr. d. Präsidialamtes, seit 1988 Bez.-Verw.-Dir., seit 1985 OSenR., 15 Mo. b. Brigademusik d. Österr. BH. P.: div. Veröff. in versch. Fachzeitungen. E.: div. Ausz. M.: Kassier d. B37 Sozialver., Mag.-Musikkapelle, Jugend u. Freizeit, Naturfreund. H.: Musik, Lesen, Natur. (P.H.)

Seyer Maximilian Josef Karl

B.: Unternehmer, Gschf. Ges. FN.: "Nähcassette" Nähmaschinen Warenhdls. GmbH. DA.: 9020 Klagenfurt, Postg. 2. PA.: 9020 Klagenfurt, Unterer Almweg 5. G.: Wien, 4. Nov. 1934. V.: Johanna. Ki.: Johanna (1963), Maximilian (1965), Michael (1967), Martin (1973). S.: Stud. Wien. K.: kfm. Ausbild. im Detailverkaufsbereich, Gschf. u. Verkaufsltr. in Ktn. Bereich Nähmaschinenhdl. u. Vertrieb sowie Großhdl., 1980 Grdg. d. eigenen Ges. in Klagenfurt. H.: Reisen, Wandern, Skifahren.)

Seyfried Harald

B.: Unternehmer. FN.: Franz Nagl Nfg. H. Seyfried. DA.: 2231 Straßhof, Hauptstr. 240. PA.: 2232 Deutsch Wagram, Grünwaldstr. 11/5. G.: Eibiswald, 18. Sep. 1961. V.: Waltraud, geb. Danzinger. Ki.: Yvonne (1982). El.: Franz u. Maria. S.: HS, Allg. Schlosserlehre Firma Ing. Koch Eibiswald, 1990 Mstr.-Prüf., abgeschlossene Abend-HTL d. TGM Wien, BH. K.: 6 J. Monteur Firma IRB, Montageltr. im Tresorbau Firma Wertheim, dann Firma Jergitsch u. Firma Sandwick, 1992 Kauf Firma F. Nagl Fenster-Türen-Tore Strasshof, 1992 Erwerb einer Produktionsstätte in Riedlingsdorf f. allg. Aluminiumfertigung. H.: Jagd, Geländewagenfahren. (I.J.)

Seykora Theodor Dr. iur. KommR.

B.: Sen. h.c. d. Leopold Franzens-Univ. Innsbruck. DA.: 6020 Innsbruck, Josef-Schraffl-Str. 14. E.: Gr. EZ f. Verdum d. Rep. Österr., Inh. d. EZ d. Landes Tir., Silb. EZ d. Landes Wien, Gr. Verd.Kreuz d. Verd.Ordens d. BRD, Komturkreuz d. ital. Verd.Ordens.Ehrenring d. Landeshptstadt. Innsbruck M.: AufsR. d. Jenbacher Wke. AG Jenbach, Tir. Zollfreizone Betriebs GmbH Hall in Tir., Vors. d. AR d. Tir. Sparkasse Bank AG Innsbruck, Vors. d. AR d. Bank d. Tir. Sparkasse in Jungholz AG, Vors. d. Spark. Rates d. Anteilsverw.spark. d. Tir Spark. Ibk., Vors. d. AR d. Tir Staße Schiene Umschlag GmbH Hall i. Tir., Stv.Vors. d. AR d. Jenbacher Werke AG Jenbach, Stv.Vors. d. AR Jenbacher Transportsys. AG, AR Jenbacher Energiesys AG Jenbach, AR Tiroler Tollfreizone GmbH Hall i. T.;

Seyringer Franz

B.: Gschf. Ges. FN.: Seyringer Holzwaren GmbH & Co KG. DA. u. PA.: 4851 Gampern, Stötten 3. G.: Gampern, 24. März 1947. V.: Christine, geb. Schwamberger. Ki.: Franz (1970), Christian (1975). El.: Franz u. Anna. S.: VS, HS, Holzfachschule. K.: 1966 Einstieg in d. elterl. Betrieb, 1967 Mstr.-Prüf. im Drechslerhandwerk, 1973 Übernahme d. elterl. Betriebes. M.: seit 1982 im GemR., Musikver. Gampern, Landesinnungsvorst.-Mtgl. d. Drechsler. H.: Wandern, Musik. (G.E.)

Seyringer Gerhard Mag. Prof.

B.: Schulltr. HBLA. DA.: 7400 Oberwart, Badg. 5-7. PA.: 2852 Hochneukirchen, Landstr. 1. G.: Neuhaus, 7. Juli 1944. V.: Irma, geb. Stumpfl. Ki.: Christian (1972), Peter (1974). El.: MedR. Dr. Alfred u. Maria. S.: HS, kfm. Lehre, 1964 HAK-Matura, Stud. Wirtschaftspäd. WU Wien, 1969 Mag. rer. soc. oec. K.: b. 1975 kfm. Gegenstände HAK Oberwart unterrichtet, ab 1970 zusätzl. HBLA Oberwart, ab 1979 Administrator, 1987 Übernahme d. Schulltg. d. HBLA, ab 1987 päd. Ltg. d. Städt. Internats. P.: Lehrbücher f. Rechnungswesen. H.: Computer, Beschäftigung m. Jugendpäd. u. Psych. (I.J.)

Seyrl Christoph

B.: PR-Manager. FN.: Österr. Philips Industrie GmbH., Bereich Unterhaltungselektr., prof. Elektr. DA.: 1101 Wien, Triester Str. 64. G.: Wien, 26. Feb. 1965. El.: Dr. Gerald u. Charlotte. S.: 1983 Matura, 2 J. Jusstud., 1986/88 Univ.-Lehrg. f. Werbung u. Verkauf a. d. WU Wien. K.: 1985 Reisebüro Quo Vadis, 1986 Bank "Die Erste", 1988-92 Werbung u. PR Fa. Solvay Österr., 1/1993-6/1993 Vertrieb- Schulung u. Org. Fa. Renault Österr., s. 7/1993 PR-Manager Fa. Österr. Philips Industrie. (C.G.)

Seyrl Harald Mag.

B.: Gründer u. Ltr. d. Wr. Kriminalmuseum. GT.: Ltr. d. Österr. Kriminalmuseum im Schloß Scharnstein, 4644 Scharnstein/OÖ. DA. u. PA.: 1020 Wien, Große Sperlg. 24. G.: Wels, 7. März 1942. V.: Maria-Regina, geb. Norman. Ki.: Marie-Elisabeth (1989), Anna (1990). El.: Walter u. Elisabeth. BV.: Ururgroßvater Franz v. Seyrl war bedeutender Politiker inm 19. Jhdt. S.: Stud. Metallplastik Ak. f. angew. Kunst, Stud. Konservierung u. Technologie Ak. d. bild. Künste Wien m. Abschluß 1965. K.: 1966-70 Revitalisierung u. Restaurierung d. Burg Piberstein, ab 1967 Revitalisierung d. Schlosses Scharnstein u. Beginn d. kulturellen Aktivitäten: Ausstellungen, Konzerte, 1973 Grdg. d. OÖ Strafrichtsmuseums, 1981 Errichtung d. Österr. Kriminalmuseums, ab 1982 Gen.-Sekr. d. Inst. f. Histor. Kriminologie, 1984 Planung d. Kriminalpolizeil. Museums d. Bundespolizeidion. Wien, ab 1985 Lehrauftrag d. BMI f. d. Zentralen, Polizeischule f. Sicherheitswache u. Kriminalbeamte, seit

1988 Revitalisierung d. histor. Seifensiederhauses in Wien-Leopoldstadt u. Planung d. Wr. Kriminalmuseums, 1991 Fertigstellung u. Eröff. d. Museums. P.: ca. 100 Folgen d. Rundfunkserie "Das Kriminalmuseum", zahlr. Beiträge in d. period. Zeitschriften "Der Kriminalbeamte", "Die öffentliche Sicherheit", "Jahrbuch d. Sicherheit", Verfassung d. Kataloges d. Kriminalpolizeil. Museums d. Bundespolizeidion. Wien (1984). E.: Erster privater Träger d. Denkmalschutzmed. d. BMW, Ausz. d. Österr. Burgenver. M.: Mtgl. u. Funktionär b. zahlr. kulturellen Ver. H.: Suche nach d. Spuren d. 1. Weltkrieges. (N.A.)

Seyrling Alois
B.: Hotelier. DA. u. PA.: 6100 Seefeld, Hotel Klosterbräu. G.: Seefeld, 23. Juni 1923. V.: Maria, geb. Mayr, 4 Kinder. El.: Sigmund u. Maria. BV.: Fam. Seyrling war Initiator d. Fremdenverkehrs in Seefeld. S.: Grundschule, HAK. K.: 1949 Bau d. Restaurant Sportalm, 1953 Freigabe d. H. Klosterbräu nach 10jährig. Beschlagn. d. d. Land Tirol während d. Krieges, heute Fünfsternhotel. F.: Teilhaber d. Hotels Präsident in Wien. E.: Ehrenring d. Gem. Seefeld. M.: ehem. Mtgl. d. österr. Olympia- u. Nationalmannschaft im alpinen Schilauf, ehem. österr., dt., finn. u. türk. alpin. Skimstr., 3 Amtsperioden VBgm., stellv. Vors. d. AufsR. d. Seilbahn Seefeld Tir. AG, Vors. d. Kategorisierungskmsn. d. Gastronomiebetriebe Tir. H.: Golf. (Schm.)

Seyrling Hannes

B.: Gastwirt. FN.: Alpenhotel Lamm, Hans Seyrling GmbH & Co KG. DA.: 6100 Seefeld, Dorfpl. 28. G.: Innsbruck, 31. Okt. 1953. V.: Sylvia, geb. Mauchle. Ki.: Simone (1980), Dominic (1982). El.: Hans u. Paula. S.: VS, Gymn., 1972 Matura, 3 J. Hotelfachschule i. Lausanne, Auslandspraxis b. 1976. K.: 1977 Eintritti. d. elterl. Betr., 1979 Betr. kompl. geändert, s. 1985 Gschf. Ges. M.: Gem.R., Obm. d. Tourismusverb., Obm. d. Ho Gast, Obm. d. Seefelder Sportpools. H.: Lesen, Sport. (A.W.)

Seyss Martin
B.: Ges. FN.: Seyss Andruck & Repro GmbH. DA.: 1140 Wien, Hütteldorfer Str. 219. PA.: 1190 Wien, Grinzinger Str. 145. G.: Wien, 10. Nov. 1960. S.: 1978 Matura. K.: 1978 Eintritt ins elterl. Unternehmen Fa. Seyss Andruck & Repro, parallel dazu Besuch eines Lehrganges f. Werbung u. Verkauf Univ. Wien. H.: Tennis, Skifahren, Mountain-Bike. (M.M.)

Seywald Dietmar KommR.
B.: Kfm. i.R. PA.: 9800 Spittal/Drau, Oberdorferstr. 22. G.: Feldkirchen, 11. Jan. 1923. V.: Eveline, geb. Naschenweng. Ki.: Angelika, Dietmar. El.: Richard u. Angela. S.: VS, RGymn., HAK, 1942 Matura. K.: 1942-45 Kriegsdienst, 1945-47 Mitarb. im väterl. Betrieb, 1947-80 Fa. Textileinzelhdl. v. Vater übernommen, 1947-69 Gschf. Ges. d. Fa., 1969-80 Weiterführung als Einzelfa., 1956-58 Wirtschaftsref. Mtgl. d. StadtR. d. Stadt Spittal/Drau, 1958-70 Mtgl. d. GemR. d. Stadt Spittal/Drau, Obm. d. Kontroll- u. Kassenprüf.Aussch., 1958-68 LR.-Stellv. d. Wirtschaftsref. d. Ktn. LRg., 1960-80 Mtgl. in d. Sekt.Ltg. d. Sekt. Hdl. in d. Kam. d. gewerbl. Wirtschaft f. Ktn., 1962-66 Obm. d. Bez.Stelle Spittal/Drau d. Kam. d. gewerbl. Wirtschaft f. Ktn., 1965-80 o.Mtgl. d. Bez.SchulR. Spittal/Drau, 1966-80 Abt.Vorst. f. d. Hdl. in d. Bez.Stelle Spittal/Drau d. Kam. d. gewerbl. Wirtschaft, 1968-70 Abg. z. Ktn. Landtag, 1971-80 AufsR.Mtgl. d. Ktn. Elektrizitäts AG Klagenfurt. P.: fachspez. Publ. in versch. Fachzeitschriften. E.: Silb. Ehrenmed. d. Kam. d. gewerbl. Wirtschaft f. Ktn. 1972, KommR. 1974. M.: Grdg.Mtgl. d. VDU u. d. FPÖ, Kameradschaftsverb. H.: Sport, Skifahren, Schwimmen, Basteln. (M.B.)

Seywerth Franz Dipl.-Ing.
B.: Bmstr., Arch., Gschf. Ges. FN.: Ing. Franz Seywerth GmbH. DA.: 2380 Perchtoldsdorf, Hochstr. 19. PA.: 2380 Perchtoldsdorf, Hochstr. 15. G.: Wien, 21. März 1956. V.: Susanne, geb. Walden. Ki.: Jacqueline (1985), Stephanie (1987). El.: Ing. Franz u. Karoline. S.: 1975 Matura HTL Mödling Fachrichtung Hochbau, 1975-88 Arch.-Stud. TU Wien, 1988 Spons. K.: parallel z. Stud. Tätigkeit im elterl. Betrieb, 1990 Übernahme d. Firma. M.: MKV, Tuistonia Mödling. H.: Fotografieren, Arch., Motorradfahren. (I.K.)

Shaikh Feroze
B.: Gastronom. FN.: Restaurant "Demi Tass". DA.: 1040 Wien, Prinz-Eugen-Str. 28. PA.: 1100 Wien, Angelig. 39/27. G.: Delhi, 1. Sep. 1946. V.: Razia. Ki.: Shazia (1969), Saima (1970). S.: 1965 Matura, Intern. College f. Hotelfach am "Modul" in Wien, 1975-78 Cornell Univ. New York u. Education Inst. of Hotel Ass. K.: 1976-78 F&B Training b. Hilton Intern, zun. Wien, dann Aufbau v. 2 Hilton-Hotels im Nahen Osten, 1978-80 Sheraton-Hotels im Nahen Osten, 1980-83 Amerika-Aufenth., 1984 Niederl. in Österr. m. eig. Restaurant. H.: Reiten, Tennis, Cricket. (N.A.)

Shaked Josef Dr. med. Prof.

B.: FA f. Psychiatrie u. Neurologie, Psychotherapeut, Psychoanalyse, Gruppenpsychoanalyse. DA.: 1090 Wien, Währinger Str. 15/1/55. PA.: 1190 Wien, Hameaustr. 20. G.: Kisvaerda/Ungarn, 23. Sep. 1929. V.: Susanne, geb. Schusser. S.: 1947 Matura, 1951-55 Stud. Biochemie New York m. Abschluß B.S., 1955-66 Med.-Stud. Univ. Wien., 1966 Prom. K.: 1963-69 Psychoanalyt. Ausbild., 1966-72 FA f. Psychiatrie u. Neurologie Klosterneuburg-Gugging, 1972-76 Ambulatorium f. Psychotherapie WGKK, seit 1972 eigene Praxis, 1972-77 Lehrauftrag f. Psychoanalyse an d. Kunstak. Wien, 1976-81 Lehrauftrag f. Psychoanalyse Univ. Sbg., 1987 Lehrauftrag als Gastprof. f. Psychoanalyse Univ. Klagenfurt, seit 1989 Hon.-Prof., seit 1988 Ltr. d. Wr. Arbeitskreises f. Psychoanalyse, seit 1989Ltr. d. Sekt. Gruppenanalyse f. ÖAGG, 1976 Mitbegründer d. Intern. Arge f. Gruppenanalyse. M.: o.Mtgl. Group Analytic Society London, seit 1992 Obm. d. Österr. Ges. f. Kunst u. Therapie. H.: Fitneß, Schwimmen. (M.-L.A.-M.)

Shalaby-Pfisterer Kurt Peter
B.: Ltr. d. Grazer Komödie. DA.: 8010 Graz, Morellenfeldg. 3. PA.: 8010 Graz, Grieskai 42. G.: Linz, 24. März 1962. V.: Natascha. El.: Johann u. Katharina, geb. Schaubmayr. S.: kfm. Lehre, Stud. Schauspielkunst am Konservatorium Anton Bruckner Linz. K.: seit 1980 als Schauspieler tätig: Theater d. Kindes, Landestheater Linz, ab 1986 in Graz: Kinder- u. Jugendtheater, seit 1988 Ltr. d. Grazer Komödie, ab 1989 b. ORF tätig: Moderator im Kinderprogramm "Ich u. Du", "Kinder Wurlitzer", lfd. als Theaterproduzent u. Schauspieler tätig, künstler. Arb. m. u. f. Kinder u. Jugendliche, Mitwirkung an versch. intern. Festivals. H.: Kinder- u. Jugendtheater, Hund, Spaziergänge. (N.A.)

Shams Faribozz
B.: Inh. u. Gschf. FN.: Chinateppichhaus GmbH. DA.: 1010 Wien, Walfischg. 13. PA.: 1230 Wien, Anton-Baumgartner-Str. 44/B2/091. G.: Sannadj, 22. Mai 1953. V.: Soudebeh. Ki.: Fannusch (1981). El.: Mohammed Bagher u. Behjat. S.: Matura in Persien, Arch.-Stud. HS f. Angew. Kunst Wien, 1980 Dipl.-Innenarch. K.: 1975-80 Tennistrainer in einer Wr. Tennisschule, 1980 Grdg. d. Shams GmbH, 1981 Eröff. d. Geschäftes in d. Walfischgasse. BL.: 1985 Einführung d. Chinateppichvertretung in Österr. M.: Tennis-Club Vösendorf. H.: Tennis, Saxophon spielen. (N.A.)

Shanker Bhawani B. Sc. Dipl.-Ing. Prof.
B.: Gschf. Ges. im Inst. f. industrielle Innovation. DA.: 4020 Linz, Stifterstr. 22. PA.: 4040 Linz, Colerusstr. 20. G.: Patna/Indien, 28. Dez. 1942. V.: Ingeborg, geb. Kofler. Ki.: Ira (1970), Anu (1974), Maya (1977). El.: Surajbans u. Dhrubpati Devi. S.: Matura 1960 in Indien, 1960-64 Stud. an d. Univ. Patna, 1964 B.Sc., 1964-65 TU München, 1965-72 TU Graz, 1972 Dipl.-Ing. K.: 1972-74 Steyr-Daimler-Puch AG in Steyr, 1974-76 Vöest Alpine, ab 1976 selbst. Industrieberater, 1986 Grdg. d. Inst. f. ind. Innovation, daneben Prof. an d. HTL Linz u. Gastprof. an d. Univ. Linz. F.: Subex AG Zürich. P.: Zahlr. Veröff. im Bereich: Anwendung v. Computer-Technologie in d. Ind. BL.: Ltr. div. Kongresse in Deutschl. u. Österr. M.: VDI Düsseldorf, Wirtschaftsver., Ing.-Ver. Österr. H.: Reiten, Lesen. (H.B.)

Shi Jianping
B.: Inh. D'Rauchkuchl. DA. u. PA.: 1150 Wien, Schweglerstr. 37. G.: Schanhai/China, 13. Dez. 1953. V.: Su, 1 Tochter. S.: Buchhaltungs- u. Gastronomielehre m. Abschluß. K.: 1973-85 Bmtr. im Finanzamt Schanhai, 1986 Ndlg. in Österr., 1988 Eröff. eines Restaurants in OÖ, 1990 Eröff. d. Restaurants in Wien 16, Herbststr. 12, 1992 Eröff. d. Restaurants D'Rauchkuchl m. Wr. Spezialitäten u. Karaoke. H.: Lesen, Reisen, Skifahren. (N.A.)

Shiva
B.: vielseitiger freischaff. Künstler. PA.: 1090 Wien, Rotenlöweng. 13/30. G.: Iran, 3. Aug. 1941. V.: Charlotte, genannt Sirana. El.: Shiva Abdul Rahim u. Amdjad. BV.: Großvater war ein russ. Fürst. S.: Matura im Iran, Arch.Stud. in Wien, im Inst. f. Zeichnen u. Malen als Ass. beschäftigt, versch. Sparten an d. Ak. f. Mstr.Schüler. K.: tätig als Arch. b. Hollein, Glück u. Schwanzer, b. gr. Wohnbaufa. gearbeitet, dann freischaffender Künstler. P.: 1976 1. Ausstellung: Seidenstickerei, Miniaturmalerei, weiters Schmuck, Medaillons, Uhren, alles Originalarb., Bemalung eines 72-teiligen Tafelservice, seit 1985 großflächige Arbeiten z.B. Thermalbad Loipersdorf/Stmk., Kapelle Rastenberg Waldviertel, Adria - Intern. Spedition Wien, 1987 Präsentation d. 1. bemalten Shiva Ferrari, eine gr. Anzahl an Ausstellungen. H.: Kunst, Musterflakons v. Parfums, Sammeln v. schönen Dingen, Naturliebhaber, Bienenzucht. (E.L.)

Shklarek Moshe
B:. Gschf. FN.: METALCO Import-Export GmbH. DA.: 1010 Wien, Wollzeile 25. PA.: 1090 Wien, Tendlerg. 15/12. G.: Israel, 30. März 1936. V.: Dana, geb. Lauterbach. Ki.: Iris, Alon. El.: Mortechi u. Naha. S.: Gymn. K.: 1955-62 Militärdienst, anschl. n. Österreich, 1963-74 Verkaufsltr. b. Fa. Revlon, 1974-80 Sachbearb. u. ltd. Stelle Fa. Buntmetall, 1983 Grdg. d. Fa. MEGRAL u. 1983-91 deren Gschf. Ges., ab 1991 Gschf. METALCO. M.: WAC Tennisclub. H.: Tennis. (M.B.).

Shnawa Basim Dr. med. univ.
B.: Prakt. Arzt. DA.: 1220 Wien, Aribog. 28/29/3. PA.: 1220 Wien, Mühlhäufelweg 46. G.: Hilla/Irak, 27. Febr. 1947. Ki.: Nadja, Haider. El.: Rashed u. Amira. S.: 1967 Matura in Mödling, 1975 Prom. K.: Turnus in Wr. Neustadt, 1979 Eröff. d. Praxis, 1983 Dipl. d. betriebsärztl. Kurses. P.: Art. in Fachzeitschriften. H.: Sport, Tennis, Skifahren. (A.W.)

Shorter Steven

B.: Gschf. FN.: Grafikom Hdls. GmbH. DA.: 1050 Wien, Heumühlg. 11. G.: Lynchburg/USA, 22. Okt. 1949. S.: VS u. Gymn. Wien. K.: 1965-69 Betriebstechnik Technolog. Gewerbemuseum Wien, 1970-74 Philips Fernsehwerk Wien, 1974-80 W. Koreska GmbH, 1980-86 Dataline/Dataservice Wien, Abt.-Ltr. Product-Management, 1985 Grdg. u. Prok. TSG EDV-Terminal-Service GmbH, seit 1986 Einzelprok. Firma Artaker, 1991 Grdg. Grafikom Hdls. GmbH u. Gschf. H.: Squash, Bridge, Sammeln v. Modelleisenbahn. (M.-L.A.-M.)

Siart Rudolf Mag.
B.: Wirtschaftsprüfer u. Steuerberater. GT.: allg. beeid. gerichtl. Sachv. DA.: 1160 Wien, Enekelstr. 26. G.: Feuchtwangen/Bayern, 17. Dez. 1953. V.: Brigitte, geb. Traxler. KI.: Jan, Benjamin, Julia. EL.: Franz Josef u. Anna. S.: Gym., Stud. d. Betriebswirtschaft WU Wien, 1978 Abschl. d. Studiums. K.: kaufm. Praxis i. Dienstleistungber., Berufspraxis in großer Kanzlei, 1983 Steuerberaterprüfung, 1984 Grdg. d. kanzlei Mag. Siart, Fachprüfung Wirtschaftspr. u. Steurberater, Projektltr. i. d. Kammer d. Wirtschaftstreuhänder, lehrtätigk. a. d. Akademie f. Wirtschaftstreuhänder, Lehrtätigk. im WIFI Wien. H.: Hammerwerfen, Gewichtheben. (W.J.)

Siber Harald Dr.
B.: FA f. Innere Med. im Sophienspital. DA.: 1070 Wien, Apollog. 19; 1070 Wien, Apollog. 30/7. PA.: 1130 Wien, Mögeleg. 1. G.: Wien, 15. Mai 1951. V.: Eva, Dr. Med., geb. Ditsch; 5 Kinder. El.: Norbert u. Erna, geb. Rothmaier. S.: 1969 Matura, Med.-Stud. Univ. Wien, 1975 Prom., Turnusdienst z. Prakt. Arzt. K.: FA-Ausbild., Tätigkeit in versch. Spitälern, 1979-83 zus. FA-Ausbild., danach FA f. Innere Med. im Sophienspital. P.: zahlr. wiss. Publ., Bücher im In- u. Ausland. M.: seit 1989 Vors. d. Ges. Anthroposoph. Ärzte Österr., Dachverb. Österr. Ärzte f. Ganzheitsmed. H.: Musik, Literatur, Skifahren. (N.A.)

Freiherr v. Siber Wolf-Diether
B.: Vers.-Makler. PA.: 5020 Salzburg, Rennbahnstr. 10. G.: Salzburg, 3. Mai 1948. El.: Walther u. Marie-Rose. S.: Matura. K.: Nach 5-jähriger BH-Dienstzeit Eintritt in d. Anglo-Elementarvers. als Vers.Kfm., 1975 Insp. u. 1979 OInsp., seit XI/1986 selbst. Vers.-Makler, s. II/1993 freier Mitarb. d. Salzburger Stadtinfo. E.: Wallner-Med. in Bronze, BH-VZ III. Kl. H.: Reiten, Segeln, Natur.

Sibitz Bernd Dr. Dkfm.
B.: PR-Berater, Eigentümer. FN.: Dr. Sibitz Public Relations. GT.: Unternehmensberatung in d. Trigau, Entwicklungsberatung Seminarltr. f. d. Österr. Ak. f. Führungskräfte u. f. d. BFI, Univ.Lektor f. Publizistik u. Kommunikationswiss. DA. u. PA.: 1070 Wien, Burgg. 43/7. G.: Pernitz, 26. Sept. 1944. V.: Eva, geb. Csar. Ki.: Marcel, Daniela. El.: Eberhard u. Wilma. BV.: Onkel ÖkR. Glantschnig Organ. d. Ktn. Volksabstimmung 1920 in Völkermarkt. S.: HAK, 1963 Matura, Stud. an d. WU Wien Werbung u. Marketing, Auslandsstip. an d. Johns Hopkins-Univ. Bologna f. Intern.

Relations, 1971 Dipl., 1974 Prom. in Wien. K.: Ang. d. Ktn. Sparkasse, Ang. d. Ersten Österr. Sparkasse, BWK Sekt. Fremdenverkehr, Journalist b. "Economy", Lehrer in d. Schule f. Datenverarb., Presse- u. Medienref. im ÖIE, 1985 PR-Berater in d. "Publico", seit 1987 selbst. BL.: Dramaturgiestip. d. Wr. Volkstheaters. P.: Diss.: "Die Textilind. als Promotor d. ind. Revolution", "Bewußtseinsbild. 3. Welt in Österr.", einige Theater- u. Fernsehstücke "Geschichten aus Österr.", "Ein Baby hat leicht schreien", Festwochenprod. "Turkey", zahlr. Treatments f. ORF. E.: Theodor Körner-Förderungspreis. M.: Grdg.Mtgl. d. Österr. Informationsdienstes f. Entwicklungspolitik (ÖIE), Journalistengewerkschaft, Mtgl. d. Grazer Autorengemeinschaft, Mtgl. d. PR-Verb. Österr., Staatspreis-Jury, PR-VA f. ein Öff.Arbeitsprojekt f. Klein- u. Mittelbetriebe. H.: Familie, Garten. (P.R.)

Sibitz Heinz-Dieter Mag. art.

B.: Dir. d. Musikschule Fürstenfeld. DA.: 8280 Fürstenfeld, Bismarckstr. 8. PA.: 8042 Graz, St. Peter Hauptstr. 33c. G.: Klagenfurt, 1. Mai 1951. V.: Dorothea, geb. Kovacic. El.: Dr. Heinz u. Edith. S.: Pflichtschule, Gymn., 1968 Stud. Musik-HS, 1974 Dipl. f. Flöte, 1975 Dipl. Dirigieren, 1984 Ergänzungsstud. u. Spons. z. Mag. art. K.: 1968-75 Lehrer an d. Musikschule Frohnleiten, 1972-73 Dirigent d. Grazer Singver., 1973-74 Ltr. d. Studentenorchesters d. Kath. HS-Gem. Graz, 1974-75 Vors. Österr. Hochschülerschaft an d. HS f. Musik u. darstell. Kunst Graz, seit 1976 Dir. d. Städt. Musikschule Fürstenfeld, seit 1984 auch freier Mitarb. b. Landesstudio Stmk. d. ORF, Konzerttätigkeit im In- u. Ausland (Deutschld., Frankr., Schweiz). M.: Vorst.-Mtgl. d. Steir. Tonkünstlerbundes, Schlaraffia. H.: Beruf, Literatur. (F.K.)

Sibrawa Kurt

B.: Wirtschaftstreuhänder u. Steuerberater, gschf. Ges. FN.: WT GmbH Sibrawa & Sibrawa Wien. DA.: 1050 Wien, Spengerg. 16. PA.: 1238 Wien-Mauer, Kalksburgerstr. 12. G.: Klagenfurt, 24. Aug. 1929. V.: Margit, geb. Appinger. Ki.: Dr. iur. Christian, Thomas. BV.: Großvater mütterlicherseits Baron Imre Frühwald. S.: HAK Wien, 1947 Matura. K.: 1947 Eintritt in d. väterl. Steuerberatungskzl., 1953 Übernahme d. väterl. Kzl., 1956 Steuerberaterprüf., 1960-64 Doz. f. Einkommensteuer- u. Bilanzrecht an d. VHS, 1964-68 Stud. Nationalökonomie an d. Univ. London, 1968 Grdg. d. Fa. Mentora GmbH & Co KG u. d. Fa. Mentora GmbH, 1976 Verkauf d. Ges.Anteile d. KG d. Fa. Mentora GmbH & Co KG, gschf. Ges. d. WT GmbH Sibrawa & Sibrawa Wien. H.: Antiquitäten, Hund. (A.W.).

Sichler v. Hennyey Wilhelm

B.: Gen.-Dir. (Moden Müller) a.D. PA.: 8010 Graz, Karl-Maria-v.-Weber-G. 9. G.: Judendorf b. Graz, 10. Nov. 1910. V.: Marianne, geb. Schlager. Ki.: Dagmar, Heimo. El.: Hennyey Wilhelm v. u. Sichler Anna. S.: VS, HS, HASCH. K.: gelernter Kfm., Verkäufer, Buchhater, seit 1954 b. Moden Müller (Oberbuchhalter, Vw.Dir., Gen.-Dir.), seit 1980 i.R. M.: BKam. d. gewerbl. Wirtschaft (Deleg. f. Sekt. Warenhäuser), Deleg. d. Dt. HK Stmk. H.: Lesen, klass. Musik, Teppichknüpfen. (R.A.)

Sickinger Christine

B.: Einzelhdls.-Kfm. FN.: Sparmarkt Sickinger. DA. u. PA.: 4972 Utzenaich 16. G.: Utzenaich, 29. Jan. 1944. V.: Harald Sickinger. Ki.: Harald (1969), Klaus (1970), Florian (1976). El.: Max u. Anna Ebetshuber. S.: VS, HS, HASCH. K.: 2 J. im Textilbereich d. Firma Stoff Kastner in Linz, 1 J. Textilbereich in Ried, ab 1964 im elterl. Geschäft tätig, 1969 Übernahme, 1969 Umstellung auf Selbstbedienung. E.: 1993 z. beliebtesten Kfm. v. Bez. Ried gewählt. H.: Familie, Sport (Radfahren, Skifahren), Lesen. (J.L.)

Sickl Albert-Michael Dr. Dipl.-Ing. Dir.

B.: Techn. Vorst.-Dir. d. Österr. Bundesforste. DA.: 1030 Wien, Marxerg. 2. PA.: 3013 Tullnerbach, Forsthausstr. 12. G.: Sirnitz, 4. Juli 1947. V.: Anna, geb. Vuokko. Ki.: Albert (1974), Elisabeth (1976), Martin (1979). El.: Alois u. Maria. S.: HBLA Ursprung Sbg., Stud. Forstwirtschaft Univ. f. Bdk. Wien, 1974 Dipl., 1976 Stipendiat Univ. Otaniemi Helsinki, 1977 Prom. K.: 1972-74 wiss. Hilfskraft u. 1974-77 Ass. am Inst. f. Holztechnologie u. -ind. d. Univ. f. Bdk., 1977 Eintritt Österr. Bundesforste, seit 1988 Techn. Vorst.-Dir. P.: div. Art. in Fachzeitschriften. E.: Silb. EZ f. Verd. um d. Rep. Österr. H.: Bergsteigen, Skifahren, Laufen, Schwimmen. (J.S.)

Sickl Alois Dr. med. vet.

B.: Prakt. Tierarzt. A.: 9571 Sirnitz, Neualbeck 5. G.: Sirnitz, 2. Jan. 1940. V.: Dr. iur. Elisabeth, geb. Landschützer. El.: Alois u. Maria. S.: RG, Vet.Med. Fak. Univ. Wien. K.: Selbst. Tierarzt, Großtierpraxis im extremen Gelände. E.: BH-Verd.Med. M.: OKB, OAV. H.: Skilanglauf, Bergsteigen, Radfahren.

Sickl Dietmar

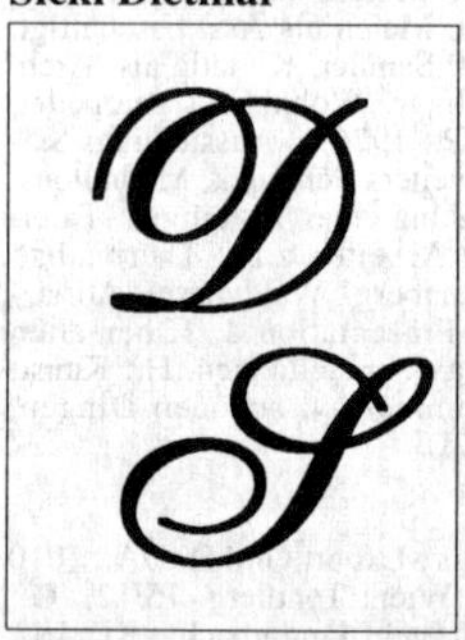

B.: Koch, Gschf. Hotel Rainer. DA.: 9560 Feldkirchen, Eppensteinerstr. 1. PA.: 9560 Feldkirchen, Haiden 18. G.: Haiden, 7. März 1959. Ki.: Andreas (1980), Tatjana (1993). El.: Hermann u. Katharina. S.: VS, HS, 1974-77 Berufsschule Oberwollanig u. Kochlehre im Parkhotel Pörtschach, BH. K.: 1978-93 Tätigkeiten in Saalbach, Kitzbühel, München, Samnaun, Pörtschach, Klagenfurt, Feldkirchen, seit 1993 Gschf. Hotel Rainer. P.: Erwähnungen in versch. fachspez. Zeitschriften. E.: 1. Preis Lehrlingswettbewerb, ORF-Meisterkochen. H.: Radfahren, Schwimmen, Skifahren. (G.L.)

Siderits Helmut

B.: Gschf. d. Top Film Verleih u. Produktions GmbH, Kleine Komödie Betriebs GmbH, Top-Kino-Center. DA.: 1070 Wien, Lindeng. 56. PA.: 1030 Wien, Baumg. 15/7. G.: Stegersbach, 4. Juni 1939. El.: Johanna Siderits. S.: Abendschulmatura, Stud. Schauspiel u. Regie b. Prof. Burgstaller u. Prof. Tenger-Wachsmuth. K.: 1968 Ang. b. Drachengas, danach Diner's Club Austria, 1970 u. 1972

Tournee als Schauspieler in Südamerika, 1973 Regieass. u. Schauspieler am Burgtheater, 1973/74 Eröffnung d. Theaters Kleine Komödie (1978 Übersiedlung v. d. Annagasse in d. Walfischgasse), 1976 Grdg. Top Film GmbH (Schwerpunkt: Verleih v. anspruchsvollen Filmen), 1983 Eröff. d. Kino-Centers. BL.: Mod. Boulevardbühne, Erstaufführungen, anspruchsvolle Filme. H.: Lesen (Biographien), Fernsehen. (Bauer)

Sidlo Ferdinand KommR. Dir.

B.: Touristik Manager. FN.: "travel point vienna". DA.: 1090 Wien, Boltzmanng. 19. PA.: 1090 Wien, Alserbachstr. 11. G.: Wien, 17. Apr. 1947. V.: Christiane, geb. Christodulopulos. Ki.: Sandra (1971), Peter (1974). El.: Ferdinand u. Elisabeth. S.: Schriftsetzerlehre, Grafikausbild. in d. GLuVA. K.: 1966-68 Tätigkeit als Grafiker im Ausland, Übernahme d. elterl. Personenbeförderungsunternehmens in Wien, 1978 Konzessionsprüf. f. Reisebürounternehmen, Grdg. d. Reisebüro "travel point vienna", 1985 Grdg. einer Fremdenführerzentrale, 1985 fachmänn. Laienrichter, KommR. H.: Lesen, Reisen. (M.M.)

Sieb Robert

B.: Inh. FN.: Robert Sieb Immobilien Verw. DA.: 1020 Wien, Praterstr. 33. PA.: 1130 Wien, Hanselmayerg. 9. G.: Wien, 19. Juli 1958. V.: Brigitte, geb. Hartenstein. Ki.: Thomas u. Marcus (1991). El.: Dr. Viktor u. Hilde, geb. Wohlschlager. S.: 1976 AHS-Matura Wien, 1978 HAK-Matura, 1984 Immobilienvermittlerkonzessionsprüf. K.: 1978-84 Praxis b. Dkfm. Franz Tesar, 1984-87 Ang. in dieser Immobilienverw., 1987 Eröff. d. eigenen Kzl. F.: seit 1986 Ges. u. Gschf. d. GmbH "Tennis im Schloß" Wien 23. H.: Tennis, Skifahren. (N.A.)

Siebenhüter Albert Martin

B.: Benediktinerabt. A.: 4650 Lambach, Benediktinerstift. G.: Bergheim b. Neuburg, 28. Juli 1913. El.: Martin u. Barbara. S.: Hum. Gymn., HS-Stud. (S. Anselmo Rom u. Passau, Lizentiat d. Phil.). K.: 1945 Kriegsdienst, 1945-65 Superior (Ltr.) d. Studienkollegs Bergfried in Passau, 1965-68 Prior d. Stiftes Lambach, 1968-72 Adm., seit 1972 Abt. d. Stiftes Lambach. P.: Versch. Art. in Zeitungen u. Zeitschriften. E.: Viele Gold. u. Silb. EZ v. Ver., St. Florian in Gold, Silb. Ehrennadel d. Marktgem. Lambach. M.: Ehrenmtgl. vieler Sportver., Mtgl. d. Kameradschaftsbundes v. Lambach. H.: Phil., Sport, Bergwandern.

Siebensohn Hans Dr. OSenR.

B.: Rechtskundiger Bmtr., Gruppenltr. f. Gesundheitswesen u. Sozialvers.Recht d. Mag. d. Stadt Wien. A.: 1130 Wien, Elisabeth Allee 34. G.: Wien, 19. Dez. 1928. V.: Elise, geb. Kotlan. El.: Johann u. Theresia. S.: VS, RG, Matura 1946, Univ. Wien, Rechts- u. Staatswiss., Prom. Dr. iur. 1950, Prakt. Prüfung f. d. polit. Geschäftsführung 1952, versch. Kurse u. Seminare. K.: 1950-51 Sachbearb. in d. Ldw. Krankenkasse f. Nö, ab 1951 Ref. im Mag.Bez.Amt, nebenberufl. Tätigkeiten: Mtgl. d. Vorst. d. LVerb. Wien d. Arge f. Volksgesundheit, Mtgl. d. Kuratoriums Österr. Krebsforschungsinst., Vors. d. BeiR. d. Arge f. d. Neubau d. Wr. AKH u.a. nebenberufl. Tätigkeiten. P.: versch. Art. in Fachzeitschriften (u.a. "Der Aufbau", "Amtsblatt d. Stadt Wien" u.a.). E.: Gold. EZ d. Wr. Ärztekam., Gold. EZ d. Wr. Univ. M.: SPÖ, Bund Soz. Ak., Hietzinger Kulturver., LVerb. Wien d. Arge f. Volksgesundheit, Ottakringer Kollegentag. H.: Fotografieren.

Sieber Edit Dr. iur.

B.: BotschaftsR., Ltr. d. Konsularabt. Botschaft d. Rep. Ungarn. DA. u. PA.: 1010 Wien, Bankg. 4-6. G.: Kisvárola/Ungarn, 14. Juli 1952. Ki.: Anita Louise (1982). El.: György u. Berta. S.: Jusstud. Univ. Szégéd-Attila Joszef, 1976 Dr., Fachprüf. Richter, Staatsanw. u. RA. K.: 1976-79 Tätigkeit am Gericht f. d. Pester Bez. v. Budapest, 1980 Umzug DDR, b. 1981 f. diplomat. Vertretungen tätig, 1981-86 Rechtstheoretikerin Ak. d. Wiss. DDR, Stud. Humboldt-Univ., 1986 Eintritt Justizmin. in Budapest, Hauptabt. f. Wiss. u. PR, 1989 Hpt.Abt. f. EG-Fragen als Ltr., seit 1990 Ungar. Außenmin., seit 1991 BotschaftsR. in Wien. P.: Beiträge in zahlr. Büchern, Art., Red. d. Jurist. Sammelwerks d. ungar. Justizmin., Art. zu EG-Recht, Produkthaftung, Arbeits-, Sozialrecht. H.: Reisen, Fremdsprachen, Lesen, Filmästhetik, Backen, Gourmet-Küche. (R.J.)

Sieber Eduard Dir. Mag.

B.: Dir. FN.: Bundes Hasch und HAK Mattersburg. GT.: 1971-79 Gem.-Rat Mattersburg, 1979-86 Stadtrat Mattersburg, 1986-91 Bürgermeister Mattersburg. DA.: 7210 Mattersburg, Michael Koch Str. 44. G.: Mattersburg, 5. Juni 1942. V.: Mag. Helma, geb. Hofschneider. Ki.: Sonja (1969), Clara (1975). El.: Eduard u. Kordula. S.: 1961 Gym. Mattersburg, 1962 Deutsch u. Geschichte Univ. Wien, 1969 Lehramtsprüfung. K.: 1967 Lehrer Theresianum, 1968 Lehrer Gym. Mattersburg, 1976 Dir. Hasch + HAK Mattersburg. P.: Der Kreis, Odysse-Gedichtzyklus. H.: Lesen, Theater, Wandern, Schifahren. (M.G.)

Sieber Peter Franz

B.: Installateurmstr., Inh. FN.: Sieber Sanitär u. Heizungstechnik. DA.: 1030 Wien, Kleistg.13/3; 2472 Prellenkirchen, Obere Hauptstr. 14. PA.: 2472 Prellenkirchen, Grünaug. 27. G.: Wien, 5. März 1946. V.: Ingrid Tröbitsch. Ki.: Robert (1965), Peter (1968), Sabine (1971). El.: Stefan u. Rosa. S.: VS, HS, Installateurlehre, Gesellenprüf., BH, 1977 Mstr.-Prüf. K.: 1978 Heizungstechniker, 1978 selbst. in OHG, ab 1991 protokollierte Einzelfirma, seit 1990 Bez.-Kontrahent f. d. Gem. Wien, 1993 Grdg. Filiale Prellenkirchen. M.: HSV, Zentralverb. d.Sportfischer Österr. H.: Angeln, Hobbyschütze.

Sieberer Adam

B.: Tischlermstr., Inh. FN.: Bau- u. Möbeltischlerei Adam Sieberer. DA.: 5541 Altenmarkt 359. PA.: 5541 Altenmarkt 469. G.: Radstadt, 18. Aug. 1956. V.: Margaretha, geb. Schnell. Ki.: Adam (1986), Andrea (1990), Ernst (1991). El.: Adam u. Ingeborg. BV.: lt. Familienwappen b. ins 16. Jhdt. zurückreichend. S.: VS, HS, 1 J. Bundesfachschule, 3 J. Tischlerlehre, 1974 Gesellenbrief, 1976 BH, 1977 Tischlermstr.-Prüf. K.: 1989 Übernahme d. Betriebes. M.: FF Altenmarkt. H.: Hochseesegeln, Motorradfahren. (J.F.)

Sieberer Balthasar Kanonikus

B.: Dompfarrer u. Seelsorgeamtsltr. DA.: 5020 Salzburg, Kapitelpl. 2. PA.: 5020 Salzburg, Kapitelpl. 7. G.: Hopfgarten, 6. Okt. 1941. El.: Alois u. Elisabeth. S.: Gymn. Borromäum, 1963 Matura, b. 1969 Theol.-Stud. Innsbruck. K.: 1969 Priesterweihe, 3 J. Erzieher, 4 J. Kaplan, 1976 Pfarrer in St. Johann im Pongau, Priesterratsobm. d. Erzdiözese, 1988 Domkapitel, Ltr. d. Seelsorgeamtes u. Dompfarrer, seit 1987 Gstl. Ass. d. Kirchenzeitung. M.: Ritter v. Hl. Grab, Lions Club, Kurat d. Bürgergarde. H.: Lesen. (M.S.);

Sieberer Konrad Mag. rer. soc. oec.

B.: Wirtschaftstreuhänder, Steuerberater. GT.: Praktische Tätigkeiten: FA-Innsbruck u. WT-Kzl. Innsbruck, Unterrichtstätigkeit an d. HAK/HAS Schwaz, Wirtschaftsprüfungsaufträge f. Innsbrucker WP. DA.: 6112 Wattens, Swarovskistr. 50. G.: Kufstein, 31. Okt. 1949. V.: Claudia. S.: Matura im RG d. Stiftes Stams, HS-Stud. an d. Univ. Innsbruck. P.: Wiss. Arb.: "Problematik d. unechten Steuerbefreiungen im UStG" u. "Optimale Lagerhaltung". (Schm.)

Sieberer Friedrich

B.: Bäcker- u. Konditormstr., Ges. FN.: F. u. B. Sieberer GesnbR. DA. u. PA.: 5532 Filzmoos 84. G.: Wagrain, 8. Sep. 1940. V.: Barbara, geb. Meisl. Ki.: Anna (1965), Gabriela (1968), Christian (1969). El.: Josef u. Theresia, geb. Goldner. S.: VS, HS, 3 J. Bäckerlehre Firma Weihmann Bischofshofen, Gesellenprüf. K.: 6 Monate Firma Segierer St. Johann, ab 1958 Auslandspraxis als Konditor in d. Schweiz, 1 J. Holland USA Linie als Patissier, 1961 zurück in d. Schweiz, Belgien u. Luxemburg, 1962 wieder Schiff NL/USA, 1969 Bäckermstr.-Prüf., ab 1969 selbst. m. Bäckerei u. Lebensmittelgeschäft Irrsdorf b. Straßwalchen, 1972 Konditormstr.-Prüf. M.: zahlr. örtl. u. reg. Ver. u. Inst. H.: Jagd. (J.F.)

Sieberer Paul

B.: Bgm, Lehrer, Gemeinde Hopfgarten. DA./PA.: 6361 Hopfgarten, Gasteigerfeld 22. G.: Hopfgarten, 5. Okt. 1957. V.: Maria. Ki.: Andreas, Verena, Peter. El.: Elisabeth u. Paul. S.: VS, HS, Boromäum, matura, Pädag 3 J. K.: s. 1979 Lehrer in Hopfgarten, Mathematik u. Geschichte u. Geometrisches Zeichnen. H.: Tennis, Fußball, Radfahren, Berggehen. (A.W.)

Sieberer Wido

B.: Großhdls.Kfm., Gschf. Sieberer GmbH & Co KG. DA.: 6370 Kitzbühel, Ladestraße. PA.: 6370 Kitzbühel, Achenweg 20. G.: Kitzbühel, 26. Juni 1939. Ki.: Wido, Jürgen, Thomas u. Peter. El.: Peter u. Maria. BV.: Urahn Sieberer: Gründer d. Sieberer Waisenhauses Innsbruck. S.: HAK, Matura 1958. K.: 1961 Eintr. in d. elterl. Untern., 1977 Übernahme d. Fa., 1985 Umwandlung d. Betriebes in eine Familienges. M.: Skiclub u. Motorsportclub. H.: Skifahren, Motorsport. (W.G.).

Sieberer-Grohsmann Norbert

B.: freischaff. Künstler, Bildhauer, Maler. DA./PA.: 3300 Amstetten, Ignaz Innerhuberstr. 20. G.: Wallsee, 9. Jan. 1941. V.: Gertraude geb. Grohsmann. Ki.: Andrea (1966), Christoph (1968). El.: Josef u. Anna. BV.: Vater Josef Sieberer Bildhauer. S.: VS, hum. bischöfl. Gymn. Stift Seitenstetten, b. 1959 Bildhauerschule Hallstadt. K.: Zahlr.Ausstell. m. eig. Diashow, Werke i. In.- u. Ausland, z. B.: Dtschl., USA, Schweiz, Finnl., Engl., insges. ca. 700 Werke, Themen aus Religion, Zweierbez., Familienthem., Reifung u. Entwickl., eines d. bedeut. Werke: "Zärtlichkeit" 1989, 2,40 m große Plastik i.stilisierter Gotik, fallw. Vortragstätigk. P.: Bildband: "Norbert Sieberer-Grohsmann Bildhauer". E.: 1989 Verleih. Kulturpreis Stadt Amstetten. M.: Berufsvereinig. bild. Künstler Österr. Schloß Schönbrunn, Kunstkoll. Wien Spittelberg u. Kunstverein Amstetten, Ver. z. Förder. zeitgen. Künstler, Club d. Begegnung Linz, Ursulinenhof. H.: Fotografie. (U.A.)

Sieberth Ernst Dr.

B.: Prim. i.R., emerit. Vorst. d. I. Med. Abt. d. Pflegeheimes d. Stadt Wien-Lainz. GT.: eigene Ordination f. innere Medizin, Ltr. d. Außenstelle für geriatrische Onkologie d. Ludwig Boltzmann Inst. f. klin, Onkologie d. KH d. Stadt Wien-Lainz. DA.: 1130 Wien, Versorgungsheimpl. 1. PA.: 1060 Wien, Leharg. 3A. G.: Haitzendorf/NÖ, 7. Nov. 1923. V.: Elisabeth, geb. Kretz. Ki.: Wolfgang, Anneliese, Andrea, Johanna, Claudia, Eva, Georg, Rudolf, Julia. S.: VS, HS, Stud. d. Med., 1950 Prom. K.: 1951-71 Ausbild. im Sophienspital, 1971-89 Vorst. d. I. Med. Abt. d. Pflegeheimes d. Stadt Wien-Lainz, ab 1981 Ltr. d. Außendstelle f. ger. Onkol. d. Ludwig Boltzmann-Inst. f. klin. Onkol. d. KH d. Stadt Wien-Lainz. BL.: Schaffung einer Planstelle f. Logopädie im PH-Lainz, einer psych. Beratungsstelle im PH-Lainz, sowie Schaffung d. Außenstelle f. ger. Onkol. E.: VK I. Kl. d. Souveränen Malteserordens, Gold. EZ f. Verd. um d. Land Wien. M.: zahlr. med. Ges. H.: Musik. (M.Br.)

Sieder Friedrich

B.: Inh. Gastronomie. FN.: "Arche Noah", "Cafe Heferl", "Cafe, Rest. Platzl", "Rest. Speiskammerl", "Campingplatz Götschl". DA. u.PA.: 5541 Altenmarkt, Oberndorferstr. 146. G.: 25. Jun. 1939. V.: Elisabeth geb. Schnell. Ki.: Michael Glanzer. El.: Mathias u. Hedwig. S.: Private Gastronomiefachschule i. München, Butler, Diplom. K.: 3 J. Tischler i. Mandling m. Gesellenbrief, 1959 BH, b. 1957 a. Tischler tätig, v. 1957-58 u. 1969-70 in d. Wintersaisonen a.Schilehrer i. Filzmoos, Obertauern u. Abtenau tätig, 1960 Privatunterr. z. Schlagzeugler i. Szbg. a. Musiker im "Schillehrer Trio" zw. 1960-70 m. Auftritten i. Land Szbg. u. d. Stmk., 1960-61 i. Gastronomie i. München tätig eine Sommersaison i. Frankfurt , 4 Sommersaisonen i. Rohrmoos/Schladming i. Service tätig, 1965-71 Profimusiker i. d. Herbstmonaten zw. 1965-70 a. Schifachverkäufer i. Horten Kaufhofen i. d. Sportabt. tätig i. Duisburg, Hamborn u. Augsburg tätig, s. 1971 selbst., "Arche Noa" i. Altenmarkt errichtet, 1978 Cafe Heferl eröffnet, 1979 Campingplatz eröffnet, 1989 Cafe Rest. Platzl i. Altenmarkt eröffnet, 1993 Galerie Einzigartig eröffnet. H.: Familie, Gastronomie. (J.F.)

Sieder Karl

B.: Inh., Unternehmer. FN.: Tauernlanglaufschule Karl Sieder. DA.: 5541 Altenmarkt i. Pongau, Zauchenseestr. 104. PA:: 5541 Altenmarkt i. Pongau, Oberndorferstr. 191. G.: Radstadt, 19. Mai 1951. V.: Marianne, geb. Stolt. Ki.: Sandra (1984), Danja (1986). El.: Karl u. Theresia. S.: VS, HS, BS. K.: 4 Lehrjahre als Bäcker u. Konditor i. Altenmarkt, 1969 m. Gesellenbrief abgeschlossen, 1969-70 Schilehrerausbildung am Kitzsteinhorn, 1970-73 asl Schilehrer u. Profischirennfahrer i. d. USA/Montsnow/Vermont, b. 1980 i. d. Schweiz asl Konditor tätig, staatl. Schilehrerausbildung absolviert, s. 1980 selbstst. als Langlaufschischulbesitzer, Erweiterung d., Betriebes auf Schiverleih u. Sportartikelhandel. E.: zahlr. Siege i. Nordischen u. alpinen Wettbewerben. H.: sport, Musik, Lesen. (J.F.)

Sieder Martha Dr.

B.: Ltr. d. Schulservice im BMUKS. DA.: 1040 Wien, Minoritenpl. 5. PA.: 1110 Wien, Pretschg. 21. G.: Wilhelmsburg, 2. Okt. 1947. El.: Karl u. Maria Sieder. S.: VS, HS, 1961-66 LBA in Krems, Stud. an d. Univ. Wien, 1981 Prom., während d. Stud. Mitarb. am Karl Renner-Inst. Wien. K.: 1977-82 Mitarb. am Inst. f. Wiss. u. Kunst, Organ. v. Vorträgen, Seminaren, Lesungen, Ausstellungen, Arbeitskreisen, 1982 Eintritt in d. BMUKS in d. Schulserivce, später deren Ltr. P.: Gestaltung v. Informationsbroschüren zu Schulfragen. M.: Inst. f. Wiss. u. Kunst, ASG, Frauenforum Urania. H.: Skifahren, Reisen. (M.B.)

Sieder Roland

B.: Gschf. FN.: Minolta Austria GmbH. DA.: 1131 Wien, Amalienstr. 59-61. G.: Wien, 4. Mai 1940. (V)

Siedler Georg Wilhelm

B.: Schauspieler, Antiquitätenkfm. A.: 1090 Wien, Widerhoferg. 7/7, 1010 Wien, Kohlmarkt 3. G.: 3. Juni 1943. S.: RG, Ak. f. Musik u. darstell. Kunst, Wien. K.: Schauspiel Max Reinhardt-Seminar in Wien, Engagements an d. großen Musical- u. Operettenhäusern im deutschsprachigen Raum, Film, Fernsehen, Inh. eines Antiquitätengeschäftes. F.: In Tageszeitungen im deutschsprachigen Raum u. Israel. P.: "Billy", "Gigi", "Maske in Blau", "Irma la douce", "Zirkussprinzessin", "Golden Girl", "Lustige Witwe", "Die Blume v. Hawai". H.: Ski, Eislaufen, Wasserski, Tennis, Reiten, Studien d. Mitmenschen, Reisen an d. Meer, Gartenarb.

Siedler Rudolf Dipl.-Ing.

B.: Dir., Vorst.Mtgl. A.: 2500 Baden, Mozartstr. 29. V.: Elfriede, geb. Schediwy. El.: Karl u. Johanna. S.: TU Wien, Starkstromtechnik. K.: 1954-61 Österr. Brown-Boveri-Werke AG Wien, 1961-66 AG Brown-Boveri & Cie, Baden/ Schweiz, seit 1966 Österr. Brown-Boveri-Werke AG Wien, seit 1967 Dir., 1969 Vorst.Mtgl. H.: Bergsteigen, Skilauf.

Siedler Wolfgang A.

B.: Kunsthändler, Juwelier, Experte, Schallplattenproduzent, Designer. DA.: 1010 Wien, Himmelpfortg. 13-15. PA.: 1180 Wien, Währinger Str. 99. G.: Wien, 16. Sept. 1939. El.: August u. Wilhelmine. S.: VS, Mittelschule, 8 Sem. Stud. d. Kunstgeschichte u. d. Archäologie. K.: 1958 elterl. Lehre in Kunst- u. Antiquitätenhdl., Restaurierlehre, 1968 selbst., Übernahme versch. öff. Funktionen: 1969 ger. beeid. Kunstsachv., 1970 ger. beeid. Masseverw., 1974 Eröff. einer Restaurierwerkstatt, 1975 Schmuckhdl., Vors. d. Berufsgruppe f. d. Kunst- u. Antiquitätenhdl. im BGremium, 1983 Prod. v. CDs u. MCs, 1989 Gründ. Kunst- u. Musikverlags, Exporte nach Japan. P.: Red. Beiträge in intern. Zeitschriften auf d. Sektor Kunst. M.: Präs. d. österr. Kunsthändlerver., Obm. d. Kulturges. CERCLE Wien Innere Stadt (CIS), Mtgl. d. PunzierungsbeiR. H.: Schach, Skifahren, Segeln, Jagd, Hobbykoch. (H.P.)

Siegel Albert

B.: Gschf. Ges. FN.: Siegel & Söhne GmbH. DA.: 4020 Linz, Teuschmannweg 1. PA.: 4020 Linz, Stefan-Fechter-Weg 2. G.: Linz, 8. Sept. 1940. V.: Gudula, geb. Heiserer. Ki.: Martin (1961), Mag. Rainer (1963), Mag. Dieter. El.: Albert u. Gertrud. S.: VS, Gymn., 1960 Matura, 2 J. Jusstud. K.: 1963 Eintritt in Landesarbeitsamt OÖ in Personalabt., 1964-67 Ltr. f. Abt. Anlagenbau u. Hdl. EBG, 1968 Ltr. d. techn. Gummigroßhdls. u. Sportartikeldetail u. -großhdl. Firma Rosenbauer, 1976 Grdg. d. Siegel GmbH, b. 1979 Gen.-Vertretung d. Tennisballmarke "Tretorn", anschl. Gen.-Vertretung d. Firma Penn, seit 1992 beratende Funktion Penn Intern.: Marktforsch. in Österr. P.: Veröff. in Fachzeitschriften. M.: EBG, ULTV, 1981-82 im Vorst., Coach u. Trainer d. Damen Staatsligamannschaft, Golfclub Salzkammergut Bad Ischl, Tennisclub Weyregg, Tennisclub Alkhofen. H.: Lesen, Tennis, Golf, Skifahren, Schwimmen. (U.A.)

Siegel Heimo Mag. iur. HofR.

B.: Sicherheitsdir. FN.: Sicherheitsdir. f. d. Bundesland OÖ. DA.: 4020 Linz, Nietzschestr. 33. G.: Linz, 23. Sep. 1941. Ki.: Oliver, Teresa, Lorenz. S.: VS, Realgymn., 1960 Matura, 1961 BH, Stud. Jus a. d. Univ. Wien. K.: 1968 Polizeikommissär i. d. Bundespol. Dion Linz, Ref. f. Betrugs-, Wirt- u. Blutdelikte, 1980-90 b. Staatsschutz, Abt.-Ltr. d. Präs.-Abt., a. 1992 Sicherheitsdir. f. OÖ, s. 1993 i. heutiger Position. E.: Graduierter d. FBI-Akad. (1989). H.: Familie, Hund, Skifahren. (U.A.)

Siegel Simon RgR. OSR.

B.: Dir. A.: 8344 Bad Gleichenberg, Villa Wickenburg. G.: Turrach, 20. Okt. 1922. V.: Sieglinde, geb. Klovar. El.: Rudolf u. Maria. S.: VS, HS, Höhere Forstlehranst., Lehrabschlußprüf. f. Köche u. Kellner, Lehrbefähigungsprüf. f. mittlere techn. u. gewerbl. Lehranst. u. Berufsschulen. K.: Vw., Wirtschaftsltr., Hoteldir., Dir.Stellv. Hotelfachschule-Berufsschule, Dir. LBerufsschule f. d. Gastgewerbe Bad Gleichenberg u. Aigen/Ennstal. P.: Autor v. Servier- u. Getränkekunde, Küchentechn. Leitfaden, Nahrungsmittelkunde, Fremdenverkehrskunde, Handlexikon d. Getränke Bd. I Bar, Mixgetränke, Spirituosen, Bd. II Alkoholfreie Getränke, Kaffee, Tee, Bier, Wein. E.: Gr. EZ d. Landes Stmk., Vice Conseiller Gastronomique Chain des Rotisseurs, Weinritter Österr. Weinbruderschaft, Ehrenmtgl. Österr., Kochverb., Güldene Reisewelt Hamburg, Silbermed. f. d. Buch Servier- u. Getränkekunde, Ehrenringträger d. Gem. Bad Gleichenberg d. Steir. Fremdenverkehrs u. d. Steir. LBerufsschule f. d. Gastgewerbe, Goldmed. d. Österr. Roten Kreuzes. M.: Kameradschaftsbund, Musikver., Sängerbund, Ehrenobm. d. Tennisclubs Bad Gleichenberg, Präs. d. Sportver. LUV u. Union Bad Gleichenberg. H.: Elektron. Datenverarb. in d. Hotellerie.

Siegert Heinz

B.: Schriftsteller, Journalist. PA.: 1050 Wien, Wiedner Hauptstr. 81/16. G.: Wien, 19. März 1924. K.: Absolvent d. LBA St. Pölten, 1942-45 Kriegsdienst, seit 1945 als Journalist, Schriftsteller u. Verlagsltr. tätig u.a. als Auslandskorresp. in Sofia u. Ltr. d. Buchprogramms d. Buchgemeinschaft Donauland. Spezialgebiete: Südosteuropa u. Donauraum. Bücher u.a.: "Hausbuch d. Österr. Geschichte", "Die Thraker" (Wo einst Apollo lebte), "Das blieb v. Alten Österr.", "Die Donau" (Strom u. Schicksal Europas), "Adel in Österr." (Hsg), "Nicolae Ceausescu" (Biographie). M.: Journalistengewerkschaft, Österr. Schriftstellerverb. (A.W.)

Siegert Jürgen Dr. iur.

B.: Gschf. Ges. FN.: Siegert Waffen GmbH & Co KG. DA.: 8010 Graz, Münzgrabenstr. 81. PA.: 8043 Graz, Janischhofweg 48. G.: Preßburg, 17. Juni 1941. V.: Ulla, geb. Wagner. Ki.: Jörg (1971), Robert (1974), Heimo (1979). El.: Walter u. Valerie. S.: AHS Graz, 1960 Matura, Jusstud. Graz, 1969 Abschluß, 1969 BH. K.: parallel z. Stud. Lehre als Waffenkfm. u. Büchsenmacher, 1972 Gesellenprüf., Mitarb. im väterl. Unternehmen, 1976 Umwandlung in GmbH & Co KG, Eintritt als Gschf. Ges., 1986 Übernahme d. restl. Ges.-Anteile nach Ausscheiden d. Vaters, 1983 Konzessionsprüf., Beteiligung an d. Siegert Hubertus KFT Ungarn. M.: 22 J.

aktiv Rotes Kreuz, Vors. d. Berufsgruppe Waffen- u. Munitionshdl., HK Stmk., Bundeswirtschaftskam. H.: Segeln, Jagd. (F.K.)

Siegert Walter KommR.

B.: gschf. Ges. d. Fa. Siegert Waffen GmbH KG Graz, Sekt.Obm.Stellv. d. Sekt. Hdl. d. HK f. Stmk. PA.: 8010 Graz, Rieshang. 60. M.: Gremialvorst. d. LGremiums Eisenhdl. etc. d. HK f. Stmk., Vors. d. BBerufsgruppe d. Waffen- u. Munitionshdls., AufsR. d. Grazer Stadtwke. AG Graz u. GWS Heimstätte Gemeinn. Ges. f. Wohnungsbau u. Siedlungswesen mbH Graz.

Siegesleitner Josef

B.: Gschf. FN.: Florett GesmbH. DA.: 5280 Braunau, Hans-Sachs-Str. 4. PA.: 5280 Braunau, Salzburgerstr. 40. G.: Braunau, 16. Juli 1939. V.: Gerda. Ki.: Josef (1974). El.: Elise u. Josef. S.: 1953-56 Lehre als Schuhmacher, 1956-68 kfm. Ausbildung, bis 1969 im Schuhhandel tätig, ab 1969 bei Fa. Florett im Verkauf tätig, 1981 Prokura erhalten, 1992 Gschf. von Florett in Österr. H.: Bergwandern, Radfahren, Skifahren. (J.L.)

Sieghardt Horst

B.: Inh., Gschf. FN.: Horst Sieghardt Ges.m.b.H. DA./PA.: 2340 Mödling, Friedrich Schillerstr. 88. G.: Mödling, 24. Mai 1952. V.: Monika geb. Fleischer. Ki.: Claudia (1972). El.: Günther u. Valerie. S.: 1972-76 Lehre KFZ-Mechaniker Wien. K.: 1976-78 Fa. Denzel Wien, 1978 Mstr.-Prüfung f. KFZ-Mechaniker, 1978 Grdg. H. Sieghardt GmbH. Mödling, Toyota-Vertr., Restauration v. Oldtimer, s. 1983 Gem.-Rat i. Mödling. M.: Österr. Automobilklub f. KFZ-Mech., Blau Schild Werkstätte. H.: Oldtimer, Skifahren, Wandern. (I.K.)

Siegl Anna Maria

B.: Stellv. Gschf. FN.: Siegl Handeslges.m.b.H. DA.: 5204 Straßwalchen, Steindorf 194. PA.: 5204 Straßwalchen, Braunauerstr. 33. G.: Lengau/OÖ, 12. Okt. 1945. V.: Otmar. Ki.: Josef-Norbert, Andreas-Otmar. S.: VS, HS. K.: danach als Anlernkraft im Büro zunächst im Bekleidungssektor tätig, später in einem Verlag, anschl. 20. J. in einem Baubetrieb div. Kurse absolv., danach in Baufirma v. d. Pieke auf im Sekräteriat, Fakturierung, Umstellung auf EDV danach Buchhaltung, 1991 m. Ehemann selbst. als Gruppe d. Bauprofis , eigenständiges Unternehmen, 1993 Glas- u. Porzellanfiliale gegründ. H.: Haus, Garten. (D.E.)

Siegl Anton

B.: Weinbauer, Bgm. v. Breitenbrunn. DA.: 7091 Breitenbrunn, Eisenstädter Str. 18. PA.: 7091 Breitenbrunn, Josef-Haydn-G. 7. G.: Breitenbrunn, 26. Feb. 1949. V.: Rosa, geb. Hoffmann. Ki.: Johannes (1974), Anton (1975), Thomas (1987). El.: Anton u. Paula. S.: VS, HS, Ldw. Fachschule Eisenstadt. K.: Fahrverkäufer in Getränkebetrieb, 1986 selbst. als Weinbauer, 1985 VBgm., 1987 Bgm. E.: mehrere Ausz. f. d. Weine. M.: Feuerwehr. H.: Weinbauer. (R.T.)

Siegl Christian Dipl.-Ing.

B.: Gschf. FN.: VMG-DIE ERSTE österr. Spar-Casse-Bank Versicherungsmakler GmbH. DA.: 1190 Wien, Heiligenstädter Lände 29. PA.: 1190 Wien, Aslang. 13. G.: Wien, 12. März 1939. Ki.: Thomas (1966). El.: Christian u. Agnes. S.: Piaristengymn. Wien, 1957 Matura, Univ. f. Bdk. Wien. K.: 1969 Wiener Allianz, seit 1978 Gschf. VMG. M.: Mtgl. d. kath. österr. HS-Verb. Alpenland, Vorst.Mtgl. d. Verb. Österr. Vers.Makler. H.: Malen, Sport, Reisen. (P.R.)

Siegl Günther Ing.

B.: Planender Baumstr. FN.: Planungsbüro Siegl. DA./PA.: 4822 Bad Goisern 611. G.: Bad Ischl, 11. Aug. 1960. V.: Regina, geb. Kieneswenger. Ki.: Andreas, Sabine. El.: Karl-Heinz u. Josefine Schwaiger. S.: VS, HS, HTBLA in Krems. K.: 1978-79 Arch. Büro Bad Ischl, 1980-93 b. Stern u. Hafferl in Gmunden zuständigg Bauleitungs u. Projektierungsarb. im Hoch u. Industriebausektor, 1990 Konzessionsprüf. f. BM Gewerbe, 1992 Konzessionsdekret Baumstr., Aug. 1993 selbst. als planender Baumstr. M.: Mtgl. d. Kammer d. Gew. Wirtschaft OÖ, Tennis- u. Turnverein. H.: Skilauf, Tennis. (M.G.)

Siegle Rudolf

B.: Gschf. FN.: Springer Verlag, Böhlau Verlag GmbH & Co KG, Minerva wiss. Buchhdlg. GmbH. DA.: 1220 Wien, Sachsenpl. 4-6. PA.: 1060 Wien, Esterhazyg. 10/3. G.: Freiburg, 27. März 1944. V.: Susan, geb. Pendlebury. Ki.: Katia, Fabian. S.: Hum. Gymn. Stuttgart, verleger. Ausbild. in d. BRD, England, USA u. Frankreich. K.: ab 1970 Gschf. d. Firma Stechert - McMillan Stuttgart u. Paris, intern. Bibl.-Lieferant, 1977 Vertriebsdir. d. Springer Verlages in Wien, ab 1982 Gschf.d. Firma Minerva wiss. Buchhdlg. GmbH, ab 1988 Gschf. u. Verlagsdir. d. Springer u. Böhlau Verlages GmbH & Co KG. H.: Literatur, mod. Kunst. (R.T.)

Siegmeth Angelina

B.: Dipl.-Grafikerin, Designerin u. künstl. Ltg. d. Fa. Arta-Kunsthandwerk. DA.: 1020 Wien, Große Sperlg. 36. PA.: 1020 Wien, Weintraubeng. 19. G.: Tientsin (China), 6. Jan. 1936. V.: Julius. Ki.: Andreas, Stefan). El.: Georg u. Maria Prosenc. BV.: Antonio D. ital. Gen.Kon. z. Zarenzeit in Swerdslowsk. S.: 1956 höhere graf. Lehr- u. Versuchsanst. in Wien, Diplomgrafikerabschluß. K.: 1965 Fa.Grdg., eigene Entwürfe v. Schmuck, Wand- u. Tischuhren, mod. Accessoires. BL.: Weiterentwicklungen im Wr. Email-Kunsthandwerk. P.: über 100 Art. in versch. Fachzeitschriften. H.: Archäologie, Zeichnen, Malen, Blumen, Gartenarb., Kochen. (Schm.)

Siegmeth Walter Dr. med. Prim.

B.: Arzt u. Ltr. d. Ludwig-Boltzmann-Inst.: Forschungsstelle f. Epidemiologie rheumat. Erkrankungen. PA.: 1180 Wien, Herbeckstr. 33. G.: Wien, 22. Febr. 1936. V.: Dipl.-Kfm. Mag. Lore Pichler. Ki.: Dr. med. Alexander (1966), Verena (1970). El.: Johann u. Friederike. S.: Hum. Gymn., Stud. d. Med., Prom. 1961. K.: FA f. Innere Med., Spezialausbild. in Rheumatologie, ärztl. Ltr. (Prim.) d. Rheuma-KH Baden. P.: Ca. 80 med. Publ. E.: Körner-Preis, Staatspreis f. Rheumatologie. M.: Österr. Ges. f. Innere Med., Österr. Ges. f. Rheumatologie, Dt. u. Engl. Ges. f. Rheumatologie, American Rhumatism Association. (J.S.)

Siegmund Ernst Dipl.-Ing.

B.: Vorst.-Dir., Gschf. FN.: VOEST-ALPINE Schienen GmbH. GT.: Gschf. AUSTRIA DRAHT GmbH Bruck/Mur. DA.: 8700 Leoben Kerpelystr. 199. PA.: 8600 Bruck/Mur, Dr.-Karl-Renner-Str. 37. G.: Hombok/CSFR, 16. Febr. 1938. V.: Mag. Eleonore. S.: Montanuniv. Leoben. M.: VPräs. Handballclub HC Stadtwerke Sparkasse Bruck/Mur.

Siemer Robert Dr.

B.: RA. FN.: Kzl.Gemeinschaft Dr. Siemer, Dr. Siegl, Dr. Füreder. GT.: Vors. d. AufsR. d. Austrosaat Österr. Samenzucht u. Hdls. AG u. d. Betriebsverw. u. Beteiligungs AG. DA.: 1010 Wien, Dominikanerbastei 10. G.: Bregenz, 25. Aug. 1926. V.: Marie Theres, geb. Wachter. S.: Stud. Univ. Innsbruck, 1951 Prom. K.: seit 1959 RA in Wien. (C.K.)

Siems Manfred Mag.

B.: Ak. Dipl.-Restaurator. DA.: 1040 Wien, Waagg. 14. G.: Wien, 14. Aug. 1948. El.: Franz u. Johanna. S.: Matura, Stud. Ak. d. bild. Künste, Mstr.-Kl. Konservierung u. Restaurierung b. Prof. Kortan. K.: Tätigkeit als Gemälderestaurator. M.: Präs. d. Österr. Restauratorenverb. H.: Bild. Kunst m. Schwerpunkt zeitgenöss. Malerei. (N.A.)

Siengalewicz Zeno Dr.

B.: FA f. Innere Med. DA. u. PA.: 6370 Kitzbühel, Josef-Pirchl-Str. 23. G.: Wien, 13. Jan. 1930. V.: Ingeborg, geb. Schicker. Ki.: Dr. Irene, Ilse, Peter. El.: Zeno u. Franziska. BV.: Familie Ritter v. Schilling-Siengalewicz seit 1507 (Maximilian I.) in zahlr. Geschichtsquellen nachgewiesen. S.: VS, hum. Gymn., Matura, ab 1947 Med.Stud. Univ. Wien, 1953 Prom. K.: Ausbild. im KH Rudolfsstiftung Wien, 1954-70 FA-Ausbild. u. Ass.Arzt im Bez.-KH Kufstein, 1961 FA-Zuerkennung, seit 1971 FA-Praxis in Kitzbühel. BL.: ehemal. Vortragender u. Prüfer d. Schwesternschule im KH Kufstein. H.: ärztl. Forsch.Arb., Beschäftigung m. Naturwiss. (W.G.)

Sierlinger Dietmar

B.: Gschf. Ges. FN.: "Mthras Reisen". GT.: allg. beeid. gerichtl. Sachv. DA.: 3100 St. Pölten, Klosterg. 1a. PA.: 3385 Hafnerbach, Josef-Fischer-G. 5. G.: Amstetten, 18. Dez. 1957. Ki.: Philip (1991). El.: Anton u. Aloisia, geb. Katzengruber. S.: VS, HS, HTL. K.: 1974 Eintritt in d. Reisebürobranche in St. Pölten, 1979 Ltg. d. Gruppenabt., 1985 Büroltr., 1986 Grdg. eines eigenen Reiseunternehmens, 1989 Prüf. z. allg. beeid. gerichtl. Sachv. f. d. Reisebürogewerbe. P.: Ausarb. eines Lehrplanes f. Reisebürokunde an BORG. M.: Tourismuskmsn. d. Mag. d. Landeshauptstadt St. Pölten, Vors.-Mtgl. d. City-Club d. Kaufmannschaft St. Pölten. H.: Kochen u. gut Essen, Fußball, Journalistik. (M.M.)

Siffert Hans

B.: Tänzer, Schauspieler, Choreograph. FN.: Burgtheater. DA.: 1010 Wien, Dr. Karl Lueger-Ring 2. PA.: 1070 Wien, Hermanng. 31/10. G.: Baden, 21. Dez. 1959. V.: Gabi. Ki.: Julian (1993). El.: Matthias u. Anna. S.: AHS Mat. Eisenstadt, einig. Sem. Stud. Rechtswiss. Univ. Wien, Tanzausbild. Wien u. Gesangsausb. b. Fr. Prof. Prinz Wien. K.: Auftr. i. Musicals: 1978-79 "Jesus" i. Jesus Christ Superstar Erstauff. Österr., 1982 "Joseph" i. Joseph and his amazing technicolor dreamcoat" Erstauff. Österr., 1985 "Lukas" i. Fata Morgana, Urauff., Tänzer Volksoper: "Kiss me Kate", i. ORF Prod., 1988 Tanzproj. m. Filmakad.: "Children´s Songs" v. Chick Corea, Choreogr. Gabi Seeleitner, 1978-88 Keyborder, Sänger, Arrang. Tanzband "Playboys". M.: s. 1990 Burgtheater. H.: Computerarb., Kompositionen.

Sigel-Fernbach Dany

B.: freischaff. Schauspielerin. PA.: 1160 Wien, Hellg. 3/21. V.: Carl Wilhelm Fernbach. Ki.: Mischa (1961), Peter (1965). El.: Anton u. Ernestine Sigel, geb. Wratschko. BV.: Großtante Hanne Günther war in d. 30-40er J. in Deutschland eine bekannte Charakterkomikerin. S.: Reinhardt-Seminar in Wien b. Prof. Nicoletti, Fred Liewehr, Prof. Jaray. K.: ab 1960 schauspieler. Tätigkeit in Hamburg, Frankfurt, Basel, Zürich, München, Finnland, Spanien u. Wien: Theater in d. Josefstadt, Theater an d. Wien, Fernsehserie u.a. "Wenn d. Vater m. d. Sohne", "Hotel Sacher", "Familie Merian", Filmproduktionen u.a. "Dreimädelhaus", "Der Priester u. d. Mädchen", in d. 60er J. Teilnahme an allen Peter Alexander u. Peter Kraus Filmen. E.: "Oskar". M.: Maxi Böhm-Ver. f. d. Steiner Schule, MS-Ges., Green Peace. H.: Märchen schreiben, Gitarre u. Klavier spielen, Litratur, in d. Sonne am Meer liegen. (N.A.)

Sighart Walter

B.: Vorst.Dir. FN.: Tel Mineralwolle AG. DA.: 2000 Stockerau, Prager Str. 77. (V)

Sighel Wilhelm Dkfm. Mag.

B.: Dir. d. HAK u. HAS St. Johann/Pongau. GT.: Ortsparteiobm. ÖVP, Gem.-Vertreter. DA.: 5600 St. Johann/Pongau, Alte Bundesstr. 11. PA.: 5600 St. Johann/Pongau, Rettenstein 70. G.: Schwarzach, 11. Mai 1945. V.: Christine, geb. Fuchs. Ki.: Astrid (1970), Sylvia (1971). El.: Mario u. Margarethe. S.: 1964 Matura Gymn. St. Johann/Pongau, 1964-68 Stud. HS f. Welthdl. in Wien. K.: b. 1970 Finanzbuchhalter Firma Liebherr, 1970 Vertragslehrer f. kfm. Fächer, 1975 Lehramtsprüf. Wien, Seminare am Päd. Inst., Bild.-Reisen u. Kongresse, 1988 Dir. HAS u. HAK St. Johann/Ponau. P.: Seminare z. Lehrerfortbild. M.: Kath. Studentenverb. (MKV), SIEC, Kiwanis-Club. H.: Gartenbau, Reisen. (G.P.)

Sigl Elisabeth

B.: Damenkleidermachermstr. u. Inh. d. Schneider-Boutique Elisabeth. DA.: 1090 Wien, Porzellang. 49A. PA.: 1100 Wien, Quellenstr. 27/35/14. G.: Wien, 11. Jan. 1956. V.: Josef Sigl. Ki.: Stefan (1982), Thomas (1984). El.: Kurt u. Hildegard. S.: Damenkleidermacherschule Wien, Gesellenprüf., 1988 Mstr.-Prüf. K.: Tätigkeit in d. Werkstätten d. Innenstadtboutiquen Trixi Becker, Englische Flotte, Lilly

Bauer, Fa. Böcker, 1991 Übernahme d. Boutique Maria Elis, spezialisiert auf Damenbekleidung nach Maß. H.: Mode. (J.S.)

Sigl Gerold Dipl.-Ing.

B.: Dipl.-Wirtschaftsing., Laborltr. d. Hydrolog. Untersuchungsstelle Sbg., staatl. amtl. Prüfanst. GT.: Univ.Lehrbeauftragter an d. Univ. Sbg. DA.: 5020 Salzburg, Lindhofstr. 5. PA.: 5162 Obertrum am See, Schmiedweg 6. G.: Seekirchen, 15. Okt. 1946. V.: Margrit, geb. Spiegel. Ki.: Constanze, Fabian, Clarissa. El.: Dipl.-Ing. Josef u. Dr. phil. Gertraud. BV.: Josef Sigl 1775 Übernahme d. Brauerei. S.: BRG Sbg., 1965 Matura, Ind.Praxis in Österr., BRD, Schweiz, Stud. TU München Weihenstephan, Gärungstechnik u. Lebensmitteltechnologie, Grad., Stud. TU München, Arbeits- u. Wirtschaftswiss. Grad. K.: 1974 Eintritt in Hydrolog. Untersuchungsstelle Sbg. M.: Lions-Club Mattsee, Landsmannschaft im CC Bavaria Weihenstephan, Bund österr. Brau- u. Malzmstr., Österr. Ges. f. Hygiene, Mikrobiologie u. Präventivmed. H.: Tennis, Skifahren, Radfahren, Kräuter im Garten, Lesen. (A.W.)

Sigl Josef

B.: Gschf. Ges. FN.: Ursulinenhof Restaurant Betriebs GmbH. DA.: 4020 Linz, Landstr. 31. PA.: 4040 Puchenau, Lianengang 17. G.: Schwanenstadt, 7. Dez. 1952. V.: Brigitte, geb. Wurm. El.: Josef u. Sarah. S.: VS, HS, b. 1971 Konditorlehre b. Konditorei Rohringer in Seewalchen am Attersee, 1971-72 BH, Hotelfachschule Innsbruck, b. 1975 Auslandsaufenthalt London, Frankreich u. Schweiz. K.: 1975-78 Gschf. Wienerwald Konzern, 1980-82 Gastronom. Ltr. d. Gerngroß-Konzerns, 1982-80 selbst. m. Eröff. d. vegetar. Restaurants "Getreidemühle", 1989 Übernahme d. Ursulinenhof, 1979-80 Gschf. Gaststätte Klosterhof. P.: zahlr. Art. M.: seit 1989 Mtgl. d. Wirtschaftsbundes, seit 1990 HK, seit 1991 Lionsclub Linz-City, Prüf.-Kmsn. f. Lehrabschlußprüf., seit 1989 OÖ Somelierver. H.: Blasinstrumente aktiv, Tennis, Skifahren. (U.A.)

Sigl Robert

B.: Mtgl. d. NatR., Bmtr. d. ÖBB. DA.: 1017 Wien, Dr.-Karl-Renner-Ring 3. G.: Ober-Grabendorf, 1. Aug. 1943. S.: Berufsschule, Lehre als Maschinenschlosser, 1965-66 Soz.Ak. K.: Triebfahrzeugführer b. d. ÖBB, Maschinenmstr.Prüf., seit 1967 gew. Vertrauensobm. d. ÖBB, 1974 Obm. d. Gewerkschaft d. Eisenbahner St. Pölten u. seit 1987 Bez.Obm. Konsum Österr., 1979 Mtgl. d. LExekutive d. ÖGB NÖ, 1988 Vors. d. ÖGB-Bez.Aussch. St. Pölten, 1963-79 Ortsparteiobm.Stellv. u. 1979-84 Ortsparteiobm. d. SPÖ Ober-Grafendorf, 1977 KamR. d. AK f. NÖ, seit 1989 Abg. z. NatR. E.: SV, SM d. NÖ Gem.Verb.

Sigl Wolfgang Ludwig

B.: Student. PA.: 4100 Ottensheim, Stifterstr. 30. G.: Linz, 23. Dez. 1972. El.: Wolfgang u. Renate. BV.: Mutter Renate Sigl-Sika erreichte 2 Mal EM Bronce /Rudern u. war 35 Mal Österr. Staatsmeisterin /Rudern, Vater Wolfgang Sigl war 2 Mal Österr. Staatsmeister /Rudern, Sika Franz (Großvater) 5 Mal Trainer f. Olymp. Spiele (1956-72), Sika-König Eva (Großmutter) 21 Mal Österr. Staatsmeisterin im Rudern, 8 Mal Medaillen bei Europameisterschaften im Rudern. S.: VS, Gymn., Stud. BWL. K.: Goldmedaille WM 1993 Roudnice im Rudern. H.: Game Boy, alle gängigen u. ausgefall. Sportsarten. (K.M.)

Sigmund Helmut

B.: ltd. Red. d. Kulturabt. ORF Fernsehen. DA.: 1136 Wien, Würzburgg. 30. G.: Wien, 7. Nov. 1935. V.: Annemarie. El.: Karl u. Gertrude. S.: Stud. Theaterwiss. u. Germanistik Univ. Wien, Max Reinhardt-Seminar Abt. Schauspiel, 1959 Abschluß. K.: Schauspieler an div. Wr. Theatern, Nachrichtensprecher b. Fernsehen, Red. im Aktuellen Dienst d. Fernsehens, Red. f. versch. Sendungen d. Kulturabt. d. Österr. Fernsehens: Aktuelle Berichterstattung u. Kulturelle Magazine. H.: Wandern, Schwimmen. (J.S.)

Sigmund Siegbert

B.: Prok., Ltr. Personal u. Soziales. FN.: Austria Tabak. DA.: 1090 Wien, Porzellang. 51. PA.: 3500 Krems-Egelsee, Am Neuberg 21. G.: Fürstenfeld, 28. Mai 1940. V.: Rosemarie, geb. Peindl. Ki.: Michael (1961), Rosemarie (1965), Heinz (1969). El.: Heinrich u. Friederike, geb. Höchtl. S.: HASCH, REFA-Ausbild., Musikausbild. am LKonservatorium Graz, Weiterbild. im Rahmen d. Unternehmens. K.: 1956-66 Produktionsass. in d. Tabakfbk. Fürstenfeld, 1967-76 Produktionsltr. in d. Tabakfbk. Stein/Donau, 1977 Versetzung in d. Gen.-Dion., Rohtabakeinkauf, 1979 Personalbereich, seit 1986 Personalltr. d. Unternehmens. E.: Gold. VZ f. Verd. um d. Rep. Österr. M.: Ursippe d. Schlaraffia, Orig. Hoch- u. Deutschmeisterkapelle, Arbeitsrechtl. Aussch., ÖPWZ. H.: Musik, Literatur, Antiquitäten. (N.A.)

Sigut Franz Dr. Dkfm. KommR. Ing.

B.: Beratungsing., Sachv. f. Hütten- u. Walzwerke, Gießereiind. u. Umweltschutz. GT.: Lehrbeauftragter an d. WU Wien. PA.: 1180 Wien, Anton-Frank-G. 6. G.: Baschka, 13. Nov. 1919. V.: Lore, geb. Sauerwald. Ki.: Ursula. El.: Franz u. Agnes. BV.: Großvater Martin Sigut maßgebl. Mitarb. d. eisenschaff. Ind. in Krivojrog (UdSSR), Vater Franz Sigut einige Patente f. Zementwarenerz., Hüttenwerke. S.: Stud. an HS f. Welthdl. Wien, Univ. Wien, TH Prag, 1944 Abschluß. K.: 1944 Lektor an HS f. Welthdl. Wien, 1949 Dir. d. Trofaiacher Eisen- u. Stahlwerke, 1954 Dir. d. Schmid & Söhne Eisenwerke, 1957 Gschf. d. Ver. d. Gießereifachleute, 1964 Vorst.Mtgl. d. Intern. Kom. d. gießereitechn. Vereinig. Zürich, 1966 VPr., 1967 Pr., 1969 Dir. d. Schäffer & Budenberg Stahlwerk u. Armaturenfbk., 1975 Chefred. d. Gießerei-Rundschau. BL.: mehrere Patente in Eisen- u. Stahlind., Entwicklung d. intern. Erfahrungsaustausches. P.: "Abfallbranchenkozept d. Gießereiind." "Handbuch über d. Gestaltung v. Eisengußwerkstoffen", "Ind.Roboter u. d. Wirtschaftlichkeit", "Umweltschutz u. d. Gießereiind.", Aufsätze in "Gießerei Nachrichten", "Gießerei-Rundschau", "Foundry-Management and Technology", "Slevarenstvi". E.: Gr. Gold. Verdienstz., Gold. EZ, Gold. Med. d. BÖG. M.: Mtgl. div. Aussch. d. BWirtschaftskam., Vorst.Mtgl. Österr. Gieß.Inst., Mtgl. Int.Kom.Nr. 4. u. Nr. 2, "Umweltschutz CIATF u. CEAF" (Comité Intern. d. Associations de Fonderie, Zürich u. Comité Européen d. Associations de Fonderie, Paris, EMtgl. d. Österr. Skiverb., Delegierter d. FIS. H.: Schwimmen, Skifahren, Jagen.

Sika Michael Mag.

B.: Gen.-Dir. f. d. Öff. Sicherheit im BMI. DA.: 1010 Wien, Herreng. 7. G.: Wien, 2. Juni 1933. V.: Gertrude, geb. Krenn. Ki.: Alfred (1965). El.: Wilhelm u. Melanie, geb. Haumer. S.: 1953-57 Hum. Gymn. Wien, Stud. Rechts- u. Staatswiss. Univ. Wien, Gerichtspraxis. K.: 1959 Eintritt Bundespolizeidion. Wien als provisor. Polizeikmsr., ab 1979 Ltr. d. Polizeikomissariats Wien-Margareten, 1984 HofR., seit 1987 Ltr. d. Bez.-Polizeikomissariats Wien-Leopoldstadt, seit 1991

Gen.-Dir. f. d. Öff. Sicherheit im BMI. E.: Silb. EZ f. Verd. um d. Rep. Österr., Gr. EZ f. Verd. um d. Rep. Österr. H.: Skifahren, Fußball. (N.A.)

Sikora Christian

B.: Inh. FN.: VISAGE MODELS Modelmanagement, Design u. Vertrieb SUN COLLECTIONS Bademoden. DA.: 4020 Linz, Rudigierstr. 1/3. PA.: 4050 Traun, Trauner Str. 12b. G.: Linz, 19. Dez. 1954. El.: Herbert u. Anna-Maria. S.: kfm. Lehre Quelle, Ausbild. z. Einkäufer. K.: Gschltr. einer Einzelhdls.-Firma, Gruppenltr. b. Vers., Einkäufer u. Produktverantwortl. f. Wbg., Txl. u. PR b. Intersport-Austria, 1980 selbst. m. Modelagentur, 1988 Grdg. Suncollection (Bademoden). P.: div. Veröff. in Fachzeitschriften. M.: seit 1970 PSV Schießen. H.: Beruf, Fotografieren, Familie, Reisen, Fischen, Schießen. (P.H.)

Sikora Hubert Dir.

B.: PA.: 5023 Salzburg-Koppl, Heuberg 98. G.: Wolfsegg/OÖ, 29. Okt. 1920. V.: Astrid-Maria, geb. Künstner. Ki.: Karl. El.: Karl u. Hedwig, geb. Bergmann. S.: kfm. Wirtschaftsschule Wels. K.: 1936 Berufseintritt Konsum Wolfsegg, 1947 Konsum Attnang-Puchheim, 1950 Konsum Union Salzburg als Ltr. d. Rechnungswesens, 1968 Prokurist, 1972 Vorst.-Dir., Gschf. f. d. Bereich Finanzen, 1981 Ruhestand, ehrenamtl. Funktionen: Verwaltungsausschuß b. Landesarbeitsamt Salzburg, Gremialvorsteher i. d. Handelskammer Salzburg, Laienrichter beim Landesgericht Salzburg. E.: Versch. Kriegsauszeichnungen, Rochdale-Med. d. Österr. Konsumverb., Silb. Ehrenmed. d. Handelskammer Salzburg, Laienrichter - Kommerzialrat. H.: Skifahren, Schwimmen, Politik, Bücher über neuere Geschichte. (D.E.)

Silan Leopold

B.: Pfarrer, Dechant. DA.: 9131 Poggersdorf, Landesstr. 55. G.: Griffen, 27. Nov. 1934. El.: Franz u. Maria. S.: Hum. Gymn. Tanzenberg, Bischöfl. Theol. Lehranst. Klagenfurt. K.: Kaplan in Völkermarkt u. St. Veit/Glan, Pfarrer in Köstenberg u. Poggersdorf, seit 1979 Dechant, Unterrichtstätigkeit, Predigten u. Ansprachen im ORF, gr. Verd. um d. Renovierung d. Kirchen in seinem Dekanat. M.: S. 1980 Mgl. d. Diözesan-Rates. H.: Schwimmen, histor. Bücher. (D.M.)

Silber Franz

B.: Tischlermstr., Betriebsinh. FN.: Franz Silber Fensterbau GmbH. DA.: 4613 Mistelbach 30 b. Wels. PA.: 4613 Mistelbach, Elend 3. G.: Wels, 8. Juni 1943. V.: Helga, geb. Haberfellner. Ki.: Manuela, Andrea. S.: VS, HS. M.: Freiwillige Feuerwehr. H.: Jagd.

Silber Odin Dkfm.

B.: Gschf., Konzerndir. FN.: Schäfer-Shop. DA.: 4600 Wels, Etrichstr. 9. PA.: 4060 Leonding, Lugwiesstr. 5. V.: Marianne, geb. Froschauer. Ki.: Alexander (1975), Katrin (1977), Gerhild (1982). S.: VS, HS, HAK, b. 1965 Stud. Welthdl. Wien. K.: 1966-68 Praktikant in Bank in d. USA, ab 1968 Ind.-Anlagenverkauf VOEST Alpine Linz, b. 1970 Einkauf Skifbk. Fischer, b. 1972 kfm. Ltr. u. Prok. Schäfer GmbH & Co KG, 1973 Profitcenter Schäfer, 1977 Grdg. Schäfer-Shop GmbH, 1991 Konzerndirn. M.: Wirtschaftsbund. H.: Segeln (Hochseesegeln), Schach, Lesen (Tiefenpsych.). (U.A.)

Silberbauer Karl Dr. med. Univ.Prof.

B.: Prim. d. Internen Abt. d. KH d. Barmherzigen Brüder, Internist, Kardiologe. DA.: 7000 Eisenstadt, Esterhazystr. 26. PA.: 7000 Eisenstadt, Dr.-Karl-Renner-Str. 58. G.: Karmek, 28. Mai 1948. V.: Gerda, geb. Rankl. Ki.: Marie Therese, Michaela, Clemens. El.: Karl u. Gerta. S.: VS, RG, 1966 Matura, 1966-72 Stud. d. Med. in Wien, 1972 Prom. K.: 1972-76 Turnus im KH Eggenburg u. im KH Horn, 1975-81 FA-Ausbild. z. Internisten an d. II. Med. Univ.Klinik, 1980-81 Ausbild. f. Kardiologie an d. Goethe-Univ. Frankfurt, OA an d. Intern. Abt. d. II. Med. Univ.Klinik, 1984 Univ.Doz., seit 1984 Prim. d. Internen Abt. d. KH d. Barmherzigen Brüder in Eisenstadt. P.: 185 wiss. Publ. über versch. Gebiete d. Inneren Med., wie "Herz-Kreislauferkrankungen u. Nieren u. Bluterkrankungen", Buch "Endokrine Regulationsmechansimen u. Homodynamik b. essentieller Hypertonie u. chron. Herzinsuffizienz" (1984). E.: 1977 Ärztekammerpreis f. Wien f. eine wiss. Arb. über d. "Künstl. Niere", 1988 Ausz. v. d. Ges. f. Innere Med. M.: seit 1987 Präs. v. Bgld. d. Österr. Arge f. Volksgesundheit. H.: klass. Musik, Sport. (M.B.)

Silbergasser Franz

B.: Gastwirt. FN.: Gasthof Silbergasser. DA. u. PA.: 5600 St. Johann i. Pongau, Hauptstr. 49. G.: Wagrain, 20. Mai 1945. V.: Birgith Svoboda. Ki.: Marion (1966), Sabine (1965), Thomas (1971), Eva (1972). El.: Christian u. Anna. S.: Lehre als Koch i. Wien, BH. K.: in Tirol u. Salzburg als Koch tätig, i. elterl. Betrieb Wagrain gearb., 1969-78 Gasthof Bahn Radstadt gepachtet, 1978 Grdg. Gasthof Silbergasser. M.: Fischereiverein Salzburg, versch. örtl. Vereine. H.: weltweite Angelreisen, Fischen, Reisen, Literatur.

Silbermayr Franz Dr. Dkfm.

B.: Vorst. d. Vorst. FN.: J. M. Voith. GT.: Prof. an d. WU Wien. DA.: 3100 St. Pölten, Linzer Str. 55. G.: Laakirchen, 9. Nov. 1935. Ki.: 3 Kinder. S.: Grundschule, Gymn., WU. K.: seit 1963 Fa. J. M. Voith.

Silbernagl Hansjörg Dr.

B.: Dir. d. Amtes f. Allg. Angelegenheiten d. Gen.-Dion. DA.: 39100 Bozen, Brenner Str. 6. PA.: 39100 Bozen, Heinrichstr. 29/6. G.: Bozen, 23. Sept. 1955. El.: Hans u. Gertrude. S.: VS, Mittelschule, klass. Gymn. Lyzeum, 1974 Matura, Jusstud. Univ. Bologna, 1979 Prom. z. Dr. iur., 1985 Staatsprüf. f. RA-Befugnis. K.: 1979 Eintritt in d. Landesverw. Bozen: Verfassung v. Verträgen, Entwurf v. Gesetzesentwürfen, ab 1989 zusätzl. Vertretung d. Landes Südtir. b. d. Gerichtsverfahren v. d. Bez.-Richter, b. Einspruch gegen Verw.-Strafen u. Vertretung d. Landes v. d. Verw.-Gerichthofs. H.: Segeln, Wasserski, Skifahren. (M.M.)

Silhavy Heidrun

B.: Landesfrauensekr. GT.: Mtgl. d. BR. FN.: Parlament. DA.: 1017 Wien, Dr.-Karl-Renner-Ring 3. G.: Graz, 20. Mai 1956. S.: AHS, 1974 Mat., 1976-81 Mitarb. d. volkswirtsch. Abt. d. Kammer f. Arb. u. Ang. Stmk., s. 1981 Landesfrauensekr. d. ÖGB, Landesexekutive Stmk., 1991-1994 Mtgl. d. Vorst. d. Kammer f. Arb. u. Ang. Stmk., Kammerrätin d. Kammer. f. Arb. u. Ang. Stmk. M.: SPÖ, s.30.4.94 Mtgl. d. BR als Nachf. v. DDr. R. Gmoser.

Siller Freifrau v. Hammerstein-Equord Annemarie Mag.

B.: freiberufl. Grafikerin u. Bühnenbildnerin. DA. u. PA.: 1100 Wien, Quaring. 22/1/5. G.: Klagenfurt, 27. Apr. 1938. El.: Heinrich Ritter Siller v. Gambolo u. Inez. S.: 1956 Matura, 1956-61 Stud. Ak. f. Angew. Kunst Wien, Dipl. f. Gebrauchsgrafik, Illustration u. Fotografik. K.: 1960 Stipendium in Paris, 1962-64 Stipendium Ak. f. Bild. Kunst Warschau, 1967-68 Aufenthalt in Madrid, Ausstellung in d. Real Escuela Superior de Arte Dramatico y Danza, 1960 Theater am Tonhof Maria-Saal, 1961-70 Ensemble Procia Komödienspiele, 1963-65 Theater d. Jugend Wien, seit 1965 Stadttheater Klagenfurt, 1968 Ausstellung v. Figurinen in d. Ktn. Landesgalerie, 1970 Volkstheater Wien, 1974-84 freie Mitarb. als Grafikerin b. d. Austro-Olivetti GmbH, 1987 Satel-Film, seit 1968 freie Mitarb. d. ORF als Kostüm- u.

Bühnenbildnerin u. Designerin, 1989 Volkstheater, seit 1980 Mtgl. d. Zonta Clubs Wien-City, 1991 Ausstellung v. Grafiken u. Figurinen in d. BAWAG Floridsdorf. (M.M.)

Siller Hans
B.: Lehrer, Vors. d. Gewerkschaft Öff. Dienst Sbg. GT.: Prof. an d. Päd. Ak. DA.: 5020 Salzburg, Mozartpl. 1. PA.: 5201 Seekirchen, Sonnensiedlung 33. G.: St. Koloman, 20. Nov. 1946. V.: Ulrike-Stefanie, geb. Wolf. Ki.: Christine-Katharina, Heidi-Ulrike, Michael-Bernhard. El.: Johann u. Katharina. S.: LBA Sbg., 1966 Matura, 1968 Lehrbefähigungsprüf., 1971 Lehramtsprüf. f. HS. K.: seit 1978 Prof. Päd. Ak., seit 1983 Vors. d. Gewerkschaft Öff. Dienst. P.: zahlr. Veröff. E.: Ehrenbecher d. AK Sbg., Gold. VZ d. Landes Sbg. M.: Ver. f. Lehrerbeschäftigung u. Lehrerweiterbild., Wohnbaugen. d. Gewerkschaft öff. Dienst, LSR. f. Sbg., Prüf.Kmsn. f. d. Lehrämter an allg. Bild. Schulen, 1972-83 Chorltr. d. Singkreises St. Koloman. H.: Tennis, Fotographieren, Filmen, Töpfern, Lesen. (A.W.)

Siller Kurt Dipl.-Ing.
B.: Bmstr., Gschf., beeid. Sachv. f. d. Stukkateur- u. Gipsbildhauereigewerbe (Innenausbau). DA.: 1050 Wien, Diehlg. 17-19. PA.: 1090 Wien, Roßauerlände 33. G.: 18. Juni 1927. V.: Dipl.-Ing. Thea, geb. Bartelmuss. El.: Dipl.-Ing. Kurt u. Maria. S.: Mittelschule, HTL, TH Wien. F.: Stukkateurarb. u. Innenausbau, Fa. Ing. Seefeldner GmbH. P.: div. Publ. in Fachzeitschriften, b. Tagungen u.a. E.: Verd.Kreuz d. Rep. Österr. M.: LBerufsgruppenobm. d. Stukkateure u. Gipser Österr., Vorst.Mtgl. d. Verb. d. Österr. Innenbauuntern. (C.K.)

Siller Maximilian Ing.

B.: Gschf. FN.: Ing. Max Siller Ges.m.b.H. DA.: 1050 Wien, Linke Wienzeile 128. PA.: 1060 Wien, Esterhazyg. 34. G.: Wien, 11. Mai 1936. V.: Edith Müllner. Ki.: Michael, Andrea, Markus, Alexandra. El.: Max u. Hedwig.. S.: TGM Betriebstechnik, 1956 Matura. K.: Betriebsass., Konstrukteur b. Gebe, 1966-77 Gschf. d. Fa. Gema, 1977-80 Abt.-Ltr. b. Austria Email, s. 1981 selbst. m. eig. Firma (Metall-Decken). H.: Jagd, Wandern, Bergsteigen. (W.J.)

Silli Siegfried Dr. med.
B.: FA f. Radiologie. PA.: 5700 Zell am See, Stadtpl. 2. PA.: 5760 Saalfelden, Ramseiderstr. 26. G.: Waiern, 24. Mai 1949. V.: Eva-Maria, geb. Schuier. Ki.: Nikolaus (1975), Bernhard (1980). El.: Simon u. Hermine. S.: RG, 1968 Matura, Militärzeit, Med.-Stud., 1978 Prom. K.: 1984 FA-Titel LKA Sbg., 1986-88 OA Wilhelminenspital Wien, seit 1988 eigene Praxis in Zell am See. P.: versch. div. Beiträge in Fachzeitschriften. M.: Österr. Röntgenges., RSNA Radiological Society of North America Foundet in 1915, Ges. f. Pädiatr. Radiologie. (M.T.)

Silvestri Gerhard Dr. iur. MinR.
B.: MinR., Ltr. d. Abt.-Präs. 16 d. BMUK u. Dir. d. gemeins. Amtsbibl. d. BMUK u. d. BMWF. DA.: 1014 Wien, Minoritenpl. 5. G.: Wien, 24. Juni 1934. V.: Gertrude, geb. Wehsner. Ki.: Gerlinde (1966), Gerald (1968), Gernot (1969). El.: Julius u. Albertine. S.: BRG, 1954 Matura, Jusstud. Wien, 1965 Jur. Staatsprüf. K.: ab 1955 Tätigkeit in d. Österr. Nationalbibl., ab 1962 Parlamentsbibl., seit 1970 Dir. d. gemeins. Amtsbibl. d. BMUK u. BMWF; Vors. d. Fachnormenaussch. Bibl.-Wesen u. Dokumentation d. Österr. Normungsinst. P.: Bücher u.a.: Kleine Rechtskunde f. Dokumentalisten, Einführung in d. Bibliographie, Bibliographie d. österr. Gesetzes- u. Verordnungsblätter, Hrsg. v. "Texte z. österr. Verfassungsgeschichte", sowie zahlr. Fachaufsätze. E.: GE d. Rep. Österr., GrE d. Rep. Österr., Gr. Silb. EZ d. Rep. Österr., KomtKr. d. Malteserordens, Julius Tandler-Med. in Silber d. Stadt Wien, Gold. Ehrennadel d. Österr. Normungsinst., Dr. Josef Bick-Med. in Bronze, Silb. Ehrennadel d. NÖ Schiedsrichterkollegiums. M.: Mtgl. b. in- u. ausländ. Verb. u. Ver. d. Bibl.- u. Dokumentationswesens, b. mehreren Wanderver. H.: Lesen, EDV, Wandern. (J.S.)

Silwester Alfred Dipl. Ing.
B.: Ziviltechniker. DA.: 1153 Wien, Kauerg. 10/3. G.: Preßburg, 7. Dez. 1933. V.: Dr. Brigitte, geb. Hendrich. Ki.: Stephan (1970), Franziska (1973), Alfred (1978). El.: Dipl.-Ing. Ernst u. Stephanie Silwester, geb. Pfannl. BV.: KommR. Franz Pfannl, Erfinder d. Miniaturpistolen. S.: VS, HS, 1952 Matura, 1955-62 Stud. f. Vermessungswesen. K.: seit 1968 Ing.-Kons. f. Vermessungswesen, selbst. M.: Vermessungs- u. Geoinfortmationver., allg. beeid. gerichtl. Sachv. H.: Film u. Video, Briefmarken, Sport. (M.W.)

Sima Alfred
B.: Ind.-Kfm., selbst. Gen.-Vertretung. FN.: Lancray Österr. DA. u. PA.: 9020 Klagenfurt, Südring 239. G.: Villach, 17. Aug. 1937. V.: Sybille. Ki.: Marcella (1966). El.: Alfred u. Anna. S.: VS, HS, Lehre als Einzelhdls.-Kfm., 2 J. Schule f. Jungunternehmer in d. BRD. K.: Verkaufsltr. f. Österr. b. einem Nährmittelwerk, 1968/75/76 Verkaufsltr. d. Kosmetikfirma INKA, ab 1977/78 selbst., Seminare. H.: Sport, Tennis, Skifahren, Wandern. (K.K.)

Simader Gertrude

B.: Untern. FN.: Gertrude Simader. DA.: 4810 Gmunden, Marktplatz 3. G.: St. Johann a. Wimberg, 27. Apr. 1952. EL.: Johann u. Maria. S.: VS, HS, 3 J. Kfm. Berufsschule, 1970 Lehrabschlußprüfung, 1971 Büropraxis, 1971-72 Lohnverrechnungskurs 1974 Englisch Abendkurse mit Abschlußprüfung in England, 1976-77 Bilanzbuchhalterkurs mit Abschlußprüfung in Salzburg. K.: 1970-71 Verk. i. Gemischtwarenhdl., 1971-74 Buchhalterin in Steuerbüro, 1974 Au Pair in England, 1974-1985 Fa. Beton u. Erdbau Buchhalterin, seit 30.Juni 1985 selbst., eigenes Fachgeschäft f. Glas, Porzellan, Geschenke u. Haushaltswaren. BL.: Privat-Pilotenschein. M.: Junge Wirtschaft Gmunden, Frau i. d. Wirtschaft. H.: Katzen, Sportfliegen, Tennis, Radfahren, Sauna. (G.E.)

Simalo Carla
B.: Malerin u. Schriftstellerin. PA.: 1080 Wien, Alserstr. 65. V.: Prof. Viktor. K.: Grdg. d. Schrifsteller-Stammtischrunde im Cafe Landmann, im Rahmen d. Österr. Schriftstellerverb. P.: Ausstellungen im In- u. Ausland, Einzel- u. Gemeinschaftsausstellungen, Glasmalerei, Bücher: 1964 "Irgendwann", 1968 "Irgendwo", Lebensleiter (Lyrik), Polit. Lyrik in Zeitschriften. E.: 1982 Silb. EZ f. Verd. um d. Rep. Österr. M.: bis 1983 Mtgl. d. Berufsver. d. Bild.Künstler Österr., seit 1984 Ehrenpräs. d. intern. Künstlergruppe "Die

Spirale", Vorst.Mtgl. d. Österr. Schriftstellerverb., Kulturgemeinschaft "Der Kreis", Presseclub Concordia, Intern. Künstlerclub u. I.A.A. Paris. (C.K.)

Simandl Rudolf Mag.

B.: LDir. b. Wüstenrot f. NÖ u. Bgld. DA.: 7000 Eisenstadt, Lisztg. 4. PA.: 7551 Stegersbach, Am Kirchenberg 16. G.: Kukmirn, 23. Sep. 1950. V.: Elisabeth, geb. Maul. Ki.: Wolfgang, Andrea. El.: Gustav u. Gabriele. S.: HAK, Stud. an d. WU (Betriebswirt. u. Wirtschaftspäd.), Spons. 1976. K.: Nach d. Stud. 4 J. Prof. f. kfm. Fächer an d. HAK Stegersbach, ab 1980 Ltr. d. LDion. Bgld. d. Bausparkasse Wüstenrot u. seit 1987 Ltr. d. LDion. f. NÖ., GemR. in Stegersbach. BL.: Ausbau d. LStelle Bgld. u. organ. Ausbau d. LStelle NÖ. H.: Sport, Lesen. (G.E.)

Simane Walter

B.: Gschf. Ges. d. Fa. Proxima OHG, Werkstätte f. Feinmechanik. DA.: 2340 Mödling, Wiener Str. 42. PA.: 1160 Wien, Pfenniggeldg. 18/1/15. G.: Wien, 15. Febr. 1925. V.: Erna, geb. Waihs. El.: Leopold u. Maria. S.: HS, Fernschule. K.: Lehre als Feinmechaniker, 1952 Mstr.Prüf., nach Krieg b. Fa. Dr. Gerlach. H.: klass. Musik, Wandern, Tennis, Schwimmen, Lesen. (M.G.)

Simbrunner Josef Dr. iur.

B.: Vors. d. Vorst. d. OÖ Kraftwerke AG. GT.: div. AufsR.Tätigkeiten. DA.: 4021 Linz, Böhmerwaldstr. 3. G.: Linz, 4. Nov. 1935. V.: Anneliese, 4 Kinder. S.: VS, AHS-Matura, Univ. Wien, 1958 Doktorat. K.: Rechtspraktikant LG Linz, Sozialvers. Linz, 1974 Prok. d. OÖ Kraftwerke AG, 1975 Abt. f. Personal u. Verw., ab 1989 Vorst. E.: 1975 Kunschakpreis, Präs. d. Pfadfinder. M.: Industriellenver. H.: Musik, Bild. Künste.

Simbürger Silke

B.: Hoteldir. FN.: Austrotel Hotel Betriebs GmbH. DA.: 5020 Salzburg, Mirabellpl. 8. G.: Linz, 10. Jan. 1964. El.: Helmut u. Helga Silke. S.: VS, HS, 1978-83 Hotelfachschule, Managementak., versch. Kurse. K.: 4 J. Hotels, 7 Monate Griechenland, 1/2 J. Amerika, 3 J. Austrotel, 1988 Dion.-Ass., 1988 Dir. Austrotel Villach, seit 1991 Dir. Austrotel Villach u. Sbg. M.: Junge Wirtschaft. H.: Reisen, Sprachen, Tiere, Literatur, Tanzen. (G.E.)

Simek Erwin

B.: Inh. FN.: Erwin Simek, Maschinen, Schläuche, Armaturen. DA.: 1150 Wien, Lehnerg. 11. G.: Wien, 26. Sep. 1963. El.: Heinz u. Erika, geb. Lemke. S.: 1969-73 VS, 1973-77 HS, 1977-78 Polytechnikum, 1978-82 Elektromechanikerlehre u. Maschinenbauer. K.: seit 1984 im Hdl. tätig, seit 1990 Firmengrdg. u. Geschäftsinh. H.: Skifahren, Reisen. (M.W.)

Simeone Ennio Dr.

B.: Dir., Chefred. d. Tageszeitung "Alto Adige". DA.: 39100 Bozen, Voltastr. 10. PA.: Eppan, Unterrain 42. G.: Avellino, 9. Aug. 1936. V.: Gaetana, geb. Giordano. Ki.: Monica (1964), Luca (1965). El.: Mariangelo u. Anna, geb. Battisti. S.: klass. Lyzeum, 1954 Matura, Stud. Politikwiss. Univ. Neapel, 1958 Prom. K.: 1954-588 Korrespondent d. Tageszeitung "Unità" aus Avellino, 1958-60 Korrespondent f. "Unità" aus Provinz Abruzzen, 1961/62 Red. in Neapel f. "Unità", 1963-65 Red. in Rom f. "Unita" zuständig f. Innenpolitik, 1963 Journalistenprüf., 1965-76 Chefred. in Neapel f. "Unità", 1976 Chefred. in Neapel f. "Paese Sera", 1977-82 Chefred. in Rom f. "Paese Sera", 1984-85 Dir. eines Privatfernsehsenders NTV Bologna, 1986 VDir. d. Tageszeitung "Il Giornale di Napoli", 1987 Chefred. d. Tageszeitung "Il Tirreno" in Livorno, 1988 VDir. u. seit 1989 Dir. b. "Alto Adige" Bozen. (M.M.)

Simion Stefano

B.: Gastronom d. Restaurant Simion. DA.: 1090 Wien, Thurng. 4. G.: Mirano/Italien, 21. Mai 1952. V.: Adelheid, geb. Eisler. Ki.: Manuela (1977). El.: Bruno u. Adele. S.: Hotelfachschule Bergamo/Italien, 1970 Abschluß. K.: Hotel Depeins, Grand Hotel in Riccione/Italien, anschl. Koch in einem Restaurant in München, 1974 Eröff. eines Ital. Restaurants in Bad Tölz Deutschland, 1975 Eröff. eines Abendlokals m. Tanz in Bad Tölz Deutschland, 1978 Verkauf beider Betriebe, Rückkehr nach Italien als Koch im Hotel Capitol, Mestre u. Hotel Centrale, Abano Terme, seit 1979 in Wien, 5 J. Koch im Restaurant Josefsstube Wien, 1984 Eröff. d. Restaurant Simion Intern. Küche, Fischspezialitäten, Meeresfische. H.: Modellbau. (J.S.)

Simlinger Berndt Dipl.-Ing.

B.: selbst. Arch. GT.: Univ.-Lektor TU Wien. DA. u. PA.: 1030 Wien, Reisnerstr. 31. G.: Wien, 11. Juni 1960. V.: Dr. Martina, geb. Haas. Ki.: Benedict (1988), Vincent (1990), Florentina (1993). El.: Dr. Rolf u. Helga, geb. Patzl. S.: RG, 1978 Matura, 1978-84 Arch.-Stud. TU Wien. K.: 1984-92 Tätigkeit in versch. Arch.-Büros, 1987 Ziviltechnikerprüf., 1989 Vereidigung, seit 1988 Lektor TU Wien, Schwerpunkt Hochbau u. EDV, CAD, 1989 Ass. b. Prof. Puchhammer am Inst. f. Hochbau, seit 1992 selbst., Schwerpunkt: Restaurierung u. Umbauten v. alten Häusern u. Kulturdenkmälern. P.: lfd. Vortragstätigkeit. H.: Arch., Musik, Lesen. (N.A.)

Simma Eugen

B.: Gschf. Ges. FN.: Tschann & Sohn GmbH. DA.: 5020 Salzburg, Sauerg. 20-24. PA.: 5020 Salzburg, Steinhäuserstr. 18. G.: Dalaas, 18. Sept. 1946. V.: Karin, geb. Salzmann. Ki.: Enriko. El.: Eugen u. Elvina Tschann. S.: VS, HS, Gewerbeschule. K.: Kfz-Mechaniker, seit 1972 b. Fa. Tschann & Sohn GmbH tätig. F.: Tschann & Sohn GmbH, DAF LKW's f. Sbg. u. Tir., sowie PKW-Subaru f. Stadt u. größtenteils Land Sbg. M.: Wirtschaftsbund. H.: Skifahren, Wasserskifahren, Radfahren. (R.A.)

Simma Guntram

B.: Musikpädagoge; Dir. d. Musikschule Dornbirn. DA.: 6850 Dornbirn, Rosenstr. 6. PA.: 6850 Dornbirn, Vorder Achmühle 17 d. G.: Bregenz, 25. Feb. 1949. V.: Regine. Ki.: Ute (1974), Sebastian (1979), Florian (1980). El.: Prof. Alfons u. Maria. BV.: Johann Peter Sutterlüty (Freiheitskämpfer). S.: BGym. Bregenz, 1968 Matura, Mozarteum Innsbruck, 1973 Schulmusikstud., Univ. Innsbruck, Stud. Musikwissensch. u. Kunstgeschichte, versch. Mst. Kurse in Dirigieren. K.: 1973 Klavierpädagoge Musikschule Dornbirn, 1974 Dir. Musikschule Wolfurt, 1973 Chorltr. d. Vbg. Madrigalchors u. Kirchenchors St. Peter u. Paul Lustenau, journ. tätig f.

Tageszeitung u. ORF, Gründer u. Dirigent d. Dornbirner Jugendsymphonieorchester Simmaphoniker, zahlr. Tourneen im In- u. Ausland sowie Aufn. im ORF u. Produkt. v. Tonträgern, 1980 Dir. Musikschule Dornbirn, 1990 Lehrauftr. Landeskonserv. Feldkirch, Gastdirig. in versch. Ländern Europas. E.: 1988 Ehrengabe d. Vlbg. Landesreg. M.: Kulturkmsn. d. Vlbg. Landesreg., Obmann AGMÖ Vbg. H.: Schwimmen, Radfahren, Lesen. (I.D.)

Simma Kaspar Dr. Univ.-Prof.
B.: Chefarzt d. LNerven-KH in Vbg. A.: 6811 Göfis 470. G.: Egg, 19. Febr. 1919. V.: Ursula, geb. Jakob. S.: Gymn., Univ. Wien u. Innsbruck, Prom. z. Dr. med. univ. 1946. K.: 1951 OA d. LNervenheilanst. Valduna, 1961 Habil., 1965 Chefarzt d. LNerven-KH Valduna, 1971 Ernennung z. a.o.Prof. P.: Etwa 50 wiss. Arb. u. Publ. auf neurolog.-psychiatrischem Gebiet, vor allem Poliomyelitis (Neuropathologie) u. Thalamusstudien (normale u. path. Anatomie).

Simma Leo Siegfried Dr. med.

B.: FA f. Nervenkrankheiten, Arzt f. Psychosomatik, Psychotherapie u. Psychosoz. Med. . FN.: EE6 Labor ger. beeid. Sachverständiger. DA.: 6700 Bludenz, Bahnhofstr. 8a. PA.: 6800 Feldkirch, Lorenz-Gehrmannstr. 4. G.: Egg, 6. Juli 1950. V.: Angela Mary, geb. Neill. Ki.: Viktoria (1981), Alexander (1986). El.: Michael u. Anna. S.: BRG, 1970 Mat., Stud. Med. Univ. Innsbruck, 1977 Prom. K.: FA-Ausbild. f. Psychiatrie u. Neurologie LKH Rankweil, Univ. Klinik Sheffield (GB), Univ. Klinik Innsbruck, Priv. Stud. in Psychosomatik, Forschungsarb. in Entspannungstherapie, EEG Labor-Ausbild., 1984 Praxisgrdg. in Bludenz. P.: Kurse in Psychosomatik an Krankenpflegeschulen, Kurse autogenes Training, Vorträge ü. psychoterap. Betreuung d. Ambulanten, Mitarb. b. Sachbüchern. M.: ger. beeid. Sachverst., 8 J. Fachgruppenobm. d. Neuorlogen in Vbg., Österr. Ges. f. Psychotherapie. E.: During-Böhler-Preis. H.: Alipnismus, Hochseesegeln, Transatlantiküberquerung, Privat-Pilot, E-Musik, Reisen. (I.D.)

Simma Walter Dr. iur.
B.: selbst. RA u. Verteidiger in Strafsachen. DA.: 6900 Bregenz, Deuringstr. 9. PA.: 6900 Bregenz, Kosterg. 11. G.: Feldkirch, 31. Mai 1946. V.: Reingard, geb. Eberle. Ki.: Martin, Katharina, Lydia. El.: Marianne. S.: 1965 Matura Privatgymn. d. Zisterzienser Mehrerau, 1972 Prom. Innsbruck, 1972/73 Gerichtsjahr Innsbruck u. Feldkirch. K.: 1973-78 RA-Anw. b. Dr. F.Bernhard, seit 1978 eig. RA-Kanzlei. M.: CV, Leopoldiner Innsbruck. H.: Sport, Lesen. (J.S.)

Simmel Johann Mag.
B.: Einzelprok. FN.: DEBA Bauträger GmbH. DA.: 1190 Wien, Weimarer Str. 99. G.: Mattersburg, 4. Jan. 1950. El.: Johann u. Justine. S.: VS, BRG, Stud. d. Rechtswiss. K.: nach Stud. z. Fa. DEBA. H.: Sport. (Kas.)

Simmel Johannes Mario
B.: Freisch. Schriftsteller. A.: Monte Carlo, Chateau Péigord II. G.: Wien, 7. Febr. 1924. V.: Helena, geb. Povszek. Ki.: Michaela. S.: Chemiestud. an d. Univ. Wien. K.: Bauing., Dolmetsch d. Amerik. Besatzungsrg. in Österr., Kulturred. f. "Welt am Abend", Reporter f. "Quick", zahlr. Drehbücher, 1. großer Erfolg m. d. Roman "Es muß nicht immer Kaviar sein", dann freisch. Schriftsteller, 18 Romane wurden verfilmt. P.: "Es muß nicht immer Kaviar sein" (Roman, 1960), "Und Jimmy ging zum Regenbogen" (Roman, 1970), "Der Stoff, aus dem die Träume sind" (Roman, 1971), "Bis zur bitteren Neige" (Roman, 1972), "Alle Menschen werden Brüder" (Roman, 1974), "Niemand ist eine Insel" (Roman, 1975), "Meine Mutter darf es nie erfahren" (Kinderbuch, 1976), "Hurra wir leben noch" (Roman, 1978), "22 Zentimenter Zärtlichkeit" (Roman, 1979), "Wir heißen euch hoffen" (Roman, 1980), übers. in zahlr. Sprachen. E.: 1. Preis f. "Der Schulfreund" (Nationaltheater Mannheim). M.: Autorenverb.

Simmerstätter Hans Dipl.-Ing. OBauR.
B.: Ltr. d. BGebäudeverw. Sbg. DA.: 5020 Salzburg, Michael-Pacher-Str. 36. PA.: 5020 Salzburg, Erentrudisstr. 9. G.: Graz, 10. Juni 1943. V.: Renate, geb. Roth. Ki.: Brigitte, Barbara. El.: Dipl.-Ing. Matthias u. Grete. S.: 1963 Matura, Stud. Univ. Graz, 1973 Grad. K.: Amt d. Sbg. LRg., Baustellensachbearb. u. Sachv. f. Bau- u. Feuerpolizeil. Angelegenheiten, seit 1983 Ltr. d. BGebäudeverw. E.: Gold. EZ f. Verd. um d. Rep. Österr. M.: Lions-Club Sbg.-Hellbrunn, Ing. u. Arch.Ver., Sbg. Stadtver., Altstadterhaltungsfonds. H.: Sport, Reisen, Markensammeln, Konerte (A.W.)

Simmerstätter Matthias Dipl.-Ing. w.HofR.
B.: Baudir. d. BGebäudevw. II f. OÖ u. Sbg. a.D. A.: 5020 Salzburg, Erzabt-Klotz-Str. 29. G.: Anthering, 31. Juli 1913. V.: Margaretha, geb. Riedrich. El.: Matthias u. Maria. S.: VS, Bürgerschule, HTL f. Hochbau in Sbg., Matura 1932, TH Graz, Fak. Arch., Dipl.-Ing. 1949. K.: Militärdienst, Kriegseinsatz, Stud. an d. TH Graz, Wiedereintritt in d. öff. Dienst b. d. BGebäudevw. II Graz, 1949 Dipl.-Ing., 1958 BauR., 1964-78 Baudir. d. Bebäudevw. II Sbg. f. d. Bdl. OÖ u. Sbg., 1966 w.HofR., 1979 Übertritt in d. Ruhestand, Kons. d. Flughafens Sbg. E.: Großes u. Gold. EZ f. Verd. um d. Rep. Österr., Kommandeurkreuz m. Band u. Kommandeurstern d. Sylvesterordens, Gold. EZ d. Landes Sbg. M.: Österr. Ing. u. Arch.Ver., Österr.-Dt. Kulturges., Sbg. Inst. f. Raumforsch., Österr. Luftfahrtverb., Ak.Verb. H.: Musik, Literatur, Reisen, Wandern, Garten.

Simml Gerhard Dr. med. univ.
B.: FA. f. Lungenkrankheiten, ständiger Konsiliar-FA f. Pulmologie im KH Krems u. KH Eggenburg, Sportmed. GT.: Tuberkulosefürsorgearzt in Horn u. Krems, Gutachter f. d. "Allg. Unfallvers.". DA.: 3500 Krems, Mitterweg 10. PA.: 3500 Krems, Arbeiterg. 7. G.: Wien, 28. Febr. 1944. V.: Michaela, geb. Raitzl. El.: Dr. Karl u. Herta Dr. S.: 1962 Matura, Med.Stud. an d. Univ. Wien. K.: 1969 Prom., Turnusausbild. Kaiser Franz Josef-Spital, Kaiserin Elisabeth-Spital, Mautner Markhof-Kinderspital u. im Pulmolog. Zentrum d. Stadt Wien Baumgartnerhöhe, FA-Ausbild.: Pulmolog. Zentrum d. Stadt Wien, 1. Lungenabt. b. HofR. Doz. Dr. Sighart, 1976 FA-Anerkennung, b. 1976 Ass. in d. Chir. Abt. d. Pulmolog. Zentrums d. Stadt Wien, b. Prof. Dr. Denk, ab 1976 Ltr. d. Ambulatoriums d. NÖ-GKK Krems, Nach Auflassung d. Ambulatoriums durch d. NÖ-GKK ab

1986 Lungen-FA im Zentrum v. Krems, seit 1976 Lungen-FA im KH Krems, Tuberkulosefürsorgearzt in Krems u. Horn, ab 1978 Konsiliar-FA f. Lungenkrankheiten in KH Krems u. KH Eggenburg, 1985 Dipl.Sportarzt. P.: 32 einschlägige wiss. Arb. u. Ref. auf d. Gebiet "Pulmologie u. Sportmed.". M.: Vorst.Mtgl. d. Österr. Ges. f. Lungenkrankheiten u. Tuberkulose, Mtgl. v. Verb. d. Österr. Sportärzte, Mtgl. d. Ges. f. Arbeitsmed., Mtgl. d. Ges. f. Sportmed., Brüderschaft St. Christoph. H.: Springreiten, Tennis. (Kern)

Simmlinger Paul Georg

B.: Gschf. d. CS Gebäudereinigung. DA.: 1020 Wien, Franz-Hochedlinger-Str. 26. PA.: 1220 Wien, Ulzmanng. 10. G.: Wien, 26. Apr. 1954. V.: Christine, geb. Tallinger. Ki.: Nicole-Monique. El.: Peter u. Martha. K.: Kfz-Lackiererlehre, Außendienstmitarb. b. Messen, Verkaufsltr. f. Österr. einer Schweizer Fa., 1980-85 GF einer Raumausstattungsfa., 1985-88 freiberufl. Messe-Tätigkeit, seit 1988 Gschf. d. CS Gebäudereinigung. H.: Wandern, Video. (P.R.)

Simon Brigitte

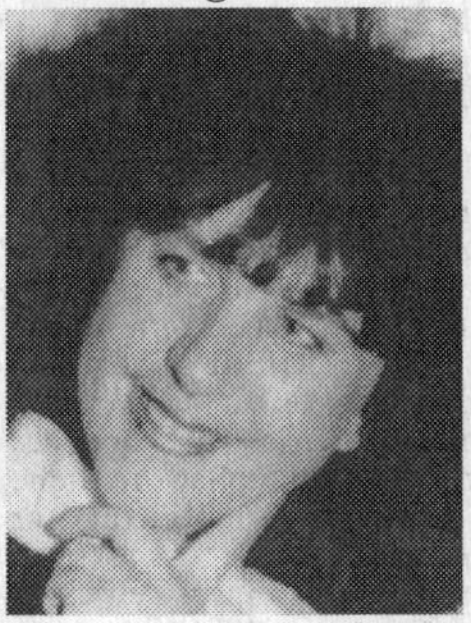

B.: Schneiderin. DA.: 4050 Traun, Linzerstr. 19. PA.: 4501 Neuhofen a.d. Krems, Kremstalstr. 60. G.: Linz, 23. Mai 1957. V.: Kurt. Ki.: Thomas (1989), Michael (1992). El.: Alfred u. Maria. S.: Lehre als Schneiderin. K.: 1975-77 i. Modesalon ESPIT, ab 1977 Weiterbildg. f. Herrenschneiderei, Fa. Ketterer, Kematen, 1976 Mstr.-Prfg. u. seith. selbst.; Modeschauen f. Maßkleidung 1993, 1994 i. Graz f. Bühnenbekl. M.: Modering Linz, veranst. jährl. Modeschauen. H.: Beruf, Interesse f. Modeschauen, Design. (U.A.)

Simon Elisabeth

B.: Kunstmalerin, Ang. d. Wirtschaftskammer Feldkirch. FN.: Atelier "Elisa". DA.: 6811 Göfis, Schildried 315. G.: Feldkirch, 17. März 1946. Ki.: Susanne (1964). El.: Franz-Josef-Wilhelm u. Aloisia. BV.: Verw. Fußballer Bruno Pezzey. S.: Grundschule, HASCH Feldkirch. K.: Eintr. in Wirtschaftskammer Feldkirch als kfm. Angest., 1964 Heirat u. Geburt d. Tochter, seit 1980 intens. Beschäft. m. Malerei - Malkurse u. autodidaktische Weiterbild., Studienaufenth. in Toscana, Südfrankreich, Mallorca, Korsika u. kanar. Inseln, bes. Vorl. f. Katzen- u. Atomkraftbilder sowie Gouachen, Collagen, Mischtechniken u. Acrylbilder. M.: Greenpeace. H.: Malen, Musik, Lesen, Theater, Kabarett, Reisen, Yoga, Radfahren, Wandern, Schwimmen. (I.D.)

Simon Hans-Joachim Dr. phil. o.Univ.-Prof.

B.: o.Univ.-Prof. Inst. f. Romanistik d. Univ. Graz. DA.: 8010 Graz, Johann-Fux-G. 6. PA.: 8010 Graz, Ziernfeldg. 1. G.: Herne/BRD, 4. März 1931. V.: Dr. Gertrud, geb. Lades, 3 Kinder. S.: 1943 Matura Ingolstadt, 1953 Lehramtsprüf., 1958 Dr. phil., 1965 Habil. Erlangen. K.: 1968 o.Prof. P.: Veröff. z. Sprachgeographie, Soziolinguistik, einzelne Themen d. franz. u. ital. Literatur. (P.R.)

Simon Hugo Edgar

B.: Kfm. A.: 6714 Weisenheim am Sand, Am Ludwigshain 20. G.: Krumwasser, 3. Aug. 1942. El.: Karl u. Marie. K.: b. 1971 Teilnahme an intern. Reitturnieren f. Deutschland, seit 1972 f. Österr., 1972 Olymp. Spiele 4. Platz, 1973 EM in Hickstead 5. Platz, 1974 Wm in Hickstead 3. Platz, 1975 EM in München 4. Platz, 1976 Olympische Spiele Montreal 5. Platz, 1977 EM in Wien 10. Platz, 1979 Weltcupsieger in Göteborg, 1979 EM in Rotterdam 3. Platz, 1980 4. im Weltcupfinale in Baltimore, 1980 Sieger b. Springreiterfestival in Rotterdam, 1981 3. b. Weltcupfinale in Birmingham, seit 1979 Führung in d. Weltrangliste d. Springreiter, 3x Sieger im Deutschen Spring-Derby. F.: Hugo Simon Bauregie. E.: Verd.Kreuz d. Rep. Österr. in Gold. H.: Sport.

Simon-Sagl Marina

B.: freischaff. Künstlerin, stellv. Anzeigenltr. d. "Wirtschaftswoche". DA.: 1070 Wien, Seideng. 11. G.: Langenlois, 6. Okt. 1951. El.: Wilhelm u. Olga Simon-Sagl. S.: VS, HS, Bürolehre, als Künstlerin autodidakt. K.: Tätigkeit in folgenden Anzeigenabt.: Fachzeitung "Regal", "Kurier", dzt. b. d. "Wirtschaftswoche", Malerin m. Schwerpunkt Acrylmalerei u. Objektgestaltung, Ausstellungen im In- u. Ausland, Autorin m. Schwerpunkt Lyrik. (J.S.)

Simoncsics Klaus

B.: Gschf. FN.: OLYMP Ladenbau GmbH. DA.: 4050 Traun, Leondinger Str. 12. PA.: 4020 Linz, Semmelweisstr. 49. G.: Linz, 21. Feb. 1952. El.: Josef u. Charlotte. S.: VS, HS, kfm. Lehre, Abendschule 1975 AHS-Matura. K.: Einrichtungsberater in Möbelbranche, Repräsentant, Verkaufsltr. u. -trainer, 1983 Verkaufsdir. Kottanyi, seit 1990 Gschf. OLYMP. H.: Fotografieren, Diashows, Reisen.

Simoncsics Rudolf Dr. Dkfm. MinR.

B.: Bundesbmtr. i.R., Abt.-Ltr. im Bundesmin. f. Wirtschaftl. Angelegenheiten a.D. DA.: 1010 Wien, Stubenring 1. G.: Wien, 30. März 1933. V.: Maria, geb. Wolf. Ki.: Eva (1977), Klaus (1980). El.: Rudolf u. Maria, geb. Radl. S.: 1951 Matura, 1951-58 Stud. HS f. Welthdl. m. Prom. K.: 1958 Eintritt in d. Staatsdienst, Außenstelle d. Bundesmin. f. Hdl. u. Wiederaufbau, seit 1960 in d. Zentrale d. Min., später in d. Abt. f. Bilaterale Handelsbeziehungen, ab 1972 Befassung m. Fragen d. wirtschaftl. Integration Europas, ab 1973 Abt.-Ltr., März 1993 Ruhestand. E.: 1973 Gold. EZ f. Verd. um d. Rep. Österr., 1980 Gr. EZ f. Verd. um d. Rep. Österr. H.: Wandern, Schwimmen, Musik, Gartenarb. (N.A.)

Simonfay Géza Dr. Mag.
B.: RA, Gerichtsdolmetscher f. Engl., Franz. u. Ungar. DA.: 1080 Wien, Laudong. 26. G.: Budapest, 26. Mai 1949. V.: Elfriede, geb. Morawec. Ki.: Anna Katharina (1985), Géza Zoltan (1987). El.: Géza u. Maria. S.: Albertgymn. Wien, 1968 Matura, Stud. Jus u. Dolmetsch Univ. Wien, 1975 Prom., 1974-76 Diplomat. Ak. Wien. K.: Tätigkeit b. d. Firmen UNDP, Immuno, Mobil Oil zuletzt Steyr Daimler-Puch, seit 1990 Wirtschaftsanw., Partner: Dr. Andreas Lintl u. Dr. Otto Ranzenhofer. M.: Rotary Budavar Budapest. H.: Segeln, Tennis. (J.S.)

Simonich Walter
B.: Techn. Dir. FN.: IMMUNO AG f. chem.-med. Prod. DA.: 1200 Wien, Industriestr. 131. PA.: 1232 Wien, Schuppeng. 12. G.: Klosterneuburg, 2. Febr. 1930. V.: Eleonore, geb. Barta. Ki.: Susanne. El.: Fabian u. Anna. S.: Gymn., Chemielaborant. K.: BStaatl. Inst., Auslandstätigkeiten in Brasilien, Argentinien, Japan u. USA, Prok., techn. Dir. BL.: 2 Betriebsinterne Patente. H.: Schwimmen, Segeln, Skifahren. (M.G.)

Simonitsch Wolfgang
B.: Journalist, Auslandskorrespondent. DA.:1080 Wien, Neudeggerg.14. G.: Bruck/Mur, 29. Juli 1950. V.: Christa, geb. Kurt. Ki.: Sarah. El.: Emil u. Maria. S.: Berufsschule, HAK-Matura 1974 Bregenz, Stud. an d. Univ. Wien, Germanistik. K.: 1977-80 Red. b. d. Zeitung "Die Presse" Abt. Wirtschaft, 1980-84 b. "Kurier" Wirtschaft u. Politik, sowie Ges. Themen, seit 1975 selbst. Journalist, Auslandskorrespondent f. d. "Basler Zeitung", Wirtschaftskorrespondent f. d. "Süddt. Zeitung", freier Mitarb. b. div. inländ. Magazinen wie z.B. "Trend-Profil Extra", "A3 Volt". (A.W.).

Simonott Günther

B.: Kapellmstr. PA.: 6700 Bludenz, Oberer Illrain 33c. G.: Lauf/Bayern, 20. Jän. 1949. V.: M.-Th. Mercanton, Sängerin. S.: mus. Gymn., 1967 Matura, 1967-70 Kirchenmusikschule Bayreuth, Abschl. mit Examen f. hauptamtl. Kirchenmusiker. K.: staatl. geprüf. Privatmusikerzieher, 1970-71 musik. Ass. bei Prof. Werner Jacob an St. Sebalduskirche Nürnberg, Organist u. Dirigent, 1971-74 Dirigent-Stud. MusikHS Frankf./M. bei Prof. K.M. Zwissler mit Abschl.-Ex., Klavier b. Prof. E. Flinsch, Dirigentenkurse b. Prof. K. Thomas u. H. Rilling, 1974-75 Repetitor u. Kapellmstr. am Staatstheater Wiesbaden, 1976-77 Musiktheater Hagen/Westfalen, 1977-81 Opernhaus Zürich, s. 1988 Dirigent "Orchesterges. Bregenz", 1988-92 musik. Ltr. d. Opernbühne Dornbirn, s. 1981 Privatbegl. Fr. Ks. Elisabeth Schwarzkopf, 1985 Künstl. Ltr. "Werdenberger Schlossfestspiele", 1989 Ltr. d. Opern-, Lied- u. Oratoriumsklasse am Tiroler Landeskonserv. E.: Sekles-Preisträger d. MusikHS Frankf./M. M.: Bühnengen. H.: Gartenarb., Schifahren. (I.D.)

Simperl Andreas Dipl.-Arch.
B.: selbst. Arch., Bmstr. DA.: 6800 Feldkirch, Schloßgraben 6. PA.: 6800 Feldkirch, Neustadt 16. G.: Eibiswald, 29. Okt. 1958. V.: Beatrice, geb. Rädler. Ki.: David (1991). El.: Siegfried u. Rosa. S.: HS, Lehre als Maurer u. Bauzeichner, 1978 Abschluß, 1980 Militärdienst, Berufsmittelschule, 1981 Matura, FHS Schweiz, 1986 Dipl. K.: 1986-87 in Arch.-Büro in England, 1987-89 Projektltr. b. Baufirma in Vbg., 1989 Bmstr.-Prüf., 1989 selbst. als Arch. u. Bmstr. in Feldkirch, Ind. u. Wohnungsbauten, Revitalisierung v. Altbauten, Teilnahme an versch. Wettbewerben. BL.: 3. b. Staatsmeisterschaft b. Vollkontakt-Karate, 3-facher Schweizer Staatsmstr., EM-Teilnehmer, Teilnahme b. Landesvergleichskämpfen. H.: Skifahren, Segeln, Tauchen, Karate, Mountainbike. (I.D.)

Simperl Kurt Edmund Ing.
B.: Inh. u. Gschf., Kommunikationsberater. FN.: Synerga Agentur f. Kommunikationsmanagement. DA.: 2500 Baden, Allandg. 19. PA.: 2500 Baden, Albrechtsg. 6/2/4. G.: Wien, 2. März 1948. V.: Eva, geb. Cernak. Ki.: Philipp Emanuel (1978), Mathias Mario (1980), Judith Alina (1981). El.: Alfred u. Brunilde. BV.: Ururgroßvater hat ein Zeugnis f. hervorragende Leistungen auf d. Geb. d. Volkssengentums vom K. u. K. Theaterdir. an d. Wien. S.: 1967 Matura HTBLVA Mödling. K.: 1967-70 Techn. bei Flugsicherung Wien-Schwechat, 1970-71 Assist. an d. HTBLVA Mödling (parallel Stud. an d. HS f. Welthandel/Betriebswirtschaft), 1971-72 wissensch. Mitarb. am Inst. f. empirische Sozialforschung (IFES), 1973-74 Mitarb. in d. Werbe- u. PR-Abteilung der 3M Österr., 1974-77 Chefredakt. d. Jugendzeitschr. "Hallo" u. Kommunikationsberater d. Jugendabt. d. ÖGB, Lektor d. Kommission f. Kinder- u. Jugendliteratur im BM f. Unterricht, ab 1977 Stud. d. Völkerkunde u. d. Politikwissensch. an d. Univ. Wien u. parallel freier Wissenschaftsjournalist u. Kommunikationsberater bei versch. Unternehmen u. Organisationen, 1988 Gründung d. Kommunikationsagentur Synerga. P.: Coautor d. Buches "Als Europa erwachte - Österreich in der Urzeit", Abhandlung "Neue Werte - neue Parteien" (Schriftenreihe d. ökol. Bildungswerkes), Broschüren: "Gesundes Wohnen - richtig lüften" u. "Wie aus Abfall Humus wird", Mitarb. am jährl. "Bericht zur Lages des Konsumentenschutzes", Synerga - Publik. "Ganzheitliche Kommunikation als Erfolgsstrategie - ein Beitrag zur Optimierung d. Unternehmenskultur sowie "Aspekte d. Unternehmenskultur", außerdem div. Artikel in d. Zeitschrift "Konsument" vor allem zu ökol. Themen. E.: 1986 Ehrenpreis d. Österr. Gesell. f. Umwelt u. Technik f. besondere journalistische Leistungen auf d. Gebiet d. Umweltschutzes. M.: PR-Verband, Österr.-Japanische Gesell., Obmann d. ökol. Bildungswerkes. H.: Sammeln v. Asiatika, Ausgrabungsgegenstände - ethnologische u. archäologische Gegenstände u. Skulpturen, Gründung Galerie. (I.K.)

Simperl Leopold Dr. Dir.
B.: Gschf. d. Getreidewirtschaftsfond. DA.: 1010 Wien, Riemerg. 14. G.: Wien, 7. Apr. 1942. V.: Renate, geb. Metzner. Ki.: Leopold. El.: Leopold u. Margarethe. S.: b. 1959 Lehre als Maler u. Anstreicher, 1959-64 Geselle im Betrieb, 1964 Tätigkeit in Getränkeunternehmen, 1964-70 Schul.Management, Sprachkurse, Vorbereitung f. Matura, 1970-71 Sozialak. Hinterbrühl, Stud. sämtl. Wiss, 1980 Doktorat. K.: b. 1984 Management, Koordination, seit 1984 Gschf. d. Getreidewirtschaftsfond, seit 1989 Vors. d. Lebes-u. Genußmittelgewerkschaft u. d. Land- u. Forstwirtschaftsgewerkschaft, 1991 Gründer d. ANG-Gewerkschaft. (J.E.)

Sinabell Bernd
B.: Firmenteilh. FN.: "Leiwaund" Cafe-Bar. DA.: 2700 Wr. Neustadt, Brodtischg. 11. PA.: 2700 Wr. Neustadt, Äußere Bahnzeile 47. G.: Wr. Neustadt, 19. Jän. 1970. El.: Bernd u. Eva. S.: VS, 4J. BRG, 2J. HTL, abgeschl. Fernmeldetechn.-Lehre. K.: 1986-89 Fernmeldetech. Post, 1990 Facharbeiterprfg., s. Dez. 1992 Teilh. Cafe-Bar "Leiwaund". M.: VKJ St. Anton-Tischtennis. H.: Radfahren (Mountainbike), Tischtennis - regelm. Teiln. a. Meistersch. - 1980-81 Öst. Mannschaftsmstr. (I.J.)

Sinabell Karl Dr. iur. Mag. MinR.
B.: Ltr. d. Abt. Fachinformation u. Dokumentation u. d. Administr. Bibliothek im Bundeskanzleramt. DA.: 1010 Wien, Schenkenstr. 4a. G.: Wiesmath, 10. Apr. 1936. V.: Brigitte, geb. Herber. Ki.: Claudia (1970), Gerald (1975). El.: Georg u. Barbara. S.: VS, HS, Fernunterricht-Matura, Werkstudent, Jus-Stud. an d. Univ. Wien. K.: 1974 Eintritt in d. Bundeskanzleramt, seit 1992 Ltr. d. Abt. IV/9 u. d. Adm. Bibliothek; Mitarb. beim Österr. Normungsinst.; Red. d. Index zum Österr. Reichs-, Staats- u. Bundesgesetzblatt (seit 1974), Verantw. Red. d. Zeitschrift "Europa-Info", Red. d. Fachzeitschrift "Jus-Extra". H.: Wandern, Natur, Lesen, Musik u. Theater. (J.S.)

Sindelar Brigitte Dr.
B.: Klin. Psychologin, Psychotherapeutin, Individualpsychologin. DA.: 1180 Wien, Theresieng. 32. G.: Oberwart/Bgld., 14. Jan. 1952. Ki.: Christoph (1982). El.: Alfred u. Friederike Bruschek, geb. Wagner. S.: 1970 Matura, 1970-76 Stud. Psych. u. Kunstgeschichte Univ. Wien, Prom. z. Dr. phil. K.: 1971-81 Praxis Kinderstation d. Psychiatr. Univ.Klinik m. weiterer Tätigkeit als Univ.Ass. an d. Univ.-Klinik f. Neuropsychiatrie d. Kindes- u. Jugendalters, ab 1981 selbst. BL.: Entwicklung einer Diagnose u. Therapiematerials z. Behebung v. Teilleistungsschwächen. P.: Hrsg. v. Fachliteratur im eigenen Verlag, zahlr. Publ. in Fachzeitschriften. M.: Ver. f. Individualpsych. H.: Kunst, Literatur. (N.A.)

Sindelar Christian
B.: Gschf. Ges. FN.: Christian Sindelar GmbH. DA. u. PA.: 1050 Wien, Am Hundsturm 1. G.: 4. Nov. 1940. V.: Evelyn, geb. Geogehegan. Ki.: Melanie (1989), Valerie (1990). El.: Josef u. Berta. S.: VS, HS, Berufsschule f. Starkstromtechnik, Mstr.-Schule u. HTL Ind.-Elektronikkurs, REFA-Arbeitstechnikkurs. K.: 1968 Grdg. Sindelar Elektroinstallationen u. Alarmanlagen f. Wohnbau, Gewerbe u. Ind., 1980 Umwandlung in GmbH u. 1 Filiale in Wien 16. M.: Mtgl. im Kuratorium f. Elektrotechnik. H.: Musik, Segeln, Skifahren, Radfahren. (M.M.)

Sindelar Gisela
B.: Geschäftsfrau. FN.: Ritz Video. GT.: Gschf. Video Paradies. DA.: 1120 Wien, Arndtstr. 49. G.: Wien, 22. Febr. 1951. El.: Leopold u. Josefine Sindelar. S.: HS, Friseurlehre. K.: 1968-81 kfm. Ang., seit 1983 Gschf. Video Paradies, seit 1991 Gschf. Ritz Video. H.: schöne Autos, Geld ausgeben, Reisen. (N.A.)

Sindelar Paul
B.: Inh. "Trödler Abraham". GT.: Vorst.-Stellv. d. Landesgremium Wien f. d. Hdl. m. Altwaren. DA.: 1140 Wien, Hütteldorfer Str. 102. PA.: 1140 Wien, Kuefsteing. 109. G.: Wien, 17. Dez. 1951. El.: Karl u. Eva. K.: 1966-70 Verkäuferlehre in Handelsbetrieb, 1970-71 Ang. in Altwarenhdl., ab 1971 selbst. im Altwarenhdl. - Fa. "Trödler Abraham", Hdl. m. Altwaren, Kunst u. Antiquitäten. M.: ab 1971 Mtgl. d. Wr. HK Sekt. Hdl., ab 1984 Aussch.-Mtgl. d. Landesgremium Wien f. d. Hdl. m. Altwaren, ab 1990 Vorst.-Stellv. H.: Antiquitäten. (M.M.)

Sindelka Josef Dr. Ing.
B.: Sektionschef, Gen.-Dir. d. Österr. Post- u. Telegraphenverw. GT.: VerwR. d. Österr. Postsparkasse Wien, AufsR. d. Bank d. Österr. Postsparkasse AG Wien u. d. Elin Union AG f. elektr. Ind. Wien. Da.: 1011 Wien, Postg. 8. G.: Wien, 24. Mai 1938. S.: Unterstufe BRG, TGM, Fachrichtung Starkstromtechnik, 1957 Reifeprüf., 1959 Zusatzreifeprüf., Stud. Jur. Fak. d. Univ. Wien, 1964 Prom. K.: 1957 Eintritt in d. Dienst d. Post- u. Telegraphenverw. als Techniker im Fernsprechbetriebsamt Wien, 1965 Berufung in d. Vorst.-Büro d. Post- u. Telegraphendion., dienst- u. besoldungsrechtl. Betreuung d. Bmtr. d. Verwendungsgruppe A, techn. Aufgaben wie etwa Angelegenheiten d. Verkehrsarbeitsinspektorats, 1969 Fernmelderechtsabt. d. Gen.-Postdion., 1975 Abt. 02, 1977 zusätzl. Sekr. d. BMin. f. Verkehr, 1979 Ltr. d. Abt. 02, 1985 Stellv. d. Gen.-Dir., 1985 Gen.-Dir. d. Post- u. Telegraphenverw., 1986 Ernenn. z. Sektionschef, 1990-95 Wiederbestellung. E.: 1989 Gr. EZ in Gold d. Landes Stmk. H.: Tennis, Radfahren, Laufen. (J.S.)

Singer Franz
B.: Unternehmer. FN.: Singer-Ei. DA.: 2564 Furth/Triesting, Steinwandgraben 20. PA.: 2564 Furth/Triesting, Steinwandgraben 8. G.: Pernitz, 2. Dez. 1940. V.: Ingeborg Garber. Ki.: Stephanie (1964), Evi (1966). El.: Franz u. Elisabeth. S.: VS, HS, 2 J. Hotelfachschule Glessheim. K.: b. 1960 Steward auf einem Schiff, Tätigkeit im elterl. Geschäft m. angeschl. Forellenzucht, 1964 selbst. m. Hennenzucht, danach Großhdl. m. Eiern, 1980 Grdg. Nesteier GmbH. H.: Reisen, Skifahren, Segeln, Paragleiten, Videofilmen. (R.T.)

Singer Hans K.
B.: Kapellmstr., Musiker, Sänger, Komponist u. Texter. FN.: Schani Singer Schrammeln. DA.: Robert-Stolz-Heuriger, Cobenzlg. 22, 1190 Wien. PA.: 1140 Wien-Hadersdorf, Hauptstr. 166. G.: Wien, 9. Febr. 1940. V.: Eva, geb. Rath. Ki.: Edith, Astrid u. Erika, Eva. El.: Johann u. Emma. BV.: Urgroßvater Josef Harrer Bgm. d. Gebietes westl. v. Wien. S.: Salesianer Hietzing, Wr. Konservatorium (Gesang b. Alice Gross-Iresch), Wr. Musikstud. (Prof. Doz. Dr. Otto Schindler), Schauspiel b. Prof. Maschkan. K.: neben Stud. Musiker b. Fatty George in Essling, nach Stud. zahlr. Theaterrollen als Schauspieler u. Sänger z.B. Simpl Wien, Hamburg, Südamerika, Guadeloupe, zuletzt Stadttheater Baden, 1987 Grdg. d. Schani Singer Schrammeln m. Renate Altschach als Sängerin u. Autorin, Willy u. Ali (Geige u. Fery (Akkordeon), seitdem als Kapellmstr., Musiker, Sänger u. Komponist im Windhaberhaus u. seit 1991 im Müllerbeisl tätig. BL.: Teilnahme an EM u. WM im Stemmen, Schwergewicht. P.: zahlr. Platten- u. Tonbandkassetten. E.: Gold. Wr. Herz d. Kulturstadtamtes Wien, Gold. Sportabz., Garde-Ring. M.: Robert Bosch-Runde (Wienerliedrunde). H.: Reiten. (J.S.)

Singer Johann
B.: Graveur, Lehrer in d. HTBL Ferlach. DA.: 9179 Ferlach, Schulhausg. 10. PA.: 9170 Ferlach, Glainach 20. G.: Klagenfurt, 28. März 1931. V.: Paula, geb. Rupp. Ki.: Johann (1956, Berufsoffz.), Dipl.-Ing. Wolfgang (1959), Ing. Josef (1962). El.: Valentin u. Elisabeth. S.: Fachschule f. Handfeuerwaffen (Schüler v. Anton Bergmann). K.: 1950-64 Waffengravierer in d. Jagdgewehrfbk. "Sodia", 1962 Mstr.Prüf., s. 1964 Lehrer an d. HTBL Ferlach u. weltberühmter Gravierer (Aufträge aus USA, Australien, Schweiz, BRD u.a.). P.: Ersch. in "The American Shotgunner": Hans Singer - Master Engraver, "Gedanken z. Waffengravur" (im Album künstler. Waffengravierungen). H.: Bergwandern, Natur beobachten, Garten. (D.M.)

Singer Johannes Dr. theol. lic. phil. et theol.
B.: HS-Prof. d. Kath.-Theol. HS Linz, Domkapitular. DA.: 4020 Linz, Bethlehemstr. 20. PA.: 4020 Linz, Rudigierstr. 10. G.: Schiedlberg, 11. Okt. 1921. S.: 1941 Matura, Stud. in Linz u. Rom. K.: 1951 Priesterweihe, 1954 Prom., Kooperator in Mondsee, Religionslehrer in Linz, ab 1959 Theol.Prof. (P.R.)

Singer Siegfried
B.: Bgm. d. Marktgem. Reutte. PA.: 6600 Reutte, Schulstr. 28. G.: Reutte, 4. Juli 1930. V.: Doris, geb. Hafner. Ki.: Max, Lukas. S.: Pflichtschule, Rauchfangkehrerlehre, Mstr.Prüf.

K.: Bez.-Rauchfangkehrermstr., seit 1968 GemR., seit 1980 Gem.Vorst. u. seit 1983 Bgm. d. Marktgem. Reutte. E.: Silb. Ehrenmed. d. Kam. d. gewerbl. Wirtschaft Tirol, VK d. Landes Tirol, Verd.-Med. d. Landes Tirol, Gr. Gold. EZ d. Tir. Rauchfangkehrerinnung, Sparkassen-Ehrennadel in Gold, Gold. Ehrennadel d. Tir. LSchützenbundes, BMed. f. Wiss. u. Kunst, Verd.-Abz. in Bronze d. LFeuerwehrverb. Tir., Verd.-Abz. in Gold d. Sportver. Reutte Sekt. Fußball. M.: AufsR. d. Reuttener Bergbahn AG, Verb.-Obm.-Stellv. d. Bez.-KH Reutte, Vors. d. SparkassenR. d. Sparkasse Reutte, Ortsobm. d. ÖVP Reutte, Ortsobm. d. Wirtschaftsbundes, PfarrkirchenR. d. Pfarre St. Anna. H.: Kunstgeschichte, Arch., Malerei. (Schm.)

Singer Tina

B.: Gschf. Ges. FN.: Work Shop-Cafe Betriebsges.m.b.H. DA.: 1070 Wien, Mariahilferstr. 60. PA.: 1030 Wien, Am Modenapark 8-9/4. G.: Wien, 6. Nov. 1966. V.: Thomas Kern. El.: Hannelore u. Willi Singer. S.: 5 J. Internat in Kirchschlögg/ Bucklige Welt, Mittelschule, Polytechnischer Lehrgang. K.: Kunstbuchhandel bei Kunstverlag Wolfrum in Wien, ab dem 18. Lebensjahr i. d. Gastronomie tätig, 1992/93 Grdg. d. Modellagentur f. Kleinkünstler u. Fotomodelle, Konzessionsprüf. f. Gastgewerbe, 9/1993 Eröff. d. Cafe Work Shop. H.: Lesen, Nähen, Fitnesstraining, Skifahren, Musik, Singen. (J.M.)

Singer Willi

B.: bild. Künstler. PA.: 1220 Wien, Ziegelhofstr. 32-34/6/6/19. G.: Wien, 17. Okt. 1942. V.: Hannelore, geb. Weindl. Ki.: Wilhelm, Bettina, Sherazade. El.: Rudolf u. Anna. S.: Berufsschule f. Maler, Anstreicher u. Lackierer, 1964-69 selbst., 1969-73 Wr. Kunstschule b. Prof. Fritz Martinz. K.: ca. 40 Ausstellungen in USA, Paris, Rom, München, Moskau, Kiew u. im Künstlerhaus in Wien, 1985 Zentralbuchhdlg. Wien. (A.W.)

Singer Wolfgang Dr.

B.: Inh. FN.: Singer. DA.: 1030 Wien, Kölblg. 21/1. G.: Wien, 13. Apr. 1952. V.: Roswitha. Ki.: Tilmann, Miriam. El.: Dipl.-Ing. Karl u. Hertha. S.: 1970 Matura, TU Wien, 1976 Dipl.-Ing. K.: Forsch.-Zentrum Seibersdorf, 1983 Prom., 1983 Mstr.-Prüf. f. Elektromechanik, 1986 Hdls.-Gewerbe, 1983 Firmengrdg. im Servicebereich, später Hdl. m. Geräten u. Softwarendienstleistung. H.: Tennis, Wandern, Gesellschaftsspiel, Hobbypsych., Reisen. (J.E.)

Sinik Sonja D.

B.: Gschf. Ges. FN.: Sinik GmbH VIP-Reisebüro. DA.: 1030 Wien, Radetzkystr. 10. G.: Wien, 12. Aug. 1946. S.: 1965 Matura, Stud. Slawistik, 1969 Abschluß, Auslandsaufenthalt in Rom u. Madrid. K.: Einstieg in d. Touristikbranche, 1973-86 Dir. f. Pakistan Intern. Airline, 1986 Eröff. d. VIP-Reisebüro. M.: Skal, ÖRV. H.: Reisen, Gärtnerei, Fremdsprachen, Geschichte. (J.E.)

Sinissbichler Peter Dr. med.

B.: FA f. Zahn-, Mund- u. Kieferheilkunde. DA.: 4020 Linz, Landstr. 37. PA.: 4020 Linz, Lortzingg. 18. G.: Linz, 19. Febr. 1956. V.: Dr. Christine, geb. Sperl. El.: Otto u. Adelheid Dr. BV.: MedR. Otto Hamann FA f. Orthopädie, Literat-Poet Gründer d. Eichendorfbundes. S.: hum. Gymn., 1975 Matura, 1981 Univ. Innsbruck. K.: 1981 Pharmaforsch., 1981-83 Ausbild. z. FA d. Zahn-, Mund- u. Kieferheilkunde an d. Univ. Wien, 1983 Praxiseröff. m. d. Fachinteresse d. Ordinationsspezialisierung "Herdsanierung im Zusammenhang u. unter Berücksichtigung anderer med. Fachgebiete". M.: Oldtimerclub. H.: Automobilgeschichte, Aquarianer. (J.G.)

Sinwel Wolfgang

B.: ak. Maler. DA.: 1030 Wien, Daponteg. 7. PA.: 1020 Wien, Tempelg. 8/11. G.: Wien, 17. Juni 1954. V.: Dr. phil. Beatrix S., geb. Moschitz. Ki.: Manuel-Bastian, El.: Dr. Friedrich u. Elisabeth Dr. S.: VS, Gymn., Ak. d. bild. Künste, Österr. Romstipendium. K.: 1975-85 Ausstellungen in Wien (Galerie Döbling, Galerie Brandstätter, Galerie am Arbeitsplatz, BAWAG-Fondation), Linz (Galerie im Hofstöckl), Klagenfurt (Galerie Freund), Basel (Art 10, 11, 16), BRD (Weingarten, Frankfurt, Fellbach, Freiburg), Frankreich (Strasbourg), Kardinal König-Preis, Förderungspreis z. Staatsstipendium, Theodor Körner-Preis. H.: Ski, Musik, Literatur. (R.A.)

Sinzinger Helmut F. Dr. med. Univ.-Prof.

B.: FA f. Innere Med. u. Nuklearmed. DA.: 1090 Wien, Währinger Gürtel 18-20; 1090 Wien, Nadlerg. 1. PA.: 1090 Wien, Nadlerg. 1. G.: Wien, 6. Mai 1948. V.: Christa, geb. Pany. Ki.: Alexandra (1980), Thomas (1982). El.: Dr. Franz u. Hedwig. S.: Med.-Stud. Wien, 1973 Dr. med., 1971 Forsch.-Stipendium Proscientia. K.: 1973-73 Demonstrator u. wiss. Hilfskraft f. Anatom. Lehrkanzel, 1973 Ass. II. Med. Univ.-Klinik, 1979 Habil., 1981 FA f. Innere Med., OA, Nuklearmed. Abt. d. II. Med. Univ.-Klinik, 1984 FA f. Atheroskleroseforsch., 1985 Habil. f. Nuklearmed., 1987 FA f. Nuklearmed., 1988 a.o.Univ.-Prof., 1992 sv. Klinikvorstand, Ass.-Prof., wiss. Tätigkeit in Wilhelm-Auerwald-Atherosklerose-Forsch.-Gruppe, seit 1973 regelmäßig Vorlesungen zu Nuklearmed., Atherosklerose, Ernährung, Fortbild.-Vorträge in ca. 100 Österr. KH, Gastprof.: Nuklearmed. in Krakau, Polen, Perugia, Italien u. Barcelona/Spanien. P.: mehr als 300 Originalarb., Hrsg. v. mehr als 30 Büchern. E.: Theodor Billroth-Preis d. Wr. Ärztekam., 1981 Byk-Mallinckrodt-Preis f. Nuklearmed., 1984 Preis d. Farbwerke Hoechst, 1984 Austrotransplantpreis, 1985 Förd.-Preis d. Österr. Kardiolog. Ges., 1985 wiss. Förd.-Preis d. Stadt Wien, 1986 Preis d. Ersten Österr. Sparkasse, 1986 u. 1987 Preis d. Österr. Ges. f. Stomatolgoie, 1989 Österr. Lipidpreis, 1989 Türk-Preis f. Hämatologie, 1989 Unilever Preis, 1992 wiss. Preis d. Intern. Union of Angiology Paris, 1992 CIS-Jean Debiesse "Nuclear Medicine" Preis Lissabon. M.: Mtgl. u. Ehrenmtgl. zahlr. Ges. u. wiss. Komitees u.a. European Artery Club, American Heart Assoc., American Physiological Society, European Thrombosis Research Organisation, The New York Academy of Sciences, Intern. Society for Radiolabelled Cellular Blood Elements, Ak. d. Wiss., Ehrenmtgl. d. Ungar. Atheroskleroseges., Österr. Ges. f. Prostaglandinforsch., Atheroskleroseforsch.-Gruppe d. Poln. Ges. f. Angiologie, Poln. Ak. d. Wiss. H.: Kakteen, Euphorbien, Basketball, indian. u. griech. Kunst. (J.S.)

Sipötz Hans
B.: 2. Landtagspräs. im Amt. d. Bgld. LRg. DA.: 7000 Eisenstadt, Freiheitspl. 1. PA.: 7152 Pamhagen, Bahnstr. 1a. G.: Pamhagen, 10. Okt. 1941. V.: Paula, geb. Kotzenmacher. Ki.: Bernhard, Hannes, Elisabeth. El.: Johann u. Elisabeth. S.: VS, Schulbrüder Strebersdorf, HS-Lehrer. K.: 1961-75 als Lehrer tätig, Abg., 1978 Bgm. v. Pamhagen, 1983 LParteisekr. d. SPÖ Bgld., 1984 Landesrat, 1987-91 LHptm., s. 1993 2. Landtagspräs. H.: Skifahren, Lesen, Weinbau, Radfahren..

Sippel Hartwig Mag. Dr. iur.
B.: Gschf. Ges. FN.: Franz Oberascher GmbH & Co KG. DA. u. PA.: 5101 Bergheim, Söllheimerstr. 16. G.: Wien, 11. Sept. 1953. S.: ak. hum. Gymn., 1971 Matura, Stud. an d. Univ. Sbg. Jur. Fak., 1977 Prom. K.: Gerichtsj. in Sbg., RA-Anw., 1979 Eintritt in d. Familienuntern., 1986 gschf. Ges. M.: CV. H.: künstl. Tätigkeit (Malen, Restaurieren, Plastiken). (A.W.).

Sirczelj Joze
B.: Korrespondent d. slowen. Tageszeitung Delo. DA. u. PA.: 9020 Klagenfurt, Linseng. 27. G.: Ljubljana, 17. März 1929. V.: Martina, geb. Rupret. Ki.: Andrej, Christina. El.: Franz u. Margaretha. S.: 1948 Matura in Ljubljana. K.: 1953 Journalist-Übersetzer Tageszeitung Ljudska pravica-Borba Ljubljana, 1957 Red. Ljubljanski dnevnik, 1961 stellv. Chefred., dann Chefred. Wochenzeitung Mladina Ljubljana, 1968 Reporter, dann verantwortl. Red. Wochenzeitung Tovaris Ljubljana, 1971 stellv. Red. f. Innenpolitik, dann Ressortchef, Tageszeitung Delo, 1975 ständiger Korrespondent v. Delo f. Afrika südl. v. Sahara, Lusaka, Nairobi, 1979 Kommentator, stellv. Außenpolit. Red., dann Ressortchef, ab Oktober 1987 ständiger Korrespondent v. Delo in Österr. m. Sitz in Klagenfurt. P.: Zepni bonton, Mladinska knjiga, Koroska znamenja, Zalozba Delo, Potovanje po juzni Koroski - Wandern durch Süd-Kärnten in Koroska pota, Zalozba Obzorja, Ziva Afrika, Pre8sernova druzba, Politicno-ekonomski interesi Zahoda v Juznoafriski republiki in Rodeziji in posledice za proces dekolonizacije, Center za proucevanje sodelovanja z dezelami v razvoju, Konflikt na Rogu Afrike in vloga velesil, Center za proucevanje sodelovanja z dezelami v razvoju. E.: Orden d. Rep. Jugoslawien. M.: Jugoslaw. u. slow. Journalistenver., Verb. d. Auslandspresse. H.: Holzarb., Kochen. (S.G.)

Sirdjani Ahmad
B.: Hotelier d. Hotel Pension Franz. PA.: 1140 Wien, Lautensackg. 18/3. G.: Iran, 25. Juli 1951. V.: Marjam. El.: Salar u. Masumeh. S.: Stud. Elektroing. K.: 1973 nach Österr., Stud. Welthdl. u. Betriebswirtschaft, anschl. Politikwiss., ALICE GmbH Pension Franz, 1985 Dir. d. Hotels ALICE GmbH. BL.: Pers., dt., engl., ital. M.: Österr. Hotelverb. H.: Reiten, Segeln. (Erh.)

Sireisky Leon Dr. Mag.
B.: Priester, Dir. d. Inst. f. Hörgeschädigte. DA.: 4020 Linz, Kapuzinerstr. 40. G.: Linz, 30. Apr. 1952. El.: Alfred u. Franziska. S.: Oberstufengymn. Linz, Stud. Phil.-Theol. HS d. Diözese Linz, Theol. Fak. d. Univ. Wien, 1977 Mag. theol. in Graz. K.: 1979 Priesterweihe, Kaplan in Linz-St. Konrad u. Linz-Stadtpfarre, Verbandseelsorger d. ÖCV, 1989 Dir. d. Inst. f. Hörgesch., Pfarradministrator in Hirschbach. P.: versch. Art. in kirchl. Zeitschr., Buch: Ich komme vor Dein Antlitz, Herr (1981), Buchart.: Wartet u. betet (1986). E.: Magistralkaplan d. Souv. Malteser-Ritter-Ordens, Kommandeurkreuz d. Ordens Sao Paulo Apostolo. M.: Österr. Gemeinschaft, KÖStV Severina zu Linz im ÖCV, KAV Capitolina zu Rom im CV. H.: Reisen, Weine. (P.H.)

Sirk Julius
B.: Firmeninh. FN.: Julius Sirk Autospenglerei. DA. u. PA.: 8020 Graz, Südbahnstr. 53. G.: Graz, 7. Juli 1966. El.: Julius u. Liselotte. S.: HS, Lehre als Autospengler, 1985 Abschluß, 1990 Mstr.-Prüf. K.: Tätigkeit im elterl. Spenglereibetrieb in Graz, 1992 Übernahme d. elterl. Betriebes. H.: Skifahren. (F.K.)

Sirninger Christian

B.: Gschf. FN.: Pecco Beschläge. DA.: 5072 Salzburg, Bayernstr. 400. PA.: 4722 Peuerbach, Maria-Ziegler-Str. 10a. G.: Peuerbach, 25. Dez. 1954. V.: Margit, geb. Jäger. Ki.: Karin (1982), Sabine (1986), Anja (1992). El.: Franz u. Josefa. S.: VS, HS, 1970-74 Berufsschule Elektromechaniker. K.: 1974-77 3 UNO-Einsätze Südzypern, Nordzypern u. Syrien, 1977-87 Antiquitäen in München restauriert, 1987-92 bäuerl. Kunstgegenstände restauriert, 1992 Gschf. Firma Pecco. E.: Ausz. v. d. UNO. H.: Antiquitäten restaurieren, Reisen, Familie. (M.G.)

Sirotek Martin
B.: Fotograf u. Gschf. Ges. FN.: M. Sirotek Fachlabor KG. DA.: 1150 Wien, Oeverseestr. 45. PA.: 1190 Wien, Sommerg. 3/32. G.: Wien, 17. Mai 1968. El.: Miroslav u. Helga. S.: VS, AHS, Höhere Graph. Lehr- u. Versuchsanst. f. Fotografie, Praxis, Mstr.-Prüf. K.: 1987-90 Praxis i. Wien u. Hamburg, 1989 Eintritt i. d. elterl. Betrieb M. Sirotek Fachlabor, Fotostudio, Kaschierwerkstätte u. Elektron. Bildverarb., 1993 Umwandlung i. KG u. Gschf. Ges. M.: ALR Arbeitskreis f. Labor- u. Reproduktionstechnik, AWI Arbeitskreis Wirtschaft u. Ind. H.: Skifahren, Motorrad. (N.A.)

Sirotek Miroslav
B.: Ges. FN.: M. Sirotek Photofachlabor KG. DA.: 1150 Wien, Oeverseestr. 45. PA.: 1190 Wien, Hameaustr. 15a. G.: Prag, 24. Okt. 1930. Ki.: Michaela (1965), Martin (1968). El.: Emil u. Anna. S.: Gymn., b. 1949 Höhere Graph. Lehr- u. Versuchsanst. i. Prag - Fotografie. K.: b. 1949 fotograf. Tät. i. Prag, ab 1956 fotograf. Tät. i. Wien, 1960 Gründ. Fa. M. Sirotek.: Ges.- Reportagen, später Werbefotografie, ab 1977 Photofachlabor. E.: mehrere Urkunden u. Ausz. v. d. Innung d. Fotografen. M.: Innngsmstr.-Stllv. d. Innung Wien d. Fotografen. H.: Fotografie. (N.A.)

Siska Josef Dr. HofR.

B.: Stadthptm. v. Währing. DA.: 1180 Wien, Schulg. 88. G.: Wien, 20. März 1947. V.: Gerda, geb. Pangratz. El.: Josef u. Anna. S.: VS, Gymn., Stud. Jura u. Sozialwiss. Univ. Wien, Gerichtsj. K.: 1971 Mag. d. Stadt Wien, Landesverteidigungsak., 1975 Eintritt in d. Polizei Wien, Spezialisierung im Kriminaldienst, Ltr. d. Ref. Gewaltverbrechen u. organisierte Kriminalität im Sicherheitsbüro, Ltr. d. Wr. Mordkmsn., stellv. Vors. d. Sicherheitsbüros, seit 1990 Stadthptm. v. Währing, seit 1994 HofR. P.: Aktuelle Probleme d. Bekämpfung d. Geldwäscherei (1994), Kriminalität u. kriminogene Faktoren am Arbeitsplatz (1994), Schutz d. Unternehmen v. kriminellen Angriffen u. Gefahren. E.: Gold. EZ f. Verd. um d. Rep. Österr. M.: Österr. Ges. f. Strafrecht u. Kriminologie, Ges. f. Kuratorium sicheres Österr. H.: Literatur. (J.M.)

Siska Werner Mag. Dr. iur.
B.: Steuerberater. DA/PA.: 2700 Wr. Neustadt, Neunkirchnerstr. 52a. G.: Reichenau, 23. Nov. 1944. El.: Josef u. Gertrude. S.: AHS, Stud. d. Rechtswiss. Univ. Wien, 1967 Prom. K.: 1967-72 b. Wirt.-Treuhänder in Wr. Neustadt, Berufsanwärter, 1972 Fachprüf. als Steuerberater. K.: s. 1972 selbst. Steuerberater Wr. Neustadt. P.: Art. in Fachzeitschriften. M.: Kammer d. Wirt.-Treuhänder, Mtgl. d. Prüf.-Kommission, stellv. Vors. d. Kostenaussch., Wr. Konzerthausges.-Mtgl., Ver. "Freunde d. Grazer Oper", örtliche Ver. in Wr. Neustadt. H.: klassische Musik, Geschichte. (I.J.)

Sitar Elisabeth
B.: Inh. FN.: Cafe Haydnhof. DA.: 7400 Oberwart, Schulg. 1. PA.: 7400 Oberwart, Linkes Pinkaufer 28. G.: Oberwart, 22. Jän. 1969. V.: Peter. El.: Alexander u. Ida. S.: VS, Gymn., HBLA, Animationslehrgang, Konzessionsprüf. K.: 1986-87 Au-Pair in Frankreich, 1990-91 Australien, 1991-93 Mitarbeit i. d. Gastwirtsch. d. Eltern, 1992 Konzessionsprüf., 1993 Geschäftsübern. Cafe Haydnhof. H.: Reisen, Musik. (M.N.)

Sitek Waltr Dr. Mag. MinR.
B.: Gruppenltr. in d. Sekt. III im Bundesmin. f. Arbeit u. Sozial. DA.: 1011 Wien, Stubenring 1. PA.: 1180 Wien, Anton-Frank-G. 3. G.: Wien, 13. Aug. 1946. V.: Hermine, geb. Völkl. Ki.: Markus (1972), Michaela (1973), Elisabeth (1975). El.: Gottfried u. Martha, geb. Eger. S.: 1964 Matura, 1964-69 Stud. Rechtswiss. Univ. Wien u. Sbg. m. Prof. m. Dr. iur. K.: 1970 Eintritt in Bundesmin. f. soz. Verw., 1975 stellv. Abt.-Ltr., 1981 Abt.-Ltr., 1987 Gruppenltr., seit 1990 MinR. P.: Fachart. über Arbeitsmarktpolitik, Erwachsenenbild. u. Arbeitsmarktförd. M.: im Zentralvorst. d. GÖD. H.: Literatur, Reisen, Fotografieren, Wandern. (N.A.)

Sitkovich Helga
B.: Wirtschaftstreuhänder, Steuerberater. DA.: 1220 Wien, Donaufelderstr. 236. PA.: 1226 Wien, Gänseblümchenweg 27. G.: Wien, 14. Apr. 1944. V.: Franz. Ki.: Gerhard, Christoph. El.: Rudolf u. Auguste Kucera. S.: HAK-Matura 1962 in Wien, 1973 Fachprüf. z. Steuerberater. K.: 1973 Eröff. d. Steuerberatungskzl. M.: Aussch.Mtgl. d. Wirtschaftsbundes Abt. 22. Bez. H.: Tennis. (A.W.)

Sitte Fritz
B.: Journalist, Fotoreporter, Buchautor. PA.: 9500 Villach, Oswaldibergstr. 34. G.: Krems, 30. Aug. 1924. V.: Elsy, geb. Samitz. El.: Wilhelm u. Erna. BV.: Camillo Sitte d. gr. Städtebauer u. Planer. S.: Pflichtschule, Mittelschule, Staatsgewerbeschule. K.: bereits während d. Schulzeit m. journalist. Tätigkeit begonnen, während d. Krieges Kriegsberichterstattung, nach d. Krieg Auslandsberichterstattung m. Spezialberichten über Krisen, Konflikte, Kriege, intern. Problemthemen, f. intern. Zeitungen u. Zeitschriften, f. Fernsehproduktionen im In- u. Ausland, TV-Dokumentarfilme, Magazinsendungen. P.: 23 Bücher: "Flammenherd Angola", "Brennpunkt Jemen", "Panikzone Panama", "Perlen, Schmuggler, Abenteuer", "Dreckiges Öl", "Abenteuer in unserer Zeit", "Inferno Schwarzafrika", "Schwarze Götter", "Rebellenstaat im Burmadschungel", "Flug in d. Angola-Hölle", "Ich war bei den Kurden", "Die rote Khmer", "Schicksalsfrage Namibia", "Heißes Eis Antarktis", "Ich war in Nicaragua", "Buschmann schieß oder stirb", "Jemen - Krummdolch u. Erdöl", "Abenteuer in unserer Welt", "Im Rauschgift-Dschungel", "Supertanker Alpha", "Alt werden aber jung bleiben", " Bonzius", "Vom Lausbuben zum Krisenreporter". E.: Dr. Karl Renner-Preis f. Publizistik 1973, Kulturpreis d. Stadt Villach 1988. M.: Journalistengewerkschaft. H.: Beruf u. Wohnen, Imkerei. (Brod.)

Sittenthaler Gerhard
B.: Inh. FN.: Gerhard Sittenthaler. DA.: 4563 Micheldorf, Bahnhofstr. 7. PA.: 4600 Wels, Birkenstr. 2. G.: Wels, 12. Feb. 1962. V.: Anna, geb. Seibold. Ki.: Christian (1985), Sabrina (1988). El.: Johann u. Elisabeth. S.: VS, HS, 1977-80 Tischler Lehre, 1980 Gesellenbrief, 1980-81 BH, 1981-83 Lehre a. Vulkaniseur, 1983 Gesellenbrief, 1984 Abschluß a. Großhandelskfm. K.: 1986 Selbst. i. Reifenhandel, 1987 Übern. d. elterl. Betr., 1992 Verkauf d. elterl. Betr. (G.E.)

Sitter Johann Dr.

B.: Consulting-Manager. FN.: Freizeittempel. DA. u. PA.: 2700 Wr. Neustadt, Wiener Werkstr. 109. G.: Wr. Neustadt, 14. Juli 1953. V.: Karin, geb. Uttner. Ki.: Philipp (1992). El.: Johann u. Maria. S.: HASCH, 3 J. Fleischhauerlehre, 1971 Gesellenprüf. K.: Abt.-Ltr. Billa Wien, ab 1972 Gschf. einer Filiale d. Firma Riedmüller, 1973-77 Verkaufsltr. f. LKW u. PKW Fima Zarazik, ab 1977 selbst., 1981-84 12 Gastronomiebetrieb u. 1 Spielautomaten-Exportbetrieb, 1984 Veräußerung d. Betriebe, ab 1985 Bau v. Tankstellen "Dallas-Discont" u. Beginn Immobilienhdl., 1988 Trainerlizenz f. Kraftsport u. Eröff. d. "Freizeittempel", 1992 Grdg. Import-Export-Firma Monaco, 1994 Gastronomiemaschinenvertrieb u. -erzeugung Texas, Beginn d. Baus d. Disco "Beverly Hills". E.: 1986 Dr. h.c. d. Kirchl. Univ. Oldenburg. H.: Motorboot. (I.J.)

Sittly Walter
B.: Inh. FN.: Siwa Werksvertretungen u. elektron. Sicherheitssysteme. DA.: 1040 Wien, Freundg. 8. PA.: 1030 Wien, Baumg. 35. G.: Wien, 14. Aug. 1940. V.: Elisabeth, geb. Plachy. Ki.: Herbert (1960), Andreas (1964). El.: Josef u. Josefine, geb. Drazdil. S.: Kfm. Lehre b. Humanic. K.: Verkauf im Konsum, Bürotätigkeit Arabia, Kontrolleur WGBKK, 1967-81 Firma Sochor Baustoffe: zuerst kfm. Ang., später im Außendienst, anschl. als unterstützender Außendienstmitarb. f. d. Geschäftsltg., seit 1981 selbst. H.: Fotografieren, Hausbau. (N.A.)

Sittenthaler Siegfried Dr.
B.: Leitender Staatsanwalt d. Saatsanw. Linz. DA.: 4020 Linz, Museumstr. 10-12. G.: Gmunden, 28. Nov. 1943. V.: Mag. Verena, geb. Kraus. Ki.: Mag. Christina (1971), Elisabeth (1977), Matthias (1979). S.: Grundschule, Stiftsgymn., b. 1966 Jusstud. Wien. K.: 2 J. Richter, anschl. Staatsanw., seit 1989 1. Staatsanw., s. 05.08.1993 Leitender Staatsanwalt, Initiator u. Ltr. Kriminalpolit. Arbeitskreis, Experte in parlamentar. Aussch. im Suchtgiftbereich, Engagement im Suchtgiftbereich. E.: 1991 Gold. EZ d. Rep. Österr. H.: Marathonläufe, Lesen. (P.H.)

Sitzmann Anton Dr. phil.
B.: Dir. d. Landesbibl. Dr. Friedrich Tessmann. DA.: 39100 Bozen, Armando-Diaz-Str. 8. G.: Onach/St. Lorenzen, 30. Juni 1940. V.: Zilli, geb. Ellemunter. Ki.: Günther (1971), Martin (1972). El.: Elias u. Anna. S.: VS, Mittelschule, Hum. Gymn. Lyzeum Vinzentinum Brixen, 1960 Matura Meran, Stud. Geschichte u. Geographie Univ. Innsbruck, 1965 Prom. Dr. phil., Ausbild. f. d. Höheren Bibl.-Dienst Univ.-Bibl. Innsbruck u. an d. Österr. Nationalbibl., 1969 Abschluß. K.: ab 1966 Ang. im Südtir. Kulturinst. als Bibl. d. Dr. Friedrich Tessmann Sammlung d. ÖAW, ab 1982 OBibl. d. Landesbibl. Dr. Friedrich Tessmann Bozen, ab 1992 Dir. BL.: Mitarb. b. d. Dt.-Tir. Bibliographie (1966-70), Buchlandschaft Südtir. (1970-80), Buchland Tirol 1980-90, seit 1982 Erstellung v. histor. Gutachten z. Verleihung d. Titels Erbhof im Auftrag d. Südtir. Landesrg., Referententätigkeit b. d. Aus- u. Weiterbild. d. Südtir. Bibl., 1978-85 Vors. d. Unteraussch. Kultur im Aussch. f. Schule u. Kultur in d. SVP, 1981 Mitbegründer u. 1. Vors. d. Bibl. Verb. Südtir. H.: Lesen, Höfe-Geschichte, Wandern, Reisen, Bergbauernarb. (M.M.)

Sitzwohl Josef Peter
B.: Gschf. FN.: Arge Bio-Landbau. DA.: 1080 Wien, Wickenburgg. 14. PA.: 3100 St. Pölten, Walter-Tresche-G. 21B. G.: Henndorf/BRD, 13. Juli 1942. V.: Marianne, geb. Coufal. Ki.: Christian (1966), Barbara (1982). El.: Franz u. Auguste, geb. Fuchs. S.: VS, Mittelschule, Stud. Germanistik, Geschichte u. Phil. Univ. Wien. K.: 1968 in d. Lehrred. d. Zeitung "Die Presse", 1969-73 Reporter b. "Faber-Verlag" Krems, 1973-81 Red. b. d. NÖ-Nachrichten, 1981-84 selbst. in d. Werbebranche, 1985-88 Red. b. "Kurier" NÖ, 1988-90 Ltr. d. Abt. Öff.-Arb. NÖ Landeshauptstadtplanungsges., danach Arge Bio-Landbau, Ltr. Öff.-Arb., seit 1994 Gschf. P.: zahlr. Publ., Buch "Lebenszeichen. Initiativen aus d. Waldviertel". M.: Bioverb. "Demeter", Bioverb. "Orbi". H.: Schreiben. (N.A.)

Six Horst KommR.
B.: Geschäftsmann, LObm. d. Ringes Freiheitlicher Wirtschaftstreibender (RFW). DA.: 4017 Linz, Johann-Metz-Str. 14, 4041 Linz, Blütenstr. 21. PA.: 4040 Linz, Bachlbergweg 53. G.: Linz, 21. März 1941. V.: Helene, geb. Schimböck. Ki.: Christian-Gernot (1966), Horst-Michael (1977). El.: Walter u. Charlotte. BV.: Großvater Hon.Konsul v. Istanbul u. Hamburg. S.: RG, HAK, 1960 Matura. K.: seit 1960 im elterl. Betrieb, 1972 Übernahme d. elterl. Betriebes, Unternehmensschwerpunkte: Hdl. m. Büromöbel, Büromaschinen, Papier u.

Druckergewerbe, seit 1975 HK-Rat, 1980-85 Gremialvorst.Stellv. d. Papierhdls., seit 1980 Aussch.Mtgl. d. LInnung Druck, dzt. LInnungsmstr.Stellv., seit 1985 im BInnungsaussch. d. Drucker, seit 1979 GR in Linz, 1990 Obm. d. FPÖ-GR-Fraktion, Mtgl. d. LParteivorst., 1991 StadtR. P.: Veröff. in OÖ Wirtschafszeitung "Wirtschaft aktiv". M.: seit 1959 Bajuvaria. H.: Wandern, Skifahren, Lesen, Reisen. (P.H.)

Six Sieghardt Alexander

B.: Unternehmer. FN.: Import-Export Herrmann & Six. DA.: 2202 Königsbrunn, Ortsstr. 32. G.: St. Pölten, 26. Mai 1940. V.: Inge, geb. Bremer. Ki.: Thomas (1972), Torsten (1978). El.: Adolf u. Alexandra. BV.: Franz. Adelsfamilie 1080 Burg Cambray Normandie, 15. Jhdt. Six Bgm. v. Amsterdam. S.: 1958 Lycee Francaise. K.: 1961-68 Laborant St. Martin Apotheke Wien, Apothekenhelferprüf., 1969 Bayer Leverkusen BRD, 1971-72 Techn. Ass. Univ. Köln, 1973-75 Betriebsltr. Odol Wien, 1977-85 Forschungslabor Dr. Gergely Wien, 1982-93 selbst., Lebensmittelhdl., 1994 Übernahme d. Firma Import-Export Herrmann, Kunstblumen, Dekerationsmaterial, Naturprodukte. M.: 1950 Wr. Sängerknaben. H.: Beruf, Familie. (T.T.)

Sixt Ingrid

B.: Gschf. Ges. FN.: Dr. Kramar, Sixt u. Partner Unternehmensberatungs Ges.m.b.H. DA. u. PA.: 4600 Wels, Laaberbachstr. 18. G.: Ybbs/Donau, 28. Mai 1942. V.: Dr. Walter. Ki.: Christian (1966), Walter (1967), Peter (1968), Sandra (1974), El.: Josef u. Josefine. S.: 1956-60 HAK/Linz, Matura. K.:Praxis Zukkerfabrik/Enns, Architekt/Wels, Bauuntern., seit 1976 im Einzeluntern. d. Gatten, seit 1990 Gschf. Ges. in Fa., weiters Gschf., in Fa. Provit-Luftreinigung- u. Zentralstaubsaugsysteme seit 1993. Beginn BWL Studium Linz. M.: Lions-Club, Kneipp Bund (Schriftführerin), Österr.-Franz. Ges. (Schriftführerin). H.: Kochen. (P.H.)

Sixtl Friedrich Dr. phil.

B.: o.Univ.-Prof. d. Johannes Kepler-Univ. Linz. DA.: 4040 Linz-Auhof. PA.: 4020 Linz, Tauberweg 12. G.: Steyr, 14. Aug. 1935. V.: Dr. Gertraud. Ki.: Peter, Katja. El.: Anton u. Maria. S.: 1946-54 BRG Steyr, 1954-62 Univ. Wien. K.: 1962-66 Ass. Univ. Hamburg, 1966-68 WissR. u. Prof. Univ. d. Saarlandes, 1968-71 Prof. Univ. Konstanz, seit 1971 Prof. Johannes Kepler-Univ. Linz. P.: 1967 (1982): Meßmethoden d. Psychologie, 1976: Skalierungsverfahren, 1980: D. Entdeckung allg. psychol. Gesetze b. variablen Organismusbedingungen, 1981: Krit. d. verhaltenswiss. Experimentierens u. Grundzüge einer wirksamen Forschungsstrategie, 1985: Notwendigkeit u. Möglichkeit einer neuen Methodenlehre d. Psychologie, 1993: Der Mythos des Mittelwertes. (Mayr)

Siyawoschi Dariusch Dr.

B.: Vorst. d. gynäkolog. geburtshilfl. Abt. d. KH Waidhofen/Ybbs. A.: 3340 Waidhofen/Ybbs, Kroisbachstr. 2. G.: Iran, 18. Mai 1934. V.: Parwin. El.: Siyawoschi Nesshat u. Hossein. S.: Matura, Iran, Med.Stud. u. Fachausbild., Univ. Wien, FA-Ausbild., FA-Ass., Prim. P.: Zur Diagnostik u. Therapie maligner Ovarialtumoren an d. 1. Univ.Klinik Wien 1956-64. M.: Mehrere Ver. u. Organ. im gynäkolog. Fach, sowie unterstützenden Ver. H.: Lesen, Sport.

Skacel Franz Dr. Dipl.-Ing. HofR.

B.: Univ.-Dir. FN.: Univ. Wien.GT.: Lehrtätigkeit a.d. Österr. Niederlassung d. American University Washington, seit 1985 Lecturer f. Geschichte u. Kulturgeschichte d. dt. Sprachraums im 19. u. 20. Jh., Stellvertretender Ballmeister d. Familiären d. Deutschen Ordens. DA : 1010 Wien, Dr. Karl Lueger-Ring 1. PA.: 1030 Wien, Hintzerstr. 10/14. G.: Wien, 8. Nov. 1936. V.: Maria, geb. Zehetgruber. El.: Franz u. Maria. S.: 1954 Matura, Studium d. Elektrotechnik a.d. Techn. HS Wien, 1961 Dipl., später Studium d. Rechtwissenschaften a.d. Univ. Wien, 1971 Promotion. K.: Hochschulass. bis 1964 am III. Inst. f. Mathematik u. Mathematisches Labor u. ab 1964 am Inst. f. Allgem. Elektrotechnik d. Technischen HS Wien.1970-77 Lehrtätigkeit f. Biomedizinische Technik a.d. Technischen HS Wien. 1970-72 Mtgl. d. Dienststellenausschusses, ab 1973 Stellvertretender Rektoratsdirektor d. Univ. Wien, ab 1975 Geschf. Rektoratsdirektor, seit 10/1975 Univ.-Dir. Seit 1975 Vors. d. Wahlkommission bei d. Hochschülerschaft a.d. Univ. Wien. Seit 1989 Präs. d. ÖFIT, Österr. Forschungsinstitut f. Technik-Geschichte. P.: Biomedizinisches Technik 1-IV, Wien 1973-75. Mitarbeit beim Lexikon d. Geschichte d. Naturwissenschaften, Herausgabe d. Schriftenreihe d. Univ.-Archiv. dzt. 7 Bände u. div. einschlägige Artikel zum Thema Univ. M.: Vorstandsmtgl. Öko-Soziales Forum. H.: Musik, Eisenbahn. (J.S.)

Skala Karl

B.: Gschf., Hauptges. FN.: Karl Skala GmbH. DA.: 2380 Perchtoldsdorf, Vierbatzstr. 3. G.: Wien, 15. Dez. 1945. V.: Margarethe, geb. Keim. El.: Karl u. Aloisia. S.: VS, HS, HAK, Kfz-Elektrikerlehre. K.: 1960-64 Kfz-Elektriker b. Bosch, 1965-69 Kfz-Elektriker Renault Österr., 1969-75 Autoverkäufer, 1975-76 kfm. Zonenltr. u. Betriebsberater, 1977-79 Verkaufsltr., 1979-83 Verkaufsltr. VW Gerstinger, ab 1984 selbst., seit 1987 Filialbetrieb in 1020 Wien, Stromstr. 13-17. H.: Sport, klass. Musik. (I.K.)

Skalé Susanne

B.: Inh. FN.: Detektiv-, Bewachungs- u. Sicherheitsbüro. DA.: 8010 Graz, Bürgerg. 1/I. PA.: 8010 Graz, Bürgerg. 1. G.: Graz, 25. Dez. 1954. V.: Aleksander. Ki.: Joachim (1978), Tatjana (1983). El.: Johann u. Erika. S.: VS, HS, HASCH, 1972 Abschluß. K.: 1972-76 Tätigkeit Raiffeisenzentralkasse Stmk. Graz, 1976-78 Tätigkeit im Gastgewerbe Zillertal u. Seefeld, seit 1978 väterl. Betrieb Detektei, 1988 Betriebsübernahme, zwischenzeitl. div. Kurse. M.: Dachverb. ÖDV, Intern. Kmsn. d. Detektive IKD, World Assoc. of Detectives Inc. WAD. H.: Garten, Handarb., Musik, Familie. (I.G.)

Skalicki Wolfram Dr. phil. o.HS-Prof.
B.: Dipl.-Bühnenbildner, o.HS-Prof. d. HS f. Musik u. Darstell. Kunst in Graz, freischaff. Künstler. A.: 8940 Liezen, Ausseerstr. 64. G.: Wien, 10. Juni 1925. Ki.: Dr. Nikola (1962), Dipl.-Ing. Simone (1969). V.: Dipl.-Ing. Annemarie., geb. Scheucher-Presserhof, LB d. HS f. Musik u. darst. Kunst Graz. El.: Dr. Eduard u. Phily. S.: Hum. Gymn., Ak. d. Bild. Künste Wien (Dipl.), Univ. Wien (Dr. phil.). K.: Bühnenbildner in USA, Canada, Argentinien, Iran, Schweiz, Frankreich, Italien, Deutschland, Österr., Slowenien, Kroatien u. Griechenland, o.HS-Prof.: Klasse f. Bühnenbild u. Bühnen-Technik. P.: Diss.: "Das Bühnenbild d. Zauberflöte". E.: Gr. EZ d. Landes Stmk., Silb. Ehrenmed. d. Stadt Wien. M.: Rotary-Club Graz, ITI Wien.

Skalicky Peter Dr. techn. Dipl.-Ing. Univ.-Prof.
B.: Rektor d. TU Wien. DA.: 1040 Wien, Wiedner Hauptstr. 8-10. G.: Berlin, 25. Apr. 1941. El.: Dr. Max u. Margarethe. S.: Matura 1959 in Wien, Stud. d. Physik an d. TU Wien, Prom. 1966, Habil. f. Kristallphysik 1973. K.: a.o. Univ.-Prof. 1974, o. Univ.-Prof. 1979, versch. Auslandsaufenth. (Prof. associé Univ. Paris), Fachgeb.: Festkörperphysik, Elektronen- u. Röntgenbeugung, 1989/90 Dekan d. Fak. f. Naturwiss., s. 1991 Rektor d. TU Wien. P.: zahlr. Fachpubl. E.: Fritz Kohlrausch-Preis d. OPG 1972. M.: Mtgl. zahlr. wiss. Ges. (P.R.)

Skardarasy Ernst KommR.
B.: Hotelier d. Hotel Zürserhof. PA.: 6763 Zürs am Arlberg, Hotel Zürserhof. G.: Innsbruck, 13. Febr. 1911. V.: Hildegard, geb. Schmiedling. Ki.: Willy, Monika. El.: Balthasar u. Anna. S.: VS, Realschule. K.: Skilehrer, 1930-39 Skirennläufer, 1933-39 Gründer v. 6 Skischulen in Australien u. Neu Seeland. F.: Skilifte Zürs Ing. Bildstein & Co, Trittkopf Seilbahn Zürs, Rüfikopf Bahn Lech, Silvretta Nova St. Gallenkirch Montafon. E.: Gold. EZ d. Landes Vbg., Gold. EZ d. LVerb. f. Fremdenverkehr, Gr. Verd.Kreuz v. Österr., Gold. EZ d. Ski Club Arlberg, Gold. EZ d. ÖAMTC f. 60 J. unfallfreies fahren, Kriegsverd.Kreuz 1. u. 2. Kl. m. Schwertern. M.: Tour le merite Frankreich. H.: Skifahren, Schwimmen, Bergsteigen, Tennis, Golf.

Skazil Harro KommR.
B.: Präs. FN.: Verb. Dentalhandlung Österr. DA.: 1040 Wien, Wiedner Hauptstr. 61. PA.: 1190 Wien, Paradisg. 28/5/2. G.: Wien, 15. Juni 1922. V.: Lucia, geb. Thum. Ki.: Mag. Ruth-Rosemarie Kabelka-Skazil (1959). El.: Arch. Hermann u. Ruth, geb. Giesecke. S.: VS, MS, 1940 Matura, bis 1945 Wehrmacht, Abgang als OLt. der Gebirgstruppe, anschl. Stud. an der Hochschule f. Welthandel, Ausb. bei d. Grafischen Lehr- u. Versuchsanstalt m. Abschluß 1955. K.: 1956-66 selbst. Handelsvertr. beim Zahnwarengroßhandel "R. Lachner", seit 1967 selbständig; Vorst. d. Dentalhandels Österr.; Präs. d. VDÖ (Verb. Dentalhdl. Österr.); Gremialvorst.-Stv. d. Gremius 19b d. HK Wien. E.: 1978 Condecoration von Panama. H.: Tennis, Skifahren, Catamaran-Segeln. (N.A.)

Skedl-Pippan Annemarie Mag.
B.: Wirtschaftstreuhänder u. Steuerberater. DA. u. PA.: 9500 Villach, 10.-Oktober-Str. 6. G.: Klagenfurt, 5. Mai 1960. El.: Dr. Wolfgang u. Erika. S.: VS, Ursulinen HS in Wien, HAK Villach, Stud. Betriebswirtschaft in Graz u. Klagenfurt. K.: m. 23 J. Übernahme d. Kzl., 1985 Spezialisierung auf betriebswirtschaftl. Beratung. H.: Golf, Skifahren, mod. Kunst, Sammeln. (D.M.)

Skene Richard Dr. Dir.
B.: Vorst.-Mtgl. d. AGRANA Beteiligungs AG, Wien. GT.: Gschf. d. Stärkevertriebsges. mbH, Wien, d. AGENA Stärke-Ges. mbH, Wien, d. OÖ Stärke-Ges. mbH, Aschach, d. SUGANA Zucker-Ges. mbH, Wien u. d. Handelsagentur f. Industriewaren GmbH, Wien, AufsR.-Vors. d. "Gleimag" Haftpflicht- u. Sachschaden-Versicherungs-AG, Wien, AufsR. d. Agrana International AG, Wien u. d. Leipnik-Lundenburger Industrie AG, Wien, Obm. d. Verb. d. Zuckerindustrie u. d. Verb. d. Stärkeindustrie. A.: 1180 Wien, Hasenauerstr. 73.

Skerlan Mathias
B.: Küchenchef. FN.: Restaurant Haid'n. DA.: 1020 Wien, Haidg. 10. PA.: 2421 Kittsee. G.: Kittsee/Bgld., 5. Juni 1960. V.: Manuela, geb. Walentich. Ki.: Simon (1989), Teresa (1993). BV.: Onkel Karl Skerlan, ehem. Mtgl. d. Österr. Fußballnationalmannschaft. S.: Gastgewerbefachschule Bad Gleichenberg. K.: in versch. Hotels u. Restaurants: Hotel Wende, Neusiedl/ See, Kurhotel Ludwigsdorf, Bad Deutsch-Altenburg, Hotel-Restaurant Schneider-Almhof, Lech, Hotel Kaiserbad, Bad Deutsch-A., Rest. Degenried, Zürich, Hotel Morosani-Post, Davos, Rest. Sirk u. Hotel Bristol, Wien, Theaterhotel in d. Josefstadt, Wien, 1988 Eröff. d. Restaurants Haid'n. BL.: Erfinder v. Kochrezepten, u.a.: Brennesselbrot, Kittseer Weinbeißerauflauf, Kohlrabi-Amaranth-Lasagne, Löwenzahnblütensuppe. P.: Veröff. v. Rezepten in Zeitungen u. Zeitschr. H.: Familie, Sport, Bücher. (J.S.)

Skledar Ferdinand
B.: Gold- u. Silberschmied, Juwelier. DA.: 8010 Graz, Leonhardstr. 12. G.: Graz, 24. Aug. 1943. V.: Astrid, geb. Weingerl. Ki.: Alexander (1973), Karoline (1978). El.: Ferdinand u. Maria. S.: VS, HS, Lehre als Gold- u. Silberschmied, 1965 Mstr.-Prüf. als Gold- u. Silberschmied, 1968 Mstr.-Prüf. z. Juwelier. K.: seit 1971 Berufsschullehrer f. Gold- u. Silberschmiede in d. Berufsschule Graz-St. Peter, 1977 Ges. d. Fa. Stalletz KG, ab 1982 selbst. m. Fa. Skledar, 1983 Lehrabschluß d. Gürtlerhandwerkes, Restauration v. antiken Schmuckstücken, Einzelanfertigung. M.: HK-Funktionär, Wirtschaftsbund, Lehrlingswart. H.: antike Uhren, barocke u. klass. Musik, Sport. (A.-R.W.)

Sklona Christine
B.: Teilhaberin. FN.: Sklona GmbH u. Co KG. DA.: 4820 Bad Ischl, Schröpferpl. 5. PA.: 4802 Ebensee, Salinenpl. 10. G.: Bad Ischl, 13. Sept. 1962. El.: Johann u. Berta. S.: VS, Gymn., 1981 Matura i. Bad Ischl studiert i. Wien. K.: 1988-93 IBM Wien i. d. Verwaltung u. Administration tät., 1994 Übern. H.: Reisen, Sport. (M.G.)

Skoda Margarethe D.S.A.
B.: Ltr. d. Notrufdienst Telefonseelsorge. DA.: 1010 Wien, Stephanspl. 6. G.: Wien, 23. Okt. 1930. El.: Alois u. Anna, geb. Salzmann. S.: 1949 Matura, Stud. Theol. in Holland, 1968-70 Stud. an d. Sozialak. Wien. K.: 1952-63 Tätigkeit in d. kirchl. Sozialarb. in Holland, 1963-66 Tätigkeit in d. Betriebsseelsorge d. VOEST in Linz, 1966 Mitgrdg. u. Mitaufbau d. 1. Österr. Notrufdienstes Telefonseelsorge in Linz, 1968-76 versch. Tätigkeiten in d. kirchl. Sozialarb. in Wien, ab 1977 Ltr. v. Notrufdienst Telefonseelsorge in Wien. P.: Fachart. in Fachzeitschriften. M.: Religiöse Gemeinschaft d. Frauen v. Bethanien. H.: Garten, Schwimmen. (N.A.)

Skok Diana Dr. med.
B.: FA f. Innere Med. DA.: 1120 Wien, Strohbergg. 14. PA.: 1120 Wien, Stacheg. 3. G.: Wien, 23. Sept. 1947. V.: Mag. Anton. Ki.: Benedikt, Christopher. El.: Robert u. Hermine Dvorak. S.: hum. Gymn., 1966 Matura, Med.Stud. an d. Univ.

Wien, 1973 Prom. K.: FA-Ausbild. 1973-79 im Kaiser Franz Josefs-Spital, tätig an d. Univ.Klinik f. Gastroenterologie, einige Monate b. Prof. Stille in Frankfurt/Main, Rettungsärztin, tätig im Altersheim, Vertrauensarzt b. Wr. Stadtversicherung, 1979 Ordinationseröff. P.: Beiträge f. "Documenta Homöopatica", Fachbeitrag über Meningitis, Vorträge f. Kurse v. Prof. Dorcsi im Rahmen Homöopathie. E.: 1976 Ärzteweltmstr. im Skifahren. M.: Ges. f. Homöopathie, Ges. f. Akupunktur. H.: Skifahren, Reiten. (E.L.)

Skokan Jutta

B.: Selbst., Schriftst., Kultur/Projektmanagerin, Trainerin, Lebens- u. Sozialber. FN.: Atelier Skokan. DA./PA.: 4600 Wels, Eisenhowerstr. 12. G.: Lambach, 16. Dez. 1944. V.: Peter. Ki.: Susanne-Maria (1966), Anna-Verena (1977), Paul-Franz-Josef (1986). El.: Josef u. Hermine Gams. S.: HASCH Wels, Ausb. z. Lebens- u. Sozialber., ICCM Univ.-Lehrg. Kultur-Management. K.: Vorstandssekr. Landesverl., Ass. d. Generaldir. u. Öffentlichk.-Arb., s. 15 J. offene Seminare u. Firmeninternschul. i. g. Ö. i. Ber. Komm., Gespr.-Führung, Konfliktlösung, Persönlichkeitstraining, Projektmanagement, Führungskompetenz, Supervision, Büroorg., Arbeitstechn., Sekr. u. Managementass., s. 1991 selbst., s. 1990 freie Trainerin i. d. Erwachsenenbldg. u. Durchf. v. Kultur/Projektmanagement, Veranstaltungsorg., Mitarb. b. Festival d. Regionen, Österr. Filmtage, ARS Electronica, Welser Kulturveranst., Festival Raab, u. a. P.: Veröff. i. div. Literaturzeitschr., im ORF, sowie "flavia ad. anna" (Erzählungen), "Übung fürs Alleinsein" (Gedichte 1980). E.: 1975 Literaturpr. d. Stadt Wels, 1978 Rauriser Förderungsstipendium, 1979 Förderungspreis d. Landes OÖ, 1981 Preis Literatur zur Arbeitswelt. M.: Vors. d. Grazer Autorennversammlung OÖ, Projektleiterin "Mühlviertler Kulturzeitschrift", Vorst. d. Ges. f. Kulturpolitik, "Mühlviertler Künstlergilde", "Skriptum 1", "Kulturver. Heinrich Gleissnerhaus", Gründungsmtgl. "02". H.: Lesen, Reisen, Bild. Kunst. (P.H.)

Skopalik Walter Dr.

B.: Ltr. d. Koordinationsbüros., Rathaus. DA.: 1080 Wien, Rathaus. PA.: 1190 Wien, Heiligenstädterstr. 131/5/44. G.: Neu Oderberg, 28. Dez. 193. V.: Hildegard, geb. Falkenstein. Ki.: Sonja (1962), Kathrin(1970). S.: 1952 Matura BRG, 1957 Rechtswiss. Uni Wien. 1958 Mag. d. Stadt Wien, 1959 Finanzverwaltung, 1960 Koordination, Wirtsch.förd., 1964 Ltr. Wirtsch. Integration u. Koordination, 1969 Ltr. Wirtsch. Planung u. Koordination, 1974 Ltr. d. Koordinationsbüros d. Bürgermeisters, 1978 Bereich d. Außenbez., 1989 Bereich d. EU Beitritts, 1994 Umsetzung d. Beding. d. EU Beitritts. P.: div. Veröff. i. Rahmen d. Tät. als eig. Publikationen, resp. i. Fachzeitschriften. H.: Tennis, Literatur, Musik. (T.T.)

Skopec Manfred Dr. Doz.

B.: OberR. am Inst. f. Geschichte d. Med. an d. Univ. Wien. DA.: 1090 Wien, Währinger Str. 25. PA.: 1180 Wien, Gersthoferstr. 118/7/1. G.: Vorderweißenbach, 9. Feb. 1946. V.: Margaret, geb. Rusell. Ki.: Peter (1989), Mark (1991). El.: Johann u. Ernestine. S.: VS, HS, BLBA, 1965 Matura, Stud. Germanistik u. Anglistik, 1972 Dr. phil. K.: seit 1973 am Inst. f. Geschichte d. Med., seit 1982 WissR., seit 1985 WissOR., seit 1989 Doz., 1991 wiss. Ltr. d. NÖ Landesausstellung. E.: Ibn Sina Med. d. Med. Fak. d. Univ. Istanbul f. d. Erforsch. d. Österr.-Türk. Beziehungen in d. Med. M.: Dt. Ges. f. Geschichte d. Med., Naturwiss. u. Technik, Österr. Ges. f. Geschichte d. Naturwiss. (J.M.)

Skopek Karl

B.: Taxiunternehmer. DA.: 1150 Wien, Witzelsbergerg. 16-18. PA.: 1150 Wien, Reithofferpl. 16. G.: Wien, 12. Februar 1947. V.: Christine, geb. Maier. Ki.: Peter (1972), Helmut (1973). El.: Anna u. Karl. S.: HS, Elektrotechnikerlehre b. Fa. Siemens, Facharbeiterprüfung, Besuch v. Seminaren u. Kursen. K.: Fa. Siemens als Starkstrommonteur, nebenbei aushilfsw. im elterl. Taxiunternehmen tätig. 1971 Übernahme d. elterl. Unternehmens u. Vergrößerung, 1994 Mietwagenunternehmen. M.: 1973 Beitritt in freien Wirtschaftsverband, 1975 SPÖ Beitritt, seit 1991 Obm. d. Sektion Verkehr, 1991-93 Bez. Rudolfsheim Fünfhaus, s. 1987 Vorst. Stellv. d. Fachgruppe f. d. Personenbeförderung , ab 1992 Aufsichtsrat u. Beiratsmtgl.im Credit Verein d. Bank Austria, Berufungsenat d. Finanz landesdir. f. Wien, Nö u. Bgld., Prüfer f. Taxikonzessionen, Ausbildner u. Prüfer f. Taxilenker. E.: 1989 Titl. Statistiker Komm. R. H.: Kleingarten, Tennis, Skifahren. (I.J.)

Skopek Matthias Dr. med.

B.: FA f. Allg. Heilkunde. DA.: 4020 Linz, Landstr. 10. PA.: 4020 Linz, Gruberstr. 47. G.: Wien, 10. März 1937. V.: Brigitte, geb. Schimmerl. Ki.: Elisabeth, Angelika, Barbara. El.: Georg u. Maria. S.: 1955 Matura, Univ. Wien u. Graz. K.: 1955-62 Ausbild. AKH Linz, 1962 Frauenklinik Gmunden, Kinder-KH Linz, 1965-71 FA-Ausbild. AKH Linz, 1972 Eröff. d. Praxis. E.: seit 1991 MedR. M.: Vorst.-Mtgl. d. Ärztekam, Sekt.-Obm. d. FA OÖ, Theaterverb. H.: Theater, Musik, Literatur, Skifahren. (P.H.)

Skopek Theodor

B.: Gschf. Ges. FN.: Caravelle Seereisen u. Touristik GmbH. GT.: seit 1990 Gschf. d. Universal Reisen 1010 Wien, Schubertring 11. DA.: 1030 Wien, Bayerng. 1. PA.: 2500 Baden, Pfarrg. 14. G.: Wien, 20. Febr. 1957. El.: Theodor u. Friederike. S.: 1976 Matura, 1976-78 Abiturientenlehrgang Kleßheim Sbg. K.: Auslandsaufenthalt, im Hotelmanagement in Genf/Schweiz tätig, 1979 Rückkehr nach Wien, Beginn d. Tätigkeit in d. Reisebürobranche, 1984 Einstieg in d. Fa. Caravelle Seereisen u. Touristik GmbH als Gschf. u. in weiterer Folge Mitges. P.: Art. in Fachzeitschriften. M.: Skalclub. H.: Golf, Tennis, Squash, Skifahren. (J.S.)

Skorepa Paul

B.: Inh. FN.: Drogenol KG, Skorepa & Co. DA.: Seilerstätte 10, 1010 Wien. G.: Wien, 5. Juli 1930. Ki.: Michael, Johannes, Christoph. El.: KommR. Ferdinand u. Paula. S.: Drogistenlehre, anschl. im elterl. Betrieb./Fachbereich Drogist. K.: 1972 Übernahme d. Betriebes, 1984 Lebensmitteleröff., Schwerp.: biolog. u. Reformwaren. 1964 Bez.-Rat, 1978 Bez.-Vorsteherstellv. 1. Bez., 1976 Gremialaussch., 1980 Gremialvorst.-Stellv. E.: Silb. Kammermed. H.: Garten. (J.E.)

Skotton Franz Josef Dr. phil. Prof.

B.: BSekr. d. BSA. A.: 1010 Wien Nibelungeng. 7. G.: 22. Dez. 1923. V.: Mag. et Dr. phil. Elfriede, geb. Anger. El.: Ing. Franz u. Josefine. S.: RG, Univ. Wien: Phil., Psych., Naturgeschichte (Zoologie, Botanik, Mineralogie, Geologie,

Pflichtprüf. in Chemie u. Physik). K.: Seit 1956 BSekr. d. BSA u. NÖ LSekr., seit 1968 BundesR. u. Obm. d. Soz. BundesR.Fraktion, 1973-77 u. 1982 Vors. d. BundesR., stellv. Obm. d. Klub d. Soz. Abg., seit 1984 im Ruhestand. P.: div. phil. u. kultursoziol. Art. in polit. Zeitschriften, Hrsg. u. Autor d. "Beiträge z. Kulturpolitik" (gr. erstmal. Gesamtdarstellung einer alle Bereiche umfassenden Kulturpolitik u. Definition d. Begriffes "Kulturpolitik", dieses Buch wurde poliz. beschlagnahmt). E.: Gr. Silb. EZ m. Stern, 1975 Prof., Gr. Gold. EZ am Schulterband, Großoffz. d. franz. Ehrenlegion, Gr. Gold. EZ m. Stern d. BRD, Bürger d. Stadt Wien, Ehrennadel d. BSA u. d. Soz. Tierärzte. M.: BSA, SPÖ, Freimaurer s.1967,(Meistergrad) seit 1983 u. Ehrenmtgl. H.: Phil., Ur- u. Frühgeschichte, Geschichte d. Antike, mittelhochdt. u. neuhochdt. Lyrik, Märchen u. Sagen d. Völker, europ. Kunstgeschichte (bild. Kunst).

Skrabitz Erich

B.: Inh. FN.: Elektrofachgesch. Skrabitz. DA./PA.: 8580 Köflach, Packerstr. 63. G.: Köflach, 22. Dez. 1939. V.: Inge, geb. Riegler. Ki.: Wolfgang (1975), Ursula (1978). El.: Franz u. Anna. S.: Elektrolehre. K.: 1960-66 Stadtwerke Köflach, 1961 Meisterprüfung, seit 1966 Selbst., Elektrohandel u. Installation Panung-Ausführung-Service, Wohn- u. Industriebauten. M.: Kammer d. gew. Wirtsch., Obmann d. freien Wirtschaftsverb., Präs. d. Baseballverein Weststyria-Cooldiggers Club West. H.: Skifahren, Tennis, Golf, Drachenfliegen. (I.G.)

Skrabitz Werner

B.: Bgm. d. Stadtgem. Köflach, Elektriker. DA.: 8580 Köflach, Rathhausplatz 1. G.: Pichling/Köflach, 30. Okt. 1938. V.: Ilse, geb. Maier. Ki.: Tanja. El.: Franz u. Anna. S.: VS, HS, Ausbild. Elektriker. K.: 1966-85 Ang. stmk. Gebietskrankenkasse, s. 1970 Mtgl. GemR. Köflch, vorsitzender u. Mtgld. Landespräsidium, SPÖ Bez. Voitsberg, Mtgl. LParteivorst., Vorst. d. Soz. Gem. Vertreter, Müllwirtschaftsverb. BEz. Voitsberg, Obm. Reinhaltungsver. Köflach - Maria Lankowitz - Edelschrott, Mtgld. bzw. hoher Funktionär zahlr. örtl. Sport- u. Kulturver., Gründer u. Obmann d. Koflacher Tennisschule . (I.G.)

Skrczeny Friedrich Rudolf

B.: Gschf. Ges., Werkzeugmacher. FN.: S.K. Technik Werkzeugbau GmbH. DA.: 1230 Wien, Ketzerg. 77. PA.: 1150 Wien, Gablenzg. 97/2/23. G.: Wien, 6. Juni 1947. V.: Lebensgef. Christine Greindl. Ki.: Michael (1968). El.: Friedrich u. Antonia. S.: VS, HS, Lehre Werkzeugmacher bei Fa. Kronemann Geselle 1965, BH, danach zu Fa. Czasch als Werkzeugmacher im Formenbau bis 1971, zu Fa. AKG als Werkzeugmacher, 1975 Ltr. d. Werkzeugbaus, danach Ltr. d. Abt. Werkzeugkonstruktion, zahlr. Schulungen im Aus- u. Inland, 1991 d. Fa. gemeinsam m. einem Partner grd. BL.: Weltpatent f. Sockelleistenheizung. E.: Bronce-Medaille auf d. IENA 93. H.: Tennis, Wandern, Lesen. (R.T.)

Skreiner Robert Dipl.-Ing. BauR. h.c.

B.: Gschf. Ges. d. Fa. Duller & Skreiner. DA.: 8010 Graz, Conrad-v.-Hötzendorf-Str. 86. PA.: 8010 Graz, Kirscheng. 32. G.: Graz, 21. Mai 1924. V.: Dr. Elisabeth, geb. Duller. El.: August u. Hildegard. S.: VS, Mittelschule Graz, Matura 1943, anschl. Kriegsdienst, ab 1945 Stud. an d. TU Graz, Fachbauwesen, Dipl.-Ing. 1951. K.: Übernahme d. väterl. Fa., seit 1956 Ziviling. f. Bauwesen, seit 1964 Ziviling. f. Gas- u. Feuerungstechn. u. ger. beeid. Sachv. f. Wasser, Lüftung u. Gas, 1967 Firmenzusammenlegung. F.: Ges. d. Fa. Generalplan. E.: 1980 Verleihung d. Staatswappens. M.: Innungsmstr. d. Gas- u. Heizungsinst., Vorst.Mtgl. d. Ing.Kam. f. Ktn. u. Stmk., Intern. Union d. Installateure in Paris, Lions Club. H.: Lesen, Wandern, Familie. (War.)

Skricik Kurt KommR.

B.: Steuerberater. FN.: Forum Wirtschaftstreuhand GmbH. DA.: 1010 Wien, Börsepl. 6/2/23. G.: Wien, 13. Sept. 1931. V.: Sieglinde. Ki.: Michael, Kurt, Daniel. El.: Leopold u. Leopoldine. S.: 1947-49 HASCH Wien, parallel Ausbild. Maler u. Anstreicher im elterl. Betrieb. K.: Partnerschaft im Bereich Steuerberatung, spezialisiert auf Land- u. Forstwirtschaftsbetreuung, b. 1967 im Tuchlaubenhof, seit 1967 selbst., Eröff. d. Büros in Wien u. Zwettl, 1969 Übernahme eines Büros in Krems, 1979 Einstieg Exacta Reinhard & Co, Mitinh. u. Gschf., 1992 Grdg. Forum Wirtschaftstreuhand GmbH. BL.: Lehraufträge u. Vorträge. M.: b. 1985 Bundesobm.-Stellv. b. Ver. Österr. Wirtschaftstreuhänder, Laienrichter am HG. H.: Malerei. (J.E.)

Skricka Ernst Mag.

B.: Freischaff. Künstler. DA.: 1020 Wien, Vorgartenstr. 211. PA.: 1210 Wien, Kirchhofg. 4/11. G.: Wien, 4. Juni 1946. V.: Nina, geb. Bouczek. Ki.: Sonja (1974), Sandra (1975). S.: Ak. d. bild. Künste. K.: Ausstellungen: 1969 Wr. Secession, 1986 Albertina, 1989 Rupertinum Sbg. P.: Monographie über Ernst S. v. Bäumer u. Sotriffer (Herold-Verl. Wien München, 1986).

Skritek Paul Dipl.-Ing.

B.: Prof. HTBLA Wien 22, Prof. FH-Lehrgang Elrektonik Wien, Lehrbeauftragter TU Wien, Konsulent. A.: 1238 Wien, Ruzickag. 88/27. G.: Wien, 9. Sept. 1952. V.: Gertrud, geb. Stöckinger. Ki.: Sebastian (1983), Bernhard (1986). El.: Otto u. Margarete. S.: Stud. Elektrotechnik/Nachrichtentechnik an d. TU Wien 1972-77, Dipl.Abschluß m. Ausz., Stud. Tontechnik an d. HS f. Musik u. darstell. Kunst Wien 1972-74. K.: Vertragsass. Inst. f. allg. Elektrotechnik an d. TU Wien 1977-79, Univ.Ass. Inst. f. Nachrichtentechnik TU Wien 1978-88, Mtgl. d. Österr. Schulbuchkmsn. P.: Bücher: Handbuch d. Audioschaltungstechnik, Schirmungen in d. Audio-Schaltungstechnik, über 35 wiss. Vorträge auf intern. Tagungen u. Seminaren d. Elektro-, u. Audiotechnik u. HS-Didaktik, ca. 20 wiss. Veröff. in intern. Zeitschriften zu d. gleichen Themen. M.: Inst. of Electric and Electronic Engineers, New York Academy of Sci., Audio Engineering Society, Österr. Ver. f. Elektrotechnik, Österr. Computerges., Intern. Ges. f. Ing.Päd., Union Intern. de la Presse Radiotechnique et Electronique. H.: Skilauf, Radfahren, Tischtennis, Kunstgeschichte, Malerei, Theater.

Skrzipek Michael Mag.

B.: Verw.-Dir. d. Neuen Wr. Privatklinik. DA.: 1090 Wien, Pelikang. 15. PA.: 4070 Eferding, Goldenberg 7. G.: Linz, 31. Juli 1948. V.: Anna-Theresia, geb. Gruber. Ki.: Alexander (1973), Elisabeth (1984), Daniel (1986). El.: Friedrich-Wilhelm u. Rosa. S.: VS, HS, 1963-67 Lehre als Verw.-Praktikant

u. Kfm. Berufsschule, Abendgymn., 1970 Matura, Militär, BWL-Stud. Linz, 1977 Mag. K.: 1978-82 Wirtschaftsverw. d. Stadt als Ltr. d. Abt. Wirtschaft, 1983 Projektltr. f. d. Umstellung d. AKH auf EDV, 1985-93 Verw.-Dir. d. AKH Linz. BL.: b. 1992 Gen.-Managementausbild. b. d. Linzer Intern. Managementak., b. 1992 Ausbild. Univ. Emory Business School Atlanta. P.: versch. Art. in Fachzeitschriften u. Zeitungen. M.: Verb. Österr. Wirtschaftsakademiker, Tennisclub. H.. Lesen, Belletristik, Skifahren, Spaziergänge, Segeln. (J.S.)

Skudnigg Wolfgang Ing.

B.: Geschäftsf. FN.: Ing. Wolfgang Skudnigg Elektroinstallationen. DA.: 1140 Wien, Linzer Str. 363. G.: Wien, 6. Jän. 1954. S.: 1973 HTL Wien Elektrotechnik. K.: 1974-90 Elin Projektleiter, 1991 Selbst., Gründung d. UN, Elektroinstallationen, Import-Export, Handel, Dipl. Reiseführer. H.: Segeln, Skifahren (T.T.)

Skutzik Paul

B.: Textilkfm. DA.: 1010 Wien, Freisingerg. 1. PA.: 1190 Wien, Kaasgrabeng. 37. G.: Wien, 27. Sept. 1940. V.: Margaretha, geb. Urschel. Ki.: Sascha, Manfred. El.: Karl u. Helene. S.: RG, BLVA f. Textilind., 1959 Dipl. K.: 1968-73 kfm. Dir. v. "Dormeuil" in Österr., 1973-78 kfm. Dir. v. "Ermennegildo Zegna", 1978 Grdg. d. "Skutzik GmbH" zusammen m. Gattin, Herrenboutique "Claudio Pascalini" (Couture) u. Modeagentur (Vertr. ital. Herrenmode). BL.: Herbst 1985 neue eigene Kollektion "Claudio Pascalini". F.: Skutzik GmbH. M.: Wirtschaftsbund (Kammeraussch.) H.: Tennis, Skilaufen, Malen. (Bauer)

Sladky Otmar

B.: Unternehmer. FN.: Pelzmoden O. Sladky. DA.: 2380 Perchtoldsdorf, Wiener G. 37. G.: Wien, 19. Sep. 1948. V.: Elisabeth, geb. Mach. Ki.: Otmar Stefan (1975), Philipp Maximilan (1982). El.: Otmar u. Hertha. S.: 1963 Lehre Kürschnerhandwerk Firma Szilagyi Wien. K:: 1963-85 unselbst. Kürschner, 1986 Grdg. Ges nbR, 1989 Grdg. Pelzmoden O. Sladky. E.: 1987 u. 1988 SAGA-Gold, zahlr. Ausz. durch d. Bundesinnung, v. Swakara sowie d. Silb. Ehrenmed. d. HK NÖ u. 62. Pl. in d. TOP 100 Jungunternehmer 1990, Goldmed. b. 45. Modellwettbewerb d. Frankfurter Pelzmesse 1994. M.: Rotary Club Wien-Schönbrunn, Gründer u. Präs. Round Table Club, Gründer u. VObm. Fremdenverkehrsverein Perchtoldsdorf.H.: Segeln, Wildwasserpaddeln, Skifahren. (T.T.)

Slama Hellfried

B.: Kunsttischlermstr., Restaurator. FN.: Möbel- u. Kunsttischlerei Slama. DA. u. PA.: 9020 Klagenfurt, Richard-Wagner-Str. 13. G.: St. Veit/Glan, 25. Jan. 1944. V.: Ingrid, geb. Oberguggenberger. Ki.: Sabine (1963), Marion (1968), Sylvia (1972). El.: Walter u. Anna. BV.: Großvater Matthias war bedeutender Künstler der Neugotik (Kirchenausstatter). S.: VS, HS, 1958-61 Berufsschule u. Lehre z. Tischler im väterl. Betrieb, BH, 1963/64 Mstr.-Schule Villach. K.: ständige Mitarb. im elterl. Betrieb, 1965 Mstr.-Prüf. u. 1968 Übernahme d. Betriebes. BL.: seit 1974 Prüf.-Kmsn. f. Lehrabschluß, seit 1989 Prüf.-Kmsn. f. Mstr., Messebeteiligungen in Klagenfurt u. Interieur Wien. M.: seit 1985 "Maßgebendes Handwerk", seit 1956 Pfadfinder, seit 1978 Sängerrunde Steinrösl, seit 1992 Motor Veteranen Club Klagenfurt. H.: Oldtimer restaurieren, Skifahren, Reisen (Griechenland). (G.L.)

Slama Johannes Otto

B.: Gschf. Ges. d. Slama OHG (Fabrikat. f. Uniformen u. Uniformkappen). DA.: 1050 Wien, Blechturmg. 31. G.: Wien, 26. Jan. 1948. V.: Viveka, geb. Reich. Ki.: Viveka, Clemens. El.: Otto u. Gabriele. S.: RG Wien. K.: 1969 gem. m. Bruder Gerhard Firmenübern., Geschäftstätigkeit: Prod. v. Uniformen u. Uniformkappen f. Bund u. Gem., 80 Mitarb., Export n. USA (Hdls.Vertr.). F.: Ges. d. Fa. Otto Wesely OHG Coleur-Artikel, Parade-, Pauk- u. Mensurausrüst. M.: Kam.Mtgl., Vors. d. Lehrabschluß- u. Mstr.Prüf.Kmsn. f. Österr., Berufsgruppenobm. H.: Jagd, Skifahren, Reiten. (G.E.)

Slama Margaretha

B.: Cafetier. FN.: Meierei Schönbrunn. DA.: 1130 Wien, Schönbrunn, Kronprinzengarten. G.: Wien, 2. Dez. 1938. V.: Alfred Slama. Ki.: Erika, Edwin, Christian, Claudia. El.: Rudolf u. Margareta. S.: HASCH, 1954 Abschluß. K.: Tätigkeit im elterl. Betrieb, ab 1967 Gschf. Meierei, 1976 Übernahme d. Betriebes in Schönbrunn. E.: 1991 Silb. EZ d. Fachgruppe Wien d. Kaffeehäuser. M.: Wirtschafsbundfunktions Ltg.-Mtgl., Frau in d. Wirtschaft. H.: Gastronomie, Reisen, klass. Musik. (J.E.)

Slamanig Hannes Dr. Dipl.-Ing.

B.: Koord. f. EU-Reg.-Entw. in Ktn., Beamter. FN.: Amt d. Kärntner Landesreg. DA.: 9020 Klagenfurt, Wulfeng. 13. PA.: 9300 St. Veit/Glan, Erlg. 10. G.: 5. Dez. 1958. V.: Barbara, geb. Sick. El.: Hans u. Elfriede. BV.: Onkel E. Ratheiser, Alpinist. S.: Gymns. Klgft., 1977 Mat., BH, 1978-85 Stud.

Landschaftsökologie u. -gestaltung a.d. BOKU Wien, 1985 Grad., 1993 Prom. K.: 1985-86 Werkv. f. Proj. d. Nationalparks m. Landesreg., 1987 Nat.-Parkbetreuer Nockberge, 1989-93 Gesamtkoord. f. Ktn. Nat.-Parks Hohe Tauern u. Nockberge, 1993 Heirat u. Weltreise, 1994 EU-Reg.-Förderung. P.: 1985 "Nationalpark Nockberge", Dipl.-Arb. a.d. BOKU, 1992 "Die Nationalparks Hohe Tauern und Nockberge in Kärnten" in ländlicher Raum, 1993 "Nationalparks in Kärnten - Idee und Entwicklung", Diss. an d. BOKU. M.: Milizoffizier, Österr. Alpenverein, Naturfreunde Österr., BSA, Kärntner Jägerschaft u.a. H.: Reisen, Lit., Musik, Sport u.a. (G.L.)

Slanina Helmut KommR. Ing.

B.: Inh. eines Elektrounternehmens. FN.: Ing. Helmut Slanina. DA. u. PA.: 8010 Graz, Humboldtstr. 28. G.: Graz, 20. Aug. 1936. V.: Waltraut. Ki.: Dr. Michaela, Sabine, Gisela. El.: Othmar u. Stefanie. S.: VS, Mittelschule, HTL-Bulme Graz, 1955 Matura, Abiturientenlehrgang u. Matura an d. HAK Graz 1956. E.: div. Ausz. u. Ehrungen d. HK. M.: LInnungsmstr. d. HK Stmk. seit 1975, BInnungsmstr.Stellv. d. BKam. seit 1986. H.: Sommer- u. Wintersport in jeder Art, Reisen. (Bür.)

Slany Edda Dr. med.

B.: FA f. Haut- u. Geschlechtskrankheiten. DA. u. PA.: 1090 Wien, Marianneng. 21. G.: Wien, 11. Apr. 1940. V.: Univ.-Prof. Dr. Jörg Slany. Ki.: Dipl.-Ing. Wolfgang (1966), Astrid (1968), Nicole (1971). El.: Wilhelm u. Theresa Jung. S.: RG, 1958 Matura, 1 J. Stud. Chemie u. Biochemie, dann Med.-Stud. Univ. Wien, 1966 Prom. K.: 1969-76 II. Univ.-Hautklinik b. Prof. Wiedmann u. Niebauer, seit 1976 eigene Praxis, zuerst in Wien 17, Rosensteingasse, seit 1982 in Wien 9, Mariannengasse. P.: Art. über Psychotherapie b. Hauterkrankungen u. Hauttuberkulose, Buchbeitrag "Dermathologie f. Psychologen". M.: Österr. Dermatol. Ges. H.: Garten, Ballett, Wandern. (N.A.)

Slany Jörg Dr. Univ.-Prof.

B.: Prim., Internist. DA.: 1090 Wien, Marianneng. 21. G.: Wien, 7. Mai 1941. V.: Dr. Edda, geb. Jung. Ki.: Dipl.-Ing. Wolfgang (1966), Astrid (1968), Nicole (1971). El.: Dr. Adalbert u. Dr. Ilse. S.: BRG, 1959 Matura, Stud. Univ. Wien. K.: 1955 Ass. an d. 1. Med. Univ.-Klinik, ab 1975 OA, 1978 Ltr. d. Intensivstation d. 1. Med. Univ.-Klinik, 1979 Habil., 1979 OA d. 2. Med. Univ.-Klinik, 1981 Ärztl. Ltr. d. 2. Med. Abt. d. KA Rudolfstiftung (Kardio-Angiologie-Intensivmed.). P.: ca. 250 wiss. Publ. aus d. Gebiet d. Inneren Med., bes. d. Kardiologie. M.: Ges. d. Ärzte in Wien, Dt. Ges. f. Innere Med., Dt. Ges. f. Kreislaufforsch., Vorst.-Mtgl. d. Österr. Ges. f. Intensivmed. u. d. Österr. kardiol. Ges. (N.A.)

Slapnicka Harry Dr. iur. Prof.

B.: Historiker. A.: 4020 Linz, Stockbauernstr. 6. G.: Kladno, 29. Okt. 1918. V.: Herta, geb. Koll. Ki.: Margret Arminger (43), Ruth Cervicek (49), Dr. Michael Slapnicka (38). El.: Karl u. Josefina. S.: Staats-ORG Brüx, Karls-Univ. Prag (Staats- u. Rechtswiss.), Freie Schule d. polit. Wiss. Prag, 1940 Dr. iur. K.: Ger.Referendar, Vw.Ass., Wehrmacht, brit. Gefangenschaft, Red. u. Chefred. "Linzer Volksblatt", 1971-84 Ltr. d. Abt. Zeitgeschichte Dokumentation am OÖ LArchiv in Linz, Werke: OÖ unter Kaiser Franz Josef (1982), OÖ v. d. Monarchie z. Rep. (1975), OÖ zwischen Bürgerkrieg u. Anschluß (1975), OÖ als es "Oberdonau" hieß (1978), OÖ - die polit. Führungsschicht 1861-1918 (1983), 1918-1938 (1976) u. 1945-89 (1989), Christlichsoziale in OÖ (1989), OÖ - zweigeteiltes Land 1945-55 (1986). E.: Leopold-Kunschak-Preis, Silb. EZ d. Landes OÖ (1985), Gr. Kulturpreis d. Landes OÖ f. Wiss. (1988), Wiss.-Med. d. Stadt Linz (1989).

Slatner Alfred Dr. phil. Mag.

B.: Optikermstr., konz. Kontaktlinsenoptiker, Gschf. Ges. mehrerer Optikergeschäfte. DA.: 5010 Salzburg, Goldg. 13. G. Krems/Donau, 5. März 1932. V.: Mag. Dr. Michaela, geb. Prückl. Ki.: Gabriele, Elisabeth. El.: Alfred u. Marie. S.: 1950 Matura, Abiturientenkurs an d. HAK Wien VIII, Optikerlehre in Sbg., 1956 Mstr.-Prüf. u. Eröff. d. ersten Optikergeschäftes, 1982-86 Stud. Kunstgeschichte, Theol. u. Archäologie Univ. Sbg., 1986 Mag. phil., 1990 Dr. phil. P.: Buc "Toni Schneider-Manzell". M.: Mstr. u. Gehilfenprüf.-Kmsn., 1. Funktionsper. Vors. d. Fachvertretung d. Optiker, langjähriger Obm. d. Ver. d. Freunde d. HS f. Musik u. darstell. Kunst Mozarteum, Präs. d. Rotary-Club Sbg. H.: Segeln, Skifahren. (M.Mo.)

Slattery Bill

B.: Designer, Maler, Bildhauer. DA.: 1030 Wien, Landstraßer Hauptstr. 58 4/20 5/21. G.: Boksburg T. Südafrika, 16. Febr. 1929. V.: Elisabeth, geb. Rokos. Ki.: Mark (1965), Maja (1967). El.: William Michael u. Leticia. S.: 1951/52, 59/60 u. 65/66 Stud. in Wien b. Prof. Kirnig, Herberth, Boeckl, Wotruba, 5 erste Preise. K.: 1953/55 Art Dir. b. Bodmer Offsetdruck Zürich, 1956/59 Prof. f. Design am Atlanta Art Inst. USA, 1961/62 Art Dir. b. Philips Phonographic Ind. Holland, 1963/64 Industrial Designer b. Raymond Loewy Paris, 1965/70 freischaff. Designer u. Bildhauer in d. Schweiz, Italien, Österr. u. Deutschld., seit 1971 in Wien. Art.: "Plakat" 1956, "Graphis" 1960, "Who's Who in Graphic Art" 1962, "Novum" 1988. P.: 3 Kinderbücher Artemis Verl. Zürich 1954/55, Faculty Design Book, Atlanta USA. E.: 1955 Schönstes Kinderbuch d. Jahres, 1959/60 13 Goldmed. Art Dir. Club Atlanta/New York, 1973 1. Preis Erfinder Pokal, 1986 1. Preis Briefmarken Design, 1989 Design-Preis KAI Nagoya Japan, 1992 Design-Preis Taipei Taiwan, Ausstell. in Europa, Südafrika u. USA. (J.S.)

Slavik Rolf

B.: Generalsekretär u. Geschäftsführer. FN.: Österr. Radsportverband. Da.: Generalsekretariat: 1110 Wien, Kaiser-Ebersdorfer-Str. 46b; Büro f. Management: 1020 Wien, Wachaustr. 28. G.: wien, 5. Jän. 1942. V.: Vera. Ki.: Roman (1979), El.: Rudolf u. Stefanie. S.: Ausbildung zum Speditionskfm. K.: Karriere als Radrennfahrer, Teilnahme a. Österr.-Rundfahrten, Starts im In- u. Ausland b. zahlr. Meisterschaften, anschl. i. d. Speditionsbranche tätig, 12 J. Sportsekretär f. Rad- u. Motorsport d. ARBÖ, 2 J. Generalsekretär d. Österr. Sporthilfe, s. 1989 Generalsekretär u. Geschäftsführer d. "Österr. Radsportverbandes". E.: Großes Goldenes Ehrenzeichen f. Verdienste u. d. Republik Österreich. H.: Radfahren u. Tennis. (J.S.)

Slechta Viktor Dir.

B.: Kfm. FN.: Slechta & Co KG. DA.: 1070 Wien, Mariahilfer Str. 88a/III. PA.: 1130 Wien, Josef-Gangl-G. 1. G.: Prag, 4. Apr. 1946. V.: Luise, geb. Ferstl. Ki.: Florian. El.: Ing. Wladimir u. Maria. K.: b. 1955 in Bolivien aufgewachsen, dann Realschule Wien, 1966 Matura, b. 1970 Stud. Welthdl., ab 1970 im väterl. Betrieb, ab 1979 Gschf. E.: Bronz. EZ f. Verd. um d. Land NÖ, Feuerwehrabz. in Gold, Funkabz. in Silb. M.: seit 1968 freiw. Feuerwehr Reichenau/Rax, Absolvent d. höheren Feuerwehrlehrganges in Tulln/NÖ. H.: Schwimmen, Skifahren, Tennis, Tontaubenschießen. (Erh.)

Sleytr Uwe Bernd Dr. nat. techn. Dipl.-Ing.
B.: o.Univ.-Prof. an d. Univ. f. Bdk. Wien. A.: 1170 Wien, Parhamerpl. 10/14. G.: Wien, 15. Juli 1942. V.: Henriette, geb. Will. El.: Hans u. Bertha. S.: BRealschule, Stud. d. Lebensmittel- u. Gärungstechnologie an d. Univ. f. Bdk. Wien (III. Staatsprüf. 1966), 1970 Prom. z. Dr. nat. techn. K.: Seit 1965 Univ.-Ass. am Inst. f. Lebensmitteltechnologie d. Univ. f. Bdk. Wien, 1973 Erlangung d. Lehrbefugnis als Univ.-Doz. f. "Mikrobiologie m. bes. Berücksichtigung d. Morphologie", 1977 Ernennung z. a.o.Univ.-Prof. f. Ultrastrukturforsch., 1982 Ernennung z. o.Univ.-Prof. f. Ultrastrukturforsch., dzt. Ltr. d. Zentrums f. Ultrastrukturforsch. an d. Univ. f. Bdk. in Wien u. Ltr. d. Ludwig-Boltzmann-Inst. f. Molekulare Nanotechnologie in Wien, Auslandsaufenthalte als Senior Research Scientist: 1972-75 am Strangeways Research Laboratory, Cambridge, England, 1977-78 am Department f. Microbiology and Immunology, Temple Univ., Philadelphia, USA. P.: 3 Fachbücher u. 190 Publ. vorwiegend in engl. Sprache in intern. Fachzeitschriften, sowie Buchbeiträge u. Reviewartikel auf d. Gebiet d. Mikrobiologie u. Ultrastrukturforsch., Bio- u. Nanotechnologie, Patente auf d. Gebiet d. elektronenmikroskop. Präparations-Technik u. Membrantechnologie u. Nanotechnol. E.: Franz-Schwackhöfer-Preis d. Ver. Österr. Lebensmittel- u. Biotechnologen, Sandoz-Preis, Dipl. d. Royal Microscopial Society (Großbritannien), Förderungspreis d. Stadt Wien f. Wiss., Wiss.-Preis d. Wr. Wirtschaft 1983, Kardinal-Innitzer-Würd.-Preis f. Naturwiss. 1989. M.: Vorst.-Mtgl. d. Österr. Ges. f. Elektronenmikroskopie, Mtgl. d. Editor. Board v. J. Microscopy u. J. Ultrastructure and Molecular Structure Research, Mtgl. d. Editor. Board v. Supramolecular Science, VPräs. d. Erwin-Schrödinger-Ges. f. Mikrowiss. seit 1986, Korr. Mtgl. d. Österr. Akad. d. Wiss. seit 1992, w. Mtgl. d. österr. Akad. d. Wiss. seit 1994

Slezak Paul Dr. MedR.
B.: Prakt. Arzt, MinR. i.R. A.: 1180 Wien, Lacknerg. 92. G.: Wien, 29. Mai 1916. V.: Helene, geb. v. Hoch. El.: Josef u. Walburga. S.: VS, Mittelschule, 1934 Matura, Med.Stud. Univ. Wien, 1939 Prom. z. Dr. med., 1950 Physikatsprüf. K.: 1939-42 Spitalsarzt im Wilhelminen-Spital in Wien, 1940 auch Kurarzt in d. staatl. Kuranst. Peterhof-Sauerhof in Baden b. Wien, 1942-44 Militärarzt, 1944-47 Kriegsgefangenschaft 1947-49 Spitalsarzt im Wilheminen-Spital in Wien, 1949-71 Bmtr. im BMS, zugleich 1951 Stud. in USA, 1972-81 Bmtr. im BMG, außerdem 1949-86 Allgemeinpraxis. P.: 1953 Rechtskunde f. Ärzte, 1956 Geschichte d. österr. Sanitätsverw., 1975 Österr. Heilbäder- u. Kurortebuch, 1981 Wr. Neustädter Kanal u. Aspangbahn. E.: Gr. EZ d. Rep. Österr., MedR., Gr. Silb. EZ d. Rep. Österr. M.: Orchesterver. d. Ges. d. Musikfreunde in Wien, Österr. Heilbäder- u. Kurorteverb. (Ehrenmtgl.). H.: Musik.

Slipek Ulrike

B.: Gschf. Ges. FN.: Beleuchtungshaus Schmid GesmbH. DA.: 5020 Salzburg, Sigmund Haffner G. 5. PA.: 5020 Salzburg, Solaristr. 23. G.: Salzburg, 14. Sep. 1941. V.: Heinz. Ki.: Angelika, Stefan. El.: Walter u. Julia. S.: HAK, 1959 Matura, Kurse i. Zeichnen, Design, Ausb. vorort, zuerst i. Familienbetrieb a. Ang. tätig, 1977 Tod d. Vaters u. Übern. d. Geschäftes, Grdg. GesmbH. H.: Einrichten v. Wohnungen.

Slowak Monika Dr. med. vet. Ing.
B.: Marketing Manager. FN.: plantadrog Drogenhandels GmbH. DA.: 1030 Wien, Kölblg. 10. PA.: 1120 Wien, Schwenkg. 16/5. G.: Wien, 17. Okt. 1956. El.: Karl u. Anna. S.: 1976 HTL-Matura, 1977-84 Stud. an d. Vet.-Med. Univ. in Wien, 1984 Spons., 1986 Prom. K.: 1984-86 Ass. am Inst. f. Wildtierkunde, s. 1987 Marketing Manager b. plantadrog. P.: ca. 8 wiss. Publ. H.: Lesen, Tanzen, Segeln, Schwimmen, Musik, Joggen. (R.J.)

Sluga Elfriede Dr. Univ.-Prof.
B.: Univ.-Prof. f. Neurologie, FA f. Neurologie u. Psychiatrie. A.: 1190 Wien, Straßerg. 8-12. G.: 29. Nov. 1930. S.: Matura, Univ. Wien, Dr. med. K.: Neurolog.-Psychiatr. Univ.Klinik Wien, Neurolog. Inst. d. Univ., Vorst. d. Neurolog. Abt. im KH Wilhelminenspital, Doz., Univ.-Prof. P.: Über 150 auf d. Gebiet d. Neurologie. E.: versch. wiss. Preise, Kardinal Innitzer-Preis. M.: Dt. Ges. f. Neurologie, Österr. Fachges. u.a. H.: Musik, Sport.

Sluka Franz Dr. med. MinR. i.R.
B.: Gen.-Sekr. d. Österr. Arge f. Volksgesundheit im Bundesmin. f. Gesundheit, Sport u. Konsumentenschutz. DA.: 1030 Wien, Radetzkystr. 2. PA.: 1170 Wien, Rebenweg 1/1/3. G.: Wien, 28. Nov. 1922. V.: Hannelore, geb. Karnik. Ki.: Bettina Maria (1970). El.: Wilhelm u. Viktoria, geb. Terstenjak. S.: 1940 Matura, 1941 Beginn Med.-Stud. Univ. Wien, 1941-45 Kriegsdienst, dann wieder Med.-Stud., 1947 Prom. z. Dr. med. K.: Turnusdienst u. Fachausbild. z. Pulmologe m. Anerkennung 1954, 1955 Eintritt in d. Staatsdienst BMS, 1970 Ltr. d. Abt. Arbeitsmed. im Zentralarbeitsinsp., 1983 Übertritt in d. Ruhestand, ab 1983 Ltr. d. Med. Abt. d. Österr. Staubbekämpfungsstelle, seit 1987 gerichtl. beeid. Sachv. f. Pulmologie u. Arbeitsmed., ab 1990 Gen.-Sekr. d. Österr. Arge f. Volksgesundheit. P.: zahlr. Publ. im In- u. Ausland z. Thema Arbeitsmed. u. Pulmologie. E.: Gr. EZ f. Verd. um d. Rep. Österr., Gold. EZ f. Verd. um d. Strahlenschutz. M.: Österr. Ges. f. Arbeitsmed., Österr. Ges. f. Lungenerkrankungen, Österr. Verb. f. Strahlenschutz. H.: Klavier, Gesang. (N.A.)

Slunecko Peter
B.: Sound-Designer (Jingle Boys). DA.: 5301 Eugendorf, Reitberg 88. PA.: 5020 Salzburg, Guetratweg 16. G.: Salzburg, 20. Sept. 1968. El.: Heinz u. Karin. S.: HAK-Matura, Stud. Publizistik u. Politikwiss. Univ. Sbg., Klavierunterricht b. Janette d'Poeur. K.: gemeinsamer Einstieg m. Thomas Mayer-Förster ins Tonstudio Mayer-Förster unter d. Namen "Jingle Boys". (M.Mo.)

Slunsky Othmar Johann Dr. iur.
B.: RA. A.: 1010 Wien, Schottenring 28. G.: Wien, 11. Dez. 1929. V.: Ulrike, geb. Fichtl. El.: Johann u. Rosa. S.: Matura 1948, Univ. Wien, Jusstud., RA-Anw. b. RA Dr. Rosenzweig, selbst. seit 1962. K.: 1974-80 Vors. d. ORF-Kuratoriums. P.: Div. Art. in Fachzeitschriften (ARBÖ-Verkehrsjurist), Mitarb. in d. Ausgabe d. STVO d. ARBÖ, Hrsg. d. STVO in d. österr. Staatsdruckerei. E.: ein Orden f. Verd. auf d. Gebiet d. Verkehrssicherheit. M.: VPräs. ARBÖ, Kuratorium f. Verkehrssicherheit. H.: Radrennfahren, Bergsteigen, Skifahren.

Slunsky Rudolf Dr. med. MedR.
B.: FA f. Frauenheilkunde u. Geburtshilfe, em. Vorst. d. gynäkolog. Abt. d. KH Klosterneuburg. FA.:Praxis: 1200 Wien, Leystr. 41 A.: 1200 Wien, Engelspl. 21/7/4. G.: Guttenfeld, 24. Nov. 1926. V.: Silvia, geb. Szilvasi. El.: Peter u. Cäcilia. S.: VS, Deutsches u. tschech. RG m. beiden Reifeprüf., Med. Fak. d. Univ. Brünn, Prom. z. Dr. med. univ. 1951. K.: 1955 FA f. Geburtshilfe u. Gynäkologie 1. Stufe, 1960 FA f. Gynäkologie u. Geburtshilfe 2. Stufe, 1963 Kandidat d. med. Wiss. d. Univ. Brünn, ab 1964 externer Lehrer am Fortbildungsinst. f. Ärzte u. Pharmazeuten in Prag, 1964 Chefstellv. d. Frauen-

klinik in Ostrava, 1968 Doz. f. Geburtshilfe u. Gynäkologie an d. Karls-Univ. u. Gastdoz. an d. Univ. in Tübingen, 1969 Ass. an d. I. Univ.Frauenklinik in Wien,1969 Nostrif. d. Dr. med. univ. a. d. Univ. Wien, 1970 Ass. an d. geburtsh. -gynäk. Abt. d. KH Klosterneuburg, 1975/76 Vorst. ders. Abt., 1990 Ernennung z. MedR., 1991 Prof. f. d. Fach Gynäk. u. Geburtshilfe, fachärztl. Praxis in Wien. P.: 6 Bücher u. Monographien, 9 Broschüren, 536 wiss. Arb., populärmed. Art., Skripten, Forschungsberichte, Vorträge, Lehrpläne u.a., Problematik: Gerinnungsstörungen in d. Geburtshilfe u. Gynäkologie, Fruchtwasserembolie, Abortusproblem, Harnkontinenz, Antikonzeption, Hämostase, Heparin u. intraoperative Blutstillung, Geburt, Blutverlust, Sterilität, Klimakterium, Osteoporose, usw. E.: Staatspreis d. CS-Gyn. Ges., korresp. Mtgl. d. Schweizer Ges. f. Gynäkologie, VPräs. d. Ges. f. Wirtschaftssoziologie d. Univ. f. Welthdl. in Wien 1973-74. M.: Österr. Ges. f. Geburtshilfe u. Gynäkologie, Schweizer Ges. f. Gynäkologie u. Geburtshilfe, Tschech. Ges. f. Gyn. u. Geburtsh. H.: Musik, Wandern, Reisen, Lesen, Sprachen, Garten, Landhaus.

Slupetzky Andreas Mag.

B.: Gschf. FN.: ARED A. Slupetzky GmbH. DA.: 4020 Linz, Schubertstr. 16-20. PA.: 4020 Linz, Schubertstr. 20. G.: Linz, 26. Juni 1957. El.: Othmar u. Renate. S.: 1977 Matura Gymn. Rohrbach, 1977-84 Stud. Univ. Linz, Abschl. BL.: Die Praxis einer marktorientierten Betriebsabrechnung über EDV am Beispiel einer Firma der Dienstleistungsbranche. Ein Konzept für Erfolgs- u. Wirtschaftlichkeitsplanung. K.: 1979 Eintritt ins Familienunternehmen m. Töchterbetrieben in Innsbruck, Sbg. u. Ndlg. in Wien, Krems, Klagenfurt u. Aflenz, 1985 Gschf. aller Betriebe m. dzt. 1300 Mitarb. - 150 Mio. Umsatz. M.: Turnver., Gendarmeriesportverein. H.: Squash, Joggen. (J. G.)

Slupetzky-Leithe Ingrid Mag. art.

B.: freischaff. Künstlerin, Inh. Atelier f. künstl. Textilgestaltung. DA. u. PA.: 4020 Linz, Fadingerstr. 24. G.: Linz, 30. Apr. 1952. S.: Kunstgewerbeschule (HTL) Linz, Abschluß 1971, HS f. angew. Kunst Wien, HS f. ind. u. künstl. Gestaltung Linz, 3 J. Arbeit b. Prof. Schulz in Wien, detto b. Prof. Riedl in Linz. K.: ab 1979 selbst. in Malerei u. Tapisserie (Gobelintechnik), zahlr. öff. u. priv. Aufträge f. Banken, Vers., (Linzer Rathaus, Oberbank Linz, Diakonie Gallneukirchen, Pruner-Stift Linz, UNO-City Wien), textile Umsetzungen eig. künstl. Entwürfe sowie auch im Auftrag namhafter Künstler wie Hundertwasser, Brauer etc., Intern. Textilkunstausstell. 1981 USA. BL.: HS-Abschl. m. Ausz., Würdigungpreis durch Min. H. Firnberg 1978, Talentförd.-Preis d. Landes OÖ 1979, Gründ.-Mtgl. d. Textilinst. Linz. (U.A.)

Smale Alison

B.: Chefred. d. Associated Press. DA.: 1199 Wien, Gunoldstr. 14. PA.: 1010 Wien, Schönlaterng. 11. G.: London, 5. Febr. 1955. V.: Sergej Dreznin. El.: Henry u. Phyllis. S.: Stud. Deutsch u. polit. Wiss. Univ. Bristol u. Ludwig Maximilians-Univ. München, Spons., Stud. Stanford-Univ. Kalifornien. K.: seit 1978 United Press Intern. in Bonn, 1981-83 Associated Press Bonn, 1983-87 Associated Press Moskau, seit 1987 b. d. Associated Press in Wien. H.: Lesen, Schwimmen, Radfahren, Theater, Konzert. (P.R.)

Smejkal Ingrid

B.: Präs. d. Wiener Landtages. DA.: 1082 Wien, Rathaus. G.: Wien, 14. Apr. 1941. V.: Klaus Smejkal. Ki.: Karin (1968), Peter (1972). El.: Emil u. Bertha Steinacher, geb. Artner. S.: VS, HS, Berufsschule u. 13-jähr. Tätigkeit im Hdl. K.: m. 14 J. Mtgl. d. Sozialist. Jugend, m. 16 J. Bez.-Obm.-Stellv. d. Sozialist. Jugend, 1969 Bez.-Frauenvors., 1973-79 Bez.-Sekr. d. SPÖ Alsergrund, 1973 BezR., 1976 BundesR., 1978 LAbg., 1979 Wr. Landesfrauensekr., 1981 Bundesfrauensekr., 1981 Abg. z. NatR. u. Mtgl. d. Bundespräsidiums d. SPÖ u. d. Bundesparteivorst., 1984-86 amtsführender StadtR., 1987-94 VBgm. u. Landeshptm.-Stellv., seit 1994 Landtags-Präs.; seit 1987 wieder Mtgl. d. Bundesparteivorst., seit 1988 gewählte Vors. d. Wr. SPÖ-Frauen, stellv. Vors. Wr. SPÖ u. Mtgl. d. Wr. Präsidiums. M.: seit d. 6. Lebensj. Mtgl. d. Arbeiterturnver. (N.A.)

Smejkal Manfred

B.: Inh. FN.: Spezial-Kettenerzeugung Manfred Smejkal. DA.: 1070 Wien, Mondscheing. 3-5. PA.: 1200 Wien, Jägerstr. 93/19/13. G.: Wien, 28. Aug. 1940. V.: Brigitte, geb. Zöllner. Ki.: Susanne (1963), Michael (1971). El.: Josef u. Josefine. S.: VS, HS, Lehre Gürtler u. Graveur, 1977 Mstr.-Prfg. K.: s. d. Lehrzeit Fa. Kukala, 1979 Übernahme d. Gesch. Kukala, seith. Fa. Smejkal. H.: Garten, Bergwandern, Tiere. (F.S.)

Smejkal Werner Ing.

B.: Gschf. FN.: Infotechnik Smejkal GmbH. DA.: 1230 Wien, Rossakg. 54. G.: Wien, 19. Dez. 1954. El.: Herta u. Rudolf. S.: HTL, Abschluß Ing., einige Sem. Stud. Betriebsinformatik. K.: EDV-Ltr. im väterlichen Betrieb, 1976 Kursltr. EDV-Bereich, teilweise Gruppenseminare, Vertragsref. d. Berufsförderungsinst., 1986 selbst. P.: div. Veröff. in Fachzeitschriften. H.: Tennis, Skifahren, Lesen, Schwimmen. (W.M.)

Smekal Ferdinand Gilbert Dr. phil.

B.: Stellv. Schulltr. u. Prof. i.R.. d. RG d. Wr. Sängerknaben. A.: 1020 Wien, Obere Augartenstr. 62. G.: Mödling, 22. März 1917. El.: Gen.-Int. Gilbert u. Emilie. S.: RG, Stud. an d. Univ. Wien (Germanistik, Historie, Anglistik), Dr. phil. K.: Kriegsdienst u. Gefangenschaft, private Sprachschule, freier Mitarb. am Sender Rot-Weiß-Rot in Sbg., Tätigkeit in d. Textil-Ind. in Wien u. Wels, 1961-82 Prof. am RG d. Wr. Sängerknaben u. stellv. Schulltr. P.: Diss. über Bernhard v. Weimar in d. deutschen Dichtung, "Österr. Nobelpreisträger", "Alma Universitas", "Karl Landsteiner", Abhandlungen: "Sufismus, d. Mystik d. Islam", "Buddhas 8-facher Weg z. Erlösung", "Austria's Top Twenty", "Karl I - Austria's Last Kaiser", "Franz Ferdinand: Franz Joseph's Frustrated Heir Apparent".

Smerting Johann

B.: Gschf. FN.: Kurbad Eisenkappel/Kneippschule. DA.: 9135 Eisenkappel, Leppen 50. PA.: 9135 Eisenkappel 203. G.: Eisenkappel, 3. Mai 1956. V.: Ruth, geb. Köck. Ki.: Daniel (1986), Matthias (1989). El.: Johann u. Katharina. S.: VS, HS, Musisch.pädagog. BRG, Industrie-kfm.-lehre. K.: Tätigk. b. d. Fa. Auto Wurm in Klagenfurt, seit 1987 Gschf. d. 1976 Gegründ. Kurbades m. Schwerp.: Kohlensäure-Trokkengas (ein von zwei Vorkommen Österr.), einzige Ausbild. zentr. d. Österr. Kneipp-Ärzte-Bundes /Heilbademstr., Heilmasseure etc.) M.: Tourismusverband Eisenkappel, seit 1988 Verein Österr. Kur- u. Tourismusdir. u. div. örtl. Vereine. H.: Wandern, Tennis, Lesen, Musik. (G.L.)

Smetana Margareta

B.: Expertin i. Igelfragen. PA.: 1120 Wien, Spittelbreiteng. 23. G.: Wien, 3. Juni 1934. V.: Kurt Smetana. Ki.: Margit (1951), Kurt (1954), Bettina (1967). El.: Johann Schwarz u. Maria, geb. Kaderavek. S.: Mittelschule. K.: 1,5 J i. med. Lab., dann b. e. Erzeugungsfirma f. med. Geräte, 1975 Beginn d. Besch. m. Igeln: jährl. Betreuung v. ca. 150-200 Igeln in eig. Whg. u. ca. 800-1000 extern, lfd. Ratschl. über med. Beh. d. Igel. BL.: Rettung v. ca. 10.000 Igeln. P.: Fachart. i. Fachzeitschriften. M.: Greenpeace, Intern. Bd. Tierversuchsgeg., Versch. Tierschutzorg. WWF. H.: Pflanzen, Garten, Natur, Tiere. (N.A.)

Smetana Peter Helmut Dr.

B.: RA. DA.: 2340 Mödling, Hauptstr. 51. PA.: 2340 Mödling, Enzersdorfer Str. 44. G.: Mödling, 17. Juni 1951. El.: Rudolf u. Gertraud. S.: Gymn., Matura 1970, Jusstud. an d. Univ. Wien, Prom. 1975. K.: Gerichtsj. HG Wien, Straflandesgericht u. BG Liesing, 1973-82 Praxis b. Dr. Noverka Wien, seit 1983 eigene Kzl. M.: Vorst.Mtgl. Tierschutzver. Tullnerfeld, versch. Raiffeisengen. H.: Reisen, Essen, Fotografieren, Porzellan u. Bleikristall, Münzen, Sportschießen, Theater. (M.G.)

Smikal Robert Mag. art. Prof.

B.: Ak. Maler, Prof. HTL Linz. DA.: 4020 Linz, Goethestr. 17. PA.: 4030 Linz-Ebelsberg, Hillerstr. 8a. G.: Linz, 4. Nov. 1953. S.: 1968 Beginn einer Lehre als Sped.Kfm., 1969 Dekorationskurs WIFI Linz, 1970 Graf. Lehre Holland unter Prof. Henk M. Bernhard, 1975 Abschluß m. Dipl., Militärdienst in Hörsching. K.: Mtgl. b. OÖ Künstlerbund, ab 1976 entsteht eine Serie v. Bildern f. eine Ausstellung im Künstlerclub, Ausstellung Galerie 77, 1977 Beitritt z. Berufsver. Bild. Künstler, 1978 Eintritt in d. Ak. d. Bild. Künste Wien, 1979 Ausstellung LKulturzentrum Ursulinenhof Linz, 1980 Ausstellung VKB Linz, 1981 Ausstellung Galerie Ebelsberg, 1982 Studienreise nach Padua, Firenze u. Rom, 1983 Begabtenstipendium, 1984 Ausstellung in d. Meisterkl. Schloß Lippersheide Tirol, 1985 Abschluß m. Dipl. in d. Meisterkl. R. Hausner, Th. Körner Preis, Weihnachtsausstellung Ursulinenhof Linz, Kulturver. Ebelsberg Schloß Ebelsberg, 1986 Oberbank Traun, Raika - Neue Welt, AKH Linz, Lehrauftrag an d. HTL f. Grafik u. Design, 1987 Einzelausstellung Städt. Galerie Traun, 1989 Einzelausstellung LKulturzentrum Linz.

Smola Friedrich Dipl.-Ing. BauR. h.c. Senator h.c.

B.: Allg. beeid. gerichtl. Sachv. f. Elektrotechn. u. allg. Physik, Gen.Sekr. d. Österr. Verb. f. Elektrotechnik u. d. Österr. Ing. u. Arch.Ver. i.R. A.: 1080 Wien, Bennog. 4. G.: Wien, 23. Febr. 1922. V.: Gertrude, geb. Moudry. El.: w.HofR. Dipl.-Ing. August u. Julia. S.: Theresianum, TU Wien, Fak. f. Angewandte Math. u. Physik, Unterabt. Techn. Physik. K.: 1940 Dt. Wehrmacht, 1945 Gefangennahme, 1946 Neuaufnahme d. Stud. an d. TU Wien, 1947 wiss. Hilfskraft b. d. Lehrkanzel f. Allg. Elektrotechnik d. TU Wien, 1948 2. Staatsprüf., 1951 Dion.Ass. techn.wiss. Abt. d. Gen.Dion. d. ELIN-Union, 1957 Gen.Sekr. d. Österr. Verb. f. Elektrotechnik, Kons. d. ELIN b. Ende 1961, 1960 Gen.Sekr. d. Österr. Ing. u. Arch.Ver. P.: 1951-61 Schriftltr. d. Elin-Zeitschrift, ab 1950 Schriftltr. d. Zeitschrift d. ÖVE "Elektrotechnik u. Maschinenbau", dzt . "Elektrotechnik u. Informationstechnik", ab 1960 Schriftltr. d. Zeitschrift d. ÖIAV "Österr. Ing. u. Arch. Zeitschrift". E.: Gold. EZ f. Verd. um d. Rep. Österr., Gr. EZ f. Verd. um d. Rep. Österr., Ehrenbürger d. TU Wien, Ehrensenator d. TU Wien, Omaha-Silber- u. Goldmed. sowie d. Ehrenbürgerschaft d. Stadt Omaha, BauR. h.c., Gold. EZ f. Verd. um d. Land Wien. M.: Klub f. Bildungs- u. Wiss. Journalisten.

Smolak Peter

B.: Kfm. GT.: Innungsmstr.Stellv. d. Sattler, Riemer u. Lederwarenerzeuger. DA. u. PA.: 9500 Villach, Gerberg. 37. G.: Villach, 17. März 1932. V.: Karin, geb. Egger. Ki.: Peter, Maria, Barbara. El.: Peter u. Elisabeth. S.: Fachschule f. Lederwaren u. Autosattler. K.: 1950-56 tätig in div. in- u. ausländ. Firmen, 1946 Übernahme d. elterl. Betriebes. M.: Österr. Wirtschaftsbund. H.: Sport, Reisen.

Smolka Kurt KommR.

B.: Alleinvorst. d. INKU AG. A.: 1010 Wien, Parkring 18. G.: Wien, 5. Mai 1920. V.: Auguste, geb. Müller. El.: Maximilian u. Berta. S.: HASCH. K.: Selbständiger Kfm. F.: INKU AG, Erge AG, Ubeg GmbH, AGB, Cut-Service. E.: Chevallier del ordre pour merite commerciel et industrial, Gr. Silb. Kam. Med. M.: BKam. H.: Jagd.

Smolle Karl

B.: Gerichtsdolmetsch. FN.: Übersetzungskzl. Smolle. GT.: Österr. Delegierter b. EG-Komitee f. weniger verbreitete Sprachen. DA.: 1010 Wien, Teinfaltstr. 4. G.: Klagenfurt, 2. Sept. 1944. V.: Dr. Draga, geb. Jelen. Ki.: Tina (1977), Lena (1982). El.: Walter u. Stefanie. S.: VS, BG, 1963 Matura, Stud. Jur. Fak. d. Univ. Wien. K.: seit 1963 Übersetzer u. seit 1966 Gerichtsdolmetsch, seit 1960 Mtgl. d. Präsidiums d. Rates d. Ktn. Slowenen, 1979-90 Obm. d. Ktn. Einheitsliste/ Koroska Enotna Lista, 1985 Gründer d. Österr. Volksgruppenzentrums, 1986-90 Mtgl. d. NatR., 1990-92 im Diplomat. Dienst d. Rep. Slowenien, zunächst Slowen. Rg.-Bev. in Wien, schließl. Hon.-Kons. d. Rep. Slowenien in Klagenfurt. M.: Mtgl. zahlr. polit. u. kultureller Organ. F.: Kor-Eko Ferlach. (J.S.)

Smrekar Dietmar

B.: Gastwirt Gasthof zum Ochsen. DA.: Hittisau, Heideggen 62. G.: Hittisau, 11. Apr. 1958. V.: Helga, geb. Bilgeri. Ki.: Eveline (1982), Bernhard (1985), Yvonne (1988). El.: Franz u. Maria. BV.: Großvater mütterlicherseits entwickelte spez. Räucherverfahren f. Schweinskotelette. S.: Hotelfachschule Schloß Hofen, 1974 Abschluß, 1979/80 BH, 1982 Konzessionsprüf. K.: Chef Ordonanz, seit frühester Jugend im elterl. Gasthof tätig, 1992 Übernahme d. Gasthofes. M.: AufsR.-Mtgl. Verkehrsver. Hittisau, langj. Gastwirteobm. H.: Hochseefischen, Lesen. (I.D.)

Smutny Christina Franziska

B.: Musikanim., Schausp. PA.: 1230 Wien, Breitenfurter Str. 401-413. G.: 12. Okt. 1952. V.: Peter. Ki.: Sandra (1971), Andrea (1977). El.: Maria u. Josef Piringer. S.: Dipl. Kindergärtn. u. Horterz. priv. u. städt. Kindergärt., Workshops b. versch. Pantomimen w. J.-J. Pascal u. Schausp. a. u. H. Seeböck, ab 1984 lauf. Auftr. im Duo "Rosina u. Emilio" m. Rosina Moder, Zusammenarb. m. Eva-M. Kaiser "Kaikukas", s. 1987 Zusammenarb. m. Helga Leitner-Wlach im Musikclownduo "Rosina und Emilia"(Wr. Festwochen, ORF, etc.), Friedensles. an Schulen als "Helga u. Christina", 1990 glz. Säng., Gitarr., Kabarettist., i. d. Theatergr. Mimosen, Ltr. d. Gr. "Junior-Mimosen", s. 1994 Am-Dam-Des-Shows m.

Enrico. BL.: Mitw. b. caritat. Auff. im St.-Anna-Spital. P.: Musikkass. u. Musikvideoclip. M.: Verein f. Komunikative Kunstausübung H.: Schwimmen, Musizieren. (J.S.)

Smutny Friedrich Dr.

B.: RA. DA.: 1010 Wien, Opernringhof R/709. G.: Cieszyn/ Polen, 18. Juli 1921. V.: Carmen, geb. Schröder. Ki.: Dr. Christiane. El.: Wilhelm u. Stephanie. S.: Mittelschule in mehreren Staaten u. mehreren Sprachen. K.: Matura, während d. Krieges Beginn m. d. Stud., Prom., Gerichtspraxis u. RA-Anw., seit 1971 eigene Kzl., im intern. Steuer- u. Vertragsrecht tätig, Vertreter zahlr. intern. tätiger Künstler, seit Jahren m. wirtschaftl. u. rechtl. Problemen d. Holographie befaßt. P.: Beiträge über Wirtschaftsprobleme in ausländ. Fachzeitschriften, Exposé über wirtschaftl. Aspekte d. Holographie. (S.S.)

Smutny Georg Dipl.-Ing.

B.: Arch., Ziviltechniker. GT.: Delegierter d. Fachgruppe Intern. Consulting an d. BIng.Kam. DA.: 1120 Wien, Belghoferg. 29. G.: Wien, 30. März 1943. V.: Arch. Dipl.-Ing. Erika, geb. Lihl. Ki.: Roman, Tanya, Florian. El.: Franz u. Johanna. BV.: Vater Franz Smutny war Dir. d. Fa. Günther Wagner (Pelikan), Vater d. Frau war Univ.-Prof. f. angew. Physik an d. TU Wien. S.: VS, AHS, 1961 Matura, 1961-69 Arch.Stud. an d. TU Wien, Mtgl. d. Clubseminars f. Arch. Studenten, Praxis b. d. Arch. Hentrich u. Petschnigg in Berlin u. Eller-Moser-Walter in Bochum u. Düsseldorf, Musikal. Ausbild. am Konservatorium d. Stadt Wien, 1969 2. Staatsprüf. an d. TU Wien. K.: 1969-71 Mitarb. im Atelier Prof. Dr. Sepp Stein, 1971-72 Präsenzdienst, 1971-75 Mitarb. im Atelier o. Prof. Dr. Karl Schwanzer, 1975 Ziviltechnikerprüf., 1975-79 Ass. an d. TU Wien, 1976 Befugniserteilung, Eröff. d. selbst. Praxis, 1976-82 Bürogemeinschaft Atelier Arch. Kral-Scheiner-Smutny, seit 1975 Zusammenarb. m. United Planners - Schwanzer Planungs GmbH f. Auslandsprojekte, seit 1982 Atelier Belghofergasse, Schwerpunkt: Stadtplanung, Stadtgestaltung ,Arch. u. Innenraumgestaltung (Wohnen, Gesundheit, Forsch., Ind., etc.), Ausstellungen, Messen, Intern. Consulting. P.: zahlr. Publ. in Fachzeitschriften. H.: Tennis, Skifahren, Klavierspielen, klass. Musik u. Jazz. (M.B.)

Smutny Gerhard Dkfm.

B.: Gschf. FN.: AB Computer GmbH. GT.: Gschf. d. Töchterfirmen: AB Hard Handels GmbH, AB Software Handels GmbH, ABCim EDV-Softwareberatungs GmbH. DA.: 1040 Wien, Große Neug. 8. PA.: 2285 Leopoldsdorf, Bahnstr. 113. G.: Wien, 12. Febr. 1939. V.: Marjeta, geb. Sumi. Ki.: Martin (1964), Michael (1975), Katharina (1981). El.: Eduard u. Paula. S.: 1961/62 Matura, Abendschule, gelernter Schriftsetzer, 1965-66 Stud. Journalistik, HS f. Welthdl., 1971 Dkfm. K.: 1968 Eintritt EWM, 1969 Budget- u. Planungsmanager b. EWM, 1972-75 Arb. auf d. Gebiet d. Verkaufs, 1976-81 Verkaufsdir. d. Fa. NCR, seit 1981 Arb. b. div. Firmen, 1985 Vertriebsltr. b. EDV GmbH, 1986 Vertriebsltr. b. d. Fa. Dataservice, seit 1987 Gschf. d. Fa. AB Computer GmbH. P.: div. Art. f. “Furche”, “Volksblatt”, “Die Wiener Zeitung”. M.: Sportver. (Segeln, Tennis). H.: Sport, Naturwiss., klass. Musik. (N.A.)

Sobczak Margarete Dr. med.

B.: prakt. Ärztin. DA. u. PA.: 4033 Linz-Pichling, Biberweg 28. G.: Linz-Pichling, 31. Juli 1946. V.: Dr. phil. Rudolf. Ki.: Jacob, Lukas. El.: ÖkR. Karl u. Anna Mauhart. S.: Gymn. (Körner-Schule) Linz, 1964 Matura, Univ. Wien, 1972 Prom., b. 1974 Turnusausbild. KH Krems. K.: 1975-76 AKH Linz, 1976-77 Aufenthalt in den USA (ECFMG), 1977 Eröff. einer eigenen Praxis, 1983 Abgabe d. Kassenverträge, seither Privatpraxis auf homöopathischer Basis, seit Okt. 1983 Begutachterärztin d. Sozialvers.Anst. d. Bauern (Kontrolle d. Ärzte auf ök. Arbeitsweise u. d. Hilflosen). M.: Österr. Ges. f. Homöopathie. H.: Homoöpathie, Garten, (Chor-)Musik, Singen. (Deu.)

Sobitsch Erich Dr. rer. soc. oec. Mag. Ing.

B.: Stellv. d. Vorst.Vors. d. Bauer-Gruppe. GT.: Ges. d. Armaturen Müller GmbH. DA.: 8570 Voitsberg, Kowaldstr. 2. PA.: 8102 Semriach 24. G.: Semriach, 25. Apr. 1949. V.: Ingeborg, geb. Engelbrecht. Ki.: Michael, Hannes. El.: Johann u. Cäcilie. S.: VS, Public School, High School (Australien), HS, Berufsschule, HTL, Univ. Graz u. Wien, 1985 Prom. K.: Schlosserlehre, nach HTL (während d. Stud.) b. Humanic u. Philips tätig, anschl. Master Foods (1977-79 Prod.Ltr., 1979-81 Werksdir.), dann Huyck-Fez (1981-83 gschf. Dir., 1983-85 Gen.-Dir. u. Alleingschf.), seit 1985 Gschf. d. Bauer-Gruppe, 1989-90 Gen.-Dir.-Stellv. d. Bauergruppe, seit 1990 selbst. Unternehmer, weiters Lehrauftrag an d. Univ. Graz sowie Abhaltung v. ÖAF Management Seminaren. BL.: Trouble-Shooting u. Untern.Sanierung. M.: VdI. H.: Tennis, Golf, Motocross, Ldw. (H.Z.)

Sobotka Alfred

B.: Dir., Ltr. d. Geschäftsstelle Ktn. FN.: Ericsson/Schrack AG. DA.: 9020 Klagenfurt, Rosentaler Str. 7. G.: Wien, 12. März 1942. V.: Margit, geb. Schienegger. Ki.: Irina (1973), Tanja (1976). El.: Friedrich Franz u. Elisabeth. S.: VS, HS, Berufsschule Chemielaborant, intern. School Marketing/ Vertrieb. K.: 2 J. Donau Chemie, ÖBH, Vertrieb Dosiermaschinen Regeltechnik, 1968 Ndlg.-Ltr. TN Nachrichtentechnik Siemens, 1971 Ndlg.-Ltr. Bartenbach Lichtsysteme, 1978 Telenorm Ktn. u. Osttirol, 1990 Ndlg.-Ltr. Fa. Schrack Telecom AG. M.: Industriellenver., Wirtschaftsforum d. Fürhungskräfte. H.: Skifahren, Mountainbiken, Tauchen. (W.M.)

Sobotka Erich

B.: Gebietsverkaufsltr. f. Gerichtsbez. Baden u. Mödling d. Donau Allg. Vers. AG. DA.: 2500 Baden, Vöslauer Str. 18. PA.: 1090 Wien, Pulverturmg. 7/44. G.: Wien, 27. Sept. 1939. V.: Irmtraud, geb. Pöltl. Ki.: Sabine (1962). El.: Karl u. Klementine. S.: HS, Berufsschule f. Elektromechanik. K.: 1958 Aufzugsmonteur b. Firma Wertheim, ab 1959 Ang. im Innendienst d. Donau Allg. Vers. AG, seit 1966 in d. Verkaufsorgan. d. Landesdion. NÖ in Baden tätig, 1966-85 Lebensfachinsp., Ausbild.-Ltr. u. Verkaufsltr., seit 1966 Gebietsverkaufsltr. M.: Tennisclub Trumau. H.: Tennis, Reiten. (M.M.)

Sobotka Gottfried Ing.

B.: Firmeninhaber; Elektro-Ing. FN.: Atcom Anlagentechnik Consulting Organisation u. Projektmanagement GmbH. DA.: 1110 Wien, Kaiserebersdorferstr. 218. G.: Wien, 2. Apr. 1946. Ki.: Alexander (1968), Nikolaus (1972). El.: Leopold u. Hermine. S.: VS, HS, 3 J. Fachschule f. Elektrotechn., 3 J. TGM Höher Abt. f. Elektrotechn, 1967 Abschl. Reifeprüf. u. Ing. K.: 1967-68 Post u. Telegraphendir. Wien (Starkstromplaner), 1968-69 ICR Wien, Vertriebsingenieur f. Armaturen u. Regelanlagen f. chemische u. petrochemische Industrie in Polen u. d. CSSR, 1970-73 selbst. Sobotka, Pucandl & Co KG Wien, Vertr. d. Fa. Ross-Europa, 1973-74 Ctyroky Wien, Vertriebs Ing. f. Klöckner - Möller. 1974-85 Gruppenltr. b. d. Österr. AEG-Telefunken, 1974-77 in d. Installationabt. betraut m. Auslandsprojekten, Gruppenltr. b. d. AEG Frankfurt/M , 1978-79 betraut m. Proj. Ltg. in Italien u. Nigeria, sowie Akquisition in Kuwait, Saudi Arabien u. d. VAE, Vertriebsltr. b. d. Österr. AEG Telefunken, 1979-81 f. d. Installationsabt. Referent f. d. Stabsabt. Anlagen Vertrieb Ausland, 1981-83 b. d. AEG Telefunken in Frankfurt/M, betraut m. Unternehmens-Analyse u. Organisationprojekten b. d. Tochtergesellschaften in Argentinien u. Venezuela, Gschf. d. AEG Columbien Ltda, in Bogotá, Okt.1986 SAT Systeme f. Automatisierungstechn. Ges.m.b.H Wien, Ltr. d. Proficenters Industrie. P.: Wohnhausanlage Wien 23, Gregoryg., Wohnhaus Wien 19. Peter Jordanstr., Business City Fot - Budapest, Veterinärmedizinische Univ. Wien 21., Landwirtschaftliche Bundesanstalten Hirschstetten Wien 22., Leittechn. Anlagen d. AUA Basis, am Flughafen Schwechat, Bürohaus IBM Lassallestr., Gschf. d. AEG-Telefunken Colombiana Lta, Flughafen Medellin, Kolumbien, Hühnermastanlage in Puerto Lopez, Kolumbien, Organisation u. Sanierung d. Bereichs E-Anlagenbau, Hafenanlage Worry Port, Nigeria, Krafwerk Abu Dhabi , VAE, Hangar 1 d. Austrian Airlines, Schwechat. H.: Reiten, Tauchen, Skifahren, Kunst, Brevet. (W.M.)

Sobotka Hans Dr. techn. Dipl.-Ing.
B.: Ges. FN.: Austroconsult GmbH. DA.: 1070 Wien, Zieglerg. 7/3. G.: Wien, 28. Apr. 1917. V.: Gertrude. Ki.: Hanns, Stephanie, Susanne. El.: Ferdinand u. Beate. S.: 1935 Matura, b. 1939 Stud., Dipl.-Ing., 1948 Dr. techn. K.: 1949 Ziviling.-Befugnis, 1939-45 Laboring. b. Telefunken, 1945-57 Techn. Dir. b. Radio Austria, seit 1957 selbst., im bes. Fernmeldetechnik u. Elektronik, Strahlenfrühwarnsystem. P.: 6 Bücher. M.: ÖVE, Ing.-Kam., Ö-Normenaussch. H.: Arbeit. (J.E.)

Sobotka Heinz
B.: Kfm. FN.: Foto Sobotka. GT.: Secondhandgeschäft, 1150 Wien, Mariahilfer Str. 139. DA.: 1150 Wien, Mariahilfer Str. 145, 1090 Wien, Alserbachstr. 25. G.: Wien, 11. März 1940. V.: Karin, gb. Janda. El.: Heinrich u. Martha. S.: VS, HS, kfm. Lehre, Abschluß m. Drogistenprüf. K.: 10 J. Gschf. Drogistenfirma Sax & Kratzer Wien, seit 1975 selbst., Grdg. Foto Sobotka, 1978 Eröff. d. Filiale, 1979 Eröff. d. Gebrauchtgeschäftes, spezialisiert auf Fotoraritäten: größte Leica-Sammlung Österr. H.: Sport allg., speziell Tennis u. Skifahren, Fernreisen, Videofilmen. (J.S.)

Sobotka Herbert Dr. Dkfm.

B.: Gschf. FN.: Management Data Systemhaus - Peitl Büroinformatik. DA.: 1150 Wien, Linke Wienzeile 234. PA.: 1010 Wien, Elisabethstr. 15/7a. G.: Wien, 15. Jän. 1947. V.: Mag. Eveline, geb. Stadtfeld. El.: Josef u. Maria, geb. Guttenberger. S.: BRG, 1965 Matura, Stud. Marketing u. Werbung an d. HS f. Welthandel, 1969 Dipl., 1973 Prom., Schwerp.: Finanzen, Finanzierung. K.: Während d. Stud. in d. Marketing-Forsch. beschäftigt, 1974 Eintr. bei "Austro Olivetti", 1978 Verkaufs u. Marketingman., 1978-82 "Abbott-Laboratories", 1978-80 Divisionsman., 1981-82 Gschf., 1983-85 Gschf. "Kontron", 1985-91 Dir., Prok. "Olivetti Austria", 1992-93 Man. f. Kommerzielle Initiative bei "Olivetti Intern." mit Sitz in Italien, ab 1994 Gschf. H.: Antiquitäten sammeln u. rest., Sport, Musik, Lesen. (N.A.)

Sobotka Herbert Josef
B.: Kfm., Gschf. Präs. d. Kulturver. Donaustadt Zentrum. GT.: Steh Imbiß. DA.: 1222 Wien, Steigenteschg. 94b. PA.: 3420 Kritzendorf, Hauptstr. 193D. G.: Wien, 3. Aug. 1940. Ki.: Sabine. El.: Thaddäus u. Aloisia. S.: HS Wien, Ind.Kfm. gelernt, priv. Musikstud. 1946-57, priv. Gesang 1955-62. K.: 1965 selbst., 1982 Grdg. Imbißstube, 1979 Kulturver., 1986 VPräs., 1987 Gschf. Präs, seit 6 Lebensj. öff. Auftritte Gesang u. Akkordeon, Sendung: Wer A sagt muß auch B sagen, rotweiß-rot Rundfunk, regelmäßige Auftritte, NÖ Tourneen, anschließend spezialisiert auf Wr. Lied, 4 LP, 1 Single, So lang's no Weaner gibt, Der Rasslbinder, Fa Rex Roval, Mallorca Wr. Abende, div. Veranstaltungen. E.: Gold. Wr. Ausz. f. Wienerlieder 1983. M.: Sängerrunde Kritzendorf. H.: Schwimmen, Wasserskifahren, Skifahren, Tennis, Musik. (M.G.)

Sobotka Kurt
B.: Schauspieler. PA.: 2340 Mödling, Dr. Karl Giannanig. 19. G.: Wien, 9. März 1930. El.: Robert u. Therese. S.:HAK, Besuch d. Konservatoriums, 1 J. Schauspielschule (Unterricht b. Leopold Rudolf u. Eduard Voltens), Tanz- u. Gesangsausbildung. K.: 1946 Eleve a. Burgtheater, ab 1947 Schauspieltätigkeit i. div. Kellertheatern i. Wien, 1957-60 a. d. Josefstadt, 1960-65 am Kärntnertortheater engagiert, ab 1965 Tätigk. i. Kabarett Simpl, Auftritte m. Farkas, Flossmann, Wehle u.v.a., jahrelange künstl. Ltg. d. Kabarett Simpl, Mitwirkung i. Filmen u. Rundfunk, zahlr. Fernsehauftritte, Regiearb. b. Theater u. Fernsehen, bedeutende Rollen: alte Miller i. "Kabale u. Liebe", Pokerer i. "Viel Lärm um Nichts". H.: handwerkliche Tätigk. (Tischlerarb., Schlosserarb.), Musik, Komposition.

Sobotka Raimund Dr. phil.
B.: o.Univ.-Prof. am Inst. f. Sportwiss. d. Univ. Wien. DA.: 1150 Wien, Auf der Schmelz 6. PA.: 1180 Wien, Dr.-Heinrich-Maier-Str. 46-59/3/3. G.: Wien, 8. Juni 1933. V.: Roswitha, geb. Jiresch. Ki.: Gertraud (1960), Christoph (1962), Elisabeth (1965). El.: Raimund u. Emilie, geb. Kalchhauser. S.: AHS, Univ. K.: Lehrer an AHS, Univ.-Ass., Univ.-Prof. BL.: Schriftltr. d. Zeitschrift "Spectrum d. Sportwiss.". P.: Formgesetze d. Bewegungen im Sport (1974). M.: Österr. Sportwiss. Ges. H.: Musik, Folkloretanz, Biolog. Gartenbau.

Sobotka Wolfgang Mag.
B.: Ltr. d. NÖ Musikschulwerkes. DA.: 1070 Wien, Bernardstr. 36. PA.: 1150 Wien, Mariahilferstr. 202/40. G.: Waidhofen, 5. Jan. 1956. V.: Elke, geb. Steinleseberger. Ki.: Lukas (1975), Katharina (1979), Maria 81983), Elisabeth (1994). El.: Ernst u. Lucia. S.: Matura, instrumental-päd. Ausbild., Instrumente: Violoncello, Klavier, Blockflöte, 1978 Abschluß. K.: seit 1973 Musikschullehrer, seit 1976 AHS-Lehrer, seit 1989 Lehrbeauftragter f. Musik u. darstell. Kunst, Musikschulltr. in d. 3. größten Musikschule Österr., seit 1992 Vors. Musikschulltr. v. Gremium d. MSL, Dirigent v. versch. Orchestern. M.: seit 1992 Union, ÖVP-FinanzstadtR. Waidhofen/Ybbs. (M.N.)

Socher Bernhard Ing.
B.: Ing. f. Maschinenbau, Sachbearb., Betrieb u. Erhaltung v. Wasserkraftmaschinen, Schwingungstechnik-Akustik v. Dampf- u. Wasserkraftwerken. A.: 9020 Klagenfurt, Laudonstr. 21. G.: Obere Fellach, 20. Aug. 1927. V.: Helene, geb. Gräßl. El.: Bernhard u. Maria. S.: Höhere BGewerbeschule f. Maschinenbau u. Elektrotechnik in Graz, mehrere Kurse f. Schwingungstechnik, Akustik, Werkstoffprüf., Dienstnehmer d. ÖDK: Montage v. Wasserkraftmaschinen, Bearb. v. Bekohlungs- u. Entaschungsanlagen, Wärmetechnik (Konstruktion einer vollautomat. Kohleproben- u. Teileranlage z. Heizwertbestimmung) seit 15 J. Bearb. d. ges. Maschinenbaus v. 15 Wasserkraftwerken, ges. Schwingungstechnik u. Akustik aller Dampf- u. Wasserkraftwerke d. ÖDK. P.: "Stationäre

Wellenschwingungsmesseinrichtung f. d. Malta Haupt- u. Oberstufe", mehrere Kurzreferate auf d. Gebiet d. Schwingungstechnik u. Akustik im Ver. d. E-Werke Österr. E.: Silb. Verd. Zeichen d. Rep. Österr., Ehrendipl. Österr. Draukraftwerke AG, u.a. M.: Österr. Normungsinst., Ver. Dt. Ing. H.: Sport, Ölmalerei, Theater, Musik, Politik, Fischen, Bearb. v. Metall u. Holz. (D.M.)

Socher Karl Dr. Prof.

B.: Univ.-Prof. f. polit. Ökonomie. A.: 6072 Lans 90. G.: Berlin, 19. Juli 1928. V.: Renate, geb. Gries. El.: Dr. Hermann u. Emilie. S.: RG Innsbruck, Univ. Innsbruck u. Wien, Dr. rer. pol., post-graduate Stud. in Harvard u. Stanford. K.: Volkswirt in: Inst. f. Wirtschaftsforsch., Dt. BBank, BMF, BKam. d. gewerbl. Wirtschaft, Habil. an d. HS f. Welthdl., 1973 Berufung an d. Univ. Innsbruck. P.: Koordination d. Einsatzes geld- u. fin. polit. Instrumente, 1972, Art. über Währungspolitik, Finanzpolitik u. Fremdenverkehrsökonomik. M.: Ver. f. Socialpolitik, AIEST (Ass. Int. d. Experts du Tourism).

Socher Leopold Eduard

B.: Gschf. FN.: Wilkens Silberwarenverkaufs GmbH. DA.: 1031 Wien, Landstraßer Hauptstr. 37. PA.: 3100 St. Pölten, Karlstettnerstr. 17. G.: Wien, 22. Apr. 1939. V.: Brigitte, geb. Karner. Ki.: Leopold (1961), Gerald (1963), Alexandra (1969). El.: Leopold u. Maria. S.: HS Wien, Hernstein-Seminare, div. Werbeseminare, Abend-HASCH, b. 1956 Lehre Großhdls.Kfm. Fa. Schlehan & Röhrer. K.: 1957 Z Gem. Wien, 1966 stellv. Werbeltr., Sekr. d. Wr. Kunst-Fonds, b. 1975 selbst. Hdls.Vertreter, 1976 Repräsentant Braun Elektrik Wien, 1981 Gschf. Robbe & Berkin Silber-Bestecke, 1982 Eintritt Fa. Wilkens, 1988 alleiniger Gschf. M.: ÖGV St. Pölten. H.: Heimwerken, Hunde, Tennis, Wasserski, Skifahren, Lesen, mod. Musik, klass. Jazz, Schallplatten sammeln, Lieder, Chansons. (M.G.)

Sochor Jens

B.: Marketing- u. Vertriebsltr. FN.: Druckerei F. Sochor GmbH. DA.: 5700 Zell am See, Kitzsteinhornstr. 63. PA.: 5700 Zell am See, Erlenweg 9. G.: Kattowitz, 6. Feb. 1944. V.: Dr. Sylvia, geb. Pecile. Ki.: Friedrich (1982), Louis (1986). El.: KommR. Othmar u. Hilgrit. B.: Urgroßvater entwickelte Kettenpatent in einer Fbk. in Neunkirchen, Großvater mütterlicherseits besaß gr. Besitzungen in Schlesien. S.: VS, HS, 1960-61 Graf. BLVA Wien f. Druck u. Reprotechnik. K.: Tätigkeit im elterl. Betrieb, 1966-68 Tätigkeit b. Kindler & Schiermayer München sowie Rotaprint Berlin u. München, seither im elterl. Betrieb tätig, zwischenzeitl. Studienreisen, 1983 Grdg. d. Holding u. seither Mehrheitseigentümer d. Druckerei F. Sochor GmbH. E.: zahlr. intern. Ausz. u. Preise, Österr. Staatswappen, Staatspreise. H.: Familie, Firma, Sport. (J.F.)

Sochor Sieglinde

B.: Selbstst. Haareinweberin u. Inh. FN.: Haar Perfect. DA.: 4020 Linz, Wienerstr. 101. PA:: 4642 Satlet, Unterhart 38. G.: 9. Sept. 1951. V.: Hans. Ki.: Roman (1983). EL.: Josef u. Zäzilia. S.: VS, HS, Friseur Lehre i. Wels. K.: 1968-69 i. Gastgewerbe i. d. BRD tätig, 1969-74 Friseurgewerbe Fa. Inter Haar, 1975 Gründung einer GmbH m. Gatten, 1977 Eröffnung eines Groß u. Einzelhandels i. Linz, s. 1981 Umwandlung d. GmbH Haar Perfekt i. Einzelfa., Inh. H.: Bilder, Sticken, Skifahren. (G.E.)

Sochor Walter Ing.

WS

B.: Inh. FN.: Sport- u. Erlebnishotel Gosau. DA./PA.: 4824 Gosau, Gosau713. G.: Wien, 18. Jän. 1949. V.: Elisabeth, geb. Neumayer. Ki.: Verena (1992), El.: Johann u. Ingeborg. S.: VS, Gym., HTL, 1968 Matura, 1968-1970 Verk. u. Objektberatung im Sanitär u. Schwimmbadsektor. K.: 1970-71 Grup Universalbau i. Essen, 1983-85 Immorent Prjl. Marriot Wien, ab 1985-93 Mtgl. des Vorst. Marriott, 1987 Hotelkauf, s. 1993 Dir. Hotelführ. H.: Modellbau, Pflanzen. (G.E.)

Sochovsky Josef jun.

B.: Prok. FN.: Mocca Brasil Kaffee-Tee-Import, Großrösterei Josef Sochovsky GmbH. DA.: 1030 Wien, Rennweg 75. G.: Wien, 23. Sep. 1971. V.: Petra, geb. Klepoch. Ki.: Josef Nikolaus (1994). El.: Josef u. Brigitte. S.: VS Sacre Coueur, BRG Wien 3, Univ. f. Bodenkultur. K.: 1992 Eintritt in d. väterl. Betrieb als kfm. Ang., s. 1994 Prok. einer typisch österr. Rösterei; Gastrospezialist, Hotellerie u. Espresso vor allem in Ostösterr., Herstellung v. Qualitätsware. H.: Fotografie, Wandern, Bergsteigen, Skifahren, Musik, Theater. (J.M.)

Sochovsky Katharina
B.: Designerin. DA. u. PA.: 1010 Wien, Singerstr. 27. G.: Wien, 6. Febr. 1956. El.: Josef u. Maria Sochovsky. S.: Fachschule f. Bekleidungsgewerbe Michelbeuern, Gesellenprüf. K.: 1 J. Praxis in Haute Couture Salon, 1976 Mstr.Prüf. m. Vorzug, 1 J. in einem engl. Haute Couture Salon, Fa. Machison Mantelfbk., Zeichnerin u. zuletzt Ass. d. Chefs, 1979 selbst. m. Partner Alfred Friedl, Verkauf d. Modelle an Boutiquen in ganz Österr., Entwurf v. Schuhen u. Stoffen, Vorstellung d. ersten Kollektion "S.K.A.F." im eigenen Labor, neben eigenen Modellen vertreibt sie auch Katherine Hammett u. Joseph aus London, als erste Fa. Aufkauf einer kompletten Kollektion aus d. U-4-Modeschau. H.: Kunstfotografie, Reisen, Kinder. (A.W.)

Sockel Helmut Dr. techn. Dipl.-Ing.
B.: a.o.Univ.-Prof., Ltr. d. Abt. f. Unterschallströmungen u. Aeroelastizität. A.: 1130 Wien, Testarellog. 25/7. G.: 22. Febr. 1933. Ki.: Renate (1956), Walter (1957), Ingrid (1965). El.: Dipl.-Ing. Richard u. Margarete. S.: Realschule m. Matura 1951, Abschluß d. Maschinenbaustud. an d. TH Wien 1956. K.: 1956-57 Wiss. Mitarb. an d. BVersuchs- u. Forschungsanst. Arsenal, Wien, 1957-73 Ass. am Inst. f. Strömungslehre d. TH Wien, 1962 Doktorarb., 1971 Habil. f. d. Fachgebiet Strömungslehre, 1973 a.o.Univ.-Prof. u. Abt.Ltr. am Inst. f. Strömungslehre d. TH Wien. P.: 49 Publ. in wiss. Zeitschriften u. Berichten, davon 25 in engl. Sprache, Buch: Aerodynamik d. Bauwerke, Vieweg 1984,Wind exited Vibrations of Structures, ed., Springer 1994. M.: Ges. f. angewandte Math. u. Mechanik, Windtechnolog. Ges. H.: Klass. Musik, Schwimmen, Fotografieren, Skifahren.

Sodamin Rudolf
B.: Vice President, Food & Service, Corporate Executive Chef, oberster gschf. Küchenchef. FN.: Cunard Ltd. GT.: Autor v. intern. Kochbüchern, Inh. Restaurant AMADEUS/ Stamford, ATLANTIS/Greenwich CT/USA. DA.: 555 Fifth Avenue, NY 1007 New York. G.: Rottenmann, 6. Apr. 1958. V.: Bente, geb. Samuelsen. Ki.: Magnus, Kenneth. El.: Johann u. Anna. S.: VS, HS, Berufsschule, Cornell Univ. K.: Hotel-Restaurants in Frankreich, Deutschland, Österr., Schweiz u. USA, 1982 Chef de Cuisine auf "Vistafjord", "Queen Elisabeth 2" u. "Sagafjord" u. auf weiteren 4 Schiffen, 10 weltbekannte Restaurants. P.: Kochbuch einer Kreuzfahrt, Kochbücher USA, Japan, Kulinarische Traumreise u. Luscious Foods. E.: Chaine des Rotisseurs. M.: Mtgl. d. versch. Kochges. d. ganzen Welt, Chaine des Rotisseurs. H.: Skifahren, Malen.

Sodeyfi Hana Mag. phil.

B.: freiberufl. Konferenzdolmetscherin, gerichtlich beeid. f. Tschechisch; Univ.-Lektorin. DA.: 1050 Wien, Laurenzg. 11/31. PA.: Univ. Wien. G.: Znaim, 30. Nov. 1951,zweisprachig aufgewachsen. V.: Dipl.-Ing. Seyed Mahmud. Ki.: Leon (1979). BV.: Onkel Josef Pospisil, geb. 1908, Träger d. Ehrenzeichens f. Verdienste um Befreiung Österr. im 2. Weltkrieg. S.: in Österr., K.: 1969-71 div. Tätigk. i. Wien, 1973-80 Stud. f. Dolmetsch a. d. Univ. Wien, ab 1980 Simultamdolmetscherin f. Tschechisch u. Slowakisch, Übersetzerin zahlr. Publ., 1986, Univ. Lektorin f. Tschechisch. P.: 1990 i. Eigenverlag erschienenes Sprachlehrbuch f. Tschechisch. M.: Mtgl. Österr. Übersetzer- u. Dolmetschverband Universitas. (M.A.)

Sodeck Gottfried Dr.
B.: Alleingschf. FN.: Vogelbusch GmbH. DA.: 1050 Wien, Blechturmg. 11. PA.: 1190 Wien, Strehlg. 5. G.: Dörfl, 22. Sept. 1944. V.: Hanna, geb. Grasmück. Ki.: Gottfried. El.: Gottfried u. Elfriede. S.: 1963 Matura, Stud. d. Physik u. Math. an d. Univ. Wien, 1970 Prom., 1970-72 Forsch.Auftrag an d. Northwestern Univ. in Chemestry Dep. K.: 1973 Univ.Ass. im Inst. f. phys. Chemie, 1974-82 Mitarb. in d. Voest Alpine Anlagenbau (Chemieanlagenbau), 1982 Prok. b. d. Vogelbusch GmbH, ab 1983 in d. Geschäftsführung. P.: Div. Fachpubl. u. Fachvorträge. M.: Mtgl. d. Verb. österr. Industrieller, American Inst. of Chemical Engineers. H.: Segeln, Bergwandern, Tennis. (M.B.)

Sodia Reinhold
B.: Gschf. Ges. FN.: Sodia Jagdwaffen u. Bekleidungs GmbH. DA.: 5020 Salzburg, Vogelweiderstr. 55. PA.: 5020 Salzburg, Fürbergstr. 40. G.: Salzburg, 22. Sept. 1964. El.: Werner u. Margit. S.: HASCH. K.: 1983-87 Eishockeyprofi b. Klagenfurt, Sbg. u. Lustenau, 1987 Einstieg in d. Familienbetrieb. BL.: seit 1990 Produzent d. Jagdwaffe Sodia Superleicht. F.: seit 1990 Austrojagd GmbH & Co KG 4710 Grieskirchen, Pühringerpl. 2. M.: 1. Sbg. Wurftaubenclub. H.: Jagd, Tennis, Eishockey. (M.C.)

Soede Frans I. Dir.

B.: Gschf. FN.: Domino Suites Hotel. DA.: 2483 Ebreichsdorf, Dominostr. 1. PA.: 2331 Vösendorf, Schönbrunner Allee 113. G.: Den Haag/ Niederlande, 27. Mai 1959. V.: Ute. Ki.: Nadine (1989), Isabel (1992). El.: Frans u. Johanna. S.: Grundschule m. Maturaabschluß. K.: 1980-81 versch. Abt. Hilton Hotels, 1981-82 Abt.-Ltr. Amsterdam Hilton, 1982-84 Stud. Fremdenverkehr, Universität Lansing Michigan U.S.A, 1984-85 Hilton Strasbourg, 1985-86 Bankettdir. Mainz Hilton Restaurant, 1987-89 Kongreßdir. Intercontinental Abidjan/Afrika, 1989-90 Beförd. z. Wirtschaftskoordinator, 1990-91 Wirtschaftsdir. Paris Hilton, 1991-92 Wirtschaftsdir. St. Martin, 1992-94 Wirtschaftsdir. Imperial Wien, 1994 Gschf. Domino Suites Hotel. M.: TBTA, Chaine des Rotisseurs, Global Hoteliers Club, Round Table T26. H.: Tennis, Schwimmen, Familie. (M.N.)

Soels Alfred
B.: Kfm., Elektromech. FN.: Alfred Soels. GT.: Inh. DA.: 7000 Eisenstadt, Neusiedler Str. 42. G.: Wien, 28. Sep. 1959. V.: Gabriele. Ki.: Björn Marcus, Jörg Oliver. El.: Josef u. Anna. S.: Gymn., Lehre. K.: Servicetechn. f. Gastronomieger., 1984 selbst. m. gastron. Ger.: Großküchen, Nirostaverbauten u.a., Einrichtungen f. Heurigen, Hotels, Kasernen u.a. P.: div. H.: Tennis, Dart. (W.M.)

Sohm Dietmar

B.: Ges., Betriebsltr., Kfm. FN.: Schwammerlland Sohm GmbH & Co KG Pilzkulturen. DA. u. PA.: 6923 Lauterach, Im Wiesengrund 9. G.: Bregenz, 6. Febr. 1964. El.: Elmar u. Herlinde. S.: HS, HAK Bregenz, 1983 Matura, 1984 Militär, 2 J. Studienaufenthalte Holland, GB, Australien u. Nordamerika. K.: 1986 Eintritt in elterl. Betrieb, Tätigkeit in sämtl. Bereichen d. Pilzkultur in Lauterach, 1991 Betriebsltr. P.: versch. fachbezogene Vorträge. H.: Filmemacher, Gymnastik, Beruf. (I.D.)

Sohm Rudolf

B.: Bgm. d. Stadt Dornbirn. DA.: 6850 Dornbirn, Rathauspl. 2. PA.: 6850 Dornbirn, Adelsgehr 6. G.: Dornbirn, 1. Juli 1939. V.: Wilma. Ki.: Wolfgang (1963), Ulrich (1970). S.: HS, HAK, 1959 Matura, 1959/60 Militär. K.: 1960 Textilkonzern in Dornbirn, Buchhaltung u. Finanzabt., Verkaufssachbearb., Verkaufsltr. d. Überseemärkte, Prokura, 1980 VBgm. d. Stadt Dornbirn, seit 1984 Bgm. E.: Silb. Ehrennadel d. Sparkasse Dornbirn, Gold. VZ d. Roten Kreuzes. M.: Vors. d. Sparkassenrates d. Stadt Dornbirn, Obm. d. Wasserverb. Rheintal, AufsR.-Vors. d. Abwasserreinigung Region Dornbirn-Schwarzach GmbH. H.: Land- u. Forstwirtschaft, Skifahren, Bergwandern. (I.D.)

Sohmen Helmut Dr.

B.: Vors. FN.: World-Wide Shipping Group. DA.: 6/F, Wheelock House, 20, Pedder Street, Hong Kong. PA.: 6 PoShan Road, Hong Kong. G.: Linz, 10. Dez. 1939. V.: Anna Pao, 3 Kinder. El.: Isidor u. Helene. S.: BRealschule Linz, Univ. Wien, Wesleyan Univ. Connecticut, Southern Methodist Univ. Dallas, Northwestern Univ. Chicago. K.: Rechtsberater Intern. Abt. The Royal Bank of Canada Montreal, Dir. World-Wide Shipping Agency Ltd. Hong Kong, Vors. Marine Navigation Co. Ltd. London, Mtgl. d. AufsR. The Hongkong and Shanghai Banking Corp. Ltd., stellv. Vors. World Intern. (Holdings) Ltd. Hong Kong. BL.: Fulbright Scholar. P.: Bücher: "Shipping in Crisis", "Shipping in Transition", sowie Aufsätze, Referate, Interviews in dt., engl., amerikan. u. japan. Publ. E.: Knight Grand Commander, Order of African Redemption (Liberia), Gold. EZ d. Wr. LRg., Ehrenpräs. The Baltic and Intern. Maritime Council (Kopenhagen), früheres Mtgl. d. Hongkonger Legislative Council, Präs. Hongkonger HK, Vors. Hongkonger Reederver., Vors. Hongkonger Ak. f. darstell. Kunst. M.: Basic Law Consultative Committee Hong Kong, Hong Kong Intern. Arbitration Centre, Förd.Ver. Kieler Inst. f. Weltwirtschaft Kiel, Intern. Sbg. Assoc. Sbg., American Chamber of Commerce Hong Kong. H.: Musik, Sport, Literatur.

Soier-Niederreiter Georg Dr. med.

B.: prakt. Arzt. DA.: 6020 Innsbruck, Hunoldstr. 14. PA.: 6020 Innsbruck, Schillerstr. 13. G.: Innsbruck, 12. Apr. 1947. V.: Eva, geb. Niederreiter. El.: Anton u. Katharina. S.: AKG, 1965 Matura, 1966 Entwicklungshilfe Zimbawe, 1967 Noviziat b. Jesuiten, Med.Stud. Innsbruck, 1975 Prom., Turnus Linz u. Kufstein, 1980-81 Nicaragua. K.: 1981 Wien-Bremen in Spitälern u. Institutionen, 1982 Praxis Hunoldstraße. BL.: Öff. Bekenntnis z. Schwangerschaftsabbruch u. seine Durchführung. H.: Verheiratet.

Soklaridis Germanos Dr.

B.: Arzt. PA.: 2340 Mödling, Liebleitnerg. 4. G.: Agios Germanos/Griechenland, 7. Apr. 1933. V.: Erika, geb. Steinhauser. El.: Stephan u. Sophia. S.: VS, Gymn., Med.Stud. K.: Dr. med., Prakt. Arzt, FA f. Anästhesiologie u. Wiederbelebung, OA im KH d. Barmherzigen Brüder Linz, 1977 Ltd. Anästhesist im KH Waidhofen, 1982 Prim., Vorst. d. Anästhesie-Inst. u. d. Blutbank.

Sokol Alfred Dr. Dkfm.

B.: Gschf. FN.: Airest. GT.: Wr. Städtische. DA.: 2320 Schwechat, Flughafen Wien. G.: Wien, 31. März 1933. V.: Dr. Gunhild. Ki.: Florian, Julia, Clemens. S.: Stud. Welthdl. WU. K.: 1959 Prok. Austrian Airlines, 1975 Vorst.Vors. Österr. Verkehrsbüro, b. 1982 AufsR. Touropa, Airtour, Spielbanken AG, Austrian Air Transport, 1982 Unternehmensberatungen Intern. tätig, dzt. Gschf. Airest. (H.J.)

Sokol Gerhard

B.: Bildberichter, Redakteur-Ressortleiter. FN.: KURIER. GT.: Gewerbeschein, Grafisches u. künstler. Atelier SOKOL, Computersatz, Herausgabe "FLASH". DA.: 1070 Wien, Seideng. 11. PA.: Atelier SOKOL, 1050 Wien, Giessaufg. 24. G.: Wien, 25. Sept. 1939. V.: Maria, geb. Schmidt. Ki.: Verena (1973). El.: Anton u. Maria. S.: HS, Lehre u. Weiterbild. im Graph. Gewerbe, Interesse an allg. Fotografie. K.: 1965 Eintritt Presseagentur VOTAVA, 1969 Neue Zeitung, ab 1970 KURIER. BL.: Beschäftigung m. Bild. Kunst, Ausbild. in Sem. u. Übungen b. E. Friedrich, R. Haller, O. v. Asboth u. K. Panzenberger, Ausstellungen 1973 (Foto), 1987 u. 1988 (Fotocollagen, Ölbilder u. Aquarelle); Entwicklg./Adapt. eines Computerprogrammes z. EDV-Archivierg. d. ges. eigenen Pressefoto-Negative (über 30 J.). P.: Herausgabe einer period. Schrift f. Pressefotografie in Österr., "FLASH". M.: Vizepräs. im Syndikat d. Pressefotografen, Vorst.-Mtgl. im Rechtsschutzverb. d. Fotografen. (N.A.)

Sokol Günther

B.: Arzt. FN.: KH Lainz. DA.: 1130 Wien, Wolkersbergenstr. 1. PA.: 1030 Wien, Beatrixg. 5/21. G.: 5. Mai 1959. V.: Dr. Michaela, geb. Krainich. Ki.: Florian (1990), Theresa (1993). El.: Siegfried u. Susanne, geb. Rauchlechner. S.: 1977 Mat., Stud. Med. a. d. Univ. Wien, 1987 Prom., dan. Facharztausb. am KH Lainz. K.: 1987 BH, 1988 Pflegedienst im Kaiser Franz Josef-Sp., wiss. Mitarb. am L.-Boltzmann-Inst. f. Stoffwechselerkr. und Ernähr., Forschungsgeb. Diabetes u. diabet. Fußprobl., lauf. intern. u. nat. Vortragstät., Betreu. d. Fußambul. im KH Lainz, Fortbildungsveranst. f. Selbsthilfegr. f. Diabet., Forschungsproj. m. d. TU Wien. P.: Wiss. Publ. i. Öst. M.: Berufsverb. Öst. Internist., Öst. Diabetes-Ges. H.: Familie, Sport, Skifahren, Schwimmen, Surfen. (N.A.)

Sokol Erich

B.: künstl. Ltr. b. ORF. DA.: 1130 Wien, Würzburgg. 30/1. G.: Wien, 31. März 1933. V.: Dr. Adreana, geb. Gaspar. Ki.: Markus, Katharina u. Johanna. El.: Ferdinand u. Berta. S.: Mittelschule, Matura 1952, 1952-57 HS f. Welthdl., Institute of Design, Chicago v. 1957-60. K.: Freie Mitarb. als Karikaturist u. Illustrator in- u. ausländ. Zeitungen ("Punch", London, "Münchner Illustrierte", "Stern", "AZ"), 1958 freie Mitarb. b. Verlag "Henry Regnery", "Lyon's Magazine", "Kiwani" u. "Playboy", ab 1960 Redaktionsmtgl. d. "AZ" Wien,

1965-68 freie Mitarb. b. d. "Süddt. Zeitung", seit 1967 Chefgrafiker b. ORF, 1975 Mitarb. b. d. "Kronen Zeitung". P.: 1961 "American Natives", Polit. Karikaturen in d. Publikationen "Aktuelt" Copenhagen, "Dageus Nyheter" Stockholm, "Observer", "Punch" England, "New York Times", "Atlas", "Harper's Magazine" USA, "Sun" Tohio, "Krokodil", "Novoje Vremje" Moskau, "Rude Prawo" Prag, 1977 1. Auflage v. "Sokol Titelseiten", 1979 "Sokol Titelseiten 2", 1981 "Sokol Titelseiten 3", Sokol-Bühne. E.: 1959 Preid d. Artist's Guild of Chicago f. Editorial Art., "American Natives" eine Sammlung satir. Grafik, 1972 Verleihung d. Gold. Kamera, 1977 Preis d. Stadt Wien f. angewandte Kunst. (E.L.)

Sokop Brigitte

B.: Schriftstellerin. PA.: 1170 Wien, Tauberg. 5. G.: Frankenthal/Pfalz, 8. Dez. 1949. V.: Dr. Hans Werner. Ki.: Christian. El.: Werner u. Rudolfine Nagel. S.: 1969 Abitur, Stud. d. Bibl.Wiss. in Köln. K.: Intensive Beschäftigung m. Archäologie, Literatur- u. Musikgeschichte, 1971 nach Wien, Heirat, literar. tätig. P.: 1976 "Stammtafeln d. europ. Herrscherhäuser" (3.A. 1993), 1985 "Jene Gräfin Larisch" (3.A. 1992). H.: Geschichte, Bücher, Geschichtsforschung, Umweltschutz, biolog. Gartenbau. (Erh.)

Sokop Hans Werner Dr.

B.: Verw.-Jurist. PA.: 1170 Wien, Tauberg. 5. G.: Wien, 13. Jän. 1942. V.: Brigitte, geb. Nagel. Ki.: Christian. S.: BRG Wien XV., 1960 Matura. K.: seit 1960 im Verw.Dienst d. Gem. Wien, Jusstud., 1964 Prom., jetzt SenR. u. Ltr. d. MA 62. P.: Lyrik, Liedtexte, 1983 Deutsche Terzinenfassung v. Dantes "Divina Commedia", Übersetzungen ital. Lyrik: 1986 "Im Schatten d. Zypressen", Mundartgedichte: 1985 "Knoifresch u. Safnblosn", 1991 "Wiener Woikerln", Lyrikband 1992 "Brioni - Gedichte aus Istrien". H.: Dante, Sprachspielereien. (Erh.)

Solar Wolfgang Dr. phil. Dr. techn. Mag. rer. nat.

B.: Dir. d. HBLVA f. chem. Ind. Wien. DA.: 1170 Wien, Rosensteing. 79. G.: Wien, 29. Juli 1945. V.: Sonja, geb. Moucka. Ki.: Christine (1967), Alexander (1973). E.: Ing. Johann u. Dr. Sophie. S.: 1963 Matura, 1963-68 Chemiestud. Univ. Wien, 1968-70 Diss., 1970 Prom. Dr. phil. K.: 1968-72 wiss. Mitarb. Max Planck-Inst. f. Kohlenforsch. Mülheim/Ruhr, 1972-73 wiss. Mitarb. Henkel & Cie Düsseldorf, seit 1973 Prof. HBLVA f. chem. Ind. Wien, 1974-75 HS-Ass. am Inst. f. chem. Verfahrenstechnik d. Univ. Wien, 1976 Lehramtsprüf. f. Höhere Schulen, 1976 Spons. z. Mag. rer. nat., 1974-77 Diss., 1977 Prom. Dr. techn., 1977 Lehrbeauftragter f. angew. Chemie in d. Werkmeisterschule f. Lebensmitteltechnologie, 1979 freier wiss. Mitarb. Ludwig Boltzmann-Inst. f. Strahlenchemie, seit 1988 Abt.-Vorst. f. d. Höhere Abt. f. techn. Chemie an d. HBLVA, 1988 Lehrbeauftragter f. Fachdidaktik . am Berufspäd. Inst. d. Bundes Wien, 1990-95 Mtgl. d. Prüf.-Kmsn. f. d. Verwendungsgruppen A,B,C,D u. P3, 1991 Vors. d. Prüf.-Kmsn. f. d. Reifeprüf. d. Kollegs f. Kunststofftechnik am technolog. Gewerbemuseum, seit 1992 Dir. d. HBLVA f. chem. Ind. Wien. P.: 24 Publ. in intern. Fachzeitschriften über Probleme d. physikal. Chemie. H.: Reisen, Sport (Tennis, Skifahren), Theater. (J.M.)

Solarovszky Walter Dkfm.

B.: Gschf. d. Fa. Gabe. DA.: 1031 Wien, Hintere Zollamtstr. 17. PA.: 2340 Mödling, Schillerstr. 99. G.: Wien, 11. Dez. 1943. V.: Ingrid, geb. Steinböck. Ki.: Gerald, Ronald, El.: Rudolf u. Ida. S.: 1961 Matura, 1968 HS f. Welthdl. K.: 1968-73 Systemberater b. IBM, 1973-75 Ltr. d. Datenverarbeitung Schwechat, 1975-78 Kontrolle b. Fa. Raye Chemie, 1978 Gschf. d. Fa. Gabe. M.: Albertina, Lions-Club. H.: Tennis, Bridge. (Fels.)

Solarzyk Robert

B.: Gschf. Ges. FN:: PCS Computer GmbH. DA.: 8700 Leoben, Franz-Josef-Str. 23-25. PA.: 8700 Leoben, Kaiserfeldg. 3. G.: Gmünd, 22. Aug. 1964. S.: VS, Mittelschule, HTL Maschinenbau Mödling, 1983 Matura, Stud. Montanmaschinenwesen Leoben, 1983/84 BH. K.: Praxistätigkeiten Weatherford GmbH Hannover/BRD, Weatherford SA Abidjan/Elfenbeinküste, American Aero Houston/Texas, Weatherford GmbH Hannover/BRD, ab 1989 Ref. in d. Erwachsenenbild. f. EDV am AWZ Leoben, 1992-94 Consulentenvertrag AWZ Leoben, ab 1990 Ang. Firma PCS bzw. PCS Computer GmbH. M.: Landsmannschaft Zornstein. H.: EDV, Motorradfahren, Griechenland. (I.G.)

Soldat Ulrich M. Dr. iur. Dipl.Vw.

B.: Mtgl. d. Vorst. FN.: AWT Intern. Hdls. u. Finanzierungs AG. GT.: BeiR. d. Trade Service Mainz, AufsR. d. AWT Intern. France S.A. Paris. DA.: 1013 Wien, Concordiapl. 2. PA.: 1010 Wien, Rathauspl. 8. G.: Graz, 10. Juli 1943. V.: Anne, geb. Discry. El.: Dipl.-Ing. Dr. Alfred u. Anneliese. S.: 1962 Matura, 1963 Abiturientenkurs, HAK, 1964 Präsenzdienst, Stud. d. Rechtswiss. in Wien, 1968 Prom., 1969-70 Stud. d. Vw. in Brügge am Europacollege. K.: 1971 Eintritt in d. Deutsche Bank: Düsseldorf, Münster, Frankfurt, Spezialgebiete Intern. Kreditgeschäfte, Auslandsaufnthalte: Beirut, Hongkong, Brüssel, 1986 Eintritt in d. Vorst. d. AWT: zuständig f. Marketing in Westeuropa, Mittlerer u. Ferner Osten, Afrika, Rechnungswesen, EDV. P.: div. Publ. über Wirtschaft u. Finanzwesen. (M.B.)

Söldner Wolfgang

B.: Gschf. Ges. FN.: Wolfgang Söldner OHG. DA.: 1120 Wien, Steinbauerg. 32. G.: Wien, 26. Aug. 1936. V.: Gerlinde. Ki.: Birgit, Karin, Walter. El.: Felix u. Erna. S.: Graf. Lehr- u. Versuchsanst., 1956 Abschluß. K.: b. 1960 Arbeitsvorbereitung in einer Druckerei, Übernahme d. Firma Sulm & Co, 1960 Söldner OHG. H.: Technik, Funkamateur. (J.E.)

Soldo Mario

B.: Reg., Inh. FN.: Mario Soldo Enterprises. DA.: 1010 Wien, Wollzeile 17/5. G.: Imotski/Kroatien, 22. Juli 1963. S.: Gymn, 1982 Matura, Stud. oriental. Wiss., Schauspielausbild. K.: 1984-91 Kellner, Journalist f. Modezeitschriften, Moderator u. Choreograph v. Modeschauen, Initiator u. Moderator d. Avantgarde Modemesse Wien, 1987/88 Schauspieler, Alleinunterhalter, Präsentator, Booker u. Gschf. zweier Modellagenturen, 1992 Grdg. Agentur Mario Soldo Unlimited Wien. (F.S.)

Soler Hanns Prof.

B.: Wr. Symphoniker. PA.: 1060 Wien, Gumpendorfer Str. 137/17. G.: Wien, 4. Apr. 1909. El.: Michael u. Rosalia. S.: Grundschule, einj. Lehrkurs d. Gem. Wien, Maturaschule Dr. Roland, Ak. f. Musik u. Darstell. Kunst (Trompete, Kontrabaß, Musiktheorie), Lehramtsprüf., Kapellmstr.-Schule. K.: m. 15 J. Beginn d. Komponistentätigkeit, seit 1928 Chorltr. versch. Chöre, Kreischormstr., Lehrer an d. Staatserziehungsanst. Breitensee, staatl. Oberschule XIX, Schulltr. an d. VS u. Jugendmusikschule d. Gem. Wien, Orchesterinsp. u. Kontrabassist d. Wr. Symphoniker. F.: Österr. Interpretenges. P.: 19 Sakralkompositionen, 1991 Uraufführung d. Jubiläumsmesse in d. Haydn-Kirche, zelebriert v. Kard. König. E.: Prof.-Titel, Stephanusorden, Franz Schmidt-Med., Accademia Nazionale S. Cecilia, 1991 Österr. EK f. Wiss. u. Kunst, 1989 Mariahilfer Ehrennadel, St. Ägyder Ehrennadel, 1994 Joseph Haydn-Med. M.: Anton Bruckner-Ver., Ver. z. Förd. d. Bestrebungen d. Wr. Symphoniker n. Verbreitung musikal. Natur. (N.A.)

Sollat Karin Mag.

B.: Dir. FN.: Intern. Inst. f. Jugendlit. u. Leseforsch. DA.: 1040 Wien, Mayerhofg. 6. PA.: 1160 Wien, Lerchenfelder Gürtel 21/40. G.: Linz, 26. Juni 1964. El.: Alfred u. Ernestine. S.: 1974-82 Gymn. Reifeprüf., 1982 Besch. als Ferialprakt. i. Rathaus Linz, 1982-89 Stud. d. Dt. Philologie u. d. Spanischen Philologie. K.: 1988 Beschäftigung als freie Mitarb. a. Inst. f. Jugendliteratur, Anstellung als wiss. Mitarb. a. Inst. f. Jugendliteratur, 1988-1994 Mtg. d. Unterausschusses d. Kommission f. Kinder- u. Jugendliteratur d. BMfUK, 1989 Stip. f. Fachleute i. Bereich d. Kinder- u. Jugendliteratur a. d. Intern. Jugendbibliothek i. München, 1989 Sponsion z. Mag. d. Dt. Philologie a. d. Uni Wien, 1992-93 Lehrtät. v. "Deutsch als Fremdsprache" a. d. Wr. Volkshochschule Urania, s. 1993 Dir. a. Int. Inst. f. Jugendliteratur u. Leseforsch, Stellv. Gschf. d. Bibliotheks- u. Medienzentr. (M.A.)

Sollath Adolf Dr. HofR.

B.: VPräs. d. ÖBB-Dion. Innsbruck. DA.: 6020 Innsbruck, Claudiastr. 2. PA.: 6020 Innsbruck-Kranebitten, Kranebitterbodenweg 15. G.: Innsbruck, 27. Okt. 1926. V.: Rosa, geb. Kling. Ki.: Dr. Herbert. El.: Alfred u. Juliane. S.: VS, Mittelschule, Jusstud. Univ. Innsbruck, 1951 Prom., 1944-46 Kriegsdienst u. Gefangenschaft. K.: Reiseltr. b. Fa. Menardi, Gerichtspraxis, 1954 Eintritt in Dienste d. ÖBB, Führung v. Personalverw. u. Rechtsangelegenheiten, seit 1979 VPräs. d. ÖBB-Dion. Innsbruck, seit 1982 VPräs. im AufsR. d. TIWAG. P.: div. Festschriften d. Landes Tir. E.: Verd.Kreuz d. Landes Tir. M.: seit 1954 Obm. d. Wirtschaftshilfe f. Studenten Innsbruck, Mtgl. d. Ak. v. "Savigniano Sulrubicone". H.: Skifahren, Reisen, Lesen mod. Geschichte, Politik. (W.G.)

Söllinger August

B.: Geschäftsltr. FN.: Welser Heimstättengenossenschaft, eingetragene Genossenschaft m. beschränkter Haftung. DA.: 4600 Wels, Laahener Str. 21a. PA.: 4600 Wels, Vogelweiderpl. 8. G.: Wels, 12. Aug. 1948. V.: Martha geb. Reininger. El.: August u. Anna. S.: 1 J. HS, 4. J. Realgymn., kfm. Berufsschule, danach 10 J. b. Fa. Hammerl, danach 10 J. b. einer Bank, anschl. b. einer Fa., die sich m. gewerbl. Flächen i. Bereich Finanzierung, Förderung, Versicherung befaßt, 1983 Einstieg Ltr. d. RW b. Werkstätten, div. Schulungen, Seminare, Kurse, 8 J. f. Verwalt. zuständig, durch Ausscheiden eines Partners Geschäftsstellenltr. M.: Ver. f. Wohnbauförderung, div. Sportver., soziales Wohnservice - Kassier, Veranstalt. d. Vorst.-Sitzungen, Haft. f. d. Verein. H.: Wandern, Loipersdorf, ans Meer fahren, Reisen (vor allem nach Italien, naturverbunden). (D.E.)

Sollfelner Anton Othmar Mag. Prof. Oberst

B.: Militärkapellmstr. PA.: 1070 Wien, Mariahilfer Str. 24. G.: Gaal, 5. Jan. 1935. V.: Helga, geb. Zangl. Ki.: Bernd (1963), Jörg (1974), Else (1975). S.: HS, Matura, Musik-HS Wien (Klarinette u. Komposition), 1963 Dipl., 1964 Militärkapellmstr.-Prüf. K.: 1965 2. Kapellmstr. d. Gardemusik Wien, 1968 Militärkapellmstr. Ktn., 1969 Landeskapellmstr. Ktn., 1979 Ref. f. Militärmusik imBMLV, Chef aller Österr. Militärmusiken. BL.: jährl. Schulung aller österr. Militärmusiker, konkurrenzfähig d. Ausland gegenüber, Schauexerzieren auf österr. Basis. P.: div. Zeitungsart., Mag.-Arb.: Die Österr. Militärmusik in d. 1. Rep. 1918-1938. E.: Silb. EZ d. Rep., Silb. VZ d. Rep., Gr. Orden v. Jordanien, div. Landes- u. Ver.-Ausz., Gold. VK d. Blasmusik, Ehrenkreuz intern. Musikverb., Guinness Buch d. Rekorde: größtes Militärmusiktreffen 1985. M.: Kur. d. AICE., IGEB. H.: Musik, Kunst, Sport. (N.A.)

Söllinger Hermine

B.: Gastwirtin. FN.: Attergauhof. DA./PA.: 4880 St. Georgen, Attergaustr. 41. G.: Benefizium vom Schloß Köppach O.Ö., 10. Aug. 1938. El.: Josef u. Aloisia Schnötzinger. S.: VS, HS, Priv.-Handelsssch. Weiß in Wien. K.: 1955-59 Verkaufskorresp. Joka-Werke, 1959 Landesmeisterschaft Gold Maschinschreiben, 1959-66 Betrieb v. gastron. Pachtbetr., 1960 Pensionsneubau i. St. Georgen i. Attg., 1966 Kauf d. Großgasthof Attergauhof - lfd. Umbauten zum 4-Stern Hotel, s. 1970 Seminare. M.: ÖHV,BÖG-Bund Österr., Tourismusverb.-Kommission, Gastlichkeit. H.: Beruf, Geburtshaus. (S.P.)

Söllner Robert Dr. techn. Dipl.-Ing.

B.: Vorst.Dir. A.: 6200 Jenbach, Sieglstr. 15. G.: Innsbruck, 23. März 1921. V.: Margarethe, geb. Spiesberger. El.: Dir. Ing. Max u. Anna. S.: RG, TH in Graz. K.: Ass. an d. TH Graz, Projektltr., Konstruktionschef, techn. Dir., Vorst.Dir. M.: Sachv.Ausschuß, Union Intern. des Chemins de fer, Mtgl. d. Vw.R. d. TÜV Wien.

Solmar Andrea

B.: selbst. Werbegrafiker. FN.: Rotpunkt Werbung. DA. u. PA.: 8605 Kapfenberg, Schmidg. 11. G.: Kapfenberg, 15. Okt. 1963. V.: Nejat Solmar. Ki.: Duygu (1991). El.: Josef u. Ingrid. S.: VS, Gymn., 1 J. EDV-Kurs, 2. Bild.-Weg Abendkurse in Grafik. K.: 1987 Übernahme d. mütterl. Betriebes, Werbeschilder, Autobeschriftungen, Stadienbeschriftungen, Auslagendekor. H.: Lesen, Malen, Sprachen, Kochen, Stricken, Sport. (K.K.)

Solonar Raimund Dr. iur.

B.: Dir. GZ Girozentrale. DA.: 1010 Wien, Schubertring 5. PA.: 1190 Wien, Hutweideng. 46. G.: Steyr, 8. Juni 1948. V.: Dr. Eva-Maria, geb. Rögner. Ki.: Nikolaus (1980), Theresa (1982). El.: Georg u. Irene, geb. Peschek. S.: 1967 Matura, 1968-75 Stud. Jus u. Vw. Univ. Wien m. Prom. z. Dr. iur. K.: 1974-75 Bundesparteiltg. d. ÖVP, 1976 Eintritt z. GZ als Ref. in d. Emissionsabt., 1980-86 Tätigkeit f. GZ in London: Ltr. d. Wertpapierbereichs, 1986-90 Generalmanager d. Filiale d. GZ in New York, 1990-91 Gen.-Sekr. d. ÖVP, ab 1991 Dir. d. GZ. P.: zahlr. Fachpubl. M.: ÖVP, AufsR. d. S-Pensionskasse, Royal-Inst. for Foreign-Affairs Council on Foreign Relations. H.: Golf, Theater, polit. Zeitgeschichte. (N.A.)

Solt Dietmar Alexander Mag. art.

B.: Dipl.Bühnen- u. Kostümbildner. PA.: 1180 Wien, Michaelerstr. 9A/6/12. G.: Salzburg, 16. Jan. 1956. S.: 1974 Matura, 1980-84 Stud. an d. HS f. Musik u. darstell. Kunst Mozarteum Sbg. K.: 1984 Dipl.Arb. "To Axion Esti" dafür

Förd.Preis d. BMW, Studienabschluß m. Ausz., 1984 Spons. z. Mag. art. K.: ab 1984 Ass. b. Günther Schneider-Siemssen, eigene Kostümarb., eigene Produktionen: "Coppelia" (1983), "Schwanensee" London (1988/89), "Das brennende Haus" (1988), "Josefslegende", "Le sacre du printemps" (1989 Essen/BRD), "Rusalka" Seattle/USA (1990), "Tulifant" (1990 Welturauff. Ronacher/Wien), "Die Zauberflöte", Diamant d. Geisterkönigs (ORF. Prod. 1993),Ariadne auf Naxsos, 1993- Jenufa 1994 Buenos Aires/Arg), Rigoletto (1995, Arena di Verona) Tristan u. Isolde (1995 Wels/Ö), 1976-86 Mitwirkung b. d. Sbg. Festspielen, 1977-86 Mitwirkung b. d. Osterfestspielen Sbg., 1987-94 Ass. in d. Kl. f. Bühnenbild Prof. Schneider-Siemssen an d. Sommerak. f. bild. Kunst Sbg., 1985 "Fest-Gespielt oder wem gilt d. Applaus?", Filmtreatment, dafür Förder.Preis d. Landes Sbg. (R.J.)

Somitsch Wolfgang

B.: LBau-OInsp., Bmtr. im Amt d. Ktn. LRg. Unterabt. Autobahn. GT.: Mtgl. versch. Arb.Aussch. d. Forsch.Ges. d. Österr. Ing. u. Arch.Ver. DA.: 9020 Klagenfurt, Bahnhofpl. 5. PA.: 9020 Klagenfurt, Fischlg. 10/1. G.: Klagenfurt, 19. Okt. 1925. V.: Hermine, geb. Studl. Ki.: Gerhard, Brigitte. El.: Alois u. Paula. S.: VS, HS, Baufachschule f. Hoch- u. Tiefbau in d. BRD u. in Klagenfurt. K.: 1942-46 Kriegsdienst, 1947-67 Baultr. b. Brückenbau in Ktn. im Amt d. Ktn. LRg., 1967-85 Baultr. f. Hochbau, seit 1970 LBau-OInsp., seit 1970 Mitarb. am Forsch.Auftrag über Lärm u. Streuversuche b. d. Forsch.Ges. d. Österr. Ing. u. Arch.Ver. Österr., seit 1975 Sachv. f. Sprengtechn. Angelegenheiten. P.: Fachpubl. über d. Forsch.Arb. E.: Ausz. in Judo (5 Dan), Gold. Edelweiß d. Ktn. LRg. f. Aktive 1965, Gold. EZ d. Ktn. LRg. f. Sportfunktionäre f. d. Aufbau d. Judosportes in Ktn. M.: ASVÖ, Lyons-Club Wörthersee, Zonen German d. Lyons-Clubs. H.: Sport, Hobbytischler. (M.B.)

Sommer Edith

B.: Unternehmerin. FN.: Neon Sommer Schriften. DA.: Gartengasse 15, 9020 Klagenfurt. G.: St. Paul i. Lavanttal, 12. Jän. 1961. V.: Josef. Ki.: Thomas Paul (1984). El.: Josef u. Aloisia Obmann. S.: VS (1967-71), Gymnasium (1971-76) in St. Paul, Berufsschule u. Lehre: Schildhersteller (1976-79), 1983 Meisterprüfung. K.: 1984 Gründung einer eigenen Firma mit Schwerpunkt innovative Neon-Lichtreklame. H.: Familie, Lesen, Handarbeiten. (G.L.)

Sommer Erwin Dr. mont. Dipl.-Ing.

B.: Chemiker, Projektleiter Umwelt-u. Prozeßanalytik. DA.: 8700 Leoben, Hammerwiesenstr. 10. G.: Graz, 12. Mai 1940. V.: Helga, geb. Krieger. Ki.: Klaus (1967), Andreas (1978), Ulrike (1982). El.: Prof. Mag. Erwin u. Eleonore. S.: VS, Gymn., Stud. Techn. Chemie TU Graz, Dipl. K.: HS am Inst. f. allg. Chemie u. analyt. Chemie MU Leoben, Werkdiss. MU Leoben, Labor,- Betriebs-u. Werksltr. bei österr. u. dt. Sprengstoffhersteller, Hauptabt.-Ltr. einer Sondermüülverbr. Anl. in Österr. Sachv. f. Sprengstofftechnik, Abfallwirtschaft u. Deponietechnik. E.: 1982 Ausz. d. Verb. d. Sprengbefugten Österr. "Dynamit pro pace". M.: Verb. d. Sprengbefugten Österr., Österr., Ges. Österr. Chemiker, Österr. Touristenclub, Österr. Naturschutzbund. H.: Bergsteigen, klass. Musik. (J.M.)

Sommer Degenhard Dr.-Ing. Dipl.-Ing.

B.: o.Univ.-Prof. u. Arch. DA.: 1040 Wien, Karlsplatz 13. G.: Gerdauen, 8. Dez. 1930. V.: Charlotte. S.: Abit. in Eutin, Maurerlehre i. Kiel, Arch.-Stud. a. d. TU Karlsruhe, Fullbright Stipendium Illinios Inst. of Techn. Chicago - Mies van der Rohe, Stipendium Wyoming Stiftung, Ind.-Bau USA, 1958 Dipl. TU Karlsruhe, Prof. Egon Eiermann. K.: 1956-57 Designer b. Skidmore Owings u. Merrill Chicago, 1964 Prom. z. Dr.-Ing. TU Karlsruhe, 1973 o.Prof.f. Ind.-Bau TU Wien, 1974 Grdg. d. Planungsgruppe Karlsruhe-Wien, staatl. befugter u. beeid. Ziviltechniker; Projekte: Europ. Inst. f. Transurane Karlsruhe, Europ. Forschungsinst. Grenoble, Rundfunkzentrum Maila, Halbleiterwerk Pforzheim, Hewlett-Packard Werk Böblingen, IBM Werk Mainz, Bosch Werke in Homburg/Saar, Bühl Baden, Spandau, Inst. f. Mikroklimatologie Karlsruhe,ICE-Betriebswerk Berlin - Rummelsburg. u.v.m. P.: ca 50 Fachpubl. u.a. "Zur Menschengerechten Gestaltung v. Bürogebäuden", "Einrichtung, Ausstattung, Arbeitsorganisation", 1987 Report - Anregungen zum Mitgestalten, 1988 Report - Industrie Bauten Gestalten, 1990 Praxisreport - Die Vision d. Lean Company, 1994 Praxisreport - Radikale Umstrukturierung. E.: wiss. u. Gewerkschaft,viele Wettbewerberfolge, Hauptpreisträger Arbeitsteam. M.: Vorst. d. österr. Studiengemeinschaft f. Industriebau, Wien; Skr. d. UIA-Working Group "Working Places and Commercial Spaces", Paris. H.: Tennis, Malerei, Hochschule. (J.S.)

Sommer Fritz Mag.

B.: Gschf. FN.: Weinkellerei Burgenland Weinhandels Ges.m.b.H. DA.: 7071 Rust, Am Rusterberg. PA.: 7072 Mörbisch, Setzg. 43. G.: Mörbisch, 28. Mai 1952. V.: Christa, geb. Sommer. Ki.: Rainer (1975), Sabine (1981). El.: Friedrich u. Theresia. S.: VS, HS, 1971 HAK- Matura 1971, Stud. d. BWL WU Wien, 1975 Mag. K.: 4 J. Tätigk. i. Rechnungswesen e. Werbeagentur, 1 J. i. Steuerberatungskanzlei, 1981-89 Rev. u. Kreditberatung b. Raiffeisen Länderbank, s. 1989 Gschf. d. Weinkellerei Burgenland, nebenbei Gschf. d. St. Margaretener Weinhandels GesmbH. u. Fa. Tscheppe Weinhandels GesmbH., Gschf. d. Weinkellerei Burgenland Weinhandels GesmbH. Deutschland. M.: Mtgl. b. zahlr. Ver. u. Org. H.: Wein (Weinreisen, Weindegustationen u.a.) (M.M.)

Sommer Fritz Ing.

B.: Gschf. Ges. FN.: Panno-Med Med. Gerätebau u. Hdls. GmbH. GT.: GemR. Pinkafeld. DA.: 7423 Pinkafeld, Gerberg. 32. PA.: 7423 Pinkafeld, Gerberg. 36. G.: Oberwart, 5. Aug. 1949. V.: Christine, geb. Prochaska. Ki.: Monika (1986). El.: Josef u. Elisabeth. S.: VS, Gymn., HTL Nachrichtentechnik. K.: Techniker Firma NTW Nachrichtentechnik Wien, Stud. Techn. Physik, 1. Staatsprüf., neben Stud. Studienass. TU Wien u. zugleich Techniker am Forsch.-Inst. f. Wildtierkunde, Abt. f. Biotelemetrie, 1983 Grdg. d. Firma Sommer

Med.-Technik Pinkafeld, seit 1992 Gschf. Panno-Med. M.: aktives Mtgl. d. Freiwilligen Feuerwehr Pinkafeld. H.: Jagd, Natur. (F.S.)

Sommer Helge Otmar
B.: Werbefotograf. FN.: Art Foto Graz Helge O. Sommer. DA.: 8020 Graz, Köstenbaumg. 17/2. G.: Graz, 16. Juli 1959. V.: Silvia, geb. Steffen. El.: Otmar u. Margarethe. S.: RG, 1976 Lehre als Fotograf, BH. K.: 1979 Fotograf b. d. UNO, 1980 Bildberichterstatter in Graz, 1981-82 USA-Aufenthalt, 1982 Fotograf Landesgendarmeriekdo. Kriminalabt., 1983 Mitarb. Fa. Steffen-Lichtbild, 1985 Meisterprüf., 1985 selbst. Bildberichterstatter f. Kleine Zeitung, Reuthers, AP, s. 1989 Großraumstudio f. Mode- u. Werbefotografie. E.: Intern. Prämierungen b. Ausstellungen in München, Paris, Mailand etc. H. Fotografieren, Familie, Backgammon. (A.-R.W.)

Sommer Helmut Mag.

B.: Bgm. d. Stadtgem. Melk, AHS-Lehrer am Stiftsgymn. Melk. DA.: 3390 Melk, Rathauspl. PA.: 3390 Melk, Abt-Maurus-Str. 3. G.: Weiten, 21. Sept. 1944. V.: Gabriele, geb. Linsmeier. Ki.: Philipp-August (1979), Clara (1980). El.: Josef u. Theresia. S.: VS, Hum. Gymn. Melk, 1963 Matura, Stud. Klass. Philol., Latein u. Griech. Univ. Wien, 1970 Mag. phil., 1970 Lehramtsprüf. K.: 1968 Eintritt i. d. Schuldienst als Lehrer f. Latein u. Griech. am Stiftsgymn. Melk. P.: 1975-80 ltd. Red. d. "Melker Mitteilungen", 1980-90 ltd. Red. d. Jahresbereichtes d. Stiftsgymn. Melk. E.: Dank u. Anerkennung durch d. LandesschulR. f. NÖ. M.: s.1980 Landesvorst. d. NÖ VHS. H.: Musik, Literatur, Sport. (J.M.)

Sommer Herbert
B.: Weinbauer, Keramiker; Inh. FN.: Weingut Rebhof Herbert u. Elfe Sommer. DA. u. PA.: 7072 Mörbisch, Kircheng. 4. G.: Mörbisch, 11. Feb. 1957. V.: Elfe, geb. Lang. Ki.: Herbert (1978), Carina (1981). El.: Andreas u. Susanne. S.: VS, HS, 4 J. Keramikfachschule Stoob. K.: 1976-78 Firma Fessler Wien, seit 1978 selbst. als Keramiker, 1981 Keramikermstr., 1986 Übernahme d. Betriebes v. Schwiegervater. E.: mehrere Ausz. in Falstaff u. Salon-Winzer. M.: Richter b. Weinbruderschaft Bgld., Bez.-Obm. d. Weinbaugen. Mörbisch, Mörbischer Chor. H.: Modellieren u. Formen, Fußball. (R.T.)

Sommer Josef

B.: Bgm. d. Gem. Loipersdorf. DA.: 8282 Loipersdorf 101. PA.: 8282 Loipersdorf, Dietersdorf 64. G.: Dietersdorf, 16. Apr. 1937. V.: Adelinde, geb. Payerl. Ki.: Josef (1959), Wolfgang (1965). El.: Alois u. Cäcilia. BV.: Großonkel Georg Frühwirt Bgm. in Allerheiligen. S.: VS, HS, Faßbinderlehre in Loipersdorf, 1952 Abschluß. K.: seit 1955 B-Gendarmerie in Aigen/ Ennstal, 1956 Übernahme durch BH, 1958 Heereswirtschaftsschule, b. 1993 Wirtschaftsunteroffz. in Zeltweg-Graz-Sbg.-Baden b. Wien-Kaisersteinbruch-Götzendorf-Graz-Fehring, 1968 GemR., seit 1989 Bgm. d. Gem. Loipersdorf. M.: Gründer d. Sportver. Dietersdorf, Kameradschaftsbund, Obm.-Stellv. d. Raiffeisenkasse Fürstenfeld. H.: Jagd, Fischen, Fußball. (I.G.)

Sommer Otto KommR.
B.: Unternehmer in d. Lebensmittelbranche u. Essiggemüsekonservenerz. FN.: Traisentaler Fruchthof, Otto u. Käthe Sommer OHG. DA. PA.: 3160 Traisen, Hainfelder Str. 20. G.: Messern/Horn, 26. März 1923. V.: Katharina, geb. Tröstl. Ki.: Otto, Elfriede. El.: Otto u. Leopoldine. K.: 1956 Eintritt u. Übernahme v. Traisentaler Fruchthof, d. Betrieb wurde 1933 v. Vater gegründet u. befindet sich seit diesem Zeitpunkt in Familienbesitz, Erz. v. Essiggemüsekonserven, Großhdl. m. Obst, Gemüse u. Südfrüchte. F.: Traisentaler Fruchthof, Otto u. Käthe Sommer OHG. E.: 1982 Gold. EZ f. Verd. um d. Bdl. NÖ., Gold. Ehrenkreuz d. Zisterzienserstiftes Lilienfeld. M.: HK-Aussch.Mtgl. d. Vertreter d. Hdls., Obm. d. Raiffeisenkasse Lilienfeld, seit 1960 im GemR. d. Marktgem. Traisen. H.: Skilanglauf, Tennis, Lesen. (Kern)

Sommer Otto
B.: Bauträger, Immobilienmakler, Unternehmer. DA.: 8010 Graz, Stempferg. 1/II. PA.: 8563 Ligist, Dietenberg 4. G.: Graz, 25. Aug. 1953. V.: Manuela, geb. Semlitsch. Ki.: Manuela (1986), Martin (1988), Raphael (1990), Paul Maria Aloisius (1991), Isabella Philomena (1993). El.: Otto u. Erna. S.: 1971 Matura Oeverseegymn., 3 J. Stud. Sozial- u. Wirtschaftswiss. K.: 1976 Grdg. eines eigenen Immobilienbüros, ab 1989 Bauträgerkonzession, seitdem Errichtung v. Eigenheimen u. Eigentumswohnungen. H.: GOTT in allem die Ehre zu geben. (P.M.)

Sommer Rudolf Dr. med. Univ.-Doz. Prim.
B.: FA f. Labordiagnostik, Vorst. d. Inst. f. Med. u. Chem. Labordiagnostik Wagner Jauregg KH Linz. DA.: 4020 Linz, Wagner-Jauregg-Weg 15. PA.: 4020 Linz, Volksfeststr. 25. G.: Linz, 23. März 1940. V.: Hildegard, geb. Lehner. Ki.: cand. med. Eva Maria (1969), cand. pharm. Elisabeth (1971), Rudolf (1975). El.: Georg u. Cäcilia. S.: Hum. Gymn., Med.-Stud. an d. Univ. Wien, Prom. z. Dr. med. univ. 1965, Habil. 1993. K.: 1966 wiss. Ass. b. Univ.-Prof. Bornschein am allg. physiolog. Inst. d. Univ. Wien, 1967 Interne Med. b. Univ.-Prof. B. Watschinger, 1968-72 FA-Ausbild. f. med. Labordiagnostik b. Univ.-Prof. W. Herbinger u. b. Prim. W. Hohenwallner, seit 1983 Prim. im Wagner Jauregg-KH Linz u. Ltr. d. Labors in d. Landeskinderklinik u. Landesfrauenklinik Linz. P.: Über 100 Publ. aus d. Fachgebiet d. Labordiagnostik, Hrsg. eines Buches "Kontrolle d. Plasmaspiegel v. Pharmaka" (1980), lfd. Vortragstätigkeit im In- u. Ausland. M.: Vorst.-Mtgl. d. Österr. Ges. f. Qualitätssicherung u. Standardisierung, Mtgl. d. Österr. Ges. f. Klin. Chemie, Redaktionsmtgl. d. Zeitschrift "Berichte d. ÖGKC", Mtgl. d. Editorial Board d. Zeitschrift "Laboratoriums Medizin", Lions-Club Linz Nibelungen. H.: Lesen, Fachliteratur, Naturwiss., Biographien, klass. Musik, Gesang. (U.E.)

Sommer Rudolf
B.: VPräs. d. ÖGB, BVors. d. Frakt. Christl. Gewerkschafter im ÖGB, Präs. d. BVA Vers.Anst. öff. Bed., BundesR. a.D. DA.: 1010 Wien, Hohenstaufeng. 12. G.: 1. Jan. 1923. V.: Lilian, geb. Skriwanek. Ki.: Ursula (1950). El.: Rudolf u. Elvira. S.: 1941 Matura, b. 1947 Kriegsdienst u. Gefangenschaft. K.: seit 1948 öff. Dienst, LInvalidenamt f. Wien, NÖ u. Bgld., 1965 Wahl in d. Vorst. d. Gewerkschaft öff. Dienst, 1976-89 Vors. d. Gewerkschaft öff. Dienst. E.: Gr. Gold. EZ f. Verd. um d. Rep. Österr., Silb. Komturkreuz f. Verd. um d. Land NÖ, Gr. EZ f. Verd. um d. Land Bgld., Gr. Silb. EZ f. Wien, Gold. EZ d. Landes Sbg., Silb. EZ d. Landes OÖP, Johann Böhm-Med. d. ÖGB. H.: Zeitgeschichte, Bücher. (P.R.)

Sommer Silvia
B.: Komponistin. PA.: 1050 Wien, Spengerg. 13, 3844 Waldkirchen, Waldhers 10. G.: Wien, 9. April 1944. Ki.: Isabella. El.: Emil u. Josefa Schwarz. S.: 1952 Klavierunterr. an d. Wr. Musikak. b. Fr. Prof. Lauda u. Hr. Prof. Josef Dichler, 1957 Kompositionsstud. b. Prof. Alfred Uhl, 1970 Diplomprüf. a.d. HS f. Musik in Wien, 1974 Aufführung eigener Werke in Europa u. Lateinamerika, 1975 Teiln. am Musikforum Breitenbrunn, 1981/82/83 Konzerte b. d. Sitzendorfer Kulturtagen, 1981 Teilnahme an d. Ausstellung "Die Frau als Komponistin" im Palais Palffy, 1982 in Palma de Mallorca als Vertreterin Österr. b. "Encontre de Compositors III" f. zeitgenöss. Musik, 1984 Konzert b. d. Wr. Festwochen. P.: zahlr. Aufnahmen f. d. ORF, Auftragswerke d. NÖ Ges. f. Kunst u. Kultur "Bläserquintett", d. BM f. Unterricht u. Kunst f. Prof. Alfred Hertel: "Yarma" f. Oboe solo, 1987 Filmmusik zu "Adam - Evas Sohn" ORF, mehrere Schallplatten, Das kompositorische Schaffen umfaßt neben E-Musik auch Bühnen- u. Unterhaltungsmusik. E.: 1970 Förderungspreis d. Stadt Wien f. Kompositionen, 1982 Förderungspreis d. Landes NÖ f. Musik. H.: Musik, Reisen. (S.Sch.)

Sommer-Loley Johann

B.: Tapezierermstr., Gschf. FN.: Sommer-Loley GmbH. DA.: 2000 Stockerau, Bahnhofpl. 12. G.: Stockerau, 22. Sep. 1949. V.: Renate. Ki.: Beatrix (1972), Karin (1973), Sabine (1975). El.: Hans u. Leopoldine. S.: VS, HS, Berufsschule, Gesellenprüf., 1984 Mstr.-Prüf. K.: seit 1967 Tätigkeit in d. Firma, seit 1982 Gschf. M.: Bez.-Innungsmstr. d. Tapezierer, Bez.-Gremialvorst. u. Landesgremium v. Möbelhdl. u. Waren f. d. Raumausstattung, Einkaufsverb. Europamöbel. H.: Skifahren, Langlaufen, Tennis. (W.M.)

Sommerauer Christian
B.: Schlossermeister. FN.: SL Technik GesmbH. DA.: 5120 St. Pantaleon, Trimelkam. G.: Tarsdorf, 23. Mai 1951. V.: Elfriede, geb. Wurmshuber. Ki.: 2 Töchter (1984 u. 1986). El.: Franz u. Magdalena. S.: Grundschule, Berufsschule i. Wels, anschl. Maschinenbau u. Schlosserlehre. K.: 1970-76 i. div. Firmen i. Ausland tätig, 1988-91 Maschinenbau u. Schlossermeister d. Fa. SAKOG - Kohlenbergwerk i. Trimpelkam, 1991 Übernahme u. Neugründung d. Fa. SAKOG in Sl-Technik. H.: Bergsteigen, Radfahren, Reisen (M.G.)

Sommerauer Johann
B.: Inh. FN.: Sommerauer Kachelöfen & Bäderbau. DA.: 5023 Salzburg, Linzer Bundesstr. 63b. PA.: 5023 Salzburg, Linzer Bundesstr. 68. G.: Sbg., 11. Mai 1952. V.: Anneliese, geb. Carli. Ki.: Andreas (1976), Petra (1980). El.: Peter u. Anna. VS, HS. K.: Lehre im Hafner u. Fließengewerbe, 1980 Mstr.-Prüf. f. Fließenleger, 1980 selbst., 1984 Mstr.-Prüf. f. Hafnerhandwerk. H.: Skifahren, Schwimmen, Motorradfahren. (D.E.)

Sommerauer Vera
B.: Physiotherapeutin. DA.: 6370 Kitzbühel, Gries 2. PA.: 6370 Kitzbühel, Bichlnweg 47. G.: Bruck/Mur, 27. Nov. 1950. El.: Karl u. Anna Schrittwieser. S.: VS u. HS Thörl, aus Krankheitsgründen zu Hause, 1970 Externe Matura. K.: b. 1973 Aufbau einer Pension in Aflenz, 1973 Ausbild. f. Physiotherapie u. Heilmassage Bad Vöslau, 1975 Zürich Vendantak. - 1976 1 J. Ausbild. z. Lymphdrainagetherapeutin Dr. Vodder-Schule Walchsee, versch. Auslandsreisen (2x Amerika, 2x Japan, 1x Indien), 1976 selbst. Tätigkeit Kitzbühel, Eröff. eines Inst. f. Heilmassage u. Physiotherapie, Ergänzung zu einer Privaten Krankenanst., Filiale in Hinterstadt/ Kitzbühel, Ausbild. v. Masseuren. E.: 1. Preis im Literaturwettbewerb - Rhetorik, gesamte Ausbild. m. Ausz. M.: Kam.-Mtgl., Vorst.-Mtgl. b. d. Intern. Ges. f. Magnetfeldtherapie, Geschf. d. Dr. Scherer Immobilien GmbH i. Kitzbühel . H.: Reisen, Alternative Med., Literatur, Angeln, Wandern, Kunst. (M.T.)

Sommerbauer Franz
B.: Kfm., Gschf. Ges. FN.: Franz Sommerbauer GmbH. DA.: 2344 Maria Enzersdorf, Grenzg. 73. G.: Mödling, 24. Okt. 1970. El.: Franz u. Irene. S.: VS, HS. K.: Tätigkeit im elterl. Betrieb, seit 1993 Betrieb übernommen, Transportunternehmen u. Containerverleih. E.: div. Trabrennpreise in Baden u. Wien. M.: Trabrennver. Baden u. Wien. H.: Trabrennfahren, Skifahren, Wandern, Radfahren, Geschäft. (W.M.)

Sommerbauer Otto Dr. iur.
B.: Gschf. Verbundkraft E-Werke GmbH, Gen.Bev. d. Verbundges. Wien. A.: 1130 Wien, Löfflerg. 54. G.: Wr. Neustadt, 3. Sept. 1933. V.: Gabriele, geb. Ravens. Ki.: Philip, Susanne. El.: Josef u. Anna. S.: Matura, hum. Gymn. Wr. Neustadt, Jusstud., Univ. Wien. K.: Nach Abschluß d. Stud. u. Gerichtpraxis, jur. Sachbearb. Pensionsvers.Anst. f. Selbst., ab 1963 in d. Verbundges. tätig, zuerst Ltr. d. Vorst.Sekr., dann Handlungsbev., Hauptabt.Ltr., Vorst.Sekr. u. Rechtswesen 1974, Kollektivprok., 1979 kfm. Geschf. Verbundkraft E-Werke GmbH. E.: Gold. EZ f. Verd. um d. Rep. Österr. M.: Mtgl. d. Hauptaussch. d. VEÖ, Mtgl. d. Vors. Stellv. d. BeiR. Lestin & Co GmbH, Vors. d. Vorst. d. Ver. f. Ökologie u. Umweltforsch. H.: Klass. Musik, Jazz, Tennis. (Fels.)

Sommeregger Birgit
B.: Dipl.-Physiotherapeutin. DA.: 9871 Seeboden, Hauptstr. 23. PA.: 9800 Spittal/Drau, Windschurn 4. G.: Villach, 2. Jan. 1964. V.: Franz Sommeregger. Ki.: Christian (1989), Birgit-Maria (1992). El.:Josef u. Erika Preimeß. S.: VS, Gymn., 1982 Matura, 1982-85 Schule f. Physiotherapeut. Dienst am LKH Klagenfurt. K.: 1985-92 Tätigkeit im Warmbad Villach, seit 1991 nebenberufl. Physiotherapeutin u. seit 1992 selbst. M.: Verb. d. Physiotherapeuten Österr., Verb. Zeckenopfer, Diabetikerver. H.: Familie, Sport (Schwimmen, Radfahren, Tennis, Skifahren). (G.L.)

Sommerer Alfons

B.: Installationsmstr. u. Heizungsbauer. FN.: Sommerer Alfons Installationen. DA. u. PA.: 5753 Saalbach 509. G.: Rauris, 30. Juli 1942. V.: Brigitte, geb. Graf. Ki.: Astrid, Markus, Harald. El.: Hermann u. Rosalia Sommerer. S.: VS in Rauris, danach i. d. Hotelbranche tätig, 1959 Beginn d. Spengler- u. Installateurlehre, 1962 Gesellenprüf., 1963 Militär, 1968 Konzessionsprüf. f. Installateur in Salzburg. K.: 1968 Heirat, 1971 Eröff. d. Betriebes, 1972 Mstr.-Prüf. f. Heizung u. Lüftung. BL.: seit 15 J. Kammerfunktionär, Beisitzer bei den Lehrabschlußprüfungen. E.: Leistungsabzeichen in Gold in der Spenglerei, Leistungsabzeichen in Silber f. Inst. H.: Skifahren, Golf, Fischen. (A.W.)

Sommeregger Klaus Dipl.-Ing.
B.: Gschf. FN.: ELTAX GmbH, Quante GmbH. DA.: 1040 Wien, Blechturmg. 13. PA.: 1190 Wien, Sieveringerstr. 271. G.: Galtür, 3. März 1949. V.: Dr. Ulrike, geb. Autengruber. Ki.: Karin (1980), Petra u. Andrea (1983). S.: 1967 Matura Wien, 1968-75 Stud. Elektrotechnik TU Wien. K.: 1975-86 Projektmanagement u. Marketing ABB, 1986 Eintritt ERTAX als Ass. d. Geschäftsltg., ab 1988 Cogschf., seit 1991 Gschf d. Firma Quante. P.: Fachart. in Fachmedien. H.: Sport, Musik. (N.A.)

Sommerer Friedrich
B.: Bgm. d. Gem. Hennersdorf, Techn. Ang. A.: 2332 Hennersdorf, Am Teich 6. G.: Hollabrunn, 10. Mai 1941. V.: Annemarie, geb. Prokop. El.: Fritz u. Maria. S.: VS, HS, Werkmstr. u. Betriebsltr.Schule f. MB, REFA I. u. II. K.: 1965-72 Werkmstr.Ass., 1972-77 Dion.Ass., 1977-88 Versandltr., ab 1980 Bgm. d. Gem. Hennersdorf. H.: Reisen, Lesen, Schwimmen.

Sommerer Rupert
B.: Tapezierermstr. FN.: Wohn-SO-Sommerer Raumausstatt. u. Sonnenschutz. DA.: 5671 Bruck/a.d. Glocknerstr., Raiffeisenstr. 16. PA.: 5700 Zell/See, Hochtennstr. 7. G.: Zell/See, 24. Sept. 1962. V.: Ing. Heidi, geb. Leixner. Ki.: Carmen (1989). El.: Albin u. Elsa. S.: VS, HS, HTL. K.: Lehrj. als Tapezierer u. Bettwarenerzeug. Fa. Hechenburger, Gesellenbrief, 1981 Abschl., anschl. 5J. Praxis, 1986 Mstr.-Prüf. in Salzb. absolv., 1987 Fa. Pollitsch in Maishofen, s. 1988 selbst. Tapezierer u. Bettwarenerzeuger in Bruck, 1993 Betriebsumsiedl. BL.: 1977 VJugendlandesmstr. im Luftpistolenschießen, 1994 Pilotenschein. E.: Auszeichn. f. sportl. Wettbewerbe im Schifahren u. Luftpistolenschießen. M.: Surfsportver., WB Zell/See. H.: Windsurfen, Motorflug, Schifahren, allg. Sport, Familie.

Sommerfeld Kurt
B.: Gschf. Ges. FN.: Ing. Schramm GmbH Malerei, Anstrich, Tapezierung. DA.: 1100 Wien, Jagdg. 27/5. G.: Essen/ Deutschland, 17. März 1941. V.: Elfriede, geb. Kurz. El.: Otto u. Gertrud. S.: Realschule Essen, Mittlere Reife, Maler-, Anstreicher-, Tapezierer- u. Glaserlehre m. Mstr.-Prüf. K.: b. 1977 Werkmstr. in versch. gr. dt. Anstrichunternehmen m. Tätigkeit im Westeurop. Ausland, seit 1977 in Wien, b. 1987 Werkmstr. u.a. verantwortl. f. General Motors Wien, seit 1989 selbst., spezialisiert auf Hotels. E.: Österr. Bauorden d. Bauhilfsorgan. d. UNESCO f. d. freiwilligen Baueinsatz SOS-Kinderdorf Pinkafeld. H.: Garten, Wintersport. (J.S.)

Sommerhuber Gerald Mag. iur. HofR.
B.: Amtsltr. d. Landesinvalidenamtes f. Sbg. DA.: 5027 Salzburg, Auerspergstr. 67a. PA.: 5061 Elsbethen, Halleiner Landesstr. 41c. G.: Neumarkt, 12. Aug. 1943. V.: Gabriele, geb. Wurzer. Ki.: Verena (1968), Oliver (1970), Anja (1993). El.: Korbinian u. Maria. S.: VS, BRG, 1962 Matura, 1962-68 Jusstud. Wien. K.: 1968-70 Gerichtspraxis Zell am See, 1970/71 Präsenzdienst, 1971-92 Amt d. Sbg. Landesrg. im Sozial- u. Gesundheitsbereich (ab 1983 in ltd. Position), seit 1992 Amtsltr. d. Landesinvalidenamtes f. Sbg. M.: Mtgl. b. versch. Behindertenorgan. in Sbg. H.: Skifahren, Oldtimer, Wandern, Tennis.

Sommerhuber Rudolf KommR.
B.: Fabrikant i.R. DA.: 4400 Steyr, Resthofstr. 69. PA.: 4421 Aschach/Steyr, Saaßstr. 20. G.: Steyr, 27. Jan. 1929. V.: Margarethe, geb. Braunsberger. Ki.: Rudolf Christian, Sabine. S.: VS, RG Steyr, Mstr.-Prüf. Hafnergewerbe. K.: Aufbau d. eigenen drei Betriebe mit insg. 300 Beschäftigten, seit 1992 in Pension. E.: 1973 Goldmed. f. handwerkl. Leistungen auf d. intern. Handwerksmesse München, 1975 Staatswappen d. Rep. Österr., 1979 Gold. VZ d. Rep. Österr., 1982 Austria Gütezeichen, 1984 Gold. Ehrennadel d. Hafner. M.: Obm. d. Österr. Kachelofenverb., Lionsclub Steyr. (U.A.)

Sommerlechner Erich Dr. iur.
B.: Gschf. v. Bensdorp Österr. A.: 1230 Wien, Hasenwartg. 54. G.: Wien, 5. Juni 1930. V.: Dipl.Vw. Margot, geb. Egen. S.: Dr. iur. K.: Versch. Positionen in Marketing u. Sales in div. Unilever-Companies in Österr., Deutschland u. Holland.

Sonderegger Herbert
B.: Inh., KFZ-Mechaniker-Mstr. FN.: Citroen Feldkirch. DA/PA.: 6800 Feldkirch, Rappenwaldstr. 6. G.: Feldkirch, 28. Dez. 1948. V.: Silvana, geb. Mittemberger. Ki.: Katja (1975), Fabian (1981). El.: Anton u. Josefa. S.: VS, HS, Mech.-Lehre Feldkirch, 1973 Mstr.-Prüf. Flensburg, 1967 BH. K.: 1963-76 Ford Fehr Feldkirch, 1974 Grdg. Fa. Herbert Sonderegger (Citroen Feldkirch), Autoreparaturen u. Handel. E.: mehr. Auszeichn. von Citroen. M.: Stadtvertr. u. Tierpark Feldkirch. H.: Tennis, Wandern, Schifahren, Tierfreund. (I.D.)

Sonderhof Karl

B.: Gschf. Ges. FN.: Karl Sonderhof GesmbH & Co. KG. DA./PA.: 1210 Wien, Floridsdorfer Hauptstr. 18. G.: Wien, 4. März 1948. V.: Jutta, geb. Wimmer. Ki.: Claudia (1975). El.: Karl u. Irma, geb. Csenar. S.: Volksschule, Mittelschule, Fachschule (Installateur), s. 1971 Konzessionsprüfg. K.: 1980 Übern. d. Fa. a. Gschf. Ges., s. 1986 ger. beeideter Sachv. E.: 1986 Ern. zum KommR. M.: Innungsaussch., Obmann d. Fachvereinig. d. Freien Wirt.-Bundes d. Installateure, Berufsvorst. d. Freien Wirt.-Verb. Österr., Präs. d. Freien Wirt.-Verb. Wien, Bez.-Rat d. SPÖ Floridsdorf, Finanzaussch.-Vors. d. 21. Bezirkes. H.: Tennis, Skifahren. (N.A.)

Sönmezisik Doris

B.: Ges. FN.: SIMCIC Importexta Hdls. GmbH. DA.: 8020 Graz, Großmarktstr. 4. PA.: 8010 Graz, Kastellfeldg. 33. G.: Graz, 29. März 1948. V.: Refik Sönmezisik. Ki.: Alp (1973), Can (1976). El.: Anton u. Elisabeth Dermond. S.: Ital. VS Izmir, Franz. Mittelschule Izmir, 1966 u. 1967 Ursulinen Graz, 1969 Staatsprüf. f. Steno u. Maschinschreiben, zurück in d. Türkei. K.: Einstieg in d. Betrieb d. Vaters - Farben- u. Lackfbk., 1978-87 Kanzler am Österr. Konsulat in Izmir, 1987 Rückkehr nach Graz, Übernahme d. Firma Simcic z. Firma Importexta dazu, seit damals Ges. in dieser Firma. H.: Arb. (F.K.)

Sonneck Georg

B.: selbst. Kaufmann, Inh. FN.: Parfum Sacher. DA.: 5201 Seekirchen, Salzburgerstr. 22. PA.: 5201 Seekirchen, Schwanenstr. 36. G.: Strabowitz/CSR, 10. Okt. 1935. V.: Anna, geb. Gutschmidl. Ki.: Gudrun Wilhelm (1955). El.: Heinz u. Luzie. S.: b. 1945 in CSR, VS im Ostsudetenland b. z. 3. Kl., 1945 Mutter u. 3 Geschwister gemeinsam n. Bayern ausgesiedelt (Vater in Gefangenschaft), wurde in ein inderheim in 1-Zimmer-Quartier abgesetzt u. in Mönchsmönster d. VS besucht b. z. 5. Kl., danach 1947 i. d. Oberrealschule Ingolstadt übergewechsel, sofort i. d. Klasse eingestiegen b. 1953, b. zur 7. Kl., danach kfm. Lehre in München b. Fa. Trette begonnen, 2 J. lang, Vater wurde 1955 a. d. Gefangenschaft wieder befreit, hat sich 1956 vorzeitig für volljährig erklären lassen, geheiratet, div. Stationen durchgemacht. K.: 1960 b. e. Parfumfa., Alleinvertretung von versch. namhaften Parfums, als Assistent d. Geschäftsleitung angefangen, danach Leiter d. Produktionsabteilung auch Kundenbesucher, 1964f-66 GF dieser Fa., 1 Juli 1966 in Österr. alleine Fa. Gotschalk aufgebaut mit versch. Parfumkosmetikmarken, Markt aufgebaut, Familie nach SBG geholt, 1970 Betriebsgebäude gebaut u. produziert f. d. ganzen karibischen Raum(Givenchy) b. 1980, als junior Partner d. Parfums Sacher weitergeführt, senior Partner in Pension, 1988 Fa. gekauft, heutige alleiniger Inh. M.: 10 J. Handelskammer, Arbeitskreiskosmetik. H.: Beruf, Tennis, Fachliteratur, Romane u. Tageszeitungen. (D.E.)

Sonnenfeld Viktor Dipl.-Ing.

B.: Gschf. u. Sales Manager. FN.: Teich Aluminium-Folien Hdls. GmbH. DA.: 1238 Wien, Endresstr. 121. PA.: 1190 Wien, Linnépl. 3. G.: Santiago/Spanien, 15. Apr. 1950. El.: Luis u. Lucie. S.: Gymn. Santiago/Spanien, Stud. Maschinenbau TU Bilbao, 1972 Dipl. K.: 5 J. Maschinenbauing. in Spanien, seit 1977 in Wien, 1977-87 zuständig f. d. Export in d. Arab. Raum d. Firma F.J. Elsner Wien, seit 1987 Gschf. Teich Aluminium-Folien Hdls. GmbH, zuständig f. d. Arab. Raum, Nordafrika, Spanien u. Portugal. H.: Sport bes. Tennis u. Joggen. (J.S.)

Sonnenschein Sabine

B.: Choreographin, Tänzerin. DA.: 1010 Wien, Kurrentg. 12/27. G.: Klosterneuburg, 5. Aug. 1971. El.: Udo u. Christine. S.: Stud. d. Theaterwiss. an d. Univ. Wien, klass. Tanzausbild. in div. Tanzstudios in Wien u. Holland, 1995 Stipendium d. BMUK nach New York zu u.a. Prof. Zvi Gotheiner. K.: Eigenproduktionen: 1992 ".Und Undine." im WUK u. Künstlerhaus, 1993 "Ah, ma vie!" im WUK, 1993-94 "Pur" im WUK m. Sigrid Pliessnig u. gem. m. Maria Fichtinger; Regieassistenz b. Theater u. Film in Wien, Tanzrolle in e. Dokumentarfilm. P.: Mitarb. am Arbeitsbuch(" Rhabarber Rhabarber od. Julius wird Julius ") z. Sonderschulprojekt Wien 3. M.: IG freie Theaterarb., Gründerin u. Obfrau d. Vereines f. Tanz-, Bewegungs- u. Bildertheater. H.: Musik, Schwimmen, Caféhäuser. (J.S.)

Sonnleitner Charlotte

B.: Schriftstellerin. PA.: 4020 Linz, Am Lerchenfeld 54. G.: Branitz/Schlesien, 1928. V.: Rudolf. Ki.: Martin, Gertrude, Werner. El.: Leo u. Gertrude Lasar. K.: 1945 Flucht aus Schlesien über Österr, Bayern in d. DDR, 1945-52 Ausbild. z. Kindergärtnerin, ab 1952 in Österr. Hausfrau u. Mutter, 1952-56 Stud. v. hinduist. u. buddhist. Literatur, langjährige Religionslehrerin d. Mormonen. P.: "Ins Dunkle" 1964, "Was braucht die Welt mehr", "Der Traum", "Denkt nach", div. Lesungen in Österr, USA u. BRD u.a. im Club d. Begegnungen. M.: Mtgl. Österr. Autoren, Club d. Begegnung, Ver. z. Förder. zeitgen. Kunst. H.: Religion, Fürsorge, Reisen.

Sonnleitner Dietmar Dr. Prim.

B.: Ltr. d. Inst. f. Implatologie, Parodontologie u. Oralchir. d. EMCO Privatklinik. DA.: 5422 Bad Dürrnberg, Martin-Hell-Str. 7-9. G.: Linz, 26. Okt. 1957. V.: Dagmar, geb. Soyka. Ki.: Julia, Saba. El.: Ing. Engelbert u. Paulina. S.: Med.-Stud. Innsbruck, 1982 Prom. K.: 1986-90 Washington D.C., Vorträge über Spezialthemen im In- u. Ausland, seit 1986 Stadtpraxis, seit 1992 Ltr. d. Abt. f. Implantologie, Parodontologie u. Oralchir. M.: Academy of Osseointegration, Komiteemtgl. f. intern. Angelegenheiten, American Academy of Periodontologie, European Asociation for Osseointegration H.: Tiefschneefahren, Motorradfahren, Segeln, Fliegenfischen, Natur, klass. Musik. (D.E.)

Sonnleitner Günter Dipl.-Ing. Prof.

B.: Dir. d. forstl. Ausbild.Stätte Ossiach. GT.: praktizierender Bergbauer. DA.: 9570 Ossiach 23. PA.: 9563 Gnesau, Sonnleiten 8. G.: Waiern, 19. Juni 1944. V.: Amalia, geb. Kramer. Ki.: Elisabeth, Matthias, Hanna. El.: Otto u. Hedwig. S.: Bäuerl. Berufsausbild., 1962-65 Försterschule, Abendmatura, 1969-74 Stud. Univ. f. Bdk. K.: 1975-87 Forstass. d. forstl. Ausbild.Stätte in Ossiach, ab 1977 Gschf. d. Ktn. Forstver., ab 1987 Dir. d. forstl. Ausbild.Stätte Ossiach. P.: Fachart. in d. Fachpresse. M.: Österr. u. Ktn. Forstver., Mtgl. d. Kuratoriums d. intern. Forst u. Holzsymposions. H.: Waldbewirtschaftung innerhalb ökolog. u. ökonom. Grenzen, Öko-Ldw. (S.G.)

Sonnleitner Hermann

B.: Schlossermstr. FN.: Hermann Sonnleitner Metallbau u.Schlüsseldienst. DA.: 5280 Braunau, Industriezeile 22. PA.: 5280 Braunau, Burgstall 25. G.: Braunau, 27. Okt. 1938. V.: Elfriede. Ki.: Werner (1965), Hermann (1967). El.: Maria Sonnleitner u. Franz Walzinger. S.: 1953-56 Lehre als Zimmerer, bis 1960 in derselben Firma weiterhin tätig, 1960-1965 bei der OKA, 1965 Lehre als Schlosser, 1970 Mstr.-Prüf. als Schlosser. K.: 1971 Betrieb von Schwiegervater in der Stadt übernommen, 1975 Eröff. Schlüsseldienst, 1982 Neubau d. Betriebes i. d. Industriezeile, 1982/83 Übersiedlung aus der Stadt i. d. Industriezeile, 1984 Zubau einer Halle, 1993 neues Geschäft f. d. Schlüsseldienst eröff., s. 1970 b. d. Prüfungskommission für Facharb., seit 1975 Vors. von einer Prüfungskommission. H.: Sport (Tennis, Schwimmen, Tischtennis, Skifahren). (J.L.)

Sonnleitner Peter Ing.

B.: Elektrotechniker, Firmeninh. FN.: Schaltanlagenbau Sonnleitner. DA.: 9061 Klagenfurt-Wölfnitz. G: Scheibbs, 2. Apr. 1958. V.: Waltraud, geb. Heber. Ki.: Sabine (1991), Robert (1993). El.: Karl u. Eva. S.: VS, HS, HTBL, 1978 Matura, Ing., BH. K.: Techniker in div. Firmen, seit 1989 selbst. H.: Familie, Haus, Garten, Schwimmen, Skifahren, Eislaufen, EDV. (W.M.)

Sonnleitner Wolf-Dietrich Dkfm. Ing.

B.: Gschf. Ges. FN.: VERAUT Verfahrens- u. Automationstechnik GmbH. DA.: 4030 Linz, Siemensstr. 52. PA.: 4020 Linz, Gruentalerstr. 60. G.: Linz, 23. Okt. 1943. V.: Irmgard, geb. Schallmeiner. Ki.: Jürgen (1974), Patrick (1976). El.: Karl u. Edeltraud. S.: 1954-58 BRealschule, 1958-63 HTL Maschinenbau Linz, Matura, 1964 BH, 1965-70 HS f. Welthdl. Wien, Dkfm. K.: Ind.-Anlagenbau VÖEST, 1972-73 Aufenthalt in Brasilien f. d. VÖEST, 1975-80 Gschf. VÖEST Alpine Intern. de Venezuela, ab 1981 Prok. d. VÖEST Alpine AG, b. 1988 Verkaufsltr. im Bereich Chemieanlagenbau u. Umwelttechnik, seit 1989 selbst., Vortragender b. Fachseminaren im Inland. BL.: 1968 Olympia-Teilnahme im mod. Fünfkampf. E.: 2 Militär. Ausz. M.: Golfclub Linz. H.: Golf, Joggen, Skifahren. (P.H.)

Sonntag Ingrid

B.: Gschf., Möbelkfm. FN.: Möbelhaus Luger. DA. u. AP.: 6850 Dornbirn, Bahnhofstr. 3. G.: Dornbirn, 3. Juni 1942. V.: Dir. Kurt Sonntag. Ki.: Bettina (1970), Susanne (1972). BV.: Urgroßvater Martin Luger gründete 1892 Möbelhaus Luger. S.: HAK, 1960 Matura, Fachschule d. Möbelhdls. Köln, 1963 Abschluß, Stud. Innenarch. Werkschule Köln. K.: seit 1965 als Ges. u. Gschf. im Möbelhaus Luger tätig, 1975 Grdg. Sofortmöbel GmbH & Co KG, seit 1975 Gschf. H.: Kunst, Klavierspielen, Heißluftballonfahren, Reisen. (W.R.)

Sorantin Herbert Dr. techn. Dipl.-Ing. Univ.-Prof.

B.: Inst.-Ltr., Physikochemiker. A.: 3100 St. Pölten, Spratzerner Kirchenweg 108/17. G.: Graz, 6. Apr. 1922. V.: Eleonore, geb. Just. El.: MedR. Dr. Kurt u. Elsa. S.: RG, Techn. Chemie an d. TH Graz. K.: 1953 Ass. am Inst. f. Analytische u. Anorgan. Chemie d. TH Graz, 1954-55 Betriebsltr. b. Dt. Derustit Offenbach/Main, 1955-57 Chem. Werke Albert Wiesbaden, Anorgan. Forsch., 1957-59 wiss. Ass. am Max Planck-Inst. Mainz, 1959-61 Kursltr. d. Kernreaktorbau- u. -betriebsges., Karlsruhe, 1961-71 Abt.-Ltr. d. Österr. Forschungszentrum in Seibersdorf, Inst. f. Chemie, 1971-85 Inst.-Ltr. d. Inst. f. Strahlenschutz, ab 1986 Ziv.-Ing. f. techn. Chemie. P.: 160 wiss. Publ. u. Patente, Autor v.: "Determination of Uranium and Plutonium in Nuclear Fuels" u. "Atomalarm, was Tun?". E.: Fritz-Pregl-Preis d. Österr. Ak. d. Wiss., Gold. EZ f. Verd. um d. Rep. Österr., Gr. EZ d. Landes NÖ. M.: Mtgl. d. Österr. Verb. f. Strahlenschutz. H.: Sport.

Soravia Erwin

B.: Inh., Gschf. FN.: Werbe Plakat. DA.: 1010 Wien, Werdertorg. 12/10. PA.: 1010 Wien, Uraniastr. 4. G.: Spittal/Drau, 26. Feb. 1967. E.: Erwin u. Helga. S.: 1986 Gymn., 1987 Stud. Betr.wiss. TU Wien, 1987-94 versch. Tät., s. 1989 Fa. Werbe Plakat. M.: Vorst. d. Jungen Industrie, Beteiligung a. Ogress Werbung. H.: Segeln, Wasserski. (L.S.)

Soravia Erwin Dipl.-Ing.

B.: Vorst.Dir. d. Bau Holding AG. DA.: 9800 Spittal/Drau, Ortenburgerstr. 27. PA.: 9800 Spittal/Drau, Hangstr. 2. G.: Spittal/Drau, 9. Jan. 1936. V.: Helga, geb. Zobel. Ki.: Hanno, Cattina, Erwin, Maria. El.: Erwin u. Maria. S.: Gymn. Stella Matutina, Matura 1954, TH Graz, Dipl.-Ing. 1964. K.: 1J. Praxis als Baultr., 1965 Beg. b. d. Fa. Asphalt & Beton GmbH, ab 1968 dort Mit-Gschf., seit 1970 alleiniger Gschf., seit 1965 Ges., seit 1987 Vorst. d. Bau Holding AG. M.: Ing. u. Arch.Ver., Rotary Club u.a. H.: Fischen, Jagd. (M.B.)

Sorell Christiane Kammersängerin

B.: Opern- u. Konzertsängerin, Ehrenmtgl. d. Wr. Volksoper. PA.: 1140 Wien, Hüttelbergstr. 23. G.: Wien, 13. Jan. V.: Franz Ramharter. S.: VS, RG, Dipl.Prüf. an d. HS f. Musik in Wien in d. Fächern Violine u. Gesang, Opernschule. K.: seit 1955 Mtgl. d. Volksoper Wien, rege Gastspieltätigket als Opern- u. Konzertsängerin in aller Welt, Fernsehen, Rundfunk, bes. als Leonore (Troubadour), Elisabeth (Don Carlos), Elisabeth (Tannhäuser), Elsa (Lohengrin), Schwester Angelika (Angelica), Butterfly (Butterfly), Amalia (Räuber), Pamina (Zauberflöte), Antonia (Hoffmans Erzählungen), Rusalka (Rusalka), Martha (Tiefland), Halka (Halka), Lisa (Pique Dame), u.v.a. E.: Österr. Kammersängerin, Gold. VZ d. Landes Wien, Ehrenmed. d. BHpt.Stadt Wien in Silber, Ehrenmtgl. d. Wr. Volksoper. H.: Violine spielen, Schwimmen, Wandern in d. Bergen. (J.S.)

Sorger Anton Dipl.-Ing. HofR.

B.: Vermessungsinsp. f. Wien, NÖ u. Bgld. im BAmt f. Eich- u. Vermessungswesen. DA.: 1025 Wien, Schiffamtsg. 1-3. PA.: 1200 Wien, Leystr. 20B. G.: Deutsch-Schützen, 4. Juni 1939. V.: Erika, geb. Krakker. Ki.: Erwin, Brigitte. El.: Anton u. Johanna. S.: Mittelschule, 1957 Matura in Fürstenfeld, Stud. d. Geodäsie in Graz, 1963 Dipl.-Ing. K.: im BDienst Deutschlandsberg Ltr. d. dortigen Vermessungsamtes, 1974 nach Graz, seit 1983 Vermessungsinsp. f. Wien, NÖ u. Bgld., seit 1984 HofR. BL.: 1973 Österr. Staatsmstr. u. 1974 Europamstr. im Eisschießen. E.: Gr. EZ d. Landes Bgld. M.: Fachwart f. Eisschießen, seit 1975 im BVorst., Mtgl. d. TK d. IFE, div. Briefmarkenver. H.: Briefmarken, Eisschießen, Reisen. (S.S.)

Sorgner Werner

B.: Gschf. Ges., Optikermstr., konz. Kontaktlinsenoptiker, Hörgeräteakustiker. FN.: Sorgner GmbH. DA.: 3340 Waidhofen/Ybbs, Unterer Stadtpl. 32, 3340 Waidhofen/Ybbs, Hoher Markt 19. G.: Amstetten, 13. März 1940. V.: Lieselotte, geb. Geister. Ki.: Ulrike. El.: Ludwig u. Marianne. S.: Pflichtschule. K.: 1954 Ausbild. im elterl. Betrieb, eines Optikerfachgeschäftes, d. 1936 gegründet wurde, BH, 1970 Mstr. Prüf. f. Hörgeräteakustik, 1971 Mstr.Prüf. f. Optiker, 1977 Konzessionsprüf. f. Kontaktlinsenoptiker, ständige Messen- u. Ausstellungsbesuche im In- u. Ausland. M.: Bez. Innungsmstr. f. Optiker, Bez.Obm.Stellv. im Wirtschaftsbund "Die Brillenfreunde", Mitbegründer d. Kaufmannschaftsver., Obm. Stellv. d. örtl. Fußballver. FC-Waidhofen/Ybbs, Lionsclub Amstetten, Fremdenverkehrsver. Waidhofen/Ybbs. H.: Betrieb, Fußball, Skifahren. (Kern)

Sorgo Gerhardt Dr. med. Prof.

B.: o.Univ.-Prof. am Inst. f. Gerichtsmed. d. Univ. Sbg. u. Senatsinst. f. Gerichtl. Med. d. Univ. Linz. DA.: 5020 Salzburg, Ignaz-Harrer-Str. 79. G.: Gevelsberg, 11. Sept. 1935. V.: Tania, geb. Gruber. Ki.: Philipp, Mirjam, Wolfgang, Julia. El.: Dr. Wolfram u. Herma. S.: Hum. Gymn. in Sbg., einige Sem. Maschinenbau u. dann Med.Stud. an d. Univ. Wien, 1965 Prom. K.: Ass. am Inst. f. Histologie u. am Inst. f. Gerichtl. Med. d. Univ. Wien, Gastvortragender an d. Med. Fak. d. Univ. Bern, ab 1967 Ass. am neugegründeten Inst. f. Gerichtsmed. d. Univ. Sbg., 1975 Habil., seit 1984 Ordinarius. P.: Wiss. Fachpubl. auf d. Gebieten d. Serogenetik, Toxikologie, Verkehrsmed. u. med.-jur. Grenzgebiete. M.: Dt. u. Österr. Ges. f. Gerichtl. Med., Dt. u. Österr. Ges. f. Hämatologie, Ges. f. Hämogenetik, u.a. H.: Klettern, Tennis. (Foed.)

Soritz Bruno

B.: Gschf. d. Fa. Meltschok GmbH & Co KG. DA.: 8054 Graz, Harterstr. 153/157. PA.: 8501 Lieboch, Klöpferg. 11. G.: Graggererberg/Stainz, 17. Jan. 1949. V.: Renate, geb. Ranftl. El.: Bruno u. Elisabeth. S.: VS, HS, Kellnerausbild., Abschluß 1957. K.: Gastgewerbl. Tätigkeit, anschl. BH, ab 1972 Verkaufsltr. b. Fa. Spak, 1975 Eröff. d. eig. Fa., 1975 Eröff. einer Hdls.-Agentur, 1976 Eröff. einer Imbiss-Stube, 1979 Gschf. d. Fa. Meltschok, 1982 Erwerb. d. Fa. Helm in Arnfels u. Rationalisierung d. Prod.-Beschränkung. H.: Sport, Lesen v. Sachbüchern. (War.)

Sormann Axel Dr. mont. Dipl.-Ing.

B.: Metallurge. FN.: Voest-Alpine Stahl Donawitz GmbH. DA.: 8700 Leoben, Pestalozzistr. 1. PA.: 8793 Trofaiach, Sackg. 5 u. 8793 Trofaiach, Langefelderstr. 36 A. G.: Leoben, 11. Juli 1958. V.: Mag. Marena, geb. Bruckmüller. Ki.: Lisa (1987), Alexander (1993). El.: Dipl.- Ing. Alois u. Gertraud. S.: VS, Gymn., 1976 Matura, Stud. Hüttenwesen Montanuni v. Leoben, 1984 Gradierung. K.: bis 1992 Univ. Ass. am Inst. f. Eisenhüttenkunde, 1992 Prom. z. Dr.mont., s. 1992 Metallurge Abt. Forschung u. Entwicklung Voest - Alpine. P.: wiss. Arb. auf d. Gebiet Reduktionsmetallurgie u. Schlackenmetallurgie. M.: Lions Club Leoben, Eisenhütte Österr., Verein dt. Eisenhüttenleute, Verein Freunde d. Radwerk 4, Montan-historischer Verein Österr., Verein Freunde d. Montanuniv. H.: Golf, Tennis, Skilauf, Wandern, Reisen. (I.G.)

Soswinski Ludwig Dr.

B.: Pensionist. G.: Wien, 15. Jän. 1905. V.: Herta. Ki.: Peter, Vera. S.: 1924 Matura, Jusstud. WU Wien, 1929 Prom. K.: Gerichtsj., b. 1934 Ang. im Konsumverb., 1938-45 in div. Konzentrationslagern, Abg. z. Landtag v. Wien, 1961 Pension, seit 1945 im Bundesverb. Österr. Widerstandskämpfer u. Opfer d. Faschismus, Obm. d. Lagergem. Mauthausen. BL.: Unterschrift als Generalrat d. Österr. Notenbank auf erster 10-ÖS-Note nach d. Krieg. E.: SEZ, Gr. EZ d. Rep. Österr. H.: Philatelie. (J.E.)

Soto-Prieto Roberto Dr.

B.: Sales Manager. FN.: Connex. DA.: 1060 Wien, Mariahilfer Str. 41-43. PA.: 1180 Wien, Türkenschanzstr. 44. G.: Bogotá/Kolumbien, 6. Dez. 1944. V.: Maria José Cebollero. Ki.: Mafalda, Maria, Monica. S.: BRG, Matura, HS Nationalökonomie Freiburg. K.: ab 1984 Fa. Connex Außenhdls.Ges., 1978-84 Gschf. v. Latinoamericana de Ind. y Comercio S.A. (LICSA) Bogotá, 1978-84 Vertreter d. Berliner Hdls. u. Frankfurter Bank BHF Bank f. Kolumbien, Ecuador, Peré, Panamá u. Venezuela, 1977-84 Gschf. v. "CONTRAPUNTO TV" Kolumb. Fernsehnachrichten, 1976-78 Secretario General (Gen.Sekr.) d. kolumb. Wirtschaftsentwicklungsmin., 1971-76 Staatssekr. f. Außenwirtschaftsfragen im kolumb. Außenmin. m. Botschafterrang, 1970-71 Ltr. d. Außenhdls. Abt. im Kolumb. Außenmin., 1969-70 2. Botschaftssekr. u. Konsul, Kolumb. Botschaft Bern, zahlr. Missionen. E.: Gran Official, Orden de San Carlos Kolumbien, BVK 1. Kl. BRD, Commandeur de l'Ordre de la Courorne Belgien, Grand Officier de l'Ordre du Merit Luxemburg, Inh. d. Verd.Ordens Venezuela, Bolivien, Chile, Peru, Polen, Ecuador, Holland, Argentinien, Brasilien u.d. Rio Branco, Brasilien. H.: Skifahren, Sammeln v. Lateinamerika-Büchern, Musik. (C.K.)

Sotriffer Kristian Prof.

B.: Verlagslektor, Kunstkritiker, Schriftsteller. A. 1010 Wien, Grillparzerstr. 5. G.: Bozen, 3. Okt. 1932. V.: Berta M., geb. Zacherl. El.: Dr. Rudolf u. Irmgard. S.: RG, Verlagslehre Stuttgart, Literatur- u. Kunstgeschichtestudien in Stuttgart u. München. K.: 1954-55 Werbeabt. im R. Piper & Co Verlag München, 1955-56 linke Hand b. L-G. Buchheim, Feldafing, 1957-67 Werbeltr. u. Lektor im Verlag A. Schroll & Co Wien, seit 1962 Kunstkritiker d. Tageszeitung "Die Presse" Wien, 1972-84 künstl. Ltr. u. Lektor in d. Edition Tusch Wien, 1984-86 Ltr. im Herold Verlag Wien., Freischaffend tät. s. 1987 P.: "Malerei u. Plastik in Österr.", "Die Druckgraphik-Entwicklung, Techn., Eigenart", "Expressionismus u. Fauvismus", Publ. über mitteleurop. Kulturlandschaften, Hrsg. d. Werke: "Das größere Österr. - Geistiges u. soziales Leben v. 1880 b. z. Gegenwart" u. "Der Kunst ihre Freiheit - Wege d. österr. Moderne v. 1880 b. z. Gegenwart", Einkehren Gesammeltes zu Kunst u. Kultur. Mit vollst. Biographie b. 1992 u.a. E.: Theodor Körner-Preis, österr. Staatspr. f. Kulturpublizistik 1993 M.: Association Intern. des Critiques d'Art (Präs. d. Österr.-Sekt. seit 1983).

Souczek Albert RgR.

B.: Ltr. des Ref. I/4/a Bürgerdienst u. Auskunfsstelle d. BMI. DA.: 1010 Wien, Herreng. 7. G.: Brünn, 4. Mai 1933. V.: Alicia, geb. Laciste. Ki.: Michael (1973). El.: Albert u. Hermine, geb. Lisi. S.: 1951 Matura, 1951-55 Buchdruckerlehrling, 1955 Gesellenprüf. K.: 1954-56 Firmenges. in einer Buchdruckerei, 1956 Eintritt BMI als VB/b, b. 1957 Flüchtlingslager Rothschildspital u. Traiskirchen, anschl. Ref. 9/HK, weiters Abt. II/11 Kriminaltechnik, Abt. III/4 Flugpolizei, b. d. ehem. Wirtschaftsabt. d. BMI 10J., Abt. II/6 Staatspolizeil. Belange, 10 J. Abt. III/6 Zivildienst, seit 1985Ltr. des Ref. I/4/a Bürgerdienst u. Auskunfsstelle d. BMI. (C.G.)

Souhrada Josef Dr.

B.: Dir. i. Hauptverband d. österr. Sozialversicherungsträger. DA.: 1030 Wien, Kundmanng. 21 PA.: 1120 Wien, Hetzendorferstr. 93/5/4. G.: Wien, 4. Juni 1955. V.: Dr. Eva, geb. Kirchmayer. Ki.: Kristina. El.: Adolf u. Lea. BV.: Josef Souhrada, bek. tschech. Schriftsteller (1838-1892). S.: 1973 Matura, bis 1978 Jus.-Stud., Prom. K.: 1979 jur. Sachbearb. beim Hauptverb. d. österr. Soz.-Vers.-Träger, 1983 Ass. d. Generaldir., 1985 Referatsltr. f. allg. Rechtsangelegenh., 1989 Dir., allg. Rechtsangelegenh., Schulung, Finanzen, Personal. M.: 1993 Mtgl. d. Steuerreformkm. BMF, s. 1983 Kraftfahrbeirat, Wr. Jurist. Ges., Rechtsgeschichtl. Ges., Österr. Ges. f. Gesetzgebungslehre. H.: Legistik, Theater, Konzerte, Bergwandern, Geschichte. (U.Z.)

Soukop Wolfgang Dr. med. Prim.

B.: FA f. Neurologie u. Vorst. d. Neurolog. Abt. d. AÖKH Wiener Neustadt. GT.: Ständ. gerichtl. beeid. Sachv. DA.: 2700 Wiener Neustadt, Corvinusring 3-5. PA. u. Ord.: 2700 Wiener Neustadt, Pleyerstr. 17 u. 1040 Wien, Wiedner Hauptstr. 36. G.: Wien, 19. Mai 1952. V.: Marina, geb. Endler. El.: Dr. Kurt u. Elfriede. S.: Matura 1970 Albertus-Magnus-Gymn. Wien, Stud. Med. Univ. Wien, Prom. 1977. K.: FA-Ausbild. Neurolog. KH Rosenhügel und Psychiatr. Univ.-Klinik Wien, seit 1985 FA, ab 1985 an d. Neurolog. Poliklinik Wien, seit 1990 Vorst. d. Neurolog. Abt. d. KH Wr. Neustadt. P.: zahlr. Publ. speziell auf d. Gebiet d. Neuroimmunologie. M.: Vorst.-Mtgl. d. Österr. Parkinson-Ges., Vorst.-Mtgl. d. Österr. Ges. f. Neuroimmunologie, Mtgl. d. Am. Acad. of Neurology, Mtgl. Rotary-Club Wiener Neustadt, Skorpione, Akad. Corps Symposion. H.: Küstensegeln, Wasserskilaufen, Küche u. Keller. (J.S.)

Soukup Eugen RgR. Ing.

B.: Amtsdir. i.R.; gschf. 1. Vize-Präs. d. Förderungsvereines. PA.: 1010 Wien, Schottenring 19. G.: Wien, 16. Juni 1929. V.: Erna, geb. Franzl. Ki.: Christian (1959). El.: Leopold u. Hedwig, geb. Rampitsch. S.: Pflichtschule (mittl. Reife), durch Kriegseinsatz als Marinehelfer ohne Maturaabschluß, 1954-56 Schauspielausbild. b. Burgschauspieler Helmuth Kraus, 1967 extern. Matura, 1974 Staatsverrechng. m. Auszeichng. K.: s. 1947 BDienst BM f. Land- u. Forstwirtsch., s. 1971 Revisionsdienst, 10 J. Prüfdienst u. Prüf.-Ltr. in allen Sparten d. land- u. forstwirtsch. Förderungswesens, ab 1956 Schauspieler: Theater d. Courage, Theater am Belvedere, Theater d. Schulen (Stücke d. Antike, Klassik u. Moderne). BL.: Entsch. Verbess. d. Einkommenssituation d. österr. Bergbauern, Aufdeckg. richtlinienwidr. Verhaltensformen, v. Subventionsbetrug, Aufführ. d. Entremeses v. Cervantes im Originalstil, deutschspr. Erstaufführungen u. Uraufführungen. E.: Gold. VZ d. Rep. Österr. 1978, Ernenn. z. RegR. M.: s. 1967 Volksbildungskreis Wien (s. 1990 Verw. e. Bibliothek, Bildung e. Rezitationsreihe, Vorträge), s. 1973 Männerchor Wien. H.: Ursprüngl. nebenberufl. Tätigk. wurden zu Hobbies. (N.A.)

Soukup Wilhelm

B.: Gschf. Ges. FN.: Wilhelm Soukup GmbH. GT.: ständig gerichtl. beeid. Sachv. seit 1985. DA. u. PA.: 1220 Wien, Groß Enzersdorfer Str. 5. G.: Wien, 29. Apr. 1940. V.: Isolde, geb. Auer. Ki.: Maximilian, Caroline. El.: Franz u. Agnes. S.: Gymn., Fliesenlegerlehre, 1965 Mstr.Prüf. K.: seit 1966 selbst., Grdg. d. Fa. Wilhelm Soukup, 1984 Umwandlung in GmbH. H.: Tennis.

Sourial Fahmy Dr. med.

B.: FA f. Gynäkologie u. Geburtshilfe. DA.: 3512 Mautern, Schloßg. 1a. G.: Kairo, 27. Mai 1944. V.: Marie-Therese, geb. Schapringer. Ki.: Katharina (1974), Stefanie (1981). El.: Boutros u. Aida. S.: Franz. Jesuitenschule m. Reifeprüf., Med.-Stud. Univ. Wien, 1972 Prom. K.: 1972-73 2. Med. Univ.-Klinik Wien b. Prof. Fellinger, 1973-74 Chir. Univ.-Klinik Prof. Fuchsig, 1974-75 Univ.-Kinderklinik Wien Prof. Asperger, 1975 Fach-Ausbild. 1. Univ.-Frauenklinik Wien, 1978-79 Gynäkolog. Abt. KH Krems, seit 1979 eigene FA-Ordination. BL.: Einführung d. Ambulanten Geburt in NÖ. H.: Sport (Fechten). (M.M.)

Souri Walter

B.: Ltr. d. Aussenstelle Hartberg. FN.: GKK Stmk. GT.: Ltr. d. Aussenstelle Hartberg. DA.: 8230 Hartberg, Ressavarstr. 68. PA.: 8230 Hartberg, Ferd. Leihsstr. 22. G.: 27. Nov. 1939. V.: Silvia, geb. Schumjak. Ki.: Michael (1973), Gernot (1974), Sylvia (1980), Rene (1982), Christoph (1984). El.: Ignaz u. Frieda. S.: VS, HS Judenburg, Elektrikerlehre b. Stadtwerke Judenburg, abgeschl. 1956. K.: Fa.: Siemens als Elektromonteur zwischenzeitl. 3 Jahre Abendschule f. Werkmeister, 1967 Werkmeister, 6/1967 GKK judenburg i. Aussendienst, 10/1967 GKK Judenburg i. Innendienst, 1969 besondere Fachprüfung, seit 11/1973 Ltr. d. Aussenstelle Hartberg. H.: Wandern, Skilaufen, Schwimmen. (I.G.)

Sövegjarto Harald

B.: Alleininh. FN.: L. Baar. DA.: 4020 Linz, Rudigierstr. 8a. G.: Wien, 7. Nov. 1942. V.: Waltraud. Ki.: Harald, Markus, Andreas. S.: Lehre f. Orthopädie u. Bandagist. K.: 1960 Grdg. d. Fa. Harald Sövegjarto, 1976 Kauf d. Fa. L. Baar. BL.: Intern. Patente. M.: Linzer Bürger, Kam. d. Gewerbl. Wirtschaft. H.: Golf, Skifahren, Wassersport. (A.W.)

Sow Amadou Mag.

B.: Ak. Maler, Bildhauer u. Grafiker. DA. u. PA.: 1030 Wien, Blattg. 3. G.: Saint-Louis, 17. Nov. 1951. S.: Nat. Inst. d. Schönen Künste Senegal, Ak. d. Bild. Künste Wien, Mstr.-Kl. f. Grafik. K.: zahlr. Ausstellungen in intern. Galerien sowie Teilnahme an Salons u. Expositionen wie Musée Dynamique Dakar, Salon d. Künstler Senegals Dakar, Exposition in Fort de France Martinique, Pointe a Pitra Guadeloupe, Galerie Corsoran Washington, Präsentation d. Künstler Senegals Rom, Brüssel, Paris, Bonn, Wien, Helsinki u. Bukarest, Ausstellung anläßl. d. Verleihung d. Ehrensenats an Präs. Leopold. Senghor v. Senegal. (F.S.)

Sowa Robert

B.: Unternehmer. FN.: Karl Sowa GmbH Pelze u. Leder. DA.: 1150 Wien, Märzstr. 4. G.: Wien, 11. Apr. 1963. V.: Susanne, geb. Mühlberger. Ki.: René. El.: Karl u. Edith. BV.: Großvater Karl Sowa Gründer d. Lederfirma Sowa 1889. S.: HASCH Wien. K.: nach d. Ausbild. Eintritt in d. Familienbetrieb: Maßanfertigungen f. Pelz- u. Lederbekleidung in d. hauseigenen Werkstätte u. Verkauf v. Intern. Topmodellen. P.: Art. z. Thema Leder u. Pelze in Tageszeitungen. H.: jede Art v. Sport bes. Tennis u. Skifahren, Reisen. (J.S.)

Sowinetz Dunja
B.: Burgschauspielerin. PA.: 1070 Wien, Richterg. 12/1/4. G.: Wien, 17. Sep. 1964. El.: Kurt u. Inge, geb. Zechmeister. S.: Schauspielschule i. Wien, 1983 Matura. K.: 1985 Eintritt am Burgtheater Wien, wichtige Rollen: "Braut" i. Hochzeit v. Canetti, Nestroystücke, "Selma Knoble" i. Ratten v. Hauptmann, "Emma" i. Geschichten a. d. Wienerwald v. Horvath, "Agatha" in Der Schwierige v. Hofmannsthal; Mitwirk. an d. Sbg. Festspielen u. an d. FS-Prod. "Sibirien". H.: Pferde, Reiten. (N.A.)

Soxberger Reinhold Dr.
B.: Gschf. d. Fa. Röders GmbH. PA.: 2601 Sollenau, Pappelg. 4. G.: Zell/Ybbs, 1. Mai 1926. V.: Monika, geb. Mayer, 1 Sohn, 1 Tochter. El.: Isidor u. Emma. S.: Gymn. St. Pölten, 1945-49 Univ. Wien, Dr. phil., Stud. Germanistik u. Anglistik, 1950 Stud. d. Päd. m. Lehramtsprüf., in Abendklassen HS f. Welthdl. m. Prüf. K.: Militär, Malerhandwerk erlernt m. Gesellenprüf., 3 J. b. Fa. F. M. Hämmerle, ltd. Posit. Fa. Getzner, Arido, Pottendorfer Textilw., seit 1978 Geschf. Fa. Röders, Bettferdern- u. Bettwarenfbk., Verkaufsgeb. Mitteleuropa, M.: Fachverband d. Bettfedernind., seit 1984 dessen Vors., Tennisklub Felixdorf. H.: Hobbyheimwerker, Politik, Tennis, Radfahren, Skifahren, Wandern. (M.G.)

Spachinger Othmar Dr. phil.
B.: Cheflektor, Prok. FN.: Österr. Bundesverlag GesmbH. GT.: Mitgschf. d. Fa. ÖBV-Klett-Cotta Verlags GmbH, AufsR.Mtgl. Österr. Gewerbeverlags GmbH. u. Residenz-Verlags GmbH. DA.: 1010 Wien, Schwarzenbergstr. 5. PA.: 1100 Wien, Zohmanng. 38/2. G.: Wallern, 26. Dezember 1942. V.: Hedda, geb. Kolbe. El.: Josef u. Elfriede. S.: Gymn. Linz, 1961 Matura, Stud. an d. Univ. Wien, Phil., Geschichte, Deutsch, 1965 Prom. K.: 1966 Eintritt in d. Bundesverlag, 1968 Abt.Ltr., 1971 Päd. Ltr. d. Verl., 1975 Cheflektor, 1978 Prok. P.: 1975 Hrsg. d. Sammelbandes "Die Österr. Schule v. 1945-75", 1987 Beitrag "Zur gegenwärtigen Situation d. Schulbuches in Österr.". E.: 3facher Staatsmstr. Faustball. H.: Sport (Skilaufen, Tennis). (A.W.)

Spadiut Hubert Dr.
B.: Tierarzt, Regierungsoberveterinärrat. GT.: seit 1979 Amtstierarzt d. BH Knittelfeld, seit 1969 Instruktor d. Tierärztl. Univ. Wien. DA. u. PA.: 8720 Knittelfeld, Sonntagg. 6. G.: Neuhofen b. Seckau, 23. Sept. 1922. V.: Dr. Lucia. Ki.: Dr. Hubert, Dr. Wolfgang, Dr. Uschi. El.: Johann u. Maria. S.: VS Seckau, Abteigymn. Seckau b. Auflösung 1938, dann BRG Knittelfeld, 1939 Abschlußzeugnis m. Reifevermerk m. Vorzug. K.: eingezogen z. Luftwaffe, Pilot d. Messerschm. 262, Hptm., Staffelkapitän, Ritterkreuzträger, ab 1946 Stud. d. Tierärztl. HS Wien, 1950 Dipl., 1950 Prom., seit 1950 Praxis in Knittelfeld, ab 1960 Landesbez.Tierarzt, 1969 Berufung d. BMU als Instruktor d. Tierärztl. Univ. P.: 16 wiss. Arb. E.: 1968 Verleihung d. Josef Bayer-Med. f. bes. wiss. Verd., 1978 Bronzemed. d. Ldw.Kam. M.: Grdg.Mtgl. d. Rotary-Clubs Zeltweg, Grdg.Mtgl. d. Reitclubs Sachendorf, Mtgl. d. Motorsportclubs Knittelfeld. H.: Jagd, Reisen, Ausstellungsbesuche, Oper. (Tra.)

Spaemann Robert Dr. phil. Prof.
B.: o.Prof. Univ. München, Hon.Prof. Univ. Sbg. A.: 5020 Salzburg, Hellbrunner Allee 56. G.: Berlin, 5. Mai 1927. V.: Cordeila, geb. Steiner. El.: Heinrich u. Ruth. S.: Gymn. Köln, Univ. Münster, München, Tribourg, Prom. z. Dr. phil. in Münster 1952. K.: Verlagslektor 1952-56, Univ.Ass. 1956-62, Habil 1962, o.Prof. f. Phil. u. Päd., TH Stuttgart, 1962-69 o.Prof. v. Phil. Univ. Heidelberg 1969-72, Hon.Prof. Univ. Sbg. 1972, Prof. an d. Univ. München seit 1973, Dekan 1979-81. B.: Bücher: D. Ursprung d. Soziologie aus d. Geist d. Restauration. Studien über L.G.A. de Bonald, München 1959. Reflexion u. Spontaneität. Studien über Fénelon, Stuttgart 163. Zur Kritik d. polit. Utopie. Zehn Kapitel polit. Phil., Stuttgart 1977. Einsprüche. Christl. Reden, Einsiedeln 1977. Rousseau - Bürger ohne Vaterland, München 1980. Die Frage: Wozu Geschichte u. Wiederentdeckung theolog. Denkens, München 1981. M.: Inst. intern. d. Phil. Politique. Intern. Hegel-Ver. (Beirat).

Spagolla Bruno Mag. arch.
B.: Firmeninh., Arch. DA. u. PA.: 6700 Bludenz, Untersteinstr. 28. G.: Bludenz, 23. Nov. 1949. V.: Renate, geb. Zech. Ki.: Aurelia (1980), Anna (1982). El.: Dante u. Hedwig. S.: HS, HTL Innsbruck, 1969 Matura, Ak. d. bild. Künste Wien, Meisterkl. b. Roland Rainer, 1980 Spons. K.: 1980 selbst. Arch. P.: versch. Publ. in Fachzeitschriften. E.: versch. Wettbewerbe d. 1. Vbg. Bauherrnpreis, Intern. Kunstpreis d. Landes Vbg., 1. Arch.-Preis f. neues Bauen in d. Alpen 1992. H.: Beruf, Bergwandern, Lesen, Natur, Kunst. (I.D.)

Spak Fritz
B.: Inh. FN.: Imbiß-Cafe-Restaurant. DA.: 2334 Vösendorf, SCS Top 125. G.: Wien, 7. Sep. 1940. V.: Inge, geb. Promberger. Ki.: Carina u. Marita. El.: Friedrich u. Hedwig. S.: Gymn., 1956-59 Hotelfachschule Bad Hofgastein. K.: 1959-62 in d. Gastronomie in d. Schweiz u. Österr., bis 1974 div. Tätigk. im elterl. Betrieb (Feinkosterzeugung), 1975-77 Pachtung u. Führung eines Restaurants in Mödling, 1976 Grdg. u. Eröff. d. Imbiß-Cafe in d. SCS u. später Erweiterung auf ein Restaurant. (M.A.)

Spalj Franz
B.: Verwaltungsltr. FN.: HUMA Warenhandel GmbH. DA.: 1110 Wien, Landwehrstr. 6. PA.: 2285 Leopoldsdorf, Fasang. 36. G.: Wien, 8. Mai 1948. V.: Liane, geb. Bick. El.: Josef u. Adelheid. S.: 3 J. Berufsschule, Lehre b. Fa. Julius Meinl. K.: 7 J. Verkäufer b. Fa. Julius Meinl, seit 1972 in ltd. Position im Metro Konzern. H.: Skifahren, Reisen. (E.L.)

Spallinger Kurt Dr. iur.
B.: Botschafter, Diplomat. FN.: Österr. Außenministerium, Österr. Botschaft. DA.: Österr. Botschaft Tirana, Albanien - Tirana, Rruga Skenderbu. PA.: 1010 Wien, Wiesingerstr. 1/22. G.: Salzburg, 14. Feb. 1944. V.: Ellen, geb. Robbins. Ki.: Forrest Hans (1975), Eva Ellen (1978). El.: Hans u. Hildegard. S.: VS Sbg., Mittelschule Stift Kremsmünster/OÖ, Jus-Stud. Univ. Innsbruck, Diplomat. Akad. Wien, Stud.-Aufenthalt in Frankr. u. Spanien. K.: 1966/67 Gerichtspraxis, 1970/71 Privatwirtsch. (Exportmanager), 1971 Eintritt in d. diplomat. Dienst, 1972-74 Botschaft Washington, 1975-78 Botschaft new Delhi, 1978-81 Außenministerium Wien, Ass. d. Gen.-Sekr. f. ausw. Angelegenh., 1981-85 Gesandter an d. Österr. Botschaft Peking, 1985-90 Österr. Botschafter in Malaysia u. Brunei, Feb. 1990-Okt. 1993 Ltr. d. Ref. Süd- u. Südostasien im Wr. Außenmin. u. seit Sept. 1991 gleichz. Österr. Botschafter in Albanien m. Sitz in Wien, s. Okt. 1993 residenter Botschafter in Tirana. E.: Gr. EZ f. Verd. um d. Rep. Österr. M.: Österr. Ges. f. Außenpolitik. H.: Bücher , Sport (Schilauf, Tennis, Golf, Reiten).

Spalt Gerhard Herbert Dr. med.
B.: Prakt. Arzt. DA.: 5324 Faistenau, Ramsau 25. PA.: 5324 Faistenau, Anger 100. G.: Salzburg, 25. Apr. 1958. V.: Martina, geb. Putz. Ki.: Gudrun (1986), Rainer (1987), Ingrid (1989), Gerhard (1990), Birgit (1992). El.: Siegfried u. Margit. S.: 1976 Matura, 1977-84 Med.-Stud. Innsbruck, 1984 Prom. K.: 1985-88 Turnus Landesnervenklinik u. LKH Sbg., Febr.-Mai 1989 Kuranst. Vigaun, seit Juli 1989 Ordination in Faistenau. M.: Ak. Turnverbindung Innsbruck, Sbg. Turnver., Sbg. Ärzteges. H.: Tennis, Fotografie, Wandern, Reisen. (E.Hö.)

Spalt Johannes em. o.Prof.
B.: Arch. DA.: 1010 Wien, Annag. 8. G.: Gmunden, 29. Sept. 1920. V.: Rosetta, geb. Corti. Ki.: Michael (1957), Johannes (1961). El.: Hans u. Margarethe. BV.: Vater Hans Spalt Ltr. d. Stadtbauamtes Gmunden. S.: Höhere Staatsbauschule Sbg. (Hochbau), 1941 Matura, 1949-52 Ak. d. Bild. Künste Wien, Mstr.-Schule Prof. Clemens Holzmeister, 1952 Dipl K.: 1952 gemeinsames Atelier u. Zusammenarb. m. Otto Leitner (b. 1953), Wilhelm Holzbauer (b. 1964) u. Friedrich Kurrent (b. 1974) als Arbeitsgruppe 4, 1956 u. 1957 Ass. b. Konrad Wachsmann in d. intern. Sommerak. Sbg., 1967 Lehrbeauftragter f. Geschichte d. Gegenwartsarch. an d. Ak. f. angew. Kunst Wien, 1969 eigenes Atelier 1010 Wien, Annagasse, 1973 o.Prof. u. Mstr.-Kl.-Ltr., Kl. f. Innenarch. u. Ind.-Entwurf an d. HS f. angew. Kunst Wien, 1975-79 Rektor d. HS f. angew. Kunst Wien, 1983 Ltr. d. Inst. f. Raumgestaltung u. Möbelbau, ab 1987 Ltr. d. dritten Arch.-Kl. m. Schwerpunkt Innengestaltung, 1990 Emeritierung, Ausstellungen u.a. Adolf Loos-Ausstellung, Galerie d. Beau-Arts Paris u. Museum d. 20. Jhdt. Wien (1962), Arch. in Wien um 1900. Österr. Bauzentrum Wien (1964), Wien d. Zukunft, Olivetti Wien (1964), Maulbertsch-Ausstellung, Piaristenkloster Wien, Heiligenkreuz-Gutenbrunn, Halbturn (1973), Josef Frank-Ausstellung, Museum f. angew. Kunst Wien (1981), Josef Frank-Ausstellung Univ. v. Venedig (1982), Josef Frank: Stoffe, Operngalerie Wien (1986), Josef Frank: Model Firma Kalmer (1987), Adolf Loos-Ausstellung, Albertina Wien (1989). P.: u.a. Katalog z. Möbelwettbewerb Wittmann (1967), Arch. zeichnen nicht nur Pläne, Ausstellungskatalog d. Alten Schmiede (1976), Johannes Spalt z. 70. Geburtstag (1990), Wien d. Zukunft, Ausstellungskatalog, Austro-Olivetti (1965), Wohnberge in: Neue städtische Wohnformen Österr. Ges. f. Arch. (1967). E.: 1954 Dr. Theodor Körner-Preis, 1959 Österr. Staatspreis f. Arch., 1967 Kulturpreis d. Stadt Kapfenberg, 1970 Preis d. Stadt Wien, 1985 OÖ Kulturpreis, 1986 Gold. Med. d. Stadt Wien, 1987 Gr. Österr. Wohnbaupreis d. Bausparkasse Wüstenrot. H.: versch. Sammlungen (z.b. Arch.-Zeichnungen). (J.S.)

Spaneder Erna
B.: Wirtschaftstreuhänder. DA.: 3300 Amstetten, Friedenstr. 37. G.: Amstetten, 15. Juli 1936. S.: 1954 Matura, Abi-Kurs an d. HAK Wien, Reifeprüf. K.: Tätigkeit in Steuerberatungskanzleien in Wien u. Amstetten, 1962 Bestellungsurk. z. WT u. Aufnahme d. selbst. Tätigkeit in Amstetten. (E.L.)

Spangher Guiseppe
B.: Gastronom. FN.: La Montanara u. Pizza Trieste. DA.: 9020 Klagenfurt, Conrad Feldmarschall Pl. 2, 9500 Villach, Weißbriacherg. 2. PA.: 9020 Klagenfurt, Conrad Feldmarschall Pl. 2. G.: Triest, 19. März 1954. V.: Daniela, geb. Padovan. Ki.: Ricardo (1979), Alfredo (1986). El.: Maria u. Narciso. S.: VS, HS in Triest, Hotelfachschule in Italien. K.: 1974 nach Ö gekommen, 1987 Konzessionsprüfung u. Eröffnung d. La Montanara, 1989 Pizzaria Trieste. E.: 1969: Cucina Friulana u. 1973 La sagra del pesce. M.: Azienda Soggiorno Turismo, Triest. H.: Kochen, Segeln, Tauchen, Schwimmen. (G.L.)

Spängler Heinrich
B.: Bankier, Gschf. Ges. FN.: Bankhaus Carl Spängler & Co, Carl Spängler Kapitalanlagen GmbH. DA.: 5020 Salzburg, Schwarzstr. 1. PA.: 5020 Salzburg, Nesselthalerstr. 17A. G.: St. Gilgen, 9. Febr. 1945. V.: Eva Maria, geb. Scheirl. Ki.: Theresa Leonie (1973), Carl Philipp (1975). El.: Heinrich Gahbauer u. Gertrud, geb. Priester. BV.: Vorfahren in 5 Generationen Bankiers, Ururgroßvater war Bgm. v. Sbg., Mitbegründer u. Ltr. d. Sbg. Sparkasse. S.: Hum. Gymn. Sbg., 1963 Matura, Militär, Praktika in Wien, Frankfurt, London, Paris u. New York. K.: Präs. d. Vw. Ges. Sbg., stellv. Vors. d. Kontrollaussch. d. Bundeswirtschaftskam., AufsR. d. BVP Pensionskassen AG Wien, VPräs. d. Dt. HK in Österr., BeiR.-Vors. d. Dt. HK Sbg., seit 1988 Carl Spängler Kapitalanlagen GmbH, stellv. Kuratoriumsvors. d. Dt. HK in Österr., Gschf. Spartrust Treuhand GmbH. P.: versch. Publ. E.: 1980 Gold. EZ f. Verd. um d. Rep. Österr., BVK d. BVO am Bande d. BRD. M.: Guggenheim Intern. Rep. - Guggenheim Sbg. Adviser Report, Vorst. im Ver. d. Freunde u. Förderer d. Rupertinums, Rotary Club Sbg.-Nord. H.: Segeln, mod. Malerei. (U.E.)

Spann Burckhardt
B.: Inh. FN.: Gastro-Textil. DA.: 8010 Graz, Körösistr. 23. PA.: 8020 Graz, Darmstadtg. 9. G.: Stolp/Pommern, 11. Apr. 1945. V.: Ursula. Ki.: Michael (1971), Elke (1974). El.: Franz u. Christine. S.: VS, HS, kfm. Lehre b. Jaseck Oblack. K.: ab 1967 ltd. Ang. d. Filiale Möbelhaus Karner Graz, 1970-89 ltd. Ang. u. Ges. d. Grasmuck GmbH, seit 1989 selbst., Firmengrdg. m. Gattin. P.: Veröff. in Mediaprint u. Dividende. M.: HK. H.: Reisen, Tennis, Skifahren, Schwimmen, Wandern. (R.S.)

Spannagl Johann
B.: Gschf. Ges. FN.: Südfrucht GmbH. DA.: 1230 Wien, Laxenburgerstr. 365. PA.: 1220 Wien, Donaufeldstr. 190. G.: Wien, 7. April 1948. V.: Stefanie Nowy. Ki.: Michaela (1968), Petra (1980). El.: Karoline u. Johann. S.: VS, HS, Gärtner Lehre, Meisterpr. 1969. K.: 1972 Schönbrunn i. d. Gärtnerei, 1977 nebenher HTL f. Gemüsebau, 1978 Fa. Ahorner als Disponent i. d. Inlandsabt., 1982 Südfrucht GmbH übernommen. H.: Tennis, Skifahren. (R.T.)

Spannbauer Kurt Dr.
B.: Arzt, Gschf. FN.: Medical Fitness Consulting GmbH. DA.: 2301 Groß Enzersdorf, Freisingerg. 7. G.: Waidhofen/Ybbs, 26. Jan. 1957. V.: Maria, geb. Spörk. Ki.: Christian (1989), Thomas (1990), Andreas (1992). S.: 1983 Med.-Stud. Univ. Graz, Prom. K.: Univ.-Klinik Graz u. KH Hainburg, 1987 Eröff. Praxis als Prakt. Arzt in Groß Enzersdorf, 1989 Beginn Physikal. Therapie, 1993 Beginn d. Tätigkeit Sportmed., 1995 Grdg. Medical Fitness Consulting. H.: Marathonlauf. (T.T.)

Spannbauer Marius
B.: Inh. d. Fa. Reprozwölf. DA.: 1120 Wien, Karl-Löwe-G. 14. PA.: 2340 Mödling, Brühler Str. 79. G.: Griechenland, Komotini 1946. V.: Herta, geb. Wurzinger. Ki.: Andreas, Daniel. El.: Franz u. Elfriede. S.: Gymn. Wien. K.: 1971 eigene Fa. Reprozwölf, Druckformenhersteller. H.: Sport, Langlauf, Ski. (Fels.)

Spannocchi Hieronymus Dir.
B.: Dir. d. Landesdion. OÖ d. CA-BV. DA.: 4020 Linz, Hauptpl. 27. PA.: 4150 Rohrbach, Sprinzenstein 1. G.: Linz, 28. März 1946. V.: Verena, geb. Schönborn-Buchheim. Ki.:

Almerie (1979), Lelio (1980), Philippe (1982), Antonia (1985). El.: Lelio u. Gabriele. BV.: Papst Marcellus X. S.: 1965 Matura, Jus-Stud. in Linz, 1970 Prom. K.: Eintritt in d. CA-BV, 1971-72 Bankhaus Rothschild u. Hill Samuel in London, 1974-76 European Bank London, 1976-82 CA-BV Wien, s. 1982 Ltr. Landesdion OÖ. E.: Silb. EZ d. Rep. Österr. M.: Malteser Orden, Rotary Club, Bez.-Jägermeister, GemR.-Mtgl. v. Sarleinsbach. (P.H.)

Spanring Edwin Mag.

B.: Bankangestell., Vorst.-Abt.-Ltr. FN.: Giro Credit, Vermögensmanag. DA.: 1030 Wien, Strohg. 45. PA.: 2320 Schwechat, Mappesg. 7/1. G.: Eisenerz, 27. Mai 1956. V.: Christa geb. Weiss. Ki.: Carina (1991). El.: Willibald u. Maria geb. Seitner. S.: HAK, 1978 Mat., 1978-84 Stud. BWL WU Wien. K.: 1985-88 Ref. CA (Wertpapiersekr. u. Emissionsabt.), 1988-89 Referatltr. Investmentbanking Slbg. Hypothekenbank, s. 1990 Giro Credit. P.: Fachartikel i. div. Fachzeitschriften. H.: Tennis, Skifahren, Lesen.(N.A.)

Spanring Johannes Oberstlt.

B.: Komp. FN.: Kaserne Hainburg. DA.: 2410 Hainburg, Freyungstr. 29. PA:: 2410 Hainburg, Josef Maurerg. 6-8. G.: Eisenerz, 27. Juni 1969. V.: Sylvia, geb. Stefaner. El.: Hannes u. Brigitte. S.: 1988 Theresianum Milit.-Akad. K.: 1988-91 Fliegerabwehr, 1991 Ausmust. III.Batt. Fliegerabw. Hainburg, Zugskomm., Stellv. Komm., 1993 Komp. Kasernen Komp. Hainburg. M.: Präs. d. Heeressportler Hainburg. H.: Bergsteigen, Klettern, Schwimmen. (T.T.)

Sparber Margaretha Mag. art. o.HS-Prof.

B.: o.HS-Prof. f. Stimmbildung. A.: 3011 Tullnerbach, Friedrich-Schmidl-Str. 12. G.: Wien, 25. März 1922. El.: Ferdinand u. Anna Ternetz. S.: Grundschule, Höhere Frauenschule, HS-Stud. f. Stimmbildung, Staats- u. Reifeprüf. K.: Stimmbildner b. d. Wr. Sängerknaben, Konservatorium d. Stadt Wien, seit 34 Jahren als Stimmbildner an d. HS f. Musik u. Darstell. Kunst in Wien, Ltr. d. Inst. f. "Atem u. Stimmerziehung", Stimmforschung, Vorlesung f. Methodik d, Gesangunterrichts. P.: Zahlr. Art. in in- u. ausländ. Fachzeitschriften. E.: Gr. EZ u. Gr. Silb. EZ d. Rep. Österr. M.: Ges. d. Phoniatrie, Prädoandiologie u. Logopäden. H.: Gartenarb.

Sparer Herbert Ing.

B.: Gschf. Ges. FN.: Auto Sparer GmbH. DA. u. PA.: 6380 St. Johann/Tirol, Innsbrucker Str. 21. G.: St. Johann/Tirol, 16. März 1947. V.: Hannelore, geb. Hofer. Ki.: Martina (1976), Herbert (1980), Kathrin (1984). El.: Alois u. Maria. S.: VS, Gymn., HTL, 1967 Matura. K.: Tätigkeit im elterl. Betrieb, seit 1970 selbst. in d. Autobranche als Opelhändler, seit 1936 Zweiradgeschäft, zuständig f. Verkauf u. Finanzen. M.: AufsR.-Vors. d. Raiffeisenkasse St. Johann u. Oberndorf. H.: Tennis, Skifahren. (M.W.)

Sparowitz Lutz Dr. techn. Dipl.-Ing. o.Univ.-Prof.

B.: Vorst. d. Inst. f. konstruktiven Ing.Bau d. Univ. f. Bdk. DA.: 1190 Wien, Peter-Jordan-Str. 82. PA.: 8561 Schloß Söding 1. G.: Graz, 2. Dez. 1940. V.: Trontja, geb. Binder-Kriegelstein. Ki.: Florentine, Maria, Johann, Clemens. El.: Richard u. Elfriede. S.: 1960 Matura, Stud. d. Bauing.Wesens in Graz, 1970 Dipl., 1975 Prom. K.: 1970-75 Univ.Ass. an d. TU Graz, anschließend Mitarb. in einem Ing.Büro, 1981-89 Ziviling. f. Bauwesen in Graz, ab 1989 Vorst. d. Inst. P.: ca. 30 Publ. H.: Sport. (P.R.)

Spath Gunther ObstLt.

B.: Chef d. Stabes u. stellv. Militärkdt. v. Ktn. DA.: 9010 Klagenfurt, Mießtalerstr. 11. PA.: 9020 Klagenfurt, Reichenbergerstr. 35. G.: Villach, 23. Apr. 1951. V.: Dr. phil. Silvia, geb. Rep. Ki.: Gregor, Ulrich, Irina. El.: Ing. Rudolf u. Elisabeth. S.: Gymn. Villach, 1969 Matura, 1970-73 Militärak. Wr. Neustadt, 1979-82 Gen.Stabskurs an d. LVerteidigungsak. Wien. K.: 1973-79 Jägerbataillon 25 (Ausbild.Offz., Adjutant, Kompaniekdt.), seit 1983 G3 und stellv. Chef d. Stabes, seit 1987 Chef d. Stabes u. stellv. Militärkdt. v. Ktn. BL.: Vortragstätigkeit Sicherheitspolitik, Wehrpolitik, Europaidee. P.: Art. in Zeitungen u. Zeitschriften. E.: mehrere Ausz. v. div. Organ. u. Verb. M.: Ktn. Abwehrkampfbund Österr. Kameradschaftsbund, Offz.Ges. Ktn., Heeressportver. Klagenfurt, Dolomitenfreunde, Ver. d. Freunde d. LGedächtnisstätte. H.: Lesen, Schreiben, Kochen, Tennis, Skifahren, Briefmarken sammeln. (S.G.)

Spatschek Herbert Dipl.-Ing. Gen.-Dir.

B.: Gen.-Dir. u. Vors. d. Vorst. d. SHELL Austria AG. DA.: 1030 Wien, Rennweg 12. G.: Oderberg, 14. Juli 1933. V.: Ingrid-Maria, geb. Franz. Ki.: Martin, Barbara. El.: Josef u. Maria. K.: Chemielaborant, Abendgymn., Matura 1957 in Linz, Stud. d. Erdölwesens an d. Montan-Univ. Leoben, Dipl. 1963, Univ.Ass. Pensylvania Univ., USA (M.S.) 1965, danach Eintritt in d. Royal Dutch Shell Gruppe (intern. staff): 3J. Gabun als Lagerstättenphysiker, 3 J. Holland (Planer d. Groningen Gasfeldes), 5 1/2 J. Qatar (Chef f. Exploration u. Prod.), 3 J. Oman (petroleum engineering manager), 3 J. Ankara (gschf. Dir. d. N.V. Turkey Shell), 2 J. Gabun (Gen.-Dir. Shell-Gabon), 1 J. London (weltweit zuständ. f. downstream analysis, oil income and strategy), Ende 1985 zu Shell Austria, seit 1986 Gen.-Dir. H.: Sport, Klettern, Skifahren, Schwimmen. (P.R.)

Spatt Hermann

B.: Inh. d. Fa. Hermann Spatt. PA.: 4470 Enns, Dr.-Karl-Renner-Str. 35. G.: Linz, 22. Dez. 1935. V.: Helga, geb. Haberfellner. Ki.: Hermann, Peter u. Ute. El.: Josef u. Josefa. S.: Ldw.Schule Lambach. K.: Zun. im elterl. Betrieb (Ldw.), 1960 Grdg. d. Fa. Hermann Spatt, Beginn m. Schotterwerk, Transport, Ausweitung auf Sportplatzbau, Straßenbau, Abbrüche. M.: Präs. d. Union Enns, Sponsor d. Radclub URC-Spatt, Pfarrkirchenrat. E.: Gold. VZ d. Rep. Öst., div. Gem. Ausz. H.: Skifahren, Tennis, Schwimmen. (A.W.)

Spatz Monika Dr.

B.: Hausverwalter. FN.: Hausverw. u. Realitätenvermittlung Dr. Spatz. DA.: 1180 Wien, Kutschkerg. 44. PA.: 1180 Wie, Semperstr. 54. G.: Wien, 17. Nov. Ki.: Martin (1969), Philipp (1974). El.: Dipl.-Ing. Julius . Caroline Neukom. S.: Gymn. St. Ursula Wien, Jusstud. Univ. Wien, Dr. iur. K.: tätig in d. Bauver. Österr. Akademiker, 1965 Konzessionsprüf. f. Hausverwalter u. seitdem selbst., Grdg. d. Hausverw. u. Realitätenvermittlung Dr. Spatz. M.: Vorst.-Mtgl.: Merkur Baugen., Wohnbauverb. d. Akademiker, Reitclub Schloß Ebreichsdorf. H.: Reiten, Skifahren, Bergwandern. (J.S.)

Spatzenegger Johann

B.: Bgm. d. Marktgem. Seekirchen. DA.: 5201 Seekirchen, Bayerhamerstr. 18. PA.: 5201 Seekirchen, Maierlehen 6. G.: Salzburg, 21. Aug. 1941. V.: Siglinde. Ki.: Johanna (1964), Veronika (1972), Rupert (1976). El.: Alois u. Maria. S.: 1955 Pflichtschulabschluß, 1961/62 Fachschule, 1963 Ldw. Mstr.-Prüf. K.: 1972 Übernahme d. elterl. ldw. Betriebes, 1985 Eintritt in d. Gem.-Vertretung als VBmg., seit 1987 Bgm. M.: seit 1980 Mtgl. d. Vollversammlung d. Sbg. Ldw.-Kam., seit 1991 Vorst.-Mtgl. in d. Sbg. Ldw.-Kam., Landesobm.-Stellv. d. Sbg. Maschinenring, Obm. d. Sbg. Fleckviehzüchter. H.: Lesen, Reit- u. Fahrsport, Reisen. (E.Hö.)

Specht Anton KommR.

B.: Sekt.Obm. in d. Sekt. Verkehr d. Tir. HK, Autounternehmer, Reisebüro. FN.: Anton Specht Autounternehmung u. Reisebüro GmbH, Omnibusse, Taxi, Lastwagen, Bagger, Lade- u. Planierraupen, Straßenkehrmaschinen, Müllabfuhr.

DA. u. PA.: 6600 Reutte/Tir., Ehrenbergstr. 9. G.: Breitenwang, 27. Dez. 1927. V.: Olga, geb. Wiesenegg. Ki.: Helga, Anton. El.: Johann u. Maria. S.: HS, Gewerbeschule Reutte. K.: seit 1950 selbst. Unternehmer, 1965 Obm. f. Verkehr d. HK Reutte, 1965 Mtgl. d. Vollversammlung d. HK Innsbruck, 1975 stellv. Sekt.Obm. b. d. HK Innsbruck, 1980 Sekt.Obm. E.: Verd.Kreuz d. Landes Tir., KommR. M.: Obm. d. Fachgruppe d. Tiroler Autobusunternehmer. H.: eigenes Unternehmen.

Spechtler Franz Viktor Dr. phil. Univ.-Prof.

B.: Univ.-Prof. am Inst. f. Germanistik d. Univ. Sbg. A.: 5082 Grödig, Kapellenweg 31. G.: Grödig, 26. Juni 1938. V.: Angelika, geb. Piffl. El.: Franz u. Philomena. S.: VS, HS, RG, Sbg., LBA Sbg., Reifeprüfung 1958, Stud. an d. Univ. Innsbruck (Dt., Englisch, Phil., Musikwiss.), Dr. phil. 1963, dann 1 Sem. Rechtswiss. in Innsbruck. K.: 1964/65 wiss. Mitarb. d. Dt. Forschungsgem. Bonn, ab 1965 Univ.Ass. am Inst. f. Germanistik d. Univ. Sbg. u. Lehrbeauftragter, 1974/75 Habil., 1975 Ernennung z. Univ.Doz. f. ältere dt. Sprache u. Literatur, m. 1976 Ernennung z. Univ.-Prof. u. Abt.Ltr. d. Inst. f. Germanistik d. Univ. Sbg. P.: Autor bzw. Mitautor v. dzt. 15 Büchern z. Sprache u. Literatur d. 13-16. Jhdt. (Lyrik-Ausgaben, Computerwörterbuch, Rechtstexte d. 16. Jh., Handschriften), ferner Autor v. 52 wiss. Abhandlungen u. über 30 Buchbesprechungen. E.: Wiss. Ausz.: Theodor Körner-Preis, Theodor Innitzer-Förderungspreis, wiss. Förderungspreis d. Goethestiftung Basel, erster wiss. Förderungspreis d. Sbg. LRg. M.: Intern. Ver. f. german. Sprach- u. Literaturwiss., Association f. Literary and Lingusitic Computing (Grdg. Mtgl., Vorst.Mtgl., Repräsentant f. Österr.) London, Folk Music Council d. UNESCO, Studiengruppe Europa, Wolfram v. Eschenbach-Ges., Oswald v. Wolkenstein-Ges. ua. H.: Musik, Rechtswiss.

Speck Christian

B.: Drucker, Inh. FN.: Laa Druck Christian Speck. DA.: 2136 Laa/Thaya, Hanfthaler Straße. PA.: 2136 Laa/Thaya, Staatsbahnstr. 5. G.: Laa/Thaya, 21. Okt. 1957. V.: Ingrid. S.: VS, HS, Druckerlehre, 1974 Gesellenprüf. K.: b. 1987 Tätigkeit Oberndorfer Druckerei Sbg., 1987 Übernahme d. mütterl. Druckerei, 1993 Übersiedlung u. Vergrößerung. M.: Wirtschaftsbund. H.: Tiere, Modellbau. (R.T.)

Speckmayr Adolf

B.: Inh. FN.: Zahntechn. Labor A. Speckmayr GmbH. DA. u. PA.: 3100 St. Pölten, Mathias-Corvinus-Str. 46. G.: St. Pölten, 23. Sep. 1955. V.: Maria, geb. Antonovicz. Ki.: Anna (1991), Julia (1992). El.: Adolf u. Franziska. S.: HS, HTL Maschinenbau, 1971 Zahntechnikerlehre, Mstr.-Prüf. K.: 1975-79 Zahntechniker Firma Prodent Wien, 1980 Grdg. d. eigenen Firma St. Pölten, 1993 Eröff. eines Dentalhdls. Dental-Depot Speckmayr. BL.: 19 J. als Gittarist d. Band "Rogers". M.: ab 1993 Bez.-Innungsmstr. u. Prüf.-Kmsn. f. Lehrabschlußprüf. H.: Gitarre, Segeln, Tennis, Fischen. (I.J.)

Speckbacher Kurt

B.: Lebensmittelkfm. DA. u. PA.: 6600 Reutte, Großfeldstr. 15. G.: Reutte, 19. Juli 1940. V.: Adelinde, geb. Jerabek. Ki.: Peter, Andrea. El.: Fritz u. Monika. BV.: Speckbacher Alois Gründer d. Fa. im Jahre 1905. S.: Pflichtschule, HASCH, 3 J. Praxis. K.: 1960 Eintritt u. 1967 Übernahme d. Fa. Alois Speckbacher KG als gschf. Ges. M.: Gremialaussch. d. Lebensmittelgroßhdls. d. HK Innsbruck. H.: Skifahren, Schwimmen. (Schm.)

Speer Günter Dir.

B.: Bgm. d. Marktgem. Vordernberg. GT.: Dir. d. VS Vordernberg. PA.: 8794 Vordernberg, Hauptstr. 96. G.: Kalwang, 30. Okt. 1939. V.: Ingrid, geb. Priller. Ki.: Hans-Jörg, Dieter, Wolfgang. El.: Rudolf u. Maria. S.: VS Wald am Schoberpass, HS Rottenmann, BLBA Graz. K.: ab 1958 Lehrer an d. VS Vordernberg, seit 1963 Dir., ab 1965 GemR. in Vordernberg, seit 1970 Bgm. E.: 1989 Ehrenring d. Marktgem. Vordernberg, 1990 Gold. EZ f. Verd. um d. Rep. Österr. u.a. M.: Bez.Obm. d. Bez. Leoben d. Stmk. Gem.Bundes, Obm. d. Kinderfreunde-Ortgruppe Vordernberg, Obm.-Stellv. d. örtl. Männergesangsver. "Alpenrose", Mtgl. b. div. örtl. Ver. H.: Tennis, Skisport, Reiten. (Tra.)

Speiser Franz

B.: Inh., Tischlermstr. FN.: Speiser Maß-Möbel. DA.: 3100 St. Pölten, Buchbergerstr. 51. PA.: 3100 St. Pölten, Ratzersdorfer Hauptstr. 76. G.: Ratzersdorf, 8. Mai 1934. V.: Gertrude Ki.: Franz (1958), Christina (1961). El.: Franz u. Leopoldine. S.: VS, n. d. Krieg 4 J. Sammelschule, 1948-51 Tischlerlehre i. elterl. Betrieb, 1955 i. Hallein Mstr.-Prüfung. K.: 1956 Tischlermstr. für Raumgestaltung, 1959 eig. Schlafzimmerprod., 1959-75 Eröffn. versch. Möbelhäuser i. St. Pölten. H.: Fotografieren, Videofilmen, d. 3 Enkelkinder Roman, Christian

Speiser Hans Gerhard Dr.

B.: prakt. Arzt, DA.: 3130 Herzogenburg, Leopold Figlg. 4, PA.: 3123 Obritzberg, Schweinern 38, G.: St. Pölten, 7. Sep. 1952, V.: Martha-Anna, Ki.: Hannes-Friedrich, Julia-Liesbeth, El.: Johann u. Rosa, S.: Piaristengymn. i. Krems, 1962-1970 Univ. Wien, Prom. Dr. med. a. 4.6.1976, K.: KH Krems b. 31.3. 1980, 1.4.1980 Praxis Herzogenburg, M.: Feuerwehrarzt, Rotkreuzarzt, H.: Wandern, Skifahren, Heimwerken

Speiser Irmfried
Dr. phil. Mag. rer. nat. a.o.Univ.-Prof.
B.: Pensionistin. A.: 1190 Wien, Krottenbachstr. 68/9. G.: Wien, 10. Okt. 1929. El.: Friedrich u. Anna Speiser. S.: BRG, Univ. Wien, Lehramtsprüf. 1953, Doktorat 1969. K.: 1953-66 Gymn. Lehrerin, 1966-71 HS Linz, ab 1971 Univ. Wien, Habil. 1977. P.: "Bildungshilfe als Entwicklungshilfe", "Pol. Bildung in Österr.", "Die österr. Sozialstruktur", "Determinanten d. Schulwahl". M.: Österr. Ges. f. Soziologie, Österr. Statist. Ges., Kath. Ak.Verb.

Speichert Hans Dir.
B.: Dekanatsdir. d. Geisteswiss. Fak. an d. Univ. Sbg.A.: 5020 Salzburg, Mühlbacherhofweg 6. PA.: 5162 Obertrum, Weinbergstr. 9. G.: Temesburg, 20. Juli 1937. V.: Sieglinde, geb. Maislinger. Ki.: Christine Alexander. El.: Georg u. Maria. S.: Berufsschule f. Tischler in Ried/OÖ, 1 J. Wien, 1957-64 BH. K.: 1964 Eintritt Univ. Sbg., Phil. Fak., Dekanatssekr., 1975 Dekanatsdir. E.: Silb. EZ f. Verd. um d. Rep. Österr. 1986. M.: seit 1968 Vors. d. Dienststellenaussch. u. Mtgl. d. Zentralaussch. f. d. sonstigen Bediensteten d. Univ. Sbg., stellv. Vors. d. LSekt. Gewerkschaft öff. Dienst. H.: Reisen, Skifahren.

Speigner Robert
B.: Gschf. Ges. FN.: Robert Speigner GmbH. DA.: 4030 Linz, Neubauzeile 106. PA.: 4050 Traun, Getreidestr. 44. G.: 15. Aug. 1932. V.: Maria, geb. Kerschbaummayer. Ki.: Andreas (1956), Irene (1959), Christa (1962). El.: Mathias u. Maria. S.: VS, 1946-49 Schuhmacherlehre m. Abschlußprüf. K.: 1950-53 Schuhmachergeselle in d. franz. Schweiz, seit 1953 Verleger v. Bodenbelägen, Steinholzestrich u. Parkettböden, 1960 Firmengrdg. P.: lfd. Ref. d. WIFI. E.: 1972 Gold. Ehrennadel d. Österr. Tapeziererhandwerks, 1989 KommR., 1991 Julius Raab-Ehrenmed. d. ÖWB. M.: Grdg.-Mtgl. Arge Qualitätsfußboden, seit 1979 Vors. d. Lehrabschlußprüf.-Kmsn. f. d. Belagverleger OÖ, 1987-91 u. 1991-95 fachkundiger Laienrichter b. LG Linz, Wirtschaftsbund, VPräs. d. Österr. Normeninst., seit 1972 Obm. u. Grdg.-Mtgl. d. Ver. d. Fußbodentechnik, seit 1980 Landesinnungsmstr. d. Bauhilfsgewerbe f. OÖ, seit 1964 ständig beeid. Sachv. f. Bodenbelagsarb. u. Unterböden b. LG Linz. H.: Wandern im Hochgebirge, Skifahren, Eisstockschießen, Schwimmen. (U.A.)

Speiser Josef
B.: Tischlermstr., Gschf. FN.: Franz Speiser & Söhne KG. DA.: 3100 St. Pölten, Mariazeller Str. 31 (Möbelhaus) u. 3100 St. Pölten-Ratzersdorf, Buchbergerstr. 51 (Tischlerwerkstätte). G.: St. Pölten, 10. Jän. 1936. V.: Gertraud, geb. Hofbauer. Ki.: Josef. El.: Franz u. Leopoldine. K.: 1950 Eintritt in d. väterl. Betrieb d. 1932 gegründet wurde, Tischlerlehre, Gesellenprüf., einschlägig Praxis im Ausland, 1959 Wiedereintritt in d. väterl. Betrieb, 1961 Mstr.Prüf., Aufbau d. Möbelhauses in St. Pölten, Mariazellerstr. u. Führung desselben. F.: Franz Speiser & Söhne KG, 3100 St. Pölten, Möbelhaus u. Tischlerwerkstätte. M.: G f M (Ges. f. Beratung fortschrittl. Möbelhandelsunternehmen im Einkauf - Marketing), G f M mbH & Co Betriebs KG & Co. H.: Wandern, Langlauf. (Kern)

Speiser Wolfgang Dr.
B.: Ass.-Prof., Univ.-Doz. d. Klin. Inst. f. med. Labordiagnostik. DA.: 1090 Wien, Währinger Gürtel 18-20. G.: Wien, 23. Aug. 1956. V.: Dr. Brigitte. Ki.: Stefan (1990), Juliua (1993). El.: Univ.-Prof. Paul u. Hedwig. S.: 1974 Matura, 1974-82 Med.-Stud. Univ. Wien, 1982 Doktorat. K.: Ass.-Arzt an d. 1. Med. Univ.-Klinik Wien, Stipendium d. Max Planck-Ges. f. Blutgerinnung u. Thrombose in Gießen/BRD, 190 Abschluß d. Ausbild. z. FA f. Innere Med., Venia Docendi f. d. Fach. Med. u. Chem. Labordiagnostik, FA-Titel. E.: 1990 Alexander Schmidt-Preis d. Dt. Ges. f. Thrombose u. Hämostaseforsch., 1992 Preis d. Höchst-Stiftung z. Förd. d. Med. Forsch. in Österr., Spezialist f. Blutgerinnungsdiagnostik u. Pathophysiologie d. Gefäßwand. H.: Musik (Klassik, Jazz), Familie.

Spendlingwimmer Ingomar Dr. med.
B.: OA, FA f. mikrobiolog.-serolog. Laboratiurmsdiagnostik. A.: 2380 Perchtoldsdorf, Talg. 22. G.: St. Valentin, 8. Febr. 1923. V.: Erika, geb. Zehner. El.: Dr. Heinrich u. Maria. S.: VS, Mittelschule, Univ. Wien (med. Fak.), Turnusausbild. (prakt. Arzt), 8 J. Strahlentherapie, FA f. mikrobiol.-serolog. Laboratiurmsdiagnostik, Zertifikate f. Schulmed. u. Arbeitsmed. K.: Turnusausbild. (KH Wien-Lainz), Strahlentherapie, Serologie (KH Wien-Lainz), 4 Monate Statens Seruminst. Kopenhagen, OA in d. Serologie KH Wien-Lainz, 2 Monate Statens Seruminst. Kopenhagen, 2 Monate London Hospital, jetzt als OA in d. Serologie im KH Wien-Lainz tätig. P.: zahlr. fachl. Publ. H.: Gotik, Romanik, Fotografieren u. Filmen.

Spera Danielle Dr. phil.

B.: Moderatorin, Journalistin ORF "Zeit im Bild". DA.: 1136 Wien, Würzburgg. 30. G.: Wien, 10. Aug. 1957. V.: Mag. Martin Engelberg. El.: Dr. Kurt u. Edith, geb. Schanner. S.: Höhere Lehranst. f. Wirtschaftl. Frauenberufe, 1976 Matura, 1978-83 Stud. Publizistik u. Politikwiss. Univ. Wien. K.: 1989 Beginn b. ORF als freie Mitarb. in d. "Zeit im Bild 2"-Red., 1981-83 "Wochenschau", ab 1983 wieder "Zeit im Bild"-Red., Auslandsreisen z. Berichterstattung, 1987-88 ORF-Korrespondentin in Washington, ab 1988 Moderatorin "Zeit im Bild", Berichterstattungen aus d. Nahen Osten u. vielen anderen Ländern, seit 1992 Lehrbeauftragte Univ. Wien. P.: Festschrift f. Dr. Marianne Lonzer, Beiträge f. Schulbücher. E.: 1991 Fernsehpreis "Romy". H.: Sprachen, Skifahren, Squash, mod. Kunst, Filme. (N.A.)

Spera Kurt Dr. rer. soc. oec. Hon.Prof.
B.: Konsulent, Lehrbeauftragter an d. Univ. Innsbruck u. Hon.Prof. an d. HS f. Verkehrswesen in Dresden. DA.: 1070 Wien, Mariahilferstr. 34. G.: Wien, 5. Aug. 1928. Ki.: Dr. phil. Danielle, Dr. iur. Christian. El.: Johann u. Rosa. S.: HS f. Verkehrswesen "Friedrich List" Dresden, 1971 Nostrifizierung an d. Univ. Innsbruck. K.: seit 1949 Managementfunktionen in Handel, Ind., Verkehr u. Consulting, 1974 Lehrbeauftragter f. Transportwirtschaft u. Logistik an d. Univ. Innsbruck, allg. beeid. gerichtl. Sachv. f. d. Fracht- u. Tarifwesen, 1983 Habil. an d. HS f. Verkehrswesen Dresden, 1985 Schiedsrichter b. d. Zwischenstaatl. Organ. f. d. intern. Eisenbahnverkehr (OTIF). P.: 1986 "Internationales Eisenbahnfrachtrecht", 1990 "Handbuch d. Gütertransports" sowie andere Publ. E.: Offz.Kreuz d. poln. Verd.Ordens, Kommandeurkreuz d. ital. Verd.Ordens, Gold. EZ f. Verd. um d. Rep. Österr., ung. Stern Orden, Gold. EZ f. Verd. um d. Land Wien. M.: Präs. d. Intern. Verb. d. Tarifeure, Präs. Ver. d. Tarifeure Wien. H.: Skilauf, Tennis. (Sei.)

Sperdulis Ingeborg Dr. phil. Prof.
B.: Dir. d. BKonvikt f. Mädchen, Lehrbeauftragte. DA.: 3500 Krems, Kasernstr. 6. G.: Lilienfeld, 27. Apr. 1936. V.: Stylianos. El.: Felix u. Maria Richter. S.: Frauenoberschule d. Engl. Fräulein in St. Pölten, 1954 Matura, Stud. Geschichte u. Geographie, 1960 Prom., 1961 Lehramtsprüf. 1961. K.:

Unterricht am BG Rechte Kremszeile, seit 1965 Ltr. d. BKonvikt f. Mädchen, wirkt auch an d. Päd. Ak. Krems, 1966-72 Mtgl. d. Prüf.Kmsn. f. d. Lehramt an HS, seit 1974 Lehrbeauftragte in d. fachwiss. Ausbild. f. HS-Lehrer. P.: Diss. über Dr. Michael Mayr. E.: Gold. EZ f. Verd. um d. Rep. Österr. 1984. M.: ÖAB, VCG, VCL. H.: Reisen, Lesen, gute Filme. (Kern)

Sperger Erich

B.: Bild. Künstler. GT.: Art Dir. b. d. Fa. High Ball Production.DA.: 1080 Fuhrmanng. 18/2/4. G.: Bregenz, 31. Okt. 1957. V.: Andrea, geb. Hagen. Ki.: Dennis, Max. El.: Kurt u. Agnes. S.: VS, RG, 1977 Matura, BH, HS f. Angew. Kunst in Wien. K.: bereits während d. Kindergartenzeit m. d. malen u. zeichnen begonnen u. damals 1. Preis b. Wettbewerb, 1972 zu schreiben begonnen, seit 1987 Art Dir. d. High Ball Productions. P.: Veröff. in Katalogen, Ausstellungen im In- u. Ausland. E.: ORF-Preis 1975, sportl. Ausz. in Fußball u. Langstreckenlauf. (M.B.)

Sperger Hartmut Dipl.-Vw. Mag.

B.: Dir. private HASCH Marienberg. DA.: 6900 Bregenz, Thalbachg. 15a. PA.: 6971 Hard, Pfänderweg 8. G.: Bregenz, 10. Dez. 1944. V.: Brigitte, geb. Bramböck. Ki.: Inge (1975), Wolfgang (1976), Gerald (1980), Thomas (1983). El.: Gottfried u. Luise. S.: 1962 Matura HAK Bregenz, b. 1966 VWL-Stud. Univ. Innsbruck. K.: b. 1970 Personalltr. Schoeller Bregenz, seit 1970 Prof. Marienberg, seit 1980 Dir. H.: Lesen, Tennis, Segeln. (A.K.)

Sperk Christian F. Dkfm.

B.: Vorst.Mtgl. d. Centro Intern. Handelsbank AG. DA.: 1010 Wien, Tegetthoffstr. 1. PA.: 1040 Wien, Goldegg. 2. G.: Salzburg, 9. Sept. 1943. El.: Dipl.-Ing. Fritz u. Gerti. S.: Mittelschule, HAK, HS f. Welthdl. K.: Bank Gebr. Gutmann Wien, Montana Handelsges., Prok. d. neugegr. Centro Bank Wien, Vorst.Mtgl.: BAFAG Ges. München, d. Centro Bank, Centrotrade Malaysia Sdn. Bhd., Centrotrade Singapore Pte. Ltd., Centrotrade Far East Ltd., Centrotrade Chemicals AG Zug, Centrotrade Investment AG Zug, Centrotrade Minerals and Metals Inc. New York. H.: Franz. Möbel d. 18. Jhdt. (E.L.)

Sperker Gerhard

B.: Gschf. Ges. FN.: Andrae & Sperker Leasing GmbH, Andrae & Sperker GmbH. GT.: Mtgl. d. Landesgremiums d. Vers.-Makler u. Vers.-Agenten, Vors. d. Kommunikationsaussch. 19A, Lehrbeauftragter WIFI, Bez.-Obm. d. Freien Wirtsch.-Verb. 6. Bez. Wien. DA.: 1010 Wien, Fleischmarkt 26/10. PA.: 1220 Wien, Wiethestr. 68/Haus 49. G.: Wien, 9. Nov. 1962. Ki.: Nathalie (1985), Anna (1989), Lilli (1992). El.: Willi u. Evelyn. S.: HAK Wien. K.: Vermögensberater in Wien, anschl. in München im Verkauf v. Bauherrenmodellen, seit 1984 wieder in Wien, Wiener Allianz (Vorst.-Projekt f. Marktforsch. u. Entwickl.), Bundesländervers.: zun. Maklerbetreuung (Großmakler u. Vermögensberater, zul. in d. Zentrale, verantw. f. Verkaufssteuerung u. Kontrolle d. Verkaufsaußendienstes in Österr., Betreuung v. Finanzdienstleistungen), Abhalten v. Seminaren, seit 1989 selbst. Andrae & Sperker GmbH, seit 1992 Andrae & Sperker Leasing GmbH. F.: Ges. Mass GmbH, Slovensky Immobilien Fonds Bratislava. M.: FWV. H.: Familie, Klettern, Lesen, Squash. (J.S.)

Sperl Gerfried Dr.

B.: Journalist, Chefred. b. "Der Standard". GT.: Hrsg. d. Kulturzeitschrift "WAS". DA.: 1010 Wien, Herreng. 1. PA.: 1060 Wien, Mariahilfer Str. 117. G.: Oberzeiring, 11. Dez. 1941. V.: Dr. Ingeborg, geb. Vetter. Ki.: Alexandra, Rüdiger. El.: Dr. Fritz u. Caroline. BV.: Ururgroßvater war 1. Chefred. d. Süd-Ost Tagespost (1856-1862). S.: Gymn., Matura, Stud. Anglistik, Germanistik u. Phil. in Graz, Prom. 1969. K.: 1963-65 Studentenchef Grazer Univ., dann Grdg. d. Studentenbewegung AKTION, 1968-73 Red. d. Kl. Zeitung Graz, ab 1973-78 Ressortltr. f. Außenpolitik Kl. Zeitung, 1978-82 Ltd. Red. d. Kl. Zeitung, 1982-86 Chefred. d. Süd-Ost Tagespost, 1987-88 stellv. Chefred. d. "Kurier", 1978 Ltg. d. experim. Lokalfilmpojektes Steir. FS, 1978 Grdg. d. Kulturzeitschrift "WAS". P.: Beiträge in Büchern, vor allem in Sammelwerken u.a. in "A wie Alternative", 2 Drehbücher f. ORF-Filme: "Auf dem Schnee ein Feuer" (1978), "Steirer Blut ist kein Himbeersaft" (1979), Buch "Liberalismus gegen Nationalismus"(1993). H.: Arch., Reiten, Lesen. (M.B.)

Sperl Reinhard Ing.

B.: Gschf., Elektrotechnik. FN.: GMA. GT.: Inst. f. Sprechtechnik u. Gruppenverhalten. DA.: 8580 Köflach, Judenburger Str. 176. PA.: 2630 Buchbach 24. G.: Mödling, 18. März 1945. V.: Gertraud, geb. Wieser. Ki.: Kathrin, Andrea, Franziska, Sebastian, Caroline. El.: Josef u. Gertrun. S.: VS, AHS, HTL, 4 Sem. Kommunikationswiss. Univ. Wien. K.: 1966-67 Techniker Fa. Philips, 1967-70 Betriebstechniker Treibacher Chemische, 1970-71 Service Manager Fa. Hellige, 1971-72 Betriebsing. Fa. Schrack, 1972-74 Abt.Ltr. Fa. Berndeisel, 1974-84 Produkt Manager Fa. Bender, 1984-87 Geschäftsbereichsltr. Ver. Edelstahlwerke AG, seit 1987 Gschf. GMA. BL.: Geschäftsbereich d. VEW in Gewinnzone geführt, seit 1984 als Sanierungsmanager tätig. P.: Seminarpubl. f. Gesprächsverhalten, Konfliktlösungsstrategien, Stellenbewerbung. M.: Österr. Industriellenver. H.: Bergwandern, Skifahren. (H.Z.)

Sperlbauer Heinz Ing.

B.: Dir., Gschf. FN.: Steyr Werner Wälzlager und Industrieprodukte GmbH. DA.: 4061 Pasching, An d. Traunerkreuzung 1. PA.: 4452 Ternberg, Wurmbach 34. G.: Mauerbach, 9. Apr. 1952. V.: Christine, geb. Hromadko. Ki.: Angela (1976), Agnes (1978), Anna (1982). El.: Ferdinand u. Margarete. S.: VS AHS, HTL-Holztechn., 1971 Matura, 1973 BH, 1986 Post Graduate Management Kurs Univ. Wien. K.: 1971 Arb.-Vorber. u. Prod.-Entw. Rammingsdorfer Holzwerke, 1972 Verk.-Ltr., 1973 Prod.-Ltr., 1977 Ass. d. Gesch.-Ltg., s. 1980 Fa. Steyr Werner Wälzlager u. Industrieprodukte GmbH. H.: Landwirtschaft, Leben am Bauernhof, Sport, Bergsteigen, Radfahren, Laufen, Reiten, Wildwasserfahren. (N.A.)

Sperlhofer Gunda Elke

B.: Inh. Kunst u. Antiquitäten Gunda Sperlhofer. DA. u. PA.: 4820 Bad Ischl, Esplanade 14. G.: Bad Ischl, 14. Sept. 1941. Ki.: Michael (1962), Johannes (1980), Stefan (1983). El.: Otto u. Maria Zach. S.: 1970 Rückkehr v. Wien nach Bad Ischl u. Eröff. d. Boutique Esplanade 20, 1976 Kauf d. Salzfertigerhauses, Restauration u. anschl. Grdg. u. Eröff. d. Galerie Esplanade 14, neben Präsentation zeitgenöss. bild. Kunst, An- u. Verkauf v. Antiquitäten. H.: Freizeit m. d. Kindern, Tennis, Schwimmen, Skifahren, Radfahren. (E.Hö.)

Sperlich Diether Dr. Dr h. c. Univ.-Prof.

B.: o.Prof. A.: D-72070 Tübingen, Gösstr. 82. G.: Wien, 15. Jan. 1929. V.: Eva, geb. Sebek. El.: Karl u. Maria. S.: Gymn., Univ. Wien, Biologie-Physik, Med. (Vorklinik). K.: Ass., Inst. f. Allg. Biologie, Univ. Wien 1953-63, 1964 Guest Investigator, The Rockefeller Inst., New York, 1965-70 OAss. am Inst. f. Allg. Biologie d. Univ. Wien, 1968 Doz. f. Allg. Biologie, 1971-75 WissR. u. Prof., Lehrstuhl f. Genetik d. Univ. Tübingen,s. 1982 Hon. Prof. Univ. Slzbrg., seit 1976 o.Prof., Lehrstuhl f. Populationsgenetik an d. Univ. Tübigen. P.: mehrere Bücher u. zahlr. Publ. aus d. Fachgebiet. E.: Theodor Körner-Preis, Kardinal Innitzer-Preis.Ehrendoktor Univ. Oulu/Finnland

Spernbauer Hans Dr.

B.: Gschf. FN.: Almliesl Frisch Vertriebs GmbH; Zentralmolkerei Furtmeyer GmbH. DA.: 4020 Linz, Hopfeng. 23. PA.: 4490 St. Florian, Glockenweg 1. G.: Wartberg/Krems, 4. Feb. 1945. V.: Helga, geb. Grubmüller. Ki.: Gerald (1972), Herwig (1975). El.: Johann & Katharina. S.: VS, HS, Lehre Molkereifachmann im Milchhof Linz, Abendmittelschule, 1967 Matura, 1967-73 Jusstud. Univ. Wien, 1969 Molkereimeisterprüf., 1973 Prom.z. Dr. jurs. K.: ab 1973 Ltr. d. rechts- u. betriebswirtschaftl. Abt. im Schärdinger Molkereiverb., ab 1979 Ltr. d. Sparte Milchtrocknungswerk u. Gschf. d. Molkona Molke Vertriebs GmbH, 1985 Grdg. u. Gschf. d. Laktoprot Molke Verwertungs GmbH, ab 1992 Gschf. Zentralmolkerei Furtmeyer, ab 1993 auch Almliesl Frisch Vertriebs GmbH. E.: 1975 Min.-Kraut-Stipendium, 1990 Gold. Schärdinger Ehrennadel. M.: Lions Club Enns St. Valentin. H.: Lesen, Skifahren, Reisen. (G.E.)

Sperner Christian Walter

B.: Inh. "Echo" Restaurant u. Bar. DA.: 1010 Wien, Passauerpl. 2. PA.: 1030 Wien, Rechte Bahng. 8/8. G.: Baden, 18. Dez. 1958. V.: Brigitte, geb. Wallprecht. Ki.: Maximilian (1991). El.: Josef u. Hermine, geb. Weninger. S.: HTL Elektrotechnik. K.: nach d. Stud. Tätigkeit in versch. Lokalen in Wien u. im Ausland, 1984 Grdg. d. Echo-Bar, 1989 Erweiterung d. Betriebes auf ein Restaurant m. ital. Küche. H.: Schmetterlingsammeln, Basteln, Fernostreisen. (N.A.)

Sperr Walter R. Dr. techn. DDipl.-Ing.

B.: Ziviling. f. Maschinenbau. A.: 1180 Wien, Sternwartestr. 46. G.: Wien, 2. Apr. 1937. V.: Karin, geb. Gorgosch. El.: MedR. Dr. Walter u. Jordana. S.: TU Wien, Stud. Maschinenbau u. Betriebswiss., Diss. über Fragen d. Betriebsfestigkeit v. Leichtbaukomponenten. K.: Wiss. Ass. am Inst. f. Leichtbau u. Flugzeugbau d. TU Wien, Ltr. d. techn. Ausbildungsref. d. Writschaftsförderungsinst. NÖ, wiss. Mitarb. b. Aerospatiale in Toulous u. ONERA in Paris, unabhängiger Berater f. konstruktiven Maschinenbau, Schadenanalyse u. Bruckmechanik, Lehrbeauftragter d. Werkstoffkunde u. -verarb. an d. Univ. f. Bdk. Wien. F.: Dr. Sperr, Ziviling.Büro f. Maschinenbau, Fachgebiete Leichtbau im Maschinenbau, Fahrzeugbau, Flugzeugbau, strukturelle Schadenanalyse u. Schadensverhütung, Anwendungen d. Bruchmechanik. P.: Mehr als 40 Publ. in d. intern. Fachpresse über Dimensionierungsfragen im Leichtbau, Versagensanalyse u. Bruchmechnaik, eine Buchveröff. "Angewandter Leichtbau". E.: Ausz. durch d. HS-Jubiläumsfond d. Gem. Wien, durch d. Adolf Schärf-Fonds f. wiss. Arb. auf d. Gebiet d. strukturellen Schadensforsch. M.: American Society for Texting and Materials ASTM Philadelphia USA, Intern. Society of Air-Safety Investigator ISASI Washington USA, versch. österr. Ver. u. Interessenvertretungen.

Sperr Wolfgang Dr. med. univ. o.Univ.-Prof.

B.: Ltr. d. Abt. f. Zahnerhaltung Univ.-Klinik f. Zahn-, Mund- u. Kieferheilkunde Univ. Wien. DA.: 1090 Wien, Währinger Str. 25a. PA.: 1190 Wien, Iglaseeg. 9. G.: Wien, 21. Mai 1939. V.: Ermelinde, geb. Moser. Ki.: Wolfgang (1966). El.: MedR. Dr. Walther u. Jordana. S.: 1957 Matura, Stud. Med. Fak. Univ. Wien, 1964 Prom. K.: 1964-66 FA-Ausbild., 1966-73 Ass.-Arzt Wien u. anschl. in Graz b. Prof. Trauner, 1973 Ass.-Arzt u. Ltr. d. Abt. Teilprothetik u. Lektor über Zahnersatz-Teilprothetik, 1975 OA, 1987 O.Univ.-Prof., seit 1986 Ltr. d. Abt. Zahnersatzkunde u. Zahnerhaltung d. Univ.-Klinik, 1989-92 interemist. Klinikvorst. P.: ca. 60 Publ. E.: Ausz. d. American Ass. f. Dentistry of Children, Österr. Ges. f. Stomatologie, Nat. Repräsentant f. Österr. b. d. European Assoc. of Craniomandibular-Dissorders (EACD), Präs.d . Zweigverb. Wien d. österr. Ges. f. Zahn-, Mund- u. Kieferheilkunde. H.: Reisen, Bergsteigen, Jagd. (S.H.)

Speta Franz Dr. phil. WissOR. Univ.-Doz.

B.: Botaniker, A.: 4040 Linz-Dornach, Dornacher Str. 1. G.: Linz, 22. Dez. 1941. V.: Mag. Dr. Elise. Ki.: Bernd (1975), Barbara (1977). El.: Franz u. Maria. S.: 1959-64 kfm. Ang., 1959-63 Bundesstaatl. Arbeitermittelschule Linz, 1964-72 phil. Fak. Univ. Wien (Botanik, Zoologie), 1972 Prom. K.: wiss. Hilfskraft am Bot. Inst. d. Univ. Wien, seit 1970 wiss. Dienst am OÖ LMuseum, Ltr. d. Abt. Botanik, 1978 Pragmatisierung, 1982 Lehrbef. als Univ.-Doz. f. Systemat. Botanik an d. Univ. Sbg., 1985 Dir.-Stellv. am OÖ Landesmuseum, 1990-92 interim. Dir. P.: ca. 90 wiss. botan. Veröff. M.: Optima. H.: Botanik (Zwiebelpflanze), Sammelfahrten, Sammeln v. Büchern (Botanik, Zoologie), Mikroskopieren. (U.A.)

Speyer Wolfgang Dr. phil. o.Univ.-Prof.

B.: Univ.-Prof. am Inst. f. Klass. Philol. d. Univ. Sbg. DA.: 5020 Salzburg, Residenzpl. 1. PA.: 5026 Salzburg, Traunstr. 34. G.: Köln, 1. Juni 1933. S.: Stud. Klass. Philol., Alte Geschichte u. Phil. Köln, 1958 Prom., 1959 u. 1965 Staatsexamen. K.: 1963 u. 1965-76 wiss. Mitarb. am Franz Josef Dölger-Inst. z. Erforsch. d. Spätantike Univ. Bonn, 1976 Habil. f. Klass. Philol. Sbg., 1977 a.o.Prof., 1987 o.Prof. Sbg. P.: Bücherfunde in d. Glaubenswerbung d. Antike (1970), Die literar. Fälschung im heidn. u. christl. Altertum (1971), Büchervernichtung u. Zensur d. Geistes b. Heiden, Juden u. Christen (1981), Frühes Christentum im antiken Strahlungsfeld. Ausgewählte Aufsätze (1989), Hrsg. v. K. Groß, Menschenhand u. Gotteshand in Antike u. Christentum (1985), seit 1972 Mithrsg. d. Reallexikons f. Antike u. Christentum, zahlr. Art. (N.M.)

Speyl Wolfgang
B.: Gschf. Ges. FN.: Dent Prothetik. DA.: 1190 Wien, Billrothstr. 20. G.: Wien, 10. Febr. 1961. V.: Silvia, geb. Brunnmüller. Ki.: Thomas, Martin, Astrid. El.: Rudolf u. Elfriede. S.: 1978 Zahnarzttechniker, 1982 Abschluß WipLA Wien Goldtechnik. K.: 1985 Babka, 1987 Porzellantechnik, Techn. Ltr. d. Zwg.Stelle Babka, 1988 Univ.Klinik, seit 1987 eigenes Labor. H.: Segeln. (J.E.)

Spicker Alfred Dr. Mag.
B.: Gschf. d. Sbg. Bauträger GmbH u. d. Kabel-TV Sbg. GmbH. A.: 5020 Salzburg, Ed.-Heinrich-Str. 10. G.: Wels, 17. Dez. 1950. V.: Elisabeth, geb. Auer. El.: Alfred u. Margarete. S.: VS Thalheim, BRG Wels, Stud. d. Rechtswiss., Univ. Sbg. K.: Ab 1971 Studienass. Inst. f. Kirchenrecht Univ. Sbg., ab 1973 Univ.Ass. Inst. f. Strafrecht Univ. Sbg., ab 1975 Sbg. LRg., Finanzabt., ab 1979 Ltr. d. Ref. f. allg. Finanzang., Stellv. Ltr. d. Finanzabt. d. Landes Sbg., Gschf. d. Kabel-TV Sbg. GmbH. F.: 1981 Gschf. d. Sbg. Bauträger GmbH, seit 1976 Mtgl. d. AufsR. d. Badgasteiner Kur u. Kongress GmbH. P.: Kabelfernsehen - Ein Konzert f. d. Land Sbg. E.: BHDZ 3. Kl. M.: Ak.Bund, Offz.Ges. Sbg., Stiftung- u. Förderungsges. d. Paris-London-Univ. Sbg. H.: Literatur, Alte Geschichte, Phil., Bergwandern, Skifahren.

Spicker Johann
B.: Filialdir. d. Volkskreditbank AG Braunau. DA.: 5280 Braunau/Inn, Stadtplatz 35-37. PA.: 5280 Braunau/Inn, Franz-Schubert-Str. 17. G.: Höft/Gaspoltshofen, 7. Apr. 1948. V.: Margit. Ki.: Fabian (1978), Julia (1979). El.: Franz u. Maria. S.: Hum. Gymn. Kremsmünster, 1968 Matura, bis 1974 Stud. VWL Linz. K.: 1975 Eintritt in d. VKB-Bank Linz, anschl. in VKB-Wels, Ried u. Braunau, seit Apr. 1984 Ltg. d. VKB Braunau. M.: GemR. seit 1985 (Obm. d. Aussch. f. Wirtschaftsangelegenh., Mtgl. d. Finanzaussch.), Obm. d. Kremsmünsterver. Innviertel, Bez.-Stellenltr.-Stellv. Rotes Kreuz. H.: Fotografieren, Sport (Tennis). (E.H.)

Spicker Oliver
B.: Bilanzbuchhalter. FN.: Viktor Tschipani. DA.: 4600 Wels, Europastr. 5. PA.: 4650 Lambach, Robert-Sitter-Str. 14. G.: Wels, 28. Mai 1968. S.: VS, HS, Polytechn. Lehrgang, 1984-87 Bürokfm.-Lehre Firma Tschepan. K.: 1987 Versetzung in d. Buchhaltung, 1992 Ltr. d. Buchhaltung, Kostenrechnung, Bilanz u. Finanzbereich, 1992 Bilanzbuchhalterprüf., 1991 Buchhalterprüf., 1990 Lohnverrechnungsprüf. M.: Freiwillige Feuerwehr Lambach. H.: Reisen, Wandern. (S.P.)

Spiegel Markus
B.: Schallplattenproduzent. FN.: GIG RECORDS Markus Spiegel GmbH. DA.: 1010 Wien, Führichg. 8. PA.: 1190 Wien, Dionysius-Andrassy-Str. 10. G.: Liegnitz/Polen, 28. Nov. 1952. El.: Majer u. Anna. S.: 1970 Matura, Stud. d. Theaterwiss. in Wien. K.: 1970-78 freier Journalist, 1978 Grgd. u. Ltg. GIG RECORDS Markus Spiegel GmbH, Produktion m. bzw. v. Stefanie Werger, Falco, Drahdiwaberl, Helmut Qualtinger, Dana Gillespie. M.: Vorst.Mtgl. d. IFPI. H.: Bücher, Interesse f. Film. (M.B.)

Graf v. Spiegelfeld Alexander Dr.
B.: Gschf. Ges. FN.: Dr. Alexander Spiegelfeld Liegenschaftsverwertung GmbH. DA. u. PA.: 1238 Wien, Dreiständeg. 44. G.: Graz, 2. Nov. 1925. V.: Sophie, geb. Gräfin Starhemberg. Ki.: Georg Adam, Franz Xaver, Anna Alexandra, Christian, Matthias. S.: Dr., Univ. Graz Staatswiss. K.: Betriebsansiedlung, Revitalisierung v. Schlössern u. Häusern. E.: Ehrenritter d. Souveränen Malteser Ritterordens. M.: Ehrenmtgl. d. St. Johanns Club. H.: Jagd, Wandern. (C.K.)

Spiegelfeld Benedikt Dr.
B.: RA. GT.: AufsR. Julius Meinl Investment GmbH, Präs. d. Beirates d. Lundbeck ArzneimittelgmbH. DA.: 1010 Wien, Parkring 2. PA.: 1190 Wien, Krottenbachstr. 10. G.: Linz, 11. Febr. 1951. V.: Beatrice, geb. v. Catharin, 5 Kinder. El.: Kuno u. Liselotte. S.: VS, hum. Gymn., Univ. Wien, 1974 Prom. K.: seit 1979 Partner d. Kzl. Cerha, Hempel & Spiegelfeld. E.: Ehren- u. Devotionsritter d. Souv. Malteser Ritterordens. M.: Intern. Bar Ass., Anw.Ver. "Union", Alt-Schotten, Österr. Franchiseverb., St. Johann's Club, Malteser Hospitaldienst. (R.A.)

Spiegelfeld Christian
B.: Werbefachmann, Gschf. FN.: M-S-B+K Werbeagentur f. Direktmarketing GmbH. DA.: 1190 Wien, Grinzingerstr. 22. PA.: 1020 Wien, Hollandstr. 10; 2115 Ernstbrunn, Dörfles 37. G.: Wien, 28. Jan. 1956. V.: Andrea, geb. Baczynsky. Ki.: Paulus (1980), Georg (1981), Alexander (1984). El.: Dr. Alexander u. Sophie. S.: 1976 Matura, b. 1979 Stud. Publizistik. K.: Tätigkeit b. W. Thompson Werbeagentur Wien, 1980 nach Bremen, zuletzt b. 1982 Ass. d. Gschf. b. Pioneer-Melchers GmbH, b. 1984 Mc-Cann-Erickson Werbeagentur Wien, b. 1987 Grey Werbeagentur Wien, b. 1990 Grey Werbeagentur Düsseldorf, 1990 Grdg. Werbeagentur MSBK Wien. E.: 1991 Österr. Direktmarketingpreis f. Konsumgüter in Gold u. Bronze. (R.T.)

Spiegelfeld Georg
B.: Gschf. Ges. FN.: Dr. Alexander Spiegelfeld. A.: 1130 Wien, Wattmanng. 56. G.: Wien, 25. Febr. 1952. V.: Gerda, geb. Rosanelli. El.: Dr. Alexander u. Sophie. S.: RG Wien, 1973 Matura. K.: 1973-74 Fa. AGM kfm. Ausbild., 1974-80 Shopping City Süd Ass. d. Geschäftsführung, 1980-82 Fa. Stiefelkönig Graz u. Delka Wien, zuständig f. Werbung u. Marketing, seit 1982 Gschf. Ges. d. Fa. Dr. Alexander Spiegelfeld. M.: Mtgl. d. Wr. Immobilienbörse, Österr. Verb. d. Immobilientreuhändler, Intern. Verb. d. Immobilienmakler, Mtgl. d. Ehrenschiedsgerichtes d. LInnung Wien, St. Johanns Club Wien. H.: Reisen, Sport, Jagd, Lesen. (C.K.)

Spiegl Walter Adolf Dr. iur.
B.: HofR. d. Tir. LRg. i.R. PA.: 6020 Innsbruck, Schneeburgg. 157. G.: Innsbruck, 21. Apr. 1910. V.: Josefine, geb. Dornstander, 3 Kinder. El.: Wilhelm August u. Rosa. S.: RG Innsbruck, Jusstud. an d. Univ. Innsbruck u. Wien. K.: 1935-38 Red. d. österr amtl. Nachrichtenstelle, 1938-45 Sachbearb. im BMLF, ab 1945 LDienst, ab 1960 Vorst. Verkehrsabt. im Amt d. Tir. LRg., seit 1974 i.R. P.: Lehrbuch: "Der Führerschein" Innverlag Innsbruck. E.: 1964 Olympiamed. d. Landes Tirol. (Schm.)

Spiegler Arthur Dr.
B.: Geograph. DA. u. PA.: 1180 Wien, Pötzleinsdorfer Str. 34. G.: Wien, 27. März 1936. V.: Gudrun, geb. Plank. Ki.: Almuth (1976). El.: Arthur u. Mathilde. BV.: Franz u. Anna Hancar waren Univ.-Prof. f. Alte Geschichte. S.: 1955 Matura, Stud. Geographie, Geologie u. Meteorologie in Wien, 1971 Prom. über "Wasserhaushaltsfragen in d. Sbg. Voralpen". K.: Geograph. Büro: Ausführung v. Geograph. Konzeptionen, Landschafts- u. Wasserökologie, im Kontext Tourismus u. Umweltschutz, Teamarb. m. Arch., Raumplanung unter ökolog. Prioritäten, 1987/88 Gen.Sekr. u. seit 1989 Vorst. Mtgl. Forum Österr. Wissenschaftler f. Umweltschutz, Neuaufbau v. Austria Nostra, seit 1991 Gen.Sekr. P.: u.a. "Strukturökologische Methode z. Bewertung v. Fließgewässern" (1989), "Fremdenverkehr - Natur, Landschaft u. Ökologie" (1989), "Karstlehrpfad Krippenstein", "Künstliche Beschneiung" (1990), Vorträge f. Erwachsenenbild. über Dorferneuerung, Mitarb. b. NÖ-Politmodellen. H.: Bergsteigen, Musik, Kunst, Tennis. (R.J.)

Spielbüchler Karl Dr. iur. o.Univ.-Prof.
B.: o.Univ.-Prof. an d. Johannes Kepler-Univ., Mtgl. d. Verfassungsgerichtshofes. DA.: 4040 Linz, Altenberger Str. 69. PA.: 4040 Linz, Wolfauerstr. 86. G.: Bad Ischl, 27. Sept. 1939. V.: Michaela, geb. Pilz. El.: Karl u. Elfriede. S.: LBA, Reifeprüf. 1958, Univ. Wien 1958-62, richterl. Vorbereitungsdienst 1963-66. K.: Bez.-Richter 1966, HS-Ass. 1967, HS f. Sozial- u. Wirtschaftswiss. Linz, Lehrbefugnis f. bürgerl. Recht u. Arbeitsrecht 1970, a.o.HS-Prof. 1971, o.Univ.-Prof. 1973 Univ. Linz, Mtgl. d. Verfassungsgerichtshofes 1976. P.: Der Dritte im Schuldverhältnis, Individualarbeitsrecht 1976, Mitarb. am ABGB-Kommentar, zahlr. Aufsätze in jur. Zeitschriften u. Festschriften. M.: VPräs. d. Ges. f. Arbeitsrecht u. Sozialrecht, Mtgl. d. österr. Juristenkmsn. H.: Musik, Geschichte. (P.H.)

Spielmann Albert
B.: Prok., Regional Manager Austria. FN.: EDS Austria. DA.: 1030 Wien, Modecenterstr. 14/BC/3. PA.: 1230 Wien, Elisenstr. 31/3. G.: Wien, 4. April 1953. V.: Renate, geb. Woeginger. Ki.: Christoph (1986), Julia (1992). El.: Dr. Otto u. Hilde. S.: Matura 1972 RG XVII Wien, 1972-77 Stud. Informatik TU Wien. K.: 1977-80 Techn. Ass. Digitalrechenzentrum TU Wien, 1980-85 General Motors Austria, MIS-Abt., seit 1985 EDS, bis 1988 Supervisor Data Operations, bis 1990 Account Manager, bis 1991 Country Manager Austria, bis 1992 Country Manager Austria, Hungary, CSFR, Poland, seit 1992 Regional Manager Austria. H.: Kinder, Motorradfahren, Skifahren, Reisen. (J.S.)

Spielmann Anton Heinz Dr. iur. HofR.
B.: Richter i.R. PA.: 6020 Innsbruck, Andreas-Hofer-Str. 12.G.: Innsbruck, 16. Feb. 1923. V.: Inge, geb. Schmidtner. Ki.: Mag. phil. Claudia, Dipl.-Ing. (FH) Johannes, Mag. iur. Anton. El.: Anton Karl Reichsfreiherr v. Spielmann Oberstlt. a.D. u. Annemarie, geb. Pistorius. BV.: Anton Erasmus Reichsfreiherr v. Spielmann, 1738-1813, wirkl. Geh.Rat, VPräs. d. Österr. Böhm. Hofkanzlei, HofR., Kommandeur d. St. StephansO., Schatzmeister d. Mil.Ma.Theres.O. S.: 1933-40 Gymn. Innsbruck u. Militärmittelschule Liebenau/Graz, 1940-45 Militär (Oblt. EK I u. II), 1943 Verwundung, 1945-46 Kriegsgefangenschaft, 1946-50 Stud. d. Rechtswiss., 1950 Prom., 1957 RA-Prüf. K.: 1950 Rechtspraktikant, 1951-57 RA-Konzipient in Innsbruck, 1957 Hilfsrichter, 1959 Richter d. OLG-Sprengels, 1959 Richter d. BG Schwaz, 1963 Richter d. LG Innsbruck, ab 1967 Senatsvors. d. LG Innsbruck, Verwend. dort als Untersuchungsrichter, Einzelrichter, Schöffensenatsvors., Mtgl. u. Vors. d. Ratskam., Berufungssenatsf. Strafs., Vors. d. Geschwornengerichts, 1988 Ruhestand. E.: 1977 Silb. Ehrennadel d. Militärkdo. Tir., Gold. Ehrennadel d. ÖAMTC Tir. (Ehrenmtgl.), 1981 HofR., 1982 Sozial-EZ d. Stadt Innsbruck, 1988 Gold. EZ f. d. Verd. um d. Rep. Österr. 1993 Verd.kr. d. Landes Tir. M.: Seit 1962 Reserve Offz. d. BH (Hptm.), Offz.Ges., 1976-88 Obm. d. Ver. "Die Brücke - Häftlingsfürsorge f. Tir.", seit 1950 Mtgl. u. 1983 Präs. d. Altkaiserjägerclubs u. stellv. Vors. d. Bergiselstiftung. (D.S.)

Spieß Uli

B.: Untern., Skischulltr. FN.: Skischule Uli Spieß. DA. u. PA.: 6290 Mayrhofen, Waldfeldweg 638. G.: Innsbruck, 15. Aug. 1955. V.: Renate. Ki.: Florian, Maria. El.: Ernst u. Erika. S.: VS, Gymn., 1969 Ausbild. im Skigymn. Stams, 1973 Mat., BH. Stud. Sportwiss, 1983 Ausbild. als Dipl. Skilehrer. K.: 1984 Ausbild. staatl. Skitrainer, 1985 Ausbild. Langlauflehrer, 1989 Untern.-Prüf. f. Skischuluntern., 1993 ÖSV Kampfrichter-Prüf. BL.: 3x Tiroler Mstr. in Abfahrt, 3x österr. Jugendmstr., 1971 u.72, 3x Junioreneuropamstr. Slalom, Riesentorl., 1973 Ruhpolding, zahl. Weltcup Abfahrtsläufe: 1. Ränge in Laax 1978, Val d´ Isere 1980, 2. Ränge in Garmisch 1979, Gröden 1980, 3. Ränge in Kitzbühel 1979, Morzine 1979, Laax 1978. 18. M.: Skiclub Mayrhofen. H.: Bergwandern, Mountainbiking, Tennis. (A.W.)

Spieß Walter Dr.
B.: RA. DA.: 6020 Innsbruck, Andreas-Hofer-Str. 4. PA.: 6020 Innsbruck, Schneeburgg. 45 a. G.: Innsbruck, 12. Mai 1921. V.: Anna, geb. Bergbauer, 2 Kinder. S.: VS, Ak. Gymn., Matura, Jusstud. an d. Univ. Innsbruck, 1947 Prom. K.: Seit 1951 RA-Kzl. E.: Silb. EZ d. Rep. Österr., Sport-EZ d. Landes Tir. u. d. Stadt Innsbruck. M.: Vors. d. Tir. LSportR., Ehrenpräs. d. Tir. Tennisverb., VPräs. d. ÖTV, VPräs. d. Veteranenkomitee d. intern. Tennisverb., Chairman d. Veteranen Kommitees d. europ. Tennisverb. H.: Sport, mehrmals Tir. Tennismstr., mehrmals österr. Mstr. im Tennis in d. Seniorenkl., Mstr. d. europ. Seniorenkl. (Schm.)

Spilauer Franz
B.: Leistungssportler in Race Across, Fernsehtechniker. PA.: 3011 Tullnerbach/Irental, Kriehuberstr. 36. G.: Rohrendorf, 23. Jan. 1955. V.: Annemarie, geb. Dietmayer. Ki.: Christine. El.: Franz u. Maria. S.: VS, HS, BRS. K.: 1970-74 Lehre als Radio- u. Fernsehtechniker, 1972 Beginn d. aktiven Laufbahn als Radrennfahrer, erste Erfolge ab 1973, 1975-77 BH, 1977-86 Leistungssportler u. Ausübung seines Berufes, 1987-88 Vorbereitung f. "Race Across America", 1978 versuchter Einstieg in Rally-Sport als Beifahrer, Diavorträge über "Race Across America", Vorbereitung f. d. Teilnahme an Radmarathons, Betreuung d. Schweizer Radprofis Richard Tinkler b. "Race Across America" u. Vorbereitung f. eine gr. sportl. Veranstaltung in Österr. f. 1990. BL.: Sieg b. "Race Across America" 1988 b. härtesten Radrennen d. Welt. P.: Bücher: Gerädert - Race Across America (1987), Silauer 2 - Sieg im härtesten Radrennen d. Welt (1988). E.: 1978 Sieg b. d. Bgld.-Rundfahrt, 1986 Sieg b. d. Lavanttalrundfahrt, 1979, 1981 u. 1982 Sieg d. Weltpokals in St. Johann/Tir., 1984 Sieg b. Wien-Gresten-Wien, 1983 Platz 5 d. Israelrundfahrt, 1983 Etappensieg b. d. Österr. Rundfahrt, 1984 Platz 5 b. d. NÖ-Rundfahrt, 1983 Etappensieg b. Grand Prix Felix Melchior (Luxemburg), 1983 Etappensieg b. d. Innviertelrundfahrt, 5 mal VStaatsmstr. auf Bahn u. Straße, 3. d. Jahreswertung 1984, Teilnahme an d. Weltmeisterschaften 1978, 1979, 1981, 1983, Olymp. Spiele in Moskau 1980, 1987 3. Platz "Race Across America", 1988 Sieg b. "Race Across America", insgesamt über 70 Siege b. Nat. u. Intern. Rennen. M.: 10 J. Mtgl. d. Österr. Nationalmannschaft. H.: Sport (Skilanglauf, Bergwandern), Lesen, Musik, Reisen. (M.B.)

Spindelegger Erich Ing.
B.: Bgm. a.D. DA.: 2371 Hinterbrühl, Gemeindeamt. PA.: 2371 Hinterbrühl, Gießhübler Str. 6. G.: Hinterbrühl, 19. Juni 1919. V.: Annemarie, geb. Macho. Ki.: Josef, Rudolf, Maria, Michael. El.: Karl u. Anna. BV.: Onkel GemR. in Hinterbrühl. S.: VS, RG, HTL Mödling, 1938 Matura. K.: b. 1939 ÖBB, b. 1945 Wehrdienst, ÖBB-OInsp., seit 1976 Pension. BL.: Junge ÖVP, LOrgan.Ref. d. ÖAAB, seit 1966 NatR., seit 1970 BundesR., dzt. LObm. d. NÖ Seniorenbundes, seit 1974 Bgm. P.: Art. f. Regionalzeitungen. E.: Silb. EZ f. Verd. um d. Rep. Österr. 1976, Gr. Gold. EZ f. Verd. um d. Bdl. NÖ, Leopold Kunschak-Plakette 1978, Wr. Pfadfinder EZ, EZ d. Kameradschaftsbundes, Ausz. d. Wr. AK, Feuerwehrplakette NÖ. M.: ÖAAB, Seniorenbund, div. andere Ver. H.: Philatelie. (H.P.)

Spindelegger Michael Dr.
B.: Mtgl. d. NR., Ang. DA.: 1017 Wien, Dr.-Karl-Renner-Ring 3. G.: Mödling, 21. Dez. 1959. S.: Gymn., 1977 Matura, Einjährig-Freiwilliger b. Österr. BH, Stud. d. Rechtswiss. an d. Univ. Wien, 1983 Dr. iur. K.: 1982-83 Ass. an d. Univ. Wien, 1983-84 Gerichtsjahr, 1984-87 im NÖ Landesdienst, 1987-90 im BMLV u. s. 1990 in d. VÖI tätig, s. 1991 stv. Bundesobm. d. ÖAAB, s. Okt. 1992 - Dez. 1993 Mtgl. d. Bundesrates, seit Dez. 1993 Mtgl. d. NR.

Spindler Anton jun.

B.: Gschf. FN.: Spindler Transport Abfallentsorgung Containerdienst Baggerarb. DA. und PA.: 1210 Wien, Frauenstiftg. 8. G.: Wien, 15. Feb. 1969. El.: Anton u. Gerlinde. S.: VS, HS, Weinbauschule, Weinbau u. Kellereigewerbe. K.: seit 1990 Tätigkeit im elterl. Betrieb. E.: div. Ausz. im Hobbybereich. M.: Oldtimerclub Schloß-Harmsegg, Porscheclub Wien. H.: Skifahren, Radfahren, Tennis, Motorrad-Trial. (W.M.)

Spindler Anton
B.: Inh. FN.: Gerlinde Spindler Heuriger "Backstube" u. Spindler Transportunternehmen, Abfallwirtschaft. DA. u. PA.: 1210 Wien, Frauenstiftg. 8. G.: Wien, 1. Mai 1938. Ki.: Anna Maria (1963), Brigitta (1964), Anton (1969), Katharina (1971). El.: KommR. Anton u. Hertha, geb. Veitsmeier. BV.: Großvater Anton Spindler Gründer d. Transportunternehmens. S.: VS, BRG, HTL Maschinenbau. K.: 1958 Eintritt in d. väterl. Betrieb, ab 1965 selbst. als Transportunternehmer, 1971 Eröff. d. Heurigen "Backstube" in d. Frauenstiftg. 4, 1987 Eröff. d. Heurigen "Spindler" in Oberlaa, Friedhofstr. 1. E.: mehrere Med. v. d. Landes- u. Bundesmessen f. d. eigene Weinproduktion. M.: BezR., Schützenver. H.: Politik, Tennis, Skifahren. (N.A.)

Spindler Gerlinde
B.: Inh. FN.: Gerlinde Spindler. GT.: Heuriger "Backstube" seit 1971. DA. u. PA.: 1210 Wien, Frauenstiftg. 8. G.: Wien, 1. Apr. 1939. V.: Anton. Ki.: Anna-Maria, Brigitte, Katharina, Anton. El.: KommR. Josef u. Elfriede Schönleitner. S.: Gymn., Fachschule f. Hafner, 1965 Mstr.Prüf. K.: Unter d. fachmänn. u. kreativen Führung v. Frau Spindler hat sich d. Betrieb kontinuierlich vergrößert u. ist m. seinen dzt. 30 Mitarb. u. 9 Lehrlingen eine excellente Repräsentanz seiner Kl. H.: Familienleben, Reisen, (M.G.)

Spindler Günther
B.: Inh. FN.: Günther Spindler Sand u. Schottergewinnung, Deichgräberei u. Transportunternehmen. GT.: Inh. Chem. Reinigung. DA.: 1210 Wien, Amtsstr. 49, 1210 Wien, Frauenstiftg. 8. PA.: 1210 Wien, Amtsstr. 49. G.: Wien, 20. März 1942. V.: Inge, geb. Lohberger. Ki.: Sabine (1968), Gabi (1973). El.: KommR. Anton u. Hertha, geb. Veitsmeier. BV.: Großvater Anton Spindler gründet 1912 d. Unternehmen. S.: HS, HTL Hochbau Krems u. Wien b. 1959. K.: Firma Rella Wien, Militär, 1963 Eintritt in väterl. Betrieb, seit 1967 Besitzer d. chem. Reinigung, 1976 Prok. im väterl. Betrieb, 1982 Betrieb übernommen. P.: div. Art. in Fachzeitschriften. M.: seit 1984 Aussch.-Mtgl. d. Innung f. Transport, Mtgl. d. Bundeskam., Porsche-Club Wien. H.: Motorsport, Tennis, Skifahren, Musik, Theater. (N.A.)

Spindler Gustav Dipl.-Ing.
B.: Inh. FN.: Dipl.-Ing. Gustav Spindler, Information & Communication Systems, Hardware EDV Software. GT.: Gschf. LOGO Werbeagentur. DA. u. PA.: 1060 Wien, Webg. 37. G.: Klagenfurt, 25. Juni 1942. El.: Dipl.-Ing. Josef u. Gisela, geb. Neubauer. S.: 1960 Matura, 1982 Abschluß d. Studien an d. TU Wien als Dipl.-Ing. f. Betriebswiss., Ausbild. als Werbeberater. K.: 1976-82 Konsulent d. Consent Betriebsberatung GmbH, 1982-85 Vetriebsbeauftragter d. Schimmelpfeng GmbH, 1985-86 Gebietsrepräsentant d. D & B Schimmelpfeng GmbH, Dun & Bradstreet Intern. Wirtschaftsinformationssysteme, 1987-88 Gschf. d. Raidl & Spindler GmbH, ab 1988 selbst. BL.: weltweites Angebot v. schwer erhältl. Hochtechnologiegeräten u. -anlagen insbes. im Bereich d. Elektronik. P.: Produktionsprogrammplanung (Wien 1982). H.: Malen, Skifahren, Schwimmen, Literatur. (N.A.)

Spindler Hans-Peter Mag.
B.: Betriebswirt. FN.: Wissenschaftsladen Linz. DA.: 4020 Linz, Schillerstr. 13. PA.: 4040 Linz, Freistädter Str. 21. G.: Linz, 24. Sept. 1964. El.: Johann u. Anna. BV.: Schwanthaler Schnitzerdynastie aus d. 17. Jhdt. S.: Stiftsgymn. Schlierbach, Stud. BWL Johannes Kepler-Univ. Linz, Psych.-Stud. Univ. Sbg., Zusatzausbild. als Kommunikationstrainer. K.: 1988-90 Tätigkeit in d. berufl. Erwachsenenbild. im BFI Linz, Mitinitiator u. seit 1990 Ang. d. Wissenschaftsladens Linz. P.: Grundlagenstudie Pferdeeisenbahn Linz-Budweis (1991). H.: Wandern, Lesen. (P.H.)

Spiola Petra
B.: selbst. Pressefotografin. PA.: 1180 Wien, Schulg. 68/21. G.: Wien, 8. Mai 1962. El.: Rudolf u. Elisabeth Spiola, geb. Sedivy. S.: 1978-82 Höhere Lehranst. f. Kunstgewerbe in Wien, Anlehre im Fotostudio u. Foto-Fachlabor, 1983 Gesellenprüf. f. Fotografie. K.: 1984-88 BTX Bildschirmtextgrafikerin in Wien, seit 1988 selbst. als Pressefotografik. BL.: Gestaltung d. Bildbandes "Hundertwasserhaus" (1988), Ansichtskarten z. Thema "Hundertwasserhaus". P.: Titelblätter u. Reportage f. New Business, Sportmagazin, Option, Industrie, Umweltschutz, Gesundheit, Basta u. Fotos f. Schulbücher. H.: Fernreisen, Auseinandersetzg. m. esoterischem Gedankengut. (N.A.)

Spira Curt
B.: Antiquitätenhändler u. Schätzmstr. DA.: 1010 Wien, Spiegelg. 23. G.: Wien, 4. März 1915. V.: Maria, geb. Schifter, 1 Sohn. El.: Siegfried u. Regine. BV.: Großvater Philipp Spira (Antiquitätenhdl. 1860), Großmutter (antike u. moderne Brüsseler Spitzen-Importeurin). S.: VS, Mittelschule. K.: immer Antiquariat, 1938 nach Belgien emigriert (auch Schwimm- u. Eishockeytrainer, 1942-45 KZ Buchenwald, b. 1960 Geschäft in Brüssel, ab 1961 Wien. H.: Hunde, Shetlandponys. (R.A.)

Spirk Wilhelm Dipl.-Ing.
B.: Ziviling. f. Bauwesen. A.: 5020 Salzburg, Fürbergstr. 42A. G.: Amsterdam, 8. März 1940. V.: Martha, geb. Weiland. El.: Alois u. Maria. S.: VS, HS, HTL, TH. K.: 1967-75 Bmtr. b. LBauamt Sbg. (Abt. Brückenbau), ab 1975 Ziviling. f. Bauwesen m. eigenem Büro. M.: Intern. Ver. f. Hochbau u. Brückenbau. H.: Sport, Reisen.

Spiss Peppi

B.: Künstler. FN.: Werbestudio. DA.: 6580 St. Anton 383. PA.: 6580 St. Anton 477. G.: Zams, 11. Juni 1960. V.: Monika, geb. Schrott. Ki.: Konstantin (1981), Katharina (1983). El.: Siegfried u. Erika. S.: Kurse f. Grafik u. Airbrush. K.: 1986 Grdg. d. Fa. Werbestudio Spiss, 1990 Herausgabe d. e. Gedichtbandes "Gedichte Bilder Fotos", 1991-92 u. 1993 Teiln. am intern. Künstler-Symposium in Hajos/Ungarn, 1992 Organisation d. 1. Arlberger Kulturtage, Grdg. d. Künstlergem. "Pyramide", 1993 Organisator d. 2. Arlberger Kulturtage, Teiln. an "Denkart" im Ötztal, 1994 Organ. d. AKT ´94, Eröff. d. Galerie Mansarte m. haupts. eig. Werken. P.: zahlr. Ausstellungen: 1991 Galerie im Werthaus Innsbruck, 1993 A. Dürer Bildungszentrum in Hajos/Ungarn, Lagerhaus Schongau/Deutschl., 1992 "AKT 94" St. Anton am Arlberg. M.: Obm. Theatergruppe OHA St. Anton. H.: Beruf, Theaterspielen, Reisen. (I.D.)

Spitaler Herbert A. Dipl.-Ing.
B.: Managing Dir. FN.: Mannesmann Tally GmbH. DA.: 1232 Wien, Zetscheg. 17. PA.: 1120 Wien, Rotkirchg. 2. G.: Linz, 19. Juli 1943. V.: Edith, geb. Rader. Ki.: Birgit (1972), Gerhard (1974). El.: Anton u. Katharina. S.: 1962 Matura Linz, Stud. Geodäsie us. Geophysik an d. TU Wien, 1972 Dipl. K.: 1972-76 als Systemanalytiker in Österr. u. Osteuropa tätig, danach im Vertrieb f. Österr. Behören, 1984-89 Dir. d. Bereiches AT&T b. Olivetti, davon 2 J. im Marketing Head Quarter Mailand f. d. Länderbetreuung zuständig, seit 1989 Gschf. d. Fa. Mannesmann Tally GmbH, Verantwortungsbereich: Österr. u. Osteuropa. M.: Rotary-Club Wien-Hofburg. H.: Tennis, Skifahren. (P.R.)

Spitzbart Alois
B.: Inh. FN.: Spitzbart Transport Ges.m.b.H. GT.: Inh. d. "Kanaldienst". DA. + PA.: 4652 Steinerkirchen, Atzing 10. G.: Wels, 20.4.1943. V.: Pauline, geb. Fischereder. Ki.: Christine, Alois, Gerhard, Inge. EL.: Alois, Maria. S.: 7 klassige Volksschule, Landarbeiter. K.: 1963 Grdg. e. Kanaldienstunternehmens i. Steinerkirchen, 1970 Baggerunternehmung, 1980 Erweiterung auf Transportunternehmen. F.: Div. Nebengewerbebetriebe sowie landwirtschaftl. Veredelungsbetriebe. H.: Eigene Fischzucht. (W.B.)

Spittau Gustav Josef
B.: Gschf. Ges. FN.: Fresh Service Fruchthdls. GmbH. DA.: 9800 Spittal/Drau, Bünkerstr. 48, 9020 Klagenfurt, Rampenstr. 25. PA.: 9800 Spittal/Drau, Zernattostr. 3. G.: Spittal/Drau, 2. Mai 1956. V.: Astrid, geb. Mösslacher. Ki.: Patricia (1979). El.: Gustav u. Amalia. S.: Gymn. Spittal, Militär, Abiturientenlehrgang b. d. HAK, Ferienarb. in d. Fruchtbranche im Betrieb d. Onkels Firma Baurecht. K.: 1976-77 Elektronikbranche, 1977-80 Frischdienstltr. Spar Ktn./Osttir., 1980 selbst., zuerst Belieferung v. Gastronomie u. Einzelhdls.-Geschäften, Ausbau d. Unternehmens, auch Belieferung v. Großhändlern, 1982 Bau eines Supermarktes m. Cafeteria u. Einzelhdls.-Geschäften. (M.T.)

Spitzer Franz
B.: Konditor, Obm. d. Vorst. FN.: Bäko Graz rGenmbH. DA.: 8055 Graz, Tiergartenweg 13. PA.: 8160 Weiz, Mühlg. 10. G.: Graz, 1. Apr. 1918. V.: Cäcilia, geb. Fritz. Ki.: Helga (1937), Wanda (1938), Agnes (1944). El.: Franz u. Agnes. S.: Pflichtschule, Lehre als Konditor, 1936 Abschluß, Arbeitsdienst, b. 1944 Wehrmacht. K.: 1948 Grdg. d. Konditorei in Weiz, 1962 Filialbetrieb, 1962 Eintritt in d. Bäko als AufsR., seit 1986 Obm. d. Vorst. E.: Gold. EZ d. Landes Stmk., Kammerausz. f. 25 u. 30 J., Ehrennadel d. Konditor in Gold, Ehrennadel d. Kriegsopfer in Silber, Silb.- u. Goldmed. d. gew. Genossenschaftsverb., ehrende Urkunden d. HK, Gold. EZ d. Landes Stmk. M.: Ortsgruppenobm., Bez.-Obm., Aussch.-Mtgl. d. Landesorgan. d. Kriegsopferverb. (F.K.)

Spitzer Leopold Mag. o.Prof.
B.: Gesangspädagoge, Ltr. d. Inst. f. Atem- u. Stimmerziehung, HS f. Musik u. darstell. Kunst Wien. DA.: 1140 Wien, Penzinger Str. 7-9. G.: Bad Ischl, 28. Mai 1942. V.: Prof. Mag. Elisabeth, geb. Jancik. Ki.: Katharina, Bernadette, Theresa. El.: Josef u. Christine. S.: VS, hum. Gymn., Musik-HS, Univ. Wien. K.: Nach Stud. 2 J. Mittelschulprof., anschl. Ass. an d. HS, Lehrer f. Musiktheorie, ab 1978 Klassenltr. f. Gesang (Ltr. d. Abt. f. Sologesang u. musikdramat. Darstellung 1980-86 u. 1990-94. BL.: Gesangssymposien begründet, Betonung praxisorientierter Ausbild. P.: "Das Harmonikale in d. Musikauffassung Rainer Maria Rilkes", "Albert v. Thimus", 5 Symposienberichte, Hugo Wolf, Gesamtausgabe 10 Bde. M.: Präs. d. intern. Hugo Wolf-Ges. H.: Lesen, Gartenarb., Musik, Reisen. (E.L.)

Spitzer Martin Ing.

B.: Techn. Direktor, Gesellschafter. FN.: WITRONIC Elektronische Geräte GesmbH. DA.: 1220 Wien, Voitgasse 6. PA.: 2253 Weikendorf, Nordbahngasse 10. G.: Wien, 25. Mai 1949. V.: Elfriede, geb. Michl. Ki.: Georg 1974, Ursula 1982, Florian 1983. El.: Prof. Rudolf u. Gerda. S.: HTL Nachrichtentechnik. K.: Tätigkeit i. techn. Vertrieb d. Fa. Siemens, 1976 selbst. mit Gründung einer eigenen Handelsfirma, 1986 Umwandlung d. Einzelfirma, Gründung d. WITRONIC GesmbH. P.: zahlreiche Beiträge u. referate f. Fachzeitschriften im Bereich Aufzugtechnik. M.: Intern. Association of elevator engineers. H.: Literatur, Musik, Bergsteigen. (F.S.)

Spitzer Leopold RgR.
B.: Bgm. A.: 4600 Wels, Dragonerstr. 81. G.: Laakirchen, 29. Apr. 1918. V.: Margarethe, geb. Springer. El.: Leopold u. Rosina. S.: VS, HS, kfm. Berufsschule, Matura. K.: Bgm. d.

Stadt Wels i.P. E.: Ehrenbürger d. Stadt Wels, Ehrenring d. Stadt Wels u. d. Welser Messe, Gold. Verdienstz. d. Rep. Österr., Gold. EZ d. Landes OÖ, BVK d. BRD.

Spitzhirn Erich Dir. KommR.

B.: Prok. u. Dir. d. Fa. F. Eberhardt Stahlgroßhdl. GT.: AufsR. d. Steiermärk. Landesholding GmbH. DA.: 8020 Graz, Waagner-Biro-Str. 45. PA.: 8044 Graz, Föllingerstr. 17. G.: Steyr, 3. Okt. 1938. V.: Ingrid, geb. Stark, Bez.-Vorst.-Stellv. v. Graz XI-Mariatrost. Ki.: Roland (1973). El.: Ramsebner Johann u. Pöllhuber Maria, geb. Spitzhirn. S.: VS, HS, Kfm.Ausbild. in Steyr u. Graz. K.: ab 1955 Praktikum in Graz, Verlagstätigkeit u. Baufa., ab 1958 Verkaufsltr., 1965 Ernennung z. Prok., 1981 Dir. M.: seit 1969 Aussch.-Mtgl. d. Kam. d. Gewerbl. Wirtschaft Gremium Eisenwaren, seit 1975 KamR., Mitgl. d. HK-Vollvers. u. d. Sektionsltg. Handel, Mtgl. d. Hauptvers. d. AUVA-Allg. Unfallvers. Anst., ltd. Landesobm.-Stellv. d. RFW (Ring freiheitl. Wirtschaftstreibender Stmk.), BLtg.-Mtgl. d. RFW, Mtgl. d. FPÖ Stadtparteiltg. Graz u. FPÖ Landesltg. Stmk. H.: Lesen, Musik, Theater, Radfahren, Schwimmen, Wandern.

Spitzl Alexander

B.: Schmuckwarenfabrikant. A.: 5061 Glasenbach, Schießstandtstr. 21. G.: Wien, 15. Febr. 1906. V.: Trude, geb. Bönisch. El.: Franz u. Adele. S.: Mittelschule m. Matura, HS f. Welthdl. K.: Ges. d. Fa. W. Scholze & Co, Schmuckwarenfbk. F.: Firmenzweigstelle in Liverpool in Sfax (Tunesien). M.: Org. d. Schmuckwarenfbk.

Spitzlinger Roland Dir.

B.: Dir. d. Bild.-Zentrum St. Magdalena. DA.: 4040 Linz-St. Magdalena, Schatzweg 177. PA.: 4050 Traun, Linzer Str. 33. G.: Ried im Innkreis, 2. Sept. 1944. V.: Lisbeth, geb. Burger. Ki.: Klaudia (1980). El.: Anton u. Maria. S.: 1959-64 LBA Bischöfl. Lehrerseminar Linz, einige Sem. Jusstud. K.: 1964 Diözesansekr. d. Kath. Mittelschuljugend, 5 J. Lehrertätigkeit, seit 1972 päd. Mitarb. Raiffeisen-Bildungs- u. Förderungsver., seit 1985 Dir. d. Bild.-Zentrums. P.: Beiträge in mehreren Büchern u. Fachzeitschriften z. Thema Erwachsenenbild. M.: seit 1985 StadtR. in Traun f. Schule u. Kultur, seit 1973 GemR. in Traun. H.: Familie, Literatur, Reisen. (P.H.)

Spöck Raimund

B.: Gastronom. FN.: Bei Uns - 1. Kärntner Stehbeisl. DA.: 9020 Klagenfurt, Herreng. 1, Innenhof d. "Goldenen Gans". PA.: 9020 Klagenfurt, Herreng. 12. G.: Klagenfurt, 5. Apr. 1952. Ki.: Valentina (1993). EL.: Raimund u. Maria. S.: Vs, Humanistisches Gymn., Matura, 1970-72 Stud. d. Archäologie in Graz, BH, 1973-79 Auslandsaufenthalte in Arabien, Asien im Bereich d. Organ. v. Kunstgewerbe-Ausstellungen in Hotels, 1979-81 Kunstgewerbehandel in Pörtschach, 1983 Gründ. d. Gastronomiebetr. M.: Gründ.Mtgl. u. Obm. d. Ver. INNENHOF Kultur, Organ. u. Durchf. im Rahmen d. Ver. v. Kleinkunst-Veranst. aller Art, Romano centro, Amnesty International, Ver. Alertnativ Kino, Unikum (Univ. u. Kultur). H.: Tauchen, Schlauchbootfahren, Kunst-Kultur u. Reisen. (G.L.)

Spögler Franz Dr. med. vet.

B.: Präs. d. Südtir. Sparkasse AG u. d. Stiftung Südt. Sparkasse, Präs. d. Hypothekenbank Trentino-Südt., LandesR. f. Wirtschaft a. D. DA.: 39100 Bozen, Sparkassenstr. 12b. PA.: 39012 Meran, Feldweg 5. G.: Ritten, 5. Jän. 1927. V.: Dr. Hanny, 5 Kinder. S.: Johanneum in Dorf Tirol, klass. Lyzeum, Stud. Vet.-Med. Univ. Parma, 1952 Prom. K.: 1953-64 Tierarzt in Meran, 1960-64 Obm. d. SVP Bez. Meran, seit 1964 Mtgl. d. Landtages, 1969-89 LandesR. f. Wirtschaft in d. Südtir. Landesreg., seit 1989 Präs. d. Südtir. Sparkasse, VerwR. d. ital. Sparkassenverb., d. Investitionsbank, d. Brennerautobahn-Ges., Vizepräs. d. Autobahnzollstation-Sterzing. E.: Ehrendr. d. Southern Univ. of Florida, EZ d. Landes Tirol, Träger d. bayer. VO, Gold. EZ aller Südt. Wirtsch.-Verbände u. d. Verb. d. Südt. Sportver. (M.M.)

Spohn Hans Dr. iur. Mag.

B.: RA. DA.: 1010 Wien, Bösendorferstr. 4. PA.: 1040 Wien, Argentinierstr. 36. G.: Wien, 29. Sept. 1959. El.: DDr. Johann u. Sieglinde. S.: 1977 Matura, Jusstud., 1981 Prom., Stud. d. Betriebswirtschaft, Spons. K.: Gerichtsjahr, 1 J. Konzipient b. RA Dr. Roessler, 3 J. b. RA Dr. Schilhan, Hauptrichtung Wirtschafts- u. Baurecht, seit 1988 selbst. RA, Schwerpunkt: Liegenschaftsrecht H.: Eisschnellaufen, Bridge, Golf. (R.J.)

Spohn Hans DDr. Dkfm.

B.: Vorst.Dir. d. Austria Wirtschaftsprüfungs AG. A.: 1040 Wien, Argentinierstr. 36. G.: Wien, 23. Febr. 1925. V.: Linde, geb. Waste. El.: Fritz u. Judith. S.: Hum. Gymn., Stud. d. Hdls.Wiss. an d. HS f. Welthdl., Jus an d. Univ. Wien. K.: 4 J. Export-Import, 5 J. im Treuhandwesen, 10 J. in d. Konzernabt. d. CA-BV als Betriebswirtschaftler, ab 1965 Vorst.Dir. d. Litega Linoleum Teppiche Gardinen AG u. d. Philip Haas & Söhne AG, ab 1979 in d. heutigen Position. E.: Gr. EZ f. Verd. um d. Rep. Österr., Olympia-Med. M.: Ehrenpräs. d. Österr. Eislaufverb., d. Wr. Eislaufver., Mtgl. d. Panathlon Intern.-Club Wien.

Sponer Heinz Dieter Dr.

B.: Prim., Chir. d. Mödlinger KH. DA.: 2340 Mödling, Landeskrankenhaus. PA.: 1190 Wien, Cobenzlg. 71. G.: Pernitz, 31. Jan. 1941. V.: Dr. Susanne, geb. Böck. Ki.: Barbara, Monika. El.: Dr. Eduard u. Franziska. S.: VS, RG, 1959 Matura, Univ. Wien, 1968 Dr. K.: 1968-73 I. Chir. Univ.Klinik, 1973-85 KH Lainz, ab 1985 Prim. LKH Mödling. P.: in med. Zeitschriften. H.: klass. Musik, Tennis, Skifahren, Basteln bes. in Holz, Weinbau. (H.W.)

Sponring Hubert Dr. iur. OR.

B.: Abt.Vorst. im Amt d. Tir. LRg. PA.: 6130 Vomperbach, Terfens 204. G.: Weerberg/Schwarz, 4. Okt. 1946. V.: Christine, geb. Tegischer. Ki.: Michael, Brigitte, Christian, Julia. BV.: altes Bauerngeschlecht. S.: 1964 Matura, Stud. in Innsbruck, 1969 Prom., 1970 Gerichtspraxis. K.: 1971 Eintritt in d. LDienst, 1971-79 BH Lienz, seit 1979 Amt d. Tir. LRg., seit 1988 Abt.Vorst. P.: Publ. in Zeitschriften z.B. "Tirol - Alm und Bergbauer", Agrarische Rundschau. M.: GemR., Elternver. Terfens. (D.S.)

Sporer Walter

B.: Gschf., Graphik-Designer. A.: 4820 Bad Ischl, Pfandlerstr. 20. G.: Wien, 4. Juli 1928. V.: Helga, geb. Ries. S.: Matura, Ak. d. Bild. Künste Wien, Vw.Dienstprüf. K.: 1946-53 Vw.Bmtr. b. d. Gem. Wien, 1954-67 Werbeltr. b. d. Dachstein-Fremdenverkehrs AG, 1968-76 freischaff. Graphik-Designer, seit 1977 Gschf. (Graphik-Designer). F.: Walter Sporer GmbH Graphik-Design. P.: Panoramakarten u. Graphiken, Landschaftsreliefs. M.: Bund Österr. Gebrauchsgraphiker, Intern. Council of Graphic Design Associates, Österr. Wirtschaftsbund, Österr. Turn- u. Sportunion, Skiclub Dachstein. H.: Tischtennis, Skisport.

Sporn Wolfgang

B.: Zimmermstr. FN.: Zimmerei Sporn GmbH. DA.: 5400 Hallein, Salzachtal Bundesstraße Süd 19. PA.: 5400 Hallein, Gasteigweg 6. G.: Hallein, 19. Juni 1965. V.: Michaela, geb. Kendlbacher. Ki.: Theresa (1993). El.: Karl u. Theresia, geb. Oberascher. S.: VS, HS; 1980-84 Zimmereifachschule, BH. K.: 1985 Einstieg in d. elterl. Betrieb, 1988 Übernahme d. Betriebes, 1992 Mstr.-Prüf. M.: Kiwanisclub. H.: Mountainbike, Skitouren. (S.P.)

Sporrer Franz

B.: Inh. FN.: Massage Sporrer. DA.: 5020 Salzburg, Andreas-Hofer-Str. 21. PA.: 5020 Salzburg, Andreas-Hofer-Str. 21. G.: Kirchberg/OÖ, 28. Nov. 1935. V.: Anna, geb. Gastberger. Ki.: Daniela, Wolfgang, Christine, Birgit, Ursula. El.: Matthäus u. Maria. S.: 4 J. Hilfsarb., 11 J. Eisenbahner, 5 1/2 J. Sauna-Mstr. i. Kur Salzburg, Nov. 1970 Massagekurs, s. 15. Feb. 1971 selbst. a. Einzelfa. P.: 2 Bücher: "Reicher werden", "Sexualität, Schuld u. Liebe". H.: Laufen, Bergwandern.

Sporrer Wilhelm Dr. iur. HofR.

B.: Richter i.R. (als Gerichtsvorst.) b. BG Linz/Land. DA.: 4040 Linz, Ferihumerstraße. PA.: 4040 Linz, Gstötnerhofstr. 15. G.: Linz, 23. Aug. 1916. V.: Johanna, geb. Landzettel. El.: Josef u. Hedwig. S.: VS, 1927-33 Stiftsgymn. Seitenstetten, 1933-35 Hum. Gymn. Linz-Spittelwiese, 1935 Matura, 1935-38 Jusstud. HS Wien, 1938-39 HS Graz, 1939 Prom., 1939-46 Militär. K.: 1946 Gerichtspraxis BG Braunau am Inn, Kreisgericht Ried im Innkreis, ab 1948 BG Linz, 1948 Richter BG Linz dann LG Linz-Nord, 1951 BG Linz, 1954-58 Richter BG Vöcklabruck, 1958-80 Richter bzw. Gerichtsvorst. d. BG Linz/Land, außerd. Vors. d. Grundverkehrskmsn. Linz. E.: HofR. M.: Kath. österr. Studentenverb. K.Ö.St.V. Nibelungia Linz, MKV, K.Ö.St.V. Kürnberg zu Wien, CV. H.: früher Sport, Lesen (Unterhaltungsliteratur), Reisen, Wandern. (U.E.)

Spöttl Alfred Dr. med. Prim.

B.: FA f. Radiologie, Vorst. d. Inst. f. Radiologie I am AKH Wels. DA.: 4600 Wels, Grieskirchner Str. 42. PA.: 4600 Wels, Rainerstr. 6. G.: Wels, 16. März 1935. V.: Dr. med. Irene, geb. Zischka. Ki.: Peter (1966). BV.: Medizinerdynastie. S.: 1954 Matura, Med. Studium Univ. Innsbruck, 1961 Prom. K.: Turnusarzt in Wels u. LKH Linz, 1965-69 FA-Ausbildung im AKH Wels, 1972 OA Radiologie, seit 1978 Vorst. d. Radiologie I in Wels. M.: Rotary-Club. H.: Wandern, Ski, Fischen, Reisen. (P.H.)

Spreitzer Andreas Mag. rer. soc. oec.

B.: Gschf. Ges. FN.: Spreitzer & Spreitzer GmbH Werbeagentur. DA.: 8020 Graz, Belgierg. 3. PA.: 8010 Graz, Heinrichstr. 106. G.: Tamsweg, 9. Okt. 1961. V.: Anna-Maria, geb. Huez. El.: Johann u. Elfriede. S.: 1980 AHS-Matura, Stud. Graz, 1986 Grad. K.: 1986-88 Stabstellenltr. Marketing Leykam AG, 1988-90 Gschf. d. Werbeagentur Media Süd Ost, seit 1991 selbst. m. Spreitzer & Spreitzer GmbH. P.: Vorträge an d. Univ. u. WIFI. E.: Ausz. f. d. Arb. d. Agentur. M.: Marketing Club Graz, Advertising Club Styria, Werbewiss. Ges. H.: Sport (Skifahren, Tennis), Lesen. (F.K.)

Spreitzhofer Karl Dr. OberarchivR.

B.: Abt.-Ltr. d. Stmk. Landesarchiv. DA.: 8010 Graz, Bürgerg. 2a. PA.: 8020 Graz, Eckertstr. 115a. G.: St. Jakob im Walde, 31. Mai 1946. V.: Gertrude, geb. Krenn. Ki.: Peter (1973), Elisabeth (1976). El.: Karl u. Hermine. S.: Missionsprivatgymn. St. Rupert/Bischofshofen, 1965 Matura, Stud. Geschichte u. Germanistik Graz u. Inst. f. Österr. Geschichtsforsch. Wien, 1974 Staatsprüf., 1977 Prom. K.: 1971 Eintritt in d. Stmk. Landesarchiv, 1977 Oberarchivar, 1986 Abt.-Ltr. im Stmk. Landesarchiv, seit 1977 Gschf. d. Steir. Ortsnamenkmsn., Forsch.-Schwerpunkte: Steir. Verfassungs- u. Verw.-Geschichte, Siedlungsgeschichte, Namenkunde. P.: Buch: "Georgenberger Handfeste" (1986), ca. 50 unselbst. wiss. Aufsätze in Fachzeitschriften u. Sammelwerken. E.: Preis d. Histor. Landeskmsn. f. Stmk. f. landesgeschichtl. Diss. M.: Histor. Landeskmsn. f. Stmk., Aussch.-Mtgl. d. histor. Ver. f. Stmk. (P.M.)

Sprenger Anna Theresia OSR. Prof.

B.: HS-Dir., Ordensschwester (Sr. Maria Benigna). A.: 6060 Hall/Tir., Unterer Stadtpl. 14. G.: Kufstein, 7. Juli 1917. S.: Lehrerinnenbildungsanst. Innsbruck, Hpt.Schullehramt (Geschichte, Geographie, Deutsch) K.: VS-Lehrer, Erzieherin in einem Internat, Lehrerin an einer Südtir. Mittelschule, HS-Lehrer, HS-Dir., literar. Betätigung, Lyrik, Prosa, Spiele P.: Lyrik "Der Mohn ist verbrannt", "Bergflöte", "Heimweg auf Mondstraßen", "Windschatten", "Südtir.-Gedichte", "Erinnerungen", "Anti-Poesie", "Brot d. Mystik", Prosa: "Das Bild meiner Mutter", "Zu spät aufgezeichnet", "Die Waldschwestern in Halltal", 3 Weihnachtsbücher, 3 Jugendbücher, 2 Bände Hörspiele ua. E.: Verd.Med. d. Landes Tir., Titel "OSR", EZ d. Stadt Hall f. Lyrik, Prof. M.: Turmbund, Ges. d. Literatur u. Kunst, Tir. Lehrerver. H.: Heimatkunde, literar. Freizeitbetätigkungen, Wandern.

Sprenger Herbert

B.: Bgm. d. Gem. St. Anton/Arlberg, St. Jakob u. St. Christoph, HS-Lehrer. DA.: 6580 St. Anton/Arlberg, Gemeindeamt. PA.: 6580 St. Anton/Arlberg 426. G.: Gries/Brenner, 23. März 1932. V.: Hermine, geb. Draxl. Ki.: Dr. med. Markus (1958). El.: Emmerich u. Karoline. S.: Gymn., LBA Innsbruck, 1952 Matura, Lehramtsprüf. f. Dt., Musik u. Werken, 1968 HS-Lehrerprüf. K.: b. 1968 VS St. Anton, 1968-92 Dir. HS St. Anton, 1968 GemR. Kulturwesen, 1977 Bgm. E.: VK d. Landes Tir., Ehrenkranz d. Landesschützenbunndes, Grünes Förderungsabz. SCA, Ausz. f. 20jährige Kapellmstr.-Tätigkeit d. Musikkapelle St. Anton. M.: Obm. Abwasserverb. Oberes Stanzertal, Regionalobm. d. Gem. St. Anton-Flirsch-Strengen, AufsR.-Mtgl. Tourismusverb., AufsR.-Mtgl. Agrargemeinschaft, Vorst.-Mtgl. d. Tir. Gem.-Verb., Vertreter d. Gem. Tirols im LandestourismusR., 1956-76 Kapellmstr. d. Musikkapelle St. Anton, seit 1953 Organist, Ratsmtgl. d. Bruderschaft St. Christoph, Städtepartnerschaft m. Nosawa Onsen in Japan, Präs. d. Skiclub Arlberg, Ortsparteiobm. d. ÖVP, Studentenverb. MKV Alemania, Vorst. Lawinenkmsn. H.: Schach, Skisport, polit. Fachliteratur, Reisen, Musik. (I.D.)

Sprenger Wolfgang

B.: Gastwirt Forellenschenke. DA. u. PA.: 9073 Klagenfurt-Viktring, Polsterteichweg 1. G.: Klagenfurt, 4. Juli 1948. V.: Waltraud, geb. Schmitt. Ki.: Nina (1981), Josef (1984). El.: Gerhard u. Gertraut. S.: VS, Realschule, Matura, 1968/69 BH, 1969-73 Stud. Vet.-Med. Univ. Wien, 1. Staatsprüf. K.: 1973 Grdg. d. Restaurants auf großelterl. Besitz, 1975 Konzession. H.: Tennis, Reisen. (G.L.)

Spring Dietmar

B.: TV Sport-Red. d. ORF. DA.: 1136 Wien, Würzburgg. 30. PA.: 1130 Wien, Hietzinger Hauptstr. 98/6. G.: Wien, 4. Mai 1940. Ki.: Claudia-Andrea, Philipp, Florian. El.: Dr. Friedrich u. Herta. BV.: Großvater Rudolf Klanner Nußdorfer Schleussenlöwen gegossen, Urgroßvater Kirchenrestaurateur. S.: RG Sbg., Matura, 8 Sem. Jusstud. K.: 1966 ORF freier Mitarb. in Sport Red., seit 1967 Ang. Reporter, Red., Sportmosaik, "Sport am Montag" seit Beginn (1975) Beiträge f. d. Sendung, 4 J. Sport Aktuell, seit 1987 Sport am Montag, Eigenverantwortung "Sport ABC", Berichterstattung Olymp. Spiele u. Ski Alpin Weltmeisterschaften u. Fußballweltmeisterschaften. P.: Beiträge in Ski Sport. M.: Journalisten Club. H.: Tennis, Skifahren, Briefmarkensammlung, Ansichtskarten sammeln, Zinnsoldaten sammeln, Fotografieren, Besichtigungsreisen. (A.K.)

Springenschmid Ingo Prof.

B.: Prof. am Gymn. Bludenz, Schriftsteller. DA.: 6700 Bludenz, Unterfeldstr. 11. PA.: 6700 Bludenz, In der Halde 46. G.: Salzburg, 22. Sep. 1942. V.: Ingeborg, geb. Fink. El.: Karl u. Hermine. S.: Kunstschule d. Stadt Linz, Ak. d. Bild. Künste Wien. K.: seit 1965 freischaff. Maler in Sbg., freier Mitarb. d. graf. Versuchswerkstätte, Mitarb. v. Prof. Slavi Soucek, 1970 Beg. d. Lehrtätigk. am BRG Bludenz, Einzelausst.: 1972 Galerie Seebacher, Nüdizers, 1973 Galerie Maerz, 1977/79/81 Galerie E + F Buchmann, St. Gallen, Beteil.: 1977 Trigon, Steir. Herbst, 1981 ART, Basel, Kunstmesse Düsseldorf, Modern Art, Wien, Arb. in öff. u. priv. Besitz u.a. Kunstmuseum St. Gallen, Museum d. Kanton Thurgau, Ittingen/Frauenfeld, Vbg. Landesmuseum, Neue Galerie d. Stadt Linz, BMU, seit 1981 literar. Tätigk. P.: 1973 "Tische", 1981 "Handschreiben", 1987 "Pattstellung", 1992 "Parallelstrategien", Lyrik, Rezensionen, Essays. E.: 1972 Förderungsgabe d. Landes Vbg., 1984 Rauriser Literaturpreis, 1992 Ehrengabe d. Landes Vbg. M.: GAV (Grdg.Mtgl. d. Vbg. Autorenverb.). (L.D.)

Springenschmid Rupert Dr. techn. Dipl.-Ing. o. Prof.

B.: Univ.-Prof., Ing.Konsulent. A.: A-1120 Wien, Hetzendorfer Str. 62/II/7, D-8000 München 60, Seinsheimstr. 4. G.: Salzburg, 21. Dez. 1929. V.: Irmgard, geb. Lerider. El.: Karl u. Hermine. S.: VS, Gymn, Stud. TH Wien, Dipl. ex. 1955, Prom. 1959. K.: 1955 Ass. Princeton Univ., 1956 Fa. Swietelsky, Linz, 1958 Forsch.Inst. d. Zementind. Düsseldorf, 1963 Zementforsch.Inst. Wien (zuletzt Ltr.) 1973 o.Prof. f. Baustoffkunde u. Werkstoffprüf. an d. TU München. P.: ca 100 Veröff. in Fachzeitschriften. M.: ACI, RILEM, PIARC, ÖIAV, Österr. u. Dt. Betonver., versch. Fachaussch. d. Forsch.Ges. f. Straßen u. Verkehrswesen e.V., Köln. VDI. H.: Skifahren, Bergsteigen.

Springer Alfred Dr. a.o.Univ.-Prof.

B.: a.o.Univ.-Prof., Ltr. d. Ludwig Boltzmann-Inst. f. Suchtforsch. DA.: 1237 Wien, Mackg. 7-9. G.: Wien, 26. Febr. 1941. V.: Dr. Marianne, geb. Kremser. Ki.: Nadja. El.: RgR. Berthold u. Margaretha. S.: Mittelschule, Med.Stud. Univ. Wien. K.: FA f. Psychiatrie u. Neurologie, Univ.Doz. f. Psychiatrie u. Psychotherapie, Psychoanalytiker, Anfangstätigkeit Inst. f. Pharmakologie u. psych.-neurolog. Univ.Klinik Wien, 1972 Ass. Ludwig Boltzmann-Inst. f. Suchtforsch. u. seit 1976 dessen Ltr., seit Juli 1987 a.o.Univ.-Prof. P.: Buch "Path. d. geschlechtl. Identität", "Kokain: Mythos u. Realität", "Drug Abuse and Aids", Hrsg. d. Wr. Zeitung f. Suchtforsch. u. d. Schriftenwerke d. Ludwig Boltzmann-Inst. f. Suchtforsch., 100 Art. f. Zeitschriften. E.: Förderungspreis d. Stadt Wien f. Wiss., Silb. EZ f. Verd. um d. Rep. Österr., Funktion in versch. BeiR., Vors. d. BeiR. gegen Alkohol u. Drogenmißbrauch d. BMG. M.: Ges. d. Ärzte in Wien, Ges. f. Neurologie u. Psychiatrie, Intern. psychoanalit. Ver., Dt. Ges. f. Suchtforsch. u. Suchttherapie, dt.sprachige Ges. f. Psychopath. d. Ausdrucks. H.: Kunst, Lesen, Reisen. (M.M.)

Springer Christine

B.: Ak. Übersetzer, Konferenzdolmetscher, allg. beeid. Gerichtsdolmetscher f. Ital., Präs. FN.: Österr. Verb. d. Gerichtsdolmetscher. DA. u. PA.: 1180 Wien, Gentzg. 12/7. G.: Wien, 18. Sept. 1944. V.: Dipl.Dolm. Christian. El.: Karl u. Franziska Janacek. S.: VS, hum. Gymn., 1962 Matura, Inst. f. Übersetzer- u. Dolmetscherausbild. d. Univ. Wien, Ital. u. Russ., Stud. in Pisa u. Perugia, K.: seit 1967 freiberufl. Übersetzer u. Dolmetscher f. div. BM u. f. d. BKanzler, ORF TV u. Radio, Justiz u. Verw.Behörden, seit 1970 Gerichtsdolmetscher, Dolmetsch f. d. Interviews d. Ver. d. Freunde d. Wr. Staatsoper. E.: 1986 Silb. EZ f. Verd. um d. Rep. Österr. M.: Präs. d. Österr. Verb. d. Gerichtsdolmetscher, seit 1981 im Vorst. d. Österr. Übersetzer- u. Dolmetscherverb. "Universitas". H.: Lesen, Klavierspielen, Musik, Tiergärten. (S.S.)

Springer Georg Dr.

B.: Gen.-Sekr. d. Österr. Bundestheater. DA.: 1010 Wien, Goetheg. 1. (V)

Springer Kurt

B.: Werkzeugmacher, Firmeninh. FN.: Kurt Springer. DA.: 1230 Wien, Leo-Mathauser-G. 75. G.: Wien, 10. Sep. 1940. V.: Irmgard, geb. Paulic. Ki.: Roman (1971). El.: Alfred u. Leopoldine. S.: VS, HS, Werkzeugmacherlehre, 1957 Gesellenprüf., 1969 Mstr.-Prüf. K.: Gschf. d. Lehrbetriebes, 1984 Kauf d. Betriebes u. selbst. unter Firma Kurt Springer. M.: 20 J. Obm. d. ESC Franz-Josefsland Eisstockschützen. H.: Eisstockschießen, Fußball, Reisen. (W.J.)

Springer Markus

B.: Gschf. Ges. d. Markus Springer Immobilien GmbH, Ges. d. Hallentennis Hallein Nord GesnbR. DA.: 5400 Hallein, Baron-Löwenstein-Str. 5/2. G.: Linz, 19. Sept. 1945. S.: HAK, Konzessionsprüf. Elektrotechniker, Konzessionsprüf. Immobilienkfm. K.: 7 J. kfm.-techn. Ang. in Versandhaus, seit 1977 Ges. d. Hallentennis Hallein Nord, seit 1979 Gschf. Ges. d. Markus Springer Immobilien GmbH. (M.Mo.)

Springer Paul

B.: Gschf. Ges. d. OHG P. Springer & Söhne. A.: 9020 Klagenfurt, Viktringer Ring 37. G.: Waiern b. Feldkirchen, 10. Jän. 1920. V.: Helene. El.: Paul u. Gisela. S.: Grundschule, Ausbild. im Reisebüro u. Verkehr.Gewerbe. K.: Gschf. Ges. F.: Beteiligt an 16 eigenen Reisebüros, 40 Autobussen, Miet- u. Ausflugswagenverkehr, 3 Autobuslinien, Taxiunternehmen u. LKW-Transporte. M.: Lyons-Club, VPräs. d. Automobil u. Touringclub.

Springer Walter Dr. Mag.

B.: Gschf. d. Aktienforum Österr. Verb. f. Aktien Emittenten u. Investoren. DA.: 1060 Wien, Gumpendorfer Str. 6. PA.: 1180 Wien, Starkfriedg. 29. G.: Linz, 1. Feb. 1942. V.: Nina, geb. Nemetschek. Ki.: Sophie (1968), Jacob (1970). El.: Dipl.-Ing. Walter u. Gertrude, geb. Wolfartsberger. S.: Jus-Stud. an d. Univ. Wien, Prom. 1967, Diplomat. Akad. Wien (Dipl. 1969), Columbia Univ. New York, Graduate School of Business (M.B.A./Finance). K.: 1972 Eintritt in d. Österr. Länderbank AG Wien, ab 1982 Ltr. d. Beteiligungsbereichs Ind., Hdl., Dienstl. u. ausländ. Finanzierungsbet., s. 1989 Gschf. d. Aktienforums, delegiert v. d. Österr. Länderbank. BL.: Aktive Lobbyingtätigk. f. d. Aufbau e. leistungsstarken österr. Aktienmarketes. P.: Zahlr. Veröff. in kapitalen Marktfragen. M.: Union Yachtclub Traunsee, Council of intern. House New York (Rockefeller Found.), Ivy-League Club Austria, Ver. d. Musikfreunde Wien, Ges. d. Freunde d. bild. Künste, Ver. d. Freunde d. Hochsch. f. angew. Kunst Wien, Amerik. HK in Österr., Club d. Absolventen u. Freunde d. Diplomat. Akad., Alumni Assoc. (Deutschl.-Schweiz-Österr.). H.: Segeln, Tennis, Malerei, Theater. (N.A.)

Springer-Kremser Marianne Dr. Univ.-Doz.

B.: FA f. Psychiatrie u. Neurologie, Vorst. d. Univ.-Klinik f. Tiefenpsychologie u. Psychologie. DA.: 1090 Wien, Währinger Gürtel 18-20; 1140 Wien, Linzer Str. 40/6. G.: Wien, 11. Nov. 1940. V.: Univ.-Prof. Dr. Alfred Springer. Ki.: Nadja (1978). El.: Fritz u. Marianne Kremser. S.: Gymn., 1958 Matura, Med.-Stud. Wien, 1 J. internes Gegenfach, 2 Monate Psychiatr. KH, Neurolog. Univ.-Klinik Prof. Hoff, während FA-Ausbild. 1 J. Drogenstation, 1 J. Ausbild. b. Prof. Strotzka. K.: Eintritt Inst. f. Tiefenpsychologie u. Psychotherapie, Ausbild. z. Psychoanalytiker Wr. Psychoanalyt. Ver., 1982 Habil., seit 1987 Vorst. Klinik f. Tiefenpsychologie u. Psychotherapie, Vors. d. Österr. Ges. f. Psychosomatik in Gynäkologie u. Geburtshilfe, seit 1974 Ltr. d. psychosomat. Ambulanz d. Univ.-Klinik f. Gynäkologie. E.: Förderungspreis d. Stadt Wien. M.: BeiR. f. psych. Hygiene d. BMU, Ltr. d. Sekt. Psychiatrie d. Ges. Österr. Nervenärzte u. Psychiater, Central Council d. IPPF London, Gleichbehandlungsbeauftragte d. med. Fak. d. Univ. Wien. H.: mod. Kunst (Malerei), Kino, Meeraufenthalte in Südfrankreich, Gespräche, Feminist. Literatur. (J.M.)

Springnagel Annamaria

B.: Gouvernante. A.: 1020 Wien, Schmelzg. 3/18. G.: Wien, 24. Aug. 1926. El.: August Karl u. Annamaria Ziegler. S.: Gymn., Matura, Ballettschule d. Wr. Staatsoper, Schauspielschule, Klavier, Sprachen. K.: Engagement Wr. Staatsoper, Paris-Filme, Wien-Filme u. Theater, 10 J. Ltr. d. Ballettschulen, Gouvernante d. Balletschule Österr. BTheater Verb. F.: Österr. Revisions- u. Treuhand AG, Schwarzenbergpl. 8, 1030 Wien. E.: Ehrenkreuz v. Bgld. M.: Trachten u. Geselligkeitsver. "Berghoamat", Tierschutz, Vivisektion, Reiter Campagne Ges., Dante Aleghieri.

Springschitz Leopoldine Dr. w.HofR.

B.: Museumskustodin i.P., Ltr. d. Ktn. LGalerie v. 1965-76. A.: 9020 Klagenfurt, Kempfstr. 12. G.: Wien, 17. März 1914. S.: RG u. Univ. Wien, 2 Sem. am Herder-Inst. in Riga, Dr. phil. K.: 1940-45 Red. (Kunstberichterstattung) am "Neuen Wr. Tagblatt", freie Schriftstellerin, ab 1952 Museums-Kustodin, ab 1965 Galerieltr. b. 1976, dzt. freie Mitarb. im wiss. Sektor d. LMuseums f. Ktn. in Klagenfurt: Antike Numismatik. 1976: Österr. Kommissar d. Biennale v. Venedig. P.: Sylloge Nummorum Graecorum, Sammlung Dreer, Klagenfurt 1967, 1984 u. 1990, Arnold Clementschitsch (Monographie), Klagenfurt 1956, Wr. Mode im Wandel d. Zeit, Ein Beitrag zum Kulturbild Alt-Wiens, Wr. Verlag 1949. M.: Ehrenmtgl. d. Verb. d. Ak. Österr. innerhalb d. IFUW, Gr. Gold. EZ d. Landes Ktn. 1983. H.: Antike Numismatik.

Springsholz Elisabeth

B.: Eigent. FN.: "OFENBINDER". DA/PA.: 3106 St. Pölten-Spratzern, Mariazellerstr. 216. G.: 26. Jun. 1936. V.: Ing. Wilhelm, 1983 verst. Ki.: Mag. Brigitte (1962), Ing. Wilhelm (1966), Peter (1969). El.: Franz u. Marianne Binder. S.: VS, HS, HAS Inst. d. engl. Fräulein St. Pölten. K.: 1952 Eintr. elterl. Fa. (Herde, Backofenerzeug.), 1956 Gesellenprüf., 1957 im Büro tätig, 1966-83 gem. Firmenführ. m. Gatten, nach Tod d. Gatten Alleininh., Gas-, Wasser- u. Zentralheizungsbau, Verkauf von Fertigkachelöfen, Elektroinstall. H.: Skifahren, Schwimmen, Lesen. (J.M.)

Springsics Franz

B.: Betriebsltr. FN.: Interpress DWN GmbH. DA.: 7061 Trausdorf, DWN-Pl. 1. PA.: 7011 Siegendorf, Fabriksg. 11. G.: Siegendorf, 6. Dez. 1948. V.: Ingrid, geb. Wild. Ki.: Christina (1980), Thomas (1981). El.: Andreas u. Maria. S.: Gymn., Druckerlehre Firma Horvath Eisenstadt, 2 J. Grafikschule Wien. K.: 1971-73 Offsetdrucker Firma Werner Wien, 1973-77 Obermstr. Verlag Bohmann, 1977-82 Obermstr. b. Commerzdruck, ab 1982 Obermstr. Firma Interpess, seit 1985 Betriebsltr. u. Neuaufbau d. Firma. M.: Kassier b. Sportver., Fischereiclub, Tennisclub. H.: Segeln, Fischen, Fußball. (I.J.)

Sprinzl Gerhard

B.: Gschf. FN.: Toyota Sprinzl GmbH. DA.: 1140 Wien, Dreyhausenstr. 6-8. PA.: 1140 Wien, Dreyhausenstr. 6/1a. G.: Wien, 10. März 1956. El.: Stefan u. Maria. S.: Automechanikerlehre m. Mstr.-Prüf. K.: seit 1971 in Kfz-Branche tätig, ab 1980 selbst. H.: Reiten, Motorradfahren, Segeln. (N.A.)

Spritzendorfer Ilse Mag.

B.: Österr. Präs. d. Ver. v. Berufs- u. Geschäftsfrauen BPW u. Apothekerin. DA.: 1010 Wien, Stubenbastei 12/14; 3631 Ottenschlag, Unterer Markt 11. G.: Ottenschlag, 17. Jan. 1943. V.: Gerhard Dorfer. Ki.: Alexander (1963), Dominik (1974), Lorenz u. Vinzenz (1980). El.: Hans u. Rosa Hofbauer. S.: Matura Wien, Pharmaziestud. Univ. Wien, 1970 Spons., seit 1985 regelm. Teilnahme am jährl. staatfindenden Management-Symposium f. Frauen in Zürich, 1988 Dale Carnegie Kurs, 1989 postgraduate Ak. f. Zukunftsfragen in Wien. K.: 1970-79 Ass. ETH Zürich, Kantonsspitalsapotheke Zürich, Bellevue-Apotheke Zürich, seit 1979 Ltg. d. Apotheke in Ottenschlag, 1987 Neubau u. Erweiterung d. Geschäftes um eine "Gewußt-wie-Drogerie", 1988 Grdg. d. Ver. "Ges. berufstätiger Frauen - Wien", seit 1989 Präs. in d. Austrian Federation of Business and Professional Women u. Repräsentantin b. d. UNO Wien im Komitee f. Drogen- u. Familienfragen, seit 1991 Vorst.-Mtgl. im NGO Committee on the Family, Mitarb. f. d. Intern. J. d. Familie 1994, 1994 ins Europ. Komitee d. BPW gewählt, 1994 Organisatorin d. 8. Europ. Kongresses d. BPW in Wien, 1995 Delegierte z. Weltfrauenkonferenz in Peking. E.: 1993 Award d. UNO f. bes. Verd. um d. intern. J. d. Familie 1994. H.: Golf. Opern, Reisen. (J.S.)

Sprosec Victor Dr.

B.: RA. DA.: 1010 Wien, Graben 13. PA.: 1190 Wien, Formanekg. 40. G.: Kalwang, 24. Aug. 1914. V.: Eleonore, geb. de Antoni. El.: Karl u. Camilla. BV.: Alle Vorfahren waren Forstleute. S.: VS, Gymn. Benediktinerstift St. Paul/ Lavanttal, 1933 Matura, 1933/34 Abiturentenlehrgang, 1933-38 Jusstud. Wien, 1938 Prom. K.: bereits vor Stud.Abschluß als RA-Anwärter gearbeitet, Gerichtspraxis in Wien, 1940 z. Militär, m. Kriegsende wieder in d. OStmk., 2 J. RA in Graz, 1947 Anw.Prüf. in Graz, ab 1947 eig. Kzl. in Wien (spezial. auf zivilrechtl. u. wirtschaftl. Sektor). M.: Präs. d. Wr. Rennver. im Palais Palavicini. H.: Jagd, Forst. (H.P.)

Sprung Horst

B.: Gschf. FN.: Kovac Schrott GmbH. DA.: 8010 Graz, Raiffeisenstr. 61. PA.: 8010 Graz, Zinzendorfg. 25/I. G.: Graz, 4. Juli 1940. El.: Franz u. Maria. S.: 1960 Matura, Wehrdienst, Stud. Geodäsie TU Graz b. Absolutorium. K.: 1973 Übernahme d. elterl. Unternehmens, Übernahme d. Unternehmens durch d. Wertheim-Werke AG, 1975-84 Ltr. d. Ndlg. Graz, seit 1984 Gschf. Kovac Schrott GmbH. H.: Sport, Philatelie, Reisen, Schauspiel. (F.K.)

Sprung Rainer o.Univ.-Prof.

B.: 1974-77 Dekan d. rechtswiss. Univ. Innsbruck, 1987-91 Rektor d. Leopold Franzens-Univ. Innsbruck. DA.: 6020 Innsbruck, Innrain 52. PA.: 6020 Innsbruck, Oberkoflerweg 3. G.: Feldkirch, 24. Juni 1936. Ki.: Cornelia, Danica, Philipp. El.: Dr. Herwig u. Blanka. S.: BRG, 1955-59 Stud. d. Rechtswiss. an d. Univ. Wien. K.: 1959 Eintritt in d. Gerichtsdienst, Richter, 1966 Habil. f. Zivilgerichtl. Verfahrensrecht an d. Univ. Innsbruck, 1967 o.Univ.-Prof. u. Vorst. d. Inst. f. Zivilgerichtl. Verfahren an d. Univ. Innsbruck, Tätigkeit b. EuropaR. in Strassburg, Sen. d. Univ. Innsbruck 1972-74, Dekan d. Rechtswiss. Fak. d. Univ. Innsbruck 1974-77. P.: Konkurrenz v. Rechtsbehelfen im zivilgerichtl. Verfahren (1966), (Hrsg.) Die Entscheidungsbegründung in europ. Verfahrensrechten u. im Verfahren vor intern. Gerichten (1974), (Hrsg.) Das österr. Schirecht (1977), zahlr. Abhandlungen in Fachzeitschriften. M.: Vorst.Mtgl. d. Österr. Juristentages, Präs. Mtgl. Österr. College (Forum Alpbach), Präs. d. Tir. Jur. Ges., Präs. d. Campagnereiterges. Tir. H.: Kulturgeschichte, Fischen, Skifahren.

Spunda Christoph Dr. OMedR. Prim. i.R.

B.: ehem. Vorst. d. II. Abt. d. Neurologie (KH Rosenhügel). PA.: 1090 Wien, Garnisong. 10. G.: Wien, 11. Juni 1927. V.: Mag. Brigitte, geb. Prisant, 2 Söhne. El.: Dr. Franz u. Desiree. BV.: Vater: Schriftsteller u.Historiker (Mystiker) Baphomet, Paracelsus, Goten-Triologie, Griech. Reise. S.: Hum. Gymn. Wien, Matura 1944, Med. Stud. Wien, Prom. 1950. K.: FA-Ausbild. am Rosenhügel (Neurol.), FA 1956, 1976 Prim., 1983 MedR. BL.: 1961 Grdg. eines EEG Labors, Grdg. d. Österr. EEG Ges. 1948. M.: Ges. Österr. Nervenärzte. H.: Segeln, Golf.

Spunda Hermann Ing.

B.: Gschf. Ges. FN.: Graphica GmbH. DA. u. PA.: 2371 Hinterbrühl, Dreisternstr. 20A. G.: Wien, 6. Febr. 1939. V.: Irene, geb. Trappl. El.: Dr. Franz u. Desirèe. BV.: Vater Dr. Franz Spunda Schriftsteller. S.: 1959 HTL-Matura Elektrotechnik. K.: 1960-63 Programmierer TELEFUNKEN BRD, 1963-81 Programmierer Control-Data, später Tätigkeit im Verkauf in Polen, CSFR, Ungarn, DDR u. Österr., ab 1982 selbst. m. Firma Graphica Ing. Hermann Spunda, 1990 Änderung in Firma Graphica GmbH, Spezialisierung auf Geräte z. opt. Datenerfassung. H.: Kynologie. (M.M.)

Spurey Kurt

B.: Bildhauer u. Maler. DA.: 1020 Wien, Schüttelstr. 49. PA.: 1030 Wien, Hintzerstr. 6. G.: Mariazell, 14. Juli 1941. V.: Beverly, geb. Piersol, 2 Kinder. El.: Richard u. Gusti. S.: VS, HS, Höh. Abt. f. Silikattechnik (HTL) K.: 3 J. in einer österr. Porzellanfa. als Ltr. d. Studioproduktion tätig, ab 1971 freischaff. tätig, priv. Ankäufe im In- u. Ausland, sowie öff. Aufträge d. Auslandes, an Univ. als Gastlehrer (Europa, USA, Kanada, Australien) tätig. P.: div. Art. in Fachzeitschriften. E.: Theodor Körner-Stiftungsfond, Förderungspreis d. BMU, Förderungspreis d. Stadt Wien, Arbeitsstipendium d. BMU. (R.A.)

Squire Maria Magdalena

B.: Bes. eines Antiquitätengeschäftes. DA.: 1010 Wien, Spiegelg. 4. PA.: 1010 Wien, Spiegelg. 2. V.: Christopher John. Ki.: Anna Venetia (1972). El.: Kardiologie Dr. Walter Hafenbroedl u. Schauspielerin Regina, geb. Waldherr. S.: hum. Gymn., Stud. Med., Jura u. Theaterwiss., Studienaufenthalt in Paris u. Rom. K.: Praxis f. Antiquitätenhandel in Chester/ England, spezialisiert auf Schmuck, Einrichtungsgegenstände u. Bilder aus d. Jugendstil. H.: Kunst, Musik, Lesen, Reisen, Schwimmen, Skifahren. (M.G.)

Srabotnik Debora Dr.

B.: Gerichtl. beeid. Dolmetsch, A.: 1160 Wien, Payerg. 5/11. El.: Karl u. Emma Ruder. S.: VS, Neo.Hum. Gymn. 1963 Vereidigung als Ger.Dolmetsch f. Polnisch, 1966 Prom. u.

Dr. phil. Univ. Wien. K.: Neben Stud. Arb. in einer Klinik als Krankenschwester. P.: Der Naturalismus in d. Romanen v. Gabriela Zapolska. H.: Tennis, Eislaufen, Lesen.

Sramek Werner

B.: Dipl.Graphiker. A.: 1050 Wien, Embelg. 63/32. G.: Wien, 3. Apr. 1936. V.: Susanne. S.: Grundschule, Höhere Graph. Lehr u. Versuchsanst., Abschl. m. Vorzug u. Dipl. K.: 2 J. Praxis in graph. Atelier in Sbg., 3 J. in Wien, 8 J. Art.Dir. u. Supervisor in d. Werbeagentur Strass, seit 1963 eigenes Atelier in Wien (Atelier "Sramek Graphik"). P.: Graphisches Leitsystem d. Wr. U-Bahn. div Ausstellungen in In- u. Ausland E.: Staatspreis f. Verpackung, Plakatpreis d. GEWISTA u. bei intern. Wettbewerben, Anerkennungspreise d. HK, 2 Goldmed. für Messegestaltungen. M.: Bund Österr. Gebrauchsgrafiker, Österr. Normungsinst. H.: Malen, Tauchen, Reisen Fotografieren.

Srb Manfred Kurt

B.: Dipl.Sozialarb. DA.: 1010 Wien, Parlament. G.: 5. Juni 1941. V.: Annemarie, geb. Rössler. El.: Josef u. Hermine, geb. Urban. S.: RG, HASCH, 1974-78 Sozialak. K.: 1961 Mag. Wien, Arb. Ver. Jugendzentren d. Stadt Wien, 1979 Sozialpäd., 1985 Mitarb. Alternative Liste Wien, 1986 Vertreter d. Alternativen Liste f. Wien b. d. Wr. Landesversamml. z. Kandidaten f. d. Nationalratswahl nominiert. Mtgl. d. NatR. (bis Mai 1994). P.: div. Art. in Fachzeitschriften, Österr. Arge f. Rehabilitation. H.: Schwimmen, Zeitgeschichte, Musik, Reisen, Schallplatten. (M.G.)

Srienc Isidor

B.: Gschf. Ges. FN.: ISI Motors GmbH Spezialwerkstätte f. Mercedes Benz. DA. u. PA.: 1170 Wien, Dornbacher Str. 97-99. G.: Schwabegg, 17. Aug. 1954. V.: Irmgard, geb. Winkelmüller. Ki.: Marcel (1985), Janine (1986). El.: Stanislaus u. Apolonia. S.: Gymn., Berufsschule f. Autoelektrik u. -mechanik. K.: Tätigkeit in Klagenfurt b. Fa. Teissl, anschl. Aufenthalt in Wien, Deutschland u.Amerika, überall Tätigkeit b. Mercedes Werkstätten, 1983 Grdg. d. Fa. Isidor Srienc in Wien, seit 1986 Gschf. Ges. f. Fa. ISI Motors GmbH. H.: Bootfahren, Skifahren, Schwimmen, Wasserski, Motorcross, Autos. (J.S.)

Srna Erwin O.

B.: Dir., Gschf. FN.: Schmidt Spiel u. Freizeit GmbH. DA.: 1150 Wien, Diefenbachg. 35. G.: Bad Vöslau, 7. März 1945. El.: Otto u. Hedwig. S.: Lycee Francais Wien, Gymn., Großhdls.Kfm. K.: 5 J. Einkaufsltr. Meinl-Konzern, 8 J. Fa. Piatnik & Söhne, Spielentwicklung, Einkauf, Sonder- u. Werbeverkauf, Spieleschulungen, Produktionsplanung, seit 1981 Vertriebsltr. d. Fa. Schmidt Spiel & Schildkröt, seit 1983 Einzelprok. Schmidt-Spiel + Freizeit GmbH, seit 1989 Dir., Gschf., verantwortl. auch f. d. Export nach CSFR, Ungarn u. Polen. F.: Inh. Fun-Tex Textildruck - Werbeart. 1150 Wien, Ullmannstr. 51. H.: Sport (Fußball, Tennis), Musik (Klavier). (J.S.)

Srna Giselher Dr. OMedR. Prim.

B.: FA f. Chir. u. Vorst. d. Hartmannspitals. DA.: 1210 Wien, Werndlg. 1, 1050 Wien, Nikolsdorferg. 32-36. PA.: 1210 Wien, Donaufelderstr. 38. G.: Wien, 29. Mai 1927. V.: Gerlinde, geb. Beran. Ki.: Mag. Angelika, Dr. Veronika, Alexander. El.: Karl u. Maria. S.: Matura Wien, Med.-Stud. Univ. Wien, 1951 Prom. E.: Silvesterorden. H.: Musik, Tennis. (J.S.)

Srodik Erik

B.: freischaff. Maler. DA. u. PA.: 1030 Wien, Hörnesg. 18/9. G.: 14. März 1954. V.: Ingrid Vayder. Ki.: Sascha, Markus, Benjamin. El.: Martin u. Nada. S.: VS, HS, Mittelschule. K.: Restaurateur u. Dekorateur, Dressman, freischaff. Künstler, Ausstellungen: u.a. 1980 Galerie Egger Bgld., 1981 Genoveva Haus Podersdorf, 1982 Galerie Violetta Wien, 1983 Cafe Galerie Kioferl Wien, 1984 United Art Galerie Wien, 1985 Palais Ferstl Wien, Österr. Fremdenverkehrswerbung Wien, Bez.-Museum Wieden Wien, Nordiko Museum Linz, 1986 Bawag Wien, Inter Art Sbg., Kleine Galerie Wien, 1987 Galerie Weihergut Sbg., Galerie Weidan Schärding, Kunstmesse Innsbruck, 1988 Galerie Dida Graz, 1989 Hoffman La Roche Wien, 1990 Koset Club Budapest, Galerie am Stubentor Wien, Jubiläumsausstellung "Srodik" Wien, 1991 Ambiente Frankfurt, Herbstmesse Frankfurt, Buchmesse Frankfurt, 1992 Galerie Lehmann Hamburg, Galerie Zentrum Wien, Theater Galerie Wien, div. Illustrationen f. Galerie Zentrum in Wien, Österr. Fremdenverkehrswerbung u. Galerie Weihergut Sbg., 1993 in Memoriam R. Nurejew-Ballettschule d. Bundestheater. H.: Bergsteigen. (H.S.)

Staar Alfred o.Prof.

B.: Wr. Philharmoniker, Primgeiger. DA.: 1040 Wien, Viktorg. 12/11. G.: Graz, 2. Juni 1938. V.: Christine, geb. Jäger. Ki.: Brigitte, Andreas. S.: 1949-58 Violinstud. Wr. Ak. b. Prof. Morawec, ab 1950 intern. Konzerttätigkeit als Solist. K.: 1960 Volksoper, seit 1961 1. Geiger Wr. Staatsoper u. Wr. Philharmoniker, 1961-63 Mtgl. d. Konzerthausquartett, 1963-72 Weller-Quartett, Einspielung v. über 20 Schallplatten, 1969-76 Konzertmstr. Wr. Mozart-Ensembles, seit 1968 Unterrichtstätigkeit, seit 1970 Primgeiger d. Wr. Hofburgkapelle, ab 1990 Dirigent u. Studienltr. mit in- u. ausländ. Orchestern, seit 1990 Prof. f. Violine u. Viola in Oberschützen. E.: 1973 Gold. Flötenuhr, Silb. EZ d. Rep. Österr., Gold. VZ d. Landes Sbg., Ehrenring d. Wr. Philharmoniker. (J.E.)

Staber Franz

B.: freischaff. Künstler: Karikaturist u. Cartoonist unter d. Pseuyd. "Wanzi"; Komponist; gschf. Ges. FN.: ComCo Werbeges.m.b.H. DA.: 1040 Wien, Karlsg. 7/3. PA.: 1040 Wien, Gußhausstr. 14/13. G.: Graz, 31. Aug. 1956. El.: Franz u. Luise. S.: 1974 Matura am BRG Wien 12, Stud. Elektrotechn. an d. TU Wien u. Stud. an d. HS f. Welthdl. (bis z. 1. Studienabschn.). K.: Studienaufenth. in Paris, London u. Malmö, freier Mitarb. als Karikaturist b. div. österr. Zeitungen u. Institutionen wie: Kurier, Trend, Profil, Cover, ÖH-Express, Vienna Life, Amnesty Intern., Radio Comix in Ö3; Trickfilmarb.; als Maler dzt. Arb. an einem Tarot-Zyklus; Komponist u. Produzent div. Pop-Prod.; 1991 Grdg. d. Werbeagentur ComCo m. Niederl. in

Budapest, Prag u. Bratislava. P.: Bücher: The Comics-Machine; Mike Molastus; Familie Mausmeyer. H.: Beschäftig. m. alten Kulturen, Sport u. Meditation. (J.S.)

Stach Gerhard Dr.

B.: Dir. Vorst.Mtgl. d. Maschinenfabrik Heid AG. A.: 2380 Perchtoldsdorf, Dr.-Moritz-Zander-G. 11. G.: Wien, 20. Dez. 1930. V.: Gertraud, geb. Schäler, El.: Richard u. Irmgard. S.: Hum. Gymn, Stud. d. Rechtswiss. an d. Univ. Wien. K.: Ger. Praxis (HG u. Arb.Ger.) Personalchef u. Dion.Sekr. Prok. (Fin- u. Rechnungswesen, Verkauf), kfm. Dir. M.: Gschf. d. Unterstützungskasse d. Maschinenfabrik Heid AG, Geschf. d. Heidmaschinen Vertrieb GmbH Bad Homburg f.d.H/BRD, Vorst. Mtgl. d. Evidenzbüros f. Außenhdl.Geschäfte.

Stachel Hellmuth Dr.

B.: Univ.-Prof. FN.: TU Wien. DA.: 1040 Wien, Wiedner Hauptstr. PA.: 1230 Wien, Endemanng. 6-18/4. G.: Graz, 6. Okt. 1942. V.: Henrike, geb. Wlachowsky. Ki.: Klaus (1968), Ingrid (1970). El.: Hellmuth u. Hermine. S.: VS, Gymn., 1960 Matura, 1960-65 Stud. d. Math. u. darst. Geometrie Univ. u. TU Graz, 1969 Promotion, Präsenzdienst, 1984 u. 1988 Gastvorlesungen i.d. VR China. K.: Ass. a. d. TU Graz. P.: rd. 50 Publ. i. Ber. d. Geometrie. E.: Deutsch-Österr. Hochschul-Software-Preis 1993. M.: s. 1992 Präs. der "International Society for Geometry and Graphics", s. 1991 korresp. Mtgl. d. österr. Akad. d. Wiss. H.: Bergsteigen, Schifahren. (E.J.)

Stachelberger Herbert Dr. techn. Dipl.-Ing.

B.: Univ.-Prof., Dekan d. Techn.-Naturwiss. Fak. d. TU Wien. P.: ca. 130 Publ., Mithrsg. d. Jahrbuches "Atherogenese". H.: Photographie. (P.R.)

Stacher Alois Dr. med. Dr. h.c. Univ. Prof.

B.: Ltr. d. Ludwig Boltzmann Inst. f. Leukämie-Forsch. u. Hämatologie, Präs. Wr. Int. Akad. f. Ganzheitsmed. DA.: 1107 Wien, Kurbadstr. 8. PA.: 1140 Wien, Matznerg. 21. G.: Wien, 16. Feb. 1925. V.: Anny, geb. Rhein. El.: Alois u. Hildegard. S.: Gymn., 1943 Dt. WM Bordfunker- u. Fallschirmjägerausb., 1945 in Italien schwerst verwundet, Lazarettaufenth. in amerik. Kriegsgefangenschaft b. 1947, 1947 Med.-Stud. Univ. Wien, 1952 Prom. K.: 1952-53 Gastarzt am Path. Inst. Hanusch-KH Wien, 1953-54 Sekundararzt Hanusch-KH, Chir. u. 1. Med. Abt., 1955 Aufb. u. Übern. hämatol. Station, 1956 OA, 1959 FA-Anerkenn., 1967 Habil., 1968 Grdg., Ltg. Ludwig Boltzmann-Inst. f. Leukämieforsch. u. Hämatol., 1974 a.o. Univ.-Prof., 1976-90 Vorst. d. 3. Med. Abt. Hanusch-KH, 1976-78 Ausb. hämatol.-onkol. Zentrum, 1969-75 Grdg. Mtgl. u. Sekr., 1975-81 Präs. d. Österr. Ges. f. Hämatologie, 1970 Grdg.-Mtgl. Vizepräs. u. wiss. Gschf. d. Int. Ges. f. Chemo- u. Immunotherapie, 1982 Präs. d. IGCI, 1975-78 VPräs. d. Int. Society of Chemotheraphy, 1987 Grdg. u. Präs. d. Wr. Int. Akad. f. Ganzheitsmed., Mtgl. d. wiss. BeiR. zahlr. int. u. nat. med. u. hämatol. Ges., 1973-89 amtsf. Stadtrat Land u. Stadt Wien. BL.: Grdg. u. Ausb. d. Ludwig-Boltzmann-Inst. f. Leukämieforsch. u. Hämatologie sow. d. hämatol.-onkol. Zentrum im Hanusch-KH Wien, Ausb. d. Soz.-Wesens bes. f. ältere u. behinderte Menschen, Wr. Psychiatriereform, Reorgan. d. Spitalswesens. P.: mehr. Bücher, zahlr. wiss. Arb. u. Handbuchbeitr. auf dem Gebiet d. Hämatologie, v. a. d. Leukämie, Lymphomforsch. u. Ganzheitsmed. E.: Förd.-Preis d. Stadt Wien 1965, Innitzer-Preis 1965, Gold. EZ d. Österr. Zivilinvalidenverb. 1974, VK f. Wiss. u. Kunst I. Kl. 1975, VK d. Roten Kreuzes I. Kl. 1976, Mtgl. d. Dt. Ak. d. Naturforscher Leopoldina 1978, Gold. EZ d. Ärztekam. f. Wien, Ehrenmtgl. d. Ungar. Ges. f. Hämatologie 1981, Ehrenmtgl. d. Rumän. Ges. f. Hämatologie 1983, Ehrenmtgl. d. Tschech. Ges. f. Hämatologie, 1986 Ehrenmtgl. d. Ges. f. Ärzte Wien 1987, Ehrenmtgl. d. Österr. Ges. f. Hämatologie u. Onkologie, 1989 Gr. Gold. EZ d. Stadt Wien, 1991 Ehrendoktorat d. Schles. Univ. M.: 1967-78 BObm. d. Fachgruppe Ärzte u. Dentisten i. d. Gewerkschaft d. Privatang., Sekt. Sozialvers., 1973-86 Mtgl. d. Wr. LRg. u. amtsführ. StadtR. f. Gesundheit u. Soz., 1986-89 f. Gesundheits- u. Spitalswesen, 1974-86 Präs. d. Kuratoriums Wr. Pensionistenheime, 1974-86 VPräs. d. Kuratoriums Unterstützung d. Auslandsösterr., 1975-86 Präs. d. Komitees f. Sozialarb., 1975 Grdg. u. Präs. d. LArge Wien d. Arge f. Volksgesundheit, 1976 Präs. d. LVerb. Wien d. Roten Kreuzes, 1976-86 Präs. d. Ver. Wr. Sozialdienste, 1978 Präs. d. Med. Wiss. Fonds d. Bgm. d. BH. Stadt Wien, 1979 Präs. d. Kuratoriums f. psychosoz. Dienste i. Wien, 1984 VPräs. Österr. Roten Kreuzes. H.: Hunde, versch. handwerkl. Tätigk. (J.S.)

Stacher Heinz Reinhold

B.: Inh. Schanzlwirt u. Goldenes Faßl. GT.: Beratung f. Gastronomie u. Hotelbereich. DA.: 8010 Graz, Hilmteichstr. 1, 8020 Graz, Grießpl. 32. PA.: 8010 Graz, Hilmteichstr. 1. G.: Graz, 24. Jän. 1952. V.: Roswitha, geb. Kirchhofer. Ki.: Bernhard (1972), Klaus (1974), Sebastian (1979). El.: Franz u. Franziska. S.: VS Kieb, HS Hainfeld u. Mank, 1967-71 Lehre Gold. Hirsch Sbg., Berufsschule. K.: 1971-73 Zermatt/Schweiz u. Basel, 1973-74 Chef Depatie Rosenberger, 1974-78 Gschf. Wienerwald Wien, München u. Sbg., 1978 Gschf. u. Zentraleinkauf Rosenberger Strengberg, 1980-83 Gschf. Rosenberger Ampaß/Tir., 1983-85 Gschf. u. Hoteldion. Hotel Illpark Feldkirch, seit 1985 selbst. H.: Altwaren, Sport (Aikido), Gastronomie. (R.S.)

Stacher Ulrich Dkfm.

B.: Ltr. d. Sekt. IV f. Koordinationsangelegenheiten im BKA. DA.: 1014 Wien, Ballhauspl. 3. G.: Aspang, 19. Mai 1942. V.: Mag. Irene, geb Haltiner. Ki.: Magdalena (1976). El.: Michael u. Inge. S.: 1960 Matura, 1961-64 Ind.-Lehr, Ausbild. z. Sägewerker, Stud. Vw. u. Betriebswirtschaft HS f. Welthdl., 1967 Dipl. K.: 1967-68 Kam. f. Arb. u. Ang. Wien, 1968-77 Auslandstätigkeit vorwiegend in Afrika auf d. Gebiet d. Entwicklungszusammnarb., 1977 Eintritt in d. BKA, 1979 Ltr. d. Abt. Programme u. Projekte d. Entwicklungshilfe, 1986/87 Mtgl. d. Geschäftsführung d. ERP-Fonds, seit 1987 Sekt.-Ltr. im BKA. P.: Fachart. z. Thema Entwicklungspolitik. H.: Skifahren, Wandern, Lesen, Musik. (J.S.)

Stachl Martin Prof.

B.: Ak. Maler, Öl, Aquarell, Fresko, Sgraffito. A.: 5280 Braunau, Talstr. 30. G.: München, 8. Nov. 1914. V.: Josefine, geb. Blaschegg. EL.: Martin u. Anna. S.: Reifezeugnis d. Maria-Theresia-Realschule, Staatsschule f. angewandte Kunst seit 1935 zur Ak. erhoben (München) K.: Da Schüler d. Prof. Dr. Pretorius Bühnenbildner am Stadttheater Braunau am Inn (LBühne) u. LTheater Linz, ab Kriegsende freischaff. Maler, viele Porträts (Rektore d. Univ. Sbg.), Tafelbilder (Ankäufe Städt. Galerie zu München u. Kunstsammlung d. Städte Linz u. Sbg., Chorherren d. Stiftes Schlägel u. großflächige Sgraffiti in OÖ, Bayern, Nord- u. Südtir. u. in d. Stmk. P.: in d. Kulturellen Zeitschrift, in den Jahrbüchern d. Innviertler Künstlergilde u.a. E.: Gold. Verd.Med. f. bes. Verd. um d. Stadt Braunau. Mit Beschl. D. Herrn BPräs. v. 5. März 1982 Verleihung d. Berufstitels "Prof.". M.: Seit Wiederreaktivierung d. Innvierter Künstlergilde deren Gildemeister und in deren Aussch. seit 30 J. tätig.. H.: Malfahrten m. eigenm PKW Lieblingsgebiet Südtir.

Stackl Walter Dr. med. Univ.-Doz.

B.: FA f. Urologie, Prim. d. Urolog. Abt. d. Rudolfstiftung. DA.: 1030 Wien, Juchg. 25. PA.: 1010 Wien, Schmerlingpl. 3. G.: Wien, 5. Mai 1948. El.: Josef u. Hilda, geb. Wanderer. S.: 1966 Matura, Med.-Stud. Univ. Wien, 1974 Prom. K.: FA-Ausbild. in Österr. m. Studienaufenthalten in Deutschland, England u. d. USA, 1989 Habil., 1987-88 Gastprof. Univ. of California San Francisco, seit 1990 o.g. Position, Visitingprof. an zahlr. intern. Univ., Einladung als Operateur u. Vortragender an zahlr. Kliniken auf d. ganzen Welt. P.: über 100 Publ. u. Buchbeiträge im In- u. Ausland, über 200 Vorträge auf nat. u. intern. Kongressen. E.: zahlr. Poster-, Vortrags- u. Videopreise. M.: ca. 15 inländ. u. intern. wiss. Ver. H.: Reisen, Skifahren, klass. Musik. (N.A.)

Stackler Walter

B.: Glasermstr., Inh. FN.: Glaserei Stackler. DA.: 6020 Innsbruck, Brandlweg 12. PA.: 6074 Rinn, Mooshöfe 17. G.: Schwaz, 18. Mai 1957. V.: Elisabeth, geb. Haag. Ki.: Philip (1979), Jenny (1983). E.: Alois u. Elfriede. S.: VS, HS Zell am Ziller, Berufsschule Kramsach, 3 J. Glaserlehre b. Firma Gstrein in Zell, 1975 Gesellenbrief, 1976 BH. K.: seit 1976 als Glaser tätig, 1979 Mstr.-Prüf. Kramsach, seit 1981 selbst. H.: Mountainbiken, Segeln. (J.F.)

Stadlbauer Bärbel

B.: selbst. Unternehmerin. FN.: Stadlbauer Wohntextil. DA.: 5020 Salzburg, Neutorstr. 26. PA.: 5020 Salzburg, Fischer-v.-Erlach-Str. 13. G.: Berlin, 29. März 1943. El.: Walter u. Käthe Stadlbauer. S.: VS, HS, Gewerbeschule, Abitur. K.: 1963 Büro, Organ. u. Koordination Hörburg & Rauberg Innsbruck, Tätigkeit b. Sbg. Baufirma, Bilanzbuchhalterprüf., seit 1978 Sbg. Firma, 1982 Prok., seit 1982 selbst. M.: Golfclub Mondsee. H.: Kochen, Golf, gut Essen, schön Wohnen, klass. Musik, Opern, Blumen, Reisen. (M.C.)

Stadlbauer Gerald Mag. art. OStR. Prof.

B.: Prof. f. Bildner. Erziehung u. Werkerziehung an AHS in Sbg. A.: 5020 Salzburg, Maria-Cebotari-Str. 37/1. G.: Schörfling, 30. Apr. 1938. V.: Franziska, geb. Huemer-Humer. Ki.: Gerrit, Edda, Ingrun, Dorrit, Halvard. El.: Lutz u. Friederike. BV.: Großvater Karl Wögerbauer Bmstr. in Perg/OÖ. S.: VS, Gymn., Univ. Wien (Geschichte), Ak. d. Bild. Künste Wien (Kunsterziehung, Werkerziehung, Lehramt u. Malerei). K.: seit 1966 Prof. an AHS in Sbg. Stadt, seit 1958 Malerei, 1959 Grafik, 1962 Plastik u. Skulptur, 1949 Lyrik, 1964 Essays, 1965 Kurzprosa, 1978 Romane, 1991 Glossen u. Satiren. P.: Beteiligung an Kollektivausstellungen in Wien, Gmunden, Sbg., Lyrik in d. Literaturzeitschriften Sterz, Literatur u. Kritik, Reenbou, Ahnungen, Die ganze Woche, Dietrichsblatt, Lyrik-Mappe, Wortbrücke, Lynkeus, Log, Alternativ-Magazin, Begegnung, Ventil, Der Protagonist, Das Boot, Inn, Findlinge, Mühlviertler Kulturzeitschrift sowie in d. Anthologien Traumwald im Neonlicht, Zeitzeichen u. Wendepunkt, Wie Tautropfen im Morgenlicht, Inseln im Zeitenfluß u. Lyrik 86/88 u. Lyrik 89 (Zürich 1989, 1990), Prosa u. Grafik in Wortbrücke, Illustrationen in Literaturzeitschriften, Anthologien u. Büchern. E.: 1961 Klassenpreis f. Kunsterziehung verliehen v. Prof. Kollegium d. Ak. d. Bild. Künste Wien. M.: Mtgl. d. IAD, Kath. Schriftsteller Österr. "Winfried", Ges. d. Lyrikfreunde, IG Autoren, Prolit. H.: Klavier u. Gitarre, Sprachwiss., Psych., Lesen v. polit. Magazinen, lange Nachtwanderungen im winterl. Sbg., Reisen, Radfahren, Gärtnern. (U.E.)

Stadlbauer Lutz SchulR.

B.: HS-Dir. i.R. A.: 4810 Gmunden, Satoristr. 26. G.: Regau, Bez. Vöcklabruck, 3. Sept. 1911. V.: Friederike, geb. Wögerbauer. El.: Josef u. Maria. S.: VS, Bürgerschule, staatl. LBA Linz, Matura 1931. Kurse f. Malen, Fachkurse f. Schrift. K.: Autodidakt bes. im Aquarell, weiters Kohlezeichnungen u.a Beteiligungen an vielen Ausstellungen im Rahmen d. Künstlergilde Salzkammergut in Gmunden, Taunkirchen, Bad Ischl, Attnang, Vöcklabruck, Lenzing. Als Mtgl. d. OÖ Künstlerbund Ausstellungen in Linz, Bad Hall, Personalausstellungen b. Buchwoche in Gmunden u. Almegg. P.: Ankäufe d. BMU, Kulturamt d. Stadt Linz, LRg. v. OÖ u.a. E.: Gute Kritiken in vielen Tageszeitungen. M.: Künstlergilde Salzkammergut seit 1955. OÖ Künstlerbund seit 1950.

Stadler Axel J.

B.: Gschf. FN.: CA-Leasing Ges. f. Kapitalvertrieb u. Vermögensverw. GmbH. DA.: 1040 Wien, Wiedner Hauptstr. 56. PA.: 2384 Breitenfurt, Laaber Str. 11A. G.: Berlin, 26. Juni 1938. V.: Elisabeth, geb. Rautner. Ki.: Angelika (1964), Astrid (1966), Kerstin (1980). El.: Josef u. Anna, geb. Sendlhofer. S.: 1957-61 HAK Graz. K.: 1958-74 Prok. Intern. Sped., 1974-82 Gschf. einer Importges., ab 1983 im Bankbereich tätig, zuerst Prok., seit 1991 Gschf. v. CA-Leasing. P.: Fachart., Hrsg. "GZ Beteiligungsreport". M.: Kiwanis-Club, Gen.Sekr. v. VPK. H.: Sport, Literatur, Theater. (N.A.)

Stadler Christina

B.: Musikschuldir. i.R. PA.: 2225 Zistersdorf, Spitalg. 32. G.: Neusiedl/Zaya, 26. Juni 1929. El.: Johann Franz u. Barbara Stadler. S.: 1956 Abschluß d. Konservatorium d. Stadt Wien m. Staatsprüf. K.: 1962 Musikschule Zistersdorf, 1972 Dir. d. Musikschule, 1991 Pension, Beginn d. Homöopath. Betätigung u. Akupressur. H.: Musik, Zeichnen u. Malen. (T.T.)

Stadler Eduard

B.: Bgm. d. Gem. Langenrohr. DA.: 3442 Langenrohr, Schulstr. 7/1. PA.: 3442 Langenrohr, Kirchenstr. 23. G.: Langenrohr, 31. Aug. 1921. V.: Ottilie. Ki.: Eduard, Hans, Ottilie, Anneliese. El.: Rudolf u. Josefa. S.: Gymn. K.: 1940-45 dt. Wehrmacht, 1946 beg. als Vers.Ang. b. d. NÖ Brandschadenvers., ab 1952 Vers.Insp. im Außendienst, 1960 Ern. z. OInsp., 1975-81 Aufbau eines Kundenbüros, 1960 Wahl in d. GemR., seit 1970 Bgm. d. Gem. Langenrohr. E.: Gold. VZ d. Rep. Österr., Gold. EZ f. Verd. um d. Land NÖ, Gr. Silb. Kammermed. d. Ldw.Kam., Silb. Mitarb.Med. d. AK, Gold. Med. f. 35 J. im Dienste d. Vw., Gold. EZ d. NÖ Bauernbund, Gold. Leopold Figl-Med., Gold. Kunschak-Med. u.a. M.: Verschönerungsver., Kameradschaftsbund, Sportver., Fischerver. H.: Jagd (auch Heger), Fischen, Natur. (M.B.)

Stadler Elisabeth

B.: Gschf., Inh. FN.: Grasmugg Landtechnik GmbH. DA.: 5521 Niedernfritz, Sonnberg 165. PA.: 5521 Niedernfritz, Sonnberg 29. G.: Schwarzach, 14. Mai 1963. V.: Hermann Stadler. Ki.: Christian (1987), Thomas (1991). El.: Gerald u. Johanna Stüger. S.: VS, HS, Frauenfachschule, 3 J. Lehre Einzelhdls.-Kauffrau im elterl. Betrieb. K.: ab 1982 Übernahme Küchen- u. Elektroabt., seit 1992 Gschf. u. Inh., seit 1991 Filiale in Großarl. P.: lfd. Veröff. in ldw. Fachzeitschriften. H.: Skifahren, Schwimmen, Tanzen, Lesen. (J.F.)

Stadler Franz Peter Ing.

B.: Ltr. d. Techn. Referates f. Aus- u. Weiterbild. WIFI Wien. DA.: 1180 Wien, Währinger Gürtel 97. PA.: 1010 Wien, Fischerstiege 1-7/4. G.: Wien, 21. Feb. 1957. El.: Franz u. Berta, geb. Wielander. S.: VS, BRG, TGM Maschinenbau, 1976 Matura, Stud. Hdls.-Wiss. WU. Wien. K.: 1976 Konstrukteur f. Ölfeuerungsanlagen Firma Unitherm Wien, 1976/77 BH, 1977-83 Ass. für Theoret. Fächer d. Maschinenbaues am TGM, 1977-81 parallell freier Mitarb. d. staatl. autorisierten Versuchsanst. f. Heizung u. Lüftung am TGM, ab 1984 Tätigkeit im WIFI Wien, seit 1986 Ltr. d. Techn. Referates f. Aus- u. Weiterbild. u. Ltr. d. Werkstätten im WIFI Wien, parallel dazu seit 1981 Lehrbeauftragter in d. Werkmstr.-Schule f. Berufstätige, Bez.-Stellenltr. d. Österr. Normungsinst., Kuratoriumsmtgl. im TGM u. d. "Graphischen" GFKT. P.: zahlr. Vorträge u. Fachart. auf d. Gebiet d. Technik, Normungswesen u. Qualitätssicherung. H.: Bergsteigen, Fotografie, Lesen, Musik, CIM. (M.M.)

Stadler Georg Prof. Mag. Dr.

B.: AHS-Dir. FN.: BG u. BRG. GT.: s. 1978 am Inst. f. Erziehungswiss., Lektor. DA.: 8700 Leoben, Moserhofstr. 5. PA.: 8714 Kraubath, Wieseng. 14. G.: Freinberg b. Schärding, 23. Sep. 1946. V.: Irene, geb. Woracz. Ki.: Martina (1972), Georg (1977), Michael (1979). El.: Alois u. Theresia. S.: 5 J. Aufbaumittelschule i. Lambach, 1965 Matura, Stud. Mathematik, Physik u. Chemie a. d. Univ. Graz, 1970 Mag., 1974-78 Stud. Erziehungswiss. a. d. Univ. Graz, 1978 prom. Dr. phil. K.: s. 1970 BG u. BRG Leoben, s. 1981 Dir. P.: "Zusammenhang zwischen formellen und informellen Prestigefaktoren i. d. AHS". H.: Basteln, Silberschmieden, Skifahren, Bergwandern, Beruf, Fotografieren. (I.G.)

Stadler Franz Dr. iur.

B.: RA. DA.: 1010 Wien, Reischachstr. 3. PA.: 2500 Baden, Marchetstr. 82. G.: Wien, 14. Febr. 1953. V.: Doris, geb. Rüther. Ki.: Konstantin, Sofie. El.: Franz u. Therese. S.: 1971 Matura, 5 J. Berufsoffz., daneben Stud., 1976 Prom. K.: b. 1981 Berufsanw., 1981 Eintragung als selbst. RA, vorerst in Baden, ab 1982 in Wien, Tätigkeitsschwerpunkt: Handels- u. Wirtschaftsrecht. (P.R.)

Stadler Gerhard Dr. iur. Mag. rer. oec. soc.

B.: Sektionschef i. BM f. Verkehr u. öff. Wirtschaft, Ltr. d. Obersten Zivilluftfahrtsbehörde, Staatskmsr. d. Austrian Airlines, d. Lauda Air u. d. Tyrolean Airways. GT.: Mtgl. d. AufsR. d. Flughäfen Wien, Graz u. Sbg., Vizepräs. d. Europ. Zivilluftfahrtorgan (ECAC). DA.: 1030 Wien, Radetzkystr. 2/6. G.: Wien, 6. Aug. 1947. V.: Hedwig, geb. Stark. Ki.: Sonja (1975), Michael (1978). El.: Thomas u. Hilde. S.: Dr. iur. Univ. Wien, Mag. rer. soc. oec. WU Wien. K.: Ass. am Inst. f. Staats- u. Verw.-Recht d. Univ. Wien, Auslandsaufenthalte in Frankreich, Eintritt in d. BK, 1976-80 Abt.-Ltr. im Verfassungsdienst d. BK u. Mtgl. d. Gemischten Aussch. Österr. - EG, 1980-83 stellv. Ltr. d. Rechtsabt. d. EFTA-Sekr. in Genf, 1984-88 Ltr. d. f. d. ÖIAG-Konzern zuständigen Abt. im KA bzw. im BM f. öff. Wirtschaft u. Verkehr, seit 1988 Sekt.-Ltr. im BM f. öff. Wirtschaft u. Verkehr, Präsidialchef d. BM u. Ltr. d. Obersten österr. Zivilluftfahrtbehörde. P.: zahlr. Veröff. zu Fragen d. österr. Verfassungs- u. Verw.-Rechtes sowie d. Europarechtes u.a. "Österreich - Europäische Integration" (3 Bände seit 1977), "Die EG u. Österreich" (1995). H.: Modelleisenbahn. (J.S.)

Stadler Hans Ing.

B.: Firmeninh. DA.: 4600 Wels, Salzburger Str. 196. PA.: 4033 Linz, Ziererfeldstr. 45. G.: St. Roman, 5. Okt. 1947. V.: Anna, geb. Danninger. Ki.: Wolfgang, Silvia, Claudia. El.: Johann u. Maria. S.: VS, HS, HTL in Linz (Maschinenbau), 1970 Matura, Ausbild. als Schweißtechnologe, 4 Sem. Betriebswirtschaft als a.o.Hörer. K.: Lehre b. ÖBB als Elektromaschinenbauer, 1971-73 Betr.Ass. im Walzwerk d. Voest Alpine, 1973-79 Betr.Ass. d. Fa. Ochsner Linz, 1976 Betriebsltr. (Aufbau d. Wärmepumpen), ab 1979 b. Fa. Waldner in Linz tätig, techn. Ltr. d. Betriebe Linz u. Mauthausen, 1983 Prokura, tätig auch im Verkauf, zahlr. Auslandsaufenthalte, 1983 Beteiligung an d. Fa. Baier, 1984 Übernahme d. Fa. Baier GmbH & Co KG Wels. P.: Mehrere Art. in Fachzeitschriften, zu gegebenen Anlässen in Tageszeitungen (Messen, Veranstaltungen etc.) M.: Kiwanis-Club Linz, Lions-Club Wels. H.: Familie (gemeinsam wandern, schwimmen etc.), Fischen, Tennis, Tontaubenschießen. (Deu.)

Stadler Heinz Dr. Prim.

B.: Prim. d. Chir. Abt. d. LKH Knittelfeld. DA.: 8720 Knittelfeld, Landeskrankenhaus. PA.: 8720 Knittelfeld, Kärntner Str. 25/1. G.: Graz, 24. Juni 1945. Ki.: Irene, Martin, Eva. El.: MedR. Dr. Erich u. Gertraude. S.: Mittelscule Graz, 1972 Dr. med., OLt. Arzt d. Res. K.: Pathol. Graz, LKH Radkersburg, Univ.Klinik Graz f. Chir., seit 1985 Prim. in Knittelfeld u. eigene Praxis. BL.: Einführ. d. Lasermed. im Magen- u. Darmtrakt in Graz. P.: 60 Veröff. in wiss. Zeitschriften, 50 Vorträge (intern. u. nat.) M.: Mtgl. d. Österr. Ges. f. Chir., Österr. Ges. f. Wehrmed., Schlaraffe. H.: Surfen, Skifahren, Schwimmen, Tennis, Tauchen. (Fels.)

Stadler Josef-Peter

B.: Gschf. Ges. FN.: TRANSPARENT DESIGN Handels GmbH. DA.: 4020 Linz, Bischofstr. 11, 4020 Linz, Franzosenhausweg 31. G.: Linz, 17. Dez. 1955. V.: Susanne. Ki.:

Ludwig, Ulrich. S.: Ak. Gymn., 1974 Matura, 2 J. BWL-Stud. Linz. K.: Tätigkeit im väterl. Betrieb, 1979 Firmengrdg., 1980 Werkstättengrdg., verantwortl. v. Produktion b. Verkauf. M.: Skiclub Linz, Union Hasberg St. Veit. H.: Skifahren, Surfen, Lesen, Glas. (P.H.)

Stadler Karl

B.: Bild. Künstler, VPräs. Intern. Künstlergruppe "Die Spirale", Maler, Grafik-Designer, Karikaturist, Kolumnist, Rezitator, Moderator. DA.: 1010 Wien, Stephanspl. 10. PA.: 2103 Langenzersdorf, Rebschulg. 5B. G.: Wien, 6. Mai 1942. V.: Christina, geb. Scholz. Ki.: Kerstin (1982). El.: Karl u. Katharina, geb. Kolb. Ki.: 1957-60 Stud. Malerei Kunst-HS Wien, 1957-60 Stud. HK Wien, Kunsttechn. Stud. b. Ing. Kominek. K.: 1960-68 Werbeltr. b. Otto Dohmen & Co, 1968-76 Aufenthalt in Nürnberg, Tätigkeit in d. Werbeagentur Optima-Werbung Grafik & Design, 1969 Art-Dir. u. Studioltr. b. Optima-Werbung, ab 1970 freiberufl., 1976-81 Rückkehr nach Wien, Tätigkeit in d. Ltg.d. Ogilvy & Mather Werbeagentur, ab 1981 freiberufl. Tätigkeit in Wien, seit 1984 Präs. d. intern. Kunstförd. Nico Dostal, Durchführung d. intern. Wettbewerbe Fachrichtung Operette in Stockerau. P.: zahlr. Art., Karikaturen zu Bücher, Ausstellungen im Ausland u. Österr.: Palais Palffy Wien, ORF-Landesstudio Wien, Donauturm Wien, Raiffeisenbank, BH St. Pölten, Belveder-Schlößel Stockerau, Immuno-Galerie Wien, 1991 ifabo Wien, 1992 Wr. Westfochen. E.: Stadtwappen d. Geburtsstadt v. Prof. Nico Dostal Korneuburg, Träger d. Ehrennadel d. Intern. Kunstförd. Nico Dostal. M.: VPräs. d. Intern. Künstlergruppe "Die Spirale", Österr. Schriftstellerverb., Bund Dt. Grafik-Designer (BDI), Art-Dir. Club Österr., (ADC), Berufsverb. Bild. Künsler Nürnberg, Intern. Kunstförd. Nico Dostal, Intern. Operettenges., Österr.-Israel. Ges., Presseclub Concordia, VPräs. Humanitärer Ver. "Hilfe f. strahlengeschädigte Kinder aus Weißrußland". H.: Familie, Gartenarb., Musik, Theater. (N.A.)

Stadler Klaus Dkfm.

B.: Gen.-Dir. FN.: Wr. Holding AG. DA.: 1010 Wien, Universitätsstr. 11. PA.: 2560 Berndorf, Hans-Czettl-Str. 11. G.: Baden, 5. Jan. 1939. V.: Ilona, geb. Hobel. Ki.: Peter (1965), Rudi (1967). El.: Florian u. Maria. S.: 1957 Matura, als Werkstudent an d. HS f. Welthdl., 1965 Dipl. K.: 1965-69 als Wirtschaftsprüfer d. österr. Revisions u. Treuhand GmbH in einer Reihe v. österr. Großunternehmen tätig, 1969-74 Aufbau d. Heizbetriebe Wien, Grdg. d. Wr. Holding, Prok., ab 1980 Gschf. d. betriebswirtschaftl. Vorst.Bereiches, seit 1989 Gen.-Dir. H.: Schallplatten sammeln, Wandern, Theater, Konzerte, Schwimmen. (P.R.)

Stadler Krista

B.: Schauspielerin. S.: Schauspielausbild. Wien. K.: 1. Engagement am Atelier-Theater in Wien, Komödie Basel, Dt. Theater München, Kl. Komödie München, Theater an d. Wien, Theater am Kärtnertor, Theater in d. Josefstadt, Volkstheater, Festspiele Krems, Freie Volksbühne Berlin, Salzburger Festspiele, Theater am Kurfürstendamm u. Renaissance Theater Berlin, Kinofilme: "Lena Rais" (Bundesfilmpreis 1980), "Nach Mitternacht", "Lieber Karl", "Aschenputtel", TV-Arb. u.a. "Die Vielgeliebte", "Eine unmögliche Person", "Lindenstraße", "Alles aus Liebe", "Tatort".

Stadler Manfred

B.: Kaufm. FN.: Fred's Sport Store. DA.: 6020 Innsbruck, Maria Theresiastr. 49. G.: Innsbruck, 14. Okt. 1961. El.: Elfriede u. Erwin. S.: VS,HS, 1976-79 Bürokaufmannlehre, 1980-81 Optikerlehre i. Innsbruck u. Hall. K.: Optiker, 1983 Fahrlehrerprüf. b. d. Landesreg., 1988-92 Fahrlehrer b. d. Fahrsch. Harm i. Innsbruck, ab 1992 wieder als Optiker tät., 1993 selbst. i. Verkauf. M.: Co-Trainer b. SV-Reichenau. H.: Snowboard, Paragleiten, Fußball, Musik, Klettern. (A.W.)

Stadler Margit

B.: Gschf., Bürsten- u. Pinselmachermstr. FN.: Mattes Bürstenfbk. KG. DA.: 6130 Schwaz, Fiecht Au. G.: Schwaz, 7. Jan. 1944. V.: Heinz. Ki.: Marcus, Tamara. El.: Anton u. Elfriede Mattes. S.: HASCH-Abschluß, Bürsten- u. Pinselmacherlehre, 1968 Mstr.Prüf. K.: Auslandspraxis, 1976 Übernahme, Ausbau u. Erweiterung d. seit 55 J. bestehenden elterl. Betriebes. P.: Publ. im intern. Fachblatt d. Bürsten- u. Pinselind. M.: BAussch. d. HK, örtl. Sportver., Feuerwehrmtgl. H.: Sport, Faschingsbgm. (Schm.)

Stadler Michael

B.: Chefred. d. "Salzburger Woche", Fotograf. DA.: 5020 Salzburg, Bergstr. 10. PA.: 5421 Adnet, Waidach 164. G.: Suben, 16. Jan. 1960. El.: Karl u. Maria. S.: Neusprachl. Gymn., 1979 Abitur, Stud. Germanistik, Geographie u. Publizistik. K.: 1982 freier Journalist aller Sbg. Medien, seit 1983 Literatur- u. Filmkritiker b. "Salzburger Nachrichten", 1985-87 Red. u. 1987-90 ltd. Red. d."Tennengauer Nachrichten", seit 1990 Chefred. d. "Salzburger Woche". P.: zahlr. Aufsätze in Büchern u. Zeitschriften. H.: Beruf, Reisen. (M.Mo.)

Stadler Paul

B.: Geschäftsstellenleiter. FN.: Salzburger Sparkasse Bank AG, Geschäftsstelle St. Gilgen. DA.: 5340 St. Gilgen, Mozartplatz 7. PA.: 5350 Strobl/Wolfgangsee, Ischler Str. 316/15. G.: St. Gilgen, 21. Juni 1952. V.: Herta, geb. Weissenbacher. Ki.: Christine (1975), Gerhard (1977). El.: Paul u. Marianne. S.: Handelsschule. K.: 1969 Eintritt in Sbg. Sparkasse in Stadt Sbg.; 1971 Sbg. Sparkasse St. Gilgen als Kassier; 1978 Gesch. Stellenleiter d. Sparkasse in Strobl, 1991 Geschäftsleiter d. Sparkasse St. Gilgen. M.: Vizepräs. u. Kassier d. Sbg. Tischtennisverbandes, Beirat im österr. Tischtennisverband. H.: Tischtennis - Landesliga, Tennis, Mountainbike, Sparkasse, Familie. (S.P.)

Stadler Susanne

B.: Gschf. Ges. FN.: TRANSPARENT DESIGN Handels GmbH. DA.: 4020 Linz, Bischofstr. 11, 4020 Linz, Franzosenhausweg 31. G.: Linz, 20. Mai 1957. V.: Josef-Peter. Ki.: Ludwig, Ulrich. S.: 1976 Matura, Jusstud. Univ. Innsbruck. K.: Allg. Sparkasse Linz, 1979 Firmengrdg., 1980 Werkstättengrdg. (Verarb. v. Acrylglas im Ladenbau, Maschinenbau, Display, Werbung), verantwortl. f. d. kfm. bürotechn. Bereich. H.: Skifahren, Lesen, Intern. Glasausstellungen. (P.H.)

Stadler Thomas

B.: Kfm., Kfz Techniker. FN.: Stadler Thomas-Motorrad. DA./PA.: 4501 Neuhofen, Florianerstr. 33. G.: Linz, 10. April 1967. V.: Anita Strecansky. Ki.: Anita Saskia (1993). El.: Fritz u. Ilse. S.: VS, HS, Berufschule, 1988 Gewerbeanmeld. K.: 1989 Eröff. des Motorradgeschäftes, 1990 ehem. Gasthaus gekauft u. umgebaut, 1993 i. d. 250iger Klasse: ges. 4. i. d. österr. Meistersch., 1994 Doppelsieg b. 250iger u. 500er Staatsmeistersch. bei Bergrennen in Landshaag, 2facher Meister i. Ö. i. Pocketbikefahren. E.: Sportehrenz. i. Bronze v. Marktgemeinde Kremsmünster verliehen f. bes. Leist. H.: Motorräder. (J.L.)

Stadler Ute Mag. phil.

B.: Prof., OStR. A.: 5026 Salzburg, W. Hauthalerstr. 17A. G.: Graz, 8. Okt. 1941. V.: Mag. phil. Herbert Manfred. Ki.: Wolfgang (1974), Bernd (1976). El.: Dr. Ehrenfried u. Erna Machalka. S.: HASCH Graz, Externistenmatura Graz, Ang. b. Styria Graz, Lehramtsprüf. f. Englisch an VS, HS, Sonderschule, Graz 1963. K.: Stud. Englisch u. Geographie in Graz, Saarbrücken u. Wisconsin/USA. Lehramtsprüf. f. Englisch u. Geographie an Höheren Schulen, Graz 1968, Mag. phil. 1972. Fulbright Stip. als Research and Teaching ass. am Geograph. Inst. d. Univ. v. Wisconsin/USA 1967/68. Unterrichtet BRG f. Md. 1966/67, Bürofachschule Hübner, Sbg. Summer School, Kleßheim, WIFI, VHS 1969-72. 1972/73 Austauschlehrer- u. Fulbrigth Stip. f. Deutsch, Erdwissenschaften in Idaho Springs/USA, seit 1969 HTBLA Sbg.. P.: Marine Desert Ecology of Southern Peru. H.: Skifahren u. Bergsteigen.

Stadler Walter

B.: Hotelier d. Hotel Zur Stadt Salzburg. DA. u. PA.: 4820 Bad Ischl, Salzburger Str. 25. G.: Bad Ischl, 7. Sep. 1947. V.: Karin, geb. Theinschnack. Ki.: Barbara, Michael. El.: Franz u. Herta. BV.: Verwandt m. d. bekannten Mundartdichter Martin Schmoller. K.: Kochlehre, Schiffskoch, 3 J. im Ausland, 2 J. Küchenchef in Zell am See, 1978 Übernahme d. familieneigenen Hotels u. Restaurants in Bad Ischl, Verdopplung d. Kapazität d. Umbau bzw. Ankauf v. angrenzenden Liegenschaften. M.: Mtgl. d. Bundes österr. Gastlichkeit, Funktionär d. OÖ HK, Obm. d. SV Bad Ischl. H.: Fußball, Fischen. (Foed.)

Stadler Wilfried Dr.

B.: Vorst.-Dir. FN.: Österr. Kommunalkredit AG. DA.: 1010 Wien, Renng. 10. G.: Salzburg, 12. Mai 1951. S.: 1969 Matura, WU Wien, 1977 Dr. K.: Vorst.-Mtgl. d. Österr. Kommunalkredit AG, Abt.-Dir. Unternehmensfinanzierung Österr. Investitionskredit AG, Lehrbeauftragter WU Wien, geprüfter Unternehmensberater. P.: Hrsg. "EG - Binnenmarkt & Banken" (1989), Beiträge in Fachzeitschriften über Ind.-Politik, Umweltökonomie u. Finanzierungsfragen. (J.M.)

Stadlhofer Gerhard

B.: Gschf. DA.: 6365 Kirchberg, Hotel "Sonne". G.: Spittal, 7. Juli 1946. V.: Rita, 1 Tochter. S.: HASCH, höhere Lehranst. f. Fremdenverkehrsberufe Schloß Klessheim in Sbg. K.: seit 1981 Gschf. d. Hotels "Sonne" in Kirchberg. H.: Fotografieren, Video, Sport. (Schm.)

Stadlinger Andreas

B.: Inh. FN.: Sportgaststätte. DA.: 4030 Linz, Resselstr. 2. PA.: 4030 Linz, Afritschweg 6. G.: Linz, 12. Aug. 1965. V.: Beatrice, geb. Auzinger. Ki.: Christoph (1990). El.: Werner u. Charlotte. S.: Hauptsch., Berufssch. u. Lehre Gastgewerbe. K.: 1980-84 Koch u. Kellner Arbeiterheim Kleinmünchen, 1985-87Bundesheer-Zeitsoldat, 1987-89 Hotel Wolfinger (Koch), 1989-91 Umschulung Bürokfm., Buchhalter, Hotel- u. Gastgewerbeass., Konzessionsprüf., 1991-92 VS-Victoria Volksbanken, Übern. d. jetz. Fa., Lehrtätigk. WIFI (Lebensmittelkunde). E.: Goldmed. Lehrlingswettbewerb Innsbruck. H.: Familie, Radfahren, Natur, Schwimmen, Spazierengehen. (U.A.)

Stadlmann Helmut Dir.

B.: Hoteldir. DA.: 4020 Linz, Wankmüllerhofstr. 37. PA.: 4020 Linz, Muldenstr. 14. G.: Reichraming, 21. Nov. 1944. V.: Monika, geb. Schweykowsky. Ki.: Meika, Markus. El.: Josef u. Klara. S.: VS, HS, Hotelfachschule Hofgastein. K.: 4 J. Dir.Stellv., 10 J. Berufserfahrung in Amerika (Chikago) u. sonstigem Ausland, 1976-81 Dir.Stellv. d. Österr. Verkehrsbüro, seit 1983 Dir. d. Linzer Novotels. M.: Österr. Hotelver., HSMA. H.: Skifahren, Tennis. (Deu.)

Stadlmann Johann

B.: Inh., Gschf., Weinbau- u. Kellermstr. FN.: Weingut u. Heurigenbetr. Stadlmann. DA/PA.: 2514 Traiskirchen, Wiener Str. 41. G.: Wien, 3. Jan. 1955. V.: Michaela, geb. Schweiger. Ki.: Johannes (1978), Bernhard (1982). El.: Johann u. Margarethe. BV.: Vater: Weinbaupräs. Österr., Landespolit. S.: 1970-72 Fachsch. Obst- u. Weinbau Krems, 1972-74 Auslandsprakt. Dtschl., Frankr., Italien. K.: 1974 Einst. elterl. Weingut, 1985 Übern. d. Weing., Gschf. u. Inh. BL.: s. 1965 ausschl. integr. naturnahe Bewirt.-weise d. Weingutes, Weine gen. trocken, nur höchste Prädikatsweine naturgemäß süß, Fam.-Betr. s. 7 Gen. P.: div. Beitr. i. Fachlit. E.: 1994 Winzer d. Jahres, 1991 Wein d. Jahres, 1993 II. Pl. Destilate (Prod. d. Weinbrände a. trock. Trauben). M.: Verein. Weinbaukellermstr. NÖ, Stellv. s. 1982, Komm. Stellv. d. Feuerwehr Traiskirchen, Jagdaufs. Traiskirchen. H.: Beruf, Reisen, Jagd. (I.K.)

Stadlmann Manfred Ing.

B.: Gschf. FN.: Baumüller Antriebstechnik GmbH. DA.: 4040 Linz, Am Hartmayrgut 4-6. PA.: 4040 Linz, Hölderlinstr. 21a. G.: Gmunden, 22. Juni 1939. V.: Christa, geb. Schönbach. Ki.: Christoph (1974). El.: Josef u. Klara. S.: VS, HS, HTL Maschinenbau Steyr, 1958 Matura, b. 1963 Stud. Maschinenbau TU Wien, 1964 BH. K.: b. 1980 Verkaufsltr. f. Österr. in d. Abt. Stahl- u. Maschinenbau d. Firma Schöller, b. 1987 Ltr. Bereich Elektrotechnik Felten & Guilleaume Österr., 1987-89 Baumüller Nürnberg GmbH Deutschland, seit 1989 Gschf. Baumüller Antriebstechnik GmbH. P.: lfd. Veröff. in Medien u. HK-Zeitschriften, Schulungstätigkeit innerhalb d. Firma. E.: zahlr. Preise. M.: seit 1987 WDF, Vorst.-Mtgl. Tennisclub Nußdorf-Attersee. H.: Musik (Oper), Sport (Tennis, Skifahren). (U.A.)

Stadlmann Robert

B.: Gschf. Ges. FN.: Stadlmann Büroorg. GmbH. DA.: 4820 Bad Ischl, Esplanade 22. PA.: 5351 Aigen Vogelhub, Lindau 94. G.: Gmunden, 24. Dez. 1957. Ki.: Gerson (1978), Nicole (1981), Stefan (1991). S.: VS, HS, 1974-77 EKfm. Lehre. K.: 1977-85 Verkaufsltr. e. EDV Fa., 1985 Gründ. d. Fa., 1989 Eintrag. i. Handelsreg. a. GmbH. M.: Präs. d. Clubs Ambassador Bad Ischl, Mitgründ. d. Salzkammergut Salonkultur, Akt Tirage. H.: Golf, Radfahren, Segeln, Fliegen. (G.E.)

Stadlmayr Horst Dr.

B.: Gen.Manager, GemR. d. LHpt.Stadt Linz. A.: 4020 Linz, Römerstr. 46. G.: Linz, 18. Febr. 1927. V.: Hermine, geb. Wolfsteiner. El.: Hubert u. Else, S.: Hum.Gymn. Tierärztl. HS Wien, 1953 Prom. z. Dr. med. vet. K.: 1955 Eintritt als Amtstierarzt b. Mag. Linz, seit 1967 Mtgl. d. Linzer GemR. (SP-Fraktion), 1971 Bestellung z. Gen.Manager u. Vorst.Dir d. Linzer Veranstaltungs GmbH (Aufgabenbereich: Brucknerhaus, Sporthalle, Stadion, Tennishalle, Posthof). P.: Vortragstätigkeit im In- u. Ausland, freier journalist. Mitarb. b. d. OÖ Nachrichten. M.: Mtgl. d. Linzer GemR., Vorst.Mtgl. d. BSA u. Obm. d. Fachgruppe Tierärzte, Obm. d. Eisenbahn-Kajak- u. Ruderver. Donau. H.: Musik, Reisen, Sport.

Stadlober Karl Dr. Dipl.-Ing. w.HofR.

B.: Berghptm. d. Berghauptmannschaft Leoben. GT.: Lehrtätigkeit an d. Berg- u. Hüttenschule u. an d. Montanuniv. Leoben. DA. u. PA.: 8700 Leoben, Straußg. 1. G.: Feßnach, 18. Jan. 1928. V.: Edda, geb. Hansmann. Ki.: Karl, Kurt, Helga. El.: Johann u. Josefa. S.: VS in Feßnach u. Scheifling, Theresianum Wien, BRG Judenburg, 1947 Matura, Stud. Mont. HS Leoben, 1951 Dipl.-Ing. K.: 1951-54 Betriebsing. ÖAMG Eisenerz, Radmer, Fohnsdorf, ab 1953 Jusstud. in Graz u. Innsbruck, 1954-56 im höheren bergbehördl. Dienst d. Berghauptmannschaft Innsbruck in Solbad Hall, 1956 Prom. Univ. Graz, BM. f. Handel u. Wiederaufbau - Oberste Bergbehörde u. Berghauptmannschaft Wien, 1957-59 Berghauptmannschaft Graz, seit 1959 Berghauptmannschaft Leoben, seit 1966 als Berghptm. Ltr. d. Berghauptmannschaft Leoben, Lehrtätigkeit an d. Berg- u. Hüttenschule u. Vortragender b. Ausbild.Kursen f. Sprengbefugte d. BFI u. b. Hauer-Ausbild.Kursen, seit 1967 Lehrtätigkeit auch an d. Montanuniv. P.: div. veröff. Arb., Vorträge u. Referate über Berggerichtsbarkeit u. Sicherheit im Bergbau aus histor. u. moderner Sicht. E.: Gr. EZ d. Rep. Österr. 1980, Grubenwehr-EZ 1969. M.: Mtgl. d. 2. Staatsprüf.Kmsn. f. Bergwesen, Markscheidewesen u. Geowiss. d. Montanuniv., 1964-84 Mtgl. d. bergrechtl. Senats am Kreisgericht Leoben, Sachv. f. Kraftfahrtechnik am Kreisgericht Leoben 1964-75, Gschf. d. Montanhistor. Ver. f. Österr. 1976-85, Mtgl. d. Vorst. d. techn.-wiss. Ver. "Bergm.Verb. Österr." seit 1974, seit 1983 Mtgl. d. Prüf.Kmsn. Ziviltechn. Prüf. d. Fachrichtung Bergwesen, 1977-86 Obm. d. Elternver. am BG u. BRG Leoben. H.: Fotografie, Musik, Bergwandern. (Tra.)

Stadnikow-Flossmann Tamara

B.: freischaff. Schauspielerin, Sängerin, Autorin, Bes. d. Theaters "Show-Time". DA. u. PA.: 1010 Wien, Eßlingg. 7. El.: Dipl.-Ing. Theodosius u. Brigitte Stadnikow, geb. Dietner. BV.: Urgroßvater u. Großvater waren in Rußland Großgrundbes. u. Fabrikanten. S.: abgeschlossenes Schauspielstud. Rainhardt-Seminar u. HS f. Musik u. darstell. Kunst, Gesangsausbild. K.: Kabarett "Der bunte Wagen" u. "Simpl", schriftstell. Tätigkeit, Intendanz v. intern. Festspielen, zahlr. Gastspiele im In- u. Ausland, Film- u. Fernsehaufnahmen u.a. Fernsehshow "Cabaret, Cabaret", Lesungen aus eigenen Werken, Revues, musikal. Lustspiele, Chansonsabende, seit Jän. 94 Kabarett m. eigenem Ensemble Theater "Show-Time". P.: 1987 Musical "Guten Morgen, Eva!", Uraufführung in d. "Kleinen Komödie", "Rosen d. Endzeit" Lyrikband (1988), 1991 Teilnahme an d. Kasen- u. Haiku-Anthologien, Schallplatten- u. Rundfunkaufnahmen. E.: Kulturpreis d. Stadt Wien. M.: Verb. geistig Schaffender, AKM, IG-Autoren. H.: Blumen, Tiere. (N.A.)

Stadter Norbert Dr. med.

B.: Prakt. Arzt. DA.: 2351 Wr. Neudorf, Hauptstr. 43. G.: Mödling, 1. Aug. 1952. V.: Andrea, geb. Wassiczek. Ki.: Elisabeth, Christine u. Matthias. El.: OMedR. Dr. Georg u. Stefanie. S.: Hum. Gymn., Med.Stud. an d. Univ. Wien, Prom. 1977. K.: Spitalsausbild. im KH Mödling 1977-80, seit 1981 prakt. Arzt in Wr. Neudorf. H.: Reiten, Sport. (R.A.)

Staffen Alfred Dr. w.HofR. Univ.-Prof.

B.: FA f. Chir., Chir. Univ.Klinik Wien. A.: 1130 Wien, Premreinerg. 37/8. G.: Wien, 23. Juli 1935. V.: Gudrun, geb. Heiß. El.: Dr. Alfred u. Martha. S.: VS., Hum. Gymn. Wien, Stud. Univ. Wien, Prom. Dr. med. 1959. K.: Seit 1960 Chir. Univ.Klinik Wien, Zwischenzeitlich Innere Med. Wilhelminenspital, Urolog. Univ.Klink Wien, Kantonspital Olten u. St. Gallen. Habil. f. d. Fach Chir. an d. Univ. Wien. F.: Ordination Wien 13, Hietzinger Hauptstr. 156. P.: ca 120 Wiss. Arb., M.: Österr. Ges. f. Chir., Die Ges. d. Chir. in Wien, Collegium intern. Chirurgiae digestivae, Österr. Ges. f. Senologie u. Österr. Ges. f. Gastroenterologie u. Ges d. Ärzte in Wien, Commision medical d. F.I.S.A. d. F.I.A., Präs. d. O.S.K. d. ÖAMTC. H.: Motorsport, Skifahren, Tennis, Golf.

Staffler Helga

B.: Red. u. freie Mitarb. b. ORF. DA.: 1130 Wien, Küniglberg, Würzburgg. 30. PA.: 1238 Wien, Rudolf-Zeller-G. 70-72/4/9. G.: Wien, 17. Jan. 1962. El.: Ing. Alfons u. Hilda Staffler. S.: RG, Matura, Geschichtsstud. K.: 1980 b. ORF als Red. begonnen, Wiss.Abt. Volontär, div. Sendungen, Dokumentationen u. Mitgestalter, 1985 WIR-heute, Beiträge aus d. Bereichen Konsumentenschutz, Umweltschutz, Arbeitswelt u. Wohnen. M.: Österr. Journalistenclub, Ver. f. Geschichte d. Stadt Wien. H.: Skifahren, Paddeln, Tonarbeiten. (E.L.)

Stagel Eva

B.: Inh. FN.: Eva Stagel Taxi, Mietwagen u. Kleintransporte. DA./PA.: 1100 Wien, Buchengasse 142. G.: Wien, 28. Auf. 1936. V.: Franz. Ki.: Monika (1963). El.: Rudolf u. Maria Kübelbeck. S.: VS, HS, Schneiderlehre, Taxilenkerprüf. K.: n. d. Lehre bis 1969 Schneiderin tätig., seit 1977 selbst. m. eig. Taxiuntern. E.: 1993 Verleihung d. Silbernen Verdienstmedaille d. Kammer Wien. H.: Wandern, Hunde. (F.S.)

Stagl Karl

B.: gschf. Ges. d. Karl Stagl GmbH, Gschf. u. Inh. d. Karl Stagl Personalbereitstellung GmbH, Inh. d. Fa. Body Gym, Gschf. d. Fa. Siegl Container. DA.: 1030 Wien, Erdberger Str. 10/3/13. PA.: 1030 Wien, Kundmanng. 30. G.: Wien, 14. Apr. 1960. El.: Karl u. Hermine. S.: Matura 1978, Stud. d. Betriebswirtschaft. E.: Versch. Ausz. in Judo u. Karate. H.: Beruf, Schwimmen, Squash. (M.Br.)

Stahel Hans W. Dipl.-Ing.
B.: Gschf. FN.: Coca Cola Computer Service GesmbH. DA.: 1230 Wien, Triesterstr. 217. G.: Zürich, 5. März 1932.V.: Christel, geb. Eisenberg. Ki.: Katja, Michael.El.: Hans u. Liese. S.: VS, Gymn., Stud. a. d. Eidgenössischen Techn. Hochschule in Zürich (Maschinenbau, Aerodynamik), 1958 Dipl. K.: 3 J. Swissair Ass. d. techn. Dir. u. Bereich Management Science/Operations Redearch, Planungstätigk. b. d. Spezifizierung v. Verkehrsflugzeugen, 1962 zur The Coca-Cola Company Atlanta im Büro in Brüsssel. Aufbau einer europäischen Operations-Research Gruppe m. d. ziel, d. Produktdistribution m. wissenschaftlichanalytischen Methoden zu verbessern, 1963-64 Konzeptentwicklung d. elektornischen Datenverarb. f. d. Coca-Cola Geschäft. Daraus entsteht ein intern. einsetzbares Paket v. Computerprogrammen. M.: Mtgl. d. "Operations-Research Society of America" u. d. "Institute of Management Sciences". H.: Fotografieren, Basteln, Fliegen. (W.J.)

Staininger Walther Dr. Dkfm.
B.: Gschf. FN.: IBT Handels GmbH. DA.: 1010 Wien, Seilerg. 15/4. PA.: 1010 Wien, Goldschmiedg. 10. G.: Linz, 29. Mai 1940. V.: Helga, geb. Paier. Ki.: Michael (1979). El.: Dr. Franz u. Beatrix. S.: HS f. Welthdl., 1964 Abschluß, Dr. d. Handelswiss. K.: Gschf. d. IBT Handels GmbH. (N.A.)

Stallinger Manfred Dr. med. ROSR.
B.: Amtsarzt, Schularzt. FN.: Bezirkshauptmannschaft Ried. DA.: 4910 Ried i. I., Parkg. 1. PA.: 4910 Ried i. I., Raimundstr. 19. G.: Ried i. I., 8. Okt. 1944. V.: Irene, geb. Kirchmayer. Ki.: Angelika, Silvia, Birgit. El.: Dr. Alois u. Caroline. S.: 1962 Matura, Med. Stud. Innsbruck, 1970 promoviert, Turnusausbildung. K.: Bis 1977 Sekundararzt KH Ried, seit 1977 Amtsarzt, seit 1980 zusätzl. Schularzt am BG Ried i. I. M.: AKV Tirolia, AV Tassilo Linz, Brucknerbundorchester Ried. H.: Musik. (P.H.)

Stallinger Manfred Dipl.-Ing. Dr. techn.
B.: Gschf. Ges. FN.: TECHCOM GmbH. DA.: 4020 Linz, Khevenhüllerstr. 14. PA.: 4100 Goldwörth, Sonnenfeldweg 1. G.: Linz, 28. Jan. 1960. V.: Gabriele Maria, geb. Mitter. Ki.: Sonja (1985), Wolfgang (1987), Alexandra (1991). El.: Leopold u. Aloisia. S.: Hauptsch., Fachschule Elektrotechnik HTBLA Linz, Matura 1979. K.: Betriebsass. Fa. Marley Extursion, 1980 Bundesheer, Fa. Keba Techniker Hardware Elektronik Entwickl., 1982 nebenbei Stud. Informatik Linz, 1986 Dipl.-Ing., 1989 Prom., 1990 Grdg. TECHCOM GmbH. P.: Vorträge über Datenkommunikation, Computernetzwerke, IFABO Informationskongreß Hilton. M.: Österr. Computerges., Ver. ANET. (N.A.)

Stallovits Josef

B.: Gschf. Ges. FN.: Stallovits Offset u. Tiefdruck Reproduktionen GmbH. DA.: 1100 Wien, Leebg. 34. PA.: 1100 Wien, Grenzackerstr. 17/4/12. G.: Wien, 11. Apr. 1938. V.: Erika, geb. Urahl. Ki.: Walter (1958). El.: Josef u. Kreszentia. S.: VS, Hum. Gymn., Lithographenlehre. K.: ab 1969 Druckereibetriebsltr., ab 1973 Gschf. eines Reprobetrieb, 1980 selbst. als Reprobetrieb, gerichtl. beeid. Sachv. f. d. Graf. Gewerbe. H.: Jagd, Fotografieren. (J.M.)

Stalzer Andreas
B.: Kunstdrucker, Kunsthändler. FN.: Galerie Stalzer Werkstatt f. Kunstsiebdruck. DA.: 1060 Wein, Barnabiteng. 6 PA.: 1180 Wien, Pötzleinsdorfer Höhe 35. G.: Wien, 19. Sept. 1960. Ki.: Mathias (1984), Lukas (1988). El.: Fritz u. Anatolia. S.: 1980 Matura, 1987 Fachmatura, Höhere Graph. Lehr- u. Versuchsanstalt. Reproduktions- u. Drucktechnik, Stud. d. Musik am Konservatorium d. Stadt Wien. K.: 1987 Gründ. d. Werkstatt f. KUnstsiebdruck, 1989 Gründ. d. Galerie. BL.: Ausschließl. Zusammenarb. m. d. Künstlern f. d. gemeinsame Entwickl. v. Originalgraphiken, Gründ. e. "Netzwerkes" v. Siebdruckerein i. Mitteleuropa P.: Hrsg. v. Katalogen zu d. Ausstell. u. über d. Graphik, Ausstl. auf "art multiple" i. Düsseldorf, Kunstkataloge. H.: Musik, Experimentieren m. Kunst, Natur (Sammlung v. Arb. d. bild. Kunst.). (J.M.)

Stalzer Gustav
B.: Kfm., Inh. u. Alleinbes. d. AGS-Aquarienartikel Gustav Stalzer GmbH. PA.: 2372 Gießhübl, Hauptstr. 28. G.: Wien, 12. Aug. 1930. V.: Crispina, geb. Guzman. Ki.: Elfriede. El.: Heindl Gustav u. Stalzer Karoline. S.: Berufschule f. Ind. Fotografie, 1951 Gesellenprüf. K.: Colorlaborant in Ausarbeitungsfa., Weiterbild. u. Kurse f. Colorausarbeitung, 1961 Laborltr., 1959 Grdg. d. AGS-Aquarienartikel. M.: Hawaiian Malacological Society. H.: Meeresaquaristik, Meeresschnecken. (A.W.)

Stalzer Wolfgang Dr. Dipl.-Ing. Univ.-Doz.
B.: Ltr. d. Sekt. IV im BMLF. DA.: 1010 Wien, Stubenring 12. PA.: 1180 Wien, Weimarer Str. 78. G.: Wien, 27. Dez. 1943. V.: Claudia, geb. Waneck. Ki.: Matthias (1974), Johannes (1976). El.: Kurt u. Nora, geb. Hawelka. S.: 1961 Matura, Stud. Kulturtechnik u. Wasserwirtschaft BOKU, 1972 Prom., 1981 Habil. K.: 1968-77 Ass. an d. TU, 1977-87 Ltr. d. Gewässeraufsicht b. Amt d. Bgld. Landesrg., 1987-89 Ltr. d. Abt. Wasserbau b. Amt d. Bgld. Landesrg., 1989-91 Ltr. d. Gruppe Wasserbau im BMLF, seit 1992 Ltr. d. Sekt. Wasserwirtschaft u. Wasserbau. P.: zahlr. Publ. z. Thema Wasserwirtschaft, Gewässerschutz, Flußbau, Siedlungswasserwirtsch. E.: EZ d. Landes Bgld. M.: Vors. d. Staubeckenkmsn. im BMLF, Vors. d. Fachgruppe Abwassertechnik u. Gewässerschutz im ÖWAV. (N.A.)

Stamm Albert Dr. Dipl.-Ing. MinR.
B.: Ltr. d. Abt. Baukontrolle u. Kollaudierung v. Bundesstraßen im Bundesmin. f. Wirtschaftl. Angelegenheiten. GT.: Mtgl. d. Fachnormenaussch. FNA 015 Verdinungswesen b. Österr. Normungsinst. DA.: 1011 Wien, Stubenring 1. PA.: 1180 Wien, Buchleiteng. 3/2/4. G.: Kronstadt/Siebenbürgen, 22. Jän. 1937. V.: Elfriede, geb. Baltuska. Ki.: Tanja (1973), Wolfgang (1975). El.: Albert u. Hertha. S.: VS u. Gymn. Landeck, Stud. Kulturtechnik u. Wasserwirtschaft an d. Univ. f. Bdk. Wien, 1961 Dipl., 1968 Doktorat. K.: 1961-72 Ass. am Inst. f. Festigkeitslehre, Stahlbetonbau u. Brückenbau d. Univ. f. Bdk. Wien, 1972 Eintritt in d. Bundesmin. f. Wirtschaftl. Angelegenheiten Brückenbauabt., seit 1983 Ltr. d. Abt. Baukontrolle u. Kollaudierung v. Bundesstraßen, 1972-85 Lehrauftrag f. Mechanik an d. Univ. f. Bdk. BL.: 1964 Spitzbergenexpedition, 1968 Ltr. d. Hindukusch-Expedition, Erstbesteigung u.a. d. Hauptgipfels d. Südkette d. Hindukusch (6870m). P.: Art. f. Fachzeitschriften. E.: Gold. EZ f. Verd. um d. Rep. Österr. M.: Österr. Alpenver., Österr. Alpenklub. H.: Bergsteigen, Skitouren. (J.S.)

Stamm Alfred
B.: Chefred. v. Studio Wien d. ORF. DA.: 1040 Wien, Argentinier Str. 30a. PA.: 1120 Wien, Rosenhügelstr. 29. G.: Wr. Neustadt, 11. Okt. 1947. V.: Ursula, geb. Kirchberg. Ki.: Michael. El.: Egon u. Erika. BV.: Vater Chef v. Wagon Lits, Cook's Intern. S.: 4 J. Piaristenschule, 8 J. Theresianum, Militärdienst. K.: 1968-71 im Außenmin. b. Dr. Kurt Waldheim

tätig, seit 1971 b. ORF zuerst Auslandsred., 1972 Inlandsred., 5 J. 10 vor 10 u. Zeit im Bild moderiert, seit 1984 Chefred. v. LStudio Ktn., seit 1985 Chefred. v. Studio Wien. BL.: Als einziger Mann v. ORF m. Drago Jowanovic b. OPEC-Überfall eine Nacht lang m. d. Terroristen eingesperrt und alles aufgezeichnet, erste Berichte v. Erdbeben in Friaul. E.: Publizistenpreis d. Ärztekam. H.: Tennis, Squash, Skifahren. (E.L.)

Stamm Rudolf Dr. iur.

B.: Journalist, Korrespondent d. Neuen Zürcher Zeitung f. Österr. u. Osteuropa. DA. u. PA.: 1180 Wien, Eckperg. 14. G.: Winterthur, 28. Mai 1937. V.: Gerlinde, geb. Schwarz. Ki.: Christian, Stefan. El.: Alfred u. Elisabeth. S.: VS, Gymn., Univ. Zürich, Genf, München, 1964 Prom. K.: 1965-72 Red. u. Korrespondent in Paris d. "Basler Nachrichten", 1972-73 Chefred. d. "Woche", seit 1974 in Wien f. "Neue Zürcher Zeitung". P.: Sammelband "Alltag u. Tradition in Osteuropa" 1985. H.: Wandern, Reisen. (R.A.)

Stamminger Riki

B.: Regisseurin, Gestalterin. FN.: ORF. DA.: 1136 Wien, Würzburgg. 30. PA.: 1180 Wien, Thimigg. 61. G.: Wien, 26. Sep. 1946. V.: Hans Georg. Ki.: Constanze (1967), Nora (1969). El.: Prof. Franz u. Lisbeth, geb. Kneissel. S.: Hum. Mat. Wien, Stud. Theaterwiss. Univ. Wien. K.: Beg. d. Karriere 1980 als Regieass. f. TV u. Film u.a. b. W. Glück u. einer TV-Prod. d. Staatsoper m. K. Russel u. Herbert v. Karajan, dan. Musikbildregie, z.B. Sbg. Festspiele, Mozartrequiem anläßl. Mozarts Todestages im Wr. Stephansdom, Neujahrskonzert im HDTV, Gestalterin v. Dok. f.d. ORF, u.a. "Fest in Hellbrunn", "Österreichbilder" f. Studio Wien, "Via Sacra" f.d. Abt. Rel. u. "25 Jahre Burg u. Oper" f.d. Kulturabt. u.a., 2 Bühneninszenierungen, f.d. steir. Herbst u. eine Oper a.d. Schallaburg, Bildregie bei zahlr. Prod. (J.S.)

Stampf Peter G.

B.: Gschf., Inh. FN.: Peter Pan Werbeagentur. DA. u. PA.: 1080 Wien, Albertg. 34. G.: Oberwart, 29. Dez. 1955. V.: Sylvia, geb. Taschler. El.: Karl u. Frieda, geb. Janisch. S.: 1974 Matura, Stud. d. Betriebswirtschaft an d. WU Wien, Univ.-Lehrgang f. Werbung u. Verkauf an d. WU Wien, 1981 Abschluß ak. geprüfter Werbekfm. K.: 1985-88 Texter u. Konzeptionist b. d. Werbeagentur Gould/Cargill & Cie, 1988-89 Konzeptionist u. Kundenberater b. d. Werbeagentur GEY DIRECT, 1989 Grdg. d. eigenen Werbeagentur Peter Pan. E.: 1988 Europ. Direkt-Marketing-Preis Monaco. H.: Literatur, Geschichte, Politik. (N.A.)

Stampfer Christa

B.: Red. d. ORF. DA.: 1136 Wien, Würzburggasse. G.: Wien, 5. Mai 1941. V.: Ing. Fritz Grassi. El.: Heinz u. Anna Stampfer. S.: Gymn., HS f. Musik, Hotelfachschule, HASCH, ausgebildete Sängerin. K.: während Gymn. Rundfunktätigkeit, Auslandsaufenthalt, seit 1969 b. Fernsehen, 11 J. Sportreportagen, 15 J. Fernsehsprecherin, 10 J. Land u. Leute, Panoptikum, Jazzgymnastik, Licht ins Dunkel, Sie wünschen, wir spielen, Kreuzworträtsel, Alles oder nichts, EWG, Lieder d. 4 Jahreszeiten, Volksmusiksendungen, Moderationstexte, Gestalterin, 1 J. f. eine Sportzeitung geschrieben. H.: Lesen (Esotherik, östl. Religionen), Reisen. (E.L.)

Stampfer Hannes Dr.

B.: RA. GT.: AufsR.Vors. d. Grazer Stadtwerke AG Graz u. d. Schöckelseilbahn AG Graz, AufsR. Steir. Wasserkraft u. Elektrizitäts AG Graz. A.: 8020 Graz, Hochsteing. 6. E.: Ritterorden v. hl. Grab z. Jerusalem.

Stampfer Hans

B.: Besitzer. FN.: Holzhdl. Hans Stampfer. DA.: 8761 Pöls, Garteng. 1. PA.: 8761 Pöls, Dr.-Angeli-Str. 6. G.: Knittelfeld, 6. Juli 1930. Ki.: Hans Helmut (1959). El.: Hans u. Josefine. S.: VS, HS, HASCH, 1948 Abschluß. K.: 1948-50 Praxis Firma Baumgartner Sägewerk u. Forstbetrieb St. Georgen, div. Kurse in Kuchl., 1950-52 Sägeltr. Firma Malinger Leoben, 1952-56 Sägeltr. Firma Dengl-Schapira, seit 1956 selbst. Holzhdl. in Pöls. BL.: 1989 Fang d. größten Forelle der Welt. H.: Fischen. (I.G.)

Standeker Georg Ing.(REFA-Ing.)

B.: Inhaber. FN.: Industrial Enineering, Managementberatung. G.T.: s. 1987 Beisitzer i. Senat Arbeits- u. Sozialgericht OLG Graz, s. 1988 Vorstandsmitglied v. REFA Österr., Vorstandsmitglied v. Industrie-Engineering Österr., s. 1991 Beisitzer d. Schichtungsstellen i. Bundesministerium f. Arbeit u. Soziales. DA. u. PA.: 8114 Stübing, Stübinggraben 45. G.: Maria Schnee, 7. April 1942. Ki.: Elke (1974). El.: Josefine Standeker. S.: VS, HS, BS 2. Bildungsweg HTL vollst. REFA Ausbildung b.z. REFA Ing. 1981,1988. Unternehmerberatungsfähigung, 1990: beeid. ger. Sachverständiger f. Betriebsorganisation u. Führung K.: Berufslehre 1960-62 Facharbeiter i. Graz, 1962-66 Lehrlingsausbildung i. Werkschule Graz, 1966-67 Ltr. der Produktionsplanung i.e. Industrieunternehmen, 1967-68 Produktionsltr., 1968-72 Direktionsass. i. e. Konzern, 1972-72 Werksleitung i.e. Industrieunternehmen, 1973-79 Vorstandsass. einer Unternehmergruppe, 1985-90 Prokurist einer Unternehmergruppe, s. 1990 selbst. Managementberatung. M.: Managementclub, Wirtschaftsforum d. Führungskräfte, Reitschule Hoffmann. H.: Pferde, Tennis, Musik, Literatur. (I.G.)

Standenat Sabine Mag.

B.: selbst. klin. Psychologin u. Gesundheitspsychologin. DA.: 1160 Wien,Franz Eichert Weg 9. 14. G.: Wien, 12. Juli 1955. El.: Dr. Einar u. Dr. Inge Standenat, geb. Schmid. S.: 1973 Matura, 1973-77 Stud. Publizistik, 1988-90 Stud. Psych. Univ. Wien, 1990 Spons. z. Mag. phil. K.: 1977-80 freie Journalistin b. div. Zeitungen, Sportred., Stud. NÖ, Aktueller Dienst, Mitarb. am Inst. f. Verhaltensforsch. b. Prof. Koenig, 1980-83 Red. in d. Unterhaltungs- u. Familienabt. d. ORF/Fernsehen, 1983-85 freie Journalistin b. div. Medien, 1992 klin. Psychologin b. d. Sozialvers. d. gewerbl. Wirtschaft, 1992-94 freiberufl. Psych. f.

d. Rheumasonderkrankenanst. d. gewerbl. Wirtschaft Baden, seit 1993 klin. Psychologin b. Ver. "Die Möwe", 1994 Eröff. d. eigenen Ordination. P.: lfd. Lehraufträge Krankenpflegeschule Wilhelminenspital, Kurse u. Vorträge an d. Onkolog. Station d. Wilhelminenspitals, Vortragstätigkeit über Positives Denken, Streßbewältigung u. Kommunikationstraining, ständige Kolumne "Seelisch betrachtet" in allen Bez.-Journalen Wiens, Begleitforsch. b. Ver. "Die Möwe". H.: Psych. (N.A.)

Stampfl Wolfgang Dr. iur. w.HofR.

B.: Sekr. d. ÖVP Klubs d. OÖ LRg. DA.: 4020 Linz, Klosterstr. 7. G.: Linz, 30. Aug. 1943. V.: Elisabeth, geb. Luft. Ki.: Paul, Julia. El.: Dr. Eberhard u. Hadwig, geb. Felder. S.: VS Linz, 1963 Matura, Jusstud. Wien u. Graz, 1971 Prom. K.: 1971-73 Ausbild. im Notariat, Gerichtspraxis, Richteramtsanw., RA-Kzl., ab 1973 OÖ Landesrg., Sekr.-Dienst b. LH Dr. Wenzl u. Dr. Ratzenböck, ab 1980 Ltg. d. Büros d. LHptm., ab 1982 Sekr. d. Klubs d. ÖVP LAbg., ab 1984 w.HofR., seit 1992 Stadtparteiobm. d. ÖVP Linz. M.: versch. studentische u. soziale Ver. u. Inst. H.: Tennis, Wassersport. (U.A.)

Standfest Friedrich

B.: Gschf. FN.: Standfest-Wohnen im Bad GmbH. DA./PA.: 4850 Puchkirchen/Timelkam, Roith 42. G.: St. Gilgen, 8. Mai. 1952. V.: Margarethe, geb. Fellner. Ki.: Christoph, Michael, Matthias, Dominik. El.: Anna u. Franz. S.: VS, HS, kfm. Lehre. K.: 1 J. b. Burgauer Möbelproduktion in Unterrach, i. d. Möbelverkauf gewechselt b. versch. Firmen ab. 1980 Planungsbüro f. Möbel in Timelkam, Staatspreis f. HAKA Küche 1982 erhalten b. 1985, ab 1985 Möbelhaus u. Einrichtungsstudio gegründet s. 1988 Möbelproduktion. H.. Pferde. (D.E.)

Standler Gerhard Dipl.-Ing.

B.: Abt.Chef, VPräs. FN.: Voest Alpine AG (Industrieanlagenbau). DA.: 4010 Linz. PA.: 4020 Linz, Schultestr. 10. G.: Linz, 12. Juni 1935. V.: Christa, geb. Humes, 2 Kinder. El.: Emmerich u. Johanna. S.: RG Linz, 1954 Matura, TU Wien Maschinenbau, 1961 Dipl.-Ing. K.: Eintritt in d. Voest Alpine als Projekting. im Anlagenbau, seit 1976 Abt.Chef. P.: div. Fachpubl. M.: Mtgl. WDF, Eisenhütte OÖ, Österr. Ing. u. Arch.Ver., Lions-Club Linz Mitte, Kfm. Ver. H.: Sport (Basketball, Tennis, Trial), bild. Kunst. (H.D.)

Stanek Eduard HofR.

B.: Amtsdir. i.R. PA.: 1020 Wien, Heinestr. 19. G.: Wien, 25. Nov. 1916. V.: Margarete, geb. Beyer. El.: Eduard u. Franziska. BV.: Großvater Eduard Stanek Mitgründer d. Metallarbeitergewerkschaft u. Mitgründer d. Naturfreunde. S.: 1934 Matura, 2 J. HASCH, BH. K.: nach d. Krieg Eintritt in d. Innenmin., seit 1946 in d. neu gegründeten Flüchtlingsabt., 1957 Grdg. u. seitdem b. z. Pensionierung am 1. Okt. 1980 Gschf. d. Flüchtlingsfonds d. Vereinten Nationen in Wien. BL.: Einführung d. EDV b. National- u. Präsidentenwahlen. P.: "Verfolgt, verjagt, vertrieben" Flüchlinge in Österr. 1945-84, Studie über Juden in Österr. in d. Zwischenkriegszeit u. nach d. 2. Weltkrieg, Studie: Integrationsprobleme d. Ostblockflüchtlinge in Österr., zahlr. Art. E.: 1980 HofR., Malteserritterkreuz, Silb. VK d. Rep. Östrr. M.: Intern. Forsch. Ges. f. d. Flüchtlingswesen (AWR). H.: Lesen, Geschichte, Flüchtlingsforsch. (J.S.)

Stanek Gerold Dr. med. Univ.-Prof.

B.: FA f. Hygiene, Mikrobiologie u. Präventivmedizin, Spezialgebiete Lyme-Borreliose u. Mykoplasmologie. FN.: Hygiene-Inst. d. Univ. Wien. DA.: 1090 Wien, Kinderspitalgasse 15. PA.: 1080 Wien, Tigergasse 1. G.: Schärding, 27. Feb. 1946. V.: Univ.-Doz.Dr.med.Brigitte geb. Scharinger. Ki.: Judith 1977. S.: Medizinstudium a.d.Univ. Wien, Promotion 1974. K.. ab 1975 Ass.-Arzt a. Hygiene-Inst. d. Univ. Wien, 1986 Habilitation f. Hygiene, Mikrobiologie u. Präventivmedizin, s. 1991 Tit. Univ. Prof., derzeit Ltr. d. Arbeitsgruppe Infektionsimmunologie. B.L.: erster Nachweis v. Borrelien i. Herz b. Dilatativer Cardiomyopathie, erstmalige Isolierung v. Campylobacter-Spezies i. Österr. P.: über 200 Publikationen, darunter Bücher wie z.B.: "Lyme-Borreliosis", "Recent Advances in Mycoplasmology", "Krank d. Zecken - FSME u. Lyme-Borreliose". E.: 1987 Österr. Staatspreis f. Rheumaforschung, 1990 Theodor Billroth-Preis d. Ärztekammer f. Wien, 1991 Österr. Kardiologenpreis, 1994 Golden Medal of the Int. Org. Mycoplas. M.: Mtlg. zahlr. wiss. Gesellschaften. H.: Musik, Malerei, Theater, Architektur, Segeln. (J.S.)

Stanek Ivo

B.: Abt.Dir., stellv. Bereichsltr. FN.: Österr. Länderbank. DA.: 1010 Wien, Am Hof 2. PA.: 1090 Wien, Zimmermanng. 1A. G.: Wien, 22. März 1936. V.: Carla, geb. Zen. Ki.: Michaela. El.: Alois u. Iva. S.: VS, 3 J. Franz. Lyzeum in Lissabon/Portugal, 6 J. Kollegium Kalksburg, 1955-58 Stud. d. Rechtswiss. K.: 1958 Österr. Länderbank in d. Dokumentenabt., 1962 Hdls.Bev., 1966 Prok. d. Werbeabt., 1969 Ltr. d. Werbeabt., 1974 Abt.Dir., 1978 Ressortltr. Marketing, 1983 stellv. Ressortltr., seit 1988 stellv. Bereichsltr. f. Intern. Geschäfte. P.: Fachveröff. in Fachzeitschriften. M.: Vorst. Mtgl. d. Altkalksburger Ver. H.: Lesen, Theater, Tennisspielen. (M.B.)

Stanek Walter Dr. med.

B.: FA f. Zahn-, Mund- u. Kieferheilkunde. DA.: 3100 St. Pölten, Rathausg. 2. PA.: 3100 St. Pölten, Probst-Führer-Str. 22. G.: Wien, 31. Juli 1951. V.: Monika, geb. Pirker. Ki.: Julia (1984), Alexandra (1986). El.: Dr. Kurt W. S.: 1970 Matura Krems, Med.-Stud. Univ. Wien, 1976 Prom. K.: FA-Ausbild. Univ.-Zahnklinik Wien, 1978 FA-Anerkennung u. Praxiseröff. in St. Pölten. M.: UFC Krems (Fliegersportklub), Mtgl. d. Ges. z. Früherkennung u. Behandlung ORO-CERVICALER u. CRANIO-FACIALER Erkrankungen. H.: Jagen, Fliegen, Tennis, Sauna. (M.M.)

Stanek Wolfgang Ing.

B.: Inh. d. Tanzschule Stanek. GT.: Konsulententätigkeit in d. Kunststoffbranche. DA.: 1010 Wien, Grashofg. 1A. G.: Wien, 16. Jän. 1948. El.: Franz u. Franziska. S.: Gymn. Stubenbastei, HTL Maschinenbau Wien, 1968 Matura, Stud. Betriebswirtschaft TU Wien, gleichzeitig Ausbild. z. Tanzlehrer in d. Tanzschule Elmayer-Vestenbrugg. K.: 1969-80 Tanzlehrer in d. Tanzschule Elmayer u. ab 1972 tätig in d. Privatwirtschft, 1972-76 Konstruktionsbüro Ostrovsky, 1976-86 Ltr. d. Entwicklung d. Firma Polyair Kittsee, spätere Firma LIM, seit 1986 selbst., Eröff. d. Tanzschule f. Ges.-Tanz im Zentrum Wiens. F.: Teilhaber einer Tanzschule in Bratislava. M.: TVÖ, TVW. H.: Tanzen. (J.S.)

Stangel Karl Ing.
B.: freischaff. bild. Künstler, Glasatelier u. Werkstätte. DA.: Rust, Am Anger 10. G.: St. Pölten, 16. März 1954. V.: Doris, geb. Leidolf. Ki.: Judith (1984), Lisa (1986), David (1990). S.: HTL-Maschinenbau St. Pölten. K.: b. 1988 Projektltr. b. Firma VOIGT St. Pölten, 1984 Kunsthandwerk / Flachglasveredelung, 1989 Flachglasschmelze, 1992 Metall/Glas Verbindungen. P.: 1. Ausstellung Tullner Messe (1984), period. Gruppenausstellungen in Wien u. NÖ (seit 1988). H.: Bauen u. Gestalten. (T.T.)

Stanger Johann ÖR.
B.: Obm. d. Milchhof Linz. DA.: 4020 Linz, Semmelweißstr. 32. PA.: 4231 Untergaisbach 17. G.: Untergaisbach, 17. Sept. 1936. V.: Aloisia, geb. Stegfellner. Ki.: Johann (1962), Christian (1963), Maria (1965), Martina (1969), Petra (1971). El.: Johann u. Theresia. S.: VS, Fortbild.-Kurse, 1957-59 Ldw.-Fachausbild. in Katsdorf am elterl. Hof tätig, 1961 Übernahme d. elterl. Hofes, 1961 Jungbauernvertreter, 1967 ÖVP Obm. u. GemR., 1973-85 VBg., 1985-91 Gem.-Vorst., 1979-91 Obm. d. Telefongemeinschaft Gem. Wartberg ob d. Aist, 1975-80 Vorst.-Mtgl. d. Milchhofes Linz, 1980-90 AufsR.-Vorst.-Stellv., 1990 Obm.-Stellv., 1992 Obm. E.: 1991 Verd.-Med. d. Gem. Wartberg, ÖkR., Ausz. 40 J. Musikver. Wartberg. M.: seit 1952 Vorst.-Mtgl. Volkstanzgruppe. H.: Schlagzeug spielen, Konzertbesuche, Landestheater. (U.A.)

Stanger Klaus Dr. iur.
B.: Prok. d. Martha Erdöl GmbH. DA.: 1090 Wien, Peregring. 4. PA.: 1190 Wien, Heiligenstädter Str. 54/9. G.: Wien, 23. Okt. 1941. V.: Maria, geb. Bunyai. Ki.: Johannes, Thomas. S.: VS, HS, Externistenmatura, nebenberufl. Stud. an d. Univ. Wien, Dr. iur. K.: Sped.Kfm., Lohnbuchhalter b. Erste Donau-Dampfschiffahrtsges., Zolldeklarant b. Südland, Konsortialabt.Ref. d. Kreditschutzverb. 1870, Konzipient in Kzl. v. Dr. Rustler, seit 1973 tätig b. Martha Erdöl GmbH (Tankstellenabt., Rechtsabt.), 1977 Ltr. d. Rechtsabt., seit 1981 Prok. P.: 1984 Art. in Österr. Zeitschrift f. Wirtschaftsrecht im Heft 2/1984. M.: Mtgl. d. Expertenkmsn. z. Beratung d. Entwurfes d. Verordnung über d. Lagerung brennbarer Flüssigkeiten. H.: Klavier, Gärtner. (Hau.)

Stanger Klaus Dkfm.
B.: Industrieller, Gschf. Ges. FN.: Österr. Blechwarenfbk. Pirlo GmbH & Co. DA.: 6333 Kufstein, Postfach 457. G.: Innsbruck, 15. März 1934. V.: Irene, geb. Tollinger. Ki.: Mag. Peter, Mag. Karin. El.: Dipl.-Ing. Viktor u. Herta. S.: HAK, HS f. Welthdl. Wien. K.: seit 1965 gschf. Ges. d. Fa. Österr. Blechwarenfbk. Pirlo GmbH & Co. F.: 50% Pirlo GmbH & Co. M.: Vorst.Mtgl. d. Ver. Österr. Industrieller LGruppe Tir.

Stangl Alois Valentin
B.: Weinhändler u. Verfechter d. Kulinar. Qualität. DA.: 5020 Salzburg, Untersbergstr. 14. PA.: 5081 Anif. G.: Feldbach, 7. Apr. 1950. V.: Elisabeth, geb. Sommerer. Ki.: Florian, Sebastian, Maximilian. El.: Valentin u. Josefa. S.: Weinbauschule. K.: 1971-79 Winzer in renom. Österr. Weingut, ab 1982 eigene Firma. P.: Fachmagazin "Das Etikett" - neues über Wein u. d. Kunst d. Genießens. H.: Hochseesegeln, Golf. (M.Mo.)

Stangl Andreas
B.: Gschf. FN.: Kolpingwerk Gastronomiebetriebs GmbH. DA.: 1100 Wien, Sonnwendg. 22. PA.: 2620 Neunkirchen, Millöckerg. 10. G.: Neunkirchen, 9. Nov. 1929. El.: Andreas u. Anna. S.: VS, HS, Lehre Fleischhauer u. Selcher. K.: 1 1/2 J. im erlernten Beruf in d. Schweiz gearb., Einstieg ins Hotelgewerbe, zurück nach Österr.: selbst. Tätigkeit im Fleischergewerbe u. dann im Gastronomiebereich, 1962 Eintritt Karl Wlascheks SB-Rest. als Geschf., 1966 Eintritt Kolpingwerk u. seither Gschf. d. Gastronomiebetriebs GmbH, gegr. 1986; (Hotelgäste, Heimbewohner, Großküche f. Fernverpflegung, Essen auf Rädern, sowie 2 Häuser f. Flüchtlinge, 4 Ferienhäuser - Kitzbühel, Haus/Ebenstal, Lienz/Zettersfeld, Gars/Kamp. Das ÖLK betreut außerdem Mutter-Kind-Häuser, ein Drogenhaus, Behindertenheime u. -werkstätten, Mädchenheime u. Beratung Lebenshilfe. Außerdem tätig m. Projekten in Afrika, Südamerika u. ehem. Oststaaten). M.: Fachgruppe d. Gastwirte u. Beherbergungsbetriebe in NÖ, mehrere Sportver. H.: Laufen, Skilanglauf, Bergsteigen, Radfahren, oftmalige Teilnahme a. internat. Meisterschaften.

Stangl Franz Dir.
B.: Vorst.-Dir. d. Sparkasse Lienz, Vizebürgermstr. DA.: 9900 Lienz, Johannespl. 6. PA.: 9900 Lienz, Spitzkofelstr. 13a. G.: Lienz, 25. Juni 1941. V.: Margaretha, geb. Egartner. Ki.: Karin (1969), Alexandra (1973), Robert (1977). S.: Gymn., HASCH Lienz. K.: 1958 Eintritt in d. Sparkasse, 1968 Zwgst.-Ltr., 1979 Abt.-Ltr., 1981 Gesamtprok., seit 1988 Vorst.-Dir., 1984-89 Abg. z. Tiroler Landtag, seit 1989 GemR. d. Stadt Lienz, seit 1992 Vizebgm. E.: 1991 Verd.-Med. d. Landes Tirol. M.: Präs. d. SK Rapid Lienz, ÖAAB (in Gem. u. Bez.-Gremien). H.: Lesen, Briefmarken sammeln, Modelleisenbahnbau, Fotografieren. (A.L.)

Stangl Fritz Ing.
B.: Gschf. FN.: Ing. Rudolf Duschek. DA.: 1034 Wien, Würtzlerstr. 18. PA.: 1180 Wien, Wurzingerg. 2. G.: Wien, 16. Nov. 1940. V.: Ilse, geb. Duschek. Ki.: Susanne, Thomas, Michael. El.: Friedrich u. Josefa. S.: HTL, Stud. Welthdl. K.: 1968 Eintritt in Fa., seit 1972 Prok., seit 1980 Gschf. E.: Österr. Eishockeymstr. M.: in Wr. u. Steir. Innung tätig, Brandschutzverb., Befähigungskmsn., Ö-Norm-Aussch. H.: Eishockey, Tennis.

Stangl Kurt Oberst
B.: Ltr. d. Ergänzungsabt. Wien. DA.: 1024 Wien, Engerthstr. 226. PA.: 1140 Wien, Hütteldorferstr. 216. G.: Heidenreichstein, 4. Juni 1935. V.: Elfriede, geb. Hrauda. Ki.: Susanne (1966). El.: Wilhelm u. Maria. S.: 1954 Matura in Waidhofen/Thaya, 1956-59 Ausbild. an d. Militärak. in Enns, 1959 Ausmusterung in Wr. Neustadt. K.: 1959 1. Dienststelle im Gardebataillon Wien, später Kdt. einer Stabskompanie u. Regimentsadjutant, 1976 Abt.-Ltr. b. Militärkdo. Wien, 1986 Ltr. d. Ergänzungsabt. Wien. E.: Gold. VZ d. Rep. Österr., WDZ aller Kl., Venezulan. Freiheitsorden, Schwed. Ritterkreuz v. Nordsternorden, Gold. VZ v. Arbeitersamariterbund, Silb. EZ d. Ärztekam. f. Wien. H.: Fischen, klass. Musik. (R.J.)

Stangl Robert Ing.

B.: Techn. Dir. d. Wiener Staatsoper. DA.: 1010 Wien, Opernring. PA.: 1238 Wien, Corvinusg. 6/1/3. G.: Wien, 17. Juli 1938. V.: Irmgard, geb. Schneider. Ki.: Elisabeth (1966), Martin (1968). El.: Leopold u. Hedwig. S.: HTL, 1957 Matura. K.: 1957 Betriebsass. f. d. Bühnenmaschinenanlage in d. Wr. Staatsoper, 1967 Übernahme d. Beleuchtung als Beleuchtungschef, seit 1990 techn. Dir. P.: zahlr. Beiträge f. bühnentechn. Zeitschriften. M.: Österr. Theatertechn. Ges., Alpenver., Naturfreunde. H.: Bergsteigen, Skifahren, Skitouren, Radfahren, Filmen, Fotografieren, Garten. (F.S.)

Stangl Robert Dr. techn. Dipl.-Ing.
B.: Gschf. Ges. FN.: Robofil Roboter + CIM Technik GmbH. DA.: 4600 Wels, Buxbaumstr. 2. PA.: 1020 Wien, Weintraubeng. 30. G.: Wien, 20. März 1964. V.: Ursula, geb. Epp. Ki.: Anna (1992). El.: Hannes u. Karoline. S.: VS, Gymn., 1982 Matura, Stud. Maschinenbau Wien, 1988 Dipl.-Ing., 1990 Dr. techn. K.: seit 1990 Firma Robofil in jetziger Position als Gschf. Ges. P.: externe Schulungs- u. Vortragstätigkeit in Univ. u. Forsch.-Stellen. H.: Sport, Sprachen, Kunst. (U.A.)

Stangler Ferdinand Dr.
B.: o.Univ.-Prof. d. Univ. Wien. DA.: 1090 Wien, Boltzmanng. 5. PA.: 2340 Mödling, Bruneckerg. 16/9. G.: 11. Mai 1928. V.: Mag. Helga, geb. Reichel. Ki.: Eva. El.: Ferdinand u. Aloisia. S.: Matura, 1952 Prom. Dr. phil., 1971 Univ.-Prof. f. Experimentalphysik u. Tieftemperaturphysik. K.: 1982/83 Prä-Dekan, 1983/86 Dekan, 1986 Pro-Dekan, 1971/76 u. 1979/90 Inst.Vorst. d. Inst. f. Festkörperphysik. P.: 100 Publ. auf d. Gebieten d. Kernphysik, Reaktorwerkstoffe, Strahlenschäden, Tieftemperaturphysik u. Festkörperphysik. E.: 1961 Felix Kuschenitz-Preis d. Österr. Ak. d. Wiss. M.: Österr. physikal. Ges., Chem. physikal. Ges., Dt. Ges. f. Metallkunde. H.: alte Uhren, Musik. (M.B.)

Stangler-Zuschrott Elfriede Dr. med. Univ.-Doz. o.Prof.
B.: FA f. Augenheilkunde. DA.: 1030 Wien, Hintzerstr. 2/1. G.: 3. Juli 1934. V.: Heinz J. Zuschrott. El.: Ferdinand u. Aloisia Stangler. S.: Abitur, Prom. z. Dr. med. an d. Univ. Klinik Wien. K.: FA-Ausbild. an d. I. Univ.Augenklinik Wien, Augenklinik St. Gallen/Schweiz, eigene FA-Praxis, 1978 Lehrbefähigung d. Univ. Wien, 1985 a.o.Prof., 1. weibl. Doz. u. Prof. f. Augenheilkunde an d. Univ. Wien. P.: 80 Publ. auf d. Geb. d. Strabologie. M.: Österr. Ophthalmol. Ges., Ophthalmol. Ges. in Wien, Schweiz. Ophthalmol. Ges., ISA, ESA, Bielschowsky-Ges. f. Schielforsch., ÖTK. H.: Gesang, Bergwandern. (H.J.)

Stankovsky Jan Dr. Dkfm.
B.: Ref. f. Außenhdl. FN.: WIFO Österr. Inst. f. Wirtschaftsforsch. DA.: 1030 Wien, Arsenal, Objekt 20. PA.: 1030 Wien, Trubelg. 24/18. G.: Brünn/Tschechoslowakei, 10. Dez. 1934. V.: Anna, geb. Florus, Ki.: Michaela (1958). Andrea (1960), Jan (1963). El.: Dr. Josef u. Dr. Erika, geb. Liertzer. S.: 1952 Matura in Brünn, 1953-61 HS f. Welthdl. Wien m. Prom. z. Dr. K.: 1960-64 Exportabt. Simmering Graz Pauker Wien, 1964-66 Wirtschaftsref. im BKA, seit 1966 b. WIFO tätig, Schwerpunkt: Außenwirtschaft, Europaintegration, Ost-West-Beziehungen. P.: zahlr. Publ. im In- u. Ausland. H.: Reisen, Gartenarb. (N.A.)

Stanonik Günther Dr.

B.: RA u. Strafverteidiger. DA.: 5020 Salzburg, Sigmund-Haffner-G. 1. G.: Saalfelden, 23. Nov. 1942. V.: Gaby, geb. Baumgartl. Ki.: Angelika, Daniel, Philipp. El.: Rosl u. Herbert. S.: Trivialschule, HAK, 1962 Matura, Militärdienst, Stud. Volkswirt. u. Jus i. Innsbruck, 1966-67 in Paris Jus, 1970 Prom. z. Dr. Praxis als Rechtsanwaltsanwärter. K.: 1.9.1975 selbst. i. Salzburg, Dienstgrad beim Militär: Oberleutnant i.R. M.: Zwangsmitgliedschaft b. Rechtsanwaltskammer. H.: Skifahren, Lesen, Motorradfahren, Hund spazierengehen, für Familie dasein. (D.E.)

Stanojevic Srboljub
B.: Teilhaber d. ORBITAL Warenhandelsges. DA.: 1030 Wien, Radetzkystr. 7/1. PA.: 1030 Wien, Münzg. 3. G.: Pecenjevce, 19. Mai 1928. Ki.: Milena (1954). S.: Gymn. in Leskovec/Jugoslawien, techn. Schule f. Textil, WU Belgrad, Diplom. K.: Techn. Dir. einer Wollfabrik, dan. Dir. d. Außenhandelsuntern. Progress in Belgrad, seit 1971 in Wien, zunächst tätig in einer jugoslaw. Außenhandelsfa., 1987 Grdg. d. eigenen Untern. H.: Wandern, Schach. (P.R.)

Stanschitz Erich Prof.
B.: Bildhauer u. Maler. DA.: 7081 Schützen, Hauptstr. 173. PA.: 7000 Eisenstadt, Laschoberstr. 3. G.: 8. Apr. 1938. Ki.: Dominique. S.: Ecole de Beaux Arts Paris-Aktstud., Arb. b. Marino Marini (Italien), Stud. an d. Ak. d. bild. Künste u. Ak. d. angew. Künste Wien, 1961 Ass. b. Jean Pierre Ponnele. K.: seit 1968 viele Ausstellungen in Österr. u. Deutschland, 1972 Beginn "Kunst u. Kind", Schwerpunkt kreatives Gestalten m. Kindern im Rahmen d. Bildner. Erziehung u. Werkerziehung am BG u. BRG Neusiedl/See, Schulausgestaltungen nach eingehendem Stud. m. Kindern, 1969-81 Kunsterzieher. BL.: Hausentwürfe Seeregion Neusiedler See-Schwerpunktprogramm, eigenes Ballett über Stare geschrieben, Werke befinden sich im Besitz d. Rep. Österr., d. Amt d. bgld. LRg., Deutschland, Amerika, Australien, Schweiz, Liechtenstein u. priv. Sammlungen in Österr., Innenarch. d. "Friseursalon Avantgarde", 1989 Das Sargtuch v. u. f. d. verstorbenen Dr. Paul Fürst Esterházy de Galantha gestaltet, seit 1987 künstl. Gestaltung v. Weinetiketten, "Christbaum f. d. Frieden d. Menschheit u. d. Natur", Pesing in Holz u. Keramikschmuck. E.: zahlr. Fassaden- u. Architekturwettbewerbe. H.: Skifahren, Fotografieren, Radfahren, "Haussockelgrandeln". (M.B.)

Stanzel Lucia Dr. phil. HofR.
B.: Dir. HBLA f. Wirtschaftl. Berufe u. Fachschule f. Sozialberufe. DA.: 3100 St. Pölten, Eybner Str. 23. PA.: 3100 St. Pölten, Kupferbrunnstr. 14. G.: St. Pölten, 26. Okt. 1933. V.: MinR. Mag. Walter Stanzel (+). Ki.: Margrit (1967). El.: Franz u. Käthe Redl. S.: VS, RG, 1951 Matura, 1952 LBA, Lehramt f. VS m. Ausz., 1964 Lehramt f. HS, 1968 Prüf. f. Polytechn. Lehrgang, Steno- u. Maschinschreibprüf. f. Höhere Schulen, nebenbei Stud. Päd. u. Psych. Univ. Wien, 1976 Prom. z. Dr. phil. K.: 1952-57 VS-Lehrer an div. Schulen im Bez. Spittal/Drau, 1957-58 Kirnberg/Mank, 1958-59 VS- u. HS-Lehrer Pöchlarn, 1958-60 HS-Lehrer Loosdorf, 1961-77 HS-Lehrer St. Pölten, 1977-80 Prof. HBLA St. Pölten, 1980-87 Dir. Bundesbild.-Anst. Arbeitslehrerinnen St. Pölten, 1987/88 Bez.-Schulinsp. f. Pflichtschulen in Bruck/ Leitha, 1988 Dir. HBLA St. Pölten, 1991 HofR. P.: Vorlesungen an d. Krankenpflegeschule St. Pölten über Psych. P.: Art. in Zeitschr. "Erziehung u. Unterr. - Zusammenhang zw. Sprache u. sozialer Herkunft". H.: Schwimmen, Lesen. (M.M.)

Stanzig Kurt Dir.
B.: Oberschulrat u. Dir. FN. VS Mauer 1. Da.: 1230 Wien, Bendag. 1-2. PA.: 1140 Wien, Felberstr.123. G.. Wien, 12.Jul. 1935. V.: Marianne, geb. Schmit. KI.: Florian. EL.: Mauritius u. Eleonore. S.: 1954 Matura, Lehrausb. Anst. Wien, bis 1957 Stud. d. Theologie. K.: Lehrtätigk. VS u. HS in Wien, s. 1981Dir. d. VS Mauer1, Tätigk. in Erwachsenenbildung BFI, Mathematik, Obmann d. pers. Vertr. f. 13. u. 23. Wr. Gem. Bez., s. 1992 Oberschulrat. M.: Grd. e. Ost. kath. Mittelschülerverbindung. P.: Publ. Fernlehrgäne in Mathematik. H.: Skifahren, Tennis, Lesen. (M.A.)

Stanzl Eva-Maria Dr.
B.: Inh. u. Gschf. FN.: Televis Film Dr. Karl Stanzl. GT.: Lektor am Inst. f. Theaterwiss. DA.: 1150 Wien, Storcheng. 1. PA.: 1030 Wien, Rudolf-von-Alt-Pl. 3. G.: Codlea/Rumänien, 2. Juli 1927. El.: Ferdinand Ernst u. Sidonie Gruber. S.: 1947

Matura, Stud. Kunstgeschichte, Slawistik u. Theaterwiss., 1959 Diss., neben d. Stud. HS f. Musik Abt. Tanzpäd., 1954 Abschluß. K.: Praxis, 1962 Grdg. gemeinsam m. Gatten Televis Film Dr. Karl Stanzl, spezialisiert auf Wirtschaftsfilme, Schulfilme u. Dokumentationsfilme über österr. Schriftsteller. M.: Vorst.-Mtgl. AAFP, Vorst.-Mtgl. V.A.M., Fachverb.-Aussch. d. Audiovision u. Filmind. H.: Fernsehen, Lesen. (R.T.)

Stapf Michael Ing.

B.: Gschf. FN.: Trachtenmode Richard Stapf GmbH. DA. u. PA.: 6300 Wörgl, Michael-Pacher-Str. 13. G.: Imst, 7. Juli 1960. V.: Nittaya, geb. Seesomboon. Ki.: Ricarda (1993). El.: Richard u. Gertrud. S.: VS, Gymn., 5 J. Textilfachschule, 1979 Matura. K.: Tätigkeit im Familienbetrieb, 1987 Gschf., 1987 Übernahme d. Familienbetriebes. H.: Computer, Schwimmen, Skifahren, Radfahren, Reisen. (M.H.)

Staples Oliver Dr.

B.: Gschf. u. Berater. FN.: Dr. Staples GmbH. DA. u. PA.: 4020 Linz, Schiferweg 5. G.: Kirchanschöring, 8. Aug. 1947. V.: Barbara, geb. Gross. Ki.: Ronald (1976), Philipp (1978), Harriet (1979), Mark (1983). El.: Ronald u. Elisabeth. S.: VS, Gymn., 1966 Matura, 1966-72 Jusstud. Sbg., 1972 Prom. K.: 1969 Regieass. b. Sbg. Festspielen, 1970 Red. Wochenzeitung "Neue Warte am Inn", 1972-73 Zeitung "Sbg. Wirtschaft" d. HK, 1972 Volontär b. Steuerberater, 1974-75 Gerichtspraxis in Sbg. u. Ried/Innkreis, 1973-74 BH, 1976-80 Rechtskons. b. ÖAMTC Linz, 1981-87 Ltr. Personalentwicklung OKA Linz, seit 1988 selbst., 1991 Grdg. GmbH. P.: Broschüre "Alles über Zugmaschinen" (1979), "Wolkenflug u. Sonnenspiele" (1992), "Welche high quality-Spielregeln im Team garantieren top quality-Ergebnisse v. Team?" (1990), "Mitarb. erfolgreich in Organ. integrieren" (1990), "Beziehung versus Hierarchie: Der kulturelle Umbruch im Personalmanagement" 1994. M.: 1978-79 Gschf. OÖAMTC Betriebe GmbH, 1989 Lehrbeauftragter Karl Franzens-Univ. Graz, 1990-94 Vorst.-Vors. d. Inst. f. ganzheitl. Erwachsenenbild. Linz, 1986-94 Humboldt-Ges. f. Wiss., Kunst u. Bild. Mannheim, 1988 Verb. d. Management- u. Marketing-Trainer (VMMT) Österr., 1986-93 Schatzmstr. d. OÖ Pfadfinder/innen, 1994 Allgm. beeid. ger. Sachverst. H.: Beruf, Literatur. (U.A.)

Stara Friedrich Dr. Mag.

B.: Vors. d. Geschäftsführung. FN.: Henkel Austria Gruppe. DA.: 1030 Wien, Erdbergstr. 29. G.: 3. März 1949. V.: Helga, geb. Hönigsberger. Ki.: Tobias (1987), Sonja (1990). S.: Stud. Handelswiss. WU Wien, Sponsion 1973, Prom. 1976. K.: 1976 Eintritt Henkel Austria, 1981 Marketingltr. Voith-Chemie Jos. Altmann jun. GmbH, 1982 Gschf. Wachswarenhdls. GmbH, 1983 Prok., 1985 Ressortsdir. u. Mtgl. d. Geschäftsltg., 1989 Ltg. Universalwaschmittelbereich Gesamteuropa d. Henkel KGA Düsseldorf, seit 1993 Vors. d. Geschäftsführung d. Henkel Austria Gruppe. (N.A.)

Starck Peter Hugo Hans Günther Dr. phil.

B.: Amtssachv. f. Geologie. DA.: 6900 Bregenz, Römerstr. 15. PA.: 6921 Kennelbach, Langeneistr. 52. G.: Bad Landeck/Schlesien, 17. Febr. 1940. V.: Ursula, geb. Schumacher. Ki.: Gabriele (1967), Nicole (1972), Peter Christian (1979). S.: 1962 Abitur, Stud. Geologie u. Phil., 1970 Prom. Innsbruck. K.: 1970 freiberufl. Gutachter, 1971-73 wiss. Berater b. Inst. f. Seenforsch., seit 1973 Landesgeologe. BL.: Untersuchung über d. Möglichkeiten d. Nutzung geotherm. Energien in Vbg. P.: Grundwasserverhältnisse im Rheintal. H.: Bergwandern, Geologie, Holzen, Astronomie. (A.K.)

Starck-Scharnagl Waltraud

B.: Schauspielerin, Regiss.; Ltr. FN.: Theater d. Kindes (im Kuddelmuddel). DA.: 4020 Linz, Langg.13. PA.: 4040 Puchenau, Amselgang 15. G.: Wr. Neustadt, 10. Juni 1942. V.: Harro. Ki.: Svenja (1966). El.: Hans u. Theresia. S.: HBLA, Kosmetikerprfg., ausgebild. Krankenschwester, Schauspielschule Studio Wischin bei Fr. Czermak (nebenberufl.), Ensemblemtgl. im Theater d. Kindes s. d. Grdg. 1973. K.: 1972 i. "Theater 113" i. Linz erste Rolle, 1974-80 Schausp. i. Kellertheater, 1990 Theater Phönix, wichtigste Stücke u.a.: "Schule mit Clowns" F.K. Wächter, "Zwischen Himmel u. Erde" Ionesco, "Clown in der Klemme" Kreahkamp, "Der Tisch" Foucher, 2Kindesmord" Turrini, "Fräulein Julie" Strindberg, "Die Berühmten", "Ein Versuch" v. Thomas Bernhard. H.: Gartenarbeit, Sport, Musik, Theater. (U.A.)

Starha Gernot Dr. iur.

B.: RA. GT.: Mehrheitsges. eines Gew.Betriebes Dr. Starha GmbH & Co KG. DA.: 9500 Villach, 8.-Mai-Pl. 3. PA.: 9523 St. Andrä, Ossiacher See Süduferstr. 55. G.: Grafendorf, 20. Febr. 1944. V.: Monika, geb. Kühpacher. Ki.: Roland, Eva, Bärbel, Gert. S.: 3 J. VS Villach, 1 J. in Vöcklabruck, RG in Vöcklabruck u. Villach, 1963 Matura, Univ. Wien Jusstud., 1970 Prom. K.: nach d. Stud. im elterl. Gew.Betrieb tätig, 2 Mon. Gerichtspraxis, ca. 6 J. Notariatspraxis, Notariatsprüf., Wechsel in d. Anwaltei als Konzipient, Anw.Prüf., restl. Gerichtspraxis, 1980 Eintragung in d. Anw.Liste, b. 1985 in einer Kzl.Gemeinschaft, ab 1986 Einzelkzl. M.: Villacher Bauerngman, Ktn. Landsmannschaft, Burschenschaft Arminia Villach u. Silesia Wien. H.: Segeln, Freizeitsport. (Brod.)

Fürst Starhemberg Heinrich Rüdiger

B.: Schauspieler, Autor, Regisseur u. Filmprod. DA.: 4020 Linz-Auhof. PA.: E-Madrid 16, Calle Enrique Larreta 14-8/3. G.: Luzern, 4. Okt. 1934. El.: Ernst Rüdiger (VKanzler unter Dollfuss) u. Nora, geb. Gregor (Schauspielerin u. Burgtheatermtgl.) S.: Colegio de los PP. Franceses, Vina del Mar (Chile), Univ. v. Valpareiso (Chile) u. Madrid. K.: Dir. Starinvest S.I. Madrid, Präs. Eferdinger Kultur-Inst., Präs. Stiftungsrat Princestar Vaduz, 1974-88 Gen.-Dir. Producciones Gregor Madrid. P.: "Diegito" (1974), "El Cristal Roto" (1982), "Trilogie d. Freiheit" u. "Spiele u. Eskapaden" (1988); aufgef. Theaterstücke: "Der Spanische Mantel" (Wien, München, Pamplona, Santiago de Chile, Buenos Aires), "Der Dritte Tod" (Wien u. zahlr. Laienbühnen), "Die Eskapaden v. Faust u. Mephisto" (Chile 1981 u. Europatournee 1983); zahlr. Vorträge in Europa u. Amerika.

Stari Johann Ing.

B.: Gschf. Ges. FN.: Johann Stari GmbH. GT.: Maschinenbau, Apparatebau, Eisenkonstruktionen, Feldbahngeräte. DA. u. PA.: 2352 Gumpoldskirchen, Bahng. 4. G.: Wien, 15. März 1935. V.: Christine, geb. Rosenkranz. Ki.: Claudia, Johannes, Rainer, Sebastian. El.: Johann u. Anne. S.: RG, HTL Mödling, Mstr.Prüf. 1957 Maschinenschlosser, 1985 Computerkurs. K.: 1955-56 Brown Boveri als Bautechnik, 1957 Eintritt in väterl. Fa., 1964 Gschf. OHG. H.: Bootfahren. (M.G.)

Staribacher Josef Dr. Dipl.Vw.
B.: BMin. a.D., Vors. d. AufsR. FN.: Österr. Ind.Holding AG. DA.: 1015 Wien, Kantg. 1. PA.: 3400 Weidling, Steinriegelstr. 151. G.: Wien, 25. März 1921. V.: Gertrude, 2 Kinder.

Stark Alfred Dr. iur. w.HofR.
B.: LSchulR.Dir. DA.: 4010 Linz, Steing. 14. PA.: 4043 Linz, Nöbauerstr. 45. G.: Linz, 6. Jan. 1922. V.: Margot, geb. Wambach. Ki.: Ludwig, Dietmar. El.: Karl u. Karoline. S.: ak. Gymn. Linz, 1940 Matura, 1946-49 Univ. Graz, nebenbei Stud. rea.pol. 1949 Prom. iur. K.: 1940-45 Offz., 1945 Postdion. Linz, 1946 Eintritt in d. LSchulR. d. OÖ LRg., seit 1974 Amtsdir., Lehrbeauftrager an d. Päd. Ak. d. Bundes u. d. Berufspäd. Ak. d. Bundes in Linz, 1963-75 Präs. d. OÖ Skiverb., seither Ehrenpräs., 4 J. VPräs. d. Österr. Skiverb., Kanzler u. Großoffz. d. intern. Hubertusordens. E.: Gold. EZ d. LSkiverb., Gold., EZ d. Österr. Skiverb., Gold. EZ d. Offz.Ges. f. Österr., Gold. EZ d. Österr. Berufsschulen, Gr. EZ d. Rep. Österr., LSport-EZ d. Landes OÖ, EZ d. Roten Kreuzes, d. Kameradschaftsbund etc. H.: Reiten, Jagen, Skifahren. (Deu.)

Stark Anton
B.: Gschf. Ges. FN.: Anton Stark Hdls. GmbH. DA. u. PA.: 4040 Puchenau, Weitenfeld 4. G.: Linz, 18. Sept. 1936. V.: Margarita, geb. Weißenberger. Ki.: Andreas (1960), Sabina (1961). El.: Anton u. Rosalinde. S.: VS, Realschule, b. 1953 Kfm. Lehre im Delikatessengeschäft Spallinger. K.: 1953-55 Tätigkeit im elterl. Betrieb, 1955-58 Deutschland: Konservenfachschule Braunschweig, Firma Essig-Kühne Hamburg u. Düsseldorf, 1958/59 elterl. Betrieb, 1959-85 Vertreter b. Firma Lasko Linz, 1975 Firmengrdg., 1973-85 Inh eines Hut- u. Pelzgeschäftes in Linz. E.: 1992 EZ in Gold v. d. Bundessportorgan. d. Union, 1991 Gold. EZ d. Österr. Ruderverb. M.: seit 1953 Ruderver. Wiking Linz. H.: Rudern, Skifahren, Tourenskifahren, Alpinskifahren, Langlaufen. (U.A.)

Stark Franz Dr. Prälat
B.: Dir. d. Bischöfl. Finanzkam. DA. u. PA.: 6020 Innsbruck, Wilhelm-Greil-Str. 7. G.: Kappl, 17. Sept. 1915. El.: Josef u. Maria, geb. Zangerl. S.: hum. Gym., Theol.Stud. in Brixen u. Innsbruck, Jusstud. Univ. Innsbruck, 1951 Prom. K.: seit 1940 Kooperator in St. Jakob-Innsbruck, seit 1956 in d. Bischöfl. Finanzkam. Innsbruck. P.: div. Veröff. H.: Literatur, Kunstgeschichte. (W.G.)

Stark Helmut

B.: Gschf., Elektromstr. FN.: Elektro Neon Elger Ges.m.b.H. Helmut Stark. DA.: 8020 Graz, Lagerg. 52. PA.: 8041Graz, Suttnerweg 9. G.: Graz, 23. Juli 1942. V.: Maria, geb. Wetzelhütter. Ki.: Susanne (1966), Renate (1967), Gabriela (1968). El.: Johann u. Josefa. S.: HTL Graz, Abschl. 1967. K.: Amt d. Stmk. Landesreg., Konz. f. d. Gewerbe d. Elektroinst., s. 1961 Fa. Elektro Neon Elger GmbH., s. 1970 Gschf. E.: Ehrenurk. d. Kammer d. gew. Wirtsch. M.: Landesschießstätte d. Stadt Graz. H.: Reisen, Schwimmen, Film u. Foto, Pistolenzielschießen. (I.G.)

Stark Helmut Dr. techn. Dipl.-Ing.
B.: o.Univ.-Prof., Vorst. d. Inst. f. Papier-, Zellstoff- u. Fasertechnik u. d. d. Inst. angeschlossenen Techn. Versuchs- u. Forschungsanst. f. Papier- u. Zellstofftechnik d. TU Graz. A.: 8010 Graz, Kopernikusg. 24. G.: Innsbruck, 27. Dez. 1934. V.: Erika, geb. Feil. S.: TU Graz, Fachrichtung Papier- u. Zellstofftechnik, 1960 Grad. z. Dipl.-Ing., 1969 Prom. z. Dr. d. techn. Wiss., 1977 Ziviling. f. Maschinenbau. K.: 1960-68 Forsch. f. d. Bereich Stofftechnik in d. Papiermasch. Versuchsanst. d. J.M. Voith GmbH Heidenheim (Brenz), 1968-71 Projektltr. u. techn. OIng. d. Zellstoff u. Papierfabrik Borregaard Ind. Ltd. Hallein, 1971-77 Abt.Ltr. f. Papiermaschinen d. J. M. Voith AG St. Pölten, 1976 Ernennung z. o.Univ.-Prof. d. TU Graz. P.: Zahlr. Veröff. auf d. Gebiet d. Technologie d. Papiererz., M.: Obm. d. Ak. Papiering.Ver. an d. TU Graz, Mtgl. d. Technical Association of the Pulp and Paper Ind.

Stark Herbert Dr. med.
B.: Primararzt, Ltr. d. HNO-Abt. d. St. Anna Kinderspital. GT.: Ordination f. HNO-Krankheiten. DA.: 1090 Wien, Kinderspitalg. 6, 1020 Wien, Praterstr. 22. G.: Linz, 3. Juni 1949. V.: Mag. Elfriede, geb. Beigl. Ki.: Bernhard. El.: Ing. Johann u. Theodora. S.: 1967 Matura, 1972 Prom. K.: seit 1978 FA f. HNO, seit 1981 Ltr. d. HNO-Abt. d. St. Anna Kinderspitals, seit 1979 eigene Praxis. P.: 25 Arb., Mittelohrphysiologie, audiolog. Themen. (P.R.)

Stark Jacqueline Ann Dr. phil.

B.: Neurolinguistin d. Österr. Ak. d. Wiss. DA.: 1030 Wien, Kegelg. 27. PA.: 1020 Wien, Kraffg. 5/2/19. G.: New York, 23. Juli 1951. V.: Heinz Karl Stark. Ki.: Jennifer (1975), Erich (1978). El.: John u. Francis. S.: 1968 High School Amerika, 1972 Mag., 1984 Prom. z. Dr. phil. K.: 1974-89 Neurolinguist. Forscherin Österr. Ak. d. Wiss. Wien, seit 1990 Neurolinguist. Forscherin über Aphasie b. d. Kmsn. f. Linguistik u. Kommunikationsforsch. d. Österr. Ak. d. Wiss. Wien, seit 1985 Lektorin Univ. Wien. P.: zahlr. wiss. Publ. im In- u. Ausland u.a. Verbale Perseveration b. Aphasie (1984), Agrammatism in German-speaking Broca´s Aphasics (1990), Everyday Life Activities Photo Series Manuel Set 1 (1992). E.: Ehrenmtgl. Alumni Assoc. Hall of Fame. M.: seit 1979 INS, seit 1991 World Federation of Neurology - Research Group on Aphasia, seit 1991 Academy of Aphasia USA. H.: Lesen, Nähen, Seidenmalerei. (N.A.)

Stark Josef Dr. iur.
B.: Polizeidir. d. Bundespolizeidion. Linz. DA.: 4010 Linz, Nietschestr. 33. G.: Mitterdorf, 15. Febr. 1937. V.: Helga, geb. Mysyk. Ki.: Birgit. S.: RG, 1956 Matura, 1957-61 Jusstud. Graz. K.: Gerichtsj., 1962 Eintritt in d. Polizeil. Dienst in Wien, 1963 nach Linz z. Kripo, 20 J. Staatspolizeil. Abt. als Abt.-Ltr., 1984 in d. Präsidialabt. u. zugleich tätig als Dir.-Stellv., seit 1990 Dir. d. Bundespolizeidion. Linz. E.: 1987 Gr. EZ f. Verd. um d. Rep. Österr., 1979 Silb. EZ d. Landes OÖ. M.: Präs. d. Polizeisportver. Linz, div. andere Ver. H.: Lesen, Bergsteigen, Musik. (P.H.)

Stark Karl Mag.
B.: ak. Maler. PA.: Aslang. 2/4, 1190 Wien. G.: Glojach, 4. Nov. 1921. V.: Elfriede, geb. Petrasch. Ki.: Wolfgang, Ulrike, Renate. El.: Franz u. Maria. BV.: älteste steir. Lehrerfami-

lie. S.: 1936-40 Kunstgewerbeschule Bildhauerei Graz, 1941-45 Militärdienst, 1945-47 Mstr.-Schule in Graz Prof. Szyszkowitz, 1947-51 Stud. Ak. d. Bild. Künste Wien, Mstr.-Schule f. Malerei b. Prof. Gütersloh u. Prof. Boeckl. K.: 1951-56 freischaff. in Oberktn., Lehrer in Linz an BGewerbeschule, 1980 Grdg. Galerie Austria, Kollektivausstell.: Belvedere 1977, Würthle Wien, Graz, Sbg., Paris, New York, San Francisco, Deutschld. P.: Bildband: Hans Böhler, Franz Secky u.a., ca. 1000 Ölbilder, Aquarelle u. Graphiken. E.: Aktpreis 1950, Mstr.-Schulpreis 1951, Theodor-Körner-Preis, Graphikpreis. H.: Wiederentdeckung verstorbener Künstler. (N.A.)

Stark Oswald

B.: Inh. FN.: Orthopäd. Spezialwerkstätte Oswald Stark. DA.: 9020 Klagenfurt, Rosentaler Str. 99. PA.: 9020 Klagenfurt, Ankershofenstr. 31. G.: Judenburg, 5. Aug. 1941. V.: Justine, geb. Schumigg. Ki.: Hugo Hans, Anneliese. El.: Oswald u. Anna. S.: VS, HS, Lehre Orthopädieschuhmacher, 1958 Lehrabschlußprüf., 1962 Mstr.-Prüf. Schuhmacher, 1963 Mstr.-Prüf. Orthopädieschuhmacher. K.: 1964/65 Praktikum in der Schuhind., 1966 Übersiedlung nach Ktn. u. selbst. m. eigener Orthopäd. Werkstätte in Klagenfurt. M.: Landesinnungsmstr.-Stellv., Bundesinnungsaussch., Freier Wirtschaftsverb., seit 5 J. Fürsorgeaussch. d. Kam. d. Gewerbl. Wirtschaft. H.: Natur, Botanik, Sport. (F.S.)

Stark Reinhard

B.: Fleischhauer u. Viehhändler, VBgm. d. Gem. Hoheneich. DA. u. PA.: 3945 Hoheneich, Bahnstr. 82. G.: Hoheneich, 30. Juli 1949. V.: Gerda, geb. Fritthum. Ki.: Reinhard (1971), Eva Maria (1971). El.: Josef u. Elfriede, geb. Mann. S.: VS, HS, HASCH, 1966/67 Fleischerlehre im elterl. Betrieb in Hoheneich. K.: 1967-70 Geselle, 1970 Fleischermstr.-Prüf., 1977 Übernahme d. Betriebes, Mtgl. d. Landesgremium d. Vieh- u. Fleischgroßhdl., Vorst.-Mtgl. Waldviertler Fleischerver., 1965 Eintritt ÖVP Hoheneich, 1980-85 GemR. Hoheneich, ab 1989 VBgm. M.: Präs. SV Hoheneich. H.: Familie, Radfahren, Skifahren. (M.M.)

Stark Rudolf

B.: Gastwirt. FN.: Rudi's Beisl. DA.: 1050 Wien, Wiedner Hauptstr. 88. PA.: 2384 Breitenfurt, Lerchensteig 14. G.: Wien, 7 Mai 1943. Ki.: Martin (1983). El.: Rudolf u. Gertrude, geb. Holy. S.: 1964 Zuckerbäckermeister, Kochlehre am Gastronomie-Inst.K.: 1964-67 als jüngster Zuckerbäckermstr. Österr. selbst. tätig, 1967-83 im elterl. Betrieb (Imbiß-Stube) tätig, danach Eröff. d. Lokals i. d. Wiedner Hauptstr., 1957-62 Professioneller Fußballer beim FC Austria, 1962-64 Wiener Sportclub. H.: Sohn, Fußball, Langlaufen, Joggen, Radfahren. (N.A.)

Stark Rudolf

B.: Kfm., Inh. d. Fa. Stark Babystrickwaren. G.: Wien, 30. Apr. 1928. V.: Charlotte, geb. Pfeiffer. Ki.: Rudolf. El.: Rudolf u. Ludmilla. S.: Lehre im Strickereigew. K.: 1970 Übernahme d. Fa. d. Mutter. (Lar.)

Stark Wolfgang

B.: Kunsthändler. FN.: Galerie Austria. DA.: Lilieng. 2, 1010 Wien. PA.: In der Klausen 7, 1238 Wien. G.: Radlach/Ktn., 24. Apr. 1952. V.: Irene, geb. Ratz. Ki.: Georg (1980), Reinhard (1982), Christoph (1985). El.: Mag. art. Karl u. Elfriede, geb. Petrasch. S.: 1971 Matura, Stud. Physik TU Wien. K.: nach d. Gründ. d. Galerie durch d. Vater (1980) in dieser tätig, s. 1989 Inh. d. Galerie, Schwerp.: Österr. Kunst d. 20. Jhdts. H.: Technik. (N.A.)

Stärk Georg

B.: Inh. FN.: Buchmacher Georg Stärk. DA.: 1100 Wien, Laxenburgerstr. 3-5. PA.: 1210 Wien, Mayerweckstr. 2-8/76/4. G.: Tyrnau/Slowakei, 29. Okt. 1947. V.: Brigitte, geb. Jirsa. Ki.: Isabelle (1993), Ann-Kathrin (1981), Jan-Patrick (1978), Tom-Philipp (1977). El.: Heinrich u. Gerta. BV.: Onkel: bek. Chirurg in Engl., Cousin: bed. Untern. in Engl. S.: Reals. K.: 1969 Gehilfe im Buchmacherfa., 1970-1977 Gschf. d. Buchmacherfa. Beck, s. 1978 selbst. mit eigener Buchmacherfa. in Wien, einige tausend Kunden aus d. In- u. Ausland, alle Arten v. Sportwetten, Versand v. wöchentl. Wettprogramme an alle Kunden. M.: Präs. d. Österr. Buchmacherverb., Präs. d. Österr. Amateur Rennreiter-Ver. H.: Pferde, Amateur-Trabrennfahrer. (F.S.)

Stärk Gerhard

B.: Inh. FN.: Sportanlagenbau Stärk GmbH. GT.: Gründ. TC-Stärk-Linz, 1990 Gründ. Golfclub Stärk Linz (Präs.), Präs. u. Sponsor FC Stärk-Linz. DA./PA.: 4030 Linz, Auhirschgasse 52. G.: Untertannowitz, 17. März 1942. Ki.: Sonja, Beate. El.: Erwin u. Barbara. S.: VS, HS, kfm. Berufsschule. K.: 1965 Grdg. Fa. Stärk, Gartengestalt., Sportplatzbau, 1988 Erricht. Sportzentrum Stärk m. Tennishalle, Golfhalle u. acht Tennisfreiplätzen, 1991 Grdg. Fa. Sportanlagenbau Stärk GmbH. H.. Golf, Schiffahrt, Tennis, Fliegen. (U.A.)

Starkbaum Josef

B.: Flugkapitän d. AUA. DA.: Flughafen Schwechat. G.: Brünn, 22. März 1934. V.: Gerta, geb. Auf. Ki.: Roland, Sybille, Daniela, Isabella. S.: HTL Wien, 1953 Matura, Stud. Wirtschaftsing.Wesen an d. Univ. Graz, 1955 Kanada. K.: Ausbild. z. Piloten, 3 J. Air Canada, 1960 Wien AUA Co-Pilot, 1961 Kapitän, seit 1973 Ballonfahren. E.: Preise f. Ballonfahren: 1974 Österr. Dauerrekord, Österr. Alpenüberquerung, 1979 1. Pl. BP Alpine Balloon Trophy Race Filzmoos, 10. Pl. Gordon Bennett Race USA, 1980 1. Pl. BP Alpine Balloon Trophy Race Filzmoos, 1. Pl. Arctic Balloon

Race Schweden, 1. Pl. Europameisterschaft Frankreich, 1981 1. Pl. BP Alpin Balloon Trophy Race Filzmoos, 1. Pl. Balloon Race Südafrika, 1982 1. Pl. BP Alpine Balloon Trophy Race Filzmoos, 1. Pl. Europameisterschaft Luxembourg, 1983 1. Pl. BP Alpine Balloon Trophy Race Filzmoos, 1. Pl. Balloon Race Südafrika, 1. Höhenweltrekord, 1984 1. Pl. ÖSMS u. Schielleiten-Cup, 1. Pl. Paraballoon Cup Oberwart, 1. Pl. Saga Balloon Fiesta Japan, 2. Höhenweltrekord, Diploma Monogolfiere, 1985 1. Pl. Gordon Bennett Genf, 1. Pl. Balloon Mela 85 New Dehli, 1986 1. Pl. BP Alpine Balloon Trophy Race St. Gilgen, Österr. Streckenrekord,. 1. Pl. Österr. Staatsmeisterschaften Desselbrunn, 3. Höhenweltrekord, 1. Pl. Gordon Bennett Sbg., 1. Pl. Balloon Mela 86 New Delhi, 1987 1. Pl. BP Alpine Balloon Trophy Race St. Gilgen, 1. Pl. Österr. Staatsmeisterschaften Schielleiten, 1. Pl. 31. Gordon Bennett Seefeld, 1988 1. Pl. BP Alpine Balloon Trophy Race St. Gilgen, 1. Pl. Gordon Bennett, 1988 1. Pl. Gasballon Weltmeisterschaft, 1976 32. Wieland-Preis, 1989: 2. Paraballooning Schielleiten, 1. Pl. 33. Gordon Bennett in Lech/Arlberg, 1990: 3. Paraballooning Schielleiten 1. Pl., 1. Pl. Österr. Staatsmeistrschaft. P.: Ballooning in the mountains. H.: Motorradfahren, Wildwasserfahren, Bergsteigen. (A.W.)

Starkel Alexander Dr. KommR.

B.: Gschf. FN.: Elektrohaus Starkel GmbH. DA. u. PA.: 8160 Weiz, Bismarckg. 1. G.: Marburg/Drau, 24. Sept. 1931. V.: Elisabeth, geb. Maiz. Ki.: Dr. Alexander (1961), Bernhard (1967). El.: Alexander u. Maria. S.: VS, RG, 1951 Matura, Stud. Staatswiss., 1958 Prom. K.: 1956 Aufbau eines eigenen Radio-Elektro-Geschäftes in Weiz, seit 1960 Aussch.-Mtgl. d. Hdls.-Gremium, Vorst.-Stellv., seit 1986 Vors., Ausbau u. Erweiterung d. Firma, 1970 Grdg.-Mtgl. d. Funkberatergen., im Vorst. tätig, 1981-88 Vorst.-Obm. d. Funkerberaterringgen. M.: Lions-Club Weiz. H.: Urlaub, Skifahren. (M.Gr.)

Stärker Helmut Dr. Dipl.-Ing.

B.: Gen.-Sekr. d. ÖVE Österr. Verb. f. Elektrotechnik, Chefred. d. Verbandszeitschrift e & i. DA.: 1010 Wien, Eschenbachg. 9. G.: Wien, 20. Febr. 1943. V.: Helga, geb. Clauss. Ki.: Helmut (1974), Klaus (1978). El.: Anton u. Emma. S.: VS, Mittelschule, Technolog. Gewerbemuseum Abt. Starkstromtechnik, 1963 Matura, 1963-71 Fak. f. Elektrotechnik TU Wien, Studienrichtung Starkstromtechnik, 1971 Spons., 1979 Prom. K.: 1971 Studienass., 1971-79 Univ.-Ass. TU Wien, ab 1984 Vorlesungen TU Wien, 1979-84 Prüf- u. Versuchsanst. d. Verb. d. Elektrizitätswerke Österr., 1983 Prüf. z. Bev. f. d. Aufsicht b. Arb. unter Spannung in Hochspannungsanl., 1985-87 stellv. Gen.-Sekr. u. ab 1987 Gen.-Sekr. d. Österr. Verb. f. Elektrotechnik, ab 1988 Chefred. d. e & i, ab 1987 Mtgl. d. Elektrotechn. BeiR. im Bundesmin. f. wirtschaftl. Angelegenheiten. P.: "Niederspannung". M.: CENELEC, ELSECOM, EOTC, IEC. H.: Sport, Skifahren, Wandern, Schwimmen. (J.E.)

Starkl Gerhard Mag. Ing.

B.: Gschf. FN.: Atlas, Dr. Ludwig & Cie. Vers.-Makler GmbH. DA.: 1010 Wien, Schwarzenbergpl. 16. G.: Wiesen, 30. Sept. 1961. V.: Petra, geb. Derfler. El.: Gerhard u. Erna. S.: VS, Gymn., HTL, WU Wien, 1984 Dipl. K.: 1988-89 Jauch & Hübener, 1989-93 Hannover-Internat., s. 1993 Gschf. P.: Dipl.-Arbeit. M.: WDF. H.: Politik, Skifahren, Reisen. (J.M.)

Starkl Josef

B.: Inh. FN.: Baumschule Starkl. DA.: 3430 Tulln, Frauenhofen 32. G.: Abetzberg, 4. Febr. 1929. V.: Stefanie. Ki.: Josef, Anton, Maria, Ludwig. El.: Josef u. Maria. S.: VS, HS, Weinbau- u. Gartenschule. K.: m. 23 J. Übernahme d. Baumschule. H.: Jagd.

Starkl Ludwig

B.: Gschf. Ges. FN.: Ludwig Starkl GmbH. DA.: 1110 Wien, Paul-Heyse-G. 5. G.: Tulln, 12. Apr. 1958. V.: Angelika, geb. Hassler. Ki.: Anna, Stefanie, Ludwig, Michael, Theresia. El.: Josef u. Stefanie. S.: HTL f. Flugtechnik, 1977 Matura, 4 Sem. Welthdl. K.: 1979 Übernahme d. Betriebes Däneke, elterl. Betrieb Däneke-Starkl u. Ludwig Starkl GmbH Gartencenter. BL.: Segelflugnationalmannschaft. E.: 9. Pl. EM im Segelflug, 5. Pl. Austral. Meisterschaft. M.: Baumschulverb., Aero-Club, Obm. d. Segelfliegerclub Tulln. H.: Segelfliegen, Jagd. (J.E.)

Starkl-Luschan Hertha

B.: Fahrschulinh. in Krems, Komm. d. Fa. Joh. Saska KG Krems. DA.: 3500 Krems, Obere Landstr. 15. G.: Krems, 17. Aug. 1947. V.: Mag. rer. soc. oec. Robert Starkl. El.: Ing. Otmar u. Elfriede Luschan. S.: Gymn., HAK, 1965 Matura, Gasthörerin an d. HTL, Fachrichtung Maschinenbau sowie an d. Univ. Wien b. Doz. Schwendtenwein "Die Theorie d. Lernens". K.: 1965 Eintritt in d. väterl. Betrieb Fahrschule in Krems, 1982 Übernahme d. Betriebes. F.: Einzelfa. "Fahrschule Wachau" in Krems, Kommanditistin d. Joh. Saska KG Krems. M.: Mtgl. d. Aussch. d. Fachgr. d. Kraftfahrschulen. H.: Alpin- u. Langlaufen, Schwimmen, Reisen, Mode.

Starl Ulrike

B.: Gschf. Ges. FN.: Burgring Immobilien Ulrike Starl & Scheed GmbH. DA.: 1010 Wien, Burgring 1. G.: Wien, 14. Apr. 1957. Ki.: Hans Ulrich (1983). S.: Modeschule Hetzendorf Wien. K.: anschl. Tätigkeiten in div. Bereichen, 1989 Mitbegründerin d. Firma Burgring Immobilien Ulrike Starl & Scheed GmbH u. seitdem Gschf. Ges. H.: Meditation. (J.S.)

Starmühlner Ferdinand Dr.

B.: Univ.-Prof. i.R., Inst. f. Zoologie d. Univ. Wien. DA.: 1090 Wien, Althanstr. 14. PA.: 1190 Wien, Krottenbachstr. 106/5/10. G.: Wien, 19. Juli 1927. V.: Edith, geb. Sima. El.: Ferdinand u. Franziska. S.: VS, RG 8 Sem. an d. Univ. Wien (Zoologie, Botanik), 1949 Prom. u. Dr. phil, 1964 Habil. f. Zoologie. K.: 1952 Wiss. Hilfskraft, 1957 Univ. Ass., 1964 OAss. u. Habil. u. Univ.Doz f. Zoologie, 1968 tit. a.o.Univ.-Prof., 1974 a.o.Univ.-Prof. 1979 Wahl z. Vorst. d. Inst. f. Zoologie d. Univ. Wien, 14 Forschungs-Expeditionen nach Persien, Indopazif. Inseln, Karibik usw. P.: über 100 wiss. u. über 300 populärwiss. Publ., Bücher: Salzseen u. Steppen (Iran) (1956), Naturgeschichte Wien (1970/74), Urwaldinseln (1979), Menschengötter (Südindien) (1992), Urwälder, Vulkane, Kreolen (Karibik) (1994), Vorträge in Rundfunk, Fernsehen u. Volksbild. E.: Theodor-Körner-Preis. Adolf-Schärf-Preis, Preis d. HS-Jubiläumsstiftung d. Stadt Wien, Preisträger f. Volksbild. d. Stadt Wien. M.: Präs. d. Verb. d. Wr. VHS, VPräs. d. Wr. Volksbildungswerkes, Mtgl. d. SIL, UNITAS, MALAC u.v.a. H.: alte Platten, Theater, Konzert.

Staron Peter Dipl.Ing.

B.: Gschf. FN.: VSZ Steel Trade HandelsgesmbH. DA.: 1170 Wien, Rupertuspl.1. G.: Sabinov, 28. Apr. 1948. V.: Dunia Brunovska. KI.: Peter, Alexander. EL.: Jolana u. Jan. S.: HS f. Ökonomie in Bratislava, 1972 Diplom. K.: 14 J. bei Fa. Imex Import - Export, Sachbearb., Abtltr., Handelsltr., 1987 Übersiedlung nach Österr.,Fa. Polytechnico, Fa. Witrans, Außenhdl. mit Ungarn, Polen, Rumänien, ab 1991 bei Fa. Topham, Vertretung e. Warenhauskette in d. Slowakei, dann bei Tochterfirma VSZ Ostslowakische Stahlwerke, Sachbearb. u. Prokurist. H.: Sport, Eishockey. (W.J.)

Starnberger Wolfgang
B.: Gschf. FN.: Star-Caravans. DA.: 1220 Wien, Wagramer Str. 198. G.: Hainburg/Donau, 8. Mai 1961. Ki.: Markus. El.: Franz u. Edith. S.: Lehrausbild. Installateur, 1979 Abschluß. K.: 1981/82 Eröff. m. d. Eltern d. Betriebes Star-Caravans m. Schwerpunkt Camping u. Wohnwagen, seit 1988 Generalvertretung Dethleffs, seit 1990 Eigenprod. v. Mobilheimen. H.: Wassersport. (J.E.)

Stary Adalbert
B.: Inh. FN.: Adalbert Stary. DA.: 5020 Salzburg, Michaelbeuerng. 3. PA.: 5020 Salzburg, Glockengießerstr. 16. G.: Salzburg, 14. Febr. 1934. V.: Hildegard. Ki.: Adalbert, Brigitte, Andrea, Daniela. K.: 1962 eigene Installationsfa. gegründet, 1962 zusätzl. Verkaufs- u. Ausstellungszentrum, Demonstrationszentrum, speziell Alternativenergie eröff. M.: seit 1965 Kam.Funktionär, 1978 LInnungsmstr. d. Spengler u. Kupferschmiede v. Sbg., Vorst.Mtgl. d. Einkaufsgen. DASPIN. H.: Wassersport. (R.A.)

Starzer Antonia

B.: Inh. selbstst. Gold- u. Silberschmied. FN.: Goldschmiedeatelier Storzer. DA.: 4040 Linz, Hauptstr. 1-5. PA.: 4120 Linz, Markt 39. G.: 3. April 1955. V.: Peter. Ki.: Natja (1973). El.: Norbert u. Rosa Köck. S.: VS, HS, Lehre als Gold- u. Silberschmiede, 1963 Lehrabschlußprüfung, 1985 Ablegung d. Meisterprüfung. K.: Tätigkeit i. elterl. Betrieb. M.: Arge Humor. H.: Langlauf, Reiten, Tennis. (G.E.)

Starzer Franz Dr. iur. w.HofR.
B.: LAmtsdir.Stellv. DA.: 4010 Linz, Altstadt 30. PA.: 4040 Linz, Schwarzstr. 22. G.: Münzbach, 22. Nov. 1922. V.: Friederike, geb. Mitterlehner. Ki.: Dr. Bernhard, Dr. Georg, Maria-Regina, Helene-Marie. El.: Johann u. Anna. S.: Gymn. Kremsmünster, 1941-45 Kriegsdienst, 1946 Matura am Ak. Gymn. Linz, Univ. Wien, 1949 Prom. K.: 1950 Eintritt in d. Amt d. OÖ LRg., Abt. Gew., (1952 BH Wels) u. Abt. Wasserrecht, 3 J. Gschf. d. LAWOG, seit 1970 Ltr. d. Abt. Gewerbe. M.: Cartellverb., Rotary-Club Linz-Urfahr. H.: Tarock, Basteln, Gärtnerei. (Deu.)

Starzer Karl Ludwig
B.: Maler u. Grafiker. DA. u. PA.: 5081 Anif 353. G.: Salzburg, 4. Febr. 1930. V.: Erna, geb. Brandstätter. Ki.: Elisabeth (1957), Dr. Christoph (1960), Ing. Bernhard 81966). El.: Karl Felix u. Elisabeth. S.: BLehrerbild.-Anst. (BLBA) Sbg., Ausbild. z. Lehrer, 1949-51 Oskar Kokoschka-Sommerak. K.: 1952-55 Illustrator Amerikan. Atelier, 1956 Grafiker u. Werbeltr. in versch. Ind.-Unternehmen, seit 1965 freischaff. Maler u. Grafiker, Werksverträge m. versch. Unternehmen, 1981-90 Ref. f. Öff.-Arb. d. Kam. f. Land- u. Forstwirtschaft in Sbg., seit 1975 eigene Radierwerkstätte, Ankäufe durch Stadt u. Land Sbg. u. Ind.-Unternehmen, viele Einzelausstellungen im In- u. Ausland. E.: 1970 Europ. Marketingpreis. M.: Heraldiker, Kalligraph. H.: Gesch. d. 18. u. 19. Jhdts., Lyrik, Segeln. (N.M.)

Starzer Peter
B.: Inh. u. selbstst. Goldschmied. FN.: Goldschmiedeatelier Storzer. DA.: 4040 Linz, Hauptstr. 1-5. G.: 20. April 1946. V.: Antonia, geb. Köck. Ki.: Nadja (1973). El.: Rosa und Karl. S.: VS, HS, Lehre als Gold- und Silberschmied i. Linz, 1961 Lehrabschlußprüfung, 1961-62 Präsenzdienst Fliegerabwehr i. hörsching, 1962-72 Kfm. Tätigkeit f. renovierte Betriebe i. Österreich. K.: ab 1972 Einstieg i.d. elterl. Betrieb, 1985 eröffnung d. eigenen Goldschmiedeateliers i. Linz. M.: Arge Humor Linz. H.: Langlaufen, Reiten, Tennis (G.E.)

Stasek Gerhard
B.: Unternehmer. FN.: Stasek Lichtwerkstatt. DA.: 1190 Wien, Heiligenstädter Str. 50, 1120 Wien, Hoffingerg. 16. PA.: 1120 Wien, Hoffingerg. 16. G.: Wien, 5. Juni 1957. S.: Gymn. Wien. K.: 1979 Beginn in d. Lichtbranche b. Knoblich-Licht, ab 1984 b. d. Firma Staff Lichtarch., anschl. selbst., Eröff. eines Büros u. einer Agentur f. d. Lichtobjektbereich, gleichzeitig Übernahme d. Vertriebsaufgaben d. Firma Beleichtungsbau als freier Mitarb., 1991 Eröff. d. Stasek Lichtwerkstatt, Präsentation v. Produkten intern. Designer u. engagierter österr. Künstler. BL.: verwirklichte Objekte u.a. Lichtbandkanal im LBK, Ausführung d. Keys-Desing, Sonderleuchten f. d. Palais Liechtenstein. H.: Sport. (J.S.)

Stassler Adam
B.: Komponist, Texter, Autor, Interpret u. Hobbymaler. DA. u. PA.: 1200 Wien, Salzachstr. 29. G.: Wien, 6. Nov. 1941. Ki.: Andreas. El.: Adam u. Katharina. S.: HS Wien, Vers. Kfm., Ang. b. "Anker" Vers. seit 1965. K.: Fußball (5 Tourneen nach Amerika), zugleich Beschäftigung m. Musik, Hans Georg Tischler entdeckte sein Talent, daß sich bald auf d. "Echte" Wienerlied spez., komponiert auch Chansons u. Schlager u. macht größtenteils d. Texte, Zusammenarb. m. vielen bekannten Komponisten u. Textautoren, nebenbei malt er, einige erfolgreiche Ausstellungen: 1980 Ausstellung im Mauthner Schlössel Wien, 1983 Ausstellung z. 125 J.-Feier d. "Anker" Vers., d. er seit 1965 angehört, 1984 Ausstellung z. 125 J.-Feier d. berühmten "Anker-Uhr" am Hohen Markt, 3 weitere Ausstellungen in versch. Geldinst. P.: 450 Kompositionen Wienerlieder, Schlager, Parodien u. 3 LP, 2 Kassetten, weitere 150 Lieder auf versch. LP, Auftritte b. Heinz Conrads, Spotlight, Autofahrer unterwegs, 100 Kurzgeschichten, Rundfunksendungen im In- u. Ausland. E.: 1973 Augustin-Plakette f. Verd. um d. Wienerlied, 1976 1. Preis f. d. schönste Wienerlied v. d. Volks-HS Ottakring, 1979 Robert Stolz-Med. M.: seit 1975 Vorst.Mtgl. d. Österr. Verb. d. Textautoren, Gründer u. Präs. d. Clubs "Rettet d. Wienerlied", Mtgl. d. Literar Mechana. H.: Malen, Fußball, Tennis. (M.G.)

Stattermayer Herbert
B.: Dir. d. Hotel Sacher Wien. GT.: Prok. d. Hotel Sacher u. Hotel Österr. Hof Sbg. DA.: 1010 Wien, Philharmonikerstr. 4. G.: Wien, 7. Juni 1944. El.: Dr. med. Viktor u. Helene. S.: Mittelschule, Hotelfachschule. K.: Hotel Europa Wien, 1971 London Grand Metropolitan Hotels, seit 1972 Dir. d. Hotel Sacher. H.: Skifahren, Schwimmen. (E.L.)

Stättner Kurt Dr. HofR.
B.: Tierarzt, Stadtveterinärdir. A.: 2371 Hinterbrühl, Kientalg. 5. G.: Wien, 7. März 1921. V.: Eva Maria, geb. Hauke. El.: Rudolf u. Angela. S.: Matura,, Veterinärmed. Univ. Tierarzt

Doktorat, Physikat. K.: Stadtveterinärdirektor, 1. VPräs. d. NÖ Tierärztekam., BKam.Mtgl. AufsR. d. TKB Tulln. E.: Silb. EZ d. Rep. Österr. Paulusorden Brasilien, Ehrenring d. Marktgem. Hinterbrühl, u.a. M.: Wr. Tierschutzver., Gschf. GemR. d. Marktgem. Hinterbrühl. H.: Ski, Philatelie.

Staub Herta Prof.

B.: Schriftstellerin. PA.: 1160 Wien, Thaliastr.149/7 G.: Wien, 21. Dez.1908. El.: Eugen u. Olga. BV.: Bildhauer Johannes Rint (Freund Adalbert Stifters). S.: BLA f. wirtschaftl. Frauenberufe, Vorlesungen in Kunstgeschichte, Germanistik, Philosophie und Sprachen. K.: Wr. Kulturberichte als Auslandskorrespondentin, Exekutivmtgl. d. Paneuropa-Jugendsektion, 1932 Berufung in d. Kulturred. d. "Wr. Zeitung", erste Buchveröff., 1938 Schreibverbot aus polit. Gründen, Untergrund u. Wiederstandtätigkeit, 1943 auf Grund Kusthistor. Studien Dienstverpflichtung in einem "Bergungstrupp" d. Wr. Denkmalamtes,1945-49 Kunst u. Presseref. im Amt f. Kultur u. Volksbild. d. Stadt Wien, Neubeginn literar. Tätigkeit , seit 1959 Kassners Nachlassbetreuerin, 1962 Grdg. Intern. Rudolf Kassners-Gesamtausgabe. P.: Schaukelpferd, 1934 Flori u. d. Weltflieger, 1937 Blaue Donau ade, 1943 Honoria, 1958 Der Feen-Rufer, 1973/10 Übertragungen aus d. Engl. W.H. Auden, 1978 Welt als Versuch.E.: Prologpreisd. Landeshauptstadt Linz 1953, Preis d. Landes OÖ f. Dramat. Dichtung 1954, Förderungpreis Stadt Wien 1956, Förderungspreis d. Dr. Theordor Körner-Stiftungsfonds 1963, Prof.-Titl. 1970, Dr. Adolf Schärf-Preis f. Literatur 1984, Silb. EK f. Verd. um d. Rep. Österr. 1989. M.: P.E.N.-Club, Schriftstellerver. H.: Gärtnerei, Weltliteratur, Röm.Münzen. In Vorb. eine Biographie. (T.T)

Staub Manfred

B.: Inh. Cafe Sperl. DA.: 1060 Wien, Gumpendorferstr. 11. G.: Wien, 12. Apr. 1931. Ki.: Rainer. El.: Franz u. Giselda. S.: 1951 Matura. K.: b. 1960 Tätigkeit im elterl. Betrieb Hotel Restaurant Weißer Hahn, 1970 "Die Mehlgrube", Gschf. Cafe Mitterhauser, 1968 Übernahme Cafe Sperl. H.: Golf. (J.E.)

Stauber Franz Dr. phil.

B.: Dir. d. Caritas. GT.: Vors. d. kath. Fernsehkmsn. Österr. DA.: 4020 Linz, Kapuzinerstr. 84. PA.: 4020 Linz, Kaplanhofstr. 18. G.: Hofkirchen, 27. Juni 1928. V.: Hildegard, geb. Schöffl. Ki.: Bernhard, Christoph, Lydia-Maria. El.: Franz u. Theresia. S.: Lehre für Herrenschneider, Gesellenprüf., Lehrerseminar, 1953 Matura. K.: 1953-57 Diözesanführer d. Kath. Jungschar, 1954-57 Bundesführer d. Kath. Jungschar, 1957-61 BSekr. d. Kath. Jugend Österr. u. Vorst. d. Österr. BJugendringes, 1961-82 Kath. Bild.Werk d. Diözese Linz, seit 1964 Ltr., 1961-82 im Präsidium d. Europ. Kath. Erwachsenenbild., Stud. an d. Univ. Wien, Phil., Päd. u. Psych., 1971 Prom. E.: 1974 Gold. EZ f. Verd. um d. Rep. Österr., 1978 Comptur d. Silvesterordens. M.: 1961-68 Mtgl. d. ProgrammbeiR. d. ORF, 1970-74 Mtgl. d. AufsR. d. ORF, 1974-86 Mtgl. d. Kuratoriums d. ORF, stellv. Vors., Mtgl. d. Hörer- u. Sehervertreter, Vors. d. Programmaussch. H.: Reisen, Geschichte. (A.W.)

Stauber Franz

B.: prakt. Arzt. DA.: 1050 Wien, Margaretenstr. 110. PA.: 1050 Wien, Rampersdorfferg. 47. G.: Klausen-Leopoldsdorf, 6. Apr. 1950. Ki.: Birgit (1974), Eva (1977). El.: Ferdinand u. Gertrude. S.: 1968 Matura Wien, Stud. d. Med. an d. Univ. Wien, 1974 Prom. K.: Turnusausbild. am Wilhelminenspital, seit 1976 Notarzt, während d. Stud. Demonstrator an d. Lehrkanzel, seit 1978 ndlg. prakt. Arzt., seit 1989 Bez.Ärztevertreter. P.: Mitarb. an einigen Büchern (Rettungs- u. Gesundheitswesen). M.: Grdg.Mtgl. d. Hausärztekam. H.: Tennis, Schach. (P.R.)

Stauber Peter

B.: Hauptschullehrer; 1. Vize Bgm. FN.: Landesschulrat f. Kärnten; Stadtgemeinde St. Andrä. DA.: 9433 St. Andrä, Burgstall 80 u. 9433 St. Andrä 210. PA.: 9421 Eitweg 178. G.: Lavamünd, 15. Apr. 1953. V.. Bernadette, geb. Lammer. Ki.: Oliver (1978), Christina (1980), Katrin (1982). El.: Frieda und Matthias. S.: Vs, Stiftsgymn., Matura. K.: 1972-74 Amtsltr. b. d. Österr. Post, 1974-77 Pädagogische Akad. Klagenfurt u. s. 1977 in d HS St. Andrä tätig; s. 1988 Obm. d. SPÖ Sektion Eitweg-Gemmersdorf, s. 1991 Vize Bgm. St. Andrä, 1991 Vorst. d. Sozialhilfeverb. M.: Sportver. Eitweg, s. 1992 Obm, div. örtl. Ver. H.. Musik, Sport, Politik. (G.L.)

Staud Hans Dkfm.

B.: Inh. FN.: Dkfm. Hans Staud Erzeugung exquisiter Kompotte, Feinsäuren-Delikatessen u. Konfitüren. DA.: 1160 Wien, Huberg. 3. PA.: 1160 Wien, Schellhamerg. 20. G.: Wien, 22. Aug. 1948. El.: Johann u. Johanna. BV.: Joseph Staud bedeutender Pfarrer v. Währing. S.: 1966 Matura, 1967-71 Stud. Welthdl., 1971 Dkfm. K.: 1971 Grdg. u. Aufbau einer eigenen Fa., vorerst Erz. v. Gemüsekonserven, seit 1974 Erweiterung auf exklusive Konfitürenerz. u. Feinsäuren-Delikatessen. P.: Mitinitiator u. Mitgestalter v. versch. Nahrungsmittelgesetzen f. Obst, Gemüse u. Pilze. E.: 1981 Modellproduzent d. Jahres 1981, 1989 Österr. Agrarmarketingpreis, 1989 Gourmet Trophe. H.: Musik, Klavier, Orgel, Oper, Skifahren, Wandern, Reisen. (M.B.)

Staud Peter

B.: Art Dir. FN.: Imprima Werbeagentur GmbH. DA.: 1160 Wien, Thaliastr. 97. G.: Wien, 26. Juli 1961. El.: Ing. Karl u. Gertrud, geb. Stych. S.: 1979 Matura, 4 J. Graph. Lehr- u. Versuchsanst. K.: 1983 Eintritt Imprima als Art Dir., 1987 Grafiker b. Mark & Nevosad, dann wieder Imprima, s. 1994 Doz. an d. Werbeakademie in Wien. H.: Surfen, Segeln, Musik. (N.A.)

Staudacher Friedrich Dr.

B.: RA (Verteidiger in Strafsachen), Musikkritiker. DA.: 9020 Klagenfurt, Alter Pl. 30. PA.: 9020 Klagenfurt, Hagenstr. 9. G.: Klagenfurt, 22. Sept. 1946. V.: Christine. Ki.: Michael (1977), Christian (1979). El.: Josef u. Antonia. BV.: Großvater väterl.: Bgm., Kurdir. u. Schuldir. in Maria Wörth am Wörthersee, Onkel Josef Hauptmann war schon in Jugendjahren ein preisgekrönter Organist. S.: RG, Matura 1964, Jusstud. in Graz, Prom. 1970. K.: Ausbild. z. RA in Graz u. Klagenfurt, RA-Prüf. 1975, seit 1976 RA in Graz, Rechtskonsulent b. Österr. Draukraftwerken 1977/78, seit 1978 RA in

Klagenfurt. M.: 1985-88 Obm. d. Dommusikver. Klagenfurt, seit 1989 Präs. d. Landessymphonieorchesters Ktn., Lions Club Wörthersee. H.: Musik, Sport. (A.L.)

Staudacher Fritz

B.: Gschf. FN.: Aucotec GmbH. DA.: 8020 Graz, Josefig. 75/I, 1210 Wien, Jedleseerstr. 3. PA.: 8020 Graz, Josefig. 75/I. G.: Aflenz, 16. Juli 1944. V.: Margret, geb. Galli. El.: Fritz u. Maria, geb. Rohrbacher. S.: kfm. Ausbild., firmeninterne EDV-Ausbild. K.: 1964-67 Service v. Unterhaltungsautomaten, 1967-68 Flugzeugelektriker, 1968-81 Service EDV, 1981-86 Service Nuklearmed., seit 1986 Gschf. Aucotec Software Vertrieb. H.: Wandern. (N.A.)

Staudacher Hans Prof. h.c.

B.: Maler, Graphiker, Gestalter in Kunst. A.: 1040 Wien, Preßg. 7/24. G.: St. Urban am Ossiachersee, 14. Jän. 1923, V.: Hannelore, geb. Uschnig. El.: Johann u. Ursula. S.: Baufachschule, Autodidakt, Inst. f. Bild. Kunst b. Arnold Clementschitsch, Klagenfurt. K.: Ausstellungen in d. ganzen Welt z.B. Biennale Venedig, Biennale Tokio u. Sao Paulo, Salon Comparsions Paris, Stedelijk, Museum Amsterdam, Eindhoven, Kunsthalle Bern u.a. E.: Premio Marzotto, Preis d. Biennale Tokio, Preis d. BMU, Josef Hoffmann Ehrung d. Wr. Secession, Verleihung d. Prof.Titels u.a. M.: Wr. Secession, Forum Stadtpark, Ktn. Kunstver. Klagenfurt. H.: Segeln, Musizieren, Wandern, Pilzesuchen.

Staudacher Helmut Dr. med. OMedR. Prim.

B.: FA f Innere Med., Sportarzt, Ärztl. Ltr. d. Rehabilitationsanst. f. innere Erkrankungen d. VA d. ÖEB. PA.: 8052 Graz, Neupauerweg 46. G.: Graz, 28. Juli 1925. M.: Ltr. d. ÖISM Graz, ASKÖ u. d. IMSB, Mtgl. d. LSportrates.

Staudigl Christa

B.: Drogistin. FN.: Drogerie Reformhaus Staudigl GesnbR. DA.: 1010 Wien, Wollzeile 4. G.: Schönkirchen, 25. Okt. 1949. V.: Heinz Staudigl. Ki.: Christina (1974), Matthias (1983). El.: Johann u. Stefanie Jaindl. S.: HAK, 1969 Matura, 1969-74 Erste Österr. Spar-Casse-Bank Wien, danach Berufsschule f. Drogisten m. Abschluß. K.: 1979 Eröff. d. beiden Drogerien gemeinsam m. Ehemann Heinz in d. Wollzeile 4 m. Schwerpunkt Reform u. in d. Wollzeile 25 m. Schwerpunkt Drogerie-Parfumerie unter d. Motto: Schönheit u. Gesundheit. P.: Art. vorwiegend in d. eigenen Hauszeitung. H.: Familie, Schreiben, Lesen, Musik, Psych. (J.S.)

Staudigl Heinz

B.: Drogist. FN.: Drogerie Reformhaus Staudigl GesnbR. DA.: 1010 Wien, Wollzeile 25. G.: Wien, 17. Juni 1943. V.: Christa, geb. Jaindl. Ki.: Christina (1974), Matthias (1983). El.: Matthias u. Hermine. S.: Berufsschule f. Drogisten in Wien. K.: 1979 Grdg. d. Firma Staudigl GesnbR u. Eröff. d. beiden Drogerien gemeinsam m. Ehefrau Christa in d. Wollzeile 4 m. Schwerpunkt Reform u. in d. Wollzeile 25 m. Schwerpunkt Drogerie-Parfumerie unter d. Motto: Schönheit u. Gesundheit. H.: Familie, Garten, Lesen, Musik. (J.S.)

Staudinger Anton Dr. Mag. Univ.-Prof.

B.: Univ.-Prof. am Inst. f. Zeitgeschichte d. Univ. Wien. DA.: 1090 Wien, Rotenhausg. 6. G.: Bad Hall, 6. März 1940. V.: Ilse, geb. Leithäusl. S.: 1958 Matura, Stud. Geschichte u. Germanistik Univ. Wien, Lehramtsprüf. Dt. u. Geschichte, 1964 Mag., 1969 Doktorat. K.: seit 1966 Univ.Ass. am Inst. f. Zeitgeschichte, 1980 Habil. f. Neuere Geschichte, seit 1983 a.o.Univ.-Prof. am Inst. f. Zeitgeschichte. P.: Publ. vorrangig z. Österr. Republikgeschichte, Mithrsg. d. ÖZG. M.: Vorst.Mtgl. d. Österr. Ges. f. Zeitgeschichte, Kuratoriumsmtgl. d. Dokumentationsarchivs d. Österr. Widerstandes. (J.S.)

Staudinger August

B.: Fleischermeister. FN.: Staudinger August. DA./PA.: 4523 Neuzeug, Sierninghofenstr. 73. G.: Sierning, 28. Sept. 1947. V.: Brigitte, geb. Schodl. Ki.: August (1969), Bernd (1972). El.: August u. Theresia. S.: VS, HS, Berufschule, 1969 Meisterpr. Metzger. K.: 1969 elterl. Betr. gearb., 1980 Übern. d. Betr. E.: Pegasus f. OÖ. H.: Tennis, Jagd. (J.L.)

Staudinger Charlotte

B.: Generaloberin, Ltr. d. Dir. Kranken- u. Altenpflege. FN.: Wiener Krankenanstaltenverbund. DA.: 1010 Wien, Schottenring 24. PA.: 1170 Wien, Blumeng. 19. G.: Wien, 1. Okt. 1949. El.: Charlotte u. Franz. S.: Krankenpflegeschule i. Wien, div. Zusatzausbildungen für Management u. Führung, Lehrgang für Krankenhausmanagement a. d. WU Wien, Diplom als akad. geprüfte Krankenhausmanagerin. K.: ab 1969 dipl. Krankenschwester auf d. Unfallstation Wilhelminenspital Wien, ab 1973 Narkoseschwester im Operationssaal, ab 1976 Lehrschwester am Wilhelminenspital, ab 1983 Vertreterin der damaligen Generaloberin u. seit 1984 Generaloberin. P.: Mitautorin versch. Fachbücher, die sich mit Krankenhausorg., -planung u. -management beschäftigen, Publ. in Fachzeitschriften zu obigen Themen. M.: Präsident d. Hans Jonas-Ges. f. Medizinethik, Kuratoriumsmtgl. d. Ges. f. Pflegeforschung TSA. H.: Katzen, Sport besonders Skifahren, Turnen u. Wandern, Garten. (J.S.)

Staudinger Christa

B.: Inh., Kosmetikerin. FN.: Kosmetik Winkler. DA.: 4020 Linz, Landstr. 15. PA.: 4522 Sierning, Wallernstr. 17. G.: Linz, 22. Juli 1939. Ki.: Johann (1979), Christiana (1984). El.: Anton u. Margarete Winkler. S.: VS, HS, Hauswirtschaftsschule Linz. K.: Tätigkeit im Bürobereich, Umschulung auf Kosmetikerin, seit 1970 selbst. m. Kosmetiksalon. H.: Beruf, Kochen, Schwimmen. (U.A.)

Staudinger Franz

B.: Gschf., Baumeister. FN.: Franz Staudinger GmbH. DA. u. PA.: 4643 Pettenbach, Dürndorf 142. G.: Kirchdorf, 13. Febr. 1950. V.: Zäzilia, geb. Staudinger. Ki.: Gerald (1976), Cornelia (1981), Elisabeth (1990), Petra (1994). El.: Maria Hauser. S.: 1964-67 Lehre als Maurer Fa. Baumeister Ing. Hugo Waldmann in Pettenbach, 1967 Gesellenprüf., 1967-70 Bauhandwerkerschule in Linz, Abendkurse, Kurse im BFI f. Statik, Stahlbetonbau, Vorbereitung WIFI f. Baumeisterprüf. K.: ab 1970 tätig als Bautechn. u. Vorarb. Fa. C. Peters in Linz, 1974-77 Baultr., 1977 Übern. d. Baumeisterbetr. Ing. Hugo Waldmann, 1987 Eintrag. als GmbH. M.: Obm. Schrift- u. Heimatmuseum, Sektionsltr. Union Pettenbach (Fußball), Bez.-Obermeister d. Baumeister Bez. Kirchdorf, Organisator d. Wanderver. H.: Wandern, Fußball, Brauchtum. (G.E.)

Staudinger Ernestine
B.: Gastwirtin Seegasthof Pension Landeroith. DA. u. PA.: 4852 Weyregg 117. G.: Weyregg, 2. Apr. 1952. V.: Karl Staudinger. Ki.: Ursula (1979), Andreas (1981). El.: Alois u. Maria Staudinger. S.: VS, HS, Berufsschule, Kochlehre, 1967-70 Lehre im elterl. Betrieb, 1976 Konzessionsprüf., div. Kurse. K.: 1981 Übernahme des elterl. Betriebes. M.: Wasserrettung. H.: Karten, Luftdruckgewehrschießen, Stockschießen, Schwimmen, Sport. (S.P.)

Staudinger Heini
B.: Kfm. FN.: Staudinger GEA. DA.: 1010 Wien, Himmelpfortg. 26. PA.: 1080 Wien, Lange G. 24. G.: Vöklabruck, 5. Apr. 1953. Ki.: Jakob, Sebastian. El.: Karl u. Franziska. S.: 1971 Matura, Stud. Theol., Publizistik, Politologie, Med. K.: 1980 Eröff. eines Geschäftes f. Gesundheitsschuhe, Gesundheitsstühle u. Betten, 1987 Prod. v. Gesundheitsmatratzen. M.: Grüner GemR. in Schwanenstadt, PUM Gründer 1979. H.: Phil., Radfahren.

Staudinger Herbert

B.: Gschf. Ges. FN.: Stapro Sportartikel Großhdls. GmbH. DA. u. PA.: 4844 Regau, Dornet 6. G.: Dornet, 8. Aug. 1938. V.: Christine, geb. Weidinger. Ki.: Anita (1960), Christa (1964). S.: VS, HS, 1953-56 Tischlerlehre. K: 18 J. in einer Großtischlerei tätig, zuerst Tischler später als Versandltr., 1973 Versandltr. in einer Möbelhdls.-Firma, 1976 selbst. m. Sportartikel, 1977 Grdg. Stapro Sportartikel Großhdls. GmbH. M.: mehr als 25 J. Judo-Trainer, Gremialaussch. d. HK. H.: Judo, Tennis, Surfen, Skifahren, Segeln. (J.L.)

Staudinger Josef
B.: Bgm. d. Marktgem. Guntramsdorf, Sekr. in d. LLtg. d. Gewerkschaft Bau-Holz. DA.: 2353 Guntramsdorf, Rathauspl. 1. PA.: 2353 Guntramsdorf, Europapl. 1/3. G.: Mödling, 15. Juni 1949. V.: Gertraud, geb. Schellmann. Ki.: Andreas, Norbert. K.: Eintritt in d. Brau AG, Kurse in Elektronik, 17 J. techn. Dienst, 1986 Eintritt in d. Gewerkschaft Bau-Holz als Sekr., 1987/88 Sozialak., 1983 Ortsaussch., 1985 GemR., VBgm., seit 1990 Bgm. d. Marktgem. Guntramsdorf. P.: Gemeindeinformationen. M.: im Bez.Aussch. d. SPÖ, Laienrichter am OLG Wien f. Arbeitsrecht u. Soziales, Obm.Stellv. v. Bez. Mödling d. Müllbeseitigungsverb. H.: Wandern, Tennis. (Ch.K.)

Staudinger Otto
B.: Gschf. Ges. FN.: Donau Wirtschaftsprüfungs- u. Steuerberatungs GmbH, DONAU CONTROL, Controlling, Budetierungs- u. Finanzplanungs GmbH, Donau Beratung. DA.: 4020 Linz, Hahneng. 5. PA.: 4523 Neuzeug, Gärtnerweg 25. G.: Steyr, 29. Okt. 1954. V.: Eveline, geb. Wieser. Ki.: Jürgen (1973), Thomas (1977). El.: August u. Theresia. S.: 1965-69 Gymn. in Steyr, 1969-70 HASCH Steyr, b. 1975 HAK Steyr, 1978 Bilanzbuchhalterprüf., 1980 Steuerberatungsprüf. (jüngster Steuerberater Österr.), 1985 beeid. Buchprüfer, anschl. Kurs z. Unternehmensberater. K.: 1988 Grdg. d. Unternehmensberatungsfirma "Donau-Control", 1991 Bau e. Passage in Bad Hall (f. Prod. gesunder Geist bzw. gesunder Betrieb), 1991 Erarbeit. e. Seminars m. ÖAMTC "Lenken Sie Controlliert". M.: Management Club, Junge Wirtschaft. H.: Tennis, Ski, Urlaub.

Staudinger Rudolf KommR.
B.: Mtgl. d. NatR. seit 1962, Kfm. G.: Schwanenstadt, 4. März 1923. S.: Pflichtschulen, HASCH. K.: 1939-42 Büroang., 1942-44 Militär- u. Kriegsdienst, ab 1945 selbst. Lebensmittelgroßhändler in Schwanenstadt, ab 1960 gschf. Ges. d. A & O Hdls.Zentrum OÖ GmbH, gewerberechtl. Dir. d. SPAR Zwg.Ndlg. Marchtrenk, seit 1945 Mtgl. u. seit 1972 Obm. d. BAussch. Hdl. d. Österr. Wirtschaftsbundes, 1945-48 Dekanatsjungendführer d. Kath. Jugend bzw. Dekanatsobm. d. Kath. Männerbewegung, seit 1953 Obm. d. Kriegsopferverb., Ortsgruppe Schwanenstadt u. seit 1966 LObm.Stv., seit 1955 Mtgl. d. GemR. u. ab 1959 Bgm. v. Schwanenstadt, seit 1960 Funktionen in d. Kam. d. gewerbl. Wirtschaft, seit 1946 KamR., seit 1980 Vorst. d. LGremiums Lebens- u. Genußmittelgroßhdl., VPräs. d. BSekt. Hdl. u. Mtgl. d. BGremiums Lebensmittelhdl., 1971-91 VPräs. d. Österr. Gem.Bundes, 1975-88 Bez.Parteiobm. d. ÖVP Vöcklabruck. E.: KommR, Gr. Silb. EZ m. d. Stern, Gr. Gold. EZ, Gr. Silb. Ehrenmed. d. Kam. d. gewerbl. Wirtschaft d. OÖ, Gold. EZ d. Kriegsopferverb. d. Landes OÖ, Gr. Silb. EZ d. Landes OÖ, Gr. Silb. EZ d. BLänder Sbg. u. Stmk., Gr. VK d. BRD, Ehrenring u. Ehrenbürgerschaft d. Stadt Schwanenstadt.

Staudinger Veronika Dr. iur.
B.: RA. DA.: 6020 Innsbruck, Anichstr. 2a. PA.: 6020 Innsbruck, Lindenbühelweg 34. G.: Kitzbühel, 11. Aug. 1951. El.: Konrad u. Jutta Staudinger. S.: 1961-69 Ursulinen Sbg., 1969 Matura, 1969-74 Jusstud. in Innsbruck, 1974 Prom. K.: Gerichtspraxis, Konzipientenzeit, seit 1981 selbst. M.: Ver. gegen Tierversuche. H.: Reiten, Malerei, Tennis, Golf.

Staudinger Walter Günter

B.: Gschf. FN.: ACI Software-Entwicklungs GmbH. DA.: 5020 Salzburg, Jakob-Haringer-Str. 8. PA.: 5101 Bergheim, Langwiesweg 26. G.: Bischofshofen, 18. Juli 1956. V.: Sabine, geb. Konrad. Ki.: Thomas, Christina, Laura. El.: Walter u. Erna. S.: VS, HS, HTL, 1976 Matura, 1983 1. Studienabschnitt Arch. Graz. K.: 1983 Software f. Arch., 1984 1. Version verkauft. bis 1987 unter Firma Mikrozentrum Graz (Hardware Firma), 1987 Grdg. ACI GmbH.

Stauffer Anton Dipl.-Ing.
B.: Ltr. d. Abt. Vertrieb Sonderkessel. FN.: Waagner-Biro E&E Ges.m.b.H. DA.: 8021 Graz, Waagner-Biro-Str. 98. PA.: 8043 Graz, Pensionsweg 14. G.: Graz, 19. Jan. 1935. V.: Leopoldine, geb. Gosch. Ki.: Dietmar (1977). El.: Anton u. Maria. S.: 1945-53 BRG Oeversee, 1955-63 TU Graz (Maschinenbau). K.: 1964-65 Konstrukteur, 1965-79 Projektant u. Ref. f. Kessel u. Kraftwerke, s. 1981 Ltr. d. Abt. f. Umwelttechnik, Projektierung, Sonderkessel b. Waagner-Biro E&E Ges.m.b.H., 1972 Befugnis als Zivil-Ing. f. Maschinenbau. BL.: Verwirkl. d. zu d. Zeit ersten u. größten zirkulierenden Wirbelschichtkessels Mitteleuropas in Österr. 1980. M.: Verein. ehem. Överseer. H.: Segeln. (P.M.)

Stauffer Thomas Mag.
B.: Gschf. FN.: WUV Univ.Verlag GmbH, Facultas Univ. Verlag GmbH. DA.: 1090 Wien, Bergg. 5, 1090 Wien, Bergg. 4. PA.: 1040 Wien, Argentinierstr. 2/9. G.: Wien, 16. Nov. 1960. El.: Dr. Walter u. Ilse. S.: Gymn., 1979 Matura, Stud. Betriebswirtschaft WU Wien, 1984 Mag. K.: Amerikaaufenthalt, 1984-87 Revisionsass. b. Auxilia Treuhand Wien,

Portugalaufenthalt: Tätigkeit in einer Handelsfa. in Lissabon, 1-jähriges Traineeprogramm in d. Citybanc Corp. Vienna, Hrsg. d. Zeitung Transeuropa, seit 1989 Gschf. d. WUV Univ.Verlag GmbH, Fachverlag f. jurist., päd. u. psych. Fachliteratur, seit 1991 Gschf. d. Facultas Univ.Verlag f. Medizin, Pharmazie u. Naturwiss. GmbH. H.: Lesen, Bergsteigen, Klettern, Tennis. (J.S.)

Staus Christoph Dr.

B.: Zahnarzt. DA.: 1080 Wien, Ledererg. 18/3. PA.: 1170 Wien, Syringg. 13/14. G.: Wien, 13. Feb. 1959. V.: Elisabeth, geb. Rausch. Ki.: Constantin (1989), Victoria (1991). El.: Ernst/Leopoldine. S.: VS, Gymn., 1978 Matura, 1978-85 Medizinstud., Philosophie- u. Humanstud. K.: Turnusausbild. i. d. Uniklinik (Kiefer- u. Gesichtschir.), Facharztanerkenn., Übernahme Ord. v. Schwiegerv., s. Okt. 1990 eigene Ord. P.: Div. Art. i. Fachzeitschr. M.: war früher Mitgl. b. d. Wr. Sängerknaben; Mitgl. d. Kartellverb; NÖ. Landesjagdverb. H.: Jagd, Reisen, Musik. (E.J.)

Stauss Anton Dir.

B.: Kfm. PA.: 6851 Dornbirn-Süd, Dieter-Stauss-Haus 2. G.: Dornbirn, 7. Okt. 1936. V.: Lore, geb. Florian. El.: Alfons u. Lina. S.: Grundschule, Gewerbeschule, abendl. HS, Seminarwochen. K.: Handwerkslehre, kfm. Lehre, Praktikum, seit 1964 selbst. Unternehmer, Alleininh. d. Fa. Anton Stauss Hdls.Haus u. Reparaturwk. f. Baumaschinen. M.: Vbg. Techn. Ver., Gremialvorst. d. Vbg. HK, 1. Vorst. d. Liederhort Hatlerdorf. H.: Musik, Gesang, Skifahren, Reiten. (Schm.)

Stavenhagen Robert H. K.

B.: Gschf. FN.: ELF Öle Österr. Vertriebs GmbH. DA.: 1040 Wien, Große Neug. 8. PA.: 1235 Wien, Rudolf-Weisenhorn-G. 119/58. G.: Köln/BRD, 26. März 1934. V.: Helga. Ki.: Susanne (1959), Silke (1962), Daniela (1963). El.: Dr. Herbert u. Annaluise. S.: 1952 Abitur. K.: b. 1962 im elterl. Betrieb E. Plaumanner-Köln-Fruchtimport, dann Verkaufsltr. Dt. Renault Öle, 1967 Grdg. ELF Öle, Gschf. f. Bereichsvertrieb BRD, 1978 Umfirmierung in ELF Schmierstoffe u. Vertriebsltr., 1982 Gschf. ELF Österr., 1990 Übernahme d. Verantwortung auch f. Ungarn. M.: Österr.-Franz. HK, Renault Alpine Club. H.: Tennis, Hockey, Skifahren, Bergwandern, Garten. (S.H.)

Steble Gertraud

B.: Gschf. Ges. FN.: Bobrich Dentalwarenhandels GmbH. DA.: 8010 Graz, Kalchbergg. 3. PA.: 8010 Graz, Langeg. 31. G.: Graz, 10. Okt. 1942. Ki.: Sandra (1969), Mark (1972). El.: Karl u. Eugenie. S.: HAK Graz, 1961 Matura. K.: 1961-63 Steuerberater Dr. Knirsch Graz, 1963 Eintr. in den elterl. Betrieb Fa. Bobrich Dentalwaren, 1966 Buchhaltung übern., 1974 Prokura, s. 1981 Gschf. M.: Frau in der Wirtschaft, Funktion. d. HK Stmk. H.: Wandern, Musik, Golf, Reisen. (I.G.)

Stawa Georg Mag. pharm.

B.: Apotheker d. Stadtapotheke. DA. u. PA.: 6300 Wörgl, Bahnhofstr. 32. G.: Wörgl, 7. Sept. 1927. V.: Mag. pharm. Maria, geb. Sigwart. Ki.: Christine (1960), Sigrid (1963), Georg (1965). El.: Mag. pharm. Dr. iur. Georg u. Luise. BV.: Vater Mag. pharm. Dr. iur. Georg Stawa OberfinanzR. u. Politiker. S.: Dipl. in Innsbruck. K.: seit 1961 Konzessionär u. Ltr. d. Apotheke "Zum Speckbacher", 1962 Änderung auf "Stadtapotheke", Anschluß einer Großhdlg., seit 20 J. Konsiliarapotheker im Reha-Zentrum Bad Häring. M.: Wirtschaftsbund, ÖVP, Schützengilde Wörgl, Alpenver., Reitclub Wörgl. H.: Reisen, klass. Musik, Bergsteigen, Skifahren, Klettern, Ex-Libris-Sammler. (M.T.)

Stecher Doris

B.: Verkaufsltr. d. Firma Schlecker im Bereich Westösterr., Tir., Vbg., Sbg., OÖ. PA.: 6130 Schwaz, Winterstellerg. 19. G.: Zell/Ziller, 22. Juli 1962. V.: Ernst Stecher. Ki.: Dominic (1984). El.: Josef u. Paula Sartore. S.: Grundschule, 1977 Fremdenverkehrsfachschule, 1980 Drogistenlehre, 1990 Konzessionsprüf., 1986 Dekorationsprüf., 1986 Ausbilderprüf. K.: 4 J. Gschf. eines Drogeriegeschäftes, 1988 Filialltr. Firma Schlecker, 1989 Bez.-Ltr., seit 1990 Verkaufsltr. f. ganz Westösterr. H.: Literatur, Familie. (M.W.)

Stecher Ernst

B.: Gschf. Raiffeisenwarenverb. Schwaz u. Wörgl. DA.: 6130 Schwaz, Karwendlstr. 16. PA.: 6130 Schwaz, Winterstellerg. 19. G.: Schwaz, 22. Febr. 1961. V.: Doris, geb. Sartore. Ki.: Dominic (1984). El.: Ernst u. Irmgard. S.: Grundschule, 1 J. HTL, Zimmerlehre, 1979 Abschluß, 2 J. HTL. K.: Reisebürotätigkeit im Sommer, im Winter Tätigkeit im Sportgeschäft, 1986 Eintritt Raiffeisenwarenverb. Baustoffverkäufer, 1987 Abt.-Ltr. Baustoffe, 1989 BetriebsR.-Obm. d. Raiffeisenwarenverb. Tir., 1990 Gschf. Lagerhaus Schwaz, seit 1992 Gschf. Filiale Wörgl, seit 1985 Sportreportagen in Bez.-Zeitung. M.: Skiver. H.: Familie, Sport. (M.W.)

Stecher Franz

B.: Vorst.Dir. d. Sparkasse d. Stadt Poysdorf. DA.: 2170 Poysdorf, Dreifaltigkeitspl. 2. PA.: 2612 Falkenstein 237. G.: Falkenstein, 21. Jan. 1947. V.: Christine, geb. Pesau. Ki.: Franz. El.: Johann u. Magdalena. S.: HS. K.: 1963 Eintritt in d. Sparkasse Poysdorf, 1981 im Vorst., 1982 vors. Dir. M.: Rotes Kreuz. H.: Weinbau, Fußball. (Fels.)

Stecher Georg Dr. iur. HofR.

B.: Vorst.-Stv. FN.: Stmk. Landesregierung, Abt. f. gewerbl. Berufsschulen. DA.: 8010 Graz, Mandellstr. 38. PA.: 8010 Graz, Dr. Robert Graf Str. 35. G.: Voitsberg, 19. Dez. 1948. El.: Georg u. Kreszenzia. S.: VS, 1968 Matura, 1968-69 BH, 1968-74 Prom. K.: s. 1974 Landesdienst BH Graz-Umgebung, 1975-92 Sekr. b. 4 Landesräten, Abt. f. gewerbl. Berufsschulen, s. 1990 HofR. d. Stmk. Landesreg. H.: Tennis, Skifahren. (I.G.)

Stecher Reinhold Dr.

B.: Diözesanbischof. DA.: 6020 Innsbruck, Wilhelm-Greil-Str. 7. G.: Innsbruck, 22. Dez. 1921. EL.: Dr. Heinz u. Rosa, geb. Harpf. S.: VS, LBA, Hum. Gymn., 1939 Matura, Reichsarb., Theol.-Stud. St. Michael b. Matrei u. St. Georgen am Längsee, 1941 Gestapohaft, Militär. K.: Eintritt Canisianum, 1947 Priesterweihe Innsbruck, 1949-56 Präfekt am Bischöfl. Knabenseminar Paulinum Schwaz u. Schuldienst, 1951 Prom. z. Dr. theol., 1956-81 Religionsprüf. LBA Innsbruck u. ab 1968 Prof. f. Religionspäd. Päd. Ak. d. Bundes, mehrere J. Seelsorger d. männl. kath. studierenden Jugend, 1965-70 Spiritual im Priesterseminar, Gstl. Ass. d. Kath. Tir. Lehrerver., Vortragstätigkeit in Nord- u. Südtir. sowie zahlr. Seelsorgeaushilfen, 1980 2. Diözesanbischof v. Innsbruck, 1981 Bischofsweihe, 1986 Ref.-Bischof f. d. Caritas, 1986 Präs. St. Christoph-Bruderschaft. P.: Liebe ohne Widerruf (1965), Botschaft d. Berge (1986), Heiter-besinnl. rund um d. Krummstab (1991), Das Geschenk d. Weihnacht (1991). E.: 1965 Bischöfl. GstlR., 1975 Msgr., 1981 EZ d. Landes Tir., 1987 Ehrenring d. Landes Tirol, 1992 "Grüner Zweig" (f. Verd. um d. Umwelt), 1993 Verleihung d. Gr. EZ i. Gold m.

Stern f. d. Verd. u. d. Rep. Österr., Verleihung d. Ehrenbürgschaft d. Stdt. Innsbruck, 1994 Verleihung d. Ehrendoktorates f. Phil. durch d. UNI Innsbruck. H.: Bergwandern.

Steckbauer Klaus

B.: Inh. FN.: SKL. DA.: 1150 Wien, Henriettenpl. 2/14-16. PA.: 1210 Wien, Schuttleworthstr. 3/8. G.: Linz, 18. Okt. 1959. Ki.: Nicole (1981). El.: Anton u. Frieda. S.: Kfz-Mechanikerlehre m. Gesellenprüf. K.: 1975-79 Tätigk. als Kfz-Mechaniker, seit 1979 im Zeitungswesen, angefangen als Vertreter, dann Gruppenltr., Werkmanager u. seit 1986 selbst. Unternehmer, 1990 Aufbau d. eig. Firma m. d. umweltbewußten Zielsetzung d. geschäftl. Aktivitäten, Schwerpunkte: Zusammenarb. m. d. Österr. Pflichtschulbereich, Erfind., Prod. u. Vertrieb v. "Umwelt-Minilabor" u. "Umwelt-Minitestset", d. f. d. Feststellung v. organ. u. anorgan. Verunreinig. in Wasser u. Boden m. einfachen Mitteln ermöglichen. E.: Kl. Silb. Med. v. IENA 90 Intern. Ausstellung "Ideen-Erfindungen-Neuheiten", 1992 Gr. Med. in Silber d. Österr. Erfinderverb., Innovationen Wr. Messe. M.: Österr. Gartenbauges., Pateninhaberverb., Bundeswirtschaftskammer, Innovationsbörse O20. H.: Schwimmen, Skifahren, Motorsport. (N.A.)

Stedile-Foradori Mario Dkfm.

B.: Vorst.Gschf., finn. Konsul. DA.: 6020 Innsbruck, Bozner Pl. 6. G.: Innsbruck, 23. Juni 1948. Ki.: 3 Kinder. El.: Dr. Ferruccio u. Iris. S.: 1966 Matura, 1969 Dipl. K.: 1970 Beginn in Tuchfbk., 1972 b. Seilbahnen, F.: Vorst. d. Tir. Tuchfbk. Baur-Foradori, d. Arlberger Bergbahnen AG u. d. Rofanseilbahn AG, Gschf. d. Arlberger Bergbahnen Restaurant GmbH, d. Parkklub Igls Tennishallen GmbH, d. Klostertaler Bergbahn GmbH u. d. Arlberger Bergbahn GmbH. H.: Freizeitsport. (Schm.)

Freiherr v. Steeb Wolfgang

B.: Kunst- u. Antiquitätenhändler. GT.: allg. beeid. gerichtl. Sachv. DA.: 8010 Graz, Leonhardstr. 3. PA.: 8010 Graz, Sackstr. 17, Palais Attes. G.: Agram/Kroatien, 15. Juni 1926. V.: Madeleine, geb. Gräfin Zichy v. Zich u. Vasonykeö. Ki.: Markus, Henriette verh. Gräfin Deym Freifrau v. Stritez. El.: Dr. Raoul u. Hildegard, geb. v. Chavanne. S.: Gymn. Agram, 1945 Matura, Flucht aus Kroatien, Jusstud. an d. Univ. Graz. K.: seit 1955 Kunst- u. Antiquitätenhändler in Graz. E.: Ehren- u. Devotionsritter d. Malteser-Ritterordens. M.: seit 1970 Gremialvorst.Stellv. d. LGremiums Stmk. u. Aussch. Mtgl. d. BGremiums in Wien f. d. Hdl. m. Juwelen, Gold- u. Silberwaren, Uhren, Gemälde, Antiquitäten, Kunstgegenstände u. Briefmarken, LBerufsgruppenobm. v. Stmk., seit 1952 Mtgl. d. Paneuropa-Bewegung u. ihrer Vorläuferinnen, seit 1962 LObm.Stellv. v. Stmk. (C.H.S.)

Steeger Michael

B.: freiberufl. Künstler. DA.: 1080 Wien, Ledererg. 27/2/1. G.: Waidhofen/Ybbs, 5. Mai 1967. Ki.: Sarah (1982), Irina (1993). S.: Gymn. Wr. Neustadt u. Wien, Schauspielschule, leistungsmäßig Tennis, Tanzausbild. K.: Sportarten professionell erlernt: Reiten, Fechten, Boxen, Tanzen, Tennis, Golf 1 J. Stud. Ernährungswiss., Workshops in Bezug auf Jazzdance in Mailand, priv. Trainer in Wien, lfd. Tätigkeit b. versch. Theatern als Sänger, Schauspieler u. Tänzer in Wien, Gesangsunterricht b. Tenorlehrer (Constantin Zakarias), Schauspieler u. Tänzer Wr. Volksoper. H.: Beruf, Reisen, Musik. (J.M.)

Stefan Günter Dr. med. univ.

B.: Reg.OSanR., FA f. Innere Med.-Kardiologie. A.: 8052 Graz, Krottendorferstr. 90. G.: Komotau, 28. Febr. 1943 V.: Ursula, geb. Maßmann, El.: HofR. Dr. Anton u. Hermine. S.: VS, RG, Matura m. Ausz., Med.Stud. 1967 Prom. "Sub auspiciis praesidentis rei publicae", 1967-73 Ausbild. z. FA f. Innere Med. z. Teil an d. Med. Univ.Klinik Graz u. weitere Ausbild. 1971/72 an Univ. of Southern California, Los Angeles/USA. K.: 1973 FA f. Innere Med., 1974-76 tätig in d. Rehabilitationsmed., 1976 Eintritt in d. Dienst d. Stmk. LRg. u. Abs. d. Physikates. 1977 Reg. SanR., 1980 Reg. O SanR.,seit 1977 gleichzeitig FA Praxis f. Innere Med. m. Schwerpunkt Kardiologie, Echokardiographie, 1985 Fa f. Innere Med.-Kardiologie. F.: FA Praxis f. Innere Med. in Graz (8052 Graz, Wachtelg. 22). P.: 42 Wiss. Publ., teils in engl. Sprache, 40 wiss. Vorträge, teils in Englisch, 1 Monographie u. 1 Lehrbuch über Echokardiographie. E.: wiss. Förderungspreis d. Ärztekam. f. Stmk. 1975. M.: Österr. Kardiolog. Ges., Österr. Ges. f. Akupunktur u. Auriculotherapie, wiss. Ges. d. Ärzte in d. Stmk, Österr. Ges. f. Ultraschall in d. Med., Ref. d. Springerverlages (BRD). H.: Skifahren, Bogenschießen, Lesen, Reisen, Basteln, Musik, Surfen, Tennis.

Stefan Michaela Dr. phil.

B.: Innenpolit. Red. d. Wochenzeitung "Präsent" u. Vize-Präs. d. Kath. Familienverb. Österr. (KFÖ). DA.: 1010 Wien, Singerstr. 7/4. PA.: 1130 Wien, Auhofstr. 84. G.: Salzburg, 13. Apr. 1959. V.: Dipl.-Ing. Karl. Ki.: Florian (1985). El.: Gisela u. Robert Regelsperger. S.: 1977 Matura in Salzburg, Stud. d. Politikwiss. u. Publizistik an d. Univ. Salzburg, 1983 Prom. z. Dr. phil. K.: Bei d. "Furche" tätig, Red. IBF-Pressedienst, Chefred. d. Zeitung d. KFÖ "Ehe und Familie", 1989-92 Red. b. "Präsent", 1992-93 Red. im ÖVP-Pressedienst, seit 1993 Innenpolit. Red. "Präsent"; s. 1989 freie Mitarb. d. Pressearb. d. Caritas. E.: 1989 Kardinal Innitzer-Förderungspreis f. wiss. fundierte Publizistik. M.: div. Journalistenorgan. H.: Lesen, Reisen, Musik, Skifahren. (J.S.)

Stefan Susanna

B.: Inh. FN.: Susanna Stefan Exquisite Lederwarenerzeugung. DA.: 1040 Wien, Große Neug. 40. PA.: 1060 Wien, Linke Wienzeile 142/9. G.: Wien, 30. Juli 1962. El.: Adolf u. Lieselotte Stefan, geb. Summer. S.: Modeschule Hetzendorf, Lederkl. m. Gesellenprüf., 1983 Mstr.-Prüf. K.: 1981-86 Tätigkeit in versch. Lederwarenerzeugungen, 1986 Grdg. d. eigenen Firma. H.: Malerei, Zeichnen. (N.A.)

Stefanziosa Wolfgang Dipl.-Ing.

B.: selbst. Ziviltechniker, Ziviling. f. Bauwesen. DA. u. PA.: 4040 Linz, Kampmüllerweg 29. G.: Linz, 9. Dez. 1951. V.: Gerlinde, geb. Holzleitner. Ki.: Ulla (1979), Thiemo (1982), Clemens (1985), Maximilian (1990). El.: Maximilian u. Anna. S.: VS, HS, HTL, 1971 Matura, 1971-72 BH, 1972-77 Stud. K.: 1977-82 Konstruktionsbüro d. Baufirma Mayreder Linz, 1981-86 b. Ziviling.-Büro Dr. Atzwanger Linz, seit 1986 selbst. Ziviling. H.: Reisen (Italien, Frankreich), Lesen (klass. Literatur), Wein, Baukultur. (U.A.)

Stefek Georg

B.: Gschf. Ges. FN.: Council EDV- u. Managmentberatung GmbH. DA.: 1152 Wien, Hütteldorfer Str. 46. G.: Wien, 22. Juli 1950. V.: Friederike, geb. Fuchs. Ki.: Markus (1972), Martina (1979). El.: Josef u. Henriette. S.: Matura, Drogistenlehre, Teilstud. Betriebswirtschaft. K.: Tätigkeit b. Unilever in d. EDV, ebenso b. Steyr Daimler Puch, Unternehmensberater auch f. IBM-BRD, 14 J. Ltr. d. Rechenzentrums v. Hoechst, 1988 Grdg. v. Council: Beratung im Systembereich

f. IBM u. Kompatible Großrechenanlagen, Entwicklung Software, Schulungen, Notfallsrechenzentrum. P.: ca. 25 Art. z. Thema EDV in Fachzeitschriften. H.: Tennis, Skifahren, Schwimmen, Segeln. (R.J.)

von Stefenelli Gerhard KommR.

B.: Gschf. Ges. DA.: 3100 St. Pölten, Stifterstr. 4. PA.: 4864 Attersee, Schloßberg 7. G.: Dornbirn, 31. März 1929. V.: Annemarie, geb. Kosak. Ki.: Jörg Ing., Jutta, Mag. Andreas. El.: Dr. Franz u. Trude. S.: HAK. K.: 5 J. in versch. Firmen in Graz u. Wien tätig, 10 J. selbst. m. Hdls.Agentur in Dornbirn, 1962 Übernahme eines überalterten Betriebes in St. Pölten, 1965 Grdg. v. Stauss, Perlite, Perlite Expandieranlagen (hpts. f. d. Export), es wird m. eigenen Verfahren gearbeitet, Patente. F.: Staussziegel Ind. GmbH, Perlite GmbH & Co KG, Perlite GmbH. E.: 1978 KommR., Laienrichter in d. Berufungsinstanz. M.: Lions-Club, Zwei Jacht-Clubs. H.: Segeln, Skifahren. (Kern)

Stefenelli Norbert Dr. med. univ. Prim. Univ.-Prof.

B.: FA f. Innere Med., ehem. Vorst. d. Internen Abt. d. A.Ö. KH Krems. PA.: 3500 Krems, Bahnhofpl. 6. G.: Dornbirn, 1. März 1926. V.: Dr. med. Lydia, geb. Mozelt. Ki.: Dr. Thomas, Mag. Barbara. El.: Dr. med. Franz u. Trude. S.: Realschule Dornbirn, 1943 Matura, Militärdienst, 1945 Med.-Stud. an d. Univ. Innsbruck, Fortsetzung Med. Fak. Univ. Wien. K.: 1951 Prom, 1951-69 1. Med. Klinik Wien unter Prof. Dr. Lauda u. Deutsch, 1970-86 Prim. u. Ltr. d. Internen Abt. u. Krankenpflegeschule d. A.Ö. KH Krems, 1969 Habil., 1975 a.o.Univ.-Prof., Errichtung d. "Inst. f. Med. Alkoholstudien". P.: 156 wiss. Publ. über d. Gebiet d. "Internen Med.". u. über d. "Kulturgeschichte d. Med.", Schwerpunkte: Gastroenterologie, Hepatologie, Mikrozirkulation, Monographie über Mikrozirkulation d. Leber (1969), Fachbuch: Arzt u. Kranker - eine Begegnung. Umgang u. Gespräch (1988), Vorträge über obige Fachgebiete im In- u. Ausland. M.: Mtgl. in versch. Fachges. d. Inneren Med., seit 1971 Rotary Club Krems-Wachau. H.: Kulturgeschichte, Kunstgeschichte, Phil. Anthropologie. (M.M.)

Steffan Ludwig Dr.

B.: Kons. FN.: FISONS Instruments, ARL Applied Research Laboratories. DA.: 1190 Wien, Rudolfinerg. 2. PA.: 1180 Wien, Dittesg. 15. G.: Wien, 27. Dez. 1943. V.: Dr. Ilse, geb. Tauscher. Ki.: Isabella (1972). El.: Alfred u. Anna. S.: BRG, 1961 Matura, Univ. Wien Stud. Chemie, 1973 Doktorat, einige J. HS-Stud. f. Musik u. darstel. Kunst. K.: 1971-76 HS-Ass. am Inst. f. theor. Chemie an d. Univ. Wien, 1976-93 Mitarb. b. ARL, 1982-93 Gschf. d. Fa. ARL, seit 1994 Kons. d. Fa. FISONS Instruments/ARL. H.: Musik, Astronomie. (E.L.)

Steffan Wolfgang

B.: Gschf. Ges. FN.: Taifun Technik GmbH. DA.: 1140 Wien, Linzer Str. 6-8. G.: Wien, 16. Feb. 1947. V.: Brigitta, geb. Grafeneder. Ki.: Markus (1988). El.: Johann u. Jaroslava. S.: VS, HS, Lehre Werkzeugmacher u. Formenbauer Firma Elin. K.: 2 J. Fräser, Dreher u. Mechaniker, 19 J. Firma Uher, Gewerbemstr. in Mechanik Firma Siemens, Abendschule Elektronik u. Starkstromtechnik, 10 J. Firma Futurit, Lehre Lichttechnik in d. USA, Produktion Glaslichtleiter Firma Futurit, Betriebsltr. Firma Salesianer, 1989 Ges. Beckerguß-Taifun. BL.: Kunststofflichtleiter (2 Patente). H.: Wandern, Gartenarb., Uhrensammlung, Bau v. Pendeluhren.

Steffan Richard

B.: Drucker. FN.: Steffan Druck KG. GT.: Geschf. Ges. DA.: 9100 Völkermarkt, Hans Wiegele Str. 9. PA.: 9100 Völkermarkt, Griffner Str. 8. G.: Graz, 7. Juni 1959. V.: Margot, geb. Steiner. Ki.: Christof (1990), Kathrin (1992). El.: Rudolf. u. Eleonore. S.: Lehre als Schriftsetzer in Graz, Vorbereitungskurse f. Druckerbefähigungs-Prüf. in Graz u. Sbg., 1988 Prüf. in Sbg., Tätigk. i.d. Priv.-Wirtsch. in Graz u. gleichz. Umschulung bzw. Lehre z. Offset-Drucker m. Abschl., 1989 Grdg. d. eig. Betr., Lehrlingsausbildner. M.: Rotary Club. H.: Bergsteigen, Ski, Rad, Tennis, Golf. (G.L.)

Steffek Alfred Dr.

B.: MinR. im Bundesmin. f. wirtschaftl. Angelegenheiten. GT.: AufsR.: DOKW, Austria Ferngas u. Erdöllagerges., BeiR. Verbundkraft GmbH. DA.: 1010 Wien, Schwarzenbergpl. 1. G.: Wien, 15. Juni 1948. V.: Christiana. El.: Franz u. Maria. S.: 1966 Matura, Stud. Jura HS, 1971 Abschluß, Gerichtsjahr. K.: 1973 Präsidium d. WM, Vertragsbedienstеter, 1983 Ltg. d. Rechtsabt., Energiesekt.: legist. Tätigkeit, Gesetzentwürfe. P.: Rechtswiss. Art. u. Beiträge Energierecht u. Wirtschaftsverw.-Recht. H.: Reisen, Programmieren, Computeranwendung. (J.E.)

Steffek Christiana Dr.

B.: Abt.-Ltr. im Bundesmin. f. Wirtschaftl. Angelegenheiten. DA.: 1010 Wien, Stubenring 1. PA.: 1210 Wien, Ostmarkg. 46/20. G.: Wien, 23. Okt. 1950. V.: Dr. Alfred Steffek. El.: Ing. Ferdinand u. Leopoldine Jantschy. S.: 1968 Matura, HS f. Welthdl., 1972 Mag., 1974 Prom. K.: 1974 Eintritt in Handelsmin., b. 1991 Ind.-Sekt., 1991 Ltr. d. Budgetabt. H.: Reisen, Literatur, Garten. (J.E.)

Steffek Heimo KommR.

B.: Alleininh. DA.: 1050 Wien, Obere Amtshausg. 26. PA.: 1050 Wien. G.: Wien, 4. Mai 1941. V.: Heide, geb. Amler. Ki.: Michael (1966), Vera (1969). El.: Karl u. Edda, geb. Kruppa. BV.: Großvater Viktor Kruppa war OberbauR. b. d. Bundesbahn, Großvater Rudolf Steffek war Generalmjr. in d. Monarchie. S.: VS, HS, Tischlerlehre m. Mstr.-Prüf. K.: seit 1958 in d. Antiquitätenbranche tätig, 1959-60 Tätigkeit in einem Antiquitätengeschäft in d. USA, 1960-66 Restaurator b. Günther Strnadt, 1966-70 kfm. Ang. b. Georg Strnadt, seit 1970 selbst., Eröff. d. Geschäftes in d. Oberen Amtshausgasse, 1973 Eröff. d. Filialbetriebes in d. Schönbrunnerstr. 65, seit 1975 im Aussch. d. Landesgremiums Wien (Altwarenhdl.), 1984-90 Vorst. dieses Gremiums, ab 1989 KommR. f. d. Statistik d. Außenhdls., seit 1986 Sachv. u. Schätzmstr. f. d. Hdl. m. Alt- u. Gebrauchtwaren. M.: Wirtschaftsbund. H.: Haus u. Garten. (N.A.)

Steffen Günther Wolfgang Dir.

B.: Marketingdir. FN.: RANK XEROX AUSTRIA GmbH. DA.: 1190 Wien, Nußdorfer Lände 29-33. PA.: 8010 Graz, Rudolfstr. 16. G.: Graz, 9. Okt. 1937. V.: Karin, geb. König. Ki.: Christoph, Bettina, Dieter. El.: Willi u. Erna. BV.: Vater Willi Steffen Botschafter d. BRD spez. im arab. Raum. S.: Mittelschule in Graz, USA, Stud. Betriebswirtschaft abgebrochen. K.: 1960 RB im Salzkammergut als Reiseltr. innerhalb Österr., 1965 Büromaschinenhdl. in Wien, seit 1967 b. Rank Xerox als Verkaufsltr. in Graz, Hpt.Abt.Ltr. f. Preispolitik, Zwg.Stellendir. in Graz, Marketingbereich: zuständig Produktmanagement, Preispolitik u. Werbung, seit 1984 Marketingdir. P.: Journ. Tätigkeit f. Grazer Lokalpresse, Vorträge über Jemen. H.: Tennis, Familie, Reisen. (A.K.)

Steffen Peter
B.: Fotograf, gschf. Ges. d. Fa. Peter Steffen International, Inh. d. Boutique Giannini Exclusiv. DA.: 8045 Graz, Innerhoferstr. 2. PA.: 8045 Graz, Rainleiten 2. G.: Graz, 2. Mai 1944. Ki.: Clemens, Mawrkus, Ralph. El.: Alfred u. Marianne. S.: Lehre als Fotograf, Gesellenprüf. 1962, Mstr.Prüf. 1972, div. Sem. u. Weiterbildungskurse. K.: Lehrabschluß im elterl. Betrieb, 1967-79 Pressefotograf (Tagespost), 1979 Grdg. d. eigenen Fa., seit 1985 gschf. Ges., Werbefotograf auf intern. Basis (Aufträge aus Malaysia, Schweden, Dänemark u.a.), Modefotografie. P.: "20 Jahre länger leben" (in Arb.), in Planung: Drehbuch f. Film. E.: Med. f. Teilnahme an Messen u.a. M.: Wirtschaftsbund, ACS. H.: Joggen, Tennis. (C.H.S.)

Steffen Wolfgang
B.: Inh. FN.: Wolfgang Steffen GmbH Modeagentur. DA.: 1130 Wien, St. Veit G. 4. G.: Wien, 30. Aug. 1947. El.: Carl u. Margarete. S.: 1967 HAK-Matura. K.: je 2 J. Tätigkeit in div. Handelsfirmen in England, Frankreich u. Hongkong, 1973-76 Ass. d. Geschäftsltg. einer Intern. Handelsfirma in Rotchina, 1976-78 Verkaufsltr. einer Verpackungsfirma in BRD, Belgien u. Holland, 1978-85 Gschf. eines Dt. Bekleidungskonzerns in Österr., ab 1986 selbst. m. Fa. Wolfgang Steffen GmbH Handelsfirma m. mod. Bekleidung. H.: Sport, klass. Musik. (M.M.)

Steffler Gerhard

B.: Tischler, Ndlg.-Ltr. FN.: Morawa Pressevertrieb. DA.: 9020 Klagenfurt, Leutschacher Str. 21. G.: Laa/Thaya, 20. Feb. 1935. S.: Grundschule, Fachschule Möbeltischler. K.: 1952 Modelltischler, 1954 Verkauf u. Außendienst Textil- und Teppichbranche, 1965 Raumausstattung, Bodenbeläge u. Verkauf in Ktn., seit 1976 Morawa Verlag, 1985 Filialltr. H.: Musik, Radfahren, Eislaufen, Reisen, Kochen. (M.W.)

Steffny Heimo
B.: Kfm., Alleininh. FN.: Ernst Steffny Inh. Heimo Steffny. GT.: Gschf. Ges. d. Fa. STEWA Wohnwagenvertriebs GmbH. DA.: 4810 Gmunden, Schlagenstr. 7. PA.: 4810 Gmunden, Feuersteinstr. 2. G.: St. Veit/Glan, 14. Mai 1949. V.: Roswitha, geb. Maier. Ki.: Andreas, Ernst. El.: Ernst u. Anna. S.: Mittelschule Gmunden, BFachschule u. HASCH f. Technik Wien. K.: 1969-70 Fa. O. Fritze Wien, 1971 Eintritt in d. väterl. Fa. Ernst Steffny, seit 1976 Alleininh., 1984 Grdg. d. Fa. STEWA Wohnwagenvertriebs GmbH. H.: Antiquitäten, Reisen. (A.W.)

Stefko Helmar Dr. iur.
B.: Dir. d. HK. DA.: 6800 Feldkirch, Wichnerg. 9. PA.: 6832 Röthis, Rehalde 33. G.: Wien, 30. Juni 1941. V.: Jutta. S.: BRG Bludenz, 1960 Matura, Stud. Univ. Innsbruck, 1965 Prom., 1960/61 Militär. K.: 1966/67 Gerichtsj. BG u. LG Sbg., 1967-74 RA-Ausbild. Sbg., 1971 RA-Prüf., 1974 Eintragung in d. RA-Liste, 1974 Eintritt Kam. d. gewerbl. Wirtschaft Vbg., 1975 Ltr. d. Rechtsabt., 1988 Dir. d. HK. H.: Literatur, Musik, Radfahren, Skifahren. (I.D.)

Steflitsch Wolfgang Dr. iur.
B.: RA. GT.: Ges. d. Fa. pannonia oberwart druck, verlags u. zeitungsverlags gmbH. DA.: 7400 Oberwart, Schulg. 2. PA.: 7400 Oberwart, Panoramaweg 21. G.: Großwarasdorf, 20. Sept. 1931. V.: Gertrude, geb. Schermann. Ki.: Wolfgang, Claus-Peter. S.: 1942-44 Dt. OSchule Eisenstadt, RG Eisenstadt u. Oberschützen, 1952 Matura, Jusstud. Univ. Wien, 1957 Prom. K.: Gerichtsj. BG Güssing, LG f. Zivilrechtsachen Wien, Ausbild. als Konzipient, seit 1964 selbst. RA in Oberwart. P.: journalist. Mitarb. an d. seit 108 J. erscheinenden "OZ", vorm. Oberwarter Sonntagszeitung im Eigentum d. pannonia oberwart druck, verlags u. zeitungsverlags gmbH. E.: Ausz. d. Freiwill. Feuerwehrverb. d. Landes Bgld., Rotes Kreuz, Pfadfinder Österr. H.: Spazierengehen, Natur, Tiere. (C.K.)

Stefsky Kurt Ing.

B.: Geschäftsinh. FN.: Jos. Stefsky Posamenten-Band u. Schnurwarenfbk. DA. u. PA.: 2000 Stockerau, Hauptstr. 14. G.: Stockerau, 19. Sep. 1946. V.: Brigitte, geb. Weber. Ki.: Christina (1968), Marcus (1969), Petra (1973). El.: Dipl.-Ing. Herbert u. Edith. S.: BRG, 2 J. Abiturientenkurs TGM Wien Fachrichtung Elektronik, Textilausbild. Textilschule Wien. K.: ab 1976 im väterl. Betrieb tätig, Mitarb. b. d. Entwicklung u. Ausführung v. Maschinen, 1978 Übernahme d. Firma m. Schwerpunkt: textiler Schmuck f. Uniformen, techn. Bänder u. Posamentenerzeugung BL.: Anwendung v. EDV in Textilind. u. Entwicklung v. Stickprogrammen, s. 1977 turnusm. AufsR. d. Kirchdorfer Beteiligungs GesmbH, s. 1989 AufsR. d. Forstgut Arbesbach GesmbH, ab August 1994 Gschf. d. Forstgut Arbesbach GesmbH. M.: Obm. d. Symphonieorchesters "Musikfreunde Stockerau". H.: Waldhorn, Musik, Jagd. (I.J.)

Steger Alois

B.: Heizungs- u. Sanitärmstr., Inh. FN.: Steger Heizung u. Sanitär. DA. u. PA.: 5602 Wagrain, Wagrainer Str. 33. G.: Flachau, 5. Apr. 1958. V.: Barbara, geb. Wurzenrainer. Ki.: Alois (1981), Maria (1983), Andreas (1985). El.: Rupert u. Cäcilia. S.: VS, HS, Politechn. Lehrgang, 1973-76 Lehre Wasserleitungsinstallateur Firma Vorderegger Flachau, 1976 Gesellenprüf., 1977 BH, 1986/87 Mstr.-Prüf. f. Heizung u. Sanitär im WIFI St. Pölten. K.: b. 1988 Haustechniker LKH Sbg., seit 1988 selbst. H.: Familie, Firma. (J.F.)

Steger Ernst
B.: Grafik-Designer. FN.: Grafik-Studio Steger. DA.: 5730 Mittersill, Zeller Str. 8. PA.: 5730 Mittersill, Hinterg. 9. G.: Mittersill, 10. Dez. 1962. El.: Ernst u. Erika. S.: VS, HS, Polytechn. Lehrgang. K.: 1984-89 Ind.-Grafiker Firma Blizzard, 2. Bild.-Weg ÖAHS Matura, Grafikdesigndiplom, Ass. b. Fotografen u. weitere div. praxisbezogene Er-

fahrungen, 1988-89 Werbeagentur Posch Zell am See, seit 1989 selbst. M.: Squash-Club Mittersill. H.: Aquarellmalerei, Skifahren, Mountainbiken. (M.T.)

Steger Christian Ing.

B.: Gschf. Ges. FN.: Madras Computervertriebs GmbH. DA.: 1110 Wien, Am Kanal 27. G.: Wien, 30. Jän. 1962. El.: Fred u. Sonja. S.: VS, Gymn., TGM Matura 1981. K.: Programmierer b. Dr. Arie u. Stud. d. Elektrotechn. a. d. TU Wien, 1984 Verantwortl. f. Software u. technik. 1990 Gründ. d. selbst. Untern. m. Mayer Ferdinand. H.: Skifahren, Wasserski, Videotechnik. (W.J.)

Steger Gerald Mag. Ing.

B.: Dir., Gschf. FN.: Milchfrisch, Österr. Frischdienst GmbH. DA.: 1200 Wien, Höchstädtplatz 5. G.: Friesach/Ktn., 16. Aug. 1960. V.: Mag. Maria-Theresia, geb. Bechina. Ki.: Teresa (1990), Josef (1992). El.: Josef u. Josefine, geb. Auer. S.: HBLA-Landwirtsch., 1979 Matura, 1980-86 Stud. Betriebswirtsch. WU Wien, Molkereiausbild. K.: 1987-88 Verkaufsltr. Pikano, Dir. zuständ. f. Vertrieb u. Prod., 1989-92 Ltr. Logistik A.M.F., seit 1/93 Gschf. Milchfrisch. P.: div. Fachart. H.: Familie, Bergwandern, Jagd. (N.A.)

Steger Norbert Dr.

B.: RA f. Industrie. DA.: 1170 Wien, Anderg. 28. G.: Wien, 6. März 1944. V.: Helga, geb. Mrazek. Ki.: Angela (1985), Petra (1988). El.: Dr. Karl u. Anni, geb. Gamp. S.: VS, 1954 Aufnahme b. d. Wr. Sängerknaben, Konzertreisen nach Amerika, Japan, Australien u. viele Länder Europas, glztg. Untermittelschule, 1959 BLBA, 1964 Matura, anschl. Jusstud. u. Sängerausbild. an d. Wr. Musik-HS. K.: 1965 Vors. d. Ringes FPÖ Studenten, 1969 Gerichtsjahr, 1970 Prom. z. Dr. iur. an d. Univ. Wien, Präsenzdienst, 1972 Bez.Parteiobm. d. FPÖ im 17. Wr. Gem.Bez., 1973 Mtgl. d. LParteiltg. d. FPÖ Wien u. BezR. im 17. Wr. Gem.Bez., 1974 FPÖ BParteiltg., 1975 RA-Prüf. u. Anw.Kanzler, 1977 LParteiobm. d. FPÖ Wien, 1978 BParteiobm.Stellv. d. FPÖ, 1979 Abg. z. NatR., 1980 BParteiobm. d. FPÖ, 1983 VKanzler u. BMin. H.: Skifahren, Tennis, Musik.

Steger Reinhard Dr. iur.

B.: RA. FN.: Dr. Steger & Dr. Unger RA-Kzl. DA. u. PA.: 5600 St. Johann im Pongau, Hauptstr. 12. V.: Brigitta. Ki.: Phillip (1971), Alma (1973), Lisa (1975). El.: RA Hans u. Therese. S.: 1962 Matura, 1962-67 Stud. Rechtswiss. Wien, 1968 Prom. K.: Eintritt in d. elterl. Kzl., 1973 Übernahme u. Ltg., 1978 Wahl in d. Aussch. d. Sbg. RA-Kam., 1981 VPräs. RA-Kam., Aufgabenbereiche: Wirtschaftsrecht, Liegenschaftsverkehr. P.: Publ. u. Vorträge zu fachspez. Themen. H.: Geschichte, Soz., Garten- u. Landschaftsarchitektur. (G.P.)

Steger Heidi

B.: Kosmetikerin, Masseurin, Fußpflegerin am Inst. Hobe Heidi Steger. DA.: 5020 Salzburg, Griesg. 4. PA.: 5400 Hallein, Burglehenweg 6. G.: Salzburg, 26. Nov. 1970. El.: Franz u. Friederike Steger. S.: VS, BRG, 1986-89 Lehre als Kosmetikerin u. Fußpflegerin, 1989-91 Lehre als Masseurin im Kurzentrum Vigaun. K.: 1 1/2 J. Massagepraxis in Vigaun, 1 1/2 J. Kosmetikerin, Fußpflegerin u. Masseurin im Schönheitssalon Sbg./Himmelreich, lfd. Kurse, 1994 Übernahme Inst. Hobe. H.: Sport, Lesen. (J.L.)

Steibl Andreas

B.: Inh. FN.: ABC Aktensender. GT.: PR b. einem Reiseveranstalter. DA. u. PA.: 1230 Wien, Gregoryg. 20-26. G.: Wien, 18. Juni 1966. V.: Carola, geb. Schober. El.: Werner u. Renate, geb. Huber. S.: VS, HS, Sportak., Fachschule f. Tourismus, Marketing u. Werbung. K.: 1986-91 VIP-Betreuer u. PR b. einem franz. Reiseveranstalter, 1990 Grdg. d. eigenen Firma m. Schwerpunkt Lagerung v. Firmendaten. H.: Literatur, Tennis, Skifahren, Partys, Amerikaurlaub. (N.A.)

Steibl Ridi

B.: Ltr. d. Ref. Frau, Familie, Ges. FN.: Stmk. Landesregierung. DA.: 8010 Graz, Stempferg. 7. PA.: 8302 Vasoldsberg, Höhenstr. 28. G.: Vasoldsberg, 14. Nov. 1951, V.: Florian. Ki.: Ulrike (1975). El.: Anton u. Cäcilia. S.: VS, HS, 1965-67 Landwirt.-Schule, 2. Bildungsweg Handelsschule m. Dipl. 1970. K.: 1970-73 Mahnabt. d. Finanzkammer d. Diözese, 1979-84 Org.-Sekr. b. kath. Bildungswerk, 1984-88 Ltr. d. Ref. Freizeit, Reisen i. Diözese Graz-Seckau, s. 1990 abgeschl. Ausb. z. Lebens- u. Sozialberater m. Gewerbeschein, s. 1989 Frauen- u. Familienbeauftragte d. Landes Stmk., Projektltr. d. Frauenförderungsprogr. "Taten statt Wort". P.: "Frauen, Arbeit, Fördern, Fordern", "Frauen, Arbeit, Arbeitsrecht", "Die neue Männlichkeit". M.: Bez.-Ltr. d. Österr. Frauenbewegung Graz-Umgebung, Gschf. Vor. d. OAB d. Frauen Stmk., Vors. d. stmk. Familieninitiativen, s. 6.4.94 Mtlg. d. Nat.-Rat. H.: Garten, Lesen. (I.G.)

Steidl Albert Dr. Dkfm.

B.: ehem. Mtgl. d. NatR., Steuerberater. DA.: 1017 Wien, Dr.-Karl-Renner-Ring 3. G.: Dienten am Hochkönig, 12. Jan. 1927. S.: Pflichtschulen, HAK Sbg., Werkstudent an d. HS f. Welthdl. in Wien (1949 Dkfm., 1952 Dr. rer. comm). K.: Arbeits- u. Militärdienst, 1954-1968 selbst. Steuerberater in Kitzbühel u. seit 1968 in Saalfelden, 1964-1977 Bgm. d. Gem. Leogang, 1977-1979 LandesR. d. Sbg. LRg., 1963-1971 Obm. d. ÖVP Leogang, 1971-85 Obm. d. ÖVP Pinzgau, 1979-90 Mtgl. d. NatR. E.: Gold. VZ d. Rep. Österr., Gold. EZ d. Rep. Österr. (C.K.)

Steidl Heinz Mag. Dr. rer. nat.

B.: Büroltr. FN.: Fisons Instruments wiss. Geräte Ges.m.b.H. DA.: 1190 Wien, Rudolfinerg. 2. PA.: 1190 Wien, Eichelhofstr. 1. G.: Wien, 19. Nov. 1954. V.: Alice, geb. Maier. Ki.: Marcus (1983), Clemens (1985), Verena (1988), Xaver (1990). El.: Ernst u. Margarethe. BV.: Vater Präs. d. Sekt. Handel d. Bds.Wirt.Kam. Wien. S.: 1972 Matura, 1973 BH, 1973-1979 Stud. Chemie Univ. Wien, 1979 Mag. rer. nat., mehr. Stud.-Reisen n. München, 1982 Prom. Dr. K.: 1982 Verk.-Ing. Fa. ARL-Geräte, 1985 Gebietsverk. Ltr. f. Österr. u. Jugosl., 1987-88 Vkltr. Fa.Stammh., Einzelprok., 1991-93 Vkltr. Fa. Leica AG Wien, s. 1993 Büroltr. b. Fisons Instruments - ehem. ARL. H.: Sport, Kinder, Wandern. (I.K.)

Steidl Klaus H. KommR.

B.: Gschf. Ges. FN.: HEROLD Fachverlag f. Wirtschaftsinformation GmbH. DA.: 1013 Wien, Wipplingerstr. 14. G.: Berlin, 21. Okt. 1941. V.: Erika, geb. Platz. Ki.: Andreas (1965), Dagmar (1968). El.: Ing. Johann u. Gertrude. S.: 1958/60 HAK Maturaschule. K.: 1958-65 im Vertrieb d. Fa. 3M, 1969-86 im Anlagenbau, Export u. Finanzwesen d. ÖKG u. Swatek & Cerny tätig, 1986-88 selbst. m. d. Exportfa. ACC (Austrian Contructors), seit 1988 Gschf. Ges. u. Kom.R. b. HEROLD. H.: Jagd, Golf. (H.S.)

Steidl Wilhelm Dr.

B.: RA, StadtR. v. Innsbruck. A.: 6020 Innsbruck, Maria-Theresien-Str. 29. G.: 7. Mai 1928. V.: Monika, geb. Hörtnagel. El.: Dr. Hans u. Wilhelmine. S.: Gymn., Univ. K.: RA in Innsbruck seit 1962, Mtgl. d. Gem.R. seit 1965, Mtgl. d. StadtR. seit 1978.

Steidler Friedrich Peter

B.: selbst. Dachdeckermeister. DA.: 2823 Pitten, Untere Feldstr. 391. PA.: 2823 Pitten, Ackerstr. 536. G.: Pitten, 17. Juni 1959. V.: Patrizia, geb. Micheler. Ki.: Christian (1982), Stefanie (1988), Julia (1993). El.: Friedrich u. Margarete. S.: VS, HS, Polytechnik, Dachdeckerlehrling im elterl. Betrieb, 1977 Gesellenprüf., 1981 Dachdeckermstr. K.: 1985 Übernahme d. elterl. Betriebes, 1984 Grdg. Filiale Ternitz, 1986 Grdg. Filiale Neunkirchen, 1990 Grdg. Zimmerei Steidler GmbH Pitten. M.: Obm. d. Pittner Sportver., Verschönerungsver. Pitten, Freiwillige Feuerwehr. H.: Fußball, Tennis. (R.T.)

Steier Jutta

B.: Schneiderin, Bez.-Vorst. d. 14. Bez. (SPÖ). DA.: 1130 Wien, Hietzinger Kai 1-3. PA.: 1140 Wien, Trennstr. 23. G.: Wien, 23. Jan. 1943. Ki.: Robert (1968). El.: Johann u. Katharina Schieder. S.: 1957-60 Schneiderlehre, 1960-68 Gesellenj. K.: 1968-80 Mutter u. Hausfrau, 1979-81 Bürotätigkeit im Sozialen Dienst, 1981-89 BezR. in Penzing, 1989-92 Bez.-Vorst.-Stellv., seit 1992 Bez.-Vorst. H.: Wandern, Gartenarb., Kochen, Lesen. (I.K.)

Steiger Andreas Dr.

B.: RA. DA.: 1010 Wien, Operng. 12/8. PA.: 1120 Wien, Hetzendorfer Str. 79. G.: Wien, 2. Sept. 1955. El.: MinR. i.P. Dr. Paul u. Gertrude. S.: 1973 Matura, Jusstud. Univ. Wien, 1978 Prom. K.: Gerichtsj., 3 J. Notariatspraxis m. -prüf. in Neunkirchen/Nö u. Wien, ab 1982 RA-Anw. b. Dr. Peter Armstark, seit 1985 selbst. als RA in Wien tätig. H.: Bergwandern, Skifahren, Wassersport, Tennis, Geschichte d. 19. u. 20. Jhdt., Fotografie. (J.S.)

Steiger Rainer Dr. med.

B.: FA f. Zahn-, Mund- u. Kieferheilkunde. DA. u. PA.: 7033 Pöttsching, Kurze G. 11. G.: Eisenstadt, 13. Dez. 1957. V.: Dr. Susanne, geb. Moser. Ki.: Elisabeth, Wolfgang. El.: Franz u. Elfriede. BV.: Anton David Steiger Ritter v. d. blauen Erde u. entdeckte d. Kohle in d. OStmk. S.: 1976 Matura, Stud. d. Med. in Wien, 1982 Prom. K.: BH, 1982-84 FA-Ausbild., 1984 FA-Prüf. f. Zahn-, Mund- u. Kieferheilkunde, seit 1984 eigene Ordination, Ambulatoriumsltr. d. BGGK f. Bgld. b. 1987, seit 1987 FA. H.: Modellbau, Beruf. (M.B.)

Steigerwald-Lehmann Ute Mag.

B.: Keramik/Bildhauer. DA. u. PA.: 5026 Salzburg, Georg-von-Trapp-Str. 5A. G.: Salzburg, 17. Juni 1960. V.: Alfred Steigerwald. El.: Prof. Arno u. Herta Lehmann. BV.: Prof. Arno Lehmann, bedeutender Keramiker. S.: VS, HS, 1974-78 HBLA, 1978-83 HS f. künstler. u. industrielle Gestaltung Linz. K.: seit 1983 Dipl. u. freischaff. Künstlerin, Einzelausstellungen: 1985 Galerie Altnöder Sbg., 1986 Galerie am Traklhaus Sbg., 1991 Stadttheater Gera, Ausstellungsbeteiligungen: 1980 Stadtmuseum Linz-Nordico, 1981 Musum f. angew. Kunst Wien, 1983 Landesgewerbeamt Stuttgart, 1984 Galerie Ludwig Hannover, 1985 Galerie Teehaus Bremen, 1987 Galerie Schloß Seeburg Seekirchen, 1988 Galerie im Rathaus Sbg., 1989 Österr. Kulturinst. Paris, 1990 Keramion Frechen, 1991 Museumspavillon Sbg., 1992 HIPP-Halle Gmunden. E.: 1978 Stipendium z. Besuch d. Intern. Sommerak. Sbg., 1983 Würdigungspreis d. BMW Wien, Förderungspreis d. Sbg. Wirtschaft f. bild. Kunst. M.: Sbg. Künstlerhaus. H.: Kunst, Reiten, Schifahren. (L.H.)

Stein Franz Dkfm.

B.: Gschf. Ges. FN.: Manz'sche Verlags- u. Univ.Buchhdlg. DA.: 1014 Wien, Kohlmarkt 16. G.: Wien, 18. Febr. 1944. V.: Christine, geb. Faulhaber. El.: Robert u. Maria. S.: 1963 Matura, Res.Offz., 1964-66 Buchhdls.Lehre, 1965-68 HS f. Welthdl., Dkfm. K.: seit 1964 in d. Fa., ab 1970 Gschf. Ges. E.: Ehrenbürger d. Univ. Wien. M.: Aussch.Mtgl. d. LGremium im Buchhdl., Vorst.Mtgl. Hpt.Verb. d. Österr. Buchhdls. H.: Segeln, Bergsteigen.

Stein Sepp Dr. techn. Dipl.-Ing. Prof.

B.: Arch. A.: 1080 Wien, Kupkag. 4. G.: 4. Sept. 1920. V.: Monika, geb. Euler, El.: Gustav u. Albertine. S.: Realschule, TU Wien, Dipl. 1945, Dr. 1954, TU Zürich (Post. graduate Stud.). K.: Ass. b. Univ.-Prof. Dr. Merinsky an d. TU Wien 1945-47 u. 1949-50, Ass. b. Univ.-Prof. Dr. Boltenstern 1952-59, seit 1952 freiber. Arch. P.: Mindestanforderung an eine Wohnung, Techn. Richtlinien, Probleme d. Funkhausbaues. E.: Österr. EK f. Kunst u. Wiss. I. Kl., Gr. EZ f. Verd. um d. Rep. Österr., Preise b. Arch.-Wettbewerben, Ehrenbürger d. Vet.-Med. Univ. Wien u. d. TU Wien. M.: Ing.-Kam. f. Wien, NÖ u. Bgld., Altpräs. d. Österr. Ing.- u. Arch.-Ver., Forsch.-Ges. f. Wohnen, Planen u. Bauen.

Steinacher Franz

B.: Ges. FN.: Fa. Silgmann Metallbau. DA.: 5071 Wals, Viehhausen 107. PA.: 5081 Anif, Niederalm 140. G.: Salzburg, 17. Mai 1949. V.: Ingrid, geb. Fankhauser. Ki.: Renate (1979), Doris (1981). El.: Franz u. Rosa. S.: VS, HS, Berufsschule Maschinenschlosser, Werkmstr.-Schule, 1969 Mstr.-Prüf. Schlosser. K.: ab 1969 Werkmstr. b. Produktionsltr. Firma Austro-Hahn, ab 1981 Tätigkeit b. Vers., ab 1988 Ges. b. Fa. Silgmann Metallbau. M.: USK Anif. H.: Fußball, Bergsteigen. (M.C.)

Steinacher Hermann

B.: Vizepräs. FN.: Österr. Tennisverb. GT.: Vors. Austria Tennis Pool. DA.: 1235 Wien, Haeckelstr. 33. PA.: 2700 Wr. Neustadt, Altabachg. 5/4/1. G.: Pitten, 1. Sep. 1948. V.: Helga, geb. Burger. Ki.: Christoph (1985). El.: Karl u. Maria. S.: abgschl. Tischlerlehre, Meisterschule m. kfm. Ausbild., umfass. Fortbild. im Finanzbereich. K.: Bundesländerversicherung, verantw. f. betriebliche Bereiche, Beratungstätigk., Vers.-Markler. F.: im In- u. Ausland, Gschf. Vizepräs. d. Österr. Tennisverb., Vizepräs. d. NÖ Tennisverb., Kreisobm. f. d. Bereich Neunkirchen u. Wr. Neustadt. H.: Tennis, Familie, Basteln, mech. Uhren. (I.J.)

Steinbach Anton Mag. Ing.

B.: ev. Pfarrer i.R. PA.: 2000 Stockerau, Edmund-Eysler-G. 3. G.: Langenzersdorf, 17. Juli 1911. V.: Josefine, geb. Habel. Ki.: Ingrid, Gerda, Peter. El.: Anton u. Agnes Sautter. S.: Gymn., TGM Maschinenbau, 1931 Matura, 1934-38 Theol. Fak. Univ. Wien. K.: 1938 Vikar u. später Pfarrer in Mürzzuschlag, 1941-45 eingerückt, 1945-50 Pfarrer Mürzzuschlag, 1950-81 Pfarrer Stockerau. BL.: Militärseelsorge, letzter Dienstgrad Militärdekan, Unterricht Militärak. Wr. Neustadt, Betreuung d. Militärs Teile NÖ u. Bgld., seit 1980 Rotkreuzfahrer. E.: 1979 Gold. EZ f. Verd. um d. Rep. Österr., 1973 Gold. EZ f. Verd. um d. Land NÖ, 1979 Ehrenring d. Stadt Stockerau, Rotkreuz Fahrtenspange in Bronze anläßl. d. 1000 Rettungsausfahrt, Hilfsdienstmed. in Bronze u. Silber d. Stadtgem. Stockerau. H.: Lions Club, Schlaraffia, Allg. Turnver. Langenzersdorf. H.: Reisen, Schwimmen. (A.K.)

Steinbach Ernst

B.: Abgeord. z. NR, Vors. d. Verb. Wr. Volksbild. DA.: 1150 Wien, Hollerg. 22. G.: Wien, 21. Dez. 1939. V.: Elisabeth, geb. Weber. Ki.: Dipl.-Ing. Gabriele (1963). El.: Alois u. Maria. S.: Lehrerbild.-Anst., 1959 Matura. K.: Besuchsschullehrer d. Päd.-Akad. d. Bundes, Vortragender a. Päd. Inst., Mtgl. d. Prüf.-Kommission f. Lehrämter a. allg.-bild. Pflichtschulen b. Stadtschulrat f. Wien, i. Schuldienst s. Sept. 1959, zul. a. d. Integrierten Gesamtschule Wien 10, a. Lehrer dienstfreigestellt. BL.: Projekte für die "Aus- u. Fortbild. v. Lehrlingen u. Behinderten", Projekt "Erwachsenenbild.", Projekt "Interkulturelles Lernen". E.: Gold. EZ d. Landes Wien (1992). M.: Mtgl. i. Kuratorium d. Graf. Lehr- u. Versuchsanst., Mtgl. i. Kuratorium d. Dr. Karl Renner-Stiftung, Mtgl. i. Kuratorium d. HS-Jubiläumsstiftung, Mtgl. d. Kollegiums d. Stadtschulrates Wien, Mtgl. d. Kuratoriums d. Päd.-Akad., Vizepräs. d. Verb. Österr. VHS, Vors. d. Ver. Jugend a. Werk s. 1993, Vorst.-Mtgl. d. VHS Rudolfsheim-Fünfhaus, Abgeord. z. NR s. Jänner 1992. H.: Skifahren, Bergwandern, Schwimmen, Radfahren, Musik, Lesen. (E.J.)

Steinbach Günther Dr. iur.

B.: Sekt.Chef d. Sekt. III im BM f. Arb. u. Soziales. DA.: 1010 Wien, Stubenring 1. PA.: 1010 Wien, Stoß im Himmel 1. G.: Wien, 28. Sept. 1934. El.: Dr. Friedrich u. Gertrude. S.: 1952 Matura, Stud. d. Rechtswiss., 1956 Prom. K.: Gerichtspraxis, 1958 Eintritt ins BM f. soziale Verw., 1971 Abt.Ltr., 1975 stellv. Sekt.Ltr., seit 1982 Sekt.Chef. P.: Fachpubl., Kommentare z. Arbeitsmarktförderungs- u. Ausländerbeschäftigungsgesetz. M.: 1957-60 Obm. d. Verb. soz. Studenten, 1975-82 stellv. Vors. d. Personalvertr. im Sozialressort. H.: Politik. (P.R.)

Steinbach Helga

B.: Inh. FN.: Damenmodehaus Kickinger. DA.: 3100 St. Pölten, Brunng. 8. G.: St. Pölten, 13. Aug. 1936. V.: Steinbach Herve. Ki.: Krista-Maria, Claudia, Bettina. El.: Karl u. Anna Kickinger. K.: 1952 Eintritt in d. elterl. Betrieb d. Damenmodehaus Kickinger im Zentrum v. St. Pölten, welches 1907 gegründet wurde u. sich seit diesem Zeitpunkt im Familienbesitz befindet. H.: Familie. (Kern)

Steinbach Leopold

B.: Unternehmer, Bes. d. Fa. Steinbach Wolle. G.: Schwertberg, 6. Nov. 1911. V.: Irmgard. Ki.: Peter. S.: HAK Linz. K.: 1934 Grdg. d. Fa. Leopold Steinbach, 1946 Rückkehr aus Gefangenschaft u. Wiederaufnahme d. Großhdls.Tätigkeit, 1961 Grdg. einer eigenen Spinnerei, 1981 Staatswappen. E.: Silb. EZ d. Landes OÖ. (A.W.)

Steinbach Peter

B.: Music & Artist Manager. FN.: RgG Music 6 Artist Management. DA. u. PA.: 1100 Wien, Favoritenstr. 53/2/6/18. G.: Wien, 4. Mai 1954. V.: Michaela, geb. Blaha. El.: Alfons u. Renata, geb. Titz. S.: VS, Gymn., Koch und Bäckerlehre, 1982 Matura, Stud. Klarinette und Saxophon am Konservatorium f. Dramatisch darstellende Kunst, 1987 Abschluß. K.: 1973-89 Polizeibeamter, Organ v. Benefizkonzerten im Wr. Musikver. u. im Audimax d. TU, 1987 Organ. d. 1. Konzertes unter d. Titel "Rock gegen Gewalt", Grdg. d. eig. Agentur, 1988 Management f. eine CD-Aufnahme "Gipsy-Fire", Management f. CD "Die Csardasfürstin" u. Organ. d. 1. Japantournee, 1991 Produktion einer Videokassette f. d. Österr. Schulen m. Präsentation d. Mittelalterl. u. Renaissance Musik, dzt. Exclusivmanager v. "Bluespumpm" u. "Wilfried", Vertretung f. Österr. d. Schott. Gruppe "Highlander" sowie anderer ren. Internat. Rock- u. Bluesgruppen. M.: Harley Owners Group International. H.: Musik, Pferde. (N.A.)

Steinbacher Eduard KommR.

B.: Fabrikant. DA.: 6383 Erpfendorf 72. G.: 8. Jan. 1938. V.: Kristine, geb. Fäbringer. El.: Josef u. Theresia. S.: Grundschule, Fachschulen, Seminare, kfm. Lehre in Eisen, Eisenwaren u. Sanitärgroßhdl. K.: Übernahme d. Abt. Außendienst, seit 1962 selbst. m. Stoßdämpferreparatur u. Kfz-Hdl., 1967 Beginn m. fabrikatorischer Fertigung v. Isolierschalen, Schläuchen, Platten u. Fernheizungen. F.: E. Steinbacher Autozubehör en gros, E. Steinbacher Polynorm Isolierstoff Erz. u. Vertriebs GmbH. M.: Wirtschaftsbundobm., Fremdenverkehrsver.VPräs., Ehrenmtgl. b. Sportver. u. kommunalen Organ., z.B. Präs. d. "Koasalauf" Organisation. H.: Skifahren, Tennis, Surfen, Segeln. (Schm.)

Steinbacher Franz R. KommR.

B.: Gschf. Ges. FN.: Steinbacher GmbH. GT.: Organisator v. Auktionen f. Oldtimer. DA. u. PA.: 1160 Wien, Hasnerstraße 78. G.: Wien, 7. Dez. 1944. V.: Herta, geb. Schneeweiß. El.: Rudolf u. Franziska. BV.: Großvater Franz Steiner Firmengründer im 19. Jhdt. S.: Lehre Kfz-Techniker. K.: 1962-67 in d. Renn- u. Versuchsabt. d. Fa. Carlo Abarth in Turin/Italien, seit 1968 wieder in Österr., 1969 Eintritt in d. Familienuntern., 1975 Umwandlung in GmbH f. Fahrzeughdl. u. Reparatur, Großhdl. m. Kfz-Teilen, seitdem alleinverantwortl. Gschf., seit 1977 Nissan Vertretung, seit 1985 Funktionär in d. Interessensvertretungen, seit 1985 im Wr. Gremium f. d. Fahrzeughdl., seit 1987 in d. Wr. Landesinnung Kfz-Mechaniker, seit 1987 im Wr. Gremium f. d. Ersatzteilhdl., seit 1990 Mtgl. d. Bundesinnung d. Kfz-Mechaniker, seit 1990 allg. beeid. gerichtl. Sachv. f. d. Kfz-Wesen, Spezialgebiet Veteranenfahrzeuge, seit 1990 Laienrichter am HG Wien. F.: Kfz-Sachv.-Büro. M.: seit 1990 Mtgl. d. Landespräsidiums d. Wr. Freien Wirtschaftsverb. H.: Tennis, alte Motorräder u. Autos, Rock´n Roll Musik. (J.S.)

Steinbacher Karl

B.: Konzeptionist, Grafiker. DA. u. PA.: 3012 Wolfsgraben, Heimbautalstr. 15. G.: 4. Dez. 1952. Ki.: Marcello (1985), Florian (1986), Emeli (1987), Lukas (1993). El.: Friedrich u. Herta. S.: Graf. Lehr- u. Versuchsanst. Abt. Reproduktion u. Buchdruck Wien, 5 J. Abt. Fotografie. K.: ab 1975 Grafiker b. nat. u. intern. Agenturen u. Verlagen, zahlr. Auslandsaufenthalte, Hausgrafiker d. Firma Suppan, Gestaltung u. Textung d. Art. Firma Paperbox, 4 J. Grafiker u. Producer Werbehaus Weinberger, 4 J. Gschf. Grafikstudio u. Druckerei Saalfelden m. Zweigbüro Sbg., Grdg.-Mtgl. einer Agentur u. Tätigkeit in Werbung, Art-Dir., dzt. selbst. BL.: Begründer d. Magazine "Casinomagazin", ATW-Magazin u. d. "Ärzteflugambulanz". (I.J.)

Steinbacher Johann Georg

B.: Gast- u. Landwirt. FN.: Gasthof z. Post. DA/PA.: 5522 ST. Martin a. TGB 1. G.: St. Martin, 14. Feb. 1950. V.: Anna-Maria, geb. Virthaler. El.: Matthias u. Emilie. S.: VS. K.: mit 14 Jahren im elterl. Betr. zu arbeiten begonnen, ab 1982 Wirtschaftsführung u. ab 1985 d. Erbhof. M.: Musikverein, Obmann v. Pferdezuchtverein, div. ört. Vereine. H.: Pferde, Musik, Sport, Jagd. (J.F.)

Steinbacher Ottmar

B.: Dir. d. Schloßhotel St. Rupert. DA.: 5020 Salzburg, Morzgerstr. 31. PA.: 5020 Salzburg, Hellbrunner Allee 50. G.: Baumholder/BRD, 10. Apr. 1932. El.: Alfred u. Erika. S.: Konservatorium Wiesbaden, Schauspielschule München. K.: 30 J. Theaterschauspieler "Rechberg Marto", Sbg. Hotelfachschule, Übernahme d. väterl. Betriebes "Schloßhotel St. Rupert". M.: Intern. Richter f. Hunderassen. H.: Hundezucht u. -sport. (M.Mo.)

Steinbauer Christian Ing.

B.: Betriebsltr. FN.: Wozabal Textilservice GmbH & Co KG. DA.: 4040 Linz, Freistädter Str. 230. PA.: 4052 Ansfelden, Teichstr. 24. G.: Ansfelden, 22. Juli 1961. El.: Johann u. Erna. S.: VS, HS, Polytechn. Lehrgang, 1976-79 Stahlbauschlosserlehrling Voest Alpine Linz, 1980-82 Werkmstr.-Schule, 1982-86 HTL f. Maschinenbau Linz, 1986 Reifeprüf. Maschinenbau Betriebstechnik, 1986-92 Stud. BWL Johannes Kepler-Univ. Linz, 1980 BH. K.: 1979-83 Stahlbauschlosser Voest Alpine Linz, 1983-86 Fertigungsplaner d. Arbeitsvorbereitung Voest Alpine Linz, 1986-88 Institute of Industrial Innovation, Innovations- u. Technologieplanung Ges., seit 1988 Betriebsltg. Wozabal Textilservice GmbH & Co KG. H.: Sport, Tennis, Skifahren, Rennradfahren, EDV, Freundschaften. (U.A.)

Steinbauer Heribert

B.: Mtgl. d. NatR. seit 1975, Ordner d. NatR., Ang. DA.: 1017 Wien, Dr.-Karl-Renner-Ring 3. G.: Wien, 29. März 1935. S.: Pflichtschulen, Stud. d. Phil., Psych. u. vergleichenden Sprachwiss. an d. Univ. Wien u. Freiburg im Breisgau. K.: 1959-1960 u. 1962-1964 in d. BRD im Bereich d. Metallind. tätig, 1960-1962 bschf. am Institute of European Studies Wien/Chicago, 1964-1967 Ltr. d. Dokumentation d. BParteiltg. d. ÖVP, 1967-1970 Gen.Sekr. u. Prok. d. Österr. Rundfunks (ORF), 1974-1980 Mtgl. d. Hörer- u. Sehervertretung u. seit 1977 Mtgl. d. ORF-Kuratoriums, seit 1975 Mediensprecher d. ÖVP, seit 1980 Mtgl. d. EntwicklungshilfebeiR. im KA, Mtgl. d. ÖAAB u. d. Fraktion Christlicher Gewerkschafter (FCG) im ÖGB, Wahlkampfltr. b. d. Nationalratswahlen 1975, 83 u. 86 sowie b. d. Bundespräsidentenwahlen 1974 u. 86, s. 1/1986 bzw. 2/1987 Ltr. d. Büros Dr. Mock.

Steinbauer Karl Adolf Dr. iur.
B.: Hofrat d. OGH. DA.: 1010 Wien, Museumsstr. 12. G.: Wien, 2. Apr. 1941. V.: Hanna, geb. Geitner. Ki.: Andreas (1972), Martin (1973). El.: Ludwig Karl u. Anna, geb. Krhovsky. S.: 1959 Matura, Stud. Rechtswiss. Univ. Wien, 1969 Prom. z. Dr. iur., BH, Gerichtspraxis. K.: 1970-73 Richteranw., 1973 Richteramtsprüf., 1973-78 Richter am Bez.-Gericht, 1978-80 Arbeitsgericht Wien, 1980-86 LG f. Zivilrechtssachen Wien, 1987-92 OLG Wien, seit 1993 OGH. H.: Gartenarb., Sport. (N.A.)

Steinbauer Rudolf
B.: Gschf. FN.: Rudolf Steinbauer GmbH & Co KG. DA.: 1030 Wien, Barichg. 4. G.: Wien, 4. Jan. 1940. V.: Herta, geb. Riedl. Ki.: Karin, Heinz. El.: Rudolf u. Charlotte. S.: Höhere BLVA Wien-Schönbrunn, 1960 Matura. K.: Auslandspraxis in Hamburg, 1961 Eintritt in Fa. Ernst Feigl Wien, 1962 Übernahme d. Fa. Ernst Feigl, Neubenennung in Rudolf Steinbauer GmbH & Co KG. BL.: Großbaumverpflanzung, Sanierung kranker Bäume, Verfahren f. Bodenlockerung, Bodenabsaugen im Wurzelbereich bestehender Bäume. M.: Society of Arboculture, Dt. Ges. f. Großbaumverpflanzung. H.: Skifahren, Tennis. (Timar)

Steinbauer Theodor
B.: Ind.Ang., Ltr. Anlagenbau. FN.: MUT GmbH Stockerau. DA.: 2000 Stockerau, Schießstattg. 49. PA.: 1200 Wien, Karl-Meissl-Str. 12/22. G.: Neunkirchen, 20. Dez. 1942. V.: Brigitte, geb. Skala. Ki.: Elisabeth, Susanne. S.: RG Horn, 1960 Matura, Stud. an d. TU Wien (Maschinenbau), 1967 Dipl. K.: 1967-71 Wienerberger Baustoff AG (Österr. LEVA GmbH, Perlite GmbH) - Prok., Techn. Ltr., 1972-75 BLM GmbH - Ing.Büro in Menningen/BRD, Prok., Techn. Dir., 1975-81 Fa. Wagner Biro AG Wien - Ltr. d. Techn. Vertriebes Anlagenbau, 1981-83 Ebenseer Betonsteinwerke - Prok. u. Techn. Anlagen - Vertrieb, 1983-88 Wagner Biro - Techn. Ltr. Anlagenbau, 1988 MUT GmbH - Ltr. Anlagenbau, Prok. (Fördertechnik, Umwelttechnik). (C.K.)

Steinbereithner-Krauland Friedl Dr. MedR.
B.: FA f. Psychiatrie u. Neurologie, FA f. Kinder-Neuro-Psychiatrie. A.: 1080 Wien, Alser Str. 23/15. G.: Graz, 20. Juli 1924. V.: Prof. Dr. Karl. S.: 1942 Matura, Med.Stud. in Graz u. Wien, 1950 Prom. z. Dr. med., FA-Ausbild. an d. Univ.Klinik f. Neurologie u. Psychiatrie in Wien, Individualpsych. Analyse, gruppentherapeutische Ausbild., Kinderpsychiatrische Ausbild. an d. Abt. Prof. Spiel Wien. K.: seit 1958 selbst. Tätigkeit im Jugendambulatorium d. Wr. Gebietskrankenkasse als Jugendpsychiater u. Psychotherapeut, seit 3 J. MedR. u. Zusatz-FA f. Kinder- u. Jugend-Neuropsychiatrie, Konsiliar-FA seit 1957 an d. Schulpsych. Beratungsstelle f. Berufsschulen, Kontrollanalytiker. P.: 26 wiss. Arb. auf einschlägigem Fachgebiet, Rundfunk- u. Fernsehvorträge. E.: Dank u. Anerkennung v. StadtschulR. f. Wien. M.: Vorst. Mtgl. d. Landes Ver. f. Individual-Psych., Mtgl. d. Ver. f. Gruppentherapie, Mtgl. d. Österr. Ver. Kinder u. Jugendpsychiatrie, sowie d. Intern. Vereinigung f. Kinder-Neuropsychiatrie, Obm. d. Ver. Club f. Dich. H.: Konzert, Oper, Theater, Skifahren, Reisen, Lesen, Familie.

Steinberger Hans jun.
B.: Jungunternt., Juniorchef. FN.: Einkaufszentrum Steinberger GesmbH. DA.: 2620 Neunkirchen, Krinningerg. 10. PA.: 2620 Neunkirchen, Brabetzg. 9. G.: Neunkirchen, 16. Dez. 1966. EL.: Hans u. Gertraud. S.: 1980-85 HAK Neunkirchen, Matura, 1988 Konzessionsprüfung f. Gastgewerbe, 1993-94 Universitätslehrgang f. Jungunternehmer in Hernstein, Abschl. dipl. Unternehmensltr. K.: 1986 Eintr. in d. elterl. Betrieb - Euro Spar,in d. elterl. Betrieb, 1989 Einf. EDV-gestütztes Rechnungswesen, 1994 Einf. d. Warenwirtschaft im Lebensmittelbereich. H.: Reisen, Sport, Musik, Fotografie. (F.S.)

Steinberger Otto J. Ing.
B.: Abt.Dir., Prok. FN.: Hoechst Austria AG. DA.: 1120 Wien, Altmannsdorfer Str. 104. PA.: 1230 Wien, Wohnpark Alt Erlaa A3/255. G.: Wr. Neustadt, 24. Sept. 1939. Ki.: Renate (1961). El.: Josef u. Hildegard, geb. Kirchmaier. S.: 1959 Maschinenbauschule Wr. Neustadt, HTL, 1960 Abiturientenkurs HAK Wr. Neustadt. K.: 1961-65 Entwicklungsing. Ideal Standard, 1965-67 Verkaufsing. Dipl.-Ing. Franz Wieser, 1968-70 Finazierungsberater Österr. Leasing, seit 1971 b. Hoechst Austria AG tätig, 1 J. Ausbild. in Frankfurt, 1972 Prokura u. Übernahme d. Abt. Kunststoffe, ab 1981 Dir. d. Abt., seit 1986 Erweiterung d. Aufgabengebietes. M.: Vorst.Mtgl. d. Ges. z. Förd. d. Kunststofftechnik, Lions-Club. H.: Golf, Tennis, Musik. (N.A.)

Steinböck Christian Ing.
B.: Einkaufsltr. FN.: Wertheim - Sicherheitssysteme. DA.: 1100 Wien, Wienerbergstr. 21-25. PA.: 3040 Neulengbach, Marktfeldstr. 365. G.: Neulengbach, 13. Nov. 1962. V.: Heidemarie, geb. Ebersberger. Ki.: Markus (1988), Christina (1990). El.: Walpurga u. Josef. BV.: Großv. Karl Steinböck - Bgm. in Asperhofen. S.: VS, HS, HTL St. Pölten, Fachricht. Betriebstechn., 1981 Matura. K.: 4J. Fa. Piesslinger in Molln-Eluxalfabrik, Tätigk. in Arb.-Vorbereit. u. Kalkulation, 1987 Eintr. Fa. Wertheim - Arb.-Vorbereit. u. Einkauf, Einkaufsltr. M.: Landjugend (Bez.-Kassier), s. 15J. freiwill. Feuerwehr in Inprugg, s. 1992 Gruppenkommandant. H.: Familie, Sport. (I.J.)

Steinböck Georg Dipl.-Ing.
B.: Dir. d. Gartenbauschule Langenlois. DA.: 3550 Langenlois, Am Rosenhügel 15. PA.: 3550 Langenlois, August-Sachseneder-Str. 15. G.: Wien, 14. Febr. 1949. V.: Elisabeth, geb. Faux. Ki.: Marlene (1979). S.: VS, 1968 BRG-Matura, Stud. Ldw., Grünraumgestaltung u. Gartenbau Univ. f. Bdk., 1974 Spons. z. Dipl.-Ing., 1975 Lehramtsprüf. f. d. Ldw. Lehr- u. Beratungsdienst. K.: 1974 Eintritt in d. Schuldienst als Lehrer an d. Fachschule f. Gartenbau Langenlois, seit 1982 Mitarb. in d. Dorferneuerung NÖ: Bereich Grünraumgestaltung, seit 1989 Dir. d. Fachschule u. Mstr.-Schule Langenlois, Ltr. d. Lehr- u. Wirtschaftsbetriebes d. Ausbild.-Zentrum Gartenbau Langenlois. (M.M.)

Steinböck Johann
B.: Gschf. FN.: Driescher GmbH. DA.: 4822 Bad Goisern, Bundesstr. 466. PA.: 4820 Bad Ischl, Kreutererstr. 44a. G.: Salzburg, 25. Nov. 1941. V.: Vera, geb. Sbil. El.: Vinzenz u. Elisabeth. S.: 1956-58 HTL Elektrotechnik Sbg. K.: 1959-60 Rütti-Werke Schweiz, BH, seit 1961 f. Firma Driescher tätig, Weiterbild.-Fachkurse f. Mstr. in d. Elektrobranche, 1978-83 Betriebsltr., 1984-86 2. Gschf., seit 1986 alleiniger Gschf. M.: seit 1982 Vorst.-Mtgl. Radsportclub Bad Ischl, 1970-74 Gem.-Vertretung Bad Ischl, seit 1986 Obm.-Stellv. ÖAMTC Bad Ischl. H.: Radfahren, Klettern, Tennis, Laufen. (E.Hö.)

Steinböck Wilhelm Dr. phil. SenR.
B.: Dir. d. Grazer Stadtmuseums. A.: 8051 Graz, Wiener Str. 256. G.: Graz, 31. März 1929. V.: Traute, geb. Hofmann. El.: Dir. Wilhelm u. Klara. S.: VS, 2. BRG Graz, 1948 Matura, Univ.Stud. Kunstgeschichte u. klass. Archäologie Graz, München, Prom. K.: Univ.Ass., Stipendiat am Österr. Kulturinst. in Rom, seit 1972 Dir. d. Grazer Stadtmuseums. P.: Gemälde aus steirischem Privatbesitz, Graz 1971, Grazer Landschafts- u. Vedutenmaler d. Biedermeierzeit, Conrad u. Vinzenz Kreuzer, Graz 1976, W. Steinböck u. H. Hiebl, Die Graz-Ansichten d. Joh. Vicenz Reim, Graz 1977, Kunstwerke d. Reformationszeit in d. Stmk., Johannes Kepler 1571-1971, Gedenkschrift d. Univ. Graz, 1975 Hrsg. d. Festschrift 850 Jahre Graz, Graz 1978. M.: Mtgl. d. Sachv.Kmsn. d. Alt-

stadterhaltungsgesetzes 194, Vors.Mtgl. d. Intern. Städteforums Graz, Mtgl. d. Liturgiekmsn. d. Diözese Graz-Seckau, Lehrbeauftragter an d. Univ. Graz. H.: Musik.

Steinbrecher Jürgen A.

B.: selbst. Kfm., Inh. "Casa del Vino". GT.: Experte in alten Weinen. DA.: 1160 Wien, Panikeng. 3-5. PA.: 2831 Scheiblingkirchen, Nußackerg. 161. G.: Scheiblingkirchen, 14. März 1959. V.: Ulrike, geb. Scherleitner. Ki.: Kristof (1990). El.: Horst u. Maria. S.: Koch- u. Kellnerlehre. K.: ab 1978 in d. USA, Koch in div. Restaurants in Clearwater u. San Francisco, ab 1980 4 J. Kellner auf d. Luxuslinern "Vistafjord" u. "Sagafjord" auch während d. Dreharb. zur Fernsehserie "Traumschiff", anschl. Restaurant "Les Trois" London, Sommelier in Top-Restaurants in Österr., Spezialisierung auf Weine, 1987 Grdg. "Casa del Vino" GmbH. P.: zahlr. Art. in Fachmagazinen u. Zeitungen. E.: Ausz. u. Preis f. bes. Verd. um d. Bordeaux-Weine. M.: Präs. d. Sommelierver. NÖ. H.: Motorsport, Natur, Musik, Reisen, Skiffahren, Vorliebe f. d. gr. Bordeaux-Weine. (J.S.)

Steinbrecher Peter

B.: Gschf., Kfm. FN.: Revue Augenoptik Apollo GmbH. DA.: 2355 Wr. Neudorf, IZ NÖ Süd, Str. 14, Obj. 19. G.: Landl, Stmk., 19. Jun. 1945. Ki.: Barbara (1977), Johanna (1979). El.: Conrad u. Dietlinde. S.: VS, Gymn., 1966 Externisten Matura, 1966-71 Stud. BWL HS f. Welthandel Wien. K.: 1971-74 Systemberater Fa. Rank Xerox, 1974-76 Verkaufsltr. Rauscher & Söhne, 1976-78 Verkaufsltr. Bene Büromöbel, 1978-86 Prod.-Manager Philips, 1987-91 Dir. the Plays bei Olivetti, s. 1991 Gschf. Revue Augenoptik Apollo GmbH. P.: div. Fachpubl. in Fachliteratur. M.: Wirtschaftsforum d. Führungskräfte. H.: Literatur, Sport, Englisch. (I.K.)

Steinbrener Johannes Jörg

B.: Verleger. FN.: J. Steinbrener OHG. GT.: Großbuchbinderei, Spezialwerkstätte f. Goldschnitte u. Lederwarenerz. DA.: 4780 Schärding, Im Eichbüchl 1. PA.: 4780 Schärding, Kurhausstr. 1. G.: Passau, 10. Apr. 1957. V.: Michaela, geb. Chodl, 2 Kinder. El.: Wilhelm u. Hildegund. BV.: Johann Steinbrener Begründer d. Buchind. in Winterberg (Böhmerwald). S.: Pflichtschule, BRG, 1976 Matura, Abiturientenlehrgang an d. HAK in Linz, WU. K.: seit 1980 im elterl. Betrieb als Prok., seit 1989 Ges. H.: Skifahren, Tennis.

Steinbrugger Helmut Dr. Dkfm.

B.: Dir. FN.: DAF Austria GmbH. DA.: 2351 Wr. Neudorf, IZ NÖ Süd, Str. 10, Obj. 39. G.: Kapfenberg, 19. Mai 1944. V.: Erika, geb. Sitek. Ki.: Silvia. El.: Josef u. Stefanie. S.: BRG Bruck/Mur, 1963 Matura, Stud. an d. HS f. Welthdl., 1968 Dkfm., 1972 Prom. K.: 1968-75 Marketing Manager Gebr. Böhler & Co AG Wien, 1975-80 Dir. d. Gebr. Böhler AG in Kolumbien/Südamerika, 1980-82 Sales Manager VEW AG Wien. M.: VÖW, Ver. Österr. Wirtschaftsakademiker, Tennisclub Blau-Weiß Hietzing. H.: Tennis, Skifahren, Schwimmen, Literatur, Musik.

Steinbügl Josef

B.: Ehrenmtgl. u. Obm. d. Club 50. FN.: Klug-Reisen GmbH. DA.: 1200 Wien, Klosterneuburger Str. 23-27. PA.: 1220 Wien; Florian-Berndl-G. 32. G.: Wien, 22. Juli 1936. V.: Hermine, geb. Schima. Ki.: Michael (1964). El.: Josef u. Aloisia, geb. Dedic. S.: VS, Gymn., Schuhmacherlehre m. Ausz., 1956 Mstr.-Prüf., d. jüngste Schuhmachermstr. Österr. K.: 1957-82 selbst. Schuhmacher u. Händler m. eigenem Geschäft, ab 1982 in d. Reisebranche als Reiseltr. u. im Büro "Ruefa-Reisen", "Union-Reisen", seit 1989 Klug-Reisen", Mitaufbau d. Clubs 50. H.: Reisen, Sport, Gartengestaltung. (N.A.)

Steindl Franz Mag.

B.: Bgmstr. Purbach, Landesgschf. ÖVP Bgld. DA.: 7000 Eisenstadt, Ing. Julius Raab Str. 7. G.: Purbach, 10. Jan. 1960. V.: Jutta, geb. Fischl. Ki.: Alexandra (1985), Christian (1987). El.: Franz u. Elisabeth. S.: 1978 Matura Gymn. Eisenstadt, 1978-82 Stud. Sozial- u. Wirtsch.-Wiss. Univ. Wien, 1983 Sponsion. 1978-80 Trompete Musik-HS. K.: 1984-85 Bundeswirtsch.-Kammer, 1985-86 Schulungsref. WIFI Eisenstadt, 1986-91 Landessekr. ÖAAB Bgld., 1992 Landesgschf. ÖVP Bgld. P.: Hrsgb. v. BVZ, Burgenlandzeitung, Gemeindezeitung Purbach, Purbacher Türkenkurier. M.: 1. Trompeter Blasmusikkapelle Purbach, FF Purbach, Vorstandsmitgl. UFC Purbach, Ehrenfraktionsobm. d. Arbeitgeberkurie in BGKK, Bez.-Obm. Gemeindebund. H.: Musik, Filmen, Basteln, Kommunikation. (M.G.)

Steindl Franz Dir.

B.: Dir. u. Werksltr. FN.: Lactoprot, Alpenländ. Milchindustrie u. Handels Ges.m.b.H. DA.: 8230 Hartberg, Ferd. Leihsstr. 40. PA.: 8230 Hartberg, Höhenweg 1. G.: Loosdorf a.d. Westbahn 15. Jan. 1933. V.: Gerlinde, geb. Reischer. Ki.: Susi (1963), Gaby (1966).El.: Franz u. Anna. S.: VS, 4 J. Mittelschule i. Stift Melk, Molkereilehre Molkerei Prinzendorf u. Pöggstall, abgeschl. 195, 10 Mon. Gehilfekurs a.d. Bundeslehr- u. Versuchsanstalt f. Milchwirtschaft. K.: 1952-54 Aufenthalt i. Schweiz i. Käserei Weiern u. Molkerei Stäfa a. Züricher See, 1954-58 St. Pölten, Einrichtung einer Käserei i. Molkerei, 1956 zwischenzeitl. Weiterbildung 1/2 J. i. Holland Käserei

Vijvherenlanden i. Schoonrewoods, 11/1958-2/1959 Molkereimeisterkurs u. Prüfung, 3/1959 Betriebsleiter Molkerei Hartberg, 1960 Betrieb erweitert u. modernisiert, seit 1970 Gschf. u. Werksltr. ausschl. Milchtrockenprodukte, Vertrocknung v. Nichtmilchprodukten f. d. Industrie. E.: Kammermedaille d. steir. Landwirtschaftskammer i. Bronze u. Silber. H.: Fußball, Garten, Sport. (I.G,)

Steindl Elisabeth
B.: Vergoldermeisterin, Restauratorin. DA. u. PA.: 5101 Bergheim, Mitterwaldweg 22. G.: Malmö, 13. Juni 1945. V.: Johann Steindl. Ki.: Jan (1977). El.: Ludwig u. Elisabeth. S.: VS, Gymn., m. 17 J. Kurse f. Buchhaltung u. Lohnverrechnung. K.: 2 J. Tätigkeit in einem Büro, Vergolderlehre m. Gesellenprüf., 1984 Meisterprüf., 1985 selbst. Vergolderin. H.: Spiegelrahmen formen, Gartenarb., Lesen, klass. Musik. (D.E.)

Steindl Horst Ing.
B.: Gschf. u. Ges. FN.: Refuko Vertriebs GmbH & Co. DA.: 7000 Eisenstadt, Permayerstr. 3. PA.: 7032 Sigleß, Hauptstr. 43. G.: Sigleß, 27. Mai 1940. V.: Andrea, geb. Rochus, 2 Söhne. El.: Martin u. Gertrude. S.: HS, HTL Mödling. K.: 1959-67 Techn. Arch.Büro Jakob, 1967-78 Ltr. d. Abt. Techn. Büro d. Fa. Inku, ab 1975 Prok., 1978 Gschf. u. Ges. d. Fa. Refuko. BL.: Ausstattung KH Oberwart, Seehotel Rust, Hypobank Eisenstadt, Kulturzentrum Eisenstadt u. Budapest, Aufträge d. Voest u. Ostdeutschland, weltweite Inku-Erfahrung, gerichtl. beeid. Sachv. f. Sportböden, Patententwurf f. Schwingboden 1969/70, Berufungsgruppenobm. d. Kam. 1980-83. M.: Oberschützenmstr. d. Union-Sekt. Schießen. H.: Motocross, Veteranen-Rally, Skifahren. (M.B.)

Steindl Hubert
B.: Abt.Dir. d. Bank f. Tir. u. Vbg. GT.: Gschf. d. Bank u. Vers. Dienstes Innsbruck, Prok. d. 3-Banken Vers. AG Linz. PA.: 6020 Innsbruck, Framsweg 7. G.: Mayrhofen, 6. Okt. 1936. S.: HAK, 1957 Matura. K.: seit 1957 Bank f. Tir. u. Vbg.

Steinecker Gottfried
B.: Kompl. FN.: Friedrich Steinecker KG. A.: 3263 Randegg 56. G.: Randegg, 3. Aug. 1944. V.: Veronika, geb. Kreutzer. Ki.: Gottfried (1973), Michael (1978). El.: Friedrich u. Margarethe. S.: HASCH. K.: 2 J. Großmarktausbild. in d. BRD, 1963-76 Gschf. im elterl. Betrieb, ab 1976 Kompl. d. Fa. Friedrich Steinecker KG, Aufbau d. Betriebes v. einer Gemischtwarenhdlg. zu einem 3-etagigen Kaufhaus in Randegg. M.: WB-Obm. d. Sekt. Randegg, Gremialaussch.Mtgl. d. Textileinzelhdl. d. BWK. H.: Skifahren, Golf, Tennis, Wandern.

Steinek Heinrich Dr.
B.: Psychotherapeut. DA.: 1090 Wien, Pramerg. 6. G.: Wien, 12. Sep. 1957. V.: Barbara, geb. Lehmden. Ki.: Heinrich (1982), Philipp (1986), Isabell (1989). El.: Heinrich u. Ingeborg. S.: Lycée Francais, 1976 Matura, Stud. Psych. Univ. Wien, 1993 Diss., Psychotherapieausbild. K.: 4 J. in freier Praxis, seit 1993 eigene Praxis m. d. Schwerpunkten: Syst. Familientherapie u. Existenzanalyse nach Frankl, Psychologie im SOS-Kinderdorf Hinterbrühl. H.: Basketball, Billard, Schach. (T.T.)

Steinek Heinrich
B.: Kunsthändler. DA.: 1010 Wien, Himmelpfortg. 22, 1090 Wien, Pramerg. 6. PA.: 1090 Wien, Porzellang. 37. G.: Wien, 27. Apr. 1935. V.: Ingeborg, geb. Wiener. Ki.: Heinrich (1957), Silvia (1958). El.: Heinrich u. Wilhelmine, geb. Köppel. S.: Stahlbaulehre, TGM. K.: nach d. Ausbild. als Kfm. als Kunsthändler tätig, Schwerpunkt mod. bild. kunst, plast. Objekte. H.: Reisen, Spazierengehen. (N.A.)

Steinek Silvia
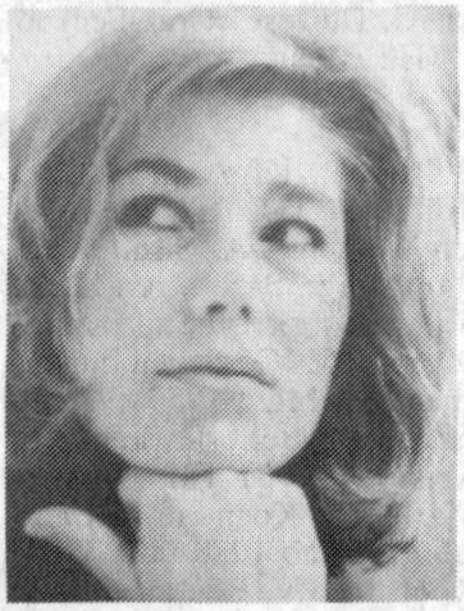

B.: Mitinh. u. Ltr. d. Galerie H.S. Steinek. DA.: 1090 Wien, Pramerg. 6. G.: Wien, 28. Okt. 1958. El.: Heinrich u. Ingeborg Steinek. S.: 1978 Matura, Stud. Politik u. Soz. K.: 1981 Eröff. d. Galerie Himmelpfortgasse, 1991 2. Galerie in d. Pramergasse, 1977-78 Tätigkeiten Galerie Klewan. H.: Kunst, Sport. (T.T.)

Steiner Alois
B.: Unternehmer. DA.: 7142 Illmitz, Apetloner Str. 33. G.: Illmitz, 28. Apr. 1939. V.: Herta, geb. Lang. El.: Alois u. Maria. S.: Gymn. K.: 1958 Beginn m. Transportunternehmen, 1963 Grdg. eines Kiesgewinnungsbetriebes, 1969 Inbetriebnahme einer Großtankstelle, 1976 Grdg. eines Transportbetonwerkes. H.: HK-Ehrenmtgl. M.: Funktionär d. Bgld. HK. H.: Jagd, Lesen. (Fels.)

Steiner Anton
B.: Gen.-Dir.-Stellv. FN.: Digital Equipment Corp. DA.: 2344 Vösendorf, Vösendorfer Nordring 2. (V)

Steiner Beate Mag. phil.
B.: ak. geprüfter PR-Beraterin. FN.: Asea Brown Boveri. DA.: 1101 Wien, Pernerstorferg. 94. PA.: 1090 Wien, Sobieskig. 4/26. G.: Grza, 28. Aug. 1964. El.: Franz u. Herta. S.: 1982 Matura, 1982-86 Stud. d. Ethnologie, 1987-89 HS-Lehrgang f. Öffentlichkeitsarb. K.: 1987 Öffentlichkeitsarb. im Kunsthistor. Museum, 1988-89 Kundenberaterin b. d. Pro-Press-Public Relations, seit 1990 b. ABB. H.: Museen, Reisen. (P.R.)

Steiner Bernhard Dr. iur.
B.: Inh. d. Fa. Dr. Bernhard Steiner, behördl. konzessionierte Immobilien-Vw. A.: 8010 Graz, Morellenfeldg. 2. G.: Graz, 12. Juli 1946. V.: Monika, geb. Hödl. El.: Kurt u. Barbara. S.: Gymn., Stud. d. Rechtswiss. K.: Mitarb. im väterl. Betrieb, 1978 Übernahme d. Betriebs. M.: Andritzer Parforce Reitclub, Federation intern. d. professions immobilieres.

Steiner Carl-Friedrich Dipl.-Ing.
B.: Gen.Sekr. d. Bruckner Orchester Linz. DA.: 4020 Linz, Promenade 39. PA.: 4060 Leonding, Unterer Holzbergerweg 7. G.: Neuenstadt/BRD, 31. Dez. 1943. V.: Elisabeth, geb. Bürgermeister, 2 Kinder. El.: Prof. Karl u. Ingeborg. BV.: Prof. Carl Steiner Komponist, Pianist u. Dir. d. Bruckner Konservatoriums Linz. S.: Realschule Linz, 1962 Matura, Stud. an d. TU u. Univ. Wien, 1971 Dipl.-Ing. K.: 1971-81 erste Ausstellungen im Amt d. OÖ LRg. im Rechenzentrum, seit 1981 Gen.Sekr. d. Bruckner Orchesters. E.: Gold. VZ d. Landes OÖ 1983. M.: Grdg.Präs. d. Lions Club. H.: Tennis, Tischtennis, Musik. (H.D.)

Steiner Claudia Mag. art.
B.: freischaff. Malerin u. Grafikerin im Atelier Steiner. DA.: 4020 Linz, Spittelwiese 13. G.: Linz, 14. Mai 1956. Ki.: Laura-Mae. El.: Angelo u. Selma Steiner. S.: Stud. Kunsterziehung HS f. künstler. u. industrielle Gestaltung Linz, 1981 Mag. art., 1981-85 Stud. Malerei u. Grafik, 1985 Dipl. K.: 1985-86 Ausbau eines Ateliers, 1990-92 Lehrauftrag f. Graf. Techniken an d. HBLA f. Kunstgewerbe, Schwerpunkt:

Steinzyklus-Malerei, Zyklen, Lithograph. Arb., seit 1983 zahlr. Einzelausstellungen u. Beteiligungen im In- u. Ausland, Studien- u. Malreisen Südeuropa, Nordafrika u. Kleinasien, Werke in öff. u. priv. Sammlungen: BMUK, Albertina - graph. Samml., OÖ Landesmuseum, Rathaus Linz, AKH Wien, u.a. E.: 1983 Talentförderungspreis f. bild. Kunst d. Landes OÖ, 1987 Hypo-Reisestipendium Italien, 1988 Ausschreibungspreis f. d. Landesausstellung im Schloß Weinberg Kefermarkt "Das Mühlviertel - Blickpunkt, Standpunkt", 1989 Ankaufspreis d. Dr. Ernst Koref-Stiftung Linz, 1990 Preis d. Künstlerwettbewerbes "Industrie m. Phantasie" Kulturring d. Wirtschaft OÖ. M.: OÖ Kunstver. (P.H.)

Steiner Dietmar Mag. arch.

B.: Dir. FN.: Architektur Zentrum Wien. GT.: Arch.-Kritiker, Arch.-Theoretiker b. intern. Symposien u. Kongressen. DA.: 1070 Wien, Burgg. 1. PA.: 1030 Wien, Salesianerg. 2/12. G.: Wels, 31. Dez. 1951. S.: HTL Hochbau Krems, 1971 Matura, Arch.-Stud. Akad. der bild. Künste Wien, Mstr.-Kl. Prof. Ernst Plischke, 1979 Dipl. Mstr.-Schule Prof. Gustav Peichl. K.: 1966-80 Praxis in div. Arch.-Büros, 1980-82 Gen.-Sekr. d. Österr. Ges. f. Arch., 1974-89 Mitwirkung am krit. Inventar Österr. Arch. im 20. Jhdt., 1983-90 Lehrauftrag u. Ass.an d. Lehrkanzel f. Geschichte u. Theorie d. Arch. HS f. Angew. Kunst Wien, 1984 u. 1992 Ass. d. Arch.-Kl. Sommerak. f. Bild. Kunst Sbg., seit 1989 eigenes Beratungsbüro f. Projektentwicklung, Stadtplanung, Arch. u. Publizistik Wien, seit 1994 Dir. d. Architektur Zentrum Wien, Gastvorträge in d. ganzen Welt, zahlr. Forsch.-Aufträge. E.: 1975 Mstr.-Schulpreis d. Ak. d. bild. Künste Wien, 1978 Förd.-Preis f. Arch. d. Landes OÖ, 1982 Preis f. Arch.-Kritik d. Arch.-Kam. Österr., div. Stipendien. M.: 1976-85 Vorst.-Mtgl. d. Österr. Ges. f. Arch., seit 1986 Hrsg.-BeiR. d. Fachzeitschrift f. Stadtplanung "Stadtbauwelt" Berlin, 1986-90 Mtgl. d. interministeriellen BeiR. "Kunst u. Bau" im Österr. Bundeshochbau, seit 1990 Korrespondent d. Arch.-Zeitschrift "casabella" Mailand, seit 1992 Korrespondent d. Arch.-Zeitschrift "Lotus intern." Mailand. (J.S.)

Steiner Elfriede

B.: Inh. FN.: Hotel "Zum Mohren". DA.: 8700 Leoben, Kärntnerstr. 227. PA.: 8700 Leoben, Kärntnerstr. 227/229. G.: Leoben, 19. Apr. 1923. V.: Josef. Ki.: Alrun (1940). El.: Anna u. Emil Haslauer. S.: VS, HS. K.: s. 1950 Mitarb. i. Hotel "Zum Mohren" ihres Ehemannes, Haus m. Tradition, s. 350 J. Hotelbetrieb, heute 26 Zimmer. H.: Handarbeiten, Malen. (I.G.)

Steiner Ekkehard Dr. Doz.

B.: Prim. d. KH Hall/Tir. DA.: 6060 Hall/Tir., Milser Str. 10. PA.: 6161 Natters, Gries 10. G.: Wien, 17. Juli 1946. V.: Claudia, geb. Schobel. Ki.: Hannes (1972), Philipp (1975). El.: Hannes u. Theresia. S.: 1952-56 Lycee-francais-de-Vienne, 1956-64 BRG Innsbruck, 1964-70 Stud. Univ. Innsbruck u. Wien. K.: LKH Sbg., 1971 Univ.-Klinik Innsbruck, 1985 Habil., 1990 Ltr. d. Chir. Abt. d. KH Hall, Ass.-Prof. u. Doz. M.: Rotary Club, Österr. u. Dt. Ges. f. Allg. u. Laparoskop. Chir. H.: klass. Musik, Sport. (M.W.)

Steiner Cornelia

B.: Unternehmerin Cafe Clusius. DA.: 1090 Wien, Clusiusg. 8. PA.: 1150 Wien, Sechshauserstr. 28. G.: Wien, 17. Mai 1950. Ki.: Mario. S.: Einzelhdls.Kfm.Lehre. H.: Hdls.Ang., 7 J. Praxis in d. Gastronomie, 1985 Konzessionsprüf., 1986 Eröff. d. eigenen Lokals. (P.R.)

Steiner Emil P.

B.: Prok., Ltr. d. Immobilien- u. Büroverw. FN.: Merkur Vers. AG. DA.: 8011 Graz, Neutorg. 57. PA.: 8047 Graz, Billrothg. 44. G.: Graz, 10. Apr. 1934. V.: Ingeborg, geb. Hakel. Ki.: Gabriela (1961), Karoline (1962), Brigitte (1973). El.: LGVizepräs. Dr. Emil u. Maria. S.: Pflichtschule, 3 J. HTL. K.: 1955 Eintritt Merkur Wechselseitige Vers. als Erhebungsbmtr. im Außendienst, 1956 Innendienst Beitragsabt., 1959 Aufbau d. Datenverarb.-Abt., 1964 Aufbau d. Rückvers. f. d. Lebensvers., 1965 Baubetreuung d. 2 Großsiedlungen in Linz u. Aufbau d. Liegenschaftsverw., 1967 Verw. sämtl. Liegenschaften u. Häuser sowie aller Miet- u. Pachtobjekte, 1971 Konzessionsprüf. f. Realitätenvermittlung u. Gebäudeverw., 1974 Disponent, 1980 Gesamtprokura, 1982 Konzessionserteilung f. Immobilienmaklergewerbe u. Immobilienverw.-Gewerbe, 1983 gewerberechtl. Gschf. Firma WEGRAZ. E.: 1983 Gold. VZ d. Rep. Österr., 1989 gewerberechtl. Gschf. Firma WEGRAZ f. d. Bauträgergewerbe, 1992 Liste d. allg. beeid. gerichtl. Sachv. f. Immobilien. M.: 1968 Vorst.-Mtgl. bzw. Obm. d. IG-Riessiedlung, 1993 BezR. d. Landeshauptstadt Graz. H.: Familie, Kommunikation. (F.K.)

Steiner Ernst

B.: selbst. Wirt.-Treuhänder, Steuerberater. DA/PA.: 4614 Marchtrenk, Linzer Str. 2. G.: St. Pölten, 11. Jul. 1941. V.: Anneliese, geb. Pucher. Ki.: Reinhard, Eva-Maria. El.: Ernst u. Wilhelmine. BV.: Großvater: Errichter d. 3 Bauernkriegsdenkmäler Bez. Eferding. S.: 1955-60 HAK Linz, Matura. K.: 1961-62 Anglo-Elementarvers., 1962 Justizdienst Bez.-Gericht Eferding, 1964 1. Kanzleiprfg., 1965 Grundbuchsführerprfg., 1966 Rechtspflegerprfg. Zivilprozeß- u. Exekutionssachen a. d. Justizschule Schwechat, 1967 FA Linz, s. 1968 Stammbetriebsprüfer, 1972 Zusatzmatura f. Gym., 1973-74 Kreditprüfer d. Oberbank Linz, 1974 Berufsanwärter i. d. Kanzleien H. Stockinger, V. Schützinger u. H. Zwettler, Bilanzbuchhalterprfg., s. 1979 selbst. P.: i. "TREND" (08/1986). H.: Gartenbau, Klavierspiel. (P.H.)

Steiner Erna

B.: Sängerin. DA. u. PA.: 1010 Wien, Schubertring 6. G.: Wien, 11. Okt. 1921. V.: Kurt Steiner-Belfanti. El.: Alexander u. Antonie Langer, geb. Derler. S.: Gesangsunterricht am Wr. Konservatorium b. Prof. Max Klein, b. Prof. Wallerstein Prag, Prof. Kundegraber Wien, Tanzausbild. b. Dir. Lucca Wien, Sprachausbild. Engl. u. Franz. privat u. an d. Schule "Kautecky". K.: 1939-41 Gastspiele in 45 Städten Italiens, Auftritte als Soubrette in Ital., 1941-42 Konzerttätigkeit in Prag, während d. Kriegszeit dienstverpflichtet in d. Leder- u. Holzverarb.-Ind., 1945 Rückkehr nach Wien, Gesang, Rundfunk, 1948-50 Engagement in d. Schweiz, Auftritte m. Wienerliedern, 1980 Konzerttätigkeit, lfd. Auftritte m. Philharmonia-Schrammeln, zahlr. Schallplattenaufnahmen. E.: 1990 Gold. VZ d. Rep. Österr., Gold. Wienerherz, Gold. Mikrofon, 1. u. 2. Preis b. Hansl Schmid Wienerliedwettbewerb, Ausz. v. mehreren Ver. u.a. "Das Wienerlied". M.: zahlr. Wienerliedver. H.: Antiqutiäten u. Schmuck sammeln. (N.A.)

Steiner Franz

B.: Brennstoffhändler, Vorst. d. GemR. Podersdorf, Vertreter d. Brennstoffhdls. in d. HK, Landesvorst. d. Freien Wirtschaftsverb. DA. u. PA.: 7141 Podersdorf/See, Seeufergasse 20. G.: Podersdorf, 28. Jan.1940. V.: Christa, geb. Fuchs. Ki.: Sandra (1969), Bettina (1977), Franz Josef (1982). El.: Franz u. Franziska. S.: VS. K.: 1954-57 Tätigkeit in d. Ldw., 1958-73 Tätigkeit b. einem Brennstoffhdl. in Wien, 1973-76 selbst. als Brennstoffhändler in Wien, seit 1977 Führung eines Brennstoffhdls. in Podersdorf. BL.: 1954-90 aktiver Fußballer b. Sportver. Podersdorf, 8x in d. Bez.-Auswahl u. 1x in d. Unionsauswahl. E.: Bronz. Ehrenmed. d. Sport-Union Bgld. M.: Obm. d. Sportver. Podersdorf, Mtgl. zahlr. örtl. Ver. H.: Fußball, Radfahren. (F.S.)

Steiner Franz Mag. phil. Prof.

B.: AHS Lehrer am BG u. BRG Wieselburg. GT.: Schülerberater, Betreuungslehrer. PA.: 3250 Wieselburg, Weinzierl 158. G.: Oberndorf, 17. Sept. 1945. V.: Lieselotte, geb. Rinner. Ki.: Stefan, Thomas. El.: Karl u. Maria. S.: 1965 Matura/Stiftsgymn. Seitenstetten, Stud. Latein u. Germanistik an d. Univ. Wien. K.: 1972 Eintritt in d. BDienst, 1978 Mag., Schülerberater, Ltr. d. Arge d. Schülerberater NÖ., Betreuungslehrer im Rahmen d. Schulprak. f. Lateinstud. P.: Vorträge über Bildungsfragen u. Medienerziehung in Schulen u. div. Ver. u. zu Fragen in d. Unterrichtsfächern Deutsch u. Latein. M.: Vors. d. Gewerkschaftl. Betriebsaussch. d. BG u. BRG Wieselburg, Obm. d. Elternver. d. VS Wieselburg, VPräs. d. Lions Club Wieselburg. H.: Familie, Medienfragen, Theater, Reisen, Fußball. (Kern)

Steiner Franz Dr.

B.: Vorst.-Vors., Gen.-Dir. FN.: Wüstenrot Vers. AG. GT.: Vorst.-Vors.-Stellv. Bausparkasse Gemeinschaft d. Freunde Wüstenrot gem. rGmbH Sbg., Gschf.: Wüstenrot Vers.-Dienst GmbH Sbg., Belegschaftshilfe d. Bausparkasse Gemeinschaft d. Freunde Wüstenrot GmbH Sbg. u. WVD Vermögensbeteiligungs GmbH Sbg., AufsR.-Vors. Volksfürsorge Jupiter Allg. Vers. - AG Wien, AufsR.-Vors.-Stellv. Bawag Vers. AG Wien, BPA-Betriebspensionsberatung AG Wien, AufsR.: Drei-Banken Vers. AG Linz. DA.: 5033 Salzburg, Alpenstr. 61. G.: Leogang, 7. Sept. 1934. S.: Stud. Wirtschaftsgeschichte, 1962 Abschluß. K.: Univ.-Ass., Bankausbild., Vorst.-Vors. Wüstenrot Vers. AG Sbg. (M.C.)

Steiner Friederike

B.: Gschf. FN.: Steiner-Möbel GmbH Kindergarteneinrichtung. DA.: 4644 Scharnstein, Badstr. 3. PA,: 4800 Attnang-Puchheim, Passauerstr. 21. G.: Schanenstadt, 7. Dez. 1952. V.: Walter. Ki.: Susanne (1981). El.: Franz u. Frieda Schöberl. S.: 1959-63 VS,1963-67 HS, 1967-71 Fachschule f. Damenkleidermacher, 1971-72 Praxis, 1972-73 Meisterklasse f. Damenkleidermacher, 1973 Mstr. Prüf. Meisterprüf. K.: 1973-75 Modellabt. Fa. Hauser KG i. Wels, dann Fa. Steiner durch d. Verehelichung, 1980 Gründ. d. GmbH, 1986 Übernahme d. Gschf. H.: Radfahren, Wandern. (G.E.)

Steiner Georg Mag.

B.: Finanzltg. FN.: Brüder Assmann GmbH. GT.: Prok. b. Mupid Computer GmbH (MCG). DA.: 8430 Leibnitz, Kernstockg. 16. PA.: 8045 Graz, Ziegelstr. 23x. G.: Klagenfurt, 9. Apr. 1955. El.: Hans u. Helma. S.: VS, naturwiss. RG, Abi-Kurs, Univ. Graz Betriebswirtschaft. K.: 1981 Hewlett Packard im Rechnungswesen tätig, Abt.Ltr. f. Auftragsabwicklung Sparte elektron. Meßgeräte, 1983 Steyr Daimler Puch Graz, zuständig f. kfm. Koordination Projekt Geländewagen "G", ab 1984 MOTRONIC, zuerst Controller, ab 1986 Bestellung z. Prok., verantwortl. f. d. gesamten kfm. Ltg. u. Salesmanager, weiters b. Mupid Prok. seit 1986, verantwortl. f. kfm. Bereich. H.: Sport, Squash, Tennis, Skifahren. (R.A.)

Steiner Georg

B.: Kfm. FN.: Herbert Steiner GmbH. GT.: 1988 Übernahme d. Detailgeschäftes f. Lederwaren in 1030 Wien, Landstraßer Hauptstr. 86, Herbert Steiner Export GmbH Burgkirchen/BRD. DA.: 1150 Wien, Preysingg. 5. PA.: 1180 Wien, Gersthoferstr. 18. G.: Wien, 8. Apr. 1962. V.: Mag. Elisabeth, geb. Liwehr. Ki.: Florentina, Philipp. El.: Herbert u. Susanne. S.: RG, HAK, 1981 Matura. K.: Eintritt in d. väterl. Unternehmen, 1984 Eintragung d. Einzelprokura, Import-Export-Agentur f. Ind.Rohstoffe, Maschinenanlagen u. Schwerkonfektion. H.: Jazz, Windsurfen. (C.K.)

Steiner Gerhard

B.: Tischlermstr., Gschf. Ges. FN.: Bau- u. Möbeltischlerei Steiner GmbH. DA.: 5542 Flachau, Reitdorf 139. PA.: 5541 Altenmarkt 139. G.: Radstadt, 19.Juni 1969. El.: Karl u. Gertrude. BV.: KommR. Konsul Engelbert Steiner Firmengründer. S.: VS, HS, Berufsschule u. Tischlerlehre, 1988 Gesellenbrief, 1988 BH, zahlr. Fort- u. Weiterbild.-Kurse. K.: seit 1988 im elterl. Betrieb, seit 1992 Gschf. Ges., 1992 HTL-Fachschule, Mstr.-Prüf. M.: FF Altenmarkt, Kameradschaftsbund. H.: Skifahren, Snowboard, Radfahren. Fitness.(J.F.)

Steiner Günther Dr. iur.

B.: RA. DA.: 1070 Wien, Mariahilfer Str. 4/4. PA.: 4381 St. Nikola, Struden 24. G.: Linz, 9. Jan. 1954. S.: VS, BRG Amstetten, Univ. Wien. K.: seit März 1982 selbst. RA. H.: Sport, Reiten. (Hau.)

Steiner Hannes Dr. med. Mag. phil. w. HofR. Univ.-Prof.

B.: em. Primararzt f. Chir. 1. Chir. Abt. LKH Sbg., stellv. Ltr. d. Diakonissen-KH, gerichtl. Gutachter f. Chir. DA.: 5020 Salzburg, Bayernstr. 10. PA.: 5020 Salzburg, Schiffmanng. 18. G.: Landeck, 11. Sept. 1918. Ki.: Doz. Dr. med. Hans-Ekkehard (1946), Dr. iur. Eva Maria (1949), Christin (1953), Mag. iur. Barbara (1965). El.: Dipl.-Ing. Friedrich u. Olga. BV.: Vater Dipl.-Ing. Friedrich Steiner Bahnbauing. S.: VS, Gymn., Med.-Stud. München, Innsbruck u. Wien, 1941 Prom., b. 1945 Wehrmacht. K.: Fachausbild. f. Chir. Kaiserin Elisabeth-Spital Wien, II. Chir. Univ.-Klinik Wien, Chir. Univ.-Klinik Innsbruck, 1964 Vorst. d. I. Chir. Abt. d. LKH Sbg., 1984 em., 1960 Univ.-Doz., 1968 Univ.-Prof., 1982 w.HofR., 1985 Stud. Kunstgeschichte Univ. Sbg., Mag. phil.,

1991 Dipl.-Arb. "Die Fresken d. Pfarrkirche v. Terlan". P.: 167 med. wiss. Publ., 3 Bücher m. wiss. Schwerpunkt: Schilddrüsenchir., Lungenchir. E.: Silb. EZ f. Verd. um d. Land Sbg. M.: korresp. Mtgl. d. Dt. Ges. f. Chir., Ehrenmtgl. d. Österr. u. Schweiz. Ges. f. Chir., Paul Harrys Fellow Intern. Rotary v. Rotary Club Sbg.-Nord. (U.E.)

Steiner Hannes

B.: Geschäftsltr. d. Fa. DHL Intern. Kurier Service GmbH Wien. DA.: 1300 Wien, Flughafen Wien-Schwechat. PA.: 2531 Gaaden, Hauptstr. 91. G.: Wien, 31. Mai 1953. V.: Evelyn, geb. Czerni. Ki.: Lukas. El.: Dr. Jan S. u. Dr. Elfriede. S.: 1970 Matura. K.: Seit 1970 in d. Tourismusbranche tätig, Eintritt in d. Capri Travel Agency als Reiseltr., 1973 Ang. d. Intropa Reisebüros, Tätigkeit in d. Kongreßabt., 1973 in d. Reiseabt. v. Bavaria Airlines in München tätig, 1977 Verkaufs- u. Marketing-Manager b. Montana Intern. Fluglinie Wien, 1980 Manager d. Reisebüro Adria, Verkaufsltr. b. DHL Intern. Courier Service GmbH, seit 1981 auch Managingdir. M.: Mtgl. d. Amerik. HK. H.: Reisen, Tennis. (Fels.)

Steiner Hans Dipl.-Ing.

B.: Kfm. Dir. FN.: Sunny Alpenmilch Salzburg Ges.m.b.H. DA.: 5022 Salzburg, Schillerstr. 2. PA.: 5020 Salzburg, Paris-Lodron-Str. 19. G.: Salzburg, 26. Okt. 1961. S.: BRG Sbg., 1981 Matura, 1981-89 Stud. a. Univ. f. BOKU Wien, 1989 Abschl. Dipl.Ing., 1990 Meisterprfg. z. Molker u. Käser. K.: 1981-89 Prakt. Milchhof Salzburg; 1989 Prakt. Molkerei Arla Stockholm, 1989 Trainee b. Billa Wr. Neudorf, 1989-90 Trainee Migros-Prod. Betr. PAG Meilen (CH), 1990 Trainee bei Österr. Unilever Comp. Lever Sutter, 1991 Product Manager, 1992 Verk.-Ltr.; s. 1993 Kfm. Dir. Alpenmilch Salzburg Ges.m.b.H. H.: Sport, 50er-Jahre. (P.H.)

Steiner Harald Ing.

B.: Gschf. Ges. FN.: Harald Steiner GmbH. DA. u. PA.: 5541 Altenmarkt, Hauptstr. 123. G.: Schwarzach, 06. Feb. 1970. El.: Harald u. Sonja. S.: VS, HS, HTL f. Holzwirtschaft i. Kuchl m. Matura. K.: Großhdl. Kfm., Techn. Zeichner abgesch. 1989, Italien Studium i. Livorno, 1989-90 Bh, s. 1990 Gründung zus. m. d. Eltern d. Harald Steiner GmbH, u. seith. Prok. u. Gschf. Ges. d. Unternehmens, 1993 Verl. d. Ing. Titels, s.1990 Export Ltr. d. Harald Steiner KG. Bl.: 4mal Ldmstr. i. Volleball, 1mal Ldmstr. Langlauf d. Schüler, Vize Staatsmstr. i. 10 Kampf. P.: Art. i. reg. Print Med.. E.: zahlr. Pokale, Medailien u. Urkunden durch Siege i. sportl. Wettbew.. M.: Union FC Altenmarkt, 1993-94 Torschützenkönig, Sbg. Jägerschaft. H.: Snowboarden, Fußball, Jagt, allgem. Sport, Fischen. (J.F.)

Steiner Harald

B.: Unternehmer (Kompl.). FN.: Harald Steiner Sägewerk KG. GT.: Vermietung u. Verpachtung. DA. u. PA.: 5541 Altenmarkt, Hauptstr. 123. G.: Altenmarkt, 10. Apr. 1945. V.: Sonja geb. Heinzl. Ki.: Ing. Harald, Beatrix. El.: Kons. Kom. Engelbert u. Maria. S.: VS, HS, Holzfachschule. K.: Sägefacharb. s. 1962 i. elterl. Sägewerk, i. Einkauf u. Verkauf, Praxis i. Italien, 1970 KG zus. m. d. Vater u. d. Gattin gegründet, s. 1970 Kompl. d. s. 1975 bestehenden Unternehmens, 1990 2. Fa. zus. m. d. Sohn gegründet. M.: Vorst. d. RAIKA Altenmarkt, Gründungsmtgl. v. Union Altenmarkt, Kameradschaftsbund. H.: Jagt. (J.F.)

Steiner Heinrich Dir.

B.: Dir. FN.. Sonderpädagogisches Zentrum. DA.: 5760 Saalfelden, Brünauw. 5. G.: Ecrouves/F. 20.Feb.1946. V.: Marianne geb. Pichter. Ki.: Karin (1971), Eva-Maria (1974). El.: Maria-Karin u. Aloyse Porte`. S.: VS, 1964 Matura, 3 Sem. Mathe. Stud. i. Wien, 1 J. Abiturenkurs i. Slzbg.. K.: 1968 Lehramtsprüf. f. VS, 1972 Lehramtsprüf. f. Sonderschulen, 1968-72 a.d. ASO i. Saalfelden, 1988 Wahl z. Dir. d. ASO i. Saalfelden. Bl.: Art. i. reg. Print Med.. M.: Sektionsltr. f. Tischtennis s. 25 J.. H.: allg. Sport, Tischtennis, Tennis. (J.F.)

Steiner Helga

B.: Teilhaber u. Gschf. FN.: Buch- u. Kunstdruckerei Josef Huttegger OHG. DA. u. PA.: 5020 Salzburg, Struberg. 15. G.: Salzburg, 5. Juli 1941. El.: Anton u. Ida Stadler. BV.: Ururgroßvater Franz Xaver Gruber. S.: HASCH. K.: 1958 Eintritt Fa. Huttegger, 1975 Teilhaberin d. Fa. M.: Tennisclub Elsbethen. H.: Tennis, Musik, Wandern. (A.W.)

Steiner Helmut Dipl.-Ing.

B.: Gschltr. FN.: ECS Elin Communications Systems GesmbH. GT.: Gschf. d. Poster Movie Werbeges., 1230 Wien, Endressg. 75. DA.: 1210 Wien, Ruthnerg. 1. PA.: 2560 Berndorf, Wieseng. 4. G.: Wr. Neustadt, 28. Aug. 1950. V.: Brigitte, geb. Tschank. Ki.: Reinhard (1987). El.: Ferdinand u. Rosina. S.: Reals. Wr. Neustadt, 1969 Matura, TU Industrielle Elektronik u. Regelungstechnik. K.: 1975-79 Tätigk. i. Elektroabt. d. Chemie Linz, 1980-92 SAT Systeme f. Automatisierungstechnik, Aufbau u. Ltg. Produktmanagement, 1992 Wechsel zu Elin als Bereichsltr. d. Elektronik, 1993 Ausglied. eines Teils d. Geschäftsbereiches aus Elin u. Grdg. (gem. mit BEWAG) d. ECS Elin Communications Systems GmbH, seither Gschf. ECS, zusätzl. 1994 Gschf. d. neugegründ. Elin /BEWAG Tochter , Poster Movie Werbeges., Herstell. u. Vermarkt. v. computergesteuerten Leucht-Werbetafeln. H.: Familie, Tennis, Tauchen, Radfahren. (F.S.)

Steiner Helmut

B.: Gschf. FN.: TNT IPEC. DA.: 1235 Wien, Siebenhirtenstr. 13a. G.: Wien, 15. Juni 1954. S.: VS, HAK. K.: 1974-76 Visionsass., 1977-83 Ltr. d. Finanzwesens b. Canon, 1983-86 b. d. Fa. TNT IPEC als Ltr. d. Finanzwesens, seit 1986 Gschf. d. Fa. TNT IPEC. (M.B.)

Steiner Herbert

B.: Kfm. FN.: Herbert Steiner GmbH. DA.: 1150 Wien, Preysingg. 5. PA.: 1190 Wien, Döblinger Hauptstr. 66. G.: Gablonz/CSSR, 8. Sept. 1923. V.: Susanne, geb. Stamprech. Ki.: Georg, Gottfried, Susanne. K.: b. 1972 Exportltr. d. Fa.

Sattler Textilwerke in Graz-Thondorf, Übersiedlung nach Wien u. 1972 Grdg. d. Fa. Herbert Steiner GmbH, eine Import-Export-Agentur f. d. Hdl. m. Osteuropa, vorwiegend Jugoslawien. H.: Skifahren, Lesen, Musik. (C.K.)

Steiner Herta

B.: Inh. Kleiderfachhdl. FN.: Top-Trend. DA.: 9500 Villach, Ledererg. 7. PA.: 9753 Lind, Drautal 153. G.: Lind, 18. Aug. 1951. V.: Alois Steiner. Ki.: Alexandra (1970), Stefanie (1983). El.: Josef u. Stefanie. S.: VS, HS, Lehre als Einzelhdls.-Kfm., 1968 Lehrabschlußprüf. K.: Verkäufer, 18 J. Tätigkeit b. Firma Kunz, Einkauf-Verkauf u. Gschf., seit 1989 selbst. m. Exklusiv-Mode in Villach. P.: Zeitungsart. M.: div. Fachverb. H.: Sport, Tennis, Skifahren. (K.K.)

Steiner Hubert Ing.

B.: Kons. f. Bauphysik, Ger.Sachv., Präs. d. INTER-EXPERT. A.: 6020 Innsbruck, Josef-Schraffl-Str. 25. G.: Innsbruck, 12. Aug. 1920. V.: Hildegard, geb. Jochheim. El.: Andreas Gend.Obert u. Elisabeth. S.: 1939 Ing.Zeugnis, HTL Sbg., HS-Seminare in Aachen, Essen, Innsbruck, Köln, München, Wien. K.: Seit 1950 führende Positionen in Bau- u. Chem. Ind., 1966 Beeidigung als Sachv. am OLG Innsbruck, 1972 Eröffnung eines Techn. Büros f. Bauphysik, Konsulent in ÖNORM- u. DIN-Ausschüssen, Konsulent d. AWI (UNO-City) u. d. AKH in Wien, Lehraufträge an HS, WIFI, SV-Verband, 1982 Präs. d. Verwaltungsrates d. INTER-EXPERT. P.: Zahlr. Publ. in Fachzeitschriften, Ltg. techn. Seminare im In- u. Ausland. E.: Med. d'Honneur des Experts, Frankreich, Med. Pro Merito d. INTER-EXPERT, Frankreich, Gold. Ehrennadel der Bundekammer d. gewerbl. Wirtschaft, Österr., Verleihung d. Berufstitels "Techn. Rat". M.: Österr. Ing. u. Arch.Ver., Hauptverb. d. allg. beeid. gerichtl. Sachv., Internationale Experten Union, Frankreich, Institut de l'Expertise, Paris, Haus d. Technik, Essen, Verb. Dt. Ing. (VDI).

Steiner Ilse

B.: Inh. FN.: Druckerei Ilse Steiner. DA.: 1150 Wien, Ullmannstr. 37. PA.: 2380 Perchtoldsdorf, Blankenfeldg. 2. G.: Wien, 21. Juli 1945. V.: Josef R. Steiner. Ki.: Sonja-Alexandra (1974). El.: Karl Waldl u. Gertrude Würfel. S.: HAK Wien. K.: Eintritt u. b. 1973 Tätigkeit Bankhaus Schoeller, 1973 Eintritt Firma d. Ehemannes u. 1986 Übernahme d. Druckerei f. d. Herstellung aller Drucksorten m. Schwerpunkt Akzidenzdruck. H.: Bauernhof, Pferde, Lesen. (J.S.)

Steiner Ingrid

B.: Ltr. WIFI Neunkirchen. DA.: 2620 Neunkirchen, Triester Str. 63. PA.: 2620 Neunkirchen, Lottarg. 4. G.: Meiningen/Thüringen, 23. Jan. 1941. El.: Karl u. Johanna. S.: HS, 1960 HAK-Matura. K.: 1960 Eintritt Wirtschaftskam. NÖ als Ang. in Wien, Sekt. Verkehr, 1962 Wechsel z. Bez.-Stelle Neunkirchen, 1969 Fachkraft WIFI Wien, anschl. Ltg. der WIFI-Bez.-Stelle Neunkirchen u. deren Ausbau. BL.: Organ. von Kunsthandwerksausstellungen u. v. Serenadenkonzerten. P.: Beiträge u. Berichte in Zeitungen. E.: 1989 Ehrentitel Doktor, 1993 Gold. Ehrennadel d. Stadt Neunkirchen, 1994 Widmung d. Musikstückes "Ständchen f. I. Steiner" v. Kurt Schmid. M.: Ehrensenator d. Faschingsgilde, Mtgl. d. Wirtschaftsbundes u. d. Schützenges. Neunkirchen, Ballkomitee f. Ball d. Wirtschaft. H.: Oper, Musik, Theater, Schießen (Luftdruckgewehr) u. Teilnahme an Meisterschaften, Kochen, Schwimmen. (I.J.)

Steiner Johann

B.: Pächter d. ORF-Kantine. DA.: 1130 Wien, Würzburggasse. PA.: 1130 Wien, Hofwieseng. 36. G.: St. Leonhard, 7. Aug. 1928. V.: Maria, geb. Baldt. Ki.: Maria, Martin, Elisabeth. El.: Anton u. Franziska. K.: gelernter Kellner, Fleischhauer, im Gastgew. tätig, seit 1966 selbst., Bes. d. Cafe Savon, seit 1968 b. ORF m. 60 Mitarb. H.: Beruf. (A.K.)

Steiner Josef

B.: Dir. Stiftsrestaurant u. Hotel Alter Schüttkasten. DA.: 2093 Geras, Vorstadt 11. PA.: 7000 Eisenstadt, Bahnstr. 14. G.: Eisenstadt, 7. Jan. 1962. Ki.: Julia (1992). El.: Walter u. Irma. S.: VS, HS, HFS Bad Gleichenberg, ÖHV Unternehmerak. K.: 1979-83 Kellner in div. Hotelbetrieben in Mörbisch, Kitzbühel, Zell am See, 1983/84 Kreuzfahrtschiff M.S. Saga Fjord, 1984-86 Restaurantltr. Mörbisch, 1986-88 Restaurantltr. Sbg., 1989 Gschf. u. F&B Manager Ischgl, 1989-93 Restaurantltr. Mörbisch, seit 1993 Dir. Hotel Alter Schüttkasten Geras. H.: Lesen, Motorradfahren, Schach. (M.M.)

Steiner Josef Dr.

B.: Tierarzt. DA. u. PA.: 5700 Zell am See, Schillerstr. 28. G.: Mittersill, 9. Sept. 1953. V.: Elisabeth-Theresia, geb. Kunc. Ki.: Viktoria (1986), Patrizia (1987), Isabella (1990). S.: 1963-68 Stephaneum Bad Goisern, 1969 HBLA Ursprung, 1973 Matura, 1974 Militär, 1975-84 Stud. Wien, 1984 Doktorarb. am Inst. f. Tierzucht u. Genetik. K.: 1985 in Sattledt/OÖ, Ass.-Stelle b. Dr. Tutsko, seit 1986 eigene Praxis in Zell am See. (M.T.)

Steiner Karl Dipl.-Kfm. KommR.

B.: Dir. f. Reifenverkauf Erstausstattung. FN.: Semperit Reifen AG. GT.: VPräs. Fa. AOEM/Astrian Original Equipment Manufactures. DA.: 2514 Traiskirchen, Wienersdorfer Str. 20-24/2. PA.: 2346 Südstadt, Erlaufstr. 44. G.: Bad Vöslau, 21. Juli 1930. V.: Gitta. Ki.: Mag.-Ing. Klaus, Werbeass. Ulrike. S.: RG, 1949 Matura, Stud. an d. HS f. Welthdl., Ind. u. Warenhdl., 1954 Dkfm. K.: 1954-57 Arb. in d. elterl. Einzelhdls.Geschäften (Hut- u. Lederbranche), seit 1957 b. Fa. Semperit, zunächst Exportabt., versch. Länderreferate, 1962 Wechsel ausschließl. z. Reifengeschäft u. Eintritt in d. Automobil Fabrikengeschäft (fabriksmäßige Erstausstattung d. Fahrzeuge wie PKW, LKW, Anhänger, Busse, ldw. Geräte m. Reifen), 1968 Abt.Ltg. f. Erstausstattung, 1971 Prokura, 1982 Dir. BL.: Start d. bedeutenden Japan-Geschäftes 1978. P.: Interviews in d. div. in- u. ausländ. Fachzeitschriften. E.: 1990 KommR., 1992 Gold. EZ f. Verd. um d. Rep. Österr., 1994 Gr. Gold. EZ f. Verd. um d. Land NÖ. H.: Sport, bes. Leichtathletik, Jagd, Theaterbesuche, Familie. (C.K.)

Steiner Karl

B.: Gschf. FN.: Phönix-Tabor-Reisen GmbH. DA.: 1170 Wien, Hernalser Hauptstr. 168. PA.: 1070 Wien, Kirschberg-g. 4. G.: Wien, 11. Dez. 1917. V.: Margarethe. Ki.: Karl. S.: RG Wien, 1935-45 BH. K.: 1945 Eintritt in Reisebüro Cosma-Reisen, 1948-61 Prok. u. Dir. d. Verkehrsabt., 1961-64 Sutopa, 1964-70 Reisebüro Josefstadt, Dir. d. Flug-, Schiff- u. Kongreßabt., seit 1970 Gschf. d. Phönix-Tabor-Reisen GmbH. BL.: 1957 erstes Gastspiel d. Wr. Oper in London, 1969 Organisator d. ersten Fluges m. d. Wr. Philharmonikern u. Karajan rund um d. Welt. M.: Skal-Club. H.: Musik, Theater, Reisen. (A.W.)

Steiner Karl Christian Dr. med.

B.: prakt. Arzt (elektron. Akupunktur). DA.: 9073 Viktring, Orionstr. 6. G.: St. Pölten, 24. Dez. 1954. V.: Ulrike, geb. Unegg. Ki.: 2. El.: Dr. Karl u. Gertrude. S.: Matura am Neusprachl. Gymn. St. Pölten, Med.Stud. in Wien, 1978 Prom. z. Dr. med. univ. K.: Ab 1978 Turnusarzt am KH Klosterneuburg, 1982 Asienreise (Japan u. Korea), Vertiefung v. Akupunkturerfahrungen, 198-84 Ärztl. Ltr. d. Agathenhofes in Friesach, 1984 Grdg. d. Privatpraxis in Klagenfurt m. d. Schwerpunkten Homöopathie, Akupunktur u. Elektroakupunktur, seit 1985 Vortragender am Brügemann-Inst. f. Therapie m. ultrafeinen Schwingungen (Gauting/München). P.: Zahlr. Aufsätze in Fachzeitschriften über Homöopthie u. Edelsteintherapie. H.: Klass. Musik (vor allem Beethoven), Wandern, Joggen, Reiten. (D.M.)

Steiner Leopold

B.: Gschf. FN.: Steiner Freizeitmöbel GesmbH & Co KG. DA.: 4802 Ebensee, Steinkogelstr. 32. PA.: 4813 Altmünster, Hochholz 24. G.: Altmünster, 28. Juli 1943. V.: Brigitte, geb. Berger. Ki.: Alfred (1963), Karin (1964), Silke (1970). El.: Leopold u. Franziska. S.: HTL f. Maschinenbau i. Steyr. K.: 1962-67 Betriebsleiterstv., 1967-84 Gschf. einer Gartenmöbelfabrik in Gmunden/Vorchdorf, 1984 Gdrg. d. eig. Unternehmens Steiner Freizeitmöbel, s. 1984 stetiger Ausbau d. Unternehmens zum heute 5. größtem i. d. Freizeitmöbelbranche Europas. (G.E.)

Steiner Ludwig Dr. Dipl.-Vw.

B.: a.o. u. bevollmächtigter Botschafter i.R. A.: 1180 Wien, Peter-Jordan-Str. 127. G.: Innsbruck, 14. Apr. 1922. V.: Danielle, geb. Alexander. El.: Ludwig u. Rosa. S.: HAK, HS-Stud. an d. Univ. Innsbruck, Dipl.Vw. 1947, Dr. merc. 1948. K.: 1945-46 Sekr. d. LHptm. v. Tir, 1946-48 Sekr. d. Bgm. v. Innsbruck, ab 1948 BMA, 1949-51 Österr. Botschaft Paris, 1952 Ltr. d. Außenstelle Innsbruck d. BKA - Auswärtige Ang. (Südtir.-Ang.), 1952-53 Sekr d. Außenministers, 1953-58 Sekr. d. BKanzlers, 1958-61 Charge d'Affiars en pied Sofia, 1961-64 Staatsekr. im BMA, 1964-72 Österr. Botschafter in Griechenland, ebenso in Cypern 1965-72, 1972-79 Ltr. d. Polit. Sekt. d. BMA u. Gen.Sekr.Stv., Abg. z. NatR. 1979-90, Abg. z. Parl. Versamml. d. Europ. Rates 1979-90, Präs. d. Pol. Akad. d. ÖVP seit April 1989, seit 1985 Vizepräs. d. Union Europ. Christdemokraten (UEDC), seit 1991 stellv. Parteiobm. d. Tiroler VP. E.: viele in- u. ausländ. Orden u. Ausz. E.: Ehrenmtgl. d. Inst. f. Intern. Recht u. Intern. Beziehungen d. Univ. Thessaloniki.

Steiner Manfred

B.: Tischlermstr., Gschf. Ges. FN.: Bau- u. Möbeltischlerei Steiner GmbH. DA.: 5542 Flachau, Reitdorf 125. PA.: 5541 Altenmarkt 139. G.: Radstadt, 19. Okt. 1969. El.: Karl u. Gertrude. BV.: Komm R. Konsul Engelbert Steiner Firmengründer. S.: VS, HS, Berufsschule u. Tischlerlehre, 1988 Gesellenbrief, 1988 BH, 1992 Mstr.-Prüf. K.: seit 1992 Gschf. Ges. im elterl. Betrieb. H.: Skifahren, Snowboard, Radfahren. (J.F.)

Steiner Martin

B.: Goldschmied. FN.: Goldschmiede-Atelier Martin Steiner. DA.: 5084 Großgmain, Poststr. 434, 5020 Salzburg, Sterngarten an der Getreidegasse. G.: Tamsweg, 21. Sept. 1962. V.: Rosa, geb. Eichhorn. Ki.: Christoph (1986), Markus (1988), Silvia (1990). S.: VS, HS, 1978-82 Lehre Tamsweg. K.: 1982-87 Geselle Sbg., seit 1988 selbst. als Goldschmied m. eigener Kollektion in Sbg., 1990 Eröff. d. Filiale in Sterngarten, 1992 Übersiedlung nach Großgmain u. Eröff. eines weiteren Detailgeschäftes. (N.M.)

Steiner Michael Dr. iur.

B.: Ltr. d. Mobilienverw., Prok. FN.: Z-Leasing GmbH & Co KG. GT.: Handlungsbev. Eurolease Holding GmbH. DA.: 1030 Wien, Seidlg. 21. PA.: 1230 Wien, Anton-Baumgartner-Str. 44/C6. G.: Wien, 15. Febr. 1962. V.: Monika, geb. Manhardt. Ki.: Christian (1989), Carina (1990). El.: Josef u. Erna, geb. Sokol. S.: BRG, 1980 Matura, 1980-86 Stud. Rechtswiss. Univ. Wien, 1986 Prom., 1986-87 Gerichtspraxis. K.: 1987 Eintritt Z-Leasing GmbH, 1987-88 Immobilien Leasing, 1988-89 Rechtsabt., 1989-92 Ltr. d. Abt. Maschinen u. Geräte Leasing, 1990 Mitaufbau d. Exportabt., Prokura, seit 1992 Ltr. d. Mobilienverw., 1990-91 Mitaufbau d. Repräsentanz Leasing Prag u. Mitarb. b. Joint-Venture-Grdg. M.: BetriebsR.-Obm. d. Eurolease, AufsR. Z-Wr. Städt. Pensionskassen AG. H.: Sport, Lesen. (N.A.)

Steiner Michael Dipl.-Ing.

B.: Gschf. FN.: COPS Ges. f. angew. Systemanalyse u. Programmierung mbH. DA.: 1140 Wien, Hochsatzeng. 37. PA.: 1160 wien, Herbststr. 150/4. G.: Wien, 28. März 1953. V.: Anna, geb. Huber. Ki.: Lukas (1979), Matthias (1983). El.: Josef u. Felizitas. S.: BRG, 1971 Matura, Stud. an d. TU Wien (Informatik u. Rechentechnik), 1980 Dipl.-Ing. K.: 1973-81 Systemanalytiker am Rechenzentrum d. TU Wien, 1981-87 Ass. an d. WU Wien (Spez.: EDV u. Fremdenverk.), 1978 Grdg. u. Ges. d. Fa. COPS, ab 1988 gschf. Ges. d. Fa. COPS, dan. Lehrtätigk. an d. WU Wien u. Univ. Innsbruck. H.: Tennis, Schifahren, Musik, Theater. (M.M.)

Steiner Peter Dr.

B.: Volksheilkundiger. A.: 9500 Villach, St. Leonard Moosweg 6. G.: Afritz, 1. Apr. 1915. V.: Katharina, geb. Kuglitsch. El.: Steinr Griseldis u. Maier Mathias. S.: Volks-Mittel-HS u. div. Seminare. K.: Im Krieg Hilfsarzt, nachher Ltr. d. Inst. f. physikal.-gymnast.-psyholog.-metaphysisch-Naturheilk undl. Therapie, Vertragspartner aller Krankenkassen. Verantwortl. Arge-Ltr. f. Volksheilkundl. Schulungen. Red. f. eine volksheilkundl. Zeitschrift. P.: Wiss. Mitarb. d. Krebsforsch. E.: Erstes Gold. EZ f. Verd. um d. Volksgesundheit. M.: Kneippbund, Waerlandbewegung, Paracelsus-Ak. H.: Volksheilkundl. Forschungen.

Steiner Peter Dr. rer. soc. oec. Mag. Univ.-Prof.

B.: o.Univ.-Prof. Fak. f. Math. u. Wirtschaftswiss. Univ. Ulm. DA.: D-89069 Ulm, Helmholzstr. 18. PA.: 8102 Semriach, Schönegg 161. G.: Wien, 19. Dez. 1951. Ki.: Kristiana (1981). El.: Erich u. Elfriede. S.: Stud. Karl Franzens-Univ. Graz, 1990/91 C4-Prof. Osnabrück, 1991-94 WU Wien. P.: Wertpapieranalyse (1994), zahlr. Aufsätze u. Beiträge, Buchbesprechungen, Hrsg.

Banking and Finance (1993). M.: Member d. EFA u. d. SFA, Gründer d. Austrian Working Group on Banking and Finance. (M.-L.A.-M.)

Steiner Robert Dipl.-Ing.
B.: Sektionschef BM f. Land- u. Forstwirtsch. DA.: 1012 Wien, Stubenring 1. G.: Feldsberg, 13. Sept. 1931. V.: Maria, geb. Huemer. Ki.: Manuela. El.: Franz u. Katharina. S.: Mittelsch. (Fadinger-Schule Linz), Matura 1952, Stud. BOKU Wien (Landw.), Diplom 1956. K.: 1956-61 Privatwirtsch., 1961-77 Welternähr.- u. Landwirtsch.-Organ. d. FAO/UNO, Naher Osten u. Afrika (Regionalbüro d. FAO f. Afrika/Ghana, Ltr. d. gemeins. Programms d. FAO u. d. Afr. Entwicklungsbank/Elfenbeinküste, Mtgl. Special Sahelian Office), Vors. d. Programmkmsn. d. FAO, seit 1977 BMLF, dzt. Ltr. d. Sekt. III f. Wirtsch.- u. Hdls.-Pol., Mtgl. d. Gem. Kmsn. EG - Österr. (Fragen d. Wirtsch.- u. Hdls.-Pol.). P.: div. Veröff. im Berich Agrarwirtsch. u. -politik in Büchern u. Fachzeitschr. E.: Gr. Gold. EZ d. Rep. Österr., Nordsternorden d. Königreichs Schweden. H.: Aquarellmalerei, Schreiben. (J.S.)

Steiner Robert Mag.
B.: Ak. Bildhauer. DA.: 1030 Wien, Bechardg. 19. PA.: 1020 Wien, Rembrandtstr. 10/8. G.: Leoben b. Spital/Drau, 24. Nov. 1925. El.: Gottlieb u. Anna. S.: Fachschule f. Holz- u. Steinbildhauerei in Villach, 1947 Ak. d. bild. Künste (Prof. Wotruba, Prof. Gütersloh u. Prof. Dobner), 1954 Dipl. K.: 1945-47 selbst. Holzschnitzer, 1954 u. 55 Wiederaufbau Wien, seit 1956 freisch. Künstler, Werke: Synthese (1968), Astronaut (1961), Harlekin (1989), Moses (1975), Ytong (1978-79) u.a., zahlr. Schauobjekte in div. Museen (u.a. Kunsthistor. Museum Wien, Klagenfurter Landesgalerie, Österr. Galerie) u. öff. Plätzen, div. Ausstellungsbeteiligungen. BL.: Pionierarb. in bezug auf Formalistik, div. Restaurationsarb. (Staatsoper, Parlament, Burgtheater u.a.). E.: Goldmed. d. Accademia Italia (1987). M.: Inst. f. Wiss. u. Kunst (seit 1979). (P.L.)

Steiner Roswitha
B.: Ang., Ski alpin Rennläuferin, staatl. geprüfter Skilehrer. PA.: 5550 Radstadt, Unterbergstr. 21. G.: Radstadt, 19. Juni 1963. El.: Michael u. Stefanie Steiner. S.: VS, HS, Ski-HASCH Stams. K.: ab. d. 6. Lebensj. Schüler- u. Jugendrennen, ab d. 15. Lebensj. Jugend- u. Europacup, ab d. 17. Lebensj. Weltcup. E.: 1987 Silbermed. im Slalom b. d. Weltmeisterschaft, 1986 u. 1988 2x Slalom, 2x Österr. Mstr., 4. Platz Olymp. Spiele Sarajevo u. Calgary. M.: ÖSV. H.: Sport, Laufen, Kochen.

Steiner Rudolf Dr. techn. Dipl.-Ing.

B.: Vorst.-Dir. FN.: Steiermärk. Elektrizitäts-AG. DA.: 8054 Graz, Ankerstr. 6. PA.: 8042 Graz, Händelstr. 41. G.: Oberschützen, 15. Mai 1950. Ki.: Claudia (1973), Christian (1976). El.: Oberstudienrat Prof. Franz u. Dr. Hildegard. S.: Bundesrealgymn. Oberschützen/Bgld., 1968 Matura, 1 J. USA, 1 J. Bundesheer, 1970-76 Stud. Bauwesen, Techn. Univ. Graz, 1976 Dipl.-Ing. K.: 1976-84 Ass. b. Prof. Simmler i. Graz, 1984 Prom. Dr. techn., ab 1984 STEG Graz, 1988 Ltr. d. Bauabt., 1991 HBV, 1994 Vorst.-Dir. P.: div. Artikel i. ÖZE u. Fachzeitschriften. M.: WdF, VEÖ. H.: Skifahren, Modellfliegen, Tennis. (I.G.)

Steiner Rudolf Mag. phil. HofR. Prof.
B.: HAK-Dir. i.R. PA.: 3830 Waidhofen/Thaya, Lindenhofstr. 4. G.: Waidhofen/Thaya, 22. Okt. 1920. V.: Margaretha, geb. Matousek. Ki.: Mag. pharm. Eva Maria (1946), Wolfgang (1949). El.: Richard u. Ottilie, geb. Gabmeier. S.: VS, 1938 RG-Matura, 1938-45 Militär- u. Kriegsdienst, Stud. Univ. Wien, 1948 Lehramtsprüf. f. Geschichte u. Geografie. K.: 1948 Eintritt in d. Schuldienst: RG Waidhofen/Thaya, 1951-53 RG Laa/Thaya, 1953-73 RG Waidhofen/Thaya, 1973-82 HAK Waidhofen/Thaya, 1973 OSRT., 1975-82 HAK-Dir., 1982 HofR., seit 1982 Ruhestand. H.: Klavierspielen, Musik, Theater. (M.M.)

Steiner Sepp Dr. Mag. Prof.
B.: Psychotherapeut. PA.: 7091 Breitenbrunn, Bruckerg. 37. V.: Thernberg, 29. Dez. 1922. V.: Mag. Christine, geb. Schmidt. Ki.: Frank, Nick, Paul. El.: Josef u. Charlotte. S.: VS, HTL, Univ. Wien Lehrbefähigungsprüf. f. BRS. K.: 1942-45 Maschinenmaat, 1945 Berufsschullehrer, 1948 Päd. Ref. im StadtschulR. f. Wien, b. 1982 Dir. einer BRS u. Berufschulinsp., Lehrerbildner an d. Berufspäd. Ak., Ausbildner am AAI f. Psychotherapeuten. BL.: Schulgem. aufgebaut, Forsch. auf d. Gebiet d. Jugendkunde, Mitbegründer u. 1. Vors. d. Österr. Inst. f. Jugendkunde. P.: ca. 30 Publ. auf d. Gebiet d. Jugendkunde u. Päd. E.: Ehrenkreuz f. Wiss. u. Kunst 1. Kl., Gold. Ehrennadel f. Verd. um d. Wr. Elektrowirtschaft. H.: Segeln, (M.B.)

Steiner Walter

B.: Gschf. Ges. FN.: Computer Steiner GesmbH. DA.: 4910 Ried/Innkr., Fr.-Thurner-Str. 14/2. St. PA.: 4973 St. Martin i. I., Diesseits 47. G.: Neumarkt Kollham, 12. Feb. 1944. V.: Ingeborg, geb. Böcklinger. Ki.: Berndt, Doris. S: HASCH, langj. Weiterb. WIFI, Autodid. Aus- u. Weiterb. EDV-Ber. K.: seit 1977 selbst. i. EDV-Ber., 1983 Partner Fa. IBM. M.: Wirtschaftsbund, Tennisclub. H.: Beruf, Tennis. (P.H.)

Steiner Walter Dr. Dipl.-Ing. Prof.
B.: a.o. Prof am Inst. f. Angew. u. Techn. Physik, Ltr. d. Tieftemperaturanlagen TU Wien. FN.; TU Wien. DA.: 1040 Wien, Wiedner Hauptstr. 8 - 10. PA.: 1220 Wien, Moissigasse 10. G.: Klagenfurt, 12. Mai 1942. V.: Hedwig. Ki.: Arndt, Gudrun. El.: Rudolf, Edith. S.: Bundesrealschule Klagenfurt, Techn. Physiktechn. Hochschule Wien. K.: techn. Angest. b. Fa. Orione, 1969 Hochschulass. a. Inst. f. Angew. u. Techn. Physik d. TU Wien, 1980 Univ.-Prof. E.: 1972, 1975 Preise d. Theodor Körner Stiftungsfonds, 1982 Fritz-Kohlrausch Preis d. Österr. Phys. Ges. P.: zahlreiche Arbeiten in internat. wissenschaftl. Zeitschriften. M. : ÖPG. H.: Bergwandern, Musik.

Steiner Wolfgang Dr. rer. oec.
B.: Inh. FN.: Hillstein-Verlag. DA/PA.: 5017 Salzburg, Rochusg. 9. G.: Berlin, 13. Juli 1943. V.: Mag. Gerlinde, geb. Motzko. Ki.: Christoph (1970), Hannes (1972). El.: Walther u. Erna, geb. Müller. S.: 1953-61 Gymn. Salzburg, 1961-62 Abiturientenkurs HAK Salzburg, 1962-70 Stud. d. Wirt.-Wiss. Innsbruck. K.: 1962 Eintritt in elterl. Verlag, 1974 Übern. d. Alleinverantwortung. F.: Buchhandlung Motzko. E.: Haas-Preis Univ. Linz anläßl. Diss. "Marketing". H.: zuviele Hobbies und zuwenig Zeit. (C.D.)

Steiner Wolfgang

B.: Inhaber. FN.: "stone's showline", Mobildisco u. Veranstaltungsagentur. DA.u.PA.: 2560 Berndorf, Kruppstr. 3. G.: Wien, 24. März 1962. V.: Barbara, geb. Brandtner. Ki.: Stefan (1989). El.: Josef u. Gertrude. S.: Werkzeugmacher - Formenbaulehre. K.: N. d. Lehrzeit i. erlernten Beruf gearbeitet, s. 1983 Außendienstmitarbeiter einer Versicherung, nebenberufl. schon seit d. 15. LJ auf d. Bühne, 1986 Gemeinsam m. Partner Grdg. d. Mobildisco u. Veranstatungsagentur, dann Trennung v. Partner u. 1992 Gründung d. KEG. M.: Organisationsleiter d. Verein Berndorf Aktiv. H.: Skifahren, Urlaub, Griechenland, Gitarre spielen. (F.S.)

Steiner Wolfgang Wilhelm

B.: Direktor. FN.: Interunfall Vers. Ges. DA.: 8700 Leoben, Kärntnerstr. 237.PA.: 8712 Niklasdorf, Mercedes Siedlung 7. G.: Wolfsberg 30, Sept. 1950. El.: Wilhelmine u. Hans. S.: VS, HS, HASCH Graz, abgeschl. 1967, Bundesheer. K.: Österr. Bundesbahnen, zwischenzeitlich B.-Matura, s. 1972 i. Versicherungswesen, s. 1975 Interunfall, s. 1991 Bezirksdirektor, s. 1984 geprüfter Versicherungskfm. GT.: Rechnungsprüfer b. Montan-historischen Verein Österreich s. 1988. E.: 1987 Goldenes Ehrenzeichen d. Landes Stmk. H.: Akkordeon. (I.G.)

Steiner-Belfanti Kurt

B.: Pianist u. Komponist. PA.:2500 Baden, Helenenstr. 11. G.: Wien, 31. Mai 1916. V.: Erna, geb. Langer. El.: Ernst u. Elvira Steiner, geb. Belfanti. BV.: Urgroßvater Antonio Belfanti war Kdt. d. Päpstl. Leibgarde. S.: Stud. Klavierspiel b. Prof. Blaha Wien u. Prof. Breisach Stuttgart. K.: Pianist in d. Unterhaltungsmusikorchester, Auftritte m. einem Quartett in d. Schweiz, Ägypten, Deutschland u. Österr., während d. Krieges b. d. Fliegermusik dann Kapellmstr. im Hotel "Regina" München, Stuttgart, Pianist im Casino Baden, in d. Nachkriegszeit Auftritte im Amerikan. Club, 1948-50 Eng. in d. Schweiz, div. Wr. Bars u. Cafés, in Kitzbühel u. Sbg., 1950-55 Pianist in d. Roten Bar Hotel "Sacher", tägl. Rundfunkauftritte m. Klavierimprovisationen, Rundfunksendungen m. Unterhaltungsmusik, intensive kompositor. Tätigkeit, hauptsächl. Unterhaltungsmusik, seit 1980 Konzerttätigkeit zusammen m. Ehefrau Erna Schwerpunkt Wienerlieder. E.: Gold. VZ d. Rep. Österr. u. d. Landes Wien, 1. u. 2. Preis b. Hansl Schmid Wiederliedwettbewerb, Ausz. v. mehreren Liederver., Österr. Ehrenkreuz f. Wissenschaft u. Kunst. M.: o.Mtgl. AKM, Schlaraffia. H.: Antiquitäten. (N.A.)

Steiner-Klement Maria Anna Dr. phil.

B.: Schriftstellerin, Prof. f. AHS. PA.: 1110 Wien, Geiselbergstr. 33/3/9. G.: Wien, 10. Jän. 1938. V.: Prof. Mathias Steiner. El.: Johann u. Maria Klement, geb. Poisl S.: BRG Wien, 1956 Matura, 1956-61 Stud. Latein, Griech. u. Engl. Univ. Wien m. Prom. z. Dr. phil. K.: 1961/62 Probej., 1962-63 Erzieherin am BK Wien, seit 1963 BG Kundmanng. 22, 1030 Wien als Prof. f. Griech. u. Latein, ab 1968 schriftstell. Tätigkeit b. Österr. Bundesverlag. P.: zahlr. Veröff. im Schulbuchsekt. f. Latein u.a. "Imperium Romanum", "Textus" (Reihe), "Latein positiv" (Reihe). H.: Privatreisen, Literatur, Musik. (N.A.)

Steinert Heinz Dr. phil. Univ.-Prof.

B.: Univ.-Prof. f. Soz. an d. Johann Wolfgang Goethe-Univ. Frankfurt/Main, Ltr. d. Inst. f. Rechts- u. Kriminalsoz. Wien. DA.: 1016 Wien, Museumstr. 5. PA.: 2361 Laxenburg, Schloßpl. 12. G.: Teschen/Polen, 4. Aug. 1942. V.: Prim. Dr. med. Irmela, geb. Schaefer. Ki.: Fiona (1971), Nicolas (1974). El.: Franz u. Eugenie. S.: Matura, Stud. Phil. u. Psych. Univ. Wien, 1967 Prom. K.: 1969/70 Bewährungshilfe, 1970-72 Univ.-Ass. Inst. f. Soz. d. Univ. Graz, 1971 Habil., seit 1973 wiss. Ltr. d. Ludwig Boltzmann-Inst. f. Kriminalsoz., seit 1983 Inst. f. Rechts- u. Kriminalsoz. Wien, seit 1978 Prof. f. Soz. u. Sozialpolitik Johann Wolfgang Goethe-Univ. Frankfurt/Main, 1980/81 u. 1987/88 Dekan d. Fachbereichs Ges.-Wiss., 1991 Visiting Prof. Univ. of Melbourne/Australien. P.: Autor zahlr. Bücher u.a. Symbol. Interaktion (1973), Die Fabrikation d. zuverlässigen Menschen (1980), Ärgernisse u. Lebenskatastrophen (1989), Adorno in Wien. Über d. (Un-) Möglichkeit v. Kunst, Kultur u. Befreiung (1989), Die Entdeckung d. Kulturind. (1992), Mithrsg. d. "Kriminalsoz. Bibliografie" Wien u. d. Zeitschrift "Neue Kriminalpolitik" Baden-Baden, Editorial Board d. Zeitschrift "Contemporary Crises" Amsterdam, Mitbegründer u. mehrere J. Mithrsg. u. Red.-Mtgl. d. "Österr. Zeitschrift f. Soz.", Mtgl. d. wiss.BeiR. d. Zeitschrift "Kriminolog. Journal" Weinheim. H.: Musik (Jazz, passiv u. aktiv). (J.S.)

Steinhagen Erhard

B.: Reprotechn., PR- u. Werbeltr. G.: Jauer/BRD, 29. April 1941. V.: Eva-Maria. Ki.: Alexander u. Nikolaus. El.: Maria u. Wilhelm. S.: Realgymn. Stubenbastei, Höh. Graph. Lehr- u. Versuchsanstalt, HS f. Werbung u. Verkauf. K.: 1963 Ausbild. b. Österr. BH, 1964-65 versch. Tätigk. auf Geb. Reprotechnik u. Werbung, 1965-71 Werbeltr. b. Römerquelle, 1971-94 Werbeltr. Avenarius-Chem. Fabrik, s. 1995 Werbeltr. Liberales Forum, Organ.: s. 1992 Präs. d. Österr.-Ukrain. Ges. (ÖUG), organ. s. 1982 große Veranst. f. kranke u. hungernde Kinder in d. Ukraine (3x Konzerthaus, Musikvereinsaal, Raimundtheater, 2x ORF). E.: Silb. VM v. Österr. Roten Kreuz, Silb. Ehrenmed. am rot-weiß-roten Band v. Österr. Samariterbund, Bronz..-Silb. u. Gold. VM d. Arge Sonnenzug. P.: "1683 Ukrain. Kosaken u. Kolschytzky" zus. mit Borys Jaminskyi, s. 1994 Hrsg. d. Journals "kieWien", Druck "Holzhausen".

Steinhardt Dieter

B.: Gschf. Ges. FN.: "Energy Consulting" Energieberatung u. Planung GmbH. DA.: 2351 Wr. Neudorf, IZ-Süd, Str. 1. PA.: 1130 Wien, Kupelwieserg. 35. G.: Wien, 9. Jän. 1939. V.: Elisabeth, geb. Grünzweig. Ki.: Hubert (1970), Christina (1973). El.: Dr. Oskar u. Dr. Thea. S.: 1957 RG-Matura, Stud. Maschinenbau TH Wien. K.: 1959 Ang. in Firma Hinteregger, 1960-62 Gebrauchtwagenchef in Firma Hinteregger, 1962-63 Ersatzteil- u. Gebrauchtwagenchef u. gleichzeitig Ausbild. auf d. Datenverarb.-Gebiet u. Betriebsorgan. in Deutschland, ab 1965 Organ. d. Datenverarb. auf d. Gebiet d. Ersatzteilorgan., zusätzl. Organ. u. Überwachung d. gesamten Neubautätigkeit u. innerbetriebl. Organ. d. Arbeitsabläufe, Übernahme d. gesamten Energiemanagements, Ausbild. b. Firma Ford USA f. mod. Ersatzteil- u. Werkstättenmanagement, 1968 nach Grdg. einer kunststoffverarb. Ind. im Rahmen d. Firma Hinteregger Techn. Chef d. gesamten Kunststoffirma m. eigenen Betrieben in Österr., Rep. Irland, Deutschland u. USA, 1976 Mitbegrdg. u. Prok. einer Firma, d. sich m. Gewinn unkonventioneller Energie u. Einsparungen auf d. Gebiet d. konventionellen Energieträger befaßt, Übernahme einer Lizenzfertigung v. Sonnenkollektoren d. Firma Messerschmitt, Bölkow, Blohm GmbH BRD 1977, 1978 Entwicklung eines eigenen Kollektors gemeisam m. Firma Messerschmitt, 1985 Grdg. u. gschf. Ges. d. Firma Energy Consulting m. d. Übernahme u. Weiterentwicklung d. Produktion d. Sonnenkollektors "Econ - EKS 2000". (M.M.)

Steinhardt Wolfgang Gen. Dir. HandelsR.
B.: Gschf. Ges. FN.: Elscint Medical Technology GmbH. GT.: Gschf. Ges. d. Steinhardt Ges.m.b.H., Kommanditist d. Steinhardt Ges.m.b.H. & Co KG. DA.: 2000 Stockerau, Josef Sandhoferstr. 4. PA.: 1220 Wien, Spargelfeldstr. 162/H196. G.: Wien, 26. Juli 1948. V.: Vera, geb. Rezac. Ki.: Dieter (1974), Peter-Michael (1976). El.: Engelbert u. Cäcilia, geb. Moser. S.: 1958-61 Wr. Sängerknabe, 1964-68 Graf. Lehr- u. Versuchsanst. K.: 1969-70 Betriebsltr. b. Atlas-Druck, 1970-72 im Außendienst f. Reprotechnik u. Microfilm b. Agfa-Gevaert, 1973 3M Österr. Eintritt als Junior-Verkäufer, Austritt als Bereichsltr. f. Behörden u. KH, 1978-79 Gschf. EMI Technology GmbH, 1979-82 Gschf. Kontron Österr., 1983 Grdg. d. Fa. Steinhadt GmbH & Co KG, 1990 Einstieg als Hpt.-Ges. u. Gschf. Ges. Elscint Medical Technology GmbH; korrespond. HandelsR. d. Dominikanischen Rep. F.: ELSCINT Medical Technology GmbH, Alleineigent. s. Okt. 1993 STEINHARDT GmbH, STEINHARDT GmbH & Co KG, BIOLAB GmbH & Co KG, Wasserkraftanlagen-Betriebsges.m.b.H., SK Trading Ges.m.b.H., Gasthof Forellenhof Ges.m.b.H. P.: Vortragstätigkeit im In- u. Ausland. M.: Bruderschaft St. Christoph, Pfadfinder. H.: Musik, Videofilmen, Privatpilot. (N.A.)

Steinhardt-Schmidt Thea Dr. med.
B.: Internistin. GT.: gerichtl. beeid. Sachv. DA. u. PA.: 1130 Wien, Rußpekg. 1. G.: Wien, 11. Jan. 1943. V.: Schmidt Peter. El.: Dr. Oskar u. Thea Steinhardt. BV.: Vater Dr. Oskar Steinhardt, einer d. 1. Herzchir. in Österr. S.: Lysee de France Vienne, Externistenmatura, Med.Stud. an d. Univ. Wien, 1972 Prom. K.: KH Lainz b. z. FA-Ausbild., 4 J. Rehabilitationszentrum f. Diabetes u. Stoffwechselerkrankungen in Laab/Walde, 1978 Praxiseröff., seit 1983 freier Gutachter im LInvalidenamt f. Wien, NÖ u. Bgld., f. Sozialmin. u. bei Gericht tätig, Schwerpunkt in d. med. Praxis: Stoffwechselsektor. P.: Diabetesschulung, Kongresse, Diabetes u. Schwangerschaft. E.: 1960 Österr. Jugendmstr. in Tennis, 1961 in Wimbledon gespielt. M.: EASD, Dt. Diabetesges., Österr. Diabetesges., Gutachterverb., Tennisclub (Hietzinger Tennisver.). H.: Tennis, Skifahren, Reisen, Bridge. (E.L.)

Steinhart Johannes Dr.

B.: OA, Ärztl. Ltr. d. KH Göttlicher Heiland. DA.: 1170 Wien, Dornbacherstr. 20-28. PA.: 2320 Schwechat, Altkettenhoferstr. 4. G.: Wien, 13. Jan. 1955. V.: Susanne, geb. Hellmann. Ki.: Laura (1990), Sebastian (1991). El.: Karl u. Maria. S.: VS, RG, 1973 Matura, Med.-Stud. Univ. Wien. K.: 1984 Eintritt KH Göttlicher Heiland als Turnusarzt, Urologie-Fachausbild., Ärzteverteter KH z. Göttlichen Heiland, 2 J. Postgraduate Stud. über Spitalsmanagement WU Wien, 1989 Wahl in d. Wr. Ärztekam., 1992 ärztl. Ltr., seit 1993 Vors. d. Verw.-Aussch. d. Wohlfahrtsfonds d. Wr. Ärztekam., 1993 Eröff. d. eigenen Ordination f. Urologie, 1070 Wien, Stiftg. 21/1/17. H.: Tennis, Laufen, Oldtimer restaurieren, Musik, Tischlern, Zen. (J.M.)

Steinhauer Erwin
B.: Kabarettist d. Kulisse. GT.: seit 1982 Burgschauspieler. DA.: 1010 Wien, Dr.-Karl-Lueger-Ring 2. G.: Wien, 19. Sept. 1951. Ki.: Matthias, Iris. El.: Wolfgang u. Maria. S.: Matura, Stud. Germanistik u. Geschichte. K.: 1974-76 freischaffend, Texte u. Lieder geschrieben, Auftritt: Club Atlantis, Tourneen: München, Österr. Kabarett Keif, Kontakt m. Bronner, 1. Sendung im Fernsehen: Showfenster, 1974 Österr. f. Österr.: Sprachkurs f. Österr. Dialekte, 1976 Theater an d. Wien: Evivva Amico, Filme: Alpensaga, Holocaust, 1977/78 Kabarett Simpl, 1979 Düsseldorf: Komödchen, 1980 Wien Theater d. Courage, Gruppe Arge Kabarett gegründet, 1982 Kulisse Wien, 1. Soloprogramm "Entlassen", weitere Soloprogramme, 1982 Burgtheater Wallenstein, Fernseharb.: 1978 "Gschichten über ...", 1984 12 Folgen "Der Sonne entgegen", 1987 Bayr. Fernsehen "Canal Fatal" (Serie). P.: Texter "Meine ersten fünf Programme", ca. 60 Fernsehsendungen. H.: Beruf, Tennis. (A.K.)

Steinhauer Rüdiger Ing.

B.: Geschäftsführer. FN.: Multilift Transportgeräte GesmbH. GT.: gschf. Gesellschafter d. Cargolift Kft. Budapest, gschf. Ges. d. Mulitlift SSRO Prag. DA.: 2512 Tribuswinkel, Handelsstr. 17. PA.: 2353 Guntramsdorf, Josef Lanner Str. 8. G.: Öblarn, 12. April 1945. V.: Hannelore, geb. Weltzl. Ki.: Eva (1981). S.: TGM Wien (Kraftfahrzeugbau), 1964 Matura m. Auszeichnung. K.: 1965-66 Tätigkeit i. d. Versuchsabteilung d. Österr. Saurerwerke; 1967-68 SGP, ebenfalls i. d. Versuchsabteilung, 1968-80 Fa. Klinger AG, Gumpoldkirchen: zuerst im Verkauf, dann Product Manager, 1981-91 Geschäftsführer d. Fa. Stöcklin GmbH Lagertechnik; seit 1991 Geschäftsführer d. Fa. Mulitlift. M.: seit 1988 Vorsitzender d. ARGE Lager-, Fördertech. u. Betriebseinrichtungen in d. Wirtschaftskam., Fachbeirat d. Messe VFL Salzburg. H.: Ski, Kultur. (F.S.)

Steinhauser Erwin

B.: Präs. FN.: Asahi Union Budokan Austria. DA u. PA.: 1020 Wien, Wehlistr. 160-62/1/7. G.: Wien, 4. Apr. 1940. V.: Christine, geb. Tomischek. Ki.: Christian (1979), Barbara (1984). El.: Franz u. Agnes, geb. Sturm. S.: VS,HS, Berufssch. Formenbaumstr., 1965 Mstr.-Prüf. K.: 26.6.65 i. d. Formenbau- u. Kunststoffind. tät., 1970 Grdg. d. Verein. Judo Club Asahi, 1973 Entwurf v. Maskottchen, d. 1975 b. d. Judo-WM i. Wien verw. wurde, 1978-83, Präs. d. Landesverb. NÖ., spät. Erweit. d. Vereins auf andere Sportarten u. a. Aikido, Iai-Do. E.: neb. vielen ander. Ausz. 1994 "5.Dan". H.: Plastische Künste, Surfen. (N.A.)

Steinhauer Wolfgang Dir.
B.: Hoteldir. DA.: 6020 Innsbruck, Universitätsstr. 5-7. G.: Wien, 1. Okt. 1930. V.: Ingeborg, geb. Krotzer. Ki.: Thomas. El.: Josef Leopold u. Gertrud. BV.: Lederer KzlR. in Esslingen. S.: Pflichtschule, RG, Matura 1949, 1953-55 Hotelfachschule in Wien. K.: 1949-52 b. Lenz Moser Weinbaulehre u. im Verkauf, in München u. Stuttgart als Dolmetscher beim jeweilg. amerikan. Hauptquartier tätig, 1955-58 Empfangschef im Tannbergerhof in Lech, 1958 Dir. im Hotel Rex Cattolica Italien, 1959-61 Aufbau d. Wienerwaldkonzern m. Herrn Jahn, 1961-68 Empfangsdir. im Golfhotel

Iglerhof in Igls, 1968-69 Manager d. Rock-Sound-Club auf d. Bahamas, 1969-74 selbst. Führung d. Hotels Excelsior in St. Gilgen u. d. Parkhotel Strobl, 1975-77 Luxushotel St. Oswald, seit 1977 Dir. d. Hotel Grauer Bär in Innsbruck. BL.: 1980 Gründer d. ersten Innsbrucker Hotelring. H.: Ernste Musik, Tennis, Langlaufen. (Schm.)

Steinhauser Othmar Dr. Prof.

B.: Univ.-Prof. am Inst. f. Theoret. Chemie. DA.: 1090 Währinger Str. 17. PA.: 1160 Wien, Seeböckg. 36/27. G.: Hirschbach, 12. Nov. 1949. V.: Maria. S.: Gymn., Stud. Math., Chemie u. Physik Univ. Wien, 1976 Prom. K.: 1976 Univ.-Ass., 1979-80 Karlsruhe, 1984 Habil., 1987 Prof. Gutenberg-Univ. Mainz, a.o.Prof. am Inst., 1991 Prof. am Inst., 1992 Vorst. EDV-Zentrum. P.: 40 Veröff. H.: Griech. Phil., Existenzphil., Naturphil. (H.S.)

Steinhauser Peter Dr. a.o.Univ.-Prof.

B.: Univ.-Prof. GT.: Dir. d. Zentralanst. f. Meteorologie. DA.: 1190 Wien, Hohe Warte 38. PA.: 1190 Wien, Delugstr. 8. G.: Wien, 3. Apr. 1941. V.: Sigrid, geb. Bruckmayer. Ki.: Wolfgang (1977), Georg (1979). El.: Univ.-Prof. Dr. Ferdinand u. Grete, geb. Krumpholz. S.: Matura, Stud. d. Geophysik, Meteorologie u. Physik, Math. Univ. Wien, 1965 Prom. K.: 1965-71 Ass. Lehrkanzel Geophysik, 1968 1 Sem. wiss. Mitarb. TU Clausthal/BRD, 1971/72 Res. Assoc. St. Louis Univ. USA, 1971 Habil., 1972/75 OAss. Inst. Meteorologie u. Geophysik, 1975 a.o.Prof., 1978 Inst.-Vorst., 1985 Dir. d. Zentralanst. BL.: Intensive Beschäftigung physikal. Methoden, Anwendung im Hochgebirge. P.: ca. 100 Publ., Vorträge im In- u. Ausland. E.: 1971 Amerikan. Anerkennung f. Vortrag, 1981 Förderungspreis d. HS Jubiläumsstiftung d. Stadt Wien. M.: Mtgl. d. New York Academie of Sciences, korresp. Mtgl. d. Österr. Ak., 1982 Wahl korresp. Mtgl. d. Österr. Kmsn. f. d. intern. Erdmessung, 1981-83 Gen.-Sekr. d. European Geophysical Society, seit 1991 VPräs. d. Regionalassociation Europa d. WMO. H.: Bergwandern, Skifahren, mod. Kunst. (N.A.)

Steinhauser Robert

B.: Inh. DA.: 1100 Wien, Davidg. 79. G.: Wien, 5. Aug. 1960. V.: Manuela. Ki.: Michele. El.: Erwin u. Elisabeth.. S.: Höhere Graf. BLVA, 1978 Abschluß, K.: b. 1980 Repro- u. Grafikpraxis b. Firma Rhozon, seit 1986 selbst. m. Schwerpunkt Offset-, Tief- u. Siebdruck. H.: Squash. (F.S.)

Steinhauser Rosita

B.: Choreographin. PA.: 1120 Wien, Steinbauerg. 23/6. G.: Wien, 18. Mai 1948. El.: Karl u. Johanna Steinhauser. S.: ab 1962 Ballettausbild. Ak. f. Musik u. Darstell. Kunst Wien, 1966 Reifeprüf. in d. Kl. Rosalia Chladek. K.: Erste Engagements b. d. Sbg. Festspielen, am Stadttheater Klagenfurt, Theater an d. Wien: Tänzerin u. choreograph. Ass., Übergang zu Choreographie m. vielen Broadwaychoreographien u.a. m. Helmut Baumann, b. 1980 am Theater an d. Wien, seither freischaff.: "Boccaccio" 1991 Gärtnerplatztheater München, "Zaubergeige" 1990 Gärtnerplatztheater, "Die Zirkusprinzessin" u. "Ein Walzertraum" Wr. Volksoper, Kassel, Graz, St. Gallen, Augsburg, Ulm, auch Kabarett, seit 1988 jährl. Wr. Festwochenerööff. auf d. Rathausplatz. E.: 1978 Christl Zimmerl-Preis. H.: Theater, Konzerte, Schwimmen. (R.J.)

Steinhäußer Hans Dr. w.HofR. Univ.-Prof.

A.: 9020 Klagenfurt, Tarviser Str. 148. G.: Bad Homburg, 20. März 1904. V.: Rosl, geb. Zeilinger. El. Wilhelm u. Auguste. S.: Gymn., Stud. d. Math., Physik u. Geophysik, Prom. 1929 an d. Univ. Frankfurt/M. K.: 1929-45 Meteorologe bzw. Ltr. v. dt. u. österr. Wetterdiensten, 1946-80 Hydrologe u. Meteorologe d. Hydrograph. LAbt. Klagenfurt, 1966 w.HofR., seit 1960 Doz. an d. TH Graz, seit 1973 tit.a.o.Prof. P.: Veröff. in dt. u. österr. Fachzeitschriften. E.: Theodor Körner-Preis. M.: Vorst.Mtgl. d. Österr. Ing. u. Arch.Ver. u. d. Naturwiss. Ver. f. Ktn. H.: Musik.

Steiniger Erich Prof.

B.: ak. Grafiker. GT.: Lehramt. DA.: 1020 Wien, Vorgartenstr. 211. PA.: 1030 Wien, Daponteg. 7/12. G.: Ober-Rabenthan, 19. Nov. 1939. V.: Christine, geb. Vogel. Ki.: Florian, Georg, Anna. El.: Johann u. Theresia. S.: 1963 Matura, Stud. Ak. f. Bild. Kunst. K.: zahlr. Einzelausstellungen, Ausstellungen im In- u. Ausland. P.: 1967 Kardinalpreis, 1968 Kulturförderungspreis d. Landes NÖ, 1971 Preis d. Min. f. Unterricht u. Kunst, 1972 Gold. Ehrenmed. d. Künstlerhauses, 1973 1. Preis b. Österr. Graphikwettbewerb Krems, 1978 Theodor Körner-Preis, 1979 Kulturförderungspreis d. Stadt Wien, 1986 1. Preis Biennale Kairo, 1986 2. Preis Österr. Graphikwettbewerb Hommage à Kokoschka, 1988 Kulturpreis d. Landes NÖ. (P.R.)

Steininger Andrea-Beate

B.: Gschf. Ges. FN.: AS Agency WerbegesmbH. DA.: 4020 Linz, Schillerstr. 53. G.: Bottrop, 14. Nov. 1951. V.: Dipl.-Ing. Ferdinand. El.: Carl u. Gisela. S.: 1970 Matura, 1970-77 Stud. Dt. u. Biologie Univ. Bonn, 1976 1. u. 1977 2. Staatsprüf., 1981-83 Stud. BWL Univ. Linz. K.: 1976-79 Lehramtstätigkeit, 1979-80 wiss. Ass. d. Productmanagers, AD-Betreuung Fa. Astra, 1980-82 Productmanager, 1982-83 Productmanager Chemie Linz, 1983-84 Tätigkeit in Werbeagentur Freund, 1984-86 Createam Linz, 1986-88 Gruppenltr. C + M Company Wels, 1989 Grdg. eigener Fa. H.: Segeln, Reisen, Lesen. (H.B.)

Steininger Erwin Karl Dr. med. vet.

B.: selbst. Tierarzt. FN.: Tierklinik Leonding. DA. u. PA.: 4060 Leonding, Mayrhansenstr. 21. G.: Alfeld/BRD, 27. Okt. 1931. V.: Hildegard, geb. Altzinger. Ki.: Karin, Erwin jun. S.: VS Alfeld, Gym., 1950 Mat. in Salzburg, 1950-55 Stud. d. Veterinärmed. in Wien, 1955 Prom. K.: 1956 Praxiseröffnung, 1970 Fertigstellung d. ersten Baus d. Tierklinik Leonding nur f. Kleintiere, 1977 Fertigstellung d. Erweiterung d. Klinik, bis 1991 Ltr. d. Veterinärverw. d. Magistrates d. Landeshauptst. Linz (insg. ca. 30J.). P.: mehrere Fachartikel u.a. in d. Wiener Tierärztl. Monatsschrift u. weiteren Fachzeitschr., Vortragstätigk. im Rahmen v. Fortbildungen f. Tierärzte. M.: AAHA: American Animal Hospital Association, ISVNU: Sekr. d. Intern. Society of Vet. Nephrology a. Urology, IVENT: Intern. Vet. Ear Nouse and Throat Ass., WSAVA: World Small Animal Vet. Ass. H.: Reisen, vor allem Amerika, Tennis, viel lesen: Reisebeschreib., akt. Belletristik, Geschichte. (U.A.)

Steininger Franz

B.: Geschäftsinh., Fleischhauer. FN.: Steininger Franz Schlachthof. DA. u. PA.: 2115 Ernstbrunn, Simonsfeld 61. G.: Wien, 26. Mai 1966. V.: Ursula, geb. Helm. El.: Franz u. Anna. S.: Berufsschule Fleischhauer, 1989 Mstr.-Prüf. K.: i. väterl. Betrieb in allen Arbeiten ausgebildet. H.: Firma, Familie, Skifahren. (W.M.)

Steininger Franz
B.: Bgm. d. Marktgem. Garsten, LBmtr. (Lebensmittelaufs. Organ). PA.: 4451 Garsten, Konventweg 26. G.: 1. Okt. 1948. V.: Katharina, geb. Wöntner. Ki.: Claudia, Andreas. S.: kfm. Berufsschule Steyr, Großhdls.Kfm., Fachausbild. in Hygieneinst. Wien u. Linz. K.: 1968 Amt d. OÖ LRg., 1970 BH Steyr-Land, seit 1973 GemR., 1979 VBgm., 1983 Bgm. H.: Sport, Skifahren, klass. Musik. (A.W.)

Steininger Herbert Dr. iur.
B.: Präs. d. Oberst. Gerichtsh. d. Rep. Österr. GT.: s. 1978 Strafrechtsl. a. d. Uni. Wien, ab 1982 Honorarprof. f. Strafrecht u. Strafprozeßrecht. s. 1.1. 1991 Präs. d. Oberst. Berufungs- u. Disziplinarkomm. f. Rechtsanw. u. RA-Anw. DA.: 1016 Wien, Justizpalast. G.: Wien, 24. Juni 1933. S.: Matura 1951 Wien, Stud. d. Rechtswiss. Univ. Wien, Prom. 1955. K.: Ab 1960 Richter, ab 1963 Staatsanw. b. d. Staatsanwaltsch. Wien, ab 1969 b. d. Oberstaatsanwaltsch. Wien, ab 1973 stellv. Ltr. d. Evidenzbüros d. OGH, ab 1976 Hofr. d. OGH, tätig i. zwei Strafsenaten d. OGH u. Ltr. d. Evidenzbüros, ab 1991 Senatspräs. d. OGH u. Vors. e. Strafsenates (u.a. 1992 i. "Lainz-Prozeß"), s. 1.Jan. 1994 Präs. d. OGH. P.: Autor vieler strafr. Publik. u.a.: d. führ. Strafrechtskommentars, d. Standardw. d. österr. Strafrechtslit. Mitautor d. Wr. Kommentars z. Strafgesetzb. E.: Gr. Tirol. Adler-Orden. M.: Mitgl. zahlr. jur. Fachorg., Chefred. d. österr. Jur.-Ztg. H.: Strafrecht. (J.S.)

Steininger Herbert
B.: Innenarch. FN.: Techn. Büro f. Innenarch. u. Design. DA. u. PA.: 8043 Graz, Unterer Plattenweg 18. G.: Oeblarn, 17. Dez. 1942. V.: Mag. Edith, geb. Pinteritsch. Ki.: Hemma (1976), Johannes Peter (1990). El.: Karl u. Hermine. S.: 1961 Stiftsgymn. Admont, BH, designbetontes Stud. TH. K.: Hoch- u. Städtebau Schweden, Schweiz u. Österr., 1972 selbst. Techn. Büro, umsatzorientierte Handelsarch., Selbstbedienungsmärkte, Messestände, Baumärkte, Arztpraxen, Sanitärausstellungen, Villen, Wohnungen, Industrial Design. E.: Sieger b. 5 Gestaltungswettbewerben. H.: Fischen. (C.R.)

Steininger Karl

B.: Konditormeister. FN.: Rathauscafe K. Steininger. DA u. PA.: 5760 Saalfelden, Rathausplatz 3. G.: 07. Sep. 1939. V.: Ilse geb. Reiner. El.: Johann u. Maria. S.: VS, HS. K.: Berufssch. i. Krems,Lehre i. Allensteig b. F. Widhalm, 1958 Bh, 1959-60 i. Lofer, Auslandspraxis 6 Saisonen USA, 2 J. Zürich a. Partissier u. Konditor, 1 J. GB Mayfair Hotel u. Uppingham, 1966 Konditorenmeisterpr., s. 1972 selbst. m. Cafe-Konditorei i. Saalfelden, s. 1983 Neuerrichtung . M.: Ski-Sport, Golfclub, Tennisclub. H.: Schifahren, allg. Sport, Golf, Tennis. (J.F.)

Steininger Kristina
B.: Masseurin, Lebens- u. Sozialberaterin. FN.: Massagefachinstitut K. Steininger. DA.: 4020 Linz, Starhembergstr. 57. G.: Znaim, 10. Okt. 1939. Ki.: Gabriele (1965), Andrea (1968). El.: Johann u. Rosa. S.: HASCH Steyr, Massageausbild. u. Weiterbild.-Lehrg., 4jähr. Feldenkreisausb. in München. K.: Seit 1981 selbst., Spez.-Geb.: Feldenkreis u. Sexualität. M.: "Zellkern" psych.-soz. Betreuung v. Krebskranken u. deren Angehör. (Grdg.-Mtgl.), Vors. d. Feldenkreisverb. Österr. H.: Beruf. (P.H.)

Steininger Manfred Dr. iur.
B.: RA u. Verteidiger in Strafsachen. DA.: 1080 Wien, Florianig. 54. G.: Zwettl, 13. Nov. 1956. V.: Dr. Barbara, geb. Feldhofer. Ki.: Marlene (1982), Caroline (1990). El.: Karl u. Theresia. S.: Gymn. Gmünd, 1975 Matura, SS 1977 bis WS 1980 Jusstud. Univ. Wien. K.: 1981 Rechtspraktikant, 1982-86 RA-Anw., seit 1986 selbst. als RA: Erbrecht, rechtl. u. wirtschaftl. Betreuung v. Liegenschaften (Kauf, Miete, Pacht, Dienstbarkeiten, Baurecht, Gebäude u. Betriebe, Besitz- u. Eigentumsschutz, Ertragssicherung, Umwelt-, Wasser- u. Nachbarrecht). H.: Radtouren, Tennis. (J.S.)

Steininger Oliver
B.: Inh., Grafiker. FN.: PICASSO Werbung. DA. u. PA.: 6800 Feldkirch, Schießstätte 12. G.: Bludenz, 27. Okt. 1966. El: Gottfried u. Helga. S.: Gymn. Dornbirn, Militär 1988. K.: 1986-87 b. Werbeagentur in Dornbirn (Grafiker u. Siebdrucker), 1989 Bürokfm. in Lustenau, 1990 Reprotechn. in Hard, 1991 Ltr. d. Abt. Grafik in Werbebüro, 1992 Gründ. d. Werbebüro PICASSO in Dornbirn f. Gastronomie-Fremdenverkehr, Werbung aller Art. P.: Nachtschwärmer/Hotelführer, Firmenpräsentation. H.: Ostblockreisen, Komm. m. Persönlichk., Schach, Wandern, Naturcamping, Lit., Palmen u. exot. Pflanzen, Umweltschutz. (I.D.)

Steininger Rudolf Karl Mag. rer. soc. oec.
B.: BVerb.Sekr. u. Geschf. d. Ver. Österr. Transportbetonwerke. GT.: Mtgl. d. Gschf. d. Ver. Österr. Beton- u. Fertigteilwerke. DA.: 4020 Linz, Hasnerstr. 36. PA.: 4020 Linz, Bäckermühlweg 71. G.: Grieskirchen, 10. Okt. 1951. El.: Rudolf u. Theresia. S.: 6 J. BEA Saalfelden, 1971 Matura in Wels, Militär u. anschl. BWL-Stud. in Linz, 1976 Abschluß. K.: Eintritt in d. Verb. Österr. Beton- u. Fertigteilwerke, 1978 Bestellung z. BVerb.Sekr. H.: Schach, Wandern. (H.D.)

Steininger Verena
B.: Goldschmiedin. A.: 4400 Steyr, Reithofferg. 3. G.: Wien, 20. Juli 1962. El.: Ing. Helmut u. Aneli Steininger. S.: BG Steyr, Fachschule f. gestaltendes Metallhandwerk (Gürtler-, Gold- u. Silberschmiede), HTL Steyr. K.: Ang. b. Goldschmiedefa. in Zeit, als Kundenberaterin, Entwurfzeichnungen, Atelier. P.: Ausstellung d. selbst hergestellten Schmuckstücke im Rahmen d. intern. Sommerak. f. bildende Kunst in Sbg. E.: Ausz. b. d. Gesellenprüf. im Rahmen d. 4jährigen Schulzeit d. Fachschule. M.: Reitclub Steyr. H.: Reiten, Skifahren, Schwimmen, Sammeln v. Kunstgegenständen.

Steininger Wolfgang Dr. iur.
B.: Gesandter. DA.: BMfAA, 1014 Wien, Minoritenpl. 9. G.: 18. Juli 1941. S.: Jusstud. an d. Univ. Wien, 1966 Dr. iur. K.: 1966-67 BKam. d. gewerbl. Wirtschaft, Außenhdls.Abt., 1968-71 Österr. Hdls.Delegation Paris, 1971 Dienstantritt im BMA, 1971-73 BMA, 1973-75 Österr. Gesandtschaft Prag, 1975-79 Österr. Botschaft Helsinki, 1979-82 BMA, 1982-83 Geschäftsträger a.i. an d. Österr. Botschaft in Damaskus, 1983-88 a.o. u. bev. Botschafter in Kuwait, mitakkreditiert in Katar u. Bahrain, 1988-92 Österr. Gen.-Konsul in New York, seit 1993 Ltr. d. Abt. IV/1 (Rechtsschutz) im BMfAA. E.: Kommandeurkreuz I. Kl. d. Finn. Löwenord., Gr. Verd.Kreuz d. Verd.Ord. d. BRD.

Steinitz Erich K. Dr.
B.: ltd. Red., Ressortltr. d. ORF. GT.: Univ.Lektor. DA.: 1130 Wien, Küniglberg, Würzburgg. 30. PA.: 2500 Siegenfeld, Am Bühel, Querweg 14. G.: Wien, 16. Juni 1946. V.: Brigitte, geb. Hille. Ki.: Katharina Nora. El.: Eduard u. Maria. S.: Stud. an d. Univ. Wien: Theoret. Physik, Math., Phil., Erkenntnistheorie, 1978 Prom. K.: seit 1970 b. ORF angestellt, Red. b. folg. Programmen: Unter d. Lupe, Wissen aktuell, Mosaik d. Fortschritts, Wissen heute, Welt d. Wiss., Welt u. Wissen, Euro-Ringsendungen, Bild. kurz - aktuell, Plus -

minus etc., Erwachsenenbild. Entwicklung folg. Programme: Bild. aktiv, Heiml. Profis, Nova, Perspektiven, Faszinierende Forsch., Medienverbundprogramme seit 1984, Themen: Kommunikation, Wirtschaft, Sicherheit, Umwelt, Technik, war Lehrbeauftragter an d. Univ. Klagenfurt, seit 1984 Lehrbeauftragter an d. Univ. Innsbruck: Krit. Medienerziehung, Lehrbeauftragter an d. Univ. Wien: Medienanthropologie, seit 1984 in d. Abt. FZ Servicesendungen. P.: Seminare im Rahmen v. Forsch.-Projekten, zahlr. Vorträge, zahlr. Dokumentationen, Medienverbund, Regietätigkeit. E.: 1976 Staatspreis f. Wiss.-Publizistik, George-Eastman-Med. 1992 f. Verd. um d. Fotografie, Silb. EZ f. Verd. um d. Rep. Österr. H.: Bücher. (E.L.)

Steinitz Georg
B.: Ressortltr. Familienfunk ORF Landesstudio Sbg. DA.: 5010 Salzburg, Nonntaler Hauptstr. 49D. PA.: 5082 Grödig, Salzweg 1. G.: Linz, 16. Sept. 1937. Ki.: Alexander (1967), Sylvia (1969), Elisabeth (1974). El.: Edwin u. Maria. S.: Mozarteum, Reifeprüf. f. Schauspiel u. Regie. K.: versch. Ass.-Jobs b. Film, Kameramann in Amerika, 10 J. Ressortltr. ORF Sbg., insgesamt 25 J. b. ORF Sbg. E.: Landesausz., 1982 VZ in Gold. M.: Austro Austrian Society. H.: histor. interessiert, Radfahren, Bergwandern, kabarettist. u. literar. tätig. (M.C.)

Steinitz Karl Leopold
B.: Gschf. Ges. FN.: New England Nuclear Cooperation GmbH. DA.: 1020 Wien, Lassallestr. 2. G.: Wien, 15. Nov. 1950. V.: Ingrid, geb. Heinrich. El.: Eduard u. Maria. S.: VS, HS, HTL, abgeschl. Lehre als Fernmeldemonteur, Post, kfm. Praxis, New Engl. Nuclear verkaufsltr., Prokurist. H.: Bergwandern, Lesen, Musik. (J.M.)

Steinke Günther
B.: Dir., Gen.Manager. A.: 6363 Westendorf. G.: Frankfurt, 1. Okt. 1930. V.: Johanna, geb. Hollaus. S.: Höhere HAK, Hernstein-Seminare, American Managing School New York. K.: Sportreporter, Ass. Manager d. American-Air-Force, Product Manager b. Javari & Co Ltd., Karachi, Pakistan, Organ.Dir. Dt. Ring, Hamburg, Dir. d. Fa. Ring-Control Sbg.

Steinkellner Gerhard N. Mag. iur. MinR.
B.: Ltr. d. Gruppe III/B (Lebensmittelangelegenheiten) im BM f. Gesundheit, Sport u. Konsumentenschutz. DA.: 1031 Wien, Radetzkystr. 2. PA.: 1210 Wien, Frömmelg. 20. G.: Wien, 12. Jän. 1941. V.: Heidi, geb. Lechner. Ki.: Elisabeth (1979), Thomas (1980). El.: Gustav u. Margarethe, geb. Huemann. S.: 1959 Matura Wien, 1960-65 Stud. Rechtswiss. Univ. Wien. K.: nach d. Stud. Tätigkeit b. Vers., Eintritt in d. Staatsdienst in eine nachgeordnete Dienststelle d. Sozialmin., ab 1975 Wechsel in d. BM f. Gesundheit u. Umweltschutz, seit 1978 Ltr. d. Lebensmittelabt., ab 1989 Gruppenltr. f. Lebensmittelangelegenheiten u. Sekt.-Ltr.-Stellv. P.: Fachart. in einschlägigen Zeitschriften z.B. "Ernährung". M.: Österr. Codexkmsn. H.: klass. Musik u. Jazz, Theater, Literatur, Tennis, Skifahren, Fußball, Wandern. (N.A.)

Steinkellner Günther Mag.
B.: Landtagsabg., Gem.-Rat, RA-Anwärter. FN.: FPÖ Landtagsklub. GT.: s. 1992 Bez.-Parteiabg. DA.: 4010 Linz, Hauptpl. 22/II. PA.: 4060 Leonding, Klimtstr. 32. G.: Linz, 20. Jän. 1962. V.: Dr. Verena Steinkellner. Ki.: Carina (1990). El.: Franz u. Paula. S.: VS, Gymn., 1981 Matura, 1981/82 Bundesheer, Jus.-Stud. i. Linz b. 1986, Ger.-Jahr, Intertraiding, Mobil AG, 1989-91 Club-Dir. d. FPÖ-Parlamentsclubs, Wien-Parlament. M.: ÖTB, Akad. Corps, Alemannia Wien zu Linz, PB Hohenstaufen Linz, div. Sportver. H.: Tauchen, Segeln, Tennis, Handball. (U.A.)

Steinkellner Karl

B.: Inh. FN.: Karl Steinkellner GmbH. DA.: 4061 Pasching, Poststraße 12a. PA.: 4061 Pasching, Leibnizstr. 35. G.: Linz, 18. Mai 1946. V.: Maria, geb. Friedl. Ki.: Cornelia (1969), Silvia (1972), Hannes (1975), Eva (1978), Roman (1982). El.: Karl u. Maria. S.: VS, HS, Lehre Elektromechaniker Fa. Sprecher u. Schuh, Facharb.-Prfg., 1965-66 Bundesheer, 1968 Werkmstr.-Prfg. Elektro, Refa Kurse Arb.-Vorb. u. Kalkul. 1970 Staatsprfg. K.: 1966 Fa. Messwandlerbau AG, 1969 Verkauf u. Service Fa. Harting Ansfelden, ab 1970 Fa. Hauser Kühlanlagen, 1971 Lehrlings-Ausb., 1973-76 Betr.-Ratsobm., s. 1976 selbst. Verk. v. Ersatzteilen f. Landmaschinen, Prod. v. Wärmepumpen, 1983 Grdg. Fa. Karl Steinkellner Ges.m.b.H. BL.: 3 Patente i. Ber. alt. Energienutzung. E.: 1993 Umweltschutzpreis d. Landes OÖ. H.: Segeln. (N.A.)

Steinkellner Sigrid

B.: Gewerbetreibende. FN.: Steinkellner Honig-Kerzen Fachgeschäft. DA.: 9500 Villach, Italienerstr. 10. PA.: 9500 Villach, Enzenbergerstr. 6. G.: Frankfurt, 2. Nov. 1937. El.: Karl u. Franziska. S.: 1952-54 Hasch i. Villach. K.: 22 J. Tätigk. in einem einschlägigen Fachgeschäft, 1977 Grdg. d. eig. Betriebes, 1989 Schriftführerin des Kärntner Seniorenringes, seit 1991 Obfrau, s. 1991 stv. v. Landesobmann u. s. 1991 Gemeinderätin-Ausschüsse: Soziales, Gewerbe u. Tourismus, s. 1994 Abgeordnete zum Landtag i. d. Ausschüssen Gesundheit u. Soziales u. Jugend-Kultur-Schule u. Sport, weiters Seniorensprecherin u. Sozialsprecherin i. Landtag. M.: Kärntner Abwehrkämpferbund, Kärntner Landsmannschaft u. Bienenzuchtverein, Österr. Alpenverein. H.: Sport.

Steinkogler Franz Josef Dr. med. Univ.-Prof.
B.: FA f. Augenheilkunde, Ass.Prof. d. Univ.Augenklinik Wien. DA.: 1090 Wien, Alserstr. 4. G.: Brunn b. Waidhofen/Thaya, 3. Mai 1951. V.: Dr. Ines, geb. Wolschner. Ki.: Cordula (1981), Clara (1982). El.: Franz u. Grete. S.: BRG Waidhofen/Thaya, 1970 Matura, Med.Stud. Univ. Wien, 1976 Prom. K.: 1976/77 Interne Abt. Univ.Klinik Münster/BRD, Turnusausbild. in d. KH d. Stadt Wien Floridsdorf, Lainz u. Wilhelminenspital, 1980 jus practicandi, FA-Ausbild. an d. 2. Augenklinik Wien, 1985 FA-Anerkennung, seitdem Ltr. d. Okuloplast. Ambulanz d. Klinik, 1987 Eröff. d. Privatordination 1090 Wien, Kinderspitalg. 10/12, 1988 venia docendi f. Augenheilkunde u. Amtstitels Ass.Prof. P.: über 150 wiss. Publ. u. über 150 Vorträge im In- u. Ausland, Mitarb. b. augenärztl. Büchern über okuloplast. Chir. M.: seit 1985 Vorst.Mtgl. d. European Society of Ophthalmic Plastic and Reconstructive Surgery. H.: Familie, Skifahren, Skitouren, Bergsteigen, Tennis, Mountainbike, Musik, Literatur. (J.S.)

Steinle Sepp-Michael Mag. rer. soc. oec.
B.: selbst. Wirtschaftstreuhänder u. Steuerberater. DA.: 8010 Graz, Wielandg. 35/II. PA.: 8010 Graz, Burgfriedweg 24a. G.: Bärnbach, 21. Sept. 1944. V.: Dr. phil. Christa, geb. Lindner. Ki.: Philip (1979), Felix (1982). El.: Sepp-Michael u. Anna. S.: BRG Graz, 1962 Matura, 1962-67 Stud. Wirtschaft u. Maschinenbau TU Graz, 1968-73 Stud. Betriebswirtschaft Univ. Graz, 1973 Sponsion. K.: 1962-73 div. Auslandstätigkeiten in Stahlwerken in Bochum u. Wattenscheid, Mitarb. u. Ltg. d. elterl. Forstbetriebes, ab 1973 Ang. einer steir. Wirtschaftstreuhandges., ab 1982 eigene Kzl. P.: "Die steuerliche Aspekte d. Kunstförderung in Österreich". H.: Bilder zeitgenöss. Maler, Tennis, Skifahren, Golf. (P.M.)

Steinlechner Heinz
B.: Gschf. Ges. d. Stiefelkönig Schuhhandel GmbH u. Gschf. Ges. d. Steinlechner GmbH. DA.: 8051 Graz, Wiener Str. 205. PA.: 8044 Graz, Blümlhofweg 4. G.: Graz, 14. Dez. 1953. El.: Heinz u. Friederike. S.: HAK Graz, Matura 1974, prakt. Schuhlehre b. Görz/Hamburg u. prakt. Einkaufsausbild. b. Leiser/Berlin. K.: 1976 Eintritt in d. Fa. Stiefelkönig als Filialltr. Wien, Einkaufsltg., 1978 Übernahme v. Sportkönig, seit 1988 gschf. Ges. d. Fa. Stiefelkönig. M.: Marketing Club Graz, Junge Wirtschaft. H.: Tennis, Skifahren, Golf, Lesen, Jazz. (C.H.S.)

Steinlechner Wolfgang Dipl.-Ing. Prof.
B.: Arch. FN.: Team M Architekturbüro. DA.: 4020 Linz, Eisenhandstr. 13-15. PA.: 4100 Ottensheim, Dürnberg 64. G.: Linz, 5. Jun. 1942. V.: Mag. Gertraude. Ki.: Christiane, Simone. El.: Ing. Franz u. Maria. S.: HTL Tiefbau, Arch.-Stud. an d. Univ. Graz. K.: Praxis in München, Nürnberg u. Linz, ab 1973 Team M. E.: Landeskulturpreis f. Arch. 1993, an zahlr. Wettbew. teilgen. u. mehr. Wettbew. gewonnen. M.: Lions Club Linz-Delta. H.: Fliegen, Hochseesegeln, Reisen, Golf. (U.A.)

Steinmacher Robert

B.: Gschf. FN.: Emil Raidl Ges.m.b.H. DA.: 4840 Vöcklabruck, Stadtpl. 9. PA.: 4800 Attnang Puchheim, Römerstr. 121. G.: 4. Juli 1967. V.: Andrea, geb. Heimbuchner. Ki.: Sabrina. El.: Alfred u. Maria. S.: Radio- u. Fernsehtechnikerlehre-Geselle. K.: 1986 Techniker b. Firma Raidl, s. 1992 Gschf., Tätigkeitsbereich: Elektrohandel. H.: Tennis, Fußball. (D.E.)

Steinmair Gerd
B.: Inh. FN.: FIT Finanz- u. Anlagenberatung GmbH & Co KG, FIT-Real Realitätenvermittlung, Sonnenschein GmbH. DA.: 4020 Linz, Niederreithstr. 39. PA.: 4863 Seewalchen am Attersee. G.: Wels, 25. Aug. 1958. V.: Karin, geb. Schwarz. El.: Karl u. Josefine. S.: b. 1978 HAK Linz, BH. K.: Mag. Linz, 1980 Einzelfa., 1985-86 FIT KG, 1987-88 Kauf Fa. Sonnenschein, 1991 FIT Real, Durchführung v. Schulungen, Verkaufstraining u. Führungstechnik. P.: "Dividende", "Gewinn". E.: BWappen. H.: Arb., Tennis, Laufen. (P.H.)

Steinmaßl Harald

B.: Gschf. FN.: Mayr & Co GesmbH. DA.: 4050 Traun-Oedt, Flurweg 4. G.: Kirchdorf/Krems, 30. Apr. 1962. S.: Ausb. Ind.-Kfm. K.: Eintritt in elterl. Betrieb, s. 1980 Fa. Mayer, s. 1992 Gschf. H.: Fußball, Sport, Wirt.-Literatur. (P.H.)

Steinmaurer Anni

B.: Gastronomin, Mitinh. FN.: Altmünsterhof. DA. u. PA.: 4813 Altmünster, Ackerweg 2. G.: Sölden/Tirol, 2. Nov. 1941. V.: Siegfried. Ki.: Michael (1969), Elisabeth (1976). El.: Fiegl Kajetan und Elisabeth. BV.: Bischof von Trient; Wappenträger seit 1526. S.: Mädchenpensionat Telfs, handelsgewerbl. Ausbild. Imst m. Abschluß, gastgewerbl. Ausbild. Innsbruck. 1963 2 Sem. Stud. Französisch an d.Alliance Francaise in Paris, K.: 1969 Gründ. d. Cafébetriebes, 1978 Gründ. d. Hotels; seit 1983 in ÖVP-Frauenbewegung, seit 1985 im Vorst. d. Wirtschaftsbundes, seit 1988 im Vorst. d. Tourismusverb. (Finanz- u. Werberef.), seit 1991 b. Frau + Wirtschaft Bez. Gmunden, seit 1993 Stellv. Landesvorst. OÖ b. Frau in d. Wirtschaft. M.: 3 J. Musikkapelle Altmünster als Sängerin m. Auftritten in OÖ, NÖ, Tirol u. Sbg. P.: Schallplatte "Ich liebe Dich, mein Sölden" u. m. Musikkapelle Altmünster. H.: Bergsteigen, Musik. (P.H.)

Steinmetz Helmut Dr.
B.: Dir. FN.: Austro Mechana Ges. z. Wahrnehmung Mechan.-Musikal. Urheberrechte GmbH. GT.: Vorst.-Mtgl. d. BIEM Paris. DA.: 1030 Wien, Baumannstr. 10. G.: Freitzenschlag, 3. Mai 1942. El.: Johann u. Rosa. S.: Jusstud. Univ. Wien, 1968 Prom. K.: b. 1975 Gschf. d. Literar-Mechana Wahrnehmungsges. f. Urheberrechte GmbH, seit 1975 Dir. d. Austro Mechana Ges. z. Wahrnehmung Mechan.-Musikal. Urheberrechte GmbH. P.: Art. in Fachzeitschriften z. Thema Urheberrecht. E.: Billboard Trendsetter Awards: 1979 f. d. Bekämpfung v. Parallelimporten, 1981 f. d. Einführung v. Leerkassettenvergütung in Österr. H.: Literatur, Musik, Reisen, Joggen, Skifahren. (J.S.)

Steinmetz Alfred KommR.

B.: Inh. FN.: Kaffee-Restaurant Apfelstrudel. DA.: 1040 Wien, Favoritenstr. 1. PA.: 1140 Wien, Baumgartner Str. 18. G.: Wien, 28. Nov. 1938. V.: Helga, geb. Hauer. Ki.: Christine (1972). El.: Edmund u. Anna, geb. Tuchner. S.: Berufsschule (Bäcker), 1977 Konzessionsprüf. K.: s. 1959 selbst., zuerst Marktfahrer, 1969 Eröff. d. 1. Würstelstandes, 1979-92 im Besitz eines Heurigen, 1981 Übern. des Kaffees Apfelstrudel, s. 1993 im Besitz der Betriebe Schönbrunn. E.: 1989 Verleihung d. Titels KommR. M.: Ausschußmtgl. i. d. Kammer Markt- u. Straßenhandels, Ausschußmtgl. i. d. Gastgewerbekammer, Laienrichter i. Sozial- u. Arbeitsgericht, Wirtschaftsbundobmann/Stv. des 14. Bezirkes, Bezirksrat vom 14. Bezirk. H.: Familie, Geschäft. (N.A.)

Steinmetz Edmund

B.: Gschf. Ges. FN.: Blumenhaus Städtler. DA.: 1010 Wien, Opernring 13. PA.: 1190 Wien, Krottenbachstr. 110. G.: Wien, 4. Juli 1937. V.: Herta geb. Lovasz. Ki.: Renè. El.: Edmund u. Anna. S.: Realschule , Bäckerlehre. K.: Erwerb d. Gewerbescheinesf. Marktfahrer u. Straßenhdl., 1965 Würstelstand auf d. Weißkirchnerstr., Einstieg ins Blumenbindergewerbe, 1974 Blumenstand auf d. Kärntnerstr., 1977 Blumenhaus Städtler erworben, Renovierung, Weiterführungim alten tradionellen Stil. BL.: Alle Mtgl. d. Fam. haben es allein an Arbeit u. Tatkraft u. Einsatz zu erfolgreichen, selbst. Gewerbetreibende gebracht. E.: Silb. EZ d. Fachgruppe d. Gastronomie Sekt. M.: BezR d. 1. Gem. Bez. Wirtschaftobm. f. d. 1. Wr. Gem. Bez.Aussch. d. Kammer d. Gastronomie Sekt. Fremdenverkehr, Kam. d. Gewerbl. Wirtschaft Sekt. Fremdenverkehr, Hdl. u. Gewerbe. H.: Politik, Beruf, Skifahren, Autofahren. (M.A.)

Steinpruckner Margit

B.: Inh. FN.: Boutique Margit. DA.: 2500 Baden, Hauptpl. 7. PA.: 2500 Baden, Helenenstr. 76/1/4. G.: Baden, 24. Nov. 1940. Ki.: Michael (1960), Petra (1965). El.: Richard u. Johanna Biskup, geb. Turner. S.: VS, HS. K.: ab 1965 Mitarb. im Untern. d. Gatten, 1990 verkauft, s. 1982 Inh. e. Boutique in Baden d. 1980 neu gegründet wurde.

Steinparz Franz Xaver Dr. Dipl.-Ing.

B.: Univ.-Ass. d. Johannes Kepler-Univ. Linz. DA.: 4040 Linz, Altenbergerstraße. PA.: 4020 Linz, Starhembergstr. 27. G.: Steyr, 16. Juni 1947. V.: Waltraud, geb. Wirth. Ki.: Sophie (1986). El.: Franz u. Julia. S.: 1967 Matura Steyr, b. 1968 BH, 1969-79 Stud. Math., dazwischen Abwicklung v. Software-Projekten. K.: seit 1970 wiss. Mitarb. im Inst. f. Informatik d. Univ. Linz, Ass. d. Univ. Linz, 1 J. Ass. am Inst. f. Informatik d. Univ. Zürich, 1928 Dr. P.: Zeitschriftenbeiträge z. Grafentheoretischen Thema, einige Beiträge z. Thema Robotersteuerung, Computernetz u. verteilte Anwendungen, einige Beiträge in wiss. Zeitschriften u. Intern. Kongressen, Mitautor d. Buches Computer u. Kommunikation (1989), Arb. aus d. Bereich Informatik in Med. (U.E.)

Steinschaden Bruno Prof. Dir.

B.: Prof. f. Violine an d. HS f. Musik u. darstell. Kunst Mozarteum. GT.: Dir. d. Sbg. Musikschulwerkes. DA. 5020 Salzburg, Mirabellpl. 1. PA.: 5101 Hallwang, Zilling 78. G.: Salzburg, 24. Okt. 1936. V.: Ingeborg, geb. Wotschitzky. Ki.: Georg, Eva, Brigitte. El.: Walter u. Hermine. BV.: Historienmaler Rieser. S.: 1955 Matura BLBA, 1957 Reifeprüf. m. Ausz. am Mozarteum in Sbg., anschl. Münchner Musik-HS (Mstr.Kl. K. Stiehler), postgrad. Stud. am Mozarteum in Sbg. (F. Samohyl u. S. Vegh). K.: Kammermusiker, Konzertmstr. d. Camerata Academica d. Mozarteums, Mozarteum-Orchester, 1963 Prof. am Mozarteum in Sbg., 1983 Dir. d. Sbg. Musikschulwerkes, Ltr. d. Leopold Mozart Orchesters. P.: "Hören u. geigen nach Suzuki". M.: VPräs. ESTA-Österr. (European String Teachers Assoc.), LObm. AGMÖ (ARGE d. Musikerzieher Österr.), Mtgl. Österr. Ges. d. Lehrer f. Streichinstrumente. E.: Lilly Lehmann-Med. H.: Skitouren, Bergsteigen, Wassersport. (Foed.)

Steinschaden Raimund

B.: Prok., Gschf. FN.: Großbuchbinderei u. Kalendererzeugung Pitzinger. DA.: 3002 Purkersdorf, Linzer Str. 63. G.: Wien, 24. März 1932. V.: Edith. Ki.: Gerhard (1956), Sylvia (1957). S.: 1950 HAK-Matura. K.: Büroartikelbereich, Wechsel zu Büromaschinen "Biber", 1953 Aufbau Vervielfältigungsmaschinen Filiale Sbg., 1955 Einstieg Kalenderfbk. Pitzinger, 1975 Gschf., 1988 Übersiedlung nach Purkersdorf. H.: Briefmarken, Auslandsinteresse. (J.E.)

Steinscherer Manfred

B.: Eigentümer. FN.: Cafe Konditorei Steinscherer. DA.: 8700 Leoben, Hauptpl. 9. PA.: 8600 Bruck/Mur, Schillerstr. 26. G.: Bruck/Mur, 17. März 1940. V.: Annemarie, geb. Hirschmanner. Ki.: Michael (1975). El.: Josefine u. Maximilian. S.: Papierfachschule i. Steyr, 1958 Abschluß. K.: 1960-74 Fa. Felten & Guilleaume, 1974-78 selbst. Tankstelle u. Cafe, 1979-93 Pub in Leoben, seit 1985 Cafe-Konditorei im "Hackl-Haus" in Leoben. H.: Motorräder u. Autos. (I.G.)

Steinschaden Wolfgang Dr.

B.: Dir. FN.: Donauturm Aussichtsturm u. Restaurant Betriebs GmbH. DA.: 1220 Wien, Siebeckstr. 7. PA.: 3902 Jaudling 33. G.: Wien, 27. Juni 1958. V.: Judith. Ki.: Stefan (1993). El.: Franz u. Franziska. S.: VS, AHS, Jur. Fak. Wien, 1983 Prom. K.: RA-Kzl., 1985 Eintritt in d. Unternehmen. H.: Jagd, Firma. (W.M.)

Steinsky Heinrich Dr.
B.: Staatsanw. d. Staatsanw. Sbg. GT.: Vors. d. Vollzugskmsn. am Sitze d. LG Sbg. DA.: 5020 Salzburg, Rudolfspl. 2. G.: Linz, 27. März 1934. V.: Margareta, geb. Mayr. Ki.: Bertran, Philipp. El.: Dr. iur. Heinrich u. Dr. phil. Johanna. S.: RG in Wien, Matura 1953. Univ. Innsbruck Stud. d. Romanistik u. Rechtswiss., 1961 abs. iur., 1966 Dr. iur. K.: Gerichtsj. b. LG u. BG Innsbruck, 1966 in RA-Kzl. in Sbg., 1967 Richteramtsanw. in Sbg., 1968 in Linz, 1969 Ernennung z. Richter, KG u. BG Steyr, 1970 Staatsanw. d. Staatsanw. in Linz, 1976-1980 stellv. Behördenltr. u. Gruppenltr. d. Staatsanw. Linz, 1980 Staatsanw. u. Gruppenltr. d. Staatsanw. Sbg., 1984 stellv. Behördenltr. d. Staatsanw. Sbg. E.: Gold. EZ f. Verd. um d. Rep. Österreich (1985). M.: Ver. Österr. Staatsanw., Inst. f. Histor. Kriminologie in Scharnstein, Österr.-Japan. Ges., Ver. z. Förderung d. Dommusik Sbg., Ak. Burschenschaft Suevia Innsbruck, Freiheitl. Akademikerverb. Sbg., Gewerkschaft Öff. Dienst, Sektion Richter u. Staatsanw. H.: (Zeit)-Geschichte, romanische Sprachen u. (romanische) Literatur, Japan, Antiquitäten. Verfasser pointierter Sketches u. Glossen im Spannungsfeld v. Gesellschaft u. Justiz: "Kaltes Blut" (1958), "Geldstrafe u. Charakter" (1977), "Ruin einer altehrwürdigen Rechtsfigur" (1977), "Tagebuch eines Anarchisten" (1978), "Widersprüchliches d. Richterreform" (1979). (Foed.)

Steinsky Ulrike

B.: Opernsängerin Wr. Staatsoper u. Wr. Volksoper. DA.: 1010 Wien, Goetheg. 1. G.: Wien, 21. Sep. 1960. V.: Oskar Hillebrandt. El.: Heimo u. Therese Steinsky. S.: BRG, ab 5. Kl. ORG f. Studierende d. Musik in Wien, priv. Gesangsstud. . Kammersängerin Hilde Zadek. K.: ständige Spielstätten: Wr. Staatsoper, Wr. Volksoper, Bayer. Staatsoper München, Opernhaus Zürich, Hamburger Staatsoper, Frankfurter Oper, Monte Carlo etc., zahlr. gesungene Partien, Gastspielreisen m. d. Royal Covent Garden Opera Los Angeles u. d. Kölner Oper Israel, Gastspiele: Scala di Milano, Gran Teatro de Liceo in Barcelona, Grand Teatre de Geneve, Sbg. u. Bregenzer Festspiele, Monte Carlo, zahlr. Konzerte u. Vorstellungen in ganz Japan, rege Konzerttätigkeit v. allem in Österr. u. Deutschland, seit 1992 Konzertserien m. klass. Wienermusik u. Wienerlied in ganz Deutschland, Liveübertragungen u. Schallplattenmitschnitte d. Bayer.-Westdt. u. Hess. Rundfunks, BBC London, zahlr. TV-Auftritte im Österr. u. Dt. Fernsehen, TV-Opernproduktionen, seit 1986 Schwerpunkt d. musikal. Tätigkeit auf Operette. H.: Reiten, Tiere, Computer, Esoterik. (J.M.)

Steinthaler Kurt Erich Ing.
B.: Selbst. Bmstr. PA.: 9020 Klagenfurt, Fledermausg. 7. G.: Klagenfurt, 20. Dez. 1929. V.: Elfriede, geb. Korenjak. Ki.: Kurt Arthur, Gert, Martin. El.: Adam u. Barbara. S.: HTL f. Hochbau, 1948 Matura, 1948-52 Arch.Stud. in Wien. K.: ab 1952 selbst. Tätigkeit, 1954 Bmstr.Prüf., ab 1954 als selbst. Bmstr. tätig. BL.: Größere Wohnungs-, Schul- u. Verw. Bauten in Ktn. gebaut, 1963 konkurrenzlose Element-Decken-Konstruktion entwickelt, erstes Fertigteilhaus in Ktn. errichtet. P.: Publ. über selbst entwickelte Elementdecken in Baufachzeitschriften. M.: Klagenfurter Austria, Yacht-Club Klagenfurt, Union-Klagenfurt (Skisekt.) H.: Skifahren, Segeln. (Hat.)

Steinwald Kurt Ing.
B.: Gschf. d. FMW. PA.: 3040 Neulengbach, Straß 61. G.: Neulengbach, 28. Jan. 1928. V.: Gunde, geb. Mayer. Ki.: Ilse, Kurt. El.: Kurt u. Anna. S.: HTL, Matura 1948. K.: Fa. Tobias u. Co 8 J., Schmidwerk als techn. Dir., 6 J., 1962 wurde d. FMW in Österr. gegr., Aufbau d. Untern. als Gschf. F.: FMW-Bet. H.: Skifahren, Schach, Musik. (Kern)

Steinwandter Herbert
B.: Geschäftsstellenltr. d. Kam. f. Arb. u. Ang. Tir., Bez.-Stellenltr d. ÖGB. DA.: 6130 Schwaz, Dr.-Dorrek-Str. 3. PA.: 6020 Innsbruck, Schützenstr. 10. G.: Innsbruck, 11. März 1942. V.: Brigitte, geb. Zelger. Ki.: Sabine (1964). El.: Arthur u. Maria. S.: Grundschule, Lehre Großhdls.-Kfm., 1959 Abschluß. K.: 15 J. Disponent in d. Mineralölwirtschaft, 10 J. Disponent in einer Keksfbk., seit 1983 Geschäftsstellenltr. in d. Arbeiterkam., Schwerpunkt: Arbeits- u. Sozialrecht, Kontakte m. Beamten u. Behörden, Teilnahme an Aussch. u. Kommissionen. M.: BFI-Bez.-Stelle. H.: Malerei, Freizeitsport. (M.W.)

Steinwandtner Felix

B.: Fleischhauer u. Kfm., Bez.-Vorst.-Stellv. f. d. 13. Bez. (ÖVP). DA.: 1130 Wien, Hietzinger Kai 1-3. PA.: 1130 Wien, St. Veitg. 62. G.: Wien, 25. März 1937. V.: Elisabeth, geb. Brunner. Ki.: Maria Elisabeth (1964), Sabine (1966), Johannes (1968), Paul (1977). El.: Franz u. Maria. S.: 1955 HAK-Matura. K.: 1955-60 kfm. Tätigkeit in d. Ind., 1960-90 Fleischerhandwerk erlernt u. anschl. als selbst. Fleischhauer tätig, seit 1964 BezR. in Hietzing (ÖVP), seit 1980 Bez.-Vorst.-Stellv. P.: fachbezogene Artikelserien in d. Fachliteratur, Vortragstätigkeit. E.: Silb. EZ d. Landes Wien. M.: Präs. "Club 13", Mitarb. b.. Ver. Schönbrunner Tiergarten. H.: Österr. Geschichte, Philatelie. (I.K.)

Steinwandtner Franz Dr. med.
B.: FA f. Mund- u. Kieferheilkunde. DA.: 7132 Frauenkirchen, Halbturner Str. 8. PA.: 7132 Frauenkirchen, Weisekreuzg. 8-10. G.: Wien, 15. Sept. 1951. V.: Raphaela, geb. Tretenhahn. Ki.: Alexander, Katharina. El.: Dr. Franz u. Rosa. S.: 1969 Matura, Stud. d. Med. in Wien, 1975 Prom. K.: 1975-77 FA-Ausbild. an d. Univ.Klinik in Wien, 1977 FA f. Mund- u. Kieferheilkunde, seit 1977 eigene Ordination in Frauenkirchen, seit 1980 aktiver Springreiter, Teilnahme an nat. u. intern. Turnieren. P.: Publ. über Wurzelbehandlungsmethoden in Fachzeitschriften, Buch "Paratonthose ist heilbar" (1989). E.: seit 1986 erfolgreichster Springreiter v. Bgld., 1988 u. 1989 10. Platz als Springreiter in d. Staatsmeisterschaft, seit 1987 viele intern. Plazierungen auf nat. intern. Turnieren. M.: versch. Fachver. H.: Zahnheilkunde allg., Reiten. (M.B.)

Steinweiss Ludwig KommR.
B.: Kaufmann u. Hotelier. FN.: Hotel alter Schacht. GT.: 1976 Bezirkobmann freier Wirtschaftsverband. 1980-93 Landesobmann Stellvertr. 1980-93 Bundesvorst.DA./PA.: 9431 St. Stefan, St. Stefanerstr. 266. G.: Wolfsberg, 3. Sept. 1933. V.: Johanna, geb. Karner. Ki.: Evelyne (1955), Karin (1958), Sonja (1964). EL.: Rosa u. Johann. S.: VS, HS, Berufsschule u. Kfm. Lehre. K.: 1951-65 bei Konsum, davon 12 J. Filialleiter, 1965 gründ. eines eig. Lebensmittelgesch. in Wolfsberg. 1974 gründ. d. Ski-Lift GmbH Weinebene u. bis 1983 Geschäfts-

führer. 1983 Ankauf d. Hotels u. Restaurant "Alter Schacht" E.: Verl. d. Titl. KommR., 1990 Haubenlokal, 1992 bes. Weinofferierung d, Magazins Falstaff. M.: div. örtl. Vereine. H.. Ski, Rad, Begsteigen. (G.L.)

Steinwender Edda
B.: Autorin. PA.: 2500 Baden, Elisabethstr. 23, 1020 Wien, Arnezhoferstr. 5/27. G.: Wien, 8. Juli 1939. V.: a.o.Prof. Hans Lebert. El.: Andreas u. Elfriede Steinwender. S.: Realschule, Gymn. Wien, 1957 Matura, Stud. franz.-engl. Orgel, Operngesang. K.: 1960 Beginn d. literar. Tätigk. P.: ab 1962 zahlr. Hörspiel-Uraufführungen im ORF, u.a. 1965 "Der Herr dieses Hauses", gedr. 1966 Bergl. Verlg. Wien, Vorw.: Ernst Schönwiese, 1970 "Die Reise nach Aigues Mortes", 1971 "Das Schiff fährt nach Venia" etc., alle m. Burgtheaterbesetzung, Funkerzählungen, Lyriksendungen, viele Publ. in Zeitschriften u. in- u. ausl. Anthologien (Lyrik, Prosa). M.: P.E.N. Club, Schriftstellerverb. E.: 1963 Wr. Kunstfond-Stipendium, 1964 u. 1969 Österr. Staatspreis f. Hörspiel, 1966 Theodor Körner-Preis f. Literatur, 1971 Förderungspreis d. Stadt Wien. H.: Musik, Gesang, Natur, Tiere. (M.G.).

Steinwendtner Rudolf
B.: Prok., Ltr. Liquiditätsmanagement. FN.: Österr. Länderbank. DA.: 1010 Wien, Am Hof 2. PA.: 3040 Neulengbach, Akademiestr. 144. G.: St. Pölten, 7. Juli 1952. V.: Ingrid, geb. Kellerer. Ki.: Florian. El.: Josef u. Anna. S.: Grundschule, HASCH. K.: 1969 Eintritt in d. Z, ab 1981 Länderbank, seit 1985 Prok., seit 1988 Ltr. d. Liquiditätsmanagement. H.: Skifahren, Tennis, Vorst. d. Gesangsver. Neulengbach.

Steirer Friedrich KommR.
B.: Gen.-Dir., Gschf. d. Nordstern Service GmbH Wien. GT.: Vorst.Vors. d. Nordstern Vers. AG Wien, Vorst.Mtgl. d. Nordstern Verw. AG Wien. A.: 1130 Wien, Hietzinger Hauptstr. 152-154.

Steixner Gerhard Mag. arch.
B.: Arch. FN.: Driendl Steixner. DA.: 1070 Wien, Neubaug. 8, 1060 Wien, Schadekg. 18. G.: Innsbruck, 21. Juni 1953. El.: Robert u. Herta. S.: Stud. Ak. d. Bild. Künste Wien Mstr.-Kl. Prof. Roland Rainer, 1981 Dipl. K.: seit 1984 gemeinsames Atelier m. Mag. arch. Georg Driendl, Schwerpunkt: Solartechnik u. Ökolog. Bauen, Realisierte u. lfd. Projekte: Serienhaus Standard Solar, Auftragsproduktionen u.a. f. d. MAK Wien, für die NÖ Landesrg., Österreichbeitrag f. d. Firma Lego, Modeboutiquen, Wohnungen, Restaurants, Ausstattung einer 17m Hochseeyacht, Österr. Schule Budapest, Prototypen: Serienhaus-Modulbausystem, verschiebbare Bibliotheksysteme, drehbare Wandelemente u. Küchensysteme, zahlr. Filme. E.: 1990 Österr. Bauherrenpreis, 1990 Staatspreis f. experimentelle Arch., 199 Österr. Öko Preis f. Arch. (J.S.)

Steixner Anton
B.: BObm. d. Tir. Bauernbundes, LAbg., Bauer. GT.: GemR., Ortsbauernobm. DA.: 6020 Innsbruck, Brixner Str. 1. PA.: 6020 Mutters, Unterberg 7, Schöberlhof. G.: Innsbruck, 26. März 1957. V.: Martina, geb. Marksteiner. Ki.: Theresa. El.: Johann u. Juliane. BV.: seit 1540 ist d. Schöberlhof in d. Erbfolge im gleichen Besitz. S.: VS, HS, Fachschule Rotholz, Mstr.Kurs Ldw., Mstr.Prüf. K.: 6 J. LJugendobm. Mutters, 1975-81 Jungbauernobm., 1981-84 Bez. u. LObm., 1986 LAbg. u. BObm.Stellv., 1988 Obm. d. Bauernbundes. P.: lfd. Art. in d. Tir. Bauernzeitung. E.: EZ d. Tir. Bauernbundes. M.: ÖVP LObm.Stellv., Schützen Mutters u. Feuerwehr Mutters. H.: Beruf, Familie, Jagd, Langlauf, Schwimmen. (D.S.)

Stejnar Emil
B.: Astrologe. DA. u. PA.: 1130 Wien, Kalmanstr. 77. G.: Wien, 21. Jan. 1939. V.: Margaretha, geb. Sjöstedt. Ki.: Cornelia (1967), Christian (1973). El.: Emil u. Margaretha. S.: Berufsausbild. z. Gold- u. Silberschmied. K.: 1957-68 ständiger Aufenthalt in Skandinavien, 1968 Rückkehr nach Wien, Grdg. d. Inst. f. wiss. Schicksalsforsch. u. Eröff. eines Juweliergeschäftes im 16. Bez., gleichzeitig als freischaff. Künstler tätig: kunsthandwerkl. Schmuckerzeugung, Beginn d. Tätigkeit als Astrolog. Lebensberater, umfangreiche esoterische Forsch., 1975 Erfindung d. Psychotrons, 1985 Begründung d. Hermetischen Psych., Paracelsusforsch. u. Herstellungen v. magischen Amuletten. P.: Das Buch der Meister, Schutzengelbuch, Exerzitien f. Freimaurer, zahlr. esoterische Fachart. über Magie, Mystik u. Astrologie. M.: Österr. Freimaurerges. H.: Bergwandern, magische Experimente. (J.S.)

Stejpovic Frano
B.: Inh. FN.: Restaurant Ragusa. Da.: 1090 Wien, Bergg. 15. PA.: 1030 Wien, Pauluspl. 9/12. G.: Dubrovnik, 22. März 1953. V.: Beta, geb. Idriz. Ki.: Denis (1976), Anna Maria (1988). El.: Niko u. Maria. S.: VS, Hotelfachschule Abbazia, Economist f. Gastgew. u. Tourismus, Italien Barmeisterschule. K.: Dubrovnik, Hotel Libertas Barmstr., 1979 Weltmstr. in Cocktailkonkurrenz in Opatja, 2 Gastwirtsch. in Dubrovnik, 1985 in Wien, Lokal im 1. Bez. " Cafe bar cicerone", 1991 Rest. Ragusa. E.: 2. Pr. v. Donau-Cup österr. Barkeeperunion 1994, über 60 Pokale als Barkeeper. M.: Österr. Barkeeper Union. H.: Tennis, ital. u.dalmat. Musik. (J.M.)

Stejskal Fritz RegR.

B.: Amts-Dir.; Ltr. d. Präsidialbüros d. Stadtschulrates für Wien. DA.: 1010 Wien, Dr. Karl Renner-Ring 1. PA.: 1090 Wien, Währingerstr. 76. G.: Wien, 16. Sep. 1941. V.: Sylveline, geb. Singer. El.: Fritz u. Julia. S.: VS, HS, HASCH, 1965 Matura, 1967 Prfg. f. den Geh. Verw.-Dienst. K.:1959-66 Bundesamt f. Eich- u. Vermessungswesen, s. 1966 Stadtschulrat Wien, 1977-81 Ltr. d. Ref. f. allg. bild. Pflichtschulen, s. 1981 Ltr. d. Präsidialbüros. H.: Sport, Lesen. (E.J.)

Stejskal Kurt

B.: Einkäufer, Prok. FN.: Intersport Haanl. DA.: 1220 Wien, Kagraner Pl. 21. G.: Wien, 10. Apr. 1957. V.: Marlene. Ki.: Nadja (1981), Natascha (1985). El.: Friedrich u. Herta. S.: Grundschule, Lehre, div. Kurse. K.: b. 1980 Verkäufer, 1983 Filialltr., dann Einkaufsltr. Firma Haanl, 1992 Prok. H.: Sport allg, Musik. (W.M.)

Stejskal Margot

B.: Schriftstellerin. PA.: 3133 Traismauer, Obere Siebenbrunneng. 2. G.: Solingen, 13. Febr. 1923. V.: Ing. Hans Stejskal. Ki.: Michael. K.: Gedichte schon in frühester Kindheit erfaßt, die auch in Lokalzeitungen gedruckt wurden, Lyrik, zeitkritische, besinnliche, heitere Gedichte, "So ist d. Mensch", "In eigener Sache", "Einsichten", "Vom Jahr", "Draußen". P.: In Lokalzeitungen, Traisentaler Anthologie, Watzmann, Bakschisch (Zeitschrift f. humorvolle u. skurrile Texte). E.: 1984 1. Preis v. NÖ Bildungs- u. Heimatwerke, Preis u. Anerkennung f. Werbeslogan, Anerkennung in d. Gem. M.: Lit. Kreis Traismauer, Gesangsver. Traismauer, NÖ Bildungs- u. Heimatwerk. H.: Dichten, Lesen, Gitarre spielen. (Kern)

Stekovits Otto Ing.

B.: Gschf. FN.: KH-Management u. Betriebsführung GmbH. DA.: 1090 Wien, Spitalg. 23. PA.: 1160 Wien, Baumeisterg. 25/5. G.: 21. Sep. 1953. V.: Doris, geb. Posch. Ki.: Andrea (1982), Peter (1985). El.: Franz u. Agnes. S.: VS, HS, HTL Fachrichtung Maschinenbau, Sanitär, Heizung und Klimatechnik Pinkafeld, 1974 Matura, Stud. Maschinenbau TU Wien. K.: 1974-83 Heizungstechniker, 1976 Arge Sanitär Neubau AKH, 1982-83 2. Techn. Gschf. Arge Sanitär, 1983 Projektltr. Sanitär Firma Vamed, 1984 Abt.-Ltr. Planungskoordination, 1986 Stabsstellenltr. Ablaufsteuerung u. Terminplanung, 1987 Abt.-Ltr. Planung Koordination Techn. Inbetriebnahme u. Techn. Betriebsführungssysteme, 1988-92 Gschf. GTB, seit 1993 Gschf. KMB. (W.M.)

Stella Johann Dipl.-Ing.

B.: Ziviling. f. Bauwesen. FN.: Ziviling.-Büro Dipl.-Ing. Johann Stella & Dipl.-Ing. Walter Stengel. DA.: 1040 Wien, Argentinierstr. 36. PA.: 1110 Wien, Rautenstrauchg. 6/2/14. G.: Wien, 5. Aug. 1936. V.: Renate, geb. Farkas. El.: Johann u. Rosa. S.: 1954 Matura, Stud. Bauing.-Wesen TU Wien, 1964 Dipl. K.: ab 1965 im Ziviling.-Büro Prof. Wycital, ab 1979 Partner v. Prof. Wycital, seit 1979 Partnerschaft m. Dipl.-Ing. Walter Stengel, Schwerpunkt: Planungen im städt. Bereich, im konstruktiven Ing.-Bau, Brücken- u. Ind.-Bau u. Verkehrsplanungen. M.: Ing.- u. Arch.-Kam., Lions-Club Marc-Aurel. H.: Sport, Reisen. (J.S.)

Stellenberger Alois Dr.

B.: Vorst.-Dir. d. Ennskraftwerke. DA.: Resthofstr. 2, 4400 Steyr. PA.: Sirninger Str. 82, 4400 Steyr. G.: St. Leonhardt/Freist., 3. Juli 1933. V.: Margarete, geb. Bürgerbauer. Ki.: Manuela (1962), Elisabeth (1964). El.: Alois u. Angela. S.: Hum. Gymn. Linz, 1953 Matura, Stud. Jus Innsbruck, Gerichtsjahr. K.: Rechtsberater d. bäuerl. Standesvertr., 1960 Ennskraftwerke Rechtsbüro, 1976 Handlungsvollmacht, 1986 Prok., 1988 Dir., 1991 Vorst., nebenberufl. Gschf. Zeitungsges. mbH u. Liegenschaftsverw. P.: Vorträge. M.: Rotary Club Steyr, ÖCV, Vizepräs. Turn- u. Sportunion Steyr. H.: klass., Unterhaltungs- u. Volksmusik (aktiv u. passiv), Sport. (N.A.)

Steller Gerhard KommR.

B.: Immob.-Treuhänder (selbst.). DA.: 4600 Wels, Dr.-Koss-Str. 11. G.: Wels, 4. Juli 1945. V.: Gerda, geb. Hagmüller. Ki.: Gerald (1968), Gunter (1969). El.: Alexander u. Mathilde. BV.: Georg Wilh. Steller: Entdecker d. Stellerschen Seekuh (Original ausgestellt in N.Y.; Kopie im Naturhist. Museum Wien). S.: Gymn. Wels, HAK Wels, 1964 Matura. K.: Bundesheer, 9 Mon. Finanzamt, 1967/68 b. Immob.-Makler Markut, 1968 Konzessionsprüf., s. 1968 selbst.; zusätzl.: Gerichtsgutachter, Landesinnungsmeister, tätig im Bundesinnungsausschuß, Vizepräs. d. Österr. Verb. d. Immob.-Treuh. u. d. Vereing. ger. beeid. Realitätensachv. im Zweigver. OÖ u. Sbg.; Initiator d. Immob.-Treuh.-Akad. E.: s. 1992 KommR, Silb. VM d. Stadt Wels, Ehrenurk. d. Kammer z. 25jähr. Dienstjubiläum. M.: div. berufl. Vereinig., Ambassadorclub, Turnver., Alpenver. H.: Skifahren, Laufen, Schnapsbrennen. (P.H.)

Stelzel Martin

B.: selbst. Grafiker u. Fiakerunternehmer. DA.: 1060 Wien, Stiegeng. 11. PA.: 1060 Wien, Gumpendorferstr. 32. G.: Wien, 27. Sept. 1939. V.: Irina. El.: Dr. Ernst u. Monika, geb. Reitter v. Ernst. BV.: Stelzel eine d. wenigen österr. Familien, deren 13 Generationen im Familienarchiv erfaßt sind u. d. nicht miteinander verschwägert sind. S.: Graf. Lehr- u. Versuchsanst. Wien, 1959 Dipl. m. Ausz. K.: 1959-60 Aufbau einer Werbeagentur, ab 1961 selbst. künstler. Tätigkeit als Grafiker, seit 1969 Beschäftigung m. Pferden, ab 1961 m. Gespannfahren, 1968 Beginn d. Aufbau eines Pferdefahrunternehmens, 1978 Fiakerkonzession, 1980 Revitalisierung eines Fuhrwerkehauses, versch. Veranstaltungen m. Pferden: Hochzeiten, Begräbnisse, Shows, Film- und Fernsehaufnahmen, Gesellschaftsfahrten, Werbung. P.: div. Publ. z. Thema, Pferd, Pferd u. Arch. E.: 1. Preis in Madrid b. d. ASTA 1977 f. d. Österr. Repräsentation. M.: Ltr. d. Bürgerinitiative z. Rettung d. Wr. Hofstallgebäude. H.: Österr. Geschichte, Kunst, Arch. (N.A.)

Stelzer Elisabeth

B.: Solotänzerin d. Wr. Volksoper. DA.: 1090 Wien, Währinger Straße 78. PA.: 1190 Wien, Ruthg. 7/5/1. G.: Wien, 9. Jan. 1944. V.: Ivan Jakus. El.: Svetozar Bozucanin u. Elisabeth Pimminger. S.: Ballettausbild. b. Prof. Rosalia Chladek Ak. f. Musik u. darstell. Kunst Wien. K.: 1965 Engagement an d. Volksoper als Solistin, Rollen u.a. "Zauberladen", "Feuervogel", "Titus Feuerfuchs", "Schleier d. Pierrette", "Reigen", "Kameliendame", Gastspiele in d. UdSSR, USA, Japan, Italien, Schweiz, Belgien u. Deutschland. E.: Österr. EK f. Wiss. u. Kunst. H.: Choreographie, Musik, Oper. (R.J.)

Stelzer Hans Peter Dipl.-Ing.

B.: Bmstr., Firmeninh. FN.: Dipl.-Ing. Hans Stelzer, Hoch- u. Tiefbau, Transportbetonwerk, Baustoffhdl. GT.: ÖVP-GemR. d. Stadtgem. Herzogenburg. DA.: 3130 Herzogenburg, Bahnzeile 16. PA.: 3130 Herzogenburg, Feldg. 18. G.: St. Pölten, 18. Mai 1941. V.: Christine, geb. Hanzlik. Ki.: Simone, Renée. El.: Bmstr. Johann u. Rosa. BV.: Stelzer Johann Bmstr. plante u. errichtete bedeutende Bauten in Herzogenburg. S.: 1961 Matura HTL Krems, Stud. an d. Techn. HS/Wien Arch. K.: 1969 Dipl.-Ing., seit 1977 Inh. d. Fa. Dipl.-Ing. Hans Stelzer, die seit ca. 110 J. besteht und sich immer im Familienbesitz befand, Planung u. Bauausführung v. Hochbauten u. Tiefbau, Bauunternehmen f. Hoch- u. Tiefbau, Transportbetonwerk Ö-Norm geprüft, Baustoffhdl., M.: seit 1980 ÖVP-GemR. d. Stadtgem. Herzogenburg, Stellv. d.

Bez.Gruppe Herzogenburg d. Österr. Wirtschaftsbundes, Vorst.Mtgl. d. Raiffeisenkasse Herzogenburg. H.: Skifahren, Windsurfen, Segeln. (Kern)

Stelzer Thomas Mag.
B.: Landesobm. d. ÖVP, Landesbed.. DA.: 4020 Linz, Obere Donaulände 7. G.: Linz, 21. Febr. 1967. El.: Leopold u. Eva. BV.: Großvater 1. soz. GemR. in St. Florian u. Gründer d. Konsumgen. S.: 1985 Matura, b. 1990 Jurastud. K.: 1987-88 Ortsgruppenobm. Urfahr, 1988 Stadtobm., 1989 LVorst. d. Jungen ÖVP OÖ, 1990 Wahl z. stellv. BObm. d. Jungen ÖVP, Raika Club Betreuung, Wechsel ins Dion.Sekr., 1991 Linzer GemR., 1992 Landesobm.. M.: K.Ö.St.V. Severina, ÖIE, Ver. Kulturzentrum Hof, Ver. Jugend u. Freizeit. H.: Lesen, Skifahren, Tennis, Squash, Politik. (P.H.)

Stelzer Werner
B.: Inh. "Goldener Engel" Kaffeehäferl und Bierstube. DA. u. PA.: 8020 Graz, Landpl. 1. G.: Graz, 15. Nov. 1944. Ki.: Natascha (1970), Max (1989). El.: Josef und Edeltrud. S.: VS, Realschule, Hotelfachschule Bad Gleichenberg, Praxis im In- und Ausland. K.: 1975 Übernahme "Goldener Engel". H.: Wandern, Langlaufen, Rafahren, Schwimmen, Lesen. (R.S.)

Stelzer Winfried Dr. phil. o.Univ.-Prof.
B.: o.Univ.-Prof. Univ. Wien. DA.: 1010 Wien, Dr.-Karl-Lueger-Ring 1. PA.: 1170 Wien, Rebenweg 1/13/3. G.: Graz, 7. Sept. 1942. V.: Gertrud, geb. Bechmann. Ki.: Rupert (1969), Dieter (1971), Irmgard (1977). El.: Dr. Hans u. Herta, geb. Seitz. S.: 1960 Matura, Stud. Geschichte Univ. Graz u. Wien, 1967 Prom. z. Dr. phil. Graz, 1968 Staatsprüf. am Inst. f. Österr. Geschichtsforsch. Wien, 1980 Habil. Univ. Wien. K.: 1967-69 wiss. Ass. d. Histor. Kmsn. an d. Österr. Ak. d. Wiss. Wien, 1969-83 OAss. Univ. Wien, 1981/82 Gastprof. Univ. Innsbruck, seit 1983 o.Univ.-Prof. Wien, Schwerpunkt: Geschichte d. Mittelalters u. Histor. Hilfswiss. P.: zahlr. Beiträge in Lexika u. wiss. Zeitschriften im In- u. Ausland, Bücher u.a. "Gelehrtes Recht in Österr." (1982). M. Regestenkmsn. d. Österr. Ak. d. Wiss. H.: Bergsteigen, Skifahren, mod. Kunst, Bücher. (N.A.)

Stelzhammer Karl

B.: Tischlermstr. u. Raumgestalter. FN.: Stelzhammer Ges.m.b.H., Innenausbaubetrieb. DA.: 4663 Laakirchen, Dr. Rotterstr. 1. PA.: 4656 Kirchham, Kaltenmarkt 37. G.: Laakirchen, 14. Mai 1939. Ki.: Christian (1960), Karl (1962), Klaus (1963). El.: Karl u. Theresia. S.: VS, HS, Tischlerlehre, 1960 Mstr.-prüf. 1963 Betriebsgründ. 1964 in Abendschule Kurs f. Raumgestaltung.1980 Umstrukturierung in Ges.m.b.H. Betrieb ausgebaut u. erweitert. E.: Österr. Sportabzeichen mehrmals erhalten, Landesmstr. v. OÖ im Skifahren bei d. Tischlern. M.: 30 J. Alpenvereinsmtgl., Gründ.-mtgl. d. Turnsport Union Laakirchen. H.: Sport, Ungarische Hirtenhunde, Reiten, Bergsteigen. (J.L.)

Stelzhammer Walter
B.: Arch. DA.: 1070 Wien, Neustiftg. 68/23c. PA.: 1180 Wien, Leitermayerg. 44/11. G.: Vöcklabruck, 14. Juni 1950. V.: Emine, geb. Topalgökceli. Ki.: Kaan (1985). El.: Anton u. Friederike, geb. Reiter. S.: 1964-69 HTL Krems, ab 1970 an d. Ak. d. Bild. Künste Wien b. Prof. E.A. Plischke u. Prof. Gustav Peichl, 1977 Dipl.-Meisterschulbrief. K.: seit 1980 eigenes Atelier in Wien, 1982-83 Ass. an d. TU Wien am Inst. f. Gebäudelehre, 1983 Ausstellung m. Katalog am österr. Kulturinst. in Rom, 1985 Beitrag z. Ausstellung "Wiener Wohnbau Wirklichkeit", seit 1986 Ziviltechniker-Befugnis, 1987 Teilnahme am "Steir. Herbst", 1988 Teilnahme am Wr. Symposion f. Altstadterhaltung, 1988 Ausstellung "Bauten u. Projekte" in d. Ing.-Kam. f. Wien, NÖ u. Bgld., 1989 Teilnahme an d. Ausstellung "Entwürfe f. Wien". P.: div. Fachart. in Österr. Fachzeitungen, Magazinen wie "Basta", "Profil", "Schöner Wohnen". E.: 1978 Förderungspreis f. bild. Kunst, 1986 u. 1989 Stadterneuerungspreis. H.: Musik, Kunst, Reisen, Schwimmen, Skifahren. (M.M.)

Stelzinger Herbert Dir.
B.: Geschäftsltr. A.: 5301 Eugendorf 178. G.: Seekirchen, 13. Nov. 1944. V.: Helga, geb. Raberger. El.: Hans u. Anna. S.: VS, HS, HASCH, Grundschulung Bank, Fachschulung Bank, Gschf.Schule. K.: seit 1960 im Raiffeisensektor Sbg., ab 1965 Ltr. d. Raiffeisenkasse Eugendorf-Plainfeld, seit 1974 Dir. F.: Gschf. Ges. d. Tennishalle Eugendorf GmbH & Co, Inh. d. "adidas-sport-shop Eugendorf". M.: Bez.Obm. d. Österr. Turn- u. Sportunion, LVerb. Sbg. Bz. Flachgau, LFachwart f. Tennis Sbg., Vorst.Mtgl. d. HTC Eugendorf, Beirat USC Eugendorf, Vorst.Mtgl. Verkehrsver. Eugendorf. H.: Tennis, u. Geländeautos.

Stelzl Gottfried

B.: Unternehmer. FN.: Stelzl-Metall-Kunststoff. DA.: 2223 Martinsdorf 165. G.: Atzelsdorf, 10. Jän. 1956. K.: 1978 Mstr.-Prüf. Schlosser, 1979 Grdg. d. Betriebes Standort Gaweinstal, 1982 Betriebsstandort Martinsdorf/Spezialaufträge Schlosserei, 1990 Umbau Betriebsgelände, Neubau Bürotrakt, Aufträge Int. School Wien, KH Mödling, Franz. Botschaft Wien, Inst. f. Publizistik Wien, Schwerpunkt: Stahl- u. Alubau, Türe, Tore, Portale, Fassaden u. Wintergärten, Vertrieb von Kunstfenstern. H.: Beruf, Joggen. (T.T.)

Stelzl Peter Dr. techn. Dipl.-Ing. Prof.
B.: Ziviltechn., Ing.Kons. f. Elektrotechnik. A.: 1020 Wien, Obere Donaustr. 53. G.: Feldbach, 29. Apr. 1933. V.: Edeltraud, geb. Lamprecht. S.: RG, Techn. HS. K.: Seit 1959 HS-Ass., daneben ab 1965 Vertragslehrer am TGM Wien, seit 1966 Prof. u. seit 1969 Fachvorst. (Abt.Vorst). P.: Art. in d. Zeitschrift "Techn. Rundschau", Bern, etwa 250 Rezensionen v. Fachbüchern. M.: Mtgl. d. Vorst. d. Sekt. d. Disziplinarsen. d. Sekt. Ing.Kons. (Kam. Wien), Obm. d. Fachgruppe Maschinen-Elektro d. Sachv.Verb.

Stemberger Elisabeth Prof.

B.: ak. Malerin, Musikpädagogin im Konservatorium d. Stadt Wien. DA.: 1020 Wien, Engerthstr. 237b/4/10/61. G.: Wien, 18. Febr. 1901. El.: Rudolf u. Rosa Stemberger. S.: VS, Mittelschule, Ak. f. angew. Kunst (Albert Paris Gütersloh). K.: Atelier Johannes Fischer: Bekanntschaft m. Werken Hans Böhlers, 1948-81 zahlr. Kollektiv-Ausstellungen in Wien (Galerie Würthle, Secession, Neue Hofburg, Bez. Buseum Leopoldstadt, Galerie Basilisk, Kleine Galerie, Künstlerhaus), Imst, Lienz, Retz u. in d. Schweiz (Schloß Arbon), 1952-78 zusammen m. "D. Kreis" viele Aktivitäten im In- u. Ausland, zahlr. Reisen nach Italien, USA, Deutschland, Frankreich, Werke im Besitz d. Albertina, d. BMU u. Privatbesitz. E.: 1. Preis. b. Ausstellung "Klemens Maria Hofbauer". M.: Mtgl. "D. Kreis", Künstlergruppe. Eigenes Zitat: Ich fühle mich d. österr. Tradition d. Expressionismus zugehörig, ob figurativ oder non figurativ. (R.A.)

Stemberger Florian

B.: Repräsentant d. Tir. Landesvers. DA.: 6010 Innsbruck, Wilhelm-Greil-Str. 10. PA.: 6370 Kitzbühel, Haus am Ölberg 33. G.: Glasenbach/Elsbethen, 29. Dez. 1955. V.: Maria, geb. Herrenegger. Ki.: Katrin (1986), Angelika (1987). El.: Robert u. Katharina. S.: Grundschule, kfm. Berufsschule, 1981 Abschluß, Filialltr.-Prüf., Anlageberatungskurse, Segelflugausbild., Pilotenschein, Schiffsführerpatent, fuhr 1975 Autorennen. K.: Sparkassenang., 1974 1. u. 1979 2. Sparkassenprüf., 1981 kfm. Berufsschule, 1981 Ausbild.-Prüf., Austritt aus Sparkasse, 1981 Repräsentant Tir. Landesvers., 1990 Jugend- u. Sportref. d. Gem. E.: 25 J. Mtgl. Schützengilde. M.: Skiclub, Turnver., Schützengilde, Tennisclub, Bauernhausmuseum. H.: Skifahren, Schwimmen, Yachtsegeln, Wohnmobil, Tennis, Squash, Fußball, Touren gehen, Wandern, Familie, Wasserskifahren. (M.W.)

Stemer Siegmund Mag. phil.

B.: ÖVP Klubobmann Vlbg. FN.: ÖVP Landtagsclub. DA.: 6900 Bregenz, Römerstr. 18. PA.: 6771 St. Anton, Montafon. G.: Bludenz, 5. Mar. 1951. V.: Margot, geb. Carocristi. K.: Martin (1984). EL.: Hubert u. Marianne. S.: 1969 Mat. Bundesgymn., Uni Innsb. Stud. Sport u. Geogr., 1975 Spons., staatl. Schilehrerprüf. K.: 1976 Ausbild. Bundessportheim Obergurgl, Eintr. HASCH u. HAK Bludenz a. Prof., 1979-80 Administrator, 1989 LAbg., 1977 Gem.-R., 1981 Brgmstr., 1985 Vorst. d. Brgmstr., histor. Verbind. z. Montafoner Gem., Ltr. d. ARGE Geograp.-Prof. u. berufsbild. mittl. u. höh. Schulen, Ausbild. f. Begelitlehrer b. Schulschikursen, Mitarb. u. Erstell. d. Lehrplanes d. Geograp.-Unterr. f. HASCH u. HAK. H.: Schifahren, Fußball, Lesen, Musik (früher aktiv i. örtl. Musikkapelle). (I.D.)

Stemberger Heinrich Dr. med. a.o.Prof.

B.: a.o.Prof. u. Ltr. d. Inst. f. Sonnen- u. Tropenmed. Fachrichtung Hygiene, Mikrobiologie u. Tropenmed. DA.: 1080 Wien, Lenaug. 19. PA.: 1020 Wien, Böcklinstr. 47/8a. G.: Graz, 15. Jan. 1941. V.: Astrid, geb. Simonlehner. Ki.: Regina (1962), Julia (1965), Katharina (1968), Peter (1974), Moana (1976), Julia (1986). El.: Dr. Hermann u. Dr. Elfriede. S.: VS, HS, Gymn., 1959 Matura, Med.Stud. Wien, 1968 Prom. K.: b. 1974 am Hygieneinst. d. Univ. Wien, 1974 Inst. f. spezifische Prophylaxe u. Tropenmed., 1978 Habil., seit 1987 a.o.Prof., Studienaufenthalte in Afrika, London, Liverpool, Deutschland, seit 1990 Privatkrankenanst. f. Dermatologie, Immunologie u. Tropenmed. in Wien. K.: ca. 150 Art., 2 Bücher. E.: Hoechst-Preis, Preis d. Ärztekam., Preis d. Fa. Wander. M.: Obm. d. Amazonashilfe, Fellow of the Royal Society of Tropical Medicin and Hygene, Österr. Ges. f. Tropenmed. u. Parasitologie. H.: Oldtimer, Motorräder, Faulenzen. (R.J.)

Stemberger Julia

B.: Schauspielerin. G.: Wien, 29. Jän. 1965. El.: Prof. Heinrich Stemberger u. Christa Schwertsik. S.: VS, Gymn., Matura, Musikstud. Querflöte. K.: Theater, Film- u. Fernsehprojekte u. Musiktheater im In- u. Ausland. E.: Darstellerpreis in Frankreich. M.: Greenpeace Förderer.

Stemmer Wilhelm

B.: Gärtner d. Gartenbauspezialkulturen u. Biolog. Labor. DA.: 1190 Wien, Heiligenstädter Str. 145/10/3/13, 2103 Langenzersdorf, Industriegelände. G.: Wien, 9. Sept. 1928. Ki.: Stella (1965). El.: Wilhelm u. Katharina. S.: kfm. Berufsausbild. K.: nach d. Krieg versch. Tätigkeiten u. intensive Beschäftigung m. Entomologie, ab 1967 spezialisiert auf Botanik, Aufbau einer Fachgärtnerei, Zusammenarb. m. d. meisten österr. u. intern. botan. Gärten, Samenaustausch, Gartenbauspezialkulturen: Prüf. trop. oder subtrop. Zier- u. Nutzpflanzen auf Kulturmöglichkeit in unseren Klimaten, Aufbau eines biolog. Labors, 3 Einmannexpeditionen in Afrika. P.: Art. in Fachzeitschriften. H.: Zucht v. trop. Insekten u. Fröschen. (J.S.)

Stempfer Josef

B.: selbst. FN.: Fair-Holzprodukte. DA.: u. PA.: 5242 St. Johann/Walde, Obereck 50. G.: St. Johann/Walde, 24. Okt. 1959. V.: Roswitha, geb. Sperl. Ki.: Daniel-Josef (1985), Iris-Roswitha (1989). El.: Josef u. Anna. S.: Grundschule, 1975-78 Lehre als Säger im elterl. Betrieb, Abschluß m. Ausz. K.: b. 1983 im elterl. Betrieb tätig, ab 1988 Vertr. f. Balkone im Innviertel Firma Brentner, seit 1990 selbst. BL.: Holzverkleidungen Schloß Fuschl. H.: Familie, Beruf (Bauen u. Planen). (J.L.)

Stengel Franziska Dr.

B.: Prim., FA f. Innere Med. A.: 1090 Wien, Gründlg. 1. G.: Wien, 14. Sept. El.: Hermann Friedrich u. Anna Stengel. S.: Hum. Gymn., Dr. med. Univ. Wien, Stud. d. Psych. u. Soz. K.: Ass. Interne Abt. AKH Wien, Abt.Arzt Städt. Altersheim Lainz, OA, Abt.Chef., Prim., Lehrer in gerontolog. Fächern an städt. u. priv. Sozialschulen, Autor, tätig in d. Erwachsenenbild., Kursltr. an VHS. P.: Fachwiss. Arb. in Geriatrie u. Gerontologie (rund 120), 12 populärwiss. Bücher, ca. 1500 Art., Lyrik in Zeitschriften u. Zeitungen, mehrere 1000 Vorträge. E.: Wr GE, Elisabeth-Med. d. Caritasverb. uva. M.: Org. d. Ärztinnen, Österr. Schriftstellerverb., Ges. f. Innere Med., Ges. f. Chir. u. Gerontologie, Mtgl. d. Kath. Ak. uva.

Stengg Richard Dr. Mag. Prof.

B.: RA, Prof. an d. Höheren Lehranst. f. wirtschaftl. Berufe. DA.: 7400 Oberwart, Wiener Str. 41. PA.: 7400 Oberwart, Holunderg. 12. G.: Wagendorf, 29. Mai 1948. V.: Adilia. Ki.: Christian (1972), Beate (1974), Peter (1989). El.: Richard u. Waltraud. S.: VS, Gymn., Unterricht an d. Höheren Lehranst. f. wirtschaftl. Berufe Oberwart, BH, 1971 Mag., Stud. Romanistik, Latein, Geschichte u. Jus Graz, 1984-85 Gerichtspraxis. K.: 1993 RA-Prüf. in d. RA-Kam. M.: MKV, Jurist. Ges. in Bgld., Humanist. Ges. Stmk. (R.T.)

Stengl Sven Uwe
B.: Vorst.-Dir. FN.: Becom Burgenländ. Elektronik u. Kommunikationssysteme GmbH Lockenhaus. GT.: VstVorsStv: EH-SCHRACK COMPONENTS-Aktiengesellschaft, Wien; Gschf: Schrack Components GmbH, Karben; Gschf: Schrack Components Ltd, Pinner; Gschf: Schrack France sarl, Lisses; AR: EH-SCHRACK ANLAGENTECHNIK-Aktiengesellschaft, Wien; VerwR: Schrack Components AG, Cham; Board of Directors: Schrack Components Inc, Ft. Lauderdale; PA.: 2344 Maria-Enzersdorf, Am Steinriegel 9.

Stenitzer Georg Dr.
B.: RA, Bgm. d. Stadt Laa. DA.: 2136 Laa/Thaya, Stadtpl. 39. PA.: 2136 Laa/Thaya, Simon-Scheiner-Str. 10. G.: Laa, 19. Mai 1937. V.: Christine, geb. Erdei. Ki.: Michael, Thomas, Claudia. El.: Dr. Paul u. Anna. S.: VS, RG, Univ. Innsbruck u. Wien, 1959 Prom. K.: Gerichtsj., 6 J. Konzipient, seit 1967 selbst. RA, 1968 VBgm., 1982 Bgm. H.: Tennis, Schwimmen, Gartenarb. (R.A.)

Stenzel Günther
B.: Gschf. Ges. FN.: Morpex GesmbH, Clinical Plastic Products GesmbH. DA.: 1060 Wien, Loquaipl. 12. G.: Ründeroth, 28. Mai 1936. V.: Veronika, geb. Gyocsi. Ki.: Timea (1970), Arndt (1972), Christoph (1981). El.: Otto u. Emilie. S.: Stud. d. Betriebswirtschaft a. d. Univ. Köln. K.: 1964 Ankunft Wien, Grdg. Sales Team d. Fa. Norton International mit Schwerpunkt Schleifmittelind., Industriekeramik, 1979-82 Generaldir. d. Tochterfirma v. Norton International in Deutschland, 1982 Rückkehr nach Österr.,Beteiligung am Aufbau d. Fa. CPP GesmbH, 1986 Grdg. MORPEX GesmbH mit Schwerpunkt UdSSR/GUS Staaten, 1989 Erweiterung Programm um schlüsselfertige Bauten in Modulbauweise, Managmetkurse d . Fachausbildung i. d. Akad. Krems f. Med. aus d. GUS. H.: Tennis, Skifahren, Wassersport, Musik. (T.T.)

Stenzel Ursula Dr.
B.: Journalistin, Auslandsred. u. Moderatorin d. "Zeit im Bild" (Nachrichtensdg. d. ORF). DA.: 1130 Wien, Würzburgg. 30. G.: Wien, 22. Sep. 1945. S.: Stud. d. Politikwiss., Publizistik u. Zeitgeschichte. K.: Seit 1972 b. ORF, Hörfunknachrichten, seit 1976 Auslandsberichte f. "Zeit im Bild", ausgiebige Reportagen über Spanien (nach Francos Tod), BRD, Naher Osten, Israel, Iran (1979), Tunesien, Amerika, Interview m. Golda Meir, Helmuth Schmid, Anwar el Sadat, Berichte über Jerusalem u. d. span. Rg. unter Suarez, seit 1980 Moderatorin d. "ZiB". H.: Musik, Theater.

Stepan Adolf
B.: Dipl.-Graphiker. A.: 2371 Hinterbrühl, Parkstr. 27. G.: Wien, 6. Febr. 1939. V.: Agnes, geb. Wallner. El.: Heinrich u. Franziska. S.: Sekundarschule Schweiz, Kunstak., Mstr. Kl. d. Graph. Lehr- u. Versuchsanst. Zürich. K.: 1960 20 Puppentrickfilme f. Österr. Fernsehen, nunmehr selbst. in d. Werbegraphik tätig, Scanreform-Werbung. BL.: Entwicklung d. Design f. d. größten Kristalluster d. Welt (Belgrader Rathaus). E.: 1. Preis f. Ausst. u. Design d. Messestandes f. Honeywell Bull auf d. Ifabo 1979. M.: Lions-Club Wien. H.: Holzschnitzereien, Tonarbeiten. (M.G.)

Stepan Kurt KommR. Ing.
B.: Inh. d. Fotohaus Stepan. GT.: Vorst. d. Wr. Landesgremiums f. d. Hdl. m. Waren f. Foto, Kino u. Optik. DA.: 1060 Wien, Gumpendorfer Str. 95. PA.: 1060 Wien, Morizg. 2. G.: Wien, 26. Febr. 1929. V.: Edith, geb. Schuster. Ki.: Andreas (1963). El.: Ludwig u. Marianne. S.: 1947 BRG-Matura, 3 J. Abiturientenkurs in d. Textilbranche f. Chemie, 1950 Abschluß als Ing. K.: 2 J. chem.-techn. Ang. b. Fa. Ciba Schweiz, danach Fotohandelspraxis in Schweiz u. Deutschland, 1955 Eintritt in d. väterl. Fotohandelsbetrieb Fa. Fotohaus Stepan, 1962 Übernahme d. väterl. Betriebes. BL.: Grdg. d. 1. Österr. Chormuseums, BeiR. d. Kreditver. d. 1. Österr. Sparkassa, Prüf.-Vors. b. d. HK Lehrabschlußkmsn., Schulaussch.-Mtgl. d. Wr. Berufsschulen, Beis. im Arbeitsgericht, Mtgl. im Vermittlungsaussch. d. Arbeitsamtes, Beis. in d. Finanzprüf.-Kmsn. E.: zahlr. staatl. u. Landesausz. im Rahmen d. Chorgesangs. M.: Bundesobm. d. Sängerbundes f. Wien u. NÖ, Ehrenvorst. d. Wr. Männergesangsver. H.: Chorgesang, Fotografie, Theater, Oper, Konzert, Jugendarb. (M.M.)

Stepan Ludwig jun.
B.: Inh., Druckermstr., Kompl. FN.: Stepan Druck Ludwig Stepan KG. DA.: 5500 Bischofshofen, Alte Bundesstr. 21. G.: Schwarzach, 2. Sept. 1957. V.: Anneliese, geb. Erlbacher. Ki.: Ludwig (1988), Michael (1991). El.: Ludwig u. Barbara. S.: VS, HS, Berufsschule, 4 Lj. Hoch- u. Flachdrucker b. Fa. Kiesel in Sbg., 1976 m. ausgez. Erfolg abgeschl. K.: 1976 im elterl. Druckereibetr. in Bischofshofen tätig, 1981 Befähigungsprüf. absolv., 1986 d. durch d. Großvater 1919 bereits als Duckerei gegr. u. v. Vater gef. Druckerei übernom., seither Betr. in seiner Trad. weitergef. u. auf d. neuesten Stand gebracht. M.: FF Bischofshofen, im Ausschuß d. Innung d. Graphischen Gewerbe. (J.F.)

Stepanek Herbert

B.: Dir. d. ORG. DA.: 1030 Wien, Kundmanng. 20. G.: Valtice, 1944. V.: Dora, geb. Zeiner. Ki.: Martin (1975), Robert (1978). El.: Johann u. Hedwig. S.: VS, 1953-57 Mtgl. und Solist d. Wr. Sängerknaben,1959-64 Mtgl. d. Choralschola d. Hofmusikkapelle Wien, 1962 AHS-Matura, Doppelstud. Lehramtsstud. f. Geschichte und Geographie Univ. Wien, Ausbild. als Kontrabassist durch Prof. Alfred Planyavsky und Ludwig Streicher. K.: ab 1964 Vorst.-Mtgl. d. Ak. Orchesterver. Wien, 1968 AHS-Prof. Wien-Döbling, Mitwirkung b. versch. Orchestern, ab 1980 Doz. am Päd. Inst. d. Stadt Wien, 1980-89 Lektor Univ. Wien, 1986-88 Mitarb. am Zentrum f. d. Schulpraktikum Univ. Wien, ab 1988 Dir. d. BORG Wien 3. P.: Mitteilungen d. Päd. Inst. v. Wien, Lehrbuchautor, wiss. Publ. über Schuldidaktik. M.: BSA, Ak. Orchesterver. H.: Musik aktiv. (J.M.)

Stepanek Michael Otto Dipl.-Ing. Arch.
B.: Arch. DA.: 1010 Wien, Fichteg. 2. G.: Wien, 1. März 1947. V.: Barbara, geb. Dautlik. Ki.: Mattias (1977), Johannes (1979), Lukas (1982). El.: Ottokar u. Maria, geb. Mitterhammer. BV.: Großvater Johann Stepanek: Gründer d. Herrenmodegeschäftes am Kärntner Ring (1890). S.:

Schottengymn. Wien, HTL Wien, Stud. an d. TU Wien, Studienaufenth. in d. USA. K.: Tätigk. b. versch. Arch., u.a. Holzbauer, Schwaner, seit 1981 eigenes Atelier in Wien 1 sowie Arch.Gemeinsch. (Arch. Christen, Brennig, Thetter, Wimmer), Schwerp.: Ind.- u. Wohnbau, Geschäfts- u. Villenumbau, Teiln. an vielen Wettbewerben, seit 1987 Inh. d. Fa. Herrenmoden Stepanek. P.: u.a. Art. über Geschäftslokale in "Architektur aktuell", Space Design Japan "Famous Viennies Shops", Ediciones Atrium S.A. "Jewelleries in Vienna". M.: Round Table (s. 1984), Union Yachtklub Mondsee. H.: Familie, Segeln, Reisen, Zeichnen u. Malen, Sammeln v. Bildern mod. Kunst. (M.G.)

Stepanik Josef Dr. med. Univ.-Prof.

B.: Augenarzt, Prim. A.: 1080 Wien, Schlösselg. 22. G.: Wien, 22. Okt. 1922. V.: Louise, geb. Wolf. El.: Vinzenz u. Anna. S.: Univ. Wien Dr. med. 1947. K.: 1955 FA f. Augenheilkunde, 1955-60 Ass. d. 2. Univ.Augenklinik Wien, seit 1960 Vorst. d. Augenabt. d. KH d. Stadt Wien-Lainz, seit 1961 Univ.Doz., seit 1970 Univ.-Prof. f. Augenheilkunde (Univ.Wien.) P.: 124 wiss. Arb., Monographie: Die Tonographie. E.: Österr. Ehrenkreuz f. Wiss. u. Kunst 1. Kl. M.: Österr. Opthalm. Ges., Dt. Ophtalm. Ges., Ophtalm. Ges. in Wien, Assoc. Eye Research, European Glaucoma Soc., Ges. d. Ärzte in Wien, Van Swieten Ges., Österr. Biophysikal. Ges., European Glaucoma Society. H.: Klavierspielen.

Stephan Hans Ulrich Dkfm.

B.: Gen.-Dir. FN.: NCR Österr. GmbH. DA.: 1130 Wien, Hietzinger Kai 101. PA.: 2371 Hinterbrühl, An d. Hortigstr. 2. G.: Langenbielan, 17. Febr. 1942. V.: Ursula, geb. Tauser. Ki.: Sebastian, Barbara. El.: Martin u. Erna. S.: Grundschulen, Oberrealschule Augsburg, Ludwig Maximillians-Univ. München, 1968 Examen, 1963 Abitur. K.: NCR Deutschland, Systemanalytiker, VK Dir., 1979 EDV-Betrieb, 1 J. Branchenmarketing öff. Verw., Vertrieb übernommen u. ausgebaut, 1985 Prok. u. Vertriebsdir., 1986 Gen.-Dir. NCR Österr. P.: Div. Art. in Fachzeitschriften. M.: Kuratorium d. österr. amerik. HK, Arge f. Datenverarb., Rotary. H.: Fotografieren, Tennis, Musik, Theater, Malerei, Museen, Ausstellungen, Skifahren. (E.L.)

Stepic Herbert Dr. Dkfm.

B.: Dir., Mtgl. d. Vorst. d. Raiffeisen Zentralbank Österreich AG. DA.: 1030 Wien, Am Stadtpark 9. PA.: 1160 Wien, Hertlg. 1. G.: Wien, 31. Dez. 1946. V.: Dorothée, geb. Brock. Ki.: Clemens, Hannes. El.: Otto u. Anna. S.: VS, RG, 1965-72 Stud. HS f. Welthdl. Wien, 1969 Dipl., 1969-70 Präsenzdienst, 1972 Prom. z. Dr. d. Hdls.Wiss. K.: seit 1973 Gen. Zentralbank AG, 1977 Prok., 1987 Mtgl. d. Vorst. d. Gen. Zentralbank AG, 1988 Mtgl. d. Board of Directors d. UNIC-Bank Rt. Budapest, seit 1990 stellv. AufsR.Vors. Tatra Bank Bratislawa, seit 1991 AufsR.Vors. Raiffeisen Centro Bank Warschau. P.: Fachart. H.: Tennis, Wandern, Tauchen, Reisen. (R.J.)

Stepniczka Heinrich Dr. Dipl.-Ing. KommR. MBA

B.: Gen.-Dir. FN.: Lenzing AG. DA.: 4860 Lenzing. G.: Graz, 12. Okt. 1940. V.: Coralie. Ki.: Andreas u. Michael (1969). El.: Heinrich u. Karoline. S.: Grundschule, RG, TU Graz, Dr. techn. Wiss., MBA Central Michigan Univ. K.: 20 J. USA, Fa. Sandoz Schweiz, 1990 Lenzing AG. M.: Chem. Fachverb. H.: klass. Musik, Tennis, Skilanglauf.

Steppan Andreas

B.: freischaff. Schauspieler. PA.: 2340 Mödling, Fürstenstr. 7. G.: Linz, 15. Juni 1959. V.: Nicole, geb. Fendesack. Ki.: Samantha. El.: Dr. Franz Xaver u. Lotte Ivana Edeltraud. S.: VS, RG, 1977 Matura, 1 J. Reinhardt-Seminar, 1978-80 Stud. Publizistik. K.: BH, dreimaliger Auftritt in "Die große Chance", Parodie v. Sammy Davis, Jerry Lewis u. Dean Martin, 1982 versch. Komikerrollen in Boulevardkomödien an d. Kleinen Komödie, 1983-85 Theater d. Jugend, 1985-86 Kammerspiele, 1986 Entertainer in eigener Show an d. Mödlinger Bühne, 1987 Boulevardkomödien an d. Kleinen Komödie, 1988 b. d. Festspielen Burg Liechtenstein in Shakespeare Stücken gespielt, 1988-89 Kabarett Simpl, Fernsehauftritte. E.: FS-Krone 1981. M.: Theater zum Fürchten. H.: Fotografieren, Gürtel u. Taschen aus Leder herstellen, Platten u. Musiknoten sammeln. (M.B.)

Stepper Frank

B.: Architekt. FN.: COOP HIMMELBLAU. DA.: 1010 Wien, Seilerstätte 16. G.: Stuttgart, 25. Juli 1955. K.: ab 1991 3. Partner b. Coop Himmelblau, Projekt Zentrum Europaplatz, St. Pölten/NÖ, 1992 Constructa-Preis (Europ. Preis f. Ind.-Arch.), Hamburg, Projekt Funder Werk 3, Schelling-Preis 1992, Karlsruhe.

Steppi Werner H. E. Dipl.-Ing.

B.: Inh. d. Fa. Steppi & Co, Wien u. Sbg. DA.: 1050 Wien, Siebenbrunneng. 22. PA.: 1120 Wien, Laskeg. 31. G.: München, 10. Dez. 1936. V.: Ingeborg, geb. Steiner. Ki.: Klaus, Monika, Alexander. S.: Realschule in Sbg., Staatsgewerbeschule Sbg., Oskar-v.-Miller-Polytechnicum, 1957 Dipl.-Ing. K.: seit 1967 Gschf. d. Fa. Steppi (Firmengründer Rupert Steppi 1903-72, Fa. seit 1925 im Familienbesitz), seit 1972 alleinverantwortl. Gschf., wichtige Bauten: WU Wien, Verw. Gebäude Mobil, Tennis Point Anif, Hotel "Erzsebet" in Budapest, Wohnhaus- u. Industrieanlagen. P.: div. Art. in Fachzeitschriften. M.: Österr. Turnerbund, versch. Sportver. H.: Skifahren, Reisen. (Hau.)

Stepski-Doliwa Ulrich Dr.

B.: Fa.Teilhaber, Vorst.Dir. FN.: Nettingsdorfer Papierfbk. AG. DA.: 4054 Nettingsdorf. G.: Linz, 19. Mai 1955. V.: Gabriele, geb. Gräfin Khuen. Ki.: Isabella, Felix, Alice. El.: KommR. Dr. Gottfried u. Elisabeth Stepski-Doliwa. S.: VS, Gymn., Jurastud. m. Abschluß als Dr. K.: Nettingsdorfer Verkaufsabt. München geleitet, 1989 Vorst.Dir. M.: Jagdkonsortium Pucking.

Ster Thomas Ing.

B.: Stadtgartendirektor. FN.: Magistrat Graz. GT.: Landesnaturschutzreferent d. Naturfreunde Stmk. DA.: 8020 Graz, Lagerg. 132. G.: Wien, 14. Jan. 1948. V.: Luise, geb. Drasser. Ki.: Christina (1974), Christoph (1981), Katharina (1987). El.: Ludwig u. Margaretha. S.: VS, HS Wien u. NÖ, Gärtnerlehre b. Stadt Wien, 1964 abgeschl., HTL f. Gartenbau i. Wien, 1968 abgeschl. K.: 1989 Ltr. d. botanischen Garten UNI Graz, seit 1989 Stadtgartendirktor, Planung u. Erhaltung, sämtl. Grünanlagen d. Stadt Graz. M.: Landesnaturschutzref. d. Naturfr. Stmk., Vorstandsmtgl. d. Naturschutzbundes, Landesgruppe Stmk., ordentl. Mitglied d. Landesnaturschutzbeirates b. Amt d. Stmk. Landesregierung. P.: i. Jahrbuch d. Naturwissenschaftl. Verein i. Kärnten "Zur Alpinen Pflanzenwelt d. Brenta/Trentino". 6/1994 gemeinsam mit Dr. Arnold Zimmermann erschienen div. Artikel bzw. Gutachten f. d. Umweltanwalt d. Landes Stmk. H.: Naturschutz, Geschichte, Philatelie. (I.G.)

Ster Günter
B.: General Manager. FN.: Paco Leone Reiseveranstaltungs GmbH & Co KG. DA.: 1030 Wien, Hainburger Str. 20. PA.: 1090 Wien, Rögerg. 36/11. G.: Wien, 23. Mai 1956. S.: Ausbild. als Einzelhdls.Kfm. in d. Textilbranche. K.: 1976-81 Einstieg in d. Touristikbranche als Reiseltr. b. Touropa Austria, Tätigkeit: Hoteleinkauf Spanien, 1981 Fa. Neckermann Österr. als Veranstalter, Bereichsltr. d. Abt. Planung, Prod. u. Einkauf, 1985 Fa. ITAS Austria, Prok. f. Grdg. d. Reiseveranstalters Paco Leone, 1987 Übernahme d. Geschäftsführung m. Otto Komareck. H.: Sprachen, Sport, Reisen. (C.K.)

Sterba Franz Dr.
B.: Ltr. d. Abt. Öffentlichkeitsarbeit. FN.: IBM Österreich GmbH. DA.: 1020 Wien, Obere Donaustr. 95.

Sterba Hubert Dr. Dipl.-Ing. o.Univ.-Prof.
B.: Univ.-Prof. d. Univ. f. Bdk. Wien. DA.: 1190 Wien, Peter-Jordan-Str. 70. G.: Wien, 14. Febr. 1945. V.: Mag. Veronika, geb. Mailler. Ki.: Stefanie, Johannes. El.: Hubert u. Marianne. S.: VS, Realschule, Univ. f. Bdk., 1967 Spons., 1970 Prom. K.: nach Stud. Ass. an d. Univ. f. Bdk., Studienaufenthalt in München am Inst. f. Waldwachstumskunde, 1971 zurück nach Wien Inst. f. Forstl. Ertragslehre, 1974 Habil., seit 1979 o.Univ.-Prof., 1985-88 Rektor. P.: Ertragskundliche Hypothesen über den Standort, ASSMANN's Theorie der Grundflächenhaltung und die "Competition-Density-Rule" der Japaner KIRA, ANDO und TADAKI, Ertragstafeln für 20 Baumarten nach Absolutbonitäten, Sortentafeln für Fichte, Sortentafeln für Tanne, Lärche, Kiefer und Buche. M.: Mtgl. mehrerer Arbeitskreise d. IUFRO. H.: Skifahren, Klavierspielen. (R.A.)

Sterbenz Edgar Dr. Mag. LL.M.
B.: ltd. Red. d. Radio Österr. Intern. d. ORF. DA.: 1136 Wien, Würzburgg. 30. G.: Graz, 25. Okt. 1951. V.: Heidi. El.: Erich u. Johanna. S.: 1961-69 Ak. Gymn. Graz, Stud. Rechtswiss. Univ. Graz, 1974 Prom. z. Dr. iur., Stud. Intern. Recht u. Nat. Politik Columbia Univ. New York, 1976 Abschluß Master of Laws (LL.M.). K.: ab 1968 freier Mitarb. b. ORF, 1972-73 Red. b. d. BBC London, 1977-85 Moderator d. ORF-Journale u. außenpolit. Red., 1986-87 ORF Auslandskorrespondent Washington, ab 1988 ltd. Red. Radio Österr. Intern. M.: 1983-89 Gen.-Sekr. d. Österr. Ges. f. Außenpolitik u. Intern. Beziehung. (N.A.)

Sterbenz Ingomar

B.: Dir. FN.: Auktions, Versatz u. Bank GmbH. DA.: 9010 Klagenfurt, Villacher Str. 8. PA.: 9170 Ferlach, Waldweg 15. G.: Rheinthal, 20. Dez. 1938. V.: Heidemarie. S.: VS, HS, 1956 Matura. K.: 1956 Eintritt Dorotheum, Schreibkraft, Buchhaltung, Hauptkassier, stellv. Ltr., 1976 Filialltr. u. Dir. Auktions, Versatz u. Bank GmbH. E.: Sportausz., Gold. Ehrennadel K.F.V. Ktn. M.: SV ATUS Ferlach, Sekt.-Ltr. Ktn. Liga. H.: Sport allg., Fußball, Skifahren, Tennis, Golf. (W.M.)

Stergar Ernst Dr. Dkfm. Prof.
B.: Gschf. Ges. FN.: Concordia Wirtschaftstreuhand GmbH. DA.: 1030 Wien, Salesianerg. 3/III/4-5. G.: Wien, 5. Apr. 1906. El.: Stergar Josef u. Paula. BV.: Großvater: Valentin Stergar k.k. Offz. (MilitäroberrechnungsR.). S.: VS, Realschule, HS f. Welthdl., 1933 Prom., 50 jähr. Dr.Jub. K.: Ang. der Ersten Österr. Sparcasse (1927), 1939 Kriegsdienst, Kriegsgefangenschaft, 1946 Anw. f. Wirtschaftsprüf., 1951 selbst. Wirtschaftsprüf. u. Steuerberater, gerichtl. beeid. Sachv. P.: "Leistung d. Kapitalhdls.", "Besteuerung Körperschaften öff. Rechts", ca. 30 Aufsätze in Fachpubl. E.: Kriegsdienstkreuz m. Schwertern, Stern v. Rumänien. M.: Österr. Bankwiss. Ges. H.: Reisen (Mittelmeerraum). (R.A.)

Stergiopoulos James
B.: Gschf. FN.: Cincinnati Milacron Austria GmbH. DA.: 1232 Wien, Laxenburger Str. 246. G.: Cincinnati/USA, 16. Okt. 1938. S.: Electrical Engineer, Masters Degre in Business Administration. K.: Cincinnati Milacron: 1963-70 Electronic Systems Division, 1970-76 Machine Tools USA, 1976-87 Machine Tools Europe, seit 1987 Plastics Machinery Europe. H.: Musik, Geschichte, Computer.

Sterk Harald
B.: Journalist d. ORF, Schriftsteller, Buchautor. DA.: 1136 Wien, Würzburgg. 30. PA.: 1050 Wien, Hamburger Str. 20/11. G.: Wien, 21. Apr. 1938. El.: Josef u. Frieda. BV.: Vater Josef Journalist. S.: RG, Stud. Jus., Theaterwiss., Kunstgeschichte an d. Univ. Wien. K.: 1962 freier Mitarb. in d. Kulturred. d. AZ, 1964-82 Ang. Kulturred. d. AZ, seit 1972 freier Mitarb. im ORF Kunst- u. Arch. Dokumentationen: "Die unerfüllte Hoffnung - Jugendstil", Dokumentationen über Otto Wagner, Adolf Loos, Josef Hoffmann, Grete Schütte-Likotzky, "Die Geburt d. Zweifels", 1982 Ressortltr. f. Arch. u. Bild. Kunst in d. Kulturred. d. ORF/TV. P.: zahlr. Publ. in Fachzeitschriften, Bücher: "Ind.Kultur in Österr.", "Bauen in Wien (1976-1986)". E.: Fernsehpreis d. Volksbild. 1977, Journalistenpreis f. Arch. d. Arch.Kam. H.: Bücherschreiben. (H.P.)

Sterk Robert
B.: Chefred., Gschf. FN.: REV Zeitschriften Verlags GmbH & Co KG. DA.: 1072 Wien, Seideng. 5. PA.: 1060 Wien, Linke Wienzeile 64/12. G.: Wien, 13. März 1949. El.: Josef u. Friederike. S.: Gymn., Matura, Stud. Soziologie u. Publ. K.: v. 1967-83 journ. Praxisausb. b. AZ (1967-73), Profil (1973-74), Stern (1975-78) u. d. Magazin Heute (1979-83), dazwischen 1 J. freischaffend tätig, 1984-86 PR u. Marketing b. SPÖ Wien, 1986-91 stv. Chefred. b. Magazin Wiener, s. 1992 Chefred. b. Zeitschrift Basta u. zugl. Gschf. d. REV Zeitschriftenverlages, v. 1980-90 Gestalter v. TV-Dokumentationen u. Hörfunk-Serien. P.: Buch "Österreich u. d. EG", Hrsg. div. Creativitätsbücher u. Gestalter av. TV-Dokumentationen u. Hörfunk-Serien. E.: Jugendstaatspreis f. journ. Leistungen d. Jugend betreffend. H.: Interessante Menschen u. sehr gute Freunde, Beiseln, Kochen, gute Weine, Kultur i. weitesten Sinne, Lesen, Reisen. (F.S.)

Sterkl Karl Dipl.-Ing.
B.: Ziviltechniker, Ziviling. f. Bauwesen. DA.: 4020 Linz, Pillweinstr. 12. PA.: 4111 Walding, Leitnerweg 12. G.: Wien, 23. Mai 1946. El.: Karl u. Margarete. S.: VS, Gymn., 1964 Matura, 1965 BH, TU Wien, 1973 Dipl.-Ing. K.: 1974 Ziviling.-Büro Dr. Georg Kattiner, 1975-84 Prok. f. Hoch- und Tiefbau Firma Switelsky, 1984 selbst. Ziviltechniker, 1978 Ziviltechn. Prüf., 1980 Sachv. M.: Ing.-Kam. f. OÖ u. Sbg., Österr. Sachverständigenverb. H.: Skifahren, Schwimmen, Wandern.(Ni.A.)

Sterle Harald
B.: Landessekretär d. GÖD-NÖ. FN.: GÖD-NÖ. DA.: 3100 St. Pölten, Julius Raab-Promenade 27/1/2. PA.: 3021 Preßbaum, Kaiserbrunnenstr. 81. G.: Wien, 27. Aug. 1959. V.: Dagmar, geb. Edelbacher. Ki.: Michael (1991), Matthias (1992). El.: Viktor u. Hertha. S.: Gymn. b. Schulbrüdern i. Strebersdorf, 1979 Sicherheitswachebeamter, 1985 Sekretär d. Gewerkschaft Öff. Dienst i. Wien 1, Wipplingerstr. K.: 1990 Übersiedlung nach St. Pölten, seither auch Landessekretär d. GÖD-NÖ, hauptamtlich Ang. d. ÖGB, seit 1985 Gemeinderat i. Purkersdorf, 1988-89 Stadtrat i. Purkersdorf. M.: 1983-88 Landesleitungsmtgl. d. Jungen ÖVP NÖ, 1988-92 ÖAAB-Stadtobmann Purkersdorf, Bezirksobmann-Stv. d. ÖAAB/ Bezirk Purkersdorf. H.: Radfahren, Familie, Lesen.

Sterling Manfred Dr.
B.: Stv. Leiter Aktueller Dienst, ZIB 2 Abendstudio. FN.: ORF. DA.: 1130 Wien, Würzburgg. 30. PA.: 1090 Wien, Kinderspitalg. 10. G.: Wolfsberg/Ktn., 15. Mai 1950. V.: Waltraud, geb. Schweigreiter. El.: Markus u. Anna. S.: 1970 Matura Klgft., Stud. d. Wirtsch. Sozialgesch. u. Politikwiss. a. d. Univ. Wien, 1983 Prom. K.: a. Sozialforsch.-Inst. ÖIFB Wien tätig, 1985 Eintr. i. d. Wiss.-Red. d. ORF, Ltr. d. akt. Wiss., seit 1993 Aktueller Dienst, Abendstudio ZIB 2. P.: div. Artikel "Extrablatt", "Zukunft", "Arbeiterzeitung". H.: Tennis, Eislaufen, Skifahren, Schwimmen, Reisen. (J.S.)

Stern Franz
B.: Buchhändler, Gschf. DA.: 1040 Wien, Wiedner Hauptstr. 22. G.: Wien, 4. Nov. 1940. El.: Hans Peter u. Elisabeth. S.: VS, HS, HTL f. Chemie, AHS, Physikstud. K.: seit 1983 selbst. H.: Bridge (Bridgeclub KBC), Segeln. (Wist.)

Stern Helmuth
B.: Gschf. Ges. FN.: Stern Schilder Siebdruck GmbH. DA.: 1220 Wien, Lichtblaustr. 12. G.: Wien, 11. Juli 1943. V.: Irene, geb. Simek. Ki.: Ing. Martin (1968), Sandra (1972). El.: Johann u. Luise. S.: Schildermalerlehre im väterl. Betrieb. K.: 1965 Modernisier. d. Fa. u. Einführ. d. Siebdrucks, 1970 Mstr.-Prüf., 1972 Übern. d. Fa., Investitionen u. Einsatz neuer Techniken, seit 1988 Fa. in dzt. Form. H.: Tontaubenschießen, Restaurieren alter Autos. (J.S.)

Stern Johannes Dr.
B.: Chefred. u. Presseref.. FN.: ON Österr. Normungsinst.. DA.: 1020 Wien, Heinestr. 38. PA.: 1090 Wien, Schlickpl. 4/2/9. G.: Wien, 11. Apr. 1954. V.: Ursula, geb. Silter. Ki.: Julia (1978), Joachim (1979), Sophia (1981), Clara (1987). El.: Leopold u. Anna, geb. Marlyovics. S.: 1972 Matura Bruck/Leitha, seit 1972 Stud. an d. Univ. Wien (Geschichte, Romanistik, Kunstgeschichte), 1980 Prom. K.: 1980 Eintritt "Kathpress" als Red., später Aufbau d. eigenen Kulturressorts, freiberufl. Tätigkeit, Arb. f. d. ORF (Hörfunk), 1987 Eintritt b. ibf als stellv. Chefred., seit 1990 Chefred. u. Gschf. b. ibf, 1990-91 Chefred. u. Gschf. d. ibf Informat.Dienst f. Bildungspolitik u. Forschung, 1991 Eintritt b. ON Österr. Normungsinst. als Presseref. u. Chefred. d. Medien d. ON. BL.: Gestaltung u. Aufbau d. Monatsmagazins "CONNEX" - österr. Fachzeitschrift f. nat., europ. u. intern. Normen". P.: "Innenansichten d. Fortschritts - Innovative Unternehmen i. Österr.", zahlr. Art. in in- u. ausländ. Zeitungen zu HS- u. Univ.-Fragen u. z. Forsch.-Politik. E.: 1988 Oskar-Vas-Preis d. Österr. Normungsinst. (1. Journalist, d. m. diesem Preis ausgezeichnet wurde), 1990 Staatspreis f. publizist. Leistungen im Interesse v. Wiss. u. Forsch. M.: seit 1991 Vorst.-Mtgl. im Österr. Klub f. Bild. u. Wiss.-Journalisten, Concordia. H.: Fotografie. (N.A.)

Stern Oskar Ing.
B.: Prok., Dir. FN.: Elektro Bau AG. DA.: 9020 Klagenfurt, Pischeldorfer Str. 221. PA.: 8010 Graz, Opernring 12. G.: Graz, 19. Sep. 1947. V.: Madeleine. Ki.: Oliver (1971), Markus (1980), Eva Maria (1989). El.: Oskar u. Käthe. S.: VS, Gymn., HTL, Univ. Graz. K.: Ziviling. in Konstruktionsbüro, div. Seminare, 1981 Eintritt EBG als Ltr. d. Landesdion. Ktn., Mitwirkung Weltausstellung Sevillia, Österr. Pavillion, Planung u. Ausführung Elektrotechn. Einrichtungen. H.: Segeln, Familie. (W.M.)

Stern Peter DDr.
B.: RA. A.: 1180 Wien, Cottageg. 40. G.: Wr. Neustadt, 27. Juni 1926. El.: Dr. Michael u. Edith. S.: VS, Gymn., Stud. d. Rechtswiss. u. d. Wirtschaftswiss. an d. Univ. Wien u. Graz, Dr. utr. iur. u. Dr. rer. pol. K.: Eintritt in d. väterl. Kzl., seit 1950 RA, seit 1981 Honorarkonsul d. Rep. Singapur. P.: Jurist. Vorträge u. Aufsätze. E.: Silb. EZ f. Verd. um d. Rep. Österr. 1979, M.: Mtgl. d. Ver. "Menschen f. Menschen". H.: Familie, Beruf, Musik.

Sternath Werner Ing.
B.: Bes. FN.: Sternath Heizungs Sanitär Großhdl. u. Erz. u.a. v. selbstentwickelten Wasseraufbereitungsanl. inklusive Osmosegeräten. GT.: Gschf. Ges. d. WEK GmbH Heizungen u. Installation. DA.: 1180 Wien, Schulg. 14. PA.: 3040 Neulengbach, Almasberg 12. G.: Villach, 24. Mai 1947. V.: Kristina, geb. Bedenik. Ki.: Christian. El.: Fritz u. Ilse. S.: VS, HTL, Abschluß d. Konservatorium f. Musik Autodidakt. K.: 5 J. Berufsmusiker, dann Ltr. d. Fa. CW Planung u. Schalttafeln, Verkaufschef d. Fa. Sweden, danach selbst., 1982 Eröff. d. Musikstudios, 1985 Eröff. d. Galerie, komponiert u. textet f. namhafte Künstler in Österr., entwickelte eigene Techniken in d. Ölmalerei u. in d. Graphik u. hat Erfolg m. seinen Werken. P.: myst. Bilder u. Musik, LP "Ich" alles in Eigenprod., Text, Musik, Arrangement. M.: Lions Grdg.Mtgl. H.: Tennis, Skifahren, Segeln, Surfen, Gitarrensammlung, Fotographieren.

Sternisa Manfred

B.: Inh. FN.: Erzeugungs- u. Handelsbetr. Sternisa. DA.: 4020 Linz, Estermattstr. 8a, 4040 Linz, Aubergstr. 4-8. PA.: 4040 Linz, Aubergstr. 8, 4203 Altenberg, Oberklammerstr. 54. G.: Markt Heidenfeld/Bayern, 19. Sept. 1944. V.: Inge, geb. Baumann. Ki.: Mario (1971), Tamara (1968). El.: kFranz u. Else. S.: VS, Realgymn., Berufschule, Fortbildungskurse, Schwerpunkt Elektrotechnik. K.: 1961-71 Radartechniker b. Bundesheer, s. 1971 selbst. M.: b. Freien Wirtsch.verb., 15 j. Handelskammerausschuß, 10 J. b. d. Bundeskammer. H.: Tennis, Skifahren, Radfahren, Reisen, Kultur. (K.M.)

Sternik Kurt
B.: Schauspieler. FN.: Theater f. Vorarlberg. DA.: 6900 Bregenz. PA.: 6900 Bregenz, Bregenzerstr. 51. G.: Graz, 21. Mar. 1943. V.: Lilo Wipper (Lebenspartnerin). K.: Michael (1966), Jacqueline (1972). EL.: Anton u. Elfriede. S.: 1962 Mat. Gymn., Uni Graz 4 Sem. Stud. Jus., 1968 Dipl. m. Auszeichnung, par. Hochs. f. Musik u. Darst. Kunst. K.: 1 J. Festival de Nancy Frankr. m. intern. Theatergruppe, 1970 Eintritt am Theater am Kornmarkt a. Schauspieler u. Reg., Tourneen Schweiz u. dtsch.-sprach. Raum, 1974 Regie b. Sommerspielen in Schwäbisch Hall, 1986 Opern- u. Schauspielerinsz.

Linz, Insz. Schloßfestspiele Ettlingen, Regie ORF Hörspielen, Reg. u. Schausp. Bregenzer Festspiele. P.: Zusammenstell. v. Programmen u. Lesungen, Liter. Stückbearb. E.: Abgangspreis v. BM f. Unterricht. H.: Literatur, Musik, Segeln, Tiere. (I.D.)

Sterrer Helmut Ing.

B.: Inh., Gschf. FN.: Geflügelhof Sterrer. GT.: Stömerhof Sterrer GmbH., 1975-83 Lds.-Obmann u. 1979-83 Bds.-Obmann-Stellv. d. Ringes Freiheitl. Jugend, 1979-91 Gemeinderat. DA./PA.: 4673 Gaspoldshofen, Kirchdorf 2. G.: Wels, 27. Juni 1954. V.: Heidemaria, geb. Bruckmüller. Ki.: Rupert Christian (1984), Gerold Sebastian (1986), Heidemaria (1988), Helmut Dieter (1991). El.: Helmut u. Josefa. S.: HS, 1972 Matura Höhere Landwirt. Bds.-Lehranst, Seminare u. Kurse f. Verkauf, EDV, Englisch, Italienisch, Betriebsführung, 1981 Pilotenschein f. Motorflieger. K.: Einst. i. elterl. Landwirt., 1974 selbst. Geflügelstalleinr., Firmengrdg., 1991 elterl. Geflügelhof übern. E.: Lds.-Verdienstabz. f. Verd. OÖ Jugend, Bds.-Verdienstabz. i. Gold f. Verd. d. Rep. Österr. M.: Mittelschulverb., Fachstudentisches Korps Normania, St. Florian, Union Volleyball, Schiclub, Mtgl. d. Prüfungskomm., Obmann-Stellv. Lds.-Verband d. landwirt. Geflügelzucht f. OÖ, Lds.-Gremium d. allgem. Handels OÖ. H.: Lesen, Skifahren, Schwimmen, Windsurfen. (N.A.)

Stert Wilhelm Otto

B.: Dir. A.: 2122 Riedenthal 102. G.: 23. Apr. 1925. V.: Inge, geb. Nitsch. S.: VS, Mittelschule, Ing.Schule. K.: 1951-54 Sperry Univac Techniker, 1954-68 Sperry Univac Cheftechniker, 1969-83 Dir. f. Austria, Commecon, Jugoslavien, 1984 Techn. Berater f. Sperry Univac. H.: Malen, Ikone.

Sterz Heinz Dr. med. Univ.-Prof. W.HofR.

B.: em. Prim. d. 2. Med. Abt. d. LKH Klagenfurt. DA.: 9020 Klagenfurt, Pischeldorfer Str. 7/6 (Ordination). PA.: 9220 Velden, Klagenfurter Str. 26. G.: Graz, 14. Apr. 1925. V.: Hannelore, geb. Hövel. El.: Dr. Fritz u. Hanne. S.: Ak. Gymn. Graz, Univ. Graz, Med. Fak., Prom. z. Dr. d. ges. Heilkunde 1950. K.: Ass. Pharmakol. Inst. d. Univ. Graz 1950/51, Ass. u. OA an d. Med. Univ.-Klinik Graz bis 1966, danach Prim. d. 2. Med. Abt. d. LKH Klagenfurt, emerit. 1/91, dzt. gerichtl. beeid. Sachverst. f. Inneree Med. u. Kardiologie, Internship Mountainside Hospital Montclair N.J./USA 1952/53, Fellow an d. Brit. Postgrad. Med. School London 1954/55, Fellow Mayo Clinic Rochester, Minn./USA 1958, Habil. u. Doz. 1962, Univ.-Prof. 1971, wirkl. HofR. 1980. P.: etwa 250 wiss. Publ. in innerer Med., vorw. Kardiologie, 3 Bücher, Red. d. Wiener Med. Wochenschrift. M.: Österr. u. dt. Internistenges., österr. (Präs. 1972) u. dt. kardiolog. Ges., Ges. f. Intensivmed., Wien, Ärzteges. f. Stmk., Ärzteges. f. Ktn, Präs. 1981 u. 1982 H.: Fotografie, Musik.

Sterzinger Peter Dr.

B.: Ltr. d. Wetterred. im Hörfunk d. ORF. DA.: 1040 Wien, Argentinierstr. 30A. PA.: 1090 Wien, Boltzmanng. 12. G.: Wien, 9. Juli 1947. El.: Hans u. Hildegard, geb. Hiecke. S.: 1965 Matura Wien, 1965-70 Jusstud. Univ. Wien m. Prom. z. Dr. iur., Ausbild. z. Pilot, privates Orgelstud. K.: seit 1972 in versch. Funktionen b. ORF tätig, 1991 Grdg., Aufbau d. Wetterred. im ORF u. Übernahme d. Ltg. P.: Art. zu d. Themen: Musik, Fliegen, Meteorologie, Bücher: "Das Wetter", "Fliegen", in d. Reihe "Kurz u. bündig". M.: Österr. Orgelforum, Ges. f. Meteorologie, div. Clubs. H.: Musik, Astronomie, Fliegen. (N.A.)

Stetter Hans J. Dr. Univ.-Prof.

B.: Univ.-Prof. an d. TU Wien. A.: 1030 Wien, Am Modenapark 13/4. G.: München, 8. Apr. 1930. V.: Christine, geb. Schmidt. El.: Dr. Hans u. Wilhelmine. S.: Höhere Schule in München, Stud. d. Math. u. Physik an d. Univ. u. TU in München. K.: 1953-61 wiss. Mitarb. bzw. Ass. an d. TU München, 1961-65 Doz., seit 1965 o.Prof. an d. TU Wien, dazwischen 3 einjährige Forschungsaufenthalte in USA u. England. P.: 2 Bücher u. zahlr. wiss. Arb. E.: Österr. Ehrenkreuz f. Wiss. u. Kunst I. Kl. M.: Österr. Math.Ges., Dt. Math.Ver., Ges. f. Angew. Math. u. Mechanik, Dt. Ak. d. Naturforscher Leopoldina, Int. Assoc. f. Math. & Computers in Simulation.

Steubl Robert

B.: Berufsfeuerwehrmann i. R.; Musiker, Ltr. d. Country-Gruppe "Robert Streubl & Band". PA.: 1020 Wien, Untere Augartenstr. 30/11. G.: Wien, 14. Juni 1959. V.: Susanne, geb. Bernwieser. Ki.: Viktoria (1986), Lisa (1993). El.: Helmut u. Helga, geb. Eischer. S.: VS, Gymn., Konditorlehre, 1977 Gesellenprüf., mit 8J. Geigenunterr. am Konserv. d. Stadt Wien, Autodidakt. Ausbild. zum Gitarristen u. Sänger. K.: 1979 Verkäufer in einem Sportgeschäft, 1980 Eintritt in d. Berufsfeuerwehr, mit 16J. Grdg. der ersten Band, danach Mitwirk. als Sänger u. Rythmusgitarrist bei d. Big Band d. Vaters, mitte d. 80J. Beschäft. mit d. Country Music, Soloauftritte in div. bekannten Inn-Lokalen, danach Gruppe "Hobo´s Special", ab 1991 gemeinsam mit Bassisten, Auftritte im ORF (1. Ausg. "Achtung Kultur"), 1994 endgültige Besetzung d. Country-Band mit Spezialmusiker, Grd. v. Fan-Clubs, Ziel: Publikum f. die Country-Music zu gewinnen, regelm. versch. Veranstaltungen im Rahmen d. Clubs. P.: 1994 Erschein. d. ersten CD "Fireman´s Life" mit eigenen Kompositionen. E.: 1991 5. Pl. bei erstmaliger Teiln. am "Austrian Country Music Award). H.: Musik. (N.A.)

Steuer Anna

B.: Inh. FN.: Transportuntern. Steuer. DA./PA.: 7202 Bad Sauerbrunn, Beethovenstr. 23. G.: Mattersburg, 23. Februar 1948. V.: Josef. Ki.: Petra (1970), Sonja (1971). El.: Anna u. Alfons Weidinger. S.: HS, Friseurlehre in Mattersburg. K.: nach d. Lehre b. d. Fa. Triumph in Wr. Neustadt b. 1969 tätig; anschl. 2 J. Karenz, 1972 Mitarbeit b. d. Gründung d. Fa., 1982 Ablegung d. Konzessionsprüfung f. Transportgewerbe; 1983 erweiterten Betrieb m. Transportuntern., Deichgräbergew., Sand- und Schottergewinnung, Baumaschinenverleih an Großfa. inkl. Fahrer übernommen; 1991-92 Mitarbeit in d. eigenen Schottergrube in Unterwaltersdorf. (I.J.)

Steuer Wilhelm KommR.
B.: Gschf. FN.: Cafe Gerstner GmbH Nf. KG. DA.: 1010 Wien, Kärntner Str. 11-15. PA.: 1140 Wien, Anzbachg. 51. G.: Wien, 23. Okt. 1935. V.: Gertrude, geb. Knap. Ki.: Andreas (1967), Michael (1973). El.: Franz u. Barbara. S.: Realschule in Simmering, ab 1950 Lehre b. Fa. Gerstner. K.: 1957 Zuckerbäckermeister, später Abt.-Ltr., s. 1972 gewerbl. Gschf., s. 1979 handelsrechtl. Gschf., Konzessionär d. Wiener Staatsoper bzw. im Cafe im Kuppelraum d. Kunsthistor. Museums. E.: 1986 KommR., 1991 SE d. Rep. Österr. (J.S.)

Steup Lothar
B.: Komponist, Texter u. Musiker. DA. u. PA.: 1210 Wien, Justg. 29/21/12. G.: Wien, 16. Mai 1931. V.: Florence-Gunhild, geb. Blom. Ki.: Florence, Jeannette. El.: Lothar u. Anna. S.: VS, HS, Privatstud. Klavier, anschl. Konservatorium Prayer in Wien, Abschluß als Schlagwerker u. Paukist 1946. K.: m. 6 J. priv. Klavierunterricht, 1946 Rundfunkorchester (RAVAG) unter Ltg. v. Prof. Ludwig Babinski, tägl. Teilnahme b. Matinees in d. Besatzungszeit b. allen vier Besatzungstruppen, zusammen m. Joe Zawinul, 1948 Grdg. einer eigenen Band u. Übersiedlung in d. Schweiz, 7 J. Mtgl. d. "5 Hawaii Boys" m. intern. Auftritten in ganz Europa, 1958 zurück nach Österr. u. Tätigkeit in mehreren intern. Hotels im Trio, Auslandsauftritte in Kenya u. Schweden, seit 1982 nur mehr als Studiomusiker oder b. Großveranstaltungen u. im ORF als freier Mitarb. u. Programmgestalter tätig. BL.: Auftritte m. Caterina Valente, Wolfgang Sauer, Wencke Myrrhe, Peter Alexander, Anton Karas, Kurt Sowinetz, Grdg. d. 1. Floridsdorfer Wienerliederver. D'echten Weaner 1986, ca. 85 Livesendungen ORF. P.: "Die Fahrkart'n nach Wien, Zimmer, Kuchl, Kabinett, Di' u. mei' Wean", Texte f. Robert Stolz f. d. Duo Fenneberg-Moser, Horst Chmela, Karl Hodina, über 300 gedruckte Werke in 7 Ländern verlegt, Gedichtband "Kuddel-Muddel" 1985, monatl. Beiträge in Floridsdorfer Bez.Zeitung. E.: Verd.Med. d. BHpt.Stadt Wien, Robert Stolz-Med. in Gold, Hut v. lieben Augustin, 2 Gold. Schallplatten, 1990 Verd.Orden in Gold v. d. Stadt Wien. M.: Obm. d. Wienerliederver. D'echten Weaner, Ehrenpräs. v. d. Ver. Robert Posch (Enzi Stolz), Vorst.Mtgl. VÖT, Mtgl. AKM, Austro Mechana, Literar Mechana, LSG, seit 1988 m. s. Trio: Opernball Wien. H.: Musik, Förd. v. jungen Künstlern, Schrebergartenhaus u. Garten. (G.E.)

Steurer Gottfried
B.: Gschf. FN.: Althof Hotelerrichtungs- und BetriebsgesmbH. DA.: 2070 Retz, Althofg. 14. G.: Eggenburg, 1. Juli 1955. V.: Gabriela, geb. Ungersböck. Ki.: René (1977). El.: Josef u. Elfriede. S.: Kochlehre i. Hotel Sacher i. Wien. K.: 1973-75 Jungkoch u. Commis de Paties i. Hotel Sacher, 1975-76 Chef Garde Manager i. Klubhotel Baden, 1976-89 Küchenchef i. Hotel-Restaurant Naderer i. Maissau, 1989-90 Lehrer a. d. Höheren Lehranstalt f. Tourismus i. Krems, s. 1990 Lehrer a. d. Interkulturellen Hotel-FS i. Retz u. gewerbl. u. handelsrechtl. Gschf. d. Althof Retz. E.: zahlr. Goldmed. b. Kochkunstausstellungen, 1993 Windmühlenring d. Stadt Retz. M.: Ver.-Vorst.-Mtgl. d. FVV Retz, Direktoriumsmtgl. d. Marketing GmbH. Retzer Land. H.: Wein-Kommentieren, Floristik, Squash, Skifahren. (M.M.)

Steurer Fritz H.
B.: Gschf. Ges. d. Steurer KG. DA.: 1050 Wien, Reinprechtsdorfer Str. 31. G.: Wien, 18. Dez. 1921. V.: Helma, geb. Pfeifer-Schiessl. Ki.: Barbara. S.: Matura, TU Wien (Bauing.Wesen), 1952 Stud.Abschluß. K.: Kriegsdienst, Luftwaffenoffz., zuletzt im Generalstab, 1953 Grdg. einer Hdls. Agentur f. techn.-wiss. Geräte (Import-Export), 1956 Aufbau einer Textileinzelhdls.Fa. m. eigener Manipulation f. Damenoberbekleidung, seit 1973 als KG protokolliert, 6 Filialen in Wien u. in Krems. M.: Kam.Mtgl. H.: Computersprachen u. -programme, Gestaltung v. Bauwerken, Sport. (Sei.)

Steurer Karl Mag.

B.: Mediaplaner, Marktforscher. FN.: HAGER KG. DA.: 1010 Wien, Seilerstätte 13. PA.: 1220 Wien, Siebenbürgerstr. 48/12. G.: Meran, 4. Okt. 1929. V.: Mag. Christine, geb. Lillegg. Ki.: Wolfgang (1964), Angela (1967), Marius (1970). El.: Karl u. Anna. S.: VS Meran, Hum. Gymn. Innsbruck, HS f. Welthdl. Wien. K.: 7 J. Galup-Inst., 1964 HAGER: zuerst Mediaplaner u. Marktforscher, Stud. Soz. Univ. Wien, Berater f. Mediaanalyse. P.: Beiträge über Medien, Medienforsch. u. Marktforsch. in intern. u. nat. Fachzeitschriften. M: VMÖ, BVM, ESOMAR. H.: Bergsteigen, Fotografieren, EDV, alte Literatur, Singen. (J.M.)

Steyrer Herwig Dr.
B.: Exportmanager. A.: 1090 Wien, Währinger Str. 24/25. G.: Wien, 10. Okt. 1935. V.: Gerda, geb. Pöttinger. El.: Dir. Norbert u. Helene. S.: VS, HAK, HS f. Welthdl., je 2x in d. Sommerferien als stagiaire in Frankfreich u. England. K.: Reiseltr., Buchhalter, Rattenvertilger, Hilfsarb. während d. Stud., Sachbearb. Export Ranshofen-Berndorf, Disponent Hübner Vamag, Exportsachbearb. Bösendorfer Klavierfbk., Exportmanager Dr. Thomastik & Mitarb. OHG, Inh. Fam. Infeld Musiksaiten-Feinstimmsaitenhalter u. Bogenharzerzeugung, Galerie Infeld Einkauf u. Verkauf v. Kunstgegenständen. P.: Standorte d. Textilindustrie in Österr., Die Entwicklung d. Benelux. M.: Wirtschaftsak.Verb., Alpenver. Sekt. Innsbruck. H.: Zeitgeschichte, Musik, Sport, Bilder, Berge.

Steyrer Leopold Dir.
B.: Gschf. Dir, Prok. FN.: Raiffeisenlagerhaus Herzogenburg. DA.: 3130 Herzogenburg, Lagerhausg. 4. G.: Poysdorf, 25. Mai 1934. V.: Regine. Ki.: Erich. El.: Anton u. Maria. K.: 1951 Eintritt i. Lagerhaus Laa/Thaya, 1965 Gschf. stv. u. Betriebsltr. d. Raiffeisenlagerhauses Hollabrunn, 1969-74 Gschf. in Großkrut, Dir. und Prok. d. Raiffeisenlagerhaus Herzogenburg. M.: 1. Obmann-Stv. b. d. Raiffeisenkasse Herzogenburg, Obmann-Stv. d. Wehrverbandes Herzogenburg. H.: Jagd, Schwimmen, Radfahren, Weinliebhaber.

Steyrer Kurt Dr.
B.: BMin. a.D. G.: Linz, 3. Juni 1920. S.: VS, RG in Linz, 1938 Matura m. Ausz., 1938-45 Arbeits- u. Militärdienst, Med. Stud. in Wien u. Prag, 1945 Prom. z. Dr. med. K.: Spitalpraxis u. Ausbild. z. FA f. Dermatologie, 1951 Eröff. einer Ordination, daneben Ambulanzarzt d. Wr. Gebietskrankenkasse (1951-58), 1952-81 Betriebsarzt b. d. Simmering Graz Pauker AG, seit 1945 Funktionär d. Wr. Ärztekam., seit 1946 Mtgl. d. SPÖ, 1963-68 Obm. d. Soz. Ärztever., 1975 Abg. f. d. 10. Wr. Gem.Bez. im NatR., BMin., BMin. a.D. M.: Mtgl. d. Arbeiter-Abstinentenbundes. H.: Wandern, Tennis, Skifahren.

Stibal Günter Dipl.-Ing.
B.: Inh. d. Atelier 1. GT.: Ges. Freizeitparadies Rosenau/Wels. DA. u. PA.: 4600 Wels, Schloß Lichtenegg 1. G.: Wels, 24. Dez. 1939. V.: Johanna, geb. Ortner. Ki.: Karin (1963), Helfried (1971). El.: Mathäus u. Anna. S.: 1959 HTL Hochbau, b. 1968 TU Graz. K.: während d. Stud. Tätigkeit in versch. österr. Arch.Büros, 1 J. Mag. in d. Hochbaudienststelle, seit 1970 selbst. in Wels. P.: Veröff. in versch. Fachzeitschriften, Cartoonzeichner, Veröff. in HS-Zeitung, Ausstellung in Wels u. Parz 78. M.: Radballclub (1965 Staatsmstr. im Radball m. Bruder Gerhard), Squash Club. H.: Segeln, Radball, Squash, Taekwondo. (P.H.)

Stiburek Franz sen.
B.: Gschf. Ges., Malermstr. FN.: Stiburek GmbH & Co KG. GT.: Ges. d. Fa. Stiburek & Wild GmbH. DA. u. PA.: 2320 Schwechat, Sendnerg. 47. G.: Wien, 29. Apr. 1943. V.: Maria, geb. Flatz. Ki.: Franz (1962), Brigitte (1966). El.: Franz u. Theresia. S.: 1960-63 Berufslehre im elterl. Betrieb in Schwechat, 1963-65 Autolackierer-Berufslehre i. Wien b. Fa. Jauernik, 1964 Mstr.-Prüf. f. Malermstr., 1965 Mstr.-Prüf. f. Autolackierer. K.: nach d. Lehrzeit i. väterl. Betrieb gearb., 1962 Übern. d. väterl. Betriebes und dessen Expansion, 1975 Grdg. Fa. Stiburek & Wild GmbH als Ges., Opel-Vertretung i. Zwölfaxing. H.: Skifahren, Wassersport. (I.K.)

Stich Ernst Dr. w.HofR.
B.: FA f. ZMuK. DA. u. PA.: 1010 Wien, Blutg. 5. G.: Leobendorf b. Korneuburg, 25. Aug. El.: Alois u. Maria, geb. Laa. S.: RG, Maschinenbaustud. TU, Med.Stud. an d. Univ., zahnärztl. Lehrgang Univ.Klinik f. ZMuK. K.: Ass. am Inst. f. Med. Physik, seit 1960 offizielle Lehrtätigkeit an d. Univ. Klinik f. ZMuK, Ltr. d. Abt. f. zahnärztl. Chir., 1965 Eröff. einer Privatpraxis, Ltr. d. Abt. d. restaurative Zahnheilkunde (b. 1988), weiterhin Privatpraxis. BL.: Begründer einer Reihe v. Vorlesungen: "Zahnärztl. Materialenkunde u. Technologie", "Chir. I u. II", "Paradontologie", Lehraufträge f. d. genannten Vorlesungen sowie f. "Prothetik" u. f. "Inlaytechnik", Unterricht f. Medizinstudenten, umfangreiche Tätigkeit als Prüfer. P.: zahlr. wiss. Arb., Referate u. Publ. u.a. betr.: Traumatologie, Blutstillung, hämorrhag. Dathesen, eig. parodontal-chir. Lappenoperation, Erhalt. d. Zahnvitalität, dentogene Herderkr., elektr. Potentiale v. Metallen, elektrogalvan. Phänomene, Amalgam, Anästhesie, Gnathologie, Totalprothetik, Metallgerüstprothesen, zahlr. terminolog. Beiträge u. techn. Kreationen, u.a.. Zahnschiene, Arbeitsdruckmeßgerät, Apparatur z. Wirkungsbestimm. v. Lokalanästhetika, Analgetika u. Akupunktur, extraokklusaler Gesichtsbogen, phototechn. Craniometrie-Einricht., Gerät z. Gebißvermessug mittels Parallelprojektion, Gerät z. Ermittl. d. Mediansagittalebene v. Modellen, Vorricht. z. Modellmontage in Artikulatoren, techn. Hilfsm. z. Herst. v. Totalprothesen, biomechan. Studiengerät f. d. Konstrukt. v. Metallgerüstprothesen, Streben n. Ganzheitlichkeit. M.: Vorst.Mtgl. d. wiss. Österr. Ges. f. ZMuK, Grdg. u. Vorst.Mtgl. d. FNA 185 "Dentaltechnik" d. Österr. Normungsinst. H.: Technik, Physik, Metallurgie, handwerkl. Betätigung, Malerei, Arch., Photographie, Kunstreisen, Phil. (M.G.)

Stich Karl
B.: Bgm. d. Marktgem. Leobendorf. DA.: 2100 Leobendorf, Stockerauer Str. 9. PA.: 2100 Leobendorf, Kreuzg. 12. G.: Korneuburg, 28. Febr. 1947. V.: Hedwig, geb. Steinhauser. Ki.: Thomas (1977). El.: Karl u. Anna. S.: HASCH. K.: 1968 Eintritt in d. Landeshypothekenbank NÖ Wien 1: Buchhaltung, Vorst.-Stellv. im Rechnungswesen, ab 1989 Abt.-Ltr.-Stellv. Kundengruppe Öff. Hand. BL.: 1980-85 GemR. Marktgem. Leobendorf, 1985-90 VBgm. u. seit 1990 Bgm. d. Marktgem. Leobendorf. M.: Obm. d. Fremdenverkehrsver. Kreuzenstein. H.: Lesen, Reisen, Tennis. (M.M.)

Stich Peter Dipl.-Ing.
B.: Arch. DA.: 5700 Zell am See, Schiliftstr. 3. G.: Zwettl, 30. Jan. 1949. Ki.: Alexander (1981). El.: Hubert u. Erna. S.: 1955-64 VS u. Gymn. Zwettl, 1964-69 HTBL Hochbau Krems, 1969 Matura, 1970-76 Stud. TU Wien. K.: Mitarb. Arch. Schwanzer, Arch. Falkner, Arch. Lintl, 1976 Dipl.-Prüf. b. Arch. Dahinden TU Wien, 1977-82 Mitarb. Arch. Dorn u. Arch. Glondys, 1982 Befugnis, 1982-84 Bürogemeinschaft Arch. Dorn, seit 1984 selbst. (M.T.)

Stich Rainer
B.: Gschf. Mitges. FN.: Katcz & Corvin Firmengruppe GmbH. DA.: 1300 Wien-Flughafen, World-Trade-Center. PA.: 1010 Wien, Kohlmarkt 4. G.: Andernach/BRD, 8. Nov. 1959. El.: Harry u. Maria. S.: Gymn., 1978 Matura , 1978-80 Ausbild. Bankkaufmann i. BRD. K.: 1978-82 Immobilienfinanz./Kreditfinanzierungsabt. b. Bank.; 1982 Eintritt i. Katcz & Corvin Firmengr. i. Frankf./BRD; 1984 Umzug n. Wien; 1985 Auslandsaufenth. i. Zürich; s. 1986 GF; s. 1994 Mitges. (Finanzierung-Verwaltung-Controll.), Projekte: Novotel Wien Airport, Novotel Salzburg-City, Hotel Carlton Salzburg, World Trade Center Wien-Flugh., Mercure Hotel Bregenz. M.: Führungskräfte d. Wirtsch.. H.: Golf, Literatur. (E.J.)

Stichler Werner Dr. Mag. MinR.
B.: Abt.Ltr. d. Rechnungshof. DA.: 1030 Wien, Dampfschiffstr. 2. PA.: 1020 Wien, Untere Augartenstr. 5/4/11. G.: Wien, 7. Mai 1939. V.: Helga, geb. Hanisch. Ki.: Alexander, Veronika. El.: Robert u. Helene. S.: VS, RG, Konservatorium d. Stadt Wien (Opernklasse 1966), Univ. Wien Jur. Fak., 1972 Prom. K.: Ang. d. Gen. Zentralbank AG, BKA (Rechnungsass.), 1972 Eintritt in Rechnungshof (Abt.Ltr. seit 1980). E.: 1982 MinR., Gold. EZ f. Verd. um d. Rep. Österr. (1979), Gr. EZ f. Verd. um d. Rep. Österr. (1985). M.: Singver. d. Ges. d. Musikfreunde Wien. H.: Gesang, Sprachen. (R.A.)

Sticker Heinz Dr. med.
B.: Kinder-FA, Schularzt. DA.: 6020 Innsbruck, Egerdachstr. 5. PA.: 6020 Innsbruck, Kaiserjägerstr. 14. G.: Innsbruck, 30. Juli 1938. V.: Rosalinde, geb. Hörmann. Ki.: Silvia, Klemens, Philipp. El.: Dr. Willibald u. Hildegard. BV.: Vater Dr. Willibald Stricker Ärztekam.Präs. S.: AKG Innsbruck, 1956 Matura, Med.Stud. in Innsbruck, 1962 Prom. K.: Turnusausbild. u. Fachausbild. in Innsbruck, 1972 Ndlg. in Innsbruck als prakt. Kinderarzt. M.: Mtgl. d. Ärztekam., Österr. Ges. f. Kinderheilkunde. H.: Sport.

Stickler Emanuel
B.: Ltr. d. Ndlg. OÖ u. Sbg. FN.: Telenorma AG. DA.: 1130 Wien, Hietzinger Kai. G.: Wr. Neustadt, 17. Mai 1939. verh. Ki.: Silvia (1959), Manuela (1968). El.: Leopold u. Barbara. S.: VS, HS, Berufsschule, b. 1956 Lehre Installateur. K.: Anlagenschweißer in d. Chemie Linz, b. 1964 Voest Alpine, ab 1964 Verkäufer im Autogeschäft b. Firma Ford Schuster, seit 1968 Tätigkeit in jetziger Firma, zuerst Außendienstmitarb., seit 1979 Ltr. d. techn. Büros Linz. E.: 1984 u. 1985 VStadt-

mstr. d. Stadt Traun im Tennis. M.: OÖ Tennisverb., Diners Club. H.: Bergsteigen, Radfahren, Wandern, Tennis, Lesen. (U.A.)

Stickler Friedrich Dipl.-Ing.

B.: Mtgl. d. Vorst. FN.: Österr. Lotterien Gesellschaft m.b.H. DA.: 1038 Wien, Rennweg 44. G.: Wien, 18. Jan. 1949. V.: Catherina, geb. Braunsteiner. Ki.: Maria Therese (1986), Constantin (1989). S.: VS, BRG, Univ. f. Bdk., Spons. z. Dipl.-Ing., Stud. Rechtswiss. Univ. Sbg., 1. Staasprüf. K.: 1969-86 Casinos Austria AG (Management Schiffscasinos, Ref. d. Gen.-Dir., Projektltr. Lotto Toto), seit 1986 Mtgl. d. Vorst. d. Österr. Lotto Toto GmbH. H.J.S.)

Stickler Roland Dr. Dipl.-Ing. Prof.

B.: Univ.-Prof. am Inst. f. Physi, Chemie u. Werkstoffkunde d. Univ. Wien. GT.: Ziviltechniker. DA.: 1090 Wien, Währinger Str. 42. PA.: 2630 Ternitz, Hortfeldg. 17. G.: Grafenbach, 4. Mai 1931. V.: Erika, geb. Haubner. Ki.: Mag. Eva-Therese, Christian. El.: Josef u. Margarete. S.: VS, Realschule, 1949 Matura, Stud. TU Wien, Techn. Chemie, 1956 Dipl.-Ing., 1958 Prom., 1966 Ziviltechnikerprüf., 1967 Habil. K.: 1958-73 Manager Physical Metallurgy Westinghouse, Forsch.Laboratorium in Pittsburgh, seit 1973 Univ. Wien. P.: 160 Fachpubl. in Büchern u. Zeitschriften. E.: Fellow of American Society of Material. M.: ASM, AIME, ASTM, DGM, MS, Plansee-Ges. H.: Arb., Reiten, Fliegen. (H.P.)

Stickler Rudolf Dr. Dkfm.

B.: Gschf. FN.: S-Consult GmbH. GT.: Abt.-Dir. d. Girocredit. DA.: 1010 Wien, Hegelg. 19. PA.: 1030 Wien, Estepl. 5/12A. G.: Neunkirchen, 22. Apr. 1943. V.: Julia, geb. Stückler. Ki.: Rudolf-Hans (1969), Roland (1971), Rüdiger (1979). El.: Johann u. Franziska, geb. Gansterer. S.: HAK, 1961 Matura, 1961-65 Stud. Handelswiss. HS f. Welthdl. Wien, 1973 Prom. K.: 1968-73 Quästor am Inst. f. Höhere Studien, 1973 Eintritt in d. Girozentrale, seit 1979 Prok., ab 1987 Abt.-Dir., seit 1990 Gschf. d. GiroCredit Tochter S-Consult GmbH, Univ.-Lektor WU Wien. P.: div. Veröff. auf d. Gebiet Sonderfinanzierungen. H.: Laufen, Skifahren, Lesen. (N.A.)

Stieblo Monika Mag. art.

B.: Opernsängerin, lyr. Sopran. PA.: 1150 Wien, Kriemhildpl. 10/29. G.: Baden, 5. Dez. El.: Johann u. Erna Stieblo. S.: ab d. 7. Lebensj. Klavierunterricht, später Gitarre u. Orgel, 1. Gesangsstudien m. 16 J. b. Prof. Maschkan, BORG-Matura Wr. Neustadt, Gesangsstud. Wr. Musik-HS b. Prof. Hansmann, 1990 Dipl., Opernklasse Prof. Malm, Liedklasse Prof. Shetler, 1993 Spons., Intern. Sommerak. Sbg. Meisterklassen b. Kammersängerin E. Schwarzkopf u. Kammersänger P. Schreier. K.: während d. Studienzeit erste Engagements: Governess in Brittens "The Turn of the Screw" (Wr. Taschenoper), Belinda aus "Dido u. Aeneas", 1992 "Ännchen" im Freischütz b. d. Bad Hersfelder Festspielen, dzt. "Franziska Cagliari" "Wiener Blut", Mitwirkung an zahlr. Konzerten u.a. Baden, Wien, Lockenhaus, Sbg., Bad Hersfeld etc., gleichzeitig Sängerin u. Organistin in Kirchen. E.: Semifinale Belvedere-Wettbewerb. (J.S.)

Stiebler Hannes KommR.

B.: Zahntechnikermstr., Ltr. d. BFortbild.Inst. d. Zahntechniker. DA.: 2500 Baden, Hötzendorfer Pl. 11. PA.: 2380 Perchtoldsdorf, Grienauerg. 6. G.: Perchtoldsdorf, 15. Apr. 1920. V.: Martha, geb. Vostrak. Ki.: Brigitte, Hannes. El.: Karl u. Maria. BV.: Abstammung v. d. Tir. Adelsfamilie Josef Speckbacher. S.: Gymn., Lehre f. Zahntechnoler in Wien, 1946 Mstr.Prüf. K.: 1948 BInnungsmstr.Stellv. d. Zahntechniker, 1950-85 BInnungsmstr., 1946-85 zahntechn. Lab. in Perchtoldsdorf, 30 J. Lehrer an 2 zahntechn. Schulen in Wien u. Baden. P.: 1955 Grdg. d. Fachzeitschrift "Österr. Zahnprothetik", div. Fachveröff. E.: 1959 Gold. EZ d. Rep. Österr., Gold. EZ d. Landes NÖ 1986, 1962 Titel KommR. M.: 1971 Ehrenmtgl. d. Zahntechn. Ver. New Jersey u. New York, 1975 Ehrenmtgl. d. dän. Zahntechn. Ver., stellv. Präs. d. intern. Kongresses d. Zahntechniker. H.: Künstler (Mosaik u. menschl. Wachsformungen). (M.B.)

Stiedl Johannes jun.

B.: Gen.-Konsul d. Mongolei, Präs. Austrian Chapter Safari Club Intern., VPräs. Vienna Hunt Intern., Chairman of the Board - Austrian VIP Travel, Gschf. Jagd Stiedl GmbH & Co KG. DA.: 1130 Wien, Auhofstr. 65-67. PA.: 1130 Wien, Auhofstr. 65. G.: Wien, 7. Okt. 1958. V.: Staniella. Ki.: Johannes (1989), Elisabeth (1991). El.: KommR. Johannes u. Hedwig. S.: HTL Matura. K.: 1979 Einstieg Firma Jagd Stiedl, Gschf. u. Ges., Durchführung v. Jagdreisen weltweit: Osteuropa, Afrika, Alaska, Kanada, Mongolei, Nepal, Rußland, Flugwildjagden, Aufbau folgender Firmen: "Vienna Pekarna" Brotfbk. Sofia, VIP Trading Sofia, VIP Games, Toys and Playthings Ltd Ravensburg, Piatnik u. Playmobil, Bulgarian VIP Travel, Business Forms LTD., VIP Security Defence Ltd. Firma Schiebel Wien Minensuchgeräte, VIP Distributers, seit 1992 Gen.-Konsul d. Mongolei in Österr. M.: CIC, JagdR. z. Schutz d. Wildes, div. andere Jagdver., Golfclub Schloß Ebreichsdorf. H.: Jagd, Segeln (AB-Schein), Golf, Abenteuerreisen. (W.M.)

Stiefelmeyer Irene

B.: Inh. u. Gschf. FN.: Dekorglas. DA.: 1020 Wien, Kunzg. 3. G.: Wien, 21. Sept. 1965. V.: Georg Stiefelmeyer. El.: Adolf u. Christine Pfundner, geb. Kaspar. S.: VS, Gymn., HAK, Stud. BWL WU Wien. K.: 1991 Grdg. d. eigenen Firma, künstler. Gestaltung v. Glas, Produktion u. Verkauf d. selbstentworfenen Glaselemente. H.: Sport (Volleyball, Aerobic, Turnen), Stricken, Basteln, Kochen. (N.A.)

Stiefler Walter Dipl.-Ing.

B.: Gschf. Ges. d. Stiefler GmbH, Krems u. Stiefler KG, Krems u. Wien. DA.: 3500 Krems, Wilheringstr. 28 u. 1220 Wien, Hosnedlg. 11. PA.: 3511 Furth, Abt-Zedinek-Str. 326. G.: Krems, 25. Juni 1944. V.: Dr. Brigitte, geb. Hozzank. Ki.: Claudia, Irina, Ulrich, Walter. El.: Ing. Ulrich u. Gertrude. S.: RG, Matura 1962, Stud. an d. TU Wien (Maschinenbau u. Betriebswirt.), 1970 Dipl.-Ing. K.: 1958 Eintritt in d. elterl. Betrieb, Mstr.Prüf. f. Metallschleifer u. Galvaniseure, Ges. d. Stiefler GmbH & Co KG, gschf. Ges. d. Stiefler GmbH. M.: LInnungsmstr.Stellv., Bundesinnungsmeister. P.: Aufsätze in Fachzeitschriften, Innungseminare u. Seminare im WIFI. E.: einige österr. Meistertitel im Tennis. H.: Tennis, Segeln, Badminton. (Kern)

Stiefsohn Herbert
B.: Kunstmaler u. Astrologe, Privatdozent. DA.: 1030 Wien, Rennweg 8. PA.: 1210 Wien, Mühlweg 43. G.: Wien, 3. Febr. 1949. El.: Karl u. Hermine. BV.: Urgroßvater war Volksschauspieler Kroell. S.: VS, Berufsschule f. graph. Gew. b. Prof. Wolfsberger, div. Studienreisen nach Italien, Holland, Griechenland, Frankreich, Schweiz, psycholog. Horoskopanalysen, Partnervergleiche, Problemanalysen. K.: Lithograph, nebenbei Malerei, 1972 erste Ausstellung im Künstlerhaus, 1975-77 Atelier Schönlaterngasse, zahlr. Ausstellungen, Alte Schmiede Wien, Galerie Stadthalle, Dornbirn, ab 1978 Atelier Rennweg, zahlr. Ausstellungen, Portraits, ab 1980 Beschäftigung m. Astrologie b. Dr. Fidelsberger, Stud. d. Tiefenpsychologie b. Prof. Strotzka, 1987 Grdg. d. Inst. f. Psycholog. Astrologie in Wien. M.: Mtgl. d. Wr. Astrolog. Ges. H.: Computerprogrammieren. (R.A.)

Stiefsohn Waltraud

B.: Vors. d. KPÖ Wien u. stellv. Bundesvors. DA.: 1020 Wien, Taborstr. 24A/4/9. PA.: 1070 Wien, Richterg. 9/11. G.: St. Aegyd am Neuwald, 29. Mai 1958. El.: Franz u. Anna Stiesohn. S.: 1977 Matura, Ak. f. Sozialarb. Wien, 1979 Dipl.-Sozialarb. K.: Sozialarb., zunächst Streetwork, anschl. in d. Bewährungshilfe tätig, Ltr. einer Wohngemeinschaft f. jugendl. Mädchen, gleichzeitig ab 1980 polit. aktiv: f. d. Friedensbewegung u. d. Solidaritätsbewegung vorwiegend f. El Salvador, Kuba u. Nicaragua, seit 1986 in d. KPÖ tätig, Kommunalpolitik m. Schwerpunkt Wohnungspolitik, seit 1990 Vors.d. KPÖ Wien, seit 1994 stellv. Bundesvors. P.: Art. in Zeitschriften. H.: Mitwirkende d. Musikkabarettgruppe "Die Gogos", Griechenland, Tarock. (J.S.)

Stiegelbauer Josef
B.: Inh. Schloßtaverne Ranshofen. DA. u. PA.: 5280 Ranshofen, Wertheimerplatz 6A. G.: Altheim, 3. Apr. 1954. Ki.: Maximilian (1990). El.: Josef u. Irmengard. S.: Hotelfachschule. K.: Praxis in New York b. Vizepräs. d. Overseas National Airways, Praxis Parkhotel Mirabell (Sheraton) Sbg., 1974 Bundesheer, 1974-75 Winterpraxis in Kitzbühel, Sporthotel Reisch, 1975 Sommersaison Café Winkler Sbg., danach Übern. d. elterl. Betriebes. H.: Segeln, Schifahren. (E.H.)

Stiegelmar Georg
B.: Inh. d. Csárda Schenke. DA. u. PA.: 7122 Gols, Untere Hauptstr. 60. G.: Gols, 21. Apr. 1940. V.: Theresia, geb. Beck. Ki.: Axel, Eva. El.: Georg u. Elisabeth. S.: Pflichtschule, kfm. Lehre, Berufsschule. K.: 1967 selbst. Heurigenbetrieb Csárda-Schenke, Weinbauspezialitäten - Raritäten, alte Kelterungsmethoden. E.: 100 Goldmed. f. Spezialitäts- u. Raritätsweine, 2-facher LSieger, einige Silbermed., 1989 Weinoscarpreisträger Bordeaux. M.: Mtgl. d. Österr. Weinbruderschaft (Komturei Bgld.), Mtgl. d. Chaine des Rotisseurs, Mtgl. d. Ordre Mondial des Gourmets Degustateurs. H.: Weinbau. (Fels.)

Stieger Leopold Dr. rer. soc. oec. Dkfm.
B.: Gschf. FN.: Ges. f. Personalentwicklung GmbH Managementtraining, Unternehmensentwicklung. DA.: 1238 Wien, Valenting. 16. PA.: 1238 Wien, Kalksburgerstr. 6/1. G.: Salzburg, 21. Apr. 1939. V.: Dkfm. Elisabeth, geb. Weißmann. Ki.: Bernhard (1967), Clemens (1970), Andreas (1971), Florian (1973). El.: Leopold u. Maria, geb. Bauböck. S.: Mittelschule, Hum. Gymn., HS f. Welthdl., 1963 Abschluß, 1965 Prom. z. Dr. rer. soc. oec. K.: 1965-71 ÖPWZ, 1972 Grdg. d. GfP u. Übernahme d. Ltg., 1984 Grdg. d. Fa. Neuland & Co GmbH Seminarraumplanung u. Einrichtung. P.: zahlr. Art. in Fachzeitschriften. M.: IODA, div. Arge u. Arbeitskreise, Forum St. Stephan. (N.A.)

Stieger Martin

B.: Vizebürgerm. DA.: 4600 Wels, Stadtpl. 1. PA.: 4600 Alois-Auer-Str. 15. G.: München, 29. Dez. 1960. V.: Renate, geb. Helten. Ki.: Sophie-Pia (1993). El.: Brigitte u. Martin. S.: 1965 Übersiedl. n. Wels, VS, Gymn., HAK 1979 Matura, 1979-80 Reserveoffiziersausb. b. BH, 1991 Hauptmann, ab 1980 Werkstudent, Rechts-, Politik- u. Wirtschaftswis. i. Linz u. Salzb., Dr. rat. Stud., Dissertant. K.: 1985 Tät. i. e. Anwaltskzl., s. 1987 i. d. gewerb. Wirtsch. als Gschf. tät., 1990 Mtgl. d. Gemeinderates i. Wels, 1991 Vizebgm. d. Stadt Wels, Heirat, 1992 Stadtparteiobm. d. ÖVP Wels, Ltr. d. Inst. f. Ges.- u. Kommunalpolitik. E.: Bundesheerdienstz. 2. u. 3. KL., Wehrdienstmed. i. Bronze, Silber u. Gold. H.: Lesen, Laufen, Schwimmen. (J.L.)

Stiegler Bernhard
B.: Installationsunternehmer. GT.: Lehrlingsprüfer d. Innung in Graz. DA. u. PA.: 8750 Judenburg, Hauptpl. 13a. G.: Schladming, 16. Mai 1949. V.: Erika, geb. Schmutzer. Ki.: Philip, Alexander. El.: Bernhard u. Henriette. S.: VS, BRG Judenburg, 1967 Matura, Stud. Maschinenbau TU Wien. K.: 1978 Eintritt in d. v. Vater 1955 gegründeten Betrieb, seit 1986 Inh. d. Fa. M.: Mtgl. d. Offz.Ges. (OLt. d. Res.), Vorst. Mtgl. d. Wirtschaftsbund, Bez.Obm. d. Kameradschaftsbund, Mtgl. d. Jagdschutzver., Judenburger Turnver. H.: Lesen, Tennis. (Tra.)

Stiegler Pepi (Josef) Dir.
B.: Ski School Dir. Jackson Hole, Wyoming USA. A.: P.O. Box 269, Teton Village, Wyoming 83025 USA. G.: 20. Apr. 1937. V.: Carrie, geb. Domin. El.: Josef u. Grete. S.: VS, RG, Ausbild. als Photograph. K.: Mtgl. d. Österr. Ski National Mannschaft 1958-64, Silbermedaillengewinner im Riesenslalom in d. Olymp. Winterspielen 1960 in Squaw Valley USA, Bronzemedaillengewinner im Riesenslalom u. Goldmedaillengewinner im Slalom b. d. Olymp. Winterspielen in Innsbruck 1964, Trainer d. Österr. Ski Nationalmannschaft 1964-65, Ski-Schuldir. in Jackson Hole, Wyoming seit 1965, Eröff. d. Pepi Stiegler Lodge in Teton Village. F.: Product Indorsement with Kaestle Skis and Nordica Boots. P.: "Pepi Stiegler Style of a Champion". H.: Segelflug, Motorflug, Fotografie.

Stiegler Werner
B.: Disponent, Gschf. FN.: Adam Stiegler Transportunternehmen. DA. u. PA.: 8053 Graz, Harter Str. 91. G.: Graz, 17. Mai 1969. El.: Adam u. Anna. S.: Pflichtschule, HASCH, 1985 Abschluß, Sped.-Lehre, 1988 Abschluß. K.: Einstieg ins elterl. Unternehmen, 1993 Umwandlung in GmbH u. Gschf. M.: Management Club, Wirtschaftsbund Wetzelsdorf. H.: Tennis. (F.K.)

von Stieglitz Christian M.A.LLB
B.: Generaldirektor. FN.: Procter & Gamble Austria Ges. m.b.H. DA.: 1061 Wien, Mariahilferstr. 77-79. G.: Berlin, 6.3.1943. V.: Pilar, geb. Perez Diaz. Ki.: Sabine, Alexis, Sofia. El.: Otto, Lilian v. Stieglitz. S.: Studium d. Rechtswissenschaften u. Sprachen a. d. Univ. Cambridge. K.: Werbeagentur Ogilvy Mather, 1967 Procter & Gamble Genf, anschließend Procter & Gamble USA, Finnland, Griechenland, Italien u. Türkei, seit 1988 in Wien. H.: Tennis u. Schifahren. (J.S.)

Stieglitz Richard
B.: Filialvorst. d. Österr. Länderbank, Filiale Stockerau. PA.: 1100 Wien, Favoritenstr. 219. G.: Wien, 21. Apr. 1941. V.: Rosamunde, geb. Hahslwanter. El.: Richard u. Helene. S.: Gymn. Wien, 1960 Matura, Med.Stud. an d. Univ. Wien, 1967 Eintritt in d. Österr. Länderbank, ab 1973 stellv. Ltr., 1981 Übernahme einer neueröffneten Filiale d. Österr. Länderbank in Stockerau als Filialvorst., Besuch v. Bankseminaren im In- u. Ausland. H.: Reisen, franz. Sprache, klass. Musik, Oper, Garten. (Kern)

Stiendl Gottfried Dr. med.
B.: FA f. Zahn-, Mund- u. Kieferheilkunde. DA.: 4020 Linz, Klammstr. 3. PA.: 4020 Linz, Spittelwiese 7. G.: Linz, 30. Sept. 1951. V.: Roswitha, geb. Eigner, 3 Kinder. El.: Franz u. Rosemarie. S.: Gymn. Linz, 1970 Matura, Stud. in Innsbruck, 1979 Prom. K.: b. 1982 FA-Ausbild. in Wien, seit 1982 eigene Praxis in Linz, intensive Auseinandersetzung m. Implantologie. M.: Österr. Med. Ges., Zahnärztl. Interessenverb. H.: Wassersport, Musik. (H.D.)

Stiepan Kurt Karl Friedrich
B.: Ges. u. Gschf. d. Fa. Stiepan Druck GmbH. DA. u. PA.: 2544 Leobersdorf, Hirtenberger Str. 31. G.: Wr. Neustadt, 3. Febr. 1949. V.: Ilse, geb. Lorenz, 1 Sohn, 1 Tochter. El.: Kurt u. Hilda. S.: HS, Schriftsetzer m. Abschluß. K.: Im elterl. Betrieb gelernt, einer d. größten Betriebe, 1980 Umwandlung in einen Schichtbetrieb, Zubau, Erweiterung d. Maschinenparks, EDV-Anlage, Grdg. eines Wr. Büros m. Außendienstmitarb., Besuch div. intern. Messen. H.: Arb., Tennis, Skifahren, Reisen, Surfen, Evergreens, Operetten, Lesen. (M.G.)

Stierand Helmut Dir.
B.: Gschf. FN.: Wolfgang Anger GmbH. DA.: 1170 Wien, Rupertuspl. 1. PA.: 2542 Kottingbrunn, Wr. Neustädter Str. 43. G.: Baden, 4. Mai 1938. V.: Christine, geb. Krippner. El.: Gustav u. Leopoldine. S.: Matura, 8 J. TH Schwachstromtechnik. K.: seit 1962 Anger GmbH, Techn. Ang., Prok., seit 1971 Gschf. BL.: Aufbau d. Fa. v. techn. Seite. P.: Fachart. H.: Jagen, Skifahren, Fotografieren. (A.K.)

Stierle Heinz
B.: Gschf., Ges., Buchhändler. FN.: Bücher Stierle GmbH. DA. u. PA.: 5020 Salzburg, Sigmund- Haffner-G. 10. G.: Salzburg, 18. März 1940. V.: Vivienne, geb. Lipscombe. Ki.: Regina, Michael. El.: Dr. A. u. Editha. S.: BRG, HASCH, HAK-Abiturientenkurs. K.: Lehre in Wien b. Fa. Heidrich, 2 J. in München, 3/4 J. in London u. Paris, ab 1966 in d. Buchhandlung Höllrigl., seit 1989 Gschf. u. Ges. d. Bücher Stierle GmbH. BL.: 2 J. Chairman u. 3 J. Vice Govenor b. Lions Intern. f. d. Land Sbg. E.: 8 Lions-Ausz. M.: Lions Intern., Tennisclub Mattsee, Sbg. Turnver. H.: Sport, Musik, Familie.

Stierschneider Odo
B.: Zeitungsherausgeber, Chefred. u. Druckereibes. DA. u. PA.: 5400 Hallein, Schellenbergstr. 10-12. G.: Leoben, 1. März 1939. V.: Elfriede, geb. Wittibschlager. Ki.: Karin, Odo. El.: Prof. Edmund u. Hildegard. S.: VS, Realschule, Matura 1957, Mstr.Kl. d. Graph. Lehr- u. Versuchsanst. Wien, Dipl. 1964. K.: Grdg. d. Graph. Druckpresse in Hallein u. Übernahme d. Halleiner Zeitung 1968 (gegr. 1952 v. d. Eltern, älteste unabhäng. Wochenzeit. d. Landes Sbg. f. d. polit. Bez. Tennengau). E.: Silb. Wappenmed. d. Stadt Hallein als Anerk. d. red. Wirkens im Rahmen d. Halleiner Zeitung, Gold. Verd.Med. d. Roten Kreuzes. M.: Lions Club Salina-Hallein. H.: Beruf. (Hat.)

Stift Michael Mag.

B.: Alleingschf. FN.: Midas Autoservice GmbH. GT.: Präs. d. VerwR. d. Midas Schweiz AG Zürich. DA.: 1030 Wien, Radetzkystr. 31. PA.: 2500 Siegenfeld, Wasserweg 3. G.: Wien, 28. Juli 1959. V.: Dr. Maria, geb. Stelzhammer, Fachärztin. Ki.: Clemens (1992), Nikolaus (1994). El.: Ing. Richard u. Gertrude. S.: Matura, Stud. Bauing.-Wesen TU Wien, Stud. Betriebswirtschaft WU Wien. K.: Touristikmarketing, Pharmamarketing, Marketing u. Verkauf im Bauwesen, seit 1992 Gschf. im automobilen Retail-Bereich, Aufbau d. Midas-Kette in Österr. u. d. Schweiz. H.: Windsurfen, Radfahren, Skifahren. (J.S.)

Stift Wilhelm
B.: Gschf. FN.: Wilhelm Stift OGH. DA. u. PA.: 3430 Tulln, Rathauspl. 4. G.: Wien, 12. Dez. 1935. V.: Christine, geb. Schaff. Ki.: Nina, Elisabeth. El.: Wilhelm u. Maria. S.: BLVA f. Textilind. K.: Eintritt in d. elterl. Betrieb, seit 1963 Gschf. d. Tullner Messe GmbH, seit 1969 VBgm. v. Tulln, 1970 Grdg. d. Wilhelm Stift OHG m. Vater u. Bruder, seit 1982 Alleininh. M.: LGremialvorst. d. Textilhdls. f. NÖ d. Kam. d. gewerbl. Wirtschaft. H.: Tennis, Skifahren, Bootfahren. (A.W.)

Stifter Adalbert Mag. HofR. Dir.

B.: Dir. BG u. BRG Wien 2 "Sigmund Freud Gymn.". DA.: 1020 Wien, Wohlmutstr. 3. G.: Wien, 23. Okt. 1940. V.: Maria, geb. Polak. Ki.: Adalbert (1968). El.: Adalbert u. Maria. S.: 1958 Matura, 1968 Stud. Dt. u. Leibesübungen Univ. Wien, 1963 HS f. Musik u. darstell. Kunst, Staatsprüf. f. Klavier. K.: 1963-68 Erzieher, 1968-78 Expositurltr. im Bundeskonvikt Wien, Lehrtätigkeit an versch. Schulen, 1977-87 Lehrtätigkeit BG Wien 13, seit 1987 Dir. BG u. BRG Wien 2, 1988-92 Doz. Päd. Inst. d. Stadt Wien, seit 1992 Vorlesungstätigkeit Päd. Ak. d. Erzdiözese Wien. M.: 1967-77 Schriftführer d. ZWA, 1978-87 FA Wien, seit 1958 Altschotten. H.: Volleyball, Wandern, Klavier. (M.-L.A.-M.)

Stifter Franz

B.: Prokurist, Bereichsltr. FN.: Blaguss. DA.: 7350 Oberpullendorf, Wienerstr. 26. PA.: 7453 Steinberg/Dörfl, Obere Hauptstr. 42. G.: Dörfl, 10. Aug. 1941. V.: Helga, geb. Bierochs. Ki.: Franz (1963). El.: Christine u. Franz. S.: Hasch. K.: 1957-59 Ang. d. Anker Versicherung, anschl. b. Baufa. Ing. Zehethofer a. Verwaltungsang., 1961-69 Betriebsltr. b. Blaguss-Reisen i. 'Unterpullendorf, 1969-75 Gschf. d. Raiffeisenkasse Steinberg/Dörfl, 1975-86 f.d. kfm. Verwaltung d. Fa. Preh & Co verantw., ab 1986 Betriebsltr. Fa. Blaguss - Reisen und ab 1987 Prokuratur. BL.: Initiator u. Org. v. Veranstaltungen von Lions International zur Thematik "Früherkennung von Alkohol-, Suchtgift-, & Drogenmißbrauch. E.: EZ d. Landes Burgenland, div. Orden u. Anerkennungsschreiben von Lions International. M.:seit 1988 Kabinettsmitglied von Lions International District 114-0 (Österreich und Beauftragter für Bekämpfung von Alkohol-, Suchtgift- & Drogenmißbrauch, seit 1992 Gesamtdistrictbeauftragter Multidistrict 114. H.: Familie.

Stifter Wolfgang Mag. art. Prof.

B.: Maler u. Grafiker; Rektor, Ltr. d. Lehrkanzl. FN.: Hochschule f. künstl. u. industr. Gestaltung. DA.: 4020 Linz, Hauptpl. 8. PA.: 4100 Ottensheim, Im Weingarten 5. G.: Ottensheim, 27. Aug. 1946. V.: Brigitte, geb. Schwarzl. Ki.: David (1971), Viola (1974). El.: Alfred u. Therese. BV.: HofR. Habernicht (Dir. d. K. u. K. Lehrerbildungsanst.). S.: Stiftsgymn. Wilhering, 1964-70 Akad. d. bild. Künste Wien, Meisterschule f. Grafik, 1969 Mag.art., 1970 Dipl.-Grafiker. K.: 1971-89 tätig an d. Päd. Akad. d. Bundes in Linz, 1973-89 Lehrauftr. an d. HS f. Künslter. u. Ind. Gest. Linz, 1989 o.HS-Prof., s. 1991 Rektor; zahlr. Einzelausstell. (z.B. 1990 Künstlerhaus Palais Thurn & Taxis Bregenz, Gal. Calart Genf, , Gal. d. Stadt Wels, Gal. Stubenbastei Wien, 1991 Akad. d. Bild. Künste Wien, Gal. de Ballens sur Morges/Schweiz, 1992 Golfclub Luftenberg OÖ, 1993 Neue Gal. d. Stadt Linz) u. Ausstellungsbet. (z.B. 1990 "Linz-Kunst, 500 J. Landeshauptst. Linz" Kosterhof, 22. Fest. Intern. de la Peinture, Chateau Museé Cagnes-sur-Mer/F, "Oberösterr.-Avantgarde 1900-1990" Neue Gal. d. Stadt Linz, 1991 "Intern. Grafik-Triennale 91" Krakau/P, 19. Int. Grafik-Biennale Laibach/J, 1993 "Das andere Buch" Rathaus Wien. P.: zahlr. graf.Bücher u. Buchobj. z.B. Graf. Notationen, 1981; Das Gerich, 1982; Magie, 1987; Das Florenzpapier, 1990; graf. u. durckgraf. Zyklen z.B. Kreuze, 1979; Köpfe, 1984; Quertreiber, 1987/88; Pik-As Serie 1990. E.: 1968 Mautner Markhof Preis u. Kulturförderungspreis d. Landes OÖ, 1970 Meisterschulpreis, 1977 Theodor Körner Preis, 1989 Ankaufspreis Römerquelle Wettbew., Wien, 1990 Jurypreis, 22. Festiv. Intern. de la peinture, Cagnes-sur-Mer/F. M.: MAERZ Linz. H.: Beruf. (U.A.)

Stiglitz Anton

B.: Inh. Restaurant "Muhr". DA.: 1100 Wien, Favoritenstr. 212. PA.: 1140 Wien, Salistr. 5-15. G.: Mistelbach, 16. Apr. 1954. El.: Anton u. Hermine, geb. Wagner. S.: VS, RG, HS, Polytechn. Lehrgang, Berufsschule (Gastronomie), 1972 Abschluß. K.: 1972-74 Saison in Sbg., 1975-82 Barkeeper auf MS Europa, 1982 Gschf. d. Restaurants "Grenadier" Wien, 1983 F.B. Restaurant u. Barmanaging in Gambia, Restaurant "Senegambia Beach", 1984-91 Bes. einer Pizzeria in Perchtoldsdorf, 1992 Eintritt u. 1993 Übernahme d. Restaurant "Muhr". H.: Tennis, Reisen. (N.A.)

Stiller Franz

B.: Prokurist, Dir. FN.: Danube shipping management. DA.: 1020 Wien, Handelskai 388. PA.: 2100 Korneuburg, Mechtlerstr. 24. G.: Wien, 31. Juli 1947. V.: Hedwig, geb. Scheffl. Ki.: Sabine (1973), Silvia (1974). El.: Franz u. Hildegard. S.: VS, HS, Lehre als techn. Indurstriekfm., Buchhaltungkurs. K.: 22 J. i. Schiffswerft Korneuburg, s. 1991 Bilanzbuchhalter, s. 1993 Gschf. Handelsgewerbe DSMS. H.: Beruf, Wandern. (J.M.)

Stiglitz Hermine Josefa Katharina Dr. phil. HofR.

B.: wiss. Beamtin i.R. d. Österr. Archäolog. Inst. Wien. DA.: 1190 Wien, Franz-Klein-G. 1. PA.: 1020 Wien, Obere Donaustr. 43. G.: Wien, 29. Juli 1921. V.: Univ.-Prof. Dr. Roman Stiglitz. Ki.: Manfred. El.: AmtsR. Wilhelm u. Hermine Thaller. S.: RG, Stud. Geschichte, Germanistik u. Geographie, Altertumskunde u. Archäologie. K.: Volontär Univ. Wien, 1947 wiss. Hilfskraft Inst. f. Archäologie, 1955 Ang. wiss. Dienst, 1962 Beamtin, Bodenforsch. P.: 40 Publ. u.a.

"Das röm. Kastell v. Zwentendorf". E.: 1965 Förderungspreis d. Landes NÖ, 1980 Gr. EZ f. Verd. um d. Bdl. NÖ, 1983 Kulturpreis d. Landes NÖ, 1986 Silb. EZ d. Univ. Wien, 1987 Gr. EZ f. Verd. um d. Rep. Österr. M.: Vorst.Mtgl. d. Ges. d. Freunde Carnuntums, "Eranos" wiss. Ver. H.: Musik, Garten, Natur, Reisen, Fotografieren, Schwimmen. (M.G.)

Stillfried Bernhard Dr.

B.: Konsulent d. Bundesministers f. Ausw. Angel. f. kulturpol. Angel. in Mittel- u. Osteuropa, Präs. d. "Österr. Kulturvereinig.", Gschf. d. "Österr. -Kooperation". DA.: 1090 Wien, Bergg. 21/14. PA.: 1030 Wien, Landstraßer Hauptstr. 74/5. G.: Wien, 17. Nov. 1925. V.: Dr. Irene, geb. Huzuliak. Ki.: Maria, Dr. Gabrielle, Christina, Dr. Georg. S.: 1944 Matura, 1950 B.A. Honors in St. Thomas College Minnesota, Univ. Wien, 1953 Prom. K. 1953-58 BBC London, 1958-74 Ltr. d. Österr. Kulturinst. Kairo, Istanbul u. Teheran, 1975-86 Österr. Kulturinst. London, seit 1986 im BMA, Sekt.-Ltr., b. 1990 Ltr. d. kulturpol. Sekt. im BM f. ausw. Angel., seit 1991 Konsulent d. BMin. E.: GE, Ägypt. VO II. Kl., Iran. HO III. Kl., PhD. jur. hon. Univ. of St. Andrews GB. (P.R.)

Stilling Anton Konsistorialrat

B.: Pfarrer d. Pfarre Hasenleiten Hl. Johannes Maria Vianney. DA.: 1110 Wien, Hasenleiteng. 16. G.: Miletisch/ Jugoslawien, 15. Dez. 1931. El.: Anton u. Marianne. S.: VS, MS, Stud. d. Theol. in Wien. K.: 1958 Priesterweihe im Stephansdom in Wien, 1958-60 Kaplan in Kirchberg/Wechsel, 1960-62 Kaplan in d. Pfarre Hasenleiten, 1962-63 Provisor d. Pfarre Hasenleiten, seit 1963 Pfarrer d. Pfarre Hasenleiten Hl. Johannes Maria Vianney. E.: 1979 Erzbischöfl. GstlR. v. Erzbischof König, 1988 Erzbischöfl. Konsistorialrat. M.: Studentenverb. MKV - Vandalia, CV-Danubia. H.: Jagd. (M.B.).

Stimpfl Franz Prof.

B.: Kriminal-Obstlt. i.R. PA.: 9500 Villach, Auer-v.-Welsbach-Str. 44. G.: Knittelfeld, 30. Juli 1918. V.: Eleonore, geb. Grollitsch. El.: Blasius u. Barbara. S.: VS, HS, Maschinenschlosserlehre, Berufsschule Villach, BH. K.: 1946 Eintritt in d. BDienst BPK Villach, Kriminaldienst, 1950 Pragmatisierung, 1950 BRG Klagenfurt Ersatzmatura, 1951/52 Kriminalfachschule BPD Wien, 1957/59 Kriminalak. BMJ Wien, 1964-73 ltd. Kriminalbmtr. BPD Villach, 1977 Kriminal-Obstlt., 1978 i.R. Bl.: Eingehende Beschäftigung m. Literatur, Musik, Gesang, Kulturpolitik, Theor. u. prakt. musik. Ausbild. P.: lit. Tätigkeit Mundart Bücher: "Aufn Hadrachberg", "Dö Archnaleut", "A Kartna Bergalebn", "Dar Pfluag", "Blüah untarn Gwölb", "Die Orgl im Wind", "unta dar haut", Lesungen im ORF, Radio Klagenfurt, Beiträge in Anthologien: "Am Quell d Muttersprache", "Bemalte Bauerntruhe", "Lebendiges Wort", "mladi rod", "Dialect", "Dialekt-Anthologie". Dramatische Arbeiten: "Die Bruggn", "Weißa Rauch, schwarzer Rauch", "Stauung", "Weinstubn", "Essig u. Öl". Schriftdeutsche Arbeiten: Lyrik, Prosa, Essays etc. ("Markierungen", "Kunst als am Menschen orientiertes Denken, Wahrnehmen u. Gestalten", "Neue kulturpol. Bewußtseinsbild.", "Individualitätsvielfalt u. Nachbar-Mensch", "Das Ereignis Piccottini"), Referate, Tagungen, Seminare, Diskussionen, Prosa, Kurznovellen, Erzählungen usw. E.: 1978 Silb. EZ f. Verd. um d. Rep. Österr., 1980 Gold. EZ d. Ktn. Bildungswerkes, 1985: Berufstitel "Professor", 1986 Kulturpreis d. Stadt Villach. M.: Literaturref. im Ktn. Bildungswesen, Ref. d. KBW, Lit. Delegierter u. Autor d. Österr. Bildungswerke Wien, Ktn. Schriftstellerverb. Klagenfurt, Österr. Schriftstellerverb. Wien, freier Mitarb. b. ORF, Radio Klagenfurt, Ref. v. Radio Klagenfurt, IDI-Intern. Dialektinst. Österr., Ktn. Ges. f. Kulturpolitik. H.: Literatur. (Brod.)

Stindl Gerhard Dr. Dkfm. Ing.

B.: Pensionist. PA.: 1230 Wien, Speisingerstr. 149. G.: Wien, 26. Jan. 1933. V.: Annemarie, geb. Aspalter. El.: Josef u. Ida. S.: HTL Mödling, Abt. Holztechnik, WU Wien. K.: Techn. Abt.Ltr. in einem großen Holzind.Unternehmen, Betriebswirtschafter in Betrieben d. Möbelind., Tätigkeit in d. Vermögensverw. einer Großsparkasse, 1964 Abt.Ltr. im BHolzwirtschaftsR., seit 1976 Gschf. d. Verb. Österr. Hobelwerke, 1991-93 Gschf. PROHOLZ Holzinformation Österr., s. 1993 i. Pens. P.: zahlr. Fachart. in Holz-Fachzeitschriften. E.: Silb. EZ f. Verd. um d. Rep. Österr. M.: Mitarb. u. Vors. in mehreren Fachaussch. d. Österr. Normungsinst., CEN (Europ. Komitee f. Normung).

Stingl Alfred

B.: Bgm. v. Graz. DA.: 8010 Graz, Rathaus. G.: Graz, 28. Mai 1939. V.: Eleonore, geb. Wolf. Ki.: Walter, Doris, 2 Enkelkinder. S.: VS, HS, Berufss., graf. Gewerbe. K.: 1953 Lehre, BH, 1962-73 in SPÖ hauptamtl. als LSektr. f. Junge Generation, Kultur- u. Bild.-Arb. tätig, 1968 GemR., 1973 StadtR. f. Jugend u. Familie, 1982 1. Bgm. Stellv., s. 1985 Bgm. M.: Vors. d. Aufs R. d. Grazer Messe Gen mbH, Präsidialmtgl. d. Steir. Herbst, Vors. d. Theaterausschusses, Präs. v. steir. Leichtathletikverb., VPräs. d. Österr. Städtebundes u. VPräs. d. Rates d. Regionen u. Gem. Europas, Ehrensenator d. Karl Franzens-Univ. Graz, Ehrendr. d. Montclair-State-College Montclair, New Jersey/USA. H.: Theater, Bibl., Schallplatten, Skifahren, Bergwandern. (I.G.)

Stingl Georg Dr. Univ.-Prof.

B.: Ltr. d. Abt. f. Immundermatologie u. Infekt. Hautkrankheiten Univ.-Klinik f. Dermatologie Wien. DA.: 1090 Wien, Währinger Gürtel 18-20. PA.: 1070 Wien, St.-Ulrichs-Pl. 2/7. G.: Wien, 28. Okt. 1948. V.: Laura A., geb. Gazz. El.: Dr. Kurt u. Elfriede. S.: BRG, 1966-73 Med.-Stud. Univ. Wien. K.: 1973-76 Dermatolog. Fachausbild. I. Univ.-Hautklinik Wien, 1977-78 u. 1985-86 Gastwissenschaftler NIH Bethesda, 1980 Univ.-Doz., 1985 a.o.Univ.-Prof., 1991 o.Univ.-Prof. P.: 220 wiss. Arb. auf d. Gebiet d. Dermatovenerologie, Immundermatologie u. Immunologie. M.: Österr. Ges. f. Dermatologie u. Venerologie (Präs. 1995-1996), Österr. Ges. f. Allergologie u. Immunologie, Arge Dermatol. Forschung (Präs. 1982-1983), Europ. Soc. Derm. Res. (Präs. 1992-1993), Soc. Invest. Dermatol., American Assoc. Immunol., Österr. Akademie d. Wissenschaften, Dt. Ges. d. Naturforscher "leopoldina". H.: klass. Musik.

Stingl Günther Dr. rer. pol.

B.: Schriftsteller. A.: 3100 St. Pölten, Roseggerstr. 11. G.: St. Pölten, 4. Dez. 1939. V.: Astrid, geb. Seydel. S.: RG, HAK mit Matura, Prom. z. Dr. rer. pol. an d. Univ. Wien. K.: m. 14 J. erste Geschichte im ORF, m. 20 J. Literaturpreis d. Österr. Hochschülerschaft. P.: 1973 Prosaband "Bilanz", 1976 Auswahlband "Ausgeliefert" (Prosa, Hörspiele, Sketches im Verlag NÖ Pressehaus St. Pölten), Anthologien, zahlr. Erzählungen u. Hörspiele (NDR, BR, RAI, ORF, Tschech. Rundf.,usw.), 1983 "Der Neue", Hörspiele, Edition Roetzer Eisenstadt-Wien, 1984 "Wie ein Held", Roman, ebendort, 1985 Theater-Urauff. "Der Kongreß", Komödie, Wien, 1987 "Überstunden" Prosa, Edition Roetzer, 1985-91 Hrsg. d. lit.-kult. Magazins LIMES, 1994 "Schönberg" Prosa, Edition Roetzer. E.: 1960 Literaturpreis d. Österr. Hochschülerschaft,

1974 NÖ Förderungspreis f. Dichtkunst, 1982 Konzeptförderung d. Österr. Filmförderungsfonds (Wien), seit 1970 Literaturstipendiat d. BMU, 1983 Literaturpreis d. Arbeiterkam. OÖ, 1990 Theodor-Körner-Literaturpreis, 1992 Drehbuchförd. d. NÖ LReg.,1993 Förderung d. LHstdt. St. Pölten, Vorst. Mtgl. d. NÖ P.E.N.-Clubs, NÖ Delegierter IG Autoren. M.: Österr. Schriftstellerverb., Literaturkreis Podium, 1987-91 Obm. d. Literar. Ges. St. Pölten, Schatzmstr. d. NÖ P.E.N.-Clubs. H.: Reisen.

Stingl Heinz Dr. iur.

B.: Gen.Sekr.Stellv. d. Österr. Wirtschaftsbundes. A.: 2103 Langenzersdorf, Rehgraben 1. G.: Wien, 6. Febr. 1940. V.: Dietlind, geb. Landertinger. El.: Dkfm. Heinz u. Margarethe. S.: VS, Mittelschule, Univ., Prom. z. Dr. iur. Ger.Praxis. K.: 1966 Ref. f. Arbeitsrecht in d. HK Wien, 1971 Ref. f. Fin.Politik in d. BWirtschaftskam., 1973 Ref. f. Wirtschaftspolitik in d. BWirtschaftskam., 1974 Wirtschaftspolit. Ref. d. Österr. Wirtschaftsbund, 1979 Stellv. Gen.Sekr. d. Österr. Wirtschaftsbund. F.: AufsR. d. Simmering-Graz-Pauker AG, Aufs.R. d. Bürges GmbH. P.: Div. ökonom. u. polit. Publ., Mitarb. an polit. Programmen. M.: Vorst.Mtgl. d. Österr. Managementclubs, VPräs. d. Österr. Leichtathletikverb., Sekt. Ltr. d. Wr. Eislaufver. H.: Sport.

Stingl Martin

B.: Kameramann. DA. u. PA.: 1130 Wien, Eyslerg. 23. G.: Wien, 17. Nov. 1959. El.: Franz u. Johanna. S.: Mataura a. d. HTL Mödling, Abt. f. Elektrotechn. K.: Eintritt i. einem Werbefilmstudio, s. 1984 freiberuflicher Kameraass., s. 1988 freiberuflicher Kamaeramann, bis 1994 13 Spielfilme f. Fernsehen u. Kino u.a.: St. Petri Schnee, Lexminister, I Spy mit Bill Cosby, Es lebe die Liebe, 1945, zahlr. Werbefilme i. In- u. Ausland. E.: 1992 Goldener Kader f. d. Film "St. Petri Schnee", 1994 Goldener Kader f. d. Film "Waikiki".

Stingl Max

B.: Gschf. Ges. d. Maschinenfbk. Stingl GmbH u. d. Holzwerke Stingl GmbH & Co KG sowie VHG Stingl & Cie KG. DA.: 9334 Guttaring, Hollersberg 26-28. G.: Wieting, 6. Mai 1946.V.: Edith, geb. Pobaschnig. Ki.: Max-Georg (1975), Edith-Marie (1977), Heide-Marie (1981), Wolfgang (1990). S.: Lehre als Maschinenschlosser, Mstr.Prüf. 1968. K.: 1969 Grdg. d. Maschinefbk. Guttaring-Hollersberg, 1976 Grdg. d. Holzwerke in Guttaring u. 1981 Grdg. d. VHG in Guttaring, 1993 Erwerb d. Gutsbetr. "Mannsberg" mit Schloss Mannsberg Gem. Kappel/Kr. M.: Mtgl. im Kirchenrat. H.: Skifahren, Schwimmen, Wandern. (A.L.)

Stingl Werner Dipl.-Ing.

B.: Inh., Gschf., Architekt. FN.: Architektur Büro, Staatl. bef. u. beeid. Ziviltechn. DA.: 2514 Traiskirchen, Hauptpl. 17/D/1. PA.: 2512 Tribuswinkel, Mitterweg 23. G.: Wien, 28. Sep. 1958. Ki.: Marian (1993). El.: Franz, Ing., u. Johanna. S.: 1976 Mat. Gymn. Baden, 1976-82 Stud. Arch. TU Wien. K.: 1982-87 Mitarb. Arch. Büro Czerny Wien, 1985 Ziviltechn.-Prüf., 1987 Gründ. eig. Architekt.-Büro. H.: Arbeit, Schifahren, Reisen. (I.K.)

Stingl Walter Mag. Ing.

B.: Wirtschaftstreuhänder, Steuerberater, Immobilienhändler. DA.: 1100 Wien, Laxenburger Str. 60. G.: Wien, 9. Juni 1947. V.: Krista, geb. Prachner. Ki.: Peter, Hermann, Bernhard. S.: HTL Mödling, 1967 Ing., 1972 Welthdl. K.: 1967-73 Immoblienverw., 3 J. Philips Revision, 1978 selbst. Steuerberater, Vortragender b. Wifi. M.: Elternver. Maria Enzersdorf als Obm. f. VS. H.: Theater, Musik, Skifahren, Bergsteigen. (Fels.)

Stippel Johann Dr.

B.: Mtgl. d. NatR. seit 1979, Gymnasialdir. DA.: 1017 Wien, Dr.-Karl-Renner-Ring 3. G.: Markt Piesting, 15. Juni 1940. S.: Pflichtschulen, LBA in Wr. Neustadt (1959 Matura), Univ. Wien (Dr. phil). K.: 1964 Probelehrer in Wien, ab 1964 Ltr. einer AHS, seit 1970 Adm. u. seit 1976 Ltr. u. seit 1981 Dir. d. BRG Wr. Neustadt, Funktionär d. Verb. d. Sozialistischen Studenten Österr. (VSStÖ), Funktionen im Bund Sozialistischer Ak., Intellektueller u. Künstler (BSA), sowie im Sozialistischen Lehrerver. Österr. (SLÖ), seit 1976 Obm. d. Sozialistischen Prof. im BSA/NÖ, seit 1966 Funktionär, dzt. Obm.Stellv. d. SPÖ Wr. Neustadt/Sekt. 2., Mtgl. d. Bez.Vorst. u. d. Bez.Aussch., Mtgl. d. Stadtvorst. u. d. Stadtaussch. u. seit 1975 Bez.Bildungsobm. d. SPÖ Wr. Neustadt, Mtgl. d. Landes- u. Bundesbildungsaussch. d. SPÖ, 1975-1980 Mtgl. d. GemR. v. Wr. Neustadt, seit 1968 Gewerkschaftsvertreter an d. Schule, 1972-1976 Vors.Stellv. d. Gewerkschaft Öff. Dienst, Sekt. Höhere Schulen in NÖ. E.: GrSE.

Stippich Reinfred

B.: Unternehmer. FN.: Interior. DA.: St. Ruprechter Str. 49, 9020 Klagenfurt. PA.: 9064 Pischeldorf, Salchendorf 27. G.: Klagenfurt, 22.1.1953. V.: Walburga, geb. Blassnegger. El.: Raimund u. Katharina. BV.: Großvater Karl Kuss. S.: VS (1959-63) St. Michael an der Gurk, HS (1963-68) Klagenfurt, Berufsschule u. Tischler Lehre, Meisterprüfung 1973. K.: Ausbildung zum Innenarchitekten in Fachschule in Villach, bis zur Gründung des eigenen Unternehmens (1987) tätig bei Fa. Rodrix, SP.: Planung. E.: Preise bei Berufswettbewerben auf Landes- u. Bundesebene. H.: Sport u. Beruf. (G.L.)

Stippich Walter

B.: Fil. Ltr.; StadtR St. Andrä. FN.: Funkberater Mahkovec; Stadtgem. St. Andrä. DA.: 9433 St. Andrä 71; 9470 St. Paul in Lavantal, Schwarzviertelstr. 2; 9471 Lavamünd 17; Stadtgem. 9433 St. Andrä 210. PA.: 9422 Maria Rojach 210. G.: Eisdorf, 15. Okt. 1851. V.: Ingrid, geb. Lingitz. Ki.: Walter (1973), Susanne (1981). El.: Ignaz (+) u. Juliane. S.: VS, HS, Mus. pädagog. BRG, Berufsschule u. Lehre z. EH-Kfm. u. Drogistin. K.: Tätigk. in d. Priv. Wirtsch. in Graz, 1973 Rückkehr nach Ktn. u. Eintritt in d. Fa. Mahkovec, s. 1979 Fil. Ltr.; 1973-76 politische Tätigk. als Obm. Stellv. d. SPÖ, s. 1979 Obm., 1983-89

GemR. f. Hochbau, Sprot u. s. 1991 f. d. Bereiche Finanzen u. Umwelt zust. E.: 1993 Gold. Sportnadel d. Stadt St. Andrä. M.: Obm. ARBÖ Maria Rojach, 1980-90 u. s. 1990 Obm. Stellv., 1982-92 Obm d. Sportver. Maria Rojach u. div. örtl. Ver. H.. Fußball, Ski, Lesen. (G.L.)

Stipschitz Robert

B.: Inh. FN.: Robert Stipschitz VW u. Audi Handel. DA.: 2344 Maria Enzersdorf, Franz Josef Str. 21. G.: Maria Enzersdorf, 31. Juli 1933. V.: Monika, geb. Füssl. Ki.: Helmut (1954). El.: Franz u. Maria. S.: 1949-50 Lehre KFZ-Mech. Brunn/Geb. K.: 1950-54 KFZ-Mech.-Ges. Brunn/Geb. u. Aushilfslehrer Berufsschule f. KFZ-Mech. Wien, 1955 Mstr.-Prfg., 1956 Lehramtsprfg., 1956-65 Lehrer a. d. Berufsschule Wien, 1961 Grdg. d. Betriebes. H.: Segeln, Lesen, Radfahren, Beruf. (I.K.)

Stipsits Erika

N.: Roland Stipsits Optik. DA.: 2340 Mödling, Hauptstr. 64. PA.: 2392 Wienerwald, Dornbach 6. G.: Wien, 26. Apr. 1947. V.: Roland Stipsits. Ki.: Alexander (1970), Sandra (1971), Michael (1977), Thomas (1980). El.: Karl u. Ingeburg Michalek. S.: 1966 Gymn.-Matura, Stud. Deutsch u. Geschichte Univ. Wien. K.: ab 1975 Mitarb. Roland Stipsits Optik (Brillen u. Kontaktlinsen). H.: Lesen, Tauchen, Wassersport. (M.M.)

Stipsits Roland

B.: Inh. FN.: Roland Stipsits Optik. DA.: 2340 Mödling, Hauptstr. 64. PA.: 2392 Wienerwald, Dornbach 6. G.: Wien, 12. Sept. 1944. V.: Erika, geb. Michalek. El.: Alfred u. Margarete. S.: Neulandschule, Optikerlehre u. Optikermstr.-Prüf. K.: Übernahme d. Optikerbetriebes "Maria Podiwinsky" u. Umbenennung in Roland Stipsits Optik m. Spezialisierung auf Brillen u. Kontaktlinsen. H.: Radsport, Tauchen, Unterwasserfilmen. (M.M.)

Stirnemann Alfred Dkfm.

B.: Präs. d. Stiftungsfonds pro oriente Wien. DA.: 1010 Wien, Hofburg, Marschallstiege II. PA.: 1080 Wien, Lerchenfelder Str. 120. G.: Wien, 21. Aug. 1939. El.: Georg u. Johanna. S.: RG, Matura, HS f. Welthdl. Wien, Univ. Wien, Fribourg, Santiago de Compostella, Fremdsprachenuniv. Peking, Inst. f. Höhere Studien u. Wiss. Forsch. Wien, Dipl. Politologie. K.: 1964-65 Gen.Sekr. d. Pax Romana (MIEC) Sitz Schweiz, 1965-93 Gen.Sekr. pro oriente, 1966-68 Scholar f. Politologie, 1970 Bildungsref. im ÖVP Sekr., 1972-83 Wiss. Sekr. d. Polit. Ak., 1975-79 Intern. Sekr. d. ÖVP, 1984-93 Dir. d. Österr. Inst. f. polit. Bild. BL.: Hrsg. "Österr. Jahrbuch f. Politik". E.: Ital. Verd.Orden, kirchl. Ausz. M.: Österr.-Ital. Ges., Österr.-Arab. Ges., Islam and the West, Österr. China-Forsch.-Inst., Österr. Politikwiss. Ges., Kath. Ak. Verb. Österr., ÖAAB, ÖVP. H.: Lesen, Skifahren, Klavierspielen, Reisen, Musik, Theater. (Fels.)

Stirner Michael

B.: Stv. Chefred. d. "auto touring" (ÖAMTC). DA.: 3400 Klosterneuburg, Hölzlg. 66. PA.: 1210 Wien, Anichweg 3. G.: Wien, 24. Okt. 1951. V.: Susanne. Ki.: Christopher Alexander Douglas David. El.: Karl Gustav u. Irmgard. S.: 1970 Matura, Stud. Maschinenbau u. BWL. K.: Motorredaktion Kurier, 1972-75 freier Mitarb., 1975-78 Redakteuraspirant, 1978-80 ÖAMTC-Redakteur, 1980-83 Kurier Motortechn. Redaktion, 1983-85 ÖAMTC, 1985-87 "Presse" Magazinltg., 1987-88 Kurier Motortechn. Stellv. Ressortltr., 1989 Chef v. Dienst, seit 1994 Stv. Chefred. d. ÖAMTC. P.: Österr. Teil f. "Motorrad" (1978-81), 50 Motorräder im Test (1978). M.: IGM Motorjournalisten Österr. Schriftführer, ÖVC. H.: Motorrad, Musik. (J.E.)

Stix Gerulf Dr. rer. oec. Dipl.Vw.

B.: Mtgl. d. NatR., 3. Präs. d. NatR. b. 3/90, Wirtschaftsberater, Unternehmensberatung, Marketing. A.: 6060 Ampass, Winkelweg 17. G.: Wien, 28. Jan. 1935. V.: Helga, geb. Spenger. Ki.: Dr. Rüdiger, Mag. Karin, Dr. Lothar, Waltraud, Dr. Ingeborg, Roswitha. El.: Dr. Franz u. Senta. S.: BHAK Innsbruck, Univ. Innsbruck. K.: seit 1971 Abg. z. NatR., seit 1976 BParteiobm.Stellv. d. FPÖ bis 1989, Mtgl. d. BVorst. d. Ringes Freiheitl. Wirtschaftstreibender. P.: Buch: "Die arbeitslose Gesellschaft", "Die Stunde d. Euroliberalismus", Editor "Freie Argumente", Ztschr. im FBW Wien. E.: Gr. Gold. EZ f. Verd. um d. Rep. Österr., EZ d. Landes Tir., Gr. Silb. EZ am Bande. M.: FPÖ, Segelclub TWV Aachensee. H.: Segeln, Langlaufen.

Stix Karl

B.: LHptm. DA.: 7000 Eisenstadt, Landhaus. PA.: 7053 Hornstein, Sportplatzstr. 24. G.: Wr. Neustadt, 24. Okt. 1939. S.: Pflichtschulen, Schlosserlehre. K.: 1962-66 Bez.-Sekr., 1966-83 Landesparteisekr., Mtgl. d. Bundesparteivorst. d. SPÖ, Bez.-Parteivors. Eisenstadt, Landesparteivors., 1973 Vorst.-Mtgl. d. Kurbad Tatzmannsdorf AG, 1974/75 Oberkurator d. Hypo-Bank Bgld., 1975-82 LAbg., 1977-82 Gschf. Klubobm., 1982 Mtgl. d. Bgld. Landesrg., 1991 LHptm. v. Bgld.

Stix Viktor Dr. iur.

B.: Steuerberater. DA.: 8700 Leoben, Hauptpl. 15. PA.: 8792 St. Peter, Schörgelhofsiedl. 27. G.: Hafning, 15. Juli 1946. V.: Franziska, geb. Götzinger. Ki.: Andreas, Udo. El.: Viktor u. Cäcilia. S.: VS, RG, Univ. Graz, 1977 Prom. K.: Fin.Bmtr., seit 1981 selbst. Steuerberater, 1983-84 Geschäftsltr. d. Volksbank Leoben, dzt. Vorst.Vors.Stellv. M.: Lions-Club. H.: Skifahren, Tennis. (R.A.)

Stix Wolfhart Ing.

B.: Alleininh. FN.: Ing. W. Stix Wärmetechnik. DA.: 1238 Wien, Breitenfurter Str. 477/1. PA.: 1130 Wien, Modl-Toman-G. 25-27. G.: Wien, 1. Aug. 1938. V.: Eva, geb. Hübsch. Ki.: Thomas (1974). El.: Alois u. Maria. S.: VS, HS, 3 Kl. Fachschule f. Elektrotechnik Wien, nebenberufl. HTL Wien Abt. Elektrotechnik, 1962 Matura. K.: ab 1956 Montage b. d. Firma Siemens Wien, 1963-68 Firma Simmering-Graz-Pauker, 1968-83 ltd. Position m. Einzelprokura b. einem Heizungsunternehmen, seit 1983 selbst. als Generalvertreter v. Völund Danstoker A/S. H.: Familie, Sport, Musik. (J.S.)

Stjepovic Frano

B.: Gastronom, Inh. FN.: Restaurant Ragusa. DA.: 1090 Wien, Berggasse 15. PA.: 1030 Wien, Paulusplatz 9. G.: Dubrovnik, 22. März 1952. V.: Beba. Ki.: Denis (1976), Annemaria (1988). El.: Niko u. Maria. S.: HS f. Gastronomie in Kroatien, 1979 Ausbild. z. intern. Barkeeper Intern. Training Center Stresa/Italien. K.: Barchef Libertas/Dubrovnik, 1985 Niederlass. in Österr., Eröff. des eig. Restaurants in Wien I, 1991 Eröff. d. Rest. Ragusa. BL.: Herstell. v. über 300 Cocktail-Rezepturen. P.: Buch: Geheimnisse d. Cocktails. E.: 1979 Weltmstr. b. Cocktailwettbewerb, zahlr. Preise b. nat. Wettbew. f. Barkeeper. M.: Österr. Barkeeper-Union. H.: Kreieren v. Cocktails, Tennis. (N.A.)

Stöber Petra

B.: Prok., Ltr. d. Produktion. FN.: Heilmoorbad Neydharting Prof. Stöber GmbH. DA.: 4010 Linz, Pfarrpl. 3. PA.: 4654 Bad Wimsbach-Neydharting. G.: Linz, 11. Nov. 1946. Ki.: Marian. El.: Prof. Otto u. Rosa Stöber. S.: Hotelfachschule Sbg. K.: seit 1965 Tätigkeit in d. Firma, seit 1970 Prok., Ltr. d. Produktion. M.: Österr. Rheumaliga, Österr. Heil- u. Kurorteverb., div. Kulturver. H.: Lesen. (P.H.)

Stöber Rosa

B.: Gschf. FN.: Heilmoorbad Neydharting Prof. Stöber GmbH. DA.: 4010 Linz, Pfarrpl. 3. PA.: 4060 Leonding, Tizianstr. 17. G.: Linz, 24. Nov. 1919. V.: Prof. Otto Stöber. Ki.: Mag. Fausta-Otto, Petra. El.: Friedrich u. Maria. S.: Gymn., Ausbild. z. Kindergärtnerin u. Buchhändlerin. K.: seit 1970 Gschf. M.: Österr. Rheumaliga, Österr. Heil- u. Kurorteverb., div. Kulturver. u. Museen. H.: Arbeit, Lesen, Schwimmen. (P.H.)

Stöber-Piccini Fausta-Otto Mag.

B.: Gschf. FN.: Heilmoorbad Neydharting Prof. Stöber GmbH. DA.: 4010 Linz, Pfarrpl. 3. PA.: 4060 Leonding, Tizianstr. 17. G.: Wien, 23. Juli 1959. V.: Mario. Ki.: Matthias-Otto. El.: Prof. Otto u. Rosa. S.: Matura, Stud. Philol. Univ. Innsbruck, 2 J. Lehramtsstud. anschl. 1 J. Exportkfm. Kepler-Univ. Linz. K.: seit 1985 in Firma vorwiegend f. d. Export zuständig, seit 1989 Gschf. M.: Österr. Rheumaliga, Österr. Heil- u. Kurorteverb., div. Kulturver., Kustus Verb. d. Österr. Privatmuseen. H.: Sammeln, Lesen, Familie. (P.H.)

Stöberl Reinhold Dr.

B.: Vorst. d. dermatolog. Ambulanz am Kaiser Franz-Josefspital, FA f. Dermatologie u. Venerologie. A.: 2340 Mödling, Pfarrg. 15. G.: Wolkersdorf, 16. Jan. 1926. V.: Lucia, geb. Krpoun. El.: Dr. Rudolf u. Anna. S.: Grundschule, Staatsgymn. Baden, Med.Stud. an d. Univ. Wien. K.: 1956-64 I. OA d. dermatolog. Abt. KH Lainz b. Prof. Dr. A. Matras, 1967 lfd. Vorst. d. dermatolog. Ambulanz u. Wasserbettstation am Kaiser Franz-Josefspital 1100 Wien, Kundratstr. 3. P.: Bisher 16 wiss. Arb., hpt.sächl. pathophysiolog. Themen d. Dermatologie. M.: o.Mtgl. d. Österr. Dermatolog. Ges.

Stöberl Siegfried

B.: VPräs. d. Mödlinger Förderungsver. DA.: 2340 Mödling, Postfach 1. PA.: 2340 Mödling, Dr.-Hanns-Schürff-G. 23. G.: Wien, 28. Juli 1951. V.: Monika. Ki.: Renate (1982), Andreas (1984). El.: Friedrich u. Ingeborg. S.: 1973 HTL-Matura. K.: ab 1973 Ang. im Bundesamt f. Eich- u. Vermessungswesen (Eichamt Wien). M.: Mödlinger Förderungsver., Organ. d. Fasching in Mödling, Konzerte, Literaturveranstaltungen u. Unterhaltungsabende, Verwalt. u. Vermiet. d. Gewerbesäle in Mödling, seit 1988 1. VPräs. H.: Fasching in Mödling, Modelleisenbahn, Bergsteigen, Skifahren. (M.M.)

Stock Leonhard

B.: Ski alpin Rennläufer, Inh. d. Fa. Sport Stock. DA.: 6292 Finkenberg, Hauptstr. 141. PA.: 6292 Finkenberg 151. G.: Finkenberg, 14. März 1958. V.: Elisabeth, geb. Pfister. Ki.: Thomas, Julia, Bianca. El.: Friedrich u. Margarete. S.: VS, HS, kfm. Berufsschulabschluß. K.: 1979 Grdg. Fa. Sport Stock, ab d. 13. Lebensj. Rennen (Schüler-Jugend), ab d. 18. Lebensj. Weltcup. E.: Ehrungen nach Olymp. Spielen v. Land Tir., v. Finkenberg u. d. Staat, 1980 Goldmed. Abfahrt Lake Placid, 1986 Goldmed. Paralellslalom Berlin, 1988 Goldmed. Abfahrt Lax, viele weitere Preise. H.: Jagd, Golf, Ldw.

Stock Wilhelm Matthias

B.: Selbst. Designer, Künstler. FN.: Atelier Stock, Techn. Büro f. Innenarchitektur. DA.: u. PA,.:1060 Wien, Mariahilferstr. 99. G.: Höflein/Taya, 20. Feb. 1939. V.: Wilfriede, geb. Schlögl (gest. 1990). Ki.: Maria-Katharina (1969), Wilfried-Matthias u. Wilhelm-Martin 1970). EL: Maria. S.: VS, Schreinerlehre, 1961 Höhere Fachschule f. Möbelhdl. in Köln. K.: 1961 Möbelkfm. in einem Wr. Möbelhaus, Eintritt Arch.-Büro Prof. Dipl.-Ing. Dr. Karl Schwanzer, ab 1967 selbst. tätigkeit als Designer, Modellbauer, Erfinder, Gestalter v. Innenräumen , Ausstellungsmacher, Optimierg. v. Arbeitsabläufen u. ergonom. u. umweltfreundl. Gestalt. v. Arb.-Plätzen, Revitalisierung rekonstruierter Handwerkstechniken, unter max. Abstimm. auf z.B. Künstler.Baultg. d. "Weingut Dr. Diem". BL.: seit 1977 gem. m. Gattin Präsentation d. "Straßenmuseums" (museale u. informative Auslagen in d. Wr. Hypobank u. Bank Austria, Gestaltung d. Wr. Luftsituationstafel. P.: zahlr. Ausstellungen in Österr. E.: Goldmed. Erfinderverb. H.: Bücher sammeln, Bienen, Erhaltung v. natürl. Lebensräumen. (N.A.)

Stocker Doris Mag.

B.: Inh. FN.: Publico Sbg. DA.: 5020 Salzburg, Alpenstr. 107. PA.: 5400 Hallein, Mariahilfweg 33. G.: St. Michael/ Lungau, 24. Dez. 1961. V.: Wolfgang Stocker. El.: Albert u. Hilde Hebenstreit. S.: VS, BRG Tamsweg, 1975-80 HAK, 1980-85 Stud. Sozialwirtschaft Univ. Linz, 4 Sem. Vw., 1985-86 Univ.-Lehrgang z. Ausbild. v. Exportkaufleuten Univ. Linz. K.: 1986-90 Öff.-Arb. Sparkasse Sbg., seit 1990 selbst. als Franchisepartnerin v. Publico Wien österr. größter PR-Agentur. H.: Sport, Skifahren, Tennis. (N.M.)

Stocker Ernst Ing.

B.: Vorst.-Mtgl./Gschf. FN.: ECONOMOS Industriebeteiligungen u. Managementsservice AG; ECONOMOS I Warenhandels GmbH. DA.: 1220 Wien, Rennbahnweg 55. PA.: 3411 Klosterneuburg/Weidling, Urbanusg. 11. G.: Wien, 12. Sept. 1941. V.: Renate, geb. Wendtner. Ki.: Paul. El.: Ernst u. Anna. S.: HTL Wien, 1960 Matura. K.: Techniker b. versch. Installationsfirmen in Wien, 1971-81 Fa. York-Borg-Warner Büroltr. Wien, 1981-86 Fa. BBC York Exportdir., ab 1986 Ltg. Gschf., 1986-91 Gschf. d. LTG Lufttechn. GmbH. H.: Sport, Holzschnitzen.

Stocker Franz

B.: Elektromonteur. PA.: 2700 Wiener Neustadt, Gymbelsdorfstr. 9. G.: Raiding/Bgld., 1. Mai 1933. S.: Pflichtschulen, Berufsschule, ÖGB Gewerkschaftsschule. K.: 1950-1952 Elektroinstallationslehre, 1955-1957 Werkmeister Abendschule, seit 1960 b. d. NEWAG als Elektromonteur tätig, 1961-1965 ArbeiterbetriebsR. in d. Betriebsdion. Wr. Neustadt d. NEWAG, 1965-1976 Betriebsratsobm. u. seit 1976 Obm. d. ZentralbetriebsR. d NEWAG, seit 1974 KamR. d. Kam. f. Arb. u. Ang. f. NÖ, seit 1971 Mtgl. d. Zentralvorst., seit 1978 Mtgl. d. Präsidiums u. seit 1980 Vors.Stellv. in d. Gewerkschaft Metall-Bergbau-Energie, seit 1978 Vors. d. Fraktion Christl. Gewerkschafter d. Gewerkschaft Metall-Bergbau-Energie u. seit 1979 Vors.Stellv. in d. BFraktion Christl. Gewerkschafter, seit 1979 Mtgl. d. Vorst. d. ÖGB, 1979-1983 Mtgl. d. Bundesrates. 1983-1993 Mtgl. d. NatR. E.: GrSE.

Stocker Gerhard

B.: Geschäftsltr. FN.: Stasto KG. DA.: 6020 Innsbruck, Feldstr. 11. PA.: 6112 Wattens, Ritter-Waldauf-Str. 25. G.: Eben, 14. Sept. 1951. V.: Brigitte, geb. Saxer. Ki.: Daniel, Christoph, Dieter Clemens, Simon. El.: Josef u. Mathilde. S.: VS, HS, HTL Maschinenbau, 1970 Matura, 1971 HAK-Matura, 1971 BH. K.: 1972-74 Außendienst b. techn. Hdls.-Firma, 1974 Geschäftsltg. Elektroamaturen Ing. Staudacher & Stocker KG, 1982 Umformung in Firma Stasto, 1992 alleiniger Kompl. Stasto Ing. Stocker KG, 1992 Lehrgang f. Verkaufs- u. Marketingltr. H.: Sport, Fußball, Volleyball, Tennis. (B.R.)

Stocker Harald

B.: Kfm. FN.: Musik-Galerie. DA.: 6130 Schwaz, Innsbrucker Str. 14. PA.: 6130 Schwaz, Innsbrucker Str. 33. G.: Schwaz, 8. März 1948. V.: Gabriele, geb. Rigger. Ki.: Manuel (1990). El.: Hans u. Erna Hauser. S.: Grundschule, Berufslehre Baukunst u. Blechschlosser, 1968 Abschluß, Kellnerlehre. K.: Facharb. f. Baukunst u. Blechschlosserei, 6 J. Gastgewerbe, 12 J. Reiseltr. f. Kunst- u. Expeditionsarb. Afrika, Skandinavien, Kaukasus, Ostblock, seit 1984 selbst. m. Musik-Galerie Schwaz. F.: Beteiligung Art-Tours Reisebüro f. Konzertfahrten aller Art. H.: Reisen, Familie, Natur, Literatur, Musik, Konzerte (Jazz u. Klassik), Geschichte, Kunst. (M.W.)

Stocker Helmuth

B.: Gschf. FN.: Autohaus Schönbrunn. DA.: 1120 Wien, Schönbrunnerstr. 297. G.: St. Lorenzen/Stmk., 1. Okt. 1939. V.: Gertrude. Ki.: Kurt-Georg (1973), Susanne (1975), Ursula (1976). El.: Franz u. Viktoria. S.: Hasch. K.: KFZ-Branche über Materialwirt., b. 1986 Ersatzteile-Materialwirt.-Lagerltr., 1956-62 6 J. VW, 1962-68 General Motors, 1968-75 Opel Beyschlag, 1975-91 Jeschek-Gschf. s. 1986, s. 1992 Fiat-Gschf. E.: Gold. Abzeichen v. Roten Kreuz NÖ 25 J. Mtgl. M.: b. 1985 ehrenamtl. Helfer-Einsatzfahrer b. Roten Kreuz. H.: Haus u. Garten, Motorrad (Oldtimer), Sammeln alter Sachen, Skifahren. (Th.H.)

Stocker Josef

B.: Gschf. Ges. FN.: Stocker Sicherheitstechnik GmbH. DA.: 8020 Graz, Kernstockg. 22-24. PA.: 8010 Graz, Rungeweg 4. G.: 7. Aug. 1955. V.: Sabrina, geb. Salis. Ki.: Martin (1985), Christof (1987).El.: Josef u. Hildegard. S.: 1971-75 Berufsschule "Elektrotechnik" Eibiswald. K.: 1982-87 Ndlg.-Ltr. einer Sicherheitstechnikfirma, 1988 Grdg. d. Firma Stocker Sicherheitstechnik GmbH, 1992 u. 1993 Grdg. weiterer 4 Geschäftsstellen in Fl, D, SLO,H, Fachgruppenvorst. d. Alarmanlagenerrichter. P.: div. fachspez. Art. in Zeitschriften u. Magazinen. H.: Skifahren, Reisen, Kultur, Technik. (P.M.)

Stocker Helmuth

B.: Mtgl. d. NatR. seit 19. Mai 1983, Sozialvers.Ang. DA.: 1017 Wien, Dr.-Karl-Renner-Ring 3. G.: Salzburg, 10. Okt. 1938 S.: VS, Unterstufe RG, Sozialak. d. Kam. f. Arb. u. Ang. f. Wien in Mödling. K.: Sped.Ang., seit 1960 Ang. d. Sbg. GKK f. Arb. u. Ang., seit 1980 Abt.Ltr., seit 1956 Jugendfunktionär im ÖGB, 1960-1968 LObm. d. Sbg. Gewerkschaftsjugend u. Mtgl. d. BVorst. d. Österr. Gewerkschaftsjugend, Mtgl. d. Landesexekutive Sbg. d. ÖGB, 1964-1974 KamR. d. Kam. f. Arb. u. Ang. f. Sbg. (Vors. d. Jugend- u. Lehrlingsaussch.), 1967-1983 Mtgl. d. GemR. d. LHpt-Stadt Sbg., 1972-1983 Mtgl. d. Stadtsen., 1974-1983 Mtgl. d. Bez. SchulR., seit 1976 Mtgl. d. Bez.Vorst., 1980-90 Bez.-Vors.-Stellv. u. s. 1990 Bez.-Vors. d. SPÖ Sbg./Stadt, seit 1978 Mtgl d. Landesparteivorst. d. SPÖ Sbg., seit 1981 Ersatzmtgl. d. Bundeskontrollkmsn. d. SPÖ.

Stocker Karl Dr. phil. Univ.-Doz.

B.: Historiker, selbst. Wissenschaftler am Inst. f. Geschichte d. Univ. Graz. DA.: 8010 Graz, Kastellfeldg. 34. PA.: 8020 Graz, Grüneg. 39. G.: Knittelfeld, 10. Juni 1956. El.: Karl u. Maria. S.: VS, Gymn., 1974 Matura, 1974-81 Stud. Geschichte u. Volkskunde Graz, 1981 Prom. z. Dr. phil., 1982-83 Zivildienst. K.: 1983 wiss. Mitarb. am Inst. f. Geschichte Univ. Graz, ab 1984 Lehrbeauftragter, 1988 Habil., seit 1987 Lehraufträge am Inst. f. Volkskunde, Inst. f. Erziehungswiss., Inst. f. Germanistik, 1990 Grdg. gem. m. Karl Kaser "Bisdato" Büro f. histor. Recherche, Ltg. v. versch. Geschichtswerkstätten, Erarb. v. Ausstellungen u. Museumskonzepten, Filmdrehbücher, wiss. Zusammenarb. m. Künstlern, wiss. Ltr. f. d. Steir. Landesausstellung 1994. P.: 1994 "Wallfahrt - Wege zur Kraft" (gem. m. Wilhelm Hengstler), Hrsg. m. Karl Kaser 1992 "Clios Rache? Neue Aspekte strukturgeschichtl. u. theoriegeleit. Geschichtsforsch. in Österr.", 1991 "Gestohlene Jugend. Die Tagebücher u. Aufzeichnungen d. Franz Schick 1930-1938", 1986 u. 1988 "Bäuerl. Leben in d. Oststmk. seit 1848" (gem. m. Karl Kaser, 2 Bände). E.: 1984 Theodor-Körner-Preis, 1986 Ernst-Winkler-Preis. H.: Musik, Reisen, Beruf. (M.Gr.

Stocker Sibille Dr.

B.: Prakt. Ärztin. GT.: seit 1980 Distriktsarzt. DA.: 8700 Leoben-Donawitz, Kerpelystr. 69. PA.: 8700 Leoben, Pebalstr. 32. G.: Wien, 16. Aug. 1946. El.: Dr. Paul u. Gertrud Stocker. S.: VS Päd. Inst. Wien, Hum. Gymn. Amerlinggasse Wien, 1964 Matura, Stud. Med. Univ. Wien, 1970 Prom. K.: Turnus Elisabethspital u. Wilhelminenspital (Kinderabt.) Wien, Frauenabt. d. Wilhelminenspitals, kurärztl. Tätigkeit in Bad Tatzmannsdorf, Chefärztl. Dienststelle d. Wr. GKK, seit 1978 Praxis als prakt. Ärztin in Donawitz, seit 1980 Distriktsarzt, bes. Interesse f. Soziale Fragen, Psychotherap., Med. Kosmetik, Kinderheilkunde u. Ernährungslehre. H.: Kunst, Musik, Tiere. (Tra.)

Stocker Siegfried

B.: Gschf. Ges., Textiltechniker. FN.: Fend GmbH & Co KG. DA.: 6800 Feldkirch, Schloßgraben 10. PA.: 6800 Feldkirch, Gallmiststr. 25. G.: Bregenz, 1. Sept. 1954. El.: Ernst u. Maria. S.: Textilschule Dornbirn, Abschluß 1974. K.: 1974 Praktika Schweiz, 1975 Amerikaaufenthalt, 1977 Südafrika (Hotelbranche), 1978 Marketing in Sportartikelkonzern (Hamburg), 1989 Übersiedl. n. Vbg. zu Fend Immobilien als Juniorpartner, 1991 Gschf. u. Partner, Umstell. d. Fa. auf Computer österreichweit. M.: Stadtvertreter d. Stadt Feldkirch, Obm. d. Prüf.-Aussch. d. Stadt Feldkirch, Stadtparteiobm. H.: Bergtouren, Laufen, Schifahren, Tennis, Hund, Tauchen, Musik, Reisen. (I.D.)

Stockhammer Alfred Karl Ing.

B.: VPräs. FN.: VOEST ALPINE Vertriebs GmbH. DA.: 4031 Linz, Turmstr. 41. PA.: 4540 Bad Hall, Stelzhamerstr. 8. G.: Ansfelden, 18. Jän. 1938. V.: Ottilie, geb. Weber. El.: Alois u. Helene. S.: VS, HS, HTL Maschinenbau Steyr, 1961 Matura, HAK Linz, 1962 Matura, 1963 BH. K.: ab 1963 Exportsachbearb. VOEST AG, 1970 VOEST Intern. New York, 1971 Abt.-Ltr. f. Gesamtverkauf In- u. Ausland, 1973 Prok. Hütte Krems, 1980 Prok. u. Verkaufsltr. u. Abt.-Dir. VOEST ALPINE AG, 1983 Übernahme d. Führung d. Außenstellennetzes d. VOEST ALPINE AG, seit 1989 VOEST ALPINE

Vertriebs GmbH, 1976-79 Gschf. VOEST ALPINE Bausysteme GmbH. M.: Rotary Club Steyr. H.: Tennis, Skifahren, Bergsteigen, Segeln. (U.A.)

Stockhammer Helmut Dr. Mag.

B.: Bmtr. d. wiss. Dienstes am Inst. f. Phil. d. Univ. Klagenfurt/Celovec. GT.: Oberrat, Ltr. d. Arbeitsgruppe "Mediendidaktik u. audiovisuelle Anthropologie". A.: 9020 Klagenfurt, Stifterstr. 12. G.: Kammer/Attersee, 3. Apr. 1946. V.: Ilse, geb. Wagner. El.: Richard u. Irmtraud. S.: HTL (Elektrotechnik), Sozial- u. Wirtschaftswiss. (Soz.), Lehrtrainer d. Österr. Ges. f. Gruppendynamik u. Gruppenpäd., Ltr. d. Reserve. K.: Univ.Ass., Lehrtrainer, Bmtr. d. wiss. Dienstes, Vorst.Mtgl. d. ÖGGG, ständiger Mitarb. d. Zeitschrift f. Didaktik d. Phil., zahlr. Lehraufträge. P.: Die schulprakt. Übungen z. Unterrichtsplanung f. d. Fach Phil. - Psychologie - Pädagogik an d. Univ. Klagenfurt, Sozialisation u. Kreativität - Prolegomena zu einer soziolog. Theorie d. Kreativität, Zum Verhältnis v. Arbeit u. Bildung, Kreativität u. Wiss. - Trendbericht u. kommentierte Bibliographie, Kolonialistische Denkformen in Hegels Geschichtsphil. u. Freuds Metapsychologie, ÖKOPAX Programm der ALÖ, Videofilme gemeinsam m. Ilse Wagner, Ausstellung: "Trauerarbeitsplätze", "Videograbsteine", "Rückschauanlagen", gemeinsam m. Ilse Wagner. M.: ÖGGG, Österr. Ges. f. Soz., Phil. Ges., Ges. f. Sexualforsch., ÖGB, Vors. Ktn. Solidarität m. Nicaragua. H.: Fotografieren, Filmen, Skifahren, Reisen.

Stockhammer Herbert Dr.

B.: Gschf. d. Österr. Hotel- u. Fremdenverkehrs Treuhand GmbH u. d. Intern. Tourismus Investment Service GmbH. DA.: 1011 Wien, Parkring 12a. PA.: 1238 Wien, Jaschkag. 5. G.: Wien, 26. Apr. 1935. V.: Maria, geb. Matura. Ki.: Elisabeth, Andrea, Christine. S.: Hum. Gymn., Stud. d. Rechtswiss. in Wien, 1960 Prom. K.: 1954-58 u. 1961-88 CA, vorerst 4 J. in einer Außenstelle in Wien u. anschl. in d. Hypothekenabt. d. Zentrale d. CA, 1983-88 Ltr. d. Hypothekenabt. d. CA, seit 1989 Gschf. d. ÖHT. M.: Österr. Akademikerbund. H.: Tennis, Skifahren, Radfahren, Bergsteigen, klass. Musik, Geschichte. (J.S.)

Stockinger Alfred Dr. phil. Mag. rer. soc. oec.

B.: Dir. d. Bgld. Bauernbundes. DA.: 7000 Eisenstadt, Esterhazystr. 22. G.: Lenzing, 2. Okt. 1953. V.: Dr. med. Veronika, geb. Moser-Pöll. Ki.: Mathias (1986), Rupert (1988), Anna (1993). El.: Georg u. Elisabeth. S.: VS, BG, 1972 Matura, 1972-74 Noviziat d. Ges. Jesu Nürnberg, 1974-76 Stud. Phil. u. Erwachsenenpäd. HS f. Phil. München, 1976 Bakkalaureat d. Phil. m. Ausz., Abschlußzertifikat Erwachsenenpäd. m. Ausz., 1976-77 Heimltr. Jugendzentrum Kath. Studentenwerk Linz, 1977-83 Stud. Phil., Politikwiss., Päd. u. Vw. Univ. Wien, Diss., 1983 Dr. phil., 1983 Dipl.-Arb. in Betriebswirtschaft, 1984 Mag. rer. soc. oec. K.: s. 1992 Dir. d. Bgld. Bauernbundes, 1984 Revisionsabt. d. Bank f. OÖ u. Sbg. AG Linz, seit 1985 Sekr. im Österr. Bauernbund Wien, seit 1989 Büroltr. d. Österr. Bauernbundes. H.: Hausbau, Gebirgslaufen, Lesen, Familie, Cineast. (R.T.)

Stockinger Ernst

B.: Hotel-Dir. FN.: City Residenz DA.: 1120 Wien, Bockhg. 4/66. G.: Altenhof, 19. Juli 1929. V.: Linda. Ki.: Petra, Kim-Andrea. El.: Johann u. Maria. S.: RG, Hotelfachschule, Hotelpraxis in namhaften Hotels einschl. Hotel Schweizerhof in Luzern, Hotel Beau Rivage in Lausanne, Hotel Bellevue in Badgastein u. Hotel Europa in Wien. K.: Seit 1974 Dir. d. Hotels "Am Parkring", Vize-Präs. v. "Best Western Hotelreservierungs GmbH". H.: Reiten, Skifahren, Golf. (R.T.)

Stockinger Maximilian Dipl.-Kfm.

B.: Vors. d. Vorst. u. Sprecher d. Vorst. FN.: ESG Linzer Elektrizitäts-, Fernwärme- u. Verkehrsbetriebe AG. DA.: 4020 Linz, Museumstr. 6-8. PA.: 4020 Linz, Zelkingerstr. 12. G.: Neukirchen, 24. April 1939. V.: Erna, geb. Pichler. Ki.: Martina (1965). El.: Heinrich u. Margareta. S.: VS, HS, HAK, 1957 Matura, bis 1965 Stud. Univ. f. Welthandel, Wien. K.: seit 1965 Fa. ESG, ab 1965 Kfm. Sekr., ab 1968 Ltr. Betriebswirtschaft, ab 1982 Ltr. Finanz- u. Rechnungswesen, ab 1990 Vorst.-Mtgl. m. Ressort Finanz u. Stellv. Vorst.Dir., seit 1993 Vors. d. Vorst. u. Sprecher d. Vorst. mit den Ressort: Finanz, Beschaffungswesen, Recht u. Versicherungen, Personal u. EDV. (U.A.)

Stockinger Richard

B.: Schriftsetzer, LAbg., GemR. DA.: 1190 Wien, Gatterburgg. 14. PA.: 1190 Wien, Cottageg. 65/2/4. G.: Wien, 30. Jan. 1934. V.: Gerlinde, geb. Ableidinger. Ki.: Ursula, Dagmar, Daniela. El.: Johann u. Ludmilla. S.: HS, Berufsschule f. graph. Gewerbe. K.: 1948-57 Schriftsetzer Ueberreuter, 1957-66 Schriftsetzer Pressehaus, 1966-74 Bez.Sekr. d. SPÖ Döbling, 1966-75 LAbg., 1975-78 Bez.Vorst., 1978-87 Bez.Vorst.Stellv., seit 1987 LAbg. u. GemR., 1980-82 Zeitungsarb., seit 1983 LSekr. d. Wr. Volkshilfe. BL.: Mitwirkung an Wr. Bäderkonzept, Vorrang öff. Verkehr, Grünpolitik f. Döbling, Grinzing-Plan, Hallen- u. Sommerbad Döbling, Kommunalwohnbau in Döbling, Vorortelinie. E.: Gold. EZ d. Stadt Wien. M.: SPÖ, Naturfreunde, ASBÖ, Volkshilfe, WAT, Volksbild., Beethovenges., Mtgl. d. Umwelt- u. Konsumentenaussch. u.v.a. H.: Schwimmen, Radfahren, Skifahren, Lesen, Theater, Kulturarb. (A.K.)

Stöckl Egon

B.: Tischlermstr., Raumausstatter. FN.: Egon Stöckl GmbH Raumausstattung. DA. u. PA.: 5700 Zell am See, Seespitzstr. 4. G.: Hohenems, 5. Jan. 1930. V.: Margareta. Ki.: Dietmar, Manfred, Peter. El.: Johann u. Hilda. S.: VS, HS, Tischlerlehre, 1948 Gesellenprüf. K.: 1950 Tichler in Vbg., 1 1/2 J. Kühlschrankfirma, Ausfahrer in Metzgerei, wieder Tischlerei, 1959 zurück nach Zell am See in d. elterl. Betrieb, 1957 Mstr.-Prüf., b. 1961 im elterl. Betrieb, seit 1962 selbst. als Bodenleger, 1993 Zusammenlegung Geschäft u. Werkstatt. H.: Segelfliegen, Mineralinen, Berggehen, Skifahren. (A.W.)

Stockinger Robert Prof.

B.: Ltr. d. Abt. f. Kultur u. Wiss. d. ORF-Landesstudio OÖ i.R. PA.: 4040 Linz, Urbanskistr. 4. G.: Preßburg/CSFR, 11. Sept. 1919. V.: Ingeborg, geb. Haller. El.: Robert u. Luise. S.: Dt. Staats-RG Preßburg, 1937 Matura, 1937-38 Abiturientenkurs HAK Brünn, Philol.-Stud. Comenius-Univ. Preßburg. K.: Ausbild. z. Journalist in Preßburg, 1941-43 Tätigkeit b. Slowak. Rundfunk (aktueller Dienst, Volksbild., Hörspiele), Auslandskorrespondent d. August-Scherl Verlages, Korrespondent d. Dt. Rundfunks f. Hörberichte, wiss. Betreuung d. 80. Geburtstagsfeier d. österr. Nobelpreisträgers Philipp Lenard 1942 in P., freundschaftl. Nähe z. Dirigenten Joseph Keilberth, 1944 Kriegsdienst, 1946-49 OÖ Landesverlag, ab 1950 b. Sendergruppe Rot-Weiß-Rot, 1969-81 Ltr. d. Kultur u. Wiss.-Abt. d. ORF Landesstudio OÖ, hunderte wiss., kulturhistor. u. literar. Sendungen, Initiator d. Aufführung v. Brucknerwerken in Preßburg, Grdg.-Mtgl. d. Dt. Philharmonie in Preßburg, dzt. Übersetzungen aus d. tschech. f. Zeitschriften, 1974 Prof., 1974 wiss. Kons. d. OÖ Landesrg. K.: 1980 Kulturmed. d. Stadt Linz, 1981 EZ d. Johannes-Kepler-Univ., 1979 Ehrenmtgl. d. Innviertler Künstlergilde. (P.H.)

Stöckl Gottfried

B.: Konditor-, Wachszieher-, Lebzelter-Meister, ehrenamtl. Ltr. d. Werner Berg Galerie. FN.: Konditorei Cafe Stöckl. DA.: 9150 Bleiburg, 10.-Oktober-Pl. 18; G.: Klagenfurt, 29. Sep. 1934. V.: Renate, geb. Kunesch. Ki.: Gottfried, Paul Michael , Gerald, Hermann. El.: Elfriede u. Gottfried. BL.: Organisator u. Veranstalter versch. Kulturveranstaltungen in Bleiburg, Grdg.-Initiator d. Werner Berg Galerie Bleiburg. P.: Bleiburger Freyungsspiel (1993). M.: seit 1961 Obm. Gesangsver. Bleiburg, seit 1991 Obm. d. priv. Ver. z. Errichtung d. Freyungsbrunnens d. Kiki Kogelnik, (G.L.)

Stöckl Hannes Mag.

B.: Steuerberater, Kompl. FN.: Heinz Prokesch & Mag. Hannes Stöckl Wirtschaftstreuhand- u. Steuerberatungsges. GT.: AufsR. Koflach Sport GmbH. DA.: 5600 St. Johann im Pongau, Mehrlg. 7. PA.: 5600 St. Johann im Pongau, Färberg. 13. G.: Mittersill, 21. Dez. 1955. V.: Marianne, geb. Prommegger. Ki.: Matthias (1982), Thomas (1982). El.: Josef u. Maria. S.: 1975 Matura, 1976-80 Stud. Betriebswirtschaft Innsbruck, 1980 Spons. K.: 1980-83 Ang. (Baunebengewerbe), 1983 Einstieg Firma Heinz Prokesch, 1987 Steuerberaterprüf., 1989 Grdg. Ges. Prokesch & Stöckl. P.: Vortragstät. im Rahmen v. Fortbildungsveranstaltungen. M.: Gem.-Vertreter, Golfclub Goldegg. H.: Golf, Skifahren, Gem.-Politik. (G.P.)

Stöckl Herbert

B.: Inh., Gschf. Ges., Kfm. FN.: Herbert Stöckl Transporte & Vermittlung. DA.: 6230 Brixlegg, Innsbruckerstr. 49. PA.: 6200 Gallzein 51. G.: Schwaz, 24. Aug. 1965. V.: Lebensgef. Barbara Foidl. El.: Hubert u. Gabriele. Bv.: lt. Fam. Wappen bis in 15. Jh. nachweisbar. S.: VS, HS, HASCH. K.: 4 Lj. als Wasser- u. Heizungsbauer in Schwaz, m. Gesellenbrief,1985-89 als Lkw-fahrer b. Fa. Binder in Fügen tätig, 1990-91 als Autoverkäufer Fa. Kanpp in Straß tätig, Fort- u. Weiterbildungsseminare in München u. Sbg., s. 1992 selbst. als Tankstellenstationär Betrieb seither auf Ersatzteil- u. Zubehörgeschäft f. Pkw u. Service Dienst erweitert, 1992 Neu Eröff. d. "Shell Stüberl", 1993 Transportuntern. P.: Art. in reg. Print Med. H.: Beruf, Skifahren. (J.F.)

Stöckl Hermann

B.: selbst. Finanzkfm., Ltr. d. Landesdion. Vbg. FN.: Treugeld Vermögensplanungsges. mbH. DA.: 6900 Bregenz, Heldendankstr. 20. PA.: 5760 Saalfelden, Dorfheimer Str. 27. G.: Zell/See, 24. Jan. 1963. El.: Engelbert u. Erika. S.: 1978-81 Lehre als Bürokfm. K.: 1984 TVG im Vertrieb, 1989 oberes Management, 1987 Ltr. d. Landesdion. Vbg., 1991 Ltr. TVG Schweiz, 1992 Bereichsltr. TVG Deutschld. H.: Management, Reisen, Schifahren, Fitnesstraining, Fußball, Tennis. (J.S.)

Stöckl Johann

B.: Wirtschaftstreuhänder, Steuerberater. DA.: 5760 Saalfelden, Ritzenseestr. 6A. PA.: 5771 Leogang 68. G.: Kufstein, 6. Mai 1943. V.: Rosemarie, geb. Zoller. Ki.: Sieglinde (1966), Wolfgang (1971). El.: Michael u. Maria. S.: Ind.-Kfm.-Lehre m. Abschluß, 1969 Matura 2. Bildungsweg. K.: 1977-78 Steuerberaterprüf., seit 1987 selbst. Steuerberater in Saalfelden. M.: Ritter d. Ordens d. Schwertbrüder Christi v. Livland. (M.T.)

Stöckl Manfred

B.: Gschf. FN.: Elopak Ges. mbH. DA. u. PA.: 4656 Kirchham/Gmunden, Kirchham 211. G.: Wels, 7. April 1953. V.: Csilla, geb. Demetar. Ki.: Christopher (1980), Stefanie (1985), Oliver (1987), Julia (1992). El.: Josef u. Inge. S.: VS, Gymn., 1972 Matura. K.: im väterl. Betrieb im Gartencenter tätig, danach folg. Auslandsaufenth.: 1972-73 in Italien bei Handelsfa. f. Holzbearb.-Maschinen, 1973-74 in Engl. bei Handelsfa. f. Kunstglaserzeugnisse - Sale Administration, in Frankr. 3 Monate in einem Gartencenter tätig, 1976 Gartencenter in Wien übern., 1979 in Venezuela bei AEG Telefunken im Controlling-Bereich tätig, Untern.-Planung f. Werk in Venezuela, Ass. v. Verkaufsltr., anschl. AEG Berlin, Verkauf f. E-Motoren, Betreuung d. europ. Niederlass., 1983 VEW Wien, 1985 Fa. Elopak BRD, regionaler Verkaufsltr., Übern. Marketingabtl., paral. Fachhochschule f. Marketing absolv., s. 1990 Fa. Elopak Österr. aufgebaut, Hersteller d. Pure-Pak Verpackungssysteme f. flüssige Nahrungsmittel. H.: Familie, Tennis, Schwimmen, Reisen, Fremdsprachen, fremde Länder. (J.L.)

Stöckl Manfred Dr. iur.

B.: Ltr. Vertrieb Inland. FN.: Austria Tabak Werke. DA.: 1090 Wien, Porzellang. 51. PA.: 8052 Graz, Hangweg 21. G.: Wien, 27. Juni 1939. V.: Gerlinde, geb. Wittmann, 3 Kinder. El.: Johann u. Maria. S.: 1957 Matura Stubenbastei. K.: 1958-64 BMLV, gleichzeitig Stud. als Werkstudent an d. Univ. Wien, 1964-66 BMH u. Wiederaufbau in d. hdls.polit. Sektion, 1966 Eintritt Austria Tabak, 1967-84 Ltr. d. Monopolverw.Stelle f. Stmk. in Graz, 1984-87 Betriebsltr. d. Verkaufsltg. Wien-Ottakring, seit 1987 Ltr. d. Vertriebes Inland, H.: Lesen, Skifahren, Tischlern, Zeichnen, Jagd. (P.R.)

Stöckl Wilhelm

B.: Marketingdir., Dir., Gschf. d. SANABO-WIEN GmbH. FN.: Sandoz GmbH Wien. DA.: 1235 Wien, Brunnerstr. 59. G.: Wien, 13. Okt. 1936. V.: Gertraud, geb. Hanni. Ki.: Susanne, Sabine, Barbara, Claudia, Andreas. El.: Wilhelm u. Margarete. S.: Matura, Stud. Med., 1975-85 div. Managementausbild. u. Ausbild.Aufenthalte Schweiz, Deutschland, USA, MCE Brüssel, Hernstein, INSEAD. K.: 1966 Eintritt Außendienst Fa. Sandoz, 1968 Organ.Ass., 1970 Außendienstltr., 1973 stellv. Marketingltr., 1975-78 Ltr. Produktmanagement, Lizenzen Biochemie, Sanabo, Sandoz, Wander, 1978 Marketingltr. Sandoz, VDir., 1983 Dir. P.: Fachart. Intern. Pharmig-Zeitschriften. M.: Vorst.Mtgl. Österr. Alzheimer-Ges., Mtgl. FA f. Öff. Arb. seit 1984, Vorst.Mtgl. 1986 u. Vizepräs. 1992 Pharmig, Ltr. d. FA f. Öff. Arb. seit 1987. H.: Reisen, Musik, Arbeit.

Stöckl-Lorenz Ursula

B.: Inh. FN.: Slender You Figursalon u. Solarium. DA.: 3400 Klosterneuburg, Wiener Str. 96. PA.: 3433 Königstetten, Tulbingerstr. 7. G.: Wien, 11. Aug. 1955. Ki.: Roman (1976). El.: Klaus Lorenz u. Erika Noll. S.: VS, HS, Berufsschule f. Kosmetik, Fort- u. Weiterbild.-Kurse u. Seminare. K.: Tätigkeit in versch. Branchen (Gastgewerbe, Textilbranche, Parfümerie, Schuhbranche), zuletzt 3 J. Ang. in einem Slender-Studio,

1992 selbst. u. Übernahme Slender You Studio Klosterneuburg. H.: Reisen, andere Länder, Menschen u. Kulturen kennenlernen, Kosmetik, Schmuck, Mode. (F.S.)

Stockmann Brigitte Dkfm.

B.: General Manager. FN.: FIT Import Handels GmbH. GT.: Gschf. Stiefel u. Schuh Vertriebs GmbH. DA.: 2100 Korneuburg 88, Im Trenkschuh 15-17. PA.: 1180 Wien, Geyerg. 7. G.: Wien, 3. Okt. 1944. El.: Kurt u. Vera Stockmann. S.: HAK, 1963 Matura, HS f. Welthdl. Wien, 1972 Dkfm. K.: Stud. durch versch. Tätigkeiten finanziert u.a. Sekr., 1972-73 Bankang. "Z" Wien, 1973-76 verantwortl. f. d. Export- u. Transitgeschäfte d. Chem. Fbk. Wilhelm Neuber, 1976 Ass. d. Gschf. FIT Import Handels GmbH, seit 1979 Gschf., 1981 Grdg. Stiefel u. Schuh Vertriebs GmbH m. Dr. Gutmann u. anschl. Gschf. H.: Fernreisen, klass. Musik, Konzerte. (M.B.)

Stockmar Jürgen Dipl.-Ing.

B.: Vorst.-Dir. d. Ressort Forsch. u. Entwicklung. FN.: Steyr-Daimler-Puch AG. DA.: 1010 Wien, Franz-Josefs-Kai 51. G.: Wittichenau, 29. Dez. 1941. V.: Dr. Doris, geb. Mücke. El.: Rolf u. Ilse, geb. Stresow. S.: VS, Gymn. Essen u. Hamburg, 1961 Matura, 1961-68 Stud. Maschinening.-Wesen TH Hannover. K.: 1968-71 Versuchsing. Dt. Vergaser Ges. Neuss/Rhein, 1972-76 Chefred. Ressort Technik Autozeitung, 1976-81 Abt.-Ltr. Fahrwerkabstimmung AUDI NS4 Ingolstadt, ab 1981 Entwicklungltr. b. Steyr-Daimler-Puch, Sparte Geländefahrzeuge Graz, ab 1985 Vorst.-Dir. d. Steyr-Daimler-Puch AG, seit 1988 Vorst. Techn. Entwicklung Audi, seit 1990 Vorst. Forsch. u. Technik Steyr-Daimler-Puch AG. E.: 1989 Gr. Gold. EZ f. Verd. um d. Rep. Österr. H.: Skilanglaufen. (N.A.)

Stodolak Edmund

B.: Unternehmer. FN.: Interplan Klagenfurt Zeichen- u. Schreibbüro GmbH. DA.: 9020 Klagenfurt, Heidenhofg. 4. G.: Klagenfurt, 26.1.1957. Ki.: Michael (1979), Gerd (1980). El.: Leopold u. Theresia. S.: VS (1963-67), HS (1967-71), 1971/72 HTL Maschinenbau, 1972-76 Berufsschule u. Doppellehre als Zeichner u. GWH-Installateur, Tätigkeit im Außendienst u. als Heizungstechniker. K.: 1989 Gründung des ersten Betriebes dieser Art in Österreich mit Schwerpunkt v. bundesweiten Einreichungsplänen f. zentrale Feuerungsanlagen f. Gewerbebetriebe. H.: Lesen, Musik, Technik, Modelleisenbahn, Haus u. Garten. (G.L.)

Stoduka Peter

B.: Klaviermacher, Instrumentenstimmer, Handelsass., Medienkundler. FN.: "Klavier-Peter". DA.: 8010 Graz, Moserhofg. 51. G.: Graz, 2. Apr. 1961. Ki.: Marko (1982). El.: Faustin u. Susanne. BV.: Ernst Kutzer, Stefan Stodulka, Exinger. S.: VS, HS, Polytechnikum, Berufsschule Holzbearb. u. Instrumentenbau, WIFI, Stud. Medienkundler Univ. K.: freischaff. Musiker, seit 1982 selbst. "Klavier-Peter". M.: Junge Wirtschaft. H.: aktiv Musik, Sport allg. (C.R.)

Stoffel Sabine

B.: Prom. Man. FN.: BMG Ariola Bertelsmann Music Group. DA.: 1100 Wien, Erlachg. 134-140. PA.: 1030 Wien, Keinerg. 8/2. G.: Frankfurt/Main, 2. März 1963. Ki.: Rebecca (1988). El.: Karin u. Rolf Stoffel. S.: Gymn., Fachausb. Kosm. u. Visagistin, Schauspielunterr. i. München u. Frankfurt. K.: ab d. 19 Lj. 3 J. Fotomod. f. d. Agentur Fam i. Paris: Vogue, Madame, Madame Figaro, Elle u. v. a., b. 1985 Fotomod. i. z. B. N. Y., Tokyo, Filmpartnerin v. Eddie Constantin i. "Das Micado-Project", s. 1986 i. Wien, zahlr. Covers f. Wienr, Wienerin, etc., f. Palmers u. Burghemden tät., ab 1988 Mitarb. m. Ehemann Stefan Zaradic im Tonstudio Wien, ab 1993 Ass. b. Heidi Spatzek, s. 94 Prom. Man. H.: Tochter Rebecca, Garten, Innenarchitektur, Reisen, Konzerte.

Stöffelmayr Wolfgang

B.: Dir. d. Landesmusikschule Schärding, Fachgruppenvorst. f. Tasteninstrumente u. Musiktheorie im OÖ Landesmusikschulwerk. DA.: 4780 Schärding, Schloßg. 9. PA.: 4770 Andorf, Schwanthalerstr. 22. G.: Raab, 15. Jän. 1950. V.: Renate, geb. Scheriau. Ki.: Raphael (1976), Johanna (1980). El.: Siegfried u. Maria. S.: Musikstud. Konservatorium Linz u. Musik-HS Wien. K.: seit 1978 Dir. d. Landesmusikschule Schärding u. Fachgruppenvorst. f. Tasteninstrumente u. Musiktheorie im OÖ Landesmusikschulwerk. BL.: Konzerte als Kammermusik-Pianist m. versch. intern. Ensembles u. Solisten, Auslandskonzerte in Japan, USA, Deutschland, Italien u. England. H.: Ballonfahren. (E.Hö.)

Stoffner Doris

B.: Großhdls.-Kauffrau. FN.: Stoffner GmbH & Co KG; Stoffner Trans Globe Energy. DA.: 4910 Ried, Rainerstr. 18a. PA.: 4910 Ried, Kircheng. 7. G.: Ried, 26. Feb. 1968. El.: Rudolf u. Leopoldine. S.: VS, HS, Hdls.-Dipl. in d. Schweiz. K.: 1984 in d. väterl. Betrieb, Lehre z. Großhdls.-Kauffrau, 1987 Lehrabschlußprüf., 3 J. Finanzabt. d. Firma Stoffner, seit 1990 im Einkauf Stoffner Trans Globe Energy u. Verkauf Stoffner GmbH & Co KG. H.: Reiten, Tennis. (J.L.)

Stöger Alois Mag.

B.: Erb-Hofkaplan d. Landes Tir., Abt-Prälat. DA.: 6020 Innsbruck, Praemonstratenserstift Wilten. G.: Suben, 6. Dez. 1921. S.: 1944 Matura, HS-Stud., Sozialstud. in Belgien u. Paris. K.: Priesterweihe, pastorale Erfahrung m. d. Arbeiterjugend, 7 Jahre Diözesankaplan d. KAJ Tir., 1952 Fabrikseinsatz um Betriebsstrukturen zu studieren, 1957 Wahl z. Abt. E.: Ehrenring d. Heimatgem. Suben u. d. Stadt Innsbruck, EZ d. Lds. Tir. M.: Rotaryclub Innsbruck, Ritter v. heiligen Grab zu Jerusalem, Prior d. Komturei Innsbruck, H.: Bergsteigen, Skifahren, Fotografieren. (Schm.)

Stöger Alois Dr. theol.

B.: Weihbischof. PA.: 3100 St. Pölten, Dompl. 1. G.: Kautzen, 12. Apr. 1904. El.: Alois u. Maria. S.: VS, Gymn., phil.-theol. HS in St. Pölten. K.: 1930 Priesterweihe, 1930-32 Kaplan in Groß-Gerungs, 1933-35 Stud. d. Bibelwiss. am päpstl. Inst. f. Bibelwiss. in Rom, 1935-38 Domkurat, 1938-59 Spiritual, 1939 Dr. theol. (Prom. in Wien), 1942 Prof. d. Int. Wiss. an d. theol. HS b. 1959, 1960 Mtgl. d. Domkapitels in St. Pölten, 1961-67 Rektor d. Collegs Santa Maria dell'Anima in Rom, 1967 Titularbischof v. Aptuca, Bischofvikar. P.: Div. Artikel in Fachzeitschriften, Bücher: Gott u. d. Anfang, Das Evangelium nach Lukas, Die Mutter meines Herrn, Österliche Menschen, Das Neue Testament (kommentierte Ausg.), Jesus Christus - NT in Auswahl, Die Bergpredigt. H.: Heilige Schrift. (Kern)

Stöger Erich Dr. Dkfm.

B.: Gen.-Dir., Vors. d. Vorst. FN.: Royal Trust Bank Austria AG. DA.: 1011 Wien, Rathausstr. 20. G.: Wien, 7. Febr. 1942. S.: HS f. Welthdl., Dr., Diss. K.: seit 1960 b. drei bedeutenden österr. Banken tätig, div. mehrmonatige Trainingsaufenthalte in England, USA, Frankreich u. Japan, seit 1975 gschf. Dir., ab 1984 Gen.-Dir. u. Vors. d. Vorst. d. Royal Trust Bank Austria AG. H.: Lesen, Skifahren, Tennis.

Stöger Hannelore Dr. med. MedR.

B.: FA f. Haut- u. Geschlechtskrankheiten. DA.: 1210 Wien, Dopschstr. 29/5/6. PA.: 1170 Wien, Schumanng. 92. G.: Wien, 30. Apr. 1939. S.: RG, 1957 Matura, Stud. Musikak. Wien, 1959 Staatsprüf. Klavier, Med.Stud. Univ. Wien, 1966 Prom. K.: 1966-74 Spitalspraxis II. Hautklinik, wiss. Mitarb. in "Klinik u. Therapie d. Nebenwirkungen" 1973, 1974 Ordinationseröff., 1991 MedR., seit 1976 schriftstell. tätig, Erzählungen: "Dieses Haus birgt ein Geheimnis" 1982, dramat. Novelle "Geordnete Verhältnisse" 1983, Gedichte: "Mein Dasein ist ein Leuchten" 1984, seit 1992 Komponieren u. Texten eig. Lieder. M.: BVerb. Dt. Schriftsteller Ärzte. (C.K.)

Josef Stöger

B.: Geschäftsführer. FN.: Anton Schimek KG. DA.: 1235 Wien, Fröhlichg. 42. PA.: 1150 Wien, Eduard-Sueß-Gasse 10. G.: Wien, 2. Nov. 1940. Ki.: Elisabeth 1973. El.: Josef u. Maria. BV.: Onkel: Bischof Dr. Alois Stöger: Weihbischof v. St. Pölten i.R. S.: Grudnschulen, kaufmän. Berufsschule m. Lehrabschluß. K.: 17 Jahre i. d. Lebensmittelbranche tätig, Leiter d. Frischwarenabt. bei Verbrauchermärkten, anschl. i.d. Papierbranche, derzeit i. chem. Gewerbe b. Fa. Schimek. B.L.: Maßgebl. beteiligt a. d. Moderniseirung u. Umstrukturierung d. Betriebes u. des Verkaufsprogramms, Ausweitung d. Exportes. H.: Musik, Abenteuer-Reisen u. Photographieren. (J.S.)

Stöger Kurt

B.: Gastronom im Restaurant Stöger. DA. u. PA.: 1050 Wien, Ramperstorfferg. 63. G.: Wien, 2. Nov. 1944. V.: Barbara, geb. Schulze. Ki.: Markus (1970), Nina (1976). El.: Eduard u. Anna. S.: HAK Wien, Hotelfachschule Wien. K.: Auslandspraxis: England u. Frankreich als Koch, ab 1970 wieder in Wien, Übernahme d. Familienbetriebes Restaurant Stöger, seitdem Ltg. d. Küche, Spezialitätenrestaurant m. vielen eigenen Kreationen. E.: div. Ausz. b. versch. intern. u. nat. Wettbewerben. M.: b. 1990 Bez.-Obm. Gastgewerbe f. d. V. Wr. Gem.-Bez. H.: gut Essen, Tennis. (J.S.)

Stöger Richard Dr. med. habil. Dr. h.c.

B.: em.Ass. d. II. Med. Univ.Klinik Wien. A.: 1010 Wien, Walfischg. 10. G.: Braunau, 14. Nov. 1912. V.: Melitta, geb. Kaufmann. El.: Ignaz u. Franziska. S.: VS, Hum. Gymn. mit Matura, Med.Stud. in Wien u. Innsbruck, Prom. 1937, 2. Med. Univ.Klinik Wien, Habil. 1944. K.: Wiss. Ass. an d. 2. Med. Univ.Klinik, dann Ltr. d. Internen Abt. d. Lazarettes d. ehemaligen dt. Luftwaffe in Brünn u. Wels, nach d. Krieg freie Praxis als Internist u. Onkologe, 1971-76 Ltr. u. Organisator d. Brustambulatoriums d. Ev. KH in Wien, 1973-77 auch Ltr. d. Brustambulatoriums d. Strahlentherapeutischen Klinik d. Univ. Wien. P.: über 60 Publ., die sich vorwiegend m. interner Therapie nach Krebsoperationen befassen, 1 Monographie, "Vorschlag zu einer leicht durchführbaren Krebsprophylaxe", 1 Buch: "Älter werden, aber ohne Krebs". E.: Für erfolgreiche Nachbehandlung nach Krebsoperationen Auszeichnung am Krebskongreß in Bad Salzuflen/BRD 1969. M.: Ges. d. Ärzte in Wien, Österr. Krebsges., Ver. z. Förderung einer aktiven medikamentösen Krebsprophylaxe u. Rezidivverhütung. H.: Malen, Tennis, Skifahren.

Stöger Rudolf Florian Ing.

B.: Radiomechanikermstr., Ang. FN.: ATV GmbH. GT.: Vors. d. Mstr. u. Gesellenprüf. f. Radio- u. Videoelektroniker, Mitbegründer und Vorst. d. Werbeteams Gänserndorf. DA.: 2230 Gänserndorf, Weikendorfer Str. 14. PA.: 2230 Gänserndorf, Heideg. 56. G.: Gänserndorf, 4. Sep. 1937. V.: Renate, geb. Falk. Ki.: Rudolf (1964), Wolfgang (1965), Elisabeth (1966). El.: Rudolf u. Maria. S.: HTL Nachrichtentechnik Mödling, BH. K.: 1968 Eintritt u. Übernahme in d. elterl. Firma, 1962 Mstr.-Prüf. Radiomechaniker, 1991 Ausstieg aus d. Betrieb u. Eintritt als Ang. in d. Firma d. Sohnes Rudolf. E.: Silb. u. Gold. Ehrennadel d. Elektrotechnik Radio- u. Videoelektroniker Innung. M.: Werbeteam Gänserndorf, PfarrgemR. Gänserndorf. H.: Computer. (R.T.)

Stögerer Ernst

B.: Gschf. FN.: Moldrich Metallwaren GmbH. DA.: 1120 Wien, Gaudenzdorfer Gürtel 73A. PA.: 1232 Wien, Anton-Baumgartner-Str. 44. G.: Kirchberg/Wechsel, 29. Okt. 1952. V.: Eva, geb. Hlayacek. Ki.: Christian. El.: Ernst u. Helga. S.: VS, HS, HTL. K.: 1973-81 Techniker f. Lüftungsklimabranche b. d. Fa. Arnold, seit 1981 Gschf. d. Fa. Moldrich GmbH. H.: Skifahren, Fußballspielen, Wandern. (M.B.)

Stöglehner Ludwig

B.: Ltr. d. Präsidialabt. b. Landesschulrat f. Sbg. DA.: 5020 Salzburg, Mozartpl. 10. PA.: 5020 Salzburg, Hagenauerpl. 2. G.: Summerau, 6. Juli 1939. V.: Christine, geb. Starchl. Ki.: Bernhard, Martin. El.: Josef u. Maria. S.: HS Marianisten in Freistadt, 1956 Bäckergesellenprüf, 1972 B-Matura. K.: 1959-73 Unteroff.Laufbahn, 3 mal f. 6 Monate Mtgl. d. UNO-Kontingents auf Zypern, Off.Stellv., 1973 als Personalsachbearb. Eintritt in d. Landesschulrat Sbg., seit 1974 Mtgl. d. Präsidialabt. unter Pr. HofR. Dr. Matthias Laireiter, seit 1984 Ltr. d. Präsidialabt., Ernennung z. Amtsdir. 1990. P.: ÖVP-Gemeindezeitung Wals, freier Mitarb. b. versch. Sbg. Tages- u. Wochenzeitungen. M.: Mtgl. d. ÖAAB-LSekt.Ltg. Öff. Dienst, Beis. b. Schiedsgericht f. Sozialvers., Vors. d. LSekt. Unterricht Wiss. Sbg. d. GÖD, Vors. d. FCG-Bez .Aussch. Flachgau, Mtgl. d. ÖGB-Landesexekutive Sbg., Vors. Stellv. d. LVorst. Sbg GÖD, Mtgl. d. ÖUOG Sbg. E.: Silb. EZ f. Verd. um d. Rep. Österr, Ehrenbecher d. AK Sbg., Silb. Feuerwehr-Leistungsabz., Wehrdiensterinnerungsmed., BH-Dienst II. Kl., Medal in Service of Peace. H.: Skilanglaufen, Radfahren, Schwimmen. (Foed.)

Stögmann Walter Dr. o.Univ.-Prof.

B.: ärztl. Dir. d. Preyer'schen Kinderspitals. DA.: 1100 Wien, Schrankenbergg. 31. PA.: 1030 Wien, Neulingg. 18. G.: Oberneukirchen, 2. Juni 1938. V.: Ingeborg, geb. Mosen. Ki.: Arthur, Wolfgang, Elisabeth. S.: 1957 Matura, Med.Stud. Wien u. Graz,, 1973 Prom. K.: Turnusarztausbild. in Graz, Steyr u. Sbg., FA-Ausbild. f. Kinderheilkunde an d. Univ. Kinderklinik in Graz, 1975 Habil., 1982 tit.a.o.Prof., seit 1980 ärztl. Dir. d. Preyer'schen Kinderspitals u. Vorst. d. Internen Abt. P.: ca. 180 Publ. (P.R.)

Stögmüller Alfred Prof.

B.: Dir. d. Landestheater Linz. DA.: 4020 Linz, Promenade 39. PA.: 4040 Linz, Hagenstr. 67/2. G.: Kirchdorf/Krems, 7. Okt. 1925. V.: Hildegard, geb. Sieger, 3 Kinder. S.: Gymn. Kremsmünster. K.: ab 1943 Reichsarbeitsdienst u. Wehrdienst b. d. dt. Luftwaffe, ab 1946 Theater in Urfahr (Schauspieler), 3 J. Tätigkeit als Producer b. d. Sendergruppe Rot-Weiß-Rot u. Ltr. d. Schauspielgruppe "Scheinwerfer", 3 J. Landestheater Linz als Schauspieler, Dramaturg u. Reg., 9 J. Deutschland m. Engagements in Hof/Saale, Bonn, Mannheim, Bremen, Deutsche Welle Köln, Schauspielak. Bochum, seit 1969 Int. d. Linzer Landestheaters. E.: 1980 Prof.

Stögmüller Heinz Dipl.-Ing.

B.: freischaff. Arch. DA.: u. PA.: 4020 Linz, Robert-Stolz-Str. 7. G.: Traun, 5. Juni 1938. V.: Ingrid, geb. Ebetsberger. Ki.: Arch. Dipl.-Ing. Jörg (1962), Dr. Ruth (1966). El.: Josef u. Anna. S.: VS, HS, HTL, TU Wien. K.: 1964-69 div. Arch.-Büros, seit 1969 selbst., Schwerpunkte: Schulbau, Kindergärten, Wohnbau, Ind.-Bauten, Verw.-Gebäude. BL.: Gschf. d. Bauplanungs- u. Errichtungsges. d. Stadt Linz f. d. Neue Rathaus, Arge Partner v. Prof. Dr. Herzog, verantwortl. f. d. Errichtung d. DESIGN CENTERS Linz, div. Auslandsprojekte: Moskau, Sotchi, Prag, Budapest. E.: 1994 Landeskulturpreis f. Arch. f. Desigen Center Linz. H.: Skifahren, Segeln, Theater, Konzerte, Reisen. (L.G.)

Stohl Anton

B.: Betr.ltr. u. Prokurist. FN.: Loppe. DA./PA.: 5020 Salzburg, Karlrollstr. G.: Salzburg, 19. März 1957. El.: Anton u. Inge. S.: VS, Gymn., 1979-81 Pädag., 1981-89 BWL Uni Innsbruck, Diplomarb. K.: Raiffeisenverb., 1993 Loppe u. Entsorgung Betr. H.: Golf, Segeln, Skifahren, Radfahren, Musik, Lesen. (M.G.)

Stohl Rudolf

B.: Kfz-Mechaniker, Rallye-Fahrer. DA.: 1210 Wien, Richard-Neutra-G. 14. PA.: 1228 Wien, Kupetzkyg. 19. G.: Wien, 21. Apr. 1947. V.: Elfriede, geb. Hajszan. Ki.: Sabine (1969), Manfred (1972). El.: Josef u. Maria. S.: Kfz-Mechanikerlehre. K.: Kfz-Mechaniker b. ÖAF Gräf & Stift, 1969 Beginn m. d. Rallyesport, 1972 erstmals Teilnahme an d. Akropolis-Rallye in Griechenland, 1980 Himalaya-Rallye, Preis aus d. Händen Indira Ghandis, seit 1984 jährl. Teilnehmer b. d. Safari-Rallye, 1990 als einziger Privatfahrer ins Ziel gelangt, 1986 Monte Carlo-Rallye zusammen m. Peter Seisenbacher, 1986 VWeltmstr., 1982 u. 1986 Automobilsportler d. Jahres. (P.R.)

Stohl Wilhelm

B.: Kfm., Kompl. FN.: Bautechnik Stohl KG. DA.: 1191 Wien, Heiligenstädter Lände 19. PA.: 1180 Wien, Gymnasiumstr. 22. G.: Wien, 13. März 1944. V.: Agathe, geb. Moser. Ki.: Alexander (1971), Florian (1975), Nikolaus (1978). El.: Franz u. Anna. S.: Textiltechnikerausbild. Wien. K.: 1961-65 Tätigkeit in d. Textilbranche, b. 1978 b. multinat. Konzernen u.a. Siemens, Philips u. Hoechst, seit 1979 selbst. als Baufstoffhändler f. chem.-techn. Produkte, 1985 Gründer d. Firma Isopol Dachdecker u. Bauspengler, 1988 Gründer d. Firma Stohl & Stohl als Gastronomiebetriebsges.: ganzjähr. Eiscafé in Wien. F.: Gschf. Ges. Isopol GmbH, Gschf. Ges. Stohl & Stohl GmbH. H.: Lesen, Bücher, Musik, Skifahren, Tennis. (J.S.)

Stohlhofer Herbert

B.: Kfm. PA.: 1040 Wien, Wiedner Hauptstr. 79. G.: Wien, 2. Juli 1925. V.: Elfriede, geb. Neumayer. El.: Raimund u. Maria. S.: Grundschule, 3 J. Gewerbeschule. K.: 3 J. Lehrzeit - Elektrogroßhdl., 2 J. Militär, 2 J. Wagon Lits (Ang.), seit 1948 selbst. F.: Stohlhofer Ges.m.b.H. & Co KG. M.: SC-Radio-Stohlhofer-Simmering, Hinterbrühler Tennisclub, Panathlon intern., Lions Club Wien, Funkberater-Mtgl. u.a. (E.L.)

Stohlhofer Raimund KommR.

B.: Kfm., Radiomechanikermstr. DA.: 1040 Wien, Wiedner Hauptstr. 79, 1210 Wien, Floridsdorfer Hauptstr. 27. G.: Wien, 16. Okt. 1926. V.: Annelore, geb. Kurz. El.: Raimund u. Maria. S.: Grundschule, Lehrzeit, Berufsschule, kfm. Gehilfenprüf., div. techn. Fortbild.Kurse, Radiomechanikermstr.Prüf. K.: seit 1948 selbst. Einzelhdls.Kfm. in d. Sparte Radio-Elektro-Fernsehen, 6 Verkaufsfilialen, 1 Großreparatur-Werkstätte. M.: Mtgl. d. Berufsgruppenaussch. d. Radio- u. Fernsehtechnikerinnung, Aussch.Mtgl. d. Gremiums d. Radio Elektro Einzelhandels.

Stöhr Andreas

B.: Kfm. Ang.; Obm. d. Filmclub Magellan-Film. DA.: 2344 Ma. Enzersdorf, Perlg. 19. PA.: 2340 Mödling, Elisabethstr. 23. G.: Ma. Enzersdorf, 15. Dez. 1969. El.: Herbert u. Friederike. BV.: Urgroßv. Ferdinand Pfeifer: 1. K.u.K. Wasserschloß-Aufseher. S.: 1981-83 Gymn. Kollegium Kalksburg, 1984-85 Hauptsch. Ma. Enzersdorf, 1985-86 HAK Mödling. K.: ab 1986 kfm. Ang.; 1987 Grdg. d. Filmclub Magellan-Film u. seither Obm., ab 1987 auch als Regisseur u. Filmprod. tätig. BL.: m. 17J. jüngster Obm. e. Film-Clubs; m. 18J. 1. Film prod. "Robin of Locksley". E.: 1991 Amateur-Staatsmeister f. Amateurfotografie. M.: Schriftführer im Fremdenverk.- u. Verschönerungsver. Ma. Enzersdorf. H.: Fotografieren, Film, Menschen, Schwimmen, Touristik, Musik (Pop u. Klassik). (I.K.)

Stöhr Edith

B.: Inh. FN.: Antik-Schmuck-Stöhr. DA. u. PA.: 1010 Wien, Stallburgg. 2. G.: Wien, 2. Aug. V.: Johann Stöhr. El.: Alfred u. Friederike Kolhammer. S.: Gymn., Fachschule f. Fauenberufe Wien, 1959 Abschluß. K.: b. 1961 Tätigkeit im Antiquitätengeschäft d. Mutter Klosterneuburg, Eröff. eines Geschäftes m. Verkauf nach Amerika, 1972-85 Geschäft m. Spezialgebiet Antik-Schmuck, ab 1981 Hauptgeschäft u. Ausstellungen auf Antiquitätenmessen, jährl. Sonderausstellung über Altösterr. Schmuck v. intern. Bedeutung. P.: viele Veröff. im Bereich d. österr. Antikschmuck. M.: seit 1981 Vorst.-Mtgl. d. Verb. d. Österr. Kunst- u. Antiquitätenhändler, seit 1989 VPräs., EÖGG, CINOA. H.: Segeln, E-Musik, Oper, Oleanderzucht.

Stöhr Gerit
B.: Wirtin d. Landgasthof "Zur Linde". GT.: Gastwirteaussch. d. Bez. St. Pölten, Prüf.Kmsn.Mtgl. in d. Gastgewerbefachschule f. NÖ. DA. u. PA.: 3053 Laaben 28. G.: Laaben, 19. Mai 1948. El.: Franz u. Dorothea. S.: Pflichtschulen, 1 J. Internat, Kochlehre im Hotel-Restaurant Höldrichsmühle Hinterbrühl, Abschlußlehre als Koch, LBerufsschule f. d. Gastgewerbe m. Ausz. K.: Der Landgasthof "Zur Linde" in Laaben ist ein Familienbetrieb seit 1811 u. wurde 1976 übernommen u. gem. m. d. Zwillingschwester Dorit geführt, zahlr. Kochseminare, Abhaltung v. Schnuppertagen, seit 1970 Ausbild. v. Lehrlingen. H.: Bergwandern, Musik, Literatur.

Stöhr Hans Georg Dr. Dipl.-Ing. Univ.-Doz.
B.: Univ.-Doz. im Zentrum f. Biomed. Forsch. d. Med. Fak. d. Univ. Wien. DA.: 1090 Wien, Währinger Gürtel 18-20. PA.: 1050 Wien, Krong. 14/20. G.: Wien, 11. Apr. 1951. V.: Zora, geb. Tasevska. Ki.: Stefan (1974), Bettina (1978), Frederik (1986), Katharina-Jeanette (1988). El.: Anton u. Maria, geb. Schuch. S.: 1969 Matura, 1969-74 Stud. Elektrotechnik TU Wien, 1981 Prom., 1984 Habil. K.: seit 1974 Prof. HTL Wien, ab 1975 Univ.Ass. 2. Chir. Univ.Klinik, seit 1991 Tätigkeit im Zentrum f. Biomed. Forsch. BL.: Automat. Steuerungen f. künstl. Kreislaufunterstützungssysteme, Systeme z. Unterstützung v. Behinderten, Entwicklungen v. Implantaten z. Nervstimulation, Entwicklung v. Systemen z. Monitoring-Speicherung u. Analyse v. biolog. Daten. P.: ca. 150 Publ. M.: div. wiss. nat. u. intern. Ges. (N.A.)

Stöhr Johann

B.: Inh. FN.: Antik-Schmuck-Stöhr. DA. u. PA.: 1010 Wien, Stallburgg. 2. G.: Wien, 11. Juli. V.: Edith, geb. Kolhammer. El.: Johann u. Therese. S.: 1955 Matura, Stud. WU Wien. K.: Aufbau d. Antiquitätengeschäftes m. Gattin, Spezialist auf d. Gebiet d. Punzierungswesens. E.: mehrmals bestaussehendster Antiquitätenfachmann. M.: Verb. Österr. Kunst- u. Antiquitätenhändler, CINOA. H.: Segeln, Skifahren, Eislaufen, Eishockey, Tennis.

Stöhr Josef
B.: Gschf. Ges. FN.: Stöhr Dachbau GmbH. DA.: 1160 Wien, Grüllemeierg. 19. G.: Wien, 4. Nov. 1948. V.: Christine, geb. Aussprung. Ki.: Josef, Marlene. El.: Josef u. Maria. S.: 1965 HAK-Matura, Lehrausbild. Dachdecker, 1967 Abschluß, 1970 Mstr.-Prüf. K.: seit 1965 Tätigkeit im elterl. Betrieb, 1983 Grdg. d. KG, 1986 Grdg. Stöhr Dachbau, Spezialisierung: Dachsanierung (Dachdeckerei, Zimmerei, Spenglerei, Isolierungen), gerichtl. beeid. Sachv. f. Dachdeckerarbeiten. M.: Wirtschaftsbund, Innungsaussch. f. Dachdeckerei, Wirtschaftsbundobm.-Stellv. Ottakring, Parteiltg. ÖVP Ottakring, Mstr.-Prüf.-Kmsn., Laienrichter b. Arbeitsgericht. H.: Philatelie, Kartenspielen, Tennis, Kegeln. (J.E.)

Stohs Herbert
B.: Alt-NatR., Gem.-Bediensteter, Pensionist. DA.: 6850 Dornbirn, Spinnerg. 5a. G.: Dornbirn, 25. Sept. 1913. V.: Maria, geb. Stögner. Ki.: Herbert (1936), Thadäus (1937), Renate (1939), Elisabeth (1941), Hansjörg (1944), Christa (1945), Maria (1948), Peter (1949). El.: Thadäus u. Emma. S.: Gymn., 1928 Abschluß. K.: 1928 Praktikant in Textilbranche, 1933 Übernahme d. Vers.-Vertretung nach Tod d. Vaters, 1936 Eintritt in GBKK Dornbirn, 1938 Entlassung aus polit. Gründen, 1939 Lohnbuchhalter in Sägewerk, 1939 Militärdienst, 1945 Übernahme Österr. Widerstands- später Freiheitsbewegung, 1. Kameradschaftsbund organisiert, 1945 Eintritt in d. Amt d. Stadt Dornbirn als Schlachthausverwalter u. Marktkmsr. BL.: Erreichung d. Planung, Errichtung u. Finanzierung d. Arlbergfrassentunnels. E.: 1974 Gold. EZ v. Bundespräs., 1986 Silb. EZ d. Landes Vbg., 1989 EZ um d. Befreiung Österr., Gold. EZ d. Gewerkschaft, Gold. EZ Frakt. Christl. Gewerkschaften, Gold. EZ Österr. Seniorenbund. M.: Gründer u. 1. Obm. d. Gewerkschaft d. Gem.-Bediensteten, 1962 NatR.-Abg., Obm. d. Rechnungsaussch., 10 J. Vors. d. Europ. Christl. Gewerkschaft im Eurofedop 1976 Grdg. d. Pensionistenbund, 1977 Grdg. d. Seniorenbund. H.: früher Bergsteigen, Radfahren, Skifahren, Lesen. (I.D.)

Stoi-Savljevic Peter Dr.
B.: Kfm., Sportmanager, Journalist. A.: 6020 Innsbruck, Südtiroler Pl. 4. G.: Innsbruck, 26. Apr. 1924. V.: Herta, geb. Klein. S.: Gymn., Univ. Innsbruck u. Wien, Kriegsak. f. Offz.Anw. K.: Ab 1945 Journalist in Innsbruck, ab 1953 Kfm. in Brasilien u. ab 1936 in Innsbruck. F.: Zentralbuchhaltung Stoi-Betriebe, Pension Stoi, Innsbruck, Viktoria Espresso, Innsbruck, Stoi-Garage, Innsbruck, Golf-Haus Speierberegg, Lans, Inter-Paln-Rinn, Aufschließungs GmbH, Hauseigentumsgemeinschaft, Innsbruck, Golf-Club Innsbruck-Igls, Österr. Bobverb., Innsbruck, Österr. Golfverb., Wien. P.: Journalist. Arb. in versch. Zeitungen. E.: EK II, Verwundeten-Abz., Panzersturmabz. u.v.a. M.: Österr. Golfverb., Grdg.Präs. d. Tir. Golfverb., Intern. Bobver. u.v.a. H.: Golf, Bridge, Reisen, Feinschmecker-Verkostung.

Stoiber Hans Helmut Dr. iur. Prof. h.c.
B.: Richter d. R., Gerichtl. Sachv. f. Naturschutz. A.: 5010 Salzburg, Kaig. 19/3. G.: Zell am See, 11. Okt. 1918. V.: DDr. Ingrid, geb. Adler. El.: Dr. Franz u. Friederike. S.: VS, Gymn. Kremsmünster, Univ. Wien u. Sbg. K.: Richter, RA, Staatsanw., Sen.Vs. am LG Sbg. i.R. P.: zahlr. Veröff. z. Naturschutz, Nationalpark Hohe Tauern in Zeitungen u. Zeitschriften, Salzburger Blumenfreuden (1970), Wege u. Blumen in Rogaska Slatina (1985), 25 J. Naturschutzbüro Dr. Stoiber (1989), Mitarb. d. Kompaß-Wanderführer Slbg. Land 1985 u. 95, u.v.a. E.: Bronz. Olymp. Med. f. Dichtung, Umweltschutzpreis 1982 d. Landes OÖ, Kons. f. Umweltschutz "Bürger v. Slbg.". M.: Commission f. National Parks & Protected Areas (IUCN, Gland, CH), Föderation d. Natur- u. Nationalparks Europas, Basel, Rotary Club Sbg. u.v.a. H.: Cembalo- u. Blockflöte - Spiel, Botanik, Puppenspiel, Dialektdichtung (Stelzhamer-Rezitation), Goethe enzyklopädisch, Weit- u. Bergwandern, Besuch u. Studium v. (v.a.US) NatPks..

Stoiser Werner
B.: Stadtrat d. LH Graz. FN.: Stadt Graz. DA.: 8010 Graz, Rathaus. PA.: 8010 Graz, Grazbergerstr. 69. G.: Graz, 7. Apr. 1942. Ki.: Birgit (1965), Doris (1969). El.: Friedrich u. Ingeborg. S.: 1956-61 HTBLA. K.: 1961-79 Waagner Biro Konstrukteur, 1973 gewählter Gemeinderat d. Stadt Graz, 1979 Gemeinderat hauptberufl., 1983 Gschf. Clubobmann, 1985 Wahl zum Stadtrat. M.: ÖVP-Bezirksobmann Graz-Eggenberg s. 22 J. H.: Reisen (Italien), Wandern, Haus u. Garten. (M.N.)

Stoisits Terezija Mag.
B.: Abg. z. NatR., "Die Grünen - Die Grüne Alternative". G.: Stinatz/Stinjaki, 14. Nov. 1958 (Bgld. Kroatin). El.: Andreas u. Anna Stoisits, geb. Zsifkovits. S.: 1977 Matura, Stud. Rechtswiss. Univ. Wien, 1985 Spons., Gerichtsj. K.: 1987 Eintritt BMUK als Juristin, zuletzt Referatsltr. im Präsidium

d. BMUK, seit 1990 Abg. z. NatR., ab 1992 Mtgl. d. Bundesvorst. d. Grünen, Minderheiten-, Justiz- u. Migrationssprecherin. M.: Justiz- u. Verfassungsaussch. (N.A.)

Stoisser Detlef H.

B.: Inh. FN.: Friendly Relations-Agentur f. Öffentlichkeitsarbeit. DA.: 1050 Wien, Kohlg. 49/8. PA.: 7202 Bad Sauerbrunn, Haydng. 22. G.: Pernitz, 10. Feb. 1942. V.: Monika, geb. Huber. Ki.: Erek (1963), Klaus (1964). El.: Ing. Hans u. Maria, geb. Mican. S.: BG Baden, 1962 Matura, Stud. Zeitungswiss. u. Phil. K.: Journalist b. APA u. ORF-Fernsehen, Werbeleiter Philips, seit 1975 selbst. F.: Ges. d. Maschinenfabrik Mican & Stoisser, Wr. Neustadt; Ges. d. NAV-NÖ Audio-Visionsges. E.: Silb. VZ d. Rep. Österr. M.: Großkommandeur d. Lazarus Ritterordens, Gen. Delegierter f. Österr. d. Belg.-Span. Ges., Mtgl. WdF, o. Mtgl. P.R.V.A. H.: Jagd, Schießsport, Segeln. (N.A.)

Stoitzner Walther K. Prof.

B.: Filmproduzent. FN.: Filmproduktion Walther K. Stoitzner. DA.: 1070 Wien, Burgg. 28. PA.: 1130 Wien, Ratmannsdorfg. 16. G.: Wien, 16. Apr. 1918. V.: Dr. Yvonne, geb. Fiala, 1 Tochter. El.: Walter u. Olga, geb. Schramm. S.: 1937 Matura, Stud. Schwachstromtechnik TH Wien. K.: 1940-41 Ass. am Inst. f. Cinemathographie Wien, während d. Krieges Kameramann f. Wochenschau, ab 1947 Filmproduzent, seit 1980 Vorst. d. Fachverb. d. Audiovisions- u. Filmind., ab 1981 Präs. d. Verwertungsges. audivisuelle Medien (V.A.M.), 1970-77 Lehrbeauftragter HS f. Musik u. darstell. Kunst. BL.: 1951-52 Einrichtung einer Schulfilmzentrale in d.Türkei, 1954 u. 1960 Mitwirkung b. d. Einrichtung d. Inst. f. wiss. Filme Univ. Istanbul. P.: über 300 Filmproduktionen. E.: zahlr. nat. u. intern. Filmpreise, Ausz., insbes. EZ f. Wiss. u. Kunst 1. Kl. H.: Malerei. (N.A.)

Stojanoff Rosina

B.: Bauherr. FN.: Verpachtung u. Vermietung. DA.: 1100 Wien, Davidg. 89. G.: Wien, 6. März 1946. Ki.: Philipp. K.: Kfm. Ausbild. bis 1964, dann Roja Mill Kuvertfabrik (Gschf. u. Einkl.), seit Verkauf d. Fa. in Immobilienbranche. H.: Arbeit, Puppen. (J.E.)

Stolberg-Stolberg Ferdinand Dr.

B.: a.o. Gesandter u. bev. Minister i.R. PA.: 1030 Wien, Landstr. Hauptstr. 6. G.: Reichen, 8. Dez. 1926. Ki.: Katharina (1968), Johanna (1969), Bernhard (1970), Theresa (1973). El.: Bernhard u. Hedwig. BV.: Mütterlicherseits: Linie zu Kaiser Franz Joseph, Friedrich Leop. Stolberg (Dichter z. Goethezeit). S.: Gymn. in Hall/T., Jesuitencolleg, Matura in Innsbruck, Jusstud., Prom. 1952. K.: 1953-57 Tätigkeit in d. Privatwirtschaft, 1957 in wirtschaftspolit. Abt. im BMfAA, 1959-63 Botschaft Stockholm, 1963-66 Gen.Sekr., 1966-71 Botschaft Warschau, 1971-75 Botschaft Moskau, 1975-79 Personalsekt., 1979-85 Botschaft Stockholm. H.: Bergwandern, Garten. (E.L.)

Stolberg Lukas

B.: Uhrmachermstr., Inh., ständig gerichtl. beeid. Sachv. u. Schätzmstr. f. alte Uhren. FN.: Uhrenstube. DA.: 8010 Graz, Grabenstr. 9. PA.: 8047 Graz, Prevenhueber Weg 3. G.: Ernstbrunn, 19. Okt. 1926. V.: Lydia, geb. Perko. Ki.: Sofie (1963), Regina (1964), Georg (1966). El.: Georg u. Regina. S.: VS, Oberschule f. Jungen Gmunden, Stud. 4 Sem. Med. K.: Lehre z. Uhrmacher, 1956 Mstr.-Prüf., seither selbst. P.: seit 1975 jährl. 3 Uhren-Versandkataloge in 30 Länder, 5 Fachbücher: "Die Steir. Uhrmacher" (1969-79), "Ich trage, wo ich gehe, stets eine Uhr bei mir" (1980), "Lexikon d. Taschenuhr" (1983), "Bratenwender" (1986), "Die Kutschenuhr"(1993), Art. in Fachzeitschriften. M.: Chronometrophilia Schweiz, Ges. d. Dt. Chronometrie, Antiquarian Horological Society London, Confederation Intern. des Negotlants en Oevres d'Art. H.: Klavierspielen, Hausmusik, Altflöte. (C.R.)

Stolitzka Gerhard Dr. techn. Dipl.-Ing.

B.: o.Univ.-Prof. d. Univ. f. Bdk. GT.: Ziviltechniker. DA.: 1190 Wien, Peter-Jordan-Str. 82/2, 1180 Wien, Ferrog. 47, D-8000 München 50, Hormayrstr. 18. G.: Wien, 2. Apr. 1931. V.: Regine. Ki.: Dipl.-Ing. Stefan, Johanna, Alexander. El.: HofR. Dipl.-Ing. Alfred u. Hella. S.: RG, TU Wien, 1955 Spon., 1961 Prom. K.: Univ.Ass. TU Wien, 1964 Ziviltechniker m. eigenem Büro in Wien, ab 1969 ausschließl. freischaff. Ziviltechniker u. Partner d. U-Bahnplanungsbüros Wien, 1971 Berufung als Ordinarius f. Geodäsie u. Fotogrammetrie an d. Univ. f. Bdk. in Wien, 1972 Zweigbüro in München, seither kontinuierl. Auslandstätigkeit im U-Bahn- u. Tunnelbau in d. BRD, Belgien u. Frankreich. M.: ÖKIE u.a.m. H.: Klass. Musik, Wandern. (R.A.)

Stoll Franz KommR.

B.: Reisebürokfm. FN.: Reisebüro Stoll GmbH & Co KG, Zeitungsexpress, Skicenter Stoll. DA.: 6306 Söll, Am Steinerbach 19,6306 Söll, Stampfanger 7, 6020 Innsbruck, Kaufmannstr. 14. G.: Innsbruck, 24. Mai 1938. V.: Maria-Pia Biasior. Ki.: Alexander (1959), Clemens (1967), Andrea u. Karin (1962). El.: Franz u. Theresaia. S.: VS, HS, HAK 1957 Matura. 1959 Familie. K.: Bankbeamter i. Freizeit Cityguide Innsbruck u. Zugbegleiter/ Reiseleiter, 1961 BH. K.: 1961 Reiseltr Kontakt aufgebaut, 1963 Gründ. Reisebüro Stoll, 1973 Zeitungsexpress gegründ. M.: Tourismusverb. Vorst. Söll, Wirtsch.-bund. Tiroler Wirtsch. versch. Öff. Funktionen, Skisport Jugendförd. Söll. H.: Skifahren, Literatur, Schwimmen, Fa. (M.H.)

Stoll Gerold Dr.

B.: o.Univ.-Prof. A.: 1010 Wien, Lugeck 7/25. G.: Wien, 5. Apr. 1925. V.: Theresia, geb. Wolkowitsch. El.: Viktor u. Maria. S.: Rechtswiss. Fak. d. Univ. Wien. K.: Vw.Bmtr., zuletzt Sekt.R. im BMF, 1976 Univ.Doz. f. österr. Fin.Recht an d. Univ. Graz, ab 1968 Ordinarius f. Fin.Recht an d. Univ. Wien, Vorst. d. Inst. f. Staats- u. Vw.Recht. P.: Hrsg. mehrerer Bücher, d. Schriften z. österr. Ausgabenrecht u.v.a. M.: w.Mtgl. d. Österr. Ak. d. Wiss.

Stoll Johann

B.: Gschf. FN.: Cafe-Restaurant Alexandra Betriebs GmbH. DA.: 4910 Ried/Innkreis, Thurnerstr. 16. PA.: 4910 Ried/ Innkreis, Schubertstr. 2/25. G.: Sigharting, 14. Dez. 1955. Ki.: Martina (1981), Daniela (1983), Johannes (1986), Lisa (1992). El.: Johann u. Hildegard. S.: VS, HS, HASCH, Gastronomielehre Schärding. K.: Tätigkeit in der Gastronomie in d. Schweiz, Frankreich u. England, 1976 Konzessionsprüf., 1980-93 Gastwirt in Sigharting im elterl. Betrieb, 1993 Kauf Cafe Alexander. M.. Vors. d. Prüf.-Kmsn. f. d. Gastronomie, Wirtschaftskam.-Vollversammlung. H.: Wein, Tennis, Wasserski. (D.E.)

Stoll Wolfgang Dipl.-Ing.

B.: Arch. DA. u. PA.: 1180 Wien, Währinger Str. 123. G.: Merzig/BRD, 22. Nov. 1947. El.: Carl u. Johanna. S.: Matura Wien, Arch.-Stud. TU Wien, 1981 Abschluß. K: 1986 Ziviling., 1986 Eröff. d. eigenen Büros: Gestaltung, Innenraum, Geschäftslokale, Dachböden, Sanierungen. E.: 1990 3. Pl. b. Wettbewerb f. d. Zubau z. Techn. Museum, 2. Pl. Textil-Holding. H.: Arb. (R.J.)

Stöller Ronald A. Major

B.: Amtssekr., Bmtr. d. Gehobenen Dienstes. FN.: BM f. Landesverteidigung (Einkaufsabt.). DA.: 1010 Wien, Franz Josefs-Kai 7-9. G.: Wien, 3. März 1955. V.: Silvia, geb. Sobotka. Ki.: Ingomar (1986), Thassilo (1987), Rüdiger (1988). El.:

Anton u. Elisabeth. S.: Gymn., ab 1990 nebenberufl. Stud. d. Politikwiss., zusätzl. Publizistik- u. Kommunikationswiss., 1974-77 Ausb. z. Fernmelde- u. später z. Wirtschafts-Unter-Offz., 1982-83 Ausb. z. Fernmelde-Offz., 1985-88 Ausb. z. Einheits-Kdt. d. Fernmelde- u. d. Versorgungstruppe, 1987 Ausb. z. Beamten d. gehob. Dienstes d. allg. Verw., 1990-91 Stabsoffz.-Ausbild., 1992 Ausb. z. Truppenkdt. (Baons- u. Regiments-Kdt.). K.: UNO-Einsätze: 1973 Zypern (Fernmeldesoldat), 1981/82 Zypern (Militärpolizist), 1982/83 Golan (Kanzleileiter d. Militärpolizei), 1988-89 UN-Hauptquartier Zypern (1. Diensthabender Offizier i.d. Operationszentrale u. Adjutant d. stellv. Stabschefs d. UNO u. österr. Kontigents-Kdt.), im Ministerium f. d. Einkauf d. ges. Munition u. Sprengmittel verantwortl. P.: Regelm. Artikel i.d. Zeitschrift "Der Soldat" sowie i. d. Zeitschr. d. österr. Kameradschaftsbundes "Kameradschaft aktiv". E.: Wehrdienstz. 2. u. 3. Kl., Wehrdienstmed. in Silber u. Bronze, UNO-Med. Zypern u. Golan, Friedensnobelpreis-Med., Gr. EK u. EK d. Verd.-Kl. d. Radetzky-Ordens, EK v. Papst Leo XIII. Silber u. Bronze, Europakreuz d. Verb. d. europ. Kriegsteilnehmer (Sitz i. Paris). M.: Offz. 1. Kl. d. militär. u. hospital. Ordens vom Hl. Lazarus v. Jerusalem, Bundes- u. Zentral Schriftführer-Stellv. d. Bundesvereinigung Kameradschaft "Feldmarschall Radetzky", Mtgl. d. Projektgr. Umfassende Landesverteidigung d. Bundesleitung d. Jungen ÖVP, Mtgl. d. Arbeitskreises Sicherheitspolitik d. Wr. Akademikerbundes, Mtgl. d. ÖAAB u. d. ÖVP. H.: Beruf, österr. u. dt. Militärgeschichte, Klass. Musik u. Militärmusik, Sammeln v. Miniaturen (Militärfahrzeuge, dzt. 1200 Stk.), Politik. (F.S.)

Stöllinger Alois

DA.: 5620 Schwarzach, Birkenhöhe 1. PA.: 5620 Schwarzach, Birkenhöhe 1. G.: Schwarzach, 29. Juli 1924. V.: Karin. Ki.: Herrat (1945), Karin (1947), Thomas (1961). S.: VS, HS, 1939 Lehre Möbeltischler, 1942 Gesellenprüf., 1942 Arbeitsdienst, 1943 Dt. Wehrmacht, 1944 Kriegsschule Wr. Neustadt, 1944 Lt., 1945 zurück nach Schwarzach, Ortskdt. Entlassungslager. K.: 1946 Sozialamt d. BH St. Johann/Pongau 1951 Standesbmtr. Schwarzach, 1959 Gem.-Vertreter, 1964-94 Bgm. d. Marktgem. Schwarzach, 1969-86 Abg. z. Sbg. Landtag, 1984 Pension als Standesbmtr. P.: Veröff. in regionalen Printmedien. E.: Gr. Silb. EZ d. Rep. Österr., Silb. EZ d. Landes Sbg., 1984 Ortszentrum Bgm.-Stöllinger-Platz benannt. M.: Ehrenvors. SPÖ, Ehrenvors. Sportver. H.: Eisschießen, Schilaufen, Wandern. (G.P.)

Stöllnberger Walter Dkfm.

B.: Bereichsltr. f. d. kfm. Bereich d. SBL Stadtbetriebe Linz GmbH. GT.: Vorst.Vors. d. Arbeitsmed. Dienst. DA.: 4010 Linz, Huemerstr. 3-5. PA.: 4040 Linz, Biesenfeldweg 2. G.: Linz, 1. Dez. 1939. V.: Veronika, geb. Kleinsasser. Ki.: Verena, Gert. S.: HAK Linz, 1958 Matura. K.: 1958-59 Fa. STUAG, 1959-60 Fa. Hauser Kühlanlagenbau, Stud. HS f. Welthdl., 1964 Grad., Sekr. d. Wirtschaftshilfe d. Studenten OÖ, Montagebau GmbH, Bauring, 1967-69 ESG Linz, 1970-72 Österr. Brau AG, 1972 Eintritt SBL Linz, seit 1986 Bereichsltr. H.: Rudern, Musik, Lesen. (A.W.)

Stolovitz Christian

B.: Geschäftsinh., KFZ-Mechanikermeister. FN.: Suzuki Stolovitz. DA.: 7000 Eisenstadt, Mattersburger Str. 28. G.: Eisenstadt, 11. Aug. 1966. V.: Adelheid, geb. Krenn. Ki.: Nastassja. El.: Friedrich (KFZ-Mechanikermeister) Brigitte. S.: VS, MS, HS, Polytechn., Lehrberuf, Bundesheer. K.: in Lehre Weiterbildung: Lastwagen- u. Motorrad- Mechaniker, Meisterprüfung f. LKW, PKW u. Motorräder Mai 1990; im väterl. Betrieb in allen Sparten gearbeitet; Verkauf, Lagerleitung, Büroeinteilung, Rep.-Annahme, EDV-Umstellung, 1991 Suzuki Autohaus Stolovitz, an Betrieb ist eine Tankstelle angeschlossen. M.: Tauchclub Neufeld M.A.G. Österreich. H.: Tauchen, Motorradfahren. (W.M.)

Stolz Lambert

B.: Gschf. FN.: Österr. Golfverband. DA.: 1040 Wien, Prinz Eugen Str. 12. PA.: 6080 Igls, Lanserstr. 71. G.: Telfes, 17. Sep. 1944. V.: Gisela, geb. Pitte. El.: Lambert u.Aurela. S.: HAK, 1962 Abschluß. K.: 1962-70 Org. u. Datenverarb. i. Lebensmittelgroßhandel, 1970-71 Berater i. Betriebswirt. Inst. d. ETH Zürich, 1972-89 Gschf. Ges. b. Fa. Dob-Rechenzentrum" Innsbruck, 1990-92 Ltr. CA Leasing-Tirol/Vlbg., s. 1993 i. d. oben erw. Pos. E.: 6x Tiroler Mstr. i. Golf, 3xi. Österr. Team b. Europameisterschaften. M.: 1980-91 Non-Playing Captain d. Österr. Golfteams, s. 1991 Präs. d. Golfclubs Innsbruck/Igls. H.: Theater, Ski-Alpin u. Langlaufen, Neue Entw. i. EDV-Bereich. (N.A.)

Stolz Michael Dr.

B.: FA f. Zahn-, Mund- u. Kieferheilkunde. DA.: 4020 Linz, Mozartstr. 5. PA.: 4020 Linz, Stifterstr. 16. G.: Linz, 30. Jän. 1960. V.: Dr. Prite Bhatt. El.: Dr. Alfred u. Helene. S.: VS, 1978 BRG-Matura, Med.-Stud. Wien, 1985 Dr. med., 1985-86 BH. K.: 1986 Ausbild. z. Chefchir. AKH Linz, 1987-89 Zahnheilkunde Graz, 1989 FA f. Zahn-, Mund- u. Kieferheilkunde, 1989-90 Australien, 1990 Praxis in Linz. P.: Bücher: Markus Bestseller d. Sachbücher, Flatzelsteiner Buch über d. Behandlung v. Mary Vetserer. H.: Reisen, Kunstgeschichte, Naturwiss. (Ni.A.)

Stolz Norbert Dr.

B.: Gem.Arzt. A.: 3293 Lunz am See. G.: Rabenstein, 24. Aug. 1946. V.: Eva, geb. Huemer. El.: Dr. Norbert u. Ima. S.: Matura in St. Pölten, Stud. (Med.) in Wien. H.: Reiten.

Stolz Peter

B.: Kfm. Inh. d. SOZ Ges. DA. u. PA.: 4020 Linz, Ludlg. 10a. G.: Linz, 17. Okt. 1947. S.: Gymn. in Linz, 1966 Matura. K.: geschäftl. Einstieg in d. Unterhaltung u. Vergnügungsbranche u. kontinuierl. Aufbau dieses Geschäftsbereiches, seit 1977 Aufbau u. Hrsg. d. Zeitschrift SOZ, seit 1980 Dir. d. gesamtösterr. Peepshows. BL.: Kfm. saubere u. v. kriminellen Bereich befreite Führung d. Sexmarktes. F.: Beteiligung an einer Computersoftware Fa. P.: div. Veröff. als Chefred. d: SOZ-Magazines. H.: Schwimmen u. Musik, Programmieren. (H.D.)

Stolzenberg Hans-Wilhelm

B.: Gen.-Dir. FN.: Constantia Ind.Holding AG. GT.: Vorst. Dir. Teich AG. DA.: 1010 Wien, Opernring 19. G.: BRD, 1. Juli 1949. V.: Ingeborg, 5 Kinder. S.: Hum. Gymn. Wuppertal, kfm. Lehre Fa. Hoechst. K.: versch. Tätigkeiten b. Fa. Hoechst, 1971-78 Hoechst Thailand, 1979 Dir. Hoechst Frankfurt f. Marketing u. Vertrieb Abt. Folie, 1985 zu Teich AG, seit 1989 auch Gen.-Dir. d. Constantia Holding. H.: Tennis, klass. Musik.

Graf Stomm Roderich Dr. Dkfm. KommR.

B.: Gen.-Dir. FN.: CANON GmbH. DA.: 1232 Wien, Zetscheg. 11. G.: München, 2. Dez. 1947. El.: Dipl.-Ing. Wolfgang u. Ursula. S.: 1966 Matura, Stud. Welthdl., 1970 Dipl., 1972 Dr. K.: 2 1/2 J. Fa. Henkel Österr. PM, 5 J. Fa. Gillette in Wien, Marketing u. Verkauf, 5 1/2 J. Fa. Agfa Gevaert Mtgl. d. Gschf., seit 3 1/2 J. Allein-Gschf. d. Fa.

CANON. P.: Veröff. in Fachzeitschriften. M.: Vorst. d. Österr.-Jap. Ges., Ges. z. Förd. d. Fotografie, Importeursver. f. Fotoprod. H.: Musik, Tennis, Skifahren. (E.L.)

Stonawski Georg Dipl.-Ing.
B.: Gschf. FN.: Impuls-Computer Systeme GmbH & Co KG. GT.: Lektor an d. TU Wien. DA.: 1232 Wien, Jochen-Rindt-Str. 9. G.: Wien, 23. Jan. 1955. V.: Dr. Eva. Ki.: Stephan. El.: Dr. Nikolaus u. Luise. S.: Grundschule, AHS, TU in Wien. K.: 1982 Mitbegründer d. Fa. Impuls. E.: 1988 Innovationspreis f. Fa. M.: BWK. H.: Firma.

Stooss Toni
B.: Kunsthistoriker, Dir. d. Kunsthalle Wien. DA.: Kunsthalle Wien, Karlsplatz, 1040 Wien, Treitlstr. 2. G.: Bern, 13. Juli 1946. El.: Ernst u. Frieda. S.: 1965 Matura, 1967 Stud. Kunstgeschichte, klass. Archäologie u. Publizistik. K.: Mitarb. d. Galerie "Mikro" u. Ausstellungstätigkeit in Berlin, 1978-82 Projektltr. d. Berliner Künstlerprogramms (DAAD), 1982-92 Ausstellungsltr. u. Konservator am Kunsthaus Zürich, seit 1992 Dir. d. Kunsthalle Wien. BL.: 1967-80 Moderator f. Kindersendung im Dt.-Schweiz. Fernsehen. P.: zahlr. Publ. u. Kataloge über klass. u. zeitgenöss. Kunst. M.: Berater d. Kunstkmsn. d. Schweizer Kreditanst., Vorst.-Mtgl. d. Intern. Kunstausstellungsltr.-Tagung. H.: Film, Musik. (J.E.)

Stöphl Thomas Mag. MR

B.: Leiter d. Theaterref. Magistrat Wien, Abt. 7 GT.: Gen.-Sekr. d. Theatererhalterverb. österr. Bundesländer u. Städte (s. 1995), Vorst.Vors. d. Theaters d. Jugend; Aufsichtsrat d. Vereinigt. Bühnen Wien. DA.: 1082 Wien, Friedrich.-Schmidt-Pl. 5. PA.: 1080 Wien, Lercheng. 36/13. G.: Wien, 23. Jun. 1951. V.: Doris, geb. Weiner. El.: Dr. Lieselotte u. Norbert. S.: VS, Gymn., 1970 Matura, Jusstud., 1986 Abschl. K.: 1974-85 Regieass. a. Volkstheater, s. 1986 Magistrat, s. 1987 Leiter d. Theaterreferates. M.: Mtgl. d. paritätisch. Prüfungskomm. H.: Sport, Theater. (E.J.)

Stoppacher Manfred Alois Stoppy Markus
B.: Musiker, Komponist, Verleger. DA. u. PA.: 1180 Wien, Sternwartestr. 69. G.: Kärnten, 29. Apr. 1941. V.: Reinhart Carole Dawn. El.: Franz u. Stefanie. S.: Gymn. Klagenfurt, Maturaschule Roland Wien, 1967 Matura, Konservatorium Klagenfurt, Ak. f. Musik u. Darstell. Kunst in Wien, Stud. d. Musikwiss. Berlin, spielt schon seit Kindheit Trompete. K.: Mtgl. v. berühmten Tanzorchestern, 1966 Tournee m. d. Johann Strauß-Orchester nach Amerika, 1967 Komposition "Fiesta" Single, Auftritte im Rahmen d. Orchester ORF, Theater an d. Wien, Volksoper, viele Tourneen, 1969-84 Mtgl. d. Rias Tanzorchesters Berlin, wurde berühmt als Trompeten-Solist unter d. Namen Stoppy Markus. P.: 5-6 LP z.B. Nobody does it better, "Verde", Dolannes Melodie, 6 Single z.B. Bilitis, Avant de nous dire adieu, eigene Kompositionen: Sonny, Dreams of summer, Challenger, So u. so, Easy trip, 1982-86 Programm im Carinth. Sommer u. d. Motto "Einmal nicht klass.", seit 1985 Verleger eigener Kompositionen u. anderer berühmter Interpreten, Gesang u. Orchester, gehobene Unterhaltungsmusik und Jazz. H.: Schwimmen, Joggen, Skifahren, Computer. (M.G.)

Stoppacher Peter
B.: Bgm. d. Gem. Anger. PA.: 8184 Anger 116. G.: Baierdorf, 1. Aug. 1925. V.: Josefa, geb. Bierbacher. Ki.: Maria (1952), Luise (1955), Dr. Peter (1957), Barbara (1960), Andrea (1965), Michael (1967). El.: Franz u. Maria. S.: Pflichtschule, Gemeindeverw.Schule. K.: Bis 1947 im elterl. Hof tätig, 1949 Bez.Sekr. d. Bauernbund, seit 1957 GemR., Klub- u. Ortsparteiobm d. ÖVP, seit 1965 Bgm., seit 1958 Bez. Parteisekr., 1975-81 Mtgl. d. Bundesrates, 1981-86 Abg. z. Steir. Landtag. E.: StGEZ, Ehrenring, Bronzene Kammermed., Ausz. v. örtl. Ver. H.: Lesen, Geschichte, Bibel, Reiten, Kulturgeschichte, Politik. (H.Z.)

Storchschnabel Georg Dr. Dipl.-Ing. a.o.Univ.-Prof.
B.: a.o.Univ.-Prof. u. Ltr. einer Univ.Versuchswirtschaft. A.: 2301 Großenzersdorf, Schloßhoferstr. 31. G.: Wien, 15. Dez. 1932. V.: Elisabeth, geb. Tichy. El.: Georg u. Maria. S.: BRG,Univ. f. Bdk. - Ldw., Dipl.-Ing. 1955, Dr. nat. techn. 1962. K.: 1955-62 selbst. Betriebsführer, 1963-68 Univ.Ass. an d. Univ. f. Bdk. in Wien, 1968-72 Univ.Doz. f. allg. u. speziellen Pflanzenbau u. Feldgemüsebau, a.o.Prof. am Inst. f. Pflanzenbau u. Pflanzenzüchtung an d. Univ. f. Bdk. in Wien u. Ltr. d. Versuchsstation in Großenzersdorf, 1986 Ltr. d. Univ.Versuchswirtschaft. P.: Veröff. auf versch. Gebieten d. Pflanzenproduktion u. Pflanzenzüchtung, Entwicklung hydroponischer Forschungsanlagen, pH-Fragen, Einsatz v. Kunstlicht in d. Pflanzenproduktion, Feldberegnung, Pflanzenstandraum, Tiefenbearb., Züchtung v. Dauerkraut u. Buschtomate, Kultur seltener Gemüsearten. M.: Ver. Österr. Lebensmittel- u. Biotechnologen, Ges. f. Pflanzenbauwissenschaft. e.V.

Störck Paul Dr.
B.: Verbandsanw. u. Vors. d. Vorst. d. Österr. Gen.Verb. Wien, Gschf. d. Vachverb. d. Kreditgen. n. d. System Schulze-Delitzsch Wien. PA.: 1010 Wien, Kärntner Ring 3/23. M.: VPräs. d. Confédération Intern. du Credit Populaire, AufsR.-Vors. Österr. Volksbankenverlag rGmbH Wien, BeiR.Vors.-Stellv. Volksbanken Reisen GmbH Wien, AufsR. d. Volksbank Datengemeinschaft GmbH Wien u. d. VVB Ver. Volksbanken Landstr. - Leopoldau rGmbH Wien.

Storfer-Schmied Ilse

B.: HS-Lehrerin, Schriftstellerin. DA.: 2325 Himberg, Industriestr. 193. G.: Wolfsberg, 6. März 1953. V.: Adrian. Ki.: Johanna Magdalena (1991). El.: Enoch u. Hermana Storfer. S.: VS, Stiftsgymn., Päd. Ak. Klagenfurt, Kurse f. Chorltr., Chorltr. im Club Corinthia, Ref. im Ktn. Bildungswerk. P.: Verfasser d. Bücher "Zualosn aufhorchen", "Alle heiligen Zeiten", "A weiße Rosn", "Weltgrün", "Spiele", lfd. Lesungen, Moderatorin in Liederabenden. M.: Roseggerges. u. Dichtergemeinschaft "Zammelsberg". H.: Kunst, Malen, Gitarrespielen. (W.M.)

Stornig Otto jun.
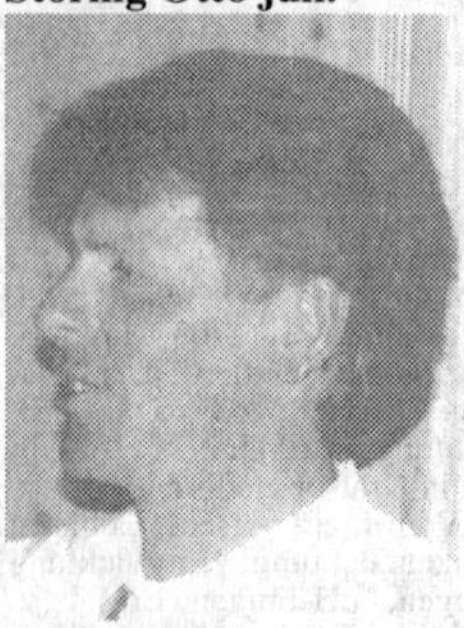
B.: selbst., Sportlehrer Segel- u. Surfschule Reifnitz, Gästehaus Onkel Otto, Skischule Lech. DA. u. PA.: 9081 Reifnitz, Seekirn 108. G.: Klagenfurt, 22. Feb. 1958. V.: Christa, geb. Media Fell. Ki.: Paul (1985), Michaela (1988). El.: Otto u. Maria. S.: VS, Gymn., HS, Berufsschule u. Lehre Feinmechaniker u. Werkzeugmacher Firma Wild, BH. K.: Tätigkeit in d. Gastronomie, 1977-82 Skilehrerausbild., 1978-80 Skilehrer in Heiligenblut, danach Lech u. gleichzeitig auch als Ges. d. Skischule, 1982 Dipl. Skilehrer u. Skiführer ausschl. f. Privatgäste aus d. ganzen Welt, 1987 Helikopter Skiing in Canada, 1987 Rückkauf d. Gästehauses gemeinsam m. Gattin, 1990 Übernahme d. Segel- u. Surfschule Reifnitz, Segellehrerprüf., Einsätze b. Lawinensuchaktionen, 1990 Lebensrettung am Wörthersee. E.: 1991 1. Preis b. Skilehrerrennen, VMstr. Ktn. im 400m Kraul-Staffel-Schwimmen. M.: Wasserskiclub Reifnitz, MGV Reifnitz, Schwimmver. Ktn. Unterland, ÖSV. H.: Sport, Musik (Gitarre). (G.L.)

Storz Achim
B.: Designer. FN.: Design GmbH. DA.: 5700 Zell am See, Wiesenweg 18. PA.: 5700 Zell am See, Roseng. 14. G.: Stuttgart, 9. Sept. 1947. El.: Helmut u. Erna. S.: VS, 1963-66 Lehre als Mechaniker b. Siemens AG, 1967-68 Praxis b. Siemens AG u. 1968 b. Heinz Fuchs Rennsportwagenbau, 1968-70 staatl. geprüfter Techniker Max Eyth-Schule Stuttgart, anschl. Schweißtechniker u. Schweißfachmann an d. Schweißtechn. Lehr- u. Versuchsanst. Stuttgart. K.: 1970-71 Konstrukteur b. Dornier AG Werk München-Neuaubing, 1971-73 Konstrukteur u. Ass. am Inst. f. Aerodynamik u. Gasdynamik d. Univ. Stuttgart, 1973-75 Designer u. Konstrukteur b. Jörg Obermoser Motorsport, 1975 Designer u. Konstrukteur b. Bruce McLaren, Motor Racing Ltd. England, ab 1976 Designer b. Porsche Design, 1979-80 Royal College of Art London, School of Industrial Design, Automotive Design Unit, 1980 Rückkehr zu Porsche Design, 1983 Grdg. eines eigenen Design-Büros. M.: Luftsportver., Dt. u. Österr. Designerver. H.: Sport, Skifahren, Surfen, Mountainbiken, Fliegen, Kochen. (M.T.)

Stoschka Johann Ing.
B.: Betriebsltr. FN.: Elektro Güssing GmbH. DA.: 7540 Güssing, Schloßg. 6. PA.: 7540 Güssing, Schloßg. 10. G.: Wien, 31. März 1949. V.: Eva, geb. Schabatka. Ki.: Michael, Barbara. El.: Theodor u. Franziska. S.: VS, Mittelschule, HTL Elektrotechnik TGM Wien. K.: 1968-73 NEWAG Werksass., Betriebsltr. WKW Neusiedl/Zaya, seit 1974 Elektro Güssing Betriebsltr. M.: Obm. Stadtchor Güssing. H.: Kulturelle Betätigung. (Pau.)

Stoß Franz Prof. Kammerschauspieler
B.: Schauspieler am Theater in d. Josefstadt. DA.: 1080 Wien, Josefstädter Str. 26. PA.: 1010 Wien, Passauerpl. 5. G.: Wien, 28. Mai 1909. V.: Doris, geb. Büchner, 1 Kind. S.: Matura, Stud. Jus., Ak. f. Musik u. darstell. Kunst in Wien. K.: ab 1929 Schauspieler am Volkstheater in Wien, Stadttheater Bern, Dt. Theater Mähr. Ostrau, ab 1932 auch Reg. an d. Städt. Bühnen Graz, Stadttheater Teplitz-Schönau, 1934-40 Dir. d. Stadttheaters Troppau, 1940-42 Int. Teplitz-Schönau, 1942-44 Gschf. d. Berliner Kunstbühnen GmbH, 1945-51 Dir. d. Bürgertheaters Wien, 1951-77 Dir. d. Theaters in d. Josefstadt Betriebs GmbH. E.: Ehrenmed. d. Bundeshauptstadt Wien in Gold, Gr. Silb. EZ f. Verd. um d. Land Wien, Ehrenring d. Stadt Wien, Ehrenkreuz f. Wiss. u. Kunst I. Kl., Gr. Silb. EZ f. Verd. um d. Rep. Österr., Prof., Kammerschauspieler, Gr. Silb. Ehrenmed. d. Kam. d. gewerbl. Wirtschaft Wien, Cavaliere ufficiale della repubblica italiana, Gr. VK d. VO d. BRD, Commandeur de l'ordre des arts et des lettres de la République Francais, Ehrenring d. Schauspieler im Theater in d. Josefstadt, Ehrenmtgl. d. Theaters in d. Josefstadt. M.: Ehrenpräs. d. Wr. Bühnenver., Präs. d. Théatre Francais de Vienne, Ehrenmtgl. d. Intern. Arge dt.sprachiger Theater, Ehrenpräs. d. Intern. Nestroy-Ges., Ehrenpräs. d. Raimund-Ges., Doyen d. Theaters in d. Josefstadt. H.: Lesen.

Stossier Johann
B.: VS Dir.; Vize Bgm. FN.: Land Känrnten; Landgem. Eisenkappel-Vellach. GT.: Gebietsgruppenltr. SLÖ (Sozial. Lehrerverein Österr.), 2. Gschf. d. Obir-Tropfsteinhöhlen Gmbh s. 1991. DA.: 9135 Eisenkappel 149/216. PA.: 9135 Eisenkappel 149 u. 9133 Miklauszhof , Weinberg 69. G. Köttmannsdorf, 11. März 1934. V.: Elvira, geb. Haderlap. Ki.: Wolfgang (1961), Renate (1964). El.: Johann (+) u. Maria. S.: VS, Lehrerbild. Anst. in Klagenfurt, Matura, Lehrbefähigung f. VS, 1958 Ergänzungsprüf. f. Slowenisch. K.: 1954-55 Tätigk. in Gstalden, 1955-71 Vs Leppen b. Eisenkappel u. 1971-94 als Dir. in d. VS Eisenkappel, ende 1994 i. R.; 1959 Initiator z. Grdg. d Lichtbaugem. Leppen u. 1961 Stromversorgung. M.: seit 1954 Mtgl. d. SPÖ u. in weiterer Folge Mitarb. in div. Funktionen in d. Parteiorgan., 1970-85 GemR in Eisenkappel-Vellach in versch. Ausschüssen (Kultur, Wirtschaft, Obm. d. Finanzausschusses), 1985-94 Vize Bgm. Referate f. Soziales u. Finanzen, Obm. ARBÖ - Ortsgruppe Eisenkappel, Sektionsltr. Schach Club Eisenkappel. H.: Schach, Tarockieren, Ski, Lesen, Familie. (G.L.)

Stottan Manfred Ing.
B.: Alleininh. FN.: Marine Boots-Service u. Reparatur GmbH. DA.: 3400 Klosterneuburg, Wiener Str. 144. G.: Heidenreichstein, 17. Mai 1945. El.: Stadtbaumeister Ing. Friedrich u. Rudolfine. S.: VS, RG, 1964 Matura HTL Maschinenbau. K.: 1964 Tätigkeit im elterl. Betrieb, 1966 Grdg. Reparaturwerkstätte Stottan, 1970-74 Inh. einer Discothek in Portugal,

1974-80 Chris-Craft Bootswerft Florida/Amerika, 1979 Service Manager f. Europa u. 1980 f. Südamerika, 1982 zurück nach Österr. u. Grdg. Marins Boots-Service u. Reparatur GmbH, 1963-67 Rennfahrer auch intern. m. vielen Ausz., seit 1993 Senator d. First National Univ. Florida. H.: Golf, Tennis, Skifahren. (M.-L.A.-M.)

Stotter Andreas Dr. HofR.
B.: LVeterinärdir. im Amt d. Tir. LRg. DA.: 6020 Innsbruck, Neues Landhaus. PA.: 6020 Innsbruck-Mühlau, Wurmbachweg 13. G.: Lienz, 3. Nov. 1926. V.: Inge, geb. Sautter. Ki.: Armin, Andrea. El.: Andreas u. Elisabeth. S.: VS, HS, Mittelschule, Vet. med. Univ. Wien, Prom. 1951. K.: 1 J. Prakt. Tierarzt Telfs, LRg. 1952. P.: Fachart. in div. Zeitschriften. E.: Gold. EZ d. Tir. Fleckviehzuchtverb., Gold. EZ d. Tir. Braunviehzuchtverb., Gold. EZ d. Tir. Bienenzuchtverb., Gr. Silb. EZ d. Tir. Grauviehzuchtverb., Gr. Silb. EZ d. Tir. Haflingerzuchtverb., Verd.Kreuz d. Landes Tir., EZ in Silber d. Tir. Bauernbundes. M.: Ak. Sektion d. Tir. Bauernbundes, Vorst.Mtgl. d. LKam. d. Tir. Tierärzte, Mtgl. d. Österr. Cartellverb. H.: Familie, Gartenarb., Sportwandern, Schwimmen, Lesen einschl. Fachliteratur. (Matt)

Stotter Hermann sen.
B.: Kfz-Mstr., Kfz-Innungsmstr. FN.: Gebrüder Stotter GmbH & Co KG. GT.: Gschf. Koidl Transport GmbH. DA. u. PA.: 5730 Mittersill, Gerlosstr. 2. G.: Neukirchen, 20. Febr. 1933. V.: Elli, geb. Koidl. Ki.: Hermann (1960), Frank (1961), Kurt (1965), Christian (1967), Bernd (1975). El.: Rudolf u. Elisabeth. S.: Pflichtschule Neukirchen, Berufschule Sbg., Mstr.-Schule Wien. K.: 1960 Grdg. obiger Firma als Einzelunternehmen, 1962 Umwandlung in eine OHG, 1975 elterl. Firma Koidl Transporte umgewandelt in eine GmbH, 1990 wurde d. OHG in eine GmbH & Co KG umgewandelt. M.: Vorst.-Mtgl. d. Kfz-Innung d. HK f. Sbg., Vors. d. Lehrlings- u. Meisterprüf.-Kmsn., Grdg.-Mtgl. v. d. histor. Schützenkompanie, Aussch.-Mtgl. d. Freiwilligen Feuerwehr, Mtgl. d. k.u.k. Schützen, Gründer d. Werbegemeinschaft "Treffpunkt" Mittersill, 10 J. stellv. Obm. d. Werbegemeinschaft, 5 J. Gem.-Mtgl. zuständig f. d. Fremdenverkehrsressort. F.: Ges. d. Fa. Koidl-Transport-Ges. H.: Golf, Skifahren. (M.T.)

Stotter Josef
B.: Bgm. GT.: HS-Lehrer, röm.-kath. DA.: 9560 Feldkirchen i.K., Hauptplatz/Rathaus. G.: Afritz, 10. Apr. 1945. V.: Karin, geb. Schelletter. Ki.: Barbara, Andrea, Christian. El.: Josef u. Paula. S.: VS, HS, LBA. K.: seit 1965 Lehrer an mehreren Schulen, zuletzt b. 1985 an d. Musik-HS Feldkirchen u. als Musiklehrer am BORG Feldkirchen tätig, seit 1985 Bgm. v. Feldkirchen i.K. H.: Chorltr. d. Volksliedchores Feldkirchen. (R.A.)

Stoy Manfred Dr. phil.
B.: Bibl. am Inst. f. österr. Geschichtsforsch. DA.: 1010 Wien, Dr.-Karl-Lueger-Ring 1. G.: Bruck/Leitha, 24. Jan. 1942. V.: Anneliese, geb. Ruppelt. Ki.: Christian. El.: Karl u. Olga. S.: VS, RG, Univ. Wien. K.: 1968-79 Bibl. am Inst. f. Ost- u. Südosteuropaforsch. d. Univ. Wien, seit 1979 Bibl. am Inst. f. österr. Geschichtsforsch. an d. Univ. Wien. P.: m. W. Leitsch: "Das Seminar für osteuropäische Geschichte der Universität Wien 1907-1948" 1983, "Politik und Geschichtswissenschaft in Rumänien 1965-80", "Das Wirken G. Gracianis bis zu seiner Ernennung zum Fürsten der Moldau 1619", Mitarb. an d. Histor Bücherkunde Südosteuropa u. d. Südosteuropabibliographie München, div. Aufsätze in österr. u. dt. Fachzeitschriften, Rezensionen f. versch. Zeitschriften. E.: Gold. EZ f. Verd. um d. Rep. Österr. M.: seit 1968 Mtgl. d. Inst. f. österr. Geschichtsforsch. Univ. Wien. H.: Musik, Literatur, Reisen. (M.B.)

van der Straaten Georg
B.: Gschf. Ges. FN.: Hugo Stelzhammer & Co KG. DA. u. PA.: 1141 Wien, Linzer Str. 20-22. G.: Holland, 22. Apr. 1942. V.: Christa, geb. Janko. Ki.: Nina. El.: Georg u. Elfriede. S.: VS, RG, HASCH. K.: 1959-72 in Sped. Kosmos tätig, 1972 Eintritt b. Hugo Stelzhammer, seit 1981 gschf. Ges. H.: Firma, Familie. (R.A.)

Straberger Viktor Anton Dr. iur.
B.: RA. DA.: 4600 Wels, Maria-Theresia-Str. 19. PA.: 4600 Wels, Kreuzpointstr. 16. G.: Wels, 18. Apr. 1928. Ki.: Viktor (1959), Dr. iur. Christoph (1960), Mag. Peter (1962), Dr. med. Florian. El.: Dr. Viktor u. Hilda. S.: Grundschule, b. 1946 BRG Wels, Univ. Innsbruck, Wien u. Stanford/California, 1951 Dr. iur. Innsbruck. K.: Gerichtsj., Praxis, seit 1958 RA, Univ.-Lektor in Innsbruck, Linz u. WU Wien. P.: Verfasser v. Gesetzeskommentaren. E.: Gold. EZ. M.: Aussch.-Mtgl. d. OÖ RA-Kam., Rotary Wels. H.: Fischen. (P.H.)

Strablegg Petra
B.: Restaurant Führich GmbH. DA. u. PA.: 1010 Wien, Führichg. 6. G.: Wien, 11. Apr. 1966. El.: Alois u. Renate. S.: VS., HS., Privatschule Neumann HASCH. K.: Lehre als Kosmetikerin, währendd. im Gastgewerbe tätig, Lehre mit Gesellenprüfung abgeschl., 8 Jahre im Service d. elterl. Betriebes tätig, mit 25 jahren erster Gschf.-Posten in einem Haubenrest., mit 27 Jahren als Gschf. in d. Restaurant Führich eingetreten, 1993 Übernahme d. Restaurants Führich GmbH. (D.E.)

Strache Heinz-Christian
B.: selbst. Zahntechn. GT.: Bezirksrat u. Obmann d. FPÖ Landstraße. DA.: 1020 Wien, Schwarzinger Str. 6/1. G.: Wien, 12. Juni 1969. El.: Heinz u. Marion, geb. Wild. S.: Hasch, 1984-88 Zahntechn. Ausb., außerord. Hörer a. d. Univ. Wien (Gesch. u. Phil.). K.: 1989 Wehrdienst, 1989 Eintritt i. d. FPÖ, s. 1991 Bez.-Rat, a. 1993 Obmann d. FPÖ Landstraße, 1993 Grdg. d. fr. Bezirksztg. "Landstraße", 1994 Eröff. d. eig. zahntechn. Labors. H.: Fußball, Tennis, Skifahren, Snowboarden, Geschichte, Philosophie. (N.A.)

Strache Max
B.: Dir. d. Landesdirektion Wien d. VJV Volksfürsorge-Jupiter Versicherung. GT.: ehem. NatR.Abg. PA.: 3420 Kritzendorf, Feldg. 96. G.: Judenburg/Stmk., 14. Sept. 1935. V.: Annemarie, geb. Schallinger. Ki.: Nina, Mario. S.: VS, HS, Werkzeugschmiedlehre. K.: 1961-66 LJugendsekr. Stmk., 1966-75 Organ.Sekr. d. SPÖ f. Österr., 1975-85 LParteisekr. d. SPÖ f. NÖ, 1981-82 Mtgl. d. Bundesrates, 1982-86 Abg. z. NatR., 1985-88 Gschf. Projekt Marketing, seit 1988 Dir. VJV. BL.: 1970 Wahlkampfmanager f. Dr. Bruno Kreisky. M.: Präs. d. ARBÖ/NÖ. H.: Skifahren, Schwimmen, Reisen. (M.B.)

Strachwitz Elisabeth Marie Prof. geb. Vogt
B.: Musikpäd., Prof. f. Violoncello an d. Musiklehranst. d. Stadt. Wien. PA.: 1030 Wien, Pettenkofeng. 2. G.: Wien, 28. Aug. 1941. Ki.: Marie-Therese, Marie-Caroline, Georg, Marie-Stephanie. S.: Gymn., Ausbild. f. Violoncello an d. Musik-HS Wien b. Prof. Kühne. K.: Konzerttätigk. im In- u. Ausland, Kammermusik, Schallplattenaufnahmen, seit 1978 Lehrtätigk. M.: Capella-Academica. H.: Beruf, Kultur, Musik, Skifahren, Lesen. (E.L.)

Graf Strachwitz Ernst Dr. iur.
B.: RA, Major a.D. DA.: 1010 Wien, Mahlerstr. 11, 2654 Prein/Rax, Herrenhaus. G.: Wöbling/Graz, 22. Dez. 1919. El.: Norbert u. Katherina. S.: Gymn., Stud. Univ. Graz. K.: 1949 Dr. iur., 1949 Abg. z. NatR., seit 1952 RA, 1949-52 Vors. d. Jungen Front. E.: Ritterkreuz d. Eisernen Kreuzes u.a. Kriegsausz., Ehrenmtgl. d. Österr. Alpenver. Graz. P.: Beiträ-

ge fachl. u. polit. Art in div. Zeitungen u. Zeitschriften. E.: EK. M.: Alpenver. Graz. H.: Sport, Bergsteigen, klass. Musik, Zeitgeschichte, Politik. (A.W.)

Graf Strachwitz v. Groß Zauche u. Camminetz Joachim

B.: selbst. Berater. PA.: 4850 Timelkam, Neuwartenburg 1. G.: Pappenheim, 21. Dez. 1948. V.: Gabriele, geb. Troppmann. Ki.: Sophie-Amelie (1980), Enzo (1982). El.: Heinrich u. Elisabeth. BV.: Urgroßvater Baron Erasmus Handel Österr. Innenmin. u. Statthalter v. OÖ. S.: Jurastud. München. K.: 1978 u. 1979 Betriebsass. d. Geschäftsltg. b. Gesenkschmiede Lennetaler Hammerwerke, 1979-85 Bereichsltr. f. Betrieb u. Technik Firma Tengelmann, 1986-91 Dir. Firma Interspar, seither selbst. Berater. M.: Rotary Club Vöcklabruck. H.: Fliegenfischen, Lesen, Zeichnen, Malen, Sammeln v. alten Uhren. (M.T.)

Gräfin Strachwitz-Eltz Elisabeth

A.: Neuwartenburg, Schloß Neuwartenburg. G.: Hannover, 25. Febr. 1922. V.: Heinrich Graf Strachwitz v. Groß-Zauche u. Camminetz. Ki.: Elisabeth (1947), Joachim (1948), Manfred (1950), Dorothée (1952). El.: Alfons Graf Pachta-Reyhofen u. Elisabeth Gräfin Pachta-Reyhofen, geb. Baronin Handel. BV.: Nachkommen v. Moritz Strachwitz Prinz v. Tessau (Erfinder d. eisernen Ladestockes), Urgroßvater Gründer d. Böhm. Musikschule, Familie seit 1272 nachweisbar. S.: aufgewachsen in Ingolstadt, Annaberg in Sachsen, Offenbach/Main, Berlin u. Ratebor-Hammer, Familie erhielt 1935 dt. Staatsbürgerschaft, 1941 Abitur, 1941-42 Ausbild. in Zeichnen u. Malen Kunstgewerbeschule München. K.: Ltg. eines Kinderheimes in Schlesien, 1943-44 Ltg. d. Werksküche im Ind.-Unternehmen d. Vaters, 1945 Ltg. einer Gärtnerei in Sbg., seit 1977 Übernahme d. Gutsverw. Schloß Neuwartenburg, 1986 Restauration v. Schloß, Archiv u. Park, Gutsübergabe an d. Sohn. (E.Hö.)

Stradal Helmuth Dr.

B.: Abt.-Ltr. im BMI. DA.: 1010 Wien, Bräunerstr. 5. G.: Wien, 12. Mai 1939. V.: Helga. Ki.: Harald. Ki.: Prof. Otto u. Dr. Hulda. S.: 1957 Matura, Jusstud., 1962 Prom., 1962 Präsenzdienst. K.: b. 1977 HS-Ass., 1964-86 Lehrbeauftragter im Fachgebiet Dt. Recht, Österr. Verfassungs- u. Verw.-Geschichte, Europ. Privatrecht, 1977 Wechsel z. BMI, 1985 Bestellung z. Abt.-Ltr. E.: wiss. Preis, Körnerpreisträger. P.: Sammelband: Herrschaftsstrukturen u. Ständebild. M.: 1964-84 Mtgl. d. Rechtshist. Staatsprüf.-Kmsn., Intern. Com. f. Repr. and Parl. Inst. H.: Kulinarik, Briefmarken, Schlagzeug. (J.E.)

Stradner Anton Dr.

B.: Distriktsarzt. GT.: Bez.Feuerwehrarzt. DA. u. PA.: 8091 Jagerberg 100. G.: Leoben, 21. Jan. 1950. V.: Maria Johanna, geb. Büchsenmeister. Ki.: Martin, Georg, Bernhard, Maria. El.: Anton u. Maria. S.: VS, AHS Leoben, Med.Stud. Karl Franzens-Univ. Graz, 1975 Prom. K.: Turnus LKH Hartberg, seit 1979 eigene Praxis. M.: Feuerwehr, Kameradschaftsbund. H.: Sport.

Straglegg Karl

B.: LFeuerwehrkdt. d. LFeuerwehrverb. Stmk. GT.: LInnungsmstr. d. Fleischer. DA.: 8027 Graz, Grieskai 58. PA.: 8570 Voitsberg, Conrad-v.-Hötzendorf-Str. 2a. G.: Voitsberg, 4. Okt. 1929. V.: Franziska, geb. Winter. Ki.: Peter, Karl. El.: Karl u. Flora. S.: VS, HS, Fleischerlehre, Mstr.Prüf. K.: seit 1944 Mtgl. d. Feuerwehr, 1960-67 Kdt. d. Stadtfeuerwehr Voitsberg, seit 1966 Bez.Feuerwehrkdt. Voitsberg, seit 1976 LFeuerwehrkdt. d. Stmk., seit 1978 VPräs. d. Österr. BFeuerwehrverb. BL.: Reorgan. d. Feuerwehrwesens, engagiert in d. HK. E.: Gr. EZ f. Verd. um d. Rep. Österr., Gr. Ehrenkreuz d. Landes Stmk. M.: Alpenver., Wirtschaftsbund. H.: Feuerwehr, Skifahren, Reisen, Wandern. (C.H.S.)

Strahammer Peter Dr. iur.

B.: Vors. d. Vorst. VOEST-ALPINE STAHL AG u. VOEST-ALPINE Stahl Linz GmbH. DA.: 4031 Linz, Turmstr. 41. G.: 5. Mai 1944, verh., 3 Kinder. S.: Stud. Rechtswiss. an d. Univ. Wien. K.: Finanzamt Linz, gleichz. Besuch d. BFinanzschule, 1973 Eintritt Steuerabt. d. VOEST-ALPINE AG, danach versch. ltd. Funktionen, 1986 Vorst.-Mtgl. d. VOEST-ALPINE AG, ab 1988 Vorst.-Mtgl. d. VOEST-ALPINE STAHL AG, seit 1993 Vorst.-Mtgl. d. AUSTRIAN INDUSTRIES AG, ab Jän. 1994 Vors. d. Vorst. VOEST-ALPINE AG u. VOEST-ALPINE Stahl Linz GmbH..

Strahl Erwin

B.: Schauspieler, Reg., Sänger, Schriftsteller. PA.: 1130 Wien, Küniglbergg. 45. G.: Wien, 12. Febr. V.: Waltraut Haas. Ki.: Marcus. El.: Friedrich u. Henriette. S.: VS,HS, HAK, Staatsak. f. darstell. Kunst Max Reinhardt-Seminar Wien. K.: Theater: Wien, Theter d. Insel, Renaissance Theater, Stadttheater, Volkstheater, Theater in d. Josefstadt, Luzern, Zürich, Festspiele Basel, Kammerspiele München, Kleine Komödie München, Komödie Stuttgart, Theater am Kurfürstendamm, Berliner Theater, Festspiele Bad Hersfeld, ca. 25 Tourneen, viele Regien u. Bearb., 60 Filme u. Regie, zahllose Fernseharb. in d. BRD, Österr., Italien, Frankreich u. Schweiz. P.: 1 Kriminalstück, 4 Übersetzungen, Bearbeitungen, Drehbücher. H.: Skifahren, Reiten, Lesen.

Straka Josef

B.: Inh. FN.: Straka GmbH & Co KG Großwäscherei. DA.: 1140 Wien, Wolfgang-Pauli-G. 1. PA.: 1140 Wien, Loudonstr. 40a. G.: Nikolsburg, 23. Feb. 1927. V.: Olga, geb. Sideritz. Ki.: Renate (1952), Margit (1961). El.: Gustav u. Maria. S.: Ldw.-Schule, 1942 Abschluß, 1953 Maschinenbauwerkmstr. K.: b. 1957 Mstr. b. Ing. Forster Bäckereimaschinen Wien, Betriebserwerb einer Wäscherei gemeinsam m. Gattin, 1991 Übersiedlung. M.: Vorst.-Mtgl. d. Gemeinschaft z. Förd. d. fachgemäßen Waschen u. chem. Putzen Wien, Vorst.-Mtgl. d. Nikolsburger Kulturver. in Wien. H.: Volleyball, Turnen, Sammeln v. Erinnerungen an Nikolsburg.

Straka Peter Mag. MinR.

B.: Abt.-Ltr. d. Rechnungshofes. DA.: 1030 Wien, Dampfschiffstr. 2. G.: Wien, 19. Juni 1942. V.: Gertrud. Ki.: Monika (1967), Martin (1969), Nikolaus (1971), Roswitha (1974). S.: VS, Hum. Gymn., Jusstud. Univ. Wien, Wirtschafts- u. Sozialethik Univ. Wien, Studienaufenthalte: 1962 Schweden, 1963 England. K.: Gerichtsj., Bundesfinanzverw., 1975 Rechnungshof, 1978 stellv. Abt.-Ltr., 1986 Abt.-Ltr. f. Überprüf. v. öff. Krankenanst. ., freier Mitarb. am Ludwig Boltzmann-Forsch.-Stelle

f. KH-Organ. P.: Organisationsstrukturen, Rechtsformen und Führung der Krankenanstalten aus der Sicht der externen Kontrolle; Kardiologische Versorgung in Österreich. E.: Gold. EZ u. Gr. EZ f. Verd. um d. Rep. Österr. M.: Präsidialmitglied der österr. Gesellschaft vom Goldenen Kreuz.(J.M.)

Straka Peter Friedrich Ing.
B.: Bmstr., Planungsbüro f. Arch. Bmstr. Ing. Peter Straka, Ing. Peter Straka Bau GmbH. DA.: 1010 Wien, Am Peterspl. 3. PA.: 5302 Henndorf, Gut Altentann. G.: Wien, 10. März 1956. El.: Leonhard u. Ernestine, geb. Müllner. S. HS, HTL, Stud. d. Arch., 1983 Bmstr.Prüf. K.: Praktikum in div. Arch.-Büros, 1980 selbst. in Wien, Projekte: Hotel Imperial, 1985-90 Generalsanierung Hotel Bristol, Sanierungen u. Neubauten v. Wohnhäusern u. Villen, Geschäftslokalumbauten, Dachgeschoßausbauten. M.: Golf-Mtgl. d. 1. Europ. "Jack N." Platz Gut Altentann Sbg. H.: Golf, Gourmet, Reisen, Oper. (M.G.)

Stramitz Leonhard Mag. art.
B.: Freischaff. Künstler. PA.: 1010 Wien Blumenstockg. 5. G.: Wien, 16. Okt. 1945. V.: Karin, geb. Zuzan. Ki.: Laura (1981). El.: Melanie u. Kurt. S.: 1961-64 Goldschmiedlehre. K.: Goldschmied 1965-67, 1968 Indienreise, 1969-75 Stud. Metallrestaurierung an d. HS f. Angew. Kunst, zahlr. Ausstellungen im In- u. Ausland, z.B. Schmuckmuseum Pforzheim, Kunstmesse Basel, "Wien"-Ausstellung in Tokio, Kulturinst. New York, öff. u. priv. Ankäufe, Betätigungsfeld: Schmuckdesign, Metallrestaurierung, Malerei, Fotografie. (P.R.)

Strangfeld-Stadler Monika Mag.

B.: Freisch. Künstlerin. DA./-PA.: 1130 Wien, Elsslerg. 3. G.: Innsbruck, 9. Apr. 1946. V.: Dr. Peter. El.: Prim. Dr. Walter u. Hildegard, geb. Keller. S.: 1965 Matura, Stud. HS f. angew. Kunst, Meisterkl. f. Mode Prof. Höschmann, Stud. d. Innenarch. Prof. Niedermoser, Theater u. Bühnenbild Prof. Elli Rolf, 1969 Abschl. K.: n. Dipl. selbst. Tätigk. Erz. v. Bijouteriwaren, kunsthandw. Geschenkart. u. Graf. Design f. d. Papierbranche, Aquarellmalerin, 1977-92 Naive Ölmalerei, Lfd. Einzelausst. i. Wien u. Österreich, 1991 Mitw. a. d. Innenausst. d. Ev. Krkh. Wien. P.: Das Glück ist ein Vogerl, Aquarellbilder u. Texte (1993). 1995 Ausst. in USA u. Österreich. M.: Vorstand im "Goldenen Lotus", Hilfswerk Bengalien e. V., "Wir für euch" Hilfe f. kranke u. bedürftige Kinder in Österr. H.: Beruf, Tiefseetauchen, Skifahren, Golf. (N.A.)

Stranski-Edler Edith
B.: Inh. FN.: Antiquitäten u. Tischlerei Eduard Edler. DA.: 1070 Wien, Lindeng. 20, 1010 Wien, Singerstr. 28. PA.: 1070 Wien, Neubaug. 51. V.: Stranski Helmut. Ki.: Dieter. El.: Eduard u. Rosa Edler. S.: päd. Inst. d. Stadt Wien, Abendkurse Kunstgeschichte, Weiterentwicklung b. priv. Sammler, Innenarch., durch Kurse Bildhauerei. K.: Geschäftsübernahme, Mstr.Prüf., Tätigkeiten: Einkauf, Verkauf, Planung, gschf. Ges., Schwerpunkt: Einbau antiker Stuben, Bücherverbau im Stil passend u. fachm. Restaurierung sämtl. Antiquitäten (Möbel, Bilder, Rahmen u. Skulpturen). H.: Skifahren, Schwimmen, Tennis, schwere Musik, Geschichte, Segeln. (E.L.)

Stransky Christian
B.: Gschf. Ges. FN.: Stransky & Söhne Textilproduktions u. Hdls. GmbH & Co KG. DA.: 1013 Wien, Börseg. 1. PA.: 1190 Wien, Pyrkerg. 23/5. G.: Waidhofen/Thaya, 3. Jän. 1965. V.: Carin, geb. Tutschik. Ki.: Jürgen (1988), Christoph (1990). El.: KommR. Kurt u. Hilda, geb. Haberl. BV.: Großvater Johann Haberl war Begründer d. NÖ Raiffeisen- u. Lagerhausverb. S.: VS, Collegium Kalksburg, 1982 Matura, Ausbild. in Textilfachschule. K.: 1982 Eintritt in d. elterl. Betrieb, 1986-88 Schulung im Außendienst in Österr. u. Deutschland, seit 1987 Prok., ab 1988 Gschf. H.: Tennis, Surfen. (N.A.)

Stransky Peter
A.: 1100 Wien, Ernst Ludwig-G. 7/2/22. G.: Wien, 10. Juli 1932. El.: Ferdinand u. Helene. S.: VS, HS, 1946-50 Ak. f. angew. Kunst, Tischlerlehre m. Gesellenprüfung. K.: 5 J. Tischler, 1966-70 Ak. f. bild. Kunst., Restaurierung, seither freischaff. BL.: 1946 als jüngster Teilnehmer d. 1. Preis v. österr. Preisausschreiben d. franz. Leseraumes gewonnen. E.: Theodor Körner-Preis 1978. H.: Kunst u. Studienreisen, Schreiben v. Essays u. Gedichten. (Wist.)

Stranzinger Gerhard Dr.
B.: RA u. Verteidiger in Strafsachen. DA.: 4910 Ried/Innkreis, Schwanthaler G. 10. PA.: 4910 Ried/Innkreis, Raimundstr. 5. G.: Altheim, 2. Jan. 1941. V.: Dr. Herta, geb. Brunnbauer. Ki.: Dr. Petra, Gerhard. El.: Rudolf u. Ella Maria. S.: VS, Gymn., 1959 Stud. Rechtswiss., 1965 Prom., 1965-66 BH. K.: 1966-67 Gerichtspraxis Bez.- u. Kreisgericht Ried, 1967-74 Konzipient Eferding, 1972 RA-Prüf., seit 1974 selbst. E.: OLt. d. Res. M.: Turnver., Liedertafel, div. Sportver., Präs. d. Bejaminclubs SV Hohenzell, PRO-SV Club. H.: Tennis, Fußball, Skifahren, Sauna. (D.E.)

Strappler Konrad Dr. rer. soc. oec. Mag.
B.: Bez.-Stellenltr. d. Kammer d. gewerbl. Wirtsch., Bez.-Stelle Korneuburg/Stockerau. DA.: Neubau 1-3, 2000 Stockerau. PA.: Kriemhildg. 46, 3430 Tulln. G.: Tulln, 20. Juli 1951. El.: Konrad u. Anna. S.: BRG, Matura 1969, Stud. BWL WU Wien, Mag. 1976. K.: 1976-78 Vortragender WIFI, 1979 HK NÖ, Ref. in Stockerau, ab 1985 Bez.-Stellenltr. H.: Reisen. (M.M.)

Strasil Karl
B.: Inh. "Zum Feinspitz". DA.: 1210 Wien, Scheydg. 35G. G.: Zwittau, 21. Okt. 1937. V.: Ilse. Ki.: Helmut, Richard, Peter, Ilse. El.: Karl u. Katharina. S.: Tischlerlehre, 1956 Gesellenprüf., 1956 BH. K.: b. 1958 Tischlertätigkeiten, 1958-66 Berufschauffeur b. div. Möbelfirmen u. Sped., b. 1971 Taxigewerbe, 1971 selbst. im Bereich Gastronomie, Schnellimbiß, 1979 Eröff. eines Standes. H.: Hausaus- u. -aufbauten, Oldtimer. (J.E.)

Strasil-Nimrod v. O. Walter o.Prof.
B.: Dipl.-Graph., Maler, Designer. GT.: seit 1983 Präs. d. BV f. Wien, NÖ u. Bgld., seit 1983 VPräs. d. Zentralverb. d. BV, seit 1985 Präs. d. Verwertungsges. d. Bild. Künstler, seit 1984 in d. Künstlerkmsn. d. BMu, seit 1984 Kuratoriumsmtgl. d. Künstlerhilfsfonds d. BM, Allgem. Gerichtl. Beeid. Sachverst. Urheberrecht-Kunst. DA.: 1130 Wien, Schloß Schönbrunn. G.: Wien, 27. Nov. 1931. V.: Gerda, geb. Pattermann. El.: Simon u. Valerie. S.: VS Wien, Mittelschule Sbg., Stud. an d. Höheren Graph. Lehranst. in Wien Abt. f. Malerei u. Graphik, Dipl.Absolvent, Hörer u. Schüler d. Maler Frey, Pleban Gorgon, Dombrovsky u. Kupferstichausbild. b. Ranzony d. J., Dipl. d. Mstr.Kl. K.: seitdem als freischaff. Maler u. Graphiker tätig, sein künstler. Aufgabengebiet umfaßt neben zahlr. wiss. Illustrationen f. d. Ak. d. Wiss., f. d. Univ. Wien u. Innsbruck u. f. d. BDA, d. künstler. u. architekton. Gestaltung v. intern. Ausstellungen sowie d. künstler. Ausgestaltung staatl. Sammlungen im In- u. Ausland, ständig freiberufl. Künstler. Mitarb. d. BDA u. anderer Inst., seit 1984 BeiR.-Mtgl. d. österr. Ludwigstiftung, seit 1983 in d. Kmsn. z. Beurteilung d. künstler. Tätigkeit v. Gebrauchsgraphiken v. BMU,

seit 1987 allg. beeid. Sachv., Proponent d. Österr. KulturR. "Arts Council Austria". BL.: Teilnahme an d. Österr. Nubian-Expedition in Ägypten z. "Rettung d. Nubianischen Altertümer". P.: Ankäufe seiner Werke v. Bund u. Land sowie in priv. Sammlungen im In- u. Ausland, 12 Bücher über versch. wiss. Sachgebiete, über 21.000 wiss. Illustrationen. E.: 1985 Prof. H.: Jagd, Sportschütze, Flieger, Skifahren, Bergsteigen. (M.B.)

Strasky Erich Dkfm.

B.: Geobiologe u. Radiästhesist, Inh. FN.: Siesta Naturmatratzen. DA.: 1020 Wien, Rembrandtstr. 34. PA.: 1200 Wien, Vorgartenstr. 87. G.: Wien, 22. Sept. 1931. V.: Karoline, geb. Gröbner. Ki.: Wolfgang (1960), Gabriele (1965). El.: Viktor u. Leopoldine, geb. Mann. S.: 1950-56 HS f. Welthdl. m. Abschluß, Stud. Violine am Konservatorium in Wien. K.: während d. Stud. 2 J. Tournee- u. Studiomusik (Gitarre), ab 1956 selbst. zuerst Hdl. m. Textilrohstoffen dann m. Modestoffen, Detailgeschäfte, Ausbild. z. Geobiologen u. Radiästhesist in Deutschland, Anfang d. Kreation v. Naturmatratzen, Schwerpunkt: Untersuchung v. Schlaf- u. Arbeitsplätzen auf Störzonen aller Art, gibt regelmäßig Kurse f. mod. physikal. Radiästhesie. P.: einschlägige Beiträge z. Thema Gesundheitsrisiko Schlafplatz. M.: Stellv. d. Radiästhesiegruppe Wien, NÖ u. Bgld. H.: Radiästhesie, Tischtennis, Tennis, Musik. (N.A.)

Strasser Ernst Dr. iur. Mag. iur. HofR.

B.: Polizeidir. DA.: 5033 Salzburg, Alpenstr. 90. PA.: 5020 Salzburg, Alpenstr. 83. G.: Magocs, 28. Apr. 1937. V.: Stefanie, geb. Gröbner. Ki.: Stefanie. S.: abgeschl. Berufsausbild. f. Elektromaschinenbau, Elektroinstallation. K.: 1955 Eintritt in d. BPolizeidion. Sbg., 1961-80 Kriminalbmtr. in versch. Dienstabt., 1965-78 Mordkmsn., Obm. d. Dienststellenaussch., Gewerkschaftsobm., 1975 Reifeprüf., 1975-80 Stud. Univ. Sbg. Jur. Fak., 1980 Mag. iur., 1981 Prom. z. Dr. iur., 1980-83 Strafref. d. BPolizeidion. Sbg., 1983 Sicherheitsdir.Stellv. f. Sbg., 1986 Polizeidir. d. BPolizeidion. Sbg. E.: Gold. EZ f. Verd. um d. Rep. Österr., Gold. Med. f. Verd. um d. Rep. Österr., Exekutivdienstz., Gold. Verd.Zeichen d. Landes Sbg., Verd.Kreuz FF I. Kl., Silb. Med. d. Österr. Roten Kreuzes, Verd.Kreuz d. Österr. Roten Kreuzes. H.: Sport, Literatur. (A.W.)

Strasser Ewald Dkfm.

B.: Gschf. d. Eurotrade GmbH. GT.: Präs. d. Mazda Rallyeteam, Vors. d. AR d. Mazda Bank Austria AG. DA.: 9020 Klagenfurt, Ernst-Diez-Str. 3. PA.: 9020 Klagenfurt, Muldenweg 7. G.: Wien, 25. Sept. 1936. V.: Gertrud, geb. Richter. Ki.: Andreas. El.: Johann u. Christine. S.: LBA, HS f. Welthdl. Wien, Dkfm. 1959. K.: 1959-63 Prüfer b. Hauptverb. d. Österr. Sparkassen, 1963-78 Dir. d. Fa. ÖFAG Indukont Lucav in Sbg., dann Gschf. d. Fa. Motomat in Wien, anschl. Finanz-Dir. b. Fa. Bosch AG, s. 1982 Gschf. b. Mazda Austria GmbH. P.: gelegentl. Presseartikel f. div. Zeit. E.: Silb. EZ f. Verd. um d. Rep. Österr., Villacher Faschingsorden. M.: Tennisclub, Vorst.Mtgl. d. Golf-Clubs Austria Wörthersee-Pörtschach, Präsidiumsmtgl. d. Eishockey Clubs KAC Klagenfurt. H.: Golf, Bergsteigen, Filmen. (D.M.)

Strasser Gerhard Dr. techn. Dipl.-Ing.

B.: Dir. d. Schiffbautechn. Versuchsanst. Wien. DA.: 1200 Wien, Brigittenauer Lände 256. G.: Idar-Oberstein, 15. Jan. 1944. V.: Sonja, geb. Steger. Ki.: Annette Sophie u. Clemens Rüdiger. El.: Josef u. Christine Maria. BV.: Karl Schmidt (Metallwarenfabrikant u. HK-Präs. in Koblenz). S.: Gymn., Matura 1962, Stud. f. Schiffbau an d. TU Wien, Dipl.-Ing. 1971, Prom. z. Dr. techn. 1980. K.: 1971-72 Konstrukteur b. d. österr. Schiffswerft, 1972-76 HS-Ass. am Inst. f. Schiffbau, währ. d. Zeit Praktikum in d. Hamburger u. Berliner Versuchsanst. u. NSMB, s. 1976 Dir. d. Schiffbautechn. Versuchsanst. in Wien. P.: Vorträge hauptsächl. im Ausland über Schiffbaufragen. M.: in versch. dt. Fachaussch., Schiffbautechn. Ges., im Fachaussch. f. Schiffhydrodynamik f. Manövrieren u. Vibrationen, Member d. Advisory Council d. ITTC. H.: Tennis, Segeln, Sprachen, Reisen. (M.B.)

Strasser Gregor Mag.

B.: Gschf. FN.: EBG Hdl. Service u. Haustechnik GmbH; EBG Installationen u. Haustechnik GmbH. DA.: 4060 Leonding, Kornstr. 10. PA.: 4642 Sattledt 139. G.: Vorchdorf, 4. Feb. 1945. V.: Dr. Elfriede, geb. Krenmayr. Ki.: Philipp, Barbara. El.: Gregor u. Theresia. S.: VS, Mittelschule, 1964 Matura, BWL-Stud. Innsbruck, 1971 Spons. K.: seit 1971 Rank Xerox Wien, seit 1980 Vertriebsdir. f. Großkunden, 1985 Vertriebsltr. Elektra Bregenz, 1991 EBG. H.: Musik, Sport (Tennis, Radfahren, Fußball). (W.B.)

Strasser Hannes

B.: Zweigstellen-Ltr. FN.: Kärntner Landes- u. Hypothekenbank. DA.: 9300 St. Veit/Glan, Platz am Graben 4. PA.: 9300 St. Veit/Glan, Feldg. 38. G.: St. Veit/Glan, 13. Okt. 1966. V.: Edda, geb. Juritsch. El.: Karl u. Helga. S.: HAK, 1987 Mat. K.: 1988-92 Tätigk. Bank f. Ktn. u. Stmk., Filiale St. Veit/-Glan, 1993 Eintr. i.d. Ktn. Landes- u. Hypothekbank St. Veit/-Glan, s. 1994 Ltr. d. Zweigstelle St. Veit/Glan H.: Fußball, Musik. (F.S.)

Strasser Johann Peter

B.: Grafikdesigner. FN.: Grafikdesign-Illustration J.P. Strasser. DA. u. PA.: 5081 Anif, Mitterbachweg 190. G.: Anras, 30. Okt. 1945. Ki.: Kristina. S.: VS, HS, Schriftsetzerlehre, Werkkunstschule Frankfurt, Kunstak. Frankfurt. K.: seit 1968 selbst. in Frankfurt, Paris u. Sbg. H.: Kunst. (N.M.)

Strasser Karl

B.: Sachbearb. u. BetriebsR. d. Stadtwerke i.R. GT.: Ehrenpräs. d. Österr. Wasserrettung LV Sbg. DA.: 5020 Salzburg, Siebenstädterstr. 28. G.: Salzburg, 27. Jän. 1924. V.: Edith, geb. Krimplstätter. K.: 1947-84 Sachbearb. d. Sbg. Stadtwerke AG, über 15 J. BetriebsR., 1957 Grdg.-Mtgl. d. Österr. Wasserrettung, 1960 Bundesschatzmstr. ÖWR, 1960-64 Ausbildner Hallenbad Sbg., 1961-75 Landesverb.-Präs. ÖWR Sbg., 1964-73 Gschf. VPräs. ÖWR, 1973-79 VPräs. ÖWR, ab 1975 Ehrenpräs. d. ÖWR Sbg., 1967 Initiator u. Bauherr d. Bundeslehrstätte f. Rettungsschwimmen u. -tauchen in Seeham. E.: 1965 Lebensrettungsmed. Land Sbg., 1966 Silb. VZ d. Rep. Österr., 1972 Silb. VZ Land Sbg., 1982 Gold. VZ d. Rep. Österr., 1972 Gold. Verd.-Med. d. Roten Kreuzes, 1980 Ehrennadel in Silber d. Gem. Seeham, Gold. EZ d. Wasserwacht im Bayer. RK, 1986 Med. f. 25-jähr. Tätigkeit im Rettungswesen, Ehrenring d. ÖWR, 1960 EZ in Gold d. ÖWR, EZ in Gold d. DLRG, 1990 Bürgerbrief d. Landeshauptstadt Sbg., Silb. Med. SOS Espanola, EZ in Silber SSC, ÖWR-Mtgl.-EZ in Gold, ÖSTA in Gold 1. Kl., hohe Tapferkeitsausz. (N.M.)

Strasser Louis

B.: Schauspieler. PA.: 1220 Wien, Am Kaisermühlendamm 99. G.: Weistrach, 24. März 1928. V.: Sophie, geb. Schöbel. Ki.: Alfred, Andreas. El.: Franz u. Maria. S.: Lehre als Kfz-Mechaniker in d. Steyr Werken, Konservatorium in Wien. K.: 1952-55 1. Engagement am Stadttheater St. Pölten, vielseitiger Einsatz in versch. Rollen: Stadttheater Passau, Exl-Bühne Innsbruck, Wr. Komödie, Volkstheater Wien, Theater d. Jugend Wien, Hansatheater Hamburg, Ateliertheater Wien, Löwinger-Bühne Wien, Kabarett Simpl Wien sowie Film: Sommerbühnen, ORF, TV-Spiele, Kabaretts u. Serien, ZDF, seit 25 J. b. d. Stockerauer Festspielen. M.: Alpenver. H.: Reisen, Klettern, Lesen.

Strasser Margot
B.: Kauffrau. FN.: Strasser Sport- u. Textilwaren. DA. u. PA.: 5163 Mattsee, Salzburger Str. 33. G.: Salzburg, 25. Mai 1939. V.: Helmuth Strasser. Ki.: Helmuth (1960), Siegfried (1962), Andreas (1967). El.: Johann u. Elisabeth. S.: Grundschule, kfm. Lehre Sbg., Lebensmittelfachschule Neuried. K.: Praktikum in div. Branchen Baden-Baden/Deutschland u. im elterl. Betrieb Mattsee, b. 1962 ländl. Gemischtwaren-Lebensmittelgeschäft, 1963 Sportartikel dazu, seit 1984 auch Palmers Verkaufsstelle. H.: Lesen, Garten. (H.S.-P.)

Strasser Michael

B.: Gschf. Ges. FN.: Wunderbaldinger GmbH. DA/PA.: 3100 St. Pölten, Brunng. 26-28. G.: St. Pölten, 23. Dez. 1959. V.: Andrea, geb. Horvath. Ki.: Miriam (1987), Valentin (1990). El.: Johann u. Gertrude. S.: VS, BRG, 1977 Mat., 1978-82 Stud. WU Wien BWL. K.: s. 1980 Mitarb. elterl. Betr. Fa. Wunderbaldinger, Verk., s. 1990 Prok., s. 1993 Gschf. Ges., Handelsbetr. Büroverbrauchsgüter, Werbeart., EDV-Systemhaus, Buchbinderei. BL.: s. 1980 freiberufl. Jazz- u. Bluesmusiker, Tourneen d. Europa m. "Mojo Blues Band", zahlr. Schallpl. u. CD, Veröff. m. namh. Künstlern: Axel Zwingenberger, Jay Mc Shann, Champion Jack Dupree. H.: Schlagzeug, Musik. (M.M.)

Strasser Peter
B.: Fotograf, Gschf. Ges. FN.: Still a Life. DA.: 1030 Wien, Radetzkystr. 25. G.: 15. Nov. 1958. El.: Viktor u. Franziska. S.: VS, HS, 3 J. HTL, 1981 Lehre a. Fotograf b. Fa. Babsek i. Wien, Auslandserfahrung Afrika, Naher-Osten, 1985 Eröff. Fotostudio Pöhn u. Strasser, Zus.-Arb. m. div. Österr. Werbeagenturen H.: Beruf (C.G.)

Strasser Rainer

B.: Gastronom. FN.: "Ristorante Rimini" Strasser OHG. DA.: 1050 Wien, Hauslabg. 23. G.: Horn/NÖ, 25. Juni 1964. V.: Renate, geb. Libalova. El.: Johann u. Luise, geb. Bräuer. S.: Koch- u. Kellnerlehre Gastronomiefachschule Wien I. K.: b. 1991 im Restaurant "Da Luciano", 1991 Übern. d. ital. Spezialitätenrestaurants "Ristorante Rimini" gem. m. Bruder Volkmar. E.: seit 1992 Haubenträger Gault-Millau. M.: Ciao Italia. H.: Kochen, Reisen, Tennis, Squash, Musik. (J.S.)

Strasser Rudolf, Dr. h. c. Dr. iur. emer. o. Univ.-Prof.
B.: Vorst. d. Inst. f. Univ.-Recht. FN.: Johannes Kepler Univ. DA.: 4040 Linz-Auhof, Altenbergstr. PA.: 4020 Linz, Hebenstreitstr. 11. G.: Steyr, 9. Feb. 1923. V.: Ilse, geb. Prischl. Ki.: o. Univ.-Prof. Dr. Helmut, Dr. Klaus, Thomas. El.: Rosa u. Josef. S.: VS, BRG, Stud. d. Rechtswiss. Univ. Graz, 1948 Prom. K.: 1957 Hab. Univ. Wien z. Univ.-Doz. f. d. Fachgeb. Arbeitsrecht, 1964 Erw. d. Habil. u. Lehrbef. als Univ.-Doz f. Privatrecht, 1949-67 Bmtr. u. Stv. Kam.-

Amtsdir. Arbeiterkammer Linz, 1965-93 Kammeramtsdir., o. HS-Prof. f. Privat-, Arbeits- u. Sozialrecht a. d. HS f. Sozial u. Wirtsch.-Wiss., 1966-93 Vorst. d. Inst. f. Arbeits- u. Sozialrecht, Ltr. d. Forsch.-Inst. f. Univ.-Recht, Ltr. d. wiss. Beir. d. Inst. f. Sparkassenwesen a. d. Johannes Kepler Univ., wiss. Ltr. d. Inst. f. partnersch. Betr.-Verf., 1965-67 gewählter Grdg.-Prorektor, 1968-70 Rektor, 1970-71 Prorektor, 1975-77 Dekan, 1977-78 Prodekan d. Rechtswiss. Fak. Präses d. Judiziellen Staatsprüfungs-Komm., s. 1984 Präs. d. Gesellschaft f. Arbeits- u. Sozialrecht, AR-Mitgl. P.: 52 Bücher u. 115 Aufsätze. E.: Gr. EZ f. Verd. u. d. Rep. Österr., Ehrenring d. Stadt Linz, Gr. Gold. EZ f. Verd. u. d. Rep. Österr., Silb. EZ d. Landes OÖ, Dr. h.c. d. Univ. Sbg., Gr. Gold. EZ d. Stadt Wien, Johannes Kepler Preis d. Landes OÖ. M. Vorst.-Mtgl. d. int. Ges. f. d. Recht d. Arbeit u. Soz. Sicherh., Zivilrechtslehrerver., Österr. Juristenkomm., Österr. Juristentag, Ges. f. Rechtsvergl, Gr. Gold. EZ f. Verd. u. d. Land LÖ. H.: Golf, Skifahren. (U.A.)

Strasser Rudolf Dipl.-Ing.
B.: Gen.-Sekr.-Stellv. d. Präsidentenkonferenz d. Ldw.-Kam. Österr. GT.: Mtgl. d. AufsR. d. ÖMV. DA.: 1014 Wien, Löwelstr. 12. G.: Großraming, 29. Okt. 1939. V.: Elisabeth, geb. Franke. S.: Landesackerbau- u. Obstbauschule Ritzlhof/-OÖ, Höhere BLA f. Alpenländ. Ldw. Raumberg Irdning/-Stmk., 1960 Matura, Stud. Ldw. an d. Univ. f. Bdk., 1965 Dipl. K.: b. 1966 b. BH, 1966 Eintritt in d. Präsidentenkonferenz d. Ldw.-Kam. Österr., tätig im Ref. Agrarpolitik u. Integration, ab 1974 Ltr. d. Ref. Bergbauernfragen in d. Präsidentenkonferenz, 1976-80 Dir. d. Österr. Bauernbundes, seit 1980 Gen.-Sekr.-Stellv. d. Präsidentenkonferenz d. Ldw.-Kam. Österr., zusätzl. Ltr. d. Abt. Außenhdl. u. Integration. P.: Art. z. Thema Europ. Integration u. Agrarpolitik. H.: Theater, Reisen, Skifahren. (J.S.)

Strasser Volkmar

B.: Gastronom. FN.: "Ristorante Rimini" Strasser OHG. DA.: 1050 Wien, Hauslabg. 23. G.: Neukirchen/Großvenediger,16. März 1957. El.: Johann u. Luise, geb. Bräuer. S.: Koch- u. Kellnerlehre Gastronomiefachschule Wien I. K.: 22 J. in div. ital. Restaurants u.a. "Da Luciano" u. "Frascati" in Wien, 1991 Übern. d. ital. Spezialitätenrestaurants "Ristorante Rimini" gem. m. Bruder Rainer. E.: seit 1992 Haubenträger Gault-Millau. M.: Ciao Italia. H.: Sport (v.a. Schifahren u. Tennis), Reisen, Bücher. (J.S.)

Strasser Wilhelm
B.: Inh. FN.: Dachdeckerei, Spenglerei Wilhelm Franz Strasser. DA. u. PA.: 4653 Eberstalzell 108. G.: Wels, 6. Okt. 1958. V.: Heide Maria, geb. Schimmer. Ki.: Alexander (1979), Nicole (1983), Wilhelm (1986), Dominik (1993). El.: Karl u. Christine. S.: VS, HS, 1974-78 Spengler- u. Dachdeckerlehre Wels, 1978 Lehrabschlußprüf., 1978-79 BH. K.: 1979 Tätigkeit im erlernten Beruf Linz, 1981 Meisterprüf.

Dachdecker, 1982 Firmengrdg. m. Vater, 1986 Betrieb in Einzelfirma umgewandelt, 1986 Meisterprüf. Spengler. M.: div. örtl. Ver. H.: Motorradfahren, Familie. (G.E.)

Straßl Ingrid Maria

B.: Inh. FN.: Trachten Ingrid.GT.: Grillchen Kindermoden Inh. Ingrid Straßl Badstr. 5. 4701 Bad Schallerbach. DA.: 4701 Bad Schallerbach, Linzer Str. 11. PA.: 4701 Bad Schallerbach, Linzer Str. 7. G.: Grieskirchen, 1. Jan. 1961. V.: Herbert Straßl. Ki.: Edith (1981), Bernhard (1983), Stefanie (1989). El.: Johann u. Edith Thalermaier. S.: VS, Gymn. 1976 Lehre Bürokfm. im Familienbetrieb. K.: 1986 Betriebsgrdg. (U.Z.)

Straßl Otto OSR.

B.: VS-Dir., Kons. d. OÖ LRg. A.: 4794 Kopfing im Innkreis, Rupertusweg 100. G.: Kopfing, 17. Aug. 1926. V.: Adelheid, geb. Hamedinger. Ki.: 6 Kinder. El.: Otto u. Berta. BV.: Johann-Nepomuk Hauser: Prälat, LHptm. von OÖ. S.: VS, Gymn. d. Redemptoristen in Katzelsdorf b. Wr. Neustadt, als Spätberufener Besuch u. Absolvierung d. Bischöfl. Lehrerseminars Linz - Matura u. Lehrbefähigungsprüf. sowie Katechetenprüf. f. röm.-kath. Religionsunterricht in Linz. Auch im Gem.Dienst als Vw.Ang. ausgebildet. K.: 1951 Matura in Linz, 1953 Lehrbefähigungsprüf. f. VS sowie Katechetenprüf. 1940-43 Vw.Dienst, dann Militär u. Kriegsgefangenschaft, 1946 Eintritt ins Bischöfl. Lehrerseminar. 1951 VS-Lehrer - u. sofort auch als Volksbildner u. Kulturträger tätig (Dichter, Musiker, Chorltr., Organist in d. Pfarrkirchen, Festgestaltung, Volksbildungswerksltr. (Viele Tausende Besucher d. Mysterienspiele in Kopfing aus d. In- u. Ausland in Zusammenarb. m. Dechant KonsistorialR. Alois Heinzl. Bis 1963 VS-Lehrer, seit 1963 VS-Dir., 1962-74 Gem.Rat, 1979 v. BPräs. m. d. Titel OSR u. v. d. LRg. OÖ m. d. Titel Kons. f. allg. Kulturpflege ausgezeichnet. P.: In Vorbereitung: Mundartgedichte, gesammelt in 2 Bänden, Familienroman, u.a. E.: 1989 Ehrenbürger d. Marktgem. Kopfing i. I., Verd.Med.: Freiwillige Feuerwehr, Österr. Schwarzes Kreuz, Kameradschaftsbund, Kriegsopferverb., Rotes Kreuz, u.a. M.: Freiwillige Feuerwehr, Kameradschaftsbund, Musikver., Stelzhamerbund, Brucknerbund, Ver. d. OÖ in Wien. H.: 6 Fremdsprachen, Musik, Dichtung, Filmen.

Strassl Roman Dr. med. univ.

B.: Radiologe. A.: 4600 Wels, Kaiser-Josef-Pl. 19. G.: Wels, 18. Aug. 1940. V.: Elisabeth, geb. Krieger. El.: Dr. Roman. S.: Gymn., Stud. an d. Univ. Innsbruck, Ausbild. an d. Univ.Klinik Wien. K.: 1973-77 Ltr. d. Röntgenabt. d. AKH Ried/Innkreis, 1973 Eröff. einer FA-Praxis f. Radiologie, 1977 Eröff. eines Inst. f. Computer Tomographie. P.: 20 Publ. auf d. Gebiet d. Radiologie u. Thermographie. M.: Österr. Röntgenges., Österr. Ges. f. Strahlenschutz, Österr. Ges. d. Ärzte, Lions Club Wels-Pollheim, Österr. Motor Veteranenverb.

Sträter Lothar Dr.

B.: Journalist. GT.: Dt. Presseagentur, Deutschlandfunk Köln. G.: Wuppertal, 7. Dez. 1928. V.: Dr. Helga. El.: Walter u. Martha. S.: VS, Gymn. in Wuppertal u. Goslar, 1950 Matura, Stud. Hamburg Germanistik, Phil., Wien Theaterwiss., Germanistik, 1960 Dr. phil. K.: schon während d. Schulzeit begonnen zu schreiben, während d. Stud. f. Zeitungen geschrieben, seit 1956 Berichterstattung über Österr., CSSR, Ungarn, Deutschland. BL.: Entwicklung d. Berichterstattung d. Sbg. Festspiele, Kulturberichte über ganz Österr. P.: Diss., Rundfunksendungen, Musiksendungen. E.: Gold. EZ f. Verd. um d. Rep. Österr., Gold. Verdienstz. d. Landes Sbg., Silb. EZ d. Landes OÖ, Silb. EZ f. Verd. um d. Land Wien, Gr. EZ d. Landes Stmk., Gold. EZ d. Bregenzer Festspiele. M.: Verb. d. Auslandspresse, Verein Naturschutzpark. (H.P.)

Straub Christof

B.: Komponist, Texter "Papermoon". DA. u. PA.: 1090 Wien, Thurng. 13/16. G.: Wien, 27. Aug. 1969. El.: Richard u. Ilse. S.: 1987 Matura, Arch.-Stud. Ak. d. bild. Künste Wien, Mstr.-Kl. Prof. Gustav Peichl. K.: 1991 Grdg. "Papermoon" m. Partnerin Edina Thalhammer, 1992 Veröff. d. 1. Albums "Tell me a Poem", Eigenkompositionen, vorwiegend akust. Balladen, anschl. österr.-weite Tournee m. über 50 Konzerten u. zahlr. Fernsehauftritte, 1994 Veröff. d. 2. Albums "The world in Lucy´s eyes", Autor d. engl.-sprachigen Texte. E.: 1992 Sieger d. Pop-O-Drom Wettbewerbes, Gold u. Platin f. d. Album "Tell me a Poem", 1993 z. "Austro-Band d. J." gewählt. H.: Musik, Zeichnen, Tennis. (J.S.)

Straub Helmut

B.: Inh. FN.: Tischlerei Straub. DA.: 5202 Neumarkt, Statzenbachg. 14. PA.: 5202 Neumarkt, Buchberg 2. G.: Freiberg, 15. Aug. 1935. V.: Theresia, geb. Stadler. Ki.: Karin (1961), Peter (1962), Robin (1963). El.: Hermann u. Gertrude. S.: 1949 Tischlerlehre, 1952 Gesellenprüf. i. Salzburg, bis 1968 in den verschiedensten Betrieben gearb., 1958 Mstr.-Prüf. K.: 1960 in Tischlereibetrieb in Neumarkt tätig, 1972 Werkmstr. in einem größeren Betrieb, 1980 selbst. in Neumarkt als Tischlereibetrieb. M.: Alpenverein. H.: Bergsteigen. (D.E.)

Straub Walter E. Dir.

B.: Gschf. FN.: Hofburg Kongreßzentrum Wien. DA.: 1014 Wien, Heldenplatz. PA.: 1238 Wien, Karl-Schwed-G. 49-51/6. G.: Wien, 21. Juni 1942. V.: Irene, geb. Lerner. Ki.: Philipp (1974), Thomas (1978). El.: Ernst u. Hedwig. S.: Grundschule, 1969-83 Hotel- u. Kongreßmanagementkurse Toronto, Cornell, Michigan, Washington u. Sbg. K.: 1963-70 versch. Tätigkeiten in Hotels u. Restaurants in d. Schweiz, Bermuda, Antigua, New York, Toronto, 1971-80 Hotel Inter. Continental Wien, 1980-88 Managing Dir. Vienna Med. Congress, 1982-88 Marketingdir. Hofburg Kongreßzentrum, 1988-89 Dir. Vienna Intern. Airport, seit 1989 Managing Dir. Hofburg Kongreßzentrum. P.: Vorträge Univ. u. versch. Schulen in Österr., Fachart. M.: ICCA, HSMA, ATAA, ACB, Round Table Conference Hotels Austria, Skal Club Wien. H.: Tennis, Skifahren, Musik, Natur. (E.J.)

Straube Harald Dr.-Ing. o.Univ.-Prof.

B.: o.Prof. an d. TU Wien, Inst. f. Werkstoffkunde u. Materialprüf. DA.: 1040 Wien, Karlspl. 13. PA.: 1050 Wien, Hartmanng. 5/31. G.: Freiwaldau, 2. Jan. 1926. V.: Martha-Maria, geb. Diederich. S.: Mittelschule Wien, 1944 Matura, Arbeits- u. Wehrdienst, Kriegsgefangenschaft, Stud. an d. TH Wien, Techn. Physik, 1951 Grad. K.: 1952 Eisenwerk Breitenfeld, Ltr. d. Vers.Anst. u. mehrmonatiger Stud.Aufenthalt am Massachussetts Inst. of Techn. in d. USA, 1957-60 Max-Planck-Inst. Düsseldorf, während dieser Zeit Prom. z. Dr.Ing. an d. Rhein.-Westfäl. TH in Aachen, 1961-66 Ltr. d. Schmelzmetallurg. Abt. d. Gebr. Böhler & Co AG Kapfenberg, 1966-69 im Entwicklungsstab d. Climax Molybdenum Co Zürich, 1970 Stellv. d. Forsch.Dir. d. Edelstahlwerke Böhler, Ltr. d. Hpt.Abt.Bereichs "Stähle u. Legierungen", nach Fusion d. österr. Edelstahlind. zu d. VEW AG: Dir. d. Forsch.Anst. d. Gesamtkonzerns, 1980 o.Univ.-Prof., 1982 Vorst. d. Inst. f. Werkstoffkunde u. Materialprüf. P.: Verfasser bzw. Mitverfasser v. ca. 50 techn. wiss. Publ. u. d. beiden Bücher "Die Edelstahlerz.", u. "Die physikal. Chemie d. Eisen- u. Stahlerz.". M.: Ver. dt. Eisenhüttenleute, Eisenhütte Österr., stellv. Vorst. d. Professorenverb. Schlaraffia. (A.W.)

Straube Manfred Dr. iur. a.o. Univ.-Prof.

B.: a.o.Univ.-Prof. am Inst. f. Rechtswiss. an d. TU Wien. A.: 1130 Wien, Hietzinger Hauptstr. 61. G.: Wien, 6. Okt. 1944. S.: Hum. Gymn., Stud. d. Rechtswiss. u. d. VWL in Wien. K.: Ref. im BMH in Wien sowie im Kontrollamt d. BKam. d. Gewerbl. Wirtschaft in Wien, 1968-75 Univ.Ass. am Inst. f. Hdl.- u. Wertpapierrecht d. Univ. Wien u. am Inst. f. Rechtswiss. d. TU Wien, 1975 Doz. f. Hdl.- u. Wertpapierrecht a. d. TU Wien, 1977 a.o.Univ.-Prof. an d. TU Wien. P.: Ca. 50 Publ. auf d. Gebiet d. Hdl.- u. Ges.Rechtes u. d. zwischenbetrieblichen Kooperation, Kommentar z. HGB, Technikklauseln im Recht GmbH, Recht, ÖNORMEN-Kommentar. E.: Theodor Körner-Preis. M.: Ver. d. Freunde d. TU Wien, Ver. d. Freunde d. Rechtswiss. Fak. d. Univ. Wien, Österr. Ges. f. Raumforsch. u. Raumplanung, Österr. AIDA-Präs., Governor d. IIS, Österr. Ges. f. Vers.Fachwiss.

Strauhs Wolfgang Mag.

B.: Gschf. FN.: DMB & B D'Arcy Masius Benton & Bowles GmbH. DA.: 1010 Wien, Rotenturmstr. 17. PA.: 1180 Wien, Abt-Karl-G. 22-24/10. G.: Wien, 29. Apr. 1958. V.: Regina, geb. Kargl. El.: Johann u. Gertraud. S.: 1976 Matura, Stud. Betriebswirtschaft, Marketing u. Unternehmensrechnung WU Wien, 1982 Spons. K.: b. 1983 Revisionsass. Fa. Prüftreuhand, 1983-84 Werbeagentur Haupt-Stummer, 1984-86 Account Manager Young & Rubicam Werbe GmbH, 1986 Absolvent d. Young & Rubicam Advertising Skills Work Shop in New York, 1987 Kontaktgruppenltr. Werbeagentur GGK Wien, 1988-8 Etatdir. Lintas Wien, seit 1989 Gschf. b. DMB & B D'Arcy Masius Benton & Bowles GmbH. P.: Dipl.Arb. "Die Tätigkeit d. AKM". E.: Gewinner d. Silb. Werbetrommel 1990. M.: IAA, Altschotte. H.: Reiten, Skifahren, Fußball, Garten, Bonsai. (J.S.)

Strauss Eduard Dr. iur.

B.: Richter d. Landesgerichtes Wr. Neustadt. DA.: 2700 Wr. Neustadt, Maria-Theresien-Ring 5. PA.: 1060 Wien, Linke Wienzeile 118. G.: Wien, 21. Apr. 1955. V.: Mag. Susanne, geb. Kienast. Ki.: Michael (1988), Thomas (1990). El.: Eduard u. Elisabeth, geb. Pontes. BV.: Ururgroßvater Johann Strauß Vater, Urgroßonkel Johann Strauß Sohn. S.: VS, Schottengymn. Wien, 1973-79 Jusstud. Univ. Wien m. Prom. z. Dr. iur., 1979-82 Ausbild. z. Richter. K.: 1982-86 BG Wr. Neustadt, ab 1987 Landesgericht Wr. Neustadt, Vortragstätigkeit z. Verbreitung d. Wissens über d. Dynastie Strauß. E.: Gold. Med. f. Verd. um d. Fremdenverkehr. M.: Wr. Männergesangver. H.: Chorsingen. (N.A.)

Strauß Franz Dr. phil.

B.: freiberufl. Psychologe. DA. u. PA.: 1210 Wien, Tschaikowskyg. 1/55/20. G.: Wang/NÖ, 7. Sept. 1942. El.: Franz u. Rosa. S.: 1961 Matura, 1961-64 Stud. Phil. u. Theol. Diözesanlehranst. St. Pölten, 1964-70 Psych.-Stud. Univ. Wien, 1970 Prom. Dr. phil. K.: psych. Praktikum Langbro-Klinik Stockholm, 1972-73 Sozial- u. Marktforsch., 1974-85 Tätigkeit als Psychologe im Kriseninterventionszentrum Wien u. Ludwig Boltzmann-Inst. f. Sozialpsychiatrie Abt. Krisenforsch., seit 1979 Abhaltung v. Seminaren über Kommunikation u. Pesönlichkeitsentwicklung, ab 1986 Mitarb. b. Dr. Weber Personalmanagement, seit 1987 selbst. Praxis als Psychologe, Konsulent in Fragen d. Personalentwicklung u. d. Personalmanagements, Vortragstätigkeit in Österr. u. in d. jungen östl. Demokratien. H.: Segeln, Taiji, Musik. (M.M.)

Strauss Günther

B.: Organ. u. Abt.Ltr. FN.: Sbg. LVers. DA.: 5020 Salzburg, Auerspergstr. 9. PA.: 5163 Mattsee 305. G.: Neumarkt/Wallersee, 6. Sept. 1941. V.: Ingeborg, geb. Iglhauser. Ki.: Günther, Alexander, Tobias. El.: Josef u. Anna. S.: HASCH, 1965 Matura. K.: 1957-60 Viehagentur, 1961-65 Polizeidienst, 1965 Eintritt in d. Brandschaden Vers. AG, seit 1976 Organ. u. Abt.Ltr. d. Sbg. LVers. E.: div. Ausz. d. RK u. Lions Intern. M.: Lions Club Mattsee, RK Mattsee. H.: Alpinwandern, Radfahren, Surfen, Skifahren.

Strauß Herwig

B.: Amtsvormund BH Wien-Umgebung, Jugendabt. DA.: 1090 Wien, Alserbachstr. 41. PA.: 3430 Tulln, Buchingerstr. 11. G.: Krems, 23. Apr. 1940. V.: Martina, geb. Hollowatsch. Ki.: Armin, Heidi. El.: Erwin u. Rosina. S.: VS, RG Wien, 1960 Matura. K.: seit 1961 b. Land NÖ als Amtsvormund, interne Ausbild. in Form v. Intensivkursen d. Dienstgebers, OAmtsR. seit 1980. BL.: wesentl. Mitarb. an d. Gestaltung d. Unterhaltsvorschußgesetzes, Familienrechtsreform u. alle Fragen betreffend Jugendwohlfahrts-, Familien- u. Kindschaftsrecht u. Vormundschaftswesen, Mithilfe an journal. Ausarb. im Rahmen v. Massenmedien, maßgebl. Mitarb. an d. Buchhaltungsumstellung im Jugendabt.Bereich u. Ltr. d. Projekts Textverarb. f. Jugendabt. P.: 1968 Gründer u. verantwortl. Red. d. Zeitschrift "Der österr. Amtsvormund", Fachzeitschrift f. Kindschafts- u. Familienrecht, Vormundschaftswesen u. Jugendwohlfahrt, Mitteilungsblatt d. Ver. d. Amtsvormünder Österr., 1980 Mithrsg. v. "Unterhaltsvorschußgesetz". M.: Obm. d. Ver. d Amtsvormünder Österr., ÖGB, Studentenverbindung Arminia Krems, 2 Funkclubs. H.: lizensiertes Amateurfunken, Funkweitempfang, Broadcastingst. (G.E.)

Strauß Johann KommR.

B.: Gschf. FN.: Johann Strauß OHG. DA. u. PA. 4643 Pettenbach. G.: Pettenbach, 17. Feb. 1931.V.: Brigitte, geb. Kipferl. Ki.: Elisabeth (1970), Petra (1973). El.: Johann u. Elisabeth. S.: VS, HS. K.: 1945 Einstieg in d. väterl. Ldw. u. Transportunternehmen, 1947 Kfz-C-Führerschein, 1949 Autobusführerschein, 1961 Übernahme d. elterl. Ldw. m. Bruder, Ldw. verpachtet, seit 1961 Gschf. d. Johann Strauß OHG. E.: 1990 KommR., Silb. Kam.-Med. M.: VBgm. d. Gem. Pettenbach, div. örtl. Ver., 15 J. Fliegerclub Weiße Möve Wels. H.: Fliegen. (G.E.)

Strauss Johann KommR.

B.: Kfm., Gschf. FN.: Intern. Damenmoden Johann Strauss GmbH: Johann Strauss Co KG. DA.: 1190 Wien, Billrothstr. 50. G.: Wien, 19. Dez. 1919. V.: Dolores, geb. Pivovaroff. Ki.: Brigitte, Regina. El.: Sebastian u. Elisabeth. S.: Pflichtschulen, HASCH. K.: 1949 Grdg. einer Hdls.Agentur, 1959 Eröff. eines Geschäftes in Wien, im Laufe d. darauffolgenden 10 J. Eröff. v. ca. 14 Geschäftslokalen in Wien u. d. Bdl., dzt. 7 Geschäfte. E.: 1974 KommR., 1979 Staatswappen, 1984 Ehrensenator. M.: Lions-Club Belvedere, Modeclub. (Lar.)

Strauss Veronika

B.: Inh. FN.: Veronika's Videoinsel. DA.: 4030 Linz, Siemensstr. 6. PA.: 4614 Marchtrenk, Eiselsbergstr. 7. G.: Wels, 23. Jän. 1953. V.: Eckhard Strauss. Ki.: Bettina (1970). El.: Johann u. Johanna Lindinger. S.: VS, HS, Lehre als Schneiderin. K.: 1985 Eröff. d. Videothek, 1986 Eröff. d. Videothek "Videoinsel" in 4600 Wels, Salzburger Str. 28. H.: Filme, Tanzen, Lesen, Handarb. (U.A.)

Strauss Rupert

B.: Bgm v. Pöchlarn. DA.: 3380 Pöchlarn, Regensburgerstr. 11. PA.: 3380 Pöchlarn, Tulpenweg 6. G.: Würnsdorf, 24. Feb. 1937. V.: Liselotte, geb. Posch. Ki.: Rupert (1959), Peter (1962), Michael Josef (1966), Ursula (1974). El.: Maria u. Franz. S.: VS, HS, Bäkkerlehre wegen Mehlstauballergie abgebrochen. K.: kfm. Ang. zuerst i. Eisenhandl., dann EVN, polit. tätig i. Vereinswesen, ÖAAB Mtgl., 1974 GemR., 1988 als Nachfolger v. vormal. Bgm. vorgeschlagen u. gewählt. H.: Fußball, Skifahren, Lesen, Kulturleben d. Stadt, Bergwandern m. d. Familie. (J.M.)

Strausz Karl KommR.

B.: Gschf. Ges., KFZ Mechaniker. FN.: 7535 St. Michael, Güssingerstr. 240. PA.: 7535 St. Michael, Untere Hauptstr. 189. G.: St. Michael, 14. Okt. 1926. V.: Paula, geb. Feigl. Ki.: Monika, Edith, Raimund. El.: Florian u. Maria. S.: 1940 Lehre als Flugmotorenschlosser im Junkers Flugzeugwerk, Abschlußprüf., 1943-45 Fronteinsatz als Flugzeugmechaniker b. Jagdgeschwader, Kriegsgefangenschaft, 1946 Rückkehr aus englischer Kriegsgef., 1 J. im elterl. Betr. als Schlosser tätig, 1947-49 als KFZ-Mechaniker b. Fa. Draskovich in Güssing, 1959 b. Adolf Feigl, 1951 Meisterprüf., 1952 Heirat, 1954 Übernahme d. Ford-Vertretung im Rahmen e. Vertragswerkstätte d. FA. Hinteregger Wien, 1960 Haupthändlervertrag f. Ford, 1962 auch Traktoren, 1976 Umwandlung d. Betr. i. d. Autohaus Strauß GmbH & Co KG, Eröffnung von BMW Verkaufshalle i. Stoob-Süd, 1993. E.: s. 1980 KommR., H.: Familie (2 Enkel), Beruf. (R.T.)

Streb Wolfgang

B.: Mitbesitzer. FN.: "Haus d. 100 Biere", "Pasta", Restaurant "Chaplin". DA.: 2340 Mödling, Babenbergerg. 2; 1120 Wien, Oswaldg. 2; 2340 Mödling, Enzersdorfer Str. 14. G.: Mödling, 20. Mai 1965. El.: Karl u. Gertrude. S.: Berufsausbild. z. Koch im Restaurant Taverne am Sachsengang. K.: Praxis in d. Schweiz u. in Deutschl. u.a. Hotel Bellevue Gstaad, Restaurant Santa Bondio Lugano, Restaurant Gala Dortmund, Konzessionsprüf. in Wien, ab 1987 wieder in Österr., Beginn d. untern. Tätigk., Eröff. d. Restaurants Chaplin m. Partner Peter Klein u. Franz Zahlmayer. E.: Preise b. nat. Kochwettbewerben. H.: Skifahren. (J.S.)

Strebinger Ernst Dr.

B.: Gschf. d. Telekabl Wien GmbH Wien, Telekabel-Fernsehnetz Graz Betriebs GmbH Graz, Telekabel-Fernsehnetz Klagenfurt Betriebs GmbH Klagenfurt, Telekabel-Fernsehnetz Wiener Neustadt/Neunkirchen Betriebs GmbH Wiener Neustadt, Telekabel-Fernsehnetz Region Baden Betriebs GmbH Pottendorf, Prok. d. Österr. Philips Ind. GmbH Wien, Philips Data Systems GmbH Wien u. d. BBK Breitbandkommunikationsanlagen Betriebs GmbH Wien. PA.: 1070 Wien, Lerchenfelder Str. 25.

Strebl Gerhard

B.: Gschf. Ges. FN.: Wr. Schnitzelplatzl. DA.: 1020 Wien, Vereinsg. 18. PA.: 1220 Wien. Hochmuthg. 7/2/44. G.: Ebersdorf., 16. Okt. 1963. Ki.: Mark (1993). El.: Franz u. Hildegard, geb. Axmann. S.: VS, HS, Graph. Lehr. u. Versuchsanst. K.: 15 J. im graph. Gewerbe tät., ab 1989 Ges. der Fa. Wr. Schnitzelplatzl. H.: Fußball, Tennis, Numismatik. (N.A.)

Strebl Maria Magdalena Dr. iur.

B.: Gen.-Dir. d. Österr. Nationalbibl. DA.: 1015 Wien, Josefspl. 1. G.: Wien, 19. Jan. 1929. V.: Dr. Laurenz Strebl. Ki.: Michaela (1964), Laurenz (1966). El.: Paul u. Helene Kitzberger, geb. Pointner. S.: RG, 1947 Matura, Stud. Rechtswiss. Univ. Wien, 1951 Prom. K.: 1952-53 Gerichtspraxis Wien, 1954-56 Zentralbesoldungsamt Wien, ab 1957 Nationalbibl. Wien, Bibl.-Ausbild., Ltr. d. Druckschriftensammlung (1980), ab 1983 Gen.-Dir. P.: Beiträge in bibl. Fachzeitschriften. E.: Ehrennadel d. Hauptverb. d. Österr. Buchhdls. M.: Mtgl. d. Ver. Österr. Bibl., Mtgl. d. Konferenz d. Dir. d. Nationalbibl., Mtgl. d. Standing Commitee of National Libraries d. Intern. Federation of Library Assoc. H.: Kunstgeschichte, Geschichte, Wandern. (N.A.)

Strehblow Michael Dr. med.

B.: FA f. Kinderheilkunde. G.: Wien, 28. März 1944. V.: Karoline, geb. Mayer. Ki.: Christoph, Alexander. El.: Dr. med. Adolf u. Margaretha. S.: 1962 Matura in Wien, Stud. d. Med., 1971 Prom., Turnus im KH Floridsdorf. K.: FA-Ausbild. in d. Univ.Klinik in Wien, 1975-78 Ausbild. in Kinder- u. Jugendneuropsychiatrie in Klagenfurt, 1979 Eröff. d. Praxis in Wien. P.: Wiss. Arbeiten an d. Kinderklinik. E.: 1962 Verleihung d. Garderinges d. österr. BH (ROA). M.: Österr. Ges. f. Kinderheilkunde. H.: Sammeln v. Bildern mod. österr. Maler, Fliegenfischen, Tennis. (Bau.)

Strehn Wolfgang

B.: Sonderschullehrer d. VS Deutschkreuz, Bgm. GT.: Obm-Stellv. b. Abwasserverb. DA.: 7301 Deutschkreuz, Hauptstr. 66, 7301 Deutschkreuz, Hauptstr. 79. PA.: 7301 Deutschkreuz, Elisabethg. 24. G.: Deutschkreuz, 20. Okt. 1949. V.: Barbara, geb. Sauertnig. Ki.: Matthias, Johannes. El.: Matthias u. Anna. S.: Realgymn. Mattersburg, 1968 Matura, Päd. Ak. in Eisenstadt, 1971 Lehramtsprüf. K.: Sonderschulprüf. in Kursen, seit 1972 Lehrer in d. Sonderschulklasse, seit 1972 im Ortsaussch. d. SPÖ, seit 1977 Ortsvors. d. SPÖ, 1977-85 2. VBgm., ab 1985 Bgm., ab 1987 Obm.Stellv. b. Abwasserverb. BL.: Umgestaltung d. Sportplatzes, Renovierung d. Schwimmbades, Neubau d. Feuerwehrhauses. P.: Mitarb. b. div. lokalen Blättern. H.: Bücher, Schallplatten. (C.K.)

Streicher Ludwig

B.: o.HS-Prof., Kontrabass-Virtuose. DA. u. PA.: 1130 Wien, Würzburgg. 23. G.: Wien, 26. Juni 1920. V.: Herta, geb. Wache. Ki.: Krista (1953), Wolf-Dieter (1957). El.: Franz u. Katharina. S.: Ak. f. Musik u. Darstell. Kunst, Dipl. m. Ausz. K.: 1940-44 Solobassist am Staatstheater Krakau, 1944-45 Kriegsdienst, 1945-73 Mtgl. d. Wr. Philharmoniker u. d. Wr. Staatsopernorchesters, ab 1966 Lehrtätigkeit an d. Wr. Musik-HS, ab 1973 a.o.HS-Prof., ab 1975 o.HS-Prof., nach 100 J. erstmalige Vorstellung d. Kontrabasses als Soloinstrument, zahlr. Tourneen als Konzertsolist z.B. BRD, DDR, Skandinavien, Schweiz, Spanien, Portugal, Vorderer Orient, Südafrika, Ägypten, Japan, USA, Taiwan, Mitwirkung b. Festspielen in Sbg., Bregenz, Ossiach, Estoril, Granada u. Versailles, Fernsehshows in BRD u. DDR, 6 Landspielplatten, Unterrichtswerk "Mein Spiel auf d. Kontrabaß". (P.R.)

Streicher Rudolf Dr. Dipl.-Ing.

B.: Gen.-Dir. u. Vorst.-Vors. FN.: Steyr-Daimler-Puch AG. GT.: Hon.-Prof. d. Montanuniv. Leoben, s. 1993 Vors. d. Aufsichtsrates d. Austrian Airlines AG. DA.: 1010 Wien, Franz-Josefs-Kai 51. G.: Wallsee/Donau, 19. Jän. 1939. V.: Mag. Gilde, geb. Gande. Ki.: Dagmar. S.: 1953-57 Ausb. z. Werkzeugmacher u. techn. Zeichner i.d. VOEST, 1957-61 Stud. a. d. Techn. BLVA i. Waidhofen/Ybbs, 1969 Dipl.-Ing., 1961-69 Stud. an d. Montanuniv. Leoben. K.: 1969 ständig. gerichtl. beeid. Sachv. f.d. Kraftfahrzeug- u. Verkehrswesen, 1971 Ltr. d. Abt. Forsch. u. Techn. i.d. ÖIAG, 1974-80 Mtgl. d. Vorst. d. Vereinigten Metallwerke Ranshofen-Berndorf AG, 1979 Prom., 1981 Gen.-Dir. u. Vors. d. Vorst. d. Austria Metall AG, 1981 Lehrauftr. a.d. Montanuniv. Leoben, 1986 Gen.-Dir. u. Vorst.-Vors. d. Steyr-Daimler-Puch AG, 1986-92 BMin. f. öff. Wirtsch. u. Verkehr, 1988 Hon.-Prof. Montanuniv. Leoben, s. 1992 Gen.-Dir. u. Vorst.-Vors. d. Steyr-Daimler-Puch AG. (N.A.)

Streif Georg

B.: Kfm., Inh. FN.: Sparmarkt Streif. DA. u. PA.: 6384 Waidring, Dorfstr. 6. G.: Kirchberg, 7. Apr. 1967. V.: Manuela Mader. El.: Hubert u. Ursula. BV.: Namensgebung durch Besitz d. "Streif-Abfahrt" b. ins 19. Jhdt. S.: VS, HS, Polytechn. Lehrgang, Berufsschule, 3 J. Einzelhdls.-Kfm.-Lehre Kirchberg. K.: 1985-88 Tätigkeit in Kirchberg, 1988-90 Marktstellenltr.-Stellv. u. Marktltr. im Konsum Österr., 1988 BH, 1990-91 Außendienstmitarb. f. einen Getränkeerzeuger, seit 1991 selbst. Kfm. in Waidring. P.: Art. u. PR in regionalen Printmedien. E.: Ausz. f. gute Lehrlingsausbild. H.: Beruf. (J.F.)

Streif Johannes

B.: Gschf. FN.: Stummer Eurowaren Kommunaltechnik GmbH. DA. u. PA.: 5503 Mitterberghütten, Werkgelände 14. G.: Schwarzach, 8. Sept. 1963. El.: Johann u. Helga. S.: VS, HS, 1978-83 HAK St. Johann im Pongau. K.: Einstieg in d. elterl. Betrieb (Kfz-Schlosserei), 1985 Übernahme, 1987 Fusion m. Fa. Stummer Eurowaren, Schwerpunkte: Spezialaufbauten f. d. kommunale Transport- u. Entsorgungswesen. F.: 3S Verw. u. Beteiligungs GmbH. P.: Veröff. in Fachzeitschriften d. Straßengüterverkehrs, Art. in d. hauseigenen Zeitschrift "Müll u. Schutt". M.: Eisschützen, Tennisclub, Fußball. H.: Motorboot, Golf, Skifahren, Tennis. (G.P.)

Streif Walter

B.: Gschf. FN.: Walter Streif Hdls. GmbH. DA.: 4650 Edt/Lambach, Fischlhammerstr. NB. PA.: 4650 Lambach, Grillparzerstraße. V.: Hannelore, geb. Ratzenberger. Ki.: Carola (1975). El.: Ludwig u. Margarethe. S.: VS, HS, kfm. Lehre. K.: 1963-76 Projektltr. b. SPAR, 1976 selbst. in Lambach, 1992 Grdg. d. GmbH. M.: Hundever. Edt. H.: Spazierengehen m. d. Hund. (G.E.)

Streissler Erich Wolfgang Dr. iur. o.Univ.-Prof.

B.: o.Univ.-Prof., ak. geprüfter Statistiker. A.: 1180 Wien, Khevenhüllerstr. 15. G.: Wien, 8. Apr. 1933. V.: Dr. Monika, geb. Ruppe. El.: Dr. Albert u. Erna. S.: Studien an d. Univ. Oxford. K.: 1959 Habil. f. VWL an d. Univ. Wien, 1962 o.Prof. f. VWL, Ökonometrie u. Wirtschaftsgeschichte an d. Univ. Wien, Dekan d. Rechts- u. Staatswiss. Fak. daselbst 1973-74, VPräs. d. Österr. Inst. f. Wirtschaftsforsch. P.: Zahlr. Veröff. in dt.- u. englischsprachigen wiss. Zeitschriften, mehrere Bücher, insb. zum Thema d. Wachstumstheorie, Geldtheorie u. wirtschaftswiss. Ideengeschichte, Grundzüge d. Volkswirtschaftslehre f. Juristen (3. Aufl. 1994 gemeinsam m. M. Streissler). M.: Ges. f. Wirtschafts- u. Sozialwiss. (Ver. f. Sozialpolitik), Mont Pelerin Society.

Streiszelberger Josef Ing.

B.: Gschf. FN.: Agrar-Plus BeteiligungsgmbH. DA.: 3100 St. Pölten, Brunng. 12. PA.: 3261 Steinakirchen/Forst, Felberachstr. 7. G.: Neuhofen/Ybbs, 6. Nov. 1964. V.: Karin, geb. Steinletzberger. Ki.: Tobias, Dominik. El.: Ernst u. Maria. S.: VS, 1975-79 Gymn. Amstetten, 1979-84 HBLA-Franzisco Josephinum i. Wieselburg, 1984 Matura, Ausb. landtechn. Bereich Maschinenbau. K.: 1985-86 Fa. Heid Stockerau, 1986-90 Landwirtsch.-Kammer OÖ, ab 1990 Projektberater b. Agrar Plus, s. 1992 Gschft. Agrar Plus. M.: Vors. d. Fachverb. d. Gas- u. Wärmeversorgungsunternehmen, Vors. i. Fachausschuß Biomasse, ÖKL-Energieausschuß. H.: Fotographieren, Lesen, aktiver Sport. (M.G.)

Streitenberger Wolfgang Dr. Mag.

B.: Vorst.-Dir. FN.: NÖ Landeshauptstadt Planungs GmbH. GT.: AufsR.-Mtgl. d. NÖ Donaufestival GmbH, BeiR.-Mtgl. d. NÖ-Fonds, Vorst.-Mtgl. d. Ver. FHS St. Pölten. DA.: 3100 St. Pölten, Kremser Landstr. 5. G.: Wien, 2. Jan. 1952. V.: Donatella, geb. Magliani. Ki.: Raimund (1987). S.: 1970 Matura, Stud. Vw. Univ. Wien, zusätzl. Politikwiss. u. Geschichte in Wien u. Paris, 1975-76 post graduate Stud. am Collège d'Europe in Brügge. K.: 1976-80 Kons. im Vw. Büro d. CA-BV, 1981-84 Wirtschaftsred. im Aktuellen Dienst d. ORF, 1985-89 in d. Generalintendanz befaßt m. langfrist. Unternehmensplanung u. medienpolit. Grundsatzfragen, daneben journalist. tätig z.B. TV-Moderator d. Sendung "Nachtstudio", Beiträge f. versch. Wirtschaftsfachzeitschriften, 1990/91 Ltr.d. Öff.-Arb. u. Pressesprecher d. EXPO Vienna AG, seit 1991 Vorst.-Dir. d. NÖ Landeshauptstadt Planungs GmbH St. Pölten m. Wirkungsbereich Werbung, Marketing u. Kommunikation. P.: Buch "Die Geburt Europas - ideengeschichtl. Perspektiven z. EG-Diskussion", "100 Argumente pro St. Pölten", "Europastadt St. Pölten", Hrsg. d. Quartalszeitung "Stadt im Land" - Nachrichten aus St. Pölten sowie Buchbeitrag "Die Zukunft d. neuen Medien" in "Die (des)informierte Ges." E.: "Berliner Klappe" i. Bronze f. d. St. Pölten-Kinowerbespot. H.: Musikausübung u. Malerei. (C.G.)

Streiter Konrad

B.: Landesrat. DA.: 6020 Innsbruck, Neues Landhaus. G.: Innsbruck, 22. Aug. 1947. V.: Maria-Theresia. Ki.: Manfred u. Markus (1972). BV.: Vater Franz Gem.-Vorst.. K.: vom Schlosserlehrling z. Mst.-Prüf. in Abendschule, b. z. langj. Gschf. v. d. Fa. Elektra-Bregenz, seit 1980 i. d. Gem. Politik, Gem. Vorst., Vize-Bürgerm. 1990-93 Bürgerm. seit 24.9.1993 Ld.-Rat f. Gem., Gewerbe, Industrie u. Raumordnungsangelegenheiten, EU-Regionalpolitik. H.: Tennis, Lesen, Bergsteigen.

Streller Ferdinand Dr.

B.: Vors. eines Berufungssen. FN.: OLG Wien. GT.: seit 1981 Vors. v. finanzstrafrechtl. Spruchsenaten. DA.: 1010 Wien, Museumstr. 12. PA.: 1140 Wien, Friedrich-Lieder-Weg 6/9. G.: Wien, 16. Apr. 1932. V.: Marianne, geb. Sagerer. Ki.: Robert, Vera. El.: Ferdinand u. Karoline. S.: RG, Stud. d. Rechtswiss. in Wien, 1954 Prom. K.: 1954-58 Richterl. Vorbereitungsdienst, ab 1958 Richter, s. 1977 OLG Wien, seit 1986 Sen.Vors. d. OLG. M.: Obm. eines Alpenver.-Sekt. H.: Bergsteigen, Fremdsprachen, Kulturreisen. (M.B.)

Stremitzer Heinrich Dr. rer. comm. Dkfm.

B.: o.Univ.-Prof., Altrektor d. WU Wien. A.: 1190 Wien, An d. langen Lüssen 9/3/6. G.: Lienz, 21. Apr. 1936. V.: Maren, geb. Grimmer. El.: Anton u. Auguste. S.: VS, Gymn., Univ. K.: Doktorat 1961, Wirtschaftstreuhänder, HS-Ass., Habil. 1973, o.Univ.-Prof. ab 1973, Vorst. d. Inst. f. Vers.Betriebslehre an d. WU 1975-80. P.: Aufsätze in Fachzeitschriften. M.: Verb. d. HS-Lehrer f. Betriebswirtschaft e.V., Dt. Ges. f. Betriebswirtschaft u.a.

Strenitz Dieter Dr.

B.: LandesR. FN.: Steiermärk. LandesReg. DA.: 8010 Graz, Landhaus. G.: 7. Sep. 1940. V.: Dipl.Ing. Barbara, geb. Türk. Ki.: Gert-Michael (1973), Bernd (1976), Nina (1979). S.: 1958 Mat., 1958-1962 Jus-Stud. K.: 1962-63 GerichtsJ., 1963 Stadtgem. Graz Baurechtsamt, dan. Stat. Amt, 1965 Stadtgem. Graz Personalamt, 1970 Wahl als Abg. i. d. Stmk. Landtag, 1979 Gschf. Klubobm. d. SPÖ-Landtagsklubs, 1981 Amtsltr. d. Stat. Amt., 1987 LandesR. d. Steir. Krankenanst., ab 1991 LandesR. f. d. Gesundheitswesen. H.: Sport, Musik, Theater, Joggen m. Schäferhund, Haus u. Garten.

Streubel Christine

B.: selbst. Fremdenführer. DA.: 1180 Wien, Edelhofg. 8. G.: St. Pölten, 12. Febr. 1950. Ki.: Lorenz, Valentin, Barbara. El.: Theoderich u. Henriette. S.: 1969 Matura, 1982 Fremdenführerprüf. K.: 1991 Grdg. d. Ver. I.C.U. Wien, Organ.: Exklusive Attraktionen im Sinne d. Fremdenverkehrsförd. P.: Wien Guide 1991, Kulturteil: Konzept u. Text. (J.E.)

Streuhofer Erich

B.: Küchenchef. FN.: Rest. Eckl. Da.: 1190 Wien, Sieveringer Str. 46. G.: Stubenberg, 17. Feb. 1969. El.: Gottfried u. Isabella. S.: VS,HS, Polytechn. Lehrg. in Stubenberg. K.: Kochlehre i. Wien i. Rinmgrestaurant u. Rest. Rauchkuchl, Küchenchef i. Hotel Rest. Weiss, 1990 Rest. Eckl a. Küchenchef. E.: Ausz. f. bes. Küchenkultur v. Verlag Falstaff. H.: Radfahren, Gartenarbeiten. (J.M.)

Stribleichinger Johann

B.: Inh. FN.: Johann Stribleichinger, Melk- u. Kühlanlagen. DA./PA.: 4910 Tumeltsham, Schnalla 40. G.: Ried, 17. März 1956. Ki.: Elisabeth (1983), Eva (1986), Matthias (1993). El.: Johann u. Friederike. S.: 1970-74 Elektrikerlehre. K.: 1 J. Betriebselektr. in Ried, 1981 Kundendiensttechn. u. Verkauf b. Fa. Etscheid, 1983 selbst. u. Gebiet OÖ v. d. Entscheid übernom., 1988 Niederlassung in Ried gebaut, 1992 zweite Betriebshalle errichtet. H.: Skifahren, Schwimmen. (J.L.)

Stribrny Josef

B.: Dir. d. Polytechn. Lehrgangs 1020 Wien.DA.: 1020 Wien, Feuerbachstr. 3. PA.: 1220 Wien. G.: Wien, 21. Jän. 1945. V.: Sollaug, geb. Baumgartner. Ki.: Ursula (1964), Elisabeth (1965). El.: Karl u. Alice Stribrny. S.: 1963 Matura, 1964 RG 18, Sport- u. Heeres-Nahkampfschule, 1965 Justizministerium, Rechtspflegerausbildung, Gerichtsvollzieher, 1974 Volksschullehrerausbildung. K.: 1985 Dir. Wien 1220, Wien 1210, Wien 1020. M.: 1985 Soz. Lehrerverein Vors. d. Sektion Lehrer, Vors. d. Österr. Gerichtsvollzieherbundes, Landesref. Wien d. Österr. Jugendrotkreuz Org., Bundesref. d. Österr. Jugendrotkreuz Org., Vors. d. ARGE f. d. Österr. Wasserrettung, Vors. d. FKK Wien Donaustadt, Vors. d. ÖNV. H.: Reisen, Kochen. (T.T.)

Stricker Adolf

B.: Mtgl. d. NatR. seit 1987, Pflichtschullehrer. DA.: 1010 Wien, Wipplinger Str. 28. PA.: 3100 St. Pölten, Rennbahnstr. 49/14. G.: Wien, 24. Sept. 1942. S.: VS, HS, BLBA St. Pölten, Lehramtsprüf. f. HS sowie Lehramtsprüf. f. polit. Lehrgänge. K.: Pflichtschullehrer, 1973-85 Obm. d. Zentralaussch. d. Pflichtschullehrer NÖ, seit 1973 Obm. d. LFachgruppe Pflichtschullehrer im NÖ Arb. u. Ang.Bund, seit 1985 amtsführender Präs. d. LandesschulR. f. NÖ, 1983-85 Mtgl. d. BundesR. M.: Studentenver. H.: Fotografieren, Fischen, Bergwandern. (M.Br.)

Stricker Toni

B.: Geiger, Komponist. PA.: 7202 Bad Sauerbrunn, Satzg. 5. G.: Wien, 4. Apr. 1930. V.: Sybill. Ki.: Barbara. S.: m. 6 J. erster Violinunterricht, Konservatorium Wien. K.: Konzerte, Galas, Schallplatten-, Radio- u. TV-Arb. in fast allen Ländern Europas, 6 J. Konzertmstr. am Theater an d. Wien, komponierte u.a. f. Hans Moser, Paul Hörbiger, Peter Alexander, Fritz Muliar, Helmut Qualtinger, Erika Pluhar, André Heller, anschl. Pannonische Musik. P.: "Pannonische Balladen und Wiener Tänze": Deut. Schallplattenpreis, "Brot und Wein", "Ernte", "Erdverbunden", "Ornamente", Ballettmusik "Der Purbacher Türk", Fernsehaufzeichnung "Toni Stricker - Musikant", Theater-, Film- u. TV-Musiken u.a. "Geschichten aus dem Wienerwald", "Ringstraßenpalais", "Der Leutnant und sein Richter". E.: Gr. Gold. EZ f. Verd. um d. Land Bgld. 1987. (C.K.)

Stricker Heinz Dr. med.

B.: Kinderfacharzt. GT.: Schularzt. DA.: 6020 Innsbruck, Egerdachstr. 5. PA.: 6020 Innsbruck, Kaiserjägerstr. 14. G.: Innsbruck, 30. Juli 1938. V.: Rosalinde, geb. Hörmann. Ki.: Silvia, Klemens, Philipp. El.: Dr. Willibald u. Hildegard. BV.: Vater Dr. Willibald Stricker Ärztekam.Präs. S.: AKG Innsbruck, 1956 Matura, Med.Stud. in Innsbruck, 1962 Prom., Turnusausbild. Innsbruck, Fachausbild. Innsbruck. K.: 1972 Ndlg. in Innsbruck als prakt. Kinderarzt. M.: Mtgl. d. Ärztekam., Österr. Ges. f. Kinderheilkunde. H.: Sport.

Strieder Raimund Mag. HofR.

B.: Richter d. OGH. DA.: 1016 Wien, Museumsstr. 12. PA.: 1238 Wien, Haymog. 91. G.: Maria Luggau, 4. Nov. 1940. V.: Maria, geb. Meier. Ki.: Martin (1970). El.: Josef u. Maria, geb. Haßler. S.: 1960 BRG-Matura, Stud. Univ. Innsbruck u. Wien. K.: 1968 Eintritt b. BG f. Handelssachen als Rechtspraktikant, dann Richteramtsanw., 1971 Richter, b. 1985 LG f. Strafsachen Wien, 1986-92 OLG Wien, seit 1992 OGH. E.: Ktn. Hochwassermed. M.: CV. H.: Bergwandern. (N.A.)

Striek Erika

B.: Galeristin u. Firmeninh., Galerie f. Naive Kunst u. "Liebe Dinge" Korb- u. Geschenk-Stube. DA.: 4020 Linz, Bismarckstr. 10. G.: Wels, 9. Apr. 1941. El.: Robert u. Maria Humer. S.: HAK Wels, 1959 Matura. K.: 20 J. Sekr.-Ltr. Bauhütte Leitl-Werke, seit 1979 selbst. BL.: Organ. v. intern. Großausstellung über Naive Kunst u. Katalog dazu, lfd. Ausstellungen v. naiven Malern in eigener Galerie. M.: Mühlviertler Künstlergilde, OÖ Presseclub, Arbeitskreis f. d. Förd. v. tierversuchsfreier Forsch. H.: Schwimmen, Skifahren, Lesen, Garten, Wohnkultur. (P.H.)

Strießnig Otto KommR.

B.: Textilfabrikant. DA.: 6020 Innsbruck, Herzog-Siegmund-Ufer 7. G.: Feldkirchen, 19. Jan. 1908. V.: Grete, geb. Petera. S.: Grundschule, HASCH, Spezialausbild. K.: Haller Textilwerke Hall in Tir., Wien, Los Angeles, Otto Strießnig Krawatten- u. Tücherfbk. Wien, München, weitere Beteiligungen b. 7 Textilfirmen. M.: Österr. Industriellen-Ver. (Schm.)

Strigl Klaus Dr. HofR.

B.: Ltr. d. LStelle d. Kuratorium f. Verkehrssicherheit. DA.: 4020 Linz, Stockhofstr. 5. PA.: 4211 Alberndorf, Pröselsdorf 24. G.: Linz, 13. Juni 1928. V.: Gotho, geb. Prügl. Ki.: Herwig (1964), Gotho (1971), Hanno (1973). El.: Dr. Otto u. Hilde. BV.: Großvater Prof., Verfasser v. Lateingrammatiken. S.: 1938-46 Ak. Gymn. Linz, 1946 Matura, 1946-50 Psych.Stud., 1950 Prom. K.: 1952-70 Ltg. Maturantenberatung LArbeitsamt OÖ, 1970-88 Ltr. psycholog. Beratungsstelle d. Univ. Linz, seit 1988 Ltg. Kuratorium f. Verkehrssicherheit. P.: gemeinsam m. Prof. Traunmüller "Institution. Messung d. Studienerfolges". E.: Gr. EZ d. Rep. Österr. M.: Rotary Club Linz-Altstadt. H.: Literatur, Musik, Theater, Reisen. (H.B.)

Strigl Reinhard Dr. med.

B.: Sprengelarzt. GT.: Bez.Stellenltr. d. Österr. Roten Kreuz Bez.Stelle Telfs. DA.: 6410 Telfs, Obermarktstr. 12. PA.: 6410 Telfs, E.-Wallnöfer-Pl. 3. G.: Innsbruck, 27. März 1948. Ki.: Valerie, Sandra. S.: Matura Innsbruck, Med.Stud. Univ. Innsbruck. K.: 3-jähr. KH-Ausbild. am BKH Hall/Tir., seit 1981 Praxis in Telfs. BL.: Bez.Stellenltr. d. Roten Kreuz, ärztl. Tätigkeit innerhalb d. Vinzenz Gemeinschaft, med. Ltr. d. Altenwohnheims Telfs. M.: Tennisclub, Markt Musikkapelle. H.: Tennis, Skifahren, Schwimmen. (W.G.)

Strigl Willy Ing.

B.: 1. Tonmstr. ORF, Tonmstr. DGG Hamburg u. Film, dzt. Pensionist - Abt.Ltr. b. Kapsch u. Söhne. A.: 1200 Wien, Wehlistr. 42/3/17. G.: Wien, 8. Juli 1915. V.: Ludmilla, geb. Nieser. El.: Karl u. Karoline. S.: RG, BLehranst. f. Maschinenbau u. Elektrotechnik m. Reifeprüf., 1 J. Musikak. K.: 9 J. b. Kapsch u. Söhne Wien - Ltr. d. Ela-Abt., später Abt.Ltr. d. Endprüfstelle V38 u. Tonrufumsetzer, ab 1945 Tonmstr. b. Ravag, später ORF, dazwischen Tonmstr. b. DGG-Hamburg-Film-FS, ab 1968 wieder 1. Tonmstr. b. ORF, 1966-67 Beauftragter d. Rg. als verantwortlicher Tonmstr. - Staatsfeiertag Wien - Sbg., 1967 verantwortl. Tonmstr. Österr. Pavillon Expo 67 in Canada - Montreal (beauftragt v. WIFI), 1946 erste Schallplattenproduktion nach Krieg f. "Austrophon" in Wien- Hamburg-Köln-München-Paris (nebenberuflich), erster Spielfilm m. Tonaufzeichnung auf Tonband, seit 1973 Funkamateur mit cw Lizenz-Call OE1LSA-OE5LSA. P.: Einige Kompositionen (leichte Musik). E.: Anerkennungsdipl. d.Rg.Kmsr. f. d. Tätigkeit b. EXPO 67 in Canada. M.: ÖVSV LVerb. Stmk. als Funkamateur, AKM als Autor u. Komponist.

Strimitzer Martin Dr. iur. Prof. HofR.

B.: Mtgl. d. Bundesrates (Vizepräs.), HofR. d. Finanzverw. i.R. G.: Stein b. Dellach, 10. Nov. 1928. V.: Rosa, geb. Süllmann, 3 Kinder. S.: VS, Gymn., 1947 Matura. K.: 1947-51 Red. d. "Tiroler Nachrichten", 1951 Eintritt in d. Finanzdienst Finanzamt Innsbruck, nebenberufl. HS-Stud., 1957 Dr. iur., seit 1976 Ltr. d. Zollabt. d. Finanz-LDion. f. Tir., 1967-73 Obm. d. Fachaussch. b. d. Finanz-LDion. f. Tir., 1967-75 Vors. d. LSekt. Finanz d. Gwerkschaft öff. Dienst f. Tir., 1975 Vors. d. Vers.Anst. öff. Bediensteter f. Tir., 1973-77 Mtgl. d. BSekt. Finanzen u. d. LVorst. Tir. d. Gewerkschaft öff. Dienst, seit 1975 Vors. d. Vorst., 1976-90 Obm. d. LBerufssekt. öff. Dienst im ÖAAB Tir., seit 1978 HofR. d. Finanz-LDion. Tir., seit 1990 Bmtr. d. Finanz-LDion. f. Tir. i.R., s. 1982 Mtgl. d. Bundesrates, Mtgl. d. Parl. Versamml. d. Europarates, 1-6/90 Präs. d. Bundesrates (7-12/92 Vizepräs.), s. 1986 Landesobm. d. Frakt. Christl. Gewerkschafter Tirol. E.: GrGE/St., SE, Ö OlympM., Berufstitel Prof. (W.G.)

Strini Adolf

B.: Innenarch. FN.: Design & Wohnen Strini. DA.: 8020 Graz, Josef-Huber-G. 23. G.: Graz, 23. Febr. 1944. V.: Ingeborg, geb. Maicen. El.: Adolf u. Maria. S.: VS, Gymn., HAK, 1966 Matura, Stud. Innenarch. Darmstadt. K.: 1967-73 Techn. Gschf. Firma Möbel Hruby Graz, ab 1973 Techn. Gschf. Wohnprestige, 1980-83 freiberufl. Innenarch., 1983 Grdg. Firma Design & Wohnen Strini Graz, 1988 Eröff. d. Studios f. gehobene Küchen- u. Wohneinrichtungen. M.: Expeditionsclub Austria, Fotoclub CDA Graz, Alpenver. H.: Kunstfotografie, Reisen, Bergsteigen, Film-, Foto- u. Videoausstellungen, Vorträge. (M.Gr.)

Stritzinger Hubert

B.: Inh. FN.: Hubert Stritzinger. DA.: 4673 Gaspoltshofen, Strömerberg 2. PA.: 4673 Gaspoltshofen, Seiring 3. G.: Gaspoltshofen, 13. Okt. 1940. V.: Theresia, geb. Mühlböck. Ki.: Ingrid (1962), Margit (1968), Karin (1971). El.: Georg u. Maria. S.: VS, Fachschule f. Obstbau. K.: 1955-56 elterl. Betr., 1957-59 Schweiz Züricherhof Praktikant, 1959-60 elterl. Betr., BH, 1983 Kauf. Pommes Frites Anlage, Gründ. d. Fa. M.: Feuerwehrehrenkomm. H.: Zimmergewehrschießen. (G.E.)

Stritzl Heinz

B.: Chefred. FN.: Kleine Zeitung f. Ktn. GT.: Vorst. d. Musikver. f. Ktn. DA.: 9020 Klagenfurt, Funderstr. 1A. PA.: 9020 Klagenfurt, Rosentalerstr. 54. G.: Unzmarkt, 27. Dez. 1921. V.: Herta, geb. Vujkovics. Ki.: Angelika. El.: Heinrich u. Rosa. S.: VS, RG, 1940 Matura. K.: 5 J. Kriegsdienst, 2 J. Kriegsgefangenschaft, 1947-53 Red. b. Steyrerblatt bzw. Süd-Ost-Tagespost, anschl. Lokalchef, 1953 Lokalred. b. Kleiner Zeitung in Graz, 1954 Red. in Klagenfurt, spez. Kommunales u. LPolitik, seit 1959 Chefred. d. Kleinen Zeitung f. Ktn. BL.: Aufbau d. Kleinen Zeitung Red. in Ktn., Krebshilfe Aktion in d. Kleinen Zeitung. E.: Helfried Pfeiffer-Preis, Gr. Naturschutzpreis v. Österr., Gold. EZ f. Verd. um d. Rep. Österr., Gold. Panda WWF. M.: Ehrenmtgl. Gottscheer Landmannschaft, Vorst.Mtgl. d. Musikver. f. Ktn., Mtgl. d. Geschichtsver. f. Ktn. H.: Sammeln alter Landkarten u. Atlanten. (M.B.)

Strizik Thomas Dr. iur.

B.: RA. DA.: 3500 Krems, Ringstr. 19. PA.: 3500 Krems, Utzstr. 7. G.: Krems, 11. Okt. 1946. V.: Helma, geb. Dolle. Ki.: Maximilian (1983), Alexandra (1990). El.: Dr. Kurt u. Gertrude. S.: VS, Hum. Piaristengymn. Krems, Jusstud. Univ. Wien, Anw.-Prüf. K.: Gerichtsj. Kremser Bez. u. Kreisgericht, Praxis in Kzl. Dr. Strizik Krems u. in Kzl. Dr. Kern Wien, Eintritt in d. väterl. Kzl. Dr. Strizik als Ges., seit 1990 Kzl.-Gemeinschaft m. RA Dr. Vasicek. M.: Rotary-Club Krems-Wachau. H.: Musik, Antiquitäten, Sport. (M.M.)

Strnad Alfred Dr. phil.

B.: o.Univ.-Prof. f. Gesch. d. Neuzeit. PA.: 6020 Innsbruck, Karl-Innerebner-Str. 86/8. G.: Wien, 4. Mai 1937. V.: Univ.-Prof. Dr. Katherine, geb. Walsh. El.: Dkfm. Edmund u. Margaretha. S.: Mittelschule m. Matura, Phil. Fak. d. Univ. Wien, Inst. f. Österr. Geschichtsforsch. K.: 1961 Prom. z. Dr. phil. an d. Univ. Wien, Staatsprüf. d. Inst. f. Österr. Geschichtsforsch. 1962, 1961-64 HS-Ass. am Inst. f. Österr. Geschichtsforsch., 1964 wiss. Ass. u. 1966 wiss. Sekr. d. Abt. f. Historische Studien am Österr. Kulturinst. Rom, 1971 Habil. aus Geschichte d. Neuzeit an d. Univ. Innsbruck, 1976 o.Univ.-Prof. f. Geschichte d. Neuzeit an d. Geisteswiss. Fak. d. Univ. Innsbruck, seit 1978 Vorst. d. Inst. f. Geschichte, Abt. f. Gesch. d. Neuzeit, an d. Univ. Innsbruck. P.: Francesco Todeschini, über 250 fachwiss. Beiträge in in- u. ausländ. Zeitschriften etc. M.: Korresp. Mtgl. d. Accademia degli Intronati in Siena (Italien), Mtgl. d. Wiss.BeiR. d. Inst. f. Ostdeutsche Kirchen- u. Kulturgeschichte, Mtgl. d. Inst. f. österr. Geschichtsforsch.

Strnad Beatrice Dr.

B.: Rechtsanwalt. DA.: 1010 Wien, Spiegelg. 4. G.: Wien, 2. Aug. 1956. El.: Dr. Hans u. Dr. Margareta, geb. Benger. S.: VS, Ammerling-Gymn., 1974 Matura, 1974 -78 Jusstud., 1978 Prom. K.: 1978-79 Gerichtspraxis, 1979-84 Rechtsanwaltspraxis b. Prof. Dr. Otto Reimer u. RA-Praxis b. Dr. Michael Stern, s. 1984 Selbst. M.: Club d. RA i. Wr. Juristenver.-Konzipientenverb. H.: Tiere, Reisen, Fotographie. (L.S.)

Strobach Karl H. Ing.

B.: Gschf. Ges. FN.: Purotherm GmbH. DA.: 1232 Wien, Mosetigg. 3. PA.: 3003 Gablitz, Buchgrabeng. 16. G.: Wien, 26. März 1936. V.: Monika, geb. Witzany. El.: Karl u. Charlotte. BV.: Josef Strobach (Urgroßonkel: Interimsbgm. v. Wien 1896-97). S.: TGM, Fachricht. Elektrotechnik (Starkstromtechn.). K.: Bis 1959 Projektltr. f. Bau u. Montagetätigk., b. 1961 Siemens (Steuerungstechnik u. Automatisierg. v. Kraft- u. Umspannwerken), b. 1977 Fa. Unitherm (Prod.-Manager, ab 1971 Abt.-Ltr. f. Müll- u. Abfallverbrennungsanl. m. Projekten in Österr., Holland, Spanien, Schweiz, BRD), 1977 Fa. Purator (Abt.-Ltr. u. Prok). E.: Reiterabzeichen in Bronze, Clubabz. in Gold, zweimal. Clubmstr. P.: Veröff. ü. Müllbeseitigung aus Wohnungen u. Wohnhausanl. (STC-Verl.). M.: Fachnormenaussch., Berat. Tätig. in d. Kammer, Wirtsch.-Min. u.a. H.: Garten, Hund, Ballett. (J.E.)

Strobel Helmut

B.: Prokurist. FN.: Gerling-Gruppe Versicherungs-Service GmbH. DA.: 1131 Wien, Hietzinger Hauptstr. 41. G.: Mistelbach, 18. Aug. 1940. V.: Helene. El.: Dr. Hans u. Hildegard. S.: Stiftsgymn. Melk. K.: 1962-64 Sped. LKW Walter, 1964-74 Wiener Allianz, 1974-84 Maklerges. f. Versicherung u. Rückversicherung Wien 1., 1984 Gerling-Konzern als ltg. Ang., 1988 Bestellung zum Prok., 6 Mitarb. M.: Mtgl. Vorst. NÖ Fußballverband. H.: Tennis, Radfahren, Skifahren, Theatergruppe "Die Perspektive", Lesen. (W.M.)

Ströbel Erich

B.: Gschf. Dir. FN.: Universal Versand GmbH. DA.: 5020 Salzburg, Peilsteiner Str. 5-7. G.: Fürth, 15. Juli 1933. V.: Helma, 3 Söhne. S.: Grundschule, kfm. Lehre. K.: 1951 Fa. Porst.

Strobele Alexander

B.: Schauspieler, Reg. u. Autor. DA.: 1070 Wien, Mariahilfer Str. 58/2/17. G.: Wien, 6. Mai 1953. V.: Christiane, geb. Huemer. Ki.: Sophie (1992). El.: Hans Heinrich u. Prof. Mag. Dr. Charlotte. BV.: Großeltern: Guido Strobele v. Wangendorf: ehem. Präs. d. OGH u. Alexandra geb. Freifrau v. Bo-

denhausen. S.: Matura, Max Reinhardt-Seminar, 1977 Dipl. f. Schauspiel. K.: 1977-87 Schauspieler in Deutschland (Bonn, Kassel, Bremen, Frankfurt, Stuttgart etc.), Gastengagements u.a. Volkstheater Wien, Theater in d. Josefstadt, Zusammenarb. m. Frido Solter, George Tabori, Werner Schröter, 1990 Gründer d. "Freiraumtheater" m. Eigenproduktionen wie "Kampf d. Fliege", "Gebrüllt v. Lachen", Reg. "Ich, Feuerbach" (T. Dorst), "Gretchen Sackmeier" (Nöstlinger), Regie u. Dramatisierung "Die Sache m. d. Heinrich" (M. Lobe), TV u. Kino u.a. "Calafati Joe", "Die Strauß Dynastie", "Der Salzbaron", "Radetzkymarsch", "Kommissar Rex", "Schindlers List" (Spielberg), "Eine Mutter kämpft um ihren Sohn", "Blutsbande". M.: Vorst.-Mtgl. Verb. Österr. Filmschaffender. (J.S.)

Strobele Charlotte M. Dr. Mag. Prof.

B.: freischaff. Malerin u. Graphikerin. DA.: 1190 Wien, Sauerburgg. 7. G.: Mistelbach/NÖ. V.: Hans Heinrich. Ki.: Alexander, Ismene. S.: VS, Gymn., Stud. d. Kunstgeschichte u. Archäologie in Innsbruck, Stud. d. Theaterwiss. u. d. Kunstgeschichte in Wien, 1949 Dipl. Max Reinhardt-Seminar, 1950 Prom., 1950-51 Univ. of Washington Creative Drama, 1960-64 Ak. d. Bild. Künste, 1964 Mag. K.: Schauspielerin an Kellerbühnen, Beschäftigung m. Psychodrama, 1964-84 Prof. Neulandschule, seit 1967 Lehr- u. Vortragstätigkeit m. Schwerpunkt Kunst u. Völkerverständigung im In- u. Ausland, seit 1968 Einzelausstellungen u. Ausstellungsbeteiligungen im In- u. Ausland, 1986 Initiatorin v. ARTE SELLA. P.: Photokommunikation, versch. Veröff. in Fachzeitschriften, Gedichte u. Kurzgeschichten. E.: Goldener Lorbeer (Künstlerhaus). M.: Künstlerhaus, INSEA. (M.B.)

Strobich Manfred Dipl.-Ing.

B.: Dir. i.R. PA.: 8605 Kapfenberg, Peter-Tunner-G. 5a. G.: Anger, 26. Dez. 1920. V.: Gerlinde, geb. Krobath. Ki.: Sigrid (1951), Gerhard (1954). El.: Wenzel u. Martina. S.: 1939 Matura, 1939 Arbeitsdienst, 1939-46 Kriegsdienst u. Gefangenschaft, 1946-50 Montan-Univ. Leoben, Werkstudent b. Alpine-Donawitz. K.: ab 1951 Edelstahlwerk Böhler, Abt.-Ltr., Abt.-Vorst., Metallurg. Dir., 1970 in Pension nach schwerem Arbeitsunfall. P.: Vorträge im Ausland über Edelstahl, Aufsätze in div. Fachzeitschriften. M.: Eisenhütte Österr., VdEH, Herz-Verb., Montanhistor. Ver., Bergrettung, Rotes Kreuz. H.: Skifahren, Briefmarken, Leichtathletik, Reisen. (K.K.)

Ströbitzer Hans Prof.

B.: Chefred. b. d. NÖ Nachrichten, Hrsg.: DIE NEUE, Landeszeitung f. alle Niederösterreicher. DA.: 3100 St. Pölten, Gutenbergstr. 12. PA.: 3100 St. Pölten, Prokopstr. 7528. G.: Strengberg, 2. Apr. 1930. V.: Ingeborg, geb. Schuster. Ki.: Maria, Gabriele, Ulrike, Stefan. El.: Josef u. Juliane. S.: Matura, staatswiss. Studien an d. Univ. Wien. K.: seit 1964 Chefred. d. NÖ Nachrichten, 1970-81 Schriftltr. d. Journalistenzeitschrift Information u. Meinung "IM". P.: Andreas Maurer und seine Zeit, 100 Jahre Raiffeisen, Franz Zak - Bischof einer Zeitenwende, Wer regiert NÖ, 100 Lichtjahre. E.: Gold. EZ f. Verd. um d. Bundesland NÖ, Staatspreis f. publizist. Leistungen im Sinne d. LVerteidigung, 1984 Prof. Ernst Winkler-Preis, 1986 Hans Kudlich-Preis. M.: Vorst.Mtgl. d. Österr. Journalistengewerkschaft, Vorst.Mtgl. d. Kath. Medienak., Verb. Kath. Publizisten Österr., Concordia, Dr. Karl Rasser-Inst., Grdg.Mtgl. u. VPräs. d. NÖ Presseclubs. H.: Tischtennis. (Kern)

Strobl Alice Dr. phil. Mag. art. HofR.

B.: VDir. i.R. d. Graph. Sammlung Albertina Wien. DA.: 1010 Wien, Augustinerstr. 1. G.: Linz, 3. Apr. 1919. El.: Ing. Josef u. Alice Strobl, geb. Willmann. S.: VS, RG, 1937 Matura, HAK, 1945-50 HS-Stud., durch Auslandsstipendien Aufenthalte in Frankreich, Niederlande, Belgien u. Schweden, Reisen nach Italien, Spanien, Deutschland, Dänemark u. Norwegen. K.: 1951-54 wiss. Hilfskraft bzw. Ass. an d. Univ. Wien, 1954 Aufnahme in d. staatl. wiss. Musealdienst, 1958 Pragmatisierung am Heeresgeschichtl. Museum, Stud. an d. Ak. d. Bild. Künste in Wien, 1958 Dipl. eines ak. Restaurators, 1958 Berufung an d. Graph. Sammlung Albertina, zunächst als wiss. Ass., dann Kustos II. u. I. Kl. u. seit 1971 VDir. P.: Zu den Fakultätsbildern v. Gustav Klimt in: Albertinastudien (1964), Gustav Klimt - Egon Schiele (1968), Klimts "Irrlichter" in: Mitteilungen d. Österr. Galerie (1978), Gustav Klimt. Die Zeichnungen 1878-1903 (1980), Gustav Klimt. Die Zeichnungen 1904-1912 (1982), Gustav Klimt. Die Zeichnungen 1912-1918 (1984), Hanswurst auf d. Stegreifbühne zu Rothenburg in: Festschrift f. Werner Hofmann (1988), Gustav Klimt: Die Zeichnungen 1878-1918 (1989), F. Kurrent/A. Strobl, Das Palais Stoclet in Brüssel (1991), Projektltr. d. 5bänd. Oeuvre-Kataloges d. Zeichnungen u. Aquarelle Oskar Kokoschkas seit 1991, A. Strobl, Gustav Klimt als Zeichner, in: Gustav Klimt, Ausst. Kunsthaus Zürich, 1992; A. Strobl/A. Weidinger, Oskar Kokoschka, Ausst. Albertina, Wien 1994 u. Guggenheim-Museum, New York 1994 (Zeichnungen u. Aquarelle). E.: 1972 Offz.Kreuz d. Leopoldsorden, 1980 Gold. EZ f. Verd. um d. Rep. Österr., 1984 Mag. art., 1984 HofR., Österr. E.kreuz f. Wissenschaft u. Kunst I. Kl. 1994. (P.R.)

Strobl Andreas Wolfgang Dr. HofR.

B.: Vorsteher d. BG St. Johann im Pongau i.R. PA.: 5600 St. Johann im Pongau, Ing.-Ludwig-Pech-Str. 7. G.: Lienz, 11. Mai 1929. V.: Anna, geb. Feßl. Ki.: Christoph Andreas (1965). El.: Dr. Andreas u. Elfriede Josefa. S.: VS, HS, RG Lienz, 1948 Matura, Jusstud. Univ. Innsbruck, 1952 Prom. K.: 1952-55 Gerichtspraxis BG Lienz, LG Innsbruck, LG u. BG Sbg., 1955 Richteramtsanw., 1957 Richteramtsprüf., 1957-59 Richter in Sbg., b. 1961 Kreisgericht Wels, 1961 Richter d. BG St. Johann im Pongau, 1980 Vorsteher d. BG St. Johann im Pongau, 1980-86 Vors. d. Arbeitsgerichts. P.: Art. in Sbg. Nachrichten. E.: 1989 HofR. M.: Kath. Verbindung Tirolia. H.: Lesen, Musik, Radfahren, Wandern, Skifahren. (G.P.)

Strobl Bernhard

B.: Chefred. FN.: Rupertusblatt. DA.: 5020 Salzburg, Bergstr. 12. PA.: 5102 Anthering, Stainachstr. 8. G.: Bludenz, 21. Juni 1948. V.: HL Gabriele, geb. Morscher. Ki.: Nina. El.: Sebastian u. Herta. S.: VS, HS, kfm. Lehre, 1966 Lehrabschluß. K.: 1966-68 Red. b. d. Sbg. Volkszeitung, 1968 BH, 1969 freier Mitarb. d. ORF, 1969 Mitarb. d. ÖVP Pressereferats, seit 1970 b. Rupertusblatt, vorerst als Red. u. seit 1986 stellv. Chefred., seit 1987 Chefred. v. Rupertusblatt Kirchenzeitung d. Erzdiözese Sbg. BL.: langj. Mitwirkung b. Sbg. Adventsingen, Ensemble Tobias Reiser, Mitarb. in Pfarren, Gem., Ver. u. Körperschaften. E.: Bene Merenti, Gold. Ehrennadel in Gold d. Gem. Anthering, Dr. Herbert Moritz-Preis 1986 (gemeinsam m. d. gesamten Redaktion "Rupertusblatt"). H.: Musik, Natur. (M.B.)

Strobl Clemens

B.: Gschf. Ges., kfm. Dir. FN.: Strobl & Marés Werbeges. DA.: 4020 Linz, Herrenstr. 20. PA.: 4020 Linz, Zinöggerweg 16. G.: Linz, 18. Nov. 1969. El.: Herwig u. Anita. S.: HTL

Werbegrafik Linz, Lehre als Reproduktionstechniker Linz. K.: Praxis in Reprofirma, 1989 Grdg. d. Firma, verantwortl. f. kfm. Bereich u. f. d. Produktion. M.: Wirtschaftsbund, Managementclub. H.: Skifahren, Sport. (P.H.)

Strobl Dieter

B.: Gschf. Ges., Fotograf. FN.: Winsauer Proffessional Fotografie GmbH. DA.: 6850 Dornbirn, Arlbergstr. 7. PA.: 6850 Dornbirn, Kehlermähder 11. G.: Dornbirn, 11. März 1944. V.: Marlene. Ki.: Bettina (1969), Florian (1975). El.: Maximilian u. Gertraud. S.: VS, HS, HASCH, Fotografenlehre, 1962 Abschluß, 1963/64 Militär. K.: 1964 Fotograf in Dornbirn, kurze Zeit Laborltg. in d. Schweiz, 1968-76 Betriebsltr. in Fotobetrieb, 1976 sämtl. Abt. Foto Winsauer, 1992 selbst. Winsauer Proffessional Fotografie GmbH, Laborausarb. Mode- u. Werbeind. E.: EZ d. Vbg. Fußballverb. M.: Obm. Rollfix Dornbirner Sportver., Vbg. Fußballverb., Innung d. Fotografen, Einkaufszentrum Dornbirn. H.: Joggen, Skifahren, Natur erleben. (I.D.)

Strobl Eduard

B.: Betriebsinh. FN.: Eduard Strobl Autohaus. DA.: 1210 Wien, Rußbergstr. 73; 1210 Wien, Pragerstr. 145. G.: Stegersbach, 8. Nov. 1951. V.: Elfriede. Ki.: Michael Peter (1971). El.: Eduard u. Pauline. S.: VS, HS, BLA f. Kfz-Technik, 1979 Mstr.-Prüf. K.: 1974 kleine Tankstelle, 1975 Tankstelle m. Kfz-Werkstätte, 1992 Spenglerei Lackierungen Kfz-Werkstätte, 1994 Hondavertragshändler Autohaus Strobl. M.: Kam.-Mtgl., Obm.-Stellv. Freier Wirtschaftsbund. H.: Jagd, Tiere. (W.M.)

Strobl Eduard

B.: Gschf. FN.: Strobl GmbH. DA.: 1230 Wien, Laxenburger Str. 365, 2020 Hollabrunn, Guttenbrunn 4. PA.: 2020 Hollabrunn, Wiener Str. 54. G.: Hollabrunn, 14. Juni 1946. Ki.: Elisabeth, Roman. S.: VS, Gymn., HASCH. K.: Gschf. H.: Schwimmen, Tennis. (M.B.)

Strobl Ernst C. Dr.

B.: Inh. FN.: City-Jet Luftfahrtsges.m.b.H. DA.: 1300 Flughafen Wien, World Trade Center, Top 213. G.: Wien, 30. Aug. 1958. V.: Mag. Sonja, geb. Mauerböck. El.: Ernst u. Maria. S.: Stud. Transportwirtsch., 1986 Prom. K.: Übern. d. elt. Betr., 1991 Verk. a. internat. Invest-Gruppe, Lehrbeauftragter f. Transportwirtschaft am WIFI, 1990-94 Gen.-Sekr. F.O.R.C.E., stellv. Vorst.-Vors. d. Gruppe 1031, Beteil. a. Immobilien u. Beteil.-Ges. DECSCO., 1992 Grdg. d. Fa. City-Jet. P.: Diss.: Ladungs- u. Laderaumausgleichssyst .via EDV. H.: Golf, Squash, Ski, Fliegen (Berufspilot). (J.M.)

Strobl Friedrich

B.: Inh. FN.: Der Fan Shop. GT.: Sekt.-Obm.-Stellv. d. Wr. Wirtschaftskam. Sekt. Hdl. DA.: 1080 Wien, Strozzig. 22. G.: Wien, 10. Juni 1957. V.: Karin, geb. Turek. Ki.: Markus (1982), Daniela (1986). El.: Friedrich u. Renate. S.: VS, Gymn., HAK, BH. K.: 3 J. Taxiunternehmer, Partner Sport-Souvenirs Firma , seit 1991 Der Fan Shop, s. Juli 1994 Sport-Präsente Strobl & Bauer GmbH, nebenbei am Wr. Christkindlmarkt als Gastronom, Blumenhdl. u. Hld. m. Geschenksartikel im transportablen Verkaufsstand in U-Bahnstationen. M.: Freier Wirtschaftsverb., Sekt.-Obm. d. Hdls. f. Wien, BK. H.: Fußball, Tennis, Windsurfen, Reisen. (J.M.)

Strobl Georg

B.: Musikinstrumentenhändler. FN.: Musikhaus Strobl. DA.: 3100 St. Pölten, Bahnhofpl. 7, 3500 Krems, Südtiroler Pl. 4. PA.: 3100 St. Pölten, Bahnhofpl. 7. G.: St. Pölten, 9. Febr. 1932. Ki.: Jutta. K.: 1946 Fleischerlehre, 1949 Einstieg in d. elterl. Betrieb eines Viehhdls. in St. Pölten, 1962 Übernahme d. Viehhdls.Untern., 1972 Umsatteln auf Musikinstrumentehdl., Einstieg u. Übernahme d. Fa. Leopold Strobl, die 1918 gegründet wurde, 1976 Eröff. einer Fil. in Krems, Vollsortiment an Musikinstrumenten in St. Pölten u. Krems. M.: Präs. v. St. Pöltner Trabrennver. H.: Geschäft, Pferde. (Kern)

Strobl Gernot Dipl.-Ing.

B.: Vorst.Vors. FN.: Neusiedler AG. DA.: 3363 Ulmerfeld. G.: Graz, 28. Mai 1939. S.: TU Graz. K.: Fa. Waagner & Biro Graz, Fa. Brown Boveri Schweiz, 1974 Zellstoff Papier Frantschacher, Mtgl. d. Vorst., dann Alleinvorst. H.: Segelfliegen, Bergsteigen.

Strobl Günter Ing.

B.: Gschf. FN.: Habasit GmbH. DA.: 1234 Wien, Hetmanekg. 13. G.: Wien, 29. Okt. 1939. V.: Birgit, geb. Gams. El.: Fedinand u. Irene. S.: 1958 Matura. K.: 3 J. in d. Entwikklungsabt. d. Steyr Daimler Puch AG, 1961 Seitz Anlagenbau Wien, Abt.Ltr., seit 1980 Managing Dir. d. Habasit GmbH. P.: Beiträge in Fachmagazinen. H.: Gartenarb., Tandem f. 6 Personen. (C.K.)

Strobl Hans

B.: Firmeninh. FN.: Hans Strobl Automobile. DA. u. PA.: 8093 Bierbaum 97. G.: St. Stefan, 13. Nov. 1949. V.: Josefa, geb. Konrad. Ki.: Peter (1978), Gerald (1982). El.: Johann u. Maria. S.: Pflichtschule, Lehre als Schmied, Landmaschinenmechaniker u. Kfz-Mechaniker, 1972 Abschluß, 1975 Mstr.-Prüf. K.: 1968 Einstieg in elterl. Betrieb Schmiede u. Landmaschinenerzeugung, Schlosserei, 1971 Erweiterung auf Kfz-Hdl. u. Werkstätte, seit 1973 Gebietsvertretung f. Nissan. M.: Bez.-Vertrauensmann d. HK f. d. Kfz-Hdl. H.: Radfahren, Skifahren, Wandern, Tennis. (F.K.)

Strobl Heinz

B.: Gschf. FN.: Haselauer GmbH. DA.: 4020 Linz, Pummerstr. 13. PA.: 4020 Linz, Alte Linzer Str. 5. G.: Linz, 22. Juli 1948. Ki.: Claudia (1971). El.: Leopold u. Maria. S.: VS, HS, 1968 HAK-Matura, 1968 BH. K.: 1969-89 Betriebsltr. Plasser Aggregatbau, 1989-92 Gen.-Dir. Economos AG, als Vorst.-Vors. 1991 Börseneinführung, 1989 Übernahme d. Firma Haselauer. M.: Tennisver, Motoryachtclub Lignano. H.: Tennis, Skifahren, Wassersport. (Ni.A.)

Strobl Heinz Dr. techn. Dipl.-Ing.

B.: Scientific Application Coord, Bauing. A.: 1210 Wien, Pufferg. 1/13/4/10. G.: Wien, 28. Febr. 1929. V.: Hanna, geb. Budil. El.: Ing. Rudolf u. Maria. S.: Matura, Stud. an d. TU Wien, Fak. f. Bauing.Wesen (Dipl.-Ing. u. Dr. techn.). K.: 1955-63 Ass. am Inst. f. Stahlbau d. TU Wien, 1963-88 IBM-Österr. (ab 1989 Pension), techn.-wiss. Anwendungen, 1969-80 Univ.-Lektor an d. TU Wien. P.: Elektronisches Rechnen im Straßenbau u.a. E.: DPSC Professional Excellence Award. M.: Intern. Ver. f. Brückenbau u. Hochbau, Österr. Ing. u. Arch.Ver. u.v.a

Strobl Helmut

B.: Inh. FN.: Helmut Strobl Inkasso. DA./PA.: 5400 Hallein, Vierthalerstr. 9. G.: Hallein, 11. Nov. 1934. V.: Ingeborg, geb. Müllhalm. Ki.: Gunter, Judith, Markus. El.: Hedwig. S.: VS, HS, kfm Lehre. K.: 8 J. als Verkäufer in e. Lebensmittelbranche, danach 2 J. i. Großhandel b. Bäckereinkauf gearbeitet, anschl. eine theolog. Ausb. gemacht, daneben als Religionslehrer in einer Berufsschule tätig, danach 2d J. bei e. Versicherung gearbeitet, anschl. nach Deutschl. i. e. Inkassob. gearbeitet, 1990 selbst., nebenberufl. viel i. d. Kirche tätig. M.: Diözesanvorst. KAP 20 J., Pfarrgemeideratobmann Neualm 2 Perioden, im Bundesvorst. s. 20 J. BL.: treibende Kraft: am Aufbau d. Pfarre in Neualm tätig gewesen. H.: Briefmarken sammeln, Schwimmen, Wandern, Langlaufen, Reisen. (D.E.)

Strobl Johann
B.: Bürgermeister, Regierungsrat. FN.: Stadtgemeinde Mannersdorf am Leithagebirge.GT.: Mtgl. d. AufsR. d. EVN, Obmann d. Abwasserverb. d. Großraumes Bruck/Leitha, Obmann d. Leitha-Wasserverb. Gartendorf-Seibersdorf II, Stllv. Bezirks-Parteiobmann d. sozialdemokratischen Partei Bruck/-Leitha. DA.: 2452 Mannersdorf am Leithagebirge, Hauptstr. 48. G.: Siegleß, 30. Okt. 1936. V.: Auguste, geb. Arthaber. Ki.: Roland (1958), Sabine (1962), Norman (1967), Volker (1971). El.: Johann u. Josefine. S.: externisten Matura. K.: s. 1969 GemR., s. 1974 Bürgermeister. M.: Obmann d. Naturparkvereines "Mannersdorf-Wüste", Mtgl. zahlr. örtl. Vereine. H.: Fischen. (F.S.)

Strobl Johann
B.: Gschf. FN.: Ferrostahl Handelsagentur u. VertriebsgG mbH. DA.: 1070 Wien, Schottenfeldg. 20/5a. PA.: 1010 Wien, Dorotheerg. 24. G.: Hettenshausen, 4. Juli 1927. El.: Anton u. Anna. S.: Finanzschule, Verw.- u. Wirtschaftsak. in d. BRD. K.: 1953-72 in München Finanzbeamter, Finanzdion., 1972 Eintritt in d. Fa. Stahl Metall, 1973 Gschf. d. Fa. Walzwk. GmbH, 1977 Prok. u. Grdg. d. Fa. Baustahl. H.: Theater, Musik, Reisen, Sport. (Fels.)

Strobl Johann
B.: Kfm., Gschf. FN.: Strobl GmbH. DA.: 2020 Hollabrunn, Suttenbrunn 4. PA.: 2020 Hollabrunn, Aignerg. 2B. G.: Wien, 21. Sept. 1935. V.: Maria, geb. Brandner. Ki.: Christian, Astrid, Alexander. El.: Johann u. Antonia. S.: HASCH. K.: Beginn im elterl. Betrieb, 1/2 J. im Verkauf d. Fa. Fruchtunion Wien, anschl. selbst. m. einem Feinkostgeschäft, 1966-71 Betriebsltr. b. Verb. ländl. Gen. in Hollabrunn, 1971 Wiedereintritt in elterl. Betrieb, anschl. Grdg. einer Ndlg. in Wien am Großmarkt Inzersdorf, seit 1976 Ges. d. E. & H. Strobl GmbH.

Strobl Johann
B.: Gschf. FN.: Eduard u. Johann Strobl GmbH. DA.: 2020 Hollabrunn, Suttenbrunn 4. PA.: 2020 Hollabrunn, Aignerg. 2B. G.: Wien, 21. Sep. 1935. V.: Maria, gb. Brandner. Ki.: Christian, Astrid, Alexander. El.: Johann u. Antonia. S.: HASCH. K.: Beginn im elterl. Betrieb, 1/2 J. im Verkauf d. Firma Fruchtunion Wien, anschl. selbst. m. einem Feinkostgeschäft, 1966-71 Betriebsltr. b. Verb. ländl. Gen. in Hollabrunn, 1971 Wiedereintritt in elterl. Betrieb, anschl. Grdg. einer Ndlg. in Wien am Großmarkt Inzersdorf, seit 1976 Ges. d. E. & H. Strobl GmbH, 1992 Übernahme d. Verpackungsbetriebes ehem. Krasser Wr. Neudorf. (T.T.)

Strobl Karin
B.: Gschf. Ges. FN.: Pobeheim Großhdls. GmbH. DA.: 9500 Villach, Purtscher Str. 16. PA.: 9500 Villach, Piccostr. 24. G.: Villach, 10. Mai 1960. V.: Mag. Walter Strobl. Ki.: Patricia, Verena. El.: Pobeheim Alfred u. Dielinde. S.: Pflichtschule, Realgymn., HAK Villach, 1979 Matura. K.: 1979-81 Kaffeehdls.Ges. KG, b. 1984 Mitarb. im elterl. Betrieb, ab 1984 gschf. Ges. d. Fa. Pobeheim GmbH. BL.: seit 1950 Lebensmittelzusteller f. d. Gastronomie, eigene Kaffeerösterei, seit 6 J. Rohkaffeebelieferung, Belieferung v. Kaffeeröstereien, fallweiser Transithdl. v. Kaffee. H.: Fernreisen, Fotografieren, Lesen. (D.M.)

Strobl Karl
B.: Ltr. Rechenzentrum, Kfm. Ang. FN.: EVN Energie Versorgung NÖ AG. DA.: 2344 Ma. Enzersdorf, Johann Steinböck-Str. 1. PA.: 2500 Baden b. Wien, Mautner Markhofstr. 24/4. G.: Baden b. Wien, 13. Nov. 1940. V.: Roswitha. Ki.: Regina (1965), Monika (1968). El.: Karl u. Margarete. S.: 1959 Mat., 5 Sem. Stud. techn. Physik. K.: 1959 ÖBH, währd. d. Stud. Ausbild. Offsetdruck u. Lithopausentechn., 1963 Eintr. Siemens Haiske AG, Rechenzentr. Progr.-Arb., Aufbau d. Pers.-Verr., 1970 Eintr. EVN (ehemals NEWAG), Rechenzentr., Gruppen-Ltr., 1986 stellv. Abt.-Ltr., ab 1991 Ltr. RZ. M.: ÖAAB. H.: Bergwandern Theater, Musik, Konzerte., (W.M.)

Strobl Manfred
B.: Gschf. Ges. FN.: Haselauer Röhren- u. Sanitärgroßhdls. GmbH. DA.: 4020 Linz, Pummerstr. 13. PA.: 4040 Linz, Am Anger 7a. G.: Linz, 30. Dez. 1954. Ki.: Sascha (1980). El.: Leopold u. Maria. S.: VS, HS, 1973 kfm. Geselle. K.: 1988 Großhdls.-Kfm., Büroltr., Gebietsvertreter OÖ Firma Rosenbauer, 1989 Grdg. d. Firma Haselauer, gewerberechtl. Ges. u. Gschf., 2. Bild.-Weg, versch. WIFI-Kurse. M.: Tennisver. H.: Tennis, Surfen. (Ni.A.)

Strobl Martin Dipl.-Ing.
B.: selbst. Arch., staatl. befugter u. beeid. Ziviltechniker. DA.: 8010 Graz, Schillerstr. 47/II. PA.: 8042 Hart-Graz, Pachernweg 41. G.: Zams/Landeck, 3. März 1945. V.: Mag. Elisabeth, geb. Weissenbacher. Ki.: Susanne (1977), Martin (1979), Michaela (1980). El.: Martin u. Rosa. BV.: Christian Strobl Dekan v. Bez. Landeck. S.: RG Landeck, 1965 Matura, Arch.-Stud. TU Graz, 1973 Dipl. K.: Mitarb. in Arch.-Büros in Düsseldorf, Innsbruck u. Graz, seit Mai 1981 freier Arch. in Graz, Ausstellungsbeteiligungen: "Wohnbau in Österreich" Wanderausstellung 1986, "Wohnbau in d. Steiermark 1980-86" Graz 1986, "Europalia" Brüssel 1987, "Wohnbau in d. Steiermark 1980-88" Berlin, Stuttgart, Hamburg 1988/89, "Architektur aus Graz" Wr. Planungswerkstatt Wien 1990, "Stadt im Fluß - Die Teile u. d. Ganze" Graz 1990, "Architektur - Tage in Piran" Piran 1991. E.: u.a. 1. Preis Rotkreuzzentrum Deutschlandsberg 1982, 1. Preis VS u. Gem.-Amt Strallegg 1985, 1. Preis Revitalisierung Kielhauser Graz 1986, 1. Preis Wohnanlage Ägydigasse Graz 1988, 1. Preis Neubau Rüsthaus Friedberg 1989, 1. Preis Neubau Gymnastiksaal f. d. Schloßparkschule Pöllau 1989, Geramb-Med. f. Gutes Bauen 1989, 1. Preis Badeanst. "Stainzer Johannesquelle" Sauerbrunn 1990. M.: Zentralver. d. Arch. Österr. H.: Radmarathon, Skifahren, Fußball. (P.M.)

Strobl Matthäus
B.: Inh. FN.: Elektro Strobl. DA.: 6364 Brixen III/67; Teilinh. Elektro-Team GmbH. Jochberg. PA.: 6364 Brixen III/67. G.: Brixen, 11. Okt. 1954. El.: Matthias Schermer u. Maria Schiessel. S.: VS, HS, Elektrolehre, BH. K.: Elektriker Firma Pfurtscheller Kitzbühel, 1978-80 Mstr.-Prüf., 1980 Grdg. Elektro Strobl, 1992 Einstieg Firma Eletroteam GmbH. M.: Golfclub Schwarzsee Kitzbühel. H.: Natur, gut Essen, Radfahren, Skifahren, Schwimmen, Golf. (M.H.)

Strobl Peter
B.: Fotograf, Inh. FN.: Fotostudio Peter Strobl. DA. u. PA.: 1020 Wien, Praterstr. 33. G.: Schärding/Inn, 16. Aug. 1947. V.: Eva, geb. Kormout. Ki.: Robert (1977), Tim (1980), Lilian (1991). El.: Theodor Siegl u. Maria Mackinger. S.: VS, HS, Zahntechnikerlehre m. Gesellenprüf. K.: 2 J. Zahntechniker, 3 J. Modellbau, 1971 freier Fotograf, 1987 Mstr.-Prüf., 1976 eigenes Fotostudio, künstler. u. Landschaftsfotografie, Ausstellungen. E.: 1. Preis f. bestes Plakat Europas Campari Plakat. M.: Creativ Club Austria. H.: Fotografie, Computer, Radfahren, Surfen, Skifahren. (F.S.)

Strobl Paul Werner

B.: Geschäftsführender Gesellschafter. FN.: Westro Sped. GmbH. DA.: 1020 Wien, Taborstr. 46A. PA.: 3003 Gablitz, Mitterauen 36. G.: Eisenstadt, 15. Sept. 1941.V.: Dorothea geb. Dubravce. El.: Franz u. Katarina. K.: 1966 Mineralölbranche, 1983 Spedition Zöching/Prokurist, 1991 Gründ. u. GF Westro Sped., 1993 Gründ. Fil. Graz. H.: Familie, Sport. (T.T.)

Strobl Rainer Dr. Prim. Ass. Univ.-Prof.

B.: Ärztl. Ltr. u. Dir. d. Reha-Zentrum d. Caritas d. Erzdiözese Wien, FA f. Psychiatrie u. Neurologie, Psychotherapeut. GT.: Ass.-Prof. d. Univ. Klinikf. Psychiatrie Wien, Lehraufträge an d. Musikhochschule (Musiktherapie) u. Psychiatr. Klinik (Psychotherapie f. Psychosen). DA.: 1170 Wien, Braung. 41. PA.: 1140 Wien, Penzinger Str. 66. G.: Bregenz, 25. Febr. 1947 V.: Dr. Gabriele, geb. Kriechbaum. Ki.: Janina (1978), Thomas (1980). El.: Günther u. Jane. S.: VS, hum. Gymn., Med.-Stud., 1973 Prom. K.: 1973-78 FA-Ausbild., 1978 FA f. Psychiatrie u. Neurologie, 1978 OA d. Reha-Zentrums Lanzendorf, seit 1981 Prim. BL.: 1980-81 Grdg. Reha-Zentrum "Braungasse". P.: Studien über d. psychiatr. Versorgung in Österr., Computertomographie, Forsch.-Arb. über Schizophrenie, Psychopathologie ("Das schizophrene Weltbild"). M.: Präs. d. Österr. Schizophrenie-Ges., VPräs. d. Ev. Waisenver. H.: Musik, Sport. (S.H.)

Strobl Reinhard

B.: Gschf. FN.: Pilz. DA.: 1030 Wien, Modecenterstr. 14. G.: Hainburg/Donau, 2. Sep. 1945. V.: Hanna. Ki.: Wolfgang (1972). El.: Adolf u. Anna. S.: VS, HS, Lehre Fernmeldetechniker Firma Siemens, Abendschule Elektronik/Elektrotechnik. K.: 6 J. Elektroniker in Hainburg, Eintritt Firma Pilz als techn. Sachbearb., nach 1 1/2 J. Gschf. P.: Veröff. über industrielle Steuerungs- u. Automatisierungsprozesse in firmeneig. u. Fachzeitschriften. M.: Lions-Club. H.: Skifahren, Familie. (J.M.)

Strobl Robert

B.: Mtgl. d. NatR. seit 1986, Fachbmtr., Dion.Sekr. d. Gewerkschaft d. Eisenbahner f. Dion.Bereich Innsbruck. DA.: 1017 Wien, Dr.-Karl-Renner-Ring 3, 6020 Innsbruck, Südtiroler Pl. 14-16. PA.: 6300 Wörgl, Nestroystr. 10. G.: Kirchbichl, 1. Febr. 1933. V.: Hermine, geb. Huemer. Ki.: Dr. Herbert, Helmut. El.: Robert u. Maria. S.: 1957-58 Sozialak. Hinterbrühl, 1954-60 Ablegung d. Eisenbahnfachprüf. K.: Streckenltg. Wörgl u. BB-Dion., 14 J. Gewerkschaftsobm., 1958-74 Ortsgruppe Wörgl, 1963-73 Personalvertretung f. d. Bahndienst-Dir. Innsbruck, 1974 Dion.Sekr., 1974-86 KamR. u. VPräs., 1974-83 GemR. d. Stadt Wörgl, seit 1986 Abg. z. NatR. f. d. Bez. Kufstein, 1981-86 Vors.Stellv. d. Überwachungsaussch. d. Vers.Anst. d. Österr. Eisenbahner, seit 1980 Mtgl. d. SPÖ-LParteivorst. Tir. u. seit 1985 Vors. d. SPÖ-Bez.Organ. Kufstein. E.: Verd.Med. f. Arbeitnehmerschutz d. ÖBB, Verd.Kreuz d. Landes Tir. M.: SPÖ Bez.Obm. d. Bez. Kufstein, Mtgl. d. LParteivorst., Obm. d. Ver. Volkshaus Wörgl. H.: Schwimmen, Skifahren, Bergwandern. (D.S.)

Strobl Rudolf Prof.

B.: Schauspieler am Volkstheater. GT.: Präs. d. Österr. Bühnengewerkschaft. DA.: 1070 Wien, Neustiftg. 1. PA.: 1180 Wien, Karl-Weis-G. 41/4. G.: Innsbruck, 9. März 1927. V.: Irma, geb. Scheucher. Ki.: Ingrid. El.: Rudolf u. Anna. S.: LBA Innsbruck, 1943-44 Schauspielschule Hannover, 1946 Schauspieldiplomprüf., Projekt Ausbild. f. Schauspiellehrer m. Ziel eines Berufsausbildungsgesetzes f. d. Bühnenberuf. K.: Theater Wilhelmshafen, Staatstheater Ollenburg, Innsbruck, Exelbühne, Komödie Basel, ab 1956 Engagement Volkstheater, gleichzeitig Fernsehen - Pioniertätigkeit "Familie Leitner", "Der alte Richter", "Seniorenclub", Fernsehspiele, Kinofilme "Krach im Hinterhaus", "Die guten Geschäfte", Abstecher in d. Operette n. Theater Ischl, Raimundtheater, Mörbisch. E.: 1978 Prof. Titel, 1983 Gr. EZ d. Rep. Österr., Träger d. Sonnenthal-Ringes, Karl Skraup-Preisträger. H.: Lesen, Malsen, Schnitzen, Wandern. (C.K.)

Strobl Stanislawa Dr. med.

B.: Zahnärztin. A.: 1100 Wien, Angelig. 34/I-7. G.: Krakau, 24. Febr. 1927. V.: Mag. iur. Karl Strobl. El.: Stefan u. Stefania Miszczyszyn. S.: 1951 Dipl. als Mag. Ing. Ldw., 1963 Dipl. als Zahnarzt, 1969 Dipl. als Arzt, 1974 Dipl. über Fachausbild. in d. Kinderheilkunde, 1977 Dipl. Dr. med. univ. in Wien (Nostrifikation). K.: In Krakau u. Tarnow in Polen jahrelang tätig als Arzt u. Zahnarzt, ab 1974 ärztl. Tätigkeit in Zwettl u. Wien, ab 1978 eigene zahnärztl. Ordination in Wien.

Strobl Wolfgang

B.: Werbekfm. FN.: "M & D" Markting Werbegrafik. DA.: 8010 Graz, Lange G. 31/3/11. PA.: 8130 Frohnleiten, Hauptplatz 36. G.: Graz, 7. Febr. 1956. V.: Sonja, geb. Puschl-Schliefnig. Ki.: Christopher (1982), Matthias (1988). El.: Josef u. Anna. S.: VS, Gymn., 1974 Matura, Stud. BWL u. Jura Univ. Graz. K.: 1979 Marketing u. Werbung in versch. Agenturen, seit 1982 selbst. "M & D" Marketing u. Design, Bootshändler Motorboote u. Yachten. E.: Gold. Promer. H.: Speet-Boat-Fahren, Tennis, Squash. (C.R.)

Ströck Johann

B.: Gschf. Ges. FN.: Johann Ströck GmbH. DA.: 1210 Wien, Floridusg. 56. G.: Kittsee, 19. Juli 1936. Ki.: Christian, Marion. El.: Simon u. Anna. S.: Kfz-Lehre. K.: 1959 Eröff. d. Kfz-Werkstatt, Hdl. m. Ersatzteilen, seit 1961 Citroen Vertretung. BL.: b. 35 J. Fußball aktiv, m. 44 J. Tennismstr., 1991 1. Pl. Tennis Doppel, 2. Pl. Tennis Einzel, 2. Pl. Tennis Allg. E.: 1989 Ausz. f. 15-jähriges Jubiläum. H.: Fußball, Tennis. (J.E.)

Ströer Alfred

B.: Pensionist. PA.: 2380 Perchtoldsdorf, Ottog. 7. G.: Wien, 3. Dez. 1920. S.: VS, HS, Werkzeugmacher. K.: 1947 Eintritt in d. Dienst d. ÖGB als Gruppenltr. in ÖGB Jugenderholungsheimen, 1948-52 Jugendsekr. d. Landesexekutive NÖ d. ÖGB, 1953-59 Jugendsekr. d. ÖGB, seit 1959 ltd. Sekr. d. ÖGB u. Mtgl. d. ÖGB-Präsidiums, 1966-72 Nö Abg. z. NatR.

P.: "Solidarität Intern.", Der ÖGB u. d. intern. Gewerkschaftsbewegung, zahlr. Art. in d. Zeitschrift "Arbeit u. Wirtschaft" u. Gewerkschaftsblättern. E.: 1977 EZ f. Verd. um d. Befreiung Österr., 1980 Verleihung d. "Johann-Böhm-Plakette" d. ÖGB, 1980 Gr. Silb. EZ f. Verd. um d. Rep. Österr., 1980 Gr. Silb. EZ f. Verd. um d. Land Wien. M.: Präs. d. Österr. Liga f. Menschenrechte, Präs. d. Kuratoriums f. Flüchtlingshilfe. H.: klass. Musik, Wandern, Gartenarb., Literatur.

Stroh Ulrich Dipl.-Ing.

B.: Gschf. Ges. FN.: Avenarius Chem. Fbk. GmbH. GT.: Gschf. Ges. d. Fa. AGRO Chem. Fbk. GmbH. DA.: 1010 Wien, Burgring 1, 4600 Wels, Industriestr. 51. PA.: 1180 Wien, Gersthoferstr. 150. G.: Wien, 10. Mai 1927. V.: Dorothea, geb. Schubert. S.: VS, hum. Gymn., TU Wien, Ges. b. AGRO seit 1948. K.: Österr. Verbundges., seit 1960 b. Avenarius, Ges. seit 1967, ab 1978 Gschf., seit 1992 in Pension. (R.A.)

Strohal Theodor Dr.

B.: RA. DA.: 1010 Wien, Wiesingerstr. 6. PA.: 1120 Wien, Rotenmühlg. 28. G.: Wien, 23. Dez. 1949. Ki.: Theodor (1978), Matthias (1980), Anjarika (1983). El.: Ing. Theodor u. Regina. BV.: Urgroßonkel Univ.-Prof. Dr. Emil Strohal Zivilrechtler, maßgebl. beteiligt an d. Kodifizierung d. Österr. Grundbuchrechtes. S.: Theresian. Ak. Wien, 1968 Matura, Jusstud. Univ. Wien, 1974 Doktorat, 1971 u. 1973 post graduate Ausbild. Summer-School-Univ. of UCSF USA. K.: seit 1979 selbst. RA, seit 1987 in Kzl.-Gemeinschaft m. Dr. W.G. Kretschmer, spezialisiert auf intern. Vertrags- u. Steuerrecht, Ges.-Recht, Insolvenz- u. Immobilienrecht, Seminartätigkeit, 1986 Übernahme d. väterl. Hausverw.-Kzl. M.: VPräs. d. Österr.-Buddhist. Religionsges. H.: Golf, Reiten, Ethnologie. (J.S.)

Strohhammer Andreas Mag.

B.: Restaurator Stadtmuseum Nordico. DA.: 4020 Linz, Bethlehemstr. 7. PA.: 4201 Eidenberg, Edt 58. G.: Traunstein, 2. April 1965. V.: Tanja Tissot. El.: Siegfried u. Notburga, geb. Bachmaier. S.: VS, Chiemgau-Gymn. Traunstein, 1984 Matura, 1984-85 Stud. Kunstgeschichte u. Ägyptologie Univ. München, 1985-88 Ausbild. zum Kirchenmaler Altötting, 1989-95 Stud. Kunstgeschichte, Christl. Archäologie, Buch- u. Bibliothekskunde Univ. Erlangen. K.: 1988-93 Inst. f. Kunsttechnik u. Konservierung GNM Nürnberg, Spez. zum Gemälde- u. Skulpturenrestaurator, freisch. Restaurator in BRD, s. 1994 Stadtmuseum Nordico. BL.: Teiln. an archäol. Grabungen Italien, Einsatzmöglichk. d. Lasertechnologie i. Restaurierung. M.: Freundeskreis f. Fußballgeschichte "Schwarze Hosen - Weiße Stutzen". H.: Radfahren. (G.E.)

Strohl Edwin Ing.

B.: Bmstr., Statiker. A.: 9500 Villach, Zehenthofstr. 41/6/41. G.: Spittal, 3. Okt. 1948. V.: Friederike, geb. Zemroßer. El.: Dr. Edwin u. Hermelinde. S.: VS, Gymn., 5 Kl. HTL, Bmstr.Kurs. K.: 1970-80 in Ziviling.Büros, selbst. ab Juli 1980. F.: Büro f. Bauwesen in Villach - Einzelunternehmen, Büro f. Bauwesen in Klagenfurt "OHG", Baufirma Wurzen in Bleiberg/Ktn. - Gschf. (Prok.) u. stiller Ges., Energiesparkamine GmbH & Co KG Villach. P.: Patentanmeldungen bzw. Energiesparen durch Kamin im März u. Mai 1981. E.: Sportl. Ausz., Der Stadt Villach - Gold. Verd.Abz., Des Landes Kärnten - Silb. Edelweiß. M.: Ver. Österr. Ing., Ruderver. Villach. H.: Math., Tennis, Schwimmen, Lesen, Wandern.

Ströhm Carl Gustaf Dr. phil.

B.: Publizist, Osteuropa-Korrespondent d. Tageszeitung "Die Welt". A.: 1190 Wien, Strehlg. 5. G.: Reval/Estland, 8. März 1930. El.: Dr. Carl Gustaf u. Vera. S.: Abitur 1949, Stud. d. osteurop. Geschichte u. polit. Wiss., Univ. Tübingen, Prom. z. Dr. phil., Univ. Tübingen 1959. Harvard International Seminar 1959 USA. K.: 1951-54 Sekr. d. Dt. Ges. f. Osteuropakunde nach Stud. 1959-65 Red. d. dt. Wochenzeitung "Christ u. Welt", 1966-72 Ltr. d. Südosteuropa-Programme d. dt. Kurzwellensenders "Deutsche Welle", Köln, seit 1972 Osteuropa-Korrespondent d. "Welt". P.: 1964: Zwischen Mao u. Chruschtschow, 1967: Vom Zarenreich zur Sowjetmacht, 1976: Ohne Tito. Kann Jugoslawien leben.

Strohmaier Andreas

B.: Inh., Modefotograf. DA.: 8020 Graz, Kapellenstr. 36b. G.: Gröbming, 16. Aug. 1961. El.: Hans u. Margarete. S.: Mus.-päd. Gymn. Radkersburg, 3 J. Lehre Werbefotografie u. Katalog, Abschl. 1979. K.: b. 1984 Praxis b. Fa. Fotomarko, 1985 Studio f. Modefotografie, Karlsruhe/-Deutschld., 1986 Mstr.-Prüf., 1987 Grdg. Fotostudio. BL.: südafr. Modezeitschr. f. gr. Modeversandhäuser. H.: Beruf, Schifahren, Schwimmen, Billard, Reisen, Mode. (R.S.)

Strohmaier Anton

B.: Kfm. FN.: ASTRO Anton Strohmaier KG. DA.: 2700 Wr. Neustadt, Stadiong. 3, 1030 Wien, Modecenterstraße. PA.: 7202 Sauerbrunn, Siedlung 2. G.: Groß-Rust, 27. März 1914. V.: Helene, geb. Rupp. Ki.: Helmuth, Günther, Hildegard. S.: VS, Bürgerschule, Lehrzeit als Einzelhdls.Kfm. K.: Ang. in d. Lebensmittelbranche, Vertreter in d. Parfümeriebranche, 5 J. Kriegsdienst u. 1 J. Kriegsgefangenschaft, 1946 Beginn d. Großhdls. in Sauerbrunn, 1952 Verlegung d. Untern. nach Wr. Neustadt, 1963 Euroselis gegründet, ab 1970 wird Untern. als OHG geführt u. Helmuth Strohmaier tritt als Ges. ein, 1971 wird d. Neubau Stadtiongasse bezogen, ab 1978 Modecenterstraße in Wien, 1986 Neubau u. Eröff. d. MOMO (Modetextilmarkt) in Wr. Neustadt. F.: ASTRO Anton Strohmaier KG, MOMA, SERTEX, Knopfmanufaktur Dkfm. Wenisch Nfg. M.: SERTEX. H.: Gartenarbeit. (Kern)

Strohmaier Claus KommR. Ing.

B.: Inh. d. Fa. Strohmaier Bmstr. u. Zimmermstr., gerichtl. beeid. Sachv. f. Holzbau. DA.: 1220 Wien, Breitenlee Azaleengasse. PA.: 1030 Wien, Klimschg. 25. G.: St. Ulrich, 28. Juli 1943. V.: geb. Steinkellner. Ki.: Ute, Claudia. El.: TechnR. KommR. Alois u. Herta. S.: RG, HTL. K.: 1963-64 Praxis b. Fa. Rella, 1964 b. Fertigteilfa. in Regensburg BRD, 1965 Eintritt in d. elterl. Betrieb, 1971 selbst. M.: Obm. d. Fachver. d. Bau- u. Zimmermstr. d. freien Wirtschaftsverb., BInnung, Wr. Innung, Aussch. d. Bauarbeiter d. Urlaubskasse, Obm. d. Klubs d. Zimmermeister-Jugend. H.: Tennis, Familie. (Fels.)

Strohmaier Kurt

B.: Gen.-Dir.-Stellv. FN.: Stmk. Bank u. Sparkassen AG. DA.: 8010 Graz, Sparkassenpl. 4. PA.: 8010 Graz, Obere Teichstr. 91. G.: Wies, 12. Jan. 1936. V.: Irene, geb. Schneider. Ki.: Gert (1960). El.: Franz u. Erna. S.: VS, Mittelschule,

HAK, 1953 Matura. K.: 1953 Eintritt Stmk. Sparkasse, 1963 Ltr.-Prüf., 1972 Ltr. d. Geschäftsstelle Graz Am Eisernen Tor, 1973 Dion. Privatkundengeschäfte, seit 1979 stellv. Sparkassenltr. H.: Golf, Bergwandern, klass. Musik, Lesen. (I.G.)

Strohmayer Johannes Dr. Mag.

B.: Wirtschaftstreuhänder, Steuerberater. FN.: Strohmayer Wirtschaftstreuhänder GmbH. GT.: AufsR. in d. Creditanst., Lehrbeauftragter an d. WU, Stellv. Vors. d. Steuerreform im BMF. DA. u. PA.: 1010 Wien, Rabensteig 1. G.: St. Pölten, 17. Sept. 1950. El.: Johann u. Anna. S.: VS, RG, Stud. d. Vw., Politologie u. Publizistik, 1975 Mag., 1976 Dr., 1975-76 Business Admin. Standfort Univ., 1976-77 Univ. Sorbonne. K.: 1978-79 in d. steuerpolit. Abt. BKam. d. gewerbl. Wirtschaft, 1979-82 Berufsanw., seit 1982 selbst. Wirtschaftstreuhänder, 1983-86 Mtgl. d. Wirtschaftspolit. Aussch. d. Hdls.Min., 1983-86 Wirtschaftspolit. Berater v. Steger, 1983-86 LLtg.Mtgl. FPÖ. P.: Publ. im Kurier (1982-84) u. Profil, sowie Mitarb. an d. Buch "Wirtschaftstreuhänder Jahrbuch". M.: Liberaler Club, Inst. f. Liberalismus, Ver. Österr. Steuerzahler, Round Table, Österr. Amerikan. HK, Austria Hongkong Society Atterseekreis, Liberale Intern., Österr. Arab. Ges., kulturelle Ver. H.: Skifahren, Squash, Motorradfahren, Fliegen, Reisen. (M.Br.)

Strohmayer Karl

B.: Gesch. Ges., Tischler-Mst. FN.: Karl Strohmayer GmbH & Co KG. DA/PA.: 7123 Mönchhof, Neustiftg. 17. G.: Mönchhof, 26. Apr. 1957. V.: Ingrid. El.: Karl u. Maria-Anna. S.: Tischlerlehre, Mstr.-Prüf., 1982 selbst. in Mönchhof, Möbel, Fenster, Innenausbau, Planung u. Einrichtung, Stiegenbau. H.: Planung, Tischlerei. (R.T.)

Strohmayer Siegfried

B.: Inh. FN.: Ing. Strohmayer-NEWTECH. GT.: Sicherheitstechniker f. Krankenhäuser; Handelskammer-Bezirksvertreter f. Planungsbüros f. d. Raum Bruck/Leitha u. Gänserndorf. DA.: Bruck/Leitha, Carl Klosegasse 42. G.: Hainburg/Donau, 30. Juni 1957. V.: Christa, geb. Mündler. Ki.: Renate Jennifer (1978), Katharina Lucia (1983). El.: Karl u. Rosina. BV.: Ururgroßvater Leonhard Strohmayer war bek. Kunsttischler. S.: Realgymnasium, HTL Wien. K.: 1977-83 Elin Wien selbständige Projektierung u. Inbetriebn. v. Racine Hydropowe Station; 1983-93 Allg. öffentl. Krankenhaus Hainburg als Techn. Leiter; 1988 Gründung der Fa. Ing. Strohmayer-NEWTECH; seit 1994 alleinige Führung d. Untern. P.: 1984 Studie: Energie f. Krankenhäuser; Seminare f. Krankenhaustechniker. E.: Innovations-Urkunde d. NÖ Landesregierung f. Labor-Softwareentwicklung (1991). H.: Reisen (haupts. arabischer Raum). (F.S.)

Strohmayer Wolfgang Ing.

B.: Volkskulturbetreuer d. NÖ Dorferneuerung. DA./PA.: 3300 Amstetten, Wagmeisterstr. 25. G. Waidhofen/-Ybbs, 13. Sep. 1951. V.: Margarete geb. Leitner. Ki.: Isabella (1974), Michaela (1979), Wolfgang (1981), Christine (1985). El.: Anton u. Maria. S.: VS, HS, HTL Maschinenbau, 1972 Mat. K.: i. versch. Berufen i. Bau- u. kältetechn. Ber., Fa. Uhl Baubereich, als Planer u. Baultr., 1983-86 Fa. Umdasch, Ladenbau u. Gesch.-Einricht., a. Kältetechn. u. Service, Einsatzltr. Libyen, s. 1986 i. Österr. m. bodenbeständiger Kultur, Dorferneu., gesellsch., geistige, kult. Wiederbeleb. d. Dörfer, Dienstgeb. NÖ Dorferneuerungs-Landesverband. P.: Schriftltr. u. Gesamtproj.-Ltr. "Mostviertler Hausbuch", Prod. u. Hrsg. "Mostviertler Musikanten-Stammtisch", versch. Publ. ü. Volkslieder- u. Tanz, Mundartvortr., lfd. Artikelserien ü. Volkslieder i. Lokalblättern, Instrum.-Börse, TV-Reise v. Interw. i. Bgld. heute, Österr.-Bild, Hörfunksend. M.: Inst. f. Wirtschaftsinformatik Hochschule St. Gallen, div. Musikver., ARGE Singen u. Musiz., NÖ Bild.-u. Heimatwerk, NÖ Textwerkst. H.: Musik aller Art, Literatur, Wandern, Familie, Politik.(U.A.)

Strohmeier Franz

B.: Gschf. Ges. FN.: Franz Strohmeier Bmstr.-Arb. GmbH. DA. u. PA.: 6858 Schwarzach, Helbernstr. 9. G.: Groß St. Florian, 23. Apr. 1942. V.: Christine, geb. Thaler. Ki.: Martina, Christiane, Birgit. El.: Franz u. Franziska. S.: Lehre z. Maurer. K.: Tätigkeit als Maurerpolier b. Valentin Palusetti, 1983 Übernahme d. Firma v. Herrn Palusetti u. Ges.-Grdg. (A.K.)

Strohmeier Fred

B.: Chefred. d. "Neues Land". PA.: 8093 St. Peter/O., Khünegg 43. G.: Khünegg, 13. Juni 1941. V.: Hermine, geb. Grossmann. Ki.: Ingrid, Robert, Barbara, Bernadette. El.: Alois u. Theresia. S.: VS, ldw. Berufsausbild. K.: seit 1962 Red. b. "Neues Land", ab 1980 Chefred. P.: Mehrere Romane, darunter: "Flucht ins Gestern", "Distelblüten", "Das Friedensnest". 6 Theaterstücke, darunter: "Ein fremder Tag", "Am Anfang ist d. Weg am längsten", "Weil i ang'fress'n bin", 3 Fernsehspiele, wie "Auf d. Strecke". E.: Staatspreis f. journal. Leistungen im Interesse d. Jugend, Förderungspreis d. Landes Stmk. f. Jungendspielautoren, 1980 Fernsehspielpreis, 1985 Pöttinger-Preis, 1991 Hans-Kudlich-Preis, 1994 Hans-Kudlich-Anerkennungspreis. M.: Mtgl. d. Interessengemeinschaft österr. Autoren, Verb. d. Agrarjournalisten Österr. H.: Bildhauerei, Malen. (R.A.)

Strohmer Franz

B.: Gastwirt, Hotelier Hotel "Thaya" Cafe-Restaurant Bar u. Gastgarten. DA. u. PA.: 3820 Raabs/Thaya, Hauptstr. 14-16. G.: Großau, 21. Juni 1958. V.: Maria, geb. Riemer. Ki.: Franz (1981). El.: Josef u. Rosa. S.: VS, HS, Hotelfachschule. K.: 1975-80 Hotelpraxis in div. Hotels u. Restaurants in Österr., 1980 Übernahme u. Renovierung d. Hotel- u. Gastwirtschaftsbetriebes in Raabs/Thaya Hotel "Thaya". M.: ÖHV, Vorst.-Mtgl. TC Tennisklub Raabs/Thaya, Vorst.-Mtgl. Jazz Klub Raabs/Thaya. H.: Kanufahren, Tennis, Motorradfahren, Jazz. (M.M.)

Strohmer Franz

B.: Gen.-Sekr., Reg., Kulturmanager. DA.: 1150 Wien, Vogelweidpl. 9. PA.: 1030 Wien, Barichg. 14/6. G.: Wien, 15. Jan. 1941. V.: Martina, geb. Böchheimer. El.: Franz u. Frieda. S.: Hum. Gymn., 1959 Matura, Konservatorium f. Musik u. Darstell. Kunst Wien, 1966 künsl. Reifprüf. K.: Schauspieler, Rundfunksprecher, Filmproduktionsltr., 1969-72 Ass. v. Prof. Kutschera Theater an d. Wien, 1970-72 Prod.-Ltr. sämtl. Festwochenprod. b. Prof. Baumgartner, Reg. in Berlin, Amsterdam, Ind.-Festspiele Wetzlar, Basel, St. Pölten, Baden, 1972 Grazer Oper, 1972-74 Volkstheater, Wr. Festwochen, Kammeroper, Landestheater Innsbruck, Gründer d. Original Wr. Straßentheaters u. d. Jugendtheater NÖ, d. Theaterrings u. 1977 d. "Zentrum 22" in Wien-.Donaustadt, Autor (Lyrik, dramat. Bearbeitungen, Kinderstücke), seit 1978 Lehrbeauftragter f. Schauspiel, Regie, Theatergeschichte u. Theaterrecht, Gesamtltr. d. Wr. Bez.-Festwochen, gschf. Gen.-Sekr. d. Wr. Volksbildungswerkes: Wr. Landesverb. f. Freizeit u. Kultur: Ringgalerie, Kulturwanderwege, Bez.-Festwochen, Blas- u. Volksmusikverb., Volkstanzverb., Populärwiss. Ver., Theatergruppen, Erwachsenenbild., seit 1989 Gschf. Dir. d. "Original Wr. Stegreifbühne" vorm. Tschauner Betriebs GmbH 1160 Wien, Maroltingerg. 43. H.: Med., Geschichte d. Med., Psych. (N.A.

Strohmer Franz Dr. techn. Dipl.-Ing.

B.: Dir., Prok. FN.: VOEST-Alpin MCE. DA.: 4031 Linz, Lunzer Str. 78. PA.: 4040 Linz, Keplerstr. 19. G.: Groß-Sieghарts, 23. Juni 1945. V.: Ing. Sieglinde. Ki.: Andrea, Michael. S.: BRG, 1964-70 TU Maschinenbau Wien, 1975 Prom. K.: Eintritt VOEST-Alpine Abt. Versuch, Forsch. u. Entwicklung, ab 1977 Ltr. d. techn. Büros f. Wasserkraftmaschinen, ab 1987 Ltr. d. Geschäftsfeldes Hydraul. Maschinen u. Anlagen, seit 1984 Abt.-Dir., seit 1988 Prok., seit 1990 Dir., seit 1991 zusätzl. Sprecher d. Geschäftsführung Hydro Vevy AG Schweiz. P.: zahlr. Vorträge im In- u. Ausland, ca. 60 Veröff. in in- u. ausländ. Fachzeitschriften. M.: Österr. Ing. u. Arch.-Ver., BeiR.-Mtgl. div. VOEST-Tochterges. H.: Skifahren, Tanzen, Radfahren, Theater. (P.H.)

Strohmer Helmut

B.: Techn. Gschf. FN.: Repro Media Druck GmbH. DA.: 1238 Wien, Willerg. 24. PA.: 1232 Wien, Kolpingstr. 1-7/A17. G.: Wien, 13. Aug. 1953. V.: Priska, geb. Beck. Ki.: Sabine (1982), Sandra (1993). El.: Viktor u. Barbara. S.: 1968-85 Lehre als Lithograph Fa. Goldmann Tulln. K.: Tätigk. b. z. Ltr. Druckvorstufen Fa. Goldmann, 1986-89 Produktionsltr. Compress Verlag, s. 1988 Gschf. u. techn. Ltr. Fa, Repro Media Druck GmbH BL.: i.d. 70er J. i. Nationalteam d. Hallenhandball u. i.d. Staatsliga. P.: Grafische Gestaltung u. Fotos f. d. Buch "Die vielen Väter Österreichs" (Dok. d. Urgeschichte). H.: Familie, Modellbau: Hubschrauber u. Autos. (I.K.)

Strohmer Werner

B.: Red., Printmanager. FN.: DDSG Donaureisen GmbH. DA.: 1024 Wien, Handelskai 265. PA.: 2500 Baden, Kraftg. 13. G.: Hollabrunn, 10. Sept. 1943. V.: Friederike, geb. Schwehla. Ki.: Katja (1967), Sonja (1969). El.: Kurt u. Margarete, geb. Weber. S.: Journalist. Lehre. K.: 1963-72 verantwortl. Red. b. einer Bez.-Wochenzeitung, 1973-87 Chefreiseltr. f. Rhodos, Agenturbetreuer, Printproduktionen b. Touropa Austria, 1978 Eintritt in d. DDSG Donaureisen. P.: Prospekte v. Touropa Austria u. DDSG-Donaureisen. H.: Gärtnerei. (N.A.)

Strolz Hubert

B.: Bankang., Ski alpin Rennläufer. FN.: Raiffeisen Lech-Warth. PA.: 6767 Warth 19. G.: Zams, 26. Juni 1962. El.: Ewald u. Maria. S.: VS, Ski-HS Schruns, Ski-HASCH Stams. K.: 3 J. Gendarmerie, Bankkfm., ab d. 10. Lebensj. Rennen (Schüler, Jugend). P.: Sportart. alle 14 Tage in d. Krone. E.: 1988 Olympiade Calgary: Goldmed. in d. Kombination, Silbermed. Riesenslalom, 1988 3. Platz im Gesamtweltcup, 1987 4. Platz im Riesenslalom u. 5. Platz im Super Ski Grans Montana, 1982 Gesamt-Europacupsieger, 1984 6. Platz Riesentorlauf Sarajevo, 1988 4. Platz Super Ski Vail. M.: ÖSV. H.: Bienenzüchter, Jagd, Handwerken.

Stromberger Christian

B.: Präs. d. Österr. Ak. Gästedienst. GT.: Gschf. d. Werbeagentur Ludwig Streitriedel. DA.: 1040 Wien, Mühlg. 20. PA.: 1120 Wien, Schalerg. 34/26. G.: Wien, 23. Okt. 1957. V.: Ingrid, geb. Hoffmann. Ki.: Robert (1979). El.: Ludwig u. Mathilde Streitriedel, geb. Stromberger. BV.: Großvater Dipl.-Ing. Dr. Streitriedel Stadtbmstr. in Wien, Beteiligung Anfang d. 20. Jhdt. an d. Planung d. Reichsbrücke. S.: 1975 kfm. Schule Wien. K.: ab 1975 Juniorchef u. seit 1986 Präs. d. Österr. Ak. Gästedienstes (Künstleragentur, Personalleasing, Fremdenführer, Promotion). BL.: Veranstaltungsservice: d. ersten Ritterfest in Österr. (Schloß Ottenstein), Römerfeste, Countryfeste m. intern. Beteiligung. M.: Funktionär d. Wirtschaftskam. H.: Skifahren, Schwimmen, Reisen. (N.A.)

Strommer Alfred Dr.

B.: RA. GT.: Gschf. d. Plaza Hotel am Schottenring Holding GmbH. DA.: 1010 Wien, Ebendorfer Str. 3. G.: Horn, 20. Juni 1936. V.: Ruth, geb. Libowitzky, 3 Kinder. El.: Josef u. Maria. BV.: Vater Präs. d. Ldw. Kam. Österr. S.: VS, hum. Gymn., Univ. Wien, 2 Sem. Fak. Paris, 1961 Prom. K.: Konzipient u. Gerichtsjahr b. 1970, seit 1970 selbst. E.: "Brillant Star" v. Taiwan. M.: Österr. Akademikerbund, Management Club, Österr. Ges. f. Baurecht. H.: Tennis, Skifahren, Theater, Architektur. (R.A.)

Strommer Herbert

B.: Zahntechnikermstr., Prothetiker. DA.: Tiroler Zahnprothesen u. Reparaturstudio. DA.: 6020 Innsbruck, Amraser Str. 36. PA.: 6060 Hall, Bei der Säule 10. G.: Voitsberg, 20. Feb. 1957. V.: Gertrud, geb. Kraner. Ki.: Michael, Alexandra. El.: Franz u. Friederike. S.: VS, HS, Polytechn. Lehrgang, 1972-76 Lehre Zahntechniker u. Zahntechn. Laborant, 1979 Zahntechnikerprüf. K.: 1977-79 Laborltr. in Wien, 1979-85 Ltr. Labor Brisser Innsbruck, seit 1986 selbst., 1991 Mstr.-Prüf. H.: Musik, Kunst, Malen. (A.W.)

Strommer Heribert

B.: Ldw., Bgm. v. Rosenburg u. Mold. DA.: 3578 Rosenburg 18. PA.: 3580 Mold 4. G.: Horn, 19. Juni 1936. V.: Gertraud, geb. Brandstetter. Ki.: Josef (1964), Brigitte (1966), Johannes (1969), Bettina (1970). El.: Josef u. Maria, geb. Heinrichs. S.: VS, Gymn., HTL Maschinenbau Mödling, Höhere Ldw. Mittelschule Francisco-Josephinum Wieselburg, Auslandspraxis in Schweden, Schweiz, England u. USA. K.: 1956 Eintritt in d. elterl. Ldw.-Betrieb, 1964 Übernahme d. Betriebes, 1965 GemR. Mold, 1967 Bgm. Mold, danach Bgm. Rosenburg u. Mold. E.: Gold. VZ d. Landes NÖ, Silb. VZ d. Bundes, Florianiplakette d. Landes u. d. Bundes. M.: Bez.-BauernR.-Obm.-Stellv., Obm. d. Bez.-Bauernkam., Vorst. d. Raiffeisen-Lagerhaus Horn, Vorst. d. Brennerei Breiteneich, AufsR. d. Raiffeisenkasse Horn, Obm. d. Abfallwirtschaftsverb., MKV Bergland-Wieselburg, Lions-Club Horn, Bauernmarkt Mold. H.: Lesen, Jagd, Schwimmen, Skifahren. (M.M.)

Strommer Josef Mag. HofR.

B.: Jurist, Vorst. d. Finanzamtes f. Gebühren u. Verkehrssteuern f. Wien, NÖ u. Bgld. DA.: 1030 Wien, Vordere Zollamtsstr. 5. PA.: 1220 Wien, Bellegardeg. 1/17. G.: Wr. Neustadt, 13. Nov. 1936. V.: Inge, geb. Leiner. Ki.: Inge u. Andrea. El.: Margarethe u. Josef. S.: RG, 1958 Beamtenaufstiegsprüf., 1966 Externistenmatura, 1966-70 Jus-Stud. an d. Univ. Wien, 1970 Mag. iur. K.: 1956-71 Polizist in versch. Wr. Bez., 1971-75 Kmsr. f. d. Abt. Strafs. b. Zollamt Wien, s. 1976 FA f. Geb. u. Verkehrsst., b. 1981 Ltr. d. Strafs.-Stelle, 1982 88 Vorst.-Stv., s. 1989 Vorst. M.: Finanzakademiker. H.: Tennis, Arbeit. (M.B.)

Strommer Rudolf Ing.

B.: Bez. Gschf. FN.: ÖVP. DA.: 7100 Neusiedl/See, Hauptpl. 36. PA.: 7142 Illmith, Obere Hauptstr. 21. G.: Wallern/Bgld., 10. Juni 1958. V.: Erna, geb. Muth. Ki.: Andreas (1991), Viktoria (1992). El.: Johann u. Maria. S.: HTL-Abt. Maschinenbau, 1977 Matura, 4 Sem. Stud. d. Betriebs- u. Wirt.-Informatik a. d. TU Wien. K.: a. 1977 b. BH m. Ausb. z. Berufsoff., dzt. Dienstgrad Hauptmann, s. 1984 Bez.-Gschf. d. ÖVP/-Neusiedl, Obm. d. ÖVP Illmitz, s. 1992 Gem.-Vorst. M.: Vorst.-Mtgl. d. Wasserleitungsverb. N-Bgld., Landes-Obm.-Stv. d. DSG Bgld., Vorst.-Funktion d. Sozialen Station Seewinkel, Beirat d. Illmitzer Naturweingärten. H.: Kartenspielen, Radfahren, Schifahren. (I.J.)

Stropek Eleonore

B.: Buchhändlerin u. Inh. FN.: Buchhdlg. Dr. Karl Stropek. DA.: 1180 Wien, Währinger Str. 122. G.: Motten/BRD, 16. Apr. 1922. V.: Dr. Karl Stropek (gest. 1969). Ki.: Cornelia (1954). El.: Florian u. Maria Graßl. S.: Gymn. Bad Reichenhall, 1938 Abitur. K.: zunächst Gem.-Vertragsbedienstete Bad Reichenhall, ehrenamtl. Mitarb. b. Dt. Roten Kreuz, 1947 nach Wien u. seitdem in d. Buchhdlg. Dr. Karl Stropek. (J.S.)

Stross Erwin KommR. KamR.

B.: LObm. d. FWV Stmk., selbst. Büromaschinenhändler u. -mechaniker, VPräs. d. LHypothekenbank Stmk. DA.: 8020 Graz, Hans-Resel-G. 27. PA.: 8053 Graz, Pfitznerg. 6. G.: Graz, 6. März 1928. V.: Karoline, geb. Konrad. Ki.: Erwin. El.: Georg u. Katharina. S.: VS, HS, Lehre Büromaschinenmechaniker, Mstr.Prüf. K.: seit 1955 selbst. Mechaniker- u. Hdls.Betrieb, 1956-70 LLtg.Mtgl. d. FWV, seit 1970 LObm. d. FWV, seit 1975 Obm.Stellv. d. Sozialvers.Anst. d. gewerbl. Wirtschaft f. Stmk., seit 1965 KamR. d. HK Stmk. u. Sekt.Ltg.Mtgl. d. Sekt. Gewerbe, seit 1987 VPräs. d. LHypothekenbank Stmk., AufsR. d. Stmk. Sparkasse, Vors. d. steir. Versorgungsheimes "Haus der Barmherzigkeit", AufsR. d. Grazer Stadtwerke AG. BL.: bes. Einsatz f. d. Selbst., Engagement f. sozial Bedürftige, Alterspflege. E.: 1974 KommR. H.: Wandern, Segelfliegen. (C.H.S.)

Stross Horst Dr. iur.

B.: Gschf. Ges. d. Payer Elektroprodukte GmbH u. d. KINEO GmbH, Inh. d. Fa. Stross, chem. Reinigung. DA.: 8010 Graz, Garteng. 19. PA.: 8043 Graz, Am Pfanger Berg 190. G.: Pettau, 16. März 1942. V.: Ruth, geb. Payer. Ki.: Ferdinand, Leopold, Stefanie, Jasmine. El.: Walpurga u. ÄFranz. S.: AHS, Jus-Stud. Univ. Graz, Prom. 1965. K.: 1965 Eintritt in d. väterl. Betrieb, s. 1977 gschf. Ges. d. Payer GmbH, s. 1985 gschf. Ges. d. KINEO GmbH. E.: Staatspreis f. Design (Rasierapparat im Museum f. Modern Art). H.: Laufen. (C.H.S.)

Strouhal Hans RgR.

B.: Bez.-Schulinsp., Bundesobm., StadtschulR. f. Wien. GT.: Bundesobm. d. Kath. Lehrerschaft Österr. DA.: 1110 Wien, Enkpl. 2. PA.: 1140 Wien, Penzingerstr. 29. G.: Wien, 20. Juni 1928. V.: Hannelore, geb. Artner. Ki.: Eva-Maria 81955), Maria-Theresia (1957), Christina-Andrea (1971). El.: Peter u. Mathilde. S.: Berufsausbild. z. Lehrer. K.: VS-Lehrer, HS-Lehrer, ab 1971 HS-Dir. d. HS Wien IV, Schaumburgerg. 7, b. 1975 Doz. am Päd. Inst. d. Stadt Wien f. Heimatkunde, Rundfunkmitarb. im Schulfunk: Gestalter v. Schulfunksendungen, seit 1983 Bez.-Schulinsp. f. Simmering. P.: zahlr. Publ. in Fachzeitschriften im In- u. Ausland z. Thema Pädagogik. E.: Stephanusorden d. Erzdiözese Wien. H.: Musik, Sport, Fischen. (J.S.)

Strouken Karl Otto

B.: Kfm. FN.: TKB GmbH u. Tennisshop Wimbledon. DA.: 9020 Klagenfurt, Villacher Str. 16. PA.: 9020 Klagenfurt, August-Jaksch-Str. 53. G.: Krefeld, 16. Dez. 1964. El.: Hans-Josef u. Bernada. S.: VS, HS, Lehre als Fernsehtechniker, 1 J. div. Fachkurse. K.: Praxis als Fernsehtechniker, ab 1988 selbst., 1990 Trainerprüf. f. Tennis, Hdl. v. Sportart. u. Geräte, Ausbild. Tennistrainer. E.: Gold. Rettungsschwimmer. M.: Tennisclub UNION, Sportver., Amerikan. Bespann-Club. H.: Tennis, Golf. (K.K.)

Strowenz Peter

B.: Vertriebs- u. Einkaufsltr. FN.: Damenoberbekleidungswerk Strowenz GmbH. DA.: 1215 Wien, Autokaderstr. 35. G.: Wien, 10. Nov. 1962. El.: Erik u. Hertha. S.: 1982 HAK-Matura. K.: 1984 Verkaufsltr. Fa. Strowenz, 1991 Gschf.: Kollektionsgestaltung, Kundenbetreuung. H.: Golf, Squash. (R.J.)

Strubreiter Helmut

B.: Gschf. FN.: Michelfeit. DA.: 2700 Wr. Neustadt, Stadionstr. 34. PA.: 1232 Wien, Vösendorferstr. 111. G.: Windpassing, 25. Sep. 1939. G.: Windpassing, 25. Sep. 1939. V.: Helga, geb. Kriz. Ki.: Martin, Michael. El.: Anton u. Maria. S.: Verk.-Lehre b. Fa. Michelfeit, Abschl. m. Gesellenprüf. K.: Verk. d. Textilabt., 1958-59 Bundesheer, 1959-61 Verk. b. Michelfeit, anschl. Filialltr. in Wien, 1962-68 Abt.-Ltr. Michelfeit Favoritenstr. bzw. Laxenburgerstr., 1985 Gschf. d. Filiale Wr. Neudorf, 1985 Gschf. in Wr. Neustadt, 1994 Gschf. d. Filiale Wien Ottakring. H.: Wandern, Skifahren, Radfahren. (I.J.)

Struger Helmut

B.: Büchsenmachermstr. A.: 6020 Innsbruck, Reut-Nikolussi-Str. 14. G.: Innsbruck, 10. Dez. 1932. V.: Cäcilia, geb. Kitzbichler. El.: Adele Struger. S.: Grundschule, Fachschule f.

Handfeuerwaffen in Ferlach, Heeresfachschule f. Techn. K.: Nach Absolvierung d. Fachschule Heeres-Bmtr. m. Dienstgrad Offz.Stellv. u. Bataillonswaffenmstr., Mstr. b. d. Steyr-Daimler-Puch AG in d. Jagdwaffenfertigung d. berühmten alten Mannlicher Schönauer, seit 1963 selbst. Büchsenmachermstr. in Bad Goisern. E.: EZ d. OÖ LSchützenverb. f. bes. Verd. M.: Intern. St. Hubertus - Orden als Venatorius, Schützenmstr. d. OÖ LSchützenverb., Mtgl. d. Schützenges. Grundlsee, Altausee, Bad Goisern - Hallstatt.

Strulovics Lea

B.: Inh. FN.: LS Pelze GmbH. DA.: 1010 Wien, Graben 29/-Trattnerhof 1. PA.: 1020 Wien, Franzensbrückenstr. 6. G.: Paris, 7. Juni 1949. V.: Strulovics Ernst. Ki.: Sylvia, Bernard, Marcus. El.: Michel u. Fanny Wieder. S.: VS, franz. Bacalauréat. K.: 11 J. im Großhdl. (Pelze) b. Schwiegereltern tätig, seit 1980 selbst. H.: Lesen, Musik. (R.A.)

Strunz Elisabeth

B.: Gschf. FN.: VIP News Verlags GmbH. DA.: 1040 Wien, Taubstummeng. 13. PA.: 1170 Wien, Dornbacher Str. 86. G.: Wien, 24. Juli 1960. El.: Prof. DDr. Wolfgang u. Eva. S.: 1978 Matura, Stud. d. Psych. u. Biologie in Wien, nebenbei Tanzlehrerin. K.: freier Journalist f. versch. Verlage, 1985 Österr. Red. d. VISA-Magazins, 1986 Red. v. "Jet doctor", seit 1988 Magazin "Rouge et Noir" f. Casinos Austria, seit 1989 Memphis-Time f. Austria Tabak. H.: Skifahren, Reisen. (P.R.)

Strutz Josef Dr. Mag. Prof.

B.: Prof. f. Deutsch u. Phil. an d. HAK Klagenfurt, Univ.-Lektor, Ltr. d. Robert Musil-Archivs Klagenfurt. DA.: 9020 Klagenfurt, Bahnhofstr. 50. PA.: 9113 Ruden/Ruda, Obermitterdorf/Srednja vas 22. G.: Obermitterdorf, 26. Sept. 1952. Ki.: Thomas, Philip. S.: Gymn. Klagenfurt, 1971 Matura, Stud. Univ. Klagenfurt, 1978 Spons., 1981 Prom. K.: seit 1978 Lehrer an BHS, seit 1981 Lektor an d. Univ. Klagenfurt, seit 1982 Organisator d. Intern. Robert Musil-Sommerseminars, seit 1982 Sekr. d. Robert Musil-Archivs, 1986 Gründer d. Ingeborg Bachmann-Museums Klagenfurt, seit 1987 Ltr. d. Robert Musil-Archivs. P.: Strutz: Politik u. Literatur in Musils "Mann ohne Eigenschaften" (1981), Hrsg. d. Reihe "Musil-Studien", Mitautor d. Buches "Die Kärntner Seele" (1988), Hrsg. d. Gedichte v. Johannes Ciesciutti (1992), Verfasser v. 8 Theaterstücken, v. Erzählungen, Vorträge u. Aufsätze über Musil, Bachmann, Trakl, Altenberg, Thomas Bernhard, Sigmund Freud, Verfasser d. Musil-Bachmann-Museums-Katalogs (1989), Hrsg. d. Zeitschrift Rapial (seit 1991). M.: Sigmund Freud-Ges., Theodor Kramer-Ges., Landestheaterverb. Ktn. H.: Fußball, Theater spielen, Tarok. (S.S.)

Strutz Rudolf J.

B.: Gschf. Inh. FN.: KHK Software GesmbH. PR Inh. Fa. Consulting u. Training. DA.: 8025 Graz, Karlauer Gürtel 1. PA.: 8141 Unterpremstätten, Grazer Ring 16. G.: 22. Feb. 1953. V.: Ursula, geb. Eigler. Ki.: Thomas (1989), Michael (1992). El.: Rudolf u. Gertrud. S.: VS, HS, 1968-71 Lehre Ind.-Kfm. K.: b. 1974 Computer-Operator i. Rechenzentrum Metro, 1974-82 Importltr. b. Mercedes-Benz i. Johannesburg, 1982-83 Selbst. Papierhandel i. Österreich, 1983-88 Verk.-Ltr. i. d. Computerbranche, 1988 Grdg. d. KHK Software m. Partner, 1994 Grdg. d. Fa. PR Consulting u. Training. P.: Handbuch f. Verk.-Ltr. H.: Squash, Tennis. (I.G:)

Strutzenberger Ernst AmtsDir. RegR.

B.: Ref.Ltr. FN.: BM f. Arbeit u. Soziales. DA.: 1020 Wien, Praterstr. 31. PA.:2410 Hainburg, Carnuntumstr. 82. G.: Mödling, 25.Nov. 1940. V.: Brigitta, geb. Saval. KI.: Wolfgang (1962). EL.: Michael u. Josefa, geb. Rehberger.S.: VS, HS, Berufsausb. Metallbau, 1979 Externistenmat u. Staatsrechnungsamt. K.: 1959 Eintritt i. d. Bundesdienst, Polizei, danach beim BM f. Arbeit u. Soziales. H.: Segeln, Radfahren, Wandern. (N.A.)

Strutzenberger Walter

B.: Mtgl. d. Bundesrates seit 1982, Abt.-Insp. d. Kriminaldienstes. DA.: 1010 Wien, Teinfaltstr. 7. PA.: 1238 Wien, Maireckerg. 4. G.: Wien, 8. Juni 1928. V.: Gertrud, geb. Nemetz. Ki.: Sigrid (1950). El.: Josef u. Maria, geb. Stocker. K.: Vorst.-Mtgl. d. Intern. öff. Dienst, Polizeidienst, seit 1952 Kriminaldienst, 1973-77 Mtgl. d. Vorst., seit 1977 Erster Vors.-Stellv. d. Gewerkschaft Öff. Dienst u. Vors. d. Fraktion soz. Gewerkschafter in d. Gewerkschaft Öff. Dienst, seit 1981 Mtgl. d. Bundesvorst. d. Österr. Gewerkschaftsbundes, seit 1977 VPräs. d. Vers.-Anst. öff. Bed., seit 1987 VPräs. d. Bundesrates, Obm. d. BundesR.-Fraktion d. Klubs Soz. Abg. u. BundesR. E.: GM, Wr GVZ, Bgl GVZ, g VM-RK, Gr. Gold. EZ f. Verd. um d. Rep. Österr. m. Stern. (N.A.)

Strutzmann Helmut

B.: Inh. d. Multi Art PR Agentur. DA.: 1010 Wien, Vorlaufstr. 5. G.: Ötting, 9. März 1955. El.: Karl u. Berta. S.: Matura in Lienz, Stud. d. Theaterwiss. in Wien u. Bologna. K.: 5 J. b. ORF: Wiss. u. Kulturred., anschließend Kulturchef in Furche, Theaterkritiker b. Sbg. Nachrichten u. Wr. Zeitung, 1983 Grdg. eigener Fa. P.: Öffentlichkeitsarb. f. Konzerne u. Inst., "Das schwarze Wienerherz", "Die Venus im Pelz", "Café", "Hans Fronius", Lektorat u. Medienarb. f. Edition S. M.: P.E.N.-Club, Vors. d. Kuratoriums d. österr. Ges. z. Förderung d. Öffentlichkeitsarb. H.: Schreiben, Lesen, Sport. (E.L.)

Struwe Waltraud

B.: Geschäftsinh., Gschf. FN.: Südwäsche E. Schuster GmbH. DA.: 5020 Salzburg, Hannakstr. 21. PA.: 5020 Salzburg, Graf-Zeppelin-Pl. 19. G.: Prachatitz, 20. Apr. 1939. Ki.: Kurt, Holger. El.: Franz u. Franziska Wetschera. BV.: Vater Wetschera (Geheimnis v. Mayerling), Mutterseite geb. Thiery, Slesak u. Kafka. S.: 2 J. Hasch, m. 16 J. geheiratet, 2 Kinder, m. 17 J. Vertreterin f. Münchner Fa. i. Außendienst gearb., danach m. Bettwäsche vor 12 J. zur Verk.-Ltr., 1974 i. Österr., a. 1968 Münchner Fa. i. Österr. aufgebaut u. m. Herrn Schuster e. GmbH gegründet, durch Tod hat sie seine Anteile bekommen. H.: Konzerte, Kultur, Fitneß, Gymnastik, Tennis, Radfahren, Bergwandern, Langlauf, Skifahren.

Struzl Michael Dr.

B.: Eigentümer d. Gschf. d. ak. Druck- u. Verlagsges. DA.: 8010 Graz, Neufeldweg 75. PA.: 8010 Graz, Auerspergg. 12. G.: Graz, 18. Sept. 1951. V.: Ursula, geb. Daniel, 2 Kinder. El.: Paul u. Elsa. BV.: Vater war Gründer d. ak. Druck- u. Verlagsanst. u. Träger hoher päpstl. u. staatl. Orden. S.: VS, ak. Gymn. Graz, 1970 Matura, Stud. d. Betriebswirtschaft u.

Jus an d. Univ. Graz u. Sbg., graph. Lehr- u. Versuchsanst. in Wien, Flachdrucker u. Buchbinder, 1980 Prom. K.: f. d. väter. Verlag in Südafrika, England u. Japan tätig, 1973 Übernahme d. väterl. Betriebes (Herstellung v. Faksimile-Ausgaben, wiss. u. musikwiss. Grundlagenwerke, 25 % d. Gesamtweltproduktion). H.: Skifahren, Tennis, Hochseefischen, Golf. (War.)

Strzalkowski Danuta Mag.

Künstlername: Pol-Stralkowski Danuta. B.: Malerin. DA. u. PA.: 3550 Langenlois, Promenadensiedlung 16. G.: Warschau, 15. Jän. 1953. V.: Janusz Pol-Strzalkowski. Ki.: Jakob (1983), Kalina (1988). El.: Jan u. Isabella. S.: VS, Gymn., 1971 Matura, Stud. HS f. Welthdl. Warschau, 1978 Mag., Stud. Kunstak. Warschau. K.: 1981 Wechsel nach Österr., 1986 Österr. Staatsbürgerschaft, 1983 Miteröff. d. Atelier-Galerie Langenlois u. 1989 Art-Galerie Dürnstein, Hauptthemen d. Bilder sind Porträts, Ballett u. Blumen, zahlr. Ausstellungen u.a. 1983 Stift Altenburg, 1986 United Art Gallery Wien, 1986 Galerie Mercedeshof Baden, 1992 Braunau. E.: Orden f. bes. Verd. f. Kultur u. Kunst durch d. Staat Polen. (M.M.)

Strzalkowski Janusz Mag.

Künstlername: Pol-Stralkowski Janusz. B.: ak. Maler. DA. u. PA.: 3550 Langenlois, Promenadensiedlung 16. G.: Warschau, 25. Nov. 1953. V. Danuta, geb. Blaszczyk. Ki.: Jakob (1983), Kalina (1988). El.: Julian u. Leokadia. S.: VS, Gymn., Stud. Ind.-Design u. Malerei Ak. d. Bild. Künste Warschau, 1979 Dipl. K.: 1981 Übersiedlung nach Österr., seit 1983 Mtgl. d. Berufsver. d. bild. Künstler Österr., 1986 Österr. Staatsbürgerschaft, 1983 Eröff. d. Atelier-Galerie Langenlois u. 1989 Art-Galerie Dürnstein, Schwerpunkt: Darstellung v. Menschen, Landschaften u. Musikinterpretationen in d. Techniken Ölbild, Aquarell u. Radierung m. Tendenz z. Synthese u. Abstraktion, nebenbei Aktionskunst, zahlr. Einzelausstellungen u.a. 1980 Galerie-Klub Warschau, 1985 Galerie Violetta Wien, 1986 u. 1991 United Art Gallery Wien, 1986 Galerie Mercedeshof Baden, 1990 Galerie Eichinger München, Gruppenausstellungen u.a. 1981 Nationalgalerie Zacheta Warschau, 1990 Art Intern. Schloßhof. E.: 1991 Orden f. bes. Verd. f. Kultur u. Kunst durch d. Staat Polen. (M.M.)

Strzyzewski Janusz Dr. med.

B.: FA f. Frauenheilk., Geburtshilfe u. Sexuologie. DA.: 6330 Kufstein, Unterer Stadtpl. 3/I. G.: Sierakow, 19. März 1922. Ki.: Piotr (Dipl.-Physiker in Österr.), Malgorzata (Ärztin u. Zahnärztin in Polen). S.: Gymn. Posen, Stud. d. Med. in Posen, Dipl. nostrifiziert an d. Univ. Wien 1977. K.: 1945-51 Inst. f. Anatomie Wroclaw u. Posen, 1952-72 Univ.-Frauenklinik Posen: ltd. OA (einer v. 3 FA f. Sexuologie in Polen), Mtgl. d. amerik. "Soc. for Scientific Study of Sex", 1972-76 Gynäk. in Lybien, ab 1976 i Vorau/Stmk., Frauenkirchen/-Bgld. u. Kufstein. P.: 25 wiss. Publ., Mitverf. v. Handbüchern. E.: Ehrenabz. d. Stadt Posen, Ehrenabz. f. vorbildl. Tätigkeit im Gesundheitswesen, Polen. H.: Touristik, Fotografieren. (W.G.)

Stubenberg Hans Dr.

B.: Mtgl. d. Gschf. FN.: AVL List GmbH. DA.: 8020 Graz, Kleiststr. 48. PA.: 8344 Bad Gleichenberg. G.: Prag, 4. Okt. 1940. V.: Andrea, geb. Sternbach. Ki.: Max (1978), Paul (1990). El.: Ernst u. Anna. S.: VS, Gymn. i. Seckau, 1958 Matura, Stud. Welthandel i. Wien. K.: 1963 Abschluß m. Dipl.-Kfm., 1967 Dr. d. Handelswiss., 1968-73 Ass. d. Gen.-Bevollmächtigten d. Fa. F. Werner Export GmbH. Wiesbaden/BRD, s. 1974 b. Fa. AVL Graz Vertriebsltr., s. 1982 Mtgl. d. Gschf. M.: Präs. d. Golf Club Gleichenberg, stv. Vors. d. Fachverb. d. stmk. Elektro- u. Elektronikind. H.: Golf, Skifahren, Jagd, Musik. (I.G.)

Stubenvoll Erika Prof.

B.: GemR. d. Bez. Floridsdorf, Frauenvors. d. SPÖ Floridsdorf, Vors.-Stellv. d. SPÖ Floridsdorf, Vorst.-Mtgl. d. SPÖ Wien, Vors. d. GemR., Präs. d. VHS Floridsdorf, Vorst. d. Pensionistenheime Wien, Vors. d. GemR. Behindertenkmsn., Sprecherin d. SPÖ f. Behindertenangelegenheiten, 2. Präs. d. Wr. Landtags. DA.: 1150 Wien, Camillo-Sitte-G. 6. PA.: 1210 Wien, Gerlosplatz Haus 1. G.: Großengersdorf, 26. Jan. 1945. V.: Mag. Horst Stubenvoll. Ki.: Renate (1970). El.: Johann u. Margarete Gigler. S.: Mittelschule, Stud. Psych., Dipl. d. Ak. d. Sozialarb., div. Fort- u. Weiterbild.-Kurse u. Seminare. K.: 1974-85 Unterricht an d. Ak. f. Sozialarb. f. Berufstätige, zusätzl. Mitarb. in d. Erwachsenenbild. an d. VHS, 1985 Eintritt in d. Familienmin. als Mitarb. d. Bundesmin. Fröhlich-Sandner, später Wechsel in d. Unterrichtsmin. u. seither dort tätig, Mitarb. an Konzepten im Behindertenbereich, starkes Engagement im soz. Bereich u. im Gesundheitswesen, zahlr. Kmsn. u. caritative Organ. BL.: Initiatorin d. Arge "Frühförd. behinderter Kinder" u. "Bürger in Not", Mitinitiatorin d. Drogen-Einrichtung "Der Ganslwirt" Wien 6, Kanditatin d. NatR.-Liste Floridsdorf f. d. NatR.-Wahlen 1994. P.: lange J. Hrsg. eines Leitfadens f. Pflegeeltern. E.: 1981 Förd.-Preis f. Erwachsenenbild. M.: seit 1983 Aussch. Bild., Jugend u. Soz., 1988-91 Gesundheitsaussch., seit 1991 Kontrollaussch., VPräs. d. Ver. Wr. Sozialdienste, Vorst. d. Ver. Sozial-Global, Vorst.-Mtgl. d. Kuratoriums f. psychosoziale Dienste, Vorst. d. Kuratoriums Wr. Jugendheime, Vors. d. Kuratoriums f. Erziehungshilfe, Vors.-Stellv. d. Arge "1000 Wohnplätze f. Behinderte". H.: Schwimmen, Lesen, Theater, Malen, Reisen. (F.S.)

Stubenvoll Rudolf Ing. RgR.

B.: Amtsdir. i.P. d. BMLF. V.: Elfriede, geb. Seitz. Ki.: Univ.-Ass. DDipl.-Ing. Wolfgang, Klaus-Harald. El.: Rudolf u. Gisela. S.: Mittelschule Ungarn u. Wien, Univ. Wien Staatsrechnungswiss., Abschluß. K.: 1952-58 LLdw.-Kam. NÖ, 1958 BMLF, Prüf.-Abt., Forstsekt. Verw.-Dienst, Wildbach- u. Lawinenverbauung. E.: Gold. VZ d. Rep. Österr. H.: Familie, Foto, Film, Jagd. (J.E.)

Stubhann Manfred

B.: Künstler, Goldschmiedemstr. u. Designer. DA.: 5020 Salzburg, Linzer G. 31. G.: Litzmannstadt/Polen. V.: Gertraud, geb. Zaruba. El.: Josef u. Hilde. S.: VS, HS, Ausbild. als Goldschmied (Abschluß 1961 m. Ausz.), Ak. f. angew. Kunst. K.: 1963-65 als Wandergeselle, seit 1966 selbst. Goldschmiedemstr. H.: Kanu (Wildwasser), Drachenfliegen, Motorcross, Tiefschneefahren, Hobbydichter. (Hat.)

Stübler Johannes

B.: Obm. d. Linzer Astronom. Gemeinschaft "Johannes Kepler" im OÖ Volksbild.-Werk, EDV-Systembetreuer. DA.: 4020 Linz, Sternwarteweg 5. PA.: 4040 Linz-Lichtenberg, Wohnpark 12. G.: Linz, 1. Aug. 1958. V.: Sabine, geb. Stöllberger. Ki.: Johanna (1984), Clemens (1986). El.: Johann u. Elisabeth. S.: b. 1977 AHS Linz. K.: Eintritt Post- u. Telegraphenamt, seit 1979 im Vorst. d. Astronom. Gem., seit 1989 Obm. P.: div. Publ. in Fachzeitschriften, Vorträge im In- u. Ausld., div. Führungen. H.: Astronomie, Computer, Fotografie, Paragleiten. (P.H.)

Stuchetz Werner Ing.
B.: Baumeister, Inh. d. Ing. Werner Stuchetz Bau GmbH & Co KG. DA.: 2500 Baden, Helenenstr. 37. PA.: 2500 Baden, Welzerg. 27. G.: Wien, 16. Apr. 1929. V.: Brigitte, geb. Wenzl. Ki.: Sabine. El.: Johann u. Valerie. S.: Gymn., Bundesgewerbesch. (höh. Abt. f. Tiefbau) Wien. K.: 1950-52 Vermessungstechniker b. Fa. Spiller & Sohn in Wien, 1952-55 Baultr. f. Straßenbau, 1955-62 Baultr. d. Neuen Reformbauges., 1962-66 Ressortltr. f. Tiefbau b. d. Neuen Reformbauges., 1966-71 Ndlg.-Ltr. d. Fa. Strabag Wien, 1971 Grdg. d. eig. Bauuntern., 1972 Grdg. d. Transportbetonwerkes, 1987 Grdg. d. Reparaturwerkes u. 1988 d. Kieswerkes. H.: Schifahren, Tennis, Jagd. (M.B.)

Stuck Rudi (Dornauer Rudolf)
B.: Stukkateurmstr. DA. u. PA.: 6130 Schwaz, Bahnhofstr. 12. G.: Innsbruck, 6. Febr. 1961. El.: Rudolf u. Brigitte Dornauer. S.: Grundschule, 3 J. HTL, Auslandserfahrung in Stukkateurarb., Abschluß d. Lehre m. Ausz., BH, 1984 Mstr.-Prüf. K.: seit 1986 selbst. Stukkateurbetrieb, hauptsächl. Neugestaltung v. Räumen, Selbstentwürfe, viele Stukkateurarb. f. Hotels, Speisesäle, Hallen, röm. Bäder, Decken, Säulen, spezialisiert auf Gewölbearb. H.: Drachenfliegen, Mtgl. im Nationalteam. (M.W.)

Stuckenberger Josef
B.: Chefmaskenbildner d. Burgtheaters. DA.: 1010 Wien, Dr. Karl Luegerring. PA.: 1110 Wien, Neugebäudestr. 18. G.: Wien, 5. Mai 1944. V.: Elfriede, geb. Moravec. Ki.: Reinhardt (1979). El.: Anton u. Stefanie. S.: VS, Schulbrüder, Friseurlehre m. Abschl. K.: 1966 Eintritt Burgtheater a. Maskenbildn.; Mitwirk. b. Sbg. u. Bregenzer Festspielen; Film- u. Fernsehprodukt., s. 1986 Leiter d. Maskenbildnerabt. E.: 1992-Burgtheaterring. H.: Konzertbesuche, Segeln, Bergsteigen, Skifahren, Radfahren. (N.A.)

Stückler Dietmar Dr. iur.
B.: Landesbmtr., Gschf. Bez. Hauptmann. FN.: Bezirkshauptmannschaft Wolfsberg. DA.: 9400 Wolfsberg, Am Weiher 5-6. PA.: 9400 Wolfsberg, Heyrowskystr. 3. G.: Wolfsberg, 23. Apr. 1961. El.: Killian u. Rosa. S.: VS, Stiftsgymn. St. Paul u. BORG Wolfsberg, Matura, BH, 1980-84 Stud. in Graz, Jus Prom., Gerichtsjahr. K.: s 1985 Landesdienst (Gewerberecht), s. 1986 Gewerbereferent a. d. Bez. Hauptmannschaft in Wolfsberg, 1994 Gschf. Bezirkshauptmann. H.: Sport, Jazz u. Moderne Musik. (G.L.)

Studach Hans

B.: selbst. Kfm., Gschf. Ges. FN.: Primaco Hdls. GmbH Wien. DA.: 1232 Wien, Laxenburger Str. 365. PA.: CH-7000 Chur, Gürtelstr. 27. G.: Chur, 29. Dez. 1963. Ki.: Lea Vanessa (1989). El.: Hans u. Julie. S.: 3 J. Kfm. Lehre. K.: Ex- u. Import in einer Fruchtagentur, Offz.-Schule u. 1983 Gschf. in einer Importfirma auf d. Grüngroßmarkt Wien, 1986 Ein- u. Verkauf Firma Buchs Intern. Fruchtagentur, 1988/89 Gschf. eines Importhauses am Wr. Großgrünmarkt, 1989 Grdg. Primaco u. seither Gschf. M.: ASCCC-Chur, Combatschießver. H.: Oldtimer, Musik, Skifahren. (R.T.)

Studener Brigitte
B.: Inh. u. Gschf. FN.: Gilo-Mode. DA.: 4020 Linz, Bismarkstr. 4. G.: Linz, 24. Dez. 1941. Ki.: Viktoria (1984). El.: Rudolf u. Franziska Loher. S.: VS, HS, b. 1959 kfm. Lehre im elterl. Betrieb. K.: b. 1961 Tätigkeit in Konditorei Tautermann, b. 1968 Firma Schachinger, b. 1975 Damenmoden Schwarz, 1975-80 Firma Rodier, 1981 Firmengrdg. u. seither selbst. H.: Handarb., Wandern, klass. b. mod. Musik. (U.A.)

Studeny Christian
B.: Inh. FN.: Christian Studeny GmbH. DA.: 1140 Wien, Hadikg. 138/3. G.: Wien, 10. Okt. 1959. V.: Isabella, geb. Siedl. Ki.: Clemens (1993). El.: Dr. Ernst u. Elisabeth. S.: VS, Gymn., Matura, Stud. Griech., Latein u. Sport Univ. Wien als Werkstudent (Reiseltr., Koch, Kellner). K.: 1985 Unterhaltungsbranche m. Mag. Kapsch, 1986 Stud. WU, 1990 Gschf. Datron Hdls.-Ges., 1990 Grdg. Studeny GmbH, Gastvorträge auf WU. H.: Tanzsport, Fliegen, Tauchen, kulturelle Interessen, Skifahren, Gartenarb., Autofahren. (J.M.)

Studer Jean Pierre Dipl.-Ing.
B.: Gschf. FN.: Group Schneider. DA.: 1230 Wien, Birostr. 11. PA.: 1230 Wien, An der Au 11A/1. G.: Biel/CH, 24. Feb. 1952. V.: Brigitte. Ki.: Marco (1982), Raphael (1984). El.: Roland u. Frieda. S.: Primarschule, Sekundarschule, Berufschule u. Ausbild. Elektromechaniker eidgenössische Fähigkeitsnachweis, Ing. Schule in Solothurn Stud. Elektrotechn., 1977 Abschl. K.: 1977-80 danach Eintritt in Maschinenfabrik ESSA, 1980 Eintritt bei Fa. Schneider Group als Verkaufs Ing., neben d. Arbeit Verkauf u. Marketting Stud. u. 1985 m. d. Titl. eidgenössischer Verkaufsltr. Dipl. abgeschl., 1987 Ltr. Abt. Speicherprogrammierbarer Steuerung u. Leistungselektronik; parallel dazu Ausbild. innerhalb d. Konzerns in Marketing Verkauf, Finanzwesen, 1991 Gschf. f. Telemecanic GmbH in Österr., 1992 verschmelzung d. Merlin Gerlin u. Telemecanique in Österr. zu Schneider GmbH u. zum Gschf. bestellt,Generaldir. u. Landesverantwortl. aller Aktivitäten d. Schneider Group. M.: Stud. Verbindung Trigonia Solothurensis, Französische Handelskammer, Tennisclub Siebenhirten, Schweizerischer Marketttingclub. H.: Familie, Tennis, Radfahren, Schwimmen. (R.T.)

Studirach Ewald Mag. rer. soc. oec.

B.: Gschf. FN.: Reithoffer Warenhdls. GmbH. DA.: 1232 Wien, Perfektastr. 86. PA.: 2345 Brunn/Gebirge, Alexander-Groß-G. 62. G.: Eisenerz, 3. März 1950. V.: Doris, geb. Berg. Ki.: Johannes (1982), Sebastian (1982). El.: Leopold u. Maria. S.: 1968 Matura, 1968-72 Stud. BWL HS f. Welthdl., 1972 Spons. z. Mag., 1973 BH. K.: 1973-83 Ass. d. Verkaufslt. u. Marketingltg. b. I. Österr. Maschinglas Ind. AG Brunn/-Gebirge, 1983-84 Gschf. Halpin GmbH Saudi Arabien, 1984-92 Verkaufsltr. Gebauer & Griller GmbH, seit 1993 Gschf. Reithoffer. H.: Fußballspielen, Reisen, Kochen. (I.K.)

Studnitzka Manfred
B.: Filmproduzent, Grafiker. FN.: Film & Grafik Manfred Studnitzka. DA.: 1130 Wien, Leon-Kellner-Weg 18. PA.: 1100 Wien, Karmarschg. 18a. G.: Wien, 10. Dez. 1959. V.: Sylvia, geb. Reis. Ki.: Rainer (1978), Barbara Stefanie (1981). El.: Franz u. Hermine. S.: Grafik- u. Filmausbild. bereits während d. Präsenzdienst in d. Lichtbildstelle d. Militärs, HTL Hochbau. K.: Mitarb. d. Wien Film, später ORF in

versch. Bereichen, zuletzt 1985 als Red. f. "Inlandsreport", 1985 Grdg. Film & Grafik Manfred Studnitzka: Unternehmens-, Umwelt-, Fernsehspielfilme, bekannte Filme u.a.: "Wo wir stehen", "Saubere Luft, saubere Erde, sauberes Wasser". H.: Lesen, Schwimmen, Familie, Film. (R.J.)

Studt Hans Joachim Dr. rer. nat.

B.: Vorst.Mtgl. d. Chemiefaser Lenzing AG - zuständig f. Produktion u. Forsch. A.: 4810 Gmunden, Schiffnerstr. 30. G.: Hamburg, 9. März 1921. V.: Hildegard Alexandra Mercedes, geb. Brückmann. S.: Naturwiss. Gymn. m. Matura, Stud. d. Chemie u. Physik an d. Univ. Göttingen, Prom. als Physikochemiker an d. Univ. Hamburg, 1944/45 Dipl. K.: 1950 Eintritt in d. Vereinigten Glanzstoff Fabriken AG Werk Kassel - Viskosefaserherstellung, Versuchsabt., Forschung Viskose, ab 1953 Synthesefaserfabik Oberbruch, 1956 Produktionsltr., ab 1960 b. American Enka, Asheville/N C - Chemiefaserproduktion, AKU/Holland, 1961 Prokura Glanzstoff, 1964 Dir. Glanzstoff - Ltr. d. Anwendungstechn. Inst. v. Glanzstoff, ab 1969 Produktionsdir. Europa techn. Garne, ab 1970 Vorst.Dir. Konrad Hornschuch AG, ab 1972 Vorst. f. Produktion/Forschung Chemiefaser Lenzing AG. P.: Zahlr. Veröff. auf d. Gebiet d. Chemiefasern. E.: Kriegsausz. M.: AufsR. d. Chemiefaserspinnerei Denkendorf, Chemiefaserinst. Österr., Ges. Dt. Chemiker, Ges. Österr. Chemiker u.v.a. H.: Tennis, Wandern, Langskilaufen.

Stuffer Irene Mag.

B.: selbst. Steuerberaterin. DA.: 6020 Innsbruck, Speckbacherstr. 23. G.: Saalfelden, 18. März 1950. Ki.: Sandra. S.: 1969 Externistenmatura, HAK, SBG. K.: Praktikantin, seit 1982 selbst. Steuerberaterin. (Schm.)

Stuffer Karl Theodor

A.: 6020 Innsbruck. PA.: 6020 Innsbruck, Liebeneggstr. 16. G.: 1. März 1920. V.: Irmgard, geb. Salvenmoser, 3 Kinder. S.: VS, HS, Fachausbild. z. Journalisten. K.: 1947-85 Presseref. d. Tir. HK. P.: zahlr. Fachart. als Korrespondent d. Österr. Wirtschaftsverlages, sowie d. Südtir. Wirtschaftszeitung. E.: Verd.Med. d. Landes Tir. H.: Lesen, Musik. (Schm.)

Stüger Alexander Mag.

B.: Marketingmanager. FN.: Apple Computer GmbH. DA.: 1030 Wien, Ungarg. 59. PA.: 1130 Wien, Anton-Langer-G. 44. G.: Bad Aussee, 15. Nov. 1956. V.: Almut, geb. Pischinger. El.: Harald u. Margarete, geb. Dschulnigg. S.: Gymn. Sbg., 1975 Matura, Stud. BWL an d. Univ. Innsbruck, Wien u. Graz b. 1982, innerbetriebl. Seminare. K.: in d. steir. Brauind. tätig, Reininghaus, Puntigamer, Gösser, erfolgreiche große Werbekampagne, Marketingltr., Aufbau d. Abt., 1989 Marketingmanager b. Johnson & Johnson Sbg., seit 1990 Marketingmanager Apple Computer. E.: div. Preise u. Ausz. H.: Sport, Surfen, Tennis, Laufen, Reise, klass. Musik. (M.G.)

Stuhlbacher Erwin Ing.

B.: Gschf. FN.: CGR Cie Generale de Radologie GmbH. GT.: Gschf. d. General Electric GmbH Med. Systeme. DA.: 1140 Wien, Lützowg. 12-14. PA.: 1030 Wien, Hegerg. 7/2/7. G.: Graz, 29. Apr. 1950. V.: Monika, geb. Schönauer. Ki.: Ulrike, Katharina. El.: Erwin u. Erika. S.: HTL Graz, 1970 Matura. K.: 1970-74 NCR Mannheim, 1974-75 Militärdienst Österr., 1975-78 Fa. EMI Frankfurt, Aufbau d. Serviceabt., 1978 nach Graz, 1980 Übernahme d. Fa. EMI, seit 1987 Gschf. d. Generale Electric GmbH, seit 1988 Gschf. d. CGR. H.: Wandern, Lesen.

Stuhlpfarrer Karl Dr. phil. Univ.-Doz.

B.: Ass.-Prof. am Inst. f. Zeitgeschichte d. Univ. Wien. DA.: 1090 Wien, Rotenhausg. 6. PA.: 1020 Wien, Heinestr. 27. G.: Wien, 23. Sep. 1941. Ki.: Lukas (1969). El.: Leodegar u. Anna. S.: 1959 Matura, 1960-67 Stud. Univ. Wien, 1967 Prom. K.: 1969 Vertragsbediensteter u. ab 1970 Univ.-Ass. am Inst. f. Zeitgeschichte, ab 1983 Univ.-Doz., seit 1988 Ass.-Prof. am Inst., 1992-93 Gastprof. Ljubljana u. Triest. P.: ca. 100 Publ. m. Schwerpunkt "Österr. u. Ital. Zeitgeschichte", Autor v. "Die Operationszonen Alpenvorland u. Adriat. Küstenland 1943-45" (1969), "Österr. u. seine Slowenen" (1977), "Aktive Neutralität Österr. Außenpolitik nach 1945" (1978), "Umsiedlung Südtirol 1939-40" (1985). M.: Vorst. Österr. Ges. f. Zeitgeschichte, Österr. Dokumentationsarchiv d. Österr. Widerstandes, Österr. Studienzentrum f. Frieden u. Konfliktlösung in Stadt-Schleinig, Instituto regionale Triest. (S.H.)

Stuis Johann

B.: Gschf. FN.: Rohr u. Fitting Hdls. GmbH. DA.: 5301 Eugendorf, Gewerbestr. 14. PA.: 5023 Salzburg, Mairwiesweg 19a. G.: Hemau/BRD, 1. Apr. 1959. V.: Lilica, geb. Sokac. El.: Franz u. Maria. S.: Mittlere Reife BRD, kfm. Lehre Großhdl. K.: seit 1983 selbst. H.: Sport, Musik. (M.C.)

Stumm Gerhard Dr.

B.: Psychotherapeut, Klin. Psych. DA.: 1170 Wien, Kalvarienbergg. 24. G.: Wien, 6. Aug. 1950. V.: Hannelore. Ki.: Rosa (1986), Max (1989). S.: Univ. Wien, Psychotherapeut. Ausbild., Personenzentrierte Psychotherapie. K.: mehrmonatige Aufenthalte in Paris, USA, Kanada, Stud. d. Psych. u. Erziehungswiss. Univ. Wien, regelmäßige Mitarb. an wiss. Projekten, psychotherapeut. Ausbild. b. d. "Arge. Personenzentrierte Psychotherapie u. Gesprächsführung (APG)", seit 1984 eigene Praxis. P.: Psychotherapie in Österr., eine empirische Analyse d. Anwendung v. Psychotherapie (1988), Psychotherapie: Schulen u. Methoden, eine Orientierungshilfe f. Theorie u. Praxis (1991), 2. erweiterte u. überarbeitete Auflage (1994), Psychotherapie, Beratung, Supervision: Ausbild.-Möglichkeiten in Österr. (in Vorbereitung), Handbuch f. Psychotherapie u. psychosoz. Einrichtungen (in Vorbereitung). M.: Österr. Bundesverband f. Psychotherapie (ÖBVP), Arge. Personenzentrierte Psychotherapie u. Gesprächsführung. H.: Musik, Reisen, Fußball. (W.M.)

Stummer Alfons

B.: freischaff. Filmreg. DA.: 1020 Wien, Komödieng. 3/3/24. G.: Wien, 6. Jän. 1924. V.: Gerda. Ki.: Axel, Bernadette, Oliver. El.: Alfons u. Margarete. S.: 1942 Matura, b. 1945 Militär, 6 Sem. Med., 2 Sem. Psych. K.: Journalist, Volonteur, b. 1951 1. u. 2. Regieass., Grdg. d. Rondo Film GmbH, Filme: Förster v. Silberwald, Ind. u. Dokumentarfilme, 1956 Verkauf d. Rondo, danach freischaff. Reg., z.B. "Wo d. alten Wälder rauschen", 1968 Abt. f. Film u. Fernsehen HS f. Musik u. darstell. Kunst, seit 1990 selbst. als Drehbuchautor u. Reg., 1992 Filmdrehbuch "Venus v. Willendorf", seit 1971 a.o.HS-Prof., seit 1982 o.HS-Prof. E.: Österr. Filmpreis f. Leuchtfeuer Europa. H.: Fotografieren, Musik, Phil. (J.E.)

Stummer Arno

B.: selbst. Werbegrafiker. DA. u. PA.: 4400 Steyr, Färberg. 10. G.: Steyr, 12. Dez. 1953. V.: Charlotte, geb. Kammermayr. El.: Karl u. Anna-Maria. S.: VS, HS, b. 1972 Metallfacharbeiterlehre in Hackwerken, b. 1973 Geselle. K.: 1973 Grafiker b. Werbemittel Heinz Dallinger, b. 1981 Weiterbild. im WIFI, 1977-78 Grafiker in Offsetdruckerei, 1978-79 in Siebdruckerei, ab 1981 selbst., 1985-88 Grafiker b. Firma Burgholzer. H.: Tennis, Skifahren, Basketball, Wandern, Malen, Fotografieren. (U.A.)

Stummer Barbara

B.: Dir. VS Nonntal. DA.: 5020 Salzburg, Nonntaler Hauptstr. 3. PA.: 5020 Salzburg, Petersbrunnstr. 7. G.: Freistadt, 12. Juni 1942. V.: Manfred Stummer. Ki.: Hartmut (1963), Wolfgang (1966). El.: Franz u. Barbara Hoffelner. S.: VS, HS, 5 J.

LBA Sbg., 1958-59 Highschool Akron Ohio, 1962 Matura. K.: 1962-67 Lehrstelle in Lamprechtshausen, 1967-73 Unterricht Morzg u. Herrnau, ab 1973 VS Nonntal, seit 1981 Übernahme d. Ltg., 1982 Dir. P.: Musikbuch m. interkulturellem Inhalt. E.: Dank- u. Anerkennungsschreiben v. Landes- u. Bez.-SchulR., Belobigung d. Schulchores unter d. persönl. Ltg. M.: Tanz´l u. Stub´n Musik Himmelreich. H.: Musizieren, Skifahren, Wandern. (J.F.)

Stummer Helmut Mag. rer. soc. oec. KommR.

B.: Gschf. Ges. FN.: Franz Stummer Gesellschaft m.b.H. & Co. KG. DA.: 4010 Linz, Altstadt 26a. G.: Linz, 17. Dez. 1942. V.: Reinelde, geb. Leissing. Ki.: Christina, Claudia. El.: Franz u. Maria. S.: höhere Abt. d. BLVA f. Textilind. Wien, 1962 Matura, 1966-80 Stud. an d. Univ. Linz BWL, 1970 Spon. K.: 1962 Eintritt in d. elterl. Betrieb, 1974 nach Tod d. Vaters Übernahme d. Fa E.: 1986 KommR. M.: Vorst. d. Fachgruppe Textilind. in OÖ, Lions Club Linz-Mitte, Round Table 41. H.: Segeln, Computer. (A.W.)

Stummer Herbert Dr. iur. Dr. phil. Mag. OberR.

B.: Ltr. d. Abt. I/2 Allg. Präsidialangelegenheiten im BMI. DA.: 1014 Wien, Herreng. 7. PA.: 1100 Wien, Karl-Diener-G. 14. G.: Wien, 11. Sept. 1949. V.: Eveline, geb. Feuchtinger. Ki.: Florian (1979), Julia (1982). El.: Otto u. Hertha, geb. Kritzner. S.: 1967 Matura, 1968-73 Stud. Rechtswiss. Univ. Wien m. Prom. z. Dr. iur., 1973-80 Stud. Politikwiss. u. Soz. Univ. Wien m. Prom. z. Dr. phil. K.: 1974 Eintritt in d. BMI, seit 1988 Abt.-Ltr. M.: Österr. Grenzkmsn. H.: Sport, Literatur. (N.A.)

Stummer Rupert Ing.

B.: Bmstr., Zimmermstr., Innenarch. A.: 4020 Linz, Scharitzerstr. 11. G.: Traunkirchen, 22. März 1939. V.: Hildegard, geb. Wilding. El.: Alois u. Aloisia. S.: VS, HS, HTL, Kurse f. Konzessionsprüf., Fortbildungskurse. K.: 10 J. Tätigkeit b. Arch. Prof. Dipl.-Ing. W. Schwanzar Linz/Donau, seit 1971 selbst. Planungsbüro in Linz. H.: Reisen, Ernste Musik, Kunstgeschichte, Geschichte Österr.

Stummvoll Günter Dr. Dkfm.

B.: Mtgl. d. NatR., Gen.-Sekr. d. Bundeskammer d. gewerbl. Wirtschaft. PA.: 1238 Wien, Heineg. 3. G.: Wien, 3. März 1943. V.: Renate, geb. Pacisla. Ki.: Susanne, Katharina. El.: Johann u. Paula. S.: Stud. HS f. Welthdl., 1965 Dipl., 1967 Prom. K.: ab 1966 tätig in d. Ver. Österr. Industrieller, seit 1974 Ltr. d. Abt. Sozialpolitik, 1980-83 Mtgl. d. Bundesrates, 1983-90 Abg. z. NatR., 1983-88 Gesundheitssprecher d. ÖVP, 1988-91 Staatssekr. im BMF, s. 10/1991 Abg. z. NatR., seit 1988 Präs. d. Österr. Hilfswerkes. P.: Publ. im Handbuch Sozialvers. u. div. Kommentare z. arbeitsrechtl. Gesetzen, ca. 200 Art. in Fachzeitschriften über Arbeitsrecht, Arbeitsmarkt, Sozial- u. Gesundheitspolitik. H.: Antiquitäten, Garten, Sport. (M.B.)

Stummvoll Wolfgang Dr.

B.: Prim. d. KH d. Barmherzigen Schwestern. DA.: 4020 Linz, Seilerstätte 4. PA.: 4910 Ried, Schnalla 64. G.: Berwang, 8. Juli 1946. V.: Helene, geb. Erhardt. Ki.: Christoph (1971), Gottfried (1975), Philipp (1978). El.: Prof. Franz u. Waltraud. S.: VS, Gymn., 1964 Matura, b. 1971 Stud. Innsbruck. K.: b. 1976 Ausbild. z. FA am KH d. Barmherzigen Schwestern, 1977-79 KH d. Barmherzigen Schwestern Ried, 1979 FA-Anerkennung, 1979-90 OA in Gynäkolog. Abt. Ried, seit 1991 Prim. Gynäkolog. Abt. Linz. P.: 40 wiss. Publ., ca. 60 wiss. Voträge. E.: 1971 Anton v. Eiselsberg-Preis. M.: seit 1991 Vorst.-Mtgl. d. Österr. Ges. f. Ultraschall in Med. u. Landesvors. d. Sekt. OÖ, Vorst.-Mtgl. d. Arge f. Gynäkolog. Onkologie d. Österr. Ges. f. Gynäkologie u. Geburtshilfe, AIUM, Österr. Ges. f. Perinatologie, Dt. Ges. f. Perinatolog. Med., 1982-92 Round Table. H.: Segeln, Reisen. (U.A.)

Stumpf Christof Dr. med. o.Univ.-Prof.

B.: em. Vorst. d. Inst. f. Neuropharmakologie d. Univ. Wien. DA.: 1090 Wien, Währinger Str. 13a. PA.: 1190 Wien, Strehlg. 24. G.: Wien, 28. Okt. 1924. V.: Hermine, geb. Karpinetz. El.: Christof u. Leopoldine. S.: 1934-42 Gymn., 1945-50 Med.-Stud. Univ. Wien, 1958/59 Rockefeller Fellow am Dept. of Anatomy Univ. of Calif. Los Angeles, 1960 Habil., 1963/64 Gastprof. am Dept. of Pharmacol. Emory Univ. Atlanta. K.: 1970 a.o.Prof., 1973 o.Prof. f. Neuropharmakologie an d. Univ. Wien u. seither Vorst. d. Inst. f. Neuropharmakologie d. Univ. Wien, 1995 em. P.: 1 Buch, 5 Handbücher u. ca. 150 wiss. Arb. M.: Intern. Brain Research Organization, European Neuroscience Association, Ges. d. Ärzte in Wien. H.: Bergsteigen. (J.S.)

Stumpf Edith Dr. MinR.

B.: Ltr. d. Abt. f. Wiss. Bibl. u. Informationswesen im BMW. GT.: Vors. d. Arbeitsgruppe z. Durchführung d. Förd.-Programmes f. Frauen im Bundesdienst. DA.: 1010 Wien, Minoritenpl. 5, 1010 Wien, Bankg. 9. G.: Wien, 1. Feb. 1942. El.: Dr. Rudolf u. Emma Fischer. S.: 1960 Matura, Stud. Klass. Philol. u. Klass. Archäologie Univ. Wien, 1969 Prom. K.: ab 1968 Univ.-Bibl. Wien, seit 1973 Zentralstelle im BMW, seit 1980 Abt.-Ltr., stv. Vors. d. Arbeitsgruppe f. Gleichbehandlungsfragen im BMW. P.: Buch "Amor u. Eros - ein Begriffsvergleich", Mitautorin d. Buches "Österr. Bibliotheksbau 1945-85" (1986), zahlr. Art. in Fachzeitschriften. E.: Bick-Förd.-Med., Gold. EZ f. Verd. um d. Rep. Österr. M.: VÖB, Österr. Ges. f. Dokumentation u. Information, Vorst.-Mtgl. IFLA, BSA, Ver. f. gewaltlose Erziehung - Österr. Kinderschutzbund. H.: Wandern, Musik, Literatur. (J.S.)

Stumpf Georg KommR.

B.: Industrieller. FN.: Stumpf Industrie Gruppe: Fa. Voitl & Co Bauges., Stumpf Immobilien Ges., Global Commerz Ges., Hotel Savoy Wien. DA.: 1010 Wien, Werdertorg. 14. G.: Kathreinfeld, 5. Juli 1920. V.: Elisabeth, geb. Hodacs. Ki.: Katharina, Gabriela, Georg. El.: Josef u. Katharina. S.: 1938 Matura, HS f. Musik in Wien, 1944 Dipl. K.: 1944-45 Wehrdienst, 1945-53 Dirigent in Österr., Schweiz u. BRD, 1952 Beginn b. Fa. Voitl & Co als Ges., seit 1960 Alleininh. d. Fa. Voitl & Co, 1962 Grdg. d. Fa. Stumpf Immobilien, 1972 Grdg. d. Global Commerz Ges. u. 1965 Erbauung d. Hotel Savoy, b. 1986 Verpachtung u. 1986 Übernahme d. Hotels, 1988 Grdg. Fa. Stölzle Kristall. E.: KommR. H.: Golfspielen, Theater, Konzerte. (M.B.)

Stumpf Kurt

B.: Gschf. FN.: Springbrunnen Stumpf GmbH Fountain Construct Comp. DA. u. PA.: 5400 Hallein, Weisslhofweg 6. G.: Graz, 16. März 1941. V.: Renate, geb. Rank. Ki.: Oliver (1972). S.: 1955-59 Kfm. Lehre Graz. K.: 1960-66 BRD, seit 1961 Tätigkeitsbereich im Springbrunnenbau, ab 1969 Design, Planung u. Lieferung v. Großspringbrunnenanlagen, 1991 Design, Planung u. Lieferung d. größten Wasserorgel, Brunnenanlagen in Arabien u. Oststaaten, Arb. an d. Idee eines Dreidimensionalen Wassertheaters. H.: Musik, künstler. Gestaltung. (N.M.)

Stumpf Wolfgang

B.: Kfm., Inh., Modellautorennfahrer. FN.: RACO Europe; EFRA - Chairman large scale. DA.: Franz Josef Ring 16. G.: Wien, 11., Juli 1941. El.: Wilhelm u. Hilde. S.: VS, RG. K.: Lehre als Seemann, Stahlgraveur, Kfm., 1962-72 Modellrennfahrer auf priv. Basis, 1974 Papiergeschäft in Wien 1., Lehrmittelstelle auf d. Univ. Hdl. m. Spielwaren eingeschränkt auf Modellauto Import-Export, Gschf. Ges. e. gr. Fa., s. 1984 Vertrieb u. Feinabstimmung v. Modellautos, Ltr. aller Großmodelle im Europäischen Dachverband, Erster Österr. m. off. Funktion in d. EFRA, Ersteller d. Basis d. Regelments m. europaweiter Bedeutung. E.. 1993 Europamstr. in Klasse 1:4, 1992/93 Kroatischer Mstr. P.: Art. in Fachzeitschriften wie RC-car-racing u. Model cars of California. M.: EFRA. H.: Autos, Motorräder, histor. Modellschiffe. (J.M.)

Stumvoll Erich Dr. iur.

B.: öff. Notar. DA.: 6900 Bregenz, Kornmarktpl. 4. PA.: 6900 Bregenz, Prälatendammstr. 6. G.: Pfaffenhofen, 7. Apr. 1929. V.: Claire. S.: 1949 Matura, 1949-54 Jusstud. Innsbruck. K.: 1954/55 Gerichtsj. Telfs, 1955-64 Notaranw. Telfs, 1964 Notarsubstitut Bregenz, 1969-78 selbst. Notar in Bludenz, seit 1978 öff. Notar. in Bregenz. M.: Schlaraffia Castrum Brigantium. H.: Theater, Fotografie, Schilanglauf. (A.K.)

Stumwöhrer Karl

B.: Dir. FN.: Girozentrale u. Bank d. Österr. Sparkassen AG. GT.: Gschf. d. Sparinvest-KAG, AufsR.Vors. d. Finanzierungs AG. DA.: 1010 Wien, Schubertring 5. G.: 17. Mai 1935. V.: Erika. Ki.: Karl, Roland. S.: VS, AHS, Matura. K.: Fa. Siemens, seit 1957 Girozentrale.

Stundner Gerhard Dir.

B.: Ind.Kfm. A.: 4710 Grieskirchen, Kalvarienberg 39. G.: Stadl-Paura, 15. Okt. 1931. V.: Ilse, geb. Griedl. El.: Wilhelm u. Elisabeth. S.: VS, HS, Berufsschule, Recycling-Fachausbild. in BRD. K.: Ndlg.Ltr., Handlungsbev., Gschf, Dir. P.: Fachzeitschriften, E.: Jubiläumsausz. H.: Jagd.

Stundner Helmut

B.: Inh. FN.: Helmut Stundner Bürotechnik. DA.: 5020 Salzburg, Rudolf-Biebl-Str. 20. PA.: 5020 Salzburg, Gneisfeldstr. 25. G.: Salzburg, 31. Okt. 1941. Ki.: Bernhard (1967), Brigitte (1969), Daniela (1978). El.: Franz u. Adolfine. S.: VS, HS, Lehre Büromaschinenmechaniker, Gesellenprüf., 1969 Meisterprüf. K.: b. 1977 im Lehrbetrieb tätig, 1977 Übernahme. BL.: Laienrichter b. Arbeits- u. Sozialgericht, Vors. d. Meisterprüf.-Stelle, Landesgremium d. Maschinenhdl., Fachexperte f. Büromaschinen im Bundesgremium d. Maschinenhdls. M.: seit 1959 Schützenver., seit 1963 Bergrettungsdienst, Alpenver., Kameradschaftsbund. H.: Luftgewehrschießen, Bergsteigen, Skifahren, Amateurfunker. (D.E.)

Stuppacher Josef

B.: Teilhaber. FN.: Neunkirchner Textildruckerei Josef Stuppacher GmbH. DA. u. PA.: 2620 Neunkirchen, Sandg. 31. G.: Breitenau, 2. März 1920. V.: Gertrude, geb. Schneeweiß. Ki.: Christian (1955), Barbara (1958), Susanne (1960). El.: Peter u. Maria. S.: HS, b. 1938 Textildruckerlehre Wien. K.: 1938-40 Tätigkeit in Eisenfirma, 1940 aktiver Militärdienst b. Luftwaffe u. Ausbild. z. Flugzeugführer, 1943-44 Fluglehrer, 1945 engl. Kriegsgefangenschaft, b. 1947 Handdrukker Firma Ammer u. Dr. Deutscher, 1947 Grdg. d. eigenen Betriebes in Neunkirchen. M.: Stoffdruckerverb. H.: Arb., Garten. (I.J.)

Stuppnig Robert

B.: Inh. FN.: Robert Stuppnig. DA. u. PA.: 4840 Zell am Pettenfirst, Gewerbestr. 5. G.: 15. Aug. 1951. V.: Lebensgef. Anita Urbancic. Ki.: Robert (1973), Sarah (1985). El.: Johann u. Erna. S.: VS, HS, 1966-69 Lehre als Maurer, 1969 Gesellenprüf., 1970-71 Präsenzdienst. K.: 1971-85 Fernfahrer Fa. Mönkemöller, 1985-87 Einstieg i. d. Kunststoff-Recycling Gewerbe Fa. Schwert, 1987-90 Ges. d. Fa. IKH Porta Plastik, 1990 Grdg. Fa. Robert Stuppnig. H.: Reisen. (G.E.)

Stur Irene Dr.

B.: Ass.-Prof., Univ.-Doz. Inst. f. Tierzucht u. Genetik. DA.: 1030 Wien, Linke Bahng. 11. PA.: 2002 Ottendorf 10. G.: Wien, 29. Dez. 1949. El.: Dr. Dietrich u. Johanna-Julia Stur. S.: VS, Mittelschule, Matura, 1968-73 Vet.-Med. Stud., 1975 Prom., 1985 Habil. K.: b. 1981 Ltr. d. Tierpflegeschule d. Fonds z. Förd. d. Tierpflegeausb. P.: zahlr. wiss. Publ., Vorträge im In- u. Ausland, Coautor 2 Bücher.E.: 1987 Förd.-Preis d. Österr. Tierärztekam. M.: Österr. Ges. d. Tierärzte, Ver. d. Freunde d. Vet.-Med. Univ. H.: Pferdehaltung, Hunde, Katzen, Bauernhof. (H.S.)

Stur Otto Dr. Doz.

B.: Kinderarzt, Prim. - Interne Kinderabt. d. Wilhelminenspitals Wien. DA.: 1171 Wien, Montleartstraße. PA.: 1184 Wien, Pötzleinsdorfer Str. 90. G.: Wien, 31. März 1926. V.: Dr. Leonore, geb. Simon. Ki.: Dr. Michael, Maria. BV.: Vater war Sekt.Chef im Min. f. Unterricht u. Kultur. S.: Univ. Wien, Univ. of New York, Prom. 1950. K.: Univ.Kinderkliik Wien, Doz. 1966, seit 1971 Prim. Wilhelminenspital Wien. M.: Präs. d. Ernährungskmsn. ÖGKH, d. Österr. Ges. f. zystische Fibrose, d. Arge f. Lungenerkrankungen im Kindesalter.

Sturli-Bella Dagmar Prof.

B.: Pianistin, Lehrkraft an d. Musiklehranstalten d. Stadt Wien. PA.: 1080 Wien, Josefstädter Str. 79. V.: Gualtiero Sturli, Verf. d. Romans "Der Begleiter". El.: Dirigent Wilhelm Furtwängler u. Sängerin Auguste Krafft-Bella. BV.: Großvater Johann Leop. Bella, Begr. eigenständ. slowak. Musik. S.: Musikunterricht durch Mutter u. Großvater, ab 1935 Meisterschule f. Klavier b. Emil v. Sauer in Wien, weitere Studien b. Wilhelm Kempff. Konzerte in Deutschld., Österr., Schweiz, Italien, Engld. u. d. ehem. CSFR. H.: Reisen, Oper, Sprachen. (R.J.)

Sturm Adolf sen.

B.: Tischlermstr., Inh. FN.: Rupert Sturm. DA. u. PA.: 5091 Unken, Niederland 30. G.: Kufstein, 19. März 1935. V.: Renate, geb. Tichy. Ki.: Gudrun (1963), Christian (1965), Brigitte (1966). El.: Rupert u. Helene. S.: VS, HS, 1960-61 Fachschule f. Tischlerei Hallein. K.: 1961-63 Tischler im elterl. Betrieb, seit 1963 selbst. M.: Skiclubfunktionär, 40 J. Bergrettung, Abschnittsfeuerwehrkdt. H.: Gem.-Politik, Bergsteigen, Skifahren. (M.G.)

Sturm Andreas

B.: Fachinsp., Vize-Lt.; Bmtr. d. Heeresverwalt., Militärpfarradjunkt Militärkommando Kärnten. DA.: 9010 Klagenfurt, Mießtalerstr. 11. PA.: 9141 Eberndorf/Dobrla Vas, Josef-Friedrich-Perkonigstr. 9. G.: Klagenfurt, 10. Juni 1937. V.: Ludmilla, geb. Siencnik. Ki.: Mag. Ludmilla (1966), Andrea (1967), Mag. Daniel (1969). El.: Andreas u. Sophie, geb. Gril. S.: VS, HS, 1953-55 Ausbild. zur Ldw.-Mstr. in Fachschule Krottendorf/Graz. K.: zur Zeit als Österr. v. Hitlerdtl. besetzt war, mit Eltern u. Geschwistern in Nazilager in Dtl. verschleppt (1942-45), nach 2. Weltkrieg maßgeblich beteil. am Wiederaufbau d. elterl. Gutes, daß während d. Naziherrschaft ausgeraubt u. demoliert wurde; s. 1969 kath. Militärpfarre beim Militärkommando Kärnten als Militärpfarradjunkt tätig, 1975-82 Theol. Stud. Wien, langjährig tätig als pol. GemR., als stellv. Vors. d. PfarrgemR. in Ebendorf/Dobrla VAS. P.: Abhandl. über Mil.-Seelsorge in nat. u. intern. Sinne in div. fachspez. Publ., jährl. Organisieren mit ca. 300 Soldaten f. Intern. Soldatenpilgerfahrten nach Lourdes, friedensstift. u. erhalt. Treffen mit Soldaten aller Dienstgrade u. aus aller Herrenländer d. Welt, Teiln. an Friedensdemonstration mit ca. jährl. 30.000 Soldaten. E.: Verleih. d. kirchl. Ordens "Georgs Orden" durch Mil.-Bischof v. Österr., Silb. VDM d. Rep. Österr., 1990 Aufn. in Dt. Orden als Familiare OT Commende Kärnten. M.: ARGE Kath. Soldanten Kärnten. H.: Lesen, Reisen, Singen, Natur, Bergwandern, Thema Humanität, Förderung d. Zusammenlebens im guten Sinne d. beiden Volksgruppen Kärnten.

Sturm Barbara

B.: Unternehmerin. FN.: Sturm Marketing Direkt. DA. u. PA.: Stubenbastei 10/10, 1010 Wien. G.: Wien, 14. Juni 1965. El.: Reinhard u. Christine, geb. Panzenberger. S.: Matura ORG Wien, Stud. Gesch. u. Theol. Univ. Wien, Prüf. im Gewerbehaus f. Werbung u. Marketing (Werbeberater, Werbemittler). K.: 7 J. Prok. in Marketingunternehmen in Wien, seit 1992 selbst., Gründ. Sturm Marketing Direkt., Schwerp.: Gesamtabwickl. v. Marketingaktivitäten. H.: Musik (bes. Pflege d. Kärntner Volksliedes), Sammeln v. Uhren. (J.S.)

Sturm Christian jun.

B.: Gschf. FN.: Sturm GmbH. DA. u. PA.: 5091 Unken, Niederland 30. G.: Salzburg, 10. Juni 1965. V.: Heidi, geb. Leitinger. Ki.: Selina (1992). El.: Adolf u. Renate. S.: VS, HS, 1979-82 Fachschule f. Tischler, 1987-88 Mstr.-Schule f. Tischler, 1988 Mstr.-Prüf. K.: 1989-94 Betriebsltr. M.: Sportver., Tennisclub, Feuerwehr, Beis. b. d. Mstr.-Prüf. H.: Fußball, Skifahren, Tennis. (M.G.)

Sturm Elfriede Dr. Dkfm. HofR.

B.: Gen.-Sekr. FN.: Österr.-Israel. Gesellschaft. DA.: 1080 Wien, Lange Gasse 64. PA.: 1010 Wien, Rathausstr. 8. G.: Linz, 18. Juni 1924. El.: Albin u. Friederike, geb. Spielmann. S.: Dolmetschstud. a. d. Univ. (Franz., Engl.), HS f. Welthandel, 1945-48 Stud. d. Rechtswiss. a. d. Univ. Wien, 1948 Prom. K.: 1948 Eintritt. b. d. ÖBB, Abt.-Ltr. i. d. Finanz-Dir. d. Gen.-Dir., s. 1982 Gen.-Sekr. d. Österr.-Israelischen Ges. P.: Publ. i. Verb. d. Akademikerinnen. E.: Großes EZ f. Verdienste um die Republik Österr. M.: 1984-90 Präs. d. Verb. d. Akademikerinnen Österr., Vizepräs. d. Österr. ausländ. Ges. H.: Sprachen, Judaistik u. Reisen. (N.A.)

Sturm Erich Mag.

B.: Tierarzt. FN.: Tierklinik Zeiselmauer. DA.: 3424 Zeiselmauer, Tullner Str. 14. G.: Wien, 26. Feb. 1940. V.: Gudrun. Ki.: Marko (1975), Christian (1976). El.: Hannes u. Margarete. S.: 1959 Gymn. Klosterneuburg, 1968 Abschluß d. Stud. Vet.-Med. a. d. Univ. Wien. K.: Praxis in Klosterneuburg, 1972 Tropenvet.-med.-Kurs mit Auslandsaufenthalt in Africa, Praxis in Tulln, 1976 Praxis Zeiselmauer, 1978 Grdg. d. Tierklinik. H.: Segeln, Skifahren. (T.T.)

Sturm Franz

B.: Optikermstr. FN.: Franz Sturm Brillen, Kontaktlinsen, Hörgeräte, Schmuck, Uhren. DA.: 4880 St. Georgen, Attergaustr. 42. PA.: 4864 Attersee, Pausingerweg 12. G.: Attnang, 27. Juni 1960. V.: Helga, geb. Backer. Ki.: Manuel (1979), Theresa (1992). El.: Werner u. Pauline. S.: VS, HS, 3 1/2 J. Optikerlehre. K.: 1982 Optikermstr. u. konzessionierter Kontaktlinsenoptiker, 1982 GmbH gemeinsam m. Partner, 1987 Brillengeschäft in St. Georgen, 1991 Grdg. eines Schmuckgroßhdl. gemeinsam m. Partner, 1993 Gewerbe f. Hörgeräteakustik, 1994 Eröff. d. Betriebsstätte in Straßwalchen. M.: Prüf.-Kmsn., AMAK. H.: Sport, Tennis, Musik.

Sturm Friedrich Prof.

B.: Rechtskons. f. intern. Zoll- u. Handelspolitik d. HK i.P., Ak. Maler. PA.: 1190 Wien, Pokornyg. 27a. G.: Wien, 25. Apr. 1915. V.: Johanna, geb. Swozil. Ki.: Prof. Mag. Christine. El.: Emanuel u. Marie, geb. Goldmann. BV.: Großvater Franz Sturm, Musikpädagoge, Organist u. Chorltr. im Iglau: 1. Lehrer v. Gustav Mahler, Großonkel HofR. Prof. Dr. Franz Heiderich: Gründer d. Wirtschaftsgeographie, Rektor d. HS f. Welthdl. Wien, schuf d. heute noch gültige Karte d. Alpen. S.: Matura, einj. freiw. Kadett d. ÖBH, o.Hörer an d. Ak. d. Bild. Künste Wien, 1948 Abschluß Ak. Maler, Lehrer u. Professoren: C. Fahringer, H. Böckl, R.C. Andersen u. A.P. Gütersloh, im Kriegsdienst Nachrichtensoldat, nach Kunstak. HS-Stud. an d. HS f. Welthdl., Dipl. Arb.: Bestimmungen f. d. Warenversand nach d. Ausland. K.: ab 1936 Tätigkeit in d. Wr. HK als Rechtskons. f. intern. Zoll- u. Handelspolitik (Vorberetig.: Österr. Hdl.-Verträge,, neues Österr. Zollrecht, Hdls.-Statistik, Einschulg. österr. Hdl.-Delg./US-Zollrecht), 33 J. freier Mitarb. d, Fachzeitschrift "Die Industrie", umfangreicher künstler. Tätigkeit: Porträt- u. Landschaftsmalerei, Blumenbilder, Reiseimpressionen, Experimentierfreudigkeit m. versch. Techniken, Mosaikarb. u.a. Karmeliterkirche/Wien, Hl. Therese v. Lisieux, während d. Pensionierung vermehrte Ausstellungstätigkeit, priv. u. öff. Ankäufe u.a. d. Kulturamtes d. Stadt Wien, d. BMin. f. Unterricht etc. P.: Mitarb. div. Wirtschaftspubl., Mitarb. am Werk: "Die Handels- u. Zahlungsabkommen Österreichs". E.: 1977 Prof., 1988 Gold. VZ d. Landes Wien. H.: Familie, Sport, handwerkl. Tätigk.

Sturm Herwig Mag.
B.: Superint., ev. Pfarrer. FN.: Ev. Kirche A.B. GT.: Diözesanred. d. Kirchenzeitung "Saat", Mtgl. d. FS u. Hörfunk Kmsn. d. Ev. Kirche. DA. u. PA.: 9500 Villach, Italienerstr. 38. G.: Lilienfeld, 15. Aug. 1942. V.: Gertrude, geb. Knoll. Ki.: Gabriele, Dieter, Georg. El.: Dipl.-Ing. Emil u. Berta. S.: VS, Gymn. Sbg., Stud. d. Theol. in Wien, Heidelberg u. Zürich, 1966 Mag. K.: 1966-67 Lehrvikar in Zell/See, ab 1967 Vikar in Lienz, 1968 Pfarramtsprüf., 1968-80 Pfarrer v. Lienz, 1980-88 Pfarrer v. Klagenfurt, 1985 Superint.Stellv., seit 1988 Superint. v. Ktn. u. Osttir. H.: Musik. (M.B.)

Sturm Karl Dir.
B.: Gschf. u. Dir., Kfm. FN.: Schweden Bootsmotor Import GmbH. DA.: 1195 Wien, Donaustr. 22. G.: Klosterneuburg, 14. Sept. 1924. V.: Heidemarie, geb. Peilert. Ki.: Florian, Martina. S.: VS, Gymn. K.: 1941-42 Lagerist b. Julius Meinl, 1942-45 Dt. Wehrmacht, 1946 in Gefangenschaft, 1946-52 Verkäufer u. anschl. I. Verkäufer b. Julius Meinl, 1952-53 kfm. Dir. Fa. Raab-Karcher, 1953-74 Verkaufsltr., dann Prok. u. anschl. Dir. d. Fa. Briko, ab 1963 nebenbei als Gschf. Volvo Penta Vertretung, seit 1974 Dir. u. Gschf. d. Fa. Schweden Bootsmotor Import Volvo Penta. M.: Österr. Inst., Bruderschaft v. St. Christoph. H.: Reiten, Skifahren, Motorbootfahren. (M.Br.)

Sturm Kurt

B.: Bürgermeister Gemeinde Unken, Pensionsbesitzer, Bäkkermstr. FN.: Frühstückspension "Marianne", Bäckerei u. Konditorei. DA.: 5091 Unken, Niederland 147. PA.: 5091 Unken, Niederland 96. G.: Unken, 17. Aug. 1938. Ki.: Birgit (1962), Sabine (1965). El.: Maria u. Friedrich (+). S.: VS, HS Seekirchen, Berufsschule Bäcker i. Salzburg, Gesellenbrief, Praxis 2 J., 1960 Bäckermeisterprüf., K.: Beginn i. elterl. Betr., 1962 Familie, 1972 Frühstückspension v. Mutter übernommen. M.:1957 Gründ.-Mtgl. Sportverein TVS Unken, 1960 Feuerwehr Unken aktiv, Skiclub. H.: Skfahren, Radfahren, Musik. (M.H.)

Sturm Martin Mag.
B.: Ltr. d. Offenen Kulturhauses d. Landes O.Ö. DA.: 4020 Linz, Dametzstr. 30. PA.: 4020 Linz, Huemerstr. 12B. G.: Gmunden, 10. April 1957. El.: Johann u. Elfriede. S.: 1976 Matura, Musisch-Päd. Realgymn. Linz, 1976/77 Stud. an d. Univ. Innsbruck, Dt. Phil., Schwerp. Erwachsenenbild., Amerikanistik, 1987 Abschl. Dipl.-Stud., Dipl.-Arb. über Naturmotive in d. Literatur d. 19. Jhdts. am Beisp. v. Adalbert Stifter. K.: während. d. Stud.-Zeit div. Tätigk., 1979-81 Stud.-Vertreter am Inst. f. Germanistik, 1982 Zivildienst im Jugendzentrum Z6, Innsbruck, Teiln. an wiss. Projekten "Printmedien in Tirol", "Österr.-Jugosl. Literaturbeziehungen, Lehrtätigk. "Innsbrucker Hochschulkurde Dt.", ab 1987 Vertragsbedienst. b. Amt d. OÖ Landesreg., Kulturabtl., 1991 Pragmatisiert, s. 1992 Inst.-Ltr. "Offenen Kulturhauses d. Landes OÖ, s. 1992 Beiratsmtgl. BMuK. H.: Literatur, Kunst. (K.-J.M.)

Sturm Rudolf KommR.
B.: Gastronom, Inh. Sturm's Wirtshaus am Pöstlingberg. DA. u. PA.: 4040 Linz, Am Pöstlingberg 12. G.: Linz, 27. Jän. 1950. V.: Sabine, geb. Steger. El.: Rudolf u. Josefine. S.: RG, 1966-69 Hotelfachschule Bad Hofgastein, anschl. im Service Royal Commonwealth Society Club London/GB, anschl. Hilton London, 1972 Übernahme d. Hotel Sonnhof in Zell am See, seit 1988 selbst. m. Sturm's Wirtshaus am Pöstlingberg, 1975-90 Kammertätigkeit in d. Vollversammlung in Sekt. u. Fachgruppen, 15 J. im freien Wirtschaftsverb. als Bundessekt.-Obm. P.: Fachpubl. in Fachzeitschriften. E.: 1990 Gold. Kammerausz. f. Verd. um d. Wirtschaft, 1985 Wirtschaftsmed. d. Stadt Linz. M.: Linzer Bürger, freier Wirtschaftsverb. H.: Lesen (Fachliteratur), Vorbereiten v. Publ. f. jüngere Funktionäre. (P.H.)

Sturm Renate

B.: Gschf. u. Inh. FN.: Kitzbüheler Bestattung. DA. u. PA.: 6360 Kitzbühel, St. Johanner Str. 1-5. G.: Wien. 5. Feb. 1943. V.: Adolf Sturm. Ki.: Gudrun, Christian, Brigitte. El.: Franz u. Gertrude Tichy. S.: VS, HS, HASCH, 4 J. Zahntechnikerlehre Sbg. K.: 1973 Bestatterprüf., 1991 Bestattung in Kitzbühel u. Umgebung. H.: Züchterin v. Kavalier King Charles Spaniel, Bergsteigen. (A.W.)

Sturm Thomas
B.: Inh. d. Fa. Sturm-Berufsdetektive, Staatl. konzessionierte Detektei f. Wirtschaft & Rechtsfragen. DA.: 1220 Wien, Kanalstr. 6. G.: Wien, 24. Juni 1963. V.: Ingrid. Ki.: Ronald-Manuel (1990). S.: Neusprachl. Gymn., Matura 1981, Jus-Stud. an d. Univ. Wien. K.: 1982 Detektiv-Ass. b. Agentur Walisch, 1983 Detektiv-Ass. b. Penk-Lipovsky, ab 1984 ltd. Position, 1987 Leibwächter b. Agentur Vesztergombi, 1987-88 Sicherheitsbeamter u. Leibwächter b. d. Französ. Botschaft u. b. d. Amerikan. Botschaft, 1988 Rechercheur b. Kreditschutzverband v. 1870, 1989 gewerberechtl. Gschf. d. Kreditschutzverb. f. d. Bereich Detektei, 5/89 Grdg. d. Fa. Sturm u. seither selbst. M.: Berufsdetektivverb. "BDV", Vereinig. d. Kriminalbeamten. H.: Fallschirmspringen, Boxen, Motorrad. (M.M.)

Sturm Wolfgang
B.: Dir. Sport-HS Gloggnitz. DA.: 2640 Gloggnitz, Schulg. 1. PA.: 2620 Neunkirchen, Waldrandg. 12. G.: Neunkirchen, 27. Okt. 1947. V.: Christine, geb. Stückler. Ki.: Markus (1968), Astrid (1976). El.: Karl u. Anna, geb. Kappl. S.: VS, BRG, LBA Wr. Neustadt, 1966 Matura, 1973 HS-Lehrerprüf. K.: 1966 Eintritt in d. Schuldienst als Lehrer an d. VS Böhler-Werk Amstetten, 1967 HS Pitten, 1971-89 HS Neunkirchen, ab 1989 Dir. HS Gloggnitz u. Mitwirkung b. d. Erweiterung d. HS auf eine Sport-HS. BL.: Tennislehrwart. E.: 1993 Landesmstr.-Titel im "Sparkassen" Schülerliga-Fußball, 1993 4. Pl. im Fußball-Technikbewerb. M.: TC Neunkirchen, seit 1988 GemR. Neunkirchen. H.: Reisen, Tennis, Surfen, Skifahren. (M.M.)

Sturmbauer Franz
B.: Gschf. Ges. FN.: Franz Sturmbauer GmbH. DA.: u. PA.: 4060 Linz-Leonding, Aichbergstr. 31. G.: Linz, 8. Mai 1934. V.: Maria-Xafera, geb. Stifter. Ki.: Mag. Dr. rer. nat. Christian (1960), Mag. rer. comm. Andreas (1961), Ing. Franz (1963). El.: Franz u. Theresia. S.: VS, HS, HTL f. Tiefbau Linz, 1955 Matura. K.: 1955-57 Pflastererlehre im elterl. Betrieb Linz, 1957 Gesellenprüf., 1961 Meisterprüf. Pflaster Gewerbe, 1970 Übersiedlung nach Leonding u. Ausübung d. Kanalreinigung. BL.: 1962 1. Kanalsprühwagen Österr. M.: Kirchenchor. H.: Jazz, Blasmusik, klass. Musik, Volksmusik, Singen. (G.E.)

Stürmer Franz Dr.
B.: Paläontologe, Museumsdir. FN.: Krahuletz-Museum. DA.: 3730 Eggenburg, Krahuletzpl. 1. PA.: 3721 Limberg, Schloß Limberg, Bahnstr. 1/3. G.: Mödling, 16. Dez. 1959. El.: Franz u. Maria, geb. Franz. S.: Bundesgymn. Wien, Matura, Univ. Wien, Lehramt Bioglogie. K.: 1990 Sekretär d. Österr. Paläontologischen Ges., s. 1991 Dir. d. Krahuletz-Museums, s. 1993 Präs. d. Österr. Paläontologischen Ges. P.: Die miozänen Turritellidea Österr. (Diss., Wien, 1989), Der weiße Stein v. Eggenburg, mehrere wiss. u. populäre Art. i. Fachzeitschriften, Mitarb. a. Ausstellungen dzt. Konzept u. Koordination f. "Mensch & Umwelt" i. Langenlois, Mitarb. a. d. Ausstellung "Das alte Kloster - Baukunst u. Mönchsleben i. mittelalterlichen Stift Altenburg", Ausstellung "Land a. Strome" i.Tulln. M.: Österr. Paläontologische Ges., Dt. Paläontologische Ges., Krahuletz-Ges., Österr. Ges. f. Ur- u. Frühgesch. H.: Kunsthistorik, Biologie, Fotografieren. (F.S.)

Stürmer Franz-Erich
B.: Bez.-Schulinsp., Bez.-Schulrat Steyr-Land. DA.: 4400 Steyr, Spitalskystr. 10A. PA.: 4400 Steyr, Pestalozzistr. 7. G.: Linz, 18. Nov. 1937. V.: Ingrid, geb. Froschauer. Ki.: Brigitte, Anita. El.: Albert u. Maria. S.: 1953-58 BLBA Linz, 1958 Matura, 1958-59 Pioniertruppenschule Klosterneuburg. K.: 1959 Eintritt OÖ Schuldienst, 5 J. an versch. Schulen im Bez. Rohrbach, 1964 Übersiedlung Steyr, 5 J. VS Kleinraming, 17 J. HS Garsten, seit 1987 Bez.-Schulinsp. f. Steyr-Land, langjähriger Personalvertreter u. Obm. d. Christl. Lehrerver. M.: CLV, div. Ver. H.: Rennradfahren, Wandern, Garten, Lesen. (P.H.)

Stürmer Hans
B.: Inst.-Mstr. FN.: Hans Stürmer, Gas-Wasser-Heizung. GT.: Inh. DA. u. PA.: 2421 Kittsee, Betriebsstr. 3. G.: Wien, 26. Dez. 1942. V.: Herta, geb. Küffel. Ki.: Martin (1965), Ursula (1966), Hannes (1971), Andreas (1972). El.: Karl u. Auguste. S.: Lehre Inst., Ges.-Prüf., 3 J. Abendkurse TGM, WIFI, Besuch v. Spezialkursen f. alternative Wärmetechn., 1963/64 Werkmstr.-Prüf., Konz.-Prüf., Heizungstechn.-Prüf., parallel Tätigk. im Elterl. Betrieb. K.: 1964 Filialbetr. Kittsee, 1968 Übern., 1971 Neubau v. Gechäft/Wohnhaus, 1972 Eröff., Ausführung sämtl. Inst.-Arb. u. Alternativtechn. M.: Obm. d. Sportver. H.: Tennis, Reiten. (I.J.)

Stürmer Helmut RgR. Ing.
B.: Nachrichtentechniker d. Post- u. Telegraphendion. f. OÖ u. Sbg. DA.: 4020 Linz, Huemerstr. 4. PA.: 4020 Linz, Bruknerstr. 7. G.: Linz, 13. Apr. 1936. V.: Elfriede-Renate, geb. Karser. Ki.: Eva. El.: Kaspar u. Katharina. S.: BRG Linz, HTL Elektro- u. Nachrichtentechnik, 1956 Matura, 1959/60 franz. Sprachausbild. Univ. Dijon u. Paris. K.: seit 1956 Nachrichtentechniker b. d. ÖPT, Einsatz auf versch. Gebieten d. Fernmeldetechnik im Fernmeldebetriebsamt Linz, seit 1972 Post- u. Telegraphendion. f. OÖ u. Sbg., zuständig f. Fernsprechvermittlungstechnik m. Planung, Bau u. Betrieb d. Telefonzentralen f. Orts- u. Fernverkehr, seit 1987 tätig b. Einführung u. Ausbau vollelektron. digitaler Vermittlungsstellen, seit 1967 Vortragender im WIFI, seit 1969 Kursltr. d. Elektronikkurse im WIFI, seit 1989 RgR., seit 1973 Ref. d. Fernsprechvermittlungstechnik d. Postdir. H.: Wandern. (P.H.)

Stürmer Max Wolfgang
B.: Bez.-Gschf. d. ÖVP Pongau. DA.: 5600 St. Johann im Pongau, Hauptstr. 35. PA.: 5620 Schwarzach, Birkenhöhe 7. G.: Salzburg, 16. Juli 1949. V.: Birthemarie, geb. Lange. Ki.: Michael (1974). BV.: Großvater Julius Stürmer, Prok., Ehrenbürger d. Stadt Sbg. S.: 5 J. Gymn. Sbg., Lehre Spediteur. K.: b. 1977 Tätigkeit Stadt Sbg., 1977 Übernahme Filiale Lagermax in Schwarzach, 1980 in d. Ortspartei d. ÖVP Schwarzach, seit 1981 Bez.-Gschf. ÖVP Pongau, 1972-76 Amateurschauspieler Elisabethbühne Sbg., 1980 Gründer d. Theatergruppe Schwar-Zach. P.: Veröff. f. ÖVP regional, f. ÖAAB landesweit in d. Printmedien. M.: Ver. d. Freunde d. Mozarteumorchesters, Sozialdienst Pongau. H.: Radfahren, Langlaufen, Reisen (Dänemark). (G.P.)

Sturminger Harald Dr. iur.
B.: Gschf. Ges. NOVA-CHEMIE KG u. NOVA-CHEMIE GmbH. A.: 1010 Wien, Wollzeile 20. G.: Graz, 9. Juli 1931. V.: Dkfm. Maritta, geb. Schütz. El.: Dr. Alfred u. Elisabeth. S.: Hum. Gymn. Wien, Univ. Wien, Prom. 1953. K.: 1954-55 DUN e BRADSTREET INC New York - San Francisco, 1955-61 Chem. Ind. in Österr., 1962 Ges. Cehasol KG Wien, 1965 Ges. Nova-Chemie GmbH. F.: Nova-Chemie GmbH, Nova-Chemie GmbH & Co KG. E.: Silb. EZ f. Verd. um d. Rep. Österr., Gold. EZ d. Bdl. Wien, Union EZ in Bronze u. Silber. M.: VPräs.: Österr. Familienbund, Vors.Stellv. Kuratorium Musikalischer Jugend Österr., Vors. Kuratorium Wr. Jeunesse Chor, Obm.Stell. Intern. Chorak. Krems, VPräs. Mozart-Company Wien, Dir.Mtgl.: Wr. Konzerthaus, Präsidiumsmtgl.: Techniker Cercle.

Sturz Peter Dr.
B.: Dir. u. Vorst.-Mtgl. FN.: ABV-Allgemeine Bausparkasse R.G.M.B.H. DA.: 1091 Wien, Liechtensteinstr. 111-115. G.: Wien, 31. Okt. 1958. V.: Mag. Dominique, geb. Frank. Ki.: Geraldine (1992). El.: Mag. Josef u. Margarethe. S.: VS, Hum. Gymn., 1977-82 Jusstud., Dr. iur. K.: Gerichtspraxis, ab 1982 Allg. Bausparkasse, ab 1990 Vorst.-Ass. m. eigener Ressortzuständigkeit, seit 1992 Vorst. H.: Sport (Golf, Tennis, Skifahren), klass. Musik, Reisen. (J.M.)

Stürzenberger Herwig Dr.
B.: Gschf. FN.: Grundig Austria Ges. DA.: 1120 Wien, Breitenfurterstr. 43-45. PA.: 1130 Wien, Bergheideng. 35. V.: Schahla, geb. Samimi. Ki.: Sascha, Malena. El.: Leopold u. Frieda. S.: Mag. u. Doktorat in BWL. (J.E.)

Stürzl Erwin Anton
Dr. Dr. h.c. Mag. phil. Univ.-Prof.
B.: o.Univ.-Prof. an d. Univ. Sbg. DA.: 5020 Salzburg, Akademiestr. 24. PA.: 5020 Salzburg, Akademiestr. 15. G.: Göpfritz/Wild, 15. Febr. 1920. V.: Dr. phil. Ingeborg Maria, geb. Aspöck. Ki.: Mag. Sylvie, Mag. Denis, Isabella, Alexandra, Christian-René. El.: Anton u. Maria. S.: Matura m. Ausz., Stud. Anglistik, lat. Philol. u. vergleichende Sprachwiss. Univ. Wien, 1948 Mag. phil., 1949 Dr. phil., 1964 Doz. f. engl. Sprache u. Literatur Univ. Wien. K.: 1947-49 wiss. Hilfskraft Univ. Wien, 1949-50 Ass.Teacher Westminster City School London, 1948-64 Englischprof. Höheren Graph. BLVA Wien, ab 1952 Doz. Wr. Kath. Ak. Wien, ab 1960 a.o.Mtgl. d. Wr. Kath. Ak., 1964 o.Univ.-Prof. f. engl. Sprache u. Literatur, b. 1982 Vorst. d. Inst. f. Anglistik u. Amerikanistik Univ. Sbg., 1965-75 Vorst. d. Inst. f. Leibeserziehung u. d. Turninst. d. Univ. Sbg., 1968/69 Dekan d. Phil. Fak. Univ. Sbg., 1969/70 Prodekan. BL.: 1960-70 Chefred. d. Zeitschrift Moderne Sprachen, 1962-68 Chefred. d. Intern. Zeitschrift Contact, 1970 Dir. d. Sbg. Studies in English Literature, 1974 Hrsg. d. Sbg. Studien z. Anglistik u. Amerikanistik, 1965 Mithrsg. d. Wr. Beiträge z. engl. Philol., 1970 Mithrsg. d. Zeitschrift Sprachkunst. P.: Bücher: Kreta, d. Insel im Herzen d. alten Welt (1948), Von Satan zu Gott (1954), Der Zeitbegriff in d. Elisabethanischen Literatur (1964), Teresa Guiccioli, La Vie de Lord Byron en Italie (1983), A Love's Eye View (1988), Gaben d. Zeit - Fruits of Time (1989), ca. 40 Art. in Zeitschriften bzw. Festschriften, zahlr. Rezensionen. E.: 1963 Kardinal Innitzer-Preis, 1963 Gold. VZ d. Rep. Österr., 1978 Dr. h.c. d. Bowling Green State Univ., 1984 Gr. VK d. VO d. BRD, 1990 Ehrenbecher d. Landes Sbg., 1991 Gr. Silb. EZ f. Verd. um d. Rep. Österr., 1962-65 Gen.-Sekr. d. Fédération Intern. des Professeurs de Langues Vivantes,

1965-70 Vors. d. Österr. Neuphilologenverb., 1970 Vors. d. Österr.-Dt. Kulturges. Sbg., 1979-90 Joint Present of the Intern. Byron Society, 1980 Vors. d. Österr. Byron-Ges., 1965 Ak. Berater d. Sbg. Summer School, 1965-90 Vorst.Mtgl. d. Austro-American Society, 1968-90 Dir. d. Bowling Green State Univ.Programms in Sbg., 1984 Präsidialmtgl. d. österr. Ak. Austauschdienstes, 1987 Kuratoriumsmtgl. d. Afro-Asiat. Inst. Sbg. M.: Wr. Sprachges., Dt. Shakespeare-Ges., Intern. Assoc. of Univ.-Prof. of Engl., Phil. Ges. Sbg., Austro-Irish Assoc., Ver. d. Freunde Griechenlands, Stiftungs- u. Förderungsges. d. Univ. Sbg., Ges. f. Amerikastudien, Ver. d. Freunde d. Mozarteum-Orchesters. H.: Buchbinderei, Violinspiel.

Stürzlinger Heinz Dkfm.

B.: selbstst. Steuerberater. FN.: RZL-Programm Dkfm. Stürzlinger. DA.: 4910 Ried i. Innkreis, Kirchenplatz 4. G.: Wien, 15. Juli 1939. V.: Dr. Hannelore. Ki.: Dr. Dipl. Ing. Wolfgang, Gerald, Martin. El.: Dr. Heinrich, Gertrude. S.: HAK Wels, Matura 1958, Studium Welthandel, Wien b. 1965, 1970 Steuerberaterprüfung. K.: 1971 Steuerberatungskanzlei gegründet, 1976 Errichtung d. 1. Solar-Warmwasser-Anlage i. Oberösterreich, 1981 Erstell. d. RZL-Programme mit d. Söhnen, 1985 Gründung d. RZL-Steuerrechtsdatenbank, 1987 Gründung d. RZL Computer Software GesmbH, RZL Programme f. Ungarn, Tschechien, Slowenien u. Deutschland, 1994 Grdg. RZL Wirtschaftstreuhand & Software GmbH. P.: zahlr. internat. Fachpublikationen. H.: Energie, Filmen, Reisen, Ballonfahren. (W. E.)

Stütler Fritz

B.: Prok. FN.: Delacher & Co. DA.: 6800 Feldkirch, Kapfweg 20. PA.: 6800 Feldkirch, Gatterweg 40. G.: Rankweil, 25. Juni 1936. V.: Else. Ki.: Monika (1966), Christine (1968), Jürgen (1970). El.: Max u. Luise. S.: VS, HS, 1951-53 Lehre b. Delacher. K.: 1953-55 Abt.-Ltr., 1955-58 Verkehrsentwicklung, 1958 Handlungsvollmacht, 1962 Prokura u. Ndlg.-Ltr., 1963 Aufbau Betriebsteil Tosters Bahntransporte - Spezialtransport, 1990 Logistikentwicklung Transportmittelentwicklung, Bahn- u. Kombiverkehr. BL.: einziger Europäer d. lauf- u. betriebsfähigen ehem. ÖBB Eisenbahnwaggon besitzt u. damit Ausflugsfahrten unternimmt (Geschenk z. 50. Geburtstag). E.: Gold. EZ Skiverb., Silb. EZ Musik. M.: Wintersportver. Feldkirch-Novels, Musikver. Feldkirch-Novels, Österr. Skiverb. Vbg., Verkehrsver. Feldkirch, BeiR. f. Veranstaltungszene. H.: Skifahren, Bergwandern, Reisen. (I.D.)

Stütz Anton D. Dr. Univ. Prof.

B.: Univ. Prof, Bereichsleiter Dermatologie. FN.: Sandoz Forschungsinstiut. DA.: 1235 Wien, Brunnerstr. 59. G.: Schärding, 11. Juni 1947. V.: Edelfriede. Ki.: Werner, Irmgard. El.: Leopold u. Hilda. S.: 1965 Matura, Linz, 1965-72 Univ. Wien Studium d. Chemie u. d. Physik, 1972 Dissertation: Beiträge zum Transfer v. Azid m. Hilfe v. Bleitetraacetat-Trimethylsilyazid auf flexible u. gespannte Olefine. K.: 1972-74 Max Planck-Institut Abteilung Molekular Biologie, Göttingen BRD, 1987 Univ.-Dozent Pharmaz. Chem. Wien Habilitationsschrift: Chemie u. Struktur - Wirkungsbeziehung v. Allylaminderivaten einer neuen Wirkstoffklasse in der antimykotischen Chemotherapie, 1986-91 Cohead, Abteilung d. Dermatologie, 1987 Handlungsbevollmächtigter d. Fa. Sandoz, 1991 Prokurist, s. 1992 Bereichsleiter Dermatologie, s. Sept 1994 Univ. Prof. Wien. P.:ca. 25 Patente, mehrere weltweit erteilt und -Büchern , weiters div. Publikationen in Fachzeitschriften. E.: Sandoz Golden Triangle 1993. M.: Verein Öster. Chemiker, Gesellschaft Deutscher Chemiker, Society for Investigate Dermatology, Skin Pharmacology Society.H.: Kammermusik (Klavier). (W.M.)

Stütz Peter-Hermann

B.: Gastronom, Pächter d. Ursulinenhof. DA.: 4020 Linz, Landstr. 31. PA.: 4040 Linz-Puchenau, Gartenstadtstr. 3. G.: Unterach, 26. Febr. 1945. S.: Realschule, Lehre als Koch, Gastronom. Ausbild. u.a. im Grand Hotel Nürnberg, Hotel Royal Monceau Paris, Cathkem Park Hotel Natal Südafrika, Club Hotel Hinterthal Sbg., Gebr. Cammerlander Innsbruck, 1976 Pacht d. Ursulinenhofes. M.: ÖSAC. H.: Kochen, Golf, Rennradfahren, Skifahren. (A.W.)

Styblo Max

B.: Gschf. u. Inh. FN.: Albrecht Bau GmbH. DA. u. PA.: 6365 Kirchberg, Rettenbach 5. G.: Kitzbühel, 12. Apr. 1945. V.: Maria. Ki.: Andreas (1966), Reinhard (1970). El.: Rupert u. Marie. S.: VS, HS, Abendkurse WIFI f. Ausbild. als Polier. K.: 3 J. Polier Firma Meiser Kitzbühel, 1970-81 Polier Firma Albrecht, 1981 Übernahme Firma Albrecht. H.: Golf, Jagd. (A.W.)

Subarsky Michael Dr. iur. Mag. iur.

B.: RA. DA.: Tuchlauben 14, 1010 Wien. G.: Wien, 25. Okt. 1962. V.: Susanne, geb. Braun. El.: Dr. Johann u. Dr. Herta, geb. Jiricek. S.: 1980 Matura Gymn. d. Stift. Theresianische Akad., Stud. Rechtswiss. Univ. Wien, Prom. 1986. K.: Gerichtspraxis, RA-Anw., 1990 Eröff. d. eig. Kanzlei. M.: Obm. RRC "Flip Flop and Fly". H.: Tauchen, Rock'n Roll-Akrobatik (akt. Trainer u. Werterichter), Musik, Reisen. (N.A.)

Suchanek Kurt Dr. med.

B.: Oberst-Arzt i.R., prakt. Arzt. DA.: 7000 Eisenstadt, Ing.-Hans-Sylvester-Str. 4. G.: Melk, 5. Mai 1914. V.: Gertrude, geb. Seimann, 2 Töchter. El.: Rudolf u. Anna. S.: Hum. Gym. Melk, Matura 1932, Med. Stud. Univ. Wien, Prom. 1938. K.: Militärdienst u. Kriegsgefangenschaft bis 1950, KH Korneuburg: Sekundararzt b. 1953, 1953-57 Gendarmeriearzt in Graz, ab 1957 Heeresarzt in Eisenstadt, ab 1958 eigene Praxis u. Sanitätsoffz.-Arzt f. Bgld. E.: Mehrere BAusz. d. Landes Bgld. u. d. Roten Kreuzes. H.: Hundehalter, Oper, Theater, Operette, Wandern, Schwimmen, in d. Jugend Fußball. (M.G.)

Suchanek Walter Dir.

B.: Verw.-Dir. Kaiser Franz Josef Spital. DA.: 1100 Wien, Kundratstr. 3. PA.: 1140 Wien, Hackingerstr. 42. G.: Kirchschlag, 17. Jan. 1954. S.: VS, Gymn., 1974 Matura, Dipl.-KH-Betriebswirt. K.: seit 1974 b. d. Stadt Wien, seit 1988 Verw.-Dir. Maria Theresien Schlössl, seit 1992 Verw.-Dir. Kaiser Franz Josef Spital. H.: div. Sportarten, Reisen. (M.D.-H.)

Suchentrunk Alfred Mag.

B.: Gschf. Ges. FN.: Logo GmbH. DA.: 1110 Wien, Am Kanal 27. G.: Wien, 12. Apr. 1955. V.: Beatrix. Ki.: Sebastian, Veronika, Jakob-Maximilian. El.: Ing. Alfred u. Johanna. S.: 1973 Matura, 1978 Business Programm Univ. Stanford Palo Alto u. UCLA Los Angeles, 1979 Studienabschluß d. BWL an d. WU Wien. K.: 1975-76 Verb. d. E-Werke Unipede-Kongress Sekr. d. Kongreßpräs., 1976-78 Kreditref. Österr. Exportfonds, 1979-80 Exportmanager Gutsbetriebe Landesmann, 1980-85 Softwareentwicklung, EDV-Vertrieb, Ltr. Marketing Support Philips Data Systems GmbH, seit 1985 selbst. Unternehmensberater, 1985-86 Projektltr. CAD, Marketingltr. Dicopa GmbH, 1986 Grdg. AS Unternehmensberatung Baden b. Wien, 1988 Grdg. u. Gschf. Unternehmensberater ISM GmbH, 1992 Grdg. u. Gschf. Unternehmensberater Logo GmbH. P.: Veröff. in Fachzeitschriften, Mithrsg. d. Computer-Grafik-Markt. (J.E.)

Suchentrunk Walter

B.: Inh., Zimmermstr. FN.: Zimmerei Walter Suchentrunk. DA. u. PA.: 2332 Hennersdf., Hauptstr. 55. G.: 30. Nov. 1933. V.: Ingrid. Ki.: Martin (28 J.). El.: Franz u. Katharina. S.: HTL, 1961 Mstrprüf. K.: Lehre im elterl. Betr., neb. HTL im Betr. gearb., 1964 Betr. übern. BL.: Wr. Christkindlmarkt Bau u. Gesamtmontage d. Stände, Kircht. evang. Kirche Wr. Neustadt, Durchführ. sämtl. Zimmerarb. Flughaf. Wien/Schwechat, Bau v. 20 Häus. f. d. Caritas i. Banja Luka. P.: Erwähn. i. Wirtschaftsblätt. E.: 1987 Silb. Ehrenz. d. NÖ Landesinnung. M.: Bez.Innungsmstr. i. Landesinnungsaussch. H.: Radfahren, Fotgrafie, Fußball ACV Vösendorf. (W.M.)

Suchomel Peter Dipl.-Ing. SenR.

B.: SenR., Betriebsvorst. d. Wr. Wasserwerke d. MA 31. GT.: Vors. d. AufsR. d. Wiental Sammelkanal GmbH. DA.: 1060 Wien, Grabnerg. 4-6. PA.: 1140 Wien, Einfahrtstr. 17. G.: Wien, 19. Aug. 1937. V.: Annemarie, geb. Stepan. Ki.: Elisabeth, Peter, Richard. El.: Karl u. Berta. S.: VS, Gymn., 1955 Matura, Stud. an d. HS f. Bdk. Fachrichtung Kulturtechnik u. Wasserwirtschaft, 1961 Dipl. K.: anschl. Eintritt in d. Amt d. NÖ LRg. u. seit 1967 b. d. Stadt Wien, MA 31 Wasserwerke beschäftigt, seit 1986 Betriebsvorst. u. seit1986 SenR. BL.: Member of CEN (Europäisches Normungswesen), Member of Board d. EUREAU: Vereinigung der Wasserwerke in der EG, Gründer u. Präsident d. IAWD: Intern. Arge d. Wasserwerke i. Donaueinzugsgebiet. P.: zahlr. Artikel i. Fachzeitschriften z. Thema Wasserversorgung. E.: Ehrenmitgl. d. SVGW, Ehrenurkunde ÖVGW. M.: Vorst.Mtgl. Österr. Ver. f. d. Gas- u. Wasserfach (ÖVGW). (J.S.)

Suchy Erich

B.: Produktionsltr., Prok. FN.: SLR Gußwerk II Betriebs GmbH. DA.: 4400 Steyr, Gußwerkstr. 5. PA.: 4460 Losenstein, Meissenedt 14. G.: Steyr, 11. Juni 1954. V.: Erika, geb. Kaltenecker. Ki.: Alexandra (1977), Claudia (1979). El.: Erich u. Margarete. S.: VS, HS, b. 1972 Gießereilehre Steyr Daimler Puch, 1972-73 BH, 1975 Gewerbemstr.-Prüf. f. Gießerei. K.: b. 1980 Tätigkeit b. Steyr Daimler Puch, ab 1980 Motorenprojekt f. Griechenland in Athen als Know-How Transfer f. Motorenproduktion in Griechenland, b. 1981 Schichtmstr. im Werk II, 1982-86 im Gußwerk b. Steyr Daimler Puch f. Türkei tätig, b. 1987 Ägypten-Projekt als Know-How Transfer, ab 1987 Projekt China Know-How Transfer f. Motorenproduktion im Gießereibereich, 1988 Kauf d. Firma Steyr Daimler Puch v. Firma SLR, seit 1990 Prok. P.: lfd. Seminare. M.: seit 1977 Gießereimstr.-Verb. OÖ, Tennisver., Skiver. H.: Tennis, Segeln, Skifahren, Lesen. (U.A.)

Suchy Rudolf

B.: Bürgermeister, Kaufmann. DA.: 2424 Zurndorf. G.: Nickelsdorf 18.6.1948. V.: Ernstine. Ki.: Peter Bernd, Margit. El.: Rudolf u. Maria. S.: VS, HS, Kaufmann abgeschl., B-Matura. K.: 18jährig tätig in Fernmeldedienst - B.-Matura, Leiter einer Wirtschaft- u. Kraftrahzeugstelle, Hausverwaltung; Absolvierung versch. Fachkurse; Mitglied d. Prüfungskommision f. NÖ u. Burgenland f. Fernmelderecht u. Fernmeldewesen; Vortragender u. Prüfer f. Beamte d. Verwaltungsgruppe C u. B; seit 1987 Bürgermeister, 1992 in Direktwahl wider zum Bürgermeister gewählt. E.: 1993 Burgenländischen Umweltpreis. BL.: geordnete Abfallwirtschaft, Altstoffsammelstelle, modernste imBurgenland, Kanalneubau, Abwasserreinigungsanlage,Planung v. Umweltprojekten betreffend Leitha-Fluß sowie Aufforstungen. M.: div. Vereine. H.: Angeln, Schwimmen, Lesen. (W.M.)

Suckert Klaus Dr. med.

B.: Betriebsarzt d. a.ö. LKH (Univ.-Kliniken) Innsbruck, FA f. Unfallchir. GT.: Konsiliararzt b. BH Militärspital Tir. DA.: 6020 Innsbruck, Anichstr. 35. PA.: 6020 Innsbruck, Josef-Pöll-Str. 3. G.: Innsbruck, 30. März 1947. V.: Eva, geb. Prem. Ki.: Armin, Verena. El.: Dr. Reinhard u. Gisela. S.: BRG Khevenhüller Linz, 1967 Matura, 1967 Med.Stud. Innsbruck, 1973 Prom., 1 1/2 J. Inst. f. Anatomie u. Path., Ausbild. z. FA f. Unfallchir. K.: 1976-85 FA Unfallchir., seit 1985 Betriebsarzt. BL.: wiss. Vorträge, Analyse Skisportunfälle, Aufbau d. Handchir. (Unfallchir.), Microchir. P.: mehrere Vorträge u. wiss. Arb. u. Publ. d. Extremitätenchir. u. Handchir. H.: Jagd, Fischen, Bergwandern, Malerei.

Suhrada Franz

B.: freischaffender Schauspieler. PA.: 1090 Wien, Boltzmanng. 19. G.: Wien, 26. Juni 1954. El.: Franz u. Barbara Suhrada. S.: Stud. a. d. Schauspielschule Prof. Krauss. K.: Debut a. Theater d. Courage: Kritikerpreis 1975, in weiterer Folge Auftritte an folgenden Bühnen: Tribüne, Volkstheater, freie Volksbühne Berlin, Raimundtheataer, Volksoper: "Kiss me Kate", "Pariser Leben", Sbg. Landestheater "Fledermaus"-Rolle: Frosch (d. jüngste Frosch Darsteller m. 25 J.), Opernhaus Hans Gral Musicals: "Chicago", "Atatevka", "Sorbas", Wr. Kammeroper "Leute v. St. Benedikt", "Tatort", sowie zahlr. Auftritte bei freien Theaterprod., gleichzeitig Schauspieler zahlr. TV-Serien: u.a. "Kottan ermittelt", "Der Leihopa", "Alpensage", "Roda-Roda", "Tohuwabohu", "Lotto-Stud", u.v.a. H.: Schwimmen, Wandern, Radfahren. (J.S.)

Suitner Hans Dr. MedR.

B.: Prakt. Arzt. A.: 6700 Bludenz, Am Gemüsemarkt 1. G.: Bludenz, 18. Mai 1919. V.: Edith, geb. Genz. S.: Univ. Innsbruck. K.: 1951-84 Sprengelarzt, 1963-78 RK-Abt.Arzt, Betriebsarzt d. Fa. HILTI-AG, o.Mtgl. d. LandessanitätsR. E.: Ehrenring d. Gem. Thüringen, Gold. Verd.Med. d. Ö.R.K.

Suitner Wilfried

B.: Filialltr. d. Bank f. Tir. u. Vbg. DA.: 9900 Lienz, Südtiroler Pl. 2. PA.: 9900 Lienz, Messingg. 10. G.: Breitenwang, 2. Sept. 1959. V.: Ingrid, geb. Mair zun Niederwegs. Ki.: Eva-Johanna (1989), Nadja-Christina (1990). El. Ernst u. Martha.

S.: VS, hs, HASCH. K.: 1976 Eintritt in d. BTV, Matura auf 2. Bild.-Weg, 1985 zuerst Reutte dann Ltg. Filiale Ehrwald, seit 1987 Filialltr. in Lienz. M.: Round Table. H.: Kunst, Sport. (M.T.)

Suko Harald

B.: Tankstellenpächter. FN.: Aral-Austria GmbH. DA.: 4020 Linz, Landwiedstr. 61. PA.: 4020 Linz, Hatschekstr. 19. G.: Linz, 16. Okt. 1957. El.: Josef u. Cäcilia. S.: VS, HS, Politechn. Lehrgang, Lehre als Betriebselektriker VÖEST Alpine. K.: b. 1988 Tätigkeit als Betriebselektriker VÖEST Alpine, seit 1989 selbst. als Tankstellenpächter u. Gastwirt, 6. Febr. 1991 Konzessionsprüf. f. Gastgewerbe. H.: Mountainbike, Schwimmen, Camping. (U.E.)

Sukopp Paul

B.: Ges. FN.: Sukopp & Urban Ges.n.b.R. DA.: 1210 Wien, Clessg. 127a. PA.: 2324 Zwölfaxing, Otto-Lenzenhofer-Str. 11-15. G.: Schwechat, 1. Apr. 1960. V.: Madeleine, geb. Lang. Ki.: Paul (1983), David (1987). El.: Karl u. Margarete. K.: 1975-78 Theatermacherlehre b. d. Österr. Bundestheatern, 1978-88 ang. b. d. Österr. Bundestheatern, ab 1988 selbst. als Theatermaler f. Theater, Film u. Werbung, gemeins. m. Kurt Urban. H.: Fischen, Malen. (M.M.)

Sükösd-Stromberger Gottburga Dr.

B.: Dir. u. Mtgl. d. Vorst. d. NÖ Landes-Hypothekenbank. DA.: 1010 Wien, Wipplingerstr. 2. G.: St. Lambrecht, 25. Juni 1952. V.: Ing. Arpád Sükösd. El.: Leonhard u. Gabriele Stromberger. S.: 1970 Matura Wien, Stud. Betriebswirtschaft WU Wien, 1974 Spons., 1977 Prom., einige Sem. Stud. Rechtswiss. Univ. Wien. K.: 1975-79 Univ.-Ass. am Inst. f. Welthandelslehre u. Absatzwirtschaft WU Wien, ab 1987 Ref. in d. Kapital-Beteiligungs AG Wien, 1980 Eintritt in d. Landes-Hypothekenbank NÖ Abt. Großkommerz, ab 1981 Ltr. d. Abt. Sonderfinanzierungen, ab 1985 Gschf. d. Landes-Hypothekenbank NÖ Leasing GmbH u. deren Tochterges., Mtgl. d. BeiR. d. NÖ Kreditbürgschaftsges., seit 1987 Mtgl. d. AufsR. d. NÖ Landeshauptstadt Planungs GmbH, ab 1992 Ltr. d. Ausleihungsressorts, Dir. u. Mtgl. d. Vorst. BL.: 1985 Gründerin d. Landes-Hypothekenbank NÖ Leasing GmbH u. deren Tochterges. E.: 1977 Leopold Kunschak-Förderungspreis. H.: Skifahren, Literatur, Gedichte schreiben. (J.S.)

Sula Peter

B.: Inh., Vergolder, Staffierer. FN.: Sula Peter. DA.: 1150 Wien, Markgraf Rüdiger Str. 22-24. PA.: 1150 Wien, Markgraf Rüdiger Str. 2/11. G.: Wien, 6. Feb. 1954. Ki.: Alexander (1975). El.: Rudolfine u. Kurt. S.: VS, HS, Polyt., Väterl. Betr., 3 J. Lehrzt., Gesellenpr. 1982, Meister i. Vergolden u. Staff. K.: 1983 Betr. übern., 1988 väterl. Betr. übern. H.: Angeln, Aquarien. (R.T.)

Sullivan Hubert

Pseudonym: Hubert v. Goisern. B.: Musiker, Komponist, Texter. G.: Bad Goisern, 1952. V.: Hildegard, geb. Fuchs. Ki.: Nick (1987). S.: Gymn. Bad Aussee. K.: Blasmusikkapelle Bad Goisern, 7 J. Weltreise, 4 J. Südafrika, zuletzt auf d. Philippinen Stud. Ursprüngl. Art, nach d. Rückkehr Start d. Projektes "Alpinkatzen" m. Wolfgang Staribacher, Auftritte in Wolfgang Ambros'"Watzmann-Rustikal", Grdg. d. Gruppe "Hubert v. Goisern u. d. Original Alpinkatzen". BL.: Begründer d. sog. Ethnorocks Verbindung. P.: Platten: "Alpine - Lawine", "Aufgeign statt Niederschiassn" (1992). E.: Gold. Platte f. d. Album "Aufgeign statt Niederschiassn". H.: Bergsteigen.

Sulzbacher Klaus

B.: Filial-Ltr. FN.: CA. DA.: 9800 Spittal a. d. Drau, Neuer Platz 4. PA.: 9800 Spittal a. d. Drau, Luther Str. 7. G.: Leoben, 6. Dez. 1960. El.: Adolf u. Helene. S.: Gymn. in Leoben. K.: Eintritt in CA-Bank zur Bankkaufmann-Lehre, BH, Zusatz u. Weiterbildung, 1984 CA Klagenfurt, 1988 als Filialltr. nach Spittal a. d. Drau, 1988 staatl. geprüfter Skilehrer. M.: s. 1989 Vizepräs. Round Table Spöittal a. d. Drau. H.: Reisen (Südamerika), Sport, Ski, Tennis. (G.L.)

Sulzbacher-Chimani Waltraut Mag.

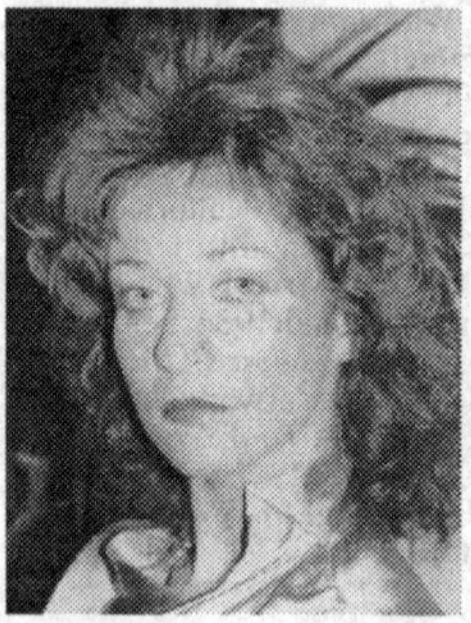

B.: Prof., Psychotherapeutin, Beraterin in allen Lebenslagen u. b. allen Problemen. FN.: IGL Inst. f. ganzheitl. Lebensgestaltung Mag. Sulzbacher. DA.: 4020 Linz, Wiener Str. 30. PA.: 4020 Linz, Stecherg. 21. G.: Linz, 18. Jän. 1958. Ki.: Maria Katharina (1982), Stefan Armin (1990). El.: Leopold u. Hedwig Chimani. BV.: Großvater OLGR Chimani, Waffenfbk. Werndl in Steyr, mütterl. Sozialmin. Hanusch Abschaffung d. Kinderarb., Dr. Viktor v. Hacker 1. Speiseröhrentransplantation. S.: VS, 1976 Matura, Stud. Germanistik, Publizistik, Anglistik, Univ. Sbg., Familientherapie, Mag., seit 1986 system. Familientherapie, Logotherapie u. Existenzanalyse. K.: Hrsg., Eigentümer u. Verleger d. Zeitschrift "Antenne", Erzieherin f. Sozialfälle, Erwachsenenbild. BFI, 1985-92 Pflegekinder, seit 1989 selbst. m eigener Praxis, Seminare in d. Stahlstiftung d. VOEST, Seminare über Persönlichkeitstraining, Meditation, Entspannung, Selbsterfahrung. P.: Berichte in d. Sbg. Nachrichten, d. Linzer Rundschau u. Salzkammergutnachrichten. M.: Amnesty Intern., Green Peace, pro terra. H.: Kinder, Singen, Gitarre spielen, Tiere (Pferde u. Reiten), Lesen, Fachliteratur, Kochen, Haushalt, Reisen, Camping, Garten u. Pflanzenzucht. (Ni.A.)

Sulzenberger Dietmar

B.: Juwelier u. Uhrenmacher. FN.: Juwelier Sulzberger.DA.: 1170 Wien, Hernalser Hauptstr. 58. G.: Sallingberg, 28. Mai 1948. El.: Josef u. Pauline. K.: 1980 Meisterbrief Gold u. Silberschmied u. gründ. Juwelier Sulzberger, 1984 Erw. d. Angebotes auf Wohnraum Uhren. H.: Skifahren, Wandern, Radfahen, historische Fachliteratur.(T.T.)

Sulzberger Hermann Mag. art.

B.: freischaff. Komponist. PA.: 1170 Wien, Sauterg. 42/2/10. G.: Wien, 12. Juni 1957. El.: Georg u. Rosa, geb. Görlich. S.: 1980-86 Stud. Tonsatz/-Komposition HS f. Musik u. darstell. Kunst Wien, 1986-87 Ergänzungsstud. am Inst. f. kulturelles Management, künstler. Betriebsführung u. Öffentlichkeitsarb. HS f. Musik u. darstell. Kunst Wien, 1978-85 Lehrgänge f. Medienkomposition, Tontechnik u. Kult. Mgt. HS f. Musik u. darstll. Kunst Wien, 1981-87 Stud. Kirchenmusik am Diözesankonservatorium f. Kirchenmusik Wien, 1972-75 Lehre im Lehrberuf Ind.-Kfm. b. d. Wr. Stadtwerken-Verkehrsbetriebe/kfm. Berufsschule f. Ind. -Kaufleute Wien, 1989 Ergänzungsprüfung im Lehrberuf Musikalienhändler. K.: Werke (Auswahl): Concertino f. Violoncello u. Orchester op. 6, uraufgeführt im Großen ORF-Sendesaal, Streichsextett op. 12 (anläßl. d. 100. Geburtstages v. Alban Berg im Auftrag d. A.-Berg-Stiftung),"Klangmixturen" f. achtstimmigen Knabenchor op.14 u. a., Aufführ. bei/im Wr. Festwochen, Wr. Musiksommer, Musikverein, Palais Pálffy, Staatsbibl. Berlin, Alte Schmiede, Sendungen (Rundfunk) u. a., päd. u. journalist. Tät. Bearbeiter von zeitgenössischen Musikhandschriften a. d. Österr. Nationalbibliothek. P.: Werke, hrsg. in versch. Verlagshäusern, Originalmanuskripte aufbewahrt in d. Musiksammlung d. Österr. Nationalbibl. E.: 1989 Europastip. d. Rep. Österr. , Förderungspreis d. Stadt Wien f. Musik, Anerkennungspreis d. Landes NÖ f. Musik, 1990 Wahl in d. Gruppe d. sechs besten Teilnehmer b. 2. Int. Komponistenwettbewerb f. Gitarre Berlin, 1987 Theodor-Körner-Preis. M: 4 Jahre Tantiemenbezugsberechtigten- Vertreter (E-Musik) in d. AKM, Vorstandsmitglied der Fachgruppe "Komponisten" in der Gewerkschaft "kmfb", Arbeitskreis f. freischaff. Komponisten im ÖKB u. a. ehrenamtl. Tät. H.: Musik, Metaphysik, Menschen. (N.A.)

Sulzberger Josef Wolfram

B.: Büchsenmachermstr. DA.: 3390 Melk, Wiener Str. 13. PA.: 3390 Pöverding 31. G.: Sallingberg/NÖ, 23. Mar. 1951. V.: Silvia, geb. Kraus. Ki.: Ulrike (1983), Wolfram (1986). El.: Josef u. Josefine. S.: 1966-69 Büchsenm.-Lehre Fa. Johann Springers Erben, Berufssch. Ferlach, Ktn. K.: 1972-80 Büchsenm. Fa. Seidler Wien, 1980 Eröffn. Büchsenm.-Gschf. u. Reparaturwerkst. Josef W. Sulzberger Melk, Erzeug., Instands. nichtmilit. Waffen, Verk. v. Spreng- u. Zündmittel, Pyrotechn., Fischereiart., Jagdschmuck, s. 1993 Mtgl. u. stellv. Parteiobm. FPÖ Melk. M.: s. 1975 Mtgl. ÖKB, Österr. Kameradschaftsb., Mtgl. Schützenver. Melk. H.: Politik, Jagd, Kulturreisen. (M.M.)

Sulzenbacher Elisabeth Dir.

B.: Dir. d. Blinden- u. Pflegeheim. DA. u. PA.: 6020 Innsbruck, Ing.-Etzl-Str. 71. G.: Götzens, 22. Febr. 1942. Ki.: Hubert (1966), Hannes (1968). El.: Heinrich u. Mathilde Kugler. S.: VS, HS, HASCH, 1958 Abschluß. K.: ab 1958 Tätigkeit größtenteils im Hdl., 1972 Landesdienst, Verw.-Ltr. im Heim Christine, 1976 Landhaus Blinden- u. Pflegebeihilfe, Sozialhilfefonds, 1982 Verw.-Ltr. Kinderheim Arzl, Blinden- u. Pflegebeihilfe, 1986 Dir. d. Blinden- u. Pflegeheimes. M.: Arge Heimltr., Pro Senectute. H.: Theater, Musik, Mode, schönes Wohnen. (B.R.)

Sulzenbacher Raimund

B.: Gschf. Ges. FN.: IDEALBAU GmbH, IB-Wohnbau. DA.: 6370 Kitzbühel, Franz-Erler-Str. 3. PA.: 6370 Kitzbühel, Hausbergtal 8. G.: St. Johann, 30. Okt. 1959. V.: Ellinor, geb. Svensson. El.: Helmut u. Josefine. S.: VS, HS, HASCH, 1975-78 Lehre Firma Gesierich, 1978-81 Polierschule, 1981 Zivildiener. K.: 1982-83 Firma Meise Bau, 1983-84 Studienaufenthalt USA, 1985-87 Firma Meise Bau - Ausbild. unter Dipl.-Ing. Jörg Meise z. EDV-Spezialisten u. unter führender Hand v. Bmstr. Oberhauser z. versierten Kalkulanten u. Bauexperten, seit 1987 Gschf. Ges. IDEALBAU GmbH, seit 1990 zusätzl. Gschf. Ges. IB-Wohnbau. E.: Lebensrettermed. M.: Edelweißgilde u. versch. örtl. Ver. H.: Extrembergsteiger, Sport allg. (M.T.)

Sulzer Alois

B.: Kameramann u. regieführender Programmgestalter d. ORF Landesstudio OÖ. DA.: 4020 Linz, Franckstr. 2a. PA.: 4060 Leonding, Doppl 5a. G.: Linz, 2. Febr. 1942. V.: Elfriede, geb. Winzinger. Ki.: Andreas, Alice. S.: gewerbl. Berufsausbild. K.: seit 1965 freier Mitarb. d. ORF als Kameramann (1. in einem Landesstudio), seit 1987 Regieführender Programmgestalter in div. Abt. d. Landesstudios. P.: zahlr. Auslandsdokumentarfilme (Afrika, Brasilien usw.), Filme über Ballonfahren u. über 1000-Meilen-Cup-Regatta Asien-Europa-Afrika. E.: versch. berufsbezogene Ausz. m. d. Landesstudio OÖ z.B. "Unda-Preis", 3x Regionalfernsehpreis, 1990 Umweltschutzpreis d. Landes OÖ. M.: Yachtclub. H.: Ballon, Hochseesegeln. (P.H.)

Sumetzberger Walter Ing.

B.: Inh. d. Fa. Ing. Walter Sumetzberger Elektroinstallationen, Rohrpost, Brandmelde-, Elektroakustik- u. Gegensprechanlagen. DA.: 1110 Wien, Leberstr. 108/Stg. II. PA.: 1030 Wien, Kölblg. 9. G.: Rust, 2. Sept. 1933. V.: Else, geb. Hacker. Ki.: Walter, Wolfgang, Gerhard. El.: Ferdinand u. Malwine. S.: HTL Mödling, 1957 Ing. K.: 1953 in d. Ind. Starkstrom, 1958 selbst., 1960 Hauptgebiet Rohrpost, Bereich Schwachstrom ausgebaut, 1979 Anstieg d. Gegensprechanlagen u. Video, 1965 Aktentransportanlagen. M.: Lions Club Johann Strauß. H.: Skifahren, Segeln, Reiten, Garten. (Fels.)

Summer Arthur OSR

B.: Dir. FN.: Gew. u. Kfm. Berufsschule Bludenz. PA.: 6700 Bludenz, Sonnenbergstr. 13. G.: Bludenz, 3. Mai 1937. V.: Gertrud Summer. Ki.: Bertram (1964), Gerda (1966), Karlheinz (1971). BV.: mehrfach engagierte Politiker-Persönlichk. (Bgm., Abg., usw.) väterl. S.: VS, HS, LBA Feldkirch, 1957 Matura, drei zusätzl. Lehrbefähigungsprüf. 1959/1967/1968. K.: 1957-71 Lehrer an VS, Lehrtätigk. an Gew. Berufsschule Bludenz f. wirts. Fächer, 1971 hauptamtl. Lehrer an d. Gew. u. Kfm. Berufsschule Bludenz, 1972 Dir., schul. u. techn. Management b. Neubauer-Stellung 1971 u. Erweit. 1992, Initiator Modellschule f. schul. u. techn. Weiterentwickl. M.: Polit. Tätigk. v. 1970-90 in Stadtvertretung v. Bludenz, 1975-85 ÖAAB-Obm., 1985-90 Clubobm. ÖVP, Jugend Handballer Blau-Weiß Feldkirch. H.: Sport, Politik, Land- u. Forstwirts. (I.D.)

Summer Heinrich Ing.

B.: allg. gerichtl. beeid. Sachv., Gschf. FN.: Seitz Informationssysteme GmbH. DA.: 1030 Wien, Modecenterstr. 14. PA.: 2340 Mödling, Giannonig. 27. G.: Wallern, 25. Aug. 1949. V.: Christine, geb. Stadler. Ki.: Christopher (1974). El.: Johann u. Aloisia. S.: VS, Gymn., HTL, Stud. Rechentechnik TU. K.: 1972 Organ.-Programmierer, 1974 EDV-Ltr., 1979 Ltr. Organ. Firma Stelrad, 1983 Ltg. d. Datenverarb.-Organ.Fa. SGD, 1984 Mtgl. d. Geschäftsltg. Firma Stelrad, seit 1989 Gschf. d. Firma Seitz Informationssysteme GmbH. E.: bester Gschf. d. Seitzgruppe. M.: Gründer d. Seitz Interessensgruppe. H.: Laufen, Skifahren, Marathon. (W.M.)

Summer Ludwig Dr.

B.: Vorst.-Mtgl. FN.: Vbg. Illwerke AG. GT.: s. 1992 Gschf. d. Seestadt Bregenz, Besitz- u. Verwaltungsges.m.b.H. DA.: 6901 Bregenz, Josef-Huter-Str. 35. PA.: 6900 Bregenz, Blumenstr. 2. G.: Bregenz, 10. Feb. 1950. V.: Carin. Ki.: Susanne (1977), Julia (1980). El.: Gerhard u. Charlotte, geb. Allgäuer. S.: 1961-69 Gymn. Bregenz, 1970-75 Univ. Innsbruck (Rechtswiss.). K.: 1975: 6 Mon. Gerichtspraxis b. BG Bezau u. LG Feldkirch, 1975-78: Amt d. Vbg. Landesreg. (Rechtskundl. Dienst), 1978: Eintritt b. d. Vbg. Illwerke AG, ab 1980 Ltr. d. Hpt.-Abt. Sekretariat d. Vorst., 1981 Handlungvollm., 1986 Kollektivprok., s. 1993 Vorst.-Mtgl. H.: Architektur-Design, Kulturreisen.

Summer Werner Dr. rer. soc. oec.

B.: Ltr. d. Finanzabt., Betriebswirt. DA.: 6850 Dornbirn, Rathausplatz 2. PA.: 6830 Rankweil, Negrelliastr. 26A. G.: Rankweil, 15. Feb. 1949. V.: Anna, geb. Hartner. Ki.: Alexander (1983), Mathias (1988). El.: Friedrich u. Bernadette. S.: HAK, Matura 1969, Stud. Univ. Innsbruck, Prom. 1980. K.: 1974-77 neben d. Stud. Wirtschaftsref. d. Hochschülerschaft, 1977 Eintritt Rathaus Dornbirn, 1978 Ltr. d. Finanzabt. d. Stadt Dornbirn, 1982 Gschf. d. Wasserverb. Rheintal. M.: AR d. Vorarlberger Erdgas GmbH. H.: Schwimmen, Radfahren, Schifahren, Eislaufen, Lit., Musik. (I.D.)

Sumper Wolfgang

B.: Inh. FN.: Suwo-EDV. DA.: 1170 Wien, Lacknerg. 12. G.: Innsbruck, 11. Aug. 1950. V.: Judith, geb. Regelin. El.: Franz u. Katrin, geb. Made. S.: VS, HS, HTL, Elektromechanikerlehre, div. Fortbildungsk. K.: 1970-72 Betriebselektr. b. d. Fa. Siemens, 1972-80 Techn. Serviceltr. b. ein. dtsch. EDV-Fa. m. intern. Aktiv. i. Osteur., dan. selbst., 1988 Einst. i. d. Laserdruckerbr., derz. Verk. H.: Tennis, Fußball. (N.A.)

Sündermann Rudolf H. Dr.

B.: FA f. Frauenheilkunde u. Geburtshilfe. DA.: 1170 Wien, Ottakringer Str. 46/25. PA.: 1190 Wien, Aslang. 2/5. G.: Ruprechtshofen, 21. Okt. 1935. V.: Hildegard Dr., geb. Schmuck. Ki.: Georg. El.: Dir. Herbert u. Maria. S.: VS, HS, hum. Gymn. Melk, Stud. d. Med. Univ. Wien, 1964 Prom. K.: Turnus KH St. Pölten u. Wilhelminenspital Wien, anschl. Fachausbild., FK Gershof, 1971 Ndlg., selbst. Praxis. BL.: Planung u. Errichtung d. Gynäkolog.-Geburtsh. Abt. d. A.ö.KH Hainburg. M.: Van-Swieten-Ges., Ges. f. perinatale Med., Ges. f. Cytodiagnostik, wiss. BeiR. d. period. Fachzeitschrift "Gynäkolog. Praxis" München. H.: Musik. (M.Br.)

Sundstöm Hákan Dkfm.

B.: Dir., Gschf. FN.: SCANIA Nutzfahrzeuge GmbH. DA.: 2345 Brunn am Gebirge, Johann-Steinböck-Straße. G.: Sundsvall/Schweden, 9. Mai 1952. El.: Axel u. Gudrun. S.: 1971 Matura Stockholm, Stud. an d. Handels-HS, 1976 Dipl. K.: Eintritt in d. Fa. Saab-Scania in Stockholm, ab 1981 Saab-Scania Österr., zunächst Finanzchef, danach Verkaufsltr. u. seit 1988 Gschf. H.: Gesellschaftsfragen, Politik, Sport. (P.R.)

Sunk Herbert

B.: Luftfrachtltr. FN.: Cargonaut Speditions GmbH. DA.: 1300 Wien-Flughafen, Objekt 630. PA.: 1080 Wien, Lerchenfelderstr. 148. G.: Baden, 4. Okt. 1961. El.: Alfred u. Liselotte. S.: 1979 Matura, Stud. WU Wien. K.: 1984 Spedition Export-Luftfracht, 1985 Spedition Cargoplan Luftfracht-Verkauf, 1986 Weltreise, 1987 Spedition Cargonaut Luftfracht-Verkauf, Übernahme d. Luftfrachtabt., Import, Export, Verkauf, 1988 Luftfrachtltr. H.: Sport, Skifahren. (H.J.S.)

Sunkler Franz

B.: Autobusunternehmer. DA. u. PA.: 5400 Golling, Obergäu 71. G.: Golling, 21. März 1955. V.: Elisabeth, geb. Lacher. Ki.: Christian, Stefan, Franz, Magdalena. El.: Rupert u. Angela. S.: 5 J. HTL Maschinenbau, 1974 Matura, 1 J. HAK Abiturentenlehrgang, danach BH. K.: 3/4 J. LKW Fahrer, 1 J. bei Fa. Kässbohrer i. Salzburg i. Büro tätig, mit 23 J. den elterl. Busunternehmen übernommen, veranstaltet auch Fernreisen, Tankstelle (1965 dazugekommen), Gattin vermietet Zimmer einer Pension. M.: Handelskammer, Fachgruppe Autobusunternehmen, Gemeinderat i. Golling, Feuerwehr. H.: Reisen. (D.E.)

Sunley Peter Dkfm.

B.: Prok. FN.: Demmer Hdls. GmbH. DA.: 1232 Wien, Karl-Tornay-G. 34. PA.: 2401 Fischamend, Klein Neusiedler Str. 23B. G.: Wellington/Neuseeland, 22. Juli 1943. V.: Elizabeth, geb. Steiner. Ki.: Philip (1973), Natalie (1973), Isabelle (1977). El.: Heinz u. Caroline, geb. Ward. S.: 1963 Matura, Stud. Betriebswirtschaft WU Wien, 1968 Abschluß. K.: 1970-71 Tätigkeit in d. USA, anschl. div. ltd. Positionen in Ind. u. Großhdl. in Österr., 1990 Eintritt Firma Demmer Hdls. GmbH, seit 1988 Adjunktprof. of Marketing Webster Univ. Wien. H.: Rotary-Club. (N.A.)

Suntinger Anton Dr.
B.: FA f. Innere Med., Vizepräs. d. Ärztekammer f. Ktn. DA.: 9020 Klagenfurt, St. Veiter Str. 47. PA.: 9020 Klagenfurt, Ebentaler Str. 54. G.: Döllach/Mölltal, 10. Nov. 1951. V.: Helga, geb. Suntinger. Ki.: Katrina (1980), Christine (1982). El.: Elisabeth u. Melchior. S.: Gymn. St. Rupert, Matura 1970, 2J Phil.-Stud. in Ibk., Med.-Stud. in Ibk., 1978 Prom. K.: Turnusausbild. LKH Klagenfurt, 1980 prakt. Arzt, FA-Ausbild. f. Innere Med., Zusatzausbild. in Kardiologie, 1981 Eintritt in d. Ktn. Ärztekammer, s. 1985 Vizepräs. BL.: Z.Zt. zus. m. Kollegen aus d. LKH Klagenfurt: Arbeit an frequenzgesteuertem Zweikammer-Schrittmacher. P.: Zahlr. Veröff. in versch. Fachzeitschr., vor allem über standespolit. Fragen. M.: Mtgl. b. versch. wiss. Ges., s. 1984 Vors. d. Ktn. Spitalärzteverb., öst. Delegierter ang. Ärzte Europas (permanent working group). H.: Mod. Literatur, Reisen, Phil., Kunstgeschichte. (M.D.)

Supersperg Harald Dr. nat. techn. Dipl.-Ing. Univ.-Prof.
B.: Ordinarius f. Landwirtschaftl. Wasserbau an d. HS f. Bdk. Wien. GT.: Ing.Kons. f. Kulturtechnik u. Wasserwirtschaft. DA.: 1180 Wien, Gregor-Mendel-Str. 33. PA.: 1180 Wien, Peter-Jordan-Str. 145/4. G.: Sachsenburg, 2. Dez. 1932. V.: Daria, geb. Marhold. Ki.: Susanne, Ruth. El.: Kurt u. Margarethe. S.: Matura 1952, Stud. Kulturtechnik u. Wasserwirtschaft 1952-58. K.: 2 J. b. Ilbau, ab 1960 Ass. Inst. f. Wasserwirtschaft, 1962 Prom., 1967 Habil., 1973 Ruf als Extraodrinarius, 1974 Ordinarius, Hpt.Arb.Gebiet: Agrarhydrologie, Regelung d. Bodenwasserhaushaltes (Vorflutverbesserung bzw. - beschaffung, Grabenentwässerung, Drähung, sepz. Entwässerungen, Untergrundbewässerung, Stau- u. Rieselverfahren, Beregnung, Tropfbewässerung), Bodenschutz (Maßnahmen gegen flächenmäßige Wind- u. Wassererosion), Landwirtschaftl. Verwertung fester u. flüssiger Abfallstoffe (Müllkompost, Klärschlamm, Gülle). (P.R.)

Suppan Anna Maria

B.: Inh. FN.: Bodyline, Figur u.Schönheitsstudio. DA.: 6900 Bregenz, Bahnhofstr.10/2. G.: Schrötten, 14. Nov. 1952. Ki.: Andreas (1973). El.: Florian u. Cäcilia. S.: 1971 Abschl. kfm. Lehre i. Graz, berufsbez. Weiterbild. K.: Telefonistin in Großhandelskaufhaus in Graz, dann kfm. Ang. in Fahrradfirma (v. Telefonistin b. z. Abt.-Ltr.), 1989-90 Sekr. in kl. Eisenhandelsbetr., 1990-91 Weiterbild. f. Berufsumstieg, 1992 Übersiedl. n. Vbg. u. Eröffnung d. Bodyline. H.: Lesen, Wandern, Spazierengehen, Esoterik. (I.D.)

Suppan Arnold Dr. phil. Univ.-Prof.

B.: Ltr. d. Österr. Ost- u. Südosteuropainst. DA.: 1010 Wien, Josefspl. 6. G.: St. Veit/Glan, 18. Aug. 1945. V.: Maria, geb. Fuska. Ki.: Isabella (1973). El.: Arnold u. Erika, geb. Mulle. S.: 1963-69 Stud. Geschichte u. Germanistik Wien, 1970 Dr. phil., Lehramtsprüf. aus Geschichte K.: 1971 Univ.- Ass. Inst. f. ostwurop. Geschichte u. Südostforsch., ab 1975 Lektor f. Neuere Geschichte, ab 1982 Lektor f. Österr. u. Neuere Geschichte Univ. f. Bild. Wiss. Klagenfurt, 1984 Doz. f. Osteurop. geschichte, 1988 Ass.-Prof., 1983-87 stllv. Obm. d. Zentralaussch. d. HS-Lehrer Österr., s. 1988 Ltr. Österr. Ost- u. Südosteuropainst. i. Wien, ab 1980 kooptiertes Mtgl. d. Fachaussch. Geisteswiss. d. Österr. UNESCO Kmsn, ab 1986 Mtgl. d. Subkmsn. Österr. - Slovenien u. Österr.- Tschechieni. d. Österr. AK d. Wiss. PlL "Innere Front, Militärass., Widerstand u. Umsturz i. d. Donaumonarchie 1918(1974)", "die österr. Volksgruppen" (1983), "Geschichte d. Deutschen im bereich d. heutigen Slowenien 1848-1941" (1988), "Ethnic Groups i. Intern. jRelations" (1991), "Die Kroaten" (1980), "Jugoslawien- Österr. 1918-1938 (1994). E.: 1979 Anton-Gindely-Preis, 1983 Förd.- Preis d. Stadt Wien, 1984 Leopold-Kunschak-Preis, 1988 Vogelsang-Staatspreis. (N.A.)

Suppan Franz Ing.
B.: Gschf. Ges. FN.: Solar-Technik GmbH. DA.: 4040 Linz, Reindlstr. 39. PA.: 4040 Linz, Schulstr. 9. G.: Linz, 1. Mai 1951. El.: Erich u. Eva. S.: VS, Gymn., HS, HTL Steyr u. Linz, Stud. Maschinenbau, 1969 Matura. K.: b. 1975 Ang. Voest Alpine im Wasserturbinenbau, 1975-78 techn. u. kfm. Ang. im Innen- u. Außendienst Firma Ploberger, seit 1978 Außendienst Solar-Technik GmbH, seit 1979 Gschf. Ges. P.: fallweise Vortragstätigkeit im Fachgebiet. H.: Hausbesitzer, Skifahren, Tauchen, Lesen (Fachliteratur). (U.A.)

Suppan Friedrich Dipl.-Ing.
B.: Ziviling. f. Bauwesen. A.: 2231 Straßhof, Johann-Straussg. 23-25. G.: Wien, 10. Aug. 1947.

Suppan Herbert Dr. techn. Dipl.-Ing.
B.: Prof. A.: 5020 Salzburg, Saalhofstr. 13. G.: Graz, 13. Dez. 1941. V.: Kirsti, geb. Kokko. El.: Josef u. Rosa. S.: HTL f. Maschinenbau, Graz, TU Graz, Wirtschaftsing.Wesen, Seminare in Hernstein b. Wien, ÖAF Graz. K.: 1968-71 VEW Kapfenberg Gruppenltr. Betriebswirtschaft, 1971-77 Lapp-Finze AG, Kalsdorf, Hpt.Abt.Ltr. Techn. Betriebswirtschaft, Organ., Unternehmungsplanung, 1977-80 SPÄNEX Gaspoltshofen, Gschf., 1980-heute Prof. f. Qualitätsmanagement u. Unternehmensführung an d. HTL 5400 Hallein, Doz. f. Qualitätssicherung DGQ, ÖVQ, DGQ-ÖVQ-Auditor. F.: Unternehmensberatung EDV, Fertigplanung u. -steuerung, Investitionsplanung. P.: MAPI-System d. Investitionsrechnung , Unternehmensplanung. M.: WIV. H.: Bergsteigen, Skifahren, Tennis, Segeln.

Suppan Manfred
B.: Inh. d. Kfz-Werkstätte u. -Hdl. M. Suppan. DA. u. PA.: 8330 Feldbach, Untergiem 44. G.: Feldbach, 1. Juli 1948. El.: Alois u. Stefanie. S.: VS, HS, Kfz-Mechanikerausbild. in Feldbach, 1970 Mstr.Prüf. K.: Praktikum in Wien u. Murau, 1973 Eröff. d. eigenen Betriebes m. Neubau d. Werkstätte, ab 1975 auch Verkauf (BMW, Volvo), 1981 Erweiterung m.

Spenglerei u. Ersatzteillager. M.: Obm. d. Wirtschaftsbundes Mühldorf, Aussch.Mtgl. d. Wirtschaftsbundes Bez. Feldbach, Präs. d. Fußballver. H.: Skifahren, Wandern, Marken- u. Münzensammeln. (War.)

Suppan Martin

B.: Kunsthändler. DA.: 1010 Wien, Habsburgerg. 5, 1010 Wien, Seilerstätte 3. G.: Wien, 6. Aug. 1943. V.: Dr. Claudia, geb. Cäsar. Ki.: Sebastian-Dominique (1991). El.: Dr. jur. Johann u. Yvonne, geb. Caurairy. S.: Wr. Sängerknaben, Hum. Gymn. Wien, Ausbild. z. Buch-, Kunst- u. Musikalienhdl., 1964-69 Stud. Gesang Konservatorium d. Stadt Wien, Schauspielstud. Schauspielschule Kraus, Gesang, Konservatorium d. Stadt Wien, 1969 Abschluß. K.: 1964 Eintritt in d. großelterl. Galerie, seit 1974 selbst., Eröff. d. Galerie in d. Habsburgergasse, 1976 Eröff. d. Galerie im Palais Coburg in d. Seilerstätte, spezialisiert auf d. Kunst d. 19. u. 20. Jhdt., künstler. Tätigkeit: Volksoper, Burgtheater, Tourneen in d. USA, in Gerhard Bronners Fledermaus, Fernsehen u. Film, redaktionelle Beiträge u. Moderationen im ORF über Kunst u. Antiquitäten. P.: Autor u. Hrsg. v. Kunstbüchern, Monographien u.a. "Marie Egner 1850-1940", "Alfred Zoff 1852-1927", "Hans Böhler 1884-1961", "Joseph Floch 1895-1977", "Wilhelm Kaufmann 1895-1975", "Wachaumaler - Wachaumotive", Publ. "Emigranten u. Verfemte", "Die Österr. Malerei 1910-1950", "Biedermeier Schreibmöbel". H.: Tennis, Reisen, Musik, Audiovision, Theater. (J.S.)

Suppan Wolfgang

B.: Inh. u. Ges. FN.: Wolfgang Suppan Direct Marketing, Adressen-Suppan, Erich Suppan KG. GT.: Dir. d. MC Manager Cards AG. DA. u. PA.: 2361 Laxenburg, Kapelleng. 14. G.: Wien, 4. Juni 1947. El.: KommR. Erich u. Else. S.: BLBA Wien, Graph. Lehr- u. Versuchsanst., 1 J. Stud. in London, Militär. K.: Eintritt in väterl. Fa. Erich Suppan, b. 1968 Drucktechniken in versch. Firmen, 1969 Druckereiltr., 1974 Ass. d. Geschäftsltg., 1977 Ges., 1979 Grdg. d. eigenen Fa., 1986 Grdg. gemeinsam m. Siegfried Vögele MC Manager Cards AG. BL.: Vergabe v. Lizenzen f. Syst. d. Manger Cards in europ. Bereich. E.: John Howie-Cup Wright 1981. M.: Fachgruppenvorst.Stellv. Fachgruppe Werbung NÖ 1985, Aussch.Mtgl. FV Werbung 1984, Landesrepräs. d. Montreux Direct Marketing Symposiums 1980, Vorst.Mtgl. EDMA 1975, Vorst.Mtgl. d. Österr. Direct Marketing Verb. 1987. H.: Skifahren, Kutschenfahren, Fotografieren, Filmen, Reisen. (M.G.)

Suppan Wolfgang Dr. phil o.HS-Prof.

B.: Vorst. d. Inst. f. Musikethnologie a. d. HS f. Musik u. Darstell. Kunst i. Graz. A.: 8047 Graz, Ragnitzerstr. 216. G.: Irdning, 5. Aug. 1933. V.: Elfriede, geb. Vass. El.: Emil u. Maria. S.: Univ. Graz, Prom. 1959 (Musikwiss., Volkskunde), Univ. Mainz, Habil. 1971 (Gesamtfach Musikwiss.). K.: 1961-63 musikwiss. Ref. am Inst. f. ostdt. Volkskunde i. Freiburg im Breisgau, 1963-74 Ltr. d. Musikabt. am Dt. Volksliedarchiv i. Freiburg/Br., 1971-74 apl. Univ.-Prof. f. Musikwiss. a. d. Univ. Graz, Lehrstuhlvertretungen 1980/81 i. Göttingen u. 1992/93 i. Innsbruck, Gastprof u. a. Columbia/New York, Sbg., Aarhus/Dänemark, Austin/Texas. P.: 16 Bücher, darunter: Der musizierende Mensch. Eine Anthrropologie d. Musik, Mainz 1985; Musica humana, Lexikon d. Blasmusikwesens, Freiburg 1989; Die Eplauer, Handschrift, Tutzing 1990; etwa 200 Aufsätze i. Fachzeitschiften versch. Länder, Edition älterer u. neuer Musik, Hrsg. v. "Alta Musica", "Musikethnologische Sammelbände", "Musik aus d. Stmk." u. a. E.: Gold. EZ d. BRD, Schwed. u. Österr. Blasmusikverb., Gr. EZ d. Landes Stmk. 1977, Forschungspreis d. Landes Stmk. 1984. M.: Mtgl. zahlr. wiss. Ges., Präs d. Inern. Ges. z. Erforschung u. Förderung d. Blasmusik, Mtgl. d. Kuratoriums d. Stiftung F.V.S. 1982 u. d. Histor. Landeskmsn. f. Stmk. seit 1992.

Suppanz Michael Dr. HofR.

B.: Univ.-Dir. d. Karl-Franzens-Univ. Graz. DA.: 8010 Graz, Universitätspl. 3. PA.: 8043 Graz, Am Rehgrund 20. G.: Mürzzuschlag, 8. Apr. 1945. V.: Mag. phil. Waltraut, geb. Haas. Ki.: Michaela (1969), Alexander (1972). El.: Dr. Fritz u. Anna, geb. Faktor. S.: 1955-63 BRG Graz-Liebenau, 1963-69 Jus-Stud. an d. Univ. Graz, 1969 Prom. z. Dr. jur. K.: 1966-69 Wiss. Hilfskraft am Kriminolog. Inst. d. Univ. Graz, 1969 Vertrags-Ass. ebenda, 1969-74 HS-Ass. ebenda, ab 1974 Beamter d. wiss. Dienstes am Kriminolog. Inst., s. 1978 am Inst. f. Strafrecht, Strafprozeßrecht u. Kriminologie, Arb.-Geb.: Kriminialistik, Kriminalphänomenologie, Wiederricht. d. Kriminalmuseums u. d. Lehrmittelsammlung d. Inst., 1975-88 Vors. d. Dienststellensaussch. f. d. sonstigen Bediensteten an d. Univ. Graz, s. 1988 Univ.-Dir. H.: Malerei. (P.M.)

Supplit Viktor Vinzenz Dr.

B.: RA. A.: 4020 Linz, Landstr. 42. G.: Pojana Stampei/-Rumänien, 29. März 1938. V.: Ilse. Ki.: Sibylle (1973), Ralf (1975), Irene (1976). El.: Vinzenz u. Adele. S.: VS, HS, 8 Sem. Arbeitermittelschule, Jusstud., RA-Anw. K.: Werkstudent, RA. M.: ÖWR. H.: Tennis, TAE KWAN DO.

Surenjan Gerhard Dipl.-Ing.

B.: Gschf. Ges. FN.: EINS Einführung Integration EDV-Systeme GmbH, EINS PLUS Planung u. Einführung v. Netzwerksystemen GmbH. DA.: 4020 Linz, Altstadt 2. PA.: 4020 Linz, Kapuzinerstr. 1. G.: Linz, 3. Sept. 1953. V.: Ilse, geb. Wirnsberger. Ki.: Sarah (1983), Sabrina (1985). El.: Ing. Gerhard u. Gerhild. S.: VS, HS, HTL Hochbau, 1971 Matura, 1972 BH, 1980 Abschluß Bauing. TU Graz. K.: b. 1983 Statiker VOEST ALPINE, b. 1985 EDV-Ltg. b. d. Errichtung d. Kernkraftwerkes Brokdorf, b. 1986 EDV-Stabstellenltr. f. VOEST ALPINE Stahl- u. Apparatebau, ab 1987 Ltg. d. EDV u. Organ. in d. VOEST ALPINE Maschinenbau GmbH, b. 1992 Ltg. EDV in d. VOEST ALPINE M.C.E., 1992 Gschf. Ges. d. Firma EINS GmbH, 1992 Grdg. Firma EINS PLUS GmbH. P.: Art. in Zeitungen, Vortragstätigkeit. E.: Gold. Tanzsportabz., Bronz. Reiterabz., Brevet Gold. M.: Tauchclub, Motoryachtclub, Nibelungen Seepferdchen, WDF. H.: Tauchen, Surfen, Reisen, Filmen. (U.A.)

Sureth Ysabel

B.: Vorst.Mtgl. FN.: Gazelle AG Strümpfe u. Wäsche. DA.: 1160 Wien, Seeböckg. 59. G.: Bremen, 26. März 1960. K.: Vorst.Mtgl. d. Gazelle AG.

Sureyya Wimmer Otti

B.: Tänzerin, Inh. d. Oriental. Tanzschule "Sureyya". DA.: 4020 Linz, Mozartstr. 43. PA.: 4030 Linz, Panholzerweg 3. G.: Linz, 18. Nov. 1952. Ki.: Roland. El.: Ludwig u. Ottilie. S.: Ausbild. z. Industriekfm., HAK, Europ. Sekr.-Ak. Wien, Studienberechtigungsprüf. f. Jus. K.: 9 J. Praxis b. Steuerberater, seit 1982 Anw.-Sekr., 1985 Ausbild. im Oriental. Tanz in Kursen, Privatlehrerin in Ägypten u. Österr., seit 1988 selbst. m. d. Tanzschule, Kurse beinhalten: Tanz, Kultur, Kurse auch f. Schwangere, Kinder u. Männer, Kurstätigkeit in OÖ u. NÖ, Auftritte b. Oriental. Hochzeiten, Ballveranstaltungen, Firmenfeiern usw., Berichte im TV. H.: Musik, Tanzen, Schifahren. (P.H.)

Susemihl Igor Iriney Dr.

B.: Metropolit d. Russ.-Orthodoxen Kirche. DA.: 1030 Wien, Jaurèsg. 2. G.: Tschernigow/UdSSR, 10. Juli 1919. El.: Wladimir u. Antonia. S.: Dt.-Russ. Höhere Schule d. Stadt Berlin, Matura, Stud. d. Theol. in München, 1946 Priesterweihe, 1950 Prom. z. Dr. theol. K.: 1948-50 Priester in Konstanz/BRD, 1950-58 Priester in Melbourne/Australien, 1958-60 Priester in Den Haag/NL, 1960-66 Priester in München, 1966 Bischofsweihe, Bischof f. d. BRD, 1970 Bischof f. Bayern, Baden-Württemberg u. Hessen, 1974 Bischof f. Wien u. Österr., 1982 Erzbischof f. Wien u. Österr., 1986 Metropoliten f. Wien u. Österr. E.: Orden d. hl. apostelgleichen Wladimir 1., 2. u. 3. Grades (Patriarchat Moskau), Orden d. hl. Sergij v. Radonesch 1., 2. u. 3. Grades (Patriarchat Moskau), Orden d. hl. Andreas (Patriarchat Alexandrien), Orden d. Rep. Libanon, Orden d. Kirch v. Antiochien, Gr. Silb. EZ m. Stern f. Verd. um d. Rep. Österr. 1990.

Susic Drazen Dr. rer. nat. Dipl.-Ing.

B.: Inh., Gschf. Ges. FN.: TECOM. GT.: Ges. d. Firma Covon 1070 Wien, Lindeng. 8., Gen.-Repräsentant Bayer Austria Diagnostika. DA.: 1090 Wien, Alserbachstr. 14-16. G.: Zagreb, 2. Mai 1940. V.: Dr. Marina. El.: Prof. Vladimir u. Vjera. S.: 1959 Matura, TH Chemie, Dipl.-Ing., Dr. rer. nat. K.: 1964-66 Tätigkeit b. Doz. Dr. Josef Schmidt als Laborltr., b. 1970 Univ.-Ass., 1970-72 Forsch.-Zentrum Böhringer Mannheim/Tutzing, b. 1990 Marketingmanager, Gschf. u. Gen.-Dir. d. Firma Technicom GmbH, seit 1990 dzt. Position. P.: ca. 30 wiss. Publ. M.: Österr. Ges. f. Klin. Chemie, Amerikan. HK, Präs. d. Ges. d. Tierfreunde. H.: Tennis, Klavier. (J.E.)

Suske Günther Dr. Dipl.-Ing.

B.: Arch. DA.: 1130 Wien, Auhofstr. 123. PA.: 1130 Wien, Auhofstr. 115. G.: Wien, 5. Febr. 1932. S.: Mittelschule, 1950 Matura, Stud. Arch. an d. TH, 1957 Dipl.-Ing., 1959 Prom. z. Dr. d. techn. Wiss. K.: 1957-59 HS-Ass., 1957-62 Praxis b. versch. Arch., 1961 Ziviltechnikerprüf., seit 1961 selbst. Arch., geplante Projekte: kommunaler Wohnbau, zahlr. Bankfilialen, Bürogebäude, Geschäftshäuser u. Grundstücksverwertungen, Altstadtsanierungen, zahlr. Wohn- u. Einfamilienhäuser. P.: Diss.: "Über Fensterkonstruktionen", Publ. in Fachzeitschriften über Fensterkonstruktionen u. über Altbausanierung. E.: 1. Preis f. d. Renovierung d. Ullrichshofes, 1. Preis f. d. Restaurierung d. Renaissancefassade in d. Annagasse 4. M.: Arch.Kam. H.: Familie, Aquarelle. (M.B.)

Süß Friedrich

B.: Inh. FN.: Friedrich Süß. DA.: 1190 Wien, Barawitzkag. 6. G.: Wien, 30. Mai 1942. V.: Ingeborg. Ki.: Sylvia, Michaela, Gabriela. El.: Rudolf u. Hermine. S.: Lehre Werkzeugmacher u. Kunststofformenbauer, 1959 Abschluß. K.: b. 1966 Tätigkeit im Beruf, 1966 Eröff. d. eigenen Betriebes m. Schwerpunkt Bodenbeläge, 1971 Eröff. im 19. Bez., seit 1971 auch Raumausstatter, Weiterbild. durch Seminare, 1978 Befähigungsnachweis, seit 1980 Innungsaussch., Vortragender WIFI, 1982 Berufsschullehrer, seit 1986 Berufsgruppenobm.-Stellv. u. Bundesberufsgruppenaussch. u. seit 1985 Befähigungskursltr., seit 1990 Innungsmstr.-Stellv. u. Berufsgruppenobm., seit 1988 Sachv.-Anw., seit 1990 Berufsgutachter f. d. Sozialvers., Lehrlingswart, seit 1990 WIFI St. Pölten. P.: Publ. in Fachzeitschriften. (J.E.)

Süß Peter

B.: Gschf. Ges., Man. Dir. FN.: Wintersteiger GesmbH Austria. DA.: 4910 Ried, Dimmelstr. 9. PA.: 4910 Tumeltsham, Ornetsmühl 26. G.: Passau, 27. Nov. 1946. Ki.: Peter (1969), Sabine (1970). El.: Georg u. Elisabeth. S.: VS, HS, 1960-63 Lehrlingsausbild. Fa. Wintersteiger, 1967 Mstr.-Prüf., lfd.

Besuch versch. Kurse u. Seminare. K.: tätig bei Fa. Wintersteiger, versch. Pos., u.a.: Konstruktion, Abtl.-Ltr., Werksmstr., techn. Verkauf, Betriebsltr., techn. Ltr., Gschf., Gschf. Ges., Prod. f. landwirts. Feldversuchswesen; ehemal. Leistungssportler, ehemal. Sportlehrer; ausgebild. Refa-Techniker, ausgebild. Wertanalytiker nach VDI, betriebswirts. Ausbild. H.: Sport, Fitnesstraining, Fachliteratur, klass. Musik. (J.L.)

Süss Rudolf Mag. iur. HofR.

B.: Vorst. d. GAbt. 13 (Zoll- u. Grenzreferat). FN.: Finanzlandesdion. f. Wien, NÖ u. Bgld. GT.: seit 1967 Vortragender Bundeszoll- u. Zollwachschule u. Prüf.Kmsr. b. d. Prüf. f. d. Höheren Finanzdienst auf d. Gebiet d. Zollrechts. DA.: 1030 Wien, Vordere Zollamtsstr. 7. PA.: 1200 Wien, Leystr. 20A. G.: Krems/Donau, 7. Mai 1932. V.: Herta, geb. Plaser. El.: Franz u. Hermine. BV.: Rudolf Süss, Religionsprof. in Krems, Sänger u. Komponist. S.: RG, 1950 Matura, Stud. d. Rechtswiss. in Wien, 1956 Mag. iur. K.: 1 J. Gerichtspraxis, 1958-59 FA in Krems, seit 1959 im Zolldienst, vorerst am Zollamt Wien als Rechtsmittelref. b. 1966, ab 1966 b. d. Finanzlandesdion. als Rechtsmittelref., 1972 Vertreter d. Abt.-Vorst. d. GAbt. 14, 1978 1. Vertreter d. Amtsvorst. d. Hauptzollamtes Wien, 1985 Vertreter d. Vorst. d. GA. 14 d. Finanzlandesdion., 1986 Vorst. d. GA. 14. H.: Gartenarb., Lesen. (M.B.)

Süssenbacher Alfred

B.: Koch. FN.: Gesundheitshotel d. Bleibergerhof. DA. u. PA.: 9530 Bad Bleiberg, Drei Lärchen 150. G.: St. Veit, 5. Dez. 1940. V.: Regina, geb. Robas (1993 Hotelier). Ki.: Michael, Georg. El.: Thomas u. Anna. S.: VS, HS, HAK Klagenfurt, Kochlehre. K.: Erfahrungen in Österr., CH u. BRD gesammelt, ab 20. Lebensj. Küchenchef in versch. Großküchen, 1971 Errichtung d. Kurhotels. BL.: einer d. Drei Hauben Köche Österr., 1983 1. Haube, 1984 2. Haube, 1986 3. Haube, 1986 Koch d. Jahres, 1989 3 Hauben, 1994 3 Hauben im Gault Millau. P.: Veröff. im ORF, Gesundheitsbuch v. Dr. Ulf Böhmig (Rezepte), eigenes Buch in Neuarb. E.: Beste Wahl in Ktn. ausgezeichneter Betrieb GGC Golden Gourmet Kartenbetrieb. M.: Club Louis XIII/Karten-Betrieb Remy Martin 1988, Diplome de Maitrise, Ordre d. Saint Fortunat, 1985 Ordre Mondial des Gourmets Degustateurs des Vins, Eaux-de-Vie, Liqueurs et Spiritueux, Weltverbindung f. Essen u. Trinken, Weinbruder d. österr. Weinbruderschaft, Ehrenweinritter d. Weinbruderschaft Ktn., Mtgl. Chaine de Rotisseur, Club Cordon bleu. H.: Skifahren, Antiquitäten, bäuerl. Volkskunst, klass. Musik, Wassersport. (U.A.W.)

Sutara Hans RegR.

B.: Gschf. v. Jugend am Werk. DA.: 1160 Wien, Grundsteing. 65. PA.: 1210 Wien, Jedlersdorfer Str. 99. G.: Wien, 13. Sep. 1933. V.: Hedwig, geb. Monschein. Ki.: Gabriela (1960), Doris (1963). El.: Johann u. Wilhelmine. S.: Berufsausbild. als Starkstrommonteur, 1959 Vollmatura im 2. Bildungsweg, div. Fachkurse. K.: 1947-51 Ausbild. z. Starkstrommonteur b. d. Wr. E-Werken, 1951-59 Starkstrommonteur b. d. Wr. E-Werken u. Verkehrsbetr., 1959-72 Jugendamt MA11, 1972 Pädag. Ltr. v. Jugend am Werk, s. 1979 Gschf. (Personalwesen, Finanzen, Verw., Berufsausbild. f. Lehrlinge, Betreuung v. 1200 Behinderten), Vorst.-Mtgl., Bezirksrat v. Wien-Floridsdorf. H.: Gartenarbeit, Weitwandern. (R.J.)

Sutter Alexander M. Dr.
B.: RA, Verteidiger in Strafsachen. DA.: 8010 Graz, Zimmerplatzg. 1. PA.: 8045 Graz, Ettingshauseng. 3. G.: Graz, 18. Aug. 1958. V.: Dr. Doris, geb. Rainer. Ki.: Thomas (1986). El.: Dr. Berthold u. Dr. Hermenegild. S.: BG u. BRG Graz, 1976 Matura, 1976 Präsenzdienst, Milizofz., ab 1977 Stud. Rechtswiss. Univ. Graz u. Sbg., 1983 Prom. Graz. K.: 1983 Gerichtsj. Graz, 1984-87 RA-Anw., 1988 VB Land Stmk., ab 1989 selbst. H.: Sport, Musik, Reisen. (P.M.)

Sutter Berthold Walter Ernst Dr. phil.
B.: em. o.Univ.-Prof. A.: 8010 Graz, Naglerg. 66. G.: Graz, 7. Juli 1923. V.: Dr. Hermenegild, geb. Kolmayr. El.: w.HofR. Dr. iur. August u. Auguste. S.: Ak. Gymn., Prom. 1948 an d. Univ. Graz, Habil.: Allg. Neuere Geschichte an d. Phil. Fak. 1963, Dt. u. Österr. Rechtsgeschichte an d. Jur. Fak. 1965. K.: 1949 Bibl., 1962-67 Dir. d. Stmk. LBibl. am Joanneum, 1967 o.Univ.-Prof. u. Vorst. d. Inst. f. Europ. u. Vergleichende Rechtsgeschichte an d. Univ. Graz, Dekan d. Rechts- u. Staatswiss. Fak. Graz 1971/72. P.: "Die Badenischen Sprachenverordnungen v. 1897", "Johannes Kepler u. Graz", "Die polit. u. rechtl. Stellung d. Deutschen in Österr. 1848-1918","Dalbergs Antwort auf W. v. Humboldts Ideen zu einem Versuch die Grenzen d. Wirksamkeit d. Staats zu bestimmen", "Die Entwicklung d. Grundrechte", "Wiss. u. geist. Strömungen zw. d. Augsburger Religionsfrieden u. d. 30j. Krieg", "Die Stmk. in Zeiten d. Umbruches", "Landesfürst u. Stände in d. Krise 1519-23", "Ferdinand I." u.a. Publ. E.: Gold. VZ d. Rep. Österr., Gr. Silb. EZ d. Rep. Österr., Österr. Ek f. Wiss. u. Kunst I. Kl., Gr. Gold. EZ d. Landes Stmk., Pro-Meritis-Med. in Silber d. Univ. Graz, Bürger d. LHauptstadt Graz, Erzherzog-Johann-Forschungspreis, Leopold-Kunschak-Preis. M.: Korr. Mtgl. d. Österr. Akad. d. Wiss., Mtgl. d. histor. LKmsn. f. Stmk., Mtgl. d. Südostdeutschen Histor. Kmsn. München, Gründer u. Präs. d. J. J. Fux-Ges., d. Sozialhilfe Österr. HS-Lehrer, Festschrift Berthold Sutter 1983 (m. Bibliographie). H.: Musik, Reisen in Europa.

Sutter Heinz
B.: Prok. Bereichsltg., Sped.-Kfm. FN.: Spedition-West Delacher & Co Transport AG. DA.: 6961 Wolfurt-Bahnhof. PA.: 6912 Hörbranz, Fronhoferstr. 32. G.: Bregenz, 16. Mai 1941. V.: Ilse. Ki.: Mag. Anette (1967), Kathrin (1976), Joachim (1978). El.: Walter u. Anna. S.: Realschule Dornbirn, HAK-Matura Bregenz, 1962 BH. K.: 1960 Eintritt Firma Delacher als kfm. Ang., Sachbearb., Abt.-Ltr., 1987 Prokura, Mtgl. d. Geschäftsltg. Bereichsltg. Spedition-West. M.: AS Fachgruppe Spd. H.: Skifahren, Radfahren, Schwimmen. (I.D.)

Sutter Peter
B.: Inh., Optikermstr. FN.: Meisteroptik Sutter. DA.: 6850 Dornbirn, Bahnhofstr. 12. PA.: 6932 Langen/Bregenz, Hegisberg 102. G.: Langen, 3. Jun. 1966. El.: Anton u. Mathilde. S.: Optikerlehre, Mstr.-Schule f. Augen- u. Kontaktlinsenoptik, 1989 Aschluß m. gutem Erfolg, 1990 Konzessionsprüf.; 1986-87 BH Militärmusik. K.: 1/2 J. Optiker in Dornbirn, 1991 selbst., exkl. Brillenmode, Unikate in Handarb. gefertigt, indiv. angepaßte Kontaktlinsen. M.: AMAK, Singgem. Langen, Ltr. Jugendchor Langen, einig. J. Guggen Musik Wolfurt u. Blasmusik Langen. H.: Musik, Tourengehen, Schwimmen, Mountainbike. (I.D.)

Sutter Sonja Kammerschauspielerin
B.: Protagonistin am Wr. Burgtheater. K.: 1955 Staatsschauspiel München, seit 1959 am Wiener Burgtheater, Welttournee m. d. Burgtheater, Deutschland-Tourneen, Filme u. Fernsehen, langj. Mtgl. d. Salzburger Festspiele, Gastspiele am Zürcher Schauspielhaus, Hamburger Schauspielhaus, Münchner Residenztheater an der Deutschen Oper am Rhein/Düsseldorf. (M.N.)

Suttheimer Dieter-Ernst Univ.-Prof.
B.: Opernsänger am Opernhaus Graz. GT.: Lehramt. DA.: 8010 Graz, Kaiser-Josef-Pl. 1. PA.: 8052 Graz, Kollerbergweg 30. G.: Lorsch/BRD, 19. Okt. 1941. Ki.: Frank (1963), Dominique (1968), Rajané (1974). El.: Ludwig u. Hedwig, geb. Henkes. S.: kfm. Ausbild., während d. Kfm.Lehre priv. Gesangsunterricht, 1958-61 Musikkonservatorium Heppenheim/BRD, 1961-64 Ak. f. Tonkunst in Darmstadt. K.: 1964-77 Staatstheater Oldenburg, seit 1977 Engagement Graz, Fernsehinszenierungen im Rahmen d. ORF, sowie d. Vereinigten Bühnen Graz, Gastiertätigkeit u.a. in Genf, Bern, Basel, Barcellona, Wr. Staatsoper, Volksoper, Theater an d. Wien, Bregenz, Mörbisch, 1984 Berufung an d. HS f. Musik u. Darstell. Kunst Graz als o.Univ.-Prof., seit 1991 Engagement an d. Wiener Staatsoper. BL.: Darstellung d. Titelrolle in "Phantom d. Oper" (Raimund-Theater). H.: Filmen, Musik, Reisen. (N.A.)

Suzuki Kazuhiko
B.: Gschf. FN.: Reisebüro Creative Tours GmbH. DA.: 1010 Wien, Am Lugeck 1. PA.: 1190 Wien, Scheibelreiterg. 10. G.: Tokyo, 19. Okt. 1940. V.: Lieselotte, geb. Dosenberger. Ki.: Takashi (1970), Masaki (1973). El.: Masahiko u. Hisako. S.: Stud. Rechtswiss. Univ. Tokyo. K.: seit 1969 b. Japan Airlines tätig, 1969-74 Düsseldorf, 1974-80 Intern. Passageverkauf in d. Zentrale Tokyo, 1980-85 Grgd. u. Führung d. Creative Tours Düsseldorf, seit 1985 Grdg. u. Führung d. Creative Tours Austria in Wien. H.: Reisen, Skifahren. (N.A.)

Svacina Friedrich
B.: Journalist für Blues Life. GT.: Gitarrenmodellbauer, Musiker. DA. u. PA.: 1030 Wien, Kegelg. 40/3/17. G.: Wien, 26. Febr. 1950. V.: Franziska, geb. Soukup. S.: Lehre als Gold- u. Silberschmied. P.: Fachzeitschrift d. Blues-Musik. H.: Musizieren, Gitarre, amerik. Volksmusik, künstler. Modellbau von Zupfinstrumenten (spez. Gitarre u. Bass), Blues. (P.R.)

Svarovsky Evelyn
B.: Inh. FN.: Strickmoden Svarovsky. DA.: 1060 Wien, Stumperg.52. PA.: 1050 Wien, Schloßg. 4. G.: Wien, 28. Juli 1955. El.: Peter Hill-Mader u. Hildegard Mader. S.: VS, Ursulinen, Modeschule Hetzendorf. K.: 1975 selbst., Grdg. d. eigenen Firma. P.: Verkaufsausstellungen u. Modeschauen auf Messen u. in Hotels im In- u. Ausland. M.: Innungsaussch., Bundesinnungsaussch. H.: Beruf, Schwimmen. (F.S.)

Svatek Kurt Franz
B.: Berufsschullehrer u. Schriftsteller. DA.: 2620 Neunkirchen, Triester Str. 67. PA.: 2624 Breitenau, Schwarzauer Str. 42. G.: Wien, 26. Jan. 1949. V.: Herma, geb. Kürner. Ki.: Petra. El.: Franz u. Trude. S.: BRealschule Wien, Matura, Stud. d. Päd. (Berufspäd. Ak. Wien) u. Literatur. K.: Bmtr. d. Wr. LRg. (Kredit-, Anleihen- u. Beteiligungsref.), seit 1973 Berufsschullehrer. BL.: Schriftsteller. Tätigkeit. P.: Lyrik u. Prosa in Zeitungen, Zeitschriften u. Anthologien, Lesungen im ORF, eigene Bücher: u.a. Wir alle haben Troja zerstört (Erzählungen 1988), Bettlerzinken (Roman 1993), Rapsodie aus leiser Schwermut (Lyrik, 1994) Rendevous mit d. Hoffnung (Feuilletons, 1995), Hrsg. eines Wirtschaftsrechenbuches f. Berufsschulen. E.: u.a. Anerkennungspreis d. Österr.-

Jap. Ges. 1992, Ehrenurk. d. österr. Nationalbibl.(1990), Erster Preis f. Lyrik 1985, Märchenpreis 1987. M.: u.a. P.E.N.-Club. H.: Haus u. Garten.

Svec Karl Dir.

B.: Musiker, Arrangeur, Percussionist, Dir. u. Rechtsträger u. Schulerhalter. FN.: Franz Schubert Konservatorium f. Musik u. darst. Kunst u. Musikschule. DA.: 1060 Wien, Mariahilferstr. 51. G.: Wien, 5. Juni 1949. Ki.: Michael (1972). El.: Karl u. Viktoria. BV.: Vater Karl Svec Komponist. S.: 1963-67 Stud. a. d. damaligen Akad., heute HS f. Musik, b. Prof. Richard Hochrainer, Kompositionsstud. b. Prof. Alfred Uhl u. Prof. Neumann, Instrumentationslehre b. Prof. Heinz Sandauer, Absolvent d. Abt. Schlagwerk u. Komposition. K.: 1967-84 Musiker i. Theater a. d. Wien, Stud. d. Arrangiertechn. v. Prof. Fehring, Karl Kowarik, Stud. d. Dirigierens b. Prof. Fehring, zahlr. Schallplatten- u. Studioaufnahmen m. Peter Alexander, Michael Heltau, Gerhard Bronner, Ludwig Hirsch, s. 1983 Ltr. d. Franz Schubert Konservatoriums, auch Lehrer u. Arrangeur f. Jazzensembles, Salonorchester. P.: derzeit Prod. d. 1. zwei CDs. H.: Musik. (J.S.)

Svetina Robert Dr. iur.

B.: Bmtr., Kustos. FN.: Bundesamt f. Soz. u. Behindertenwesen Ktn.; Karolingermuseum Moosburg. DA.: 9020 Klagenfurt, Kumpfg. 23; 9062 Moosburg, Krumpendorferstr. 1. PA.: 9020 Klagenfurt, Fltaschacherstr. 134. G.: Oberwietingberg, 6. Nov. 1939. V.: Hanna, geb. Klavora. Ki.: Gerhild Hanna (1972). El.: Raimund u. Ilse. S.: VS, HS, HAK Klagenfurt, 1958 Matura. K.: 1958 Eintritt in d. Bundesdienst, 1967-72 Jusstud. Graz, 1972 Prom., seit 1972 Verw.-Jurist u. Abt.-Ltr., seit 1989 Amtsltr.-Stellv. BL.: Mentor z. Grdg. d. Karolingermuseums in Moosburg u. Aufbauarb. z. Eröff. 1988, Organisator v. museumspäd. Veranstaltungen, histor. Führungen, histor.-kulturellen Festen, Spielen m. rechtshistor. Hintergrund u. Grundlagen, Konzipierung v. Kulturfahrten u. -wanderungen, seit 1992 offizieller Berater d. Gem. Moosburg f. alle histor. Belange, Vortragstätigkeit u. wiss. Aufarb. d. histor. Themas rund um d. Karolinger in Knt., 1991/92 Vors. d. Kath. Bild.-Werkes Ktn. P.: seit 1992 Moosburger Museumshefte, Abhandlungen in div. Publ., Festschriften, sowie Mitarb. b. versch. Publ. M.: seit 1955 Geschichtsver. f. Ktn.; H.: Geschichte-Frühmittelalter, Reisen, Geografie, Sprachen, Grafik, Wandern. (G.L.)

Svihalek Fritz

B.: Amtsführ. Stadtrat d. Gemeinde Wien. DA.: 1010 Wien, Rathaus. G.: 20. Juli 1958. S.: Unterst. Realgymn., abgeschloss. Banklehre i. d. Öst. Länderbank, Angest. d. Öst. Länderbank. K.: 1981-87 Bundesvors. d. ÖGB-Jugend, 1987-88 Mitarb. im Sekr. d. SPÖ-Wien, 1986-89 Mitarb. Bruno Kreiskys i. d. Europ. Komm. f. Beschäftigungsfragen, 1989 Abgeordn. z. NatR., 1994 Bez.-Parteivors. d. SPÖ-Donaustadt, s. Okt. 1994 design. Amtsführ. Stadtrat.

Svoboda Alfred Hubert

B.: Bildhauer, Designer, Maler, Innenarch., Märchenerzähler. DA.: 4820 Bad Ischl, Schulg. 7. PA.: 4820 Bad Ischl, Wiesinger Str. 22. G.: Linz, 15. Sept. 1950. Ki.: Florian, Alexander, Christoph (1984). El.: Hubert, Konditormstr. u. Paula, einzige Fournituristin Österr. (außer Wien). S.: 1965/68 kfm. Lehre, 1981/82 Planungsfachschule f. Innenarch./Kuchl (Jahrgangsbester) unter Prof. Mag. art. Arch. Wolfgang Haipl, seit 1993/94 Stud. Psych. Univ. Salzburg. K.: seit 1985 selbst. im arch. u. künstler. Bereich, Aufträge im Öffentlichkeits-, Privat- u. Geschäftsbereich u.a. Arztpraxen, Häuser u. Kirchen (sakrale Kunst) in Österr. u. BRD, 1993 Mitarb. b. Kindergipfel in Mürzsteg, 1991/92 "Welt d. Frau" Innenarch.-Beilagen, seit 1992 Kreativ-Unterricht in öff. Schulen m. Malerei, Bildhauerei, Innenarch. u. Design, seit 1993/94 Unterr. in öff. Schulversuchsprojekt m. Integration Behinderter in Steyr, 1993 Mitakteur b. Märchenfest in Steyr/Schloß Vogelsang, interpretiert eigene u. indianische Märchen, 1993/94 kreativ-psych. sowie künstl. Mitarb. b. d. Erstell. eines Touristikkonzeptes f. d. Kurdirektion u. Hotelerie d. Stadt Bad Ischl, ab 1995 "Creative Überlebensschule" nach indian. Gesichtspunkten. BL.: Ausstell. in öff. Begegnungszentren, OÖ Landesausstell., Banken seit 1985, 1987 Teilnahme an Ausschreibung/Workshop junger Stahlbildhauer unter d. engl. Bildhauer Anthony Caro, 1988 Ausstell. d. zuvor genannten Metall-Skulpturen in d. Galerie an d. Univ. Linz "Sinn u. Unsinn d. Lebens", 1988 Kolpinghaus Linz "Sehnsucht nach Freiheit", 1988 Landesausstell. in Kefermarkt/Schloß Weinberg "Abstrakte Stuckkunst - Ölmalerei - Futurist. Mode Design", 1988 RZK Bank Bad Ischl "Planet d. Masken" Ölbilder in Fingertechnik. P.: Berichte in Zeitungen, Zeitschriften, ORF, div. Kulturbeiträge, 1994 erstes Märchenbuch "Märchen - die ungeweinten Tränen d. Seele". E.: 2. Preis b. Entwurf e. Bürgermusikuniform f. d. 500-Jahr-Feier d. Stadt Linz, Ankäufe durch d. Land. (N.M.)

Svoboda Dietrich Lothar

B.: Gschf., Kfm. FN.: Parke-Davis GmbH. GT.: Gschf. v. Büro Gödecke GmbH. DA.: 1234 Wien, Ketzerg. 118. PA.: 1238 Wien, Johann Teufl G. 39. G.: Schottwien, 19. Apr. 1942. V.: Elfriede. Ki.: Gerhart (1966), Michaela (1968). El.: Adolf u. Erna. S.: AHS, 1960 Abschl. d. HAK i. Wien. K.: 1962-63 Pharmaref. b. Heilmittelwerken, 1963-64 Produkt Manager i. England, 1964-67 Produkt Manager b. Heilmittelwerken, 1968-72 Verk.-Ltr. b. HMW, 1972-76 Konsulent f. Marketing Fragen b. Medupha Inst., 1977-78 Marketing Ltr. b. Jacoby Pharma, 1979-92 Marketing Dir. b. Parke-Davis GmbH., s. 1992 Gschf. M.: Landesdel. d. Pharmig. H.: Musik, Konzerte. (I.K.)

Svoboda Günther

B.: Verkaufsltr. FN.: Moravia Hans Jaschke & Co Verkehrssicherheit u. techn. Bedarf. DA.: 1031 Wien, Boerhaaveg. 7. G.: Wien, 8. Juni 1959. V.: Christine, geb. Windhab. Ki.: Angelika (1991). El.: Johann u. Gertrud. S.: VS, HS, Polytechn. Lehrgang, HASCH. K.: 1975-78 kfm. Lehre Firma Moravia, parallel kfm. Berufsschule f. Großhdl., 1980 Verkaufsltr. H.: Familie, Fotografieren, Musik, Lesen. (M.-L.A.-M.)

Svoboda Harald Dr. iur.
B.: RA, Honorarkonsul v. Guatemala f. Österr. DA. u. PA.: 1010 Wien, Kantg. 3. G.: Wien, 7. Dez. 1944. Ki.: Michaele (1966), Andrea (1977). El.: Franz u. Caroline. S.: Hum. Gymn., 1963 Matura, 1964-69 Stud. d. Rechtswiss. Univ. Wien, Prom. Dr. iur., Gerichtspraxis. K.: 1974 Eröff. d. eig. Kanzlei, als RA in Wien tätig, Schwerp.: Intern. Wirtschaftsrecht, seit 1990 Hon.-Konsul v. Guatemala. H.: Lit., Theater, Jagd, Hochseefischen, Schifahren. (N.A.)

Svoboda Jaromir
B.: Inh. FN.: Swobitruck intern. Transporte. DA./PA.: 1110 Wien, Dopplerg. 2A/2/2. G.: Kladno/Tschechien, 25. Dez. 1958. V.: Malgorzata, geb. Hemeling. Ki.: Patrick (1983), Katrin (1985). El.: Jaromir u. Ester. BV.: Urgroßvater Ondra Trnka hatte Begegnung m. Kaiser Josef II. u. wurde in d. Adel erhoben. S.: Pflichtschule, Lehre LKW-Mech. K.:1976-85 Fernfahrer im LKW-Verkehr Europa u. Asien, 1980 Übersiedlung n. Österr., 1986 eig. Transportuntern. in Wien Grgd. u. seither als selbst. Untern. im intern. Transportbereich tätig. H.: Motorradfahren -Harley D., LKW. (F.S.)

Svoboda Josef Prof.
B.: Ak. Restaurator u. Maler. PA.: 1150 Wien, Pelzg. 12/14. G.: Wien, 5. Apr. 1918. V.: Friederike, geb. Wagner. Ki.: Elfriede (1942). S.: 1946 Malunterricht b. Rudolf Hausner, 1947-51 Stud. Ak. d. Bild. Künste, 1951 Dipl. K.: seit 1950 als Restaurator im BDkmA. tätig, seit 1952 als Maler über 70 Ausstellungsbeteiligungen im In- u. Ausland, seit 1972 als Unterwassermaler am Meeresgrund tätig: Sendung d. ORF 1974, seit 1. Sept. 1991 in Pension. E.: Meisterschulpreis d. Ak. d. Bild. Künste, 1978 Prof. M.: seit 1953 Gemeinschaft bild. Künstler Wien, seit 1961 Gemeinschaft bild. Künstler Österr., seit 1962 BVÖ, seit 1977 Mödlinger Künstlerbund, seit 1977 "Die Spirale". H.: Tauchen m. Preßluftflaschen. (M.M.)

Svoboda Karl Ing.

B.: Klub-Vorsitzender. FN.: SPÖ-Gemeinderatsfraktion Wien. DA.: 1082 Wien, Rathaus. PA.: 1100 Wien, Keldorferg. 2/1/1. G.: Wien, 23. Nov. 1929. V.: Auguste, geb. Ledel. Ki.: Karl (1956), Thomas (1960). El.: Karl u. Pauine, geb. Binova. S.: HTL Tiefbau, 1948 Matura. K.: 1948 Techniker in Baufirma i. Wien, 1949 Techn. im Amt d. NÖ Landesregierung. ab 1963 Magistrat d. Stadt Wien, 1951 Eintritt i. d. SPÖ Wien, s. 1955 Funktionärstätigk., 1979 Klub-Sekretär im SPÖ-Gemeinderatsklub, s. 1988 Klubvorsitzender. M.: Mtgl. d. Bundesparteivorst. d. SPÖ, Präs.-Mtgl. d. SPÖ Wien, Vorst.-Mtgl. d. SPÖ Wien, Stv. Vors. d. "Volkshilfe Wien". H.: Unterstützung von Sozialen, Karitativen u. Sozialen Einrichtungen, Lesen, Wandern,Skifahren. (M.M.)

Svoboda Rudolf Dipl.-Ing.
B.: Inh. FN.: Svoboda Entwicklungs KG. DA.: 3100 St. Pölten, Bretschneiderg. 1. G.: St. Pölten, 14. Mai 1947. V.: Heliane, geb. Fuchs. Ki.: Eugen, Ariadne. El.: KommR. Johann u. Gertrud. S.: VS, Gymn., 1965 Matura, Arch.Stud. an d. TU Wien. K.: seit 1975 Dipl.-Ing., 1976 Grdg. d. Svoboda Entwicklungs KG in St. Pölten. F.: Entwicklung v. Prod. u. Verfahren sowie deren Verwertung, Computermöbel, Dolmetscherkabinen, Metallteile f. d. Büromöbelind. Svoboda Entwicklungs KG. M.: Round Table. H.: Wandern. (Kern)

Svoboda Monika Mag.

B.: Inh. Fachübersetzungsbüro u. Sprachschule Polyglott. DA.: 1180 Wien, Kreuzg. 68/19. PA.: 1190 Wien, Raimund-Zoder-G. 13. G.: Wien, 21. Dez. 1960. V.: Mag. Rudolf Svoboda. Ki.: Katharina (1987), Thomas (1989). El.: Walter u. Chirsta Petrik. S.: 1979 Matura, Übersetzungs- u. Dolmetschausbild. Univ. Wien, 1987 Spons. K.: freibefl. Übersetzerin u. Dolmetscherin (Franz., Ital., Span.), 1991 Grdg. Übersetzungsbüro Polyglott Language Services, 1994 Eröff. d. Sprachschule, 1994 Grdg. Übersetzungsbüro in Rom. H.: Familie, Sprachen, Musik, Reisen, Skifahren. (N.A.)

Svoboda Rudolf W. Mag. Prof.

B.: Mittelschulprof. DA.: 1180 Wien, Klosterg. 21-25. PA.: 1190 Wien, Raimund-Zoder-G. 13. G.: Wien, 24. Nov. 1953. V.: Mag. Monika, geb. Petrik. Ki.: Katharina (1987), Thomas (1989). El.: Franz u. Herta, geb. Pur. S.: 1972 Matura, Stud. Anglistik u. Geschichte Univ. Wien, 1983 Spons. K.: 1991 Grdg. d. Fachübersetzungsbüros, 1993 Grdg. 1. Wr. Schachschule u. eines Betriebsschacklubs "Polyglott", 1994 Grdg. Kindergarten "Polyglott". M.: seit 1991 Wr. Jugendschachref. H.: Familie, Sprachen, Reisen, Schach, Skifahren. (N.A.)

Svoboda Sieglinde
B.: ärztl. gepüfte Kosmetikerin. FN.: Inst. f. Ganzheitskosmetik. DA.: 1140 Wien, Gruschapl. 4. G.: Eisgrub/-Südmähren, 27. Apr. 1938. V.: Dipl.-Kfm. Hans. Ki.: Elisabeth (1963), Gerlinde (1964), Gabriela (1965). S.: VS, Mittelschulmat., Kosmetikausbild. K.: 1985 Grdg. Kosmetiksalon (Kosmetik, Massage, Fußpflege, Solarien), Lehrlingsausbild. H.: Konzerte, Wandern. (J.M.)

Svoboda Thomas
B.: Unternehmer, Inh. d. Fa. Lino-Schreibdesign, Schreibwaren aus Holz. DA.: 4020 Linz, Industriezeile 36. PA.: 4020 Linz, Margarethen 55. G.: Linz, 21. März 1963. V.: Ilse, geb. Zsivkovitz. Ki.: Lisa (1985), Daniel (1988), Dominik (1990). El.: Franz u. Martha. S.: HTL (Elektrotechnik) Linz 1978-83. K.: 1J. Verkaufstätigk., 1J. Kunststud. in Sbg., s. 1987 selbst. m. Erzeug. v. Schreibgeräten u. Alleinvertrieb f. Büroartikel. H.: Familie, Haus, Garten. (P.H.)

Svoboda Walter Dr.

B.: Gschf. A.: 1140 Wien, Penzinger Str. 135/9. G.: Wien, 5. Aug. 1924. V.: Prof. Nada, geb. Sintic. S.: Univ. Wien, Doktorat, Univ. London (London School of Economics). K.: 1945-50 BMU, 1950-53 Univ. London, 1953-55 Research Fellow d. Australian Nat. Univ, Canberra, 1955-61 Österr. Hdls.Delegierter f. Japan, Südkorea u. Taiwan in Tokio, 1961-65 Österr. Gen.Kons. u. Hdls.Delegierter in Hongkong f. China, Demokratische Rep. Vietnam, Demokratischen Volksrep. Korea, 1965-70 Vereinte Nat., UNIDO-Repräsentant f. Fernost u. Südostasien, seit 1970 Gschf. d. Ndlg. Wien d. "Eisenberg Group of Companies".

Swatek Harald Dipl.-Ing.

B.: Unternehmer. FN.: techno-consult Techn. Büro GmbH. DA.: 8041 Graz, Auwaldg. 78. G.: Fürstenfeld, 9. Juni 1951. V.: Brigitte, geb. Trattner. Ki.: Alexander (1974), Nikolaus (1991). El.: Emil u. Hedwig. S.: HTL f. Elektrotechnik Pinkafeld, 1973 Matura, anschl. Stud. Elektrotech. u. Elektronik TU Graz, Dipl. 1979. K.: 1979-88 Vertrags-Ass. am Inst. f. Elektronik u. Inst. f. Fertigungstechnik d. TU Graz, 1980 Grdg. d. eig. Fa., seith. selbst. BL.: zahlr. Patentanmeld. auf d. Geb. d. Elektronik. P.: div. fachspez. Veröff. in Zeitschr. E.: Forschungspreis d. BMW 1985. H.: Flugsport. (P.M.)

Swatek Wolfgang Mag. rer. soc. oec.

B.: Industrieller, Gschf. FN.: Industrie Betriebe Swatek KG. GT.: Fachgruppenvorst.-Stellv. f. Eisen- u. Metallwarenind. Ktn. DA.: 9400 Wolfsberg, Pestalozzistr. 2. PA.: 9400 Wolfsberg, Griesstr. 4. G.: Wolfsberg, 29. Okt. 1948. V.: Maria, geb. Schwarz. Ki.: Eva, Manuel, Veronika, Angelika. El.: Paul u. Johanna. BV.: Matthäus Offner 1741-79 Abt u. Begründer d. Stiftsbibl. in Admont, Großvater Ing. Paul Swatek langj. ehrenamtl. Bgm. d. Stadt Wolfsberg, Dr. Ernst Swatek Initiator d. Lavanttaler Heimatmuseums. S.: VS, HS, HAK Klagenfurt, HS f. Welthdl. Wien. K.: Praxis Colba Wien, Ktn. Treuhand u. Revisions GmbH Spittal, seit 1976 im elterl. Betrieb. E.: Hochwassermed. d. BH. M.: Tennisclub Wolfsberg, Skiclub Wolfsberg, ÖAMTC. H.: Tennis, Skifahren, Malerei, Musik. (G.L.)

Swaty Franz Dipl.-Ing. OSenR.

B.: Energieberater d. Gem. Wien im Rahmen d. Mag.Dion. DA.: 1010 Wien, Doblhoffg. 9/2. G.: Wien, 21. Aug. 1914. V.: Margarethe, geb. Salomon. El.: Franz u. Helene. S.: VS, Realschule, 1931 Matura, Stud. an d. TH Fachrichtung Maschinenbau, 1937 Dipl. K.: Anstellung an d. TH als wiss. Hilfskraft, danach nach Berlin als wiss. Mitarb. an d. Versuchsanst. f. Luftfahrt (DVL) f. Aerodynamik, 1944 Fa. Dornier Friedrichshaven, verantwortl. f. d. Hochgeschwindigkeitsentwicklung im Rahmen d. Aerodynamik, 1944 Militärdienst u. Kriegsgefangenschaft b. 1945, 1946 Gem. Wien in d. MA 32 Maschinenbauabt., 1966 Chef d. MA 32, 1980 Pension, seit diesem Zeitpunkt in gegenwärtiger beratender Funktion. BL.: Mitbegründer d. Fernwärmesystems v. Wien, u.a. Entwicklung d. Fernwärmewerks Spittelau u. Kagran u. Entwicklung eines Gesamtfernwärmekonzepts f. ganz Wien. P.: zahlr. Beiträge in in- u. ausländ. Fachzeitschriften über Fernwärme, Energiewirtschaft u. Wärmepumpentechnik, Hrsg. mehrerer Bulletins im Rahmen d. Boltzmann-Inst. über versch. Themen. E.: Gr. Silb. EZ d. Landes Wien, Silb. EZ d. Bundes. M.: techn. Ltr. d. Boltzmann-Inst. f. Forsch. u. Entwicklung an neuen Energietechnologien, Österr. Ing. u. Arch.-Ver. H.: Musik u. Beruf. (G.E.)

Sweidan Jad A.

B.: Vorst.-Vors. FN.: Arab Bank (Austria) AG. DA.: 1010 Wien, Seilerstätte 11. G.: 17. Nov. 1947. S.: Grundschule, Intern. College Libanon, Stud. Amerikan. Univ. Beirut, 1959 Bachelor of Business Administration degree am Inst. of Chartered Accountants in England u. Wales, 1975 ACA, 1980 FCA, Banktraining in d. Citybank Athen. K.: 1970-77 Tätigkeit f. Ernst & Young in London u. am Golf, 1977 Finanzkontrollor Arab Investment Company in Riyad/Saudi Arabien, 1980 Gen.-Dir., 1986 Wechsel nach London als group generalmanager d. European Arab Bank, 1988 managing partner of banking consultancy firm, seit 1989 Vors. d. AufsR. u. Gen.-Dir. d. Arab Bank (Austria) AG Wien. M.: associate member of Inst. of Chartered Bankers (United Kingdom), Arab Bankers Assoc., Austrian Bankers Assoc. H.: Kunst, Schwimmen, Reisen. (M.M.)

Swetina Hansjörg Prof.

B.: Präs. d. Zentralverb. d. Berufsver. bild. Künstler Österreichs. DA.: 1120 Wien, Schloß Schönbrunn. PA.: 2500 Baden, Kaiser-Franz-Ring 43. G.: Graz, 28. Nov. 1923. V.: Annelott, geb. Malcher, Graphikerin. Ki.: Dr. Jörg (1953), Barbara (1955), Martin (1957). El.: Alois u. Bertha, geb. Stucki. S.: Matura, Graph. Lehr- u. Versuchsanst. Wien. K.: 1951-53 graf. Aufbau d. Wr. Verlagsanst. m. dazugehörigen Elbemühl-Druckereien, ab 1954 freischaff. Künstler, intern. tätig als Designer, 1975 Prof., seit 1983 Präs. d. Zentralverb. d. Berufsver. bild. Künstler Österr., Einzelausstellungen: 1975 Wr. Festwochen Altes Rathaus Wien, 1980 Galerie Klinger Arnfels/Stmk., 1981-87 Schloßgalerie Melcher Gamlitz, Beteiligungen an Ausstellungen: Trienale Mailand, Secession Wien, Bauzentrum Wien, Ak. f. angew. Kunst Wien. BL.: künstler. Gestaltung d. 1. Steir. Weinmuseums in Kitzeck. E.: 1956 Monatsbestes Plakat Kulturamt d. Stadt Wien, 1957 1. Preis Intern. Plakatausstellung Sònderbòrg/Skandinavien, 1957 1. Preis Intern. Plakatausstellung UIOCT-Kongreß, 1966 Industrial Design BIO-Ljubljana 66, 1967 Staatspreis f. künstler. Verpackung, 1968 Anerkennungspreis f. vorbildl. Formgebung, 1968 u. 1969 Plakatpreis Kulturamt d. Stadt Wien, 1970 Staatspreis f. künstler. Verpackung, 1971 Mitarb. am Staatspreis f. Werbung an d. Österr. Stickstoffwerke AG Linz, 1974 Design-Center Anerkennung, 1991 EZ f. Wiss. u. Kunst I. H.: Musik, Literatur, Skifahren. (N.A.)

Swetly Peter Dr. Univ.-Prof.

B.: Ltr. d. Hauptabt. Forsch. u. Entwicklung, Dir. FN.: Bender & Co GmbH. DA.: 1120 Wien, Dr.-Boehringer-G. 5-11. G.: Wien, 19. Dez. 1939. V.: Christa. Ki.: Martin, Elisabeth, Nikolaus. S.: 1957-67 Stud. Chemie u. Physik Univ. Wien, 1965-67 Diss., 1968 Prom., 1980 Habil. K.: 1966-68 Inst. f. Biochemie d. Univ. Wien, 1968-69 Wistar Inst. for Anatomy and Biology, 1970-71 WHO Fellow am Wistar Inst., 1981-88 Ltr. d. Abt. Gentechnologie Bender Wien, 1985-88 Fachltr. f. Biotechnologie u. Immunologie, seit 1988 Dir. Hauptabt. Forsch. u. Entwicklung. E.: 1985 Hoechst Preis, 1988 Isaac Wistar Lecturer, 1989 Ehrenmed. d. Stadt Wien, 1989 Dr. h.c. Univ. Granada/Spanien. M.: Ges. f. Genetik München, Österr. Biochem. Ges., Ges. f. Mikrobiologie, Intern. Society for Interferon Research, Österr. Ges. f. Biotechnology, Österr. Ges. f. Genetik.

Swiczinsky Helmut Dipl.-Ing.

B.: Architekt. FN.: COOP HIMMELBLAU. DA.: 1010 Wien, Seilerstätte 16. G.: Posen, 13. Jan. 1944. K.: 1968 Gründ. d. Architektenteams m. Wolf D. Prix, 1972 "Wolke, Projekt f. Documenta 5", Künstlerhausgalerie, Wien, Einzelausstellung "Attention", Galerie Impact, Lausanne/CH, 1974/77/79 CM

Pavillon, Cincinnati Milacron, Düsseldf./Birmingham, Düsseldf., 1975 "Zeichnung d. österr. Avant-Garde, Österr./-BRD/CH/USA, Wander-/Gruppenausstell., "Grenzbereich Kunst-Arch.", Kunstmuseum Bern/CH, Gruppenausstell., "Architectural Projects", Museum of Modern Art, New York, Gruppenausstell., "Galerie im Taxisplatz", Innsbruck, Einzelausstell., 1975 "Coop Himmelblau. Sie leben in Wien", Ausstell. u. Buch, Wien, 1982 "Akad. d. Künste", Berlin, Gruppenausstell., 1985 "Ent-Würfe 1980-84", Galerie Kunst + Arch., Hamburg, Einzelausstell., Bauherrenpreis d. Zentralvereinigung d. Arch., Wien: Projekt Studio Baumann, 1986 "Offene Arch., Wohnanlage Wien 2", Architekturgalerie München, 1987 Intern. Bauausstell. Berlin 87, Dt. Arch.-Museum, Frankfurt, Gruppenausstell., 1988 Preis d. Stadt Wien f. Arch., 1989 Ktn. Landespreis f. "Gutes Bauen": Projekt Funder Werk 3, P.A. Award, New York, 1989 Eröff. Büro in Los Angeles, 1990 Wettwerb Expo 95 Wien (Hans Hollein - Coop Himmelblau) 2. Preis, Wettbewerb: Multifunktionales Dienstleistungszentrum, Zentrum Europaplatz, St. Pölten, 1. Platz, Bauherrenpreis d. Zentralverein. d. Arch., Wien: Projekt Funder Werk 3, 1992 Constructa-Preis (Europ. Preis f. Ind.-Arch.), Hamburg, Projekt Funder Werk 3, Schelling-Preis 1992, Karlsruhe.

Swietly Ernst Anton
B.: Red. d. ORF TV. GT.: freischaff. Journalist. DA.: 1136 Wien, Würzburgg. 30. PA.: 1140 Wien, Felbigerg. 55. G.: Wien, 24. Aug. 1936. V.: Brigitte, geb. Duchek. Ki.: Carina, Norbert. El.: Anton u. Therese. S.: VS, RG Wien, Schriftsetzerlehre, 1958 Matura. K.: Schriftsetzer, Metteur, Revisor, Verlagsltr. im Quintusverlag, Chefred. d. Zeitschrift "Wirtschafts Horizont", seit 1967 Wirtschaftsred. im ORF. BL.: 1. Wirtschaftsfachred. d. ORF. P.: zahlr. Fachart., Medienpaket Fremdenverkehr, zahlr. Präsentationen v. Hörfunk- u. TV-Wirtschaftssendungen, Bücher: "Countdown zur EG" (1988), "Eine Zeitgeschichte Ski" (1989), "Erbe u. Auftrag" eine Unternehmensgeschichte d. EVN (1990), "Versicherungen" (1991), "Die heißesten Spartricks" (1992), EK pro u. contra (1994). E.: Ed.-Hartmann-Preis 1980, Hans-Kudlich-Preis 1976, GZB-Preis f. hervorr. publ. Leistungen über Mittelstand u. Marktwirtschaft, Collegium Touristicum Carinthia, Silb. Anerkennungsmed., Preis d. BMU f. Geistige Landesverteidigung u.a. M.: Concordia, Ak.Bund, Verb. d. Agrarjournalisten u.a. H.: Oper, Literatur. (H.P.)

Switil Anton OSR
B.: VS-Dir. i.R., Ltr. d. Erziehungsberatungsstelle Wr. Urania. A.: 1030 Wien, Baumg. 17-19/III/15. G.: Wien, 12. Juli 1922. V.: Elfriede, geb. Ballif. El.: Anton u. Anna. S.: VS, RG, Matura 1940, LBA, Lehrbefähigungsprüf. m. Ausz., Individualpsycholog. Seminar. K.: Lehrer seit 1946, VS-Dir. seit 1965, Ltr. d. Erziehungsberatungsstelle Wr. Urania seit 1947, Doz. u. Moderator an d. Wr. Urania, Vortragender in Elternver. P.: Art. in div. in- u. ausländ. Zeitschriften. E.: Silb. EZ f. Verd. um d. Rep. Österr., Stephanus-Orden in Silber, Ehrenmed. f. Verd. um d. Spar- u. Wirtschaftserziehung in Gold, Silb. EZ f. Verd. um d. Land Wien 1984. M.: Ver. f. Individualpsychologie. H.: Schallplattensammlung mit histor. Aufnahmen.

Swoboda Anton
B.: Prok., Betriebsltr., gewerberechtl. Gschf. FN.: Schunk Wien GmbH (Staatswappenträger). DA. u. PA.: 1232 Wien, Oberlaaer Str. 316. G.: Mühlleiten/NÖ, 29. Aug. 1941. V.: Elise, geb. Drevo. Ki.: Eva, Michael. El.: Anton u. Josefa. S.: Lehre als Maschinenschlosser, Mstr.Prüf. K.: seit 1965 Betriebsltr. in Fa. Schunk, Prok., Schwerpunkt Technik, Materialeinkauf, Fertigung, Kalkulation. H.: Radfahren, Bergsteigen, Lesen. (E.L.)

Swoboda Axel Dipl.-Ing.

B.: Projektmanager. FN.: SGP Verkehrstechnik GmbH. DA.: 1110 Wien, Brehmstr. 16. PA.: 1030 Wien, Marokkanerg. 3/64. G.: Wien, 16. Feb. 1963. El.: Dipl.-Ing. Johannes u. Gerda. S.: VS, Gymn., HTL Elektrotechnik Mödling, Matura, Stud. Elektrotechnik, lfd. Weiterbild. durch Lesen v. Fachbüchern u. Besuch v. Vorträgen u. Seminaren. K.: bereichs während d. Stud. viele Tätigkeiten z.B. Segellehrer, Führungen im Kurier Druckzentrum, Arb. f. Meinungsforsch.-Inst., 1989-93 Elin: Antriebe f. Elektroautos entwickelt, Mitarb. an d. neuen Niederflur-Straßenbahn, seit 1993 SGP Verkehrstechnik: Projektmanager f. d. Projekt "Neue Schnellbahn f. Wien". P.: Fachvorträge auf intern. Fachtagungen, Präsentationen u. Vorträge über d. Projekte "Neue Schnellbahn f. Wien". M.: ÖVE. H.: Segeln, Basketball. (F.S.)

Swoboda Benno
B.: Sped.-Kfm., Gschf. FN.: T.S.G. Transport Service GmbH & Co KG. DA.: 6330 Kufstein, Waldeck 22. G.: Kufstein, 21. Feb. 1964. V.: Beate. Ki.: Lisa-Maria. El.: Georg u. Albina. S.: VS, HS, HASCH, Sped.-Kfm.-Lehre Firma Intercont Kufstein. K.: Tätigkeit b. Intercont, Aus- u. Einfuhr Grenze Kiefersfelden, b. 1991 Tätigkeit b. Intercont, seit 1991 selbst. H.: Fußball. (A.W.)

Swoboda Brigitte
B.: Schauspielerin im Volkstheater. PA.: 1070 Wien, Stiftg. 10. G.: Wien, 1. Febr. El.: Bernhard u. Maria Swoboda, geb. Kuntner. S.: Schauspielschule Wien. K.: Eintritt Keller Bühnen Wien, Rolle d. Birgitt in "Magic Afternoon" im Atelier-Theater, ab 1970 im Volkstheater. P.: Rollen in Nestroy-Stücken u.a. Salome Bockerl in "Talismann" (1970), in Tennessee Williams "Tätowierte Rose" (1991), zahlr. Fernsehrollen. E.: 1969 Josef Kainz-Med. f. Birgitt in "Magic Afternoon", 1971 Karl Skraup-Nachwuchspreis, 1977 Karl Skraup-Preis, 1989 Silb. Ehrenmed. d. Bundeshauptstadt Wien. H.: Musik. (N.A.)

Swoboda Felix Dr. iur.
B.: Präs. d. Finanzprok. DA.: 1010 Wien, Singerstr. 15-19. PA.: 1030 Wien, Arsenal Objekt 11 D. G.: Wien, 29. März 1924. Ki.: Hildegard, Christiane. El.: Felix u. Karoline. S.: VS, hum. Gymn., 1942 Matura, neben d. Schule bzw. Stud. Bäckerlehre, Bäckergesellenprüf., 1942-47 Militär u. sowjet. Kriegsgefangenschaft, 1948-51 Stud. an Univ. Wien. K.: 1951-52 Gerichtspraxis, 1952 Finanzprok., 1954 Prok.Prüf., 1955 RA-Prüf., 1970 Abt.Ltr., 1970 HofR., 1981-82 VPräs., seit 1983 Präs. P.: div. Art. in d. ÖJZ v. 1961-84. E.: Gr. EZ, Gr. Gold. EZ H.: Fremdsprachen (Russ., Span., Engl., Ital.), Gartenarbeit. (G.E.)

Swoboda Gerhard
B.: Zauberkünstler. DA.: 1010 Wien, Kohlmarkt 7/39. G.: Wien, 11. März 1956. El.: Dr. med. Hermann u. Dr. med. Elisabeth. S.: Franz. Lyzeum, Gymn. Stubenbastei, Hasch, musisch päd. Gymn., 1 J. Filmakademie, Externistenmatura, Med.-Stud. angefangen, Fremdenverkehrsschule Hotel Modul, Konzessionen erworben, Jobs im Gastgewerbe und als Koch, Gschf. b. Heurigenbetrieb. K.: Zaubererkarriere i. Selbststud.,

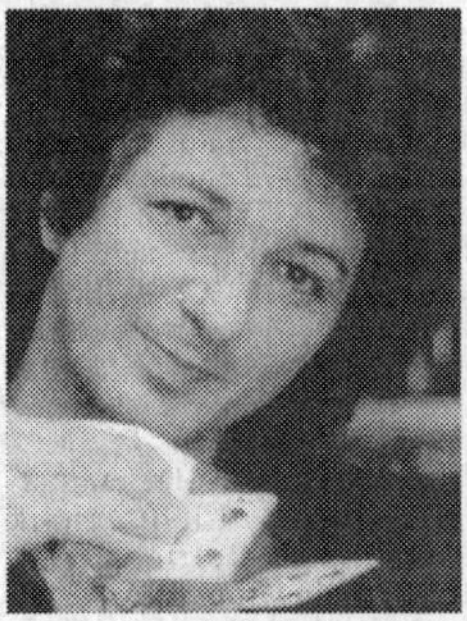

Lehrmeister waren Harua Shimada, Magic Christian u. Fred Kaps. E.: 1990 Grand Prix i. Graz gewonnen, 1991 Grand Prix Sieger i. Einhoven i. Holland, Auftritte auf Ölbohrinseln i. d. Nordsee, in Holland, Dt., Frankreich, Schweiz u. d. USA, Grdg. d. Band "The Great Illusions", Verbindung v. Musik u. Zauberei nach dem Motto "Magie & Rock'n Roll". H.: Ballett, Akrobatik, Eislaufen, Rollschuhfahren, Gitarre, Malerei. (J.M.)

Swoboda Gunther Dr. techn. Dipl.-Ing.

B.: Ziviling., Pensionist d. Fa. Siemens AG Österr. A.: 1030 Wien, Ziehrerplatz 2/45. G.: Wien, 3. Dez. 1917. V.: Charlotte, geb. Steppan. Ki.: Dr. phil. Klaus (1955), Dr. iur. Wolfgang (1957). El.: Dr. phil. Josef u. Dr. phil. Wilhelmine. S.: VS, Realschule, TH Wien, Dipl. 1945, Doktorat 1957. K.: 1939-45 Dt. Wehrmacht, 1945-48 Radiomechaniker, Elektromechaniker u. Betriebsing. b. OÖ Firmen, 1948-79 Siemens Wien, 1948-54 Bearb. (f. Projekte) Fernsteuer- u. Prozeßtechnik, 1955-57 Gruppenführer (Vertrieb Prozeßtechnik), 1958-59 Dion.Ass., 1960-63 Gruppenführer Vertrieb Fernwirktechnik, 1964-79 Abt.Ltr. Fernwirktechnik, Fernschreibtechnik, ab 1967 Abt.Bev. u. Handlungsvollmacht, 1978 Wiss. Kons. P.: ca. 30 Veröff. in österr. u. intern. Fachzeitschriften, Bücher: "Wörterbuch f. Elektrotechnik", "Die Planung v. Fernwirkanlagen", "Telecontrol". E.: Eisernes Kreuz 2. Kl. M.: Intern. Electrotechn. Kommission, Österr. Verb. f. Elektrotechnik u. Österr. Fachunterausch., Nachrichtentechnik f. EVU. H.: Literatur, Wandern.

Swoboda Hannes Dr.

B.: StadtR. f. Stadtentwicklung, Stadtplanung u. Personal. DA.: 1010 Wien, Rathaus. PA.: 1020 Wien, Karmeliterg. 13. G.: Bad Deutschaltenburg, 10. Nov. 1946. Ki.: Tatjana. El.: Gottfried u. Maria Magdalena. S.: 1964 Matura, b. 1972 Stud. d. Rechtswiss. u. VWL, Prom. K.: 1972 Eintritt in d. Wirtschaftswiss. Abt. d. Wr. Arbeiterkam., 1976-86 Ltr. d. Abt. f. Kommunalpolitik, seit 1983 Mtgl. d. Wr. Landtages u. GemR., 1986-88 Klubobm. d. Sozialist. Fraktion d. Wr. Landtages u. GemR., seit 1988 amtsführender StadtR. f. Stadtentwicklung, Stadtplanung u. Personal, seit 1987 Mtgl. d. ständigen Komitees d. Konferenz d. Gem. u. Regionen b. EuropaR., 1974-88 ständiger Teilnehmer an d. OECD-Arbeitsgruppe über städtische Probleme, seit 1988 Präs. d. Wr. Inst. f. Stadtforsch. seit 1988 Vors. d. Bez.Organ. Meidling, seit 1988 Mtgl. d. BParteivorst. d. SPÖ. P.: Art. in versch. Zeitschriften. H.: Lesen, Radfahren, Wandern. (M.B.)

Swoboda Hans Georg Dr. Prof.

B.: selbst. Unternehmer, Gschf. Ges. d. Dr. phil. Hans Georg Swoboda Inst. f. Tourismus u. Umweltkultur. DA. u. PA.: 4020 Linz, Hofberg 10. G.: Graz, 31. Juli 1930. V.: Evelyn, geb. Zauner. Ki.: Roland (1956), Karl (1959), Johanna (1983), Wolfram (1984). El.: Leopold u. Maria. S.: VS, Gymn., 1948 Matura, Stud. Phil., Geografie u. Psych. Univ. Graz, 1956 Prom., 1954 Berufsausbild. als Opernsänger Solofach. K.: b. 1957 Bühnenberuf, ab 1957 Lektor u. Werbeltr. in Literar.-Päd. Verlag in Graz, 1961-63 Fremdenverkehrsdir. f. d. Ausseerland, 1964 stellv. Landesfremdenverkehrsdir. f. OÖ, seit 1963 Tourismusberater d. Österr. Gem.-Bundes in Wien, seit 1975 selbst. P.: lfd. Art. in Zeitungen, Fachpresse. E.: 1977 Originalnadel b. Wettbewerb f. Touristisches, 1992 Ausz. v. Österr. Wirtschaftsmin. f. Handbuch f. Tourismuskonzept, 1990 Prof.-Titel. M.: seit 1989 AIEST, Grdg.-Mtgl. d. Bundesverb. Österr. Kur- u. Tourismusdir. H.: Musik, Fliegen. (U.E.)

Swoboda Helmar

B.: Ltr. d. Geschäftsbereiche Ktn. u. Osttirol. FN.: GPI Ges. Planender Ing. Kaminneubau u. -sanierungs GmbH. DA.: 9020 Klagenfurt, Villacher Str. 65. PA.: 8010 Graz, Jakoministraße 18; 9020 Klagenfurt, Seeg. 49/4/36. G.: Graz, 4. Mai 1943. El.: Robert u. Angela. S.: VS, Gymn., Matura, Jusstud., parallel Auslandsaufenthalte, kfm. Ausbild. in einer Bank. K.: 1979-88 ltd. Position (Ltg. d. kfm. u. techn. Bereiches) in d. Innenausstattung, 4 J. Ungarn u. Bulgarien (Hotelbauten), seit 1989 b. GPI als Ltr. d. Bereiche Ktn. u. Osttirol (Ltg. d. kfm. u. techn. Bereiches, verantwortl. f. Personalpolitik, Aquisition, Bauabwicklung u. -überwachung, Kunden- u. Firmenbetreuung, Administration), 1989/90 Linz u. seit 1991 Klagenfurt. P.: Kabarett-Texte. H.: Kabarett, Werbung, Fröhlichkeit. (F.S.)

Swoboda Helmut Dr. phil. Dr. rer. pol. Prof.

B.: Schriftsteller u. freier Journalist. A.: 1120 Wien, Breitenfurter Str. 11. G.: Wien, 6. Apr. 1924. El.: Karl u. Wilhelmine. S.: Univ. Wien, Dr. phil. 1948, Dr. rer. pol. 1969. K.: Red., Chefred., freier Schriftsteller. P.: Über 1500 Art. u. Aufsätze, über 150 Rundfunksendungen, 16 Bücher. E.: Österr. Staatspreis f. Wiss. Publizistik, Kardinal-Innitzer-Preis f. Wiss. Publizistik, Theodor-Körner-Preis, Gold. EZ d. Rep. Österr., Berufstitel Prof. M.: P.E.N.-Club.

Swoboda Irmgard Mag. pharm.

B.: Mitinh. d. Apotheke "Zur Hl. Agnes". DA.: 3400 Klosterneuburg, Wiener Str. 104. PA.: 3400 Klosterneuburg, Prägarten 23. G.: Köln, 23. März 1917. V.: Dipl.-Ing. Josef Swoboda. Ki.: Mag. Angela, Dr. Michaela. El.: Dr. iur. Fritz u. Else Busch. BV.: Vater: Präs. d. DBB nach d. Krieg u. Verkehrsdir. d. Vereinigten Wirtschaftsgebietes, Großonkel mütterlicherseits: Heinrich Schliemann. S.: RG, Univ. Berlin u. Innsbruck. K.: Vertretungen in 28 versch. Apotheken, vorwiegend Österr., ab 1957 Ang. in d. Apotheke Zur Hl. Agnes Lochner's Erben, ab 1968 Konzessionär. H.: Musik (ausgebild. Konzertgeigerin), Sport. (R.A.)

Swoboda Josef

B.: Bezirksstellenltr. FN.: NÖ Gebietskrankenkasse. DA.: 2460 Bruck/Leitha, Stefanieg. 4. PA.: 2463 Stixneusiedl, Kircheng. 2. G.: Stixneusiedl, 16. Sep. 1944. V.: Ingeborg, geb. Langmahr. Ki.: Josef, Beatrix, Roland. El.: Josef u. Maria. S.: 1962 Hasch Wr. Kaufmannschaft. K.: 1962-74 Allroundkraft Büro, 1974-80 NGKK. Bruck Verw., 1980-88 Betriebsprüfer, 1988 Ltr. d. NGKK. M.: SPÖ Gem.-Rat Trautmannsdorf, Fußballfunktionär. H.: Fußball, Musik, Lesen, Fotografie, Garten. (M.G.)

Swoboda Josef-Ernst Dkfm. Ing.
B.: Gschf. FN.: Swoboda Karosserie- u. Stahlbau GmbH u. Automobile Swoboda GmbH. DA. u. PA.: 4664 Oberweis, Schloß Oberweis. G.: Wien, 25. Nov. 1943. V.: Gabriele. Ki.: Katharina, Christoph. El.: Josef-E. u. Gabriele. S.: Betriebstechnik am Techn. Gewerbemuseum Wien, Wirtschafts- u. Sozialwiss. an d. HS St. Gallen. K.: 1 J. Ass. d. Fa. Schrack Elektronik AG Wien, anschließend Prok. u. später Gschf. d. Fa. Swoboda Traunsteinwerkstätten b. 1986, danach Gschf. d. Fa. Swoboda Karosserie- u. Stahlbau GmbH u. Automobile Swoboda GmbH. M.: Rotary Club Gmunden.

Swoboda Otto KommR.
B.: Drogist. GT.: Vorst. d. Bundesgremiums Drogen, Pharmazeutika etc., Vors. d. Berufsausbild.-Aussch. Sekt. Hdl. Wien. PA.: 2500 Baden, Michael-Tauscher-G. 36. G.: Wien, 7. Mai 1916. V.: Edith, geb. Muth. El.: Josef u. Rosa. S.: Berufsausbild. z. Drogisten in Wien, Sanitätsausbild. b. d. Dt. Wehrmacht. K.: ab 1938 b. d. Dt. Wehrmacht, u.a. 6 J. Kriegsgefangenschaft in Rußland, Ende 1948 Rückkehr nach Wien, 1949 Übernahme einer zerbombten Drogerie in d. Hernalser Hauptstr. 5, ab 1954 Aussch.-Mtgl. d. Wr. Drogistengremiums, 1970-90 Vorst. d. Wr. Drogistengremiums, seit 1980 Vorst. d. Bundesgremiums Drogen-Pharmazeutika etc., 1980-90 Vors. d. Berufsausbild.-Aussch. d. Bundessekt. Hdl. H.: Schach, Bridge. (J.S.)

Swoboda Peter Dr. rer. oec. soc. Dkfm. o.Univ.-Prof.
B.: Vorst. d. Inst. f. Ind. u. Fertigungswirtschaft d. Univ. Graz. DA.: 8010 Graz, Hans-Sachs-G. 3. PA.: 8045 Weinitzen, Eisenbergerweg 15. G.: Bad Deutsch Altenburg, 13. Apr. 1937. S.: 1964 Habil. f. BWL an d. HS f. Welthdl. Wien. K.: 1965-60 Gastprof. Univ. Illinois, 1966 o.Univ.-Prof. d. Univ. Frankfurt, ab 1970 o.Univ.-Prof. Univ. Graz, ab 1982 w.Mtgl. d. Österr. Ak. d. Wiss. P.: "Investition u. Finanzierung" (1992), "Betriebliche Finanzierung" (1991), ca. 60 Publ. in österr., dt. u. amerikan. Fachzeitschriften. (P.R.)

Swoboda Viktor Ing. Dir.
B.: Alleinvorst. d. Schweppes AG Österr. in Oberalm. DA.: 5411 Oberalm, Halleiner Landesstraße. PA.: 5411 Oberalm, Postfach 58. G.: Wien, 6. Okt. 1924. V.: Franziska, geb. Raab. El.: Viktor u. Josefine. S.: Pflichtschulen, Staatsgewerbeschule f. Maschinenbau, 1943 Matura. K.: Kriegsdienst einschl. Gefangenschaft b. 1947, kfm. Ausbild. b. z. Bilanzbuchhalter, 1951-65 techn. u. kfm. Einzelprok. d. Import- u. Generalvertretungsfa. f. ausländ. Spirituosen u. Weine Eugen Fenevesy Wien, nach Überltg. in d. Martini u. Rossi AG 1965-76 Vorst.-Mtgl. dieser Ges., parallel Vorst. d. Schweppes AG Oberalm seit Grdg. 1972, ab 1979 Alleinvorst. d. Ges., hervorstechende berufl. Leistung ist d. wirtschaftl. Aufschwung d. Schweppes AG, s. 1987 im Ruhestand. E.: Silb. EZ d. Landes Sbg., s. 1985 Titel "KommerzialR.", s. 1987 silb. VDM d. Kammer d. gew. Wirtschaft. M.: Mtgl. d. Industriellenver., Vorst. im Fachverb. d. Erzeuger alkoholfreier Erfrischungsgetränke, Lions-Club Hallein. H.: Skifahren, Tennis. (Hat.)

Swoboda-Mark Marga
B.: Kolumnistin d. "Kronen-Zeitung". DA.: 1190 Wien, Muthg. 2. G.: Düns, 15. Apr. 1955. V.: Fritz Hammel. Ki.: Bernhard (1977), Fabian (1980), Moritz (1985), Simon (1989). El.: Liberat Hele u. Ida, geb. Marck. S.: Gymn., Volontariat. K.: seit 1972 Journalistin f. "Kurier", "Trend", "Wienerin", "Kronen-Zeitung" m. Schwerpunkt Menschen u. Stadt. E.: 1986 Intern. Publizistikpreis. H.: Theater, Rockmusik, Literatur. (N.A.)

Swozilek Helmut Dr. phil.
B.: Dir. d. Vbg. Landesmuseums. DA.: 6900 Bregenz, Kornmarkt 1. G.: Bregenz, 9. Okt. 1945. S.: 1963 Matura, Stud. Prähistorie, Kunstgeschichte u. Klass. Archäologie Univ. Innsbruck, 1971 Prom. z. Dr. phil. K.: 1968-72 Studienaufenthalte in Ägypten, Syrien u. Irak, seit 1974 Tätigkeit b. Vbg. Landesmuseum, Bereiche Kunst u. Archäologie, seit 1989 Dir. P.: zahlr. Veröff., wiss. Arb. bes. z. Kunst 19./20. Jhdt. u. Archäologie, "Motiv Archäologie" (1987). M.: koresp. Mtgl. d. Österr. Archäolog. Inst. (A.K.)

Sykora Hans Ing.

B.: Gschf. Ges., Mechaniker. FN.: Helix Lichttechnik GmbH. GT.: Betriebsltr. d. RGM-Engineering. DA.: 2345 Brunn/Gebirge, Industriestr. B/Objekt 5. PA.: 2751 Matzendorf, Schneebergstr. 3. G.: Herzogenburg, 8. Feb. 1945. Ki.: Harald (1972), Peter (1967), Ulrike (1963). El.: Hans u. Gertrude. S.: 1959-63 Berufslehre a. Mechaniker b. Bundesbahn, Abschluß m. Facharb.-Prüf. f. Mech. K.: 1963-88 b. Fa. Osram i. Wien, 1969-71 Betriebstechn. Werkmeister, parallel dazu TGM absolviert, 1970-72 REFA-Ausb., 1977-82 HTL f. Maschinenbau i. Wien, s. 1983-88 Prod.-Ltr. b. Osram, 1988 Grdg. v. Helix u. a. Gschf. tätig, s. 1990 parallel dazu Betriebsltr. v. RGM Engineering. H.: Fußballtrainer b. Admira Wacker i. Nachwuchsbereich U 13 u. U 14 (s. 1980).(I.K.)

Sykora Peter Mag.
B.: Stadtamtsdir. DA.: 2020 Hollabrunn, Hauptpl. 1. PA.: 2020 Hollabrunn, Miniwarter Str. 4. G.: Wien, 27. Feb. 1944. V.. Heidi, geb. Berger. Ki.: Peter (1969), Rainer (1971), Ulrike (1981). El.: Dr. Johann u. Apollonia. S.: 1962 Matura Tulln, 1971 Stud. Rechtswiss. Univ. Wien. K.: 1971-74 Bundesdienst/Finanzbmtr., 1974-79 Landesbmtr. d. LR, 1980 Stadtamtsdir. Hollabrunn. H.: Sprachen, Sport. (T.T.)

Synek Erich Dipl.-Ing.
B.: Gschf. Ges. FN.: LICO Industrievertretungen GmbH. DA.: 1140 Wien, Felbigerg. 38. PA.: 1130 Wien, Hansi-Niesen-Weg 10. G.: Wien, 17. Okt. 1939. V.: Dr. Susanne. Ki.: Andrea (1969), Christian (1974). S.: TU Wien, 1965 Dipl.-Ing., 1966 INSEAD-MBA. K.: 1966-74 Mitarb. eines Elektronik-Konzerns, 1974-77 Management-Berater, ab 1977 gschf. Ges. (P.R.).

Sypal Klaus Dr. iur.
B.: MinR. in d. Präsidentschaftskzl. DA.: 1010 Wien, Ballhauspl. 1. G.: Wien, 23. Nov. 1940. V.: Elfriede Georgine, geb. Erlinger. Ki.: Klaus (1964). El.: Ferdinand u. Maria, geb. Högner. S.: Werkzeugmacherlehre m. Gesellenprüf., 1959 Präsenzdienst u. anschl. Eintritt in d. Bundesdienst, Abendkurse d. Maturaschule Dr. Roland, 1967 Externistenmatura, anschl. Stud. Rechtswiss. Univ. Wien, 1972 Prom. z. Dr. iur. K.: Parallel z. Stud. Berufstätigkeit u. Ablegung d. erforderl. Dienstprüf., 1967-71 Amtsvormund b. d. Stadt Wien, 1972 Ref. in d. Rechtsabt. d. Kam. f. Arb. u. Ang. f. NÖ, 1973-74 Präsidialjurist im BMI, ab 1974 in d. Präsidentschaftskzl. tätig m. Schwerpunkt Humanitäre u. Menschenrechtsfragen, Sozial- u. Wirtschaftsangelegenheiten, Koordination m. Bundes- u. Landesbehörden. P.: zahlr. Publ. zu Wirtschafts- u. Sozialfragen sowie d. Chancen v. Kleinstaaten im Intern. Spannungsfeld, Seminartätigkeit. E.: 1986 Körnerpreis, GrSE, GrE, GE, ÖOlympM, Offk mex OvA, OffK d sp IsO, venez FrdM

III. Kl, GrVK d d VO, KmdK d dän DO, KmdK d. schw NStO, Malt VO, OffK d frz VO, KmdK d norw StOO, KmdK d port ChrO, KmdK d jug FO, GrOffK d gr EhrenO, GrOffK d finnl LO.GrOffk d. Malt. VO. H.: Sport, Musik. (N.A.)

Szaal Gerhard

B.: Kfm. u. Möbelfabrikant. A.: 1080 Wien, Josefstädter Str. 74. G.: Wien, 28. Nov. 1924. V.: Friederike, geb. Hacher. El.: KommR. Josef u. Anna. S.: RG m. Matura. K.: Kriegsdienst, 1945-69 Verkaufsltr. im väterl. Betrieb, ab 1969 selbst. Kfm. u. Fabrikant. F.: Alleininh. d. protokollierten Fa. Gerhard Szaal, Biedermeier-Einrichtungshaus Wien, Antiquitäten Wien, Möbelfbk. Wien. M.: Aussch.Mtgl. d. LGremiums f. Möbel u. Waren d. Raumausstattung, BMTC NÖ ENERGIE Tennisclub.

Szabó Thomas Prof. Mag.

B.: Inh. Yamaha-Musikschulen Szabó, Musikleher. DA.: 4030 Linz, Hillerstr. 4b/1. PA.: 4020 Linz, Humboldtstr. 44. G.: Püspökladány/Ungarn, 16. Nov. 1956. V.: Barbara, geb. Umbauer. Ki.: Thomas, Julia. El.: Julius u. Magdalene. S.: Gymn. Ungarn, Lehrerbild.-HS (Musik u. darstell. Kunst), seit 1985 in Österr., Musiklehrer am Gymn. (Klavier, Orgel, Chordirigent), Ausbild. in d. Yamaha-Musikschule f. E-Intrumente m. Abschlußprüf. K.: seit 1988 selbst. in Linz, seit 1989 Steyr, seit 1990 Wels, Konzerttätigkeiten. E.: mehrere ungar. Ausz. z.B. Silb. u. Gold. Kulturmed. m. Kinderchor, Kulturmed. f. künstler. Arb. im öff. Bereich. M.: ÖVP, ÖAAB. H.: Familie, Science fiction-Filme, Technik (Computer). (P.H.)

von Szalachy Stefan Béla

B.: PR-Berater, Gschf. Ges. d. Esprit Public Relations GmbH, freier Journalist. DA.: 1130 Wien, Beckg. 18. PA.: 1120 Wien, Fraungruberg. 1A. G.: Pásztó/Ungarn, 3. Jan. 1953. V.: Dr. Martina, geb. Vogelsinger. Ki.: Tibor (1984), Nicolette (1986). El.: Stefan u. Gabriella. BV.: Kállay Miklós (ungar. Ministerpräs.). S.: Mittelschule, Theresian. MilAk. in Wr. Neustadt, HS d. Rechtsw. u. Vw. K.: 1977-79 PR-Ref. am intern. Inst. f. Systemanalyse (Schloß Laxenburg), 1980 PR-Ass. in d. Agentur Publico, dort praxisbez. Ausbild. z. PR-Berater, Praxis u.a. auch in d. Schweiz, 1983-84 Kontakt-Ltr. in d. Agentur, 1985-87 PR-Berater b. PR-Agentur Dr. Macco Wien, 1987 Grdg. d. eigenen Agentur. P.: als freier Journalist über Wirtschaftspolitik in in- u. ausländ. Zeitungen u. Zeitschriften. E.: Staatspreis f. PR. M.: WdF, Vorst.-Mtgl. d. PRVA, Mtgl. d. St. Johann Club, Gen.-Sekr. d. Europ. Verb. d. PR-Berater E.C.C.O. H.: Familie, Gartenarb., Tennis, Jagd, Schreiben, Fremdsprachen. (M.M.)

Szalanski Johann Josef

B.: Gen.-Dir. d. Hotel Sacher. DA.: 1010 Wien, Philharmonikerstr. 4. PA.: 1040 Wien, Schaumburgg. 18. G.: Mödling, 29. Dez. 1960. V.: Winnifried Raymond, geb. Coward. El.: Josef u. Helga. BV.: Schriftsteller Noel Coward, Vater Vice-Präs. d. größten Amerikan. Stahlkonzern Hugh Coward. S.: BG Baden, Koch- u. Kellnerlehre, versch. Schulungsaufenthalte in BRD, Frankreich, USA. K.: Gschf. v. mehreren Restaurants in Österr., 1984-87 Imperial Hotels Austria AG, seit 1988 Manager d. Hotel Sacher. M.: Österr. Weinbruderschaft, Club Chaine de Rotisseurs. H.: Weinsammler, Gourmet, Jogging.

Szalay Stephan Dr. med.

B.: Prim. d. Geburtshilfl.-Gynäkolog. Abt. d. LKH Klagenfurt. DA.: 9020 Klagenfurt, St. Veiterstr. 47. PA.: 9201 Krumpendorf, Parkweg 1. G.: Gmunden, 19. Nov. 1949. V.: Dr. Isabella, geb. Fasching. Ki.: Alexander, Mathias. El.: Dr. Franz u. Edith. S.: 1967 Matura, Med.Stud. Univ. Wien, 1973 Prom. S.: 1980-83 OA d. 2. Univ.Frauenklinik in Wien, seit 1984 Vorst. d. Geburtshilfl.-Gynäkolog. Abt. d. LKH Klagenfurt. P.: ca. 190 wiss. Publ. auf d. Gebiet d. Frauenheilkunde in div. in- u. ausländ. Fachzeitschrifen. E.: 1977 Wiss. Förderungspreis d. 1. Österr. Sparkasse, 1981 Billroth-Preis, 1988 Preis d. Wiss. Ges. f. Ktn. u. Osttir. H.: Skifahren, Wasserski, Reisen. (S.G.)

Szameit Ursula

B.: Tänzerin a.d. Wr. Staatsoper, 1993 Ernennung zur Halbsolistin. PA.: 1090 Wien, Liechtensteinstr. 2. G.: Wien, 22. März 1957. El.: Eugen u. Charlotte, geb. Hanák. S.: 1964 Balletschule d. Wr. Staatsoper, 5 J. AHS. K.: 1971 Engagement i.d. "Corps de Ballet" d. Wr. Staatsoper, zahlr. Tourneen u. Solopartien, z.B. Aschenbrödel, Sommerfee, Herbstfee, Russ. Prinz., Dornröschen, Zwillingsfee, Singvogelfee, Die Katze, Caraboss, Schwanensee, Gr. Schwäne, Span. Tanz, Ungar, Solo m.R. Nurejew als Nausikaa in "Ullysses", als Mädchen i.d. "Der wunderbare Mandarin", Gräfin Sybille in "Raymonda", Ind. Puppe in "Nußknacker", nebenb. viel J. Mtgl. b. Jeunesse-Ball., Choreographie. H.: Musik, Fotographieren, Glasmalerei, Stricken. (N.A.)

Szapary Stefan Dr. iur. Dipl.Vw.

B.: IBM Manager i.R. PA.: 1010 Wien, Bartensteing. 3. G.: Budapest, 26. Dez. 1915. V.: Eva, geb. Merse. Ki.: Maria, Barbara Mag. El.: Ludwig u. Maria. BV.: Großonkel Julius Szapary Min.Präs. in Ungarn 1902-1907. S.: Mittelschule, Zisterzienser in Pecs, Univ. Pecs, 1939 Prom., Ldw. Ak., Dipl.Vw. K.: Kriegsdienst, IBM in Budapest, 1961 nach Österr. versetzt. (A.W.)

Szatmary Johann Dr. MedR.

B.: FA f. Innere Med. GT.: gerichtl. beeid. Sachv. f. Innere Med. DA.: 1220 Wien, Donaustadtstr. 1. PA.: 1220 Wien, Bibernellweg 7/99. G.: Wien, 19. März 1929. V.: Sieglinde, geb. Unger. Ki.: Hans, Margit, Alexander, Peter. S.: Gymn., 1947 Matura, Med.Stud. Univ. Wien, 1955 Prom. K.: 1955-56 KH Gmünd, 1956-58 Meidlinger UKH, 1958-65 KFJ-KH, Ausbild. b. Prof. Reiner, 1965 Ernennung z. FA f. Innere Med., 1965-66 OA Rehabilitationszentrum Bad Tatzmannsdorf, seit 1966 freie Praxis im Donauzentrum, 1973-78 Begutachter b. d. PVANG, 1984 MedR. M.: Ges. f. Neuraltherapie, Berufsverb. d. Internisten, Ges. d. Gutachterärzte Österr. H.: Skifahren, Schwimmen. (C.K.)

Szegö Johann

B.: gerichtl. beeid. Dolmetscher, Fremdenführer. DA.: 1160 Wien, Neulerchenfelder Str. 23/25. G.: Budapest, 19. Sept. 1936. El.: András u. Zsuzsanna. S.: 1954 Matura Ungarn, 1956 nach Österr., 1966-67 Fremdenführerkurs. K.: seit 1967 Fremdenführer u. Gerichtsdolmetscher, seit 1975 Präs. d. Ver. d. geprüften Wr. Fremdenführer, seit 1987 Vorst.-Mtgl. d. Weltverb. d. Fremdenführerver., z.Zt. auch in d. Fremdenführerausbild. tätig. P.: "Kaiser, Krisen, Krieg u. Kreisky". E.: 1986 Silb. VZ d. Landes Wien. H.: Literatur, Fußball, Kino. (J.E.)

Szèkely Piroska

B.: Schauspielerin. FN.: Theater d. Jugend. PA.: 1020 Wien, Fugbachg. 21. G.: Tg-Mures/Rum., 4. Feb. 1969. El.: Imre u. Paraschiva. S.: BOberst.-RGymn. Salzburg, 1988 Matura, Schauspielstud. a. d. Elisabethbühne Salzburg, 1988 Abschluß. K.: 1989 1. Engagement Sommerfestspiele Bad Gandersheim, weit. Engagements an d. Landesbühne Hannover,

Elisabethbühne Salzburg, Sommerfestspiele Wadgassen, Marburger Schauspiel, Sommerfestspiele Feuchtwangen, Linzer Landestheater, 1993 Übersiedlung n. Wien, Prod. am Volkstheater, 1994 Engagement am Theater d. Jugend. M.: Versorgungsanstalt d. Dt. Bühnen. H.: Musik, Tanzen, Lesen. (F.S.)

Szell de Duka et Szentgyörgyvölgy Ingrid Therese
B.: PR, Werbung. FN.: O&K Orenstein & Koppel GmbH Baumaschinen. GT.: Tanzschule Aigner-Szell Ges.n.b.R. DA.: 1231 Wien, Grawatschg. 7-9. PA.: 2345 Brunn/Gebirge. G.: Wien, 9. März 1947. V.: Walter Richard Szell de Duka et Szentgyörgyvölgy. El.: Zoltan Josef Theresia Maria Istvan u. Berta Theresia. S.: Mittlere Reife, Kfm. Ausbild., staatl. geprüfter Trainer u. TL. BL.: Österr. Mstr. prof. Turniertanzsport. F.: Tanzschule Aigner-Szell GesnbR.2345 Brunn/geb., Bahng.11.

Szemelliker Johann Dr. iur.
B.: RA. DA.: 2500 Baden, Hauptpl. 12. PA.: 7201 Neudörfl, Burgenlandhof 1. G.: Sollenau, 17. Jan. 1955. V.: Beatrix, geb. Köckenbauer. Ki.: Alexander u. Barbara. El.: Oberst a.D. Johann u. Olga. S.: Gymn., Matura, 1973-78 Stud. d. Rechtswiss. an d. Univ. Wien, Prom. 1978. K.: Gerichtsjahr in Wien: Jugendgerichtshof, BG Hietzing, LG f. ZRS Wien, Präsenzdienst, 1979-83 RA in Baden: Kzl. Dr. W. Rosna, seit 1983 selbst. RA. M.: ÖVP, Union, NÖ Anw.Ver. H.: Tennis, Popmusik. (M.B.)

Szendey Béla Dr. med.
B.: FA f. Radiologie Pulmolog. Zentrum d. Stadt Wien Baumgartner Höhe. Da.: 1140 Wien, Sanatoriumstr. 2. G.: Budapest, 25. März 1937. V.: Dr. phil. Agnes, geb. Bárczay v. Bárcza. El.: Dr. Béla u. Elisabeth, geb. váradi Stoll. BV.: Vater Béla Szendey Ungar. Staatsanw. u. 1. Ungar. Europamstr. im Rudern (Einer), Maximilian Stoll Prof. d. Internen Med. Univ. Wien im 18. Jhdt. S.: Gymn. Budapest, 1956 Matura, 1960-62 Univ. of New Hampshire Durham, N.H., USA, B.A., 1962-64 Forsch.-Ass. New York Univ., Med.-Stud. Univ. Wien, 1972 Prom. K.: Turnus im Spital Gmunden, St. Anna Kinderspital u. KH Lainz Wien, seit 1987 Tätigkeit am Pulmolog. Zentrum Wien, 1988 Eröff. d. eigenen Ordination. M.: 1. Wr. Ruderclub Lia, Malteser Alten- u. Krankendienst. H.: Skifahren, Rudern. (J.S.)

Szigeti Josef Mag. Pater

B.: Heimltr., Gymn.-Lehrer, Priester Salesianer Don Boscos St. Ruprecht Klagenfurt. DA. u. PA.: 9020 Klagenfurt, Kircheng. 31. G.: Wien, 2. Dez. 1951. El.: Josef u. Maria. S.: VS, Gymn., 1970 Matura, 1972 Ordenseintritt, 1974-82 Stud. Phil., Sozialpäd. u. Theol. Ordens-HS Benediktbeuern /BRD, 1982 Spons. u. Nostrifizierung Österr. K.: 1981 Priesterweihe, 1981-86 Erziehungsltr. in Wien, 1986-90 Jugendkaplan in Wien, seit 1990 Heimltr. St. Ruprecht-Klagenfurt. H.: Sport (Fußball, Tennis, Radfahren, Schwimmen). (G.L.)

Szigeti Norbert

B.: Teilhaber. FN.: Wein & Sektkellerei Gebrüder Szigeti. DA.: 7122 Gols, Am Anger 31. G.: Gols, 1. März 1968. El.: Josef u. Renate. S.: Weinbauschule i. Krems. K.: zunächst i. d. Sektkellerei i. Klosterneuburg, anschl. Schloßkellerei Halbturn, 1990 gemeinsam m. Bruder Peter Szigeti d. väterl. Weinhandel übernommen, Beginn d. Sektprod. m. gebietsorientierten Sektprod. n. klassischer Flaschengärmethode. BL.: Mitorg. u. Initiator d. 1. Österr. Qualitätssektmesse, Erzeugung d. kleinsten Sektflasche d. Welt. E.: 1994 Sieger d. Sektprämierung, versch. Ausz. H.: Weinbau, Radfahren. (I.J.)

Szigeti Peter

B.: Teilhaber. FN.: Wein & Sektkellerei Gebrüder Szigeti. DA.: 7122 Gols, Am Anger 31. G.: Gols, 10. Feb. 1965. V.: Maria-Raquel Santos. El.: Josef u. Renate. S.: 5 J. Höhere Lehranstalt f. Fremdenverkehr i. Kleßheim, 1983 Matura. K.: Saisonarb. i. Service i. Hotel Wörthersee, anschl. 3 J. i. Brasilien als Gschf. einer Restaurant-Kette "Delikatessen Alpino", 1988 Hotel Elisabeth am Arlberg i. Service, anschl. Eintritt i. väterl. Weinhandelsbetrieb, 1990 Übern. d. Betriebes m. Bruder Norbert Szegeti u. Beginn d. Sektprod. BL.: Mitorg. u. Initiator d. 1. Österr. Qualitätssektmesse, Erzeugung d. kleinsten Sektflasche d. Welt. E.: Sieger d. Sektprämierung 1994, versch. Ausz. H.: Weinbau, Schwimmen. (I.J.)

Szilagyi Karl Georg
B.: Kürschner, gschf. Teilh. d. Pelzhauses Mondial u. Teilh. d. Pelzhauses Karl Szilagyi. DA.: 1010 Wien, Bauernmarkt 2. G.: Wien, 31. Aug. 1948. El.: KommR. Karl u. Sophie. S.: HAK, Kürschnerlehre im familieneigenen Untern., weitere Ausbild. b. Hudson Bay Co London, Pelzdesign in Deutschland u. Italien (b. Veneziani u. Fendi in Mailand), Kürschnermstr. K.: 1963 Eintritt in d. väterl. Untern., Designer v. Einzelmodellen u. Kollektionen, 1977 Grdg. d. Pelzhauses Mondial am Stephansplatz in Wien, verantwortl. f. d. Gschf. in Zusammenarb. m. d. Pelzhaus Szilagyi sowie f. d. Exp., Kollektionen f. int. Stammkunden, jährl. Präsent. d. neuesten Pelzmoden, veranst. jährl. Modeschauen. M.: Ver. d. Kürschnermstr. Wiens, Modeförderungskomitee d. Wr. Kürschnerschaft. H.: Fotografieren, Reisen, Skifahren, Sporttauchen.

Szilagyi-Schrack Monika

B.: Gschf., Ltg. FN.: Tausendsassa Werbe GmbH. Modellagentur. DA.: 1130 Wien, Hietzinger Hauptstr. 28. G.: Wien, 17. Mai 1953. Ki.: Isabelle, Matthias. El.: Harald E. u. Eva Schrack. S.: neusprachl. Gymn. i. Wien, 1971 Matura, Jus-Stud. K.: 1978-79 Tätigk. a. Stylistin u. Fotomodell i. Paris, anschl. zurück n. Wien u. a. Stylistin tätig, 1980 Grdg. d. Modellagentur Tausendsassa, 1981 Grdg. d. VON Magazins (Modezeitschrift m. Kulturinform., Life Style). H.: Reisen, Skifahren, Schwimmen, Literatur, Philathelie. (F.S.)

Szinicz Gerhard Dr. med. Prim. a.o.Univ.-Prof.

B.: Ltr. d. Chir. Abt. am LKH Bregenz. DA.: 6900 Bregenz, Karl-Pedenz-Str. 2. G.: Esseg/Jugoslawien, 14. Dez. 1942. V.: Mag. Sonja. Ki.: Stefan (1991). El.: KommR. Ludwig u. Stefanie. S.: Stud. d. Med. in Wien u. Göttingen/D, Prom. 1968 in Wien. K.: Chir. FA-Ausbild. in d. KH Linz, Sbg., St. Johann/Tirol u. Univ.-Klinik Innsbruck, 1981 Univ.-Doz., 1989 tit. a.o.Univ.-Prof. an d. II. Chir. Univ.-Klinik Innsbruck, seit 1989 Ltr. an d. Chir. Abt. d. LKH Bregenz. BL.: Erfind. d. Entwickl. d. implantierbaren Sphinkter-Prothese f. Anus praeter (Patent), Erfind. u. Entwickl. d. Operationssimulation in d. minimalen invasiven Chir. durch "Pulsatile Organ-Perfusion" (Patent). P.: Veröff. über abdominalchir. Themen, rezidivierenden Spontanpneumothorax u. Minimal Invasive Chir. M.: Österr. Ges. f. Chir., Österr. Ges. f. experimentelle Chir., Collegium intern. Chir. digestivae (CICD), Arbeitskreis f. minimal invasive Chir.

Szinovatz Edith

B.: Prok. d. Fa. Österr. Linoleum-, Wachstuch- u. Kunstlederfabriken AG. DA.: 2514 Traiskirchen, Badner Str. 9-11. PA.: 2514 Traiskirchen, Eugen-Dahm-Str. 8. G.: Schattendorf, 10. Juni 1949. V.: gesch., 1 Tochter. El.: Paul u. Edith Lenzinger. BV.: Großtante war Hermine v. Kicke (österr. Adel). S.: HS, 8 J. Musikschule Wr. Neustadt (Klavier), div. Wifi-Kurse. K.: Kfm. Lehrling in Wr. Neustadt, 1968 Eintritt in ÖLW, 1975 Bilanzbuchhalterkurt auf WU-Wien, dzt. Umstellung d. Fa. auf EDV-Computer. M.: Eigene Tennisclub. H.: Mode, klass. Musik, Theater, Tennis, Surfen, Radfahren, Hunde. (M.G.)

Szirba Rudolf Dr. iur. Prof.

B.: Polizeijurist, HofR. i.R. A.: 1110 Wien, Enkpl. 3. G.: Wien, 19. März 1923. V.: Maria, geb. Ziller. Ki.: Gertraud, Wolfgang. El.: Josef u. Cäcilie. S.: Externistenmatura, Stud. d. Rechtswiss. an d. Univ. Wien. K.: kfm. Ang., nach d. Krieg Stud., dann rechtskundiger Dienst in d. BPD Wien, 1955-84 Ltr. d. Sicherheitsdion. Wien. P.: "Das österr. Polizeirecht", "Waffengesetz 1986", "Das Waffengebrauchsrecht in Österr.", "Das Recht der Polizeiverwaltung", "ABC d. Verwaltungsstrafverfahrens", "Das österr. Melderecht", mehrere verw.-rechtl., insbes. polizeirechtl. Aufsätze in Fachzeitschriften. E.: Silb. EZ f. Verd. um d. Rep. Österr., Gr. EZ f. Verd. um d. Rep. Österr., Gold. EZ f. Verd. um d. Ld. Wien, Verleihung d. Berufstitels "Prof.". M.: Österr. Ges. f. Strafrecht u. Kriminologie, Österr. Juristentag. H.: Fotografieren.

Szirba Walter "Pauli"

B.: selbstst., techn. Veranstaltungmanagement sow. Lichtdesign u. Ton, Techn. Jugendstiltheater DA. u. PA.: 1140 Wien, Baumgartner Höhe 1. PA.: 1090 Wien, Canisiusg. 19/9. G.: Wien, 31. Dez. 1949. V.: Elisabeth, geb. Gall. El.: Heinrich u. Theresia. S.: Stud. Rechtswiss. Univ. Wien. K.: Sekr. im BKA, Lichtregie u. Tonbetreuung im Folk-Club "Atlantis" f. intern. bekannte Musik- u. Kabarettgruppen, Techn. Ltr. im Theater im Konzerthaus, Ensembletheater, Residenztheater u. Jugendstiltheater, versch. Gastspiele in Deutschland, Schweiz u. Italien. H.: Beruf. (J.S.)

Szirmay Vera Viktoria

B.: Tänzerin, Pädagogin. FN.: Tanzinstut Szirmay. DA.: 7000 Eisenstadt, Osterg. 2. G.: Wr. Neustadt, 22. Juli 1973. BV.: ältester ungar. Adel, seit 740 J. Grafengeschlecht. S: Matura in Budapest m. Ausz., Ausbild. in Klass. Tanz b. d. Eltern, 1984 Ballettsch. d. österr. Bundestheater, 1986 Stud. in Monte Carlo u. Cannes, 1992 Aufn. Hochsch. Budapest, Stud. Ballettpäd. (1J. statt 3J.), 1993 Stud. Indologie u. Theaterwiss. an d. Univ. Wien. K.: 1993 Päd. f. Ballett an d. Univ. Wien, 1993 Stud. ind. Tempeltanz b. Dominique (Paris) u. Stud. in Madras. P.: Zahlr.TV-Auftritte, "Vera - Ein Leben f. d. Tanz", zahlr. Kompositionen. (M.G.)

Szivacz Erika

B.: Inh. FN.: Erika Szivacz, Erzeugung v. Damenoberbekleidung. DA.: 2483 Ebreichsdorf, Heinrich Weselystr. 7-9. PA.: 2483 Ebreichsdorf, Theodor Körnerstr. 11. G.: Ebreichsdorf, 16. Dez. 1950. Ki.: Cynthia (1977. El.: Franz Kucharik u. Anna Reithofer. S.: VS, HS. K.: Schneiderlehre, Gesellenprüf., Mstr.-prüf., n. d. Ausbild. 1J. Deutschl., danach Tätigk. in d. Textilbranche in Österr., zwischendurch Umstieg in d. kfm. Bereich m. Tätigk. im Bürobereich, 1978 selbst. m. Grdg. e. eig. Unternehmens in Ebreichsdorf. P.: Regelmäßige Modeschauen im Palais Ferstl in Wien, am intern. Weltkongress, am intern. Vier-Länder-Treffen. M.: Klub d. Freunde d. Fußball-Nationalmannschaft. H.: Skifahren, Gymnastik, Oper, Theater, Fußball. (F.S.)

Szivatz Franz Prof.

B.: Arch., Bühnenbildner. GT.: Filmarch., Kostümbildner. DA.: 1190 Wien, Sieveringer Str. 82. PA.: 1020 Wien, Schüttelstr. 9/6. G.: Neufeld, 2. Juli 1925. V.: Wilma, geb. Zaza. Ki.: Michael. El.: Franz u. Maria. S.: HS f. angew. Kunst, Dipl., Schweiz: Dipl.-Ing. K.: Bühnenbildner Schweiz, Burgtheater Wiederaufbau Atelier Prof. Engelhart, Filmarch. u. Kostümbildner freier Mitarb., 1955 Lehrauftrag über techn. Belange Reinhartsem., Lehrauftrag HS angew. Kunst, Mstr.Kl. Bühnen- u. Filmgestaltung, 1971 Grdg. Arch.Büro m. Co. H.: Lions Club. H.: Alte Arch. (Kas.)

Szöke Franz

B.: gschf. Ges. d. Fa. Szöke & Co GmbH (SÖKE) u. Belvedere Fenster Szöke & Szöke. DA.: 2104 Spillern, Wienerstr. 200. PA.: 3421 Höflein, Silberseestr. 19a. G.: Wien, 26. Juni 1947. V.: Elisabeth, geb. Wilhelm. Ki.: Philipp, Franz. El.: Franz u. Maria. K.: 1968 Eintritt in d. väterl. Betrieb u.

Übernahme. BL.: Staatsmstr. in Kanadier-Bootfahren C1, Österr. Mstr. 1974, Teilnahme an d. WM in d. Schweiz. M.: Wirtschaftsbund. H.: Tennis. (Fels.)

Szöke Adelheid

B.: Gschf. Ges. FN.: A. Szöke GmbH. DA.: 7000 Eisenstadt, Hauptstr. 22. G.: Kasten, 30. März 1945. V.: Otto. Ki.: Otto, Roland. El.: Franz u. Maria Lueger. S.: Friseurlehre. K.: 1966-81 selbst. Handelsvertreterin, 1981-85 Gschf. in e. Pelzhaus, s. 1985 selbst. m. Leder- u. Pelzfachgeschäft. H.: Leichtathletik, Musik. (M.G.)

Szokoll Carl

B.: Filmproduzent. DA.: 1190 Wien, Obkircherg.41. PA.: 1140 Wien, Felbigerg. 90. G.: Wien, 15. Okt. 1915. V.: Christl, geb. Kukula. Ki.: Richard (1945). S.: 1938 Theres. Militärakad. K.: aktiver Leutnant, Hptmann i. stllv. Generalkommando XVII i. Wien, Chef d. Organisationsabt. Ib/-Org., Als "Walküre" Bearbeiter durchf. Offizier d. Putsches am 20. 7.1944., mit Kriegsende Major u. Ltr. e. Außenstelle d. Oberkomm. d. Wehrmacht i. Wien, zugleich führend. Mtgl. d. österr. Widerstandsbew., 1947 i. Filmgeschäft tät. P.: 1954 "Die letzte Brücke", 1956 "Der letze Akt", 1985 autobiogr. Roman "Der gebrochene Eid", 19921 Fernsehfilm "Operation Radetzky". E.: Große silberne Ez. d. Rep. Österr. H.: Schreiben, Filmproduzieren. (T.T.)

Szoloczki Hubert

B.: Inh. FN.: Ing. Hubert Enders Unternehmen f. Elektrotechn. Anlagen. DA.: 1040 Wien, Margaretenstr. 29. PA.: 1040 Wien, Margaretenstr. 29/Top 4. G.: Wien, 26. Juni 1943. V.: Christa, geb. Wukitsevits. Ki.: Gabriele (1962), Hubert (1964), Michaela (1965). El.: Hubert u. Stefanie. S.: 1957-61 Lehre Elektroinstallateur, Werkmstr.Kurs u. Konzessionskurs in Abendschule, 1974 Mstr.Prüf. K.: ab 1961 Elektromonteur Fa. Enders, ab 1972 Gschf. Fa. Enders, ab 1974 Alleininh. Fa. Enders, 1979 Grdg. d. Filialbetriebes. M.: 1986-91 Innungsaussch.Mtgl. d. Elektrotechniker. H.: Jagd, Videofilmen. (M.M.)

Szopa Piotr Dipl.-Ing.

B.: Techn. Development Dept. Region Manager. FN.: General Electric Plastics GmbH. DA.: 1150 Wien, Storcheng. 1. PA.: 2371 Hinterbrühl, Gaadner Str. 20. G.: Katowice/Polen, 2. Mai 1943. V.: Dr. Barbara, geb. Dworok. Ki.: Lukas (1973), Magdalena (1979). El.: Georg u. Hedwig. S.: 1961 Gymn.-Matura, Stud. Chemie Univ. Breslau/Polen, 1968 Dipl.-Ing. K.: 1968-69 Kunststoffspezialist b. Firma Polcabel Katowice, 1970-80 Adjunkt - Ltr. d. Entwicklungsabt. im Inst. f. Kunststoffe Gliwice, 1980-86 Vertreter d. Firma GE-Plastic in Katowice u. Warschau, 1986-88 Techn. Servicespezialist f. GE-Plastics in Wien, 1988-90 Senior Techn. Servicespezialist, ab Okt. 1990 Regional Manager d. Entwicklungsabt. BL.: Patent f. "woodstock" in Polen. E.: 1969 Silb. EZ f. Kunststofftechnologie in Polen, 1980 u. 1985 Agent of GEP in Polen, 1986 Dipl. f. Business Development in Polen, 1990 Managerial Award f. Techn. Entwicklung in UdSSR-Aktivitäten. H.: Sport (Segeln, Windsurfen, Wasserski, Tennis). (M.M.)

Szorger Rudolf RegR.

B.: Chef d. Protokolls. FN.: Bgld. Landesregierung. DA.: 7000 Eisenstadt, Landhaus. G.: Siegendorf, 17. Juli 1937. V.: Agnes. Ki.: Wolfgang, Dieter. K.: 1956 Buchhaltung Bgld. Landesreg., 1968 Budgetref. d. Finanzabt., 1976 Ltr. Protokollabt. d. Bgld. Landesreg.; sonst. Funkt.: Gem.-Rat. u. Vize-Bgm. Siegendorf, Mtgl. d. Landesvorst. u. Personalvertreter d. Gewerksch. öffentl. Dienste. E.: Bgld. EZ, VK 1. Kl. (BRD), Ritter 1. Kl. d. Olaf Ordens (Norwegen), Gold. EZ d. Stadt Rust. H.: Schifahren, Garten. (M.G.)

Sztriberny Ernst Ing.

B.: Bmstr., Inh. d. Sztriberny Bauges.m.b.H. DA.: 9081 Reifnitz 66. G.: Klagenfurt, 20. Nov. 1947. V.: Editha, geb. Glanzl. Ki.: Isabel (1981), Philip (1987). El.: Ernst u. Elfriede. S.: RG, HTL Villach, Matura 1968. K.: S. 1969 im elterl. Baubetrieb als Bautechniker tätig, s. 1987 Chef d. Unternehmens. M.: Lions Club Wörthersee. H.: Golf, Skifahren, Malerei. (A.L.)

Szücs Gergely-Werner "Der Wiener Geigenprinz"

B.: freischaff. Musiker u. Inh. d. Fa. Vienna Music Promotion-G.W.S. Music Promotion GmbH. PA.: 1140 Wien, Anzengruberstr. 3. G.: Wien, 18. Okt. 1962. El.: Prof. Gergely u. Silvia. S.: Grundschule, Stud. an d. Wr. Musik-HS Hauptfach Violine. K.: Bereits als Kind seinen Vater b. Konzerten begleitet, 1. Auftritt m. 6 J., bisher über 1000 Auftritte u.a. Opernball in Mailand (1985), Karneval v. Venedig (1986), Wr. Festwochen-Eröff. (1987), Mörbischer Seefestspiele (1987), Wr. Opernball in Montreal (1990), Dallas u. New York (1989), Wr. Ball in München (1990), Japan Tournee (1989 u. 1990), Hochzeit v. Baron Thyssen (1985), Trauung d. Herzogs v. Kent. BL.: Weltrekord f. Guinnessbuch d. Rekorde am 18.10.92 auf 3,3 cm kl. Geige gespielt. P.: LP "Der Wiener Geigenprinz", LP, MC, CD "Der Wiener Geigenprinz", "The New Sound of Vienna". H.: Tiefseetauchen, Interesse f. Aufnahmetechnik, Videofilme, Filmen. (M.B.)

Szucsich Albrecht Mag. iur. w.HofR.

B.: Vorst. d. Abt. Schulen u. Kultus, Kindergarten u. Jugendref., LBmtr. im Amt d. Bgld. LRg. GT.: seit 1989 im Kuratorium d. Bgld. Musikschulen. DA.: 7000 Eisenstadt, Freiheitspatz 1. PA.: 7000 Eisenstadt, Joseph-Haydn-G. 4. G.: Graz, 11. Okt. 1936. V.: Christiana, geb. Vukovich. Ki.: Alexander, Martina. El.: Anton u. Theresia. S.: Hum. Gymn., 1954 Matura, 1958-63 Stud. d. Rechtswiss. in Wien, 1964 Mag. iur. K.: 1964-65 Gerichtspraxis, 1954-58 NÖ Ldw.Kam. in Wien in d. Betriebsabt., 1965 Konzeptbmtr. d. Bgld. LRg., 1966 Abt.Vorst.Stellv. d. Schulabt., 1970-75 Sekr. v. LHptm.-Stellv., 1975-84 Abt.Ltr.Stellv. d. Verkehrsabt., seit 1984 Vorst. d. Abt. f. Schulwesen, Kultus, Kindergärten u. Jugendref. P.: Fachpubl. in d. Zeitschrift f. Verkehrsrecht u. in Jur. Zeitschriften. M.: CV-Franco Bavaria. H.: Klavierspielen, Jazz spielen u. hören, klass. Musik, E-Musik. (M.B.)

Szuszkievicz Johann Dr. iur.

B.: Journalist. PA.: 1030 Wien, Reisnerstr. 30/10. G.: Wien, 3. Dez. 1922. V.: Gertrud, geb. Merkle. Ki.: Harald u. Peter. El.: Johann u. Anna. S.: Gymn., Matura 1941, Stud. an d. Univ. Wien, Unterbrechung durch Wehrdienst u. Kriegsgefangenschaft, Prom. 1948. K.: Während d. Stud. versch. schriftsteller. u. journalist. Tätigk., 1946 als Reporter zum ORF, ab 1950 Ltr. d. aktuellen Dienstes, 1955 Kommentator d. ersten großen TV-Übertragungen d. österr. Fernsehens, 1956 als erster Österreicher zur UNO nach New York, zun. stellv. Ltr. d. Abt. f. Mittel- u. Südeuropa im UNO-Rundfunk: verantwortl. f. alle deutschsprach. Rundfunk- u. TV-Programme, 1962-63 Ltr. d. ges. Rundfunks von West New Guinea während d. Zeit d. UNO-Verw., Dir. d. UNO-Informationszentren: 1964-68 in Ragoon/Burma, 1968-72 in Sydney, 1972-76 in Rom 1975 in Tunesien, 1976-81 New Dehli, 1981-83 in New York als Dir. d. Abt. f. Wirtschafts- u. Sozialinformation, 1983 Pensionierung, danach noch 1 J. in New York als Berater f. d. intern. Inst. zur Förderung d. Frau (INSTRAW), seit 1984 freiberufl. als Korrespondent f. in- u. ausländ. Zeitungen tätig. P.: "Reporter war", Studie über die Rolle v. Privatorgan. in Entwicklungsländern bei d. Durchführung d. neuen intern. Wirtschaftsordnung, Studie f. IFDA, Nyon (CH), Romane: Namasteh, Das Mädchen Maientau, Opium, etl. populäre Wiener Lieder u. Schlager (z.B. f. Wondra & Zwickl). E.: Gold. EZ u. Gr. EZ f. Verd. um d. Rep. Österr. M.: Verb. d. Auslandspresse in Österr., Verb. d. UNO-Journalisten in Wien, Österr. Journalistenclub, Österr. Autorenges., AKM, Austro Mechana, Litera Mechana, Österr.-Thailänd. Ges., Österr.-Ind. Ges. H.: Schreiben, Musik, Beruf. (G.E.)

Szymanski Eva-Elisabeth Dr. iur. Mag. MinR.

B.: Zentral-Arbeitsinspektorin, Ltr. d. Sekt. VI d. BM f. Arb. u. Soziales. DA.: 1010 Wien, Stubenring 1. PA.: 1080 Wien, Lercheng. 23. G.: Wien, 10. Apr. 1947. V.: Dr. Wolf Die t-rich. El.: HofR. Dr. Alfred u. Dorothea Elger. S.: VS, RG, 1965 Matura, 1965-66 Abiturientenlehrgang d. HAK, 1966 HAK-Matura, Stud. d. Rechtswiss., 1971 Prom. K.: 1971-72 Gerichtspraxis, 1972 Beginn b. BM f. Arb. u. Soziales, Sekt. V, ab 1981 stellv. d. Ltr. d. Abt. V/3, 1984-88 Ltg. d. Abt. 3 d. Sekt. VI Zentralarb.-Insp., seit 1989 Ltr. d. Sekt. VI. P.: Probleme d. Arbeitnehmerschutzes u. d. Frauengleichbehandlung. M.: SPÖ, Mtgl. d. Bundes Sozialist. Akademiker. H.: klass. Musik, Bergsteigen, Skifahren, Tennis. (J.E.)

Szyszkowitz Gerald Dr. phil.

B.: Ltr. Fernsehspiel d. ORF. DA.: 1130 Wien, Würzburgg. 30. PA.: 2344 Maria Enzersdorf, Liechtensteinstr. 18a. G.: Graz, 22. Juli 1938. V.: Uta Dr., geb. Wiers-Keiser. Ki.: Mag. Stefan (1964), Mag. Tessa (1967), Franz (1977). El.: Dr. Franz u. Thessa, geb. Tagger. S.: Ak. Gymn., 1956 Matura, Stud. Univ. Wien Theaterwiss. u. Germanistik, Stipendium in Paris u. Washington. K.: 1962-68 Regie an div. Theatern in Deutschland (Bonn, Dortmund, Wilhelmshaven, Stuttgart, Hannover), 1968-72 Chefdramaturg u. Reg. an d. Ver. Bühnen in Graz, 1972-73 Chefdramaturg d. ORF, 1973 Ltr. d. Abt. Fernsehspiel z.B.: Alpensaga, Kottan, Schöne Tage, Dorf an d. Grenze, Blassblaue Frauenschrift, Mit meinen heißen Tränen, Welcome in Vienna. P.: 1981 Der Thaya, 1982 Seitenwechsel, 1983 Osterschnee, 1983 Vom Reich zu Österr., 1985 Furlani oder Die Zärtlichkeit d. Verrats, 1988 Puntigam oder Die Kunst d. Vergessens, 1990 Auf d. anderen Seite, 1991 Moritz u. Nathalie oder Die Angst v. d. Sehnsucht, 1992 Der Liebe lange Weile, Theaterstücke: 1967 Genosse Brüggemann, 1968 Commander Carrigan, 1970 Der Fladnitzer, 1971 Waidmannsheil oder Schöne Grüße aus d. Stmk., 1989 Der Liebe lange Weile, 1991 Am Irrsee, 1991 Friedemann Puntigam od. Die Kunst d. Vergessens, 1992 Wittgenstein, Bernhard und andere. E.: Wartinger-Preis Graz 1956, Grillparzer-Ring 1981, Österr. EK f. Wiss. u. Kunst I. Kl. 1981, Gold. EZ d. -Landes Stmk. 1981, Ernst-Winkler-Preis 1981, Ordre du Merite Culturel Warschau 1983, Gold. EZ d. Stadt Graz 1984, Gr. EZ d. Rep. Österr. 1987, Gold. EZ d. Stadt Wien 1989. M.: P.E.N.-Club. (M.G.)

Szyszkowitz Michael Dipl.-Ing.

B.: Arch. FN.: Arch.-Büro Szyszkowitz-Kowalski. DA.: 8010 Graz, Elisabethstr. 52. G.: Graz, 26. Sept. 1944. V.: Karla, geb. Kowalski. El.: Rudolf u. Elisabeth. S.: Ak. Gymn. Graz, 1962 Praktikum Glasmalerei, Stud. TU Graz. K.: 1966/67/68 Teilnahme an Städtebauseminaren d. Intern. Sommerak. in Sbg. b. Prof. Bakema, Rotterdam u. Prof. Candilis, Paris, 1970/71 Mitarb. an d. Planung d. Olympiabauten b. Behnisch & Partner in München bzw. Domenig & Huth München u. Graz, seit 1973 Zusammenarb. m. Karla Kowalski Frankfurt, München, Graz u. Stuttgart, 1984/91 2. Präs. d. Zentralverb. d. Architekten Österr. Landesverb. Stmk, 1987 Mitbegründer u. seither Vizeobm. d. "Hauses d. Arch." in Graz. E.: 1979 1. Österr. Holzbaupreis, 1981, 1982 u. 1985 Geramb-Med. d. Landes Stmk., 1982 u. 1988 Preis d. Zentralver. d. Arch. Österr., 1983 Preis d. Landes Stmk. f. Arch., 1987 Sonderpreis d. Gr. Österr. Wohnbaupreises, 1991 Würdigungspreis f. Bild. Kunst 1990 d. BMU, seit 1978 12 1. Preise b. Wettbewerben. (C.R.)

Szyszkowitz Peter Mag. art. OStR. Prof.

B.: ak. Maler, Prof. f. Kunsterziehung an d. Päd. Ak. Graz, Koordinator f. bildner. Erziehung, Vors. d. Prüf.Kmsn. f. bildner. Erziehung, freischaff. Künstler. DA.: 8010 Graz, Hasnerpl. 12. PA.: 8010 Graz, Wickenburgg. 40. G.: Graz, 28. Mai 1938. V.: Brigitte, geb. Slanina. Ki.: Beate, Markus, Eva, Georg. El.: Rudolf u. Elisabeth. BV.: Vater Rudolf Szyszkowitz (1905-1976) Maler (Kapelle im Priesterseminar Graz, Gruft d. Schottenkirche Wien, Krakau, Lienz, Stams). S.: ak. Gymn. Graz, Mstr.Kl. d. Kunstgewerbeschule Wien, Ak. d. bild. Künste, 1962 Spons. K.: 1964 ak. Maler, AHS-Lehrer, LBA, seit 1969 Päd. Ak. Graz, Graphik, Zeichnungen, Layouts, Plakate, Ltr. d. Sommerkurse im Schloß Purgstall/-Wies, Gemeinschaftsausstellungen. BL.: Aktion d. freien Malens m. Kindern u. Studenten, Ausstellungsorgan., visuelle Kommunikation. P.: "Unser Weg" päd. Schrift, Fachaufsätze über Päd., "Der Mensch im Spannungsfeld zeitgenöss. künstler. Bestrebungen", Beiträge z. Lehrerfortbild., versch. Katalogtexte. E.: 1988 OStR., Preis f. Plakat f. Lehrerwerbung. M.: Kultur- u. Sportverb., Begutachterkmsn. f. Schulbücher. H.: Reisen, Singen, südsteir. Keusche. (C.H.S.)

Szyszkowitz Rudolf Dr. med. univ. Univ.-Prof.

B.: Ordinarius u. Vorst. d. Univ.-Klinik f. Unfallchir. Graz.s. 1993 A.: 8010 Graz, Zusertalg. 19. G.: Graz, 23. Mai 1941. V.: Dr. Gertraud, geb. Kutschera v. Aichbergen. El.: Dr. Franz u. Theresia. S.: Kepler-RG, 1959-66 Univ. Graz u. Wien, Prom. 1966 in Graz, 1966-69 Univ.Klinik f. Chir. Graz u. Abt. f. Orthopädie u. Unfallchir. St. Gallen/Schweiz, 1969-70 Nuffield Orthopädic Centre/Oxford. K.: 1971-75 Unfallchir. Klinik d. Med. HS Hannover, 1976-92 Ltr. d. Departments f. Unfallchir. d. Univ.Klinik f. Chir. in Graz. P.: Frakturheilung nach Osteosynthesen, Behandlung Mehrfachverletzter, Wirbelsäulenchir., Problem d. Knochenzementimplantation, Erkrankungen d. Gelenke, Knochentumore u.a., über 150 Veröff. in div. Fachzeitschriften. E.: Florey-Scholarship d. Queen's College/Oxford. M.: Präs. d. Arge f. Osteosyntesefragen Österr., Chairman d. Girdlestone Orthopädic Society,Fellow d. British Orthopädic Association, Österr. u. Dt. Ges. f. Unfallchir.d. Dt Ges. f. Plastische Chirurgie, Österr. u. Dt. Ges. f. Chir., Intern. Visiting Prof. of the Cleveland Clinic/Ohio/USA, Präs. d. Österr. Ges. f. Unfallchir. 1991-93, Korresp. Mtgl. d. Schweizer. u. Dt. Ges. f. Unfallchir u. d. Orthopaedic Trauma Assoc. of North America, Ehrenmtgl. d. Amer. Assoc. f. the Surgery of Trauma. H.: Alpines Skifahren, Familientherapie, Reisen.

Szyszkowitz-Kowalski Karla Dipl.-Ing. Prof.

B.: Arch., Univ.-Prof., Ordinaria Univ. Stuttgart. FN.: Arch.-Büro Szyszkowitz-Kowalski. DA.: 8010 Graz, Elisabethstr. 52. G.: Beuthen, 28. Jän. 1941. V.: Michael Szyszkowitz. El.:

Herbert u. Ursula Kowalski. S.: Schule Sachsen, Thüringen u. Hessen, Stud. TH Darmstadt, 1/2 J. Praktikum Tischlerei, 1 J. Zwischenpraktikum b. Candilis Paris, 1968/69 Post-graduate-Stud. Arch. Assoc. School London. K.: 1969/71 Mitarb. an Olympiabauten b. Behnisch & Partner München, 1971/72 Lehraufrag an d. Gesamt-HS Kassel über "Topographie u. Entwurf", seit 1973 Zusammenarb. m. Michael Szyszkowitz in Frankfurt, München, Graz u. Stuttgart, seit 1988 Univ.-Prof. u. Ordinaria am Lehrstuhl f. "Öff. Bauten u. Entwerfen" d. Univ. Stuttgart. E.: 1979 1. Österr. Holzbaupreis, 1981, 1982 u. 1985 Geramb-Med. d. Landes Stmk., 1982 u. 1988 Preis d. Zentralver. d. Arch. Österr., 1983 Preis d. Landes Stmk. f. Arch., 1987 Sonderpreis d. Gr. Österr. Wohnbaupreises, 1991 Würdigungspreis f. Bild. Kunst 1990 d. BMU, seit 1978 12 1. Preise b. Wettbewerben. (C.R.)

Tabor Manfred Ing.
B.: Gschf. Ges. FN.: Zehetner Tabor Anlagen GmbH, ZETA Engineering. DA.: 8010 Graz, Raiffeisenstr. 46. PA.: 8461 Ehrenhausen, Vogau 554. G.: Graz, 26. Nov. 1960. V.: Sybille, geb. Michl. El.: Friedrich u. Anna Maria. S.: AHS, HTL f. Maschinenbau, 1981 Matura. K.: b. 1985 Projekting. Waagner Biro, 1990/91 Konzessionsprüf. f. techn. Büros f. Maschinenbau, auch Lehrlingsausbildner, 3/4 J. Projektierung f. Wasseraufbereitungsanlagen Henkel Austria, 1 1/2 J. Werksing. Stabil Kunststoffwerke, 4 J. Techn. Ltr. m. Handlungsv. Leopold Pharma, 1990 Grdg. Zehetner Tabor Anlagenbau, 1991 Grdg. ZETA Engineering. H.: Aquaristik. (F.K.)

Tabor Peter Ing.
B.: Gschf. Ges. d. Fa. Dahms Elektronik GmbH. DA.: 8051 Graz, Wiener Str. 287. PA.: 8046 Graz, Im Hoffeld 15. G.: Wr. Neustadt, 21. Mai 1948. V.: Theresia, geb. Schweighofer. El.: Friedrich u. Erna. S.: VS, Mittelschule Wr. Neustadt, Matura 1963, anschl. HTL Mödling Nachrichtentechnik. K.: Ab 1967 Praktikum in d. BRD, zuletzt in leitender Pos. b. einem engl. Unternehmen, 1975 Grdg. d. Fa. Dahms, 1982-83 Erweiterung durch 2 Tochterfirmen (Kleinhdl.) z. dzt. Personalstand v. 46 Pers. H.: Familie, Sport, Tennis, Skifahren. (War.)

Taborsky Martin Ing.
B.: Gschf. Ges. FN.: Herbert Taborsky Aufzüge OHG. DA.: 1100 Wien, Leebg. 80. G.: Wien, 19. Feb. 1967. El.: Herbert u. Edeltraud. S.: AHS, HTL Maschinenbau-Flugtechnik, 1987 Matura. K.: Techn. b. AUA, 1989 Eintritt u. Gschf. i. väterl. Betrieb, Elektromech.- u. Elektromaschinenmech.-Mstr. innerhalb v. 4 Monaten, Entw. e. Parkgaragensystems. M.: Aero-Club Sportflugverein Sturmvogel. H.: Fliegen m. Motorflugzeugen, Tennis, Eishockey, Snowboard. (R.T.)

Taborsky Rudolf
B.: Oberprok. d. Bundesländer Vers. GT.: Bundesobm. d. Reichbundes - Bewegung f. Christl. Gesellschaftspol. u. Sport. DA.: 1021 Wien, Praterstr. 1-7, 1010 Wien, Ebendorferstr. 6. PA.: 1020 Wien, Am Tabor 13/1/22. G.: Wien, 7. Okt. 1939. V.: Gerda Edith, geb. Kammerer. Ki.: Andrea (1965). El.: Rudolf u. Maria, geb. Heiderer. S.: VS, HS, ELK, 3 Sem. Kirchengeschichte, Kath. Sozialak. K.: 1955 Eintritt in d. Bundesländer Vers. P.: Hrsg. u. Mitred. "Ramsau - Hefte f. Christl. Gesellschaftspol. in d. Offensive". E.: Gold. Leopold-Kunschak-Ring. H.: Musik. (N.A.)

Tachezi Herbert Mag. Prof.
B.: o.HS-Prof., Organist d. Hofmusikkapelle Wien, ausübender Künstler. A.: 1030 Wien, Reisnerstr. 14/9. G.: Wr. Neustadt, 12. Febr. 1930. V.: Christiane, geb. Ambrosch. S.: Abitur, Stud. d. Germanistik Univ. Wien, Stud. d. Musikpäd., Komposition, Klavier, Orgel Musik-HS Wien, Cembalo b. Prof. Fritz Neumeyer, Freiburg. K.: Nach Abschlußprüf. Musiklehrer an Wr. Gymn., seit 1958 Unterricht an Wr. Musik-HS, jetzt als o.HS-Prof., Lehrkanzel f. Musiktheorie, Kl. künstler. Ausbild. f. Orgel, Orgelimprovisation, als Konzertorganist, Cembalist, künstler. Improvisator u. Mtgl. d. Concentus Musicus Wien, Reisen u. Aufnahmen in Europa u. Übersee. P.: Kompositionen: Orgel-, Klavier-, Kammermusikwerke, Chorwerke, Messen, Editionen Alter Musik, Artikel, Essays in zahlr. Fachzeitschriften, zahlr. Schallplatteneinspielungen (dav. mehrere m. intern. Preisen ausgez.). E.: 1. u. 2. Preis f. Orgel b. intern. Musikwettbewerben, Förderungspreis d. Wr. Kunstfonds, Theodor Körner-Preis. M.: Arge d. Musikerzieher Österr., Freunde d. Musik-HS Wien, Vorst.-Mtgl. d. Österr. Orgelforums. H.: Bergwandern.

Marchese Tacoli Alexander
B.: Gschf. FN.: Posch & Tacoli GmbH & Co KG Lebensmittelzustelldienst f. Haushalte u. Firmen. DA.: 1160 Wien, Maroltingerg. 100. PA.: 3200 Obergrafendorf, Schloß Fridau. G.: Graz, 15. Nov. 1956. V.: Gräfin Hedwig v. Spreti. Ki.: Ludovico (1985), Federico u. Vincenz (1987), Clemens (1991). El.: Gherardo u. Marga, geb. Baronin Musulin. BV.: Mariano Tacoli Zeitgenosse v. Leonardo da Vinci, Erfinder v. Belagerungsmaschinen. S.: Externistenmatura. K.: 1978 Grdg. d. eigenen Firma in Wien, seit 1976 in Land- u. Forstwirtschaft im eigenen Betrieb tätig. P.: Rezeptbuch f. Forellen (1981). M.: Club St. Johann. H.: Tennis, Jagd, Skifahren, Urlaubsreisen in d. Fernen Osten. (N.A.)

Tades Helmuth Dr.
B.: Sekt.-Chef, Ltr. d. Zivilrechtssekt. BM f. Justiz. DA.: Museumstr. 7, 1016 Wien. G.: Wr. Neustadt, 18. Dez. 1929. V.: Margarete, geb. Zoppoth. Ki.: Dr. Sonja (Notariatskand.). El.: Franz u. Margarethe. S.: Realgymn. Wr. Neustadt, Matura 1947, Univ. Wien Jus, Prom. 1951, glz. Stud. Cello Wr. Musikhochschule. K.: 1951 Eintritt Justizdienst, 1955 Richter BG Mattersbg., 1957 zweite Beruf. Justizmin., Zivilrechtssekt., vorw. Arbeitsrecht, Angelegenh. d. RA u. Notare, Obm. d. Dienststellenaussch., ab 1988 Generalanwalt, seit 1990 Sektionsltr. P.: Hausbesorgergesetz, Sammlung arbeitsrechtl. Entscheidungen, Mitautor: ABGB (MGA u. MTA) (Dittrich-Tades), Arbeitsrecht (Dittrich-Veit-T.), Rechtsanwaltsordnung (Schuppich-T.), Notariatsgebühren, Rechtsanwaltstarif (Michalek-T.), Angestelltengesetz (Dittrich-T.), Arbeits- u. Sozialgerichtsgesetz (Feitzinger-T.). E.: Gr. Silb. EZ f. Verd. um d. Rep. Österr., EZ d. Österr. Notariats. M.: Obm. d. Justizsportverein. Wien, Mtgl. d. Kammerorchesters Joseph Haydn Eisenstadt (Cellist). H.: Musik, Sport. (J.S.)

Tadler Dietmar
B.: freischaff. ak. Maler. DA.: 1070 Wien, Lindeng. 44. PA.: 1070 Wien, Wimbergerg. 24. G.: Selzthal, 5. Nov. 1939. V.: Gertrude, geb. Dietrich. Ki.: Andreas (1961), Johanna (1963). El.: Otto u. Magdalena, geb. Marchler. S.: 1953-57 Kunstgewerbeschule in Graz b. Prof. Spohn, 1957-61 Ak. d. bild. Künste in Wien b. Prof. Pauser u. Prof. Martin, 1961 Aufnahmeprüf. an d. École des Beaux-Arts Paris, 1962 Abschluß d. Stud. an d. Wr. Ak. b. Prof. Dobrowsky u. weitere Tätigkeit als freischaff. Grafiker in Wien. K.: seit 1962 künstler. Tätigkeit Art. Dir. d. Theaters "Der Kreis" Wien (Gold. Nagel d. ADC Austria f. Corporate Design), graph. Gestaltung v. Büchern u. Katalogen: "Friedrich Kiesler" - Ausstell. Museum d. 20. Jhdts. Wien (Staatspreis 1988 BM f. Wirtsch. Angelegenheiten), "Wunderblock" - Ausstell. d. Wr. Festwochen (Staatspreis 1989 BM f. Wirtsch. Angeleg.), "Adolf Loos" - Ausstell., Graph. Sammlung Albertina, Museum d. Stadt Wien, "Gerhard Roth - über Bilder", Aus d. Kunstsammlg. d. Zentralspark. (Staatsdipl. 1990 BM f. Wirtsch. Angeleg.). M.: Berufsverb. Bild. Künstler Österr. H.: Fischen. (N.A.)

Taege Willi Ing.
B.: Betriebsltr. u. Prok. FN.: SKM Electronic GmbH. PA.: 9871 Seeboden, Hauptstr. 172. G.: Friedrichsthal, 8. März 1927 V.: Rosemarie, geb. Bliß. Ki.: Wilfried, Hartmut. El.: Willi u. Ella. S.: HS, Techn. Fernstud., Ing., 1951 Wirtschaftsschule. K.: 1941-44 Lehre als Werkzeugmacher, 1944-46 Dt. Wehrmacht, 1953 Mstr.Prüf. Fachrichtung Kraft- u. Arbeitsmaschinen, b. 1956 Ing.Tätigkeit in mehreren Funktionen b. Fa. Bergmann in Berlin, 1956 Übersiedlung in d. BRD, 1956-73 Ltr. d. Mechan. Versuchsbaues b. d. Norddt. Melderundfunk, 1973-76 Gschf. u. Ges. d. Fa. Helel Aunte Electronic GmbH, seit 1977 Betriebsltr. d. Fa. SKM Leiterplatten Dipl.-Ing. Kurt Schön GmbH in Ktn. H.: Tennis, Skilanglaufen, Wandern. (M.B.)

Taferner Walter KommR.
B.: Inh. FN.: Walter Taferner OHG & GmbH. DA.: 1190 Wien, Heiligenstädter Str. 77. Pa.: 3400 Weidling, Jasming. 23. G.: Graz, 19. Okt. 1931. V.: Dagmar, geb. Riehs. Ki.: Josef u. Josefina, geb. Herbsthofer. S.: Elektromechanikerlehre. K.: 1956-58 Tankstellenltr. in Wien, ab 1958 selbst. "Mobil" Tankstelle, Schwerpunkte d. Tätigkeit: Kfz-Werkstätte, Autohdl., Waschstraße u. Espresso. P.: Fachart. in Fachzeitschriften. M.: Fachverb.-Vorst. f. ganz Österr. H.: Familie, Motorradreisen. (N.A.)

Tagger Ralf Dipl.-Ing.
B.: Arch., staatl. befugter u. beeid. Ziviltechniker. DA.: 8010 Graz, Opernring 12. G.: Graz, 19. Juni 1942. V.: Dipl.-Ing. Ursula, geb. Theußl. Ki.: Alexander (1980), Dominik (1985), Nicolas (1987). El.: Dkfm. Hans u. Helga. S.: Gymn. Bad Aussee, 1962 Matura, Stud. TU Graz, 1973 Grad. K.: b. 1978 Praxis in Graz, ab 1979 selbst. m. Partner, ab 1984 eigenes Büro, ab 1979 Schwerpunkt Siedlungsbau, 1982 Schloßparksiedlung, 1984 Wohnanlage Premstätten, ab 1984 Schwerpunkt Ind.-Bau, Straßenraumgestaltung, Straßenhochbau, Hotel- u. Sportanlagen, 1985 Kraftwerksanlage Mandling, 1990 Scheifling, 1992 Kalvang-Autobahnmeisterei, Hotel- u. Freizeitanlage Schwarzl, Orts- u. Platzgestaltung in Straß u. Lasnitzhöhe. F.: Bau u. Beteiligung d. CAMA-Tennisanlage. H.: Familie, Segeln, Malen, Sport, Computer, Reisen. (P.M.)

Tagwercher Ernst Dr. med.

B.: FA f. innere Medizin, Ltr. d. Kuranstalt Montafon. FN.: Kuranstalt Montafon. DA. : 6780 Schruns, Außerlitzstr. 25. PA.: 6780 Schruns, Außerlitzstr. 72. G.: Bludenz, 22. Nov. 1936. V.: Ingrid, geb. Köberle. Ki.: Peter, Susanne. El.: Peter u. Maria. S.: Realgym. Bludenz, Matura 1955, Univ. Innsbruck u. Wien, Prom. Innsbruck 1961. K.: 1965-66 Kantonsspital Zürich (Poliklinik Prof. Hegglin) wiss. Ass., 1966-68 Facharztausb. i. Braunau/Interne, 1968-72 Internist Kuranstalt Montafon/Schruns (Doz. Dr. Albrich), 1973 selbst. Internist i. Tschagguns, 1986 Praxisverlegung n. Schruns i. d. Kuranstalt u. ärztl. Ltr. d. Kuranstalt Montafon a. Internist (Kneippkuranstalt, mentales Training, Selbsthypnose f. Gewichtsreduktion Allergie). P.: In "Fortschritte d. Pankreasdiagnostik v. PD Dr. R. Amann" i. Bd. 22 - Experimentelle Medizin, Springer Verl. 1967. M.: CV, KAV Thena Danubia, Vice Obmann Sportfliegergruppe Montafon. H.: Degen, klass. Musik, Reisen, Lesen. (I.D.)

Tajmar-Zeisel Monika
B.: Schauspielerin. DA.: 1010 Wien, Börseg. 7. G.: Wien, 10. Sep. 1947. V.: Elgar. Ki.: Karina u. Martin. El.: Heinrich u. Theresia. S.: 1961-64 Textilfachschule, 1965 Reinhardt-Seminar. K.: 1966-73 Engagements b. Theater, Fernsehen, Film u. f. Werbung in Rom, 1973 b. Bewährungshilfe, Polenhilfe, Sozialprojekte, Drehbuchautorin, Malerin, Schauspielerin, Reaktivierung d. Pratertheaters, Intendantin d. NÖ Theatersommers-Klosterneuburg, Musicalspezialistin (dt.-sprach. Erstauff. v. Nunsense), Regisseurin, Choreografin. (J.E.)

Takano Masaru
B.: Executive-Dir. FN.: Tenmaya GmbH, Japan. Restaurant Tenmaya Carrousel GmbH. DA.: 1010 Wien, Annag. 3A/-3/30, 1015 Wien, Krugerstr. 3. G.: Hiroshima/Japan, 6. Febr. 1949. V.: Masako, geb. Kawai. Ki.: Mariko (1980), Takashi (1983). El.: Akira u. Tsuyako. S.: Jusstud. Chuo-Univ. Tokio/Japan, 1972 Dipl. K.: Beginn d. Karriere im Head-Quarter d. Firma Tenmaya Co. Ltd. in Okayama/Japan, seit 1991 in Wien, Grdg. d. Ndlg. Tenmaya GmbH Österr. u.a. Eröff. d. Japan. Restaurants Tenmaya in Wien. P.: Buch "Tenmaya im 21. Jhdt.". M.: Mtgl. in Japan. H.: Golf, Skifahren, Tennis. (J.S.)

Talaat H. H. Dr. phil.
B.: Inh., Verleger, Ekomonist. FN.: E.G.P. Euro Gulf Publishing Ltd. GT.: E.G.P. Verlags u. Druckerei GmbH, Talaat Publishing Group. DA.: 1180 Wien, Schöffelg. 56. G.: Kairo, 15. Nov. 1930. El.: Hussein u. Emmine. S.: 1972 Prom. Univ. Kairo. K.: 1972 Intern. Kons., seit 1984 Tätigkeit b. Verlagswesen in Holland, 1986 Ndlg. in Österr., Grdg. d. Fa. E.G.P. P.: Hrsg. "Euro-Arab Business Guide" (1986). M.: Intern. Canadian Club. H.: Klaviermusik. (N.A.)

Talebi Djahangir Dr.

B.: Gschf. Ges. FN.: Plastrans Petrochemicals Internat. Produktion-Marketing & Trading. DA.: 4020 Linz, Wienerstr. 32. PA.: 4060 Leonding, Im Blumengrund 15. G.: Urmia/Iran, 2. Feb. 1945. V.: Romana, geb. Birklbauer. Ki.: Sheila (1971), Leila (1981), Dominik (1992). El.: Mohamed Ali u. Parwin. BV.: Großvater war e. d. gr. Großgrundbes. in Urmia/Iran. S.: VS, Gymn., Stud. d. Staatswiss. u. Sozial-/Wirtschaftswiss. in Innsbruck. K.: 1974-78 Univ. Ass. bzw. Dozent in d. Univ. Kerman/Iran, 1978-81 Verkaufsltr. Chemie Linz, Verkaufsbüro Teheran, 1981-88 Verkaufmanager b. Chemie Linz-Kunststoffsparte, 1988-90 Abt. Ltr. b.Fa. PCD, 1990-92 Bereichsltr. f. Exporte ausserhalb Westeuropa b. PCD, seit Apr. 1992 Gschf. Ges. b. Fa. Plastrans. H.: Tennis, Fußball, Skifahren, Radfahren, Musik. (K.M.)

Tallawy Mervat
B.: Botschafterin d. Arab. Rep. Ägypten. DA. u. PA.: 1190 Wien, Gallmayerg. 5. G.: Kairo, 1. Dez. 1937. V.: Dr. Ali Rahmy. Ki.: Scherine. El.: Molano u. Thorae. S.: 1973-77 Graduate Inst. of Intern. Studies Geneva for Doctoral Studies, Candidate for Ph.D., 1962-63 Inst. for Diplomatic Studies Cairo, 1957-61 American Univ. in Cairo, B.A. in Political Science and Business Administration. K.: seit 1962 Berufsdiplomatin v. Ägypten, Min. f. auswärtige Angelegenheiten, 1985-88 bevollmächtigter Min., stellv. Dir. d. Abt. f. Intern. Organ Kairo, 1982-85 stellv. Dir. d. Vereinten Nationen, Inst. f. Forsch. u. Ausbild. d. Förd. d. Frauen, 1972-85 Tätigkeit in

Genf, New York u. Karibischen Städten, 1962-72 Tätigkeit in versch. Abt. d. Min. f. auswärtige Angelegenheiten in Kairo, seit 1988 Botschafterin d. Arab. Rep. Ägypten. (P.R.)

Talos Rudolf Mag. iur.

B.: Vorst. d. Abt. III Finanzen u. Buchhaltung. FN.: Amt d. Bgld. Landesregierung. DA.: 7001 Eisenstadt, Freiheitspl. 1. PA.: 7210 Mattersburg, Brunnenpl. 3/2/10/30. G.: Halbturn, 14. Sep. 1938. V.: Christiana, geb. Ollram. Ki.: Thomas (1969), Ursula (1968), Pia (1977). El.: Josef u. Maria. S.: Gymn., Stud. d. Rechtswiss. a. d. Univ. Wien, Mag. iur. K.: Ger.-Praxis a. Jugendger. Wien u. Bez,.-Ger. Neusiedl/See, 1966 Eintritt i. d. BH Mattersburg a. 3. Jurist, dann 9 J. Bez.-Hauptmann-Stv., 1986 Ltr. d. Büros d. LH-Stv. i. Eisenstadt, 1993 Vorst. d. Finanzabt. Eisenstadt; zusätzl. Tätigk.: Gschf. Kabel TV Bgld., Gschf. Privat-Radio Bgld. GesmbH., stv. Vors. d. FHS Bgld., Präs. d. Bgld. Fußballverb., AufsR. d. Heilbad Sauerbrunn Betriebs GesmbH., s. 10 J. Verb.-Anwalt d. Bgld. Landesjagdverb., Vie-Präs. d. Studienzentrums f. Frieden u. Konfliktlösung BL.: Mitarb. b. d. Grdg.-Phase u. Erstellung d. Konzepte f. d. FHS, maßgebl. Mitarb. b. Gesetzesentwürfen u. Grdg. etlicher Landesges. H.: Fußball. (I.J.)

Tálos Emmerich Dr. Prof.

B.: Politikwissenschafter; a.o.-Univ.-Prof. am Inst. f. Staats- u. Politikwiss. an d. Sozial- u. Wirtschaftswiss. Fak. d. Univ. Wien. DA.: 1010 Wien, Hohenstaufeng. 9/7. PA.: 1080 Wien, Lerchenfelderstr. 48/23. G.: St. Margarethen, 29. Juni 1944. V.: Lore, geb. Kemmer. Ki.: Imre (1979), Christoph (1983). El.: Franz u. Theresia. S.: 1962 Matura in Mattersburg, ab 1962 Stud. d. kath. Theol. in Wien u. Tübingen, 1966-70 Stud. d. Gesch. u. Phil., 1969 Prom. kath. Theol. K.: 1971-72 Verlagslekt. im Mathias-Grünewald-Verl. in Mainz, 1972-74 Stud. d. Politikwiss. am Inst. f. Höh. Stud. Wien, 1974-80 Verantw. Red. d. österr. Zeitschrift f. Politikwiss., ab 1974 Ass. am Inst. f. Politikwiss. an d. Rechtswiss. bzw. an d. Sozial- u. Wirtschaftswiss. Fak. d. Univ. Wien, 1980 Habil. u. Lehrbefug. f. Politikwiss., seit 1983 a.o. Univ.-Prof. am Inst. f. Politikwiss. Wien. P.: u.a. "Staatl. Sozialpol. in Österr. Rekonstr. u. Analyse" Wien 1981; "Austrofaschismus. Beiträge über Politik, Ökon. u. Kultur", Hrsg. gem. m. W. Neugebauer Wien 1984; "NS-Herrschaft in Österr. 1938-45" Hrsg. gem. m. E. Hanisch u. W. Neugebauer Wien 1988; "Handbuch d. polit. Systems Österr." Hrsg. gem. m. H. Dachs u.a. Wien 1991; "Sozialpartnerschaft. Kontinuität u. Wandel eines Modells" (Hrsg.) Wien 1993; zahlr. Artikel in Sammelbänden u. Zeitschr.; Ltr. u. Mitarb. an Forschungsprojekten z. Thema Wohlfahrtsstaat. M.: 1989-90 Vors. d. Österr. Ges. f. Politikwiss., 1989-91 Vorst. d. Inst. f. Staats- u. Politikwiss., Mtgl. in wiss. Ges. (I.K.)

Talotta Roberto

B.: Journalist b. ORF. GT.: Programmkoordinator österr. Spielefeste. DA. u. PA.: 1020 Wien, Radingerstr. 13/12. G.: Frankfurt/Main, 18. März 1958. El.: Enrico u. Elfriede. S.: VS, HS, Lehre f. Großhdls.Kfm., Kath. Medienak., Ausbild. z. Journalist. K.: Journalist b. div. Zeitungen u. ORF, u.a. Filmkritiker, dzt. freier Journalist. BL.: seit 1982 einziger österr. Spielekritiker, Mtgl. d. Jury f. "Spiele d. Jahres", Initiator u. Ogan. d. jährl. österr. Spielefestes (seit 184). P.: zahlr. Publ. in Zeitungen u. ORF. E.: Österr. Staatspreis f. journal. Leistungen im Interesse d. Jugend (1980), Präs. d. kath. Familienverb. f. journalist. Leistungen im Interesse d. Familie, Sonderpreis "Spiel" 1984. M.: Journalistengewerkschaft. H.: Spiele u. Spielen, Squash, Filme. (H.P.)

Tamás Aczél

B.: Gschf. FN.: WMH-Möbeltrade HandelsgesmbH. DA.: 1020 Wien, Gredlerstr. 3. PA.: 1220 Wien, Podlahag. 1-3. G.: Budapest, 22. Dez. 1950. V.: Eva, geb. Kahan. Ki.: Zoltan (1977), Peter (1982). El.: Miklos u. Franziska. S.: Stud. Ökonomie a. d. Univ. in Budapest, 1976 Abschluß, 1982 Dipl. Expert f. Intern. Wirtschaft. K.: 1988-90 Ltr. u. Berater vom Möbeltrade-Ungarischen Außenhandelsunternehmen, danach Umwandlung des Unternehmens in eine GmbH u. deren Führung. H.: Tennis, Fußball, Film u. Foto. (N.A.)

Tambornino Milan

B.: Managing Dir. FN.: Golden Time Warenvertriebs GmbH. DA.: 1230 Wien, Schuhfabrikg. 17. PA.: 1190 Wien, Dyonisius-Andrassy-G. 17. Ki.: Pierre, Cornelia u. Edward. El.: ObstLt. Hubert T. S.: RG Wien, Matura, Textilschule, Technikum in Reuttlingen/BRD. K.: 1956 Grdg. einer Kammgarnspinnerei, Garngroßhdl. in Wien, später Umwandl. in d. Fa. Golden Time. H.: Musik. (C.K.)

Tambour Alfred

B.: Prok. u. Dir. d. Lieferbeton GmbH, gerichtl. beeid. Sachv. f. Transportbeton. DA.: 1021 Wien, Handelskai 132. PA.: 3032 Eichgraben, Franziskusstr. 10. G.: Wien, 26. Nov. 1932. V.: Heide, geb. Merz. El.: Maximilian u. Paula. S.: VS, Gymn., BLVA f. chem. Ind. u. Gew. K.: Chemiker an d. techn. Versuchs- u. Forschungsanst. d. TU Wien, Bautenschutzmittelind., seit 1963 b. d. Fa. Lieferbeton GmbH, 1971 Prokura. P.: Vorträge an d. montanist. HS, WIFI, b. Fachveranstaltungen u. im Rahmen d. Ver. d. österr. Zementfbk., zahlr. Publ. in Fachzeitschriften. M.: Fachnormenaussch. Beton- u. Stahlbetonmassivbau, im Aussch. Zement im Bauwesen, Zusatzmittel f. Mörtel u. Beton, Verb. Dt. Betoning., Vors. d. Arbeitskreises Betontechn. in Ver. österr. Transportbetonwerke. H.: Wandern. (E.L.)

Tambour Evelyn

B.: Pressefotografin. GT.: Lehrbeauftragte d. HS f. Angew. Kunst. DA.: 1060 Wien, Haydng. 13/2/2/8. G.: Wien, 26. Aug. 1951. V.: Kurt Feichtenberger. El.: Friedrich u. Elfriede. S.: AHS, HASCH. K.: Texterin, 1978 selbst. Fotografin, 1985 Lehrbeauftragte. BL.: 1984 Kardinal König-Buch fotografisch illustriert. E.: 1984 morgen-Preis f. Fotografie. M.: Soroptimist-Club Intern. (P.R.)

Tamchina Herbert RegR.
B.: Bezirksvorsteher d. 7. Bez. GT.: karenzierter Bmtr. d. Gen.-Direktion d. ÖBB. DA.: 1070 Wien, Hermanng. 24-26. G.: Wien, 29. Jan. 1938. V.: Mag. Reingard, geb. Stigler. Ki.: Doris (1963). K.: seit 1991 Bez.-Vorsteher d. 7. Bez. P.: Art. über Pol. E.: Gold. EZ d. Landes Wien. H.: Musik, bild. Kunst, Sport. (J.S.)

Tamussino Christoph Johannes Mag. art.
B.: Designer. FN.: Studio Tamussino Design etc. DA. u. PA.: 1180 Wien, Herbeckstr. 27. G.: Wien, 6. Feb. 1958. El.: Hermann u. Dorothea. BV.: Thomas Tamussino: ehem. Bgm. v. Mödling, Dr. Ursula Tamussino: Autorin, Historikerin. S.: Gymn. Klosterneuburg, 1977 Matura, 1978-81 Stud. WU Wien, 1981 HS f. angew. Kunst Wien, Meisterkl. industrial Design (Prof. Hollein, Beranek, Bellini, Mendini, Sapper, Czech, Podrecca). K.: 1. Preis Wettbewerb "Die Brille" Fa. Optyl, seit 1983 Beschäft. m. handgem. Brillen, freisch. Designer Atelier I.D.Pool (Prof. Beranek, Mag. Kubelka), Proj. u.a. f. Bic-Ballograf, Burg, Windhager, ÖBB, 1984 erster eig. Auftrag f. AKG, dann auch f. Dichand, Miss World Austria, Variety Club Intern., 1985 17. Triennale Mailand, 1987 Dipl. m. Ausz. (Thema: Kochtöpfe), 1987 Würdigungspreis d. BMWF, 1987-88 Designer Philips Eindhoven, 1989 selbst. Designer in Wien, 1990 Förderungspreis f. Design d. BMUKS. M.: ÖIF. H.: Design, Fitness, Bogenschießen, Tauchen. (J.S.)

Tanay Ildiko Prim. Dr.

B.: Vorst. d. Psychiatrie. FN.: Landesnervenklinik Mauer. DA.: 3362 Mauer b. Amstetten, Mauer 221, Pav. 3. G.: Szolnok, 19. Feb. 1938. El.: Maria u. Stefan. S.: Hum. Gymn. 1957 Matura Ungarn, Abendschule f. Lebensmittelchem.-Ass., 1960 Dipl.-Abschl., 1962 Abendschule Ausb. MTA abgeschl. 1964 Stud. Med. Univ. Graz. K.: Hilfskraft med. Ambulanz, MTA, 1973 Dr. med. Turnusdienst Knittelfeld Stmk., ab 1976 Ausb. f. Psychiatrie u. Neurologie LNK Mauer, 1981 FA f. Psychiatrie u. Neurologie, 1983 Übern. Psych. Abt., seit 5/83 Prim. Arzt. (N.A.)

Tancsics Walter
B.: Gschf. FN.: Parkhotel u. Café-Konditorei Mikschi. DA.: 7000 Eisenstadt, Joseph-Haydn-G. 38. PA.: 7000 Eisenstadt, Georgistr. 37. G.: Eisenstadt, 7. Apr. 1963. V.: Eva, geb. Mikschi. Ki.: Bettina. El.: Eugen u. Maria. S.: VS, HS, HASCH, 1989 Gastgewerbekonzessionsprüf. K.: 1980-88 Finanzbmtr., seit 1988 Ang. d. Parkhotels in Eisenstadt u. d. Café-Konditorei Mikschi, seit 1989 Gschf. d. Parkhotels in Eisenstadt u. d. Café-Konditorei Mikschi. H.: Radfahren, Lesen. (M.B.)

Tanner Fred
B.: Firmeninh., Consulting-Engineer. A.: 1031 Wien, Strohg. 6. G.: Dübendorf/ZH, 25. Juni 1935. V.: Susanne, geb. Woda. El.: Jakob u. Berta. S.: 3 J. Sekundarschule, 4 J. Flugzeugmechanikerlehre m. eidgen. Dipl., Flight Engineer Ausbild. b. Swissair Zürich-Kloten. K.: Flugzeugmechaniker, Stationsmechaniker, Flight-Engineer, Flugzeugkonstrukteur (Fa. Lear USA), Techn. Kfm., Firmeninh. F.: Fa. Woda + Tanner GmbH Wien, Fa. Tanner & Co, Zürich, Fa. Filapack AG, Zürich. E.: HR d. panam. HK in Österr., Lazarus Ritter-Orden. H.: Skifahren, Curling, Radfahren.

Tanos Hans-Walter Dipl.-Ing.
B.: Arch., Bmstr. FN.: Atelier A. GT.: staatl. befugter u. beeid. Ziviltechniker. DA.: 8010 Graz, Heinrichstr. 7/1. G.: Klagenfurt, 9. Jan. 1949. V.: Edith, geb. Frisch. Ki.: Sandra (1973), Bernd (1969). El.: Hans-Gottlieb u. Editha. BV.: Freiherr v. Tanos Namensgeschlecht, geschützter bürgerl. Adelsname, nur 1x auf d. Welt. S.: RG Klagenfurt, 1967 Matura, Stud. TH Graz, 1981 Dipl. K.: seit 1973 freischaff. tätig, 1981 Grdg. eines Bauplanungsbüros f. Hochbau, 1989 selbst. freischaff. im Arch.-Büro Tanos, abgeschlossenes Musikstud. im Fach Querflöte, als Musiker, Kompositeur u. Arrangeur b. Fa. ECHO unter Vertrag, seit 1987 Designer Fa. HONET Wien. F.: Inh. d. Boutique Licht & Möbel Exclusive Einrichtung u. Ausstattung 8010 Graz, Brandhofg. 22. H.: Musik, Sport, Autos, Kleidung. (P.M.)

Tantscher Franz
B.: Inh. FN.: Innenausbau Tantscher. DA. u. PA.: 8046 Graz, Kortschakweg 32. G.: Mößlreith, 27. Apr. 1933. V.: Ana, geb. Obenaus. Ki.: Franz (1956), Gerhard (1957), Margareth (1959), Ute (1967). El.: Franz u. Agnes. S.: VS, HS, 1947-51 Tischlerlehre b. Firma Engelbrecht Graz, Geselle. K.: 1956 Mstr.-Prüf. b. Firma Seidler Paal-Wahnkunst Graz, 1965-66 Auslandspraxis in Hamburg, 1967-77 Gschf. Innenausbau Breuss, seit 1977 selbst. M.: MGV Eiche, Eisschützenver. ESV St. Veit, Fremdenverkehrsver., Kameradschaftsver. H.: Singen, Reisen, Eisschießen. (R.S.)

Tanzer Erich Ing.

B.: Gschf. FN.: LBG Computerdienst GmbH. DA.: 1010 Wien, Weihburgg. 9. PA.: 3702 Oberrußbach 5. G.: Wien, 24. Juli 1962. V.: Andrea, geb. Tindl. Ki.: Katrin (1982), Stefan (1983). El.: Jakob u. Margaretha. S.: 1982 Matura, Höhere Ldw. BLA. K.: 1983-86 Buchhaltung u. später Filialltr. Bernhardstal Lagerhaus, 1986 Filialltr. Hausleiten, 1990-92 Ltr. d. Abt. EDV-Vertrieb Verb. Ländl. Gen., seit 1992 Gschf. LBG Computerdienst GmbH. P.: lfd. Art. in Fachzeitschriften. H.: Motorradfahren, Squash. (M.-L.A.-M.)

Tanzer Hans
B.: VPräs. d. Tir. Landtag, Bgm. d. Gem. Rum. DA.: 6064 Rum, Gemeindeamt Rum. PA.: 6064 Rum, Ulmenstr. 59. G.: Innsbruck, 24. Dez. 1936. V.: Margit, geb. Sillaber. S.: VS, HS, abgeschlossene Schlosserlehre. K.: Lokführer d. ÖBB, BetriebsR., seit 1968 Bgm. v. Rum, ab 1975 Mtgl. d. Tir. Landtages. E.: Verd.Kreuz d. Landes Tir. M.: seit 1985 Vors. d. SPÖ Tir., Stellv. Präs. d. Tir. Volkshilfe, VPräs. d. Tir. GemVerb., einige Funktionen b. Ver. H.: Musik, Skifahren, Jagd. (Schm.)

Tanzer Hans
B.: Inh. FN.: Hans Tanzer, Brennstoffhdl. u. Transporte. DA u.PA.: 2630 Ternitz, Franz Dinhobl Str. 23. G.: Neunkirchen, 21. Mai 1939. V.: Hannelore, geb. Aichinger. KI.: Helga (1964), Martina (1967), Hans (1972). EL.: Hans u. Rosa. K.: Ausb. z. Hdlkfm., 1958 Eintr. in d. elterl. Betrieb, 1962 trat auch Gattin in d. Betrieb ein u. übern. Buchhaltung, 1975 Übern. d. elterl. Betriebes als Inh. M.: örtl. Sportvereine, Naturfreunde. H.: Wandern, Jagd. (F.S.)

Tanzer Josef Dipl.-Ing.
B.: Gen.-Dir. FN.: Verb. Ländl. Genossenschaften in NÖ. GT.: Vorst. Raiffeisenlandesbank NÖ-Wien rGenmbH. DA.: 1011 Wien, Seilerg. 6-8. (V)

Tappeiner Josef Dr. med. o.Univ.-Prof.
B.: Arzt. A.: 1010 Wien, Franz-Josefs-Kai 3/16. G.: St. Michael-Eppan/Südtirol, 29. Dez. 1909. V.: Edith, geb. Schlossnickel. S.: Univ. Innsbruck. K.: 1934 Prom. an d. Univ. Innsbruck, 1943 Ernennung z. Priv.Doz., 1950 Verleihung d. Titels a.o.Univ.-Prof., 1954 suppl. Ltr. d. Univ.-Klinik f. Dermatologie u. Syphilidologie, 1959 Ernennung z. a.o.Univ.-Prof. u. Vorst. d. I. Univ.Hautklinik Wien, 1961 o.Univ.-Prof. f. Haut- u. Geschlechtskrankheiten, 1953 Mithrsg. d. "Atlas f. Haut- u. Geschlechtskrankheiten", seit 1952 Teilnahme an allen intern. Dermatolog. Kongressen als Vortragender, Vors. u. Diskussionsltr., 1967/68 Dekan d. Med. Fak. d. Univ. Wien, 1968-69 Prodekan d. Med. Fak. d. Univ. Wien. P.: Etwa 180 wiss. Publ. über versch. Probleme d. Dermatologie. M.: o.Mtgl. d. Obersten Sanitätsrates d. Rep. Österr., Ehrenmtgl. zahlr. Dermatolog. Ges. (Australien, Berlin, Bulgarien, Italien, Israel, Jugoslawien, Polen, Mexiko, Venezuela, d. USA).

Tardi Zoltan Dipl.-Vw.
B.: Alleininh. v. Tardi's exklusive Schuhhaus-Kette, Leder, Koffer, Assecoires. DA.: 1010 Wien, Kärntner Str. 37. G.: Ungarn, 6. März 1928. V.: Eva, geb. Fleischlich. Ki.: Isabel (1967), Georg (1968). El.: Alois u. Ilona, geb. Steiner. BV.: Großvater A. Thier ehem. Polizeipräs. S.: HAK Ungarn, Abendstud. an d. WU in Budapest, Seminare im Dutweiler-Inst. Zürich, Studienreisen nach Europa u. Schweden. K.: 1950-55 Betriebsltr. in Holzverarb.Fbk. Ungarn, 1956 selbst. m. Naschmarktstand Wien, selbst. m. Exportgeschäft, 1965 Grdg. Supermarkt Wien, 1968 Grdg. Verbrauchermarkt Stokkereu, 1985 Wechsel in Lederbranche. BL.: Vorläufer d. Supermärkte in Österr. E.: 1952 Stonachov-Orden. H.: Reisen, Tennis, Tauchen, Muscheln, Schach, Bridge, Kunst. (M.G.)

Tarjan Thomas Dr. nat. oec. Dipl.-Vw.
B.: Verw.Dir. b. Ver. Bühnen Graz i.R. A.: 8045 Graz, Geißlerg. 35. G.: Szeged, 7. Nov. 1924. V.: Mag. Eva, geb. Kreuzer. El.: Paul u. Elisabeth. BV.: Ferenc Deák bedeut. ung. Politiker im 19. Jhdt. S.: VS, hum. Gymn. Univ. Klausenburg, 1945 Prom., Konservatorium Budapest. K.: ung. Nationalbank (1945-50), Außenhdl., seit 1959 Opernsänger (Budapest, ab 1980 in d. Schweiz, Österr. u. BRD), seit 1969 in Graz Sänger u. ab 1971 Verw.Dir., Gastvorträge an versch. Univ. u. HS d. In- u. Auslandes. P.: ständiger Mitarb. d. Blattes "Der Grazer". E.: Gr. Gold. EZ d. Landes Stmk. u. d. Landes Bgld. M.: Lions Club Graz, Districtgovernor. H.: Beruf, Reisen. (P.R.)

Tarmann Johann

B.: Gesellschafter. FN.: Hilde Tarmann GesmbH, 2-Rad Handel u. Werkstättte, Angelsport-Fachgeschäft. DA.: 2620 Neunkirchen, Fabriksg. 10. PA.: 2620 Neunkirchen, Schulg. 1. G.: Neunkirchen, 18. Okt. 1949. V.: Hilda, geb. Schwarz. Ki.: Birgit (1976), Wolfgang(1978). El.: Frieda u. Leo. S.: HS, MS, HTBL f. Hochbau. K.: 1977 Einstieg i. d. Geschäft d. Gattin, welche dieses 1974 übernommen hat. M.: Obmann d. Faschingsgilde Neunkirchen, Stellv. Präsident d. Bundesorganisation d. Faschingsgilde, Organisator d. Fischvereins, Schachklub, Stadtobmann.(F.S.)

Tarter August Dr. iur. Mag.
B.: a.o. u. bev. Botschafter i.R. A.: 1180 Wien, Peter-Jordan-Str. 127. G.: Feldkirch, 3. Feb. 1922. V: Maria F. Beatrix, geb. Schick. Ki.: Maria Caroline (1961), Marion (1962), Philipp (1964). El.: RA Dr. August u. Berta. Österr. Matura u. franz. Ballalaureat. K.: Österr. Berufsdiplomat, Attaché in Stockholm, Sekr. in Rom (Quirinal), Botschafter in Rabat/Marokko 1964-69, Botschafter in Dakar/Senegal 1969-74, mitbeglaubigt in Elfenbeinküste, Mali, Mauretanien, Guinea, Obervolta u. Gambia, Botschafter in Ottawa/Kan. 1978-82, 1982-85 Ltr. d. Abt. V.1 (Bilat. Kulturangelegenh.) im BMfAA, 1985-88 Botschafter in Sofia. E.: Gr. Silb. EZ d. Rep. Österr. 1987, Auszeichnungen aus d. Ausld. (Schwed., D, Dänemk., Marokko, Senegal, Obervolta, Mauretanien). H.: Sprachen, Fotografie, Reiten, Tennis.

Taschler Friedrich
B.: Inh. FN.: Hotel Holzinger. DA./PA.: 2513 Möllersdorf, Teichg. 2. G.: Biedermannsdorf, 18. Juli 1948. V.: Eva, geb. Edelbacher. Ki.: Dagmar (1979), Barbara (1980), Franz Josef (1983). El.: Josef u. Johanna. S.: VS, Gymn. K.: 3 J. Kfm.-Lehre b. Julius Meinl, Kfm.-Gehilfenprüf., 1970 Übern. e. Gasthauses, 1974 Zubau e. Pension, 1979 Umbau auf zu e. Hotel. H.: Skifahren, Österreich. (F.S.)

Taschner Johann
B.: Gschf. FN.: Österr. Leasing GmbH. DA.: 1040 Wien, Wiedner Hauptstr. 56. PA.: 2700 Wr. Neustadt, Ungarg. 39. G.: Wr. Neustadt, 22. Jan. 1930. V.: Gertrude, geb. Morth. Ki.: Susanne, Sabine. El.: Johann u. Josefine. S.: 1949 Matura. K.: Vers., Aufbau eines Vers.Büros in Wr. Neustadt, ab 1967 Gschf. d. neugegründeten Leasing GmbH, seither Aufbau dieser Finanzierungsform in Österr. P.: in vielen Fachperiodika, Abhaltung v. Fachseminaren bes. grenzüberschreitend. M.: VPräs. d. Verb. Österr. Leasing-Ges. (P.R.)

Taschner Martha Maria Alexandra Dr.
B.: prakt. Arzt. DA.: 1217 Wien, Dopschstr. 29/4. G.: Prag, 27. Febr. 1930. V.: Franz Taschner. Ki.: Renata, Libor. El.: Otokar u. Helene Hyhlik. S.: Gymn., 1949 Matura, Stud. Med. Prag, 1955 Dr. med., Prom. an d. Karls Univ. in Prag, priv. Klavierstud., Operngesang. K.: Kinderabt. u. Interne Abt., Betriebsarzt in CSFR b. 1964, prakt. Arzt b. 1967 in Prag, ab 1967 Turnusausbild. u. 4 J. Fachärztl. Ausbild., 1969 Nostrifizierung d. Dr.Titels in Wien, 1971 Österr. Staatsbürger, 1974 Ordination, Kurse f. Neuraltherapie u. Akkupunktur. H.: Gesang, Musik (Oper), Kochen, Wandern (Natur), Schwimmen, Reisen. (M.G.)

Taschner Walter KommR.
B.: Gschf. Ges., Elektromstr. FN.: Gebrüder Taschner Elektrohandel, Installationen u. Tankstelle. GT.: seit 1987 LInnungsmstr. v. Elektroinstallationen u. Weinbauer. DA.: 7122 Gols, Am Berg 11, 7122 Gols, Neustiftg. 7. PA.: 7122 Gols, Am Berg 11. G.: Weiden/See, 14. Dez. 1935. V.: Wilhelmine, geb. Beck. Ki.: Edith, Hans, Eveline. El.: Karl u. Karoline. S.: 1950-54 Lehre als Elektriker im elterl. Betrieb, 1954-57

Abendkurse im TGM, 1957 Mstr.Prüf. K.: Ang. im elterl. Betrieb, ab 1960 Führung d. Fa. gemeinsam m. d. Vater, 1964 Übernahme d. Fa., 1968-86 stellv. LInnungsmstr., seit 1957 Übernahme u. Aufbau d. Weinwirtschaft, seit 1987 LInnungsmstr. v. Elektroinstallationen f. Bgld., seit 1970 Gremialvorst. d. Gremiums Elektrohdl., seit 1965 Aussch.Mtgl. d. BKam. f. Elektrohdl. u. im Prüf. u. Techn. Aussch. E.: Gr. Bronz. u. Silb. Kam.Med., Julius Raab-Med., KommR. 1972, Verd.Kreuz d. Landes Bgld. 1988, Mtgl. d. BeiR. d. "Z" f. Bgld. 1980. M.: seit 1986 Präs. d. SV Gols, Mtgl. d. Reit- u. Fahrver. v. Gols, Mtgl. d. Österr. Bgld. Panon. Weinritterschaft u. d. Weinbruderschaft Kondorei Bgld. H.: Reiten, Skifahren, Jagen. (M.B.)

Tassul Andrea

B.: Gschf. Ges. d. Plus Prom.. GT.: Werbe- u. Marketingberatung Andrea Tassul - Daxberg. DA.: 1030 Wien, Reisnerstr. 18-20/6//2/1. PA.: 1170 Wien, Goldscheidg. 7. G.: Wien, 18. März 1959. El.: Dr. Günther u. Ingeborg Tassul. S.: AHS, Matura, Abiturentenlehrgang HAK, 4 Sem. Welthandelstud., 2jähr. Univ.Lehrgang f. Werbung u. Verkauf. K.: 1978-79 Marketing-Ass. b. brit. Pharmafirma, 1979-82 Ogilvy & Mather: Ass. d. Gschäftsltg., 1982-84 Henkel-Austria: Product Manager, seit 1984 eig. Werbe- u. Marketing Beratungsfa., 1986 Grdg. d. Plus Prom. BL.: Innovationsmodell. P.: Fachart. M.: Marketing Club, WDF, Akademikerbund. H.: Tennis, Segeln, Squash, Lesen, Operetten u. Musical. (A.K.)

Tassul Christian Dr.

B.: RA. FN.: Kanzlei Frieders Tassul & Partner Rechtsanwälte. GT.: AR-Vors. Manageware Personal, Computer Software, Entwicklungs- u. Vertriebs AG. DA.: Stadiong. 6-8, 1010 Wien. PA.: Penzinger Str. 131/2/48, 1140 Wien. G.: Wien, 4. Juli 1956. El.: Dr. Günther u. Inge. S.: 2. BG XIX Wien, Matura 1974, Stud. Jus Univ. Wien, Prom. 1979. K.: 1979 Gerichtsjahr, 1980-84 Rechtsanwaltsanwärter, seit 1984 eingetrag. RA, Schwerp.: Wirtschaftsrecht. H.: Golf, Segeln, Tennis. (J.S.)

Tatschl Robert Kurt Oberst

B.: Garnisons- u. Kasernenkdt., Kdt. d. Heeresefernmelderegiments. DA.: 5600 St. Johann/Pongau, Krobatinkaserne. PA.: 5600 St. Johann/Pongau, Hauptstr. 5. G.: Gmünd, 14. Juni 1936. V.: Herta, geb. Haas. Ki.: Robert (1961), Christoph (1966). El.: Robert u. Pauline. S.: VS, Gymn. St. Paul, Bundesgewebeschule f. Hoch- u. Frequenztechnik, 1955-57 Militärak. Enns. K.: 1958 Zugskdt. Stahenbergkaserne Wien, 1959 Zugskdt. St. Johann/Pongau (Fernmeldewesen), danach versch. Kurse, 1963 Kdt. versch. Kompanien, 1968 stellv. Schulkdt. d. Fernmeldeschule Wien, 1970 Kdt. Krobatinkaserne St. Johann Bataillonskdo., 1986 Einführung neues Fernmeldesystem u. Kdt. d. Fernmelderegiments. P.: Art. in d. Truppenzeitung. E.: Gold. u. Silb. EZ d. Rep. Österr., Gold. VK d. Landes Sbg. M.: Kameradschaftsbund, Rotes Kreuz, Kiwanis-Club. H.: Skifahren, Tennis. (G.P.)

Tatzel Sepp Dr. phil.

B.: Schriftsteller, Autor, Regisseur. PA.: 1060 Wien, Otto-Bauer-G. 11. G.: Wien, 22. Aug. 1925. V.: Gertrude, geb. Wieser. S.: LBA, 1943 Matura, Dt. Wehrmacht, Stud. an d. Univ. Wien Germanistik, Anglistik, Theaterwiss., 1954 Prom. K.: ab 1947 während d. Stud. als Werkstudent in d. Fa. Louis Vaugoin (Großhdl. f. Schmuck u. Juwelen) später Prok., ab 1960 eigene Großhdls.Fa. m. Geschenkartikel, nebenberufl. literarisch gearb., vorwiegend literaturwiss., ab 1965 Kabarett, Rundfunk (Hörspiele), 1968 "Bunter Wagen" dann "Simpl", ab 1974 jede kfm. Tätigkeit beendet nur mehr schriftstellerisch tätig. P.: Rundfunk Serien: NÖ-Radiofamilie, Watschenmann-Nachfolge, seit 11 J. Tournier auf d. Schallaburg, FS-Serien: Kabarett-Kabarett, Musikplaudereien m. Christian Bösch, Drehbücher f. Günter Frank-Show u. "Donau in Noten", seit 2 J. Operettenfilme f. d. NL-FS, Mitarb. b. Plattenprod., 1 Musical "Der Rattenfänger" m. d. Komponisten Ronald Baumgartner. M.: Autorenverb. (A.W.)

Tatzer Adolf

B.: Inh. FN.: IDS Dentalservice. DA.: 1090 Wien, Garnisong. 25. PA.: 2326 Lanzendorf, Hasenbergg. 33. G.: Mistelbach, 14. Sep. 1938. V.: Gertraud, geb. Rubenza. Ki.: Andrea (1962), Kerstin (1969). El.: Rudolf u. Amalia. S.: VS, HS, kfm. Lehre, 3 J. Berufsschule, 1 J. Drogistenschule St. Pölten. K.: 1947 Auslagenarrangeur u. Drogistenlehrling Laa/Thaya, b. 1961 Filialltr. eines Lebensmitteldiskonters Wien, 1961 Kfm. in Dentalfirma Goldt Sbg., 3 J. Verkaufsltr. u. Chef d. Technik, 1968 selbst. in Herbststraße, 1971 Übersiedlung in d. Westbahnstraße m. Partner, 1972 weiterer Partner, 1975 Verkauf d. Firma, 1976 Grdg. IDS, 1989 1. Motorliegestuhl f. Zahnärzte in Österr. BL.: weltweit patentierte u. exportierte Kunststoffkanüle z. Absaugen, selbsttätig fahrbares Gerät entwickelt u. patentiert, viele Geräte zusammen m. ital. Hauptlieferanten entwickelt u. Prototypen gebaut, österr. Ideen werden im Ausland verwirklicht, Versuche m. Hilfe d. öff. Hand in Österr. zu produzieren sind b. jetzt gescheitert. H.: Tennis, Fußballspielen, Skifahren, Fallschirmspringen, Windsurfen.

Täubel Hans-Jürgen

B.: Inh. FN.: Venta-Ventilatoren Groß- u. Einzelh. DA. u. PA.: 4600 Wels, Eferdingerstr. 56. G.: Wels, 28. Nov. 1940. V.: Sieglinde, geb. Emmer. Ki.: Michael (1976). El.: Karl u. Maria. BV.: Urgroßvater Wiener Dombaumeister (Stephansdom). S.: 1955-58 Bundesgewerbeschule f. Elektrotechnik/Steyr. K.: 1958-65 Praxis in Deutschl. b. Siemens u. amerikan. Flugzeugfa., anschl. in Österr. Techn. Planer tätig, seit 1975 selbst. (Bauelemente f. Luft- u. Klimatechnik, Prod.). H.: Camping, Computer (eigene Programme), Aquarium, Offsetdruck (eigen. Prosp.). (P.H.)

Taubenschuss Helmut

B.: Weinbauer u. Kellermstr. FN.: Weingut Taubenschuss. DA.: 2170 Poysdorf, Körnerg. 2. PA.: 2170 Poysdorf, Körnerg. 2. G.: Wien, 9. Feb. 1957. V.: Monika, geb. Gindl. Ki.: Thomas (1988), Markus (1992). El.: Anton u. Maria. S.: FS Weinbau u. Kellermstr. m. Abschluß. K.: 1975 Praxis i. BRD, 1976 Eintritt i. elterl. Weinbaubetrieb, 1986 Übern. d. Betriebes u. Ausb. d. Qualität d. Weine. E.: zahlr. ehrende Erwähnungen i. Weinführern u. Fachzeitschriften w.

Gault Millau u. Österreich A la Carte, Int. Weinführer Slow Food, "Winzer d. J." v. Falstaff-Magazin. M.: Weinbauver. Poysdorf. H.: Der Wein, Skifahren. (M.M.)

Tauber Josef

B.: Landesrat. DA: 7000 Eisenstadt, Landhaus. PA.: 7503 Groß Petersdorf, Graben 3. G.: Groß Petersdorf, 8. Juli 1940. V.: Sigrid, geb. Horvath. Ki.: Markus, Martin, Christian. El.: Viktor u. Karoline. S.: Techn. gewerbl. Abendschule, 1960-64 Werkmeisterschule Hoch- u. Tiefbau. K.: 1974 Bauführer in Wien, 1975-80 Baumarkt-Ltr., 1980 Sekr. ÖGB Oberwart, s. 1993 Landesrat in d. Bgld. Landesreg., zusätzl.: 1967 GemR. Groß Petersdorf, 1970 Orts-Vors. SPÖ Gr. Petersdorf, 1982-92 Bgm. v. Groß Petersdorf. H.: Schwimmen, Bergwandern. (M.G.)

Tauber Reinhold

B.: Journalist, Kulturred. b. d. OÖ-Nachrichten. GT.: Autor, Kulturfilmemacher. DA.: 4010 Linz, Promenade 23. PA.: 4040 Linz, Karl-Renner-Str. 4. G.: Wien, 8. Apr. 1941. V.: Renate, geb. Kurtz. S.: HS Linz, Berufsschule, Lehre f. Schriftsetzer. K.: 1965 Beginn als Journalist b. Tagblatt, Lokalberichterstatter, seit 1973 b. d. OÖ Nachrichten stellv. Ressortltr. Kultur, freie schriftstell. Tätigkeit seit 1968. P.: 2 Künstlermonographien, freie belletristische Mitarb. b. Parnass, ORF. E.: 1984 CA Literaturkritikerpreis. M.: OÖ Presseclub. H.: Schreiben, Kulturfilme, Vortragstätigkeit. (A.W.)

Täubl Hans

B.: Prof., VS-Dir., Musikschulltr. PA.: 8670 Krieglach, Koglerg. 4. G.: Krieglach, 22. Dez. 1914. V.: Johanna, geb. Schmid-Seiwald. Ki.: Peter (1942), Rudolf (1945), Elisabeth (1952), Friedrich (1958), Maria (1960), Eva (1965). El.: Matthäus u. Theresia. S.: 1935 Matura, LBA. K.: 1939 Lehrer VS Hieflau dann St. Ilgen, ab 1945 Lehrer u. Organist VS Krieglach, 1960-76 Dir. d. VS Krieglach, 1976 Pension, 1955 Grdg. d. Musikschule Krieglach u. b. 1980 Ltr., 1. Musikunterricht Gymn. u. LBA Graz b. Prof. Bloch (Komposition) u. Prof. Illenberger (Orgel), 1956-60 b. Prof. Schiske (Komposition) Musikak. Wien, 1973 Prof. P.: Festfanfare f. 14 Bläser u. Pauken (1950), Festl. Dankmesse (1948), 60. Psalm f. Mezzosopran, Bariton, Chor u. Orch. (1960), Kleine Messe f. gem. Chor u. Orgel (1953), Psalmkantate f. Sopran, Bariton, gem. Chor u. gr. Orchester (1956/57), Dt. Messe f. gem. Chor., Erkenntnis. E.: 1973 Prof., 1950 u. 1952 Josef Marx-Preis, 1980 Gold. EZ u. 1990 Gr. EZ d. Landes Stmk., 1974 Ehrenplakette, 1980 Ehrenring u. 1986 Ehrenbürger d. Marktgem. Krieglach, 1969 Viktor Zack-Med. in Bronze u. 1980 in Silber d. Steir. Sängerbundes. M.: Singkreis Krieglach, Seniorenbundobm. H.: Orgel spielen, Seniorenbund. (K.K.)

Tauböck Monika Dr. HofR.

B.: Ltr. d. Datenverarbeitungsregisters d. Österr. Statist. Zentralamtes. DA.: 1010 Wien, Bäckerstr. 20. G.: Wien, 2. Juni 1942. El.: Johann u. Maria. S.: 1960 Matura, Jusstud., 1965 Prom. K.: Gerichtspraxis b. BG Wien 15, Jugendgerichtshof Wien sowie OLG Wien, 1966 Eintritt in d. Österr. Statist. Zentralamt, Präsidialabt. u. Abt. 5 Wohnungswesen, seit 1980 Einrichtung u. Ltg. d. Datenverarbeitungsregister. P.: Art. f. Medien u. Recht Verlag "Datenschutz im Unternehmen". M.: Statistik- u. Informatikverb. H.: Oper, Theater, Künstler d. 20. Jhdt. (J.E.)

Taucher Herbert Dr.

B.: MinR. in Ruhe. PA.: 8680 Mürzzuschlag, Brahmsg. 4. G.: Mürzzuschlag, 2. Juli 1925. V.: Gertrude, geb. Kratochwill. Ki.: Herbert (1951), Mag. Susanne (1961). S.: 1943 Matura, 1943 Jusstud. Graz, 1944/45 Dt. Wehrmacht, ab 1945 Jusstud. Graz, 1948 Prom. K.: während d. Stud. Lehrer HASCH Mürzzuschlag, Gerichtspraxis b. Bez.-Gericht Mürzzuschlag, LG f. Strafsachen Graz, 1949/50 Konzeptbmtr. BMI Wien, 1951 Kmsr. BB Gen.-Dion. Wien, 1965 Zentralsekt. d. Verkehrsmin., SektR. Oberste Schiffahrtsbehörde, 1972 MinR., 1975 Ltr., seit 1988 im Ruhestand. P.: Veröff. in div. Fachzeitschriften. E.: Gr. EZ u. Gr. Silb. EZ f. Verd. um d. Rep. Österr., Gr. VZ d. Landes Vbg., Gold. EZ d. Österr. Motorbootsportverb. M.: Österr. Wasserstraßen- u. Schiffahrtsver., Steir. Landesjägerschaft, Naturfreunde. H.: Jagd, Lesen, Musik, Reisen. (K.K.)

Taucher Josef

B.: freischaff. bild. Künstler. DA. u. PA.: 8010 Graz, Kaiser-Franz-Josef-Kai 52/1. G.: Weiz, 4. Aug. 1948. El.: Josef u. Rosa. S.: VS, HS, Lehre z. Maschinenschlosser Elin, 1970-74 Kunstgewerbeschule Graz. K.: ab 1974 freischaff. Künstler, 1974-82 Malerei, 1982-86 Aktion Installation. P.: Buch: Mineralogische Aufarb. eines Steinbruchs in Klöch, Wiss. u. Ästhetik, Ein Südoststeir. Basaltvorkommen u. seine Minerale, 1976: Kletterführer Weizklamm, Ausstellungen: 1981 Steir. Herbst, 1984 Neue Galerie Graz u. Kunstmuseum Bochum, 1985 Art Gallery Los Angeles, 1991 Szombathely Gallery. H.: Klettern, Mineralien suchen. (R.S.)

Tauchhammer Gertrud Mag. phil.

B.: Univ.-Lektor f. Simultandolmetsch an d. Univ. Wien, beeid. Gerichtsdolmetsch f. Portugies., Chefred. d. Diplomatenzeitung "Diplomatic News", Gen.-Repräsentant f. Österr. u. Ungarn im Diplomatenbereich. DA. u. PA.: 1190 Wien, Hackhoferg. 11A. G.: Wien, 2. März 1947. Ki.: Tanja (1976), Stefan (1977). El.: Karl u. Liane Hofmann. BV.: Vater Karl Hofmann ehemaliger Österr. Konsul in Rom. S.: Gymn. Krems, Stud. Dolmetsch Univ. Lissabon u. Wien, Spons. z. Mag. phil. K.: seit 1968 beeid. Gerichtsdolmetsch, seit 1970 Univ.-Lektor f. Simultandolmetsch an d. Univ. Wien, seit 1977 selbst., seit 1985 Chefred. d. Diplomatenzeitung "Diplomatic News", seit Nov. 1992 Chefred. v. "Society". H.: Lesen, Musik, Schwimmen, Sauna, Radfahren, Reisen. (J.S.)

Tauchner Roland

B.: Inh. FN.: Adita Werbemittelverteilung. DA.: 2640 Gloggnitz, Wiener Str. 65. G.: Neunkirchen, 5. Feb. 1966. V.: Martina, geb. Loibl. Ki.: Carina (1991), Philipp (1992). El.: Adolf u. Hedwig, geb. Dorfstätter. S.: VS, HS, Betriebselektrikerausbild., Musikstud. Jazz Franz Schubert-Konservatorium Wien. K.: 1989 Übernahme d. elterl. Betriebes Adita Werbemittel. H.: Motorradfahren. (M.M.)

Taudes Alfred Dr .o. Univ.-Prof.

B.: o.Univ.Prof., Ltr., Vorst. FN.: WU Wien. DA.: 1200 Wien, Pappenheimg. 35. G.: Wien, 29. Mai 1959. V.: Eriko, geb. Tamayanagi. KI.: Pattrick (1993). EL.: Ernst u. Hermine. S.: VS, Gym., 1977 Reifeprüfung, 1977-78 Stud. Betriebswirtschaftslehre, 1982 Mag. d. Sozial- u. Wirschaftswissensch., 1981-82 Vertragsassist., nach Dissertation 1984 mit Ausz. promoviert, paral. dazu Stud. d. Betriebsinformatik a. d. Uni Wien, 1985 Referatsltr. b. Steyr Daimler Puch AG, s. 1993 o. Univ.Prof. a. d. WU Wien, s. 1986 Bundesvorst. d. ADV, s. 1993 Unternehmensber., s. 1994 Vorst. d. Rechenzentrums WU Wien. P.: 1984 Dissertation "Die Entwicklung u. empirische Volidierung e. stochastischen Kaufverhaltensmodells", Habilitation "Ressourcenmanagement in verteiltem Rechnersystem". M.: Mitgl. d. ACM, GMÖOR, Ges. f. Informatik. H.: Gitarre. (M.A.)

Tauer-Angerer Margarete Dr. phil.
B.: freiberufl. Psych., Psych.-Therapeutin u. Gesundheitspsych. FN.: Psych. Praxis Dr. M. Tauer-Angerer i. Gem. m. Dr. Tauer Heinz. DA.: 1040 Wien, Kleine Neug. 10/9. PA.: 2500 Baden, Martin Mayerg. 7. G.: Freistadt, 1. Sept. 1951. V.: Dr. Heinz. Ki.: Simon (1982), Paulus (1984). El.: Josef u. Margarete. S.: 1970 Matura HBLA f. Wirt. Frauenberufe, 1970 Stud. d. Politologie, Franz. u. Sport Univ. Wien, 1972 Stud. Psych. Univ. Wien, 1977-79 Stud. d. Ethnologie, 1975-79 Diss., 1979 Psycho.-Therap. Ausb., 1979 Prom. Dr. phil. K.: 1980-82 Psych. Inst. Bildung u. Wirt. i. Wien, 1981 Mitarb. Verhaltenstherapeutischen Abt. d. Univ. Psychiatrie. Wien, 1981 Grdg. e. Praxis m. psycho.-therap. Tätigk., 1984-91 Ausb. ÖGATAP, 1986 Grdg. Praxis i. Baden. V.: fachl. Publ., z.B. Die Homoöpathische Lehrambulanz i. KH Lainz, Personotrope Med. u. menschl. Verhalten. M.: ÖGATAP, Österr. Bundesverb. f. Psych.-Therapie, Österr. Ges. f. med. Psych. H.: Jazz-Musik, Sport. (I.K.)

Tauffer Peter
B.: Gschf. FN.: F. Ehrbar O.H.G. GT.: Immobiliengeschäft, Hausverwaltung. DA.: 1130 Wien, Hietzinger Hauptstr. 74 u. 1060 Wien, Barnabiteng. 8. PA.: 1140 Wien, Linzerstr. 358. G.: Wien, 3. Febr. 1948. Ki.: Bernhard, Markus. El.: Wilhelm u. Helene. BV.: Großonkel Prof. Tauffer bed. Gynäkologe in Ungarn (Budapest). S.: Grundschule, Mittelschule, kfm. Ausbild. K.: Tätigkeit in versch. Zweigen d. Österr. Wirtschaft, Amerik. Business (amerik. Konzern in Österr.), kompl. Ausbild. in Kursen, Juni 1985 Übernahme d. Fa. Ehrbar. BL.: Haus Barnabiteng. renoviert, lfd. Abhaltung v. Konzerten, Förderung v. Kindern u. Jugendlichen, Kontakte m. Musikschulen u. Konservatorien, Forcierung d. Restaurierung v. Klavieren, Zusammenarbeit m. Kunsthistor. Museum, Fortführung d. Neuerzeugung wie in Großvaters Zeiten nach alten Vorbildern. P.: Buch, Schallplatte (Kammermusik u. Salonmusik um d. Jhdt.Wende, Kunsthistor. Museum Ehrbarflügel). H.: Skifahren, Tennis, Wandern, Bergsteigen, Musik, Theater, Oper. (E.L.)

Taumer Christine
B.: freiberufl. Werbegrafikerin. DA. u. PA.: 4040 Linz, Schatzweg 185. G.: Linz, 2. Mai 1949. V.: Ing. Frank Taumer. Ki.: Andreas, Christian. S.: 1964-68 HTL Grafik Linz. K.: Tätigkeit f. div. Großfirmen u.a. Foha, Quelle, künstler. Tätigkeit. H.: Segeln, Skifahren, Reisen, Garten. (P.H.)

Taumer Frank Ing.
B.: selbst. Baumstr. im Hochbauplanungsbüro Ing. Taumer. DA.: 4020 Linz, Graben 19. PA.: 4040 Linz, Schatzweg 185. G.: Mährisch-Schönberg, 24. Aug. 1943. V.: Christine. Ki.: Christian, Andreas. S.: 1959-64 HTL Hochbau Linz, Matura. K.: 1 J. Praxis Bmstr. Simader, 20 J. Stellv. im Arch.-Büro Preiss, seit 1985 selbst. durch Übernahme d. Arch.-Büro Preiss, eigene Arb.: Umbau d. Sparkasse Lambach, Sparkasse Neuhofen, mehrere Sparkassen-Zweigstellen, Modehäuser Derflinger Linz, Betriebsanlage FOHA-Hörsching u. Inn-Cristal-Glass in Braunau, priv., Wohn- u. Geschäftshäuser, Tätigkeit f. eine Wohnbauges. P.: m. 2 Projekten an einer österreichweiten Ausstellung über Planungsrecht d. Baumstr. vertreten. H.: Segeln, Skifahren, Haus u. Garten. (P.H.)

Taupe Ingrid
B.: Leiterin u. Inhaberin. FN.: Kunsthandwerk Hintermann u. Puppenmuseum Hintermann. DA.u.PA.: Vassacherstr. 65, 9500 Villach. G.: Villach 11. Mai 1960. V.: Georg. Ki.: Christina (1980), Julian (1988). El.: Fritz u. Anneliese Volkmer. S.: VS, Gymnasium (1966-74), Bundeslehranstalt f.

wirtschaftl Frauenberufe i. Klagenfurt (1974-79), Matura, 1979-81 Tätigkeit i. einer Bank, Heirat u. 1982-84 Aufenthalt i. Südafrika, 1988 Umbau d. Hauses, 1989 eröffnung d. Kunsthandwerks Hintermann, Weiter - bzw. Ausbildung zur Puppenmacherin, 29. April 1994 Eröffnung d. Puppenmuseums m. Schwerpkt zeitgenössischer Puppenkunst, eigene Kreationen, Unikate u. limitierte Serienpuppen. M.: Doll Adison Guide Europa u. Global Doll Society weltweit. H.: Lesen, Reisen, Kunsthandwerk. (G.L.)

Taurer Christian Dipl.-Ing.
B.: staatl. befugter u. beeid. Ziviltechniker, Arch. DA.: 8020 Graz, Volksgartenstr. 22/1. G.: Graz, 9. Juli 1949. V.: Brigitte, geb. Oberaigner. Ki.: Daniel (1982). El.: Rudolf u. Erika. S.: 1967 Matura, b. 1975 Stud. Arch. TU Graz. K.: 1975-82 Arch.-Büro Taurer sen., 1983 selbst. Arch., Arb.: Augasse, Haidenreichring, Klammerth (Geschäftseinrichtung), Monte Carlo (Disco), UKH Kalwang. H.: Golf, Tennis. (C.R.)

Taurer Gottfried Dkfm.
B.: Gschf. FN.: E + M Verb. BWK u. Vereinigung AOEM (Zulieferexporteure). DA.: 1045 Wien, Wiedner Hauptstr. 63, 1040 Wien, Schwindg. 16. G.: Greifenburg, 10. Juni 1930. V.: Dr. Helga. Ki.: Theodor, Martina. S.: HS f. Welthdl. Wien. K.: 1957 BWirtschaftskam., Außenstationen: 1958 Hdls.Delegation BRD, 1960 Japan, 1966 Polen, 1970 BRD, seit 1981 Gschf. d. Ver. Österr. Zulieferexporteure speziell im EDV, Automobil u. Flugzeugind. M.: ORGALIME Brüssel Dir. H.: Gartenarb., Reisen.

Taus Hans
B.: Möbelkfm., Gschf. FN.: Hans Taus Wohnungs- u. Büroeinrichtungen Gordis Objekt. DA.: 1090 Wien, Porzellang. 9. G.: Wien, 22. Dez. 1940. V.: Ilse, geb. Rieder. Ki.: Sabine (1966). El.: Josef u. Gabriele. S.: VS, Pflichtschule, 1955 Lehrling in d. Möbelbranche, zahlr. Kurse, Auslandserfahrung. K.: während d. Schulzeit bereits b. einem Arch. gearb., Kammerprüf., Grdg. u. Aufbau Einrichtungshaus, 1971 selbst. Unternehmer, 1978 Kauf Firma Gordis, 1991 Grdg. Gordis KFI Budapest. H.: Kunst, Malerei, Musik, Lesen mod. Literatur, Arch. (J.M.)

Taus Josef Dr.
B.: Gschf. FN.: Management & Trust Holding. DA.: 1010 Wien, Salztorg. 5. PA.: 1190 Wien, Zahnradbahnstr. 17. G.: Wien, 8. Febr. 1933. V.: Martha, geb. Loibl. Ki.: Renate. S.: Matura 1951 am RG Wien III, Stud. d. Rechts- u. Staatswiss. u. an d. HS f. Welthdl., Dr. iur. 1955, während d. Stud. Tätigkeiten u.a. b. d. Postsparkasse, versch. Fa., Journalist. K.: 1955-56 Gerichtsjahr, gleichzeitig Wirtschaftsred. d. "Wr. Zeitung", 1956-58 Österr. Inst. f. Wirtschaftsforsch., publizist. Tätigkeit, Konsulententätigkeit, 1958-75 Girozentrale u. Bank d. österr. Sparkassen AG (1968-75 Vorst.Vors.), während

dieser Zeit 1959/63 Konsulent im BMF, 1966/67 Staatssekr. im BMV u. verstaatl. Unternehmungen: Verantwortungsbereich verstaatlichte Industrie, 1967/75 AufsR.-Vors. d. ÖIAG, Tätigkeit in AufsR. vieler Unternehmungen im In- u. Ausland, publizist. Tätigkeit, 1975/79 BParteiobm. d. ÖVP, 1979-86 gschf. Ges. u. seit 1986 Vorst.Mtgl. d. Constantia Industrieverwaltungs GmbH, 1975-91 Abg. z. NatR. P.: zahlr. Publ. in polit., wirtschaftl. u. ökonom. Bereich. E.: Gr. Gold. EZ m. Stern f. Verd. um d. Rep. Österr. H.: Schwimmen, klass. Musik, klass. Jazz, Skifahren, Lesen. (E.L.)

Tausch Walter Dr. MinR.

B.: Ltr. d. Sekt. III d. BMLF. DA.: 1010 Wien, Stubenring 12. PA.: 2361 Laxenburg, Am Kanal 6c. G.: Salzburg, 19. Dez. 1943. V.: Martha Christina, geb. Hernandez y Gutierrez. Ki.: Christina Isabell (1976), Anna Theresa (1979). El.: Prof. Dr. Josef u. Rita. S.: VS, Gymn., 1962 Matura, Stud. Politikwiss., Publizistik u. Phil. Univ. Sbg., 1979 Prom. K.: 1971 Sekr. d. Landeshptm. in d. Landesrg. Sbg., nach 3 Mon. Wechsel z. intern. Forsch.-Zentrum Sbg., 1973/74 Stipendiat d. Alexander v. Humboldt-Stiftung Bonn, 1974 Rückkehr nach Sbg. ans intern. Forsch.-Zentrum, 1976 Sekr. v. Bundesmin. Dipl.-Ing. Haiden, 1977 Kabinettchef v. Bundesmin. Dipl.-Ing. Haiden, 1978 Wechsel in d. Abt. III A4 BMLF, seit 1979 Ltr. dieser Abt., seit 1983 Vertreter d. Bundesmin. als Börskmsr.-Stellv. an d. Produktenbörse Wien, 1982-86 Repräsentant d. Bundesmin. im Österr. Weinwirtschaftsfond, 1987 AufsR.-Vors. d. Österr. Weinmarketingserviceges., 1992 Österr. Kandidat f. d. Posten d. Gen.-Dir. d. intern. Weizenrates. BL.: Österr. Privatpilotenlizenz u. Österr. Funksprechzeugnisse f. d. Flugfunkdienst in Dt. u. Engl. P.: Diss. "Zur Gültigkeit d. Rechtsnormen in Hans Kehlsens reiner Rechtslehre u. b. Georg Henrik v. Wright", Fachbeiträge in div. Zeitschriften u. Publ. u.a. "Entwicklungsländerforsch. als Lernprozeß". M.: Österr. Ges. f. Politikwiss. H.: Fliegen. (F.S.)

Tauschek Erwin

B.: Heizungs- u. Wasserinstallateurmstr. FN.: Erwin Tauschek Sanitär- u. Heizungsinstallationsges.m.b.H. DA.: 4722 Peuerbach, Grieskirchnerstr. 10. PA.: 4722 Peuerbach, Maria Zieglerstr. 6a. G.: Waizenkirchen, 11. Juli 1952. V.: Erika. Ki.: Roland (1974), Astrid (1975). El.: Josef u. Maria. S.: 1968-71 Lehre als Gas- u. Wasserinst. bei Fa. Lengauer in Linz, BH. K.: anschl. im elterl. Betrieb tätig, 1974 Konzessionsprüf. f. Wasser u. Heizung, 1978 Grdg. d. Ges.m.b.H., Gschf. Ges., 1991 Neubau d. Betriebes am heutigen Standort. H.: Briefmarken u. Ansichtskarten sammeln. (J.L.)

Tauscher Gottfried Ing.

B.: Bez.-Ltr. FN.: EVN. DA.: 2020 Hollabrunn, Parkg. 1. G.: Wien, 2. Juli 1935. V.: Erna. Ki.: Regina (1959), Brigitte (1961), Karin (1966), Alice (1968). S.: VS, HS, Elektrikerlehre, HTL Starkstromtechnik St. Pölten. K.: 1949-52 Lehrzeit NEWAG, 1952 Monteur in St. Pölten, 1953-56 Prefekt u. HTL-Stud., 1957 Techniker in Waidhofen/Thaya, 1958 Techniker in Kraftwerk in Neusiedl/Zaya, 1959-70 Werksltr., ab 1970 Stellv. d. Betriebsltr. in d. NEWAG Hollabrunn, 1991 nach Umstrukturierung u. Installierung einer Bez.-Ltg. d. EVN Hollabrunn Ernennung z. Bez.-Ltr. (M.M.)

Tauschitz Othmar Gen.

B.: Gen.Truppeninsp. d. Österr. BH. GT.: Oberster Berater d. BMLV. DA.: 1030 Wien, Dampfschiffstr. 2. PA.: 1070 Wien Mariahilfer Str. 22/3/11. G.: Grafenstein, 1925. V.: Hildegard, geb. Waldthaler. Ki.: Dr. Christian, Mag. Isolde, Heidrun. El.: Anton u. Sofie. BV.: Verwandt m. Stefan Tauschitz Botschafter in Berlin 1938, nach 1945 Botschafter in Argentinien u. Griechenland. S.: Matura an d. LBA Klagenfurt. K.: 1942 Kriegsdienst b. d. Luftwaffe, 1945-46 Kriegsgefangenschaft, 1946-56 Lehrer in Ktn., 1956 Eintritt in d. BH, 1 J. Auslandausbild. b. d. US Air Force, 1963-66 4. Gen.Stabskurs, 1969-75 Kdt. Einsatzzentrale, stellv. Ltr. Luftabt. BMLV, ab 1975 Projektltr. GOLDHAUBE, 1976-85 Ltr. Luftabt., Ltr. Gen.-Stabsabt., Ltr. GStbGrpA (Strukturplanung), 1985 Betrauung m. d. Funktion d. Ltr. d. Sektion IV im BMLV, Ernennung z. Gen., seit 1986 Gen.Truppeninsp. d. BH. BL.: Verantwortl. f. d. Umsetzung d. polit. Auftrages in Weisungen an d. Armee, Verd. um d. Olympiade 1972 Innsbruck. P.: zahlr. Veröff. in Fachzeitschriften, Militär. wiss. Arb. über Luftraumüberwachung in Österr. E.: Gr. Gold. EZ f. Verd. um d. Rep. Österr., Gr. EZ f. Verd. um d. Rep. Österr., Silb. EZ f. Verd. um d. Rep. Österr., Kommandeursorden f. Verd. um d. Rep. Frankreich, Commendadore f. Verd. um d. Rep. Italien, Komtur d. kgl. schwed. Nordsternordens, Verd.Kreuz d. Landes Tir. M.: Rotary Club Wien. H.: Segeln, Skifahren. (H.P.)

Tauschitz Regina

B.: Gschf. FN.: Vienna Beauty Dr. Lauda GmbH. DA.: 1010 Wien, Plankeng. 1. PA.: 1130 Wien, Amalienstr. 29. G.: Klagenfurt, 22. Mai 1954. El.: Gregor u. Maria, geb. Kanner. S.: Kosmetiklehre in Ktn. K.: 1972-74 Tätigkeit im Kurhotel "Ronacher", 1974-77 Tätigkeit in d. Schweiz, 1977 Eintritt in d. Kosmetikinst. Dr. Lauda, ab 1991 Mitinh. u. Gschf. BL.: Entwicklung eines eigenen Programmes v. kosmet. u. ärztl. Behandlungen m. biolog. Naturprodukten nach Dr. Edith Lauda. H.: Skifahren, Schwimmen, Handarbeiten. (N.A.)

Tausendschön Johann Dipl.-Ing. Dir.

B.: Bereichsltr. Chemie u. Holz. FN.: Verb. ländl. Gen. in NÖ GmbH. GT.: Koordinator f. Pflanzenschutzbereich f. sämtl. Raiffeisenwarenverb. (ÖRWZ). DA.: 1011 Wien, Seilerg. 6-8. PA.: 2380 Perchtolsdorf, Dr.-Ottokar-Janetschek-G. 12. G.: Lind/Stmk., 27. Nov. 1938. V.: Helga, geb. Peischl. Ki.: Petra, Markus. El.: Johann u. Maria. S.: hum. Gymn., HS f. Bdk. in Wien, 1964 Dipl.-Ing., 1962 im Studentenaustauschprogramm USA-Aufenthalt, 1962/63 Intern. Sommer-HS in Strobl. K.: 1964 Eintritt Fa. Kwizda (Agrarbereich), ab 1966 Fa. Hoechst Austria (Agrarbereich), Aussch.Mtgl. d. Österr. Chemieverb., 1970 Ltr. d. Ldw.Bereiches m. Prokura in Wien, 1970-81 Delegierter d. Österr. Chemieverb. GIFAP in Brüssel, 1981 Ltr. d. Bereiches Agrochemie in Verb. ländl. Gen. P.: zahlr. Art. hauptsächl. auf d. Gebiet Pflanzenschutz in Fachzeitschriften. E.: Österr. Arge f. Pflanzenschutz. M.: CEA Ldw.Organ., Vertretung ÖRWZ, Industriellenverb. WDF. H.: Skifahren, Eislaufen, Tennis. (E.L.)

Tausendschön Karlhans Dr. iur. HofR.

B.: Vorst. d. Finanzamt Leibnitz. DA.: 8430 Leibnitz, Lastenstr. 10. PA.: 8473 Straß, Hauptstr. 4. G.: Graz, 23. Juli 1929. V.: Anna, geb. Wolf. Ki.: Sepp (1960). El.: Josef u. Theresia. S.: VS, BRG, 1948 Matura, 1948-52 Stud. Rechtswiss., 1952 Prom., 2 Sem. Stud. rer. pol. K.: 1953/-54 Gerichtsj., Tätigkeit als Schadensref. b. Wechselseitiger Vers. Graz, 1954 Eintritt in d. Finanzdienst vorerst als Vertragsbediensteter, 1956 pragmatisiert, 1955 Fachprüf., 1956 Vorst.-Stellv. Bruck, 1958 Versetzung nach Leibnitz als Vorst.-Stellv., ab 1960 Vorst. d. Finanzamtes Leibnitz. E.: 1977 Gold. EZ d. Rep. Österr., 1981 HofR. M.: Rotes Kreuz, Schützenclub, Fremdenverkehrsver., Jagdschutzver. H.: Bergwandern, Jagd, Radfahren, Schwimmen. (M.Gr.)

Tausig Otto
B.: Schauspieler, Reg. A.: 1190 Wien, Iglaseeg. 9. G.: Wien, 13. Febr. 1922. V.: Lilly, geb. Schmuck. S.: Max Reinhardt-Seminar, Wien. K.: Neues Theater in d. Scala Wien, Volksbühne, Deutsches Theater Berlin (Ost), freischaff. Reg. u. Schauspieler an Theatern in Wiesbaden, Münster, Frankfurt, Hamburg, Berlin (West), München, Wien, Köln, Zürich, Basel, seit 1971 am Burgtheater Wien, TV-Inszenierungen u. Mitwirkungen in München, Hamburg, Köln, Baden-Baden, Stuttgart, Wien, Berlin, Paris, London. Lehrer an d. HS f. Musik u. Darstellende Kunst in Wien (Max Reinhardt-Seminar), seit 1983 wieder freischaffender Schauspieler an d. "Freien Volksbühne" Berlin, "Schauspielhaus" Hamburg, Münchner Volkstheater, Schauspiel Frankfurt Volkstheater Wien, TV, Filme: Indisches Nachtstück (Reg.: Alain Courneau), Warburg (Reg.: M. Mizrahi), Auf Wiedersehen Amerika (Jan Schütte), Die Königin Margot (Patrice Chéreau), The Wanderer (engl. TV-Serie).

Tauss Franz
B.: Gschf. Ges. FN.: Tauss GmbH. DA. u. PA.: 7422 Riedlingsdorf, Obere Hauptstr. 81. G.: Riedlingsdorf, 19. Nov. 1950. V.: Elfriede, geb. Rechberger. El.: Franz u. Hermine. S.: VS, HS, 1968 Abschluß d. Installationsausbild. K.: 1969 Eintritt in väterl. Betrieb in ltd. Funktion, 1977 Übernahme d. Betriebes u. Gschf., ab 1978 Erweiterung d. Kanal- u. Kabelbau, seit 1982 allein. Gschf. Ges. E.: Ehrenurkunde d. Kam. d. gewerbl. Wirtschaft. M.: Österr. Segelverb. H.: Segeln, Skifahren. (War.)

Tauss Johann
B.: Gschf. Ges. DA.: 1230 Wien, Hetmanekg. 9. G.: Illensdorf, 22. Sept. 1941. V.: Waltraud, geb. Spissak. Ki.: 1 Sohn. El.: Johann u. Anna. S.: VS, HS, BGewerbeschule. K.: Techn. Ang., 2 J. franz. Schweiz (Werkzeugentwicklung), techn. Ang. (Wien), ab 1967 selbst. F.: Johann Tauss GmbH (Inland), Tauss GmbH & Co KG (Export). P.: div. Art. in Fachzeitschriften. H.: Jagd, Tennis, Skifahren. (R.A.)

Taussig Paul Dkfm.
B.: Wirtschaftsberater. A.: 1190 Wien, Aslang. 8/I/4. G.: Timisoara, Rum., 30. Sept. 1916. V.: Agnes, geb. Halasz. S.: Handels-HS Timisoara, Oriental-Ak. Budapest, Ecole des Hautes Etudes Commerciales Paris, London School of Economics London. K.: 1936-48 Dir. d. Ersten Temesvarer Spiritus-Fabrik u. Chem. Ind. AG, 1948-61 Chef d. Fin.-Abt. d. verstaatl. Betriebe in Timisoara, 1961-76 Ltr. d. Buchhaltung d. DLS Chemie Wien u. Fenochemie Wien, ab 1977 Wirtschaftsberater b. ausländ. Firmen. F.: FIT-MODEN, Wien.

Taussig Shaw Edmundo Dr. med. vet.
B.: selbst. Tierarzt. DA./PA.: 1190 Wien, Saarpl. 1. G.: Bogota/Columbien, 14. Apr. 1943. El.: Peter u. Elvira. S.: Mittelschule Bogota, seit 1961 in Österr. , 1961-68 Stud. an d. Vet.-Med. Univ. Wien, Prom. z. Dr. med. vet. K.: 1968-78 Univ.-Ass. u. OA an d. Vet.-Med. Univ., seit 1978 eig. Praxis , Schwerpunkt: Kleintiere u. Pferde,1981-84 Ltr. d. Wr. Tierschutzver. P.: div. wiss. Publi. im In- u. Ausland. M.: Humanitäre Ver. H.: Literatur, Malerei, Musik. (T.T.)

Tautermann Alfred KommR.
B.: Konditormstr. i.R., Ges. FN.: A. Tautermann GmbH. DA. u. PA.: 4020 Linz, Klammstr. 14-16. G.: Linz, 10. Dez. 1912. V.: Hilde, geb. Weber. Ki.: Edith, Ingrid. S.: Lehre f. Konditor, 1930 Gesellenprüf. m. Ausz., 1958 Mstr.Prüf. K.: 1927-30 Fa. Niemetz, Dt. Wehrmacht, 1947-49 Fa. Niemetz Backstubenltr., 1949-51 Fa. Wrann Backstubenltr., 1951 selbst. Grdg. einer Konditorei u. Cafe Linz Hirschg. 2, 1956 Übersiedlung nach Klammstr. 14, 1958 Erweiterung durch Hauszukauf Klammstr. 16, 1982 Umwandlung in GmbH, Teilnahme an in- u. ausländ. Konditoreiausstellungen, zahl. Gold- u. Silbermed. u.a. Goldmed. d. Weltausstellung Brüssel sowie österr. Staatspreis, 1949-61 Berufsschullehrer f. Konditor. BL.: 1957 Abhaltung eines Fachkurses in London f. österr. Spezialitäten. E.: 1975 Gold. EZ f. Verd. um d. Rep. Österr., 1982 Ehrenplankette d. Stadt Linz, 1981 Gold. EZ d. Gen.-Verb., Landessportehrenz. in Gold, ÖTB EZ in Gold, EZ d. Fachverb. f. Turnen, Staatssport-EZ. M.: 1950-85 Vors. d. Prüf.Kmsn. f. Konditorgesellen u. -mstr. 1970-80 LInnungsmstr. f. Konditorhandwerk, 1951 im AufsR. d. BÄKO, 1953 AufsR. Vors.Stellv., 1955 Obm. Stellv., 1967-81 Gschf. Obm. d. BÄKO, Abhaltung v. Fachkursen f. Zuckerarb. u. neue Prod. innerhalb d. Handwerkes in ganz Österr. u. d. Schweiz, Turnver., ÖTB, 1961-79 GemR. d. Stadt Linz. H.: Weltreisen, Fotografieren. (A.W.)

Tautermann Gerhard Dr. phil.
B.: Biologe, Mitinh. u. Gschf. d. Inst. f. Geo- u. Bioanalytik GmbH. DA.: 5503 Mitterberghütten, Werksgelände 24. PA.: 6423 Mötz 59B. G.: Schwarzach/Pongau, 8. Nov. 1944. El.: Franz u. Herta. S.: RG Linz, 1964 Matura, 1964-77 Stud. Volksw. u. Biologie Innsbruck, 1977 Prom., Diss. über Limnologie. K.: wiss. Mitarb. in versch. Projekten, 1981-82 a. d. Bundesanst. f. Fischereiwirtschaft OÖ, Mitarb. b. Aufbau einer Hochgebirgsstation, b. 1987 Vertragsass. a. d. Univ. Innsbruck, 1987 Lenzing AG Abt. Umweltschutz, 1990 Grdg. d. eigenen Firma. BL.: Öko-System Studie. P: spez. Fachgutachten, Fachpubl., Mitarb. in Önorm-Kmsn. M.: SIL, Sport- u. Turnver. H.: Rennrad, Blas- u. Dorfmusik, Skifahren. (G.P.)

Tautscher Josef
B.: Untern. Heizungsbau u. Rauchfangkehrer. FN.: Josef Tautscher. DA./PA.: 9170 Ferlach, Dobrovag. 6. G.: Ferlach, 7. Dez. 1943. V.: Josefine, geb. Wister. Ki.: Raimund (19669, Manfred (1967), Thomas (1968), Andreas (1969). El.: Raimund (+) u. Christine. S.: VS, HS, Lehre als Rauchfangkehrer, 1961-66 HTL f. Hochbau in Villach, 1967 Rauchfangkehrer Meisterprüfung. K.: 2 J. Mitarbeit im elterl. Betr. u. ab 1969 durch Firmengründung selbständig. 1970 Meisterprüfung f. Heizungsbau, ab 1972 im Bereich d. Kunststofftgechnik elektrostatische Pulverbeschichtungen. BL.: verschiedene Patente auf dem Energiesektor (Solar- u. Tachionenenergie). H.: Entwicklung u. Forschung i. d. Tachionenenergie. (G.L.)

Tautschnig Walter Dr.
B.: Dir. d. Wr. Sängerknaben. DA. u. PA.: 1020 Wien, Augartenpalais. G.: Klagenfurt, 23. Apr. 1946. V.: Elisabeth, geb. Hämmerle. Ki.: Thomas (1975), Katharina (1977). El.: Walter u. Gertraud, geb. Hamm. S.: VS Klagenfurt, 1956-58 Sängerknabe, Jesuitenkolleg Kalksburg, 1964 Matura, Alma Mater Rudolfina: 1970 Dr. iur., 1975 Trainer Ak. K.: Ass. d. Gen.-Sekr. d. Ges. d. Musikfreunde in Wien, 1 J. Ass. d. Geschäftsltg. d. Fa. Unitel München, Kreditreferent in d. Girozentrale u. Bank d. Österr. Sparkassen, Teamltr. z. Ausbild. v. Führungskräften d. Girozentrale, 1981 Grdg. d. Österr. Tochterges. d. Horst Rückle-Team, seit 1983 Dir. d. Wr. Sängerknaben. E.: Brasilian. Orden. M.: Rotary Club. H.: Tennis, Skifahren. (E.H.)

Taxer Johann Oberstlt.
B.: Sachbearb. f. d. Versorgung im LWSR 64, Haspingerkaserne Lienz. PA.: 9900 Lienz, Beda-Weber-G. 40. G.: Lienz, 11. Aug. 1927. V.: Monika, geb. Pichler. Ki.: Barbara

(1968), Angelika (1969). S.: Gymn., Polizeischule Innsbruck, MilAk. Wr. Neustadt. K.: Bis 1958 Sicherheitswachebmtr. in Innsbruck, dann MilAk., ab 1960 Offz.-Laufbahn b. Oberstlt. E.: Med. f. bes. Verd. um d. Land Tir., Hochwasser-Med. f. Tir. u. Ktn., Silb. Verd.-Med. d. Österr. Ges. v. Roten Kreuz, Kriegserinnerungskreuz 1939-45 d. ÖKB. M.: Ehem. Obm. d. HSV Lienz, Lions Club Lienz, 1984/85 dessen Präs. u.a. H.: Bergwandern. (A.L.)

Taxer Klaus
B.: Kfm. FN.: Les Sport GmbH. DA. u. PA.: 6020 Innsbruck, Kärntner Str. 28. G.: Innsbruck, 19. Jän. 1957. V.: Evelin, geb. Mayramhof. El.: Helmut u. Helga. S.: Grundschule, kfm. Lehre, 1974 Abschluß, Mangementschule Helfrecht, 1984 Abschluß, einige Fachseminare. K.: 2 1/2 J. Stellv. Einkaufsabt., 1 1/2 J. Verkaufsltr. Ass. f. Gebiet Italien, seit 1981 selbst. m. Les Sport, Generalimport d. Marke Schöffel, größte Gordexverarb. weltweit, Fortyniner - handgemachte Schuhe, ONE TOP OY exkl. Daunenbekleidung, exportiert nach Italien, Slowenien u. Ungarn, Grdg. einer Zwg.-Ndlg. in Ungarn. M.: Bruderschaft St. Christoph, Golfclub, Wirtschaftspartei. H.: Golf, Skifahren, Tennis, Skitouren, Bergtouren, Mountainbiken. (M.W.)

Tayenthal Erich Dr. iur.
B.: Vors. d. Vorst. d. Colonia Vers. AG. A.: 1190 Wien, Saarpl. 16. G.: Wien, 11. Febr. 1931. V.: Gunhild, geb. Rödinger. El.: Dr. Karl u. Dagmar. S.: RG, HS Wien. K.: 1950-68 Prok., Ltr. d. Fachabt. Sachvers. b. d. Anglo Elementar Vers. AG, 1968-75 Oberprok., Ltr. d. Abt. Großkundenbetreuung d. Wr. Allianz Vers. AG, 1975 u. 76 HptBev. d. Colonia Vers. AG-Dion. f. Österr. u. Colonia Lebensvers. AG-Dion f. Österr., ab 1977 Vors. d. Vorst. d. Colonia Vers. AG, gerichtl. beeid. Sachv. M.: Dt. HK in Österr., Österr. Gew.-Ver., Amerik. HK in Österr., Österr. AkB.

Tayenthal Harald Dr.
B.: Vers.Makler. A.: 1060 Wien, Fillgraderg. 6. G.: Wien, 18. Apr. 1934. V.: Agnes, geb. Sternberger. El.: Dr. Karl u. Dagmar. S.: VS, Realschule, Doktorat an d. jur. Fak. d. Univ. Wien. K.: 6 J. Innendienst einer dt. Vers.Ges., 1961 Übernahme d. Vers.Maklerbüros Fritz Tayenthal & Co, b. heute als Eigentümer u. Gschf. F.: Dr. Harald Tayenthal, Vers.Maklerbüro u. Gschf. d. Dr. Harald Tayenthal GmbH. M.: Österr. Wirtschaftsbund, Österr. Gewerbever., LBerufsgruppenaussch. d. Vers.Makler im LGremium Wien d. HK, BBerufsgruppenaussch. d. Vers.Makler im BGremium d. HK, Verb. österr. Vers.Makler. H.: Beruf, Skifahren, Tennis.

Taylor Alec
B.: Gschf. FN.: CSI-Communication Skills Int. GmbH. DA.: 1030 Wien, Hainburger Str. 34. G.: Dublin, 19. Aug. 1941. V.: Reinhild, geb. Mayer. Ki.: 2 Kinder. S.: Graduate of the Univ. of Dublin, 1963 B.A. (Bachelor of Arts f. Phil., Psych., Engl. u. Geogr.). K.: 2 J. Marktforschung in Fa. A. C. Nielsen, Dublin als Client Service Executive, 2 J. b. d. "Deutschen Welle" u. "Deutschlandfunk" in Köln als Rundfunksprecher, 9 J. als Ansager b. "London Weekend Television" in London, freiberufl. Moderator u. Interviewer, s. 1982 in Wien, 1985 Grdg. u. seither Inh. d. eigenen Unternehmens in London: CSI-Communication Skills Int. GmbH, 1990 Eröff. d. Büros in Wien. M.: Member of the British Academy of Film and Television Arts, Member of the Int. Television Association. H.: Golf, Kochen, Sammeln v. Karikaturen.

Tazreiter Bilfried S.

B.: Inh. FN.: Haardt & Krüger GmbH & Co KG. DA.: 1010 Wien, Schotteng. 3A. PA.: 1180 Wien, Mitterbergg. 13, 3341 Ibbsitz, Forstgut Walcheben. G.: Linz, 3. Jän. 1960. El.: Rudolf u. Sylvia, geb. Seemann-Neffe. S.: kfm. Ausbild. K.: seit 1978 selbst. in d. Glas- u. Porzellanbranche, seit 1990 Inh. d. Firma Haardt & Krüger. H.: Jagd, Motorbootfahren, Motorradfahren. (N.A.)

Tazreiter Franz Gerhard
B.: Gastwirt. FN.: Bruckwirt. DA u. PA.: 3342 Thann, Nr. 12. G.: Opponitz, 20. Jan.1953. V.: Sylvia, geb.Schweiger. KI.: Maria (1977), Sylvia (1985). EL.: Franz u. Leopoldine, geb. Schneckenleitner. S.: Koch u. Kellnerausb. K.: Praxis 1972 England 1973 Berlin u.1975 in Israel, 1977,Übern. d. elterl. Betr. "Bruckwirt " in Opponitz, ab 1980 Umbau u. Erw. M.: Bez.vertr.mann d. Fachgr. Gastr. -Hotel u. Beherbergungsbetr. f. d. Bez. Amstetten, Prüf. vors. f. Koch u. Kellner d. LBerufsschule Waldegg. H.: Kochen, Tennis, Skifahren. (M.M.)

Tazzioli Dino
B.: Gastronom, Teilinh. d. Restaurants "La Tavernetta". DA.: 1070 Wien, Burgg. 44. PA.: 1020 Wien, Vorgartenstr. 62-66/4/1. G.: Reggio Emilia, 11. Juli 1946. V.: Elisabeth, geb. Holub. Ki.: Marcello (1977). El.: Mario u. Marianna. S.: Hotelfachschule Italien. K.: 1970 Ndlg. in Österr., Kellner in versch. ital. Lokalen, seit 1982 selbst. im Besitz eines Haubenlokales. M.: Ciao Italia. H.: Tennis, Skifahren. (N.A.)

Tegel Wolfgang
B.: Vorst.-Dir. FN.: VB Heller Bank A. DA.: 5033 Salzburg, Alpenstr. 54. G.: Salzburg, 4. Mai 1949. V.: Irene, geb. Holzschuh. Ki.: Lukas (1991). El.: Mag. phil. Dr. jur. Dr. Heinrich u. Eva. S.: Matura Hochschullehrgang f. Werbung u. Verkauf, Stud. Betriebswirt. Wien. K.: Eintritt Länderbank 1982, Marketingabt. Anlagengeschäfte, Ltr. d. Kunden-Schillinggeschäft American-Express Bank, Abt.-Ltr. Private Banking, Mercur-

bank AG, Verk.-Ltr. f. Stmk., Burgenland u. Kärnten, s. 1994 Vorst.-Dir. VB Heller Bank Salzburg. M.: Altkalksburger Vereinig.

Tegetthoff Folke

B.: Märchendichter u. Erzähler. DA. u. PA.: 8413 St. Georgen. G.: Graz, 13. Febr. 1954. V.: Mag. Astrid, geb. van Trotsenburg. Ki.: Tessa, Sophie, Kira, Floris. El.: Franz u. Grete. BV.: Wilhelm v. Tegetthoff Admiral d. k.u.k. Marine. S.: VS, AHS, 1973 Matura, 6 Sem. Med. K.: Beginn d. Schreibens b. einjähr. Spanienaufenthalt, 1 J. Werbe- u. Liedertexte Showbranche in Hamburg, Märchenforsch., 1979 1. Buch. BL.: Kunst d. Erzählens weltweit wiederbelebt, einziger lebender dt.sprachiger Autor m. Archiv in USA, 3000 Gastspiele in 33 Ländern. P.: Teilnahme an Kongresse, Märchenfilme, Bücher: bisher 26 Titel in Millionenauflage und 6 Sprachen erschienen; u.a.: "Liebesmärchen", "Gott ist überall zu Hause", "Reisemärchen", "Alle Kräutermärchen", "Märchenbriefe", "Ich wollte dir von meinem Zwerg erzählen" (Residenz Verl.) E.: "YGDRASIL-Preis (verl. v. internat. LEGO Konz.).

Tegischer Gerhard

B.: selbst. Werbegraphiker. FN.: Tegischer Graphik-Design. DA. u. PA.: 9900 Lienz, Alleestr. 20a. G.: Lienz, 18. Febr. 1956. V.: Ingrid, geb. Koch. Ki.: Stefan (1979), Irena (1982). El.: Richard u. Erna. S. VS, HS, 1971-78 Graph. Lehr- u. Versuchsanst. Graz, Militär. K.: 12 1/2 J. b. d. Firma Blizzard Ski, 1988 Wechsel in d. Selbst., Tätigkeit f. Sportart.-Firmen, Sportmode f. Winter H.: Skifahren, Tennis. (M.T.)

Teibrich Johann

B.: Inh. FN.: Schilder-Fahrzeugbeschriftungen-Siebdruck. DA.: 4600 Wels, Maderspergerstr. 8. G.: Waizenkirchen, 27. Okt. 1948. V.: Ingeborg, geb. Schusterbauer. Ki.: Martin, Silvia. S.: Ausbild. Maler u. Schildermaler v. 1963-67. K.: Praxis u. Auslandsaufenthalt, 1973 Mstr.-Prüf. f. Malerei u. Beschriftung, s. 1974 selbst., s. 1982 an o.g. Standort. E.: mehrere berufliche Ausz. M.: Vors. b. Gesellen u. Mstr.-Prüfungskmsn. H.: Beruf, Computer. (P.H.)

Teichmann Renate

B.: Leitende Ärztin, Arbeitsmedizinerin u. Umweltschutzärztin. FN.: Verwsicherungsanstalt d. Österr. Eisenbahnen. GT.: Bezirksrätin i. 20. Wr. Gemeindebezirk f. Soziales u. Gesunheitswesen. DA.: 1060 Wien, Linke Wienzeile 48-52. PA.: 1200 Wien, Lorenz Müller Gasse 2/2. G.: Wien, 17. Jän. 1941. El.: Dipl. Ing. Wilhelm u. Lotte. S.: VS, Mittelschule 1959 externisten Matura, 1959-69 Stud. d. Medizin a. d. UNI Wien, 1969-73 Turnus i. Krankenhaus Lainz u. parallel über lange Jahre Mitarbeit b. Samariter Bund Österr., 1973-75 Mutterberatungsarzt, 1974-92 prakt. Ärztin i. eig. allg. Praxis i. 20 Bez., 1975-92 parallel Betr.arzt b. d. Österr. Bundesbahnen, s. 1986 Bez.ärztin im 20. Wr. Gemeindebez. , s. 1993 Leitende Ärztin b. Vers. Anstalt d. Österr. Eisenbahnen, s. 1992 Inh. d. Diploms "Umweltschutzarzt". BL.: engagierter Einsatz f. d. Prophilaxe i. d. Medizin als tragendes Moment zu akzeptieren. P.: regelm. Artikel über aktuelle Gesunheitsprobl. i. d. VA-eig. Zeitung "Sicherheit zuerst". H.: Soziales, Gartenarbeit, Literatur. (I.K.)

Teicht Gustav Dr.

B.: RA. GT.: Ersatzmtgl. d. VfGerH. DA.: 1010 Wien, Ebendorfer Str. 7. G.: Wien, 17. Mai 1928. V.: Erika, geb. Stürczer. Ki.: Dr. Marlene, Dr. Monika, Susanne. El.: Gustav u. Elisabeth. S.: VS, RG, Univ. Wien, 1951 Prom. K.: seit 1959 selbst. Anw., seit 1982 usätzlich im VfGerH. tätig. H.: Wandern, Lesen, Gartenarbeit, Bootfahren, Schwimmen. (R.A.)

Teifl Martin Ing.

B.: Gschf. FN.: Thorn Licht GesmbH. DA.: 1220 Wien, Erzherzog Karl Str. 57. G.: Eggenburg, 7. Juni 1959. V.: Beverly, geb. Stripp. Ki.: Thomas (1990). El.: Friedrich u. Josefine Teifl. S.: 1978 Matura HTL Mödling, Nachrichtentechnik u. Elektronik. K.: 1979 ITT Austria, 1980-82 Stud. d. Betriebsinformatik, nachher ITT Austria im Vertrieb, 1988 Product Manager Alcatel Austria, 1989 Legrand Austria, Neuorg. d. Vertriebes, 1991 Thorn Licht GesmbH, Neuorganisation d. Vertriebes, 1994 Gschf. H.: Familie, Ausgleichssport, klassische Musik, Oldtimer, Motorräder. (T.T.)

Teißl Hans Peter

B.: Wirtschaftstreuhänder, Steuerberater. G.: Schwaz, 23. Okt. 1951. El.: Walter u. Berta. S.: Untergymn., HAK, 1973 Matura. K.: 2 J. FA Schwaz, 6 J. Berufsanw., seit 1983 selbst. Steuerberater. M.: SC Schwaz, Schiclub Schwaz. H.: Fußball, Tennis, Skifahren. (Schm.)

Teix Peter Ing.

B.: Gschf. FN.: The Publisher Satz-Layout-Design GmbH. DA.: 1020 Wien, Zirkusg. 13, 1070 Wien, Zieglerg. 1, 2700 Wr. Neustadt, Fritz-Heindl-G. 1. PA.: 2700 Wr. Neustadt, Hubertusg. 28. G.: Neukirchen, 26. Mai 1962. V.: Monika, geb. Hartberger. Ki.: Christoph (1981). El.: Johann u. Maria. S.: 1976-81 HTL Mödling (Nachrichtentechnik). K.: 1981-87 Siemens (Tonstudiotechnik, Umbau im ORF-Zentrum), Österr.Vertrieb f. Bürosysteme, zusätzl. Marketing-Organ., Management b. Siemens in München u. Berlin, 1987-88 Vertriebs- u. Marketingltr. f. d. Bereich Apple b. Dataservice, 1988-90 Großkundenvertriebsltr. b. Hard & Soft, gleichzeitig Gschf. Ges. The Publisher Satz-Layout-Design, Gschf. The Publisher System Budapest GmbH. (P.R.)

Temmel Hannes

B.: Inh., Gschf. FN.: Optik Temmel. DA.: 8010 Graz, Giradig. 4. PA.: 8020 Graz, Reiherstadlg. 1. G.: Graz, 13. Okt. 1955. V.: Eva, geb. Pilz. Ki.: Susanne (1985), Philipp (1988). El.: Friedrich u. Anna. S.: HASCH, Berufsschule, Geselle, 1981 Optikermstr. K.: 1984 Kontaktlinsenkonzession, Prok. Optik Weikhard, 1984-85 gewerberechtl. Gschf., 1985 Geschäftseröff., seit 1990 handgefertigte Brillen aus eigenem Design u. eigener Werkstatt, eigene Vermarktung durch eigene Werbefilme. H.: Beruf, Multimediashows f. eigene Werbung, eigene Werbeagentur. (R.S.)

Temnitschka Hans Dr. iur.

B.: Sekt.-Chef, Ltr. d. Kunstsekt. d. BMUK. GT.: Obm. d. Ver. Österr. Kultur-Service u. Kultur-Kontakt. DA.: 1014 Wien, Freyung 1. PA.: 1040 Wien, Weyringerg. 31/25. G.: Graz, 17. Mai 1930. V.: Mag. Elisabeth, geb. Kadletz. K.: Georg (1959), Maria (1961), Andrea (1964). El.: Edmund u. Dorothea. S.: 1948 Matura, Stud. Rechtswiss. Univ. Wien, 1954 Prom., gleichzeitig Stud. Komposition b. Prof. Alfred Uhl Musikak. Wien. K.: 2 J. Gerichtspraxis, 1956 Eintritt in d. Kunstsekt. d. BMUK, Arbeitsgebiete: Denkmalschutz, Kunst-HS, Musik- u. Theaterförd., seit 1986 Ltr. d. Kunstsekt. BL.: um 1970 federführend an d. HS-Erhebung d. Österr. Kunstak. P.: Beiträge in Sammelwerken. E.: GrE, SE, T GAO, KmtK d. arg. MO, KmdK d. frz. Ael. H.: Musik. (J.S.)

Tempel Ingrid
B.: Gschf. Ges. FN.: Hotel Bellevue Betriebs GmbH, Passauerhof Betriebs GmbH, Reisebüro Tetren GmbH. DA.: 1091 Wien, Althanstr. 5. PA.: 1190 Wien, Cobenzlg. 9. G.: Wien, 15. Aug. 1941. V.: Gerhard. S.: BRG, HAK, 1959 Matura. K.: 1959-65 Gen.-Dir. Fa. Alpine Montan, 1965-80 selbst. m. d. Kfz-Betrieb Auto Hauer in Wien, 1980 Einsetzung als Gsch. Ges. in d. alte Hotel Bellevue durch d. Schweizer Konzern Befisa S.A. Lugano, 1982 Kauf d. Passauerhofes Wien, 1982 Änderung d. Geschäftsgegenstandes d. Fa. Tetren GmbH auf Reisebüro- u. Theaterkartenbranche. H.: Bergwandern, Sammeln v. Antiquitäten, speziell Porzellan. (C.K.)

Tempes Friederike KommR.
B.: Kfm., Firmeninh. FN.: Braut- u. Abendmoden Friedrich Tempes. DA.: 2130 Mistelbach, Mueumsg. 2. S.: VS, HS. K.: seit 14. Lebensj. im Betrieb, Hauptgeschäft verpachtet, 1980 Neubau, 1982 Eröff. d. Kaufhauses Tempes Heim-Tex-Waren, Braut- u. Abendmoden. E.: 1976 KommR. H.: Firma. (W.M.)

Templ Helmut
B.: Sekr. d. ÖVP, Stadtparteiltg. Steyr u. Bez. Steyr-Land. DA.: 4400 Steyr, E.-H.-Mazzetti-Promenade 4. PA.: 4502 St. Marien, Tulpenweg 4. G.: Linz, 6. Feb. 1960. El.: Florian u. Berta. S.: Fotografenlehre f. Werbg. u. Ind. K.: 1979 LReg. OÖ, seit 1981 b. ÖVP tätig. P.: polit. Beiträge in Fachzeitschr., Sem. f. Ortsgruppen u. Teilorganisationen. E.: Ehrenobm. d. Jungen ÖVP St. Marien, Ausz. d. KDÖ. M.: 1. Vizebürgermeister St. Marien (Umweltschutz), Obm. Sportver. Union St. Marien, Freiwillige Feuerwehr, Jagdgenoss. St. Marien. H.: Sport, Jagd, Garten, Politik. (U.A.)

Tengel Günther Mag. phil. OStR. Prof.
A.: 2700 Wr. Neustadt, Kaisersteing. 39. G.: Zwingendorf, 14. Sept. 1922. V.: Margarete, geb. Schügerl. El.: Gustav u. Josefine. S.: BG, Matura m. Ausz., Stud. Univ. Wien. K.: Seit 1947 Prof. L 1, D, H (1947-73 auch Kurzschrift) am BG in Wr. Neustadt, 1947-68 Vw. d. Anst. (Aufbau u. Einrichtung d. kriegszerstörten Anst.), Medienref. f. d. AHS Wr. Neustadt seit 1947, Theaterref., Kustos f. audiovis. Medien, Vorst.Mtgl. d. Lehrer-Arge Jugend u. Massenmedien im LSchulR. f. NÖ. E.: Mehrere Belobigungen d. BMU u. d. LSchulR. f. NÖ, Silb. EZ d. NÖFB u. Gold. Ehrennadel d. 1. Wr. NSC. M.: Wr. Neustädter Literaturkreis, 1. Wr. NSC Radio Winkler.

Tengg Hansjörg Dipl.-Ing
B.: Vorst.Mtgl. PA.: 2372 Gießhübl, Hauptstr. 49. G.: Innsbruck, 23. Aug. 1947. V.: Elisabeth, geb. Resch. Ki.: Dominik (1977), Frederik (1979). El.: Ing. Karl u. Brunhilde. S.: 1965 Matura, BH, 1966-75 TU Graz, Wirtschaftsing.Wesen Maschinenbau, Dipl.-Ing. K.: 1969-71 Vors. d. Österr. Hochschülerschaft an d. TU Graz, 1973-76 ltd. Mitarb. sowie gschf. Ges. v. intern. Handelsges., 1976-85 Prok. d. Grazer Stadtwerke AG, 1986-1990 Vorst. Österr. Donaukraftwerke AG, 1991-1992 Gschf. Verbundplan GmbH, 1992-1993 Vorst.Vors. Residenz AG, 1993-lfd. Vorst. W. Hamburger AG.

Tengg-Roschker Eleonore Dr. med. MedR.
B.: Ärztin in Pension. DA. u. PA.: 8071 Hausmannstätten, Dorfstr. 14. G.: 23. Jan. 1914. V.: Dipl.-Ing. Friedrich. El.: Josef u Maria Roschker. S.: VS, LOR Graz, 2 Sem. Phil.-Stud., prom. Allg.Med. K.: 1 J. Turnusarzt in Hartberg, OA Bruck/Mur, 1943 Kriegseinsatz als Ärztin in Hausmannstätten, in d. Folge Distriktsarzt, 1964 MedR. H.: Musik, Wandern, Tiere.

Tengler Franz Dr. iur.

B.: Wirtschaftstreuhänder - Steuerberater. DA.: 5020 Salzburg, Itzlinger Hauptstr. 4. PA.: 5020 Salzburg, Plainbergweg 8. G.: Neufelden/OÖ, 1. Mai 1945. V.: Evelyn, geb. Krichhammer. Ki.: Thomas (1969), Stefan (1972). El.: Franz u. Hedwig, geb. Rehberger. S.: 1955-63 Gymn. Slbg., 1963-68 Univ. Graz Jur. Fak., 1968 Gerichtsjahr i. Salzburg, 1968-69 BH. K.: S. 1974 eig. Kanzlei m. Schwerpunkten Internationales Steuerrecht, Budgetierung u. Finanzplanung, Freie Berufe. P.: Steuersem. f. Banken u. Vers. H.: Sport aller Art m. Schwerpunkt Tennis.(C.D.)

Tenk Hermine Dr. med. MedR.
B.: FA f. Kinderheilkunde, Spez. f. Akupunktur in d. Kinderheilkunde. PA.: 2500 Baden, Kaiser Franz-Ring 2/15. G.: Voitsberg/Stmk., 29. Okt. 1923. El.: Ignaz u. Antonia Tenk. S.: 1941 Matura in Graz, Med.Stud. an d. Univ. Graz, dazw. RAD, Kriegsdienst, Krankenpflegedienst, Kriegsdienst im Böhlerstahlwerk, Studentenlazaretteinsätze, zus. 2 J. K.: 1949 Prom. z. Dr. med. univ. in Graz, FA-Ausbild. an d. Wr. Städt. Kinderklinik Glanzing, dazw. als Gastarzt im Kinderspital Zürich, 1955 FA-Anerkennung, ab 1955 als Kinder-FA m. d. Ltg. d. fahrenden Mutterberatung in Zwettl betraut, Praxis, im KH als Konsiliar-FA, ab 1958 im Bez. Korneuburg tätig, 1959 Ndlg. in Stockerau als Kinder-FA, 1960 Schulärztin f. alle Pflichtschulen, 17 J. Konsiliar-FA im KH Stockerau, ab 1973 (Chinareise) Beginn d. Spez. f. Akupunktur in d. Kinderheilkunde, 1976 in China 3-monat. Akup.-Kurs, Biochem. Forschungen m. Doz. Dr. Riederer im KH Lainz (neurolog. Abt.), 1956 WHO-Stipendium f. soz. Pädiatrie in Paris als Vertr. Österr., 1980 MedR., Teiln. an intern. Kongressen in Tokio u. Mexiko (Kinderheilk.). P.: 1979 Praktikum d. chin. Akupunktur u. Punktmassage f.d. Kinderheilk., 1983 Akupunktur-Praktikum (u. Laser) f. d. Therapie d. behinderten Kindes (bd. Verl. Maudrich Wien), 1988 "Punktmassage f. I. Hilfe u. Energieausgleich" (Verlag d. Österr. Kneippbundes), 1991 "Soforthilfe m. Akupressur" (Verl. Mauderich), zahlr. wiss. Publ. über d. Akupunktur d. behind. Kindes, zahlr. Akupunkturkurse in: Wien, Sbg., Berlin, Dortmund, Kopenhagen, Preßburg, Vorlesungen an d. Univ. in: Münster, München, Dortmund, Wien, Graz, Abhaltung v. Akupunkturseminaren f. d. Kinderzentrum München (Prof. Hellbrügge), zahlr. Vorträge in: Wien, Liechtenstein, Florenz, Sofia, Peking, Nanking, Warschau, Frankfurt, Prag, Interlaken. E.: Gold. Ehrennadel d. Stadt Stockerau, 1985 Gold. EZ f. Verd. um d. Bdl. NÖ, 1993 silb. EZ f. Verd. um d. Rep. Österr. M.: Österr. Ges. f. Akupunktur u. Aurikuloth., Österr. wiss. Ärzteges. f. Akupunktur, Dt. Ärzteges. f. Akupunktur, Österr. u. Dt. Ges. f. Kinderheilkunde, Wiener Intern. Akad. f. Ganzheitsmed. (GAMED), Kneipp-Ver. Baden. H.: Musik, Geschichte, Kunstgeschichte, Literatur, Wandern, Reisen, Sprachen. (Kern)

Tenkrat Friedrich
B.: Schriftsteller. PA.: 2230 Gänserndorf, Falkeng. 20. G.: Wien, 18. Dez. 1939. V.: Anna, geb. Hopitzan. Ki.: Friedrich (1966), Karin (1969). El.: Friedrich u. Wilhelmine. S.: VS, HS, Lehre als Schriftsetzer. K.: 1959-60 Maschinensetzer in d. Schweiz, Korrektor Süddt. Zeitung München, 1961 zurück

nach Wien u. Korrektor u. Buchverlagsrevisor b. Molden-Verlag, erste schriftstellerische Versuche, 1969 1. Roman "Ein Sarg f. Forrest", hauptberufl. Autor, 1973 Horror- u. Gruselwelle, Tätigkeit f. versch. Verlage. P.: über 1000 Bände, Übersetzungen i. 8 Sprachen, Gesamtauflage 40 Millionen, Illustriertenromane, Kurzkrimis. H.: Joggen, Tennis. (F.S.)

Tenner Haide Dr. phil.

B.: Hauptabt.-Ltr. d. Abt. Film u. Serien d. ORF. DA.: 1136 Wien, Würzburgg. 30. PA.: 1190 Wien, Sulzweg 13. G.: Wien, 19. Okt. 1947. V.: Anton Russ. El.: Prof. Kurt u. Ilse Tenner. S.: 1964 Matura, Stud. Theaterwiss., Musikwiss. u. Gesang, 1971 Prom. K.: 1972 in d. ORF, zunächst Hörfunk, dann FS, Regieass., Red., Unterhaltungsabt., Aufbau d. Prom.-Abt. d. ORF, seit 1984 verantwortl. f. Spielfilm u. Serien, Präsentation d. Sendereihe: Nahaufnahme. H.: Musik, Klavier, Gesang. (J.S.)

Tenschert Walter Dipl.-Ing.
B.: Fabrikant. A.: 9560 Feldkirchen, Buchscheiden. G.: Leoben, 18. Jan. 1927. V.: Elriede, geb. Schwartz. S.: Realschule, Montanist. HS Leoben, Fak. Bergbau. K.: 1950 Eintritt als Ang. in d. elterl. Betrieb, 1955 Betriebsltr. u. Prok., 1965 Ges., 1969 Alleininh. d. Wellpappenfabrik Tewa. M.: HK f. Ktn., Ind.Verb. H.: Turnen, Schwimmen, Wandern.

Teply Johann Mag. rer. soc. oec.
B.: Abt.ltr. f. Rechng.wesen, Finanzen u. Kontrolle d. Agrarmarkt Austria (AMA). DA.: 1013 Wien, Wipplingerstr. 30. PA: 1201 Wien, Dresdner Str. 70. G.: Wien, 13. Mai 1949. V.: Mag. phil. Ingrid, geb. Baubinder. S.: 1967 Matura Wien, Stud. Betriebswirtschaft WU Wien, 1975 Spons. K.: nach d. Matura Banker b. CA-BV, 1975 in d. EDV-Organ. b. d. Firma Siemens, 1975 Eintritt in d. Milchwirtschaftsfonds, 15 J. Revisor in d. Revisionsabt., seit 1991 Hauptabt.-Ltr. f. Rechnungswesen u. Revision u. Gschf.-Stellv. H.: alle Arten v. Sport, Kultur, Reisen. (J.S.)

Tepsic Zeljko Mag.
B.: Inh. FN.: Commeng GmbH. GT.: Kongresse f. United Nation d. Univ. v. Kroation, Vertretungen in England, Vertretung in Kroatien. DA.: 8010 Graz, Kaiserfeldg. 3. PA.: 8047 Graz, Ragnitzstr. 126. G.: Zagreb, 21. Mai 1950. El.: Petar u. Katarina. S.: Grundschule, Gymn. Zagreb, Univ. Wirtschaftswiss. Fak., Interuniv. Stud. Makroelektrometrie Zagreb, Dipl.-Ökonomist. K.: 1974-76 Außenhdls.-Sachbearb. Ares Chimica spa Mailand, 1977 GemR. Zagreb, 1977 stellv. Dir. u. Ref. f. Import u. Export Pik Vrbovec Fleischind., 1981 Mag., 1982 Ang. Masinokomerc, Ass. d. Ltr. d. Rohstoffeinkaufsabt. d. Tabakfbk. Zagreb, 1983 Dir. d. Außenhdls. Commerce d. Firma Koopexport, 1985 Gen.-Dir. Firma Koopexport, 1988-89 Firma Netco Lignano, 1989-90 freiberufl. Mitarb. Firma Westport u. Firma MS Admiral Wien, 1990 Grdg. Commeng GmbH Graz. P.: Studie: Fischausbeutung - Zusammenhang m. d. Ind. in Schweden u. Norwegen. M.: Segelclub Burin, Lions Club Marburg, Novi Vinodolski Auto Motorclub d. Univ., Handball - Jugoslawische Liga. H.: Ralleyfahren, Boote, Skifahren. (R.S.)

Terber Franz
B.: freischaff. ak. Maler. PA.: 1040 Wien, Blechturmg. 22/17. G.: Wien, 5. März 1946. El.: Franz u. Melanie, geb. Menzel. S.: Stud. Germanistik u. Kunstgeschichte Univ. Wien, 1966-73 Stud. Kunsterziehung u. Malerei Ak. d. Bild. Künste Wien, Schüler v. Martin Polasek. K.: seit 1989 freischaff. Künstler in Wien, Einzelausstellungen: 1975 Galerie Zentralbuchhandlung Wien, 1976 Galerie Bartenstein Wien, 1979 Erwin-Piscator-Haus Marburg/BRD, 1980 Galerie im Mozart-Turm Darmstadt/BRD, 1983 Kleine Galerie Wien, 1984 Galerie in d. alten Schmiede Wien, 1988 Galerie d. Bundes Dt. Künstler Baden-Württemberg Stuttgart/BRD, 1991 Galerie in d. Jahnstraße, Böblingen/D,1995 Thomas Flora/Innsbruck zahlr. Ausstellungsbeteiligungen u.a. in Paris u. Stuttgart, Werke im Besitz d. Albertina, d. Kupferstichkabinetts d. Ak. d. Bild. Künste, d. BMU, d. Kulturamtes d. Stadt Wien, d. Österr. Nationalbank Wien, Hist. Mus. d. St. Wien sowie in priv. Sammlungen d. In- u. Auslandes. P.: Abbildungen v. d. Werken in d. "Wiener Kunstheften" (1983), in d. Zeitschrift "Frischfleisch & Löwenmaul" (1981), "Studio" (1983), F.T.: "Bildwerke u. lit. Texte a. d. Jahren 1966-90", Wien 1992. E.: Fügerpreis, 1968 Meisterschulpreis, 1969 Kunsterzieherpreis, 1981 Gr. Arbeitsstipendium f. bild. Kunst d. Kulturamtes d. Stadt Wien, 1982 Theodor Körner-Preis f. bild. Kunst. M.: Ehrenmtgl. b. Bund Dt. Künstler Baden-Württemberg Stuttgart. H.: Sammeln v. Erstausgaben v. d. Expressionist. Dichtungen, Schallplatten m. klass. Musik. (N.A.)

Terkal Karl Kammersänger
B.: Sänger. A.: 1100 Wien, Laaerbergstr. 32/2/29. G.: Wien, 17. Okt. 1919. V.: Friederike, geb. Schmid. S.: Gesangsstud. unter Valerie Wilhelm u. Hermann Gallos. K.: Debut in Graz, Auftritt an d. Wr. Staatsoper, b. d. Bregenzer u. Salzburger Festspielen, Gastauftritte in zahlr. europ. Städten, mehrere Schallplattenaufnahmen. E.: Kammersänger.

Terlep Helmuth Dr. med. OMedR.
B.: FA f. Unfallchir., Orthopädie u. Orthopäd. Chir. DA.: 8010 Graz, Schießstattstr. 21. PA.: 8045 Graz, Schöcklstr. 60. G.: Rottenmann, 1. Febr. 1926. V.: Ilse, geb. Duffek. Ki.: Dr. René (1954), Ursula (1957). El.: Karl u. Elisabeth. S.: VS, Gymn., 1943 Matura, 1943-45 Reichsarb.-Dienst, Luftwaffe u. franz. Gefangenschaft, 1946-51 Med.-Stud. Karl Franzens-Univ. Graz, 1951 Prom. K.: b. 1955 Ausbild. z. prakt. Arzt an versch. Kliniken, 1955 Dekret z. Praktiker, 1955-66 UKH Graz, 1960 FA f. Unfallchir., 1961 FA f. Orthopädie u. Orthopäd. Chir., 1957-61 Ltg. d. Orthopäd. Beratung im Mag. Graz, 1960-89 Obm. d. Fachgruppe Orthopädie u. Unfallchir.

ÄK Stmk., ab 1989 Gutachterref. d. ÄK Stmk., 1966-89 Ltr. d. Ambulatorium f. Unfallchir. u. Orthopädie an d. GKK Stmk., seit 1966 Ordination f. beide Fächer, 1977 MedR., 1989 OMedR., 1960-66 Gutachter f. d. AUVA, seit 1964 ständig gerichtl. beeid. Sachv. f. Unfallchir., Orthopädie u. Orthopäd. Chir. u. Gutachtertätigkeit f. Zivilgericht, Strafsachen, Arbeits- u. Sozialgericht, RA u. Vers. P.: zahlr. wiss. Publ. M.: o.Mtgl. d. Österr. Ges. f. Orthopädie u. Orthopäd. Chir., o.Mtgl. d. Österr. Ges. f. Unfallchir., o.Mtgl. d. Steir. Ges. f. Unfallchir., Grdg.-Mtgl. Kiwanis Graz. H.: Bücher, Musik, Klassik, Jagd, Fischen. (M.Gr.)

Terlitza Arno Dr. Mag. iur.

B.: Richter. A.: 8010 Graz, Merang. 21. G.: Graz, 28. Mai 1936. V.: Ilse, geb. Thallinger. El.: Prof. Dr. Hans u. Bernarda. S.: Ak. Gymn. Graz, Jus- u. Dolm.-Stud. Univ. Graz, Übersetzerprüf. (Engl.), ständig beeid. Gerichtsdolm. K.: Richter an versch. Gerichten in d. Stmk., 10 J. in Wien (Justizmin., OGH, Verw.-Gerichtshof). P.: Terlitza-Gerhard, Straßenverkehrsordnung, 1980/81, Terlitza-Gerhard, Kraftfahrgesetz, 1981/82, div. Fachart. in jurist. Fachzeitschriften. M.: Mensa, Cartellverb., Ak. Vereinigung f. Außenpolitik, Richtervereinigung. H.: Barockmusik, Sprachen, Sport (Skilauf u. Schwimmen).

Ternik Heidelinde

B.: Hotelbes. u. Gschf. Hotel "Steirerhof" u. Hotel "Landskron". DA. u. PA.: 8605 Kapfenberg, Anton-Buchalka-Str. 39, 8600 Bruck/Mur, Am Schiffertor. G.: 11. Juni 1942. V.: Siegfried Ternik. Ki.: Sabine (1964), Rainer (1966). El.: Otto u. Berta. S.: Hotelfachschule Bad Gleichenberg, Ferialpraxis Schweiz. K.: versch. Saisonen in Kitzbühel, Allgäu, England, 1963 Bau Cafe Treffpunkt, 1964 Eröff. als Tanzcafe, 1969 Pacht eines Hotels in Lignano, 1970 Austrian "Steak House", 1977 Eröff. Steirerhof Garni, 1992 Bau Hotel "Landskron". H.: Spazierengehen, Schwimmen. (K.K.)

Terscinar Hermann Ing.

B.: Bgm. d. Marktgem. Bad Deutsch Altenburg, Gschf. d. Abwasserverb. Schwechat, Obm. d. Gem.-Verb. f. Abfallbehandlung Bez. Bruck/Leitha. DA.: 2405 Bad Deutsch Altenburg, Wiener Str. 17; Schwechat-Mannswörth, Poigenauweg 1; Bruck/Leitha, Hauptpl. 2. PA.: 2405 Bad Deutsch Altenburg, Feldg. 21. G.: Bad Deutsch Altenburg, 6. Mai 1948. V.: Ulrike, geb. Schneider. Ki.: Kerstin (1970), Silke (1974). El.: Josef u. Margarethe. S.: VS, HS, HTL Hochbau Mödling, 1966 Matura. K.: 1967 Tätigkeit b. Baufirma Hainburg, 1971 Wechsel z. Wr. Baufirma, 1971 Tätigkeit f. Arch. Glück Wien, 1977 Ltg. d. Tiefbaus d. Baudion. d. Gem. Schwechat, seit 1981 Gschf. d. Abwasserverb. Schwechat, seit 1991 zusätzl. Obm. d. Abfallverb. Bruck/Leitha, seit 1970 GemR. d. Marktgem. Bad Deutsch Altenburg, 1972-87 Gschf. GemR., seit 1987 Bgm. d. Marktgem. Bad Deutsch Altenburg. E.: 1989 u. 1993 Kandidat d. Bez.-Organ. Bruck/Leitha z. NÖ Landtag. M.: Prüfer d. NÖ Abfallwirtschaftsver., Vorst.-Mtgl. d. Abwasserverb. Hainburg, Vorst.-Mtgl. u. Umweltref. d. Bez.-Organ. d. SPÖ Bruck/Leitha, Nationalpark-Vorbereitungskmsn., örtl. Ver. u. Organ. H.: Asphalt-Stockschießen, Lesen. (F.S.)

Tesar Christa

B.: Geschäftsfrau. PA.: 1130 Wien, Feldkellerg. 22. G.: Wien, 29. Sept. 1956. El.: Franz u. Charlotte, geb. Spirk. S.: VS, Gymn., Modeschule Herbststraße u. Hetzendorf. K.: Verkäuferin in div. Boutiquen, 1979-93 Besitzerin einer eigenen Boutique. H.: Zeichnen, Klavierspielen. (N.A.)

Tesar Gero

B.: Inh. Antiquitäten im Beethovenhaus. DA.: 2500 Baden, Rathausg. 10. G.: Gablonz, 3. März 1942. V.: Maria Luise. Ki.: Gerd. El.: Arch. Bmstr. Ing. Hans Karl u. Margarethe. S.: Drogistenfachschule, Kfm. Abschluß. K.: Filialltr. Kwizda Drogerei Kitzbühel, danach nach Wien, 1962 Filialübernahme in Kitzbühel, 1964-68 Filialltr. u. Gschf. Schwarzer Hund Hoher Markt, 1969 Geschäftsinsp., 1967-72 Prokopp-Drogerie, 1972 Eröff. d. Beethovenhauses, 1982 Eröff. d. 2. u. 1983 d. 3. Geschäftes, Spezialisierung auf Antiquitäten v. Kleinkunst b. Möbel, nebenbei Führung eines Trödelmarktes, 1986 Beginn Teilnahme an Antiquitätenmessen. E.: 2. Preis Auslagenwettbewerb, 3x 1. Preis Geschäftsportalausz. M.: Aussch.-Mtgl. Fremdenverkehrsver. H.: Kunst, Segeln, Sport. (J.E.)

Tesarek Paul Dr. phil.

B.: stellv. Chefred. im Landesstudio Wien d. ORF, Journalist. DA.: 1040 Wien, Argentinierstr. 30a. PA.: 2332 Hennersdorf, Hauptstr. 29/62. G.: Wien, 8. Okt. 1956. V.: Karin, geb. Schmidl. Ki.: Imanuel (1984), Isabella (1993). El.: Josef u. Emilie. S.: VS, Gymn., 1976 Matura, Stud. Geschichte u. Politikwiss., 1984 Prom. z. Dr. phil. K.: 1984 Eintritt ORF: Teletextred., Sportred, Aktueller Dienst, 1988 Bdl.-Red., 1989 Studio Wien im Aktuellen Dienst, Red., Radiomoderator f. Sendung Radio Wien u. FS-Sendung "Wien Heute", Berichterstattung v. Lainz-Prozeß, 1992 Moderation d. FS-Sendung "Wien Heute", seit 1992 "Neues Radio Wien", Ressortltr. Radio u. Aktueller Dienst. H.: Familie, Radfahren, Musik, Fußball, Heimwerken, Skifahren. (J.M.)

Teschner Hellmut Mag. Dr. MinR. Prof.
B.: Jurist, MinR. PA.: 1130 Wien, Auhofstr. 252. G.: Wien, 3. Okt. 1925. V.: Elisabeth Dr., geb. Wawersich. Ki.: Hellmut (1957). El.: Paul u. Leopoldine. S.: Pflichtschulen, Hum. Gymn. Hietzing, 1946-49 Jurastud. Univ. Wien, 1949 Prom. Dr. K.: 1950 Gerichtspraxis, seit 1950 im Sozialmin. tätig, 1961 Referatsltr. in d. Abt. f. legistische Ang. d. Sozialvers., ab 1969 Ltr. dieser Abt., seit 1970 MinR., ab 1986 Gruppenleiter BMS/Sekt. 2, nunmehr i.R. E.: Gr. EZ f. Verd. um d. Rep. Österr., Gold. VZ d. Rep. Österr., Tiroler Adler in Gold, Silb. EZ d. Landes Sbg., Silb. EZ d. Österr. Ärztekammer. P.: zahlr. fachschriftstell. Arbeiten, Kommentare, Aufsätze. H.: Bergsteigen. (Lar.)

Tesmer Hermann sen.
B.: Gschf. Ges. FN.: Boutique Caroll GmbH, Modeagentur Baier, Linea Damenmoden GmbH & Co KG. DA.: 5101 Bergheim, Handelszentrum 348. G.: Eibelsau, 25. Jan. 1931. Ki.: Hermann (1958), Undine (1959). El.: Hermann u. Käthe. BV.: Großonkel Entdecker d. Rhesusfaktur. S.: VS, Gymn., Militärak. Saint Cyr/Frankreich, 1949 Auswanderung nach Frankreich. K.: Berufsoffz. Indochina, 1956 wegen Kriegsverwundung nach Österr., kfm. Ang. b. Ing. Gröschl, 1960 Prok. u. Gründer d. Ndlg. in Linz, 1966 selbst. Fa. Gastro-Peintner OHG, 1975 Gastro-Peintner liquidiert, 1977 Grdg. Modeagentur Baier, 1981 Grdg. Linea Damenmoden m. Detailgsch. in Sbg., 1984 Grdg. Caroll GmbH Masterfranchisesystem f. Österr. E.: Ritter d. Franz. Ehrenlegion, ATP-Turnierdir. M.: Vorst.-Mtgl. Österr. Franchiseverb., Obm. Tennisclub Kasern. H.: Tennis, Sport allg. (G.E.)

Tessmar-Pfohl Werner Dr. Dkfm.
B.: Besitzer. FN.: Grazer Textilwerke OHG. GT.: Präs. d. Österr. Industriellenver. Sekt. Stmk., VPräs. d. Österr. Industriellenver., AufsR. Steirerbrau AG. DA.: 8041 Graz, Sattlerstr. 45. PA.: 8010 Graz, Panoramag. 109. G.: 14. Febr. 1942. V.: Maria Juliane, geb. Altmann-Althausen. Ki.: Cathèrine (1969), Dorotheea (1971), Alexander (1973). El.: Dr. Friedrich u. Dorothea Pfohl, geb. Sattler. S.: 1962-67 Stud. HS f. Welthdl. Wien m. Prom. K.: 1968 Eintritt in d. elterl. Betrieb. H.: Skifahren, Joggen, Jagd. (N.A.)

Tettinek Willibald Dr. techn. Dipl.-Ing. em.Prof.
B.: Beratender Ing. f. Bodenmechanik. A.: 1190 Wien, Aslang. 9, 6370 Kitzbühel, Marchfeldg. 4c. G.: Wien, 24. Okt. 1913. V.: Hildegard, geb. Berry. Ki.: Eva, Michael, Christian. El.: Anton u. Marianne. S.: Techn. Mittelschule, TH Wien. K.: 1938-67 Ass. TH Wien, 1945-46 Lehrauftrag TH Wien, 1945-67 Ltr. d. Erdbaulabors an d. TH Wien, 1957-74 Prof. an d. HTL Mödling u. Ltr. d. Erdbaulabors, seit 1950 Beratender Ing. f. Bodenmechanik. P.: Diagramm z. Ermittlung d. zeitl. Verlaufes d. Setzung v. Tonschichten, Die Entnahme ungestörter Bodenproben, A Contribution to Calculating the Inclination of Eccentrically Loaded Foundations, Intern. Conference on Soil Mechanics and Foundation Engineering, Die Brückengründungen im Zuge d. Brenner-Autobahn, Tauernautobahn, Die Gründungen u. d. Erdbau im Fritztal. M.: Wr. Domerhaltungsver., Verb. d. Freunde d. TH Wien, Ver. f. Geschichte d. Stadt Wien; Ver. f. Landeskunde v. NÖ.

Edler von Teuber Ernst
B.: Ges. FN.: Jacques Roullet & Co Wein- u. Spirituosenhdl. DA.: 1190 Wien, Pyrkerg. 31. G.: St. Thoma/Friedberg, Böhmerwald, 14. Dez. 1945. V.: Ingrid, geb. Mauer. Ki.: Philippe (1978). El.: Mutter: Gräfin Gabriele Huyn, Adoptivmutter: Amalie Edle v. Teuber. S.: Hum. Gymn. Abtei Seckau, 1964 Matura, Stud. Betriebswirtschaft WU Wien, Jusstud. Univ. Wien. K.: 1969 Eintritt in Jacques Roullet Import v. Weinen u. Spirituosen. M.: Ver. d. Altseckauer. H.: Fußball, Skifahren, Schwimmen. (J.S.)

Teuber-Weckersdorf Roger Dipl.-Ing.
B.: Prok., Werksdir. FN.: F. Joh. Kwizda GmbH Division Ldw. DA.: 2100 Leobendorf, Kwizda-Allee. PA.: 1190 Wien, Schulsteig 2. G.: Salzburg, 19. Jan. 1943. V.: Renate, geb. Pöhacker. Ki.: Daniela (1971), Carolin (1974). El.: Oberst Emmerich u. Erika, geb. Moldauer. S.: VS, 1961 Matura, Stud. HS f. Bdk. Wien: Gärungstechnik u. Lebensmitteltechnologie, 1971 Spons. z. Dipl.-Ing. K.: 1971 Eintritt als wiss. Mitarb. Firma Kwizda Wien, ab 1972 Ltr. d. Betriebs- u. Qualitätskontrolle, ab 1976 Produktionsltr. Pflanzenschutz, ab 1981 Werksltr. in Leobendorf, ab 1991 Prok. u. Werksdir. E.: Gold. EZ d. Rep. Österr. (M.M.)

Teubl Peter Ing.
B.: Gartenarch., Gschf. A.: 1180 Wien, Cottageg. 15. G.: Wien, 10. Mai 1938. El.: Karl u. Johanna. S.: Höhere BLVA f. Gartentau, Wien Schönbrunn, 1964 Verleihung d. Titels Ing. durch d. BMLF. K.: 1958 Grdg. d. Fa. Gartengestaltung u. Sportplatzbau Ing. Peter Teubl, 1970 Änderung d. Fa. in eine GmbH, 1974 Eröff. einer Fil. in Rust. F.: Alleinges. d. Ing. Peter Teubl GmbH, Wien, Rust, d. Pannonia Gaststättenbetriebs GmbH, Rust, Alleineigentümer d. Baumschule Ing. Peter Teubl, Tullnerbach. M.: Kam. d. Gew. Wirtschaft, LInnung Gärtner Wien u. Bgld., Lions-Club Nord-Bgld. 114-O.

Teuchmann Gerd
B.: Wirtschaftstreuhänder, Steuerberater. DA.: 2352 Gumpoldskirchen, Thallernstr. 5. PA.: 2352 Gumpoldskirchen, Bilkog. 2. G.: Mödling, 26. Nov. 1941. V.: Helga, geb. Hohenwarter. Ki.: Roland, Bernhard. El.: Wilhelm u. Aloisia. S.: Gymn. Mödling, HAK, Matura, Wien Steuerberaterprüf. K.: 5 J. in Bank tätig, Prok. d. Alpentreuhand GmbH, seit 1980 selbst. P.: Versch. Publ. in Fachzeitschriften über Steuer- u. Wirtschaftsfragen. M.: Tennisclub. H.: Musik, Sport. (E.L.)

Teuchtler Jean-Marc
B.: Inh. FN.: Teuchtler Schallplattenhdlg. u. Antiquariat. DA.: 1060 Wien, Windmühlg. 10. PA.: 1010 Wien, Nibelungeng. 7. G.: Paris, 26. Dez. 1947. V.: Elisabeth, geb. Kantner, 2 Kinder. El.: Roland u. Simone. S.: Schulen in Wien u. Paris. K.: einige J. im Ausland, m. 29 J. väterl. Geschäft übernommen, d. nunmehr seit 40 J. in d. Musikwelt bekannt ist. (J.S.)

Teurezbacher Rudolf

B.: Dachdecker- u. Spenglermeister. FN.: Dachdeckerei Spenglerei Rudolf Teurezbacher. DA. u. PA.: 3324 Euratsfeld 8. G.: Amstetten, 25. Apr. 1963. V.: Gabriele, geb. Kleindl. S.: Ausbild. z. Dachdecker- u. Spenglermeister. K.: 1994 Übernahme d. schwiegerelterl. Dachdeckereibetriebes u. Erweiterung m. Spenglerei. E.. 1994 Silb. EZ f. bes. Verd. um d. Österr. Dachdeckerhandwerk f. d. Erarb. d. Konzeptes f. d. Bundesfachkurs d. Dachdecker f. angehende Meister. M.: Oldtimer Club. H.: Blasmusik (Tuba), Oldtimer. (M.M.)

Teuschler Christine Dr.
B.: Gschf. FN.: Landesverband Bgld. d. Volkshochschulen. DA.: 7000 Eisenstadt, Pfarrg. 10. PA.: Rechnitz. G.: Oberwart, 5. Jan. 1961. El.: Josef u. Magdalena. 1980 Matura HBLA Oberwart, 1989 Prom. Dr. phil. Univ. Wien, 1990 Pilotsem. European University Center f. Peace Studies i. Stadtschlaining. K.: 1987-89 akt. Funktionärstätigk. SPÖ, 1989-91 Projektarb. im Frauen- Antifasch. u. Bildgs.-Ber.,

1991 Eintr. VHS interkultur. Bildg., 1991 Entr. VHS " Interkultur. Bildg." 1991Gschf. Volkshochschulverband Bgld. P.: "..und da sind sie auf einmal dagewesen", "Ein Dorf an der Grenze", "Friedensarbeit und Einstellung zum Österr. Bundesheer d. SPÖ Frauen". E.: Ludo Hartmann Förderungspreis. M.: Antifaschistisches Personenkomitee Bgld, Rechnitzer Flüchtlings- u. Gedenkinitiative u. Stiftung. (M.G.)

Teuschler Josef "Peppino" KommR.

B.: Schneidermstr. FN.: Maß- u. Modellkleidung Josef u. Michael Teuschler GesnbR. DA. u. PA.: 1180 Wien, Michaelerstr. 31. G.: Stotzing, 15. März 1934. V.: geb. Weber. Ki.: Michael, Andreas. S.: HS, Berufsschule. K.: 1958 Geschäftseröff., 1960 Modering Medaille, als Coutourier m. eigenen patentierten Modellkreationen im In- u. Ausland etabliert, 1963 erster Auftritt im österr. Fernsehen (Sendung "Mode einmal anders"), später lfd. in d. Sendungen "Boutique", "Neues für die Frau", "Prisma" (b. 1974), "WIR", Heimat- u. Modesendungen d. Hörfunks (jährl. ca. 10-12 mal), 1965 an allen Weltkongressen in Deutschland, Spanien, Italien, Tokio u. Österr. teilgenommen, Mode Festival in San Remo 1967, 1968 u. 1969, Gold. Schere 1967, Stoffbk. Graf, Ermenigildo, Zegna, Konfektion selbst kreiert, eigene Schnitte, Computeranzug, seit 1978 Sänger u. Interpret v. Liedern, einige Platten u. Cassetten aufgenommen. E.: Bgld. Gr. EZ, Ehrenbürger v. Strotzing (Bgld.), seit 12. Jan. 1987 KommR., z. 50. Geburtstag bes. Ehrung d. Casino Austria AG: Hrsg. ihm zu Ehren eines 200-ÖS-Silberjetons auf d. auch Schere, Nadel u. Zwirn eingeprägt sind. P.: Veröff. in zahlr. Fachzeitschriften, Schallplatte: Menschen, Funktionäre, Spieler und ich "So bin ich" (Reinerlös an UNICEF f. notleidende Kinder). M.: UFC Stotzing, Mtgl. d. Interpretenges. Österr. H.: Fussball, Tennis, Musik. (J.S.)

Teusl Karl Ing.

B.: Bgm., Baultr. DA.: 2492 Zillingdorf, Rathausstr. 2, 1150 Wien, Anschützstr. 1. PA.: 2492 Zillingdorf, Hauptstr. 120. G.: Zillingdorf, 17. Nov. 1942. V.: Walpurga, geb. Missriegler. Ki.: Silvia. El.: Karl u. Maria. S.: VS, HS, Fachschule f. Hochbau, BGewerbeschule f. Hochbau, 1962 Matura. K.: 1962-68 Techniker Fa. Wibeba, ab 1969 Baultr. Fa. Wibeba, 1975-80 GemR., 1980-82 gschf. GemR., seit 1982 Bgm. M.: b. versch. Ver. in Zillingdorf. H.: Fotografieren, Lesen, Wandern. (M.Br.)

Thaler Arnulf Richard Gunnar Dr. med.

B.: Univ.-Prof., Augenarzt. A.: 1090 Wien, Währinger Str. 24/34. G.: Klagenfurt, 22. Aug. 1942. El.: Prof. Dr. Heribert u. Leopoldine. S.: BRG, Med.Stud. K.: Ass. am Inst. f. allg. u. vergl. Physiologie, Ass. an d. 2. Augenklinik d. Univ. Wien, OA, Univ.Doz., Univ.-Prof. F.: ARGT-Planungsges. P.: Ca. 80 Publ. hauptsächl. über Elektrophysiologie d. Auges. M.: Ophthalmolog. Ges. in Wien, Österr. Ophthalmolog Ges. ISCEV (Intern. society for clinical elelctrophysiology of vision).

Thaler Berta

B.: freischaffende Künstlerin. DA. u. PA.: 6380 St. Johann/-Tirol, Maderspergerweg 29. G.: St. Johann, 30. März 1932. V.: Dr. Heinz Gunermann. Ki.: Johanna (1967). El.: Peter u. Berta Thaler. S.: VS, Gymn., Meisterkl. RC Andersen u. H. Boeckl, Ak. d. Bild. Künste Wien. K.: Portraitistin. M.: Dt. Ges. f christliche Kunst. H.: Heimatforscherin. (M.W.)

Thaler Björn Bernd

B.: Landesvors. d. Jusos Vbg., Bundesvorst.-Mtgl. Aktion Kritischer Schüler. DA.: 6850 Dornbirn, Viehmarkstr. 3. PA.: 6700 Bludenz, Raiffeisenstr. 24. G.: Bludenz, 24. Aug. 1976.

S.: 1994 Matura, 1994 Jusstud. Wien. K.: 1991 Mitbegründer d. Aktion Kritischer Schüler Vbg., 1991 Vors. d. Jusos Vbg., Bez.-Vors. Bludenz, 1992 Mtgl. d. Landesparteivorst. SPÖ, Bez.-Parteivorst. P.: Red. d. AKS-Zeitung. M.: Bundesvorst. "Junge Generation d. SPÖ", Soz. Jugend Österr. H.: Fischen, Briefmarkensammeln, Politik. (I.D.)

Thaler Erich

B.: Tischlermeister, Inh. FN.: Tischlerei Thaler. DA.: 6250 Kundl, Weinberg 10. PA.: 6250 Breitenbach 71. G.: Breitenbach, 4. Apr. 1943. V.: Rosmarie, geb. Frank. Ki.: Karin (1963), Harald (1968), Monika (1975). El.: Sigmund u. Anna. S.: VS, HS, Mittelschule, 1961 Matura, 1962/62 BH, 1964 Meisterprüf. K.: In- u. Auslandspraxis, seit 1967 in elterl. Firma, 1973 Übersiedlung z. heutigen Standort. H.: Pilzesammeln, Berggehen, Musizieren. (J.F.)

Thaler Felicitas

B.: Kfm. Gschf. (Fam. Betrieb). DA.: 7000 Eisenstadt, Schubertpl. 7a. PA.: 7000 Eisenstadt, Beim alten Stadtor 11 u. 12. G.: Eisenstadt, 7. Mai 1937. V.: Ing. Franz, Prok. u. Techn. Ltr., 2 Kinder: Sohn: Bauing., Tochter: Arch. El.: Adolf u. Katharina Vogele. S.: RG Eisenstadt, Matura 1955, HAK Hammerlingplatz, Abiturientenkurs m. Abschlußzeugnis. K.: Eintritt in d. Fa. als Buchhalterin 1956, 1958 Ges.m.b.H., 1961 Prokura u. Eintritt d. Gatten. BL.: In d. mittl. 50 Jahren sehr zu kämpfen, den Familienbetrieb zu erhalten, ohne vom Familienbesitz abzugeben. H.: Von früh. Jugend Begabung u. Neigung zu Architektur u. Denkmalschutz, Wandern, Kunstgeschichte, Theater, klass. Musik. (M.G.)

Thaler Franz

B.: StadtR. Villach, Gewerberef. Villach, Verkaufsltr. Fa. Teekanne. DA.: 9500 Villach, Rathaus. PA.: 9500 Villach, Auer-v.-Welsbach-Str. 52. G.: Wien, 14. Apr. 1929. V.: Hergard, geb. Humitsch. Ki.: Astrid, Karin, Eva-Maria, Isabella. S.: kfm. Lehre. K.: ab 1943 in d. Privatwirtschaft tätig, seit 1970 GemR. Villach, 1975-80 LAbg., seit 1979 StadtR., 1973-88 Bez.Obm. d. FPÖ Villach-Stadt, seit 1979 Gewerberef. d. Stadt Villach. P.: Art. in Zeitungen. M.: div. Kultur- u. Volkstumsver. (S.G.)

Thaler Heinrich Dr. OMedR.

B.: Prakt. Arzt u. Kurarzt. A.: 5640 Badgastein, Bergvilla Dr. Thaler. G.: Möllbrücken, 6. Aug. 1910. V.: Gertrud, geb. Bayer. El.: Dr. Hans u. Maria. S.: Hum. Gymn., Med.Stud. in Innsbruck, Wien, Prag, Graz, Prom. 1935 in Innsbruck. K.: Ausbild. am KH Wien-Lainz 1935-39, zul. OA b. Prof. K. Fellinger u. Prof. Reitter (Int. Med.), 1939-45 Kriegsdienst als Internist b. Sanitätseinheiten d. Luftwaffe, 1948-89 Kurarzt u. prakt. Arzt in Badgastein, Ärztl. Mitarb. b. Erforsch. d. Heilstollens 1946-50, 1950-51 Planung u. Errichtg. d. ersten klass. Unterwassertherapie-Station im Badehospiz. P.: Versch. Arb. über Rheumatologie u. cardiolog. Problem-Stellungen in Kurorten, über Rehabilitation u. Praevention in Heilbädern, "Gasteiner Kurbüchlein" 1968, "Gasteiner Kuru. Heilstoleln-Buch" 1985, "Die natürl. Heilwirkung Gasteins" u.a., Mitarb. an d. Vorber. f. d. Paracelsus-Ausstellung 1993. E.: Paracelsus-Preis 1970/71 d. Intern. Paracelsus-Ges. M.: Forschungs-Inst.-Kmsn.-Mtgl. d. Forschungsinst. Gastein

d. Österr. Ak. d. Wiss., 1959-70 Vors. d. Verb. Österr. Kurärzte, dann Ehrenpräs., Med. Kmsn. d. FITEC, Grdg.Mtgl. d. Rotary-Clubs Bad Gastein, Paul-Harris-Fellow seit 1985, Mtgl. d. Kurkmsn. u. Thermalquellen-Sekt. d. Gem. Badgastein u.a.

Thaler Herfried Dr. phil.

B.: Kunsthistoriker im Stadtmuseum Nordico. GT.: allg. beeideter gerichtl. Sachverst. DA.: 4020 Linz, Bethlehemstr. 7. PA.: 4040 Linz, Joh.-Wilhelm-Klein-Str. 54. G.: Lienz, 6. Nov. 1946. Ki.: Herfried. El.: Dr. Herbert u. Maria. S.: 1969 Matura, 1969-79 Stud. Kunstgeschichte u. Archäologie Wien. K.: seit 1979 in d. kunstgeschichtl. Abt. d. Nordico m. Tätigkeitsbereich Ankauf, Katalogisieren, Planen u. Organ. v. Ausstellungen, ca. 30 Ausstellungen im Jahr. P.: "Österr. Kunsttopographie Stadt Linz", Kataloge d. graph. Sammlung, Mitarb. an Ausstellungskatalogen, Schriftltg. "Kunstjahrbuch d. Stadt Linz". M.: ICOM, Österr. Kunsthistorikerverb., Geschichtsver. v. Ktn. H.: Arbeit, Kunst, Reisen. (P.H.)

Thaler Heribert Dr. med. Univ.-Prof.

B.: FA f. Innere Krankheiten, Prim. i.P., 4. Med. Abt. d. Wilhelminenspitals. A.: 1030 Wien, Sebastianpl. 7/5. G.: Badgastein, 4. Nov. 1918. V.: Margarethe, geb. Kautzky. El.: Prim. Dr. Alois u. Margarethe. S.: VS, RG Klagenfurt, Univ. Innsbruck, Univ. Wien, Prom. 1941. K.: 1946-47 Path. Inst. d. Kaiserin-Elisabeth-Spitals Wien, 1947-67 I. Med. Univ. Klinik Wien, zul. als OA, 1967-84 Prim. im Wilhelminenspital, stellv. Dir., 1953-54 Studienaufenthalt, Harvard-Univ. Boston, Mass., 1950 FA f. Innere Krankheiten, 1962 Doz. f. Innere Med., 1970 Univ.-Prof., Visiting-Prof. Tokai Univ., Japan. P.: 385 wiss. Arb. u. Buchbeiträge, vorw. auf d. Geb. d. Hepatologie, Bücher: Leberbiopsie, ein klin. Atlas d. Histopathologie, 1969, Leberkrankheiten. Histologie, Pathophysiologie, Klinik, 1982, Leberkrankheiten, Klinischmorphologische Diagnostik u. ihre Grundlagen, alle im Springer-Verl. Der blaue Papagei. Erlebte Medizin, erlebte Welt. Lebenserinnerungen eines österr. Arztes. Leipzig 1993, Reprintverl. E:EK I. u. II. Kl., 1. Lucie-Bolte-Preisträger f. hervorragende wiss. Leistungen b. d. Erforsch. v. Leberkrankheiten 1982, Gold. EZ f. Verd. um d. land Wien 1982, Österr. EK f. Wiss. u. Kunst I.Kl. 1983, Siegfried-Thannhauser-Med. 1988, Hetenyi-Med. 1988, Ehrenmed d. Pol. Ges. f. Gastroenterologie 1992. M.: Ges. f. Ärzte i. Wien, Österr. Ges. f. Innere Med., Van Swieten-Ges., Europ. Ass. for the Study of the Liver (Präs. 1969), Österr., Poln. u. Ungar. Ges. f. Gastroenterologie, (Ehrenmtgl.), Schweizer Ges. f. Gastroenterologie (korresp. Mtgl), Dt. Ges. f. Innere Med. (Ehrenmtgl.), Dt. Ges. f. Verdauungs- u. Stoffwechselkrankheiten (gewes. Aussch.-Mtgl.), Europ. Ass. f. Gastroenterology and Endoscipy (korresp. Mtgl), H.: Jagd, Sammler antiker Kunst.

Thaler Hubert

B.: Gschf. Ges., Kfm. FN.: Expo Norm GmbH. DA.: 6850 Dornbirn, Oberfallenberg 7. PA.: 6858 Schwarzach, Tellenhang 6/12. G.: Wolfurt, 15. Juli 1940. V.: Helma, geb. Bröll. Ki.: Andrea (1964), Eva (1967), Christine (1967), Magdalena (1969). El.: Gebhard u. Magdalena. S.: kfm. Lehre, Abschl. 1959, Militär 1960. K.: 1961 kfm. Ang. in Möbel- u. Einrichtungsfa., 1974 Kälte- u. Klimatechnik-Fa. (Rechnungswesen, Einkauf, Administration), 1976-82 Werbeltr. b. Beschlägefa., 1982 Firmengründ. in Dornbirn, dreidimens. Präsentation f. Messen, Ausstell., Displays. M.: Alpenver. H.: Schifahren, Wandern, Fotografieren, Lesen, Musik, Garten. (I.D.)

Thaler Josef ÖkR.

B.: Bgm., Ldw. DA.: 6330 Schwoich, Gemeinde. PA.: 6330 Schwoich, Achrain 11. G.: Schwoich, 27. Dez. 1922. V.: Aloisia, geb. Kaindl. Ki.: Josef, Klaus, Alois, Waltraud, Lisbeth. El.: Josef u. Katharina. S.: VS, Land- u. Forstwirtschaftl. Ausbild., Ldw.Mstr. K.: 27 J. Bgm. v. Schwoich. E.: seit 17 J. Bez.SchulR., seit 27 J. im Bez.KH Aussch., seit 5 J. stellv. Vors. d. KH Kufstein, Ehrenbürger d. Gem. Schwoich, ÖkR., Obm.Stellv. v. "Inntalmilch" Wörgl, 1960-72 Ortsvertreter d. Ldw.Kam., LVerd.Kreuz. M.: div. Mtgl. H.: Jagd, Literatur, Musik, Theater. (W.G.)

Thaler Maria

B.: Gastwirtin Alpengasthof Ochsalm. DA. u. PA.: 6365 Kirchberg, Krinbergweg 65. G.: Kirchberg, 5. Feb. 1963. El.: Anton u. Anna Thaler. S.: VS, HS, 3 J. Hotelfachschule Klessheim. K.: seit Kindheit im Familienbetrieb gearb., 1986 Übernahme. M.: Gastwirte Tirol. H.: Skifahren, Schwimmen, Tennis, Bergsteigen, Hund. (M.H.)

Thaler Peter

B.: Wirtschaftstreuhänder, Steuerberater. FN.: Thaler-Zerzer KG. DA.: 6500 Landeck, Urichstr. 43. PA.: 6500 Landeck, Fischerstr. 64. G.: Zams, 21. Jan. 1945. V.: Rita, geb. Hölzl. Ki.: Christian, Martin, Gabriela. El.: Karl u. Ursula. BV.: Kaulbach Kunstmaler. S.: RG, Jusstud. an d. Univ. Innsbruck. K.: 1978 Prüf. als Steuerberater, 1980 Ges. im väterl. Betrieb. M.: Alpenver., PfarrgemR., Cursillo-Bewegung. H.: klass. Musik, allg. Sport. (W.G.)

Thaler Roland

B.: Inh., Zimmerer. FN.: Holzbau Thaler. DA. u. PA.: 7143 Apetlon, Triftg. 1. G.: Apetlon, 25. Dez. 1962. V.: Gabriela. Ki.: Peter (1984), Theresa (1987), Stefan (1992). El.: Josef u. Theresia. S.: Gymn. i. Mattersburg, 1 J. Hasch i. Frauenkirchen, Lehre i. elterl. Betrieb, 1989/90 Mstr.-Prüf. u. Übern. d. Betriebes. M.: Kammer d. gewerbl. Wirt., Fußballverein u. Tennisver. Apetlon i. Vorst. H.: Tennis, Skifahren. (R.T.)

Thaler Walter Mag. phil.

B.: 2. Präs. d. Slzb. Landtages, Landtagsabg., Dir. d. BRG. DA.: 5020 Salzburg, Chiemseehof. G.: St. Johann/Pongau, 30. Okt. 1941. V.: Helga, geb. Wind. Ki.: Mag. iur. Veronika (1965), Dr. med. Walther (1966), Christoph (1979). El.: Hans u. Katharina. S.: 1960 Reifeprüf., 1965 Abschluß d. Stud. Germanistik u. Anglistik Innsbruck. K.: seit 1969 Mtgl. d. Gem.-Vertretung, seit 1974 VBgm. v. Zell am See, seit 1982 Bgm. u. Landtagsabg.. s. 1993 2. Präs. d. Slzb. Landtages, seit 1978 Dir. d. BRG Zell am See, seit 1986 Landesvors. d. Arge Sozialdemokrat. Gem.-Vertreter. P.: Lehrbuchautor, 2 Bände: Abriß d. Dt. Literatur, versch. Fachart. in kommunalpolit. Zeitschriften. M.: div. Ver. d. Gem. H.: Sport, Lektüre v. zeitgenöss. dt. u. engl.-sprachigen Autoren. (M.T.)

Thalermaier Johann

B.: Inh. u. Gschf. d. Sedda Polstermöbelwerke GmbH & Co KG. DA.: 4701 Bad Schallerbach, Linzer Str. 5 u. 4702 Wallern, Mitterweg 45. G.: Bad Schallerbach, 1. Aug. 1934. V.: Hedwig, geb. Jeschko, 3 Ki. El.: Johann u. Maria. K.: 1959 Tapezierermstr., 1961 Grdg. d. Fa. Sedda als 1-Mann Betrieb u. Ausbau zu einem Untern. mit dzt. 420 Beschäftigten. E.: Gold. Verdienstabz. d. Landes OÖ 1985, Silb. Verdienstabz. d. LInnung d. Tapezierer OÖ u.a. M.: Langjähr. Funktionär in d. LInnung, Bez.-Innungsmtr. H.: Skilaufen, Fußball. (H.D.)

Thalhamer Hubert Hans Dipl.-Ing. w.HofR.
B.: Dir. d. BAnst. f. Lebensmitteluntersuchung. DA.: 4020 Linz, Bürgerstr. 47. PA.: 4470 Enns, Reinthalg. 49. G.: Wien, 16. Nov. 1935. V.: Maria, geb. Rogl. Ki.: Mag. pharm. Bernhard (1964), Barbara (1966), Rita (1972). El.: Hans u. Leopoldine. S.: VS, Hum. Gymn., 1954 Matura, 1954-59 Stud. Lebensmitteltechnologie u. Gärungstechnik Univ. f. Bdk. Wien, 1959 Spons. Dipl.-Ing. K.: 1960-63 Chemiker Zuckerfbk. Enns, seit 1963 BAnst. f. Lebensmitteluntersuchung, seit 1985 Dir. BL.: Gerichtssachverst. in Lebensmittelangelegenheiten. M.: Codexkommission - Codex Alimentarius Austriacus, Alpenver. H.: Skibergsteigen, Radwandern, Fotografieren. (H.B.)

Thalhammer Anton Dr. Dkfm. KommR.
B.: Gen.-Dir., Gschf. d. Adeg-Invest Zentrale Realitätenverwertung GmbH Wien, Adeg-Invest Realitätenverwertung EKZ Villach GmbH & Co Wien, ADEWE Werbemittlungs u. Werbegestaltungs GmbH Wien. PA.: Maria Taferl. M.: Vorst.-Vors. Adeg Österr. Hdls. AG Wien, Vorst. d. Adeg Ost Gr.Einkauf d. Kaufleute rGenmbH St. Pölten, Vorst.Obm. d. Adeg Bürgschaftsgen. rGenmbH Wien, AufsR.-Vors. d. Volksbank NÖ-Mitte rGmbH St. Pölten, AufsR. Österr. Volksbanken AG Wien.

Thalhammer Edina
B.: Sängerin, Texterin "Papermoon". DA. u. PA.: 1070 Wien, Schottenfeldg. 46. G.: Wien, 27. Mai 1968. El.: Dr. Erwin Thalhammer u. Prof. Beatrice Ferolli. S.: 1987 Matura, abgebrochenes Sprachstud. Univ. Wien. K.: 1991 Grdg. "Papermoon" m. Partner Christof Straub, 1992 Veröff. d. 1. Albums "Tell me a poem" m. vorwiegend akust. Balladen, anschl. österr.-weite Tournee m. über 50 Konzerten u. zahlr. Fernsehauftritte, 1994 Veröff. d. 2. Albums "The world in Lucy´s eyes", Autorin d. dt.-sprachigen Texte. E.: 1992 Sieger d. Pop-O-Drom Wettbewerbes, Gold u. Platin f. d. Album "Tell me a poem", 1993 z. "Austro-Band d. J." gewählt. H.: gut Essen, Singen, Tanzen. (J.S.)

Thalhammer Erwin Dr. iur.
B.: Präs. d. BDkmA. i.R., Schriftsteller. PA.: 1190 Wien, Krottenbachstr. 1/6. G.: Graz, 11. Juli 1916. V.: Prof. Beatrice Ferolli-Thalhammer. Ki.: Edina (1968). El.: Dr. Albert u. Stefanie, geb. Weiß. S.: Hum. Gymn. Graz, Jusstud. Univ. Graz, 1938 Doktorat. K.: 1938-46 Soldat d. Dt. Wehrmacht u. Kriegsgefangenschaft, ab 1946 Gericht in Wien u. in d. Allg. Verw. d. BH Murau/Stmk., ab 1951 im ehemaligen BMU in Wien, Referate f. Museen, Sammlungen u. Ausstellungen, Denkmalschutz u. Denkmalpflege, Kunst-HS, bes. Rechtsangelegenheiten d. Kunstverw., 1965-70 Ltr. d. Bundestheaterverw. 1970-82 Präs. d. BDkmA. b. z. Pensionierung. P.: einige Erzählungen in Zeitungen z.B. in d. Presse, Bücher: "Der Patriotenigel" (1984), "Der Kentaur" (1988). E.: Gr. Silb. EZ f. Verd. um d. Rep. Österr., Gr. Gold. EZ f. Verd. um d. Land Stmk., Gr. Silb. EZ d. Stadt Wien, Gr. Silb. EZ d. Landes NÖ, Großoffz.-Kreuz m. Stern d. Malteser VO, Ehrenring d. Wr. Staatsoper, Großoffz.-Kreuz d. Nordweg. St. Olafs-Ordens, Komptúrkreuz m. Stern d. Fürstentums Liechtenstein. M.: P.E.N.-Club, Rotary, Ehrenpräs. d. Icomos-Österr. H.: Geschichte. (J.S.)

Thalhammer Franz Dr.
B.: Prim., Anästhesist am LKH Bad Ischl. DA.: 4820 Bad Ischl, Dr.-Mayr-Str. 8-10. PA.: 4820 Bad Ischl, Traunkai 12d. G.: Feldkirchen, 17. Juni 1946. V.: Maria, geb. Thomas. Ki.: Agnes, Matthias, Eva, Anna Theresa. El.: Franz u. Hilde. S.: 1965 Matura, 1965-72 Stud. d. Med. in Wien, 1972 Prom. K.: 1972-75 Turnusausbild. z. prakt. Arzt in d. KH d. Barmherzigen Schwestern in Wien u. Linz, Elisabethinen Linz, FA-Ausbild. 1975-78 b. d. Barmherzigen Brüdern in Linz, 1976 als Gastarzt d. Anästhesie in Starnberg, seit 1979 am LKH Bad Ischl, 1980 Studienaufenthalt an d. Yale Univ. USA, seit 1983 Ltr. d. Inst. f. Anästhesie in Bad Ischl. P.: versch. wiss. Arb. u. Vorträge über Anästhesiologie u. deren Probleme in versch. wiss. Zeitungen. M.: Ges. z. Studie d. Schmerzes, Österr. Akkupunktur Ges., Ges. f. Anästhesie u. Intensivmed. H.: Bergsteigen, Schach. (M.B.)

Thalhammer Wolfgang R. Dr.
B.: Personalltr. FN.: Gram Tool Austria. DA.: 1191 Wien, Muthg. 64. PA.: 1140 Wien, Serrauag. 1F/2. G.: Wien, 25. Juli 1939. Ki.: Stefanie. El.: Robert u. Aloisia. S.: AHS, Univ. Wien, Jus-Stud. K.: 1969-74 Länderbank Schulung, 1974-77 Norma Meßtechnik Personalltr., 1977-80 SGP Personalbeschaffung, Einsatz, Sozialwesen, seit 1981 Gram Tool Austria Personalltr. H.: Bogenschießen, Wandern. (Kas.)

Thalinger Christine
B.: Untern., Künstlerin. FN.: Sun Point. DA u. PA.: 4810 Gmunden, Linzerstr.10. G.: Gmunden, 23. Nov. 1947. KI.: Alexander (1967), Siegfried (1968), Birgit (1979), Andrea (1980). EL.: Franz u. Agnes. S.: VS, HS, HASCH. K.: Bürotätigk. in Gmunden u. Altmünster, 1983-89 Außendienst Fa. E.H.S. tätig, 1989 selbst., Eröffn. e. Sonnen - Farb & Stilberatungs Studios, s. 1991 a. V.H.S. Referentin i. Persönlichkeitsbildung u. Farb u. Stilberatung, sowie Imageberatung. P.: mehrere Ausstellungen in Pinsdorf, Traunkirchen, usw. H.: Bergsteigen, Klavier, Kunst. (G.E.)

Thaller Elisabeth
B.: Betriebsltr. d. Zentral-Kino, Personalchefin d. Linzer Kino. DA.: 4020 Linz, Landstr. 36. PA.: 4020 Linz, Waltherstr. 8. G.: Graz, 15. Apr. 1960. S.: Gymn., 1979 Matura, Med.-Stud., HS f. künstler. u. Ind. Gestaltung. K.: 1989 Filmvorführprüf. m. Praxis, s. 1991 Betriebsltr. d. Zentral-Kino Linz. H.: Zeichnen, Malen, Reiten. (P.H.)

Thaller Günther Dr. iur. HofR.
B.: Sicherheitsdir. f. d. Bundesland Sbg. DA.: 5010 Salzburg, Postf. 520. G.: Klagenfurt, 6. Febr. 1936. V.: Beatrix. Ki.: Irene, Thomas. S.: 1954 Matura., 1954-59 Stud. Univ. Innsbruck, 1959 Prom. K.: 1959 Eintritt in d. Höheren Polizeidienst, Verwendung b. d. BPolizeidion. Innsbruck u. Wien, seit 1961 Sbg., seit 1969 b. d. Sicherheitsdion. f. d. Bundesland Sbg. als Abt.Ltr. u. Vertreter d. Behördenltr., 1983 Sicherheitsdir. f. d. Bundesland Sbg. H.: Bergsteigen, Windsurfen, Radfahren. (A.W.)

Thaller Heribert
B.: Manager d. Ski Paradies Dachstein-Tauern Region, seit 1983 Hotelier d. Hotel z. Stadttor. DA.: 8970 Schladming, Coburgstr. 52, 8970 Schladming, Schulg. 430. PA.: 8970 Schladming, Roseggerstr. 497. G.: Stein/Enns, 12. Febr. 1928. V.: Karoline, geb. Mayer. Ki.: Margit (1949), Gudrun (1952), Brigitte (1956), Michaela (1966). El.: Hubert u. Adelheid. BV.: Großvater Johann Koller Bgm., Gastwirt u. passionierter Jäger Kleinsölk. S.: VS Stein/Enns, kfm. Lehre Firma Schlögl Rottenmann, Kriegsfreiwilliger. K.: 25 J. Verkäufer Landges. Ennstal, Hauptabt.-Ltr., Stellv. u. Gen.-Sekr. d. Alpinen Ski-WM 1982, Organisator v. Großveranstaltungen wie Alpine Ski-Weltcuprennen, Snowboard-EM u. EK-Mtgl. f. Special-Olympics 1993. BL.: Chronist d. Fotodokumentation v. Schladming ab ca. 1855. P.: Mitautor d. Buches "Spuren d. kein Wind verweht" - 100 J. steinsche Geschichte. E.: Silb. VZ d. Rep. Österr., Gr. EZ d. Landes Stmk., Gold. EZ d. Steir. Skiverb., Silb. EZ d. ÖSV. M.: langjähriger aktiver Fußballer, vielfacher Sieger im Eisstockweitschießen u. Skispringen, mehrmaliger Stadtmstr. im Tennis, Mitarb. in versch. Ver. u. Organ., Errichter d. 1. Skimuseums in d. Oberstmk., langjähriger Schriftführer d. freiwilligen Feuerwehr, 15 J. Obm. d. ÖVP Schladming. H.: Fischen, Zeitgeschichte, Sammeln v. Militaria. (M.T.)

Thaller Robert Dr.
B.: LandesR. FN.: FPÖ Salzbg. DA.: 5010 Salzburg, Chiemseehof. PA.: 5026 Salzbg, Waldburgerg. 7. G.: St. Johann/-Pongau, 2. Jun. 1952. V.: Angelika, geb. Gröger. Ki.: Erik (1976), Michael (1979), Stefanie (1985). S.: VS, Human. Gymn. Sbg., BH als einjähr. Freiwill., 1972-78 Stud. a. d. Rechts u. staatswiss. Fakult. d. Univ. Sbg. u. Innsbr. K.: 1975-76 Obm. d. Ringes Freih. Stud., Mandatar d. Hauptaussch. d. öst. Hochschülersch. a. d. Univ. Sbg., 1979 Prom. z. Dr. Juris., Eintr. i. d. Kanzlei d. öff. Notars Dr. W. Steiner i. Sbg., s. 1989 Abg. z. Sbg. Landtag, s. 1990 v. Sbg. Landt. delegiert. Wahlbeobacht. z. d. 1. freien Parlamentswahl. i. Litauen. M.: s. 1989 Mtgl. d. BezJagdR. d. Stadt Sbg., zw. 1975 u. 79 mehrm. Sprech. u. Fechtwart d. Akad. Lnadsmannsch. d. Sbg., s. 1974 Akad. Landsmannsch. d. Sbg., s. 1982 Lions Club Sbg. Mirabell.

Thalmayr Otto
B.: Bäckermstr. u. Kfm. FN.: Firma Otto Thalmayr. DA. u. PA.: 5203 Köstendorf, Schleedorf 15. G.: Nußdorf, 11. Feb. 1937. V.: Erna, geb. Klampfer. Ki.: Otto jun. (1984). El.: Bangratz u. Maria. S.: Bäcker u. Müllerlehre i. Köstendorf, 15 J. b. Fa. Vogel i. Köstendorf, 1964 Heirat, 1.1.1965 Bäckerei übernommen, modernisiert u. zugebaut, s. 1965 Lehrlinge ausgebildet, 1968 m. Lebensmittelgeschäft begonnen, 1970 vergrößert, 1975 nochmals erw. u. vergrößert, 1994 14 Ang. H.: Kneippen, Sauna, Schwimmen, Radfahren. (S.P.)

Tham Christine

B.: Journalistin, Red. FN.: "Täglich Alles". DA.: 1210 Wien, Ignaz-Köck-Str. 17. PA.: 1210 Wien, Tilakstr. 45. G.: Wien, 14. Okt. 1970. El.: Dr. Josef u. Dr. Brigitte Tham, geb. Grünwald. S.: 1989 Matura, Stud. Musik u. Russ. Univ. Wien. K.: 1993 Eintritt Fernsehred. v. "Täglich Alles", lfd. Interviews m. berühmten Persönlichkeiten, Mitwirkung an versch. Veranstaltungen. H.: Musik (Querflöte), Kultur, Theater, Schwimmen, Radfahren, Tiere. (N.A.)

Thanel Peter Ing.
B.: Bmstr., Untern. in d. Baubranche. FN.: Bmstr. Ing. Peter Thanel. GT.: gerichtl. beeid. Sachv. u. Schätzmstr. in Sachen "Baufragen". DA. u. PA.: 3250 Wieselburg, Breiteneicher Str. 3. G.: St. Pölten, 18. Febr. 1936. V.: Elisabeth, geb. Landstetter. Ki.: Peter, Wolfgang. El.: Gottfried u. Marianne. BV.: Gottfried Thanel v. 1963-69 Bgm. d. Marktgem. Wieselburg, Verwandte: Maria Ebner v. Eschenbach. S.: VS, HS, HTL Krems, 1955 Matura, 9 J. einschlägige Praxis b. Bmstr. Sdraule in Melk. K.: 1963 Grdg. d. Baufa., Bauuntern.: Bmstr. Ing. Peter Thanel, Planung u. Ausbau v. Hoch- u. Tiefbauten, großräumiger Wohnbau, gerichtl. beeid. Sachv. u. Schätzmstr. in Sachen "Baufragen", Bez.Obm. v. "Freien Wirtschaftsverb." f. d. Bez. Scheibbs, seit 1985 SPÖ-GemR. d. Stadtgem. Wieselburg. F.: Bmstr. Ing. Peter Thanel. E.: Gold. Med. d. Stadtgem. Wieselburg. M.: Lions-Club Wieselburg. H.: ital. Oper u. Wagner, Konzerte. (Kern)

Thanner Georg
B.: Werbegrafiker u. Illustrator. FN.: THANNER, Studio f. Werbegrafik, Text u. Konzept. DA. u. PA.: 1190 Wien, Heiligenstädter Str. 117/27. G.: Linz, 16. Jän. 1953. V.: Karin, geb. Neff. Ki.: Sophie (1981), Philippa (1982). El.: Dr. Erich u. Zita, geb. Zeßner-Spitzenberg. S.: Externistenmatura, Stud. Kunstgeschichte u. Geschichte Univ. Wien. K.: ab 1980 Aubild. b. d. Grafiker Franz Halmer, anschl. Agenturpraxis b. GGK Wien, Grey Austria u. Lintas Wien, seit 1986 selbst. als Werbegrafiker u. Illustrator. P.: Art. in Fachzeitschriften. H.: Musik, Literatur, Kunstgeschichte, Arch. (J.S.)

Thannhausser Franz Dr. Mag. HofR.
B.: Dir. i.R., Prof. PA.: 4030 Linz-Ebelsberg, Ziererfeldstr. 21a. G.: Wien, 21. Febr. 1931. V.: Prof. OStR. Mag. Irmingard, geb. Kapfer. Ki.: Cornelia (1957). El.: Franz u. Justine. S.: Hum. Gymn., Univ. Wien, Lehramtsprüf. aus Math., Physik, Kurzschrift, Mag. rer. nat. 1953, Dr. phil. (Math., Physik) 1955, zusätzl. Privatstudien. K.: 1954-58 Prof. an d. BHAK Linz, 1958-80 Prof. am Ak. Gymn. Linz, 1981-91 Dir. am BOberstufengymn. Linz, seit 1989 HofR., 1970-87 Ltr. d. Kath. Bildungswerkes St. Paul/Linz, 1972-91 Trainer d. österr. mathem. Olympiade-Teams, 1973-81 Ltr. d. Computer-Anl. am Ak. Gymn. bzw. an d. HTBLA II Linz, 1976-86 Abhaltung v. EDV-Ausbildungskursen f. Lehrer, Lehrbeauftragter d. Univ. Linz f. Schachprogrammierung (1986-90). P.: Über d. Produkt v. 4 nicht homogenen Linearformen, (Diss.), div. Art. über Schach, Leistungstests in Physik u.v.a. E.: Anerkennungsschreiben d. BMU f. erfolgreiche EDV-Wahlhochrechnung, Dank- u. Anerkennungsschreiben f. Verd. um d. Mathem.-Olympiaden d. LSchulR. f. OÖ u. d. BMU. M.: Österr. Mathem. Ges., Österr. Schachverb., Intern. Correspondence Chess Federation, div. kirchl. Komitees in OÖ, Ver. christl. Mittelschullehrer, Österr. Prof.-Union, ÖGB, Studentenverb. Frankonia Wien, Siegfriedia Linz. H.: Fotografie, Reisen, Kunst- u. Kunstgeschichte, Literatur, Parapsychologie, Schach, EDV.

Thausing Gertrude Dr. Prof.
B.: Prof. am Inst. f. Ägyptologie d. Univ. Wien. DA.: 1090 Wien, Frankg. 1. PA.: 1080 Wien, Schlösslg. 13. BV.: Prof. M. Thausing: bekannter Dürerforscher. S.: Gymn., Stud. Ägyptol. u. Afrikanistik, sowie Keilschrift, Geschichte, Völkerkunde u. Phil. u. Kunstgesch. K.: wiss. Ass., dann Doz., o. Prof. f. Ägyptol. u. Afrikanistik, Vorst. d. Inst. GEW. P.: Auferstehungsgedanke im alten Ägypten, Totenbuch, Sein u. Werden sowie über alle Gebiete d. ägypt. Religion u. Geistigkeit, Publ. in Fachzeitschr. E.: Orden v. Präs. Sadat, Österr. Hammer-Purgstall-Med. in Gold. M.: Österr. Dt. Arch. Inst. H.: Reisen, geistige Interessen, klass. Musik. (M.Br.)

Theessink Hans

B.: Blues-Sänger, Gitarrist, Komponist, Textdichter. FN.: Agentur Milica. GT.: Inh. d. Plattenfa. "Blue Groove". DA.: 1160 Wien, Liebhartstalstraße 15/5. G.: Enschede/Holland, 5. Apr. 1948. V.: Milica, geb. Djokic. Ki.: Maria (1972). El.: Maria u. Jakob. S.: Absolvent d. Pädag. Akademie in Holland; als Musiker Autodidakt. K.: Beginn d. Karriere Mitte d. 60iger Jahre, erste Erfolge in Clubs u. auf Festivals, weitere Engagements in d. ganzen Welt folgten, u.a. "New Orleans Jazz & Heritage Festival", neben Van Morrison d. einzige Europäer, "Chicago Blues Festival", neben Dr. John d. einzige weiße Musiker, d. erste Europäer, d. seit Bestehen d. Festivals gebucht wurde,1988-90 "Kerrville Folk Festival" in Texas, als einziger nicht-amerik. Künstler, seit 1982 Wahlheimat Wien, Auftritte im Jazzland, Metropol, div. Festivals, Konzerte u. Workshops mit zahlr. Musikern, Tourneen im Ausland; 1993 u. 1994 Bestes Album d. Jahres in d. Kategorie BLUES, zahlr. Plattenveröffentl.

zwischen 1970 u. 1994, z.B.: "Titanic", "Baby wants to Boogie", "Johnny & the Devil", "Call me", "Live", u.v.a., div. Sampler u. Singleauskoppl. M.: AKM. H.: Beruf. (J.S.)

Theil Günther Mag. phil. Mag. art. Prof.

B.: Stadtmusikdir., Dir. d. Städt. Musikschule Kapfenberg. DA.: 8605 Kapfenberg, Friedrich-Böhler-Str. 9. PA.: 8600 Oberaich, Forstwald 79. G.: Wien, 17. Sept. 1935. Ki.: Mag. pharm. Silvia, Robert, Claudia. El.: Michael u. Maria. S.: 1953 Matura, 1951-56 Inst. f. Jazzmusik (Walter Heidrich) im Hauptfach Klavier, 1959 Lehramtsprüf. Musik, Geschichte Univ. Wien, 1973 Mag. phil., 1959-61 Sonderlehrgang Klangreihen - Kompositionen an d. Musikak. Wien, 1972 Dipl. in d. Studienrichtung Orchesterltg. Musik-HS Graz, 1984 Mag. art. K.: 1959 Gymn.Lehrer BRG Bruck, 1970 Ltg. Musikschule Kapfenberg. BL.: 1971 Ltg. u. Planung d. v. d. Stadtgem. durchgeführten musikal. Veranstaltungen, Künstler. u. administrative Ltg. d. Orchesters d. Ges. d. Musikfreunde Kapfenberg, seit 1971 alle Konzerte dieses Orchesters dirigiert u. auch m. namhaften Solisten zusammengearb., seit 10 J. Beschäftigung u. Erforsch. d. solist. Blues u. Boogieklavierspiels u. auch d. Stridepianospiels durch Transkribieren vieler Schallplatten Originalaufnahmen. E.: 1984 Silb. EZ f. Verd. um d. Rep. Österr., 1990 Prof. M.: Schlaraffia. H.: Fußball, Radfahren. (M.Gu.)

Theimer Uwe

B.: Kapellmstr. in d. Volksoper. DA.: 1090 Wien, Währingerstr. 78. PA.: 1180 Wien, Eckperg. 25. G.: Prag, 9. Juli 1944. V.: Christina, geb. Heerdegen. Ki.: Marie Theres (1973), Konstanze (1976). El.: Otto u. Iris, geb. Zerzawy. BV.: im XIII. Jhdt. war einer d. Zerzawy Bgm. v. Prag, Großtante Gretl Theimer war in d. 30er J. eine berühmte Filmschauspielerin. S.: 1954-59 Wr. Sängerknabe, 1963 Matura LBA Wien, 1959-65 Stud. Komposition u. Dirigieren an d. Ak. f. Musik u. darstell. Kunst. K.: Kapellmstr. in d. Wr. Volksoper als Begleiter (Klavier) d. Solisten, zahlr. Gastspiele im In- u. Ausland. BL.: Österr. Erstaufführung d. Oper v. Hans Werner Henze "Pollicino" in d. Volksoper. P.: zahlr. Schallplattenaufnahmen v. Operetten, Walzern u.s.w. M.: AKM, Austro Mechana. H.: Kammermusik. (N.A.)

Thein Hildegard Oberin

B.: Dipl.-Krankenschwester, stellv. Vors. d. Gewerkschaft d. Gem.-Bediensteten, Vors. d. Hauptgruppe II. Wr. Krankenanstaltenverbund. DA.: 1090 Wien, Maria-Theresien-Str. 11. PA.: 2062 Seefeld, Kadolz 315. G.: Deutschlandsberg, 25. Nov. 1935. V.: Fred Thein. El.: Josef u. Maria Gritsch. S.: VS, HS, 3 J. Krankenpflegeausbild. m. Dipl., zahlr. Seminare u. Fortbild.-Kurse auf gewerkschaftl. u. berufl. Ebene. K.: 10 J. Krankenpflegepraxis Wilhelminenspital Wien, ab 1966 Mtgl. d. Dienststellenaussch. d. Wilhelminenspitals, 1976 stellv. Vors. d. Fachgruppenver. im ÖGB, ab 1981 Vors., seit 1982 Vors. d. Dienststellenaussch. im Wilhelminenspital, 1991 stellv. Vors. d. Gewerkschaft d. Gem.-Bediensteten. P.: ständige Art. in d. Zeitung "Soziale Berufe", seit 1975 Red.-Ltr. dieser Zeitschrift. M.: Gesundheitsaussch. d. internationalen öff. Dienste. H.: Tiere (Pferde, Hunde), Reisen. (F.S.)

Theininger Alfons

B.: Grafiker-Art-Dir. FN.: Hahn & Partner, Grafiker-Art-Direktion. DA.: 1070 Wien, Lindeng. 43. PA.: 1130 Wien, Firmiamg. 55/5. G.: Villach, 27. Mai 1963. El.: Alfons u. Ingrid, geb. Hinterer. S.: Privathausschule, 1980-85 Höhere Grahische Lehr- u. Versuchsanstalt. K.: s. 1984 als Grafiker beruflich tätigk, 1986 b. d. DDB i. d. Cordula Alessandri Art-Dir., 1987 Layouter b. d. Publicis, 1988-94 Art.-Dir. b. Rock & Partner, ab 1994 i. d. obenerwähnten Pos. m. Schwerpunkt: Illustrationen. H.: Hund, Mountainbike. (N.A.)

Theiss Andreas Dr.

B.: RA. DA.: 1010 Wien, Schubertring 8. PA.: 1010 Wien, Johannesg. 12. G.: Gmunden, 27. März 1946. V.: Alexandra, geb. Larisch-Mönnich. Ki.: Johannes, Marielle. S.: Gymn., Jusstud. K.: Seit 1977 selbst. RA in Wien, Sparte Bankrecht, Vers.-Recht. H.: Skifahren, Tennis. (Hau.)

Theiss Max Arthur

B.: Gschf. Ges. FN.: Druck u. Verlagshaus M. Theiss GmbH. DA.: 9400 Wolfsberg, Schleifen 11. PA.: 9400 Wolfsberg, Stenitzergarten 181. G.: Wolfsberg, 8. Apr. 1939. V.: Irmengard, geb. Wölfl. Ki.: Maximilian. El.: Max u. Grete. S.: Pflichtschulen, Berufsschule (Setzer). K.: seit 1955 b. Fa. Theiss tätig, ab 1976 Gschf. Ges. BL.: Staatspreis f. d. vorbildl. Herstellung eines Buches. E.: Silb. Mitarb.Med. d. HK. H.: Photographie, Lesen, Musik, Reisen, Skifahren, Schwimmen. (S.G.)

Themessl Curt

B.: freisch. Fotograf u. Inh. FN.: Atelier Curt Themessl Fotostudio. DA.: 1060 Wien, Schadekg. 5. PA.: 1060 Wien, Schadekg. 5. G.: Wien, 25. Apr. 1957. V.: Barbara Lieben. El.: Carlo u. Franziska. S.: Lehrzeit, Ass. b. div. Fotografen, Gesellenprüfung. K.: n. Ausb. freisch. u. selbst. Fotograf, v. 1980-90 größtenteils i. Ausland (Holland, Deutschland, New York, San Franzisko, Chikago), 1987 Grdg. eig. Studio m. Schwerpunkt Modefotografie, Aufbauten-Fotografie, a. zahlr. nationalen u. int. Kampagnen. E.: zahlr. nationale u. int. Ausz. u. Preise, Die Anzeige d. J. (1984 u. 1985 Diner's Club u. 1984 Ikea). H.: Reisen. (F.S.)

Themessl Hans

B.: Gschf., Tourismusdir. FN.: Tourismusverband Lienzer Dolomiten. GT.: Gschf. Filiale d. Tir. Landesreisebüro. DA.: 9900 Lienz, Europaplatz 1. PA.: 9900 Tristach, Griesweg 41. G.: Tristach, 24. Dez. 1950. V.: Josefine, geb. Maier. Ki.: Thomas (1978), Katrin (1979), Gregor (1985). El.: Josef u. Alberta. S.: VS, HS, BORG, MUPÄD Lienz, 1970 Matura, Militär, Stud. Vw. Innsbruck. K.: 1976 Einstieg Firma Blizzard, 1977 Verkaufsltr. Österr., Gschf. Vertrieb Österr., 1983 Marketing- u. Vertriebsltr. b. ADIDAS Österr. Klagenfurt, 1986 Berufung Gschf. Blizzard Deutschland in München, seit

1989 Gschf. im Tourismusverb. Lienzer Dolomiten. M.: AufsR. b. d. Lienzer Bergbahnen AG, Grdg.-Mtgl. d. SV Tristach 1968, Grdg.-Mtgl. u. VPräs. d. Triathlonverb. Ktn. u. Mtgl. weiterer örtl. Ver. H.: Sport in jeder Art, Ski alpin, Langlaufen, Tennis, Radfahren, Mountainbiken, Golf. (M.T.)

Themeßl Hubert Mag. OStR.
B.: Dir. FN.: Gym. u. Realgym. d. Schulver. Kollegium Alosianum. DA.: 4020 Linz, Freinbergstr. 32. PA.: 4040 Linz, Pragerstr. 13. G.: Kärnten, 1. Nov. 1941. V.: Mag. pharm. Kohout. Ki:. Susanne (1968), Michaela (1972). El.: Josef u. Theresia. S.: VS, Gym., 1961 Mat. in Kärnten, 1961-66 Stud. in Geschichte u. Sozialk., Geographie u. Wirtschaftsk. in Innsbruck, 1967 BH. K.: 1967-71 im Schuldienst bis heute: Unterrichtstätigk. in d. heutig. Schule, 1967-71 auch zusätzl. im OHG in Stiferstr., Tätigk.: im Päd. Inst. in Seminar f. Berufspraxis, in ARGE f. Geographie, in Päd. Ak., Abnahme Hauptschulprüfungen, Lehreraus- u. Weiterbild., seit 1992 Dir. E.: 1992 OStR. H.: Gartenarbeit, Bergwandern, Skifahren. (U.A.)

Thenius Erich Dr. o.Prof.
B.: em. o.Prof. am Inst. f. Paläontologie u. Paläobiologie d. Univ. Wien. DA.: 1010 Wien, Universitätsstr. 7/2. PA.: 1130 Wien, Frimbergerg. 1/2/6. G.: Abbazia, 26. Dez. 1924. El.: Dipl.-Ing. Alfred u. Anna. BV.: KonsistorialR. Dr. Otto Thenius. S.: RG Baden, 1942 Matura, Univ. Wien Stud. Zoologie, Botanik, Paläontologie, Geologie u. Anthropologie. K.: 1943 wiss. Hilfskraft, 1946 Prom., 1950 auswärtiger Mitarb. d. Österr. Arge f. Ur- u. Frühgeschichte, 1951 Habil., 1954 nichtständiger Ass. am Paläontolog. Inst. d. Univ. Wien, 1954 auswärtiger Mitarb. d. Geolog. BAnst., 1955-56 Vorst.-Mtgl. u. Schriftführer d. Paläontolog. Ges., 1957 tit. a.o.Univ.-Prof., 1958 ständiger Ass., 1961 korresp. Mtgl. d. Österr. Ak. d. Wiss., 1962 a.o.Univ.-Prof., 1964 korresp. Mtgl. d. Österr. Arge f. Ur- u. Frühgeschichte, 1965 o.Univ.-Prof., 1966-69 Präs. d. Österr. Paläontolog. Ges., 1979 Ehrenmtgl. d. Österr. Ak. d. Wiss., 1979 korresp. Mtgl. d. Geolog. BAnst., 1980 Ehrenmtgl. d. Österr. Geolog. Ges., 1983 korresp. Mtgl. d. Jugoslaw. Ak. d. Wiss. u. Künste Zagreb, 1984 Ehrenmtgl. d. Österr. Paläontolog. Ges., 1985 Emeritierung, 1985 Ehrenmtgl. d. Dt. Ges. f. Säugetierkunde, 1987 Mtgl. d. Ak. d. Naturforscher Leopoldina Halle, 1992 Ehrenmtgl. Paläont. Ges. P.: mehr als 300 wiss. Publ., davon über 30 Bücher u. Skripten, Mithrsg. folgender Zeitschriften u. Sammelwerke: "Zeitschrift für Säugetierkunde", "Folia Primatologica", "Annales de Paléontologie", "Grzimeks Tierleben". H.: Bergsteigen, Wandern.

Ther Christian

B.: Zweigstellenltr. BKS Ktn. DA.: 9620 Hermagor, 10.-Oktober-Str. 5. PA.: 9620 Hermagor, Untervellach 91. G.: Reichenberg/Tschechien, 3. März 1941. V.: Brigitte, geb. Rorensky. Ki.: Silvia (1969). El.: Heinrich u. Gertrude. S.: VS, HS, HAK, 1960 Matura, BH. K.: seit 1962 Tätigkeit in d. BKS Villach u. Velden, ab 1973 Zweigstellenltr. in Hermagor, 1973/74 in d. 1. fahrbaren Zweigstelle Ktn. M.: seit 1984 Kassier Österr. Alpenver, seit 1982 Rotary Club Hermagor, div. örtl. Ver. H.: Tennis, Schwimmen, Skifahren, Tennis, Eislaufen, Langlaufen. (G.L.)

Therner Franz KommR.
B.: Kfm. DA.: 2401 Fischamend, Dr.-Blitz-Weg 1. PA.: 2401 Fischamend, Kl. Neusiedlerstr. 19. G.: Fischamend, 21. Sept. 1940. V.: Anna, geb. Svoboda. Ki.: Franz. El.: Johann u. Josefa. S.: VS, HS, Lehre b. Fa. Uherek Wien Feinmechan. Werkstätte, 1958 Gesellenprüf. K.: 1960 Eintritt in d. Geschäft d. Schwiegervaters Anton Svoboda Schuhmachermstr., Aufbau eines Schuhgeschäftes u. Erlernen d. Schuhmacherberufes m. Mstr.Prüf. 1966, 1968-71 Weiterführung d. Geschäftes als Witwenfortbetrieb, 1971 selbst., 1983 KommR., 1964-68 Obm. d. Jungen ÖVP Fischamend, 1964-69 Bez.Obm.-Stellv. d. JÖVP, seit 1968 Obm. d. Österr. Wirtschaftsbundes v. Fischamend, seit 1972 Bez.Obm.Stellv. d. ÖWB, seit 1970 GemR., seit 1975 GGR, seit 1987 StadtR., seit 1975 Bez.-Innungsmstr. d. Schuhmacher, 1975-85 Bez.Lehrlingswart, seit 1975 Aussch.Mtgl. d. LGremiums d. Schuhhandels, seit 1980 Aussch.Mtgl. d. Bez.Stelle Schwechat, seit 1986 Außenstellen-Obm. v. Bez. Schwechat, seit 1986 Obm. d. AFG Aktionsgemeinschaft Fischamender Geschäftsleute, 1971-81 Vorst.Mtgl. d. Raika Fischamend, 1981-85 1. Obm.-Stellv. d. Raiffeisenbank Schwechat-Fischamend-Schwadorf, seit 1985 Obm. d. Raiffeisenbank Schwechat-Fischamend-Schwadorf, seit 1982 AufsR. d. Raiffeisen-LBank NÖ- Wien. E.: 1968 u. 1975 Silb. Ehrennadel.

Theuer Alfred Dipl.-Ing.
B.: ehem. Bereichsltr. d. Geschäftsbereiches Ind. FN.: BBC Österr. Brown Boveri Werke AG. DA.: 1100 Wien, Pernerstorfer G. 94. PA.: 2521 Trumau, Grillparzerstr. 2. G.: Sternberg, 30. Dez. 1928. V.: Henriette, geb. Zessner-Spitzenberg. Ki.: Dipl.-Ing. Rudolf, Dipl.-Ing. Maximilian, Dipl.Krankenschwester Maria-Christine, Caroline, Anna-Marie. El.: Alfred u. Olga. S.: VS, Oberschule f. Jungen in Sternberg b. 1943, ab 1944 Einsatz als Luftwaffenhelfer m. gleichzeitigem Schulbesuch, danach Reichsarbeitsdienst b. 1945, versch. Tätigkeiten b. 1946, danach Aussiedlung aus d. damaligen CSR nach Wien, 1946 nach Absolvierung eines Überbrükkungskurses f. Kriegsteilnehmer Studienaufnahme Fachrichtung techn. Physik an d. TH in Wien, 1953 Dipl. K.: anschl. an d. physikal. techn. Bundesanst. (PTB) Braunschweig, 1954 zu BBC Mannheim, 1963 Rückübersiedlung nach Wien infolge v. konzerninternem Wechsel im Rahmen d. BBC, 1964 Abt.Ltr., 1970-88 Prok., ab 1969 verantwortl. f. d. Vertrieb u. Einsatz elektrotechn. Ausrüstungen f. ind. Prod.Prozesse, ab 1989 im Ruhestand. BL.: ehemaliger Patentinh. über ein Verfahren einer kontinuierlichen Haspelregelung. P.: versch. Veröff. über Fachthemen in div. firmeninternen u. -externen Fachzeitschriften. E.: 1985 Silb. EZ f. Verd. um d. Rep. Österr., Officier de L'Ordre du Mono d. Rep. Togo. M.: GemR. d. ÖVP Fraktion in Trumau, Mtgl. d. Wr. Singver. d. Ges. d. Musikfreunde in Wien. H.: Gartenarb., Bergwandern, Radfahren. (G.E.)

Theuer Franz Ing.
B.: Werksltr., Chemiker. FN.: Semperit Reifen AG. DA.: 2514 Traiskirchen, Wienersdorfer Str. 20-24. PA.: 2500 Sooss, Hauptstr. 106. G.: Baden, 29. Juli 1934. V.: Anna, geb. Schweiger. Ki.: Gerlinde (1964), Maria (1965), Elmar (1966). El.: Franz u. Maria. BV.: Urgroßvater Jukel Staatssekr. f. Verkehr, 1919, Landesfeuerwehrkdt. f. NÖ. S.: Pflichtschule, Berufsschule, Ausbild. Chemielaborant, Inst. Technique Superieur Fribourg/Schweiz. K.: Werksltr. Semperit Ireland Ltd. Dublin, Werksltr. Semperit Reifen AG Traiskirchen. E.: Silb. EZ f. Verd. um d. Rep. Österr. M.: Fellow Plastic and Rubber Inst., Rotary Club Baden. H.: Golf, Tennis.

Theuer Franz Prof. Oberst
B.: 1. Stellv. UV d. LGendarmeriekdt. v. Bgld. i.R. GT.: Sachbuchautor, Lyriker. PA.: 7081 Schützen, Hauptstr. 100. G.: Podersdorf am See, 27. Dez. 1922. V.: Pauline, geb. Priel.

Ki.: Mag. Harald, Mag. Günter, Mag. Barbara. El.: Vincenz u. Maria Ceresilia. BV.: Vorfahren waren Großbürgerfamilien u. gehen b. ins J. 1549 zurück. S.: VS, Mittelschule 1951 Matura, 1953-54 Gendarmerieoffz.Ak. in d. Rennwegkaserne in Wien, 1970 Strahlenschutzausbild. K.: 1955-69 Kdt. d. Gendarmerieschule in Rust, 1969-79 2. Stellv. LGendarmeriekdt. u. 1979-86 1. Stellv. LGendarmeriekdt. v. Bgld., seit 1974 Sachbuchautor u. Lyriker. P.: "Thanatos u. Hirtenflöte" (1974), "Verrat an d. Raab" Als Türken, Tartaren u. Kuruzzen 1683 gegen Wien zogen (1975), "Tragödie d. Magnaten" Die Verschwörung v. Murany b. z. Odenburger Reichstag (1978), "Ritterburg Lockenhaus", "Brennendes Land" (1984), "Burg Lockenhaus in d. Geschichte d. Bgld. Grenzraumes im Mittelalter" (1985), "Der Raub d. Stephanskrone" Kampf d. Lillier u. Habsburger gegen d. Hungarden. E.: Gold. EZ d. Rep. Österr. 1979, Förd.Preis aus d. Lorenz Karall-Stiftung 1980, 1977 Oberst, 1972 Gr. EZ d. Landes Bgld., 1959 Silb. u. 1972 Gold. Verd.Med. v. Roten Kreuz, 1967 Ktn. Erinnerungsmed. f. Katastrohenschutz, 1971 VZ v. d. Feuerwehr u. Rettung, 1957 Gold. Med. f. Verd. um d. Rep. Österr., Exekutivdienstzeichen f. 30 J. Treue, 1970 Strahlenschutzleistungsabt. in Bronze u. Silber, 1985 Prof., 1985 LEhrenkreuz in Silber v. österr. LKommandantenschaftsabt. LVerb. Bgld., 1981 Ausz. f. außergewöhnl. Leistungen auf d. Gebiet d. Publizistik v. Kuratorium Bgld. Stiftung Theodor Kery. M.: Kath. Schriftstellerver., Winfried, Kulturgem. "Der Kreis". H.: Schreiben, klass. Musik, Kultur, Reisen. (M.B.)

Theuer Gottfried Dr. Dkfm. o.Univ.-Prof.

B.: Vorst. d. Inst. f. Absatzwirtschaft an d. WU Wien u. Vorst. f. Hdls.Forsch. d. Univ. Wien. DA.: 1090 Wien, Aug. 2-6. PA.: 1180 Wien, Mollg. 19. G.: Wr. Neustadt, 2. Aug. 1924. V.: Jenny, geb. Pollanz. Ki.: Johanna, Wolfgang. S.: 1942 Matura, 1942-46 Kriegsdienst, Gefangenschaft, 1946-51 Stud. an d. HS f. Welthdl., 1951 Dipl. u. Prom. K.: 1953 Ass., 1959 Doz., 1965 Prof. u. Inst.Vorst., Auslandsaufenthalte u.a. Schweiz, GB, Südafrika, USA, Vorst. d. Inst. f. HdlsForsch. in Wien, Vortrags- u. Seminartätigkeit im In- u. Ausland, Vorst.Vors. d. Österr. Ges. f. Absatzwirtschaft u. Mtgl. d. Schriftltg. d. Zeitschrift "Der Markt", Red.Mtgl. d. österr. werbewiss. Ges. Wien sowie d. dt. werbewiss. Ges. Bonn. P.: Publiz. Tätigkeit u.a. in in- u. ausländ. Fachzeitschriften sowie in einschlägigen Handbüchern u. Sammelveröff. E.: Viktor Mataja-Med. 1980. (P.R.)

Theuermann Erwin Mag.

B.: Hotelier, HAK-Lehr. FN.: Biohotel Alpenrose. DA. u. PA.: 9872 Millstatt, Obermillstatt 84. G.: Wolfsberg, 25. Apr. 1956. V.: Brigitta, geb. Obweger. El.: Maria u. Valentin. S.: VS, HS, HAK, Mat., BH. K.: 1976-78 Tät. im Bankwes., 1978-82 Stud. Betriebsw. i. Graz, Spons. 1982, 1982-83 päd. Ausb. u. s. 1983 als HAK-Lehr. i. Wolfsberg, Villach u. Spittal/Drau tät., Ausb. z. Heimass. u. Landesskilehr., Biotrain.Ausb. b. Willy Dungl, 1984 Heirat u. Mitarb. im ehel. 1964 ggrd. Betr., 1974 1. Öst. Biohotel, Mitbegrd. d. Verein. "Die gesungen 9" i. Ktn., Mitarb. b. Konz. "Millstatt 2000". H.: Radrennen, Langlaufen, Ski. (G.L.)

Theurer Hermann

Pseud.: Theurer-Samek. B.: Schriftsteller, Prok. u. gwr. Gschf. d. Äneas Verlags GmbH. DA.: 2340 Mödling, Hauptstr. 38. PA.: 2340 Mödling, Haydng. 20. G.: Mödling, 7. Juli 1928. V.: Johanna. Ki.: Margit (1948). El.: Hermann u. Hermine. S.: HASCH, Abend-Maturaschule, 1954 Matura. K.: 1946-66 Fach-Bmtr. d. ÖBB, ab 1967 freier Schriftsteller, ab 1971 Hrsg. d. Lit.-Zeitschr. "Jetzt", 1989 Mitbegr. d. Äneas-Verl. P.: Lyrik u.a.: Näher Dir ..., 1976, Florentin. Impressionen, 1981, Immer wieder tönt Olifant, 1983, Sonette an Gott, 1986, Das kleine Land, 1990, Sonette an Embla, 1991, Das hohe Lied, 1994, Prosa u.a.: Weihnacht d. Ringstraßenhäuser (2/1989), Das neue Narrenschiff, Erz., 1983, Das Traumschloß od. d. Werden d. Michael Khlaiden, Kurzrom., 1987, Mödlinger Anthologie, 1983, Platten: Interjektionen, 1974, Gruß aus Mödling, 1976, Mithg. Hugo Ellenberger, Reflexionen u. Erinnerungen, 1978. E.: Gold. EZ f. Kultur d. Stadt Mödling, 1. Lyrik-Preis d. Ardt-Verl. 1971. M.: VGS (Verb. d. Geist. Schaffenden), Turmbund Innsbruck, Podium Sbg., Lit. Ges. Mödling, Kulturgemeinsch. "Der Kreis" Wien. H.: Literatur. (M.M.)

Theurer Josef Dr.

B.: Gschf. FN.: Plasser & Theurer Export v. Baumaschinen GmbH. DA.: 1010 Wien, Johannesg. 3. (V)

Theuring Günther Prof.

B.: Dirigent, o.HS-Prof. A.: 1030 Wien, Landstr. Hauptstr. 67/1/27. G.: Paris, 28. Nov. 1930. El.: Camillo u. Josefine. S.: Matura, HS f. Musik (Swarowsky, Grossmann, Uhl). K.: Wr. Sängerknabe, 1955 Dirigent d. Wr. Ak.Kammerchores b. 1959, Grdg. d. Wr. Jeunesse-Chores, seither Dirigent u. künstler. Ltr. d. Ensembles, 1971 Grdg. d. Vokal-Instrumentalensembles "Contraste", eines Kammermusikensembles z. Pflege d. vokal-instrumental. Kammermusik aller Stile, m. bes. Brücksichtigung d. zeitgen. Musik, 1973 Berufung z. . HS-Prof. an d. HS f. Musik in Wien, intern. Dirigententätigkeit b. Barcelona Festival, Biennale di Venezia, Wr. Festwochen, Granada Festival, Israel Festival, Carinth. Sommer, regelm. Konzerte in Wien, ORF, im europ. Ausland u. in d. USA, 1978 Erstengagement an d. Scala di Milano, Dirigent v. zahlr. namh. Orchestern u. Chören (Wiener Symphoniker, Gewandhaus-Orchester Leipzig, Orch. d. Scala di Milano), Schallplatteneinspielungen f. d. Fa. Westminster, USA, Gründer u. erster Präs. (1983-85) d. Österr. Ges. f. Chormusik. E.: Gold. Verdienstz. d. Rep. Österr., Ehrenkreuz f. Wiss. u. Kunst, I. Kl. (1984). M.: Vorst.-Mtgl. d. Österr. Musikrates, Gründer u. Präsidiumsmtgl. d. Österr. Ges. f . Chormusik, Vorst.-Mtgl. u. künstler. Ltr. d. Wr. Meisterkurse. H.: Theater u. Literatur.

Thewanger Alfred Dr. iur.

B.: RA, LAbg. d. FPÖ, Ldw. DA.: 4020 Linz, Ledererg. 27. PA.: 4203 Altenberg, Seitlingerweg 18. G.: Bruck/Mur, 31. Juli 1936. V.: Maria, geb. Ebenberger. Ki.: Barbara (1966), Erich (1970), Elke (1974), Judith (1977). El.: Alfred u. Ilse. S.: Gymn. Bruck u. Wien, b. 1956 HAK, Jusstud. Graz u. Wien. K.: Gerichtsj. in Wien, 1 J. Praxis Chemie Linz, 1970 Kzl.-Eröff. Linz, 1982-86 AufsR. VÖEST-Alpine, 1973-91 FPÖ-GemR. Linz, seit Okt. 1991 LAbg. u. Clubobm. im Kontrollaussch. M.: FPÖ, Hubertusclub Linz, Golfclub Linz. H.: Jagd, Golf, Skifahren. (P.H.)

Thiel Klaus Dipl.-Ing.

B.: Gschf. FN.: Bran + Luebbe Ges.m.b.H. DA.: 5020 Salzburg, Friedensstr. 11. PA.: D-8229 Saaldorf, Eichetpl. 5. G.: Königsberg, 14. März 1936. V.: Helga, geb. Hagen. Ki.: Inka, Elke. S.: hum. Gymn., 1954 Matura, 3 J. Maschinenschlosserlehre, Facharb.Prüf., 1959-63 Fach-HS f. Technik Stuttgart/-Esslingen. K.: 1964 Ass. an d. HS f. Gestaltung Ulm b. Prof. Ohl, 1965-70 Betriebsltr. d. Fa. Wöhwa Waagenbau GmbH Öhringen/BRD, 1971-73 Fa. Herweg OHG Marl Vertriebsltr., 1974 Fa. Bran + Luebbe G.m.b.H. Hamburg Norderstedt,

1983 Sbg. Prok., seit 1984 Gschf. M.: Ver. Dt. Ing., Ges. f. Ost- u. Südostkunden. H.: Tennis, Segeln, Bergwandern. (A.W.)

Thiel Klaus

B.: Alleininh. d. Strickwarenfbk. Lemmermayer. DA.: 1070 Wien, Neubaug. 55. G.: Wien, 22. März 1958. El.: KommR. Dkfm. Dr. Johann. S.: Hum. Gymn./Mödling, Höhere BLA f. Textilind./Wien, Abschluß 1977. K.: Ind.Kfm. in d. Strickwarenfbk. d. Vaters (Fa. Lemmermayer), seit 1982 Gschf. Ges. dieses Unternehmens, jetzt Alleininh. BL.: Prod. u. Vertrieb intern. anerkannter exclusiver Strickwarenmode aus 100 % Alpaca (auch Einzelanfertigungen u.a. f. Filmstars wie Frank Sinatra u. Chaterine Deneuve), zahlr. Geschäftsreisen z. firmeneigenen Hdls.-Vertr. (Arabien, Amerika, usw.). P.: Div. Veröff. in Fachzeitschriften. M.: Mtgl. d. exclusiven Motorsportclub RRC 13. H.: Rallye-Sport, Jagd. (Sei.)

Thiel Toni

B.: Chef v. Dienst, Ressortltr. Sport. GT.: Freier Journalist. DA.: 6020 Innsbruck, Ing.-Etzel-Str. 30. PA.: 6161 Natters, Weinweg 26. G.: Innsbruck, 28. März 1922. V.: Helga, geb. Kloft. Ki.: Wolfgang, Thomas, Gunther, Gabriele. El.: Josef u. Magdalena. S.: VS, Realschule, Matura 1940, Univ. Innsbruck Chemie. K.: 1945 Journalistik Tir. Nachrichten, 1954 Sportred. Tir. Tageszeitung, 1985 Chef v. Dienst. P.: 4 Bücher Sport-Wirtschaft. E.: Verd.Kreuz d. Landes Tir., Silb. Verd.-Kreuz d. Rep. Österr., über 70 EZ v. div. Sportorgan., Ehrenpräs. d. IEV, EK II, EK I. H.: Schwimmen, Fußball, Leichtathletik, Fischen. (Matt)

Thiel Walter Dr. med. o.Univ.-Prof.

B.: Vorst. d. Anatom. Inst. d. Univ. Graz. DA.: 8010 Graz, Harrachg. 21. PA.: 8010 Graz, Hugo-Wolf-G. 7. G.: Wetzwalde/Sudetenland, 13. Okt. 1919. V.: Iris, geb. Kertesz. S.: 1939 Matura, Stud. d. Med. an d. Karls-Univ. Prag u. in Königsberg, 1947 Prom. Karl Franzens-Univ. Graz. K.: Ass. am Anatom. Inst., 1957 Habil., 1960 o.Univ.-Prof. u. Vorst. f. d. Anatom. Inst. P.: Mitautor "A. Hafferl, Lehrbuch der Topographischen Anatomie". E.: Gr. Verd. b. d. Errichtung d. Neubaues d. Anatomie. (P.R.)

Thiel Wilhelm

B.: Gen.-Dir. d. Unfallvers.-Anst. GT.: AufsR.: Geschützte Werkstätte Stmk. GmbH, Gschützte Werkstätte Vomp GmbH, Geschützte Werkstätte f. Wien GmbH, Geschützte Werkstätte Ktn. GmbH. DA.: 1200 Wien, Adalbert-Stifter-Str. 65. G.: Wien, 17. Juni 1934. S.: Lehre Automechaniker, 1962 Abschluß Sozialak. K.: 1960-67 versch. Funktionen im BetriebsR. d. ÖMW, 1966-77 ÖGB-Sekr. d. Gewerkschaft d. Chemiearb., 1969-75 Mtgl. d. Hauptversammlung u. d. Vorst. d. Allg. Unfallvers.-Anst., Mtgl. Präsidialaussch. Hauptverb. d. Österr. Sozialvers.-Träger, seit 1978 ltd. Ang. d. Allg. Unfallvers.-Anst., seit 1979 Vors. d. Intern. Ver. f. soz. Sicherheit, seit 1983 Präs. d. Kuratoriums d. Ludwig Boltzmann-Inst. f. experimentelele Traumatologie, ab 1978 Gschf. d. Sekt.-Aussch. Unfallvers. im Hauptverb. d. Österr. Sozialvers.-Träger, seit 1981 Gewerkschaft d. Chemiearb., seit 1983 BeiR. CA. E.: 1977 Lorenz Böhler-Med., 1985 Gr. Tir. Adler-Orden, 1986 Gold. VZ d. Landes Sbg., 1986 Ausz. d. Wr. Ärztekam, Gold. EZ f. Verd. um d. Stadt Wien. H.: Tennis, Golf. (R.J.)

Thielmann Kurt

B.: Kfm. FN.: Kurt Thielmann GmbH. DA.: 6020 Innsbruck, Grenzstr. 2. PA.: 6020 Innsbruck, Gerhard-Hauptmann-Str. 52. G.: Innsbruck, 7. Febr. 1943. V.: Anneliese, geb. Zischg. Ki.: Christian (1964), Heinz (1981). El.: Franz u. Karoline. S.: VS, HS, Kfz-Lehre, Berufsschule, 1961 Abschluß. K.: seit 1962 im Außendienst österreichweit in d. Branche Innenausbau f. Objekteinrichtungen, 1972 selbst., 1985 Entwicklung Wintergartenbau vorwiegend im Hotel- u. Gastronomiebereich. F.: Ges. WIGA Feldkirch Wintergarten u. Solartechnik. H.: Altherreneishockey, Mountainbiken, Fußball. (B.R.)

Thielmann Margit

B.: Gschf. FN.: O. Rein geb. Schelling & Co Uhren, Schmuck, Optik GmbH & Co. DA.: 6850 Dornbirn, Marktstr. 10. PA.: 6850 Dornbirn, Langg. 2. G.: Dornbirn, 20. Nov. 1942. V.: Günter Thielmann. Ki.: Eva (1967), Anja (1972). El.: KommR. Rudolf u. Herta. S.: VS, HS, HAK, 1961 Matura. K.: 1961 Eintritt als kfm. Ang. in elterl. Betrieb, 1965 Mitarb. im Geschäft, Aufbau d. Optikerbetriebes durch Gatten Günter, 1985 Gschf. F.: Fuchs GmbH Eheringerzeugung. H.: Lesen, Theater, Reisen. (I.D.)

Thiemer Elfi Dr. phil.

B.: Politologin, Journalistin. DA.: 1010 Wien, Singerstr. 7. PA.: 1030 Wien, Mohsg. 32. G.: Allentsteig, 17. Feb. 1958. El.: Anton u. Berta Thiemer. S.: 1977 Matura an d. HAK Waidhofen/Thaya, 1980 Sud. d. Politikwissenschaft, Philosophie u. Komm.Wiss. Univ. Wien. K.: 1978-80 Bankangestellte, 1981 freie Mitarb. Kurier, Red. Wr. Zeitung, Austria Presseagentur, 1984 Ltr. d. Ressorts Wirtschaft in "Die Furche", 1991 Diss. "Solidarität als ethischer, ges.theor. u. pol. Begriff - Seine Bed. im Denken v. Aristoteles, Karl Marx, Max Scheler u. Talcott Parsons". 1994 Lehrauftrag an d. Europ. Journalismus-Akad. Krems. E.: 1991 Rudolf Sallinger-Preis, 1994 Europa-Preis f. Journalisten d. Bundesländer Versicherung. H.: Reiten, Tennis, Reisen. (T.T.)

Thienel Rudolf

B.: Inh., Fotografiermstr. FN.: Fotostudio Jelinek. DA.: 5760 Saalfelden, Lofererstr. 32. PA.: 5760 Saalfelden, Dorfheimerstr. 14. G.: Saalfelden, 1. Dez. 1948. Ki.. Rudolf (1966), Markus (1968), Thomas (1988). El.: Rudolf u. Maria. S.: VS, HS. K.: Fotografenlehre b. Fa. Jelinek, 1975 Mstr. Prüf.,1984 Übern. d. s. 1949 besteh. Fotostudio, 1986 1. Farbklabor eingerichtet u. 1992 erweitert. H.: Fischen. (J.F.)

Freiherr von Thienen-Adlerflycht Christoph Dr. et lic.phil.

B.: Historiker, Publizist, Schriftsteller. PA.: 83404 Perach, Hallerstr. 84. G.: Salzburg, 5. Apr. 1924. v.: Isabelle Gräfin Serenyi von Kis-Sereny. Ki.: Wolfgang (1951), Anna-Maria (1952), Franz (1957). El.: Wolfgang Thienen-Adlerflycht u. Anna Gräfin Thun u. Hohenstein. BV.: Schwester d. Urgroßvaters Marie v. Ebner-Eschenbach, Großvater Fürst Franz v. Thun u. Hohenstein 1898 Österr. Min.-Präs. u. langj. Statthalter d. Königreich Böhmen. S.: Stud. Rechtswiss., Phil., Theol. u. Geschichte Univ. München, Sbg. u. Graz, 1964 Prom. K.: 1948-50 Mitarb. Österr. Forsch.-Inst. f. Wirtschaft u. Politik, 1951 Pressechef b. Bundespräs.-Wahl f. Prof. Dr. Burghart Breitner, 1953-70 Hotelinh. in Wasserburg, 1978 Mtgl. Redaktionskollegium Zeitbühne. P.: "War Karl Marx Humanist?", "Europ. Perspektiven d. Österr. Geschichte", "Reform v. oben - Revolution v. unten", "Das heilige Rußland u. d. Revolution" (1977), "Bleibende Stände in d. europ. Krise" (1992), "Die Aktion" (1976), Bücher: Graf Leo Thun im Vormärz, Grundlagen d. Böhm. Konservativismus im Kaisertum Österr. Hermann Böhlau Nfg., div. Beiträge in Festschriften u. wiss. Zeitschriften, "100 J. Soziallehre d. Kirche" (1991), "Ein Tag d. durchkreuzten Erwartungen" (1938), "Vom Erbe d. Monarchie in d. Rep." (1978), Aufsatz "Über Licht- u. Schattenseiten d. Glorious Revolution". M.: Ehren- u. Dev. Ritter d. Malteserordens. (M.W.)

Thier Günther

B.: Gschf. Ges., Kaufmann. FN.: Thier KG. GT.: Transportunternehmen. DA.: 1230 Wien, Laxenburgerstr. 365. PA.: 7221 Wien, Bergg. 27B. G.: Wr. Neustadt, 20. Sept. 1953. V.: Maria. Ki.: Petra (1973), Daniela (1974). El.: Alois u. Hermine. S.: VS, HS, Lehre Einzelhadelskfm. im elterl. Betr. K.: 1972 d. elterl. Obst u. Gemüsehdl übern. u. m. Import v. Obst aus Italien begonnen,1990 Grd. d. Fa. Sauer & Co, nachfolge Thier KG, Export in versch. europ. Länder. M.: Landwirtschaftskammer. H.: Familie, Tennis, Skifahren. (R:T.)

Thier Johannes

B.: Gschf. Ges. FN.: Thier Obst- u. Gemüsegroßhandel GmbH. DA.: 1232 Wien, Laxenburgerstr. 365/Großmarkt Stand Nr. C. 10/116-118 PA.: 7221 Marz, Bergg. 27. G.: Wr. Neustadt, 18. Juli 1955. V.: Hedwig. Ki.: Klaus (1978), Klaudia (1982). El.: Hermine u. Alois. S.: Autoelektrikerlehre in Wr. Neustadt, 1972 Gesellenprüf. K.: Eintr. in d. elterl. Betrieb, Lkw-Sped. f. Obst u. Gemüse, 1984 Grdg. GmbH., Aufbau d. Betriebes gemeinsam m. d. Bruder, spez. auf Import v. Obst u. gemüsespezialitäten aus Italien, s. 1989 (Ausstieg d. Bruders) alleiniger Gschf. H.: Motorradfahren, Tennisspielen. (R.T.)

Thirring Walter Dr. Doz. Prof.

B.: Prof. DA.: 1170 Wien, Dornbacher Str. 25. PA.: 1190 Wien, Nußbergg. 7. G.: Wien, 29. Apr. 1927. V.: Helga, geb. Georgiades. S.: RG, Neulandschule. K.: Forschungsstellen: Dublin Inst. f. Advanced Studies, Univ. Glasgow, M.P.O. Göttingen, E.T.H. Zürich, Inst. of Advanced Studies Princeton, Prof.: M.I.T. Cambridge, Univ. of Wash Seattle, Univ. Bern, Univ. Wien, Dir. d. Theor. Dept. CERN. P.: Über 100 Veröff. in Zeitschriften, Bücher u. Lehrbücher. E.: Erwin-Schrödinger-Preis, Max-Planck-Med., Roland-Fotvös-Med., Med. d. College de France. M.: Österr. Ak. d. Wiss., Dt. Ak. d. Naturforscher Leopoldina, Päpstl. Akad. d. Wiss. seit 1986, Am. Acad. of Sciences, Foreign Associate d. Nat. Acad. of Sciences, Washington, Ehrenmtgl. d. Ungar. Physikal. Ges. H.: Musik.

Thoiss Hermann

B.: Prominenten-Herren-Friseur i.R., Friseurstaatsmstr. GT.: eh. Doz. d. Kunstak. v. Japan (Empf. b. Bgm. v. Nagasaki), Intern. Grand Prix Sieger. DA.: 1010 Wien, Habsburgerg. 6-8. PA.: 1200 Wien, Wexstr. 22. G.: Kronstadt/Ruänien, 16. Dez. 1923. V.: Christine Margit, geb. Pestl. Ki.: Isabella (1946). El.: Josef u. Rosa, geb. Klein. S.: HS Kronstadt, 3 J. Fortbild.Schule in dt. Sprache, 1937-40 Praktikum als Friseur. K.: 1940 als Friseur in Wien tätig, 1943 Kriegsdienst, 1949 Österr. Staatsbürger, Tätigkeit b. Friseur Platzer u. Friseur Ossig Wien, 1950 Teilnahme am Friseurkongress (5. Pl.), seit 1967 selbst., prom. Kunden u.a.: Alt-BK Raab u. Gorbach, B. Kreisky, Arthur Miller, Kokoschka, Wotruba, G. v. Rezzori, H. Haas, M. M. Mautner-Markhof, Maxi Böhm, A. Basner, H. Frank, Teilnahme an Intern. Wettbewerben u. Schaufrisieren-Tourneen, seit 1990 i.R. BL.: Ausbild. japan. Nachwuchs-Preisträger als Volontäre im eigenen Betrieb, div. Vorträge fachl. Art in Japan, 1960-70 Ausbilder f. Preisfrisieren b. Central Union d. Friseure Wien. E.: 1962 Weltmstr. im Bürstenhaarschnitt, 3x Staatsmstr., 5 Grand Prix Gewinne, 1964 Gold. Stephansdom, viele andere Ehrenpreise. H.: Zeichnen v. Tierporträts aller Art, Kunsthandwerk-Masken, Tennis, Radfahren, Reisen, Theater. (M.G.)

Thoma Heinz

B.: Gschf. FN.: Schmalbach-Lubeca Austria GmbH. DA.: 1200 Wien, Engerthstr. 76-80. G.: 6. Apr. 1942. V.: Helfriede. Ki.: Michael, Heinz.

Thoma Helmut Dr.

B.: Programmdir. u. Sprecher d. Geschäftsführung v. RTL plus. DA.: 50858 Köln 40, Aachener Str. 1036. G.: Wien, 3. Mai 1939. S.: Abendgymn., Matura, Jusstud., 1962 Prom. K.: Tätigkeit in Anw.-Kzl. Wien, 1966-73 Ltr. ORF-Rechtsabt., ab 1973 IPA Frankfurt, zunächst Prok. u. ab 1975 Alleingschf., 1982 Dir. Dt. Programm, seit 1984 Dir. Dt. Programme RTL u. RTL plus, seit 1986 Sprecher d. Geschäftsführung v. RTL plus Deutschland FS GmbH & Co KG. P.: div. Publ., Co-Autor "Die Medienwelt bewegt sich doch". E.: 1986 Bronz. Hermes v. Neue Medien, 1987 Orden Officier d. L'orde de mérite v. Luxemburg, 1989 Medienmann d. J., 1990 Gold. Kamera. H.: Radiohören, Fernsehen, Zeitunglesen, Antiquitäten, Medienpolitik.

Thoma Rudolf Dr. med.

B.: FA f. Radiologie. DA.: 6020 Innsbruck, Meinhardstr. 11/II. PA.: 6020 Innsbruck, Berchtoldshofweg 1a. G.: Kufstein, 29. Nov. 1945. V.: Gabriele, geb. Danner-Holztrattner. El.: Rudolf u. Walburga. S.: Gymn., Med.Stud. Univ. Innsbruck. K.: Ass.Arzt im KH Rorschach/Schweiz, Turnus im KH Kufstein u. Klinik Innsbruck, 1975-80 Ausbild. z. FA f. Radiologie an d. Univ.Klinik f. Radiologie in Innsbruck, b. 1985 OA an d. Univ. f. Radiologie, 1986 Übernahme d. Praxis v. Dr. Halbeis, seit 1987 neue Praxis in d. Meinhardstr. 11. P.: versch. Veröff. in Fachzeitschriften. M.: Österr. Röntgenges., Österr. Ges. f. Ultraschall. H.: Skifahren, Schwimmen, Reisen, Lesen. (H.T.)

Thoma Wolfgang Dr.

B.: FA f. Innere Med., Ärztl. Ltr. u. Vorst. d. Internen Abt. d. Sanatorium-Warmbad Villach. DA.: 9504 Villach, Dr.-Hochsteiner-Str. 4, 9500 Villach, Ringmauerg. 10. G.: Neumarkt, 2. Juli 1944. V.: Birgit, geb. Huber. Ki.: Bernd, Katrin. S.: VS, RG, 1963 Matura, Univ. Wien, 1973 Prom., FA-Ausbild. in Villach im LKH. K.: 1979 nach Treibach Althofen als ärztl. Ltr. d. Sanatorium aufgebaut u. geführt, 1983 Beginn m. d. Planung u. Organ. d. Sanatoriums in Villach, 1985 Eröff. u. Übernahme d. Sanatoriums Warmbad-Villach, seit dieser Zeit ärztl. Ltr. u. Ltr. d. Abt. f. Innere Med., 1981 Eröff. d. eigenen Ordination. H.: Tennis, Bergsteigen, Skifahren. (Brod.)

Thomalla Georg

B.: Schauspieler. PA.: 5640 Badgastein, Haus Nefer. G.: Kattowitz/Polen, 14. Febr. 1915. V.: Margit. S.: Kochlehre. K.: Mtgl. eines Wandertheaters, Engagements an versch. Bühnen, Theaterauftritt in "Das Land d. Lächelns", "Wir armen Erdenbürger", "Der Revisor", "Herr Nachtigall", Filme u.a. "Nora", "Fräulein v. Amt", "Meine Tante, Deine Tante", "Die Försterchristel", "Immer Ärger m. d. Paukern", "Komische Geschichten m. Georg Thomalla". E.: Gold. Bildschirm (1972), Gold. Vorhang d. Theaterverb. Berlin (1976). H.: Sammeln antiker Münzen, Ikonen.

Thoman Christine

B.: Wirtschaftstreuhänder, Steuerberater. DA.: 1020 Wien, Gr. Schiffg. 11. PA.: 1090 Wien, Nußdorfer Str. 77. G.: Wien, 16. Jan. 1940. Ki.: Richard, Stefanie. El.: Richard u. Hildegard Högl. S.: Mittelschule, HAK, 1958 Matura. K.: 3 J.

b. Steyr Fiat Österr., danach als Desendent in d. Kzl. d. Vaters, 1961-64 Führung d. Kzl. m. Kzl.Verweser, 1964 Prüf. vor allem f. Klein- u. Mittelbetriebe. M.: Wirtschaftsbund. H.: Lithographien, Lesen. (S.S.)

Thomanek Oswald

B.: Inh.GT.: Obm. d. Tourismusverb. s. 1993, Landeslehrlingsreferent d. Landes Stmk. s. 1989, vors. d. Prüf.ksn. DA./PA.: 8130 Frohnleiten, Mauritzener Hauptstr. 1. G.: St. Michael, 31. Jän. 1941. V.: Rosemarie, geb. Pesticek. Ki.: Birgit (1967), Susanne (1971). El.: Josef u. Mathilde. S.: VS, Gymn., Koch u. Kellnerlehre i. Hotel Steirerhof, Graz, Abschluß 1959. K.: 4 Mo. Holland-Amerika-Linie, 1960 Hospitz Hotel, Arlberg, Astoria Hotel, Luzern, Maitre Hotel, London, Hotel Bellevue, Bad Gastein, 1961-67 Schweden-Amerika-Linie, 1967 Selbst. Golfclub Murhof, Frohnleiten b. 1973, s. 1971 Gasthof Thomanek. H.: Radfahren, Golf.

Thomann Heinz

B.: Vers.-Dir. i.R. d. LDion. Stmk. d. "Generali". A.: 8045 Graz, Ziegelstr. 15v. G.: Nestelbach, 5. Nov. 1922. V.: Helga, geb. Millonigg (Oberlehrer i.R.). S.: Abitur, HS (Jus), Naut. Pat. (Seesteuermann a.g.F.). K.: 1939-45 Marineoffz., 1946-47 Journalist, 1947-54 Org.-Dir. b. "Generali", 1954-85 Ltr. d. LDion. Stmk. d. "Generali", AufsR.-Vors. d. "Alvages" Allg. Vermögens- u. Anlageberatung GmbH. E.: Hohe Kriegsausz. d. 2. Weltkrieges, Gold. EZ f. Verd. um d. Rep. Österr., Gr. EZ d. Landes Stmk., Ehrenbürger d. Stadt St. Petersburg/USA, Life-Member Status v. Kiwanis Intern., Ehrenobm. d. Marinekameradschaft Tegetthoff Graz, P.V.Präs. v. Kiwanis Intern. f. Europa u. Grdg.-Präs. d. Kiwanis-Club Graz, Ritter d. Souveränen Malteser Ordens d. Hl. Johannes v. Jerusalem. H.: Reisen, Großwildjagd, Schriftstellerei.

Thomas Reginald Dr.

B.: Botschafter im BMAA, s. 1994 i. R. DA.: 1014 Wien, Bankg. 9. PA.: 1010 Wien, Schwarzenbergstr. 8. G.: Wels, 28. Febr. 1928. V.: Ingrid Renate, geb. Leitner. Ki.: Elisabeth (1962), Alexander (1963), Georg (1966), Michael (1970). El.: Dr. Leopold u. Irma, geb. Smekal. S.: VS, Mittelschule, 1946 Matura, 1946-50 Stud. Rechtswiss. Univ. Wien m. Prom. z. Dr. iur. K.: 1951 Eintritt in d. BMAA, 1952-56 Gesandtschaft in Bern, 1956-59 stellv. Ltr. d. Völkerrechtsabt., 1959-62 Botschaft Tokyo, 1962-68 Ltr. d. Gen.-Sekr. im BMAA, 1968-71 Botschafter in Pakistan, Mitbeglaubigt in Burma, 1971-75 Botschafter in Japan, Mitbeglaubigt in d. Rep. Korea, 1976-82 Ltr. d. Verw.-Sekt. im BMAA, 1982-87 Botschafter in GB, seit 1987 Gen.-Insp. d. BMAA. E.: Großkreuz d. Japan. Sonnenordens, Großkreuz d. Korean. Ordens f. Verd. im Diplomat. Dienst, Großkreuz d. Venezulan. Meranda Ordens, Großkreuz d. Jordan. VO, Pak. Quaid-i-Azam Orden. M.: Österr. Ges. f. Außenpolitik. H.: Geschichte, Sport. (N.A.)

Thomas Werner Dr. phil.

B.: Dir. Techn. Museum Wien. DA.: 1140 Wien, Brailleg. 35. G.: Zwickau, 7. Mai 1944. V.: Michele. Ki.: Christine (1974), Marcus (1976). El.: Johann Georg u. Regine, geb. Schulz. S.: 1964 Abitur, Stud. Kunstgeschichte, klass. Archäologie, Phil. u. Anglistik, 1973 Prom. z. Dr. phil. K.: 1973 Red. Propylän Verlag Berlin, b. 1979 Dir. d. Museen d. Stadt Coventry/-England, 1976-79 parallel Lektor Univ. Birmingham, 1980-85 5. stellv. Dir. d. Norddt. Museums Hamburg, 1986-93 3. Dir. Dt. Postmuseum Frankfurt/Main, seit 1994 Dir. Techn. Museum Wien. P.: zahlr. Publ. M.: ICOM, Kuratoriumsmtgl. d. Dt. Museums München. (N.A.)

Thomas Wilhelm

B.: Ldw., Fahrlehrer, LAbg. d. Bgld. Landesrg. DA.: 7000 Eisenstadt, Freiheitspl. 1. PA.: 8380 Jennersdorf, Bachergraben 26. G.: 24. Sep. 1948. Ki.: 2 Kinder. S.: VS, HS. K.: 1970-78 Bez.-Obm. d. JVP Bez. Jennersdorf, 1977-80 Landesobm.-Stellv. JVP Bgld., 1975-93 Ortsobm. d. ÖAAB Jennersdorf, seit 1977 GemR. Jennersdorf, 1982 2. VBgm. Jennersdorf, 1987 1. VBgm. Jennersdorf, seit 1992 Bgm. Jennersdorf, seit 1985 Bez.-Parteiobm. ÖVP Bez. Jennersdorf, 1986 Abg. z. Bgld. Landtag, seit 1990 Wohnbausprecher d. ÖVP, seit 1972 Hauptlöschmstr. Stadtfeuerwehr Jennersdorf. H.: Skifahren, Radfahren, Wandern. (W.M.)

Thomasser Franz Ing.

B.: Ltd. Techniker f. Stellwerks- u. Fernsteueranlagen Gen.-Dion. ÖBB. A.: 9020 Klagenfurt, Neptunweg 5/9. G.: Villach, 20. März 1942. El.: Franz u. Maria. S.: VS, HS, BGewerbeschule (Elektrotechnik) Klagenfurt, Musikak. Graz, Klarinette, Klavier, Dirigent. K.: 1966 Eintritt b. d. ÖBB als Elektrotechniker, b. 1977 Baultr. v. Stellwerks- u. Fernsteueranlangen, 1977-81 Überprüfungstechniker u. ab 1981 ltd. Techniker f. Stellwerks- u. Fernsteueranlagen m. d. Hauptaufgabengebiet d. techn. Überprüf. gen. Anlagen in d. Gen.Dion. d. ÖBB, ab 1966 nebenberufl. Ausübung v. Musik u. Komposition. P.: Techn. Abhandlungen u. Richtlinien (f. d. Dienstgebrauch), Kompositionen sinfon. Bläsermusik (Kammer- u. Orchestermusik), musikal. Bearbeitungen. M.: Villacher Sinfonieorchester als 1. Klarinettist, LVerb. f. Blasmusik Ktn., fallw. Mitwirkung b. versch. Bläserensembles, Lehrtätigkeit b. versch. Seminaren d. LVerb., Alpenver. H.: Musik, Bergsteigen, Lesen. (geh. Unterhaltungsliteratur).

Thonauer Friedrich Karl Ing.

B.: Gschf. Ges. FN.: Thonauer GmbH. DA.: 1130 Wien, Hörndlwaldg. 16. G.: Wien, 28. Juni 1934. V.: Gertrude, geb. Gautier. El.: Friedrich u. Karoline. S.: RG, 5 Kl. HTBL Wien, Höhere Abt. f. Elektrotechnik. K.: 1954-59 AEG-Union Wien, stellv. Abt.Ltr. Büro f. Sonderaufgaben, Verkaufsltg., 1960-69 Gschf. u. Ges. d. Adolf Kranzl GmbH, seit 1970 Verkaufsltr. u. Gschf. d. AMP-Ö GmbH, seit 1988 Gschf. Thonauer GmbH. P.: div. Veröff. in Fachzeitschriften. M.: Verb. Österr. Ing., American Chamber of Commerce in Austria.

Thonet Richard

B.: Gschf. Ges. d. Gebr. Thonet Vienna. DA.: 1030 Wien, Untere Weißgerberstr. 11A. G.: Wien, 6. Mai 1953. El.: Dr. Fritz Jakob u. Thea. BV.: 1796-1871 Michael Thonet k.u.k. Hoflieferant, erste fabriksmäßige Möbelerz. S.: Matura, WU Wien. K.: 1976 in väterl. Betrieb eingetreten, Gschf. Ges., Manager. M.: Wirtschaftsforum d. Führungskräfte, BKam. Fachverb. d. holzverarb. Ind., Mtgl. d. Fachverbandtages, Wirtschaftsbund. H.: Golf, Literatur, Surfen. (Fels.)

Thonhauser Hermann

B.: Kfm., Ldw., Gastwirt Gasthof Kaufhaus Neuwirt, Bgm. d. Gem. Lavamünd. DA.: 9473 Lavamünd, Hart 23; 9473 Lavamünd, Hauptstraße. PA.: 9473 Lavamünd, Hart 23. G.: Hart, 27. Juli 1935. V.: Maria, geb. Freitag. Ki.: Renate (1964), Hermann (1967). El.: Philipp u. Maria. S.: VS, HS, 1950-53 Berufsschule u. Fleischhauerlehre. K.: ständige Mitarb. im elterl. Betrieb, 1957 Übernahme u. 1963 Erweiterung Kaufhaus

u. Fremdenpension, seit 1950 polit. tätig in Jugendbewegungen, 1970-87 GemR. Lavamünd, 1987-89 VBgm., seit 1989 Bgm. P.: div. Abhandlungen in Zeitungen. E.: Silb. EZ d. Feuerwehr, Bronz. EZ Bundesfeuerwehrverb., Bronz. EZ Rotes Kreuz. M.: Freier Wirtschaftsverb., Sekt.-Aussch. Gastronomie, Wirtschaftskam. Ktn., div. örtl. Ver. H.: Lesen, Natur. (G.L.)

Thöny Ferdinand Dir.

B.: Dir. d. Mstr.-Schule f. Augenoptik u. Kontaktlinsenoptik. DA.: 6060 Hall/Tir., Kaiser-Max-Str. 11. PA.: 6020 Innsbruck, Speckbacherstr. 20. G.: Hall/Tir., 4. Aug. 1940. V.: Helga, geb. Braun. Ki.: Wolfgang (1970), Helmuth (1972), Werner (1975), Ulrike (1976). El.: Dr. Theodor Wolf (im Krieg vermißt) u. Johanna Thöny. S.: Optikerlehre, 1967 Mstr.-Prüf., Berufspäd. Inst., 1972 Abschluß Lehrausbild. K.: 10 J. Berufspäd. Ak. als Lehrbeauftragter f. Audiovisuelle Medien, 1981 Grdg. Mstr.-Schule, Ltr. d. Mstr.-Schule f. Augenoptik, seit 1989 zusätzl. Dir. d. Landesberufsschule f. Optiker u. Fotografen. E.: Gold. Ehrennadel d. Bundesinnung d. Optiker, Gold. Ehrennadel AMAK. M.: Kollegium d. LandesschulR. Tir., ÖVP, stellv. Vors. d. WVAO Österr., Ehrenmtgl. Absolventenver. H.: Geschichte, Bergsteigen, Literatur. (M.W.)

Thöny Helmut

B.: selbst. Goldschmiedemstr. DA. u. PA.: 6890 Lustenau, Neudorfstr. 17a. G.: Lustenau, 13. Juli 1949. V.: Doris, geb. Bösch. Ki.: Nicole (1974). El.: Robert u. Ida. S.: 1962-65 kfm. Lehre, 1971-73 Goldschmiedelehre, 1978 Mstr.-Prüf. K.: 1966/67 Zolldeklarant, b. 1971 Tätigkeit in d. Stickerei-Branche, b. 1982 Goldschmiedetätigkeit in d. Schweiz, seit 1982 selbst. m. eigenem Atelier. H.: Autos sammeln, Tontaubenschießen, Bodensee, Reisen. (A.K.)

Thor Helge

B.: Unternehmer. FN.: Thor. Büro Wien, Werbeagentur. DA.: 1010 Wien, Weihburgg. 9. G.: Wien, 20. Apr. 1949. V.: Dr. Susanne, geb. Kutschera. Ki.: Dominik (1981), Benedikt (1984). El.: HofR. Dr. Walter (35 J. Kammeramtsdir. d. Österr. Apothekerkammer) u. Erny. S.: Matura 1967 RG Wien XIX, 1 J. Stud. Med. Univ. Wien, anschl. Stud. Ak. f. angew. Kunst (Meisterkl. f. Graphik, Druckgraphik u. Malerei b. Prof. Herberth, Meisterkl. f. Typographie u. Heraldik b. Prof. Larisch/Goldschmied). K.: Art-Director eines Kosmetikkonzerns, anschl. selbst. Graphiker, 1976 Eröff. eig. Graphikatelier, 1985 Umwandl. in Agentur Thor. Büro Wien. E.: div. intern. Advertising Awards. H.: Bild. Kunst u. Musik. (J.S.)

Thorineg Manfred Dr.

B.: Inh., RA. DA. u. PA.: 8010 Graz, Kalchbergg. 8/1. G.: Klagenfurt, 1. Juli 1946. V.: Helga, geb. Glanz. Ki.: Gudrun (1981), Manfred Maximilian (1984). El.: Maximilian u. Paula. S.: VS, HS, LBA, Stud. Rechtswiss. Univ. Graz, 1973 Abschluß. K.: RA-Anw., seit 1978 selbst. H.: Radfahren, Karate, Reiten, Schwimmen, Lesen. (R.S.)

Thornton Kurt Dipl.-Ing.

B.: Arch., Maler, Graphiker, Stadtbaudir. in Leoben. PA.: 8700 Leoben, Ottokar-Kernstock-G. 3. G.: Judenburg, 7. Febr. 1922. V.: Erna, geb. Mayer. Ki.: Mag. Ulrike (1951), Mag. Jutta (1954). El.: Ferdinand u. Cecilia. BV.: Joh. v. Thornton (1771-1847) Manchester, Aufbau d. Baumwollind. in Österr. (Pottendorfer Spinnerei), Erfinder d. Maschine f. Schnellspinnerei. S.: AHS Knittelfeld, Stud. Arch. an d. TH Graz. K.: seit 1951 Stadtbauamt Leoben, 1970 Stadtbaudir., zahlr. öff. Bauten, Sportanlagen u. Wohnbauten nach seinen Plänen u.a. Polizeidion, Kammersäle, Stadionbad, Rathaus Leoben, seit 1985 zahlr. Ausstellungen v. Malerei u. Graphik im In- u. Ausld., davon 4 m. Tochter Jutta. E.: Viktor-Geramb-Dankzeichen, 1956 Wettbewerb f. d. Eggenberger Freibad (3. Preis), 1977 Ehrenbrief d. Intern. Ak. f. d. Badewesen. M.: Wohnbauförd.-BeiR. d. Landes Stmk., BSA, Obersteir. Kulturbund. (C.H.S.)

Thorsten Rudolph Mag.

B.: Ltr. Department Touristik, Gschf. FN.: Österr. Verkehrsbüro AG. DA.: 1010 Wien, Friedrichstr. 7. PA.: 1190 Wien, Unterer Schreiberweg 16. G.: Münster/BRD, 15. Juni 1962. El.: Peter u. Ingrid, geb. Lünzmann. S.: 1981 HLA f. Fremdenverkehr m. Matura in Wien, Stud. d. Betriebswirtschaft an d. WU Wien m. Abschluß 1988, 1980-86 Tourist. Grundausbild. b. Reisebüros, Reiseveranstalter u. Fluglinien. K.: 1988 Eintritt b. Österr. Verkehrsbüro als Ass. d. Vorst., ab 1990 Gschf. d. Verkehrsbüros Intern. Budapest, seit 1990 Ltr. Department Touristik. M.: seit 1989 Präs. d. Ver. d. Fremdenverkehrsschul- u. Hotelfachschul-Absolventen. H.: Sport (Golf, Tennis, Tauchen), Kunst, Musik m. Schwerpunkt Oper. (N.A.)

Thorwartl Wolfram Mag. phil.

B.: Mittelschullehrer, Dir. FN.: Bundesinst. f. Sozialpädagogik. DA.: 2500 Baden, Braitnerstr. 26. PA.: 1140 Wien, Utendorfg. 2. G.: Wien, 13. Nov. 1943. V.: Edith, geb. Krammer. Ki.: Florian (1983), Katharina (1985). El.: Rudolf (Bez.-Schulinsp.) u. Hildegard. S.: 1963 Matura Braunau/OÖ, 1963-78 Stud. Phil. Univ. Wien u. glz. Math. TH. K.: b. 1987 während d. Stud. Erzieher u. Lehrer (Math., Phil.) am Theresianum, 1987-93 Lehrer an d. Berufspäd. Akad. f. d. Land- u. Forstwirtsch. Bildungswesen in Wien, Ober-St.-Veit (Internatspäd., Unterrichtswiss. u.a.), zusätzl. administr. Tätigk. z. Unterstütz. d. Dir. u. Lehrerfortbild., 1982-88 Ltg. d. Hauptschullehrerausbild. am Päd. Inst. d. Stadt Wien, seit 1989 Lehrbeauftr. am BInst. f. Soz. Päd. Baden, seit 1993 Dir., auch Unterr. in Math. u. Phil. P.: Autor d. Buchreihe "Mathematik positiv" (Bundesverlag), Mitautor "Mathematik f. Hauptschulen u. AHS Unterstufe". H.: Kinder, Kochen, Reisen (Italien: Kunst u. Kultur), Schwimmen. (I.K.)

Thost Bruno

B.: Schauspieler u. Reg. am Burgtheater Wien. DA.: 1010 Wien, Dr.-Karl-Renner-Ring 2. PA.: 1190 Wien, Saarpl. 18. G.: Erfurt/Deutschland, 23. Apr. 1936. V.: Maren, geb. Cornehls. Ki.: Katja (1972), Jennifer (1975). El.: Dr. Ernst u. Agnes. BV.: Großvater Rudolf Thost Kunstmaler. S.: Musik-HS Stuttgart Abt. Schauspiel u. Privatunterricht b. Ludwig Anschütz. K.: Staatstheater Stuttgart, Gastvorträge: Cuxhaven, Hamburg, Düsseldorf, Sbg. Festspiele, Theater an d. Josefstadt Wien, seit 1970 ständiges Mtgl. d. Wr. Burgtheaters, TV, Film z.B. "Fangschuß". (J.S.)

Thost Katja

B.: freiberufl. Schauspielerin u. Reg. PA.: 1190 Wien, Saarpl. 18. G.: Wien, 1. Juli 1972. El.: Bruno u. Maren Thost. S.: VS, Gymn. K.: Ass. u. Hospitantin b. Otto Schenk, Gernot Friedel u. Rosemarie Fendl im Theater in d. Josefstadt, Schauspielunterricht b. Marianne Schönauer u. Karl Mittner. K.: Produktionen: 1991 2 Feydeau Einakter Komödie in Baden, 1991 Musical "Wirbel im Mäuseland" Raimundtheater Wien, 1992 Musical "Mann v. la Mancha" Stadttheater Baden, 1992 2 Curt Goetz Einakter Max Reinhardt Theatre Winnipeg Kanada, 1992 "Einen Jux will er sich machen" Festspiele Röttingen, 1992 2 Biedermeier Einakter Komödie Baden, 1992 "Charleys Tante" Bühne 21, 1993 2 Kohout Einakter Ateliertheater Wien, 1993 "Kaktusblüte" Stadttheater Baden, 1993 "Die bitteren Tränen d. Petra v. Kant" Bühne 21, 1993 "Kaktusblüte" Kammerspiele Wien, 1993 "Furcht u. Elend d. dritten Reichs" Experiment Wien, 1994 "Urfaust" Ateliertheater Wien, 1994 "Geteilt durch 2" Meggenhofen Sommerspiele, 1994 Musical "Wirbel im Mäuseland" Akzent Wien, 1994 "Der arme Cyrano v. Bergerac" Studio Molière, 1994 "Wer hat Angst vor Virginia Woolf?" Ateliertheater Wien, eigene Regien: "Die kahle Sängerin" Studio Molière 1990, 2 Curt Goetz Einakter (1992), "Hamlet" (1994), "Into the Woods" (1995). H.: Malerei, Lesen, Reiten. (J.M.)

Thuiner Christine

B.: Gschf. FN.: Hotel Thuiner GmbH & Co KG. DA.: 5753 Saalbach 243. G.: Kasten, 23. Okt. 1944. V.: Wilfried Thuiner. Ki.: Wilfried (1963). El.: Eduard u. Maria Porpáczy. S.: Grundschule, 1950-59 Inst. d. Engl. Fräulein, 1959-62 Textilgewerbeschule m. Lehre in Wien, 1963 Hotelfachschule in Abendkurs. K.: 1965-71 selbst. m. Gasthof in St. Pölten, 1971-78 Kongreßhaus St. Pölten, 1978 Eröff. Hotel Tuiner Saalbach, 1993 Einstieg d. Sohnes in d. Firma. BL.: 9 J. Kulturveranstaltungen f. Saalbach-Hinterglemm organ. H.: Kultur, Literatur, Wandern, Naturgeschichte.

Thuiner Wilfried

B.: Hotelier, Gschf. FN.: Hotel Thuiner GmbH & Co KG. DA.: 5753 Saalbach 243. G.: Voitelsbrunn, 10. Sep. 1942. V.: Christine, geb. Porpáczy. Ki.: Wilfried (1963). El.: Karl u. Josefa. S.: Grundschule, 1955-58 Gastgewerbeschule Krems m. Lehrzeit in Baden, Konditorlehre, Auslandspraxis, Militärdienst. K.: Restaurant- u. Hotelerfahrung in Wien gesammelt, 1965-71 selbst. m. Gasthof in St. Pölten, 1971-78 Kongreßhaus St. Pölten, 1978 Eröff. Hotel Thuiner Saalbach, 1993 Einstieg d. Sohnes in d. Firma. H.: Segeln, Mineraliensammlung, Literatur, Geschichte, Hund, Münzensammlung.

Thum Fritz

N.: Thum Obst, Gemüse, Südfrüchte, Spezialitäten. DA.: 1030 Wien, Landstraßer Markt 2. PA.: 1030 Wien, Invalidenstr. 13. G.: Wien, 15. Jän. 1948. V.: Erna, geb. Schmidl. El.: Ludwig u. Charlotte. S.: abgeschlossene kfm. Lehre in Wien. K.: nach d. Berufsausbild. Eintritt in d. Familienunternehmen, 1978 Übername d. Firma f. Obst, Gemüse, Südfrüchte u. Spezialitäten en gros u. en detail, Lieferant f. Werksküchen, Hotels, Gastronomie u. Haubenrestaurants. H.: Firma, Hunde. (J.S.)

Thum Georg Dr.

B.: RA. DA.: 3100 St. Pölten, Heßstr. 7. PA.: 3100 St. Pölten, Helligerg. 40. G.: St. Pölten, 4. Febr. 1955. V.: Irma, geb. Motta. Ki.: Hubertus (1985). El.: Franz u. Helene. S.: VS, 1973 AHS-Matura, Jusstud. Univ. Wien, 1978 Prom. z. Dr. iur. K.: 1979 Gerichtsj. BG u. KG St. Pölten, 1979-83 Konzipient in RA-Kzl. in St. Pölten, 1984 Eröff. einer eigenen RA-Kzl. m. Schwerpunkt Wirtschaftsrecht. (M.M.)

Thumb Norbert Dr. med. Univ.-Prof.

B.: Prim., FA f. Innere Med. A.: 2500 Baden, Marchetstr. 78. G.: Wien, 22. Nov. 1931. V.: Dkfm. Ingrid, geb. Lang. S.: Ak. Gymn. m. Matura, Med.Stud. an d. Univ. Wien, Ausbild. z. FA f. Innere Med. an d. II. Med. Univ.Klinik Wien. K.: ab 1955 zunächst Hilfsarzt, später Ass. an d. II. Med. Univ.-Klinik Wien, ab 1965 OA u. Ltr. d. Rheumastation d. Klinik, 1962 FA f. Innere Med., 1973 Univ.Doz. f. Innere Med., 1973-76 Prim. an d. Internen Abt. d. NÖ LKH Tulln, seit 1976 Prim. d. Internen Abt. d. AÖKH d. Stadt Baden, 1975-91 wiss. Ltr. d. Ludwig-Boltzmann-Inst. f. Rheumatologie u. Fokalgeschehen in Baden, ab 1992 wiss. Ltr. d. Inst. f. Rheumatologie d. Med. Institutszentrums d. Stadt Baden, 1980 tit.a.o.Prof. P.: 172 wiss. Veröff., vorw. rheumatolog. Probleme betreffend, Habil.Schrift: Die immunsuppressive Therapie d. chron. Polyarthritis. M.: Österr. Rheumaliga (Vorst.-Mtgl.), Dt. Ges. f. Rheumatologie, a.o.Mtgl. d. Schweizer Ges. f. Rheumatologie, Ehrenmtgl. d. Tschechoslowak. Ges. f. Rheumatologie. (M.M.)

Thumer Hubert Dipl.-Ing.

B.: Zivilingenieur. FN.: Zivilingenieurbüro Thumer. DA./-PA.: 8130 Frohnleiten, Weingartenweg 1. G.: Gaaden b. Mödling, 10. Sept. 1928. Ki.: Sigrid (1954), Klaus (1959). El.: Fritz u. Marie. S.: VS, Gymn., HTL Graz, 1949 Matura, techn. HS, Dipl.- Ing. 1955. K.: 1955-57 Baultr. b. Schweizer AG, Frohnleiten, 1958-65 Bauabt.ltr. b. Mayr-Melnhof, 1965-70 techn. Ltr. b. Steir. Montanwerke, s. 1970 selbst. Ziviling.büro f. Hochbau. M.: Österr. Alpenverein. H.: Sport, Tennis, Golf, Skifahren, Lesen. (I.G.)

Thümmel Erika

B.: Dipl.-Restauratorin, Künstlerin. DA. u. PA.: 8020 Graz, Eggenberger Allee 30B. G.: Graz, 25. Nov. 1959. Ki.: Moritz (1989), Helene (1990). El.: Johannes u. Dorothea. S.: 1976 Matura, HAK, 1977-81 Stud. Restaurator Florenz. K.: 1982 Bundesdenkmalamt Wien, Matera, seit 1982 selbst., 1983 New York, seit 19 eigenes Avantgard. Möbeldesign, Ausstellungen: 1984 Galerie Lang, 1985 Hamburg "Möbel perdu", 1986 Düsseldorf, Mastrich, Wien, seit 1986 konservator. Betreuung d. steir. Landesausstellungen, seit 1992 Gestaltg. v. Austellungen in Wien, Madrid u. Graz, ab 1988 Objekte u. Installationen, 1989 Bonn, 1990 Barcelona, 1993 Graz. P.: 1988 Kunst an d. Wand. M.: Fond, Österr. Restauratorenverb. H.: Beruf, Arb., Kunst, Politik. (R.S.)

Thummer Josef Dr.

B.: prakt. Arzt. DA.: 6373 Jochberg 12. G.: Reutte, 11. Juli 1945. V.: Maria-Albertine, geb. Müller. Ki.: Lukas, Beatrix. El.: Erwin u. Dora. BV.: Prof. Gamper (Prof. f. Psychiatrie in Prag). S.: Hum. Gymn. Innsbruck, Med.Stud. Univ. Innsbruck, 1972 Prom. K. 1972 Ausbild. am KH Schwarzach/-Pongau, BH, seit 1976 eigene Praxis. M.: Rheno Danubia. H.: Garten, Skifahren, Tennis, Radfahren, Reiten, Reisen, Musik. (W.G.)

Thumpser Herbert

B.: LSekr. d. Kinderfreunde NÖ. DA.: 1010 Wien, Rauhensteing. 5. PA.: 3160 Traisen, Perlmooser Au 2B. G.: Lilienfeld, 7. März 1961. V.: Monika, geb. Baumgartner. KIi.: Sebastian (1989). El.: Herbert u. Gertrude, geb. Komurka. S.: 1981 HTL f. Betriebstechnik St. Pölten. K.: 1982-84 Ang. b. Vöest-Alpine, 1984 LParteisekr. d. SPÖ NÖ, 1985-88 LSekr. d. Soz. Jugend NÖ, seit 1988 LSekr. d. Kinderfreunde NÖ. P.: div. Art. in Fachzeitschriften. H.: Sport, Management in NON-Profits Organ. (N.A.)

Thumser Günter Mag.

B.: Mtgl. d. Geschäftsltg. f. d. Waschmittelbereich in Mitteleuropa. FN.: Henkel Austria GmbH. DA.: 1030 Wien, Erdbergstr. 29. PA.: 1238 Wien, Marktgemeindeg. 17. G.: Wien, 10. Sept. 1955. V.: Luzia, geb. Fahrner. Ki.: Katharina (1981), Lukas (1984). El.: Dipl.-Ing. Helmut u. Inge, geb. Jauernig. S.: 1973 Matura, 1973-77 Stud. Hdls.-Wiss. WU Wien. K.: 1978 Einstieg Henkel Austria GmbH, 1979-80 Produktmanager, 1981-89 Verkaufsltr. Thompson Wohnungspflege, 1989-91 Ressortltr. Dreiring Thompson Vertriebsorgan., 1991-92 Gschf. Henkel Palma Bratislava, parallel dazu 1992 Gschf. Henkel CR Prag, seit 1993 Mtgl. d. Geschäftsltg., verantwortl. f. d. gesamte Waschmittelgeschäft in Mitteleuropa. H.: Skifahren, Bergsteigen, Heimwerken. (N.A.)

Thun-Hohenstein Alexander

B.: Ges. d. Fa. Ing. Heinz Gombas KG. DA.: 1222 Wien, Kagranerpl. 14. PA.: 1030 Wien, Reisnerstr. 41. G.: Wolfsberg, 29. Okt. 1961. El.: Josef u. Anna. S.: VS, 4 J. Kalksburg, 4 J. Stubenbastei, Matura, BH, Res.Offz. K.: 1985 Eintritt in Fa. Gombas, 1987 Prokura, 1988 Ges. M.: Offz.Ges. Wien, Johannsclub. H.: Autos, Tennis, Skifahren, Schießen. (E.L.)

Thun-Hohenstein Franz

B.: Sparkassenang. d. Erste Österr. Spar-Casse. DA.: 1010 Wien, Graben 21. PA.: 1120 Wien, Münchenstr. 29/16. G.: Grieskirchen, 3. Mai 1937. V.: Helga, geb. Schneider. Ki.: Christian, Eduard. El.: Franz v. Hohenstein u. Rosa. BV.: Fürst Leo Thun-Hohenstein Erster k.u.k. Unterrichtsmin. S.: Drogistenlehre. K.: 1961 Eintritt in d. Erste Österr. Spar-Casse, seit diesem Zeitpunkt in mehreren Positionen d. Auslandsabt. d. Geldinst. tätig. H.: Briefmarkensammeln, Wandern, Reisen.

Thun-Hohenstein Johannes Mag.

B.: Bundesgschf. d. Management Club. DA.: 1010 Wien, Kärntner Str. 8. G.: Wien, 18. Jän. 1960. El.: Michael u. Daisy, geb. Tetzeli. S.: AHS, Jusstud. Univ. Sbg. K.: div. Tätigkeiten im polit. Bereich b. z. Wahlkampfmanagement in Sbg., Mtgl. d. Hauptaussch. d. Univ. Sbg., mehrmonatige Berufserfahrung in England, 2 J. Pressesprecher u. Sekr. d. Bundesmin. Erhard Busek, zuletzt Headhunter b. d. Arthur Stromenger GmbH, seit 1991 Bundesgschf. d. Management Club. M.: API Aktion Polit. Initiative, Ges. d. Freunde d. 21. Jhdt. H.: Eishockey, Sport, Musik, Jagd, Politik, Lesen. (J.S.)

Thun-Hohenstein Lukas Mag.

B.: Firmenteilhaber. FN.: Thun-Hohenstein & Co. DA.: 1220 Wien, Wagramer Str. 175. G.: Wien, 8. Okt. 1960. El.: Matthias u. Eleonore. BV.: 1. urkundl. Erwähnung 1145, stammt aus d. Trentino. S.: 1979 Matura, 1980-90 Stud. BWL Wien. K.: b. 1991 Praxis GPK Deutschland, seit 1991 Tätigkeit im Familienbetrieb: Porzellan-Groß- u. Einzelhdl. H.: Filmemachen, Jagd, Skifahren, Forstwirtsch. (J.E.)

Thun-Hohenstein Matthäus Prof. Dr.

B.: Prof. f. Produktentw., Ltr. d. Meisterklasse. FN.: Hochschule f. angew. Kunst. DA.: 1010 Wien, Oskar Kokoschka-Pl. 5 u. I-20121 Milano, Via Appiani 9. G.: Bozen, 17. Juni 1952. V.: Susanne, geb. Benger. Ki.: Constantin (1986), Leopold (1990). El.: Othmar u. Helene. BV.: Dr. Leo Graf Thun-Hohenstein, Ernst Graf Thun-Hohenstein Erzbischof v. Sbg. S.: Ausbild. a.d. Akad. O. Kokoschka Sbg., Porm. z. Dr. d. Arch. m. Ausz. Univ. Florenz, Gaststud. a.d. Univercity of California, LA. K.: 1979-84 Grdg.-Mtgl. d. Arch.-Gruppe Sottsass Associatt, s. 1982 Prof. d. Meisterklasse Produktgest. a.d. HS f. angew. Kunst in Wien. P.: 1976-84 Ausstell. in Mailand, Paris, London, L.A., San Franciso u.a., 1985-86 Austell. in Milano, Barcelona, Tokyo, Kyoto, 1987-88 Austell. Milano, Hamburg, versch. Einzelausstell. H.: Fliegen, Skifahren. (J.S.)

Thun-Hohenstein Sieglinde

B.: Hausfrau. PA.: 1080 Wien, Schönborng. 8. G.: Wien, 7. Juli 1939. V.: Leo Thun-Hohenstein. Ki.: Elisabeth, Leo. El.: HofR. Dr. Franz u. Elisabeth Schmidt. BV.: Dr. Leo Graf Thun-Hohenstein, Ernst Graf Thun-Hohenstein Erzbischof v. Sbg., Dr. Franz Graf Thun-Hohenstein Innenmin. S.: Gymn. St. Pölten, HAK, Matura. K.: Sekr. b. PB. H.: Musik, Gärtnerei, Kochen. (P.R.)

Thunhart Oliver
B.: Purchase Manager, Gschf. Ges. FN.: data trading gmbh. GT.: Gschf. Ges. EBO Data GmbH, Data Trading Brünn, Data Wrockaw Polen, Data Trading Kiev. DA.: 4040 Linz, Aubergstr. 70. G.: Freistadt, 16. Sept. 1969. El.: Karl u. Rosa. S.: VS, Gymn., b. 1987 Sped.-Lehre b. Firma Cavoplan, 1988 BH. K.: b. 1993 Eportltr. Firma Cavoplan, 1992 Grdg. d. heutigen Firma. H.: Tennis, Squash. (U.A.)

Thürfelder Rudolf Peter KommR.
B.: Kfm. FN.: Thürfelder. DA.: 1070 Wien, Kircheng. 16. G.: 16. Okt. 1942. V.: Roswitha, geb. Kobald. El.: Rudolf u. Margit. BV.: Onkel d. Vaters Firmengründer, seit 1870 im Handelsregister. S.: VS, AHS, HAK, 1961 Matura, Gewerbe Hutmacher, 1965 Mstr.Prüf. K.: ab 1966 selbst., Grdg. v. Detailgeschäften, Hdls.Kette, 1977 Eintritt in väterl. Betrieb Erz. u. Hdl. v. Kunstblumen u. Textiligroßhdl., 1984 Alleininh., 1990 Gründ. d. Rudolf Peter Thürfelder GmbH Blumenbindereibedarfsartikel. E.: Staatswappen. M.: Gremialvorst./-Textilgroßhdl., Laienrichter/Arbeitsgericht. H.: Jagd. (J.E.)

Thuri Rudolf Dr. phil.

B.: Bmtr. d. BM f. Gesundheit u. Sport, Dir. d. Bundessportzentrum Südstadt. DA.: 2344 Maria Enzersdorf, Johann-Steinböck-Str. 5. PA.: 1230 Wien, Trepetschnigg. 4/4/7. G.: Wien, 22. Feb. 1939. V.: Anita, geb. Eitzenberger. Ki.: Petra (1972), Jutta (1976). El.: Johann (Gewichtheber) u. Franziska. S.: 1953-56 Lehre als Maschinenschlosser b. ÖBB Wien, 1956 Abschluß m. Facharb.-Prüf. K.: 1953-64 aktiver Radrennfahrer (mehrf. österr. Staatsmeister, WM u. Olympiateiln.), 1956-70 tätig im erlernten Beruf u.a. b. d. Wr. E-Werken, 1965-70 tätig als staatl. gepr. Sportmasseur, 1970-76 Radsporttrainer u. Bundessport-Sekr. d. ARBÖ f. Rad- u. Motorsport, in d. Zeit alleinverantw. Organisator d. österr. Radrundfahrt, ab 1970 lfd. Lehrbeauftr. an d. Univ. Wien (Trainer u. Sportlehrerausbild.), 1971-79 Vors. d. Doping-Kmsn. d. österr. Radsportverb., Organisator d. Junioren-Rad-WM 1977, 1974-81 Stud. Psych., Päd. u. Soziol. u. Phil. an d. Univ. Wien, 1981 Prom. z. Dr. phil., s. 1976 Dir. d. BSZ Südstadt; 1978-88 Vors. d. Sportbeirates d. Österr. Sporthilfe, Präs. d. NÖ Landestauchverb., 1982-84 Vizepräs. d. Österr. Radsportverb., Präs. d. Kultur-Bildungs- u. Sportver. im BM f. Gesundheit u. Kultur, Ehren-Präs. d. Tennisschule d. BSZ Südstadt, Vize-Präs. d. IMSB (Inst. f. Med. u. Sportwiss. Beratung), ab 1994 Präs. d. Panathlon Int. Wien. P.: Diss. "Die päd. Relevanz d. Bildung, dargestellt an ehem. Spitzensportlern" anl. d. Weltkongresses d. Sportpsych. in Ottawa; "Sport im Alter" (empir. Unters. im Auftr. d. L.-Boltzmann-Inst.); zahlr. Veröff. in d. Fachlit. E.: Gold. EZ d. Rep. Österr., 1990 Sport-EZ d. Stadt Wien, 1992 Ehrenmed. d. BSO f. bes. Verd. um d. Sport in Österr., 1978 Gold. EZ d. ARBÖ, 1984 Olympiamed., 1988 Gold. EZ d. ASKÖ. M.: Vorst.-Mtgl. d. Admira Wacker u. d. Sportleistungsmodells Südstadt, Mtgl. d. Wr. Landessportfachrates, d. NÖ Landessportrates, d. Wr. Fechtverb., Verb. d. österr. Masseure u. Physiotherap., d. NÖ Tennisverb., ARGE f. Sportpsychol. in Österr. H.: Tennis, Radfahren, Schwimmen, Skifahren. (I.K.)

Thurm Frank Dr. Dkfm.
B.: Gschf. Ges. DA.: 1090 Wien, Währingerstr. 48. PA.: 1190 Wien, Langackerg. 7a. G.: Graz, 16. Apr. 1933. V.: Monika, geb. Behan. Ki.: Daniela, Sabrina. K.: Ges. d. Fa. Otto Behan GmbH & Thurm KG. P.: div. Fachbeiträge über Ergonomie. M.: Ltr. d. Arbeitskreises Büroausstattung d. Kam. Wien. H.: Golf, Tennis, Literatur. (Hau.)

Prinz v. Thurn u. Taxis (Wilhelm) Willy
B.: Journalist, Dolmetsch, Ehrenobm. d. Paneuropa-Union Wien u. NÖ. DA.: c/o Paneuropa Bewegung, 1040 Wien, Prinz-Eugen-Str. 18. PA.: 1190 Wien, Vegag. 11. G.: Mcelly/Böhmen, 29. März 1919. El.: Erich Prinz v. Thurn u. Taxis u. Gabriele Reichsgräfin Kinsky. BV.: Reinerius de Tasso (11. Jhdt.), Fürst Franz v. Thurn u. Taxis 1. Gen.Erb-Postm. d. hl. Röm. Reiches, 1. Kaiserl. Prinzipal-Kommissar d. dt. Reichsfürstentages (18. Jhdt.), Pr. Emmerich v. Thurn u. Taxis, K.u.K. Ob.-Stallm. S.: Untergymn. Benediktiner (Sekkau), Obergymn. (Seitenstetten), Stud. Welthdl. b. 1942. K.: Österr. BH 1937, Dt. Wehrmacht 1938-41, Österr. Widerstandsbew. ab 1941, 1945-49 BKA, 1949-50 tätig in Bergwerksuntern., 1950-53 Vertreter eines Schweizer Konzerns u. Ltr. eines Gestüts in Marokko, 1953-58 Adjudant v. Nikolaus v. Rumänien, 1958-62 b. Denzel BMW. BL.: Organisator d. Festwochen d. amerikan. Debutantinnen (Silberrosenball), v. Großhochzeiten, Bällen u. Begräbnissen (u.a. Begräbnis v. Kaiserin Zita 1. Apr. 1989), ungezählte Vorträge über Zeitgeschichte in d. Paneuropa Bewegung. E.: GrK d. LazarusO (Generalzeremonienmstr. f. d. ganze Welt), Mtgl. d. Grand Magistère (Ordensrg. d. Lazarus Ordens), GrK d. Caballeros de Yuste (VPräs. f. d. dt. Sprache), Präs. d. Ver. d. Altseitenstettner auf Lebenszeit gewählt, Ehrenpräs. d. Verb. d. Österr. z. Wahrung d. Geschichte. M.: Kath. Österr. Landsmannschaft Starhemberg. H.: Phil., Poesie, Reiten, Schwimmen, Organ. u. Kochen. (R.J.)

Graf von Thurn-Valsassina Aripard Dr. rer. pol.
B.: Land- u. Forstwirt. DA.: 9135 Eisenkappel. G.: Bleiburg, 1. Juni 1925. V.: Maria Prinzessin Auersperg. Ki.: Hedwig, Franziska, Georg, Charlotte, Aglaja, Vinzenz, Johannes, Douglas. BV.: Ugroßvater Georg I. (Feldzeugmstr. u. LHptm. v. Ktn.). S.: Gymn., Univ. Graz. K.: Übernahme d. Familienbetriebe: 1954 Bleiburg, 1967 Eisenkappel, zusätzl. AufsR. d. Steirerbrau, Präs. Arbeitgeberverb. f. Land- u. Forstwirtschaft, Obm. Raiffeisenlagerhaus Ktn., Obm. Raiffeisenbank Ktn. E.: Gr. Gold. EK f. Verd. um d. Land Ktn. H.: Reisen, Reiten, Tennis, Jagd.

Thurn-Valsassina Vinzenz Mag.
B.: Untenehmer. FN.: Thurn-Valsassin'sche Forstverw. Sägewerk; Thurn-Valsassin'sche Ökonomieverw.; Vinzenz Thurn-Valsassina Forstverw. Eisenkappel; Brauerei Sorgendorf GmbH. DA. u. PA.: 9150 Bleiburg, Bahnhofstr. 15. G.: Klagenfurt, 11. Juni 1963. V.: Johanna Daria, geb. Trauttmannsdorff-Weinsberg. Ki.: Clemens (1987), Jakob (1988). El.: Dr. Aripard u. Maria. BV.: Urgroßvater Georg I (1859-1965) (Feldzeugmeister u. LHptm. v. Ktn.), seit 13. Jhdt. in Italien nachweisl. Adelsgeschlecht, um 1600 von Italien nach Kärnten. S.: VS, Gymn., 1981 Matura, BH, Stud. Hdls.-Wiss. Wien, 1989 Spons. K.: 1989-91 Kommerzkundenbetreuer d. Raiffeisenzentralbank AG Wien, 1991 Übernahme d. elterl. Betriebe. M.: AufsR. Raiffeisenbank Bleiburg, Vorst. Verb. d. Ktn. Forstbetriebe, Vorst. d. Arbeitgeberverb. d. Ktn. Land- u. Forstbetriebe. H.: Tennis, Skifahren. (G.L.)

Thurner Franziska
B.: Prok., Werbeass. FN.: Sitour Produktions u. Werbe GmbH. DA.: 6020 Innsbruck, Bundesstr. 2a. G.: St. Johann/-Pongau, 9. Jan. 1954. El.: Anton Zirnitzer u. Barbara Höller. S.: RG, 1972 Matura, Fachschule f. Wirtschaftswerbung Wien, 1975 Abschluß. K.: seit 1976 b. Sitour, 2 J. Objektverw. Verkauf, seit 1983 Prok. H.: Skifahren, Wasserskifahren, Bergsteigen, Lesen.

Thurner Hartwig
B.: Gold- u. Silberschmied u. Juweliermstr. DA.: 5020 Salzburg, Klesheimer Allee 29A. G.: Hall, 18. März 1956. V.: Johanna, geb. Kritzinger. El.: Hermann u. Hedwig. S.: Pflichtschulen, kunstgewerbl. Berufsschule d. Gold- u. Silberschmiede in Innsbruck m. Abschluß 1975, 1970-75 als Gold- u. Silberschmied b. Silberschmied Brunner in Innsbruck, 1976 Übersiedlung nach Sbg., Praxisjahre als Goldschmied, 1979 Mstr.Prüf. in Sbg. K.: ab 1979 selbst. Gold- u. Silberschmied m. eigenem Atelier u. Detailgeschäft in Sbg. BL.: Vertr. d. lfd. Ausst. in München, Basel, Tokio, Oslo, Strassbourg, Wien u. Sbg. F.: Auslieferungslager in Ainring/BRD. M.: Prüf.Kmsn. Lehrberuf Gold- u. Silberschmiede, Jungjägerschaft Sbg. H.: Rasen, Sport. (Hat.)

Thurner Herbert Prof. h.c.
B.: selbst. Arch. A.: 1237 Wien, Breitenfurter Str. 571. G.: Baden, 28. Aug. 1905. V.: Elisabeth, geb. Singer. Ki: Lisl Rose (1936), Johanna Zeh (1946). S.: RG, Kunstgewerbeschule Wien, Arch.Stud. b. Josef Hoffmann u. Josef Frank. K.: Mitarb. im Atelier Prof. Josef Hoffmann, 4 J. Lehrer an d. Berufsschule f. Tischler in Wien, seit 1935 eigenes Arch.Atelier in Wien, Wohnbauten, Schulen, Kindergärten, Verkehrsbauten, wiss. Inst., Altstadtsanierung Wien Blutgassenviertel, Ausstellungsbauten im In- u. Ausland, Einrichtung v. Woh - nungen u. Geschäftslokalen, Wettbewerbserfolge. P.: Forschungsarbeit, Mindestanforderung an eine Wohnung (Wohnbauforschung in Österr.), Vorfertigung im Schulbau (BMB), Aufsätze in Presse u. Fachzeitschriften. E.: Gold. Med. "Intern. Kochkunstausstellung in Wien 1935", Gold. Med. d. Weltausstellung in Paris 1937, Kulturpreis d. Stadt Wien f. Arch., Gold. Rathausmann, Prof. h.c. M.: Zentralver. d. Arch. Österr., Österr. Ges. f. Arch. H.: Literatur, Musik.

Thurner Josef Dr.
B.: a.o.Univ.-Prof. DA.: 5020 Salzburg, Müllner Hauptstr. 48. G.: Imsterberg, 25. Aug. 1927. V.: Barbara, gab. Mussoni. Ki.: Dr. Josef, Mag. Brigitte, Clemens, Benedikta, Gudrun, Gabriela. El.: Josef u. Benedikta. S.: Gymn., Med.Stud. Univ. Innsbruck, 1953 Prom. K.: Ausbild. in Path. Anatomie an d. Univ. Innsbruck, 1961 Univ.Doz. f. d. Fach Allg. u. Spez. Path. Anatomie u. Histologie, 1964 Vorst. d. Path. Inst. d. LKA Sbg., 1968 a.o.Univ.-Prof. P.: über 100 wiss. Veröff., mehrere Bücher u. Monographien. E.: C. Reichert-Ehrenpreis, Anton v. Eiselsberg-Preis d. Van Swieten-Ges. in Wien, Preis d. Schweizer Ges. f. Phlebologie. M.: Mtgl. mehrerer wiss. Ges. d. In- u. Auslandes. (A.W.)

Thurner Norbert Ing.
B.: Gschf. Ges. FN.: V.A.S. Verfahrenstechnik. DA.: 5084 Großgmain, Salzburger Str. 532. PA.: 5084 Großgmain, Salzburgerstr. 425. G.: Bruck, 26. Dez. 1956. V.: Gabriele, geb. Manzl. Ki.: Isabella (1981), Ivonne (1985), Lukas (1991). El.: Fritz u. Gertrude. S.: VS, HS, 1972 Baufachschule, 1973-78 HTL f. Maschinenbau, 1979 Bundeswehr. K.: 1980-83 Abwasserreinigung u. Trinkwasser Aufbereitung, 1984-87 Energie- u. Abgastechnologie, 1988-89 Kons. im Bereich Umwelttechnik u. parallel Lehrer, 1989 selbst. m. Planungsbüro, 1990 Grdg. GmbH, 1991 GmbH & Co KG. BL.: Entwicklung neuer Verfahren z. Behandlungen v. Bauchgasen. H.: Berggehen, Natur, Skifahren, Langlaufen, Segeln, Arb. (M.G.)

Thurnher Armin
B.: Chefred. Zeitschrift "Falter", "Visa" Magazin. GT.: Verlagsltr. d. Buchverlag "Falter". DA.: 1010 Wien, Marc-Aurel-Str. 9. PA.: 1010 Wien, Grünangerg. 1. G.: Bregenz, 21. Febr. 1949. Ki.: Rosa (1975). El.: Georg u. Gertrude, geb. Germann. S.: 1967 Matura, USA-Aufenthalt Wagner College, Stud. Theaterwiss., Germanistik. K.: 1977 Mitbegründer d. Zeitschrift "Falter", Autor d. Theaterstückes "stoned Vienna" gemeinsam m. Heinz R. Unger, Organ. v. Film- u. Theaterfestivals in Wien u. Frankfurt, Berater im Film- u. Medienbereich. P.: Schwarze Zwerge. Österr. Medienlandschaft u. ihre Bewohner (1992), Franz Vranitzky im Gespräch m. A. Thurnher (1992). E.: Preis d. Stadt Wien f. Publizistik 1991. H.: Musik (Klavier), Tennis, Skifahren. (P.R.)

Thurnher Gernot Dipl.-Ing.
B.: Architekt. PA.: 6800 Feldkirch, Churer Tor 4. G.: Bludenz, 21. Juni 1953. V.: Dr. med. Josefine, geb. Majoran. El.: Helmfried u. Lore. S.: Gymn., 1972 Matura, Stud. Techn. Univ. Graz, 1982 Spons., 1972 Militär. K.: 1982-84 Ang. in Arch. u. Designbüro in Graz, 1984 selbst. Architekt in Feldkirch, 1988 Ziviltechnikerbefugnis, Großbauten - Kommunale Bauten, Ind.-Bauten, 1992 StadtR. in Feldkirch. M.: Rotary Club Feldkirch. H.: Politik, Skifahren, Wandern. (I.D.)

Thurnher Heinz Dipl.-Ing. (FH)
B.: Inh., Textiling. FN.: Heinz Thurnher Industrievertretungen. DA. u. PA.: 6800 Dornbirn, Lustenaustraße. G.: Dornbirn, 1. Feb. 1931. V.: Helene, geb. Kohlbecher. Ki.: Astrid (1961), Mag. Guntram (1963), Ivonne (1969). El.: Eugen u. Franziska. S.: Realschule Dornbirn, 1 Sem. kfm. Textilschule Dornbirn, Textil-FH Reutlingen, Abschl. 1955, Ing. (Spinnerei u. Weberei). K.: 1955-60 Pacholt/Westfalen in Textilfirma (Betr.-Ass.), 1960 Prok. f. Betrieb u. Einkauf, 1971 Übersiedl. n. Dornbirn u. Firmengründ. Ind.-Vertr., Textilmasch.-Ausrüst. M.: Österr. Chemiker- u. Coloristenver., 7 J. Grem.-Mtgl. d. Handelsvertr., Präs. d. Kiwanis-Club Dornbirn, Tennisclub TC Dornbirn. H.: Tennis, Schifahren, Bergtouren, Schwimmen. (I.D.)

Thurnher Ingrid
B.: Journal. FN.: Radio-Inform, ORF, Hörfunk. DA.: 1040 Wien, Argentinierstr. 30 A. G.: Bludenz, 6. Juli 1962. El.: Julius u. Christine, geb. Thurnher. S.: AHS, 1980 Mat., Abiturientenlehr. b. d. HAK, Stud. Publizist., Theaterwiss. a. d. Univ. Wien, Schauspielausb. am. Schubert-Konserv. K.: b. 1986 i. elterl. Betr. tät., 1985 Eintr. b. ORF als Moderatorin u. Red. b. Landesstud. NÖ, s. 1991 i. d. Red. Innenpol. H.: Lesen. (N.A.)

Thurow Wolfgang Dieter Dr.
B.: Mtgl. d. Vorst. FN.: Steyr-Daimler-Puch AG. DA.: 1010 Wien, Franz-Josefs-Kai 51. G.: Klagenfurt, 17. März 1947. V.: Mag. Traute, geb. Eisenhut. Ki.: Claudia Michaela, Michael Carsten. S.: 1962-67 HTL Maschinenbau Klagenfurt, 1968-74 Stud. Wirtschaftsing.-Wesen u. Maschinenbau TU Graz, 1977 Prom. K.: 1975-78 Univ.-Ass. am Inst. f. Ind.-Betriebslehre u. Wirtschaftstechnik TU Graz, 1978-80 Ltr. d. Logistik HILCONA GmbH, ab 1979 Gschf. f. b. Bereich Produktion Österr., 1980 Hauptabt.-Ltr. Logistik BMW Motoren GmbH, 1984 Hauptabt.-Ltr. Materialplanung BMW AG, 1987 Vors. d. Geschäftsführung BMW Austria, 1988 Projektltg. Europa 92 BMW AG, 1989 Bereichsltr. Zentrales Marekting BMW AG, seit 1993 Mtgl. d. Vorst. Steyr-Daimler-Puch AG, 1976-78 Mtgl. d. Kollegiums d. Fak. f. Maschinenbau an d. TU Graz, 1975/76-78 Lehrbeauftragter f. Ind.-Betriebslehre, Marketing u. Kreativitätstraining, seit 1985 Doz. FHS München. (N.A.)

Thuswaldner Werner Dr.
B.: Ltr. d. Kulturred. d. Sbg. Nachrichten. DA.: 5020 Salzburg, Bergstr. 14. G.: Laas, 30. Mai 1942. Ki.: Astrid (1966), Günter (1968), Gregor (1973). El.: Anton u. Aloisia. S.: 1962 HTLMatura Villach, Bautechniker, Stud. Germanistik, Geschichte Univ. Sbg., 1973 Prom. K.: seit 1967 b. d. Sbg. Nachrichten in d. Kulturabt., seit 1982 Ltr. d. Kulturred., Theaterstücke, Hör- u. Fernsehspiele. P.: Diss. "Sprachexperiment u. Darbietungsexperiment", Buch "Alltag u. Fest". E.: Gold. VZ d. Landes Sbg. (N.M.)

Thym Wolfgang Dr.
B.: prakt. Arzt. DA. u. PA.: 6342 Niederndorf 95. G.: Lübeck, 20. Aug. 1940. V.: Emma, geb. Mark. Ki. Christoph, Konstanze, Clemens, Cordula. El.: Herbert u. Eva. BV.: Großonkel Theodor Storm. S.: VS, Gymn., Med.Stud. Univ. Innsbruck, 1 J. prakt. Ausbild. in d. Schweiz, Turnusausbild. in Sbg. K.: seit 1973 selbst. Praxis in Niederndorf. BL.: Ltr. v. Neural- u. Ozontherapiekursen. P.: div. Veröff. über Neuraltherapie. M.: Schlaraffia Kufstein. H.: Musik, Kunst, Surfen, Skifahren, Radfahren, Bergsteigen. (W.G.)

Tiani Franz
B.: Gschf. Ges. FN.: Tiani GmbH u. Tiani Med. Graph. DA.: 1050 Wien, Rainerg. 35. G.: Wien, 20. Juni 1962. V.: Daniela, geb. Schebelle. Ki.: Fabio (1988), Nina (1990). El.: Franz u. Elfriede. S.: HTL Abt. f. Elektronik u. Nachrichtentechnik Wien u. TGM Abt. f. Kunststofftechnik, 1981 Abschluß. K.: Tätigk. b. Fa. Schrack, 2 J. Fa. Brother Intern. Techn Unterstützung, danach im Vertrieb. f. Österr. u. Osteuropa d. Fa. Tiani GmbH Deutschland, s. 1989 selbst. Grdg. d. Tiani GmbH f. d. Entwicklung v. Software vorwiegend f. d. Maschinenbau, 1991 Erwerb d. Fa. Med. Graph: Software f. Med. Bildverarb., 1991 Grdg. MTL GmbH Ungarn. F.: Gschf. Ges. MTL GmbH Székesfehérvár/Ungarn. H.: Segeln, Tennis. (M.A.)

Tichatschek Eckhard DDDr. Mag.
B.: Pharmazeut in d. Apotheke z. Hl. Brigitta. DA.: 1200 Wien, Wallensteinpl. 2. G.: Wien, 3. Febr. 1922. V.: Elisabeth, geb. Sallo. El.: Dr. Josef u. Noemi. S.: VS, Mittelschule, Staatsgymn., Matura. K.: 1940 Reichsarbeitsdienst, 1940-42 Praktikum in d. Apotheke "Zur Hl. Brigitta", 1942-43 Pharmaziestud., 1943-45 Dienst b. d. Dt. Wehrmacht, 1945-46 Russ. Kriegsgefangenschaft, 1947 Pharmaziestud., 1947 Arb. als vorexaminierter Pharmazeut, 1947-50 Pharmaziestud., 1950 Prom. z. Mag. pharm., 1951-62 ang. Apotheker, ab 1962 Arb. im land- u. forstwirtschaftl. Betrieb d. Familie in Sallach, ab 1962 selbst. Apotheker, Stud. d. Rechtswiss. als Werkstudent, 1969 Mag. iur., ab 1969 Fernstudio in Fribourg Schweiz, 1970 Prom. z. Dr. iur., ab 1970 ständige journalist. Mitarb. b. Diplomatenzeitungen, als Red. insbes. b.: "Correspondance diplomatique", "Welt d. Diplomatie", "Österr. diplomat. Korrespondenz" u. "Diplomatic Correspondence", 1970-71 Vertragsass. am Inst. f. Agrarpolitik u. Agrarsoz. d. Univ. Wien, 1971 Lehrauftrag an d. Univ. Wien, ab 1971 in d. Standespolitik d. Apotheker tätig, 1970 Stud. d. Vw. an d. HS f. Welthdl. in Wien u. Stud. d. Staatswiss. an d. Univ. Wien, 1971 Mil. Umschulung u. Facheinschulung b. Österr. BH, ab 1971 Politologiestud., 1972 Lehramtsprüf. aus Rechtskunde, Staatsbürgerkunde u. Vw., 1972 Lehramtsprüf. aus Warenkunde, mechan u. chem. Technologie, 1975-80 einige Sem. Univ. f. Bildungswiss. Klagenfurt, 1975 Prom. z. Dr. rer. pol., 1977 Kurs u. Prüf. am Inst. f. Strahlenschutz Seibersdorf, 1983 Prom. z. Dr. phil., 1985 Beginn d. Vortragstätigkeit als Doz. an d. Wiss. HS f. Unternehmensführung Koblenz. P.: "Rechtsfragen d. Pharmazeutenausbild." 1971, "Die Ausbild. f. d. Krankenpflegefachdienst in d. Kompetenzordnung d. Bundesverfassung m. einem Beitrag z. Schulbegriff" 1972, "Raumordnung u. Ramplanung in Österr." 1973. E.: 1971 Verleihung d. Ing.Dipl. am Inst. Technique Supérieur in Fribourg Schweiz, 1972 Mag. rer. soc. oec. durch d. HS f. Welthdl., 1980 Ernennung z. Lector an d. North-West London Univ., 1983 Ernennung z. Prof. an d. Freien u. Priv. Univ. Herisau AR, Fak. f. industrielle Wiss., Silb. EZ f. Verd. um d. Rep. Österr. 1985, BHDZ 2. u. 3. Kl., ÖKB-Med., Silb. EZ v. Hl. Vater Leo XIII, Ordre Souverain de Saint-Jean de Jerusalem. M.: Grdg.Mtgl. d. Ver. "Gründerges. f. eine Univ. im Fürstentum Liechtenstein e.V.", Mtgl. d. Wr. Kath. Ak. (Erh.)

Tichy Curth Anatol
B.: Burgschauspieler i. P. FN.: Burgtheater. G.: Wien, 7. Aug. 1923. V.: Erna, geb. Riedl. Ki.: Alexandra (1954). El.: Anton u. Maria. S.: VS, HASCH. K.: 1942 Lazarett f. Hirngeschädigte, 1944-46 Reinhardt -Seminar, Sbg. "Die Tribühne", 1946 Landestheater Sbg. Prof Leisner holt ihn ans Mozarteum, 1950 Theater im Cafe Parkring unter Erich Neuberg, ab. 1954 Kaiserslautern, Bielefeld, Lücbeck, Hamburg, 1963-86 Burgtheater, s. 1986 viele Tourneen u. a. m. Nathan d. Weise. P.: Film u. Fernsehen: 1976-84 tragende Rolle in "Kottan ermittelt", "Familie Merian"; Schloßfestspiele Perchtoldsdorf: Romeo u. Julia (Vater d. Julia), s. Jugend freier Mitarb. b. Österr. Rundfunk. E.: Gr. Silb. Verdienstkreuz um d. Rep. Österr. H.: Radfahen, Schwimmen, Spazieren. (J.M.)

Tichy Erich KommR.
B.: Innungsmstr.-Stellv. d. LInnung Wien d. Schuhmacher GT.: Erich Tichy Schuhe (Reparaturen, Export, Hdl.), AufsR.-Mtgl. d. Kreditvereins d. Z-Länderbank Bank Austria AG seit 1992, Mtgl. d. Kuratoriums d. WIFI Wien seit 1990, Mtgl. d. Berufungskmsn. d. Heimarbeiter seit 1991. DA.: 1030 Wien, Salesianerg. 1, 1190 Wien, Billrothstr. 39. PA.: 1232 Wien, Draschestr. 83/II/2/6. G.: Wien, 9. Jan. 1940. V.: Brigitta, geb. Corda. Ki.: Gerhard. El.: Wenzel u. Ottilie. S.: VS, HS, 6 Mon. Polytechn. Lehrgang, Berufsschule, WIFI-Kurse, Hernstein-Seminare. K.: 1954-56 Lehrling, Oberteilherrichter u. Schuhmacher, 1957 Gesellenprüf., Militärdienst, 1960 Mstr.-Prüf., seit 1964 selbst., seit 1972 Aussch.-Mtgl., 1973-92 Innungsmstr., seit 1992 Innungsmeisterstellv., seit 1974 BInnungsaussch.Mtgl., KamR. d. Sekt. Gewerbe seit 1975, Bes. d. Arbeitsgerichtl. Berufungsenates, Aussch.Mtgl. d. Gremiums f. Einzelhdl., Mtgl. d. BeiR. f. Statistik, 1980-85 Gremialvorst.-Stellv. d. LGremiums Wien f. d. Einzelhdl. m. Schuhen, seit 1979 gerichtl. beeid. Sachv., 1977-92 BeiR. d. Kreditver. d. Zentralsparkasse, fachmänn. Laienrichter seit 1985. E.: KommR., Gold. EZ f. Verd. um d. Rep. Österr., Gr. Silb. Ehrenmed. d. Kammer Wien, Silb. EZ f. Verd. um d. Land Wien 1987. M.: Freier Wirtschaftsverb. (1966), SPÖ (1962), Fachgruppenobm. (1973), Sekt.Obm.Stellv. im Freien Wirtschaftsverb. (1973), Präsidialmtgl. seit 1984. H.: Briefmarken, Fischen, Wandern. (R.A.)

Tichy Friederike Mag. Prof.
B.: Dir. d. Höheren Internatsschule d. Bundes Schloß Traunsee. DA.: 4810 Gmunden, Schloß Traunsee. PA.: 4813 Altmünster, Feldstr. 39/2/12. G.: Pernitz, 26. Sept. 1944. El.: Friedrich u. Natalie Tichy, geb. Bundsmann. S.: 1963 Matura Gymn. d. Kreuzschwestern Gmunden-Ort, 1964-71 1 J. Stud. TH, anschl. Stud. d. Lehramtes f. AHS, Math. u. Phil. Univ. Wien, 1971 Lehramtsprüf. K.: seit 1971 Höhere Internatsschule d. Bundes Schloß Traunsee, Lehrerin f. Math. u. Phil. u. Erzieherin (1971-85), 1986-92 Dir.-Stellv. d. Schule, seit 1992 Dir. d. Schule. M.: Reitclub URV Traunsee. H.: Lesen, Reiten, Tennis, Wandern. (E.Hö.)

Tichy Geiserich E. Dr. Dkfm. a.o. Univ.-Prof.
B.: Univ.-Doz. f. Nationalökonomie, beeid. Wirtschaftsprüfer u. Steuerberater, ständig gerichtl. beeid. Buchsachv., o.Vorst.-Mtgl. d. Süd-Ost Treuhand AG, Gschf. d. Prof. Falkenberg Wirtschaftsprüf. u. Steuerberatungs GmbH, Gschf. d. Dr. Hock Treuhand GmbH. DA.: 1020 Wien, Praterstr. 23. PA.: 1190 Wien, Steinfeldg. 4. G.: Preßburg, 25. Febr. 1934. V.: Prof. Mag. Dr. Barbara, geb. Giorgi. Ki.: Alexander, Maximilian, Wolfgang, Johannes. El.: Géza u. Auguste. S.: Technolog. Gewerbemuseum (Abt. Maschinenbau), WU. K.: 1954-61 Ing., seit 1961 Wirtschaftstreuhänder, seit 1972 Univ.-Doz. F.: Süd-Ost Treuhand AG, Wirtschaftsprüf. u. Steuerberatungsges. Wien, Gebauer & Griller KG Wien. P.: Theor. Grundlegung d. Polit. Ökonomie (Habil. Berlin 1970), Unternehmensbew. (Wien 1993), Unternehmensbew. in Theorie u. Praxis (Wien 1994), ca. 150 Fachart. u. Beiträge in Sam-

melwerken u. Festschriften. M.: Kurat. d. Ges. f. Ganzheitsforsch., Präs. d. Ver. d. Freunde d. Wiener Philharmoniker, Präs. d. Technologenverb., Kurat. d. Technolog. Gewerbemuseums, Fachsenat f. Steuerrecht, Fachsenat f. Betriebswirtschaft d. Kam. d. WT, Österr. Steuerreformkmsn., AR Auto-Motor-Beteiligungs-AG, Panalpina AG, Rotary (Präs.). H.: Phil., Lesen, Malen, Skisport. (R.A.)

Tichy Gunther Dr. iur.

B.: o.Univ.-Prof. f. VWL u. Volkswirschaftspolitik an d. Univ. Graz. A.: 1130 Wien, Vinzenz-Hess-G. 9b. G.: Wien, 19. März 1937. V.: Renate, geb. Sobek. El.: Otto u. Anna. S.: 1955 Matura, 1960 Dr. iur. K.: Österr. Inst. f. Wirtschaftsforsch., 1960-70 REf., 1970-74 Mtgl. d. Führungsteams, 1974-78 Abt.Dir. d. Girozentrale u. Bank d. Österr. Sparkassen, ab 1978 Prof. an d. Univ. Graz. P.: Indikatoren d. Österr. Konjunktur, Konjunkturschwankungen - Theorie, Messungen, Prognose, etwa 50 wiss. Art. M.: Ges. f. Wirtschafts- u. Sozialwiss. (Ver. f. Sozialpolitik), Österr. Ges. f. NatÖk., Österr. Stat. Ges.

Tichy Herbert

B.: Glaser- u. Glasschleifermstr., Kfm. FN.: Tichy Glas-Bau. DA. u. PA.: 5702 Zell am See, Seespitzstr. 20. G.: Wien, 20. Apr. 1946. V.: Maria, geb. Ruggenthaler. Ki.: Stefan (1971), Hannes (1978). El.: Hans u. Gisela. S.: VS, Untermittelschule Wien, Glasfachschule Kramsach, Glasmstr.-Prüf., Glasschleifermstr.-Prüf., Militär. K.: Erfahrung b. versch. Firmen im In- u. Ausland, seit 1964 selbst. in d. Fa. Tichy Zell am See, 1986 Landesinnungsmstr., 1986 gerichtl. beeid. Sachv. f. Sbg. u. OÖ. E.: Gold. EZ d. Bundesinnung f. d. österr. Glaserhandwerk. M.: Innung. H.: Motorradfahren, Skifahren, Wandern, Schwimmen. (M.T.)

Tichy Herbert Dir.

B.: Kfm. Ltr. FN.: Gefat. GT.: Autom. Telefonie Gefolgschaftshilfe GmbH, Vors. d. BeiR. DA.: 1131 Wien, Hietzinger Kai 139. PA.: 2344 Maria Enzersdorf, Erlaufstr. 8. G.: Wien, 18. Febr. 1941. V.: Monika, geb. Schaubach. Ki.: Ulrike. El.: Josef u. Auguste. S.: Matura, Kurse: Betriebswirtschaftl. EDV, Bilanzbuchhalterprüf. K.: 1956 Gefat, Abt.Ltr. Buchhaltung, Hpt.Abt.Ltr. Kalkulation ges. Rechnungswesen, Prok., Stellv. Vorst.Mtgl., o.Vorst.Mtgl. H.: Sport, Garten. (A.K.)

Tichy Josef

B.: Gschf. FN.: Toyota Tichy GmbH Werkstätte u. Verkauf. DA.: 1232 Wien, Dr.-Hanswenzl-G. 20. PA.: 1120 Wien, Sagederg. 9/21. G.: Wien, 13. Jän. 1944. V.: Regina, geb. Hölbl. Ki.: Claudia (1969). El.: Josef u. Johanna, geb. Pickl. S.: VS, HS, Berufsschule, Mstr.-Schule. K.: Tätigkeit als Fotokfm., 1970 Eintritt Firma Hölbl, 1985 Übernahme d. Firma, ab dieser Zeit selbst., seit 1972 Toyota-Vertretung. H.: Fotografieren, Videofilmen, Wandern, Bergsteigen. (N.A.)

Tichy Josef Mag. rer. oec. soc.

B.: LSekr. d. Roten Kreuzes OÖ. DA.: 4020 Linz, Khevenhüllerstr. 19. PA.: 4040 Linz, Steinbauerstr. 6. G.: Wien, 26. Sept. 1938. V.: Edeltraud, geb. Dobesberger. Ki.: Sonja (1966), Irene (1971). El.: Hermann u. Anna. S.: Maschinen- u. Motorenschlosserlehre, BH, BORealschule in d. Maria Theresien-Ak. Wr. Neustadt, 1963 Matura. K.: 1963-66 Militärak. Wr. Neustadt, Ausbild.Offz., Umschulung z. Hubschrauberpilot, Stud. d. Sozial- u. Wirtschaftswiss., 1980 Spons., weiterhin Pilot u. zwischenzeitl. beschäftigt m. wehrpolit. Belangen im BMLV, zuletzt Flugsicherheitsoffz. b. Fliegerreg. 3 m. d. Dienstgrad Obstlt., 1985 Rotes Kreuz OÖ, seit 1986 LSekr. u. LRettungskdt., weiterhin Res.Offz. H.: Sport, Streßforsch., Fachliteratur. (P.R.)

Tichy Kurt KommR.

B.: Inh. d. Eissalon Tichy. DA.: 1100 Wien, Reumannpl. 13. PA.: 1100 Wien, Sahulkastr. 28. G.: Wien, 17. Aug. 1925. V.: Marianne, geb. Schreiner. Ki.: Kurt, Dr. Marina. El.: Jakob u. Johanna. S.: 1950 Mstr.Prüf. Zuckerbäcker. K.: 1952 in Wien-Simmering begonnen, 1955 Reumannpl. 13 Eissalon eröffnet u. jährl. vergrößert. P.: einige Art. über Eis in Fachzeitschriften. E.: 1976 KommR., 1974 Staatswappen, Erfinder d. Eismarillenknödel - Patent, Ehrenurkunde f. 35 J. Zuckerbäckermstr. H.: Familie, Beruf, Fischen. (M.M.)

Tichy Walter

B.: Prok., Marketing, Verkauf. FN.: Dr. A. & L. Schmidgall chem.-pharm. Fbk. GT.: Aussch. d. BWirtschaftskam. DA.: 1121 Wien, Wolfgangg. 45-47. PA.: 1238 Wien, Valenting. 9-11/1/1. G.: Wien, 22. Mai 1944. V.: Ingrid, geb. Gahler. Ki.: Georg, Markus, Nina. El.: Franz u. Gertrude. S.: RG, Welthdl.Stud., versch. Kurse im Marketing. K.: Mauthner Markhof, Fa. Austro-Merck, seit 1984 Prok. d. Fa. Schmidgall. P.: Export-Marktforsch. M. Marketing Club, Absolventen d. HS-Lehrgangs f. Werbung u. Verkauf, VPräs. d. Tauchsportverb. Österr. H.: Tauchen, Tourenskilauf, Golf. (E.L.)

Tichy-Schreder Ingrid

B.: Gschf. FN.: Friedrich Schreder GmbH. GT.: Gschf. Maximilian Hauser GmbH & Co KG u. Gschf. Maximilian Hauser GmbH, Stuttgart, Agentur u. Großhdl. m. Häuten u. Fellen, Mtgl. d. NatR. seit 1979, VPräs. d. BWirtschaftskam. DA.: 1011 Wien, Postfach 286. G.: Wien, 3. Dez. 1941. El.: Friedrich u. Herta Schreder. BV.: Traditionelle NÖ Kfm.Familie. S.: VS, AHS, Abiturientenkurs d. HAK 1960. K.: Eintritt in d. Familienfa. Friedrich Schreder GmbH Hdl. m. Getreide, prakt. Tätigkeit, dzt. gschf. Ges., seit 1971 Mtgl., 1974-76 Wr. u. BVors. d. Arge Junge Wirtschaft, seit 1982 m. d. Ltg. d. Ref. "Frau in d. Wirtschaft" in d. BKam. d. Gewerbl. Wirtschaft betraut. H.: Lesen, Skifahren. (M.B.)

Tick John Anthonius

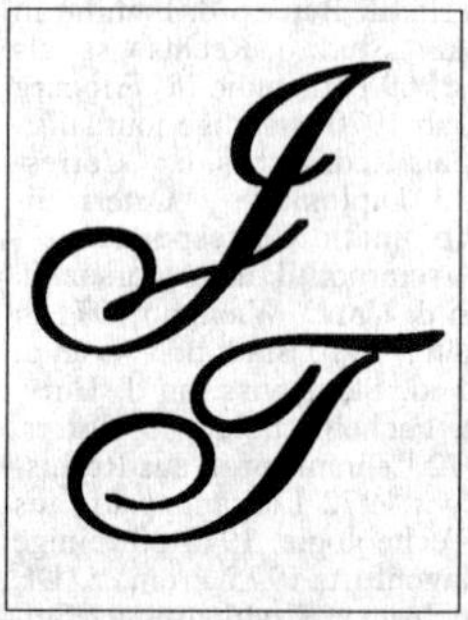

B.: Inh., Gschf. Ges. FN.: Florisant Blumen-Import u. Groß- u. Einzelhdl., Gschf. Ges. d. Fa. Mayrhofer Ges.m.b.H. DA.: 1100 Wien, Rosiwalg. 41-43 u. 1060 Wien, Gupendorferstr. 70. G.: Amersfort/-Holland, 14. März 1957. V.: Karin Ermelinde Johanna, geb. Rath. Ki.: David (1983), Lukas (1985), Oliver (1988). El.: Jan Anthonius u. Alida Joahanna. BV.: Urgroßvater war Leibwächter v. Napoleon. S.: Landbau-Ingenieur-Stud. in Holland. 1976-78 Fil. Ltr. e. gr. Supermarktes in Holland sowie Regionalltr.f. div. Supermärkte. 1979 n. Österr., Weltreise angetreten, 1985 zurück n. Österr. u. d. Fa. Florisant Grgd., 1987 Fil. in Holland u. 1989 d. Fa. Mayrhofer GmbH. erworben. BL.: 3- facher Judo-Staatsmstr. b. Fryenord-Rotterdam, H.: Fußball, Rafting, Squash, Reisen. (F.S.)

Tidl Georg Dr.

B.: Journalist b. ORF. PA.: 1120 Wien, Eichenstraße. G.: Wien, 19. Juli 1948. V.: Adelheid Veronika Hildegard, geb. Lympius. S.: Mittelschule, Phil.Stud. an d. Univ. Wien, 1974 Prom. K.: Anfangstätigkeit am Inst. f. Zeitgeschichte unter d. Ltg. v. Univ.-Prof. Dr. Ludwig Jedlicka an zeitgeschichtl. Problemen, dann Tätigkeit b. ORF u. seit 1977 ständig b. ORF, 1979 Fernsehtätigkeit, versch. Bereiche: Innenpolitik, Dokumentationen, Argumente, Wir, Inlandsreport, Politik am Freitag u. Hörfunk, Ltr. d. Who is Who Red. im Fernsehen. BL.:

Alfons Petzold-Nachlaß gehoben u. f. Österr. gerettet. P.: "Die Sozialistischen Mittelschüler Österr. 1818-1938", "Die Frau im Nationalsozialismus", Zeitgeschichtl. Ausstellungen. E.: etliche Preise f. Fernsehwettbewerbe, 1983 "Das Orchester" 3. Platz b. "Prix futura" in Berlin. M.: ÖGB. H.: Antiquitäten, Sammeln v. zeitgeschichtl. Dokumenten u. Objekten, Motorräder, Skifahren, Reisen. (E.L.)

Tidl Marie Dr. Prof.

B.: Prof. PA.: 1040 Wien, Kolschitzkyg. 16/IV. G.: Wien, 24. Jan. 1916. V.: Dipl.-Ing. Johann Tidl. Ki.: Dr. Georg. El.: Adolf u. Marie Hofmann. S.: Matura, Stud. an d. Univ. Wien (Germanistik, Geschichte). P.: Diss.: "Die Frauenarbeit in d. NÖ Textilindustrie", Friedensfiebel: "...daß nie wieder ein Krieg kommt" 1950, "Frauen im Widerstand", "Wiener Straßenbahner im Widerstand 1934-45", div. histor. Art. E.: 1950 Preis d. Arb.Kam. Stiftung f. wiss. Arbeiten, 1963 Fritz Jensen-Preis d. "Österr. Volksstimme" f. d. Reportage "Tropfen, die den Stein höhlen", 1965 Förderungspreis d. Österr. Bundesverlages, 1966 Kinder- u. Jugendbuchpreis d. Stadt Wien. H.: Motivsammlung Adam u. Eva, Häferln sammeln. (A.K.)

Tieber Andreas

B.: Musiker. PA.: 2352 Gumpoldskirchen, Gartenweg 7/2. G.: Wien, 5. März 1957. V.: Gertraud, geb. Schnitzer. El.: Alfred u. Margaretha. BV.: Großmutter väterl.: Marie v. Schilling. S.: Gymn. Baden, 1976 Matura, Stud. an d. Univ. Wien (Psych., Jus). K.: Auslandsaufenthalt in Schweden, Frankreich, Griechenland u. BRD, 1980 Zivildienst, 1981-86 Konservatorium d. Stadt Wien, Hauptfach E-Bass. Abschluß u. Lehramtsprüf., seit 1988 an d. Musikschule Gumpoldskirchen, Ltr. d. Jazz-Abt., Tätigkeit b. Plattenprod. H.: Beruf, Lesen. (A.W.)

Tieber Brigitte

B.: Chir.Mechaniker, Eigentümer. FN.: Alfred Schiller. DA.: 1090 Wien, Schwarzspanierstr. 15. PA.: 1010 Wien, Führichg. 4. G.: Wien, 11. Dez. 1946. El.: Alfred u. Margareta Schiller. S.: 1964 Matura, Gesellenprüf., 1972 Mstr.Prüf. K.: Mitarb. im elterl. Betrieb d. 1863 gegründet wurde, seit 1982 Ltg. d. Fa., chir. Instrumente aller Art. H.: Archäologie, Tiere. (S.S.)

Tiefenthaler Eberhard Dr. phil.

B.: Dir. FN.: Landesbibliothek Bregenz. DA.: 6900 Bregenz, Fluherstr. 4. PA.: 6900 Bregenz, Aureliastr. 2. G.: Bregenz, 19. Apr. 1933. V.: Hilde, geb. Ludescher. Ki.: Konstantin (1967), Kathrin (1968), Christine (1970), Benjamin (1978). El.: Dr. Meinrad (Landesarchivar). S.: 1952 Matura, Stud. Roman., Gesch. u. Phil.: Univ. Innsbruck, Paris u. Slamanca, 1958 Prom. K.: 1958 - 1959 Lektor an d. Univ. Innsbruck, 1959-61 Univ. Basel, 1961-77 Gym.-Prof. in Bludenz u. Bregenz, 1977 Beginn m. d. Aufbau d. Landesbibl. (dzt. 350.000 Bde. aus versch. Fachgeb.). P: Die rätoroman. Flurnamen d. Gem. Frastanz u. Nenzing; zahlr. histor., sprachwiss. u. bibl.-wiss. Abh., Vortr., Sem. i. kunst- u. kulturgesch. Ber. E.: Österr. EK f. Wiss. u. Kunst, Josef-Bick-Med. f. Verd. um d. österr. Bibliothwesen. M.: Präs. d. Intern. Ver. f. Gesch. d. Bodensees u. Umgebung, lj. Vizepräs. d. Vereinigung österr. Bibliothekare, Landesmuseumsverein, Rheticusges., GM Raitenauer Kultur, Betreuung v. Bibliothekarsdiplomanden. H: Sammler v. rel. Kleingrafiken aus d. 15.-19. Jhdt., Landleben im Bauernhaus (Rest. e. alten Rheintalhauses). (I.D.)

Tiefenthaller Wolfgang Dr. med.

B.: FA f. Kinderheilkunde. DA.: 4040 Linz, Hauptstr. 61. PA.: 4020 Linz, Im Blumengrund 11. G.: Vöcklabruck, 30. Juli 1953. V.: Maria, geb. Zeisel, 2 Kinder. El.: Ludwig u. Margarethe. S.: Gymn. Vöcklabruck, 1971 Matura, 1972-78 Med.Stud. in Innsbruck, 1978 Prom. K.: Turnusausbild. b. d. Barmherzigen Schwestern in Linz, FA-Ausbild. im Landeskinder-KH in Linz, seit 1985 eigene Praxis in Linz-Urfahr. H.: Skifahren, klass. Musik, Literatur. (H.D.)

Tielsch Matthias Ludwig Dr. med. univ.

B.: FA f. Zahn-, Mund- u. Kieferheilkunde. DA.: 6800 Feldkirch, Ardetzenbergstr. 61. G.: Chemnitz, 26. Sept. 1950. V.: Dr. phil. Christine, geb. Mayer. Ki.: Michael Alexander (1982), Peter Stefan (1988). S.: RG, 1970 Matura, Stud. Univ. Innsbruck, 1978 Prom. K.: 1978-80 FA-Ausbild. Univ.-Klinik Innsbruck, 1981 Praxisgrdg. in Meiningen, 1991 Praxisverlegung nach Feldkirch Ardetzenbergstraße. P.: div. fachbezogene Vorträge. M.: Grdg.-Mtgl. d. Vbg. Kleinkinder-, Kindergarten- u. Schulzahnpflegeprogrammes, ÖGZMK, ICD, ÖAV, seit 1986 Volksgesundheit in Vbg., AKS. H.: Privatpilot, Skifahren, Schwimmen, Wandern. (I.D.)

Tielsch Rudolf Dr. med.

B.: FA f. Dermatologie, Konsiliar-FA. A.: 1210 Wien, St. Michael G. 68. G.: Wien, 17. Febr. 1929. V.: Dr. Ilse, geb. Felzmann. El.: Hugo u. Anna. S.: RG, 1947 Matura, Med.Stud., 1954 Prom. K.: 1956-64 FA-Ausbild. an d. I. Univ.Hautklinik Wien (Prof. Tappeiner), 1961-64 OA d. Klinik. P.: 10 wiss. Arb. in versch. Zeitschriften. M.: Dermatolog. Ges. d. BRD u. Österr., Wr. Ärzteges. H.: Musik, Segeln (Beteiligung an d. Yngling-Segel-WM 1980/Attersee).

Tier Gerhard

B.: Konditormstr. Kaffee-Konditorei Gerhard Tier. DA.: 1100 Wien, Quellenstr. 16. PA.: 1100 Wien, Kudlichg. 36/10. G.: Wien, 14. Okt. 1942. El.: Erwin u. Hedwig. BV.: Großfamilie aus d. Sudetenland stammend, Urgroßvater war Großunternehmer im Sudetenland. S.: Berufsschule, 1966 Konditormstr.-Prüf. K.: Auslandstätigkeit in Konditoreien: 2 J. Brüssel, 1 J. London, anschl. Ang. in Konditorei Wien, seit 1973 selbst., zunächst Laa/Thaya später Linzer Straße 1140 Wien u. seit 1985 Quellenstraße. BL.: Spezialität: Torten in wirkl. jeder Form, Geschmacksrichtung u. vor allem zu jeder Gelegenheit passend, naturgetreue Nachahmungen z.B. Torten als Bierfaß, Schaffnerkapperl, Gipsfuß usw. M.: Flugrettung. H.: Bowling, Lesen. (J.S.)

Tietze-Tilley Eveline Mag. art.

B.: Pressefotografin, Werbegestalterin. DA. u. PA.: 1020 Wien, Praterstr. 76. G.: Wien, 9. Juni 1953. V.: Paul Tilley. Ki.: Christoph (1985), Elisa (1990). El.: Rudolf u. Gertrude. S.: AHS, 1971 Matura, Stud. d. Kunsterz. a. d. HS f. angew. Kunst, 1977 Abschluß, 1978 Sponsion. K.: 1978-90 AHS-Lehrerin a. d. Schule Maria Regina i. Wien 19, s. 1980 Pressefotografin, a. 1984 Werbegestalterin, s. 1980 Ausstellung "Kleider zum Schmuck" i. Linz, 1993 Fotoausstellung z. Thema "Erdställe" i. NÖ. H.: Kinder. (N.A.)

Tilden-Blackburne Jane Kammerschauspielerin
B.: Schausspielerin. PA.: 6370 Kitzbühel, Unterleitenweg 22. G.: Aussig/Altösterr., 16. Nov. 1910. V.: S.J.J. Blackburne O.B.E. Ki.: Franziska, Jane Isola. El.: Karl u. Maria Tuch. S.: RG, Abschluß 1927, Gesangsstud. Prag u. Wien (Prof. Singer), Handelskurs in Engld. K.: erste Bühnenauftritte 1928 in Aussig (Coeur Bube), dan. Provinztheater, Bühnen in Prag u. Hamburg, 1934 Volkstheater Wien, im selb. J. holte sie Max Reinhardt ans Theater in d. Josefstadt, 1945-68 Münchner Kammerspiele, 1957 Ensemble d. Wiener Burgtheaters, weiters Zürcher Schauspielhaus, Sbg. Festspiele, Tourneen in Europa u. Übersee, seit 1934 zahlr. Rollen f. Film (Ufa, Wienfilm etc. "Geschichten aus d. Wienerwald") u. Fernsehen (Forellenhof), 1956-63 Generalvertr. f. Österr. d. Fa. Westland, Yeovol, Engl. (Hubschrauber). F.: Fa. Brita, Stanek & Co. E.: Kammerschauspielerin, Gold. EZ d. Stadt Wien, 1991 Lieber Augustin, 1992 Rosenhügel. M.: Soroptimistenclub, Amnesty Intern. H.: Gärtnerei, Lesen. (M.W.)

Till Thomas T. Dr. MedR. Prof.
B.: FA u. Wissenschafter. DA.: 1010 Wien, Riemerg. 14. G.: 7. Mai 1918. El.: Rudolf u. Irma, geb. von Wieden Alpenbach. S.: Realschule, 1937 Matura, 1948 Dr. med. univ. Wien. K.: 1937-45 Militär, 1967-72 Ausbild. in Mundbakteriol. in Bratislava, 1974-78 Ltr. d. Mundfloraforsch.-Station im Rahmen d. Path. Inst. Wien u. Zusammenarb. m. d. Inst. f. Analyt. Chemie u. Mikrochemie d. TU Wien, d. Österr. Forsch.Zentrum Seibersdorf u. einigen anderen Inst. z. Zweck d. Ursachenforsch. z. Problem d. vorzeitigen Gebißverfalles, 1975 Prof., 1966 Bestellung z. Sachv. f. Zahnheilkunde u. 1984 auch f. Mundmikrobiol. b. Gericht. Es ist d. Bestreben v. Till, f. unsere Gesundheitserhaltung bessere Prognosen zu schaffen. Dies ist nur mögl., wenn sämtl. einschläg. wiss. Erkenntnisse aus Pathol., Toxik, Mikrobiologie, Homöopathie, Spurenelementanal., Elektroakupunktur, Hygiene, Ernährungswiss., Psychiatrie mitberücksichtigt werden. Mit seiner 166. unbestechl. Dokumentation "Tatort Nahrung u. Gesellschaft" (1993) berichtet er als Präs. d. gemeinnütz. Patientenschutzorganisation POZ über div. gesundheitspol. Unzuträglichkeiten u. skizziert Änderungsmaßnahmen u. Alternativvorschläge m. voraussehbar günstigerer Prognostik.

Tiller Adolf
B.: Bez.Vorst. d. 19. Wr. Gem.Bez. DA.: 1190 Wien, Gatterburgg. 14. PA.: 1190 Wien, Sieveringer Str. 75a/34. G.: Wien, 30. Sept. 1939. V.: Hannelore, geb. Watzek. Ki.: Susanne, Monika. El.: Franz u. Maria. BV.: Urgroßvater Josef Strobach Bgm. d. Stadt Wien 1896-1897. S.: Realschule, HAK, 1957 Matura. K.: 1964 CA-BV, 1965-79 selbst. Kfm. (Tankstelle, Auto- u. Reifenhdl.), 1969 BezR., 1973-78 Bez.Vorst.Stellv., seit 1978 Bez.Vorst., seit 1977 Bez.Parteiobm. d. ÖVP Döbling. E.: Ehrenbürger d. Univ. f. Bodenkultur u. d. Bez. Setagaya (Tokio). M.: First Vienna Football-Club 1894, Senator d. Faschingsgilde Döbling, Präs. d. Döblinger Bez.Museums, VPräs. d. AufsR. d. Baugen. Krottenbach. H.: Fußball, Politik. (A.W.)

Tilley-Weitzendorf Maria Dr.
B.: Inhaber der PR-Agentur PUBLICO Steiermark. DA.: 8010 Graz, Polzerg. 4 PA.: 1180 Wien, Theresieng. 5/11. G.: Graz, 28. Febr. 1959. V.: Martin M.R. Tilley. El.: DDr. Alfred u. Dr. Gretel Weitzendorf. S.: VS, Gymn., Stud. d. Rechtswiss. in Graz, 1982 Prom., 1982-8 Dipl.Ak. in Wien. K.: 1984-86 PR-Ass. u. anschl. PR-Beraterin d. Werbeagentur Promota, 1986-87 Tätigkeit in d. Marketingabt. d. Österr. Loto u. Toto GmbH, Grdg. d. eigenen Fa. PR-Abt. v. Dr. Wallner, seither Ltr. d. PR-Abt. M.: PR-VA, Marketingclub, Club d. Freunde u. Absolventen d. Dipl.Ak. H.: Tennis, Tanz, Literatur, Kommunikaton im Berufs- u. Privatleben.

Tillian Rudolf ÖkR.
B.: Ldw., Präs. d. Ktn. Landtages i.R. PA.: 9620 Hermagor, Liesch 2. G.: Hermagor, 24. Sept. 1913. V.: Elisabeth, geb. Wastl. Ki.: Barbara, Brigitte, Mag. Karl. El.: Josef u. Barbara. S.: Pflichtschule, ldw. Fachschulen im In- u. Ausland. K.: 1950-58 Bgm. d. Gem. Möschach, 1958-73 Bgm. d. Stadtgem. Hermagor, seit 1954 VPräs. d. Österr. Gem.Bundes, 1958-79 Präs. d. Ktn. Gem.Bundes, seit 1963 1. Präs. d. Ktn. Landtages, seit 1958 Delegierter z. Europ. Gem.Konferenz Straßburg, 1959-78 VPräs. d. Ktn. Ldw.Kam. E.: Gr. Gold. EZ m. d. Stern f. Verd. um d. Rep. Österr. M.: BVorst. d. SPÖ, Obm. Österr. Arbeitsbauernbund (SPÖ-Bauern). H.: Skifahren, Fischen, Jagd, Karten spielen. (Hatt.)

Tillich Alfred Dr. med. Doz.
B.: Ärztl. Ltr. d. Sanatoriums Hoff, FA f. Innere Med. u. Röntgenologie. DA.: 8010 Graz, Herreng. 28. PA.: 8010 Graz, Semmelweisg. 28. G.: Graz, 10. Apr. 1912. V.: Erika, geb. Groller. Ki.: Dr. Gert (1941), Harald (1942), Irmhild (1944), Rut (1953), Christl (1957). BV.: Paul Tillich Theologe, Philosoph, Dr. Johannes Tillich Superint. d. protestant. Kirche Deutschlands. S.: Mittelschule Graz, Med.Stud. Graz u. Wien. K.: 1935-45 1. Med. Klinik Wien (Röntgeninst.Ltr.), Kriegszeit, Ltr. d. Röntgeninst. d. steir. Gebietskrankenkasse, seit 1982 ärztl. Ltr. d. Sanatoriums Hoff. P.: Med. Publ. in div. Fachzeitschriften, Gedichtbände: "Gedichte", "Betroffenheit" AdeVA 1988. M.: Kiwanis-Club, Steir. Ärzteges., Europ. Athos-Ges. H.: Literatur, Kunst. (C.H.S.)

Tillmanns Ekkehart Dr. Prof.
B.: o.Univ.-Prof. am Inst. f. Mineralogie u. Kristallographie d. Univ. Wien. DA.: 1010 Wien, Dr.-Karl-Lueger-Ring 1. PA.: 1100 Wien, Hentzig. 13/9. G.: Münster/Deutschland, 29. Jän. 1941. V.: Uta, geb. Niederer. Ki.: Anke (1968), Lars (1971). El.: Dr. Albert u. Lieselotte. S.: 1960 Matura, 1964 Vordipl. in Mineralogie Univ. Tübingen, 1966 Dipl. Univ. Göttingen, 1968 Dr. rer. nat. Univ. Bochum. K.: 1966-68 wiss. Ass. am Inst. f. Mineralogie d. Univ. Bochum, 1968-70 Visiting Ass. Prof. Geology Dept. Univ. Illinois at Chicago, 1970-74 Ass.-Prof. Min. Inst. Univ. Bochum, 1974-85 Prof.-C2 am Inst. f. Geowiss. d. Univ. Mainz, 1985-91 Prof.-C3 am Min. Inst. d. Univ. Würzburg, o.Univ.-Prof. u. Vorst. am Inst. f. Mineralogie u. Kristallographie d. Univ. Wien. P.: ca. 70 Beiträge in nat. u. intern. wiss. Zeitschriften, Mithrsg. "Mineralogy and Petrology" Wien, Mithrsg. "Zeitschrift f. Kristallographie" Oldenburg, München. M.: ÖMG, DMG, DKG, DGKK, ACA.

Tilly Hans
B.: Gutsbes. u. Holzind. FN.: Tilly Holzindustrie GmbH. DA.: 9330 Treibach, Krappfelder Str. 25-27. PA.: 9330 Treibach, Am Rain. G.: Tarvis/Italien, 26. Dez. 1936. V.: Elisabeth, geb. Holler. Ki.: Hans, Gerd, Elfriede. El.: Martin u. Maria. S.: Pflichtschulen, HS, Ldw.Schule b. 1956. K.: seit 1957 selbst. Unternehmer einer Land- u. Forstwirtschaft, Inh. einer Sägeind. M.: Verb. d. Forstbetriebe, Obm.Stellv. v. Arbeitgeberverb., Vorst.Mtgl. im Verb. d. Forstbetriebe Ktn., VÖI, KR HK. (A.L.)

Tilly Heinrich Prof.
B.: Mag. f. Bildner. Erziehung, Bildhauer, Formgeber. A.: 6380 St. Johann, Mozartweg 13. G.: Telfs, 10. Mai 1931. V.: Gerta, geb. Mattes. S.: RG, BGewerbeschule Innsbruck, Abt. Bildhauerei, Ak. d. Bild. Künste Wien, Lehramt f. Bildner. Erz., Werkerz u. Geschichte. K.: seit 1960 als Zeichenprof. in Tir. u. Sbg tätig, als freischaff. Künstler, Bildhauer, Objektemacher, zahlr. öff. Aufträge u. Ausstellungen. P.: zahlr. Art. in lokalen Zeitungen über Arch. M.: Österr. Cartellverb., Österr. Wirtschaftsbund, ÖVP, Sbg. Kunstver., künstler. Dachorgan., LVerb. d. bild. Künstler Tir., Vors. d. Bundes Österr. Kunst- u. Werkerz., LGruppe Tir. H.: Herstellen v. Medaillen.

Tilz Gernot Peter Dr. med. Univ.-Prof.
B.: Univ.-Prof., Arzt. A.: 8042 Graz, St. Peter Hauptstr. 253. G.: Graz, 9. Apr. 1941. V.: Dr. med. Martha, geb. Schleich. El.: Anton u. Juliana. S.: BRG Leoben, Stud. am LKonservatorium Graz, Med. Fak. Graz, Westminster Medical School London, Univ. Paris u. Pasteur-Inst., Dr. med., FA f. Innere Med. K.: Dipl. f. Immunologie u. Serologie Inst. Pasteur, Immunochemie CNRS Paris, Intensivmed. u. Onkologie Univ. Washington, seit 1980 Univ.-Prof. f. Innere Med., Ltr. d. Abt. f. Klin. Immunologie. P.: ca. 250 über Teilaspekte d. Inneren Med., Hämatologie, Immunologie, Lehrbuchbeiträge. E.: Preise v. Fak., Ärztekam., Ges. f. Hämatologie u. Ontologie. M.: Österr. Ges. f. Allergologie u. Immunologie, Ges. f. Hämatologie u. Ontologie, Int. Soc. Haematology, Ges. f. Immunologie. H.: Musik, Bergsteigen.

Timmel Anneliese Mag.
B.: Ak. Malerin. PA.: 1190 Wien, Paul-Ehrlich-G. 12. G.: Wien, 20. Jan. 1941. V.: Hermann Timmel. Ki.: Carola, Clemens. El.: Karl u. Dr. Traude Bachbauer. BV.: Dr. Florian Albrecht. S.: VS, Gymn., LBA, Ak. f. bild. Künste, Gasthörerin an d. Univ. m. Geschichte, 1966 Mag., 1966 ak. Maler. K.: 1966-67 Karikaturen gezeichnet b. Express, 1966 Künstlerhausausstellung "Lithographien", 1967-85 Lehrerin in Bildner. Erz. u. fallweise Geschichte, dzt. künstler. Betätigung m. Emailmalerei, Ausstellung in d. Villa Rostock am 12. Nov. 1987 in Klosterneuburg. P.: Karikaturen gezeichnet f. d. Buch Seitz, "Schmackhafte u. gesunde Vollwertkost", Karikaturen. H.: Sport, Schwimmen, Radfahren, Wandern, Lesen. (M.Br.)

Timmel Karl
B.: Vorst.-Dir. FN.: BVP Pensionskassen AG. DA.: 1210 Wien, Karl Lothringer-Str. 63. G.: Wien, 20. Apr. 1954. V.: Renate, geb. Hora. Ki.: Karin (1980), Sabine (1982). El.: Karl u. Rosa. S.: 1972 Matura, Stud. Betriebswirtschaft WU Wien. K.: gleichzeitig b. 1978 Ausbild.-Ltr. b. d. Wr. Allianz Vers., 1978-88 Verkaufsltr. b. d. VMG Vers.-Maklerges. d. EÖ, ab 1988 Prok. d. Ersten Pensionskassen Beratung AG, seit 1990 Vorst.-Dir. d. BVP Pensionskassen AG. H.: Fliegen (Fluglehrer). (J.S.)

Timmermann Gernot

B.: Gschf. FN.: Bang & Olufsen GmbH. DA.: 1130 Wien, Hietzinger Kai 137a. PA.: 3062 Kirchstetten, Hunnensteig. G.: Pernitz, 19. März 1944. V.: Maria, geb. Buchner. Ki.: Rita (1969), Ulla (1973), Dominik (1983). El.: Walter u. Theresia. S.: Gymn., kfm. Lehre, Meinl Wien bis 1962, Militär. K.: 1962 Hamburg Ex- u. Import Papiergroßhdl. Brangs & Heinrich, bis 1980 Fa. Nestle Verkaufsltr. Österr., 1980 Verkaufsdir. Agentur Weiner, s. 1982 Gschf. Bang & Olufsen. M.: Marketing-Club. H.: Familie, Tennis, Fußball, Oper, Theater. (T.H.)

Tinauer Peter Heinrich
B.: Wirtschaftstreuhänder, Steuerberater. DA.: 9500 Villach, Meerbothstr. 19. PA.: 9542 Afritz/Verditz 68. G.: Villach, 2. Dez. 1934. V.: Gerhild, geb. Bürger. Ki.: Andrea, Karin, Herbert, Gudrun. El.: Anton u. Maria. S.: Vs, Gymn., HAK, 1954 Matura. K.: b. 1955 Praxis b. Wirtschaftsprüfer DDr. E. Birnbacher in Villach, 1956-59 Betriebsprüfer b. d. Fin.-LDion. Ktn., 1960-64 Praxis b. Steuerberater Prof. Dkfm. Franz Bürger, 1964 Steuerberatungsprüf. u. selbst. Steuerberater in Villach, sowie allg. beeid. gerichtl. Sachv. f. d. Fachgebiet Buchprüf. E.: Silb. "Edelweiß", Funktionär-Ehrenausz. d. ÖAMTC (KATC), VO d. Villacher Faschingsgilde u. d. Bundes österr. Fachingsgilde. M.: Mtgl. d. Disziplinaraussch. d. Kam. d. Wirtschaftstreuhänder, Mtgl. d. Villacher Faschingsgilde, ehem. ÖVP-GemR. Villach, Mtgl. d. Ktn. BeiR. d. Zentralsparkasse Wien, ehem. Mtgl. d. VerwR. d. Villacher Sparkasse. H.: Bridge, Tennis. (D.M.)

Tinchon Hans-Jorg Dr.

B.: Kommunikationswiss., Psychophysiologe. FN.: Boltzmann Inst. DA.: 1010 Wien, Gölsdorg. 3. PA.: 1030 Wien, Apostelg. 36. G.: Duisburg, 16. Dez. 1940. V.: Athena, geb. Zervos. Ki.: Alexander (1976). El.: Johannes u. Maria, geb. Cornely. S.: 1965 Matura, Stud. Theaterwiss., Philosophie, Physiologie u. Psychologie a. d. Univ. Wien, Berlin u. München, 1972 Prom. K.: 1973-74 a. d. Wr. Ges. f. Theaterforschung, 1974-88 Inst. f. Publikumsforschung, Experimentelle Abt. d. Österr. Akad. d. Wiss., 1986 Lehrbeauftragter a. d. Univ. Wien, ab 1991 in oben erwähnter Pos., s. 1994 Wiss. Ang. a. d. Univ. Wien, mehrere Forschungsprojekte im Auftrag d. BMfWF, Gutachten f. schweiz. Fernsehen. P.: ca. 20 Publ., u.a. Bücher m. Schwerpunkt: Experimentelle Psychophysiologische Wirkungsforschung. H.: Religionsphilosophie. (N.A.)

Tindl Heinz Ing.
B.: Obm. d. Gewerkschaft d. Post- u. Fernmeldebediensteten LGruppe Ktn., Postbmtr. GT.: Obm. d. Personalaussch. b. d. Post- u. Telegraphendion. Klagenfurt. DA.: 9020 Klagenfurt, Sterneckstr. 19. PA.: 9500 Villach, Wiesensteig 49. G.: Villach, 25. Febr. 1943. V.: Johanna, geb. Krainer. Ki.: Wolfgang, Alexander. El.: Josef u. Cäcilia. S.: VS, HS, HBLA f. Elektrotechnik in Klagenfurt, 1968 Ing. K.: 1963 Beginn b. d. Post- u. Telegraphenverw., 1963-67 Fernmeldebetriebsdienst in Villach, 1967-71 Ltr. d. Verbundamtes Pörtschach, seit 1971 Personalvertreter im Post- u. Fernmeldedienst, seit 1985 Obm. d. Personalaussch., seit 1987 Obm. d. LGruppe d. Gewerkschaft d. Post- u. Fernmeldbediensteten f. Ktn. P.: Verantwortl. Hrsg. u. teilw. Verfasser d. FSG-Information, Mitverfasser d. Broschüre Personalvertretungsrecht d. Gewerkschaft d. Post- u. Fernmeldebediensteten (1988). M.: Gewerkschaft. H.: Zeitung machen u. drucken. (M.G.)

Tinhof Leopold

B.: Inh. FN.: Weinbau Leopold Tinhof. DA./PA.: 7000 St. Georgen, St. Georgener Hauptstr. 10. G.: St. Georgen, 13. Mai 1957. V.: Rosa Maria. Ki.: Stefan (1983), Markus (1984). El.: Leopold u. Theresia. S.: 1971 HBLVA f. Wein- u. Obstbau, Klosterneuburg. K.: 1972 Mitarb. im elterl. Betr., 1982 Übernahme d. Betr. M.: Obm. Weinbauverein St. Georgen, Bgld.-Pannonische Weinritterschaft. H.: Wein, Weinpräsentationen, Kulinarisches, Schifahren. (M.G.)

Tinnacher Christine
B.: Werbemanagerin, Gschf. FN.: Tinnacher & Waltinger Ges.n.b.R. DA. u. PA.: 1080 Wien, Lerchenfelder Str. 88-90. G.: Straß (Stmk.), 26. Feb. 1958. Ki.: Camilla (1981), Vincent (1983). S.: Matura, Graph. Meisterklasse in Wien, Diplom 1987. K.: 1987-89 Agentur Bárci + Partner, 1989 Grdg. d. eig. Werbeagentur gemeinsam m. Anton Waltinger u. seither selbst. H.: Mode, Styling, Sport. (R.J.)

Tinodi Alexander
B.: Gschf. Ges. FN.: Tinodi Tanzstudio GmbH "Tanzforum". DA.: 1070 Wien, Zieglerg. 7. PA.: 1070 Wien, Schottenfeldg. 3. G.: Wien, 5. Jan. 1965. V.: Gabriele, geb. Mayer. Ki.: Dominic (1985), Nike (1991), Benita (1992). BV.: Minnesänger Sebestien Tinodi. S.: Matura, 1986 Tischlergeselle. K.: während d. Schule bereits Filme gemacht u. b. einem Wettbewerb 1. Preis gewonnen, Dokumentationsfilm über d. Tanzforum, Stud. Hdls.-Wiss. WU Wien, 1988 Gschf. u. Organ. d. Tanzforum, nach d. Schließung d. Tanzstudios im Theater an d. Wien Übernahme d. Auszubildenden. H.: Kino, Sport, Bridge. (R.T.)

Tinta Peter
B.: Unternehmer, Gastronom Bahnhofrestaurant Klagenfurt. DA.: 9020 Klagenfurt, Walter-von-der-Vogelweide-Pl. 1. PA.: 5640 Badgastein, Palfnerstr. 3/14. G.: Badgastein, 21. Dez. 1945. V.: Marianne, geb. Holzknecht. Ki.: Peter (1980). El.: Peter u. Maria. S.: VS, HS, HASCH, 1962 Hotelfachschule Hofgastein. 1954-59 in d. Sommersaison als Laufbursche im "Hotel Kaiserhof" Badgastein, versch. Funktionen im "Haus Hirth" Badgastein, 1965/66 BH, 1966 Hotel "Cecilia" Paris, 1967 "Hotel Kaiserhof" Badgastein, 1967/68 Hotel "Europa" Innsbruck, 1968/69 Hotel "Metropol" München, 1970-74 stellv. Gschf. d. Schlafwagen u. Touristik Ges. Sbg., 1974-82 Gschf. d. Grazer Bahnhofsrestaurants, seit 1982 selbst. durch Übernahme d. Klagenfurter Bahnhofrestaurants. M.: Sekt. d. Bahnhofsrestaurants Österr. H.: Skifahren, Tennis. (G.L.)

Tinzl Josef Ivo Dr. med.
B.: Prakt. Arzt. PA.: 5202 Neumarkt, Moserkellerg. 14. G.: St. Veit, 22. Apr. 1918. V.: Irene, geb. Greuter. Ki.: Eva, Dr. Bea. El.: Dr. Ivo u. Helene. BV.: Großvater Josef Tinzl war Erbauer d. Bahnlinie Meran-Mals u. Träger d. Ritter v. Franz Josef-Ordens. S.: Gymn., Med.Stud. an d. Univ. Innsbruck u. Wien, 1942 Prom. K.: nach Kriegsgefangenschaft Turnusarzt an d. Univ.Klinik Innsbruck, 1947-49 Gesundheitsamt Sbg., 1949-83 Ordination als prakt. Arzt, eingehende Beschäftigung m. Ernährungsphysik u. Diabetik. M.: langj. Mtgl. d. Vorst. u. d. Vollversammlung d. Sbg. Ärztekam., langj. Steuerreferent d. Sbg. Ärztekam. H.: Wassersport, Langlaufen, Astrologie. (Foed.)

Tippe Andrea
B.: Regionalstellenltr. d. IAB Inst. f. Ausbild. u. Beschäftigungsberatung in Steyr. GT.: freiberufl. Autorin, Trainerin im Bereich Konfliktmanagement u. Projekt- u. Teamentwicklung. DA.: 4400 Steyr, Pacherg. 2. PA.: 4020 Linz, Lessingstr. 2. G.: Linz, 21. Mai 1963. El.: Albert u. Elfriede. S.: VS, HS, 1981 Matura, b. 1984 Päd. Ak. K.: 1984-90 Bildungsarb. im Österr. Gewerkschaftbund, ab 1990 IAB. P.: 1990 Buch: BIT v. Leben m. d. Mikroelektronik, Ref.-Tätigkeit, Art. über berufl. Tätigkeit in Zeitungen u. TV. M.: AIDS-Hilfe f. OÖ. H.: Zeichnen, Radfahren, Sauna, Massieren, Back Gammon. (U.A.)

Tirnthal Franz RgR.
B.: OR i.R. d. Stmk. LRg., 1. VBgm. u. Finanzref. d. Stadt Mürzzuschlag, Vors. d. SparkassenR. d. Sparkassen Mürzzuschlag. A.: 8680 Mürzzuschlag, Hofkircherg. 5. G.: Mürzzuschlag, 9. Juni 1923. El.: Franz u. Maria. S.: VS, HS, HASCH, Gem.Verw.Schule, Bmtn.-Matura (Verw.Dienst u. Staatsrechnungswiss.), Fernlehrgang d. Intern. School in Innsbuck f. "Prakt. Psychologie", Fernkurse f. Sparkassenkfm., Josef Hirst-Inst. Zürich, ORF-Bildungsprogr. betr. Einführung in d. EDV u. Management f. alle Führungskräfte in Wirtschaft u. Verw. K.: Bmtn.-Ebene: 1940 Insp.Anw. b. LR Mürzzuschlag, 1941-45 Reichsarbeits- u. Militärdienst, heimgek. als Schwerkriegsversehrter, 1946-50 Ltr. d. Rechnungs- u. Gem.Prüf.Amtes b. d. BH Mürzzuschlag, 1951-79 Sozialhilferef. f. d. Bez. Mürzzuschlag, 1955 w.AmtsR., ab 1956 Vortragender in d. Gem.Verw.Schule betr. Sozialhilfewesen, 1964 Europastipendium f. Studien in d. BRD, 1969-73 Obm. d. Dienststellenpersonalvertr. d. BH Mürzzuschlag, 1977 OAmtsR. d. Stmk. LRg, ab 1979 i.R., Gem.Funkt.: 1960-83 im GemR. als Finanzref., 1962-83 1. VBgm., 1962-83 Obm. d. Schulaussch. u. Mtgl. d. Bez.SchulR., 1962-75 Obm. d. Bez.Verb. Sozialist. Gemeindevertr., 1965-83 Mtgl. d. Wohlfahrtsaussch. d. Österr. Städtebundes, ab 1971 Mtgl. d. Europ. BeiR. d. Lebensabendbewegung (Sitz: Kassel), 1971-83 Mtgl. d. Arbeitsaussch. f. Altenhilfe d. Österr. Komitees f. Sozialarb. in Wien, 1972-77 Obm. d. Verw.Kmsn. d. Bez.Sparkasse, 1981-83 Vors. d. SparkassenR. d. Sparkasse Mürzzuschlag. P.: Bericht an d. Gen.Sekr. d. Europarates Straßburg im Arbeitsber. d. Soziale Dienst f. Gruppen in d. BRD, Lernbehelfe über Sozialhilfe u. Altenhilfe, Gemeindehaushaltsrecht u. Kontrolltätigkeit d. Gemeindefunktionäre. E.: 1963 Florianiplakette, 1971 Silb. EZ f. Verd. um d. Rep. Österr., Sparkassen-Ehrennadel in Silber, 1978 Erinnerungsplakette v. Kriegsopferverb. Stmk., 1979 Bronz. Verd.Med. v. R.K. d. LVerb. Stmk., 1979 Berufstitel RgR., 1980 Gold. EZ d. Landes Stmk. f. bes. Verd. um d. Stmk., 1983 Ernennung z. Ehrenbürger d. Stadt Mürzzuschlag. M.: SPÖ, ÖGB, Kriegsopferverb., Pensionistenverb., FF, ÖRK, versch. Touristen-, Kultur- u. Sportver. H.: Reisen, Skifahren, Schwimmen, Schach.

Tiroch Knud

B.: Künstler. FN.: Tiroch - The New Line. DA.: 2500 Tribuswinkel, Süddruckg. 18/Z-Süd. G.: Wien, 15. Juli 1957. V.: Margit, geb. Steinbruckner. Ki.: Dominik (1987), Kim (1991). El.: Heinrich u. Maja, geb. Duffek. S.: Waldorf Schule i. Mauer, Ausb. u. Abschluß a. Tischler 1976. K.: 1979 Raumgestaltung u. Restauration v. Möbeln, 1979 Eintritt Kunst-HS Wien Schillerplatz, Malerei, Aktzeichnern u. Kunstgesch., 1982 n. Chicago, beschäftigt m. Großkulissen u. Graffitis, erlernen u. spez. i. d. Techn. d. Airbrushing, s. 1993 selbst. i. Österr. a. Int. Airbrush-Künstler, tätig i. Europa, Arab. Emirates, USA, u. a. Import v. Hot-Rods, Oldtimern u. Harley-Davidson Motorrädern. P.: gem. m. dem Autor Rupert Leutgeb hrsg. e. Airbrush-Sachbuches. H.: Motorradfahren, Hot-Rods, Tauchen, Reiten. (M.M.)

Tisch K. Uwe
B.: freischaff. Werbegrafiker. PA.: 1180 Wien, Messerschmidtg. 45. G.: Großsiegharts, 1. Nov. 1944. V.: Karin, geb. Rothbauer. Ki.: Kirsten (1970). El.: Karl-Philip u. Hildegard. S.: Gymn., Stud. Wirtschaftswerbung. K.: 1968-70 Art-Dir. Mobil-Oil, ab 1. Jan. 1971 selbst. freischaff. Werbegrafiker. E.: zahlr. intern. Preise u. Ausz. f. Inserate u. Konzeptionen, Messestände. H.: Lesen, Tennis, Skifahren, Wandern. (M.M.)

Tischer Hans Dr. med. Prim. Univ.-Prof.
B.: FA f. Orthopädie, Vorst. d. Abt. f. Kons. Orthopäd. u. Rehabil. am Orthopäd. Spital Wien 13. A.: 1210 Wien, Brünner Str. 9. G.: Wie, 29. Aug. 1935. V.: Christine, geb. Altwirth. S.: Matura, Prom. z. Dr. med. univ. an d. Univ. Wien 1961, FA Orthopäd. Spital Wien 13. K.: 1956 Anerkennung als prakt. Arzt, 1971 Vorst. d. Abt. f. Kons. Orthopäd. u. Rehabil. am Orthopäd. Spital, 1969 Ltr. d. Neuroorthopäd. Ambulanz d. Neurolog. Univ.-Klinik Wien, seit 1972 Ltr. d. Ludwig-Boltzmann-Inst. f. Kons. Orthopäd., seit 1982 Univ.-Doz., seit 1988 Univ.-Prof. P.: 230 Publ., 8 Bücher u.a.: "Der Wirbelsäulenpatient", "Schmerzsyndrome d. Wirbelsäule", "Chirotherapie", "Infiltrationstherapie", "Reflextherapie".

Tischler Leopold
B.: Inh., Gastronom. FN.: Seerestaurant Strandbad Klagenfurt am See. GT.: Partyservice, Buffetbelief., Geschirrverleih. DA.: 9020 Klagenfurt, Metnitzstrand 1. PA.: 9020 Klagenfurt, Magazing. 12. G.: Klgf., 26. Aug. 1940. V.: Christine, geb. Torbauer. Ki.: Isabella (1961), Daniel (1962). El.: Ernst u. Maria. S.: VS, HS, Kfm. Berufsschule, Abschl. kfm. Lehre, Konzessionsprüf. K.: s. 1962 selbst. Untern., Grdg. Handelsuntern., 1976 Einstieg in Gastronomie, Erricht. Hotels in Klgf., 1984 Erricht u. Eröffn. Seerest., Fam.-Betrieb, kompl. Eigenerzeugung, aller Prod. d. Gastronomie (eig. Backofen, eig. Eiserzeug.). BL.: Ausbild.-Betrieb f. Nachwuchs d. Gastronomie. H.: Landwirtschaft, Pferdezucht. (F.S.)

Tiso Bruno Dr. med. Univ.-Prof.

B.: Vorst. d. I. Med. Abt. m. Intensivstation d. Kaiserin Elisabeth-Spital. DA.: 1150 Wien, Huglg. 1-4. PA.: 1130, Wien Himmelhofg. 50. G.: Feldkirch, 21. Sept. 1935. V.: Nadja , geb. Marinova. Ki.: Oliver, Elvira. El.: Ing. Guido u. Josefine. S.: Hum. Gymn., Univ. Wien, versch. Kliniken in d. Schweiz u. Med. Univ.-Klinik Wien. K.: 1966 FA f. Innere Med., 1975 Habil., 1978 Ernennung z. Vorst. d. Herzstation d. Allg. Wr. Poliklinik, 1984 Additiv-FA f. Kardiologie u. Univ.-Prof., seit 1991 Vorst. d. I. Med.Abt. P.: ca. 120 Publ. M.: wiss. Beir. v. Jama (Schweiz), Mtgl. sämtl. wesentl. intern. Ges., Dipl. f. Innere Med. H.: Musik, Tennis. (T.T.)

Tisott Raimund Dr. Mag.
B.: Gschf. FN.: Votis Hdls. GmbH. DA.: 1030 Wien, Rennweg 58. PA.: 1100 Wien, Migerkastr. 1-3/3/17. G.: Bludenz, 15. Sep. 1948. El.: Johann u. Gisela, geb. Lorenzi. S.: VS, HS, HAK, 1968 Matura, 1968-69 BH, 1969-71 Stud. Betriebswirtschaft Univ. Innsbruck, 1971-74 HS f. Welthdl., Mag., 1977 Dr. K.: 1977-79 Sachbearb. b. div. Firmen, 1980-92 Verkauf u. Einkauf in einer Hdls.-Firma, 1992 Grdg. Votis Hdls. GmbH. H.: Skifahren, klass. Musik, Wandern. (M.-L.A.-M.)

Tittelbach Gerhard Wilhelm Wolfram Robert Dr. med.
B.: prakt. Arzt u. Gem.Arzt v. Moosbrunn, Inh. d. Privatklinik Wien-West, 1140 Wien, Utendorfg. 27, Ritter v. Tygersburg (Adel v. d. Zeit Maria Theresias). PA.: 2440 Moosbrunn, Laurentiusg. 13. G.: Baden, 25. Mai 1948. V.: Edith, geb. Weiss, 1 Sohn. El.: Prof. OStR. Dr. phil. Herbert u. VS-Dir. Elfriede. S.: hum. Gymn. Baden, 1966 Matura, BH, Med.Stud. Wien, 1975 Prom. K.: Turnusausbild. in Wien, Bremen, Hannover, Hamburg, 1981-82 Ltr. d. Kurhotels Esplanade in Baden, seit 1978 Gem.Arzt u. prakt. Arzt in Moosbrunn, med. Sachv., seit 1983 Bes. einer Privatklinik. P.: div. Art. über Probleme d. Allg.Med. in div. Fachzeitschriften. M.: Vorst.-Mtgl. d. Österr. Ges. f. Allg. Med., Mtgl. d. Intern. Ges. f. Allg.Med., Österr. Rotes Kreuz, Lions-Club Baden Helenental. H.: Tennis, Segeln, Sportschießen, Schwimmen, Wandern, klass. Musik, ital. Oper, Theater, Musical. (M.G.)

Tittler Robert
B.: Hotelier. FN.: Sporthotel Tittler. DA.: 7100 Neusiedl, Seegärten 115. PA.: 7100 Neusiedl, Seegärten 114. G.: Eisenstadt, 9. Mai 1968. V.: Michaela, geb. Lunzer. Ki.: Robert (1991), Christoph (1992), Maximilian (1994). El.: Robert u. Christine. S.: VS, Hauptschule, Tourismus-FS f. Fremdenverkehr i. Neusiedl/See. K.: Übern. d. Sporthotel Tittler. M.: Wirtschaftsbund, Gem.-Fraktion ÖVP-Neusiedl, Lehrlingsprüfer f. Koch- u. Kellner a. d. Landesberufsschule Eisenstadt. H.: Tennis, Squash, Skifahren. (M.M.)

Titulaer Urbaan M. Dr. o.Univ.-Prof.
B.: o.Univ.-Prof. f. Theoret. Physik II d. Johannes Kepler-Univ. Linz. DA.: 4020 Linz, Altenbergerstr. 69. PA.: 4040 Linz, Michael-Hainisch-Str. 2. G.: Venlo/Niederlande, 11. Juli 1941. El.: Hendrik J. A. u. Lambertina. S.: 1958 Matura, 1958-64 Stud. d. Physik u. Math. Rijksuniv. Utrecht, 1964 Dipl. K.: 1964-73 wiss. Mitarb. am Inst. f. Theoret. Physik Rijksuniv. Utrecht, 1965 wiss. Mitarb. Harvard Univ. Cambridge, 1973 Prom., 1973-75 Postdoctoral Fellow Massachusetts Inst. of Technology Cambridge, 1975-84 wiss. Ass. im Inst. f. Theoret. Physik A Rheinisch-Westfäl. TH Aachen, 1978 Habil. P.: zahlr. wiss. Publ. in Fachzeitschriften über theoret. Physik. M.: Österr. u. Dt. Physikal. Ges. (M.B.)

Titz Nikolaus Mag. rer. nat. Prof.
B.: Gymn.-Prof., Geograph, wiss. Autor, Lehrer an AHS. A.: 7100 Neusiedl/See, Hauptpl. 50, 7122 Gols, Obere Hauptstr. 60. G.: Neusiedl/See, 15. Okt. 1937. V.: Helga, geb. Prügelhof. El.: Dir. OSR. Nikolaus u. Rosa. S.: VS, HS, LBA Wien, 1956 Matura m. Ausz., Stud. an d. Phil. Fak. d. Univ. Wien, 1961 Lehramtsabschluß, Polit. u. wirtschaftl. Stud. K.: b. 1967 Lehrer am BG u. BRG Mattersburg, seit 1964 auch am BRG in Neusiedl/See, seit 1967 nur am BG u. BRG in Neusiedl/See, seit 1972 Ltr. d. Associated Programm d. Unesco in Österr., Koordinator d. "Blue Danube River Project" d. UNESCO, Mtgl. d. Exekutivaussch. d. Österr. UNESCO-Kmsn., Ltr. d. Arge GeWiPo, Vors. d. Kulturver. Nördl. Bgld. seit 1979, Koordinator f. d. MAB-Programm d. Unesco am Neusiedler See seit 1984. F.: Werkstubengalerie - "In den Gerbgruben" in Neusiedl, Ltr. d. Verlages "Gerbgrube". P.: lfd. in geogr. u. ökonom. Fachzeitschriften, Bücher: Burgenland, Steiermark, seit 1976 jährl. 1 Bd. d. Geogr. Jahrbuches Bgld., Geogr. Briefe (Hrsg.), "N:N literat. Dialog, Verfasser vieler Kurzprosatexte. E.: Wehrdienstmed., Gold. EZ d. Jungen Gen., EZ d. Landes Bgld., Publizistikpreis d. Bgld.-Stiftung, Kulturpreis d. Bgld.-Stiftung, Gold. EZ d. Stadt Neusiedl, ER d. Markgem. Gols. M.: Union Yacht Club Neusiedler See, Österr. Geogr. Ges., Unesco Austria, Kulturver. Nördl. Bgld., Arge Geamtkonz. Neusiedler See, Literaturclub Neusiedl/See, MB d. Nationalparkforums, KV Schüttkasten Frauenkirchen. H.: Segeln, Skifahren, Lesen, Sammeln v. Kunstwerken (Malerei, Plastik, Grafik).

Titze Alois Heinrich Dr. med. Univ.-Prof.
B.: Prim. d. UKH Graz. A.: 8020 Graz, Keplerstr. 36a. G.: Wien, 24. Jan. 1922. V.: Eva, geb. Lenneis. El.: Alois u. Hedwig. S.: Mittelschule m. Matura, Univ. Wien u. Graz, 1947 Prom. z. Dr. med., 1968 Habil. f. Chir. u. Unfallchir., Ausbild. am UKH Graz u. Wien, Chir. Univ.Klinik Graz, 14 Monate Skandinavien, England u. Frankreich sowie Schweiz. K.: 1954 FA f. Orthopädie, 1956 FA f. Unfallchir., 1974 a.o.-Univ.-Prof., 1969 Prim. d. UKH Graz, seit 1986 im Ruhe-

stand. P.: 160 wiss. Arb. aus d. Fachgeb. Unfallchir., Traumatologie d. Kindes, Handchir. u. Wiederherstellungschir., 3 Buchbeiträge, 200 wiss. Vorträge. M.: Arbeitskreis f. Osteosynthesefragen Österr., Österr. Ges. f. Unfallchir., Österr. Ges. f. Plast. Chir., Österr. Ver. d. Orthopäden, Österr. Ges. f. Chir., Dt. Ges. f. Orthopädie u. Traumologie, Dt. Arge f. Handchir.

Titzer Friedrich

B.: Gastronom. GT.: Real Betriebs GmbH, Friedrich Titzter GmbH, Inh. d. Immobiliendevelopment u. Bauträger. DA.: 1010 Wien, Liebenbergg. 2, 1010 Wien, Seilerstätte 1. G.: Engerau, 5. Mai 1943. V.: Sonja, geb. Hoflehner. Ki.: Hagen (1972). El.: Dr. Friedrich u. Elfriede, geb. Christ. S.: Realschule, Bundesgewerbeschule Mödling, HTL, 1961 Abschluß. K.: prakt. Tätigkeit als Konstrukteur, eigene Tischlerei, ab 1965 in d. Gastronomie tätig, Aufbau einer erfolgreichen Gastronomiekette: Diskotheken: Wake up, Beverly Hills, Cotton Club, Schwimmende Pyramide, Bierspezialitätenlokal Wien, Venturo Linz, Pin up Sbg. H.: Sport, Reisen, Tennis, Skifahren. (N.A.)

Tkadletz Herbert Dipl.-Ing. Mag. phil.

B.: Kunsthistoriker, Volksbildner, bild. Künstler, Mitarb. in versch. Arch.Büros. A.: 1180 Wien, Erndtg. 34/9/11. G.: Wien, 4. Dez. 1927. El.: Karl u. Antonia. S.: Beethoven-Realschule, TU Wien, Fak. Arch., 1967 Dipl.Prüf., 1972 Ziviltechn.Prüf., 1993 2. Dipl.-Prüf. KG Univ. Wien, Dipl.Arb.: Barockmaler J. Spillenberger, Wr. Kunstschule. K.: Mitarb. an Schul-, Industrie- u. Wohnbauprojekten, Preisträger b. Architekturwettbewerben, wollte ursprüngl. Kunsterzieher werden, neben Stud. u. Beruf Zeichentätigkeit f. versch. Zeitungen, Teiln. an Ausstellungen, Spezialgeb. Karikatur, Ltr. eines Kurses f. Karikaturen im Kunst- u. Bildungszentrum Geras NÖ, v. Kunstkursen an d. VHS u. eines Lehrganges f. Karikatur an d. KVHS Wien. P.: Karikaturen (Cartoons) in versch. Zeitungen, Beiträge f. Fachzeitschriften. M.: Gem. Bildender Künstler Wien, Berufsvereing. d. bild. Künstler Österr., Kunsthist. Ges. Wiens., Mehrere Gebrauchsmuster (kl. Patente) f. Bauwesen, Tierhaltung, Sport, Verteidigung. H.: Bild. Kunst, Sprachen, Kunstgeschichte.

Tlustos Richard TechnR. Ing.

B.: Vorst.Mtgl. A.: 2230 Gänserndorf, Lercheng. 4. G.: Angern/March, 29. Mai 1924. V.: Rudolfine, geb. Stadlbauer. El.: Anton u. Barbara. S.: VS, HS, Staatslehrer- u. Versuchsanst. f. chem. Ind. in Wien, Reifeprüf. Jänner 1943. K.: 1946 Eintritt in d. Rechtsvorgängerin d. ÖMV (Sowjet. Mineralölverw.) als Chemiker, ab 1947 Betriebsltr. versch. Förderbetriebe, auch nach Übernahme d. Ges. in österr. Hände in gleicher Funktion tätig, im Zuge d. Reorgan. u. Zusammenfassung aller Förderbetriebe zu einem einzigen, dessen Betriebsdir. b. 1982, dann Bestellung z. Vorst.Mtgl. d. ÖMV, verantwortl. f. d. Bereich Gewinnung v. Erdöl u. Erdgas sowie d. techn. Hilfsbetriebe. P.: 25 J. ÖMV, Erdöl in Österr., Entwicklung d. Feldes Schönkirchen-Tief. E.: Silb. EZ f. Verd. um d. Rep. Österr., Gold. EZ f. Verd. um d. Bdl. NÖ, Grubenwehr-EZ. M.: Österr. Ges. f. d. Gas- u. Wasserfach, Österr. Ges. f. Erdölwiss. H.: Jagd.

Tobias Katalin Mag. art.

B.: ak. Malerin, Kunsterzieherin. DA.: 1180 Wien, Vinzenzg. 16/7. PA.: 1070 Wien, Halbg. 25/2/1. G.: Mosonmagyaróvár/Ungarn, 21. Nov. 1937. Ki.: Bendeguz. S.: Matura Budapest, 1956 nach Österr., Stud. an d. Ak. d. Bild. Künste b. Prof. Robin C. Andersen, Herbert Boeckl, 1964 Dipl. K.: 1964-68 im BDkmA., 1968-69 Stud. in Kairo, freischaff. Tätigkeit, ab 1972 Kunsterzieherin, Ausstellungen in Kairo, Graz, Wien u. Schweiz. P.: großer Bilderzyklus "Religionsgeschichtl. Thema", "Apokalypse", "Hohelied d. Liebe", "Bilder aus d. Wüste". E.: Fuggerpreis d. Ak. P.: Phil., Musik. (P.R.)

Tobisch von Labotyn Lotte

B.: Schauspielerin, Leiterin d. Wiener Opernsballs. DA.: 1010 Wien, Goetheg. 1. PA.: 1010 Wien, Opernring 8. G.: Wien. El.: Karl Tobisch von Labotyn. BV.: Patrizierfam., die s. b. ins J. 1229 zurückverfolgen läßt, Dichter Jacob Michael Reinhold Lenz (1751-92). S.: Gymn. Wien u. Schloß Marquartstein in Oberbayern, priv. Schauspielunterr. b. Raoul Aslan, Konservatorium Horak. K.: Wiener Volkstheater, Basler Komödie, Mtgl. d. Wiener Burgtheaters, Film- u. Fernsehaufnahmen,Organisatorin d. Wiener Opernballs. P.: versch. Essays über Literatur. E.: Ehrenkreuz f. Wiss. u. Kunst, Gr. EZ f. Verd. um d. Rep. Österr., Commander of the Order of Al-Istiqlal of Jordan, Gr. Gold. Ehrenring d. Burgtheaters. (N.A.)

Tobischek Herbert Dr. phil.

B.: Int. d. Philharmonia Hungarica. A.: 2380 Perchtoldsdorf, Veilchenweg 5. G.: Wien, 1. Jan. 1941. V.: Christine, geb. Böhm. S.: Realschule, Musik-HS Wien (Violine, Fagott, Schlagwerk), Univ. Wien (Musikwiss., Germanistik). K.: Exekutivsekr. d. Intern. Musikzentr. (1966), 1966-67 Bibl. d. Musik-HS, dan. Musik- u. Theaterkritiker d. "Wr. Neustädt. Zeitung" u. d. "Volksblatt" 1964-67, 1967-79 b. NÖ Tonkünstlerorchester u. freier Mitarb. d. ORF (Konzertprogrammeinführungen u. Sendungsprogrammierung), seit 1979 b. d. Philharmonica Hungarica (BRD). P.: Konzert- u. Theaterkritiker, Konzertprogrammeinführungen f. ORF u. Konzerte d. NÖ Tonkünstlerorchesters, Die Pauke. Ihre spiel- u. bautechn. Entwicklung in d. Neuzeit (in Wr. Veöff. z. Musikwiss.). M.: Österr. Cartellverb., Ges. f. Musikwiss., Union. Tirolerhof (Perchtolsdorf).

Tobler Rudolf Dr. Mag. iur.

B.: RA. DA.: 7100 Neusiedl am See, Untere Hauptstr. 72. PA.: 7100 Neusiedl am See, Satzg. 35. G.: Eisenstadt, 27. Juni 1962. El.: Dr. Rudolf u. Gertrud. S.: Grundschule, AHS, Matura, Stud. Univ. Wien, 1985 Prom. K.: wiss. Tätigkeit am Inst. f. Strafrecht u. Kriminologie Univ. Wien, seit 1989 RA-Kzl. H.: Tennis, Marathonlauf, E-Musik, Literatur. (W.M.)

Toblier Anton Ing.

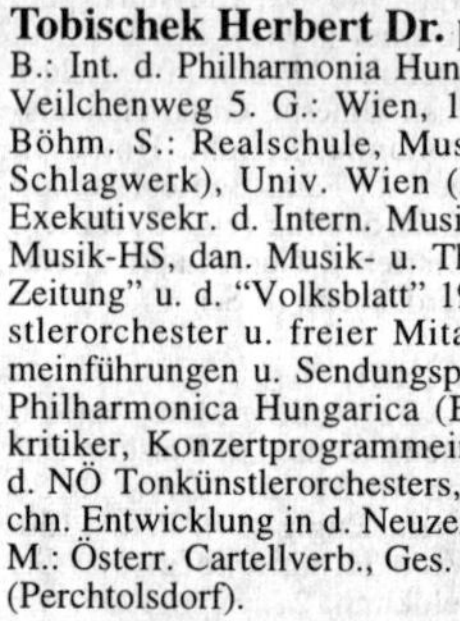

B.: Gschf. FN.: Lagerhausgenossenschaft. DA.: 8770 St. Michael, Bundesstr. 59. PA.: 8773 Kammern, Steinrisserg. 3. G.: Leoben, 3. Mai 1962. V.: Josefine, geb. Pollinger. Ki.: Roswitha (1984), Marianne (1987), Christine (1990). El.: Anton u. Rosina. S.: landwirt. Mittelschule i. Raumberg, 1981 Matura. K.: 1982 einige Monate Verkäufer i. Lagerhaus Trofaiach, 1982-85 Ltg. d. Filiale Mautern, s. 1985 Ltr. d. Zentrale i. St. Michael. M.: Musikverein Kammern. H.: Musik. (I.G.)

Tobola Ewald Mag. pharm.

B.: Apotheker, Pächter d. Werdertor Apotheke. GT.: Red. d. Kundenzeitung "Die Apotheke", Co-Organ. d. Balls d. Pharmazie. DA.: 1010 Wien, Werdertorg. 5. PA.: 1130 Wien, Dirkensg. 15. G.: Wien, 8. Aug. 1953. V.: Mag. pharm. Astrid, geb. Kraupa. El.: Dipl.-Ing. Hermann u. Ing. Stefanie. S.: AHS, Stud. Pharm., 1979 Mag. pharm., Aspirantenzeit, 1980 Offz.Kurs, Dienstgrad OLt.-Apotheker. K.: 1975-80 Funktionär d. Studentenver. Ak. Fachverb. Österr. Pharmazeuten (AFÖP) zuerst Schriftführer, dann Gschf., 1976-80 Präs., nach Stud. Funktionär d. Standesvertr., Mtgl. b. versch. Fachaussch., b. 1985 Delegierter u. Vorst.Mtgl. d. Österr. Apothekerkam. f. d. Bdl. Wien, 1979-80 Aspirant, 1980-85 Ang. Apotheker Wien, 1985-87 Ang. Apotheker NÖ, seit 1988 selbst. Apotheker Wien. M.: Österr. Apothekerkam., Österr. Apothekerverb. H.: Zeitgeschichte, Modellbau, Sport. (M.B.)

Töffele Edmund Prof.

B.: Bmtr. d. Mag. Graz, Dir. d. Grazer Volkstheaters. DA.: 8020 Graz, Wielandgasse. PA.: 8020 Graz, Rochelg. 49. G.: Luneville/Frankreich, 30. Okt. 1930. El.: Franz u. Maria. S.: VS, HS, 2. Bild.-Weg Berufsreife, Schauspielschule Gaudernak. K.: Ltr. d. Volkstheaters in Graz. (M.Gr.)

Tögel Heinz jun.

B.: Gschf. FN.: Druckerei Emil Goldstein. DA.: 1020 Wien, Große Mohreng. 26. G.: Wien, 28. Feb. 1968. El.: Heinz u. Gertraude. S.: 4J. Graphische Lehr- u. Versuchsanstalt, abgeschl. Lehre. K.: 1991 Mstr.- bzw. Konzessionsprüf. d. graph. Gewerbes.

Tögel Thomas

B.: Teilhaber d. Restaurant Thomas u. Peter. DA.: 1200 Wien, Brigittapl. 16. PA.: 1190 Wien, Hansi-Niese-G. 8. G.: Wien, 16. Sept. 1969. El.: Ing. Herbert u. Gertrude. S.: HTL Mödling Holztechnik, 1989 Matura, Stud. Hdls.-Wiss. WU Wien. K.: Aufbau eines Gastronomiebetriebes m. Peter Heigl. P.: Veröff. in div. Fachzeitschriften. H.: Arb. m. Holz u.a. Rohstoffen. (J.E.)

Tögl Reinhard Dr. iur.

B.: RA. FN.: Dr. Tögl u. Dr. Wabitsch. DA.: 8010 Graz, Schmiedgasse 31. PA.: 8010 Graz, Schubertstr. 79. G.: Graz, 26. März 1955. V.: Angelika, geb. Leimüller. Ki.: Ronald (1981), Gero (1984), Daniel (1988). El.: Richard u. Theresia. S.: AHS Graz, 1973 Matura, 1977 Jus Stud. K.: Univ. Ass. Inst. f. Völkerrecht Graz, Angestellter d. AK (Arbeitsrecht), Auslandstud. "Rechtsvergleichung" in Straßburg, seit 1987 selbst. P.: Fachzeitschriften - Gebiet Arbeitsrecht. H.: Reisen, Fremdsprachen. (R.S.)

Toifelhart Günter KommR.

B.: Gschf. FN.: Toifelhart GmbH. DA.: 1110 Wien, Dreherstr. 39. PA.: 1110 Wien, Ganghoferg. 14. G.: 30. Jan. 1942. V.: Johanna. Ki.: Martina, Elfriede, Günter, Christine. El.: Leopold u. Maria. S.: Pflichtschule Wien, 1956-60 Kfz-Mechanikerlehre. K.: 1960-67 tätig im Witwenbetrieb (nach d. Tod d. Vaters 1959), 1967-72 Eigentümer d. Firma Günter Toifelhart, 1972 Umwandlung in GmbH, 1976 Mstr.-Prüf. Kfz-Mechaniker, seit 1. Juni 1987 KommR. F.: 1992 Grdg. d. Firma Günter Toifelhart GmbH Baustoffrecycling, Kompostierung u. Umweltentsorgung. (J.S.)

Toifl Beatrix

B.: Gschf. Ges. FN.: AFIS. DA.: 1010 Wien, Friedrichstr. 2. G.: Wien, 10. Nov. 1958. V.: Klaus. Ki.: Philipp. El.: Fritz u. Susanne Ticec. S.: 1974 Austritt aus Notre Dame de Sion. K.: b. 1988 Banktätigkeit, Kurse b. WIFI f. Bankkfm., 1988 Grdg. d. AFIS An- u. Verkauf v. Grundstücken, Wohnhäuser, Eigentumswohnungen u. Finanzierungsvorschläge. H.: Wintersport. (J.E.)

Toifl Herbert Ing.

B.: Önologe, Kellereiltr. Chorherren Klosterneuburg Stiftsweingut. DA.: 3400 Klosterneuburg, Am Reninger 2. PA.: 2074 Klein Höflein, Haus 90. G.: Hollabrunn, 20. Feb. 1960. V.: Hermine, geb. Reischl. Ki.: Herbert (1983), Theresa (1985), Georg (1987). El.: Herbert u. Angelika. S.: VS, HS, HBLA Klosterneuburg, 1980 Abschluß. K.: 1981-91 Betriebsltr. d. Schloßweingutes Grafhardegg, ab 1987 zusätzl. Ltr. d. Ldw. Labors, 1991-92 elterl. Familienbetrieb Klein Höflein, 1993 Eintritt Stiftsweingut Klosterneuburg, seit 1994 Ltr. d. Kellerei. H.: Beruf, Familie, Sport, Radfahren, Reisen, Essen, Wein. (F.S.)

Toifl Inge

B.: freischaff. Schauspielerin, z. Z. am Theater in d. Josefstadt. Ki.: Peter (1956). El.: Otto Jakob u. Maria Lein, geb. Bartl. S.: Pflichtschulen, HASCH, Privatmaturaschule Roland, Privatschauspielunterricht b. Burgschauspieler Prof. Wilhelm Schmied. K.: 5 J. Sekr. b. Firma Siemens & Schuckert, 1. Engagement im Kabarett "Wr. Werkl", Gastspiele in Österr. u. Deutschland, danach "Theater d. Courage", nachher Kabarett "Glasl v. Aug´", "Wr. Komödie", 1960-70 Sprecherin b. ORF/-Fernsehen, parallel dazu Filmrollen, in d. 70er J. Teilnahme an d. Carnuntum-Festspielen, 1978 Theaterschauspielerin: "Kein Platz f. Idioten" im Theater d. Tribüne, danach Atelier Theater am Naschmarkt, Teilnahme an d. Sommerfestspielen Melk u. Röttingen/Deutschland, seit 1994 Theater in d. Josefstadt u. Kammerspiele. P.: Buch "Prominente kochen" (1989). H.: Lesen. (N.A.)

Toifl Klaus

B.: Gschf. Ges. FN.: Architektur aktuell Fachjournalverlags GmbH, Thurn u. Taxis Kosmetik GmbH, Marketing & Management Klaus Toifl GmbH & Co KG. DA.: 1205 Wien, Pasettistr. 29-31. G.: Horn, 31. Juli 1955. verh., 1 Kind. S.: HAK, Betriebsberatungsausbild. Wien. K.: nach d. Ausbild. selbst., 12 J. Finanzierungsgeschäfte, Organ.-Umstellungen im Vers.-Wesen u. in d. Autobranche, Krisenmanagement, Kauf u. Sanierung v. Firmen. H.: Tennis, Wintersport, Autorennen (Teilnahme an nat. u. intern. Rennen in jegl. Kategorien, 1984 Österr. Formelmstr.). (J.S.)

Toifl Michael

B.: Gschf. Ges., Weinprod., Weinhändler. FN.: Toifl GmbH, A. u. M. Toifl Simhandl Kellerei. DA.: 3493 Hadersdorf, Weinstr. 18. G.: Wien, 23. Nov. 1954. V.: Astrid, geb. Zimmermann. Ki.: Barbara, Christoph. El.: Artur u. Hildegard. S.: Fremdenverkehrsschule Gleßheim, 1975 Matura. K.: 1975 Eintritt in d. väterl. Betrieb eines Weinproduktion u. Hdls.-

Untern. welches 1954/55 in Krems gegründet wurde, erweitert durch eine Betriebsstätte in Gedersdorf, dzt. als letzte Ausbauphase Ankauf eines Betriebsareals in Hadersdorf u. Ausbau u. Modernisierung desselben, Übernahme d. Betriebes m. d. Bruder Andreas. M.: Tennis- u. Segelklub. H.: Familie, Tennis, Segeln. (Kern)

Tolar Günter

B.: Ressortltr. f. Quiz u. volkstüml. Unterhaltung. FN.: ORF. DA.: 1130 Wien, Würzburgg. 30. PA.: 1030 Wien, Aspangstr. 53/44. G.: Wels, 9. Juli 1939. El.: Leopold u. Martha. S.: Gymn., 8 Sem. Germanistik, Musikschule, Schauspielschule Wien. K.: Schauspieler, 1959-60 Regieass. am Volkstheater, 1960-63 Regiass. im Theater d. Jugend, 1964-70 Kabarett d. Würfel, 1969 fr. Red. b. ORF Unterhaltungsabt., seit 1984 Ressortltr. f. volkstüml. Unterhaltung: "Wer 3 x lügt", "Rätselbox", "Was schätzen Sie", "Made in Austria", verantwortl. f. "Musikantenstadl", "Koller-Show" u.s.w. P.: 10 Bücher Made in Austria, "Das gr. Rätselvergnügen", "So ein Theater", "Sein Mann", "Wer hat die Karten gemischt?". E.: Gold. EZ d. Landes Wien, Silb. EZ d. Rep. Österr. H.: ernste Musik, Landleben. (J.S.)

Tollinger Franz

B.: Inh., Kfm. FN.: Franz Tollinger Erstes Tiroler Butter- u. Käsehaus GmbH. GT.: Lebensmittelgroßhdl. Käse Im- u. Export u. Vertrieb an Tir. Gastronomie, C + C Markt. DA.: 6020 Innsbruck, Sillhöfe 10. PA.: 6020 Innsbruck, Helblingstr. 2. G.: Innsbruck, 16. Aug. 1913. V.: Irmgard, geb. Sailer. Ki.: Irmgard, Edith, Franz. El.: Franz u. Dora. BV.: Franz Tollinger sen. Firmengründer. S.: VS, Gymn., HS f. Welthdl., 1941 Prom. K.: 1948-78 Übernahme u. Ausbau d. Betriebes. M.: Berufsver., Kammermtgl. H.: Skifahren, Wandern, Schwimmen, Literatur, klass. Musik. (W.G.)

Tollinger Walter Dkfm.

B.: Gen.-Dir. d. Stadtwerke Klagenfurt, SenR. in Klagenfurt. A.: 9020 Klagenfurt, Feldkirchner Str. 65. G.: Klagenfurt, 7. März 1926. V.: Gertrud, geb. Hyden. El.: Siegfried u. Mathilde. S.: Gymn. m. Matura, Abiturientenkurs an d. HAK, HS f. Welthdl. Wien. K.: Nach Dipl. Eintritt in d. Stadtwerke Klagenfurt (1949) als Betriebswirtschafter u. Abt.Ltr. d. Zentralbuchhaltung, 1960 Prok., 1962 kfm. Dir., 1966 Dir. d. Stadtwerke, 1976 Ernennung z. Gen.-Dir. d. Stadtwerke. M.: Präs. d. Österr. Wasserrettung d. Landes Ktn., AufsR. d. Grazer Stadtwerke AG, Vorst.Vors. in d. Einkaufsgen. Österr. Elektrizitätswerke rGenmbH.

Tollmann Alexander o.Univ.-Prof.

B.: o.Univ.-Prof. A.: 1180 Wien, Scheibenbergstr. 53/6. G.: Wien, 27. Juni 1928. V.: Dr. Edith, geb. Kristan. El.: Adolf u. Leopoldine. S.: Matura, Hum. Gymn., Lehramtsprüf. (Naturgeschichte, Geogr.), Dr. phil. (Geol. u. Paläontol.) sub auspiciis praesidentis rei publicae 1955. K.: 1962 Doz. in Geologie Univ. Wien, 1953-72 Ass. am Geolog. Inst. Univ. Wien, seit 1972 o.Prof. u. Vorst. d. Geolog. Inst. Univ. Wien. P.: Bücher: Ostalpensynthese (1963), Alpine Deckentektonik (1973), Nordalpines Mesozoikum (1976), Bau d. Nördl. Kalkalpen (1976), Geologie v. Österr. (3 Bd. 1977-86), Desaster Zwentendorf (1983), Und d. Sintflut gab es doch (m. E. Tollmann 1993). E.: Körner-Preis 1963 u. 1969, Förderungspreis d. Stadt Wien 1964, G. Tschermak-Wanderpreis "Der bronzene Löwe" 1975, Österr. Naturschutzpreis 1978, Schweigart-Med. Weltbund Schutz d. Lebens 1979, Ed. Sueß-Med. 1990. M.: korresp. Mtgl. d. Österr. u. Bayer. Ak. d. Wiss., d. Geolog. BAnst. Wien, d. Société Géologique de France, Ehrenmtgl. d. Rumän. Ak. d. Wiss., d. Österr. Geolog. Ges., Vizevors. d. Österr. Nationalkomitees f. Geologie etc., Obm. d. österr. Antinuklear Dachverb. "Nein zu Zwentendorf", Gründer u. Obm. d. pol. Partei "Vereinte Grüne Österr." (VGÖ). H.: Geschichte, Geologie, Psych.

Tollmann Edith Dr. phil. Univ.-Doz.

B.: Geologin, Paläontologin. A.: 1180 Wien, Scheibenbergstr. 53/6. G.: Wien, 14. Apr. 1934. V.: Dr. Alexander Tollmann. Ki.: Raoul (1967). El.: VS-Dir. Eduard u. Maria Kristan. S.: LBA Wien, 1953 Matura, Stud. Univ. Wien: Geologie, Paläontologie, Petrographie, 1959 Prom. K.: 1953-55 Erz. u. Lehrerin in Wien, 1955-58 wiss. Hilfskraft Geolog. Inst. d. Univ. Wien, 1961-68 Kons. b. ÖMV AG f. kalkalpine Fragen, 1966 Forschungsaufenthalt Stockholm, 1971-72 Humboldt-Dozentenstipendium, Forschungsaufenthalt Frankfurt, 1972-74 wiss. Mitarb. "Sonderforschungsbereich 53" Univ. Tübingen, 1976-78 Forschungsauftrag "Mikrofaunen d. Trias d. Tethys" Wien (Fonds Förderung wiss. Forsch. Wien), 1982 Venia legendi f. Mikropaläonotologie, dazw. zahlr. Forsch.-Reisen in S- u. SO-Europa, Türkei, Persien, China, Indonesien-Timor, Papua/Neuguinea, Australien, Neuseeland, Neukaledonien, USA, Mexiko-Sonora, Japan. P.: über 120 geolog. u. paläont. Publ., zul.: Überregionale Züge d. Tethys in Schichtfolge u. Fauna am Beispiel d. Trias zw. Europa u. Fernost, spez. China, Schriftenr. Erdwiss. Komm. österr. Ak. Wiss. 1983, Tethys-Faunenelemente in d. Trias d. USA, Mitt. österr. geol. Ges., 76, 1983 (gem. m. A. Tollmann), Mikrocrinoiden a. d. Obertrias d. Tethys, Geol. Pal. Mitt. Innsbruck, 17, 1190, Rhät-Foraminiferen a. d. Kuta-Kalk d. Gurumugl-Riffes i. Zentral-Papua/Neuguinea, Mitt. österr. geol. Ges., 82, 1190, Der. Sintflut gab es doch (1993). E.: 1964, 73: Förderungspreis d. Theodor-Körner-Stiftungsfonds. M.: 1956-60 Schriftltg. v. 5 Jahrg. d. Mitteilungen d. Ges. d. Geologie- u. Bergbaustudenten, Paläont. Ges. (1975-77, 91-93 BeiR.), Österr. Geolog. Ges. (1977-92 Vorst.-Mtgl. u. Co-Schriftltg. d. Mitteilungen d. Österr. Geolog. Ges.), The British Micropalaeont. Soc.

Toman Lore Dr. phil.

B.: Schriftstellerin, Essayistin. DA.: 1130 Wien, Streitmanng. 59. PA.: D-8520 Erlangen, Hedenusstr. 15. G.: Wien, 5. März 1928. V.: Prof. Walter. Ki.: Christina (1955), Adrienne (1959). S.: 1946 Matura, Stud. d. Psych. u. Anthropologie, 1950 Prom. K.: Arb. in d. Mittelschulberatungsstelle in Wien, 1951 Fulbright-Stipendium in d. USA, 1953-62 in d. USA, danach abwechselnd in d. BRD, USA u. Österr. P.: Autorin d. Bücher "Ein Haus aus Erde geboren" (1977), "Die andere Hälfte d. Himmels - Von d. Entmachtung d. Weiblichen in Mythos u. Realität" (1987), Rezensionen u. Verfasserin v. Ausstellungs- u. Symposionsberichten in versch. Zeitungen u. Zeitschriften. M.: P.E.N.-Club, Engagement f. Ökologie, Denkmalschutz, Literatur u. Frauenprobleme. (P.R.)

Tomandl Gerhard

B.: Gschf. Ges. FN.: Tomandl GmbH & Co. DA. u. PA.: 4800 Attnang-Puchheim, Waldstr. 58. G.: Linz, 2. Apr. 1940. V.: Margit, geb. Schwarzl. Ki.: Siegfried, Caroline. El.: Josef u. Beate. S.: HS, Berufsschule, abgeschlossene Mechanikerlehre. K.: 1977 Grdg. d. Fa. Tomandl GmbH & Co, eines Metallbau u. Montageunternehmens f. Papierfbk. u. Spanplattenwerke. H.: Motorradfahren, Sauna. (Foed.)

Tomandl Theodor Dr. o.Univ.-Prof.

B.: o.Univ.-Prof., Vorst. d. Inst. f. Arbeits- u. Sozialrecht an d. Univ. Wien. DA.: 1010 Wien, Schottenbastei 10-16. PA.: 1190 Wien, Gymnasiumstr. 52. G.: Baden, 24. Jan. 1933. V.:

Mag. pharm. Elisabeth, geb. Mühlbacher. Ki.: Christine, Georg. El.: Josef u. Elisabeth. S.: RG, 1951 Matura, Stud. d. Rechtswiss. in Wien, 1955 Prom. K.: 1953-68 in d. HK Organ. u. zuletzt Ltr. d. wiss. Abt. d. BWirtschaftskam., seit 1968 o.Univ.-Prof. f. Arbeits- u. Sozialrecht u. gleichzeitig Ernennung z. Inst.Vorst., 1977-79 Dekan d. rechtswiss. Fak., 1983 Gastprof. an d. Cornell Univ. USA, seit 1990 Hon.Prof. d. Intern. Buddhist. Univ. Osaka/Japan. P.: viele Lehrbücher: Grundriß d. Österr. Sozialrechtes (1989), Arbeitsrecht I (1988), Arbeitsrecht II (1990), Habil.: Streik u. Aussperrung als Mittel d. Arbeitskampfes (1965), Wesensmerkmale d. Arbeitsvertrages (1971), Das Leistungsrecht d. Österr. Unfallvers. (1977), Social Partnership (m. Fürböck 1986), Arbeitsrecht u. Arbeitsbeziehungen in Japan (Hrsg. 1991), Hrsg. d. Systems d. Österr. Sozialvers.Rechtes, Wr. Beiträge z. Arbeits- u. Sozialrecht, Zeitschrift f. Arbeits- u. Sozialrecht, ca. 150 wiss. Publ. E.: Univ.-Preis d. Wr. Wirtschaft (1980). M.: wirkl. Mtgl. d. Österr. Ak. d. Wiss., VPräs. d. Österr. Ges. f. Arbeits- u. Sozialrecht, VPräs. d. Österr. Forsch.-Ges. f. Arbeitsbeziehungen, Vors. d. FachbeiR. d. Max-Planck-Inst. f. Sozialrecht. H.: Lesen, Musik, Go spielen. (M.B.)

Tomaschek Michael

B.: Chordir., Dirigent d. Wr. Volksoper. DA.: 1090 Wien, Währinger Str. 78. PA.: 1090 Wien, Schwarzspanierstr. 6/16. G.: Gmünd, 9. Juni 1954. V.: Elisabeth, geb. Wadas. Ki.: Emanuel (1971), Amadea (1977), Luisa (1983). El.: Othmar u. Martha. BV.: Großvater Anton Weber Dir. d. Glasmanufaktur Stölzle Altnagelberg. S.: Wr. Sängerknabe, Musikstud. Musik-HS Wien u. Hamburg, 1978 Dirigentendipl. K.: 1979/80 Korrepetitor Stadttheater Bielefeld, 1980/81 Korrepetitor Theater an d. Wien, 1981/82 Kapellmstr. Landestheater Sbg., 1982-86 1. Kapellmstr. Opernhaus Kapstadt, ab 1986 musikal. Ltr. Studio Theater an d. Wien u. seit 1986 Chordir. u. Dirigent d. Wr. Volksoper, seit 1989 Chordir. d. Bregenzer Festspiele. H.: Literatur, Arch. (J.S.)

Tomaschek Norbert

B.: Gschf. FN.: Eberle Druck Austria Card GmbH. DA.: 1070 Wien, Schottenfeldg. 38. PA.: 1220 Wien, Bernoullistr. 4/31. G.: Gottschee/Jugoslawien, 29. Aug. 1940. V.: Heidi, geb. Borns. Ki.: Sylvia, Norbert, Christine. El.: Norbert u. Franziska. S.: Graph. Lehr- u. Versuchsanst. Wien. K.: 1960-63 Auslandspraxis Schweiz, Repro-Technik, ab 1963 Betriebsass. Brüder Rosenbaum, 1967-81 Betriebsltr. Brüder Rosenbaum, 1981-84 Gschf. d. MIDS Austria, seit 1984 Gschf. d. Eberle GmbH. BL.: erster Kreditkartenaussteller in Österr. H.: Sport, Musik. (Erh.)

Tomaschitz Walter

B.: Werbeltr. d. Vereinigten Bühnen. GT.: Ltr. d. auswärtigen Gastspiele. DA.: 8010 Graz, Hofg. 11. PA.: 8010 Graz, Fröhlichg. 60/1/8. G.: Graz, 22. Okt. 1939. V.: Brigitte. Ki.: Stefan, Petra. El.: Peter u. Maria. S.: 1953-56 Buchbinderlehre, priv. Schauspielunterricht. K.: 1961-71 Vers.Kfm., seit 1972 b. d. Vereinigten Bühnen Graz, Grdg. d. "Cafe Graz", Veranstaltungsreihe f. Senioren 1967, 1971 Grdg. d. Grazer Straßentheaters, zusätzl. z. Verw.Aufgaben auch künstler. tätig. E.: 1987 Silb. EZ d. LHpt.Stadt Graz. H.: Sport. (P.R.)

Tomaschko Heinrich Dr. phil. Mag. pharm.

B.: Pensionist, a.o.Mtgl. d. OÖ LSanR. PA.: 4060 Leonding, Kariglstr. 4. G.: Linz, 27. Febr. 1926. V.: Liselotte, geb. Fellner. Ki.: Elisabeth, Christoph, Pia-Konstanze. El.: Gustav u. Maria. S.: 1944 Matura Linz, 1946-51 Stud. Pharm. Univ. Innsbruck, 1951 Diss. u. Prom. K.: 1951-55 in öff. Apotheken tätig, ab 1955 LBmtr. u. Ltr. v. KA-Apotheken, 1976 w.HofR. d. OÖ LRg. E.: Gold. EZ f. Verd. um d. Rep. Österr., Ehrenmed. d. Österr. Apothekenkammer, Gold. Verd.-Med. d. Österr. Roten Kreuzes, Ehrenmtgl. d. Pharm. Reichsverb. u. Arb.-Gemeinschaft d. KH-Apotheken. M.: Sportanglerbund, Tanzclub Jeunesse. H.: Sport, Fischen, Tennis, Tanzen. (J.G.)

Tomaselli Frank

B.: Geschäftsinh., Vers.-Makler. FN.: Dienst & Leistung. DA.: 6900 Bregenz, Anton-Schneider-Str. 15. PA.: 6900 Bregenz, Arlbergstr. 76. G.: Hard, 27. Aug. 1956. V.: Angelina, geb. Greiter. Ki.: Laura (1987), Fabio (1989). El.: Erwin u. Erna. S.: 1975 HAK Matura. K.: 1976-77 Verkaufstätigkeit in d. Schweiz, seit 1977 in d. Vers.-Branche (Wr. Allianz), seit 1986 selbst. Vers.-Makler. E.: Bundespreisträger Lebensvers. Wr. Allianz. M.: Ring d. Österr. Vers.-Makler. (A.K.)

Tomasetig Herbert

B.: Prok. FN.: Köck GmbH. DA.: 1170 Wien, Ortliebg. 5-9. PA.: 1210 Wien, Volteliniestr. 46/35. G.: Wien, 28. Dez. 1954. V.: Susanne, geb. Lumb. Ki.: Alexander (1979), Sarah (1985). El.: Herbert u. Erika, geb. Strnad. S.: VS, HS, Politechn. Lehrgang, 1970-71 Radio- u. Fernsehmechanikerlehre. K.: 1975 Eintritt b. Köck als Fernsehtechniker im Außendienst, 1980-82 Führung einer Werkstätte, Filiale Keplerplatz, 1982-89 Führung d. Zentralwerkstätte, seit 1989 Serviceltg., Auslieferung, Lager, Bau- u. Haustechnik, ab 1989 Prokura in d. Köck-Service GmbH, ab 1991 Zuständigkeit f. d. Expansion, seit 1992 Gesamtorgan. b. Köck, ab 1992 Gesamtprokura b. Köck GmbH. H.: Bodybuilding. (N.A.)

Tomberger Gerhard Johannes

B.: Gschf. Ges. FN.: VT Vers.-Polizzentreuhand GmbH. DA. u. PA.: 8010 Graz, Radetzkystr. 1. G.: Graz, 1. Febr. 1964. V.: Evelyn, geb. Wallner. Ki.: Nadine Christina (1987). El.: Gerhard u. Susanne. S.: AHS, 1982 Matura. K.: Einstieg in d. Vers.-Wirtschaft, 1 J. Deutschland dann Österr., 1988 Grdg. d. bestehenden Unternehmens, seit 1992 alleiniger Ges. Tomberger & Ing. Hauser. H.: Familie. (F.K.)

Tombor-Tintera Alfred Ing.

B.: Ökonom. DA. u. PA.: 7000 Eisenstadt, Hauptstr. 33. G.: Eisenstadt, 22. Juni 1949. V.: Margarete, geb. Leberl. Ki.: Birgit Elisabeth, Vera Margarethe. BV.: Tintera-Tombor: Patrizier, Kgl. Magistratus, Rákóczi-Tombor: Kgl. Offz., Minister, Gespan. S.: Grundschule in Eisenstadt u. Schulbrüder Wien-Strebersdorf, HTL Mödling (HAbt. f. Elektrotechn.), VHS.: Bundesverfass., Verwaltungsrecht, VWL, Konzessionsprüf. f. d. Gastgewerbe, Mstr.-Prüf. f. Weinwirtschaft, Graduierg. Ing. techn. et agr. K.: Heizungs- u. Betriebstechniker, Landwirt u. Sachwalter, Realitätenrevitalisierungen, StadtR., Sen.-Mtgl. d. Freistadt u. LHauptstadt Eisenstadt, Obm. d. Bundesligaver. SC-Eduscho Eisenstadt, 1. Vors. d. Stiftungsrates f. d. Freistadt Eisenstadt, Stadtsenatskette u. Stadtpfarrerring, Gründer u. Consul d. Österr. u. Bgld.-Pannonischen Weinritterschaft. P.: Hrsg. d. "Pannon. Weinblätter", histor. u. phil. Schriften. E.: EZ-Träger v. Bund, Land u. Institutionen. M.: Ritter d. Österr. u. Bgld.-Pannon. Weinordens (A), Forum d. Pannon. Weinorden (A, H, YU, CSFR), Membre Fédération Intern. des Confréries Bachiques à Paris (F), Paneuropa Burgenland (EU), Chevalier L'Ordre d. Coteaux de Champagne (F), Confrérie des Chevaliers du Tastevin (F), Custodes Vinorum de Villany (H), Confrérie Bonus Bonorum (H), Confrérie Balatonvin-Csopak (H), Vinum Agriense Order of Knighthood (H), EK z. Doppeladler (A), Alter Ritterorden v. St. Georg (A).

Tomek Stefan Nikolaus Dr. med. OMedR.

B.: FA f. Innere Medizin. DA.: 1080 Wien, Alser Str. 47/34. G.: Wien, 30. Mai 1922. V.: Wilma, geb. Stiedl. Ki.: Reinhard (1945). El.: Stefan u. Emilie. S.: 1940 Matura am Elsabeth-Gymn. Wien, 5J. Kriegseinsatz, San.-Offz., Med.-Stud. währ. d. Krieges in d. Studentenkompanie, 1947 Prom. K.: FA-

Ausbild. an d. Univ.-Klinik Wien b. Prof. Lauda, OA am Sophienspital Wien, 1954-90 Facharztpraxis in Schwechat, 1954-75 Konsiliar-Internist u. OA am UKH Wien-Meidling, s. 1990 Privatordin. in Wien. P.: Wiss. Arb. währ. d. Spitalszeit, vorw. z. Herz-Kreislaufforsch. E.: EZ d. Stadt Schwechat; VM d. Wr. Ärztekammer. M.: Ges. f. Innere Med., Ges. f. Kardiol. u. Van Swieten-Ges. H.: Familie, Musik, Literatur, literar. aktiv tätig (Novellen u. Gedichte). (J.S.)

Tomes Claudia
B.: Gschf. FN.: heimatwerbung austria Gesellschaft m.b.H. DA.: 1010 Wien, Renng. 9. G.: Wien, 21. Feb. 1957. V.: Karl. Ki.: Daniela (1974). El.: Siegfried u. Helene. S.: AHS. K.: Nach der Schulausbildung in div. Branchen tätig, u.a. Reisebüro Austrobus Wien, Generali Vers., Miles Intern., ab 1974 in d. Kommunikationsbranche, 4 J. heimatwerbung, 5 J. Office-Manager - Medialeiter mit Prok. d. Werbeagentur Barci & Partner, seit 1993 Gschf. d. Plakatierungsuntern. heimatwerbung austria Ges.m.b.H. H.: Natur, klass. Musik. (J.S.)

Tomesch Peter
B.: Gschf. Ges. d. Reisebüro "Steirerbus". DA.: 8020 Graz, Annenstr. 20. PA.: 8045 Graz, Statteggerstr. 60. G.: Graz, 4. Sept. 1947. Ki.: Harald. El.: Wilhelm u. Maria. S.: VS, BRG, Baufachschule. K.: nach Schule u. BH im elterl. Betrieb "Steirerbus" tätig, seit 1981 selbst. d. Geschäftsltg. übernommen. M.: ÖRV, RDA. H.: Chauffieren. (R.A.)

Tomic Edeltraud
B.: Gschf., Inh. FN.: Splendid. DA.: 1180 Wien, Währinger Str. 130. G.: Mönichkirchen, 26. Sept. 1949. Ki.: Wolfgang (1973), Manuela (1977). El.: Alois u. Hermine Tomic. S.: 1967 kfm. Ausbild., Schulung WIFI-Bürobereich, Praxis in Modehäusern. K.: 1969-71 Handelsagentur, danach selbst. m. Handelsagentur, 1972 Eröff. d. 1. Boutique, 1980 Eröff. d. 2. Geschäftes, Modeschauen in d. Geschäften u. Imperial, Mariott, Konzerthaus, Palais Liechtenstein. H.: Beruf. (J.E.)

Tomicek Kurt Mag.
B.: Ltr. d. Rechtsabt. FN.: Austro Control GmbH. DA.: 1030 Wien, Schnirchg. 11. PA.: 1100 Wien, Ada Christeng. 2E/27. G.: Wien, 16. Sep. 1942. V.: Elfriede, geb. Gruber. El.: Josef u. Maria. S.: Realschule Wien 2, 1960 Matura, Stud. a. d. jur. Fak. d. Univ. Wien, 1968 Abschluß, 1960 Eintritt i. BA f. Zivilluftfahrt, daneben Mag. jur. 1978, Ausb. z. Flugverkehrskontrollor, 1966 Berechtigung f. Radarkontrolle. K.: a. 1970 Ltr. d. Abt. Flugsicherungsbetrieb, s. 1990 Ltr. d. Rechtsabt., 1994 Prokura d. Austro-Control GmbH. E.: Olympia Med., Silb. EZ d. Rep. Österr. H.: Wandern, Reisen.

Tomitzi Michael Mag.
B.: Wirtschaftstreuhänder, Steuerberater. FN.: ATB Treuhand Steuerberatungs GmbH. GT.: Gschf.: Bifocon Optics Forsch. u. Entwicklungs GmbH, Danube Intern. School GmbH, WKG Wasserkraftwerke GmbH, IGV Leasing GmbH, DA.: 1010 Wien, Kärntner Str. 13-15. PA.: 1190 Wien, Haubenbiglstr. 17. G.: Wien, 12. Apr. 1954. V.: Mag. Margareta, geb. Snopl. Ki.: Manuela (1987), Monica (1990). El.: Leo u. Alice. S.: Matura TGM Wien: Abt. f. Kunststofftechnik, Stud. Betriebswirtschaft WU Wien. H.: Windsurfen, Tennis, Skifahren, Squash. (J.S.)

Tomschi Albert

B.: Parawissenschafter, Schriftsteller, Medium, Magier, selbst. FN.: PARA Forschungsinst. f. Grenzwissenschaften. DA. u. PA.: 4801 Traunkirchen, Mitterndorf 36. G.: Wesermünde/D, 24. Feb. 1938. V.: Sybille (Astrologin). Ki.: Alfred (1975). S.: Ausbild. Hotelkfm., Parapsych.; seit 5. Lebensj. paranormal, Telepath. K.: 1970 Aufnahme d. parawiss. Forsch.-Tätigk.: Spiritismus, Telepathie, Astralprojektion, Channeling, Regression, Metaphysik, Telekinese, Psychokinese, Levitation, ASW, Hypnose, Geistheilung, Radiästhesie, Exorzismus, Magie, Entwickl. v. mag. Abschirmungen, Kraftfeldern, Schutzamulette f. Bereiche: Radioästhesie, Spuk, Besessenheit. P.: "Gorohs" Geistwesen berichten über Telepathen, Veranstalter v. Esoterik-Seminaren u. -Abenden, Vorträge. (P.H.)

Tomschik Wolfgang
B.: Gschf. FN.: DTM Unternehmensberatung. DA.: 1160 Wien, Neulerchenfelder Str. 12. PA.: 1100 Wien, Scheug. 12. G.: Wien, 15. Juli 1948. V.: Elfriede, geb. Krösswang. El.: Emanuel u. Margarethe. S.: Lehre f. Bankkfm. in d. CA. K.: 1976-86 Fa. K-TEL Marketing u. Verkaufsltr., 1986 Eintritt in d. Fa. DTM als Gschf. H.: Tennis, Skifahren, Reiten. (A.W.)

Tomschy Wolfgang Dir.
B.: Hoteldir. DA.: 6365 Kirchberg, Hotel "Happy Kirchberg". G.: Linz, 3. März 1950. V.: Gabriele, geb. Fiala, 2 Kinder. S.: Gymn., 1970 Matura, ausgeb. Dipl.Sportlehrer. K.: 1975-79 Gschf. d. Fitnessclub in Wr. Hilton-Hotel, Hoteldir. in Zell/See, seit 1983 Dir. d. Hotel "Happy Kirchberg". H.: Sport. (Schm.)

Toncinic Zeljko Mag.
B.: Gschf. FN.: Jugotours Reisen GmbH. DA.: 1010 Wien, Marco-D'Aviano-G. 1. G.: Boljunsko Polje/Pazin, 12. Juli 1939. V.: Mira. Ki.: Goran, Domagoj, Branimir. El.: Franjo u. Anna. BV.: Großvater war Prof. Math., Physik Univ. Zagreb. S.: Gymn., 1958 Abitur, Vw.Stud. in Zagreb 1963, 1977 Mag. K.: Hoteldir. versch. Hotels an d. Küste, Belgrad u. Zagreb, 5 1/2 J. Dir. d. jugoslaw. Fremdenverkehrsamtes in Frankfurt, Incoming Dir. Reisebüro Zagreb, Gschf. in Wien b. Jugotours seit 1986. P.: zahlr. Veröff. in versch. Fachzeitschriften. M.: Skal-Club seit 1972, versch. Sportclubs. H.: Lesen, Kegelsport. (E.L.)

Tonejc Werner Mag.
B.: Gschf. FN.: Montana Hdls. GmbH. DA.: 1010 Wien, Schwarzenbergpl. 16. PA.: 2340 Mödling, Managettag. 9A. G.: Kufstein, 15. Febr. 1950. V.: Maria, 2 Kinder. S.: VS, BRG, Stud. Welthdl. Wien u. Univ. Innsbruck. K.: Fa. Unilever, Fa. Gebauer & Griller, ab 1986 Montana Hdls. GmbH.

Tongits Leo
B.: Managing Dir. FN.: Egmont Verlag (Mail Bus). DA.: 1120 Wien, Tivolig. 52. PA.: 1020 Wien, Handelskai 214/19/69. G.: Schwadorf, 10. Juli 1939. V.: Ingrid, geb. Pöltl. Ki.: Sonja. El.: Lorenz u. Rosa. S.: Schriftsetzer, graf. Lehr- u. Versuchsanst., Mstr.Kl., Kurse u. Seminare. K.: Verlagshersteller (Bundesverlag) in Gestaltung tätig, 1969 Fa. Pressel, Adressenverlag aufgebaut, b. 1975 Verkaufsltr. b. Adressen Suppan, seit 1975 Gschf. d. Egmont Verlages Direkt-Marketing. M.: Hdls.Verb., Marketing-Club, EDMA. H.: Wandern, Arbeiten im Haus in d. Stmk., Computer. (E.L.)

Tönnies Manfred Dr. HofR. Dir.
B.: Dir. HTBLA Wolfsberg. DA.: 9400 Wolfsberg, Gartenstr. 1. PA.: 9020 Klagenfurt, Obirstr. 9. G.: Laibach, 26. Dez. 1940. V.: Renate, geb. Roblyek. Ki.: Silke (1957), Kai-Gösta (1970), Illa (1978), Björn (1979). S.: VS, Gymn., 1958 Matura, Stud. Techn. Physik TU Graz, 1965 Grad., 1965-68 Univ.-Ass., 1968 Prom. K.: 1968-70 Tätigkeit im Bereich Reaktorentwicklung b. Brown Boveri Schweiz, 1970-74 Tätigkeit im Marketing b. Standar Electronics Lorenz (ITT) Stuttgart u. Brüssel, seit 1974 Lehrtätigkeit an d. HTBLA Klagenfurt, 1979 Grdg.-Dir. d. HTBLA Wolfsberg, Mitarb. b. div. Studien im techn. Kommunikationssystem. E.: 1991 HofR. M.: Fachaussch.-Obm. d. BHS-Lehrer Ktn., 1977-81 Gewerkschaftsvors. Sekt. BHS-Lehrer Ktn., 1973-89 Kollegium d. LandesschulR. Ktn. H.: Musik. (G.L.)

Tonweber Karl
B.: Inh., Kfm. FN.: Karl Tonweber Einzelhdl. m. Gemischtwaren. DA. u. PA.: 8020 Graz, Blümelstr. 9. G.: Edelsgrub, 18. Aug. 1954. V.: Renate, geb. Willowitzer. Ki.: Sabina (1980), Karl (1981), Erich (1982), Maria (1987). El.: Karl Konrad u. Maria Tonweber. S.: VS, Polytechn. Lehrgang, Berufsschule, 1969-72 Lehre. K.: 1972-74 Firma Hornig, 1974-89 kfm. Ang., seit 1989 selbst. durch Übernahme d. Geschäftes. M.: Vinzenzver., Elternver. Leopoldinum Algersdorf NMSH. H.: Sport (Fußball, Radfahren), Lesen. (R.S.)

Toperczer Egon Anton Ernst KommR.
B.: Kons. u. Gschf. FN.: Toperczer GmbH. DA.: 1030 Wien, Wasserg. 17. PA.: 1030 Wien, Landstraßer Hauptstr. 88/9. G.: Neusiedl am See, 27. Juni 1926. V.: Felicitas. Ki.: Karin (1960), Claudia (1965). El.: Robert u. Josefine. S.: VS, HS, HASCH. K.: Vertreter f. Waagen, 1960 Wiederverkäufer, Vertretungen aus Italien, Deutschland u. Frankreich, 1970 Beginn Geschäfte m. Lebensmittelketten, Übernahme TEC als Gen.-Vertreter, Gen.-Vertreter f. Elektronikwaagen aus Spanien, 1989 Übernahme d. Vertretung Firma Halton, b. 1991 Einzelfirma, danach GmbH, ab 1991 Kons. u. Ges. E.: 1986 KommR. M.: Dt. HK, Managementclub, Finn. HK, Ital. HK. H.: Familie, Reisen in Europa, Theater, Musik, gut essen. (R.T.)

Topf Josef
B.: Prok. FN.: Max Schachinger & Co KG Intern. Sped. DA.: 4063 Hörsching, Fischerweg 10. PA.: 4073 Wilhering, Eiselsbergerstr. 14. G.: Linz, 9. Sept. 1931. V.: Maria, geb. Koncz. Ki.: Maria (1956), Christian (1970). El.: Josef u. Anna. S.: HASCH, berufsbild. Seminare. K.: 1948-62 Disponent, 1964-69 Einzelprok. einer Kleiderfbk. in Linz, 1969-73 Gschf. d. Pegulan-Österr., ab 1973 Prok. d. Finanzbereiches d. Intern. Sped. Schachinger, Gschf. d. Schachinger Betriebs u. Hdls. GmbH, Gschf. b. Alpentrans Sped. Sbg., Vorst.Mtgl. d. Sped. Führer & Brandl AG. E.: Silb. EZ d. Landes OÖ. H.: Sport, Radfahren, Langlaufen, Bergwandern. (P.R.)

Topf Maria Mag.
B.: Gschf. Ges. FN.: Pro Consult GmbH. DA.: 4030 Linz, Dauphinestr. 58/2. PA.: 4020 Linz, Am Winklerwald 6. G.: Linz. 11. Juli 1956. El.: Josef u. Maria. S.: RG d. Kreuzschwestern Linz, 1974-79 Stud. BWL u. Vw. Linz. K.: Journalist "Die Presse", Ass. d. Geschäftsltg. Firma Fehringer, Ltr. d. Controll- u. Finanzwesen Firma Haas-Nährmittel, Firma Ring u. Firma Oswald, 1989 Firmengrdg., Ausbild. z. Psychotherapeutin. H.: Segeln, Motorrad, Skifahren, Tennis. (P.H.)

Topf Siegfried
B.: Gschf. Ges. FN.: Topf Kunststofftechnik GmbH. DA.: 4560 Kirchdorf, Brunnenweg 1-3. PA.: 4050 Traun, Waldmüllerweg 24. G.: Traun, 15. Apr. 1944. V.: Sonja, geb. Kranzler. Ki.: Alexandra, Evelyn. El.: Josef u. Anna. S.: VS, HS, Betriebselektrikerlehre Firma Anger, 1960 Facharb.-Prüf. K.: b. 1964 Auslandsmonteur in ganz Europa, 1965 BH, b. 1967 Verfahrenstechniker b. AGM, 1967 Schichtarb. im Rohrextrusionsbetrieb in Südafrika, 1970 Grdg. einer Ind.-Elektronikfirma in Johannesburg m. 2 Partner, 1972 Ausstieg u. Grdg. einer Einzelfirma, 1973 Verkauf u. Einstieg als Betriebsltr. in d. Kunststoffprofilextrusion, 1975 Rückkehr nach Österr., b. 1977 Gschf. Ges. d. Topf Kunststoffverarb.-Ges., b. 1978 Verfahrenstechniker Krauss-Maffei, b. 1979 Wichita Kansas, 1980 Rückkehr nach Österr., b. 1981 Ltr. Elektroabt. Firma Maplan, 1981-84 Betriebsltr. Austroplast Wartberg, 1985-88 Kons. f. American Maplan, 1988 Grdg. d. heutigen Unternehmens. H.: Wandern, Bergsteigen, Skifahren. (W.B.)

Topitsch Ernst Dr. phil. o.Univ.-Prof.
B.: Vorst. d. Inst. f. Phil. d. Univ. Graz. DA.: 8010 Graz, Heinrichstr. 26. PA.: 8010 Graz, Gaußg. 4. G.: Wien, 20. März 1919. S.: 1937 Matura, Stud. d. klass. Philol. u. Phil., 1946 Dr. phil. K.: 1948 Ass. am phil. Inst. d. Univ. Wien, 1951 Habil., 1953-54 Forsch.Jahr an d. Havard-Univ., 1956 a.o.Univ.-Prof. an d. Univ. Wien, 1962-69 Ordinarius f. Soz. Univ. Heidelberg, ab 1969 Ordinarius f. Phil. an d. Univ. Graz, 1989 em. P.: Ursprung u. Ende d. Metaphysik, Sozialphil. Zwischen Ideologie u. Wiss. (1961, 3. Aufl. 1971), Logik d. Sozialwiss. (1965, 11. Aufl. 1984), Die Sozialphil. Hegels als Heilslehre u. Herrschaftsideologie (1967, 2. Aufl. 1981), Gottwerdung u. Revolution (1973), Die Voraussetzungen d. Transzendentalphil. (1975, 2.A. 1992), Erkenntnis u. Illusion (1979, 2. Aufl. 1988), Stalins Krieg (1985, 4.A. 1993), Heil u. Zeit (1990). M.: korresp. Mtgl. d. Österr. Ak. d. Wiss. u. Berliner Wiss. Ges. (P.R.)

Toplitsch Norbert

B.: Dir. HS Reichenau "Am Wartholz". DA.: 2651 Reichenau, Hirschwang 167. PA.: 2650 Payerbach, Hauptstr. 9. G.: Payerbach, 14. Aug. 1948. V.: Gabriele, geb. Starzengruber. Ki.: Verena (1973), Bettina (1974), Gernot (1974). El.: Josef u. Gertrude, geb. Leistner. S.: VS, HS, BLBA Wr. Neustadt, 1967 Matura, HS-Lehramtprüf. K.: 1967/68 VS Böhlerwerk/Ybbs, 1968/69 HS Kirchberg/Wechsel, ab 1969 HS Reichenau, ab 1993/94 Ltg. d. Schule, Obm. d. HS-Gem. Payerbach, seit d. 15. Lebensj. Organist Röm.-Kath. Pfarrkirche Payerbach, s.1969 Chorltr. d. Männerchores d. Singgemeinschaft Payerbach-Reichenau, seit 1980 "Regens Chori", seit 1975 GemR. ÖVP d. Gem. Payerbach. P.: Buch "Sagen u. Geschichten aus d. Semmering-Rax-Schneeberggebiet" (1983), Mitwirkung b. versch. Festschriften: 1986 Holzschwemmen im Höllental, 1989 Das Schulwesen in Reichenau, wiss. Mitarb. b. NÖ Landesausstellung 1992 "Die Eroberung d. Landschaft", 1995 900 J. Payerbach - Geschichte d. Marktgem. Payerbach. E.: Gold. Chorltr.-Nadel d. Sängerbundes f. Wien u. NÖ. H.: Wohnmobil, Komposition v. Chorwerken, Erforsch. d. Geschichte d. Semmering-Rax-Schneeberggebietes, Silb. Ehrennadel d. Marktgem. Payerbach. (M.M.)

Töpperwien Heinke
B.: Ballettmstr. DA.: D-37073 Göttingen, A.-Sievert-Str. 5. PA.: 5084 Großgmain, Bichlweg. V.: verh., 1 Tochter. S.: Matura, Tanzausbild. Wien u. Bremen. K.: Ballettmstr. u. Choreografin, Dir. einer d. größten Ballettschulen in mehreren Bdl. Deutschlands u. Mitarb. versch. Bühnen sowie Lehraufträge an europ. Ballettak., Aktivitäten in kultur- u. wirt-

schaftspolit. europ. Arbeitsgruppen. M.: Vorst.-Mtgl. d. Arbeitskreises selbst. Unternehmer in Bayern, Vorst.-Mtgl. Paneuropa Salzburg. (N.M.)

Topritzhofer Edgar Dr. Dkfm. Univ.-Prof.

B.: Prof. am Inst. f. Unternehmensführung d. WU Wien. GT.: Wiss. Ltr. d. Univ.Lehrgangs z. Ausbild. v. Exportkaufleuten. DA.: 1090 Wien, Aug. 2-6. G.: Wien, 10. Juni 1944. V.: Dr. Adolf u. Gertrude. K.: 1965 Dkfm., 1968 Prom., 1973 Habil., 1974 o.Univ.-Prof. P.: Verfasser u. Hrsg. v. 5 Büchern u. ca. 50 wiss. Art. (P.R.)

Torabizadeh Mehdi Dr.

B.: Prakt. Arzt. DA.: 1120 Wien, Sechterg. 8-10/4. PA.: 1230 Wien, Anton-Baumgartner-Str. 44/B5/192. G.: Abadan, 10. Jan. 1941. V.: Inejad, geb. Abbass. Ki.: Taraneh, Amir, Amin. El.: Saleh u. Nashmieh. BV.: Großvater Matugh Verfasser eines Religionsbuches im 19. Jhdt. S.: Gymn., Univ. Wien, 1977 Dr. med. K.: 1979-81 Ausbild. im Herz-Kreislaufzentrum Eisenstadt, 1981 eigene Ordination. P.: Publ. einer wiss. Arb. über Isoket in bezug auf Angina-Pektoris im Rahmen einer ergometrischen Belastung m. Prim. Dr. Böhm 1978. H.: Schwimmen. (Fels.)

Tornar Rudolf Martin HofR.

B.: Vw.Dir. d. AKH d. Stadt St. Pölten. A.: 3100 St. Pölten, Maria-Theresia-Str. 12. G.: Hainfeld, 26. Febr. 1914. V.: Maria, geb. Peterhans. Ki.: Gerd (1943), Monika-Maria (1949). S.: HAK, Matura, Wirtschaftsoffz.Kurs im ÖBH, 1944 Umschulung z . Truppenoffz., letzter Rang Hptm., im Intendanzdienst letzter Rang OStabInt. K.: seit 1945 Vw.Ltr. am AKH St. Pölten, 1946 Grdg.Mtgl. d. Arge d. Vw.Ltr. österr. Krankenanst. NÖ u. seither deren Vors., seit 1960 Chefred. d. Österr. KH-Zeitung, 1961 Zuerkennung d. Amtstitels "Vw.Dir.", 1967 Ernennung z. RgR., 1969 VPräs. d. Europ. Vereinigung d. KH-Vw.Ltr. m. Sitz in Straßburg, 1971 Berufung als a.o.Mtgl. d. LSanR. v. NÖ, 1976 Wahl z. Präs. d. Europ. Vereinigung d. KH-Vw.Ltr., 1977 Verleihung d. Titels "HofR.", seit 1980 i.R. P.: Hrsg. d. KH-Jahrbuches, zahlr. Publ. in in- u. ausländ. KH-Fachzeitschriften. E.: Silb. EZ f. Verd. um d. Rep. Österr., Gr. EZ f. Verd. um d. Bdl. NÖ, Silb. EZ f. Verd. um d. Land Wien, Gold. EZ d. RK u. d. Samariterbundes, Ehrennadel in Gold d. Ärztekam. NÖ, Ehrenring d. LHpt.Stadt St. Pölten. M.: Vors. d. Arge d. Vw.Ltr. Öff. KA NÖ, Arbeitersamariterbund Österr., Vorst.-Mtgl. d. Offz.Ges. NÖ, Obm. d. "St. Pöltner Babyhilfe", Ver. z. Bekämpfung d. Säuglingssterblichkeit im Bez. St. Pölten.

Tornquist-Lapainer Helga Dipl.-Ing.

B.: Arch. DA.: 8010 Graz, Opernring 12. PA.: 8052 Graz, Erdbergweg 47. G.: Graz, 13. Mai 1946. El.: Karl u. Natalie. S.: VS, Gymn., 1964 Matura, Arch.-Stud. TU Graz, 1971 Dipl.-Prüf., Dipl.-Arb. "Farbe u. Licht". K.: 1971 selbst., dann Mitarb. in einem Arch.-Büro zu Praxiserwerbung, 1971 freischaff. Künstlerin, Grdg. d. "Studios Colore", viele Aufenthalte in Italien zu Studienzwecken, 1977 Ziviling.-Prüf., Grdg. eines Arch.-Büros, UNI KAT f. Möbeldesign, Beschläge u. eine neue Art d. Oberflächengestaltung b. Möbeln in Form einer geschützten Lasurtechnik m. Oberflächenverfremdung, Beteiligung an einigen Ausstellungen. P.: div. Hochbauten, Geschäftsumbauten im Altstadtbereich, Publ. im Kulturstadtplan Graz u. "The Best Shop". H.: Beruf, Botanik, Musik. (M.Gr.)

Török Béla Dipl.-Ing.

B.: Betriebsltr. FN.: Mischek Fertigbau AG. DA.: 2201 Gerasdorf, Fabriksg. 2. G.: Sopron, 28. Juni 1951. V.: Mag. Inge, geb. Hajek. Ki.: Alexander, Csilla. K.: Fa. Stuag neben Stud. gearb., 1981 Fa. Mischek Betriebsass., seit 1986 Betriebsltr. m. sämtl. kfm. Agenden betraut. M.: St. Stephans Ver. H.: Volleyball, Tennis, Garten, Sammeln v. Ansichtskarten, Münzsammlung. (A.K.)

Toscani Manfred Dr.

B.: Mtgl. d. Vorst. FN.: Wienerberger Immobilien AG. DA.: 1102 Wien, Wienerbergstr. 11. PA.: 1180 Wien, Bischof-Faber-Pl. 10. G.: Wien, 8. Dez. 1958. V.: Dr. Ulrike, geb. Göttlicher. Ki.: Valerie (1986), Isabelle (1990). El.: Dr. Walter u. Dr. Liese. S.: 1977 Matura, Stud. Rechtswiss. Univ. Wien, 1981 Prom. z. Dr. iur. K.: 1982 Gerichtsj., 1986 RA-Prüf., 1982-86 Konzipient in d. RA-Kzl. Schönherr-Barfuß-Torggler & Partner, 1986-89 Ltr. d. Rechtsabt. d. Wienerberger Baustoffind. AG, 1988-90 Ltr. d. Geschäftsbereiches Immobilien, seit 1990 Gesamtprok. d. Wienerberger Baustoffind. AG u. Gschf. d. WIPARK Garagen GmbH, seit 1990 Mtgl. d. Vorst. d. Wienerberger Immobilien AG. H.: Tanz, Musik, Radfahren, Wassersport. (J.S.)

Tösch Fritz

B.: Inh. FN.: Pizzeria-Cafe-Rest. "Da Capo". GT.: Fachlehrer an d. Höheren Anstalt f. Tourismusberufe in Neusiedl/See. DA.: 7100 Neusiedl/See, Untere Hauptstr. 76. PA.: 2493 Lichtenwörth. G.: Lichtenwörth, 4. Aug. 1952. S.: S, HS, Berufsausbild. Lehre als Fleischhauer u. Koch, päd. Ausbild. mit Lehramtsprüf. K.: 1973-76 Auslandsaufenth. (Tätigk. als Koch in d. Schweiz u. Ital.), 1977 Rückk. nach Österr., vorerst Koch in Saisonbetrieben in Vlb., Tirol, Bgld., dann Abtl.-Ltr. in d. Küche d. Hotel Hilton in Wien, 1982 Umstieg in 3. Beruf (Lehrer), päd. Ausbild. mit Lehramtsprüf., - mit Auszeichn. abgelegt,, seith. Fachlehrer an d. Höheren Anstalt f. Tourismusberufe in Neusiedl, 1987 Grdg. u. Aufbau d. Betriebes "Da Capo"; Vortragender an d. VHS Neusiedl, Veranstalter v. Fachseminaren, Mitarb. des Tourismusverbandes Bgld., Repr. bei Messen u. Auslandsprom. M.: Mtgl. d. Österr. Olymp. Kommittees, Mtgl. Delegationsltg. d. Österr. Olymp. Kommittees bei Winterspielen 1994 in Lillehammer, Küchenchef d. Österr.-Hauses bei d. Olymp. Winterspielen 1994 in Lillehammer, Mtgl. d. Österr. Weinbruderschaft, Grdg.-Mtgl. Kiwanis-Klub Neusiedlersee. E.: Ehrenurkunde d. Stadtgem. Neusiedl f. besondere Verdienste um die Gem. Neusiedl bei d. Olymp. Winterspielen 1994, Ehrenurkunde d. Landesschulrates f. Bgld. als Repr. d. berufsbild. Schulwesens im Blgd. bei d. Olymp. Winterspielen 1994 in Lillehammer, Ehrenurkunde d. Landesschulrates f. Blgd. f. d. vorbild. Abhalt. d. Symposiums "Lehrerfortbild. im intern. Vergleich". (F.S.)

Tösch Heinrich Ing.

B.: Bmstr., Unternehmer. FN.: Neuhold & Co. DA. u. PA.: 8020 Graz, Ungerg. 12. G.: Gratkorn, 5. Juni 1927. V.: Gertrude, geb. Kettner. Ki.: Werner (1958). El.: Josef u. Juliana.

S.: VS HS, Bundesgewerbeschule f. Hochbau HTBL, 1949 Abschluß. K.: Tätigkeit als Bautechniker, 1953-72 Baultr. d. Firma Neuhold & Co, ab 1972 Gschf. d. Bauunternehmen Neuhold & Co, Filialgrdg. in Gratkorn, seit 1972 gerichtl. beeid. Sachv. f. Bauwesen b. Landesgericht f. Zivilrechtssachen in Graz. M.: Hauptverb. d. gerichtl. beeid. Sachv. H.: Naturverbundenheit. (M.Gr.)

Tostmann Gesine Maria (Gexi) Dr. phil.

B.: Gschf. Ges. FN.: Tostmann Trachten GmbH & Co KG Seewalchen, Filiale Wien, Tostmann Handelscompagnie GmbH Wien. DA.: 4863 Seewalchen, Hauptstr. 1, 1010 Wien, Schotteng. 3a. G.: Vöcklabruck, 11. Aug. 1942. Ki.: Anna (1975). El.: Jochen u. Marlen Tostmann. S.: Gymn. Linz, HAK Wien, 1967 Prom. K.: Eintritt in d. elterl. Betrieb, selbst. Führung d. 1949 gegr. Betriebes. P.: "Tracht in Österr.", "Das Dirndl", div. Art. in Fachzeitschriften. M.: Kulturver. Mölkerstiege, FORUM OFFEN HANDELN.

Toth Friedrich KommR.

B.: Unternehmer. FN.: REBAU Grazer Regal- u. Stahlbau. DA.: 8041 Graz, Liebenauer Hauptstr. 207. PA.: 8042 Graz, Unterer Breitenweg 41. G.: Zalaegerszeg/Ungarn, 20. Sept. 1932. V.: Augustine, geb. Dick. Ki.: Werner (1950), Erwin (1952), Gabriele (1958), Friedrich (1963). El.: Johan u. Katalin. S.: Volks- u. Hauptsch. in Ungarn, HTL, 1956 Abschluß. K.: 1956 Flucht nach Österr., Tätigk. b. EVG Graz, ab 1961 Werkmstr. b. Fa. ELKA, ab 1963 Werkmstr.-Prüf. u. Beginn d. Selbständigk., 1965 Gründ. d. eig. Fa. REBAU, 1983 Beginn eig. Stahlmöbelerzeugung. E.: 1982 KommR. M.: einige Male Mtgl. d. BeiR. f. Statistik d. Außenhdls, HK/Innung. (M.G.)

Toth Gerta

B.: Ang. FN.: Gebr. Toth OHG. DA.: 2410 Hainburg, Hauptplatz 22. PA.: 2410 Hainburg, Hauptpl. 20. G.: Kittsee, 15. Sept. 1943. V.: Alfred Toth. Ki.: Sabine, Alfred. El.: Konrad u. Johanna Ility. S.: VS, HS, Hauswirtschaftsschule, HASCH. K.: im Büro eines RA tätig, seit 1961 im Betrieb d. Gatten als kfm. Ang. tätig. H.: Radfahren, Musik, Familie. (E.L.)

Tötschinger Gerhard

B.: Schauspieler. PA.: 5027 Salzburg, Postfach 47. G.: Wien, 26. Juni 1946. Ki.: Maria Theres. El.: DDr. Wilhelm u. Erika. S.: Ak. Gymn., 1965 Matura, Schauspielunterricht, Stud. Theaterwiss. u. Kunstgeschichte. K.: ab 1966 Angebote als Schauspieler, ab 1969 schriftstell. Arb., 1973-77 Int. d. Theaters im Bgld., 1977-81 OSpielltr. Ktn. LTheater, seit 1982 Sbg. Int. d. "Fest in Hellbrunn", seit 1981 freier Reg., Brucknerfest in Linz, Wr. Festwochen, Dresdner Festspiele, Teatro San Carlo-Neapel, etc., zahlr. Veröff. als Autor, "Auf d. Spuren d. Habsburger", "Die Habsburger in Tirol", ab 1977 Moderator versch. TV-Serien: "Dialoge m. Herodot", "Quiz in Rot-Weiß-Rot". E.: 1990 EK f. Wiss. u. Kunst, Ehrenbecher d. Landes Sbg.

Totschnig Gerhard

B.: Steuerberater. DA. u. PA.: 6391 Fieberbrunn, Neumoos 14. G.: Kitzbühel, 28. Sept. 1946. V.: Elfriede, geb. Mayr. Ki.: Maria, Johanna. S.: VS, HS, HASCH, Abend-HAK, 1974 Matura. K.: Ang. d. Finanzamtes, Steuerberater als Ang. in Kitzbühel, seit 1983 selbst. in Fieberbrunn. M.: Alpenver., Skiclub, Tennisclub, Wasserrettung. H.: Skifahren, Bergsteigen, Tennis, Fotografieren, Literatur. (W.G.)

Totz Helmut

B.: Gschf. FN.: Udo Degischer & Co. DA.: 2201 Gerasdorf, Brünner Str. 194. PA.: 2331 Vösendorf, Ortsstr. 207. G.: Wien, 15. Juli 1952. V.: Gerda, geb. Roitner. Ki.: Sabine. El.: Robert u. Johanna. S.: VS, HS, Abendmatura, 6 Sem. Marketing-Werbepsych. K.: 1969-83 Ltg. d. Großhdls. Berghofer, 1978-83 in ltd. Stelle b. Fa. Berghofer, ab 1983 b. Fa. Udo Degischer & Co als Gschf. tätig, wobei sich die Sortimentszusammenstellung auf Bau- u. SB-Märkte, Fachhdl. u. Kaufhäuser konzentriert. H.: Skifahren, Tennis. (Fels.)

Totzauer Peter

B.: Komponist, Arrangeur, Korrepetitor an d. Wr. Staatsoper. PA.: 1170 Wien, Rudolf-Bärenhart-G. 17/4. G.: Wien, 6. Nov. 1945. V.: Brigitte, geb. Harsch (Mtgl. d. Wr. Staatsopernballetts). Ki.: Christoph (1968), Michael (1974), Andreas (1979), Peter (1982). El.: Prof. Johann u. Barbara. BV.: aus d. Geschlecht d. Totzauer stammen bekannte Virtuosen wie z.B.: Justus Johann Friedrich, geb. 1783, Justus Bernhard Friedrich, geb. 1808 u. Karl Ludwig, geb. 1811, Vater Prof. Johann Totzauer war Ltr. d. gr. Unterhaltungsorchesters v. Radio Wien, später Kapellmstr. m. Kompositionsverpflichtung am Wr. Burgtheater. S.: Stud. Ak. f. Musik u. darstell. Kunst Wien, Komposition b. Prof. Uhl, Klavier b. Prof. Dr. Dichler u. Kapellmstr.Schule b. Prof. Swarovsky. K.: Tätigkeit als Pianist, ab 1969 Korrepetitor an d. Wr. Staatsoper, parallel dazu freischaff. Komponist, zahlr. Werke z.B.: 1988: 4 Studien f. Oboe u. Klavier, Streichquartett in g-moll, 1989: Präludium, 1990: "Sinngedichte" - Paraphrase f. Klavier-Solo u. gr. Orchester, Five little horn-trios for Margo, 1991: "Erinnerungen" f. Horn u. Klavier, zahlr. Bearb. f. d. Wr. Eichendorff-Quintett d. Johann Strauß-Ensemble d. Wr. Symphoniker, f. viele namhafte Streichquartett-Ensembles u. auch f. d. Wr. Waldhornver., Mitwirkung Bregenzer Festspiele, zahlr. Tourneen m. d. Wr. Staatsoper. H.: Fußball, Fotografieren, Wandern, Lesen. (M.M.)

Touré Edith Mag. art.

B.: selbst. ak. Restauratorin. DA. u. PA.: 2301 Groß-Enzersdorf, Badg. 1A. G.: Wien, 10. Juli 1950. V.: DDr. Mohamed Touré (Schriftsteller, Pseudonym Fantoure). Ki.: Yasmine (1976), Daliah (1977), Alioum (1980). El.: Karl u. Edith Bielohlawek. S.: 1969 Matura, 1969-71 Stud. Kunstgeschichte Univ. Wien, 1971-77 Stud. Konservierung Ak. d. Bild. Künste Wien. K.: ab 1989 selbst. Restauratorin, Schwerpunkt: Papier, Grafik u. Gemälde, Beteiligung an d. Restaurierung d. Blauen Salons v. Schloß Schönbrunn. H.: Malen, afrikan. Literatur. (N.A.)

Toyfl Heinrich

B.: Inh., KFZ-Mechaniker. FN.: Autohaus Toyota-Toyfl. DA. u. PA.: 2332 Hennersdf., Hauptpl. 6. G.: Hennersdorf, 16. Apr. 1943. V.: Helga. Robert (14 J.), Sonja (21 J.), Regina (23 J.). El.: Johann u. Anna. BV.: Großv. Bgmstr. 1920 v. Hennersdf. S.: VS, HS, BS, Mstrprüf. 1970. K.: Lehre Fa. Fischer Hennersdf., 10 J. Fa. Tarbuk u. a. Testfahrer f. Crysler, Plymouth u. Dodge, 1970 selbst.: Autohandel, 1973 Toyota Bezirksvertr., div. Kurse: Funkk., Atemschutzk., Verkehrsreglerk., etc., Bez.Ausbildner. P.: div. Zeitungsart. E.: Firmenausz., Feuerw.Ausz., u. a. Lebensrettungsmed., Verdienstz. 1. u. 3. Kl., Öst. gold. Leistungsabz., div. ausl. Verdienstz., 2. Pr. Stadt Haag f. Motocrossf. H.: Motorsport, Radfahren, Literatur, Musik, Beruf. (W.M.)

Trabesinger Alexander

B.: Gschf. u. Dir. Hotel Greif, Austrotel Wels. DA.: 4600 Wels, Kaiser-Josef-Pl. 50/51. PA.: 5020 Salzburg, Alterbachstr. 4. G.: Salzburg, 10. Nov. 1960. El.: Valentin u. Herta. S.: HAK 1980 Abschluß, 1980-82 Abiturientenlehrgang d. Hotelfachschule Schloß Kleßheim/Sbg. K.: 1982-83 Reisebüro Hamburg, 1983-84 Gschf. Ass. Restaurant, Graz, 1984-85 Dir.-Stellv. Hotel Greif Wels, 1985-89 Hoteldir.-Stellv. München, ab 1989 Dir. u. Gschf. Hotel Greif Wels. M.: Skiclub Sbg., Segelclub Sbg. H.: Segeln, Tennis, Skifahren. (H.B.)

Trabi Heinz

B.: Gastwirt d. ESV Tennisrestaurant. DA.: 8600 Bruck/Mur, Murinsel 11. PA.: 860 Oberaich, St. Dionysen 58. G.: Bruck, 8. März 1954. V.: Sabine, geb. Göber. Ki.: Markus (1987). El.: Rudolf u. Josefine. S.: Grundschule, 1969-72 Werkschule b. Böhler. K.: 9 J. Dreher b. Fa. Böhler, 1980 Kellnerlehre BFI, 1982-85 Restaurant Laufke Graz, 1984 Konzessionsprüf. WIFI Graz, 1985-86 Tätigkeit Hotel-Restaurant Bauer Bruck, seit 1986 selbst. M.: ESV Bruck Sekt. Tennis, Fremdenverkehrsver. Oberaich. H.: Tennis, Modelleisenbahn bauen, klass. Musik, Lesen. (M.Gu.)

Track Gerhard Prof.

B.: Dirigent, Komponist. DA.: 1010 Wien, Johannesg. 4a. G.: Wien, 17. Sept. 1934. V.: Michaela, geb. Maihart. El.: Ernst u. Käthe. S.: LBA Wien, Ak.f. Musik u. Darstell. Kunst.Wien, Päd. Inst. u. Univ. Wien. K.: 1953-58 Kapellmstr. d. Wr. Sängerknaben, Assoc. Prof. of Music St. John´s Univ. Minnesota USA, Musikdir. d.St. John´s Symphony Orchestra u. d. St. John´s Univ. Men´s Chorus 1958-69, 1965-69 Dirigent u. Musikdir. d. "Metropolitan Youth Symphony Orchestra of Minneapolis" in Minnesota, 1969-86 Musikdir. u. Dirigent d. Pueblo Symphony Orchestra, d. Pueblo Symphony Chores u. Pueblo Youth Symphony Orchestra, d. Mozart Festival u. Thatcher Prof. of Music an d. Univ. of Southern Colorado, in Pueblo Colorado USA, intern. Dirigententät. als Gastdirigent, s. 1986 Dirigent u. Künstler. Ltr. d. Chorver. "Jung-Wien" u. Künstler. Ltr. u. Dirigent d. "Orchester Pro Musica International" i. Wien; s. 1980 Präs. d. Musikverl. PMI in Pueblo Colorado, s. 1987 künstl. Ltr. d. Wr. Serenaden Orchesters, 1988-92 Präs. d. Österr. Komponistenbund, s. 1989 Dir. d. Musiklehranst. d. Stadt Wien, ab 1990 künstl. Ltr. u. Dirigent d. Wr. Männergesang Ver.; Intern. Tät. als Gastdirigent. P.: über 400 Kompositionen u. Bearbeitungen verl. i. d. USA, BRD u. Österr. E.: Gold. VZ f. Verd. um d. Rep. Österr., Outstanding Educator of USA. M.: AKM, Österr. Komponistenbund, Kirchenmusikges. USA, American Symphony Orchestra League, ASCAP, American Choral Directors Assoc. (J.M.)

Trafler Fritz

B.: Gen.Sekr. d. Organisationskomitee f. d. Rad WM 1987. DA.: 1030 Wien, Jacquing. 6-18. PA.: 8750 Judenburg, Franz-Fuchs-G. 5. G.: Murau, 28. Febr. 1940. V.: Irmgard, geb. Probst. Ki.: Franco. El.: Konrad Esterl u. Angela Leitner. S.: VS, hum. Gymn., Seminare in Heidelberg. K.: nach Matura zu Fa. Werner & Merz (Mainz), Hallein (14 J. mittleres Management, Abt. u. Verkaufsltr.), 1974-79 Gschf. d. Österr.-Ring GmbH, 1979-83 Gen.Sekr. d. Alpinen WM Schladming, 1983-85 Nord. Ski WM Seefeld, Gen.Sekr. d. Skiflug WM/-Kulm, Bad Mitterndorf, seit 1986 Gen.Sekr. d. Rad WM 1987. P.: zahlr. Vorträge im In- u. Ausland. E.: Gold. EZ d. Österr. Skiverb., Gr. EZ d. Landes Stmk., Gold. Wappenteller d. Stadt Schladming u. Seefeld, Villacher Faschingsorden, Ehrenkarte v. Casino's Austria, Chaine de Rotisseure. M.: Lions Club, Grdg.Mtgl. d. Marketings Club Stmk., Österr. Managementclub. H.: Beruf, Skifahren, Tennis. (R.A.)

Tragl Karl Heinz Dr. a.o.Univ.-Prof.

B.: Ärztl. Dir. u. Vorst. d. I. Med. Abt. d. Donauspitals im soz.-med. Zentrum Ost. DA.: 1220 Wien, Langobardenstr. 122. PA.: 1220 Wien, Siebenbürgerstr. 16/66/26. G.: Wiesen, 22. Apr. 1936. V.: Anna, geb. Strodl. El.: Hans u. Anna, geb. Ramhofer. S.: Mittelschule, 1954 Matura, Med.-Stud. in Wien, 1961 Prom. K.: Turnusarzt Med. Abt. d. KH d. Barmherzigen Brüder Eisenstadt, ab 1962 I. Med. Klinik, 1968-70 Stoffwechselabt. d. Univ. Stanford, ab 1970 I. Med. Klinik, PersonalOR., OA d. Wenckebach-Station, 1976 Habil., 1977 Primararzt im Kaiser Franz Josefs-Spital, 1982 a.o.Univ.-Prof., seit 1992 Ltr. d. Ludwig Boltzmann-Inst. f. Altersforsch. BL.: Planung d. soz.-med. Zentrum Ost. P.: Das Kaiser Franz Josef-Spital Chronik u. Med.-Geschichte, Internist. Geriatrie, ca. 100 wiss. Publ. zu Themen: Endokrinologie, Diabetes, Geriatrie, Buch: Synkopen, Stürze u. Frakturen d. betagten Menschen. M.: Wr. u. Österr. Ges. f. Innere Med., Österr. Ges. f. Geriatrie u. Gerontologie, Ges. d. Ärzte in Wien. H.: Tennis, Bergwandern. (N.A.)

Tragseil Franz Dkfm.

B.: Mtgl. d. Vorst., Gschf. FN.: Realia Immobilien Verwertungs AG. DA.: 1140 Wien, Penzinger Str. 125. G.: Wien, 20. Apr. 1943. V.: Berta-Elisabeth. Ki.: Franz, Alexander. El.: Franz u. Anna. S.: 1961 Matura, Jusstud., Stud. Welthdl., 1972 Dkfm. K.: b. 1988 selbst. im Bereich Realitätenvermittlung u. Gebäudeverw., seit 1988 Vorst.-Mtgl. in d. Realia, Gschf., Immobilientreuhänder: Liegenschaftsverw., Immobilienmaklertätigkeit. H.: Bergwandern. (J.E.)

Traimer Heinz

B.: Grafiker u. Werbekons. A.: 1190 Wien, Kahlenberger Str. 74. G.: Schondorf, 30. Sept. 1921. V.: Dr. Gertraude, geb. Rath. El.: Heinrich u. Hilde. S.: Gymn., Graph. Ak. München, 4 J. Agenturpraxis, Atelierltr., anschl. freiberufl. Tätigkeit als selbst Grafiker u. Texter. K.: seit 1955: Gesamtkonzeption u. graph. u. textl. Gestaltung d. Werbung f. Zentralsparkasse Wien, Sparkassenhauptverb. sowie über d. Sparkassenverl. f. sämtl. Sparkassen, Anleihen-Werbung f. österr. Kontrollbank, Gestaltung v. Großveranst. (Fr. Gulda-Wettbewerb, Schubert-Wettbewerb) u.a., weitere Auftraggeber: Europarat OECD Straßburg, Stadt Wien, Österr. Städtebund, Hypo-Bank sowie Industrie- u. Handelsgroßuntern., 1955 Grdg. einer eigenen Siebdruckerei. E.: Gewinner div. Wettbewerbe bzw. Prämierungen u.a. Deutsche Bundespost, ERP-Plakatwettbewerb, Europa-Gespräch Wien, Kulturamt d. Stadt Wien, 1976 Staatspreis f. Werbung. M.: BÖG. H.: Musik.

Traindl Leopold

B.: Bez.Vorst. v. Wien-Währing i.R., OSR. PA.: 1180 Wien, Edm.-Weiss-G. 5. G.: Bullendorf/NÖ, 7. Juni 1927. V.: Maria, geb. Radinger. Ki.: Primarius Univ.Doz. Dr. Otto, Mag. Beate. El.: Leopold u. Barbara. S.: VS, HS, LBA (Päd. Ak. d. Bundes). K.: VS-Lehrer, HS-Lehrer, Doz. a. Päd. Inst. d. Stadt Wien, HS-Dir. in Wien I, Renng. 20,i.R. BezR. (1964), GemR. u. LAbg. v. 1970-1984 Bez.Vorst. (1984-1990). E.: Gold. EZ d. Landes Wien, Silb. EZ d. Landes Sbg., Gold. EZ d. Rep. Österr., Päpstl. Silvesterorden. M.: ÖVP, Kath. Lehrerschaft Österr., LObm. d. Pflichtschullehrer im ÖAAB u. deren Ehrenobmann i.R., Präs. d. Österr. Kinderrettungswerkes. H.: Skifahren, Reisen, Gartenarb. (R.A.)

Trajceski Ljubisa

B.: Galerist u. Vertriebsltr. d. Kunst- u. Antiquitätengalerie Wels. DA.: 4600 Wels, Freiung 12. PA.: 4661 Steinhaus, Oberschauersberg 70. G.: Jabuka/Yugoslawien, 9. Okt. 1958. V.: Monika, geb. Springer. S.: Katharina (1980), Magdalena (1981), Lisa-Maria (1989), David-Alexander (1990). El.: Zivko u. Stefanie. BV.: Großvater im Aufbau d. Widerstandes gegen Hitler m. Tito. S.: Gymn., b. 1978 HTL Chemie Wels. K.: 2 J. Außendienst in Chemie in Yugoslawien, Griechenland u. Ungarn, 2 J. Projekt u. Arch.Berater in Österr. im Innen- u. Außendienst, seit 1982 selbst., Schwerpunkt: Kompensations- u. Auflösungsgeschäfte, Kapitalanlagenberatung, seit 1985 Konsulententätigkeit f. versch. ausländ. Ges., div. Fortbild.Kurse, selbst. Ltr. v. Verkaufsseminaren. M.: Kleine Welser Bühne. H.: Kinder, klass. Musik, Theater. (P.H.)

Tramontana Reinhard

B.: Stv. Chefredakteur. FN.: "Profil".G.T.: "Tramontanas Trendstation": Kolumne i. Trend. DA.: 1010 Wien, Marc-Aurel-Str. 10-12. G.: Wien, 27. Feb. 1948. Ki.: Aisha u. Teresa (1986). El.: Ilse u. Peter. BV.: Fam. väterl.: italienisch; Fam. mütterl.: Hugenotten aus Frankreich. S.: Hum. Gymn. Fichtnerg. Wien, Matura 1967, Bundesheer. K.: Aufbau d. Kabarettruppe "Der Scheibenwischer"; freier Schriftst. (Kurzgesch. u. Nov. f. div. dt. Zeitungen); anschl. Journalist f. "Die Presse" u. d. "Sbg. Nachrichten" tätig; s. 1971 b. "Profil"; s. 1982 Chefred.Stv. B.L.: Kolumne "Profan" s. 1975. P.: Bücher: u.a. " ...über Emanzipation - Irren ist männlich", "Mein profanes Weltbild"; Satirenband: "Beruf: Donauwalzer". H.: Bücher, Filme. (J.S.)

Trampitsch Christian

B.: Werbegraphiker, Schilderhersteller. FN.: Atelier Trampitsch. DA. u. PA.: 9100 Völkermarkt, Kaltenbrunnerstr. 38. G.: Winklern b. Völkermarkt, 24. Dez. 1944. V.: Anegrit, geb. Herfort. Ki.: Nicole (1975), Julia (1979). El.: Stefan u. Sophie T. S.: Berufsschule u. Lehre Kfm. 1959-62, BH, Graveurfachschule HTBL i. Ferlah 1963-67, Tätigk. als Kapitän am Millstättersee 1963 u. 1964, Kapitänspatent f. Binnensee f. Personenschiffe, Tätigk. a. Filialltr., Graphiker u. Werbegestalter, 1963-67 Baßgittarist u. Klarinettist i. d. Band "Goldfinger", versch. Weiterbildungskurse, z.B. Air-brush Seminar, 1984 Grdg. d. eig. Unternehmens, Foliengraphik u. individuell handgefertigtes Autodesign. M.: Männergesangsverein "Scholle". H.: Holzbearb. jeglicher Art, Kalleographie u. Beschäftigung m. Paleographie.

Trampler Rudolf Dipl.-Ing. w.HofR.

B.: Bmtr. NÖ LRg. DA.: 1037 Wien, Lothringer Str. 14. PA.: 3250 Wieselburg, Hochrieß 3. G.: Hochrieß, 28. Nov. 1932. V.: Wilfriede, geb. Schimann, 4 Kinder. (A.W.)

Tramposch Christian Dipl.-Ing.

B.: Gschf. FN.: Stadtwerke Kufstein GmbH, KufGem-EDV GmbH. DA.: 6330 Kufstein, Oberer Stadtpl. 15. PA.: 6233 Kramsach, Fachental 62 N. G.: Innsbruck, 2. April 1956. V.: Andrea, geb. Guggenbichler. El.: Hildegard u. Heinrich. S.: VS, HS, HTL Innsbruck 1975 Matura, 1975-81 Stud. d. Elektrotech. a. d. Techn. UNI Wien, Dipl. Prüf. K.: 1982-83 b. BBC i. Werk Wr. Neudorf tät., BH, 1983-90 b. d. Tiroler Wasserwerke AG i. Innsbruck tät., 1989 Ziviltech.prüf., 1990 Dir., 1991 Gschf. P.: Art. i. reg. Print. Med. H.: Skifahren, Tennis, Moutainbiken, Literatur, Musik, Weine. (J.F.)

Trampusch Franz

B.: LParteisekr. d. SPÖ Stmk., LAbg., Gschf. Obm. d. Landtagsclubs. DA.: 8020 Graz, Hans-Resel-Gasse. PA.: 8430 Leibnitz, Leitringer Str. 40. G.: Ratsch, 26. Febr. 1934. V.: Agnes, geb. Meier. Ki.: Isabella, Karin, Richard. El.: Franz u. Amalia. S.: Einzelkfm.Lehre. K.: 1953-60 Gem.Sekr. in Retznei, 1960-71 SPÖ Bez.Sekr. in Leibnitz, 1971-75 Gschf. d. Österr. Städtebundes u. gleichzeitig d. soz. Gem.-Vertreterverb., seit 1985 SPÖ LParteisekr., 1975-84 Bgm. d. Marktgem. Wagna, seit 1980 LAbg. u. Bez.Obm. d. soz. Partei d. Bez. Leibnitz, seit 1976 Feuerwehrhptm. u. Ltr. d. Taucheinsatzdienstes d. Feuerwehr Leitring. E.: vielfacher Österr. Mstr. im Orientierungslauf. M.: VPräs. d. stmk. Zivilschutzverb., VPräs. d. ASKÖ Stmk. H.: Tauchen, Leichtathletik, Fotografieren, Lesen. (P.R.)

Trapp Sieghard Oberst

B.: LGendarmeriekdt. f. OÖ. DA.: 4020 Linz, Gruberstr. 35. PA.: 4600 Thalheim/Wels, Rainbergstr. 20. G.: Sirnitz, 23. März 1929. V.: Margareta, geb. Raab. Ki.: Andreas (1961), Bettina (1962). El.: Alois u. Ida. S.: 1948 Matura. K.: zunächst Dienst b. d. brit. Besatzungsmacht, 1949 Eintritt in d. Gendarmerie, 1964-65 Offz.-Ak., nach d. Ausmusterung Versetzung nach OÖ, 1955 Stabswendung, 1958-83 Abt.Kdo. Wels, ab 1983 stellv. LGendarmeriekdt. in OÖ m. Sitz in Linz, ab 1988 LGendarmeriekdt. E.: Gold. EZ d. Rep. Österr., Silb. EZ d. Landes OÖ, Ausz. d. UNO f. Zyperneinsatz 1964. M.: Gschf. Präs. d. Gendarmeriesportverb. H.: Sport, Ges. (P.R.)

Trappel Kurt Dr. med. vet. VetR.

B.: Prakt. Tierarzt. A.: 4201 Gramastetten, Türkstetten 30. G.: Linz, 2. Juli 1928. V.: Marianne, geb. Lehner. El.: wHofR. Dipl.-Ing. Dr. Adolf u. Eugenie. S.: VS, ak. Gymn., Tierärztl. Univ. Wien. K.: Prakt. Tierarzt seit Sept. 1952, Vorst.Mtgl. d. LKam. d. Tierärzte in OÖ seit 1971, Präs. d. LKam. d. Tierärzte OÖ seit 1976.

Trappitsch Karin

B.: Heimltr. FN.: Österr. Ges. "Rettet d. Kind" Jugendheim. DA. u. PA.: 9871 Seeboden, Seebacherstr. 4. G.: Seeboden, 26. Dez. 1946. verh. S.: VS, HS, 1961-64 Ausbild. z. Kindergärtnerin u. Sonderkindergärtnerin. K.: 1965-71 Erzieherin im Jugendheim Seebach, 1971-79 Tätigkeit an d. Österr. Schule

u. Ltr. d. Kindergartens in Guatemale City, seit 1980 Heimltr. im Jugendheim Seebach. H.: Reisen, Wandern, Sport, Literatur, Musik, Amateurfunkerin. (G.L.)

Tratinek Michael

B.: Gschf., Offsetdrucker. FN.: Mäser Druck Ges.m.b.H. DA.: 6850 Dornbirn, Höchsterstr. 8a. PA.: 6850 Dornbirn, Steinacker 21a. G.: Höchst, 9. Mai 1962. El.: Michael u. Irmgard. S.: Offsetdruckerlehre, 1984 Mstr.- u. Konzessionsprüf.; 1980-81 BH. K.: Auslandsaufenth. Südafrika, bis 1990 Offsetdrucker u. Gschf. einer Druckerei, 1990 Eintr. Fa. Mäser Kommunikationsgruppe Bereich Druck, Aufbau der Druckerei. M.: Triathlon Club u. Squash Club Dornbirn, AS MG FC Härte. H.: Skifahren, Mountainbike, Fußball, Reisen. (I.D.)

Trattner Gilbert Mag.

B.: Mtgl. d. NatR., Kfm. Ang. DA.: 1017 Wien, Dr.-Karl-Renner-Ring 3. G.: Greifenburg, 20. Nov. 1949. S.: Gymn., 1970 Matura, Stud. Volkswirtschaft an d. Univ. Innsbruck, 1977 Mag. K.: s. 1977 b. Leasfinanz als Gebietsstellenltr. f. Tirol u. Vbg., Ersatzmtgl. d. GemR. in Innsbruck, s. 11/1990-02/93 Mtgl. d. Bundesrates, s. 02/1993 Mtgl. d. NatR.

Trattner Siegfried Dr. iur.

B.: Bez.-Hptm. FN.: BH Hermagor. DA.: 9620 Hermagor, Hauptstr. 44. PA.: 9620 Hermagor, Thurnsteig 1. G.: Unzmarkt, 8. Sep. 1940. V.. Herta, geb. Wiedenig. Ki.: Mag. Christine, Klaus. El.: Adalbert u. Margarethe. S.: VS, Gymn. St. Paul u. Klagenfurt, 1958 Matura, 1958-65 Jusstud. Graz, 1965 Prom. K.: Gerichtsj. Villach u. Klagenfurt, 1966 Eintritt in d. Landesdienst (BH Hermagor, St. Veit, Klagenfurt-Land, Amt d. Ktn. Landesreg.) u. seit 1978 Bez.-Hptm. in Hermagor. M.: Bez.-Stellenltr. Rotes Kreuz Hermagor, Bez.-Obm. Ktn. Bild.-Werk Hermagor, Obm. Förderver. Gailtaler Heimatmuseum, Rotary Club Hermagor, div. örtl. Ver. H.: Sport, Lokalgeschichte. (G.L.)

Trattnig Alfred Dr.

B.: Dir., Prok., Personalchef. A.: 4060 Leonding, Aichbergstr. 65. G.: Graz, 26. Febr. 1929. V.: Edith, geb. Monthaler. El.: RgR. Anton u. Theresia. S.: Abitur, TH Graz, Univ. Graz. K.: RA-Anw., LAng., Sachbearb. in Personalfragen, Disponent, Prok., Ltr. d. zentr. Personal-, Sozial- u. Ausbildungsabt. d. Konzerns VOEST Alpine AG. F.: Prok. Voest Alpine AG, Prok. Voest Alpine Werkzeug u. Draht AG. E.: Gold. EZ f. Verd. um d. Rep. Österr. M.: KÖHV, Carolina Graz, Rotary Linz-Altstadt, Fachverb. Bergwerke u. Eisenerzeugende Ind. Wien. H.: Musik, Malerei, Segeln, Skifahren.

Trattnig Anneliese

B.: Inh. d. Cafes am Tummelplatz u. Stadtheurigen. G.: Graz, 5. März 1955. V.: Jörg. Ki.: Mathias, Nikolaus. El.: Hans u. Margarethe Scheucher. S.: VS, HAK, Hotelfachschule Kleßheim. K.: Nach Hotelfachschule im Betrieb d. Schwiegereltern (Hotel "Linde" in Maria Wörth) tätig, ab 1981 Mitinh. d. Cafes am Tummelplatz u. Stadtheurigen. H.: Skifahren, Tennis, Reiten, Wasserski. (R.A.)

Trattnig Bernhard

B.: Gschf. Ges. FN.: STS Sicherheits-Transport-Service GmbH. DA. u. PA.: 9020 Klagenfurt, Maderspergerstr. 8. G.: Klagenfurt, 7. Juni 1955. V.: Barbara, geb. Pagitz. Ki.: Sabine (1981), Bernhard (1986), Stefan (1992). El.: Josef u. Gertrude. S.: 1973 Matura. K.: ab 1973 Prüfer f. Banken im Finanzamt, 1988 selbst. Botendienst, Transportgewerbe, ab 1990 Fahrzeugbau gepanzerte Fahrzeuge, Geldtransporte. F.: STS Bulgarien, STS Slowenien. P.: Veröff. in Sicherheitszeitschriften. M.: Ktn. Motorveteranenclub. H.: Oldtimer. (K.K.)

Trattnig Kriemhild

B.: 2. Präs. d. Ktn. Landtages, Bäuerin. GT.: LAbg. d. FPÖ LGruppe Ktn. DA.: 9541 Einöde, Buchholz 21. G.: Sirnitz, 10. Mai 1937. V.: Hans Trattnig. Ki.: Horst, Christa, Gudrun, Kriemhild. El.: Reinhold u. Anna Huber. S.: Pflichtschule, 1951-53 Ldw. Lehre, Haushaltungsschule, Heimvolks-HS in Schleswig-Holstein, Koch-Nähkursltr., 1960 Prüf. z. Mstr. d. Ldw. K.: seit 1975 LFrauenref. d. FPÖ Ktn., seit 1979 LAbg. d. FPÖ LGruppe Ktn. u. GemR. d. Gem. Treffen. BL.: Erreichung d. Mutterschaftsgeldes f. Bäuerinnen u. selbst. Frauen, Tätigkeitsbereiche Kontrolle, Ldw. u. Soziales, Teilung d. Bauernpension. P.: lfd. Beiträge in Partei- u. Tageszeitungen. M.: seit 1979 Obfrau d. Goldhaubenfrauen Treffen, Vorst.Mtgl. "Rettet d. Kind", seit 1981 LParteiobm.Stellv., Bez.Obm. v. Villach, in d. Ktn. Landsmannschaft, Vors. d. Hans Rader-Bildungswerkes. H.: Singen, Musizieren (Zither), Wandern, Kulturelle u. Schul. Belange. (D.M.)

Trauer Manfred

B.: Obmann. FN.: Hollywood Beauty Club, Mannequin- u. Figurschule f. Damen. DA.: 1100 Wien, Ettenreichstr. 8. G.: Altmanns, 9. Juli 1945. Ki.: Manuela (1967), Lea-Eleonore (1972). El.: Johann u. Stefanie. S.: 1965 Matura, 1965-68 WU Wien, Werbung- u. Verkauf, Akad. gepr. Werbekfm. K.: 1969-74 Hauptschullehrer, 1979-83 Sportlehrer u. Obmann b. versch. Sportvereinen, 1979 Gründ. u. Präs. d. Österr. Dachverb. f. Bodybuilding, Fitness- u. Figurtraining, 1983-86 Inh. e. Sportschule "Sportschule Athletik", 1987-91 Mitarb. b. versch. Sportvereinen, 1992 Gründ. d. Hollywood Beauty Clubs m. Sitz Ettenreichg. 8.H.: Neues planen, Arbeiten, Reisen. (M.A.)

Traugott Georg Florens Dr. iur.

B.: Kfm., Gschf. Ges. FN.: Werkstätte Beurle Trachten GmbH. DA. u. PA.: 5020 Salzburg, Griesg. 25. G. Linz, 8. Apr. 1953. V.: Dorothea Sabine, geb. Balcke. Ki.: Karl Severin. El.: Dr. Edgar u. Marianne. S.: Ak. Gymn. Sbg., 1971 Matura, Stud. d. Rechtswiss. Univ. Sbg., 1975 Prom. Dr. iur., Stud. College d'Europe in Brügge/Belgien. K.: 1975-76 Univ.Ass. am Inst. f. Verfassungs- u. Verw.Recht d. Univ. Sbg., 1977-78 Gerichtspraxis, seit 1979 Gschf. Ges. d. Werkstätte Beurle Trachten GmbH. F.: Werkstätte Beurle Trachten GmbH Wels, Sbg., Gmunden, Steyr, Abtenau (Ges.). P.: Trachten einst u. jetzt (Sbg. 1979). M.: OÖ Heimatwerksgen. H.: Lesen, Segeln, Bergsteigen, Philosophiestud. (Foed.)

Traugott Heinrich Mag. arch.

B.: Arch. DA.: 4810 Gmunden, Schlösslg. 28. PA.: 4810 Gmunden, Schlösslg. 4 G.: Wien, 4. Mai 1940. V.: Hannelore. Ki.: Gregor, Alexander Miriam. El.: Dr. Edgar u. Sylvia, geb. Aichinger. BV.: Vater Autor etl. phil. Bücher. S.: Gymnasium Kremsmünster, HTL Wien Schellingg., Matura, Ak. d. bild. Künste Meisterkl. Prof. Dr. Roland Rainer, 1967 Diplom. K.: seit 1975 eig. Arch.-Büro. M.: Präs. d. Salzkammergut Künstlergilde, Rotary Club Gmunden, Ingenieurkammer. (P.H.)

Traugott Karoline

B.: Inh. d. Pension "Echo am See". DA. u. PA.: 4810 Gmunden, Traunsteinstr. 54. G.: Gmunden, 8. Jan. 1920. V.: Erwin Traugott. Ki.: Edith, Christine. El.: Josef u. Karoline Schalllmeiner. BV.: Großvater Johann Schallmeiner Bes. d. Gasthofes Hoisn (Hoisn-Wirt). S.: Gymn. Gmunden. K.: Eintritt in d. elterl. Betrieb Hotel "Der gold. Engel", 1952 Pension

"Echo am See" reaktiviert gemeinsam m. Gatten Erwin Traugott. E.: 1985 Goldpokal d. Gastronomie v. d. Fördag d. Weltwirtschaft. M.: Alpenver. H.: Hinterglasmalerei, Kochen, Natur. (A.W.)

Trauner Kurt

B.: Friseurmstr. FN.: Modefriseur Trauner. DA.: 2700 Wr. Neustadt, Neunkirchnerstr. 17. PA.: 2721 Bad Fischau-Brunn, Blätterstr. 1a. G.: Wr. Neustadt, 17. Jän. 1951. Ki.: Ulrike (1972), Sandra (1979). El.: Kurt u. Aloisia. S.: Gymn., Friseurlehre im väterl. Betrieb, 1969 Gesellenprüf., Prüf. Einzelhandelskfm., 1975 Friseurmstr.-Prüfung. K.: Übern. d. väterl. Betriebes, 1987 Eröff. d. Geschäfts i. Wr. Neustadt, 1990 Grdg. Geschäft in Wien, 1991 Baden u. 1993 Wr. Neustadt m. Partner Hr. Gerhard Wieser, Teiln. an Lehrlings- u. Jugendwettbewerben, häufige Modeinfo.-Reisen. M.: Präs. d. Sport-Ver. Bad-Fischau. H.: Sport, Sprechtheater. (I.J.)

Trauner Richard Dr. med.

B.: FA f. Orthopädie, Orthopäd. Chir. u. Unfallchir., Gschf. Ges. Physicotherapeut. Inst. GmbH, gerichtl. beeid. Schv. DA.: 8439 Leibnitz, R.-H.-Bartsch-G. 4. PA.: 8043 Graz, Schwarzbauerweg 10. G.: Wien, 22. Juli 1941. Ki.: Helene (1966). El.: Prof. Dr. Richard u. Anna. S.: 1960 Matura, Med.-Stud. Graz, 1969 Prom., 1972 BH. K.: 1969-77 FA-Ausbild. Orthopädie, 1980 Unfallchir., zunächst UKH Graz, dann Stolzalpe, Ass. I. Chir. Graz als OA, 1985 Eröff. d. Praxis in Graz, 1988 Eröff. d. Kassenpraxis in Leibnitz, 1990 Eröff. d. Physicotherapeut. Inst. P.: 14 wiss. Arb. M.: seit 1989 Funktionär in d. Ärztekam., Lions Club. H.: früher Sport, jetzt Hochseesegeln. (F.K.)

Trauner Rudolf Dr.

B.: Inh. FN.: LIBU-ZET Buch- u. Zeitschriftenvertrieb. DA.: 4020 Linz, Kögelstr. 14. PA.: 4020 Linz, Baumbachstr. 4a. G.: Linz, 8. Febr. 1954. S.: 1968-73 HAK Linz, 1973-78 BWL-Stud. Linz. K.: seit 1978 Gschf. d. Firma, Schwerpunkte: Gastronomie, Schulbücher, Univ.-Bereich. M.: Innungsmstr. d. Drucker in OÖ, Landtagsabg. d. ÖVP. H.: Sport, Wandern. (P.H.)

Trauner Rudolf KommR.

B.: LAbg., Obm. d. Österr. Wirtschaftsbundes. DA.: 4020 Linz, Dinghoferstr. 21.

Traunmüller Manfred

B.: Dir. d. Mühlviertler Fremdenverkehrsamtes u. Gschf. d. Reisebüros d. Verbändegemeinschaft Mühlviertel. DA.: 4020 Linz, Starhembergstr. 35a. PA.: 4040 Linz, Trefflingerstr. 1. G.: Linz, 31. Mai 1956. V.: Sonja, geb. Lesjak. S.: Höh. Lehranst. f. Fremdenverkehrsberufe Kleßheim, 1975 Matura m. Ausz., Univ.-Kurs f. Fremdenverkehr Sbg., 1982 Prüf. f. d. gr. unbeschränkte Reisebürokonzession. K.: 1976 Ang. d. Landesfremdenverkehrsamtes OÖ, 1978 Eintritt in d. Mühlviertler Fremdenverkehrsamt als Gschf., 1982 Eröff. d. Reisebüros u. gleichzeitig Gschf. desselben. M.: Werbeaussch. d. Landesfremdenverkehrsamtes, Skal-Club, BÖKF, Obm. d. Kleßheimer Absolventenver. P.: Buch "Meine Radfahrt an d. Donau", "Die schönsten Wanderungen d. Mühlviertels (Nordwaldkammweg)". H.: Radfahren, Reiten, Geige. (Deu.)

Traupel Werner

B.: Gschf. Ges. FN.: Hebetechnik Ges.m.b.H. DA.: 2334 Vösendorf, Triester Str. 32. PA.: 2340 Mödling, Windtalg. 6. G.: Mödling, 8. Mai 1959. Ki.: Michael (1981), Martin (1984). El.: Friedrich u. Elfriede. S.: 1974-77 Lehre f. Sped.-Kfm. K.: 1977-78 in d. Sped.-Branche, 1979-90 Fa. Riss, ab 1985 Prok., 1991 selbst., Grdg. d. Fa. Yale Industrial Products GmbH., s. 1993 Gschf. d. Fa. Yale Industrial Prod. GmbH. Ö. M.: Ausschußmtgl. d. Arbeitsgruppe d. Österr. Normeninstituts, Mitarbeiter div. Arbeitsgruppen d. österr. Normungsinstituts. H.: Allg. Sport, Reisen. (M.A.)

Trausner Werner

B.: Obm. Pro Terra-Verein f. umweltfreundl. u. soz. Leben. DA. u. PA.: 4020 Linz, Eisenhandstr. 8. G.: Linz, 2. Mai 1957. Ki.: Daniela. S.: Kfm. Ausbild., Psycholog. Ausbild. in Verkauf u. Führung, "Day after"-Ausbild. BRD. K.: Energie- u. Umweltberater, seit 1980 selbst. m. Werbung u. Vertrieb, 1988 Grdg. Pro-Terra. H.: Computer, Grenzwissenschaften. (P.H.)

Trautner Wolfgang

B.: Gärtnermstr., Florist. FN.: Blumen Trautner. DA. u. PA.: 5340 St. Gilgen, Aberseestr. 3. G.: St. Gilgen, 29. Nov. 1943. V.: Rosa, geb. Sapadi. Ki.: Susanna (1969), Angelika (1972). S.: VS, HS, Lehre in Hallein u. Bad Ischl, 1967 Mstr.-Prüf. als Gärtner u. Florist. K.: 1972 Übernahme d. mütterl. Betriebes, 1968/72 Neubau d. Glashäuser Schwerpunkt Gärtnerei. E.: Gold. EZ v. St. Gilgen, Silb. Verd.-Med. d. Sbg. Fremdenverkehrs, EK 3. Stufe d. Freiwilligen Feuerwehr St. Gilgen. M.: seit 1962 Funkbeauftragter d. Feuerwehr, Trachtenver, 12 J. Aussch.-Mtgl. Fremdenverkehrsver., AufsR. Raiffeisenverb. St. Gilgen, Aussch.-Mtgl. d. Innung d. Floristen, ehem. Gem.-Vertreter, ehem. SchützenR. d. Schützenver., 3. Präs. d. Faschingsgilde, Mitarb. d. Sbg. Bild.-Werkes f. Ortsbildpflege, Grdg. u. Aussch.-Mtgl. d. Museumsver., Kuratoriumsmtgl. Sbg. VHS. H.: Diavorträge, Bergwandern, Schwimmen, Radfahren, Fotoausstellung über St. Gilgen, Ballonfahren. (S.P.)

Träutner Wolfgang Dr.

B.: Ltr. d. med. Abt. FN.: Boehringer Ingelheim Pharma GmbH. DA.: 1121 Wien, Dr.-Boehringer-G. 5-11. G.: Wien, 29. Mai 1944. V.: Waltraut Mag., geb. Rieder. Ki.: Iris, Julia. El.: Dr. Rudolf u. Friederike. S.: Mittelschule, Matura, Stud. an d. Univ. Wien, Vet.Med., 1972 Prom. K.: b. 1978 Univ.-Ass., Beginn b. Fa. Boehringer Ingelheim Pharma GmbH, verantwortl. f. alle Ostblockländer (klin. Prüf., wiss. Inf., Registrierung d. Präparate, Organ. v. Symposien). H.: Fotografie, Modellbau, Musik. (E.L.)

Trauttmansdorff Johannes

B.: Gschf. FN.: Österr. Novopan Holzind. GmbH. DA.: 1040 Wien, Brahmspl. 6. PA.: 1040 Wien, Taubstummeng. 2. G.: Wien, 20. Febr. 1929. V.: Johanna, geb. Auersperg-Preunner. Ki.: Johannes-Markus, Desiree, Daria, Thomas, Huberta. El.: Carl u. Johanna. BV.: Urgroßvater Fürst Ferdinand Trauttmannsdorf Oberhofmstr. war b. Wr. Kongreß, Maximilian Trauttmannsdorff war am westfäl. Frieden v. 1648 beteiligt. S.: Gymn. Stud. rer. pol. K.: 1951-57 Papierind., seit 1958 im Meier-Melnhof Konzern, dzt. Ltr. v. Verkauf u. Marketing b. d. Österr. Novopan Holzind. M.: St. Johannes-Club. (E.L.)

Trauttmansdorff-Weinsberg Rudolf

B.: Ldw. i.P. PA.: 1190 Wien, Formanekg. 50. G.: Bischoftheinitz/CSFR, 18. Nov. 1923. V.: Sybilla, geb. Gräfin Wolffmetternich. Ki.: Stefanie, Fiona, Karl-Wolfgang. El.: Karl u. Johanna. BV.: Ururgroßvater Fürst Ferdinand Trauttmansdorff Obersthofmstr. war b. Wr. Kongreß, Maximilian Trauttmansdorff war am Westfäl. Frieden v. 1648 beteiligt. S.: VS, Ldw.Schule in Kaaden (Böhmen). K.: Militär, 1948-56 ldw. tätig in versch. Betrieben, ab 1956 in Papierind. als Einkäufer v. Rohstoff Holz, zuerst Papier u. Cellulose Fbk. Arland, dann Cellulosefbk. Rechberg, 1958 nach Wien, ebenfalls Papierind., seit 1983 i.P. M.: Malteser Ritterorden. H.: Jagd.

Travnicek Roland Dr. techn. Dipl.-Ing.

B.: Gschf. u. Wiss. Ltr. d. Bautechn. Prüf- u. Versuchsanst. GmbH, 2326 Lanzendorf/NÖ. A.: 1235 Wien, Khekg. 17/19. G.: 19. Juni 1944. V.: Prok. Mag. Margit Oberlander. El.: Franz u. Maria. S.: RG, TU Wien (Fak. f. Bauing.-Wesen), 1980 Prom. K.: Dipl.-Prüf. 1971, Univ.-Ass. TU Wien, Wiss. Mitarb. im Zementforschungsinst./Wien, ab 1973 Ltr. o.a. VA, ab 1980 Gschf., allg. beeid. gerichtl. Sachv., Auditor f. QS-Systeme. P.: Wiss. Beiträge in versch. Fachpubl. M.: Österr. Ing.- u. Arch.-Ver., Vorst.-Mtgl. im Eissegelverb. OE.

Travniczek Peter

B.: Hoteldir., Sporthotel Royer KG, Schladming. DA. u. PA.: Sporthotel Royer, 8970 Schladming u. 1190 Wien, Saileräckerg. 38-40. G.: Wien, 7. Nov. 1942. V.: Christa, geb. Klier. Ki.: Christoph u. Michael. El.: Pius u. Ludmilla. S.: Hotelfachschule Wien, anschl. 4 Sem. Fremdenverkehrsl. an d. HS f. Welthdl. Wien. K.: 1960-65 berufl. bed. Tätigkeit in Italien, Schweiz, Frankreich u. Deutschl., 1966-69 Empfangchef in Hotel Schloß Laudon Wien, 1970 Dir. v. Beach Cottages on Winding Bay, Hotel auf Eleuthera, Bahamas, 1971-73 Hotel-Dir. v. Schloß Laudon Wien, 1974 Hoteldir. v. Tourotel Wien, seit 1975 Hoteldir. v. Sporthotel Royer Schladming, Prok. d. Sporthotel Schladming GmbH, Reisebüro u. Mietwagen. E.: Gold. EZ d. Landes Stmk. M.: Rotary-Club, Scal-Club, Chaine des Rotisseurs. H.: Sport, Fachliteratur, Touristik. (Fels.)

Trawnicek Peter Dr.

B.: Dir. d. BASF Österr. GmbH u. d. Organchemie GmbH (alle Wien). A.: 1140 Wien, Hüttelbergstr. 83. G.: Wien, 23. Apr. 1935. V.: Eva Katharina, geb. Loicht. El.: Johann R. u. Berta E. S.: Stud. an d. HS f. Welthdl. Wien u. an d. Univ. Wien, 1957 Dkfm., 1958 Ak. gepr. Übersetzer, 1959 Dr. rer. comm. K.: Seit 1959 in d. BASF-Gruppe tätig. M.: Heraldisch-Genealog. Ges. Adler Wien.

Trawöger Helmut

B.: Konsulent, Dir. d. OÖ Landesmusikschulwerkes. DA.: 4040 Linz, Blütenstr. 15. PA.: 4710 Grieskirchen, Schloß Parz. G.: Gmunden, 10. Juli 1948. Ki.: Norbert (1971), Rainer (1973), Karl-Heinz (1973), Karin (1988). El.: Karl u. Theresia. S.: 1962-65 Fotografenlehre, 1964-67 Stud. Querflöte am Brucknerkonservat. Linz, 1967-73 HS f. Musik u. darst. Kunst "Mozarteum" Salzburg, künstl. Diplom, 1973-74 Dirigierstud. am Konservat. Linz, 1974-76 HS Graz - Erweiterungsstud., 1977-78 Päd. Dipl. Salzburg, 1978-80 Erweiterungsstud. in Wien u. München, dzt. Ergänzungsstud. Mag. art. in Salzburg. K.: 1969-71 Lehrer Musikschule Linz, 1969-73 1. Flötist b. Camerata-Accademica Salzburg, 1970-75 Kapellmeister Kurorchester Bad Schallerbach, 1971-75 Musikerz. am Mus. Päd. Gymn. Grieskirchen, 1974-89 Doz. b. Kammermusikkurs in Oberschützen, s. 1990 Dir. d. OÖ Landesmusikschulwerkes, dan. lfd. Seminarlehrtätigk., Juror b. Wettbewerb "Jugend musiziert". BL.: Konzertreisen n. Italien, Ägypten, Rumänien, Deutschl., Niederl., Belgien, Bulgarien. P.: Schulwerk f. Querflöte (1989), Rundfunk- u. Plattenaufn. E.: 1986 Ern. z. Konsulenten d. OÖ LReg. M.: Grdg.-Mtgl. d. Wiener Blästersolisten, d. OÖ Bläsersolisten "Pablo" u. d. Ensembles "Flautissimo", Gründer u. Dirigent d. Grieskirchner Kammerorch., Gastdirigent b. österr.-ungar. Blechbläserensemble "PRO-BASS", Dirigent d. Joh.-Strauß-Orch. d. Brucknerorch. Linz, Delegierter b. KOMO u. EMU, Kiwanis Club. H.: Musik, Fotografie. (H.B.)

Traxler Gabrielle

B.: Ang. DA.: 1140 Wien, Linzer Str. 200/19. G.: Digne Basses Alpes/Frankreich, 16. Sept. 1942, 2 Söhne. S.: Franz. Lyzeum Wien (1961 Matura). K.: Funktionärin d. Verb. Sozialistischer Mittelschüler (VSM), Fremdsprachensekr. m. Buchhaltungsarb. zunächst in einer Furnierfbk., Sekr. am Inst. Francais (Franz. Kulturinst.), Fachgruppensekr. in d. Gewerkschaft Hotel, Gastgew., Persönlicher Dienst (Hausang. u. Heimhelferinnen), Frauensekr. d. ÖGB, Ltr. d. Intern. Abt. Ost, zuständ. f. Entwicklungshilfe u. d. Nahen Osten im ÖGB, KamR. d. Kam. f. Arb. u. Ang. f. Wien, 1978-1983 Mtgl. d. Wr. GemR. u. Abg. z. Wr. Landtag., seit 1983 Mtgl. d. NatR., Vors. d. Familienaussch., tätig in d. Ausschüssen Fam., Soziales, Justiz u. Außenpol., seit Dez. 1992-1994 unabhäng. Abg., Apr. 1993 - Okt. 1993 1. Vors. d. Ver. "Wir helfen Kindern, Familien u. Bedürftigen i. d. Kriegsgebieten".

Traxler Gerold Dr.

B.: Vorst.-Dir. A.: 1210 Wien, Leopoldauer Str. 16/11. G.: Wien, 28. Mai 1932. V.: Hedy, geb. Scholtes. El.: Konrad u. Elisabeth. S.: Matura, Master of Arts (MA), Yale Univ. USA, 1957 Dr. iur., Jur. Fak. Univ. Wien. K.: 1950 HK Wien, 1958 SGP AG, Rechtsabt., 1967 Gen.Sekr., 1968 Gschf. d. SGP Vertriebs GmbH, 1975 Vorst.Mtgl.

Traxler Gottfried Dr. jur. Mag. wHofR.

B.: Vorsitzender. FN.: Unabhängiger Verwaltungssenat Bgld. DA.: 7000 Eisenstadt, Neusiedlerstr. 35-37. PA.: 7000 Eisenstadt, Wormserstr. 18. G.: Güssing, 14. Jun. 1942. V.: Regina (Toth). Ki.: Elke, Georg, Florian. El.: Dr. Gottfried u. Elisabeth. BV.: Großvater - Oberstuhlrichter Güssing, Dr. Ludwig Dömötör. S.: 1960 Matura BRgymn. Eisenstadt, 1966 Abschl. Studium Rechtswissenschaft Uni Wien. K.: 1966 Gerichtsjahr, 1967 Eintr. Landesdienst Jurist BH Oberpullendorf, 1968 Schriftf. Verwaltungsgerichtshof, 1969-78 Legistischer Dienst Bgl. Eisenstadt, 1979 Stv. Abteilungsvorst. Abt. II d. Amtes d. LReg., 1985 Landeskontrollamt, 1986 wHofR., 1991 Vors. UVS Bgld. P.: Div. Artikel i. jur. Fachzeitschriften, Kommentar z. Bgl. Gemeindeordnung, Kommentar d. Bgl. Kanalgesetze. H.: Musik, Geschichte, Radfahren, Briefmarken. (M.G.)

Traxler Gottfried Dr. iur. Mag. w.HofR. Prof. h.c.

B.: Verw.-Jurist i.R., Botaniker. A.: 7540 Güssing, Hauptstr. 15. G.: Mitterbach, 8. Sept. 1904. V.: Elisabeth A., geb. Dömötör. El.: Josef u. Maria. S.: VS, Hum. Gymn., Matura 1923, Stud. d. Rechte an d. Univ. Graz, Prom. z. Dr. iur. 1928. K.: 1928 Gerichtspraxis in Graz, Eintritt in d. höheren Verw.-Dienst d. Bgld., 1938 v. d. Nazis vom Dienst enthoben u. 1939 entlassen, Versicherungsvertr., HIGA, Molkereibuchhalter, Kriegsdienst, Gefangenschaft, 1945 wieder bgld. LDienst, Bez.Hptm. in Güssing, 1946 v. d. russ. Besatzungsmacht v. Dienst enthoben, dann als Bez.Hptm.Stellv. wieder eingesetzt, 1949-62 Ltr. d. Gewerbeabt., 1962-68 Ltr. d. Sozialabt. b. Amt d. bgld. LRg., 1947 LRgR., 1949 LORgR. u. 1956 w.HofR. d. bgld. LRg., seit 1969 i.R., seit 1941 m. d. Erforschung d. Flora d. Bgld. befaßt, weit über 100 Pflanzen f. d. bgld. Flora neuentdeckt u. seit 1958 zahlr. Arbeiten veröffentl. P.: Die Flora d. Leithageb. u. am Neusiedlersee, 10 Abhdlg. 1958-68, Florist. Neuigkeiten aus d. Bgld., 12 Abhdlg. 1967-78, Carolus Clusius u. d. Flora d. Bgld. 1973, Verschollene u. gefährdete Gefäßpflanzen im

Bgld. Rote Liste bedrohter Gefäßpflanzen 1978, Liste d. Gefäßpflanzen d. Bgld. E.: Gr. EZ f. Verd. um d. Rep. Österr. 1961, Gold. Ehrennadel d. Hauptverb. d. österr. Sparkassen 1961, Gold. Verd.Med. d. Österr. Ges. v. Roten Kreuz 1965, Gr. EZ f. Verd. um d. BL Bgld. 1966, EZ d. Österr. Naturschutzbundes 1973, Verl. d. Berufstitels Prof. d. d. BPräs. 1978. M.: CV Verbindung Traungau, Graz, Österr. Naturschutzbund, Wien, Zoolog.-botan. Ges. in Österr. Wien, Intern. Clusius-Forschungsges. Güssing. H.: Philatelie, Kunstgeschichte, Geschichte d. Phil.

Traxler Hannes Mag.
B.: Prok., Ltr. d. Personalwesens u. Allg. Verw. b. "Honeywell Bull AG Österr." DA.: 1150 Wien, Linke Wienzeile 236. PA.: 1180 Wien, Weimarer Str. 2/3. G.: Wien, 23. Aug. 1946. V.: Monika, geb. Drinka. K.: Elisabeth, Rupert, Johanna. El.: Franz u. Margit. BV.: Onkel Traxler Heinrich Politiker. S.: RG, Jusstud. in Wien, Mag. iur. K.: Ehrenamtl. Mitarb. b. American Field Service, später hauptberufl., 1973 Personalref. b. Honeywell Bull, 1974 Ltr. d. Personalwesens, 1975 zusätzl. Ltg. d. Allg. Verw. BL.: 1 J. Stipendium in Connecticut USA, 1965 Graduation an "Senior High School". P.: Art. in Mitarb.-Zeitschrift. M.: Wirtschaftsforum d. Führungskräfe (WdF), ÖPWZ, im Finanzaussch. d. PfarrgemR. Währing, St. Gertrud. H.: Tennis, Basketball, Skifahren, Radfahren, Modelleisenbahn. (Bauer.)

Traxler Heinz Dr.
B.: Vorst.-Mtgl. d. Donau Allg. Vers. AG Wien, AufsR.Vors. Vindobona Gemeinn. Bau-, Wohn- u. Siedlungsgen. rGenmbH Wien, AufsR.Vors.Stellv. Realitätenverw. u. Restaurantbetriebs GmbH Wien, AufsR. Universale Bau AG Wien. PA.: 1040 Wien, Taubstummeng. 13.

Traxler Johann Dipl.-Ing.
B.: Vorst.Dir. A.: 2201 Gerasdorf, L.-Steiner-G. 4. G.: Freistadt, 12. Aug. 1933. V.: Stefanie, geb. Wieser. El.: Johann u. Anna. S.: Maschinenschlosser, Bundesstaatl. Arbeitermittelschule, Montan Univ. Leoben. K.: 1948-58 ÖBB, Masch.-Schlosser, Fahrdienstltr., 1962-63 HS-Ass., 1964-72 ÖMV AG, Betr.-Ass., 1973-79 Vorst. Alpine Montage Gschf. 1979 Futurit Werk AG, Vorst.-Dir. P.: Über Tiefbohrwesen. H.: Familie, Garten, Schwimmen, Radfahren, Fotografie.

Traxler Josef Dr. iur.
B.: Geschäftsbereichsltr. f. OÖ u. Sbg. FN.: Gerling-Konzern, Allg. Versicherungs AG. DA.: 4040 Linz, Gstöttnerhofstr. 2. PA.: 4240 Freistadt, Obere Hafnerzeile 28. G.: Windhaag/-Freistadt, 11. Jan. 1960. V.: Annemarie, geb. Grossauer. Ki.: Thomas-Martin (1985), Peter (1991). El.: Herbert u. Margarete. S.: Gymn. Freistadt, Matura 1978, Stud. Jus Linz, Bundesheer. K.: Ltr. Vers.-Abt. Voest-Alpine Intertraiding bis 1987, Auslandsaufenth. in London, Bremen, Hamburg, ab 1987 Spartenltr. f. Transportvers. Gerling, seit Juli 1992 dzt. Position. P.: Vorträge u. Schulungen, Veröff. in Fachpubl. H.: Familie, Gitarre, Musikelektronik, Radfahren, Schwimmen, Bergwandern. (U.A.)

Traxler Peter Dr. med.
B.: prakt. Arzt, Betriebsarzt. DA. u. PA.: 1130 Wien, Neue Weltg. 19. G.: Wien, 18. Feb. 1960. El.: Dr. Heinz u. Ilse. S.: BRG in d. Astg. Wien 14, 1978 Mat., Stud. d. Med. an d. Univ. Wien, 1985 Prom. z. Dr. med. univ., WHO-Kurs f. Tropenmed. u- Parasitologie am Bernhard-Nocht-Inst. Hamburg. K.: 1989 ius. practicandi, 1990 Eröffn. d. eig. Ordin. m. Schwerp. Angiologie, manuelle Med., Tropenmed., Ganzheitsmed., Arbeitsmed., ab 1991 zusätzl. Betriebsarzt im Hanusch-Krankenhaus in Wien 14. H.: Reisen, klass. Musik, Fotografie. (N.Al.)

Traxler Konrad

B.: Inh. FN.: Bau- u. Möbeltischlerei Traxler. DA./PA.: 4184 Helfenberg, Tischlerberg 8. G.: Helfeberg, 27. Okt. 1937. V.: Elfriede, geb. Neubauer. Ki.: Wolfgang (1964), Hannes (1967). El.: Konrad u. Stefanie. S.: 1951 Tischlerlehre, 1956-57 Meisterschule Hallstatt, 1957 Tischlermstr. Prüf. BL.: Führend in Lehrlingsausbildung (Berufsweltmeisterschaft - 30x Gold, 8x Silber, 4x Bronze). M.: 19 J. Raiffeisensektor-Vorst., Landesinnungsauschuß, Bezirksmstr., Gemeinderat, Gemeindevorst., Feuerwehr, Ortskapelle, Kirchenchor, Obm. Pfarrkirchenrat, Pfarrvorst., Mitgl. d. intern. "Treppen Erfa Gruppe" H.: Reisen. (U.Z.)

Träxler Eva Hermine Dkfm.
B.: Gen.Sekr. i.R. FN.: Österr. Hotelierver. (ÖHV). DA.: 1010 Wien, Hofburg. PA.: 1040 Wien, Taubstummeng. 17/7. G.: Krems, 21. Nov. 1922. V.: Träxler Siegfried Ing. El.: Karl u. Annamaria Stöger. S.: VS, RG Engl. Fräulein in Krems, 1941 Matura, 1941-42 Abiturentenlehrgang, 1942-46 Stud. an d. WU, med.techn. Ass. an d. Klinik Schönbauer, 1946 Dipl. K.: 1943-44 u. 1945-46 wiss. Hilfskraft am Technolog. Inst. d. HS f. Welthdl., 1944-45 med.techn. Ass. in d. Kieferstation an d. I. Univ.Klinik, 1954 Sekr. im Hotel Erzherzog Rainer in Wien, seit 1954 Sekr. in d. ÖHV, 1965-74 gschf. Sekr. in d. ÖHV, ab 1974 gschf. Gen.Sekr. BL.: Durchführung d. Aktion "Gästebetreuung", Preisindexerhebung u. Preisvergleich, Angebotspalette "Management-Inventur", Organ. u. Durchführung d. jährl. ÖHV-Winterarb.Seminare sowie d. in jedem Bundesland zweimal jährl. stattfindenden Landesversammlungen der Landesgruppen d. Österr. Hotelierver. P.: Mitarb. an versch. Studien über Fremdenverkehrsregionen, Verfassung v. Artikelserien: "Die Bedeutung d. Fremdenverkehrs f. d. österr. Volkswirtschaft", "Hotellerie braucht Teamarb.", "Die Zukunft meistern durch Kooperation", "Wird Österr. seine führende Stellung im Rahmen d. Welttourismus beibehalten oder ausbauen können", "Schlüsselbund z. Erfolg". E.: 1975 EZ d. Bundes Österr. Gastlichkeit, 1977 Silb. EZ f. Verd. um d. Rep. Österr., 1979 25 J. Silb. Arb.Kam.Med., 1979 Gold. Mitarb.Med. d. Kam. d. gewerbl. Wirtschaft f. Wien, 1979 Silb. EZ f. Verd. um d. Land Wien, 1980 EZ f. Verd. um d. Vbg. Fremdenverkehr, 1980 Gold. EZ d. Südtir. Hotelier- u. Gastwirteverb., 1982 Gold. Pro-Merito-Med. v. ÖHV. M.: VPräs. v. Pro Austria Nostra, Intern. Hotelver. in Deutschland, Bund erfahrener Touristiker. H.: Lesen. (H.P.)

Treberspurg Martin Dr. techn. Dipl.-Ing.
B.: Arch., staatl. befugter u. beeid. Ziviltechniker, Univ.Ass. an d. TU Wien, Inst. f. Hochbau. DA.: 1140 Wien, Penzinger Str. 58. PA.: 3002 Purkersdorf, Winterg. 75. G.: Wien, 23. Jan. 1953. V.: Mag. Ingrid, geb. Fritze. Ki.: Christoph (1979), Clara (1983), Wolfgang u. Johanna (1985). El.: Treberer v. Treberspurg Adolf Prof. ak. Bildhauer u. Christine Prof. ak. Malerin. S.: Matura, BRG Wien, Stud. Arch. u. Bauing.Wesen TU Wien, 1977 Dipl.-Ing., 1981 Ziviltechnikerprüf., 1985 Erteilung d. Befugnis eines Arch. K.: Ferialpraxis in Deutschland, England u. Finnland, Mitarb. in bekannten Arch.Büros, Ass. d. Geschäftsltg. d. Silberkuhl Konstruktive Systeme GmbH Essen (Deutschland, Industriebau), Ltg. d. Entwicklung d. Normko GmbH Essen (Bausysteme, Schalenbau), Mitarb. im österr. Fachnormenaussch. "Sonnenenergie", seit 1983 Arch.Büro m. Arch. Reinberg m. Schwerpunkt: Alter-

nativer Wohnbau m. Partizipation u. Nutzung passiver Sonnenenergie, Baubiologie, Wintergärten, Bauten: Wohnhäuser, Siedlungen, Einfamilienhäuser, Umbauten, Geschäfte, Taubenmarkt-Arkade (Geschäftspassage Altstadt Linz). BL.: Patente: "Fertigteil Shed Dachsystem m. eingebauten zylindrischen Solarkonzetratoren z. Gewinnung v. Sonnenwärme" (1978), "Wärmedämmender Fensterladen als Fassadenkollektor" (1979). P.: Mitautor "Holz-Glas-Architektur" (1988), "Bewohnereinfluß auf passive Solarsysteme" (1988), "Neues Bauen m. d. Sonne" (Diss. 1992), weitere Publ. u. Vorträge über passive Solarnutzung, Wintergärten, biolog. Bauen u. neue Wohnformen, Veröff. eigener Bauten in Fachzeitschriften d. In- u. Auslandes. E.: zahlr. Preise b. öff. Arch.Wettbewerben. M.: Österr. Ges. f. Arch., Pro Scientia, Österr. Ges. f. Sonnenenergie, Mid Atlantic Solar Energy Association USA, Österr. Inst. f. Baubiologie. H.: Architektur, Zeichnen, Kunstgeschichte, Reisen. (M.G.)

Trebesiner Heribert Dr. med. univ.

B.: Prakt. Arzt. A.: 1050 Wien, Wiedner Hauptstr. 83. G.: Wien, 9. Jan. 1918. V.: Lotte, geb. Lehner. El.: Dr. Josef u. Emmy. S.: RG, Prom. 1941 an d. Univ. Wien, Med. Fak. z. Dr. med. univ. K.: Seit 1947 prakt. Arzt, Praxis 1050 Wien.

Trebitsch Wilhelm

B.: selbst. Elektrounternehmer. FN.: Trebitsch Elektroinstallationen. DA.: 8010 Graz, Klosterwiesg. 52. PA.: 8051 Graz, Wiener Str. 260. G.: Graz, 19. Jän. 1941. V.: Erika, geb. Klein. Ki.: Barbara (1968), Thomas (1970). El.: Wilhelm u. Helene. S.: VS, HS, 1955-58 Lehre, HTL-Abendkurs m. Abschluß, 1969 Matura. K.: b. 1962 Gesellenzeit, 1962-64 Elektrogroßhdl., 1964-65 b. Österr. Ndlg. einer Dt. Firma, 1966-70 Baultr. in einem Elektrounternehmen, 1970-74 Gschf. in diesem Unternehmen, 1974 Grdg. Trebitsch Elektroinstallationen. M.: Yachtclub. H.: Segeln, Firma, Ldw., Christbaumzucht. (F.K.)

Tree Elisabeth Dr. Mag.

B.: Promotionagentur. FN.: FUN-STYLE. DA. u. PA.: 1070 Wien, Schottenfeldg. 60. G.: Wien, 28. Dez. 1960. El.: KommR. Dr. Herbert u. Ing. Elisabeth Tree. BV.: Fam. Polsterer. S.: Gymn., HAK, WU, Dr., Lateinmatura. K.: Umweltfreundl. Marketing, Farbenpsych., 1985 Firmengrdg. M.: Junge Ind., Junge Wirtschaft, Management-Club, Advertising Club of New York. H.: Radfahren, Turnen, Aerobic, Wasserski, Tennis, Basteln, Grafik, Zeichnen, Leute treffen.

Trefil Erich Robert Gustav Dipl.-Ing.

B.: Dir. FN.: VÖEST Alpine Stahl Linz. DA.: 4020 Linz, Turmstr. 45. PA.: 4020 Linz, Ramsauer Str. 40. G.: Neutitschein, 26. Dez. 1912. V.: Erna, geb. Futter. Ki.: Helga (1945). El.: Emil u. Maria. S.: 1931 RG, Matura in Neutitschein, Stud. Eisenhüttenwesen Montanuniv. Leoben, b. 1938 Militärdienst. K.: 1938 Alpine Donawitz Stahlwerk, 1941-45 Hoesch AG Dortmund, 1946 VÖEST Stahlwerk Linz, 1976 Pension. P.: Vortragstätigkeit im Rahmen d. Tätigkeit. E.: 1962 Silb. EZ d. Rep. Österr., 1969 Ehrung d. Arbeiterkam. in Linz f. 25 J. im Dienste d. Rep. Österr., versch. Ehrungen, innerbetriebl. Ausz. u. Dankungen. M.: Intern. iron and steal Inst. als Delegierter f. Österr. (IISI), 1965-71 Obm. d. Stahlwerksaussch. d. Eisenhütte v. Österr., seit 1938 Mtgl. d. Ver. Dt. Eisenhüttenleute (VDEh). H.: Spazierengehen, früher Aktivsportler, Leichtathletik, Schwimmen, Skifahren. (U.E.)

Trefz Hansjoachim Dr.

B.: Zahnarzt. A.: 5081 Anif Nr. 308. G.: Wiesbaden, 10. Aug. 1924. V.: Luitgard Dr., geb. Volkner. S.: Abitur, HS-Stud. (Med. u. Zahnheilkunde) in Deutschland u. Frankreich. K.: 1950 Staatsexamen, 1951 Prom., 1957 Ndlg., Spezialisierung in Parodontalchir., 10 J. Vorst.-Mtgl. d. parodontolog. Ges., Lehrer an d. zahnärztl. Ak. P.: Mithrsg. mehrerer Lehrbücher m. eigenen Beiträgen, ca. 60 fachbez. Art. E.: 1957 Preis d. Dt. Zahnärztl. Zeitschrift, 1967 Otto Loos-Preis, 1977 Quintessenz-Preis. M.: Rotary-Club, Ges. f. Paradontologie, Intern. College of Dentists, Académie Pierre Fauchard, Neue Gruppe.

Treiber Daniela Dr. iur.

B.: Gschf. Ges. d. Metallbau Treiber KG. DA.: 8020 Graz, Dreihackeng. 20-26. PA.: 8010 Graz, Joh.-Fux-G. 22. G.: Graz, 18. Nov. 1945. Ki.: Mathias (1981). El.: Alfred u. Dr. Charlotte. S.: Hum. Gymn., Jusstud. Univ. Graz, Studienaufenthalte f. Vergleichendes Recht u. Sprachen in London, Edinburgh u. Lissabon, Prom. 1971 K.: 1971-72 Tätigkeit b. RA in Wien, 1973-77 Univ.Ass. an d. Univ. Graz, Prok. im väterl. Betrieb, s. 1977 gschf. Ges. H.: Golf, Reiten, Theater, mod. Tanz, Arch. u. bild. Kunst. (C.H.S.)

Treiber Josef Ing.

B.: Bundeskellereiinsp. FN.: BMLF. DA.: 1010 Wien, Stubenring 1. PA.: 7051 Groß Höflein, Steing. 38. G.: Groß Höflein, 26. Sep. 1959 V.: Maria, geb. Steiner, Ki.: Julia (1984), Katia (1987). El.: Josef u. Irma. S.: 1982 Matura HBLVA f. Wein- u. Obstbau Klosterneuburg. K.: Eintr. Winzergen. Gr. Höflein, 1982-85 Mitarb. im elterl. Betr., Führg. Weinlabor u. Weinbauberater, seit 1985 Bundeskellereiinsp.; Sonst. Funkt.: Personalvert. Standesvertr., Vors. gewerkschaftl. Betriebsausschuß, Vors. Gewerkschaft Landessekt. Bgld., seit 1992 Vize-Bgm. Gr. Höflein, Obm. d. Masch.-Ringes Wulkatal. H.: Wein, Politik, Musik Fußball, Feuerwehrwesen, Tennis. (M.G.)

Treichl Andreas Wolfgang Mag.

B.: Gen.-Dir. FN.: Chase Manhatten Bank Austria AG. DA.: 1010 Wien, Parkring. G.: Wien, 16. Juni 1952. El.: Dr. Heinrich u. Helga. BV.: Vater: ehem. Gen.-Dir. d. CA-BV, Ururgroßvater: Heinrich Frh. v. Ferstl. S.: VS, hum. Gymn., Univ. Wien (Vw.). K.: 1976-78 Chase Manhattan Bank New York, 1979-80 Brüssel, 1981/82 Athen, 1983-86 Erste Österr. (Kreditdir.), 1986 Chase Manhattan Bank Wien. M.: Racquet f. Tennisclub New York. H.: Skifahren, Tennis, Klavierspielen. (R.A.)

Treichl Heinrich Dr. iur.

B.: Ehrenvors. d. AufsR. d. Bank f. OÖ u. Sbg. AG, Bank f. Ktn. u. Stmk. AG, Bank f. Tir. u. Vbg. AG. PA.: 1030 Wien, Salmg. 2. G.: Wien, 31. Juli 1913. V.: Helga, geb. Ross. Ki.: Dr. iur. Michael (1948), Mag. Andreas (1952). El.: Alfred u. Dorothea, geb. Freiin v. Ferstel. BV.: Urgroßvater Heinrich Frhr. v. Ferstel Arch. d. Votivkirche, Univ. Wien etc. S.: Schottengymn. Wien, Lessinggymn. Frankfurt/Main, 1931 Matura, Stud. Univ. Frankfurt/Main u. Wien, 1936 Prom. K.: 1936-39 Banque des Pays de l'Europe Centrale Paris, Mercur-Bank AG, Länderbank Wien AG, 1939-46 Wehrdienst, 1946-56 kfm. Ltr. Waldheim-Eberle, Ges. Ullstein & Co Wien, 1956-58 Ltr. d. Finanzabt. Österr. Industrie- u. Bergbauverw. GmbH Wien, 1958 stellv. Dir. CA-BV Wien, 1962 Vorst.-Mtgl., 1970 Gen.-Dir. u. Vors. d. Vorst. b. 1981, dzt. Funktionen: Präs. d. Österr. Ges. d. Roten Kreuzes, Ehrenvors. d. AufsR.: Bank f. Ktn. u. Stmk. AG Klagenfurt, Bank f. OÖ u. Sbg. AG Linz, Bank f. Tir. u. Vbg. AG Innsbruck, Bausparkasse Wüstenrot Sbg., Mtgl. d. Intern. BeiR. Verw. u. Privatbank AG Vaduz. E.: GrSE/St u. Gr GE f. Verd. um d.

Rep. Österr., Commandeur d. Ehrenlegion, Gr. VK/St d. BRD, Großoffz.Kreuz d. VO d. Ital. Rep., Großkreuz d. Jordan. Unabhängigkeitsordens 1. Kl., Commandeur d. Kaiserl.-Iran. Homayoun-Ordens, Commandeurkreuz m. Stern d. Gregorius-Ordens, Gold. EZ d. Landes OÖ, Gr. Tir. Adlerorden, Gold. EZ d. Landes Stmk., VK 1. Kl. d. Österr. Roten Kreuzes. H.: Bergsteigen, Skifahren, Jagd. (J.S.)

Treichl Richard

B.: Installtionsfachmann f. Umwelt. FN.: Installationen Treichl. DA./PA.: 6363 Westendorf, Bahnhofstr. 9. G.: Kitzbühel, 12. Aug. 1944. V.: Heidi. Ki.: Caroline. El.: Rudolf u. Ursula. S.: VS, HS. K.: Lehre f. Sanitär u. Lehrzeit, 1962 Gesellenprüf., 5 J. als Geselle, 1968 Mstr. Prüf.,1969 Erhalt d. Konzessionf. Wasserleitungsinstallation, 1988 Konzession f. Heizungsbau, 1993 Konzession f. Gasinstallation, 1986 Fachlliche Ausbild. f. Umweltschutz. E.: 1994 Erhalt d. Umweltsiegels f. d. Errichtung d. Hauses Caroline. M.: Mtgl. bei d. Bergrettung, Mtgl. im Trachtenverein. H.: Skifahren, Tennis. (A.W.)

Treisselberger Josef OSR

B.: Bürgerm. v. Neuhofen/-Ybbs; Hauptschuldir. i.R. DA.: 3300 Amstetten, Invalidenstr. 9. PA.: 3364 Neuhofen/Ybbs 93. G.: Neuhofen/-Ybbs, 30. Nov. 1931. V.: Waldtraud, geb. Ritta. Ki.: Tomas (1965), Martina (1967), Maria (1968), Michaela (1971). El.: Josef u. Maria. S.: VS, HS, LBA Krems Mat. 1951, HS-Lehrer (Mathematik, Turnen, Stenogr.). K.: versch. Schulen, 1964-92 Hauptschuldir. HS Waidhofen/Ybbs, seit 1965 Gemeinderat, 1970 Bürgermeister. P.: Art. über Bürgermeister als Mitiniziator d. Österr. Gedenkstätte. E.: versch. Funkt. im Bezirk: Obm. d. Gemeindeverb. f. Umweltschutz, Region Amstetten, Obm. d. Gemeindeverb. f. Abgabeneinhebung, Obm. d. Gemeindevertreterverb. der ÖVP Bez. Amstetten, Ehrenbürger d. Marktgemeinde, versch. Ehrungen im Bereich d. Sportes u. d. Gemeinde im R. d. ÖVP, 1958 Grdg.-Obm. d. Union Neuhofen. M.: Sport Union, ÖVP. H.: Komunalpolitik, Sport, Musik. (N.A.)

Treitl Silvia Dipl.-Ing.

B.: Arch. DA.: 1130 Wien, Wenzg. 4. PA.: 1130 Wien, Fichtnerg. 12. G.: Wien, 1. Sept. 1947. V.: Arch. Dipl.-Ing. Peter Treitl. Ki.: Christina (1979), Nicola (1982). El.: Franz u. Gertrude Chmelir. S.: Gymn. Wien, 1966 Matura, Arch.Stud. TU Wien, 1976 Dipl. K.: Tätigkeit im Ziviltechnikerbüro Steffel-Treitl, seit 1984 selbst., Spezialgebiet: Entwurf. H.: Kunst, Zeichnen, Reisen, Möbel, Restaurieren. (J.S.)

Treml Franz Mag. arch.

B.: freiberufl. Arch., Bauref. d. Diözese Linz. DA.: 4040 Linz, Hauptstr. 75; 4020 Linz, Hafnerstr. 18. PA.: 4040 Linz, Jägerstr. 28. G.: Schörfling, 17. Jan. 1930. V.: Brigitta, geb. Ledermüller. Ki.: Mag. Martin (1959). El.: Franz u. Josefa. S.: VS, HS, Bundesgewerbeschule, Ak. d. Bild. Künste, Meisterschu-

le Prof. Holzmeister. K.: seit 1954 selbst., seit 1989 Bauref. BL.: wichtige Bauten: Johannes Kepler Univ. Linz, Hl. Geist-Pfarrkirche Linz, St. Markus-Pfarrkirche Linz, Diözesanhaus Linz, Raiffeisenlandesbank Linz, Umspannwerke d. ESG, Ind.-Bauten in Linz. P.: Teilnahme an intern. u. nat. Wettbewerben: 1. Preis VS u. HS Steinerkirchen, St. Georgen/G. Marchtrenk, Regau. E.: 2. Preis Wettbewerb Festspielhaus Bregenz, 2. Preis Wettbewerb Brucknerhaus Linz, 1990 Kunstwürdigungspreis d. Stadt Linz f. Arch., 1991 EZ d. Johannes Kepler Univ. Linz. H.: Skifahren, Segeln. (L.G.)

Treml Helmut Dir.

B.: Repräsentant West-Österr. FN.: British Airways. DA.: 5020 Salzburg, Griesg. 29. G.: Innsbruck, 24. Nov. 1937. V.: Gertraud, geb. Tiefenthaler. El.: Albert u. Hedwig. S.: 1957 Matura. K.: 1 1/2 J. b. Fa. Innerebner & Mayr Bauunternehmen in Innsbruck in d. Buchhaltung tätig, BH, 1959-63 Reisebüroang. d. Reisebüro Lüftner, seit 1963 Repräsentant d. British Airways f. Sbg., Tir. u. Vbg. M.: Skal Club. H.: Sport, Bergsteigen, Skifahren, Langlaufen. Wassersport, Schwimmen, Schnorcheln, Menschen, Reisen, klass. Musik. (M.B.)

Treml Josef

B.: Dir., Bürgermeister. FN.: Volksbank Gmunden; Gem. Altmünster. DA.: 4810 Gmunden, Am Graben 7; 4813 Altmünster, Marktstr. 18. PA.: 4814 Neukirchen 12. G.: Altmünster, 8. Feb. 1948. V.: Ingrid, geb. Hobl. Ki.: Gabriele, Birgit, Jürgen. S.: HAK Gmunden, Matura. K.: 1970-88 Raika, seit 1988 Dir. d. Volksbank Gmunden, 1979 Gemeinderat, 1981 Vizebgm., seit 1989 Bgm., zahlr. and. pol. Aktivitäten auf örtl. u. Bezirksebene. M.: FC Altmünster, Gründ.-Obm. Tennisclub Neukirchen, Obm. Union Basketball Gmunden, Segelclub u.a. H.: Joggen, Segeln, Schifahren, Tennis. (P.H.)

Treml Wolfgang Dr. iur.

B.: Steuerberater. DA.: 4020 Linz, Starhembergstr. 7. PA.: 4040 Puchenau, Efeugang 9. G.: Linz, 6. Nov. 1947. V.: Inge, geb. Schuster. Ki.: Michaela, Sabine. El.: Franz u. Elfriede. S.: VS, 1966 Matura, 1966-72 Stud. an d. Univ. Linz, 1975 Dr. K.: 1972-79 Finanzbehörde Großbetriebsprüf., 1979-83 Alpentreuhand Linz, 1982 Steuerberaterprüf., 1983-86 Norikum Linz Ltr. d. Finanz- u. Rechnungswesen, 1987 Grdg. d. eigenen Wirtschafts- u. Steuerberatungskzl. M.: Grdg.Mtgl. u. Vorst.Mtgl. d. Ver. Interessensgemeinschaft Puchenau II z. Errichtung u. Erhaltung d. Wohn- u. Umweltqualität in Puchenau. H.: Theater, Konzerte, Sport. (J.G.)

Tremmel Klaus Dr. Dkfm.

B.: Gschf. FN.: Amway GmbH. GT.: Hdl. m. Posamentrieerz. Dr. Tremmel. DA.: 1031 Wien, Litfaßstr. 8. PA.: 1060 Wien, Gumpendorfer Str. 87. G.: Sinsheim, 1. Mai 1944. V.: Ulrike, geb. Chudoba. Ki.: Claudia, Alexander. El.: Gustav u. Else. S.: 1949 in Frankreich in d. Schule, 1951-64 Dt. Schule in Brüssel, 1964 Matura, 1964 Beginn Stud. an HS f. Welthdl. in Wien, 1971 Dr., Dipl. f. Lehrgang f. intern. Studien an Univ. Wien. K.: kurz b. IBM, Ueberreuter, Österr. Länderbank, 1974-84 b. Rank Xerox GmbH in d. Geschäftsltg., seit 1984 b. Amway GmbH. BL.: Aufbau d. eigenen Fa. u. d. Amway GmbH. M.: KV Verbindung. H.: Skifahren, Radfahren, Literatur, Reisen.

Tremmel Paul Dr.
B.: Mtgl. d. Bundesrates, Mag.-Bmtr. DA.: 1017 Wien, Dr.-Karl-Renner-Ring 3. PA.: 8010 Graz, Harrachg. 3/II. G.: St. Lorenzen/Trieben, 27. Juli 1940. S.: VS, Realgymn., 1959 Matura, Univ. Graz, 1967 Dr. jur. K.: Präsenzd., 1965-67 Gerichtsjahr in Graz u. Hartberg, s. 1969 tätig b. Mag. d. Stadt Graz, s. 1988 Ltr. d. Mag.-Abtl. 18 - Amt f. Statistik, Wahlen, Einwohnerwesen, ab 1970 Mtgl. d. FPÖ Stadtparteiltg. Graz, dann Stadtparteiobm.-Stellv., Mtgl. d. FPÖ Landesltg., 1970-88 Mtgl. d. FPÖ Bundesltg., gschf. Stadtparteiobm. in Graz, derz. Mtgl. d. FPÖ-Stadtltg. Graz, FP-Landesltg Stmk. u. FP-Bundesltg., 1978-86 u. 1988 Mtgl. d. GemR. d. Landeshauptstadt Graz, 1986-88 Bgm.-Stellv. d. Landeshauptst. Graz, s. 1993 Mtgl. d. Bundesrates. M.: Offz.-Ges., Kameradschaftsbund, Akademikerverb., Ver. Studentenheime, FPÖ. H.: Land- u. Forstwirtsch., Lesen.

Trenker Fritz Dr.
B.: em.RA. DA.: 6380 St. Johann/Tirol, Speckbacherstr. 13. PA.: 6280 St. Johann/Tirol, Mag.-Eduard-Angerer-Weg 27. G.: Innsbruck, 29. Nov. 1920. V.: Maria, geb. Höck. Ki.: Gerhard (1947), Josef (1953), Maria-Luise (1954), Monika (1956). El.: Fritz u. Josefine. S.: VS, Gymn., Sport-HS Innsbruck, 1946 Jurastud. Univ. Innsbruck, 1949 Abschluß, Gerichtspraxis, 1950 Doktorat. K.: Tätigkeit b. RA, 1958 RA-Prüf. b. OLG Innsbruck, 1959-85 selbst. in St. Johann/Tirol, 1990 em. E.: EK I, Verwundetenabz., Nahkampfspange, Ostmed., Ehrenurkunde v. Tourismusverb. M.: Skiclub, Sportclub, Ehrenobm. Fußballclub, Sportschützen, Tennisclub. H.: Tennis, Handwerken m. Holz, Literatur. (M.W.)

Trenker Josef
B.: Prok. FN.: Wilhelm Johannik Dentalwarenhdls. GmbH & Co KG. DA.: 1081 Wien, Skodag. 9. PA.: 1210 Wien, Jedlersdorfer Str. 99/30/53. G.: Wien, 19. Febr. 1959. V.: Brigitte, geb. Dögl. Ki.: Barbara (1982). Andreas (1983). El.: Josef u. Edeltraud. BV.: Großvater Karl Fenseisen war bedeutender Flugpionier. S.: Gymn., Lehre als Sped.Kfm. K.: seit 1979 in Wilhelm Johannik Dentalwarenhdls. GmbH & Co KG beschäftigt, zuerst als Ltr. d. Serviceabt., Ein- u. Verkauf, seit 1990 Prok. H.: Skifahren, Fußball, Schwimmen, Familie, Wanderungen. (R.J.)

Trenkler Gerhard Dr. theol.
B.: Verlagsltr. FN.: Syria. DA.: 8010 Graz, Schönaug. 64. PA.: 8010 Graz, Geidorfgürtel 26. G.: Reichenberg, 5. Dez. 1929. V.: Elisabeth, geb. Röhrig. Ki.: Thomas (1960), Iris (1962). El.: Josef u. Anna. S.: 1949 Matura, Stud. Kath. Theol., 1955 Prom. K.: 1955-56 Bankhaus Pinschof & Co Wien, 1956-62 Kath. Univ. Sbg., seit 1962 Styria. P.: Mitarb. an d. Edition d. Regesten Inozenz III., Mitarb. am bibeltheol. Wörterbuch v. Johann Baptist Bauer, Übersetzungen aus d. Engl., Börsenblatt d. Dt. Buchhdls., Furche, OÖ Nachrichten. E.: Silb. EZ d. Landes Stmk. M.: Ver. d. Kath. Buchhdls., Hauptverb. d. Österr. Buchhdls., Buchhdls.-Gremium d. Stmk. H.: Sammeln v. Herzen aus versch. Material, Erstausgaben v. Albert Paris Gütersloh, künstler. illustrierte Bücher, Go-Spiel. (R.S.)

Trenkwalder Siegfried
B.: Steinmetzmeister u. Bildhauer, Gschf. FN.: Die Postkutsche. DA.: 6370 Kitzbühel, St. Johanner Str. 9, 6370 Kitzbühel, Ahrenbachg. 30. PA.: 6370 Kitzbühel, St. Johanner Str. 9. G.: Kitzbühel, 3. Juni 1935. V.: Anna, geb. Haslsberger. Ki.: Alexandra (1972), Siegfried (1977). S.: VS, HS, Ausb. z. Bildhauer i. Innsbruck. K.: 1954 Praxis u. Übernahme d. mütterl. Betr. BV.: Dominikus Trenkwalder Straße i. Innsbruck, bek. tiroler Bildhauer. P.: zahlr. Artikel i. reg. Printmedien, Entwurf d. Ehrenausz. f. bes. Verdienste d. Lehrlingsausb., 1955 Entwick. f. Straßenrotkreuzsammlung. H.: Familie, Sport, Bautät. (J.F.)

Trentinaglia Paul Dr.
B.: HS-Lehrer. A.: 6071 Aldrans, Innsbrucker Str. 14. G.: Innsbruck, 22. Juli 1912. El.: Hans u. Martha. S.: VS, Gymn., Univ. K.: Pflichtschullehrer, nebenberufl. Stud. an d. Univ. Innsbruck, Gymn.-Lehrer u. Sportlehrer an d. HS f. Leibeserz., Prüf.Kmsr. f. Engl. bei d. Fachprüf. d. HS-Lehrer. P.: Englischbüchlein, herausgeg. als Lernbehelf f. VHS-Kurse in d. Besatzungszeit. H.: Sport, Jagd, Biologie, Musik.

Trentinaglia Walter Ritter zu Telvenburg
B.: Steuerberater. DA.: 5020 Salzburg, Erzabt-Klotz-Str. 4. PA.: 5084 Großgmain, Plainburgstr. 341. G.: Kitzbühel, 20. Aug. 1947. V.: Christa, geb. Bernhart. Ki.: Katharina, Michael, Sylvia. El.: Dr. Hans u. Dr. Irmgard. BV.: Vater HofR. Dr. Hans Trentinaglia war 1945-76 Bez.Hptm. v. Kitzbühel, Großvater Dr. Erwin Angermayer war Generalarzt u. einer d. Hpt.Beteiligten an d. Erforsch. d. Eisriesenwelt im Tennengebirge. S.: 1966 Matura, Stud. an d. Univ. Innsbruck u. Sbg. K.: BH, Artillerieschule in Baden, 1971-79 Berufsanw. b. einem Sbg. Wirtschaftstreuhänder, 1978 Steuerberaterprüf., seit 1979 selbst. Steuerberater in Sbg., seit 1983 auch Vortragender f. Steuerrecht am WIFI in Sbg. M.: Lions Hohen-Sbg., 1987-88 Präs. v. Lions Hohen-Sbg., Mtgl. d. Wirtschaftsbundes. H.: Jagd, Golf, Skifahren, Natur, Tiere, Reiten. (M.B.)

Trentini Andreas Dipl.-Ing.
B.: Konsul d. Niederlande f. Tir., gschf. Ges. d. Fa. Trentini & Cie. DA.: 6020 Innsbruck, Salurnerstr. 1. G.: Wien, 4. Aug. 1939. V.: Maria, geb. Gräfin Trapp. Ki.: Christoph u. Nora. El.: Johannes v. Trentini u. Eva Baronin Klezl-Norberg. BV.: Großvater Albert v. Trenini, Schriftsteller. S.: Gymn.-Stella-Matutina-Feldkirch, montan. HS Leoben, Georgia-Tech. Atlanta. K.: seit 1966 Gschf. Ges. d. Trentini & Cie". M.: Rotaryclub Innsbruck, St. Johanns-Club. H.: Kunstgeschichte. (Schm.)

Trepka Othmar Ing.
B.: Techn. Kons. FN.: Planungsbüro Ing. Othmar Trepka. DA.: 1170 Wien, Dornbacherstr. 93. PA.: 1170 Wien, Promenadeng. 57. G.: Wien, 8. Febr. 1935. V.: Elfriede, geb. Illetschko. Ki.: Martin (1963), Michaela (1968). El.: Othmar u. Anna. S.: VS, Realschule, TGM Wien, Abt. f. Maschinenbau, 1954 Abschluß. K.: 10 J. Ang. in Installationsbranche b. div. Firmen, seit 1964 selbst., Grdg. d. Planungsbüros, spezialisiert auf Heizung, Lüftung, Klimaanlagen, Sanitärinstallationen, Gesundheits- u. Energietechnik im Wohnhausbau. BL.: Mtgl. d. Jugendnationalmannschaft Basketball, anschl. Schiedsrichter. P.: Publ. in Fachzeitschriften. M.: Dt. HK. H.: Wandern, Fischen, Hochseefischen (Brit. Welt- u. Landesrekord f. Rochen u. Katzenhaie), Wein. (J.S.)

Tresnak Herwig Dipl.-Kfm.
B.: Gschf. Ges. DA.: 3041 St. Christophen. G.: Gaming, 24. März 1942. V.: Gerda, geb. Meierhofer. Ki.: Gernot, Werner. El.: Anton u. Hildegard. S.: HAK Krems, HS f. Welthdl. Wien, 5 J. Computertechnik. K.: seit 1969 in d. Fa. gschf. Inh., Produktionspalette Kinder-Sport-Rennräder. M.: Mtgl. versch. ind. Ver. H.: Jagen, Fischen, Tennis, Radfahren. (Glom.)

Trestenjak Zlatko Dipl.-Ing.
B.: Gschf. Ges. u. Gschf. FN.: MULTI-line Hdls. GmbH; QUATTRO-Computer Hdls. GmbH. DA.: 1150 Wien, Flachg. 11/53. G.: Varazdin, 22. Feb. 1962. El.: Juraj u. Irena. S.: 1980 Matura, 1981-85 Stud. Elektrotechnik Richtung Rechentechnik Univ. Zagreb. K.: Entwickler u. Entwicklungsltr. in Kroatien f. Hard- u. Software, 1988 Übersiedlung nach Österr. u. b. einer Wr. Firma als Entwickler b. z. Grdg. d. MULTI-line 1990, Schwerpunkte: Großhdl. u. Privatisation in Osteu-

ropa, spez. Kroatien, 1991 Grdg. Firma QUATTRO-Computer, Schwerpunkt: Transit u. Export nach Osteuropa. F.: Auslandsbeteiligungen. H.: Computer. (M.-L.A.-M.)

Tretthann Josef

B.: Inh. FN.: Tischlerei Tretthann OHG. DA.: 2540 Bad Vöslau, Falkstr. 17. PA.: 2540 Bad Vöslau, Brunng. 57. G.: Bad Vöslau, 11. Mai 1949. V.: Adelheid, geb. Pfennig. Ki.: Wolfgang (1969), Harald (1971), Walter (1973). El.: Josef u. Margarete. S.: VS, HS, Ausbild. Baufacharb. u. Tischler, Tischlermeisterprüf. K.: 1963-67 Baufacharb. b. d. Baufirma Lerch, 1968 Eintritt Tischlerei Pfennig, zuerst Tischlerlehrling dann Geselle, 1976 Meisterprüf., 1982Übernahme d. Betriebes, seit 1984 GemR. v. Bad Vöslau. M.: Obm. d. Skiclub Bad Vöslau, Tennis Club Bad Vöslau. H.: Tennis, Fischen. (F.S.)

Treu Josef

B.: Gschf. FN.: Treu Spedition GmbH. GT.: Gschf. Treu S.p.a. in Italien. DA.: 9601 Arnoldstein 200. G.: Tarvisio, 22. Okt. 1920. K.: 1949 Grdg. Fa. Josef Treu. H.: Golf.

Treuberg Gottfried Dr. h.c.

B.: Dir., Schauspieler, Regisseur. A.: 1210 Wien, Prager Str. 31/1/15/40. G.: Wien, 18. Jan. 1911. V.: Editha Treuberg, geb. Kapraleck. S.: Pflichtschule, Realschule, Konservatorium. K.: Nach d. Reifeprüf. Engagements als Schauspieler in Deutschland, CSFR, Österr., 1943 Dt. Wehrmacht, 1945 Dir. d. Stadttheaters Steyr, anschl. Dir. d. Wielandtheaters Wien, 1950 Grdg. d.einzigen Gratistheaters (Treubergs Gratisbühne), seither Regisseur u. Ltr. d. Theaters, Veröffentl. zahlr. Theaterstücke. E.: Silb. VZ d. Rep. Österr., Silb. VZ d. Landes Wien, Gold. Med. d. Landes NÖ, Gold. EZ f. künstler. Leistungen im Rahmen d. Ev. Kirche, Prinz Eugen-Med., Gold. u. Silb. VZ d. Landes Wien, Dr. h.c. d. Universidad Interamericana de Ciensias Humanisticas delle Repubblica Argentina (Buenos Aires).

Treun Gottfried

B.: Uhrmachermeister. PA.: 9020 Klagenfurt, Pischeldorfer Str. 83. G.: Unterdrauburg, 8. Okt. 1935. V.: Gertrud, geb. Pleschonig. Ki.: Gerhard (1961). El.: Gottfried u. Anna. S.: Fachschule f. Uhrmacher in Karlstein/Thaya, Abschl. 1953. K.: S. 1979 Mtgl. d. Klagenfurter GemR., Mtgl. d. Kontrollaussch. f. Sport u. Verkehr, s. 1970 Sekt.-Obm. E.: Silb. EZ d. Ktn. Fußballverb., Silb. EZ d. Landes Ktn. M.: S. 1966 Mtgl. d. Strafaussch. d. KFV. H.: Fußball, Theater, Musik. (A.L.)

Tributsch Walter Mag.

B.: Gschf. FN.: Radio CD International. GT.: Vorst.-Dir. CDI Holding, Gschf. Hot Moments, VerwR. TMI AG Zug, Aussch.-Vorst. "Neue Medien" Bundeskammer d. gewerbl. Wirt., Obm. "Österr. Verb. f. Elektron. Medien". DA.: 1150 Wien, Moeringg. 20. PA.: 1030 Wien, Landstraßer Hauptstr. 4. G.: Klagenfurt, 23. Aug. 1954. El.: Josef u. Mathilde. S.: 1972 Matura i. Klagenfurt, anschl. Stud. Betriebswirt. (Richtung Marketing) u. Treuhandwesen i. Wien, 1980 Sponsion.

K.: 1976 Productmanager b. Colgate Palmolive, später Account Dir. b. Young & Rubicam Werbeagentur, 1985 Grdg. d. Werbeagentur Tributsch, 1989 Grdg. d. Radio CD. H.: Lesen, Ur- u. Frühgeschichte, Golf, Tennis, Eishockey, Briefmarken sammeln, Reisen, klass. Musik, Opern, Bücher sammeln. (N.A.)

Trieb Gerhard Mag.

B.: Gschf. FN.: Fintec Finanzierungs u. Hdls. GmbH. GT.: Gschf. Ges. S.I.A. Antriebstechn. Produkte Vertriebs GmbH Wien. DA.: 1010 Wien, Schubertring 11. G.: Frohnleiten, 20. Okt. 1949. V.: Karin, geb. Fritz. Ki.: Alexander (1977), Nicholas (1980), Maria (1982), Johanna (1984). El.: Wolfgang u. Margaretha. S.: RG Villach, 1968 Matura, Stud. Vw. Univ. Wien, 1975 Spons. K.: ab 1976 b. d. CA-BV Auslandssekr., 1982 Vorst.-Sekr. Central Wechsel- u. Creditbank, 1983-87 Steyr-Daimler-Puch AG Wien, 1985 Sonderbeauftragter Costa Rica, seit 1987 Gschf. Firma Fintec. M.: Executive Board American School Vienna. (J.S.)

Trieb Günter Dr. MinR.

B.: Ltr. d. Abt. Straßengesetzl. Angelegenheiten u. Straßensonderges. im Bundesmin. f. Wirtschaftl. Angelegenheiten. DA.: 1011 Wien, Stubenring 1. PA.: 1130 Wien, Anton-Langer-G. 58. G.: Graz, 11. Jän. 1942. V.: Dr. Doris, geb. Preglau. Ki.: Gerald (1983). El.: Robert u. Marianne, geb. Heinzl. S.: 1961 Matura, Stud. Rechtswiss. Univ. Graz, 1969 Prom. z. Dr. iur. K.: Gerichtspraxis, 1972-73 Richteramtsanw. in Wien, 1973 Eintritt in d. Bundesmin. f. Wirtschaftl. Angelegenheiten, zuerst Ref. dann langjährige Tätigkeit als Personalvertreter, ab 1989 Abt.-Ltr. H.: Literatur, Wandern, Schachspielen. (N.A.)

Trieb Rainer Dr.

B.: Teilh. FN.: Laserkorrektur am Auge. DA.: 8010 Graz, Sporg. 6/III. PA.: 8042 Graz, St. Peter Hauptstr. 31 c. G.: Bruck/Mur, 10. Mai 1959. V.: Maria, geb. Reinhofer. Ki.: Christoph 1988. El.: Josef u. Irmgard. S.: 1977 Matura, Stud. Med. Univ. Graz, 1985 Prom. K.: 1985-90 Turnusdienst Graz, s. 1993 FA-Ausb. Univ.-Augenklinik Graz, 1993 Grdg. Fa. Laserkorrektur am Auge. M.: zahlr. Fachges. Fliegerclub Kapfenberg. H.: Sport, Lesen, Motorflug. (I.G.)

Trieb Günter Dkfm.

B.: gschf. Ges., Gschf. FN.: BKS Werbeagentur GmbH. DA.: 1030 Wien, Löweng. 47. PA.: 1020 Wien, Kleine Mohreng. 10. G.: Klagenfurt, 11. Dez. 1939. V.: Rosalia, geb. Machhart. Ki.: Claudia. S.: HAK, 1958 Matura, Stud. an d. HS f. Welthdl., 1961 Dipl.Abschluß. K.: 1962 Fa. Unilever, Unilever Management Training, 1963-75 Fa. Felix Austria, zunächst Werbeltr., dann Marketing Manager, 1975 BKS Werbeagentur, Einstieg als Ges. M.: Lions Club. H.: Fotografie, Tennis, Skifahren, Segeln. (C.K.)

Triebert Bruno

B.: Verkaufsltr. u. Einzelprok. FN.: Martin Merkel Vertriebs GmbH. DA.: 4600 Wels, Rablstr. 25. PA.: 4792 Münzkirchen, Himmelreich 318. G.: Schärding, 7. März 1945. V.: Pauline, geb. Hofer. Ki.: Dietmar (1969), Wilfried (1971), Ulrike (1973), Hartmut (1982). El.: August u. Rosa. S.: Fachoberschule Passau m. Abitur 1963, Techn. Großhdl. (Ein- u. Verkauf), Praxis. K.: ab 1969 Produktpalette Dichtungen, 1978 Eintritt Fa. Merkel. P.: div. Veröff. in Fachzeitschriften, div. Ausstellungen u. Fachtagungen. M.: Turnver., Feuerwehr. H.: Familie, Leichtathletik, Turnen, Skifahren, Musik. (P.H.)

Triebaumer Ernst

B.: Weinbauer. DA/PA.: 7071 Rust, Raiffeisenstr. 9. G.: Rust, 11. Juni 1947. V.: Margarete Elisabeth, geb. Kirchknopf. Ki.: Herbert (1972), Richard (1973), Gerhard (1981), Elsa (1984). S.: VS, HS, 1961-64 Mitarb. im elterl. Betrieb, 1964-66 ldw. Fachschule Eisenstadt. K.: 1970 Übernahme d. Hälfte d. elterl. Betriebes, 1971 Mstr.-Prüf. E.: Ausz. in zahlr. Fachzeitschriften u. Messen. M.: Obm. d. Ruster Weinbauernver. H.: Lesen, Probleme d. Müllverringerung. (R.T.)

Triebaumer Paul

PT

B.: Weinbauer. DA. u. PA.: 7071 Rust, Neue G. 18. G.: Rust, 11. Juni 1944. V.: Waltraud, geb. Ratz. Ki.: Günther (1966), Peter (1970), Erich (1974), Andrea (1976). S.: VS, HS, 1958-60 ldw. Fachschule Eisenstadt. K.: Mitarb. im elterl. Betrieb, 1966 Mstr. d. gesamten Ldw., 1970 Hälfte d. elterl. Betriebes übernommen. M.: Ruster Männergesangsver., Weinbauver. Rust. H.: Jagd, Hunde, Weine aus aller Welt, Weinverkosten. (R.T.)

Triebnigg Edgar Dr.

B.: Sen.Präs. d. OLG Wien. GT.: Vors. d. Kartellgerichts, Vorst.Mtgl. d. Österr. Juristenkmsn. DA.: 1010 Wien, Museumsstr. 12. PA.: 1010 Wien, Schmerlingpl. 2. G.: Graz, 5. Aug. 1928. V.: Inge, geb. Knaus. Ki.: Alexander, Maria Theresia. El.: Dr. Max u. Annie. BV.: trad. österr. Beamtenfamilie. S.: Matura, Stud. d. Rechtsiwss. an d. Univ. Wien, 1951 Prom. K.: Eintritt in d. Gerichtsdienst, 1958 Gerichtsvorst., 1968 Präsidialsekr. d. OLG, seit 1980 Sen.Präs. u. seit 1981 Vors. d. Kartellgerichts f. d. Rep. Österr. (Fachgebiet: Wirtschaftsrecht, Untern.Recht, Kartellrecht Insolvenzrecht). P.: versch. Beiträge in jurist. Publ. E.: 1981 HofR. M.: Rechtspolit. Aktivitäten u. Zeitkritik, z.T. im Zusammenhang m. d. Mitgliedschaft b. d. Österr. Juristenkmsn., z.T. in Form v. Stellungnahmen u. Aufsätzen, insbes. in d. Zeitung "Der Geistig Schaffende", langjähr. stellv. Vors. d. BSekt. Richter u. Staatsanwälte u. intern. Ref. d. Österr. Richterver., Anliegen d. kulturellen Repräs. u. Mitwirk. b. diesbezügl. Gestaltungen in d. Funkt. als Präs. d. Verb. d. G. Sch. Österr., Stud. d. Konnexität Geist/Körper u. Befassung m. diesbezügl. Übungsabläufen (Dipl. als Ausbild.Ltr. f. Funktionsturnen Wirbelsäule b. Univ.-Prof. Dr. Fleiß Univ. Graz.).

Trilety Claus

B.: Gschf. Ges. FN.: Dkfm. Heinrich Trilety GesmbH & Co KG. DA.: 5400 Hallein, Schwarzbergweg 19. PA.: 5071 Wals/Sbg., Am Römerstein 7. G.: Wien, 15. Aug. 1948. V.: Johanna, geb. Kolm. Ki.: Alice (1979). El.: Dkfm. Heinrich u. Margarethe, geb. Hartmann. S.: 1958-62 Gymn. Salzburg, 1963-66 Kupferschmiedlehre/Tankwagen Schwingenschlögl, 1967 Bundesheer. K.: 1968 1. Kehrmaschinenmontage v. selbstfahrender, saugender Straßenkehrmaschine, 1968-69 Auslandspraktikum, 1970 Start eig. Prod., 1977 Mstr.-Prüf., 1978 Gschf., 1979 1. Prod.-Halle, 1989 Start Auslandsgeschäft, 1990 Erweiterung auf 3fache Prod.-Fläche. H.: Firma, Kultur-Reisen. (C.D.)

Trimmel Hubert Dr. Mag. Univ.-Prof.

B.: Geograph. PA.: 1230 Wien, Draschestr. 77. G.: Wien, 12. Okt. 1924. V.: Erika. Ki.: Norbert, Hermann, Michael, Johannes, Dorothea. El.: Rudolf u. Aloisia. S.: VS, Realschule, Univ. Wien Geografie, Naturgeschichte, Geologie, 1973 Habil., seit 1982 a.o. Prof. P.: 1968 Höhlenkunde, zahlr. Publ. im In- u. Ausland. M.: Union Intern. de Spéléologie, Gen.-Sekr. 1965-89, Präs. 1989-1993, Ehrenpräs. seit 1993. E.: EK f. Wiss. u. Kunst d. Rep. Österr., Silb. EZ d. Landes OÖ. (Wist.)

Trimmel Michael Dr. Univ.-Doz.

B.: Ass.-Prof. am Inst. f. Umwelthygiene d. Univ. Wien, Univ.-Doz. am Inst. f. Psych. u. Mtgl. d. Prüf.-Kmsn. DA.: 1090 Wien, Kinderspitalg. 15. PA.: 2102 Bisamberg, Josef-Daps-Str. 10/5/16. G.: Wien, 26. Apr. 1952. Ki.: Karin (1985). El.: Michael u. Elfriede. BV.: Weinbauern in Langenzersdorf, b . ins 18. Jhdt. zurückverfolgbar. S.: VS, HS, HTL Nachrichtentechnik Wien, 1971 Matura, Techniker, 1972 Psych.-Stud., 1977 Prom. z. Dr. phil. K.: 1974-80 im Neuropsycholog. Labor d. Inst. f. Psych. d. Univ. Wien, seit 1977 Ing., seit 1980 Inst. f. Umwelthygiene d. Univ. Wien, 1980-90 Univ.-Ass., seit 1990 Ass.-Prof., 1989 Habil. P.: über 100 wiss. Einzelveröff., Verfasser: "Lehrbuch d. Neuropsych.", Gastvorträge. M.: zahlr. intern. wiss. Ver. H.: Musik, Modern dance. (J.M.)

Trimmel Susanna

B.: Inh. DA.: 1160 Wien, Neulerchenfelder Str. 89. G.: Wien, 7. Jän. 1964. V.: Fritz Trimmel. Ki.: Daniela, Thomas. El.: Wilhelm u. Magdalena Egger. S.: HAK, 1983 Abschluß, ATB Sachbearb. f. Tabakeinkauf, Ausbild. Exportkfm. WU, 1985 Abschluß. K.: 1987 Eröff. Büromaschinenhdl. u. Bürobedarf Trimmel, seit 1992 Software. H.: Handarb., Lesen. (J.E.)

Trinkaus Carlo Dipl.-Ing.

B.: Arch. DA.: 1180 Wien, Gentzg. 132/7. G.: Graz, 24. März 1949. S.: 1978-84 Stud. Arch. Univ. Graz, 1984 Dipl. K.: 1984 Stipendium in Mailand f. "Design 1950-1984", 1984 1. Bauwerk Kaffeehaus "Trafo" m. selbstentworfenen Design (Lampen, Tische, Stühle, etc.), seit 1984 Ausstellungen in London, Mailand, Berlin u. Wien. K.: Publ. in div. Fachzeitschriften. H.: Arch. (J.E.)

Trinko Hans Mag. et Dr. theol.

B.: Pfarrer, Religionsprof. A.: 7344 Stoob, Kircheng. 2. G.: Mattersburg, 6. Mai 1939. S.: Gymn., Reifeprüf. m. Ausz., Univ. Wien, Absolutorium, Lehramtsstud., Doktoratsstud. in Wien. K.: Kaplan in Rechnitz, Domkaplan in Eisenstadt, Pfarrer in Stobb, Religions-Prof. am BRG in Oberpullendorf, Mitarb. d. ORF, seit 1966 ständiger Gestalter in d. Sendereihen "Morgenbetrachtung", "Ökumenische Morgenfeier", "Einfach z. Nachdenken", Mitarb. an anderen Sendungen, seit 1967 ständig in "Christ in d. Zeit". P.: Neben einigen hundert Rundfunksendungen u. mehreren Dutzend Fernsehsendungen Mitarb. an prakt.-theol. Büchern, Vortragstätigkeit in d. Erwachsenenbildung, Veröff. in div. Zeitungen u. Zeitschriften. M.: Grdgs.-Mtgl. d. Lions-Club Mittel-Bgld., Mtgl. in einigen Ver. H.: Musik (Oper, Konzert), Bergsteigen, Wandern, Kochen.

Tripamer Kurt Ing.

B.: Bmstr. DA. u. PA.: 7423 Pinkafeld, Hauptstr. 36. G.: Pinkafeld, 27. März 1946. V.: Irene, geb. Böcskör. El.: Hans u. Theresia. S.: VS u. HS in Pinkafeld, HTL Mödling, seit 1970 Ing., seit 1972 Bmstr. K.: 1972 Baufa., Betonwerk u. Baustoffhandel v. d. Eltern übern., Mtgl. d. GemR. in Pinkafeld, Obm. d. Wirtschaftsbundes in Pinkafeld, Gremialaussch.-Mtgl. d. Kammer d. Gew. Wirtsch. in Pinkafeld. H.: Jagd. (War.)

Tripolt Helmut Dr.

B.: FA f. Zahn-, Mund- u. Kieferheilkunde. DA.: 8042 Graz-Raaba, Hocheggerstr. 18. G.: Graz, 9. Nov. 1949. V.: Astrid, geb. Garms. Ki.: Claudia (1986), Barbara (1988), Christian (1990). El.: Alois u. Hannelore. S.: Gymn., 1968 Matura, Präsenzdienst, Med.-Stud. Univ. Graz, 1978 Prom. K.: Turnus Judenburg, Bad Aussee u. Graz, 2 J. Ausbild. z. FA in Graz, seit 1986 eigene Praxis. H.: Sport, Schießsport, Tauchen, Lesen, Skifahren, Bergsteigen. (C.R.)

Tripp Helmuth

B.: Hotelkfm. DA.: 6460 Imst, Gunglgrün 4. G.: Landeck, 6. Mai 1927. V.: Anna, geb. Schin. Ki.: Manfred u. Manuela. S.: Gymn., Kriegsdienst, Matura 1948. K.: Staats-Bmtr., Hotelfachschule, Hotelakad. in Deutschland, Auslandspraxis, seit 1962 selbst., Inh. d. "Hotel Alpenblick". BL.: Sieben Fremdsprachen. M.: Vorst.-Mtgl. d. Fremdenverkehrsverb. Imst, Beis. b. Arb.-Gericht Landeck, Funktionär b. div. Sportver. H.: Fremdsprachen, Eisstockschießen, Briefmarken, Münzen, Mineralien. (Schm.)

Tripp Werner Dr. o.Prof.

B.: o.Prof. f. Flöte an d. HS f. Musik u. Darstell. Kunst in Wien. A.: 1030 Wien, Ungarg. 12/7. G.: Graz, 22. Apr. 1930. V.: Karin, geb. Peterson. S.: Mittelschule, Dr. iur. d. Univ. Graz, Konservatorium Graz, Ak. f. Musik u. Darstell. Kunst in Wien. K.: 1955-77 Mtgl. d. Wr. Philharmoniker u. d. Wr. Staatsopernorchesters, 1962-77 Soloflötist in beiden Orchestern, seit 1962 Lehrauftrag f. Flöte an d. Ak. f. Musik in Wien, seit 1976 o. Prof. f. Flöte an d. HS f. Musik u. Darstellende Kunst in Wien, seit 1977 nur mehr Konzert- u. Lehrtätigkeit, konzertiert als Solist u. Kammermusiker in allen europ. Ländern, in d. USA, Japan, Asien, Südamerika, UdSSR. P.: Zahlr. solist. Schallplatten (3 Schallplatten wurden m. d. Schallplattenpreis "Wr. Flötenuhr" als beste Mozartinterpretation d. Jahres asugez. E.: Verl. d. Titels Prof., Preisträger b. intern. Musikwettbewerben, 1190 Verl. d. Gr. Silb. EZ f. Verd. um d. Rep. Österr. H.: Fotografie, Schwimmen, Wandern.

Trippel Walter Mag.

B.: Vors. d. Vorst. FN.: Beteiligungsfonds West AG. DA.: 5027 Salzburg, Schranneng. 4. PA.: 1224 Wien, Terzaghig. 41. G.: Wien, 11. Apr. 1947. V.: Karin, geb. Migglautsch. Ki.: Alexander (1980), Nikolaus (1991). El.: Josef u. Nina. S.: HAK, WU. K.: Univ.-Ass. in Wien, 1. Österr. Sparkasse - Wertpapierbereich, Beteiligungen, Gschf. d. 1. Leasing, Prok. ECCO Beteiligungsfonds, 1983 Eintritt Beteiligungsfonds West AG, 1984 Aufbau West Consult in d. Rainerstraße Sbg. M.: Dt. HK. in Österr., Golfclub Bad Ischl. H.: Familie, schwerklass. Musik, Reisen (Südamerika, Peru). (M.C.)

Trippold Sylvia

B.: Gschf. Ges. FN.: Schwarz, Trippold & Co, Int. Spedition GmbH. DA.: 1210 Wien, Lohnerg. 1 C. PA.: 2103 Langenzersdorf, Chimanig. 22. G.: Stockerau, 26. Okt. 1944. V.: Heinz. Ki.: Michaela (1973). El.: Franz u. Hilde Siegl. S.: Sped.-Lehre, Sped.-Prüf. K.: 1959-63 Lehre bei Sped. Gebrüder Weiss, 1964-66 Tätigk. im Bürgschaftsfond d. Bundesmin., 1966-70 Sped. Gebrüder Weiss, 1971-76 Sped. Frico, 1976-82 Sped. M. Englaro, 1982-87 Gschf. bei Sped. Tinhof, 1987 Grdg. einer eig. Firma gemeinsam mit Partnern, der Sped. Schwarz, Trippold & Co mit dem Spezialbereich Frisch- u. Kühldienst. M.: seit 1989 Mtgl. d. Prüfungskommission f. Speditionslehrlinge. H.: Sauna, Schwimmen. (F.S.)

Trischler Florentine

B.: PR-Berater, Inh. FN.: PR & P Public Relations & Promotion. DA.: 1030 Wien, Lagerg. 1/20. PA.: 1030 Wien, Traung. 7/37. G.: Graz, 4. Mai 1959. El.: Gen.-Dir. Hendrik u. Hannelore Koningsberger, geb. von Sczipinsky. S.: 1977 Matura, Abiturientenlehrgang HAK, HS-Lehrgang f. Werbung u. Verkauf. K.: 1982-85 PR-Ass. b. J. W. Thompson, 1985-86 PR-Berater b. d. Firma Martin Glander, 1987 Grdg. d. eigenen Agentur m. Schwerpunkt Touristik, Ernährung, Frauenthemen. H.: Tennis, Musik. (N.A.)

Trisko Paul

B.: Besitzer d. Tennisschule Arsenal. GT.: Tennistrainer u. Veranstalter v. Tenniscamps im In- u. Ausland. DA.: 1030 Wien, Arsenalstr. 1. G.: Wien, 23. Dez. 1962. V.: Martina, geb. Wolf. El.: Alois u. Elfriede. S.: Gymn. Wien, Tennislehrerausbild. Wien. K.: selbst. Tennislehrer, 1989 Übernahme d. Tennisschule Girg, seit 1990 anerkannte ÖTV-Tennisschule, seit 1992 Zweigstelle im Sporthotel Glockenhof Bärnbach. H.: Golf, Reisen. (J.S.)

Tritremmel Stefan Dr. med.

B.: Kreisarzt, prakt. Arzt. DA. u. PA.: 7311 Neckenmarkt, Kirchenpl. 1. G.: Unterpetersdorf/Bgld., 23. Mai 1954. V.: Edelfriede, geb. Spahits. El.: Josef u. Anna. S.: BG u. BRG Mattersburg, 1972 Matura, Österr. Länderbank, BH, Stud. d. Med. an d. Univ. Wien, 1983 Prom. K.: 1984-87 Turnusausbild. am LKH Oberpullendorf, seit 1987 prakt. Arzt u. Kreisarzt in Neckenmarkt. M.: FFW Neckenmarkt. H.: Seefahrt (Hausboot, Segeln, Modellbau), Musik, Lesen, Klavierspiel, Akkordeon, Tennis, Weinbau, Tontaubenschießen. (C.K.)

Tritthart Heinrich Dipl.-Ing.

B.: Arch. GT.: Lehrtätigkeit HTL Graz, Gerichtssachv. DA.: 8010 Graz, Steyrerg. 103. PA.: 8010 Graz, Schwimmschulkai 6. G.: Graz, 4. Nov. 1940. V.: Birgit, geb. Prett. Ki.: Martina (1965), Gregor (1967), Rebekka (1972). El.: Heinrich u. Auguste. S.: BRG, Arch.-Stud. TU Graz, 1969 Abschluß, Auslandsaufenthalt. K.: 1970-72 Projektltr. Arch.-Büro Suter

& Suter Basel, 1972 Aufbau Filiale v. Suter & Suter in Wien, 1976 Projektltr. Ilgerl-Peneff-Walch Graz, seit 1978 selbst. M.: ZV d. Arch., SV-Verb. H.: arbeiten u. faulenzen. (R.S.)

Tritthart Helmut A.
Dr. med. o.Univ.-Prof. Dekan
B.: Vorst. d. Inst. f. Med. Physik u. Biophysik, Vorst. d. Zentralen Radio Nuklid-Labors. DA.: 8010 Graz, Harrachg. 21. PA.: 8010 Graz, Leechg. 28. G.: Graz, 8. Okt. 1940. V.: Gisela, geb. Obermüller. Ki.: Antonia, Mareile. El.: Dr. med. Karl u. Dr. med. Lieselotte. BV.: steir. LHptm. Alfred Gürtler, späterer Finanzmin. d. 1. Rep. Österr. S.: 1958 Matura, Stud. an d. TU Graz, Wechsel d. Stud.: Med. in Graz u. Hamburg, 1964 Prom. K.: wiss. Arb. am physiolog. Inst., Tätigkeit in einigen Sanatorien, 1965 Univ.Ass. in Freiburg, 1969 Habil., visiting prof. on the canadian heart-foundation in Halifax/Canada, 1974 Ruf nach Graz, Neuaufbau d. Ersten Biophysik in Österr., 1986/87 Dekan d. Med. Fak. P.: mehr als 200 Publ., Beiträge in med. Hand- u. Lehrbüchern. H.: Tennis, Wandern. (P.R.)

Tritthart Sigfrid Dipl.-Ing.
B.: Ziviling. f. Bauwesen. FN.: Achammer-Trittart-Partner. DA.: 6020 Innsbruck, Karl-Kapferer-Str. 5. G.: Graz, 12. Aug. 1941. V.: Uta, geb. Schiele. Ki.: Markus, Lorenz. S.: Stud. an d. TH Graz, 1969 Grad. z. Dipl.-Ing. K.: 6 J. Auslandspraxis in BRD u. anderen europ. Ländern, seit 1978 selbst. als Ziviling. f. Bauwesen, zwischenzeitl. eines d. größten Generalplanungsbüros m. ca. 300 Mitarb. P.: Veröff. in Fachzeitschriften, Vorträge u. Forsch.Arb. (J.S.)

Trixl Hermann

B.: Tischlermeister, Kompl. Bgmstr. FN.: Möbel Trixl u. Co. DA.: 6353 Going, Gemeindeamt, Going 45. PA.: 6353 Going, Aschauerweg 149. G.: Kitzbühel, 26. Nov. 1940. V.: Gertraud, geb. Horngacher. Ki.: Hermann (1966), Georg (1968). El.: Eduard u. Barbara. S.: VS, HASCH, 1956 kfm. Ausb. abgeschl., 3 J. als Tischler i. elterl. Betr., 1962-63 Meisterschule i. Hallein bes. 1963 Meisterprüf. absolviert. K.: 1968 Übernahme Tischlereibetr. d. Vaters, Betr. vergrößert u. erweitert, ab 1978 Möbelhaus i. Form e. Einrichtungshauses erweitert, s. 1987 neue Tischlerwerkstätte erbaut u. eröffnet, s. 1974 als Gem. Vorst. i. Gem.R., s. 1986 VBgmstr. u. s. 1989 Bgmstr. d. Gem. Going. P.: zahlr. Art i. reg. Print Med., 1992 Erstell. u. Herausgabe d. Dorfbuches Going. M.: örtl. Vereine, 20 J. Funktionär i. Skiclub, 24 J. Aufsichtsrat d. raika Going s. 1965 b. d. FF Going. H.: Skifahren, Tennis, Radfahren. (J.F.)

Trixl Reinhard
B.: Kfm. FN.: Reinhard Trixl KG. GT.: s. 1992 Teegroßhandel ins Leben gerufen u. Generalimporteur v. SinAss-Tee. DA.: 5700 Zell am See, Areitstr. 5. PA.: 5700 Zell am See, Areitstr. 5a. G.: Vöcklabruck, 6. Nov. 1952. V.: Doris, geb. Innerhofer. Ki.: Stephan (1981). El.: Ludwig u. Elisabeth. S.: 3 J. Lehre als Einzel-, Großhandels- u. Bürokfm. b. Fa. Adeg, v. Warenübernahme z. Lagerstv., ab 1985 Lagerltr., s. 1986 selbst. m. Fa. Tridor Kaffeerösterei, s. 1989 Fa. Dataex, Mobile Aktenvernichtung m. 4 Mitarb. H.: Skifahren, Schwimmen, Wandern.

Trnka Brigitte
B.: Kulturjournalistin. GT.: freie Mitarb. d. ORF. PA.: 5020 Salzburg, Leopoldskronstr. 43. G.: Wien, 29. Juni 1950. V.: Müller Walter. S.: Gymn. Wien, 1968 Matura, Frankreichaufenthalt, Bankausbild. K.: 1978 BRD Theater Neuwied u. Bonn als Dramaturg u. persönl. Ref. d. Int., währenddessen Schauspielausbild. in Köln, 1981 Sbg. LTheater als Dramaturg, 1986 ORF Aktueller Dienst, Kultur f. Hörfunk u. FS, Synchronarb., Mitarb. b. Hörspielen, Vortragstätigkeit an d. Volks-HS Sbg. P.: div. Art. M.: FachbeiR. d. Sbg. LRg. f. Bild. Kunst, Vorst.Mtgl. v. Künstler helfen Künstler. H.: Irland, Musik. (A.W.)

Trnka Johannes
B.: Pensionist. PA.: 1090 Wien, Hahng. 3. G.: Ravelsbach, 8. Mai 1931. V.: Anna, geb Hlavek. Ki.: Ursula Knorr (1960) El.: Johannes u. Maria. S.: Gymn. Horn, 1949 Matura, Jusstud. in Wien, BFin.Schule. K.: 1950-59 Fin.Verw., 1960-61 Wirtschaftsprüf.Ges., 1961 Esso Austria (Tax Manager, Treasure Ass.), 1962 Steuerberaterprüf., 1984 Finanz Manager, 1985-92 Mtgl. d. Vorst. d. Esso Austria AG. P.: 1960-61 Steuer-Artikel im Kurier, Intern. u. nat. Berichterst. IFA 1975. M.: Amerikan. HK in Österr., VPräs. d. Grünen Kreuzes, NÖ LJagdverb. H.: Jagen, Jagdhornsammlung, Wein, mod. Malerei, Musik, Reisen. (M.G.)

Trnka Rolf Ing.
B.: Baumeister; Gschf. FN.: Allg. Immobilien Verw. GmbH. GT.: Technische Hausbetreuung, Bewertung v. Ankaufsobjekten. DA.: 1010 Wien, Rotenturmstr. 16-18. PA.: 1170 Wien, Jörgerstr. 37. G.: Oldenburg/BRD, 17. Nov. 1941. V.: Ing. Herta, geb. Schacherl. Ki.: Hans-Jörg, Ursula. El.: Bmstr. Ing. Hans u. Almut. S.: VS, Mittelschule, Techn. Bundeslehranst. f. Hochbau. K.: Militär, anschl. Tätigkeit b. Fa. Straß-Gschwandtner u. väterl. Betrieb b. 1981, Auslandstätigkeit in Saudi Arabien, seit Rückkehr 1983 in Fa. SEG tätig, seit 1984 Gschf. BL.: Revitalisierung v. Gebäuden in Wien z.B. Palais Hohenberg, in Graz Verbindungshaus Herrengasse-Prokopigasse, Dachausbauten in Wr. Mariahilfer Str. 1a, b, c u. d. Revitalisierung d. Objektes, kompl. Betreuung d. Hausbesitzes d. Generali. P.: in intern. Fachzeitschriften (Fundament). H.: Tennis, Tauchen, Skifahren. (E.L.)

Trofeit Friedrich Mag. Ing.

B.: Gschf. FN.: ABB Installationen GmbH. DA.: 1100 Wien, Wienerbergstr. 11B. PA.: 3425 Langenlebarn, Eduard-Pollack-Str. 42. G.: 18. Juni 1953. V.: Waltraut, geb. Jagenbrein. El.: Friedrich u. Leopoldine. S.: VS, RG, HTL Fachrichtung Elektrotechnik, 1977-84 nebenberufl. Stud. Betriebswirtschaft WU Wien. K.: 1972 Konstrukteur Brown Boveri Werke AG, 1975-81 Projekt Management Elektr. Antriebe, 1981-90 Finanzbereich, 1988 Verschmelzung d. ASEA m. Brown Boveri, 1990 Gschf. ABB Installationen GmbH. H.: Modellfliegen, Skifahren, Garten. (J.M.)

Troger Ernest
Dr. phil. Mag. rer. nat. o.Univ.-Prof.
B.: Vorst. d. Inst. f. Geogr. d. Univ. Wien. A.: 1190 Wien, Bauernfeldg. 7. G.: Schwaz, 8. Okt. 1926. V.: Christa, geb. Fanta. El.: Johann u. Anna. S.: Gymn. in Schwaz, Hall u. Innsbruck, Stud. an d. Univ. Innsbruck (Geogr. u. Jura). K.: 1956-58 Prof. in Bangkok, 1965 Prof. in Hamburg, seit 1967

Prof. an d. Univ. Wien, 1972-73 Dekan d. Phil. Fak. P.: Bevölkerungsgeogr. d. Zillertales, 1954, La situation demogr. de l'Autriche 1955, Struktur u. Entwicklung d. Wirtschaftsuntersuchung Thailands, 1962, Tirol-Atlas, 1969-71, Humangeogr. Problemuntersuchung d. Weinbaues am Neusiedlersee, 1979, gem. m. anderen Autoren, Bibliogr. z. Bevölkerungsforschung in Österr., 1980. M.: Mtgl. v. Ver. u. Österr. Geogr. Ges., Intern. Alpen-Kmsn., Österr. Unesco Kmsn.

Troger Gerd

B.: Inh. FN.: Restaurant "Schwarzer Adler Arkadenhof". DA.: 8700 Leoben, Hauptpl. 9. PA.: 8700 Leoben, Johannesg. 11. G.: Gries bei Bozen, 24. März 1946. V.: Christa, geb. Scherrer. Ki.: Karin (1973), Günter (1978). El.: Maria u. Max. S.: Kochlehre in Salzburg, 1964 Abschluß, BH. K.: Saisonen in Dt., Garmisch Partenkirchen, Frankfurt u. Österr., 1968-74 Hotel Glocknerhof in Heiligenblut, 1974-75 selbst. i. St. Agatha/Salzkammergut mit dem Restaurant "Agathaschmiede", s. 1975 Restaurant "Schwarzer Adler Arkadenhof" in Leoben. M.: Jagdchorverein Leoben. H.: Singen, Jagd, Skifahren. (I.G.)

Troger Walter

B.: Sägewerksbes. FN.: "Troger Holz". DA.: 6130 Vomperbach. G.: Vomp, 21. Nov. 1926. V.: Gerti, geb. Prantl. Ki.: Helmut u. Marlene. BV.: Johann Troger 1820 Firmengrdg. K.: 1954 Übernahme d. 1820 gegründeten Fa. E.: Verdienstmed. d. Landes Tir. M.: VBgm. d. Gem. Vomp, BeiR.-Vors. d. Volksbank Schwaz, Fachverb. d. österr. Sägeind. (Schm.)

Tröger Claus

B.: Theaterdir. d. Kleinen Theater Sbg., freischaff. Reg. DA.: 5020 Salzburg, Schallmoser Hauptstr. 50. PA.: 5020 Salzburg, Imbergstr. 23. G.: Hallein, 19. März 1958. El.: Eduard u. Annemarie. S.: Gasthörer an d. HS Mozarteum Sbg., prakt. Ausbild. u.a. b. Georges Ourth u. Ursula v. Zdroick. K.: 1978-81 freier Reg. u. Schauspieler, div. Arb. m. freien Gruppen in Sbg. sowie Graz u. Wien, 1982 Grdg. eines eigenen professionellen Schauspielensembles in Sbg., div. Regiearb. in Sbg., Abhaltung v. Seminaren im Bereich Gegenwartsdramatik u. "kritische Regie" in Wien u. Linz, seit 1984 künstler. Ltr. d. Kleinen Theaters Sbg., Aufbau eines hauseigenen Schauspielensembles, freier Reg. im gesamten deutschsprachigen Raum. P.: div. Veröff. v. Art. über Theaterarb. in versch. Fachzeitschriften, Prosa- u. Lyrikveröff., div. Inszenierungen u.a. "Tangens Alpha oder d. Teufelskreis" (1977), "Wann kommst du wieder Roter Reiter" (1979), "Warte bis es dunkel wird" (1985), "Leonce u. Lena" (1985), "Der Kontrabaß" (1987), "Draußen" (1987), "Graf Öderland" (1987), "Ich, Feuerbach" (1989), "Bedeutende Leute" (1989), "Anna u. Anna" (1990). E.: 1978 Beste Regie im Rahmen d. Jugendtheaterfestivals d. Landes Stmk., 1985 Preisträger f. d. beste Gesamtkonzeption anläßl. d. Intern. Theatertage in Blagoevgrad/Bulgarien. H.: Lesen, Theater. (M.B.)

Trojacek-Feichtner Christine

B.: Inh. FN.: Fortschritt & Technik. DA. u. PA.: 1230 Wien, Fimbingerg. 12. G.: Wien, 23. Aug. 1967. El.: Erich u. Katharina Feichtner, geb. Borza. S.: HASCH. K.: Erfahrungen sammeln in versch. EDV-Büros, seit 1990 selbst., Grdg. d. Firma m. Schwerpunkt EDV-Komplettlösungen f. Sped. H.: Literatur, Computer, Sport. (N.A.)

Trojan Karl Theodor Dipl.-Ing.

B.: Inh. FN.: Bierbrauerei Schrems - K. Th. Trojan. DA.: 3943 Schrems, Niederschremserstr. 1. PA.: 3943 Schrems, Bahnstr. 34. G.: Waidhofen/Thaya, 13. Sep. 1963. V.: Birgitt, geb. Kammerer. Ki.: Karl Theodor (1993). El.: Karl u. Eva, geb. Widy. S.: AHS Matura 1981, Stud. a. BOKU Wien, Lebensmittel- u. Gärungstechn., 1987 Sponsion Dipl.-Ing. K.: 1981-86 Praktika i. div. In- u. ausländ. Brauereiunternehmen, 1987-91 Braumstr. i. Brauerei Schrems, 1991 Übern. u. Inh. d. Bierbrauerei Schrems. M.: MKV, Bund österr. Braumstr., ASV Schrems, UBBC Gmünd. H.: Golf, Billard, Skifahren. (M.M.)

Troll Hanno Richard Ing.

B.: Gschf. d. Wäscherei Hans Troll GmbH & Co. DA.: 6850 Dornbirn, Fang 16. PA.: Lochau, Wellenau 5. G.: Bregenz, 12. Aug. 1955. V.: Jutta, geb. Platzgummer. Ki.: Katharina (1981), Maximilian (1985). El.: Dipl.-Ing. Hans u. Hildegard, geb. Hefel. S.: Textilschule Wien u. Dornbirn, Abi-Lehrgang HAK Bregenz. K.: Eintritt in d. elterl. Betrieb, 1978 Praktikum b. Mirabell Wäscherei Sbg. u. 1984 Ahrens Textil Service in Elmshorn/BRD. BL.: Organ. u. Ltg. e. Camp-Wäscherei in Lybien (1979). M.: Aussch.-Mtgl. d. Innung d. Wäscher, Mtgl. d. Arbeitskreises d. Junioren i. dt. Textilreinig. Verb., Mtgl. d. "Jungen Wirtschaft", Yachtclub Hard. H.: Segeln, Wassersport, Kinder, Skifahren, Musik. (M.G.)

Trolp Kurt Mag.

B.: Geschf. Ges. FN.: Mag. Trolp Marketing & Copack-Werbeservice GesmbH. DA.: 1070 Wien, Zollerg. 5. G.: Graz, 13. Sep. 1952. v.: Josefine, geb. Köstner. Ki.: Benedikt-Maximilian (1990). El.: Walter u. Annemarie, geb. Kapeller. S.:1967-72 HAK Graz, 1972 Mat., Stud. Betriebswirtschaft, 1978 Mag. K.: 1978-80 Österr. Unilever GmbH Wien, Marketing u. Verk.-Trainee, Ass. Prod. Manager, 1980-83 Master Foods Austria GmbH, Prod. Manager, Exp. Marketing Coord., 1983-84 Austria 3 Werbeag., Etat-Dir., 1984-85 D Arcy Mac Manus Werbag., 1985-86 Auer Waffelfabrik, Marketing- u. Werbeltr.. 1986 Grdg. Trolp Marketing, 1988-90 Sem. ÖAF, 1989 Grdg. Copack-Webeservice GmbH, 1992 Fusionierung. F.: Copack Reklameservice KfT/Ungarn. P.: 1988-89 Art. in "Cash", 1986-88 Art. in "Meeting", 1994 Art. in "self MAX". M.: Marketing Club Graz. H.: Lesen, Tennis, Schifahren. (M.L.A.M.)

Tromayer Erich

B.: Kunsthändler. FN.: Erich Tromayer. GT.: seit 1985 gerichtl. beeid. Sachv. f. Gemälde. DA.: 1010 Wien, Dorotheerg. 7. PA.: 2371 Hinterbrühl, Hohlg. 3. G.: Mödling, 10. Okt. 1948. V.: Inge, geb. Samson. Ki.: Rita, Maximilian. S.: RG Mödling, Goldschmiedelehre, Juwelier. K.: 1975 selbst. als Antiquitätenhändler, 1979 Eröff. d. Gemäldegalerie Tromayer. P.: Buch: "Marie-Egner - eine österr. Impressionistin" 1983, Buch: "Emilie Mediz - Pelikan, Bilder, Briefe, Gedanken" 1986, Buch: "Adolf Kaufmann - ein österr. Impressionist" 1987, div. Ausstellungskataloge u. Fachartikel über d. österr. Malerei. M.: Lions Club. H.: Fischen, Kochen. (C.K.)

Trondl Ludwig Dkfm.
B.: Gschf. FN.: Böhm GmbH. DA.: 1232 Wien-Inzersdorf, Richard-Strauß-Str. 12. PA.: 1220 Wien, Ziegelhofstr. 32. G.: Schwarzenau, 6. Aug. 1947. V.: Gabriele, geb. Schram. Ki.: Stefan (1972), Jörg (1976). El.: Ludwig u. Rosa. S.: 1965 Matura Graz, HS f. Welthdl. Wien, 1970 Dipl. K.: bisher stets in d.Innenausstattungsbranche tätig, seit 1986 im hiesigen Unternehmen. H.: Sport, Literatur, Kunst, Malerei. (P.R.)

Troner Alfred
B.: Flugkapitän i.R. PA.: 2325 Himberg, Waldg. 33. G. Himberg, 7. Nov. 1926. V.: Ingrid, geb. Mattausch. Ki.: Angela (1976). El.: Ferdinand u. Barbara. S.: 1948 RG-Matura, Flugausbild. b. d. Dt. Wehrmacht. K.: 1949-62 Vers.-Laufbahn, 1962 Eintritt AUA - Austrian Airlines, b. 1966 Co-Pilot, ab 1966 Flugkapitän, ab 1968 Fluglehrer, ab 1970 zusätzl. Mtgl. d. Prüf.-Kmsn. im Bundesamt f. Zivilluftfahrt, 1986 Eintritt in d. Ruhestand, weiterhin Mtgl. d. Prüf.-Kmsn. H.: Musik (Klavier, Keyboard). (M.M.)

Tronigger Barbara
B.: Hotelier d. Hotel "Lärchenhof". DA. u. PA.: 9542 Verditz 101. G.: Afritz, 2. Juli 1942. V.: Mag. Heinz Tronigger. Ki.: Heinz. El.: Fritz u. Eleonore Strobl. BV.: Großvater Hieronymus Strobl bekannter Bäckermstr., Musiker u. Sänger, Fritz Strobl (Vater) Bäckermstr., bekannter Komponist v. Kärntnerliedern. S.: Pflichtschulen, Kosmetikschule in Graz, Med. Fußpflege Wien, Körpermassage b. 1960. ab 1960 div. Schulungen f. Gastgewerbe. K.: Privatschule Femina Wien/Graben Fächer: Massage u. Fußpflege, 1964 Eröff. eines eig. Kosmetiksalons in Bad Gastein, ab 1974 Mitarb. im elterl. Betrieb Hotel Lärchenhof, 1979 Übernahme Hotel Lärchenhof. BL.: ab 1979 Umbau d. Hotels zu modernen leistungsfähigen Betrieb m. 3 dazugehörigen Tennisplätzen. H.: Tennis, Skifahren, Langlauf. (Hat.)

Tröppel Erich Dipl.-Ing.
B.: freisch. Ziviling. f. Maschinenbau u. Prof. an d. HTL. DA. u. PA.: 2500 Baden, Erzherzogin Isabelle Str. 8. G.: Baden, 27. Mai 1943. V.: Elfriede, geb. Soukup. Ki.: Ulrike (1967). El.: Anton u. Ernestine. K.: 1961 Matura an d. Realschule in Baden, 1961-1969 Stud. an d. TH Wien (Maschinenbau), 1969-75 Tätigkeit im Industriebereich im Raum NÖ, 1975-77 Ziviling.-büro Wien, 1977 Ziviltechnikerprüfung, ab 1977 freiberufl. (Planungen v. Gebäudetechn. Ausrüstung - Heizung-, Klima- u. Lüftungsanlagen), ab 1975 Prof. an d. HTL Wien. H.: Lesen, Gartengestaltung (Einrichtung d. Feuchtbiotopen). (I.K.)

Tropper Johann

B.: Inh. FN.: Tropper Anlagen- u. Maschinenbau. GT.: Exportgeschäft. DA.: 4690 Schwanenstadt, Jebing 25. PA.: 4690 Schwanenstadt, Eglsee 17. G.: Burgau, 21. Juli 1935. V.: Helene, geb. Fermüller. Ki.: Johannes (1966), Paul (1967), Thomas (1969), Michael (1972), Benedikt (1978). El.: Johann u. Anna. S.: VS, HS, HASCH, 1952-55 Praxis im elterl. Betrieb, 1955-57 Dt. Müllerschule Braunschweig. S.: 1955 Mitarb. in Kath. Aktion, 1957-70 Mitarb. u. Umstrukturierung d. gesamten Betriebes, 1970 Grundkauf u. Tankwagenbau, ab 1970 Aufbau Gruppenverantwortl. Organ., ab 1985 Theol.-Stud., 1985 Silobau, 1990 erste CAD-Arbeitsplätze, 1991 Exportentwicklungsprogramm, 1992 mobiles Mahl- u. Mischsystem. BL.: Großglockner Gipfelbesteigung. E.: Gold. EZ f. Verd. um d. Rep. Österr. M.: Kath. Aktion, kirchl. Organ. H.: Lesen, Urlaub, Schwimmen, Schwammerl- u. Beerensuchen, Konzerte, Wandern. (C.D.)

Tropper Karl
B.: Obm. d. Brucker Wohnbau- u. Siedlungsver. DA.: 8600 Bruck/Mur, Richard-Wagner-Str. 5. PA.: 8600 Bruck/Mur, Schillerstr. 30. G.: Bruck/Mur, 12. Jan. 1930. S.: 1945-47 HASCH, 1964 u. 1965 Sparkassenprüf. K.: 1947-63 Ang. in d. Eisenind., 1963-89 Sparkasse Bruck/Mur - Kapfenberg, 1970-91 Obm. d. Brucker Wohnbau- u. Siedlungsver., 1975-90 GemR. d. Stadt Bruck/Mur. E.: 1975 Gr. EZ in Silber d. Österr. Verb. gemeinn. Bauver., 1990 gleiche Ausz. in Gold. M.: ASKÖ, ARBÖ, TVN. H.: Schach, Reisen. (M.Gu.)

Trost Elisabeth
B.: Dir. Allg. Sonderschule. DA.: 2301 Groß Enzersdorf, Schießstandring 2. PA.: 1190 Wien, Kaasgrabeng. 1B. G.: Wien, 4. Apr. 1949. Ki.: Elisabeth (1975). El.: Karl u. Margarete Trost. S.: Ursulinen Wien-Mauer, Päd. Ak. Wien-Strebersdorf, Sonderschulprüf. u. spez. Sprachheilunterricht. K.: Tätigkeit in Schulen im Raum NÖ, Dir. Allg. Sonderschule Hohenau/March, 1992 Dir. Allg. Sonderschule Groß Enzersdorf. H.: Schwimmen, Tauchen, Radfahren. (T.T.)

Trost Johann
B.: Bgm., Maurermstr. GT.: Bauunternehmen Johann Trost. DA.: 8562 Mooskirchen 17. PA.: 8562 Mooskirchen 71. G.: Mooskirchen, 10. Dez. 1932. V.: Berta, geb. Scherr. Ki.: Johann, Günther, Manfred. El.: Franz u. Maria. BV.: Chir. Anton Trost. S.: VS, Berufsschule, HTBL (Polierschule), 1957 Mstr.Prüf. K.: 1960 GemR., 1965 VBgm. d. Marktes Mooskirchen, 1968 VBgm., 1975 Bgm. d. Großgem. Mooskirchen, 1965 Obm.Stellv. Ortsgruppe ÖVP, seit 1975 Obm. ÖVP u. Ortsgruppe Wirtschaftsbund, seit 1975 Aussch.Mtgl. d. Sozialhilfeverb. Voitsberg. E.: Förderndel in Gold u. Silber d. Steir. Blaskapellenverb., versch. Ausz. durch örtl. Ver., HK u. Partei. M.: Mtgl. b. allen örtl. Ver. u. Institutionen. H.: Fußball, Musik, Gesang, Wandern, Familie, Enkelkinder. (H.Z.)

Trost Josef

B.: Heimltr. Elisabethheim-Pensionistenheim. DA.: 2225 Zistersdorf, Umfahrungsstr. 14-120. G.: Ringelsdorf, 29. Mai 1949. Ki.: Harald (1971). El.: Johann u. Anna. S.: 1967 HASCH. K.: 1968 Landesdienst NÖ, BH Gänserndorf, Bez.-Fürsorgeverb., 1970 Pensionistenheim Zistersdorf, 1973 Heimltr., 1990-92 Speziallehrgang f. Leitungsfunktion in d. Sozialarb. 1994 Dienststellenltr. H.: Familie, Garten, Jagd. (T.T.)

Trost Walter
B.: Postinsp. i.R. PA.: 8045 Graz-Andritz, Luigi-Kasimir-G. 31. G.: Graz, 28. Apr. 1937. V.: Gertrude, geb. Fuchs. Ki.: Walter, Sabine, Josef. BV.: Adalbert Stifter. S.: kfm. Lehre Nahrungs- u. Genußmitteleinzelhändler 1951-54, kfm. Praxis 1956. K.: 1956-58 BH, 1958-88 Postdienst. M.: Steir. ÖAAB, ehrenamtl. Mitarb. d. LParteiltg. d. ÖVP, Schwerpunkt: Aufarb. d. Österr. Zeitgeschichte. H.: Philatelie, Fußball, Welthdl. (P.R.)

Trost v. Wehrfort Gerhard
B.: Verleger, Inh. FN.: Allrad Verlag. DA.: 2361 Laxenburg, Schloßpl. 12. PA.: 2639 Bad Fischau, Garteng. 37. G.: Wien, 23. Juli 1940. Ki.: Veronika. El.: Wolfgang u. Maria. BV.: Altösterr. Militäradel, Joh. Bapdist Trost (Bgm. v. Wr. Neustadt, um 1760), Joh. Nepomuk Trost (Bgm. v. Baden, um 1840), Josef Freiherr v. Lang (Baumwollfabrikant u. Schloßherr in Ebreichsdorf, geb. 1797). S.: Gymn., 1959 Matura, Stud. an d. TU Wien b. 1961. K.: 1961-66 Red.Volontär Austro-Motor, 1967-75 techn. Red. Auto-Touring, 1976-80 Red. f. Motorsportu. Wirtschaft b. Kurier, 1979 Grdg. d. Allrad Verlages in Wien, 1982 Übersiedlung nach Laxenburg, Hrsg. d. Zeitschrift "Allrad" seit 1970, "Tunning" seit 1985 u. "Die grünen Autos" seit 1985. P.: 1975-80 jährl. Buch: "Auto-Tests", 1980 ÖAMTC-Buch: "Auto heute". H.: Lesen, Radfahren, Surfen, Motorsport, Skifahren, Theater, klass. Musik. (M.G.)

Tröster Werner
B.: Gschf. Ges. FN.: MUMPS-TECH Datenverarb.-Systeme GmbH. DA.: 2345 Brunn am Gebirge, Industriestr. B16. G.: Gratkorn, 19. Juli 1950. V.: Gabriele, geb. Tscheutscher. Ki.: Tristan (1972), Joachim (1976). El.: Anton u. Elfriede. S.: 1970 AHS-Matura. K.: 1971-74 Programmierer in d. Datenverarb. b. Firma Leykam Graz, 1974-76 Programmierer u. Organisator b. Firma Moden Müller Graz, 1977-82 EDV-Ltr. b. Firma Plastica Graz, 1982-86 EDV-Ltr. b. Firma ÖAG Wien, 1986 selbst. m. Firma Werner Tröster, 1984 Grg. d. Firma MUMPS-TECH gemeinsam m. Partnerin Eva Tippold, MUMPS-TECH: Multy User Massachusetts Program System: Beratung, Organ., Installation d. Soft- u. Hardware u. Schulung. M.: Europ. MUMPS-Users Group. H.: Golf, Musik. (M.M.)

Tröstner Walter
B.: Firmeninh., KFZ-Mechaniker. FN.: Walter Tröstner Landesprod., Bau- u. Brennmaterial. DA.: 2724 Neudorf, Untere Bundesstr. 35a. PA.: 2475 Neudorf, Untere Bundesstr. 42. G.: Oberwart, 13. Jän. 1947. V.: Johanna, geb. Rapp. Ki.: Alexandra, Barbara, Philipp. S.: 1 J. Realgymn., 4 J. HS, Berufsschule. K.: Mechanikerlehre absolviert, b. 1970 in diesem Beruf tätig, ab 1970 ÖBB kommerz. Dienst, ab 1979 Gschf. Landesprodukte. s. 1.1.1993 selbst. M.: ÖKB Ortsobmannstv. Neudorf, Maschinenringobmannstv. H.: Bergwandern, Fernreisen, Landwirtschaft, EDV. (W.M.)

Trousil Renate Mag. pharm.
B.: Mag. pharm. in d. Kronen-Apotheke. DA.: 8010 Graz, Conrad-von-Hötzendorf-Str. 28. PA.: 8010 Graz, Merang. 21. G.: Graz, 11. Okt. 1945. El.: Mag. pharm. Alfred u. Mag. pharm. Gertrude Trousil, 4. Generation. S.: 1963 Matura Fürstenfeld, ab 1963 Stud. Pharmazie Univ. Graz. K.: ab 1970 Aspirantenzeit, anschl. in versch. Apotheken tätig, 1987 Kauf d. Kronen-Apotheke u. ab 1988 selbst. Ltg. d. eigenen Apotheke. H.: Musik, Jagen, Lesen, Konzerte, Reisen. (A.-R.W.)

Troyer Herbert Dr.
B.: RA. DA.: 5020 Salzburg, Kaig. 27. PA.: 5102 Anthering, Rainweg 20. G.: Salzburg, 18. Juli 1943. V.: Edith, geb. Behensky. Ki.: Claudia (1976), Verena (1979). El.: Otto u. Waltraud. S.: 1961 Matura, 1966 Prom. K.: 1974 Eintragung als RA Sbg. (N.M.)

Troyer Hermann Ing.
B.: Ltr. d. Abt. Unterhaltung d. ORF LStudio Ktn. DA.: 9010 Klagenfurt, Sponheimerstr. 13. PA.: 9020 Klagenfurt, Lilienthalstr. 16. G.: Klagenfurt, 11. Juni 1935. V.: Ilse, geb. Lauchart. Ki.: Mag. Herlith-Patricia. El.: Hermann u. Anny. S.: VS, HS, HTL f. Maschinenbau u. Elektrotechnik, 1954 Matura. K.: bereits während d. HTL nebenbei b. Ktn. Rundfunk tätig, Lyriksendungen u. Kabarett, 1954-55 Konstrukteur b. d. Traibacher Chem. Werken, seit 1955 Ang. im LStud. Ktn., versch. Abt., hauptsächl. als Sprecher- u. Programmgestalter in versch. Sendungen, teilweise auch öff. Sendungen im In- u. Ausland, seit 1988 Ltr. d. Unterhaltung. P.: Publ. in Tageszeitungen. E.: 1979 Verkehrssicherheitspreis d. Kuratoriums f. Verkehrssicherheit in Österr. f. d. Sendung Service, Ktn. Mstr. u. 2x Dt. Mstr. im Eischnellaufen. M.: Schlaraffia. H.: Skifahren, Schwimmen, Segeln, Hochseesegeln, Kochen. (M.B.)

Troyer Otto Dr.

B.: Gschf. Ges. FN.: Mundus Treuhand u. Revisions GmbH. DA.: 5020 Salzburg, Reichenhaller Str. 6. PA.: 5020 Salzburg, Koch-Sternfeld-G. 8. G.: Salzburg, 4. Sep. 1938. V.: Margit, geb. Gelbricht. Ki.: Wolfgang, Michael, Markus. El.: Dr. Otto u. Gertrude. S.: VS, RG, 1957 Matura, Jusstud. Innsbruck u. Wien, 1961 Prom., BH. K.: Gerichtsj., Eintritt als Ass. in Steuerberatungskzl., 1967 Fachprüf. f. Steuerberater, 1973 Fachprüf. f. Buchprüfer, 1975 Fachprüf. f. Wirtschaftsprüfer, 1968 Kauf Mundus Ges. u. Gschf. Ges., Gschf. Ges.: Michael Haslinger Wirtschaftstreuhandges. Zell/See, Mayr u. Schönberger Wirtschaftstreuhandges. M: Landesobm. d. Ver. Österr. Wirtschaftstreuhänder Landesstelle Sbg., Lions Club Sbg. H.: Skisport, Radfahren, Tennis, Golf. (D.E.)

Trubacek Albert KommR. Prof. Ing.
B.: Firmeninh., Kapitän. A.: 2380 Perchtoldsdorf, Dechant-Zeiner-G. 17. G.: Wien, 16. Jan. 1928. V.: Heide Maria, geb. Splichal. S.: Mittelschule, HTL, TGM, Starkstromtechn., weiter 42 staatl. Prüf. (u.a.: Allg. Funksprechzeugnis f. d. Schiffsfunkdienst, Schiffsführer-Lizenzen f. Hochsee, Binnengewässer, Segel- u. Sportbootführerschein, Flugzeugführer-Lizenzen f. Deutschland, Frankreich, Italien, Österr., Schweiz, Ing.-Urkunde, Refa-Bescheinigung, Sportprüfer u. Skilehrer, Schiedsrichter ÖFB, fachmänn. Laienrichter uva.), Reinhardt-Seminar m. Reifeprüf. absolv. (Künstlername: Albert Truby). K.: Seit d. 6. Lebensjahr künstler. tätig, Mitwirkung an über 100 Theaterpremieren an Bühnen wie Burgtheater, Theater an d. Josefstadt, Volksoper, Raimundtheater, Bürgertheater u. Stadttheater sowie in München, Hamburg u. Zürich, 14 Spielfilme uva. F.: Inh. einer Lehranst. f. d. Schiffsfunkdienst, einer Wasserskischule, einer Prüfungsstelle f. d. Österr. Sport- u. Turnabzeichen, eines Automatenvertriebs, einer Autoverwertung, Verleih v. Musik- u. Spielautomaten, Chauffeur Aushilfe, Erz. u. Verlegung v. Bodenbelägen, Fbk. f. Chem.-techn. Prod., Filmprod., Kredit- u. Versicherungsuntern., Mietwagen-Gew., Taxiuntern., Abschleppdienst, Skischule u.a. P.: Hrsg. eines Buches f. d. Schiffahrt. E.: Ausz. f. d. beste schauspielerische Leistung b. d. Biennale in Venedig 1950 f. d. Spielfilm "Der Prozeß" Regie: G. W. Pabst, Gr. Gold. EZ d. Rep. Österr. H.: Reiten, Schwimmen, Tennis, Ski- u. Wasserskifahren, Fliegen.

Trubacik Anton
B.: Abt.-Ltr., Techn. Kundendienst "Sparkassenverlag". DA.: 1030 Wien, Grimmelshauseng. 1. PA.: 1110 Wien, Meidlg. 25/3/1/7. G.: Wien, 15. Jan. 1953. Ki.: Michael (1975). El.: Anton u. Edith, geb. Kreihsler. S.: Feinmechanikerlehre. K.: 1969-73 Feinmechaniker Firma Reichert, 1973-76 Firma Herz AG, 1976-79 Kundendiensttechniker Firma Dorfmeister, 1979-90 Kundendiensttechniker 3M Österr., ab 1983 Kun-

dendienstltr., seit 1990 Abt.-Ltr. b. Sparkassenverlag. H.: Skifahren, Fußball, Tennis, Wandern, Lesen, individualgestaltete weite Reisen. (N.A.)

Trubert-Exinger Doris Dr. med. Prim.

B.: Ltr. d. Zentrallaboratorium d. A.ö. KH St. Pölten. DA.: 3100 St. Pölten, Propst-Führer-Str. 4. PA.: 3100 St. Pölten, Hans-Czettel-Str. 3. G.: St. Pölten, 8. Dez. 1953. Ki.: Viktoria (1984), Gregor (1991). El.: Dr. Franz u. Therese Josefine Exinger, geb. Stelzhammer. S.: VS,WKRG, Inst. d. Engl. Fräulein St. Pölten, 1972 Matura, Med.-Stud. Univ. Wien, 1979 Prom. K.: 1979-81 Ausbild. am KH St. Pölten, ab 1982 FA-Ausbildung KH Lainz Wien, 1986 FA f. Med. u. Chem. Labordiagnostik, OA im Zentrallaboratorium KH Lainz, ab 1992 Ltr. d. Zentrallaboratorium d. A.ö. KH St. Pölten. P.: Publ. u. Vorträge über Qualitätssicherung u. Rundversuche. BL.: 1979, 1983, 1984 u. 1986 mehrfache Ärzteweltmeisterin im Tennis, mehrfache Ärzteweltmeisterin im Schifahren i. Einzelbewerben u. 1986 i. d. Alpinen Kombination, 1993 Motorbootführerschein. M.: Vorstandsmitglied d. Österr. Gesellschaft f. Laboratoriumsmedizin, Österr. Gesellschaft f. klinische Chemie, Fachgruppenvorsitzende i. NÖ f. d. Sonderfach Med. u. Chem. Labordiagnostik. H.: Skifahren, Tennis, Wasserskifahren. (M.M.)

Trübler Wilhelm Mag. Prof.

B.: Prof. f. Klavier. GT.: Konzertpianist. DA.: 4040 Linz, Wildbergstr. 18. El.: Dipl.-Ing. Wilhelm Rudolf Franz u. Helene. S.: VS, Gymn, Matura, Stud. Klavier u. Musikpäd. Wr. Musik-HS, Dipl.-Prüf. aus Klavier-Konzertfach u. Klavier-Vokalbegleitung, Mag. art., Mstr.-Kurse b. Alexander Jenner u. Stanislav Neuhaus. K.: 1973 1. Preis b. Rudolf Heydner-Klavierwettbewerb Wien, 1978 Dipl. b. Inter. Musikwettbewerb i. Genf, zahlr. Klavierabende, Konzerte m. namhaften Orchestern, Kammermusik, Konzertreisen nach Deutschland, Italien, Frankreich , England, Türkei sowie außereurop. Staaten, 1982 1. Auftreten im Gr. Musikvereinssaal i.Wien, 1983 Debüt b. d. Festspielen Europ. Wochen Passau, Konzertmitschnitte u. Produktionaufnahmen durch d. ORF, seit 1977 Prof. f. Klavier am Brucknerkonservatorium, 1972-77 Musikerziehung, Chor u. Klavier BA Wien. P.: viele Veröff. i. TV u. Radio. H.: Radfahren, Schwimmen, Wandern, Theater, Bösendorfer Computerflügel. (U.E.)

Trücher Karl

B.: Eigentümer. FN.: Heimatmuseum. DA./PA.: 8530 Deutschlandsberg, Unterer Steinwandweg 8. G.: Deutschlandsberg, 25. April 1911. V.: Käthe, geb. Hinz. Ki.: Oskar (1940), Waltraud (1948). S.: VS, landwirts. Fortbildungsschule, Gärtnerlehre. K.: bis 1934 Mitarb. am elterl. Hof, 1934-39 in Dtl. Besuch einer landwirts. Schule, Gymnastikschule, Gutsinspekt. in Herrendorf, 1939 in Österr. frei künstl. tätig, Übern. d. elterl. Landwirts., Modernisierung u. Erricht. einer Pfirsichplantage, Kriegsdienst u. Aufenthalt im Raketenstützpunkt b. Wernher v. Braun, Grdg. einer Tauschzentrale in Deutschlandsberg, Handel mit antiken- u. Gebrauchmöbel, Grdg. einer Möbelhandl. u. 1. Informationsausstell., 1979 Grdg. d. Weststeir. Verkaufsmesse - Messedir. BL.: 1962 Alleinaufbau d. Heimatmuseums. E.: gold. ER d. Stadt Deutschlandsberg, Erzherzog-Johann-Med. d. Landes Stmk., Großes silb. EK d. Landes Stmk., u.v.a. H.: Sammeln, Malen, Schnitzen. (I.G.)

Truchsess Harald

B.: Firmeninh. FN.: Harald Truchsess. DA. u. PA.: 8072 Fernitz, Grazer Str. 24. G.: Thondorf, 3. Dez. 1940. V.: Renate, geb. Weiker. Ki.: Waltraud (1961), Karl (1965). El.: Karl u. Hildegard. S.: Pflichtschule, Lehre Kfz-Mechaniker, daneben Kfz-Mstr.-Schule, 1963 Abschluß, 1964 Mstr.-Prüf. K.: 1965 Grdg. d. Betriebes Harald Truchsess, 1965-72 Autorennen (Tourenwagen), 1972-78 Motorcross, 1968 4. Pl. Tourenwagen EM Brünn, Pause im Sport f. Geschäftsaufbau, 1980 Neueinstieg in d. Sport als Betreuer d. Sohnes. H.: Rennsport, Tennis. (F.K.)

Truchsess Karl

B.: Kfz-Mechaniker. FN.: Harald Truchsess. DA. u. PA.: 8072 Fernitz, Grazer Str. 24. G.: Graz, 11. Febr. 1965. Ki.: David (1988). El.: Harald u. Renate, geb. Weiker. S.: VS, HS, Polytechn. Lehrgang, Lehre Kfz-Mechaniker, 1984 Abschluß. K.: Tätigkeit im elterl. Betrieb, seit 1980 Motorsport. BL.: Preise im Motorsport: 2x Staatsmstr. 50ccm, 1x 3. Staatsmstr. 350ccm, 6x Staatsmstr. 500ccm, 2x 4. Pl. Gesamtwertung EM, 8. Pl. WM Lauf Rijeka, 1992 bester Europäer Macao, 1993 Rennen in Florida, Vollamateur b. Profirennen. H.: Tennis, Skifahren, Krafttraining. (F.K.)

Trudak Christian Mag.

B.: Arch. DA. u. PA.: 2093 Geras, Vorstadt 2. G.: Wien, 2. Juni 1956. El.: Guido u. Gertrude, geb. Schuster. S.: VS, 1974 AHS-Matura, Arch-Stud. Hochschule f. Angew. Kunst, 1979 Spons. z. Mag. arch. K.: 1979-84 Arch. Atelier P + F, 1984 Ziviltechnikerprüf., 1985 Übersiedlung nach Geras als freischaff. Arch. H.: Segeln, Skifahren. (M.M.)

Truger Ulrike

B.: Ak. Bildhauerin. DA.: 1020 Wien,Meiereistr. 3. Staatsatelier. G.: Hartberg, 16. Okt. 1948. Ki.: Irina, Anke. El.: Walter u. Carla Truger. S.: 1967 Matura in Wien, LBA u. Stud. Math. K.: Berufspraxis als VS-Lehrerin in Wien u. Reporterin d. AZ, Beschäftigung m. Fotografie später Kombination aus Fotografie u. Objektkunst u. stärkere Tendenz z. Plastik, ab 1971 Stud. an d. HS f. angew. Kunst b. Prof. Wander Bertoni, 1975 Dipl., seither freischaff. Künstlerin, Kunst im öff. Raum, Steinbildhauerei Großplastik. P.: Ausstellungen u. Ausstellungsbeteiligungen: Steir. Herbst Graz 1978, Anthropos Wien 1981, Wr. Festwochen 1983, Künstlerhaus Wien 1986, Galerie Yppen Wien 1986, BAWAG-Fondation 1988, Städt. Museen Heilbronn 1993. E.: Preise u. Stipendien, Kunstpreis d. Stadt Hartberg 1974, Theodor Körner-Preis 1977, Staatsstipendium d. bild. Kunst 1981, Wr. Festwochenpreis 1983. (M.B.)

Trügler Josef Bernhard

B.: Inh. FN.: Sepp Trügler Recycling. DA.: 8750 Judenburg, Bauhofg. 14. PA.: 8750 Judenburg, Teuffenbachstr. 13. G.: Wildbad/Einöd, 6. Mai 1946. V.: Theresia Maria, geb. Steiner. Ki.: Werner Josef (1971), Stefan Bernhard (1976). El.: Sepp u. Hildegard. S.: VS, HS, kfm. Lehre Firma Meinl Judenburg, 1963 Abschluß. K.: b. 1971 Tätigkeit Firma Meinl, 1971-82 Hauptkassier m. Sparkassenprüf. Sparkasse Judenburg, 1974 nebenbei Kinokonzessionsprüf., 1982-84 Einarb. im elterl. Betrieb Schrotthdl., 1985 Übernahme d. Betriebes, 1992 Grdg. Trügler Recycling u. Transport GmbH. E.: 1991 Umweltpreis d. Girozentrale u. Bank d. Österr. Sparkassen AG. M.: Stmk. Berg- u. Naturwacht. H.: Fischen, Eisschießen, Wandern, Lesen. (I.G.)

Truhlar Eveline Sylvia Eleonore

B.: Inh. FN.: Bob´s Special Tours. DA/PA.: 5082 Fürstenbrunn, Lettensteig 11. G.: Wien, 15. Febr. 1949. V.: Bruno. Ki.: Andreas (17J.), Gotthart (6J.). El.: Ing. Josef u. Leopoldine Pöschl. S.: VS, Realgymn., Abendschule HAK. K.: neben Abends. tätig bei Fa. Mayer & Co, Arb.-Vorbereitung, anschl. Buchclub Europa, danach Lehrerin f. Maschinschreiben u. Steno in Kuchl, 1976 Heirat m. Amerikaner u. Grdg. Fa. Bob´s Special Tours; weitere Firmengrdg.: Vermittl.- u. ServicegesmbH (Waren aller Art u. Vermittl. v. Investmentfonds). (D.E.)

Truls Rainer

B.: Gschf. FN.: Staedtler Schreib u. Zeichengeräte. DA.: 1222 Wien, Puchg. 10. PA.: 1190 Wien, Krottenbachstr. 122. G.: Prag, 26. Juli 1944. V.: Gertude, geb. Krejca. Ki.: Ursula (1967), Christa (1968). El.: Helmut u. Marlies. S.: VS, HS, Kfm. K.: Kfm. Lehre, Absolv. versch. Kurse. K.: Fa. Wöss u. Co, 1962-70 im Außendienst tätig. 1971-81 Außendienst d. Fa. Beiersdorf-Sparte Klebebänder,1981 Eintritt bei d. Fa. Staedtler im Außendienst, 1987-88 als Verkaufsltr., s. Jan. 1989 Gschf. H.: Tiere, Tennis, Fußball, Skifahren. (I.J.)

Truhlár Jan

B.: Komponist AKM Wien, Unterricht an d. Landesmusikschule Perg. DA.: 4320 Perg, Marchlandstr. 46. PA.: 4020 Linz, Dauphinestr. 82. G.: Prag, 6. Juli 1928. V.: Maria, geb. Puzderová. Ki.: Ivo (1965), Dalibor (1969). El.: Jan u. Anna. BV.: Dirigent Eduard Fischer. S.: Chemie-HTL in Kolin, 1947 Matura, 1948-53 Stud. Gitarre u. Komposition Konservatorium Prag, nebenbei Musik f. Theater komponiert, 1953-58 AMU Prag, Ak. HS d. Mus. Künste (Komposition), 1958-62 Gitarrenuterricht, 1962-66 Korrepetitor d. Balletts b. Theater, 1966-68 Musiktheorieunterricht am Konservatorium in Kosice, danach freiberufl. als Komponist, 1981 nach Österr. emigriert, seit 1982 Unterricht in Musikschule Perg u. Gymn. Lentia 2000, 1981-85 Unterr. am Konservatorium Prag, 1988 österr. Staatsbürger. E.: 1. Preis b. Coupe mondial de la Gitarre 1963, 2. Preis b. Gubmondial dela Gitarre 1964, Sieger versch. Wettbewerbe in d. CSFR, 1989 Sieger le Prix de l'academie d'haute province, 1963 Ausz. f. Frauenchor in Bratislawa (Komposition), 1964 Ausz. f. Männerchor (Komposition), 1969 Akkordionpreis in Bratislawa. M.: AKM. H.: Schach, Sport (passiv). (U.E.)

Trumler Gerhard Prof.

B.: Photograph. DA.: 1200 Wien, Brigittenauer Lände 16. PA.: 1020 Wien, Obere Donaustr. 57. G.: Wien, 5. Dez. 1937. V.: Friederike. Ki.: Univ.-Ass. Mag. Wolfgang (1967), Barbara (1974). El.: Adolf u. Getrude. S.: 1956 Matura, Stud. Photographie Wien u. München. K.: Radarfluglotse u. Banker, seit 1969 freier Photograph, Publ. in Kunst- u. Kulturmagazinen d. Welt, neben Tätigkeit f. Ind., Werbung u. intern. Schallplattenkonzerne, Publ. v. weltweit über 70 eigenen Büchern u. Mitarb. an über 200 weiteren Werken u.a. "Klösterreich" (1978), "Traumschlösser" (1979), "Der Böhmerwald" (1980), "Die Wr. Werkstätte" (1983), "Wr. Mode um 1900", "Die schönsten Landschlösser u. Herrensitze in Osteuropa" (1991), "Das Waldviertel" (1992), "Granit" (1994). F.: Inh. d. intern. Photoschule u. Studio Langschlag, Rosenhof Fraberg. E.: zahlr. Ausz. u.a. 4 Staatspreise f. Photographie, Gr. Gold. EZ f. Verd. um d. Österr. Berufsphotographie, Förderungspreis d. Landes NÖ. H.: Photographie, Bergsteigen. (J.S.)

Trummer August

B.: Kfm., Inh. d. Galerie Grazbach, freischaff. Maler. DA.: 8010 Graz, Grazbachg. 39. PA.: 8020 Graz, Fellingerg. 8. G.: Grottenhof/Leibnitz, 18. Aug. 1946. V.: Martha, geb. Kleer. Ki.: Bernhard (1975). El.: August u. Anna. S.: VS, HS, Stud. d. Malerei b. Prof. Hartig, Osterider u. Walcher, Kurse "Farbe u. Form" u. "Aktzeichnen", Ausbild. Herrenschneider. K.: seit 1975 Kunsthändler, seit 1981 Inh. d. Galerie Grazbach, Einzelausstellungen in Leibnitz, Graz, Innsbruck, Kapfenberg, Wien u.a. Teilnahme an Ausstellungen in Reutlingen (BRD), Darmstadt, Kiel, Husum, Norderstaedt (BRD) u. Rijeka (Jugoslawien), Werke befinden sich u.a. im Bes. d. Unterrichtsmin., d. Stmk. LRg., d. Stadt Innsbruck u. versch. öff. Inst. P.: "Carl Rotky. Das druckgraph. Werk" 1981, versch. Aufsätze, Texte. E.: Ehrenmed. d. Stadt Graz. M.: Vorst.Mtgl. d. Stmk. Kunstver. Werkbund seit 1980. H.: Musik, Theater, Beruf. (C.H.S.)

Trummer Rudolf

B.: Regionaldir. OÖ u. Sbg. d. Nordstern-Colonia. DA.: 4020 Linz, Hamerlingstr. 27. PA.: 4030 Linz, Im Bäckerwinkel 7. G.: Waidhofen/Ybbs, 31. Aug. 1945. V.: Claudia, geb. Holzinger. El.: Friedrich u. Maria, geb. Schülingkamp. S.: VS, HS, 1959-62 kfm. Berufsschule Linz. K.: Großhdl. Firma Pfeiffer, Erste Allg. Vers., 1966 Übernahme d. elterl. Betriebes, ab 1971 kfm. Ltg. Betonwerk Obermayr, ab 1976 Führungskraft Austria Vers., 1989 Landesdir. Nordstern Vers., 1993 Regionaldir. Nordstern-Colonia. H.: Modelleisenbahn, Hausbau. (C.D.)

Trummer Peter Dipl.-Ing.

B.: selbst. Arch., Prof. an d. HTL Graz, Ziviling. DA.: 8010 Graz, Richard-Wagner-G. 20. PA.: 8010 Graz, Heinrichstr. 29. G.: Graz, 9. Aug. 1928. V.: Irmgard, geb. Schmied. Ki.:

Martin, Birgit, Andreas. El.: Oskar u. Herma. BV.: Erzbischof Waitz v. Sbg., Paula Grogger. S.: Gymn. Graz, Theresianum Wien, Matura 1946, Stud. d. Arch. an d. TH Graz, Grad. 1955, Ziviling.-Prüf. 1960. K.: Wiss. Hilfskraft an d. Lehrkanzel f. Baukunst, 1953-55 TH Graz, 1955-69 HS-Ass., OAss., seit 1970 Prof. an d. HTL Graz, seit 1960 selbst. Arch. P.: Schulbuch: "Gestaltungslehre", II. Teil, 1988 (gem. m. Wilh. Brenner). E.: OStR. 1989, div. Wettbewerbspreise. M.: Ing.Kam. f. Stmk. u. Ktn., Zentralvereinig. d. Arch., LVerb. Stmk. (ehem. VPräs.). H.: Segeln, Handwerk, Garten. (C.H.S.)

Trummer Rudolf

B.: Gschf. Ges. FN.: MKT Metallkonstruktions Technik GmbH & Co KG, Trummer Montage GmbH & Co KG. DA.: 8200 Albersdorf, Industriestr. 1, 8093 Dietersdorf 102. PA.: 8093 Dietersdorf 83. G.: Feldbach, 23. Apr. 1960. El.: Rudolf u. Aloisia. S.: Pflichtschule, Lehre als Stahlbauschlosser, 1978 Lehrabschluß, BH. K.: 1981 UNO-Einsatz, Einstieg in d. Beruf Bereich Montage, vorwiegend Europa u. Naher Osten, 1987 Grdg. Firma Trummer Montage, 1989 Grdg. Firma MKT, 1992 Bau einer neuen Produktionsstätte am bestehenden Ort, Zweigstelle in Götzis, Vbg. Wirtschaftspark. H.: Reisen, alte Motorräder. (F.K.)

Trunsperger Albert

B.: Inh. FN.: Hotel Chesa Platina. DA.: 6780 Schruns, Flurstr. 19. G.: Bregenz, 3. Jan. 1939. B.: Silvia. Ki.: Sandra (1966), Sabrina (1968), Natalie (9181), Verena (1983), Caroline (1988). El.: Albert u. Theresia. S.: VS, HS, HASCH Feldkirch, Lehre a. Bierbrauer i. Frastanz, 1960 Abschluß. K.: Praktikum a. Bierbrauer i. Schweden u. D, 1960-61 Braumeisterschule München (Doemens), 1963 Führung d. elterlichen Löwenbrauerei i. Bregenz, 1969 Übersiedelung n. Schruns, Neubau d. Hotels Chesa Platina, 1988 Zubau Kuranst., Kuranst.-Führer i. "Feel Well". M.: GM v. 1. Golfclub Vorarlberg, Golfclub Zelfen Montafon. H.: Golf, Tennis, Schi, Videofilmen, Wassersport.

Truppe Ferdinand Ing.

B.: LBmtr. in d. Abt. Straßenbau b. Amt d. Ktn. LRg. GT.: Stadtrat d. Stadt Villach, Bez.Obm. d. ÖAAB Villach. DA.: 9020 Klagenfurt, Bahnhofpl. 5. PA.: 9500 Villach, Bärengrabenstr. 33. G.: Villach, 2. Nov. 1945. V.: Edeltraud, geb. Struckl. Ki.: Günther, Norbert. El.: Ferdinand u. Maria. S.: HTL Villach, 1965 Matura. K.: seit 1966 b. Amt d. Ktn. LRg. tätig, 1975-85 Organ.Ref. d. ÖAAB in Villach, ab 1985 Bez.-Obm. d. ÖAAB Villach, ab 1985 GemR. d. Stadt Villach, Stadtrat s. 1990. P.: Beiträge z. Arbeitsmarktpolitik in div. Tageszeitungen. M.: Ktn. Landsmannschaft, Österr.-Jugoslaw. Ges., div. örtl. Ver. H.: Schwimmen, Literatur, Radfahren.

Truppe Paul Dr.
B.: Ang. i.R. A.: 9020 Klagenfurt, Franz-Wurm-Weg 11. G.: Arnoldstein, 10. Jan. 1913. V.: Anna, geb. Mörtl. El.: Johann u. Anna. S.: VS, HS, Maurerlehrling, Fachschule, Fernkurs f. Bautechn., HS, Staatswiss. K.: Polier, Baultr., Abg. z. Ktn. Landtag, Präs. d. Arbeiterkam. f. Ktn., Abg. z. NatR., s. 1958 parteipolit. nicht mehr tätig. P.: Sporad. Pressebeiträge. M.: Dzt. Filmklub, Österr.-Jugoslaw. Ges., Rotes Kreuz. H.: Basteln, Filmen, Gartenarbeit u. Beobachtung d. Vorgänge.

Truppe-Heinrich Gertraute Prof. Europeo (Florenz)
B.: ak. Malerin. DA.: 6850 Dornbirn, Schulg. 7. Ki.: Peter. El.: Richard u. Aurelia Heinrich. BV.: Vater Richard Heinrich k.u.k. Offz. S.: Staatl. Kunstak. Dresden, Studienaufenthalte in Madrid u. Rom, zahlr. Studienreisen. K.: Tätigkeit als freischaff. Malerin (seit 30 J. in Vbg.), Kinderbildnisse auf Reinseide, Ausstellungen u.a. in Rom, Venedig, Innsbruck, Klagenfurt, Dornbirn, Liechtenstein, Ausstellungsbeteiligungen in Dresden, München, Salsomaggiore/Parma, Baden-Baden, Mainz, Straßburg, Florenz. E.: vielfältige Ausz. M.: Berufsver. d. Bild. Künstler Vbg., Ehrenmtgl. Tomaso Campanella Rom. H.: Klavierspielen, Literatur. (A.K.)

Trutschnig Horst
B.: LSekr. d. Chemiegewerkschaft. FN.: ÖGB. GT.: KamR. d. Arbeiterkam. Tir., Vorst.Mtgl. d. Tir. Gebietskrankenkasse. DA.: 6020 Innsbruck, Südtiroler Pl. 14-16. PA.: 6073 Sistrans, Rinnerstr. 269. G.: Innsbruck, 15. Mai 1940. V.: Hilde, geb. Unteraichner. S.: VS, HS, Ausbild. z. Chir. u. Orthopädiemechaniker m. Gesellenbrief, 1959 Abschluß, 1960-63 Bankak. Deutschland, Bankkfm. K.: 1960-64 Dresdner Bank Essen, 1965-67 Länderbank Innsbruck, 1967-69 Vers.Wirtschaft, 1969-76 Ltr. d. Mannheimer Vers. Innsbruck, seit 1977 LSekr. b. ÖGB. M.: BSA, SPÖ, Sportver. Innsbruck. H.: Skifahren, Literatur, Wandern, Segeln. (W.G.)

Tsatsaris Panos
B.: Inh. d. Restaurant "Der Grieche" ("Haydn Stüberl"). DA.: 1060 Wien, Barnabiteng. 5. PA.: 1130 Wien, Napoleonwaldg. 8. G.: Korinth/Griechenland, 2. Nov. 1936. V.: Milena, geb. Pifaz. Ki.: Mag. Dina (1964), Sisi-Athanasia (1975), Wlassis (1980). El.: Wlassis u. Athanasia. S.: Matura in Griechenland, Med.Stud. Univ. Wien, Fremdenverkehrsschule. K.: 1964-65 Praxis in d. Gastronomiebranche, 1966 Grdg. d. eigenen Restaurants. BL.: Grdg. u. Führung eines Griech. Studentenlokals in Wien, Verbreitung d. Griech. Geschichte u. Kultur in Österr. E.: 1986 Silb. EZ f. bes. Verd. um d. Wr. Gastgewerbe. M.: Gen.Sekr. d. Griech. Gem. St. Georg. H.: Politik, Literatur, Fußball. (N.A.)

Tschabrun Helmut

B.: GF. FN.: Hotel Brunella. DA.: 6773 Vandans 400. G.: Bludenz, 24. Jul. 1951. El.: Norbert u. Frieda. S.: VS, HASCH Feldkirch. K.: 1969 Hotelpraxis i. London. 1970 i. elterl. Hotelbetrieb, Aufbau d. Betriebs. M.: VVS, Tennisclub.H.: Schifahren, Schwimmen, Tennis. (I.D.)

Tschabrun Reinhard
B.: Gschf. Ges., Fliesenleger, Ofensetzer. FN.: Wohnkeramik GmbH. DA.: 6830 Rankweil, Alemannenstr. 41. PA.: 6824 Schlins, Mühleweg 3. G.: Nenzing, 14. Apr. 1950. V.: Huberta. Ki.: Oliver (1971), Nicole (1974), Sascha (1981), Marc (1986). El.: Wilhelm u. Maria. S.: VS, HS, Lehre als Fliesenleger u. Ofensetzer, 1970 Militär, 1991 Mstr.-Prüf. K.: 1970 Fliesenlegergeselle in Liechtenstein, 1990 Eintritt Wohnkeramik GmbH, 1991 Gschf., 1992 Übernahme d. Geschäftes. M.: Fußballclub Nenzing, Fußballclub Schlins, VObm. Turnver. Schlins, Gewerbezunft Schlins-Röns. H.: Turnen, Fußball, Skifahren. (I.D.)

Tschach Josef G. Dr. iur. Mag.
B.: Chef d. Sekt. II f. bilaterale Außenwirtschaftspolitik im Bundesmin. f. wirtschaftl. Angelegenheiten. DA.: 1011 Wien, Stubenring 1. G.: Mattersburg, 7. Okt. 1932. V.: Mag. Edith, geb. Kirnbauer. Ki.: Dr. Harald (1956), Dr. Beate (1959). El.: Johann u. Hermine, geb. Meidl. S.: 1950 Matura, 1950-55 Stud. Rechtswiss. Univ. Wien, Gerichtspraxis. K.: seit 1956 in versch. Gebieten u. Funktionen d. Außenhdls.-Politik im Bundesmin. f. wirtsch. Ang. tätig, 1987 Kabinettschef d. ehemaligen Bundesmin. Robert Graf, seit 1988 Ltr. d. Sekt. II. E.: Gr. Gold. EZ f. Verd. um d. Rep. Österr., Komturkreuz d. Landes Bgld., Gr. EZ f. Verd. um d. Rep. Österr., Bgld. Gr. EZ, Ritterkreuz d. dän. Danebrog-Orden. H.: Musik, Literatur, Malerei. (N.A.)

Tschach Peter
B.: Hoteldir. d. Hotel Schloß Wilhelminenberg. DA.: 1160 Wien, Savoyenstr. 2. G.: Kautzen/NÖ, 17. Mai 1947. V.: Margi, geb. Kraus. El.: Hugo u. Hannelore. S.: Hotellehre Hotel Bristol. K.: Amerikaaufenthalt, 1975-80 Betriebsltr. im Wienerwald-Konzern, 1980-85 selbst. m. einem Gastronomieunternehmen, 1985 Eintritt in d. Unternehmensgruppe Wigast-Wienerwald, Eröff. d. DDS-Johann Strauß, 1987-90 Wiener Rathauskeller, Betreuung d. Präsidialbüros d. Wr. Bgm., 1990 Dion.Ass. u. seit 1991 Hoteldir. d. Hotel Schloß Wilhelminenberg. H.: Laufen. (J.S.)

Tschandl Alfred
B.: Kfm. Dir. FN.: Druck- u. Verlagshaus Styria. GT.: Vors. d. Diözesankmsn. f. Entwicklungshilfe. DA.: 8010 Graz, Schönaug. 64. G.: Pinkafeld, 14. Sept. 1944. V.: Stefanie, geb. Mölch. Ki.: Jürgen (1969), Agnes (1971), Stefan (1972), Heidrun (1975). El.: Alois u. Rosa. S.: VS, HS, HAK, 1962 Matura, HS. f. Welthdl., 1966 Dipl., 1970 Prom. K.: 1968 Wirtschaftsltr. d. AfroAsiat. Inst., 1970 Ltr. d. RW d. Bischöfl. Ordinariats Graz, 1972 Ltr. d. RW d. Lehner & Putz Bau u. Paletten AG, 1974 Bischöfl. Ordinariat, 1975 Finanzdir. d. Diözese Graz-Seckau, 1989 Landesdir. Österr. Creditinst. Graz, 1991 Druck- u. Verlagshaus Styria. H.: Tennis, Basketball, Langlaufen, Bergwandern, Lesen. (C.R.)

Tschank Johann Dr.
B.: Vorst.-Dir., Ltr. d. Hauptabt. Adm. in d. BEWAG. GT.: Gschf. d. BEZEG (Joint Venture BEWAG-Poln. Elektrizitätsuntern. Gleiwitz). A.: 7000 Eisenstadt, Dreifaltigkeitsstr. K. 413. G.: St. Georgen, 30. Sept. 1934. V.: Sylvia, geb. Zsifkovics. El.: Johann u. Theresia. S.: Mittelschule, HS (Jus) Wien. K.: 2 J. Gerichtspraxis, 31 J. b. d. Bgld. Elektrizitätswirtschafts AG. E.: Ehrenmtgl. d. Österr. Fußballbundes auf Lebenszeit. H.: Waldläufe, Lesen, Theater, Konzerte.

Tscharnuter Werner M. Dr. o.Univ.-Prof.
B.: o.Univ.-Prof. f. Theoret. Astronomie. DA. u. PA.: 1180 Wien, Türkenschanzstr. 17. G.: Schloß Gstatt, 3. Juni 1945. V.: Margot, geb. Strohmaier. Ki.: Elke, Dietmar. El.: Dr. Wilhelm u. Juliane. S.: VS Leoben, RG Leoben, 1963 Matura RG Wien I. Stubenbastei, Stud. d. Astronomie, Math., Physik an d. Univ. Wien, 1968 Prom. z. Dr. phil. im Fach Astro-

nomie. K.: 1968-71 Ass. am Inst. f. Theoret. Astronomie d. Univ. Wien, 1971-75 Wiss. Ass. an d. Univ.Sternwarte in Göttingen, 1975 Habil. an d. Univ. Göttingen im Fach Astronomie u. Astrophysik, 1975-81 Wiss. Ang. am Max-Planck-Inst. f. Physik u. Astrophysik in Garching b. München, 1976 Umhabil. f. d. Gesamtgebiet d. Physik u. gleichzeitig Verleihung d. Dr. rer. nat. habil. an d. Univ. München, 1980 Ernennung z. o.Prof. f. Theoret. Astronomie an d. Univ. Wien, seit 1981 o.Prof. an d. Univ. Wien. P.: ca. 35 wiss. Fachart. in Zeitschriften, Büchern, Konferenzberichten. M.: Astronom. Ges., Intern. Astronom. Union (IAU), Auswärt. wiss. Mtgl. d. Max-Planck-Ges. (R.A.)

Tscharre Johann

B.: Inh. FN.: Tischlerei und Profilleistenerzeugung Johann Tscharre GmbH. DA. u. PA.: 9020 Klagenfurt, Kueßstr. 10. G.: Klagenfurt, 10. Apr. 1950. V.: Josefine, geb. Wang. Ki.: Michaela (1977), Johannes (1981). El.: Jakob u. Maria. S.: VS, HS, Tischlerlehre, 1967 Abschluß, Meister.-Schule Villach, 1970 Mstr.-Prüf. K.: seit 1970 selbst. m. Möbelbau, seit 1979 Profilleistenerzeugung f. In- u. Ausland, seit 1982 div. Objekte im Irak, Lybien, Polen, Deutschland, Slovenien u. Italien. E.: 1971 Ausz. d. Innung als jüngster, selbst. Tischlermeister Österreichs, 1993 Ausz. f. Betriebsführung d. Landeshauptm Zernatto und BM Dr. Schüssel. H.: Jagd, Skifahren, Wandern, Natur. (I.G.)

Tschavoll Hilmar

B.: Gschf. u. Inh., Designer. DA.: 6850 Dornbirn, Obere Härte 24. PA.: 6850 Dornbirn, Moosmahdstr. 4. G.: Sattein, 26. Aug. 1941. V.: Marina. Ki.: Karin (1971), Andreas (1967). El.: Karl u. Martina. BV.: Josef Andreas Ritter von Tschavoll Lani: 1. Präs. d. Roten Kreuzes, 1880 in d. Adelsstand erhoben. S.: Lehre m. Textilschule (Designer) in Dornbirn, 1959 Abschluß. K.: Designer in d. Schweiz u. Frankr., 1963-78 Designer in Konfektionsbetrieben in Europa u. Fernost, 1982 Firmengründ. in Dornbirn, Design u. Consulting, 1988 Gründ. d. zweiten Fa., Fa. Extra - Stoffhdl. m. eig. Kollektionen. M.: Tauchclub Vbg., Tennisclub Dornbirn, UTC Dornbirn. H.: Tauchen, Tennis, Freizeitfußball, Malen, Hasselblad-Fotograf, Bergtouren, Fischen. (I.D.)

Tschebull Max Dr. iur. HofR.

B.: Stadtamtsltr., Bmtr. DA.: 9400 Wolfsberg, Stadtgem. PA.: 9400 Wolfsberg, Reding 345. G.: Steinberg-Oberhaus, 30. Apr. 1934. V.: Helga, geb. Gstrein. Ki.: Mag. phil. Maria Luise, Mag. iur. Andrea, Bettina. El.: Thomas u. Maria, geb. Hinteregger. S.: VS St. Georgen, Klosterschule St. Andrä, Stiftsgymn. St. Paul, Stud. Univ. Graz. K.: b. 1957 Vers.Ang., b. 1965 Postang., danach LBediensteter, 1969-72 Bez.Hptm.-Stellv., 1970-73 GemR. d. Stadt Wolfsberg, ab 1972 Bediensteter d. Stadtgem. Wolfsberg, seit 1973 Stadtamtsdir. BL.: Aufbau d. Verw.Organ. im Zusammenhang m. bedeut. Strukturbereinigung Ausdehnung d. Gem. Wolfsberg. M.: ATSV Wolfsberg, Naturfreunde, Ktn. Burgen u. Schlösser Erhaltungsver. H.: Angelsport, Wandern, Lesen. (H.M.)

Tschech Engelbert

B.: Geschäftsinh.. FN.: Ristorante Corti, Ristorante Antonio GmbH. DA.: 8010 Graz, Münzgrabenstr. 17, 8700 Leoben, Franz-Josef-Str. 10. PA.: 8042 Graz, Marburger Str. 9. G.: Graz, 29. Apr. 1959. El.: Johann u. Angela. S.: HS, Lehre als Koch/Kellner, 1978 Gesellenprüf., 1979 Konzessionsprüf. K.: b. 1985 Koch/Kellner Deutschland, Schweiz u. Italien, 1986 Grdg. d. bestehenden Betriebes, 1987 Grdg. d. 2. Unternehmens, b. z. Grdg. d. Betriebe künstler. Fortbild. u. Betätigung im Bereich Grafik u. Malerei. P.: Plakatreihe in Anlehung an d. Charakterköpfe v. Franz Xaver Messerschmitt. E.: 1990 u. 1991 Wahl z. d. 100 besten Jungunternehmern, Ausz. d. Ital. Kochak. f. d. beste Regionalküche außerhalb Italiens. H.: Charakterkopfmodel in "Apotheker", "Beamter" f. d. Pressekonferenz u. Darstellung d. "Goldenen Ärmelschoners". (F.K.)

Tscheliessnigg Karlheinz Dr. med. univ.

B.:A. Univ.Doz., OA. A.: 8010 Graz, C.-v.-Hötzendorf-Str. 1. G.: Graz, 24. Dez. 1946. V.: Edith, geb. Schmickl. El.: w.HofR. Dipl.-Ing. Dr. tech. Erich u. Ilse. S.: VS, Mittelschule, BH, Med.Stud. in Graz. K.: 2 J. Path.-anatom. Inst. in Graz, 1/2 J. III. Med. Abt. Gegenfach, anschl. Univ. Klinik f. Chir., FA f. Chir. seit 1980, zahlr. Auslandsaufenthalte z. Studienzwecken in Deutschl, Engl., Amerika, seit 1982 Univ.Doz. f. Chir., s. 1989 Ltr. d. Klin. Abt. f. Transplantationschir. P.: 345 wiss. Arbeiten auf d. Geb. d. Allgemeinchir., Herzchir. u. experimentelle Chir. in dt. u. engl., zahlr. Vorträge in engl. u. dt. M.: Österr. Ges. f. Chir., Österr. Ges. f. experimentelle Cir., wiss. Ges. f. Ärzte d. Stmk., dt. Ges. f. Chir., dt. Ges. f. Herz- u. Gefäßchir., Österr. Ges. f. künstl. Organe, Intern. Society for Heart Transplantation. H.: Tennis, Schilauf, Schwimmen, Tanzen (Turnier).

Tscheppe Hubert

B.: Schauspieler d. Vereinigte Bühnen. DA. u. PA.: 1100 Wien, Humboldtg. 33/44. G.: Graz, 27. Sept. 1929. S.: HAK Graz, Schauspielschule Graz. K.: Mtgl. Studio d. HS Graz, 1950-60 Engagement am Schauspielhaus Graz, ab 1961 Wien, Schattenspiele im Fernsehen, 1966 Debüt während d. Wr. Festwochen unter Prof. Baumgartner am Theater an d. Wien, danach Engagement an d. Theater an d. Wien b. 1989, 1973-78 Belvedere-Theater, Raimund-Theater u. Grazer Schauspielhaus, seit 13 J. jährl. in USA, Kellertheater in Wien, im Fernsehen Unterhaltungsshows, sowie TV-Spiele u. Kindersendungen. (P.R.)

Tscheppe Roland Dipl.-Ing.

B.: Weinbauer Südsteir. Weinkellerei u. Weingut Eduard Tscheppe. DA.: 8463 Leutschach, Pössnitz 168. PA.: 8055 Graz, Mälzerweg 11. G.: Graz, 1. Juni 1943. V.: Waltraud, geb. Schwarzl. Ki.: Stefan (1974), Katharina u. Eduard (1976). El.: Eduard u. Margarethe. S.: 1961 HAK-Matura, Stud. Gärungstechnik u. Lebensmitteltechnologie HS f. Bdk. Wien, 1967 Grad. K.: Einstieg u. 1981 Übernahme d. elterl. Betrieb, 1974 Grdg. Steir. Weinkellerei Tscheppe GmbH, 1981 Gschf., 1986-91 Gremialvorst. Stmk. HK, 1986/87 Präs. d. Österr. Weininst. E.: eine Vielzahl an Höchstprämierungen b. nat. u. intern. Weinmessen. H.: Lesen, Reisen, Sport. (F.K.)

Tscherkassky Reinhard Mag. iur. HofR.

B.: Vorst. FN.: Finanzamt Mistelbach. DA.: 2130 Mistelbach, Mitschastr. 5. PA.: 2130 Mistelbach, Oberhoferstr. 6. G.: Mistelbach, 27. Nov. 1939. V.: Mag. pharm. Doris, geb. Strasser. Ki.: Philippa (1973), Ivo (1976). El.: Waldemar u. Julia. S.: VS, HS, Gymn., 1958 Matura, Stud. Phil. u. Jus., Univ. Wien, 1967 Mag. jur. K.: 1968 Ger.-J., 1969 Eintritt i. d. Finanzamt f. Gebühren u. Verkehrssteuern i. Wien, 1970 Finanzamt f. 1. Bez., 1974 Finanzamt f. 9., 18. u. 19. Bez., 1982 Stellv. d. Amtsvorst. i. Finanzamt f. d. 12., 13., 14. u. 23. Bez., 1987 Verleihung d. Amtstitel Hofrat, s. 1986 Vorst. i. Finanzamt Mistelbach. P.: langjähriger Vortragender a. Bild.-Zentrum d. Österr. Finanzverw. H.: Gartenpflege, Tennis, Skifahren. (M.M.)

Tscherne Josef

B.: Untern. FN.: Computer Tscherne. DA.: 8020 Graz, Karlauergürtel 1. PA.: 8071 Gössendorf, Grüne G. 6. G.: Fürstenfeld, 14. Nov. 1951. Ki.: Michaela (1971), Bernhard (1976). El.: Josef u. Hildegard. S.: VS, HS, Lehre z. Büromaschinenmechaniker, 1970 Gesellenprüf. K.: b. 1972 Techniker in d. BRD, b. 1980 in gr. österr. Firma, 1980 Wechsel in d. Verkauf, 1983 Firmenwechsel, b. 1989 ltd. Ang., ab 1989 selbst. Unternehmer Einzel- u. Großhdl. m. Computern, Eigenimport u. Vertrieb, Kundenservice, seit 1990 Standortwechsel. F.: Confident Erzeugung v. Software f. Hdl. u. Gewerbe, Programmerstellung f. Kalkulation u. Auftragsbewirtschaftung in höheren Datenbanksprachen. H.: Autos. (M.Gr.)

Tscherner Anton

B.: Ing., Inh. d. Fa. A. Tscherner - Techn. Büro f. Maschinenbau. DA.: 8053 Graz, Sandgrubenweg 4. G.: Graz, 16. Aug. 1948. V.: Ingrid, geb. Nestel. Ki.: Ingrid (1979), Maria (1980). El.: Anton u. Anna. S.: Lehre als Maschinenschlosser 1962-66, HTL f. Maschinenbau (Bulme) in Graz 1970-75. K.: s. 1966 Maschinentechniker, s. 1972 selbst. M.: SPÖ, Vorst.-Mtgl. d. SPÖ-Bez.-Organ. Graz-Wetzelsdorf, Mtgl. d. Fachgruppenaussch. d. Techn. Büros d. HK Stmk. H.: Schifahren, Eislaufen, Schwimmen, Bergsteigen, Lesen, Musiktheater, Konzerte. (P.M.)

Tschernigg Hannes Ing.

B.: Gschf. Ges. FN.: Reisinger Installationen GmbH. DA.: 8010 Graz, Brockmanng. 31. PA.: 8010 Graz, Waltendorfer Hauptstr. 48. G.: Wolfsberg, 3. Jän. 1956. V.: Eveline, geb. Reisinger. Ki.: Gundula (1984), Eva-Maria (1985). El.: Michael u. Gundi. S.: HBLA Land- u. Forstwirtschaft Raumberg, 1977 Matura, 6 Sem. Forstwirtschaft Univ. f. Bdk. Wien. K.: Eintritt Firma Reisinger & Co, 1/2 J. Lehrzeit m. späteren Wifi-Kursen - Heizungstechnikerkurs, seit 1985 Übernahme d. Firma m. Umwandlung in GmbH. H.: Jagd, Ldw., Fußball, Familie. (F.K.)

Tschernitz Erich

B.: Landesrat, Sozialref. d. Stmk. Landesreg. DA.: 8010 Graz, Landhaus. PA.: 8784 Trieben, Löschsiedlung 1. G.: Gleink b. Steyr, 6. Juni 1933. V.: Margarethe, geb. Machherndl. Ki.: Erika (1953), Ulrike (1955), Astrid (1968), Michaela (1972). K.: ab 1947 Ldw. Praktikant in St. Lorenzen/Trieben, 1950 Veitscher Magnesitwerke AG, Besuch versch. Grund- u. Aufbaukurse d. ÖGB, d. Veitscher Magnesitwerke AG u. d. Otto-Möbes-Volkswirtschaftsschule Graz, ab 1973 Arbeiter-BRO d. Veitscher Magnesit - Werk Trieben, Vors. d. ZBRO b. 1992, 1965-91 Mtgl. d. Gem.-Rates v. Trieben, 1973-91 Bez.-Obm. d. ÖGB im Bez. Liezen, 1974-89 AR-Mtgl. d. Veitscher Magnesitwerke AG, 1981 Bez.-Obm. d. SPÖ im Bez. Liezen u. Berufung in d. Sozialist. Landtagsklub, s. 1988 Mtgl. d. Stmk. Landesreg. als Ref. f. Sozialhilfe u. Jugendwohlfahrt. H.: Wandern, Schifahren, Musik. (P.M.)

Tschernitz Otto

B.: Inh. FN.: Autohaus Tschernitz. GT.: 1980-90 GemR. Öblarn. DA. u. PA.: 8960 Öblarn 184. G.: Salzburg, 13. Aug. 1940. V.: Veronika, geb. Gerhardter. Ki.: Ing. Otto (1969), Daniela (1973), Bettina (1975). El.: Ludwig u. Anna

S.: VS, HS, Maschinenschlosser- u. Kfz-Mechanikerlehre, 1959 Abschluß. K.: 1961-63 Abendkurs Maschinenbauwerkmstr. mit. Abschlußprüf., 1964 Kfz-Mechanikermstr.-Prüf., 1966 Firmengrdg. in Öblarn Opel Verkauf u. Werkstätte, 1969 Konzession f. Lichtspiele, 1976 Konzession f. Gastgewerbe, 1989 Firmengrdg. Schladming, Ford Werksvertretung u. Werkstätte, 1992 Ankauf Werkstätte in Trieben, Hauptvertreter Citroen. E.: Gold. VZ d. Kameradschaftsbundes Öblarn. M.: s. 1958 Musikver. Öblarn, s. 1970 Bauernkapelle. H.: Musik, Schach, Schwimmen. (I.G.)

Tscherteu Ernst

B.: Prok., Manager. FN.: Golfanlagen GmbH. DA.: 9062 Moosburg, Golfstr. 2. PA.: 9132 Gallizien 53. G.: Klagenfurt, 11. Juli 1956. V.: Heidelinde, geb. Offner. Ki.: Cornelia (1979). El.: Ernst u. Berta. S.: VS, HS, BH, 1971-78 Wirtschaftsausbild. in einem Steuerbüro, Buchhalter- u. Bilanzbuchhalterprüf. K.: 2 Jahre Ltr. Rechnungswesen in einem Wirtschaftsunternehmen, 1980-91 Bereich Sonderkredit u. Leasing b. Raiffeisen, ab 1992 Management Golfanlage, 1. Ktn. Golfschule u. Golfak. H.: Film, Videobereich. (G.L.)

Tschida Michaela Dr. med.

B.: Prakt. Ärztin. DA. u. PA.: 7142 Illmitz, Obere Hauptstr. 25. G.: München, 2. Sept. 1955. V.: Johann Tschida. Ki.: Florian. El.: Mirek u. Jutta Podivinsky. S.: 1974 Matura, Stud. d. Med. Ludwig Maximilian-Univ. München, 1980 Prom. K.: 1981-84 Turnus im KH d. Barmherzigen Brüder in Eisenstadt, 1984 prakt. Ärztin, s. 1985 eigene Ordination in Illmitz, s. 1986 Abhaltung v. Bewegungstherapiekursen in d. Ordination. P.: 1980 Diss. am Inst. f. Rechtsmed. München "Tödliche Intoxitaktionen i. d. Jahren 1970-77". H.:Reisen, Literatur, klass. Musik, Gitarre spielen, Theater, (M.B.)

Tschiedel Walter Dipl.-Ing. Prof.

B.: Prof., Inh. d. Fa. WAT electronics. A.: 1090 Wien, Reznicekg. 3/26. G.: Wien, 27. Juli 1942. V.: Ing. Edith, geb. Reifert. S.: RG 8, TGM, Ing., TU Wien, Dipl.-Ing. Physikstud., Univ. f. Bildungswiss. Klagenfurt. K.: Entwicklungsing. Fa. Rohde & Schwarz München 1961-64, Ass. HTBLuVA Wien I 1964-68 gleichzeitig Stud. TU Wien, Prof. HTBLVA Wien I s. 1964, 1980 Grdg. d. Fa. Wat electronics, Eigentümer d. Original-Negativarchivs Setzer Tschiedel (ca. 24.000 Portraits berühmter Persönl.), Mtgl. d. Mstr.Prüf.-Kmsn. Kam. d. gew. Wirtschaft. F.: WAT elelctronics. P.: Zeitschrift f. angew. Physik, Neuartige Interferenzanordnung b. Verwendung v. Multimodenlasern. M.: Schubertbund Wien, Schubertianer Wien. H.: Gesang, Amateurfunk, Schisport.

Tschiderer Arnold Ing.

B.: Hotelier Hotel Romantica. DA.: 6561 Ischgl. G.: Flirsch, 2. Feb. 1963. V.: Hannelore, geb. Kurz. Ki.: Nadine (1984). El.: Arnold u. Hannelore. S.: HTL Hoch- und Tiefbau Innsbruck, 1982 Matura, 1982/83 BH. K.: 1982 AKB Bludenz, 2 Jahre Einrichtungshaus u. Bauunternehmen Bludenz, 1987 Planung und Bau d.Hotels Romantica Ischgl, Führung gemeinsam mit Gattin, 1988-89 Techniker bei Arch. Falch, 1990 Ing.-Prüf. u. Eröffnung d. Ing.-Büros. P.: Vorträge auf Seminaren u. Kursen. H.: Skifahren, Wasserski, Schwimmen, Musik. (I.D.)

Tschinkel Erich

B.: akad. Maler. DA. u. PA.: 6382 Kirchdorf/Tirol, Ahornweg 11. G.: Leibnitz, 22. Febr. 1948. V.: Martina, geb. Dobias. Ki.: Clemens (1982), Gabriel (1988). S.: 1971-74 Stud. HS f. bild. Kunst Wien, Abschluß m. Dipl., 1972-73 Stipendium d. Kulturref. d. Stmk. Landesrg. f. Rom. K.: 1973 Teilnahme an d. VIII. Intern. Malerwoche in d. Stmk., 1971 Förd.-Preis d. Ges. des Freunde d. Neuen Galerie b. Kunstpreis d. Landes Stmk. Graz, 1972 Preis d. Fa. Ertl b. Köflacher Kunstpreis, 1972 Preis d. BMUK b. Kunstpreis des Landes Stmk Graz, 1973 Preis des Kleinen Zeitung b. Köflacher Kunstpreis, 1973 Ankaufsempfehl. b. Kunstpreis d. Landes Stmk. Graz, 1974 Kunstpreis des Landes Stmk. f. zeitgenössische Malerei Graz, 1978 Preis des Stadt Leibnitz b. Leibnitzer Kunstpreis, 1980 Förd.-Preis des Landes Smk. b. Leibnitzer Kunstpreis 80 f. Fotografie, 1982 Preis der Landeshauptstadt Innsbruck f. künstler. Schaffen 1982 - Bild. Kunst 2. Preis, Personalausstellungen: 1972 Neue Galerie im Landesmuseum Joanneum Graz, 1973 Galleria il Capricorno Rom, 1973 MGV-Saal Leibnitz, 1974 Galleria d'Arte-Temi Bari, 1975 Künstlerhaus-Galerie Wien, 1975 Galerie an d. Stadtmauer Villach, 1976 Poolerie Graz, 1976 Galerie Bloch Innsbruck, 1977 Galerie auf der Stubenbastei Wien, 1977 Galleria La Medusa Rom, 1979 Forum Stadtpark Graz, 1980 Galerie Maier Kitzbühel, 1982 Europ. Forum Alpbach, 1982 Projekt Friedensnobelpreisträger "steirischer herbst 82" Graz, 1984 Galerie an der Stadtmauer Villach, Ausstellungsbeteiligungen: 1967 Forum Stadtpark Graz, 1970-74 Wettbewerbsausstellungen Kunstpreis des Landes Stmk., 1972 Finanzmin. Wien, 1972/73 "Österr. Malerei 72", Graz, Bochum, Leverkusen, 1973 Werke d. VIII. Intern. Malerwochen in d. Stmk. Graz, 1974 Werke d. VII. u. VIII. Intern. Malerwochen in der Stmk. Belgrad, Ljubljana und Zagreb, 1976 Realist. Tendenzen Künstlerbund Graz, Berlin und Bamberg, 1977 Neue Galerie Graz "Umweltdesign"1980 Staatstheater Darmstadt, 1981 Prisma Landeck, 1981 Neue Galerie u. Künstlerhaus Graz, 1982 Stadtturmgalerie Innsbruck, 1986 Neue Galerie Graz, 1990 Art - Kunst u. Wirtschaft, St. Johann/Tirol. (M.W.)

Tschira Alfred

B.: Dipl.-Chem.; Werkdir. i.R. PA.: 8010 Graz, Plüddemanng. 3. G.: Tröpolach/Ktn., 19. Dez. 1916. V.: Annemarie, geb. Werner. BV.: Vater: Dipl.-Ing. Alfred Tschira, Baudirektor in Graz; Großvater: Werksdirektor der Papierfabrik. Deutschlandsberg. S.: Matura Fürstenfeld, Stud. Chemie Graz, 1941 Kriegsdienst (Luftwaffe), 1942 Genehmigung zur

Studienvollend., 1943 Abschluß.K.: Ing.-Dienst Sprengstoffbk. St. Lamprecht, 1945-47 englische Kriegsgefangenschaft, ab 1947 Hilfsarb. b, Baufa. Ast & Co. Wiederaufbau, ab 1949 Fa. Brevillier Urban, 1980 Pension; Beratung ausländ. Firmen in Spanien, Türkei, Frankr. BL.: wesentlicher Beitrag zu Aufbau und Erstarkung d. Firma. E.: Gr. EZ d. Landes Stmk, betriebl. Ausz. f. Forschung u. Entwicklung M.: Die Freiheitlichen. H.: Schifahren, Schwimmen, Wandern. (R.S.)

Tschochner Fritz Dr. Mag. pharm.

B.: Präs. d. Österr. Apothekerkam. LGeschäftsstelle NÖ, Obm. d. Österr. Apothekerkam. DA.: 1090 Wien, Spitalg. 31. PA.: 2560 Berndorf, Hainfelder Str. 14. G.: Wien, 25. Juni 1929. V.: Mag. Ingrid, geb. Kollarich. Ki.: Alexander. El.: Viktor u. Maria. S.: VS, Gymn., 1947 Matura, Stud. Pharm. an d. Univ. Wien, 1954 Mag., 1960 Prom. K.: 1954-56 Aspirantenzeit in d. väterl. Apotheke, Übernahme d. väterl. Apotheke 1960, ab 1960 Delegierter u. ab 1966 Vorst. d. Österr. Apothekerkam., 1968-79 Ltr. d. LGeschäftsstelle d. Österr. Apothekerkam. f. NÖ u. Bgld., 1980-87 VPräs. d. Österr. Apothekerkam. u. VPräs. d. Österr. Apothekerverb., s. 1987 Präs. d. Österr. Apothekerkam. LGeschäftsstelle NÖ. P.: versch. Artikel über d. berufl. Entwicklung d. Apothekerstandes in d. Österr. Apothekerzeitung. E.: Gold. EZ f. Verd. um d. Rep. Österr. 1983. M.: Mtgl. d. Apothekerverb. H.: Skifahren, Tennis, Reisen m. Expeditionscharakter, völkerkundl. u. kulturelle Interessen, Filmen, Fotografieren. (G.E.)

Tschofen Hardy August

B.: Hauptmann, Stv. Ltr. FN.: Vlbg. Landesgendarmeriekommando, Kriminalabt. DA.: 6900 Bregenz, Bahnhofstr. 45. G.: Bregenz, 11. Jul. 1960. Ki.: Lisa (1987). El.: August u. Sofie. S.: 1978 Mat., Gymn. Bregenz, Gendarmerieschule Gisingen, 1980 Dienstprüf. K.: 1980-81 Gend.-Posten Dornbirn, 1981-83 BM f. Inneres Wien, 1983 Suchgiftermittler, 1984-85 Sicherheitsakad. Mödling, 1986 Stellv. Ltr. Kriminalabt., 1992 Ausbild. Amerika b. FBI, Init. Ausbild. d. Suchtgiftermittler a. d. Gendarmerieposten. M.: 1987 Gründ. Tanzband "Back from the Beach". H.: Gesang, Gitarre, Schwimmen, Radfahren, Schifahren.(I.D.)

Tschohl Christiane

B.: Koch u. Kellner. FN.: Hotel Montafoner Hof. DA.: 6774 Tschagguns, Kreuzg. 9. G.: Tschagguns, 12. Mär. 1941. V.: Armin. Ki.: Christoph (1963), Stefan (1967), Amrei (1978). S.: Koch- u. Kellnerlehre,1958 Abschl., Lehrbetreib Hotel Post i. Lech u. elterl. Betrieb i. Tschagguns. K.: 1957 Wiederaufnahme d. Fam.-Betriebes Gashof Löwen i. Tschagguns, 1987 Eröffnung d. 4-Sterne-Hotels Montafoner Hof. H.: schifahren, wandern, Gartenpflege.

Tschol Franz

B.: Hotelier Hotel Schwarzer Adler. DA.: 6580 St. Anton 42. G.: St. Anton, 4. Aug. 1954. V.: Edith, geb. Bösch. Ki.: Theresia (1985), Klemens (1988). El.: Karl u. Anna. S.: 1974 Matura, 1974 BH, Hotelfachschule Lausanne, 1979 Abschluß. K.: Berufspraxis in d. Schweiz u. BRD, 1985 Gschf. im elterl. Betrieb, 1991 Übernahme d. Hotels Schwarzer Adler. M.: Vorst.-Mtgl. ÖHV, GemR. St. Anton, Bruderschaft St. Christoph. H.: Weinsammeln, Reisen. (I.D.)

Tschol Manfred

B.: Wirtschaftstreuhänder, Steuerberater. DA.: 6700 Bludenz, Mühlg. 13-15. PA.: 6700 Bludenz, St. Annastr. 8/F. G.: Bludenz, 11. Sept. 1950. V.: Anneliese, geb. Lorünser. Ki.: Florine (1978), Philipp (1983), Lucas (1984). El.: Walter u. Hildegard. S.: HAK Innsbruck, 1970 Matura, 1970-71 Militärdienst, BWL-Stud. Innsbruck. K.: 1971-74 versch. Jobs z. Finanzierung d. Stud., 1974-82 Berufsanw. in Steuerberatungskzl., 1981 Steuerberaterprüf., 1983 selbst. Wirtschaftstreuhänder u. Steuerberater. M.: Lions-Club Charter-Member. H.: sämtl. Gebirgssportarten, klass. Musik, Literatur. (I.D.)

Tscholakoff Dimiter Dr. Prof. Univ.-Doz.

B.: Radiologe im AKH d. Stadt Wien, Univ.Klinik f. Radiodiagnostik. DA.: 1090 Wien, Währinger Gürtel 18-20. G.: Wien, 29. Sept. 1955. El.: Dr. med. Parusch u. Mag. pharm. Evelyne. S.: 1973 Matura, 1979 Prom. Dr. d. gesamten Heilkunde. K.: s. 1986 FA f. Radiologie, OA am Zentralen Inst. f. Radiodiagnostik, 1987 Habil., 1987-91 Ltr. d. Röntgenstation d. I. Med. Univ.Klinik, seit 1991 stellv. Ltr. d. klin. Abt. f. Radiodiagnostik im neuen AKH. F.: Ordination u. CT-Zentrum: 1170 Wien, Jörgerstraße 52. P.: über 100 Publ. in Top- u. Standardfachjournalen. M.: Sekr. d. Österr. Röntgenges. 1988-91. H.: Basketball. (J.E.)

Tscholl Wernfried Dr. med. univ. MedR.

B.: prakt. Arzt. DA.: 1120 Wien, Untermeidlingerstr. 65. G.: St. Pölten, 28. Jan. 1921. V.: Dr. Julia, geb. Hubel. Ki.: Angelika. El.: Leopold u. Karolina. BV.: ABT Horner Romuald v. St. Peter in Sbg. S.: Pflichtschule, 1940 Matura in St. Pölten, Stud. in Wien, Prom. 1949. K.: langjährige eigene Praxis. H.: Bergsteigen, Schifahren, Gartenpflege. (Lar.)

Tschom Hansjörg Dr. Dipl.-Ing. Univ.-Prof.

B.: Inh., Arch. DA. u. PA.: 8010 Graz, Morellenfeldg. 5. G.: Zams, 30. Dez. 1943. V.: Arna, geb. Baica. Ki.: Lilian (1992). El.: Franz u. Irma. BV.: Großmutter stammt aus d. direkten Linie d. Barockarch. Jakob Brandtauer. S.: 1962-69 Arch.-Stud. TU Graz. K.: 1970 Univ.-Ass. am Inst. f. Städtebau TU Graz, 1974 Prom., 1975 Lehrauftrag TU Graz, 1980 Univ.-Doz. TU Graz, 1987 Univ.-Prof. TU Graz. BL.: seit 1980 zahlr. Wettbewerbserfolge im Soz. Wohnbau, Projekte u. ausgeführte Arb. im Soz. Wohnbau. P.: seit 1970 Publ., Vorträge im In- u. Ausland. M.: Vors. d. Ver. d. Soz. Station St. Leonhard, Arbeitsgruppe Housing d. intern. Arch.-Union, Österr. Delegierter UIA, Ing.-Kam. f. Stmk. u. Ktn., Forum Stadtpark Graz, Rotary. H.: Arch., Zeichnen u. Malen, Lesen, Fotografie, Schwimmen. (R.S.)

Tschugmall Siegmund Ing.

B.: Gschf. d. Tourismusverbandes Serfaus. FN.: Hotel Maximilian. DA.: 6534 Serfaus, Herrenanger 4. G.: Serfaus, 27. Feb. 1932. V.: Maria, geb. Röck. Ki.: Christian (1955), Alfred (1956). El.: Ferdinand u. Maria. S.: landwirt. Lehranstalt Imst, Höhere Bundeslehranstalt f. Alpine Landwirtschaft in Raumberg,1953 Matura. K.: Mitarb. i. d. elterl. Landwirt., 1960 Umbau d. elterl. Landwirt. u. Bau des

Hotels Tiroler Hof, 1964 Bau des Hotels Maximilian, 1957 Eintritt in den Serfauser Tourismusverband als AufsR.-Mtgl., 1977 Gschf., 1984 Geschäftsleitung des Tourismusverbandes, Initiative zum Bau d. Serfauser Dorfbahn. P.: Hrsg. v. "Serfauser Boten". M.: Fähnrich Musikkapelle Serfaus, Lions Club Landeck Schroffenstein, zwei Perioden Gem.-Rat. H.: Radfahren, Bergwandern, Skitouren, Spazierengehen, Lesen, Musik (diatonische Zieharmonika). (I.D.)

Tschulnigg Peter

B.: Werbegrafiker. FN.: KINAI DESIGN Grafik Tschulnigg. DA.: 5760 Saalfelden, Leoganger Str. 8. PA.: 5760 Saalfelden, Palvenstr. 5. G.: Schwarzach, 16. Apr. 1954. V.: Isabella, geb. Wildhölzl. Ki.: Bernhard (1978), Alexandra (1969). El.: Alfred u. Johanna. K.: gelernter Fotograf, 2 J. Praxis als Fotograf u. Designer, 4 J. Afrika, Südostasien als Fotograf unterwegs, intensive Malphase, 1978 Grdg. d. Jazzfestivals u. Jazzclubs, 5 J. Organ. u. Aufbau d. Festivals, 1986 Firmengrdg. Copyright speziell f. Gewerbebetriebe u. Fremdenverkehr, Bürogemeinsch. m. Computeranimationsfirma, Video komplette Produktionen v. Videoclips speziell f. Wirtschaft u. Fremdenverkehr, VIA Computeranimationen Inh. Thomas Koch. H.: Musik, Lesen. (M.T.)

Tschurlovich Johann Ing.

B.: Bmstr. FN.: Bmstr. Ing. Johann Tschurlovich. GT.: allg. beeid. gerichtl. Sachv. f. d. Bauwesen. DA. u. PA.: 7210 Walbersdorf, Hauptstr. 49. G.: Walbersdorf, 8. Apr. 1947. Ki.: Karin, Thomas. S.: RG Mattersburg, HTL Mödling Hochbau, 1967 Matura. K.: 1975 Bmstr.Prüf., 1979 Sachv.Prüf. am Hpt.Verb. d. Allg. gerichtl. Sachv. in Wien, nach 2 J. Tätigkeit in Österr. Auslandsaufenthalt in Kuwait, Saudiarabien, Iran, Irak, Ver. Emirate b. 1986, Tätigkeit vor allem auf d. Bausektor im Anlagenbau u. als Projektltr., 1987 Rückkehr nach Österr. u. Etablierung als selbst. Bmstr. m. d. Schwerpunkt d. Tätigkeit in u. südl. v. Wien. M.: Lions Club Mattersburg. H.: Tennis, Fußball, Skifahren, Angeln. (C.K.)

Tschurtschenthaler Heinrich

B.: Pfarrer v. Mauthen im Gailtal u. St. Jakob im Lesachtal, Militärdekan d. Res. DA.: 9640 Kötschach-Mauthen, Mauthen 46. G.: Graz, 10. Febr. 1923. El.: Dr. Ignaz u. Maria. BV.: Max Kober: Gründer d. Gösserbräu (1840). S.: Gymn. in Klagenfurt, 1941 Matura, RAD in Polen, 6 Sem. Med.Stud. in Graz u. an d. Militärärztl. Ak. in Berlin u. Innsbruck, 1945-52 Theol.Stud. in Innsbruck. K.: 9 Mon. Rekrutenausbilder in Saalfelden, 1 Sem. MilAk., während d. Stud. als Sanitäter im Krieg eingesetzt, 1942 an d. Eismeerfront, 1944 in Rumänien u. Ungarn, 1950 Priesterweihe in Innsbruck, seit 1952 Kaplan in Bad St. Leonhard u. Wolfsberg, 1957-64 Diözesanarbeiterjugend-Jungscharseelsorger in Klagenfurt, 1964-73 Pfarrer in Himmelberg, 1973-90 Stadtpfarrer in Spittal/Drau, seit 1984 Dechant, 1962-89 Militärseelsorger d. Res., seit 1990 Ehren-Domherr (Kanonikus), seit Sept. 1990 Pfarrer in Mauthen u. weiterhin Militär-Seelsorger d. Res. M.: CV Alpinia Innsbruck. H.: Reisen. (M.B.)

Tschürtz Christine

B.: Gschf. "Österr. Kinderhilfe" u. "Licht ins Dunkel". DA.: 1090 Wien, Türkenstr. 9. PA.: 1200 Wien, Wasnerg. 19. G.: Wien, 3. Juni 1942. V.: Rudolf Tschürtz. Ki.: Marlene (1972). El.: Leopold u. Theresia. S.: HS, Bürolehre, HK-Prüf. K.:

1960-68 kfm. Ang., 1968-83 Sekr. u. Kontakterin in Werbeagentur, 1983 Wechsel z. Österr. Kinderhilfe, seit 1987 Gschf., 1989 Mitbegrdg. u. Gschf. "Licht ins Dunkel". H.: Laufen, Radfahren, Langlaufen, Schiwandern, Interesse an versch. Religionen. (M.M.)

Tschürtz Gertrude Aloisia
B.: Ges. u. Gschf. d. Funk Taxi Baden Pers. Bef. GmbH. DA. u. PA.: 2500 Baden, Wilhelmsring 11. G.: Baden, 21. Aug. 1929. V.: Walter. Ki.: Gabriele. El.: Alois u. Maria Wagner. S.: HS Baden, Wirt. Frauenberufsschule b. 1947. K.: Eintritt in elterl. Betrieb, 1960 Taxiführerschein, 1969 Übernahme d. Betriebes, Ausbau v. 1 Taxi auf 8 Taxi, 1971 Übergang zu Funk, Konzession erweitert. E.: Silb. Sportabz. d. Stadt Baden, Silb. EZ d. Turn- u. Sportunion Baden. M.: Union Baden, Ges. d. Musikfreunde Wien, Österr. Alpenver. H.: Turnen, klass. Musik, Kochen, Bergsteigen, Lesen, Autofahren. (M.G.)

Tsiter Chrysostomos Dr.
B.: Griech.-Orient. Metropolit v. Österr., Exarch. v. Italien, d. Schweiz u. Ungarn, Erzbischof. A.: 1010 Wien, Fleischmarkt 13. G.: Triglia, 11. Nov. 1903. S.: Gymn., Theol. Fak. in Chalki, Theol. Fak. d. Univ. Athen, Phil. Fak. d. Univ. Wien. K.: 1924 Deakonsweihe u. 1936 Priesterweihe in Athen, 1955 Bischofsweihe in Wien, 1924-36 Gymn.Prof. in Griechenland, 1938-58 Lektor an d. Univ. Wien f. neugriech. Sprache, 1936-55 Archimandrit in Wien, 1955-63 Tit. Bischof v. Thermae in Wien, 1963 Metropolit v. Austria. P.: Hrsg. d. Zeitschrift "Stachys, Biogr. v. Gelehrten d. Spätbyzantin. Zeit". E.: Österr. Gr. SESt., Großkommandeur d. Griech. Phoenixordens, Orden d. Ökumen. Patriarchates u. d. Heiligen Grabes. M.: Österr.-Byzant. Ges., Österr. Ges. für Kirchenrecht.

Tsolakidis Christos Dr. Prim.
B.: Primar LKH Gmunden, Ltr. d. Chir. Abt. DA.: 4810 Gmunden, Miller-v.-Aichholz-Str. 49. PA.: 4810 Gmunden, Miller-v.-Aichholz-Str. 32A. G.: Kavala/Griechenland, 28. März 1936. V.: Theoktisti. Ki.: Fotini (1973), Savas (1977). El.: Savas u. Fotini. S.: 1956 Matura Kavala/Griechenland, 1957 Med.-Stud. Innsbuck, 1965 Prom. z. Dr. med., 6 Monate Turnusarzt Gmunden, 1966 Militärdienst als Militärarzt, 1977 Abschluß d. Chir. Fachausbild. in Gmunden, 1985 Pragmation. K.: seit 1989 Primar d. Chir. Abt. d. Allg. Chir. BL.: Intern. Kongresse. M.: Schlaraffia, Kirchenchor. H.: Singen, Musizieren, Autofahren, Kochen, Beruf. (E.Hö.)

Tsorlinis Stellios
B.: Gschf. Ges. d. Fa. Heltour Hellas Reisen. DA.: 1010 Wien, Opernring 4. PA.: 1190 Wien, Weilg. 1. G.: Saloniki, 12. Juni 1932. V.: Vera, geb. Borchers. Ki.: Alexander, Philipp. El.: Dipl.-Ing. Meletios u. Stavroula. S.: Gymn., TU Graz, 1967 Dipl. K.: 1967 Stellv. Presseattaché, 1969 Gründer u. Ltr. d. GZF in Wien, 1975 Gründer u. Ges. d. Fa. Hellas Reisen (Heltour). E.: Mehrere griech. u. österr. Ausz. M.: Skal-Club. H.: Briefmarken sammeln, Musik, Bücher. (Fels.)

Tüchler Kurt Ing.
B.: Inh. FN.: Ing. Kurt Tüchler GmbH. DA. u. PA.: 8045 Graz, Weinitzenstr. 1. G.: Graz, 17. Jän. 1954. V.: Karoline. El.: Hubert u. Anny. S.: HTL Graz-Gösting, 1974-75 Schiffsbau Lübeck. K.: 1976 freiberufl. Leykam Gratkorn, 1977-78 techn. Ang. Leykam Gratkorn, 1978-80 techn. Betriebsltr. Pappenfbk. Rossegg, ab 1980 selbst. m. Techn. Büro f. Maschinenbau, 1985 Hdls.-Unternehmen, 1986 Kauf d. Adamhofes u. Ausbau z. Gewerbepark f. 8 Firmen, 1990 Grdg. GmbH f. Computer. BL.: Entwicklung v. CAD Applikationen. P.: Autocad Magazin, div. Fachzeitschriften. H.: Surfen, Skifahren. (R.S.)

Tüchler Peter
B.: Vorst.Mtgl. FN.: Österr. Homogenholz AG Neudörfl. DA.: 7201 Neudörfl. (V)

Tuchmann Albert Dr. med. Univ.-Prof. Prim.
B.: Vorst. d. Chir. Abt. d. KH Floridsdorf. GT.: Ordination: 1010 Wien, Liebigg. 4. DA.: 1210 Wien, Hinaysg. 1. PA.: 1190 Wien, Hameaustr. 15A. G.: Wien, 5. Okt. 1949. V.: Dr. Claudia, geb. Fränzl. Ki.: Carina (1986), Felix (1988). El.: Dr. Emil u. Marianne. S.: Reifezeugnis 1968, 1968-73 Med.-Stud. K.: 1973-81 1. Chir. Univ.-Klinik, 1981-91 OA d. 1. Chir. Abt. Rudolfstiftung, 1985 Habil., 1991 a.o.Univ.-Prof., 1. Aug. 1991 Prim. im KH Floridsdorf. P.: Über Gefäßchir., Gastroenterolog. Chir. wie Kolonkarzinom, Magenkarzinom, Erkrankungen d. Gallenblase u. d. Gallenwege, intraarterielle Chemotherapie v. Lebermetastasen, Magenbypass, Laserchir., Laparoskop. Chir., Schilddrüsen- u. Brustchir. M.: Österr. Ges. f. Chir., Dt. Ges. f. Chir., Österr. Ges. f. Gefäßchir., Österr. Ges f. Gastroenterologie. H.: Reisen, Skifahren, Fotographieren. (J.S.)

Tuchny Manfred
B.: Coiffeur, Inh. d. Salons "Coiffeur Tuchny". GT.: Tuchny KEG. DA.: 1150 Wien, Märzstr. 26, 1190 Wien, Weinbergg. 17. PA.: 1140 Wien, Felbigerg. 90/5/7. G.: Wien, 23. Mai 1962. Ki.: Jennifer (1985). El.: Josef u. Gertrude, geb. Schiestl. S.: HASCH, Friseurlehre, Gesellenprüf. m. Ausz. K.: während d. Lehrzeit Preisfrisiert, nat. u. intern. Preisträger, 1983 Mstr.-Prüf., Weiterbild. im In- u. Ausland, 1988 Eröff. d. Geschäftes in d. Märzstraße, 1991 Eröff. d. Firma Tuchny KEG. E.: Goldmed. b. d. Staatsmeisterschaft, zahlr. nat. u. intern. Preise. M.: Ak. d. Friseurkunst Österr. H.: Oldtimer (Mercedes), Reisen. (N.A.)

Tuider Herbert Dr.
B.: Prakt. Arzt. DA.: 1160 Wien, Fröbelg. 29. PA.: 1160 Wien, Panikeng. 17/1/6. G.: Oberdorf/Bgld., 28. Jan. 1941. V.: Monika, geb. Niss. Ki.: Maria, Natascha, Herbert, Bernhard. El.: Thomas u. Ernestine. S.: Hum. Gymn., Med.-Stud. in Hamburg u. Wien, Prom. 1969. K.: Spitalspraktik in Horn, Scheibbs, Korneuburg, Univ. Klinik Wien (Anästhesie), 1974-79 Gemeindearzt in Weikendorf, 5 J. Industriearzt d. Fa. Boehringer Ingelheim, seit 1984 prakt. Arzt in Wien, Schwerpunkt Geriatrie u. Sozialmed. M.: IPPW (Intern. Ärzte gegen Atomkrieg), Vereinig. öst. Ärzte. H.: Failie, Lesen, Philosophie, Soziologie, Pflege v. Lebensfreundschaften. (E.L.)

Tull Stephan DDr. Mag. Dipl.-Vw.
B.: Abg. z. NatR. i.R., SenR. i.R. GT.: Vorlesungen Jur. Fak. Sbg. PA.: 4840 Vöcklabruck, Stölzstr. 6. G.: Zrenjanin/Jugoslawien, 20. Aug. 1922. V.: Marlies, 2 Kinder. El.: Matthias u. Barbara. S.: 1945 Stud. Rechts- u. Staatswiss. Univ. Wien, 1948 Prom., 1983 Stud. Geisteswiss. Fak. Univ. Sbg., 1985 Mag., 1987 Prom. subauspizils presidentis. K.: 1945 Vertragsbediensteter d. Stadtmag. Linz, Beitritt z. SPÖ, 1948 Bez.-Parteiobm. v. Grießkirchen, 1949 VBgm. v. Eferding, 1955 Abg. z. OÖ Landtag, 1961 Bez.-Parteiobm. v. Vöcklabuck, 1962 Abg. z. NatR., 1972-80 Mtgl. d. Bundesparteivorst., Obm. d. Finanz- u. Budgetaussch. u. Sprecher d. SPÖ Finanz- u. Budgetpolitik im Parlament, Mtgl. d. Clubvorst. d. SPÖ im Parlament, 1980 Austritt aus d. SPÖ. P.: Sachbücher "Die soziale Frage im Spannungsfeld v. Spätaufklärung u. Vormärz", "Anthropologie zwischen Freiheit u. Zwang, ein Widerspruch im Ansatz v. Karl Marx", "Die Polit. Zielvorstellungen d. Wr. Freimaurer u. Jakobiner im 18. Jhdt.". E.: Orden f. d. 10-jährige Mtgl. im NatR. M.: Freimaurer. H.: Lesen, Schreiben, Vorträge. (G.P.)

Tulzer Sascha-Alexander

B.: Gschf. Ges. d. Cafe-Restaurant-Bar Sascha. DA.: 1010 Wien, Heinrichg. 3. PA.: 1210 Wien, Carrog. 1-5/2/2/12. G.: Wien, 28. März 1967. El.: Ludwig u. Lieselotte. S.: Bankkfm., 1985 Abschluß. K.: b. 1991 Hauptkassier in d. Bank, Gastgewerbepraxis, 1992 selbst. m. eigenem Lokal, Eröff. d. Cafe-Bar Sascha. P.: Veröff. in div. Magazinen. H.: Moutainbike, Eishockey. (J.E.)

Tuma Otto Dr. iur.

B.: RA, Schriftsteller. A.: 1030 Wien, Weißgerber Lände 50/12. G.: Graz, 25. Mai 1923. V.: Berta, geb. Wawrosch. S.: Matura, 8 Sem. Rechtswiss., 2 Sem. Soziologie. K.: 1945-48 Reporter d. Österr. Pressedienstes, 1948-49 Gerichtsdienst, 1950-52 RA-Anw., seit 1952 RA in Wien, seit 1968 Red. d. ARD-Betriebsdienstes, 1969-73 Abg. z. Wr. Landtag, 1971-75 BObm. d. Demokrat. Fortschrittl. Partei. F.: Mehrheitsges. d. Fa. Graphart, graph. Arbeiten GmbH. P.: Art. in Tageszeitungen, Wochen- u. Monatszeitschriften, Mitautor arb-, sozialvers.- u. lohnsteuerrechtl. Werke. E.: EK II. Kl., Kriegsverdienstkreuz m. Schwertern I. u. II. Kl. M.: Vors. d. Theaterringes f. Bildung u. Unterhaltung (Theater an d. Donau, NÖ Schultheater, NÖ Tournee-Theater, Original Wr. Straßentheater). H.: Lesen, Filmen, Fotografieren, Schilaufen, Bergsteigen.

Tumberger Josef

B.: Obmann. FN.: Pensionsversicherungsanstalt d. Arbeiter. DA.: 1090 Wien, Roßauer Lände 3. G.: Wien, 13. Nov. 1939. V.: Elfriede, geb. Jenakovits. Ki.: Thomas (1965), Norbert (1971). El.: Josefine Tumberger. S.: VS, HS, 1954-57 Berufsschule, VHS i. Wien. K.: 1957-83 Facharb. i. Wien, 1967-83 Betriebsratsvors. b. Fa. Zwettler, 1983 Eintritt i. d. ÖGB als Sekr. d. Bau-Holz-Gewerkschaft, 1991 Wiener Landessekretär u. Vors./Stv. d. Gewerkschaft, ab 1994 zusätzlich i. d. obenerwähnten Position. M.: Kammerrat d. AK Wien u. Bezirksrat d. SPÖ Hernals. H.: Skifahren, Wandern, Musik. (N.A.)

Tumlirz Friedrich Dr. techn. Dipl.-Ing. Prof.

B.: Arch., Elfenbei- u. Holzbildhauer, Dir. i.P. A.: 8010 Graz, Elisabethstr. 25. G.: Czernowitz, 19. Jan. 1908. V.: Hildegard, geb. Taucher. El.: Prof. Leo u. Olga. S.: VS, Gymn., Höhere Lehranst. f. Maschinenbau Graz, Masch.-Ing., TH Graz, Fak. f. Arch. (Hochbau), Dipl.-Ing., dann Dr. techn., Staatl.-Hess. Fachschule f. Elfenbein- u. Holzschnitzkunst m. Gesellen- u. Meisterprüf., Lehrbefähigungsprüf. K.: Zuerst Maschinening., dann Stadtbauamt Graz, währenddessen Stud. an d. TH Graz, Arch. b. Luftwaffe, dann Arch. u. Baultr. d. Reichspost-Dion. Bremen, dann Militärdienst im 2. Weltkrieg, Truppening.-Lehrgang, Truppening. im Hauptmannsrang (RgBauR.), nach Kriegsende Staatl.-Hess. Fachschule f. Elfenbein- u. Holzschnitzerei in Erbach, Rückkehr nach Österr., Baultr. b. Alpine in Köflach, dann Schuldienst, als Dir. mehrere J., ab 1974 i.P. P.: Lehrbuch "Maurerpraxis" f. Hochbauer u. Maurer, 1964. E.: Versch. Anerkennungen f. mehrere Ausstellungen v. Elfen- u. Holzschnitzarb., Skulpturen, Figuren, vor allem aus Elfenbein. H.: Schnitzen, hauptsächl. Elfenbein, aber auch Holzplastiken u. Reliefs etc.

Tuncsik Christoph

B.: Gschf. FN.: Witzenmann u. Ulbrich & Co GmbH. DA.: 2432 Schwadorf, Wiener Str. 19. PA.: D-75334 Straubenhardt, Ittersbacherstr. 51. G.: Gera, 9. Okt. 1953. V.: Ingeborg, geb. Teuscher. Ki.: Kai (1980). El.: Hans-Joachim u. Ingeborg. S.: 1960-70 Oberschule, Abitur von 1970-72, Fernstud. Hdl.-HS Leipzig, 1986 Dipl.-Ökonom, 1989 Außenhdl.-Ökonom Post Graduet-HS f. Ökonomie in Berlin. K.: 1974-78 Maschinenbuchhalter, Ass., Revisor, Rechnungsführung u. Wirtschaftsberatung Gera,1978-79 Abt.-Ltr., Bereichsltr., Dir. Firma Ind.-Vertrieb Rundfunk u. Fernsehen Erfurt/Betriebsteil Gera, 1990 Vertriebsbeauftragter Ost d. Wilhelm Sihn jun. KG Niefern Öschelbronn, 1990-94 Verkaufssachbearbeiter, Abt.-Ltr. Firma Witzenmann GmbH Pforzheim, seit 1994 Gschf. Witzenmann u. Ulbrich & Co GmbH. H.: Tennis, Laufen, Schwimmen. (M.D.-H.)

Tünkl Heinz Dr. SenR.

B.: Ltr. d. Mag.Abt. 7 (Kultur) d. Stadt Wien. GT.: Gen.Sekr. d. Theatererhalterverb. Österr., Gen.Sekr. d. HS Jubiläumsstiftung d. Stadt Wien, Univ.Lektor an d. Univ. Wien. DA.: 1010 Wien, Friedrich-Schmidt-Pl. 5. PA.: 1190 Wien, Billrothstr. 42. G.: Salzburg, 23. Juni 1930. V.: Alvilde, geb. Leithner. Ki.: Elisabeth, Michaela. El.: Wilhelm u. Erna. BV.: HofR. Wilhelm Tünkl HofR. d. Sbg. LRg. S.: VS, Gymn. Sbg., 1949 Matura, Mozarteum (Musikak.) in Sbg., 1949-54 Stud. d. Theater- u. Musikwiss an d. Univ. in Wien, 1954 Prom. K.: 1954-62 versch. wiss.-organisator. u. wirtschaftl. Tätigkeiten in d. Wirtschaft, ab 1962 Bmtr. im Kulturamt d. Stadt Wien, seit 1983 Ltr. d. Kulturamtes d. Stadt Wien. P.: Publ. in wiss. Zeitschriften. E.: Ehrenbürger d. Univ. Wien u. d. TU Wien, Silb. EZ d. Landes OÖ. M.: ehrenamtl. AufsR.Positionen in einigen Theaterbetrieben, Mtgl. versch. kultureller Ver. H.: Musik, Kulturreisen. (M.B.)

Tunner Herbert Komm.R.

B.: Inh. FN.: Sebring, Herrenmoden Tunner. GT.: 1963 Fa. Sebring gegr. DA./PA.: 8580 Köflach, Judenburgerstr. 20. G.: Köflach, 1. Okt. 1931. V.: Brigitte, geb. Bönisch. Ki.: Herbert (1958), Brigitte (1954). El.: Herbert u. Rosalia. BV.: Peter Ritter v. Tunner, Gründer d. montanistischen Hochschule. S.: VS, MS, Matura 1949. K.: Eintritt i. elterl. Betr., 1978 Betr. übernommen. M.: i. Ausschuß d. Fachverb. f. Fahrzeugind. f. Stmk., Vorst. mtgl. d. Stmk. GKK, Vorsitzend. d. arbeitsrechtl. Ausschußes d. Fachverb. d. Fahrzeugind. E.: Großes Goldenes Ehrenz. d. Rep. Österr. 1990. H.: Lesen, Kl. Musik, Sport. (I.G.)

Tuppa Franziska

B.: Geschäftsstellenleiterin. FN.: Verein f. Sachwalterschaften u. Patientenanwaltschaften Eisenstadt. DA.: 7000 Eisenstadt, Joachimstr. 11. PA.: 7152 Pamhagen, Marktplatz 74. G.: Pamhagen, 4. Sep. 1954. V.: Ernst. Ki.: Bernhard. El.: Franz u. Maria Bauer. BV.: Stuhlrichter i. Pamhagen. S.: 1972 Gymn. Neusiedl/See, 1974 Dipl. Sozialakademie. K.: 1974-85 Jugendamt Neusiedl, 1985 Gschäftsstellenltr. Verein f. Sachwalterschaften. M.: Vorst.-Mtgl. Berufsverb. Sozialarbeiter. H.: Lesen, Musik, Reisen. (M.G.)

Tuppinger Gert

B.: Hoteldir. u. General-Manager d. Coruin-Hotelkette. DA.: 1300 Wien-Airport, World Trade Center. PA.: 5020 Salzburg, Bayerhammerstr. 33b. G.: Bad Ischl, 5. Jan. 1963. El.: Rudolf u. Christine. S.: VS, HS, HASCH, Koch- u. Kellnerlehre. K.: Chef de rang im Hotel Zürserhof am Arlberg, Rezeption im Hotel Hilton in Genf, Rezeption im Hotel Panhans am Semmering, 1985 Einstieg in d. Accor-Gruppe, alle Abt. durchlaufen im Hotel Mercur Wien, Schwerpunkt als Verkaufsltr., 1988 Pre Opening Ass.-Manager Hotel Mercure Sbg. sowie Hotel Novotel Sbg., 1990 Hoteldir., 1992 General-Manager. H.: Fitness, Skifahren, Kultur. (K.K.)

Tuppy Hans Dr. phil. DDr. h.c. Univ.-Prof.
B.: o.Univ.-Prof. am Inst. f. Biochemie d. Univ. Wien. DA.: 1030 Wien, Dr.-Bohr-G. 9. PA.: 1180 Wien, Hockeg. 17. G.: Wien, 22. Juli 1924. V.: Erika, geb. Höbartner. Ki.: Eva, Christine, Claudia. S.: Stud. d. Chemie an d. Univ. Wien, postpromotionelle biochem. Ausbild. an d. Univ. Cambridge England (1949-50) u. am Carlsberglaboratorium in Kopenhagen (1950-51), Ass. u. seit 1956 Doz. am organ. chem. Inst., a.o. u. seit 1963 o.Prof. f. Biochemie an d. Med. Fak. d. Univ. Wien, Gastprof. an d. Yale Univ. USA (1960), Dekan d. Med. Fak. 1970-71 u. 1971-72, 1974-82 Präs. d. Fonds z. Förd. wiss. Forsch., 1983-85 Rektor d. Univ. Wien, 1985-87 Präs. d. Österr. Ak. d. Wiss., 1987-89 BMin. f. Wiss. u. Forsch. P.: mehr als 100 wiss. Veröff. vor allem auf d. Gebieten d. Chemie u. Biochemie biolog. wirksamer Peptide u. Proteine, d. Blutgruppenchemie u. Biochem. Genetik. E.: Dr. med. d. Vet.-Med. Univ. Wien u. d. Univ. f. Bodenkultur Wien, Erwin-Schrödinger-Preis d. Österr. Ak. d. Wiss. M.: Dt. Ak. d. Naturforscher "Leopoldina", Päpstl. Ak. d. Wiss., Academia Europaea.

Tupy Norbert Dr.
B.: Ltr. d. Abt. Anzeigenmarketing. FN.: Kurier AG. DA.: 1070 Wien, Lindeng. 52. G.: Wien, 24. Nov. 1957. S.: hum. Gymn., WU, 1983 Prom. K.: Erste Österr. im Marketingbereich tätig, danach Markforsch.Agentur, seit 1984 b. Kurier AG. M.: WdF, Österr. Marketing Club. H.: Sport, Lesen. (R.A.)

Turba Günter
B.: stellv. Dir. d. Personalabt. FN.: CA-BV. DA.: 1010 Wien, Schotteng. 6-8, PA.: 1090 Wien, Währinger Str. 5-7. G.: Wien, 24. Sept. 1930. V.: Gertrude, geb. Roller. Ki.: Erwin. BV.: Vater Egon Ritter v. Turba. S.: Realgymn., 1948 Matura. K.: 1950 Eintritt in d. CA-BV, seit 1968 stellv. Ltr. d. Personalabt. E.: Gold. EZ f. Verd. um d. Rep. Österr. M.: Personalkomitee b. Bankenverb., im AufsR. d. CA internen Wirtschaftsver., Obm. d. Sportver. d. CA, Obm. d. Unterstützungsver. d. CA. H.: Literatur, Theater, Sport. (A.W.)

Turecek Wolfgang Ing.
B.: Gschf. Ges., Eigentümer. FN.: Hof & Turecek GmbH Expeditionsservice. GT.: Großhändler u. Importeur v. Outdoor-Ausrüst. u. Wasserentkeimungsanlagen, Experte auf d. Gebiet d. Trinkwasserentkeimg., Beratg. v. Behörden u. Unternehmen. DA.: 1150 Wien, Markgraf-Rüdiger-Str. 1. G.: Wien, 10. Okt. 1946. V.: Ingeborg. El.: Otto u. Magdalena. S.: TGM Wien Motoren- u. Kfz-Bau, 1967 Matura. K.: Planer u. Konstrukteur v. Raffinierien u. Wasserversorg.-Anl. im Arab. Raum, gleichz. Reisetät. v. Wien nach Nordafr. u. Nahost (1975), Pionier auf d. Gebiet Abenteuertourismus u. Individualreisen, 1979 Grdg. 1. Ausrüstungsgeschäft f. Fernreisen u. Expeditionen in Österr. (Bahn, Bus, Fahrrad, Motorrad, Auto, Trekking), Umrüsten v. Fahrzeugen f. Reisen unter expeditionsmäß. Bedingg. (Sahara, Dschungelgebiete, Ostafr., N- u. Mittelam. etc.), Lieferant d. Österr. Botschaften im Ausland, ORF-Auslandsstudios, Entwicklungshilfe, UNO, Österr. BH, Auslandsbaustellen (Libyen, Burma), lfd. Reisetätigkeit in d. ganzen Welt. F.: Australian Inbound Services Pty. Ltd./Brisbane. P.: Hrsg. d. jährl. ersch. Ausrüstungskatalogs f. Expeditionen u. Fernreisende, Veröff. in Fachzeitschriften über Outdoor-Ausrüst. u. Tourismus, Mitarb. an Reiseführern, Vorträge. M.: Mitbegründer d. Expeditions Club Austria, Österr.-Austral. Ges., Traveller Club Austria. H.: Reisen, Fotografieren, Sport, Kultur, Business. (J.S.)

Turek Dietlinde Dr. iur.
B.: Abt.Vorst. d. Rechtsamt d. Stadt Graz. DA.: 8010 Graz, Glockenspielpl. 7. PA.: 8010 Graz, Morellenfeldg. 8. G.: Kalwang, 18. Sept. 1934. V.: Ing. Klaus Turek. Ki.: Gudrun, Gernot. El.: Erich u. Grete Brandl. S.: 1953 Matura, Stud. d. Rechtswiss., 1958 Prom. Dr. iur. K.: Gerichtspraxis, 1960 Aufnahme als Konzeptsbmtr. in d. Stadt Graz, Beamtenlaufbahn, 1981 SenR., 1985 Abt.Vorst. M.: Vorst.Mtgl. d. Verb.d. Akademikerinnen in d. Ltg. eines Studentinnenheimes u. eines Seniorenwohnhauses. H.: Familie, Sport, Musik.

Turek Horst
B.: Gschf. Ges. FN.: Elektro Turek GmbH. GT.: Spielzeugfachhdl., Eigentankstelle m. angeschl. Elektrozweigbetrieb. DA.: 3107 St. Pölten-Viehofen, Dr.-Wilh.-Steingötter-Str. 15, 3125 Oberwölbling 240. G.: St. Pölten, 18. März 1938. V.: Erika, geb. Hörmann. Ki.: Sabine. El.: Paul u. Rosa. BV.: Großeltern gründeten 1. E-Untern. in St. Pölten. S.: Gymn. St. Pölten, E-Lehre. K.: 1965 Konzessionsprüf. f. E-Technik, elektrotechn. Ltr. zweier Papierfbk. in Südafrika u. Rhodesien b. 1970, Rückkehr nach Österr. u. Grdg. eines E-Untern., 1975 Umwandlung d. Fa. in eine GmbH. M.: Vorst. d. Union St. Pölten. H.: Segeln, Jagd, Skifahren. (C.K.)

Turek Klaus Ing.
B.: Prok., Ass. d. Generaldir. d. Grazer Stadtwerke. DA.: 8011 Graz, A.-Hofer-Pl. 15. PA.: 8010 Graz, Morellenfeldg. 8. G.: Weidenbach, 11. Aug. 1937. V.: Dr. Dietlinde. Ki.: Gudrun, Gernot. El.: Anton u. Helena. S.: HTL, Matura Graz 1956. K.: Tätig im väterl. Untern., ab 1963 Kundenberater b. d. Steierm. Elektrizitäts AG, ab 1973 Grazer Stadtwerke, Ltr. d. Erhebungsabt., seit 1987 Prok., 1966-74 GemR. d. Stadt Graz, 1974-83 Abg. z. Steir. Landtag, 1983-86 Bgm.-Stv. d. Stadt Graz, währ. d. Zeit Stadtpartei- u. Landesparteiobm. d. Freiheitlichen, ab 1988 wieder Landesparteiobm. d. Freiheitlichen. H.: Segeln, Skifahren. (P.R.)

Turek Werner
B.: Inh. FN.: Turek Workshop Company. DA.: 1100 Wien, Laxenburger Str. 27-29. G.: Wien, 23. Nov. 1951. V.: Lydia. Ki.: Elisabeth, Maria, Theresia, Werner, Viktoria. El.: Herbert u. Friederike. S.: Textilfachschule Michelbeuern, Abschluß, Praxisj., Mstr.-Kl., Abschluß Herrenkleidermacher, Praxis teilweise im Ausland. K.: Einstieg in d. elterl. Betrieb, b. heute Aufbau d. weiteren Filialen. P.: Veröff. in div. Fachzeitschriften. H.: Familie. (J.E.)

Turic Georg Dr. Prof.
B.: Abt.-Vorst. d. Übungs-HS u. schulprakt. Ausbild. DA.: 1100 Wien, Hebbelpl. 1. PA.: 2521 Trumau, Tulpeng. 7/4. G.: Wien, 22. Sep. 1947. Ki.: Tina (1975), Daniela (1980), Stefan (1983). El.: Josef u. Edith. S.: VS, Übungs-HS, LBA, 1966 Matura, Lehramt f. VS, Lehramt f. HS. K.: seit 1967 Wr. Schuldienst, 1972 Prof. Übungs-HS d. Päd. Ak. Wien, 1972-80 Stud. Erziehungswiss., Politikwiss., Psych. u. Phil. Univ. Wien, Prom. z. Dr. phil., seit 1980 Prof. f. Humanwiss. Päd. Ak., seit 1989 Abt.-Vorst. d. Übungs-HS u. Abt.-Vorst. d. schulprakt. Ausbild. d. Päd. Ak. Wien. M.: 1980-85 Päd. Ltr. Wr. Kinderfreunde, 1985-90 Bundesschulungsltr. d. Österr. Kinderfreunde. H.: Privat Pilot (J.M.)

Turk Ahmad Dr. med. univ.
B.: FA f. Kinderheilkunde, Kinderneuropsychiatrie, Individualpsych. u. Psychotherapeut u. Lehranalytiker. DA.: 1210 Wien, Theodor-Körner-G. 29/3/2. PA.: 1210 Wien, Herzmanovsky-Orlando-G. 5/17/5/6. G.: Jaffa/Palästina, 8. März 1939. V.: Edith, geb. Tuerdy. Ki.: Nadia, Iman, Randa. El.: Saber u. Fatima. S.: Grundschule in Jaffa, Beirut u. Amman, 1960 Matura, Stud. an d. Univ. Wien, 1970 Prom. K.: FA f. Kinderheilkunde im St. Anna Kinderspital, dann FA f. Kinderneuropsychiatrie an d. Univ. Wien, parallel Ausbild. Individualpsych. u. Ausbild. in Psychotherapie b. d. Ges. "Hypnose u. autogenes Training", 1971-82 Ltr. d. Familientherapieambulanz u. psychosomat. Kinderambulanz, 1979 Eröff. d. eigenen Praxis. BL.: 1986 im Auftrag d. UNO Studie

über palästinensische Halbwaisen u. Waisenkinder in Jordanien, mehrmaliger Ltr. f. Familientherapieferien f. psychosomat. erkrankte Kinder. P.: Vorträge über Probleme d. Alleinerzieher, über psychosomat. Erkrankungen, päd. seelsorgl. Hilfe f. ratlose Eltern ganzheitl. Kinderheilkunde. M.: Österr. Ges. f. Kinderheilkunde, Neuropsychiatrie, Individualpsych., autogenes Training u. Hypnose. H.: Sport (Laufen u. Tennis). (G.E.)

Turk Andreas Dipl.-Ing.

B.: selbst. Ziviling. f. Wirtschaftsing. im Bauwesen. DA.: 8200 Gleisdorf, Weizer Str. 42. PA.: 8200 Gleisdorf, Hartberger Str. 40. G.: Graz, 21. März 1957. V.: Gabriela, geb. Wilfling. Ki.: Ines (1985), Christoph (1986). El.: Ing. Wolfram u. Sieglinde. S.: 1975 Matura, Stud. TU Graz, 1982 Grad., BH. K.: Baultr. Firma Mayreder Graz, ab 1985 Landesbaudion. Wasserwirtschaft Amt d. Stmk. Landesrg., 1990 Grdg. d. eigenen Büros, Abwassertechnik, Flußbau u. Hochwasserschutz, Trinkwasserversorgung, Projektmanagement. M.: ÖWAV. H.: Reisen, Fotografieren, Lesen. (F.K.)

Turk Dieter Mag.

B.: Gschf. Ges. FN.: RTS. DA.: 1200 Wien, Hellwagstr. 3. PA.: 1190 Wien, Flotowg. 20/6. G.: 12. April 1961. El.: Hans u. Gertraud. BV.: Großonkel Braunmandl - Miss. in Indonesien. S.: VS, Reals., HTBLV Fachricht. Siebdruck, 1980 Matura, Stud. Betriebsinformatik Univ. Wien, 1986 Spons. K.: während Stud. tätig bei Fa. Siemens PSE, anschl. Fa. Catro Personalberat., Ltr. einer Frucht Import-Exportfa. in München, 1991 Ltr. Marketing Fa. RTS Wien, ab 1993 Gschf. Ges. RTS u. Hewlett Packard Channel-Partner f. Gesamtösterr. P.: Abhalt. v. Fachvorträgen. H.: Eishockey, Eislaufen, Schifahren, Reisen, Golf. lokaler Jugend-Fünfkampfmstr. (I.J.)

Türk Helmut Dr. iur.

B.: Österr. Botschafter in d. Vereinigten Staaten v. Amerika. DA.: NW Washington D.C. 20008, 3524 Intern. Court. PA.: NW Washington D.C. 20008, 2419 Wyoming Ave. G.: Linz, 24. Apr. 1941. V.: Dr. Monika, geb. Metzler. Ki.: Andreas, Brigitte, Johannes. S.: Austauschschüler in d. USA, BRG Bad Ischl, Univ. Wien, Dr. iur., Stud. am Europa-Kolleg in Brügge Rechtswiss. u. Geschichte. K.: 1965-67 BMA/Völkerrechtsbüro, 1967-72 Generalkonsulat Hongkong, 1972-78 BMA/Völkerrechtsbüro, 1978-82 Botschaft Bonn, 1982-93 Ltr. d. Völkerrechtsbüros, 1983 UN-Konferenz über Staatennachfolge in Eigentum, Archive u. Schulden v. Staaten, Delegationsltr., 1983 2. Weltrassismuskonferenz d. Vereinten Nationen, Delegationsltr., 1983-85 Vors. d. Vorbereitungskomitees f. d. Europ. Menschenrechtsmin.Konferenz, 1984 KSZE-Expertentreffen über friedl. Streitbeilegung, Delegationsltr., 1984 25. a.o. Versammlung d. ICAO, Delegationsltr., 1985 KSZE-Menschenrechtsexpertentreffen, Delegationsltr. 1985/86 Vors. d. Vorbereitungskomitees f. d. Europ. Terrorismusmin.Konferenz, 1986 UN-Konferenz über d. Recht d. Verträge zwischen Staaten und Intern. Organ., Delegationsltr., seit 1988 Mtgl. d. Ständ. Schiedshofes (Den Haag), 1989 Pariser Treffen d. Konf. ü. d. menschl. Dimension d. KSZE (Deleg.Ltr.), 1989 Vors. d. 6. jur. Aussch. d. 44. GV d. VN, 1991-93 Stv. d. GS f. auswärt. Angelegenheiten. P.: "The Landlocked Countries & the United Nations Convention on the Law of the Sea" (gem. m. Univ.-Doz. Dr. Gerhard Hafner), The European Ministerial Conferenz on Human Rights in "Melanges Gerard Z. Wiarda" (Köln), "Die europ. Menschenrechtskonvention im intern. Vergleich" (in: Österr. im EuropaR. 1956-86 - Bilanz einer 30j. Mitgliedschaft) (1987 ÖAW), "Die europ. Neutralen u. d. EG" in: "Verantwort. in unserer Zeit - Festschr. f. Dr. R. Kirchschläger" (1990), "The Negotiation of a New Geneva-Style Convention: A Governmt. Lawyer's Perspective" in: "Environmtl. Protection & the Law of War (New York 1992). E.: venez. Frd. M. II. Kl., Kommandeurkreuz d. jord. UO GrVK/StddVO, GrSE, venez FrdM II.Kl, KmdK d Jord UO, GrVK/St d d VO, GrK d. Malt VO, GrOffK d päpstl GrO. H.: Völkerrecht, Lesen, Schwimmen, Langlaufen. (R.A.)

Türk Herbert Walter

B.: Grafik-Designer. PA.: 8010 Graz, Mucharg. 31. G.: Teschen, 15. Dez. 1925. V.: Iris, geb. Popelka. Ki.: Dipl.-Ing. Barbara (1951), Susanne (1952), Bernhard (1954). El.: Dr. Robert u. Berta. S.: VS, Oberschule, Kunstgewerbeschule Abt. Gebrauchsgrafik Graz, Stud. b. Prof. Hanns Wagula, Alfred Wickenburg u. R. Szyszkowitz. K.: Mitarb. v. Prof. Wagula, Beschäftigung m. Malerei, Aufnahme in d. Sezession Graz, Teilnahme an Ausstellungen, viele J. im Vorst., VPräs. d. Bundes Österr. Gebrauchsgrafiker Landesgruppe Stmk., Mitgestaltung einer umfassenden Ausstellung über Gebrauchsgrafik, ab 1951 freischaff. Grafiker, Juror, ständige Mitarb. f. d. Landesfremdenverkehrsamt, durch Jahrzehnte f. d. Landesmuseum Joanneum u. bedeutende Industrieunternehmen, Gestaltung vieler Ausstellungen, Kons. f. künstler. Werbegestaltung einer Handelskette. Plakatausstellungen, div. Plakatwettbewerbe. P.: 3x in Graphis Annual, Kürschners Grafiker Handbuch, Graf. Handbuch d. BÖG Kunst u. Künstler in d. Stmk. E.: Goldmed. f. d. Land Stmk. Fremdenverkehrsplakat, 1. u. 2. Landespreise, zwei 1. Preise Fremdenverkehrsplakate, 8. Preis Gesamtösterr. ERP-Wettbewerb, 1958 u. 1962 Anerkennung z. Staatspreis f. Verpackung, Gold. EZ d. Landes Stmk. (M.Gr.)

Türk Hermann Dir.

B.: HS-Dir. a.D., Lehrer. A.: 4580 Windischgarten, Rosenauerweg 261. G.: Raab, 19. Febr. 1908. V.: Elisabeth, geb. Paulig. S.: Grundschule, lBA, Fachprüf. f. d. Lehramt an HS aus Deutsch, Zeichnen, Handarb., Leibeserz. K.: VS-Lehrer in Ebelsberg b Linz, Viechtweang, Goisern, Vorchdorf, Schardenberg u. Gmunden, HS-Lehrer in Gmunden, Windischgarten, 1942 Einberufung z. dt. Wehrmacht, Luftnachrichten-Truppe, Ausbildung: Funker (Hannover), Umschulung z. Flug-Meßfunk (Radar), Tongern (Belgien), Erfindungsvorschlag "Vereinfachtes Verfahren (Automation) z. Ermittlung d. Höhenwerte an d. Steuereinsätzen in d. Seeburgauswertung". Anerkennung u. Inanspruchnehmung d. RdL u. ObdL Wirtschaftsamt (G 1/F) v. 26. Jan. 1944, HS-Dir. in Windischgarten, Verb.-Trainer, BTrainer, Staatl. gepr. Trainer (m. Urkunde), Spezialist f. Faustball, BTrainer f. Faustball im Österr. Handball- u. Fraustballbund v. d. Grdg. d. Verb. bis 1975, anschl. Ltr. d. Lehrwarte u. Trainerausbildung im ÖHB. P.: "Faustball modern", Beiträge in Fachzeitschriften. E.: Berufl. Anerkennungen d. d. LSchulR. f. OÖ u. d. BezSchulR. v. Gmunden, Kirchdorf/Krems, EZ in Gold v. OÖ Handball- u. Faustballverb., Silb. u. Gold. EZ d. Österr. Handball- u.

Faustballbds., Silb. EZ f. Verd. um d. Rep. Österr. uva. M.: Grdg.Mtgl. d. Intern. Faustballverb. u. Präs. d. Techn. Kmsn. desselben, Mtgl. d. Österr. Turn- u. Sportunion Windischgarsten, Österr. Hand- u. Faustballbund.

Türk Peter

B.: Alleininh. FN.: Optik Türk. DA.: 1220 Wien, Siebenbürgenstr. 4. PA.: 1220 Wien, Spargelfeld-Siedlung Haus 146. G.: Wien, 2. Okt. 1937. El.: Ludwig u. Antonia. BV.: Ludwig Mika Komponist. S.: Optikermstr.Prüf., Musikak. Wien (Gesangstud.). K.: mehrere Rundfunk- u. Fernsehauftritte als "Singender Optiker" - genannt: "Das Phantom d. Optik", Inh. v. 14 Fachgeschäften d. Optik-Photobranche. H.: aktive Musik, Sport, Bodybuilding. (P.R.)

Türke Helga

B.: Inh. FN.: Beauty Nails. DA.: 9500 Villach, Italiener Str. 6/2. PA.: 9500 Villach, Zeno-Goess-Str. 21. G.: Villach, 12. März 1951. V.: Gerald Türke. Ki.: Andrea. El.: Andreas u. Hilde Aigner. S.: Pflichtschulen, kfm. Lehre in Villach, Fachkurse in Wien. K.: Ang. in einem gr. Kaufhaus in Villach, Interesse f. Modellierung d. Fingernägel, 1987 Grdg. d. Studio Beauty Nails, Kurse in Deutschland u. Wien, Tiefenwärme- u. Lymphdrainage, Beratung. H.: alte Möbel sammeln, Lesen, Skifahren. (D.M.)

Türke Walter Dkfm.

B.: selbst. Wirtschaftsprüfer u. Steuerberater. DA.: 1070 Wien, Kaiserstr. 37. PA.: 1190 Wien, Hohe Warte 7A. G.: Mannsdorf, 8. Jän. 1945. V.: Krista, geb. Trostli. Ki.: Maria (1973), Christoph (1974). El.: Alois u. Marie, geb. Hengstberger. S.: 1963 HAK-Matura, 1963-69 Stud. HS f. Welthdl., 1974 Steuerberaterprüf., 1975 Wirtschaftsprüf. K.: seit 1969 Tätigkeit in versch. Wr. Kzl., ab 1975 selbst., Schwerpunkt: Unternehmensprüf., Gutachtertätigkeit, Beratungen aller wirtschaftl. Angelegenheiten. H.: Wassersport, Sammeln v. Oldtimern. (N.A.)

Türkfeld Bernhard Dipl.-Ing.

B.: Gschf. u. Präs. d. AGROMEAT-HandelsgesmbH. GT.: Präs. d. Aichhorn & Co KG weltweit Import-Export Ges. DA.: 1020 Wien, Taborstr. 24a. PA.: 1030 Wien, Dannebergpl. 19. G.: Czernowitz/ Rumänien, 27. Okt. 1920. V.: Süssi, geb. Mandl. Ki.: Doris. El.: Azriel u. Olga. K.: Rumänien Stud. d. Techn., 1941 Maschinenbauing., b. 1946 Chefing. eines sowjet. Trustes, Dr. d. Wirtschaft Rumäniens, 1947 nach Wien, selbst im Hdl., Übernahme d. Fa. Aichhorn, 1971 Grdg. d. AGROMEAT-Handelsges. 10 Sprachen. (Erh.)

Turkof Harry Dr.

B.: Zahnarzt. DA.: 1190 Wien, Billrothstr. 20/1/15. PA.: 1190 Wien, Billrothstr. 56. G.: Wien, 9. Sept. 1923. Ki.: Edwin, Roul. S.: VS, Gymn., Stud. d. Med., 1967 Prom. K.: 1968-73 Ausbild. in Psychiatrie, Unfallchir. u. Gynäkologie, 1973 FA-Ausbild. an d. Zahnklinik u. gleichzeitig an d. Kinderklinik tätig, anschl. als FA f. Zahn- u. Kieferheilkunde an d. Zahnklinik tätig, Eröff. einer eigenen Ordination. BL.: Gr. Einfühlungsvermögen f. d. Patienten, vor allem f. d. Kinder. P.: Publ. in Fachzeitschriften. M.: aktives Mtgl. d. Amnesty Intern. H.: Handwerkl. Tätigk., Theater, Literatur. (M.Br.)

Turnauer Herbert

B.: Industrieller, AufsR.Vors.: Constantia Industrieholding AG Wien, Teich AG Mühlhofen-Obergrafendorf, Ehrenvors.: Isovolta Österr. Isolierstoffwerke AG Wr. Neudorf, AufsR.: Iso-Holding AG Wien. DA.: 1010 Wien, Opernring. 19.

Turrini Peter

B.: Schriftsteller. A.: 1090 Wien, Mayrgasse. G.: Ktn., 1944. K.: Volksstück "Sauschlachten" (1971), "Kindsmord" (1972), Lustspiel "Der tollste Tag" (1972), "Die Wirtin" (1972), "Erlebnisse in d. Mundhöhle" (1972), "Ein paar Schritte zurück" (1979, Gedichte), "Alpensaga" (1974-79 Fernsehfilm), "Josef u. Maria" (1980, Drama), 1993 Uraufführung v. "Alpenglühen" im Burgtheater.

Türtscher Alois

B.: selbst. Gschf. FN.: Alois Türtscher Kfz- u. Landmaschinenfachbetrieb. DA.: 6830 Rankweil, Bundesstr. 27. PA.: 6832 Zwischenwasser, Halde 5. G.: Batschuns, 3. Apr. 1955. V.: Reingard, geb. Summer. Ki.: Samuel, David, Simone, Sara. El.: Friedrich u. Barbara. S.: 1970-74 Kfz-Mechanikerlehre, 1978 Mstr.-Prüf. Kfz-Mechaniker, 1980 Mstr.-Prüf. Schlosser, 1984 Mstr.-Prüf. Landmaschinenmechaniker, 1992 dipl. Kfz-Elektroniker. K.: b. 1978 Tätigkeit als Kfz-Mechaniker b. Firma Bachmann, 1978-81 Gschf., s. 1981 selbst. in Batschuns, s. 1987 dzt. Geschäftssitz. M.: Vors. Lehrlingsprüf.-Kmsn. Landmaschinenmechaniker, Obm. d. Vbg. Landmaschinenhdl. H.: Musik, Motorradfahren. (A.K.)

Türtscher Anton

B.: Landesrat f. Land- u. Forstwirtschaft, Natur- u. Landschaftsschutz im Amt d. Vbg. Landesrg. GT.: Ldw. Betrieb m. Alpe in Bergbauernzone. DA.: 6900 Bregenz, Römerstr. 15. PA.: 6731 Sonntag, Boden 2. G.: Schoppernau, 7. Apr. 1933. V.: Christine, geb. Nigsch, 6 Kinder. El.: Leo u. Antonia. S.: Ldw. Berufsschule, Kurse u. Weiterbild. K.: 30 J. Mtgl. d. Gem.-Vertretung v. Sonntag, 10 J. VBgm., 5 J. Gem.-Vorst.-Mtgl., 20 J. Ortsbauernbundobm. v. Sonntag, 1971-88 KamR. b. d. Ldw.-Kam. f. Vbg., 1983-88 Mtgl. d. Österr. NatR., seit 1988 Landesrat. H.: Bergwandern, Lesen, Ldw. (A.K.)

Türtscher Franz

B.: Hotelkfm., Gschf. Ges. Hotel Post. DA.: 6563 Galtür 47B. G.: Galtür, 3. Aug. 1965. El.: Adolf u. Monika. S.: HS, Berufsschule Imst, Ldw.-Schule Villa Blanka Innsbruck, 1986 Konzessionsprüf. K: 1985 Eintritt in d. elterl. Hotelbetrieb, 1994 Gschf. Ges. E.: Gold. Leistungsabz. d. Feuerwehr Galtür, Bronz. Leistungsabz. d. Musikkapelle Galtür. M.: Feuerwehr Galtür, 10 J. MK Galtür. H.: Feuerwehr, Skifahren, Musik, Squash, Wein. (I.D.)

Turtschin Michael Erzpriester

B.: Erzpriester, Priester d. Russ.-Orthod. Kathedrale z. Hl. Nikolaus. DA.: 1030 Wien, Jaurèsg. 2. G.: Krasnodor/ Rußland, 11. Nov. 1938. V.: Alla, geb. Sobolewa. Ki.: Irina. El.: Peter u. Soja. S.: 1955 Matura, Stud. in Odessa, 1959-65 Gstl. Ak. in Leningrad, 1962-68 Phil. Fak. in Moskau, 1968 Dipl., Lehramtsprüf. in Theol. u. Phil. K.: 1969-71 Berufung an d. Kirchl. Außenamt d. Patriarchats als Mitarb. u. priv. Sekr., 1971-76 Chefred. d. Monatszeitschrift "Stimme d. Orthodoxie" in Berlin, 1971-76 Priester an d. Russ.-Orthod. Kirche d. Hl. Alexander Nevsky in Potsdam, 1976 Rückkehr nach Moskau im Außendienst d. Patriarchats als Ref. f. Kath. Fragen, Lehrer u. Lektor an d. Moskauer Ak. f. d. Geschichte Russ. Kirche in jüngster Zeit, b. 1983 Priester d. Pfarre Kolomenskoje, 1983 Berufung nach Leipzig als Priester, 1983-87 Chefred. d. Monatszeitschrift "Stimme d. Orthodoxie" in Berlin, seit 1987 Priester d. Russ.-Orthod. Kathedrale d. Hl. Nikolaus in Wien. P.: Art. im Journal d. Moskauer Patriarchats über d. Beziehung zwischen d. Ev. Kirche Deutschlands u. d. Russ.-Orthod. Kirche u. über d. Bischofssynode in Rom, 1973. E.: 1976 Erzpriester, 1986 Orden d. Hl. Vladimir, 2 Orden d. Hl. Sergius 2. u. 3. Kl. sowie d. Kreuz m. Verzierungen 1979, Mitra 1987. M.: Curator d. "Unio Internationalis Ordinum" 1989. H.: Briefmarken m. religiösen Motiven, Bücher, Lesen. (M.B.)

Tusch Maria

B.: Teilhaberin. FN.: Alois Tusch & Sohn Installationsunternehmen. DA.: 6060 Hall, Alte Zollstr. 22. PA.: 6060 Hall, Faistenberger Str. 18. G.: Innsbruck, 8. Nov. 1929. V.:

Hans Tusch. Ki.: Maria (1952), Johannes (1956). El.: Johann u. Anna Kostner. S.: Grundschule Mayrhofen, LBA Innsbruck, 1948 Matura. K.: Lehrerin, nach Heirat Tätigkeit im Betrieb, seit 1980 Führung d. Installateurbetriebs m. Sohn u. Tochter. M.: Kneipp-Ver. H.: Literatur, Wandern, Blumen, Enkelkinder. (M.W.)

Tuschel Manfred Dr. phil.
B.: Lektor im Verlag Ed. Hölzel. DA.: 1230 Wien, Jochen-Rindt-Str. 9. PA.: 1190 Wien, Gugitzg. 10. G.: Wien, 20. Juli 1956. V.: Dr. Eliza, geb. Cybulska. Ki.: Alexander (1978), Maximilian (1983). El.: Alfred u. Augustine, geb. Hischenhuber. S.: 1974 Matura, 1974-80 Stud. Germanistik, Geschichte u. Alte Geschichte an d. Univ. Wien m. Prom. z. Dr. phil. K.: seit 1978 in Buchverlagen tätig, ab 1986 im Verlag Ed. Hölzel, Schwerpunkt: Unterrichtswerke f. Geschichte u. Sozialkunde. P.: Autor v. div. Geschichtsbüchern u.a. "Stationen", "Epochen d. Weltgeschichte" und "Geschichte kompakt". Weitere Werke: "1x Semmering u. retour - Bahnplaudereien" (1982), "Im Zug d. Zeit - Die Kaiser-Ferdinands-Nordbahn" (1985). H.: Bücher schreiben, schöne Literatur, Kinder. (N.A.)

Tuschell Christine
B.: Schneidermstr. FN.: Kleiderservice Christine. DA.: 1010 Wien, Mahlerstr. 9. PA.: 1190 Wien, Nußwaldg. 24/14. G.: Brünn/Mähren, 1. Juni 1940. El.: Walter u. Maria, geb. Kabilka. S.: Modeschule Bad Ischl, Praxis b. d. Firma Faschingbauer, 1 J. Mstr.-Kl. in d. Modeschule b. Michelbeuern, 2 J. Praxis in Lausanne/Schweiz. K.: 1963-66 Tätigkeit b. d. Modefirma "La robe", seit 1966 selbst. H.: klass. Musik, Zeichnen, Malen, esoter. Bücher lesen. (N.A.)

Tuschl Roland Ing.
B.: Einzelunternehmer u. alleiniger Gschf. DA.: 1030 Wien, Siegelg. 1. G.: Wien, 9. Mai 1939. Ki.: Claudia Maria (1979), Harald (1981). El.: Ing. Karl u. Margarete. BV.: Dir. Carl Tuschl, Volksschauspieler, ab 1907 Dir. am Theater an d. Wien. S.: HTL, techn. Praxiszeit, Ing. K.: Verkauf f. Kopier-, Druck- u. Papierverarbeitungsmaschinen, Verkaufsltr., Prok., selbst. seit 1976 m. Binde- u. Laminiergeräten, Medienpublikationen, Auslandstätigk. f. Messen, Marketing, ostorientiert, eig. Prod. v. Thermobindemappen. H.: Reiten, Wasserski, Schifahren, Fotografieren, Filmen. (J.E.)

Tusek Gerhard Mag.
B.: Mtgl. d. Bundesrates, Lehrer an AHS. DA.: 1017 Wien, Dr.-Karl-Renner-Ring 3. G.: Wr. Neustadt, 8. Juni 1949. S.: BRG, 1967 Matura, Lehramtsstud. an d. Univ. Wien (Biol. u. Umweltkunde, Chemie), 1973 Mag. K.: 1973 Miliz-Offz. im Rang e. Hptm. u. s. 1987 Hptm., 1973/74 Lehrer am BRG Rohrbach, s. 1977 Prof., s. 1979 Mtgl. d. GemR. v. Rohrbach, s. 1988 Mtgl. d. gewerkschaftl. Bez.-Aussch., s. 1991 Mtgl. d. Vorst. d. Bezirksabfallverb., s. 4/1991 Mtgl. d. Bundesrates.

Tusnovics Christian M.

B.: Grafiker, Sales Manager. FN.: Tusnovics Holding GmbH. DA.: 1130 Wien, Lainzer Str. 31. G.: Teheran, 26. Mai 1968. El.: Ferenc u. Evelyn. S.: VS, Gymn., Graf. Lehr- u. Versuchsanst. K.: 6 J. Druckerei u. Verkauf im graf. Gewerbe, Tätigkeit im väterl. Betrieb, Gschf., Range-Office Manager in d. Budapester Zweigstelle. H.: Skifahren. (W.J.)

Tusnovics Ferenc

B.: Kfm., Managing Dir. FN.: Tusnovics Holding GmbH. DA. u. PA.: 1130 Wien, Lainzer Str. 31. G.: Pecsvarad, 28. Juni 1929. V.: Eveline. Ki.: Ing. Gertrude (1954), Arch. Andreas (1963), Susanna (1966), Christian (1968). El.: Lajos u. Anna. S.: Matura, Kfm.-Laufbahn. K.: 1956 nach Österr. gekommen, Exportdir. b. Linzer Glasspinnerei, 1966 Übersiedlung nach Persien, Teheran, Verkaufsdir. sowie Kons. div. pers. Firmen, 1968-78 Übersiedlung mitsamt Familie nach Beirut, Libanon, Gen.-Dir. eines Schweiz-Amerikan. Unternehmens, 1978 nach Österr. zurück, Aufbau d. Tusnovics Holding GmbH m. Ndlg. in Ungarn, Polen, Tschechien u. Rumänien. M.: Wirtschaftskam., Club Alvarez. H.: Skifahren, Radfahren, Hundeliebhaber, Musikliebhaber, Theater, Oper. (W.M.)

Tutsch Christian
B.: Inh., Gschf. FN.: Laborex Med.-Techn. Geräte GmbH. DA.: 1150 Wien, Sturzg. 38. G.: Wien, 27. Sep. 1962. V.: Petra, geb. Lichtenschopf. El.: Franz u. Gertrude. S.: Gesamtschule, Buchhändlerlehre, 1981 Abschluß. K: 7 J. im Bankwesen tätig, 1990 HAK-Matura, selbst. u. 1990 Firmengrdg. im Bereich d. Med. Technik. M.: Junge Wirtschaft. H.: Paragleiten, Skifahren. (M.J.)

Tutsch Franz
B.: Alleininh. DA.: 1050 Wien, Wiedner Hauptstr. 81. G.: Hinter Ehrnsdorf, 31. Juli 1947. V.: Susanne, geb. Reisinger. Ki.: Michael (1970). S.: VS, HS, Berufsschule. K.: 25 J. Tätigkeit in d. Unterhaltungsbranche, Spezialisierung auf Billard, Darts u. Unterhaltungsautomaten, weltweite Im- u.

Exporte, Exklusivvertretungen vieler namhaften Firmen. BL.: Exklusivausstatter v. EM u. Staatsmeisterschaft, Förderung d. Billard- u. Dartsports. (N.A.)

Twaroch Johann N. Mag.

B.: Ltr. kulturelles Wort ORF/Studio NÖ. DA.: 1040 Wien, Argentinierstr. 30. PA.: 2380 Perchtoldsdorf, Schöffelstr. 1. G.: 12. März 1942. V.: Valerie Christine, geb. Schmid. Ki. Stephanie (1986). El.: Dipl.-Ing. Dr. Johannes u. Helene. S.: RG, Ak. d. bild. Künste, Univ. Wien, 1965. K.: Lehrer Volks-HS, 1966 Ang. d. Bibliothek Studio Wien, Redakteur d. Schulfunks, Studienprogramm-Gestalter, 1976 Literaturabt. P.: Versch. Bücher (1984 "Literatur aus NÖ", 3 Bde. "Literatur i. Anekdoten" 1992. "Notizen zur Literatur" 1993, div. Gedichte. M.: Präs. Verb. kath. Schriftsteller Österr., P.E.N.-Club. E.: Literar. Förderungspreis NÖ 1976. H.: Malerei. (Fels.)

Twaroch Paul Dr. iur. Prof.

B.: Int. d. LStudios NÖ d. ORF. GT.: Univ.Lektor. DA.: 1040 Wien, Argentinier Str. 30a. G.: Wien, 15. März 1932. V.: Emmi, geb. Bina. Ki.: Dr. Gabriela, Eva. El.: Rudolf u. Theresa. S.: VS, RG, 1950 Matura, danach Stud. d. Rechte an d. rechts- u. staatswiss. Fak. d. Univ. Wien, 1956 Prom., 1962 RA-Prüf., Stud. an d. Ak. f. Musik u. darstell. Kunst in Wien. K.: 1957 RA-Anw., 1958-63 als RA in d. Finanzprokuratur, 1963-66 Wirschaftsjurist, 1966-70 Ltr. d. Min.Büros im BMB, 1970-78 Gen.Sekr. d. ORF, seit 1978 Landesintendant. BL.: zwischen 1966 u. 1970 AufsR. d. Großglockner Hochalpenstraße u. VPräs. d. Tauernautobahn, Beiträge z. Erhaltung d. kulturellen Bausubstanz Österr., 1987 Errichtung d. Expositur St. Pölten d. Landesstudios NÖ. P.: Autor d. österr. Kommentars z. Rundfunkgesetz 1974, Mitautor "Das neue Mediengesetz" (1982), Aufsätze u. Vorträge zu Fragen d. Stadterneuerung u. Bodenordnung sowie z. grundsätzl. Medienthemen. E.: 1970 Silb. EZ f. Verd. um d. Rep. Österr., 1981 Kardinal-Innitzer-Würdigungspreis, 1982 Gr. EZ f. Verd. um d. Bundesland NÖ, Ehrenringe d. Städte Zwettl, Litschau, Gmünd, Komturkreuz d. päpstl. Ordens d. Hl. Silvester. M.: Präs. d. NÖ Presseclubs, NÖ Kultursenat. H.: zeitgenöss. Literatur, Musik, Fragen d. Stadtplanung u. d. Denkmalschutzes, Familie, Grenzüberschreitende Aktivitäten z. Förd. d. gemeinsamen mitteleurop. Kulturraums unter d. Motto "Begegnung m. d. Nachbarn". (G.E.)

Tychtl Gerald Ing.

B.: Mtgl. d. NatR. seit 1981, Ing. f. Maschinenbau. DA.: 1017 Wien, Dr.-Karl-Renner-Ring 3. G.: Anger, 23. Jan. 1941. S.: Pflichtschulen, Berufsschule. K.: erlernter Beruf Maschinenschlosser, 1956-1960 in d. Elin Union AG f. elektr. Ind. a. Maschinenschlosser tätig, neben d. Berufsausübung Besuch d. Werkmeisterschule f. Berufstätige u. anschl. Absolvierung d. HBLVA Graz-Gösting (Fachrichtung: Maschinenbau), 1974 Matura, 1976 Verleihung d. Standesbezeichnung Ing., seit 1974 Mtgl. d. Stadtparteiaussch. u. seit 1979 Bez.Obm.Stellv. u. gschf. Bez.Obm. d. SPÖ Weiz, 1975-1980 Mtgl. d. LVorst. d. "Jungen Generation d. SPÖ" Stmk., seit 1982 Mtgl. d. GemR. d. Stadt Weiz. E.: GrSE.

Typplt Josef Johann

B.: Bez.-Sekr. d. ÖGB Pongau, VBgm. v. Werfen. DA.: 5500 Bischofshofen, Hauptschulstr. 16. PA.: 5451 Tenneck, Neue Heimat 21. G.: Tulln, 15. Mai 1940. V.: Anna, geb. Tanler. Ki.: Günther (1961), Heimo (1964), Jürgen (1966), Andreas (1968), Horst (1970). El.: Josef u. Anna. S.: VS, HS, 1954-57 Dreherlehre. K.: b. 1970 Berufstätig, 1970 ÖGB (Metall u. Bergbau) Sekr. f. d. Land Sbg., 1974 Bez.-Sekr. Zell am See, seit 1982 Bez.-Sekr. Bischofshofen, Bereiche: Organ., Konsumentenberatung, Interventionen b. Ämter u. Behörden, Bereiche VBgm.: Ressort Schulen u. Kindergärten, Gem.-Vertreter, sämtl. Aussch. d. Gem. P.: Veröff. in landesweiten u. reginalen Printmedien. E.: Ehrenring d. Gem. Werfen. M.: SPÖ, ÖGB. H.: Skifahren, Wandern, Fischen, Gymnastik. (G.P.)

Tyran Peter

B.: Chefred. "Hrvatske Novine" (Wochenzeitung d. Bgld. Kroaten), Pressesprecher d. Kroat. Akademikerklub, freier Mitarb. d. ORF-Rundfunk. DA.: 7000 Eisenstadt, Hotterweg. PA.: 1090 Wien, Müllnerg. 9-11/3/15, 2475 Neudorf, Novoselo 47. G.: Kittsee, 27. Okt. 1955. V.: Eva-Margarete. Ki.: Simon-Peter, Liza-Maria, Katharina-Klara, Philipp-Paul. El.: Karl u. Paula. S.: 1974 Matura Wien, Stud. Univ. Wien Anglistik, Slawistik u. Phil. K.: 1978-86 Chefred. d. Kroat. Kulturzeischrift aus d. Bgld. "Pokus", 1981 Mithrsg. eines 2-sprach. Buches über kroat. Folklore im Bgl. "Kolo Slavuj", 1983 Hrsg. einer 2-sprach. Anthologie zeitgen. bgld. kroat. Lyrik "Ptici i slavuji/Hawks and nightingales, Übersetzer zus. m. Herbert Kühner, 1983-87 Vors. d. Kroat. Akademikerklubs, seit 1984 Chefred. "Hrvatske Novine". M.: Vorst.Mtgl. d. Arge f. Volksgruppenfragen - Volksgruppeninst., seit 1988 Kroat. Schriftstellerverb., seit 1989 Österr. P.E.N.-Club. H.: Folklore, Jazz, Ldw. (A.W.)

Übelher Georg

B.: Bgm. d. Gem. Bizau. DA.: 6870 Bezau 362. PA.: 6874 Bizau, Sonnenstr. 287. G.: Schnepfau, 11. Mai 1942. V.: Erna, geb. Metzler. Ki.: Agathe (1967), Christine (1968), Jörg (1974), Petra (1976). El.: Wendelin u. Katharina. S.: Pflichtschule, kfm. Weiterbild. im Fernstud., berufsbez. Weiterbild. u. Bilanzbuchhalterkurs im WIFI Dornbirn, 1961/62 BH. K.: seit frühester Jugend Mitarb. in d. elterl. Gastwirtschaft u. Ldw., 1965-68 Gem.-Sekr. in Schnepfau, 1968-75 Buchhalter Holzbauwerk Kaufmann, 1976-88 kfm. Ltg., 1975 Eintritt in d. jetzige Firma, 1976 Prok., seit 1976 Gem.-Vertretung, 1985 VBgm., seit 1990 Bgm. d. Gem. Bizau. M.: 24 J. Kapellmeister. Musikver. Bizau, Mitglied Regio-Bregenzerwald AufsR.-Vors. Konsumver. Bizau, mehrere Ortsver. H.: Musik, Bienenzucht, Filmen, Bergwandern, Natur. (I.D.)

Übelhör Eugen

B.: Inh. FN.: Eugen Übehör Weberei u. Stickerei. DA.: 6973 Höchst, Alemannenstr. 7. G.: Lustenau, 18. Nov. 1939. V.: Marianne. Ki.: Heidi (1970), Martin (1971), Judith (1975), Stefan (1980), Julia (1991). El.: Anton u. Frieda. S.: VS, Textilschule Dornbirn, 1961 Mstr.-Prüf., fachbezogene Weiterbild. K.: 2 J. Webmstr. in d. Textilbranche, 1962 Eintritt in elterl. Betrieb, zusammen m. Vater b. zu dessen Pensionierung 1968 d. Betrieb geführt, Handarbeitsstoffe u. exklusive Stickerei. E.: Ausz. f. beste bodenständige Souvenirs in Paris, Ausz. f. Firmenlogo, Silb. EZ d. Männergesangsver. Höchst. M.: Männergesangsver. Höchst, Yachtclub Rheindelta. H.: Singen, Segeln, Radfahren, Skifahren. (I.D.)

Ubell Andreas H.

B.: Journalist. FN.: News VerlagsgesmbH & Co KG. DA.: 1020 Wien, Praterstr. 31. PA.: 1060 Wien, Corneliusg. 1/7. G.: Wien, 22. Sep. 1956. V.: Elisabeth, geb. Heuschmied. Ki.: Daniel Andreas (1986). El.: Rudolf Heinrich u. Gertrude. BV.: Großonkel Univ.Porf. H. Ubell, e.d. bed. Förderer f. mod. Lit., u.a. Förderer v. H. Bahr. S.: 1974 Mat., 8 Sem. Stud. Publ. Univ. Wien. K.: Gem. m. Th. Scheiner Grdg. d. Schülerzeitg. "Kritik" am BRG, ab 1978 währ. d. Stud. i.d. Wirtschaftsred.

d. Kronenzeitung b. Dr. G. Wailand., 1981 del. z. Mitarb. i.d. Anfangsphasen d. Wirtschaftsmagazins "Gewinn", 1981 Wechsel z. Marktmagazin d. "Kurier", ab 1984 Projektred. u. Entw. d. 2. Generation d. "Cash Flow" gem. m. F. Papp, 1986 engagiert v. W. Fellner z. Illustrierten "Basta", bis 1994 Ress.-Ltr. f. Motor- u. Technikjournalismus, ab 1993 Chef v. Dienst, 1990-93 gleichz. Radiored. u.a. Privatsender "Antenne", Ges.-Red., 1992-93 red. Mitarb. "Ö3 Freizeichen", s. 1994 Ltr. d. Ress. Sonderthemen bei "News" M.: Vorst.-Mtgl. d. Vereins HOG z. Pflege u. Erhaltg. d. Motorrades "Harley-Davidson". H.: Tennis, Harley-Davidson, Musik. (J.S.)

Überall Waldemar

B.: Gschf. FN.: ATD Autmobiltechn. Design GmbH. DA.: 4400 Steyr, Blumauerg. 34. PA.: 2344 Maria Enzersdorf, Donaustr. 115. G.: Krems, 27. Apr. 1940. V.: Irene, geb. Müller. Ki.: Marco (1967). El.: Karl u. Maria. S.: Gymn. Ried, HTL St. Pölten, 1960 Matura. K.: 1960 Vereinigte Metallwerke Ranshofen, 1976 Kromag AG Hirtenberg, glz. Stud. Wu Wien (Werbung, Verkauf), Auslandstätigk., 1984 selbst. m. techn. Büro Fa. Elmaplan GmbH (Gschf. bis 1992), seit 1989 dzt. Position. P.: Vorträge, neutraler Berater f. WIFI. H.: Schifahren, Wandern. (U.A.)

Überbacher Kurt Dr. med.

B.: FA f. Frauenheilkunde u. Geburtshilfe. DA.: 5020 Salzburg, Franz-Josef Str. 25A. PA.: 5023 Esch 311. G.: Seewalchen, 19. Feb. 1941. V.: Helga, geb. Klappacher. Ki.: Heidi (1976), Hannes (1980). El.: DI Robertu. Helga, geb. Bocksleitner. S.: 1951-59 Gymn. Slbg., 1959-66 Med. Stud. Innsbruck und Wien, Prom. Innsbruck, 1966-74 Turnus- u. FA-Ausb. i. Slbg. Landeskrankenanstalt. K.: 1975 Niederlassung a. FA i. Slbg. M.: Golf u. Country Club Altentann, SCS Schwarzindien/Mondsee (Grdg.-Mtgl.). H.: Golf, Segeln, Lesen. (C.D.)

Überbacher Robert

B.: Gärtnermstr. DA.: 6175 Kematen, Michelfeld. G.: Innsbruck, 1. Febr. 1932. V.: Marianne, geb. Kreutz, 2 Kinder. S.: VS, HS, Berufsausbild. K.: Übernahme d. elterl. Betriebes, Ausbau u. Vergrößerung, seit 1974 neue Betriebsstätte in Kematen. M.: Obm. v. Blumenhaus Innsbruck. H.: Beruf. (Schm.)

Überbacher Sepp Dr. phil.

B.: Schulpsychologe, Psychotherapeut, Hypnotherapeut, Psychotherapeut in freier Praxis, LandesschulR. f. Ktn. Bez. Spittal. DA.: 9800 Spittal/Drau, Bahnhofstr. 18. PA.: 9871 Seeboden, Seeblickweg 65. G.: Asten-Mörtschach, 28. Juni 1940. V.: Gerlinde Margarethe, geb. Guggenberger. Ki.: Christoph (1982), Lisa-Maria (1992). El.: Johann u. Veronika. S.: VS, HS, 1954-56 ldw. Berufsschule, 1957-63 Humanistisches Gymnasium Tanzenberg, 1963 Matura, 1963-65 Jusstud. Wien, 1965-71 Stud. Psych. Innsbruck, 1971 Prom. K.: pharm. Ärzteberater, 1972 Schulpsychologe f. Bez. Spittal, 1992 Aufnahme in d. Psychotherapeutenliste Österr., spezielle Ausbild. f. Gesprächstherapie, autogenes Training, Verhaltensmodifikationen, Hypnose, NLP, Lehrbeauftragter f. Lehrerfortbildung, BL.: Organ. u. Veranstaltung v. Seminaren ü. Streß- u. Self-Management dazu 2 Kasetten entwickelt. Wahlgutachter b. Gericht. H.: Bergsteigen, Skifahren, Langlaufen, Kontakt m. Menschen u. Natur, Lesen, Vortrags- u. Seminartätigkeit. (G.L.)

Ubl-Fahrngruber Gerta

B.: Geschäftsfrau, Schriftstellerin. DA.: 1050 Wien, Schönbrunner Str. 60. PA.: 1050 Wien, Rampersdorffer G. 43/9. G.: 22. Aug. 1944. Ki.: Doris. S.: HASCH, 1969 Externistenmatura, 1971 Lehramtsprüf. f. Englisch. K.: Lehrtätigkeit in Wien u. Sbg.-Stadt, Stud. Phil. u. Kunstgeschichte in Sbg., seit 1965 schriftstell. tätig. P.: Veröff. in Literaturzeitschriften u. Zeitungen, Kalenderblättern, Mundartreihe d. Breitenfurter Autorentrios, lyr. Streifen "Strickgespinste" herausgegeben v. d. Schriftstellerver. "Podium 70" Sbg. u. in d. Antholgien "Funkenflug" 1975, "Anstieg" 1977, "Standortbestimmungen" 1978, "Das immergrüne Ordensband" 1979, "Die Feuernarbe" 1985. E.: 1975 Literaturpreis f. Prosa in Sbg. f. d. Erzählung "Esther". M.: Perchtoldsdorfer Autorenrunde, Literaaktion 70 Wien-Liesing, Schriftstellerver. "Podium 70" Sbg., "Der Kreis" Wien. H.: Zen-Buddhismus, Makrobiothik. (A.W.)

Übleis Adolf

B.: Trabertrainer, Inh. d. Gestüts "Leobersdorf". DA.: Trabrennplatz Krieau. PA.: 2500 Baden, Mühlg. 60. G.: Wels, 10. Nov. 1937. V.: Herta, geb. Bartmann. Ki.: Christian, Claudia, Cornelia. S.: Lehre Kfz-Mechaniker in Wels, Gesellenprüf. K.: 1955 Beginn als Amateurfahrer in Wels, 1962 Beginn d. Profikarriere als selbst. Trabertrainer. E.: 1971 größter Erfolg EM in Recklinghausen/BRD, WM in Amerika u. Kanada, 1974 Europamstr., Siege in sämtl. bedeutenden Zuchtrennen in Österr., 4x Derbysieger (70, 79, 86, 92), erfolgreichster österr. Trabrennfahrer aller Zeiten - wird noch 1993 seinen 3000. Sieg feiern.

Übleis Hildegard

B.: Gastronomin Gasthof Pension St. Hubertus. DA. u. PA.: 5084 Großgmain, Salzburger Str. 289. G.: Salzburg, 30. Juli 1945. V.: Franz Übleis. Ki.: Roland (1963), Wolfgang (1964). El.: Franz Steidl. S.: 1969-62 Lehre Kfm. Ang. K.: Umstieg auf Leder, Umstieg auf Elektronik, verantwortl. f. Materialeinkauf, Umstieg auf Gastronomie, 1982 Konzessionsprüf., nebenbei Absolvierung d. Jagdscheines, seit 1978 in Großgmain, seit 1985 selbst. M.: Fahnenmutter b. d. Freiwilligen Feuerwehr Großgmain. H.: Jagd, Radfahren, Kartenspielen, Witze erzählen. (N.M.)

Uchatzi Alois sen.

B.: Inh., Gschf., Tischlermstr. FN.: Uchatzi GesmbH, Holz-, Kunststoffenster-, Türen u. Sonnenschutz. DA.: 2512 Oeynhausen, Süddruckg. 14. PA.: 2514 Traiskirchen, Lindeng. 17. G.: Mistelbach, 21. Feb. 1949. Ki.: Thomas (1971) Juniorchef, Johannes (1977). El.: Leopold u. Katharina. S.: 1964-67 Tischl.-Lehre, 1967 Abschl. u. Ges.-Prüf., 1969-71 Tischl.-Mstr.-Vorber.-Schule, WIFI, 1971 Abschl. Werkmstr. u. Tischl.-Mstr., 1971-73 Kurs f. Betr.-

Manag. ALFA b. WIFI. K.: 1971-73 Fa. Prutsche Wien a. Werkmstr., 1973-78 Fa. Feg Mödl., Betr.-Ltr., Aufb. d. Betr., 1979 Gründ. eig. Fa. Wr. Neustadt, 1983 Übersied. u. Expan. eig. Fa. n. Traiskirchen, 1990 Vorbereitung d. neuen Standortes, 1991 Bezug d. neu. Betr.-Obj. BL.: innerh. 2 J. Vervierfach. d. Umsatz.- u. Personalst., Erfolg durch außerg. Werbeakt., ständ. carit. Unterst. M.: Modellflugver. Concoro, Aero Klub. H.: klass. Musik. Sport. Kochen, Naturliebhaber. (I.K.)

Ugovsek Benno

B.: Gschf., Kfm. FN.: Ugovsek GmbH. DA.: 9020 Klagenfurt, Luegerstr. 27. PA.: 9020 Klagenfurt, Ginzkayg. 59. G.: Klagenfurt, 30. Nov. 1937. V.: Barbara geb. Franz. Ki.: Stefan (1963), Gregor 1964). El.: Rudolf u. Magdalena. S.: HAK, 1955 Matura, Volontärpraxis in Wien, 3 J. Lehre als Kfm. K.: 1963 Eintritt in elterl. Geschäft, 1973 Eröff. d. 1. Filiale, 1986 Eröff. EKZ-Interspar Klagenfurt, 1992 Eröff. "Scala-Feur Fashion". H.: Tennis, Golf, Skifahren. (K.K.)

Ugurlu A. Aykut

B.: Gschf. u. Inhaber. FN.: A. Aykut Ugurlu Import-Export Handel. DA.: 4020 Linz, Andreas Hofer Str. 3. PA.: 4040 Linz Am Grünberghof 44. G.: Denizli (Türkei), 12. Feb. 1951. V.: Bennison Debra. Ki.: Yasemin (1984), Aylin (1987), Denis (1990). El.: Faik u. Munire. S.: VS Türkei, Am. College Türkei, b. 1980 Univ.-Stud. Österr. in Wien u. Linz (BWL), 1981 Firmengründ. (Import u. Export v. Fischprodukten, Obst, Gemüse, Tiefgefrorenem). H.: Tennis, Schwimmen. (U.A.)

Uher Friedrich Dkfm.

B.: VDir. FN.: Landis & Gyr GmbH. DA.: 1231 Wien, Breitenfurter Str. 148a, Tel. 84 26 26. PA.: 1130 Wien, Vitusg. 10/12. G.: Niederwölz, 31. Jan. 1942. V.: Ingeborg, geb. Futschik. Ki.: Stefan u. Karin. El.: Albert u. Rosa. S.: Pflichtschulen, BRG, 1962-67 HS f. Welthdl., Abschluß Dkfm. K.: 1967 tätig b. Milchwirtschaftsfond, betriebswirtschaftl. Revisor., seit 1971 b. Fa. Landis & Gyr, zunächst Ass. d. Gschf., seit 1972 Bereichsltr. Finanzen u. Administration, 1983 VDir. M.: Lions-Club. H.: Sport, Musik, Theater. (Lar.)

Uhl Dietmar Dr.

B.: Dr. d. Gynäkologie. DA.: 1180 Wien, Währingerstr. 115/T18. G.: Wien, 2. Dez. 1955. V.: Mariana, Opernsängerin. Ki.: Julia. El.: Eduard u. Erna. BV.: Dr. Leopold Uhl 1769/1839 Hofmedicus u. Leibarzt d. Fürsten Schwarzenberg, Prof. Schmuth/Bonn Forschungsarbeit in d. Kieferchirurgie u. Zahnheilkunde. S.: 1974 Matura in Wien, 1982 Promotion Uni. Wien, K.: 6 M. Unfallchirurgie, 6 M. Pulmologie, Turnusausb. Wilhelminenspital anschl. Facharztausbildung, 1990 Doktorat, 1991 Hanuschkrankenhaus Wien/Sterilitätsamb. 1994 eig. Ordination. H.: Sprachen, Sport, Musik, Kunst. (T.T.)

Uhl Eduard Dipl.-Ing.

B.: Abt.-Dir. FN.: Siemens AG Österr. DA.: 1210 Wien, Siemensstr. 88-92. PA.: 2100 Korneuburg, Hans-Mühl-G.18. G.: Wien, 20. Okt. 1953. V.: Christa, geb. Auberle. Ki.: Markus (1986). El.: Mag. Eduard u. Johanna. S.: VS Sbg., 5 Kl. Akadem. Gymn., 3 Kl. Gymn. Wien,humanist. Matura 1972 techn. Physik TU-Wien. K.: 1979 Tätigkeit in d. Firma Siemens, Vertriebssachbearb.f. Übertr-. u. Sicherheitstechnik sowie Sicherheitstechnik, 1981 Projektltg. f. Eisenbahnprojekt in Algerien, Dienststellenltr. f. Eisenbahntelekommunikationsanlagen, Federführender Ing. f. Elektrokonsortium, 1986 Ltg. d. Vertr. f. öff. Vermittlungssysteme, 1989 Gschf. AOSA (Tochteruntern. v. Siemens) verantwortl. f. Vertrieb u. Entwicklung, 1990 Bereichsltr. Öff. Kommunikationsnetze, 1992 jüngster Abt.-Dir. d. Unternehmens, seit 1994 Bereichsltr. f. Bereich Anlagentechnik. H.: Malerei, Modelleisenbahn, Familie. (J.M.)

Uhl Hans K.

B.: Gschf. FN.: SPÖ Bezirksorganisation. DA.: 2340 Mödling, Hauptstr. 42a. PA.: 2380 Perchtoldsdorf, Stuttgarterstr. 12-22/5/3. G.: Wien, 22. Juli 1943. V.: Irmtraud, geb. Girsig. Ki.: Hans P. (1967). El.: Johann u. Theresia. S.: 1957-61 Lehre Maschinenschlosser Voest Alpine Traisen, 1962-63 Werkmeisterschule St. Pölten. K.: 1964-67 Schnittmacher Zink- u. Aluminium Walzwerk, 1967-74 Montagemstr. Fa. Ing. Münz, s. 1970 Gem.-Rat i. Perchtoldsdorf, s. 1974 Gschf. d. Bez.-Org. SPÖ i. Mödling, s. 1985 Landtagsabg. BL.: 1981 Grdg. d. Arbeiter Samariter Bund i. Perchtoldsdorf. E.: Ehrenring d. Gem. Perchtoldsdorf. M.: Ehrenmtgl. d. Feuerwehr i. Perchtoldsdorf. H.: Tennis, Briefmarken, Reisen. (I.K.)

Uhl Harald

B.: Gschf u. Inh. FN.: Harald Georg Uhl GesmbH. DA. u. PA.: 5412 Puch, Leitnerstr. 674. G.: Wien, 20. Juli 1962. Ki.: Mathias (1989). El.: Ernst u. Irmgard, geb. Errath. S.: 1972-76 Gymn. i. Wien, 1976-80 HTL Mödling Maschinenbau. K.: 1980-82 Praxisjahr i. väterl. Druckereibetrieb, 1982 Start eig. Handelsagentur, 1984 1. Ausbaustufe NÖ m.Systemlösungen i. Angebotsbereich Hotelerie u. Gastronomie, 1984 Stützpunktgrdg. BRD u. Schweiz, 1986-87 Start u. Ausbau eig. Prod. NÖ, 1989 Kauf Zweigstelle Stmk., 1990-91 Bau u. Org. i. Puch/Sbg., 1991 Grdg. u. Umwandlung d. Tochterges., b. 1994 Steigerung von 3000 auf 6000 Kunden. F.: Tochterfa. i. BRD, Schweiz u. France, Generalvertr. i. Portugal, Schweden u. Italien. E.: Austria Gütezeichen. H.: Wald, Wandern, Liebe zur Natur, Lesen, Sport (Rad u. Ski), Musik, Reisen. (C.D.)

Uhl Johann KommR.

B.: Bmstr. f. Hoch- u. Tiefbau, Gen.-Dir., Gschf. DA. u. PA.: 2604 Theresienfeld, Wienerstr. 6-12. G.: Altdietmanns, 8. Juli 1920. V.: Charlotte, geb. Larch. Ki.: Jürgen, Doris. El.: Johann u. Josefa. K.: 1960 Grdg. d. Fa. Johann Uhl Hoch- u.

Tiefbau GmbH & Co KG (in erster Linie Kabellegungsarbeiten f. d. öffentl. Hand, hauptsächl. f. d. Wr. Elektrizitätswerke sowie f. d. Kabelbauamt, 1983 Verleihung d. österr. Staatswappens), Bgm. v. Theresienfeld, KommR., Vorst. d. AufsR. u. Alleininh. d. Wohnbau GmbH Wr. Neustadt. E.: Gold. Ehrennadel d. NÖ-Fußballbundes, Silb. u. Bronz. Verd.Med. (freier Wirtschaftsverb. Österr.) F.: Johann Uhl Hoch- u. Tiefbau GmbH & Co KG. M.: SV-Uhl (Präs. u. Gründer), Arbö Uhl Theresienfeld-Radrennclub (Gründer, MRV-Motorrennsportver. (Gründer). H.: Jagd, Fördern v. Rad- u. Motorsportlern. (Kern)

Uhl Ottokar Mag. arch. o.Univ.-Prof.

B.: o.Univ.-Prof. d. Univ. Karlsruhe, freischaff. Arch. DA.: D-7500 Karlsruhe, Englerstr. 7. PA.: 1010 Wien, Maysederg. 2. G.: Wolfsberg, 2. März 1931. V.: Gertrude, geb. Mundsberger. Ki.: Carina, Jakob, Clemens, Leonhard, Anna. S.: VS, HS, Gymn., HTL Mödling, 1949 Matura, 1949-53 Ak. d. Bild. Künste in Wien-Schillerplatz, Mstr.Schule Prof. Lois Welzenbacher, 1953 Mag. arch. K.: seit 1953 selbst. Arch., 1959 Ziviltechnikerprüf., 1957 Intern. Sommerak. Sbg., 1965-72 Lehrauftrag Ak. d. Bild. Künste Wien, seit 1960 auch in d. Bauforsch. tätig, 1969-70 Gastprof. Washington Univ. USA, 1971-75 Lehrauftrag Ak. d. Bild. Künste Wien, seit 1973 o.Univ.-Prof. Univ. Karlsruhe, 1976-79 Dekan d. Fak. f. Arch. an d. Univ. Karlsruhe, 1984-85 Lehrauftrag TU, Arb. als freischaff. Arch.: 1957 Studentenkapelle Ebendorferstraße Wien, 1961 Segeldach Schloß Porcia Spittal/Drau, 1965 Kirche Taegu Korea, 1982 Wohnhaus d. Stadt Wien Steinlechnergasse, 1984 Wohnanlage "Wohnen m. Kindern" Jeneweingasse Wien. P.: ca. 156 Publ. in Fachzeitschriften, 2 Beiträge in Büchern. E.: 1953 Fügerpreis, 1953 Preis d. Zentralv. d. Arch. Österr., 1963 Österr. Staatspreis f. Arch., 1973 Preis d. Stadt Wien f. Arch., 1976 Kardinal Innitzer-Würdigungspreis f. Naturwiss. M.: Österr. Ges. f. Arch., Mtgl. d. DenkmalbeiR. (M.B.)

Uhlenhut Walter Dr. iur.

B.: Sozialvers.Ang., jurist. Sachbearb., Schriftsteller. FN.: Hpt.Verb. d. Österr. Sozialvers.Träger. DA.: 1030 Wien, Kundmanng. 21. PA.: 1080 Wien, Langeg. 15. G.: Wien, 14. März 1933. V.: Julianna, geb. Vas. Ki.: Bernhard. S.: RG Gmunden, 1951 Matura, Jusstud. Univ. Wien, 1956 Prom. K.: s. 1956 im Hpt.Verb. d. Sozialvers.Träger, jurist. Sachbearb., s. 1970 Ref.Ltr. P.: s. 1955 literar. Tätigkeit, hauptsächl. Lyrik, gelegentl. Veröff. in literar. Zeitschriften, 2 Lyrikbände: 1968 "Traum ohne Anker", 1982 "...weil Berührung unmöglich ist". H.: Österr. Schriftstellerverb. (C.K.)

Uhlich Klaus

B.: Schauspieler u. Regisseur. FN.: Jura-Soyfer-Theater. DA.: 1070 Wien, Neubaug. 3. PA.: 1060 Wien, Girardig. 6/17. G.: Wien, 10. Okt. 1941. Ki.: Konstanze (1982). El.: Karl u. Erika. S.: schauspieler. Ausbild. b. Prof. Elfriede Ott. K.: 1967-81 Engagements in versch. Theatern in Österr. u. Deutschld., seit 1981 J.-Soyfer-Theater. H.: Tennis, Musik. (N.A.)

Uhlir Herbert

B.: Dir. d. Austria Reiseservice. PA.: 2332 Hennersdorf, Nestroyg. 5. G.: Wien, 10. Aug. 1937. V.: Inge, geb. Ocke. El.: Robert. BV.: Vater war v. 1945-66 Abg. (Clubobm. d. SPÖ), Dir. d. PVA d. Arbeiter, Präs. d. Pensionistenverb., Vors. d. Dorotheumvorst. S.: Stud. einige Sem. Jus., 1956-57 Besuch eines Colleges in d. USA. K.: österr. Verkehrsbüro, dann Reisebüro Primus in Wien f. 12 J., seit 1972 b. Austria Reiseservice tätig. BL.: Mitarb an d. Konception und am Aufbau d. Ndlg. am Schottenring. P.: Fachzeitschriften im Ausland. M.: Skalclub, EUROMIC (Marketingorg., Sekr. in Paris), SITE (society of insentive travel executives). H.: Fotographie, Modelleisenbahnbau. (M.G.)

Uhlir Herbert

B.: Juwelier. DA.: 1180 Wien, Gentzg. 117. PA.: 1180 Wien, Karlweisg. 41/6/2. G.: Wien, 7. Okt. 1942. V.: Susanne, geb. Wagner. El.: Rupert u. Emilie, geb. Zöchling. S.: VS, HS, Klavierstud. Konservatorium d. Stadt Wien, Goldschmiedlehre b. Firma Schaur, 1961 Gesellenprüf. m. Ausz., 1964 Mstr.-Prüf. m. Erfolg, 1957-60 Juniorenspiele b. Wr. Sportclub. K.: 1964 Geschäftseröff. in Wien 12, Breitenfurter Str. 78, ab 1966 Juwelenwerkstätte in Wien 18, Gentzg. 117, b. 1970 Fußballspieler b. R.S.C. Retz u. S.V. Horn, Funktionen: Innungsaussch. d. Gold- u. Silberschmiede u. Juweliere, Gesellen- u. Mstr.-Prüf.-Kmsn., Laienrichter d. Arbeitsgerichtes, Vorst.-Mtgl. d. Österr. Meisterver., seit 1991 stellv. Innungsmstr. d. Gold- u. Silberschmiede u. Juweliere Wien. E.: Silb. Verd.-Med. d. Kam. d. gewerbl. Wirtschaft Österr. M.: Österr. Gemmolog. Ges., Diamant-Club Wien, Listenführer d. Gold- u. Silberschmiede u. Juweliere d. Freien Wirtschaftsverb. H.: Musizieren, Fußball, Skifahren, Tennis, Fischen, Tischtennis, Squash, Bogenschießen, Radfahren. (N.A.)

Uhlmann Andrea

B.: EDV-Angestellte, Kundenbetreuerin. FN.: EDV-Ges.m.b.H. DA.: 1060 Wien, Hofmühleng. 3-5. PA.: 1160 Wien, Gaullacherg. 45/14. G.: Wien, 15. März 1963. El.: Alfred u. Elsa Weber. S.: VS, HS, Bürokaufmannschule, Einzelhandelskaufmann, Handelsschule. K.: 1984-85 bei d. Gewerkschaft, Sektion Journalisten, danach i.d. obenerwähnten Pos., 1984-89 In d. Jungen Generation d. SPÖ auf d. Bez. Landesebene (NÖ). E.: Ö 3 Pop-Quiz-Gewinn. H.. Schwimmen Radfahren Volleiball Musik jeder art, Freunde. (N.A.)

Uhlmann Elisabeth

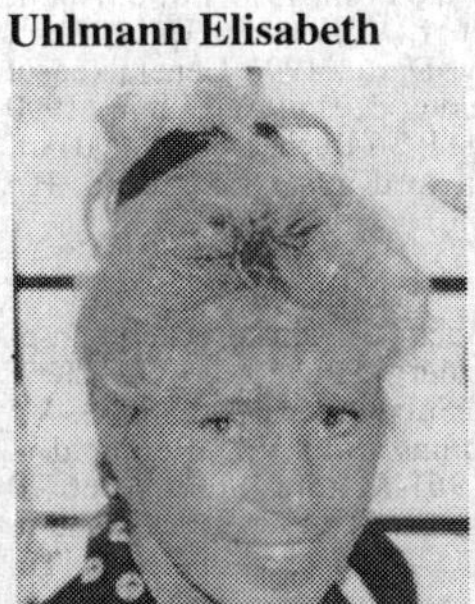

B.: Unternehmerin. FN.: bé-bé Boutique. DA.: 8010 Graz, Hammerlingg. 4. PA.: 8010 Graz, Johann-Strauss-G. 2. G.: Graz, 3. März 1940. Ki.: Gerhard (1961), Sabine (1963). El.: Franz u. Juliana Hagen. BV.: Bildhauer Wilhelm Gösser. S.: VS, HS, Mittelschule, Kunstgewerbeschule, Berufsausbild. im elterl. Betrieb. K.: Tätigkeit als Werbegestalter u. Werbemittler, Prok. u. Gschf. Ges. b. einer Möbelmontagefirma in Graz, 1981 Eröff. einer eigenen Boutique f. exclusive Damenmode in Graz, 1990 Eröff. eines 3. Geschäftes f. Junge Mode, unter d. 3 besten Boutiquen in Österr. M.: Wirtschaftsbund. H.: Tennis, Skifahren, Innenraumgestaltung. (M.Gr.)

Uhrlich Friedrich

B.: Inh. FN.: Hotel Schillerhof. DA.PA.: 4840 Vöcklabruck, Gmundnerstr. 66. El.. Hermann u. Frieda. S.: VS, HS, Hotelfachschule in Hofgastein. K.: 1970-75 in verch. Hotels Österr., Frankreich u. Spanien, ab 1975 Einstieg in d. elterl. Betr., 1982 Übern. d. elterl. Betr. u. Ablegung d. Konzessionsprüf. f. d. Gastgewerbe. H.: Schwimmen. (G.E.)

Uiberreither Volker

B.: Grafik-Designer. DA.: 5020 Salzburg, Reichenhaller Str. 14, 5450 Werfen-Weng, Berghof. G.: Salzburg, 8. März 1939. V.: Maria, geb. Steiner-Holzmann. Ki.: Katrin (1974), Mark (1977). El.: Rudolf u. Brunnhilde. S.: VS, HS, 1956-61 Höhere Graph. Lehr- u. Versuchsanst. Wien, Abschluß m. Dipl. K.: zahlr. Einzelausstellungen u.a. 1965 Galerie Stenzel München "Malerei u. Grafik", 1967 Galerie d. Berufsver. d. bild. Künstler Sbg. "Grafik", 1984 Keltenmuseum Hallein "Bild-schöner Tennengau", Kataloge: 1983 "Uiberreither in Ferien", 1984 "Bild-schöner Tennengau", 1986 "Grafik-Design-Metallarbeiten". P.: Berichte in Tages-Wochenpresse überregional u. regional, ORF, ZDF. E.: Sbg. Kunstver., Plakat- u. Prospekt-Wettbewerbe, Gold. Reisekutsche, Beste ausländ. Anzeige Berlin. M.: Vors. d. Berufsver. Bild. Künste Landesverb. Sbg., Inst. f. Farbengebung (GDA). H.: Bergsteigen, Sport allg. (G.E.)

Uibeleisen Norman Dr. Dkfm.

B.: Gschf. Ges. FN.: Lutz, Weber & Co GmbH. GT.: Gschf. Oilcarbo Holding GmbH. DA.: 1010 Wien, Seilerstätte 17. G.: Stuttgart, 9. Juni 1929. S.: AHS, Stud. Betriebswirtschaft Univ. Wien.

Uibopuu Henn-Jüri Dr. Dipl.-Dolm. Univ.-Prof.

B.: Univ.-Prof., Honorarkonsulat Amtsbereich Österr. f. Rep. Estland. DA.: 5020 Salzburg, Reichenhaller Str. 10a. G.: Tartu/Estland, 11. Okt. 1929. V.: Ingeborg, geb. Peyrer. Ki.: Kaja (1968), Ilmar (1971). S.: VS, Gymn., 1964 Matura, 18 J. Tanzmusik "Nora Quintett", Stud. Univ. Graz, 1986 Dipl.-Dolm. Russ., 1974 Habil., 1977 a.o.Prof., 1977 Ltr. d. Abt. f. Ostrecht, 6 J. Ltr. Inst.-Vorst. f. Volksrecht Univ. Sbg., Gastprof. Afrika, Paris u. Univ. Dartu, 1992 Generalkonsul Rep. Estland, 1988-91 Rechtsberater d. estn. Außenmin., 1990 Rechtsberater d. Estn. Staatspräs. P.: 6 Bücher, über 3000 Art. in wiss. Journalen. M.: Präs. in d. Österr. Section. H.: Wandern, Bridge, wiss. Arb. (S.P.)

Uitz Günther

B.: Teilhaber u. Gschf. FN.: Buch- u. Kunstdruckerei Josef Huttegger OHG. DA.: 5020 Salzburg, Struberg. 15. PA.: 5061 Elsbethen, Wiesenweg 12. G.: Salzburg, 4. Aug. 1943. V.: Heidelies, geb. Gigl. Ki.: Thomas, Julia. El.: Reinhold u. Edeltraud. S.: Mittelschule, 1961 Matura, Stud., 1966-70 Lehre f. Buchdrucker, Gesellenprüf. K.: 1984 Übernahme d. Geschäftsanteile d. Mutter. M.: Tennisclub Elsbethen. H.: Tennis, Hobbygärtner. (A.W.)

Uitz Martin Dr. iur.

B.: Gschf. FN.: Salzburg Land Tourismus GmbH. PA.: 5323 Ebenau 44. G.: Salzburg, 12. Dez. 1952. V.: Renée, geb. Povel. Ki.: David, Sophie. El.: Dipl.-Ing. Hans-Georg u. Helga. S.: Neusprachl. Gymn. m. Matura 1971 in Wien, Stud. d. Rechtswiss. Univ. Wien, 1976 Prom. K.: mehrjähriger Studienaufenthalt u. Tätigkeit als Reiseltr. im Himalaya-Gebiet, ab 1977 Gschf. d. Optimundus-Reisebüros in Linz, 1981-89 Gschf. v. Reisen u. Freizeit, nach Kauf d. Fa. NUR-Neckermann Österr. 1984-89 zusätzl. Gschf. dieses Unternehmens. P.: "Thesen z. Lagertheorie in Österr." (Fachbeitrag in d. Österr. Zeitschrift f. Politikwiss., 1975). M.: Roundtable RTA 4 Sbg. H.: Bergwandern, Motorradfahren, Briefmarkensammlung. (Foed.)

Uitz Sybille

B.: freischaff. Künstlerin. DA. u. PA.: 1050 Wien, Siebenbrunnenfeldg. 1/40. G.: Linz, 7. Sept. 1959. El.: Rudolf u. Nora. S.: 1975-78 Lehre als Kunst- u. Buchhändlerin Kunstverlag Wolfrum Wien, 1978-80 Studienreise Brüssel u. Paris, 1980 Pflegerin in d. Psychiatrie Baumgartner Höhe Wien, 1981 Aufnahmeprüf. b. Prof. C. Unger HS f. Angew. Kunst Wien, 1981-86 Stud. Malerei-Grafik b. Prof. C. Unger m. Dipl.Abchluß b. Prof. A. Frohner, 1994 Lehrtätigkeit a. d. Sommerakademie, Griechenland. K.: 1985-86 Mitbegründerin u. Obfrau d. Galerie Augenspiegel Wien, 1986 Aufnahme im Berufsverb. Bild. Künstler/innen Österr., 1986-87 Akademiker/innentraining in d. Fotogalerie Wien, seit 1987 Lehrtätigkeit Freie Malerei in Wien, seit 1990 freischaff. Malerin/Graphikerin, 1991 Aufnahme in d. Intern. Aktionsgemeinschaft Bild. Künstlerinnen (INTAKT), Einzelausstellungen: 1984 Ver. z. Förd. v. Frauenkultur Wien, 1987: Echo Wien, IBM Wien, Galerie Alpha Wien, 1988: Galerie 2000 Wien, Gegenwartsinst. f. Zeitgenöss. Kunst Wien, Galerie in d. Kath. HS-Gem. Wien, 1989: Galerie Dr. Ursula Hieke Unisys Wien, Galerie Studio Move On Wien, Galerie Zürich Kosmos Wien, 1990: Atelier Laut Wien, Galerie Studio Move On Wien, Bundesländer Vers. Wien, Galerie Kunst Depot Wien, 1991: Galerie Kunst Depot/Hotel Orient Wien, Galerie Kass Innsbruck, 1992: Galerie Kies, Wien, TZ-Galerie, Wien, Palmenhaus Schönbrunn, Wien, IMMUNO AG, Wien, 1993: Cubus-Design, Wien, Galerie Bücher & Kunst, Wien, Bank Austria, Wien, Geberit, NÖ, 1994: Galerie Kursalon, NÖ, Schloß Bruck, Tirol, Embassy of Austria, Washington D.C., USA. Gruppenausstellungen: 1983 HS f. Angew. Kunst Feminale I Wien, 1984 Secession Wien, 1985: Museum f. Angew. Kunst. Wien, Galerie Augenspiegel Wien, 1986: HS f. angew. Kunst Feminale III Wien, Pet-Galerie Wien, Galerie Augenspiegel Wien, 1987 Ver. z. Förd. v. Frauenkultur Wien, 1988: Galerie 2000 Wien, Galerie Brünnerstraße Gaweinstal, 1989: Kulturver. Willendorf Wien, Österr. Frauenkulturwoche Wien, 1990 Galerie Alte Schmiede Wien, 1991: Med. in Bronze/III. Intern. Triennale d. Kunst Lublin/Polen, Techn. Museum Wien, 1993: Galerie Amerlinghaus, Wien, 1994: Frauengesundheitszentrum "FEM", Wien, Tias ´94 Intern. Art Show, Tokyo, Japan, Multi Media Arts Gallery, New York, USA. P.: Emma (1985), Aram (1988), Stimme d. Frau (1988), Vernissage (1989), An.Schläge (1989), Der Standard (1990), Dialog (1990), Eva & Co (1990), a3Boom! (1991), Wirtschaftswoche (1994/11), 1991 Beitrag im ORF-TV-Künsterlexikon, 1994: Österr. Rundfunk-VIVA Ö2, zahlr. öff. u. priv. Ankäufe. M.: ab 1986 BVÖ. H.: Schwimmen, Motorradfahren, Wandern. (M.M.)

Ulamec Wilfried

B.: Landesbmtr., Anstaltenverwaltung. DA.: 5020 Salzburg, Kleßheimer Allee 81. PA.: 5020 Salzburg, Großadmiral-Haus-Str. 4. G.: Anif, 29. Aug. 1939. V.: Edelgard, geb. Renner. Ki.: Wilfried (1962), Rüdiger (1964). S.: VS, HS, kfm. Berufsausbild., Beamtenmatura, Prüf. aus Staatsrechnungswiss., BH. K.: seit 1964 Bediensteter d. Amtes d. Sbg. Landesreg., 1978-83 freigestellter Personalvertreter, 25 J. Ltr. d. BSG Sekt. Fußball b. Amt, seit 1964 Mtgl. d. provisor. Personalvertretung, Gewerkschaftsmtgl., seit 1968 o.Mtgl. d. Personalvertretung u. b. 1983 Funktionär, seit 1992 Verwalter im Sozialpäd. Zentrum d. Landes Sbg., Sport - Fußball: 1948-50 Schüler Anif, 1951-63 ASK Sbg., Trainer: ASK, Hof, SV Austria Sbg., Lizenztrainer d. SFV (Nachwuchsauswahlen), Jugendref. u. Trainer- u. Kursref. d. SFV. (N.M.)

Ulber Gertrude Dr. MedR.

B.: FA f. ZMuK. DA.: 2513 Möllersdorf, Mayerhoferstr. 1. PA.: 2514 Wienersdorf, Josef-Brunner-Str. 10. G.: Graz, 3. Sep. 1925. V.: Dr. med. Franz. El.: Prim. Univ.-Doz. Dr. med. Max (erhielt 1912 d. Ring sub auspiciis v. Kaiser Franz Josef) u. Maria Krassnig. BV.: Großvater Joh. Nepomuk Krassnig: Gründer u. Dir. d. Gymn. Villach; MinR. Dr. Rudolf Krassnig; MedR. Dr. Ferdinand Krassnig; Oberbaurat Dipl.-Ing. Hermann Krassnig. S.: 1940-43 Klavierstud. am Konservat. Graz, 1943 Matura am Gymn. Graz, 1943-47 Gesang-Stud., 1943-45 Kriegseins., 1945-51 Med.-Stud. an d. Univ. Graz, 1951 Prom. z. Dr. med. univ. K.: 1951 Turnusausbild. im Gailtal, 1951-53 Sekundararzt in Leoben, 1953-65 Univ.-Zahnklinik Graz: FA-Ausbild., 1955 Hilfsarzt an d. Univ.-Klinik Graz, 1955-56 Univ.-Zahnklinik Heidelberg, 1956 Ass.-Arzt in Zahnpraxis in Konstanz, 1957-62 Führ. e. Zahnpraxis in Gratkorn, ab 1962 Praxis in Möllersdorf. E.: 1992 MedR., Silb., Bronz. u. Gold. Wanderschuh d. Naturfreunde. M.: Alpenver., Naturfreunde, ASKÖ. H.: Tiere, Wandern, klass. Musik, Klavierspielen, Tennis, Backen u. Kochen. (I.K.)

Ulbing Franz Dkfm. Dir.

B.: Dir. d. Ktn. Landesversicherung. DA.: 9020 Klagenfurt, Domg. 21. PA.: 9161 Maria Rain, Angersbichl 22. G.: Klagenfurt, 19. Juli 1925. V.: Lotte, geb. Greiner. Ki.: Dr. med. Sabine (1962), Dr. med. Christine (1963). El.: Franz u. Juliane. S.: LBA Klagenfurt, HS f. Welthdl. K.: Ab 1951 selbst. Kfm. in Villach, s. 1964 b. Ktn. Versicherung, 1974 Prok., seit 1981 Vorst.Dir., b. 1972 in d. österr. Spitze im Segelfliegen. E.: Silb. EZ d. Rep. Öst., Gold. Sport-EZ v. Ktn., Gold. Ausz. d. Segelflieger m. 3 Brillianten. H.: Tennis, Skifahren. (D.M.)

Ulbing Ilse

B.: Dipl.-Kosmetikerin, Fußpflegerin, Inh. FN.: Kosmetikstudio Ulbing. DA.: 8043 Graz, Hilmteichstr. 136. PA.: 8044 Graz, Schöckelblickstr. 18. G.: Fürstenfeld, 18. Juni 1954. V.: Franz. Ki.: Susanne (1979). El.: Franz u. Maria Jaritz. S.: HTBLA f. angew. Kunst (Keramik u. Ofenbau), 1971-73 med. Laborausbild. K.: 1973-79 Med. Laborantin, nebenbei Kosmetikausbild., 2 J. Praxis neben Hausfrauentätigk. in div. Studios in Graz, 1981 Prüf. z. Gewerbeberechtigung, seit 1981 selbst. als Kosmetikerin u. Fußpflegerin, 1991 eig. Kosmetiklinie (Linie U), seit 1991 Berufsschullehrerin f. Kosmetik u. Fußpflege, 1993 neue Kosmetiklinie "Only For Your" v. Linie U; seit 1993 gerichtl. beeid. Sachv. f. Stmk. P.: Veröff. in Tages- u. Bez.-Zeitungen, Vorträge u. Seminare. E.: div. Zertifikate u. Diplome, Urkunden, alle m. Ausz. M.: Wirtschaftsbundobfrau u. Mitarb. d. Bez.-Ltg. Mariatrost ÖVP, Landesltr. d. Fachverb. f. Fußpflege. H.: Beruf, Reisen, Funktionärsarb., Familie. (R.S.)

Ulbrich Gerhard

B.: Regisseur, Schriftsteller. PA.: 1010 Wien, Riemerg. 11/12A. G.: Wien, 28. Sept. 1946. V.: Friederike, geb. Wohlwend. Ki.: Philipp. El.: Egon u. Margaretha. S.: Gymn., HTBLVA (Repro-Techn. u. Fotografie), 2 J. Filmak. K.: 1 J. als Reprotechnike in Wr. Druckereien, 1969 Art Dir. u. Fotograf b. UNIDO (Genf u. Wien), seit 1970 selbst. Fotograf, Regieass. b. Dr. Verhoeven ("Wer im Glashaus liebt"), 1971 Fotoatelier in Frankfurt/M. (Werbung u. Mode), 1973 Aufnahmeltr. b. Westfilm-Wien, 1976 6 Auftragsprod. f. ORF (Regie u. Drehbuch) f. d. Sendereihe "Wir", 1977 Drehbuch f. ORF-Auftragsprod. "Walter Pichler", 1978 tätig f. Fa. GGK in New York, 1979 Regie u. Buch f. ORF-Dokumentation "TV-Journalismus in Amerika", 1980-81 TV Producer b. Gramm & Grey in Düsseldorf, s.1982 freisch. Fotograf in Wien, Autor zahlr. Theaterstücke. P.: Drehbücher, Essays, Novellen, Übersetzungen. M.: Grazer Autorenversammlung. H.: Philos., klass. u. mod. Musik. (M.B.)

Ullmann Andrea

B.: Gschf. FN.: Diesel Fashion Gmunden. DA.: 4810 Gmunden, Kammerhofg. 6. G.: Attnang, 23. Juli 1963. S.: VS, HS, 1973-80 Ausbild. Bürokauffrau u. Praxisjahre. K.: ab 1981 Export u. Marketing, 1984-85 Exportlehrgang Univ. Linz, ab 1986 Textilbranche Importeur Ass. d. Gschltg., 1991 Grdg. d. Fa. u. Übern. d. Gschf., 1994 Einricht. d. Schauraumes in Wien. BL.: Aufbau u. Neuorganis. d. Fa. in kürzester Zeit. P.: div. redaktionelle Beiträge. H.: Motorsport, Musik, Reisen, Mode. (C.D.)

Ullmann Franziska Maria Dipl.-Ing. Arch.

B.: Arch. DA.: 1060 Wien, Windmühlg. 9/26. PA.: 2500 Baden, Ferd.-Pichler-G. 22. G.: Baden, 10. Apr. 1950. El.: Anton u. Maria Ullmann. S.: Arch.Stud. TU Wien, 1975 Dipl. K.: div. Studienreisen in Persien, Afghanistan, Indonesien, Japan, China, Nord- u. Südamerika, Teilnahme an archäolog. Grabungen in Tunesien, 1980 Mitarb. am Dt. Archäolog. Inst. in Rom, Praxis in versch. Arch.Büros, seit 1983 selbst. Arch., 1985-1994 zusätzl. Lehrbeauftragte an d. HS f. Angew. Kunst MKL Prof. Hans Hollein, ab 1995 Prof. f. räuml. Gestalten, TU Stuttgart. BL.: 1986 Geburtshaus Nußdorf, 1989/90 Konsolentin d. Ärzte b. Umbau d. Geburtsabt. im KH Korneuburg. E.: 1984 Galerie V & V Preis d. Zentralsparkasse, 1987 Wettbewerb Messepalast Wien. H.: Astronomie, Physik, Tennis, Reisen, Theater. (M.G.)

Ullmann Hans-Peter Dr.

B.: RA. DA.: 6020 Innsbruck, Andreas-Hofer-Str. 5. G.: Innsbruck, 24. Sept. 1945. V.: Elisabeth, geb. Raffl, 3 Kinder. S.: Matura 1963, Prom. 1973. K.: Seit 1978 selbst. Anw. H.: Handball, ehemals Spieler d. österr. Nationalmannschaft. (Schm.)

Ullmann Harald

B.: Inh., Gschf., Immobilienmakler. FN.: Harald Ullmann GmbH. DA.: 1010 Wien, Kärntner Str. 12/OG. G.: Braunau, 7. Febr. 1961. El.: MedR. Dr. Adalbert u. Adelheid. S.: Gymn., Mittlere Reife, 1982 Matura. K.: Praxis in Hausverw.,

2 J. Immobilienkzl. Rhabak, BH, 1984 selbst. m. eigener Kzl. P.: Veröff. in div. Fachzeitschriften. M.: Kammer, Ehrenschiedsgerichtsmtgl., ÖVI. H.: Motorsport, Tennis. (J.E.)

Ullmann Paul Dr.

B.: Botschafter u. Koordinator d. Central European Initiative im BMAA. DA.: 1010 Wien, Ballhauspl. 1. G.: Wien, 26. Febr. 1932. V.: Ingrid, geb. Ganzmüller. Ki.: Ruth (1963), Paul (1969). El.: Paul u. Rosa, geb. Kyznar. S.: 1950 Matura, 1950-55 Stud. Rechtswiss. Univ. Wien m. Prom. z. Dr. iur. K.: 1955-58 Mag.-Kommissar Wien, 1958 Eintritt in d. Diplomat. Dienst, 1961 Botschaftssekr. in Ankara, 1967-70 BMAA, 1970 BotschaftsR. in Kopenhagen, 1972 Botschafter in Zair, BMAA: 1978 Ltr. d. Afrika- u. Asienabt., 1979 Ltr. d. Ostabt., 1982 zusätzl. stellv. Ltr. d. Polit. Sekt., 1983 Botschafter in d. CSFR, 1987 Botschafter d. Volksrep. China, ab 1991 Koordinator d. Central European Initiative im BMAA. E.: Gr. Silb. EZ f. Verd. um d. Rep. Österr., KmdK d. dän. DO, RK d. finnl. LO, KmdK d. kong. VO, KmdK d. zair. NOdL. H.: Diplomat. Geschichte d. Franz. Revolutionskriege, Graphik. (N.A.)

Ullmer Albert Mag. pharm.

B.: Apotheker d. Apotheke z. "Spinnerin am Kreuz" Wien. GT.: Dir. d. Pharm. Reichsverbandes f. Österr., 1. Obm. d. Pharm. Gehaltskasse f. Österr. DA.: 1090 Wien, Spitalg. 31. PA.: 1180 Wien, Haizingerg. 49. G.: Wien, 1. Aug. 1946. V.: Christine, geb. Vit. Ki.: Barbara, Markus, Stephan. El.: Karl u. Maria. S.: Matura, Stud. Pharm. an d. Univ. Wien, 1978-87 Stud. d. Rechtswiss. an d. Univ. Wien. K.: Aspirantenzeit in d. Landgutapotheke Wien, 1974 Berufsprüf. z. Apotheker, 1975-80 ang. Apotheker in obiger Apotheke, seit 1980 Dir. d. Pharm. Reichsverbandes f. Österr. Org. d. ang. Apotheker, zuständig f. Beratung u. Vertretung d. Mtgl. im Arbeits- u. Sozialrecht, in Steuerfragen, Apothekenrecht u.a.m., Stellungnahmen d. ang. Apotheker zu Gesetzesentwürfen u. standespolit. Vorhaben, seit 1984 1. Obm. d. Pharm. Gehaltskasse f. Österr., Vorst.Mtgl. d. Österr. Apothekerkammer bis 1987, dzt. Delegierter. BL.: Vertantwortl. f. Vermögens- u. Beteiligungsverw. d. Reichsverb. P.: div. arbeitsrechtl. Veröff. in d. Österr. Apothekerzeitung, Kommentar z. Kollektivvertrag, Mitautor d. pharm. Schriftenreihe im Apothekerverlag. M.: Mtgl. d. Reichsbundes f. Turnen u. Sport, seit 1969 Schiedsrichter. H.: Fußball, Modelleisenbahn, Pharmazie- u. Rechtsgeschichte. (M.B.)

Ullram Andrea

B.: Inh. FN.: Chic Kosmetik Andrea Ullram GmbH. DA.: 1150 Wien, Märzstr. 73. G.: Wien, 29. Juli 1971. V.: Manfred Ullram. El.: Michael u. Friederike Scheuer. S.: VS, HS, 2 J. HTL Feinwerktechnik, Berufsausbild. z. Einzelhdls.-Kfm. f. Parfumeriewaren in Wien, 1991 Abschluß. K.: Herbst 1991 Eröff. d. Kosmetikstudios, spezialisiert auf Nägel, Kosmetik u. Schlankheitskuren nach Hautanalysen. H.: Tanzen (Goldstar), Musik, Ägypten. (J.S.)

Ullreich Gerhard Mag. arch

B.: Mythorealist. GT.: Mtgl. d. Rockband "El Capitan", Texter, Komponist, Sänger, Gitarrist. DA. u. PA.: 1120 Wien, Hetzendorfer Str. 65/12. G.: Wien, 8. März 1956. El.: Arch. Dipl.-Ing. Norbert u. Mag. Inge. S.: Matura, Stud. Ak. d. Bild. Künste Wien, Mstr.-Schule f. Arch. Prof. Gustav Peichl, 1984 Dipl. f. Arch. u. Mstr.-Schule f. Bildhauerei Prof. Bruno Gironcoli. K.: dzt. tätig in d. Gruppe d. Mythorealisten als Arch. u. Musiker, zahlr. Reisen in Europa, Amerika u. Asien, Ausstellungen: 1980 Jahresausstellung Ak. d. Bild. Künste, 1981 Gustav Peichl: Bauten, Projekte, Mstr.-Schule, 1983 M.S. Peichl in Keszthely/Ungarn, 1984 M.S. Peichl New York, M.S. Peichl Rotterdam, 1985 Sünhofgalerie, 1986 Sculpture Building Europ. Forum Alpbach, 1979-80 Büro Rudolf Schneider-Manns-Au, Mitarb. Cafe Sirk-Eck, 1981-83 freier Mitarb ORF Ausstattung, 1984-85 Ang. b. Dipl.-Ing. Norbert Ullreich, 1985-88 Zusammenarb. m. Mag. arch. Helmut Hempel u. Mag. arch. Franco Fonatti, seit 1985 selbst. Planungstätigkeit, zahlr. Bauten: Wohnhäuser, Wohnungen, Fitnesscenter, Hausaufstockungen, Landhäuser. E.: 1981 Gold. Füger-Preis, 1984 Preis d. BMW, 1988 Österr. Bauherrnpreis. (J.S.)

Ully Walter Ing.

B.: Gschf. Ges., Bautechniker. FN.: Sulzegger Heil- u. Mineralwasser GmbH. DA.: 8422 St. Nikolai/Drassling, Sulzegg 39. PA.: 8010 Graz, Am Leonhardtbach 12. G.: Graz, 12. Aug. 1945. V.: Monika, geb. Abraham. Ki.: Stephan. El.: Josef u. Gertrude. S.: VS, AHS, HTL, 1966 Matura. K.: 1968-78 Bautechniker im Büro d. Vaters, ab 1978 Betriebsltr. in Sulzegg, seit 1985 Gschf. M.: Heilbäder- u. Kurorteverb. H.: Skifahren, Garten, Lesen, Schwimmen. (H.Z.)

Ulm Rudolf

B.: selbst. Kfm. FN.: Rudolf Ulm - Juwelenhdl. DA.: 1150 Wien, Reindorfg. 42. G.: Wien, 21. Mai 1956. Ki.: Michael (1975). El.: Rudolf u. Hedwig. BV.: Freiherren v. Ulm zu Wangen. S.: HAK Wien. K.: 1986 Übernahme d. Schmuckfirma, seit 1986 mehrere Firmengrdg. F.: 1991 ITP Intern. Tourist Promotion Gran Caranaria, 1992 Sunland-Bräunungscenter Betriebsges. BL.: Kapitänspatent f. d. Berufsschiffahrt. H.: Seefahrt, Technik, Autorennen. (P.M.)

Ulm Walter

B.: Dir. FN.: Yashica Hdls. GmbH. DA.: 1020 Wien, Rustenschacher Allee 38. PA.: 8010 Graz, Dr.-Robert-Graf-Str. 26. G.: Graz, 13. Sept. 1940. Ki.: Brigitte (1962). El.: Franz u. Maria. S.: VS, Mittelschule, 1958 HAK-Matura Graz. K.: 1960-67 Österr. Markenartikelind., 1967-76 Firma Polaroid zuletzt Verkaufsltr. f. Süddeutschland, seit 1977 Gschf. Yashica Hdls. GmbH f. Kameras, Videokameras u. Zubehör. M.: Bgld. u. Steir. Jagdverb., Marketing Club Österr., Wr. Park Club, Schlaraffia. H.: Reiten, Ski, Segeln, Laufen, Jagd. (J.S.)

Ulram Peter Adolf Dr. phil.

B.: wiss. Ltr. Fessel & Co Inst. DA.: 1010 Wien, Franz-Josef-Kai 47. PA.: 1020 Wien, Franzensbrückestr. 22. G.: Wien, 31. Mai 1951. V.: Raffaella, geb. Valentini. Ki.: Alexander. El.: Adolf u. Erika. S.: hum. Gymn., Dr. phil. 1967 Univ. Wien, Inst. f. höh. Stud. Wien. K.: 1978-83 Sekr. u. Ref. f. Grundlagenforschung im ÖAAB, 1983 Fessel-Inst., Lehrbeauftragter f. Politikwiss. Univ Wien u. Graz. P.: zahlr. wiss. Publ. "Zwischen Bürokratie u. Bürger, sozialist. Kommunalpolitik in Wien-Bologna-Stockholm", Wien 1978, gemeinsam m. Fritz Plasser "Unbehagen im Parteienstaat: Jugend u. Politik in Österr.". M.: Gen.-Sekr. d. österr.-ital. Ges. 1982-1985. H.: mittelalterl. Städte Italiens, Science Fiction. (Fels.)

Ulreich Hans Dipl.-Ing.

B.: Gschf. FN.: GZ Projekt-Mangement. DA.: 1010 Wien, Mahlerstr. 14. PA.: 1130 Wien, Hietzinger Hauptstr. 152. G.: Wien, 28. Okt. 1940. V.: Ursula, geb. Schumacher. Ki.: Nikolaus (1976). El.: Johann u. Maria, geb. Pribil. S.: 1958-70 Arch.Stud. TU Wien. K.: 1969-71 Arb. im Arch.Büro Prof. Grünberger, 1971-81 Tätigkeit im Arch.Büro Prof. Riedl, 1981 Eröff. d. eigenen Arch.Büros (Ind.Bau f. d. Milchwirtschaft u. Nahrungsmittelind.), seit 1990 Gschf. d. GZ Projekt-Management. BL.: 1964-68 Nat. Handballmannschaft. M.: Union West Wien. H.: Musik, Literatur, Bild. Kunst, Tennis. (N.A.)

Ulreich Martin Ing.
B.: Gschf. Ges. FN.: Ulreich Systemtechnik. DA.: 1210 Wien, Brünnerstr. 73A. G.: Wien, 1. Aug. 1965. V.: Cornelia. El.: Reinhold u. Ingrid. S.: VS, Gymn., HTL Nachrichtentechnik. K.: 1985 Firmengrdg. H.: Hochseesegeln, Motorradfahren, Literatur. (W.M.)

Ulrich Erich Helmut
B.: Gründer u. gschf. Ges. d. Firmengruppe: PP'S Publishing - PP'S Advertising, PP'S Publishing Hong Kong u. Vienna, PP'S Production Hong Kong, PP'S Advertising Otto Lamel Communication Vienna, CCCE Corporate Communications Central Europe Vienna, PP'S Publishing Budapest. DA.: 1010 Wien, Dominikanerbastei 21, 1010 Wien, Franz-Josefs-Kai 41. PA.: 1010 Wien, Rabensteig 1. G.: Wien, 26. Nov. 1934. V.: Annegrete, geb. Nyhüs. Ki.: Philipp Moritz (1984), Xenia Luise (1986). El.: Karl u. Margarete, geb. Brandl. S.: Gymn. Wien, 1962-66 Höhere Graph. BLVA Wien. K.: Tätigkeit in d. Werbebranche Wien, Grdg. einer eigenen Werbeagentur Osnabrück, Aufbau einer Schallplatten-Kette, 1976 VPräs. d. IMRÖ, Grdg. d. Holidays Ltd. Gambia, 1989 Grdg. gemeinsam m. Dr. Ernst Feitauer Firmengruppe PP'S. BL.: Aufbau d. Werbung f. Lauda-Air-Entwurf u. Herstellung eines Board-Magazins im Rahmen d. eigenen Firmengrdg. u. Hrsg. d. Magazins "Austria Business & Economy", Grdg. u. Hrssg. "The new Europe"-Handbuch, 1990 Organ. u. Ltg. d. größten österr. Wirtschaftsseminars in Hong Kong, 1990 Hrsg. d. ungar. Airline-Magazin "Take off" Malev. H.: Familie, Tennis. (M.G.)

Ulrich Fritz Dr. rer. comm. Dkfm.
B.: Gschf. d. Fa. Ulrich Etiketten GmbH. DA.: 1060 Wien, Mollardg. 11. PA.: 1130 Wien, Seifertstr. 2b. G.: Wien, 24. Febr. 1927. V.: Melitta, geb. Thimler. El.: August u. Josefine. S.: RG, 1948 Dkfm., 1949 Prom. K.: Praxis im väterl. Betrieb, seit 1950 Gschf. H.: Sport. (M.G.)

Ulrich Hannelore Dr. rer. pol.
B.: Unternehmer u. Gschf., Eigentümer eines land- u. forstwirtschaftl. Betriebes, 8625 Turnau/Stmk. FN.: Dr. Ulrich Immobilien. GT.: Gschf. Ges.: Fa. ICS Immobiliencenter Süd, Ulrich & Partner, Gschf. d. Fa. Dominium. DA. u. PA.: 8010 Graz, Joanneumring 16. G.: Graz, 9. Sept. 1940. Ki.: Petra (1964), Uta (1966). El.: Ritschl Harald u. Marianne. BV.: Hr. Prömel eigentl. Erfinder d. Schiffsschraube, Frau Zechner Großgrundbesitzer im Lungau. S.: BHAK Graz, 1958 Matura, Stud. Karl Franzens-Univ., 1963 Prom. Dr. er. pol., Stud. Univ. Cambridge, London, Reading, St. Andrews im Bereich Europarecht. K.: 1963-67 ltd. Position in einer Privatbank, 1970 Mittätigkeit in d. Anw.-Kzl. d. Ehegatten, 1975 Grdg. einer Anw.-Gemeinschaft u. Begründung eines Immobilientreuhandbüros, Betreuung d. land- u. forstwirtschaftl. Betriebes. BL.: Welt- u. Europamstr. im Skilauf u. Langlauf d. Juristen. P.: Diss. "Die österr. Eisen- u. Stahlind. unter d. Aspekten einer europ. Integration". M.: HK, FIABCI. H.: Skifahren, Wasserskifahren, Reiten, Golf, Jagd, Konzerte, Kultur, Kunst, Reisen. (P.M.

Ulrich Wolfgang Dr. KommR.
B.: Vorst.Vors.Stellv.: Die Erste österr. Spar-Casse-Bank Wien. GT.: Vorst.Mtgl. Pfandbriefstelle d. österr. Landes-Hypothekenbank Wien, AufsR.Vors.: ECO Trust Holding AG, Die Erste Immobilien AG, Wohnungseigentumsbau Gemeinn. Wohnungs u. Siedlungs AG Sbg., Ges. f. Stadterneuerung u. assanierung, Nö Kapitalbeteiligungs GmbH, AufsR.: Landes-Hypothekenbank NÖ, Girozentrale u. Bank d. österr. Sparkassen AG, GIT Trust Holding AG, Die Erste & Constantia Beteiligungsfonds AG, Österr. Siedlungswerk Gem. GmbH.

Ulrich-Pur Peter
B.: Inh. d. Fahrschule Tattersall. DA.: 1030 Wien, Landstraßer Hauptstr. 41. PA.: 1040 Wien, Seisg. 14. G.: Olmütz, 12. Mai 1931. V.: Helga, geb. Katlein. Ki.: Sabine, Herbert, Barbara. El.: Dr. Herbert u. Eleonore. BV.: Großvater war Bgmstr. d. Stadt Neutitschein u. ReichsR.-Abg. S.: RG, einige Sem. Welthdl. an d. TU. K.: Nach Stud. Eintritt in d. elterl. Betrieb, Ltg. d. Fahrschule Tattersall. BL.: Mehrfacher LMstr. im Fechten. M.: Präs. d. Österr. Fechtverb., Mtgl. d. Exekutive d. BSportorgan., Panathlon Intern., Ehrenmtgl. d. intern. Fechtverb., Aussch.-Mtgl. d. Fachgruppe d. Kam. d. gew. Wirtschaft (Fahrschule). E.: Silb. Verd.Zeichen d. Rep. Österr. H.: Fechten, Tennis, Musik, Lyrik, Geschichte. (R.A.)

Ulsaß Lothar
B.: Verkaufsltr. Ost. FN.: Adidas Sportschuhfbk. GmbH. DA.: 1030 Wien, Modecenterstr. 22. PA.: 1190 Wien, Probusg. 5. G.: Hannover, 9. Sept. 1940. V.: Bärbel, geb. Müller. Ki.: Colette. S.: VS, Humboldt-Schule, 3 J. Lehre als kfm. Lehrling, Kfm.Gehilfenprüf. K.: 1964-68 Fa. Bosch BRD, 1964-72 Fußballprofi in d. BRD b. Eintracht Braunschweig, 1967 Dt. Fußballmstr., 1973 Wechsel nach Wien, b. 1976 b. Wr. Sportclub, 1975 Eintritt in d. Fa. Adidas, zunächst als Repräsentant, seit 1979 Verkaufsltr. Ost. H.: Fußball, Tennis, Sport. (C.K.)

Ulz Franz
B.: Kapitän. FN.: AUA. GT.: seit 1989 Vors. d. HP-Clubs Austria 1050 Wien, Bräuhausg. 63. DA.: Flughafen Wien-Schwechat. PA.: 2345 Brunn am Gebirge, Römerweg 12. G.: Graz, 11. Aug. 1954. V.: Gerti, geb. Kracher. Ki.: Andrea (1987). El.: Dr. Franz u. Erna. BV.: Großvater Franz Ulz Bgm. v. Stainz. S.: Gymn. in Graz, Stud. Elektrotechnik TU Graz, Umstieg auf d. Pilotenausbild. b. d. AUA. K.: b. d. AUA zunächst Copilot, 1. Offz. u. seit 1990 Kapitän. H.: Aviation, Navigation, Mathematik, Elektrotechnik, Computertechnik. (J.S.)

Umdasch Alfred
B.:Vorst.-Mtgl., Industrieller. FN.: Umdasch AG. GT.: Gschf. d. Dt. Doka GmbH München. DA.: 3300 Amstetten, Reichsstr. 23. PA.: 3300 Amstetten, Waidhofner Str. 26. G.: Amstetten, 21. Aug. 1937. V.: Elisabeth, geb. Gürtler. Ki.: Bettina, Stefan. S.: Lehrinst. d. Holzwirtschaft Rosenheim.

Umdasch Hilde
B.: Industrielle, Vorst.-Vors. FN.: Umdasch AG. DA.: 3300 Amstetten, Reichsstr. 23. PA.: 3300 Amstetten, Südhangstr. 92. G.: Amstetten, 2. Jan. 1943. E.: "Business Woman of the Year 1992" (durch d. Champagnerhaus Veuve Clicquot).

Umgeher Eveline
B.: Steuerberater. DA.: 1110 Wien, Mautner-Markhof-G. 13-15/5/23. PA.: 1220 Wien, Burgkmairg. 2. G.: Wien, 30. Mai 1948. V.: Dipl.-Ing. Franz Umgeher. Ki.: Gerd (1974), Dagmar (1976). El.: RgR. Friedrich u. Elfriede Schrenk. S.: 1966 HAK-Matura. K.: Ausbild. z. Steuerberater durch Kursbesuche u. Praxis, seit 1973 selbst. H.: Sprachen, Sport, Lesen, Hunde. (J.E.)

Umgeher Franz Dipl.-Ing.

B.: Vertriebsbeauftragter. DA.: 1030 Wien, Heidingergasse. PA.: 1220 Wien, Burgkmairg. 2. G.: Wels, 14. Sept. 1946. Ki.: Gerd (1974), Dagmar (1976). El.: Franz u. Maria. S.: 1965 Matura Wels, Stud. Physik, Math. u. Chemie an d. TU Wien, 1974 Dipl. K.: s. 1974 b. Siemens, zunächst EDV-Abt., dann Vertrieb. H.: Phil., Astronomie, Lesen, Sport. (J.E.)

Umgeher Herbert Leo

B.: Friseurmstr. u. Inh. d. Frisiersalons Leo. DA.: 1010 Wien, Rotg. 6, 1010 Wien, Rotenturmstr. 19, 1010 Wien, Bauernmarkt 16. G.: Wien, 26. März 1953. El.: Leo u. Josefa. BV.: Vater Leo Umgeher Gründer d. Firma 1953. S.: Berufsausbild. z. Friseurmstr., BH, 1976 Mstr.-Prüf. K.: nach d. Ausbild. Übernahme d. Familienbetriebes, 3 Coiffeurgeschäfte m. Manicure-Shop, Solarium, Nagelstudio, Verkauf v. Haarteilen. H.: Urlaub, Reisen, Reiten, Kutschenfahren. (J.S.)

Umlauf Ellen

B.: Produzentin, Regisseurin, Schauspielerin u. Drehbuchautorin. FN.: MANA Movie Productions. DA.: D-81545 Mänchen, Harthauserstr. 68 u. Schauspielhaus 1090 Wien, Porzelang. 19. G.: 17. Aug. Ki.: Alexander, Antonia. El.: Anneliese Umlauf-Lamatsch: bekannnte Jugendschrifstellerin und Rober Umlauf. BV.: Großvater General Josef von Lamtsch von Waffenstein. S.: Absolventin d. Ak. f, Musik u. darstellenden Kunst-Tanz u. d. Max Reinhardt Seminars. K.: Angefangen am Opernhaus Breslau u. Opernhaus Graz als Solotänzerin. Als Schauspielerin Engagement u.a. Schauspielhaus Linz, Klagenfurt, Zürich, Köln, Frankfurt, Gelsenkirchen, München u. Wien (Theater i.d. Josefstadt). Engagement Düsseldorfer Schauspielhaus unter Gustav Gründgens. Engagement im Volkstheater Berlin unter Rudolf Noelte. Gespielt in "Die Ratten", "Der Spieler", "Mephisto", "Othello", "Der Kirschgarten" u.v.m. Studium v. History an Mystology am East West Centre and University Honolulu. 1980 angefangen eigene Filme zu produzieren. Als Autorin, Regisseurin u. Produzentin. 4 Filme im Papua New Guinea, auch f. d. Unesco in Paris, 2 Filme f. ORF in Hawaii u. Fidschi. 2 Kinofilme 1987 u. 1990 in Fidschi. E.: "NABULI-A Clan in surch in it`s past" Filmfördernispreis beim Max Ophüls Festival. Preise in Honolulu, Papua, New Guinea usw. M.: Mitglied im Nabuli-Clan. H.: Reiten, Fotografieren, Kontakte m. fremden Völkern. (J.S.)

Unden Bernhard

B.: Gastronom, Inh. Savoyen Stuben. DA.: 1040 Wien, Prinz-Eugen-Str. 56. PA.: 1030 Wien, Zaunerg. 14. G.: Wien, 8. Apr. 1959. V.: Silvia, geb. Pickl. Ki.: Simone (1982). El.: Josef u. Leopoldine, geb. Semmler. S.: VS, HS, 1974-77 Polytechn. Lehrgang. K.: 1979-80 Koch in Genf, 1980-81 Koch in Stockholm, 1981-82 Koch Schiff "Vistafjord", 1982-87 Koch Altwienerhof, 1988-90 Küchenchef Vinzent, 1990-92 Scampi, 1992-94 Villa Hans Moser, danach selbst. E.: 1992-94 Haubenkoch, Ausz. v. Chaine des Rotisseurs u. Ordre des Coteaux de Champagne. M.: Chaine des Rotisseurs. H.: Squash. (N.A.)

Ungefug Cornelia

B.: Dipl.-Des. Innenarchitektin, FH. PA.: 3400 Klosterneuburg, Niedermarkt 15. G.: Ingelheim/Rhein, 14. Juni 1953. Ki.: Franziska. El.: Willi u. Anne Pfeifer. S.: VS, Gymn. Mainz, Tischlerlehre, ab 1970 Stud. a.d. FHS f. Gestaltung u. Ing.-Wesen, selbstfinanz. Stud., u.a. alsSoufleuse/Theater Wiesbaden K.: Tellerwäscher u. Tourguide in Kanada, 1980 Staatsexam. Dipl.-Des., 1980-82 Obermaier Bäder München,

spez. auf Luxusbadezimmer, 1982-84 Reisefotografin v. versch. Zeitschriften rund u.d. Welt, 1984-89 selbständig in München, Design u. Herstellung v. Lampen u. Lampenschirmen, s. 1990 in Österr., angest. i. Antiquitätenhandel, s. 1990 selbst., 1992 Messestand f. Traditionswinzer a. d. "VINOVA" Wien, 1992 u. 1993 Messestände auf d. "K. u. K." in Wien, 1994 Messestand Traditionswinzer, Messestand Lenz Moser auf d. "VINOVA", Spez.: Lampen, Lampenschirme, Messebau, Einrichten v. Antiquitäten. (C.G.)

Unger Andreas Ing.

B.: Prok., Gschf. Ges. FN.: UNGER Veredelungstechnik GmbH. DA.: 1210 Wien, Moritz-Dreger-G. 20. PA.: 1210 Wien, Gerlospl. 14. G.: Wien, 25. Dez. 1958. V.: Martina, geb. Seidl. Ki.: Patricia (1987), Clemens (1990). El.: Karl Hans u. Ingeborg. S.: TGM 1979. K.: Eintritt Emmerich Unger KG, seit 1984 Prok., seit 1987 Gschf. Ges., Geschäftsausweitung (Automobil- u. Krawattenind.) H.: Sport (Squash, Skifahren, Surfen), Reisen, Gartenarb., Familie. (M.M.)

Unger Anna

B.: Kfm. FN.: Kleiderhaus Anna Unger. Gt.: Inh. DA.: 7132 Frauenkirchen, Amtshausg. 1. PA.: 7132 Frauenkirchen, Franziskanerstr. 1. G.: Tadten, 12. Juli 1951. V.: Georg. Ki.: Ruth (1972), Elisabeth (1973). El.: Rudolf u. Aloisia. S.: 1 J. Büroschule, 1 J. Praxis, dan. Ausbild. z. Dipl.-Krk.-Schw., 1968-71 Aufbau d. Betr. m. Gatten, Schneiderei, chem. Putzerei, 1982 Umbau z. Kleider- u. Textilfachgesch., zahlr. Wifi-Kurse. M.: Singver. Frauenkirchen, Jiu-Jitsu Club Shobu, Vorst. Rotes Kreuz. H.: Singen, Botanik. (R.T.)

Unger Anton

B.: Inh., Kfz-Elektrikermstr. FN.: Kfz Reisinger. DA.: 8020 Graz, Lastenstr. 37. PA.: 8052 Graz, Burenstr. 107. G.: Graz, 8. Dez. 1943. V.: Maria, geb. Reisinger. S.: Lehre Werkzeugschlosser, 1962 Abschluß, BH. K.: Werkzeugschlosser u. Einsteller Firma Puch, 1970 Eintritt Firma Reisinger, 1987 Mstr.-Prüf. M.: Schriftführer Sparver. H.: Schwimmen, Wandern. (F.K.)

Unger Erwin Mag. Dr. rer. soc. oec.

B.: beeid. Wirtschaftsprüfer u. Steuerberater. DA.: 8010 Graz, Glacisstr. 27. G.: Paldau, 15. Juli 1948. V.: Eva Maria, geb. Fellhofer. Ki.: Klemens (1976), Irene (1978). El.: Josef u. Rosa. S.: VS, HS, HASCH, HAK, 1967 Matura, Stud. Wirtschaftswiss. Wien, 1976 Mag. K.: Tätigkeiten in d. Wirtschaft, ab 1978 Ausübung d. erlernten Berufes, 9 J. Tätigkeit b. einer gr. Wr. Wirtschaftsprüf.-Ges., parallel Arb. an d. Diss., 1982 Prom., 1987 Übersiedlung nach Graz u. Partnerschaft in einer Grazer Wirtschaftstreuhandges. P.: Fachart. in Fachzeitschriften. H.: Tennis, Skifahren, Radfahren. (M.Gr.)

Unger Felix Dr. Univ.-Prof. Prim.
B.: Vorst. d. Herzchir. d. Landeskrankenanst. Sbg. DA.: 5020 Salzburg, Müllner Hauptstr. 48. PA.: 5020 Salzburg, Schwimmschulstr. 31. G.: Klagenfurt, 2. März 1946. V.: Monika, geb. v. Fioreschy. Ki.: Stephan (1972), Matthäus (1975). S.: Stud. Univ. Wien, 1971 Prom., 1978 Habil. K.: 1972-78 II. Chir. Univ.-Klinik Wien, 1979 I. Chir. Univ.-Klinik Innsbruck, seit 1985 Vorst. d. Herzchir. LKH Sbg. P.: Assisted Circulation, Autor u. Co-Autor v. 214 Publ. E.: Dr. Karl Renner-Preis 1975, 1992 Bundesverd.kreuz d. BRD, Preis d. Dt. Ges. f. Chir. 1980, Sandoz-Preis 1980. M.: 1990 Grdg.-Präs. d. Europ. Ak. d. Wiss. u. Künste, Grdg.-Mtgl. d. Österr. Ges. f. Künstl. Organe, Österr. u. Dt. Ges. f. Chir., Ges. f. Experimentelle- u. Thoraxchir., American Society of Artificial Organs, 1993 Präs. d. Intern. Society of Thoracic Surgeons. H.: Kunst u. Phil. (U.E.)

Unger Martha
B.: Dipl.-Logopädin am AKH Linz. DA.: 4020 Linz, Bürgerstr. 44. PA.: 4030 Linz, Vogelfängerweg 30. G.: Linz, 26. Juni 1947. El.: Fritz u. Anna. S.: Gymn. Linz, 1966 Matura, 1968-70 Schule f. Logopäd. Phoniatr. Audiometr. Dienst, Abschluß m. Diplom. K.: Nach Ausbild. b. Beratungsstelle f. hör- u. sprechbehinderte Kinder. M.: SPÖ Frauenfunktionärin. H.: Reisen, Lesen, Menschen. (P.H.)

Unger Martin
B.: Steuerberater. DA.: 1220 Wien, Wagramer Str. 1. G.: Wien, 14. Okt. 1953. V.: Renate, geb. Hirschböck. Ki.: Peter, Sabine. El.: Dkfm. Hans u. Emmi. BV.: Ururgroßvater Michael Unger, Vorkämpfer f. d. Deutschtum, Vertreter im ungar. Landparlament, Gedenktafel in St. Margareten im Bgld. S.: Gymn., 1971 Matura, Stud. BWL an d. WU, einige Sem. Jus an d. Univ. Wien. K.: Ausbild. z. Steuerberater in d. väterl. Kzl., 1981 Steuerberaterprüf., seither selbst. E.: Deutschmeister Ehrenkreuz I. Kl. 1987. H.: Sport, Jagd. (A.W.)

Unger Michael
B.: Beeid. Buchprüfer, Steuerberater. DA.: 1030 Wien, Strohg. 25. PA.: 1230 Wien, Haymog. 92. G.: Wien, 18. Jan. 1905. V.: Elfriede, geb. Satzinger. Ki.: Michaela, Juliana. S.: RG, 1970 Matura, Stud. WU Betriebswirtschaft. K.: 1972-80 Brufsanw. in d. väterl. Kzl., 1980 Steuerberaterprüf., ab 1980 selbst. Steuerberater, 1985 Buchprüferprüf. H.: Sport, Lesen.

Unger Walter

B.: Inh., Tapezierermstr. u. Kfm. FN.: Unger Tapezierer, Raumausstatter u. Meisterbetrieb. DA. u. PA.: 4910 Ried, Hoher Markt 12. G.: Ried, 23. Mai 1954. V.: Magdalena, geb. Rammerstorfer. Ki.: Markus (1987), Birgit (1991). El.: Walter u. Josefine. S.: 1960-68 Grundschule, 1968-71 HASCH, 1964-68 HTL, 1971-74 Lehre, 1974 Gesellenprüf., 1974-77 i. elterl. Betrieb. K.: 1977 Mstr.-Prüf u. Malermeisterprüf., i. elterl. Betrieb tätig, 1978-79 Berufsschullehrer, dann wieder i. elterl. Betrieb, 1986 Betrieb erneuert. H.: Amateurfunken, Radfahren, Schwimmen, Lesen.

Unger Wolfgang
B.: Gschf. Ges. d. Firmen: Unger & Co, Lederwarenerz. GmbH, Top-Trend Import- u. Vertriebs GmbH. DA.: 5302 Henndorf, Landesstr. 1. PA.: 5020 Salzburg, Lieferinger Hauptstr. 86. G.: Salzburg, 7. Okt. 1955. V.: Eva, geb. Schiller. Ki.: Katharina, Julia. S.: HAK Sbg., Matura 1975, Stud. an d. Univ. Innsbruck (BWL). K.: 1978 Eintritt in d. elterl. Betrieb, 1982 Übern. d. Betriebes, 1986 Grdg. d. Fa. Top-Trend, Mtgl. im Fachausschuß d. BWK Sekt. Ind., Fachgruppenvorst. d. HK Sekt. Lederwarenind. M.: Industriellenvereinig., Wirtschaftsbund, Lionsclub Seekirchen-Wallersee. H.: Skifahren, Wasserski, Fliegen. (A.W.)

Unger Wolfgang Dr. phil. MinR.
B.: Ltr. d. Abt. Literatur u. Verlagsförd. im BMUKS. DA.: 1010 Wien, Freyung 1. PA.: 2540 Bad Vöslau, Langeg. 8/37. G.: Wien, 18. Sept. 1935. Ki.: Gernot. S.: Realgymn., 1953 Matura, Stud. Univ. Wien Phil., Anglistik u. Germanistik, 1957 Prom., Lehramt f. Mittelschulen. K.: 1961-76 Mittelschulprof. in NÖ f. Deutsch, Englisch u. Phil., 1976 Eintritt BMUKS, seit 1985 Ltr. P.: Beiträge in Zeitschriften. H.: Sprachen, Geschichte, Literatur. (A.W.)

Unger Wolfgang Dr. techn. Dipl.-Ing. KommR.
B.: Gen.-Dir., VPräs. d. HK NÖ, Gschf. d. Bayer Austria GmbH Wien, "Chemia" GmbH Wien, Haarmann & Reimer GmbH Sbg., Österr. Pflanzenschutz GmbH Wien, Stockhausen GmbH Wien, "Terrakult" Grundverwertung u. Liegenschafts GmbH Wien, Farbenchemie GmbH Wien. PA.: 3500 Krems, Am Turnerberg 1. M.: Vorst.-Mtgl. d. Vereinigung Österr. Ind., Vors. d. Fachvertretung d. chem. Ind. NÖ, Vorst. d. Fachverb. d. chem. Ind. Österr., Mtgl. d. BeiR. f. d. Statistik d. Außenhdls., AufsR. Colonia Vers. AG Wien, NÖ Kreditbürgschafts GmbH Wien, Krems-Chemie GmbH Krems, Chemia Fotolabor GmbH Wien.

Unger Karl Hans sen.
B.: Ges. FN.: Emmerich Unger KG Textilveredelung, Unger Veredelungstechnik GmbH. DA.: 1210 Wien, Moritz-Dreger-G. 20. PA.: 1190 Wien, Leopold-Steiner-G. 2E. G.: Gainfarn, 21. Apr. 1927. V.: Dkfm. Dr. Lilly, geb. Helwig. Ki.: Andreas (1958), Martin (1965). El.: Johann u. Josefine Weiss. BV.: Vorfahren waren durch Generationen einziger Dorfschmied v. Gainfarn. S.: nach Schulabschluß Stud. d. Flugzeugbaues dann Maschinenbau. K.: 1977 Firma Simmering-Graz-Pauker anschl. Firma Unger als Steuerberater, 1954 m. Herrn Unger KG gegründet, d. Betrieb hat sich unter d. Ltg. d. Herrn Unger vorm. Weiss zu einem branchenmäßig außergewöhnl. Leistungsbetrieb entwickelt, d. durch seine Vielfalt d. Verarb.-Produkte d. Status einer Allein-Repräsentanz f. Österr. besitzt. H.: Jagen, Archäologie, Reisen. (M.M.)

Ungerböck Helga
B.: Inh. FN.: Vollkraft Naturnahrung. DA.: 2840 Grimmenstein, Marktstr. 7. G.: Wien, 28. Sept. 1939. Ki.: Veronika (1965), Michael (1966). El.: Roland u. Anni Watzlawek, geb. Reuter. S.: VS, HS, HASCH, Berufslehre im Kartonagengewebe m. Mstr.-Prüf. K.: 1952-64 Tätigkeit im väterl. Betrieb, seit 1978 selbst. H.: Gartengestaltung. (N.A.)

Ungersböck Josef Ing.
B.: Bmstr., Ltr. d. Hausverw. Sozialbau. DA.: 1070 Wien, Lindeng. 55. PA.: 1080 Wien, Albertg. 6. G.: Großmutschen, 19. Febr. 1947. El.: Josef u. Elisabeth. S.: Gymn. Wien, HTL Hochbau Wr. Neustadt, 1968 Matura, Stud. Betriebswirtschaft HS f. Welthdl., 1977 Bmstr.-Prüf. Wien. K.: 1969-91 Baultg. in d. Firma Projektbau, seit Jän. 1991 Ltr. d. Hausverw. Sozialbau. M.: Res.-Offz. d. Österr. BH, Offz. b. Deutschmeister Schützenkorps. H.: Sport (Skifahren, Bergsteigen, Segeln, Reiten). (J.S.)

Ungersböck Josef J.
B.: Inh. FN.: U-Print. DA.: 1070 Wien, Schottenfeldg. 60. PA.: 1100 Wien, Neiereichg. 115/28/33. G.: Wien, 17. Febr. 1954. V.: Karin, geb. Schmidl. Ki.: Sophie (1981), Marie-

Therese (1986). El.: Josef Mörzinger u. Theresia Ungersböck. S.: Offsetdrucklehre. K.: 1976-78 Abt.-Ltr. b. einer Wr. Druckerei, ab 1978 selbst., Grdg. d. eigenen Druckerei - alle Arten v. Offsetdruck, 1988-90 Verlagsltr. u. Chefred. d. Zeitung "Österr. Bauwirtschaft", seit 1992 Ges. u. Gschf. d. Werbeagentur "Die Werbefritzen". H.: Sport, Lesen, Modellbau. (N.A.)

Ungler Josef

B.: Bgm. d. Marktgem. Sieghartskirchen. DA.: 3433 Sieghartskirchen, Wiener Str. 12. PA.: 3433 Rappoltenkirchen, Hauptstr. 21. G.: Kogl, 18. Mai 1948. V.: Anna, geb. Lackenbaum. Ki.: Mario (1972), Manuela (1974). S.: Tischlerlehre, Berufsschule Krems. K.: 1982 Ausbilder in d. Feuerwehrschule Tulln, Obm. d. Personalvertr., 1970-90 Kdt. d. FF-Rappoltenkirchen, 1985-90 Unterabschnittskdt. d. FUA Sieghartskirchen, 1980-92 GemR., 1993-94 Gschf. GemR., 1994 Bgm. P.: Amtsblatt Sieghartskirchen, ÖVP Gem.-Kurier. M.: Gem.-Parteiobm. ÖVP. H.: Feuerwehr, Schwimmen, Lesen. (T.T.)

Unkart Ralf Dr. iur. Dr. h.c.

B.: Ltr. d. Off. Kärnten-Vertretung in Wien. GT.: Hon.Prof. an d. TU Wien, Lehrbeauftragter an d. Univ. Klagenfurt, Präs. d. Ktn. Univ.Bundes, VPräs. d. Ktn. Jur. Ges. DA.: 1010 Wien, Schenkenstr. 4. PA.: 1010 Wien, Stadiong. 2/3. G.: Winklern, 31. Dez. 1927. Ki.: Britta, Alexander, Natascha. S.: Jusstud. in Graz, 1952 Prom., jur. Ausbild., Gerichtspraxis, RA-Praxis. K.: 1954-69 im Verfassungsdienst d. Ktn. LRg., 1969-71 Ltr. d. Abt. f. Raumordnung u. Raumordnungspolitik, 1971-75 Ltr. d. Verfassungsdienstes, 1975-89 LAmtsdir.Stellv., 1989-92 LAmtsdir., seit 1969 Lehrbeauftragter an österr. Univ., seit 1978 Hon.Prof. an d. TU Wien. BL.: Mitinitiator d. Univ. Klagenfurt u. d. erste Österr. Nationlpark Hohe Tauern, Mitarb. am Volksgruppengsetz 1976 u. an d. Reform d. Minderheitsschule 1988, Mitbegründer d. Alpen-Adria Arge. P.: über 100 Fachpubl., Schwerpunkt Raumordnung u. Naturschutzrecht, Verfassungsfragen, Föderalismus, Rechtsfragen d. Minderheiten, Hrsg. u. Begründer, Red. d. Schriftenreihen: Raumordnung in Ktn., Naturschutz in Ktn., Ktn. Nationalparkschriften, Ktn. Dokumentation. E.: Dr. h.c. Soka-Univ. Tokio. H.: Bergwandern, Lesen, klass. Musik. (D.M.)

Unmack Joachim

B.: freiberufl. Schauspieler. PA.: 1140 Wien, Rosentalg. 12/6/11. G.: Rostock, 19. März 1923. El.: Johannes u. Gertrud. S.: VS u. Gymn. Rostock, 5 J. Soldat, nach Krieg Aufnahmsprüf. in Düsseldorfer Schauspielhaus unter Gustav Gründgens. K.: 10 J. freiberufl. Schauspieler in Hamburg, 1960/61 künstler. Ltr. eines Theaters in Neumünster, b. 1964 Baseler Komödie, 3 Dutzend gr. Tourneen m. prominenten Schauspielerin durch dt.-sprachige Länder, längere Engagements in Deutschland, 1973 Stadttheater Klagenfurt, 2 J. Schauspielhaus Graz, seit 1978 freischaff. in Wien u. Bdl. tätig, seit 1952 ständige Engagements: 400 wichtige Hauptrollen. P.: Mitwirkung b. CD "Geheimnis d. Friedens". E.: Träger d. Hebbel-Ringes. M.: Gewerkschaft f. Kunst u. freie Berufe. H.: begeisterter Sportzuschauer, 44 J. altes Auto. (J.M.)

Unterasinger Franz Dr.

B.: Inhaber, Rechtsanwalt. FN.: Rechtsanwalt Dr. Unterasinger. DA.: 8010 Graz, Radetzkystr. 8. PA.: 8010 Graz, Rudolf Listg. 19. G.: Strajach Ktn., 10. Nov. 1954. V.: Karin Susanne geb. Ramusch. Ki.: Louisa (1986), Martha (1988), Thomas (1990). El.: Eduard u. Theresia. S.: VS St. Jakob, Gymn. Lienz, 1973 Matura d. BH Oberleutnant-Reserveoffizier, 1974-78 Jus. Stud. Graz, 1978 Doktrat. K.: 1978-80 Ass. a. d. Uni Graz, s. 1985 selbstständig. GT.: Ges. d. Ges. Medienrecht, Wirtschafts- u. Bankwesen, Vortr. a. d. Uni Graz, WIFI, etc. P.: 1981 österr. Juristenzeitung, Rechtsbereinigung, Grundbuchrecht m. Doz. Bernat. M.: Ver. f Onkologie (Obmann), Genossenschaftsfunktionär i. e. Gen.-Bank, Wirtschaftsbund, Ver. d. Primärbanken Österr.-weit (Gründer). H.: Bergsteigen, Schifahren. (R.S.)

Unterberger Franz

B.: Bgm. d. Gem. Strobl am Wolfgangsee. DA.: 5350 Strobl 56. PA.: 5350 Strobl-Weißenbach 27. G.: Strobl-Weißenbach, 23. Aug. 1935. V.: Katharina, geb. Rettenwenger. Ki.: Eva Maria (1963), Josef David (1964), Martha Katharina (1966), Markus Franz (1967), Rupert Peter (1973). El.: Franz u. Maria. S.: 1955-57 Ldw.-Schule Winkelhof Oberalm b. Hallein. K.: seit 1963 Ldw., seit 1950 1. Trompete u. Schlagzeug Ortsmusikkapelle Strobl, 1953 Grdg. Ortsgruppe d. Jungen ÖVP Strobl, 1963-84 Bauernbundobm., ab 1964 GemR., 1965-90 KamR. d. Bez.-Bauernkam., seit 1982 Bgm. d. Gem. Strobl, 1991 Obm. d. Einforstungsgen. M.: PfarrgemR., Obm. d. Agrargemeinschaft, Obm.-Stellv. Volksbühne Strobl, Obm.-Stellv. d. Reinhalteverb. H.: Wandern, Bergsteigen, Ldw., Aberdeen-Angus-Rinderzucht. (E.Hö.)

Unterberger Friedrich Dr. et Mag. phil. HofR.

B.: Dir. BRG Sbg. DA.: 5020 Salzburg, Akademiestr. 19. PA.: 5020 Salzburg, Membergerstr. 44. G.: Linz, 13. Okt. 1930. V.: Dr. Gretl, geb. Moser. Ki.: Wolfgang (1963), Ursula (1968). El.: Fritz u. Hermine, geb. Karrer. S.: VS, RG, 1950 Reifeprüf., Stud. Engl. u. Geographie Univ. Wien, 1956 Prom. z. Dr. phil. u. Lehramtsprüf. K.: 1956 Probelehrer BRG Sbg., 1956-58 Ltr. d. Kath. Bild.-Werkes Sbg., ab 1957/58 Lehrer f. Engl. u. Geographie BRG, 1974-78 Administrator BRG Sbg., 1974 Mtgl. d. Externisten Reifeprüf.-Kmsn., 1981 Dir. BRG Sbg., 1987 Grdg. Expositur Zaunergasse, Mitbegründer d. Mus. Gymn. Sbg. (N.M.)

Unterberger Fritz

B.: Kfm., Inh. d. Fa. Fritz Unterberger u. Gschf. d. Fritz Unterberger GmbH. DA.: 6330 Kufstein, Endach 32. G.: Schwaz, 22. März 1949. V.: Helga, geb. Siorpaes. Ki.: Gerald, Dieter, Fritz. El.: Georg u. Anna. K.: S. 1975 selbst. in Kufstein. M.: Div. lokale Mtgl. H.: Fischen, Beruf. (W.G.)

Unterberger Herbert

B.: ak. Bildhauer, freischaff. Künstler. FN.: Atelier Unterberger. DA. u. PA.: 9620 Hermagor, Kühwegboden 44. G.: Hermagor, 2. Jan. 1944. V.: Gisela, geb. Fercher. Ki.: Michael (1977). El.: Gregor u. Stefanie. S.: VS, HS, 1958-62 Schüler v. ak. Bildhauer Hans Domenig, 1962-66 Stud. Ak. f. Bild. Künste Wien, 1966 Dipl. K.: seit 1967 freischaff. Bildhauer in Hermagor m. Schwerpunkt Skulpturen vorwiegend aus Krastaler Marmor, Granit, Serpentinit, Holz, Bronze, 1968-70 Lehrtätigkeit am Mus.-Päd. BRG Hermagor, Einzelausstellungen: 1973 Künstlerhaus Klagenfurt, 1977 Galerie Slama Klagenfurt, 1978 Palais Palffy Wien, 1983 Ak. d. Schönen Künste Kairo, 1985 Peking, Teilnahme an nat. u. intern. Symposien. E.: 1965 u. 1966 Meisterschulpreise. M.: Kunstver. f. Ktn. H.: Reisen, Natur. (G.L.)

Unterberger Josef

B.: Bmstr., Zimmermstr., Gschf. Ges. FN.: Unterberger Bau GmbH & Co KG. DA.: 5342 Abersee 193. PA.: 5350 Strobl/Weißenbach 150. G.: Strobl, 19. Febr. 1937. V.: Irene, geb. Wolloch. Ki.: Petra, Judith, Ronald. S.: Lehre f. Maurer u. Zimmerer, Baufachschule, 1973 Bau- u. 1974 Zimmermstr.Prüf. K.: b. 1955 in d. Ldw. tätig, Polier, Bmstr., Zimmermstr., 1975 Grdg. d. Einzelfa., 1988 Umwandlung in GmbH. M.: seit 25 J. Musikkapelle. H.: Bergsteigen, Musik, Lesen, Sport.

Unterberger Werner

B.: Gschf. Ges. FN.: Unterberger GmbH. DA.: 4400 Steyr, Stadtpl. 19. PA.: 4400 Steyr, Resselstr. 20. G.: Steyr, 1. Sept. 1962. V.: Margot, geb. Gruber. Ki.: Alexander (1990). El.: Werner u. Rotraut. S.: VS, HS, HASCH. K.: b. 1981 Praktikum Firma Rex Innsbuck, anschl. Tätigkeit im elterl. Betrieb, 1984 Umwandlung d. Firma in GmbH u. seither Gschf. Ges. H.: Familie, Radfahren. (U.A.)

Unterbrunner Karl

B.: Kfm., Gschf. FN.: IS INKASSO Karl Unterbrunner KG; INKASSO Service Katterl Ges.m.b.H. DA.: 4020 Linz, Südtiolerstr. 9; 4810 Gmunden, Miller u. Aichholzstr. 77. PA.: 4040 Linz, Dornscherstr. 21. G.: Kirchdorf, 22. Nov. 1949. V.: Sieglinde, geb. Mair. Ki.: Susanne (1978), Phillip (1982). El.: Karl u. Emmy. S.: VS, RGM, 4 J. Stud. d. Betriebswirtschaftslehre. K.: 6 J. Angestellter, s. 1977 selbst. M.: INKASSO Versand (IVÖ). H.: Segeln. (K.M.)

Unterer Josef Ing.

B.: Transportunternehmer, Gschf. Ges. FN.: Unterer GmbH; R. Maurer Transport GmbH; Weltrans Sbrl; Cargo Transport Belgien SH; Cargo Transport Italia SRL; Unterer GmbH & Co KG. DA.: 6250 Kundl, Liesfeld 126. PA.: 6314 Niederau, Sonnhangweg 25. G.: Wörgl, 4. Aug. 1964. V.: Ingrid, geb. Steindl. Ki.: Theresa (1990), Magdalena (1993). El.: Siegfried u. Helga. S.: VS, Gymn., HTL, 1982 Matura, Abiturientenlehrgang Innsbruck, 4 Sem. Stud. BWL u. Jus, 1984 BH. K.: seit 1984 im elterl. Transportunternehmen in Kundl, in sämtl. Bereichen tätig, 1991 Übernahme als Gschf. Ges. u. Kompl., 1986 1. Tochterfirma in München, 1988 Mailand, 1989 Grdg. d. Firma in Belgien, 1990 Transportges. in Belgien erworben. M.: Tennisclub, Skiclub, Golfclub. H.: Familie, Beruf, Tennis, Mountainbiken, Skifahren, Tourengehen. (J.F.)

Unterganschnigg Fritz

B.: Spengler-, Glaser- u. Dachdeckermstr. FN.: Johann Unterganschnigg KG. DA.: 5700 Zell am See, Anton-Wallner-Str. 1. PA.: 5700 Zell am See, Alfred-Kubin-Str. 13. G.: Zell am See, 7. Juli 1961. V.: Marion, geb. Meindl. Ki.: Johann (1987), Christoph (1988). El.: Johann u. Erika. BV.: seit ca. 7 Generationen Spengler-, Glaser- u. Dachdeckermstr.-Betrieb. S.: VS, HS, HASC, 4 J. Lehrzeit im elterl. Betrieb, 1981 Gesellenprüf., 1983 Glasermstr.-Prüf., 1986 Spenglermstr.-Prüf., 1986 Dachdeckermstr.-Prüf. E.: Katastrophenmed. Feuerwehr, 2-maliger Eishockeynationalmstr. M.: Feuerwehr, Jachtclub, Skiclub, Eishockeyclub, Kiwanis-Club. H.: Eishockey, Segeln, Bergsteigen, Skifahren, Lesen. (M.T.)

Unterguggenberger Silvio DDr. Dkfm.

B.: Vorst.-Mtgl. d. Veitscher Magnesitwerke AG Wien, Schubertring Bürohaus AG Wien, Société d'Intérets Magnésiens B.V. Arnhem, sowie Vorst.-Mtgl. u. AufsR. in zahlr. weiteren in- u. ausländ. Ges. DA.: 1010 Wien, Schubertring 10-12. PA.: 1140 Wien, Stinglg. 1. G.: Wörgl, 1. Febr. 1935. V.: Sylvia, geb. Warlich. Ki.: Irene, Arno, Ivo. El.: Michael u. Rosa. BV.: Michael Unterguggenberger war Bgm. v. Wörgl, Träger d. intern. beachteten Freigeldexperiments v. Wörgl 1932/33. S.: Matura am hum. Jesuiten-Gymn., "Stella Matutina" Feldkirch 1954, WU Wien, 1958 Dkfm., 1959 Dr. rer. comm., 1971 Univ. van Amsterdam Dr. rer. soc. oec. K.: 1959 Gen.-Handlungsbev. d. Erste österr. Glanzstoff-Fbk. AG, 1961 Prokura, 1968-74 niederländ. AKZO-Gruppe, zuletzt Mtgl. d. Divisionsltg. "Rayon", 1973-74 Lehrtätigkeit in Betriebswirtschaftslehre an d. Berg. Univ. Wuppertal, seit 1974 Konzern d. Veitscher Magnesitwerke AG. P.: 2 Bücher in dt. u. holländ. Sprache, über 20 wiss. Beiträge im Bereich d. Betriebs- u. Fin.-Wiss. E.: Ehrenbürger d. Gem. Trieben, Veitsch u. Breitenau. M.: Stellv. Vorsteher d. Fachverb. d. Bergwke. u. eisenerz. Ind., KamR. d. Wr. HK. H.: Tennis, Antiquitäten sammeln. (E.L.)

Unterholzner Peter Ing. Gen.-Dir.

B.: Alleinvorst. d. Alpen Straßen AG. DA.: 6020 Innsbruck, Rennweg 10a. G.: Hall, 23. Apr. 1940. V.: Helga, geb. Weidinger, 3 Kinder. S.: Matura 1959. K.: Tiwag-Ang., 1961-75 Auslandstätigkeit in Ing.Büro, ab 1975 techn. Sachbearb., 1977 Prok., seit 1983 Mtgl. d. Vorst. d. Brenner-Autobahn AG, seit 1988 bzw. 1993 Alleinvorst. P.: Verfasser v. Fachart. in "Beton u. Stahlbeton", "Straßenbau" u. "Technik". H.: Skifahren, Bergsteigen, Windsurfen. (H.T.)

Unterhuber Harald Dir.

B.: Geschäftsltr. FN.: Raiffeisenbank Böheimkirchen. DA.: 3071 Böheimkirchen, Marktpl. 5. PA.: 3040 Neulengbach, Ulmenhofstr. 273. G.: Neulengbach, 26. Jän. 1959. V.: Gudrun, geb. Eder. Ki.: Andreas (1982), Thomas (1985). El.: Margarethe u. Karl. S.: Stiftgymn. Melk, Internat, musisch päd. Realgymn. St. Pölten. K.: Raiffeisen-Landesbank, 1982 Raiffeisenbank Böheimkirchen, 1983 Geschäftsltr. H.: Tennis, Fußball, Laufen, Kabarett. (J.M.)

Unterkircher Friedrich

B.: Steuerberater, Prok. A.: 1140 Wien, Parkg.9, Haus 2. G.: Euratsfeld, 19. Mai 1945. V.: Waltraud, geb. Reder. El.: Dipl.-Ing. Robert u. Leopoldine. S.: HAK. K.: 1970 bestellt z. Steuerberater, seit 1971 ständig gerichtl. beeid. Sachv., seit 1974 Prok. d. Securitas Revisions- u. Treuhand GmbH. M.: Kam. d. Wirtschaftstreuhänder Österr.

Unterkircher Lilo

B.: PR-Managerin, Grafikerin. FN.: Unterkircher-Jankoschek Grafik-Werbung-PR. DA.: 1100 Wien, Leebg. 30-32. PA.: 1120 Wien, Schönbrunner Allee 34. G.: Wien, 17. Nov. 1948. Ki.: Carin (1967). El.: Edith, geb. Limley u. Julius Hirnschrodt. S.: HBLA f. Wirtsch. Frauenber. 1980 Berufsreifeprüfg., Stud. Publizistik, Politikwiss. Univ. Wien, Lehrg. Werbedesigner, Lehrg. f. Öffentlichk.-Arb. Univ. Wien. K.: 1975-80 Pressesekr. Hochschulschaften d. TU Wien, 1984-90 Stv. Vorsitz. d. ÖGHD, 1983-89 Ass. Univ. Prof. Dr. Ina Wagner, 1989-91 Ltg. d. Werbe-Edward-Jury Exdradienst Muchaverl., 1988/89 Lehrauftr. d. UBW Klgft. Polit. Bildung f. Lehrer, 1990 Grdg. d. Ateliers Unterkircher-Jankoschek. P.: Mithrsg. d. Buches Die andere Hälfte der Gesellschaft. H.: Lesen, Theater, Musik. (N.A.)

Unterkircher Sidi Dr. med.

B.: FA f. Hautkrankheiten, FA f. Dermatologie u. Venerologie. DA. u. PA.: 6380 St. Johann in Tirol, Wieshoferstr. 9. G.: Innsbruck, 4. Dez. 1946. V.: Dipl.-Ing. Klaus Unterkircher. El.: Dr. Anton u. Dr. Rosa Stürzenbaum. S.: VS, Gymn, 1965 Matura, 1973 Prom., Turnusausbild. z. prakt. Arzt, 1977 Tätigkeit in d. Nuklearmed. in Innsbruck, danach in d. Dermatologie in Innsbruck tätig, 1986 Eröff. Praxis in St. Johann, Konsiliararzt KH St. Johann. BL.: Berechtigung z. Ausbild. v. Ärzten. H.: Kunsteislauf, Reisen. (A.W.)

Unterkofler Hermann

B.: Kfm. FN.: Automaten Unterkofler. DA.: 5440 Golling, Nr. 74. PA.: 5440 Golling, Bründlweg 276. G.: Sbg., 20. Okt. 1950. V.: Sieglinde, geb. Kainhofer. Ki.: Michael (1970), Sandra (1976), Kristin (1981), Moritz (1990). El.: Anna u. Andreas. S.: VS, HS, Berufschule u. Gastronomielehre. K.: seit 1974 selbst. durch Firmengründ., Schwerp.: Handel m. Zigarettenautomaten sowie Handel u. Verleih v. Automaten aller Art, Wohnmobilien, Generalverwaltung f. Österr. d. Fa. Harting- Zigarettenautomaten. F.: Budapest u. Budweis. P.: Jede Gastronomie-Messe in Österr. H.: Golf, Ski. (G.L.)

Unterkofler Michael

B.: Goldschmiedemstr., selbst. GT.: gerichtl. beeid. Sachv. DA. u. PA.: 8570 Voitsberg, Teigitschstr. 32. G.: Klagenfurt, 29. Juli 1953. V.: Gundi, geb. Maier. Ki.: Lorenz (1986). S.: Fachschule f. gestalt. Metallhandwerk, Ferlach, Abschl. 1971. K.: 1971-73 Geselle in Sbg. b. versch. Goldschmiedemeistern u. Designern (Fa. Stubhann, Fa. Scheibler), 1973 Mstr.-Prüf. (jüngster Mstr. Österr.), 1973 eig. Atelier in Salzburg-Stadt, 1976 neues Atelier in Sbg.-Aigen, 1979 Grdg. Großhandel m. Edelsteinen u. Antikschmuck u. eig. Designschmuck in BRD, 1986 Verkauf d. Untern., 1981-83 Beisitzer b. Lehrabschlußprüf., 1983 Bau d. dzt. Ateliers, 1975-87 Einezlaussteller b. intern. Schmuck- u. Edelsteinausstell. Inhorgenta, München. M.: Steir. Initiative Kunsthandwerk. H.: Edelsteine, Surfen, Schifahren. (F.K.)

Unterkofler Rudolf

B.: Gschf. Ges., Kfm. FN.: Foto Rhomberg GmbH. DA.: 6850 Dornbirn, Gilmstr. 11. PA.: 6850 Dornbirn, Forachstr. 61. G.: Montan, 23. März 1953. V.: Gabriele, geb.Rhomberg. Ki.: Sandra (1987), Irina (1989). El.: Franz u. Franziska. S.: kfm. Lehre, Abschluß 1971, versch. fachbez. Sem. im In- u. Ausld., Bundesheer 1972. K.: 1972-73 kfm. Ang. in Lehrbetrieb, 1973 Ass. d. Gschf.-Ltg. in Medizinbranche, 1983 Prok./Teilhaber einer Tochterfirma, 1989 Fa. Rhomberg (Gschf. gem. m. Gattin). M.: Tennisclub Dornbirn, Aussch.-Mtgl. d. Fotografeninnung, PfarrgemR. Arbeitskreis Mission u. Soziales. H.: Schifahren, Radfahren, Wanderungen m. d. Fam., klass. Musik, Fotografieren, Kulturreisen. (I.D.)

Unterkofler Rupert

B.: Hotelier. FN.: Ingeborg Unterkofler GmbH. DA.: 5753 Saalbach, Altachweg 334. G.: St. Johann/Pongau, 23. Jan. 1949. V.: Ingeborg, geb. Thomas. Ki.: Camilla (1977). El.: Andreas u. Anna. S.: VS, HS, 4 J. Koch- u. Kellnerlehre. K.: Koch Grand Hotel Post Seefeld, Koch Hotel Europa Innsbruck, Koch Hotel Philip Seefeld, Koch Hotel Tirol Innsbruck, Restaurant P1 u. Restaurant Piroschka München, Schiff Holland USA Rotterdam, Hotel Europa Innsbruck, Hotel Philip Seefeld, Militärdienst, 1971 Küchenchef Hotel Saalbach, 1975/76 Kuhstallbar Alpenhotel Saalbach, 1976 Arena Saalbach, 1976 Bau d. eigenen Hotels, Restaurant Zirbenstube. H.: Golf, Skifahren.

Unterlechner Hans-Jörg Dr.

B.: Hotelier Bio-Aktiv-Hotel Grafenast. DA. u. PA.: 6130 Schwaz, Am Pillberg. G.: Seefeld, 20. Aug. 1944. V.: Marianne, geb. Schwarz. Ki.: Toni (1968), Julia (1972), Peter (1974). El.: Franz u. Margarete Demetz. BV.: Großvater war Tourismuspionier, 1907 Grdg. d. Hotel Grafenast. S.: Grundschule, Gymn., 1963 Matura, Tischlerlehre, 1963 Abschluß, 1 J. Hotelfachschule, 1 J. Kunstak. f. Innenarch. Wien, Stud. Ägyptologie, Archäologie, Numismatik u. Phil. Univ. Wien, 1973 Abschluß. K.: seit 1973 im elterl. Betrieb, seit 1980 selbst. im Bio-Hotel. H.: Malerei, Kunstgeschichte, Kulturreisen, Archäologie, Sprachen, Familie. (M.W.)

Unterlerchner Oswald Michael

B.: Ldw., Unternehmer, Säcklermeister. FN.: Leder Michl. DA. u. PA.: 9871 Seeboden, Kötzing 8. G.: Spittal/Drau, 17. Jan. 1964. V.: Eveline, geb. Santner. Ki.: Martin (1990), Hanna (1992). El.: Oswald u. Maria. S.: VS, HS, Ldw. Fachschule Litzelhof b. Spittal, Berufsschule Gleinstätten, Säcklerlehre im elterl. Betrieb, BH. K.: 1984 Praxis in Zell/See, 1986 Meisterprüf., 1985 Mitarb. im elterl. Betrieb u. 1987 Übernahme, regelmäßige Teilnahme an d. Märkten St. Veit/Glan u. Bleiburg, seit 1991 ErsatzgemR. FPÖ. M.: seit 1991 Kdt.-Stellv. Freiwillige Feuerwehr Kötzing, Jagdver., Sängerrunde Tangern, seit 1993 Obm. Wassergen. Unterhaus. H.: Jagd, Ldw., Singen, Skitouren. (G.L.)

Untermaurer Ullrich

B.: Friseurmstr., Gschf. Ges. FN.: Gruppa L'Ultima GmbH, L'Ultima OHG. DA.: 1210 Wien, Prager Str. 6. G.: Wien, 17. Jan. 1950. V.: Hilde, 2 Kinder. S.: VS, HS, Berufsschule. K.: Lehre, Mstr.Prüf., eigenen Salon aufgebaut, seit 1980 b. Gruppa L'Ultima GmbH, 5 Geschäft f. 55 Mitarb., Entwicklung v. "Haarmonie", 1 1/2 J. Teilnehmer am Hernstein-Inst. H.: Skifahren, Tennis. (R.A.)

Unterpertinger Fritz Dr. iur.

B.: Sekt.-Ltr. im Bundesmin. f. Umwelt. DA.: 1020 Wien, Untere Donaustr. 11. G.: Kaprun, 19. Jän. 1953. V.: Ursula, gb. Binder. Ki.: Judith (1977), Lukas (1983), Lisa-Marie (1986). El.: Friedrich u. Judith. S.: 1972 Matura, Erwachsenenbild., Journalist, 1978-82 Stud. Rechtswiss. Univ. Innsbruck m. Prom. z. Dr. iur. K.: 1982-89 Univ.-Ass. am Inst. f. Öff.-Recht u. Politikwiss. d. Univ. Innsbruck, 1988 VwGerH., seit 1989 Ltr. d. Sekt. II d. Bundesmin. f. Umwelt, Lehrbeauftragter Univ. Wien. (N.A.)

Unterrainer Christine Dr. phil. HofR.

B.: Dir. Univ.-Bibl. Sbg. DA.: 5010 Salzburg, Hofstallg. 2-4. PA.: 5020 Salzburg, Eduard-Heinrich-Str. 5. G.: Salzburg, 10. Jan. 1942. V.: Dr. Dietwolf Unterrainer. Ki.: Maximilian (1972), Maria (1975). El.: Anton u. Margarethe Kollarz. S.: VS, HS, LnBA, 1961 Matura, Stud. Germanistik u. Geschichte, 1967 Prom. "sub auspiciis praesidentis". K.: 1967 Eintritt in d. Univ.-Bibl., 1992 VDir., seit 1994 Dir. M.: VÖB. H.: Musik, Lesen, Wandern. (D.E.)

Unterrainer Christoph

B.: freischaff. Holzbildhauer. DA. u. PA.: 6363 Westendorf, Holzham 68. G.: Kitzbühel, 2. Sept. 1952. V.: Dorothea, geb. Franssen. Ki.: Christoph (1975), Carmen (1977). El.: Franz u. Walfrieda. BV.: Vater u. Großvater waren bekannte Kunstschmiede. S.: VS, HS, 4 J. Holzbildhauerschule Geisler-Maruda, 1972 Abschluß, 2 J. Kunstak. b. Arthur Spranken in d. Jan van Eyk-Ak. Holland. K.: 1973 angesiedelt in Westendorf u. seither freischaff. Künstler, früher auch Arb. m. Marmor u. Bronze, dzt. Holzverarb. jegl. Art, bodenständige u. mod. Holzschnittkunst, Reliefs, eigene Entwürfe, Arb.: 2m Christus Bestattungshalle Westendorf, Dorfbrunnen, Altersheimkapelle, Vereinswappen, Mehrzweckhalle, div. Ausstellungen. H.: Schach. (M.W.)

Unterrainer Jakob

B.: Gschf. Ges. FN.: Unterrainer GmbH. DA.: 6330 Kufstein, Schaftenau 380. G.: Kirchbichl i. Tirol, 26. Juli 1931. V.: Marianne, geb. Hetzenauer. Ki.: Eva (1982), Johannes (1983). El.: Josef u. Maria. S.: VS, HS, 3 Lj. Kfz-Mechaniker, 1950-53 Bundesfachschule f. Stahlbearb. i. Fulpmeß, Maschinenschlosser. K.: 1954 elterl. Betr., s. 1964 Selbst. E.: Eingetragen i. Goldene Buch d. Stadt Kufstein. M.: Mtgl. zahlr. Örtl. Vereine. H.: Beruf, Kartenspielen. (J.F.)

Unterrainer Sigmund

B.: Kunstschmiedemeister, Inh. FN.: Kunstschmiede Unterrainer. DA.PA.: 6364 Brixen i. Th III./107. G.: Kitzbühel, 20. Mai 1948. V.: Monika, geb. Walch. Ki.: Alexander (1976). El.: Franz u. Waldfrieda. S.: VS, HS, 3 LJ Kunstschmied im elterl. Betr. i. Brixen m. Gesellenbrief 1965 abgeschlossen, Praxis b. Fa. F. Spies i. Landeck, 1966-67 BH. K.: i. elterl. Betr. gearb., ab 1968 intern. Ausstellungen, 1973 Meisterprüf. absolviert, ab 1977 elterl. Betr. übernommen. E.: 1980 Bayrischen Staatspreis v. Franz Josef Strauss f. Idee, Entwurf, Fertigung e. Tores b. d. IHM München. H.: Tauchen, Tennis, Radfahren. (J.F.)

Untertrifaller Much Dipl.-Ing.

B.: selbst. Arch. DA.: 6900 Bregenz, Am Brand 6. PA.: 6900 Bregenz, Landstr. 34e. G.: Bregenz, 21. Nov. 1959. V.: Ursula, geb. Traugott. Ki.: Katharina (1982), Laura (1986). El.: Michael u. Lidia. S.: 1979 Matura, 1979-88 Arch.-Stud. TU Wien. K.: 1986 Eröff. d. Büros. BL.: Verw.-Gebäude VKW, Festspielhaus Bregenz Anbau, Stützpkt. Bielerhöhe Silvrettahaus. P.: versch. Beiträge in div. Fachzeitschriften. E.:Piranesi-Preis 1993, Staatspr. f. Tourismus u. Architektur 1994 H.: Reisen, Tennis, Musizieren. (A.K.)

Unterweger Dietmar

B.: Gschf. Ges., Gastronom. FN.: Unterweger Gastro GmbH. DA.: 6900 Bregenz, Vorklosterg. 66. PA.: 6923 Lauterach, Thaläckerstr. 22. G.: Hard, 11. Nov. 1958. Ki.: Stefanie (1990). El.: Hans u. Theresa. S.: 1974-78 Lehre z. Koch u. Kellner, Managementausbild. in d. Hotelerie. K.: Auslandstätigkeit in d. gehobenen Hotelerie im Management Frankreich, Schweiz u. Deutschland, 1984 Übernahme d. elterl. Betriebes "Gasthof Adler", "Tannhof" Möggers, 1985 Eröff. d. Trottoria "Tomate" Bregenz, 1986 Eröff. d. Café "Liberty", 1990 Übernahme d. Strandbad- u. Hallenbadgastronomie, 1993 Übernahme d. "Vbg. Hof" Hard, 1988 Ges.-Grdg. (A.K.)

Unterweger Erich

B.: freischaff. Künstler. A.: 8524 Bad Gams, Bergegg 21. G.: Bad Kleinkirchheim, 14. März 1928. V.: Erika, geb. Welzenberg. Ki.: Martin, Holger, Gottfried, Thomas. El.: Johann u. Julia. S.: VS, Stud. LKunstschulen Klagenfurt u. Graz. K.: seit 1949 als freischaff. Künstler tätig, versch. Techniken (Holz, Keramik, Stein, Stein- u. Betonguß, Polyester, Metall, Stuck), Personalausstellungen: 1954 Tutzing/BRD, 1955 Galerie Moser, 1965 Schloß Seggau, 1970/71 Verona, Vicenca, Belluno, 1973 Kath. Bild.Haus Maria Trost, 1977 Raiffeisenhof, 1980 Galerie d. Stadt Lienz, Beteiligung an intern. Ausstellungen: Religio 61, Religio 65, Intart III, Österr. Kunst 1900-1970, Tangenten 70, Trigon 71, Bertrand Russel Center Nottingham, Zeitgenössische Kunst aus Stmk., Kunst am Bau, 10 J. Künstlerfreundschaft Graz-Bamberg, Werke v. intern. Symposium Prilep, Intart XVII, Le Salon des Nations Paris, Kunstver. f. Ktn. 1907-1987, intern. Künstler-Symposien: 1971 Skofia Loka Idrija/Jugoslawien, 1972 Ptuj Idrija/Jugoslawien, 1973 Prilep Makedonien/ Jugoslawien, 1978 Hermagor Ktn./Österr., Werke befinden sich in Galerien, priv. Sammlungen, Kichen, Amtsgebäuden, Schulbauten u. Wohnanlagen. E.: 1961 Förd.Preis d. Stadt Graz, 1974 Kunstpreis d. Stadt Graz, 1975 Förd.Preis d. Ktn. LRg., 1979 Ernennung z. "Accademico d'Italia" d. Accademia Italia, 1981 Ehrenmed. d. LHpt.Stadt Graz. (H.Z.)

Unterweger Peter Mag.

B.: Dir. FN.: Noricum Maschinenbau u. Hdl. GmbH. DA.: 4045 Linz, Zollamtstr. 1. G.: Linz, 12. Apr. 1950. V.: Reingard, geb. Zilcher. El.: Karl u. Hermine. S.: VS, Gymn. Johann Kepler Univ. Linz, Fachrichtung: Betriebswirtschaft. K.: seit 1973 VOEST-ALPINE AG, 1975-1980 Regionaldir. d. VOEST-ALPINE AG f. Indien u. Südostasien m. Sitz in New Delhi,1980-84 Vorst.Dir. d. Wr. Brückenbau- u. Eisenkonstruktions AG, einer Tochter d. Voest-Alpine AG, 1980 - heute Dir. u. Prok. d. VOEST-ALPINE AG, Gschf. d. Noricum Maschinenbau u. Hdl. GmbH, AufsR.Mtgl. d. Hirtenberger Patronenfbk. AG. M.: Vorst.Mtgl. d. österr. Stahlbauverb. H.: Tennis, Literatur.

Unterweger Rudolf Dr. med. univ.

B.: Prakt. Arzt, Stadtarzt v. Lienz. A.: 9900 Lienz, F.-W.-Pedit-Str. 9. G.: 24. Jan. 1943. V.: Marialuise, geb. Maran. El.: Dr. med. Josef u. Elisabeth. S.: Gymn. in Lienz, Med.Stud. Innsbruck u. Wien, Prom. 15.7.69 Innsbruck. K.: 1969-72 KH Lienz, 1972-75 Sanatorium Höhenklinik Bischofsgrün/Bayreuth, seit 1975 prakt. Arzt in Lienz, seit 1.8.81 Stadtarzt von Lienz, seit Okt. 82 Feuerwehrarzt Lienz. M.: CV-Rheno-Danubia Innsbruck, Marco Danubia Wien, Round Table 22 Lienz, Van Swieten-Ges. H.: Wandern, Skifahren.

Unterweger Rudolf

B.: Inh. FN.: Unterweger GmbH. DA.: 8784 Trieben, Sportplatzstr. 1. PA.: 8940 Weißenbach b. Liezen 90. G.: Rottenmann, 10. Feb. 1955. V.: Reinhilde, geb. Sulzbacher. Ki.: Silke (1981). El.: Rudolf u. Josefine. S.: VS, HS, Fachschule f. Metallbearb. Kapfenberg, 1973 Abschluß. K.: 1974 Eintritt in d. elterl. Installationsbetrieb in Trieben, 1982 Konzessionsprüf., 1985 Übernahme d. elterl. Betriebes, 1988 Filiale Weißenbach. M.: Funktionär b. steir. Skiverb. H.: Wintersport, Segeln, Laufen. (I.G.)

Unterweger Sabine Dr.

B.: Gschf. u. Prok. FN.: Publico Public Relations Agentur. DA.: 1110 Wien, Mautner-Markhof-G. 45. PA.: 1090 Wien, Roßauer-Lände 33/45. G.: Leoben, 13. Okt. 1957. El.: Ewald u. Inge. S.: Matura a. Gym. Leoben, Stud. Psych. u. Päd. Univ. Graz, 1983 Prom. z. Dr. phil. gleichz. einige Semester BWL. K.: ab 1983 b. ORF Lds.-Studio Stmk, davon 2 J. Abt. Wiss., 2 J. aktueller Dienst, anschl. 1 1/2 J. Presseabt. Fa. Henkel Austria, Wien, 1989 Eintr. i. d. Publico Public Relations Agentur a. PR-Berater, 1992-93 zusätzl. f. d. Geschäfte d. Agentur i. Prag u. f. intern. Geschäfte i. Zusammenhang m. Entente-Intern. Communication, s. 5/93 Prok. u. s. 10/93 Mtgl. d. Gschf. d. Publico. H.: Golf, Skifahren, Fernreisen. (J.S.)

Untner Johannes Maria Dr. med.

B.: Prakt. Arzt. DA. u. PA.: 5645 Böckstein, Südtiroler Str. 5. G.: Taufkirchen/Pram, 26. Jan. 1949. Ki.: Tristan (1973), Katharina (1975), Marie-Luise (1978), Severin (1988). El.: Anton u. Emma. S.:1968 Matura, 1969 BH, 1969-71 Stud. HS f. Bdk. Wien (Kulturtechnik), 1971-74 Psych.-Stud., 1974 Diss., 1974-80 Med.-Stud., 1981 Prom. K.: Turnusarzt in Schwarzach, 1984 Eröff. d. eigenen Praxis in Böckstein (Kassenpraxis, Kurmed., Ganzheitsmed.). H.: körperl. u. geist. Bewegung. (G.P.)

Unverricht Horst

B.: Inh., Oberbrandmstr. d. Wr. Berufsfeuerwehr. FN.: Feuerlöscher Titan-Bavaria. DA.: 4020 Linz, Waldeggstr. 68. PA.: 1220 Wien, Brockhauseng. 36. G.: Wien, 5. Febr. 1943. V.: Hannelore, geb. Klima. Ki.: Gabriele (1962), Eveline (1965), Walter (1972). El.: Rudolf u. Herta. S.: VS, HS, b. 1960 Gießereilehre, Militär. K.: seit 18. Lebensj. Wr. Berufsfeuerwehr, seit 1980 nebenberufl. staatl. geprüfter Löscherwart Firma Titan Wien, seit 1. Jän. 1991 Generalvertretung f. OÖ u. Geschäftsübernahme. P.: Vortragstätigkeit im Rahmen d. Brandschutzwarteausbild., Schulungstätigkeit, Vorträge über Löschübungen b. Firma Titan f. Kunden, Lehrer im WIFI f. Löscherwart B. M.: 7 J. Feuerwehrimker, 15 J. Feuerwehrmusiker. H.: Hobbyimker, Sport, Schwimmen, Theater, Skifahren, Bergsteigen, Wandern. (U.A.)

Unzeitig Inge

B.: Unternehmerin, Eigentümerin d. Hotel "Palais Porcia". DA.: 9020 Klagenfurt, Neuer Pl. 13. G.: Müllnern (Ktn.), 13. März 1935. V.: Dr. Kurt Unzeitig. Ki.: Andrea (1967), Kurt Georg (1970). K.: Aus Landwirtefamilie stammend, schul- u. praxismäßig f. d. Ldw. ausgebildet, Ausbild. im Hotelfach, m. 25 Jahren Konzessionsträgerin u. Führ. eig. Betriebe, ab 1967 umfangreiche unternehmer. Tätigk. gem. m. d. Gatten: Großbau d. Kaufhauses u. Hotels am Neuen Platz, Errichtung d. Lindwurmgarage, Erwerb u. Renovierung d. Strandhotel Columbia in Pörtschach und schließl. Renovierung des Hotel "Palais Porcia" in Klagenfurt. H.: Jagd. (D.M.)

Unzeitig Kurt Dr.

B.: Unternehmer, Eigentümer d. Hotel "Palais Porcia". DA.: 9020 Klagenfurt, Neuer Pl. 13. G.: Znaim, 15. Jan. 1925. V.: Inge. Ki.: Andrea (1967), Kurt Georg (1970). S.: Jusstud. an d. Univ. Wien. K.: 20 J. RA in Klagenfurt, ab 1967 gem. m. Gattin Inge umfangreiche unternehmer. Tätigk.: Großbau d. Kaufhauses u. Hotels am Neuen Platz, Erricht. d. Lindwurmgarage, Erwerb u. Renoverierung d. Strandhotel Columbia in Pörtschach u. schließl Renovierung d. Hotel "Palais Porcia" in Klagenfurt. (D.M.)

Urabic Oswald Dr. iur.

B.: Wirtschaftsprüfer, Steuerberater. DA.: 1060 Wien, Linke Wienzeile 4/3/3. G.: Cilli, 28. Okt. 1930. V.: Barbara, geb. Töberich. S.: dt.-sprachiges RG in Cilli, Oberstufe in Oeversee-Gymn. in Graz, 1949 Matura, Stud. an d. WU Wien (4 Sem.), anschl. Staats- u. Rechtswiss., 1961 Mag., 1962 Steuerberaterprüf., 1964 Prom. K.: während d. Stud. Praxis im Bereich d. Devisenrechts (Bankinst.), 1955-62 Praktikum in d. Kzl. v. Prof. Falkenberg, seit 1962 Ges. u. seit 1973 Alleininh. d. Wirtschaftsprüferkzl. in Wien. F.: gschf. Ges. d. Atlas Wirtschaftstreuhand GmbH. H.: Skifahren, Musik. (Sei.)

Uranitsch Gustav Dr.

B.: FA f. Radiologie. DA.: 8010 Graz, Herreng. 9. PA.: 8010 Graz, Rosenbergg. 47. G.: Graz, 13. Apr. 1926. V.: Lore, geb. Wall. El.: OMedR. Dr. Hugo u. Melanie, geb. Freiin v. Werther (Ak. Malerin). S.: Mittelschule in Graz, Stud. an d. Univ. Graz. K.: Ausbild. am LKH Graz, Univ.Klinik f. Radiologie Graz, Fortbild.Aufenthalte in Kanada u. USA, BRD. M.: Österr. Röntgenges., Radiological Society of North-America. H.: Musik, Theater, histor. Literatur, Wintersport.

Urbach Elsa-Olivia Mag. art. Prof.

B.: Akad. Maler, Dipl.-Graphiker u. Computergrafiker. DA. u. PA.: 1090 Wien, Althanstr. 53. G.: Wien, 1935. V.: Peter David Halatsch. El.: Ing. Erich (vielfacher Erfinder auf d. Gebiet v. Flugwesen, Sprengstoff u. schweren Waffen, erfand 1929 u.a. d. Turbo-Motor: Pionier-Patent) u. Valerie Urbach. S.: 1949-54 Graph. Lehr- u. Versuchsanst. (HTL) m. Abschluß als Dipl.-Graphiker, 1954-56 Stud. an d. HS f. Angew. Kunst i. d. Mstr.-Kl. f. Druckgraphik, 1956-62 Stud. an d. Akad. d. Bild. Künste Wien in d. Mstr.-Schule f. Malerei v. Prof. Albert Paris v. Gütersloh, 1962 Dipl. als Akad. Maler m. Staatspreis, später Mag. art., Erwerb sämtl. hoher Auszeichnungen d. Akad. wie Meisterschulpreis, Begabtenförderungspreis, Goldene Fügermed., 1958-61 Stud. d. Trompete am Konservatorium d. Stadt Wien u. Grdg. einer New-Orleans-Jazzband, ab 1983 Ausbild. in div. EDV-Disziplinen m. Schwerpunkt Computergrafik. K.: seit 1959 zahlr. Ausstellungen im In- u. Ausland, 1959 erste offiz. Museumsankäufe seitens d. Österr. Galerie im Belvedere, d. Albertina Wien, d. Kupferstichkabinetts d. Akad. d. Bild. Künste Wien u. bis heute zahlr. Ankäufe seitens div. Museen u. öff. Sammlungen im In- u. Ausland, seit 1962 freischaffend, 1964 Begründung einer eigenen Stilrichtung "Magische Figuration" in d. Malerei, wichtige Ausstellungen u.a.: 1970 "20 Jahre Schaffen" in d. städt. Ausstellungshalle Hannover, 1975 "25 Jahre Schaffen Elsa Olivia Urbach" in d. Österr. Galerie im Oberen Belvedere Wien, 1980 "30 Jahre Schaffen", Akad. d. Bild. Künste Wien, 1985 "35 Jahre Schaffen" in d. Galerie Urbach Wien, z.Zt. Vorb. zahlr. Ausstellungen im In- u. Ausland, zahlr. Reisen u. längere Auslandsaufenth. u.a. BRD, Frankreich, Holland, Schweiz, Italien, Jugoslawien, Spanien, Kanar. Inseln, Ägypten, Israel, Argentinien, Brasilien. BL.: über 400 Ausstellungen im In- u.

Ausland. E.: 1963 Förderungspreis d. Stadt Wien u. Rom-Preis d. Akad. d. Wiss. m. einem mehrmonatigen Aufenth. in Rom, 1. Grafikpreis d. Stadt Johannesburg/SA, 1968 Bronzemed. d. PREMIO UNESCO, 1979 Staatskünstlerin Nr. 1 durch staatl. Kunstankäufe, 1985 Berufstitel "Prof." durch d. Bundespräs. f. d. Verd. um d. Rep. Österr. M.: 1961 Erstes weibl. Mtgl. d. Wr. Künstlerhauses nach seinem 100jähr. Bestehen. H.: Sportschütze u. Katzenliebhaber. (N.A.)

Urbach Reinhard Dr. phil.

B.: Dir. d. Theater d. Jugend. DA.: 1070 Wien, Neubaug. 38. PA.: 1090 Wien, Grünentorg. 14/11. G.: Weimar, 12. Nov. 1939. V.: Katharina, geb. v. Eicke. Ki.: Ferdinand. El.: Ottomar u. Alma, geb. Schröter. S.: OSchule, Stud. in Köln, Bonn u. Wien, Prom. K.: 1977-86 Dramaturgie d. Burgtheaters, ab 1986 desig. künstler. Ltr. d. Theaters d. Jugend, ab 1988 Dir. d. Theaters. P.: Publ. z. österr. Literatur u. Theatergeschichte. (P.R.)

Urban Andreas

B.: Gastronom, Dir. FN.: Restaurant "Hauswirth". DA.:1060 Wien, Otto-Bauer-G. 20. PA.: 1230 Wien, Ketzerg. 65/4/11. G.: Wien, 5. Jul. 1967. El.: Hans u. Brigitte, geb. Pomberger. S.: Pädag. Akad., 3 J. Gastgewerbeschule m. Diplomabschl. K.: 1988/89 Koch "Altwiener Hof", 1989 Koch Hotel "Imperial", 1989 Souschef a. Wörthersee, 1990 Souschef a. Klopeinersee, 1991 Ass. Food & Beverage Manag. i. Hotel "Imperial", GF e. Rest.-BetriebsgesmbH, s 5/1993 Dir. d. Rest. "Hauswirth". P.: Mitbegründer u. Hrsg. d. hauseigenen Lokalztg. "Hauswirth". H.: Tennis, Skirennläufer (aktiv b. 1990), Fussball, Weinraritäten sammeln. (N.A.)

Urban August KommR.

B.: Möbelfabrikant Fa. August Urban. GT.: Cafe Mariatreu. DA.: 1070 Wien, Zieglerg. 67, 1080 Wien, Piaristeng. 52. G.: Wien, 21. Okt. 1909. V.: Edith, geb. Weidinger. Ki.: Eduard, Renate. El.: Adolf u. Stefanie. BV.: Beethoven war Großonkel v. Gattin. S.: VS, Bürgerschule, Gewerbeschule (Tapezierer), Mstr.Prüf. K.: Tapezierer, Dekorateur, Polstermöbel- u. Wandverbautenfabrikation in Hainfeld u. Mainburg, weiters Spitzenfunktionär d. holzverarb. Ind. Österr. E.: Berufstitel KommR., Gold. EZ f. Verd. um d. Rep. Österr. M.: Seit 1949 Aussch.Mtgl. d. Industriellenver. (R.A.)

Urban Edith

B.: Chefsekr. FN.: Carlson Wagonlit Travel. DA.: 1010 Wien, Kärntner Ring 2a. PA.: 1050 Wien, Schönbrunnerstr. 133. G.: Wien, 3. Okt. 1953. Ki.: Alexander (1985), Barbara (1989), Christine (1989). El.: Stefan u. Martha Frenczko, geb. Kuser. S.: VS, 1972 AHS-Matura, Fremdenverkehrsak. Kleßheim Sbg., 1974 Dipl. K.: 1974-76 Tätigkeit in d. Hotelerie, 1976-78 Incoming Firma Wagons-Lits/Cook, 1979-81 Chefsekr. Firma Tecno, 1982-89 Chefsekr., Buchhaltung u. Verkauf Firma Meridian-Reiseveranstalter, seit 1991 Chefsekr. Firma Wagonlit Travel. H.: Kochen, Reisen, Skifahren. (M.M.)

Urban Eduard

B.: Inh. FN.: Eduard Urban Werkzeugfbk. DA.: 3335 Weyer, Lindau 22. PA.: 3335 Weyer, Lindau 24. G.: Gaflenz, 5. Feb. 1948. V.: Eva, geb. Woltrich. El.: Eduard u. Wilhelmine, geb. Bachbauer. S.: VS, HS, HTL Maschinenbau, 1967 Matura, 4 Sem. Stud. Betriebswirtschaft Univ. Linz. K.: seit 1969 Inh. d. elterl. Firma Eduard Urban Werkzeugfbk. H.: Bergsteigen, Musik. (M.M.)

Urban Friedrich Ing.

B.: Int. ORF-Landesstudio Sbg. GT.: Vors. d. Ver. "Szene" in Sbg. DA.: 5010 Salzburg, Nonntaler Hauptstr. 49d. G.: Wien, 14. Dez. 1944. S.: HS, HTL f. Elektrotechnik in Wien. K.: 1963-67 Elektroing. b. Großunternehmen in Österr. u. Deutschland, 1968-73 Ass. d. kfm. Dir. d. ORF in Wien, 1973-76 Ltr. Organ. b. ORF in Wien, 1976-84 kfm. Ltr. u. Vertreter d. damaligen Int. ORF-Landesstudio Sbg., seit 1984 Int. E.: Gold. VZ d. Landes Sbg., 1992 Rene Halcic-Preis, H.: Lesen, Spazierengehen. (N.M.)

Urban Horst

B.: Executive-Dir. FN.: World Vision Österr. Christl. Hilfswerk. DA.: 1070 Wien, Mariahilfer Str. 10/10. PA.: 4040 Linz, Dornacherstr. 8. G.: Schwarzach, 12. Nov. 1940. V.: Ulrike, geb. Gibisch. Ki.: Matthias (1964), Magdalena (1972). El.: Hamilkar u. Aloisia. S.: Berufsausbild. z. Maschinenkonstruktionsschlosser u. z. Techn. Kfm., Musikausbild. am Mozarteum Sbg. u. am Konservatorium Linz f. Zither u. Klavier. K.: etl. J. b. d. Firma Semperit im Vertrieb f. versch. Produkte, 15 J. b. d. VOEST-ALPINE in ltd. Position f. Umwelttechnik, ab 1990 Gschf. World Vision Österr., 1991 Loslösung v. World Vision Deutschland als eigenständiger rechtl. u. wirtschaftl. selbst. Ver., seitdem Gschf. Dir. d. World Vision Östrerr. Christl. Hilfswerk. BL.: Übernahme d. Verantwortung f. Menschen in anderen Kulturkreisen in Not. P.: Art. in d. eigenen Zeitung "Blick in d. Welt". H.: Musik, speziell Opern, Bibel u. Theol. Studien. (J.S.)

Urban Hubert

B.: Werbe- u. Modefotograf. FN.: Studio Hubert Urban. GT.: Buenos Dias Bildarchiv. DA.: 1130 Wien, Auhofstr. 15. PA.: 1130 Auhofstr. 12. G.: Wien, 4. Dez. 1942. V.: Christine, geb. Willrader. Ki.: Cathrin, Christopher, Philipp. El.: Ernst u. Wilhelmine. BV.: Vorfahren waren Gründer d. Stadt Durhan (Südafrika) u. Gründer d. Verlages Urban u. Schwarzenberg. S.: HG Wien. K.: Fotografenlehre b. Simonis, weitere Ausbildung in Paris u. Bielefeld, 1970 Mstr.Prüf. in Wien, Modefotograf b. Skrein Mailand u. Wien, seit 1972 eig. Atelier in Wien 13. Bl: Pflege intern. Verbindungen in d. Fotografie, Intern. Autofotografie, zahlr. Stud.Reisen (Japan, USA, GB, J, BRD, F). P.: Intern. Art Directors Index, zahlr. Ausstell. (z.B. Künstlerhaus Wien, Rio de Janeiro, Tokio, Bad Ischl. E.: Europhot-Förderungspreis, Polaroid-Förderungspreis, zahlr. Fotopreise. M.: DGPH (Dt. Ges. f. Photographie), Künstlerhaus, Ak. d. Industrie- u. Modefotografie. H.: Alte Autos. (H.P.)

Urban Kurt

B.: Ges. FN.: Sukopp & Urban GesnbR Theater- u. Dekorationsmalerei. DA.: 1210 Wien, Clessg. 127a. PA.: 1120 Wien, Wienerbergstr. 18/26/4. G.: Wien, 12. Febr. 1959. Ki.: Nicole (1980), Sandro (1986). El.: Franz u. Friederike. S.: 1975-78 Theatermalerlehre b. d. Österr. Bundestheatern, Gasthörer Ak. f. Angew. Kunst. K.: 1978-88 Ang. b. d. Österr. Bundestheatern, 1988 selbst. als Theatermaler f. Theater, Film u. Werbung gemeinsam m. Paul Sukopp. H.: Billard, Malen. (M.M.)

Urban Othmar

B.: Int. ORF-LStudio Wien. DA.: 1040 Wien, Argentinier Str. 30a. PA.: 1140 Wien, Penzinger Str. 131. G.: Wien, 2. Febr. 1930. V.: Hedwig, geb. Schnötzinger. Ki.: Florian. El.: Franz u. Adolfine. S.: RG, Theaterwiss., Germanistik. K.: seit 1956 im ORF tätig, "Aktueller Dienst", "Österreichbild", "Wien",

Radio Wien. E.: Gold. EZ d. Rep. Österr., Gold. EZ d. Landes NÖ, Ehrenring d. BVerb. d. Erwerbsgärtner. M.: SPÖ. H.: Segeln. (E.L.)

Urban Otto Dr.

B.: Rechtsanwalt. FN.: Kanzlei Dr. Urban. DA.: 4840 Vöcklabruck, Feldg. 6. PA.: 4810 Gmunden, Pensionatstr. G.: Gmunden, 24. Feb. 1960. V.: Andrea, geb. Fischthaler. Ki.. Lukas (1991). El.. Otto u. Margarete. S.: VS, RG, Matura, 1979-84 JUs. Stud. in Sbg. K.: Tischlerlehre, 1978 Gesellenprüf., 1984-85 Gerichtsjahr u. allgem. Präsenzdienst, ab 1985 in Kanzlei Dr. Hitzenberger tätig, 1989 Rechtsanwaltsprüf., s. 1990 Kanzleigemeinschaft m. Dr. Hitzenberger u. Dr. Urban. E.: mehrmaliger Staatsmstr. Titel in Segeln u. Surfen, Europamstr. in Surfen u. Segeln. M.. Union-Yachtclub Traunsee. H.: Segeln. (G.E.)

Urban Reiner Dkfm.

B.: Gschf. FN.: Diebold GmbH. GT.: Lehrbeauftragter FHS u. VHS Landshut. DA.: 1040 Wien, Graf-Starhemberg-G. 25. G.: Lindenberg/Deutschland, 16. Aug. 1945. V.: Annemarie. El.: Apotheker Ludwig u. Anastasia. S.: Oberrealschule, 1965 Matura, Stud. BWL u. Jura Univ., 1970 Dkfm. K.: 1971-76 Vertriebsbeauftragter IBM Deutschland GmbH, 1977-79 Ndlg.-Ltr. Nixdorf Computer AG, 1979-82 Unternehmensberater McKinsey & Co Inc., 1982-92 Geschäftsbereichsltr. Diebold Deutschland GmbH, seit 1992 Gschf. Diebold GmbH. E.: 1. Preis f. "Menschen in China", 3x Löwenpreis in Deutschland. H.: Studienreisen, Filmen. (J.E.)

Urban Wilhelm Dkfm. Dir.

B.: Gschf., Dir. d. Wevig Wohnungseigentumsverw. u. Immobilientreuhand GmbH. DA.: 1090 Wien, Nussdorfer Str. 64. G.: Wien, 19. Apr. 1934. V.: Ingrid, geb. Frischenschlager. Ki.: Angela, Bernhard, Christoph. El.: Anton u. Eleonore. S.: Piaristen-Gymn., 1952 Matura, HS f. Welthdl., 1956 Dipl. K.: B. 1957 Mitarb. in d. elterl. Gew.Betrieben (Transportunternehmen u. Lebensmitteldetailhdl.), 1964 Sekr. b. NatR.Abg. Franz Prinkl, 1965 Verkaufsltr. d. Ver. d. Freunde d. Wohnungseigentums, 1968 Gschf. d. Ver., 1965 Gschf. d. Wevig (damals Tochterges. d. Ver.), 1973 Gschf. d. Wevig Tochterges. d. Bdl.Vers. M.: Kartellverb. Österr. Studentenverbindungen ÖCV, Österr. Turn- u. Sportunion. H.: Sport, Leichtathletik, Skifahren, Garten. (Lar.)

Urbanek Erich

B.: Ltr. d. Verw. d. Sbg. Museum Carolino Augusteum. GT.: Kustos Heimatmuseum Golling. DA.: 5020 Salzburg, Museumspl. 6. PA.: 5440 Golling, Torren 222. G.: Hallein, 24. Mai 1940. V.: Heidrun, geb. Wallpach-Schwanenfeld. Ki.: Arno, Erich, Irgmard, Wilfried. El.: Erich u. Paula. S.: RG u. HAK in Sbg., 1958 Matura. K.: Sparkassenang., Einkaufsltr., Milizoffizier, seit 1980 Ltr. d. Verw. Sbg. Museum C.A., 1986 Ernennung z. OAmtsR. P.: "Golling u. seine Burg" 1984, "Fossilien im Tennengau" 1986, "Ortsgeschichte Golling" 1991, zahlr. Aufsätze in Fachzeitschriften u. Zeitungen. E.: Silb. Verdienstz. d. Landes Sbg., Silb. EZ d. Sbg. Bildungswerkes, Silb. EZ d. Sbg. Heimatpflege, Gold. Ehrenring d. Marktgemeinde Golling. M.: Gutrater Ritterschaft zu Golling. H.: alles Alte u. Schöne. (Föd.)

Urbanek Harald Dr. med.

B.: Vorst. d. Inst. f. Sportmed., FA f. Chir. DA.: 3500 Krems, Mitterweg 10. PA.: 3506 Hollenburg, Hauptstr. 33. G.: Aigen/Schlägl, 6. Juni 1945. V.: Maria, geb. Hoch. Ki.: Eva Maria, Friedrich. El.: MedR. Dr. Friedrich u. Maria. S.: Med.-Stud. in Wien, Prom. 1969, Sportmed. 1985: staatl. Trainerausbild. d. BAFL, 1985 Sportarztdipl. K.: 1969 KH Krems, Turnusausbild. bis 1972, anschl. Ausbild. z. FA f. Chir. in Krems, Wien u. Ibk., 1978 FA f. Chir., s. 1978 OA im KH Krems, 1977 Grdg. d. Inst. f. Sportmed. u. Ltg. d. Inst., allg. beeid. Sachv. in Sozialgerichtsfragen, Landesvertr. d. Sportärzte NÖ, s. 1989 Hptm.-Arzt d. Österr. BH. P.: Über 20 wiss. Arb. ü. Chir., Unfallchir. u. Sportmed. M.: Österr. Ges. f. Chir., Ö. Sportärzteverb. H.: Sport, Musik. (M.B.)

Urbanek Radvan Dr. med. o.Univ.-Prof.

B.: Arzt, Vorst. d. Univ.-Kinderklink Wien. DA.: 1090 Wien, Währinger Gürtel 18-20. PA.: 1190 Wien, Unterer Schreiberweg 15. G.: Prag, 20. Nov. 1943. V.: Ingeborg, geb. Gebhardt. Ki.: Sophia (1987), Thomas (1991). El.: Rudolf u. Anna. S.: 1961 Matura, Med.-Stud., 1967 Abschluß. K.: Turnusfächer, 2 J. Anästhesist Lüdenscheid u. Stuttgart, ab 1971 Ass.-Arzt u. ab 1980 OA Univ.-Kinderklinik Freiburg/ Deutschland, Kurzaufenthalte in d. USA u. Schweden, 1983/84 Univ.-Klinik f. Innere Med. Guy's Hospital London. P.: 200 Publ., Hrsg. d. Zeitschrift Pädiatrie u. Pädologie sowie d. Monatsschrift f. Kinderheilkunde. M.: Österr. Ges. f. Kinder- u. Jugendheilkunde, Dt. Ges. f. Kinderheilkunde, Ges. f. Pädiatr. Pneumologie u. Pädiatr. Immunologie, Ges. f. Allergie- u. Immunitätsforsch. H.: Skifahren, Wandern.

Urbanek Werner

B.: Journalist, Ressortltr. "Fernsehen", Chefred. FN.: Neue Kronen-Zeitung. DA.: 1190 Wien, Muthg. 2. PA.: 1080 Wien, Wickenburgg. 5. G.: Graz, 21. Aug. 1939. V.: Barbara, geb. Voss. Ki.: Maximilian (1967), Cay (1972). El.: Dipl.-Ing. Walther u. Elisabeth, geb. Maurhofer-Jurinka. S.: 1957 Matura. K.: ab 1957 freier Journ. f. mehrere österr. u. dt. Zeitungsverlage, stv. Chefred. d. Österr. Ausgabe v. Hörzu, Pressechef d. Wiener Arena 70, s. 1971 Pressechef d. Wiener Festwochen, s. 1972 i. obenerwähnter Position. (N.A.)

Urbanek-Roth Sylvia

B.: Marketingltr. d. Fa. Hoffmann LaRoche Wien GmbH. DA.: 1030 Wien, Jacquing. 16. PA.: 1120 Wien, Schönbrunner Str. 234/13. G.: Wien, 5. März 1954. V.: Peter Urbanek. El.: Herbert u. Olga Roth. S.: AHS, Europa Sekr. Ak. K.: 1974 Eintritt Fa. ParcoFrance Chefsekr., Übernahme d. PR-Abt., 1977 Paris Lancome Europa-Koordination, 1978 Fa. Underberg Product Manager, 1981 Braun Elektric Product Manager, 1983 ParcoFrance Marketingmanager. P.: div. Kosmetikart. in Fachzeitschriften. M.: Marketing Club. H.: Reiten (div. Preise f. Springen), Sport, Theater, Oper. (A.W.)

Urbanner Erich Prof.

B.: o.HS-Prof. f. Komposition an d. HS f. Musik u. Darstell. Kunst. DA.: 1030 Wien, Lothringer Str. 18. PA.: 1130 Wien, Auhofstr. 237a. G.: Innsbruck, 26. März 1936. V.: Edda, geb. Gabriel. Ki.: Alexander (1969), Arnold (19739. El.: Hermann u. Barbara. S.: 1954 Matura, 1955-61 Stud. an d. Musikak. f. Musik u. Darstell. Kunst: Tonsatz u. Komposition b. Karl Schiske, 12 Ton-Komposition b. Hanns Jelinek u. Filmkomposition, Klavier b. Grete Hinterhofer, Kapellmstr.-Schule b. Hans Swarowsky, Abschluß Dipl. m. Ausz., 1956-61 regelmäßige Besuche d. Darmstädter Ferienkurse f. Neue Musik: Kompositionskurse b. Wolfgang Fortner, Karlheinz Stockhausen u. Bruno Maderna. K.: 1961 Eintritt in d. Ak. f. Musik u. Darstell. Kunst als Lehrer f. Partiturspiel in d. Kapellmstr.-Ausbild., 1969 Übernahme d. Kompositionskl. Karl Schiske u. 12 Ton-Kompositionskl. Hanns Jelinek, 1974 a.o.HS-Prof., 1977 o.HS-Prof. BL.: zahlr. Werke u.a. 1. Sonatine f. Klavier (1956), Intrada f. Kammerorchester (1957), Fünf Stücke f. Klavier (1959), "Der Gluckerich" oder "Tugend u. Tadel d. Nützlichkeit" (1963), Rondeau f. gr. Orchester (1967), Lyrica f. Kammerensemble (1971), Violinkonzert (1971), 3. Streichquartett (1972), Concerto "Wolfgang Amadeus" f. zwei Orchester, drei Posaunen u. Celesta (1972), Kontrabasskonzert (1973), "Takes" f. Klaviertrio (1977), "Arioso - Furioso" f. Violoncello u. Klavier (1980), Konzert f. Violoncello u. Orchester (1981),

Ballade f. Gitarre solo (1982), Sinfonia Concertante f. Kammerorchester (1982), Lateinisches Requiem f. Soli (1982/83), Doppelkonzert f. Flöte, Klarinette u. Orchester (1984), Emotionen f. Saxophonquartett (1984), Acht Ächte Tyroller Liader f. Sopran, Tenor u. Kammerensemble (1985), "Ninive" oder "Das Leben geht weiter" Oper in 7 Bildern (1987). E.: 1956 Kompositionspreise d. Musikhauses Doblinger, 1956 Kompositionspreise d. Österr. Musikzeitschrift, 1962 Förderungspreis d. Stadt Wien, 1966 Preis d. Festivals St. Hubert Belgien, 1980 Preis d. Landeshauptstadt Innsbruck, 1982 Würdigungspreis d. BMU, 1984 Würdigungspreis d. Stadt Wien. M.: Vorst.-Mtgl. d. Österr. Komponistenbundes, Österr. Ges. f. Neue Musik, Mozartgem. Wien, Intern. Ges. f. Neue Musik. H.: Skifahren, Fußball. (M.M.)

Urbanski Ferdinand Dr. iur.

B.: Vors. d. Vorst. d. Wr. Rückversicherungs-Ges. A.: 1130 Wien, Kupelwieserg. 13/3. G.: Graz, 14. Aug. 1946. V.: Evelin, geb. Gundacker. Ki.: Olivia, Angelina, Florentine. El.: Prof. Dr. Hans u. Silvia. S.: Theresianische Ak. m. Maturaabschluß, Jusstud. an d. Wr. Univ., Chartered Insurance Inst. Surbiton, London. K.: 1969 Eintritt in d. Versicherungskonzern ASSICURAZIONI GENERALI, b. 1975 Tätigkeit innerhalb dieses Konzernes in Paris, London, Mailand, Triest, München u. Düsseldorf, seit 1976 Vors. d. Vorst. d. Wiener Rückversicherungs-Ges. P.: zahlr. Artikel in Zeitungen u. Rückvers.-Fachzeitschriften. M.: Vereinigung Österr. Industrieller, Vereinigung ehem. Theresianisten, Österr. Ges. f. Außenpolitik u. intern. Beziehungen, Amerik. HK in Österr., Dt. HK in Österr., British Trade Council in Austria (BTCA), Wiener Park Club.

Urdl Johann

B.: Gschf. FN.: Urdl Service. PA.: 5083 Gartenau, Hochtrohnstr. 11. G.: 4. Juli 1926. V.: Annemarie. Ki.: Brigitte (1956), Peter (1962). El.: Anton u. Julia. S.: VS, HS, 1970 Fachschule Maschinebau, 1972 Refa, 1960-78 Fa. Mayer als Werksmeister. K.: 1980-94 selbst. u. Gschf. (J.F.)

Urich Johann

B.: Gschf. Ges. FN.: Urich Haustechnik GmbH. DA.: 4840 Vöcklabruck, Salzburger Str. 50. G.: 20. Sept. 1961. S.: Pflichtschulen, 1976-79 Lehre als Installateur. K.: 1983 Gründ. Personal-Leasing-Fa., 1986 Gründ. GmbH f. Sanitär- u. Heizungsinstallation, 1990 Übernahme einer weiteren Fa. E.: 2. Rang d Kategorie "Durchstarter" (Land OÖ), Pl. 20 d. Top-100-Jungunternehmen.

Url Hans Dr.

B.: Präs. d. Landesgerichts Graz. DA.: 8010 Graz, Conrad-v.-Hötzendorf-Str. 41. E.: GrSE, St GEZ, St GrEZ. (Biographie folgt im Loseblattsystem)

Url Walter Gustav Dr. o.Prof.

B.: Univ.-Prof. d. Univ. Wien Abt. Zellphysiologie u. kinemat. Zellforschung, Inst. f. Pflanzenphysiologie. DA.: 1091 Wien, Althanstr. 14. PA.: 1160 Wien, Lorenz Mandlg. 15/2. G.: Wien, 9. Okt. 1929. V.: Dr. Edith, geb. Zapletal. Ki.: Elisabeth, Michael. El.: Gustav u. Josefa. S.: RG, Univ. Wien Stud. Biologie u. Geographie, Erdwiss., 1952 Prom. Botanik. K.: 1953 wiss. Hilfskraft, 1955 Univ.Ass., 1960 Univ.Doz., Prof. f. Anatomie u. Physiologie d. Pflanzen, 1974 a.o.Univ.-Prof., 1983 o.Univ.-Prof. f. Anat. u. Physiolog. d. Pflanzen m. Lehrerpflichtg. f. Pharmazeuten. P.: Fachzeitschriften: Anatom. u. Physiol. d. Pflanzen, Strahlenbotanik, Geschichte d. Mikroskopie u. Photographie u.v.a. E.: Staatspreis v. BM f. Wiss. u. Forsch., Filmproduktionen: "Physiolog. Prozesse in Pflanzenzellen" Okt. 1986. M.: Dt. Botan. Ges., Scand. Society of Plant Physiologie, Phycological Society of America, Royal Microscopical Society. H.: Wiss. Photographie. (Kas.)

Urlasberger Hannes Dr. Dipl.Vw.

B.: Gschf. FN.: Zentrasport rGmbH. DA.: 4810 Gmunden, Druckereistr. 8. PA.: 4813 Altmünster, Pensionatstr. 65. G.: Karlsbad, 17. Sept. 1944. Ki.: Daniel. El.: Dipl.Arch. Aug. u. Waltraud. S.: HAK Sbg., 1963 Matura, 1963-67 Stud. an d. Univ. Innsbruck Wirtschaftswiss., 1968 Graduierung, 1968-72 Stud. z. Doktorat. K.: Ass. an d. Univ. Innsbruck, Lehrkanzel f. Nationalökonomie u. Sozialpolitik, 1972 Prom., 1/2 J. b. Steuerberater in Gmunden, seit 1972 Zentrasport Gschf., seit 1974 Einzelprok. H.: Politik, Sport. (A.W.)

Urlepp-Cellini Peter

B.: Geschäftsinh. FN.: Cellini Intern. Damen- u. Herrenmoden. DA.: 8010 Graz, Hans-Sachs-G. 10. PA.: 8010 Graz, Münzgrabenstr. 58. G.: Graz, 28. Jan. 1957. V.: Jutta, geb. Endler. Ki.: Raffaela-Alessandra (1988). El.: Otto u. Hedwig. S.: VS, AHS Graz. K.: Baubranche im Verkauf, Baumarktltr., 1983 selbst. Damen- u. Herrenmodenboutique. BL.: Modetrendsetting in Graz, erstmalige Mitwirkung eines Intern. Modedesigners b. Modeschau in Graz. H.: Musik, Tennis, Trendsuche im Lifestyle. (H.Z.)

Urnitsch Erich Dipl.-Ing.

B.: Gschf. Ges. d. Fa. Lackner & Urnitsch GmbH. DA.: 8020 Graz, Bahnhofgürtel 37. PA.: 8020 Graz, Belgierg. 11. G.: Graz, 5. Mai 1917. El.: Ignaz u. Maria. S.: VS, Mittelschule Graz, 1935 Matura, Stud. an d. TU Graz, Grad. 1939. K.: 1938 nebenberufl. - 1940 hauptberufl. Ass. an d. Lehrkanzel f. Werkzeugmaschinen, 1942 Betriebsltr. d. Fa. Kestag in Ferlach, 1947 Ges. in väterl. Betrieb, 1962 Einzelfa. u. 1974 GmbH, 1979 Standortänderung u. Neubau. H.: Reisen, Kunstgeschichte, Geschichte, Lesen, Fotografie, Fischen. (War.)

Urpani Klemens

B.: Inh. FN.: Urpani Wien. DA.: 1190 Wien, Heiligenstädter Str. 32. G.: Wien, 19. März 1923. V.: Liliane. Ki.: Sonja. El.: Hermann u. Hilde-Maria. S.: RG, Emigration nach Jugoslawien. K.: Export u. Import, Prok., 1985 Pension, 1988 Eröff. d. Büros Urpani Wien m. Schwerpunkt Hdl. m. Produkten in d. einzelnen Republiken d. früheren Jugoslawien. H.: Beruf, Philatelie. (J.E.)

Urrego-Quiroga Luis Miguel

B.: Journalist. FN.: "CONSIGNA" Wochenzeitung Bogota. PA.: 1130 Wien, Sauraug. 22. G.: Pereira/Kolumbien, 27. Juni 1947. El.: Miguel u. Lola. BV.: Horacio Quiroga Schriftsteller. S.: Matura Kolumbien, HS f. Welthdl., 1. Dipl.Prüf. 1972 Hdls.Wiss., College in England, engl. Literatur. K.: 1969-74 Bundespressedienst Wien, Übersetzer u. Gestalter, 1972-74 ORF span. Red. Programmgestalter, gleichzeitig Mitarb. d. Österr. Fremdenverkehrswerbung, 1975-76 England Berichterstatter u. Auslandskorrespondent, 1977-81 Kolumbien eigener Verlag u. Hrsg. einer Kunstzeitung., seit 1981 Auslandskorrespondent in Österr., seit 1985 Berichterstatter f. United States Information Agency. BL.: Mitbegründer u. Präs. Österr. Kolumb. Ges. 1985,

Organ. Intern. Ausstellungen. M.: Österr. Kolumb. Ges., Vorst.Mtgl. Lateinamerikahilfe. H.: Malerei, Bildhauerei, Reisen, Fotografieren. (A.K.)

Urschitz Josef
B.: Wirtschaftsredakteur, Ressortleiter Economist. FN.: "Die Presse. DA.: 1010 Wien, Parkring 12 a. PA.: 1160 Wien, Ameisbachzeile 121. G.: Wolfsberg, 22. Okt. 1952. V.: Ingrid, geb. Meißl. Ki.: Markus (1979), Marlene (1981). El.: Aldo u. Susanne. S.: HTL Klagenfurt, Abt. f. Elektrotechnik, Matura am Oberstufenrealgym. Wolfsberg, 7 Sem. Stud. d. Publizistik u. Politikwiss. an der Univ. Wien. K.: ab 1979 freier Mitarb. beim "Trend" und div. Fachmagazinen u.a. "A3 Volt", anschl. Wirtschaftsredakteur bei der "Presse", danach Ressortleiter Wirtschaft der APA Austria Presse Agentur, seit Sommer 1993 Ressortleiter Economist der "Presse". M.: Mtgl. bei berufsspezifischen Vereinigungen. H.: Sport, bes. Skilaufen, Musik, Theater, Lesen. (J.S.)

Urschütz Helmut Dr. med.
B.: Chefzahnarzt d. NÖ Gebietskrankenkasse. DA. u. PA.: 2500 Baden, Dumbag. 20. G.: Wien, 2. März 1942. V.: Gerda, geb. Fartely. Ki.: Rudolf, Gudrun, Hermann. El.: MedR. Dr. Walter u. Margarethe Dr. BV.: alte Ärztefamilie. S.: 1960 Matura Schottengymn., Stud. Med. Fak. Wien, 1968 Prom. K.: Univ.Zahnklinik, FA-Prüf., 1970-71 Heeresamb. Stammersdorf, OLt. d. Res., 1971-76 Praxis in Wien X, 1976 Eintritt b. d. NÖ Gebietskrankenkasse, 1980 Chefzahnarzt u. ärztl. Ltr. v. 14 Amb. verteilt in ganz NÖ, 1980 Eröff. einer Privatpraxis ohne Kassen. H.: Entomologie, Malerei, Kajakfahrer. (P.R.)

Urtel Eike-Volker
B.: Gschf. FN.: Diamanttechnik Urtel GmbH. DA.: 5201 Seekirchen, Hauptstr. 63. PA.: 5201 Seekirchen, Forellenweg 21. G.: Rothenfels/Main, 29. März 1955. V.: Veronika. Ki.: Gerda (1982), Birgit (1985), Georg (1987). El.: Jürgen u. Edeltraud. BV.: Ururgroßv.: Georg-Christian Diefenbach (Pastor, Autor v. Kirchen- u. Kinderliedern, Darmstadt), Dr. med. Walter Urtel, angeseh. Chir. u. KH-Ltr. in Beuthen/ Oberschl. S.: Uhrmacherlehre. K.: Außendienst, seit 1986 eig. Fa. (Herstell. v. Diamantwerkzeug u. -geräten). H.: Beruf, Fotografie. (E.H.)

Ussar Siegfried Dir.

B.: Oberschulrat. DA.: 8700 Leoben, Teichg. 3. PA.: 8700 Leoben, Mayr-Melnhofstr. 29. G.: Leoben, 10. Mai 1933. V.: Wilfriede, geb. Palier. El.: Siegfried u. Stefanie. S.: VS, HS, LBA Graz, 1955 Lehrbefähigungsprüf. K.: 1955 Lehrer VS Göß, s. 1970 GemR. Stadt Leoben, 1977-90 KulturstadtR. Stadt Leoben, s. 1988 Abg. z. stmk. Landtag, s. 1962 Bez.-Jugendref., Mtgl. d. Landesschulr. E.: Dank u. Anerkennung d. Bez.-SchulR. Leoben, LandesschulR. Stmk. u. d. BMU, Gold. VZ d. Rep. Österr., Anerkennung d. Stmk. Landesrg. f. bes. Verd. als KulturstadtR. d. Stadt Leoben. M.: s. 1959 Bez.-Vors. d. Kinderfreunde, Mtgl. d. Präsidiums d. LandesjugendbeiR., Vizepräs. d. Obersteir. Kulturbundes, Vorst. d. Musikverl. Leoben, Vors. d. Ausschuß f. Schule, Bildung, Kultur u. Kindergärten in steir. Landtag. (i.G.)

Uster Leo
B.: 2. Landtagspräs. d. ÖVP Landtagsclub. GT.: HS-Dir. DA.: 9020 Klagenfurt, Landhaus. PA.: 9125 Kühnsdorf, Ost 54. G.: St. Kanzian, 24. Juni 1937. V.: Hildegard. S.: VS, L.B.A. K.: VS-Lehrer, HS-Lehrer, seit 1972 HS-Dir., LParteiobm.Stellv., Bez.Parteiobm. d. Bez. Völkermarkt, 1975 Abg. z. Ktn. Landtag, 2. Präs. seit 1983. M.: Rotary Club, Obm. d. Raika Eberndorf. (R.A.)

Utermann Gerd Dr. med. Prof.
B.: o.Univ.-Prof. DA.: 6020 Innsbruck, Univ., Inst. f. med. Biologie u. Humangenetik. G.: Bad Oeynhausen, 21. Nov. 1939. V.: Dr. med. Barbara, geb. Mosbach, 2 Kinder. S.: 1946-51 Gmyn., 1961 Matura, Jusstud. in Marburg/Lahn, Med.Stud. in Marburg, Freiburg u. Wien, 1968 Staatsexamen an d. Philippsuniv. in Marburg, 1966-69 am Inst. f. physiolog. Chemie d. Univ. Marburg, 1969 Prom. in Marburg. K.: seit 1970 wiss. Ang. am Inst. f. Humangenetik d. Univ. Marburg, 1972-73 Stipendiat d. dt. Forschungsgem., Aufenthalt am Inst. f. Bakteriologie u. Serologie d. Univ. Helsinki im Arbeitskreis v. Doz. Dr. Kai Simons, Arb. z. Membranstruktur am Modell eines Arbovirus, 1976 Habil. f. Humangenetik, 1982 Ableistung d. Med.-Ass.-Zeit in d. med. Poliklinik u. d. chir. Klinik d. Univ. Marburg/Lahn, 1983 Approb. als Arzt, 1984 Hon.Prof. Univ. Marburg, 1984 o.Prof. an d. Univ. Innsbruck. P.: ca. 100 Orginalarb. u. Buchbeiträge, über 50 eingeladene Hauptvorträge. M.: Editorial Boards wissenschaft. Zeitschriften: Eur. J. Hum. Genet., J. Lipid Res., u.a. Atherosclerosis, Morgagni Price 1984. H.: Fliegenfischen. (Schm.)

Utri Helmut
B.: Fotograf. GT.: freier Mitarb. b. d. Kleinen Zeitung. DA.: 8010 Graz, Leitnerg. 24. G.: Graz, 4. Juni 1961. El.: Anton u. Klara. S.: Mittelschule, Lehre als Fotograf, 1981 Gesellenprüf. K.: 1982 selbst., Fotos v. Musikern (Gruppen), Literaten-Porträts, Schallplatten- bzw. Buch-Couvers, Werbefotos, Prospekte, Reportagen. E.: 1989 APA-Preis in Silber u. 1989 Bronze, Merit Award f. Jazz-Fotografie v. "Art Directors Club f. 1st Intern. Exhibition". H.: Kino, Ausstellungen, Malerei, Segeln, klass. Musik. (A.-R.W.)

Vacek Karl
B.: Spediteur, gschf. Ges. d. Fa. Vacek Sped. GmbH. DA.: 1150 Wien, Felberstr. 25. G.: Wien, 30. Sept. 1945. V.: Liselotte, geb. Krames. Ki.: Karl, Karin. El.: Karl u. Margarete. S.: Berufsschule. K.: 1959-62 Sped. Göll, 1962-67 Sped. Schnieder, seit 1968 selbst. H.: Pferdezucht (Traber). (A.W.)

Vachutta Peter Ing.
B.: Inh. FN.: Vachutta Teppichreinigung. DA.: 1030 Wien, Ungarg. 23. G.: Wien, 10. Juli 1955. V.: Carina, geb. Lher. El.: Alfred u. Edith. BV.: Großvater mütterlicherseits vor d. Krieg 1. Citroen-Vertretung in ganz Österr., Familie Vachutta ehemalige Großgrundbesitzer in Mähren. S.: HTL f. Chemie Wien u. HTL f. Textilchemie Wien, 1974 Matura u. Abschluß als Ing. K.: 4 J. Pharmakonzern Miles Intern., Außendienstmitarb. u. Techn. Produktverantwortlicher, 4 J. Stud. Geologie Univ. Wien b. Prof. Tollmann, seit 1981 selbst., Grdg. Vachutta Teppichreinigung f. Orientteppiche, Spannteppiche u. Polstermöbel m. Reparaturen, Flammschutzimprägnierungen, Antistatischer Imprägnierung u. sonstige Spezialbehandlungen. H.: Turnen, Fotografieren, Preßlufttauchen. (J.S.)

Vacola Rainer M.
B.: Gschf. FN.: Masco Consult GmbH. DA./PA.: 5071 Wals Nr. 257. G.: Wien, 9. Sept. 1952. V.: Annelie, geb. Prokesch. Ki.: Rainer (1977), Sebastian (1986), Gregor (1983). El.: Josef u. Elisabeth. S.:VS, Mittelschule, 1968-73 HAK, BH, 1974-78 Ausb. z. Steuerberater. K.: 1979-84 Traubleshutting, 1985

Gschf. v. Hotels Management Ges. M.: Mtgl. d. Vorst. i. Verb. mittelständischer Unternehmen. H.: Reisen, Skifahren, Tennis, Bergsteigen. (M.G.)

Vadlejch Anton

B.: Antiquitätenhändler. FN.: Kunst u. Antiquitäten Vadlejch. DA. u. PA.: 3170 Hainfeld, Sackg. 6. G.: Hainfeld, 12. März 1936. V.: Ingeborg, geb. Klos. Ki.: Gernot (1968), Irene (1969), Roland (1970), Regina (1973), Armin (1979). El.: Josef u. Anna. S.: VS, HS, 3 J. Fleischhauerlehre u. Berufsschule. K.: m. 21 J. jüngster Meister in Österr., 10 J. Tätigkeit im In- u. Ausland, Praktikum m. Bruder in d. Ablaugeanst. Meyer in Refts b. Zürich, Grdg. d. 1. chem. Ablaugeanst. in Wien m. Bruder, 1970 zurück nach Hainfeld, Eröff. eines Antiquitätenhdl. M.: SparkassenR., GemR., Chef d. Finanzkontrolle in d. Gem., Chef d. Fremdenverkehrsver., stellv. Obm. v. Wirtschaftsbund. H.: Jagd, Fischen, Uhren- u. Bildersammlung. (J.M.)

Vaerst Hans Joachim Dkfm. Dir.

B.: Assekuranzrat, Vors. d. Geschäftsltg. d. Gothaer Lebensvers. in Österr. DA.: 1130 Wien, Auhofstr. 170. PA.: 2384 Breitenfurt, Franziska-Lechner-G. 9. G.: Dortmund, 3. Jan. 1931. V.: Christine, geb. Meixner. El.: Ing. August u. Wilhelmine. S.: VS, Gymn., Abitur, Stud. BWL, Dkfm. K.: Sachbearb., Abt.Ltr. Münchner Lebensvers.Anst. 1957-60, ab 1960 Gothaer Lebensvers., OInsp., Gen.Insp., Bez.Dir., Dir., Hauptbev. f. Österr., Vors. d. Geschäftsltg., Assekuranz-Rat. P.: unter Pseudonym - Reisegeschichten. E.: Ehrenring d. Gothaer Vers.Ges. M.: Corps Saxo-Thuringia zu München. H.: Hochsee-Segeln.

Vagacs Hannes Dr.

B.: Prim.; Ltr. d. Unfallabt. d. KH Amstetten. DA.: 3300 Amstetten, Krankenhausstr. 21. PA.: 3300 Amstetten, Semmelweisstr. 7. G.: Eberau, 26. Feb. 1932. V.: Petra, geb. Schmettinger. Ki.: Alexander, Hannes. S.: RG Wien, 1970 Mat., Med.-Stud. an d. Univ. Linz, 1957 Prom. K.: 1957-72 1. Chirurg. Univ.-Klinik u. Unfallklinik, in dieser Zt. FA-Ausbild., ab 1972 Prim. u. Vorst. d. Unfallabt. im KH Amstetten. P.: Erfinder zahlr. Patente, u.a. Pneumo-Plastschiene, Lagerungsextensionsschiene, Verbesserung d. Krankenhausorganis., Publik. über Schock, Blutvolumen u. traumatolog. Themen. E.: Preisträger eines Architekturwettbew. bei Krankenhausplanung. M.: bei versch. Fachges. H.: Klass. Musik, Bild, Kunst, Wandern, Segeln, Bergsteigen. (U.A.)

Vagacs Renate

B.: Frisörin, Kosmetikerin, Gschf. Ges. FN.: Frisör Sonnen-Kosmetik Haarverlängerungsprofis. DA.: 1160 Wien, Wilhelminenstr. 69. PA.: 1160 Wien, Weinheimerg. 14. G.: Stift Göttweig, 25. Juni 1957. V.: Karl Vagacs. Ki.: Martina (1975). El.: Klaus u. Maria Rudolf. S.: VS, HS, Polytechn. Lehrgang in Wien, Friseur- u. Perückenmacherlehre bei Christa Stampfer von 1972-1979, 1986 Mstr.-Prüf. K.: 1986 Eröff. d. Friseurgeschäftes im 16. Bezirk, 1990 Eröff. d. 2. Geschäftes 1160, Wilhelminenstraße 69, 1/1991 Eröff. d. Kosmetiksalons in der Hernalser Hauptstr. 162, 2/1994 Eröff. i. d. Hernalser Hauptstr. 164, 1/1995 Eröff. in Wien 14, Hütteldorferstr. 173. BL.: Messestand auf La Donna (Messe für die Frau) f. Haarverlängerungstechnik. H.: Tennis, Beruf, Musik, Hunde. (J.M.)

Vajta Georg Dr. jur. Dipl.Vw.

B.: Wirtschaftswiss. (dzt. Pensionist). A.: 4020 Linz, Kopernikusstr. 31. G.: Leva/CSFR, 21. März 1911. V.: E. Charlotte, geb. Szekely. El.: Dr. Franz u. Gisela. S.: Jur. Studien an d. Budapester Univ., 1929-34 Abschluß: Prom. z. Dr. d. Rechtswiss. Vw. Studien an d. Univ. Berlin u. Köln. 1935-37 Abschluß: Ak. Grad Dipl.Vw., Köln. K.: 1938-46 Ref. f. Industriewirtschaft an d. volkswirtschaftl. Abt. d. Ungar. Nationalbank in Budapest. 1963-76 Vorerst wirtschaftswiss. Ref. später Ltr. d. Volkswirtschaftl. Information der VÖEST-Alpine AG im Rahmen des Generalsekretariats f. wirtschaftl. Angelegenheiten. Zwischen 1947-63 d. übliche Flüchtlingsschicksal. P.: Abhdl. über "Kriegsfinanzen d. Großmächte" in der Vw. Rundschau Jg. 1943, Budapest. Aufsätze über Entwicklung und Struktur d. intern. u. österr. Stahlind. im Rahmen d. Gesamtwirtschaft, Wirtschaftspolitische Blätter Jg. 1968. Heft 3 u. 6, sowie Jg. 1974, Heft 2, Wien, Weiters zahlr. wiss. Abhdl. betreffend d. konjunkturellen u. strukturellen Entwickl. d. österr. Stahlind. im Rahmen d. Weltwirtschaft. E.: Hdl.Vollmacht d. VÖEST-Alpine AG. M.: Österr. Akademikerbund u.a. H.: Klass. Musik, Volkswirtschaft, Literatur.

Vak Karl Dr.

B.: Gen.-Dir. i.R. PA.: 1010 Wien, Judeng. 5. G.: Wien, 17. Febr. 1930. V.: Dr. Gertrude, 3 Kinder. S.: Dr. iur. K.: ab 1949 Girozentrale, ab 1955 Zentralsparkasse, ab 1977 Gen.-Dir. d. Zentralsparkasse u. Kommerzialbank Wien, zuletzt Vorst.-Vors. d. Wr. Landes Hypothekenbank. P.: Die Programmbudgettechnik (1969), Gedanken zu einem kommunalen EDV-Konzept (1971), Marketing und Unternehmensplanung in Kreditinstituten (1970), Erfahrungen bei der Realisierung einer neuen unternehmenspolitischen Konzeption (1971), Management und Sozialismus (1972), Management und Gesellschaft (1975), Probleme der Zinsenpolitik (1981), Strukturpolitische Aufgaben der Kreditunternehmungen (1984), Strukturen der Zukunft (1985), Facing the Future (1985), Dezentralisierte Intelligenz ist unsere Chance (1985), An International Comparison of Europe's Competitive Chances (1986), Broschüre "A Jövö Strukturaja" (1987), Buch "Wertpapier Literatur und Geld" (1987). E.: Gold. EZ f. Verd. um d. Land Wien 1980, Ehrendr. d. Karl Marx-Univ. f. Wirtschaftswiss. Budapest 1988, Gr. Silb. EZ f. Verd. um d. Land Wien 1988, Ehrensen. d. WU Wien 1988.

Valas Hans

B.: Dipl.-Graphiker, Maler. GT.: kunsterzieherische Tätigkeiten im In- u. Ausland. DA. u. PA.: 5020 Salzburg, Lambergg. 22. G.: Pressburg, 12. Apr. 1922. Ki.: Regina (1955). El.: Ludwig u. Antonia. S.: 1954 Dipl. Graph. Lehr- u. Versuchsanst. Wien, Stud. Angew. u. Bild. Künste Wien. K.: seit 1960 freischaff., 1974-77 Schriftgraphiker u. Museumsgestalter im Haus d. Natur Sbg., zahlr. Ausstellungen im In-

u. Ausland u.a. Stockholm, Berlin, München, Rom, Florenz, Sizilien, Tokio, San Salvador. BL.: zahlr. Benefizveranstaltungen. E.: Graphikerpreis d. Künstlerhauses Sbg. M.: Berufsver. Bild. Künstler Österr. H.: Beruf. (M.Mo.)

Valdivia Conrado

B.: a.o. u. bev. Botschafter d. Rep. Kuba. DA.: 1130 Wien, Himmelhofg. 40 a-c. G.: La Habana, 26. Nov. 1930. V.: Miriam, geb. Lopez. Ki.: Miriam, Frank, Ivonne. El.: Conrado u. Isolina. S.: Lizentiat im Diplomat. u. Konsular. Recht d. Univ. v. Habana, Lizentiat in Verw.Recht d. Univ. v. Habana, Teilnahme im Untergrundkampf gegen d. Diktaur d. Batista Rg. K.: 1959-60 Ltr d. Abt. f. Administrative Angelegenheiten in d. Protokollabt. d. Min. f. Auswärtige Angelegenheiten v. Kuba, 1960 Kabinettschef d. VMin. f. techn. u. administrative Angelegenheiten im Min. f. Auswärtige Angelegenheiten v. Kuba, 1960-61 Gesandter, Geschäftsträger b. d. Botschaft d. Rep. Kuba in d. Rep. Argentinien, 1961-64 stellv. akad. Dir. u. Dir. d. HASCH im kuban. Außenhdls.Min., 1964-66 Berater d. Doz.VRektors d. Univ. v. Habana u. Dir. d. kuban. Asoziation f. d. Vereinten Nationen, 1966-69 stellv. Dir. d. wiss.-techn. Informationszentrums d. Univ. v. Habana, 1969-73 stellv. Doz.Dir. u. Dir. d. Journalismusschule d. Univ. v. Habana, 1973-75 Sekr. f. Intern. Beziehungen d. Organ. "Friedensbewegung" u. Völkersouveränität, 1975-78 Abt.-Chef f. d. Nord. Länder in d. Sekt. f. West-Europa im kuban. Außenmin., 1979-84 a.o. u. bev. Botschafter d. Rep. Kuba in Dänemark, 1984-87 stellv. Dir. in d. Sekt. f. West-Europa d. kuban. Außenmin., 1961-77 Prof. f. Politikwiss. u. Journalismus an d. Univ. v. Habana, seit 1988 a.o. u. bev. Botschafter in Österr., seit 1988 ständiger Vertreter b. UNOV, seit 1988 ständiger Vertreter b. UNIDO. P.: Publ. in diplomat. u. intern. Bereichen sowie Beiträge in versch. Zeitungen u. Zeitschriften. E.: Kämpfer d. Untergrundkampfes (Kuba), Med. d. 30. Jahrestages (Kuba), Höchste Ausz. d. Ungar. FriedensR. M.: Mtgl. zahlr. Delegationen im Zusammenhang m. d. Friedensweltbewegung, Mtgl. v. Delegationen d. Kuban. Außenmin. u. d. Univ. v. Habana. H.: Musik, Kino, Sport. (M.B.)

Valek Peter

B.: Pelzdesigner, Geschäftsinh. FN.: Pelzhaus Valek. DA.: 1010 Wien, Seilerstätte 16. G.: Wien, 23. Juni 1947. El.: Rudolf u. Margarethe. S.: Pflichtschule, von 1961-64 Kürschnerlehre Fa. Pusca, Gesellenprüfung m. Ausz. K.: 1968 Auswanderung n. Dänemark ausgewandert, 1971 Mstr.-Prüf., m. 23 J. jüngster gewerbetreibender Kürschner Dänemarks, 1979 Rückkehr n. Österr. u. Übernahme einer Filiale d. Vaters, 1981 Österr. Mstr.-Prüf., anschl. Ankauf d. Geschäftes Seilerstätte, Umbau d. Filiale Seilerstätte z. Hauptsitz. H.: Skifahren. (J.S.)

Valencak Hannelore Dr.

B.: Schriftstellerin. A.: 1090 Wien, Schwarzspanierstr. 15/II/8. G.: Donawitz, 23. Jan. 1929. V.: Viktor Mayer. S.: HS-Stud., Fachrichtung Physik. K.: Metallurgin u. Pat. Sachbearb. in d. Österr. Stahl Ind. v. 1955-75, gleichzeitig Verfasserin v. Romanen, Lyrik, Erzählungen u. Jugendbüchern, seit 1975 freie Schriftstellerin. P.: "Morgen werden wir es wissen", "Die Höhlen Noahs", "Ein fremder Garten", uva, Übers. ins Span., Katalan., Italien., Amerikan. u. in d. Blindenschrift. E.: Staatlicher Förderungspreis, Förderungspreis d. Stadt Wien, Peter Rosegger-Preis d. L. Stmk., Kinderbuchpreis d. Stadt Wien, Prix d'Amade. M.: Österr. P.E.N.-Club, Steir. Schriftstellerbund, Literaturkreis PODIUM.

Valent Peter Dkfm. Dir.

B.: Mtgl. d. Geschäftsführung. FN.: Austria Draht GmbH. DA.: 8600 Bruck/Mur, Bahnhofstr. 2. PA.: 8600 Bruck/Mur, Grillparzerstr. 4. G.: St. Veit/Glan, 26. Dez. 1934. V.: Herlinde, geb. Weigel. Ki.: Dr. Peter. El.: Peter u. Maria. S.: VS, AHS, 1953 Matura, Stud. in Wien, 1958 Spons. K.: 1959-67 Prüfer in Wirtschaftsprüf.Ges., 1967-75 Ltr. d. Finanz Rechnungswesen VÖEST Linz, 1975-82 VÖEST Traisen Ltr. d. Finanzwirtschaft, ab 1979 Finanzmitbetreuung . VÖEST Alpine Werkzeug u. Draht AG, 1981/82 Mtgl. d. Teams Kooperations Gespräche VÖEST Alpine - Felten Guilleaume, 1982 nach Grdg. Austria Draht Ernennung z. Gschf. F.: Neptun Eisenhdls. GmbH, R. Zimmermann GmbH, gemeinn. Wohnungsges. Austria Draht. M.: Vors. d. VerwR. Drahtseilverb., Obm. d. Ver. d. Österr. Schlaufenmattenerz., Vors. d. VerwR. VEDRA, Baustahlgitterkartell. H.: Schach, Lesen, Musik, Sport. (H.Z.)

Valenta Christine

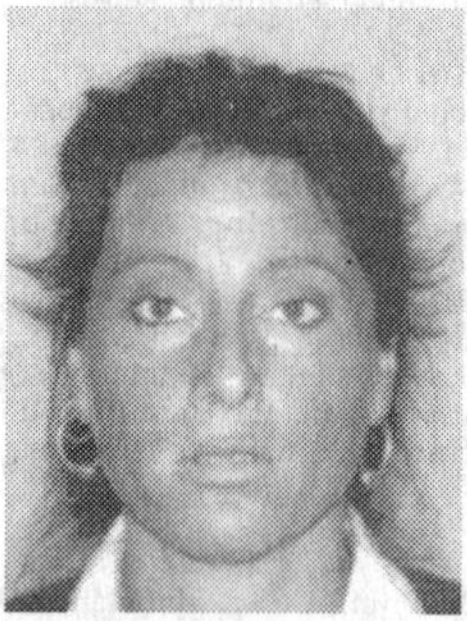

B.: Gschf. Ges. FN.: Beauty-Point Solarienvertriebs u. Warenhdls. GmbH. DA.: 2331 Vösendorf, SCS Top 260. G.: Wien, 9. Jan. 1960. V.: Harald. Ki.: Petra (1979), Karoline (1993), Olliver (1994). El.: Oswald u. Maria. S.: VS, HS, 1974-77 Lehre Kosmetikerin m. Gesellenprüf. K.: 1977-79 im Verkauf einer Parfumerie, 1981 im Außendienst, 1983-90 selbständig mit einer Sporternährungsfirma, Prok. u. Ges., 1988 Grdg. u. Eröff. Beauty-Point. H.: Radfahren, Skifahren, Wandern, Schwimmen. (M.-L.A.-M.)

Valenta Willi

B.: Bgm. v. Ebreichsdorf, Facharb. d. Wr. E-Werke. DA.: 2500 Baden, Konrad-v.-Hötzendorf-Pl. 5, 2483 Ebreichsdorf, Wiener Str. 3. PA.: 2483 Ebreichsdorf, Bachg. 2. G.: Ebreichsdorf, 10. Jan. 1943. V.: Waltraud, geb. Ortner. Ki.: Jutta, Elke, Robert. El.: Johann u. Klara. S.: VS u. HS Ebreichsdorf, Berufschule in Wien f. Elektromechanik, 1962 Gesellenprüf. K.: 1962-68 Ebreichsdorfer Filzhutfbk. u. Fränkl-Hüte als Betriebselektriker, 1968 Wr. Stadtwerke E-Werke Betriebsstelle Baden, 1959-63 Jugend Obm. in Ebreichsdorf, 1966 Ortsaussch., 1970 GemR., 1973 Gschf. GemR., 1986 Bgm. d. Großgem. Ebreichsdorf. E.: Florianiplakette d. Landes NÖ. M.: ASKÖ, ARBÖ, Arbeitersamariterbund, ASK-Ebreichsdorf, Volkshilfe. H.: Wandern, Schwimmen. (A.W.)

Valentin Doris

B.: Ltr. d. Telefonmarketingabt. d. Fa. Kossdorff. DA.: 1130 Wien, Mantlerg. 27. PA.: 1200 Wien, Brigittenauer Lände 170. G.: Wien, 15. Nov. 1969 El.: Erich u. Gerda, geb. Geschbacher. S.: 198 Matura, EDV-Kurse, BWL. K.: 1989 Eintritt b. Tele Performance als Projektltr., seit 1991 Ltr. d. Telefonmarketing b. d. Werbeagentur Dr. Kossdorff. H.: Lesen, Sport. (N.A.)

Valentin Gudrun Ing.

B.: Betriebsleitung. FN.: Eterna Herrenwäschefabrik Ges.m.b.H. DA.: 4780 Schärding, Kainzbauernweg 201. PA.: 4780 Schärding, Pflegfeldstr. 283. G.: Brunnenthal/Schärding, 7.4.1955. V.: Robert. Ki.: Astrid (1982), Gernot (1985). EL.: Franz, Hilde. S.: 1969-73 FH f. Damenkleidermacher Bad Ischl, 1973-75 HTL f. Textiltechnik Dornbirn. K.: 1975-77 Fa. Gössl Mittersill, 1977-80 Fa. Schneiders Bekleidung Salzburg, seit 1980 Fa. Eterna Schärding, 1982 Betriebsleitung. M.: Stadträtin in Schärding. H.: Kommunalpolitik, Reisen. (C.D.)

Valentin Wolfgang

B.: selbst. Wirtschaftstreuhänder u. Steuerberater. DA. u. PA.: 1040 Wien, Argentinierstr. 35. G.: Wien, 3. Okt. 1965. El.: Wolfgang u. Dr. Dorothea, geb. Koch. S.: VS, AHS, Stud., 1989 Steuerberaterprüf. K.: nach d. Ausbild. als selbst. Wirtschaftstreuhänder u. Steuerberater tätig. H.: Astronomie. (N.A.)

Valentini Johannes Ing.

B.: Inh. FN.: EDV-Studio Valentini. DA.: 6500 Landeck, Schulhauspl. 7. PA.: 6500 Landeck, Ödweg 12. G.: Zams, 16. Nov. 1963. V.: Eva. Ki.: Sigrun, Alrun, Heidrun, Benjamin. El.: Josef u. Ingeborg. S.: HTL Elektronik Innsbruck, 1983 Matura, 1983/84 BH. K.: Programmierer b. IBM Innsbruck, 1988 Grdg. EDV-Studio Valentini. P.: Kurse u. Seminare. M.: Gruppenführer Pfadfinder Landeck. H.: Fotografieren, Motorradfahren, Skifahren, Reisen. (I.D.)

Valentinitsch Dietmar Mag. art. Ing.

B.: Designer, Gschf. FN.: Valentinitsch Design. DA. u. PA.: 1030 Wien, Kollerg. 18. G.: Graz, 2. April 1945. V.: Ingeborg. Ki.: Tino (1972), Boris (1975). S.: Stud. Industrial Design HS f. angew. Kunst Wien, 1970 Dipl. K.: 1970-74 Ltr. d. Designabt. Dachstein Sportschuhe (Werbeltr., Artdir.), 1974-82 Atelier m. Partner, seit 1982 Valentinitsch Design, Lehrer an HTL (Möbeldesign) Pöchlarn, seit 1989 Gastvorträge TU u. WU, ab 1992 Seminarltr. Management-Lehrgang Herrenstein, Schwerp.: Design v. versch. Prod. f. Schienenfahrzeuge (U6 Wien), Hochgeschwindigkeitslok, Schiffdesign, u.a. Umbau d. MS "Austria", Design d. Infrarotanlage "Sitrans", elektromed. Geräte wie "Elkomed" d. Fa. W & H, Ultraschallscanner, Handsteuerung f. d. Fa. IGM Schweißroboter, Verpackungsmaschinen f. d. Fa. Kettner, Gestaltung v. Corporate Identity v. Firmenlogo b. z. Prospekt. E.: zahlr. nat. u. intern. Ausz. u. Preise, 1986/87 Staatspreis f. Gutes Design (Kunststoffspritzgießmaschine), 1989/90 Ausz. f. Gutes Design (Funkdatenmodem), 1992 Staatspreis f. Design (Durchflußregler). M.: Jury-Mtgl. f. Corparate Design. (N.A.)

Valentiny Francy

B.: Arch. in d. Kzl. Hermann u. Valentiny. DA.: 1235 Wien, R.-Waishorn-G. 47. G.: Luxemburg, 13. März 1953. V.: Edith. Ki.: Anna. El.: Prosper u. Jeanny. S.: 1965-69 Athenée Royal Virton Belgique, 1970 Inst. Supérieur de Technolgie Luxemburg, 1974-75 Ecole d'Arch. Nancy, 1975-80 HS f. Angew. Kunst Wien - MKL Prof. Holzbauer, 1981-82 Ass. Sommerakad. Sbg. b. Prof. Holzbauer, seit 1987 Gastprof. in Trier, seit 1991 Mtgl. d. Gestaltungsbeirates in Sbg., seit 1980 Partner v. Hubert Hermann, Grdg. v. Ateliers in Wien u. Luxemburg, div. Projekte im In- u. Ausld. u.a. Stadtvilla in d. Rauchstraße f. d. Intern. Bauausstell. Berlin - IBA (1981-86), Zollstation Luxembourg/Trier (1984-87), Revitalisierung/-Erweiterung Schloß Bettembourg (1987-91), Wohnhaus Erlachgasse, Wien (1989-90), Schulbau f. d. Gem. Wien, Schweglerstraße (1991-92), Tutesall-Luxembourg Stadt (1988-89) u.v.a., Teilnahme an zahlr. nat. u. intern. Wettbewerben. Preise: IBA Berlin 1980, Feuerwehrzentrale Mödling 1981, Turm Dudelange 1984, Schloß Bettembourg 1985, Wohnanlage Linz/Ebelsberg 1988, Wohnanlage Kirchberg Luxemburg 1990, Luxemb. Pavillon f. Sevilla 1989, Kindertagesstätte Trier 1991, Centre Mondial de la Paix et des Droits de l'Homme/Verdun 1991 u.v.a. Ausstell.: Gropiusbau Berlin 1985, Forum Stadtpark Graz 1985, Kulturtage Karlsruhe 1986, ZV f. Arch. Wien 1987, Ing.-Kam. Wien 1989, Sommerakad. Sbg. 1980, Arch.-Biennale Venedig 1991. P.: Hermann & Valentiny/Architects 1980-90 (Stuttgart-Zürich 1990), 1991 Werks- u. Dokumentationsverzeichnis. E.: 1988 Staklpreis f. Benelux. (J.E.)

Valese Liviana Dr.

B.: Gen. Sekr. FN.: Italienische HK f. Österr. DA.: 1030 Wien, Reisnerstr. 20. PA.: 1170 Wien, Leopold Kunschakpl. 6. G.: Venedig, 16. Juni 1962. V.: Mag. Andreas Wenelig. S.: HAK in Venedig, 1981-86 Univ. Cá Foscari/Venedig, Germanistik, 1986 Sprachstud. in Englisch u. Deutsch a. d. Univ. Venedig m. guten Erfolg abgeschl., Maschinschreiben u. Steno. K.: Nach Wien Ital. HK , parallel kurze Zeit im Ital. Inst. f. Aussenhdl. tätig, s. 1992 z. Gen. Sekr., Administrative Ltg. d. HK: Föderung d. bilateralen Wirtschaftsbeziehungen zw. Italien u. Österr., Chefredakteurin d. Ztg. "Italia-Österreich". P.: m. Dr. P. Kunz "La legge austriaca sulla S.r.l.", "Österr. GmbH-Gesetz". H.: Reiten, Schwimmen, Tennis, Lesen. (M.A.)

Valetti Hanns-Peter Ing.

B.: Gschf. FN.: SAUTER Meß- u. Regeltechnik GmbH. DA.: 1229 Wien, Dr.-Adolf-Scharf-Pl. 4. PA.: 3400 Klosterneuburg, Wagnerg. 15. G.: Wien, 9. Juli 1942. V.: Christa, geb. Herglotz. Ki.: Pia (1971), Susanne 1974). El.: Johann u. Eugenie. S.: 1961 HTL-Matura. K.: ab 1963 techn. Ang., ab 1976 Gschf. H.: Segeln, Tauchen, Tennis. (P.R.)

Vallant Gerhard

B.: Verkaufsltr., Prok. FN.: VELOX Bausatz-Haus Vertriebs GmbH. DA.: 9020 Klagenfurt, Florian-Gröger-Str. 18. PA.: 9421 Eitweg, Gemmersdorf 130. G.: St. Andrä/Lavanttal, 6. Mai 1957. V.: Karin, geb. Brunner. Ki.: Daniela (1983). El.: Johann u. Agnes. S.: VS, HS, 3 J. Lehre bautechn. Zeichner, Lehrabschlußprüf., mehrere Verkaufsschulungen u. -seminare.

K.: 1972 Eintritt in die Firma VELOX Maria Rojach, bis 1975 Lehrling u. anschl. bautechnioscher Zeichner mit Verantwortungsbereich technische Beratung u. Statik, 1977 Wechsel in den Ver kauf mit zunehmender Außendiensttätigkeit, 1988 Gründung VELXO Bausatz-Haus und Übernahme der Verkaufsleitung. f. Ktn. u. Stmk., Prok. u. Ges. H.: Firma (Beruf), Familie, Tennis, Skifahren, Spazierengehen-Radfahren, Motor-sport. (F.S.)

Vallaster Christoph Dr.
B.: Historiker u. Kunsthistoriker, Autor. A.: 6800 Feldkirch, Marktg. 26. G.: Rankweil, 12. Juli 1950. El.: Georg u. Martha. S.: Gymn., Stud. d. Geschichte u. Kunstgeschichte an d. Univ. Innsbruck. P. "Bedeutende Feldkircher", "Bregenzer Apothekengeschichte u. Bandel-Genealogie", "Die Feldkircher Marktgasse", "Feldkircher Stadtamtmänner u. Bürgermeister", "Dr. Andreas Ulmer", "Von Weibsbildern, Spitzbuben u. Galgenvögeln", "Kleines Vbg. Schützenscheibenbuch", "Kleines Vbg. Heilbäderbuch", "Stella Matutina", "Schlagzeilen - Vlb. Pressegeschichte", "Das Vbg. Tabakbuch", "Ehrenbürger in Vbg.", "Ins Reich d. Sonnenkönigs", "Schauplatz Feldkirch" u.a., zahlr. Art. in versch. Fachzeitschriften u. Zeitungen, sowie Hörfunkbeiträge. M.: Mitbegründer d. Rheticus-Ges., Mtgl. d. IG-Autoren.

Vallery Werner Mag. iur.
B.: Landesgschf. Liberales Forum Ktn. DA.: 9020 Klagenfurt, Villacher Str. 8. PA.: 9020 Klagenfurt, F.-G.-Waldmüller-G. 38. G.: Klagenfurt, 26. Dez. 1965. V.: Birgit, geb. Mostegl. El.: Karl-Heinz u. Martha. S.: VS, Gymn., 1984 Matura, 1984-94 Jusstud. Graz, 1994 Spons., BH. K.: Ausbild. z. Wirtschaftsberater in Graz, seit 1994 Gschf. H.: Reisen, Restaurieren alter Bauernhäuser, Hobbybastler, Sport (Fußball). (G.L.)

Vallilengua Roberto
B.: Gschf. FN.: Mundivision Reisebüro GmbH. DA.: 1030 Wien, Wasserg. 33/7. G.: Badaran/Spanien, 17. Apr. 1951. V.: Vielka, geb. Maribel. Ki.: Roberto (1977), Ramon (1989), Carlos (1992). El.: Jose u. Amelia. S.: Grundschule, 1969-71 Stud. Phil. Univ. v. Logrono. K.: 1972 nach Österr. gekommen, versch. Berufe, 1975 Reisebüro Heinz Hiller Langenzersdorf, 1993 Grdg. Mundivision Reisebüro GmbH. H.: Tauchen, Fischen, Tennis. (M.-L.A.-M.)

Vana Norbert
Dr. techn. Dipl.-Ing. a.o.Univ.-Prof.
B.: Ltr. d. Abt. Dosimetrie u. Techn. Strahlenschutz d. Atominst. d österr. Universitäten. A.: 1060 Wien, Otto-Bauer-G. 9. G.: Wien, 16. Dez. 1940. V.: Elisabeth, geb. Ramböck. El.: Thomas u. Leopoldine. S.: BRG Wien VIII, Matura 1958, Stud. d. Techn. Physik an d. TU Wien, Dipl. 1964, Doktorat 1967, Habil. 1989, tit.a.o.Prof. 1991. K.: 1963 Techniker am Beschleuniger d. Atominst. d. Österr. Univ., 1966 Univ. Ass. am selben Inst., 1975 Univ.Doz. am Atominst., 1967-74 Mitwirkung am Aufbau d. "Höheren Abt. f. Atomenergie" am TGM, 1975 Ltr. d. Arbeitsgruppe "Optische u. Mikrowellenspektroskopie am Atominst., 1977 Aufenthalt in Ecuador als IAEA-Experte, 1982 Aufenthalt in Venezuela als IAEA-Experte, 1984 Studienaufenthalt Univ. Oxford, 1985 Aufenthalt in Chile u. Paraguay als IAEA-Experte, weitere Aufenthalte in Hongkong (1992), Rumänien (1992) u. Panama (1991 u. 1993). P.: bisher 100 Veröff. in in- u. ausländ. Fachzeitschriften a. d. Gebieten: Optische u. Mikrowellenspektroskopie, Thermolumineszenzdosimetrie, Strahleninduzierte Fehlstellen in Kristallen, Archäometrie, Dosimetrie u. Strahlenschutz. E.: 1967 Anerkennungsbeitrag a. d. "Kardinal-Innitzer-Studienfonds", 1976 "Dr. Adolf-Schärf-Preis", 1986 "Merite Europeen" in Silber. M.: Österr. Physikal. Ges., Groupement A.M.P.E.R.E., Österr. Verb. f. Strahlenschutz (Präs.), Österr. Ges. f. Archäometrie (Vors.), Ltr. eines Fachnormenausschuss. H.: Lesen, Reisen, Präkolumbische Kulturen.

Vana Andreas Mag.

B.: Ressortltr. FN.: ORF Kinderprogramm. DA.: 1136 Wien, Würzburgg. 30. PA.: 1190 Wien - Sievering. G.: Wien, 17. Aug. 1954. V.: Edith, geb. Rolles. Ki.: Constantin (1989), Carolin (1992). El.: Erich, Ing. u. Hildegard, geb. Niekel. S.: TGM, 1973 Mat., Stud. BW an d. WU Wien, 1980 Abschl. K.: 1974 freier Mitarb. ORF, Regieass., Reg., Red. i. div. Abt. d. ORF, a. 1987 angest. a. Ltr. ORF-Progr.-Promotion, s. 1994 Ressortltr. Kinderprogr. ORF. E.: intern. Preise f. Promotionprod. H.: Reisen, Wandern, Sport. (N.A.)

Vana Franz

B.: Kürschnermstr. FN.: Vana Pelzmode. DA. u. PA.: 2243 Matzen, Hauptstr. 34. G.: Wien, 31. Okt. 1954. V.: Sylvia, geb. Kugler. Ki.: Jenniffer (1983). El.: Franz u. Judith. S.: HS, Kürschnerlehre Fa. Weiner in Wien, Gesellenprüf., Meisterprüf. K.: 1973-76 Kürschner b. Fa. Weiner, anschl. 5J. in führ. Pelzhäusern in Wien tätig, 1981-87 selbst. als Lohnkürschner in Oberweiden, Erwerb eines Hauses in Matzen, Ausbau d. Geschäftes, 1987 Eröffn., ab 1983 Abhalt. v. eigenen Modeschauen mit eigenen Entwürfen aus Leder u. Pelz. M.: Obm.-Stellv. d. Tennisclub Matzen. H.: Tennis (Teiln. an Meisterschaften), Kochen. (I.J.)

Vanasek Eduard
B.: Fliesenlegermstr., Unternehmer. FN.: Fliesen Vanasek. DA.: 1180 Wien, Scherffenbergg. 5. G.: Wien, 14. Aug. 1951. V.: Ulrike, geb. Entmayr. Ki.: Michaela (1977), Stefanie (1987). El.: Eduard u. Edeltrude. S.: Berufsausbild. z. Fliesenleger, 1986 Mstr.-Prüf. K.: seit 1986 selbst. Grdg. d. Fliesenfirma Vanasek, spezialisiert auf handgeformte Kreativkeramik u. Fliesenmalerei, zahlr. Ausstellungsbeteiligungen u. Ausz. u.a. 1988 Cersaie Bologna Casa Aperta ausgewählt z. besten Fliesenleger Österr., 1989 Gewerbeausstellung Wr. Herbstmesse 1. Preis, 1992 Interieur Wien, Tätigkeit in Österr. u. ganz Europa, Mtgl. d. Prüf.-Kmsn. d. Innung, Mtgl. d. Werbeaussch.-Sitzung d. Kam. d. Österr. Fliesenverb. H.: Tauchen, Tennis, Skifahren. (J.S.)

Vanasek Ulrike
B.: Künstlerin. FN.: Fliesen Vanasek. DA.: 1180 Wien, Scherffenbergg. 5. G.: Wien, 16. März 1957. V.: Eduard Vanasek. Ki.: Michael (1977), Stefanie (1987). El.: Oskar u. Leopoldine Entmayr. S.: Päd. Ak. Wien, Keramikausbild. Stoob. K.: zunächst Lehrerin an versch. öff. Wr. Schulen, gleichzeitig künstler. Tätigkeit u. zahlr. Ausstellungen. E.: 1989 1. Preis Wr. Herbstmesse, Gewerbeausstellung. H.: Tennis, Tauchen, Skifahren, Malen. (J.S.)

Vancsa Eckart Dr. HofR.

B.: Ltr. d. Abt. f. Denkmalforsch. d. Bundesdenkmalamtes. DA.: 1010 Wien, Hofburg, Säulenstiege. PA.: 1232 Wien, Ketzerg. 37. G.: Wien, 9. Juni 1941. V.: Dr. Eva Maria, geb. Tironiek. El.: Dr. Kurt u. Hedwig. BV.: Dr. Max Vanesa, Historiker. S.: Stud. Kunstgeschichte u. Archäologie Univ. Wien, 1973 Prom. K.: Studienass. b. Prof. Wagner-Rieger am Kunsthistor. Inst., 1972 Eintritt Inst. f. Österr. Kunstforsch. am BDA, d. jetzigen Abt. f. Denkmalforsch., Schwerpunkt: Forsch., Erstellung d. Inventars d. österr. Denkmalpflege. P.: "Der Karlsplatz", Wiener Geschichtsbücher, zahlr. Publ. z. österr. Kunstgeschichte 16.-20. Jhdt. M.: Ges. f. vergleichende Kunstforsch. Wien, Kunsthistor. Ges. H.: Orden d. Österr. Monarchie, Zinnsoldaten. (J.S.)

Vanicek Johanna
B.: Komm.R., Kfm. FN.: "Zur Schwäbischen Jungfrau". DA.: 1010 Wien, Graben 26. PA.: 1080 Wien, Hammerlingpl. 7. G.: Wels, 19. Juni 1938. El.: Dr. Viktor u. Maria Vanicek. S.: Modeschule Michelbeuern, Mstr.Prüf. K.: Büropraxis, 1960 Kauf d. hiesigen Geschäftes (1720 gegründet), 1965 u. 1975 Erweiterungen. (P.R.)

von Varendorff Eberhard Dipl.-Ing.
B.: Selbst. FN.: Ing.-Firma Förderdynamic Pneumat. Fördertechnik. DA.: 1140 Wien, Hauptstr. 116. PA.: 1140 Wien, Ludwigg. 10. G.: Wien, 12. Jän. 1941. V.: Mag. art. Silvia, geb. Nell. Ki.: Alexander (1972), Konstantin (1975). El.: Dr. Joachim u. Mathilde. BV.: Familie von Varendorff stammt aus Westfalen Kreis Osnabrück, b. ins 11. Jhdt. zurückverfolgbar, Großvater Dr. Viktor von Varendorff: SanR., Welt- u. speziell Afrikareisender, Arzt im Burenkries. S.: Gymn. u. Matura in Johannesburg/Südafrika, Stud. Maschinenbau TU Wien, 1970 Dipl. K.: 7 J. Kernkraftwerksbau in d. BRD, 2 J. Solartechnik, 5 J. Aufbau u. Einführung d. Technologie d. Pneumat. Fördertechnik b. d. Firma Werner & Pfleiderer Wien, seit 1987 selbst. im Bereich Schüttgutanlagentechnik m. Schwerpunkt Pneumat. Fördertechnik. P.: Veröff. in Fachzeitschriften. H.: Tennis, Skifahren, Golf, klass. Musik, Abenteuerreisen in Afrika. (J.S.)

Varga Angela
B.: Bild. Künstlerin. DA. u. PA.: 1150 Wien, Langmaisg. 1/4/14. G.: Wien, 7. Juni 1925. Ki.: Iby-Jolande. El.: Hugo u. Ida. BV.: Onkel Zsigmond Móricz, Schriftsteller, Feri Varga, Maler. S.: R.-Steiner-Schule, Kunstgewerbeschule Wien: Prof. E. Mayer, Metall, Ak. d. Bild. Künste Wien: F. Wotruba, S. Pauser, H. Boeckl, Bildhauerei u. Malerei-Stud. in Paris u. London: "École d. Beaux Arts", "Slade School of Arts", "Central School of Arts and Crafts".. K.: seit 1953 freischaff. in Wien als Malerin, Bildhauerin (Reliefs), Teilnahme an zahlr. Ausstellungen, Einzelausstellungen: 1955 Neue Galerie Wien, 1956 Atelier am Modenapark Wien, 1958 Galerie Gurlitt München, Museum Wuppertal, New Art Center London, 1965 Österr. Museum f. Angew. Kunst Wien, 1966 Inst. f. kult. Beziehungen Budapest, Molton Gallery London, 1967 Gallery 1640 Montreal, 1968 Haus Irene Koch, Reken, 1969 Galerie Clasing Münster, 1972 Gallery Nancy Pool Toronto, 1976 Goethe-Inst. Brüssel, 1981 Nyiregyháza Múzeum, Ungarn, seit 1981 Ausstellungen innerhalb v. Österr., zahlr. Werke in öff. u. priv. Besitz. E.: 1965 Theodor Körner-Preis, 1965 u. 1966 Preise d. Stadt Wien. M.: Berufsverb. bild. Künstler Österr. (BVÖ), Neuer Hagenbund. H.: Ordnung machen. (M.B.)

Varga Heinz K. Ing.
B.: Gschf. Ges. FN.: Gothik-Bau GmbH. DA.: 1030 Wien, Custozzag. 10/5. PA.: 3003 Gablitz, Leiten 9. V.: Helga, geb. Höpp. El.: Johann u. Agnes. S.: HTL Wien 1., (Tiefbau), Matura 1967. K.: 12 J. betraut m. d. Planung u. Bau-Ltg. bei einem Ziviling. f. Kulturtechnik u. Wasserwirt., 3 J. tätig als Baultr.b. einem Hoch-, Tief- u. Stahlbetonbauuntern., 1983 Eintritt in d. Züblin AG, als Ltr. v. Verkauf, Vertrieb d. Stahlbetonrohr GmbH, Betriebsltr, 1988 Gschf. Ges. d. Gothik-Bau GmbH., 1991 Gschf. Ges. d. Compotec Entsorgungs-GmbH, 1993 Gschf. Ges. d. Tankstellen Projekt GmbH.. P.: einschläg. Art. M.: Lions Club Wien-Hofburg. (Kern)

Varga Herbert
B.: Gschf. FN.: Steininger GmbH Fahrzeugbereifung. DA.: 6020 Innsbruck-Neurum, Flurstr. 3. PA.: 6091 Götzens, Sonnenbichlweg 11. G.: Wien, 22. Nov,. 1949. V.: Eva-Maria, geb. Hameder. El.: Rudolf u. Anna. S.: kfm. Großhdls.Lehre. K.: 1969 Eintritt Fa. Steininger als stellv. Filialltr., 1971 Übernahme als Filialltr., 1972 Übernahme d. Filiale Innsbruck, 1975 Einzelprok., 1989 Übernahme als Gschf. M.: 1980-86 im Vorst. d. Verb. d. Reifenspezialisten Österr. H.: Tennis, Skifahren, Musik, Litertur, Reisen. (W.G.)

Varga Innozenz Vinzenz Maria
B.: Provinzial d. Dominikanerordens d. Provinz d. Hl. Albert d. Großen in Süddeutschland u. Österr. DA.: 1010 Wien, Postg. 4. G.: Schachendorf, 1. Juli 1913. El.: Stefan u. Maria. S.: Ungar. u. Kroat. VS, Gymn. in Graz, 1935 Matura, 2 J. Stud. d. Phil. u. Theol in Graz, danach Stud. in d. BRD, 1942-43 Stud. 1 Sem. in Freiburg, 1946-47 Stud. Theol. u. Phil. an d. Wr. Univ. u. Univ. Graz. K.: 1935-36 Noviziat in Graz, 1939-45 Wehrmacht, 2. März 1947 Priesterweihe, 1947-58 Dir. d. Dominikanerordeninternats in Graz, 1958-66 Prior in Wien, 1966-82 Provinzial, 1982-83 Prior in Friesach, 1983-86 Prior in Wien, seit 1961 Volksmissionar im In- u. Ausland, seit 1968 Exerzizienltr., 1965 b. Gen.Kapitel d. Ordens in Bogota, 1968 in Chicago, 1971 in Neapel, 1977 in Walberberg b. Bonn, 1989 in Oakland/USA, seit 1986 Provinzial in Wien d. Provinz d. Hl. Albert d. Großen in Süddeutschland u. Österr., Erzbischöfl. Konsistorialrat (25.11.91). H.: CV-Graz. H.: Spazierengehen, Wandern in d. Bergen, Natur. (M.B.)

Varga Marie
B.: Obfrau d. "Grauen Panther" Seniorenschutzgemeinschaft. DA.: 1070 Wien, Stiftg. 8. PA.: 1220 Wien, Rugierstr. 34. G.: Pressburg, 16. Mai 1920. V.: Viktor Varga. Ki.: Elisabeth (1950). El.: Josef u. Rosa Erdely. S.: RG, 1938 Matura. K.: Tätigkeiten im Export u. in Fremdsprachenkorrespondenz (Übersetzungen, Dolmetschen). BL.: Durchsetzung einer Tarifermäßigung b. d. Wr. öff. Verkehrsmitteln, Verhinderung d. Taschengeldkürzungen in Pflegeheimen, Aufrechterhaltung d. Mietenweiterzahlung b. Kurzzeitpflegefällen. M.: seit 1984 Grauer Panther. H.: Lesen, Wandern, Fotografieren, Holzschnitzen, Schreiben. (P.M.)

Varga Thomas Dr. sc. techn. Dipl.-Ing.

B.: o.Prof. an d. TU Wien, Fak. f. Maschinenbau, Ltr. d. TVFA. DA.: 1040 Wien, Karlspl. 13. PA.: 1130 Wien, Stadlerg. 22. G.: Szombathely, 1. Sept. 1935. V.: Marie-Luise, geb. Hunold. El.: Dipl.-Ing. Emil u. Carola. S.: 1953 Matura, 1960 Grad. TU Wien, 1966 Prom. ETH Zürich, 1972 Habil. ETH Zürich. K.: 1958-61 Wiss. Hilfskraft u. Versuchsing. TVFA TU Wien, 1961-66 HS-Ass. u. wiss. Mitarb. an d. ETH Zürich, Inst. f. Metallurgie, Gießereikunde u. metall. Werkstoffe, 1966-78 Gebr. Sulzer AG Winterthur, Gruppenltr. f. Grundlagen d. Schweißtechnik sowie Schweißverfahren, später in d. Abt. F & E zuständig f. Werkstoffanwendung sowie Technologie d. Maschinenfbk. Winterthur, seit 1973 Lehrbeauftragter d. ETH, seit 1978 o.Prof. an d. TU Wien Fak. f. Maschinenbau u. Ltr. d. TVFA. P.: ca. 70 Art. in Fachzeitschriften, Mithrsg. v. 6 Fachbüchern, 1 Lehrbuch. M.: Österr. Ver. f. Materialprüf., SVMT, DVM, DVS, ASM, ASTM. (A.W.)

Varga Zolt

B.: Juwelier. DA.: 5020 Salzburg, Hagenauerpl. 2 u. 3, 5020 Salzburg, Churfürststr. 4. PA.: 5020 Salzburg, Rauchenbichlerstr. 13. G.: Savinoselo, 5. Sept. 1955. V.: Ulrike, geb. Walkner. Ki.: Andreas-Johannes. El.: Ferenc u. Verona. S.: 1967 m. 12 J. nach Österr., Pflichtschule HS, 1970-74 Goldschmiedlehre in Sbg. Betrieb, 1974 Abschluß, 1977 Mstr.-Prüf. K.: seit 1983 selbst. m. Werkstätte, eigene Produktion v. Modellen, seit 1986 1. Verkaufsgeschäft in d. Altstadt, 1990 2. Geschäft. H.: Bilder, Antiquitäten, Musik, Skifahren. (N.M.)

Varmuza Herbert Kurt

B.: Inh. FN.: Varmuza Gas-, Wasser- u. Heizungsinstallationen. DA.: 1050 Wien, Arbeiterg. 23. G.: Mödling, 24. Sept. 1945. Ki.: Herbert Kurt (1981). El.: Josef u. Viktoria. S.: Berufsausbild. z. Installateur m. Mstr.-Prüf. K.: Monteur u. Mstr. in einer Installateurfirma in Wien, seit 1981 selbst., Grdg. d. eigenen Firma f. Gas-, Wasser- u. Heizungsinstallationen in ganz Österr. H.: Fischen, Wandern, Pferde, Hunde. (J.S.)

Varvaressos Basile

B.: Unternehmer. FN.: ITS Reisebüro GMbH. DA.: 1030 Wien, Mohsg. 1. K.: Gschf. d. ITS Reisebüro GmbH, Wien, d. Itas Reiseveranstaltungsges.mbH, Wien, d. Varvaressos Vermögensverwaltungsges.mbH, Wien, d. ITAS Resorts Hotel GmbH, Wien, Prok. d. ITS Reisebüro u. Handelsges. mbH, Wien, AufsR.-Vors. d. Lauda Air Luftfahrt AG, Wien-Schwechat.

Vas Janos Dipl.-Ing.

B.: Statistiker, Prognostiker. A.: 1230 Wien, Anton-Baumgartner-Str. 44/A/5/141. G.: Budapest, 4. Febr. 1948. V.: Eva, geb. Bozzai. El.: Daniel u. Meta. S.: Univ. f. Bdk. in Wien. K.: Seit 1972 Ang. im Milchwirtschaftsfonds Wien. M.: Österr. Statist. Ges., Ver. Österr. Wiss., United Nations of Yoga (Member of the United Nations Economic and Social Council in consultativ status). H.: Bücher lesen über d. Geschichte u. Phil. d. 18. u. 19. Jhdts.

Vasicek Adolf

B.: Musiker, Dirigent, Dir. d. Musikschule Korneuburg. DA.: 2100 Korneuburg, Kirchenpl. 2. G.: Güssing, 1. Juni 1954. V.: Margit, geb. Griesmayer. Ki.: Peter (1980). El.: Adolf u. Emma. S.: HS f. Musik u. Darstell. Kunst in Wien, 1976 Konzertdipl.-Prüf. Klarinette, 1986 Mag. art. K.: 1976 Musiklehrer u. seit 1977 Dir. an d. Musikschule Korneuburg. BL.: seit d. 16. Lebensj. Konzerttourneen im In- u. Ausland, Solisten- u. Orchestertätigkeit, Gastdirigent b. div. Orchestern. F.: Gschf. Ges. Silvia Dangl GmbH Musicshop Korneuburg. E.: Wanas-Stiftung Preis, Kulturmed. d. Stadt Korneuburg, zahlr. Ausz. u. Ehrungen. M.: Vorst. d. Ver. Korneuburger Musikfreunde, Mtgl. b. div. Kulturver. H.: Musik, Tennis. (M.M.)

Vasold Wolfgang sen.

B.: Kfm. FN.: Ferd. Vasold Textil-, Sportartikel- u. Zweiradhdl. GT.: AufsR. d. Zentrasport Gen., AufsR. d. Volksbank Liezen u. d. ADEG. DA.: 8940 Liezen, Ausseer Str. 5. G.: Liezen, 23. März 1933. V.: Hertha, geb. Pinitsch. Ki.: Wolfgang, Gerhard, Thomas. El.: Franz u. Anna. BV.: Großvater Ferdinand Vasold ist Gründer d. Familienbetriebes, ursprüngl. Ldw., Gasthof, Großhdl. m. Glas u. Porzellan, Keramikerz. "Alpenländ. Kunstkeramik", Gemischtwarenhdl. S.: VS Liezen, Oberschule Admont, hum. Stiftsgymn. Admont, Pestalozzigymn. Graz, HAK Graz, 1951 Matura. K.: Mitarb. im elterl. Geschäft, 1962 übernommen, b. 1984 GemR. in Liezen. M.: Obm. d. Motorsportclubs Liezen, Mtgl. d. Sportclubs u. d. Keglerclubs. H.: Motorradfahren (1959 Staatsmstr. im Geländesport, mehrfacher VStaatsmstr.), Teilnehmer an d. Int. Sechstagefahrt, Rallye Bergamasca, Alpenfahrt, div. Bergrennen, Bergsteigen (div. Touren in d. Ost- u. Westalpen, Haute Route usw.), Schihochtouren, Radsport (akt. Teilnehmer an div. Bergrennen). (Tra.)

Vatier Werner

B.: Gschf. Ges. FN.: Ernst Glogar GmbH & Co KG. DA.: 4020 Linz, Turmstr. 6. PA.: 4202 Hellmansödt, Teichfeld 27. G.: Linz, 23. März 1955. V.: Elisabeth, geb. Jachs. Ki.: Kathrin, Martin. El.: HofR. Ferdinand u. Elisabeth. S.: VS, Mittelschule, HTL Waidhofen/Ybbs, Matura. K.: seit 1974 im elterl. Betrieb, 1978 Prok., 1984 Gschf. Ges. M.: Round Table 24 Linz. H.: Skifahren, Tennis, Radfahren. (W.B.)

Vaughan Ronald Patrick

B.: Filmproduzent. FN.: Video- u. Filmprod. Ronald P. Vaughan. DA.: 1140 Wien, Cumberlandstr. 33. PA.: 1130 Wien, Steckhoveng. 18. G.: Wien, 21. Febr. 1949. V.: Roswitha, geb. Bauer. El.: Stephan u. Gertrude. BV.: Abstammung aus Irland. S.: RG, American Intern. School 1968, Ak. f. Musik u. darstell. Kunst Abt. Film u. Fernsehen, 1973 Dipl. K.: freier Red. ORF 1977, 1978 Grdg. eigener Fa. BL.: Prod. d. Sendungen "OKAY" seit 1979, "Weihnachten m. Weltstars" 1984, Sporthilfe, Kinderhilfe, Seniorenhilfe, Prod. div. Fernsehwerbungen u. Musik-Videos, Ind.Filme, etc. H.: Reisen (Irland), Musik. (M.G.)

Vaugoin Johann Ing.

B.: Kompl. FN.: L. Jarosinski & J. Vaugoin Silberschmiede. DA.: 1070 Wien, Zieglerg. 24. PA.: 1070 Wien, Zieglerg. 22. G.: Wien, 26. Aug. 1939. V.: Verena Dr., geb. Müllauer. Ki.: Viktor, Jean-Paul, Benjamin. El.: Karl u. Käthe. BV.: Carl Vaugoin: BKanzler 1930, Heeresmin. 1922-32. S.: TGM Abt. Betriebstechnik, 1967 Mstr.Prüf. K.: 1960 Eintritt in d. v. Urgroßvater 1847 gegründete Unternehmen, Herstellung v. Besteck u. Tafelgeschirr in Silber, Sonderanfertigungen. (C.K.)

Vaugoin Verena Dr.

B.: Richterin. PA.: 1130 Wien, Stösslg. 17. G.: Innsbruck, 10. Aug. 1954. V.: Vaugoin Hans Ing. Ki.: Victor, Jean-Paul, Benjamin. El.: Friedrich u. Claudia Müllauer. S.: Mittelschule,

Matura, Jusstud. Wien, 1976 Dr. K.: RA-Prüf., 1980 richterl. Dienst. E.: bes. Verd. um d. Olymp. Winterspiele 1976 Innsbruck. M.: Haus d. Friedens, Union Jachtclub Neusiedl, Ober-St.-Veiter Tennis-Club. H.: Tennis, Kultur, Kochen. (A.K.)

Vavra Gerhard

B.: Geschf. Ges. FN.: VDS Computer Hdls. GmbH. Da.: 1060 Wien, Gumendorferstr. 65 u. 4020 Linz, Marienstr. 4. PA.: 1030 Wien, Rennweg 35/9. G.: Wien, 18. Feb. 1965. V. : Wen Zhu. Ki.: David 1988. El.: Gerhard u. Liselotte. S.: 1983 Matura, Stud. Informatik TU Wien. K.: 1990 Gründer d. Firma VDS Computer f. d. Hdl. mit EDV gemeinsam mit Manfred Schütz. H.: Sporttauchen, Orgelspielen. (J.S.)

Vavra Heinz Ing.

B.: Abt.-Ltr. FN.: Fa. Friedl & Co. DA.: 1230 Wien, Breitenfurter Str. 110. PA.: 1200 Wien, Dresdner Str. 112/6/8. G.: Wien, 30. Okt. 1944. Ki.: Markus (1972). El.: Robert u. Luise. S.: Feinmechanikerlehre, Mstr.Prüf. f. d. Mechanikergewerbe, Lehrbetrieb wurde v. d. ÖGUSSA übernommen u. als Abt. angegliedert, Aufstieg z. Prod.Ltr. im Bereich Meßtechnik, 1979-84 Abendschule am TGM m. Maturaabschluß, 1985 Prok., 1988 Übernahme d. Abt. Diamantfriedl u. Meßtechnik, Lehrlingsausbilder. H.: Sport (Tennis, Golf), Segeln, Garten. (P.R.)

Vavra Leopold Dr.

B.: Gen.-Dir. d. DDSG. DA.: 1020 Wien, Handelskai 265. G.: Wien, 22. Mai 1932. V.: Erika, geb. Klotzinger. Ki.: Offz. Heinz, Dr. med. Norbert, Helmut. S.: hum. Gymn., 1952 Matura, Univ. Wien, 1957 Prom. z. Dr. iur. K.: 1957-58 Ass. d. Ltrs. d. Personalabt. d. Ersten Allg. Vers., 1958-60 Ltr. d. Personal- u. Rechtsbüro d. optischen Werke C.P. Goerz, 1960-69 Prok., Gen.Sekr., Ltr. d. Verw.Departments d. Austrian Airlines, 1969-80 Wirtschaftspolitischer Ref. d. BKam., seit 1981 Vorst.Mtgl. u. stellv. Gen.-Dir. d. DDSG. P.: eine Reihe wirtschaftspolit. bzw. verkehrspolit. Art. in Fachzeitschriften. M.: 1969-80 Vors d. Preisunteraussch. u. d. Sonderkmsn. d. Paritätischen Kmsn., Mtgl. bzw. Ersatzmtgl. d. Verw.Kmsn. d. Weinwirtschaftsfonds bzw. d. Getreidewirtschaftsfonds, Mtgl. d. BeiR. d. Österr. Produktionsförderungsges., Mtgl. d. AufsR. d. DDSG, 1981-86 stellv. Gen.-Dir. u. Vorst.Mtgl. d. DDSG, seit 1987 Gen.-Dir. d. DDSG, Mtgl. d. Österr. Industriellenvereinigung, Mtgl. d. Österr. Gewerbever., Mtgl. Management Club u. Skal-Club, VPräs. d. Österr. Clubs u. d. Österr. Wohlfahrtsdienstes, Vorst. d. Fachverb. d. Schiffahrtsunternehmungen d. BKam. d. gewerbl. Wirtschaft, Fachvertreter d. Fachvertretung Wien d. Schiffahrtsunternehmungen d. Wr. HK, Vorst.Stellv. d. Fachgruppe d. Schiffahrtsunternehmungen d. Kam. d. gewerbl. Wirtschaft f. OÖ. H.: Reisen, Musik. (Sei.)

Vavrik Harald Dr. iur.

B.: Kabinettsdir. d. Österr. Präsidentschaftskzl. DA.: 1010 Wien, Ballhauspl. 1. PA.: 1180 Wien, Pötzleinsdorfer Str. 112. G.: Leoben, 19. Aug. 1935. V.: Marie-Elizabeth, geb. Blin. Ki.: Christoph (1961), Stephan (1962). El.: Josef u. Maria, geb. Kopacek. S.: 1 J. Austauschschüler in d. USA, 1952 Matura Washington Catholic High School Washington, 1953 Matura Leoben, 1953-57 Stud. Rechtswiss. Univ. Wien, 1957 Dr. iur., 1957-58 Stud. Inst. d'Etudes Politiques Paris, 1958 Certificat. K.: Eintritt in d. Österr. Auswärtigen Dienst, 1958-61 BMA, 1961-65 ständige Vertretung Österr. b. Büro d. Vereinten Nationen u. b. d. Spezialorgan. Genf, 1965-68 Gen.-Sekr. BMA, 1968-70 Österr. Botschaft Rom, 1970-73 Österr. Botschaft Lissabon, 1973-74 Österr. Botschaft Paris, 1975-77 Chef d. Kabinetts d. Bundesmin. f. Auswärtige Angelegenheiten, 1977-81 Österr. Botschafter in Marokko, 1981-85 Österr. Botschafter in Brasilien, seit 1985 BMA, seit 1986 Ltr. d. bilateralen Wirtschaftsabt., stellv. Ltr. d. Wirtschaftssekt., seit 1992 Kabinettsdir. d. Österr. Präsidentschaftskzl. E.: Großkreuz d. Brasilian. VO, Großoffz.-Kreuz d. Jordan. VO, Großoffz. d. Syr. VO, Kommandeurkreuz d. Portugies. H.d.S.O., Kommandeurkreuz d. Franz. VO, Großkreuz d. Italien. VO. H.: Musik, Golf, Skifahren. (N.A.)

Vavrousek Alfred

B.: Chefred. d. Presse- u. Informationsdienstes d. Stadt Wien. DA.: 1082 Wien, Lichtenfelsg. 2/3. PA.: 1190 Wien, Boschstr. 41. G.: Wien, 6. Mai 1950. El.: Alfred u. Helene, geb. Liebenberger. S.: RG, HASCH, 4 Sem. am Inst. f. Werbewiss. u. Marktforsch. an d. WU Wien. K.: 1973 Eintritt in d. Gem. Wien, Presse- u. Informationsdienst d. Stadt Wien, Ausstellungsref., Informationsdienstltr., seit 1984 Chefred. M.: AufsR. d. Wochenschau, Vorst.-Mtgl. d. Kuratorium f. Journalistenausbild., Presseclub Concordia, Gschf. d. SC Gföhl. H.: Musik, Squash. (N.A.)

Vavrousek Gerhard Dipl.-Ing.

B.: Pensionist. PA.: 2371 Hinterbühl, Rudolf-Schmidt-Weg 4. G.: Wien, 29. März 1932. V.: Helga, geb. Wiesner. Ki.: Eva. El.: Jakob u. Sophie. S.: RG, TU Wien Maschinenbau. K.: 1959-65 Betriebswirtschaftl. Beratungen (Bedaux GmbH) vorwiegend in d. Papier- u. Textilind. in d. Schweiz u. Österr., seit 1968 Gschf. d. A. Mosburger GmbH, seit 1980-94 Gschf. d. Europa Carton GmbH Wien. F.: Galerie Contact Wien. P.: Vorträge über Unternehmensplanung, Kontrolle u. Systemverpackungen. H.: Bild. Kunst, Kunstmarketing, Tennis. (M.M.)

Vavrousek Helga

B.: Mitinh. FN.: Galerie Contact. DA.: 1010 Wien, Singerstr. 17. PA.: 2371 Hinterbrühl, Rudolf-Schmidt-Weg 4. G.: Wien, 2. Apr. 1936. V.: Dipl.-Ing. Gerhard Vavrousek. Ki.: Eva. El.: Heinrich u. Herta Wiesner. S.: Textilfachschule. K.: 1954-60 Ltr. eines Textillabors, 1971 Eröff. d. Galerie Contact (Schwerpunkt österr. Kunst d. Gegenwart u. klass. Moderne). E.: Wr.s EZ. M.: Verb. österr. Galerien moderner Kunst. H.: bild. Kunst, Musik. (M.M.)

Vavrousek Milan Johann Dr. iur.

B.: RA in d. Kzl. Dr. Dengg u. Dr. Vavrousek. DA.: 5600 St. Johann/Pongau, Hauptstr. 35. PA.: 5503 Mitterberghütten, Götschenweg 13A. G.: Salzburg, 5. Sept. 1957. V.: Petra, geb. Drobiunig. Ki.: Milan (1989), Niko (1991). S.: 1976 Matura Saalfelden, 1976-80 sportl. Tätigkeiten, 1977-82 Stud. Rechtswiss., 1982 Prom. K.: Gerichtsjahr St. Johann/Pongau, 1983-89 Praktikum in RA-Kzl., 1989 RA-Prüf., 1989 selbst. f. Straf-, Zivil-, Grund- u. Verw.-Recht. E.: 1976 Landesmstr. Dreisprung. M.: Fußballclub, Tennisclub Bischofshofen. H.: Tennis, Fußball. (G.P.)

Vavrousky Karl Ludwig Dr.

B.: RA. DA.: 5020 Salzburg, Mozartpl. 4. G.: Salzburg, 5. Juni 1946. V.: Elisabeth, geb. Inaha. Ki.: 2 Söhne (1973, 1976). El.: Dr. Walter u. Margarete. S.: Grundschule, Gymn., 1956-64 Militär, 4 J. Jusstud. Sbg. K.: seit 1989 VPräs. u. seit 1992 Präs. d. Sbg. RA-Kam. H.: Sport, Kunst, Städtereisen. (H.S.-P.)

Vedernjak Ingrid

B.: Redakteurin d. ORF. GT.: Lehrauftrag am Franz Schubert Konsveratorium. DA.: 1040 Wien, Argentinier Str. 30A. PA.: 1030 Wien, Baumg. 39/19. G.: Wien, 12. Sept. 1954. El.: Richter Heinrich u. Melanie. S.: Gymn. Wien, Matura 1972, seit 5. Lebensjahr Ballettausbild., Abschlußprüf. mit Solotänzerprüf. 1960, daneben Klavierstud. am Konservatorium d. Stadt Wien, HS f. Musik u. Darstellende Kunst (Harfe bei Prof. H. Jelinek, Klavier b. Prof. M. Wagner), 1980 Dipl.-Prüf. in an d. HS in Graz. K.: Seit 1975 Mitarb. beim ORF in d. Dokumentation E-Musik u. anschl. zum aktuellen Dienst Studio Wien, daneben Konzerte, Schallplatten- u. Rundfunkaufnahmen, seit 1981 Lehrauftrag f. Harfe, Klavier u. Kammermusik am Franz Schubert Konservatorium, Mitarb. b. d. Sbg. Festspielen, bei intern. Shows wie "Kärnten International", ARS Electronica, Fatty Live, Musikfilme wie "Mozart u. die Volksmusik", Tobi Reiser, eigene Rubrik im Österreichbild: "plus-minus". M.: Literar Mechana, AKM. E.: Gold. Nadel d. Döblinger Kulturkreises. H.: Musik, Garten, Tiere, Lesen. (G.E.)

Veigl Alexander

B.: Inh. FN.: Alexander Veigl Büroorgan. DA.: 1030 Wien, Hohlwegg. 35. G.: Mödling, 27. Okt. 1950. V.: Sabine, geb. Deimel. Ki.: Sandra, Felix, Sebastian. El.: Alexander u. Barbara. S.: HS. K.: Tätigkeit im EDV-Bereich, 3 J. Bankkfm., seit 1974 Büromaschinen, 8 J. Rank Xerox Büromaschinenbereich, Verb.-Ltr. f. Kopiergeräte UTAX, 1984 Grdg. d. eigenen Firma m. Schwerpunkt Büromaschinen. P.: Veröff. in div. Medien u. Fachzeitschriften. H.: klass. Musik, Sport. (J.E.)

Veit Hannelore Mag. M.A.

B.: Moderatorin, Journ. FN.: ORF. DA.: 1136 Wien, Würzburgg. 30. G.: Wien, 9. Juni 1957. V.: Didier Fauqueux. El.: Hermann u. Herta. S.: 1975 Mat., Stud., Dolmetsch f. Engl. u. Span.,1983 Sponsion Univ. Wien, Studies a.d. University of Notre Dame Indiana, USA im Rahmen d. Fulbright-Stipendiums, 1981 Sponsion z. Master of Arts. K.: 1985-89 Korresp. im Osteuropa-Büro d. "Voice of America" Wien, 1989-90 Japankorresp. d. priv. TV "European Business Channel", Tokyo, ab 1991 Fernost-.Korresp. f.d. ORF in Tokyo, ab 1993 Moderatorin ZIB u. Redakteurin in Wien, Außenpolitik. H.: Literatur, Reisen. (J.S.)

Veit Manfred Dr.

B.: Gschf. FN.: Winzerhaus NÖ Weinvertriebs GmbH. DA.: 1110 Wien, Simmeringer Hauptstr. 54. PA.: 2230 Gänserndorf, Ziegelofeng. 8. G.: Ollersdorf, 25. Feb. 1944. V.: Gerda Kubicek. Ki.: Eva-Maria (1973), Elisabeth (1979). El.: Anton u. Anna. S.: VS, Gymn. Matur 1963, Univ. f. Welthandel - Diplom i. Marketing, dazwischen i. Dtschld tätig i.d. Wein u. Getränkeindustrie, zurück zur Uni f. Welthandel-Doktorrat, ab 1972 i. d. Raiffeisen - Agrargenossenschaft als Assistent d. Gen.Dir., als auch im Marketing, verantwortl. f. Industriebetriebe z.B. "YO" Fruchtsäfte od. "Wiking" Tiewfkühlware u. Gemüseproduktion "Bauernland", 1988 Wechsel z. Winzergenossenschaft als Verantwortl. f. Vertrieb u. Produktionsmanagement. P.: div. Publikationen i. Fachmagazinen u. Marketingzeitschriften. M.: Mtgld. i. Club Niederösterreich. H.: Tennis, Musik.

Veit Walter Dr. techn. Dipl.-Ing. o.Univ.-Prof.

B.: Vorst. Inst. f. Wirtschafts- u. Betriebswiss. d. TU Graz. GT.: Beratungsgewerbe. DA.: 8010 Graz, Kopernikusg. 24. PA.: 8041 Graz, Petrifelderstr. 127. G.: Graz, 26. Okt. 1924. V.: Christiane, geb. Schrausser. Ki.: Peter, Ulrich. El.: Josef u. Maria. S.: VS, AHS, 1948 Matura, 1949-59 Werkstudent Stud. in Graz, 1963 Spons., 1966 Prom., 1973 Habil. K.: 1960 Studienass., 1963 Univ.Ass., 1965 Lehrbeauftragter, 1973 Doz. u. o.Univ.-Prof. P.: Planungs u. Bauablauf (1976), 281 Veröff. auf d. Gebiet Betriebswirtschaft, Kostenrechnung, Operation Research, Bauwirtschaft. M.: Verb. d. HS-Lehrer Österr., BRD, Grdg.Mtgl. d. Österr. Verb. d. Wirtschaftsing., VPräs. u. Ehrenmtgl. d. Verb. d. Wirtschaftsing. H.: Natur, Wandern, Skifahren, Schwimmen. Musik. (H.Z.)

Veith Claudia

B.: Unternehmerin, Inh. d. Großhdls.-Unternehmens Classic Nail Design Nagelkosmetik GmbH u. d. Einzelhdls.-Untern. f. Hand- u. Nagelkosmetik Claudia Veith. DA.: 1130 Wien, Hietzinger Hauptstr. 36. G.: Wien, 2. Jan. 1957. V.: Günther Veith. Ki.: Sabine (1977), Oliver (1983). El.: Andreas u. Anny Hoffmann. S.: VS u. Gymn. Santa Christiana, HBLA m. Matura. K. u. BL.: seit 1985 Schulungs- u. Ausbild.-Zentrum f. die Berufsgruppe "Nagelkosmetik" in Österr., Lehrtätigk. am WIFI f. d. Bereich Hand- u. Nagelkosmetik, eig. Produktlinie Claudia Veith, off. Mtgl. d. NNTG (National Nail Technicians Group) d. USA, z.Z. Gründ. d. Interessenverb. Österr. Nagelkosmetiker (Präs.), Organisatorin v. Classic Nail Design Tournaments (Meisterschaften) u. div. Nail-Kongressen, Pionierin im Bereich Nagelkosmetik. P.: Veröff. versch. PR-Berichte u. Interviews in div. Fachzeitschr. H.: Nagelkosmetik i. Bereich d. ästhet. Kosmetik zu integrieren.

Veith Cornelius

B.: Gschf. FN.: EDICOM Kommunikationstechn. Produkte GmbH. DA.: 1170 Wien, Dornerpl. 12. PA.: 1180 Wien, Kreuzg. 18. G.: Wien, 5. Nov. 1962. El.: Rudolf u. Christine, geb. Höpp. S.: Matura, Stud. Violoncello b. Prof. Kühne HS f. Musik u. darstell. Kunst Wien m. Abschluß. K.: ab 1986 Tätigkeit als Fachjournalist f. div. Computerzeitschriften, 1987-88 PR-Berater im Bereich d. Datenkommunikation, 1989 Grdg. d. Fa. EDICOM, seit 1982 Tätigkeit als Solocellist b. d. Vereinigten Bühnen, 1990 Grdg. d. PR-Agentur "Co & Co" m. Schwerpunkt musikal. Veranstaltungen. P.: zahlr. Publ. in Fachzeitschriften. H.: Segeln, Kommunikation m. d. Menschen. (N.A.)

Veith Oliver

B.: Inh. FN.: MEMOBA Fachgeschäft f. Modellbahnen. DA.: 1060 Wien, Aegidig. 5. PA.: 2513 Möllersdorf, Schwechatstr. 59. G.: Wien, 31. Jan. 1964. V.: Aurelia, geb. John. Ki.: Bernadette (1985), Stephanie (1987). El.: Kurt u. Edith, geb. Sedlmayer. S.: Kfz-Lehre. K.: Tätigkeit als Kfz-Mechaniker, 1986 Eintritt in d. Fa. MEMOBA, ab 1991 Übernahme deren Ltg. M.: Modellbahnclub. H.: Modellbahn. (N.A.)

Veits Paul Dr. iur.

B.: Präs. d. LG Sbg. DA.: 5020 Salzburg, Rudolfspl. 2. PA.: 5020 Salzburg, Guetratweg 44. G.: Schlierbach, 27. Okt. 1933. V.: Gertraud, geb. Knöbl. Ki.: Michael, Ulrike, Johanna, Georg. S.: RG, 1953 Matura, Stud. Univ. Wien, 1958 Prom. K.: Gerichtspraxis Wien, Richteramtsanw. Wien, NÖ, Bgld., 1961 Richter Wien BG Innere Stadt, Weyer, Mauthausen, Rottenmann, 1972 Richter am LG Sbg., 1984 Präs. d. LG. H.: Geschichte, Geographie, Bergsteigen. (A.W.)

Vejchar Alfred

B.: Chefredakteur. FN.: Österr. Redaktion Video Vis. GT.: Disponent ORF u. Video Fachred. f. Publikums- u. Fachzeitschriften. DA.: 1100 Wien Gellertg. 14 u. 1040 Wien, Argentinierstr. 30a. PA.: 2332 Hennersdorf, Wohnpark Haus 19. G.: Wien, 3. Jän. 1945. V.: Anna, geb. Meng. Ki.: Harald. El.: Rudolf u. Edith. BV.: mütterl. im 16. Jhdt. Ratsherr in Wien S.: VS, human. Gymn., HAK (Matura). K.: seit 1967 b. ORF, Bürokraft, ab 1976 Personaldisponent, seit 1980 Fachredakteur f. Video, bis 1980 Buchkritiker. P.: Video Vis (Monatszeitschrift). M.: ÖJC. H.: Lesen, Reisen, Musik, gut Essen, Familie. (R.A.)

Vejpustek Heinz Helmut Dr. Gen.-Konsul

B.: Konsul v. Grenada u. Westsamoa, Gen.-Sekr. d. Kaffee- u. Tee-Verb. Österr., Wirtschaftsred. d. Fachzeitschrift "Ernährung", ltd. Ang. d. Bundeswirtschaftskam. DA.: 1037 Wien, Zaunerg. 1-3/11B. PA.: 1080 Wien, Alserstr. 45. G.: Wien, 23. Jan. 1936. V.: Johanna Ortrud, geb. Schüller. Ki.: Elke (1969), Silke (1976), Erwin (1978). El.: Ing. Raimund und Vlasta, geb. Homolkova. S.: RG-Matura, Techn. Fachschule Zürich, WU, Univ. Wien (Intern. Studien), College of London, Inst. Francais de Vienne. K.: seit 1969 Gschf. versch. Lebensmittelverb., Vorst.-Mtgl. div. Europ. Verb. (AIBI, AIIBP, EUCA), Grdg.-Mtgl. u. seit 1987 Gschf. d. Österr. Tee-Inst., seit 1989 Ratgeber b. d. Intern. Kaffee-Organ. in London ICO, seit 1990 Gen.-Rpräsentant f. Österr. d. Coffee Science Information Centre in Oxford CoSIC, seit 1992 Hon.-Konsul v. Grenada/Karibik, s. 1994 auch Ge.-Konsul v. Westsamoa/Südpazifik. P.: zahlr. fachwiss. u. Wirtschaftspubl. M.: Chevalier der Chaine des Rotisseurs, Österr. Pressekuratorium, Österr. Journalisten-Club, Klub d. Bild. u. Wiss.-Journalisten, Dt. Wappenrolle, Club d. Jaguar-Fahrer Wien. H.: Fremdsprachen, Reisen, Segeln, sportliches Schießen. (N.A.)

Vejvancicky Josef

B.: Tischlermeister. FN.: Tischlerei Josef Vejvancicky. GT.: Ltr. d. Wr. Jugendzupfensembles, Vorst.-Mtgl. d. Verb. d. Amateurmusiker u. -ver. Österr. DA.: 1030 Wien, Hohlwegg. 2. PA.: 1190 Wien, Boschstr. 24/6/1/6. G.: Wien, 17. Juli 1950. V.: Anna Maria, geb. Trupp. Ki.: Alexandra (1971), Josef (1973), Irene (1974), Lukas (1990). El.: Josef u. Helene. S.: Berufsausbild. z. Tischler, 1972 Mstr.-Prüf., gleichzeitig Stud. Mandoline an d. Musikschule d. Stadt Wien b. Prof. Maria Hinterberger. K.: Praxis in Deutschland, anschl. im Familienbetrieb tätig, 1972 Übernahme d. Tischlerei spezialisiert auf kreatives Handwerk auf allen Gebieten d. Holzbearb. BL.: Restaurationsarb., bes. Engagement: Vermittlung d. Werte d. in Wien vernachlässigten Sparte d. Musiklebens: Zupfmusik an d. heutige Jugend. M.: Mtgl. mehrerer Ensembles, d. sich m. hochqualifizierter Mandolinen- u. Zupfmusik auseinandersetzen, Auftritte in Japan, Australien u. ganz Europa. H.: Familie, Beruf, Musik, Schach. (J.S.)

van der Velden Cornelius

B.: Kfm. FN.: Holland Blumen Markt GmbH. DA. u. PA.: 2102 Hagenbrunn, Industriestr. 11. G.: Limmen/Holland, 16. Nov. 1941. V.: Maria, geb. Groot. Ki.: Iwan, Natascha, Joris. S.: Gärtnerschule in Holland, HASCH, Ökonomie. K.: Export v. Blumenzwiebel aus Holland (Familienbetrieb Fa. P.C. Van d. Velden & Söhne), Gärtnerei, Export v. Blumen u. Topfpflanzen aus Holland, 1974 nach Österr. z. damaligen Einzelfa. Holland Blumen Markt, 1978 Holland Blumen Markt GmbH, 1978 Start in d. Bundesländer. P.: eigene Firmenzeitung "Holland Blumen Markt Blatt", d. viermal jährl. erscheint. (C.K.)

van der Velden Petrus

B.: Dir., Dipl.Pfleger, Dipl.Päd., Bruder Ludolf. FN.: Rehabilitationszentrum d. Caritas d. Erzdiözese Wien. DA.: 1170 Wien, Braung. 41. G.: Holland, 15. Okt. 1918. S.: Mittelschule in Holland, Dipl.Pfleger, mehrere Dipl. als Päd., später Heilpäd. K.: Arb. in drei psychiatr. KH in Holland 1935-50, 1950-56 KH f. Kriminelle Psychopathen, 1956-62 Beobachtungsltr. im Beobachtungsheim f. kriminelle Jugendliche, seit 1962 Rehabilitationszentrum d. Caritas, 1962-81 in Lanzendorf, ab 1981 Braung. 41 Wien, 1. Rehabilitationszentrum in Österr. P.: Red. d. Pfleger. Fachzeitschrift "Psychiatrie u. Pflege", "Unsere Aufgabe b. d. Rehabilitation". H.: Lesen, Studieren, Musik. (C.K.)

Veletzky Alexander KommR.

B.: Klaviermachermstr., Inh. FN.: Wendl & Lung. DA.: 1060 Wien, Mariahilfer Str. 101. PA.: 1100 Wien, Maiklgasse. G.: Wien, 14. Juni 1933. V.: Margarete, geb. Steiner. Ki.: Peter, Dr. Susanne. El.: Anton u. Stefanie. S.: VS, HS, Klaviermacherlehre b. d. Großeltern u. Eltern. K.: seit 1965 Innungsmstr.Stellv., 1970-85 Innungsmstr. BL.: Restaurierungen in Österr. (Museen, techn. Museen), z.B. Listflügel in Eisenstadt, Haydnflügel. F.: Fa. Dörr. P.: in Fachzeitschriften u. ORF. E.: 1981 Gr. Gold. Verdienstz. d. Landes Wien, Kammerverdienstz. M.: Ver. f. d. Bestaffung v. Heimplätzen f. Gewerbepensionisten. H.: Sport, Wandern, Gartenbau. (E.L.)

Velicky Heinrich Landw.-Ing. KamR.

B.: Baumstr., Gschf., Prok. FN.: Velicky & Co GmbH, Schlosser GmbH u. Reisebüro ABA. GT.: Vize-Präs. Wr. Wirtschaftskammer, Obm. d. freien Wirtschaftsverb. Wien. DA.: 1070 Wien, Schottenfeldg. 24; 1090 Wien, Porzellang. 18. PA.: 1090 Wien, Serviteng. 16. G.: 21. Apr. 1930. V.: Ingeborg, geb. Knauer. Ki.: Martina (1957), Michael (1959). El.: Franz u. Maria. S.: Mittels. "Francisco Josephinum". K.: s. 1957 selbst. a. Gschf. u. Prod. d. Velicky GmbH, s. 1959 Baufirma Velicky & Co GmbH, d. Schlosser GmbH, zur Schaff. v. Wohnungseigentum u. Hausverwalt. d. Reisebüros ABA m. Niederlass. i. Italien, 1966-70 Bezirks-R., s. 1985 Kammer-R. P.: Art. i. tourist. Zeitungen u. Zeitschriften. M.: Präs. Wr. Reiterverein. St. Georg, Mtgl. Österr.-Tunes. Ges. H.: Reiten, Jagd, Politik. (J.S.)

Veneciano Rivera Anibal

B.: Gschf. FN.: Andino GmbH, Jofra GmbH, Auer & Auer GmbH. DA.: 1060 Wien, Münzwardeing. 2. G.: Antofagasta/Chile, 2. Nov. 1943. Ki.: 4 Kinder. El.: Anibal u. Ana. S.: Stud. Päd. u. Soz. Univ. Conception. K.: 1973 nach d. Putsch in Chile Ndlg. in Österr., 1973-76 Arb. in versch. Wr. Firmen, seit 1977 selbst., Eröff. d. 1. Lateinamerikan. Lokals in Österr., Grdg. d. Firma m. Schwerpunkt Import v. Textilwaren aus Lateinamerika, Erweiterung d. Unternehmens auf Lokale in Graz u. Hdl. m. Pers. Teppichen. H.: Fischen, Tauchen. (N.A.)

Venhauer Otto Dr. Dkfm. Mag.
B.: Prof. A.: 9073 Vikring, Siebenbürgeng. 85. G.: Klagenfurt, 19. Aug. 1941. V.: Mag. Dkfm. Dietlinde, geb. Bürger. El.: Otto u. Anna. S.: Matura, Stud. a. HS f. Welthdl., Wien. K.: Prof. an HAK Klagenfurt. H.: Schilanglauf, Windsurfen, Orientierungslauf.

Venningdorf Erik Dipl.-Techn.

B.: Dir. FN.: Wiener Allianz Landesdir. Graz. DA.: 8011 Graz, Radetzkystr. 6. PA.: 8054 Graz, Dr.-Lemisch-Str. 8. G.: Dänemark, 20. Juli 1953. V.: Rolande, geb. Valland. Ki.: Astrid (1986). El.: Jens-Erik u. Helena. S.: Realgymn. i. Kopenhagen, 1970 Matura, Stud. Maschinenbauwirt., 1974 Dipl.-Tech., 1974-76 königl. Leibgarde Kopenhagen abgeschl. Olt., b. 1982 techn. Polizeiak. i. Kopenhagen b. Staatspolizei. K.: 1982-86 tätig i. großen Ing.-Büros i. Graz, 1987-89 Wiener Allianz Vertriebsbereichsltr., 1989-90 Landesltr. Vertrieb, s. 1990 Landesltr. d. Landesdir. Graz. M.: Vorst. d. steir. Ges. f. Versicherungsfachwissen, Vorst. d. steir. Brandverhütung. H.: Jagd, Tennis, Golf, Skifahren. (I.G.)

Venturini Eugen
PS.: Gino. B.: Gschf. Ges. DA.: 1010 Wien, Spiegelg. 9. G.: Triest, 19. Juli 1937. V.: Susanne, geb. Mudra-Matter, 3 Kinder. El.: Giuseppe (Präs. d. ital. Automobilclubs) u. Hildegarda, geb. Senes-Bern (Konzertpianistin). BV.: Großvater Senes-Bern war nach d. 1. Weltkrieg d. 1. ital. Militärkdt. v. Triest. S.: 1954 Matura Tarvis, 1954-55 a.o.Höhrer WU München, 1955 HS f. Welthdl. Wien (Werbewiss. b. Prof. Skowronnek), parallel: Tätigkeit in d. Textilbranche. K.: Einführung d. allerersten Herrenboutiquen in Wien nach franz. Vorbild., Entwicklung b. z. exklusivsten Herrenhemden-Maß-Salon m. intern. Kunden, freier Mitarb. als Feuilletonist f. d. "Presse". M.: Ital. HK. H.: Jagd. (M.M.)

Verdino Herfried Dipl.-Ing.
B.: Arch., Ltr. d. Stadtbauamtes St. Veit/Glan, allg. beeid. ger. Sachv. f. Hochbau u. Grundstücksschätzungen. A.: 9300 St. Veit/Glan, Urtlstr. 25. G.: St. Veit/Glan, 23. Jan. 1944. V.: Prof. Dr. Elisabeth, geb. Rom. El.: Herbert u. Ilse. S.: VS, RG, TU Wien, Fak. f. Bauing.Wesen u. Arch. K.: 1962 Matura, 1970 Spons. Dipl.-Ing., 1971/72 Mitarb. in Architekturbüro in Regensburg/BRD, ab 1972 Leiter d. Stadtbauamtes St. Veit/Glan, ab 1975 ständig beeid. ger. Sachv. d. LG Klagenfurt. P.: Der Aufbau - Fachrift f. Planen, Bauen, Wohnen u. Umweltschutz, "Die Altstadt v. St. Veit/Glan." - Eternit-Zeitschrift "Der St. Veiter Hauptplatz. - Bauten von gestern, heute erlebt", "Ensembleschutz bzw. Altstadtpflege in St. Veit/Glan", "San Vito - St. Veit/Glan". E.: 1975 Förderungspreis d. Landes Ktn. f. Architektur, Landschaftspflege u. Umweltschutz. M.: Faschingsgilde St. Veit/Glan. H.: Skifahren, Laufen (Sommer u. Winter), der Beruf.

Veres Heinz Kurt
B.: Vers. u. Fin.Kfm. DA.: 4020 Linz, Zollamtsstr. 1. PA.: 4061 Pasching, Hitzing 40. G.: Graz, 6. März 1947. V.: Christine, geb. Haslinger. Ki.: Nicole u. Christoph. BV.: Erich von Veres (Großvater), zul. Flugzeugkonstrukteur. S.: 1965 Matura, BFin.Schule Wien, einige Sem. Betriebswirt. u. Jusstud. K.: 1965 Bmtr. d. Finanz-LDion. Graz, 1967-69 Betriebsprüfer, Ende 1969 Quelle Linz (Zentrale), zust. f. Steuer-, Bilanz- u. Vers.Angel., 1971 Hauptabt.Ltr. f. d. kfm. Bereich, gleichz. Funtkionär b. konzerneigenen Bankhaus Steinhäusser Wien, 1981 Eintritt in d. Erste Allg. Vers., zust. f. Großkunden- u. Maklerbetreuung, mitverantwortl. f. Marketing u. Vertrieb. M.: Lions-Club Linz. H.: Musik, Theater, Schreiben, Gesellschaftstanz, Skifahren u. Wandern. (Deu.)

Vergeiner Andrä KommR.
B.: Hotelier, Kfm. i.R. FN.: Hotel Traube u. Weinkellerei Andrä Vergeiner. DA. u. PA.: 9900 Lienz, Hauptpl. 14. G.: Lienz, 10. Apr. 1914. V.: Ingeborg, geb. Miksch-Aichenegg. Ki.: Andrä, Dorothea, Michael. El.: Andrä u. Anna. S.: HASCH, Hotelfachschule in Wien. K.: 1931-34 Auslandspraxis in Mailand, 1934-36 Praxis in Paris (Hotelgewerbe), seit 1936 im elterl. Betrieb tätig, ab 1949 Eigentümer. F.: Lienzer Bergbahn AG. E.: KommR., Officier Maitre Rotisseur d. Confreric de la chaine des rotisseurs, Sparkassennadel in Gold, Silb. Plakette f. Verd. um d. Gewerbl. Wirtschaft, Silb. Plakette d. Österr. Hotelver., Julius Raab-Ehrenmed., EZ d. Stadt Lienz. M.: Romantikhotels-Ver., Relais u. Chateaux, Skiclub Lienz. H.: Pferde. (S.G.)

**Verginis Spyridon
Dr. rer. nat Dr. phil. Univ.-Doz**

B.: Dipl.-Geologe, Prof. Ltr. d. Physiogeograph. Laboratorium d. Inst. f. Geographie d. Univ. Wien, gerichtl. beeid. Sachv. DA.: 1010 Wien, Liebigg. 5. PA.: 1030 Wien, Neulingg. 34-36/1/2/8. G.: Athen, 12. Aug. 1944. V.: Christine, geb. Wessely. Ki.: Elias (1970), Katharina (1984). El.: Elias u. Katharina, geb. Sakelaropoulou. S.: VS, RG in Athen, 1962 Matura, Stud. Univ. Athen, 1966 Dipl. f. Natur- u. Erdkunde, 1967-69 Militärdienst. K.: ab 1969 Ass. am Inst. f. Phys. Geographie u. Tekton. Geologie d. Univ. Athen, 1973 Prom. z. Dr. rer. nat., ab 1973 OAss., ab 1973 Stipendiumsaufenthalt am Geograph. Inst. d. Univ. Wien, ab 1974 Auslandsstipendium d. Univ. Wien u. 2. Diss.-Arb., 1976 Dipl. f. Geolog. Wiss. d. Univ. Athen, 1976 Prom. z. Dr. phil., 1978 Österr. Staatsbürgerschaft (Doppelstaatsbürgerschaft), seit 1978 Univ.-Ass. am Geograph. Inst. d. Univ. Wien, seit 1985 OAss.: Lehrbefugnis f. phys. Geographie, seit 1987 OAss. im Dauerdienstverhältnis, ab 1988 Amtstitel Ass.-Prof., ab 1992 allg. gerichtl. beeid. Sachv. P.: Betreuung zahlr. ORF-Sendungen über Archäologie u. Bodenkunde, Vorträge in Griechenland, Karibik, BRD, DDR u. CSSR, zahlr. Vorträge, 1985 Habil.: Beiträge z. phys. Geographie d. Nord-Peloponnes, 3 Bücher: Einführung in d. Laborpraxis I, Einführung in d. Laborpraxis II, Einführung in d. Laborpraxis I u. II Arbeitsblätter (1991). M.: Mtgl. in zahlr. wiss. Ges. H.: Schwimmen, Wandern. (M.M.)

Verhovsek Walter Mag. HofR.
B.: Vorst. u. HofR. FN.: Landesreg. Stmk. DA.: 8011 Graz, Paulusg.4. PA.: 8062 Kumberg, Kirinweg 4. G.: Feldbach, 3. Jan. 1938. V.: Margarete, geb. Leber. KI.: Doris (1972). EL.: Hans u. Rosa. S.: hum. Gym. Admont, 1957 Matura, Stud. d. Rechtswissenschaften in Graz u. Wien, 1973 Mag. K.: 1960-64 Post Wien, 1967-74 Landesdienst, Landesbuchhaltung, Rechtsabt. 13, 1974 BH-Feldbach, 1974-84 Graz, Rechtsabt.14, 1984 OberregierunsR., s. 1984 Rechtsabt. 5, s. 1.1.1988 Vorsdt. d. Abt. u. Hofrat. M.: Vors. d. Landesbe-

dienstetenschutzorg. KV, Kirchenchor Kumberg. E.: silb. Ehrennadel d. Gem. Kumberg, Ehrenz. Stadt Feldbach. H.: Orgelspielen, Sprachen, Reisen. (I.G.)

Vermes Laszlo

B.: Landwirtsch. Brennmeister u. Gschf. FN.: Landwirtschaftl. Brennereigenoss. DA. u. PA.: 4600 Wels, Hinterschweigerstr. 10. G.: Celldömölk, 3. Aug. 1953. El.: Laszlo u. Ilona. BV.: Laszlo vitez Vermes v. nagybudafa (1256 erwähnt). S.: Bis 1972 Ldw. Fachschule (Weinbau u. Kellereiwirtsch.) in Mistelbach. K.: 1972-74 in Weinkellereien in NÖ tätig, ab 1974 ldw. Gutsbetreuer, später Übern. d. angeschl. Brennerei, 1979-81 tätig in e. Brennerei in d. BRD u. Stud. an d. TU München, 1981 Brennmeisterprüf., ab 1981 Gschf. d. Brennereigen. Wels. E.: Ehrenbürger d. Stadt Szigetvar/Ungarn, 1990 Ritterorden d. Vitez. H.: Jagen, Fliegen, TT, Kultur, Bücher. (P.H.)

Vern Jean Paul

B.: Gschf. FN.: Moulinex Österr. DA.: 1190 Wien, Heiligenstädter Lände 11.

Verra-Rondula Erica

B.: Inh. d. Galerie Rondula f. zeitgenöss. Kunst u. d. Firma Art by Rondula f. Intern. Kunstklassiker. GT.: Jurymtgl. f. Junge Künstler. DA.: 1010 Wien, Jasomirgottstr. 6, 9900 Lienz, Beim Stadtsaal, 3571 Gars/Kamp. PA.: 1090 Wien, Serviteng. 6. G.: St. Paul im Lavanttal, 27. Apr. 1945. V.: Fausto Verra-Peristi (Bildhauer, Objektkünstler u. Maler, Mitbegründer d. Galerie Rondula, Begründer d. Kunstgartens Gars/Kamp). Ki.: Markus (1968), Savio (1969), Faustina-Maria (1975). El.: Johann u. Anastasia Salcher. S.: HASCH, Ausbild. z. Röntgenschwester, Studienberechtigungsprüf., Stud. Kunstgeschichte Univ. Innsbruck unter Univ.-Prof. Dr. Heinz Mackowitz u. Univ.-Doz. Dr. Gert Ammann. K.: zunächst Röntgenschwester, nach Geburt d. Kinder Kunstgeschichtestud., 1977 Grdg. Galerie Rondula gemeinsam m. Eheman Fausto Verra-Peristi Lienz, Schwerpunkt zunächst auf d. Österr. Malerei m. Ausstellungen u.a. d. Künstler Flora, Schiestl, Nagl, Drexel, später Kokoschka, Egger-Lienz, Defregger, Attersee, Hundertwasser, 1982 Grdg. Art by Rondula f. d. Kunsthdl. zunächst m. Österr. Kunstklassikern u. ab 1984 m. Intern. Kunstklassikern. P.: Kunstbücher in Zusammenarb. m. d. Haymonverlag, div. Kunstkataloge. M.: Verb. d. Österr. Galerien. H.: klass. Musik bes. Opern, Reisen, Sprachen. (J.S.)

Verzetnitsch Fritz

B.: Präsident d. ÖGB, Mtgl. d. NatR. DA.: 1017 Wien, Dr.-Karl-Renner-Ring 3. G.: Wien, 22. Mai 1945. V.: Lisbeth. Ki.: Ulrike. El.: Paul u. Maria. S.: Pflichtschulen, Berufsschule. K.: erlernter Beruf Installateur, Ausübung d. Installateurberufes 1959-1970, 1963-1970 versch. Funktionen in d. Gewerkschaft Metall-Bergbau-Energie u. Tätigkeit in d. Österr. Gewerkschaftsjugend, seit 1970 Ang. d. ÖGB in folgenden Funktionen, 1970-1973 Ang. d. ÖGB-Jugendreferates, 1973-1981 Jugendsekr. d. ÖGB, 1982-1983 Sekr. (Referat f. Koordination u. Organisation im ÖGB) u. seit 1983 ltd. Sekr. d. ÖGB sowie Mtgl. d. BVorst. d. ÖGB, KamR. d. AK Wien sowie b. 1984 Vors. d. Jugendaussch. dieser Kam., 1972-1983 Mtgl. d. ORF-Hörer- u. Sehervertretung, seit 1983 Mtgl. d. Kmsn. z. Wahrung d. Rundfunkrechtes, Mtgl. d. Koll. d. Wr. StadtschulR., Mtgl. d. AufsR. d. Verlages d. ÖGB u. Mtgl. d. BeiR. d. EDV-GmbH, 1984-86 Mtgl. d. BundesR., ab 1986 Mtgl. d. NatR.

Veselsky Ernst Eugen Dr. iur.

B.: Staatssekr. a.D., Vors. d. Österr. DatenschutzR. DA.: 8623 Aflenz-Kurort 358. PA.: 1190 Wien, Hammerschmidtg. 18/4/1. G.: Wien, 2. Dez. 1932. V.: Eva-Barbara, geb. Hannemann. Ki.: Andreas, Evelyne. S.: 1951 Matura, Stud. Univ. Wien, 1956 Dr.iur., 1956-59 Staatswiss. m. Schwergewicht Wirtschaftswiss. K.: 1956 Gerichtspraxis, Sbg. Seminar in American Studies (1958), seit 1966 Doz. an d. Sozialak., seit 1984 Gastvortragender Univ. Stanford, 1956-59 Ref. in d. wirtschaftswiss. Abt. d. AK Wien, 1959-63 Ltr. d. vw. Abt. d. AK Vbg., seit 1963 ltd. Sekr. d. AK Wien, 1965-70 Gschf. d. BeiR. f. Wirtschafts- u. Sozialfragen, 1969-70 GenR. d. Österr. Nationalbank, Vorst.Kons. Kommerzbanken, 1970-77 Staatssekr. im BKA, 1970-86 Mtgl. d. NatR., 1987-88 Bundesrat, seit 1979 Vors. d. Österr. DatenschutzR. P.: zahlr. Veröff. in Wien, Berlin, Paris u. USA. E.: Theodor-Körner-Preis f. Wiss. u. Kunst, Gr. Silb. EZ am Bande d. Rep. Österr., Gr. Aztekenorden in Gold am Bande Mexiko, Poln. VO m. Stern, Commandeur d'Honneur-Volta. M.: Präs. d. Österr. Ges. f. Zukunftspolitik, Präs. d. Erwin Schrödinger-Ges. f. Mikrowiss., Präs. d. Freunde d. Univ. Stanford. H.: Jagd, Tennis, Skifahren. (P.R.)

Vesely Anton Dipl.-Ing.

B.: Ziviling. f. Bauwesen. A.: 1180 Wien, Dürwaringstr. 59. G.: Wien, 23. Jan. 1927. V.: Herta, geb. Behatschek. El.: Anton u. Maria. S.: VS, Realschule, THS 1946-52. K.: Praxis in BDienststelle 1953-58, leitende Stellung in großem Ing.Büro 1970, selbst. als Ziviling. ab 1970. F.: Ziviling.Büro in Wien. E.: Silb. Verd.Zeichen d. Rep. Österr. M.: Ing. u. Arch.Ver., Ing.Kam. f. Wien, NÖ u. Bgld. H.: Reisen, Filmen.

Vesely Wladimir

B.: Inh. d. Restaurant "Feuervogel". DA. u. PA.: 1090 Wien, Alserbachstr. 21. G.: Wien, 28. Sept. 1923. V.: Beatrix. Ki.: Peter (1947). El.: Josef u. Beatrix, geb. Koranda. S.: Gymn., 1941 Matura. K.: Eintritt in d. elterl. Unternehmen. H.: alte russ. Bücher, russ. Antiquitäten. (N.A.)

Vest-Rusan Friedemann

B.: Inh. FN.: Friedemann Vest-Rusan Licht, Beratung, Planung, Verkauf, individuelle Anfertigung. DA.: 1080 Wien, Piaristeng. 30. PA.: 1190 Wien, Nederg. 8. G.: Wien, 26. Juli 1949. El.: Wilhelm u. Maria, geb. Böckmann. S.: VS, Schottengymn., Arch.-Stud. TH u. Ak. f. Angew. Kunst b. Prof. Schlesinger. K.: 1966-80 Führung d. Detailgeschäftes u. Lichtplanungsbüros in d. Piaristengasse, ab 1981 selbst. als Einzelhdls.-Firma m. Schwerpunkt: Erarb. v. Lichtkonzepten m. eigenen Entwürfen, z.B.: Raiffeisenvers. am Schwarzenbergplatz, Büros v. Dr. H. Neumann, Dion. d. Girozentrale-Schubertring, Österr. Verkehrsbüro-Opernring, Kirche-Burghardgasse. H.: Zeichnen, Malen, Modellbau, Fotografieren, Skifahren. (N.A.)

Vest-Rusan Otto Dipl.-Ing. Univ.-Senator h.c.

B.: Alleininh. d. Administration Dipl.-Ing. Otto Vest Immobilien. DA.: 1010 Wien, Bösendorferstr. 7. PA.: 1180 Wien, Scheidlstr. 48. G.: Wien, 10. Mai 1928. V.: Brigitte, geb. Preis. Ki.: Gisella (1960), Denise (196), Philipp (1978). El.: Josef u. Johanna, geb. Lohr. S.: VS, Gymn., 4 J. Staatsgewerbeschule Wien, 1948-56 Stud. TH Wien, 1952 Immobilienverwalterprüf. K.: 1965 Eintritt in d. väterl. Immobilienkzl., seit 1969 Alleininh. E.: Ehrensenator d. Univ. Innsbruck. H.: Literatur, Sport. (N.A.)

Vestl Ernst

B.: Bereichsltr. Rechenzentrum u. Systemtechnik, Feuerwehrkdt. FN.: AI Informatics. DA. u. PA.: 8605 Kapfenberg, Johann-Böhm-Str. 6. G.: Graz, 19. Dez. 1944. V.: Ilse, geb. Kopatsch. Ki.: Susanne, Gabriele. El.: Ernst u. Josefa. S.: Pflichtschule K.: 4 J. Elektrotechnik, EDV-Ausbild. f. Systemtechnik, Management, Rechenzentrum, Projektmanagementl. Verantwortung f. europ. Datennetz. BL.: komplette Feuerwehrausbild. m. Kdt.Prüf., Sachv. f. feuerpolizeil. Aufgaben im Bauwesen, Strahlenschutzausbild., Kdt. d. Feuer- u. Bergebereitschaft 42 Bruck, BrandR., Bez. FW-Kmdt.-Stellv., Mitarb. b. Landes- u. BFachaussch. im EDV-Bereich. P.: Bundes- u. LFeuerwehrzeitung über Brandeinsatzmaßnahmen verschiedenster Art, Schulungsunterlagen. E.: BVK III. Stufe, VZ d. LFeuerwehrverb. d. Stmk. I., II. u. III. Stufe, VZ d. Stmk. LRg. I., II. u. III. Stufe, Silb. VK d. Dt. Feuerwehrverb., VZ d. Ktn. Feuerwehr LVerb., Gold. EZ d. Steir. Zivilschutzverb., Hochwassermed. in Bronze u. Silber. M.: Feuerwehr, unterstützendes Mtgl. Stadtkapelle, Rotes Kreuz, ADV. H.: Feuerwehr, Musik. (M.Gu.)

Vesztergombi Rudolf

B.: Inh. einer Detektivagentur. GT.: Tonstudio u. Musikprod. DA.: 1090 Wien, Porzellang. 14-16. G.: Wien, 9. Okt. 1954. El.: Josef u. Stefanie. S.: VS, HS, TGM. K.: danach Tätigkeit in techn. Richtung u. seit d. 19. Lebensj. Praxisj. in versch. Detekteien m. Schwergewicht auf Personenschutz u. Wirtschaftskriminalität, 1980 Grdg. d. eigenen Fa. u. Beibehaltung d. praktizierten Schwerpunkte, weitere Tätigkeit auf d. Gebiet d. Betriebsberatung in Sicherheitsfragen. BL.: teilweise Abwehrmaßnahmen b. Terroranschlag 1981 auf d. Synagoge Wien. P.: div. Veröff. in Wirtschaftszeitrschrifen wie z.B. "Gewinn". E.: Gold. Med. f. Verd. um d. Rep. Österr. M.: ÖVBS, PRO CONCORDATIA. H.: Musik, Reisen, leichte Sportarten. (G.E.)

Vetter Erich KommR.

B.: Bgm. d. autonomen Stadt Waidhofen/Ybbs, Schlossermstr., gschf. Ges. FN.: Stahlbau Vetter GmbH. DA. u. PA.: 3340 Waidhofen/Ybbs, Ybbsitzer Str. 29. G.: Hohenmauth, 27. Juni 1930. V.: Elfriede, geb. Leimer. Ki.: Michael Dipl.-Ing., Doris Mag. K.: Schlosserlehre, 1960 Mstr.Prüf. u. Übernahme d. Familienuntern. einer Schlosserei d. ältesten Gewerbebetriebes v. Waidhofen/Ybbs, seit 1965 im GemR., ab 1968 StadtR., ab 1972 VBgm. u. seit 1973 Bgm. d. autonomen Stadt Waidhofen/Ybbs. F.: d. einzige Betrieb Österr. d. Raubtierfallen erzeugt, Stahlbau, Aluprod. v. Portalen, Fenster u. Türen, ebenso in Kunststoff sowie Kunstschmiede: Stahlbau Vetter GmbH. P.: Vorträge im Rahmen d. Volks-HS. E.: Gold. Ehrennadel d. Schlosser- u. Schmiedeinnung, Silb. EZ d. HK. M.: ÖVP Bez.Parteiobm. v. gesamten Bez. Waidhofen/Ybbs, Obm. d. Wirtschaftsbundes, Ehrenpräs. v. Schmalfilmklub, Mtgl. v. Sport- u. Kulturver., Schlaraffe. H.: Schmalfilm, Fotografie, Garten. (Kern)

Vetter Gustav

B.: Mtgl. d. NatR. seit 1971, Bmtr. d. NÖ LRg. DA.: 1017 Wien, Dr.-Karl-Renner-Ring 3. G.: Amstetten, 18. April 1936. S.: VS, BRG (1955 Matura) K.: seit 1955 Bmtr. d. NÖ LRg. (BH Gmünd, Sozialabt.), seit 1955 Mtgl. d. Österr. Arb. u. Ang.Bundes (ÖAAB), seit 1966 Bez.Obm. d. ÖAAB Gmünd u. Mtgl. d. LVorst. d. ÖAAB f. NÖ, seit 1957 Mtgl. d. ÖGB, 1965-1971 Mtgl. d. GemR. d. Stadt Gmünd, 196 Bez.Obm. d. Jungen ÖVP, 1972 Hauptbez.Parteiobm. u. seit 1982 LParteisekr. d. ÖVP NÖ. E.: GrGE, GrSE, NÖ GKmtK.

Vetter Norbert Dr. med.

B.: Prim., Vorst. d. II. Internen Lungenabt. FN.: Pulmolog. Zentrum d. Stadt Wien. DA.: 1140 Wien, Sanatoriumstr. 2. G.: Wien, 21. Juli 1949. S.: Grundschulen u. Mittelschule in Dornbirn, Med.Stud. an d. Univ. Wien. K.: FA-Ausbild. z. FA f. Innere Med. im Wilhelminenspital, FA-Ausbild. z. FA f. Lungenkrankheiten im pulmolog. Zentrum, seit 1986 Abt.-Vorst., Lungen-FA. P.: etwa 60 Art. in Fachzeitschriften, Schwerpunkte: Pulmologie, Umwelt u. Arb.Med. M.: zahlr. Mtgl. in weltweiten Fachges. H.: Oper. (E.L.)

Vetter von der Lilie Karl Dr.

B.: Abt.-Ltr. im Außenmin. DA.: 1010 Wien, Minoritenpl. 9. G.: Troppau, 18. Nov. 1938. V.: Ingrid. Ki.: Karl (1968). El.: Dr. Karl u. Anna Franziska. S.: 1956 Matura, Sprachstud. Oxford, 1957-62 Jusstud. Wien, 1962 Prom., 1962-63 BH, 1963-64 Intern. Rechtsstud. Sorbonne Frankreich. K.: 1965 Außenmin. Wien, Auslandsposten: 1967-71 Konsul New York, b. 1974 Wien, b. 1977 Botschaft in Warschau, 1977-81 Botschaft Brüssel, 1981-84 Außenmin. Wien, 1984-90 Gesandter in Paris, seit 1990 Abt.-Ltr. im Außenmin. in Wien. E.: 1971 Burg. EZ, 1977 Gold. Zeichen d. Poln. VO, 1981 Belg. Kronenorden, 1990 Komturkreuz d. Franz. VO. H.: Revitalisierung u. Wiederherstellung einer Mittelalterl. Ruine. (J.E.)

Vettermann Heinz

B.: GemR., LAbg. in Wien. DA.: 1080 Wien, Albertg. 33. G.: Wien, 25. März 1957. El.: Kurt u. Ida. S.: VS, BRG, HASCH. K.: 1974-76 JugendvertrauensR. CA-BV, 1977 Zivildienst b. Arbeitersamariterbund, freiberufl. Berater, Ausbild. als Rhetoriker u. Verhaltenstrainer, 1981-83 Buchhalter Firma IGEF, 1984-88 freiberufl. als Verhaltenstrainer f. BFI u. Renner-Inst., 1988-93 Bez.-Sekr. d. SPÖ Josefstadt, GemR. u. LAbg., seit 1994 Bez.-Vors. d. SPÖ Josefstadt, nebenberufl. als Trainer tätig, Ausbild. f. Familientherapie. M.: seit 1974 SJ-Mtgl., seit 1975 SPÖ-Mtgl., stellv. Landesvors., stellv. Bundesvors. (J.M.)

Vettori Ernst

B.: Skispringer, Zeitsoldat. GT.: staatl. geprüfter Trainer. PA.: 6060 Absam, Föhrenweg 21. G.: Hall in Tir., 25. Juni 1964. Ki.: Marion (1989), Nils (1991). El.: Wilfried u. Leni. S.: HS, HASCH. K.: 1986 u. 1987 Tourneesieger, 1982 Junioren-WM, 10 Weltcupsiege, 2x 2. Platz WM-Gesamt, 1985 u. 1987 Silber WM-Mannschaft, mehrfacher österr. Mstr., Teilnehmer an 2 Olymp. Spielen, Olympiasieger 1992. M.: Club of Masters, Hydra Club. H.: Tennis, Skitouren, Mountainbike.

Baron Veyder-Malberg Constantin Mag.

B.: Gschf., Abt.-Ltr. Individualkunden. FN.: Schoeller & Co Bank AG. DA.: 1010 Wien, Renng. 1-3. PA.: 1120 Wien, Schönbrunner Schloßstr. 28. G.: Salzburg, 20. März 1965. V.: Bettina, geb. Ettenauer. El.: Dipl.-Ing. Gerd u. Juliane. S.: 1983 Matura, Präsenzdienst, 1984-91 Stud. Rechtswiss. Univ. Sbg., Spons. z. Mag. iur., 1989 Staatl. Befähigungsprüf. K.: 1986-89 Bankhaus Carl Spängler & Co Sbg., 1989-93 Gschf. Ges. FOCUS Wertpapierverw. u. Finanzberatungs GmbH Sbg., 1993 Gschf. Carl Neuburger & Comp. GmbH Wien Maschinenbauunternehmen, 1993 Controlling Ettenauer Maschinen AG Deutsch-Wagram, seit 1993 Abt.-Dir. Individualkunden Schoeller & Co Bank AG Wien, Gschf. AUSTRO-BAVARIA Investment GmbH Wien Kapitalanlagenges. P.: Mitautor "Gewinnen wie ein Börsenprofi", Autor ständiger Kolumnen in div. Wirtschafts- u. Finanzpubl. z. Thema Geldanlage. (R.T.)

Vicenzi Otto Dr. OStR.
B.: Gymn.-Prof. A.: 1130 Wien, Speisingerstr. 76/1/11. G.: Wien, 22. Juli 1914. V.: Anna, geb. Pichler. E.: HofR. Hugo u. Anna. S.: VS, hum. Gymn. Univ. phil. Doktorat f. klass. Philol., Lehramtsprüf. f. Lt., Griech., Päd., Dipl.Prüf. f. Italienisch. K.: Gymn.Prof., kurzfristig Ref. f. d. höheren Schulen im Distrikt Krakau, Abt.Ltr. IA1 in d. Ktn. Lw.Kam., OStR. P.: dt. Ausgabe d. "Blauen Legenden" v. Jovan Dúcic´ (aus d. Serbischen Verl. 1948), deutsche Bühnenversion d. Komödie "Dyskolos" d. Menander (aus d. Griechischen Verl. 1960), "An d. Freunde" (1. Buch d. Briefe d. Horaz, Epikur an Menoikeus: aus. d. Lateinischen Verl. Böhlau 1981), Josef Haydn "Applausus" - Cantata (aus d. lateinischen, Vlg. Doblinger 1966), "Europa - Erneuerung aus d. Geist" (Verlag Böhlau 1978), "Woher, Schule, wohin?" (Eigenverl. 1979), "Das Gymn. - eine Chance f. Europa" (Böhlau 1983), "Trümmer u. Tabus" (Böhlau 1984), "Wurm im Holz oder Vergangenheit d. Bewältigung" (Eigenverl. 1989), "Permanente Schul-Reform" (Vlg. Herder u Co. Wien 1989), über 300 Einzelveröff. zur Heimatgeschichte, klass. Literatur, Pädagogik u. Schulpolitik in versch. Zeitschriften. "Bild u. Gegenbild" Gedichte (1984 Eigenverl.), "Späte Stunde" Gedichte (Eigenverl. 1990), "Ernte 80 - Melpomene" (Eigenverl. Wien 1994). M.: Bundesobm. d. Verb. d. Prof. Österr. 1970-77, Mtgl. d. Zentralaussch. f. d. Bundeslehrer an AHS 1970-77, Mtgl. d. Parlamentar. Schulreformk. 1970-77, Verhandlungsltr. d. Päd. Rates d. Mittelschullehrer 1960-70, Delegierter d. Welt-Lehrerbundes b. d. Ver. Nationen in Wien 1977-85. H.: Musik, Archäologie.

Vidic Herbert
B.: Gschf. FN.: Music Vidic Musikinstrumente Großhdl. GmbH. DA.: 1100 Wien, Gudrunstr. 90. PA.: 1090 Wien, Porzellang. 2. G.: Wien, 15. Juni 1952. Ki.: Andreas (1981). El.: Johann u. Gertrude, geb. Forstner. S.: Stud. Klavierspiel am Konservatorium d. Stadt Wien, Mstr.-Kl. Prof. Roland Raupenstrauch, Dipl.-Prüfg., Konzerttätigk., 1. Preisträger "Jugend musiziert". K.: während d. Stud. Anfang d. kfm. Tätigkeit, Verkauf v. Klavieren, 1972 Grdg. d. eigenen Firma. M.: Gremiumsmtgl. f. d. Bereich Musikinstrumentengroßhdl. in d. Wr. HK. H.: klass. Musik, Leben am Land. (N.A.)

Vidovic Stanko GstlR.
B.: Pater Martin, Pfarrer d. Pfarre "Mariahilf" Graz. GT.: Quardian d. Konventes. DA. u. PA.: 8020 Graz, Mariahilfer Pl. 3. G.: Ptuj/Pettau, 20. Apr. 1929. El.: Franz u. Lucia. S.: Gymn., 1948 Matura, Stud. Theol. Fak. d. Univ. Zagreb 1948-54. K.: 1947 Eintritt in d. Noviziat d. Minoriten, 1953 Priesterweihe, b. 1972 Seelsorgedienst in versch. Orten Sloweniens, 1972-78 Provinzial d. neugegründeten slowen. Ordensprovinz, seit 1978 Pfarrer in Graz. H.: Sport. (P.R.)

Vieghofer Johann
B.: Verw.Bmtr., Bgm. d. Stadtgem. Pöchlarn. DA.: 3380 Pöchlarn, Regensburger Str. 11. PA.: 3380 Pöchlarn, Regensburger Str. 37. G.: Melk, 8. Mai 1925. V.: Anna, geb. Gruber. Ki.: Melitta, Johann. El.: Johann u. Maria. S.: B-Matura, Dt. Wehrmacht ab 1943, 1945 Rückkehr aus amerik. Gefangenschaft. K.: seit 1945 im Landesdienst, Ltr. d. Amtskasse, ab 1950 im GemR., seit 1955 StadtR., ab 1960 Bgm. d. Stadtgem. Pöchlarn, seit 1959 ÖVP-Stadtparteiobm., stellv. Bez.Parteiobm. d. ÖVP, 1949-59 ÖAAB-Obm. P.: Verantwortl. f. d. Stadtnachrichten Pöchlarn. E.: EZ in Silber d. Bdld. NÖ, Gold. ÖAAB-Abz. (1975). M.: Vorst.Mtgl. in d. ÖVP-Hpt.Bez.Parteiltg., Obm. d. Abwasserverb. f. d. Raum Pöchlarn, Obm. d. Abgabenverb. Verw.Bez. Melk, Mtgl. zahlr. Ver. u. Vorst.Mtgl. in sportl. Ver. H.: Politik, Lesen, Radfahren. (Kern)

Viehauser Josef
B.: Hoteldir. d. Parkhotel Billroth. DA. u. PA.: 5340 St. Gilgen/Wolfgangsee. G.: Bad Hofgastein, 26. Aug. 1928. V.: Maria, geb. Redmann. Ki.: Peter. El.: Josef u. Maria. S.: Hotelfachschule in Mattsee u. Bad Gastein, Intern. Ausbild. (3 J. Seiler-Hotels in d. Schweiz). K.: seit 1964 Dir. d. traditionsreichen Parkhotels Billroth, d. Haus war ursprüngl. priv. Landbesitz d. berühmten k.u.k. Chir. Theodor Billroth (1829-1894) u. wurde in d. letzten Kriegsjahren zu einem Hotelbetrieb umgewandelt, d. heutige Luxushotel am Ufer d. Wolfgangsees liegt in einem riesigen Park m. eigenem Bootshaus, Badestrand usw. M.: versch. fremdenverkehrsbezogene Funktionen, langjähr. Obm. d. "Gastronomie St. Gilgen" u.a. H.: Jagd. (Foed.)

Viehauser Renate

B.: Hotelierin Hotel Stubnerhof. DA. u. PA.. 5640 Badgastein, Kötschachtal 15. G.: Schwarzach, 27. Aug. 1959. V.: Wolfgang Viehauser. Ki.: Harald (1985), Robert (1987). El.: Peter und Theresia Lengauer. S.: VS, HS, 3 J. Kfm. Lehre Gastein, 1977 Lehrabschlußprüf. z. Einzelhdls.-Kfm. K.: 2 J. Handarbeitsgeschäft Badgastein, seit 1979 Hotel Stubnerhof, seit 1984 Führung d. Betriebes m. Gatten. H.: Familie, Skifahren, Wandern. (J.F.)

Viehauser Sepp
B.: Drechsler, Bildhauer. DA. u. PA.: 5630 Bad Hofgastein, Gadaunerstr. 22. G.: Bad Hofgastein, 16. Juli 1940. V.: Elisabeth, geb. Moser. Ki.: Hermann (1964), Martha (1965), Josef (1967), Elisabeth (1968), Franz Christian (1974). El.: Georg Vogl u. Anna Brandstädter. S.: VS, HS Bad Hofgastein, 1954-57 Drechslerlehre, 1958-62 Drechslergeselle in d. BRD. K.: erste Versuche Holzbildhauerei, 1963 Mstr.-Prüf., seit 1964 selbst. Drechslermstr. u. freischaff. Bildhauer, 1971/72 Gastschüler an d. HS f. angew. Kunst, 1973 1. u. 1975 2. Bildhauersymposium auf Burg Klammstein, 1976 Kapelle Hofgastein, 1979 Brunnen am Hamplplatz Hofgastein, 1980 Gestaltung d. Kapelle Wien-Ober St. Veit, 1981 Palette 81 Sbg., Werkstatt u. Galerie Oldenburg BRD, Brunnen Tauernplatz Hofgastein, 1983 Haus d. Begegnung Graz, Brunnen Kurgartenstraße Hofgastein, 1984 Romanische Keller Sbg., Atelier Plöderl Mannheim, 1985 Crusoe Halle Bremen, Forum 85 Frankfurt/Main, Stubengalerie Tübingen, Galerie in d. Weststadt Hochheim/Frankfurt, Palais Liechtenstein Feldkirch, 1986 Forum 86 Frankfurt/Main, Galerie C. Nagel Köln, 1987 Galerie Sulzbeck Erlangen-Tennenlohe, Taufbrunnen, Altartisch u. Ambo in Graz-Ragnitz, 1989 Brunnen in d. Pyrkerstraße Bad Hofgastein, 1990 künstler. Gestaltung d. Kapelle d. St. Josef-KH Wien-Hacking. E.: 190 Anerkennung durch Wirtschaftsmin. f. ein Holzobjekt. M.: Obm.-Stellv. d. Art Austria, 1990 Grdg.-Mtgl. d. Art Austria. H.: Lesen. (G.P.)

Viehbäck Josef Dr.
B.: Prim. i.R. A.: 4560 Kirchdorf, Seebach 12. G.: 17. März 1924. El.: Jakob u. Theresia. S.: VS, Mittelschule in Wien, Med.Stud. in Tübingen u. Wien, 1949 Prom. z. Dr. med. in Wien, Spitalsausbild. im Rudolfsspital in Wien, später im KH Baden, Hanusch-KH, bis jetzt im KH Kirchdorf tätig. K.: 1955-59 Ass. an d. Chir. Abt. d. KH Baden, 1958 FA. f. Chir., 1960-78 OA d. chir. Abt. d. KH Kirchdorf, 1975 FA. f.

Unfallchir., seit 1979 Prim. u. Ltr. d. Unfallchir. Abt. d. KH Kirchdorf, 1986-89 Ärztl. Ltr. d. LKH Kirchdorf. P.: Vorträge über Unfallchir. im LKH u. bes. Versorgung schwerer Unfälle. M.: Österr. Ges. f. Chir., Österr. Ges. f. Unfallchir. H.: Musik, Sport.

Viehböck Franz Dipl.-Ing.

B.: Kosmonaut im BMW. DA.: 1010 Wien, Freyung 1. PA.: 1120 Wien, Bethleng. 1/2. G.: Wien, 24. Aug. 1960. V.: Mag. Vesna. Ki.: Adrian (1985), Carina (1991). El.: Prof. Dr. Franz u. Maria. S.: RG, Stud. Elektrotechnik TU, Juri Gagarin Kosmonaut Trainingszentrum. K.: 1978-85 Stud. d. ET an TU Wien, 1986-89 Ass. am Inst. f. Meßtechnik d. TU Wien, seit 1990 Kosmonaut. BL.: Raumflug im Rahmen d. Projektes AUSTROMIR 91. P.: Veröff. auf d. Gebiet d. schnellen Analog-Digital-Elektronik u. d. Weltraumfahrt. E.: Orden d. Völkerfreundschaft - UdSSR, Gold. EZ f. Verd. um d. Rep. Österr., Gold. EZ v. NÖ, Gold. Rathausmann Wien, Hertha Firnberg-Preis - Wiss.-Preis, Wieland-Preis Österr. Luftfahrtverb., Ehrenbürger v. Kasachstan. E.: ASE, SGETI, VIENO. H.: Sport, Musik.

Viehböck Franz Dr. phil.

B.: o.Prof. an d. TU Wien, Techn. Naturwiss. Fak., Vorst. d. Inst. f. Allg. Physik. DA.: 1040 Wien, Karlspl. 13. PA.: 3620 Spitz/Donau, Laaben 1. G.: Schwallenbach, 29. Nov. 1923. Ki.: Dr. Günter, Dr. Dieter, Dipl.-Ing. Franz. El.: Franz u. Johanna. S.: BG Krems, 1943 Matura, Stud. an d. Univ. Wien Physik, Chemie, Math., 1949 Prom. K.: 1949-51 Ing. Nowak OHG, 1952-58 Allg. Glühlampenfabriks AG Gmunden, 1958-80 Österr. Studienges. f. Atomenergie Seibersdorf, 1970 Berufung an d. TU Wien als Ordinarius f. Experimentalphysik. P.: ca. 90 Art. in Fachzeitschriften, Hrsg. v. 2 Fachbüchern. E.: Fritz Kobausch-Preis d. Österr. Phys.Ges., Kulturpreis d. Landes NÖ, Preis f. Energieforsch. H.: Segeln, Gartenarbeit, Musik. (A.W.)

Vielgrader Axel

B.: Inh. u. Gschf. FN.: Tebocent Teppich-Boden-Centrale Vielgrader GmbH Nfg. KG, "Der Handweber". DA.: 1170 Wien, Hernalser Gürtel 33, 1170 Wien, Hernalser Hauptstr. 22. G.: Wien, 26. Sept. 1944. V.: Dorothea, geb. Clara. Ki.: Nina (1973), Mario (1974), Katja (1988). El.: Leopold u. Margaretha. S.: Mittelschule Wien, div. Seminare. K.: Tätigkeit im elterl. Betrieb, 1967 Übernahme u. Grdg. eigener Fußboden-Verleger-Fa., 1987 Grdg. "Der Handweber". H.: Familie, Skifahren, Joggen, Fischen, Tennis, Reisen, Lesen. (M.G.)

Vielhaber Karl

B.: Bez.-Stellenltr. d. Kam. f. Arb. u. Ang. f. OÖ. DA.: 4810 Gmunden, Herakhstr. 15b. PA.: 4810 Gmunden, Schörihub 19. G.: Grünburg, 8. Aug. 1946. Ki.: Wolfgang (1967). El.: Hermine Vielhaber-Rosenegger. S.: 1960 Schulabschluß, Lehre f. Werkzeugmacher. K.: Tätigkeit Firma Dachstein, 1970 BetriebsR.-Vors. d. Firma Dachstein, 1973/74 Sozialak. Mödling, 1975-79 AK Linz, seit 1980 Bez.-Stellenltr. d. AK Gmunden. M.: Segelclub Traunkirchen, Brucknerbund. H.: Segeln, Musik, Literatur, Reisen, Menschen. (E.Hö.)

Vielkind Heinz W.

B.: freischaff. Kunstmaler. DA. u. PA.: 6020 Innsbruck, Recheng. 5. G.: Landeck, 24. Sept. 1938. V.: Margit. Ki.: Arno (1970), Elke (1971), Tristan (1982). El.: Rudolph u. Ilse. BV.: Vater Rudolph Vielkind Techn. Ltr. d. Textil AG Landeck. S.: RG Landeck u. Innsbruck, 1956 Privatunterricht (Kunstmalen) b. Prof. Bertrann Lans. K.: seit 1956 freier Mitarb. d. Panoramamalerei in Lans. P.: Ausstellungen in Innsbruck, Telfs, Hall, Veröff. in d. ABO-Zeitschrift "National Geographic", weltweite Panoramadrucke, "Die Weltkarte d. Meere". M.: Tir. Künstlerschaft, Obm. Künstlerbund Tir., National Geographic Society. H.: Tennis, Musik. (G.P.)

Vierbach Alois Prof.

B.: Ltr. d. Bez.-Musikschulen Feldkirchen. DA.: 9560 Feldkirchen, Bamberger Amthof. PA.: 9560 Feldkirchen, Beethovenstr. 5. G.: Innerfragant, 28. Aug. 1939. Ki.: Dieter (1966), Christine (1967), Andreas (1972). El.: Alois u. Auguste Vierbauch. S.: VS, HS, 1955-58 Berufsschule u. Lehre, 1959 BH. K.: 1961 Beamtenaufstiegsprüf., 1963-73 Landesdienst, 1960-72 Trompeterstudium am Ktn. Landeskonservatorium, Dipl.-Prüf., gleichzeitig Tätigkeit im Stadttheater Klagenfurt, 1973 Ltg. u. Aufbau d. neu gegründeten Musikschule Feldkirchen, gleichzeitig Aufbau u. Kapellmstr. d. Stadtkapelle Feldkirchen, seit 1994 Kapellmstr. d. Bundesbahner Stadtkappel Klagenfurt, Vortragender f. Amateur- u. Profimusiker. E.: 1981 Ehrennadel Stadtgem. Feldkirchen, VK in Gold d. österr. Blasmusikverb. (CISM), Ehrenzeichen in Gold d. Kärtn. Blasmusikver. Intern. Blasmusikerb., 1991 Prof. M.: 1982-92 Landesjugendref. Ktn. Blasmusikverb., seit 1989 Bundesjugendref. Österr. Blasmusikverb., 1987-91 Obm. Arge d. Ktn.Musikerzieher, seit 1990 3. Präs. Freunde d. Ktn. Konservatorium u. Musikschulen, 1991-94 Ktn. MusikschulbeiR., BSA-Feldkirchen, Trachenkapelle Flattach, Ehrenkapellmstr. Stadtkapelle Feldkirchen. H.: Natur, Bergsteigen, Theater, Konzerte, Festivals, Skifahren, Tourengehen, Lesen. (G.L.)

Vierthaler Hans

B.: Kfz-Mstr., Frächter. FN.: Vierthaler & Co KG. DA. u. PA.: 5500 Bischofshofen, Salzburger Str. 69. G.: Werfen, 25. Jan. 1962. V.: Rosemarie, geb. Ellmauthaler. S.: VS, HS, Politechn. Lehrgang, 3 1/2 J. Kfz-Mechanikerlehre Firma Nemecek Radstadt, 1981 BH, 1982-85 Gesellenj. im elterl. Betrieb, 1985 Mstr.-Prüf., 1988 Frächterkmsn. K.: seit 1990 Komm. M.: seit 1978 FFW Radstadt u. Bischofshofen, seit 1985 Fahrmstr. FFW Bischofshofen. H.: Skifahren. (J.F.)

Vierthaler Rudolf Ing.

B.: Prok. FN.: Vorspann Technik GmbH. DA.: 5023 Salzburg-Mayrwies, Esch 342. PA.: 5452 Werfen, Reitsam 8. G.: Werfen, 13. Aug. 1948. V.: Maria, geb. Huber. Ki.: Anton, Rudolf, Maria, Elisabeth. S.: HTL Sbg. Abt. Hochbau, 1967 Matura. K.: 1968 Eintritt Fa. Vorspann Technik GmbH, 1979 Prok. M.: Schützenver., Sbg. Jägerschaft. H.: Jagd, Skifahren. (A.W.)

Viertl Reinhard Dr. techn. Dipl.-Ing. o. Univ.-Prof.

B.: o.Univ.-Prof., Vorst. d. Inst. f. Statistik u. Wahrscheinlichkeitstheorie an d. TU Wien. DA.: 1040 Wien, Wiedner Hauptstr. 8-10. PA.: 1180 Wien, Pötzleinsdorfer Str. 38. G.:

Hall/Tir., 25. März 1946. V.: Dorothea, geb. Pittner. Ki.: Nikolaus (1975), Philipp (1978). El.: Johann u. Hildegard, geb. Waltl. S.: Matura, Stud. TU u. Univ. Wien (Bauing.-Wesen, Phil., Math.), 1972 Dipl.-Ing., 1974 Dr. techn., 1979 Habil. K.: 1980-81 research fellow u. visiting lecturer an d. Univ. of California Berkeley, 1981-82 Gastdoz. an d. Univ. Klagenfurt, 1982 Berufung z. Ordinarius f. Angew. Statistik unter bes. Berücksichtigung d. Regional- u. Informationswiss. an d. TU Wien, 1992-93 Gastprof. Univ. Innsbruck. BL.: Organ. einiger Tagungen über Statistik. P.: Autor bzw. Hrsg. v. 4 Büchern u. 44 wiss. Publ. aus d. Gebieten: Math., Wahrscheinlichkeitstheorie, Statistik u. Zuverlässigkeitstheorie, Hrsg. d. Schriftenreihe d. TU Wien. M.: 1981-82 Vors. d. Bundeskonferenz d. wiss. u. künstler. Personals d. Österr. Univ., 1981-82 Mtgl. d. Österr. Rates f. Wiss. u. Forsch., gewähltes Mtgl. d. Intern. Statist. Inst., 1987-95 Vors. d. Österr. Statist. Ges., Gründer d. Österr. BAYES-Ges., Fellow of the Royal Statistical Society. H.: Bergsteigen, Segeln. (M.M.)

Viertler Ingo

B.: Hotelier d. Romantik-Hotel Minichmayr. DA.: 4400 Steyr, Haratzmüllerstr. 1-3. PA.: 4400 Steyr, Blümlhuberstr. 22. G.: Lesachtal, 13. Febr. 1943. V.: Isabella, geb. Kogler. Ki.: Yvonne (1975), Christian (1978). El.: Raimund u. Friederike. S.: Gymn. Klagenfurt, Ausbild. z. Kellner im Hotel Moser-Verdin in Klagenfurt, Praxis in Tirol, Schweiz u. Deutschland. K.: 1961 Aufbau d. elterl. Hotels Mozart-Hof am Wörthersee, 1963 Erweiterung d. Restaurants, Tätigkeit als Restaurantsltr., 1968 selbst. m. 2 Pensionen am Wörthersee, 1969 Eröff. d. In-Restaurants Hobby am Wörthersee, 1978 Übersiedlung nach Steyr, 1-jähr. berufl. Weiterbild., anschl. Übernahme d. Hotels Minichmayr, 1981-90 Mtgl. d. Austro-Top Hotels, 1990 Aufnahme in Intern. Coop. Romantik-Hotels u. Restaurants, 1987 Aufnahme in d. ältesten Gourmetver. Chain de Rotisseur als Maitre de Table, 1987 2x Kochen in Meisterkochen (TV-Sendung d. ORF), Gründer eines Fremdenverkehrsarbeitskreises m. div. Projekten u. Beschicken zu Intern. Fremdenverkehrsmessen, 10 J. Gschf. FC Amateure Steyr. H.: Skifahren, Tennis, Radfahren, Golf, Arch. (P.H.)

Vieweger Peter

B.: selbst. Musikproduzent u. Komponist. DA. u. PA.: 1070 Wien, Neubaug. 12-14. G.: Wien, 8. Apr. 1954. El.: Dipl.-Vw. Wolfgang u. Ursula, geb. Langmaak. S.: VS, Gymn., 1974 Matura, Stud. Raumplanung TU Wien, Stud. am Konservatorium u. an d. HS f. Musik u. darstell. Kunst. K.: m. 12 J. Gitarreunterricht, m. 17 J. erste Auftritte, 1972-80 Gitarrist u. Komponist b. d. Gruppe "Drahdiwaberl", 1974 Grdg. Tanzband "Spinning Wheele", 1980-86 Zusammenarbeit mit FALCO als Gitarrist ("Der Kommissar") und Bandleader, Kreation u. Produktion mehrerer Hits, seit 1984 selbst. Musikproduzent, zahlr. LP-Produktionen. M.: AKM. H.: Skifahren. (N.A.)

Vicomte Vilain George XIV.

B.: ao. u. bev. Botschafter v. Belgien in Österr. DA.: 1040 Wien, Operng. 20B. PA.: 1040 Wien, Schönburgstr. 10. G.: Pulle, 6. Nov. 1933. V.: Nicole Prête. Ki.: Jean Francois (1958), Sophie (1960), Nathalie (1962), Gautschier (1966). El.: Philippe u. Edith Comtesse le Grelle. K.: 1961-64 Abg. z. OECD in Paris, 1964-65 Sekr. Belg. Botsch. Kinshasa, 1966-67 1. Sekr. Belg. Botsch. London, 1967-68 Berater Belg. Botsch. Bagdad, 1968-69 Berater Belg. Botsch. New Delhi, 1970-75 Berater Belg. Repr. EWG Brüssel, 1976-78 Botschafter Hanoi, 1979-83 Botschafter Nairobi, 1983-89 Protokollchef d. Belg. Außenmin. Brüssel, s. 1989 Botschafter in Österr. E.: Comm. Ordre d. Belg. Krone, Gr. Cr. O. du Mérite Esp., Gr. Cr. O. d. Benemerencia (Port.), Gr. Off. O. du Mérite (Ital.), Gr. Off. O. du Mérite (Österr.), Gr. Off. Aigle Azeteque (Mex.), Gr. Off. O. de Malta, Comm. Légion d'Honneur (Fr.), Comm. O. du Léopard (Zaire), Off. O. Et. Equat. (Gabun). M.: Cercle des Nations, RAC, Leopold Club, Wr. Bridge Club. H.: Joggen, Tennis, Bridge. (M.G.)

Villgrattner Max Dr. iur.

B.: RA. A.: 1010 Wien, Schellingg. 6. G.: Schwertberg, 9. Aug. 1926. V.: Elfriede, geb. Rogler. El.: Anton u. Hermine. S.: VS, RG, Univ. Wien. K.: Selbst. RA seit 1957, Vertreter v. Banken, Industrieunternehmungen, Transportunternehmungen etc. M.: Österr. Burgenver., Dt. Burgenver. e.V. H.: Geschichte, Burgenkunde.

Villinger Markus-Paulus

B.: Kfm., intern. Management, Korrepondent d. amerik. Verb. (HGMA, USHGA) f. Europa. A.: 6020 Innsbruck, Arzlerstr. 118. G.: Innsbruck, 18. Juli 1956. El.: Dr. Robert u. Helene. S.: VS, 9 Gymn., kfm. Ausbild. in Praxis u. Theorie (Univ.). K.: 1976 kfm. Mitarb. u. Substitute Manager bei Fa. MAIFLEX, 1980 eigene Firmengr. f. intern. Handel- spez. auf Im- u. Export v. u. nach USA. 1982 weitere Firmengr. Korrespondent u. Vertr. d. amerik. Verb. (HGMA, USHGA) f. Europa. Vertr. u. Korrespondent d. deutschen (DHV) in d. USA. Hauptvermittler beim deutsch-amerikanischen Abkommen, Santa Ana, CA, 1981 bezügl. d. gegenseitigen Anerkennung in Luftfahrt Gesetzen u. Regelungen. F.: F.L.Y. intern.: SID industries, Wills Wing Inc., Kalifornien, USA. M.: HGMA, DHV, USHGA, deutscher Aeroclub, österr. Aeroclub, österr. Wirtschaftsbund, ua. H.: Fliegen, Tauchen, Schi, Surf, Reisen etc.

Vincent Lawrence Dr.

B.: Opernsänger d. Wr. Volksoper u. Wr. Staatsoper. PA.: 1140 Wien, Korngoldg. 24. G.: Ogden/Utah, 11. Dez. 1948. V.: Jean, geb. Prows. Ki.: Todd (1972), Ethan (1974), Zachary (1977). El.: Frank u. Lillie. S.: Highschool Denver, Stud. Musikpäd. Brigham Young Univ. Provo/Utah, 1973 Abschluß, 1976 Masters-Dipl. d. Northern Arizona Univ., 1968-71 Kirchl. Missionar d. Kirche Jesu Christi d. Heiligen d. letzten Tage in Holland, 1978-81 Ann-Arbor Univ. Michigan, 1981 Dr. of Musical Arts. K.: Tourneen m. Opernbühne Godowski in New York, Vorsing-Tournee in BRD, Engagement als lyr. Tenor in Trier (1982-87), Gastauftritte in Mainz, Braunschweig, Saarbrücken, Nürnberg, Essen u. Koblenz, 1987 Engagement an d. Wr. Volksoper, 1991 Debut an d. Wr. Staatsoper in "Salome", Gastspiel in Innsbruck (1992), Sbg., Klagenfurt, Japan, Jerusalem, Dänemark, Schweden, Zagreb, Liège, Budapest, USA (1993), seit 1987 Bischof d. Vienna Intern. Branch d. Kirche Jesu Christi d. Heiligen d. letzen Tage. H.: Skifahren, Familie, Puzzles, Sprachen. (R.J.)

Vincze Herfried Dipl.-Ing.

B.: Dir. FN.: Landwirtschaftsbetriebe d. Stadt Wien. GT.: Bgm. v. Vösendorf. DA.: 1033 Wien, Vordere Zollamtsstr. 11. PA.: 2331 Vösendorf, Schloßpl. 1. G.: Wien, 11. Mai 1927. V.: Christine, geb. Bacik. Ki.: Herfried, Gerhard. El.: Friedrich u. Maria. S.: VS, Realschule, Univ. f. Bdk., 1949 Dipl.-Ing. K.: 1 J. b. Sportbekleidungsfa. tätig, 1961 b. Ldw.-Betrieb d. Stadt Wien (Ass., Verw. im Stadtgut Vösendorf, 1970 Dir.), seit 1960 im GemR. d. Marktgem. Vösendorf, 1970 VBgm., seit 1985 Bgm., weiters b. 1969 BetriebsR.-Obm. d. Ang., stellv. Bundesobm. d. Bds.Sekt. Land- u.

Forstwirtschaft in d. GPA. E.: 1986 Gold. EZ f. Verd. um d. Rep. Österr. M.: AufsR. b. d. WIMO u. b. ZEG, div. Sportver., SPÖ. H.: Briefmarken, Lesen, Bergwandern, Skifahren. (R.A.)

Vinek Gunther Dr. phil. o.Univ.-Prof.

B.: Prof. am Inst. f. angewandte Informatik u. Informationssysteme. DA.: 1010 Wien, Liebigg. 4. PA.: 1030 Wien, Schützeng. 19/10. G.: Wien, 11. März 1939. V.: Dr. Hannelore, geb. Gallas. Ki.: Elisabeth (1983). El.: Anton u. Juliane. S.: 1957 Matura, Stud. Chemie an d. Univ. Wien, 1965 Prom. K.: 1965-68 Univ.Ass. am Inst. f. physikal. Chemie, 1968-70 Univ.Ass. am Inst. f. Statistik u. Ltr. d. Rechenzentrums, 1970 Habil., 1970-73 Ltr. d. med. Rechenzentrums d. Univ. Wien, 1973-76 o.Univ.-Prof. f. OR u. angewandte Informatik in Linz, ab 1976 Inst. f. angew. Informatik u. Informationssysteme. P.: ca. 60 Publ. M.: Mtgl. zahlr. wiss. Ges. (P.R.)

Vintera Rudolf

B.: Kfm., Gschf. Ges. FN.: Rudolf Vintera GmbH. DA.: 1080 Wien, Blindeng. 17. PA.: 2391 Kaltenleutgeben, Doktorberg 13. G.: Wien, 10. Febr. 1943. V.: Christine, geb. Kaluppa. Ki.: Oliver. El.: Rudolf u. Agnes. S.: Berufsschule, Lehre f. Hafner- u. Fliesenleger, Mstr.Prüf., 1968 Grdg. d. Fa. Rudolf Vintera, 1978 Umwandlung in GmbH. M.: LInnung Wien. H.: Tennis, Reiten, Skifahren. (A.W.)

Violand Werner Ing.

B.: Prok. FN.: Grass AG. DA.: 6973 Höchst, Bundesstr. 10. G.: Bregenz, 23. Nov. 1951. V.: Helga. Ki.: Johannes, Thomas, Sandra. S.: HS, HTBLVA Bregenz, 1972 Matura, Univ.-Lehrgang Sozial- u. Wirtschaftswiss., Seminar Praxisorientiertes Management, 1972/73 BH. K.: 1973-74 Konstruktion u. Kalkulation v. Tank- u. Komunalfahrzeugen Ruf OHG Mäder, 1974-76 Konstruktion u. Kalkulation v. Kühl- u. Gefrieranlagen S.A. Linde (P.T.Y.) Ltd. Johannesburg, 1977-82 Kalkulation u. Außendienst Firma Bertsch Bludenz, 1982 Export- u. Verkaufsltr. Grass AG Höchst, 1984 Mtgl. d. Geschäftsltg., 1987 Prok. u. Gesamtvertriebsltr., 1989 Vorst.-Mtgl. Bereich Vertrieb u. Marketing. M.: Rotary Club. H.: Skifahren, Radfahren, Wandern. (I.D.)

Violic Jozo Dr.

B.: FA f. Zahn-, Mund- u. Kieferheilkunde, Vorst. d. Zahnärztl. Abt. d. KH d. Barmherzigen Brüder 1020 Wien, Große Mohreng. 9. DA.: 1110 Wien, Simmeringer Hauptstr. 96a. PA.: 1040 Wien, Schelleing. 12/24. G.: Dubrovnik/Jugoslawien, 4. Nov. 1945. Ki.: Margarita (1969), Marko (1976), Alexandra (1986). El.: Peter u. Borislava, geb. Plancic. S.: b. 1964 Gymn. Dubrovnik, b. 1970 Stud. d. Stomatologie Zagreb, 1984 Seminar f. Implantologie in Tübingen/Deutschland, 1980 Nostrifikation Österr. K.: 1973 Zahnarzt d. Med. Zentrums Dubrovnik, 1973 Zahnarzt KH d. Barmherzigen Brüder, seit 1988 Vorst. d. Zahnärztl. Abt., seit 1982 eigene Praxis. M.: Tennisclub Union Prater. H.: Musik (Gitarre), Wasserball, Tennis, Fußball, Reisen. (M.G.)

Virant Aino

B.: Malerin. G.: Wien, 3. Apr. 1940. V.: Alfred Virant. El.: Andreas u. Rosa Prethaler. S.: Realschule, Gymn., Modeschule Hetzendorf, Kunstak., Malerei b. Prof. Gütersloh. K.: Freischaffende Künstlerin, anfangs fantast. Realismus, danach Portraits, Landschaften, Pflanzenmeditationen, Metaphysisches, Abstraktes, Ölbilder, Aquarelle, Radierungen, Siebdrucke, zahlr. Werke in privatem Besitz, Einzelausstellungen: 1970/71 Galerie Peithner-Lichtenfels in Wien, 1970 Galerie Maton in Hamburg, 1973/75 Neufeldgalerie in Lustenau, 1973 Galerie Alfermann in Solingen, 1975 Club Intern. in Wien, 1980 Gr. Atelierausstellung, Ausstellungen in Canada (Preswick-Galerie), Turin (Galerie Viotti), Genf (Le Grenier d'Art) u. Basel (Ars fantastica), Kunstmessen in Basel u. Düsseldorf. H.: Stud., Klavier, Gitarre, Reisen, Bergsteigen (Himalaya). (Bauer)

Virt Günter Dr. theol.

B.: Univ.-Prof. am Inst. f. Moraltheol. d. Univ. Wien. DA.: 1010 Wien, Schottenring 21. G.: Wien, 25. Febr. 1940. S.: Matura, Pharmaziestud., Theol.-Stud, Lizentiat d. Phil., 1965 Priesterweihe. K.: 1970 Dr. theol., mehrj. Tätigkeit in d. Seelsorge u. Ass. am Inst. f. Moraltheol. Wien, 1981 Habil. Univ. Tübingen, 1981-82 Prof. f. Moraltheol. Paderborn, 1983-86 Sbg., seit 1986 in Wien. P.: Epikie - verantwortl. Umgang m. Normen, Neues Lexikon d. christl. Moral, Hrsg.: Moral begründen - Moral verkünden, Für ein Lebensrecht d. Schöpfung, Histor. Verantwortung v. d. Gegenwart, Ich habe dich in d. Wüste geführt, vielfache Beiträge in Zeitschriften u. Sammelwerken.

Vitásek Andreas

B.: Kabarettist, Schauspieler u. Reg. PA.: 1030 Wien, Baumg. 46. G.: Wien, 1. Mai 1956. Ki.: Stanislaus (1984). El.: Franz u. Mathilde, geb. Bierbaumer. S.: 1974 Matura, Stud. Theaterwiss. u. Germanistik Univ. Wien, 1978-80 Schauspiel. Ausbild. à l'École de Jaques Lecoq Paris. K.: ab 1981 6 Soloprogramme (Kabarett), Theaterauftritte u.a. am Volkstheater Wien, Regie u. Bühnenbild: 1951 Fräulein Julie v. August Strindberg u. Prelude to a kiss v. Craig Lucas, div. Rollen in Kino- u. Fernsehfilmen u.a. in "Müller's Büro" u. "Mozart u. Meisel". E.: 1984 Sbg. Stier, 1986 Österr. Kleinkunstpreis. H.: Musik hören. (N.A.)

Vith Werner

B.: Gastwirt Rankweiler Hof, Koch. DA.: 6830 Rankweil, Ringstr. 25. G.: Laterns, 6. Juni 1944. V.: Anna, geb. Mathis. Ki.: Roland (1969), Elvira (1970), Arno (1972), Brigitte (1976). El.: Arthur u. Emma. S.: VS, Kochlehre, 1962 Abschluß, 1964 BH. K.: 1964-67 Koch im Lehrbetrieb im Kleinen Walsertal, 1967-68 Tätigkeit im elterl. Gastbetrieb in Furx, 1968 Übernahme d. Rankweiler Hof als Pachtbetrieb, 1983 Kauf d. Hotel Hecht Feldkirch, 1990 Kauf d. Hotel Kühboden in Laterns, nebenbei Betrieb einer Ldw., Wildgehege u. Gebirgsbach z. Forellenfischen f. d. Gäste. M.: Vorst.-Mtgl. d. Brauerei Frastanz. H.: Fischen, Bergwandern, Akkordeonspielen f. Gäste. (I.D.)

de Vito Piscicelli Maurizio Dr. iur.

B.: Gen.-Dir., Vorst.Vors. d. AGIP Austria AG Wien. A.: 1190 Wien, Peter-Jordan-Str. 86.

Vitouch Elisabeth

B.: Schauspielerin, Journalistin, Moderatorin. DA.: ORF, 1136 Wien. PA.: 1030 Wien, Salesianerg. 10/8. G.: Wien, 6. Apr. 1951. V.: Univ.-Prof. Dr. Peter. Ki.: Oliver, Anatol. El.: Förster Rudolf Dr. u. Maria. S.: Matura, Stud. d. Romanistik an d. Univ. Wien, Bühnenreifeprüf. (Schauspiel u. Gesang), Musicalausbild. b. Prof. Susi Nicoletti. K.: seit 1971 freie Mitarb. d. ORF, TV-Sendungen: am, dam, des (800 Sendungen), Sesamstraße (NDR), Jolly Joker, Gestaltung v. Hörfunksendungen: Wiener Stadtradio, Autofahrer unterwegs, Theaterengagements: Wr. Volkstheater, Kammerspiele Sbg., Filme m. Heide Pils, Valie Export, Chansonsängerin. P.: Schallplatte m. Kinderliedern, Autorin u. Komponistin. E.: Gold. VZ d. Landes Wien. M.: Vorst.Mtgl. d. Österr. Bullterrier-Clubs. H.: Kinofan. (M.B.)

Vittorelli Werner

B.: Inh. FN.: Grafex-Kartografie u. Werbegrafik. DA.: 6700 Bludenz, Tränkeweg 4. G.: Wien, 24. Sep. 42. V.: Carmen Bianca. Ki.: Vanessa (1991), Jessica (1993). El.: Anna u. Harald. BV.: Urgroßvater Hugo v. Vittorelli: Justizminister v. Wien. S.: Kartografie-Lehre in Wien, 1963-Abschl., 1963-64

BH. K.: 1965-77 in Zürich als Kartograf, 1977-81 Kartenproduktion auf Seyshellen und Mauritius, 1981-83 Kartenproduktion auf den Canarischen Inseln, 1983-91 Australien u. Fidschiinseln, 1991 Übersiedlung nach Bludenz u. Grdg. d. Firma Grafex. E.: Tourismuspreis für Werbekartografie in Australien. M.: Rotary-Club Australia, Seyshellen Yacht Club. H.: Schifahren, Malen, Fotografieren, Lesen, klass. Musik, Kochen, mehrere Sprachen u. Karate. (I.D.).

Vitula Gerhard

B.: Inh. FN.: Fa. Vitula. DA.: 1110 Wien, Geiselbergerstr. 38-40. G.: Wien, 3. Jänner 1959. V.: Maria, geb. Gajados. Ki.: Marco (1984), Ivonne (1988). El.: Marianne u. Johann. S.: VS, HS, Tapeziererlehre, 1975 Lehrabschlußprüf. K.: 1980 selbst. Untern., 1981 Firma. Vitula, 1983 Ausstellungsräume. H.: Schlösser besichtigen. (W.J.)

Vizdal Gerhard Dir.

B.: Gschf., Werbekfm.. FN.: S+V Werbeagentur. DA.: 1070 Wien, Kircheng. 1. PA.: 1230 Wien, Karl-Tornay-G. 45. G.: Wien, 23. Sept. 1932. V.: Elfriede. El.: Rudolf u. Anna. S.: Gymn., WH, Gastrokonzession. M.: Lions Club Prinz Eugen, Wirtschafts-Club d. Dt. HK. H.: Landwirtschaft.

Vlach Gabriele

B.: Gschf. Ges. FN.: Catro Creativ Marketing & Werbeberatung GmbH. DA.: 1080 Wien, Trautsong. 6. PA.: 1180 Wien, Czartorysteig. 39. G.: Wien, 17. Jän. 1964. El.: Ing. Hans u. Agnes, geb. Kusztrich. S.:Stud. Werbung, Verkauf u. Marketing b. Prof. Schwaiger WU Wien. K.: 1983 Eintritt b. Catro, ab 1991 Gschf. d. Catro Creativ. H.: Reisen, Tennis, Skifahren. (N.A.)

Vlasich Johann Mag.

B.: Gschf. d. Höttinger Werner Dkfm Wirtschaftstreuhand GmbH. DA.: 7350 Oberpullendorf, Bahng. 2. PA.: 7452 Unterpullendorf, Sportplatzstr. 5. G.: Großwarasdorf, 20. Jan. 1950. V.: Renate, geb. Koosz. El.: Johann u. Luzia. S.: VS, BRG Eisenstadt, Matura 1969, anschl. BH, ab 1971 HS f. Welthdl., 1977 Mag. rer. soc. oec. K.: 1977 in Wien, ab 1978 in Oberpullendorf tätig, 1983 Steuerberaterprüf. u. 1984 Ernennung z. Gschf. H.: Gartenarbeit, Sport, Wandern, Lesen. (War.)

Vlcek Josef Dr. iur.

B.: Gen.-Dir. FN.: Universale-Bau AG. DA.: 1011 Wien, Renng. 6. PA.: 1130 Wien, Trazerbergg. 89/1. G.: Wien, 2. Okt. 1931. S.: 1950 Matura, Jusstud. Wien, 1954 Prom. K.: Gerichtsjahr, Kontrollbank Investkredit, seit 1969 Mtgl. d. Vorst. Universale, 1982 Vorst.Vors., AufsR.Funkt. Österr. Realitäten AG, Vors.Stellv. Hutter & Schranz AG, Montana AG, Jungbunzlauer AG, Ass. Generali (BeiR.).

van Vliet Karin

B.: Chefvisagistin, Schulungsltr., Inh. FN.: Make up Studio Vliet. DA.: 1010 Nibelungeng. 7. PA.: 1020 Wien, Stuwerstr. 43. G.: Wien, 19. Mai 1965. El.: Ernst u. Christine Pelz, geb. Vliet. S.: Gymn., 1982-84 Kosmetikschule, 1985 Visagistenkurse in d. USA. K.: seit 1986 freiberufl. Visagistin, Styling u. Visage v. Künstlern, z.B. Uwe Kröger, Timothy Breese, Aufträge f. Film, Foto u. Veranstaltungen, 1991-93 Chefvisagistin d. Fa. Nouba, seit 1991 Org. u. Ltg. v. Visagistenkursen; Konzepte, Org. u. Moderation v. Make-up-Shows. E.: intern. Ausz. f. Werbespots. H.: Malen, Zeichnen, Lesen. (N.A.)

Voack Norbert Dr. rer. pol. Dkfm.

B.: Fabrikant. A.: 5760 Saalfelden, Lenzing 39. G.: Hof/Saale, 16. Aug. 1935. V.: Dkfm. Edith, geb. Greschonig. El.: Leonhard u. Anna. S.: RG, Stud. d. Wirtschafts- u. SozialWiss. an d. Friedrich Alexander-Univ. in Erlangen, Textilfachschule Münchberg. K.: Mehrjähriger Studienaufenthalt in Südafrika, Japan u. USA, Grdg. einer eigenen Textilfbk. in Saalfelden, Inh. u. Gschf. derselben sowie d. Fa. Spinnerei u. Weberei Voack in Bad Windsheim/BRD. F.: Spinnerei u. Weberei Voack, Bad Windsheim, BRD. M.: Rotary-Club, Luftsportver.

Vocel Hans-Joachim Dkfm. Mag.

B.: Dir. d. Bundes-HASCH Stockerau. DA.: 2000 Stockerau, Schulg. 4. PA.: 2100 Korneuburg, Hans-Kudlich-Str. 26. G.: Magdeburg, 3. Mai 1942. V.: Ingeborg, geb. Wögerer. Ki.: Nadja (1968). El.: Johann u. Anneliese. S.: HASCH, 1961 Externistenmatura f. HAK, Stud. HS f. Welthdl., 1966 Dkfm., 1970 Lehramtsprüf. Mag. K.: 1958-68 Ang. in Gerngroß-Gruppe, CA-BV u.a. Firmen, 1968 Eintritt in d. Schuldienst, Prof. HASCH Gänserndorf, HAK Tulln, HAK Korneuburg, seit 1976 Aufbau u. Ltr. d. HASCH Stockerau, 1979 Dir. M.: ehemaliger Obm. d. BSA f. Lehrer v. Berufsbild. Mittleren u. Höheren Schulen, Mtgl. im Stadtaussch. Stadt Korneuburg u. Bez.-Aussch. Korneuburg. H.: Reisen, Geografie, Lesen, Schwimmen, Segeln, Skifahren. (M.M.)

Vockenhuber Hans

B.: Ltr. d. Konsumentenred. d. ORF Hörfunk. DA.: 1040 Wien, Argentinierstr. 30A. G.: Pinsdorf/Gmunden, 18. Dez. 1945. V.: Marianne, geb. Ahammer. Ki.: Barbara (1982). El.: Franz u. Antonia. S.: LBA Linz, Stud. Geschichte, Deutsch u. Jus Univ. Wien, geprüfter Imkermstr. K.: 1973-76 Lokalberichterstatter Landesstudio Bgld., s. 1976 Journalmoderator u. Wirtschaftsred. d. Informationsabt. d. Hörfunk Wien, seit 1981 Ltr. d. Konsumentenred. Hörfunk: Help-Red. P.: "Zeitbombe Ozon", Mitautor d. "Help-Konsumenten-Handbuch". E.: Preis d. Österr. Ges. f. Umwelt u. Technik, 2. Pl. Rudolf Henz-Ehrenring, Preis d. Leopold Gratz-Stiftung f. soz. Engagement. H.: Imkerei, Reiten, Skifahren, Bergwandern. (J.S.)

Vodrazka Karl Dr. Dkfm.

B.: o.Univ.-Prof. A.: 4040 Linz, Parzhofstr. 7-9/15. G.: Wien, 29. Aug. 1931. V.: Hertha. S.: OSchule, BRG, HS f. Welthdl. Wien, Dkfm. 1952, 1954 Dr. rer. comm. K.: 1955-59 wiss.

Hilfskraft, 1959-64 HS Ass., 1964-65 OAss. an d. HS f. Welthdl. Wien, 1964 HS-Doz. f. BWL, 1965 Umhabil. als Privatdoz. an d. Rhein-Westf. Techn. HS Aachen, 1965-67 dort Doz., 1967-71 o.Prof. f. BWL an d. Univ. Regensburg, seit 1971 o.Univ.-Prof. f. BWL m. bes. Berücksichtigung d. Wirtschaftsprüfungswesens an d. Johannes Kepler Univ. Linz. P.: Zahlr. Beiträge in Fachzeitschriften. E.: Kardinal Innitzer-Preis. M.: korr. Mtgl. d. Österr. Ak. d. Wiss., Verb. d. HS Lehrer f. BW eV., Mtgl. d. Hpt. Aussch. d. Österr. Wasserstr.- u. Schiffahrtsver.

Vogel Gerhard Dr. Mag. Univ.-Prof.

B.: Vors. d. Inst. f. Technologie u. Warenwirtschaftsverkehr d. WU Wien. DA.: 1090 Wien, Aug. 2-6. PA.: 1030 Wien, Weyrg. 5. G.: Wien, 9. Jan. 1944. Ki.: Andrea (1966). El.: Johann u. Juliane. S.: RG, TGM Nachrichtentechnik u. Elektronik, 1964 Matura, Ferialpraxis b. Telefunken Ulm, SGP, AUA, BH, Stud. BWL WU Wien, zugleich Ass. am TGM Abt. Nachrichtentechnik u. Elektronik, 1970 Mag., 1978 Prom. K.: 1970 Ass. am Inst. f. Technologie d. WU Wien, 1973 1. Österr. Müllanalyse durchgeführt, Tätigkeit auf d. Gebiet Recycling: Erstellung v. Abfallwirtschaftskonzepten, 10 J. Kons. d. Stadt Wien, Ltr. mehrerer Arbeitsgruppen u. Ltr. d. Scientific Technical Committee d. SWA, 4 J. Vertreter Österr. in d. OECD auf d. Gebiet d. Abfallwirtschaft, 1982 venia docendi f. Allg. Technologie u. Warenwirtschaftslehre, Mitinitiator d. Postgraduate Ausbild. Umweltmanagement an d. NÖ Landesak. Krems u. deren stellv. Ltr., seit 1994 o.Prof. u. Vorst. d. Inst. f. Technologie d. WU Wien. P.: Diss. "Recycling - Möglichkeiten u. Grenzen d. Abfallverwertung", weitere Bücher: "Das Wr. Abfallwirtschaftskonzept", "Die ökolog. Vergleichsrechnung d. Kartonagen, Verbundkarton, 1-Liter-Mehrwegflaschen", "Handbuch z. umweltkonformen Beschaffung in Österr.", "Beiträge z. Sustainable Development", "Ressourcen d. Ökonomie", ca. 150 Veröff. in Form v. Berichten über Forsch.-Ergebnisse auf d. Gebiet d. Abfallwirtschaft. M.: Präs. d. Österr. Ges. f. Warenkunde u. Technologie, Gen.-Sekr. d. Intern. Ges. f. Warenkunde u. Technologie, Gen.-Sekr. d. ISWA Austria. H.: Arb., Kulturleben v. Wien, Musik. (F.S.)

Vogel Gerhard Dipl.-Ing.

B.: Unternehmer. PA.: 9020 Klagenfurt, Chr.-Martin-Wieland-Str. 7. G.: Stulpikany/Rumänien, 8. Dez. 1914. V.: Maria, geb. Felker. S.: Hum. Gymn., TH. S.: Betriebsltr. in einer Waffenfbk., Frontdienst als Offz., russ. Kriegsgefangenschaft, ab 1949 selbst., Inh. u. AufsR. d. Gerhard Vogel Isoliertechnik GmbH. PA.: Art. in Fachzeitschriften z. Ktn. Wirtschaft. M.: Vorst.Mtgl. d. FESI (Fed. Europ. des Syndicats d'Enterprises d'Isolation), 1980-84 Präs., jetzt Ehrenpräs. (D.M.)

Vogel Hansjörg Prof.

B.: Akad. Maler. G.: Wien, 8. Sept. 1918. El.: Ernst u. Maria. V.: Ingeborg, geb. Neumayer. Ki.: Bärbel, Hanspeter. S.: 1937 Matura. K.: 1943 Ak. d. Bild. Künste b. Prof. Sergius Pauser, 1950 Dipl., 1948 Silb. Fügermed., 1949 Gold. Fügermed., Gobelinentwürfe f. d. Wr. Gobelinmanufaktur, 1955 Karton f. d. Gobelin v. Oskar Kokoschaka f. d. Festspielhaus in Sbg., 1957 Lehrauftrag an d. Ak. d. Bild. Künste, 1962 Werbeltr. eines Großunternehmens, 1965 Lehrbeauftragter d. Ak. d. Bild. Künste, 1968 Karton f. d. Gobelin v. Oskar Kokoschka f. d. Museum f. Kunst u. Gew. in Hamburg, 1970 Ass. an d. Ak. d. Bild. Künste, 1978 Prof., zahlr. Ausstell. im In- u. Ausld., Fotorealismus-Surrealismus. P.: Die Österr. Aquarellisten d. Gegenwart, Wilh. Mandrich 1984 Wien, Die Österr. Zeichnungen d. Gegenwart (1982), Die österr. Malerei d. 20. Jhdts. Heinrich Fuchs. (J.S.)

Vogel Herbert Dr. techn. Dipl.-Ing. KommR.

B.: Gen.-Dir. a.D., Norwegischer Honorarkonsul in Salzburg. DA.: 5020 Salzburg, Schwarzgrabenweg 4. G.: Emmendingen/Baden, 7. Sept. 1926. V.: Doris, geb. Kind. El.: Ing. Karl u. Maria. S.: Dipl.-Ing. an d. TH Darmstadt 1953, Dr. techn. an d. TH Graz. K.: 1954-56 Betriebsass. d. Papierfbk. Arland, Graz-Andritz, 1956-61 Betriebsltr. u. Techn. Ltr. d. Papierfbk. z. Bruderhaus GmbH, Dettingen/Württ., 1961-65 Werksdir. d. Papierfbk. Schlöglmühl d. Neusiedler AG, Schlöglmühl, 1965-71 Vorst.-Mtgl. d. Steyrermühl Papierfbk. u. Verlag AG, Steyrermühl, 1971-79 u. 1980-82 AufsR. b. Hallein Papier AG, 1982 Ltr. d. Ausbildungszentrums d. österr. Papierindustrie Steyrermühl, 1982-93 Ltr. Ziviling. f. Maschinenbau. E.: Gold. EZ f. Verd. um d. Rep. Österr., St. Olavs Orden, Ritter d. 1. Klasse, Komturkreuz d. Sylvesterordens. M.: Rotary-Club Sbg.-Nord. H.: Jagd, Schwimmen. (N.M.)

Vogel Ilse

B.: Fachkosmetikerin. FN.: Ilse Vogel Kosemtik. GT.: Berufsschullehrerin, Aussch.-Mtgl. d. Landesinnung Wien, Inh. d. Handesagentur Kosemtik Import. DA./PA.: 1030 Wien, Hietzinger Hauptstr. 4. G.. Troppau, 24. Apr. 1910. V.: Ernst. Ki.: Wolfgang (1945). El.: Karl u. Maria Herud, geb. Dluhy. S.: Gymn., Matura, Kosemtikschule Pessl, 1936-38 Lehrerin. K.: seit 1938 eig. Kosemtikinst. BL.: CIDESCO Comité intern. d´ esthétique et de cosmétologie. P.: Ref. b. zahlr. intern. Weltkongressen. E.: Mérites estlátiques 1974 d. CIDESCO intern., Gold EZ f. Verd. um d. Rep. Österr. M.: Ehrenmtgl. CIDESCO (comité intern. d´Esthétique et de cosmétologie). H.: Langlaufen, Tennis. (N.A.)

Vogel Marialuise

B.: Gschf. u. Inh. FN.: Agentur Immedia. GT.: Vorst.-Mtgl. d. Aslan-Ges. DA.: 1090 Wien, Bergg. 8/15. PA.: 1090 Wien, Bergg. 8/15. G.: Wien, 26. Feb. 1944. El.: Anton u. Louise Feferle. S.: 1958-61 Lehre a. Werbekfm., 4 Sem. Lehrgang a. d. WU, 1969-84 i. versch. Pharmakonzernen f. Werbung u. Marketing tätig, 1984 Grdg. d. Immedia Werbeges.m.b.H. Full-Service Agentur f. Pharma u. OTC-Werbung. K.: 1962-68 i. versch. Fa. i. Werbeabt., 1969-84 i. Pharmaziekonzern f. Werbung u. Marketing tätig, 1984 Grdg. d. Werbeagentur Immedia, Werbung f. rezeptpflicht. u. nicht rezeptpflicht. Medikamente, Full-Service-Agentur. H.: Reisen, Golfspielen, Lesen. (E.J.)

Vogel Michael

B.: Gastronom. FN.: Cafe-Restaurant "Fromme Helene". DA.: 1080 Wien, Josefstädter Str. 53. G.: Wien, 1. Apr. 1965. El.: Peter u. Gertraud, geb. Jesserer. S.: VS, Ak. Gymn. Wien, Sprachstud. in Amerika. K.: 1989-92 Barkeeper in "Paris-Bar" Berlin, 1992 Übernahme d. Restaurants "Fromme Helene". H.: Musik. (N.A.)

Vogel Peter-Christian Mag.

B.: Gschf. Ges. FN.: Vogel Audiovision GmbH & Co KG. DA. u. PA.: 4020 Linz, Neuhoferstr. 28. G.: Linz, 28. Juni 1949. V.: Irmgard. Ki.: Astrid (1970), Christian (1976), Katharina (1988). El.: Josef u. Ilse. S.: Gymn., 1968-72 Stud. BWL (Wirtschaft u. Markting) Linz. K.: 1975 Betriebsgrdg. (Prod. v. Werbefilmen - Infofilmen), Tätigkeit im In- u. Ausland, Tochterfirma in d. BRD. E.: mehrere Filmausz. b.

intern. Filmwettbewerben in New York, Chikago u. Stuttgart. M.: Verb. d. Österr. Filmproduzenten, Lions-Club Linz/Joh. Kepler. H.: Kunst, Tennis, Tauchen. (P.H.)

Vogel Richard

B.: Chefred. d. int. Wochenzeitschrift "Verkehr". FN.: Bohmann Druck u. Verlag GesmbH & Co KG. DA.: 1110 Wien, Leberstr. 122. PA.: 2491 Neufeld, Hauptstr. 55a. G.: Wien, 13. Jän. 1949. V.: Elisabeth, geb. Deutsch. Ki.: Martina (1974). El.: Johann u. Margarete. S.: HAK, kfm. Ausb. K.: 1968-70 Tätigk. i. kfm. Bereich d. Fa. Philips, 1970-78 Tätigk. i. Erwachsenenbildungsinst. ÖPZW, 1979 Umstieg i. Journalistik m. Aufn. d. Tätigk. a. Chefred. e. Handelsztg., d. b. 1988 dauerte, s. 1989 Chefred. d. Zeitschrift "Verkehr". M.: Österr. Journalistenclub. H.: Fotografie, Modellbau, Bergwandern. (F.S.)

Vogel Richard

B.: Alleininh., Kompl. FN.: Atelier Vogel, Rundblick Verlag Richard Vogel KG, Alleininh. d. Computer-Center Korneuburg. DA.: 2100 Korneuburg, Donaustr. 2, 2102 Bisamberg, Amtsg. 12. G.: Schönebeck/Elbe, 10. Nov. 1946. V.: Johanna, geb. Rieß. Ki.: Barbara. El.: Ing. Richard u. Helene. S.: Berufschule f. graph. Gewerbe, BRG f. Berufstätige, Matura. K.: 1961-67 F. Rollinger Wien Druckerei, 1967-71 Vorwärts Verlag, 1971-76 Bez.Zeitungsverlag Journalist, Chefred., 1976 selbst. Grdg. d. Atelier Vogel Korneuburg, 1980 Grdg. d. Rundblick Zeitungsverlages, 1984 Grdg. d. Computer-Center Korneuburg. P.: in div. Zeitungen u. Zeitschriften. H.: Lesen, Computer. (A.W.)

Vogel Walter D.

B.: Gschf., Verkaufsltr. FN.: Vogel & Hoeller GmbH; Folien-Vogel. GT.: Ges. CID München. DA.: 1100 Wien, Columbusg. 45. G.: Wien, 10. Jan. El.: Walter u. Hermine. BV.: Großvater Kammersänger Prof. Adolf Vogel, Urgroßvater Erfinder d. Fingerabdruckfolie in d. Kriminaltechnologie. S.: VS, Privatschule d. Wr. Sängerknaben, HAK, Stud. Publizistik u. Politikwiss. WU Wien. K.: Exportsachbearb. in Industriebetrieben, Tätigk. im Devisenhandel, dann selbst. Tätigkeit. P.: journalistische Tätigk. M.: Österr.-Arab. Ges. H.: Film, Musik, Reisen. (F.S.)

Vogelsang Gerhard Ing.

B.: Prok., Mtgl. d. Gsch.-Ltg. FN.: bellaflora Gartencenter GmbH. DA.: 4030 Linz, Franzosenhausweg 50. PA.: 4222 Langenstein, Mayrhausstr. 15. G.: Zemendorf, 23. März 1950. V.: Ulrike, geb. Jennen. Ki.: Sigrid (1981). El.: Andreas u. Helene. S.: VS, RG, HBLVA f. Gartenbau, Matura, Militär, 4 Sem. Univ. f. Bdk., 6 Sem. TU Wien, Studienrichtung Raumplanung u. Raumordnung b. 1978. K.: Planung v. Grünanlagen im priv. u. öff. Bereich. H.: Beruf, Familie. (U.A.)

Vogelsberger Franz

B.: Kürschner, Seniorchef. FN.: Vogelsberger KG. DA.: 6130 Schwaz, Franz-Josef-Str. 27. PA.: 6130 Schwaz, Dr.-Hans-Seewald-Str. 13. G.: Köln/Rhein, 21. Aug. 1934. V.: Erika, geb. Rossi. Ki.: Birgit (1960), Ulrike (1962), Franz (1964), Gabriele (1966). El.: Franz-Josef u. Mathilde. S.: VS, Berufsschule, 1969 Mstr.-Prüf. Kürschner. K.: 1978 väterl. Betrieb übernommen. M.: Ver. Kehlkopflose Österr. H.: Populärwiss., Wandern, Musik, Literatur. (M.H.)

Vögerle Bernd

B.: Bürgermeister. DA.: 2201 Gerasdorf bei Wien, Kirchengasse 2. PA.: 2201 Gerasdorf, Stammersdorferstr. 465. G.: Schieheim BRD, 2. Mai 1946. V.: Christine, geb. Scheider 4. Sept. 1946. Ki.: Thomas (1972), Karin (1974), Ernst (1981), Harald (1984). El.: Ernest u. Hedwig. S.: 1964 Matura BRG 1210 Wien, 1964 Wien Gemeindebeamter/Bauüberprüfung, 1976 Gemeinde Gerasdorf/Verwaltung, 1980 Leitender G. Beamter, 1988 Sekretär d. Verbandes Soz.-dem. Gemeindevertr. NÖ, 1990 Bürgermeister Gerasdorf, Schwerpunkte.: 40 J. eigenst. Gemeinde, Kinder u. Jugendbereich, Familien u. Sozialbereich, Kultur u. Umwelt, Sport u. Freizeitb., sowie lebenswerte Wohn-u. Arbeitsgemeinde. P.: Gemeindekurier, Bürgernahe Info, Festschriften z. 40 J. Jubiläum. H.: Feuerwehr, Familie. (T.T.)

Vogg Herbert Dr. Prof.

B.: Verlagsltr. i.R. A.: 1070 Wien, Ahornerg. 9. G.: Wien, 17. Mai 1928. V.: Lisbeth, geb. Hruscha. Ki.: Wolfgang (1958), Marianne (1961), Martin (1969). El.: Franz u. Barbara. S.: VS, RG, Univ. Wien (Musikwiss., Germanistik), Prom. z. Dr. phil. 1951, Musikalienhandels.-Fachprüf. 1953. Neben d. Schulausbild. priv. Klavierunterricht. K.: 1951-57 Musikkritiker d. Wr. Tageszeitung "neues Österr.", 1951-88 im Musikverlag Doblinger tätig, 1955 Verlagsdir., u.a. Aufbau eines Katalogs m. zeitgenöss. österr. Musik u. d. Reihe alter Musik "Diletto musicale", seit 1979 Gschf. d. Musikwiss. Verlages Wien. Tätigkeit als Musikschriftsteller u. als Autor v. Texten zu Opern, Oratorien, kantaten etc. P.: 1976 Jubiläumsschrift "100 Jahre Musikverlag Doblinger". Texte zu Vokalwerken v. P. Angerer, F. Burkhart, F. Dallinger, T. C. David, H. Ebenhöh, H. Eder, D. Kaufmann, H. Kratochwil, A. Kubizek, H. Lauermann, B. Musil, E. Opitz, G. Schedl, R. Schollum, E. Urbanner, E. Vogel, W. Wagner u.a., Texte zu Chansons. E.: 1971 Silb. EZ f. Verd. um d.

Rep. Österr. 1976 Prof.-Titel. 1977 Gold. VZ d. Landes Wien, 1978 Ehrennadel d. österr. Komp.-Bundes, 1988 Ehrennadel d. österr. Buchhandels, 1988 Orlando-di-Lasso-Med. d. Cäcilien-Verb., 1989 Päpst. Gregorius-Orden. M.: Vize-Präs. d. Intern. Bruckner-Ges. u. d. Hugo-Wolf-Ges., Senator d. Ges. d. Musikfreunde i. Wien.

Voggenhuber Erwin

B.: Gschf. FN.: Voggenhuber Obst- u. Gemüsespezialitäten. DA.: 5020 Salzburg, Rainbergstr 3. PA.: 5020 Salzburg, Gneiserstr. 54. G.: Salzburg, 9. Febr. 1946. El.: Alois u. Katharina. S.: VS, HS, Kochlehre, Berufsschule. K.: Missisippidampfer, 1970 Obstgeschäft. M.: L'ordre des Coteaux de Champagne. H.: gut Essen. (M.C.)

Voggenhuber Johannes

B.: Abg. z. NatR., EG-Sprecher d. Grünen. GT.: Buchautor, Vortragstätigkeiten. DA.: 1017 Wien, Parlament. G.: Salzburg, 5. Juni 1950. Ki.: 2 Söhne. K.: 1982-87 StadtR. d. Grünen in Sbg. f. Stadtplanung, Altstadtsanierung, Verkehr u. Gewerbe, 1988-91 Bundesgschf. d. Grünen, 1990-92 Klubobm. d. Grünen im Parlament, seit 1991 EG-Sprecher d. Grünen, Mitinitiator d. EWR-Volksbegehrens, Arch. d. Sbg. Stadtentwicklungsmodells. P.: "Berichte an d. Souverän - Sbg. u. seine Bürger", "Walze, Walzer - Österr. u. d. Europ. Integration", weitere Publ. zu EG u. EWR. M.: Grüne Alternative, Bürgerliste Sbg. H.: Arch., Italien.

Vogl Christian

B.: Golfspieler. FN.: Teach Golf. DA.: 1190 Wien, Ruthg. 1. PA.: 1190 Wien, Sieveringerstr. 144. G.: Wien, 16. Apr. 1963. V.: Katrin. Ki.: Lukas, Nikolaus. El.: Erich u. Renate. S.: VS, 1982 Amerikan. Schule. K.: Tätigkeit im elterl. Betrieb, Großhdl. Export-Import, Ausbild., Verkaufsltg. Managementabt., 1972 Beginn m. Golf, 1981-82 Österr. Nationalteam, 1990 Profigolfer, 1991-93 Spielbereich Anfänger, 1994 Teach Golf. E.: Jugendmstr., 2x 3. Mannschaftsmstr., 2x 3. Wr. Meisterschaft, Gewinner d. Turniers People to People. M.: Golf Club Wien. H.: Lesen, Kunst. (H.S.)

Vogl Franz

B.: Geschäftsinhaber. FN.: Auktionshaus Ulrich Schneider GmbH. DA.: 2620 Neunkirchen, Brevillierg. 7a. PA.: 2620 Natschbach, Im Moos 5. G.: Neunkirchen, 23. Dez. 1959. V.: Eva, geb. Stückler. Ki.: Philipp (1976), Franz (1989). El.: Johann Truchses u. Erika Vogl. S.: VS, HS, Autolackiererlehre, Gesellenprüf. K.: 1979-89 Autolackierer u. Werkstättenltr. in versch. Firmen, 1984-85 Surflehrer Sardinien, ab 1989 2 J. Mitarb. im Versteigerungshaus Wimpassing, 1991 Erwerb einer Fabrikshalle u. deren Umadaptierung, 1991 Eröff. d. Auktionshauses. BL.: Restaurierung v. Oldtimern. H.: Windsurfen, Renovierung d. eigenen alten Bauernhauses. (I.J.)

Vogl Gustav

B.: Gschf. Ges. FN.: Gustav Vogl KG. DA.: 8582 Rosenthal, Packer Hauptstr. 8. G.: Voitsberg, 9. Dez. 1951. V.: Claudia, geb. Schiller. Ki.: Gustav. El.: Gustav u. Gerda. S.: VS, HS, HAK. K.: seit 1973 selbst. Kfm., Übernahme d. elterl. Unternehmens (seit 140 J. bestehend). M.: Eisenring. H.: Sport. (R.A.)

Vogl Hans-Jörg Dr. Mag.

B.: selbst. RA, ak. geprüfter Vers.-Kfm. DA.: 6800 Feldkirch, Churer Str. 3/1. PA.: 6800 Feldkirch, Ardetzenberg. G.: Dornbirn, 19. Okt. 1956. El.: Johann u. Therese. S.: HS, Gymn., 1975 Matura, Stud. Univ. Innsbruck, 1979 Prom. K.: 1979 Gerichtsj. BG Bregenz, 1980 b. Vers.-Konzern Schadensref., Auslandsaufenthalt, 1982-85 Schadensref. in Wien b. gleicher Vers., 1985-89 Konzipient b. RA, 1990 selbst. RA in Feldkirch, Schadenersatz, Verfassungs- u. Wirtschaftsrecht. M.: Wildwassersportver., Tennisclub. H.: Skifahren, Bergsteigen, Tennis, Radfahren, Kajakfahren. (I.D.)

Vogl Helmut Mag.

B.: Eigentümer, Hrsg., Chefred. d. Zeitschrift "Watzmann". A.: 5023 Salzburg, Grazer Bundesstr. 6. G.: Salzburg, 12. Juni 1944. El.: Dipl.-Ing. Fritz u. Karola. S.: Matura, Univ. Innsbruck, Mittelschullehrer Biologie u. Physik. K.: Mittelschullehrer, Karikaturist/Cartoonist (Pardon, Süddeutsche Zeitung, Vorwärts, Nürnberger Nachrichten, LUI, Medical-Tribune, Profil u.v.a.), Trickfilm (Cineplast, Linda-Film, Wawzyn-Film). Hrsg. d. österr. Satire-Zeitschrift "Watzmann" seit 1982. F.: Hans F. John Foto GmbH. P.: Karikaturen u. Cartoons in ca. 20 Zeitschriften Österr., d. Schweiz u. Deutschlands. M.: Amnesty Intern. H.: Klettern, Skitouren, Motorradsport, Rock'n Roll.

Vogl Helmuth Dr. Dkfm.

B.: Beamter. A.: 7000 Eisenstadt, Ruster Str. 58. G.: Erl/Tir., 2. Sept. 1928. V.: Christine, geb. Hofer. S.: HAK m. Matura, 1949 Dkfm. an d. HS f. Welthdl. in Wien, 1951 Dr. rer. comm. K.: Ab 1951 als vw. Ref. d. Arb.Kam. Bgld. u. später Amtsdir.Stellv., 1958 Vorst.Mtgl. d. BEWAG, 1966 als Fin. u. BauRef. in d. Bgld. LRg. P.: Versch. Art. über Wirtschaftspolitik, Bau- u. Fin.Politik in Fachzeitschriften, Tages- u. Wochenzeitungen. E.: Gr. Gold. EZ d. Rep. Österr., Komturkreuz d. Landes Bgld. M.: Stadtparteiobm. d. SPÖ Eisenstadt, Bez.Obm.Stellv. d. SPÖ-Bez.Organ. Eisenstadt, LParteivorst.Mtgl. d. SPÖ-LOrgan. Bgld., Mtgl d. BKontrollkmsn. d. SPÖ. H.: Musik, Lesen.

Vogl Herbert

B.: Dir. d. Kurzentrum Ludwigstorff Kaiserbad. GT.: Dir. d. Innviertler Heilquellen. DA.: 2405 Bad Deutsch-Altenburg. G.: Wien, 20. Sept. 1938. V.: Hildegard, geb. Dremel. Ki.: Wolfgang, Ingo u. Marcel. El.: Franz u. Helene. S.: Lehre als Schlosser, Reinhardt-Seminar. K.: Engagement an div. Kleinbühnen wie Theater Belvedere, Wiener Werkstätten, Theater im Zentrum, Operette in Bad Ischl, Prom. Manager WM Prod. United Artists, Organ. eigener Musikshows, Veranst. eig. Operettenabende. E.: 1989 Gold. Verd.Zeichen um d. Rep. Österr. M.: Österr. Heilbäder u. Kurorteverb., Lionsclub, Tennisclub Bad Deutsch-Altenburg, Turnerbund, Eisstockschützenver. H.: Theater, Musik, Lyrik, Natur, Tennis, Reisen. (M.G.)

Vogl Hermann

B.: Gschf. FN.: E. Vogl GmbH, GWH Installationen. DA:: 5700 Zell am See, Loferer Bundesstr. PA.: 5700 Zell am See, Struberg. 5. G.: Zell am See, 4. Mai 1967. El.: Ernst u. Eva. S.: 1 J. HTL i. Jennbach, 4 J. Lehrzeit a. GWH Installateur, 2 J. Geselle i. elterl. Betrieb, , 1990 Mstr.-Prüf., s. 1990

Gewerbeberechtigter Gschf., 1995 Fertigstellung v. Wohn- u. Geschäftshaus m. Bäderausstellung u. Werkstätte a. d. Loferer Bundesstr. i. Zell/See. H.: Golf, Tennis, Skifahren.

Vogl Reinhold Dr. Dkfm.

B.: Mtgl. d. Vorst. A.: 1238 Wien, Walther-v.-d.-Vogelweide-G. 19. G.: Graz, 4. März 1932. V.: Irene, geb. Mozgovicz. S.: Matura, WU Wien, Dkfm., Dr. rer. merc. K.: 1957 Henkel, Düsseldorf, 1960 Benckiser, Ludwigshafen, 1961 Hoechst, Frankfurt, 1975 Hoechst Austria AG Wien, seit 1977 Vorst.Dir. H.: Reisen, Theater.

Vogl Walter Dr. iur. Mag.

B.: Dritter Landtagspräs. DA.: 5010 Salzburg, Chiemseehof. PA.: 5071 Wals-Siezenheim, Drosserweg 287. G.: Kufstein, 11. Juni 1927. V.: Elisabeth, geb. Rieder. El.: Dr. Alois u. Anna. S.: VS, RG-Matura, Abiturientenlehrgang an d. HAK, Univ. Innsbruck (iur. Fak.). K.: 1953: abs.iur. 1953/54 Gerichtspraxis, 1955 Prom. z. Dr. iur., lw. Sozialvers. 1954: Ltr. d. Rechtsbüro, 1964: Dir.Stellv. 1971 Dir., Sbg. Landtag: 1974-89 Abg. z. NatR., 1979: stellv. Klubobm. (ÖVP) Obm. d. Verfassungs- u. Verw.Aussch., 1984-89 Dritter Präs. d. Sbg. Landtages, 1971-87 LWSF Dir. d. Vers. P.: Sozialrechtl. Fachartikel. E.: Abz. d. Landes Sbg. "pro caritate", Gr. Gold. EZ f. Verd. um d. Rep. Österr., 1989 Gr. EZ d. Landes Sbg. M.: Sbg. Seniorenbund, Kameradschaftsbund, Kurator d. österr.-schweiz. Kreuz Sbg., seit 1989 Mtgl. d. Kuratoriums d. Barockmuseums Sbg., seit 1989 Mtgl. d. Sbg. Museums Karolinum Augustinum, seit 1987 Präs. d. Ges. z. Förd. d. LVerteidigung Sbg., seit 1989 Vors. d. Fachaussch. d. Sbg. Bild.Werkes. H.: klass. Musik, Basteln. (M.B.)

Vogl Werner Dipl.-Ing.

B.: Arch. DA.: 1190 Wien, Lannerstr. 32. G.: Salzburg, 19. Jan. 1948. V.: Dr. med. vet. Heide, geb. Bock. Ki.: Maria-Magdalena. El.: Hannes Rudolf u. Dorothea. BV.: Großvater Rolf Vogl ak. Maler, Urgroßvater Dipl.-Ing. Dr. Anton Vinzent Vogl. S.: Mittelschule u. Matura in Sbg., 1966 BH, Res.Offz.Anw. in Klosterneuburg, Stud. d. Arch. an d. TU Wien, 1978 Dipl.-Ing. K.: 1968 Mitarb. b. Fa. Aicher Freilassing, 1969 Mitarb. b. Arch. Kiener Wien, 1969-72 Mitarb. b. Arch. Heinle, Wischer u. Partner Stuttgart, 1970-71 Mitarb. b. Arch. Wenz Wien, 1973-75 Mitarb. b. Arch. Zöhrer Wien, 1973 Mitarb. b. Fa. Systembau München, 1975-78 Mitarb. b. Baufa. Kallinger Wien, 1978-80 Mitarb. b. Prof. Pfeffer Wien, 1979-80 Studienaufenthalt in Zentralasien, ab 1980 Mitarb. b. Arch. Garstenauer Sbg., 1983 Ziviltechnikerprüf. Wien, 1982-84 Mitarb. b. Riedl & Rollwagen Wien, 1984-85 Studienreise USA, 1986 eigenes Atelier in Wien. P.: Publ. in Fachzeitschriften über Arch. H.: Malen, Fotografieren, Möbel, Design, kunsthandwerkl Entwürfe.

Voglauer Susanne

B.: Gschf. Ges. FN.: Reisebüro Ötscherland Autobusges.m.b.H. DA./PA.: 3292 Gaming, Erlauftalstr. 57. G.. Scheibbs, 14. Juli 1954. V.: Heinz Musil. El.: Rudolf u. Elfriede Voglauer, geb. Schiffner. S.: VS, HS, Kfm. Lehre im Papierhandel. K.: 1973 Lehrmittelstelle d. Univ. WIen, 1974 Eint. in elterl. Busuntern. in Gaming, 1976 Übern. d. Untern., 1978 Busführerschein, kontin. Ausweit. d. Bus-Fuhrparks u. Reisebürobetr., 1988 Änder. in Ges.m.b.H. u. Erweit. auf Reisebüro Vollkonzession, 1991 Eröffn. Reisebüro-Neubau in Gaming, 1992 Reisebüro Filiale in Melk. (M.M.)

Vogler Eleonora Prof.

B.: Ak. Malerin u. Schriftstellerin. DA.: u. PA.: 1140 Wien, Einwangg. 4A/2/8. G.: Wien, 28. Dez. 1920. El.: Vogler Josef P.S.K.-AmtsR. u. Schriftsteller u. Adolfine Städt. Lehrerin. S.: Kunstgewerbeschule Wien, 1943 Dipl. angew. Malerei, anschl. Ak. d. bild. Künste, 1946 Diplom (Prof. Pirchan). K.: Gobelinmanufaktur Alte Hofburg als Kartonistin, 1954-69 Lehrbeauftragte an d. Ak. d. Bild. Künste, Schillerpl., Meisterschule f. Malerei (Prof. A. P. Gütersloh), Unterricht in Tapisseriekunst u. Glasmalerei, 1969-76 Vertragsbedienstete Museum f. Völkerkunde, 1974 Prof.Titel, wegen Berufskrankheit (Augen) in Frühpension, ab 1976 ausschl. Schriftstellerin (1. literar. Arbeiten 1940). P.: "Harlekin" Novellen, 1946, Amandus Edition Wien, 1944 Roman: "Wölfe", 3 Dramen, 1 Epos über Timur u. div. Filmsch., 1984 Bläschke - Romanpreis f. d. Roman "Ein Fisch im Feuer" (Juroren: Dr. Franz Schuh, Peter Henisch, Jutta Schutting), 1985 Lesung in d. "Alten Schmiede", dzt. Arbeit an Familienroman "EinSteinbock in der Luft". M.: Berufsver. Bild. Künstler, Lit. Verwertungsges. (LVG). H.: Sammeln v. Bildern (Heiligenbilder, Tierdarstellungen), alte Puppen, Stofftiere, Asiatika, Tanzen (alte Musik u. Rockmusik). (C.K.)

Vogler Erich Nikolaus Dr. iur.

B.: RA. DA.: 5020 Salzburg, Dr.-Franz-Rehrl-Pl. 7. PA.: 5020 Salzburg, Xaver-Traber-Str. 6. G.: Zell/See, 22. Okt. 1948. V.: Isolde, geb. Steinbacher. Ki.: Nikolaus, Elisabeth, Georg. El.: Dr. Georg u. Trude. S.: 1967 Matura, Ak. Gymn. Sbg., Stud. Univ. Wien u. Sorbonne, 1972 Prom., Stud. HS f. Welthdl. Wien. K.: Gerichtsj. in Wien, RA-Praktikum in Wien u. Sbg., RA-Prüf., seit 1977 selbst. RA in Sbg., Schwerpunkt: Wirtschaftsrecht u. Steuer. M.: Rotary-Club Zell/See, VPräs. d. Porsche-Club Sbg., Österr. Ges. f. Baurecht. H.: E-Musik, Golf, Tennis, Skifahren. (A.W.)

Vogler Hans Dr. techn. o.Univ.-Prof.

B.: Prof. TU Graz. PA.: 8010 Graz, Brucknerstr. 11. G.: Wien, 7. Apr. 1935. S.: Lehramtstud. aus Math. u. Darstell. Geometrie an d. Univ. u. d. TU Wien, Stud. d. Vers.Math. an d. TU Wien, Prom. z. Dr. techn. 1965, 1967 Habil. an d. TU Wien. K.: 1957 wiss. Hilfskraft, 1959 Ass., 1967 Doz. am 1. Inst. f. Geometrie d. TH Wien, 1972 o.Univ.-Prof. f. Geometrie (Inst.Vorst.) an d. TU Graz, 1983/84 u. 1984/85 Dekan d. Techn.-Naturwiss. Fak. d. TU Graz, 1982-84 Vors. d. Österr. Univ.-Prof. Verb. (UPV), ab WS 1994/95 Prärektor d. TU Graz. P.: Original Arb. in wiss. Zeitschriften. E.: Förderungspreis d. Österr. Math. Ges. M.: Österr. Math. Ges.

Vogler Jörg Hans

B.: Kfm., Gschf. FN.: Hans Vogler Wild, Geflügel, Eier, Fische, Groß- u. Kleinhdl., Jörg Hans Vogler GmbH. DA. u. PA.: 1121 Wien, Vivenotg. 19-21. G.: Wien, 28. Sept. 1939. V.: Gertrude, geb. Neumann. Ki.: Jutta, Elke. El.: Hans u. Maria. S.: Kfm.Lehre in Wien m. Kfm.Gehilfenprüf., Ausbild. u. Mstr.Prüf. als Zahntechniker in Wien. K.: ab 1960 Arb. im väterl. Betrieb, nach Volontärzeit im Ausland 1978 Betriebsübernahme. M.: NÖ LJagdverb. H.: Jagd. (C.K.)

Vogler Josef KommR.

B.: Kinounternehmer. A.: 5280 Braunau, Franz-Resl-Str. 7. G.: Gaisruck, 9. Okt. 1923. V.: Inge, geb. König. El.: Josef u. Maria. S.: VS, Unterstufe RG, HTL m. Matura. K.: 1943 Ltt., 1947 Übernahme d. elterl. Betriebes, 1950 Verleihchef einer Filmfirma, 1952 Neubau d. ersten eigenen Betriebes, 1962 Kauf d. 2. Betriebes in Braunau, 1968 Fachgruppenvorst. d. Lichtspieltheater OÖ, seither auch Obm.Stellv. d. Sekt. Fremdenverkehr HK OÖ. 1974 Fachverb.Vorst. d. Lichtspiele Österr., zugleich Obm. d. Wirtschaftsgen. österr. Kinountern., seit 1980 aus gesundheitl. Gründen in beiden Funktionen Stellv. F.: 1952 Zentralkino Braunau, 1962 Stadtkino Braunau, 1977 Fa. H. Lorenz, Fbk. f. Kunststoffartikel, Wien. M.: 1965-76 VPräs. d. Jagd- u. Wurftaubenschützen Österr., Mtgl. b. zahlr. lokalen Ver. H.: Jagd, Tennis.

Vogler Thomas

B.: Inh., Schlossermstr. u. Dressman/Fotomodell. FN.: Fa. Thomas Vogler Metallbau. DA.: 6911 Lochau, Landstr. 37. G.: Bregenz, 1965. V.: Sabine, geb. Riedmann. Ki.: Tina

Maria (1991). S.: VS, HS, Schlosserlehre, Mstr.-Prüf., kfm. Ausbild., BH. K.: Gschf. im elterl. Betrieb in Bregenz, Eröff. d. Filiale Lustenau, parallel Beginn als Dressman u. Fotomodell, intern. Auftritte u. Präsentationen. M.: Fußballclub. H.: Fußball, Computer, Familie, Oldtimer. (I.D.)

Voglstätter Günther

B.: Inh. FN.: G. Voglstätter GmbH Eisen-Metalle-Rohstoffe. GT.: Gschf. bzw. Inh. weiterer metallverarb. Betriebe. DA.: 5020 Salzburg, Ziegeleistr. 30. PA.: 5023 Salzburg, Mayrwies-Esch 336. G.: Taxenbach, 30. Aug. 1941. V.: Birgit, geb. Havlena. Ki.: Sylvia (1962), Günter (1964), Andrea (1973), Julia (1980), Sarah (1994). El.: Johann u. Anna. S.: 1947-55 Grundschule, 1955-59 Bäckerlehre. K.: 1960 Kraftfahrer Eisen u. Metall Hirnböck, 1960-70 Praxisj. Firma Hirnböck, 1970 Gschf. Hirnböck & Voglstätter, 1980 Grdg. Sbg. Metall- u. Kabelverwertungs GmbH, 1988 Hotel Neue Post Fieberbrunn, 1989 eigenständige Voglstätter GmbH, 1990 Alleinbes. Sbg. Metall- u. Kabelverwertungs GmbH, 1990 Pferdezucht Sighartstein u. Reitanlage, 1991 G. Voglstätter Ind.-Anlagen u. Hdls. GmbH. F.: Sbg. Metall- u. Kabelverwertung, Eisen u. Metall Nagl, Hotel Neue Post, G.V. Ind.-Anlagen, SSS Schlüssel-Schloß u. Sicherheit, Pferdezucht u. Reitanlagen, Stahlhdl. Firma Somex München, Metallhdl. Metalex Sofia. M.: Gremialvorst. Altstoffhdl., HK Sbg. H.: Arb., Familie, Freizeitsport. (C.D.)

Vogltanz Harald

B.: Gschf. Ges. FN.: WNS English Pub's GesmbH. DA.: 2700 Wr. Neustadt, Herreng. 4. PA.: 2700 Wr. Neustadt, Hammerbachg. 8. G.: Bruck/Mur, 1. Mai 1962. El.: Robert u. Irene. S.: Realgymn. Wr. Neustadt. K.: anschl. div. Berufe, Animateur, Schilehrer, Sportwart, 1984-91 Barkeeper i. Kitzbühl, 1991 Konzessionsprüfung u. Eröffnung d. Lokals i. Wr. Neustadt. M.: Tierschutzver. H.: Expeditionen, Hund. (I.J.)

Vogrinec Johannes Peter

B.: Dir. FN.: Landesberufsschule Voitsberg. DA.: 8570 Voitsberg, Mozartg. 44. PA.: 8042 Graz, St.-Peter-Hauptstr. 31c/5/11. G.: Graz, 16. Aug. 1942. El.: Johann u. Maria. S.: Pestalozzi-Gymn., HAK, Abschluß 1961. K.: Wagner-Biro (Materialverw., Einkauf), 1964 Vertraglehrer Berufsschule Voitsberg, 1967 Lehrbefähigungsprüf. Wien, 1970-73 Wanderlehrer Berufsschule Deutschlandsberg u. div. kfm. Berufsschulen in Graz, 1979 Dir.-Stellv., seit 1986 Dir.; Ltr. d. VHS Voitsberg, seit 1970 Mitarb., Techn.-gewerbl. Abendschule d. Kammer f. Arb. u. Ang. f. Stmk., Expositur in Voitsberg, Kursltr. BFI; seit 1975 Mitarb. d. Gewerksch., seit 1981 Mtgl. d. LSekt.-Ltg., seit 1986 Vors.-Stellv. u. Mtgl. in d. BSekt. P.: Mitarb. an Schulbüchern f. Kfm. Rechnen, Wirtschaftskunde m. Schriftverkehr. E.: 1993 Silb. VZ d. VHS-Verb. Österr. M.: Ver. Grazer Turnerschaft, Soz. Lehrerverb. (Obm.-Stellv. Berufsgruppe Berufsschullehrer). H.: Schule, Reisen, Schifahren, Radfahren, Wandern. (R.S.)

Vogt Gerhard Dr. rer. pol.

B.: Mtgl. d. Vorst. FN.: CENTRO Intern. Handelsbank AG. DA.: 1010 Wien, Tegetthoffstr. 1. PA.: 1080 Wien, Josefsg. 7. G.: 10. Nov. 1940. V.: Ingrid. Ki.: Karin, Anton, Elisabeth, Harald, Christian, Ferdinand. S.: HS f. Welthdl. Wien. K.: 1960 Compagnie Continentale des Céréales Paris, 1961 Alpina Steam Ship Corp. New York, 1962 Fa. Fritz Mauthner Wien, 1974 Centro Intern. Hdls.Bank AG Wien, seit 1974 Mtgl. d. Vorst. d. Centro Intern. Hdls.Bank AG Wien. P.: div. Art. in Fachzeitschriften, Intern. Finanzierungen, Außenhdl. M.: AufsR.: d. Centrotrade Far East Ltd. Hong Kong, d. Centrotrade Sdn Bhd Kuala Lumpur, d. S.A.A.S. Holding BV Rotterdam, d. Centrotrade Singapore Pte Ltd. Singaur, d. Centrotrade Commodities Pte Ltd. Singapur, d. Kleinwort Benson Centrotrade Ltd. Hong Kong, Pr. d. VerwR. d. Centrotrade Investment AG Zug/Schweiz u. d. VerwR. d. Centrotrade Chemicals AG Zug, Mtgl. d. VerwR. d. Centrotrade Minerals & Metals AG Zug, Vors. d. AufsR. d. Centrotrade Minerals & Metals Inc. New York. H.: Tennis, Golf, Segeln, Skifahren. (A.W.)

Vogt Ingrid Mag.

B.: Dir. HBLA f. wirtschaftl. Berufe. DA.: 1130 Wien, Bergheideng. 5-19. G.: Wien, 2. Feb. 1947. V.: Hans Vogt. Ki.: Karin (1970). El.: Ernst u. Maria Wegscheider. S.: 1965 AHS-Matura, Stud. Lehramt in Franz. u. Geschichte Univ. Wien, 1972 Mag. K.: b. 1989 Lehrerin in d. HAK Floridsdorf, seit 1989 ltd. Dir. in d. Bergheidengasse, Teilnehmerin an Schulentwicklungsprojekten, Betreuung u. Begleitung v. Schülern u. Jugendgruppen b. Bild.-Fahrten. P.: u.a. "Lehrerausbild. u. Lehrerfortbild.", "Wirtschaftssprache Franz.". K.: 1987 Belohnung f. bes. Leistungen. H.: Skifahren, Golf, Kulturreisen. (W.J.)

Vogt Peter Dkfm.

B.: Ges. DA.: 1147 Wien, Mooswieseng. 7. PA.: 1030 Wien, Dannebergpl. 9/12. G.: Wien, 20. Sept. 1939. V.: Vesna, geb. Grujicic. Ki.: Anna, Aglaja, Nikolaus. El.: KommR. Herbert u. Marianne. S.: VS, RG, HS f. Welthdl. in Wien. K.: selbst. als Importeur im kleinen Rahmen, 1965 Grdg. d. Fa. Veropa, Erzeugung v. Autopflegeart. nach eigener Entwicklung, 1966 Import v. Autozubehör, 1968 Produktion v. Autozubehör in Partnerschaft m. einer dt. Fa., seit 1975 ohne Partner, Ges.-Verhältnis innerhalb d. Fa.: Veropa 70% u. Fr. Veronika Riedmüller 30%., Stadtbüro in Wien u. Betriebsstätte in Gallbrunn. F.: Fa. Veropa, Fa. Moravia, Ges. f. Verkehrssicherheit Hans Jaschke & Co. H.: Musik, Literatur. (Kest.)

Vogt Peter

B.: Vorst.Dir. d. Generali Allg. Lebensvers. AG. DA.: 1010 Wien, Landskrong. 1-3. PA.: 1190 Wien, Langenaug. 2. G.: Wien, 4. Nov. 1932. V.: Charlotte, geb. Lavicka. Ki.: Birgit (1968), Andreas (1966). El.: Koloman u. Gerda. S.: VS, Gymn. K.: Generali Vers. E.: Gold. u. Gr. Gold. EZ f. Verd. um d. Rep. Österr. H.: Tennis.

Vogtenhuber Ursula Dr. rer. soc. oec. Mag.

B.: Gschf. Ges. FN.: IFB Industriefinanzierungs u. Exportberatungs GmbH. DA.: 1040 Wien, Gußhausstr. 18. PA.: 1130 Wien, Klitschg. 8-10/A2. G.: Wien, 18. Juli 1956. V.: Dipl.-Ing. Rudolf. Ki.: Rudolf (1983), Julius (1989). El.: Dkfm. Julius u. Dipl.-Ing. Maria Götz. S.: 1974 Matura, Stud. an d. WU Wien, 1978 Spons., 1980 Prom. K.: 1979-85 Steyr Daimler Puch, Finanzabt., Projektfinanzierung, 1985 Fa. IFB, seit 1986 Gschf. Ges. P.: Veröff. in Fachzeitschriften, Vortragstätigkeit b. Firmen u. Banken. H.: Tennis. (J.S.)

Vohryzka Herbert Dkfm. KommR.

B.: Gschf. Ges. FN.: Autohaus Triester Straße GmbH & Co KG. DA.: 1100 Wien, Triester Str. 40. G.: Wien, 1. Okt. 1940. V.: Marlene, geb. Hafferl. Ki.: Irene (1963), Clemens (1966). El.: Karl u. Margarethe. S.: VS, Gymn., 1959 Matura, Stud. HS f. Welhdl., Dkfm. K.: 1966 Managementtrainer b. Ford, 19 J. f. Ford, davon 8 J.in England f. Ford of Europe sowie Ford of Eastern Africa, Sales Manager of Austria, 1983 zurück nach Österr., 1988 größter Mietfahrzeughändler Österr., 1991 größter Ford-Händler Österr. E.: Hon.-Konsul f. Swasiland, KommR., div. Wettbewerbe f. d. Firma gewonnen. H.: Kakteen, Reisen, Schwimmen, Skfiahren. (J.M.)

Voigt Anton Prof.

B.: Konzertpianist, Prof. am Bruckner-Konservatorium Linz. DA.: 4020 Linz, Wildbergstr. 18. G.: Innsbruck, 10. Jan. 1947. S.: Konservatorium u. Univ. Innsbruck, Slzb. u. Wien, Privatstud. m. Yvonne Lefebure in Paris u. Wilhelm Kempff. K.: Seit 1972 intern. Konzerttätigkeit, Mitwirkung an zahlr. Festivals (ua. Steir. Herbst, Carinthischer Sommer, Musikal. Sommer in Wien, intern. Schönberg Woche in Mödling), Repertoire-Schwerpunkte: deutsche Klassik u. Romantik, Musik d. Schönberg-Kreises, 1983-85 Vorst. d. Abt. Tasteninstrumente am Brucknerkonservatorium. P.: "Über d. Konzertpraxis m. Klavierwerken Alexander Skrjabins", Verfasser v. Musikfeuilletons im ÖRF, Mitarb. b. d. Ausstellungen Mozart i. Linz 1991 u. Die Klangwelt Mozarts i. Wien 1991. E.: Zahlr. Förderungspreise, u.a. d. Österr. Ak. d. Wiss., Hindemith-Stiftung (Vevey/Frankfurt), OÖ Landeskulturpreis f. Initiative Kulturarb. 1993. M.: Intern. Schubert-Ges.. H.: Bücher, Bilder, Antiquitäten. (Deu.)

Voita Bernhard

B.: Gschf. Ges. FN.: GEllrich GmbH. DA.: 4020 Linz, Brucknerstr. 3-5. PA.: 4490 St. Florian, Ziegeleistr. 29. G.: Linz, 4. Jän. 1960. V.: Monika, geb. Hempel. Ki.: Michael (1991). El.: Hermann u. Waltraud. S.: VS, Gymn., HAK, HASCH. K.: 1980 Vertriebsass. Nixdorf GmbH Linz, 1981-84 Vertriebsbeauftragter Handel/Fertigung, Vertriebsbeauftragter b. /M/A/I International GmbH, 1987 Geschäftsstellenltr. /M/A/I Linz, 1988 Gsch.-Stellenltr. APH-Linz, 1991 Prok. u. gewerberechtl. Gschf. d. /M/A/I Datenverarbeitungssysteme GmbH. BL.: 1987 weltweit bester Neukundenverk. d. /M/A/I. E.: 100% Sales Clubs 87/89/90. M.: Austrian Golf Club. H.: Musik, Tennis. (U.A.)

Voith Franz Dipl.-Ing.

B.: Amtsltr. d. Vermessungsamtes Gmünd i.R. A.: 3950 Gmünd, Hans-Lenz-Str. 14. G.: Pausram/CR, 24. März 1918. V.: Hildegard, geb. Malec. Ki.: Annemarie. El.: Anton u. Anastasia S.: Realschule m. Matura, TH in Brünn m. Dipl.Prüf. 1940 Eintritt in d. Vermessungdienst Wien, 1941 Auff. a. Peenemünde b. d. Entwickl. d. Raketentechnik mitzuw. 1946 Übertritt in d. Österr. BVermessungsdienst in Wien, erste Wirkungsstätte Vermessungsamt St. Pölten, 1952 Versetzung z. Vermessungsamt Gmünd, seit 1953 Amtsltr. d. Vermessungsamtes Gmünd. Mehrere Beiträge über Analyse u. Erneuerung d. Österr. Katastermappen in Fachzeitschriften, 1949 Erstlingsvorschlag "Vom Steuerkataster u. Rechtskataster" 1949. Grundl.f.d. Vermessungsgesetz 1968, 1979 Versetzung in d. dauernden Ruhestand. F.: 1979-81 Ziviling. f. d. Vermessungswesen in Mistelbach. E.: Gold. EZ f. Verd. um d. Rep. Österr., NÖ Sport-EZ in Silber u. Gold, ASKÖ Plakette in Gold u. Silb. ASKÖ Abz., Viktor Adler-Büste. M.: ASKÖ Bez.Obm., Bez.-Ehrenobm. ASKÖ NÖ Landeskontrolle, Bez.-Ltr. d. Österr. Zivilschutzverb.; Liga f. d. Vereinten Nationen, Ges. f. Luft- u. Raumfahrt, Obm. d. Gmünder Weltraumfreunde(1960 Errichtung d. 1. Meridiansteines auf dem 15° östliche Länge MEZ, 1963 Ausrichtung d. 1. Briefmarkenausstellung aus dem Gebiet Weltraum d. Welt) Obm. d. Gmünder Weltraumfr. seit 1959. H.: Briefmarken, Weltraumkunde.

Voith Günter Dr.

B.: Kfm., Gschf. Ges. FN.: Inzersdorfer nahrungsmimttelwerk KG. DA.: 1232 Wien, Draschestr. 107. PA.: 1190 Wien, Leopold-Steiner-G. 1a. G.: Wien, 14. Apr. 1935. V.: Hannelore, geb. Wenninger. Ki.: Corinna, Gerold, Bernhard, Richard. El.: KommR. Hermann u. Grete. S.: Matura, ak. Gymn., 1957 Prom. an d. Univ. Wien. K.: Seit 1957 in d. Fa. Inzersdorfer tätig. F.: Voith GmbH, Wilhelms Brauns KG. M.: Rotary Wien-West. (Hau.)

Voith Josef

B.: Vorst.-Dir. FN.: Sparkasse Horn-Ravelsbach-Kirchberg AG. GT.: Bgm. d. Marktgem. Ravelsbach. DA.: 3720 Ravelsbach, Hauptpl. 6. G.: Gaindorf, 5. März 1948. verh.; 1 Kind. S.: VS, HS, HASCH. K.: 1965 Eintritt in d. Sparkassensektor, fortlfd. berufl. Ausbild. u. Schulung, seit 1981 Vorst.-Dir. d. Sparkasse Ravelsbach, seit 1993 Vorst.-Dir. d. Sparkasse Horn-Ravelsbach-Kirchberg AG, seit 1990 GemR. d. Marktgem. Ravelsbach, seit 1994 Bgm. H.: Tennis, Skifahren. (M.M.)

Voithofer Leonhard Dr. rer. oec. KommR.

B.: Bauunternehmer u. Ind.; Hon.-Gen.-Kons. A.: 5020 Salzburg, Heinrich-Puthon-Str. 9. G.: Salzburg, 24. Juni 1919. V.: Theresia, geb. Lainer. El.: Leonhard u. Maria. S.: VS, Gymn, HTL m. Matura, während d. Krieges Offz. d. Gebirgstruppe m. letztem Dienstgrad Hptm., 1947-50 Stud. an d. Leopold Franzens-Univ. in Innsbruck als Werkstud., Dipl.Prüf. z. Dipl.Vw. 1949, Prom. z. Dr. d. Wirtschaftswiss. 1950 (Dr. rer. oec.). K.: Nach d. Kriege kurzfristig als Ing. in d. Bauverw. d. Stadt Sbg. tätig, ab 1950 Abt.Ltr. u. Dir. d. Bauunternehmung Hoch- u. Tiefbau C. Heinz bzw. gschf. Ges. bei einer weiteren Hoch- u. Tiefbauunternehmung, ab 1961 Inh. d. Fa. Spannbetonwerk Ing. Dr. Leonhard Voithofer, weiters Inh. d. Fa. Baustoffe Dr. Voithofer, ab 1963 Alleinges. u. Gschf. d. Bauges. Dr. Voithofer GmbH. P.: Kleinere Abhandlungen im Fachbereich Ind. u. Bauwesen. E.: Als Anerkennung f. d. Tätigkeit im öff. Leben erfolgte die Verleihung d. taxfreien Bürgerrechtes d. Stadt Sbg., das Wirken im wirtschaftl. Bereich wurde durch d. Verleihung d. Rechtes zur Führung d. Staatswappens im geschäftl. Verkehr f. d. Unternehmen Salzburger Spannbetonwerk anerkannt. M.: Im Jahre 1964 Berufung als Mtgl. d. BeiR. f. d. Statistik d. Außenhdls. im Österr. Statistischen Zentralamt in Wien, m. dieser Berufung ist d. Führung d. Titels KommR. verbunden, 1975 Ernennung zum Hon.Gen.Kons. d. Rep. Panama f. d. BL Sbg., Aussch.Mtgl. d. LInnung d. Baugewerbe f. Sbg., Mtgl. d. Vorst. u. Verw.Aussch. d. Sparkasse, Vorst.Mtgl. d. Stiftungs- u. Förderungsges. d. Paris-Londron-Univ., Vorst.-Mtgl. d. Golf- u. Country Club Slb., Mtgl. d. Vereinigung Österr. Ind., d. HK d. Rep. Panama f. Österr., d. Intern. Ges.,

d. Konsularkorps, d. Corps Consulaire de Sbg., d. Österr.-Inst., d. Österr.-Dt. Kultur Ges. etc. H.: Antiquitäten, Musik, Literatur, Sport.

Voitischek Karl

B.: Einzelunternehmer. FN.: Voitischek Transporte. DA.: 9020 Klagenfurt, Ziegeleistr. 1. PA.: 9020 Klagenfurt, Hörtendorf-Tulpenweg 3. G.: Am Christophberg, 26. Aug. 1940. Ki.: Gabriele, Doris, Karl, Elke. S.: VS, HS, kfm. Berufsschule. K.: 1955-59 Lehre als Einzelhdls.Kfm., Hdls.Agent (Fa. Gröger), 1959-67 Kraftfahrer b. versch. Firmen, 1967 eigenes Transportunternehmen gegründet. M.: Wirtschaftsbund, ÖVP. (M.Br.)

Vojnicsek Walter

B.: Kunst- u. Antiquitätenhändler. DA. u. PA.: 2345 Brunn am Gebirge, Arbeiterg. 15. G.: Mödling, 17. Jan. 1950. V.: Monika, geb. Dangl. Ki.: Alexander (1978), Marina (1983), Walter (1987). El.: Ferdinand u. Anna. K.: Mitarb. im elterl. Betrieb: Buntmetall- u. Altwarenhdl., 1988 Gewerbeschein z. Ausübung d. Antiquitäten- u. Kunstgegenständehdl. M.: Arbeiterfischereiver. H.: Fischen. (M.M.)

Vojta Günter Dipl.-Ing.

B.: Immobilientreuhänder, Gschf. Dir. FN.: IVD Immobilien Vermittlungsdienst GmbH. DA.: 1010 Wien, Franz-Josefs-Kai 13. PA.: 2384 Breitenfurt, Apfelbrunngraben 49. G.: Wien, 1. Apr. 1948. V.: Annemarie, geb. Thier. Ki.: Verena (1974). El.: Richard u. Margarethe. S.: 1966 Matura, 1967 BH, 1967-73 Stud. Kulturtechnik an d. HS f. Bdk. Wien. K.: 1973-79 Ass. f. Baustofflehre an d. TU, 1979-82 Baufirma Mischek, 1982-84 Firma Cosmos Immobilienbüro, seit 1984 lfd. b. Raiffeisen ND, anfangs als Ltr. d. Abt. f. Immobilienverwertung, später Dir., 1985 Konzessionsprüf. f. Immobilienmaklergewerbe. H.: alte Autos, Sport. (I.K.)

Vojtenko Hannelore

B.: Medialtr. Progress Werbung. DA.: 1010 Wien, Gonzagag. 12. PA.: 1110 Wien, Muhrhoferweg 1/8/2. G.: Wien, 1. Sept. 1941. V.: Georg. Ki.: Karin. El.: Oswald u. Elisabeth Fink. K.: Kfm. Lehre b. Vorwärts Verlag, Ausb. Zeitungswesen, s. 1961 Fa. Progress. H.: Theater, Oper, Lesen, Klavier, Wandern. (E.L.)

Volcic Karl

B.: Vors. FN.: Zentralausschuß f. Pflichtschullehrer b. Amt d. Bgl. Landesregierung. DA.: 7000 Eisenstadt, Permayerstr. 6. PA.: 7400 Oberwart, Resselg. 23. G.: Oberwart, 1. März 1948. V.: Renate, geb. Hansl. Ki.: Klaus, Bernd, Mark. El.: Branislav u. Gisela. S.: 1968 Musisch-pädag. RG Eisenstadt, 1970 Pädag. Akademie Wien. K.: 1970 Eintritt Schuldienst Klostermarienberg, 1971 HS Oberwart, 1978 Personalvertr. Bezirksebene, 1986 Vors. Dienststellenausschuß Bezirk Oberwart, 1993 Vors. Zentralausschuß; 1966-81 Sektionsltr. Schwimmen ÖTurn- und Sportunion, 1981 Obmann Union Oberwart, 1977-93 Bezirksbildstellenltr. 1982 GR Oberwart, 1987 Stadtrat Oberwart, 1992 Fraktionsführer ÖVP Oberwart. BL.: 1966 Vizestaatsmeister Schwimmen. E.: Gold. EZ VÖS, Gold. EZ Union, EZ d. Landes Bgld. H.: Wandern Schwimmen, Basketball, Tennis, Fotografieren, Videofilmen. (M.G.)

Volderauer Johann Dr. iur. HofR.

B.: Ltr. Gruppe I d. Post- u. Telegraphendion. f. Tir. u. Vbg. DA.: 6010 Innsbruck, Maximilianstr. 2. PA.: 6091 Götzens, Unterer Feldweg 19. G.: Götzens, 20. Dez. 1924. V.: Blandine, geb. Apperle. Ki.: Hans, Wolfgang, Andreas. S.: VS, Gymn. in Innsbruck, 1944 Reifeprüf., Militärdienst, Kriegsgefangenschaft, Jusstudium an der Univ. Innsbruck, 1949 Prom.. K.: Gerichts- u. RA-Praxis, seit 1954 im Postdienst, 1978 Ernennung z. HofR. E.: Gr. EZ f. Verdienste um d. Rep. Österr., 1964 u. 1976 Olympiamed. M.: AAB-Ortsobm. in Götzens, ehem. GemR.Mtgl. in Götzens, LSchützenbund (langjähr. Aussch.Mtgl.), einige kirchliche und örtliche Vereine. H.: Sportschütze, Bergwandern. (Schm.)

Volf Gerda

B.: Friseurmeisterin u. Inhaberin. FN.: Frisör Volf, Spezialist für Echthaar-Verlängerungen und Verdichtung. DA.: 1050 Wien, Franzensg. 18. G.: Wien, 15. Dez. 1963. V.: Stefan. Ki.: Bianca (1988), Alina (1992). El.: Rudolf u. Anna Stanzer. S.: Berufsschule, Gesellenprüfung, Lehre bei. Weltmstr. Coiffeur Michel, 1985 Meister.-Prüfung. K.: s. Nov. 1991 selbst, Eröffnung d. Friseursalons Volf für Damen u. Herren, Teilnahme a. Frisurenshows u. Modeschauen. M.: Mtgl. b. Int. Reisedienst. H.: Familie, Beruf u. Skifahren. (J.S.)

Volf Ronald Ing.

B.: Gschf. Ges. FN.: IRV Datenverarb. GmbH. DA.: 2351 Wr. Neudorf, Rathausg. 2. G.: 2. Dez. 1954. V.: Melitta, geb. Neubauer. Ki.: Bernd (1979). El.: Stephan u. Margit. S.: 1975 TGM-Matura: Datenverarb. u. Impulstechnik. K.: 1975-76 Ausbild. als Systemprogrammierer b. IBM u. Honeywell Bull, 1976-80 Applikationsprogrammierer b. Zentralsparkasse, kfm. Ausbild. in d. Zentralsparkasse, Sparkassenprüf., 1980-82 Rechenzentrumsltr. DVW Datenverarb. f. Wirschaftstreuhänder, 1982-83 Prok. DVW, 1984 Großanlagenverkauf BASF, 1984 Grdg. IRV Datenverarb. f. spezielle betreibssystemnahe Projekte, 1984-89 Abt.-Ltr. f. Systementwicklung b. d. Softwarehaus DPW Data Processing Weinhofer, seit 1989 selbst. m. IRV u. Erweiterung d. Arbeitsbereiches auf Telekommunikation u. Rechnerverbindungen, ab 1990 Entwicklungspartner v. namhaften Firmen wie IBM u. Microsoft, ab 1991 Gen.-Vertretung v. CASEWORKS Produkten. H.: Literatur, Radfahren, Segeln. (M.M.)

Volfing Maria

B.: Ges., Prok. FN.: Otto Volfing GmbH. DA.: 2491 Neufeld, Eisenstädter Str. 21. PA.: 2491 Neufeld, Sackg. 55. G.: Wien, 20. März 1950. V.: Otto Volfing. Ki.: Barbara (1981). El.: Johann u. Maria Gion. BV.: Wenzel DeMartini. S.: VS, HS, kfm. Lehre Peter Böhm-Betriebe. K.: 1968-81Buchhalterin in versch. Firmen, ab 1981 im Malerbetrieb d. Gatten, 1987-90 Trachtenboutique, 1988 Eröffnung d. Restaurantbetriebes. F.: Ges. d. Otto Volfing Ges. (90 %). H.: Lesen, kreative Beschäft. (Seidenmalerei, Abhalt. v. Kreativ-Kursen), Garten, Musik.(I.J.)

Volgger Hanna

B.: Gschf. d. Ges. d. Fa. Foggensteiner. DA.: 1010 Wien, Graben 26. PA.: 1050 Wien, Kl. Neug. 23. G.: Wien, 3. März 1942. Ki.: Andrea, Britta. El.: KommR. Josef u. Rosel Foggensteiner. S.: Gymn., Kürschnermstr.Prüf., 1966 Abschluß. K.: 1956 Eintritt in väterl. Betrieb, 1970 Ges., 1976 Gschf. BL.: Seit 1973 Staatswappenträger. M.: Modeteam Wien. H.: Nähen, Stricken, Kochen. (Fels.)

Volgger Stefan

B.: Unternehmer. FN.: Stefans Skischule Mittersill. DA. u. PA.: 5730 Mittersill, Kürsingerdamm Nr. 15 A. G.: Mittersill, 10. Dez 1962. V.:Annemarie, geb. Blaickner. Ki.: Karin (1991). El.: Peter u. Gertraud. S.: VS, HS, 1977-1981 Lehre als Maschinenschlosser m. anschl. Abschlußprüfung. K.: Anwärter als Landesskilehrer, 1983 Schischule Pregenzer i. Kaprun als Skilehrer tätig, 1983-87 Skilehrer Bundessportheim Kitzsteinhorn, 1984 Prüfung zum Landesskilehrer, 1985 staatl. Skilehrerprüfung, 1986 Staatl. Trinerprüfung, 1988 Chef Skilehrerschule Pregenzer Kaprun, 1989 Konz. Prüfung, 1989 Ang. b. FVV Mittersill als Langlauflehrer u. Animateur, 1990 Übernahme d. Skischule i. Mittersil, s. 1992 zusätzl. Skiverleih. H.: Bergsteigen, Wandern, Radfahren, Reisen, (E.H.)

Volgger Ursula

B.: Gschf. u. Inh. FN.: Wieser Textilien Lederwaren. DA.: 4910 Ried, Stelzhamerplatz 20. PA.: 4910 Ried, Auleiten 34. G.: 17. Juni 1956. V.: Wolfgang. Ki.: Michael (1977), Barbara (1980), Paul (1981). El.: Rudolf u. Inge. S.: 1973 Hasch. K.: 1973-77 Stadtwerke i. Ried als Büroang., 1978-86 i. elterl. Betrieb, 1.1.1986 Betrieb übernommen, 1991 umgebaut. H.: Wandern, Schwimmen. (M.G.)

Volkert Jens Dr. Dipl.-Ing. Prof.

B.: Univ.-Prof. Univ. Linz. DA.: 4040 Linz, Auhof. PA.: 4040 Linz, Schratzerstr. 8. G.: Nürnberg/Deutschland, 23. Aug. 1942. V.: Angelika, geb. Schuster. Ki.: Jörg (1967). El.: Philipp u. Else. S.: VS, Gymn., 1961 Matura, b. 1970 Math.-Stud. Erlangen. K.: Traunhofnung GmbH in Deutschland, Forsch.-Gruppen Mensch/Maschinen Kommunikation, 1978 Univ.-Ass. Univ. Erlangen, 1983 Prom. z. Dr.-Ing., 1989 Univ. Linz. P.: ca. 39 Werke. M.: GI. H.: Schach, Tischtennis. (U.A.)

Völkl Franz Dr.

B.: Univ.-Prof., klin.-u. Gesundheitspsychol. A.: 9020 Klagenfurt, Baumbachpl. 21. G.: Wien, 16. Nov. 1933. V.: Paula, geb. Randa. El.: Franz u. Adele. S.: Grund u. HS-Lehrerausbild., Univ.Stud. K.: Pflichtschullehrer, L. d. Abt. f. Betriebs- u.Wirschaftspsychologie. P.: Pädagogische Psychologie - Unterrichtswiss., Programmierte Unterweisung - Programmiertes Lernen, Schulerneuerung - Schulreform, Lernen lernen - Lernmotivation u. Organisationspsychologie.

Völkl Friedrich Mag. Ing.

B.: Gschf. Ges. Passavant Österr. DA.: 2352 Gumpoldskirchen, Am Kanal 5. G.: Wien, 19. Apr. 1953. V.: Heide, geb. Hohberg. Ki.: Georg, Klaus. El.: Friedrich u. Martha. S.: HTL Elektrotechnik, 1972 Abschluß, Stud. Univ. Wien. K.: 1974 Elektrotechniker, 1976 Umwelttechniker - Alternativenergie, Berndorfer Energiesystem, b. 1989 Firma Purator Umwelttechnik, nebenbei Managementtraining, Beratungsfunktion f. Ökologiewirtschaft, 1990 Eröff. Passavant Österr. u. Gschf. Ges. H.: Familie, Betätigung in d. Natur, alte Möbel restaurieren. (J.E.)

Völkl Walter Prof.

B.: Lehrer, Komponist, Schriftsteller. PA.: 2351 Wr. Neudorf, Reisenbauer-Ring 3/2/7. G.: Wien, 26. Febr. 1929. Ki.: Elmar, Wolfgang. El.: Josef u. Maria. BV.: Onkel Hans Olden, Schauspieler, Tante Ingel Brückelmayer, Burgschauspielerin. S.: Konservatorium d. Stadt Wien, Matura, Staatsprüf. an d. Musikak. Wien als Musikpädagoge, Kapellmstr. K.: m. 11 J. 1. Konzert Gitarristen-Bund, 1940 Ehrung d. Musikbesten d. Stadt Wien, 1946-73 meist eigenes Tanzorchester, gemeins. Auftritte m. Hilly Reschl, Tourneen m. Udo Jürgens, Peter Alexander, Vico Torriani, Bruce Low, Fritz Edtmayer, Wondra u. Zwickl, Hans Moser usw., substitiert v. d. 3 Spitzbuben bis zu d. Wr. Symphonikern, seit 1964 Komponist u. Schriftsteller, freier Mitarb. b. versch. Wr. Musikverlagen u. ORF, seit 1973 Lehrer u. Kapellmstr. in Mödling, Ehrenabende u. Dichterlesungen m. Eigenkompositionen, eigene Sendungen im ORF, Jugendreferent u. nomin. Wertungsrichter b. NÖ Blasmusikverb. BL.: Eigenes Gitarrenschulwerk, Mitwirk. b. d. Wr. Symphonikern, 1. Komp. in Hitparade. P.: ca. 420 Musikkompositionen (Konzert-, Volks-, Tanz- u. Unterhaltungsmusik), ca. 60 Schallplatten, ca. 40 ORF-Aufnahmen, 5 Bücher, ca. 100 Gitarrenbearb., Blasmusikbearb. E.: Silbermed. f. 25jähr. Tätigkeit b. Österr. Blasmusikverb., Bronzemed.: 100 ehrenamtl. Konzerte f. d. Österr. Rote Kreuz, Ehrenpreis d. Landes NÖ f. bes. Orch.-Konzertwertungen, 3 Preise b. Musikwettbewerben, Ehrenplakette "Der Lust. Augustin", Silb. EZ d. VÖT, 5 Faschingsorden d. Förderungsver. d. Stadt Mödling. M.: Ver. "Das Wiener Lied", Österr. Komponistenbund, Ver. Österr. Textautoren,

Literar. Verwertungsges., Litarer-Mechana, Austro-Mechana. H.: Sammeln v. Symphonien, Surfen, Skifahren, Wandern, niveauvolle Diskussionen, Sammeln v. Krügen, Lesen.

Vollath Ludwig

B.: Ldw., Gastwirt Rathausstüberl. DA.: 7100 Neusiedl am See, Kircheng. 2. G.: Neusiedl am See, 29. Aug. 1954. V.: Monika, geb. Taferner. Ki.: Andrea (1981), Christian (1986). El.: Ludwig u. Maria Vollath. S.: Grundschule, Ldw.-Schule Eisenstadt. K.: 1981 Konzessionsprüf. M.: F.W. Neusiedl, Fremdenverkehrsverb. Neusiedl. H.: Radfahren, Skifahren, Koch, Tennis, Reisen. (W.M.)

Vollmaier Heinz Franz

B.: Gastronom, Entertainer. FN.: Cafe Rest. Lisi´s Bistro. GT.: Inh. DA. u. PA.: 9300 St. Veit/Glan, Bundesstr. 2. G.: Wagna b. Leibnitz, 18. Juni 1954. V.: Anna Elisabeth, geb. Friedl. Ki.: Verena (1986). El.: Friedrich u. Maria. S.: Lehre Kellnr, Konz.-Prüf. K.: 1973-76 saison. Tätigk. in versch. Fremdenverkehrsbetr., 1976-79 Österr. Bundesheer, s. 1990 selbst. m. Cafe Rest., bis 1993 als Pächter, s. 1993 als Inh., zusätzl. z. Gastronomieber. noch Inh. v. 2 and. konz. Gew., Gästetransportuntern. u. Trafikantengew.. BL.: Amateur-Unterhaltungsmusiker mit Gastauftritten im In- u. Ausland. P.: Musikkasetten m. Eigenkomp. h.: Musik, Wandern, Radfahren, Zeichnen. (F.S.)

Vollmann Karlheinz

B.: AK-Aussenstellenleiter, LAbg. FN.: La Vollmann Karlheinz. DA.: Am Hammerpark 1, 8680 Mürzzuschlag. PA.: Erlenweg 6, 8652 Kindberg. G.: 9. April 1939, Kindberg. Ki.: Harry (1962), Elke (1964). El.: Josef u. Theresia. S.: 1945-49 VS i. Kindberg, 1949-53 HS in Kindberg, 1953-56 Fachschule f. Bau-, Kunst- u. Maschinenschlosserei in Bruck/Mur, 1956-77 Voest-Alpine Kindberg als Schlosser, Gaswärter, kfm. techn. Angestellter, Personalleiter, s. August 1977 Kammer f. Arbeiter u. Angestellte f. Steiermark als Leiter d. Außenstelle in Mürzzuschlag, 1965 -lfd. Gemeinderat d. Stadt Kindberg, davon 1970-83 1. Vizebürgermeister, 1984-86 Bürgermeister, s. Sept. 1986 Abgeordneter zum Steiermärkischen Landtag, Obmann d. Gemeinde Ausschusses, stellv. Klubobmann d. SPÖ-Landtag-klub´s. H.: Radfahren, Reisen, Wandern. (J.M.)

Vollnhofer Dieter Ing.

B.: Einkaufsltr. FN.: Ennskraftwerke AG. DA.: 4400 Steyr, Resthofstr. 2. PA.: 4400 Steyr, Fellingersiedlung 3. G.: Wien, 9. Febr. 1940. V.: Monika, geb. Fabianek. Ki.: Andreas (1961), Barbara (1963). El.: Herfried u. Johanna. S.: VS, HS, HTL.

Vollsinger Peter

B.: Gschf. FN.: Office Data. GT.: Ges. Fa. group one Graz. DA.: 1040 Wien, Margaretenstr. 21. PA.: 1200 Wien, Kampfstr. 12/24. G.: Wien, 17. Nov. 1943. V.: Hilde, geb. Stros. El.: Franz u. Adelheid. S.: gelernter Ind.-Kfm. K.: seit 30 J. in d. Datenverarb.-Branche tätig, 1973-90 Ltr. d. Datenverarb. im Rahmen d. Ländl. Gen. NÖ u. Konsulent d. Österr. Raiffeisen Warenzentrale, 1990 Übernahme d. Geschäftsführung d. Fa. Office Data u. Eintritt als Gschf. d. Fa. group one. M.: Präs. d. Österr. HP Computer-Benutzer-Gruppe, VPräs. d. Arge f. Datenverarb. ADV. H.: Tennis. (M.M.)

Volpini de Maestri Susanne

B.: Pächter u. Gschf. Restaurant Leupold-Kupferdachl. DA. u. PA.: 1010 Wien, Schotteng. 7. G.: Wien, 16. Jan. 1957. Ki.: Stephanie (1980), Laurence (1983), Tiffany (1988). El.: KommR. Dkfm. Robert u. Inge Leupold. S.: VS, HS, HASCH, 1974-77 Hotelfachschule, 3 Monate Ferialpraxis im Hotel Österr. Hof Sbg., 3 Monate Drugstore L´Opera Paris. K.: 1977-82 Mitarb. im väterl. Betrieb Restaurant Leupold, 1982-88 Auslandsaufenthalt in Vancouver/Canada, 1989 Rückkehr in d. väterl. Betrieb, 1990 Übernahme als Pächter u. Gschf. M.: Chaine des Rotisseurs. H.: Skifahren, Tennis. (F.S.)

Volta-Löffler Irma

B.: Lehrerin, Autorin. PA.: 1190 Wien, Heiligenstädter Str. 107-109/2/28. G.: Wien, 26. März 1934. Ki.: Maria. El.: Maria u. Josef Löffler. S.: LBA Wr. Neustadt, Matura 1953. K.: Erzieherin, Sekr., Lehrerin, 1959-62 Aufenth. in Ghana (m. d. Gatten), 1982 Beginn m. d. schriftsteller. Tätigk. P.: Buch: “Schillernder Vogel” (1983), Vertonung zahlr. Ged. v. Hans Peter Nowak, Veröff. v. Gedichten in Anthologien u.a. auch in ital Literaturzeitschr., Märchen, Kurzgeschichten, u.a. “Der Mann u. d. Vogel”, “Das Gänseblümchen”, zahlr. Lesungen, Veröff. im ORF u. Fernsehen. M.: Österr. Schriftstellerverb., Arge f. Autorinnen (AGA), Verb. d. geistig Schaffenden Österr., Der Kreis, Literarische Arge f. NÖ, Verb. Österr. Textautoren, Interessengemeinschat deutschsprachiger Autoren, Distelblüten. H.: Schreiben, Malen, Musik, Gesang. (M.B.)

Vonach Josef Ing.

B.: Gschf. Ges. FN.: AMACO Ing. Vonach GmbH & Co Codier- u. Druckgeräte. DA.: 6850 Dornbirn, Nesselweg 4. PA.: 6850 Dornbirn, Nesselweg 4 A. G.: Bregenz, 23. Jän. 1956. V.: Sigrid. Ki.: Sabrina (1979), Janine (1983). El.: Engelbert u. Martha. S.: HTL Elektrotechnik Bregenz, 1975 Matura, 1975 BH. K.: 1976 stellv. Abt.-Ltr. in Elektrounternehmen in Lustenau, 1977 Projekting. Zumtobel Leuchten in Dornbirn, 1979 Sales Ing. im Bereich Verpackungstechnik f. Nordeuropa in Lustenauer Firma, 1982 Grdg. Firma AMACO, 1985 Einzelfirma, 1992 Gschf. Ges. P.: Veröff. in versch. Fachzeitschriften. M.: Vize-Präs.

Exportclub Vbg., Karateclub Dornbirn, liezensierter Schiedsrichter, Squash-Club. H.: Squash, Tauchen, Skifahren, Bergsteigen, Radfahren, Chines. kochen. (I.D.)

Vonblon Otto

B.: Ltr. d. Abt. Volksmusik d. ORF Landesstudio Vbg., Musikpädagoge. DA.: 6850 Dornbirn, Höchster Str. 38. PA.: 6833 Klaus, Sägerstr. 12. G.: Bludenz, 4. Okt. 1953. V.: Renate. Ki.: Daniela (1983), Simon (1986). El.: August u. Auguste. BV.: Bischof Martin v. Lorenz Privatlehrer d. Kaiserin Maria Theresia u. Min. f. Unterricht. S.: VS, RG Bludenz, 1973 Matura, 1973/74 Militär, Stud. Konservatorium d. Univ. Innsbruck, Lehramtsprüf. in Musikpäd. u. Trompete HS f. alte Musik Cantorum Basiliensis Basel, Konzertdipl.-Prüf. Trompete. K.: Prof. f. Trompete u. Unterrichtsmethodik am Landeskonservatorium Feldkirch, parallel 2 J. Aufnahmeltr. im Landesstudio, 1983 Ang. b. ORF als Red. u. Ltr. d. Volks- u. Blasmusikabt., red. Mitarb. b. "Klingendes Österr." u. d. Sendung "Mei liabste Weis'". M.: Gründer u. Mtgl. b. Bläserensemble Lorenzius v. Schnifis. H.: Jagd, Wandern, Bergsteigen, Skifahren, Holzschnitzen. (I.D.)

Vonier Oskar

B.: Präs. d. Österr. Bergrettungdienstes. A.: 6773 Vandans 360. G.: Vandans, 16. Jan. 1934. V.: Claudia, geb. Bitschnau. El.: Anton u. Josefine. S.: VS, Gymn. HASCH. K.: 1 J. Fremdenverkehrspraktikum, 5 J. Textilind., 15 J. Gem.Sekr., 15 J. Bgm. P.: BVerb. Österr. Bergrettungdienst, IKAR (Intern. Kmsn. f. alp. Rettung), Lehr- u. Tourenwart d. Österr. Skiverb. M.: Präs. d. BVerb. ÖBRD, Funkreferent d. ÖBRD-Vbg., Lehr- u. Tourenwart d. ÖSV. H.: Hochgebirgs Sommer- u. Wintertouren.

Vonmetz Karl

B.: Metallbildhauer, freischaff. DA. u. PA.: 2351 Wr. Neudorf, Parkstr. 19. G.: Meran, 8. Apr. 1950. V.: Adelheid, geb. Grill. Ki.: Isole (1984). El.: Josef u. Maria. S.: 1956-69 Goldschmiedelehre in Meran, 1974 HS f. angew. Kunst Wien, 1979 Dipl. f. Metallgestaltung. K.: zahlr. Ausstellungen im In- u. Ausland, Arb. in versch. öff. u. priv. Sammlungen. E.: 197 Bayer. Staatspreis IHM München, 1979 1. Preis Gestaltungswettbewerb "Ehrenpreise" Kam. d. Gewerbl. Wirtschaft Wien, 1979 Würdigungspreis d. BMin. f. Wiss. u. Forsch. Wien, 1981 Theodor Körner-Preis. M.: seit 1978 Mtgl. d. Ges. bild. Künstler Österr., Künstlerhaus.

Vonwald Karl

B.: Ldw., ÖkR., Abg. z. NatR., Bgm. PA.: 3074 Michlbach, Kropfsdorf 14. G.: Michlbach, 28. Juli 1933. V.: Franziska, geb. Dietl. Ki.: Franziska, Anna, Josefa, Karl, Maria, Josef, Johann, Alois, Bernadette. S.: VS, Ldw. Berufsschule in Michlbach. K.: 1954 Übernahme d. großelterl. Haushofes, 1955 im OrtsbauernR., 1960 GemR., 1965 VBgm., 1973 Bgm., 1983 Abg. z. NatR. BL.: 1974 Rückführung d. Beschlusses d. LR. z. Zusammenlegung d. Marktgem. Michlbach m. einer d. Nachbargem., 1988 Eröff. d. Michelbach-Kulturhalle. E.: Ehrenbürgerschaft d. Marktgem. Michlbach 1974, Gold. VZ d. Landes NÖ 1984, ÖkR. 1987. M.: Gen., Obm.Stellv. d. Lagerhauses Böheimkirchen, Obm.Stellv. d. Bez.Bauernkam. St. Pölten, Hpt.Bez.Obm. d. Bauernbundes., Bez. St. Pölten, Hpt.Bez.Stellv. d. ÖVP d. Bez. St. Pölten, Bez.BauernR.Obm. d. Bez. St. Pölten-Land, Obm. d. Jugendblaskapelle Michlbach. H.: Wandern, Fotografieren, Singen.

van de Voorde Alfred Dr. iur.

B.: RA. DA.: 1060 Wien, Gumpendorfer Str. 15. PA.: 1080 Wien, Albertg. 6. G.: Wien, 7. Dez. 1941. V.: Mag. Gerda, geb. Buchegger. Ki.: Angelica. S.: RG, Matura 1960, Jusstud. in Wien, Prom. 1969. K.: Ab 1971 Konzipient in d. jetzigen Kzl., Anw.Prüf. 1977, seit 1977 RA. M.: Schlaraffia. H.: Lesen, Geschichte, Kochen. (C.K.)

Vopava Walter

B.: freischaff. Maler. DA.: 1060 Wien,, Hirscheng. 7. PA.: 1070 Wien Neustiftg. 115A. G.: Wien, 10. Mai 1948. V.: Christine, geb. Prinz. Ki.: Caroline, Catherina. El.: Friedrich u. Maria. S.: 1962-66 Höhere graph. BLehr- u. Versuchsanst., 1967 Ak. d. Bild. Künste. K.: freischaff. Künstler, vertr. durch Galerie Steinek Wien u. Galerie Lendl Graz, zahlr. Ausstellungen im In- u. Ausland. (P.R.)

Vorauer Manfred

B.: Inh. FN.: Fleischhauerei Vorauer. DA.: 8010 Graz, Kaiser-Josef-Platz Stand 13-17. PA.: 8020 Graz, Dreihackeng. 18. G.: Graz, 10. Jän. 1940. V.: Olga, geb. Bruncic. Ki.: Susanne (1965), Manfred (1980), Barbara (1984). El.: Josef u. Auguste. BV.: Grafengeschlecht d. Vorauer. S.: VS, Mittelschule, Berufslehre b. Fleisch- u. Selchermstr. Josef Vorauer am Färberplatz, 1960/61 Mstr.-Prüf. Zürich. K.: seit 1965 selbst. E.: VK in Gold f. Verd. um d. Land Stmk. u. Ktn. M.: Innungsaussch. d. Fleischer, seit 19 J. Obm. d. Kameradschaftsbundes, Pfadfindergruppe Graz 9 (Prinz Eugen), Pfadfindergruppe Graz 10 (Mjr. Hacker). H.: Wasserski, Skifahren, Wandern. (R.S.)

Vorauer Peter Mag.

B.: Gschf. Ges. FN.: C & M Werbe GmbH & Co KG. DA.: 4600 Wels, Rablstr. 12. G.: Linz, 20. Febr. 1957. V.: Elvira. Ki.: Peter. S.: RG, 1976-81 BWL-Stud. Linz. K.: Gschf. Ges. in einer Heimtextilienfbk., seit 1980 b. C & M, seit 1984 Gschf. Ges., seit 1990 Inh. d. Immobilienfirmen B & V u. V & B Linz. H.: Skifahren, Tennis, Bergwandern. (P.H.)

Vorderegger Josef

B.: Reiseunternehmer. FN.: Vorderegger GmbH & Co KG. DA. u. PA.: 5700 Zell/See, Gletschermosstr. 14. G.: Wald im Pinzgau, 1. Sep. 1931. V.: Johanna, geb. Kaiser. Ki.: Andrea (1958), Alfred (1968). S.:HASCH, Lehre als Groß- u. Einzelhdls.-Kfm. K.: Filialltr. Kaufhaus Rainer Bad Hofgastein, Gastgewerbeberechtigung, staatl. Skilehrerprüf., 3 J. Lehrbeauftragter f. d. staatl. Skilehrerausbild. im Bundesheim St. Christoph am Arlberg, 1956 selbst. im Taxigewerbe, anschl. Autobus- u. Reisebürogewerbe. P.: Unternehmen ständig in versch. Fachzeitschriften d. Reisebranche in d. Fachgebieten Reisebüros u. Autobusunternehmen vertreten. E.: Gold. EZ d. Österr. Skiverb. u. EZ d. Rep. Österr., 1989 KommR. M.: Vorst. d. Autobusunternehmen, Aussch.-Mtgl. d. Fachgrupe f. Reisebüros, 1985 stellv. Sekt.-Obm. d. Verkehrs in d.HK Sbg., seit 1979 VPräs. d. Österr. Skiverb., stellv. Obm. d. Fremdenverkehrsverb. Zell/See, Obm.-Stellv. d. Kurkmsn. Zell/See, seit 1993 Ehrenpräs. d. Österr. Skiverb., Vorst.-Mtgl. d. FVV Zell/See. H.: Skifahren, Golf, Reisen. (J.F.)

Vorlaufer Friedrich

B.: Gschf. FN.: Friedrich Vorlaufer GmbH. DA.: 3362 Amstetten, Dieselstr. 1. PA.: 3300 Amstetten, Jahnstr. 18. G.: Amstetten, 31. Juli 1953. El.: Friedrich u. Irmgard. BV.: Vater

Friedrich, Gründ. d. Tischlerei 1937. S.: Handelsschule, Bundesheer, lfd. priv. Kurse u. Seminare, Marketing u. Verkauf. K.: 1970 Bankang., 1979 glz. Ltg. d. Fa., 1989 ausschl. Ltg. d. Fa., 1992/93 Erricht. eines neuen Werkes, Fertig. von Möbel nach Entwürfen, Entwürfe v. intern. anerkannten Arch. (Matheo Thun, Coop Himmelblau, Laurids Ortner), jährl. Ausstell. auf Möbelmesse in Mailand. P.: div. Art. in intern. Zeitschr. M.: Tennisclub. H.: Sport, Tennis, Schifahren, Laufen. (N.A.)

Vorlaufer Klaus

B.: Gschf. Ges. FN.: Vorlaufer GmbH. u. Vorlaufer KG. DA.: 1180 Wien, Martinstr. 86-88. PA.: 3051 St. Christophen, Schubertstr. 45. G.: Wien, 12. Okt. 1940. V.: Gerlinde, geb. König. Ki.: Georg, Thomas, Elisabeth, Christine, Peter. El.: Karl u. Erna. S.: Mittelschule, 1958 Matura, Stud. an d. TH Wien, Arch., 1. Staatsprüf. K.: 1961-70 Arch.Büro Prof. Becvar, 1971 Übernahme d. väterl. Betriebes gemeinsam m. d. Schwestern u. Umwandlung in KG, 1977 Beginn m. Exportgeschäften, bes. spezialisiert f. individuelle Einrichtungen f. Botschaften im Ostblock, 1980 Staatswappen, 1981 Grdg. d. Fa. Vorlaufer GmbH Gschf. Ges. H.: Skifahren, Modelleisenbahn. (A.W.)

Vormittag Erich Dr. med.

B.: FA f. Innere Med. A.: 1170 Wien, Dornbacher Str. 83/4. G.: Temesvar/Rumänien, 29. Nov. 1939. V.: Martina, geb. Depisch. El.: Dr. Stefan u. Ilma. S.: Mittelschule m. Matura, Med.Stud. an d. Univ. Wien, Prom. 1964. K.: Ausbild. an d. II. Med. Univ.Klinik Wien, seit 1971 beratender Internist an d. I. Univ.Klinik f. Unfall Chir., d. Univ.Klinik f. Kiefer Chir. u. d. I. Chir. Univ.Klinik. P.: 40 Publ. in in- u. ausländ. Fachblättern, Monographie. M.: Österr. Ges. f. Innere Med., Österr. Kardiolog. Ges., Ges. d. Ärzte in Wien.

Vorreiter Günther

B.: Steinmetzmstr., Gschf. Ges. FN.: Vorreiter GmbH Steinmetz-, Hafner-, Fliesenleger- u. Bmstr.-Betrieb. DA.: 5710 Kaprun, Aug. 667. PA.: 5710 Kaprun, Moosstr. 442. G.: Bad Vöslau, 12. Apr. 1963. V.: Maria Theresia, geb. Hechenberger. Ki.: Barbara (1989), Günther (1992). El.: Walter u. Angelika. S.: VS, Gymn., 4 J. HTL f. Steinbautechnik Hallein, 1982 Abschluß als Steinbautechniker. K.: b. 1988 Tätigkeit im elterl. Betrieb in Kaprun, 1988-90 Gschf. d. Betriebes, 1990 Steinmetzmstr.-Prüf., seither gewerberechtl. Gschf., seit 1988 in Saalfelden, 1990 Betriebsumstrukturierung v. Prod.-Betrieb z. massiven Steinbau. P.: Betriebsvorstellung "Vier Meister unter einem Dach"(1993). E.: Steinmetzmstr.-Brief. M.: Obm. d. Fußballver. Kaprun, Innungsmtgl. d. Steinmetzmstr. H.: Fußball, Eishockey, Skifahren, Familie. (J.F.)

Vorreiter Helfried

B.: freischaff. Bildhauer, Ang. DA. u. PA.: 9360 Friesach, Fürstenhofsg. 3. G.: Friesach, 9. Juli 1952. El.: Josef u. Hilde. BV.: seit 15. Jahrhundert in Friesach ansässige Bürger familie. S.: VS, HS, Gymn., 1968 - 71 Holzbildhauerschule Elbigenalpim Lechtal, BH, 1973 Meisterprüfung K.: 1973 - 81

freischaffender Bidhauer, Schwerpunkt: Phantastischer Wiener. Realismus (Holz, Stein), 1981-87 Ausbild. v. Lehrlingen, 1987-92 Tätigkeit als Innenarchitekt, Werbeleiter und im Bereich Marketing für die Brauerei Hirt, 1981 - 87 Lehrbeauftragter WIFI Holzbildhauerei, sowie diverse Kurse im Rahmen VHS in Österr. E.: 1. Preis d. Klagenfurter u. Innsbrucker Messe 1991 für die Gestaltung der Messe Pavillions. H.: Malerei, Fischen. (G.L.)

Voska Helmut

B.: Ltr. d. Presseabt. d. Bundeswirtschaftskammer. DA.: 1040 Wien, Wiedner Hauptstr. 63. PA.: 3001 Mauerbach, Hauptstr. 79-81. G.: Wien, 19. Mai 1942. V.: Gabriele, geb. Kahn. Ki.: Claudia, Clemens. El.: Othmar u. Hilda. S.: Matura Wien, Stud. phil. Zeitungswiss. u. Jus. K.: 1964 ÖVP Pressedienst, 1966 Withalm Pressesekr. ÖVP-Club, 1968 Presseref. b. Finanzminister Prof. Dr. Stephan Koren, 1970 profil Grdg., Red., 1979-92 Chefred., seit 1992 obg. Position. M.: Journalistengewerkschaft, ÖMATC. H.: Sport. (J.S.)

Vösl Josef

B.: Rektor, Salesianerpriester Don Boscos. FN.: Canisiusheim Interdiöz. Seminar f. Priesterspätberufene. DA.: 3580 Horn, Canisiusg. 1. PA.: 3580 Horn, Canisiusg. 1. G.: Erla/NÖ, 2. Apr. 1940. El.: Josef u. Maria, geb. Hattinger. S.: Lehre Maschinenschlosser, Aufbaugymn. i. Unterwaltersdorf. K.: 1966 Eintritt i. Orden d. Salesianer Don Boscos, 1969-76 Ausb. i. Benediktbeuern/BRD, Soz.-Päd. u. Theol., 1976 Priesterweihe, 1976-78 Priester i. Unterwaltersdorf u. Rel.-Lehrer a. Aufbaugymn., 1978-79 Kaplan i. d. Pfarre Don Bosco i. Wien 3, 1979-81 Provinzdel. f. d. Sales-Mitarb. Don Boscos, 1981-86 Spiritual i. Canisiusheim i. Horn, 1986-90 Ltr. d. Don Bosco Hauses i. Wien 13, s. 1990 Rektor d. Canisiusheimes i. Horn. (M.M.)

Voss Gert

B.: Burgschauspieler. PA.: 1190 Wien, Zierleiteng. 30. G.: Shanghai, 10. Okt. 1941. V.: Ursula, geb. Sessler. Ki.: Christina (1969). El.: Wilhelm u. Marion, geb. Boesken. S.: Gymn., Matura, Stud. Anglistik, Zeitungswiss. u. Germanistik Tübingen u. München, Privatschauspielunterricht München, Ellen Mahle München 1964-66. K.: 1966-67 u. 1967-68 Engagement in Konstanz, 1968-71 Engagement in Braunschweig, erste Begegnung m. C. Peymann u. N. P. Rudolph, 1971-73 Münchner Residenz-Theater, 1972-79 Württemberg. Staatstheater Stuttgart, Arb. m. Alfred Kirchner u. C. Peymann, 1979 Schauspielhaus Bochum gemeinsam m. C. Peymann u. Kirchner, 1984 Gastspiel in J. Flimms Inszenierung als Gajew im Kirschengarten am Schauspielhaus Köln, 1985 Dt. Schauspielhaus Hamburg, 1985-86 Staatstheater Stuttgart, 1986 Sbg. Fstspiele, ab 1986/87 festes Mtgl. d. Ensembles d. Burgtheater Wien, ab 1993 Berlin. BL.: 1987 Platte Amadeo: William Shakespeares Richard III. - Szenenausschnitt, 1990 Mitwirkung im Spielfilm "Plakat". E.: f. d. Rollen in d. Hermannsschlacht u. Richard III. jeweils z. Schauspieler d. J. gewählt, BVK 1. Kl., Kainz-Med., Gertrud Eysoldt-Ring f. beste Shakespeare-Darstellung in Richard III. M.: Liga d. Freunde d. Judentums, World Wildlife. H.: Lesen, Kinofilme, klass. u. mod. Musik, Soul, Rockn Roll. (M.G.)

Voss Ingo Dipl.-Ing.

B.: Dipl.-Ing. f. Maschinenbau u.Fertigungstechnik, Gschf. FN.: Richard Klinger Armaturen GmbH. DA.: 2352 Gumpoldskirchen, Am Kanal 8-10. PA.: 1130 Wien, Larocheg. 20/4. G.: Dierhagen, 7. Nov. 1942. V.: Brigitte, geb. Rese. Ki.: Frederik (1968), Carsten (1971), Irina (1977). El.: Heinrich u. Maria. S.: 1962 Matura, 1963-64 Militärdienst, 1964-70 Stud. Maschinenbau u. Fertigungstechnik TH Hannover. K.: während d. Stud. mehrere Praktika in d. Ind., 1970-81 Olympia Werke AG, 1970-72 Betriebsass. in d. Vorwerkstätten, 1972 Ltr. d. fertigungstechn. Versuchsfeldes, 1972-76 Ltr. d. Zentralabt. "Fertigung allg.", 1973-74 Techn. Verhandlungsltr. eines Fabriksprojektes in d. UdSSR, 1974-77 Techn. Ltr. d. Projektes-Realisierung, 1978-81 Fertigungsbereichsltr. f. Büroschreibmaschinen, 1981-82 techn. Ltr. Küpper GmbH & Co KG Velbert, 1983-91 Ltr. d. Fertigung Bopp & Reuther GmbH, seit 1984 Prok., seit 1991 techn. Ltr. Richard Klinger AG, nach Umwandlung in GmbH Gschf. BL.: 1972-74 nebenamtl. Vorlesungstätigkeit FHS Wilhelmshaven, 1971-80 Gastdoz. Ak. f. Wehrtechnik u. Wehrverw. Mannheim. H.: Familie, Reisen. (I.K.)

Vossoughi Nuschin

B.: Kulturmanagerin. FN.: Kulturmanagement Nuschin Vossoughi. DA.: 1070 Wien, Neubaug. 80/2. G.: Teheran, 8. Dez. 1951. El.: Dr. Habil u. Fakhri. S.: priv. dt. Schule Teheran, Dr. Roland Maturaschule in Wien, Kurzstud. mit Fachricht. "Fremdenverkehr" WU Wien, Stud. Publizistik Univ. Wien. K.: 1981-83 Pressereferentin "Metropol" Ver. Wr. Stadtfeste, 1983-90 Ass. d. künstl. Ltr., 1990-91 Künstl. Gesamtltg. mit zahlr. Aufgabenbereichen, parallel Mitarb. bei Programmkonzeption u. Durchführ. bei "Wr. Stadtfesten" u. "Festivals der Clowns", s. 1992 NÖ-Donaufestival - Projektltg., Projektltg. u. Konsultententätigk. bei div. freien Theatergruppen, redakt. Mitarb. beim ORF. H.: künstl. Leitung "Vorstadt", Arbeit bei Kulturverein "Forum Spittelberg". (J.M.)

Vostrovsky Horst-Heinz

B.: Ind.-Kfm. PA.: 1232 Wien, Vösendorfer Str. 99. G.: Wien, 12. Juni 1937. V.: Charlotte-Ingeborg, geb. Fronius. Ki.: Christian (1963), Martin (1966). S.: VS, HS, Ind.-Kfm.-Lehre, 1953 Abschluß. K.: 1955-57 YMCA/YWCA Flüchtlingsbetreuer, 1958-93 im Außendienst, seit 1956 Fußballschiedsrichter b. d. damaligen Staatsliga, danach in NÖ, ab 1961 Edelkomparse bei d. Wr. Staatsoper, ab 1973 Statist d. Seefestspiele Mörbisch u. Burgspiele Forchtenstein und Komparserieleitung, Teilnahme bei den Perchtoldsdorfer und Stockerauer Festspielen als Animateur, seit 1980 Präsident des Kulturvereines in Vösendorf in Wein, seit 1981 Management Christl. Konz. in Wien, Mitwirkung b. vielen Filmen, 1993 auch Burgtheater, seit 1994 freier Mitarb. d. ORF. M.: ehemaliger Vorst. d. Christl. Ver. Junger Menschen, Vorst. in d. Österr. Bibelges. Wien. H.: Autobiographiensammlung, Organ. v. Kulturpartys im eigenen Haus. (N.A.)

Votava Kurt (Wolff-Votava)

B.: Ltr. d. Red. Autofahrer Unterwegs d. ORF. GT.: seit 1990 LRettungskdt. d. Wr. Roten Kreuzes. DA.: 1041 Wien, Argentinierstr. 30a. G.: Amstetten, 5. März 1946. V.: Renate, geb. Wolff. Ki.: Astrid, Gerald. El.: Ludwig u. Maria. S.: 1964 Matura, BH. K.: 1965-69 Bmtr. im Finanzmin., 1969-72 Bankang. b. d. Ersten Österr. Sparkasse, seit 1971 b. ORF, vorerst als freier Mitarb. b. Aktuellen Dienst u. Ö3, seit 1981 Ang. b. ORF als Ltr. d. Red. Autofahrer Unterwegs. P.: Im Rundfunk u. f. caritative Organ. z.B.: "Die Reportagen v. Einsturz d. Reichsbrücke", "Gerngross Brand", "Brand d. Nationalbank", "Über d. ital. Erdbebengebiet Neapel", "Krieg i. Ruanda". M.: Rotes Kreuz. H.: Lesen, Geschichte, Reisen, Schwimmen. (M.B.)

Votruba Johann

B.: Inh. FN.: Musikhaus Johann Votruba. GT.: Gerichtl. beeid. Sachverst. u. Schätzmstr., fachkund. Laienrichter bei Arb.- u. Sozialger. Wien, Stellv. Fachvertr. f. NÖ Musikinstrumentenerz. DA.: 1070 Wien, Lerchenfelder Gürtel 4. G.: Wien, 16. März 1944. V.: Maria, geb. Ribits. Ki.: Johannes (1970), Thomas (1972). El.: Franz u. Berta. BV.: Musikinstr.-Dynastie i. 4. Gen., Urgroßv.: 1875 Grd. d. 1. Geschäftes. S.: 1950-54 VS, HS, 1958-62 Lehre f. Holz- u. Blechblasmusikerz. K.: 1963-64 Militärd., Gardemusik Klarinette u. Saxophon, 1963-67 Stud. HS f. Musik u. Darst. Kunst, Klarinette u. Klavier b. Prof. Jettl, 1964 wieder Eintr. in elterl. Betrieb, 1971 Mstr.-Prüf. f. Holz- u. Blechblasinstrumente, 1974 Übern. u. Weiterführ. d. elterl. Betriebes, 1980-90 eigener Pavillon im Messegelände, intern. Wr. Messe, 1984 Eröffn. Filiale in Wr. Neustadt, 1990 Eröffn. weiterer Filialen, s. 1992 Vertr. v. Yahama Pianos u. Flügeln, Werkstätte in Wien. E.: 1973 Verl. d. Garderinges, silb. EM f. 25jähr. Musikausüb. d. NÖ Blasmusikverb. M.: Ehrenobm. u. Ausüb. Mtgl. Musikver. Muthmannsdorf NÖ. H.: Musik. (M.L.-A.)

Votruba Traude

B.: Landesrat d. NÖ LRg. DA.: 1014 Wien, Herreng. 11. PA.: 2603 Felixdorf, Sedlmayerg. 22. G.: Felixdorf, 10. Okt. 1942. V.: Ing. Herbert. Ki.: Andrea, Michaela. El.: Karl u. Anna Schindl. S.: VS, HS, HBLA. K.: Hotelsekr., LArbeitsamt NÖ, Arbeitsamt Wr. Neustadt, Hausfrau, GemR., 1979 BundesR., seit 1981 Mtgl. d. NÖ LRg. (Kindergartenwesen, Sozialwesen, Waldschule Wr. Neustadt, Soz.Vers.Angelegenheiten, Tierschutz, Gemeindewachen, Sammlungswesen, Polizeiangelegenheiten). M.: SPÖ. H.: Skifahren, Schwimmen, Familie. (R.A.)

Votzi Josef

B.: Chefred. d. Zeitschrift "Profil". DA.: 1010 Wien, Marc-Aurel-Str. 10-12. G.: Korneuburg, 26. Jän. 1955. Ki.: Nora (1989). El.: Josef u. Katharina, geb. Hirscher. S.: 1973 Matura, Stud. Phil., Geschichte, Publizistik u. Politikwiss. K.: 1975-76 Pressref. d. Österr. Hochschülerschaft, 1976 Gen.-Sekr. d. Österr. Studentenunion (ÖSU), 1977 Chefred. ÖSU-Report, seit 1978 Red. b. "Profil", ab 1992 Chefred. H.: Sport, Musik, Bücher. (N.A.)

Voytischek Richard

B.: Werbekfm. A.: 1195 Wien, Eroicag. 7. G.: Wien, 1. Febr. 1930. V.: Margaretha, geb. Löffler. El.: Richard u. Anna. S.: Gymn., HTL - Fachrichtung Maschinenbau. K.: BGV im BMH, Fachverlag Dr. Peter Müller, Österr. Wirtschaftsverlag, "trend" Zeitschriftenverlag, seit 1970 Inh. einer Werbeagentur. F.: Creativ Studio f. Werbung & Graphik GmbH (gschf. Ges.).

Vranitzky Franz Dr. Dkfm.

B.: Bundeskanzler. DA.: 1010 Wien, Ballhausplatz. G.: Wien, 4. Okt. 1937. V.: Christine. Ki.: Robert, Claudia. S.: Matura, 1955-60 HS f. Welthdl. K.: 1961 Siemens Schuckert Werke, 1961-70 Nationalbank, 1970 wirtschafts- u. fin.polit. Berater d. BMF, 1976 stellv. Gen.-Dir. CA-BV, 1981 stellv. Gen.-Dir. in d. österr. Länderbank, 1981 Gen.-Dir. u. Vors. d. Vorst. d. Österr. Länderbank, 1984-86 BMin. f. Finanzen, seit 1986 Bundeskanzler, Vors. d. SPÖ s. 1988. E.: GrGE/B, GrK d. dt. VO, GrK. d. zypriot. MO, GrK d. jord. WuF, GrK/Brillant d. liecht. VO, Bayr. VO, Karlspreis f.d. Verdienste um den Europagedanken.

Vrba Karl Ing.

B.: Vorst. d. Kraftwagenbetriebsltg. Innsbruck. FN.: ÖBB Innsbruck. GT.: techn. Sachv. f. Führerscheinprüf. DA.: 6020 Innsbruck, Karwendelstr. 15. PA.: 6020 Innsbruck, Fürstenweg 37. G.: Pfarrkirchen/Niederbayern, 13. Juni 1944. V.: Elisabeth, geb. Baumann. Ki.: Andreas. El.: Ing. Ludwig u. Viktoria. S.: VS, HS, Fachschule f. Maschinenbau in Innsbruck, HTL f. Maschinenbau in Wien, 1966 Matura. K.: 1966 Eintritt in d. ÖBB m. versch. Ausbild. b. 1975 im Zugförd.Dienst, seit 1976 b. Kraftwagenbetriebsltg. Innsbruck als Vorst., polit. Karriere: Kinderfreunde, Junge Generation, seit 1973 Obm. d. Sekt. Hötting (SPÖ), 1977 im GR kandidiert, seit 1982 z. GR gewählt. BL.: Hpt.Initiator d. Innsbrucker Verkehrsverb., starker Kontakt m. d. Bürgerinitiativen. P.: versch. Art. auf polit. u. fachl. Ebene, "Gefährliches Gut auf der Straße, neuester Wissenstand", "Verkehr-Unfallhäufigkeit-Umweltbelastung" in polit. Zeitschriften u. Tageszeitungen, sowie versch. Beiträge in Fachliteraturen. M.: Präs. Fußballver. ESV Austria, Vorst. im Tir. Fußballverb. H.: Reisen, Skifahren, Tennis, Gartenarb.

Vrbecky P. Johannes Otto Mag. OCist. GR

B.: Prior, Pfarrer, Dechant v. Wr. Neustadt. DA. u. PA.: 2700 Wr. Neustadt, Neuklosterg. 1. G.: Wien, 30. Sept. 1930. El.: Otto u. Kamilla. S.: 1949 Matura, Zisterzienserstift Heiligenkreuz, 1 J. Noviziat, Theol.Stud. an Ordens-HS d. Stiftes Heiligenkreuz. K.: 1954 Priesterweihe, 1955-57 Kaplan im Neukloster Wr. Neustadt, 1957-60 Tätigkeit im Stift Heiligenkreuz: Konviktpräfekt, Unterricht im Stiftskonvikt, Gastmstr., Seelsorgetätigkeit im Rahmen d. Stiftes u. seiner Pfarren, ab 1960 Kaplan in Wr. Neustadt, Pfarrer s. 1976, Prior s. 1977, seit 1987 Dechant v. Wr. Neustadt Stadt, unterrichtet in Wr. Neustadt: VS, HS, Berufsschule, Sonderschule f. Körperbehinderte im Föhrenwald, HAK, ab 1967 Unterricht am BGymn., Seelsorger d. CV-Verbindung "Neostadia", verantwortl. f. kath. Bibelwerk f. d. Vikariat Süd d. Wr. Erzdiözese. P.: Arbeitsblätter z. AT u. NT. E.: GR. M.: AbtR. v. Stift Heiligenkreuz, VikariatR. H.: Kunstgeschichte, Frankreich u. seine Kultur. (Kern)

Vrba Karl Dr. iur.

B.: Richter am LG f. Zivilrechtssachen Wien. DA.: 1016 Wien, Museumstr. 12. PA.: 1120 Wien, Hetzendorfer Str. 93. G.: Wien, 6. Apr. 1946. V.: Eva, geb. Gewessler. Ki.: Ulrike (1978). El.: Karl u. Josefine. S.: 1964 Matura, 1965-70 Jus-Stud. an d. Univ. Wien. K.: Gerichtspraxis, 1972-77 in d. Finanzprokuratur, 1977-79 LG f. Strafs., 1979-81 BG Innere Stadt, s. 1981 am LG f. Zivilrechtssachen. P.: Div. Fachbücher, u.a. Mitautor "Kommentar z. Amtshaftungsrecht", "Schadenersatz in d. Praxis". H.: Oper, Archäologie. (N.A.)

Vrhovnik Oto Mag. Prof.

B.: Konzertsaxophonist u. HS-Prof. HS f. Musik u. darstell. Kunst Wien u. Johann Josef Fux-Konservatorium Graz. DA.: 1010 Wien, Seilerstätte 26, 8020 Graz, Nikolaig. 2. PA.: 1110 Wien, Simmeringer Hauptstr. 96. G.: Dravograd/Slowenien, 10. Sept. 1950. V.: Darja, geb. Mlakar. Ki.: Aljosa (1986), Dunja (1988). El.: Franc u. Marija. S.: ab d. 8. Lebensj. Stud. Klarinette u. wenige J. später Saxophon, Stud. am Konservatorium Maribor, Stud. HS f. Musik u. darstell. Kunst Graz b. Prof. Peter Straub m. Dipl. f. klass. Saxophon 1977, Stud. b. Prof. Roland Auderfroy Ecole Normale de Musique de Paris m. Dipl. 1978, spezielle Ausbild. an d. Pariser Musik-HS m. Abschluß Licence de Concert 1979. K.: 1979 Lehrer f. klass. Saxophon am Konservatorium d. Landes Stmk. in Graz, 1980-82 spezielle Weiterbild. durch Sommerkurse b. Prof. Jean-Marie Londeix u. Prof. Daniel Deffayet in Nizza, Teilnahme an d. Weltkongressen 1979 Evanston/USA u. 1982 Nürnberg, seit 1979 zahlr. Konzerte in Europa, Rundfunk-, Schallplatten- u. Fernsehaufnahmen, Mitwirkung in versch. Orchestern u. Ensembles u.a. Wiener Philharmoniker, Die Reihe, Staatsoper Wien, Sbg. Festspiele, Lehrtätigkeit in zahlr. Saxophon-Seminaren in ganz Österr., 1990 Mitbegründer u. Präs. d. Österr. Ges. d. Freunde d. klass. Saxophons, 1991 Grdg. d. eigenen Saxophonquartettes "Saxovhonik-Quartettes". BL.: 1991 Grdg. d. "Austria Saxophon Orchesters", Pioniertätigkeit im klass. Saxophonbereich in Österr. P.: CD: "Oto Vrhovnik-Saxophon", "Austria Saxophon Orchester", LP "Oto Vrhovnik u. Stela Dimitrova" (1982), CD Oto Vrhovnik u. Jeanine Kies (1991). E.: 1983 Gold. Abz. f. Verd. um d. Steir. Blasmusikwesen, 1985 Spons. z. Mag. d. Künste in Graz, Gastprof. f. klass. Saxophon HS f. Musik u. darstell. Kunst Wien. (P.M.)

Vrzelac Dusan

B.: Geschäftsführender Gesellschafter. FN.: SCI. DA.: Schützengasse 25, 1030 Wien. G.: Belgrad; 19.04.1953. V.: Verena. Ki.: Nikolai (1983), Daniel (1988). El.: Milos u. Sophia. S.: VS Beograd, Wien, Deutschland Gymn. Bonn, Kroatien, Beograd, Matura i. Wien, TU Wien Informatik, Uni-Wien Betriebs- u. Wirtschaftsinformatik. K.: 1981 EDV-Einführung b. Malerbetrieb, 1983-84 EDV-Leiter b. Spengler u. Dachdeckerbetrieb, mitte 1989 Gründung d. FA. SCI, individuelle Softwareentwicklung f. Industriebetriebe. H.: Bergwandern. (J.M.)

Vujica Peter Dr.

B.: Journalist, Autor (Pseudonym: Peter Daniel Wolfkind). A.: 8010 Graz, Grillparzerstr. 8. G.: Graz, 7. Dez. 1937. V.: Elke, geb. Zinko. S.: Matura, Prom. z. Dr. phil. 1964 an d. Univ. Graz (Englisch, Deutsch), Studien an d. Musik-HS in Graz (Komposition u. Klavier). K.: Dramaturg an d. Vereinigten Bühnen in Graz, seit 1963 Kulturref. (Musikkritiker) b. d. "Kleine Zeitung Graz", 1968-73 Organisator d. Musikprotokolls im Steirischen Herbst, seit 1973 Lehrbeauftragter an d. Univ. Graz (Sprache u. Medien, Theorie u. Praxis d. Kultur-Journalismus), seit 1982 Int. d. Steir. Herbstes. P.: Bücher, Theaterstück, Drehbücher, Libretto, Klavier-, Kam.-

u. Bühnenmusik. E.: Förderungspreis d. BMU, Kulturpreis d. Stadt Graz, Literaturpreis d. Landes Stmk. M.: Club Alpbach. H.: Schwammerlsuchen.

Vukits Gustav

B.: Gschf. FN.: Oregano Rest.- u. BetriebsgesmbH. DA.: 1150 Wien, Giselherg. 11. PA.: 3441 Zöfing, Steggasse 6. G.: Bgld., 23. Juli 1955. V.: Karin geb. Wolfsberger. Ki.: Marlene (1976), Norbert (1980), Ewald (1982). El.: Johann u. Anna. S.: 1970 Kellnerlehre Stiftskellerei Klosterneuburg. K.: 1984-90 Gschf. Stiftskellerei Klosterneuburg, 1990-93 Gschf. Rosenberger Rest. St. Pölten, s. 15.2.1993 Gschf. Oregano M.: Prüfungskomm. HK NÖ. H.: Schifahren, Tennis.(L.S.)

Vukovich Thomas Dr. med. Univ.-Prof.

B.: Ltr. d. Notfallabors d. neuen Allg. KH Wien, FA f. Physiologie, Med. u. Chem. Laboratoriumsdiagnostik. A.: 1080 Wien, Langeg. 70. G.: Wien, 14. Mai 1948. V.: Susanna, geb. Grüneis. Ki.: Viktoria (1975), Irmgard (1978), Agnes (1983), Christian (1991). El.: Dr. med. Viktor u. Irene. S.: VS, Gymn., Med. Fak. d. Univ. Wien. K.: 1972 Dr. med. d. Univ. Wien, 1972-80 Ass.Arzt u. 1980-88 OA am Inst. f. Med. Physiologie d. Univ. Wien, 1989-91 Ltr. d. Hauptlaboratoriums d. 2. Med. Univ.-Klinik Wien, ab 1991 Ltr. d. Notfallabors d. AKH, 1980 FA f. Med. Physiologie, 1989 FA f. Med. u. Chem. Laboratoriumsdiagnostik, 1980 Venia Docendi u. Hon.Prof. f. Psycholog. Physiologie d. Univ. Sbg., 1988 a.o.Prof. f. Med. Physiologie d. Univ. Wien, 1990 Venia Docendi f. Klin. Chem. u. Laboratoriumsdiagnostik. P.: Über 50 Publ. auf dem Gebiet d. Blutgerinnung u. Labordiagnostik. M.: Intern. Soc. Thrombosis Haemostasis, Intern. Soc. Cardiovascular Biology, Europ. Soc. Clinical Investigation, Am. Assoc. f. Clinical Chemistry. H.: Musik

Vukovich Vladimir Mag. OStR.

B.: Schulltr. FN.: Bundes-HAK u. Hasch. DA.: 7350 Oberpullendorf, Gymnasiumstr. 19. PA.: 7350 Oberpullendorf, Günserstr. 10/6/8. G.: Nikitsch, 29. Dez. 1938. V.: Ines Maria, geb. Benzina. Ki.: Branko (1973). El.: Simon u. Maria. S.: Höhere Landwirt. Bundeslehranstalt i. Wieselburg, 4 Sem. Landwirt. a. d. BOKU Wien, Stud. d. Slawinistik u. Gesch. a. d. Univ. Wien, 1976 Mag. K.: während d. Stud. i. versch. Berufen gearb., 1971 am BRG Oberschützen unterrichtet, 1972 Lehrtätigk. a. HAK Oberpullendorf, BG, BRG, 1976 Titel Prof., ab 1987 Schulltr. d. HAK u. Hasch, 1992 Titel Oberstudienrat, 1993 Tätigk. a. d. FHS i. Eisenstadt - Kroatischunterricht. P.: 1964 Gedichtband "nemoj brate, pusti rukw", lfd. Beiträge i. kroatischen Ztg. u. Zeitschriften u. Jahresbücher, Prosa u. Lyrikveröff., Kritiken z. kroat. Literatur u. Beiträge z. Gesch. d. bgld. Kroaten, Abhaltung v. Symposien u. Vorträgen. E.: Diplom d. "Matica iseljenika Hrvatske" in Zagreb. M.: Vors. d. kroat. akad. Club in Wien, stv. Vors. d. kroatischen Kultur v. Bgld., Grdg.-Mtgl. d. VHS d. bgld. Kroaten. H.: Literatur, Gesang, v 1964-69 Ltr. einer kroatischen Volkstanzgruppe in Wien. (I.J.)

Vuursteen Karel Dr.

B.: Gen.-Dir. FN.: Österr. Philips Industrie GmbH. GT.: AufsR.Vorst. Telekabel Wien GmbH, AufsR.Vors. Philips Data Systems GmbH, Präs. d. Niederländ.-Österr. HK. DA.: 1100 Wien, Triesterstr. 64-66. S.: Dipl.-Ing. K.: Philips Niederlande, Schweden, Norwegen, Deutschland u. Österr.

Vychodil Franz

B.: Geschäftsinh., Mechanikermstr. FN.: F. Vychodil Zweiradhdl. u. Repräsentanz. DA.: 8020 Graz, Elisabethinerg. 15. PA.: 8020 Graz, Kernstockg. 26. G.: Graz, 27. Juni 1921. V.: Lea, geb. Kirchner. Ki.: Michael (1962), Franz (1965). El.: Franz u. Aloisia. S.: Pflichtschule, Gewerbeschule, 1955 Mstr.-Prüf. K.: 1955 Geschäftsübernahme. BL.: 5 J. Betreuer in Amerika, viele Radrennen in Österr. E.: Landessport-EZ, Gold. EZ f. d. Radsport in Österr., EZ d. Kam. f. Wirtschaft, Infanterie Sturmabz., KVK II. M.: Präs. v. Radfahrverb. 1887, VPräs. v. steir. Radfahrverb., Obm. v. ARV Alpenländ. Radfahrverb., Landesfachwart v. ASFO Stmk. im Radsport. H.: Kegeln, Kartenspielen. (F.K.)

Vycudilik Walter Dr. phil. Univ.-Prof.

B.: Chemiker, Ltr. d. chem. Abt. am Inst. f. gerichtl. Med. d. Univ. Wien, Sachv. f. Chem. Fragestellung. DA.: 1090 Wien, Senseng. 2. PA.: 1140 Wien, Knödelhüttenstr. 25/1/3. G.: Wien, 4. Sep. 1943. V.: Hanna, geb. Lebeda. Ki.: Stefan (1975), Karin (1979). El.: Alois u. Herta. S.: 1961 Matura, 1961-70 Stud. Chemie Phil. Fak. d. Univ. Wien, 1971 BH. K.: 1971-72 Univ. v. Alberta Canada, 1972 Ass. b. Gerichtsmed. Inst., 1981 Habil., 1986 a.o.Prof., seit 1991 Ltr. d. Chem. Abt. BL.: Entdeckung d. Substanzklasse Stickstoff-Aryl-Sulfimide m. Isolationsmethoden aus d. biolog. Material. P.: div. Fachbeiträge. M.: Österr. Chemikerver., Ges. d. Österr. Gerichtsmed., Dt. Ges. f. Gerichtsmed., Ges. f. Toxikolog. u. Forensische Chemie. H.: Gitarre spielen, Radfahren, Malen, Lesen. (I.K.)

Vykruta Anneliese

B.: Dir. an d. Sonderschule 1 d. Stadt Wels. DA.: 4600 Wels, Porzellang. 46. PA.: 4600 Wels, Stifterstr. 7. G.: Schwanenstadt, 23. Nov. 1938. Ki.: Oliver (1962). BV.: Igelseder (Lehrerdynastie). S.: 1957 Matura, 1958 Lehrerinnenbildungslehranst. in Vöcklabruck, 1960 Lehreramtsprüfung f. Volksschule mit Ausz., 1981 Lehreramtsprüfung f. Sonderschule u. Sprachgestörte Kinder, 1982 Lehreramtsprüf. f. Schwerstbehinderte u. 1982 f. Körperbehinderte u. Heilstättensonderschule (alle mit Auszeichnung!). K.: mehrere Jahre an d. Pädak d. Bundes, verantwortl. f. Förderdiagnostik u. Förderplan, seit 1987 Direkt. an d. Sonderschule 1, 1981-87 Aufbau u. Mitarb. am Sprachheildienst d. Stadt Wels, Referentin d. pädag. Inst. d. Bundes in OÖ, weitreichende Tätigk. im Fort- u. Ausbildungsbereich d. Grundschullehrer, Vortragende b. Elternvereinigungen. P.: div. Publik. in Fach- u. Tageszeitungen. E.: mehrf. Ausz. d. Landes u. Bezirksschulrates. M.: Beirat d. heilpädag. Gesellsch. OÖ, Mtgl. d. Lehrerprüfungskomm. H.: Tennis, Lesen. (P.H.)

Vymazal Kurt Mag. pharm.

B.: Apotheker, Inh. d. Info-Service Mag. pharm. Kurt Vymazal GmbH. DA.: 1014 Wien, Herreng. 6. G.: Linz, 13. Feb. 1949. Ki.: Saskia, Philipp. El.: Helene u. Emil. S.: RG, Matura 1967, Stud. d. Pharm. in Wien, Spons. 1975. K.: 1 J. Aspirant, 1977-80 Fachref. f. d. Abt. f. wiss. Fortbild. u. Information b. d. Österr. Apothekerkam., 1980 Grdg. d. Info-Service u. seit 1985 Alleininh. d. Fa., s. 1987 allg. gerichtl. beeid. Sachv. M.: Public Relationsverb. Austria, Mtgl. d. Hauptverb. d. allg. beeid. gerichtl. Sachv. H.: Tauchen, Skifahren, Fliegen. (M.B.)

Vyslozil Wolfgang Dr.

B.: Gschf. FN.: APA Austria Presse Agentur. DA.: 1199 Wien, Gunoldstr. 14. G.: Meiningen/Thüringen, 12. Nov. 1945. V.: Ilse, geb. Wohlschlager. S.: Dr. phil.

Vytiska Herbert

B.: Gschf. FN.: Privatradioges. MMM Medien-Management-Marketing. DA.: 1090 Wien, Neulingg. 29. PA.: 2380 Perchtoldsdorf, Herzog-Berg-Str. 72B. G.: Wien, 29. Nov.

1944. V.: Maria-Eva, geb. Übelacker. Ki.: Katharina (1979), Victoria (1991). El.: Ludwig u. Juliane, geb. Kögelberger. S.: Gymn., 1962 Matura, 1962-68 Stud. Lehramt TU Wien. K.: 1965-68 freier Mitarb. b. "Neues Österr.", "Volksbote" u. "Wr. Kirchenzeitung", 1968-70 ORF Gen.-Intendanz, Pressestelle, 1970 Organ. u. Gestaltung einer Ausstellung "50 J. ORF u. Sbg. Festspiele", Prod. v. Fernsehfilmen, Hörfunksendungen, 1970-72 Kindler & Schiermayer Verlag München, Ltr. d. Österr. Red. "Eltern", 1972 Österr. Red. "Stern", 1972-78 Pressesekr. ÖAAB, Chefred. Zeitschrift "Freiheit", 1978-79 Ltr. d. Pressestelle im ÖVP Parlamentclub, 1979-87 Pressesprecher d. ÖVP, 1975-79 Obm. d. FCG in d. Journalistengewerkschaft, 1980-86 Mtgl. d. ORF-Beschwerdekmsn., 1987-91 Vorst.-Dir. d. MBB Holding, selbst. Kons., ab 1993 Österr. Repräsentant v. Europe-Development. P.: Bücher u.a. "Himmelfahrtskommando" (1990), "Heimat-Europa. Österr. Weg v. Wien nach Brüssel" (1991). E.: Leopold Kunschak-Preis. H.: Politik, Medien, Schreiben, Lesen, klass. Musik. (N.A.)

Vytlacil Gerhard Dr. Mag. med. vet.

B.: Tierarzt. FN.: Tierklinik Theresianum. GT.: Gründer u. Präs. d. Wiener Vereins z. Vermittlung v. Jungkatzen. DA. u. PA.: 1040 Wien, Theresianumg. 9. G.: Wien, 7. Dez. 1954. El.: Erich u. Gertrude. S.: 1973 Matura BG 10., Ettenreichgasse, Stud. Veterinärmed. Wien, Prom. 1984. K.: 1984-91 als Vet.-Rat Amtstierarzt d. Gem. Wien MA 60, seit 1984 auch selbst. Tierarzt m. eig. Praxis u. eig. Blutlabor, Notdienst rund um d. Uhr. BL.: seit 1989 Entwickl. f. Software f. Tierärzte, ehem. Mtgl. d. Österr. Nationalmannsch. f. Wasserball u. Jugendmeister. P.: wiss. Arb. z. Thema "Zwingerhusten b. Hund". H.: Motorradfahren, Fotografieren, Musik. (J.S.)

Waach Wolfgang

B.: Maler, Kunsterzieher, Schriftsteller. DA.: 7100 Neusiedl am See, Seestr. 18. PA.: 7122 Gols, Obere Querg. 10. G.: Wien, 3. Jan. 1949. V.: Raphaela, geb. Perschy. Ki.: Gregor, Martha. El.: Dr. Gregor u. Margaretha. S.: 1968 Matura, 1969-74 Stud. an d. Ak. d. Bild. Künste in Wien, 1974 Lehramtsprüf. f. Bildner. Erziehung u. Werkerziehung. K.: seit 1974 Kunsterzieher am Gymn. in Neusiedl am See, seit 1971 Einzelausstellungen u. Ausstellungsbeteiligungen in Wien, Sbg., Neusiedl am See, Nickelsdorf, München, Mattersburg, Argentinien, Australien. P.: Bücher: "Gedichte aus einem leeren Raum" (1980), "Die andere Seite der Zeit - Gedichte aus Irland" (1983), "Schmeissen u. Stechen" (Cartoons), Gedichte u. Prosa in div. Anthologien u. Zeitschriften, sowie im ORF, 1971-74 Illustrationstätigkeit b. Solidartät, Hallo, Elternblatt, seit 1986 freier Mitarb. d. Zeitschrift "Mobil". H.: Reisen, Fotografieren, Musik. (M.B.)

Waag Lars

B.: Gschf., Untern.-Ber. FN.: Mercuri International. DA.: 2500 Baden , Habsburgerstr. 22. PA.: 2500 Baden, Habsburgerstr. 22. G.: Stockholm, 24. Juli 1961. V.: Lebensgef. Dipl.-Kfm. Johanne Goldberg. Ki.: Robert (1988), Karoline (1990). El.: Ake u. Karin. S.: 1977 Matura Gym. Göteborg, 1977-82 Stud. Naturwiss. Univ. Nosnäs Stenungsund, 1984 - 1988 Stud. Mercuri Univ. of Skandinavia Stockholm. K.: 1982-84 Verk. v. Segeljachten USA, 1984 Unternehmensber. Fa. Mercuri, s. 1989 Gschf. Mercuri International i. Österr. F.: Hallberg & Rassy Werft AG Schweden. BL.: 10 J. i. d. schwed. Nationalmannsch. f. Segeln. M.: Weltsegelverb., RT Schweden. H.: Kinder, Segeln. (I.K.)

Waas Gerhard Mag. Dr.

B.: Sektionschef im BM f. Wirtschaftl. Angelegenheiten. DA.: 1011 Wien, Stubenring 1. PA.: 1070 Wien, Wimbergerg. 30. G.: Oberfröschau, 25. Juni 1931. V.: Elfriede, geb. Brommer. Ki.: Friedrich (1959), Adelheid (1962). El.: Dr. Hans u. Angela, geb. Jakusch. S.: Stud. d. Rechtswiss. Univ. Wien, 1956 Prom. Dr. iur. K.: Gerichtspraxis, 1957-65 BM f. Handel u. Wiederaufbau, 1965-69 Erstzugeteilter b. d. EFTA, 1969 Rückkehr in d. BM f. Handel, Gewerbe u. Ind., b. 1984 Stellv. Abt.-Ltr., dann Ltr. d. Außenhandelssektion, s. 1987 Sekt.-Chef, zuständig f. Integrationsangelegenh., Allg., Zoll- u. Handelsabkommen (GATT), gesamte Außenwirtschaftsbeziehungen m. d. EG- u. EFTA-Staaten u. f. Europaratangelegenh. E.: Gr. Gold. EZ f. Verd. um d. Rep. Österr. H.: Sport, Musik. (N.A.)

Waber Linde

B.: Ak. Malerin u. Grafikerin. A.: 1200 Wien, Gaußpl. 11/12. G.: Zwettl, 24. Mai 1940. El.: Dipl.-Ing. Friedrich u. Karoline. S.: Matura 1958, Ak. d. Bild. Künste Wien, Japanstipendium 1970. K.: Ausstellungen: 1974, Österr. Museum f. angew. Kunst, Wien, "Farbholzschnitte 1971-74", 1975, 80, 82, Galerie Würthle Wien, 1976, 78 Galerie Welz Sbg., 1985 Galerie Würthle Wien, 1985 Graph. Sammlung Albertina Wien, 1986 u. 1990 Bern Horgen, 1990 1. Ausstellung Ölmalerei, Galerie Würthle Wien, viele Ausstellungsbeteiligungen, Schwergew. d. künstler. Arb. zunächst Farbholzschnitt, seit 1973 entstehen viele Tuschzeichnungen, alles z. Thema "Umräume", seit 1980 Beginn d. Arbeit "Veränderungen". P.: Buch "Vorstadt" (Texte Rainer Pichler, Holzschnitte Linde Waber, Eigenverl.), 1985 "Linde Waber-Buch", 1987 "Atelier-Buch", !989 "Umbra. Der Schatten. Zu Arb. v. Linde Waber" (Text Friederike Mayröcker), Kassette "Waldviertel", Edition Tusch, Radierungen, Kassette "Tempelanlagen - Nepal" Farbradierungen, Eigenverl. E.: 1961 Oskar Kokoschka-Fonds Preis, 1969 Mention Honorable Paris, 1970 Öster. Graphik Preis, Krems, 1974 Förderungspreis d. Landes NÖ, 1976 Theodor Körner-Preis, 1976 Österr. Graphikpreis, Krems (1. Preis). M.: Ges. Bild. Künstler, Künstlerhaus Wien, Xylon-Österr. Holzschneidervereinigung, Intakt-Intern. Aktionsgem. Bild. Künstlerinnen Wien.

Wabl Andreas

B.: Abg. z. österr. NatR., Ordner d. NatR., VS-Lehrer. DA.: 1017 Wien, Schmerlingplatz, Tor Mitte. PA.: 8452 Großklein, Oberfahrenbach 48. G.: Graz, 28. Febr. 1951. V.: Erika, geb. Sonnleitner. Ki.: Veronika (1979), Matthias (1986). El.: Matthias u. Elisabeth. K.: VS-Lehrer, GemR. in Großklein, Gründer d. "Ver. z. qualitativen Anhebung d. Seinszustandes", 1982-85 Gschf. d. "Alternativen Liste Österr.", 1985 Mitbegründer d. "Bürgerinitiative Parlament", 1986 Abg. z. NatR., seit 1986 Vors. d. Rechnungshofaussch. im NatR., 1988-90 Klubobm. d. Grünen, seit 1991 Stellv. Vors. d. Grünen Fraktion im NatR., Agrarsprecher d. Grünen. (P.R.)

Wabl Martin Dr.

B.: Richter am BG Feldbach; Mtgl. d. Bundesrates. DA.: 1017 Wien, Dr.-Karl-Renner-Ring 3. PA.: 8280 Fürstenfeld, Fehringer Str. 52. G.: Semriach, 6. Jan. 1945. S.: Gymn., Stud. Jus Univ. Graz, 1967 Dr. jur., s. 1972 Richter, 1980-85 Vizebgm., 1985-91 Stadtrat d. Stadt Fürstenfeld, 1981-86 u. 1981-94 Abg. z. Stmk. Landtag, s. 1/1994 Mtgl. d. Bundesrates. M.: SPÖ.

Wabro Hermann
B.: Gschf. FN.: CWB Creativ Wohnbau GmbH, DREI V GmbH Immobilien-Vers.-Finanzierungen-Bausparen-Leasing. DA.: 4020 Linz, Starhembergstr. 11, 4040 Linz, Blütenstr. 2. G.: Lasberg, 31. Jän. 1948. V.: Adelheid, geb. Schuhberger. Ki.: Markus (1975), Michael (1980). El.: Hermann u. Anna. S.: VS, Gymn., HS, Lehre als Einzelhdls.-Kfm. K.: b. 1966 Fa. Sport Eybl, 1968 BH, 1969-71 Fernfahrer Fa. Mayr Heppenheim/Dtschd, 1971-73 Fahrverkäufer Fa. Fako Linz, Außendienst Coca Cola Österr., 1989-91 EÖV Vers. Vergleichs GmbH, s. 1992 Fa. DREI V Vers.-Beratungs u. Immobilienmakler GmbH, 1993 Immobilienmaklerkonzession. H.: Tennis. (U.A.)

Wach Erich Dkfm.
B.: Gschf. FN.: Österr. Salen Kunststoffwerk AG. DA.: 2355 Wr. Neudorf, IZ NÖ Süd, Str. 1. G.: 17. Jan. 1941. K.: s. 1989 jetzige Position.

Wacha Georg Dr. phil. et Mag. iur.
B.: Dir. d. Stadtmuseums Linz i.R. PA.: 4040 Linz, Büchlholzweg 48. G.: Wien, 4. Jan. 1928. V.: Martha, geb. Huemer. Ki.: Dr. Claudia. El.: Dr. Robert u. Ria. S.: VS, RG, Univ. Wien (Geschichte, Kunstgeschichte, Angl., Slaw., Ägypt.), Jurisprudenz (Staatsprüf. 1950, 1952, 1954), 1952 Ausländeruniv. Perugia, 1951-53 Inst. f. österr. Geschichtsforsch. (Staatsprüf. 1953). K.: 1954 wiss. Ass. am Dt. Inst. f. Volkskunde u. Auslandskunde, Münster, 1954 Vertragsbediensteter b. Mag. Linz, 1960 pragmat., 1963 MagR., Dir. d. Stadtmuseums Linz, 1965-66 Dir. d. South African Museums (Cultural History) in Kapstadt, 1971 OMagR-, 1973 Senatsrat, 1973 Eröff. d. "Nordico" (ehem. Nordisches Stift in Linz) als Stadtmuseum, Schriftltr. d. "Kunstjahrbuches d. Stadt Linz" (seit 1961), Hrsg. d. Mitteilungsblattes "Aus d. Stadtmuseum Linz" (seit 1973), d. Kataloge (jährl. etwa 30 Ausstellungen), Mitarb. an d. Großausstellungen "1000 Jahre Babenberger in Österr.", "Österr. z. Zeit Kaiser Josephs II.", "Das Werden d. Landes OÖ", "St. Leopold", "Adel im Wandel". P.: Seit 1948 etwa 300 Veröff., u.a. über d. Geschichte v. Klosterneuburg, heiligenkundl. Arb., Linzer Regesten, Arb. z. Topographie, Häusergeschichte u. Denkmalpflege v. Linz, allg. Darstellungen über Linz, über versch. Handwerke, Gew. u. Beschäftigungen (Zinngießer, Tischler), über Linzer Persönl., Zeitungswiss. u. alte Drucke, Meteorologie, Tiere u. Tiersymbolik, Künstlerbiogr. etc. E.: Theodor-Körner-Preis 1969, Gold. EZ f. Verd. um d. Rep. Österr. 1983, LKulturpreis Wiss. 1985, EK f. Wiss. u. Kunst I. Kl. u. Wiss.-Med. d. Stadt Linz 1990. M.: Präs. d. OÖ Musealver., d. Arge z. Schaffung naturkundl. Einrichtungen, M. d. Ges. "Freunde d. Stadt Linz", Mtgl. v. ICOM, LKundl. Ver. v. Wien, NÖ, OÖ, Stmk. u. Ktn., Ehrenmtgl. Kiwanis Linz.

Wacha Gerhard Ing. Dir.

B.: Dir., Filialleiter f. OÖ und Sbg. FN.: ALLBAU-Allg. Straßenbau AG, Konzerntochter Fa. PORR. DA.: 4020 Linz, Nebingerstr. 2. PA.: 4040 Puchenau, Gartenstr. 18. G.: Putzleinsdorf, 18. Feb. 1944. V.: Renate, geb. Zeilinger. Ki.: Robert (1970), Sylvia (1972). El.: Karl u. Gertrud. S.: Volksschule, Hauptschule, HTL, Abt. Tiefbau Mat., 1963/64 BH. K.: 1982 Filialltr. Stellv. Fa. PORR O.Ö., 1983 Prok. ALLBAU f. O.Ö., 1987 Prok. ALLBAU f. Sbg., 1993 Dir. d. Fa. ALLBAU. BL.: Fußball Landesliga Westbahn. M.: Tennis UTC Puchenau. H.: Familie, Tennis.

Wacha Othmar Dkfm.
B.: Beeid. Wirtschaftsprüfer u. Steuerberater. PA.: 1130 Wien, Lainzer Str. 26a. G.: Wien, 14. Nov. 1945. V.: Margit, geb. Jaksch. Ki.: Daniela (1972), Stefan (1974). S.: hum. Gymn., 1963 Matura, Stud. Welthdl., 1969 Dkfm. K.: 1969-84 Prok. b. einer Wr. Wirtschaftsprüf.Ges., seit 1984 selbst. M.: Intern. Fiscal Assoc., Mtgl. d. Prüf.Kmsn. f. Steuerberater in d. Kam. d. Wirtschaftstreuhänder. H.: Tennis, Musik, Literatur. (C.K.)

Wachalovsky Ernst
B.: Ltr. d. Informationszentrums im Mag. d. Stadt Sbg. DA.: 5024 Salzburg, Schloß Mirabell. PA.: 5020 Salzburg, Akademiestr. 7. G.: Wien, 25. Febr. 1927. V.: Elfriede, geb. Sobol. Ki.: Ilse. El.: Franz Janisch u. Valerie Wachalovsky. S.: RG m. Matura 1945 in Wien, Stud. Phil. u. Theaterwiss. Univ. Wien, Abschluß m. d. Absolutorium. K.: seit 1950 journalist. tätig, 1957-59 Auftrag z. Herausgabe einer Heimatzeitung f. d. Pinzgau in Zell am See, anschl. b. 1978 Lokal- u. später Chefred. "Sbg. Volksblatt", seit 1978 Ltr. d. Informationszentrums d. Stadt Sbg. P.: Mitarb. an versch. Publ., Sonderhefte d. Kiesel-Verlages Sbg. zahlr. Beiträge über I. Kant, R. Wagner, K. Spitzweg, u.a. E.: Silb. Verdienstz. d. Landes Sbg. M.: Ver. Schlaraffia Juvavia. H.: Enkelkinder. (Föd.)

Wachauer Thomas

B.: Autor, Schauspieler, Sänger u. Regisseur. PA.: 1020 Wien, Lassallestr. 10/33. G.: Wien, 6. Juni 1963. El.: Friedrich u. Helga. S.: BG, Matura, Stud. Jus, Französisch u. Philosphie, Konservatorium d. Stadt Wien: Musical- u. Operettenklasse, Schauspielprüf. b. paritätischen Komsn. K.: Landestheater Linz, während Gymn.zeit Film m. P. Patzak, Fernsehserie "Die liebe Familie", 1980-93 Sommertheater Laxenburg, 1990-91Kabarett Simpl, 1991-92 St. Pölten: Debut als Tanzbuffo, 1992-93 Kl. Komödie "Seemann gib acht", 1994 "So und nicht anders"; seit 1991 Inszenierung in Laxenburg u. Bearbeitung d. Stücke, Sommerfestspiele Röttingen (BRD), 1994-95 Kabarett Simpl: "Burenwurst goes Europe", Fernsehserie "Roda Roda"; gRdg. d. eig. Fa. "Imagination Company" Wien/München Autorenpool d. Geschriebenes in jeder Form liefert. H.: Tennis, Motorradfahren, Skifahren, Lesen, Englische Liedertexte schreibe. (J.M.)

Wachberger Michael Dr. Dipl.-Ing.
B.: Arch., Gschf. d. Ges. f. Stadt- u. Dorferneuerung. DA.: 1080 Wien, Ledererg. 35. PA.: 1020 Wien, Franzensbrückenstr. 8. G.: Linz, 12. Dez. 1941. V.: Dipl.-Ing. Hedy. Ki.: Martin. El.: Univ.-Prof. Eugen u. Ilse. S.: Matura, Stud. Arch. an d. TU Wien, 1965 Dipl.-Ing., 1967 Prom. Dr. techn. wiss. K.: 1966-76 Univ.-Ass. an d. TU Wien, Aufbau eines Arch.-Büros, 1976-86 wiss. Ltg. d. Österr. Inst. f. Bauforsch., seit 1978 Lehrauftrag an d. TU f. EDV-Anwend. in d. Wohnbauplanung, seit 1987 dzt. Position. P.: Diss.: "Die Rasenbauformen", "Terrassenhäuser", "Mit d. Sonne bauen" (1986), "Schulbau in Österr. v. 1945-80", "Entwickl. im Schulbau", "Standartisierte Leistungsbeschreibung f. d.

Hochbau" (1982). M.: Ing.- u. Arch.-Kammer. H.: Sport (Tennis, Schifahren), Autofahren, Bild. Kunst, Perserteppiche, Reisen, Fotografieren. (J.E.)

Wache Walter Dipl.-Ing.
B.: Dir. d. Htbla W.22. FN.: Htbla W.22. DA.: 1220 Wien, Donaustadtstr. 45. G.: Wien, 26. Juni 1940. El.: Walter u. Hermine. S.: 1958 Matura, Stud. Nachrichtentech. TU Wien, 1971 Prom. K.: 1972 Entwicklungsing. ELIN, 1975 Chef d. Abt., 1980 Techn. Ltr. d. Bereiches Elektronik, Entwicklungstätig. a. d. Drehstromlok. Serie Nr. 1014, Entwickl. e. Electrical Ground Support Equipment f. nachrichtensatellit olympus, 1984 Schuldienst, Vertragslehrer, 1986 Prof., 1990 prov. Ltr., 1992 Direktor. H.: Uhrensammeln, Segeln, Jagen, Fischen. (H.S.)

Wachmann Karl
B.: Gschf. FN.: Karl Wachmann - Schediwys Nfg. GmbH. DA.: 8010 Graz, Sporg. 6. PA.: 8043 Graz, Königsmühlstr. 9. G.: Graz, 29. Juni 1932. V.: Gertrude, geb. Kriesper. Ki.: Christian (1962), Michael (1965). El.: Karl u. Maria. S.: VS, HS, HASCH Graz, 2 J. Lehrzeit Krieglach. K.: b. 1964 Tätigkeit im elterl. Geschäft, 1964-73 Prok. Firma Krenn Verpackung, 1973-89 Kompl. d. Firma Schediwy, 1992 Pension. M.: Funktionär d. HK. H.: Tennis, Skifahren, Lesen (Fachliteratur). (R.S.)

Wachsmann Kurt Dr.
B.: Richter am LG f. Strafsachen Wien. DA.: 1080 Wien, Landesgerichtsstr. 11. G.: Wien, 19. März 1943. V.: Waltraud, geb. Marzell. El.: Rudolf u. Helene. S.: Hum. Gymn. Wien, 1963 Matura, Stud. Kath. Theol. Univ. Wien, anschl. Jusstud., 1969 Doktorat. K.: ab 1971 Richteramtsanw., 1973 Richteramtsprüf., 1973/74 Richter am Straf-BG Wien, seit 1975 am LG f. Strafsachen Wien, Vors. in Er-, Schöffen- u. Schwurgerichtsverfahren. M.: Richterver. H.: Waldviertel, Tiere, Haustiere, Theater, Lesen, Theol., Reisen (Tätigkeit an Missionsstationen in Südamerika). (J.S.)

Wachsmuth Alexander
B.: Korrespondent. FN.: Deutsche Presse Agentur GmbH. DA.: 1190 Wien, Gunoldstr. 14. PA.: 1040 Wien, Rubensg. 6. G.: Duisburg, 17. Febr. 1926. V.: Inge, geb. Grau. Ki.: Alexandra (1948), Arye (1962), Simon (1964). El.: Werner u. Gertrud. S.: 1945 Matura, Stud. d. Vet.Med. K.: ab 1948 Sender "Rot-Weiß-Rot", 1949 Nachrichtenagentur INS, 1949-57 Agentur Reuter in Wien, Frankfurt, London, Bonn, seit 1957 dpa, b. 1967 Ltr. d. Europared. Hamburg, 1967-77 Korrespondent in Israel, Ltr. d. Asien-Afrika-Nahostred. in d. dpa-Zentrale in Hamburg, seit 1982 Wien. E.: Dt. BVK II. Kl. H.: Photographie, Sport. (P.R.)

Wachta Hansjörg Dr.
B.: Gschf. FN.: Dr. Hansjörg Wachta GmbH Public Affairs. GT.: Mitinitiator, Hrsg. u. Chefred. seit 1980 d. Zeitschrift Bestseller, seit 1978 Lehrbeauftragter an d. WU f. Wirtschaftspublizistik u. seit 1988 im Inst. f. Publizistik. DA. u. PA.: 1232 Wien, Oldenburgg. 49. G.: Wien, 13. Febr. 1940. V.: Renate, geb. Steiner. Ki.: Dominik, Manuel. El.: Robert u. Franziska. S.: Gymn., 1968 Matura, 1966-72 Stud. d. Staatswiss., 1972 Prom. K.: 1959-72 Red. b. Kurier in Wien, 1972-76 im Verlagsmarketing als Ass. d. Werbeltr. b. Kurier, 1976 selbst. u. anschl. Grdg. d. eigene PR-Agentur "Public Affairs". BL.: 1975 Mitbegründer d. PR-Verb. Austria. P.: zahlr. Publ. in Fachzeitungen u. Fachbüchern über PR u. Kunst. M.: im Aussch. f. Wiss. u. Ausbild. d. PR-Verb. Austria, im Vorst. d. Ver. d. Freunde d. Wr. Secession Wac. H.: Tennis, Bild. Kunst, Oper, Wandern. (M.B.)

Wachter Bernhard

B.: Unternehmer, Gschf. Ges. FN.: Wachter Wärme & Wasser GmbH. DA.: 6380 St. Johann, Hirzingerweg 34. G.: Gaschurn, 3. Apr. 1950. V.: Hildegard, geb. Lohfeyer. Ki.: Christina (1973), Bettina (1978), Andreas (1983). El.: Ludwig u. Anna. S.: Pflichtschule, Berufsschule, 4 J. Lehre Gas-, Wasser- u. Heizungsinstallateur Bludenz, 1968 Gesellenbrief, 1970/71 BH. K.: b. 1983 Monteur u. Baultr. b. Firma M. Stolz Bludenz, seit 1983 selbst., 1981-81 Meisterprüf. f. Gas, Wasser u. Heizung, 1986 GmbH, 1991 2. Betriebsstätte in Gaschurn. H.: Familie, Wandern, Beruf. (J.F.)

Wachter Burkhard
B.: Bürgermeister. DA.: 6773 Vandans, Dorf 16. PA.: 6773 Vandans, Zwischenbach 636. G.: Schruns, 26. Aug. 1956. V.: Margarete. Ki.: Johannes (1984), Thomas (1985). El.: Gottlieb u. Sophie. S.: GS, Kfm. Lehre Gemeindeamt Vandans, 1974 Abschl., 1975 Militär. K.: 1975-85 Gemeindesekr., 1980 "Die Freiheitlichen" Gemeindevertreter, 1985 Bürgermeister d. Gemeinde Vandans. H.: Jagd, Tennis, Lesen. (I.D.)

Wachter Heinz-Peter Dr.
B.: RA. DA.: 1010 Wien, Tuchlauben 13/1/14. G.: Wien, 21. Dez. 1958. V.: Ursula, geb. Hörl. Ki.: Georg (1986), Lorenz (1988). S.: 1977 Matura, Univ. Wien, 1981 Prom. K.: Gerichtsj. Wien, Konzipient in RA-Kzl. Dr. Rustler, Konzipient in RA-Kzl. Dr. Csokay, 1986 Anw.Prüf., 1987 eigene Anw.Kzl. P.: Buch: "Prakt. Rechtshandbuch: Strafrecht", "Computerrecht f. d. betriebliche Praxis", div. Fachart. M.: Juristenverb., Österr. Geograph. Ges. H.: Skifahren, Segeln. (M.M.)

Wachter Helmut Dr. phil. Mag. pharm.
B.: Univ.-Prof. A.: 6020 Innsbruck, Reithmannstr. 18. G.: Landeck, 3. Sept. 1929. V.: Dr. med. Ilse, geb. Nagele. El.: Heinrich u. Rosa. S.: VS, Gymn., Univ. K.: Mag. pharm. 1954, Dr. phil. 1956, Habil. f. d. Gesamtfach Med. Chemie 1966, Studienjahr 1971-72 Visiting Prof. an d. Med. School d. Univ. London, 1973 tit.a.o.Prof., 1974 a.o.Prof., 1978 Ablehnung d. Rufes auf d. Ordinariat f. Med. Chemie d. Vet.Med. Univ. Wien. P.: ca. 700 Veröff. in in- u. ausländ. Fachzeitschriften, Lehrbuch "Chemie f. Mediziner" (6.A. Berlin), "Proceedings: Biochemical and Clinical Aspects of Pteridines Vol. 1-5" (Berlin), "Hunnius: Pharmazeut. Wörterbuch" (7.A. Berlin), Monographie: "Neopterin: Biochemistry - Methods - Clinical Application" (Berlin). E.: 1987 Ehrendr. d. Naturwiss. d. Univ. Aston, Birmingham/GB, 1988 Österr. EK f. Wiss. u. Kunst I. Kl., 1992 Fritz-Pregl-Medaille.

Wachter Herbert

B.: Ak. Maler u. Grafiker. PA.: 6020 Innsbruck, Templstr. 4. G.: Imst/Flaurling/Oberinntal, 9. Dez. 1928. V.: Dora, geb. Fuchs. Ki.: Dr. Julia, Mag. Paul, Gerda. El.: Anton (Notar) u. Maria. S.: RG, Matura 1947, 4 Sem. Arch.Stud. an d. TH Wien, 4 J. Ak. d. Bild. Künste in Wien, Dipl. 1954. K.: Seit 1954 freiberufl. tätig. BL.: Kriegerdenkmal Michaelskapelle in Imst (Wandmalerei), Kreuzwegstation Kalvarienberg in Flauerling (Mosaiken), Villa "Frötscher" in Landeck (Mosaik) u.v.a. E.: Meisterschulpreis f. Grafik (1954). M.: Berufsver. Bild. Künstler. H.: Fotografieren u. Reisen. (Schm.)

Wachter Martin F. Dir.

B.: Dir., Bankkfm. F.: AUA Bank Bregenz. DA.: 6900 Bregenz, Römerstr. 16. PA.: 6900 Bregenz, Gallosstr. 23.G.: Bregenz, 16. Febr. 1945. V.: Marianne. Ki.: Martina (1974), Franziska (1976). El.: Julius u. Edeltraud. BV.: Vater Julius Wachter 1945-47 Bgm. v. Bregenz, Ehrenbürger v. Bregenz, 20 J. Festspielpräs. S.: HASCH Feldkirch. K.: 1 J. Bankkfm. in Bregenz, 1963 Bankang., ab 1975 Filialltr., Prok. M.: Kiwanis-Club Bregenz. H.: Radfahren, Wandern, Schwimmen, Tennis, Tontaubenschießen, Lesen, Musik, Skifahren. (I.D.)

Wachtl Gerhard E.

B.: Maler, Graphiker. PA.: 1080 Wien, Schmindg. 3/19. G.: Wien, 21. Okt. 1928. Ki.: Konrad (1952), Hermann (1958). El.: Hermann u. Hedwig. S.: Höhere Graph. Lehr- u. Versuchsanst. K.: 10 J. freischaff. Künstler, 1959 Eintritt als Graphiker u. Ltr. einer Zeichenstelle in d. Staatsdienst, Bild.- u. Studienreisen durch Europa, Afrika, Asien, Ausstellungen u.a. in Paris, Venedig, Wien, Zwettl, "Graphiken u. Ölbilder aus Europa u. Asien", Ausstellung z. Kaiserball im Hotel Panhans, 1989 Dürnhofer Kultursommer Zwettl, Impressionist m. surrealen, manchmal abstrakten Ausdrucksformen. (R.J.)

Wackenreuther Kurt Dr. med. vet. OVetR.

B.: Prakt. Tierarzt, Stadt-OVetR. i.R. A.: 8160 Weiz, Raimundg. 23. G.: Wien, 13. Okt. 1916. V.: Margareta, geb. Thaller. El.: Josef u. Paula. S.: VS, RG, Vet.Med. Univ. K.: Fleischbeschautierarzt in Wien-St. Marx, Freiberufstierarzt in Mödring b. Horn, Schlachthofltr. in Weiz u. prakt. Tierarzt, ab 1979 als Schlachthofltr. i.R. P.: "Novalgin als Adjuvans b. d. Obstipatio oesophagi b. Rind u. Schwein". E.: Gr. EZ d. Landes Stmk., Ehrenring d. LKam. d. Tierärzte Stmk., Gold. Ehrennadel d. Vereinigung sozialist. Tierärzte Österr., Erzherzog Johann-Med. f. Verd. um d. Land- u. Forstwirtschaft in d. Stmk., Ehrendipl. d. LTierschutzver. f. Stmk., H.: Film u. Foto.

Wackerle Karl Heinz

B.: Amtsdir. im Amt d. Tir. Landesrg. DA.: 6020 Innsbruck, Rennweg 1/1. G.: Innsbruck, 17. Dez. 1934. V.: Dietlind, geb. Enzenberg. Ki.: Gabriele (1961), Bernhard (1962), Hubert (1964), Carola (1967). El.: Max u. Nora. BV.: Ururgroßvater Josef Ritter v. Führich Maler. S.: Grundschule, Hum. Gymn., 1956 Abschluß, Lehrerbild., 1957 Abschluß. K.: freier Mitarb. b. ORF, Kommunikationssendungen Studio Tir., Kontaktsendungen, zahlr. Auslandseinsätze, Projekt im Ausland f. Dt. Bundesrg., 1966-68 Dt. Bundesrg. in Zentralamerika in Costa Rica, 4 J. öff. Büchereiwesen b. d. Landesrg., 5 J. Kolumbien, 1977 Aufbau eines Medienref. f. d. außerschul. Jugendarb., Ltg. d. Landesbildstelle Tir. BL.: gr. Entwicklungsprojekte, Ref. f. medienpolit. Fragen. E.: Österr. Volksbildungspreis. (M.W.)

Wackerle Paul

B.: Disponent; Vizebgm. Hard. FN.: Vbg. Landesversicherung. DA.: 6850 Dornbirn, Bahnhofstr. 11. PA.: 6971 Hard, Rebeng. 15. G.: Hard, 3. Aug. 1935. V.: Marianne, geb. Longhi. Ki.: Gernot (1963), Claudia (1965), Dietmar (1967). El.: Gebhard u. Franziska. S.: kfm. Wirtschaftsschule, berufsspez. Weiterbild., polit. Seminare. K.: 1951 Eintr. in VLV als kfm. Angestellt., 1961 Gebietsltr., 1990 Fachref. f. Gewerbe- u. Industriekunden; 1954 Mtgl. d. ÖVP, 1965 Mtgl. Gem.-Vertretung, 1974 Mtgl. d. Gem.-Vorst., 1974 Fraktionsobm., 1990 Vizebgm. M.: AR VS d. Hohentwiel Betriebs GmbH, Regionalplan.-Gemeinschaft Bodensee, Verwalt.-Gem. d. Linksseit. Achwuh Konkurrenz, Bez.-Parteileit. d. ÖVP, 1. Schützenrat d. Union Schützengilde Hard, s. 1952 Ortsfeuerwehr Hard, bei mehr. örtl. Ver. E.: silb. EZ d. ÖAAB Vlbg., gold. EZ d. Schützengilde Hard. H.: Kommunalpolitik, Gartenarbeit. (I.D.)

Waclawek Kurt

B.: Gschf. FN. :Friedrich Schwarzott Reisebüro u. Autobusuntern. GesmbH. DA.: 2620 Neunkirchen, Triester Str.17. PA.: 2620 Natschbach, Seebensteiner Str. 48. G.: Wien, 5. Juni 1950. V.: Gabriela, geb. Erös. KI.: Markus (1994). EL.: Dr. Rosa u. Kurt. S.: Gym., Matura, 2 Studienabschnitte Jus Studium (2 Staatsprüfungen). K.: 1978 Studium abgebrochen u. Familienuntern. übernommen (Schwerpunkt: Europaweite Bus-Touristik). M.: Kammer-Ausschuß d. Fachgruppe Autobus NÖ, Bez. Vertrauensmann Neunkirchen. H.: Wandern, Reisen. (F.S.)

Wadel Franziska

B.: Kfm., Geschäftsfrau. FN.: Reifen Wadel KG. DA.: 9020 Klagenfurt, Völkermarkter Str. 182. PA.: 9020 Klagenfurt, Werner-Berg-G. 5. G.: Girlan, 13. Dez. 1937. V.: Alois Wadel. Ki.: Elisabeth (1965), Herbert (1975). El.: Paul u. Franziska. S.: VS, HS, Lehre als Bürokfm. K.: seit 1968 selbst. Eröff. d. Reifen Wadel KG, 1979 Neueröff. eines neuen Hauptbetriebes m. Schwerpunkt Reifenfachbetrieb. M.: Verb. d. Reifenspezialisten Österr., HK-Vertreter d. Reifenfachhdls. f. Ktn. H.: Familie, Reisen. (K.K.)

Wadl Erfried KamR. ÖkR.

B.: Obm. d. Sozialvers.Anst. d. Bauern, LStelle Ktn., Ldw. DA.: 9020 Klagenfurt, Gabelsbergerstr. 13. PA.: 9560 Feldkirchen, Zechnerhof, St. Ulrich. G.: Steuerberg b. Feldkirchen, 21. Juli 1931. V.: Antonia, geb. Zaminer. Ki.: Dr. Wilhelm, Prok. Hartwig, Gastwirtin Maria, Mag. pharm. Hermine, Melanie. S.: NPEA in Traiskirchen, Ldw.-Fachschule. K.: Seit 35 J. Ldw., 1974 Eintritt in d. Sozialvers.Anst. d. Bauern als Obm.Stellv., seit 1982 Obm., Bez.-Obm. d. Ktn. Bauernbundes Feldkirchen, Vorst.Mtgl. d. Raiffeisen Lagerhaus Feldkirchen, Ortsbauernführer d. Gem. Feldkirchen, Obm. d. Bez.Bauernkam. Feldkirchen, Grdg.-Obm. d. Feldkirchen Maschinenringes u. d. Feldkirchen Rinderprod.- u. Vermarktungsringes, Obm. d. Unfallverhütungs-Aussch. d. Österr. Bauernsozialvers., seit 25 J. Mtgl. d. Bez.Jagdbeirates u. d. Grundverkehrskmsn., Funktionsträger im Hauptverb. d. Sozialversicherungsträger d. Bauern. P.: Art. in d. Fachpresse, jährl. Art. f. d. Bauernkalender. M.: IVSS (Intern. Ver. f. soz. Sicherh.), Dorgem. St. Ulrich, aktives Mtgl. d. FF. E.: Gr. Gold. EZ d. Ktn. Bauernbund, Silb.

VZ d. Ktn. Bildungswerkes, Silb. Med. d. Ldw.Kam., hohe Ausz. d. Feuerwehr u. d. Ktn. Jägerschaft u.a. H.: Jagen, Fischen, Beruf. (D.M.)

Wadl Hermann Peter Ing.
B.: Dir. of Marketing. FN.: AMP Österr. GmbH. DA.: 1210 Wien, Pilzg. 31. PA.: 7210 Mattersburg, Hirteng. 71. G.: Amstetten, 11. Okt. 1942. V.: Gertrude, geb. Halwax. Ki.: Petra, Brigitte. El.: Hermann u. Maria. S.: BGewerbeschule 1961, Militär, 1970 Nachrichtentechnik am TGM (Abendschule). K.: b. 1972 Fa. Siemens: Verkaufsbereich Bauelemente, b. 1974 Asea: Verkaufsbereich Halbleiter, b. 1976 USM: Verkaufsbereich Hochfrequenzschweißmaschinen, ab 1976 AMP: Verk.Ing., seit 1982 Dir. of Marketing. M.: Golfklub "Föhrenwald" Wr. Neustadt. H.: Golf, Tennis, Schwimmen, Natur, Theater, Musik, Skifahren. (M.G.)

Wadl Wilhelm
B.: Landesarchivar. FN.: Ktn. Landesarchiv. DA.: 9020 Klagenfurt, St. Ruprechter Str. 7. PA.: 9064 Pischeldorf, Hollern 6. G.: St. Ulrich b. Feldkirchen, 3. Aug. 1954. V.: Ingrid, geb. Nagele. Ki.: Martina (1978), Christina (1980). El.: Erfried u. Antonia. S.: VS, Gymn., 1972 Matura, BH, 1973 Geschichtsstud. Uni Wien, 1979 Prom. sub auspicis, 1978-80 Ausbild.kurs z. Archivar a. Inst. f. Österr. Geschichtsforsch. K.: s. 1980 Landesarchivar. P.: Gesch. d. Juden i. Ktn. i. MA, d. Jahr 1945 i. Ktn., Liberalismus u. soziale Frage i. Österr., d. Jahr 1938 i. Ktn u. seine Vorgesch., Friesach historische Entwicklung i.: Die profanen Bau.- u. Kunstdenkmäler d. Stadt Friesach. E.: Förderungspreistr. f. Wiss. d. Landes Ktn. M.: Gründ.obm. Kulturverein Gemeinde St. Thomas, Magdalensberg, Vrst.mtgl. Geschichtsverein f. Ktn. H.: Natur, Bergwandern, Geschichte. (G.L.)

Wadlegger Ernst
B.: Kfz-Mechanikermstr., Inh. FN.: Toyota Wadlegger. DA.: 5760 Saalfelden, Färberstr. 4. PA.: 5771 Leogang, Hirnreit 72. G.: Zell am See, 30. März 1940. V.: Anna, geb. Fürstaller. Ki.: Peter (1962), Ernst (1963). S.: VS, b. z. 17. Lebensj. in d. Ldw. tätig, 3 1/2 J. Kfz-Mechanikerlehre Firma Rieger Saalfelden, 1961 Gesellenbrief. K.: 1961-65 Mechaniker b. BH in Saalfelden, 1965-67 Firma Rieger, 1967-73 Gem.-Bediensteter in Saalfelden, Mechanikermstr.-Prüf. Sbg., seit 1973 selbst. Kfz-Hdl. u. Reparaturwerkstätte, lfd. Fort- u. Weiterbild.-Kurse. M.: Akkordeonver., Bürgermusik Saalfelden, Kameradschaftsbund. H.: Bergsteigen, Berge. (J.F.)

Wadsack Herbert
B.: Bibl. u. Büchereiltr. i.R. d. Wr. Städt. Bücherei. PA.: 1210 Wien, Freytagg. 14/30/19. G.: Knittelfeld, 19. Febr. 1912. V.: Anna, geb. Bednarik, verw. Schlötzer. Ki.: Maria, Annelies. S.: VS, Mittelschule, 1938 Karteiführer im Fliegerhorst Zeltweg, 1941 Übersiedlung nach Wien z. Luftzeugtruppe 17, Militärdienst in Prag u. Agram als Funker u. später als Nachrichtengeräteverw., anschl. Versetzung z. Flughafen nach Schweinfurt b. Kriegsende, nach amerikan. Gefangenschaft über Knittelfeld zurück nach Wien. K.: 1947-57 b. Fa. Siemens Wien als angelernter Maschinenarb., v. 1957 b. z. Pensionierung 1973 b. d. Städt. Bücherei als Bibl. P.: "Die vor uns sterben", "Gewaltige Fuge d. Lebens", "a-to-nal", versch. Gedichtbeiträge in Anthologien u.a. in "Die Verbannten" "Anklage u. Botschaft", 1992 Kurzprosabericht, Gedichtbeiträge, Bücherbriefe im Rahmen d. dt. u. österr. Rundfunks, zahlr. Lesungen. E.: Silb. EZ f. Verd. um d. Rep. Österr., Wr. Kunstfond. M.: Vorst.-Mtgl. Österr. Schriftstellerverb., P.E.N.-Club, Kreis. H.: Schreiben, Musik, Wandern, Reisen, Malerei. (J.E.)

Waechter Christine
B.: Ges. FN.: Joh. Schönbichler & Co Theehdlg. DA.: 1010 Wien, Wollzeile 4. PA.: 1130 Wien, Meytensg. 17A. G.: Wien, 18. Mai 1964. V.: Philipp Waechter. El.: Dr. Franz u. Elisabeth Löwenthal, geb. Larger. S.: AHS, 1982 Matura, 1982-84 Europasekr. Ak., 1984-86 Ausbild. in Werbe- u. PR-Agenturen. K.: Kontakterin u. PR-Beraterin, seit 1994 Ges. Joh. Schönbichler & Co Theehdlg. H.: Skifahren, Literatur. (N.A.)

Freiherr v. Waechter Rudolf Dr. med. a.o.Univ.-Prof.
B.: FA f. Zahn-, Mund- u. Kieferheilkunde. A.: 1040 Wien, Mayerhofg. 10. G.: Wien, 19. Juli 1921. F.: Edith, geb. Koch v. Langentreu. El.: Dr. iur. Eberhard u. Anna. S.: Matura, Dr. med. univ., FA f. Zahnheilkunde, Univ.Doz. 1955 Graz, a.o.Prof. Wien 1968. K.: Univ.Ass. b. 1957, Gastprof. Zürich 1971-72, Praxis Wien. P.: 70 wiss. Arb. f. Zahnheilkunde. M.: Wiss. Ver., Musikver., Konzerthaus Wien. H.: Musik, Golf.

Waengler Waldemar Dr. iur.
B.: Ehrenpräs. d. OÖ RA-Kam., Jurist. PA.: 4040 Linz, Götzlingerstr. 14. G.: Harta-Hohenelbe im Riesengebirge, 1. Okt. 1915. V.: Gertrud, geb. Bittner. El.: Wladimir u. Olga, geb. Böhm. BV.: Urgroßvater Generalauditor. S.: RG, Jusstud. Dt. Univ. Prag, Stud. BWL u. Geschichte Erlangen, 1937 Prom. Dr. iur., 1937-38 Tschech. Heer, anschl. Dt. Wehrmacht als OLt. u. Regimentsadjudant, 2x verwundet, aus Russ. Gefangenschaft geflohen. K.: 1945 Eintritt in d. RA-Kanzlei H. Beurle in Österr., 1947 Österr. Staatsbürgerschaft, 1949 Aufnahme in d. Liste d. RA-Kam. f. OÖ, 1966 Aussch.-Mtgl. d. OÖ RA-Kam., maßgebl. Tätigk. in div. Arbeitskreisen d. österr. RA, 1976-85 Präs. d. OÖ RA-Kam., seit 1985 Ehrenpräs., ehem. AR-Vors. d. Druckerei u. Zeitungsverl. J. Wimmer GmbH, ehem. Vors. d. Überwachungsaussch. d. Pensionsinst. d Elektrizitäts-, Fernwärme u. Verkehrsbetriebe AG, ehem. im Vorst. d. OÖ Jurist. Ges., dzt. Vorst.-Mtgl. d. Baugen. "Familie". P.: div. Publ. in Fachzeitschriften. E.: Gold. EZ d. Landes OÖ, EK I u. II. Kl. M.: Rotary. H.: Garten. (P.H.)

Wagenhofer Erwin
B.: Filmemacher. DA. u. PA.: 1020 Wien, Obere Donaustr. 9/9. G.: Amstetten, 27. Mai 1961. Ki.: Raphaela (1984), Magdalena (1984). S.: TGM Wien, Abschluß Ing. f. Eleketrotechnik u. Elektronik, Phil.-Stud. Univ. Wien. K.: 3 J. Tätigkeit als Entwickler b. Philips Österr. Abt. Video, 3 Kurzspielfilme, 1983 Wechsel in d. Filmbranche z. Fa. Interspot-Film, 1984-86 freischaff. Regie u. Kameraass. b. div. ORF-Produktionen, Spiel- u. Dokumentarfilmen, Werbespots u. Ind.-Filmen, 1985 Kameramann f. d ORF Kunststück "Hof Art Hof", seit 1986 freischaff. Reg. u. Drehbuchautor, Auftragsarb. f. Fernsehen, Ind. u. Werbung, "Das fragmentarische in d. Kunst" (Buch u. Regie, 1988), "Wettertanz" (Buch u. Regie, 1990). P.: Prosastücke u.a. "Die besten Jahre" (1991). (J.S.)

Wagenhofer Max
B.: Gschf. Ges. FN.: Fa. Max Wagenhofer Reinigungsdienst GmbH. GT.: Gschf. Ges. d. Fa. Kling KG, Gschf. Ges. d. Fa. Monika & Max Wagenhofer Leasing u. Invest GmbH. DA.: 1150 Wien, Dingelstedtg. 1. G.: Wien, 23. Juni 1946. V.: Monika, geb. Pfaller. Ki.: Patrick. El.: Ignaz u. Rosa. S.: Berufsschule f. Gas-, Wasser- u. Heizungsinstallationen,

Gesellenprüf. 1963. K.: 1966-68 Berufsfeuerwehrmann, 1968 Eintritt in d. Familienfa. Josef u. Theresia Kling OHG, 3 J. Lehrzeit f. Zimmer- u. Gebäudereiniger, Gesellenprüf., Mstr.Prüf., 1974 Grdg. d. Fa. Max Wagenhofer Reinigungsdienst GmbH, 1976 Ges. d. Fa. Kling OHG. M.: Motorflug-Union Wien, Finanzref. H.: Fliegen (Berufspilotenschein).

Wagenhofer Rudolf

B.: Stiftskämmerer. DA. u. PA.: 5020 Salzbur, St. Peter 1. G.: Abtenau, 12. März 1944. S.: 1964 Matura, 1964 Eintritt in d. Benediktinerabtei St. Peter, 1965-67 Theol.Stud. Sbg., 1967-71 Stud. Rom, 1971 Abschluß, 1970 Priesterweihe, 1971-73 Stud. Univ.Wien. K.: ab 1973 Tätigkeit in d. Zentralverw. d. Stiftes St. Peter, seit 1983 Stiftskämmerer. P.: Art. in Ordenszeitschriften. M.: Ver. z. Entschuldigung Straffällig gewordener seit 1987. (A.W.)

Wagenleitner Wolfgang

B.: Inh. FN.: Wir Public Relations Agentur. DA. u. PA.: 6850 Dornbirn, Weißackerg. 15. G.: Mödling, 26. Mai 1949. V.: Heidemarie. El.: Alfred u. Ingeborg. S.: RG, 1968 Matura, 1968/69 Militär, Res.-Offz. K.: 1970 Journalist im Wirtschaftsverlag, 1975 Produktmanager in chem. Ind., Kons. b. "Die Presse", 1976 Übersiedlung nach Vbg., Vbg. Werkszeitungen, 1977 Grdg. Wir Public Relations Agentur, 1991 Grdg. Wir Public Relations Agentur AG in Wil-St. Gallen. M.: FG Werbung u. Marktkommunikation, Vorst. SV, APRVA, 1983 Gründer d. Basketballver. Bregenz, TSV St. Otmar St. Gallen, Lehrbeauftragter in Kantonsschule Romanshorn f. Basketball. H.: Basketball. (I.D.)

Wagerer Franz Dr. phil. Mag. HofR.

B.: Dir. i.P. d. BKonvikt f. Knaben. DA.: 1020 Wien, Josef-Gall-G. 2, 1030 Wien, Kundmanng. 22. PA.: 2351 Wr. Neudorf, Hauptstr. 26/C3/4. G.: Reinprechtspölla, 12. Sept. 1920. V.: Maria, geb. Prem. Ki.: Prof. Mag. Christiane. S.: BG., 1938 Matura, Stud. Deutsch u. Geschichte Univ. Wien, 1947 Lehramtsprüf., 1948 Dr. phil. K.: 1947 RG Rosasgasse, Eintritt in d. Schuldienst als Prof. f. Deutsch u. Geschichte, 1947 Eintritt in d. BKonvikt f. Knaben als Erzieher, 1956 Ernennung z. Dir. d. BKonvikts, 1960 Übernahme d. Mädchenkonvikts als Dir., 1967 Lehrbeauftragter am Inst. f. Zeitungswiss., Univ. Wien, 1969 Lehrbeauftragter an d. Ak. f. darstell. Kunst in Wien, 1970-86 Mtgl. d. Kollegiums b. StadtschulR. in Wien, 1971-86 Mtgl. d. Medienkmsn. d. BMU, b. 1985 im Rahmen d. berufl. Tätigkeit Ltg. d. Arbeitsgruppe Internatswesen m. Veranstaltungen u. Kongressen u. Hrsg. v. Publ., 1980 HofR., 1985 Pension. BL.: Erstmalige Konzipierung d. Schulprojektes Tagesheimschule, gemeinsam m. HofR. Gump. P.: 1953 Grdg. d. Schülerzeitung "Das Studio" älteste Schülerzeitung v. Österr., viele päd. Art. in Fachzeitschriften u. Jahresberichten. M.: b. 1986 Vors. d. Zentralwahlaussch. f. d. Personalvertretung d. AHS Lehrer f. Österr., BKulturwart d. Österr. Turn- u. Sportunion. H.: Laientheater, Film u. Video. (C.K.)

Wagersreiter Josef Ing.

B.: Bgm., Ang. DA. u. PA.: 7131 Halbturn, Budapester Str. 35. G.: Halbturn, 22. Dez. 1940. V.: Gisela, geb. Wennesz. Ki.: Rudolf, Roland, Roman. El.: Rudolf u. Maria. S.: Gymn. Eisenstadt, HTL St. Pölten, 1964 Ing. K.: 1961-64 Jenbacher Werke, 1964-66 techn. Ang. b. MABEG, 1967 Kfm., 1975-76 Techn. Wasserltg., 1977 zusätzlich Reisebüro Andau, 1972-77 u. 1982 Bgm. Halbturn. E.: Feuerwehrmed., Julius Raab-Med. M.: Obm.Vorst. v. Schloßkonzerte, Österr. Kameradschaftsbund. H.: Musik. (Fels.)

Waginger Erich

B.: Besitzer v. Landgasth. Zum Gold. Hahn. DA. u. PA.: 2560 Berndorf, Leobersdorfer Str. 97. G.: Berndorf, 19. Juli 1949. Ki.: Christian. El.: Leopold u. Elfriede. S.: VS, RG K.: Kellner- u. Kochlehre im Hotel Bristol, Auslandspraxis in d. Schweiz u. in Frankreich, ab 1972 selbst., Schwerpunkt: Saisonorientierte, ländliche Küche.M.: Mitgl. v Kiwanisclub Triesting u. Klublokal H.: Alte Weine sammeln, zu Kollegen gut essen gehen, malt Bilder (Aquarelle) u. stellt diese im Lokal aus . (E.L.)

Wagner Alfred Ing.

B.: Gschf. Ges. d. Alfred Wagner GmbH & Co KG u. ALWAG Tunnelausbau GmbH. DA.: 4061 Pasching, Wagram 49. PA.: 4020 Linz, Bockg. 6. G.: Linz, 15. Apr. 1939. V.: Ilona, geb. Volk. Ki.: Christine, Eva. El.: Alfred u. Adelheid. S.: 5 Kl. Mittelschule, BS f. Werkzeugmacher, Lehre im väterl. Betrieb, 5 J. HTL, Matura 1962. K.: Wiedereintritt in d. väterl. Betrieb, später Gschf., 1983 Grdg. d. Fa. Alfred Wagner GmbH & Co KG, 1985 Grdg. d. Fa. ALWAG Tunnelausbau GmbH. BL.: Einige Patente u. Lizenzvertr. bzgl. Tunnelbau. H.: Tennis, Skifahren. (Deu.)

Wagner Alois Dr. theol. lic. phil.

B.: Erzbischof, Ständ. Beobachter d. Hl. Stuhls b. d. Intern. Organisationen d. UNO in Rom (FAO, IFAD, WFP, WFC). A.: I-00120 Città del Vaticano, Palazzo San Calisto. G.: Leopoldschlag, 20. März 1924. S.: nach allg. u. höherer Schulbild. Päpstl. Univ. Gregoriana, Rom, seit 1982 VPräs. d. Päpstl. Rates Cor Unum, SCV-00120, Citta del Vaticano, Roma. P.: zahlr. Art. M.: Mtgl. v. Ver. u. Organ. im kirchl. Bereich nat. u. intern., off. Mtgl. d. Päpstl. Rates f. Pastoral "Menschen unterwegs" d. Päpstl. Kongregation f. d. Klerus, Mtgl. d. Ltg. f. Euch. Weltkongresse.

Wagner Anton Dr. phil.

B.: Zivil Ing. f. techn. Chemie. DA. u. PA.: 4020 Linz, Kudlichstr. 13. G.: Wien, 11. Nov. 1928. V.: Friederike, geb. Sindelar. Ki.: Anton, Peter, Albert, Alexander. El.: Anton u. Rosa. S.: Gymn. Wien, 1947-53 Stud. Chemie Univ. Wien. K.: Ass. an d. Univ., 1954-87 Betriebsdir. Chemie Linz, seither Ziviltechniker u. Gerichtssachv. BL.: zahlr. Patentanmeldungen. P.: Veröff. in div. Fachzeitschriften. E.: Silb. VZ d. Landes OÖ. M.: Ges. Österr. Chemiker, Rotary-Club Linz, BVerb. d. Elternvereinigungen an höh. u. mittl. Schulen Österr. (Präs.). H.: Lesen, Modelleisenbahn. (P.H.)

Wagner Anton

B.: Gschf. FN.: dm-drogerie markt GmbH. DA.: 5020 Salzburg, Kleßheimer Allee 45. G.: Bruck/Mur, 16. Apr. 1953. V.: Sieglinde, geb. Magesacher. Ki.: Christian, Harald, Verena. El.: Josef u. Christine. S.: Lehre f. Bankkfm. K.: 1968-73 Länderbank Bruck/Mur, zuletzt Ltr. d. Buchhaltung, 1973-7 Fa. Hofer KG, Bez.-Ltr., 1977 dm-drogerie markt, Verkaufsltr. f. Österr., 1981 Prok., 1985 Gschf. H.: Surfen, Skifahren, Lesen. (A.W.)

Wagner Axel Dipl.-Ing. HofR.

B.: Landesbaudir. d. Sbg. Landesrg. DA.: 5020 Salzburg, Michael-Pacher-Str. 36. G.: Berlin, 6. Apr. 1939. V.: Herta, geb. Schöpfer. Ki.: Mag. iur. Christian (1965). El.: Dipl.-Ing. Josef u. Margarethe. BV.: Großvater Stadtbmstr. Franz Wagner (1872-1960). S.: 1949-57 RG Sbg., 1957-64 TU Graz. K.: 1964 Eintritt in d. Landesrg. Sbg. Abt. 6, 1968-74 Ltr. d. Straßenbaubez. Hallein, 1974-77 Pinzgau, 1978 Ltr. d. Referates f. Straßenneubau u. Landesbaudir.-Stv. v. Sbg., seit 1. Jan. 1979 Landesbaudir. P.: Buch: "Das Salzburger Straßennetz" (1979), Veröff. in div. Fachzeitschriften sowie in d. Schriftenreihe d. Bundeswirtschaftskam. u. d. Landesbaudion. E.: Gr. EZ d. Rep. Österr., Ehrenring d. Stadt Sbg. u. Gem. St. Kolomann, Ausz. d. Landesfeuerwehrverb. u. d. Roten Kreuzes. M.: Vors. d. Vorst. d. Bautechn. Versuchs- u. Forsch.-Anst., Vors. d. Jury f. d. Christian Doppler-Preis, Mtgl. d. Vorst. d. Österr. Normungsinst., Vors. d. Prüf.-Kms. f. Ziviltechn. H.: Musik, bild. Kunst, Kunstgeschichte. (K.K.)

Wagner Charlotte
B.: Buchhändlerin. FN.: Bücher Wagner. DA.: 1040 Wien, Favoritenstr. 36. PA.: 1050 Wien, Grohg. 12/22. G.: Wien, 27. Juli 1946. Ki.: Rudolf Paul (1965). El.: Dipl.-Ing. Karl u. Germana, geb. Lürzer v. Zehenthal. S.: BRG, Buchhandelslehre b. Heindrich, eing. J. Buchhandelsgehilfe. K.: 1967-73 Zsolnay-Verlag Wien, 1973-75 Buchhandlung Godai Hietzing, s. 1975 Selbst. H.: Musik, Malen, Lesen, Kino, Schreiben, Radfahren, Wandern. (N.A.)

Wagner Christa
B.: Gschf. Ges. FN.: Ekutherm, Kunststoffenster u. Türen GmbH. DA.: 4770 Andorf, Harter Str. 3. PA.: 4724 Neukirchen 38. G.: Grieskirchen, 10. Sep. 1960. V.: Wagner Karl. El.: Johann u. Johanna Scheuringer. S.: HAK Schärding, Matura 1980. K.: Seit 1980 Aufbau d. Fa. Ekutherm als gschf. Ges. F.: Wagner u. Barth, Neukirchen. M.: Mtgl. d. Jungen Wirtschaft, Bez. Schärding. H.: Skifahren, Tennis, Reiten, Radfahren. (H.D.)

Wagner Christian

B.: Gschf. FN.: Schallplattenwiege Walli GmbH. GT.: Gastkritiker div. Opernzeitschriften. DA.: 1010 Wien, Graben 29a. PA.: 2353 Guntramsdorf, Schulg. 11. G.: Mödling, 30. Okt. 1957. Ki.: Doris (1977). El.: Richard u. Aloisia. BV.: Onkel Franz Dunst 15 J. Privatkoch d. Pariser. Ges. S.: Matura HTL Mödling, Abt. Hochbau, ab 1982 Buchhändlerausbild. K.: Bautechniker f. Hochbau, anschl. Buchhdls.-Branche, zuletzt stellv. Gschf. b. Österr. Wirtschaftsverlag, seit 1992 Gschf. d. Schallplattenwiege, Fachgebiet: klass. Musik. BL.: Bes. einer d. größten priv. Tonträgersammlungen: Tenöre. M.: div. musikal. Ver. Österr. H.: Große Vinothek. (J.S.)

Wagner Christoph
B.: Journalist, Chefred. v. Guide Gault-Millau u. Gault-Millau-Magazin. DA.: 1170 Wien, Beheimg. 77. PA.: 1150 Wien, Herklotzg. 35/11. G.: Linz, 23. Mai 1954. V.: Renate, geb. Wittula. Ki.: Helene, Ruth. El.: Ernst u. Augustine. S.: Stud. Germanistik u. kulturelles Management, Stud. b. Ernst Haeusserman u. Marcel Prawy. K.: journlist. Tätigkeit, Kurier-Kolumnist "Mit Messer und Gabel", seit 1985 Chefred. d. Gault-Millau, seit 1987 Chefred. v. "Wien - Ansichten einer Stadt", schreibt f.: GEO, Wiener, Wienerin, Kurier, Wr. Zeitung, Ikarus, Falstaff, Basta, Merian u.a.m., Bücher: Das gr. Buch v. Bier, Station d. Erinnerung (Staatspreis f. d. schönste Buch 1987), "Österr. Küche", "Sternstunden der Kochkunst", "Wachau - Portrait einer kulinar. Landschaft", "Das gr. österr. Feuerwehrbuch", Autor d. "Serie Österr. im Bild". (P.R.)

Wagner Clemens Dr. iur
B.: öff. Notar. DA.: 6800 Feldkirch, Marktg. 24. PA.: 6932 Langen, Hälin 235. G.: Bregenz, 17. Sept. 1945. V.: Erna, geb. Baldauf. Ki.: Thomas (1983), Isabella (1992). El.: Bernhard u. Helene. BV.: Großvater Mathias Wachter: 1929-38 Bgm. v. Bregenz. S.: Gymn. Bregenz, Matura 1963, Stud. Jus Univ. Innsbruck, Prom 1969, Militär 1969. K.: Gerichtspraxis BG Dornbirn, 1970 Eintritt in Notariatskanzlei Dornbirn, Notariatskandidat, 1990 Ernenn. z. Notar, seither öff. Notar in Feldkirch. H.: Schifahren, Schwimmen, Wandern, Autofahren. (I.D.)

Wagner Erich Ing.
B.: Inh. FN.: Kukuruzstub´n. DA.: 7212 Forchtenstein, Hauptstr. 46. G.: Neustift a. d. Rosalia, 7. Dez. 1933. V.: Friederike, geb. Müllner. Ki.: Annemarie, Friederike (1961). El.: Michael u. Johanna. S.: VS, HS, Maurerlehre, 1952 Gesellenprüfung, 1958 Maurergeselle u. Umschulung z. Fahrlehrer, 1959 Fahrlehrer Fahrschule Haltau, 1965-93 Theorie Fahrschullehrerprüfung. K.: 1972 Geschäftsübern. m. Gattin u. Umbau d. Lokales. M.: Lionsclub, Gründungsmtgl. Skiclub, Sportverein, Musikverein. H.: Skifahren, Basteln, Österreichurlaub. (M.N.)

Wagner Erich Mag.
B.: Arch. DA. u. PA.: 5023 Salzburg, F.-Hattinger-Str. 14. G.: Salzburg, 9. Jan. 1948. V.: Margit, geb. Wieser. Ki.: Bernhard, Wolfgang. El.: Erich u. Lissi. S.: HTL m. Matura 1967 in Sbg., HS f. Angewandte Kunst in Wien, 1971 Abschluß m. Mag.Arch. K.: seit 1978 selbst. Arch. in Sbg., Grdg. d. Atelier 14, 1980 Übernahme d. Arch.Büros BauR. Dipl.-Ing. Medicus in Sbg., Vors. d. Sachv.Kmsn. f. Altstadterhaltung b. Amt d. Sbg. LRg. M.: Lions-Club Sbg.-Mirabell. H.: Arch. (Föd.)

Wagner Erich
B.: Gschf. Ges. FN.: Getränkeind. Rudolf Wagner KG. DA.: 4810 Gmunden, Scharnsteiner Str. 1. PA.: 4810 Gmunden, Feuersteinstr. 3. G.: Gmunden, 2. Apr. 1957. V.: Irene, geb. Freimüller. Ki.: Georg (1988), Lukas (1993). El.: Rudolf u. Katharina. S.: HAK Gmunden. K.: Auslandsaufenthalte BRD 1979-80 Getränke Lachenmaier KG, 1980 Getränkeind. Valentin Stampach KG Pottendorf, 1981 Australien Coca Cola Bottlers Adelaide, seit 1981 im elterl. Betrieb Rudolf Wagner KG, seit 1984 Gschf. Ges. M.: Round table Austria. H.: Skifahren, Laufen. (A.W.)

Wagner Erna

B.: Gschf. FN.: Kurt Pischinger Ges.m.b.H. Schokolade- u. Waffelspez.-Erzeugung. DA.: 1070 Wien, Schottenfeldg. 72. PA.: 1160 Wien, Veronikag. 21/3/14. G.: St. Pölten, 28. Juli 1953. El.: Walter u. Brunhilde. S.: 1971 Matura a. Gymn. Albertg. Wien 8, Fachkurs a. d. HASCH Weiß, Wien, 1986-87 AK-Kurs BWL, WIFI-Kurs Bet.-Wirt. Grundwissen, 3sem. Wirt.-Sem. m. Abschl. i. Juni 1991, Pers.-verrechnerprüfung i. Juni 1991. K.: Sachbearb. b. d. Fa. ÖKISTA i. d. England-abt., 1973 Übern. d. d. Anglo-Austrian Society, 1979 Ass. d. Gschf., 1979-86 Gschf. u. Büroltr., 1987-92 selbst. Kfm. Einzelhandel, 1991 Eintritt a. Gschf.-Ass. b. Kurt Pischinger Ges.m.b.H., 1992 Erteilung d. Prok., 1993 Gschf. M.: Grdg.- u. Vorst.-Mtgl. d. WWS-Clubs. H.: Lesen, klassische Musik, Weiterbild., Reisen. (J.S.)

Wagner Ernst Dr. techn. Dipl.-Ing. Univ.-Doz.
B.: Gruppenltr. Tumorvakzine. FN.: Bender Wien. DA.: 1121 Wien, Dr. Boehringer-Gasse 5-11. PA.: 2103 Langenzersdorf, Wiener Str. 201. G.: Dachau, 10. Mai 1960. V.: Maria, geb. Schwarzmann. Ki.: Michael (1990), Thomas (1992). El.: Wolfram u. Erika. S.: 1978-83 Stud. Chemie u. Biochemie a. d. Techn. Uni Wien, 1983-85 Dissertation, 1985-87 Postdoktorat u. Forschungsass. a. d. ETH Zürich a. d. Gebiet d. präbiotischen Entstehung v. Zuckerphosphate u. Nukleinsäuren. K.: ab 1988 Gruppenltr. a. Inst. f. Molekulare Pathologie (IMP) Wien, Forschungsgebiete: Gentransfer, künstl. virusähnliche Strukturen, Geninhibierung, Peptide u.

Liposome, ab 1992 Gruppenltr. b. Bender Wien - Entwick. u. Herstell. v. Gentransferkomplexen sowie gentherap. Vakzine z. Behandlung v. Krebspatienten, 1994 Habilitation i. Biochemie a. d. Med. Fakultät d. Uni. Wien. BL.: Int. führende Arb. a. d. Gebiet künstl. Gentransfersysteme. P.: ca. 50 wiss. Fachpub. H.: Familie, Musik, Wandern. (S.P.)

Wagner Ernst

B.: Dir.Stellv. v. Casino Wien. FN.: Casino Austria AG. GT.: Ges. d. Fa. Atrium, Ges. d. Fa. Delphin. DA. u. PA.: 1070 Wien, Burgg. 118. G.: Wien, 21. Juli 1936. V.: Christine, geb. Saleschak. Ki.: Susanne, Peter, Michael. El.: Vinzenz u. Johanna. S.: Gymn., 1954 Matura, Stud. an d. HS f. Welthdl. K.: 1956 Eintritt in d. Casino Austria AG, seit 1984 stellv. Dir., 1967 Grdg. d. Pension Atrium, 1970 Grdg. d. Fa. Delphin Putzerei, Textil- u. Lederreinigung. BL.: Staatsmstr. im Tischtennis u. Doppelmannschaft, 2 x. Wr. Mstr. im Einzel. M.: Bridgeclub, Tischtennisclub. H.: Bridge, Tischtennis. (A.W.)

Wagner Ernst Ing.

B.: Bmstr. FN.: Wagner Bau GmbH. DA.: 1120 Wien, Gaudenzdorfer Gürtel 73. PA.: 7534 Olbendorf 424. G.: Oberdorf, 29. Jan. 1948. V.: Christina, geb. Tauss. Ki.: Kerstin (1974), Carmen (1976). El.: Reinhard u. Anna. S.: Maurerlehre, Abendschule, HTL in Wien, 1977 Matura, 1980 Bmstr.Prüf. K.: seit 1983 selbst. H.: Bergsteigen, Schwimmen. (P.R.)

Wagner Ewald

B.: LandesR. DA.: 1014 Wien, Herreng. 11. G.: 7. Dez. 1941. Ki.: 1 Tochter. S.: Pflichtschule, HASCH. K.: 12 J. Ang. Maschinenfbk. Heid, 1959 Obm. d. Gewerkschaftsjugendgruppe Stockerau, 1966 Bez.-Sekr. d. SPÖ-Bez.-Organ. Korneuburg, 1970 Bez.-Sekr., 1970 GemR., 1972 StadtR. f. Kultur u. Sport, 1984 1. VBgm. Stockerau, 1979 Wahl in d. Landtag, 1980 Landeseinsatzltr. NÖ Volkshilfe, 1980 Bez.-Vors. d. SPÖ-Bez.-Organ. Korneuburg, 1985 Landesparteisekr. d. SPÖ NÖ, seit 1991 Mtgl. d. NÖ Landesrg. H.: Sport (Tennis), PC-Freak.

Wagner Falk Dr. Univ.-Prof.

B.: Dekan d. evangelischen-theologischen Falkutät. GT.: Vorstand d. Inst. f. systematishe Theologie d. evangelischetheologieschen Falkutät Wien. DA.: 1090 Wien, Roosveltpl. 10. PA.: 1070 Wien, Kaiserstr. 32/1/1. G.: Wien, 25. Feb. 1939. El.: Robert u. Friedell. S.: 1960 Abitur in Wiesbaden Deutschland, Stud. d. evangelischen Theologie, Philosophie u. Soziologie a.d. Univ. Frankfurt u. Mainz, 1968 Prom a.d. Univ. München. 1972 Habilitation. K.: ab 1974 Univ.-Prof. in München, Dekan: 1980-81 u. 1987-88, seit 1988 in Wien. P.: Autor v. Büchern u.a. "Was ist Religion? Studien zu ihren Begriff u. Thema in Geschichte u. Neuzeit"). "Geld od. Gott ?" u. zahlr. Artikel u. Aufsätze. M.: wissentschaftl. Gesellsch. f. Theologie, Collegium Philosophicum d. Instituts f. Philosophie in Hannover, Beirat d. Inst. f. Reliogionsphilosiphie a.d. Univ. Frankfurt, Int. Hegel-Vereinigung. H.: Literatur u. Theater. (J.S.)

Wagner Franz

B.: Gschf. FN.: Gastronomie GmbH & Co KG, Vanilli Gastro Consulting GmbH. DA.: 4020 Linz, Hofg. 10. PA.: 4040 Linz, Götzlingstr. 53. G.: Waizenkirchen, 19. Aug. 1957. Ki.: Julia-Maria (1988). El.: Franz u. Maria. S.: Hotelfachschule Schloß Kleßheim Sbg. K.: m. 17 J. selbst. (1/75 Eröff. Discothek F24), 1987 Gastronomie GmbH & Co KG, 1986 Vanilli Gastro Consulting GmbH Linz u. München, neues Projekt "Bang" Fest f. 5000 Leute. P.: zahlr. Berichte in Presse. E.: 1991 Wirt d. Jahres. H.: Beruf. (P.H.)

Wagner Franz Dipl.-Ing.

B.: Inh. FN.: IBW Ing.-Büro Wagner. DA.: 1040 Wien, Preßg. 28/22; D-07349 Lehesten, Straße d. Jugend 8. G.: Wien, 18. Aug. 1944. V.: Anke, geb. Fleming. Ki.: Tonja (1967), Katja (1968), Hannes (1988), Maximilian (1994). El.: Franz u. Anna. BV.: Urgroßvater Franz Josef Wagner Komponist d. Liedes "Tiroler Holzhackerbuam". S.: Stud. Bauing.-Wesen u. Vermessungswesen TU Wien, 1969 Dipl. K.: Ang. div. Planungsbüros, s. 1982 selbst. m. Schwerpunkt Pipelinebau u. Umweltanlagenbau. P.: Veröff. in Fachzeitschriften u. Patente. F.: Ges. IMPRO AG. M.: SV Arminen, Ver. f. Erdbebening.-Wesen, Polizeisportver. H.: Maximilian, Hockey, Klavierspielen, Computer. (J.S.)

Wagner Franz Ing.

B.: Gschf. DA.: 1232 Wien, Altwirthg. 6-10. PA.: 2384 Breitenfurth, Liesingtalstr. 7. G.: Wien, 10. Nov. 1927. V.: Martha, geb. Ilsinger. El.: Franz u. Franziska. S.: VS, HS, HTL. K.: 1947-52 Ang. b. Linde Kältetechnik GmbH, 1962 HV, 1965 Prokura, seit 1979 Gschf. H.: Skifahren, Tennis. (R.A.)

Wagner Franz-Robert

B.: Schauspieler. FN.: Theater in d. Josefstadt; Agentur Hannelore Dietrich in München. DA.: 1080 Wien, Josefstädter Str. 22-26. PA.: 1080 Wien, Florianig. 65/12. V.: Karin, geb. Bauer. Ki.: Katharina (1976). El.: Franz Georg u. Maria. S.: VS, hum. Gymn. in Wien, Konserv. d. Stadt Wien, Schauspielausbild., 1967 Abschl. K.: erstes Engagement im Theater an d. Wien - Musical "Can Can", BRD: Staatstheater Oldenburg, Krefeld, Dortmund, Köln, Frankfurt, Dt. Theater Göttingen (Heinz Hilpert Theater), 1984 Theater in d. Josefstadt "Mittagswende" v. Paul Claucel, eine große Tournee mit Siegfried Lowitz "Gnadenbrot", 120 Vorstell., 1986 festes Ensemblemtgl. am Theater an d. Josefstadt, versch. Rollen, u.a.: Telheim in "Minna v. Barnhelm", "Prof. Bernardi", "Weites Land", "Der Schwan" v. Molnar, "Kaktusblüte", 150 x an d. Kammerspielen, s.1986 Synrchonsprecher d. ORF, z. B. "Universum", Werbung i. Hörfunk u. TV. H.: Beruf, Musik - Orchestermusik, Theater, Lesen, Wandern, Schwimmen. (J.M.)

Wagner Friederike

B.: Inh. FN.: Kukuruzstub´n. DA.: 7212 Forchtenstein, Hauptstr. 46. G.: Forchtenstein, 1. Sept. 1933. V.: Erich. Ki.: Annemarie (1960), Friederike (1961). El.: Adolf u. Anna. S.: VS, HS, Hotelfachschule. K.: 1951-52 Kellnerin b. Brandl Wien, 1952-53 Saisonarb. i. d. Schweiz, 1953-67 Eintritt i. d. elterl. Betr. u. Aneignung d. Führungstät. 1959 Hochzeit mit Erich Wagner, 1972 Übern. d. elterl. Betr. H.: Schwimmen, Enkelkinder, Österreichurlaub. (M.N.)

Wagner Friedrich Alois Dkfm.
B.: Wirtschaftstreuhänder, Steuerberater. GT.: Gschf. d. Friedrich Wagner Wirtschaftstreuhand GmbH, Ges. d. Fa. Intertec Hoch- u. Umwelttechnologie GmbH. DA.: 5630 Bad Hofgastein, Kurpromenade 12. PA.: 5640 Badgastein, Paracelsusstr. 8. G.: Linz, 30. Juli 1933. V.: Gertrude, geb. Ogris. Ki.: Friedrich (1968), Elke Uta (1970). El.: Dkfm. Friedrich u. Leopoldine. BV.: Großvater OMedR. Dr. Friedrich Wagner Sprengelarzt. S.: Realschule Linz, 1952 HAK-Matura Sbg., Stud. HS f. Welthdl. Wien, Werkstudent. K.: Revisionsass. in Wirtschaftstreuhandbüro, ab 1959 selbst. Wirtschaftstreuhänder gemeinsam m. d. Vater, seit 1971 alleiniger Führer d. Einzelunternehmens. BL.: 21-jährige Unterrichtstätigkeit an d. Sbg. Hotelfachschule in Bad Hofgastein. F.: Vorst.-Mtgl. d. Gasteiner Badesee Errichtungs u. Betriebs GmbH & Co KG, Vorst.-Mtgl. im Intern. Forum Gastein. M.: Lions Club. H.: Segeln, Skifahren, Langlaufen.

Wagner Friedrich Ing.
B.: Gschf. u. Ges. FN.: Lighting Design Vienna. DA.: 3021 Preßbaum, Ludwig-Hinnerth-Str. 9. G.: Wien, 1. Apr. 1943. V.: Rita. S.: HTL Wien, 1962 Matura. K.: b. 1964 Siemens Fachbereich Bauelemente, b. 1968 Ing.-Büro f. Elektro- u. Lichttechnik b. Ralston & Dwyer San Franzisko, Verkaufsltr. einer Lichttechn. Firma in Österr., 5 J. Ing.-Büro München, seit 1979 Ltg. d. Lichttechn. Planung GmbH LIGHTING DESIGN VIENNA in Preßbaum, spezialisiert: Tages- u. Kunstlichttechnik, Objekte: Lloyds-London, Hongkong u. Shangai Bank, Marriott, Schatzkammer Wien, Manchester Airport, Flughafen Schwechat u. Graz, John Lewis London, IBM Paris, Bank Austria Zentrale. P.: Veröff. in Fachzeitschriften, Architektur aktuell, Designer's Journal, Vision, Review, Building, Building Design. E.: 1992 Staatspreis f. Consulting im Bereich Innovation u. techn. Problemlösung. H.: Segeln, Privatflieger, Esoter. Psych. (J.E.)

Wagner Gerhard Ing.
B.: Gschf. FN.: GWP Bauprojektbetreuungs GmbH. DA.: 1040 Wien, Taubstummeng. 17. PA.: 1090 Wien, Liechtensteinstr. 67. G.: Wien, 3. Febr. 1962. V.: Andrea, geb. Svarovsky. El.: Walter u. Maria, geb. Brunner. S.: Gymn., HTL-Matura. K.: 1981-85 Techniker b. Arch.-Büro Harry Glück & Partner, 1985-87 Techniker b. Konstruktiva AG, ab 1987 selbst., Teilhaber d. Firma GWP, Schwerpunkt: Baumanagement im Wohnbau u. b. Althaussanierung. M.: Bruderschaft St. Christoph. H.: Vinothek. (N.A.)

Wagner Gerhard Dr.
B.: Österr. Botschafter in Polen. DA.: ul Gagarina 34, 00-748 Warschau.

Wagner Gilbert
B.: Prok. FN.: Hartlauer Hdls. GmbH. GT.: Bereichsltr., Buchhaltung, Rechnungswesen. DA.: 4403 Steyr, Taschlried 20. PA.: 4400 Steyr, Porschestr. 12. G.: Munderfing/Bez. Braunau, 11. Sept. 1943. S.: HASCH. K.: Steuerberatungskzl. in Steyr, 1962-64 Finanzamt Linz, 1964-74 Steuerberatungskzl. Linz, 1974 Franz Hartlauer Ltg. d. Buchhaltung, 1981 Prok. M.: MGV Sängerlust Steyr. H.: Singen, Fotographieren, Schallplatten u. Bücher, Reisen, Kino. (A.W.)

Wagner Hans
B.: Gschf. Ges. FN.: D.S.B. Ges. f. Datenverarb. mbH. DA.: 1003 Wien, Marokkanerg. 22/5. G.: Wien, 22. Nov. 1952. V.: Ilse, geb. Tobner. Ki.: Cornelia (1981). El.: Dr. Hans u. Ingeborg. S.: HASCH Wien, Lehrgänge f. Informatik TU Wien. K.: EDV-Organ. Fa. Olivetti, EDV-Organ. Konsum Österr., Verw. u. Personalltr. Carrefour, 1986 Grdg. u. seitdem Gschf. Ges. d. Fa. D.S.B. Ges. f. Datenverarb. mbH. M.: Verb. d. Unternehmensberater, Verb. d. Österr. Software Ind. H.: Schach, Tennis, Skifahren. (J.S.)

Wagner Hans-Karl Mag. Dr. HofR. OSenR.
B.: Magistrats-Dir. DA.: 2700 Wr. Neustadt, Hauptpl. 1. PA.: 2700 Wr. Neustadt, Baumgartg. 4b. G.: Wien, 20. Apr. 1930. V.: Ingeborg, geb. Pruzinsky. Ki.: Hans (1952). El.: Johann u. Hildegard. S.: VS, BRG, 1948 Matura, 2 J. Polizeischule Wien, Jurastud. Wien, Mag. u. Doktorat. K.: Polizeidienst, zunächst Revierinsp. Polizeioffz. b. OLt., nach Abschluß d. Stud. Eintritt in d. jurist. Dienst d. Polizei Wien, 1964 Wechsel in Innenmin., 1971-75 intern. Polizeichef d. Vereinten Nationen in Cypern, 1 J. f. Interpol tätig, seit 1976 Mag.-Dir. in Wr. Neustadt, seit 1979 Gschf. d. Kabelfernsehbereiches Wr. Neustadt-Neunkirchen. P.: versch. jurist. Zeitschriften, Mitautor d. "Österr. Waffengebrauchsrecht". E.: versch. Bundes-, Landes- u. UNO-Ausz. M.: stellv. Ltr. d. Rechtsaussch. d. Städtebundes. H.: Sport (Hallenfußball, Tennis, Surfen, Tauchen). (I.J.)

Wagner Harald Dr. techn. Dipl.-Ing.
B.: Gschf., staatl. befugter u. beeid. Ziviling. f. Bauwesen. FN.: D 2 Consult Dr. Wagner/Dr. Schulter GmbH, (ehem. Mayreder Consult). DA.: 4020 Linz, Wienerstr. 131. 4310 Mauthausen, Kirchenberg 207. PA.: 4310 Mauthausen, Kirchenberg 207. G.: Cilli, 19. Sept. 1941. V.: Erika, geb. Hagauer. Ki.: Hans (1964), Katharina (1973), Laurenz (1974), Clemens (1979). El.: Erwin u. Sonja. S.: VS, Gymn., 1961 Matura, 1962 Militär (ObltdhmtD), b. 1970 Stud. Bauing.-Wesen Graz. K.: 1972 Erdbaulaboratorium Prof. Dr. K. Steinfeld Hamburg, 1974 Dr. techn. Prof. Dr. Ch. Veder TU Graz, 1974-85 Ltr. d. Bereichs Technik d. Firma Beton- u. Monierbau Innsbruck, 1980 staatl. befugter u. beeid. Ziviling. f. Bauwesen, 1984 konzessionierter Bmstr., 1985 Gschf. Mayreder Consult GmbH Linz, 1987 Gschf. Mayreder Consult USA Ltd. Rockville, 1995 Gschf. Ges. d. D 2 Consult Dr. Wagner/Dr. Schulter GmbH, Linz u. D 2 Consult USA Ltd. Rockville (Md). P.: Autor zahlr. wiss. Publ. u. Vorträgen über sämtl. Aspekte d. Baues v. Untertagebau-Konstruktionen. E.: 1973 Theodor-Körner-Preis, 1983 Preis d. AMIVTAC, 1992 Preis d. ACI. M.: ÖIAV, ÖGG, ON, BIK, ASCE, DGEG, ISSMFE, ISRM, ITA. H.: Managementphil., Geisteswiss., Lehre d. Taoismus, Kulturgeschichte, Lesen, Sport. (U.A.)

Wagner Heimo
B.: Gschf. u. Inh. FN.: Juwelier Wagner. DA.: 8020 Graz, Südtiroler Pl. 9. PA.: 8020 Graz, Klosterwiesg. 32. G.: Leibnitz, 26. Juni 1964. El.: Rudolf u. Ingeborg. S.: VS, Goldschmiede- u. Uhrmacherausbild., 1987 Mstr.-Prüf. Karlstein. K.: 1987 Übernahme d. Betriebes, seither Gschf. H.: Squash, Tauchen, Snowboard. (P.M.)

Wagner Helga Dr. iur.
B.: RA u. BHS-Lehrer. DA.: 1010 Wien, Singerstr. 30/8. PA.: 1040 Wien, Ritterg. 1. G.: Graz, 20. Apr. 1942. Ki.: Gerhard, Christine. S.: Hum. Gymn., Matura 1960, Stud. d. Rechtswiss., abs. jur. 1968, Prom. 1970. K.: Gerichtsjahr, seit 1975 eig. Kzl. (spez. auf Handelsrecht, Familienrecht, Mietrechtsang.). E.: Silb. EZ d. Wr. ÖVP. M.: ÖVP. H.: Politik, Klass. Musik. (G.E.)

Wagner Helmut
B.: VBgm. Gem. Fürstenfeld, Dir. HS Blücherstraße. GT.: 1980 Mtgl. d. StadtR., seit 1982 Parteivors. d. SPÖ Fürstenfeld, seit 1985 VBgm. DA.: 8280 Fürstenfeld, Gemeindeamt; 8280 Fürstenfeld, Blücherstr. 2. PA.: 8280 Fürstenfeld, Dr.-Taucher-Str. 9. G.: Fürstenfeld, 10. Feb. 1944. V.: Martha, geb. Wallner. Ki.: Irene u. Helga (1967). El.: Sylvester u. Theresia. S.: VS, Gymn., 1963 Matura, Abi-Kurs LBA Graz,

1964 Abschluß. K.: 1964-67 VS-Lehrer. Nestelbach b. Ilz, 1967-68 BH, 1968-71 HS Ilz, 1971 HS-Lehramtsprüfung, 1971-74 Mädchen-HS Fürstenfeld, 1974 HS Blücherstraße, seit 1988 Dir. BL.: 1961-78 Gründer u. Ltr. d. "Hill Wagner Band", 1963-64 Sieger div. Talentwettbewerbe, mehrere Singles. P.: div. Art. in Fachzeitschriften. M.: Ltr. d. VHS d. AK Fürstenfeld, 20 J. Personalvertreter im Dienststellenaussch. d. Pflichtschullehrer, Bez.-Vors.-Stellv. d. Gewerkschaft öff. Bediensteter, Vors. d. Sozialdemokrat. Lehrerver. d. Bez., 1. Vorst. d. Kinderfreunde, 1. Vorst. d. ARBÖ. H.: Musik, Tennis, Tischtennis, Radfahren. (I.G.)

Wagner Helmut

B.: Vermessungsbmtr., Vize-Bgm. FN.: Bundesamt f. Eich- u. Vermessungswesen, Stadtgem. Völkermarkt. DA. u. PA.: 9100 Völkermarkt, Rathaus, Klagenfurterstr. 18. G.: Klagenfurt, 24. Apr. 1942. V.: Sandra, geb. Matthews. Ki.: Patrick (1974), Nina (1978). El.: Jakob Schrott u. Katharina Wagner. S.: Lehre Fa. Pawlik, Tätigk. Fa. Neuner Klagenfurt, Bundesheer, s. 1966 im Vermessungsamt Völkermarkt, 1973-91 Gem.-Rat in Völkermarkt, ÖVP, s. 1990 Gem.-Obm. d. ÖVP, s. 1991 Vize-Bgm. m. Aufgabenber. Wirtsch., Gew., Tourismus, Jugend u. Sport, Clubobm. ÖVP i.d. Gem.-Fraktion, s. 1994 Obm. d. Schulgem.-Verb. d. Bez. E.: 1984 Silb. Sport-EZ d. Lds. Ktn., 1980 Gold. EZ d. Völkermarkter Sport- u. Turnver. M.: 20 J. div. Funkt. im Vorst., Ktn. Abwehrkämpferbund, ÖVP. H.: Lesen, Sport. (G.L.)

Wagner Helmut Dr. Dkfm.

B.: Vorst.Dir. FN.: Porr Intern. AG. GT.: Gschf. d. Porr GmbH BRD. DA.: 1030 Wien, Engelsbergg. 4. G.: Linz, 24. Juli 1934. V.: Hannelore, geb. Haderer, 2 Kinder. S.: VS, RG, HAK, WU, 1959 Prom. K.: seit 1960 angestellt b. Fa. Porr, (Sachbearb., Ltr. d. Zentraleinkaufs, Prok. u. Dir., kfm. Ltr. d. Bereichs Ausland), seit 1984 Vorst.Dir. v. Porr Intern. AG. H.: Bergsteigen, Skifahren, Musik, Kunstgeschichte. (R.A.)

Wagner Herbert

B.: Inh. FN.: Fair Play - Team f. Messen u. Ausstellungen. DA.: 6850 Dornbirn, Marktstr. 13. PA.: 6971 Hard, Mittried 24. G.: Dornbirn, 23. Sept. 1957. V.: Lebenspartnerin Karin Herburger. Ki.: Pascal (1985). El.: Günther u. Anneliese. S.: Grundschule, kfm. Lehre in Dornbirn. K.: nach Lehre 5 J. kfm. Ang. in Lebensmittelgroßhandel in Dornbirn, 1979-87 Fotostudio in Dornbirn als Kontakter f. Ausland, 1987 Gründ. d. Fa. Fair Play in Dornbirn, Team f. Messe u. Ausstellungen (individuell auf d. Kunden abgestimmte Messeauftritte). E.: div. Auszeichnungen f. Messestände. M.: Tennis-Club Dornbirn, Fußballclub. H.: Segeln, Fußball, Tennis. (I.D.)

Wagner Herbert

B.: Restaurantbesitzer. FN.: Steirer Stub'n. DA. u. PA.: 2620 Neunkirchen, Bahnstr. 3. G.: Mödling, 2. Aug. 1963. V.: Oda, geb. Röder. Ki.: Mathias (1990), Hendrik (1991). El.: Herbert u. Annemarie. S.: 1 J. Hotelfachschule Gleichenberg, Koch- u. Kellnerlehre Baden, 1983 Abschluß. K.: 1984 Koch elterl. Betrieb "Krainerhütte" Spittal/Semmering, Sous-Chef Seefeld, 1985-88 Service Hotel Hilton Wien, anschl. Service Düsseldorf, Steward und Managementtraining Wien, seit 1989 selbst. in Neunkirchen, 1993 gastronom. Betreuung d. Kulturhauses. H.: Tennis, Skifahren. (I.J.)

Wagner Herbert Dkfm.

B.: Vorst., Dir. d. Österr. Verkehrskreditbank. DA.: 1080 Wien, Auerspergstr. 17. G.: Zlabings, 24. Dez. 1939. V.: Anna. Ki.: Regina. El.: Johann u. Hermine. S.: 1958 Matura, WU, 1964 Abschluß. K.: b. 1966 FB-Banken Unilever, 1966 BAWAG, b. 1990 Kreditbereich, 1990 Vorst. Österr. Verkehrskreditbank. M.: Börsekam., Verb. d. Österr. Gemeinwirtschaft. H.: Tischlern. (J.E.)

Wagner Johann

B.: Inh. FN.: Wagner OHG. DA.: 2431 Enzersdorf/Fischa, Julius-Raab-G. 3. PA.: 2431 Enzersdorf/Fischa, Julius-Raab-G. 1. G.: Enzersdorf/Fischa, 7. Dez. 1939. V.: Magdalena, geb. Winter. Ki.: Elisabeth (1965), Irmgard (1966), Johannes (1968), Thomas (1970). El.: Josef u. Maria. S.: VS, HS, Installateurlehre, 1964 Meisterprüf. K.: Monteur, 1965 Gschf. Firma Ing. Müller, 1970 Betriebsgrdg. Firma Johann Wagner, 1992 OHG Wagner (Sohn Mitbeteiligung). M.: PfarrgemR. H.: Wandern, Radfahren. (M.D.-H.)

Wagner Johann

B.: Kfm. A.: 4224 Wartberg ob d. Aist 10. G.: Wartberg ob d. Aist, 17. Dez. 1926. V.: Waltraud, geb. Jenner. El.: Hans u. Maria. S.: VS, HS, Kfm. Berufsschule. K.: Österr. Patentinh. f. Umweltschutz Nr. 311274, freier Mitarb. b. ORF, Komponist d. Austria Mechana u. A.K.M., Sammler v. Jugendstilplakaten, alten Bauernmöbeln u. Büchern sowie alten Andachtsbildern. P.: Ausstellung d. Jugendstilplakate im Museum Nordico 1980, b. ORF wurden v. Rundfunktanzorch. 4 Lieder u. Kompositionen aufgenommen 1960. E.: V. d. Österr. Ges. v. Roten Kreuz f. 14jähr. Tätigkeit, Bronz. Dienstabz., 25jähr. Feuerwehrverd.Med., Turn- u. Sport-Union EZ in Bronze. M.: Sportver., FF, Kameradschaftsbund. H.: Reisen, Schwimmen, Wandern, Volks- u. Naturkunde f. Österr., Beobachter d. Umwelt.

Wagner Josef

B.: Inh., Koch. FN.: Panorama Hotel Wagner. DA./PA.: 2680 Semmering, Hochstr. 267. G.: Mürzzuschlag, 10. Jän. 1957. V.. Regina, geb. Doppelreiter. Ki.: Gernot (1982), Gudrun (1983). El.: Josef u. Juliane. S.: VS, HS, GAFA Bad Gleichenberg, Schweiz Praxis. K.: 1981 Übernahme d. Betr. M.: Hoteliervereinigung. H.: Golf, Kultur, Langlaufen, Lesen, Vinothek. (J.M.)

Wagner Josef

B.: Kfm., Bez.-Vorst.-Stellv. im 2. Bez. (FPÖ) Gem. Wien. DA.: 1020 Wien, Karmeliterg. 9. PA.: 1220 Wien, Siebenbürgerstr. 48/5/2. G.: Vitis, 26. Jan. 1947. V.: Helga, geb. Weissenböck. Ki.: Christoph (1975), Georg (1980). El.:

Karl u. Maria. S.: 1961-63 HASCH Waidhofen/Thaya. K.: 1963-65 kfm. Ang. in Karlstein b. Firma Friedrich & Söhne, seit 1965 lfd. Kzl.-Ltr. d. Weiss-Tessbach RA OEG f. offene Erwerbsges., seit 1973 Mtgl. d. Landesltg. FPÖ Wien, 1985-91 Ges. u. Gschf. d. ABIS-EDV Software GmbH, seit 1990 Gschf. d. Weiss-Tessbach GmbH, seit 1991 Bez.-Vorst.-Stellv. im 2. Bez., seit 1992 Gschf. d. TRB GmbH. H.: Musik, Lesen. (I.K.)

Wagner Josef Dipl.-Ing.
B.: Ziviling. f. Bauwesen. DA.: 1190 Wien, Sieveringer Str. 133. G.: Preßburg, 30. Juni 1942. V.: Christa, geb. Boller. Ki.: Claudia, Christina. S.: HTL (Tiefbau), Stud. an d. TU Wien (Bauing.), 1968 Dipl. K.: Seit 1975 Ziviling.Büro. H.: Schmalfilmen, Tauchen, Reisen. (C.K.)

Wagner Julian
B.: Vorst.-Vors. FN.: Rosenbauer Intern. AG. DA.: 4060 Leonding, Paschingerstr. 90. G.: Berlin, 28. Juli 1950. V.: Renate, geb. Hochleitner. Ki.: Stefan. El.: Johann Willy u. Jucunda, geb. Weinmeister. S.: AHS, Wirtschaftsstud. K.: 1968 Eintritt in Familienunternehmen, seit 1981 jetzige Position. H.: Familie, Skifahren.

Wagner Karl Mag.
B.: Gschf. Ges. FN.: Gebrüder Wagner OHG: DA.: 7000 Eisenstadt, Dompl. 2. PA.: 7000 Eisenstadt, Hartlsteig 27. G.: Guntrams, 11. Juli 1948. V.: Edith, geb. Jagschitz. Ki.: Sabine, Christian. El.: Karl u. Maria. S.: VS, HS, HAK, HS. K.: 1972 Eintritt in elterl. Betrieb, 1977 gemeinsam m. Bruder d. Betrieb übernommen, erweitert u. ausgebaut. M.: 1980-81 Präs. d. Lions-Club Eisenstadt, Sekr. d. Lions-Clubs Eisenstadt. H.: Sport (Langlauf, Eislauf, Skifahren, etc.). (E.L.)

Wagner Karl Dr. iur.
B.: RA u. Verteidiger in Strafsachen. FN.: Dr. Karl Wagner - Dr. Walter Brandt. DA.: 4780 Schärding, Oberer Stadtpl. 9. PA.: 4780 Schärding, Brunnenthal, Hueb 45. G.: Andorf, 6. Mai 1952. V.: Sonja, geb. Hirschlehner. Ki.: Roman. El.: Karl u. Rosa. BV.: Anton Maurer Komponist. S.: Hum. Gymn. Wien, Jus. Stud. Sbg., 1976 Prom. K.: 1. Abschnitt Betriebswirtschaft, 1 J. Kreisgericht Ried, 4 J. Anw.Praxis, Ablegung d. RA-Prüf. 1980, seit 1983 selbst. Anw. P.: div. Veröff. in Fachzeitschriften. M.: Mtgl. im Vorst. d. Lions Clubs Schärding-Pramtal, Obm. u. akt. Mtgl. d. Theaterver. Andorf. H.: Langlauf, Tennis, alpiner Skilauf. (H.D.)

Wagner Karola Mag.
B.: Effekten Front Office Portfolio Manager. FN.: Schoeller & Co Bank AG. DA.: 1010 Wien, Renng. 1-3. G.: Wien, 13. Febr. 1963. S.: Höhere Lehranst. f. d. Fremdenverkehrswirtschaft Wien, 1982 Matura, Stud. Handelswiss. WU Wien, 1985 Abschluß d. 1. u. 1987 d. 2. Studienabschnitts, 1984/85 Auslandsaufenthalte in Vancouver u. New York, 1987 Spons. z. Mag. K.: 1978-82 Schulpraktiken: Hotel Modul, Inst. f. Unternehmensführung Schloß Hernstein, Hotel Imperial, Hotel Hilton, Reisebüro Ökista, Dolmetschcenter Irene Voigt Wien Hilton. K.: 1983-84 Mitarb. b. d. Produktionsltg. "Österreich II", 1987 Eintritt in d. Girozentrale Wien, 1988 Traineeprogramm m. Ausbild.Schwerpunkt im Wertpapierbereich, 1988-89 Wertpapierberatung d. Sparkasse, 1990 Abt. Kapitalmarktfinanzierungen u. aktive Mitarb. b. d. "IBUSZ-Emission", seit 1990 Abt. Private Banking CA Wien, seit 1991 b. d. Schoeller & Co Bank AG. P.: Art. u. Beiträge in Wirtschaftsfachzeitscriften. M.: ÖVFA. H.: Tennis, Squash, Skifahren, Reisen. (J.S.)

Wagner Kurt Dr. techn. Dipl.-Ing. Prof.
B.: Prof. d. HTL i.R. PA.: 2340 Mödling, Hochbründlg. 28. G.: Matzleinsdorf/Melk, 27. Sept. 1921. V.: Helga, geb. Neumann. Ki.: Prof. Dipl.-Ing. Dietrich (1944), Simone (1964). S.: 1939 RG-Matura, Stud. Maschinenbau TU Wien, 1948 Dipl.-Ing., 1950 Dr. techn. K.: 1948-50 Ass. TU Wien, 1950-54 selbst., 1954-55 Konstrukteur Firma Semperit, 1955-81 Lehrer HTL Mödling f. Maschinenbau, Okt. 1981 Eintritt in d. Ruhestand. H.: Bergsteigen, Eislaufen, Maschinentechn. Handwerk. (M.M.)

Wagner Leopold Dipl.-Ing.
B.: Gschf. Ges. FN.: ADES Echtzeitdatenverarbeitungssysteme GmbH. DA.: 1229 Wien, Donaustadtstr. 1. PA.: 1223 Wien, Moissig. 1/2. G.: Freistadt/OÖ, 22. März 1950. V.: Lidwina, geb. Frisch. Ki.: Simone (1974), Viktoria (1977), Elisabeth (1984). El.: Johann u. Maria. S.: 1969 AHS-Matura, dann Stud. an d. TU Wien: Rechentechnik u. Informatik, 1977 Dipl.-Ing. K.: 1974 Programmierer b. Fa. Programma, 1975-87 Programmierer, Softwareltr. b. AEG Austria GmbH, 10/87 Mitbegr. u. Gschf. Ges. d. Fa. ADES GmbH (Softwareerstellung f. Energieversorgungsuntern.). H.: Bergwandern. (M.M.)

Wagner Ludwig R. Ing.
B.: Gen.-Dir., Gschf. FN.: Molkereiverband für NÖ rGenmbH. GT.: Mitgschf. d. MARESI GesmbH, Vorst.Mtgl. d. EMKA Schlächter Gen. DA.: 1200 Wien, Jägerstr. 82. G.: Stolp, 10. Nov. 1935. V.: Ingrid, geb. Zettelmann. Ki.: Gudrun, Armin, Herwig. El.: Ludwig u. Rudolfine. S.: RG b. 1953. K.: tätig im elterl. Betrieb, 1958 Extern.Matura, 1964 Verkaufsltr. Milchwirtschaft d. Molkereiverb. f. Stmk. u. Ktn., 1971 Verkaufsltr. d. Molkereiverb. NÖ, 1978 Dir. Marketing/Produktion, Ltr. d. verbandeig. Verwaltungsbetriebe, Gschf. d. Milchwerbung f. NÖ, seit 1987 Gen.-Dir. u. Gschf. BL.: Initiator d. Ausbaues d. NÖ Käseproduktion, Modernisierung d. Verarbeitungswerke. E.: Gold. EZ f. Verd. um d. Rep. Österr., Verleihung d. Ing. Titels. H.: Segeln, Jagen, Tennis. (S.S.)

Wagner Manfred J. Dr. o.Prof.
B.: HS-Prof., Vorst. d. Lehrkanzel f. Kultur u. Geistesgeschichte u. d. Inst. f. Kostümkunde an d. HS f. angew. Kunst Wien. DA.: 1010 Wien, Oskar-Kokoschka-Pl. 2. G.: Amstetten, 31. Aug. 1944. V.: Doris, geb. Neuvians. Ki.: Michael, Daniel, Daniela, Marion. S.: RG, 1962 Matura, Stud. Musikltg. u. Komposition HS f. Musik u. darstell. Kunst Wien, Stud. Musikwiss., Phil. u. Kunstwiss., 1970 Prom. z. Dr. phil. K.: b. 1972 Doz. am Inst. f. Aufführungspraxis an d. HS f. Musik Graz, 1973 Red. b. Hess. Rundfunk, seit 1974 Vorst. d. Lehrkanzel f. Kultur- u. Geistesgeschichte an d. HS f. angew. Kunst in Wien. P.: 20 Bücher , ca. 255 Aufsätze, Aufsätze in intern. Zeitschriften. E.: 1971 Theodor Körner-Preis, 1983 Österr. Staatspreis f. Publizistik im Interesse v. Wiss. u. Forsch. M.: 1983-84 Präs. d. Österr. UNESCO-Kmsn., seit 1987 VPräs. d. Österr. Ges. f. Semiotik, Kuratoriumsmtgl. Dokumentationsarchiv d. Österr. Widerstandes, seit 1992 VPräs. d. internationalen Forsch.-Zentrum f. Kulturwiss., seit 1993 VPräs. d. Intern. Schönberg-Ges.

Wagner Manfred Dr. iur.
B.: beeid. Wirtschaftsprüfer u. Steuerberater. DA. u. PA.: 1080 Wien, Daung. 4. G.: Wien, 11. Aug. 1960. V.: Alice, geb. Zinke. El.: Manfred u. Gertraude. S.: Albertus Magnus-Schule Wien, 1978 Matura, Univ. Wien, 1982 Dr. iur. K.: 1985 Steuerberaterprüf., 1990 Wirtschaftsprüferprüf., seit 1988 selbst. P.: "Das österreichische Steuersparbuch", einschlägige Fachart., Red. d. ÖGWT-Zeitung. M.: Vorst.Mtgl. d. Österr. Ges. d. Wirtschaftstreuhänder, Kassenverwalter d. Österr. Gewerbever. H.: Oper, Reisen, Squash. (J.S.)

Wagner Manfred
B.: Gschf. FN.: Willich Trockenbau. DA.: 1200 Wien, Wehlistr. 29. G.: Wielings, 21. Sept. 1958. V.: Anette. Ki.: Bernd. El.: Helmut u. Ludmilla. S.: b. 1976 Lehre als Techn.

Zeichner b. AEG. K.: 1979 Vers.-Tätigkeit, 1980 Techniker f. Trockenbau Vogel & Hofner GmbH, 1984 Übernahme d. Abt. u. b. 1987 Ltg., 1988 Übernahme d. Abt. Akustikbau, seit 1989 Gschf., Lehre f. Wärme-Kälte-Schallisolieren b. Vogel & Hofner m. Abschluß, Mstr.-Kl. m. Abschluß. M.: Verb. d. Österr. Trockenbauer. H.: Familie, Tennis, Skifahren, Literatur. (J.E.)

Wagner Manfred

B.: Steuerberater. DA.: 1090 Wien, Althanstr. 47. G.: Chemnitz, 28. Mai 1934. V.: Gertraude, geb. Kamenik. Ki.: Dr. Manfred, Dr. Roman. El.: Max u. Johanna. S.: VS, Gymn, RS, WU. K.: während d. Stud. in Steuerberatungskzl. tätig, seit 1959 selbst. Steuerberater, seit 1962 Vorst.-Mtgl. d. Österr. Ges. d. Wirschaftstreuhänder, seit 1989 Senator d. ÖGWT, seit 1992 Vorst.-Mtgl. d. Österr. Kulturvereinigung. (R.A.)

Wagner Manfred J. Dr. o.Prof.

B.: HS-Prof., Vorst. d. Lehrkanzel f. Kultur- u. Geistesgeschichte u. d. Inst. f. Kostümkunde an d. HS f. angew. Kunst in Wien, Prorektor 1980-88. A.: 1010 Wien, Herreng. 15. G.: Amstetten, 31. Aug. 1944. V.: Doris, geb. Neuvians. Ki.: Michael (1973), Daniel (1975), Daniela (1977), Marion (1978). S.: RG (Matura 1962), Studien d. Musikltg. u. Komposition an d. HS f. Musik u. darst. Kunst in Wien, Studien d. Musikwiss., Phil. u. Kunstwiss. K.: 1970 Prom. u. Dr. phil., b. 1972 Doz. am Inst. f. Aufführungspraxis an d. HS f. Musik in Graz, 1973 Red. b. Hess. Rundfunk, seit 1974 Vorst. d. Lehrkanzel f. Kultur- u. Geistesgeschichte an d. HS f. angew. Kunst in Wien, 1983-84 Präs. d. Österr. UNESCO-Kmsn., seit 1987 Doz. am Inst. f. Kulturelles Management d. HS f. Musik u. darst. Kunst in Wien, 1988 Gastprof. an d. Humboldt-Univ. Berlin, 1988/89 Gastdramaturg an d. Opernhäusern Hamburg u. Graz, seit 1987 Vizepräs. d. Österr. Ges. f. Semiotik, Kuratoriumsmtgl. Dokumentationsarchiv d. österr. Widerstandes, seit 1992 Vizepräs. d. Intern. Forschungszentrums f. Kulturwiss., seit 1993 Vizepräs. d. Intern. Schönberg-Ges. P.: 20 Bücher, u.a. Die Geschichte d. österr. Musikkritik in Beispielen (1974), Die unbekannte Sammlung. Materialien z. staatl. Kunstförd. in Österr. (1979), W.A. Mozart: Sinfonie in g-Moll (1980), Anton Bruckner (1983), Kultur u. Politik - Politik u. Kunst (1991), Adolf Frohner: Emanzipation d. Fleisches (Mitautor, 1991), ca. 170 Aufsätze in intern. Zeitschriften. E.: 1971 Theodor-Körner-Preis, 1983 Österr. Staatspreis f. Publizistik im Interesse v. Wiss. u. Forsch

Wagner Martin

B.: Gschf. Ges. FN.: Star Computer u. Elektrohdl. GmbH. DA.: 1070 Wien, Kircheng. 30. G.: Wien, 17. Okt. 1962. V.: Silvia. Ki.: Peter, Alexandra, Michael. El.: Ing. Harald u. Anna Maria. S.: 1982 Abschluß d. Elektroinstallationslehre, 1989 Konzessionsprüf. K.: 1982-89 Tätigkeit im Fachgebiet Elektroinstallationen, 1987 Grdg. Familienges. f. Elektrohdl. Wagner & Co KG, ab 1989 Elektro Star u. Elektroinstallations GmbH m. Schwerpunkt Computer. H.: Computer, Familie, Golf. (J.E.)

Wagner Michael Dipl.-Ing.

B.: Arch., Designer, Gschf. FN.: Edition W GmbH. DA.: 1090 Wien, Seeg. 13. PA.: 1090 Wien, Porzellang. 26. G.: Bad Berleburg, 19. Febr. 1953. V.: Josephine, geb. Hafner-Buchenegg. El.: Friedrich-Wilhelm u. Maria-Anna-Bernardine, geb. Dirkmann. S.: 1971 Matura Aachen, 1973-75 Arch.-Stud. TH Aachen, 1976-77 Stud. à Ecole des Beaux Arts Paris, 1979 Dipl.-Ing. K.: 1979-82 Mitarb. b. d. Prof. Kammerer & Belz als Arch., 1982-88 Lehrbeauftragter an d. Ak. d. Bild. Künste in Wien, 1988 Grdg. d. eigenen Ateliers f. Arch. u. Design in Wien, 1989 Grdg. d. Edition W GmbH. BL.: in- u. ausländ. Ausstellungen f. Möbeldesign. P.: div. Fachart. in Fachzeitschriften. E.: 1989 Ausz. b. Staatspreis f. Design. H.: Kunst, Reiten, Tennis, Sprachen. (N.A.)

Wagner Michael Dr. med. Univ.-Prof. Prim.

B.: Vorst. d. Unfallchir. Abt. d. Wilhelminenspitals. DA.: 1060 Wien, Montleartstr. 37. PA.: 1190 Wien, Sieveringer Str. 50. G.: Wien, 13. Mai 1947. El.: Dr. Anton u. Dr. Anna, geb. Schestag. S.: VS, Gymn., 1965 Matura, Med.-Stud. Univ. Wien, 1972 Prom. K.: 1972-89 FA-Ausbild. Chir. u. Unfallchir. u. danach OA an d. 1. Univ.-Klinik f. Unfallchir. am AKH, 1980 Habil., 1987 a.o.Univ.-Prof., ab 1989 Abt.-Vorst. d. Unfallchir. Abt. d. LKH Sbg., ab 1992 Vorst. d. Unfallchir. Abt. d. Wilhelminenspitals. P.: 300 wiss. Publ. über Unfallchir. M.: Vorst.-Mtgl. d. Österr. Ges. f. Unfallchir., Intern. Society of Knee, Vorst. d. Österr. Ges. f. Sportmed. H.: Musik, Golf. (M.M.)

Wagner Otto Dr. med. Univ.-Prof.

B.: FA f. Chir., Prim. d. Chir. Abt. d. KH d. Barmherzigen Brüder. DA.: 1020 Wien, Gr. Mohreng. 9, 1130 Wien, Wattmanng. 8. PA.: 1130 Wien, Wattmanng. 8. G.: Wien, 30. Sept. 1937. V.: Mag. Ingeborg, geb. Püregger. Ki.: Georg, Christoph, Hubert, Stephanie. El.: Dr. Otto u. Mag. Edeltraud. S.: 1947-55 Schottengymn., Matura m. Ausz., 1955-62 Med.Stud. Univ. Wien, 1962 Prom. K.: 1962-63 Gastarzt bzw. wiss. Hilfskraft am Path.-Anatom. Inst. d. Univ. Wien, 1963-86 Ass.Arzt bzw. OA an d. I. Chir. Univ.Klinik in Wien, 1967-68 OA Chir. Abt. d. LKH Klagenfurt, 1970 FA f. Chir., 1970-71 1 J. Univ. of California, 1974 Univ.Doz. f. Chir., 1986 Prim. d. Chir. Abt. im KH d. Barmherzigen Brüder in Wien. P.: 250 wiss. Publ. im wesentl. über Gefäßchir. E.: 1978 Silb. EZ d. Ärztekam. f. Wien, 1980 a.o.Univ.-Prof., 1984 Gold. EZ d. Ärztekam. f. Wien, 1968 Hoechstpreis, Förderungspreis d. Österr. Ges. f. Gefäßchir. M.: o.Mtgl. d. Wr. LandessanitätsR., seit 1983 LAbg. u. GemR. f. Wien, Ges. d. Ärzte in Wien, Mtgl. d. VerwR., Rudolfinerver., Mtgl. d. Verw.Aussch. (C.K.)

Wagner Pepi Ing.

B.: Bmstr. DA.: 2340 Mödling, Herzogg. 4. G.: Wien, 21. Apr. 1940. El.: Anton u. Katharina. S.: VS, HS, HTL Hochbau, 1959 Matura, 1965 Bmstr.Prüf., 1966 Brunnenmstr.Prüf., 1972 priv. Pilotenschein, 1977 Gerichtssachv. K.: 1965 selbst. Bmstr. Statist. Berechnungen im Hochbau u. Planung, 1981 Beginn d. polit. Karriere, 1985-89 VBgm. v. Mödling. P.: Art. im Mödlinger Stadtjournal "Pepi Aktiv". M.: Gründer d. Mödlinger Orchesterver. 1987, Fachstudienverb. "Wickinger", Seien Dolentschi. H.: Aktiver Umweltschutz u. Gestaltung.

Wagner Peter Dr.

B.: RA. FN.: Kzl. Dr. Alfred Haslinger, DDr. Heinz Mück, Dr. P. Wagner, Dr. Walter Müller, Dr. Wolfgang Grazianie. DA.: 4020 Linz, Kroateng. 7. PA.: 4020 Linz, Pollheimerstr. 28. G.: Lambach, 18. Febr. 1945. V.: Elisabeth, geb. Schuster. Ki.: Peter (1970), Rupert (1977), Georg (1983). El.: Franz u. Maria. S.: VS, BRG, 1963 Matura, 1964-67 Prom. Wien u. Innsbruck, 1968 BH. K.: Gerichtsj., Anw.-Praxis in heutiger Kzl., 1974 Eintritt in d. heutige Kzl. als Partner. P.: Art. in

Fachzeitschriften. M.: div. Sportver., Lions-Club Linz-Mitte, Club 41 Linz-Wels. H.: Sport (Radfahren, Skilanglaufen), mod. Literatur. (U.A.)

Wagner Peter

B.: Verkaufsdir. FN.: LÖWA Warenhdls.Ges. GT.: Vertrieb u. Vermietung v. Heißluftballon. DA.: 1230 Wien, Oberlaaer-Str. 300-306, 2380 Perchtoldsdorf, Sonnbergstr. 9. PA.: 2390 Perchtoldsdorf, Sonnbergstr. 9. G.: Wien, 29. Sept. 1941. V.: Christiane, geb. Pampel. Ki.: Andrea, Brigitte. El.: Paul u. Stefanie. S.: Elektromaschinenbaulehre b. ÖBB b. 1959, weiteres Dienstverhältnis b. 1962, nebenher Extern HASCH. K.: 1962-65 Lagerltr. b. Remington-Rand, 1966-70 b. SKF als Verkaufssachbearb., 1970-72 Filialltr. b. einem Elektrodiskonter, 1972-80 Filialltr. u. Filialinspektion d. Fa. Kaindl, 1980-87 Prok. u. Einkaufsltr. b. Schömer, seit 1987 b. LÖWA als Verkaufsltr. tätig, seit 1987 Vertretung d. Raven Heißluftballone (Verkauf, Vermietung, Passagierfahren). H.: Reisen, Kultur (Oper), Ballonfahren.

Wagner Richard

B.: Unternehmer. DA.: 1120 Wien, Tivolig. 25. G.: Wien, 25. Mai 1948. V.: Christa, geb. Artner. Ki.: Richard (1973), Roland (1976). El.: Richard u. Elsa. S.: HASCH Wien. K.: Seit d. 16. Lebensj. im Berufsleben, 1964-70 kfm. Ang. in e. Untern. d. Elektroind., 1970-78 kfm. Ang. b. e. Untern. d. mittleren Datentechnik, b. 1973 Realisierung v. EDV-Projekten, ab 1973 Organ. v. Marketing Maßnahmen, 1979-80 Projektltr. in e. Unternehmensberatung, s. 1981 selbst. Untern. als Berater in EDV-, Organ. u. Marketingfragen. P.: Fachlehrgänge in Buch- u. Kassettenform. M.: VMMT (Verb. d. Marketing u. Managementtrainer), DMVÖ (Direktmarketingverb.). H.: Struktogramm-Methode, Menschenkenntnis, Squash. (J.S.)

Wagner Robert Dr. phil. Oberrat

B.: Dir. d. Bibliothek u. d. Kupferstichkabinetts an d. Akad. d. Bild. Künste. DA.: 1010 Wien, Schillerpl. 3. PA.: 1230 Wien, Fürst-Liechtenstein-Str.12/3/1. G.: Wien, 3. Feb. 1943. V.: Renate, geb. Feifar. El.: Elisabeth u. Robert. S.: Buchhandelslehre in Wien, anschl. 10 J. Antiquariatstätigkeit in Wien u. Berlin, 1971 Berufsreifeprüf. an d. Univ. Wien, Stud. d. Geschichte, 1972-73 an d. Univ.-Bibl. tätig, 1976 Prom. K.: 1974-82 Kartensammlung d. Österr. Nationalbibliothek, seit 1983 Dir. d. Bibliothek u. des Kupferstichkabinetts d. Akad. d. Bild. Künste Wien. P.: Zahlr. Bücher, u.a.: 1977 "Descriptio Austriae: Österr. u. seine Nachbarn im Kartenbild von d. Spätantike bis ins 19. Jh."; 1981-91 "Bibliographie Altösterr. Ansichtswerke aus 5 Jahrh." (6 Bde.); 1985-92 Reihe "Topographia Austriaca" (9 Bde.). E.: 1976 Theodor Körner-Förderungspreis. M.: Ausschuß-Mtgl. d. Vereinigung d. Österr. Bibliothekare. H.: Reisen, Geschichte, Geographie u. Kunstgeschichte. (J.S.)

Wagner Robert

B.: Inh. FN.: PR Management, Sportagentur. DA.: 4020 Linz, Binderlandweg 21. PA.: 4644 Scharenstein, Untersperr 4A. G.: Wien, 22. Sept. 1960. V.: Gerlinde, geb. Schmitsberger. Ki.: Cornelia (1989), Sabine (1990). El.: Kurt u. Ingeborg. S.: VS, Gymn., 1979 Matura, b. 1983 Jusstud. Univ. Linz. K.: b. 1990 Fahrdienstltr. d. ÖBB, 1985-87 freiberufl. Journalist b. OÖ Tagblatt, 1985-91 OÖ Nachrichten, seit 1989 PR-Agentur. P.: Publ. f. Österr. Tageszeitungen u. f. Hörfunk. M.: seit 1990 Mtgl. d. Intern. Organ. IAAR. H.: Sport, Beruf. (U.A.)

Wagner Roland

B.: Techn. Kfm., gschf. Ges. FN.: Wagner & Muttenthaler GmbH. DA. u. PA.: 5020 Salzburg, Schwimmschulstr. 27-29. G.: Salzburg, 30. Okt. 1927. V.: Eleonore, geb. Nagy. Ki.: Roland, Bertram. El.: Julius u. Anna. S.: HAK m. Matura in Sbg., Installateurmstr.Prüf. u. div. Fachprüf. K.: Übernahme d. 1910 v. Vater Julius Wagner gegründeten Unternehmens f. Sanitäranlagen, Zentralheizungen, Gas-, Ölfeuerungs- u. Lüftungsanlagen, nach d. 2. Weltkrieg Wagner & Muttenthaler GesnbR, 1967 Umwandlung in Wagner & Muttenthaler GmbH, seit 1973 alleinige Ges. Fam. Wagner. H.: Philatelie, Fußball. (Foed.)

Wagner Rudolf jun.

B.: Gschf. FN.: Rudolf Wagner KG, Getränkegroßhandel. DA.: 4810 Gmunden, Scharnsteinerstr. 1. PA.: 4810 Gmunden, Keimstr. 3. G.: 16. Juni 1949. V.: Ingrid, geb. Kölblinger. Ki.: Andrea, Christian, Roman. El.: Rudolf u. Katharina. S.: HAK Gmunden. K.: Auslandsaufenth.: 1969-71 Getränke Lachenmaier KG, BRD, 1971-73 Kassel Coca-Cola, 1974 Cambridge College, seit 1974 im elterlichen Betrieb Rudolf Wagner KG, 1978 Gschf. Ges. M.: Gremium d. Lebensmittelgroßhdl. in OÖ. H.: Skifahren, Tennis. (G.E.)

Wagner Rudolf Dkfm.

B.: Ltr. Controlling/Rechnungswesen. FN.: Austria Tabak AG DA.: 1090 Wien, Porzellang. 51. PA.: 3464 Hausleiten, Brunneng. 77. G.: Salzburg, 16. Mai 1943. V.: Margarethe, geb. Madlo. Ki.: Isabella (1975). El.: Andreas u. Lotte, geb. Karcher. S.: 1965 Matura, Stud. Hdls.-Wiss. HS f. Welthdl., 1969 Abschluß. K.: 1969 Eintritt Austria Tabak, seit 1978 in versch. ltd. Positionen, seit 1982 Ltr. Controlling/Rechnungswesen. H.: Wandern, Skifahren, Radfahren. (N.A.)

Wagner Sebastian

B.: Werbefotograf. FN.: Wagner Studio f. Werbefotografie. DA.: 4040 Linz, Leonfelderstr. 293. PA.: 4040 Linz, Hohestr. 121. G.: Linz, 22. Sept. 1945. V.: Dr. Jukunda. Ki.: Claire (1980). El.: Hans u. Jucunda. S.: Ausbild. z. Fotografen in Linz. K.: mehrjährige Tätigkeit b. Film, seit 1973 selbst., 1977 Mstr.-Prüf. E.: Agfa-Profi-Preis 1983, Trend-Profi-Preis 1989. M.: AWI. H.: Literatur, Musik. (P.H.)

Wagner Thomas RgR.

B.: Amtsdir., Amtsltr. d. Arbeitsamt Oberwart. GT.: LObm. d. SWS. DA.: 7400 Oberwart, Prinz-Eugen-Str. 1. PA.: 7473 Hannersdorf 215. G.: Eisenstadt, 7. Juli 1932. V.: Theresia, geb. Woppel. Ki.: Dr. Eva Maria, Dipl.-Ing. Thomas Martin. El.: Ing. Thomas u. Hermine. S.: BRG Oberschützen, 1951 Matura, Jusstud. an d. Univ. Wien u. Graz. K.: 1954 Eintritt in d. BDienst b. Arbeitsamt Oberwart, b. 1956 Arbeitslosenvers., b. 1975 Berufsberater, seither Amtsltr. E.: EZ d. Landes Bgld. M.: Vorst.Mtgl. d. Absolventenver. BRG Oberschützen. H.: Weingarten. (C.K.)

Wagner Udo Anton Michael Dr. techn. Dipl.-Ing. Univ.-Prof.

B.: Univ.-Prof. am Inst. f. BWL d. Univ. Wien. GT.: Univ.-Doz. WU Wien. DA.: 1210 Wien, Brünner Str. 72. V.: Mag. Margret, geb. Pichler. Ki.: Wolfgang (1981), Stefan (1984), Nikolaus (1987), Valentin (1991). El.: Dipl.-Ing. Dr. techn. Richard u. Ingeborg. S.: VS, BRG, Stud. Techn. Math. TU Wien, Dipl.-Ing., Dr. techn. K.: Lehrbefugnis f. BWL WU Wien, Univ.-Ass. u. a.o.Univ.-Prof. WU Wien, Gastprof. Univ. Karlsruhe, ESSEC-Pontoise u. IAE-Marseille Frankreich, Prof. Graduate School of Business Purdue Univ. USA. P.: über 50 Veröff. M.: European Marketing Academy,

Österr. Ges. f. Operations Research, Ver. d. Freunde d. Sozial- u. Wirtschaftswiss. Fak. d. Univ. Wien. H.: Familie, Musik, Sport.

Wagner Walter Ing.

B.: Gschf. FN.: Didier in Österr. GesmbH. DA.: 1235 Wien, Seybelg. 12a. PA.: 1130 Wien, Speisingerstr. 114. G.: Wien, 9. Feb. 1960. V.: Charlotte, geb. Zimmermann. Ki.: Marie-Therese (1988), Magdalena (1989). El.: Rudolf u. Elfriede. S.: VS, HS, HTL Maschinenbau, 1979 Matura. K: 1980 techn. Zeichner techn. Büro Pörner, 1982 Ang. Fa. Didier in Österr., 1986 Ltr. d. techn. Büro, seit 1993 Gschf. H.: Tennis, Radfahren. (R.T.)

Wagner Winfried Dr.

B.: FA f. Innere Med. GT.: Konziliar-FA f. Innere Med. am LKH Mariazell, ärztl. Ltr. d. Gesundheitszentrums, Bez.Rettungsarzt. DA.: 8630 Mariazell, Hauptpl. 1. PA.: 8630 Mariazell, Annaburg 5, 8010 Graz, Merang. 50. G.: Graz, 22. Jan. 1939. V.: Katharina, geb. Junger. Ki.: Michael (1968). El.: Ludwig u. Rudolfine. S.: Matura in Graz 1959, Stud. d. Med. in Graz, Prom. z. Dr. med. 1965. K.: Turnusarzt in Leoben, Fürstenfeld, FA-Ausbild. in Graz, OA an d. III. Med. Abt. d. LKH Graz b. 1972, seit FA-Praxis in Mariazell, Bergrettungsarzt, allg. beeid. gerichtl. Sachv. Gutachter f. allg. u. interne Med., Sachv.Gutachter f. Flieger-Untersuchungen, Sportarzt f. Fußball- u. Wintersportver. M.: Div. örtl. Ver. H.: Klass. Musik, Skifahren, Leichtathletik, Gartenbau, Malerei, Antiquitäten-Tischlerei. (Tra.)

Wagner Wolfram Mag. art.

B.: Komponist, HS-Lehrer HS f. Musik u. darstell. Kunst Wien. DA. u. PA.: 1150 Wien, Jurekg. 13/6. G.: Wien, 28. Sep. 1962. V.: Ingrid, geb. Kraft. El.: Wolfram u. Erika. S.: 1980 Matura, Stud. Querflöte, Tonsatz, Komposition u. Musikpäd. Wr. Musik-HS, Postgraduate-Stud. Guildhall School of Music & Drama in London, Komposition b. Robert Saxton. K.: Auftritte als Kammer- u. Orchestermusiker, Aufführungen u. Rundfunkaufnahmen eigener Werke in europ. Ländern, Indien, Südamerika u. d. USA, wichtigsten Werke: "Oratorium Hiob" (1991), "Ödipus" (1994), seit 1991 Lehrauftrag f. Tonsatz Abt. Musikpäd. Wr. Musik-HS, 1992 Berufung "composer in residence" d. Academy of St. Martin in the Fields London. E.: 1984 Talentförderungspreis d. Landes OÖ, 1987 Förderungspreis d. Stadt Wien f. Komposition, 1992 Auslandsstipendium d. BMU, 1992 1. Preis Kompositionswettbewerb f. Saxophonensemble in Melk, 1993 Förderungspreis d. Landes NÖ, 1994 Staatsstipendium f. Komponisten. H.: Chorsingen, Sport. (J.S.)

Wagner-Bacher Lisl

B.: Wirtin u. Köchin. DA. u. PA.: 3512 Mautern, Südtiroler Pl. 208. G.: Mautern, 5. Nov. 1953. V.: Klaus Wagner. Ki.: Christina, Susanne. El.: Hans u. Anna Bacher. S.: Mittelschule, Hotelfachschule Bad Reichenhall.K.: 1971 Eintritt in d. väterl. Betrieb, 1979 Übernahme d. Betriebes,

1983 Koch d. Jahres, ab 1984 2 Hauben (17 Punkte im Gault Millau), Hotel, Restaurant im Herzen v. Mautern, m. ruhigem Gartenbetrieb, ab Winter 1985 Gästezimmer im Landhausstil in ruhiger Grünlage, ab 1987 drei Hauben. F.: Einzelfa. Lisl Wagner-Bacher. E.: 1983 Koch d. Jahres, 2 Hauben 1984, 1985 u. 1986, Trophée Gourmet. M.: Österr. Hotelver., Mtgl. v. Club de la SOMMELLERIE. H.: Wasserskifahren, Skifahren, Schwimmen, Tennis, Fotografieren, Filmen. (M.M.)

Wagner-Schönkirch Maria-Clara

PS.: Maria Sonnewend. B.: Kulturschriftstellerin. PA.: 1180 Wien, Gentzg. 144/3/20. G.: Gratzen/Südböhmen, 16. Jan. 1910. V.: Hans. S.: Lyzeum, div. Kurse. K.: Erstellung d. Biographie d. verst. Gatten, Werke-Verzeichnis u. Sonderheft z. 35. Todestag (1977), eigene Radiosendungen, Gedenkveranstaltungen, versch. Seminare f. Heimatkunde, Volkslied u. Brauchtum. P.: 1700 Aufsätze in in- u. ausländ. Kulturzeitungen u. -schriften, Festschriften u.s.w. H.: Ahnenforschung, Ausstellungen, Reisen. (P.R.)

Wagner-Wagenried Heinz-Georg

B.: Textildesigner, kfm. Ang. FN.: Johann Backhausen & Söhne. DA.: 1010 Wien, Kärntner Str. 33. PA.: 1190 Wien, Paradisg. 69. G.: Aleppo/Syrien, 3. Mai 1950. El.: Prof. Dipl.-Ing. Heinrich u. Elisabeth. BV.: Georg Wagner-Wagenried. S.: Schulbesuch in Syrien, 1971 Matura in Wien, HTL Fachrichtung Textil. K.: nach HTL in versch. Ateliers in d. Schweiz (Zürich) u. BRD (Krefeld), ab 1972 in Teppichfbk. Karl Eybl tätig, seit 1976 b. d. Firma Backhausen (Objektabt.), Abt.-Ltr. f. Bereich Möbel, seit 1976 Mtgl. d. Jungen Ind. M.: Industriellenver. H.: Musik, Literatur, Skifahren. (J.E.)

Waha Christian

B.: Gschf., Inh., Creativ Dir. FN.: Mark u. Partner Werbeagentur u. Computergrafik. DA. u. PA.: 6020 Innsbruck, Erzherzog-Eugen-Str. 23. G.: Salzburg, 6. Apr. 1960. V.: Mag. Gabriele, geb. Mark. Ki.: Kathrin-Theresa. El.: Gerhard u. Anna. S.: VS, Gymn. K.: Tätigkeit b. Firma Martha-Meindl, 4 J. Spar-Konzern, 1982-86 Werbeltr. Spar Österr., 1986 Übersiedlung nach Tirol, seit 1990 selbst. H.: Schach, Motorradfahren, Familie, Kunst. (A.W.)

Wahl Alfred Ing.

B.: Mtgl. d. BundesR. seit 1990, Präs. d. Kam. f. Arb. u. Ang. in Land- u. Forstwirtschaft in d. Stmk. GT.: VPräs. d. Österr. Landarbeiterkammertages, WirtschaftsR. d. Österr. BForste, ZentralbetriebsR., OFörster d. BForste. DA.: 8010 Graz, Rauberg. 20. PA.: 8693 Mürzsteg 52. G.: Tragwein, 7. Okt. 1942. V.: Johanna, geb. Pritz. Ki.: Dr. Birgit, Ulrike, Eva Maria, Nikolaus. El.: Franz u. Maria. S.: VS, HS, Försterschule. K.: Förster, OFörster, 1973 KamR., 1984 Vorst.Mtgl., seit 1988 Präs. P.: mehrere Veröff. in Fachzeitschriften. E.: Gr. Gold EZ. H.: Sport, Malerei. (H.Z.)

Wahl Peter Dr. iur. MBA

B.: Dir. FN.: Schoeller & Co Bank AG. GT.: Kons. d. Fa. Van Sickle. DA.: 1011 Wien, Renng. 1-3. PA.: 1130 Wien, Larocheg. 13. G.: Wien, 16. Sept. 1938. V.: Brigitte. Ki.: Philipp, Peter, Barbara, Nikolaus. S.: BRG, Matura, Stud. Univ. Wien u. High Law-School USA, 1964 Prom. K.: 1965-66 Banque Lambert Bruxelles, 1967 MBA, 1967-68 Schoeller & Co Bank, 1968-73 Brauerei Schwechat AG, Vorst. d. Güssinger AG, Gschf. d. Soma GmbH, 1973 Eintritt Fa. Schoeller & Co Bank AG. M.: Rotary, Management Club. H.: Familie, Denkmalpflege, Musik. (A.W.)

Wahlhütter Reinhold

B.: Bgm., Marktgem. St. Michael. DA.: 5582 St. Michael, Rotkreuz 100. PA.: 5582 ST. Michael, Höf 66. G.: Vordernberg, 16. Dez. 1946. V.: Johanna, geb. Laufhofer. Ki.: Rene (1971), Carmen (1974), Ruth (1977). El.: Sophie u. Maximilian. S.: VS, HS, HASCH. K.: 1963 Ang. i. Steuerberatungskanzlei, BH, 1968-72 i. Wien EDV-Bereich u. i. d. Organisation tätig, nach St. Michael gezogen, 1972 Heirat, b. Dr. Meindl tätig, Bilanzbuchhalter b. Fa. Essl Bau GmbH, 1974-81 Mautstellenltr. d. Tauernautobahn AG, 1981-91 Landtagsabgeordneter, s. 1990 Bgm. d. Marktge. St. Michael. M.: s. 1975 Gemeindevertreter. P.: zahlr. Artikel i. reg. Printmedien. M.: zahlr. örtl. Vereine. H.: Sport, Radfahren, Skifahren, Fußball. (J.F.)

Wahlmüller Werner Dr. techn. Dipl.-Ing.

B.: staatl. bef. u. beeid. Zivil-Ing. f. Maschinenbau; allg. ger. beeid. Sachv. f. Energie u. Umwelttechnik. DA.: 4020 Linz, Ledererg. 67. PA.: 4020 Linz, Ramsauer Str. 42. G.: Linz, 16. Dez. 1941. V.: Herma, geb. Klose. Ki.: Wolfgang (1966), Christine (1969), Felix (1978). El.: Leopold u. Ottilie. S.: Gymn., HTL, 1960 Matura, Stud. Maschinenbau in Wien, 1968 Dipl.-Ing., Diss. 1976 z. Thema: Belastungsänderungen b. überkritischen zwangslaufkesseln. K.: ab 1960 b. versch. Firmen in Österr. u. Deutschl. tätig, 1968-78 Univ.-Ass. TU Wien am Inst. f. Kessel- u. Reaktorbau, 1978 Eintritt in d. Voest-Alpine AG Wien, Ltg. d. Forsch.- u. Entwickl.-Abt. d. Voest Stahl- u. Apparatebaus, Betreuung gr. Forschungsprojekte i. Bereich thermischer Anlagen u. Systeme, 1980 zu Voest-Alpine AG Linz, 1984 Übertritt in Voest-Alpine Umwelttechnik: Aufbau d. Abt. Thermische Systeme u. Therm. Entsorg. v. Abfällen, 1989 Grdg. d. Zivil-Ing.-Büros, Patente i. Bereich Kesselbau u. Wärmepumpen. P.: Veröff. aus d. Fachgeb. div. Patente. M.: Ing.-Kammer f. OÖ u. Sbg., Bundes-Ing.-Kammer f. Klimatechnik, Österr. Ing.- u. Arch.-Ver. H.: Tennis, Schifahren, Musik, Geige. (N.Ai.)

Wahrheit Karl Leopold

B.: Wirtschaftstreuhänder, Steuerberater. FN.: Dkfm. Karl Leopold Wahrheit - Dkfm. Helmut Kampitsch. GT.: Vermögens- u. Betriebsberater, Betriebsorganisator. DA.: 9300 St. Veit/Glan, Unterer Pl. 11. PA.: 9300 St. Veit/Glan, Grabenstr. 5. G.: St. Veit/Glan, 18. Apr. 1924. V.: Maria Anna Angela, geb. del Vesco. El.: Dr. Karl u. Ida Magdalena. S.: HAK, HS f. Welthdl. Wien. K.: Arbeits- u. Militärdienst, russ. Kriegsgefangenschaft, nach Rückkehr Beendigung d. Stud., 1948 Spons. z. Dkfm. K.: vorübergehend Ang. b. d. brit. Besatzungsmacht (Dolmetsch), 1948-55 Bmtr. d. höheren Betriebsprüf.Dienstes b. d. Finanz-LDion. f. Ktn., ab 1955 selbst. F.: Sozietät als Wirtschaftstreuhänder m. Dkfm. Helmut Kampitsch. M.: Kam. d. Wirtschaftstreuhänder Wien, Verb. Österr. Wirtschaftsakademiker, Lions-Club District Westösterr. H.: Bergwandern, Jagd, Fischerei, Österr. Literatur. (S.G.)

Waibel Hans

B.: Inh. FN.: Media Film Film- u. Videoprod. DA.: 6850 Dornbirn, Milöckerg. 30. PA.: 6850 Dornbirn, Siegfried Fußenegerstr. 43. G.: Hohenems, 12. März 1945. V.: Marlene. Ki.: Monika (1970), Hanno (1973), Bernhard (1982). El.: Franz Xaver u. Josefine. S.: 1963 Abschluß d. kfm. Lehre, Ausb. z. Kameramann i. Deutschland, Schweiz u. Österr. K.: kfm. Ang. i. elterlichen Betrieb, 1966 Gschf. Blitzschutzbau i. Dornbirn, 1975 Übern. d. elterlichen Betriebes, 1978 Grdg. d. Media Film in Dornbirn. M.: Grdg. u. Präs. d. Vlbg. Judoverb. (2 mal Landesmstr.). H.: Malerei, Kochen, Weinsammeln, Filmen. (I.D.)

Waibel Rolf

B.: Gschf. Ges. FN.: Gustav Käser Training Ges.m.b.H. DA.: 1010 Wien, Gluckg. 1. PA.: 8280 Kreuzlingen, Konradstr. 4. G.: 22. Juni 1945. Ki.: Rolf, Nina-Daria. S.: Stud. Masch.-Bau. Psychologie u. Soziologie in d. Schweiz, Italien u. Deutschl. K.; Klinische Psychiatrie, Alkohol u. Drogenfürsorge, Vertriebsltr. in Deutschl., 1981 Eintritt b. d. Fa. "Training International" als Verhaltenstrainer f. Persönlichkeitsentwickl., ab 1989 Gschf. Ges. H.: Gesundheit, Lesen, Musik. (N.A,)

Waid Michael

B.: gschf. Ges. d. ADWERBA Ges. f. Verkaufsförderung u. Werbung GmbH, Inh. d. Fa. Michael Waid, Mitarb. d. Fa. ARGE Fellner-Waid. DA.: 5020 Salzburg, Schallmooser Hauptstr. 85. PA.: 5020 Salzburg, Nonntaler Hauptstr. 11. G.: Salzburg, 24. Aug. 1951. V.: Monika, geb. Krischke. Ki.: Anna, Lisa. S.: Gymn. K.: 5 J. in d. Marketingabt. d. SPAR AG, seit 1978 selbst. m. eigener Werbeagentur. H.: Philatelie, Naturgeschichte, Astronomie, Reisen. (A.W.)

Waiguny Annelore Dir.

B.: Dir., Gschf. FN.: Gewürzwerk Hermann Laue GmbH; Fry & Co Netzproduktion GmbH. DA. u. PA.: 9853 Gmünd, Karnerau 7. G.: Ferndorf, 20. Juni 1957. V.: Kurt Waiguny. Ki.: Martin (1979). El.: Thomas und Mathilde

Kaßmannhuber. S.: Volksschule, Hauptschule, HAK Spittal an der Drau, 1976 Matura. K.: seit 1976 Firma Laue Spittal an der Drau, seit 1981 Dir.-Assistentin u. seit 1992 Geschäftsführerin. u. Gesellschafterin, 1981 Standortverlegung nach Gmünd, Messebeteiligungen im In- und Ausland. E.: mehrere Auszeichnungen im Rahmen d. Messen, intern. Schulungstätigkeiten f. Kunden. M.: Porsche Ver. H.: Lesen, Schwimmen, Kochen, Eisstockschießen. (G.L.)

Waiker Walter

B.: Gschf. FN.: Karl Ernst Wagner Dach u. Wand Fachhdl. GmbH. DA.: 2481 Achau, Biedermannsdorfer Str. 6. PA.: 2214 Auersthal, Weingartenstr. 103. G.: 22. Aug. 1948. V.: Renate, geb. Wiesinger. Ki.: Bernhard (1976), Christina (1988). El.: Valentin u. Angela. S.: VS, HS, 1962-65 kfm. Lehre. K.: seit 1971 Filialltr. Firma Wagner Wien 5, Gschf. Firma Wagner Dach u. Wand. H.: Fußball, Skifahren, Tennis. (M.D.-H.)

Wainig Kurt Dipl.-Ing.

B.: Vorst.Dir. FN.: Julius Meinl AG. A.: 1180 Wien, Cottageg. 29. G.: Klosterneuburg, 6. Mai 1924. V.: Margarethe, geb. Schlor. El.: Josef u. Berta. S.: Gymn. m. Matura, Univ. f. Bdk., Dipl.-Ing. K.: Ldw. Gen., Vorst.Dir. d. Julius Meinl AG, Wien, Gschf. d. Wr. Ölwerke GmbH, d. PAMPAM GmbH, d. Köstlin GmbH. M.: Rotary-Club.

Wais Anton Dr.

B.: Vors. d. Gesch.-Geb. Audio-Video Systeme. FN.: Siemens AG. DA.: 1030 Wien, Erdberger Lände 26. G.: Wien, 7. März 1948. V.: Christina geb. Helmer. El.: Anton u. Anna, geb. Artner. S.: 1966 Matura, Stud. d. Rechtswiss. a. d. Univ. Wien, 1971 Prom. K.: 1971-78 Min.-Sekr., 1978-80 Prok. Fa. Knoblich Licht, 1980-82 Leuchtenwerk Traunreut, s. 1982 kfm. Ltr. d. Exportabt. d. Gesch.-Ber. 1, s. 1985 kfm. Ltr. d. Ber. Ton- u. Studiotechn., i. Wien, 1989-90 Mtgl. d. Vorst. d. BFE AG Mainz, 1990-92 Gschf. Fa. Kabel-Signal, 1992-93 kfm. Ltr. d. Bereiches Private Komm.-Systeme i. Wien u. stv. kfm. Ltr. d. Gesch.-Ber. 1. M.: Chairman of AMS Neve plc., AufsR.-Vors. d. BFE Fernmeldetechnik u. Elektronik AG, Member of the Board of Siemens Audio Inc., stv. AufsR.-Vors. d. LIWEST. H.: Klavier spielen, Musik, Entertainment. (N.A.)

Wais Josef

B.: Künstler. DA.: 1100 Wien, Davidg. 79. G.: Pila/CSFR, 16. März 1944. V.: Stefanie. Ki.: Claudia, Barbara, David. El.: Heinrich u. Rosalia. S.: VS, HS. K.: Dreherlehre, Arb. als Dreher b. 1966, dann als freischaff. Künstler. BL.: Grdg. d. Fotogalerie Wien 1980, Teilnahme an d. Hausbesetzung d. TGM u. anschl. Mitaufbau d. Werkstätten u. d. Kulturhauses in diesem Gebäude, Ausstellungen im In- u. Ausland, 1982 Hrsg. d. ersten Fotobuches über Karin Mack "Weiße Schatten auf schwarzem Schnee", 1983 Mitarb. im Kollektiv d. Fotogalerie Wien, 1985 Grdg. eines Kinos in d. erweiterten Räumen d. Fotogalerie Wien, bes. Themen d. künstl. Super 8 Films u. Video. P.: in Zeitschriften u. Katalogen z. Fototheorie. H.: Arch., bild. Kunst, Film, Phil., Zeitgeschichte. (Wist)

Wajda Peter

B.: Gschf. Ges. FN.: Wajda, Oppolzer & Schreyer GmbH. DA. u. PA.: 1010 Wien, Johannesg. 21. G.: Mährisch Ostrau, 6. Aug. 1943. El.: Dr. Robert u. Elisabeth. BV.: Onkel Univ.-Prof. Dr. med. Dr. phil. Dragutin Tomic Prof. f. Med. u. Phil. Univ. Zagreb u. Autor zahlr. Bücher. S.: Matura in Wien, Stud. Rechtswiss. Univ. Wien. K.: während d. Stud. zahlr. Jobs. wie Stuntman f. Filme, Reiseltr. u. Privatdetektiv, seit 1968 in d. Gastronomie tätig, 8 J. Gschf. d. "Scotch" Wien, 1975 Eröff. d. Discothek "Queen Anne", d. Cocktailbar "Bora-Bora", Restaurant "Bettelstudent", "Pfiff & Co", Champagnerbar am Flughafen. H.: Sport (Tennis, Skifahren), Reisen, Geschäfte einrichten. (J.S.)

Wakolbinger Erwin Ing.

B.: Gschf. Ges. FN.: IKO GmbH. DA.: 4040 Linz, Flußg. 13. PA.: 4171 St. Peter am Wbg. 27. G.: St. Peter am Wbg., 18. Aug. 1951. Ki.: Harald, Doris. El.: Karl u. Mathilde. S.: 1967-72 HTL Maschinenbau Linz, Matura, Korrosionstechniker Fa. Christ, ausgebildet an d. techn. Ak. Wuppertal, lacktechn. Schule Stuttgart u. techn. Ak. in Esslingen. K.: seit 1975 selbst., Aufgabengebiete: Planen-Projektieren-Bauüberwachung im Bereich Korrosions- u. Oberflächenschutzttechnik, im öff. Bereich u. Ind., Objektbegutachtung unter Wasser, Projektierung v. Betoninstandsetzungsmaßnahmen, auch Stahlarb. P.: fachl. Publ. f. Forsch.-Ges. f. Brücken- u. Straßenwesen. M.: Feuerwehr. H.: Skifahren, Military-Reiten (1988 Landesmstr. in d. Mannschaft, 1988 3. b. Staatsmeisterschaft u. 1990 VStaatsmstr. in d. Mannschaft). (P.H.)

Wakolbinger Helmut Mag.

B.: Prok. FN.: Austrodent Hdls. GmbH. DA.: 4020 Linz, Lenaustr. 10. PA.: 4171 St. Peter am Wimberg 141. G.: St. Peter, 22. März 1960. V.: Anna-Maria. Ki.: Florian (1985), Stefanie (1989). El.: Karl u. Mathilde. S.: Gymn. Linz, 1980 Matura, 1981-86 Stud. BWL Linz. K.: 1 J. VOEST-Alpine Ind.-Anlagenbau, 1986 Siemens AG Österr., 1987 Siemens Dental GmbH, ab 1989 Namensänderung auf Austrodent, seit 1989 Prok. H.: Kinder, Lesen, Radfahren, Tennis. (P.H.)

Wakolbinger Roland

B.: Filialdir. FN.: Vbg. Landes- u. Hypothekenbank. DA.: 6850 Dornbirn, Am Rathauspl. 6. PA.: Lauterach, Achsiedlung 26. G.: Bregenz, 22. Sep. 1947. V.: Ottilie, geb. Böhler. Ki.: Beate (1969), Nicole (1971). E.: Karl u. Maria. S.: Sped.-Lehre i. Bregenz, Feldbach Berufsschule. K.: 10 J. Vers.-Büro d. Vlbg. Treuhandges., Eintritt Vlbg. Landeshypothekenbank i. Vlbg. a. Bankang. u. später Kundencenterltr., 1986 Filialltr. Dornbirn, 1991 Filialdir. d. Vlbg. Landes- u. Hypothekenbank, 1992 Prok., Ausb. d. Filiale Dornbirn. H.: Wandern, Radfahren, Heimwerken, Gartenarb., Kochen, Südtirolfan. (I.D.)

Wala Adolf

B.: Gen.-Dir. d. Oesterr. Nationalbank. DA.: 1090 Wien, Otto-Wagner-Pl. 3. G.: Dürnholz/CSFR, 18. Mai 1937. S.: Heimatvertrieben, Pflichtschule in Wien, Absolvierung d. HAK I d. Wr. Kaufmannschaft. K.: 1957-65 Mitarb. in d. Devisenabt. d. Creditanstalt Bankverein, Funktion eines Gruppenltr.Stellv. bzw. Gruppenltr., 1965 Eintritt in d. Oesterr. Nationalbank, Sachbearb. in d. Kreditabt., 1973 Vorst. d. Büros d. 1. VPräs., 1980 Dir.Stellv. u. m. d. stellv. Ltg. d. Kreditabt. betraut, seit 1988 Gen.-Dir. d. Oesterr. Nationalbank. E.: 1990 Ehrensenator der Techn. Univ. Wien, 1992 Ehrensenator d. WU Wien, 1994 Gr. Goldenes Ehrenzeichen der Stadt Wien.

Walbert Kurt

B.: Gschf. Leasing, Vorst. Porsche Bank AG. A.: 5201 Seekirchen, Schwanenstr. 9. G.: Salzburg, 30. Jan. 1942. V.: Margrit, geb. Kelderbacher. El.: Franz X. u. Hermine. S.: VS, HS, HAK. K.: Versch. Tätigkeiten in versch. Branchen (Automobil, Werkstättenausrüstung, Tankstellenbau, Spirituosen), seit 1965 Porsche Österr. (Porsche KG, Porsche Austria, Porsche Holding), seit 1987 Porsche Bank Gruppe, Mitarb. d. Fin.Buchhaltung, Abt.Ltr. Fin.Buchhaltung, Hauptabt. externes Rechnungswesen (Fin.Buchhaltung, Fin.Planung), seit 1981 ALZ-Firmengruppe (100 % Porsche Österr.), Leasing, Bank, Vers. H.: Sport, Musik, Theater, Reisen.

Walch Christoph

B.: Inh. Hotel Gotthard. DA.: 6764 Lech 119. G.: Bregenz, 31. Mai 1964. V.: Veronika, geb. Gorbach. Ki.: Johanna u. Christina (1993). El.: Vinzenz u. Ida. S.: Hotelfachschule Villa Blanka Innsbruck, 1984 Abschluß, 1986 BH. K.: 1984-85 Zürich, 1985 Gschf. im elterl. Betrieb, 1986-87 Gschf., Saison im Tessin, 1987-90 Gschf., 1990 Übernahme d. elterl. Hotels. E.: Ausz. f. eine d. 50 besten Speisekarten Österr. M.: AufsR.-Mtgl. Junges Gastgewerbe, ÖHV, Hogast, Fischwasser Österr. H.: Skifahren, Reisen, gepflegt essen u. trinken, Weinsammeln. (I.D.)

Walch Elfy Dr.

B.: Gschf. Ges. FN.: IKP Institut f. Kommunikations-Planung GmbH, Kommunikationsberatung, Public Relations, Markt- u. Meinungsforschung. DA.: 5020 Salzburg, Lasserstr. 4. S.: 1981-87 Stud. Publizistik, Kommunikations- u. Politikwiss. Univ. Sbg., 1987 Prom., Stud. Kunstgeschichte u. Wirtschaftspäd. K.: 1980-81 Marketing-Agentur Dr. Hummer, 1983-86 freie Journalistin ORF Landesstudio OÖ, 1985 Moderatorin b. einem Urlaubssender in Italien, 1984/85/86 Mitarb. b. d. Österr. Filmtagen Wels, 1987 Internship b. d. UNO New York, 1987-88 Pressesprecherin d. Tauernautobahn AG, ab 1989 IKP Inst. f. Kommunikations-Planung, seit 1990 Gschf. Ges. d. IKP, seit 1990 Lehrbeauftragte Univ. Sbg. (N.M.)

Walch Heinz Dr. phil. Dr. med.

B.: FA f. Orthopädie u. orthopäd. Chir. DA.: 6020 Innsbruck, Templstr. 5. PA.: Telfes/Stubaital, Kapfer 57. G.: Wien, 17. März 1926. V.: Marlene, geb. Ambrosin. Ki.: Birgit, Marion. El.: Prof. Richard u. Gertrude. S.: hum. Gymn., 1945 Matura, Stud. Germanistik, 1950 Prom., Stud. Med., 1957 Prom. K.: med. Allg.Ausbild. an Wr. Spitälern, 2 J. Ausbild. unter Prim. Wayand in Kirchdorf/Krems, Ausbild. z. FA f. Orthopädie an d. Univ.Klinik Innsbruck unter Prof. Platzgummer, 1968 Abschluß, Auslandsstudienaufenthalte b. Prof. Imhäuser in Köln, an d. Univ. Stanford in Kalifornien, sowie b. Prof. Trillat in Lyon, seit 1970 als selbst. chir. Orthopäde tätig. BL.: Einführung d. Arthroskopie d. Kniegelenks als einer der Ersten in Österr. u. als Erster in Tir. (1974), 2-jähr. Tätigkeit als OA d. Dr. Karl Sell-Forsch.Stätte in Isny/Allgäu f. Chirodiagnostik u. Chirotherapie. H.: Bergsteigen, Weltreisen expeditionsartigen Charakters (Afrika, Asien).

Walcher Manfred

B.: Unternehmer. FN.: DATA 01. DA.: 5730 Mittersill, Felberstr. 4. PA.: 5730 Mittersill, Stampferau 38.. G.: 11. Feb. 1967. Ki.: Philipp Paul (1993). EL.: Franz u. Walburga. S.: VS, HS, HASCH. K.: Eintritt i. Fa. Blizzard, 1985 1J. i. d. Skiraparatur, anshcl. 3 J. Abt. Qualitätskontrolle, anschl. 2 J. einkaufsleiter, 10. Aug. 1991 Betriebseröffnung Fa. "DATA 01". E.: Goldmedaille b. d. Erfindermesse i. Genf. M.: div. Vereine. H.: Reisen, Sport, neue Ideen. (E.H.)

Walcher Paul Mag.

B.: BHS-Lehrer, Übersetzer, Autor, Lehrbeauftragter an d. Univ. Klagenfurt. FN.: Übersetzungsbüro Walcher. DA. u. PA.: 9020 Klagenfurt, Reichenbergerstr. 37. G.: Thürn, 19. Apr. 1949. El.: Friedrich u. Rosa. S.: VS, Gymn., Matura, 1967-73 Lehramtsstud. Univ. Graz f. Ital. u. Geschichte. K.: seit 1973 Unterrichtstätigk. HAK Feldkirchen bzw. Klagenfurt, Lehrbeauftragter Univ. Klagenfurt, seit 1979 gerichtl. beeid. Dolmetsch f. Ital., Übersetzungsbüro. P.: Neue Ital. Grammatik (1993). H.: Ital., Vorliebe f. Kulinarisches, Tennis, Skifahren. (G.L.)

Walchhofer Christian

B.: Gschf. Ges. FN.: Chip 2 Byte Datentechnik GmbH. DA.: 5020 Salzburg, Jakob-Haringer-Str. 3. PA.: 5081 Anif 129. G.: Salzburg, 18. Dez. 1956. V.: Michaela, geb. Stanzl. Ki.: Cornelia. El.: Johann u. Anneliese. S.: gelernter Radio- u. Fernsehmechaniker. K.: 1983-85 Produktionsltr. S.E.I., 1985-88 Verkaufsltr. Fa. Kappacher, 1988-89 Verkaufsltr. S.E.I., seit 1989 Gschf. Ges. Chip 2 Byte. M.: FFW. H.: Tennis, Skifahren. (M.Mo.)

Walchhofer Martin Kanonikus

B.: Regens d. Erzbischöfl. Priesterseminars Sbg., Regens. DA. u. PA.: 5024 Salzburg, Dreifaltigkeitsg. 14. G.: Altenmarkt, 28. Juni 1942. El.: Peter u. Rosina. S.: Gymn. Borromäum Sbg., 1962 Matura, Theol.Stud. Univ. Sbg., 1968 Abschluß m. d. Absolutorium. K.: 1967 Priesterweihe, anschließend Präfekt d. erzbischöfl. Kollegium Borromäum Sbg., 1976-81 Pfarrer in Strobl, 1981-91 Regens d. erzbischöfl. Kollegiums

Borromäum Sbg., seit 1991 Regens d. Eb. Priesterseminars. E.: Domkapitular u. Kanonikus, KonsR. M.: Diözesandir. d. Canisius-Werkes, Mtgl. d. PriesterR. d. Erzdiözese Sbg. H.: Bergsteigen, Skifahren.

Walchhofer Norbert Anton

B.: Unternehmensinh., Firmengründer. FN.: SPC Computer Training Intern. GmbH. DA.: D-W-8000 München 81, Stefan, George-Ring 24, 1190 Wien, Nußdorferpl. 8. PA.: Zürich/ Schweiz. G.: Salzburg, 1. Juli 1952. V.: Dr. Margit, geb. Dobias. Ki.: Patrick (1988). El.: Anton u. Gertrud. S.: VS, 1962-67 High School, 1967-71 Professional Business School. K.: 1967-72 Praxis G. Junger Inc. Sbg., 1972-74 Manager Photo-Cinema-Dekker Inc. Sbg., 1975 General Manager Abitare Inc. Sbg., 1975-79 General Manager Interteam Inc. Sbg., 1980-82 Dir. Export Asko/Interteam Inc. Finnland, 1983 Dir. Airteam Inc. Sbg., 1983-84 Berater Schlemmer Inc. Wien, 1985-87 Dir. SPC Computer School Inc. Wien, 1987-88 Dir. u. ltd. Verw.-Bmtr. SPC Computer School Inc. München, seit 1988 Dir. u. ltd. Verw.-Bmtr. SPC Computer School Inc. Zürich, seit 1991 Aussch.-Vors. SPC Computer Training Intern. Inc. München. F.: SBA Superliga Basektball Assoc. AG, BBP Basketball Professional Sportmarketig. P.: Veröff. in zahlr. nat. u. intern. EDV-Magazinen u. in vielen europ. Tages-, Wochen- u. Monatsmagazinen. E.: 1989 Innovations-Oscar d. Dt. P- u. Marketingbranche, 2. d. öff. Leserwahl d. österr. Wirtschaftszeitung "Wirtschaftsunternehmen 88". M.: Präs. Basketballclub Wien u. New York, Österr. Managementclub, VSI Assoc. of Software Ind. H.: Basketball (intern. u. österr. Nationalspieler), Lesen,, Rennboote, Mibilitätstechnik. (P.M.)

Wald Ingrid

B.: Malerin, Restauratorin. DA. u. PA.: 1010 Wien, Zelickag. 14/2/7 u. 5. G.: Wien, 7. Febr. 1943. V.: Gerhard Jaschke. S.: 1962-68 Stud. Malerei, b. 1973 Stud. Restaurierung. K.: seit 1973 als freischaff. Malerin u. Restauratorin tätig, spez. Moderne, Klimt-, Schieleexpertin, auch Bilder aus d. Gotik u. Renaissance, Restaurierung v. Schäden in Ausstellungen. P.: "Waldwiesen u. anderes" (1991), "Schwester" (1991), "Damen u. Herren", "Wiesenspiele" (1991), Ausstellungen: "Sommerlust" u.a. im gesamten dt. Sprachraum. (R.J.)

Waldbauer Eduard

B.: Kfm., Inh. d. Fa. Eduard Waldbauer. DA.: 1080 Wien, Albertg. 17. PA.: 1080 Wien, Albertg. 3a. G.: Wien, 5. Juni 1936. V.: Ilse, geb. Mauritz. Ki.: Eduard, Martin. El.: Alois u. Rosa. S.: VS, HS, Gewerbeschule, während d. Berufsschule Lehre Elektrotechnik im Anchluß daran TGM in Abendkursen. K.: danach Praxis als Elektrotechniker b. Elin u. Siemens, nach 6 J. als Techniker Mstr. u. Konzessionsprüf. 1959, 1960-70 in d. Büromaschinenbranche als Verkäufer f. d. Großhdl., b. 1971 ausschließl. Büromaschinenbranche, 1971 parallel z. Büromaschine Grdg. einer Elektroinstallations u. Hdls.Fa., 1982 Grdg. einer Fa. f. Büromaschinen, Bürobedarf u. Papierfachhdl. P.: Fachliteratur, Erstellung v. Kalkulationsunterlagen f. Elektroinstallationsuntern. in Fachbüchern u. Katalogen, fallweise Beiträge in E-techn. Fachzeitschriften. M.: 2 Kammergremien, AufsR.Mtgl. einer Gen., VPräs. d. Kuratoriums f. E-Technik in d. 3. Legislaturperiode. H.: Privatpilot, Wandern, Familie. (G.E.)

Walde Arno Dr. rer. oec. Dipl.-Vw.

B.: Gschf. DA.: 6020 Innsbruck, Amraser Str. 76. G.: Innsbruck, 25. Apr. 1942. V.: Doris, geb. Kappel, 2 Kinder. S.: 1961 Matura, 1964 Dipl., 1966 Prom.. K.: 1965 Kompl., 1973 Gschf. d. Fa. Walde GmbH, 1982 Gschf. d. Fa. Rittersport GmbH. P.: Betriebswirt. Buch: Automatisierung in d. Dauerbackwarenerz. M.: KamR. Sekt. Ind. in d. Tir. HK, Vorst. d. Ver. Österr. Ind. H.: Jagd, Freizeitsport. (Schm.)

Walde Ingo Dr. med. vet. Univ.Doz.

B.: OA an d. Klinik f. Chir. u. Augenheilkunde d. VMU. A.: 1170 Wien, Braung. 36. G.: Abtenau, 24. Juni 1941. V.: Dr. iur. Doris, geb. Gahleithner. El.: Dr. iur. Volker u. Anna. S.: Gymn., Matura 1960, Stud. an d. Tierärztl. HS in Wien, Doktoratsdipl. 1970, OLt.Vet. d. Res. 1970. K.: Ass.Arzt an d. Chir. Klinik u. Augenklinik d. Vet.-Med. Univ.Klinik seit 1968, Ltr. d. Augenstation seit 1977, OA seit 1977, Verl. d. Lehrbefugnis als Univ.Doz. f. Chir. u. Augenheilkunde 1982. P.: 37 wiss Publ. über die Themen: Kreuzbandriß, Osteochondrosen, transversale Myelopathie, Myelographie, Hautplastik b. Hängeohren, vergr. Gaumensegel, Stimmbandlähmung u.v.a.m. E.: Wehrdiensterinnerungsmed., Förderungspreis d. österr. Tierärztekam. 1982 f. d. Arb. "Glaukom b. Hunde" u. 9 Arb. über Floreszeuzangiographie d. Augenhintergrundes. M.: Österr. Ges. d. Tierärzte, Ges. d. Freunde d. Vet.Med. Univ., Intern. Soc. of Vet. Ophthalmology. H.: Skifahren, Bergsteigen, Schwimmen, Laufen, Tennis, Sauna.

Waldegg Angela

B.: Ltr. d. "Theaterwerkstatt - Wien". DA.: 1030 Wien, Landstr Hauptstr. 83/24. G.: Deutsch-Jahrndf., 18. Feb. 1947. El.: Josef u. Marie. S.: Stud. Theaterwiss. K.: 1975 Grdg. d. "Theaterwerkstatt" (gem. m. Volker W. Waldegg), seit 1981 Vorträge u. Theaterworkshops in USA, Taiwan, Italien, Peru, Japan, Teiln. an intern. Festivals, 1985 Theaterprojekt b. Carnevale di Venezia, 1987 u. 1988 Stud.-Aufenthalt in Japan - Schauspielertraining b. Suzuki Tadashi, Butoh Tanz b. Kazuo Ohno, seither seine Schülerin u. Mitarb. Theaterprod.: "Kellerseifenblasen" (1982), "1x Mailbu retour" (1987), "Epucelli" (1988), "Amaterasu" (1991). H.: Reisen, Malen, Schreiben, Träumen. (J.E.)

Waldek Gunter Mag. phil. Mag. art.

B.: freisch. Komponist; stv. Dir. am Bruckner-Konservatorium. DA.: 4040 Linz, Wildbergstr. 18. PA.: 4100 Goldwörth, Simon-Leitner-Weg 3. G.: Linz, 26. Juli 1953. Ki.: Reinhild (1975), Gudrun (1979), Norbert (1983). El.: Wilhelm u. Margareta. S.: VS, Gym. 1971 Mat., Klavier-, Orgel- u. Theorieunterr. am Bruckner-Konserv., Stud. an d. Univ. Sbg. (Romanistik u. Musikwiss.) u. an d. Hochschule "Mozarteum" (Musikpäd., Dirignt, Chorlteitung, Kompos.), Mag. phil, Mag. art. K.: Unterr.-Tätigk. an versch. Gym., seit 1992 Prof. f. Theorie u. Kompos. am Bruckner-Konserv. Linz, Vorst. d. Abt. 1, seit 1990 stv. Dir. P.: zahlr. Aufführungen, Rundfunk- u. TV-Aufz. u. Prod. im In- u. Ausland. E.: 1975 Würdigungspreis d. BMW, 1977 Talentförderungspr. d. Landes OÖ, 1980 Staatsstip. f. Komponisten, Komp.-Wettbew. d. ORF Sbg. (1. Preis), Intern. Kompositionswettbew. d. LVBLO Würzburg (4. Preis), 1982 Kompos.-Preis d. Kulturfonds d. Landeshauptst. Sbg., 1983 Kulturpreis f. Musik d. Sudetendeutschen Landsmannschaft, Kompos.-Wettbew. d. ARGE Adria-Alp (3. Preis), 1987 Kunstförderungsstip. d. Stadt Linz, erfolgr. Teiln. als österr. Vertreter an d. "Tribune Internationale des compositeurs" (UNESCO), Paris. M.: ÖKB, IGNM, Intern. Joh. Nep. David-Ges., Intern. Paul-Hofhaymer-Ges. u. Künstlergilde Esslingen. H.: Orchester- u. Chorleitung. (U.A.)

Waldemeier Wolfgang

B.: Karosseriebauer, Betriebsinh. FN.: Waldemeier Karosseriewerk u. Autocenter. DA. u. PA.: 9020 Klagenfurt, Ziegeleistr. 8. G.: Klagenfurt, 25. März 1967. V.: Jutta, geb. Boenisch. Ki.: Renee (1988), Dominic (1993). El.: Stefan u. Irmtraud. S.: VS, HS, Lehre Firma Hausott, Berufsschule, Mstr.-Schule Wien, 1992 Abschluß. K.: 3 J. Tätigkeit im väterl. Betrieb, Mstr. im väterl. Betrieb, seit 1994 Inh. d. Firma. M.: Sponsor d. Waldemeier "Bomber" Jugendmannschaft. H.: Segeln, Schwimmen, Motorbootfahren, Sport allg. (W.M.)

Walder Hans

B.: Gschf. FN.: Radio Klinik P. Breiner & Walder GmbH. DA.: 5020 Salzburg, Schuhmacherstr. 13. PA.: 5111 Bürmos, Dr.-Eugen-Zehme-Str. 4. G.: Salzburg, 19. Aug. 1952. V.: Waltraude, geb. Geiger. Ki.: Michael, Bernhard, Manuela. El.: Ernst u. Maria. S.: VS, HS, BRS, Politechn. Lehrgang. K.: seit 1967 b. d. Fa. Radio Klinik, 1967-70 Lehre als Kfm., 1970-74 Kfm. Ang. d. Fa., 1974-80 Stiller Ges. d. Fa., 1980-89 Ges. d. Radio Klinik GmbH, seit 1987 Gschf. Ges. d. Radio Klinik GmbH, 1982 Grdg. d. Gebrüder Walter Elektro GmbH, 1987-89 Gschf. Ges., 1989 Grdg. d. Fa. Breiner & Walder GmbH u. anschl. Gschf. Ges. d. Fa. M.: Wirtschaftsbund, Judo Ver. H.: Reisen, Briefmarkensammeln. (M.B.)

Walder Hans Herbert

B.: Ltr. FN.: Spielebox Wien. GT.: Sekr. d. LVerb. Wien u. d. Österr. Dachverb. d. Pflichtschulelternver. DA.: 1080 Wien, Hamerlingpl. 1. PA.: 3413 Hintersdorf, Haselbacherstr. 30. G.: Lienz, 1. Nov. 1945. V.: Theresia, geb. Becher. Ki.: Marion (1967), Angelika (1968), Herbert (1971), Eva (1981). El.: Hans Buschner u. Flora Erian. S.: Gymn. Innsbruck, 1976 Matura, Ausbild. Sped.Kfm., Organ. u. Kommunikationstrainer. K.: Päd. Ref. u. Familienref. in einer Familienorgan., seit 1989 Organ.Ltr. im Wr. Jugendkreis. P.: Publ. f. versch. Fachzeitschriften wie z.B. "Elternblatt", "Sozialist. Erziehung", "Bildungspolit. Nachrichten" u. in Fachbüchern u.a. "Elternvereinsarbeit", "Die österr. Spielkartei". M.: Österr. Kinderfreunde, Terre des hommes, Österr. Inst. f. Schulbuchforsch., Österr. Verb. f. Schuljugendspiel u. Amateurtheater, Ltr. d. Jugendspiels f. NÖ, stellv. LObm. f. NÖ Pflichtschulelternver. H.: Spielen, Wandern, Literatur, Musik, Theater. (J.S.)

Walder Mathias

B.: Grafik-Designer, Unternehmer. DA. u. PA.: 9800 Spittal a. d. Drau, Hauptpl. 3. G.: Spittal a. d. Drau, 19. Juni 1952. Ki.: Verana (1981). El.: Mathias u. Alice. S.: 1967-70 Berufsschule u. Lehre Dekorateur, BH, Aus- u. Weiterbildung zum Grafiker. K.: Tätigk. in d. Privatwirtschaft von 1972-81, 1981 Firmengrdg. M.: Amnesty International. H.: Mittelalter-Neuzeit-Geschichte, Natur, aktiver Flieger. (G.L.)

Waldhauser Franz Dr. med. a.o.Univ.-Prof.

B.: OA an d. Univ.-Kinderklinik AKH Wien. DA.: 1090 Wien, Währinger Gürtel 18-20. PA.: 1060 Wien, Amerlingstr. 4/14. G.: Wien, 6. Juli 1946. Ki.: Eva (1981), Christoph (1981). El.: Anton u. Maria, geb. Groiß. S.: VS, 1965 BRG-Matura, Med.-Stud. Univ. Wien, 1974 Prom. (M.M.)

Waldhauser Peter Dipl.-Ing.

B.: Manager f. d. Prüf.-, Zertifizierungs- u. Qualitätssicherungswesen. FN.: Österr. Normungsinstitut. DA.: 1021 Wien, Heinestr. 38. G.: Wien, 15. Mai 1942. S.: 1960 Matura, Stud. Hüttenwesen a. Montana Univ. Leoben, 1970 Abschl. K.: während Stud. 5 J. Praxis i. einschlägigen Ind.-Bereichen: Eisenhüttenwesen, Gesteinhüttenwesen, Galvanische Ind., Masch.-Bauind. i. Österr., Frankr., Ital. u. Luxemburg, 1970 Patentanwaltsanwärter i. e. Patentsanwaltskanzlei, 1971 Eintritt i. Österr. Normungsinst. P.: Vortragstätigk., Fachpubl. i. einschl. Blättern f. einschl. Bereiche. M.: Österr. Vertr. b. CENCER, CASCO, EQS, Stellv. b. CEN u. ISO. H.: Sprachen, Fremde Kulturen. (N.A.)

Waldhäusl Peter Dr. techn. Dipl.-Ing. o.Univ.-Prof.

B.: Univ.-Prof. f. Photogrammetrie. A.: 1190 Wien, Weimarer Str. 114/2/4. G.: Leipzig, 30. Juli 1932. V.: Uta, geb. Dumreicher. Ki.: Mag. Norbert (1965), Wolfgang (1971), Doris (1972). El.: Prof. Dr. Fritz u. Therese. S.: VS, RG, TH Wien, Vermessungswesen. K.: 1956-65 Vermessungsbmtr., 1956-65 (halbbesch. zusätzl.) Vertragsass., 1965-77 Univ.-Ass., 1969-70 (im Karenzurlaub) UNDP-Experte in Saudi Arabien, 1968 Dr. techn., 1974 Habil., seit 1977 a.o.Univ.-Prof., seit 1987 tit. o.Univ.-Prof. am Inst. f. Photogrammetrie u. Fernerkundung d. TU Wien, Ständ. gerichtl. beeid. Sachv. f. Photogrammetrie. P.: ca. 60 Veröff. M.: ÖVVPh, DGPh, ASPRS. H.: Wandern, Skifahren, Bergsteigen, Natur.

Waldheim Kurt Dr. iur.

B.: Pensionist. G.: St. Andrä-Wördern, 21. Dez. 1918. V.: Elisabeth, geb. Ritschel. El.: Walter u. Josefine. S.: Univ. Wien, Dr. iur., Konsularak. Wien. K.: 1945 Eintritt in d. Österr. Diplomat. Dienst, 1948 Österr. Botschaft in Paris, 1951 Ltr. d. Personalabt. im Außenmin., 1955 ständiger Beobachter Österr. in d. Vereinten Nationen, 1956 Österr. Gesandter, später Botschafter in Kanada, 1960 Ltr. d. polit. Abt. (West) im Außenmin., 1962 Polit. Dir., 1964 ständiger Vertr. Österr. b. d. Vereinten Nationen, 1968 Präs. d. ersten Weltraumkonferenz d. Vereinten Nationen, BMin. f. Auswärtige Angelegenheiten, 1970 ständiger Vertr. Österr. b. der Vereinten Nationen, 1972 Gen.Sekr. derVereinten Nationen, 1977 2. Periode als Gen.Sekr. d. UN nach einstimmiger Wiederwahl b. 1981, 1986-92 österr. Bundespräsident. P.: Zahlr. Beiträge in Zeitschriften sowie einige größere Werke. E.: Inh. zahlr. in- u. ausländ. Orden, EZ u. Ausz., Inh. zahlr. Ehrendoktorate. H.: Sammeln v. Antiquitäten, versch. sportl. Aktivitäten, Reiten, Fischen.

Waldherr Gerhard

B.: Elektroinstallateur; Gschf. FN.: Müller u. Miksch GmbH. DA.: 1110 Wien, Simmeringer Hauptstr. 197. PA.: 1030 Wien, Moosg. 26/7. G.: Vorau, 20. Nov. 1957. El.: Albert u. Hermine Heissenberger. S.: Lehre Elektroinst. b. Fa. Müller u. Miksch GmbH, 1976 Geselle, Konzessionsprüf. f. Elektroinst. K.: s. 1990 Gschf. M.: freier Wirtschaftsbund. H.: Fischen, Wandern. (R.T.)

Waldhör Walter Dr. Dir.
B.: Gschf. d. Gross-Destillerie Julius Meinl GmbH Wien, "Austria" Papierind. GmbH Wien, "Köstlin" Nahrungsmittel Ein- u. Ausfuhrhdl. GmbH Wien, Julius Meinl Warenhdls. u. Immobilien GmbH Wien. PA.: 1190 Wien, Hackenbergg. 29/34/4. M.: Vorst.Mtgl. d. Julius Meinl AG Wien.

Waldhorn Fred MinR.
B.: Group Specialist (Sales) Swissair. A.: 42-25 Hampton Street, Elmhurst NY 11313. G.: Wien, 15. Febr. 1919. V.: Liselotte, geb. Popper. El.: Leo u. Gusti. S.: VS, Hum. Gymn. Wien. K.: Travel Business, Thomas Cook London von 1948, später American Express in New York u. seit 1951 b. Swissair, 1966-70 Branchenmanager (Travel) f. First National City Bank in New York (5th Ave.). M.: Seit 1968 b. einem Travel u. Tourism Course (Unterricht) u. seit 1970 Adjunct Ass. Prof. an d. New York Univ. H.: Theater, Sport.

Waldmann Dieter Dr. Mag. iur. Mag. rer. soc. oec.
B.: beeid. Wirtschaftsprüfer u. Steuerberater, Gschf. Ges. FN.: Vienna Revisions u. Treuhand GmbH. GT.: Laienrichter b. OGH. DA.: 1042 Wien, Lambrechtg. 4. PA.: 1130 Wien, Trauttmansdorffg. 33. G.: Wien, 11. Juli 1957. V.: Dr. Brigitte, geb. Schuster. Ki.: Ludwig (1984), Elisabeth (1986), Patrizia (1990). El.: Prof. KommR. Ludwig u. Elfriede. S.: 1975 Matura, Stud. Rechtswiss. Univ. Wien, 1979 Prom., Stud. Betriebswirtschaft WU Wien, 1981 Spons. K.: ab 1975 Mitarb. in d. Kzl. d. Vaters, seit 1987 selbst., Grdg. d. Vienna Revisions u. Treuhand GmbH. P.: Autor div. Fachbücher vorwiegend z. Thema Steuerrecht. H.: Sport, Literatur, Musik. (J.S.)

Waldmann Matthias Ing.

B.: Inh. FN.: Ing. Matthias Waldmann Bau GesmbH & Co KG. DA u. PA.: 5061 Elsbethen, Brunnleitenweg 1. G.: St. Kolomann, 25. Dez. 1924. V.: Elisabeth, geb. Kastner. KI.: Matthias (1955), Johannes (1957), Elisabeth (1959), Paulus (1961), Wolfgang (1964), Andreas (1967). EL.: Matthiaas u. Theresia. S.: VS, Gym. Borromäum, Zimmererlehre, Kriegsdienst HTL, Matura. K.: Postbauleitung d. Bautechniker bis 1954, 1954 BMST Prüfung, s. 1954 selbst. BMST in Sbg., Betrieb erbaut. M.: Schützenverein, Wirschaftsbund. E.: Dank u. Anerkennung d. Kammer. H.. Skifahren, Schwimmen. (D.E.)

Waldner Doris

B.: Inh. FN.: Milchmariandl. DA.: 8010 Graz, Richard Wagner Gasse 31. G.: 14. März 1966. El.: Adolf u. Erika. S.: VS, HS i. Gratkorn, 1981-85 Gastgewerbeschule i. Bad Gleichenberg, Abschluß m. Ausz. K.: 1985-92 i. elterl. Betrieb, Restaurant Peterhof i. Gratkorn, div. Saisonen i. versch. 5-Sterne-Hotels i. Tirol, s. 1993 Selbst., letzte Milchmariandl-Gaststätte, Traditionslokal s. 1785. H.: Tennis, Skifahren, Gut essen. (I.G.)

Waldner Hugo

B.: Vizebgm., Landwirt. DA.: 6863 Egg-Großdorf, Freien 58. G.: Großdorf, 19. Jän. 1947. V.: Maria Theresia, geb. Gstettenhofer. Ki.: Theodul, Maria Theresia, Anton, Josef, Magdalena, Johannes. El.: Theodul u. Maria. S.: Autodidaktische Weiterbildung. K.: s. frühester Jugend in d. elterl. Landwirt., 1971 Übern. d. Landwirt., 1983 Heirat - Trauzeuge Karl v. Habsburg-Lothringen, 1985 Gschf. d. Regio Bregenzerwald, 1975 Gem.-Rat, 1980 Vizebgm. d. Gem. Egg, VS MG Bauernbund Bregenzerwald, VS MG Regio Bregenzerwald, Agrarref., Landesobm. d. Pan Europa Union sowie b. mehreren örtl. Vereinig. H.: Lesen. (I.D.)

Waldner Hugo
B.: Gschf., Kfm., Kfz-Elektromechanikermstr. DA.: 9500 Villach, Gerberg. 21. PA.: 9500 Villach, Drauländе 27. G.: Lind/Drautal, 9. Nov. 1942. V.: Rosalie, geb. Poglitsch. Ki.: Katrin (1978), Alexander (1981). El.: Josef u. Olga. S.: VS, HS, HAK, Lehre Kfz-Elektriker u. Kfz-Mechaniker, Lehrabschlußprüf. K.: 3 J. Praxis im elterl. Betrieb, 1969 Mstr.-Prüf., Betriebsltr. im elterl. Betrieb, 1979 Übernahme d. Betriebes. E.: 1985 u. 1989 Gold. Bosch-Anker. M.: Berufsgruppenvors. d. Kfz-Elektriker Ktn., Vors. d. Mstr.-Prüf.-Kmsn., gerichtl. beeid. Sachv. H.: Arbeit, Reisen, Skifahren, Golf. (K.K.)

Waldner Wolfgang
B.: Betriebsltr. d. Entsorgungsbetriebe d. Stadt Villach u. Gschf. d. Abfallbeseitigungsverb. Villach. DA.: 9500 Villach, St. Johanner Str. 20. PA.: 9500 Vilach, Nürnberger Str. 7. G.: Elbling, 19. Okt. 1944. V.: Ingrid, geb. Nageler. Ki.: Wolfgang. El.: David u. Anna. S.: HAK Villach, Verw.Prüf. K.: 3 J. in d. Privatwirtschaft tätig, 1966 Mag. d. Stadt Villach, seit 1969 in d. Entsorgungsbetrieben, 1987 Betriebsltr. u. Gschf. d. Abfallbeseitigungsverb. M.: Österr. Städtebund, Aussch. f. Städte-Reinhaltung. H.: Tennis, Radfahren. (M.D.)

Waldstein Alexander Dr.
B.: Mtgl. d. Vorst. FN.: AWT Intern. Hdls. u. Finanzierungs AG. DA.: 1013 Wien, Schottenring 12. PA.: 1040 Wien, Brahmspl. 5, 3544 Idolsberg 1. G.: Wien, 14. Jan. 1948. V.: Nicolette, geb. Schoeller-Szüts. Ki.: Maximilian-Emanuell, Sophie-Alexandra. El.: Emanuell u. Adrienne. BV.: Wallenstein. S.: Stud. d. Rechtswiss. u. Vw. Wien, 1971-72 Postgraduate Stud. Economics in Cambridge England. K.: 1972 Eintritt in d. CA Abt. Exportfinanzierung, 1974-77 AWT Abt. Hdls.Finanzierung, 1977-80 AWT Ltr. d. Abt. Hdls.Finanzierung, 1980-82 CA London, Senior Manager, seit 1982 Vorst.Mtgl. d. AWT. P.: div. Art. in Fachzeitschriften u. Vorträge. M.: Vorst.Mtgl. d. Donaueurop. Inst., BeiR. d. Inst. f. intern. Wirtschaftsvergleiche, AufsR. d. div. AWT Tochterges. im Ausland. H.: Tennis, Jagd, Literatur. (E.L.)

Graf v. Waldstein-Wartenberg Emanuel
B.: Gutsbes. G.: Schloß Mittergraben, 1. Sept. 1911. V.: Adrienne, geb. Tuma. El.: Eugen u. Juliane. S.: Matura, 2 J. Jus, HS f. Bdk. in Prag (2 J.). K.: 1932-45 Bes. u. Betriebsführer d. 400 J. im Bes. befindl. Senioriatsherrschaft Trebitsch/CSSR, seit 1945 Bes. v. Idolsberg u. wohnhaft auf

Schloß Idolsberg. E.: Gold. Ehrennadel mehrerer Verb. M.: Ehren- u. Devotionsritter d. Souv. Malteser Ritterordens, Mtgl. d. Jockey Club f. Österr.

Walek Alexander R.

B.: Gschf. FN.: Reiseagentur Erhart Car GmbH. DA.: 1150 Wien, Zwölferg. 25. G.: Wien, 5. Juli 1952. El.: Ing. Richard u. Margarethe, geb. Netal. S.: HAK Wr. Neustadt, Matura Wien, Stud. Cambridge. K.: 1973-78 Aufenthalt in Südafrika u. Südamerika, Mitarb. im väterl. Unternehmen, 1979-88 Aufbau u. Führung eines Reisebüros in Wien, seit 1988 Gschf. d. Reiseagentur Erhart Car GmbH. M.: Jockey's Club in Buenos Aires. H.: Reiten, Segeln, Fischen. (N.A.)

Walek Hans Dr. med.

B.: FA f. Innere Med. DA.: 1210 Wien, Floridsdorfer Hauptstr. 35. PA.: 2100 Korneuburg, Hans Wilczek-Str. 24. G.: Wien, 23. Juli 1946. V.: Melitta, geb. Sussmann. Ki.: Axel, Gabriele. El.: Johann u. Valerie. BV.: entstammt Freiherr v. Bisanz, Urgroßonkel hat Türken v. Wien vertrieben. S.: 1965 Matura, 1972 Prom. K.: 1973-79 Univ.Klinik Wien, dann Grdg. eigener Praxis. P.: div. Art. in Fachzeitschriften. M.: 1987 VPräs. d. Berufsverb. f. Innere Med. Wien. H.: Kochen, Musik. (M.G.)

Walenta Hermann

B.: Ak. Bildhauer u. Maler. DA. u. PA.: 2095 Drosendorf, Altstadt 18. G.: Drosendorf, 23. Jan. 1923. Verheiratet/10 Kinder El.: Ferdinand u. Hedwig, geb. Offenberger. S.: VS, HS, 1940-41 u. 1945-48 Stud. Ak. d. Bild. Künste Wien. K.: seit 1948 freischaff. Bildhauer u. Maler, 1948-55 Alpbach, 1955-72 Wien, ab 1972 Drosendorf, zahlr. Einzelausstellungen im In- u. Ausland u.a. 1949 Alpbach, 1955 Secession Wien, 1956 u. 1958 Gurlitt München, 1960 Staatsdruckerei Wien, 1963 Galleria il Canale Venedig, 1976 Galerie The Breakers Palm Beach USA, 1981 Galerie Grösel Sbg., 1986 Dokumentationszentrum f. Mod. Kunst St. Pölten, Teilnahme an Symposien: 1960 St. Margarethen, 1970 Lindabrunn, 1979 Krastal Ktn., 1984 Burgas Bulgarien, 1986 u. 1987 Nagyatád Ungarn. E.: 1957 Förd.-Preis d. "Z" d. Gem. Wien, 1959 Theodor Körner-Stiftungspreis Wien, 1962 Preis d. Stadt San Remo f. Malerei in Monte Carlo, 1975 2. Preis d. Biennale Sta. Margherita Ligure Italien, 1977 Silbermed. d. Academie de Lutèce Paris, 1980 Goldmed. u. Titel Accademico d'Italia ser Accademia delle Arti e del Lavoro Salsomaggiore Terme Italien. P.: 1955 Veröff. zweiter Gedichtbände, weitere Essays u. Teilabdrucke in Kunst- u. Monatsheften sowie Katalogen. (M.M.)

Walia Sudesh K. Mag. phil.

B.: Parapsychologe, Lebensberater. DA.: 1231 Wien, Postf. 51. PA.: 2345 Brunn/Geb., Heinrich-Lorenz-Wassmuth-G. 4. G.: Hissar/Indien, 1. Juni 1945. V.: Inge. Ki.: Wilfried, Michael, Thomas. El.: Asa-Ram u. Savitri-Devi. S.: Matura, Stud. Geschichte u. Phil. in New Dehli, 1970 Spons. K.: Pr. d. phil. Ges. Indien (Master of phil.), 1972 nach Deutschland, 1973 in Österr. in versch. Berufen tätig, KH-Tätigkeit in Wien, seit 1985 selbst. Heiler im Bereich Geist-Körper-Seele d. Menschen, Zusammenarb. m. Inst. f. Mineralmed. Dr. med. Alfred Flamm, 4040 Linz, Rosenauerstr. 23.

Walka Heinz

B.: Gschf. Ges. FN.: SRZ Satz Repro Zentrum Korneuburg GmbH. DA.: 2100 Korneuburg, Industriestr. 1. PA.: 2392 Sulz, Feldg. 165. G.: Wien, 1. Jän. 1939. V.: Lise, geb. Seidl. Ki.: Andreas (1959), Monika (1962). El.: Franz u. Leopoldine. S.: HS, Chemigrafielehre, 1 J. GLuVA. K.: 1958-63 Chemigraf in Nürnberger Chemigrafiefirma u. Ausbild. am Varioklischograf b. Firma Hell Kiel, 1963-82 Operator am Varioklischograf in Firma Angerer & Göschl, danach Abt.-Ltr., Betriebsass., Prok., Dir. u. zuletzt gschf. Dir., 1982 Eintritt als Ges. in Firma Schönwälder Wien, 1985 Fusion d. Firma m. Firma Seyss u. Umbenennung in Andruck & Repro, 1990 ausgeschieden als Ges. d. Firma Andruck & Repro u. Eintritt als Ges. b. d. Firma SRZ. M.: seit 1972 Mtgl. d. Hauptvorst. d. Graf. Unternehmungen Österr., Vors. d. Lehrabschlußprüf.-Kmsn. H.: Golf, Skifahren, Fachliteratur. (M.M.)

Walkensteiner Wolfgang

B.: ak. Maler, freischaff. Künstler. DA.: 1150 Wien, Zinckg. 2/16. G.: Klagenfurt, 28. Juni 1949. Ki.: Patrick (1970), Niclas (1972). El.: Alois u. Margarethe. S.: Realschule Klagenfurt, 1967 Matura, 1967-86 Arch.Stud. Ak. f. Angew. Kunst Wien, 1968-73 Stud. Malerei Ak. d. Bild. Künste Wien, Mstr.Schule b. Prof. Max Weiler, 1973 Dipl. f. Malerei. K.: freischaff. Künstler, Reisen u. Studienaufenthalte: Sowjetunion, China, Indien, Iran, Pakistan, Afghanistan, Nepal, Türkei, Rom, 1991 4monatiger Studienaufenthalt in Paris, Ausstellungen u.a.: 1972 5. Intart Udine/Italien, Musée 2000 Luxemburg, 1974 LMuseum Joanneum Graz, Belgrad, Laibach, Zagreb (Werke d. Intern. Malerwochen in d. Stmk.), 1975 Künstlerhaus Klagenfurt, 1976 1. Biennale Intart Klagenfurt, Galerie auf d. Stubenbastei Wien, 36. Biennale Venedig, 197 Galerie Slama Klagenfurt, 1978 Moskau, Tiflis, 1980 Kulturinst. Rom, Galerie Hildebrand Klagenfurt, 1981 Forum Stadtpark Graz, Museum Nordico Linz, Galerie Taxis Palais Innsbruck, Künstlerhaus Klagenfurt, 1982 Österr. Kulturinst. Paris, 1983 Galerie Carinthia, 1984 Galerie Curtze Wien, 1986 Galerie Binz 39 Zürich, 1989 Österreichgalerie Künstlerhaus Klagenfurt, 1990 Galerie Holzer Villach, 1991 Cite Intern. des Arts Paris. E.: 1969 Silb. u. 1970 Gold. Fügermed. f. Grafik, 1972 Paul Troger-Preis f. Malerei Wien, 1. Preis d. 5. Intart Udine/Italien, Ankaufspreis d. Musée 2000 Luxemburg, 1973 Förd.Preis d. Landes Ktn., 1. Preis d. Ktn. Sparkasse f. Bild. Kunst, Staatsstipendium f. Bild. Künstler. M.: Ktn. Kunstver., Berufsverb. d. Bild. Künstler, Robert Musil-Ges. (J.S.)

Walker Judith

B.: Galerie-Leiterin FN.: Judith Walker Galerie. DA.: Lidmanskyg. 8, 9020 Klagenfurt. PA.: 10 Oktoberstr. 7, 9620 Hermargor. G.: Klagenfurt, 29.1.1943. V.: Dr. ius. Erich Walker. Ki.: Carolin (1968), Oliver (1970), Catherin (1971). El.: Catherina Trinker u. Hugo Leutschacher. S.: VS, Usulinenschule in Klagenfurt (1989-57), Handelsschule (1957-69), 1060/61 Frauenberufschule, gleichzeitig Mal- u. Zeichenunterricht u.a. bei Prof. Karl Bauer, Klavierunterricht (10 Jahre) u. Studium d. Musikgeschichte am Kärntner Landeskonservatorium, 1961-165 Auslandsaufenthalte in England u. Italien. K.: Intensive Bschäftigung mit der Kunst, besonders mit moderner Kunst, Besuche v. Ausstellungen, Auslandsreisen, Aufbau v. Künstlerkontakten u. Kurse. In den Jahren 1969-75 Leitung v. mehreren Maler- u. Bildhauersymposien in Hermargor, 1989 Eröffnung der Galerie in Hermargor im Sinne einer "Sommergalerie" mit Schwerpunkt moderne Kunst, 1991 Eröffnung d. Galerie in Klagenfurt, 1994 Standortverlegung. Schwerpunkt: Moderne Kunst bes. Zusammenarbeit mit Kärntner Künstlern (Kiki Kogelnik, Meina Schellander usw.). Ausstellungen: 1993 Frauenprofile; Kunst am Arbeitsplatz in der Fa. Hirsch mit Valentin Oman; Peter Sengel, Hommage a Frida Kahlo. Auslandsausstellungen in Mailand, Bologna, Cannes, Udine, Südfrankreich, Saint Paul de Vence, Sizilien. Glaskreationen v. Kiki Kogelnik, die sich erstmals mit dem Werkstoff Glas - Murano - beschäftigte, Klagenfurt. H.: Kunst, Musik, Theater, Wandern. (G.L.)

Walkobinger Manfred

B.: Bildhauer. G.: Mitterkirchen, 6. Jan. 1952. V.: Anna, geb. Heindl. S.: Fachschule f. Metallbearb. (Steyr), Sommerak. Sbg. K.: Techn. Zeichner, ab 1976 künstl. Tätigkeit als Autodidakt (Schmuckobjekte), ab 1980 ausschl. Skulpturen, zahlr. Ausstellungen im Im- u. Ausland, darunter Forum Stadtpark Graz, Kunsthdl. C. Grill Wien, Neue Galerie Graz, Sezession Wien, Museum Bochum etc. E.: Förderungspreis d. BMU, Theodor Körner-Preis. H.: Saxophon.

Wall-Beyerfels Frambert Mag. art.

B.: Ak. Bildhauer u. Ak. Restaurator. PA.: 6020 Innsbruck, St. Georgsweg 22. G.: Wien, 22. Febr. 1934. El.: Viktor u. Karoline. S.: Ak. d. bild. Künste in Wien. K.: Lehrbeauftragter d. Mstr.Schule f. Konservierung an d. Ak. d. bild. Künste b. Prof. Eigenberger, seit 1960 in Innsbruck freiberufl. tätig. E.: EZ f. Kunst u. Kultur d. LHpt.Stadt Innsbruck. H.: Kunst. (Schm.)

Wallaberger Johanna Mag. pharm.

B.: Inh. FN.: Burgfried Apotheke. DA.: 5400 Hallein, Davisstr. 2a. PA.: 5400 Hallein, Wiesthal-Landesstr. 14a. G.: Köflach/Stmk., 5. Apr. 1939. V.: Maximilian. El.: Franz u. Cäcilia Kustrin. S.: Gymn., Matura, anschl. Stud. d. Pharmazie i. Graz, nebenbei bei älterer Dame als Ges. gearb. und sie betreut, 1968 Mag. K.: 2 J. Aspirantenjahre i. der Apotheke i. Schladming u. in Graz, geheiratet, 1971 nach Hallein gezogen u. Ltg. d. Apotheke d. Mannes, 1981 Konzession bekommen, s. 1981 Gschf. H.: Skifahren, Wandern, Musik, gut essen, Reisen, Autofahren. (D.E.)

Wallack Franz

B.: Inh. FN.: Champion Shop. GT.: Vermietung v. Wohnungen u. Geschäftslokalen. DA.: 8010 Graz, Griesg. 33. PA.: 8075 Hart b. Graz, Reintalstr. 80. G.: Graz,a 27. Juni 1947. El.: Oleander, geb. Fuhrmann. Ki.: Christian (1973). El.: Franz u. Viktoria. S.: Schneiderlehre i. elterl. Betrieb, 1965 Abschluß, 1969 Mstr.-Prüf. K.: 1969-78 tätig a. Disponent b. Aristokrat, 1978-93 m. Grdg. u. Aufbau d. Textilgroßhandels GÖ-WA Squash, 1/94 Übern. v. 3 Champion Shop Filialen i. Graz. M.: Gemeindekassier d. Gemeinde Hart b. Graz. H.: Jagd, Wassersport. (I.G.)

Wallbrecher Eckart Dr. rer. nat. Mag. o.Univ.-Prof.

B.: Vorst. d. Inst. f. Geologie u. Paläonotologie d. Karl Franzens-Univ. Graz. DA.: 8010 Graz, Heinrichstr. 26. PA.: 8010 Graz, Paracelsusg. 59. G.: Bielefeld, 6. Aug. 1940. V.: Barbara, geb. Hoffmann. Ki.: Arne, Kathrin. El.: Ernst u. Herta. S.: VS, Gymn., 1960 Matura, Stud. in Marburg, Bonn, Zürich, Bonn, Kabul, 1968 Spons., 1974 Prom., 1979 Habil. K.: 1971-74 wiss. Ass. FU Berlin, 1974-81 HS-Ass. bzw. Ass.Prof. FU Berlin, 1981-85 C2-Prof. FU Berlin, 1985 o.Univ.-Prof. Graz. P.: Tektonische u. Gefügeanalytische Arbeitsweisen (1986), wiss. Art. in Fachzeitschriften. M.: Geolog. Ver. Deutschland, Österr. Geolog. Ges., Dt. Geolog. Ges., Intern. Assoc. of Math. Scienty, Intern. Geolog. Correlation Prog. 276. H.: Computer, Aquaristik, Wandern. (H.Z.)

Wallenbeck Alois Oberst

B.: Kdt. d. HK-Schule (Ausbild. Kfz. d. Unteroffz.), Offz. d. BH. DA.: 2500 Baden, Martinekkaserne. PA.: 1040 Wien, Mittersteig 2a/2/30. G.: Amstetten, 1. April 1928. V.: Maria, geb. Winkelbauer, 1 Tochter. El.: Alois u. Josefa. S.: HS, 2 J. städt. kfm. Wirtschaftsschule Amstetten, Ind.Kfm.Lehre. K.: Arbeitsdienst, 1945 amerik. Gefangenschaft, 1947 z. Polizei, 1950-52 Abendmatura, 1956 Militärak. Enns, 1957 Lt., 1961 OLt., 1965 Hptm., 1972 Mjr., 1976 Obstlt., 1979 Oberst, 1982 Heereskraftfahrschule, 1982 8. Truppenkurs d. Lawak, 1958-75 Götzendorf KO/9.Pz.Gren.Brig., 1975-82 KO./1.Pz.-Gren.Div. BL.: 1979 RVÜ (Raumverteidigungsüb. Amstetten), 1977 Allergau-Üb., 1984 Tag d. Schule-Organ., ca. 500 UO Chargen ausgebildet, 1984 St. d. Verkehrssicherheitsprogr. f. Schulen. E.: Gold. Med. f. Verd. um d. Rep. Österr. 1964, Gold. EZ f. Verd. um d. Rep. Österr. 1981, BH-Dienstorden d. Kl. 1 (1981), Kl. 2 (1971), Kl. 3 (1964), Bronz. EZ f. Verd. um d. Land NÖ. 1963. M.: Ver. Alt-Neustadt Offz. V., Offz.Ges. Wien, seit 1983 VBgm. v. Laxenburg (Fin.Ref.) H.: Schwammerlsuchen, Faustball, Wandern, Schwimmen, Motorradfahren. (M.G.)

Waller Hans Dr. med.
B.: Internist. DA.: 8330 Feldbach, Schillerstr. 28. PA.: 8010 Graz, Harrachg. 32. G.: Brünn, 4. Dez. 1943. V.: Ina, geb. Koroschetz. Ki.: Ingmar, Isabella. El.: Karl u. Maria. S.: BAG Graz, Med.Stud. Univ. Graz, 1968 Prom. K.: Turnusausbild. LKH Wagna, FA-Ausbild. Med. Univ.Klinik Graz, seit 1978 Praxis u. Dialyseinst. in Feldbach. P.: Veröff. in Fachliteratur. M.: Rotary Club Feldbach. H.: Segeln, Tennis, Literatur. (Pau.)

Waller Thomas-Jan

B.: Wirtschaftstreuhänder. DA.: 6830 Rankweil, Gewerbepark Alemannenstr. 49. PA.: 6822 Düns 52. G.: Rankweil, 8. Mai 1948. V.: Wilma, geb. Lampert. Ki.: Alexander (1970), Verena (1972), Birgit (1973), Christian (1975). El.: Eugen u. Netty. S.: RG, 1969 Matura, 1. Studienabschnitt BWL Univ. Innsbruck, 1970 Militär, 1982 Steuerberaterprüf. K.: 1972 Eintritt in Steuerberatungskzl. d. Vaters in sämtl. Bereichen, im Rahmen d. DVO einer d. ersten Anwender u. Betreuer d. elektron. Datenverarb. b. d. Steuerberatern, 1988 Übernahme d. Kzl., 1990 Grdg. m. d. beiden Söhnen Park Data System u. Software Beteiligungs GmbH (Gschf.). M.: Höhlenforscherclub Vbg., Grdg.-Mtgl. Pfadfindergilde Rankweil. H.: Höhlenforschen, Schwimmen, Skifahren, Radfahren. (I.D.)

Walli Eldon W.
B.: Inh. FN.: Schallplatten Wiege am Graben, größter Schallplattenhändler (m. einem Geschäft) in Österreich. DA.: 1010 Wien, Graben 29a. PA.: 2862 Grimmenstein, Raifbach, Güterweg 6. G.: New York, 28. Jan. 1913. V.: Ursula, geb. Fredersdorf. Ki.: Michael. El.: Hermann u. Johanna. BV.: Großmutter väterlicherseits geborene Hamburger (Papierind.). S.: VS, RG, Ak. f. Musik u. darstell. Kunst (Schauspiel), Ldw. K.: 13 J. Rundfunksprecher in Österr., Deutschland, 1. öff. Fernsehsendung Sylvester 1952 in Hamburg moderiert, Wechsel in Schallplattenind (Teldec), danach Dir. b. Philips, 1960 nach Wien, Gschf. d. Österr. Columbia, seit 1963 eigenes Schallplattengeschäft. BL.: Österr. "Nestor" d. Schallplattenhandels. P.: Musikcassetten über "J. Weinheber" u. Mundartgedichte aus d. Buckligen Welt "Bei uns daham". H.: Musik (klass. Musik, Jazz), Wandern, Gedichte. (R.A.)

Wallin Sten Sture
B.: Dipl.-Wirtschaftsökonom u. Handelsrat f. Schweden. DA.: 1010 Wien, Universitätsstr. 5. PA.: 1180 Wien, Gregor-Mendel-Str. 30. G.: Boras/Schweden, 7. Mai 1939. V.: Evy, geb. Linström. S.: Gymn. Göteborg, Stud. Wirtschaft Univ. Göteborg. K.: b. 1989 Gschf. Geotronics GmbH In Oberursel/BRD, seit 1989 Handelsrat f. Schweden in Wien. M.: Präs. d. Clubs d. Handelsräte, Präs. f. d. Schwed. Managementforum. H.: Literatur, Wandern, Golf. (J.S.)

Wallisch Peter

B.: Werkzeugmacher, Gschf. FN.: AEW Automaten, Elektrogeräte, Werkzeugbau GmbH. DA.: 1030 Wien, Rennweg 79-81; 1180 Wien, Martinsstraße. G.: Wien, 4. Nov. 1943.V.: Daniella, geb. Kauzky. Ki.: Anna-Karina (1991). El.: Franz u. Anna. S.: Volksschule, Hauptschule, Lehre als Werkzeugmacher b. Feix & Co, 1962 Gesellenprüf., BH. K. ab 1963 Werkzeugmacher Firma Minerva, 1967 Mstr.-Prüf., 1967 selbst. AEW GmbH, gleichzeitig halbtags im elterl. Betrieb mitgearb., 1969/70 Aufgabe d. Tätigkeit bei den Eltern, 1974 neue Technologie auf computergesteuerten Maschinen, 1986 Tätigkeit in Zusammenarbeit mit CAD gesteuerte Stanzanlage. H.: Familie, Modelleisenbahn, Wandern, Schwimmen, Reisen, Radfahren. (R.T.)

Wallitsch Franz
B.: Gschf. Ges. FN.: Autokühler Harmos GmbH. DA.: 8020 Graz, Grüneg. 2a. PA.: 8130 Frohnleiten, Am Grünanger 4. G.: Graz, 17. Juli 1963. V.: Mag. Gabriele, geb. Moder. El.: Franz u. Gertrude. S.: Pflichtschule, Mechanikerlehre, BH, Praxis, 1987 Mstr.-Prüf. K.: b. 1988 restaurieren v. Oldtimern, 1988 Eintritt Firma Harmos, 1990 Übernahme d. Betriebes als 3. Ges. u. Umwandlung in GmbH. BL.: aktiver Hauptfeuerwehrmann als Taucher in Graz-Umgebung. H.: Tauchen. (F.K.)

Wallmann Bernhard
B.: Inh. u. Gschf. FN.: Wallmann Raumausstattungs GmbH & Co. DA. u. PA.: 5730 Mittersill, Zellerstr. 14. G.: Mittersill, 28. Nov. 1958. V.: Herta, geb. Vorderegger. Ki.: Lukas (1991). El.: Peter u. Anna. K.: Werkschulheim Felbertal, 1973-78 FVS Kleßheim, 1979-81 Gschf. Verkehrsver. Strobl, 1981-83 Dir. FVV Mayrhofen, 1984-92 Eigentümer d. Firma Wallmann, 1985 Werbeberater, 1991 Aufbau einer Frenchise-Gruppe, Direktimporte aus d. ganzen Welt. BL.: Ausstattung d. Österr. Spitzenhotelerie durch d. Firma. H.: Squash, Tennis, Skifahren. (G.P.)

Wallmann Georg Michael

B.: Gschf., Besattungsuntern. FN.: Wallmann GmbH. DA.: 5023 Salzburg, Eichstr. 43. G.: Salzburg, 9. Aug. 1943. V.: Hermelinde, geb. Wallner. Ki.: Christian (1968). El.: Franz u. Emmi, verh. Schmidhuber. S.: VS, HS, kfm. Berufssch., Bestattungsprfg. K.: eintr. i. elterl. Betr., ältestes Bestattungsuntern., s.1696 i. Sbg., i. Laufe v. 2 Berufsjahren zahlr. ber. Sbg. bestattet, Betriebe erneuert, Fuhrpark erweitert. H.: Tischtennis, Autofahren.

Wallmann Herbert
B.: Gschf. d. Magazins "Erfolg" u. d. Zeitschriften-Holding. DA.: 1070 Wien, Neubaug. 68. G.: Mariazell, 12. März 1956. Ki.: Markus (1974). S.: Marketing- u. Produktmanagementstud. WU Wien u. WIFI. K.: Auslandserfahrungen in Südamerika, Sizilien u. Berlin, freier Mitarb. b. Zeitungen z.B. Kurier, 1988 Eintritt in d. Gariboldi Verlags GmbH, seit 1989 Verlagsltr., seit 1991 Magazin Verlags GmbH u. Zeitschriften-Holding, Gschf. geminsam m. Abg. z. NatR. Paul Burgstaller. H.: Sonderpilotenschein f. Paragleiten, Wildwasserpaddeln, Badminton. (J.S.)

Wallmeier Horst

B.: Friseurweltmstr. u. Inh. FN.: Frisiersalon Wallmeier. DA.: 1010 Wien, Freisingerg. 1. PA.: 1170 Wien, Promenadeg. 34. G.: Ingolstadt/Dt., 16. Dez. 1950. El.: Bernhard u. Irmgard. S.: Pflichtschule u. Hasch i. Dt., Berufsausb. i. München u. Paris b. Coiffeur Alexandre u. i. Wien b. Rachlé, Mstr.-Prüf. i. München. K.: i. Frisiersalon Rachlé Wien b. 1975 tätig, s. 1975 selbst., Eröff. d. eig. Frisiersalons, spez. auf Schnitt u. Mode, Fachsem., Modeschauen f. int. Modefirmen u. Frisurenshows. BL.: maßgebend a. Mode- u8. Trendentw. mitbestimmend u. beteiligt. E.: Welstmeistertitel i. Wien, Österr. Bundesmstr. u. zahlr. int. Grand-Prix-Siege. H.: Reiten u. moderne Kunst. (J.S.)

Wallner Alfred Dr. theol. GstlR.

B.: Stadtpfarrer d. Pfarre Graz-Süd "Christus der Auferstandene", Univ.Lektor. GT.: Lehrbeauftragter f. "Homiletik" an d. theol. Fak. Graz, Prof. an d. Religionspäd. Ak. d. Diözese Graz-Sekau, Dechant-Stellv. d. Dekanates Graz Linkes-Murufer. DA.: 8041 Graz, Anton-Lippe-Pl. 1. G.: Burgau, 5. Okt. 1937. El.: Josef u. Johanna. S.: 1957 Matura, 1957-62 Stud. d. Theol. in Graz u. Tübingen. K.: 1962 Priesterweihe in Graz, 1962-64 Kaplan in Irdning, 1964-68 Kaplan in Feldbach, 1968-76 Domvikar an d. Dompfarre Graz, gleichzeitig Religionsprof. am ak. Gymn., 1973 Mag. theol. Graz, 1976 Prom. Dr. theol. Graz, ab 1975 Expositus d. Expositur Graz-Süd, ab 1978 Stadtpfarrer d. neuerrichteten Pfarre Graz-Süd, 1976-78 Religionsprof. am Pestalozzi-Gymn., seit 1977 Lehrbeauftragter f. Homiletik an d. Univ. Graz, ab 1978 Lehrauftrag d. RPA Graz-Seckau, 1976 Kirchenweihe Graz-Süd, 1977 Eröff. d. Pfarrkindergartens, 1978 Pfarrerhebung, 1980 Eröff. d. öff. Bücherei, Videothek u. Ludothek, 1986-87 Studienaufenthalt an d. theol. Fak. d. Univ. Würzburg, Weiterbild. in Homiletik u. Pastoraltheol. P.: Werkbuch Predigt. Im Dialog m. d. Gemeinde (1989), Pfarrgem. werden u. Kirche bauen in: Funktion u. Zeichen. Kirchenbau in d. Stmk. seit d. II. Vatikanum (1991), Mitautor einschlägiger Predigtwerke. M.: Mtgl. d. Diözesankmsn. f. Liturgie u. kirchl. Kunst. H.: Bergwandern, Musik.

Wallner Alois

B.: Betriebsltr., Gschf. FN.: Tennengebirgsbahnen GmbH & Co KG. GT.: Führung einer Frühstückspension m. d. Gattin. DA.: 5453 Werfenweng. PA.: 5453 Werfenweng 47. G.: Hüttau, 31. Aug. 1942. V.: Regina, geb. Rettensteiner. Ki.: Regina (1968), Anneliese (1969), Birgit (1971), Alois (1979), Robert (1983). El.: Rupert u. Elise. S.: VS, Mechanikerlehre. K.: Forstarb. in umliegenden ldw. Betrieben u. in d. BRD u. Schweiz, 196471 Verschub b. d. ÖBB, 1971 Beginn Liftges. Werfenweng, 1972 Seilbahnbetriebsltr.-Prüf., 1960 BH, b. 1982 Betriebsltr.-Stellv., 1982 Betriebsltr. f. Doppelsessellift Wengerau, ab 1984 Gesamtbetriebsltr. d. Tennengebirgsbahnen, seit 1992 Gschf. E.: 1983 Landesmstr. im Jagdgewehrschießen. M.: Obm.-Stellv. Sbg. Kameradschaftsbund. H.: Jagd, Skifahren. (J.F.)

Wallner Christian

B.: Journalist, Autor. DA.: 5020 Salzburg, Alpenstr. 159. G.: Gmunden, 30. März 1948. V.: Dr. Annemarie, geb. Winkler. Ki.: Bertolt (1984). S.: Gymn., Stud. Latein, Geeschichte u. Publizistik Sbg. K.: Mitarb. d. ORF, Dt. Sender u. div. Zeitungen, Stipendium am Dramat. Zentrum Wien, Dramaturg Landestheater Sbg., Gastdoz. Univ. f. Bildungswiss. Klagenfurt, b. 1980 Red.-Mtgl. d. Zeitschrift "Wespennest" Wien, Grdg.-Mtgl. d. Zeitschrift "SALZ" Sbg., seit 1978 Gründer, Autor u. Darsteller d. Kabarettgruppe "MotzArt", Gründer u. Programmgestalter d. Intern. Kabarett-Festivals "MotzArt-Woche" Mozarteum Sbg., wöchentl. Kolumnist in d. Sbg. Nachrichten, Mitarb. b. Stern-TV, Kabarettaktivitäten sowie umfangreiche Autorentätigkeit f. Funk u. Fernsehen. P.: Bücher u.a. MotzArt (1980), Schatten über Herrenstein (1983, 1984), Schweigen ist Blei (1987, 1988), Veröff. in Anthologien, zahlr. Reportagen, Interviews, Essays, journalist. u. literar. Arb. sowie Features, Hörspiele, Kabarettprogramme, Theatertexte. M.: Journalistengewerkschaft, Grazer Autorenversammlung, Mtgl. d. Jury d. Max von der Grün-Förderungspreis. (N.M.)

Wallner Christian

B.: Gschf. FN.: Sonderbar Gastronomie Betriebs GmbH. DA.: 1010 Wien, Mark-Aurel-Str. 7. PA.: 1030 Wien, Hagenmüllerg. 12/13. G.: 17.Sep. 1963. El.: Christine, Wolf-Dieter. BV.: Urgroßvater war letzter Nachtwächter in Radstadt. S.. VS, HS, HTL f. Bekleidungsgewerbe K.: Bürokfmslehre, 6 M. Außendienst i.d. Schmuckbr., 1 J. i. Gastgewerbe, 4 J. 2 Betriebe i. Bereich Mode u. Desigen, 3 J. in Wien a. Gschf. eines Lokales, 1993 Gschf. d. Sonderbar, 2. Lokal in Wr. Neustadt. (D.E.)

Wallner Edmund

B.: Gschf. Ges. FN.: Wallner GmbH Sportpark Fit & Family Hadersdorf. DA. u. PA.: 3493 Hadersdorf, Umfahrungsstr. 1. G.: St. Pölten, 28. Jän. 1952. V.: Dorothea, geb. Artner. Ki.: Gregor (1992). El.: Franz u. Margarete. S.: VS, HS, HTL, kfm. Lehre. K.: 1971-75 Verkäufer im Autohaus Wessily St. Pölten, 1975-79 Vertreter b. Firma Berger-Kröne Schwanenstadt, 1980-83 Verkäufer b. Firma Porsche Austria, seit 1983 Pächter im Badebuffet im Freizeitzentrum Hadersdorf u. Grdg. einer GmbH, 1991 Erweiterung d. Freizeitzentrums z. Sportpark Hadersdorf. BL.: 1. Wärmerückgewinnungsanlage in Österr. b. Eiserzeugung zu ca. 95%. M.: Tennisclub Hadersdorf. H.: Tennis. (M.M.)

Wallner Erich

B.: selbst. Restaurator v. antiken Möbeln. DA. u. PA.: 5020 Salzburg, Guggenthal 90. G.: Graz, 30. Juni 1937. V.: Inge, geb. Göbel. BV.: Urgroßvater Alois Ludwig Wallner-Löwenburg Inh. Kohlentagbauwerk Ilz. S.: Lehre als Kunst-, Bau- u. Möbeltischler, 1954 Gesellenprüf., Fachrichtung Kunsttischler, spezialisiert auf Restaurierung v. antiken Möbeln u. Einrichtungsgegenständen (Schellackarb.). K.: 1955-77 Revierinsp. b. Gendarmerie, 1978-88 Leibwächter b. S.O.S., 1973 Kapitänspatent f. Hochsee. E.: 1958 Silb. Verd.-Med. am Roten Band. H.: Seefahrt. (M.Mo.)

Wallner Ernst-Georg
B.: Gschf. d. Raiffeisenverb. Sbg. DA.: 5671 Bruck an d. Großglocknerstraße, Franz-Lederer-Str. 15A. PA.: 5672 Fusch an d. Großglocknerstraße 229. G.: Zell am See, 30. März 1963. V.: Rosemarie, geb. Hollaus. Ki.: Bernd (1984), Daniel (1989). El.: Ernst u. Elisabeth. BV.: Urgroßvater Georg Wallner Bergführerfamilie. S.: VS, HS, 1977 Ldw.-Schule Bruck, Ausbild. b. Raiffeisenverb. Sbg., 1980 Gesellenprüf. Landmaschinenmechaniker, 1981 Gesellenprüf. Kfz-Mechaniker, 1987 Mstr.-Prüf. f. Landmaschinenmechaniker, 1989 Mstr.-Prüf. f. Kfz-Mechaniker, 1990 Mstr.-Prüf. f. Schlosser. P.: div. Zeitungsart. f. Regionalzeitungen. E.: 1990 Ehrennadel d. Heimatpflege Sbg., 1991 Ehrennadel Blasmusikverb. Sbg. M.: Ltr. d. Volkstanzgruppe Fusch, Trachtenmusikkapelle Fuschl Sportclub. H.: Familie, Skifahren, Klettern. (M.T.)

Wallner Fritz G. Dr. Mag. Univ.-Prof.

B.: Prof. d. Philosophie u Wissenschaftstheorie FN.: Inst. f. Wissenschaftstheorie u. Wissenschaftsforschung d. Univ. Wien. DA.: 1090 Wien, Senseng. 8/9. PA.: 2604 Theresienfeld, Renng. 10. G.: Weiten, 21. Juli 1945. V.: Rosemarie, geb. Micka. Ki.: Christian 1977, Monika 1979. El.: Alois u. Theresa. S.: Stud. Psychologie, Philosophie, Klassischer Philologie u. Germanistik a. d. Univ. Wien, 1972 Prom., 1981 Habilit., 1987 Ernennung zum Prof. K.: 1969-87 Lehrer am BORG Wiener Neustadt, s. 1976 Zusammenarbeit m. d. Österrr. Ludwig Wittgenstein Gesellschaft, Org. v. Symposien, 1983 Leiter des Intern. Karl Popper Symp. i. Wien, 1983-85 Lekt. am. Inst. d. Theoretische Physik, 1983-92 Leiter v. zahlreichen Interdisziplinären Fortbildungssem. f. AHS Lehrer aller Fächer, 1993 Gründung des Internat. Inst. f. .d. Konstruktiven Realismus als Verein. Intern. Aktivitäten i. fast allen Länder der Welt. BL.: Entwicklung einer neuen Wissenschaftstheorie des Konstruktiven Realismus u. Bildung v. ARGE über Konstrukt. Real. i. Chile, Taiwan, Niederlande u. Indien, Organ. v. Kongressen in Wien, Chile, Amsterdam, New-Dehli. P.: zahlr. wiss. Bücher zu. ca. 100 Abhandlungen, darunter "Die Grenzen der Sprache u. d. Erkenntnis", "Acht Vorlesungen über den Konstruktiven Realismus", "Philosophische Probleme der Physik". E.: 1984 Kardinal Innitzer Preis, 1985 Theodor Körner-Preis, 1986 Wissenschaftsstip. d. Stadt Wien. M.: bei zahlr. nat. u. internat. wiss. Gesellschaften. H.: Radfahren, Literatur. (N.A.)

Wallner Gerhard
B.: Kfm. FN.: Brüder Wallner OHG. DA.: 3100 St. Pölten, Porschestr. 13, 3100 St. Pölten, Julius-Raab-Promenade 31, 3100 St. Pölten, Harlander Straßer. G.: St. Pölten, 24. Okt. 1943. V.: Dr. Marcella, geb. Vais. Ki.: Bianca, Carina. El.: Franz u. Franziska. S.: HAK Krems, 1961 Matura, Eintritt in d. Familienbetrieb Brüder Wallner OHG 1961 welcher 1938 gegründet wurde, BH. K.: sämtl. Abt. d. Brüder Wallner OHG durchwandert, seit 1968 Ges. u. f. d. kfm. Belange d. Fa. verantwortl., Ausbau, Ankauf v. Betriebsarealen u. Errichtung v. Lager- u. Verkaufshallen. F.: sämtl. Tischlereibedarf f. Innenausbau u. Bauarb., Fenster, Türen, Bastlermarkt Brüder Wallner OHG. H.: Garten, Schwimmen, Radfahren, Reisen. (Kern)

Wallner Gregor Mag. rer. soc. oec. Ing. Dir.
B.: kfm. Dir. FN.: Alois Augendopler GmbH. DA.: 1140 Wien, Johann-Schorch-G. 3. PA.: 1060 Wien, Linieng. 35. G.: Brand, 21. Sept. 1950. V.: Lore, geb. Hatzy. Ki.: Andreas (1977), Manuela (1979). El.: Gregor u. Anna. S.: VS, BRG, HTL Maschinenbau, 1969 Matura, Stud. BWL HS f. Welthdl., 1973 Spons. z. Mag. rer. soc. oec. K.: 1973 Eintritt Österr. Unilever GmbH Interne Revision, 1977-79 Gruppenltr. Revision Madrid, 1981-87 Gschf. Iglauer GmbH & Co KG, 1988-89 Marketingltr. Margarine-Großverbraucher in Venezuela, 1990 Administrativer Ltr. d. Margarine-Division d. Österr. Unilever GmbH, 1991 kfm. Ltr. Alois Augendopler GmbH, 1991 Prokura. E.: 1991 Dir. (M.M.)

Wallner Gustav Dr. med. MedR.
B.: Ltr. d. Röntgenstation im Ambulatorium d. BVA. DA.: 1010 Wien, Lugeck 1. PA.: 1190 Wien, Hansi-Niese-G. 3. G.: Wien, 8. Okt. 1926. V.: Dr. Herta, geb. Luchesi. Ki.: Claudia, Clemens, Thomas, Marcus. El.: Gustav Friedrich u. Karoline. S.: VS, hum. Gymn., Univ. Wien, 1953 Prom. K.: 1954-86 Ausbild. z. prakt. Arzt u. Röntgenologen, b. 1986 OA Kaiserin Elisabeth-Spital, ab 1986 b. BVA, Priv.-Ordination 1977 eröff. M.: Österr. Röntgenges. H.: klass. Literatur. (J.E.)

Wallner Heimo

B.: Touristik Kaufmann. FN.: Tour Alpin Touristik Gen. Agent Nur Österr. DA.: 6365 Kirchberg, Kitzbühlerstr. 13. PA.: 5671 Bruck, Hochtennstr. 13. G.: Mittersill, 15. Mai 1960. V.: Brigitte Zangerle. Ki.: Dominik (1983), Oscar (1989). El.: Johann u. Hildegard. S.: 3 J. Kfm. Lehre bei Fa. Fahrner Zell am See, Lehrabschluß, BH. K.: 1982-90 Reiseltr. Saalbach Hinterglemm, 1990 Reisebüro Einkauf, Ausb. Paris, 1990 Fa. Tour Alpin Touristik mit Georg Aschaber gegründet, 1994 Weiterentw. Reisen Ferner Osten, früher sehr aktiv bei Wasserrettung Zell am See. M.: Mtgl. Wasserrettung Zell am See, Naturfreunde, Ski Pool Tirol. H.: Bergsteigen, Reisen, Tauchen, Skifahren. (M.H.)

Wallner Harald Mag.
B.: selbst. Arch. DA.: 3100 St. Pölten, Georgestr. 1. PA.: 6370 Kitzbühel, Reith 161. G.: St. Pölten, 26. Sept. 1929. V.: Brigitte, geb. Slafkovsky. Ki.: Dr. Ursula, Harald, Dr. Thomas, Barbara, Peter, Paul. El.: Hans u. Rosa. BV.: Großvater war Baudir. in St. Pölten, Miterbauer u. Planer d. Großglocknerstraße. S.: VS, Mittelschule, HTL, HS-Stud. K.: 1962 Bmstr.Prüf. in Wien, 1963-66 HS-Stud. an d. Ak. d. bild. Künste Wien (Dipl.Arb. über d. LHpt.Stadt f. NÖ). P.: Kulturfilme (Arch. Brasilien, Arch. u. Ap. in NÖ), mehrere Literaturabhandlungen. M.: Lions-Club, Management-Club, Schlaraffe, div. Fliegerclubs. H.: Fliegen, Segeln, Skifahren. (Kern)

Wallner Heinrich Dr.
B.: Gschf. FN.: Intergeo-Umwelttechnologie Abfallwirtschaft mbH. DA.: 5020 Salzburg, Jakob-Haringer-Str. 8. PA.: 5023 Koppl, Heuberg 192. G.: Saalfelden, 16. Nov. 1946. V.: Barbara, geb. Wiechmann. Ki.: Henning, Ulrike. El.: Herbert u. Elfriede. S.: Gymn., 1966 Matura, BH, Geologie-Studium in Graz und in Innsbruck , 1977 Prom. zum Dr. phil.

K.: b. Uran-Erzbergbauges. als Geologe gearb., danach b. ÖMV, 1984 selbst. m. Herrn Dr. Müller, zuerst Ziviling.-Büro, danach 1987 Intergeo Umwelttechnologie, Gschf. u. Ges., m. 8 ausländischen Niederlassungen i. Dresden, Berlin-Ost, Prag, Slowakei, Budapest, Preßburg, Schweiz, Saloniki, Wien u. Salzburg, i. Sofia Ingenieurbüro u. Umwelttechnik m. Schwerpunkt Untersuchungen u. Sanierung v. Industriestandorten u. Altlasten, Umweltberatung u. Müll (Abfall) Management, Zentrallabor i. Ungarn, Dresden, Salzburg u. Budapest. M.: 2 Studentenverb.: corps-tatura u. fraknoia-brünn i. Salzburg. H.: Skifahren, Bergsteigen, Wandern, Reisen. (D.E.)

Wallner Herbert Ing.

B.: Bmstr., Gschf. A.: 5034 Salzburg, Johnweg 6. G.: Seekirchen, 4. Okt. 1945. V.: Evelyn, geb. Lunzen. El.: Dir. Herbert u. Elfriede. S.: VS, BRealschule, HTBLuVA, Abt. Hochbau, Bmstr.Prüf, Bausachv. K.: Militärdienst, 5 J. Tätigkeit als Baultr. b. Großbauunternehmen in d. BRD, Planung v. Wohnbauten, Entwicklung v. Fertigteilsystemen, 10 J. Tätigkeit als Techn. Ltr. b. Continental Oil Comp. Austria, dzt. Gschf. d. Fa. Probau, Projektierungs- u. Realisierungs AG sowie Probau - Wohnbau GmbH. F.: 20 % Stammaktien Probau AG, 20 % Anteile Probau - Wohnbau GmbH. M.: Lions Club Fuschlsee, B.Germania Sbg. H.: Motorfliegen, Tauchen, Skifahren.

Wallner Jakob Ernst Dr. iur.

B.: RA. DA.: 6380 St. Johann, Hauptpl. 10. PA.: 6380 St. Johann, Innsbrucker Str. 6. G.: St. Johann, 16. Nov. 1958. V.: Veronika, geb. Strasser. Ki.: Lisa (1984). El.: Jakob u. Maria. BV.: Vater Jakob Wallner Vorst. d. Bundesgremiums d. Holzhändler, Träger d. Tir. VK. S.: Gymn., 1977 Matura, 1978 BH, 1980-84 Stud. Rechtswiss. Innsbruck, 1984 Prom. K.: 1985 Gerichtsj., 1985-89 Konzipient in einer Anw.-Kzl. in Kitzbühel b. Dr. Zanier, 1989 Grdg. d. eigenen Kzl., Schwerpunkte: Vertrags-, Straf- u. Wirtschaftsrecht. E.: Matura m. Ausz. M.: Tennisclub, Fußballclub, Skiclub, Aussch. Wirtschaftsbund. H.: Reisen, Kulturreisen. (G.P.)

Wallner Johann

B.: Fleischermstr., Inh. FN.: Johann Wallner Fleischerei u. Wurstwarenerz. DA.: 3100 St. Pölten, Mariazeller Str. 37. PA.: 3100 St. Pölten, Mariazeller Str. 39. G.: Paudorf, 8. Mai 1932. V.: Gertrude, geb. Franz. Ki.: Elisabeth, Renate, Gerda. El.: Johann u. Marie. BV.: bekannte Fleischerfamilie. S.: Fleischerlehre im elterl. Betrieb. K.: 1961 Mstr.Prüf., 1970 Betriebsübernahme in St. Pölten u. Ausbau d. Betriebes in Paudorf, 1979 Eröff. d. Fil. Wiener Straße. F.: Eigene Schlachtung, Verarb. u. Verkauf, Fleischerei u. Wurstwarenerz. Johann Wallner. E.: mehrfacher Med.Träger in Gold, Silber u. Bronze b. d. ÖFA Wels. M.: Ehrenmtgl. b. Fußballver. SV Paudorf. H.: Bergsteigen - Hochalpen, Skifahren. (C.K.)

Wallner Josef

B.: Maschinenschlosser. FN.: Josef Wallner Maschinenbau. DA./PA.: 5162 Obertrum, Handelsstr. 5. G.: Mattsee, 22. Okt. 1945. V.: Christine, geb. Stapelmann. Ki.: Stefan (1974), Erika (1978). El.: Franz u. Elisabeth. S.: VS. K.: 2J. Schlosserei in Mattsee, 2J. Betonwerk in Mattsee, BH, 2J.

Schotterwerk d. Bundesbahn, tätig f. CH-Modellbau, 1971 Fa. Köhler in Freilassing, 1972 Fa. Plasser Bahnbaumaschinen, Drehmaschinen, Bohrwerk tätig, 2J. Werkmstr.-Schule in Slb., WIFI, 1973 Gesellenprüf. als Maschinenschlosser, 1974 Werkmstr., 1975 Meisterprüf. Schlosserhandwerk, 1977 selbst. in Seekirchen, 1978 Fa. Schicht tätig, 1978/79 selbst. in Mattsee, 1982 Zubau d. Betriebes, 1988 Neubau d. Betriebes, 1989 Neubeginn in Obertrum mit Sondermaschinenbau. H.: Radfahren, Schifahren, Reiten. (J.L.)

Wallner Karl

B.: Inh., Betreiber Gasthof Hudernwirt. DA.: u. PA.: 4641 Steinhaus b. Wels, Taxlberg 42. G.: Wels, 4. Sep. 1946. V.: Anna, geb. Felbermair. Ki.: Thomas (1973). El.: Karl u. Rosa. S.: VS, HS, Lebensmittelkfm.-Lehre im elterl. Betrieb, 1964 Lehrabschluß, 1965-66 Präsenzdienst K.: 1970 Übernahme d. elterl. Ldw. u. Gasthof. E.: Bronz. u. Silb. Ehrennadel d. Musikkapelle Steinhaus. M.: 30 J. Musikkapelle Steinhaus, Jagdges., Vorst.-Mtgl. Raika Steinhaus. H.: Jagd, Fischzucht, Ldw. (G.E.)

Wallner Konrad Dr. iur

B.: Richter LG f. Zivilrechtssachen. DA.: 1016 Wien, Museumstr. 12. PA.: 1140 Wien, Keferg. 23/8/4. G.: Bad Goisern, 7. Aug. 1941. V.: Gertraud, geb. Jinda. Ki.: Thomas (1980). El.: Konrad u. Herta, geb. Stieger. S.: Kfm. Lehre m. Abschluß, 1962 Beamtenmatura, 1969 Abitur im 2. Bildungsweg in Berlin, 1969-74 Stud. Rechtswiss. Univ. Wien, 1986 Porm. z. Dr. iur. K.: 1955-60 Verkäufer in Bad Goisern, 1960-62 Postbediensteter, 1962-65 Tätigkeit im Gerichtsdienst, 1974 Gerichtspraxis, 1975-77 Richteramtsanw., anschl. Richter, tätig als Zivilrichter in Wien, b. 1980 b. BG, dann b. LG f. Zivilrechtssachen. H.: Skifahren, Bergwandern, Literatur. (N.A.

Wallner Kurt

B.: Mtgl. d. NatR., Ang. DA.: 1017 Wien, Dr.-Karl-Renner-Ring 3. G.: Leoben, 18. Apr. 1958. S.: BHAK bzw. BHASCH. K.: 1976-79 Bediensteter d. ÖBB, 1979-85 Versicherungs-Kfm., s. 1986 Bez.-Geschf. d. SPÖ Leoben, 1975-79 Orts- u. Bez.-Vors. sowie Landesvors.-Stv. d. SJ, 1979-88 Ortsvors. d. Gemeinde Proleb, 1990 Mtgl. d. GemR. d. Stadt Leoben, s. 11/1990 Abg. z. NatR.

Wallner Leo Dr. Dkfm.

B.: Gen.-Dir., Alleinvorst. d. Casinos Austria AG, Vost.-Vors. d. Österr. Lotterien GmbH, Präs. d. ÖOC. DA.: 1010 Wien, Dr.-Karl-Lueger-Ring 14. G.: Amstetten, 4. Nov. 1935. S.: Matura am BRG Amstetten, 1958 Diplom an d. HS f. Welthdl., Prom. 1961. K.: 1957-60 Vors. d. Österr. Hochschülerschaft an d. HS f. Welthdl., Auslandspraxis in Italien, USA u. Schweden, 1961-66 Inst. f. angew. Sozial- u. Wirtschaftsforsch., 1967 Gschf. d. Österr. Volkswirtschafl.

Ges., 1964-67 Wirtschaftsberater v. BK Dr. Josef Klaus im Rahmen eines Konsulentenvertrages m. d. BKA, seit 1968 Gen.-Dir. d. Österr. Spielbanken AG, seit 12. Febr. 1985 Casinos Austria AG, seit 1974 AufsR.-Mtgl. d. Verb. Österr. Wirtschaftsakademiker, seit 1975 Gschf. Casinos Austria AG Liegenschaftsverw. u. Leasing GmbH, 1975-90 VPräs. d. AufsR. d. Österr. Verkehrsbüro AG, seit 1977 Präs. d. VerwR. d. Casions Austria (Intern.) AG, seit 1980 VPräs. d. Verb. d. Konzertlokalbesitzer u. aller Veranstalter Österr. (KlBV), seit 1986 Vorst.-Vors. d. Österr. Lotterien GmbH, seit 1987 Gschf. d. CARD Casinos Austria Research & Development Casinos Austria Forsch. u. Entwicklungs GmbH Wien, 1990 Präs. v. ÖOC Österr. Olymp. Comité, seit 1991 Gschf. d. Casinos Austria International GmbH. GT.: AR bzw. Vorst. von zum Unternehmensverband d. Casinos Autria International AG gehörenden Casinoges. P.: versch. Art. u. sonstige Publ. über wirtschaftswiss. Themen. E.: 1964 Publ.-Preis d. Donaueurop. Inst. u. Kardinal Innitzer-Preis, 1980 Ehrenring d. Festspielgem. Bregenz, 1982 Incoming Preis f. bes. Verd. um d. Österr. Fremdenverkehr, 1983 Ehrenbürgerschaft d. Gem. Velden am Wörthersee, 1983 Ehrenringe d. Gem. Seefeld u. Kleinwalsertal, 1984 Gr. Silb. EZ f. bes. Verd. um d. Rep. Österr., 1984 Gold. Stadtwappen u. Gold. Ehrennadel d. Stadtgem. Baden, 1984 Ehrenbürgerschaft d. WU Wien, 1985 Gold. EZ d. Landes Sbg., 1986 Silb. Komturkreuz d. EZ f. Verd. um d. Land NÖ, 1987 Gold. EZ f. Verd. um d. Land Wien, 1987 Gr. Tiroler Adler-Orden, 1989 Silb. EZ d. Univ. Wien, 1991 Gold. Ausz d. Collegiums Touristicum Carinthia, 1991 Gold. Mozartmed. d. HS f. Musik u. darstell. Kunst Mozarteum Sbg, Abzeichen i. Gold u. Diamant f. bes. Verdienste um den Kitzbühler Tourismus, 1992 Gr. Gold. EZ f. Verdienste u. d. Rep. Österr., 1994 Tiroler Sportehrenzeichen. (N.A.)

Wallner Leo Mag.
B.: Jesuitenpater, Kirchenrektor an d. Univ.Kirche. DA.: 1010 Wien, Ignaz-Seipel-Pl. 1. G.: Poysdorf, 14. März 1931. El.: Leopold u. Hermine. S.: VS, hum. Gymn., 1950 Matura, 1950 Noviziat Ges. Jesu in St. Andrä, 2 J. Noviziat, 3 J. Phil.Stud. Pullach b. München, 3 J. Erziehertätigkeit in Kalksburg, 4 J. Theol.Stud.Innsbruck. K.: 1961 Priesterweihe, 2 J. Stud. am Inst. Catholique in Paris, 1 J. 3. Probation, 1 J. Erziehertätigkeit in Kalksburg, seit 1966 Studentenseelsorger in Wien, seit 1968 Mitarb. im Österr. Rundfunk, versch. rel. Sendungen, Gstl. Ass. d. Kath. Zentrums f. Massenkommunikation Österr. P.: Kommentare, Übertragungen in Radio u. Fernsehen, "Ökumene z. Weitergeben" (1980 zusammen m. Peter Karner), "Gedanken z. Nachdenken" (1977), "Einfach nachgedacht" (1987). M.: Spectacvlvm, Ver. Revitalisierungsges. Alte Univ. Wien. H.: Musik. (E.L.)

Wallner Oswald
B.: Inh. FN.: Aktiv Hotel Sommerhof. DA./PA.: 4824 Gosau Nr. 25. G.: Gosau, 12. Sept. 1950. V.: Christine, geb. Buchner. Ki.: Manuel (1976), Claudia (1981). El.: Leopold u. Theresia. S.: VS, HS, 1964-68 Koch- u. Kellnerlehre, 1968 Gesellenprüf. K.: b. 1975 Saisonarb. in d. Schweiz, Frankreich, Österr., 1975 Einstieg in elterl. Betrieb (Küchenchef), 1989 Übern. d. Betriebs, 1990 Renovierung u. Umbau, 1994 Start mit Familien-Aktiv-Hotel. M.: Obm. d. Tourismusverbund Gosau, Alpenverein. H.: Bergwandern, Skifahren, Armbrustschießen. (G.E.)

Wallner Otto
B.: Küchenchef. FN.: Österr. Hof. DA.: 5020 Sbg, Schwarzstr. 5-7. PA.: 5020 Sbg, Ropsitteng.24. G.: Wien, 15.Dez. 1955. V.: Martha, geb. Gruber. Kl.: Claudia, Gabriela. EL.: Otto u. Margarethe. S. :VS,HS, 1 J. HASCH. K.: Kochlehre im Hotel Europa in Wien, danach als Koch im Hotel Sivrettasee, 1J. als Demi-Chef in Hofgastein, 1J. im Imperial als Chef de Partie, 1978 zum österr. Hof als Chef de Partie, 1981 Sous-Chef, 1988 Küchenchef. E.: Silbermedaille b. Lehrlingswettbewerb. M.: Kochverband, Gartenverein, Lehrlingsprüfungskommision. H.: Briefmarken, Lesen, Skifahren. (D.E.)

Wallner Peter Mag. soc. oec.
B.: Tourismusdir. GT.: Werbeaussch. "Kitzbühler Alpen", Präs. d. Kiwanis-Club Kitzbühel, versch. Werbeaussch. DA.: 6380 St. Johann, Poststr. 2. PA.: 6380 St. Johann, Speckbacherstr. 86. G.: Kapfenberg, 6. Juni 1944. V.: Christine. Ki.: Petra (1972). S.: 1963 Matura Bruck/Mur, 1963-69 Stud. Fremdenverkehr u. Werbung-Marktforsch. HS f. Welthdl. Wien, 1969 Mag. K.: 1969 Gschf., seit 1972 Dir. d. TVB St. Johann, 1972 Grdg. d. Werbegemeinschaft "Schneewinkel Tirols" u. Gschf., Schwerpunkte: Marketing d. Ortes, Organ. v. Veranstaltungen. P.: Art. in regionalen Printmedien z. Thema Tourismus. E.: Ehrenbürger v. Redford/USA. M.: seit 1976 Mtgl. d. Bundesverb. d. Österr. Kur- u. Tourismusdir. H.: Golf, Skifahren. (G.P.)

Wallner Reinhard Ing.
B.: Inh. FN.: Tischlerei u. Möbelhaus Wallner. DA.: 2620 Neunkirchen, Semmelweisstr.5 u. 2620 Neunkirchen, Bahnstr.5. PA.: 2620 Neunkirchen, Bahnstr.5. G.: Neunkirchen, 23. März 1957. V.: Margit, geb. Weninger. Kl.: Natalie (1981), Thomas (1984). EL.: Franz u. Johanna. S.: HTL Mödling Innenausbau. K.: 1977-80 in e. Einrichtungsbüro tätig, 1980-86 leit. Ang. im väterl. Tischlereibetrieb, s. 1986 selbst. zuerst als Teilhaber d. väterl. Firma, ab 1990 als Inh., 1990-92 Neubau e. Büro u. Betriebsgebäudes. H.: Modellflug. (F.S.)

Wallner Rudolf
B.: Kfm. A.: 5360 St. Wolfgang, Markt 83. G.: St. Wolfgang, 17. Sept. 1926. V.: Theresia, geb. Hitsch. El.: Rudolf u. Hermine. S.: VS, HS, HASCH. K.: Seit 1954 Inh. d. Familienbetriebes in St. Wolfgang. E.: Gold. EZ d. LFremdenverkehrsverb. OÖ u. d. OÖ Blasmusikbundes. M.: 26 J. Obm. d. Bürgermusikkapelle St. Wolfgang (seit 1978 Ehrenvorst.), seit 6 J. Obm. d. Kurkmsn. St. Wolfgang. H.: Lesen, Zeichnen, Malen, Bergsteigen.

Wallner Rudolf Josef
B.: Gschf. FN.: Neufelder Seebetriebe GmbH. DA.: 2491 Neufeld/Leitha. PA.: 7024 Hirm, Hauptstr. 18. G.: Eisenstadt, 30. Okt. 1948. V.: Hannelore, geb. Stari. Ki.: Uschi (1972), Thomas (1973). El.: Dominikus u. Theresia. S.: VS, Kochlehre "Fischerhaus" Wien. K.: 8 J. Sommersaison Koch im Restaurant "Fischerhaus", Wintersaison Koch Kitzbühl bzw. Arlberg, anschl. Schweden u. Hubertuskeller Eisenstadt, b. 1987 Werksküchenltr. d. Amtes d. Bgld. Landesrg., ab 1987 Gschf. d. Seebetriebe Neufeld. BL.: 1994 Grdg. eines Supermarktes, Cattering b. offiziellen Empfängen d. Landes Bgld. P.: Rezeptveröff. d. panon. Küche. E.: 1965 Gewinner d.

Lehrlingsbdl.-Wettbewerbes. M.: Obm. d. Tourismusverb., KamR. d. Wirtschaftskam., Obm. d. Fischereiver. Loobsee, Landespräsidium d. Freien Wirtschaftsverb., Ver. z. Förd. d. panon. Küche. H.: Jagd. (I.J.)

Wallner Sepp Hannes

B.: Alleininh. d. Fa. S. H. Wallner, Österr. Gen.Vertr. f. Junghans. DA.: 1120 Wien, Flurschützstr. 13. PA.: 2340 Maria Enzersdorf, Sonnbergstr. 9. G.: Wr. Neustadt, 21. Juli 1949. V.: Helene, geb. Wagner. Ki.: Philipp, Tony. El.: Friedrich u. Hermine. S.: Berufsschule, Mstr.Prüf., Uhrmachermstr. K.: 1963 Eintritt als Lehrling, 1967 Gesellenprüf., 1972 Mstr., 1972-77 Gschf., 1977-79 Reisender, 1981 selbst., 1982 Junghans Gen.Vertr. H.: Tennis, Radfahren, Sammlung alter Uhren u. Restaurierung. (Fels.)

Wallner Wolfgang

B.: Gschf. Ges. FN.: KFT Kunststoff & Fluidtechnik Ges.m.b.H. DA.: 8700 Leoben, Prettachstr. 6. PA.: 8724 Pausendorf, Ennstaler Str. 7/14. G.: Bad Mitterndorf, 22. Nov. 1953. V.: Elfriede Grasl. Ki.: Wolfgang (1976), Martin (1978). El.: Franz u. Erna. S.: Ind.-Kfm.-Lehre b. Fa. Bauknecht Rottenmann, 1972 Abschluß. K.: 1969-74 Fa. Bauknecht, Rottenmann, 1974-91 Export- u. Marketingltr. Fa. Austria Antriebstechnik, Zeltweg, zwischenzeitlich Uni-Abschluß als Exportkfm. 1985/86, 1991 Grdg. d. Fa. KFT Handel im In- u. Ausland u. Prod. v. techn. Kunststoffen u. Hochleistungsstoffen, s. 1992 Gschf. Ges. H.: Bergsteigen, Lesen. (I.G.)

Wallner Wolfgang

B.: Inh. FN.: Wallner Raumausstattung. DA.: 6850 Dornbirn, Th.-Rhomberg-Str. 7. PA.: 6850 Dornbirn, Wichnerstr. 36. G.: Dornbirn, 25. Jän. 1957. El.: Wilhelm u. Irene. BV.: Kunstmaler Wehinger. S.: VS, HS, HASCH, 1977 Lehre Tapezierer, 1983 Mstr.-Schule f. Raumausstatter in Stuttgart, 1983 Mstr.-Prüf. K.: 3 J. Praxis als Raumausstatter u. Polsterer in versch. Vbg. Betrieben, 1984 Eintritt in elterl. Betrieb in Dornbirn, Juli 1984 Übernahme d. Betriebs. M.: Skiver., Kakteenzüchterver. H.: Reisen, Kakteen, alte Möbel. (I.D.)

Wallnig Josef Dr. iur. Prof.

B.: o. HS-Prof. f. Operninterpretation, Ltr. d. Abt. Sologesang u. Musikdramat. Darst. am Mozarteum. DA.: 5020 Salzburg, Mirabellpl. 1. PA.: 5020 Salzburg, Alter Markt 5. G.: Salzburg, 22. Juni 1946. V.: Dr. Brigitte Mazohl-Wallnig. Ki.: Thomas (1975). El.: Josef u. Friederike. S.: Matura 1964, Jus-Stud., 1968 Dr. jur., Abschluß d. HS f. Musik u. Darst. Kunst 1971 (Chordirig. b. Reinhold Schmid u. Orch.-Dirig. b. Karl Österreicher u. Hans Swarowsky), Stud. in Rom 1971-72. K.: 1980 Berufung als Prof. ans Mozarteum, 1. Kapellmeister am Sbg. Landestheater 1977-80, Ltr. d. Ensembles "Vaganten" u. "Amade", zahlr. Opernuraufführ., Gastkurse in d. USA, div. wiss. Publ.

Wallnöfer Bruno

B.: Gastronom. A.: D-4040 Neuss, Werresweg 49. G.: Kurtatsch/Bozen, 30. Mai 1938. V.: Erika, geb. Kepke. S.: Gymn. (abgebrochen), Groß- u. Einzelhandelskfm., Hotelfachschule in Bad Hofgastein. K.: Hotelfach im In- u. Ausland, 9 J. Gschf. in Düsseldorfer Nightclubs, seit 1973 Mitinh. v. 2 Nightclubs in Düsseldorf. F.: Madame Nightclub u. Bar "Chez Nous" in Düsseldorf. M.: Absolventenverb. d. Hotelfachschule Bad Hofgastein, Gaststättenverb. Nordrhein Düsseldorf. H.: Reisen, Gutes Essen, Fremdsprachen.

Wally Barbara Dr. phil.

B.: Gschf. d. Intern. Sommerak. f. Bild. Kunst. GT.: Vorträge zu Themen "Kunst d. 20. Jhdt." auf intern. Ebene, Ausstellungsmacherin im In- u. Ausland, Kunst- u. Kulturpolit. Aktivitäten im In- u. Ausland, Jurietätigkeiten im In- u. Ausland, bes. Engagement f. Künstlerinnen. DA.: 5020 Salzburg, Kaig. 2. PA.: 5020 Salzburg, Zillertalstr. 28. G.: Salzburg, 20. Okt. 1947. Ki.: Joachim-Manuel. El.: Leopold u. Anna. S.: Stud. Romanistik, Publizistik u. Kunstgeschichte Univ. Sbg., Paris (1966/67) u. Florenz (1974), 1976 Prom. K.: 1974-78 Lehrbeauftragte an d. Univ. Linz, 1978-81 stellv. Dir. Kunsthalle Nürnberg, seit 1981 Gschf. d. Sommerak. in Sbg. P.: 75 Publ. in Kunstbüchern, Katalogen u. Fachzeitschriften. H.: Reisen, Kino, mod. Tanztheater. (M.M.)

Wally Friedrich Dr. phil. Mag.

B.: Dir. Öff. Schottengymn. d. Benediktiner in Wien. DA.: 1010 Wien, Freyung 6. PA.: 1020 Wien, Untere Augartenstr. 32. G.: Wien, 22. Aug. 1942. V.: Mag. Gertrud, geb. Tittel. Ki.: Ernst (1976), Johannes (1978), Thomas (1981). S.: VS, Realschule, 1960 Matura, Stud. Germanistik u. Romanistik Univ. Wien, 1967 Spons., 1974 Prom., parallel Stud. Oboe am Konservatorium d. Stadt Wien u. HS f. Musik u. Darstell. Kunst, 1964 Auslandsstud. Univ. Genf, 1966 u. 1968 Ausländeruniv. Perugia: Lehramtsprüf. f. Ital., 1963/64 u. 1969/70 Ass. bzw. Univ.-Lektor in Frankreich. K.: seit 1968 Lehrer am Schottengymn., seit 1974 Univ.-Lektor am Dolmetschinst. u. am Romanistikinst., seit 1979 Doz. am Päd. Inst. d. Stadt Wien, 1975-90 Koordinator u. später Ltr. d. Projektgruppe f. Franz. im BMU, seit 197 intensive Arb. in d. Aus- u. Weiterbild. f. Franz. u. Ital.-Prof., seit 1989 Dir. d. Schottengymn. P.: Bücher: Flash sulla civiltà italiana (1981), 2bänd. Franz. Lehrbuch: Grammaire francaise d´aujourd´hui (1984 u. 1990), Ital.-Lehrbuch Grammatica dell´Italiano di oggi (1992). H.: Fotografie, Fremdsprachen, Literatur, Musik. (M.M.)

Wally Johann sen. Dr. iur.

B.: Wirtschaftstreuhänder, Steuerberater. DA. u. PA.: 1050 Wien, Diehlg. 5/1/5. G. Neunkirchen, 23. Mai 1923. V.: Hertha, geb. Mayr. Ki.: Ing. Mag. August (1947), Ing. Mag. Johann (1951). El.: Johann u. Pauline. S.: 1933-41 Hum. Gymn. Wr. Neustadt, 1945-48 Stud. Rechtswiss. Univ. Wien, 1948 Prom. z. Dr. iur. utriusque. K.: 1941-45 Soldat u. Kriegsgefangensch., ab 1948 zuerst prov. Finanzkommissär, ab 1954 Ministerialang. im Innenmin. u. 1957-59 Revisor in Wirtsch.-Treuhandkzl., ab 1959 selbst. Steuerberater in eig. Kzl., geprüfter Berg- u. Schifahrtenführer. E.: Verwundetenabz. in Schwarz, Ehrenmtgl. im Österr. Touristenklub, Gold. Bundesabz. f. 50 J. Österr. Turnerbund-Mitgliedschaft. H.: Musik, Fliegen, Geschichtsforsch., Astronomie, Politik. (N.A.)

Wally Johann jun. Mag. Ing.

B.: Wirtschaftstreuhänder, Steuerberater, Vermögensberater. DA.: 1050 Wien, Diehlg. 5/1. G.: Wien, 14. Mai 1951. V.: Brigitte, geb. Hochstöger. Ki.: Dieter (1981). El.: Dr. iur. Johann u. Hertha, geb. Mayr. S.: Gymn., TGM, Stud. d. Volkswirtsch. Univ. Wien. K.: ab 1988 selbst. M.: Prüf.-Vors. d. Vermögensberater. (N.A.)

Wally Josef

B.: Kfm. FN.: Wally Hdls.-Betriebe. DA.: 1090 Wien, Julius-Tandler-Pl. 5. PA.: 1210 Wien, Pragerstr. 42/6. G.: Wien, 1. Nov. 1940. V.: Ilse, geb. Seher. Ki.: Thomas (1966), Claudia (1968). El.: Josef u. Leopoldine. S.: Berufsschule, Ausbild. z. Einzelhdls.-Kfm. in Wien, gleichzeitig Sprachstud. K.: 1966 Gründer d. Firma Wally Hdls.-Betriebe, spezialisiert auf Farben, Lacke u. Haushaltsartikel. H.: Skifahren, Surfen, Musik. (J.S.)

Walner Peter Alexander Dr. phil. Mag. HofR.

B.: AHS-Dir. BG u. BRG Lichtenfelsgasse. PA.: 8051 Graz, Snikerstr. 27. G.: Ludwigshafen, 25. Juni 1930. V.: Elfriede, geb. Isepp. Ki.: Ulrike (1966). El.: Franz u. Anna Luise. S.:

1950 Matura, Stud. Germanistik, Geschichte u. Musikwiss. Karl Franzens-Univ. Graz, 1955 Prom. K.: 1957 Beginn d. Unterrichtstätigkeit Bad Aussee, 1960 Overseegymn. Graz, seit 1978 Dir. Lichtenfelsgasse, seit 1963 Mtgl. d. Vorstudienlehrganges an d. Grazer HS, 1968 Fürsorgerinnenschule, seit 1971 Familienhelferinnenschule, Vorträge in d. Österr. Urania Graz. P.: Gesch. d. Grazer Opernhauses 1899-1939, Die Mozartpflege an d. Grazer Oper, Erstaufführungen d. Mozartopern u. d. Mozartbeziehung zu Graz, Das geplante Volkstheater am Rechten Murufer, Der Grazer Direktor Hysel u. sein Sohn Eduard. H.: Musik, Theater, Kultur, Reisen, Unterricht. (M.Gr.)

Walser Ewald Prof.
B.: freischaff. Künstler, Lehrbeauftragter an d. HS f. Gestaltung Mstr.-Kl. Textil. DA.: 4040 Linz, Reindlstr. 18. PA.: 4010 Linz, Bethlehemstr. 1d. G.: Wels, 23. Apr. 1947. V.: Sieglinde, geb. Stelzer. Ki.: Tibor. S.: 1964-67 Kunstschule Linz. K.: 1965-67 Mitarb. d. Neuen Galerie d. Stadt Linz, seit 1976 Ltr. d. Galerie MAERZ Linz, seit 1982 Präs. d. Künstlerver. MAERZ, seit 1979 Lehrbeauftragter an d. HS f. Gestaltung in Linz, Organisator v. zahlr. Ausstellungen in Linz u. Organ. f. ausstellende Österr. im Ausland, zahlr. Ausstellungen im In- u. Ausland u.a. 1978 "Science fiction" Warschau u. Krakau, 1979 Galerie auf d. Stubenbastei Wien, 1979 Städt. Museum in Guadalajara/Mexiko, 1980 Künstlerhaus "Topographie" Wien, 1981 "Textil 81" Linz u. Wien, 1985 Galerie Brechbühl Grenchen/Schweiz, 1985 Neue Galerie Wien, 1985 Centre d'Art Visuel Genf, 1986 Künstlerhaus Wien, 1987 Secession Wien, 1987 Museum am Ostwall Dortmund, 1988 Valente arte contemporarea Finale Ligure, 1988 Traklhaus Sbg., 1988 Neue Galerie Stadt Linz "75 J. MAERZ", 1991 "Sensi" Palazzo della Gran Guardia Verona, 1991 Galleria Crossing Portogruaro, 1992 Palaceo/ Art Vilnius, 1992 Ciurlionis Museum Kaunas, 1992 Russ. Kulturfond in Moskau, Techniken: Ölpastell, Dispersion, Tusche. E.: 1966 Förderungspreis d. Stadt Sbg. M.: MAERZ, Künstlerhaus, BVÖ. H.: Literatur. (P.H.)

Walser Günther Dr. Dkfm.
B.: Gschf. FN.: Ed. Grissemann GmbH. GT.: Vorst.Mtgl. Raika Zams, Gschf. Fa. Wapagg. DA.: 6511 Zams, Hauptstr. 150. PA.: 6511 Zams, Hauptpl. 4. G.: Landeck, 17. März 1941. V.: Maria, geb. Grissemann. Ki.: Claudia, Andreas, Thomas. El.: Anton u. Maria. S.: HAK, Stud. Welthdl., Mstr.Prüf. als Rauchfangkehrer. K.: Auslandspraxis, seit 1969 Fa. Grissemann. H.: allg. Sport, Modellbau, Schwimmen, Bergwandern, Lesen, Markensammeln. (W.G.)

Walser Hans Dr. iur.
B.: a.o. u. bev. Botschafter d. Rep. Österr. in Pakistan. A.: 13, 1st Street, Shalimar 6/3, Islamabad. G.: Dietersdorf, 27. Juli 1929. V.: Dr. Piera, geb. Bonzo. El.: Hans u. Maria. S.: 1954 Prom. z. Dr. iur. an d. Univ. Innsbruck, 1955-56 wirtschaftswiss. Studien. K.: 1956 Eintritt in d. BMA, 1968-70 BotschaftsR. an d. Österr. Botschaft Rom, 1970-74 Ltr. d. Südtirol-Abt. im BMA, 1971 Ernennung z. a.o. Gesandten u. bev. Min., 1974-77 a.o. u. bev. Botschafter d. Rep. Österr. in Libanon, Syrien, Jordanien u. Kuweit, 1978 a.o. u. bev. Botschafter d. Rep. Österr. in d. DDR, dzt. Botschafter in Pakistan. E.: Gr. Silb. EZ f. Verd. um d. Rep. Österr., Silb. Verd.Zeichen d. Rep. Österr., Großkreuz d. jordan. Sternordens, Großkreuz d. liban. Ordens v. d. Zeder, Großkreuz d. syr. Verd.Ordens, Großoffz.Kreuz d. ital. Verd.Ordens, Kommandeurskreuz d. ital. Verd.Ordens, Kommandeurskreuz d. sanmarinesischen Ritterordens.

Walser Helmut Dkfm.
B.: gschf. Ges. d. Fa. Wunderlich. DA.: 1070 Wien, Kaiserstr. 63. G.: Wien, 23. Dez. 1941. V.: Maja, geb. Heller. Ki.: Manuela, Martin, Mathias. El.: Prok. Otto u. Gabriele. S.: Gymn., HAK, HS f. Welthdl. K.: 1965 Eintritt in d. elterl. Betrieb, 1976 Gschf., 1982 Ges. E.: 1981 Staatswappen. M.: Vorst. Österr. Spirituosen-Verb. H.: Familien, Sport, Oper. (Fels.)

Walser Herbert
B.: Gschf. Ges. FN.: Walser OHG Metzgerei u. Lebensmittel. DA.: 6812 Meiningen, Schweizer Str. 50. G.: Meiningn, 26. Nov. 1958. V.: Isolde, geb. Wörz. Ki.: Mario (1990), Jasmin (1992). El.: Paul u. Antonia. BV.: Alois Walser Komponist u. Schriftsteller. S.: HASCH, 1977 BH. K.: Übernahme d. elterl. Betriebes zusammen m. Bruder Ludwig. E.: nat. u. intern. Ausz. f. Wurst u. Fleischwaren. M.: Kunstradfahrclub Meiningen. H.: Familie, Wandern, Radfahren, Entspannen in d. Natur. (I.D.)

Walser Konrad Mag. Prof.
B.: Ltr. d. Gymn. St. Rupert. DA. u. PA.: 5500 Bischofshofen, Kreuzberg 1. G.: Göfis, 27. Febr. 1934. El.: Anton u. Hermine. BV.: Msgr. Dr. Karl Lampert Bischofsvertreter in Tirol. S.: 1955 Matura, Eintritt in d. Orden Ges. d. Göttl. Wortes, 1955-60 Stud. Phil. u. Theol. St. Gabriel/Mödling, 1960-62 St. Augustin/Bonn, 1962 Priesterweihe St. Rupert, b. 1963 Pastorales J. in München, 1964-69 Stud. f. Lehramt Dt. u. Geschichte Univ. Innsbruck, 1969 Mag. phil. K.: 1969-79 Lehrer in St. Rupert, seit 1979 Dir. d. Gymn. St. Rupert, Bereich: Lehramt, Organ., Administration, Ltg. d. schuleigenen Theaters. P.: Art. in ordenseigener Zeitschrift. M.: CV, Obm. d. Jugendblaskapelle St. Rupert. H.: Bergsteigen, Skitouren, Musik. (G.P.)

Walser Norbert
B.: Verleger, Journalist. FN.: Blickpunkt-Tiroler Nachrichten-Magazin. GT.: Werbeagentur, Offsetdruckerei. DA.: 6410 Telfs, Blickpunkt Verlagshaus. PA.: 6410 Telfs, Mühlg. 11. V.: Rosa, geb. Neuner, Ki.: Armin, Doris, Beate. El.: Dr. Alfons u. Maria. S.: Kfm. Ausbild. K.: Vom kfm. Ang. zum Verleger u. Firmeninhaber m. 70 Mitarb. (Umsatz ca. 80 Mio.). P.: Die Zeitungsmacher in Österreich. M.: Div. Kultur- u. Sportvereine, Rotary Club, Bruderschaft St. Christoph. H.: Kleintierzucht.

Walser Tony

B.: Ltd. Red. FN.: Vorarlberger Nachrichten. DA.: 6800 Feldkirch, Churer Str. 15. PA.: 6714 Nüziders, Waldburgstr. 64. G.: Bludenz, 12. Mai 1958. Ki.: Frank (1981). El.: Rosa u. Robert. S.: HASCH Bludenz, Fernmeldetechnikerschule i. Graz. 1974 Eintritt Postamt Bludenz als Fernmeldetechniker, ab 1983 freier Mitarb. b. mehreren Wochenztg., 1984 Mithrsg. d. Gästezeitschr. "Im Hochmontafon", ab 1992 hauptberufl. b. VN, ab 1993 ltd. Red. in Feldkirch. M.: Vizepräs. Vbg. Preseclub, ÖJC, 1979-83 Obm. Jugendkreis Graz. H.: Musik, Radfahren, Fotografieren, Italien. (I.D.)

Walser Wolfgang Dr. iur.
B.: RA. DA.: 6020 Innsbruck, Schmerlingstr. 2. G.: Seefeld, 27. Sept. 1944. El.: Mag. iur. Anton (LRechnungsdir. u. RgR.) u. Maria. S.: Gymn., Matura 1962, Stud. d. Math. u. Physik sowie Jus an d. Univ. Innsbruck, Prom. Dr. iur. 1974. K.: Gerichtsjahr, 1974 Eintr. in d. Kzl. Wieser-Larcher als Konzipient, seit 1979 selbst. RA. M.: MKV u. CV. H.: Golf, Skifahren, Zeichnen u. Malen. (H.T.)

Walski Andreas Dr. med.

B.: FA f. Orthopädie/Med. Ltr. d. Lavanttaler Physiotherapeutischen Inst. GmbH. Wolfsberg. FN.: freie Praxis/ Lavanttaler Physiotherapeutisches Inst. GmbH. DA./PA.: 9400 Wolfsberg, Volksbadstr. 4. G.: Poznau (Polen), 9. März 1939. V.: Dr. med. Maria, geb. Marcinkowski. Ki.: Magdalena (1972), Anna (1975). EL.: Stefan u. Anna. BV.: Univ.-Prof. Dr. Michael W., Biologe a.d. Warschauer Univ. S.: VS, Gymn., Matura, Stud. d. Medizin a.d. Univ. Poznau, Turnus u. Facharztausbild. Dega a.d. Uni Klinik Poznau, 1972 Dissertation u. Prom., K.:1972-74 Tätigk. i.d. Schweiz a.d. Unfallchirurgie u. Orthopädie, 1974-79 Rückkehr nach Polen u. leitender Arzt einer orthopäd. Abt. in Poznau, 1979-86 Tätigk. am UKH u. LKH Klagenfurt.1986 Fa.Dekret f. Orthopädie in Österr. 1987 Grdg. d.Lavanttaler Inst. mit Schwerp. Profilaxe bei Jugendliche (Haltungsschäden). Weiterbehandlung im Bereich Bewegungs- u. Stützapparats; Lipolyse - In Österr. neue u. sanfte Methode d. Behandlung v. Lipodistrophien. P.: Goldenes Kreuz f. Rettung Verletzter, Polen. M.: Österr. Gesellsch. f. Orthopädie u. Unfallchirugie. H.: Reisen, Garten, klass. Musik u. Oper. (G.L.)

Waltenberger Peter-Paul

B.: Ak. gepr. Werbekfm. FN. PPW Werbeagentur. Gt.: Inh. DA.: 1130 Wien, Veitingerg. 4/3. PA.: 1040 Wien, Weyringerg. 7/6-7. G.: Wien, 30. Dez. 1963. V.: Helga, geb. Gottwald. Ki.: Lukas Emanuel (1991), Clara Christina (1993). El.: Dipl.-Ing. Friedrich u. Ingeborg, geb. Bartlmä. BV.: ein Vertr. d. Familie mütterlicherseits war im 18. Jh. ein Hofkämmerer. S.: HTL, Univ-Lehrg. f. Verkauf WU Wien. K.: s. 1984 Tätigk. als Graphiker, s. 1987 selbst., 1989 Grdg. d. eigenen Agentur. M.: Österr. Werbewiss. Ges. H.: Reisen, Lesen. (N.A.)

Walter Alfons

B.: Inh., Tischler. FN.: Tischlerei-Wohnatelier Alfons Walter. DA.: 6580 St. Anton-St. Jakob, Bundesstr. 172. G.: Zams, 21. Sep. 1947. V.: Elisabeth, geb., Mathis. Ki.: Patricia (1969). El.: Othmar u. Maria. S.: Tischlerlehre, BH, staatl. geprüfter Skilehrer, 1974 Mstr.-Prüf. K.: Tischlergeselle in Vomp u. Schnann, in den Wintermonaten Skilehrer d. Skischule Arlberg, 1978 Grdg. d. Tischlerei in St. Jakob, 1987 Neubau d. Tischlerei u. Wohnatelier, spez. auf exklusiven Innenausbau, Wohnideen mit bes. Ambiente, die Fassade wurde von d. kanadischen Künstlerin "Gosselin" gestaltet. P.: Vernissagen mit int. Künstlern. M.: 20 J. Musikverein St. Jakob, Bruderschaft St. Christoph, Skischule Arlberg. H.: Skifahren, Lesen, Kunst u. Kultur. (I.D.)

Walter Christian

B.: Gsch.-St.-Ltr. FN.: Mercurbank. DA.: 3100 St. Pölten, Linzer Str. 17. PA.: 3104 St. Pölten-Harland, Theresienhofg. 7/5. G.: St. Pölten, 8. Mai 1964. V.: Doris, geb. Wohltran. Ki.: Dominic (1992). El.: Gerhard u. Renate. S.: VS, HS, HASCH. K.: 1982 Eintr. Bankwesen, Volksb. St. Pölten, 1985 Mercurbank St. Pölten, Außend., s. 1991 Ltr. d. Gsch.-St. H.: Tennis, Fußball, Schifahren. (M.M.)

Walter Erhart KommR.

B.: Unternehmer, Inh. d. FA. FN.: Walter Erhart GesmbH, Jagd-, Trachten- u. Heeresbekleidung. DA.: 1030 Wien, Rennweg 43. PA.: 2560 Berndorf, Hernsteinerstr. 52. G.: Heidenreichstein, 16. Mai 1939. V.: Doris, geb. Horvath. El.: Wilhelm u. Franziska, geb. Döller. S.: 1963 Mstr.-Prüf., Kochlehre bei Möwebick i. Zürich. K.: b. 1972 Koch i. div. Hotels u. Restaurationen, 1973-88 Inh. v. Verkaufsstellen an div. Donaukraftwerkbauten, parallel dazu Import aus Fernost, 1974 Eröff. d. ersten Detailgeschäftes, s. 1983 i. d. obenerwähnten Adresse. E.: 1991 Verleihung d. Titels "KommR.". H.: Jagen, Skifahren, Segeln. (N.A.)

Walter Georg

B.: Inh., Kfz-Mstr. FN.: Toyota Vertragshändler Toyota Walter GmbH & Co. DA.: 6911 Lochau, Hofriedstr. 26. PA.: 6912 Hörbranz, Maihofstr. 1. G.: Bregenz, 12. Apr. 1944. V.: Berta. Ki.: Renato (1973), Timo (1976). El.: Georg u. Rita. S.: VS, HS, Kfz-Lehre, 1962 Abschluß, 1969 Mstr.-Prüf. K.: 1969 Tankstelle u. Autohdl. gepachtet, 1972 Übernahme Toyota-Vertretung, 1976 Betriebserweitrung. E.: Anerkennung f. gr. Leistungen in 20 J. Toyotapartnerschaft. M.: Tennisclub Locha, 1992 Seniorenmstr. in Hörbranz. H.: Tennis, Fußball, Musik, Lesen, Wandern, Radfahren. (I.D.)

Walter Gerald

B.: Grafiker. FN.: W & W Graphik u. Design. DA.: 1070 Wien, Neustiftg. 32-34. G.: Graz, 8. Nov. 1960. V.: Brigitta, geb. Angeli. El.: Johann u. Anna, geb. Seper. S.: VS, Gymn., Kunstschule. K.: seit 1980 selbst. Grafiker, 1989-93 Art-Dir. b. d. Firmen Demner & Merlicek, Ogilvy & Mathen u. Lintas, 1991 Grdg. d. eigenen Firma. (N.A.)

Walter Gerfried Dipl.-Ing. MinR.

B.: Ltr. FN.: BM f. Land- und Forstwirtschaft. DA.: 1020 Wien, Ferdinandstr. 4/4/409. G.: Wien, 11. Mai 1940. V.: Susanne. Ki.: Annemarie (1978), Maria (1981). El.: Ing. Josef u. Christine. S.: Realgymn. Wr. Neustadt, Boku, 1965-72 Forstl. Bundesversuchsanstalt Schönbrunn. K.: s. 1989 Ltr. d. Abt. H.: Forstl. Förderung. (T.H.)

Walter Gerhard

B.: Inh. FN.: Walter Gerhard Altpapierhandel. DA.: 4600 Wels, Wiesenstr. 71. PA.: 4625 Gunskirchen, Narzissenstr. 15. G.: Wels, 16. Juni 1952. V.: Hilde, geb. Spischitsch. Ki.: Monika (1975), Cornelia (1980). El.: Josef u. Ingeborg. S.: Kfm. Ausb. K.: 1976 Firmengrdg. H.: Tennis. (P.H.)

Walter Gerhard Anton Dipl.-Ing.

B.: Ref., Arch., StadtbauR. Baudion. d. Stadt Wien. DA.: 1082 Wien, Rathaus. PA.: 1220 Wien, Helmerg. 10. G: Gleisdorf, 27. Mai 1950. V.: Elfriede, geb. Koch. El.: Edgar u. Hilda. S.: 1969 Matura, 1969-70 Stud. Astrophysik u. Math. Univ. Wien, 1970-71 Psych.-Stud. Univ. Wien, 1972-83 Arch.-Stud. TU Wien. K.: parallel dazu als Werkstudent in versch. Arch.-Büros gearb., 1983 freiberufl. Mitarb. b. Arch. Neumann, 1984-93 Ref. b. d. Baupolizei, seit 1993 b. d. Baudion. M.: BSA, Vorst.-Mtgl. im Bez.-Klub f. 22. Bez., stellv. gschf. Präs. b. Ver. d. Freunde d. 22. Bez. H.: Gartenarb., Modelleisenbahn, Lesen. (I.K.)

Walter Günther

B.: Amtsltr. Ortsgem. Baldramsdorf. DA.: 9805 Baldramsdorf 53. PA.: 9805 Baldramsdorf 71. G.: Baldramsdorf, 15. Feb. 1954. V.: Monika Schöttke. Ki.: Hannes (1979). El.: Otto u. Frieda. S.: VS, HS, HAK Spittal, 1973 Matura, BH. K.: seit 1974 Tätigkeit in d. Ortsgem. u. seit 1977 Amtsltr., seit 1991 GemR. SPÖ - Obm. d. Aussch. f. Kultur u. Umweltschutz, Mitarb. in d. Gem.-Zeitung. M.: div. örtl. Ver. H.: Sport (Tennis, Skifahren, Schwimmen, Radfahren, Eishockey, Segeln). (G.L.)

Walter Hermann KommR.

B.: Landes-Dir., Prok. FN.: Interunfall Vers.-AG. DA.: 2700 Wr. Neustadt, Grazerstr. 53. PA.: 2603 Felixdorf, Ziehrerg. 35. G.: Rauchwart, 11. Mai 1940. Ki.: Manfred. S.: 1955 Eintritt i. d. Interunfallvers.-AG, Lehrlingsausb. i. WIFI m. Abschl.-Prüfung. 1955-66 Schadensref. i. d. Gen.-Dir. Wien, a. 1966 Ltr. d. Schadensabt. d. Interunfall, LDir. NÖ-Süd, s. 1970 Dir. u. Prok., s. 1990 Komm.R. P.: Vorträge u. Sem. i. Vers.-Wesen. (I.J.)

Walter Hermann

B.: Gastwirt. FN.: Treibacherhof. DA. u. PA.: 9330 Treibach Althofen, Kreuzstr. 18. G.: Klagenfurt, 20. Mai 1956. V.: Josefine, geb. Fritz. Ki.: Hermann (1983), Katharina (1987). El.: Hermann u. Katharina. S.: 1970-73 FS f. E-Technik in Mödling, BH, 1987 Elektromstr., seit 1975 Mitarb. im 1956 gegründeten elterl. Betrieb (Achtung 40. Betriebsjubiläum - positiver Aspekt vür WiW), 1984 Konzessionsprüf. u. 1991 Übernahme. E.: 1985 Recht zur Führung d. Stadtwappens, 1994 Ehrung d. Partnerstadt Gradisca f. Kärntner Küche. H.: Jagd, Ski. (G.L.)

Walter Henriette Dr. med. Univ.-Doz.

B.: OA u. stellv. Ltr. einer Station an d. Univ.-Klinik f. Psych. AKH Wien, FA f. Psychiatrie u. Neurol. DA.: 1090 Wien, Währinger Gürtel 18-20; 1010 Wien, Annag. 8. PA.: 1050 Wien, Krong. 2. G.: Villach, 16. Juni 1953. El.: Arthur u. Michaela Walter, geb. Kleewein. S.: VS, Gymn., 1971 Matura, Stud. Lat. u. Engl. Univ. Wien, Med.-Stud. Univ. Wien, 1980 Prom. K.: 1981-82 Turnus im Wilhelminenspital, ab 1982 FA-Ausbild. an d. Psychiatr. Klinik im AKH, 1987 FA f. Psychiatrie u. Neurol., 1991 Habil. u. zusätzl. Arzt f. Psychotherapie, seit 1982 Führung v. 2 Beratungsstellen. Hypnoseausbild. an d. Psych. Univ.-Klinik Wien u. Ausbild. z. Grundstufentherapeutin im "Katathymen Bilderleben". BL.: Organ. v. Intern. Kongressen. P.: 1 Buch: "Hypnose" (1992), 150 wiss. Fachart., zahlr. Vorträge auf nat. u. intern. Kongressen u. Symposien. M.: Vorst.-Mtgl. Ver. f. Wiss. Hypnose u. Ver. f. Psychiatrie u. Neurol., AEP, Federation Intern. Francophone de Psychiatrie u. d. Deutschsprach. Sekt. d. AMRP (MPF), Grdg.- u. Vorst.-Mtgl. ESDAP. (M.M.)

Walter Leo

B.: Hotelier Hotel Ballunspitze. DA.: 6563 Galtür 20. G.: Galtür, 8. Jan. 1966. V.: Berta. Ki.: Rebecca (1993). El.: Leo u. Frieda. S.: Hotelfachschule Vika Blanka, 1984 Abschluß, 1985 Konzessionsprüf. K.: Praktikum im Service in Ktn. u. England, Mitarb. im elterl. Hotelbetrieb in sämtl. Bereichen, 1991 Übernahme d. Hotels. M.: AufsR. Skilifte Galtür, AufsR. Tourismusverb. Galtür. H.: Skifahren, Tennis, Radfahren, Reisen, Wandern. (I.D.)

Walter Lothar jun. Dr. med.

B.: prakt. Arzt, Sprengelarzt. DA.: 6341 Ebbs, Millauerstr. 17. PA.: 6341 Ebbs, Salitererg. 17. G.: Mähr. Schönberg, 1. Dez. 1944. V.: Gudrun, geb. Jüllich. Ki.: Andreas, Susanne, Christina. El.: MedR. Dr. Lothar u. Hedwig. S.: Gymn. Kufstein, HS Innsbruck, 1970 Prom., Turnusausbild. KH Kufstein u. Univ.Klinik Innsbruck. K.: 2 J. Ass.Arzt am KH Kufstein, 7 J. Ass.Arzt an d. Klinik Bad Trissl im Tumorzentrum München/BRD, 1982 selbst. Arztpraxis in Ebbs. P.: MPA-Studie b. Meterstasierenden Mamma-Karzinom (1980), Der Bayerische Internist (1981). H.: Surfen, Segeln, Radrennfahren, Lesen, Theater, Musik. (W.G.)

Walter Manfred

B.: Gschf. FN.: Dockweiler Umland Stahl- u. Metallhdl. GmbH. DA.: 4910 Ried/Innkreis, Bahnhofstr. 1a. PA.: 4921 Hohenzell, Hilprechting 51. G.: Ried/Innkreis, 26. Febr. 1959. V.: Sylvia, geb. Mayer. Ki.: Fabian (1988). El.: Johann u. Ernestine. S.: b. 1974 HAK Ried, 1977 Abschluß d. Kfm. Berufsschule Ried, in England Examen d. Pitman Examinations Inst. u. Absolvierung d. Univ.-Lehrganges z. Ausbild. v. Exportkaufleuten WU Linz. K.: 1977-88 kfm. Ang. (Ltg. d. Import- u. Exportabt. in Rieder Eisengroßhdl.). H.: Segeln, Reiten. (E.Hö.)

Walter Manfred Dr. Dkfm.

B.: Beeid. Wirtschaftsprüfer u. Steuerberater, Prok. A.: 1130 Wien, Auhofstr. 101-111/7. G.: Wr. Neustadt, 7. Mai 1938. V.: Dkfm. Adele, geb. Brauner. El.: Manfred u. Emma. S.: HAK m. Matura, Dkfm. d. HS f. Welthdl. Wr. Neustadt 1962, 1968 Dr. rer. comm. K.: 1970 Steuerberater, 1975 beeid. Buchprüfer, 1977 beeid. Wirtschaftsprüfer, 1974 Prok. d. "Danubia" Treuhand u. Beratungs GmbH, 1977 Prok. d. Vienna Revisions u. Treuhand GmbH Nfg. KG. P.: Lehren aus d. Integrationsbestrebungen d. Benelux. M.: Lions-Club Wien-Gloriette, Herald.-Genealog. Ges. "Adler" Wien.

Walter Max

B.: Museumsltr. Schloß Lerchen. DA.: 5550 Radstadt, Schloßstr. 1. PA.: 5550 Radstadt, Gappenau 4. G.: Mödling, 24. Sept. 1931. V.: Elisabeth, geb. Eberle. Ki.: Ernst (1958), Birgitt (1960), Reinhild (1961), Roland (1965). El.: Maximilian u. Annemarie. BV.: Vater Maximilian Walter Ak. Maler u. Graphiker. S.: VS, RG, Gärtnerlehre, Kurse z. Beruf, 1957 Mstr.-Prüf. Langenlois. K.: 1957 Grdg. d. eigenen Gärtnerei, 1960 Eröff. einer zusätzl. Blumenhdlg., 1992 Übernahme d. Firmen durch d. Sohn, 1985 Eröff. d. Heimatmuseums Schloß Lerchen, 1990 Nutzung d. Kapuzinerturm als Museum, seit 1968 Privatsammler, 1976 Obm. d. Museumsver. u. seither Museumsltr. P.: Museumsführer, Report "Radstadt vor d. Jahr 1300". E.: Silb. EZ f. Brauchtum

u. Heimat. M.: Obm. d. Museumsver., Eisschützen, ÖWV. H.: Gärtnerei, Museum, Bergwandern, Geologie, Mineralogie, Volkskunde. (G.P.)

Walter Renate Dr. Univ.-Prof.

B.: Leiterin d. Inst. f. Umweltmedizin. DA.: 1082 Wien, Feldg. 9. PA.: 1040 Wien, Belvedereg. 3/6. G.: Halle-S./BRD, 11. Nov. 1934. V.: Günther. Ki.: Heinrich (1960), Juliane (1975). El.: Else u. Otto. S.: Gymn. Halle, 1952 Abitur, 1952 Jurastud., 1952-53 Medizinstud. i. Leipzig, 1959 Prom., 1988 Studienaufenth. i. USA/Univ. Tucson/Arizona. K.: 1959-62 Innere Med. u. Kinderklinik, 1962-66 Ausbild. z. Facharzt f. Hygiene u. Mikrobiol. Magdeburg, 1975 Habil. Berlin, 1982 ord. Prof. a. Hygieneinst. d. Med. Ak. Dresden, 1989 Übersiedl. n. Österr./Wien, 1990 Gastprof. a. d. Univ. f. Bodenkultur Wien, s. 1992 Ltr. d. Inst. f. Umweltmed.. BL.: Aufb. u. Entwickl. d. Fachgeb. Umweltvirologie; Etabl. u. regelm. Durchf. intern. wissensch. Symposien z. Umweltvirologie Wien, Dresden, Barcelona. E.: Valenzia 1988: Int. Wissenschaftlerpreis, 1989 Ehrung f. Symp. d. Stadt Wien. M.: Österr. Ges. f. Hygiene, Ges. f. Mikrobiol. u. Präventivmed., Mitgl. intern. Assoc. on water quality. H.: Gartenarbeit, Lesen, Tiere. (E.J.)

Walter Robert Dr. iur. et rer. pol.

B.: o.Univ.-Prof. A.: 1190 Wien, Iglaseeg. 72. G.: Wien, 30. Jan. 1931. V.: Elisabeth, geb. Stifter. S.: Dr. iur. Wien 1953, Dr. rer. pol. Wien 1955. K.: 1957 Richter, 1960 Doz., 1962 a.Prof. d. Univ. Graz, 1965 o.Prof. d. Univ. Graz, 1966 o.Prof. d. WU Wien, 1975 o.Prof. an d. Univ. Wien. P.: Mehrere Bücher u. ca 70 Aufsätze in Fachzeitschriften. M.: Vereinigung Dt. Staatsrechtslehrer. H.: Wandern.

Walter Ulrich Dr. med. Univ.-Doz.

B.: Pathologe. FN.: Patholog. Anatomie u. Histologie d. AKH. DA.: 1190 Wien, Gymnasiumstr. 79. PA.: 1190 Wien, Krapfenwaldg. 49. G.: Wien, 22. Aug. 1955. V.: Johanna, geb. Brunner. Ki.: Verena (1981). El.: Karl u. Anna, geb. Hinterecker. S.: Gymn., 1973 Matura, 1973-79 Stud. d. Med. a. d. Univ. Wien u. Prom. z. Dr. med. K.: 1979-85 Fachausb. a. Inst. f. Pathologie d. Univ. Wien, 1987 Habil. f. d. Fach Pathologie, Spez.-Gebiet Nierenpathologie u. Transplantation, 1984-91 Ltg. d. Bakteriolog. Labors a. Inst. f. Pathologie. P.: ca. 60 Wiss. Arb. i. In- u. Ausland. M.: b. zahlr. nationalen u. int. Wiss. Ges. H.: Musik m. Spez.-Gebiet Klavier (selbst spielen). (N.A.)

Walter Ulrike Christine Dr. iur.

B.: RA. DA.: 1010 Wien, Rosenbursenstr. 8/2. G.: Wien, 6. Sept. 1958. El.: HofR. Dr. Witmar u. Johanna Walter. S.: Ak. Gymn. Wien, 1977 Matura, Jusstud. Wien, 1982 Dr. iur. K.: Praxis b. RA in Paris, 1983 Konzipientin in gr. Wirtschaftskzl., seit 1987 selbst., 1989 Eröff. d. eigenen Kzl.: Intern. Wirtschaftsrecht, Liegenschaftsrecht, Schadenersatz, Gewährleistung. P.: Art. über Mieterrecht, intensive Sprachstudien u. -kenntnisse in Franz., Ital., Engl. H.: Reisen, Fotografieren, Wandern. (R.J.)

Walter Winfried Dipl.-Ing.

B.: Gschf. FN.: World Wildlife Fund/Österr. GT.: Vorst. im Intern. Rat f. Vogelschutz. DA.: 1162 Wien, Ottakringer Str. 114-116. PA.: 1180 Wien, Cottageg. 46. G.: 6. Sept. 1940. V.: Edeltraud, geb. Ressl. Ki.: Renate. S.: RG, TU Wien. K.: 7 J. Ass. u. Lehrbeauftragter an TU, 3 J. Prof. am TGM, seit 1979 WWF. BL.: Forsch.Arb.: "Höchstfeste Stähle". P.: Publ. über Fledermäuse, Eulen, Greifvögel, Lehrbuch f. Mech. Technologie f. Mittelschulen. M.: WWF, Österr. Ges. f. Vogelkunde, Österr. Vertreter in d. Weltarbeitsgruppe f. Greifvögel, Intern. Rat f. Vogelschutz. H.: Tierphotographie, Bird Watchen, Sport. (Kas.)

Walter Wolf-Dietrich

B.: Dir. FN.: Esso Austria AG. DA.: 1040 Wien, Argentinierstr. 23. PA.: 2345 Brunn/Gebirge, Turnerstr. 32. G.: Wien, 18. Apr. 1953. V.: Dr. Michaela, geb. Berghaus. Ki.: Constanze (1991). El.: Franz u. Ruth, geb. Werther. S.: 1971 Matura, Stud. Vw. Univ. Wien. K.: 1980 Eintritt b. Esso, Ass. f. Personal- u. Öff.-Arb., 1983-86 Grundsatzref. f. Volks-Energie-Wirtschaft Hamburg (Esso AG), 1987-90 Manager einer Mineralölhdls.-Ges. in Deutschland, 1990-81 Esso Austria Manager f. d. Lager- u. d. Ausfuhrbereich, seit 1991 Manager f. d. Ind. u. Hdls.-Geschäft Esso Austria. H.: klass. Musik, Literatur, Geschichte, Astronomie, Tennis. (N.A.)

Walters Franz

B.: Puppenschauspieler. DA. u. PA.: 3153 Eschenau, Hauptstr. 9. G.: Wien, 2. Mai 1939. . S.: 1953-63 Schriftsetzer u. Korrektor in Wien, 1963-66 Schauspielstud. bei Prof. Vera Balser-Eberle, 1966 Reifeprüf. K.: Engagements als Schauspieler, Reg. u. Kabarettist, u.a.: "Der Würfel", "Die Giftzwerge", "Wiener Werkel", Kompositionen v. Bühnenmusik, Autor v. Kinder- u. Jugendsend. im Hörfunk u. TV, 1965 erste Begegnung mit Puppentheater, Auftritte im TV, 1972 Übern. eines Puppentheaters u. seither hauptberufl. Puppenschauspieler, 1978 Grdg. d. österr. Puppenclubs, seit 1981 Intendant d. Puppiennale. BL.: Erfindung d. Rollenmarionetten. M.: Union Internationale de la Marionette, Salonkapelle H.: Musik, Sprachen. (L.SCH.)

Walterskirchen Ewald Dr. Dkfm.

B.: Mtgl. d. Ltg. FN.: WIFO. GT.: Koordinator d. Kreisky-Kmsn. f. Intern. Beschäftigungsprobleme. DA.: 1103 Wien, Arsenal, Objekt 20. PA.: 1210 Wien, Gerichtsg. 18/3/20. G.: Kemmelbach, 1. Mai 1945. V.: Mag. Beatrix, geb. Schuster. Ki.: Christian (1985), Barbara (1987). El.: Graf Ernst u. Christine, geb. Riegler. BV.: Stammbaum d. Grafen v. Walterskirchen, Freiherrn v. Wolfsthal (k.u.k. Kämmerer). S.: hum. Gymn. Seitenstetten, 1963 Matura, Stud. an d. WU Wien, 1968 Spon., 1981 Prom. K.: 1968-69 Humphrys & Glasgow Bratislawa, 1970 Eintritt in d. Österr. Inst. f. Wirtschaftsforsch., seit 1984 Mtgl. d. Ltg., div. Studienaufenthalte in Cambridge. P.: "Umemployment and Labor Market Flexibility: Austria " (1991), div. Buchbeiträge zu d. Themen: Arbeitsmarkt u. Einkommen, zahlr. Art. in d. WIFO-

Monatsberichten, lfd. Beiträge in wirtschaftstheoret. u. wirtschaftspolit. Zeitschriften zu d. Themen Konjunkturprognosen, Budget u. intern. Wirtschaft. H.: Musik, Theater, Tennis. (N.A.)

Graf Walterskirchen Georg

B.: Gen. Sekr. d. Ges. f. Straßenwesen, gschf. Ges. d. Fa. Unifer. GT.: Gschf. d. Fa. Plastex, Gschf. d. Fa. Saxby Matral Südost. DA.: 1030 Wien, Marxerg. 10, 1040 Wien, Rainerg. 1. PA.: 1040 Wien, Mozartg. 4. G.: Wien, 11. Juli 1935. V.: Maria Agathe, gen. Stubenberg. El.: Alois u. Alice. BV.: Ururgroßvater: Feldmarschall Radetzky. S.: Oberrealschule K.: Österr. Controllbank, Reisebüro Primus, Österr. Ges. f. Straßenwesen, (seit 1964), Präs. d. Ges. f. Fremdenverkehrsflrd., Konsulent f. d. Kuratorium d. Umfallstellen in Österr., 1982 Mitarb. Fa. Unifer, Masch. GmbH, seit Mitte 1984 gschf. Ges., ab 1985 Gschf. d. Fa. Saxby Matral Südost u. Plastex. P.: Straße u. Scheinwerfer (Mitverantwortlicher). E.: Verdienstmed. d. Malteser-Ritterord. I. Kl. H.: Tennis, Markensammeln, Jagen. (R.A.)

Walterskirchen Herbert Dr.

B.: Gen.-Dir.-Stellv., Gschf. d. Wüstenrot Vers.Dienst GmbH Sbg. u. Belegschaftshilfe d. Bausparkasse Gemeinschaft d. Freunde Wüstenrot GmbH Sbg. PA.: 5081 Anif 323. M.: Vorst.Vors.Stellv. d. Bausparkasse Gemeinschaft d. Freunde Wüstenrot gemeinn. rGenmbH Sbg., AufsR. d. Wüstenrot Vers. AG Sbg.

Walther Heinz Dr. iur.

B.: RA. DA.: 9020 Klagenfurt, Alter Pl. 23/I. PA.: 9020 Klagenfurt, Linseng. 44/I. G.: Klagenfurt, 19 Apr. 1938. V.: Brigitte, geb. Skorianz. El.: Dr. Emil u. Erna. S.: RG, Abiturientenkurs an d. HAK, Stud. d. Rechtswiss. in Wien, Prom. 1961, Lehrgang f. intern. Studien, Zeitungswiss. u. Germanistik. K.: Gerichtsjahr in Wien u. Klagenfurt, 1962-66 RA-Anw. in d. Kzl. Dr. F. Mosing u. Dr. F. Wimmer, 1966-70 in d. Kzl. d. Vaters, 1966 Anw.Prüf. in Graz, seit 1970 selbst. RA, seit 1988 LObm.-Stellv. v. Ktn. d. Österr. Haus- u. Grundbesitzerbund, Anwaltsrichter, Vertr. v. Höchstger. (Europ. Menschenrechtskmsn., Europ. GH f. Menschenrechte Straßburg). P.: Abhandl. in Fachzeitungen wie "Neues über das Schmerzengeld" (Kraftfahrjurist 1969), "Aufwandersatz vor d. VerwGH" (Österr. Anwaltsblatt, 1979), u. zu: "Die chron. Krise" sowie "Die Rechtsschutz-Versicherung" (Österr. Anwaltsblatt 1984), Gastkommentar "Wie die Menschenrechte das Individuum schützen" (Kl. Ztg. 1985), ferner z. "Haftung f. Ski-Schlepplifte" u.a. Themen (Der Staatsbürger), Kommentare, Leserbriefe im Österr. Anw.Blatt. M.: Alpenver., Österr. Haus- u. Grundbesitzerbund. H.: Wandern, Tennis, Reisen, Theater, Völkerkunde. (D.M.)

Walther Helge Ing.

B.: techn. Kfm., Gschf. FN.: Ing. Walther u. Aurocom Ges.m.b.H. DA.: 1232 Wien, Mosettig. 1. G.: Pernitz, 9. Sept. 1939. V.: Ilse, geb. Schuter. Ki.: Elke, Kerstin. El.: Karl u. Johanna. S.: VS, 1962 Matura. K.: Mitarb. d. Fa. Elektro-Bau, Fa. Linde in München, geprüf. Schweißfaching., 1968 Sauerstoffwerke Lambach, Schutzgasschweißtechn., 1979 Elin-Union in Wien, s. 1980 Mitarb. in Fachnormenausschuß für Schweißtechnik, Vortragender für "Schutzgasschweißtechnik", Kuratoriumsmitgl. d. Schweißtechn. Zentralanstalt, Red.-Mtgl d. Fachzeitschrift "Schweißtechnik", Gschf. d. dt. Fa. L-GEC, Grdg. eines eigenen Untern. "Walther Schweißtechnik" u. Fa. "Aurocom" (gem. mit Rußland), WIFI-Vortragender. H.: Segelflug, Motorrad, Fahrrad. (W.J.)

Waltinger Anton

B.: Werbemanager. FN.: Tinnacher & Waltinger Werbe Ges.n.b.R. GT.: Werbekonzeptionist u. Art Director f. versch. Werbeagenturen im In- u. Ausland. DA.: 1080 Wien, Lerchenfelder Str. 88-90. G.: Wien, 17. Jan. 1962. S.: Matura, Höhere Graph. BLVA Wien, Dipl. u. Auszeichng. 1986. K.: Auslandsaufenthalte in d. Schweiz als selbst. Graphic-Designer, 1985-87 in Wien, Werbeagentur Demner & Merlicek, 1989 Grdg. d. eig. Werbeagentur gem. m. Christine Tinnacher, Schwerpunkt: Verpackungsdesign u. Werbekampagnen. E.: zahlr. Ausz. f. Werbekampagnen. M.: Creativ Club Austria (CCA). H.: Mode, Möbeldesign, Fotografie, Sport. (J.S.)

Waltl Anton Dr. iur.

B.: RA. FN.: Anwaltskanzlei Dr. Waltl u. Dr. Krempl. DA.: 5700 Zell am See, Sebastian Hörlstr. 7. PA.: 5671 Bruck, Imbachhornweg 1. G.: Hopfgarten i. Nordtirol, 10. Juni 1951. V.: Erna, geb. Moßhammer. Ki.: Stefan (1971), Sandra (1979). El.: Josef u. Barbara. S.: 4 J. Gymn. i. Salzburg u. Innsbruck Boromäum u. Akad. Gymn. je 4 J., 1970 Matura, 1971 BH, 1971-77 jur. Fakultät zu d. Z. Studienass., 1977 Dr. rat., Dr. jur., 5 J. Rechtsanwaltanwärter i. Salzburg u. Innsbruck, dann 1982 Kanzlei i. Zell eröff., s. 1987 RA Dr. jur. Krempl Peter als Partner i. Kanzlei eingetreten, nach Rechtsanwaltsanwärterzeit i. Kanzlei. M.: Golfclub, Sportclub. H.: Golf , Wandern, Radfahren, Musik, Reisen.

Waltl Egon

B.: Gschf. Ges. FN.: Art + Design Atelier Waltl & Waltl. DA.: 8010 Graz, Sporg. 7/1. PA.: 8020 Graz, Bieneng. 23. G.: Wolfsberg, 22. Jan. 1954. V.: Uschi, geb. Kowatsch. Ki.: Egon (1987), Peter (1990). El.: Egon u. Marlene. S.: VS, Gymn., 1970-74 Kunstgewerbeschule Graz Abt. Grafik-Design. K.: 1976-78 Werbeagentur Graz, seit 1978 selbst. Grafikdesigner, 1991 Grdg. Agentur Waltl & Waltl, seit 1993 Repräsentanz in Sbg. E.: Preis d. Unterrichtsmin. f. zeitgen. Malerei, 1. Preis b. intern. Plakatwettbewerb "Kulturszene d. Stadt Essen", Werbe Grand Prix f. Plakat "Hemma v. Gurk", Orizont-Publizistik-Preis Stmk. M.: Design Austria. (I.G.)

Waltl Uschi

B.: Gschf. Ges. FN.: Waltl & Waltl Werbeaentur Ges.m.b.H DA.: 8010 Graz, Sporg. 7/1. PA.: 8020 Graz, Bieneng. 23. G.: Graz, 5. Dez. 1961. V.: Egon Waltl. Ki.: Egon (1987), Peter (1990). El.: Franz u. Ilse Kowatsch. S.: VS, HS, HASCH, 1979 Abschluß. K.: 1979-90 Sekr. d. ÖVP Stmk., 1991 Grdg. Agentur Waltl & Waltl, seit 1993 Repräsentanz in Sbg. H.: Skifahren, Schwimmen. (I.G.)

Waltle Helmut Ing.

B.: Bmstr., Gschf. FN.: Streng Bau GmbH. GT.: StadtR. d. Stadt Landeck. DA.: 6500 Landeck, Graf 134. PA.: 6500 Landeck, Leitenweg 14. G.: Zams, 21. Okt. 1948. V.: Erna, geb. Streng. Ki.: Thomas, Sabine. El.: Josef u. Mathilde. S.: VS, HTL Innsbruck, 1968 Matura, Präsenzdienst. K.: 1969 Eintritt Fa. Streng, 1974 Bmstr.Prüf., 1977 Ges. Fa. Streng, 1987 Gschf. Ges. BL.: 1978 Aufbau d. Kieswerks in Starkenbach. M.: Mtgl. d. StadtR. d. Stadt Landeck, Obm. d. Wirtschaftsbundes d. Stadt Landeck, Lions-Club. H.: allg. Sport, Motorsport/Motorradfahren, Skifahren, Reisen. (W.G.)

Waluschnigg Enrico

B.: selbst. Kfm. FN.: GEMA Getränkemarkt. DA. u. PA.: 8053 Graz, Peter-Rosegger-Str. 62. G.: Graz, 10. Aug. 1961. El.: Josef u. Walburga. S.: Pflichtschule, b. 1972 Stud. Musik-

HS. K.: 1972-83 Außendienstmitarb. in d. Getränkebranche, 1983 Übernahme d. bestehenden Getränkemarktes als Besitzer. H.: Skifahren, Radfahren, Uhrensammeln, Fotografieren. (F.K.)

Walz Günther Mag.

B.: freischaff. Maler, Grafiker u. Designer. DA. u. PA.: 1110 Wien, Sedlitzkyg. 20. G.: Graz, 19. Febr. 1939. V.: Dr. Elisabeth, geb. Babor. El.: Rudolf u. Anna. S.: Bundesgewerbeschule f. Angew. Kunst Graz, Freskomalerei Prof. Spohn, HS f. Angew. Kunst Wien: Malerei u. Grafik, Mstr.-Kl. Prof. Bäumer, 1961 Dipl., Glasmalerei: Prof. Johan-Höllwarth. K.: seitdem freischaff. tätig als Maler, Grafiker u. Designer, zahlr. Einzelausstellungen u. Ausstellungsbeteiligungen in ganz Europa u. d. USA, Ankäufe v. staatl. u. öff. Inst. sowie v. priv. Sammlern im In- u. Ausland, Studienreisen in Europa, Jamaica, Indien, Sri Lanka, Malediven, Thailand, Südafrika , Tunesien u. d. USA. H.: Reisen. (J.S.)

Walz Heinrich

B.: Steinbildhauer i.R. PA.: 6020 Innsbruck, Ursulinenweg 53. G.: Wasungen/BRD, 8. Juli 1915. V.: Hildegard. Ki.: Heinz-Werner (1941), Günter (1944), Marie-Luise (1946), Renate (1948), Hildegard u. Helga (1949). El.: Otto u. Marie. BV.: Vater Otto Walz Holzbildhauer in d. BRD. S.: VS, Mittelschule, Kunstgewerbeschule Meiningen/BRD. K.: Tätigkeit als Steinbildhauer, 1936 nach Neuburg/Donau, 1937-45 Dt. Wehrmacht, 1945 Steinmetz in Innsbruck, versch. wichtige Bildhauerarb., 1946 Schriftengravierungen, Renovierungen, Sandsteinarb., 1958 Wechsel z. Firma Linzer, 1960 Renovierung d. Reliefs d. Bankgebäudes in d. Maria-Theresien-Straße in Innsbruck, lfd. weitere Steinbildhauer. Arb., 1973 in Pension. H.: Haus u. Garten, Blumen. (G.P.)

Walzel Herbert Dr.

B.: Prakt. Arzt. DA.: 2560 Berndorf, Kruppstr. 25. PA.: 2551 Enzesfeld, Marianneng. 629. G.: Mödling, 18. März 1954. El.: Johann u. Maria. S.: VS, Privatschulen, Matura m. Ausz., Med.Stud. Univ. Wien, 1979 Prom. K.: KH Wr. Neustadt u. Mödling, 1983-84 Präsenzdienst als Arzt in Syrien, Ndlg. in Berndorf. H.: Tennis, Reisen, Amerikafan, ausgefallene Autos. (E.L.)

Walzer Gerhard

B.: Bgm. d. Marktgem. Langenzersdorf. DA.: 2103 Langenzersdorf, Hauptpl. 10. PA.: 2103 Langenzersdorf, Schulstr. 106. G.: Korneuburg, 28. Sep. 1943. V.: Margarete, geb. Schweiger. Ki.: Sabine (1971). El.: Anton u. Hildegard, geb. Haunold. S.: VS, HS, HASCH. K.: 1961 Eintritt in d. Postdienst in d. Gen.-Dion. d. Post- u. Telegrafenverw. Wien 1, seit 1964 Datenverarb. d. ÖPTV Wien 17, seit 1963 Mtgl. d. ÖVP Langenzersdorf, seit 1980 GemR. Langenzersdorf, seit 1985 Gschf. GemR. f. Sozialwesen u. Parkanlagen, seit 1990 VBgm., seit 1994 Bgm. M.: Museumsver. Langenzersdorf, Siedlerver. Langenzersdorf. H.: Reisen. (M.M.)

Walzer Peter H.

B.: Ak. geprüfter Werbekfm. u. Alleininh. FN.: Walzer Communications Gesellschaft mbH; Niederlass. BRD: D-82229Seefeld/Obb. GT.: Aussch.-Mtgl. d. Fachgruppe Werbung u. Marktkommunikation d. Wirtschaftskam. Wien. DA. u. PA.: 1080 Wien, Lammg. 12. G.: Wien, 16. Nov. 1942. V.: Mag. Helga, geb. Zitnik. Ki.: Bettina (1969), Annette (1973). El.: Franz Josef u. Ludovika. S.: HAK, HS-Lehrgang f. Werbung u. Verkauf WU Wien. K.: 1964-69 Werbeltr. v. Hornyphon Fa. Philips, 1969-78 Marketingdir. b. Odol Pharmakon, 1978-83 Gschf. Ges. d. Sitour Werbeges. Wien, 1983 Grdg. d. Walzers Werbeagentur GmbH, 1994 Grdg. d. Walzer Communications Gesellschaft mbH, Ges. d. Plakat-Control WerbeGmbH, Gschf. d,. MTC Werbeagentur GmbH, Gschf. d. Büro X Wien, Design Ges.m.b.H., Werbeberatung u. -mittlung, Text, Foto, Grafik-Design, Public Relations, Corporate Publishing, Markt- u. Meinungsforsch., Promotions, Marketingberatung. M.: Union Yacht Club Attersee, Schlaraffia Vindobona, WAC Tennis. H.: Skifahren, Tennis, Segeln. (J.S.)

Walzl Gerald Dkfm.

B.: Unternehmer, Inh. d. Walzl OHG. DA.: 8010 Graz, Plüddemanng. 6. PA.: 8051 Graz, Thal 197. G.: Graz, 29. Mai 1933. V.: Berta, geb. Handl. Ki.: Clemens (1965). El.: Maria u. Karl. S.: AHS, HS f. Welthdl. Wien, Grad. 1961. K.: Grdg. d. Fa. m. d. Vater, Praxis in div. Betrieben, s. 1971 Alleinh. d. Fa., Gremialvorst. d. Außenhdls. d. Kam., Delegationsmtgl. d. Dt.-Österr. HK. M.: Vors. d. kath. Bildungswerkes, Wirtschaftsbund. H.: Sport, Musik. (C.H.S.)

Wammerl Manfred

B.: Ltr. d. Rehabilitationszentrums Bad Hofgastein d. Pensionsvers.-Anst. DA.: 5630 Bad Hofgastein, Salzburger Str. 26-30. PA.: 5630 Bad Hofgastein, Grünlandstr. 18. G.: Baden, 9. Okt. 1944. Ki.: Alexandra (1966), Marita (1971), Vanessa (1974), Patrick (1977), Yannick (1984). El.: Josef u. Ottilie. S.: 1964 Matura Hum. Gymn. Baden, 4 Sem. Jusstud. K.: 1967 Pensionvers. d. Bauern, 1971 Pensionsvers.-Anst. d. Ang., 1974 Analytiker f. Personalwesen, Groß-EDV, 1982 Projektltr. f. Bezugsverrechnung, 1984 stellv. Ltr. d. Personalabt., 1988 stellv. Verw.-Ltr. u. seit 1991 Ltr. d. Rehabilitationszentrums. M.: Arge Sbg., Obm. d. Elternver. d. Oberstufen-RG Bad Hofgastein, Tennisclub. H.: Tennis, Skifahren, Joggen, Lesen, Kindererziehung. (G.P.)

Wampl Franz

B.: Gschf. Ges. FN.: Karl Wampl Baustoffhandel GmbH DA.: 4816 Gschwandt, Alt Gschwandt 11. PA.: 4816 Gschwandt, Wallweg 2. G.: Gschwandt, 26. Aug. 1950. V.: Gertrude, geb. Eder. Ki.: Daniela (1970), Sandra (1978), Raffaela (1985). El.: Karl u. Elisabeth. S.: VS, 1964-67 Lehre als Einzelhandelskfm. im elterl. Betrieb, 1967 Gesellenprüf. K.: s. 1967 tätig im elterl. Betrieb, 1985 Konzessionsprüf. f. Güterbeförderungsgewerbe, Fernverkehr, 1986 Übern. d. elterl. Betriebs u. Grdg. GmbH. M.: Freiw. Feuerwehr Gschwandt, s. 1988 Komandant, Vize-Bgm. s. 1990, Wirtschaftsbund, s. 1989 Obm. Kameradschaftsbund. H.: Jagd, Familie. (G.E.)

Wamser Gerhard

B.: selbst. Fotograf. DA.: 1120 Wien, Aichholzg. 11. PA.: 1140 Wien, Linzer Str. 303/8. G.: Wien, 15. Aug. 1963. El.: Gernot u. Gerda, geb. Wenzl. S.: GLV m. Mstr.-Prüf. K.: ab 1988 selbst. m. Schwerpunkt Stillifefotografie. H.: Reisen. (N.A.)

Wancura Ingrid Dr. med.

B.: Prakt. Ärztin, Schriftstellerin, Univ.Lektor. DA. u. PA.: 1080 Wien, Piaristeng. 58/2/2/30. G.: Bruck/Leitha, 15. Mai 1941. S.: RG3 Boerhaveg. (BEA), 1960 Matura, b. 1968 Med.Stud. Univ. Wien, 1968 Prom. K.: seit 1972 Beschäftigung m. d. traditionellen chines. Med., 1975/76 als Stipendiat d. Österr. Wiss.Min. 3 Sem. an d. Univ. Peking, als 1. europ. Arzt seit d. Kulturrevolution, Akupunkturstud. in chines. Sprache, seit 1980 Univ.Lektor f. Akupunktur. P.: Nach d. Rückkehr aus China Veröff. (gemeinsam m. Dr. G.

König) v. Fachpubl. über Akupunktur im Mandrich Verlag Wien: "Praxis u. Theorie d. Neuen Chinesischen Akupunktur", Band 1 - Konstitutionslehre, Krankheitslehre, Bewegungsapparat, Band 2 - Anleitung z. Praxis, Interpretation d. Theorie, Band 3 - Ohrakupunktur, Band 4 - Lehrbuch u. Atlas m. naturwiss. Erklärungen, Band 5 - Punkte u. Regeln d. neuen chines. Akupunktur. E.: 1. Bachmann Buchpreis f. Akupunktur 1987, Ehrenmtgl. d. Dt. Ärzteges. f. Akupunktur, Vorst.Mtgl. d. Österr. wiss. Ges. f. Akupunktur. H.: Musik, Literatur. (C.K.)

Wandl Kurt Dipl.-Kfm. KommR.

B.: AufsR.-Vors.-Stellv., Dir. FN.: Eybl Krems Textilwerke AG. PA.: 3500 Krems, Alauntalstr. 77. G.: Krems, 26. Mai 1928. V.: Elisabeth, geb. Gruber. El.: Leopold u. Berta. S.: Hum. Gymn. Krems, 1946 Matura WU Wien, 1949 Dipl. K.: 1951 Eintritt in d. Erste Österr. Mech. Kokos Teppich u. Mattenfbk. Karl Eybl, 1959 Einzelprok., 1965 Ernennung z. Dir. (Ltg. d. Werkes Krems), 1976 Gschf. H.: Reisen, Sport, Skifahren, Wandern, (Ch.K.)

Wandruszka Ulrich Dr. phil.

B.: o.Univ.-Prof. am Inst. f. Romanistik d. Univ. Klagenfurt. DA.: 9020 Klagenfurt, Universitätsstr. 65-67. PA.: 9020 Klagenfurt, Frodlg. 33. G.: Stuttgart, 2. Okt. 1941. V.: Charlotte, geb. Keil. Ki.: Florian. El.: Prof. Dr. Mario u. Lore. BV.: Prof. Adam Wandruszka (bek. Historiker Univ. Wien). S.: Uhland Gymn. Tübingen, 1961 Abitur, Stud. Romanistik u. Germanistik in Hamburg, Heidelberg u. Tübingen. K.: 1jähr. Lehrtätigkeit als Ass. d'allemand in Paris, 1969-70 wiss. Hilfskraft f. franz. Sprachwiss. am Inst. f. Roman. Philol. d. Univ. München, 1971 Prom. in München, 1972-81 wiss. Ass. f. franz. u. ital. Sprachwiss., 1977-78 Lehrauftrag f. Roman. Philol. an d. TU Berlin, seit 1981 Prof. f. Roman. Philol. d. Univ. München, 1981-82 Lehrstuhlvertreter d. Univ. Würzburg, 1982-85 Lehrstuhlvertreter d. Univ. München, 1979 Habil. in München, seit 1979 Priv.Doz., 1986-87 Gastprof. an d. Univ Wien, seit 1987 o.Univ.-Prof. in Klagenfurt. P.: "Probleme d. neufranzös. Wortbildung" 1976, "Studien z. italien. Wortstellung. Wortstellung-Semantik - Informationsstruktur" 1982, "Der romanische Konjunktiv" 1986, zahlr. Rezensionen, Aufsätze, Hrsg. u. Mitarb.Tätigkeit. M.: Romanistenverb., Dt. Ges. f. Sprachwiss. H.: Skifahren, Bergsteigen. (D.M.)

Wandschneider Gerhard Dr. med. Univ.-Prof. Prim.

B.: Vorst. d. urulog. Abt. d. LKH Graz. DA.: 8036 Graz, Auenbruggerpl. 1. PA.: 8042 Graz, Petersbergenstr. 61. G.: Graz, 21. Sep. 1927. V.: Ludmilla, geb. Großschädl. Ki.: Helmut. El.: Martin u. Stefanie. S.: VS, RG, Univ. Graz, Prom. 1954. K.: Ausbild. in Chir. u. Turnusarzt in LKH Graz u. Schwarzach/St. Veit, 1955 Urul. Graz (b. Prof. Herbst), 1959 Ass., 1964 OA, 1968 prov. Ltr. d. urulog. Abt., 1968 Ltr. d. Abt., Habil. 1979, a.o.Univ.-Prof. seit 1988. BL.: Plast. Chir. im Urugenitaltrakt. P.: "Die operat. Behandl. d. perinealen bulbären u. membranösen Harnröhrenstriktur" (Habil.Schrift), 84 weitere Publ. M.: Österr. u. Dt. Ges. f. Urul., Steir. Ärztever. H.: Klass. Musik (5 J. Hornist am Grazer Opernhaus) (R.A.)

Wandschneider Hellmuth

B.: Vorst.-Vors. d. Interunfall Vers. AG. DA.: 1010 Wien, Tegetthoffstr. 7. G.: Graz, 8. Juli 1929. V.: Adolfine, geb. Zollner. Ki.: Dr.med. Wolfgang, Mag. Bernd. El.: Martin u. Stephanie. K.: 1945 Lehre b. Interunfall Graz, 1948 Schadenliquidator, 1960 Ltr. d. Schadenabt. Klagenfurt, 1961 LDir. f. Ktn. u. Osttir., seit 1971 Vorst.Mtgl. d. Interunfall Wien, 1972 Außenorgan. Interunfall Österr.-BRD, seit 1985 Vorst.Mtgl. d. RAS Österr., seit 1989 Gen.-Dir. d. Interunfall-Vers. E.: GrSE. M.: Verb. d. Versicherungsuntern. Österr., Sekt. Kfz-Vers., Rotary Club Wien-West. H.: Bergsteigen, Skifahren, Segeln, Reisen. (A.W.)

Waneck Kurt Dr.

B.: RA. DA.: 1010 Wien, Schellingg. 5. G.: Krems, 22. Febr. 1945. V.: Hilde. Ki.: Marianne, Birgitt. El.: Dr. Kurt u. Marianne. S.: VS, RG Gmunden, 1963 Matura, Militärdienst, 1964-69 Jusstud. an d. Univ. Wien. K.: 1970-75 RA-Anw., seit 1975 Anw. BL.: militär. Fünfkampf, Mtgl. d. Auswahl f. OÖ u. Sbg., Österr. Meisterschaften, Rekord im Jahr 1964. M.: Akad. Corps Hellas, Mtgl. d. Techniker-Cercle, Badener Rallye-Club, Tennis-Club Illmitz, Yachtclub Illmitz, Gmundner Ruderver. H.: Sport (Tennis, Motor, Segeln). (H.P.)

Waneck Reinhart Dr. med. Univ.-Doz.

B.: Prim. d. Röntgenabt. d. KH d. Barmherzigen Schwestern d. Hl. Vinzens v. Paul Wien. DA.: 1140 Wien, Meiselstr. 77. G.: Innsbruck, 16. Okt. 1945. V.: Mag. phil. Agneta, geb. Jacobsson (Airhostess SAS). Ki.: Asa (1974), Fredrik (1977), Henrik (1981), Ylva (1988). El.: Sekt.-Chef i.R. Dr. iur. Friedrich u. Edelfriede. S.: VS, RG, Matura, Med.-Stud. in Wien b. 1971. K.: Turnusausbild. in Wien u. OÖ, FA-Ausbild. an d. Wr. Univ.-Kliniken m. Studienaufenthalten in Schweden, in Deutschland u. USA, gewählter Mandatar d. Wr. Ärztekam. seit 1977, Sportref. d. Wr. Ärztekam., wiss. BeiR. d. Österr. Ärztekam., Coreferent f. Primarärzte Österr. Ärztekam. u. Fachgruppe Radiologie, Vorst.-Mtgl. d. AMM (med. Mittelbau) u. d. Fak.-Kollegiums d. Univ. Wien, Vorst.-Mtgl. d. Verb. d. ärztl. Dir. u. Primarärzte Wiens u. Österr., VPräs. d. Spitalsärztekmsn. d. Fédération Européenne des Médecins Salariés. P.: Publ. in in- u. ausländ. (Röntgen-) Fachzeitschriften in dt., engl. u. franz. Sprache, Standespolit. Beiträge. E.: f. Verd. um d. Durchführung d. olymp. Winterspiele in Innsbruck 1976 (Österr. BH - Militärarzt), Silb. EZ d. Wr. Ärztekam. M.: Verb. d. österr. HS-Lehrer, Österr. Röntgenges., American Institute of Ultrasound in medecin, Cardiovascular and Interventional Radiology Society, ICA, Verb. f. med. Strahlenschutz in Deutschland u. Österr., Österr. Ärztekomitee, Freiheitl. Akademikerverb. u. VObm. d. Fachgruppe Wr. Ärzteclub, Ak. Verbindung Wartburg z. Wien, Liberaler Club. H.: Sport (Skifahren, Tennis, Basketball), kultur. Veranst. (Theater, Konzert, Oper), Bergwandern. (J.S.)

Wanger Ernst Ing.

B.: Geschäftsstellenltr. FN.: Kone Krane GmbH. DA.: 1232 Wien, Tenschertstr. 8. PA.: 2551 Inzersfeld, Kreuzg. 727. G.: Wien, 16. März 1955. V.: Christa, geb. Schalk. Ki.: Carina (1989). El.: Johann u. Elvira, geb. Dvornikovits. S.: VS, HS, Polytechn. Lehrgang, Berufsschule als Elektromechaniker, 1976-81 HTL Elektrotechnik. K.: 1974-80 Aufzugsmonteur, 1980-89 Wechsel z. Kranbereich, Kundendienstltg. b. d. Firma Kone Krane, 1989-93 Abt.-Ltr. Verkauf, ab 1993 Geschäftsstellenltr. f. Ostösterr. H.: Familie, Reisen, Schach, Tennis. (N.A.)

Wangermann Ernst Dr. phil. Univ.-Prof.

B.: Ordinarius f. Österr. Geschichte am Inst. f. Geschichte an d. Univ. Sbg. DA.: 5020 Salzburg, Rudolfskai 42. PA.: 5020 Salzburg, Rennbahnstr. 16. G.: Wien, 22. Jän. 1925. V.: Maria Josefa, geb. Fernández. Ki.: John Paul, Michael Alexander. El.: Dr. Herbert u. Margarethe. S.: 1943 Matura Chorlton Grammar School Manchester England, 1943-46 Kriegsdienst in Engld., 1946-53 Stud. Balliol College d. Univ. of Oxford, 1949 Bachelor of Arts, 1953 Master of Arts, Doctor of Phil. K.: 1953-62 Mittelschulunterricht, 1962-69 Lecturer u. 1969-77 Senior Lecturer in Modern History Univ. of Leeds, 1977-84 Reader in Modern History, Univ. of Leeds, seit 1984 o.Prof. f. Österr. Geschichte an d. Univ. Sbg.,

Gastprof.: 1964-65 Cornell Univ. USA, 1968 Univ. of Wisconsin at Madison USA, 1982 Univ. Wien. P.: Bücher: Von Joseph II. zu d. Jakobinerprozessen, The Austrian Achievement 1700-1800, Aufklärung u. Staatsbürgerl. Erziehung: Gottfried van Swieten als Reformator d. Österr. Unterrichtswesens 1781-1791, zahlr. Publ. in Fachzeitschriften u. Sammelbänden. BL.: Beiträge zu intern. wiss. Symposien: Histor. Kmsn. zu Berlin (1976, 1977, 1988), Maria Theresia Symposium Wien (1980), 7th Intern. Congress of the Englightenment (1987), Intern. Gluck Kongress Wien (1987), Europalia Brüssel (1987), Congrès Mondial Bicentennaire Révolution Francaise Paris (1989), Austrian Studies Centre Univ. of Minnesota (1989). E.: Fellow of the Royal Historical Society (1972). H.: Bergwandern, Musik. (M.Mo.)

Wanggo Michael
B.: Kfm., Gschf. Ges. FN.: Wanggo Wäscherei Betriebs GmbH. DA.: 9020 Klagenfurt, Feldkirchner Str. 90. PA.: 9020 Klagenfurt, Grete-Bittner-Str. 36. G.: Klagenfurt, 27. März 1954. V.: Ulrike, geb. Dollinger. Ki.: Max. El.: Gustav u. Ingeborg. S.: Gymn., HAK, 1973 Matura, div. Fachkurse. K.: 1975-80 Auslandspraxis, 1981-85 Inh. d. Fa. Michael Wanggo, ab 1985 Gschf. Ges. d. Fa. Wanggo Wäscherei Betriebs GmbH. F.: Salesianer Miettex Klagenfurt, Wanggo Hdls. GmbH. M.: Junge Wirtschaft Klagenfurt. H.: Alpinskifahren, Bergwandern, Radfahren, Jagd, Musik. (S.G.)

Waniek Kurt Dr. med. OMedR.
B.: Prakt. Arzt. PA.: 3002 Purkersdorf, Hauptpl. 2. G.: Wien, 21. Apr. 191. V.: Brigitte, geb. Walda. Ki.: Dr. med. Michael, Dipl.-Ing. Kurt, Artur. El.: Oskar u. Juliane. S.: RG, Univ. Wien, 1943 Prom. K.: Kriegsdienst, russ. Gefangenschaft, 1951 Eröff. d. Praxis in Purkersdorf. BL.: Seit 1975 StadtR. f. Gesundheitswesen u. Soziales. E.: 1961 MedR., 1981 OMedR., Gold. Ehrennadel d. Gem. Purkersdorf, Gold. Ehrenring d. Gem. Purkersdorf. M.: Kameradschaftsbund, BSA, sozialmed. Ges. H.: Klass. Musik (Oper), Reisen (Asien), Holzarbeiten. (Bauer)

Wanik Hansjörg
B.: Gschf. Ges. FN.: Wanik Gaststätten u. Hotelbetriebs GmbH. GT.: Wanik & Partner Kitzbühel. DA.: 4600 Wels, Kaiser-Josef-Pl. 27. PA.: 4600 Wels, Freiung 14. G.: Wels, 10. Mai 1955. V.: Margit, geb. Gumpelmeyr. Ki.: Eva (1980), Anna (1985). El.: Johann u. Ehrentraud. S.: VS, Gymn., HASCH. K.: Büro Hotel Winkler Sbg., 1/2 J. Reiseltr. Italien, 2 J. Hotelfachschule Kleßheim, 1/2 J. USA, 1/2 J. Gschf. Hotel Bräu u. Hotel Post Lofer, 1/2 J. Ang. CA-Bank, 2 Monate Saudi Arabien u. weitere Auslandsaufenthalte, seit 1982 Gschf. Ges. M.: Aussch.-Mtgl. d. Prüf.-Kmsn. d. Fachgruppe Gast- u. Schankgewerbe OÖ d. HK Linz, Laienrichter, VObm. d. Gastwirteverb. OÖ. H.: Skifahren, Reiten, Bergsteigen, Tennis, Bilder sammeln. (U.A.)

Wanitschek Gottfried Dr.
B.: Mtgl. d. Vorst. FN.: Leipnik Lundenburger Ind. AG. GT.: Vorst. Kurier Beteiligungs AG, Gschf. Delikomat Betriebsverpflegung GmbH, Prok. C & S Immobilienanlagen AG, fachkundiger Laienrichter b. Arbeits- u. Sozialgericht Wien. DA.: 1010 Wien, Börseg. 9. G.: Eisenstadt, 14. Mai 1955. V.: Irene. El.: Karl u. Anna. S.: Gymn. Eisenstadt, 1973 Matura, Jusstud. Univ. Wien, 1979 Prom., postgraduate Studien: Univ. Wien Lehrgang f. Intern. Studien m. Abschluß, WU Wien: Univ.-Lehrgang f. Vers.-Wirtschaft m. Abschluß. K.: Gerichtsjahr, 1980-85 b. Verb. d. Vers.-Unternehmen Österr., 1985-90 Prok. b. d. Raiffeisenvers. AG, ab 1990 Prok. d. Leipnik Lundenburger Ind. AG, seit 1991 Vorst.-Mtgl. M.: Management-Club, Ges. d. Freunde d. bild. Künste, Akademikerbund, Bgld. Jurist. Ges. H.: Segeln, Tennis, Skifahren, Musik, Klavierspielen. (J.S.)

Wanjura Karl
B.: Inh., Koch d. Restaurant Schottenhof. DA.: 1170 Wien, Amundseng.5 und Rest. Kaiserpavillon Schönbrunn, 1130 Wien, Maxingstr. 13b. G.: Wien, 10. Sept. 1954. V.: Stefanie. Ki.: Gina, Marco. El.: Erich u. Frieda. S.: 1973 Abschluß Kochlehre, Lehre im Wr. Stadtkrug. K.: 1974 3 Husaren, 1974 Schloßhotel Velden, 1975 Hotel Jagdschloß, 1975 Futtertrog, Peter Jordan-Hof, 1978 DDSG - Stadt-Passau-Schiff, 1978-79 El Condor, 1980 Jagdschloß, Opernbälle, 1987 Piaristenkeller, 1992 Neuübernahme d. Restaurant Schottenhof. E.: 1973 Gold. Kochlöffel b. nat. Wettbewerb, 1992 Gold. Reindl. M.: Kochverb. H.: Kinder, Kräutergarten, Meer, Berge, Beruf. (J.E.)

Wanka Hans Prof. Dir. Präs.
B.: Konsulent d. OÖ Landesrg. DA. u. PA.: 4020 Linz, Eigenheimweg 25. G.: Grieskirchen, 29. März 1911. V.: Helene. S.: Grundschule, LBA Linz, 1930 Matura. K.: 1931 HS-Lehrer Grieskirchen, 1938 HS-Lehrer Linz, amerikan. Gefangenschaft, HS-Lehrer in Linz, 1963 provisor. Dir. HS Linz, 1965-76 Dir. d. HS Linz, 1970 Prof., Hptm. d. Res., seit 40 J. in d. Erwachsenenbild. tätig, 1953 Initiator f. Kurse d. HK, Bundesgendarmerie, Heeresunteroffz.-Schule, Gründer d. Abend-HASCH, 1973 Gründer u. Obm. dzt. Gschf. Vors. d. Österr.-Dt. Kulturges. Sekt. OÖ, 1957 Mitbegründer d. Linzer Volksbildungsver. dzt. Präs., Initiator d. Linzer Stadt-Gespräche, Initiator d. Verkehrsparlaments. M.: 1968-70 Gschf. Präs. d. Ver. z. Errichtung d. Brucknerhalle, langjähriger VPräs. d. Ges. z. Förd. d. Landesverteidigung. P.: Vortragstätigkeit im In- u. Ausland. E.: Gold. EZ f. Verd. um d. Rep. Österr., VK 1. Kl. f. Verd. um d. BRD, Gr. EZ d. Stadt Linz, Kulturmed. d. Stadt Linz, Ehrenplakette d. Ges. z. Förd. d. Landesverteidigung, Kons. d. OÖ Landesrg. f. Volksbildung u. Heimatpflege, Ehrennadel d. BFI. (P.H.)

Wanke Margarete
B.: Opernsängerin u. Modistenmstr. i.R. PA.: 1170 Wien, Gräfferg. 1. G.: Wien, 29. Juni. BV.: Vater Hans Wanke, Barchef Hotel Bristol, Mutter Betty Wanke, geb. Seidelberger, 2 Brüder, Akad. Maler Prof. Mag. Johannes Wanke, intern. bek. Maler, 2-facher österr. Staatspreisträger, Erich Wanke, wirkl. AmtR. i.R. S.: Modistenlehre, Gesangsstud., Opernklasse am Konservatorium d. Stadt Wien b. Prof. Jerger, Stip. f. d. 1. Preis f.d. Rolle d. "Königin d. Nacht". K.: Heimarb., 1947 Abschl.-Prüf. als Solisten-Opernsängerin, 1948 1. Engagement durch Dir. Stoß am Wr. Bürgertheater, Stadttheater Wien, Staatsoper u. Volksoper, zahlr. Konzerte als Solistin, 1957-58 Engagement am Wr. Raimundtheater, 1958-59 am Theater in d. Josefstadt in Wien, 1959 Eintr. in Hutgeschäft Käthe Breit, 1963 Mstr.-Prüf. d. Modistengewerbe, 1964 Übern. d. Modistengeschäftes, 1983 Eintr. in Ruhestand. H.: Schallplatten, Katzen.

Wänke Kurt KommR.
B.: Vorst.Dir. FN.: Stadlbauer Baubedarfszentrum AG. DA.: 4600 Wels, Dr.-Groß-Str. 1. PA.: 4020 Linz, Hagenstr. 31. G.: Linz, 26. Juli 1934. V.: Ilse. Ki.: Peter, Mauela. El.: Ing. Heinrich u. Hermine. BV.: Bruder Heinrich Univ.-Prof. in Mainz im Bereich Weltraumforsch. tätig. S.: HAK. K.: 1953 Elektro Bau AG, 1957 zu Stadlbauer. M.: VPräs. d. Fliesenverb., Präs. Kiwanis, Präs. d. Linzer Marketing-Clubs. H.: Segeln, Skifahren.

Wanker Gerhard Mag. Prof.
B.: o.HS-Prof. an d. HS f. Musik u. darstell. Kunst Abt. Musikpäd. DA.: 8010 Graz, Brandhofg. 5/1. G.: Judenburg, 26. Dez. 1946. V.: Christine, geb. Rappold. Ki.: Thomas (1973), Karin (1976). El.: Karl u. Maria. S.: 1967 Matura, Stud. an d. Musik-HS f. Musik u. darstell. Kunst, Stud. Kunstgeschichte, Lehramt f. Musik- u. Instrumentalerziehung, Lehrbefähigung f. Klaiver u. Kontrabass. K.: 1970-87 Lehrer,

ab 1974 Lehrbeauftragter an d. Musik-HS Graz, 1979 Inh. d. Lehrkanzel f. allg. Musikerziehung Graz, 1989 Ltr. d. Abt. f. Musikpäd. an d. Musik-HS Graz. P.: "Lieder d. Zeiten" (1989), Musikpäd. Schriften d. HS "Musik in Wörtern", "Übungen in Wort u. Stimme", Beiträge im "Musikstudio" (1980), Aufsätze "Musikalität - Musikerziehung". M.: AGMÖ. H.: Skifahren, Tennis, Malen. (C.R.)

Wankmüller Heinz

B.: Tanzlehrer u. Inh. GT.: gerichtl. beeid. Sachv. f. d. Fachgebiet Vergnügungsunternehmen. DA.: 9020 Klagenfurt, Dr.-Arthur-Lemisch-Pl. 7. PA.: 9063 Maria Saal, Dellach 20. G.: Klagenfurt, 12. März 1946. Ki.: Andreas (1970), Stefan (1978). El.: Hans u. Maria. S.: VS, HS, Lehre als Elektromaschinenbauer, BH. K.: 1965-73 Tuniertänzer, 1975 Ausbild. z. Tanzlehrer, 1978 Tanzlehrerprüf., 1979 Eröff. d. Tanzschule, seit 1992 Kostümverleih Klagenfurt, 1984 Eröff. 1. Villacher Rock'n-Roll-Club, 1983 Gastgewerbekonzessionsprüf. BL.: als Turniertänzer an 60 nat. u. intern. Turnieren teilgenommen, b. 22 Turnieren 1.-3. Plätze. M.: Verb. d. Tanzlehrer Österr. H.: Bergsteigen, Musik, Sammeln. (K.K.)

Wanko Karl

B.: Lehrer HS Kautzen. DA.: 3822 Karlstein, Gemeindeamt. PA.: 3833 Karlstein, Aug. 39. G.: Kautzen, 18. Nov. 1944. V.: Herta, geb. Kaltenböck. Ki.: Markus (1972), Angelika (1976). El.: Johann u. Maria, geb. Österreicher. S.: VS, HS, BLBA Krems, 1963 Matura, 1969 Lehramtsprüf. f. HS-Lehrer. K.: seit 1963 Lehrer HS Kautzen, seit 1980 GemR. Karlstein, seit 1985 VBgm., musikal. Laufbahn: Dirigentenausbild. BLBA Krems, ab 1963 Übernahme d. Kirchenchores u. 1965 Gesangsver. Hillaria Kautzen, ab 1975 Dekanatskonator d. Dekanates Waidhofen/Thaya, ab 1979 Kreischorltr. d. Sängerkreises Waldviertel, Arb. m. Kinder- u. Jugendchören in Kautzen u. Karlstein, 1989 Beendigung d. Tätigkeit im Kirchenchor u. Hillaria, 1991/92 neue grenzüberschreitende Impulse am musikal. Sektor. P.: seit 1978 Vorst.-Mtgl. u. Red. d. Mtgl.-Zeitschrift "Ringelblume", Autor lokal-histor. Schriften über Karlstein. E.: zahlr. Dank- u. Anerkennungen d. Bez. u. LandesschulR. bzw. d. BH, 1992 Rudolf Süß-Plakette d. Waldviertler Sängerkreises. M.: Vorst. Waldviertler Ak., Mitinitiator d. Symposien "Grenze u. Nachbarschaft", Vorst.-Mtgl. d. Siedlungsgen. Waldviertel, Mitarb. d. Bez.-Lehrerarge, Ltr. d. Lehrerchores u. Organisator d. Bez.-Jugendsingens. H.: Musik, Lokalgeschichte. (M.M.)

Wanko Robert

B.: Persönl. haft. Ges. FN.: Oskar Wanko Transport GmbH. DA.: 1112 Wien, Simmeringer Hauptstr. 12. PA.: 2393 Sittendorf, Gaadner Str. 82a. G.: Wien, 24. Juni 1952. V.: Claudia, geb. Berber. Ki.: Susanne (1985). El.: Walter u. Hilde. S.: HAK, HASCH. K.: 1971 Eintritt in d. Fa. Oskar Wanko OHG, 1985 Grdg. d. Fa. Robert Wanko GmbH, 1986 Eintritt d. Fa. Robert Wanko GmbH als persönl. haft. Ges. in d. Fa. Oskar Wanko OHG, 1977 Eintritt als Ges. in d. Wanko Transport GmbH, 1985 Eintritt als Gschf. in d. Wanko Transport GmbH. M.: Lions Club Hofburg, BMTC-Die NÖ. H.: Tennis, Skifahren.

Wanner Gerhard Dr. Mag. Univ.-Prof.

A.: 6800 Feldkirch, Kapfstr. 107. G.: Feldkirch, 14. Aug. 1939. El.: Johann u. Erna. S.: 1959 Matura BLBA, 1959-61 Stud. Geologie u. Mineralogie an d. Univ. Innsbruck, 1961-65 Stud. Geografie, Geschichte, Kunstgeschichte, 1965 Doktorat in Geschichte u. Kunstgeschichte. K.: Schuldienst seit 1966 am BOberstufen-RG Feldkirch, seit 1978 Lehrbeauftragter an d. Univ. Innsbruck, Geschichte d. Neuzeit, 1982 Habil. z. Geschichte d. europ. Neuzeit, seit 1987 Prof. an d. Päd. Ak. d. Bundes in Feldkirch, seit 1988 Lehrbeauftragter d. Senatsinst. f. Politikwiss. d. Univ. Sbg., 1992 Ernenn. z. o.Univ.-Prof. an d. Gorki-Univ. in Ekaterinburg (Sverdlovsk), Region Ural. P.: zahlr. Veröff. z. Feldkircher Stadtgeschichte, z. Vbg. polit., Wirtschafts- u. Sozialgeschichte d. 19. u. 20. Jhdts., ferner z. schwed. Geschichte d. 20. Jhdts. M.: Obm. d. Rheticus-Ges. (Kulturver. d. "Vbg. Oberlandes" - Landeskunde) u. d. Arbeitskreises f. regionale Geschichte (Vbg., Schweiz, Liechtenstein).

Wanschura Werner

B.: Freier Journalist. GT.: Verein "Menschenwürde bis zuletzt". DA.: 1040 Wien, Viktorg. 14/10. PA.: 1040 Wien, Schleifmühlg. 13/31, G.: Schwarzach St.Veit, 7. Nov. 1945. V.: Therese Dr., geb. Koranyi. EL.: Dr. Viktor u. Hilde, geb. Nimführ. S.: RG, 1964 Matura, Stud. Kunstgeschichte, Theaterwissensch., Publ. u. Med. a. d. Univ. Wien. K.: 1969-78 Infodienst F. Bildungspol. u. Forschung, 1973-74 beim "Stern" Österr., ab 1978 selbst., Schwerpunkte: Wiss. insb. Med., Psychologie, Psychotherapie; Journal. Tätigk. f. Radio u. Fernsehen, sowie Printmedien, 1993 Mitbegründer d. Vereins " Menschenwürde bis zuletzt", österr. Dachverb. von Initiat. f. Sterbebegleitung u. Lebensbeistand. P.: Herausgeber d. Zeitschrift " Pro Senectute" Chefredakt. d. Zeitschr."Mein Leben" (Diabetes) u. "endlich leben", Ltr. d. Referats Öffentlichkeitsarbeit d. Österr. Institutes f. Familienforschung. M.: Vorstand im Verein "Pro Senectute", Vorst. i. Ver. "Hans Joans gesellsch."IGSL, Verein z. Förd. d. Ethik i. d. Medizin, 7 Bücher "Sag beim Abschied leise Servus", "Diabetes-Revolution", "Psychotherapie", "Freude als Medizin", u. a. H.: Skifahren, Tennis, Lesen, Fotografieren. (N.A.)

Wantoch Raoul Dipl.-Ing.

B.: Architekt. DA.: 1080 Wien, Kochg. 30. G.: Wien, 22. März 1948. V.: Margzretz. Ki.: Sarah. El.: Mag. arch. Heinz u. Lucia. S.: Schottengymn., TH Wien, 1975 Dipl. K.: Praxis b. Victor Gruen, Curtis & Davis, New Orleans, Arch. Christoph, Wien 1977-90 b. Arch. Schrittwieser Wien: div. Wettbewerbspreise wie Rennwegkaserne Wien, Siedlung Perg OÖ, Mitarb. u.a. b. Blindenpension Harmonie, Schloßhotel Wilhelminenberg, seit 1990 eigenes Architekturbüro, Einfamilienhäuser in Wien, NÖ, Hamburg, Griechenland, Autosalon "Top-Car", Dachbodenausbauten, Projektltg. "neues Wimberger" Wien f. Arch. Steffel. H.: Kochen, Musik.

Wanz Otto

B.: Berufssportlehrer, Profiringer. DA.: D-2800 Bremen 1, Neukirchstr. 1. PA.: 8010 Graz, Leonhardstr. 105. G.: Graz-Eggenberg, 13. Juni 1943. Ki.: Michael (1963), Ines (1964). El.: Albin u. Theresia, geb. Gliederer. S.: Kfz-Mechanikerlehre in Graz. K.: in frühester Jugend m. Boxsport begonnen, Boxclub Heros Graz, Halb- u. Schwergewicht, mehrf. steir. u. österr. Mstr., 1963-83 Übernahme d. "Cafe Clacis" Graz u. Amateurringer, 1968 Beginn d. Karriere als Profiringer, intern. Wettkämpfe vorw. S-Afrika, Orient, USA u. Japan, v. 31 Kämpfen um d. Weltmstr.Titel 28x Weltmstr., 1982 einziger Europäer b. American Wrestling Assoc. P.: zahlr. Tourneedokumentationen (Asien, Afrika) f. versch. dt. u. österr. Tageszeitungen. E.: 1984 Gold. VK d. Bdl. Stmk. M.: Mtgl. d. Intern. Berufsringerverb. H.: Tennis, Schwimmen, Langlaufen, Musik. (M.G.)

Wanzenböck Franz

B.: Abt.-Ltr., Hausverw., Einkauf, Techn. Ltg. FN.: Opel & Beyschlag. DA.: 1190 Wien, Muthg. 52. PA.: 1160 Wien, Pfenninggeldg. 18. V.: Herta. Ki.: Heinz (1969). S.: Grundschule, 2 handwerkl. Berufe, Abendschulen. K.: Handwerker, Med.-Techn. Ltr. u. Ökonomie Opel & Beyschlag.

Wanzenböck Johann Mag. Prof.

B.: AHS/BHS Lehrer d. Gymn. Wien 11. GT.: HBLA f. Textilind. DA.: 1050 Wien, Spengerg. 20. PA.: 1030 Wien, Landstraßer Hauptstr. 88. G.: Wien, 11. Dez. 1952. V.:

Elisabeth, geb. Pelzl. El.: Ing. Karl u. Maria. S.: VS, Gymn., 1971 Matura, Stud. Phil., Anglistik, Germanistik an d. Univ. Wien, Graz u. Sbg., 1982 Spon. K.: 1975-77 1. Unterrichtstätigkeit an d. HBLA f. Forstwirtschaft Bad Vöslau, seit 1977 am Gymn. Simmering u. seit 1982 parallel zu Wien 11. Beginn d. Tätigkeit in d. Spengergasse, 1978-83 Bez.Vorst.-Stellv. in Wien-Margareten. BL.: Marktleader im Osten Österr. m. Lehrbüchern. P.: 4 Lehrbücher (Getting Better), weitere Ausgaben in Vorbereitung. M.: ÖVP, ÖAAB u. Wirtschaftsbund, CV. H.: Tennis, Literatur, Theater, Fußball. (G.E.)

Waranitsch Rupert
B.: Gschf. FN.: Sirius. DA.: 1010 Wien, Dr.-Karl-Lueger-Ring 14. G.: Unterfrauenhaid, 13. Apr. 1953. V.: Annemarie. Ki.: Petra, Claudia, Rupert. El.: Rupert u. Maria. S.: RG, 1971 Matura, HS-Lehrgang f. Werbung u. Verkauf an d. WU. K.: 1974 Verkaufsltr. Elix Glühlampen GmbH, 1988 Martin Feed Mills Canada, Gschf. d. Österr. Tochterfirma, s. 1981 Verkaufsltr. b. Sirius, seit 1983 Gschf. H.: Sport, Literatur. (J.E.)

Warhanek Hans Dr. phil. o.Univ.-Prof.
B.: Univ.-Prof. FN.: Inst. f. Experimentalphysik d. Univ. Wien. DA.: 1090 Wien, Strudlhofg. 4. PA.: 1040 Wien, Kolschitzkyg. 30. G.: Wien, 12. Dez. 1926. V.: Ingrid, geb. Mathis. Ki.: Georg (1958), Theresia (1959), Agnes (1962), Monika (1966). El.: Dipl.-Ing. Hans u. Helene, geb. Bitterlich. BV.: Dr. Carl Warhanek (1860-1945), Richter, Erster Jugendsenat, Eduard Bitterlich (1834-72), Maler u. Bildhauer. S.: Hum. Gymn., Stud. Physik Univ. Wien. K.: Doktorat 1953, Habil. 1965 Univ. Wien, o.Prof. f. Experimentalphysik Univ. Wien seit 1972. P.: Originalarb. in wiss. Zeitschr. auf d. Gebiet d. Kernphysik u. d. Festkörperphysik.

Warla Olga
B.: Opernsängerin (Sopran) u. Gesangspädagogin. PA.: 1030 Wien, Ungarg. 50/16. G.: Thessaloniki/Griechenland, 9. März 1938. V.: Prof. Alexander Kolo. Ki.: Martin, Stefan. El.: Paul Pantelidou u. Maria Iordania. S.: Gymn. u. Matura in Athen, Konservatorium Athen, HS f. Musik u. darstell. Kunst Wien, Abschluß Dipl.-Prüf. in Gesang, Lied, Oratorium u. Operndramat. Darstellung. K.: Engagements: Volksoper Wien, Staatsoper Wien, Sbg. Festspiele u. Wr. Festwochen, Gastspiele in Griechenland, Italien u. Monte Carlo, Fernsehsendungen u. Liederabende in Deutschland, Italien, Österr., Japan u. Amerika, Lieblingsrollen: alle Mozartpartien. P.: Schallplatten: Lieder v. Schumann, Brahms, Mahler, Ravel, Marx, Operetten v. Robert Stolz, Jap. Lieder in orig. Sprache, Frauenkomponistinnen: Alma Mahler, Klara Schumann, Lili Boulanger. E.: Preisträgerin d. intern. Wettbewerbes an d. Sommerak. Mozarteum in Sbg., 1. Preis f. Gesang Verviers/ Belgien. H.: Schwimmen, Stricken. (J.S.)

Warlamis Heide

B.: freischaff. Künstlerin (Bildhauerin, Keramikerin), Führung d. Porzellanmanufaktur. FN.: I.D.E.A. Design Center. DA.: 3943 Schrems, Mühlg. 7. PA.: 3943 Kottinghörmanns 23. G.: Klagenfurt, 25. März 1942. V.: Mag. arch. Efthymios Warlamis. Ki.: Daphne ((1981). El.: Paul u. Maria Fleischhauer. BV.: Schwester Rainer Maria Schauspielerin. S.: Hum. Gymn., Stud. Malerei (Prof. Ankerssen u. Hessing), Dipl., Stud. Kunsterziehung Wien, Stud. Keramik u. Plastik HS f. Angew. Kunst (Prof. Leinfellner u. Bertoni), Dipl. K.: 1968-71 Unterricht an Gymn., 1970-71 Ltg. d. Galerie Makon Klagenfurt, seit 1971 Ltg. u. Organ. d. Keramik-Studios (Österr. Galerie f. Keramik), Ausstellungen d. "Vienna Collection" 1984 Wien, Frankfurt, Hamburg, 1985 Paris, Köln, Frankfurt, Hamburg u. Amsterdam, 1992 Mitbegrdg. d. I.D.E.A. Design Center u. Führung d. Porzellanmanufaktur. P.: Fachkataloge, Art. f. Kunstzeitschriften, ORF. (M.M.)

Warlamis Efthymios Mag. arch. Prof.

B.: Arch., Maler, Bildhauer, Designer. FN.: I.D.E.A. Design Center GmbH. DA.: 3943 Schrems, Mühlg. 7. PA.: 3943 Kottinghörmanns 23. G.: Weria/Griechenland, 18. Apr. 1942. V.: Heidelinde, geb. Fleischhauer. Ki.: Daphne (1981). El.: Fotios u. Rebecca. S.: 1961 Matura, Arch.-Stud. Griechenland u. TU u. HS f. Angew. Kunst Wien, 1972 Spons. z. Mag. arch. K.: 1974-81 Lehrbeauftragter HS f. Angew. Kunst Wien, seit 1975 Ltg. d. Forsch.-Projektes "Ägäische Arch.", Grdg. u. Ltg. d. Arch.-Seminares Santorin, 1988 Ltg. d. Mstr.-Kl. f. Arch. Sbg. Sommerak., seit 1981 freischaff. Arch., Designer u. Künstler, 1992 Grdg. I.D.E.A. Design Center. BL.: Entwicklung v. Design-Programmen: 1988 Entwicklung eines Designmöbelprogrammes "Vienna Furniture Collection", 1989-92 Kindermöbelprogramm "Childrens Museum Programm", 1992 "Wiener Teppiche". P.: zahlr. Fachart. in in- u. ausländ. Fachzeitschriften, Vorträge im In- u. Ausland, 25 Bücher, Austellungen seiner Werke im In- u. Ausland. E.: 1974 Ausz. d. Min. f. Wiss. u. Forsch., 1979 1. Preis b. Städtebaul. Wettbewerb Hamburg, 1990 1. Preis Design-Wettbewerb Paris. M.: Wr. Künstlerhaus, Lions Waldviertel Gmünd, VPräs. d. wiss. Ges. d. Kinderklinik Glanzing Wien. H.: Gartenarb., Wandern, Pilze suchen. (M.M.)

Warmuth Dietmar Dkfm.
B.: Gschf. Ges., Unternehmensberater. FN.: Dkfm. Warmuth & Partner. DA.: 1190 Wien, Glatzg. 5. PA.: 1090 Wien, Garnisong. 11. G.: Villach, 29. März 1942. V.: Veronika Eleonore, geb. Kluger. Ki.: Gloria-Sophia (1985), Julia-Rita (1987). El.: KommR. Dietmar u. Rita. S.: HAK m. Matura, HS f. Welthdl. Wien m. Dipl. K.: Nach Beendigung d. Stud. Grdg. d. Firma D. Warmuth jun. KG z. Betrieb v. Kaufhäusern in Feldkirchen, Lienz, St. Veit, 1968 Verkauf dieses Unternehmens an d. elterl. Betrieb, Beteiligung u. Ltg. d. Warmuth GmbH Villach, seit 1973 Unternehmensberater, seit 1977 Sitz in Wien. F.: Dkfm. Warmuth & Partner, Gschf. McWise Consulting Intern. AG. P.: div. Art. in d. PRESSE. M.: Österr. Inst., WDF. H.: Familie, Fotografieren. (J.S.)

Warnung Soheyla Dr. phil.
B.: Psych.-Päd. Familienberaterin im Päd. Zentrum Weiz. DA.: 8160 Weiz, Schulg. 5. PA.: 8160 Weiz, Tannenweg 4. G.: Tabriz/Iran, 11. März 1956. V.: Ing. Franz Warnung. Ki.: Omid (1982), Manuel (1987). El.: Goli Bagom Tahmassebi u. Mahmud Ghawami. S.: 1963-71 VS u. Gymn. an d. Dt. Schule in Teheran, 1971-73 krankheitshalber kein Schulbesuch, 1973-75 Dt. Gymn. in Teheran, 1975 Übersiedlung nach Österr., 1975-78 RG Seebacher in Graz, 1978 Matura, 1978/79 Stud. Erziehungswiss. Karl Franzens-Univ. Graz, 1987 Spons. z. Mag. phil., 1987/88 Doktoratsstud. d. Phil. K.: seit 1986 Lehrtätigkeit im Bereich d. Erwachsenenbild.: Vorträge an Schulen, Kindergärten, seit 1982 Päd.-Psych.

Beratungstätigkeit in d. Familienberatungsstelle in Weiz, seit 1989 Aufbauarb. d. Frauenbüros, jetzt Päd. Zentrum Weiz, seit 1990/91 Fortbild. am Adler Inst., 1992 Diss., seit 1991 Ltr. b. Päd. Zentrum in Weiz. P.: Diss.: "Die Vermittlung v. Lebenskunst u. Lebenswissen in Schulen aus individualpsych. Sicht", Dipl.: "Die Weltordnung in d. Händen d. Frau". H.: Lesen, Beruf. (M.Gr.)

von Warsberg Dieter

B.: Gen.-Dir. GT.: Gschf. d. Fa. Grey Austria, d. Fa. Grey Direct, d. Fa. Grey Com Public Relations u. Gschf. d. ARC Werbeagentur. DA.: 1050 Wien, Schönbrunner Str. 80. PA.: 1140 Wien, Serravag. 11. G.: Marburg, 30. Juli 1941. V.: Karin. Ki.: Elisabeth, Georg. El.: Oskar u. Rita. BV.: Alexander Freiherr v. Warsberg: ethischer Reisemarschall d. Kaiserin Elisabeth, Schriftsteller u. Konsul, Dr. Oskar Freiherr v. Warsberg Österr. Hdls.Delegierter in Hamburg. S.: 1962 Matura, Stud. an d. WU. K.: 1967-69 Werbeagentur Haupt-Stummer (Young & Rubicam), 1969-74 Werbeagentur Gramm & Grey Düsseldorf, 1974-76 stellv. Agenturltr., 1976-81 Gschf. Ges. d. Werbeagentur Team, Gschf. Gramm & Grey. P.: Fachveröff. M.: Rotary-Club Wien, Golfclub, Ktn. Yachtclub. H.: Golf, Tennis, Segeln. (M.Br.)

Wartenegg Hanna Mag. art.

B.: Ak. Bühnen- u. Kostümbildnerin d. Vereinigten Bühnen Graz. DA.: 8010 Graz, Riegelg. 7. G.: Wien, 1. Okt. 1939. Ki.: Natalie (1971), Alexander (1975). El.: Leopold u. Rosalia. S.: VS, RG, Graf. Lehr- u. Versuchsanst., Mstr.-Kl., 1958 Grafikdipl., 4 J. HS f. Angew. Kunst Fachrichtung Bühnen- u. Filmgestaltung b. Prof. Arch. Otto Niedermöser u. Prof. Elli Rolf, 1 J. Filmak. Wien, 1962 Dipl., Staatpreis u. Mag. art. K.: ab 1963 Engagement als Bühnen- u. Kostümbildnerin in Bregenz, ab 1964 Engagement in Graz, seither ständige Gastverpflichtungen im Ausland z.B. Schillertheater Berlin, Neumarkttheater Zürich, Ausburg, Nürnberg, Bad Hersfelder Festspiele, viele Produktionen in Österr. z.B. Bregenzer Festspiele, Sbg., Wien-Josefstadt. BL.: Ring d. Nibelungen in Graz, Perlenfischer, "Der feurige Engel", "Entführung aus d. Serail", "Der Zwerg", seit 1965 Lehrbeauftragter f. Kostümkunde an d. HS f. Musik u. Darstell. Kunst Graz. E.: 1963 Staatspreis. H.: Garten, alte Puppen, Antiquitäten, bild. Kunst. (M.Gr.)

Warthol Walter Dr. phil.

B.: Ltr. d. Abt. f. Ostasien im Museum f. Völkerkunde. DA.: 1014 Wien, Neue Hofburg. PA.: 1160 Wien, Neumayrg. 9/5/15. G.: Wien, 31. Dez. 1946. V.: Christine, geb. Taufenecker. Ki.: Elisabeth (1975), Walter (1984). El.: Dr. Walter u. Elisabeth, geb. Schaufler. S.: Stud. Rechtswiss. u. Ethnologie Univ. Wien, 1981 Prom. z. Dr. phil. K.: ab 1982 Ltr. d. Abt. f. Ostasien im Museum f. Völkerkunde, Feldforsch.-Aufenthalte in Swat/Nordpakistan, Studienreisen u. Tagungen in China, Korea, Japan. P.: zahlr. Fachart. in Fachzeitschriften, Ausstellungskataloge. M.: Österr. Ethnolog. Ges., Vorst.-Mtgl. d. Ver. Freunde d. Völkerkunde. H.: Skifahren, Schwimmen. (N.A.)

Warthol Walter Anton Dr. iur. Mag.

B.: BBmtr., w.HofR. i.R. A.: 1140 Wien, Pachmanng. 2, Tel.: 94-56-95. G.: Wien, 15. Okt. 1916. V.: Elisabeth, geb. Schaufler. Ki.: Dr. Walter, Dr. Elisabeth. El.: Obst. Karl u. Antonie. S.: Reifeprüf. am Schottengymn. in Wien, anschl. Ausbild. an d. Theresian. Militärakad. in Wr. Neustadt z. Fliegeroffizier, Stud. d. Allg. Maschinenbaues an d. TH in Wien, Stud. d. Rechts- u. Staatswiss. an d. Univ. Wien. K.: Österr. BH, Kriegsdienstleistung 1939-46 (einschl. Kriegsgef.), Österr. Finanzverw., Gen.Dion. d. Österr. Salinen, Ltr. d. Personal- u. Rechtsabt. M.: "Alt-Schotten" Vereinigung ehem. Schottengymnasiasten, Finanzakademiker Vereinigung ak. gebildeter Bmtr. d. Österr. Finanzverw., "Alt Neustadt" Ver. ehemaliger Zöglinge d. "Theresianischen Militärak." in Wr. Neustadt. (N.A.)

Wartinger-Sassmann Helga Dr. med.

B.: Prakt. Ärztin. DA.: 4020 Linz, Eisenwerkstr. 8. PA.: 4020 Linz, Spaunstr. 81a. G.: Linz, 11. Aug. 1956. V.: Dr. med. Walter. Ki.: Alice Lucia (1989). El.: MedR. Dr. Ernst u. Lucia. S.: BRG, 1975 Matura, Med.-Stud. Innsbruck, 1982 Prom. K.: 1982-86 Ausbild. z. prakt. Arzt im AKH Linz, 1986 Übernahme d. Praxis. H.: Wassersport, Segeln, Skifahren. (P.H.)

Wascher Hans

B.: Inh. d. Hans Wascher OHG. DA.: 9500 Villach, Pappelweg 3. PA.: 9500 Villach, Postg. 3. G.: Villach, 19. Aug. 1927. V.: Anna, geb. Nageler. Ki.: Johannes. S.: Grundschule, Baufachausbild. K.: Zun. im Ausland tätig als Pilot u. Bauing., 1952 Übernahme d. Geschäftsführung d. Hans Wascher OHG, 1956-59 Sportpilot d. österr. Nationalmannschaft. P.: Versch. Art. in intern. Spirituosenzeitschriften, z.B. über Verfahrenstechniken. E.: Gold. EZ f. Verd. um d. Rep. Österr. M.: Oberste Sportkmsn., Vorst. d. ÖAMC, VPräs. d. KATC im Skal Club. H.: Fliegen, Reiten, Golf, Fliegenfischen. (D.M.)

Wascher Johannes

B.: Destillateurmstr. FN.: Joh. Wascher OHG. GT.: Cafe Vinothek. DA.: 9500 Villach, Postg. 3. PA.: 9570 Ossiach 42. G.: Villach, 24. Nov. 1954. V.: Brigitte, geb. Plankenauer. Ki.: Christian, Florian. El.: Hans u. Anna. S.: VS Villach, Gymn. Villach, 1972 Matura, BH, Univ. Graz Wirtschaftswiss. K.: Mitarb. in eigener Brennerei Magdalen, Mitarb. in versch. Betrieben in Italien u. Berlin, Ausbild. in Berlin, 1980 Mstr.Prüf. z. Destillateurmstr. in Berlin, 4 J. in Brennerei Gschf., 1985 Übernahme d. Geschäfts, 1988 Vinothek. F.: OHG Beteiligung. F.: Fachzeitschrift d. Destillateurmeister. M.: Grdg.Mtgl. d. Österr. Weinbruderschaft u. Weinbruderschaft Friaul. H.: Radfahren, Skifahren, Laufen, Kochen. (U.A.W.)

Waser Rudolf

B.: Ltr. d. Flugeinsatzstelle Linz. FN.: BM f. Inneres, Abt. II/21, Flugeinsatzstelle Linz. DA.: 4063 Hörsching. PA.: 4551 Ried i. Traunkreis 118. G.: Ried/Traunkreis, 20. Dez. 1937. V.: Irmgard, geb. Wurzer. Ki.: Birgit (1974), Tina (1980). El.: Franz u. Juliana. S.: VS, Müllergeselle, 1956 Bundesheer/ Sanitätskomp. Glasenbach, 1958 abgerüstet. K.: 1958 Polizeidir. Linz, 2 J. Polizeischule, 1960-66 Außendienst-Wachzimmer Ebelsberg, 1967 Mil.-Hubschrauberführerschein, 1967 Privatpilotenschein, Berechtigung f. alle Arten v. Rettungseinsätzen i. allen Höhen, Innenministerium Vöslau, 1967 v. Polizei Linz z. Bundespolizei Klagenfurt, BM f. Inneres, Diensteinsatz Flugeinsatzstelle Klagenfurt, Hochgebirgslandekurse, b. 1975 Ltr. d. Flugeinsatzstelle, s. 1978 v. Innenministerium Seilbergeberechtigung u. bes. sicherheitspol. Einsätze, Terrorbekämpfung, 1981 Berufshubschrauberpilotenschein, 1988 Flugeinsatzstelle Linz, zus. Hubschrauberrettungsdienst f. OÖ, Rettungshubschrauber Marin 2, Exekutivhubschrauber Libelle. P.: fallw. Berichte i. Ztg., Buch "Rettung a. d. Luft". E.: 1972 Gold. Med. a. Roten Band f. Verdienste d. Rep. Österr, 1973 Kärntner Ehrenkreuz f. bes. Leistungen a. d. Gebiet Rettungswesen, 1973 Tiroler Lebensrettungsmed., 1978 Verdienstzeichen d. Landes OÖ, Silb. Verdienstmed. d. Roten Kreuz, Österr. Zivilschutzverb. Bronze u. Silber, 1993 Gold Verdienstzeichen d. Rep. Österr.

Washietl Willibald Ing.

B.: Ltr. d. sicherheitstechn. Dienstes. FN.: Österr. Bundestheater. DA.: 1010 Wien, Goetheg. 1. PA.: 2100 Leobendorf, Atzersdorferstr. 44. G.: Spillern, 1. Juli 1939. V.:

Margarete geb. Strelka. Ki.: Susanne (1967), Wilfried (1971). El.: Johann u. Anna. S.: HTL Maschinenbau, 1966 Matura. K.: 1961-68 Maschinenmstr. i. Hoch- u. Tiefbaufirma, 1968-71 Betriebsltr. i. Stahlbaufirma, 1971-87 Techn. Ltr. i. Stahlbaufirma, s. 1987 Ltr. d. sicherheitstechn. Dienstes d. Österr. Bundestheater. M.: Tennisclub, Badesee-Kreuzenstein. H.: Tennis, Schwimmen, Skifahren. (E.J.)

Washüttl Harald

B.: Dir. d. Hotel Bellevue/Wien. DA.: 1090 Wien, Althanstr. 5. G.: Wien, 13. Sept. 1940. V.: Dr. iur. Johanna, geb. Aichinger. S.: Realschule, 1961 Abschluß d. Hotelfachschule, Ausbild z. Hotelkfm. im Hotel Excelsior/München. K.: Steward auf d. Passagierschiff Ryndam d. Holland-Amerika Linie u. anschl. auf d. Rotterdam, Manager in mehreren Hotels, seit 1983 Dir. d. Hotel Bellevue in Wien. H.: Tanzsport, Numismatik. (Sei.)

Washüttl Josef Dr. techn. et phil. Dipl.-Ing.

B.: Univ.-Prof. A.: 1130 Wien, Ascherg. 56. G.: Wien, 13. Apr. 1941. V.: Renate, geb. Zipper. El.: Josef u. Elisabeth. S.: RG, Stud. d. Techn. Chemie an d. TU Wien, Stud. d. Botanik u. Chemie an d. Univ. Wien. K.: Matura m. Ausz., Techn. Chemie beendet m. Dr. techn. u. Dipl.-Ing., Stud. d. Botanik u. Chemie beendet m. Dr. phil., 1970 Ziviling. f. Techn. Chemie, 1972 Lehrbefugnis als Univ.Doz. (Organ. Rohstoffe als Nahrungs- u. Futtermittel), seit 1974 a.o.Univ.-Prof. u. Ltr. d. Abt. Chemie d. Lebens- u. Futtermittelrohstoffe am Inst. f. Botanik, Techn. Mikroskopie u. Organ. Rohstofflehre d. TU Wien. P.: Ca. 100 Publ. u. Vorträge betr. lebensmittelchem., biochem., med.-chem., chem.-techn., botan. u. umweltschutzbez. Themen. E.: Theodor Körner-Preis, Karoline u. Guido Krafft-Med. M.: American Soc. for Photobiology, HptVerb. d. allg. gerichtl. beeid. Sachv. Österr., BIng.Kam., Österr. Ges. f. Ernährungsforsch., Ver. Österr. Chemiker.

Wasinger Heinz A.

B.: Prok., Ltr. Geschäftsber. Pharmazeutika. FN.: BYK Chem.-Pharm. Produkte GmbH. DA.: 1235 Wien, Ketzerg. 200. PA.: 3012 Wolfsgraben, Franz-Lehar-Str. 1. G.: Luzern, 29. Dez. 1934. V.: Anneliese, geb. Szczuka. Ki.: Thomas, Stefan, Bettina. El.: Leopold u. Hermine. BV.: 17. Jhdt.: ein Bischof in d. Nähe v. Einsiedeln. S.: Hum. Gymn. in Konstanz, Matura, Med.Stud. an d. Univ. Innsbruck u. Wien. K.: Seit 1967 in d. Pharmaindustrie tätig, Pharmaref., seit 1970 Außendienstltr., 1975 Marketingltr., seit 1987 Gesamtltr. f. Pharmazeutika. P.: Mitarb. an Prüf. im klin. Bereich. M.: WDF. H.: Fischen, Jagdhund. (E.L.)

Wasler Peter Dr. med.

B.: Arzt u. Landwirt, Ärztl. Ltr. d. Inst. f. Sport-, Physio-, Chirotherapie u. Akupunktur. DA.: 8010 Graz, Brandhofg. 24. PA.: 8063 Eggersdorf/Graz, Edelsbach 5. G.: Graz, fd24. Juli 1952. V.: Hannelore. Ki.: Anna Teresa (1986), Maximilian Paul (1988). El.: Josef u. Ida. S.: Volkssch., 4. BRG Oeversee in Graz, 1970 Matura, 1970-71 Stud. Kunstgesch. u. Archäol. in Wien, 1971-73 PÄDAK in Graz. K.: 1973-75 Hauptschullehrer in Arnfels, 1975-79 Hauptsch. Frohnleiten/Stmk., 1979-78 Ausbild. "Psychodrama" nach Moreno, ab 1977 Stud. d. Med. an d. Univ. Graz, 1981 Aufenth. in Santorin in Sachen Literatur, danach weitere Stud., 1985 Prom., 1986-88 Turnusarzt in Graz u. Bruck, Tätigk. b. Prof. Bischko in Wien, Ludwig-Boltzmann-Inst. f. Akupunktur, Diplom, 1985-88 Ausbild. z. Sportarzt in Österr., Deutschld. u. Schweiz, 1988-92 Sportärztl. Betreuer d. Fußballclubs Sturm Graz, ab 1989 Vorbereitg. u. Aufbau d. Rehab.-Zentrums in Graz/Brandhofg., Eröff. im Jan. 90 u. seither Ltr. d. Inst. f. frühfunktionelle Rehab. n. Operationen u. Verletzungen, 1991 Beginn d. Ausbild. in Applied Kinesiology, 1992 Ausbild. z. F.-X.-Mayr-Arzt (Intensivdiätetik), 1987-92 Chirotherapie-Ausbild. b. Univ.-Prof. Dr. Hans Tilscher, Diplom 1992. M.: Gründ.-Mtgl. d. Dt. Ges. f. Applied Kinesiology, Mtgl. d. Österr. Ärzteges. f. manuelle Med., Österr. Ges. f. Akupunktur Auriculo-Therapie, Ges. d. F.-X.-Mayr-Ärzte, Sportärzte-Verb. H.: Segeln. (M.G.)

Wasmayr Maximilian Dr. HofR. Prim.

B.: Chef d. Chir. Abt. u. KH-Dir. d. LKH Freistadt. DA.: 4240 Freistadt, Krankenhausstr. 1. PA.: 4240 Freistadt, Fossenhofstr. 13. G.: Linz, 5. Mai 1927. V.: Loidl, geb. Helswind. Ki.: Dr. Alexander (1959), Sabine (1979), Julia (1981). El.: Friedrich u. Margarete. S.: VS, Gymn., 1944 Matura, Militär, 1945-48 Stud. Graz u. Wien, 1948 Prom. K.: 1951 Turnusausbild. u. prakt. Arzt AKH Linz, anschl. Fachausbild. Path. Anatomie, 1960 FA f. Chir., OA Chir. Abt. AKH Linz, ab 1976 Chef d. Chir. Abt. in Freistadt, 1984 Ärztl. Dir. P.: Med. Veröff. im Bereich Herz-Lungen- u. Darmchir. M.: Österr. Ges. f. Chir., Krebsges., Ver. d. Primarärzte Österr. H.: ernste Musik, Schach. (U.A.)

Wasser Amos

B.: Systemanalytiker u. Inh. FN.: Wasser Software & Computer. GT.: Gschf. Alltrade GmbH. DA.: 1120 Wien, Schlöglg. 10. G.: 30. Okt. 1950. S.: Amerikan. Schule Wien, Stud. Psych. u. Math. Univ. London. K.: Eintritt in d. Computerwelt, Tätigkeit b. versch. Computerfirmen, 3 J. Aufenthalt in d. Schweiz, 1975 Rückkehr nach Wien u. Grdg. d. Fa. Wasser Software & Computer, Tätigkeit im Bereich elektron. Datenkommunikation, seit 1988 Gschf. d. Fa. Alltrade GmbH. H.: Motorradfahren, Paragleiten, Tiefseetauchen, Tennis. (J.S.)

Wasser Charlotte KommR.

B.: Inh. FN.: Rudolf Uherek GmbH. DA.: 1030 Wien, Barmherzigeng. 18/5. PA.: 1030 Wien, Anton-Langer-G. 7. G.: Wien, 12. Okt. 1929. Ki.: Ilse (1952). El.: Rudolf u. Magdalena, geb. Wohak. S.: Matura, Mstr.-Prüf. Mechaniker. E.: KommR., Silb. EZ d. Kam. d. Gewerbl. Wirtschaft. M.: Kam. d. Gewerbl. Wirtschaft. (N.A.)

Wasser Helmut

B.: AR-Mtgl., Vors. Zentralbetriebsrates, Vors. d. Betriebsrates. FN.: Creditanstalt Bankverein. DA.: 1090 Wien, Julius Tandler-Pl. 3. PA.: 1180 Wien, Gentzg. 52/1/11. G.: Wien, 22. Mai 1956. V.: Susanne, geb. Michel. Ki.: Christian (1974), Martina (1984). El.: Josef u. Frederike. S.: ausgebild. Bankkfm. (CA). K.: bis 1987 Ltg. CA-Filiale Rilkeplatz, bis 1990 Vors.-Stellv. d. Betr.-R., s. 1990 Wr. Betr.-R.-Vors., s. 1993 Vors. d. Zentralbetr.-R.; s. 1972 politisch engagiert, Mtgl. ÖVP, stellv. Vors. d. ÖAAB Wien, Gewerkschaftsfunk.: Obm. d. Sek. Geld u. Kredit in der Gewerkschaft d. Privatangestellten. H.: Familie, Skifahren, Tennis, Theater. (J.S.)

Wasserbauer Heinz Dr. iur.
B.: Parlamentsdir. GT.: Gen.-Sekr. d. Österr. Gruppe d. Interparlamentar. Union. DA.: 1017 Wien, Dr.-Karl-Renner-Ring 3. G.: Wien, 8. Dez. 1941. V.: Hertha, geb. Puxbaum. El.: Anton u. Franziska. S.: HAK-Matura, Stud. Rechtswiss. Univ. Wien, 1971 Prom. K.: 1965 Eintritt in d. Parlamentsdienst, 1975 Ltg. d. Büros d. Parlamentsdion., 1982 Ltg. d. NatR.-Dienstes, 1986 Parlaments-VDir., 1993 Parlamentsdir. E.: Gr.S.E. u. Gr.Offk. d. ital. VO. (J.S.)

Wasserbauer Werner Wolfgang Dr. iur.
B.: Gen.Anw. d. Gen.Prok. b. OGH. DA.: 1010 Wien, Museeumstr. 12. G.: Wien, 12. Okt. 1941. V.: Christine, geb. Liebisch. Ki.: Eva. El.: Ludwig u. Leopoldine. S.: 1959 Matura, Stud. d. Rechtswiss., 1964 Prom. Dr. iur. K.: Eintritt in d. Justiz, Gerichtspraxis u. Richteramtsanw. in Wien u. NÖ, 1968 Ernennung z. Richter, 1969-70 Richter in Krems, 1971-81 Staatsanw. d. Staatsanw. Wien, 1982-87 OStaatsanw., ab 1987 Gen.Anw. H.: Theater. (P.R.)

Wasserburger Gerd Dipl. oec.
B.: Gschf. FN.: Autohaus Senker GmbH. DA.: 3300 Amstetten, Wiener Str. 44. PA.: 1238 Wien, Maurer Lange G. 57. G.: Wien, 1. Mai 1952. V.: Carmen, geb. Lisi. Ki.: Marco (1990). El.: Norbert u. Herta, geb. Vogeneder. S.: Matura, Stud. Jus u. BWL, 1987 Grad. z. Dipl. oec. in Desden, 1981 Gschf.-Prüf. Spedition, 1985 Konzessionsprüf. Transportgewerbe. K.: 1974-76 Fahrdienstltr. b. d. ÖBB, 1976-81 Spedition Kirchner & Co (Handlungsbev., Gruppenltr.), 1982-83 Ndlg.-Ltr. f. Spedition Dacotrans in Düsseldorf u. Benghazi/Lybien, 1984-91 Prok. u. Dir. TNT-Express Spedition, seit 1991-93 Gschf. Call us, s. 1993 Geschf. Autohaus Senker GmbH. H.: Reisen.

Wassermann Martin Dr.
B.: Gschf. FN.: Reichhold Chemie GmbH. DA.: 1222 Wien, Breitenleerstr. 97-99. (V)

Wasserscheid Georg
B.: Inh. FN.: Wasserscheid Kellereimaschinen GesmbH. DA.: 7123 Mönchhof, Flurg. 7. PA.: 7123 Mönchhof, Ratschin 44. G.: Mönchhof, 23. Okt. 1928. V.: Magdalena. Ki.: Liselotte (1955), Magdalena Oblitz (1957), Georg (1959). El.: Franz u. Franziska. S.: HS, Schlosserlehre - Gesellenprüfung. K.: in Wien als Schlosser tätig, 1952 Ablegung d. Meisterprüfung u. b. 1954 im elterl. Landw.betr. tätig, 1954 Eröffnung e. Schlosserwerkstatt, 1968 Spezialisierung auf Erzeugung v. Kellereimaschinen u. Installierung v. kompletten Preßhauseinrichtungen, Spezialisierung v. Nierosteranlagen im Bereich Kläranlagen, Wasser, Futtererzeugung, Brauereianlagen, Dienstleistungen im In- u. Ausland, seit 1990 GesmbH. gegründet. E.: Silberne Kammermed. , Auszeichnungen v. Feuerwehr. M.: seit 1948 b Feuerwehr, b. 1964 Abschnittbrandinspektor, 20 J. GemeindeR, Bezirksinnungsmeister. H.: Briefmarkensammler. (I.J.)

Wassertheurer Karl Friedrich
B.: Ldw., Hotelier Panoramahotel Hauserhof. DA. u. PA.: 9620 Hermagor, Kreuth 1. G.: Kreuth, 23. Okt. 1950. V.: Elisabeth, geb. Müller. Ki.: Daniela (1976), Martina (1977), Michael (1983). El.: Friedrich u. Elfriede. S.: VS, HS, 1965-

68 Gastgewerbefachschule Solbad Hall. K.: 1968-72 Tätigkeit in Deutschland, Tir., Ktn., 1978 Konzessionsprüf. u. 1972 Prüf. als Landesskilehrer, 1974 Übernahme d. elterl. Besitzes, 1980 Übernahme d. elterl. Gasthauses u. 1991 Eröff. d. Hotelbetriebes. P.: Gastkommentare in versch. fachspez. Publ. M.: seit 1986 ehrenamtl. Obm. Tourismuswirtschaft Karnische Region Hermagor Naßfeld, AufsR. Ktn. Sparkasse Hermagor, Grdg. d. 1. Ktn. Privatzimmer-Vermieter-Verb. Hermagor, Feuerwehr. H.: Lesen, Musik, Skifahren, Radfahren, Schwimmen, Fußball, Wandern. (G.L.)

Wasshuber Helmut Dipl.-Ing.
B.: Ziviling. f. Hochbau. PA.: 1130 Wien, Kupelwieserg. 47/8. G.: Aflenz, 3. Apr. 1939. V.: Ingrid. Ki.: Matthäus (1979). El.: Matthäus u. Graziana. S.: Arch.-Stud. Graz, 1968 Dipl.-Ing. K.: 1968 Eintritt bei Suter & Suter, Basel CH, 1974 Walker & Co Partnership in Neuseeland, 1975 Studienreise Fernost, 1976 Bmstr.-Prüf., 1976 Übernahme d. Geschäftsführung Suter & Suter, 1978 Ndlg. in Linz, 1979 Ziviltechnikerprüf., 1981 Bereichsltr. Österr., 1988 Zusammenarb. m. Arch.-Büro Prof. Riedl, 1990 Senator h.c. d. TU Wien, seit 1990/91Lektorat "Projektmanagement in d. Praxis" TU Graz, 1993 bei Achammer, Tritthart & Partner, 1030 wien, Landstrasser-Hauptstr. 97-101; (R.J.)

Wassibauer Rüdiger
B.: Gschf. FN.: Franz Welz Intern. Transporte GmbH. DA.: 5020 Salzburg, Ernest-Thun-Str. 8. G.: Salzburg, 3. Okt. 1948. V.: Susanne, 2 Kinder. S.: Gymn., einige Sem. Jus. K.: 1973 Fa. Welz. H.: Pferdezüchter.

Wastian Herwig
B.: Inh. FN.: Woe-Studio. DA. u. PA.: 8047 Graz, Prevenhuberweg 16. G.: Graz, 7. Sept. 1943. V.: Karin, geb. Spitz. Ki.: Raimund (1971), Ewald (1979), Karl Heinz (1980). El.: Franz u. Herta. S.: VS, HS, 1964 kfm. Ausbild., 1966 Baufachschule Tischlerlehre. K.: Filialltr. u. Betriebstechniker Firma Quitt, b. 1976 Filialltr. Neudörfler Büromöbel, 1978 Außendienst: Objektberater Firma Selmer, seit 1979 selbst. m. Schwerpunkt Exklusive Wohnungseinrichtung, Planungsarb. im Objektbereich, Schul- u. Verw.-Gebäude, Hoteleinrichtungen. BL.: Barmherzige Brüder, Bundesfachschule Schileiten, Vorklinikum d. Univ. Graz, Hotel Baltschug Moskau, Kempinski Budapest. H.: Malen, Lesen, Schwimmen. (R.S.)

Wastl Gerhard Ing. Prok.
B.: Dir., Prok. FN.: EBG Elektro Bau AG. DA.: 3100 St. Pölten, Mariazellerstr. 46. PA.: 2340 Mödling, Mannagettag. 42. G.: Wien, 18. Jän. 1944. V.: Sylvia. Ki.: Peter, Susanne. El.: Karl u. Valerie. S.: VS, HS, 1958-64 HTL. K.: 1964 b. EBG Sachbearb., 1971 selbst. Projektltr., Gruppenltr., 1985 Aufbau e. eig. Gruppe i. Wien, 1993 Ltr. d. Landesdir. Wien, s. 1993 Prok. (C.G.)

Wastl Gerhard
B.: Ges. FN.: WAHAG. DA.: 8712 Niklasdorf, Bundesstr. 217. PA.: 8712 Niklasdorf 509 e. G.: Wien, 9. Okt. 1939. V.: Hermenegild, geb. Ofner. Ki.: Richard, Michae, Andrea. El.: Fabian u. Anna. S.: VS, HS, Gastgewerbeschule Mödling. K.: Kfm. Lehre, Tätigkeit im Bauhdl. u. im Baugewerbe, 1976

Grdg. d. Wastl GmbH in Niklasdorf, 1983 umgewandelt in WAHAG Wastl & Hanl GmbH. M.: Mtgl. div. Sportver. H.: Segeln, Tennis, Radfahren. (Tra.)

Wastl Herta Dir.
B.: Dir. d. Neuland-Schulen. DA.: 1190 Wien, Alfred-Wegener-G. 10-12. G.: Amstetten, 2. Mai 1932. El.: Helene u. Johann. S.: 1950 Matura, Lehrausbild. f. VS, Theol. Lehrgang. K.: 2 J. VS-Lehrer, 12 J. HS-Lehrer, 1964 Direktorium, Vereinsobm., maßgebend f. Weiterführung u. Ausbau d. Neulandschulen. H.: Musik, Theater. (J.E.)

Wat Shiu Hung

B.: Gschf. FN.: Canton Restaurant GmbH. DA.: 5020 Salzburg, Neutorstr. 9. PA.: 5020 Salzburg, Untersbergstr. 4. G.: Hongkong, 22. Nov. 1959. V.: Changhung, geb. Cheng. El.: Shoung Hoo u. Chang Chun. S.: Pflichtschule Hongkong, Northern Secondary School Toronto. K.: 1 J. Tätigkeit im Reisebüro d. Eltern. K:: 1980 Mitarb. im Restaurant d. Schwagers in Sbg., Tätigkeit in einem China-Restaurant in St. Johann/Pongau, 1981 Kochlehre Hongkong, 1984 wieder nach Sbg., Ges. Asia-Restaurant, 1987 Gschf., 1989 Eröff. Canton Restaurant GmbH. BL.: 1991 Thailänd. Königin war zu Besuch. (D.E.)

Watti Hischam Dr. med.
B.: prakt. Arzt., FA f. Innere Med. DA.: 1160 Wien, Effingerg. 22/2/16. G.: Salkin/Syrien, 4. März 1942. V.: Waltraud, geb. Forster. Ki.: Nadja, Amin, Masen. El.: Ali u. Zubaida. S.: 1961 Matura in Syrien, 1961 nach Österr. Med.Stud. an d. Univ. Wien, 1970 Prom. K.: 2 J. Spital St. Pölten, 2 J. Eggenburg, 1 J. Stmk., 1975 nach Deutschland, 1975-81 FA f. Innere Med., 1981 nach Wien, Praxiseröff. M.: Österr. Ges. arab. Abstammung. H.: Tennis, Laufen, Fahrrad. (E.L.)

Watzek Koloman
B.: Inhaber. FN.: WAKO Film. DA.: 7000 Eisenstadt, Hauptstr. 3. G.: Wr. Neustadt, 11. Jun. 1952. V.: Bibiane (Heger). Ki.: Anna Lena (1986), Matthias (1990), Steffi (1993). El.: Walter u. Elfriede. S.: HS, Poly. Lehrgang Wr. Neustadt, 1970-73 Ausb. z. Sportlehrer. K.: 1973-80 Bundessportz. Südstadt Sportlehrer, s. 1981 fr. Mitarb. ORF Sportabt., 1982 ORF Regieausb., Regieass. b. Lucky Schmidtleitner, 1985 Gründung F. WAKO i. Zusammenarb. ORF, Verwend. Steadicam, 1988 Gründung PR-Agentur Sportmanagement. BL.: einzige Steadicam 3A in Österr. P.: Produkt. f. versch. Fernsehstat. H.: Familie, Golf, Tennis, Klass. Musik, Russ. Choräle, Beruf. (M.G.)

Watzek Peter-Heinz
B.: Beleuchtungsinsp.. FN.: Akademietheater. DA.: 1030 Wien, Lisztstr. 1. PA.: 1060 Wien, Brückeng. 3/1/11. G.: Wien, 1. Juli 1939. V.: Helene, geb. Rilland. Ki.: Sabine (1968), Angelika (1974). El.: Otto u. Therese. S.: HS, Lehre a. Elektromechaniker, 1958 BH - Ausbildungstätigk. i. Funk u. Sprechfunk. K.: 1959 Eintritt i. Bds.-Theaterdienst,

Beleuchter i. Burgtheater, Wechsel i. Akademietheater, ab 1962 zus. Mitw. b. d. Salzburger Festspielen, 1986 verantwortl. f. Gastspiel "Der junge Goethe" i. Israel, 1972 Wechsel v. Bühnenbeleuchter z. Bedienung d. Lichstellanlage, 1974 Vorarbeiter d. Beleuchtung, 1977 Österr. Tournee m. "Iphigenie", 1978 Gastspiel m. "Iphigenie" i. Israel , Gastspiel i. Meran, 1979 Wiener Kammeroper "Babier v. Sevilla" i. Akademietheater, 1980 Tournee m. "Nora" i. Österr., Meran u. Bozen, 1980 2 Premieren i. "Schloßtheater Schönbrunn", 1983 Prov. Beleuchtungsinsp., 1984 Beleuchtungsmstr., s. 1987 Beleuchtungsinsp. M.: "Theatertechnischer Verein". (M.M.)

Watzek Ulrike Mag.
B.: beeid. Buchprüfer u. Steuerberater. DA.: 1040 Wien, Prinz-Eugen-Str. 16. PA.: 1190 Wien, Gügitzg. 13-15. G.: Graz, 23. Jan. 1954. V.: Mag. Andreas. Ki.: Elisabeth. El.: Dipl.-Ing. Rudolf u. Irene Breit. S.: VS, RG in Linz, HAK, 1973 Matura, Stud. an d. HS f. Welthdl., 1978 Spon. K.: Fa. SÜD OST Treuhand AG Wien, seit 1984 selbst. M.: Junge Ind. H.: Familie, Handarb., Skifahren. (G.E.)

Watzenböck Thomas Dr. iur.
B.: RA u. Verteidiger in Strafsachen. PA.: 4550 Kremsmünster, Hauptstr. 21. G.: Linz, 9. Juni 1953. V.: Dr. Christa, geb. Kolm. El.: Dr. Thomas u. Gerlinde. S.: Gymn., Matura 1971, Stud. an d. Univ. Innsbruck, Prom. 1976. K.: 1/2 J. Ass. an d. Univ. Innsbruck, Gerichtspraxis in Kremsmünster u. Steyr, 1978-81 RA-Anw. in Steyr, 1980 RA-Prüf., seit 1982 selbst. RA in Kremsmünster. M.: Rotary Club Kirchdorf, MGV Harmonie, Alpenver. H.: Musik, Skifahren, Segeln.

Watzinger Alexander Mag. rer. soc. oec
B.: Steuerberater, Gschf. Ges. FN.: SAFE Wirtschaftstreuhand GmbH. DA.: 1120 Wien, Meidlinger Hauptstr. 32. G.: Berlin, 14. Febr. 1949. V.: Andrea. Ki.: Alexander (1973), Romana (1975). El.: Alexander u. Elfriede. S.: Abitur 1972 in Berlin. K.: 1970-76 in einem Handelsbetrieb tätig, ab 1974 Ltr. d. Rechnungswesens, 1977 Wirtschaftstreuhandges. in Wien, 1978 Beginn d. Stud. an d. Univ. Wien, 1987 Spons., 1985 Grdg. d. SAFE Wirtschaftstreuhand GmbH. M.: Burgen- u. Schlössererhaltungsver. H.: Radfahren, Wandern, Reisen. (J.S.)

Watzke Herbert Dr. med. Univ.-Doz.

B.: Ass.-Prof., FA f. Innere Med. I, OA d. Univ.-Klinik f. Innere Med. DA.: 1090 Wien, Währinger Gürtel 18-20. PA.: 1130 Wien, Elßlerg. 10/15. G.: Gmunden, 12. Apr. 1954. V.: Univ.-Doz. Dr. med. Ingeborg, geb. Silbermair. Ki.: Lukas (1989). El.: MedR. Dr. med. Hans u. Dr. med. Marianne. S.: VS, BRG, 1972 Matura, 1973-80 Med.-Stud. Univ. Wien, 1980 Prom., Zivildienst. K.: 1981-83 Univ.-Ass. Path.-Anatom. Inst. d. Univ. Wien, 1983-91 Univ.-Ass. II. Med. Univ.-

Klinik Wien, 1987-89 Studienaufenthalt Departement of Internal Medicine Univ. of North Carolina at Chapel Hill USA, seit 1989 FA f. Innere Med., seit 1991 Zusatz-FA f. Kardiologie, 1991 Ass.-Prof., seit 1991 Abt. f. Hämatologie u. Hämostaseologie d. Univ.-Klinik f. Innere Med., Vorlesungen u. Vorträge über Gentherapie u. Gentechnologie. P.: über 50 Fachbeiträge in d. Fachliteratur. E.: 1992 Türk-Preis d. Österr. Ges. f. Hämatologie u. Onkologie, 10 J. Nationalmannschaft/Basketball, Gold. Sport-EZ d. Marktgem. Laakirchen, Silb. EZ d. OÖ Basketballverb., Silb. EZ d. Österr. Basketballverb. M.: Österr. Ges. f. Innere Med., Wr. Ges. f. Innere Med., Österr. Ges. f. Hämatologie u. Onkologie, Österr. Ges. f. Künstl. Organe, American Federation for Clinical Research, 1. Sekr. d. Wr. Ges. f. Innere Med. H.: Musik, Klavierspielen, Sport. (I.K.)

Watzke Karl

B.: Sattler- u. Tapezierermeister. FN.: Karl Watzke Möbelhaus. DA. u. PA.: 2452 Mannersdorf, Wiener Str. 2. G.: 13. Sep. 1925. V.: Anna, geb. Laubner. Ki.: Cornelia (1951), Karl (1953), Inge (1955), Christine (1958). El.: Eduard u. Theresia. S.: VS, 1931-39 Gewerbeschule, 1953 Sattlermeisterprüf., 1955 Tapezierermeisterprüf. K.: 1940-51 Firma Matthias Ackerl, 1956 Grdg. Firma Watzke. H.: Jagd. (M.D.-H.)

Watzke Peter Dr. med. univ.

B.: Prakt. Arzt. DA.: 1220 Wien, Donaustadtstr. 30/12/5. G.: Wien, 27. Okt. 1946. V.: Erika, geb. Halmer. Ki.: Peter, Markus, El.: Ing. Kurt u. Ernestine. S.: 1964 Matura in Wien, 1970 Prom. K.: Turnus im Wilhelminenspital, 1975 Eröff. d. Praxis, 1974-79 Polizeiarzt, 1979-83 Schularzt. H.: Skifahren, Tennis, Astronomie, röm. u. griech. Geschichte, Parapsych. (A.W.)

Watzl Anton Prof.

B.: Maler, Grafiker. A.: 4040 Linz, Harruckerstr. 4. G.: Linz, 26. Mai 1930. V.: Edeltraud, geb. Hintringer. S.: 12 Sem. Kunststud. in Linz, Weiterbild. b. Prof. O. Kokoschka in d. Sommerak. Sbg. sowie b. Prof. H. Boeckl an d. Ak. d. Bild. Künste in Wien. K.: 1959-62 Stundenlehrkraft an d. Kunst-HS Linz, 1958-91 einige d. wichtigsten Einzel- u. Gruppenausstellungen: Kunsthalle Baden-Baden, Kunstmesse in Basel, Intern. Graphikbiennale Ljubljana u. Bradford, HS d. Künste u. Haus am Lützowpl. in Berlin, Paula-Becker-Modersohn-Haus in Bremen, Landesgalerie Schloß Esterhazy in Eisenstadt, Intern. Triennale d. Holzschnitts im Museum f. Kunst u. Geschichte in Fribourg, Museo de Arte Contemporaneo auf Ibiza, Graphikbiennale, Neue Galerie d. Stadt Linz, Stadtmuseum, Haus d. Kunst u. Stadtmuseum in München, Stockholm: Liljevalchs konsthall, Wien: Museum moderner Kunst, Dalhousei/New Brunswick: Restigouche Regional Museum, Paris: Musée-galerie de la seita, Le Mans: Abbaye de l'Epau, Amboise: Musée de la Poste, Toulouse: Musée des Augustins, Aix-en-Provence: Fondation Vasarely, Salzburg: Galerie Welz. P.: Mappenwerke, Bücher, Vorwörter in Ausstellungskatalogen: Kunsthistor. Bemerkungen z. Röm. Zyklus (1989), Reflexionen z. Schaffen v. A. Watzl" (1989), "Seecereomonie" (1990), Aufsätze m. Abbildungen, Kunstjahrbuch d. Stadt Linz. E.: 1961 Graphikpreis d. Landes OÖ Innsbruck, 1966 Kunstpreis d. Stadt Linz, 1967 Theodor-Körner-Preis Wien, 1969 Kunstpreis d. Landes OÖ, 1970 Silbermed. d. Academia Intern. "Tommaso Campanella" Rom, 1977 Dipl. b. d. "2. Biennale d'Arte Contemporanea Europea" S. Margherita Ligure, 1981 Berufstitel Prof., 1982 Graphikpreis d. Stadt Wien, 1987 Kulturmed. d. Stadt Linz, 1991 Österr. EK f. Wiss. u. Kunst, 1987 Kulturmed. d. Stadt Linz. M.: Kunstver. "MAERZ" Linz, Künstlerhaus Wien, Österr.-Dt. Kulturges. Wien, Kiwanis Intern. H.: Literatur, Musik, Yoga, Tischtennis. (U.E.)

Watzlik Horst

B.: Gf u. GS, Unternehmer. FN.: Pongauer Kunstschlosserei. Da.: 5621 St. Veit i. Pongau, St. Veiterstr. 4. PA.: 5621 St. Veit i. Pongau, Pfarrfeld 22. G.: St. Veit i. Pongau, 14. Juli 1932. V.: Hertha, geb. Pretz. Ki.: Mag. Horst (1956), Wolfgang (1957), Heimo Maria (1961). El.: Josef u. Marianne. S.: VS, HS, BS. K.: 3 Lehrjahre als Schlosser i. Braunau/Inn, 1953 Meisterprüfung i. Salzburg absolviert (Kunstschlossermeister), s. 1953 selbstst. m. Kunstschlosserei i. St. Veit. M.: Mtgld. div. örtl. Vereine. H.: Segeln, Malen. (J.F.)

Wawrik Gunther Dipl.-Ing. Prof.

B.: Arch. GT.: seit 1985 Prof. f. Entwerfen u. Baukonstruktion an d. FH in München. DA.: 1040 Wien, Rechte Wienzeile 29/10. G.: Salzburg, 7. Okt. 1930. Ki.: Gregor. El.: Ernst u. Hilda. S.: VS, BRealschule in Sbg. u. Matura, 1948-49 Zimmerer- u. Maurerlehrling in Sbg., 1949-56 TH Wien Fak. f. Arch., 1956 2. Staatsprüf. an d. TH Wien, 1956 Intern. Sommerak. f. bild. Kunst in Sbg. K.: 1957 Mitarb. v. Arch. Gerhard Schwab Wien, 1957-61 Mitarb. v. Arch. Ferdinand Kitt Wien, Planung u. Baultg. v. Wohnbauten, Bürobauten, Geschäftslokalen, Teilnahme an Wettbewerben, 1959 Reisestipendium d. BMU Norwegen, Schweden, Finnland u. Dänemark, seit 1961 freischaff. Arch. in Wien, 1956-1980 Partnerschaft m. Arch. Hans Puchhammer, 1969 Teilnahme am UIA-Kongreß in Buenos Aires auf Einladung d. UIA, 1974 Bewerbung um d. Lehrkanzel f. Baukunst u. Entwerfen an d. TU in Graz, 1974-84 Vorst.Mtgl. d. Österr. Ges. f. Arch., 1985 Prof. f. Entwerfen u. Baukonstruktion an d. FH Wien, seit 1988 Mtgl. d. Bayer. Arch.Kam. Büro in München. P.: Publ. in Fachzeitschriften über städtebaul. u. architekton. Themen. E.: 1981 Preis d. Stadt Wien f. Arch. M.: Österr. Ges. f. Arch., seit 1988 Mtgl. d. Bayr. Arch.Kam. H.: Arch. (M.B.)

Wawrosch Josef Dr. phil. HofR.

B.: Bibl.-Dir. d. TU Wien i. R., Ehrensenator d. TU Wien. GT.: seit 1978 BeiR.-Mtgl. f. d. Bibl.-Wesen b. BMWF, b. 1991 Präs. d. Österr. Inst. f. Bibl.-Forsch. DA.: 1040 Wien, Resselg. 4. G.: Wien, 28. Jan. 1931. V.: Hedwig, geb. Korinek. Ki.: Christoph (1962), Georg (1965), Martin (1966). El.: Rudolf u. Maria. S.: RG, 1950 Matura, Stud. Geschichte u. Kunstgeschichte Univ. Innsbruck, 1973 Dr. phil. K.: 1953/54 Aufenthalt in Schweden, ab 1955 in d. Österr. Nationalbibl., 1959-77 Bibl. d. Österr. Kulturinst. in Rom, 1962 u. 1972 Kons. f. Reorgan. d. Bibl. d. Österr. Kulturinst. in Paris, 1977 Bibl.-Dir. d. TU Wien, Planung d. neuen Bibl.-Gebäudes u. Organ. d. neuen Bibl.-Betriebes, 1989 volle Umstellung d. Kataloge auf EDV. P.: div. bibl.-wiss. Veröff., Zusammenstellung in "Festschrift z. Eröff. d. neuen Gebäudes d. Univ.-Bibl. d. TU Wien" 1988. E.: 1977 Silb. EZ f. Verd. um d. Rep. Österr., 1992 Gr. EZ. f. Verd. um d. Rep. Österr., Dr. Josef Bick-Ehrenmedaille (Würdigungsmedaille d. Vereinigung österr. Bibliothekarinnen u. Bibliothekare), Ehrensenator d. TU Wien. H.: Ver. Österr. Bibl. (J.S.)

Wawrusch Hans-Joachim

B.: Gschf. FN.: ISO-BAU GmbH. GT.: Prokura Fa. Dr. Szabados Straßenbelagsservice GmbH u. Fa. Teerag-Asdag Abdichtungs u. Isolierungs GmbH. DA.: 1030 Wien,

Marxerg. 25. PA.: 1140 Wien, Mitisg. 17/2. G.: Iglau/CSFR, 30. Jan. 1943. V.: Rosa, geb. Kratzer. Ki.: Martin, Lisa. El.: Walter u. Margarete. S.: Mittelschule, HAK m. Abschluß. K.: Anfangstätigkeit in einer Bank, weiters in einer Treuhandges., dann Eintritt in Fa. Teerag-Asdag, seit 1987 Gschf. d. Fa. Iso-Bau GmbH einer Tochterges. d. Teerag-Asdag. H.: Bergsteigen, Fußball. (E.L.)

Waxenegger Josef Bgm.

B.: Pensionist, Bgm. A.: 8632 Gußwerk 13B. G.: Aschbach, 15. Febr. 1921. V.: Erika, geb. Schulze. El.: Michael u. Eva. S.: VS, Forstfacharbeiterkurs. K.: 1949-81 Betriebsrat b. d. Forstverw. Wegscheid d. ÖBF, 1950-81 Betriebsratsobm., seit 1960 im GemR. v. Gußwerk, 1960-64 VBgm. u. ab 1964 Bgm. d. Gem. Gußwerk. E.: Silb. EZ d. Rep. Österr., Gold. Verdienstz. d. Gem. Wien, Gr. EZ d. Landes Stmk., Ehrenringträger d. Gem. Gußwerk. M.: Sportclub Gußwerk, Musikver., Naturfreunde, Kameradschaftsbund, Gewerkschaft d. Land- u. Forstarb., SPÖ. H.: Fotografieren.

Wayand Erich Dr. med. Prof. MedR. HofR.

B.: Prim. i.R., em. Ärztl. Ltr. u. Vorst. d. Chir. Abt. im AÖK Kirchdorf an d. Krems, Gen.-Sekr. d. Österr. Ges. f. Chir. A.: 4560 Kirchdorf/Krems, PF 78, AÖK. G.: Wien, 21. Dez. 1921. V.: Dr. Erika, geb. Haslinger. El.: Amtsdir. Eduard u. Josefine. S.: VS, Hum. Gymn., Med.Stud. an d. Univ. Wien, Prom. 1945, FA f. Chir., FA f. Anaesthesiologie. K.: Kaiserin Elisabeth Spital d. Stadt Wien (Innere Med., Path., Urologie, Geburtshilfe u. Gynäkologie), Ausbildungsarzt, II. Chir. Univ.Klinik (Prof. Denk) Wien, Ausbildungsass., Sophienspital d. Stadt Wien, ab 1949 Ass., OA ab 1951, AÖK Kirchdorf/Krems, ab 1958 ärztl. Ltr. u. Vorst. d. Chir. Abt. P.: 43 Arb. über Tetanuserkrankungen u. -therapie, Muskelrelaxantien, Unfallchir. im LKH, benigne Oesophagusveränderungen, tot. Gastrektomien b. Magenkarzinom m. Oesophagoduodenostomie, intraoperative Gallenwegdiagnostik u.a., mehrere Veröff. über KH-Führung. E.: Ehrenring d. Stadt Kirchdorf 1976, Ehrenbürger ab März 1987, MedR. M.: Österr. Ges.f. Chir. (Gen.Sekr. seit 1967), korresp. Mtgl. d. Ges. f. Chir. d. BRD, Ehrenmtgl. d. Ges. f. Chir. d. DDR, d. Nordwestdt. Ges. f. Chir., d. Österr. Ges. f. Chir., Korresp. Mtgl. d. Ges. d. Ärzte in Wien, d. Österr. Ges. f. Unfallchir., Ehrenobm. d. Verb. d. Ärztl. Direktoren, Dt. Ges. f. Chir., Ges. d. Chir. Wiens, Österr. Ges. f. Kinderchir., Societe Intern. de Chir., Kollegium Intern. Digestive, Dt. u. Österr. Gastroenterolog. Ges., Österr. Ges. f. Unfallchir., Med. Ges. f. OÖ, Ges. d. Ärzte in Wien, Österr. Ges. f. Anaestheosiologie, Verb. d. Ärztl. Dir. u. Primarärzte Österr., Rotary International (Gov. 1988/89). H.: Jagd, Fotografie, Filmen.

Weber Adolf

B.: Bgm. d. Marktgem. Bad Hofgastein. GT.: AufsR. Gasteiner Heilstollen u. Gasteiner Bergbahnen. DA.: 5630 Bad Hofgastein, Kurpromenade 2. PA.: 5630 Bad Hofgastein, Gallwies 1. G.: Badgastein, 20. Juli 1940. V.: Maria, geb. Monuth, 5 Kinder. El.: Peter u. Maria. S.: VS, HS, 1955 Maurerlehre. K.: 1961-71 Berufsmusiker (Unterhaltungsmusik), danach Kurse techn. Zeichner, Baustatiker, 1972 stellv. Bauamtsltr. in d. Gem. Bad Hofgastein, 1984 Wahl z. Bgm. P.: Art. in regionalen Zeitungen. E.: Ausz. d. Roten Kreuz, Katastropheneinsatz. M.: Alpenver., Naturfreunde, Eisschützen. H.: Bürgermeisteramt. (G.P.)

Weber Alfred

B.: Ökonomierat, Vizebgm. DA.: 2486 Pottendorf/Landegg, Rechte Bahnzeile 18. G.: Pottendorf, 11. Dez. 1929. V.: Berta, geb. Jendinger. Ki.: Alfred (1955), Elfriede (1956), Gerhard (1960), Christa (1964), Günter (1966). El.: Franz u. Katharina. S.: Gärtnerlehre in Pottenstein, 1953 Meisterprüfung

K.: 1944-45 aktiver Militärdienst u. russische Gefangenschaft, anschl. in 8 versch. Betrieben in Österr. u. Schweiz als Gärtner tätig, 1951 Übern. d. väterl. Gärtnerei i. Pottendorf, Vergrößerung u. Aufbau eines neuen Betriebes, Grdg. d. Baumschule Weber, 1990 Übergabe d. Betriebes an den Sohn. E.: Gold. EZ f. d. Verdienste um die Republik Österr., Gold. Verdienstzeichen d. Landes NÖ, Ausz. d. Landwirtschaftskammer, d. Roten Kreuzes, Feuerwehr u. Gemeindeverb. M.: 1. Periode Gem.-Rat i. Landegg, s. 1985 Vizebgm. i. Pottendorf, Bundesobm. d. Österr. Baumschulen, s. 1943 Ehrenkommandant d. freiwilligen Feuerwehr Landegg, Bez.-Stellenltr. d. Roten Kreuzes. H.: Beruf. (I.J.)

Weber Barbara

B.: freischaff. Schauspielerin. PA.: 6060 Hall in Tir., Sparbereggstr. 7. G.: Hall in Tir., 2. Aug. 1951. Ki.: Luis (1979), Viola (1986). El.: Robert u. Hannelore Weber. S.: Grundschule, 1970 Matura, Mädchen-RG, EEG-Labor, Reinhardt-Seminar Wien, 1975 Dipl. K.: 1. Engagement Bayern, später freischaff. Künstlerin Wien, Theater d. Jugend u. Theater in d. Josefstadt, später Landestheater Innsbruck, seit 1979 Grdg.-Mtgl. d. Innsbrucker Kellertheaters, 10 J. Schauspielerin bei d. Tir. Volksschauspielen, designierte künstler. Ltr. d. Kellertheater, Filme: Verkaufte Heimat, Pieffke Saga. H.: Töpfern, Malen, Tarot, Astrologie, Mythologie. (M.W.)

Weber Brigtte

B.: selbst. m. Schmuckgroßhdl. u. Vermittlung. DA./PA.: 1100 Wien, Ada Christeng. 2B. G.: Wien, 23. Juni 1957. Ki.: Stephanie (1983), Sophie 1984). El.: Ing. Walter Weber u. Maria, geb. Schuckert. S.: VS, Gymn. u. Matura, eingige Sem. Jus-Stud., WIFI-Buchhaltungskurs. K.: v. 1978-89 in versch. Untern. als Ass. d. Gschf. gearb., seit 1990 selbst. im Schmuckbereich. H.: Malerei u. Grafik, Konzerte, Lesen, sportliche Aktivitäten. (F.S.)

Weber Brigitte Mag.

B.: Steuerberaterin. FN.: Weber & Lederer. DA.: 1190 Wien, Döblinger Hauptstr. 38. PA.: 1190 Wien, Kaasgrabeng. 7a. G.: Wien, 18. Nov. 1946. V.: Dipl.-Ing. Dr. Helmut. El.: Dkfm. Theodor u. Waltraud Lederer. S.: HAK, WU. K.: 1975 Steuerberaterprüf. P.: Dipl.Arb., "Sammelwertberichtigungen d. Kreditinst." (1970). H.: Oper, Konzerte, Skifahren. (Erh.)

Weber Edmund Dr. HofR.

B.: Abt.Dir. an d. BAnst. f. Wassergüte, Experte bilateraler (Österr.-CSFR, Österr.-BRD) u.multinat. Kmsn. f. Wasserwirtschaft. DA.: 1223 Wien, Schiffmühlenstr. 120. PA.: 1220 Wien, Gumpliwiczstr. 1/36. G.: Wien, 21. Mai 1927. V.: Rosa, geb. Zorad. Ki.: Monika (1974). S.: Hum. Gymn., Doktorat an d. Univ. Wien. K.: b. 1952 Ass. an d. Univ. f. Bdk., ab 1952 Wiss. an d. BAnst. f. Wassergüte. P.:

Ca. 50 Publ. m. d. Schwerpunkt: Gewässergüte d. Donau, Auswirkungen d. Donaustauräume (Kraftwerke), Künstl. Erbrütung d. Fische. E.: Gold. EZ f. Verd. um d. Rep. Österr. M.: Gen.Sekr. d. Intern. Arge Donauforsch. (IAD), Österr. Mtgl d. Soicetas Intern. Limnologiae. H.: Philatelie, Garten.

Weber Christian

B.: Kfm., Inh. FN.: "It´s time". DA.: 1060 Wien, Mariahilfer Str. 77-79/top 1. PA.: 1130 Wien, Bossig. 18-22/4/5. G.: Wien, 18. Mai 1957. Ki.: Thomas (1980). El.: Karl u. Elisabeth, geb. Kratschmer. S.: VS, Gymn., kfm. Berufsschule. K.: 1976-78 Großhdls.-Kfm., Fachhdls.-Betreuer in einer Elektrogroßhdlg., 1978-90 Außendienst, 1990-91 Uhrengroßhdl., Stationierung v. Sportuhren "Sektor" auf d. Österr. Markt, 1994 Eröff. d. 1. Uhrenboutique in Wien. H.: Tennis, Skifahren. (N.A.)

Weber Eduard Dr. med. vet.

B.: Prakt. Tierarzt f. Groß- u. Kleintiere. DA. u. PA.: 8510 Stainz, Meranstr. 4. G.: Untergreith, 26. Febr. 1941. V.: Maria, geb. Wechtitsch. Ki.: Alexander (1972), Matthias (1975), Katharina (1978), Bernhard (1981). El.: Friedrich u. Aloisia. S.: VS, HS, Ausbild. z. Kfz-Schlossergeselle b. Steyr-Puch Graz, BG f. Berufstätige Graz, 1965 Matura, Stud. Vet.-Med. Wien, 1970 Tierarztdipl. u. Doktorat. K.: 3 J. Ass.-Arzt an d. Univ.-Klinik f. Geburtshilfe, Gynäkologie u. Andrologie, ab 1973 Errichtung einer eigenen Praxis in Stainz f. Groß- u. Kleintiere, Grdg. u. Aufbau d. Schweinegesundheitsdienstes im Bez. Deutschlandsberg, ab 1980 Übernahme dieses Modells Deutschlandsberg auf d. Stmk. später auf ganz Österr. P.: Publ. in Zusammenarb. m. Prof. österr. vet.-med. Univ. Wien, Vorträge über Schweineproduktion v. bäuerl. Gremien u. Firmen. H.: Freizeitsport, Schwimmen, Wandern, Literatur. (M.Gr.)

Weber Ekkehard Dr. Univ.-Prof.

B.: a.o.Univ.-Prof. d. Univ. Wien. A.: 1090 Wien, Bergg. 6/12. G.: Wien, 30. Apr. 1940. V.: Dr. Ingrid, geb. Hiden. Ki.: Sebastian (1985), Augustin (1986), Matthias (1989). El.: Alois u. Gertha. S.: VS, RG Wien, Matura 1958, German., Klass. Philol., Alte Geschichte an d. Univ. Wien, Prom. 1964. K.: Lehrbefugnis (Habil.) f. Röm. Geschichte u. Latein. Epigraphik an d. Univ., Wien, Univ.Ass. in Graz u. Wien, Ernennung z. a.Prof. 1980. P.: Die römerzeitl. Inschriften d. Stmk. (Graz 1969), Augustus, Meine Taten (München, 4. Aufl. 1985), Tabula Peutingeriana, Kommentar z. Fac-simile-Ausgabe (Graz 1976), Herausgeber d. Zeitschrift "Röm. Österr.", zahlr. Aufsätze in in- u. ausländ. Fachzeitschriften, 1990 österr. Ehrenkreuz f. Wissenschaft u. Kunst. M.: Dt. Archäolog. Inst. (k.M.), Österr. Ges. f. Archäologie (Grdg. u. Vorst.Mtgl.). H.: Beruf.

Weber Erich Mag.

B.: Ltr. Finanz u. Treasuring. FN.: Felten & Guilleaume Austria AG. DA.: 3943 Schrems, Eugenia. PA.: 3922 Watzmanns 2. G.: Gmünd, 25. Apr. 1954. El.: Franz u. Hermine. S.: HTBL Elektrotechnik, Stud. Betriebswirtschaft WU Wien. K.: Ass. d. Administrators, Interne Kontrolle, Controller, Ltr. Finanz u. Treasuring. H.: Sport.

Weber Ernst Dr. iur.

B.: Sekt.Chef d. Sekt. III Personal- u. Verw.Angelegenheiten im BMJ. DA.: 1070 Wien, Neustiftg. 2. PA.: 1190 Wien, Zahnradbahnstr. 10/4/11. G.: Wien, 28. März 1929. V.: Ingrid (1963). S.: 1947 Matura, 4 J. Musikak., Jusstud. an d. Univ. Wien, 1951 Prom. K.: Gerichtsj., Richteramtsanw., 1956-60 Richter, ab 1960 Ministerialdienst, Min.Sekr. b. Justizmin. Broda, 1974 Präsidialvorst., ab 1980 Ltr. d. Sekt. III. E.: Gr. Gold. EZ u. Gr. EZ d. Rep. Österr., EZ d. Österr. Notariates, Bgld. Gr. EZ. M.: Mtgl. d. SPÖ u. Vorst.Mtgl. d. BSA. H.: Musik, Sport. (P.R.)

Weber Erwin

B.: Inh. FN.: Erwin Weber Hirschenwieser Bleikristall u. Pension Kristall. DA. u. PA.: 3970 Moorbad Harbach, Hirschenwies 53. G.: Hirschenwies, 15. Jan. 1943. V.: Christa, geb. Eichinger. Ki.: Fritz (1964), Erwin (1966). El.: Leopold u. Sophie, geb. Göll. S.: VS, Hohlglasveredlerausbild. K.: 1957-60 Lehre Firma Leopold Weber Glasschleiferei Hirschenwies, ab 1960 Mitarb. im elterl. Betrieb, ab 971 Übernahme d. Betriebes. E.: 1959 wurde v. Österr. Bundeskanzler Dr. Julius Raab, anläßl. eines Staatsbesuches in GB, d. Königin Elisabeth II eine Kristallvase aus d. Erz. d. Firma Leopold Weber Glasschleiferei als Gastgeschenk überbracht. (M.M.)

Weber Franz Dir.

B.: Dir. FN.: Sonderpäd. Zentrum Köflach. DA.: 8580 Köflach, Grazer Str. 4. PA.: 8591 Hochgößnitz 73. G.: Jagerberg, 2. Aug. 1948. Ki.: Barbara (1976), Daniel (1980). El.: Franz u. Theresia. S.: AHS Kremsmünster, Matura 1968, Stud. Turnen u. Math. Graz, Lehramt f. Volksschulen. K.: 1973 St. Peter am Ottersbach, Ligist, seit 1975 Köflach, Sonderschulausbild. (Lern- u. Sprachbehinderte) Päd. Inst. Graz 1979, seit 1980 Dir. d. Sonderschule. M.: Bergwacht, Sportunion Köflach. H.: Bergsteigen, Schifahren, Bäume, Holz, Tischlerei, Umweltschutz, Pazifist. (R.S.)

Weber Friederike Mag. HofR. Dir.

B.: Dir. d. BRG Kleine Sperlgasse. DA.: 1020 Wien, Kleine Sperlg. 2c. PA.: 1050 Wien, Matzleinsdorfer Pl. 3. G.: Wien, 22. Mai 1936. El.: OAmtsR. Johann u. Therese Weber, geb. Eder. S.: 1955 Matura, Stud. Engl. u. Geographie, 1960 Abschluß. K.: 21 J. Tätigkeit als Prof., 1982 Ltr. d. BRG. BL.: Doz. an d. Pädag Strebersdorf, Ltr. d. Arge d. Anglisten. M.: ÖAAB, VCL. H.: Musik, Sport. (E.H.)

Weber Gerhard Dipl.-Ing.

B.: Baudir. d. Stadt Wien. DA.: 1010 Wien, Rathaus. PA.: 1220 Wien, Schiffmühlenstr. 87/2/12. G.: Wien, 14. Apr. 1943. V.: Susanne, geb. Schmidt. Ki.: Roland (1965). El.: Josef u. Zita, geb. Kunz. S.: Realschule, 1961-68 Stud. d. Kulturtechnik a. d. Univ. f. Bdk. Wien. K.: s. 1968 Stadt Wien im Bereich Brücken- u. Wasserbau tätig, seit 1986 Abt.-Ltr. d. MA 45-Wasserbau, Schwerpunkte: Donauhochwasserschutz Wien, Schutzwasserbauten im gesamten Wr. Gebiet, Wasserwirtschaftl. Planung, Bereich d. Hydrologie, Amtssachv. d. Wasserrechtsbehörde, Projektskoordinator f. Kraftwerksbauten, s. 12/1993 Stadtbaudir. der Stadt Wien. P.: in div. Fachzeitschriften versch. Art. u. Vorträge. M.: Präs. d.

Schiffbautechn. Versuchsanstalt i. Wien, AR i. div. Ges., Ökologiekmsn. d. Bundesrg., Hafenbautechn. Ges., NaturschutzbeiR. in Wien. H.: Wassersport. (N.A.)

Weber Gerhard

B.: Prok. u. Dir. m. Generalvollmacht. FN.: Pegasus Reiseveranstaltungs-GmbH. DA.: 1060 Wien, Haydng. 21. PA.: 1190 Wien, Pyrkerg. 41/3/9. G.: Heiligenkreuz/ Lafnitztal, 1. Apr. 1949. V.: Henriette, geb. Köck. Ki.: Karin (1974), Martina (1976). El.: Alfred u. Karoline. S.: kfm. Lehre, Kaufmannsgehilfenprüfung. K.: fr. Mitarb. u. a. 1975 fix angestellt b. Reisebüro Zuklin, 1978 Eintritt i. d. Reisebüro IRS, Neuaufb. d. Bereiches Städteflug-Veranstaltung, Aufb. d. Abt. Team-Tours, Veranstaltung u. Org. aller Reisen d. Österr. Fußball-Nationalteams, 1982 Übern. IRS v. Österr. Verkehrsbüro, Weiterausb. u. Ltg. d. Abt. Team-Tours, Reiseltg. m. Planung, Org. u. Verkauf, 1988 Ltr.d.Hauptabt.-Filialen, a. 1993 Mitgschf. d. Reisebüro Columbia, s. 1994 Dir. m. Generalvollmacht b. Pegasus Reiseveranstaltungs-GmbH. H.: Familie, Urlaub, Radfahren, Fußball. (F.S.)

Weber Gerhard Dipl.-Ing.

B.: Stadtbaudir. FN.: Magistrat d. Stadt Wien. DA.: 1082 Wien, Rathaus. PA.: 1220 Wien, Schiffmühlstr. 87/2/12. G.: Wien, 14. Apr. 1943. V.: Susanne, geb. Schmidt. KI.: Roland. EL.: Josef u. Zita. S.: Realschule, Kulturtechnik. K.: 1968 Stadt Wien, MA 29 Brücken- u. Wasserbau, 1986 Abt.Ltr. d. MA 45 Wasserbau, 1993 Stadtbaudir., verantwortl. f. d. Planung u. d. Baugeschehen d. Hoheitsverwaltung d. Magistrates d. Stadt Wien, Koordination d. Bereiche Hochbau u. Haustechnik, Tiefbau u. Verkehr, Planung, Baupolizei, Umwelttechnik u. techn. Betriebe. P.: div. Artikel in Fachzeitschriften, Vorträge. M.: Baufachbeiratsmtgl. Flughafen Wien AG, Mtgl. d. Bauoberbehörde d. Magistrates d. Stadt Wien, Mtgl. d. BeiR. d. Wiener Altstadterhaltungsfonds, AufsichtsR. d. Fernwärme Wien Ges.m.b.H., Vors. d. Bauausschusses d. Österr. Städtebundes u. Vors. d. Prüfungskomm. (Ziviltechniker, Baugewerbe), Mtgl. im VerwaltungsR d. Österr. Ingenieur- u. Architekten-Vereins (ÖIAV), Mtgl. d. Hauptaussch. d. Österr. Wasser- u. Abfallwirtschaftsverb. (ÖWAV), Mtgl. d. Vorst. d. Österr. Normunginst., Präs. d. Schiffbautechn. Versuchsanstalt Wien. H.: Wassersport.

Weber Gerold Dr. Prof.

B.: o.Univ.-Prof.; Vorst. d. Inst. f. Kunstgeschichte, Denkmalpflege u. Industriearchäologie d. TU Wien. DA.: 1040 Wien, Karlspl. 13/257. G.: München, 7. Nov. 1941. V.: Dr. Ulrika, geb. von Haumeder (verwitwet). Ki.: Laura. El.: Kammersänger Prof. Ludwig u. Margot. S.: 1959 Matura am BRG Wien 19, Stud. Kunstgesch., Archäol., Geschichte u. Phil. an d. Univ. Wien, 1966 Prom. z. Dr. phil. K.: Ab 1963 wiss. Hilfskraft an d. Univ. Wien, 1966-72 Univ.-Ass., Forschungsaufenth. in Paris u. Freiburg (Alexander v. Humboldt-Stip.), 1978 Habil. u. ab 1978 Univ.-Doz., 1980-82 Gastdoz. an d. Univ. München, s. 1983 an d. TU Wien, 1985 Grdg.-Mtgl. d. Université de l'Europe, 1991/92 Dekan d. Fak. f. Raumplanung u. Arch. an d. TU Wien. P.: Bücher u.a.: Brunnen u. Wasserkünste in Frankreich im Zeitalter v. Louis XIV; Veröff. in Fachzeitschr. über Arch., Gartenarch. u. Skulptur d. 16.-18. Jh. M.: Societé de l'Histoire de l'Art Francais, Verb. Österr. Kunsthistoriker. H.: Musik. (J.S.)

Weber Gerlind Dr. Dipl.-Ing. o.Univ.-Prof.

B.: o.Univ.-Prof. f. Raumplanung u. Raumforsch. Univ. f. Bdk. Wien. DA.: 1190 Wien, Hasenauerstr. 42. G.: Unterach, 25. Mai 1952. El.: Fritz u. Dr. Gertraud. S.: VS, 1979 Matura, Stud. Soz. Univ. Wien, Stud . Raumplanung u. -ordnung TU Wien, 1975 Dipl.-Ing. K.: 1976 Inst. f. Rechtswiss. TU Wien, 1979 Dr., seit 1989 Univ. f. Bdk.: Vorst. f. Raumplanung u. ländl. Neugestaltung, 1994/95 Gastprof. eidgenöss. techn. HS Zürich, Prof. europ. Fak. f. Bodenordnung Straßburg. P.: Plangewährleistungsansprüche in d. örtl. Raumplanungsuntersuchung am Flächenwidmungsplan (1981), Zersiedelungsabwehr durch Raumplanung - ein Kampf gegen Windmühlen" (1984), Dorferneuerung in Österr. (1988), Auswirkungen d. EG-Integration auf Siedlungsentwicklung u. Bodenpolitik Raumordnungsrechtl. Handlungsbedarf (1990). BL.: jüngste Ordinaria in Österr. M.: Obfrau d. Arbeitskreises ländl. Raum im Kuratorium f. Landtechnik u. Entwicklung, Schriftführerin d. Zeitschrift "Der ländl. Raum". H.: Sport (Skilehrerin), eigener Bauernhof am Attersee, Lesen (Gegenwartsliteratur). (W.J.)

Weber Hannelore

B.: Landtagsabgeordnete u. Gemeinderätin. FN.: Grüner Klub. GT.: Mitarbeiterin i. Bürgerinitiativen: Müllplattform. DA.: 1080 Wien, Rathaus. PA.: 1190 Wien, Krottenbachstr. 135. G.: Wien, 24. Okt. 1940. V.: Heinz. Ki.: Thomas, Gabriele. El.: Anton u. Adele. S.: Matura. BL.: Widerstand gegen unsinnige Müllverbrennungsanlagen. (N.A.)

Weber Hans Franz

B.: Gebäudereinigung. DA.: 2700 Wr. Neustadt, Zehnergürtel 63. PA.: 2700 Wr. Neustadt, Grabeng. 3. G.: Wr. Neustadt, 27. Juni 1941. V.: Ingrid, geb. Lipowetz. El.: Johann u. Anna. S.: HS, Fleischhauermstr.Prüf. K.: Eintritt in elterl. Betrieb, später Ndlg.Ltr. b. Fa. Pedus in Wien, dann selbst. M.: Lions-Club. H.: Motorsport (1966-69 aktiv im Rallyesport), Tennis, Musik, Theater, Skilaufen, Eislaufen. (M.G.)

Weber Harald W. Prof. Dr.

B.: a.o.Univ.-Prof. f. Tieftemperaturphysik d. TU Wien, Atominst. d. österr. Univ. DA.: 1020 Wien, Schüttelstr. 115. PA.: 2372 Gießhübl, Hauptstr. 76/2. G.: Wien, 25. Okt. 1944. S.: VS, ak. Gymn. Linz, 1962 Matura, Stud. Physik u. Math. Univ. Wien, 1969 Prom. sub auspiciis praesidentis. K.: 1968 Anstell. am Atominst. d. Österr. Univ., 1972 Gastaufenth. am Inst. f. Festkörperforsch. d. Kernforsch.-Anlage Jülich, 1974 Habil., 1975 Lehrbefugnis als Univ.-Doz. f. Tieftemperaturphysik an d. Techn.-Naturwiss. Fak. d. TU Wien, 1976 Organ. u. Durchführ. d. Intern. Discussion Meeting on Anisotropy Effects in Superconductors am Atominst. Wien, 1977 Forsch.-Aufenth. am Inst. f. Festkörperforsch. d. Kernforsch.-Anlage Jülich, 1979 Gastaufenth. an d. Solid State Division Oak Ridge USA, 1981 a.o.Prof., 1983, 1987 u. 1989 Gastaufenth. an d. Materials Science Division Argonne USA, 1985 Organ. u. Durchführ. d. Fachtages Festkörperphysik d. ÖPG z. Thema "Supraleitung" am Atominst., 1988 Organisation u. Durchführ. e. intern. Tagung über "High-Tc

Superconductors" Schloß Mauterndorf, 1990 Mtgl. d. Intern. Union of Pure & Applied Physics, Kmsn. C5:Low Temperature Physics, 1992 Organ. u. Chairman d. intern. Konf. "Critical Currents in High TemperaturSuperconductors" TU Wien, 1992 Mtgl. d. Editorial Board d. Zeitschr. "Cyrogenics", Butterworth-Heinemann, Oxford, 1992 Mtgl. d. Editorial Board d. Zeitschr. "Condensed Matter & Materials Communications", Nova Science Publishers, N.Y., 1992 Mtgl. d. Intern. Cyrogenic Materials Committee (ICMC), 1993 Mtgl. d. Editorial Board d. Zeitschr. "Superconductor Science & Technology" Inst. of Physics Publishers, Bristol, Jan. 1994 organisation u. Durchführung d. "7th Intern. Workshop on Critical Currents in Superconductors", Alpback, Tirol. BL.: Aufbau d. Tieftemperaturlabors am Atominst., Einführ. e. breiten experimentellen Grundlagenforsch. auf d. Gebiet d. Supraleitung, Forsch..Koop. m. Forsch..Zentren in USA, Europa u. Japan. P.: Anisotropy Effects in Superconductors (1977), Supraleitung (1979), "High-Tc Superconductors" (1988), "Critical Currents in Superconductors", World Scientific Publishing Co., Singapore, 1994, 7 Buchbeiträge, ca. 215 Fachpubl. in wiss. Zeitschr. E.: 1975 Felix-Kuschenitz-Preis d. Österr. Ak. d. Wiss. M.: American Physical Society (APS), American Assoc. for the Advancement of Science (AAAS), Österr. Physikal. Ges. (ÖPG), Chem.-Physikal. Ges. Wien, Österr. kerntechn. Ges. (ÖKTG), Österr. Energieforum (EF), Dt. HS-Verb. (DHV), Kmsn. z. Koordination d. Kernfusionsforsch. in Österr., 1993 Ehrendoktorat d. lett. Univ. Riga. H.: klass. Musik, Literatur. (G.E.)

Weber Helga

B.: Dir. FN.: Grand Hotel Wiesler. DA.: 8020 Graz, Grieskai 4. PA.: 8054 Pirka b. Graz, Fahrschulweg. G.: Eisenerz, 29. Jän. 1965. V.: Günter. El.: Alfred u. Helga. S.: VS, HS Eisenerz, Oberstufenrealgymn. Krems/Nö, 1983 Matura, 4 Sem. Fremdenverkehrsschule i. Krems/Nö m. Abschl. Matura 1985. K.: 1985-86 Linz, Hotel Mercure Rezeption, 1987 Graz, Alba-Hotel v. Rezeption b. z. Dir. M.: Grazer Hoteliersvereinigung, Innenstadt Initiative. H.: Sport, Mountain Bike, Skifahren, Wandern, Reisen. (I.G.)

Weber Hermann Dipl.-Ing.

B.: Arch. DA. u. PA.: 8280 Fürstenfeld, Kernstockg. 9. G.: Fürstenfeld, 16. Dez. 1947. V.: Margareta, geb. Mauerhofer. Ki.: Christoph (1983), Eva (1987). El.: Hermann u. Ruth. S.: 1966 Matura, BH, Arch.-Stud. TU Graz, 1975 Grad. z. Dipl.-Ing. K.: Praxis b. Prof. Holub Graz, ab 1980 Aufbau eines eigenen Arch.-Büros in Fürstenfeld, 1978 Ziviltechnikerprüf., Schwerpunkt: Ortsbildgestaltungen, Ortsbildgestaltungskonzepte u. Sanierungen v. alter Bausubstanz, Wohnungs- u. Siedlungsbau, Projekte: Wettbewerb u. Realisierung Neugestaltung d. Hauptplatzes in Fürstenfeld, 1990 Sanierung d. ehem. Wattefbk. in Fürstenfeld zu 21 Wohnungen, 1993 Ortsraumgestaltung Burgau. M.: Schlaraffia Fürstenfeld. H.: Tennis, Bergwandern. (M.Gr.)

Weber Hermann Dr. iur.

B.: Sekt.Chef, Ltr. d. Sekt. Verkehrsgewerbe u. spezif. Ressortangelegenheiten im BM f. öff. Wirtschaft u. Verkehr. DA.: 1030 Wien, Radetzkystr. 2. PA.: 1030 Wien, Landstraßer Gürtel 3. G.: St. Pölten, 6. Sept. 1939. V.: Erna, geb. Cet. El.: Hermann u. Brunnhilde. S.: VS, HS, Schlosserlehre b. d. ÖBB, Fernmatura durch d. 2. Bild.Weg, Stud. d. Rechtswiss., 1973 Prom. K.: vorerst Facharb. u. danach 10 J. Fahrdienstltr., 1968-70 b. d. Pensionsstelle d. ÖBB, 1970-75 in d. kommissionellen Dir. d. Gen.-Dir. d. BBahn, 1975-76 Gen.Sekr. d. ÖBB, 1976-81 Ltr. d. Verkehrsmin.Büros, 1981-83 in einem Techn. Büro f. Jurist. Angelegenheiten f. d. außen u. interne Organ. zuständig, seit 1983 Ltr. d. Sekt. 4 f. Straßenverkehr, 1989 Umbenennung in d. Sekt. Verkehrs- u. Ressortangelegenheiten. E.: Silb. Med. am Roten Band d. Rep. Österr. 1963. M.: SPÖ. H.: Musik, Klavier u. Gitarre spielen, Lesen. (M.B.)

Weber Hubert Dr. Mag.

B.: Sekt.-Chef. im Rechnungshof, Ltr. d. Sekt. III. DA.: 1033 Wien, Dampfschiffstr. 2. PA.: 1180 Wien, Ferrog. 54. G.: Wie, 29. Dez. 1939. V.: Mag. pharm. Christiane, geb. Scherr. Ki.: Karola (1981). El.: Walter u. Martha. S.: BG Wien 19, 1958 Matura, Jusstud. Univ. Wien, 1965 Dr. iur. K.: während d. Studienzeit Tätigkeit in d. Arbeitsmarktverw., 1965-70 Präsidialist im Bundesmin. f. soz. Verw., 1970 Eintritt Rechnungshof, zunächst Prüfer Bereich Bundeskanzleramt, BMJ u. BMAA, später Ltr. d. Sekr. d. Präs., anschl. Personalltr., seit 1990 Sekt.-Ltr. zuständig f. d. Prüf. v. öff. Unternehmen, zugleich unterstützende Tätigkeit f. d. Präs. d. Österr. Rechnungshofs als Gen.-Sekr. d. Intosa, Vortragstätigkeiten. P.: Untersuchungen u.a. "Fortbildungsmaßnahmen d. Obersten Rechnungskontrollbehörde", Mitautor "Europa - Glossar d. Rechts- u. Verw.-Sprache: Haushalt u. Rechnungsprüf.". H.: Bücher, Archäolog. Wanderungen. (J.S.)

Weber Johann RgR.

B.: Ltr. d. Pensionsstelle d. ÖBB. DA.: 1150 Wien, Langauerg. 1. PA.: 1120 Wien, Hetzendorfer Str. 78/5/1/4. G.: Dorf Rosenau, 13. Sept. 1935. V.: Josefine, geb. Anderl. Ki.: Monika (1959), Renate (1964). El.: Johann u. Theresia. S.: LBA Krems, 1954 Matura. K.: Tätigkeit in einer Bank in Wien, ab 1956 z. ÖBB-Pensionsstelle, nebenbei Stud. d. Rechtswiss., Programmierkurs, Umstellung d. Dienststelle auf EDV, Einführng d. Mikroverfilmung, seit 1986 Ltr. d. Dienststelle. H.: Tennis, Skifahren, EDV. (P.R.)

Weber Johann Dr. theol. h.c.

B.: Bischof v. Graz-Seckau. DA. u. PA.: 8011 Graz, Bischofpl. 4. G.: Graz-St. Veit, 26. April 1927. El.: Gend.Insp. Martin u. Juliane, geb. Fink. S.: Ak. Gymn. Graz, Univ. Graz: 1945-46 Germanistik u. Geschichte, 1946-50 Kath. Theol. K.: 1950 Priesterweihe, 1950-53 Kaplan in Kapfenberg (Hl.Familie), 1953-56 Kaplan in Köflach, 1956-62 Diözesanseelsorger d. Kath. Arbeiterjugend, 1962-69 Pfarrer in Graz-St. Andrä, 1969 Ernennung z. Bischof v. Graz-Seckau durch Papst Paul VI. P.: Bei den Leuten, Graz 1994, Art. in versch. Zeitschriften. E.: Gr. Gold. EZ m. d. Stern f. Verd. um d. Rep. Österr., Ehrenring d. Landes Stmk., Ehrenring d. LHpt.Stadt Graz, Ehrensenator d. Univ. Graz. H.: Literatur, Schwimmen, Wandern.

Weber Karl

B.: Bgm. d. Gem. Hadres. DA.: 2061 Hadres 211a, Gemeindeamt. PA.: 2061 Hadres 211a. G.: Hollabrunn, 20. Nov. 1957. V.: Monika. Ki.: Karl (1979), Gerald (1981), Norbert (1985). El.: Karl u. Rosa. S.: VS, HS, HASCH. K.: 1974 Gem.-Sekr., 1976 BH, seit 1990 Bgm. M.: ÖVP, Vorst.-Mtgl. Abfallverb. Hollabrunn, Obm. u. Gründer d. Musikschule Pulkautal, Obm.d . Dorfmusik Hadres, seit 20 J. Kapellmstr., Adventgemeinschaft, ÖKB Weinbauver., Pulkauwasserverb., Chorltr. im Kirchenchor. H.: Musik, spielt Flügelhorn u. Baßflügelhorn, Hausmusik, Fußball, Radfahren. (W.M.)

Weber Karl

B.: Dir., Gschf. FN.: ADEG C+C Großmarkt GmbH & Co KG. GT.: AufsR. ADEG Bürgschaftsgen., Gschf. Pongauer Fleischwerk. DA.: 5700 Zell/See, Kitzhornstr. 40. PA.: 5700 Zell/See, Karl-Vogt-Str. 64. G.: Rupperstal, 18. Dez. 1948. V.: Irmgard, geb. Binder. Ki.: Karl (1967), Gerald (1968). S.: VS, HS, 1962-65 Lehre Einzelhdls.-Kfm. Wien. K.: 1965-67 Filialltr. Firma Meinl, 1967 Gschf. ADEG Neukauf-Donauzentrum Wien, 1971 Zentrale ADEG, 1979 Prok., 1983 Vorst.-Mtgl., 1986-89 Gschf. d. Gen. ADEG, 1988 Fusionierung d. Gen. m. ADEG AG. P.: Mitarb. b. Informationsmaterial. H.: Laufen, Radfahren, Familie, Lesen. (G.P.)

Weber Lora

B.: freisch. Malerin. DA.: 1010 Wien, Bäckerstr. 2. PA.: 1090 Wien, Fuchsthalerg. 4/11. G.: Wien, 18. Dez. 1942. Ki.: Romana (1961). El.: Rudolf u. Gertrud Mascher. S.: Mittelschule, 1958-62 Stud. Keramik an d. Akad. d. Angew. Kunst in München b. Prof. Esker, autodidakt. Ausbildung als Malerin, Studien in Paris u. in d. Provence. K.: 1. Ausstell. Galerie La Huchette, Paris (1963), 1970 Aufbau e. Ateliers f. Schmuck & Bild in Wien, 1981 Studienaufenth. in Indonesien/Bali, zahlr. Ausstellungen im In- u. Ausland. H.: Reisen, Literatur, Musik. (N.A.)

Weber Manfred

B.: Prokurist, gerichtl. beeidet. Sachverst. FN.: A+G Warenvertr. GmbH Wien. DA.: 1230 Wien, Perfektastr. 79. PA.: 7503 Großpetersdorf, Dornau 148. G.: NÖ, 1956. V.: Cornelia Schieber. Ki.: Claus (1987), Gaby (1991). El.: Karl u. Stefanie. S.: VS, HS, Poly., Kochlehre Gesellenpr. 1971. K.: Küchenchef u. Fachberater f. gastronomische Kücheneinrichtungen, Verkaufsltr., Konzessionspr. f. d. Gastgewerbe 1985, 1985 Gasthaus "Blunzenstricker" Ottakring, s.1989 Prokurist d. Fa. M.: Verb. d. allgem. gerichtl. beeideten Sachverst. H.: Aerobic, Mountainbike, Schwimmen. (S.P.)

Weber Manfred Dkfm.

B.: Gesamtverkaufsltg. Firma Friedrich v. Neuman. DA.: 3180 Marktl, Werkstr. 1. PA.: 2344 Maria Enzersdorf, Donaustr. 113. G.: Wien, 19. Jän. 1942. V.: Inge, geb. Giesser. Ki.: Alexandra (1969), Michael (1971). El.: Dipl.-Ing. Egon u. Herta, geb. Klein. S.: VS, Untermittelschule, Techn. Mittelschule m. Matura 1961, 1961-68 Stud. Werbung u. Verkauf HS f. Welthdl. K.: 1968-69 Dion.-Ass. b. d. Handschuh-Peter, 1969-79 b. d. Österr. Unilever GmbH tätig: zentrale Organ.-Abt., Gesamtverkaufsltr. im Verpackungswerk, 1979-90 Verkaufsltr., zuletzt Verkaufsdir. b. TUPACK Verpackungen, 1990-92 selbst., Gschf. Ges. einer Export-Import Ges. u. Kons. f. Firmengrdg. f. Ungarn u. CSFR, ab Mai 1992 Gesamtverkaufsltg. f. Firma Friedrich v. Neuman. H.: Jagd, Tennis, Skifahren. (N.A.)

Weber Monika

B.: Steuerberater, Wirtschaftstreuhänder. DA.: 1010 Wien, Graben 20. PA.: 1140 Wien, Utendorfg. 2B/9. G.: Wien, 22. Febr. 1942. V.: Karl Peter Weber. Ki.: Eva Maria (1962), Irene (1967). El.: Karl u. Franziska Jacob. S.: RG, 1960 HAK-Matura. K.: in Steuerberatungskzl. tätig, 1983 Steuerberaterprüf., intensive Beratung, Lohnverrechnung, Buchhaltung. H.: Reisen, Gymnastik, Filmen, Tennis. (R.J.)

Weber Norbert

B.: Gastronom, Beach side bakery, River side bakery, Side walk bakery. DA.: 1010 Wien, Am Schanzelufer 1. PA.: 2251 Eckartsau. G.: Wien, 31. Mai 1962. El.: Kurt u. Paula. S.: Hotelfachschule Bad Gleichenberg. K.: Barkeeper im Intercontinental Hilton, Restaurantmanager im Hotel Astoria, Baveridge Manager im Eldorado u. Mariott, Serviermstr.Prüf., 1985 Grdg. mehrerer Radverleihe u. einer Surfschule auf d. Donauinsel, 1987 Grdg. d. ersten Backshops (Frischgeback), 1989 Grdg. v. Wiens erster Flußkrebsbar als schwimmendes Boot am Donaukanal, 1989 Beginn d. Baues z. Bootanlegeplatz u. Motorboothafen Wien City. H.: Kendo. (P.R.)

Weber Otto Dipl.-Ing. KommR.

B.: Zimmermstr., Bmstr. i.R. PA.: 2404 Petronell/Carnuntum, Gabrielenstr. 145. G.: Petronell, 7. Aug. 1902. V.: Franziska, geb. Herbshofer. Ki.: Lieserl, Ortrud, Gunhild. El.: Franz u. Cäcilia. S.: 7 J. Realschule am Schnittel, Matura, techn. HS, Arch.Stud. K.: Betriebsübernahme d. Zimmerei in Petronell, 1. Turm in Harmannsdorf-Rückersdorf, weiters in Maria Taferl, Bruckerturm, Hafnerbergkirche, Haydnhaus in Rohrau, zahlr. Kirchentürme in ganz Österr. P.: zahlr. Vorträge betreffend Holz etc., Klagenfurter Holzmesse. E.: 1974 KommR., 1976 Gold. Ing.Dipl., 1980 EZ in Gold v. d. LInnung d. Zimmermstr. f. NÖ, einige Urkunden f. vorbild. Leistung. M.: Club d. 66. H.: Lesen, Geschichte. (E.L.)

Weber Robert

B.: Gschf. FN.: Robert Weber GmbH & Co KG. DA.: 1120 Wien, Tivolig. 15. PA.: 2344 Maria Enzersdorf, Am Rauchkogel 7. G.: Olmütz, 18. Febr. 1944. V.: Jutta, geb. Tschoepe. Ki.: Michael. El.: Robert u. Liselotte. S.: VS, Realschule, Matura, 7 Sem. Welthdl. b. z. 1 Staatsprüf. K.: 1964 Eintritt in väterl. Betrieb, kfm. Ang., seit 1984 Gschf. P.: Fachartikel in Fachzeitschriften. E.: Pilot m. höchster Qualifikation. M.: VOP, Ver. Österr. Kesselhersteller. H.: Pilot (Blindflugschein, Berufspilot), Sport, Skifahren, Tennis. (E.L.)

Weber Rupert Ing.

B.: Gschf. Ges. FN.: tic music Tonstudio GmbH. DA.: 1070 Wien, Schottenfeldg. 60/2/4. G.: Wien, 27. Dez. 1961. El.: Rupert u. Rosemarie. S.: 1981 HTL-Matura, Fachhochbau, 1982 Stud. Hdls.Wiss. WU. K.: 1986 Theater an d. Wien, Tanzausbild. Musical, 1989 Produktionsstudio in Mödling, 1990 Grdg. d. GmbH, Spezialisiert: Werbesampler (CD Body Lotio, Österr. Staatsanerkennungspreis f. Kronenzeitung Werbung, Silver Award USA, Mazda, IBM, Gloria, Toyota, Schloßgold), akust. Arrangements, Wettbewerbspreise: 1984 BRD Intern. Kraaft, Popodrom Österr., Schallplattenproduktionen: 1986 Party Groove, 1987 Alles u. noch mehr, San Tropez. H.: Musik- u. Plattenproduktion. (J.E.)

Weber Walter Ing.

B.: Betriebsltr. FN.: Geschützte Werkstätte Steiermark GmbH. DA.: 8605 Kapfenberg, Gustav-Kramer-Str. 5a. PA.: 8670 Krieglach, Gölkweg 27. G.: Mürzzuschlag, 5. Nov. 1955. V.: Maria, geb. Pretterhof. Ki.: Julia, Lisa. El.: Walter u. Maria. S.: Grundschule, 1971-74 Techn. Zeichner Schoeller-Bleckmann (VEW), BH, 1975-79 HTL Maschinenbau, Hüttenwesen. K.: 1979-82 VEW Betriebsass., 1982-86

Prod.Ltr. Fa. Sebring (Auspuffanlagen), 1986 Ltr. d. Geschützten Werkstätte Stmk. Kapfenberg. H.: Lesen, Sport. (M.G.)

Weber Walter Dr. MedR.
B.: Prakt. Arzt. A.: 2352 Gumpoldskirchen, Wiener Str. 24 u. 147. V.: Justine, geb. Mayer. El.: Otto u. Hertha. S.: Hum. Gymn. m. Matura, 10 Sem. Med., Doktorat 1950. K.: Turnusarzt an versch. Wr. Univ.Kliniken sowie am AKH Baden b. Wien, 1954 Ndlg. als prakt. Arzt in Gumpoldskirchen, 1977 Ernennung z. MedR. P.: Schriftsteller. Tätigkeit b. d. Fachzeitschriften "Rebe u. Wein", "Winzer" u. "Tafelfreuden". E.: Bacchuspreis d. Österr. Weininst., Ehrenmtgl. d. Weinbauver. Gumpoldskirchen, Ehrenbürger v. Artimino (Italien). M.: Gründer u. Großmeister d. "Österr. Weinbruderschaft", Ehrenmtgl. d. Weinbruderschaft Baden-Württ. u. d. Weinbruderschaft Heidelberg, d. Lega del Chianti, d. WB Friaul-Julisch Venezien, Mtgl. d. Ordre des Coteaux de Champagne u.v.a.

Weber Waltraud
B.: Cafetier u. Pensionsinh. d. Cafe-Pension Haus am Hang. DA. u. PA.: 5340 St. Gilgen, Mondseer Bundesstr. 10. G.: St. Gilgen, 11. Juni 1940. V.: Heinrich Weber. Ki.: Gabriele. El.: Elisabeth Kaltenbrunner. S.: HS, Gastgewerbelehre im Hotel Pitter in Sbg. K.: Tätigkeit im bekannten "Cafe Schuh" in Bad Gastein, seit 1960 Führung d. eigenen Pension am Ortsrand v. St. Gilgen m. Blick über d. Wolfgangsee sowie Cafehausbetrieb m. eigener Patisserie. H.: Skifahren, Schwimmen. (Foed.)

Weber Wilhelm Dr. MedR.
B.: prakt. Arzt i.R. PA.: 1190 Wien, Krottenbachstr. 42-46/5/3. G.: Wien, 13. März 1916. V.: Ella, geb. Lotz. Ki.: Karin (1942). El.: Wilhelm u. Anna. S.: Beethoven Realschule, 1936 Matura, Med.Stud. Univ. Marburg/Lahn u. Gießen, nach d. Krieg Fortsetzung d. Med.Stud. Univ. Wien, 1953 Prom. K.: Werkstudent, Buchhalter in einer Spenglerei, Aquisiteur b. Österr. Wachdienst, 4 J. Billeteur u. anschl. Gschf. d. Hellwag-Kinos Wien XX, 5 J. Turnusausbild. im Hanusch-KH, 1959 Eröff. d. eigenen Praxis. BL.: als Schüler Konzerte am Klavier: Beethoven, Tschaikowsky, Liszt. H.: Musik (Beethoven, Wagner, Tschaikowsky, Mozart, Liszt). (J.S.)

Weber-Rech Eveline Dr.
B.: prakt. Arzt. DA.: 1140 Wien, Hüttelbergstr. 113. G.: Wien, 31. Dez. 1949. V.: Dipl.-Ing. Dr. Reinhard Weber. Ki.: Julia. El.: Robert u. Ada Rech. S.: HAK, Matura, Med.Stud. Wien, 1977 Prom. K.: KH Klosterneuburg, Betriebsarzt Elin, 1980 eigene Praxis, Akkupunktur, Homöopathie, Neuraltherapie. M.: Ges. d. Akkupunktur, Ver. f. Kinderchir. an d. Univ. Graz. H.: Backen, Radfahren, Sprachen, Malerei. (A.K.)

Weberberger Erwin Mag.
B.: Vorst.Vors., Prok., AufsR. FN.: Imperial Finanzgruppe. DA.: 4020 Linz, Hafferlstr. 7. PA.: 4048 Puchenau, Kainzenbergerstr. 7. G.: Obernberg/Inn, 26. Mai 1955. V.: Gerda, geb. Rausch. Ki.: Michael (1976). El.: Friedrich u. Maria. BV.: Onkel Bischof Weberberger in Brasilien. S.: 1973 Abitur, b. 1976 Stud. BWL Linz, Militär. K.: Praxis b. Unilever, Spar Österr., seit 1979 Imperial, Initiator v. Immobilienfond, Bauherrenprojekte in Österr., 1984 Timesharing nach Österr., alleiniger Vorst. v. Holitime Holding AG, Vorst.-Vors. Cordial Ferienclub AG, AufsR.: Saturn-Media AG u. Imperial Immobilienanlagen AG, verantwortl. f. Konzeption u. Vertrieb d. Kapitalanlagen sowie d. Cordial Ferienclub, Gschf. Hermes Kapitalanlagenvermittlungsges.m.b.H., Prok.: Imperial Kapitalanlagenvermittlungsges.m.b.H., Imperial Verwaltungsges.m.b.H., Saturn Holding GmbH, Presidente: Il Pelagone Srl. M.: Golfclub Waldviertel, Reitclub Hofmühle. H.: Golf, Reiten. (P.H.)

Webersinke Udo KommR.
B.: Gen.-Dir. FN.: Benkiser Austria. DA.: 5400 Hallein, Rifer Hauptstr. 21. PA.: 5412 Puch b. Hallein, Thurnberg. G.: Aussig, 7. Apr. 1937. V.: Anke, geb. Nötenberg. Ki.: Eva (1961), Ralf (1967). S.: Grundschule, RG. K.: Außendienstmitarb., Verkaufsltr., Prok., Gschf., Gen.-Dir. E.: KommR. M.: Vors. im Fachverb. d. Chem. Ind. Österr. Sekt. Seifenwaschmittel, 1989-90 Präs. d. A.I.S. in Brüssel. H.: Golf.

Wech Hermine KommR.
B.: Unternehmerin, alleinige Gschf., Haushaltungslehrerin. FN.: Hermine Wech Geflügelschlächterei u. Futtermittel. GT.: Vorst.Mtgl. d. Lavanttaler Geflügelringes. DA.: 9433 St. Andrä, Kollegg 8. PA.: 9433 St. Andrä, Kollegg 29. G.: Hausmening/Amstetten, 3. Nov. 1920. V.: Otto Wech. Ki.: Mag. Jakob Mathias. El.: Johann u. Hermine Spreitz. S.: VS, Gymn., Haushaltungsschule Wien. K.: b. 1945 Haushaltungslehrerin in Marburg/NÖ, 1945 nach Ktn., Aufbau d. Bienen- u. Hühnerfarm, 60 Schlachtbetriebe aufgebaut, ab 1972 alleinige Unternehmerin u. Gschf. E.: Silb. EZ f. Verd. um d. Rep. Österr. M.: Mtgl. v. ALGÖ. H.: Reisen, Filmen, Schwimmen, Literatur. (H.M.)

Wech Leopold Dr.
B.: Prof., Schriftsteller, Komponist. A.: 1210 Wien, Floridsdorfer Hauptstr. 12/13/12. G.: Wien, 15. Nov. 1919. V.: Herta, geb. Stallmann. El.: Leopold u. Maria. S.: VS, RG, LBA, Univ. K.: VS-Lehrer, HS-Lehrer, Prof., Lehrbeauftragter an d. Wr. Univ. P.: Bücher: "Albert Schweitzer - Fackelträger d. Menschlichkeit", 1958, "Raimund Weissensteiner - Leben, Bekenntnis, Musik", 1978, Bd. 2 1993, "Über Deinem Scheitel träumt ein Stern", 1979, "Das österr. kath. Wort", 1984, "Lob einer Stunde" - Leben u. Werk d. österr. Dichters Franz Kießling, 1986, Lyrik, zahlr. Art. in Fachzeitschriften, literar. Arb. in Anthologien. E.: Gold. Med. f. Verd. um d. Sparpädagogik, Floridus Leeb-Med., Silb. EZ f. Verd. um d. Rep. Österr., Silb. EZ f. Verd. um d. Land Wien, Österr. Ehrenkreuz f. Wiss. u. Kunst, Päpstl. EZ "Pro ecclesia et pontifice". M.: Gründer u. Mtgl. d. Ehrenpräsidiums d. "Ver. d. Freunde d. RG XX", Gründer u. Obm. d. "Ver. d. Freunde d. Beethoven-Gedenkstätte in Floridsdorf". H.: Lyrik, Musik, Zeitgeschichte.

Wechdorn Josef Dipl.-Ing.
B.: w.HofR. i.R. PA.: 3104 St. Pölten, Salcherstr. 156. G.: Kleinneusiedl, 7. Aug. 1920. V.: Maria, geb. Berthold. Ki.: Dipl.-Ing. Renate (1958), Dr. iur. Susanne (1960), Dr. med. Daniela (1961). El.: Josef u. Theresia. S.: VS, HS, HTL Hochbau, 1938 Matura, Stud. Bauing.-Wesen TU Wien, 1949 Dipl.-Ing. K.: 1938-40 Baultr. Firma Mayreder Judenburg, 1940 Arbeitsdienst, 1940-41 Stud., 1941-45 Kriegsdienst, 1945-46 Amerikan. Kriegsgefangenschaft in Frankreich, 1949 2. Staatsprüf. - Dipl.-Ing. K.: 1949 Eintritt Amt d. NÖ Landesrg. Schutzwasserbau, 1955 BauR., 1962 OBauR., 1974 w.HofR. d. NÖ Landesrg., Gebietsbaultr. u. Abt.-Ltr.-Stellv., 1985 Eintritt in d. Ruhestand. E.: 1975 Ehrenbürger d. Marktgem. Blindenmarkt, 1978 Gr. EZ f. Verd. um d. Rep. Österr., 1980 Ostarichimed. in Gold, 1980 Ehrenring in Gold d. Marktgem. Aschbach, 1986 Silb. Komturkreuz d. EZ f. Verd. um d. Bdl. NÖ. (M.M.)

Wechselberger Anton

B.: Gastwirt, Besitzer. FN.: Gasthof Innbrücke. DA. u. PA.: 6020 Innsbruck, Innstr. 1. G.: Innsbruck, 3. Mai 1939. V.: Irmgard. Ki.: Iris, Gabriela, Anton. El.: Anton u. Hilda. S.: 1954-56 Hasch i. Innsbruck, 1956 Hotel-FS i. d. Villa Blanka, anschl. Aufenthalte i. England u. Frankreich. K.: 1959 Militär, 1960 Heirat, 1960-70 Ang. i. elterl. Betrieb, 1970 Betrieb übernommen. K.: Skifahren, Scshwimmen, Bergsteigen u. Familie. (A.W.)

Wechselberger Artur Ing.

B.: Bgm. d. Gem. Absam, BB-Insp. i.R. DA.: 6060 Absam, Dörferstr. 33. PA.: 6060 Absam, ngeniun-Weber-Weg 4. G.: Innsbruck, 24. Jan. 1926. V.: Anna, geb. Eder. Ki.: Margarita, Dr. Artur, Regina, Claudia, Michael. S.: VS, HS, höhere Staatsgewerbeschule f. Elektrotechnik in Innsbruck, 1948 Matura m. Ausz. K.: Reichsarbeitsdienst, Dt. Wehrmacht, ÖBB, 6 J. Fahrdienstltr., signaltechn. Ausbild., sicherungstechn. Fachbmtr., seit 1968 Bgm. d. Gem. Absam. E.: Ehrenbürger d. Gem. Absam, Verd.Kreuz d. Landes Tir., Ehrenmtgl. d. Freiw. Feuerwehr. H.: Skifahren.

Wechselberger Friedrich Dr. med. MedR. Univ.-Prof.

B.: em. Prim. d. Unfallstation. FN.: Vöest-Alpine AG Linz. GT.: Sportkons. d. OÖ LRg. DA.: 4020 Linz, Roseggerstr. 67. G.: Molzegg, 10. Juni 1917. V.: Adele, geb. Matejovics. Ki.: Ulrike Dr., Claudia. El.: Lorenz u. Aloisia. S.: Univ. Wien, Prag, Tübingen, Graz, FA-Ausbild. f. Unfallchir. Prof. Lorenz Böhler Wien, British Council Stipendium London, Austauschass. Spanien. K.: Turnusausbild. an d. Univ.Klinik, Ass. am UKH Wien b. Prof. Lorenz Böhler, OA am UKH Linz, FA f. Unfallchir., Ltr. d. Unfallstation d. Vöest Linz, Univ.Doz. f. Arbeitsmed. an d. Univ. Wien, a.o.Univ.-Prof. P.: 80 wiss. Arb. aus d. Gebieten: Unfallchir., Arbeitsmed., Notfallmed., Rettungswesen, Prophylaxe u. mehrere Bücher, Erste Hilfe, Schiffskatastrophe "Der Arzt fährt mit" medizin. Pannenhilfe. E.: Gold. EZ d. Dt Ärzteschaft, Gold. EZ d. Österr. Roten Kreuzes. M.: Österr. Ges. f. Chir., Dt. Ges. f. Chir., Dt. Ges. f. Unfallchir., Ehrenmtgl. d. Türk. Ges. f. Traumatologie, seit 30 J. Präs. d. OÖ Versehrtensportverb., UNIPEDE Paris, Konsul d. VEÖ. H.: Jagd, Skifahren, Segeln. (A.W.)

Wechselberger Simon

B.: Ldw.-Mstr., Aktionär. FN.: WESAKO AG. DA.: CH-8220 Kreuzlingen, Hauptstr. 16. PA.: 6290 Mayrhofen, Burgstall 350. G.: Zell am Ziller, 6. Juni 1951. V.: Monika, geb. Lamprecht. Ki.: Konrad (1970), Hubert (1977), Georg (1980), Martin (1985), Christoph (1991). El.: Johann u. Anna. S.: Pflichtschule, Ldw. Fachschule Aschau u. Rotholz, Agrarinst. an d. Univ. Innsbruck. K.: Tätigkeit in d. elterl. Ldw., 1987 Übernahme d. Erbhof, seit 1979 Kompostierung v. Abfällen in d. Ldw. v. reg. Bereich u. ab 1992 Firma WESAKO AG in Kreuzlingen. BL.: Entwicklung d. WESA Verfahrens 1992 nach 8 J. Arb. z. 100%igen Entsorgung v. Klärschlamm. M.: FF Schwendau, Schützenkompanie Hippack. H.: Lesen, Wandern, Experimentieren am Grenzbereich d. Wiss. (J.F.)

Wechsler Erich Dipl.-Ing.

B.: Arch. DA. u. PA.: 6250 Kundl, Liesfeld 39. G.: Innsbruck, 9. Jän. 1925. Ki.: Harald (1952), Bernhard (1955). El.: Erwin u. Angela, geb. Tschank. BV.: Frhr. v. Wechsler Besitzer d. Riegersburg. S.: VS, Realschule, 1942 Kriegsmatura, Luftwaffe, 1948 Panzerkdt., 1945-49 TH Wien, 1949 2. Staatsprüf. Dipl.-Ing. K.: staatl. beeid. u. befugter Arch., 320 Bauvorhaben ausgeführt u.a. 15 Banken in Tir. u. Ktn., Renovierung d. Innsbrucker Domes u. Servitenkirche, zahlr. Einfamilienhäuser, Fabriken, Bürohäuser. E.: Kriegsorden EK I u. II. M.: 2 J. Präs. Round Table u. 10 J. Mtgl. H.: Bergsteigen, Skifahren. (M.W.)

Wechsler Heinz Dr. iur.

B.: RA.: DA.: 1070 Wien, Mechitaristeng. 1/16. G.: Wien, 7. Sept. 1930. Ki.: Dr. Heinz. S.: 2 Sem. Med.Stud., Stud. d. Rechtswiss., Prom. Dr. iur. 1959. K.: Während d. Stud. versch. Tätigkeiten, 1956-59 eigenes Transportunternehmen f. Transport v. Kinofilmen, 1960-63 Kinovorführer in Siebenhirten, 1960 Gerichtsjahr, 1961-68 Konzipient, seit 1968 selbst. als RA. M.: Im Vorstand versch. Sportver. H.: Motorbootwandern auf d. Donau u. in d. Adria, Schwimmen, Fotografieren, Technik, insbes. mod. Heizungen, Bautensanierungen, Antriebsaggregate f. Boote. (M.Br.)

Wechsler Michael

B.: Kfm. FN.: Wechsler Tirolkeramik Michael Wechsler. DA.: 6130 Schwaz, Husslstr. 29. G.: Innsbruck, 14. Jan. 1940. V.: Irma, geb. Frötscher. Ki.: Christian. El.: Sepp u. Herta. K.: seit 1972 Inh. d. Fa. Wechsler Tirolkeramik Michael Wechsler. E.: Österr. Staatswappenträger seit 1982. M.: Wirtschaftsbundmtgl., Kiwanisclub Schwaz, Obm. d. ATT Bez.Gruppe Schwaz. (Schm.)

Weck Peter Kammerschauspieler Prof.

B.: Regisseur, Schauspieler. DA.: c/o Agentur Baumbauer, 81679 München, Keplerstr. 2. G.: Wien, 12. Aug. 1930. V.: Ingrid, geb. Muttone. Ki.: Barbara, Philipp. El.: Leo u. Rosa. S.: Sängerknabe, Piaristengymn., HS f. darstell. Kunst Wien, 1951 Max-Reinhardt-Seminar. K.: Sängerknabe, Erstes Bühnenengagement im Stadttheater Klagenfurt, dann Theater am Kurfürstendamm Berlin, Theater in d. Josefstadt, Münchner Kammerspiele, Hamburger Schauspielhaus, 11 J. Wr. Burgtheater, 7 J. Zürcher Schauspielhaus, erstmals als Reg. v. "Arsen u. Spitzenhäubchen", "Das Appartement", seit 1954 Mitwirkung in mehr als 100 Spielfilmen, in fünf Filmen führte er selbst Regie, seit 1957 mehr als 200 Fernsehfilme, führte in mehr als 100 Fernsehfilmen Regie, unter d. Spielfilmen finden wir "Singin Angels" (Walt Disney), "Der Kardinal" (Otto Preminger), "Sissy" u.v.a., Fernsehstücke "Anatol", "Liebelei", "Leutnant Gustl" u.v.a., sein Auftritt in d. Fernsehfamilie "Wenn d. Vater m. d. Sohne" ist bekannt, "Der lästige Ungar", 3 Folgen v. "Tatort", 4 Folgen v. "Ein Fall f. zwei", Hauptrolle in d. FS-serie "Ich heirate eine Familie", 1983 Premiere v. "Cats", 1983-92 Generalintendant d. Vereinigten Bühnen Wien. P.: Buch "Musical" gemeinsam m. Joachim Sonderhoff. E.: 1980 "Prof.", 3 Gold. Kameras, 2 Bambis, Telestar, 2 Gold. Europas, 1989 Gold. EZ d. Stadt Wien, 1990 Kammerschauspieler. H.: Jagd, Skifahren. (Fels.)

Wedel Leopold

B.: Bez.-Vorsteher. FN.: Mag. Bezirksamt. DA.: 1220 Wien, Schrödingerpl. 1. PA.: 1220 Wien, Kornfeldweg 2. G.: Wien, 25. Dez. 1941. V.: Rita, geb. Haas. Ki.: Wolfgang (1964), Norbert (1969). El.: Leopold u. Hermine, geb. Soucek. S.: VS, HS, HASCH. K.: 1958-81 Wr. Städt. Vers. i. versch. Pos. tätig, s. 1973 Mtgl. d. Donau-Bez.-Vertretung, 1978-93 Bez.-Vorsteher-Stv., 1981-93 Bez.-Sekretär d. SPÖ Donaustadt, a. 1993 Bez.-Vorsteher. P.: ständig Beiträge z. d. Bezirksmed. i. Bereich d. Politik. E.: gold. Verd.-Zeichen d. Stadt Wien, gold. EZ f. Verd. u. d. Rep. Österr. H.: Laufen, Skifahren, Radfahren, Wandern. (N.A.)

Wedenig Dietmar
B.: Mtgl. d. Bundesrates, Volksschuldir. DA.: 1017 Wien, Dr.-Karl-Renner-Ring 3. G.: Sillerbrücke, 24. Nov. 1944. S.: LBA Klagenfurt, 1965 Matura. K.: 1965 Eintritt in d. Ktn. Schuldienst, 1968 Lehrbef.-Prüf. f. Volksschulen, Lehrer an d. Volksschulen in Pischeldorf, Timenitz, Poggersdorf u. St. Thomas, prov. Schulltr. u. s. 1979 Volksschuldir., Bez.-Vors. d. SPÖ Klgft.-Land u. d. Soz. Lehrerver. Österr. (SLÖ) Klgft.-Land, Mtgl. d. Bundesltg. u. d. Bundesvorst. d. SLÖ, Frakt.-Sprecher d. Bez.-Schulrates Klgft.-Land, Mtgl. d. Landessekt.-Ltg. Ktn. d. Pflichtschullehrer in d. GÖD u. Mtgl. d. erweiterten Landesvorst. d. GÖD-Ktn., b. 1991 Mtgl. d. GemR. u. 1973-79 Vizebgm. v. Magdalensberg, s. 6/1990 Mtgl. d. Bundesrates, f. d. 1. Halbjahr 1992 z. Präs. d. Bundesrates berufen.

Wedenig Gerald Ing.

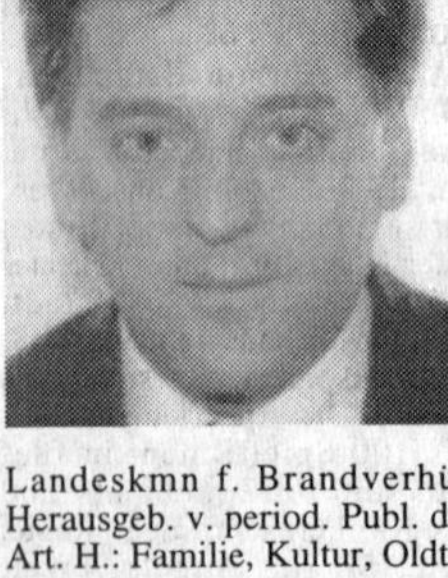

B.: Abt. Ltr., Gschf. d. Landeskmn. f. Brandverhüt. i. Ktn. FN.: Ktn. Landesvers. auf Gegenseitigk. DA.: 9020 Klagenfurt, Domg.21. PA.: 9102 Mittertrixen, Korb 13. G.: Gletschach b. Völkermarkt, 19. Juli 1955. V.: Maria, geb. Klein. Ki.: Andreas (1977), Christian (1979). El.: Hermann u. Maria. S.: VS, Gymn., 1974 Matura, 5 Sem. Colleg d. HTBL u. VA Bulme i. Graz, 1977 Matura Maschinenbau, BH. K.: s. 1977 Schadenref. b. d. Ktn. Landesvers, s. 1986 Ltr. d. Schadenabt., Gschf. d. Landeskmn f. Brandverhütung i. Ktn. P.: Mitverantw. Herausgeb. v. period. Publ. d. landeskmn f. Brandverhüt., div. Art. H.: Familie, Kultur, Oldtimer. (G.L.)

Wedenig Hatto Ing.
B.: Prok. u. Gschf. FN.: Roland Kühne GmbH. DA.: 4020 Linz, Novarag. 4. PA.: 4020 Linz, Schubertstr. 19. G.: Weitensfeld, 28. Apr. 1941. V.: Cornelia, geb. Landgraf. Ki.: Beate (1964), Sabine (1966). El.: Kurt u. Christine. S.: VS, HS, 1956-60 Lehre als Elektromotorenbauer. K.: 1960-61 Steuerungstechniker in Zug, 1961-65 Tätigkeit Xamax Zürich, 1965-75 Tätigkeit Firma Lurgi Frankfurt, 1975-77 techn. Betriebsltr. Baugilde Nord Frankfurt, b. 1985 Ing. Firma Lurgi, ab 1985 techn. Ltr. Firma Roland Kühne Offenbach, ab 1988 Prok. u. Gschf. Roland Kühne GmbH. P.: Art. in Fachzeitschriften. H.: Musik, Skifahren, Radfahren, Tennis, Lesen. (U.E.)

Wedl Johann
B.: Bgm. v. Trumau, LAbg. NÖ, stellv. Clubobm. SPÖ NÖ, Vors. d. Verf. u. Rechtsaussch. DA.: 2521 Trumau, Triestingstr. 2. G.: Trumau, 28. Aug. 1928. El.: Johann u. Leopoldine. S.: Grundschule, HASCH. K.: GemR., VBgm., Bgm., Abg. z. NÖ Landtag, stellv. Vors. d. Umweltschutzes, LSprecher Umweltfragen NÖ. E.: Silb. Sport-EZ d. Landes NÖ, Florianiplakette d. NÖ LFeuerwehrverb., Gr. Silb. EZ f. Verd. um d. Rep. Österr., Gold. Comturkreuz NÖ, Gold. Komturkreuz d. EZ f. Verd. um d. Bundesland NÖ. M.: SPÖ, Gewerkschaft, ASK, ARBÖ, Arb.Turnver., Volksbildungsver. H.: Wandern, Reisen, Kultur- u. Theaterbesuche. (P.R.)

Wedl Ulrich Dr.
B.: Vorst.-Vors. FN.: Sparkasse Neunkirchen-Gloggnitz-Ternitz. DA.: 2620 Neunkirchen, Hauptpl. 2. PA.: 2620 Neunkirchen, Ameisbachg. 4. G.: Wien, 5. Apr. 1957. V.: Renate, geb. Bieler. Ki.: Marlene, Sebastian, Marilies. El.. Kurt u. Elisabeth. S.: Gymn., Jurastud. Univ. Wien. K.: Gerichtsj. Wien, 2 J. Kommerzkundenberater Österr. Volksbank AG, b. 1987 Rechtsabt. Girozentrale Wien, Gschf. Sparkonsult Wirtschafts u. Management GmbH, seit 1988 Vorst.-Dir. d. Sparkasse Neunkirchen. M.: Mtgl. versch. Ver. H.: Tennis, Reisen, Schach, Lesen, Sprachen, Querflötenspielen, Musik, Sport. (I.J.)

Wegart Franz
B.: Präs. d. Stmk. Landtag, Vors. d. AufsR. d. Volksbank Graz-Bruck, Vors. d. AufsR. d. Grazer Congress GmbH. DA.: 8010 Graz, Herreng. 16. E.: Gr. Gold. EZ m. d. Stern f. Verd. um d. Rep. Österr., Gr. Gold. EZ f. Verd. um d. Rep. Österr., Gold. EZ f. Verd. um d. Rep. Österr, Ehrenring d. Landes Stmk. (C.H.S.)

Wegenstein Friedrich Mag.
B.: Steuerberater. DA.: 1037 Wien, Strohg. 25. G.: Wien, 7. Sept. 1951. V.: Christine, geb. Schaefer. Ki.: Bernd, Julia. El.: Friedrich u. Johanna. S.: VS, Mittelschule, HS f. Welthdl. K.: 1975 tätig in d. Kzl. d. Kam.Präs., 1978 Kzl. Alex. Biedermann, 1985 Übernahme d. Kzl. P.: Redakt. Beiträge in "Erro-Trans". M.: Ver. d. österr. Wirtschaftstreuhänder, Mtgl. d. Kosten- u. Schlichtungsaussch. d. Kam. d. Wirtschaftstreuhänder. H.: Naturheilkunde, Phil., Ski, Fischen. (R.A.)

Weger Alexander Mag.
B.: Univ.-Ass. am Inst. f. Unternehmensführung WU Wien. DA.: 1090 Wien, Aug. 2-6. PA.: 1150 Wien, Gablenzg. 95/10. G.: Wien, 21. Apr. 1967. El.: Kurt u. Ingeborg. S.: VS, BRG, 1986-92 Stud. BWL WU Wien. K.: 1992 Univ.-Ass., Berater Contrast Consulting GmbH Wien, 1993 Ref. Österr. Controller Inst., 1992 Obm. d. Studenten u. Absolventenver. Point Management Inst. f. Unternehmensführung. P.: Zukunftsorientiertes Personalmanagement in Wirtschaftskanzleien (994), Operative Vor- u. Rückkopplung in Eschenbach (1994), Besonderheiten d. Controlling in freien Berufen (1994). E.: 1989 Ausz. b. Öh-Ideen-Wettbewerb "Univision", 1993 Aufsatzwettbewerb IV. Dt. Wirtschaftskongreß "Ressource Mensch" Univ. Köln, 1993 Wirtschaftsakademikerpreis 1993 f. d. Dipl.-Arb. H.: Fitneß, Tennis, Radfahren, Laufen, Skifahren, Zeichnen, Theater, Musik, Ausstellungen. (M.D.-H.)

Weghofer Adalbert
B.: Sekr. d. Gewerkschaft Bau-Holz. DA.: 2700 Wr. Neustadt, Gröhrmühlg. 4-6. PA.: 2853 Kirchschlag, Wiener Str. 117. G.: Kirchschlag, 21. Apr. 1945. V.: Maria, geb. Ringhofer. Ki.: Gabriela, Michaela, Hannes. S.: Zimmer-

mannlehrling. K.: 12 J. BetriebsR. eines Mittelbetriebes, Fachkurse in d. Fachgewerkschaft, ab 1986 Sekr. d. Bau-Holz Gewerkschaft Wr. Neustadt, Verw.Gruppe Wr. Neustadt inkl. Neunkirchen, GemR. d. Marktgem. Kirchschlag, Ortsobm. d. SPÖ Kirchschlag u. Gebietsobm., gschf. Obm. v. USC Sparkassse Kirchschlag, Obm. d. Jugendhpt.Gruppe Süd f. Fußball, 15 J. Fußballtrainer v. USC Sparkasse Kirchschlag. E.:Silb. Ehrennadel d. Marktgem. Kirchschlag, Gold. Ehrennadel d. USC Sparkasse Kirchschlag, Gold. Ehrennadel d. Jugendgruppe Rillental. H.: Fußball, Blumenliebhaber. (Kern)

Weghofer Anton HofR. i.R. Prof.

B.: HofR. d. Polizeidion. Wien i.R. PA.: 1030 Wien, Custozzag. 8/14. G.: Wien, 28. Juli 1913. V.: Anna, geb. Heimbucher. El.: Anton u. Maria. S.: VS, RG, HBLVA f. Wein-, Obst- u. Gartenbau (Klosterneuburg) m. Matura. K.: 2 J. Polizeiaspirant, 2 J. prov. Wachmann, Kriegsdienst, bis 1945 Kriegsgefangenschaft, danach Polizei-Strafref., 1949 in Polizeidion. f. Wohnungsvergabe f. Polizeiangehörige betraut, ab 1957 Ltr. d. Polizeibeschaff. Amtes (Min.), ab 1964 Polizeidion., ab 1947-78 Lehrbeauftragter d. Univ. Wien (Phil. Fak. f. Schwimmen in Theorie u. Praxis f. d. Heranbildung v. Turnprof.) E.: Gold. Ehrennadel d. ÖGB, Ehrenring d. Kameradschaft d. Exekutive Österr. 2 Olympiamed. (1964, 1976 Innsbruck-ÖOC), Silvesterorden, Ritter d. Abendlandordens, Sport-EZ d. Stadt Wien, Silb. EZ f. Verd. um d. Rep. Österr., 1967 Prof., 1978 HofR., 1976 franz. Orden (Ehrenkreuz f. Jugend u. Sport). P.: Buch: Modernes Kampfschwimmen (1959), div. wiss. Arb. M.: Vors. d. österr. BSportorgan., Vors. d. BSportfachR., Präs. d. Verb. österr. Schwimmver., VPräs. d. ÖOC, VPräs. d. europ. Schwimmverb. H.: Schwimmen, klass. Musik, Oper, Operette. (R.A.)

Wegl Fritz Mag. phil.

B.: Dir. FN.: ORG 18 - Marianum d. Schulbrüder. DA.: 1180 Wien, Scheidlg. 2. PA.: 1230 Wien, Paminag. 31. G.: Wien, 4. Okt. 1943. V.: Grete, geb. Veigl. Ki.: Werner (1978), Wolfgang (1980), Walter (1981). El.: Alfred u. Grete, geb. Scheinkönig. S.: 1961 AHS-Matura, Stud. d. Physik u. Mathematik, Lehramtsprüf. u. Sponsion 1977. K.: 1970 Eintritt in das Mus.-Päd. RG d. Marianisten i. Wien 18, Lehrer f. Physik u. Mathematik, ab 1985 Ltr. d. pr. ORG 18 - Marianum. M.: ÖCV, VCL, ÖAAB. H.: Bergwandern (M.M.)

Wegl Wolfgang

B.: Inh. FN.: Malermeisterbetrieb Wegl. DA.: 8020 Graz, Karlaupl. 3B; 8552 Eibiswald, Aichberg 47. PA.: 8544 Pölfing, Brunn 241. G.: Eibiswald, 24. Juni 1963. V.: Elke, geb. Tschiltsch. Ki.: Wolfgang (1986). El.: Johann u. Christine. S.: Vs, HS, Maler- u. Anstreicherlehre Firma Klug Deutschlandsberg, 1981 Abschluß. K.: 1981-83 Montage österreichweit, 1983-85 Maler u. Anstreicher Firma Fuchs Stainz, 1985-89 Firma Jauk Raumausstatter Eibiswald, seit 1989 selbst. in Eibiswald, seit 1990 auch in Graz Schriften u. Parkettenstudio. M.: Obm.d. Fußballver. Wegl Eibiswald. H.: Familie, Fußball, Eishockey. (I.G.)

Wegl Josef Dr.

B.: Gschf. FN.: P.S.K. Leasing GmbH. GT.: Gschf. REAL RENT Leasing GmbH. DA.: 1190 Wien, Heiligenstädter Lände 29. G.: Tulln, 14. Apr. 1947. V.: Inge, geb. Wondrak. Ki.: Susanne-Eva. El.: Josef u. Friederike. S.: Hum. Gymn. Wien, 1965 Matura, 1965-70 Univ. Wien jur.Fak. (Dr. iur.) K.: 1972-76 Girozentrale Wien u. Immorent, 1976-78 Bank of America Wien, ab 1978 PSK u. PSK-Leasing, 1983-87 Präs. d. Verb. Österr. Leasingges., BeiR. d. Förderver. d. Leasinginst. d. Univ. Köln. H.: Tennis, Skifahren, Bergwandern. (C.K.)

Wegleitner Franz

B.: VBgm. d. Stadtgem. Frauenkirchen, HS-Lehrer HS Frauenkirchen. PA.: 7132 Frauenkirchen, Garteng. 11. G.: Pamhagen, 9. Nov. 1948. V.: Martha, geb. Thell. Ki.: Thomas (1972), Christa (1974), Gerda (1985). S.: VS, Hum. Gymn., 1967 Matura, LBA Eisenstadt, HS-Lehrerprüf. K.: 1968 Eintritt in d. Schuldienst als Lehrer HS Frauenkirchen, seit 1977 GemR. ÖVP Frauenkirchen, seit 1989 Ortsparteiobm. d. ÖVP Frauenkirchen, Obm. d. ÖVP Lehrerver. Bgld., seit 1992 VBgm. H.: Langstreckenlauf. (M.M.)

Wegrostek Eduard Dr

B.: RA. DA.: 1010 Wien, Domg. 6. G.: Mistelbach, 11. Okt. 1943. V.: Gerda, geb. Axterer. Ki.: Andreas, Christina. El.: Oskar u. Erna. S.: Pflichtschulen, Ak. Gymn., Matura m. Ausz., Jurastud. Univ. Wien, 1967 Doktorat. K.: Reinhardt-Seminar, 1968 Abschluß b. d. Bühnengewerkschaft, 1966-69 Skilehrer in USA - John Wayne, Robert Kennedy, James Stewart, Jack Hemingway, 2-3 J. als Schauspieler b. ORF, NDR u. Schwed. TU tätig, Regieass. b. Walter Davy u. Arnulf Eggers, 1976 Eröff. d. Anw.Kzl. m. Bruder, 1983 Rolle in "Das Produkt" m. Weinzierl. M.: Ver. d. Freunde d. hum. Gymn. H.: Skifahren, Schauspielerei. (R.A.)

Wegrostek Josef Dr.

B.: RA. DA.: 1010 Wien, Domg. 6. G.: Mistelbach, 11. Okt. 1943. Ki.: Claudia, Peter, Manuel. El.: Oskar u. Erna. S.: Pflichtschulen, Ak. Gymn., Matura m. Ausz., Jurastud. Wien. K.: Doktorat 1965, 1966-69 Skilehrer in USA-Kennedy Familie Stevens Smith, Robert McNamara, 1974-76 selbst. Anw. b. Dr. Stern, 1976 Eröff. d. eig. Kzl. m. Bruder, 1975 Flugschein, 1977 Amerik. Flugschein in USA. M.: Vorst.-Mtgl. d. Verb. Wr. Berufsskilehrer, Ver. d. Freunde d. hum. Gymn. H.: Fliegen, Drachenfliegen, Skifahren, Geräteturnen. (R.A.)

Wegschaider Karl

B.: Inh. FN.: Orthopädie-Schuhtechnik Wegschaider OHG. DA.: 2500 Baden, Wasserg. 25 u. 1120 Wien, Schönbrunnerstr. 237. PA.: 2514 Wienersdorf, Aug. 6. G.: Mödling, 1. Aug. 1951. V.: Renate, geb. Wolfbauer. Ki.: Michael (1974), Manuela (1976), Florian (1985). El.: Karl u. Hildegard. S.: 8 Klassen VS, 3 J. Gewerbeschule, 2 J. Mstr.-Schule m. med. Ausbild., 2 Mstr.-prüf. Orthopädie-Schuhmachermstr. u. Schuhmachermstr., K.: Ausgebild. Fußreflexzonen-Masseur, 1965-68 Lehre b. F. Berlakovits, b. 1972 als Geselle tätig, 1973-74 Tätigk. in Wien, 3 J. in versch. anderen Berufen tätig, 1977 Rückkehr in d. erlernten Beruf u. Grdg. e. Reparatur-Werkstätte, zugl. v. 1978-80 neben d. Werkstätte Besuch d. Mstr.-Schule u. Ablegung d. Mstr.-Prüf., 1980 Erwerb e. Orthopädiebetriebes in Wien, 1987 Eröff. e. zweiten Betriebes, durch Erwerb d. Fa. Berlakovits in Baden, 1988 Baubeginn e. neuen Werkstätte in Baden, 1989 Eröff. u. durch erwiesene Brandstiftung zerstört wurde, danach Erwerb d.

Objektes in d. Wasserg. u. kompletter Umbau, 1992 Verlegung d. zweiten Betriebes v. d. Ziegelhofg. in d. Schönbrunnerstr.. P.: zahlr. Fachvorträge im Rahmen d. Traiskirchner Kulturtage, Intern. Vortragender d. Orthopädie. E.: Gold. Leistungsabzeichen d. Feuerwehr, 1986 Gold- u. Bronze Med., 1989 Gold Med. intern. Schuhmacherwettbewerb f. ganz Europa in Deutschl. M.: Bezirks-Innungsmstr., Mtgl. d. Ld. Innungsausschusses, s. 25 J. Mtgl. d. Wienersdorfer Feuerwehr, Komitee d. Fußgängerzone Baden, Verein d. Kräuterfreunde, Österr. Kameradschaftsbund, s. 1993 Jagdltr. d. Jagdgesellschaft Grub/ Wienerwald. H.: Beruf, Jagd. (F.S.)

Wegschaider Oskar Dr. phil. Mag. pharm.
B.: Gschf. Ges. d. Apotheke "Zur Hoffnung". DA.: 8020 Graz, Eggenberger Allee 44. PA.: 8020 Graz, Gritzenweg 8. G.: Bad Radkersburg, 15. Okt. 1942. V.: Mag. Margit, geb. Watzl. Ki.: Andrea, Ulrike, Oskar-Paul. El.: Oskar u. Johanna. S.: 1961 Matura, Stud. d. Pharm., 1966 Spons. K.: 1967-68 Aspirant, Präsenzdienst, Inst. f. Pharmakognosie, 1972 Prom., danach Ang. Apotheker, 1982 Übernahme d. Apotheke "Zur Hoffnung". P.: einige wiss. Veröff. H.: Reisen, Photographie.

Wegscheider Franz
B.: Bgm., Landwirt. DA.: 6173 Oberperfuss, Peter-Anich-Weg 1. PA.: 6173 Oberperfuss, Völsesg. 22. G.: Oberperfuss, 18. Feb. 1928. V.: Anna, geb. Spiegl. Ki.: Elisabeth, Monika, Anton, Werner u. Angelika. El.: Josef u. Paulina. S.: Ldw. Schule Rotholz. K.: Ldw. seit 1947, Jungbauernobm., seit 1962 im GemR. u. Bgm. E.: VK d. Landes Tirol, GEZ d. Gem. Oberperfuss, SiEZ d. LLdw.Kam., EZ d. LFFVerb., SiVM d. Bundes d. Tir. Schützenkompanien, Gold. EZ d. Gem. Karneid (Südtir.), Silb. u. Gold. Dienstmed. d. Bundes d. Tir. Schützenkompanie. M.: 10 J. Obm. d. ÖVP Oberperfuss, 30 J. Obm. d. Schützenkompanie Oberperfuss, Bauernbund. H.: Sport, Briefmarken.

Wegscheider Frieda
B.: Unterneh. FN.: Alois Mayr. DA.: 6300 Wörgl, Friedhofstr. 1. G.: Kufstein, 30. Juni 1923. El.: Alois Mayr. BV.: Johann Mayr: Bgm. v. Wörgl, Josef Mayr: Firmengründer, 1982. S.: 1937-39 HASCH Schwaz. K.: 1939 Eintritt i. d. elterl. Betr., s. 1964 Gschf., 1969 Übern. d. Betr. M.: Alpenver.

Wegscheider Hermann Dr. med. univ. MedR.
B.: FA f. Zahn-, Mund- u. Kieferheilkunde. A.: 3812 Gr. Sieghards, Hohenbergstr. 28. G.: Gr. Siegharts, 7. Juli 1922. V.: Edeltrude, geb. Strohmeier. El.: Josef u. Valerie. S.: BRG, Offz.Schule, Med. an d. Univ. Wien, FA-Ausbild. Wien. K.: Matura 1940, 1940-45 Wehrmacht, 1945-46 in amerikan. Gefangenschaft, 1946-50 Med. Univ.Wien, 1951-53 FA-Stud., seit 1953 eigene Praxis (2 Techniker, 4 Ass.). E.: Kriegsausz., Silber "C". M.: Ö.A.V. H.: Segelflug, Segeln, Skilauf, Reisen, Foto, Beruf.

Wegscheider Josef
B.: Pensionist. PA.: 1220 Wien, Theodor-Kramer-Str. 8. G.: Wien, 6. März 1926. V.: Erika. Ki.: Irene (1954), Sylvia (1955). El.: Josef u. Anna. K.: Kriegsdienst, versch. Tätigkeiten, 1954 Eintritt in d. Fa. Metropol, 1957 innerhalb d. Konzern z. Austro-MAN, LKW-Verkäufer, dann Verkausltr., seit 1970 Prok., 1985-93 Dir. d. LWK-Vertriebes b. ÖAF Gräft & Stift AG. (P.R.)

Wegscheider Waltraud
B.: Gschf. Ges. DA.: 6020 Innsbruck, Scheuchenstuelg. 4. G.: Innsbruck, 14. Okt. 1939. V.: Josef, 2 Kinder. El.: Oskar u. Therese Spechtenhauser. S.: Grundschule, HAK, 1957 Matura. K.: 4 J. Bankang., anschl. Eintritt in elterl. Betrieb, seit 1970 gschf. Ges. d. Fa. Spechtenhauser KG. (Schm.)

Wegscheidler Erich
B.: Inh. Schloßberg Restaurant Graz. DA. u. PA.: 8010 Graz, Schloßberg 7. G.: Eisenstadt, 14. Jän. 1944. V.: Brigitte, geb. Giefing. Ki.: Rainer (1970), Karin (1972). El.: Alexander u. Maria. S.: Pflichtschule, HASCH Wr. Neustadt, 1962 Abschluß, Hotelfachschule Wien, 1964 Abschluß, Wehrdienst. K.: Mitarb. im elterl. Betrieb, 1972-90 Übernahme d. elterl. Betriebes, parallel 1975-80 Führung d. Seerestaurant Rust, seit 1976 parallel Schloßbergrestaurant Graz, 1981-86 Holzhofrestaurant Eggenberg. H.: Beruf. (F.K.)

Wehdorn Manfred
Dr. techn. Dipl.-Ing. Univ.-Prof.
B.: Arch., Univ.-Prof. am Inst. f. Kunstgesch., Denkmalpflege u. Industriearchäologie an d. TU Wien. GT.: Vorsitz. d. Fachbeirates f. Stadtentw. u. Stadtgest. DA.: 1070 Wien, Breite Gasse 2. G.: Wien, 23. Jan. 1942. V.: Margaretha, geb. Thurner. Ki.: Armine (1970), Jessica (1976). El.: Franz u. Gabriela. S.: Architekturstud. an d. TU Wien, 1969 Habil. K.: Architekturbüro m. Schwerp. Denkmalpflege u. Stadtgestaltung. BL.: Restaurierung Palais Harrach in Wien, derz. Wiederherstellung Wiener Hofburg, Schloß Schönbrunn, Projekt: Nutzung d. Gasbehälter in Wien etc. P.: Autor v. 4 Büchern: "Bautechnik der Wiener Ringstraße", Baudenkmäler d. Technik u. Industrie in Österreich" (Band 1 u. 2), "Denkmalpflege im Umbruch" u. über 100 Fachaufsätze in in- u. ausländischen Fachzeitschr. H.: Skifahren u. Schwimmen. (J.S.)

Wehinger Gerhard
B.: Gschf. FN.: Rudolf Wehinger GmbH. DA.: 6900 Bregenz, Rheinstr. 109. PA.: 6900 Bregenz, Belrupstr. 6. G.: Dornbirn, 16. März 1951. V.: Lydia, geb. Hofer. Ki.: Sabine (1972), Thomas (1973). El.: Helmut u. Anna. S.: b. 1972 HTL f. Maschinenbau Bregenz, 1978 Mstr.-Prüf. K.: seit 1972 Tätigkeit im elterl. Betrieb, 1980 Übernahme d. Geschäftsführung. H.: Skifahren, Surfen. (A.K.)

Wehinger Hermann KommR.
B.: Gschf. Ges. FN.: Röfix Wehinger Baustoffwerk GmbH. DA.: 6832 Sulz-Röthis, Badstr. 23. PA.: 6832 Rötzis, Schlösslestr. 62. G.: Röthis, 11. Mai 1929. V.: Hilde, geb. Jäger. Ki.: Renate (1957), Gabriele (1959), Angelika (1961), Margit (1963). S.: VS, HASCH, HAK, 1950 Matura. K.: 1950 Eintritt in elterl. Betrieb im kfm. Bereich, 1988 Staatswappen. E.: Silb. EZ d. Landes Vbg., KommR., Ehrenring d. Gem. Röthis. M.: 25 J. Bgm. v. Röthis, Innungsmstr. Bauhilfsgewerbe, AufsR. d. Hypobank d. Landes Vbg. H.: Fischen, Jagd, Wandern, Konzerte, Reisen, Physik, Chemie. (I.D.)

Wehrberger Günter
Dr. techn. Dipl.-Ing. Oberrat

B.: Vorst. d. EDV-Labors f. Raumplanung u. Architektur d. TU Wien. DA.: 1040 Wien, Karlspl. 13. PA.: 2380 Perchtoldsdorf, Regenhartg. 9. G.: Wr. Neustadt, 25. Juli 1947. V.: Dkfm. Elisabeth, geb. Marschall. Ki.: Stephan (1976), Clemens u. Katharina (1978). El.: Walter u. Margarete. S.: Stud. techn. Math. TU Wien, 1973 Dipl., 1983 Prom. K.: Nach Sponsion ca. 20 J. EDV-Zentrum TU Wien, Schwerpunkt: Softwareentwicklung, graph. EDV u. CAD, s. 1992 Vorst. d. EDV-Labors f. Raumplanung u. Arch., gleichz. Lehrtätigk. u. Organ. v. Veranst., z.B. CAAD-Forum u. post-grad.

Sommerakad. f. Arch. u. Ziv.-Ing. F.: Büro f. EDV-Beratung f. Arch. u. Bauwesen. P.: zahlr. Artikel z. Thema CAD u. CAAD. M.: Eurographics, IEEE, WCGA. H.: Skifahren (ehem. Leistungssportler).

Wehrhan G. B. Friedrich
B.: Sachv., Geschäftsinh. DA.: 1040 Wien, Mayerhofg. 7. PA.: 1130 Wien, Großer Ring 49. G.: Wien, 12. Juni 1924. V.: Ingrid, geb. Gollner. El.: Ing. Fritz u. Leopoldine. S.: RG, 1943 HAK. K.: Automechaniker b. Smoliner u. Kratky, 1948 Eintritt in väterl. Betrieb. M.: Amateurfilmclub Wien, Innungsvorst. d. Schlosserinnung, Alpenver. H.: Tennis, Skifahren, Fotografieren, Briefmarken sammeln. (Fels.)

Wehrmann Gertraud Mag. Dkfm. HofR.

B.: Dir. d. Bibliothek. FN.: WU Wien. DA.: 1090 Wien, Augasse 2-6. PA.: 1190 Wien, Obkircherg. 41. G.: Wien, 10. Okt. 1938. V.: Dr. Felix W. Ki.: Harald (1975), Ingrid (1976). El.: HofR. Dipl.-Ing. Franz u. Amanda Hanika. S.: LBA Wien, 1957 Matura, HS f. Welthdl., 1964 Dkfm., 1969 Mag. rer. soc. oec. K.: Fachref. f. Wirtschaftswiss. an d. Univ.-Bibl. Wien 1963-69 u. an d. HS f. Welthdl. 1970-75, 1979-85 Ausbild.-Ltr. d. Grundausbild. an d. Nationalbibl., s. 1985 Dir. d. Univ.-Bibl. d. WU Wien. M.: Verb. österr. Bibliothekare, Österr. Ges. f. Dokumentation u. Information, Stv. Vors. d. Österr. Ges. f. Öffentlichkeitsarb. d. Informationswesens, Verb. d. Wirtschaftsakademiker. H.: Lesen, Theater, Kunst, Reisen. (J.S.)

Wehrle Wilfried Dr. med.
B.: FA f. Chirur., Inh. d. Privatklinik Sanatorium Dr. Wehrle. DA.: 5020 Salzburg, Haydnstr. 18. G.: Salzburg, 3. März 1932. El.: Dr. Viktor u. Barbara. S.: Matura 1950, Med.Stud. in Wien, Prom. 1957. K.: FA-Ausbild. an d. Univ.Klinik Wien, berufl. Tätigk. in d. Schweiz (St. Gallen), an d. Univ.Klinik Malmö u. Städt. Klinik Braunschweig, 1967 Übern. d. Privatklinik in Sbg. M.: Mtgl. d. med. Kmsn. union d'alphinisme. (P.R.)

Weibel Hans
B.: Gastronom. FN.: "Vis-a-vis" u. "Weibels Wirtshaus". DA.: 1010 Wien, Wollzeile 5, 1010 Wien, Kumpfg. 2. PA.: 1040 Wien, Große Neug. 22. G.: Ried/Innkreis, 3. Sept. 1946. V.: Maria, geb. Orieschnig. Ki.: Alexenia (1992). El.: Peter u. Elisabeth. S.: VS, HS, Gastronomielehre, Ausbild. im Ausland. K.: 1985 Grdg. d. Stehbuffets "Vis-a-vis" in d. 30 Bouteillenweine v. Spitzenwinzern glasweise ausgeschenkt werden, 1993 Grdg. "Weibels Wirtshaus" m. über 2000 Weinen. E.: 1992 Gold. Boutelle. H.: Wein. (N.A.)

Weibold Albert
B.: Baustellenltr. FN.: Raiffeisenbank Linz rGenmbH. DA.: 4040 Linz, Altenbergerstr. 40. PA.: 4210 Gallneukirchen, Trefflinger Str. 7. G.: Linz, 9. Nov. 1962. El.: Albert u. Adolfine. S.: VS Gallneukirchen, AHS Auhof, BORG Linz, 1982 Matura. K.: Schadensref. Viktoria Vers., Vers.-Kfm. Anglo Elementar, ab 1984 Raiffeisenbank Linz, nebenberufl. studiert, 1991 Geschäftsltr.-Prüf. H.: Surfen, Tennis, Skifahren, Beruf. (U.A.)

Weibold Gerhard Dr. Mag.
B.: Vorst.-Vors. FN.: Management Consulting AG. GT.: Gschf. Ges. d. Management Consulting GmbH, München, Präs. d. VerwR. d. Management Consulting AG, Zürich, Gschf. Ges. Wiener Software Manufaktur GmbH. DA.: 1193 Wien, Peter-Jordan-Str. 74. G.: Wien, 13. März 1951. V.: Mag. Katharina, geb. Simcic. Ki.: Stephanie. El.: Georg u. Maria. S.: Realschule u. HAK Wien, 1971 Matura, Stud. Betriebswirtschaft WU Wien, 1976 Spons., 1978 Prom. K.: Univ.-Ass. WU Wien, Univ.-Lektor WU Wien u. Univ. Wien, Lehrbeauftragter an d. Werbeak. Wien, Unternehmensgrdg. Wien, München u. Zürich. P.: Beiträge in betriebswirtschaftl. Fachzeitschriften. H.: Tennis, Antiquitäten (Stehpulte). (N.A.)

Weibold Günter

B.: Bezirksstellenltr. d. BFI, Bez.-Stelle Braunau. DA.: 5280 Braunau/Inn, Salzburger Str. 29. PA.: 5280 Braunau/Inn, Sparkassenstr. 1. G.: Braunau, 8. Dez. 1947. V.: Friederike. Ki.: Gerlinde (1971). El.: Franz u. Berta. S.: Chemielaborantenlehre, 1975-80 Abend-HTL BFI-Braunau. K.: seit 1980 Gruppenltr. Umweltschutz, seit 1989 Betriebsratsvors. d. AMAG-Metall-GmbH. M.: Obm. d. SAC Mattig-Braunau (Fischerei-Ver.), Obm. d. Absolventen-Verein. d. HTL f. Berufstätige. H.: Fliegenfischen, Tätigk. in d. Erwachsenenbild. (E.H.)

Weibold Hannes

B.: Gschf. Ges. A.: 4020 Linz, Prandtauerstr. 6. G.: Linz, 13. Okt. 1936. V.: Siglinde, geb. Holzmann. S.: RG, HAK, Fachstudien Werbung u. Marketing. K.: Werbeltr. b. d. Brauerei ZIPF AG, OÖ, Werbe- u. Marketingltr. d. Bauhütte Leitl-Werke, Linz, gschf. Ges. f. Fa. HIRZI GmbH, Linz-Ried. F.: Fa. HIRZI GmbH, Linz-Ried, Wollgeschäft Weibold, Linz. M.: Marketingltr.-Club Österr. H.: Skifahren, Musik, Motorsport, Aquarienkunde.

Weibold Margot

B.: Ltr. d. IFM Inst. f. Focusing Management, Psychotherapeutin. DA.: 4040 Linz, Blütenstr. 17. PA.: 4020 Linz, Lessingstr. 14. G.: Seitenstetten, 12. Jan. 1944. V.: Peter. Ki.: Christoph (1967), Angelika (1968), Alexandra (1970). S.: 1963 Matura, 1981-85 Ausbild. z. Klientenzentr. Psychotherapeutin. K.: 1963-66 in OKA tätig, b. 1980 in Erwachsenenbild. tätig, 1980-81 Sekr. f. organ. Chemie Univ. Linz, 1982 Praxis in therapeut. Arb., 1984-87 Focusing-Therapie NLP, Seminarltr. f. Fortbild./Ausbild., 1990 Grdg. u. Alleininh. d. Inst. in freier Kooperation m. DAF. H.: Malen, Zeichnen, Musik, Reiten, Natur, Garten. (H.B.)

Weibriacher Edith

B.: Geschäftsinh. FN.: AZ-Verlag. DA.: 1120 Wien, Ratschkyg. 3/4. G.: Neunkirchen, 24. Juli 1954. El.: Alois u. Katharina. S.: HS Mödling, 1971 Abschluß Bergbau Ind.Ges. K.: 1977 Druckerei Verlagswesen Neumann, Buchhaltung, 1982 Gschf. Neumann Verlag, Prok. Druckerei, 1987 AZ-Verlag Inseratmagazin. (J.E.)

Weich Annie Dipl.-Dolm.

B.: freiberufl. Übersetzerin u. Konferenzdolmetscherin f. Franz. PA.: 1170 Wien, Rosenackerstr. 62. G.: Wien, 20. Sep. 1937. V.: Dipl.-Ing. Franz Weich. Ki.: Andrea, Brigitte, Christa. El.: Botschafter Karl Hartl u. Dr. Franziska Hartl. S.: VS, Frankreich, Gymn. Rom, Wien, u. Haifa (franz. Schule), 1954 franzh. Matura Beirut, Dolmetschinst. Wien. K.: freiberufl. Übersetzerin u. Konferenzdolmetscherin f. Franz., s. 1960 im Vorst. d. Österr. Übersetzer- u. Dolmetscherverb. Universitas, s. 1984 Präs. E.: Ordre National du Merite (Frankr.). M.: Universitas, Intern. Konferenzdolmetscherverb. AIIC. (H.S.)

Weichenberger Franz Dr. iur.

B.: Schauspieler am Tir. Landestheater. DA.: 6020 Innsbruck, Rennweg 2. PA.: 6020 Innsbruck, Berthalerg. 17. G.: Linz, 24. Febr. 1960. El.: Josef u. Ida-Therese. S.: 1979 Matura, 1979-85 Stud. Rechtswiss., Phil., Psych. u. Soz. Linz u. Innsbruck, 1985 Prom. Dr. iur., Stud. Schauspiel am Bruckner Konservatorium Linz, 1987 Dipl. f. Schauspiel. K.: 1987-89 1. Engagement am Theater f. Vbg., 1989-93 Tir. Landestheater. H.: Lesen, Schreiben. (G.P.)

Weichinger Rudolf Dipl.-Ing.

B.: Arch., staatl. beeid. Ziviltechniker, Prof. i.R. DA.: 1060 Wien, Fügerg. 5/1. PA.: 1130 Wien, Auhofstr. 142a. G.: Wien, 5. Jan. 1924. V.: Gertrude, geb. Püschel. Ki.: Dipl.-Ing. Dr. mont. Michael, Barbara, Elisabeth. El.: Rudolf u. Maria. S.: Piaristengymn., 1942 Matura, Militär, Stud. Arch. an d. TU Wien, 1951 Grad. K.: 7 J. b. Arch. Prof. B. Potyka, 4 J. b. Prof. Lippert, 1 J. in d. Schweiz, 1959 Ziviltechnikerprüf., seit 1962 selbst., 1971-86 HTBLA-Krems Prof. f. Entwerfen, Zeichnen u. Hochbau. BL.: Mitarb. Verw.Gebäude d. Wr. Allianz, Zusammenarb. an d. VS PAH-Siedlung, mehrere Gemeindebauten, Einfamilienhäuser, Tätigkeit in d. Raumplanung u. Stadterneuerung in Wien u. NÖ. H.: Hausmusik (mehrere J. Tätigkeit als Klarinetist in d. Ges. d. Musikfreunde), Malerei, Reitpferd (Richter), Segeln. (A.W.)

Weichselbaum Gerry

B.: Chefred. d. Fachzeitschrift "Skytec" Video, Film u. Broadcast. FN.: ARAM Verlag. DA.: 1070 Wien, Neustiftg. 5. G.: Wien, 24. März 1958. Ki.: Kim (1989). El.: Fritz u. Leopoldine. S.: HAK Wien, 1977 Matura, Abiturientenlehrgang Fremdenverkehrsschule Wien, 1980 Abschluß als Touristikkfm. K.: 1981-82 versch. Positionen im Hotel- u. Gastgewerbe zumeist in d. Schweiz, 1983-84 Chef de cuisine u. organisator. Aufgaben im elterl. Restaurant auf Mallorca/ Spanien, 1985-88 Quereinstieg in d. Journalismus, zunächst freier Journalist u. Red. b. Fachmagazin f. Musiker u. Studiotechnik "Tschin Bumm", Aufbau einer redaktionellen Leiste f. d. Bereich "Professionelles Video", seit 1988 Ang. b. Aram Verlag, 1988 Chefred., 1989 1. Ausgabe v. Skytec. BL.: 1975 Überquerung d. Alpen zu Fuß v. Konstanz am Bodensee b. Venedig (600 km) in 20 Tagen, 1976 Umrundung d. Insel Korsika zu Fuß, 1977 Durchquerung d. Sahara m. einem VW-Bus, 1978 Fußmarsch v. Hammerfest z. Nordkap. H.: Reisen, gute Bücher, Filme, Musik, Tochter. (J.S.)

Weichselbaum Hans Mag.

B.: Ltr. d. Trakl Forsch. u. Gedenkstätte. DA.: 5020 Salzburg, Waagpl. 1A. PA.: 5020 Salzburg, Ratsbriefstr. 3. G.: Freistadt, 9. Dez. 1946. V.: Christa. Ki.: Laura (1990), Iris (1992). S.: VS, Gymn., 1 J. Päd. Tätigkeit in d. BRD, 1965-71 Stud. Germanistik u. Geschichte Univ. Sbg. K.: Tätigkeit in d. Gedenkstätte, seit 1972 Unterrichtstätigkeit in Oberstufengymn., 1970-85 Ltg. d. Literaturforum Leselampe, 1985 u. 1986 Lektorat an d. Fremdsprachen-HS Xi'An. P.: Beiträge zu Georg Trakl u. z. Themen d. zeitgenöss. Literatur in Literaturzeitschriften, Fachpubl. u. im ORF, Mithrsg. d. Reihe "Trakl-Studien". M.: Vorst.-Mtgl. d. Literaturforum Leselampe, Red.-Mtgl. d. Literaturzeitschrift "Salz", Grazer Autorenversammlung. (N.M.)

Weichselbaumer Karl

B.: VPräs. d. OÖ LWK, Bgm., Obm. d. Bäuerl. Gästerings Österr., Ldw. A.: 4322 Rechberg, Wansch 1. G.: Rechberg, 26. März 1933. V.: Agnes, geb. Hölzl. El.: Karl u. Theresia. S.: VS, Land- u. forstwirtschaftl. Fachschule, versch. Lehrgänge u. Kurse. K.: 1954 Bez.Jugendref., 1956 LObm.Stellv. d. Jungen ÖVP, 1966 als jüngster Abg. in d. OÖ Landtag, 1967 Bgm. v. Rechberg, 1973 VPr. d. OÖ Ldw.Kam., 1977 z. 1. Stellv. d. OÖ Bauernbundes. P.: Fremdenverkehr, Referate u. Beiträge b. d. CA-Tagung in Innsbruck, Beitrag über d. Situation d. Nebenerwerbsbauern in Österr. M.: Obm. d. Musikver. d. Trachtenmusikkapelle Rechberg, Mtgl. d. FF Rechberg, Obm. d. Bäuerl. Gästerings OÖ. H.: Jagd.

Weichselbaumer Maximilian Dr. iur.
B.: Senatspräs. d. OLG Linz. GT.: geprüfter Mittelschullehrer. DA.: 4020 Linz, Gruberstr. 20. PA.: 4020 Linz, Grüntalerstr. 8. G.: Königswiesen, 17. Sept. 1930. V.: Margrit, geb. Schöberl. S.: Gymn. Linz, 1952 Matura, Stud. an d. Univ. Innsbruck u. Wien, 1956 Prom. K.: 1 J. Auslandsaufenthalt in Berlin, 1957 Eintritt in d. Justizdienst, Richter in Unterweißenbach u. Pregarten, BG Linz, 1970 LG Linz, 1974 Richter d. OLG, 1983 Senatspräs., seit 1980 an d. HAK Perg Vw.Lehrer u. Rechtskunde. H.: Tennis, Bergsteigen. (A.W.)

Weichselbaumer Walter Dr. Univ.-Doz. Prim.
B.: FA HNO. PA.: 1150 Wien, Mariahilfergürtel 39. G.: St. Georgen am Walde, 6. Jan. 1919. V.: Editha. Ki.: Dr. med. Udo, FA HNO. El.: Dir. Rudolf u. Maria. S.: Mittelschule, HS Berlin, Würzburg, Prag, 1945 Prom. K.: Lainz Hanusch-KH, 1951 Prim., 1971 Franz Josef-Spital. P.: Wiss. Arb. in Fachzeitschriften in versch. Sprachen. E.: Gold. EZ f. Verd. um d. Land Wien. M.: Ges. d. Ärzte Wien, Van Swieten-Ges., Vorst. HNO, Österr. u. Dt. Ges. HNO. H.: Sport (Skifahren, Golf), Musik, Kriminal- u. Gesellschaftsromane. (Fels.)

Weichselberger Alfons Dkfm. Mag. OStR. Ing.
B.: HTBLA-Dir. DA.: 1015 Wien, Schellingg. 13. PA.: 2372 Gießhübl, Eichbergstr. 12/1. G.: Wien, 6. Juli 1938. V.: Lieselotte. Ki.: Mag. Claudia, Werner. El.: Alfons u. Anna. S.: VS, b. 1956 Fernmeldemonteur b. d. Post, 1957-62 Abendgewerbeschule, 1964 Reifeprüf. in Nachrichtentechnik. K.: Lehrer f. d. Fachprakt. Unterricht, 1964 HS f. Welthdl., 1969 Dkfm., 1971 Lehramtsprüf. f. kfm. Gegenstände, Ak. Lehrer, 1974 REFA-Lehrer, Werkstättenltr., 1989-92 Vors. d. ÖAAB FCG d. BMHS Lehrer Wiens, seit 1992 Dir. M.: seit 1975 Vors.-Stellv. d. Zentralaussch. BHMS, 1980-90 Gschf. im GemR. f. Finanzen in Gießhübl, Kiwanis Club Mödling, 1989-93 Mtgl. d. Bundessekt.-Ltg. N14. H.: Arb. (H.S.)

Weichselberger Alfred

B.: Gschf. Ges. FN.: Spielgeräte GmbH. DA.: 1020 Wien, Große Schiffsg. 16-18. G.: Wien, 3. Mai 1956. V.: Helga, geb. König. Ki.: Helga (1975). El.: Alfred u. Emilie. S.: 1975 Kfm. Lehre. K.: 1975-80 Ang. Firma Siemens, 1980-89 Ass. d. Geschäftsltg. Firma Szechenyi, 1990 selbst., Grdg. d. Spielgeräte GmbH. BL.: regelmäßige Teilnahme an d. IMA Frankfurt. M.: Vorst.-Mtgl. d. Österr. Münzautomatenverb. H.: Skifahren, Fotografieren, Computer. (T.T.)

Weichseldorfer Sylvia
B.: Inh. FN.: SYWE Sylvia Weichseldorfer, Fbk. f. Uniformen, Uniform- u. Zivilkappen m. Zubehör Feuerwehrausstatter. DA.: 1170 Wien, Hernalser Hauptstr. 118 (Grdg. 1956) u. 3521 Untermeisling 66 (Grdg. 1976). G.: Wien, 19. Mai 1949. El.: Friedrich u. Elfriede Weichseldorfer. S.: HASCH, Weiterbildungskurse, Mstr.Prüf. K.: Eintritt in d. väterl. Betrieb, sämtl. Stationen d. Betriebes durchwandert, Gschf., seit 1983 Eigentümerin beider Betriebe, Erzeugung, Hdl. u. Verkauf von Uniformen, Uniform- u. Zivilkappen f. FF, Berufs- u. Industriefeuerwehren, BH, Polizei, Gendarmerie, Justizwache, Bahn, Post, Straßenbahn, Zoll, Gem. Wien, LRg., Musikkapellen, Ver. usw., seit 1986 Erweiterung d. Hdls. um Feuerwehrausrüstung, Verkaufsstelle in OÖ. H.: Fremde Länder, Malen. (Kern)

Weicht Konstantin Dr. med.
B.: Prakt. Arzt. GT.: Polizeiarzt, Betriebsarzt im Pressehaus. DA. u. PA.: 1180 Wien, Schulg. 22. G.: Würzburg, 3. Okt. 1943. V.: Dr. med. Elisabeth, geb. Svibek (Prakt. Ärztin, Zahnärztin). Ki.: Alexandra, Elisabeth, Barbara, Konstantin. S.: RG, 1965 Matura in Würzburg, Med.Stud. Univ.Wien, 1975 Prom. K.: Ausbildung i. d. Poliklinik Wien b. 1979, dann Ordinationseröff., Lehrgänge f. Arbeitsmedizin u. Umweltmed., Polizeiarzt u. Betriebsarzt seit 1982. H.: Garten, Lesen, Musik, Wandern. (C.K.)

Weidinger Hubert
B.: Tier- u. Naturmaler, Jagdmaler. G.: Wien, 1951. V.: Gabriele, geb. Pichler. Ki.: Daniela. El.: Prof. Johann u. Notburga. S.: VS, HS, 3 J. Lehre Porzellanmaler b. d. Manufaktur Augarten. K.: 1967 1. Ausstellung in Lochau/Vbg., Öltechnik, Mischtechniken, Aquaralle, Federzeichnungen, Pinselzeichnungen, Stiftzeichnungen, Ledertreibarb. u. Bronzeplastiken. BL.: zählt zu d. 3 besten Tier- u. Jagdmalern d. Gegenwart in Europa. P.: 150 Einzelausstellungen u. 150 Ausstellungsbeteiligungen u.a. in Belgien, Frankreich, Mailand, Südtir., Deutschland, Österr. u. USA. E.: 1988 1. Preis d. Prix d'Art Animalière in Lyon, 1989 Silb. Ehrenmed. d. Stadt Paris. M.: Sheep Convention, Safari Club Intern. H.: Jagd, Trabrennfahren.

Weidl Timm

B.: Fa. Inh. FN.: Foto Weidl Video. DA.: 1217 Wien, Großfeldzentrum, Lokal 35. G.: Wien, 23. Juli 1940. Ki.: Sigrid (1965), Maximilian (1978), Florian (1985). El.: Elisabeth u. Egon. S.: HAK, verkürzte Fotolehre b. Fa. Foto Huber's Nachf. Wien I. K.: BH, 1959-71 Mitarb. i. väterl. Fotogeschäft, 1971 Ltr. einer übergeordneten Fotoges. in Deutschland, anschließend Eröff. eines eig. Geschäftes in Wien 21, 1986 Eröff. eines 2. Geschäftes in Wien 19. M.: Fotoverband, Fotogremium, 2 J. Obmann d. Kaufleute Großfeldzentrum. H.: Skifahren, Laufen, Wandern, Radfahren. (I.J.)

Weidler Andra
B.: Inh. d. Wr. Modelsekr. DA.: 1010 Wien, Rudolfspl. 10. G.: Wien, 6. Okt. 1954. El.: Gerald u. Sissy, geb. Tost. S.: HAK. K.: Eintritt in d. väterl. Betrieb, m. 18 J. jüngste Prok. in Österr., 1983 Grdg. d. eigenen Firma. H.: Bücher, Diskussionen m. Freunden, Meer, Menschen. (N.A.)

Weidler Gerald (Gerry) KommR.
B.: Inh. FN.: Weidler Schreibwaren gegr. 1882. DA.: 1190 Wien, Peter-Jordan-Str. 21.- 1190 Wien Hardtg. 23. G.: Wien, 9. Apr. 1928. V.: Sissi, geb. Tost. Ki.: Andrea (1954), Michaela (1957), Harald (1965). El.: Friedrich u. Nora. S.: Theresianum, 4 Sem. Welthdl. K.: 1950 Übernahme d. Firma, Großhdl. aufgebaut, seit 1954 Alleininh., Generalvertretung mehrerer intern. Firmen, 1992 Zweigbetrieb in Preßburg u. Prag, Detailgeschäfte i. Hotel Hilton. (Wien) u. a. Graben. M.: 1970-80 zahlr. Kam.-Funktionen u.a. Vorst.-Mtgl. d. Kam. Wien, Sekt.-Obm.-Stellv. d. Sekt. Hdl., Vorst.-mtgl. d. Kam. Wien, V-Präs. d. AufsR. d. Creditver., seit 1977 Laienrichter

b. HG, seit 1986 Konsul d. Malediven, Sekt.-Obm.-Stellv. d. Sekt. Hdl. BL.: Schwimmsport u. langj. Experte f. Sporttauchen. H.: Tauchen, Bootssport, Bullterrier. (J.M.)

Weidlinger Alois Dr.

B.: Dechant u. Pfarrer v. St. Vitus/Kufstein. DA.: 6330 Kufstein, Pfarrpl. 2. G.: Taufkirchen/Pram (OÖ), 30. März 1931. El.: Felix u. Maria. S.: Gymn. Borromäum Sbg., Matura 1950, 1950-57 Stud. Phil. u. Theol. an d. Päpstl.-Gregorian. Univ. Rom, 1962 Prom. K.: Priesterweihe 1956 in Rom, 1957-58 Kooperator Seekirchen/Sbg., 1958-59 Stumm/Zillertal, 1959-63 Wörgl, 1963-67 Spiritual am Knabenseminar Borromäum Sbg., 1964-67 Pfarrprovisor in Hintersee b. Sbg., 1967-71 Pfarrer in Oberndorf b. Sbg., 1972-87 in St. Andrä/Sbg., seit 1987 in St. Vitus/Kufstein, 1979-87 Dechant d. Dekants Sbg.-Ost. E.: GstlR., KonsR. (W.G.)

Weidmann Gottfried

B.: VS-, HS- u. Polytechn. Lehrer. PA.: 3106 St. Pölten, Spratzerner Hauptstr. 26. G.: Wertenau, 4. Juli 1938. V.: Helene, geb. Hollaus. Ki.: Waltraud, Clemens, Christoph, Markus. El.: Josef u. Elisabeth. S.: VS, Gymn., BLBA St. Pölten, 1959 Matura. K.: 1965 Lehramt f. HS u. Polytechn. Lehrgang, Konzessionsprüf.: Güterbeförderung f. d. grenzüberschreitenden Verkehr, Taxigew., Mietwagengew., Omnibus- u. Stadtrundfahrtengew., Reisebürogew., Fahrschullehrerberechtigung f. alle Führerscheingruppen. P.: Mitautor v. Lehrbüchern: Lehrbuch f. Lebenskunde, Gesundheitslehre, Biologie u. Pflanzenphysiologie f. d. Polytechn. Lehrgang, Seminarunterlagen f. Verkehrserziehung, Brandschutz. E.: Verd.Abz. f. Verd. um d. Feuerwehrwesen. M.: Verw. d. FF St. Pölten-Spratzern. H.: Campingreisen m. eigenem Omnibus, handwerkl. Gestaltung v. Wohn- u. Klassenräumen. (Kern)

Weidmann Klaus Dipl.-Ing.

B.: Vorst.Dir. FN.: Binder & Co AG. DA.: 8200 Gleisdorf, Grazer Str. 19-25. (V)

Weidner Kurt KommR.

B.: Kfm. FN.: Lederwaren Einzel- u. Großhdl. DA.: 1030 Wien, Landstr. 27. PA.: 1232 Wien, Putzendoplerg. 14/28/6. G.: Wien, 21. Nov. 1925. V.: Renate, geb. Sieghart. Ki.: Christian (1982). El.: Franz u. Ernestine, geb. Hracek. S.: Großonkel war Besitzer d. Lederfbk. Blacha & Stein in Pressburg. S.: Berufsausbild. z. Feintäschner in Wien m. Gesellenprüf. K.: 1942 Reichsarb.Dienst, 1943 Militär, 1947-49 Ltg. eines Delikatessengeschäftes Wien, 1949-63 Verkaufsltr. b. d. Fa. Elwe Innsbruck, 1964 Übernahme d. väterl. Lederwarengeschäftes Wien, 1966 Übernahme d. elterl. Erzeugungsbetriebes, 1975 Stillegung d. Betriebes, 1972 u. 1973 Eröff. v. 2 Lederwarengeschäften in Wien u. Grdg. eines Großhdls. E.: 1976 KommR. M.: 1975-887 Innungsmstr.Stellv., seit 1980 Gremialvorst.Stellv., ab 1987 Gremialvorst. d. Lederwarenfachhdls., 1987 Stellv. d. Lederwarenfachaussch. f. Österr., seit 1991 Obm. d. Werbegem. d. Lederwarenwirtschaft, Vors. v. d. Lehrabschlußprüf. H.: Rad- u. Bootfahren, Schwimmen. (N.A.)

Weigel Wolfgang Dr. Doz.

B.: Ass.-Prof. am Inst. f. Wirtschaftswiss. d. Univ. Wien. DA.: 1010 Wien, Dr.-Karl-Lueger-Ring 1. PA.: 1090 Wien, Wasag. 13. G.: Lamprechtshausen, 5. Juni 1945. V.: Ak. Malerin Miriam, geb. Grünsfeld. Ki.: Bertram (1975), Ines (1977). El.: Mag. Johann u. Lieselotte, geb. Fischer. S.: 1964 Matura, 1965-68 Stud. Kulturtechn. Univ. f. BdK., 1968-75 Stud. VWL Uni Wien m. Prom. z. Dr. rer. soc. oec. K.: 1971 Eintritt i. d. Univ. Wien als Studienass., s. 1972 Univ.-Ass., 1985 Habil., Univ.-Doz., ab 1988 Ass.-Prof., lfd. zahlr. universitäre

Funkt. u. a. Vors. d. Univ.-Lehrerverb., Vors. d. Dienststellenaussch. P.: ca. 60 wiss. Aufsätze, Verfasser v. 3 Büchern, Hrsg. v. 2 Büchern, zahlr. wirtschaftspolit. Kommentare, HS-Polit. Essays, Erzählungen u. Lyrik i. namhaften Zeitsschriften. M.: zahlr. in- u. ausländ. Ges., Mitbegründ. u. Mtgl. im "Steering Committee" d. European Ass. for Law and Economics. H.: Bergwandern, Dampflokomotiven, kl. u. Experimentalmusik, Lesen, Arch. (M.A.)

Weigerstorfer Franz Xaver

B.: Dir. d. Städt. Musikschule Raabs. DA.: 3820 Raabs/Thaya. PA.: 3820 Raabs/Thaya, Weinkopfstr. 9. G.: Ried/Traunkreis, 10. Nov. 1934. Ki.: Elisabeth (1982), Bernhard Michael (1990). El.: Michael u. Theresia, geb. Steinmaurer. S.: b. z. 25. Lebensj. Mitarb. am elterl. Bauernhof, ab 1960 Stahlkontrollor b. Böhler-Edelstahl Kapfenberg, 1963 Ortmann - Bunzl & Biach Pernitz, 1964 Laborant Firma Leitgeb Kühnsdorf, 1964-72 Musiklehrer u. Kpm. in Kühnsdorf, fa. Leitgeb, ab 1972 Musiklehrer a.d. Musikschulen: Waidhofen/Thaya, Kirchdorf/Krems u. ab 1979 Ltr. in Raab/Thaya, 1950-60 Mtgl. d. MV Ried/Traunkreis, 1961-63 Euphonist u. Posaunist Böhler Werkskapelle Kapfenberg, 1964 Kapellmstr. Marktmusikkapelle Oernitz, 1965-72 Ltr. Werkskapelle Leitgeb-Kühnsdorf, 1966 Grdg. Jugendblasorchester Leitgeb Kühnsdorf, 1970 Grdg. Jugendkapelle Völkermarkt, 1968 Kapellenltr.-Prüf. Ktn. Blasmusikverb., 1965-68 Turnersee-Lehrgänge, 1973 Staatsprüf. f. Kapellmstr. Ktn. Landeskonservatorium Klagenfurt, 1973-77 Dirigent Blasorchester Waidhofen/Thaya, 1974 Grdg. Jugendkapelle Waidhofen, seit 1976 Bez.-Kapellmstr. d. Bez.-Arge Horn-Waidhofen/Thaya d. NÖ Blasmusikverb. u. v. 1979-90 zusätzl. Bez.-Jugendref., 1978 Kapellmstr. Stadtkapelle Kirchdorf/Krems u. Ltr. d. Jugendkapelle, 1979-91 Kapellmstr. Stadtkapelle Raabs/Thaya, 1979 Grdg. d. Jugendkapelle Raabs/Thaya u. deren Dirigent b. heute, sowie Ltr. d. Städt. Musikschule Raabs/Thaya, seit 1985 Bewerter im NÖ Blasmusikverb. b. Marsch- u. Konzertbewertungen, sowie Prüfer f. d. Österr. Jungmusikerleistungsabz. P.: ca. 45 Werke f. Blasmusik z.B. Kollmitz-Fantasie, Zukunftsland Waldviertel - Kleine Overture u. Waldviertler Impressionen, ca. 40 Bearb. v. Bläsertrio b. z. gr. Blasorchester, sakrale Musik, Literatur f. Jungmusiker, zahlr. Rundfunkaufnahmen m. versch. Kapellen, ca. 40 ausgezeichnete Wertungsspielauftritte. E.: NÖBV VK in Silber, 1990 Ehrenmed. in Gold f. 40-jähr. Tätigkeit, EZ durch d. BAG, 1989 Ehrenteller d. Ktn. Blasmusikverb., 1994 Gold. Ehrennadel in Würdigung seiner hervorragenden Verd. um d. Blasmusikwesen in NÖ. H.: Genealogie. (M.M.)

Weigerstorfer Ulla

B.: Miss World, Künstlerin, Ges. FN.: Wr. Schnitzlplatzl. DA.: 1020 Wien, Vereinsg. 18. PA.: 1030 Wien, Untere Weißgerber Str. 19/7. G.: Bad Aussee, 16. Aug. 1967. El.: Dr.

Rudolf u. Roswitha. S.: Gymn. K.: während Schulz. tätig als Fotomodell europaweit, 1987 Siegerin d. "Miss World Österr." Wahl, Nov. 1987 Beauty-Queen of Europe u. Siegerin d. "Miss World" Wahl in London, Anschl. 1J. unter Vertrag in London, weltweit tätig, s. 1989 in Wien, priv. Schausp.- u. Sprechunterricht, s. 1991 beim ORF, Schausp. in "Tohuwabohu", 1992 Schausp. im Sommertheater in Meggenhofen OÖ., versch. Arten v. TV-Auftritten wie z.B. bei Shows: Harald Juhnke-Show, Schlagerrevue, UNICEF-Gala, s. 1992 gleichz. bei Radio Wien, Moderatorin in d. 2x wöchentl. Send. "Publikum - die Sportshow" mit Edi Finger jun., s. 1993 Seminartätig. in österr. Ferienclubs in d. Türkei, Moderatorin versch. Veranstalt. E.: 1989 Miss World, 1992,93 Top 100 Junge Unternehmen. P.: Autorin d. Buches "Natürliche Tips u. Tricks f. Ihre Schönheit" - 1995. M.: s. 1992 ehrenamtl. im Stiftungsrat d. WWF. H.: Dressurreiten, Trabrennfahren, Skifahren, Surfen, Wasserski, Tiere. (J.S.)

Weigl Andreas M.
Dr. et Mag. rer. soc. oec. Mag. phil.
B.: Magistratsrat. FN.: Magistrat d. Stadt Wien. DA.: 1082 Wien, Rathaus, Stiege 4. PA.: 1040 Wien, Schaumburgerg. 1. G.: Wien, 23. März 1961. El.: Dkfm. Hans Genser u. Elfriede Weigl. S.: BRG, 1979 Matura, Stud. d. Wirtschaftsinformatik a. d. Univ. Wien, 1984 Sponsion und 1991 Prom., ab 1980 parallel Stud. d. Geschichte a. d. Univ. Wien, 1985 Sponsion. K.: 1984-89 Statistisches Amt d. Stadt Wien, ab 1989 Magistratsdir. d. Stadt Wien - Koordinationsbüro. P.: Publikationen im Bereich Wirtschaftsgeschichte, Regionalökonomie, Bevölkerungsstatistik u. Historische Demographie. H.: Bücher sammeln (17. Jhdt.). (M.M.)

Weigl Berta Dr. med. MedR.
B.: FA f. Hautkrankheiten. DA.: 2700 Wr. Neustadt, Hauptpl. 23. PA.: 1040 Wien, Schlüsslg. 9. G.: Wien, 13. Apr. 1927. BV.: Familie Steinbach. S.: VS, Wr. Frauenwerbver., 1945 Matura, Stud. d. Med. an d. Univ. Wien, 1952 Prom. K.: 2 J. an d. Univ.Inst. d. Path. Anatomie d. AKH in Wien, 1954-59 an d. II. Univ.Hautklinik Tätigkeit als OA, 1958 FA f. Dermatologie, 1959 eigene Ordination. BL.: Grundlagenforsch. d. Psoriasis (Schuppenflechte), seit 8 J. in Zusammenarb. m. d. Wr. Hygieneinst. u. Innologieinst. P.: Publ. in Fachzeitschriften. M.: Österr. dermatolog. Ges., Konzertges., Ak. d. bild. Künste in Wien. H.: Reisen, sehr tierliebend. (M.Br.)

Weigl Christian Rudolf
B.: Manager, Ndlg.Ltr. Kuehne & Nagel, Winnipeg, Manitoba. A.: 7R-300 Roslyn Rd., Winnipeg, Manitoba R3L 0H4. G.: Aussig, 24. Nov. 1934. El.: Dr. Anton u. Margarethe. S.: Oberrealschule in Bayern u. Hessen. K.: Kfm., 21 J. Reisebüro, Manager Thomas Cook Travel Vancouver, Winnipeg, Sped.Ltr. Winnipeg. M.: Chamber of Commerce, Assoc. Intern. des Skal Clubs. H.: Reiten, Tennis, Malen.

Weigl Thomas

B.: Firmeninh., Masseur. FN.: Figursalon, Sonnenstudio. DA.: 2640 Bruck a. d. Leitha, Leithagürtel 28. G.: Hainburg, 2. Nov. 1968. El.: Karin u. August. S.: VS, HS, Polytechn. Lehrgang, abgeschlossene Elektrikerlehre. K.: div. Masseurkurse, Ausb. zum Heilmasseur, Bademstr., 3 1/2 J. Masseur Kurbad Deutsch Altenburg, Weiterbildungskurse, Gewerbeprüf., Befähigungsnachweis, s. 1992 selbst. H.: Beruf, Firma, allg. Sport, Schwimmen, Laufen, Bodybuilding, Esoterische Literatur, Musik. (W.M.)

Weigl Wigant

B.: Dir. FN.: Hotel Europa. DA.: 5020 Salzburg, Rainerstr. 31. PA.: 5020 Salzburg, Paracelsusstr. 23/16. G.: Seekirchen, 26. Juni 1944. V.: Tina, geb. Gschwandtner. Ki.: Caroline, Philipp. El.: Alois u. Hedwig. S.: VS, HS, 1961 Kochlehre Hotel Stein Sbg., 1962 BH. K.: 1962-63 Chef de Partie Hotel Lorius Montreux, 1963-64 Restaurant Cattelin Stockholm, 1964-65 MS Bergensfjord Oslo, 1965 Hotel Restaurant Berkeley Paris, 5 Monate Kurs Alliance Francaise, 1965-66 MS Bergensfjord Oslo, 1967 Hotel Savoy London, 6 Monate Englischkurs Regent School Oxford School, 1970 Alleinkoch Gasthof Unterm Rain Andres Tenne Kirchberg/Tirol, 1971 Hotelfachschule Heidelberg, 1972 Restaurant-Dion.-Ass. Stiegelbräuhotel Sbg., Rezeptionschef Berghof Elllmau Tirol, 1972 Chef de cuisine Ass. Manager Brown Beach Hotel Sri Lanka, 1973-74 Rezeptionist u. Food & Beverage Controller

Hotel Winkler Sbg., ab 1974 Hotel Europa, Portier, Sprachkurse ital. u. span., 1978 Konzessionsprüf. f. Gastronomieführung, 1992/93 Univ.-Lehrgang f. Tourismus Innsbruck, 1993 Hoteldir. H.: Kinder.

Weigner Heinz Dipl.-Ing.
B.: Hauptabt.-Ltr., Ltr. Bauwesen u. Leitungsbau, Prok., Baudir. FN.: EVN Energie-Versorgung NÖ AG. FA.: 2344 Maria Enzersdorf, Johann Steinböckstr. 1. G.: Wien, 22. Sep. 1942. V.: Christine. Ki.: Stephan (1976), Christian (1978). El.: Dr.-Ing. Franz u. Elisabeth. S.: VS, BRG, Techn. Univ. Wien, Richtung Bauing.-Wesen. K.: Während d. Stud. Tätigk. in Arch.-Büro, 1987 Ltr. d. Auslandsabt. Universale Bau AG, 1.1.90 Umwandlung in Universale Internationale GmbH, techn. Geschf., s. 1.1.91 in EVN tätig, 1.6.91 Ltr. d. Abt. Hoch- u. Tiefbau, s. 1.12.91 Ern. z. Prok. sowie Erteilung d. Handlungsvollmacht, s.1.4.93 Ltr. d. Hauptabt. Bauwesen u. Leitungsbau. BL.: als Ziv.-Ing. maßgebl. an Bauprojekten wie NÖ Lds.-Kindergarten, Wohnhausanlage Mühlgasse, u.a. beteiligt. F.: Geschf. d. ARGE Eisenbahnlinie El Harrach Thenia, Algerien. M.: Mtgl. d. Raumordnungsbeirates Amt d. NÖ Lds.-Reg., Mtgl. d. Bauausschusses d. Verb. d. E-Werke Österr. H.: Sport, Reisen, E-Musik, u.a. (W.M.)

Weihartner Karl
B.: Immobilientreuhänder u. Unternehmensberater. FN.: ARAV-Immobilien Ges.m.b.H. DA.: 4910 Ried, Hartwagnerstr. 1 u. 4020 Linz, Bockg. 2b. PA.: 4910 Ried, Rabeberg 38. G.: Ried, 27. Okt. 1954. V.: Liselotte, geb. Zweimüller. Ki.. Kerstin (1976), Anna (1982). El.: Josef u. Theresia. S.: VS, HS, HASCH. K.: 1972-1981 bei einer Gemeinnützigen Wohnungsgenossenschaft tätig, 1981 selbst als Immobilientreuhänder u. Bauträger, seit 1989 Unternehmensberater (Kommunikation- u. Unternehmenskultur), Vorst. in d. ATHOS-Immobilien AG in Linz. H.: bild. Kunst, Tennis, Bergwandern. (J.L.)

Weihs Bernhard Mag.
B.: Steuerberater, Mtgl. d. E.C.A. Beratungsgruppe. DA.: 1040 Wien, Wiedner Hauptstr. 52. G.: Wien, 9. Juli 1957. V.: Beatrix, geb. Dostal. Ki.: Gregor (1985). El.: Dr. Wilhelm u. Margarethe, geb. Gensthaler. S.: 1975 Matura, Stud. Betriebswirtsch. WU Wien, 1982 Abschluß. K.: 1982-87 b. Wirtschaftsprüfungsges. tätig, 1986 Steuerberaterprüf., selbst. M.: Österr. CV. (N.A.)

Weihs Dieter
B.: Dir., Gschf. FN.: ZEV Zentrale Einkaufs u. Vertriebs GmbH & Co KG. DA.: 1025 Wien, Leopoldsg. 4/1. G.: Wien, 21. Mai 1942. V.: Edith. Ki.: Michael. El.: Richard u. Emmy. S.: Grundchule, Matura, Jusstud. K.: 1965-77 Verkaufsltr. Fa. Henkel, ab 1977 b. ZEV. P.: div. Veröff. in Fachzeitschriften. H.: Skifahren, Tennis, Theater.

Weihs Ernst HofR.
B.: LSchulinsp., Ltr. d. Abt. f. allgemeinbild. Pflichtschulen im LSchulR. f. Ktn. DA.: 9020 Klagenfurt, Kaufmannsg. 11. PA.: 9020 Klagenfurt, Waidmannsdorfer Str. 15. G.: Wr. Neustadt, 18. Apr. 1930. V.: Leopoldine, geb. Andraschko. Ki.: Heidemarie (1951), Renate (1955). S.: Realschule, LBA, Lehramt f. D, BE, Ku. K.: 1969 Prof. an d. PA Klagenfurt, 1977 Bez.Schulinsp. (Wolfsberg), seit 1983 LSchulinsp. P.: Autor zahlr. Schulbücher, Verfasser päd. u. schuldidakt. Art. in zahrl. Zeitschriften. E.: 1989 Gr. EZ f. Verd. um d. Bdl. Ktn., 1990 HofR. M.: LLtr. d. Österr. Jugendrotkreuzes Ktn., SLÖ, SPÖ. Lions-Club "Lavanttal". H.: Zeichnen. (D.M.)

Weihs Heinrich

B.: Inh. FN.: NÖ Hörgeräte. GT.: Präs. d. Verb. d. Hörgeräteakustiker Österr., Bds.-Berufungsgr.-Obmann u. Vors. d. Arb.-Aussch. d. Hörgeräteakustiker i. d. Bundesinnung, Lds.-Beauftr. u. Lehrgangsltr. i. WIFI NÖ. DA.: 3100 St. Pölten, Dr.-Alois-Schrattenholzer-Str. 10, G.: 11. Nov. 1930. Ki.: Heinrich, Maria. S.: 4 Kl. Realgym. Wien, Absolv. d. Bds.-Gewerbesch., Höhere Abt. f. Elektrotechnik. K.: Ltr. d. Außendienstes b. Österr. Meinungs- u. Marktforschungsinst. Gallup, s. 1961 selbst. Untern. a. Horgeräteakustiker m. 5 Betriebsstätten, Delegierter Österr. b d. A.E.A. (association européenne d. audioprothésistes). M.: Prüfungskomm. f. Hörgeräteakustikeru. Ass., Prüfungskomm. f. gerichtl. beeidete Sachv. i. Wien. H.: Bücher, Reisen, Kunst, Musik. (C.G.)

Weihs Karl Dr. iur. w.HofR.
B.: Vorst. d. Gem.Aufs.Abt. im Amt d. Stmk. LRg. GT.: AufsR.Vors. ÖWG u. ÖWGES. DA.: 8011 Graz, Hofg. 13. PA.: 8043 Graz, Anton-Wildgans-Weg 3. G.: Arnfels, 21. Sept. 1923. V.: Irmtraut, geb. Scheierling. Ki.: Dr. Thomas, Gunther. El.: Karl u. Josefine. S.: VS, AHS, 1940 Matura, Stud. Karl Franzens-Univ. Graz, 1949 Prom. K.: seit 1949 in BH Deutschlandsberg als jur. Konzeptsbmtr., seit 1955 Konzeptsbmtr. im Amt d. Stmk. LRg., 1973 HofR., seit 1974 Vorst. P.: in Fachzeitschriften f. Gem., "Steirisches Gemeinderecht". E.: Ehrenbürger u. Ehrenring versch. Gem. H.: Reisen, Photographieren, Skilaufen, Bergwandern. (H.Z.)

Weihs Silvia
B.: Inh. FN.: Weihs & Partner. DA.: 8010 Graz, Franziskanerpl. 11. PA.: 8041 Graz, Liebenauer Hptstr. 306. G.: Graz, 27. Jan. 1960. V.: Berndt. El.: Peter u. Waltraud. S.: VS, HS, 1975-78 HASCH. K.: 1987 Sped. Panalpina, 1979-87 Steyr-Daimler-Puch, 1987-91 Ass. i. Werbeat. Petek, s. 1991 selbst. M.: Green Panther ACS, Junge Wirtschaft.H.: Literatur, Kommunikation. (I.G.)

Weik Dietrich
B.: Kfm., Hausbesitzer "Naf Naf" u. "Toga". DA.: 9020 Klagenfurt, Bahnhofstr. 16, 9020 Klagenfurt, Alter Pl. 34. PA.: 9073 Viktring, Klimschg. 20. G.: Hollabrunn, 19. Febr. 1944. V.: Hedwig, geb. Janschau. Ki.: Dr. Petra (1967), Robert (1975). El.: Alois u. Josefine. S.: 1962 HAK-Matura. K.: Einstieg elterl. Import- u. Exportfirma m. Obst, Gemüse u. Südfrüchte, 1992 Ende d. Obsthdl., 1991 Eröff. "Naf Naf" u. 1992 "Toga". E.: versch. sportl. Ausz. M.: Radclub, Tennisclub. H.: Sport (Langlaufen, Skifahren, Surfen, Tennis, Snowboard). (K.K.)

Weikmann Eckhard Dr. med. Prim.
B.: Ltr. d. Kinderabt. KH Oberwart. DA.: 7400 Oberwart, Dornburg 80. PA.: 7400 Oberwart, Anzengruberg. 11. G.: Graz, 11. Dez. 1941. V.: Gertraut, geb. Kadrnoska. El.: Dr. Harald u. Dr. Hildegard. S.: VS, BEA Graz, Matura 1959, Med.Stud. in Wien, Dr. med. 1965. K.: 2 J. KH Lainz in Wien, 1968-75 Kinderklinik Graz, 3 Monate Kinderkardiologie in Erlangen, 1975-78 OA, seit 1979 Prim. im KH Oberwart. P.: Div. Veröff., u.a. Vergiftungen b. Kindern. H.: Querflöte, Musikhören, Theater. (War.)

Weikovics Paul Dr. iur.
B.: Dir. d. bgld. Gem.Bundes. DA.: 7000 Eisenstadt, Ing.-Julius-Raab-Str. 7. PA.: 7061 Trausdorf, Linke Wulkazeile 35. G.: Wr. Neustadt, 2. Juli 1957. El.: Stefan u. Pula. S.: Hum. Gymn., Matura 1976, Stud. d. Rechtswiss. an d. Univ. Wien, Prom. 1984. K.: Gerichtspraxis, seit 1986 Dir. d. bgld. Gem.Bundes. P.: Bearb. d. Gem.Gesetze u. damit verb. Erläuterungen. H.: Lesen, Tennis, Radfahren, Fotografieren. (G.E.)

Weil Gertrude Dr. med. MedR.
B.: FA f. Neurologie u. Psychiatrie. GT.: Schulärztin. DA. u. PA.: 1010 Wien, Parkring 4. G.: Wien, 5. Febr. 1912. V.: Rudolf. El.: Dr. Eugen Dr. u. Thekla Stiasny. BV.: Vater Gen.Stabsarzt Österr. BH, Bruder Walter Dirigent in Australien. S.: RG, 1931 Matura, Stud. Phil. u. Med. Univ. Wien, 1940 Abs., 1945 Nachprom. K.: ärztl. Tätigkeit an d. Univ.Nervenklinik Prof. Pötzl, 1945-48 OA an d. Nervenheilanst. Rosenhügel, 1948 FA f. Neurologie u. Psychiatrie, Eröff. d. eigenen Praxis. BL.: Schularzt v. 1963-80, persönl. u. fin. Förderung wiss. Begabungen. P.: populärmed. Vorträge, div. Fachart. E.: 1970 MedR., Pro Merito Ausz. M.: Ärztekam., Mtgl. d. Neurolog. Ges. Wien. H.: Musik, Lesen, Opern, Konzerte, Wandern, Natur, Reisen. (H.P.)

Weiland Franz Dr. Dkfm.

B.: Vorst., Gschf. FN.: Bankhaus Denzel AG, Denzel Leasing Ges.m.b.H. DA.: 1010 Wien, Weihburgg. 28. PA.: 1190 Wien, Beethovengang 2. G.: Irmgard, geb. Vajda. Ki.: Mag. Richard (1965). El.: Franz u. Helene. S.: Gymn., 1964 Matura, HS f. Welthandel, Ende 1957 Dkfm., 1960 Prom. zum Dr. d. Handelswiss., Diss.: Risikopolitik i. d. Teilzahlungsfinanzierung. K.: 1958-92 i. AVABANK beschäftigt: Prokura, Abt.-Dir., Volldir. u. Ltr. d. Geschäftsstellen d. AVABANK, 1960-70 parallel Tätigk. b. AVABANK u. Österr. Kreditversicherung, 1980 Grdg. Denzel-Leasing, s. 1983 Gschf., m. Grdg. Denzel-Bank 1992 Vorst.-Mtgl. d. Bankhauses Denzel AG, 1980 Grdg. Interunfall-Leasing Ges.m.b.H. u. seither Gschf. H.: Geschichte m. Schwerpunkt antike Geschichte.

Weiland Johannes

B.: all. Gschf., 90%-Ges. d. "WEILAND Digital Media GesmbH", 40%-Ges. d. "Mensch u. Maschine Distributions-GmbH" Die restl. Ant. hält Hr. Adi Drotleff/D. FN.: 1. Weiland Digital Media GmbH, 2. Mensch u. Maschine GmbH. DA. u. PA.: 1. Weiland: 1070 Wien, Neubaug. 36, 2. MuM: 1140 Wien, Hütteldorferstr. 199. G.: 10. Feb. 1958. El.: Johann u. Friederike. S.: VS, Gymn., Informatikstud. K.: freier Mitarb. CAD, 1985 Grdg. d. eigenen Firma. P.: Fachart. in d. Zeitschriften COM, Skytec, Silikon Graphics World, Media Biz. E.: 1990 3. Preis b. Wettbewerb f. Wirtschaftsfilm (Computergrafik-FIlm über neues Büro), 1993 Nom. d. Computergrafik-Videos "Sisters of Reality" jeweils f.d. Hauptpr. d. Kat. Animationsfilm d. Festivals Eurographics-Barcelona, Images du Futur, film+arc - Graz. H.: Tauchen, Motorsport (Ferrari).

Weiland Otto Mag. HofR.
B.: Vorst. d. Finanzamt Bruck/Leitha. DA.: 2460 Bruck/Leitha, Feldg. 2. PA.: 1030 Wien, Arsenal, Objekt 11d/2/11. G.: Feldsberg, 2. Jan. 1937. V.: Christine, geb. Antl. Ki.: Thomas, Stefan. El.: Johann u. Maria. BV.: alte Familie ca. 300 J. zurück. S.: Gymn., Jusstud. Wien. K.: 1958 Betriebsprüfer Finanzamt Wien I., prakt. Ausbild., 1963-81 Betriebsprüf., 1981 Fachprüf. f. Höheren Dienst, Finanzamt Mistelbach, seit 1986 Vorst. Finanzamt Bruck/Leitha. M.: Ver.d . Landeskunde f. NÖ, Heimatgem. Feldsberg-Garselhönthal. H.: Heimatkunde, Wandern, Familie, Kochen. (M.G.)

Weiland Willy
B.: Gen.-Dir. u. Gschf. d. Hotel Intercontinental. DA.: 1037 Wien, Johannesg. 28. G.: Fallingbostel, BRD, 23. Sept. 1947. V.: Bärbl, geb. Sannwald. Ki.: Victoria (1987). El.: Willy Weiland u. Anny Ahrens, geb. Kühne. S.: Realschule b. 1963, Kellner-Lehre Hotel Meyn, Soltau b. 1966, Lehre als Koch Hotel Reichshof Hamburg 1966-68, Hotelfachschule Berlin 1969-71. K.: 1971-73 Praktikum in England, 1973 Intercontinental Hotels Frankfurt, 1980 London, 1982 Athen, 1983-85 Frankfurt: Finanzdir. f. dt. Hotels in Athen u. Jerusalem, 1985 2. Dir. Intercontinental Frankfurt, 1987 Hotel Schweizer Hof, 1990 Intercontinental Wien. BL.: Mitorganisator d. Berliner Polo-Clubs. M.: Mitbegr. u. seit 1988 Präs. d. Berliner Golf Clubs. H.: Golf, Kultur, Theater, Sammeln v. antiquar. Enten. (M.G.)

Weiler Hans
B.: Prok. FN.: Schmid & Zieger OHG. DA.: 2500 Baden, Pfarrg. 16. PA.: 2500 Baden, Wienerstr. 64. G.: Laa/Thaya, 26. Jan. 1933. V.: Helga, geb. Riegler. Ki.: Andreas (1965), Claudia (1969). El.: Josef u. Maria. S.: VS, HS, Berufschule. K.: 1947-56 als Büro-kfm. b. d. Kohlefirma Haniel tätig, 1957-67 Bürotätigk. b. versch. Firmen, s. 1. Dez. 1967 b. Schmid & Zieger m. Tätigk. versch. Bereiche, Mitverantwortlich f. d. Finanzwesen, s. 1988 Prok. H.: Familie, Wandern, Fußball, Theater, Natur. (F.S.)

Weiler Max Prof.
B.: Ak. Maler. DA.: 1010 Wien, Mahlerstr. 9/10. G.: Hall in Tirol, 1910. V.: Yvonne. S.: 1930-37 Stud. Malerei Ak. d. bild. Künste Wien bei Prof. Karl Sterrer. K.: 1964-81 Ltr. d. Meisterkl. f. Malerei Ak. d. bild. Künste Wien; neben d. Tafelbild entstand eine bedeutende Serie v. Wandmalereien kirchl u. profan. Charakters, v. Mosaiken, Glasmalereien u. Keramikwandbildern; Personalausstell.: 1951 Tiroler Landesmuseum Innsbr., Galerie Würthle Wien, Neue Galerie Linz Wolfgang Gurlitt-Museum Linz, 1955 Neue Galerie Linz Wolfgang Gurlitt-Museum Linz, 1958 Ak. d. bild. Künste Wien, 1967 Galerie Würthle Wien, 1969 Galerie nächst St. Stephan Wien, 1970 Neue Galerie am Landesmuseum Joanneum Graz, 1971 Galerie Würthle Wien, 1978 Ak. d. bild. Künste Wien, Albertina Wien, 1979 Tiroler Landesmuseum Ferdinandeum Innsbr., 1980 Kulturhaus Graz, Galerie nächst St. Stephan Wien, 1984 Kunstver. Frankfurt, Württemberg, Kunstver. Stuttgart, 1986 Neue Galerie am Landesmuseum Joanneum Graz, 1986-87 Slbg. Landessamml. Rupertinum Slbg., 1987 Neue Galerie Wien, Galerie am Lindenplatz Schaan/FL, 1988 Wr. Secession, Galerie Welz Slbg., Ausstell.-Halle d. Künstlerverb. d. UdSSR Moskau, Österr. Galerie Haus Mod. Kunst Mexico City, Stanford Museum California/USA, Ungar. Nationalgalerie Budapest, Kunstmuseum Bern, Museum d. 20. Jhdt. Wien. P.: Filme über Max Weiler: 1972-73 Dokumentarfilm v. Harald

Zusanek, 1986 Dokumentarfilm v. Wilhelm Gabe im Auftrag d. Museums Mod. Kunst u. d. BInst. f. d. Wiss. Film Wien; Bücher: Max Weiler Monographie (1975), Über Max Weiler (Hrsg. Peter Weiermair, 1980), Max Weiler Strichwelten-Zeichnungen aus 60 Jahren (1989), Max Weiler, 60 Jahre Malerei (Hrsg. Otto Breicha, 1989), "Das Einkommenssteuergesetz. E.: 1937 Rompreis, 1946 Silb. Med. d. Österr. Kunstausstellung, 1950 Anerkenn.-Preis d. Österr. Staatspreises, 1952 Preis d. Landes Tir. (Graphikwettbewerb Innsbr.), 1961 Gr. Österr. Staatspreis, 1963 Forum-Kunstpreis Graz, 1967 Beruf. in d. Österr. Kunstsenat, 1970 EZ d. Landes Tir., 1979 Österr. EZ f. Kunst u.Wiss., 1980 Ehrenring d. Stadt Innsbr., 1987 Tir. LPreis f. Kunst, Ehrenmed. d. Stadt Wien in Gold, Ehrenring d. Stadt Hall in Tirol. (E.J.)

Weiler Rudolf Dr. theol. et rer. pol.

B.: Univ.-Prof., Inst.Vorst. A.: 1190 Wien, Bauernfeldg. 9/2/5. G.: Wien, 12. März 1928. S.: Univ. Wien: Stud. d. Theol. u. Staatswiss. K.: 1951-66 Kaplan, seit 1954 Ref. f. "Kirche u. Sport", seit 1966 Univ.-Prof. in Wien. P.: "Wirtschaftl. Kooperation in d. pluralist. Ges.", "Die Frage d. Menschen", "Internationale Ethik", "Einführ. in d. kath. Soziallehre", "Soziale Botschaft d. Kirche", "Pol. Ethik", Reihe: "Sozialethik u. Gesellschaftspolitik", "Christen u. Marxisten im Friedensgespräch". E.: Prälat.

Weilharter Heinrich Dr.

B.: Prakt. Arzt. DA.: 8680 Mürzzuschlag, Mariazellerstr. 4. G.: Tulln, 26. Jän. 1956. V.: Susanne, geb. Ziegler. El.: Heinrich u. Margareta. S.: VS, HS, Gymn., Matura 1974, Med. Stud. Uni Wien, Prom. 1981. K.: Turnus i. Neukirchen, 1986 Eröff. d. Ord. i. Mürzzu. H.: Autofahren, Tennis, Skifahren, Fachliteratur, gut Essen. (J.M.)

Weilharter Helmut

B.: Verwalter im Seniorenheim d. Gem. Anif. DA.: 5081 Anif, Niederalm 270. G.: Thurrach, 24. Aug. 1941. V.: Erika, geb. Krallinger. Ki.: Evelyn (1962), Wolfgang (1965). S.: VS, HS, 1956-59 Lehre Bau- u. Möbeltischler, 1959-61 Lehre Möbelverkäufer. K.: kfm. Ang. Innen- u. Außendienst, 1981 Gem.-Dienst, seit 1981 im Seniorendienst. M.: Heimltr.-Verb. H.: Bergwandern, Skifahren, Radfahren, Schwimmen. (N.M.)

Weimar Wolfgang

B.: Gschf. d. Fa. Dewakustik Schall- u. Wärmetechnik. DA.: 1130 Wien, Braunschweigg. 17. G.: Wien, 5. Juni 1947. V.: Ilona, geb. Fuchs. El.: Wolfgang u. Berta. M.: Mtgl. d. Ver. d. Österr. gerichtl. beeid. Sachv. (Lar.)

Wein Marianne

B.: Hotelier, Inh. Hotels "Haus St. Florian" u. "Haus Pannonia". DA.: 7141 Podersdorf/See, Seeuferg. 1; 7141 Podersdorf/See, Seezeile 20. PA.: 7141 Podersdorf/See, Seezeile 20. G.: Wien, 8. Apr. 1952. V.: Hermann Wein. Ki.: Jasmin (1972). El.: Martin u. Aloisia Lentsch. S.: VS, HS, 3 J. Gastgewerbefachschule Bad Gleichenberg. K.: Mitarb. im elterl. Betrieb, 1971-74 Geschäftsführung Hotel Martinshof Podersdorf, 1975-90 Führung d. SB-Campingrestaurants Breitenbrunn, 1980 Eröff. d. Hotels "Haus St. Florian", 1991 Erwerb Hotel "Haus Pannonia". H.: Radfahren, Reisen, Skifahren. (F.S.)

Wein Hermann

B.: Hotelier, Inh. Hotels "Haus St. Florian" u. "Haus Pannonia". DA.: 7141 Podersdorf/See, Seeuferg. 1; 7141 Podersdorf/See, Seezeile 20. PA.: 7141 Podersdorf/See, Seezeile 20. G.: Purbach/See, 15. Feb. 1952. V.: Marianne, geb. Lentsch. Ki.: Jasmin (1972). El.: Johann u. Magdalena. S.: Berufsschule u. Gastgewerbefachschule, Kellnerausbild. K.: 1971-74 Geschäftsführung d. Hotels Martinshof Podersdorf, 1975-90 Führung d. SB-Campingrestaurants Breitenbrunn, 1980 Eröff. Hotel "Haus St. Florian", 1991 Erwerb d. Hotels "Haus Pannonia". M.: Tennisclub. H.: Tennis, Radfahren, Reisen, Skifahren.

Weinand Martin H.

B.: Client-Services-Director, Agenturleiter. FN.: BZW Werbeagentur. DA.: 1180 Wien, Gersthoferstr. 131. PA.: 1080 Wien, Neudeggerg. 19. G.: Wien, 16. Aug. 1958. El.: Dr. Hartmann/Irmgard. S.: VS, Gymn., 1976 Matura, Stud. Publizistik, Englisch u. Pädagogik i. Wien. K.: 1981 IWG; 1982-84 LINTAS Werbeag.; 1985-86 Werbeleiter u. Pressesprecher b. Steyr-Daimler-Puch AG, Graz; 1986-88 Handelsmarketing b. Porsche Austria, Sbg.; 1988-90 RSCG Wien a. Client-Services-Director u. Agenturleiter. B.L.: Seminar- u. Vortragstätigk. i. a. Bereichen. F.: Gewerbesch. Werbeber. u. Werbemittlung. P.: zahlr. Veröff. i. Fachzeitschr. E.: div. Ausz. u. Preise. H.: Sport, Wein, Yoga, Tanz. (E.J.)

Weinberger Bruno

B.: Gschf. Ges., Klavierbauer. FN.: Weinberger GmbH. DA.: 4470 Enns, Brucknerstr. 13a. PA.: 4484 Kronstorf, Kornblumenstr. 10. G.: Linz, 24. Juli 1963. V.: Regina, geb. Schrenk. S.: Gymn., Klavierbauer- u. Konzerttechnikerausbild. f. Bösendorfer Wien. K.: 8 J. Intern. Reisetechniker f. Bösendorfer, 1 J. Lyon Intern. Erfahrung als Intoneur u. Konzertstimmer, seit 1988 selbst., 1991 Firmeneröff. m. Konzert v. Prof. Denns, tätig f. bedeutende Pianisten wie Paul Badura Skoda u. Friedrich Gulda, tätig auch f. d. OÖ Landesmuseum m. seine histor. Instrumenten, Seminare am Brucknerkonservatorium in Klavierbaukunde, Klavier-Jazz-Seminare, Konzertveranstalter m. intern. Pianisten, Förderer Österr. Nachwuchs. P.: div. Fachpubl. H.: Familie, Bogenschießen. (P.H.)

Weinberger Franz

B.: Gschf. FN.: OTRISH Trading GmbH. DA.: 4020 Linz, Kapuzinerstr. 27. PA.: Teheran. G.: Braunau, 14. Februar 1963. V.: Susanne, geb. Aumayr. Ki.: Felix (1992). El.: Rupert u. Maria. S.: VS, HS, Handelsakad. K.: 1984-91 VOEST ALPINE INTERTRADING, s. 1991 in Fa. OTRISH Trading GmbH. H.: Sport, Politik. (K.M.)

Weinberger Günther

B.: Bäckermstr., Inh. FN.: Bäckerei Weinberger. DA.: 3370 Ybbs/Donau, Fabrikstr. 1-3. G.: Ybbs/Donau, 25. Mai 1951. V.: Isabella, geb. Triebl. Ki.: Alexander (1982), Elisabeth (1984), Gabriel (1991). El.: Hans u. Gabriele. S.: VS, Gymn., Bäcker- u. Konditorausbild. im elterl. Betrieb. K.: 1974 Übernahme d. elterl. Betriebes, 4 Filialen, 6 rollende Filialen. H.: Motorboot, Skifahren, Radfahren, Familie, Beruf. (J.M.)

Weinberger Franz
B.: Gastronom u. Koch Cafe Restaurant Hufnagl. DA.: 9433 St. Andrä im Lavanttal, Jakling 70. PA.: 9472 Ettendorf, St. Margarethen 10. G.: St. Margarethen, 26. Sep. 1951. V.: Viktoria, geb. Grgic. Ki.: Barbara (1971), Stephan (1976). El.: Johann u. Hilde. S.: VS, HS, Berufsschule u. Kochlehre, BH, 1971 Konzessionsprüf. K.: Tätigkeit Deutschland, Schweiz, Tir. u. Vbg., 1977-86 Küchenmstr. St. Paul, 1986-89 Privatwirtschaft, 1989 selbst. durch Übernahme d. Gastronomiebetriebes. E.: 1992 Österr. Weinkultur, 1994 Kulturwirtshaus. M.: Tourismusverb. St. Andrä, KKK, Feuerwehr St. Margarethen/St. Paul, Faschingsgilde St. Andrä (1994 Faschingsprinz). H.: Kochen, Fußball, Feuerwehr, Tennis, Wandern. (G.L.)

Weinberger Heinz Dr. iur.
B.: Österr. Botschafter in Belgien. DA.: Rue de l'Abbaye 47, B-1050 Brüssel. PA.: 1190 Wien, Hohe Warte 48. G.: Brünn, 8. Nov. 1929. V.: Martha, geb. Kretz. Ki.: Eva Maria, Irmgard Elisabeth. El.: Arthur u. Luise. S.: hum. Gymn., 1950 Matura, Stud. d. Rechtswiss., 1954 Prom. K.: 1954-55 Gerichtsjahr, 1955-56 Konzipiententätigkeit b. RA, 1956-61 advokator. Praxis in d. Finanzprokuratur, seit 1962 im BMA, 1962-64 Völkerrechtsbüro, 1964-66 Erster Sekr. an d. Botschaft Paris, 1966-70 BotschaftsR. an d. Botschaft Ankara, 1970-72 Stellv. Protokollchef, 1972-75 Ltr. d. Sozialpolit. Abt., 1975-79 Botschafter in Lissabon, 1979-83 Botschafter in Prag, 1983 Gen.Inspekteur d. BMA, dzt. Botschafter in Belgien. E.: Großkreuz d. Portugies. Ordens Ifante Henrique, Großoffz.Kreuz d. dt. Verd.Ordens, Großoff.Kreuz d. Ital. Verd.Ordens, Orden d. Banners d. Ungar. Volksrep. II. Kl., Kommandeurkreuz d. Belg. Ordens Leopolds II., Kommandeurkreuz d. Finn. Löwen. M.: Wr. Rennver. H.: Tennis, Bridge. (C.K.)

Weinberger Jörg
B.: gschf. Ges. d. Fa. Weinberger Fotolabor u. Drogerie GmbH. DA.: 8010 Graz, Münzgrabenstr. 20 u. 24. Drogerie seit 1924 in Familienbesitz. PA.: 8010 Graz, Kopernikusg. 23. G.: Graz, 15. Febr. 1945. V.: Monika, geb. Elmer. El.: Karl u. Elisabeth. S.: VS, Gymn. HTL Hochfrequenztechnik Graz, 1966 Matura, Abschluß d. Drogistenlehre 1969. K.: 1966 Ausbau d. Fotolabors, ab 1970 vollberufl. im elterl. Betrieb ltd. tätig, 1977 Mstr.Prüf. als Fotograph, ab 1980 gschf. Ges., zwei Filialen in Graz, 1981 Standortwechsel d. Drogerie u. Ausbau d. Labors. M.: Trumpf As. H.: Reiten, Skifahren, Surfen, Segeln, Tauchen. (War.)

Weinberger Manfred
B.: Immobilienmakler u. -verwalter. DA.: 1080 Wien, Lercheng. 2. PA.: 1090 Wien, Frankg. 2. G.: Wien, 28. Febr. 1942. V.: Birgit, geb. Schmidt. Ki.: Udo (1971), Marko (1974). El.: Franz u. Maria. S.: VS, Mittelschule, HTL Wien Abt. Innenarch. K.: ab 1969 in d. Kzl. d. Onkels Anton Weinberger tätig, 1975 Übernahme d. Kzl. als Immobilienmakler u. -verwalter. M.: ÖVI, FIABCI, Mtgl. d. Innungsaussch. H.: Familie, Handball, Tennis, Joggen. (J.S.)

Weinberger Ota Dr. iur. et phil. o.Univ.-Prof.
B.: Vorst. d. Inst. f. Rechtsphil. an d. Univ. Graz, Doz. DA.: 8010 Graz, Universitätsstr. 27. PA.: 8010 Graz, Waltendorfer Hauptstr. 103A. G.: Brünn, 20. Apr. 1919. V.: Univ.Doz. Dr. Christiane, geb. Willinger. S.: RG Brünn, 1937 Matura, Jusstud. an d. Maseryk-Univ. Brünn, 1946 Prom. z. Dr. iur., 1961 Dr. phil. Prom. Karls-Univ. Prag. K.: 1961-64 Doz. f. Logik in Prag, 1952-53 Richter, 1956-61 Ass. f. Logik, 1961-64 rechtswiss. Fak. in Prag, 1968-69 Gastdoz. in Wien, 1969-71 Gastdoz. Graz, seit 1972 o.Univ.-Prof. f. Rechtsphil. P.: mehr als 20 Bücher, u.a. Die Sollsatzproblematik in d. modernen Logik (1958), Normentheorie als Grundlage d. Jurisprudenz u. Ethik (1981), Grundlagen d. Institutionalistischen Rechtspositivismus (1985), Recht, Institution u. Rechtspolitik (1987), Norm u. Institution. Eine Einführung in d. Theorie d. Rechts (1988). (P.R.)

Weinberger Rudolf Mag. rer. soc. oec.
B.: Ges. FN.: Eisenwerk Sulzau-Werfen R. & E. Weinberger GmbH. DA.: 5451 Tenneck/Sbg. PA.: 5451 Tenneck, Gut Windbichl. G.: Salzburg, 21. Apr. 1946. V.: Brigitta, geb. v. Raut. Ki.: Hubertus, Franziskus. El.: BergR. Dipl.-Ing. Rolf u. Marie-Louise. S.: Gymn. in Kalksburg, Stud. d. Betriebswirtschaft an d. Univ. Innsbruck, 1975 Spons. z. Mag. rer. soc. oec., Praktika in Unternehmen d. Schwerind. in d. USA u. in England. K.: 1977 Eintritt in d. 1899 v. d. Fam. Weinberger erworbenen Eisenwerkges. Sulzau-Werfen, einem d. ältesten u. traditionsreichsten Privatunternehmen d. eisenverarb. Ind. in Österr., Zuständigkeit f. d. Bereiche Materialwirtschaft, Personal- u. Sozialwesen. M.: AufsR. Mtgl. d. Österr. Schrottverb., Mtgl. d. Sekt.Ltg. Ind. in d. HK Sbg., Mtgl. d. Österr. Industriellenver., u.a. H.: Tennis, Jagd, Skifahren, Lesen. (Foed.)

Weinberger Sieglinde
B.: Ltr. d. Pension Huemerhof. DA. u. PA.: 4813 Altmünster, Am Huemerhof 43. G.: Gmunden, 14. Dez. 1941. Ki.: Barbara. El.: Ferdinand u. Emma Reichholf. S.: HASCH Vöcklabruck. K.: 1957-60 Fa. Eisenbauer Gmunden, 1960-61 Franzmair Vöcklabruck, 1961-70 Höller-Eisen Gmunden, 1971 Grdg. d. Fa. Sieglinde Weinberger Weinhdl., 1973/74 Bau d. Pension Huemerhof, 1974 Stillegung d. Weinhdls., seit 1975 Ltg. d. Pension. M.: Sekr. d. Starboot-Flotte Traunsee, Tennis-Club Altmünster, Union-Jacht-Club-Gmunden. H.: Skifahren, Segeln, Tennis, Stricken. (A.W.)

Weinberger Stephan
B.: 75%-Aktionär u. Vorst. d. Eisenwerk Sulzau-Werfen AG, Inh. d. forstwirtschaftl. Betriebes "Marienthal", Vorst. d. IV Sbg., Ausschußmtgl. d. NÖ Waldbes. Verb., Honorarkonsul d. Rep. Korea f. Sbg. DA.: 5451 Tenneck, Bundesstr. 4. PA.: 5452 Pfarrwerfen, Imlau 28. G.: Wien, 19. Juni 1954. Ki.: Kira, Constantin, Emil, Maria-Verena. S.: Schottengymn. Wien, Militär-RG Wr. Neustadt, Wehrdienst, dzt. OLt. d. Res., Stud. an d. Univ. Wien u. Graz (Vw.). K.: 1 J. Auslandsaufenthalt Pittsburgh/USA, 1981 Eintritt in d. väterl. Untern. M.: Österr. Industriellenver., Wirtschaftsbund. H.: Land- u. Forstwirtschaft, Jagd, Reiten, Skifahren. (A.W.)

Weinbörmair Gerhard Dr.
B.: Inh., Gschf. FN.: Forsthaus Werbung KG. DA.: 1010 Wien, Elisabethstr. 1. G.: Wels, 18. März 1949. V.: Ilse. Ki.: Georg, Florian, Lukas, Thomas, Veit. El.: Hans u. Gildlinde. S.: 1969 Matura, Stud. Zoologie u. Botanik Sbg., 1975 Prom. Dr. phil. K.: 1976 u. 1977 Lehramtstätigkeit Ruhr-Univ. Bochum, 1978-80 Produktmanager b. Astra Pharma, 1980-83 Produktmanager u. Verkaufsltr. b. Hoffmann La Roche, 1983-85 Marketingltr. Bic Ballograph, seit 1986 Marketing u. Werbeberater in eigenem Betrieb. P.: wiss. Veröff. in Fachzeitschriften. E.: 1986 1. Preis f. d. beste Tageszeitungsanzeige, 1987 1. Preis Direktmarketing, 1990 1. u. 2. Preis Direktmarketing, zahlr. weitere Ausz. M.: Automobil Veteranen Club Österr. H.: Oldtimer, Radfahren. (J.E.)

Weineck Wolfram E.
B.: Kfm., prot. Einzelfa. Wolfram Weineck HiFi. DA.: 4020 Linz, Spittelwiese 7. G.: Wien, 3. Sept. 1943. Ki.: Mag. Ingeborg, Wolfram. El.: KommR. Rudolf u. Auguste. S.: Realschule, HTL Steyr (Radio- u. Hochfrequenztechnik). K.: 1964 Eintritt in d. väterl. Unternehmen, damals Bräuer & Weineck OHG. BL.: Aufbau f. Spezial-HiFi-Studios, seit 1970 österreichweiter Vertrieb v. elektroakust. Geräten u. Tonträgern, seit 1992 Bonsai-Fachhdl. M.: Lions-Club Linz Mitte. H.: Segeln, Radfahren, Bonsai. (Deu.)

Weinegg Annemarie
B.: Inh. FN.: Fliesen-Krenn GmbH & Co. Wien 1030. KG. DA.: 2320 Schwechat, Himberger Str. 80-82. PA.: 1030 Wien, Kundmanng. 39/15. G.: Wien, 5. März 1937. V.: Dr.-Ing. Wolfgang Weinegg. Ki.: Oliver (1970). El.: Josef u. Margarete Krenn. S.: VS, Gymn., 1956 Matura. K.: 1963-66 Aufenthalt in Ägypten, 1969-74 Libyen m. Gatten (ILO), 1974-75 Malediven/Deutschunterricht, 1976-78 S. Korea/Seoul Bestellung zum Hon. Kanzler am österr. Konsulat (Leitung d. Konsulates d. Abwesenheit d. Hon. Konsuls). Tätigkeit des Gatten: Experte/deut. Entwicklungshilfe im korean. Arbeitsministerium, 1979-80 aufenthalt in Nepal/Kathmandu d. tätigkeit d. Gatten aös Experte/ Projektleiter an der Universität/Kathmandu (ILO). Nach Rückkehr nach Wien 1981 Wiedereinstieg in d. väterl. Betrieb Fliesen-Krenn, 1993 Übernahme d. Geschäftes. M.: Internat. Womens Club, Freier Wirtschaftsverb., Fliesenverband, BAUMIT-Club, etc. H.: Reisen, Schwimmen, Radfahren, Lesen, Gartenarb. (U.Z.)

Weiner Elisabeth
B.: Inh. d. "Kindermoden Elisabeth Weiner", Personalchefin d. "Pelzecke Weiner". DA.: 1010 Wien, Jasomirgottg. 6, 1010 Wien, Goldschmiedg. 2, 1100 Wien, Knollg. 25. G.: Wien. Ki.: Thomas. El.: Dir. Dr. Rudolf u. Gottfrieda Schneider. K.: Schulschwester in Wien, Eintritt in d. Fa. Pelzecke Weiner, 1985 Grdg. d. eigenen Geschäftes, 1988 Eröff. einer Filiale. H.: Briefmarken, alte Münzen, Malerei, Kunstgeschichte. (P.R.)

Weiner Georg KommR.
B.: Ges., Kfm. A.: 1130 Wien, Gheleng. 4. G.: Wien, 2. Sept. 1943. El.: Robert u. Irmgard. E.: Dän. Export-Oscar. M.: Lions-Club.

Weiner Herbert
B.: Kürschnermstr. FN.: Zur Pelzecke Weiner. DA.: 1010 Wien, Jasomirgottstr. 6. PA.: 1130 Wien, Gallg. 12. G.: Wien, 4. Febr. 1958. V.: Elisabeth, geb. Schneider. Ki.: Thomas. S.: HASCH, Kürschnerlehre, 1982 Mstr.Prüf. K.: 1986 Grdg. eines eigenen Pelzhdls.Betriebes, 1987 zusätzl. Übernahme d. elterl. Betriebes. H.: Billard.

Weiner Karl
B.: Gschf. A.: 1050 Wien, Margaretengürtel 76-80/19/I/4 u. 5. G.: Wien, 19. Sept. 1948. S.: Mittelschule, TGM, Radio- u. Fernsehmechanikerlehre. K.: Radio- u. Fernsehtechniker, 4 J. Staatsdienst (Executive), dann Grdg. einer Einzelfa., 2 J. Gschf. u. Teilhaber einer Elektronikfa., ab Juli 1977 Gschf. d. Karl Weiner GmbH. F.: Karl Weiner GmbH. H.: Reisen, Elektronik, Fotografieren.

Weingart Peter Ing.
B.: Schlossermstr., Inh. Stahlbau KG. DA.: 1110 Wien, Neue verl. Erdbergstr. 193. PA.: 1110 Wien, Wr. Gärten 1507. G.: Wien, 23. Apr. 1944. V.: Elisabeth, geb. Buresch. Ki.: Sabine, Susanne, Peter, Christine. El.: Franz u. Leopoldine. S.: HTL, Mstr.Brief , 1971 Ing. K.: Übenahme d. elterl. Betriebes. M.: Innung, ÖAMTC, Bootsver. H.: Wassersport, Fotografie. (Fels.)

Weingarten Paul Dr. phil.
B.: Ass.-Prof. am Inst. f. angew. Psych. u. Beratung d. Univ. Wien, allg. gerichtl. beeid. Sachverst. für Psychologie, Psychotherapeut u. klin. Psychologe, Gschf.Ges. d. IAPB-Inst. . GT.: Personalauslese, Managementtraining, Sportpsychologe. DA.: 1010 Wien, Liebigg. 5; 1090 Wien, Währingerstr. 16/19. PA.: 1030 Wien, Krummg. 14/30. G.: Budapest, 29. Sep. 1942. V.: Dipl. MTA Helga, geb. Kroenig. Ki.: Paul (1976), Christine (1978). El.: Univ.-Prof. Paul u. Anna, geb. Gräfin Batthyany. BV.: Adelsgeschlecht d. Batthyany aus Ungarn. S.: VS, Gymn.,1961 Matura, Stud. Psych. TU Wien, 12 Sem. Maschinenbau, Stud. Psych. Univ. Wien, 1971 Prom. K.: seit 1970 am Instit. f. Psych. d. Univ. Wien, Ausbild. z. Klin. Psychologen u. Psychotherapeuten, seit 1984 Psychotherapeut in freier Praxis. Lehrbeauftragter Univ. Wien. P.: zahlr. Publ. u.Vortäge. E.: Ehrenmed. v. Komitee Sicheres Österr. M.: Radaktionskomitee, Berufsverb. Österr. Psychologen, Dachverb. f. Psychotherapie, Management-Klub, Rotary Club. H.: Handwerken, Oldtimer, Segeln, Tennis. (M.M.)

Weingartner Heinrich

B.: Inh. FN.: Billard-Weingartner. DA.: 1150 Wien, Neubaugürtel 11. G.: Wien, 13. Dez. 1939. V.: Maria. Ki.: Heinrich. El.: Heinrich u. Rosa. S.: Kfm. Lehre, 1957 Abschluß. K.: prof. Billardspieler im In- u. Ausland, 1958-64 Trainer, während dieser Zeit Österr. Staatsmstr., 1964 Grdg. d. Firma Weingartner Billardsport, insgesamt 15x Staatsmstr., 1x Europamstr. 3-Band-Mannschaft, 1969 Eröff. d. Billardcafes, Inh. d. Billardschule, Dokumentationszentrum f. Billardsport, 2/93 Eröff. Billard-Museum. P.: "Das Buch z. Spiel" (Billard), Hrsg. Billard-Fachzeitschrift. M.: seit 1960 Vorst.-Mtgl. Billardsportverb. Österr. H.: Weinsammlung. (T.T.)

Weingartner Karl

B.: Gschf. Ges. FN.: Kirchdorfer Fleischwaren GmbH. DA.: 4560 Kirchdorf, Mühlenweg 15. PA.: 4560 Kirchdorf, Inzersdorf 129. G.: Schlierbach, 10. Dez. 1960. El.: Franz u. Anna, geb. Wimmer. S.: VS, Polytechn. Lehrgang, Fleischhauerlehre Sattledt, 1979 Gesellenprüf., 1981 Mstr. u. Ausbilderprüf. K.: 1985-88 ADEG Bad Hofgastein, 1988 Übernahme eines bestehenden Betriebes Kirchdorfer Fleischwaren. E.: 15 J. aktiver Musiker im OÖ Blasmusikverb. H.: Skifahren, Schwimmen, Musik. (W.B.)

Weingartner Paul Dr. o.Univ.-Prof.
B.: o.Univ.-Prof. f. Phil. PA.: 5322 Hof, Ladau 78. G.: Innsbruck, 8. Juni 1931. V.: Ursula, geb. Steinhammer. Ki.: Thomas, Peter, Andreas, Veronika, Johannes. El.: Dr. Karl u. Maria. S.: VS, HS, RG, Matura 1950, LBA, Matura 1952. K.: 1952-55 VS-Lehrer, 1955-61 Stud. an d. Univ. Innsbruck (Phil., Math., Physik, Psych., Päd.), 1961 Doktorat in Phil.

(Nebenfach: Physik), 1962 Forschungsstipendiat d. British Council, Univ. London (b. Prof. Popper), 1964 Humboldt-Stipendiat, Univ. München (b. Prof. Stegmüller), 1965 Habil. an d. Univ. Graz, 1962 Ass. u. seit 1967 Ltr. d. Inst. f. Wiss.Theorie d. Intern. Forschungszentr. Sbg., seit 1971 o.Prof. f. Phil. an d. Univ. Sbg. P.: Wissenschaftstheorie I. Einführung in d. Hauptprobleme, Stuttgart-Bad Cannstatt 1971, 2. verbesserte Aufl. 1978, Wissenschaftstheorie II, 1. Grundlagenprobleme d. Logik u. Math., Stuttgart-Bad Cannstat 1976, Grundfragen z. Wahrheitsproblem (in Vorber.), ca. 100 wiss. Aufsätze auf d. Gebieten d. Logik, Erkenntnistheorie, Wissenschaftstheorie u. Metaphysik. E.: Kardinal Innitzer-Preis f. Phil. 1966 f. d. Habil.Schrift (über d. Wahrheitsproblem). M.: Academie Intern. de Philosophie des Sciences, Assoc. of Symbolic Logic, Intern. Union for History and Phil. of Science, Mind Assoc., Dt. Ges. f. Phil., Inst. d. Görres-Ges. f. Interdiszipl. Forschung.

Weingartner Peter Mag.
B.: Finanzbmtr. Finanzamt Melk. DA.: 3390 Melk, Abt-Karl-Str. 25. PA.: 3390 Kilb, Kohlenbergstr. 7. G.: Neubiestritz, 7. Sept. 1940. V.: Ursula, geb. Salzmann. Ki.: Michael, Andreas. S.: Gymn. Kremsmünster, 1959 Matura, nebenberufl. Stud. an d. Univ. Wien, Jur. Fak., 1972 Mag. K.: Tätigkeit b. einer kfm. Fa. in Wien, ab 1974 Staatsdienst als Finanzbmtr. in Wien, seit 1985 Ltr. d. Finanzamt Melk. M.: CV Norika Wien. H.: Bergsteigen, Jugoslawien. (C.K.)

Weingartner Walfried
B.: Gschf. FN.: Weingartner GmbH. DA.: 4600 Wels, Boschstr. 32. PA.: 4632 Pichl, Schalbach 29. G.: Wels, 18. Nov. 1936. V.: Franziska, geb. Spath. Ki.: Walfried (1972). BV.: Familienchronic b. ca. 1600. S.: VS, Berufsschule, Lehre Autolackierer Firma Buchner Wels, div. Auslandsaufenthalte. K.: ÖBB-Bediensteter, 1957 Autolackierer Firma Möstl Linz, 1959 Firma Platzer Wels, 1961-73 Autolackierer Firma Geierhofer, 1973 selbst. in Thalheim, 1988 neue Werkstatt, Spenglerei u. Büro in Wels. BL.: b. 1992 aktiver Motorsportrennfahrer. M.: Motorradclub MRSC Gunskirchen. H.: Skifahren, Motorradfahren. (S.P.)

Weingartner Wendelin Dr. HofR.
B.: Vors. d. Vorst. d. Landeshypobank Tir. DA.: 6020 Innsbruck, Neues Landhaus. PA.: 6020 Innsbruck, Wolfsgrube 5. G.: Innsbruck, 7. Febr. 1937. V.: Inge, geb. Krall. S.: VS, Gymn., Jusstud. in Innsbruck, 1961 Prom. an d. Univ. Innsbruck. K.: Konzipient in Anw.Kzl., dann im LAmt d. LRg., 1963-64 d. VwGerH. in Wien zugeteilt, Ltr. d. EDV d. Landes Tir., Vorst. d. Abt. örtl. Raumordnung, Baurecht u. Wohnbauförderung d. LRg., ab 1984 Vors. d. Vorst. d. Landeshypobank Tir. H.: Klass. Musik, Berg- u. Skitouren, Bergsteigen. (Schm.)

Weingartsberger Erwin
B.: Gschf. Ges. FN.: TEAM-Work Weingartsberger & Rubmer OEG. DA.: 4221 Steyregg, Linzer Str. 25. PA.: 4210 Gallneukirchen, Höhenweg 6. G.: Ansfelden, 1. Aug. 1965. Ki.: Nadja Simone (1991). El.: Josef u. Anna. S.: VS, Gymn., b. 1983 kfm. Lehre, 1984 BH. K.: 1985-90 Baufirma Neubauer Gallneukirchen, 1987-90 Abendkurse WIFI: Handelsass.-Kurs, Jungunternehmerausbild. Marketinglehrgang, 1990 Betriebsltr. Firma SDS Siebdruck Dekorationen Schriften Linz, 1990-92 selbst. m. Weingartsberger & Köppl OEG Linz, 1992 Eröff. d. jetzigen Firma. P.: Art. in Zeitschriften. M.: Junge Wirtschaft. H.: Familie. (Ni.A.)

Weinhandl Rudolf Ing.
B.: Gschf. Ges. FN.: Franz Steinberger Ges.m.b.H. & Co KG. DA.: 4840 Vöcklabruck, Stadtpl. 12. PA.: 4850 Timelkam, Maierhof 10. G.: Kapfenberg, 23. Sept. 1946. V.: Elfriede, geb. Froschauer. Ki.: Petra (1966), Martina (1968). El.: Hans u . Sieglinde. S.: VS, HS, HTL f. Elektrotechn., 1965 Matura. K.. Fa. Siemens, Fa. Semperit, Fa. Krauss & Mafai Elektrokonstruktion, 1976 50% Beteiligung a.d. Fa. Steinberger u. Übernahme d. Gschf. M.: Salesianischer Orden. H.: Fitness-Sport, Musizieren. (G.E.)

Weinhäupel Raimund Dkfm.
B.: beeid. Wirtschaftsprüfer u. Steuerberater. DA.: 1020 Wien, Praterstr. 33/8. G.: Wien, 11. Febr. 1942. V.: Elfriede, geb. Kreuzer. Ki.: Gabriele. El.: R. u. Anna. S.: Realschule, HAK, 1962 Matura, HS f. Welthdl., 1968 Dkfm. K.: 1967 Steuerberater, 1976 Buchprüfer, 1983 Wirtschaftsprüfer. BL.: Verständigung in engl., franz. u. ital. möglich. M.: Union Hernals. H.: Basketball, Briefmarkensammeln, Teilnahme am kulturellen Leben. (M.G.)

Weinhofer Friedrich Mag. Prof.
B.: Dir. BRG u. BORG Wien 15. DA.: 1150 Wien, Henriettenpl. 6. G.: Wien, 24. Juli 1945. V.: Brigitte, geb. Willert. Ki.: Wolfgang (1980), Stephan (1980). El.: Friedrich u. Leopoldine. S.: VS, AHS, 1963 Matura, 2 J. Post- u. Telegraphendienst, Stud. Phil., Geschichte u. Deutsch, Lehramtsprüf. in Phil. u. Geschichte. K.: 1970 Prof. f. Geschichte u. Deutsch in Expositur d. BRG Wien 10, seit 1989 Dir. Henriettenplatz. P.: div. Aufsätze über Bildungsberatung u. Lehrerfortbild. in Hinblick auf Betriebspraktikum in Lehrerzeitungen, ab 1987 lfd. Doz. am Päd. Inst. d. Stadt Wien. H.: Lesen, Motorradfahren. (J.M.)

Weinhofer Peter Jürgen Dkfm.
B.: Inh. FN.: Peter Weinhofer, Data Processing Weinhofer. DA.: 1210 Wien, Scheydg. 44. PA.: 2211 Obergänserndorf, Hauptstr. 53. G.: Wien, 30. Juni 1940. V.: Waltraud, geb. Pothorn. Ki.: Beate, Benigna. El.: Franz u. Gertrude. S.: 1958 Matura, HS f. Welthdl. K.: 5 J. als Marketingltr. in versch. Fa. tätig u.a. Bull Gen.El. b. Aufbau v. Nixdorf Österr. beteiligt, 1972 Grdg. d. eigene Fa. zuerst Argentinierstraße, dann Gumpendorfer Straße, seit 1984 Scheydg. 44. H.: Zeichnen, Malen, Sport (Skifahren, Tennis), Fotographieren. (J.S.)

Weinhofer Wolfgang
B.: Schuhmachermstr. u. Inh. FN.: Weinhofer Schuhoberteile u. Schuhservice. DA.: 9020 Klagenfurt, Steing. 100. PA.: 9020 Klagenfurt, Waidmannsdorfer Str. 76. G.: Rothenmann, 8. Febr. 1957. Ki.: Daniela (1983), Rene (1990). El.: August u. Hilde. S.: VS, HS, 1962-65 Schuhmacherlehre. K.: Geselle im elterl. Betrieb, 1982 Mstr.-Prüf., seit 1983 selbst. Übernahme d. elterl. Betriebs. M.: div. Fachverb. H.: Schwimmen, Eislaufen, Arb. (K.K.)

Weinhold Otto Ing.
B.: Gschf. d. Fa. Sandvik Process Systems GmbH Wien. DA.: 1190 Wien, Paradisg. 41-43. G.: Wien, 3. Okt. 1935. V.: Eva, geb. Mitschke. Ki.: Ursula, Thomas. El.: Hans u. Lisette. S.: Pflichtschulen, TGM, 1960 Ing., 1955-67 Simmering Graz Pauker Abt.Ltr. Ziegeleimaschinen. K.: 1968 Sandvik in Austria Abt.Ltr., 1971 Prokura, 1978 Ausgliederung d. Abt. u. Umformung in eine separate Ges. Sandvik Process Systems GmbH, seitdem Gschf. H.: Tennis, Schwimmen, Radfahren, Langlaufen. (Lar.)

Weinkamer Kurt Dr.

B.: Gschf. FN.: Gebrüder Weinkamer Wachswarenfbk. KG. DA. u. PA.: 5020 Salzburg, Imbergstr. 25. G.: Salzburg, 1. Sept. 1926. V.: Angela, geb. Sieber. Ki.: Martin, Caroline, Arno, Richard. El.: Oskar u. Marianne. S.: HAK m. Matura 1944 in Sbg., Stud. d. Wirtschaftswiss. Univ. Innsbruck, 1948 Dipl.Vw., 1950 Prom., Wachszieherlehre. K.: 1953 Eintritt in d. 1857 v. Urgroßvater gegründete Sbg. Wachswarenfbk., seit 1963 Kompl. m. Bruder Erich als Komm., Erz. u. Großhdl. v. Wachswaren. M.: Aussch.Mtgl. d. Fachverb. f. Kerzen u. Wachswaren in d. BKam., Aussch.Mtgl. d. Europ. Kerzenverb., Laienrichter b. Arbeitsgericht Sbg., Aussch.Mtgl. d. Ges. f. Sbg. LKunde, Mtgl. d. Orchesters d. Sbg. Kulturver. H.: Musik, Sport, Geschichte. (Foed.)

Weinländer Josef Dr.

B.: Wirtschaftsprüfer, Steuerberater. FN.: KPMG. DA.: 9020 Klagenfurt, Krassniggstr. 36/1. PA.: 9546 Bad Kleinkirchheim, Bach 103. G.: Klagenfurt, 14. Juli 1951. V.: Brigitte, geb. Friedmann. Ki.: Michael (1977), Martin (1979), Josef (1980). El.: Karl u. Vera. S.: HAK, Stud. BWL Univ. Graz, 1976 Mag., 1978 Doktoratstud. u. Stud. BWL Univ. Wien. K.: 1978-79 Dkfm. Anton Pretenthaler, 1980 Ktn. Treuhand, seit 1987 Gschf., 1982 Steuerberaterprüf., 1985 Buchprüfer u. Steuerberater, 1986 Wirtschaftsprüfer u. Steuerberater, 1984 gerichtl. beeid. Sachv., 1990 Präs. d. Kam. d. Wirtschaftstreuhänder Klagenfurt. M.: Landesobm. d. Ver. Österr. Wirtschaftstreuhänder. H.: Tennis, Golf, Skifahren, Tanzen, Snowboard, Jagd. (S.S.)

Weinlich Hans Dr. med

B.: Prakt. Arzt u. Naturheilarzt. A.: 2823 Pitten, Bahnhofstr. 333. G.: Wien, 25. Mai 1921. V.: Dr. iur. Gabriele, geb. Köberl. S.: BG, HS Wien m. Prom. 1948, Ausbild. in Akupunktur, Homöopathie, Kneipp-Therapie, Neuraltherapie, Chirotherapie u. Auriclo-Med. K.: 1948-52 KH-Ausbild. in Neunkirchen, seit 1952 prakt. Arzt in Pitten, 1957-75 Anst.Arzt d. Frauenstraftanst. Schwarzau, 1967-86 Schularzt im San.Sprengel Pitten. M.: Österr. Kneippärztebund, Österr. Ges. f. Homöopath. Med., Bioresonanz-Ärzteges., Österr. Ges. f. Akupunktur. H.: Skifahren, Tennis, Radfahren, Schwimmen, Bergwandern, Basteln, Musik.

Weinlinger Horst Ing.

B.: Bautechniker b. Amt d. NÖ Landesreg. DA.: 1040 Wien, Operng. 21. PA.: 2100 Korneuburg, Eberleg. 12. G.: Korneuburg, 14. Apr. 1942. V.: Edeltraud, geb. Gratzl. Ki.: Petra (1974), Karin (1977). El.: Josef u. Rosina. S.: HTL Wien (Abt. Hochbau), Abschluß 1961. K.: Bauing. b. einem Arch. in Wien, anschl. Bundesheer, 1963 Eintritt in d. NÖ Landesdienst: Bautechniker f. d. Spitalsbau (u.a. Spitäler in Waidhofen/Ybbs, Amstetten, Melk, Klosterneuburg, Korneuburg), Ltr. Bez.-Stelle Rotes Kreuz Korneuburg, seit 1965 freiw. Mtgl. d. RK, ab 1973 Stellv. Bez.-Stellenltr., seit 1989 Bez.-Stellenltr. E.: Verd.-Med. in Gold, Silber u. Bronze d. ÖRK, VK d. ÖRK, VZ d. Bundeslandes NÖ. H.: Schifahren, Schwimmen. (J.S.)

Weinmann Alexander Dr. Dipl.-Ing. o.Prof.

B.: Vorst. d. Inst. f. Elektr. Regelungstechnik im EDV Zentrum d. TU Wien. DA.: 1040 Wien, Gußhausstr. 27-29. PA.: 2340 Mödling, Windtalg. 25. G.: Wien, 12. Sept. 1937. V.: Monika, geb. Ranner. Ki.: Rainer, Julitta, Alexandra. El.: Ignaz u. Maria. S.: VS, Mittelschule, 1955-60 Stud. d. Elektrotechnik TU Wien, 1960 Dipl., 1962 Prom., 1966 Habil. K.: seit 1968 o.Univ.-Prof., 1976-79 Dekan d. Fak. Elektrotechnik. BL.: Forsch.Arb. auf d. Gebiet d. Digitalen u. Prädiktiven u. Energieoptimalen Regelung. P.: 30 Publ. in wiss. Zeitschriften, 3 Bände "Regelungen, Analyse u. Techn. Entwurf". E.: Karoline u. Guido Krafft-Med., Theodor Körner-Preis, Kardinal Innitzer-Preis, Ehrenkreuz f. Wiss. u. Kunst 1. Kl. M.: ÖVE, ÖMG. H.: Bergsteigen, Skilanglauf. (S.S.)

Weinmann Christoph

B.: Ltr. f. Marketing u. Verkauf. FN.: Kelly. G.: Wien, 9. Dez. 1962. V.: Sonja, geb. Marik. Ki.: Sebastian (1994). El.: Rosemarie u. Kurt. S.: VS, Gymn., Maturaschule, BH. K.: Fa. Teuber & Co KG, s. 1994 b. Fa. Kelly. (J.M.)

Weinmann Ernst Dr. Prim.

B.: Facharzt f. Zahn-, Mund- u. Kieferheilkunde, Zahntechniker. GT.: Ärztl. Ltr. d. Dentalklinik Sievering. DA.: 1190 Wien, Sieveringer Str. 17. G.: Wien, 27. Feb. 1962. El.: Oskar (Dentist) u. Christine. S.: Gymn. Billrothstraße/Wien u. Zahntechnikerlehre, Stud. Med. Univ. Wien, Prom. 1987. K.: 1987 Zahntechnikerprüf., 1989-91 FA-Ausbild., seit 1991 selbst. gem. m. Vater Oskar Weinmann. BL.: spez. auf "ästhet. Zahnheilkunde". H.: Skifahren, Bergwandern, Beruf. (J.S.)

Weinmann Rudolf Dr. Mag.

B.: Alleineigentümer. FN.: Zitta GmbH & Co KG. DA.: 2380 Perchtoldsdorf, Mühlg. 82, 2700 Wr. Neustadt, Prof.-Dr.-Koren-Str. 17. G.: Horn, 9. Jan. 1950. V.: Mag. Elisabeth, geb. Zitta. Ki.: Marietta, Isabella, Verena. S.: VS, Gymn., 1968 Matura, BH, Welthdls.Stud. an d. WU Wien, 1974 Mag., 1976 Prom. K.: 4 J. Ltr. d. Verkaufsadministration Fa. TARBUK, 1980 Eintritt u. 1981 Übernahme d. Fa. Zitta. F.: Zitta GmbH & Co KG, Verma GmbH & Co KG. E.: mehrfacher Staatsmstr. im Tischtennis ab 1965. M.: Mtgl. d. Nationalmannschaft, seit 1987 Präs. d. Österr. Tischtennisverb. H.: Tischtennis, Tennis, Skifahren, Musik, Theater. (Ch.K.)

Weinmeister Hanns Wolfgang Dr. Dipl.-Ing. Univ.-Prof.

B.: HS-Lehrer, Inst.-Vorst. d. Univ. f. Bdk. DA.: 1190 Wien, Peter-Jordan-Str. 82. PA.: 1180 Wien, Gentzg. 10/6/7. G.: Linz, 9. Febr. 1939. V.: Mag. Elfriede. Ki.: Gertrud (1965), Siegmund (1966), Hanna (1969), Bruno (1972). El.: Dipl.-Ing. Bruno u. Gertrude. S.: Grundschule, HS, Hum. Gymn., Univ. Boku, Univ. Sbg. K.: Wildbachverbauung Sbg., Naturschutzbeauftragter Landesrg. Sbg. M.: Ver. d. Dipl.-Ing. d. Wildbach- u. Lawinenverbauung Österr., ÖNB, SABO Ass. Japan, SIR, Ges. f. Ing.-Biologie Aachen, Ges. f. Ing. Biologie Schweiz, Forum österr. Wissenschafter. H.: Musik (Cellist).

Weinmeister Peter Walter Dr. iur.
B.:Stadtrat d. LHpt.Stadt Graz. GT.: Stadtparteiobm. d. FPÖ Graz. DA.: 8010 Graz, Rathaus. PA.: 8010 Graz, Rudolfstr. 41. G.: Graz, 1. Juli 1946. V.: Gabriela, geb. Daniel. Ki.: Katrin, Sandra. El.: Dipl.-Ing. Harald u. Erika. S.: AHS-Matura, BH, HAK-Abi-Kurs, Stud. d. Rechtswiss., Stud. d. BWL, 1972 Prom., erw. Gerichtspraxis. K.: 1974-79 im Bgm.Amt als Sekr. d. Bgm. Dr. Götz, 1979-86 Ltr. d. städt. Schlichtungsstelle, 1978-86 GemR. d. LHpt.Stadt Graz, 1986-88 StadtR.,1988-1993 Bgm.Stellv., s. 1993 StadtR., zuständig f. Umweltschutz, Energiereferat, Zivilschutz, städt. Rechtsamt, Personenstandes- u. Kultusangelegenheiten. M.: LParteiObmStellv. d. Steir. FPÖ u. Mtgl. d. BPabtlg. d. FPÖ. H.: Skifahren, Musik.

Weinmüller Herbert

B.: freischaff. Maler u. Grafiker. PA.: 1180 Wien, Theresieng. 67/11. G.: Ennsbach, 11. Aug. 1950. V.: Regina, geb. Petersen. El.: Johann u. Katharina, geb. Geiger. BV.: Josef Weinmüller 17. Jhdt. einer d. Bildhauer d. Brunnen u. Statuen im Schloß Schönbrunn. S.: 1965 Graf. Lehr- u. Versuchsanst. Wien, Weiterbild. in Malerei. K.: seit 1972 als freischaff. Maler u. Grafiker tätig, Ausstellungen in Österr., Holland, Belgien, Italien, Werke im Bes. v. BMLV, Stadt Wien, Nationalbank, BAWAG, CA-BV sowie priv. Sammler im In- u. Ausland. M.: seit 1981 Berufsver. d. Bild. Künstler Österr., seit 1986 kooptiertes Vorst.-Mtgl. dieser Ver., seit 1982 Mtgl. d. St. Lukas Gilde Antwerpen-Wien, Künstlergruppe "Fächer". H.: Lesen, Kochen. (N.A.)

Weinrauch Harald
B.: Unternehmer. FN.: Studio Creativ. DA.: 8055 Graz, Mälzerweg 5. G.: Graz, 26. Mai 1961. V.: Alice, geb. Neugebauer. El.: Hermine u. Karl. S.: 1971-74 BRG, 1974-76 Hauptsch., 1976-79 Gewerbl. Berufssch. K.: 1976-79 Lehre Fa. Rögner Graz, 1979-83 Lithograf/Scanneroperator Fa. Rögner, 1983 Lehrlingsausbilderprüf. u. Befähig.-Prüf. f. Repro u. Druck, 1983-84 Scanner Operator Fa. Reproteam, 1984-87 Auftragskoordin. u. werbeberat. Kundenbetreuung Fa. Reproteam, 1987-89 Abt.-Ltr. AV-EBV Fa. Reproteam, 1989-90 Werbeass. AVL List GmbH, s. 1990 selbst. m. Grafik u. Reprostudio, s. 1992 Werbeagentur. M.: 1. OEFC Graz (Obm.-Stv.). H.: Fallschirmspringen. (A.W.)

Weinsberger Rudolf
B.: Gschf. u. Ges. v. "Grimextra GmbH". DA.: 1150 Wien, Sechshauser Gürtel, Stadtbahnbogen 3 u. 4. PA.: 1230 Wien, Anton Baumgartner-Str. 44/B6/012. G.: Wien, 1. März 1931. V.: Irène, geb. Kléber. Ki.: Renate, Wolfgang, Gerold. El.: Josef u. Maria. S.: Realschule, Lehre Modellbauer. K.: Privatkundenvertr., 1954 Vertr. in Friseurbedarfsfa., seit 1956 selbst., 1959 Gewerbeschein f. Großhdl., Import-Export, Generalvertr. BL.: 1976 Erste westl. Fa., d. an UdSSR Friseurbedarf verkaufte. F.: "Interena GmbH", "Hairén". P.: Seminare über Haarkosmetik. E.: Zahlr. Dipl. f. Ost-Ausstellungen, Weltmeisterschaften. H.: Wiss. Literatur, Reisen. (Bauer)

Weinschenk Manfred Dr. Mag.
B.: Berater in d. Botschaft d. Vereinigten Staaten v. Amerika in Wien. A.: 1020 Wien, Vereinsg. 25, 8042 Graz, St. Peter Hauptstr. 35e/8. G.: Graz, 27. Juli 1950. V.: Dorothea, geb. Seinitz. El.: Dipl.-Ing. Kurt u. Ilse. S.: Reifeprüf. 1968 am 2. BG in Wien, WU Wien, Spons. z. Mag. d. Sozial- u. Wirtschaftswiss. 1975, Prom. d. Dr. d. Sozial- u. Wirtschaftswiss. 1980 (nebenberufl. Doktoratsstud.), Studienaufenthalte an d. Miami Univ., Ohio, USA. K.: 1976-79 Werbe- u. PR-Berater in Graz, nebenberufl. Arb. f. d. Kulturabt. d. US-Botschaft in Wien, seit 1980 Berater d. US-Botschaft in Wien in Wirtschafts- u. Handelsangel., Red. d. Zeitschrift "Handel - Österr.-USA". P.: 26 Ausgaben d. Zeitschrift "Handel Österr.-USA" als ltd. u. verantwortl. Red., einige Zeitungsartikel auf d. Beg. d. Werbung in HKam.-Zeitungen, einige Art. über US-Wirtschaft in Fachzeitungen etc. E.: "Honor Service Award" verl. v. d. US-Botschaft f. außerordentl. Verd. z. Förderung d. Freundschaft d. Völker d. USA u. Österr., Washington General, ernannt v. Lt. Governor d. US-Bundesstaates Washington. H.: Briefmarken sammeln, Filmen, Fotografieren etc.

Weinstein Adolf Dipl.-Ing.
B.: Ges., Gschf. A.: 1090 Wien, Dietrichsteing. 6/10. G.: Bukarest, 3. Dez. 1933. V.: Josepha, geb. Allerhand. Ki.:Mag. Dorit (1967), Dina (1968), Simon (1976). S.: Matura, Polytechn., Maschinenbauing. K.: Ing. b. Gebr. Sulzer, Winterthur, Schweiz, Ges. d. Beleuchtungskörperfabrik, Sao Paulo, Brasilien, Ges. u. Gschf. d. Pelzhandels Weinstein, Wien. F.: Pelzhaus Weinstein GmbH & Co KG, Wien, Weinstein GmbH, Wien, Dipl.-Ing. Adolf Weinstein, Wien. M.: Bnei Brith.

Weintritt Wilhelm
B.: Gschf. Ges. FN.: Weintritt GesmbH. DA.: Baden, Haidhofstr.31. PA.: 2423 Dtsch. Jahrndorf. G.: Nickelsdorf, 19.Nov. 1946. V.: Gerlinde, geb. Detarich. KI.: Werner (1975). EL.: Isabella u. Michael. S.: VS, HS. K.: Lehre als Kfz- Mechaniker, Abendschule, 1967 Werkmstrprüfung. 1967-73 Filltr. e. Kfz-Händlers In Neusiedl, 1974-87 Betriebsltr. d. Betriebe d. Fa. Kamper, s. 1987 selbst., zuerst mit Pachtbetrieb in Baden, 1992 Errichtung e. neuen Betriebes in Baden und Grdg. d. Weintritt GesmbH, 1992 Pacht e. bestehenden Betriebes in Neusiedl u. Ausbau desselben, 1994 Übern. d. kompl. Handelsbereiches e. bestehenden Betriebes in Eisenstadt. H.: Sport. (F.S.)

Weinwurm Adolf
B.: Gschf. FN.: Foto Weinwurm GmbH. DA.: 1070 Wien, Burgg. 56. PA.: 1070 Wien, Siebensterng. 16/13. G.: Wr. Neustadt, 5. Mai 1938. V.: Waltraud, geb. Kafka. Ki.: Michael (1963). El.: Franz u. Maria. S.: HAK Wr. Neustadt, Abschluß 1958. K.: Praxis in div. Fotofirmen in Wien u. Salzburg, 1974 Grdg. d. Foto Weinwurm GmbH. M.: Colour Art Photo Intern., American Professional Photographer. H.: Video, Film, Programmieren, Reisen. (J.S.)

Weinwurm Rosemarie
B.: Inh. d. Privatkindergarten "Cherie". DA.: 1060 Wien, Stumperg. 51/17. PA.: 2500 Baden, Grillparzerstr. 2. G.: Wien, 19. Aug. 1943. V.: Otto Weinwurm. Ki.: Stefan (1970). El.: Franz u. Marie Wallisch, geb. Friedl. S.: 1961 Matura. K.: 1962-72 Steuerberaterin, 1972 Grdg. d. eigenen Kindergarten. H.: Sport (Tennis, Golf, Schwimmen, Skifahren), Musiktheater (Oper). (N.A.)

Weinwurm Waltraud
B.: Fotografin. FN.: Foto Weinwurm GmbH. DA.: 1070 Wien, Burgg. 56. PA.: 1070 Wien, Siebensterng. 16/13. G.: Wien, 30. Juni 1941. V.: Adolf. Ki.: Michael (1963). El.: Eduard u. Johanna Kafka. S.: RG Rahlgasse, 1959 Matura. K.: Zun. im Eumig-Entwicklungsbüro (Objektentwicklung), anschl. Tätigk. in versch. Fotoateliers, 1974 Grdg. d. Foto Weinwurm GmbH gem. m. d. Gatten u. seither Ges. u. Por-

trätfotografin. M.: Colour Art Photo Intern., American Professional Photographer. E.: Colour Art Master. H.: Lesen, Fotografie, Reisen. (J.S.)

Weinzerl Alfons
B.: Gschf. (zuständig f. Vertrieb). FN.: Grundig Austria GmbH. DA.: 1120 Wien, Breitenfurter Str. 43-45. G.: Puchenau/Linz, 30. Juli 1935. Ki.: Stefan, Oliver.

Weinzetl Johann Mag.
B.: Wirtschaftstreuhänder, Steuerberater, gschf. Ges. d. Mag. Johann Weinzetl Wirtschaftstreuhand GmbH. DA.: 7100 Neusiedl/See, Kurzes Hirschfeld 9. PA.: 7100 Neusiedl/See, Am Tabor. G.: Pamhagen, 18. Aug. 1947. V.: Berta, geb. Egermann. Ki.: Andreas, Ingrid. El.: Lorenz u. Theresia. S.: Kfm. Lehre, Externistenmatura in Wien, Stud. an d. WU Wien, Sponsion 1979. K.: Bestellung z. Steuerberater 1983 u. gleichz. Grdg. d. eigenen Firma. F.: Aktionär u. Dir. einer venezulan. Agrarfirma (AGROCARIS S.A.). M.: Lions Club Neusiedlersee, Ver. d. Wirtschaftstreuhänder, Akademikerbund. H.: Musik. (G.E.)

Weinzierl Adolf
B.: Gschf. Landgasthaus Schloß Bisamberg. DA.: 2102 Bisamberg, Schloßg. 1. PA.: 1140 Wien, Zehetnerg. 12/34. G.: Bisamberg, 25. Okt. 1964. V.: Margot, geb. Frithum. El.: Adolf u. Michaela, geb. Kain. S.:VS, HS, 1980-83 Kochlehre Hotel Intercontinental Wien. K.: 1985-89 Koch in div. Restaurants in Wien I, 1990-93 Koch Landgasthaus Schloß Bisamberg, seit 1993 Gschf. d. Betriebes. H.: Tennis, Skifahren, Wandern. (M.M.)

Weinzierl Erika Dr. o.Univ.-Prof.
B.: o.Prof. f. Neuere Geschichte an d. Univ. Wien. A.: 1190 Wien, Bauernfeldg. 9/4. G.: Wien, 6. Juni 1925. V.: Prof. Dr. Peter Weinzierl. El.: Otto u. Maria Fischer. S.: Hum. Gymn. Wien, Stud. d. Geschichte u. Kunstgeschichte, Absolv. d. Inst. f. Österr. Geschichtsforsch. an d. Univ. Wien, 1948 Prom. z. Dr. phil. K.: 1948 Archivar am Haus-, Hof- u. Staatsarchiv in Wien, 1951-64 Red. d. "Mitteilungen d. Österr. Staatsarchivs", 1964-92 Vorst. d. Inst. f. kirchl. Zeitgeschichte am Intern. Forschungszentr. Sbg., 1967 a.o., 1969 o.Prof. f. Österr. Geschichte m. bes. Berücksichtigung d. Zeitgeschichte an d. Univ.Sbg., ab 1979 o.Prof. f. Neuere Geschichte m. bes. Berücksichtigung d. Neuesten Geschichte an d. Univ. Wien, seit 1977 Ltr. d. Ludwig Boltzmann-Inst. f. Geschichte d. Gesellschaftswiss., Vorst. d. "Österr. Ges. f. Zeitgeschichte", Wien. P.: Geschichte d. Benediktinerklosters Millstatt in Ktn., 1951, Die österr. Konkordate von 1855 u. 1933, 1960, Österr. - Zeitgeschichte in Bildern, 1. Aufl. 1968, 2. Aufl. 1975, Zu wenig Gerechte. Österr. u. Judenverfolgung 1938-45, 1969, 2. Aufl. 1985 Emanzipation? Österr. Frauen im 20. Jhdt., 1975 Ecclesia semper reformanda, 1985, Hrsg. bzw. Mithrsg. v. rd. 25 Büchern, darunter Erika Weinzierl - Kurt Skalnik, Österr. Die Zweite Republik, 2. Bd. 1972, überarb. einbändige Ausgabe unter d. Titel "Das neue Österr. Geschichte d. Zweiten Republik", 1975, Weinzierl/Kulka (Hrsg.): Vertreibung u. Neubeginn. Israelische Bürger österr. Herkunft (1992), seit 1973 Hrsg. d. Monatsschrift "Zeitgeschichte". M.: Kapagne d. Menschenrechte, Amnesty Intern., Kath. Akademikerverb. Österr., Wr. Kath. Ak., Österr. Ges. f. Polit. Aufklärung u.a. H.: Lesen.

Weinzierl Michael
B.: Alleininh., Gschf. FN.: M. Weinzierl GmbH & Co KG. DA.: 2320 Schwechat, Himberger Str. 68-70. G.: Wien, 29. Apr. 1950. V.: Regina. El.: Wilhelm u. Anneliese. K.: Firmengrdg. 1911 durch d. Urgroßvater auf Sohn u. Enkel übergegangen, 1986 Standortverlegung nach Schwechat, Geschäftstätigkeit in ganz Österr. u. Export vornehml. in d. Osten. H.: Golf, Segeln, Skifahren. (H.J.)

Weinzinger Gerhard Dipl.-Ing.
B.: Geschf. Ges. FN.:Technoma GmbH. DA.: 2340 Mödling, Wieseng. 4. G.: Wien, 5. März 1953. V.: Eva, geb. Wunderbaldinger. El.: AmtsR. Friedrich u. Margarete. S.: 1970 Mat., 1970-78 Stud. Industr. Elektronik TU Wien, 1972-77 selbst. Hdl.-Vertr. Elektronik, 1977-79 Univ. Ass., 1979 Fa. Elin Union AG, Systemengineering, Automat.-Syst., 1981 Gruppen-Ltr., 1984 Abt.-Ltr.-Stellv., Marketing u. Vertr., 1987 Abt.-Ltr., 1989 Geschf. Elis Indendifikationssyst. GmbH, 1992 Vorst.-Ass. Elin Energieanw. GmbH, 1992 selbst. Marktforscher, Technol.- u. Marketingberater, 1992 Grdg. Technoma GmbH Wien u. Budapest. H.: Sprachen, Reisen, Internet. (J.M.)

Weinzinger Lutz

B.: Steuerber., Ltg-Abg. FN.: Kanzlei Lutz Weinzinger. GT.: Bez.-Parteiobm. FPÖ. DA.: 4780 Schärding, Linzerstr. 343. PA.: 4780 Schärding, Pramhöhe 589. G.: Wien, 20. Jan. 1943. V.: Gertraud, geb. Hödlmoser. Ki.: Erhardt. El.: Dr. Karl u. Herta. S.: 1963 Matura Wien, Stud. Rechtswiss. u. BWL Wien u. Linz, 1970 Wehrdienst, 1976 Steuerber.-Prfg. K.: 1967-68 Vors. RFS Wien u. Bundesvors., s. 1974 Bez.-Parteiobm. d. FPÖ Schärding, 1976 Kanzleiübern. v. Vater, s. 1991 Ltg.-Abg. OÖ. M.: Turnerbund, Kameradschaftsbund, Offiziersgesellschaft, versch. Studentenvereinig. H.: Schwimmen. (P.H.)

Weinzirl Hermann.

B.: Gastronom, Pächter der Gastronomie im Ronacher. FN.: L'Artiste - H. Weinzirl GmbH. DA.: 1010 Wien, Himmelpfortg. 25.G.: Sierning (OÖ), 14. Aug. 1958. V.: Bernadette, geb. Schwarz. Ki.: Johannes (1983). El.: Matthias u. Frieda. S.: VS, HS, Gastron. Lehre in Enns. K.: 1976-79 versch. Saisonbeschäft. als Zahlkellner in Tirol, 1979 gastgewerbl. Konzessionsprüf., 1980-93 Tätigk. im Palais Schwarzenberg in Wien: Maitre D´ Hotel, ab 1986- Restaurantleiter, s. 1993 Führung des Restaurants "L'Artist". E.: 1982 2. Pl. beim Wettbewerb "Wahl des Oberkellners des Jahres". H.: Skifahren, Tennis u. Radfahren. (N.A.)

Weippl Gerald Dr. Univ.-Prof.
B.: FA f. Kinderheilkunde, Vorst. d. Abt. f. interne Kinderkrankheiten u. Kinderinfektionskrankheiten, Wilhelminenspital. A.: 1130 Wien, Trautmansdorffg. 50. G.: Wien, 4. Aug. 1927. V.: Dr. Selma, geb. Völkl. Ki.: Edgar (1975). El.: Dr. Theodor u. Dr. Ludmilla. S.: Univ. Wien, Prom. Dr. med. 1952, Univ.Kinderklinik Wien. K.: 1965 Habil., 1973 Univ.-Prof. f. Kinderheilkunde, 1965 Schriftltr. v. Pädiatrie u. Pädologie. P.: Ca. 170 Einzelarb. u. Buchbeiträge über Hämatologie, Neonatologie, Immunologie, Infektionskrankheiten, Monogr. "Eisenmangelanämie im Kindesalter", Mitarb. Handbuch f. Kinderheilkunde, 1962, 1979. E.: Preis d. med. Dekanates 1963, 1965, Gold. dist.

medal of Vienna. M.: N.Y. Acad. Sci., Europ. Pediatric Research Soc., Ges. d. Ärzte Wien, Österr. u. Dt.. Ges. f. Kinderheilkunde, Österr. Ges. f. Hämatologie u.a.

Weis Bernhard KommR.

B.: Gschf. Ges. FN.: Rupertus Buchhdlg. DA.: 5020 Salzburg, Dreifaltigkeitsstr. 12. PA.: 5020 Salzburg, Erzabt-Klotz-Str. 26. G.: Salzburg, 29. Juni 1937. V.: Elisabeth, geb. Haas. Ki.: Monika (1972), Clemens (1975), Philipp (1978). El.: Augustin u. Lydia. S.: VS, Gymn., 1955 Matura, Buchhändlerlehre b. Firma Herold Wien. K.: seit 1962 im elterl. Buchhdl. tätig, 1976 Gschf., seit 1985 Gschf. Ges. M.: seit 1980 Bundesgremialvorst. in Sbg., seit 1990 Stellv. H.: Bergwandern, Reisen, Konzerte, Theater. (D.E.)

Weis Bruno Dr. iur.

B.: Richter d. LG f. Strafsachen in Wien. DA.: 1080 Wien, Landesgerichtsstr. 11. PA.: 1090 Wien, Pulverturmg. 8/1/4. G.: Wien, 16. Sept.1937. Ki.: Michael, Ursula, Stefan. El.: Bruno u. Stefanie. S.: 1955 Matura, 1955-59 Stud. Rechtswiss. Univ. Wien, 1959 Prom. K.: b. Ende 1962 Gerichtspraxis u. Richteramtsanw., 1963 Ernennung z. Richter, 1963 Staatsanw. Wien, 1963 Erennung z. Richter d. Straf-BG Wien, seit 1966 Richter in Strafsachen, 1971 Ernennung z. Richter d. LG f. Strafsachen Wien. BL.: 1983/84 Lektor f. Medienrecht am Inst. f. Publizistik u. Kommunikationswiss. Univ. Sbg., 1988 Lektor f. Medienrecht am Inst. f. Publizistik u. Kommunikationswiss. Univ. Wien, Ref. u. Vortragender in d. ÖAF. P.: Autor d. Buches "Handbuch d. Entgegnung", ständiger Mitarb. d. Zeitschrift "Medien & Recht". M.: seit 1983 Mtgl. u. 1987-91 stellv. Vors. d. Kmsn. z. Wahrung d. Rundfunkgesetzes. H.: Medienrecht, Musik, Chorgesang, Basketball, Zeitgeschichte. (J.E.)

Weis Gerhard

B.: Hörfunkindendant. DA.: 1041 Wien, Argentinierstr. 30A. PA.: 1130 Wien, Furtwänglerpl. 14. G.: Wien, 1. Okt. 1938. V.: Erika, geb. Rosenthaler. Ki.: Julia (1962), Johannes (1963), Paul (1968), Florian (1979). El.: Wilhelm u. Julia, geb. Jagesberger. S.: Mittelschule Wien, HS f. Welthdl., Stud. Staatswiss. Univ. Wien, ab 1957 prakt. Ausbild. z. Journalisten. K.: Journalist b. div. Österr. Tages- u. Wochenzeitungen, seit 1967 b. ORF: zunächst Fernseh Innenpolitik, dann in d. Gen.-Intendanz, Öff.-Arb., danach Int. d. Fernsehprogramms FS1, 1987-92 Ltr. Unternehmensplanung u. Koordination im ORF, ab 1992 Int. Studio Wien. E.: 1966 Dr. Karl Renner-Preis f. Journalistik. H.: Musik, Literatur, Garten, Tischlerei. (N.A.)

Weis Hans Dr. Prof. Univ.-Prof.

B.: Präs. d. Österr. Orientges. Hammer-Purgstall. G.: Wien, 10. Mai 1911. V.: Josefine, geb. Tüchler. El.: Franz u. Anna. PA.: 1030 Wien, Weissgerberlände 40. S.: Univ.-Stud. Geschichte, Geographie. K.: Prof. f. Gesch. u. Geogr. an Wr. Höheren Schulen, Gen.-Sekr. d. Hammer-Purgstall-Ges., Lehrbeauftragter f. Geogr. an d. Univ. Wien, Habil. 1972, 1979 Univ.-Prof. P.: zahlr. Arb. über physio- u. humangeogr. Probleme arider u. semiarider Gebiete. E.: 2x Theodor-Körner-Preis, Dr.-Adolf-Schärf-Preis, Erinnerungsmed. d. Société de Géographie d'Egypte, VZ f. bes. Leistungen in d. Erwachsenenbild., Hammer-Purgstall-Med. in Gold, Österr. EK f. Wiss. u. Kunst I. Kl.

Weis-Danhofer Monika Dr. phil.

B.: Psychotherapeutin u. Klin. Psychologin, Gesundheitsberaterin. DA.: 1030 Wien, Kegelg. 34. PA.: 1230 Wien, Maurer-Lange-G. 42. G.: Bregenz, 24. Juni 1959. V.: Mag. Wolfgang Weis. El.: Helmut u. Herta, geb. Hagspiel. S.: 1979 Matura, Stud. Psych., Päd., Germanistik u. Theologie Univ. Innsbruck, 1988 Prom. K.: 1988-89 Aufenthalt in Köln, selbst. Tätigk. als Psychologin, Übersiedl. n. Wien, 1989-92 Justizanstalt Göllersdorf, 1992 Gründ. d. Ver. Zentrum f. integrative Psychotherapie u. Psychosomatik (ZIPP), seit dieser Zeit selbst., Schwerp.: Katathymes Bilderleben, Autogenes Training u. Hypnotherapie nach M.E. P.: Fachart. in Fachzeitschr. M.: Ver. f. Autogenes Training u. Allg. Psychotherapie (ÖGATAP), Österr. Bundesverb. f. Psychotherapie (ÖBVP), Österr. Berufsverb. f. Psychologen (BÖP). H.: Musik, Lesen, Schwimmen, Skitouren, Tischtennis, Tennis, Wandern.

Weiser Annelies

B.: Gschf. Ges. FN.: Fliesenhaus F. Weiser Bauwaren Großhdl. OHG. DA. u. PA.: 5020 Salzburg, Fürstallerg. 36. G.: Salzburg, 3. Jan. 1932. El.: KommR. Ferdinand u. Frieda Weiser. S.: RG in Sbg., Berufsschule, Gesellenprüf. K.: 1949 Eintritt in d. 1938 v. Vater gegründete Unternehmen, 1970 Umwandlung in OHG, seit 1981 Gschf. (Bereich Verw.) gemeinsam m. Schwester Christa Nettekoven (Einkauf/Verkauf), Groß- u. Einzelhdl. m. keram. Materialien f. Wand u. Boden. M.: Wirtschaftsbund. H.: Skifahren, Bergsteigen, Kunstgeschichte, Musik, Reisen. (Foed.)

Weiser Georg Mag. MinR.

B.: Ltr. d. Abt. Integrationsangelegenheiten im BMin. f. Wirtschaftl. Angelegenheiten. DA.: 1011 Wien, Stubenring 1. G.: Wien, 2. Jan. 1947. V.: Eva-Maria, geb. Ezelstorfer. El.: KommR. Dkfm. Dr. Alfred u. Elisabeth. S.: BRG Wien, 1965 Matura, Jusstud. Univ. Wien, Lt. d. Res. K.: nach d. Stud. Eintritt in d. damalige BMin. f. Hdl., Gewerbe u. Ind., 1980-84 im EFTA-Sekr. in Genf/Schweiz tätig, seit 1989 Abt.Ltr. f. Integrationsangelegenheiten im BMin. f. Wirtschaftl. Angelegenheiten. E.: Gr. Gold. EZ f. Verd. um d. Rep. Österr. (J.S.)

Weiser Helmuth Mag. Ing.

B.: Gschf.-Stellv. FN.: AOEM Ver. Österr. Zulieferexporteure. DA.: 1040 Wien, Schwindg. 16. PA.: 2372 Gießhübl, Gießhübler Str. 111. G.: Mödling, 9. Okt. 1947. V.: Brigitte, geb. Krug. Ki.: Ulrike (1977). El.: Franz u. Hedwig, geb. Riegler. S.: HTL Maschinenbau, Stud. VWL Univ Wien, Stud. BWL WU Wien, 1974 Abschluß. K.: während d. Stud. Ass. an einer HTL, 1974-76 Gschf. d. Fachverb. f. Baugewerbe b. d. HK NÖ, 1976-81 Firma Elin, zuletzt als Ltr. d. Konzernabt. Ausland, seit 1981 b. d. Firma AOEM als Gschf.-Stellv. P.: Fachart. in Fachzeitschriften. H.: Sport allg. (N.A.)

Weiser Herbert

B.: Hoteldir. d. Hotel Bayr. Hof. DA.: 5021 Salzburg, Kaiserschützenstr. 1. PA.: 5020 Salzburg, Eduard-Macheiner-Str. 9. G.: Belgrad, 22. März 1939. El.: Prof. Franz u. Emmy. S.: VS, RG, Hotelfachschule Bad Hofgastein. K.: Lehrj. in England, Frankreich, BRD, 1965-70 Dir. u Fachlehrer im Schloßhotel Kleßheim Kavalierhaus, Fremdenverkehrsak., 1970-73 Hotel Panter Saalbach, 1973-85 Restaurant-Cafe Winkler Sbg., ab 1985 Dir. im Hotel Bayr. Hof Sbg. E.: Komturkreuz u. Verd.Ritterkreuz Lazarus Ritterorden, bVM-LHW, EinsM-LHW, bEM-LHW. M.: Lions Club Sbg., St. Lazarus Hilfswerk, Österr. Weinbruderschaft. H.: Skifahren, Bergsteigen. (R.A.)

Weiser Josef Ing.

B.: Kompl. FN.: Ing. Josef Weiser KG, Spengler, Dachdecker, Blitzschutzanlagen, Zentralheizungen, sanitäre Installationen, Lüftungs- u. Klimaanlagen. DA. u. PA.: 5020 Salzburg, Itzlinger Hauptstr. 21. G.: Salzburg, 25. Juni 1945. V.: Doris-Maria, geb. Hittmann. Ki.: Constance, Severin, Florian. BV.: Großmutter väterlichers., Rosalia Weiser: 1. weibl. LAbg. b. 1938, Großmutter mütterlichers., Henriette Widerin: 1. weibl. GemR. d. Stadt Sbg., deren Gatte Anton Widerin: bedeutender Altarbauer u. Kunsttischlermstr., Vater KommR. Ing. Josef (Rudolf) Weiser: langj. Kam.VPräs., LInnungsmstr. d. Spengler, 10 J. LAbg., 1948-53 GemR. S.: 3 handwerkl. Berufsausbild., 1971 Ing.Stud. in München. K.: 1971 Eintritt in d. väterl. Fa., 1974 Mstr.Prüf. f. Spengler, 1981 Mstr.Prüf. f. Dachdecker, 1979 selbst. als Komplimentär, Übernahme d. Fa. nach Tod d. Vaters, polit. Karriere: 1965-69 LFunktionär d. Jungen ÖVP, Ref. f. Umweltschutz u. Verkehrsfragen, 1977-82 ÖVP GemR. d. Stadt Sbg., 1973-77 AufsR.Vors. d. DASPIN (Ein- u. Verkaufgenossenschaft d. Dachdecker u. Spengler). BL.: einer d. beiden ltd. Funktionäre einer Interessensgemeinschaft Itzlinger Vereine. P.: "Radwanderführer", div. Art. u. gen. polit. Schriften, Schwerpunkt: Umweltschutz u. öff. Nahverkehr. M.: Grdg.Mtgl. d. Aktion "Grüne Salzach", Grdg.Mtgl. u. Obm. d. Ver. "Aktionsgemeinschaft Rote Elektrische Ver. z. Förd. d. öff. Nahverkehrs", ÖVP Ortsobm. v. Itzling, Wirtschaftsbd.Obm.Stellv. v. Sbg.-Nord, Mtgl. d. Stadtltg., Green Peace, WWF, Amnesty Intern. H.: Singen. (A.W.)

Weiser Michaela Dr.

B.: Gschf. FN.: Gemeinn. Wohn- u. Siedlungsges. Schönere Zukunft GmbH. DA.: 1041 Wien, Paniglg. 4. G.: Wien, 5. Juli 1946. V.: Dipl.-Ing. Franz Weiser. Ki.: Ursula, Cordula. El.: Rudolf u. Rosemarie. S.: 1964 AHS-Matura, Jusstud., 1969 Prom. K.: Gerichtsj., Praxiszeit Wohnbauges., 1973 Einstieg "Schönere Zukunft" Wohnbau GmbH, vorerst im Bereich Rechtsabt., 1973 Prokura, Gschf. E.: Gold. EZ f. Verd. um d. gemeinn. Wohnungswirtschaft. H.: Literatur, Skifahren, Sprachen. (J.E.)

Weiser Peter Prof.

B.: Gen.-Sekr. FN.: Ideenagentur Austria. DA.: 1010 Wien, Opernring 1. PA.: 1180 Wien, Naaffg. 17. G.: Mödling, 28. Jan. 1926. V.: Elly, geb. Ventura. El.: Armand u. Natalie. K.: Journalist b. Sender Rot-Weiß-Rot, Frankfurter Allg. Zeitung, Kurier, 1961-77 Gen.-Sekr. d. Wr. Konzerthausges., 1978-90 Geschätsf. d. E.V.A., ab 1991 Gen.-Sekr. d. Ideenagentur Austria. E.: Gr. Silb. EZ f. Verd. um d. Rep. Österr. M.: Mtgl. d. Dion. d. Wr. Konzerthausges., Vorst.-Mtgl. d. KH-Beratungsagentur, Vorst.-Mtgl. d. Ver. d. Wr. Kammerorchester, Ehrenmtgl. d. musikal. Jugend, Vorst.-Mtgl. d. Ver. z. Förd. d. Kleinkraftwerke, Gen.-Bevollm. d. Stadt Wien f. d. Milleniumsfeier 1996. H.: Schreiben, Lesen. (P.R.).

Weisgramm Christoph

B.: Zwgst.-Ltr. f. Mödling, Schwechat u. Baden d. NÖN - NÖ Nachrichten. DA.: 2340 Mödling, Badstr. 19. PA.: 2700 Wr. Neustadt, Gröhrmühlg. 32. G.: Wr. Neustadt, 14. Okt. 1966. V.: Elisabeth. Ki.: Stefan (1987). El.: Adolf u. Helga. S.: Gymn., 1984 Matura, Stud. Jus, Germanistik u. Publiz. K.: parallel z. Stud. freier Mitarb. b. NÖN Zwgst. Wr. Neustadt, dann stv. d. Red., s. 1990 Zwgst.-Ltr. H.: Lesen. (M.M.)

Weishäupl Elisabeth

B.: Inh. FN.: Landmaschinen Weishäupl. DA. u. PA.: 4552 Wartberg/Krems, Auern 22. Ki.: Walter, Christa, Elisabeth. S.: Landwirtschaftl. Frauenberufsschule. K.: s. 1961 i. d. Fa, s. 1980 Inh. H.: Reisen. (P.H.)

Weiskircher Johann

B.: Gschf. Ges. FN.: Weiskirchner Bau- u. Möbeltischlerei GmbH. DA.: 3753 Goggitsch 21. PA.: 3753 Goggitsch 14. G.: Horn, 9. Juni 1960. V.: Maria, geb. Toifl. Ki.: Brigitte (1980), Bernhard (1983). El.: Johann u. Rosa, gb. Gutmann. S.: VS, HS, Fachschule f. Tischlerei Mödling, 1981 Tischlermstr.-Prüf. K.: 1978 Eintritt in d. elterl. Betrieb Weiskirchner in Goggitsch, seit 1987 Gschf. Ges. H.: Schwimmen, Sammeln v. Modelleisenbahnen. (M.M.)

Weiskopf Hermann

B.: Kfm., Inh. FN.: Hermann Weiskopf Großhandel-Werksvertretungen. DA.: 6020 Innsbruck, Leopoldstr. 52. PA.: 6020 Innsbruck, Leopoldstr. 42. G.: Innsbruck, 12. Dez. 1929. V.: Adelheid, geb. Zürcher, 3 Kinder. El.: Hanns u. Elisabeth. BV.: Großvater 1862-1927 Kaiserjäger-Oberst. S.: Grundschule, Gymn., kfm. Ausbild. K.: 1948-69 Juniorchef im väterl. Betrieb, 1962 Grdg. eines selbst. Hdls.Unternehmens m. div. Werksvertretungen, b. 1985 Gschf. u. Teilhaber d. väterl. Betriebes, 1977 Grdg. d. GemR.Partei "Innsbrucker Mittelstand" (IMS), 1971-81 KamR. u. Mtgl. d. Kammervollversammlung d. Tir. HK Innsbruck. P.: div. Veröff. in Fachzeitschriften, "IMS"-Broschüren. H.: allg. Sport, Skifahren, Schwimmen, Bergwandern, Kunst, Sammeln v. Bildern. (W.G.)

Weiskopf-Al-Bakir Karin

B.: Gschf. FN.: E.P.R. Efficient Public Relations Beratungsges. f. Öff.Arb. mbH. DA.: 1040 Wien, Taubstummeng. 5/1/12. PA.: 1010 Wien, Rockhg. 4/49. G.: Montreal/Kanada, 17. Mai 1955. El.: Roland u. Annemarie Weiskopf. BV.: Urgroßonkel Gustav Weiskopf 1. Flug noch vor d. Wright-Brothers, geplant New York-Montreal, ist aber nach 20 km abgestürzt, Flug wurde daher nicht anerkannt. S.: 1973 Matura, ESA Wien, 1975 Abschluß als Europ. Dipl.Sekr. K.: 1976 Sekr. UNIDO, 1976-78 Übersetzerin b. Swiss Consultants-Deconsult u. Unianmatex in Bagdad/Irak, 1978 Rückkehr nach Wien, 1978-83 EBIC Bankengruppe, 1983-89 Dion.Sekr. in d. Länderbank, 1989-91 AufsR.Sekr., seit Juni 1991 Gschf. E.P.R. Beratungsges. f. Öff.Arb. mbH. H.: Tennis, Golf. (J.S.)

Weismayer Josef Dr. theol. a.o.Univ.-Prof.

B.: a.o.Univ.-Prof. an d. Kath.-Theol. Fak. d. Inst. f. Dogmat. Theol. u. Dogmengeschichte, Abt. Spirituelle Theol. d. Univ. Wien. DA.: 1010 Wien, Schottenring 21. PA.: 1030 Wien, Ungarg. 38. G.: Wien, 5. Aug. 1936. El.: Josef u. Maria. S.: BG Hollabrunn, 1954 Matura, Stud. Kath.-Theol. Fak. Univ. Wien, 1959 Studienabschluß, 1962 Doktorat. K.: 1959 Priesterweihe, 1959-66 Seelsorgeposten in d. Erzdiözese Wien, 1974 Habil., 1976 a.o.Univ.-Prof., seit 1987 Rektor d. Stephanushauses 1030 Wien, Ungarg. 38, Ltg.-Mtgl. d. Wr. Theol. Kurse u. d. Inst. Fernkurs f. Theol. Bild. 1010 Wien, Stephanspl. 3. P.: Bücher u.a. "Leben in Fülle: Zur Geschichte u. Theologie Christl. Spiritualität" (1983), Mithrsg. wiss. Werke u. Mitarb. in wiss. Zeitschriften. H.: Musik, Lesen, Wandern. (J.S.)

Weiss Alfred

B.: Priester, röm.-kath. Diözesanpräses d. Kolpingwerkes in d. Erzdiözese Wien. DA. u. PA.: 1060 Wien, Gumpendorferstr. 39. G.: Wien, 23. Nov. 1937. El.: August u. Maria, geb. Baumgartl. S.: VS, Gymn., 1955 Matura, Theol.-Stud. Univ. Wien, 1960 Priesterweihe. K.: 1960-63 Kaplan in Schwechat, 1963-68 Kaplan in Wien-Baumgarten, seit 1968 Präses in d. Kolping-Familie Wien-Zentral. BL.: Aufbau d. Kolpingwerkes in Rumänien u. Moldawien. M.: Intern. Kolping-Werk. H.: Radfahren, Bergsteigen, Klettern, Fliegen. (N.A.)

Weiss Bernhard
B.: Landesstellenltr. Karl Renner-Inst., Landesbild.-Sekr. d. SPÖ Stmk. DA.: 8020 Graz, Hans-Resel-G. 6. PA.: 8010 Graz, Prankerg. 49. G.: Graz, 24. Nov. 1957. El.: Karl u. Gerlinde. S.: 1976 Matura, 1 J. Mitarb. f. Meinungsforsch.-Inst., 3 J. BH, parallel Stud. Jus u. Betriebswirtschaft, 1983 abgebrochen. K.: 1983 Eintritt als Ang. d. SPÖ Stmk., 7 1/2 J. Landessekr. d. Jungen Generation, 1990 zusätzl. Bild.-Ref., seit 1991 Abgabe d. Position f. d. Jungen Generation. P.: Art. in div. Zeitschriften. M.: stellv. Landesvors. d. Mieterver., Landesparteivorst., Landesbild.-Aussch., Landesvorst. d. Jungen Generation, Bundesbild.-Vorst., Grazer Parteivorst., Vors. einer Themensekt. d. SPÖ Graz, Vorst.-Mtgl. d. Ausländerbetreuungsver. Zebra. H.: Lesen, Tennis, Reisen. (F.K.)

Weiß Christian A.
B.: Ltr. d. Inst. f. Fitness u. Selbstverteidigung, geprüfter Trainer f. Gymanstik, Aerobic, Stretching. DA.: 1030 Wien, Metternichg. 5-7. PA.: 1110 Wien, Krauseg. 2A/17. G.: Wien, 19. Juli 1961. El.: Karl u. Helene, geb. Kaiser. BV.: Großonkel Lukas Kaiser war bekannter Erfinder (Motoren, Mechanik), Großcousin Josef Nikitscher war Großunternehmer (Fernmeldung). S.: Kunststofftechn. Lehre, div. Kurse, Ausbild. in versch. asiat. Kampfsportarten (Jiu Jitsu, Pencak Silat, Boxen, Thai-Kick-boxing u.a.) b. hohen Meistern wie Hollywoodschauspieler u. Kämpfer Benny Urquidez u. Josef Ebetshuber, 10. Dan in Jiu Jitsu. K.: Trainer u. Ausbildner zuerst in Sportschulen, dann Ausbildner d. Österr. Privatdetektive u. Leibwächter, 1984-89 Privatdetektiv, Entwicklung einer eigenen Selbstverteidigungstechnik (Shin Go Do), lfd. als Filmstuntman tätig, 5x als Ausbilder d. Österr. Privatdetektive u. Leibwächteer in Fernsehserien d. ORF beteiligt, seit 1989 selbst., Grdg. d. Inst. im Botschaftsviertel. E.: mehrfacher VStaatmstr., Intern. Mstr., WM-Dritter, 1. Österr. Pencak Silat-Mstr. H.: Malen, Reisen. (N.A.)

Weiss Dietmar
B.: Gschf., Teilhaber. FN.: Weiss & Zeiler Hdls. GmbH. DA.: 8010 Graz,. Schönaugürtel 26. PA.: 8081 Heiligenkreuz, Kleinfelgitsch 40. G.: Adliswil/Schweiz, 11. Sept. 1963. V.: Margit, geb. Fruhmann. Ki.: Stefanie (1991). El.: Alois u. Inge Maria. S.: 1982 Matura Zürich. K.: Inh. Medusa Film Zürich, 1988 Ang. als Programmierer, 1989 Grdg. Weiss & Zeiler Hdls. GmbH. H.: Fotografieren, Musik. (R.S.)

Weiss Ernest Heinrich Dr. o. Univ.-Prof.

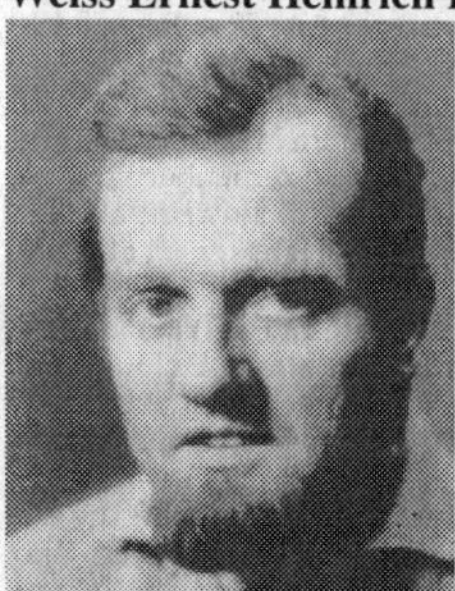

B.: o. Univ.-Prof. d. Univ. f. Bdk. Wien, Baugeologe. DA.: 1180 Wien, Gregor Mendel-STr. 33. PA.: 1130 Wien, Preindlg. 24/18/6. G.: Graz, 21. Nov. 1926.V.: Bettina, geb. Schaschl. Ki.: Dr. med. Karin, Mag. Monika, Christopher (1989). El.: Ernst u. Rosa. S.: VS, RG, Univ. Graz, 1954 Prom. K.: Ass. Univ. Graz, freier Mitarb. d. Naturwis. Vereines f. Ktn., Naturwiss. Ver. f. Stmk., Geschichtsver. f. Ktn., Österr. geolog. Ges., Society of Rock Mechanics, Intern. Assoc. of Engineering Geology, ord. Mtgl. d. österr. Staubeckenkmsn., Geolog. Sachv. f. d. oberste Wasserrechtsbehörde. P.: ca. 40 Veröff.: z. B. Vajont - Geolog. Betrachtungenz. Felsgleitung in d. Stausee.- Steir. Beitr. Hydrogeologie, 1963/64. In anatolischen Gebirgen. -Kärntner Museumschriften, 1965. Kraftwerksgruppe Fragant - 8. Geolog. Übersicht, Voraussage u. Erfahrung beim Bau, 1969. Die baugeolog. Prognose f. d. Schnellstraßentunnel durch d. Arlberg, Tirol-Vorarlberg, 1976. geolog. Probleme b. d. Projektierung v. Kleinstaudämmen f. Bewässerungszwecke im Dogonland, 1979. Engineering Geology in Mountainous Regions, 1980. Baugeolog. Betrachtungen z. Kraftwerksbau. - 100 Jahre Kulturtechnik u. Wasserwirtschaft, 1983. BL.: Tätig im Stollen- u. Tunnelbau sowie Kraftwerksbau - Wasserversorgung im In- u. ausland (Türkei, Griechenland, Persien, Algerien, Mali, Gabun, Lesotho). H.: Archäologie, Kunstgeschichte, fotografieren, Bersteigen, Skifahren. (R.A.)

Weiss Erwin Ing.
B.: Gschf. FN.: Iso Bau GmbH. DA.: 1030 Wien, Marxerg. 25. PA.: 1180 Wien, Währinger Gürtel 107. G.: Wien, 19. Jan. 1943. V.: Christine, geb. Ackermann. Ki.: Philipp (1977), Stephanie (1979). El.: Erwin u. Caroline, geb. Frank. S.: HTL Schellinggasse (Hoch- u. Tiefbau). K.: 1962-65 Tätigk. als Baultr. b. Fa. Kapsreiter in d. Ndlg. in Deutschland, 1965-70 Baultr. b. Fa. Radebeule Wien, 1970 Tätigk. im Konzernbereich Teerag Asdag: Ltg. d. Fa. Bosch, ab 1975 Ltg. d. Fa. Iso Bau, 1989 Grdg. e. Tochterges. m. Sitz in Mühlheim/Main. H.: Schwimmen, Tennis. (N.A.)

Weiss Franz Jakob Dr. Mag.
B.: Unternehmer u. Ökonom Hotel Kärntnerhof. DA.: 9201 Krumpendorf, Hauptstr. 104. PA.: 5020 Salzburg, Jahnstr. 8. G.: Klagenfurt, 4. Mai 1946. V.: Jakob u. Margarethe. S.: VS, HS, 1960-63 Kochlehre, 1965-70 Hotelfachschule Kleßheim Sbg., 175 Stud. Vw. Wien, 1981 Prom. M.: Carl Menger-Inst. Wien. H.: Waldlaufen, Spaziergänge. (G.L.)

Weiss Friedrich
B.: Inhaber. FN.: Stadlauer Seifensiederei. DA.u.PA.: 1220 Wien, Langobardenstr. 26. G.: Wien, 28. Aug. 1934. Ki.: Andreas 1976, Elisabeth 1978. El.: Jakob u. Margarete. BV.: Großvater Jakob Weiss war Gründer d. Mödlinger Volksbank, Onkel Dr. Alfred Weiss war erster Staatsanwalt in St. Pölten, Familienstammbaum reicht bis ins 165. Jhdt. zurück. S.: VS, HS, Chemie-Fachschule Rosensteingasse, 1 J. HAK. K.: Nach der Ausbildung Mitarbeit im väterlichen Betrieb in allen Geschäftsbereichen, 1975 Übernahme des väterlichen Betriebes u. Umstellung auf die Erzeugung umweltfreundlicher Wasch- u. Reinigungsmittel auf ökologischer Basis. BL.: Recycling v. gebrauchtem Speisefett, dadurch doppelter Umweltnutzen. M.: AFR (Austria Fett Recycling). P.: Teilnahme an einer Ausstellung im Rinther-Zelt zum Thema "Mist u. Umwelt". H.: Beruf. (F.S.)

Weiss Friedrich Dr. HofR.
B.: ehem. Univ.Dir. GT.: Schriftsteller (Pseudonym: Fritz Wöss). PA.: 1130 Wien, Kupelwieserg. 47. G.: Wien, 29. Febr. 1920. V.: Ernestine, geb. Mayer. Ki.: Dr. Friederike, Michael. El.: Karl u. Agnes. S.: VS, hum. Gymn., Univ. Wien, 1955 Prom. K.: Kriegsdienst, Gefangenschaft, 1948-49 HS f. Bdk. ang., 1949-51 an tierärztl. HS, 1951-59 StadtschulR. f. Wien, 1956 freier Schriftsteller, 1959 stellv. Univ.Dir. an d. TU, 1960 Dir. an d. HS f. Bdk., 1985 Pensionierung, polit. Tätigkeit: Grdg. d. Union f. direkte Demokratie (1965), 1973 d. Österr. Umweltschutzbewegung gegründet, 1977 b. Landtags- u. GemR.Wahlen angetreten, div. Volksbegehren, darunter BH-Volksbegehren u. Volksbegehren f. d. Einführung d. direkten Demokratie iniziert. P.: "Hunde wollt ihr ewig leben", "Der Fisch beginnt am Kopf zu stinken", "Die Deutschen an d. Front", "Der Freiheit eine Gasse", zahlr. Fachbücher. M.: P.E.N.-Club. H.: Politik. (R.A.)

Weiss Gebhard
B.: Zentralinsp., Bez.-Bauführer, Ltr. d. Fernmeldebaubez. Zell am See. GT.: seit 1980 Gem.-Vertreter. DA.: 5700 Zell am See, Brucker Bundesstr. 58. PA.: 5700 Zell am See, Zellermoosstr. 62. G.: Salzburg, 25. Aug. 1938. V.: Mathilde, geb. Neureiter. Ki.: Wolfgang (1962), Thomas (1964). El.: Johann u. Katharina. S.: VS, HS, 1952-56 Fernmeldemonteurschule Graz. K.: Einsatz in Sbg. als Fernmeldemonteur, Planungsbmtr. Kabelbauführungen, 1972-90 Kabelmeßstelle in Zell am See, seit 1. Jan. 1990 Ltr. d. Fernmeldebaubez. M.: Eisschützenver. H.: Bergwandern, Astronomie, Weltpolitik, lokale Politik, Skilanglauf. (M.T.)

Weiß Georg Dr. Mag.
B.: ao. u. bev. Botschafter, Österr. Botschaft Kiew. DA.: 252021 Kiew, wuliza Lipska 5, Hotel Nazionalni. G.: Linz, 17. Febr. 1940. V.: MinR. Gesandte Dr. Edda, geb. Hesse. Ki.: Katharina, Barbara, Christina. El.: Dipl.-Ing. Dr. Ludwig u. Berta. S.: Abteigymn. Seckau, 1958-64 Stud. Phil., Rechts- u. Staatswiss. Univ. Wien, 1964 Prom., 1964-65 Gerichtspraxis BG Villach, 1965-66 Stud. Diplomat. Ak. Wien, 1965 Praktikum b. d. Europ. Menschenrechtskmsn. in Strassburg. K.: 1966 Eintritt BMA, 1966-68 Wirtschaftspolit. Sekt. d. BMA, 1968-75 Gen.-Konsulat New York, zuletzt als Konsul u. stellv. Ltr. d. Gen.-Konsulates, 1975-77 Verwendung im Völkerrechtsbüro BMA, 1976 Mtgl. d. Österr. Delegation z. 31. GV d. VN, 1977-80 stellv. Ltr. d. Abt. f. Intern. Konferenzen u. Organ. im BMA, 1979 Mtgl. d. Österr. Delegation z. UNCSTD, 1981-85 Gen.-Konsul in Laibach, 1985 stellv. Ltr. d. Abt. VI.6 im BMA, 1986 Ltr. d. Abt. VI.6 im BMA, 1990 Mtgl. d. ADV-Kmsn. d. BMA, 1990 Mtgl. d. Österr. Delegation z. KSZE, 1991 Ltr. d. Abt. I, 9 im BMAA. E.: St GrGEZ, KmdK d sp ZVO, KmdK 2. Kl. d jug FO. H.: Schifahren. (J.E.)

Weiß Gerhard Dr. Dkfm.
B.: gschf. Ges. DA.: 4400 Steyr, Kaserng. 1a. PA.: 4040 St. Magdalena, Donauer Weg 5. G.: Hörsching, 3. Mai 1939. V.: Hannelore, geb. Stummer. Ki.: Beatrix, Veronika. S.: VS, HS, HAK Linz, 1957 Matura, 1957-62 Stud. Welthdl. in Wien. K.: 2 J. b. einer amerik. Wirtschaftsprüfungsges. in Frankfurt, 5 J. Gschf. v. Gerngroß-Häuser in Wien, 1 1/2 J. Gschf. d. Plus-Kaufhäuser, 1972 selbst., gschf. Ges. Pro-Kaufland Linz, SB-Warenh. Ges.m.b.H. & Co KG, geschf. Ges. Tabor Warenhaus. Ges.m.b.H. & Co KG. M.: Rotary-Club Traun. H.: Sport. (Bau.)

Weiss Gerhard
B.: Einkaufsltr. FN.: SIBA-ELSTA Sicherungen u. Schalterbau GmbH & Co KG. DA.: 1231 Wien, Breitenfurter Str. 317-319. PA.: 1100 Wien, August-Forel-G. 10/7. G.: Pancevo, 7. Febr. 1937. V.: Heidemarie, geb. Huber. Ki.: Brigitte. El.: Johann u. Rosa. S.: Pflichtschulen, Elektromechanik, div. Kurse. K.: 1961 Arb.Vorb. Fa. Kravaric, Arb.Technik, Kalkulation, Termine, Einkauf, 1987 Fa.Übernahme d. ÖGUSSA: Einkaufsltr. H.: Reisen, Münzen, Briefmarken, Sport, Skirennsport.

Weiss Gerhard Friedrich
B.: Inh. u. gschf. Ges. FN.: Steinmetzbetrieb Gerhard Weiss GmbH. GT.: Gschf. Ges. Immervoll & Altschach GmbH, Gschf. Vorreiter Innenausbau GmbH, Gschf. Buhl Baustoffe, Gschf. Brunner GmbH. DA.: 1223 Wien, Wagramer Str. 46, 1120 Wien, Ratschkyg. 17. G.: Gmünd, 16. Apr. 1947. V.: Ingrid, geb. Oberbauer. Ki.: Gerhard, Nicole. El.: Josef u. Anna. S.: HS, Lehre als Steinmetzer, HTL Hallein, 1975 Mstr.Prüf. K.: 1971-75 b. div. Fa. als Steinmetz, 1975 Fa. Vorreiter Innenausbau GmbH gegründet, 1978 Alleininh. P.: Fachart., div. Vorträge u. Seminare. M.: Dt. HK, SV Langschwarza Sportklub. H.: Motorrad, Autofahren, Tennis, Lesen, Fachliteratur, Reisen, Fotografieren. (M.G.)

Weiß Günther OSR.
B.: Dir. d. HS Mittersill. DA.: 5730 Mittersill, Felberstr. 3-5. PA.: 5730 Mittersill, Poststr. 20. G.: Salzburg, 23. Juli 1934. V.: Maria, geb. Pletzer. Ki.: Karl (1956), Brigitte (1961), Wolfgang (1967). El.: Karl u. Johanna. S.: 1953 Matura Borromäum Sbg., 1954 Abiturientenlehrgang LBA Sbg., 1956 Prüf. VS, Kurse f. HS-Lehrer, 1962 Prüf. HS, 1969 Prüf. f. Polytechn. Lehrgänge, 1965 Prüf. f. Ldw. Berufsschulen. K.: 1956-61 Lehrer an VS (Stuhlfelden, Lofer, Mittersill), 1961 Lehrer HS Mittersill, seit 1979 Dir. HS Mittersill. P.: Verfasser d. Vereinsnachrichten SC Mittersill. E.: Gold. VZ d. Landes Sbg., Gold. Sport-EZ d. Landes Sbg. M.: ÖTSU, Ldv. Sbg., Sbg. Fußballverb., Sportclub Mittersill, Sbg. Landesskiverb., LSR. Sbg., FIS-Delegierter. H.: Sportfunktionär (Fußball, Ski). (G.P.)

Weiss Hannes
B.: Kunsthändler. FN.: H. Weiss. GmbH. DA.: 2341 Mödling, Riegerstr. 10. PA.: 2340 Mödling, Gärtnerg. 9. G.: Mödling, 8. Nov. 1944. V.: Gerlinde. Ki.: Birgit (1976). El.: Heinrich u. Luise. S.: Berufsschule. K.: s. 1977 selbst. Kunsthändler (Vertretungen intern. Künstler im Kunstgroßhandel). H.: Kunst, Sport. (M.M.)

Weiss Hans Dipl.-Ing.
B.: Weinbaudir. d. NÖ Ldw.Kam., BVerb. d. Weinbautreibenden Österr., Abt. Weinbau. GT.: Weinbaudir. d. Ldw.Kam. DA.: 1014 Wien, Löwelstr. 12. PA.: 3400 Klosterneuburg, Neidhardg. 15. G.: Retz, 15. Aug. 1930. V.: Maria, geb. Bauer. Ki.: Wolfgang, Maria Theresia. El.: Johann u. Theresia. S.: RG, 1950 Matura, 1950-54 Univ. f. Bdk., 1954-55 Hospitant in HBLVA Klosterneuburg. K.: ab 1955 Ldw.Kam. Sekr.Praktikant Bauernkam. Hollabrunn, 1955-56 Sekr. in d. Bez.Bauernkam. Haugsdorf, ab 1956 Weinbauabt., ab 1967 Weinbaudir. BL.: 1969 Neuorgan. d. Ldw.Verb. f. NÖ u. ab 1970 als Zentraldir. d. BWeinbauverb. Koordinierung aller vier LWeinbauverb. (Stmk., Bgld., Wien, NÖ) zu einer Dachorgan., 1955-64 intensive Züchtungsarb. b. Qualitätssorten, speziell b. Grünen Veltliner, wesentl. Mitarb. am Aufbau eines Marketing f. d. österr. Weinwirtschaft. P.: seit 1970 Schriftltr. d. Fachzeitschrift "Der Winzer", Verfasser d. Buches "Rationelle Kellerwirtschaft". E.: Silb. EZ f. Verd. um d. Rep. Österr. H.: Skifahren, Radfahren, Filmen, Zeitgeschichte 19. u. 20. Jhdt. (C.K.)

Weiss Heimo Ernst Ing.
B.: Gschf. FN.: RAG Reichenberger. DA.: 1100 Wien, Quellenstr. 185. G.: Wels, 2. März 1955. V.: Birgitta. Ki.: Cornelia (1979), Harald (1980), Christina (1987). El.: Helmut u. Ingeborg. S.: Grundschule, HTL. K.: 1971 Tätigkeit im

elterl. Betrieb, 1981 Steyr Daimler Puch AG, ab 1986 RAG Reichenberger. P.: Art. in Fachzeitschriften. M.: Rotes Kreuz. H.: Lesen.

Weiss Helmut Mag. HofR.
B.: Ltr. d. Abt. Raumordnung u. Bautechn. Sachverst.-Dienst. FN.: Amt d. OÖ Lds.-Regierung, Landesbaudirektion. GT.: Vors. d. Landes-Ortsbild Komm. von OÖ, Mitgl. d. Dienstprfgs.-Komm. v. OÖ. DA.: 4020 Linz, Kärntnerstr. 12. G.: Linz, 8. Aug. 1940. V.: Friederike, geb. Frühwirt. Ki.: Isolde (1975), Wolfram (1979). El.: Josefine u. Ernst. S.: Ausb. als Schriftsetzer, Abschl. mit Gehilfenprfg., 1962-66 Bundesstaatl. Arbeitermittelschule Linz, 1966 Matura, 1966-70 Stud. Sozialwirtsch. Univ. Linz, Abschl. Mag. K.: Tätigk. als Korrektor, 1971 Eintr. Abt. Raumordnung u. Landesplanung i. Dienst d. Landes OÖ. 1986 Ltr. d. Unterabt. Überörtl. Raumordnung, 1987 Ern. z. wirkl. Hofrat, s. 1989 Ltr. d. Abt. Raumordnung u. Bautechn. Sachverst.-Dienst. M.: Vizepräs. d. OÖ Landesfechtverb., Obm.-Stv. d. Union Linz, Sektionsltr. d. Fecht-Union Linz. H.: Klass. Musik, Radfahren, Skifahren. (U.A.)

Weiss Helmut
B. Dir. FN.: Steigenberger Hotel AG. DA.: 7431 Bad Tatzmannsdorf, Am Golfpl. 1. G.: Eibiswald, 10. März 1952. V. Anna, geb. Schauer. Ki.: Christian (1984), Matthias (1986), Anna Victoria (1990). S.: Hotelfachschule in Zürich. K.:1973-80 in versch. europ. Ländern im Service tätig, 1980 Hotel Hilton Wien, 1981 Empfangschef im Hotel Schillerpark in Linz, ab 1985 Dir. im Warmbaderhof Villach, 1992 Dir. d. Hotels Steigenberger in Bad Tatzmannsdorf. M.: versch. Touristikvereine, Chaine des Rotisseurs, Maitre de table, skol club. (I.J.)

Weiss Helmut
B.: Gschf. FN.: akad. gepr. Immobilienberater Helmut Weiss. DA.: 6900 Bregenz, Bahnhofstr. 23. PA.: 6900 Bregenz, Brandg. 11. G.: Bregenz, 23. März 1955. V.: Maria, geb. Zech. El.: Raimund u. Ima. S.: Schlosserlehre, Abend-HAK, 1980 Matura. K.: versch. Steuerbüros, 1982 selbst. im Immobiliengeschäft. H.: Tauchen, Segeln, Oldtimer. (A.K.)

Weiß Herbert
B.: Justizbmtr., Mtgl. d. Bundesrates. G.: Graz, 20. Okt. 1927. S.: BRG Graz, Matura 1946, Univ. Graz (rechtshistor. Staatsprüf. 1948). K.: Eintritt in d. Justizdienst b. OLG Graz, 1952 Rechtspflegerprüf., 1964 Ltr. d. Personalabt. b. OLG Graz, 1978 Amtsdir., 1959-69 Vors.Stellv. u. 1969-79 Vors. d. LSekt. Justiz d. Gewerkschaft Öff. Dienst, 1965-77 Mtgl. d. LVorst. d. Gewerkschaft Öff. Dienst, 1973-77 Fraktionsobm. d. FCG Öff. Dienst, seit 1973 Mtgl. d. Zentralvorst., seit 1977 Vors. d. LVorst., seit 1985 Mtgl. d. Bundesrates. E.: RgR. (1981), St GEZ.

Weiss Heribert
B.: Obm. d. Landestierschutzver. f. Stmk., Polizeiabt.-Insp. i.R. GT.: Gutachter d. Tierschutzgesetzgebung. DA.: 8010 Graz, Kapaunpl. 1. PA.: 8020 Graz, Johann-Haiden-Str. 24. G.: Graz, 1. Juli 1922. V.: Ernestine, geb. Sackel. El.: Anton u. Justine. S.: Berufsschule, 1946 Polizeischule. K.: b. 1982 Bundespolizeidion. Graz, zuerst Polizeikontrollinsp., Abt.-Ltr. im Hauptpolizeiwachzimmer Schmiedgasse, ab 1978 Obm. d. Landestierschutzver. P.: seit 1985 Jahresberichte d. Landestierschutzver. f. Stmk., 1985 Festschrift 125 J. Landestierschutzver. E.: Bürger d. Stadt Graz, Ehrenmtgl. Berg- u. Naturwacht, Ehrenmtgl. Tierhilfe Kapfenberg. M.: Berg- u. Naturwacht, Rotes Kreuz, Schachclub. H.: Tierheim, Spazierengehen. (R.S.)

Weiss Herwig Gerfried Dr. iur. Mag.
B.: Berufsoffz., Oberst d. Intendanzdienstes, Rechtsberater d. Kdt. d. II. Armeekorps u. Stv. G1. A.: 5020 Salzburg, Hellbrunnerstr. 24. G.: Brünn/CSFR, 21. Dez. 1941. V.: Evelyn, geb. Interholz. El.: cand. ing. Edelbert Schönauer u. Anna Weiss. S.: VS, RG, Matura 1959, nebenberufl. Stud. d. Rechtswiss. an d. Univ. Sbg., Mag. iur. 1975, Dr. iur. 1977. K.: Offz.Ausbild. an d. Theresian. Milak. 1961-64, ausgemustert als Lt. 1964 z. einem Artillerieregiment nach Sbg., ab 1967 OLt. Ordonnanzoffz. d. Befehlshabers d. Gr. III, 1972 Hptm., bereits nebenberufl. Stud. d. Rechtswiss., 1973-74 1-jähr. Intendanzkurs an d. Landesverteidigungak. Wien, 1975 Mjr. u. seitdem Rechtsberater d. Kdt. d. II. Armeekorps, 1978 ObstLt., 1982 Oberst. E.: Wehrdiensterinnerungsmed., Katastropheneinsatzmed. v. Tir., H-Dienstzeichen 1. u. 2. Kl., Silb. EZ f. Verd. um d. Rep. Österr., BH-Dienstzeichen 1., 2. u. 3. Kl. M.: Vereinigung d. Freunde Grinzings (Circle de Grinzing). H.: Geschichte, spez. Zeitgeschichte, Politik, Leichtathletik, Schwimmen.

Weiss Horst-Stefan Ing.
B.: Cheftechniker d. Parkhotel Schönbrunn. PA.: 2421 Kittsee, Friedhofg. 6. G.: Korneuburg, 9. November 1941. V.: Monika, geb Berger, Hausdame. Ki.: Olaf Hagen. El.: Weiss Friedrich Baron Vohenstrauß u. Gerta. BV.: Pfleger v. Eger 13. Jhdt., Vertr. d. Landesherrn. S.: Kfz-Lehre m. Ausbild. z. Dieselmotorenbauer. K.: Zeichner, Schiffsing.Schule Flensburg (Patentabschluß C5), Seenotrettungsdienst (Schiffsing.), Techn. Ltr. d. Verkehrsbürobetriebe, ab 1982 Techn. Ltr. im Parkhotel Schönbrunn. H.: Segeln, Fischen, Familie. (C.K.)

Weiß Josef
B.: Dir. HS Schönbach. DA.: 3633 Schönbach 73. PA.: 3633 Schönbach 39. G.: Zwettl, 11. Feb. 1951. V.: Maria, geb. Hobl. Ki.: Florian (1982), Theresa (1984). El.: Josef u. Ida, geb. Penz. S.: VS, HS, Gymn. Krems, 1970 Matura, Päd. Ak. Krems, 1972 Lehramt f. VS, HS-Kurse Baden, 1977 Lehramt f. HS. K.: 1972 Eintritt in d. Schuldienst: Lehrer VS Schönbach, 1973 Wechsel z. HS Schönbach, seit 1994 provis. Ltr. d. HS, seit 1994 Dir. d. HS, seit 1980 GemR. d. ÖVP Schönbach, seit 1990 VBgm., seit 1992 Gem.-Parteiobm. d. ÖVP. M.: Kirchenchor, FF Schönbach, Ver. f. Fremdenverkehr u. Dorferneuerung. H.: Malen, EDV, Fußball, Tennis, Skifahren. (M.M.)

Weiss Josef
B.: Gschf. d. Fa. Vollkraft GmbH. DA.: 7123 Mönchhof, Bahng. 46. PA.: 7123 Mönchhof, P.-A.-Winkler-G. 32. G.: Frauenkirchen, 16. Dez. 1941. V.: Maria, geb. Hutflesz. Ki.: Josef, Judith, Eveline. El.: Josef u. Anna. S.: HS Wien. K.: 1959-63 Fa. Schroll - kfm. Ang., 1963-66 b. Fa. Scana Neusiedl Lagerltr., 1966 Fa. Vollkraft, 1970 Ltg. d. Fa., 1975 Prok., 1980 Gschf. M.: GemR. H.: Garten. (Fels.)

Weiss Josef w.KonsR.
B.: Präkat Emeritierter Domkapitular u. Vizeoffizald. bischöfl. Diözesangerichtes d. Diözese Gurk. PA.: 9020 Klagenfurt, Pernhartg. 6/1. G.: Berg/Drautal, 25. Febr. 1915. S.: Gymn., Theol. Lehranst. in Klagenfurt u. St. Georgen/Längssee. K.: 1940 Priesterweihe, Kriegsdienst, ab 1944 als Seelsorger in versch. Pfarren Ktn. tätig, 1960-80 Seelsorgeamtsltr., 1969 Ern. z. w.KonsR., 1970 Domkapitular. H.: Literatur, Musik, Wandern. (A.L.)

Weiss Jürgen
B.: Mtgl. d. Bundesrates. DA.: 1010 Wien, Dr.-Karl-Renner-Ring 3. G.: Hard/Vbg., 30. Aug. 1947. S.: Pflichtschulen, Bundes-HAK Bregenz (1965 Matura). K.: seit 1965 Vertragsbediensteter u. ab 1969 Bmtr. d. Amtes d. Vbg. LRg. (dzt. freigestellt), 1969-91 LParteisekr. d. ÖVP Vbg., 1979-

91 Mtgl. d. Bundesrates u. Vertreter d. Landes Vbg. im ORF-Kuratorium, 1991-94 Bundesminister f. Föderalismus u. Verwaltungsreform, s. 1994 wieder Mtgl. d. Bundesrates.

Weiß Otmar Dr. Univ.-Prof.

B.: Univ.-Prof. am Inst. f. Sportwiss. d. Univ. Wien. DA.: 1150 Wien, Auf der Schmelz 6. PA.: 1180 Wien, Gregor-Mendel-Str. 5/3. G.: Gmünd, 28. Feb. 1953. V.: Sonja, geb. Samonig. Ki.: Maria (1979), Oskar (1984), Tina (1987). El.: Johann u. Wilhelmine, geb. Hörmann. S.: Stud. Sportwiss., Leibeserziehung, Math., Publizistik- u. Kommunikationswiss. sowie Politikwiss. Univ. Wien, 1982 Spons. z. Mag. rer. nat., 1984 Prom. z. Dr. phil. K.: 1982-84 AHS- u. BHS-Lehrer, 1984-92 Univ.-Ass. am Inst. f. Sportwiss. d. Univ. Wien, 1987-88 Forsch.-Aufenthalt in d. USA, 1989 Habil., 1992 Univ.-Prof. am Inst. f. Sportwiss. d. Univ. Wien. P.: über 100 wiss. Publ., Bücher u.a. Sport u. Ges. Eine sozialpsych. Perspektive (1990), Sport, Gesundheit, Gesundheitskultur (1994), Sport in Space and Time (1995), Beiträge in Büchern u. Zeitschriften, Vorträge. M.: Intern. Ges. f. Sportsoz. H.: Tennis, Skifahren, Schreiben. (N.A.)

Weiss Peter Julius Dr. techn. DDipl.-Ing.

B.: Ziviltechniker. A.: 8047 Graz, Ragnitzstr. 191. G.: Wollstein, 29. Juni 1937. V.: Eleonore, geb. Lind. El.: Alois u. Maria. S.: Gymn., TU Maschinenbau, Doktorat neben d. Beruf, Postgraduate: TU Graz (Wirtschaftsing.Wesen), Oxford College of Technolgy, Oxford. K.: 1959-69 b. Waagner-Biro AG, Graz, Abt. Kessel u. Apparatebau (Konstruktion, Projektierung, Entwicklung), Projektltr. Neubau d. Anker-Data-System Werkes Graz 1970-72, 1972-82 selbst. Consulting & Engineering Büro, 1972-75 Lehrbeauftragter an d. TU Graz f. Forsch. u. Entwicklung, 1978 Ziviltechniker, 1981 gerichtl. beeid. Sachv. P.: Div. Fachart., Pat., Vorträge. M.: ÖIAV, ASHRAE, IER, ÖAV.

Weiss Reinhold

B.: Bmstr., Eigentümer. FN.: Bmstr. Baumgartner & Weiss GmbH. DA.: 1010 Wien, Plankeng. 7. PA.: 1010 Wien, Mahlerstr. 3. G.: Wien, 17. Jan. 1957. Ki.: Elisabeth (1983), Eva-Maria (1984). El.: Otto u. Johanna. S.: Baufachschule. K.: 1976-80 in einem Statikerbüro tätig, 1980-85 b. d. Baufa. Baumgartner, 1984 Bmstr.Prüf., ab 1985 selbst. H.: Wandern, Motorradfahren. (P.R.)

Weiß Robert Michael

B.: Musiker. GT.: Lehrer am Josef Matthias Hauer-Konservatorium Wr. Neustadt. DA.: 2700 Wr. Neustadt, Herzog-Leopold-Str. 21. G.: Wien, 1. Aug. 1956. Ki.: Johannes Michael. El.: Hans u. Feodora. S.: ab 1977 Schüler v. Prof. Victor Sokolowski, 1979 Reifeprüf. aus Jazz-Klavier, 1980 Lehrbefähigungsprüf. f. Cembalo, 1980 Lehramtsprüf., 1982 Lehrbefähigungsprüf. f. Klavier. K.: 1978 Int. Jazzfestival in Middelheim/Belgien, 1982 Einrichtung eines Lehrganges f. d. Zwölftonspiel u. d. Lehre v. d. Tropen, 1982/83 Mitgestaltung d. Ausstellung z. 100. Geburtstag v. Josef Matthias Hauer (Histor. Museum d. Stadt Wien, Wr. Neustadt), 1984 Beginn d. Zusammenarb. m. George Russell, 1987 Kompositionsauftrag d. NÖ LRg., 1988 Organ. eines Jazz-Workshops m. George Russell in Wr. Neustadt, 1988 Fachvorst. d. Abt. Jazz u. d. Abt. f. d. Zwölftonspiel am Josef Matthias Hauer-Konservatorium, Konzerttätigkeit. P.: u.a. Das Zwölftonspiel v. Josef Matthias Hauer, Erläuterungen an Hand einiger Beispiele, Musikalische Werke: Zwölftonspiel (nach Josef Matthias Hauer), Kammermusik f. Streicher, Blechbläser, Klavier, div. Jazzkompositionen, Algorithmische Kompositionen f. elektron. Instrumente. E.: Anerkennungspreis f. Musik u. Musikpäd. d. Stadt Wr. Neustadt. (P.R.)

Weiss Rosina

B.: Gschf. Ges., Unternehmerin. FN.: Weiss GmbH. DA. u. PA.: 8020 Graz, Reininghausstr. 35a. G.: Ehrenhausen, 13. März 1946. Ki.: Manuela (1963), Sabine (1965), René (1976). El.: Johann Hackl u. Maria Fraiß. S.: VS, HS, Lehre als zahnärztl. Ass., 1961 Abschluß. K.: 1 1/2 J. Bürokraft, Telefonistin im Fernamt, Ang. im Hdl., 7 J. b. prakt. Arzt, 7 J. b. prakt. Ärztin in Gamlitz, 3 J. b. Ärztin in Graz, während d. letzten 3 J. bereits Mitarb. in d. Firma Weiss, 1991 Umwandlung in GmbH u. seit dieser Zeit Gschf. M.: Obfrau v. Wohnbauförderungsver., Hdls.-Gewerbe. H.: Tanzen. (F.K.)

Weiss Rudolf

B.: Inhaber. FN.: Cats & Pets Heimtierbedarf. DA.: 1200 Wien, Wallensteinstr.44. G.: Wien, 26. Dez. 1962. V.: Beate, geb. Czerny. Ki.: Philipp 1992. El.: Dipl.-Ing. Emil u. Elisabeth.K.: 1982-85 besch.bei Fa.Flordecor g.m.h. 1985 Präsenzdienst,1985-88 wieder bei Fa. Flordecor g.m.b.h. BL.:1988 Eröffnung d. erst. eig.Filiale (SCS). 1989 Zukauf einer weiter Tierhandlung in Wien 20. 1994 Eröffnung in Wien 11.u. Wr. Neustadt H.: Familie, Surfen, Segeln, Angeln. (M.A.)

Weiß Rudolf Dr. iur.

B.: RA. A.: 9800 Spittal/Drau, Edlingerstr. 47. V.: Marianne, geb. Benezeder. El.: Gendarmeriemjr. Rudolf u. Wilhelmine. S.: VS, BRG in Spittal, 1959 Reifeprüf., Univ.Stud. an d. Jur. Fak. d. Univ. Wien, 1963 Mag. et Dr. iur. K.: 1963-65 Richteramtsanw. in Wien, Klagenfurt, Spittal, 1965 Notariatskandidat in Obernberg, 1966-71 RA-Anw., 1971 RA-Prüf. b. OLG Graz. M.: Präs. d. Curia Lienz d. Legion Mariens. H.: Gesellschaftstanz, Bergwandern.

Weiß Veronika Mag.

B.: Steuerberater. GT.: Gschf. d. Nifra EDV Beratungsges. mbH u. d. Intradom Beratungsges. mbH Wien. DA. u. PA.: 1010 Rudolfsplatz 10/7. G.: Wien, 18. Feb. 1951. Ki.: Melanie (1978), Klara (1979), Sofie (1988), Clemens (1990). El.: OStudR. DDr. Ernst u. Mag. Walpurgis Douda. BV.: HofR. Dr. Franz Douda: Gen.-Staatsanw. S.: Realgymn. Baden, Matura 1969, 1 J. Stud. VWL Wilhelms-Univ. Münster/D, Stud. WU Wien BWL u. Wirtschaftspäd., Lehramtsprüf. f. HAK, Sponsion 1974. K.: seit 1978 selbst. Steuerberater. H.: Sport (Schifahren, Tennis), Musik (Opern). (J.S.).

Weiss Viktor H. Dipl.-Ing. Dir.

B.: Vors. d. Vorst. FN.: Tir. Magnesit AG. GT.: Ziviling. f. Bergwesen. DA.: 6395 Hochfilzen. PA.: 8010 Graz, Grillparzerstr. 21. G.: Graz, 11. Jan. 1931. Ki.: Stefan, Johannes. El.: Alois u. Maria. S.: VS, techn. Mittelschule, Univ. Leoben. K.: b. 1969 Betriebsltr. b. österr.-amerikan. Magnesit AG, Ziviling. f. Bergwesen u. Gerichtl. Sachv. f. Bergwesen, ab 1971 in Spanien b. dt. Konzen zuerst als techn. Berater, 1972 Werksltr., 1978-85 techn. Vorst.Dir. d. Magnesitas Navarras S.A., 1985-86 in Zentrale d. Didier-Werke AG in Wiesbaden, ab 1986 Radex Heraklith Ind.Beteiligungs AG, ab 1987 Vorst.Vors. d. Tir. Magnesit AG. BL.: div. Patente. P.: techn.-wiss. Fachveröff. M.: Alpenver. H.: Skifahren, Bergwandern, Schwimmen, Literatur. (W.G.)

Weiss Werner Dr. med. Univ.-Doz.

B.: OA d. I. Med. Abt. d. Krankenanst. Rudolfsstiftung. GT.: Ltr. d. Endoskopie. DA.: 1030 Wien, Juchg. 25. PA.: 1010 Wien, Kleeblattg. 13/13. G.: Wien, 18. Jan. 1944. V.: Gertraud, geb. Blacizek, 2 Kinder. El.: Bruno u. Emmy. S.: 1962 Matura, 1970 Dr. med. K.: 1976 FA f. Innere Med., 1985 Habil. H.: Musik, Literatur. (P.R.)

Weiss Werner Dr. iur.
B.: RA. DA.: 1070 Wien, Museumstr. 3. PA.: 1238 Wien, Stuhlhoferg. 16. G.: Wien, 26. Sept. 1939. V.: Gudrun, geb. Wacek. Ki.: Michael. El.: Dr. Karl u. Emma. S.: Mittelschule, Stud. d. Rechts- u. Staatswiss. an d. Univ. Wien, 1962 Prom. K.: seit 1972 eingetragener Anw. m. eigener Kzl. E.: Ak. Mstr. im Tennis, Intern. Ausz. f. Amateurfilme. M.: Hietzinger TV, Wr. Rennver., Dt. HK in Österr. H.: Sport (Skifahren, Tennis, Schwimmen), Filmen, Bridge, Musikvorliebe: Oper, Musical, Jazz. (E.L.)

Weiss Wolfgang

Künstlername Lupo Bianco B.: Gschf. u. Inh., Komponist u. Sänger, Designer u. Grafiker. FN.: Creativhaus u. Creativsound-Studio. DA.: 2340 Mödling, Wiener Str. 13. G.: Hall/Tirol, 6. Juni 1950. Ki.: Marion (1969), Astrid (1971). El.: Alfred u. Gertrude. S.: 1965-70 HTL f. Innenarch. u. Möbelbau, 1970-77 Grafiker i. div. Werbeagenturen, parallel dazu b. div. Gruppen a. Leadsänger, Songs komponiert u. getextet, 1977 Prod. d. erst. LP "Für Dich", 1980 Grdg. d. Grafik- u. Ideenstudios Creativhaus, 1980-87 Grafiker, Sänger u. Komponist, 1988 Grdg. u. Aufb. d. Creativsound-Studios, Grdg. d. Platten/CD-Labels Cobra-Musik. P.: LP "Für Dich", LP/CD Lupo Bianco - Pazza Follia, CD/MC Senso Unico u. a. E.: 1980 Platz 8 b. Song-Contest i. Den Haag m. "Du bist Musik" m. der Gruppe "Blue Danube". H.: Grafik u. Musik. (I.K.)

Weiss Wolfgang Dkfm.
B.: Gschf. d. Mazda Austria GmbH, AufsR. Mazda Bank Austria AG. DA.: 9020 Klagenfurt, Ernst-Dietz-Str. 3. G.: Wien, 12. Apr. 1945. S.: WU. K.: b. 1990 Spar-Consult, seit 1990 Mazda.

Weiss-Tessbach Oskar Dr.
B.: em. RA. PA.: Ontario, Kanada. M.: AufsR.Vors. d. AG f. Investitionsgütervermietung Wien, d. Eisenwerk Sulzau Werfen u. d. R. + E. Weinberger AG.

Weissbacher Helmut
B.: Red., Verleger, Hrsg., Medieninh. d. Pinzgauer Woche. DA.: 5700 Zell am See, Salzmannstr. 9. PA.: 5700 Zell am See, Schmittenstr. 18. G.: Lofer, 28. Juni 1941. V.: Luise, gb. Ackerer. Ki.: Sabine (1960), Claudia (1966). El.: Josef u. Erna. S.: VS, HS, HASCH, Praktikum. K.: kfm. Tätigkeit, 1960-66 sämtl. Dienste b. d. Post, anschl. b. 1981 Stadtgem. Zell am See als Ltr. d. Finanzverw., 2 J. Vers.-Branche, 5 J. Aufbau d. Zeitung, 1989 Grdg. d. Pinzgauer Woche. M.: Grdg.-Mtgl. Verb. d. Gratiszeitungen, ehem. Obm. d. Zeller Fußballver., 18 J. Tanzmusik "Flamingos" als Schlagzeuger tätig, Trachtenmusikkapelle Kaprun, ehem. Militärmusik Sbg., 12 J. Bürgermusik Zell am See, div. örtl. Ver. H.: Sport, Musik, Wohnmobil. (M.T.)

Weißbacher Wilfried
B.: Lithograf, Gschf. FN.: Repro Studio GmbH. DA.: 5020 Salzburg, Johann-Elias-Str. 10. PA.: Elixhausen, Am Auwald 38. G.: Zell/See, 22. Juli 1945. V.: Lydia, geb. Fersterer. Ki.: Martina (1969), Sabine (1971), Karoline (1981). El.: Otto u. Rosa. S.: VS, HS, 1959-63 Lehre Lithograf Sbg. Druckerei. K.: 1964-68 Firma Sochor, 1968-74 Jandrisewitsch, seit 1972 selbst. Repro Studio. E.: 1989 1. Preis f. einen 4-färbigen Zeitungsdruck, Certifikat of Exellence. M.: Aussch.-Mtgl. d. Landesinnung, Prüf.-Vors. d. Graf. Gewerbes. H.: Golf. (N.M.)

Weißbacher-Ackerer Luise

B.: Untern. FN.: "Wäsche Luise". DA.: 5710 Kaprun, Wilh. Fazokas-Str. 24. PA.: 5710 Kaprun, Nik. Gassner-Str. 465. G.: Kaprun, 16. Juli 1954. V.: Helmut Weißbacher. El.: Peter u. Elisabeth. s.: VS, HS, Polytechnikum. K.: 1969-72 Lehre Einzelhandelskfm. im Sportartikelhandel, 1972-80 Verkäuferin Fa. Sport Bründl, s. 1980 selbst., Inh. d. Fa. Wäsche Luise. F.: Kampfrichterin f.d. Österr. Skiverband. M.: Kapruner Skiclub, Falkenbachschützen. H.: Reisen, Sport, Kultur. (E.H.)

Weissborn Heinrich
B.: Inh. FN.: Radio Pölz KG. DA.: 1210 Wien, Brünnerstr. 5. PA.: 1210 Wien, Weisselg. 25. G.: Wien, 26. Apr. 1944. V.: Renate, geb. Stiassny. KI.: Walter (1968), Werner (1970).EL.: Gustav u. Anna. S.: VS, Gym. K.: Lehre z. Industriekfm., Handelskammerprüfung, 1965 Eink. d. Fa. Pölz, 1982 Eintritt in die Firma als Komplimentär u.- Änderung zu KG, ab 1993 Übernahme der Firma, s. 1987 lfd. Vergrößerung d. Erwerbes e. 2. Hauses, Umbau. H.: Sport, Tennis, Fußball.(I.J.)

Weissbrot Eleasar M.Sc. Doz.
B.: Prof. f. Bildungswesen (Education) - Fernunterricht, Musikdir. d. Israel Festivals. A.: Jerusalem/Israel, 33 Pele Yoez-Str. G.: Wien, 17. Sept. 1917. S.: RG Wien, 1935 Matura, Chicago Univ., Education 1944, Univ. Jerusalem, M.Sc. (Science) 1941, Univ. London M.B.A. (Administ.) 1952. K.: 1942-50 British Inst. of Engineering Jerusalem (Dekan), 1951-78 British Tutorial Inst. Jerusalem (Rektor), 1978 Jerusalem Symphony Orchestra (Manager), 1979/80 Jerusalem Musik Zentrum (Dir.), 1981-83 Fernunterrichts-Priv.Doz., Consultant, 1984 Jerusalem Israel-Festival (Producer), 1985 Musikdir. Israel-Festival. P.: Fernunterricht in Israel (Episto Hamburg), Supervised Distant Tuition (Washington), Special Aspects in Corr. Education (UNESCO, Paris), Fernunterricht auf Hochschulbasis (Fern-Uni Hagen) u.v.a. E.: Orden, Teiln. am Unabhängigkeits-Kampf v. Israel, Dir. d. Volks-Uni Jerusalem, Ltr. d. Erziehungswerks, Verein J. Christl. Manner, Begründer d. Jugendbibl. Jerusalem, Vors. d. Ges. Israel-Österr. Jerusalem. M.: Past President Rotary-Club Jerusalem, Past President Bnai Brith Loge "David Yellin" J'SM, Past President Y's Men-Club YMCA Jerusalem, President Israel-Austria-Ges. J'SM. H.: Musik, Sport, Reisen.

Weissel Günther
B.: Gschf. FN.: VAW Austria Leichtmetall Hdls. GmbH. DA.: 1190 Wien, Formanekg. 12-14. G.: Istanbul, 18. Dez. 1941. V.: Ursula, geb. Hagg. Ki.: Helene (1968), Wolfgang u. Werner (1971). El.: Dipl.-Ing. Dr. Walter u. Josefine. S.: 1961 Matura Wien, Stud. an d. HS f. Welthdl. Wien. K.: 1962-64 Länderbank Wien, 1964-72 in 3 versch. Aluminiumbaufirmen beschäftigt, 1972-77 Aufbau u. Ltg. d. Verkaufsbüros d. Firma Hydroaluminum Wien, seit 1977 Gschf. d. VAW Austria Leichtmetall Hdls. GmbH. M.: Techniker-Cercle, Managementclub. H.: Skifahren, Langlaufen, Windsurfen, Bridge. (J.S.)

Weissel Harald Ing. Techn. Rat
B.: Bmstr., alleiniger Inh. FN.: Bauunternehmen Ing. Harald Weissel GmbH. DA.: 4020 Linz, Franckstr. 19. G.: Klagenfurt, 6. Juni 1909. V.: Ludmilla, geb. Gräfin Schlieffen. Ki.: Ing. Hans Peter, Markus, Edith, Dr. Alexandra, Dr. Verena. S.: hum. Gymn., HTL. K.: Auslandsaufenthalt in d. BRD, als Ing. tätig, b. 1945 Prok. Fa. Rank München, 1946 Bmstr.Prüf., selbst. Bauunternehmen, Grdg. d. Fa. Bauunternehmen Harald Weissel. E.: Silb. EZ d. Landes OÖ, Silb. Verd.Kreuz d. Bundes. (A.W.)

Weissenbach Andreas Prof.
B.: ak. Maler, freischaff. Künstler. PA.: 6176 Völs, Aflingerstr. 9b/2. G.: Imst, 9. Sept. 1925. V.: Verena, geb. Weis. Ki.: Franziska (1983). El.: Johann Weissenbach u. Anna Pechtl. BV.: 5 Generationen Maler u. Dichter. S.: Volks- u. Hauptschule, 1941-42 Zeichenschule Innsbruck, Kriegsdienst, 1949 Ak. d. Bild. Künste Wien b. Prof. Martin u. Boeckl, 1954 Dipl. K.: 1954-67 freischaff. Maler in Imst u. Wien, seit 1967 Prof. HTBLVA Innsbruck Fachabt. Kunsthandwerk, Schwerpunkte d. Tätigkeiten: Ölbilder, Zeichnungen, Aquarelle, Mosaike, Secco- u. Freskomalereien, Sgraffiti, Glasbetonfenster, plast. Arb., Zyklus über d. Imster Schemenlauf (Federzeichnungen, Radierungen), zahlr. Aufträge u.a. Wandbild Hauptschule Ötz (Sekkomalerei), Wandbild Kriegergedächtniskapelle Imst (Fresko), Altarmosaik d. Brennbichler Kirche, Altarflügel d. got. Altares in Tessenberg, 1974 13 Quadratmeter gr. abstraktes Mosaik HAK Imst, zahlr. Ausstellungen u.a. 1977 Ölbilder (Kongreßhaus Innsbruck Ausstellungsbeteiligg.), 1975 Schemenlaufzyklus Raika-Saal Imst, 1977 Aquarelle aus d. Engadin Galerie Elefant Landeck, 1988 Werke v. 1950-88 Galerie Hosp Nassereith. P.: Stadtbuch Imst (1976), Tiroler Almanach (1977), Katalog z. Ausstellung Künstlergruppe Galerie Elefant (1982), Das Tir. Oberland. E.: 1954 Silb. Med. d. Fügerpreises, Anerkennungs- u. Förderungspreise d. Stadt Wien. H.: Mal- u. Kunstreisen, Konzert u. Kammermusik, Kunstgeschichte, Literatur. (M.W.)

Weissenbacher Gerhard Mag.
B.: AHS-Prof., Akad. Maler u. Grafiker. A.: 1130 Wien, Adolfstorg. 15-17. G.: Wien, 12. Sept. 1941. V: Ingrid, geb. Hanzl. Ki.: Johanna (1989). S.: RG m. Matura, Ak. d. Bild. Künste in Wien, Dipl., Univ. Wien: Kunstgeschichte u. Geschichte, Mag. K.: Seit 1966 AHS-Prof., nach d. Dipl. 1966 Fortsetzung d. künstler. Tätigkeit, ab Okt. 1978 Aufenthalt in Paris zwecks geplanter Ausstellung im Herbst 1979 in Wien. P.: Ausstellungen in Wien (Galerie Basilisk), in Paris (Galerie Duncan), 1980 Galerie Würthle Wienm 1981 Teilnahme an Jubiläumsausstellung d. Galerie Würthle Wien, s. 1982 Arb. a. einer Architekturgesch. u. -analyse d. 13. Wr. Gem.Bezirkes. Geplante Herausgabe in Buchform. H.: Musik: passives Erleben d. Klavierliteratur d. späten 19. u. 20. Jhdts., Literatur: u.a. kulturhistor. Entwicklung d. Abendlandes, Tennis, Bergwandern.

Weissenbacher Sebastian Mag. art.
B.: freischaff. ak. Maler. DA. u. PA.: 1130 Wien, Hietzinger Hauptstr. 150/3. G.: Eggenburg, 17. Apr. 1959. V.: Sabine, geb. Güldenfuß. El.: Prim. MedR. Dr. Gunter u. Brigitte. S.: 1975/76 USA-Aufenthalt, 1977 Matura, 1979-84 Stud. Ak. d. Bild. Künste b. Prof. Max Weiler u. Prof. Arnulf Rainer, 1984 Dipl. f. Malerei, 1985 6 Monate Südostasienaufenthalt. K.: Ausstellungen u.a. 1987 Art/LA87 Los Angeles, 1984 Neue NÖ Malerei Flughafen Wien, 1987 Galerie Chobot Wien, 1989 60 Tage Österr. Museum d. 21. Jhdt. Wien, 1990 "Treibgut" Bgld. Landesgalerie Eisenstadt, 1991 Alte Schmiede Wien, 1992 Galerie Marsteuer Wien, 1993 Várfok

Galerie Budapest, 1994 Philips-Galerie Wien, 1994 Traklhaus Sbg., Aufträge u.a. 1987 Wandgemälde f. Kurbad Oberlaa Wien, 1991 Auftrag f. AKH Wien. E.: 1982 Anerkennungspreis d. NÖ Landesreg. f. bild. Kunst, 1983 Preis d. Akademiefreunde, 1989 Geist u. Form XII Bischof Kapellari Förderungspreis, 1990 Arbeitsstipendium d. BMUK, 1992 Künstleraustausch Wien-Budapest, 1994 Londonstip. d. BMUK. M.: BVÖ. H.: Reisen, Skitouren, Bergwandern, Kochen. (J.S.)

Weissenberger Herbert
B.: Ressortltr. Aktuelle Berichterstattung d. ORF. DA.: 1136 Wien, Würzburgg. 30. S.: Stud. Wirtschaftswiss. K.: 1962-79 Tätigk. als Red. b. div. Zeitungen (Neues Österr., Dolomiten, Kleine Zeitung), seit 1977 Moderator d. wöchentl. TV-Sendung "Orientierung", 1979-87 Ltd. Red./Reporter f. d. ORF Fernsehen, Aktueller Dienst, seit 1987 Ressortltr. Aktuelle Berichterstattung in d. F4 (Auswahl, Bearb. d. aktuellen Kultursendungen, Betreuung d. Kulturjournals, Zulieferungen an Zeit im Bild).

Weissenböck Franz
B.: Adv. Manager, PR-Manager. FN.: Lauda-air Luftfahrt AG. DA.: 1300 Flughafen Wien, Postf. 56. G.: Lilienfeld, 14. Aug. 1959. S.: HAK Krems, 1979 Matura, BH, Jusstud. Univ. Wien, Univ.Lehrgang f. Werbung u. Verkauf WU Wien. K.: 1984-87 Print Productions Werbeagentur, seit 1987 Adv. Manager Lauda-air, Plan. u. Durchführung d. Werbekampagne f. d. Linienbetrieb. H.: Musik, Kunst. (C.K.)

Weissenböck Maria Dr. phil.
B.: HL d. PL. A.: 8020 Graz, Pfalzgrafenweg 13. G.: Graz-Stattegg, 3. Dez. 1916. El.: Hans u. Maria Neubauer. S.: VS, Mittelschule, Univ. (Naturwiss.), Prom. 1939, 1960 Lehrermatura. K.: 1939-41 Wiss. Ass., 20 J. Hausfrau u. Mutter m. Nebenbeschäftigung als kulturelle Mitarb. am LJR f. Stmk., 1959-60 Abiturientenkurs an d. LBA in Graz, Lehrer an VS b. 1966, 1966-77 HL am Polytechn. Lg., seit 1978 i.P. P.: Wiss. Arb. über Vitamin C während d. Univ.Zeit. E.: 1990 Gold. Dr.-Diplom. M.: Urania, Österr. Naturschutzbund, Alpenver., Grazer Concertchor. H.: Musik u. Volkskunst, Völkerkunde u. Archäologie im Verbindung m. Bildungsreisen, Gartengestaltung.

Weissenböck Martin Dr. Dipl.-Ing. Mag.
B.: Ltr. HTL 4. DA.: 1040 Wien, Argentinierstr. 11. PA.: 1190 Wien, Gatterburgg. 7. G.: Wien, 14. März 1950. V.: Maria, geb. Rotheneder. Ki.: Andrea, Thomas, Lukas. El.: Richard u. Anna. S.: VS, RG, Stud. Elektro-, Steuerungs- u. Regeltechnik, 1974 Lehramt f. Math. u. Physik, Stud. Päd. K.: 1974-76 Ass. TU Wien, 1976 Schuldienst, 1 J. Vertragsass. TU Wien, 1976-92 HTL, 1992 Ltr. HTL 4. P.: div. wiss. Publ. M.: IGIP, PCC, TGM, CCC. H.: Schwimmen, Wandern, Radfahren. (H.S.)

Weissenböck Walter Dir.
B.: Dir. d. Österr. Verkehrswerbung. DA.: 1090 Wien, Währinger Str. 6-8/4. G.: St. Pölten, 1. März 1942. V.: Eva, geb. Zillinger. Ki.: Ulrike (1971). El.: Konrad u. Stefanie. S.: 1958 Fachausbild. im Maschinenbau, 1961 Abschluß d. Sportstud. Wien. K.: Tätigkeit in d. Sportwirtschaft, b. Kneissl in d. Verkaufsförd., b. Singer Product Manager u. Verkaufsförd., Toyota Öff.Arb., kurze selbst. m. Verlag f.

Werbung u. Touristik, seit 1987 Gschf. b. Österr. Verkehrswerbung, Aufgabenbereich: ÖBB, Post, BMÖWV u. Unternehmen im gemeinwirtschaftl. Bereich. H.: Sport, Fotografie, Arch. (J.E.)

Weissenböck Werner
B.: Inh. FN.: Werner Weissenböck Schlosserei, Stahlbau, Reparaturen. DA.: 2345 Brunn am Gebirge, Max-Schrems-G. 7. PA.: 2345 Brunn am Gebirge, Josef-Haydn-G. 12. G.: Wien, 21. Nov. 1938. V.: Annemarie, geb. Veits. Ki.: Gabriele (1960), Christian (1964). El.: Johann u. Hermine. S.: Gymn., Schlosserlehre, 1965-67 Werkmstr. f. Maschinenbau, 1970-71 Betriebsltr., 1972-75 Managementausbild., 1984 Schlosserinnungsmstr. K.: 1954-57 Schlosserlehre in "Brunner Glasfbk.", 1957-61 Schlossertätigkeit, 1961-64 Kraftfahrer, 1964-87 Schlosser in "Brunner Verzinkerei", 1967-71 Werkmstr., 1971-84 Produktionsltr., ab 1984 selbst. H.: Arbeit. (M.M.)

Weißenborn Bernhard Dir.
B.: Dir., Kons. f. Baukultur. DA.: 8786 Rottenmann, Büschendorf 54a. PA.: 1050 Wien, Blechturmg. 1/18. G.: Leoben, 1. Sept. 1955. El.: König Crimson. BL.: Entwicklung einer eigenen Sprache f. d. rasche Bauabwicklung. E.: Rapid-Wimpel-Träger. H.: Lesen.

Weissenburger Ferdinand Dr. MedR.
B.: Lungen-FA i.P. A.: 2620 Neunkirchen, Triester Str. 48. G.: Püspökladany, 30. Aug. 1911. V.: Helene, geb. Krehon. El.: Ferdinand u. Charlotte. S.: Hum. Gymn. in Kalksburg Wien, Univ. in Wien, Jasy, Innsbruck, Med. Ausbild. in Bukarest, Berlin, Grimmenstein. K.: Lungenfachpraxis b. 1976, dzt. Pension, Ltr. eines Lungenambulatoriums. M.: Schlaraffia in Wr. Neustadt, Rotary Club in Wr. Neustadt. H.: Jagen, Fischen.

Weissenecker Franz Ing.

B.: Gschf. FN.: Weissenecker GmbH. DA.: 4710 Schlüsselberg, Verbach 2. PA.: 4710 Schlüsselberg, Straßfeld 3. G.: Gaspoltshofen, 4. Feb. 1943. V.: Ingrid. Ki.: Carmen, Hermann. S.: VS, HS, 3 J. Berufsschule. K.: 1960 Ausland (Europa u. Afrika), 1975 zurück nach Österr., 1977 Eröff. eines Schlossereigewerbes, 1988 Kauf Firma Polytherm. M.: Harley Davidson Club. H.: Motorradfahren, Motorsport, Laufen.

Weissengruber Gertrud
B.: Prok., Ges. FN.: Ferdinand Weissengruber GmbH & Co KG. DA.: 4020 Linz, Obere Donaulände 1. G.: Wels, 22. Okt. 1945. Ki.: Erika (1970). El.: Fritz u. Paula. S.: VS, HS, HASCH, b. 1963 kfm. Lehrkurs. K.: Ang. in elterl. Firma, seit 1969 Ges. u. Prok. M.: Kiwanis Nike Linz. H.: Skifahren, Tennis, Wandern, Natur, Tiere, Theater, Konzerte, Lesen. (U.A.)

Weissengruber Rudolf KommR.
B.: Vorst.Dir. d. Konsum Österr. DA.: 4020 Linz, Pachingerstr. 10. M.: Vorst. d. LGremiums Konsumgen. in OÖ, AufsR. d. OÖ Landes Hypothekenbank Linz, Bank f. Arb. u. Wirtschaft AG Wien, A. Gerngross Kaufhaus AG Wien u. A. Gerngross Grundstücke AG Wien.

Weißensteiner Peter
B.: Chef v. Dienst d. Ktn. Tageszeitung. DA.: 9020 Klagenfurt, Viktringer Ring 28. PA.: 9020 Klagenfurt, Schmelzhüttenstr. 66. G.: Klagenfurt, 18. Mai 1941. V.: Dietlinde, geb. Stultschnig. Ki.: Barbara, Eva. El.: Josef u. Margarethe. BV.: Raimund Weißensteiner Komponist in Wien. S.: RG, Jusstud. Graz. K.: seit 1964 Sportjournalist in d. Sportred. d. KTZ, 10 J. Ltr. d. Sportressorts, Berichterstatter während d. Olymp. Spiele in Innsbruck 1976 u. in Sarajewo 1984, seit 1985 Chef v. Dienst in d. KTZ. M.: Grdg.Mtgl. d. Presse-Sport-Clubs Ktn. H.: Skifahren, Surfen, Reisen, Garten. (D.M.)

Weisser Günther

B.: Mechanikermstr., Unternehmer. FN.: Weisser Gastronomiegeräte. DA.: 9020 Klagenfurt, St. Veiter Str. 56. PA.: 9020 Klagenfurt, Lagerhausstr. 6. G.: Wien, 12. Juni 1940. V.: Christine, geb. Tatschl. Ki.: Gabriele (1963), Christian (1966), Klaus (1977), Robert (1979). El.: Eduard u. Hedwig. S.: VS, HS, 1956-59 Lehre d. allg. Mechanik Wien, 1959/60 BH. K.: Auslandsaufenthalt in d. Schweiz, 1963 Rückkehr nach Ktn. u. u. b. 1970 Mitarb. b. Ktn. Maschinenfbk., 1964 Mstr.-Prüf., 1971 Einschulung Spezialbereich d. Waagen b. Schember-Berkl, 1972 Grdg. d. eigenen Unternehmens, 1987 Gewerbeschein f. Hdl. aller Art, ab 1986 Vors. d. Mstr.-Prüf.-Kmsn. f. allg. Mechanik in Ktn. M.: Obm. FC-KAC Klagenfurt. H.: Familie, Fußball, Tischtennis, Tennis. (G.L.)

Weissert Peter
B.: Gschf. Ges. FN.: ESW Elektron. Sanitär u. wärmetechn. Anlagen GmbH & Co KG. GT.: Gschf. Ges.: Penthouse Planungs u. Errichtungs GmbH, Firma Eurotray; Gulf Metal Craft. DA.: 1080 Wien, Hamerlingpl. 2. PA.: 1238 Wien, Grauertg. 9. G.: Wien, 6. März 1940. V.: Helga, geb. Hieke. El.: Dipl.-Ing. Gustav u. Anny, geb. Wencl. S.: TGM, 1959 Matura. K.: 1959-61 Heizungsunternehmen Firma Small, 1961 Prok. Firma Julius Weissert, 1965 Gschf. Ges. ESW GmbH & Co KG, 1990 gerichtl. beeid. Sachv. f. Sanitär-, Heizungs- u. Klimatechnik, Kons. f. einige arab. Firmen in d. Vereinigten Arab. Emiraten. M.:Akad. Verbindung Wartburg zu Wien, Liberaler Club, Freiheitl. Akademikerverband. H.: Theater, Konzert, Jagd, Skifahren, Tennis. (N.A.)

Weißgatterer Gunther Dr.
B.: Bez.-Hptm. d. Bez. Schwaz. DA.: 6130 Schwaz, Franz-Josef-Str. 25. PA.: 6130 Schwaz, Bahnhofstr. 3. G.: Hall, 28. Apr. 1931. V.: Christa, geb. Pesendorfer. Ki.: Gernot (1965), Bettina (1969). El.: Dr. Alfons u. Paula. BV.: Vater Dr. Alfons Weißgatterer war v. 1945-51 Landeshptm. v. Tir. S.: Grundschule, RG, 1950 Matura, Jusstud. Univ. Innsbruck, 1955 Prom., 1 J. Gerichtsj. K.: 1956 Verw.-Jurist b. Amt d. Tir. Landesreg., 1958-59 Bez.-Hauptmannsch. Kufstein, 1959-61 versch. Abt. im Amt d. Tir. Landesrg., 1961-68 Bez.-Hauptmannsch. Reutte, seit 1966 Stellv. d. Bez.-Hptm. v. Reutte, seit 7/68 Bez.-Hauptmann v. Schwaz. BL.: 23 J. Obm. d. Bez.-KH Schwaz, Grdg. d. Abfallbeseitigungsverb. Unterland, 1976-89 Obm. d. Lebenshilfe Sekt. Schwaz, jetzt Ehrenobm. E.: VK d. Landes Tir., Förderer d. Tir. Blasmusik, Ehrenkranz d. Bundes d. Tir. Schützenkompanie, EZ d. Gem. Bruck/Ziller, Florianiplakette d. Landes Feuerwehrverb. M.:

Studentenverb. Teutonia Innsbruck, Austria Innsbruck, Frundsberg Schwaz. H.: Theater, Sport, Tischtennis, Schach, Literatur. (M.W.)

Weißkirchner Erich

B.: Heimltr. NÖ Landespensionisten- u. Pflegeheim Thayatalheim. DA.: 3820 Raabs/Thaya. PA.: 3762 Ludweis 43. G.: Waidhofen/Thaya, 26. Apr. 1956. V.: Eva, geb. Göttinger. Ki.: Christoph (1983), Matthias (1985), Andreas (1987), Lukas (1988). El.: Alfred u. Ludmilla, geb. Hahn. S.: VS, HS, kfm. Ausbild. K.: 1976-80 Zivilang. b. Österr. BH: HZA-Wien, 1980-84 Sachbearb. f. Verw.-Strafsachen BH Waidhofen/Thaya, 1982 Verw.-Dienstprüf. C, seit 1984 Heimltr. im NÖ Landespensionisten- u. Pflegeheim Thayatalheim, 1988 Konzessionsprüf. f. Gastgewerbe, 1991-93 Speziallehrgang f. Leitungsfunktionen in d. Sozialarb. d. "Caritas"-Schule Wien, seit 1990 GemR. Gem. Ludweis/Aigen. M.: Vorst.-Mtgl. Hilfswerk Raabs/Thaya. H.: Sport (Tennis, Schwimmen, Skifahren), Basteln. (M.M.)

Weißmann Georg Dr.

B.: Notar u. Präs. d. Österr. Notariatskam. u. Notariatskam. f. Wien, NÖ u. Bgld. DA.: 1010 Wien, Seilerstätte 28. G.: Linz, 6. Febr. 1933. V.: Dr. Eveline, geb. Linzer. S.: 1952 Matura, Jusstud. Univ. Wien, 1956 Prom. K.: 1971 Ernennung z. öff. Notar in Eisenstadt, 1980 Ernennung z. öff. Notar in Wien-Innere Stadt, seit 1991 Präs. d. Notariatskam. f. Wien, NÖ u. Bgld., seit 1991 Präs. d. Österr. Notariatskam. H.: Rotary. M.: Obm. d. Ver d. Notariatskandidaten, Mtgl. d. Notariatskam. f. Wien. NÖ u. Bgld. seit 1963, Vorst.Mtgl. d. Vers.Anst. d. Österr. Notariats 1978. (J.S.)

Weissmann Heinz

B.: Bez.Vorst f. d. 2. Bez. DA.: 1020 Wien, Karmeliterg. 9. PA.: 1020 Wien, Vorgartenstr. 177. G.: Wien, 26. Febr. 1942. V.: Christine, geb. Stefanicska. El.: Rudolf u. Maria. S.: VS, Mittelschule, Lehrberuf Starkstrommonteur. K.: Starkstrommonteur b. Siemens, techn. Ass. Verb. Wr. Volksbild., seit 1984 Bez.Vorst. P.: div. Art. in Bez.Zeitungen. E.: Präs. d. Bez.Museum, Präs. d. Kulturver. M.: Gewerkschaft. H.: Sport, Tennis, Skifahren, Lesen. (E.L.)

Weißmann Walther Dr. Dkfm.

B.: Pensionist, Präs. d. KATC, VPräs. d. ÖAMTC. DA.: 9020 Klagenfurt, Alois-Schader-Str. 4. PA.: 9020 Klagenfurt, Feschnigstr. 70. G.: Feldkirchen, 20. März 1914. V.: Hermine, geb. Koller. Ki.: Walther, Uta, Gerhild, Margot. El.: Franz u. Christine. S.: VS, Bürgerschule, HAK, HS f. Welthdl. Wien. K.: 1947-66 Gschf. d. Ver. Österr. Industrieller, 1956-66 NatR.Abg., 1966-72 LHptm.Stellv., 1972-77 Vorst.Dir. d. Ktn. Elektrizitäts AG, 1978-79 Governor, 1979-80 Governor-Ratsvors. d. Lions Österr., seit 1977 in Pension, seit 1973 Präs. d. KATC, 1953 Grdg. d. Gemeinn. "Industrie"-Wohn- u. Siedlgs. Ges., 1955 Grdg. Jugend-Erholungsheim Hochrindl-Alpe, 1967 Grdg. d. Ktn. Ferngas-Ges. P.: Wirtschaftspolit. Art. in Tageszeitungen, Parlam. Reden. E.: Kriegsausz., Gr. Silb. EZ d. Rep. Österr., Gr. Gold. EZ m. Stern d. Rep. Österr., Grande ufficiale d. Rep. Italien, LOrden v. Ktn. in Gold. M.: Freunde v. Ephesos, Ver. d. Freunde v. Straßburg, Lions Club, Präs. d. alpenländ. Kreditorenverb. in Wien. H.: Basteln, Wandern, Schwimmen, Lesen.

Weisz Gerhard

B.: Gschf. Ges. FN.: G. Weisz GmbH, Daten- u. Textverarbeitungssysteme. DA.: 2334 Vösendorf, Triesterstr. 11. PA.: 2345 Brunn am Gebirge. V.: Liselotte, geb. Hamedl. Ki.: Christian (1973). S.: VS, HS, Elektrotechnikerlehre. K.: Servicetechniker Firma Rank Xerox, techn. Serviceltr. Firma Sperry Computer, Manager f. Österr. u. Osteuropa, 1976 Gschf. Gierlingen u. Weisz KG, seit 1981 selbst., Hdl. m. Hard- u. Software. H.: Ballonfahren (Teilnahme an intern. Bewerben, Rußland, Frankreich, England, Norwegen, Italien, Deutschland), allg. Sport. (W.M.)

Weisz Günter

B.: Friseurunternehmer. FN.: Inter-Coiffeur Weisz. GT.: Präs. d. Inter-Coiffeure Österr., Fluglehrer d. Privatpilotenschule Watschinger Bad Vöslau. DA.: 1070 Wien, Burgg. 61, 1050 Wien, Margaretenpl. 7. G.: Wien, 29. Apr. 1940. V.: Traude, geb. Merkle. Ki.: Peter (1958). El.: Wilhelm u. Grete. BV.: Großvater mütterlicherseits Firmengründer (1903). S.: VS, 4 Kl. Mittelschule, Berufsausbild. z. Friseur im Familienbetrieb. K.: seit 1954 tätig im Familienunternehmen, 1962 Übernahme d. Firma, seit 1977 Mtgl. d. Präsidiums d. Inter-Coiffeure Österr., seit 1990 Präs. BL.: 1958-68 im Automobilrennsport (Tourenwagen). E.: 1989 Ritterorden einer Chevalerie gehalten wie d. franz. Ehrenlegion. M.: Prominentenfriseure Österr., Union Fliegersport-Club. H.: Sport. (J.S.)

Weithaler Kurt L. Dr. med.

B.: FA f. Innere Med., Senior-Epidemiologe d. WHO. A.: 6020 Innsbruck, Ing.-Etzel-Str. 39. G.: Weyer, 27. Jan. 1919. V.: Helga Marianne. BV.: Großonkel Josef Ohrwalder Afrikamissionar, Sudan. S.: Gymn., Univ.: Humanmed., FA-Ausbild. f. Innere Med., Spezialausbild. Epidemiologie CDC, Atlanta, Georgia. K.: Wiss. Ass. an d. Univ.Klinik Innsbruck, med. Dir. u. Chefinternist d. Kaiserl. Gardespitals, Addis Abeba, Dir. d. Pockenausrottungsprogr. in Äthiopien, konsultierender Epidemiologe d. WHO f. d. Nahen u. Mittleren Osten. P.: Über 50 wiss. Veröff. auf d. Geb. d. Inneren Med., spez. Gastro-Enterologie u. Heptalogie, d. Tropenmed., Public Health, Epidemiologie, ländl. Gesundheitsprobleme, Sozialmed. E.: Komturkreuz d. Star of Ethiopia, Gold. EZ d. Rep. Österr., Silb. EZ d. Tir. Bauernbundes, Anerkennungszeichen d. Pockenausrottungsprogr, BVK I. KL. d. BRD, UN-Erinnerungsmed. Golan, St. Georgs Orden in Gold am Bande. M.: Med.-Naturwiss. Ver. Tir., Österr. Ges. d. Wehrmed. u. Wehrpharmazie, ÖRK, Offz.Ges. Tir. H.: Anthropologie, Archäologie.

Weitlaner Hubert Dr. med.

B.: FA f. Unfallchir. DA.: 6370 Kitzbühel, Hornweg 9. PA.: 6370 Kitzbühel, Grießenauweg 5. G.: Hinterriß, 22. Febr. 1925. Ki.: Michaela, Marion, Simone. El.: Josef u. Maria. S.: VS, Gymn., Med.Stud. Univ. Innsbruck, 1954 Prom., Turnus-Praxis KH Zams, Fachausbild. Lorenz Böhler-KH Wien. K.: seit 1962 selbst. in Kitzbühel. M.: Ärztekam. H.: Sport, Golf, Filmen, Literatur. (W.G.)

Weitlaner Siegfried

B.: General i.R. PA.: 5753 Saalbach-Hinterglemm 449, 5020 Salzburg, Siezenheimstr. 76. G.: Saalbach, 9. Juni 1916. V.: Gertraud, geb. Rainer. Ki.: Dr. Edith (1946). El.: Konrad u. Margarethe. BV.: Großvater Josef Rainer VPräs. d. Sbg. Landtages u. Gem.-Sekr. in Saalbach. S.: VS, 1928-36 Hum. Gymn. Borromäum Sbg. m. Matura, 1936-37 Hauslehrer im Knabenseminar Rupertinum Sbg., 1937-38 Österr. BH, 1938-45 Dt. Wehrmacht u. Kriegseinsatz, letzte Verwendung Hptm. u. Bataillonskommandeur im Gebirgsjägerregiment 218 d. 7. Gebirgsjägerdivision, 1945 Amerikan. Kriegsgefangenschaft in Norwegen. K.: 1945 Eintritt in d. österr. Bundesgendarmerie als Hilfsgendarm, 1948 Fachkurs Steyr,

1949/50 Offz.-Ak. Graz, OLt., 1950—61 Adjutant u. Presseref. d. Landesgendarmeriekdt. f. Sbg., 1961 2. Stellv. d. Landesgendarmeriekdt., 1963/64 Gendarmerieeinsatz Olymp. Winterspiele Innsbruck, 1964 1. Stellv. d. Landesgendarmeriekdt., 1971-81 Gendarmerieoberst u. Landesgendarmeriekdt. f. Sbg., 1981 Ruhestand als General, z.Zt. Ltr. d. Sbg. Bild.-Werkes Saalbach-Hinterglemm. P.: 1983-87 Heimatbuch Saalbach-Hinterglemm - Vom armen Bergbauernhof z. Intern. Fremdenverkehrsort, Die Geschichte d. Raiffeisenkasse v. Saalbach, Die Geschichte d. Freiwilligen Feuerwehr Saalbach, 75 J. Skiclub Saalbach, 40 J. Saalbacher Bergbahnen. E.: Gold. u. Silb. EZ f. Verd. um d. Rep. Österr., Silb. VZ f. Verd. um d. Rep. Österr., Gold. EZ d. Landes Sbg., Österr. Olympiamed. 1964 u. 1976, Sport-EZ d. Landes Sbg., EZ in Gold d. Gem. Saalbach, Bayer. VO, Offz.-Kreuz d. belg. Königs Leopold II., VZ d. Österr. Feuerwehrverb., VZ d. Österr. Roten Kreuzes, Gold. BVK d. Österr. Kameradschaftsbundes, VZ d. Landesfeuerwehrverb. in Silber, Gold. EZ d. Österr. Skiverb., Gold. EZ d. Öster. Gendarmeriesportverb., Gold. EZ d. Sbg. Landesskiverb., Blaues Kreuz in Silber d. Österr. Wasserrettung, EZ in Gold d. SC Saalbach, Gold. EZ d. ÖAMTC, seit Nov. 1981 Ehrenbürger d. Gem. Saalbach. M.: 1951-71 Obm. d. Gendarmeriesportver. Sbg., 1959-81 Gschf. Präs. d. Österr. Gendarmeriesportverb., 1966-71 VPräs. d. Landesskiverb. Sbg., 1982/83 Governor d. Lions-Districts 114 Westösterr., 1983/84 Vors. d. GovernorR. d. Lions in Österr., Vors. d. EhrenR. d. Österr. Lionsbewegung. H.: Skifahren, Geschichte. (M.T.)

Weitzdorfer Herbert Dkfm.

B.: Marktingdir. FN.: Ford Motor Company (Austria) KG. DA.: 5020 Salzburg, Fürbergstr. 51. G.: Gaindorf, 12. Mai 1945. S.: 1963 Matura, Stud. HS f. Welthdl. Wien, Dkfm. K.: seit 1971 b. Ford. (N.M.)

Weitzer Franz

B.: Gschf. Ges. FN.: Weitzer & Söhne GmbH & Co KG. GT.: Kam.Funktionär. DA.: 8160 Weiz, Klammstr. 24. G.: Weiz, 9. Jan. 1923. V.: Inge, geb. Murko. Ki.: Franz Dr. El.: Franz u. Ludmilla. S.: VS, HS, Holzfachschule. K.: Nach Schule Eintritt in elterl. Untern., Erz. v. Parkettböden. BL.: WP-Sport M 90 (patent. Sporthallenboden). E.: Fa.: Staatswappen. M.: GemR. H.: Reisen, Jagd. (R.A.)

Weitzer Willi

B.: Ges. FN.: Weitzer & Söhne GmbH & Co KG. DA.: 8160 Weiz, Klammstr. 24. G.: Weiz, 17. Mai 1925. V.: Martha, geb. Silli. Ki.: Wilfried, Angelika Mag. El.: Franz u. Ludmilla. S.: VS, HS, HAK. K.: Nach Schule Eintritt in elterl. Untern., Erz. v. Parkettböden. BL.: WP-Sport M 90 (patent. Sporthallenboden). E.: Fa.: Staatswappen. M.: Vorst.Mtgl. d. Volksbank Weiz. H.: Skifahren, Reisen. (R.A.)

Weixelbraun Margarethe

B.: Inh. d. Fa. Joh. Springer's Erben. A.: 1080 Wien, Josefsg. 10. G.: 7. Febr. 1931. V.: Wilhelm Weixelbraun. El.: Hans u. Rosa Springer. S.: AHS - Matura. K.: Tätig im elterl. Betrieb. F.: Alleininh. d. Fa. Joh. Springer's Erben, Hdl. m. Waffen u. Munition (gegr. 1836).

Weixlberger Johann Ing.

B.: Vertriebsing., Elektrotechniker. FN.: Funkberater Reisinger. DA.: 4950 Altheim, Marktpl. 7. PA.: 4950 Altheim, Wengerweg 1. G.: Geinberg, 7. Juli 1962. V.: Eva Maria, geb. Reisinger. Ki.: Carina (1987), Christoph (1990). El.: Josef u. Katharina. S.: VS, HS, 1977-82 HTL-Elektroniktechnik-Elektronik, 1982 Matura, BH. K.: 1984 Vertrieb u. Verkauf Innendienst Firma ACS Lüftungs- u. Heizungsregelung, Praxis in d. BRD, b. 1987 Innen- u. Außendienst b. einer Meß- u. Regeltechnikfirma in Karlsfeld/München, 1987 Ing.-Titel, b. 1990 Vertrieb u. Marketing b. einer amerikan. Firma f. Investitionsgüter, Vertrieb u. Marketing Firma Puchheim München, ab 1993 Elektrogeschäft Altheim, 3 J. Fernstud. f. Dipl.-Betriebswirt. H.: Segelfliegen, Skifahren, Reisen. (J.L.)

Weixler Leopold Dipl.-Ing.

B.: Gschf. FN.: Austroclima Kälte- u. Klimageräte Vertriebs GmbH & Co KG. DA.: 1100 Wien, Alxingerstr. 31. PA.: 1140 Wien, Steinböckeng. 61. G.: Cilly/Jugoslawien, 21. Sept. 1936. V.: Davorka. Ki.: Sandra, Ronald, Petra. S.: 1955 Matura Zagreb, Stud. Univ. Zagreb u. Wien, 1961 Dipl. K.: Tätigkeit b. d. Jenbacher Werken u. ÖKG, seit 1981 Ges. d. Austroclima Kälte- u. Klimageräte. H.: Segeln. (P.R.)

Weizenbauer Ewald Dipl.Ing.

B.: Gschf. FN.: Silicon Graphics Computer Systems. DA.: 1030 Wien, Modecenter Str. 14. PA.: 1130 Wien, Wattmanng. 99. G.: Linz, 17. Jun. 1958. V.: Miriana, geb. Zecevic. El.: Leopold u. Frieda. S.: 1976 Matura, Stud. Elektr. a. d. TU Wien, 1984 Abschl. K.: 1984/85 Eintr. a. Trainee b. Hewlett- Packard Wien; 1985/86 Verkaufsing.; 1986/87 Kontron-Electronic München, Marketingprogr. Manager., 1987/88 Verkaufsrepr. Computersyst.; 1988-93 Verkaufsleiter Hewlett-Packard Wien; s. 1994 GF b. Silicon Graphics Systems. H.: Literatur, Golf. (N.A.)

Wejwar Sepp

B.: ak. geprüfter Werbekfm., Gschf. Ges. FN.: Hofbauer, Wejwar & Partner Werbeagentur. DA.: 1090 Wien, Währinger Str. 2-4. PA.: 1080 Wien, Florianig. 55. G.: Wien, 18. Juni 1956. V.: Ulrike, geb. Gutsch. El.: Oskar u. Helga. S.: Gymn. Wien, 1974 Matura, Stud. Ldw. Univ. f. Bdk. Wien, Univ.-Lehrgang f. Werbung u. Verkauf WU Wien b. Prof. Schweiger, 1980 Abschluß. K.: b. 1983 Vorst.-Ass. d. Firma Wienerberger, b. 1984 Marketingltr. d. Firma Salomon, b. 1986 Marketingdir. Diners Club Austria, b. 1989 Prok. u. Marketingmanager b. Ikea, 1989 Eintritt als Gschf. d. Werbeagentur Hofbauer & Partner, seit 1990 Gschf. Ges., Schwerpunkt: Integrierte Kommunikation, Verleger (kubus Literatur Verlag). P.: Lyrik u.a. "Blatt f. Blatt", Literatur u.a. "Die schwimmenden Fliegen". H.: Jazz, Motorradreisen, Reisen. (J.S.)

Wekerle Harald

B.: Bgm. d. Marktgem. Schruns. PA.: 6780 Schruns, Jakob-Stemer-Weg 7. G.: Schruns, 18. März 1940. V.: Christa, geb. Boss. Ki.: Petra (1966), Claudia (1968), Uta (1970). El.: Otto u. Paula. BV.: Großonkel Jakob Stemer langj. Bgm. in Schruns, Großvater Franz GM d. Feuerwehr Schruns. S.: HS, HASCH Bregenz, Hotelfachschule. K.: 4 J. im Buchhdl. in Bludenz, 1961 Eintritt in d. elterl. Pensionsbetrieb u. Minigolfanlage, 1970 VBgm., 1975 Bgm. M.: Obm. d. HS-

Verb., Obm. d. Kunsteisbahnver. Schruns-Tschagguns, Ehrenmtgl. d. Minigolfsportver., Mtgl. Feuerwehr- u. Wintersportver. (I.D.)

Wekkeli Johann
B.: Gschf. FN.: Bäckerei Ludwig Plank GmbH. GT.: Prok. b. Fa. Temizkan. DA. u. PA.: 1090 Wien, Serviteng. 6. G.: Ungarn, 25. Juni 1934. V.: Katharina, geb. Koza. Ki.: Johannes, Michael, Christian, Elisabeth. El.: Koloman u. Anna. S.: Grundschulen, Schildermalerlehre in Ungarn, in Österr. Bäckerlehre m. Mstr.Prüf. K.: Ausbild. in Hennersdorf, 1958 Betrieb in d. Servitengasse übernommen u. aufgebaut. BL.: Spezialität: Peregrinikipferl nach alter Tradition. H.: Jäger. (E.L.)

Welan Manfried Dr. iur. Dr. h.c. o.Univ.-Prof.
B.: Prorektor d. Univ. f. Bdk., Inst. f. Wirtschaft, Politik u. Recht. DA.: 1180 Wien, Gregor-Mendel-Str. 33. PA.: 1160 Wien, Gumpendorfer Str. 8/10. G.: Wien, 13. Juni 1937. V.: Dr. Gertrude, geb. Ahorner. Ki.: Stephan (1966), Katharina (1969). El.: Franz u. Josefa, geb. Krötlinger. S.: 1955 Matura, Stud. d. Rechtswiss. an d. Univ. Wien, 1961 Prom. K.: Unterrichtsverw. TH Wien, 1962-67 Verfassungsgerichtshof, 1967-69 wiss. Abt. d. Bundeswirtschaftskam., 1969 a.o.Univ.-Prof. am Inst. f. Rechtswiss., 1973 o.Univ.-Prof., 1975 Prorektor, 1976 Prärektor, 1977-81 Rektor, 1977-81 Vors. d. österr. Rektorenkonferenz, 1982-83 Prorektor, 1983 GemR. u. LAbg. Wien, 1986 StadtR. u. Mtgl. d. Landesrg. Wien, 1987 GemR., Dritter Präs. d. Landtages, 1990-91 Prärektor, 1991-93 Rektor, s. 1993 Prorektor d. Univ. f. Bdk. Wien. P.: zahlr. Publ. auf d. Gebiet d. Rechts- u. Politikwiss., 10 Bücher u.a. Demokratie u. Verfassung in Österr. (1970/71), Verfassungsgerichtshof u. Verfassungsgerichtsbarkeit (1980/81), Der Bundespräsident. Kein Kaiser in d. Republik (1992), Agrarpolitik, -recht u. Umweltrecht i. Österr. (Mitautor, 1993), Der Bürgermeister (1993). E.: 1992 Ehrendoktor Panon Univ. Mosonmagyarovar. M.: Vizepräs. d. UNESCO-Kmsn., Österr. Ges. f. Natur- u. Umweltschutz ÖGNU,Österr. Ges. f. Ökologie (ÖGÖ), zahlr. jur. u. politikwiss. Ges. H.: Lesen, Spazierengehen in Wien, Wandern, Wein. (N.A.)

Welde Milos
B.: Besitzer d. Gestütes Gschwendthof. DA. u. PA.: 3034 Maria Anzbach. G.: Prag, 11. Juli 1940. El.: Josef u. Maria Zavadil. S.: Höhere Techn. Schule f. Geologie, 1959 Schauspielak. in Prag, Kunstak. u. Konservatorium, 1963 Dipl. K.: Beginn d. schauspieler. Karriere während d. Studienzeit, Hauptrollen b. Film, Bühnenengagements in Prag u. im Ausland, 1963 durch eine Filmrolle erstmals engerer Kontakt zu Pferden u. z. Pferdesport, Reitausbild. an d. Militärak. Prag, 1965-69 Schauspieltätigkeit am Theater an d. Wien, Wr. Volksoper u. auch in d. BRD, Grdg. d. Gestüt Gschwendthof, Perfektionierung d. Reitkenntnisse z. Reitkunst, Reitwartprüf., Schüler d. Span. Hofreitschule, Mehrfachfunktion als Gestütsltr., Pferdezüchter, Trainer, Reitlehrer u. Wettkampfsportler, Veranstaltung v. Schauvorführungen u. Ausstellungen, Showdir. d. Wr. Stadthalle, seit 1987 Organisator großer Pferdeshows, 1987: Driving Complete Wien, Spotpalais Antwerpen, 1988: Baden-Baden, Hannover-Verden, Sbg. Festspiele Hellbrunn, 1989: Fierra Cavalli Verona, Equitana Essen, Elite Auktion, Schloß Schönbrunn, 1987, 1988 u. 1989 Gestütsparade im Gschwendthof. P.: Fachart. in versch. Fachzeitschriften. E.: 1986 Gold. Peitsche u. Gold. Nadel d. Driving Society, 1984, 1985 u. 1986 Lmstr. im Einspänner, 1985 1. Österr. Mstr. im Einspänner, 1986 2. Platz b. 1. Intern. Turnier f. Einspänner, 1986 u. 1988 1. Platz Concur de la Garde, 1989 Österr. Mstr. im Einspänner, 1991 Weltmeistersch. d. Zweispänner - Zwettl Showdirektor, 1991 Kladrub Nad Labem Galapräsentation, 1991/92/93 Welser Messe Showdirektor. M.: Ehrenmtgl. d. Span. Hofreitschule, Mtgl. d. Driving Society. H.: Fotografieren, Kochen, eigener Gewürzgarten.

Weller Cornel Dipl.-Ing.
B.: Assekuranzvorst.Dir. A.: 1030 Wien, Marxerg. 39/7. G.: Frohburg/Sachsen, 23. März 1907. V.: Ruth, geb. Schäfer. El.: Studiendir. Dipl.-Ing. Friedrich u. Marie. S.: Grundschule, Realschule, HAK, TH, Maschinenbau. K.: Projektionsing. Sächs. Maschinenfabrik vorm. Rich-Hartmann AG, Chemitz, Ing.Büro Reichenberg, Vorst.Dir. d. Concordia, Donau, Agrippina, Patria, Allianz (Allg. Vers. AG), Techn. u. Finanzdion., Feuerschutz, Brandverhütung, Sicherheit. P.: Technologie d. Textilmaschinen. E.: Leistungssportabz. Silber-Gold. H.: Genealogie, Historik.

Welleschik Bruno Dr. med.
B.: Prim., Univ.Doz. d. KH Rudolfstiftung. GT.: Kons. AUVA. DA.: 1150 Wien, Hütteldorfer Str. 87. G.: Konstanz, 1. Febr. 1944. S.: 1962 Matura, 1970 Prom. K.: 1 J. Anatom. Inst., 1971-90 I. HNO-Klinik d. Univ. Wien, 1981 Habil., seit 1990 Vorst. d. HNO-Abt. d. KH Rudolfstiftung Wien. P.: ca. 50 Publ. M.: Ges. d. Ärzte Wien, Ges. HNO Ärzte, Ges. f. Arbeitsmed., Ges. f. Gutachterärzte. H.: Musik. (P.R.)

Welner Robert

B.: Frisörweltmeister, Inh. FN.: Salon Welner. DA. u. PA.: 1190 Wien, Döblinger Hauptstr. 4. G.: Wien, 30. Juli 1939. V.: Renate, geb. Amstler. Ki.: Rafaela (1977). El.: Franz u. Helene, geb. Dittberner. S.: Frisörlehre in Wien XIX. K.: m. 18 J. jüngster Staatsmstr., 10 J. Präsentation d. Fa. Schwarzkopf u. L'Oréal in d. ganzen Welt, Org. v. gr. Shows, 1967 Eröff. d. ersten Gesch. in Wien, seit 1985 verantw. f. alles modisch-fachl. in Österr., 1990 unter seiner Ltg. Weltpokalgewinn f. Österr., 1992 unter seiner Ltg. Weltpokalgewinn f. Japan u. Vizeweltmstr. f. Österr. E.: 1962 Weltmstr., mehrf. intern. Grand-Prix weltweit, 1993 Unternehmer des Jahres. M.: seit 1985 Präs. IFM f. Österr. H.: Beruf. (N.A.)

Welsburg Camilla
B.: ärztl. geprüfte Dipl.-Fachkosmetikerin. DA.: 1230 Wien, Einkaufspark Alt Erlaa, Anton-Baumgartner-Str. 44. G.: Wien, 5. Jan. 1946. Ki.: Viola (1972). S.: Kosmetiklehre, Kosmetikfachschule u. ärztl. dipl. Fachkosmetikerin. K.: Tätigkeit in Wien, Rom, Paris, ab 1979 selbst., Schwerpunkt: Behandlung nach d. Methode Maria Galland, Jeanne Gatineau, Ingrid Millet, Sothys. H.: Tennis, Reiten, Skifahren. (N.A.)

Welser Josef KommR.
B.: Inh., Gschf. FN.: Josef Welser OHG. DA.: 3341 Ybbsitz, Prochenberg 24. (V)

Welser Waltraud KommR.
B.: Gschf. FN.: Josef Welser GmbH. DA.: 3341 Ybbsitz, Prochenberg 24. (V)

Welser Werner Ing.
B.: Weinfachmann. FN.: Welser. DA. u. PA.: 1190 Wien, Probusg. 12. G.: Wien, 7. Apr. 1943. S.: HS, HBLVA f. Wein u. Obstbau. K.: Führung d. elterl. Betriebes m. Bruder, Heuriger besteht schon seit 100 J. BL.: Tradition zu erhalten. H.: Skifahren, Tennis, Musik, Jagd. (Kas.)

Welser-Lagler Helga
B.: Unternehmerin d. Belvedere Reisen. DA.: 1010 Wien, Kärntner Ring 3. PA.: 1190 Wien, Probusg. 17. G.: Klagenfurt, 22. Aug. Ki.: Ing. Karl Welser. Ki.: Michael (1964), Caroline (1980). El.: Franz u. Theresia Lagler. S.: kfm. Ausbild. m. Konzessionsprüf. f. d. Reisebüro, Sprachstudienaufenthalte in England u. in d. franz. Schweiz, Hotelfachschule Stockholm. K.: 3 J. b. d. AUA tätig, 1963 Eröff. Reisefachgeschäft Belvedere Reisen, 1989 Eröff. Galerie Corso, Gschf. d. Corso Sightseeing GmbH. BL.: 1991 erstmals Initiatorin d. Austrian Charity Gala in d. Hofburg. P.: Art. in "Diplomatic News" in engl. Sprache (seit 1989), Buch über Reisen in Planung. M.: Dt. VIP-Club, Mitarb. d. Club-Zeitung "Members Journal". H.: Kunst, Tennis, Schwimmen, Musik, Oper. (R.J.)

Welt Christoph
B.: Büromaschinenhändler. FN.: Canon Bürotechnik. GT.: Techn. DA.: 1100 Wien, Landgutg. 8. PA.: 2333 Leopoldsdorf, Feldg. 1. G.: Wien, 18. Feb. 1962. V.: Gabriele, geb. Mayer. Ki.: Amina. El.: Erich u. Maria, geb. Hubes. S.: 2. Bildungsweg m. Lehrabschl. (Mech. f. Schwachstrom). K.: 1984-97 in elektromed. Branche tätig, 1987-89 Canon Bürotechn., 1989 Grdg. d. eig. Firma m. Schwerpunkt Copy-Shop, Serv. u. Verk. H.: Sport, Hausbau, Garten. (N.A.)

Welte Norbert
B.: Gschf., Kfm. FN.: Condor Waren Versand Hdls. GmbH. DA.: 6890 Lustenau, Hag 23. PA.: 6833 Klaus, Bruderhof 27. G.: Gratzen/CSFR,, 7. Apr. 1940. Ki.: Dirmut Maria (1967), Franziska (1968), Traute Mercedes (1970). El.: Gerhard u. Irma. S.: VS, HS, 1957 HASCH, 1959 Militär. K.: 1957 Kfm. Ang. in Vbg. Sped., 1977 Firmengrdg. Sped. Welte & Lässer Lustenau, tätig auf intern. Messen f. österr. Firmen vorwiegend im Arab. Raum. BL.: Erfindung d. ersten voll recycling-baren Palette f. d. Transportwesen. H.: Kunstsammler, Musik. (I.D.)

Weltzer Harald
B.: LInnungsmstr. d. Konditoren OÖ, Konditormstr., Inh. d. Cafe Konditorei Harald Weltzer. GT.: Vors. d. Lehrabschluß- u. Mstr.Prüf. f. Konditoren. DA.: 4070 Eferding, Stadtpl. 25. PA.: 4070 Eferding, Herbststr. 7. G.: Reghin/Rumänien, 11. Apr. 1935. V.: Anna, geb. Putschögl. Ki.: Claus, Nicole. S.: Lehre f. Konditor, 1954 Gesellenprüf. in Linz, 1959 Mstr.Prüf. in Sbg. K.: 1951-54 Fa. Johann Trombik Schwanenstadt, 1954-55 Cafe Konditorei Leo Jindrak, 1955-56 Fa. Neuhauser-Obermeyer (Ring-Brot), 1956 Cafe Konditorei Adolf Schwaiger Sbg., 1957 Cafe Konditorei Musil Klagenfurt, 1957-58 Sbg., 1959 Hotel Bayr. Hof Sbg., 1960-64 Linz Hotel Schwechater Hof, 1964 selbst. Cafe Konditorei in Eferding, seit 1971 Bez. u. Ortsref. d. Jungen Wirtschaft Eferding d. HK OÖ, Bez.Stellenaussch. v. Eferding, 1975 LInnungsmstr.Stellv., 1980 Wiederwahl in d. LInnungsaussch. u. Bez.OMstr. v. Eferding u. Grieskirchen, 1980 Wahl in d. Fachgruppe d. Gastronomie OÖ. M.: Ausbild.Aussch. d. HK OÖ, Wahl in d. Bez.Stellenaussch. d. HK v. Eferding, 1979-86 Obm. d. Fremdenverkehrsverb. "Eferdinger Landl", 1985 Wiederwahl in d. LInnungsaussch. d. LInnungsmstr.Stellv., 1986 LInnungsmstr. H.: Tennis, Reiten, Skifahren, Schwimmen. (A.W.)

Welwert Christine
B.: Kunst u. Antiquitätenhändlerin. FN.: Christine Welwert, Gemälde, Aquarelle, Zeichnungen, Bücher, Skulpturen, Rel. Volksk. Kermaik. GT.: PR i. ORF. DA.: 6370 Kitzbühel, Josef-Pirchlstr. 4. PA.: 6370 Kitzbühel, Frieden 37. G.: Innsbruck, 22. Dez. 1950. V.: Konrad. El.: Hans u. Maria. BV.: Otto Kubik: Bgm. v. Völs. S.: VS, HS. K.: 1966 als Vertragsbedienstete i. d. BH Kitzbühel eingetreten, 1972 Austritt aus BH, 1973 Geburtshaus v. Josef Pirchl eingetreten, s. 1985 selbst. H.: Esoterik, Philosophie, Kunst. (J.F.)

Welz Eduard Werner

B.: Galerist, Restaurator, Vergolder, Rahmenmacher. FN.: Studio Welz. DA./PA.: 5082 Grödig, Hauptstr. 1A. G.: Wien, 16.Dez. 1931. Ki.: Brigitte, Christian, Monika, Andreas. El.: Maximilian Friedrich u. Erika Valerie, geb. Fiers. S.: Grundschule, Gymn., kfm. u. Vergolderlehre. H.: Fotographie, Tanzen, Tauchen, (H.S.P.)

Wemcken Christoph Michael
B.: Präs. FN.: Polygram GmbH. GT.: seit 1992 Präs. d. IFPI, Gschf. d. Amadeo Österr. Schallplatten GmbH u. d. Polymedia Ton- u. Bildtonträger Vertriebs GmbH. DA.: 1122 Wien, Edelsinnstr. 4. PA.: 1180 Wien, Cottageg. 12. G.: Düsseldorf, 8. Mai 1949. V.: Brigitte Martina, geb. Claushues. El.: Helmut Max u. Ursula Margarete, geb. Wannack. S.: 1970 HS-Reife an d. Rudolf Steiner-Schule Wuppertal, Stud. am Sprachen- u. Dolmtscherinst. München, 1973 Dipl. in Engl. u. Vordipl. in Russ. f. Übersetzer, anschl. Stammhauslehre d. Firma Siemens AG München, Berlin u. Hamburg, 1975 Abschluß als Ind.-Kfm. b. d. IHK München. K.: 1975-77 Verkaufszentrale West Köln d. Dt. Grammophon GmbH, 1978 Verkaufsltr. d. Intern. Music Serivce Hamburg, d. Dt. Grammophon GmbH, 1979-81 Repertoire-Manager im Zentralvertrieb Hamburg, 1981-88 Sydney/Australien, b. 1984 Labelmanager Polydor d. Firma Polygram Records Pty Ltd, 1984-88 Senior Intern. Product Manager, 1988/89 Vice President Intern. Marketing b. BMG Music Intern. Inc./BMG Classics New York Inc. USA, ab 1989 Vice President Worldwide Marketing, seit 1992 in Österr. u. Präs. d. Polygram GmbH. H.: Golf, Tennis, Skifahren, Radfahren, Violine. (J.S.)

Wenckheim Rudolf Engelbert Dkfm.
B.: Vorst. FN.: Ottakringer Brauerei Harmer AG. GT.: Gschf. Harmer Getränkevertrieb GmbH, Prok.: Unternehmensgruppe Harmer Holding GmbH, Harmer KG, AufsR. Z-Trust-Holding AG Wien. DA.: 1160 Wien, Ottakringerstr. 91. M.: bis Präs. d. Vereinigung Österr. Industrieller Landesgruppe Wien.

Wenda Klaus Dr. HofR.
B.: Dir. d. Abt. Rechts- u. Beteiligungsangelegenheiten d. P.S.K., Rechtskonsulent d. PSK-Bank, Gschf. versch. Holdings. DA.: 1018 Wien, Georg-Coch-Pl. 2. PA.: 1030 Wien, Rasumofskyg. 28. G.: Wien, 13. Sep. 1941. V.: Doris, geb. Berger. Ki.: Gregor. El.: Dipl.-Ing. Josef u. Hildegard. S.: Jusstud. in Wien, Prom. 1964. K.: Gerichtspraktikum,

1966 Finanzprokurator, 1970 RA-Prüf., 1979 Eintritt in d. P.S.K. H.: Schach (int. tätig, Funktionär im Weltschachverb. FIDE), Theater, Konzert. (E.L.)

Wende Horst KommR.

B.: Gschf. d. Fa. Horst u. Waltraud Wende OHG, (Konzessionsinh.) Hotel Wende. DA.: 7100 Neusiedl am See, Seestr. 40. PA.: 7100 Neusiedl am See, Seestr. 40-42. G.: Wien, 21. Mai 1941. V.: Waltraud, geb. Berner. Ki.: Martina, Birgit. El.: Friedrich u. Maria. S.: Berufsschule - kfm. Beruf, Gewerbeschule Hdl. m. Waren aller Art. K.: 1955-60 kfm. Lehrling in Wien, kfm. Ang. in Wien, 1960 BG in Neusiedl, 3 J. zeitverpflichteter Soldat, 1964 Kzl.Unteroffz. 1964-65 b. Fa. Scana tätig, 1965-66 Gem.Amt (Büro), 1967 selbst. als Kfm., 1967 Pächter d. Restaurant Neusiedl am See, 1970 Pension Wende (größter u. modernster Beherbergungsbetrieb Bgld.), 1973 Bau d. Hotel Wende, 1975 Eröff. d. Hotel Wende, 1982 Planung d. Personalhauses u. Gwölb-Heurigenhaus, 1984 Eröff. d. Personalhauses u. d. Heurigen "Wein Gwölb". E.: Prospektwettbewerb-Ausz. M.: ÖHV, Lions Club. H.: Familie, Markensammlung. (Fels.)

Wendelberger Peter

B.: Gschf. FN.: Tefilak-Genossenschaft. DA.: 1100 Wien, Willandg. 5. PA.: 2380 Perchtoldsdorf, Alpenlandstr. 9. G.: Mödling, 2. Okt. 1944. V.: Hilde. Ki.: Verena (1978). El.: Ludwig u. Ernestine. S.: Chemikerlehre m. Meisterprüf. K.: 1958-91 Chemiker, dann Verkaufsltr. d. Fa. Gebrüder Jirschik GmbH, seit 1992 Gschf. d. Fa. Fefilak-Genossenschaft. M.: Alpenver. H.: Bergsteigen.

Wendl-Starzengruber Ulli

B.: FFF-Producer. FN.: Lintas Werbeagentur GmbH. DA.: 1041 Wien, Prinz-Eugen-Str. 8. PA.: 1090 Wien, Porzellang. 48/18. G.: Wien, 26. Okt. 1961. V.: Karl Wendl. El.: Kurt u. Helene Starzengruber. S.: VS, Frauenoberschule Wien, 1980 Matura, Stud. d. Publizistik u. Päd. Univ. Wien. K.: 1982-83 Kontaktass. b. Young & Rubicam, 1983-87 Art Buyer b. Young & Rubicam, seit 1987 FFF-Producer b. d. Werbeagentur Lintas. BL.: in relativ kurzer Zeit d. Position d. FFF-Producer erreicht. H.: Tennis, Skifahren.

Wendlinger Karl

B.: Kfz-Mechaniker-Meister, Gschf. u. Inh. FN.: Talbot Verkauf u. Service. DA./PA.: 6330 Kufstein, Salurnerstr. 31. G.: Kufstein, 28. Jan. 1943. V.: Waltraud. Ki.: Karl (1968). El.: Maria u. Karl. S.: Vs, Hs, 1959 Gesellenprüf. K.: Geselle im elterl. Betrieb bis 1974 tätig. 1974 selbst., 1964 Steyer-Puch Rennen, Fiat Abanth Rennen, Alfa Romeo Rennen, Super v Rennen u. Formel 3 Gewinner d. Alfa Sprint Europakanal aktiv tätig bis 1983. H.: Skifahren, Motorsport. (A.W.)

Wendlinger Karl

B.: Rennfahrer in d. Formel 1. A.: RSM Dr. Helmut Marko, 8010 Graz, Schönaug. 53. G.: Kufstein, 20. Dez. 1968.

Wendt Günter

B.: Betriebsltr. FN.: ACTUAL FENSTER AG. DA.: 4600 Wels, Maderspergerstr. 16. PA.: 4600 Wels, Schleißheim 96. G.: Wels, 30. Dez. 1948. V.: Gabriela, geb. Krucher. Ki.: Stefan (1977), Barbara (1980). El.: Robert u. Maria. S.: VS, Gymn., 1962-66 Tischlerlehre, 1966-67 Gesellenzeit, 1968 BH, 1968-69 Meisterkl. Hallstatt, 1969 Mstr.Prüf., 1969-70 FH Rosenheim, Mittlere Reife, 1970-73 FH Rosenheim f. Holztechnik, 1973 Abschluß. K.: 1973-82 Ltr. d. elterl. Holz- u. Heimwerkermarktes, 1982-83 Geschäftsstellenltr. Bene-Büromöbel Linz, 1983-89 Verkaufsltr. f. Österr. d. Fa. SCM-Italien, seit 1990 Betriebsltr. Fa. ACTUAL Holzfenster Wels. M.: FPÖ. H.: Tennis, Segeln. (H.B.)

Wendt Joachim Benny

B.: Europamstr. u. mehrfacher Staatsmstr. i. Florettfechten, Werbekfm. DA.: 2351 Wr. Neudorf, Reisenbauerring 1/4. G.: Spittal a. d. Drau, 8. Dez. 1962. El.: Karl u. Paula. S.: ab 1975 i. Internat d. Leistungsmodells Südstadt, Matura d. HAK, anschl. Univ.-Lehrgang f. Werbung u. Verkauf a. d. WU Wien. K.: s. ca. 1984 Zeitsoldat d. HSNS, derzeit Zgf., unzählige Finale b. Weltcupturnieren u. b. Weltmeisterschaften, u.a.: 1984 4. Platz b. d. Mannschaftsolympiade i. Los Angeles, 4. Platz i. Denver, 5. Platz i. Lyon, Weltmeisterschaften i. Denver 1989, in Lyon 1990, Olympiafinale 1992 in Barcelona, Europameister 1993. H.: Musik, Reisen u. Sonne, Skifahren, Handball.

Wendt Wolfgang Dr. rer. merc. Dkfm.

B.: Dir. d. Girozentrale u. Bank d. Österr. Sparkassen AG. GT.: AufsR. in d. "GABE", Beiratsmtgl. b. "Eurocard Austria", Vorst.Mtgl. in d. Sparkassenstudienges., Gschf. d. Giroaussch. d. Girozentrale, Vors.Stellv. d. betriebswirtschaftl. Aussch. d. Sparkassenorgan. DA.: 1011 Wien, Schubertring 5. PA.: 1190 Wien, Gebhardtg. 2/14. G.: Wien, 8. Nov. 1946. V.: Elfi, geb. Unterberger. Ki.: Daniela (1976), Alexander (1977). El.: Johann u. Margaretha, geb. Lager. S.: Matura 1965, Stud. Betriebswirtschaft an d. HS f. Welthdl., Dkfm. 1969. K.: 1969 wiss. Tätigkeit im Österr. Forsch.Inst. f. Sparkassenwesen, 1972 Prom. z. Dr. rer. merc., 1975 Abschluß d. Sparkassenausbild. m. d. Leiterprüf., ab 1976 in d. Girozentrale u. Bank d. österr. Sparkassen AG tätig, seit 1984 Ltr. d. Ressorts Giro- u. Kassengeschäft, verantwortl. f. d. Zusammenarb. d. Girozentrale m. d. Sparkassen. H.: Tennis, Lesen, Skifahren, Familie. (P.R.)

Wenger Erhard

B.: Hotelier. FN.: Gastronom. DA./PA.: 9220 Velden, Klagenfurterstr. 40. G.: Klagenfurt, 21. Mai 1937. V.: Sieglinde, geb. Egger. Ki.: Erhard (1973). EL.: Gustav u. Anna. S.: VS, Realschule. K.: Mitarb. d. väterlichen Betrieb, 1964 Ankauf d. Hotels "Ragger" unbenn. i. Hotel "Tropic". H.: Wassersport. (G.L.)

Wenger Horst Alfred

B.: Kfm. A.: 1180 Wien, Geyerg. 2A. G.: Graz, 1. März 1935. V.: Susanna, geb. Marchat. El.: Dkfm. Karl Max u. Gertrude. S.: Matura, Abiturientenkurs. K.: Kfm. Ang., Hdls.Vertr., Grdg. einer eigenen Hdls.Fa. - Horst A. Wenger, Vertretungen - Grhdl. Wien. F.: Maschinen- u. Formenbau GmbH, Wien. P.: Div. Fachpubl. M.: Donaueurop. Inst., Wien, Inst. f. Wiss. u. Kunst, Wien, Österr.-Sowjet. Ges.,

Wien, Österr. Ver. f. d. Gas- u. Wasserfach, Wien, Österr. Ges. f. Raumforsch. u. Raumplanung, Österr. Liga f. d. Vereinten Nationen, Wien, Aktion Österr.-Europa, Wien u.v.a.

Wenger Peter

B.: Gschf. Ges. FN.: S4 Computer GmbH. DA.: 5020 Salzburg, Josef-Mayburger-Kai 114. G.: Tamsweg, 9. Nov. 1961. V.: Elke, geb. Weitgasser. Ki.: Dominique (1985), Nicolas (1990). S.: Gymn., Matura. K.: Programmierer b. Fa. Nixdorf, 1987-89 Software- Entwickl.-Ltr. b. Fa. Nixdorf Computer München, 1989 Softwareltr. f. KFZ-Handel u. Werkstatt b. Fa. Siemens-Nixdorf, 1992 Grdg. d. Fa. S4 Computer in Salzburg. H.: Schifahren, Tennis, Fussball, Familie. (D.E.)

Wengersky Emmerich Dir.

B.: VPräs. d. VerwR. d. Steyr Daimler Puch Hellas Ind. AG Thessaloniki. DA.: 1010 Wien, Kärntner Ring 7. M.: Vorst.Mtgl. d. Steyr Daimler Puch AG Wien, AufsR.Vors. d. "Kromag" AG f. Werkzeug- u. Metallind. Wien, Steyr-Auto-Rühl Autohdls. u. Reparatur GmbH Wien, Steyr-Auto-West Kfz Service u. Vertriebs GmbH Wien, Steyr-Auto-Hdls. u. Service GmbH Wien u. Winparts Ersatzteile u. Warenhdls. GmbH Wien, AufsR. d. Steyr Anlagenbau GmbH Wien, Steyr-Auto-Süd Kfz Service u. Vertriebs GmbH Wien u. Steyr Nigeria Ltd Lagos.

Wengraf-Herberstein Senta

B.: Schauspielerin. PA.: 1090 Wien, Koling. 19. G.: Wien, 10. Mai 1929. V.: Graf Christoph Herberstein. K.: Viele Filme u. ORF-Serien, seit vielen J. Mtgl. d. Theaters in d. Josefstadt.

Weninger Alfred Dir. Ing.

B.: Gschf. d. Bautreuhand Stadlbauer GmbH Wels, "Bau" Anlagenfinanzierungs u. Leasing GmbH Wels, Stadlbauer Innenausbau u. Beteiligungs GmbH Wels, Immobilien Stadlbauer GmbH Wels, Systembau Stadlbauer GmbH Nfg. KG Wels u. Marko GmbH & Co KG Weiz. PA.: 4600 Wels, Südtiroler Str. 2. M.: Vorst.Mtgl. d. Baubedarfszentrum GmbH Wien.

Weninger Ewald Dr. iur.

B.: RA. DA.: 1060 Wien, Mariahilfer Str. 5. PA.: 3021 Preßbaum, Dr.-Niedermayr-G. 7. G.: Wien, 31. März 1931. V.: Doris, geb. Wagner. Ki.: Bernhard, Christiane, Markus. El.: Karl u. Klara. BV.: stammt aus einer Seitenlinie d. dän. Königshauses. S.: Hum. Gymn., Stud. d. Rechtswiss., 1960 Prom. K.: Gerichtsjahr, anschl. Konzipient, seit 1969 eigene RA-Kzl. H.: Suche echter Freundschaften, Seefahrt. (M.B.)

Weninger Günter OAmtsR.

B.: Vors. d. Gewerkschaft d. Gemeindebediensteten Österr. u. VPräs. d. ÖGB. GT.: Präs. d. Österr. Jugendherbergsringes u. d. Österr. Jugendherbergsverb., Präs. d. Sotour Austria d. Österr. Verb. f. Sozialtourismus. DA.: 1090 Wien, Maria-Theresien-Str. 11. PA.: 2700 Wr. Neustadt, Laubeg. 28. G.: Wr. Neustadt, 27. Aug. 1940. V.: Gertrude, geb. Pammer. Ki.: Elisabeth (1968), Claudia (1972), Gerald (1979). El.: Franz u. Aloisia. S.: VS, HS, Berufsausbild. z. Elektroinstallateur, Externistenmatura, einige Sem. Stud. d. Betriebswirtschaft HS f. Welthdl. Wien. K.: nach d. Berufsabschluß m. d. Gesellenprüf. 1 J. als Elektroinstallateur tätig, 1 J. Kontrollor b. d. NÖGBKK, ab 1961 Jugendsekr. d. Gewerkschaftsjugend in NÖ, ab 1963 Sekr. d. Gewerkschaft d. Gem.-Bediensteten, ab 1975 Zentralsekr., ab 1987 stellv. Vors., seit 1990 Vors. d. Landesgruppe Wien, seit 1991 Vors. f. Österr. u. VPräs. d. ÖGB. P.: Fachart. im Gewerkschafts- u. Jugendbereich. H.: Sport bes. Skifahren u. Schwimmen, Garten, Lesen. (J.S.)

Weninger Günter

B.: Inh. FN.: Bäckerei & Konditorei Günter Weninger. DA./PA.: 4600 Wels, Grünbachpl. 4. G.: Wels, 22. Okt. 1955. V.: Friederike Maria, geb. Gnadlinger. Ki.: Andreas (1980), Stefan (1984). El.: Hermann u. Franziska. S.: VS, HS, 1971-73 Konditorlehre, 1973-74 Bäckerlehre, BH, 1979 Meisterpr. Bäcker, 1980 Meisterpr. Konditor. K.: 1982 Übern. d. elterl. Betr. M.: Heeressportverein - Sektion Fischen, Polizeisportverein. H.: Fischen, Familie. (G.E.)

Weninger Hans Dr. OMedR.

B.: ärztl. Dir. i.R. PA.: 1238 Wien, Fürst-Liechtenstein-Str. 2/14. G.: Kirchberg/Wechsel, 30. Apr. 1914. V.: Maria. Ki.: Dr. Sonja, Alice, Ulrike, Doris. El.: Josef u. Maria. S.: 1934 Matura, 1940 Prom. K.: Wehrdienst 1940/41 (Rußland: Shitomir, Truppenarzt, Regimentsarzt), schwere Kriegsverletzung (Kopf), 1940-42 Elisabethspital, 1944-45 Prof. Schönbauer, 1944-80 GA in Röschitz, seit 1972 ärztl. Dir. d. KH Eggenburg, 1945-78 Bez.-Ärztevertreter, b. 1978 KamR. E.: Verwundeten-Abz., Eisernes Kreuz, Gold. Ehrennadel Ärztekammer NÖ, Gold. Ehrennadel d. ÖAAB sowie d. Fußballbundes. H.: Schreiben f. d. Ärztekam. (J.E.)

Weninger Walter Dr.

B.: Gschf. d. SPF "Spar Fin." Investitions u. Vermittlungs GmbH Wien u. Burgenländische Kreditbürgschafts GmbH Eisenstadt, Dir.Stellv. d. Girozentrale u. Bank d. österr. Sparkassen AG Wien. PA.: 1030 Wien, Stammg. 8-10. M.: Vorst.Mtgl. d. "Spar Fin." Investitions u. Vermittlungs AG Wien, AufsR.Vors.Stellv. d. Pinkafelder Spar- u. Kreditbank AG Pinkafeld u. Rechnitzer Spar- u. Kreditbank AG Rechnitz.

Wenko Dieter Dr. rer. pol. HofR.

B.: Ltr. d. Justizanstalt Göllersdorf. DA.: 2013 Göllersdorf, Schloßg. 17. G.: Lübeck, 4. Jän. 1943. V.: Mag. Helga. Ki.: Andreas (1964). El.: Hermine u. Franz. S.: Grundschule, kfm. Lehre, Arbeitermittelschule, Uni. Wien. K.: Vertreter, Verkaufsltr., Soziologische Diss. über Diebe u. Einbrecher, 6 J. Univ. München, 1979 Eintritt i. d. Justiz, Ltd. Beamter, lg. Gefhaus Wien, s. 1985 Ltg. d. Justizanstalt f. geistig abnorme Rechtsbrecher. M.: Goldenes Ehrenzeichen d. Rep. Österr. verliehen 8/1991. H.: Motorflug, PPL, Lesen. (W.M.)

Wenninger Johann Ing.

B.: Prok. FN.: Duropack Wellpappe GmbH. DA.: 1235 Wien, Brunner Str. 75. PA.: 1236 Wien, Ketzerg. 354/3/3. G.: Rastenberg, 29. März 1924. V.: Auguste, geb. Waitz. Ki.: Dipl.-Ing. Willi, Eva, Dr. Christa. El.: Johann u. Rosalia. S.: Lehrzeit als Werkzeugmacher, BGewerbeschule Wien, Maschinenbau, Ing. K.: 1949 Fa. Hilco, Kalkulation, anschl. Betriebsass., später Betriebsltr., seit 1966 techn. Dir. b. Fa.

Duropack, seit 1988 in Pension. E.: Raiffeisenmünze in Gold. H.: fachl. Arb. (Elektro, Holz, Mauer, Inst.), Spazierengehen, Lesen, Fernsehen. (E.L.)

Wenny Rudolf Dipl.- Ing.

B.: Firmenteilh. FN.: Ingenieurges. NÖ-Mitte. DA.: 3100 St. Pölten, Schulring 15. PA.: 1050 Wien, Rüdigerg. 27/16. G.: Freinber OÖ, 10. Okt. 1956. V.: Anna, geb. Baumgartner. Ki.: Alexandra (1989), Dominik (1993). El.: Hermann u. Katharina. S.: 1975 AHS Matura, Kulturtechn. Stud., 1986 Dipl.-Ing. K.: 1986 Ang. Fa. Friereich & Partner, 1990 Ltr. Ingenieurges. NÖ, Ablegung d. Ziviltechn. Prfg., 1992 Befugnisanm., ab 1993 Firmenteilh., Teiln. a. nat. u. internat. Wettbew. M.: versch. Vereine. H.: Tennis, Kabarett. (I.J.)

Wenzel Robert

B.: Weinbaumstr. FN.: Weinbau Wenzel. DA. u. PA.: 7071 Rust, Hauptstr. 29. G.: Sopron/Ungarn, 7. Nov. 1932. V.: Christa, geb. Beer. Ki.: Martin (1973), Michael (1974), Christina (1978), Susanne (1985). El.: Ladislaus u. Frieda. BV.: Fam. Wenzel: Weinbauern in Rust s. 1647. S.: VS, Hauptschule, landwirt. Schule i. Eisenstadt. K.: 2 J. Hospitant a. d. HBLVA f. Obst- u. Weinbau i. Klosterneuburg. K.: Weinbau-Stud.-Reisen u. -Aufenthalte i. versch. Ländern, Mitarb. i. elterl. Betrieb, 1968 Übern. d. Betriebes, zahlr. Prämierungen. H.: Lesen, Denkmal- u. Umweltschutz. (M.M.)

Wenzel-Jelinek Margret Prof.

B.: Fotografin. DA.: 1050 Wien, Leopold-Rister-G. 5. PA.: 1030 Wien, Göschlg. 12. Ki.: Andreas. El.: Adolf u. Alma Jelinek. Fotostudio Wenzel-Jelinek. S.: Kunstakad. Zürich, Graph. Lehr- u. Versuchsanst. Wien, Pressefotografin: Kurier, Express, Madame, Film u. Frau, Quick, Time Life, Brigitte, Mstr.Prüf. K.: Eröff. eines eig. Studios (Mode, Werbung, Politische Werbung für Wahlkämpfe für B.K. Helmut Kohl), Autorin u. Hrsg. d. Bildbände: Dirigenten (1986), Große Sänger (1989), Kapital Wald - Spektrum d. Wiss. (1992). E.: Oscar d'Italia 1985, Fotografennadel in Gold, Premio European Banner of Arts, Premio Fiaccola d'Oro u.a. M.: Fotograf. Ges., Künstlerhaus, Presseclub Concordia. H.: Fotografieren, Reisen, Malen, Musik (Wagner, Bruckner). (M.G.)

Wenzelmaier Jimmy

B.: Ges., Maschinenschlosser. FN.: Kontext Bildungsges. DA.: 6800 Feldkirch, Schloßgraben 14. PA.: 6800 Feldkirch, Wichnerg. 22. G.: Dornbirn, 21. Juli 1971. El.: Josef u. Maria. S.: Schlosserlehre, Abschluß 1990, Militär. K.: Kälteanlagenmonteur, 1991 Gründ. d. Fa. Kontext m. Partner, 1987-89 Zentraljugendvertrauensmann d. ÖBB, 1988-92 Vorst. d. Gew. Jugend Vbg., 1990-92 Vorst. d. Jusos, 1992 Vors. d. Jusos Vbg., Verb.-Vorst. d. Soz. Jugend Österr. P.: Mitautor e. Broschüre über Drogenprobleme in Vbg. M.: ÖGB, SPÖ Jusos. H.: Schwimmen, Musik. (I.D.)

Wenzl Dieter

B.: Gschf., ltd. Ang. FN.: Computer Studio Wenzl GmbH. DA.: 8940 Liezen, Salbergweg 10. PA.: 8786 Rottenmann, Burgtorsiedlung 213. G.: Wien, 1. Jän. 1964. V.: Christiane, geb. Kamp. Ki.: Martin (1992). El.: Diether u. Renate. S.: VS u. Realschule in Stuttgart, Mittlere Reife, HAK Liezen, 1982 Matura, EDV-Schule Graz. K.: 1988 Grdg. d. Firma. H.: Schwimmen, Radfahren, EDV, Reisen, Familie. (M.T.)

Weratschnig-Hörwarter Elisabeth

B.: freischaff. Bildhauerin u. Malerin. PA.: 6130 Schwaz, Pirchanger 79. G.: Schwaz, 12. Aug. 1936. V.: Johann Weratschnig. Ki.: Hermann (1975), Judith (1980). El.: Franz u. Frieda Hörwarter, geb. Knapp. S.: Grundschule, 2 J. HASCH, 1 J. Finanzamt, 4 J. Staatsgewerbeschule Innsbruck, Kopf- u. Aktzeichnen in Innsbruck, Stud. Ecole de Dessin Ak. Paris, 1966 Dipl. K.: Ausstellungen in Österr. u. Deutschland, Krippenausstellungen in Deutschland u. Österr., erste Aussteller in d. Galerie Vomperbach, zahlr. Wettbewerbe, Bücherillustrationen v. einer Tir. Mundartdichterin, Reliefschnitzerei, Sagen u. Märchen in Reliefs geschnitzt, eigene Entwürfe, bevorzugte Arb. sind Reliefs in Zirben- od. Lindenholz sowie Märchen u. Sagen, Wiegen, Krippen u. Heilige. M.: Berufsver. d. Bild. Künstler Österr. Zentralverb. Wien. H.: Natur u. Tiere, Reisen, Kunst, Schriftstellerei, Musik. (M.W.)

Werba Robert Dr. phil.

B.: Ltr. d. Musikabt. v. Radio Wien, Ltr. d. Red. "Oper" v. Ö1. DA.: 1041 Wien, Argentinier Str. 30A. PA.: 1040 Wien, Wiedner Hauptstr. 67. G.: Wien, 4. Nov. 1944. V.: Dr. Christina, geb. Ambrus. Ki.: Franziska (1979). El.: Prof. Ady u. Prof. Dr. Erika. S.: Matura, Stud. an d. Univ. Wien, Dr. phil. K.: seit 1962 als freier Journalist tätig, seit 1974 Mitarb. b. in- u. ausländ. Rundfunkanst., Lektor f. Operngeschichte an d. HS f. Musik in Wien, seit 1979 im LStudio d. ORF. P.: zahlr. musik- u. theaterhistor. Publ. in Fachzeitschriften, 3 Bücher: "Schubert u. d. Wiener", "Maria Jeriza", "Opern auf Schallplatten". (P.R.)

Werdeker Gerhard

B.: Theaterltr. u. Reg. d. SPIELRAUM. GT.: 1987 Gastprof. an d. Musik-HS f. Regie, Schauspielpädagoge. DA.: 1030 Wien, Rechte Bahng. 18. PA.: 1090 Wien, Reznicekg. 3/17. G.: Wien, 12. Mai 1958. El.: Peter u. Charlotte. S.: 1976 Matura, HS f. Musik u. darstell. Kunst, Stud. Regie Max Reinhardt-Seminar, 1979 Abschluß Summa cum Laude. K.: freier Reg., 1983 Grdg. d. SPIELRAUM u. seither künstler. u. kfm. Ltr., gemischtes Repertoire v. d. Klassik b. z. Moderne. E.: Würdigungspreis d. BMW. H.: Theater, Literatur. (J.S.)

Werdenich-Maranda Eva Mag. art.

B.: Keramikerin, Grafikerin. GT.: 1990-92 Präs. d. Berufsverb. Bild. Künstler Österr. DA.: 1040 Wien, Blechturmg. 8/III. PA.: 1040 Wien, Mayerhofg. 5/1/3. G.: Hainburg/Donau, 27. Sept. 1950. El.: Josef u. Margareta Werdenich. S.: 1969-74 Stud. an d. HS f. angew. Kunst in Wien, Keramikabt. b. Prof. Heinz Leinfellner, 1974 Dipl., 1976-78 Auslandsstipendium an d. Kunst-HS in Breslau/Polen, vorwiegend in d. Grafikabt. b. Prof. Halina Palikowska. K.: seit 1978 freischaff. tätig, Einzelausstellugen: 1981 Österr. Tabakmuseum Wien, 1982 Gallerie Langbrók Reykjavik/Island - BAWAG Filiale Wien, 1985 Rahmenhandlung Christine Ernst Wien, div. Ausstellungen in kleinerem Rahmen, Ausstellungsbeteiligungen: 1975 Museum f. angew. Kunst Wien, 1976 Galerie am Graben Wien, 1979 Kleinkunstgrafik-Biennale Lodz/Polen, 1984 Keramikstudio Wien, Intern. Keramikausstellung Faenza/Italien, 1989 Galerie Stubenbastei Wien, Konfrontation Messepalast Wien, 1990 Galerie Stubenbastei Wien, 3. Intern. Kleinkeramik-Triennale Zagreb/Jugoslawien, Weihnachtsausstellung in d. Pfarre St. Michael Wien, 1991 Galerie Tiller Wien. BL.: 1984 Ausgestaltung d. Eingangshalle im neuen Verkaufslager d. Austria Tabakwerke in Stein/Donau - Wandrelief, 1985 1. Preis Ausgestaltung d.

Eingangshalle in d. HBLA f. Fremdenverkehrsberufe in Bad Ischl - Wandrelief. P.: Katalog m. eigenen Werken. H.: Lesen, Sprachen, Reisen. (J.S.)

Werderits Ehrenfried Dr. Mag.
B.: Ltr. Finanz- u. Rechnungswesen, Controlling. FN.: Semperit Aktiengesellschaft Holding. DA.: 1031 Wien, Modecenterstr. 22/B1. PA.: 1150 Wien, Fenzlg. 22/10. G.: Oberwart, 13. Apr. 1960. V.: Margit, geb. Eder. El.: Johann u. Irma. S.: HAK, 1980-84 Stud. Betriebsinformatik Univ. Wien, 2 J. Postgraduate am Inst. f. Höhere Studien Wien. K.: 1986-90 Ass. am Inst. f. Höhere Studien Wien, ab 1990 Ass. Controller b. Neusiedler AG, ab 1991 Ltr. Finanz- u. Rechnungswesen u. Controlling b. Neusiedler AG. M.: Österr. Management Club. H.: Laufen, Tennis, Skifahren.

Werderitsch Heinz Dipl.-Ing.
B.: Arch., staatl. befugter u. beeid. Ziviltechniker. GT.: Hdl. m. Antiquitäten u. Kunstgegenständen. DA. u. PA.: 1010 Wien, Fleischmarkt 18/33 u. 34. G.: Wien, 9. März 1941. V.: Ingrid, geb. Frank. Ki.: Florian (1967), Nina (1972). El.: Andreas u. Hilde, geb. Harant. S.: Mittelschule, TU Wien, Fak. f. Bauing.-Wesen u. Arch., Studienrichtung Arch., Ziviltechnikerprüf., während d. Stud. Praxis u.a. b. Prof. Euler u. Thurner, Harry Glück, Arch. Stögerer (Dombmstr. v. St. Stephan). K.: 1974-79 lfd. Positionen im Büro Arch. Requart u. Reinthaller, ab 1979 selbst., Arbeitsbereich: priv. u. kommunaler Wohnbau, Dachausbauten, Sanierung histor. wertvoller Gebäude, Betriebe f. Hdl. u. Gewerbe, Gastronomie, Diskotheken, Studien u. Entwürfe f. Verw. u. Gesundheit (Klinik in Japan), Städtebau, div. Wettbewerbe. H.: Jagd, Segeln. (T.T.)

Werdigier Wolf Dipl.-Ing.
B.: Arch., Ltg. d. Büro f. Urbanistik. GT.: s. 1977 Vorlesungen "Methoden d. Stadtplaung. DA.: 1010 Wien, Marc-Aurel-Str. 10. PA.: 1020 Wien, Karmeliterg. 5. G.: Pegnitz/BRD, 1946. V.: Ruth. Ki.: Julia. El.: Moritz u.Edith. S.: VS, Gymn., 1965-71 Arch.-Stud. TU Wien, Prof. Bakema Sommerak. Sbg., 1974-76 Postgraduate Dipl. an d. Architectural Assoc. School of Architecture London. K.: 1971-72 Mitarb. im Büro d. Arch. Hendl, Haseloff u. Hotzel Berlin, 1972-74 Stadterneuerung und Althausinstandsetzungsprojekte beim Inst. f. Gebietsplanung u. Stadtentwicklung in Köln, 1977-78 Mitarb. im Amt d. NÖ Landesrg. Wien, 1979-89 Ltg. d. Ref. f. Stadt- u. Bez.-Entwicklungsplanung b. Mag. d. Stadt Wien, 1989-91 Ltg. d. Ref. f. Entwicklungsprojekte, 1977-91Vorlesungen "Methoden d. Stadtplanung" Univ. Wien, 1989 Gastprof. am Pratt-Inst. New York f. "Urban Design" u. u. div. Einladungen zu Studios u.a. an d. columbia Univ., Univ. of Visconsin, 1991 Grdg. Büro f. Urbanistik, 1994Lehrveranstaltung am Pratt-Inst. New York "Hybrid Buildings, Hybrid Urban Fragments", sowie Ltg. d. Seminars Städtebau u. Gestalten der Univ. Stuttgart in Rom. P.: Von d. Stadterweiterung z. Stadterneuerung (1985), Vom Glashaus zum Grünhaus (1990), Die Stadt als Thema der Architektur, Anwachsen, - Neue Stadtteile in Europa, Beispiele für Wien? (1991), Neue Lebensformen - Neue Wohnformen (1993), Telekommunikation, Telearbeit u. Intelligent Plazas (1994), Mehrgenerationen - Wohnen (1994). M.: Österr. Ges. f. Arch. H.: Malerei und Skulptur. (H.S.)

Werdinig Werner
B.: Gschf., Kzl.Ltr. (Steuer- u. Wirtschaftsberater). A.: 5541 Altenmarkt, Markt 155/1. G.: Klagenfurt, 27. Juni 1944. K.: 1968-72 gschf. Vorst. d. Produktivgen. d. Tischler, Klagenfurt, seit 1973 AufsR.Mtgl. d. Proyectos Canarias SA, Sta. Cruz de Tenerife, freier Journalist f. intern. Steuer- u. Wirtschaftsrecht, 1977-78 Gschf. d. Fa. studio commerciale, Klagenfurt, seit 1978 gschf. Kzl.Ltr. d. Tauern-Treuhand, Wirtschafts-Treuhand u. Steuerberatungsges. M.: The Knights Templars of Aquarius, Jersey.

Werger Steffi
B.: Sängerin, Autorin, Komponistin. FN.: X-Press- DA.: 1130 Wien, Hauptstr. 36a. G.: Maria Lankowitz, 2. Juli 1951. S.: 4 J. Musik-Stud. MH Graz (Hauptfach Geige). K.: 4 J. Musiklehrerin an d. Musikschule Köflach (Klavier, Flöte), 1971-80 als Sängerin u. Pianistin m. versch. Bands unterwegs in Österr., BRD u. Schweiz, 1. LP "Die nächste bin ich", insgesamt 10 Alben, aktuelle CD "Lebenszeichen" 1994, ab 1992 eigenes Label "X-Press", Österreichtourneen, 1. Versuche in d. BRD (Bayern), 1993 eigenes Cafe -Pub "Wergers" in Graz eröffnet. P.: 1991 erstes Buch "Am Anfang war die Liebe", 1993 2. Buch "Bevor du den Löffel abgibst, steck ihn in den Mund" über Diäten, bekannte Songs u.a.: "I wü' Di' gspürn", "Sommer", "Blumen im Sand", "Stark wi a Fels'n", "Sehnsucht nach Florenz", "Lebendig". E.: Pop-Amadeus, Öst. Schallplattenpreis f. LP "Sehnsucht nach Florenz", 10 Gold. Schallplatten, 4 Platin Schallplatten. M.: Ehrenmtgl. d. "Kinderhilfe". H.: Lesen, Blumen. (A.W.)

Wergetis Andreas
B.: Kfm. Gschf. FN.: Mewa Textilmietservice Habsburg GmbH. GT.: Prok. Mewa Textilmietservice Verw. GmbH. DA.: 1140 Wien, Hütteldorferstr. 130A. G.: Wien, 21. Jan. 1948. V.: Gertraud. Ki.: Kathrin. K.: 1987 Fa. Mewa.

Werilly Harald Dr. iur. HofR.
B.: Vorst. d. Finanzamtes f. d. 8., 16. u. 17. Bez. DA.: 1080 Wien, Josefstädter Str. 39. G.: Wien, 29. Juni 1940. V.: Dr. Waltraud, geb. Tschoyer. El.: Josef u. Emma. S.: 1958 Matura, Stud. d. Rechtswiss. K.: während d. Stud. 1965 Eintritt in d. Betriebsprüferdienst d. Finanzverw., ab 1972 Konzernprüfer d. Großbetriebsabt. d. Finanzamtes f. Körperschaften, ab 1980 Gruppenltr. d. Großbetriebsprüf.Abt. d. KÖST, ab 1985 Abt.Ltr. Betriebsprüf., Vorst.Stellv., seit 1988 Vorst. d. Finanzamtes, gleichzeitig HofR. H.: Lesen, Archäologie, Reisen, Sport. (P.R.)

Werilly Klaus
B.: Gschf. Ges. FN.: Werbeklaus GmbH. DA.: 3430 Tulln, Bahnhofstr. 51. PA.: 3434 Katzelsdorf, Schulstr. 6. G.: Wien, 17. Sept. 1957. Ki.: Anna (1989). El.: Alois u. Johanna. S.: 1977 AHS-Matura, 2 Sem. Jusstud. K.: 1979-84 kfm. Ang. in Papierbranche, 1985-87 Eröff. einer Papeterie in St. Andrä-Wördern u. Hdl. m. Büromaschinen u. Büroartikel, ab 1987 Inh. d. Firma Werbeklaus: Werbegestaltung, Beschriftung u. Siebdruck, 1992 Umwandlung in eine GmbH u. Gewerbeschein f. Schilderherstellung. BL.: 4 J. Staatsmstr. im Enduro-Sport u. Motorradslalom: zahlr. Preise. (M.M.)

Werkgartner Hermann Dr. med.
B.: Prim., FA f. Radiologie u. Vorst. d. radiolog. Abt. im KRH d. Elisabethinen Linz. GT.: fachärztl. Ordination. DA.: 4020 Linz, Volksfeststr. 5. PA.: 4045 Linz, Leitenbauerstr. 20. G.: Wien, 9. Sept. 1923. V.: Edith, geb. Sommer, 4 Kinder. El.: Univ.-Prof. Dr. Anton u. Dr. Augustine. S.: Gymn. Graz, 1941 Matura, Stud. an d. Univ. Graz u. Innsbruck, 1949 Prom. K.: FA-Ausbild. in Wien u. London, 1952-60 Univ.Ass. am Zentralröntgeninst. d. Univ. Wien im AKH Wien, ab 1960 ärztl. Ltr. d. Radiolog. Abt. d. KRH d. Elisabethinen Linz. P.: 19 wiss. Arb. über Strahlenbiologie, Strahlentherapie u. Diagnostik. M.: Vorst.Mtgl. d. Verb. f. med. Strahlenschutz in Österr., Mtgl. d. Österr. u. d. Bayr. Röntgenges. H.: Literatur, Musik, darstell. Kunst, Skifahren u. Segeln. (H.D.)

Werkl Erwin

B.: Staatl. gepr. Techn. f. Masch.-Bau, Schlosser-Mstr., Landmaschinenwerk-Meister. FN.: Maschinen-Handel-Schlosserei Werkl. GT.: Inh. DA. u. PA.: 9100 Völkermarkt, Weinbergstr. 7. G.: Völkermarkt, 26. Aug. 1951. V.: Ludmilla, geb. Grcic. Ki.: Richard (1978), Thomas (1981). El.: Jakob u. Elsa. BV.: Vater Jakob Werkl, Autodidakt 1963 Schlepplift gebaut u. 1953 Konstruktion u. Anfertigung eines PKWs. S.: 1965 Lehre Masch.-Schlosser, 1968 beim BH KFZ-Ausbild., 1969 Jenbacher Werke im Diesellokomotivbau, 1970 Ford Werke Köln als Rep.-Schlosser, 1971-72 Staatl. Techn.-Schule München m. Abschl., 1972-74 Agfa Gevaert Kamerawerk München als Terminsachbearb. f. elektron. Bauteile, 1975 Rückk. Völkermarkt u. Tätigk. i.d. Priv.-Wirtsch., 1978-89 Fa. Knecht, Arbeitsvorbereitung, Konstruktion u. Prod.-Ltr., 1978 Gew.-Schein u. Firmengrdg., ab 1989 selbst., Schwerpunkt: Landmasch.-Hdl., Erw. um Schlosserei, Motorenservice u.a., s. 1988 Lehrbeauftragter im WIFI u.i.d. Prüf.-Kom. f. Lehrabschl., s. 1984 Vors. d. Prüf.-Kom. f. Schlosser. M.: FW Völkermarkt, Ruderclub Völkermarkt, Skiclub Petzen. H.: Surfen, Schwimmen, Ski, Rudern. (G.L.)

Werkl Günther Mag.

B.: Gschf. FN.: Spandex GmbH. DA.: 1150 Wien, Hofmoklg. 1-5. PA.: 2380 Perchtoldsdorf, Ketzerg. 259. G.: Klagenfurt, 23. Jän. 1949. Ki.: Hannes (1966), Helga (1967), Gunther (1974), Katharina (1981). El.: Harald u. Herlind. BV.: Großvater Leonhard Schmid Ltr. d. Esperanto-Bewegung Österr., Träger d. Gold. VZ d. Rep. Österr. S.: BRG Klagenfurt, Matura, Stud. Betriebswirtschaft Univ. Graz, 1974 Spons. K.: 1974-86 Tätigkeit b. IBM, IBM-Roece Ltr. d. Rechnungswesens u. IBM Österr.: Verkaufsltr. f. Ktn. u. Osttir., 1986-91 Gschf. d. Firma Betatronics, 1991 Grdg. d. Spandex GmbH Österr. einer Tochterfirma d. Intern. Firma Spandex P.L.C. Bristol u. seither Gschf., seit 1993 Aufbau d. Spandex Organisation in Ungarn, Tschechei, Slowakei, Slowenien u. Kroatien u. Gesamtverantwortlichk. f. d. Gesamtbereich. H.: Esotherik, Bridge, Sport (Skifahren, Bergsteigen, Tennis, Tauchen, Eislaufen). (J.S.)

Werlberger Anna

B.: Pflegedienstleitung. FN.: Altersheim Scheffau. DA.: 6351 Scheffau, Dorf 115. G.: St. Johann i. Tirol, 4. Juli 1972. El.: Christian u. Margarethe. S.: VS, HS, 2 J. landw. Hauswirtsch.schule Alterheimpflege 1 J., 3 J. Krankenpflegesch. Kufstein. K.: 1992 Pflegedienstl. Scheffau. M.: Rote Kreuz. H.: Mountainbiking, Literatur, Tennis, Langlaufen, Skifahren. (M.H.)

Werndl Josef KommR.

B.: Gschf. Ges. FN.: Josef Werndl Hdls. GmbH. GT.: Inh. d. Fa. Josef Werndl Kaffeerösterei u. Lebensmittelgroßhdl. DA.: 5020 Salzburg, Wasserfeldstr. 23. PA.: 5020 Salzburg, Membergerstr. 42. G.: Salzburg, 7. Dez. 1917. V.: Katharina, geb. Luger. Ki.: Margit. BV.: Josef Werndl, Freiherr Werndl v. Lehenstein. S.: kfm. Fortbild.Schule. K.: 1932-35 Lehrzeit, 1935-37 Ang. d. Fa. Hans Spallinger Sbg., 1937 selbst. Tätigkeit im Großhdl., 1940 Grdg. d. Fa. K. Strobl & Sohn, 1945 Grdg. d. Fa. Josef Werndl, 1977 Umwandlung in GmbH, 1977 Grdg. d. Fa. Josef Werndl Kaffeerösterei u. Lebensmittelgroßhdl. E.: 1984 KommR., 1977 Silbermed. d. HK. M.: Gremialvorst. d. Lebensmittelgroßhdls. v. Land Sbg., im Vorst. d. Ver. d. Zuckergroßhändler Österr., Eurogast (Präs.), VeGe (Präs. v. Österr.), Union SK Anif (10 J. Präs., 11 J. Obm.). H.: Tennis, Radfahren, Motorradfahren. (A.W.)

Werndl Rainer Mag. rer. soc. oec.

B.: Gschf. FN.: BMW Austria Bank GmbH. GT.: Gschf. BMW Leasing. DA.: 5020 Salzburg, Siegfried-Marcus-Str. 24. PA.: 5202 Neumarkt/Wallersee, Salzburger Str. 14a. G.: Salzburg, 10. März 1948. V.: Cornelia, geb. Köstlinger. Ki.: Michael (1979), Philipp (1981). El.: Adolf u. Johanna. S.: VS, HS, HAK, 1967-68 Österr. BH, 1968-69 Praxisj. Firma Porsche, 1969-74 HS f. Welthdl. m. Spons. K.: 1974-77 EDV Kienzle, 1977-91 BMW Austria, seit 1991 BMW Austria Bank. H.: Sport (Tennis, Skifahren, Turnen), Garten, Familie, Kulturelles (Konzerte). (C.D.)

Werner Alfred Ing.

B.: Opernsänger, Baß-Bariton. DA. u. PA.: 1190 Wien, Arbesbachg. 11/12. G.: Wien, 9. Juli 1949. El.: Karl u. Helene. S.: Matura a. TGM Wien, anschließend private Gesangsausbildung, Meisterkurse u.a. bei Elisabeth Schwarzkopf u. Hans Hopf. K.: Debut a. d. Wr. Kammeroper, 1975 Festengagements i. Köln, Coburg u. Linz, Auftritte a. vielen bedeutenden Bühnen d. In- u. Auslandes, zahlr. Rund- u. Fernsehproduktionen, Gastspiele b. intern. Festivals, bis 1993 d. Gmundner Festspiele. P.: Schallplattenaufnahmen. E.: Finalist u. Priesträger zahlreicher intern. Wettbewerbe, u.a. Herbert v. Karajan Opernstudio 1982, Pavarotti-Wetttbewerb Philadelphia 1985. H.: Lehrtätigkeit i. Gesangsbereich. (J.S.)

Werner Emmy

B.: Künstler. Dir. d. Volkstheaters, Schauspielerin. G.: Wien. S.: 1957-59 Schauspielausbild. b. Otto Kerry, Eduard Volters, Maria Luise Rainer. K.: 1963-68 u. 1973-76 Engagements: Theater d. Jugend, Theater in d. Josefstadt, Volkstheater, Fernsehen, Hörfunk, Theater d. Courage, Regiemitarb. Theater, Film, Fernsehen, 1980-81 Ltg. Theater d. Courage, 1979/80 Grdg. Theater in d. Drachengasse, 1981 Eröff. u. Ltg., 1984-87 Gesamtltg. Theater in d. Drachengasse, 1988 Eintritt in d. Geschäftsführung d. Volkstheaters, seit 1. Sept. 1988 Künstler. Dir. d. Volkstheaters.

Werner Franz Stefan Dr. med.

B.: FA f. Inn. Med., Chefarzt-Stellv. FN.: Pensionsver.-Anstalt d. Angestellten. GT.: Liedsänger. DA.: 1021 Wien, Friedrich Hillegeist-Str. 1. G.: Neumarkt/Tauchental, 21. Sep. 1945. V.: Dr. Evelyne, geb. Trinkl. Ki.: Stephan (1979), Angelina-Maria (1981). El.: Franz u. Leopoldine, geb. Dürrer. S.: 1963 Mat., Stud. d. Med. Univ. Wien, 1963 Gesangsausbild. Konservatorium Wien, Sologesang a. d. Akademie. K.: FA-Ausbild. f. Inn. Med. KH Oberwart, gleichz. Ausbild.

RZ Bad Tatzmannsdorf, Herz-, Kreislauferkrank. u. Rehab.-Med., s. 1973 Angest. d. PVA d. Angest., a. 1978 OA RZ Bad Tatzmannsdorf, s. 1991 Chefarzt-Stellv. d. PVA d. Angest. i. Zentralgebäude, Organ. d. Rehab.-Zentren Bad Tatzmannsdorf, Bad Hofgastein, Kurheim Bad Schallerbach, sowie weit. Außenstellen, zusätzl. Aufgabenbereich: Med. Beurteil. v. Berufsunfähigkeit u. Plegeansuchen; während Stud. Teiln. an Weltreise m. "Akademie Kammerchor", s. ca. 15 J. intern. Soloabende als Liedsänger, Baßbariton, oft gem. mit Ehefrau, ausnahmslos Benefizabende. BL.: Komp. v. Volksliedern bzw. einer latein. Messe, 1991 Uraufführ. d. Messe "In Honorem Mariae" Stiftskirche zu Griffen. P.: mehr. Rundfunkaufn. u. TV-Auftritte als Solist, Autor u.a. d. Neufassung d. Nibelungenliedes v. Bischof Pilgrim v. Passau. (J.S.)

Werner Herbert Dr. Dkfm.

B.: Gschf. d. IGV Beteiligungs u. Vermögenstreuhand GmbH Wien, IGV Investitionsgütervermietung GmbH Wien, IGV Vermögensberatungs GmbH Wien, WKG Wasserkraftwerke GmbH Wien, WKG Wasserkraftwerk Rottenmann GmbH Rottenmann, WKG Wasserkraftwerke GmbH & Co GmbH Aflenz, WKG Wasserkraftwerke GmbH & Co GmbH Klagenfurt u. Kleinkraftwerks GmbH Bad Mitterndorf. PA.: 1040 Wien, Maderstr. 1. M.: AufsR. d. Berkel Schember AG Wien.

Werner Kurt Dr. iur.

B.: em. RA. PA.: 2103 Langenzersdorf, Bisambergg. 6-8. G.: Wien, 4. Juli 1918. V.: Meta, geb. Steinschneider. El.: RA Dr. iur. Viktor u. Maria, geb. Sparholz. S.: 1936 Matura, Jusstud. Univ. Wien, 1947 Prom. z. Dr. iur. K.: 1948 Gerichtsj. LGH Wien, 1949-52 Konzipient RA-Praxis Dr. Ernst Loew Wien u. Dr. Viktor Werner Wien, 1952 RA-Prüf., ab 1952 gemeinsame RA-Praxis m. Vater Dr. Viktor Werner, 1956 nach dessen Tod gemeinsame Praxis m. Dr. Marianne Werner, 1984 Eintritt in d. Ruhestand. H.: eigene Reitpferde u. Fahrpferde.

Werner Leopold ÖkR.

B.: Bgm. v. Oggau. DA.: 7063 Oggau, Hauptstr. 52. PA.: 7063 Oggau, Hauptstr. 18. G.: Oggau, 22. Okt. 1935. V.: Maria. Ki.: Beate (1959), Leopold (1961), Michaela (1967). El.: Leopold u. Rosalia. S.: VS, HS, 2 J. BS f. Ldw. K.: 1957 Übernahme d. elterl. Wirtschaft, 1962 Parteibeitritt ÖVP Bauernbundmtgl., 1967 GemR., 1969 Parteiobm., 1972 Bgm. v. Oggau. E.: ÖkR., Höchste Ausz. d. Feuerwehr, Musikverb., Gold. EZ d. Landes Bgld., EZ f. Verdienste d. Landes. M.: ÖVP, Vorst. Bauernbund, Mitgründer Musikverb., Raika-Vorst. H.: Sport. (M.N.)

Werner Louise

B.: Sopranistin. PA.: NL-7546 DJ Enschede, Bögelskamphoek 119. G.: Lund/Schweden, 6. Apr. 1949. V.: Rudolf Ruivenkamp. El.: Ragnar u. Inga. S.: Matura, Stud. Theater- u. Musikwiss. Univ. Lund, Opern-HS Stockholm, Kurse am Mozarteum b. Prof. Schilhawsky u. Academia Chigiana in Siena/Italien. K.: Debut Drottningholms Schloßtheater Kgl. Oper Stockholm, 1975-78 Engagement Norrlandsoper Umea, ab 1980 Gastverpflichtungen an intern. Opernhäusern, 1. Operettenauftritt am Oscars-Teatern Stockholm, ab 1984 festes Mtgl. "Laxenburger Kultursommer", 1986-92 Mtgl. Tir. Landestheater Innsbruck, seit 1992 freischaff., zahlr. Rundfunk- u. Fernsehaufnahmen u. Tourneen in Europa, gr. Konzertrepertoire. H.: Kunst, Natur. (J.S.)

Werner Manfred Dkfm.

B.: Gschf. FN.: Otto Versand GmbH. DA.: 8021 Graz, Wiener Str. 286. G.: 1953. K.: Beginn d. berufl. Laufbahn b. Otto-Versand Hamburg, im Bereich Konzern-Marketing, Übernahme d. Dion.-Bereiches Marketing/Vertrieb Alba-Moda, 1 1/2 J. Gschf. Moden Müller u. zuständig Marketing/Vertrieb u. Einkauf, dzt. Gschf. Otto Versand Graz.

Werner Robert

B.: Opernsänger an d. Staatsoper Wien. DA.: 1010 Wien, Opernring 1. PA.: 1160 Wien, Thaliastr. 103/38. G.: Wien, 28. Aug. 1947. Ki.: Marko (1979), Paul (1982). El.: Johann u. Elfriede. S.: Buchhändlerlehre, 1965 Abschluß, begann bereits in d. frühesten J. zu musizieren u. erhielt dadurch 1966 d. "Gold. Orchidee" f. d. Filmmusik z. "Das Ende d. Eusebyius Pumm", seit 1957 Konservatorium, 1974-76 Walter Hörler-Schüler, Schüler v. Franco Corelli, Hilde Zadek u. James King, begann durch Hörler auch zu singen, 1967-74 Auslandsaufenthalte u. Tätigkeiten als Popmusiker f. Keyboard u. H.-Orgel, 1978-82 Tenor Raimundtheater, seit 1982 Bühnendienstvertrag an d. Wr. Staatsoper, Pianist am Wr. Opernball, Aufführungen: 1984 Sbg. Festspiele "Schwarze Maske", 1986 Sbg. Festspiele unter Dirigent Karajan gesungen, 1989 Begleitung eines Stummfilmes in d. Staatsoper, jährl. Benefizkonzert in d. Strafvollzugsanst. am 24. Dez. H.: Musik, Komponieren, Sport, Kleidung. (J.E.)

Werner Wolfgang Mag.

B.: Dir. d. BG u. BRG f. Berufstätige in Linz. DA.: 4020 Linz, Spittelwiese 14. PA.: 4020 Linz, Museumstr. 17. G.: Linz, 9. Aug. 1948. Ki.: Dagmar (1974), Michael (1976). El.: Rudolf u. Hilde. S.: Gymn. Linz, ab 1965 MilRG an d. Theresian. Militärak. Wr. Neustadt, 1970 Matura, 1970-74 Ak. d. Bild. Künste Wien, künstl. u. wiss. Lehramtsstud. K.: 1974-79 HS-Lektor an d. Akad. d. Bild. Künste Wien, Kunsterzieher BRG u. PÄDAK d. Bundes Linz, seit 1989 Dir. P.: versch. Publ. u. Forsch.-Arb. im Bereich Konsumenten-, Wohn- u. Kunsterziehung. M.: SPÖ, ÖGB, BSA. (P.H.)

Werner-Tutschku Volker Horst Adolf Dr.

B.: Prakt. Tierarzt, Instruktor f. Schweinekrankheiten an d. Tierärztl. Univ. Wien. A.: 4642 Sattledt 73. G.: 10. Juni 1932. V.: Dr. Ingeborg, geb. Tomaschek. S.: VS, RG, Matura 1950, Tierärztl. Dipl. 1955, Dr. vet. 1955. K.: Prakt. Tierarzt seit 1955 in Sattledt, seit 1969 Instruktor d. Tierärztl. Univ. Wien, seit 1967 GemR.Mtgl. bzw. Gem.Vorst.Mtgl. in Sattledt, seit

1979 Bgm. d. Gem. Sattledt. P.: Zahlr. Veröff. in d. Wr. Tierärztl. Monatsschrift über Schweinekrankheiten u. deren Behandlung. E.: Dr. Bayer-Med. d. Wr. Tierärztl. HS f. bes. wiss. Leistungen in d. tierärztl. Praxis 1970. M.: Präs. d. Sportver. Sattledt. H.: Sport (Skilauf, Tennis, Fußball).

Wernhart Karl Rudolf Dr. phil. Dr. h.c. o.Univ.-Prof.
B.: Grund- u. Integrativwiss. Fak. d. Univ. Wien, Lehrstuhl Völkerkunde II. DA.: 1010 Wien, Universitätsstr. 7. PA.: 1180 Wien, Klosterg. 16/10. G.: Wien, 14. Aug. 1941. V.: Elisabeth Maria, geb. Faber. Ki.: Carl Alexander (1970), Georg Wolfgang (1976). El.: Dr. Karl u. Josefa, geb. Zeller. S.: Stud. d. Neueren Geschichte u. Völkerkunde an d. Univ. Wien, 1967 Prom. K.: seit 1968 Univ.-Ass., ab 1970 Univ.-Lektor, 1974-75 Habil., 1979-80 a.o.Prof., seit 1980 o.Prof., 1978-85 Gastdoz. Univ. Innsbruck, 1985 Gastprof. an d. Humboldt-Univ. Berlin, 1994 Gastprof. an d. Kunsthochschule Linz, 1985-88 Dekan d. Grund- u. Integrativwiss. Fak., 1989-91 Rektor d. Univ. Wien. BL.: Forschungsbereich: hist. Ethnologie, Ethnohistorie u. Kulturgeschichte, bes. Polynesien, Schwarzafrika u. d. afro-karib. Raum, Schwerpunkte in Religionsethn. u. Mythenforsch., Feldforsch. u. Studienreisen nach Polynesien 1973 u. 1985 u. in d. Karibik 1982, 1983, 1986, 1987, 1991 u. 1992, Nordafrika 1979 u. 1984. P.: 8 Bücher z.B.: "Der erste österr. Weltreisende 1621-28" 1972, "Ethnohistorie u. Kulturgeschichte" 1986, "Der König v. Hawaii 1881 in Wien" 1987, über 90 fachwiss. Abhandlungen u. Autor zahlr. wiss. Filmdokumente. E.: 1991 Ehrendoktorat f. Phil. an d. Comeniusuniv. Bratislava, 1994 Gold. EZ. d. Univ. Wien. M.: Präs. d. anthropolog. Ges. in Wien, Präs. d. österr. ethnomed. Ges., VPräs. d. Ver. d. Afrikanisten Österr., VPräs. d. Österr. geograph. Ges., Aussch.-Mtgl. d. Ver. f. Volkskunde, Mtgl. d. Österr. ethnolog. Ges. u. d. Société d. Océanistes Paris. H.: Skifahren, Forsch., Naturverbundenheit. (N.A.)

Werni Peter Siegfried Dr.
B.: FAfZMuK. DA.: 1130 Wien, Fasangarteng. 6-8. PA.: 1130 Wien, Küniglg. 12. G.: Wien, 16. Jan. 1946. V.: Maria, geb. Bubenheffer. K.: Matura, Med.Stud., 1972 FA-Prüf., seit 1974 FAfZMuK. H.: Tennis, Lesen. (G.K.)

Werschitz Franz Dr. iur.
B.: Notar. PA.: 4501 Neuhofen, Fichtenweg 12. G.: Windischgarsten, 16. Juni 1923. V.: Elisabeth, geb. Seil. El.: Franz u. Anna. S.: RG, Matura 1942, Dt. Wehrmacht, Kriegsgefangenschaft, Stud. an d. Univ. Wien, Jur. Fak., Prom. 1950, 1 J. Gerichtspraxis Wien. K.: 1952-62 Notariatsanw. Grünburg, St. Florian u. Steyr, 1963 selbst. Notar in Neuhofen. M.: Lions-Club Neuhofen. H.: Sprachen, Lesen, Musik. (A.W.)

Werth Helmuth
B.: Bez.-Gschf. d. Geschäftsstelle d. SPÖ Schwaz. DA.: 6130 Schwaz, Dr.-Dorrek-Str. 3. PA.: 6130 Schwaz, Falkensteinstr. 49. G.: Schwaz, 15. Jän. 1961. V.: Renate, geb. Plattner. Ki.: Julia (1989). El.: Günther u. Herma. S.: Grundschule, BG, 1979 Abschluß, 2 J. Musikant b. BH, 1987/88 Verw.-Ak., Musikschule Klarinette u. Saxophon, 1979-81 Konservatorium Vbg. K.: seit 1981 Postbmtr., 1990-92 Abt.-Ltr. in d. Fernmeldegebührenstelle d. Post Innsbruck, seit 1992 Geschäftsstellenltr. SPÖ. M.: Musikkapellen (Postmusik u. Knappenmusik), SPÖ. H.: Musik. (M.W.)

Werth Helmuth
B.: selbst. Export-Import-Kfm., Erzeuger v. Kosmet. u. Chem. Produkten. FN.: Werth-Cosmetic. DA. u. PA.: 8041 Graz, Eintrachtg. 95. G.: Strassen, 15. Sept. 1941. V.: Hildegard, geb, Viertler. Ki.: Gabriela (1965), Katharina (1980). El.: Heinrich u. Ida. BV.: altes Familiengeschlecht aus d. 12. Jhdt. nachweisbar aus Südtir., einige Adelsverleihungen, Werthstraße in Wien nach dieser Familie benannt. S.: Mittelschule Volders, 1958 Privatmatura. K.: Apothekerlaborant, ab 1968 Außendienstmitarb. Fritz Fischer OHG, 1978 Inh. d. Firma, Verlegung d. Standortes nach Graz, österr.-weiter Vertrieb, Import v. Kosmetikprodukten u. eigener Vertrieb f. ganz Österr. f. Apotheken, Parfumerien u. Drogerien, 1968 Naturprodukt "Helpic" nach Insektenstichen auf d. Markt gebracht, 1986 Eröff. eines eigenen Detailgeschäftes Reformhaus u. Parfumerie. P.: Informationsbroschüre über Helpic, zahlr. Veröff. in div. Zeitschriften, Fachzeitschriften u. Zeitungen. F.: AG in d. Schweiz. M.: Sponsor d. Fußballmannschaft F.C. Murfeld. H.: eig. Fischereien, Fischzüchten, Tiere. (M.Gr.)

Werth Siegfried
B.: Personalchef, F&B-Manager, Küchenchef. FN.: DDSG-DCA. DA.: 1020 Wien, Handelskai 265. PA.: 1220 Wien, Zschokkeg. 91. G.: Stuhlfelden, 24. Feb. 1959. V.: Susanne, geb. Detter. El.: Oswald u. Anna, geb. Aichner. S.: VS, HS, Polytechn. Lehrg., Berufsschule f. Gastgewerbe, 1977 Abschl. K.: 1977-87 Koch in versch. Wr. Hotels u. Rest., u.a. "Parkhotel Schönbrunn", "Intercontinental", "Wr. Stadtkrug", "Steinerne Eule", Küchenchef d. M/S Mozart, 1987 Eintritt bei DDSG-DCA als Küchenchef, ab 1990 Chef d. Personalabt., zusätzl. 1993 Grdg. d. Fa. "Bauernkorb" in Wien. E.: Zahlr. Ausz. bei versch. Kochwettbewerben, u.a. Gold. Med. bei der NÖKA. M.: Funktionär im Köcheverb. H.: Fischen, Skifahren, Musik. (N.A.)

Werzinger Uli

B.: Inh. FN.: Easy Drivers Werzinger, Die Fahrschule. DA.: 3430 Tulln, Kircheng. 16. G.: Wien, 10. Apr. 1942. V.: Joachim. Ki.: Katrin (1964), Bärbel (1966), Axel (1969), Julia (1978). El.: Ing. Rudolf u. Katharina, geb. Zimmerer. S.: 1960 Mat. K.: 1973 selbst., chem. Reinigung, 1985 Übern. d. elt. Betr., 1993 Grdg.-Mtgl. v. "Easy Drivers", Kooperation v. 10 öst. Fahrschulen, 1994 Grdg. d. Pubs "Drivers Inn". M.: Obfrau d. Werbegem. Tullner Wirtsch., Ausschuß d. Textilreiniger NÖ HK. E.: Silb. EM d. NÖ LR. H.: Zeichnen, Malen. (T.T.)

Wesely Peter
B.: Journalist, Radio u. Fernsehen. DA.: 1130 Wien, Würzburgg. 30. PA.: 1030 Wien, Eslarng. 19. G.: Wien, 24. Dez. 1959. V.: Brigitte, geb. Koch. Ki.: Daniel (1980), Judith (1990). El.: Josef u. Erika. S.: HTL-Mödling (Innenausbau), 1980 Matura. K.: Arch.-Büro, parallel zu schreiben begonnen f. "die Wende" (Kath. Jugendmagazin), Werbeltr. "die Wende", 1982 Jugendarb. (Kath. Jugend), gemeinsam m. ORF gesamtösterr. Liederwettbewerb organisiert, 1983 freier Mitarb. ORF, Hauptabt. Religion, Landesstudio Wien, seit 1991 Hauptabt. Religion im Fernsehen. P.: Hrsg. u. Mitautor d. Buches "ninos del mundo - Kinder dieser Welt". E.:

Staatspreis - Österr. Kinder- u. Jugendbuchpreis. M.: Mtgl. d. Vorst. d. Kath. Publizisten, Kath. Pressekmsn., Kath. Radio- u. Fernsehorgan. UNDA. H.: Literatur, Kinder. (J.E.)

Wesenauer Franz

B.: Bildhauer. DA. u. PA.: 5322 Hof b. Salzburg 144. G.: Hof, 9. Dez. 1930. V.: Erika, geb. Waschl. Ki.: Barbara (1961), Herbert (1963), Veronika (1968). El.: Franz u. Maria. K.: 1960 Mstr.-Prüf. f. Holzbildhauer, anschl. tätig b. Schwiegervater Franz Waschl, seit 1968 selbst. M.: 15 J. Feuerwehrkdt. in Hof, Trachtenver., Eisschützen, Innungsmstr. d. Bildhauer. H.: Bildhauerei, Eisstockschießen, Schwammerlsuchen. (E.Hö.)

Wesener Gunter Dr. iur.

B.: Vorst. d. Inst. f. röm. Recht u. antike Rechtsgeschichte an d. Karl-Franzens-Univ. Graz. A.: 8010 Graz, Rosenberggürtel 21. G.: Graz, 3. Juni 1932. V.: Carmen, geb. Lintner. El.: Ernst u. Ida. S.: Matura 1950, Jusstud. an d. Univ. Graz, Prom. 1954. K.: Habil. f. Röm. Recht u. Privatrechtsgeschichte d. Neuzeit an d. Univ. Graz 1957, a.o.Prof. 1959, o.Prof. 1963 Univ. Graz, Dekan d. Rechts- u. Staatswiss. Fak. d. Univ. Graz im Studienjahr 1965/66, Dekan d. Rechtswiss. Fak. d. Univ. Graz in d. Studienjahren 1979/80 u. 1980/81, Präses d. Rechtshistor. Staatsprüf.Kmsn. P.: Geschichte d. Erbrechtes in Österr. seit d. Rezeption (1957), Das innerösterr. Landschrannenverfahren im 16. u. 17. Jhdt. (1963), Röm. Recht u. Naturrecht (1978), Einflüsse u. Geltung d. römisch-gemeinen Rechts in d. altösterr. Ländern in d. Neuzeit (1989), Neubearb. d. 2., 3. u. 4. Aufl. d. Neueren Deutschen Privatrechtsgeschichte v. G. Wesenberg (1969, 1976 u. 1985) u.v.a. E.: Gr. Gold. EZ d. Landes Stmk., Festschrift z. 60. Geb.: Vestigia Iuris Romani (1992). M.: Savigny-Kmsn. d. Österr. Ak. d. Wiss., Histor. Ver. f. Stmk., Grazer Jur. Ges., Österr. Juristentag. H.: Genealogie, Schach.

Weseslindtner Helmar Dr. techn. o.Univ.-Prof.

B.: Vorst. d. Inst. f. Fertigungstechnik d. TU Wien, Vorst. d. interuniversitären Fertigungszentrums (IUCCIM). DA.: 1040 Wien, Karlspl. 13. PA.: 1170 Wien, Ing.-Körner-G. 17. G.: Ried/Innkreis, 20. Mai 1940. V.: Karin, geb. Haub. Ki.: Lukas (1976), Marlene (1981). El.: Karl u. Josefine, geb. Harb. S.: 1959 Matura, Stud. Maschinenbau TU Wien, 1965 Abschluß, 1967 Prom. K.: 1967-71 Doz. am Inst. f. Fertigungstechnik, 1972 a.o.Prof., 1975-81 Tätigkeit in d. BRD, seit 1981 Vorst. d. Inst. f. Fertigungstechnik, 1986 Ordinarius f. rechnerintegrierte Fertigung, seit 1991 Vorst. d. interuniv. Zentrums f. CIM. P.: zahlr. Publ. im In- u. Ausland m. Schwerpunkt Fertigungstechnik u. C-Technologien. M.: AufsR. d. Firma "Heid" Rothenbergergruppe, Techn. BeiR. Hüller-Hille Deutschland im Konzern Thyssen. H.: Modelleisenbahnen, Musik. (N.A.)

Wesiack Wolfgang Dr. med. o.Univ.-Prof.

B.: o.Prof. f. Med. Psych. u. Psychotherapie, Vorst. d. Univ.-Klinik f. Psych. u. Psychotherapie. DA.: 6020 Innsbruck, Sonnenburgstr. 16. PA.: 6065 Thaur, Langg. 37. G.: Graz, 29. März 1924. V.: Margit. Ki.: Dr. Wolfgang (1947), Ulrike (1951), Dr. Konstanze (1956), Dr. Bettina (1964). S.: Hum. Gymn. Marburg, 1942 Matura, Dt. Wehrmacht, Militärärztl. Ak., 1943 Med.-Stud. Berlin, Freiburg u. Prag, 1946-69 Erlangen, 1949 Prom., parallel z. Med.-Stud. Stud. Psych. u. Phil. K.: Ausbild. z. Internisten, während d. Ass. u. OA-Tätigkeit Ausbild. z. Psychotherapeuten, 1960-84 eigene Psychosomat. u. Psychotherapeut. Praxis in Baden-Württemberg, ab 1960 parallel Lehranalytiker u. Doz. an d. Ak. f. Psychotherapie u. Tiefenpsych. in Stuttgart, 1972 Habil. f. Psychosomat. Med. Ulm, 1978 apl.Prof. Ulm, seit 1984 Prof. Innsbruck. P.: einige hundert Publ. z. Themen d. Psychotherapie u. Psychosomat. Med. u. Theorie d. Humanmed., Bücher: Grundzüge d. Psychosomat. Med.", "Psychosomat. Med. in d. Ärztl. Praxis", Psychoanalyse u. Prakt. Med. E.: Michael Balint-Preis d. Schweiz. Ges. f. Psychosomat. Med. M.: Grdg. u. Kuratoriumsmtgl. d. Dt. Kollegiums f. Psychosomat. Med., Dt. Ges. f. Psychotherapie, Dt. Ges. f. Tiefenpsych., Dt. Ges. f. Gruppentherapie u. -dynamik. H.: Lesen, Reisen, Sport. (G.P.)

Wesner Gertrude Mag. art.

B.: freischaff. Malerin u. Dipl.-Innenarch. PA.: 1030 Wien, Wasserg. 16; 7442 Lockenhaus/Hammer, Hammerschmiedg. 5. Ki.: Dr. Gertrude. El.: Hans u. Leopoldine Knoth. S.: Stud. Innenarch. u. Malerei b. Arch. Prof. Oswald Haerdtl HS f. Angew. Kunst Wien, Stud. Kunstgeschichte u. kirchl. Kunst b. Univ.-Prof. Dr. Anselm Weissenhofer, d. Malerei b. Univ.-Prof. Viktor Schufinsky u. Bühnen- u. Kostümkunde b. Prof. Otto Niedermoser. K.: seit 17. Lebensj. Beschäftigung m. Malerei, Mtgl. d. Berufsver. d. bild. Künstler Österr., rege Ausstellungstätigkeit in Paris, Mailand, Porto, Österr., Deutschland u. Caracas, Schwerpunkte: Landschaften, Stilleben, freie Kompositionen.. E.: 1988 2 Oskar b. Kurier-Wettbewerb. H.: Malen, Studienreisen in viele Länder d. Welt. (N.A.)

Wess Josef Ing.

B.: Ldw., Obm. d. Bez.-Bauernkam. Gloggnitz. DA.: 2640 Gloggnitz, Wiener Str. 2. PA.: 2640 Gloggnitz, Gasteil 15. G.: Neunkirchen, 22. Juli 1948. V.: Margret, geb. Ringhofer. Ki.: Oliver (1975), Sandra (1976), Margret (1988), Elisabeth (1989). El.: Franz u. Josefa, geb. Schanner. S.: VS, HS, HBLA Ldw., 1970 Matura. K.: 1970 Eintritt in d. elterl. Betrieb, 1983 Übernahme d. Betriebes. BL.: Teilnahme als Bergsteiger an Bergexpeditionen u. Höhlenerforsch. E.: Gold. VZ d. Rep. Österr. M.: OrtsbauernR. Gloggnitz, LandesbauernR. f. NÖ, Obm. d. Bez.-Bauernkam. H.: Bergsteigen, Chronik d. Heimatkunde, Paragleiten, Reisen. (M.M.)

Wess Rainer Ing.

B.: Önologe, Gschf. FN.: Sankt Urban Kellerei. DA.: 1220 Wien, Bellegardg. 6; 6021 Innsbruck, Heiliggeiststr. 10. G.: Wr. Neustadt, 31. Mai 1968. V.: Helga, geb. Höchtl. El.: Rainer u. Johanna. S.: Matura 1987 HBLVA f. Wein- u. Obstbau Klosterneuburg. K.: 1988 in Bordeaux auf einigen Chateaux, u.a. Chateau Cheval Blanc u. Chateau Angelus u. im Weinhandel tätig, 1989 Eintritt in Fa. Gottardi, Innsbruck, seit 1993 Gschf. St. Urban Weindepots Wien. H.: Lesen, Wandern, Schifahren, Bergtouren, Reisen. (J.S.)

Wessely Felix

B.: freiberufl. Journalist, Pressefotograf, Verleger u. Hrsg. d. Zeitschrift "praktiker" - Hobby & Elektronik. DA. u. PA.: 1070 Wien, Apollog. 22. G.: Wien, 18. März 1958. El.: Gerhard u. Eva. S.: AHS, HASCH m. Abschluß. K.: 1979-85 Tätigkeit als Bankkfm., 1985-87 Red. b. "Tourist Austria Intern.", 1988 selbst. als freiberufl. Journalist u. Pressefotograf, ltd. Red. d. Zeitschrift "Hobby & Elektronik" u. Red. f. Sonderthemen "Unterhaltungselektronik" u. "Kommunikationstechnik" f. d. "Kurier", eigene Desktop Publishing-Produktion, seit 1993 Gschf. Ges. d. "praktiker" Zeitschriftenverlag GmbH, seit 1993 Elektronik-Entwicklungslabor. BL.: Entwicklung eines Redaktionssystems f. d. Computersatz. M.: EISA. (M.M.)

Wessely Franz Dr. med. vet.
B.: Tierarzt. DA. u. PA.: 3100 St. Pölten, Goethestr. 23. G.: Wien, 25. Aug. 1953. V.: Roswitha, geb. Kloibhofer. Ki.: Marlis (1986). El.: Viktor u. Margarete. S.: VS, BRG, 1971 Matura, Stud. Tierärztl. HS Wien, 1980 Prom. z. Dr. med. vet. K.: 1981 Tierarzt b. Österr. BH, 1982 Tierarztass. in Düsseldorf, 1983 Eröff. einer eigenen Tierarztordination m. Schwerpunkt Kleintierpraxis m. Chir., Labormed. u. Röntgen. M.: Ver. Österr. Kleintierpraktiker, Aussch.-Mtgl. im Tierschutzver. St. Pölten, Tennisclub TC St. Pölten, AWA Western Riding Assoc. H.: Reiten, Tennis, Skifahren. (M.M.)

Wessely Hans Peter
B.: Hoteldirektor u. Manager. FN.: Hotel Apollo. DA.: 1060 Wien, Kaunitzg. 4. PA.: 1190 Wien, Traklg. 8/31. G.: Wien, 1. April 1941. V.: Birgit, geb. Brix. Ki.: Johannes (1983). El.: Margarethe u. Johann. S.: 1958-59 Hotelfachschule i. Bad Gleichenberg, Abschluß. K.: 1959-61 Frankr. Jersey - C.I. i. d. Gastronomie tätig, 1962 Präsenzdienst, 1963 Im "Opera Restaurant" Wien gearbeitet, 1964-69 Griechen Beisl, 1969-71 Hotel Austria u. Hotel Zentral, Oberkellner, 1971-81 Hotel Bohemia, Oberkellner u. Rezeptions Chef, 1981 Vienna Intercontinental, Rezeptionist, 1982 Hotel am Parkring, Rezeptionist, 1983-89 Ambassador als Concierge, 1990-92 Alba Arccadia, Rezeptions Chef, s. 1992 Dir. i. Apollo. M.: Chefs d´or. H.: Skifahren, Sammeln v. Bierkrügern u. Biergläser. (I.K.)

Wessely Maria

B.: Gschf. FN.: Wessely & Mittermüller GmbH. DA.: 1110 Wien, Zinnerg. 27. PA.: 1030 Wien, Schimmelgasse 11. G.: Zlabings, 14.6.1932. V.: Johann (1963 verst.). Ki.: Brigitte (1956), Günther (1959). El.: Franz, Maria Perschke. S.: Hauptschule, Heimatvertrieben aus Südmähren. K.: 1945-50 Landarbeiterin, 1951-52 Haushaltshilfe, 1952-56 Metallarbeiterin, 1959 Grdg. d. Transportunternehmens, 1966 Transportgewerbeprüfung, 1976 Grdg. GmbH mit Franz Mittermüller, 1980-87 Gschf. d. Wessely & Mittermüller GmbH, 1987 alleinige Gschf. Ges. d. Wessely & Mittermüller GmbH. H.: Familie, Lesen, Handarbeiten. (G.B.)

Wessely Paula
B.: Schauspielerin, Mtgl. d. Burgtheaters. PA.: 1190 Wien, Himmelstr. 24. G.: Wien, 20. Jan. 1907. V.: Attila Hörbiger. Ki.: Elisabeth, Christiane, Maresa. S.: Stud. an d. Ak. f. Musik u. Darst. Kunst (Prof. Beer u. Frey), Reinhardt-Seminar. K.: 1924 1. Engagement am Raimundtheater u. d. Kammerbühne Wien, 1926-27 Dt. Bühnen in Prag u. Dt. Volkstheater Wien, 1928 Theater in d. Josefstadt Wien (unter Max Reinhardt), 1930 1. Teilnahme an d. Sbg. Festspielen, 1932 Dt. Theater Berlin, 1950 Grdg. einer eig. Filmges. (Paula Wessely Filmprod.) Theaterauftr.: Rose Berndt, Gretchen, Hl. Johanna, Barbara Blomberg, Hero, Dorothea Angermann Minna v. Barnhelm, Dona Diana, Frau v. Meer (Tournee d. Deutschland), u.a., Filme: "Maskerade", "So endet eine Liebe", "Ernte", "Episode", "Ein Leben lang", "Der Engel m. d. Posaune", "Ich und meine Frau", "Weg in d. Vergangenheit", "Maria Theresia", "Vagabunden", "Cordula", "Die Wirtin z. gold. Krone", "Die unvollkommene Ehe", "Jederman" u.a. E.: Kammerschauspielerin, Max Reinhardt-Ring, Ehrenmtgl. d. Wr. Burgtheaters, Ehrenkreuz f. Wiss. u. Kunst, EZ d. Stadt Wien, Sascha Kolowrat-Preis, Josef Kainz-Med., Alma Seidler-Ring, Gold. EZ d. Landes Sbg., Filmband in Gold v. Berlin, Raimund-Ring. M.: Wr. Ak. f. Musik u. Darst. Kunst, Ak. d. Künste, Berlin.

West Helena G.
B.: Prok. d. Kymmene Papier GmbH. DA.: 1010 Wien, Dorotheerg. 22. PA.: 1080 Wien, Alser Str. 41/2/9. G.: Bergö/Finnland, 12. Dez. 1950. V.: Kossro Haghbin. El.: Lempi u. Stig. S.: 1972 Matura in Finnland, 1972-73 Stud. in Stockholm. K.: 1973 tätig in Stockholm, 1974-76 Sekr. in Helsinki, seit 1976 in Wien b. Fa. Kymmene Papier GmbH, zunächst im Verkauf, seit 1985 Einzelprok. H.: Theater, Lesen, Malen. (P.R.)

West-Gegenbauer Brigitte
B.: Schauspielerin, Moderatorin. DA.: 9020 Klagenfurt, Theaterpl. 4. PA.: 9061 Wölfnitz, Am Rautkogl 13. G.: Wien, 26. Juli 1948. V.: Ernst. Ki.: Victoria (1986). El.: Friedrich u. Margarethe Woratschek. S.: Matura, 5 Sem. Arch.Stud., priv. Schauspielschule in Wien. K.: während d. Stud. b. 1970 ORF-Sprecherin in Wien, 1. Engagement Theater in Bielefeld, dann 1 J. Klagenfurt, Stipendium in England: Royal Shakespeare Company, danach folgten Aufführungen in d. Schweiz, Coburg, Krefeld, Bonn, seit 1983 Engagement am Stadttheater Klagenfurt u. danach Tätigkeit im ORF LStudio Klagenfurt. H.: Lesen, klass. Musik. (D.M.)

Westenthaler Peter Ing.

B.: Bundespressesprecher d. FPÖ; LAbg. f. Wien. DA.: Reichsratstr.2/Tor 3, Parlament. PA.: 1100 Wien, Laaerbergstr. 38. G.: Wien, 6. Nov. 1967. V.: Dagmar, geb. Weihs. El.: Renate u.Karl. S.: 4J. AHS, anschl. HTL Wien, Abt. f. EDV u. betriebl. Organisation, 1988 Matura. K.: ab 1988 freier Mitarb. im Freiheitl. Parlamentsclub f. Presse u. EDV-Angel., ab 1989 zusätzl. Pressesprecher des Parlaments unter Club-Obm. Norbert Gugerbauer, 1989-94 Obm. d. RFJ f. Wien, 1990 Bundespressesprecher d. RFJ, ab 1.1.1991 Persönl. Ref. v. Jörg Haider, ab Nov. 1991 zusätzl. LAbg. f. Wien, seit 1993 Bundessprecher d. FPÖ. BL.: 11J. lang aktiver Fußballer, zul. f.ESV Rabensburg, Torschützenkönig mit 56 Toren. P.: Mehrere Broschüren f. d. Partei. M.: NÖ Lebenshilfe, ESV Rabensburg. H.: Fußball, Tennis, Computer, Schach u. Politik. (J.S.)

Westermann Michael
B.: freischaff. Photograph u. Designer. DA. u. PA.: 1070 Wien, Mechitaristeng. 5/13, D-2000 Hamburg 76, Pabenhuderstr. 40. G.: Großhansdorf b. Hamburg, 12. Juni 1951. El.: Jenz u. Ingeborg. S.: 1973 Matura, Lehre als Schriftsetzer b. d. Lübecker Nachrichten, 1971 Lehrabschlußprüf., 1972 Photosatzabschluß b. "Bertold" in Berlin, 1974 Abschluß d. 1. Photoschule b. Otto Umbehr/UMBO HfG-

Hildesheim, 1977 Dipl. als grad. Graphik-Designer d. HfG-Bremen. K.: 1977 Photo-Designer d. Stadttheater Bremen, Photolehrauftrag an d. HfG-Bremen, 1979 freier Photo-Designer versch. Theater in Wien, 1981 Art-Dir. d. Zeitschrift "Harlekijn" in Hamburg, 1981 freier Photojournalist u. Designer f. Magazine, seit 1984 in Hamburg u. Wien als freischaff. Photograph u. Designer f. Schallplatten-, Buch- u. Magazin-Verlage, Werbeagenturen, Film- u. Theaterproduktionen, sowie Reportage u. Porträts v. bekannten Persönlichkeiten. P.: Art-Kane-Photo-Workshop in New Jersey/USA b. Jay Maisel. E.: 1984 Ausz. d. CCA Creative Club Austria. H.: Arbeit. (M.B.)

Westermayer Hans Dkfm. Prof.

B.: Steuerberater, Prof. an HAK. DA.: 1070 Wien, Kaiserstr. 105. G.: Herzogenburg, 11. Juli 1934. V.: Erika, geb. Brasch. El.: Johann u. Barbara. S.: Stiftsgymn. Seitenstetten, HS f. Welthdl. Wien, Lehramtsprüf. f. kfm. Fächer. K.: selbst. Steuerberater, gerichtl. beeid. Buchprüfer, Prof. an d. HAK II Wien, Autor f. kfm. Fachbücher. F.: Gschf. Ges. d. FULL Wirtschaftstreuhand GmbH. P.: "ABC d. Buchhaltung", "ABC d. Lohnverrechnung", "ABC d. Österr. Steuerrechts" u.a. M.: Studentenverbindung Mercuria Wien, Mtgl. d. Kam. d. Wirtschaftstreuhänder Wien. H.: Schach, Radfahren. (J.S.).

Westmark Manfred Dipl.-Kfm.

B.: Ltr. Marketing. FN.: Mosburger AG. DA.: 1234 Wien, Ketzerg. 112. S.: Wirtschaftsuniv. Wien. K.: Industriekfm., Exportltr., Verkaufsltr., Marketingltr.

Westritschnig Wilfried Dr. med.

B.: FA f. Röntgenologie. GT.: Abg. z. Ktn. Landtag. DA.: 9020 Klagenfurt, Fleischmarkt 9. PA.: 9020 Klagenfurt, Franz-Wurm-Weg 7. G.: Klagenfurt, 27. März 1947. V.: Utta, geb. Donesch. Ki.: Dirk, Kerstin. El.: Hans u. Josefine. S.: Stiftsgymn., 1966 Matura, Med.Stud. Wien, 1974 Prom. S.: 1974-83 LKH Klagenfurt, gleichzeitig BetriebsR. FCG, ab 1983 Röntgenologie, ab 1984 Abg. z. Ktn. Landtag. M.: Vors. d. Ktn. Familienbundes, VPräs. d. Österr. Familienbundes. H.: Radfahren, Skifahren, Surfen, Tennis. (S.G.)

Wesz Friedrich

B.: Inh. FN.: Friedrich Peter Wesz Bürobedarf. DA.: 4020 Linz, Blumauerstr. 35. PA.: 4040 Puchenau, Schiwiese 23. G.: Linz, 14. Apr. 1958. V.: Hannelore, geb. Schlögl. Ki.: Florian (1988). El.: Friedrich u. Maria. S.: VS, HS, b. 1978 HAK Linz, 1979 BH. K.: 1980 Tätigkeit im elterl. Betrieb, 1985 Übernahme d. Betriebes. H.: Stammtischrunde, Basteln, Familie, Beruf. (U.A.)

Wetscher Franz

B.: Inh., Musiker. FN.: Versicherungsbüro Wetscher. DA./PA.: 6263 Fügen, Rosenweg 211. G.: Strass i. Zillertal, 14. Mai 1956. V.: Wilhelmine, geb. Höllwarth. Ki.: Daniele (1978), Nicola (1982). El.: Johann u. Anna. S.: 1971-75 Lehre Maschinenbau u. Schlosser, 1975-76 BH. K.: 1977 Grdg. Versicherungsbüro Wetscher; s. 1982 Mtgl. d. "Tiroler Spatzen", 1994 Änd. a. "Franz Wetscher und sein Spatzenexpreß". P.: Komp. u. Texte Volksmusik. E.: Platin Schallplatte 27 Jahre Bundesmusikkapelle Fügen. M.: Bundesmusikkapelle Fügen. H.: Beruf, Musik. (C.D.)

Wetscher Hermann

B.: Bmstr., gschf. Ges. d. Hochfügen & Co KG. PA.: 6263 Fügen, Hochfügener Str. 305. G.: Fügen, 24. März 1935. V.: Hermine, geb. Knapp. Ki.: Klaus (1960), Brigitte (1963). El.: Johann u. Kreszenzia. BV.: Franz Egger (Erzbischof v. Brixen, 19. Jhdt.). S.: Maurerlehre, 1954 Gesellenprüf., 2. Bildungsweg: Planung u. Statik. K.: 1954-57 Fa. Lang (Vorarbeiter), dan. Bauhandwerkerschule, 1957 Baupolierprüf., 1962 Baupolier, Baultr., 1962 Bmstr.Prüf. u. Fil.Ltr. Baubüro Fügen, seit 1969 Gastronom (Hotel Crystal, zus. m. Gattin), 1962 GemR., 1965 VBgm., 1973-81 u. seit 1986 Bgm. v. Fügen, 5 J. im Tir. Landtag, Obm.: H.S. Verb., Poly Fügen, Entwässerung Schütters Fügen, v. Altenheimen v. 8 Gem., im AR d. Raiffeisen Zentralkasse u. Tir. Genossenschaftskasse, Mitbegr. d. Spieljochbahn. E.: zahlr. Ausz. u. Med., u.a. Julius Raab-Med., Gem.Verdienstmed. M.: Präs. d. Wintersportver., FF, Ehrenoffz. d. Schützenver. u.a. H.: Jagd. (M.W.)

Wetter Gunter

B.: Gsch.-Ltr. d. kfm. Bereichs. FN.: Weleda GmbH & Co KG. DA.: 1010 Wien, Getreidemarkt 8. PA.: 2344 Maria Enzersdorf, Stojanstr. 22. G.: Wien, 20. Mai 1938. V.: Renate, geb. Adam. Ki.: Tilman (1962), Guido (1963), Balduin (1965), Heimo (1967), Ivo (1970), Sunniva (1974), Ingunn (1978). El.: Dr. Johannes u. Maria, geb. Gieler. S.: Hum. Gymn. K.: 1959-89 Möbelbranche, zuerst Vertreter, dan. Aufbau Ostexport, Verkaufsltr. Wiener Raum, 1990-93 Außendienstmitarb. d. dt. Fa. Laauser, seit 1/93 Gsch.-Ltr. Weleda. M.: Vorst. Rudolf-Steiner-Schulver. Wien-Mauer. (N.A.)

Wettlinger Ferdinand

B.: Dipl.-Chem., Inh. FN.: Wettlinger-Werkstoffe. DA.: 1160 Wien, Neulerchenfelder Str. 6-8. PA.: 1090 Wien, Bergg. 29. G.: Linz, 17. März 1929. V.: Friederike, geb. Rasch (+ 1988). El.: Ferdinand u. Karoline (beide 1989 verst. S.: Gymn. Linz, Stud. am Inst. f. anorgan. Chemie u. an d. TU Wien, Techn. Chemie, 1951 Grad. K.: 1951-53 Chemie Linz, 1953-61 E-Prok. d. Fa. Telos-Plastik in Wien, 1961-67 Fa. Belouis E-Prok., 1967 selbst., Vertrieb techn. Kunststoffe (Folien u. Halbzeuge). P.: zahlr. Art. in Fachzeitschriften. H.: Kunstgeschichte, Archäologie, Werkstoffkunde. (A.W.)

Wettstein Diter (Dietrich Holger) DDr. o.Univ.-Prof.

B.: Univ.-Prof., Dir. d. physiol. Abt. d. Carlsberg Laboratoriums Kopenhagen. A.: 6152 Trins, Haus Greiteneck 110. G.: Göttingen, 20. Sept. 1929. V.: Dr. Penelope, geb. Knowles. El.: Univ.-Prof. Dr. Fritz u. Dr. Elsa. S.: Matura am BG Innsbruck 1947, Stud. an d. Univ. Tübingen u. d. ETH Zürich, 1953 Dr. rer. nat. an d. Univ. Tübingen, wiss. Ass. am Genet. Inst. d. forstl. Versuchsanst. Stockholm, Dr. phil. (Fil. Lic.) Univ. Stockholm 1953, Fil. Dr. (Dr. habil.) u. Doz. in Genetik an d. Univ. Stockholm 1957, Rockefeller Fellow an versch. Univ. in USA. K.: Univ.-Doz. an d. Univ. Stockholm 1957-62, o.Univ.-Prof. f. Genetik an d. Univ. Kopenhagen u. Dir. d. Genet. Inst. 1962-75, Designierter Dir. d. physiol. Abt. d. Carlsberg Laboratorium 1972-75, Prof. f. Physiologie u. Dir. am Carlsberg Laboratorium seit 1975. P.: Über 150 wiss. Veröff. auf d. Geb. d. Mutationsforschung, d. biochem. Genetik u. d. Zellbiologie. E.: Ritter d. Dannebrogordens, Gr. Silb. EZ f. Verd. um d. Rep. Österr., Gewähltes Mtgl. folgender Ak.: Kgl. Danske Videnskabernes Selskab (1965), Kungl. Fysiografiska Sällskapet (1966), Dt. Ak. d. Naturforscher Leopoldina (1969), Ak. for de tekniske Videnskaber (1978), Kungl. Vetenskapsak. (1980), Nat. Academy of Sciences USA (1981), Académie Royale de Sciences de Belgique (1984), Academia Europeae (1988). H.: Botan. Floristik, Bergsteigen.

Wetzel Helmuth E.
B.: Inh. Sternbräu, Gastwirt, Bierbrauer. DA.: 6830 Rankweil, Walgaustr. 10. G.: Rankweil, 1. Aug. 1940. V.: Margit, geb. Breuss. Ki.: Barbara (1967), Gunther (1970). El.: Johann Erich u. Klara. S.: Grundschule, Berufsschule f. Gastgewerbe Bregenz-Lochau, Lehre f. Hotel- u. Gastgewerbe, Berufsweiterbild. in St. Anton/Arlberg, Auslandsaufenthalte in USA u. Engl. K.: 1956 Barman u. Kellner Rankweil u. Arlberg, 1960 England, 1962 USA, 1963 elterl. Betrieb, 1972 Übernahme Hotelbetrieb, Bierbrauerei u. Getränkehdl., Eldorado f. Biertrinker. P.: Veranstalter f. Bierseminare. M.: Junges Gastgewerbe Vbg., ÖAV, Rotes Kreuz, HK, Sekt. Fremdenverkehr, Ind., Verb. d. Brauereien, Verkehrsver. H.: Bier, sammeln v. Biergläser aus d. ganzen Welt, Feldpost aus d. 1. Weltkrieg, Geschichte, Wandern. (I.D.)

Wetzel Xaver Ing.
B.: Inh. Fahrschule Wetzel, Maschinenbautechniker. DA.: 6800 Feldkirch, Widnau 9. PA.: 6811 Herabühel 577. G.: Bregenz, 7. März 1947. V.: Brigitte. Ki.: Markus (1976), Thomas (1979) El.: Josef u. Martha. S.: VS, HTL Bregenz, 1967 Matura, 1967/68 Militär. K.: 1968 in d. Entwicklung in d. Elektroind. Bregenz, 1969 Arbeitsvorbereitung Firma Porsche Stuttgart, 1970 Fahrschullehrer Bregenz, 1974 Grdg. d. Fahrschule Ing. Xaver Wetzel Feldkirch, Ausbild. f. sämtl. Führerscheine, Gefahrengutlenkerausbild. u. Verkehrssicherheitstraining. BL.: einer d. ersten Ausbilder österr. f. LKW im Fernverkehr. M.: 5 J. Präs. d. Eishockeyclub VEU Feldkirch. H.: Fliegen, Skifahren, Radfahren, Schwimmen. (I.D.)

Wetzer Erich Dr
B.: Ltr. d. Staatsanw. Eisenstadt. DA.: 7000 Eisenstadt, Wiener Str. 9.

Wewalka Günther Dr. med. HofR. Univ.-Prof.
B.: Ltr. d. Bundesstaatl. bakteriolog.-serolog. Untersuchungsanst. GT.: Prof. am Hygiene Inst. d. Univ. Wien. DA.: 1090 Wien, Währinger Str. 25a. PA.: 1190 Wien, Starkfriedg. 16/1/3. G.: Wien, 25. Apr. 1947. V.: Mag. Marianne, geb. Seufert. Ki.: Mathias (1972), Johannes (1975). El.: Dr. Friedrich u. Dr. Charlotte, geb. Böhm. S.: 1965 Matura, 1965-71 Med.-Stud. Univ. Wien, 1971 Prom. z. Dr. d. gesamten Heilkunde, 1981 Habil. f. d. Fach Hygiene u. Mikrobiologie, 1989 a.o.Univ.-Prof. K.: 1971-85 Univ.-Ass. Med. Fak. d. Univ. Wien, seit 1978 FA f. Hygiene, ab 1987 Ltr. d. Bundesstaatl. bakteriolog.-serolog. Untersuchungsanst. Wien, seit 1979 KH-Hygien. Berater d. Stadt Wien in d. MA 15 (Gesundheitsamt), KH-Hygieniker d. Sanatoriums Hera u. d. Rudolfinerhauses Wien. BL.: bes. wiss. Arb. auf d. Gebiet d. Legionella-Infektionen. P.: 130 wiss. Arb. in in- u. ausländ. Fachzeitschriften. E.: 1981 Österr. Hygiene-Preis u. Hygiene-Preis d. Schülcke-Stiftung. M.: Vorst.-Mtgl. u. Sekr. b. d. Österr. Ges. f. Hygiene, Mikrobiologie u. Präventivmed. H.: Entomologie, Spez. f. Käfer. (N.A.)

Wewalka Johannes KommR.
B.: Kfm. DA.: 1030 Wien, Hilten Büro-Center, 17. Etage 1715. PA.: 6370 Kitzbühel, Rehheil 16. G.: Wien, 30. Sept. 1927. V.: Uta, geb. Franzmaier. Ki.: Michael, Wolfgang. BV.: Urgroßvater war KommR. in d. k.u.k. Zeit, 1860 Onkel Gen. Friedrich Wewalka war Dir. d. Österr. Nationalbank. S.: Theresianum RG, 1943 Matura. BL.: Springreiter, 1959-65 Österr. Mstr., 1960 Olympiade Rom, 1964 Tokio, 1964-65 EM-Derby-Sieger, Weltmstr. in Venedig, 1960-70 Gründer d. Stadthallenreit-Turniere F.: selbst. Kfm. m. vielen Fa.Beteiligungen. M.: Gremium d. Getränkehdls., Kremium v. Kurier, Gremium d. Reiterges., Pilotenschein m. allen Berechtigungen d. Blindsfluges. H.: Oper, Natur, Konzert, Reisen. (Fels.)

Wex Otto
B.: Komm., Gschf. FN.: Elektro Mayr KG; Zirmalm Ferienwohnungen Cafe Restaurant. DA. u. PA.: 6130 Schwaz, Innsbrucker Str. 16; Alpbach. G.: Schwaz, 16. Dez. 1930. V.: Gerda. Ki.: Roland (1960), Helga (1961). El.: Otto u. Stefanie. S.: VS, Gymn., HAK. K.: 12 J. Tätigkeit Finanzamt Innsbruck, 1964 Lehramtsprüf., 28 J. Berufslehrer kfm. Fächer Innsbruck, 1972 Übernahme Firma Mayr KG, 1978 Grdg. Restaurant u. Cafe Zirmalm Ferienwohnungen, 1986-92 StadtR. Schwaz, b. 1994 aktiv m. eigener List (LNS) Schwaz. M.: Alpenver. Schwaz. H.: Bergsteigen, Skifahren. (M.H.)

Weyer Dietger
B.: selbst. Werbefachmann. PA.: 1130 Wien, Buchbinderg. 10. G.: Dessau, 9. März 1940. V.: Karin, geb. Ebert. Ki.: Nicole (1972), Kai Patrick (1975). El.: Hermann Georg u. Elisabeth, geb. Raecke. S.: Stud. Werbegrafik Kunstschule Alsterdamm Hamburg. K.: 1959-88 Tätigkeit innerhalb d. Lintas Organ. als Grafiker, Teamchief u. Creative Dir. (Gestaltungsltr.) in Hamburg, Wien, Schweiz u. England, ab 1978 Ndlg. in Wien, seit 1988 selbst. Tätigkeit in Österr. P.: zahlr. Fachart. in Fachzeitschriften. M.: CCA. H.: Muscheln sammeln, Fotografieren, Malen. (N.A.)

Weyermüller Friedrich Dr. Univ.-Doz.
B.: Landesschulinspektor. A.: 6020 Innsbruck, Wallpachg. 15. G.: Innsbruck, 28. Dez. 1936. V.: Ottilie, geb. Baumann. El.: Franz u. Anna. S.: VS, HS, LBA, Univ. K.: Pflichtschullehrer, Schulpsychologe, LSchulinsp., Lehraufträge an d. Päd. u. Berufspäd. Ak., Lehrauftrag an d. Univ. Innsbruck als Univ.-Doz. P.: 16 Schultests im Rahmen d. Österr. Schultests, Verl. Eugen Ketterl, Wien, div. Aufsätze in Päd. Fachzeitschriften, 5 Bücher zu Problemen d. Polytechn. Lehrgangs u. d. Sonderschulen. E.: Verd.-Med. d. Landes Tir., VK d. Landes Tir., EK d. ÖBV. M.: Präs. d. Österr. Blasmusikverb. (ÖBV), Ehrenpräs. d. C.I.S.M. H.: Musik.

Weyland Otto Karl Dir.
B.: Inh., Gschf. FN.: August Weyland. DA.: 4780 Schärding, Oberer Stadtpl. 32. G.: 13. Mai 1938. V.: Martha. Ki.: Julia, Christine, Otto-Felix. S.: RG m. Matura. K.: Betrieb besteht seit 1833, im elterl. Betrieb begonnen. M.: im Gremium d. Fachverb. f. Eisen u. Stahl. H.: Jagd, Fischerei.

Weyrmüller Edith
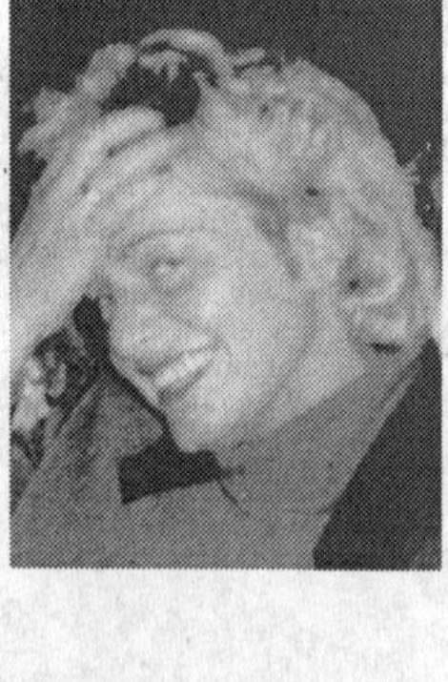
B.: Ltr. Controlling. FN.: Weyrmüller GmbH & Co KG Bauschlosserei. DA.: 4040 Linz, Freistädter Str. 211. PA.: 4203 Altenberggg.: Linz, 19. Okt. 1961. V.: Andreas Weyrmüller. Ki.: Cornelia, Lisa. El.: Paul u. Christine. S.:Lehrzeit als Köchin u. Kellnerin, Berufsschule f. Gastgerwerbe, Konzessionsprüf. Gmunden. K.: 1988-90 eigene Gastwirtschaft, div. Weiterbild. Seminare, seit 1990 Ltg. d. kfm. Bereiches im Familienunternehmen. M.: Freier Wirts.verb. H.: Tennis, Rätsel, Lesen.)

Whitehouse-Field Elizabeth
B.: Opernsängerin. PA.: 1190 Wien, Hackhoferg. 16. G.: Tasmanien/Australien, 23. Mai. V.: Christopher Field. El.: George u. Helen Whitehouse. S.: Hobart Privatschule, Abitur, Klavierunterricht m. 13 J., in Sydney Gesangsunterricht b. Mme. Marianne Mathy, Stud. Sydney Konservatorium, 1978 nach Europa, in Wien Stud. an HS f. Musik, Privat m. R. Bösch, Mstr.Kurs f. Operngesang Wien. K.: Sydney Konzerte u. Wettbewerbe, in Australien u. Wien als Sekr. gearb. um Stud. zu finanzieren. BL.: Engagement im Opernhaus Nizza. E.: Finalist Shell-Arienwettbewerb in Canberra, 1984 Belvedere-Wettbewerbs-Organ. Kammeroper. H.: Musik, Schwimmen, Gymnastik. (A.K.)

Wibihal Friedrich KommR.
B.: Spediteur, Transportunternehmer, Obm. d. Sekt. Verkehr d. WHK. DA.: 1170 Wien, Frauengasse 8. G.: Wien, 8. Juli 1931. V.: Elfriede, geb. Sedlag, 1 Tochter. El.: Erich u. Leopoldine. S.: HS, Tischlerlehre m. Abschluß, Eintritt in elterl. Betrieb, 1954 Übernahme d. Betriebes, 1973 in Brunn Bau einer Lagerhalle, Werkstätte u. Tankstelle, Spez. d. Fa. Karton- u. Papiertransporte. E.: 1982 Silb. Kam.Med., Silb. u. Gold. EZ d. ÖVP. M.: Wirtschaftsbund, Fachgruppenvorst. Stellv. d. güterbeförd. Gew., KamR. d. Sekt. Verkehr. H.: Lesen, Gartenarbeit, klass. Musik, Theater, Politik. (M.G.)

Wichmann Günter
B.: Gschf. Ges. FN.: Ch. Demel's Söhne GmbH. DA.: 1010 Wien, Kohlmarkt 14. G.: München, 13. Dez. 1942. V.: Eva-Maria, geb. Sonnenschein. Ki.: Jana (1984). El.: Paul u. Margarethe, geb. Janitz. S.: Gymn., Stud. Theaterwiss. u. Sprachen. K.: 1964-70 Filmkunstverleiher in München u. Eigentümer v. 2 Filmkunstkinos in Berlin, 1970-81 Gschf. Ges. einer Firma im Baunebengewerbe in Deutschland, seit 1979 selbst. Immobilienkfm. in Deutschland, ab 1988 auch in Österr., seit 1991 Gschf. Ges. v. Ch. Demel's Söhne GmbH. H.: Musik, Golf, Radfahren. (N.A.)

Wichmann Karl Horst Dir.
B.: Kapellmstr., Chordir., Komponist. A.: 6060 Hall, Gnadenwald 17. G.: Wien, 28. Sept. 1931. V.: Ursula, geb. Prantner. K.: Theaterkapellmstr. in Graz, Klagenfurt, Rendsburg, Basel, Innsbruck, zwischendurch 4 J. "Wr. Eisrevue", Kompositionen: Kammermusik, Lieder, hauptsächl. Schauspielmusik, Filmusik. E.: 1971 2. Preis IM CORK f. d. Film "Gemälde entstehen" (v. H. u. V. Seeböck), 1978 2. Preis in Nairobi f. d. Film "RT 25" (v. H. u. V. Seeböck). H.: Filmen, Modelleisenbahn.

Wichtl Erwin Mag. Dir.
B.: Gschf. A.: 6923 Lauterach, Reitschulstr. 5. G.: Zwettl, 27. Jan. 1951. V.: Rosalinde, geb. Gaukel. El.: Alois u. Elfriede. S.: WU Wien.

Wichtl Martin Dr. phil. Mag. rer. nat.
B.: Prof. am TGM, Jazzmusiker, Komponist. PA.: 1080 Wien, Schönborng. 9 G.: Wien, 1. Nov. 1941. V.: Silvia, geb. Feuchter. Ki.: Martina (1976), Philipp (1978). El.: Dr. Otto u. Mag. Jelva. BV.: Großvater Hans Larwin, Prof. a. d. Kunstak. Wien. S.: VS, RG, 1960 Matura, Stud. Chemie, Physik Univ.Wien, 1973 Prom., Konservatorium Wien (Flöte), Selbststud. div. Musikinstrumente. K.: 1972 HS-Ass., 1980 Prof. am TGM. BL.: Seit 1960 Jazzmusiker, seit 1970 Mtgl. d. Gruppe "Spontan Music Trio" (5 LPs), Bau v. Musikinstrumenten (elektro-akustische Trompete), Prof. Magier. P.: Auftritte b. Jazzfestivals, Tourneen im In- u. Ausland, Kompositionsaufträge (u.a. f. "Kybernetische Hochzeit" v. L. Ingrisch), zahlr. Jazztitel. E.: Sonderpreis d. Ars Electronica (Linz 1982) f. elektro-akustische Trompete. M.: Österr. Chemikerver. H.: Briefmarken u. Briefe aus d. Zeit d. Österr. Monarchie. (N.A.)

Wichtl Silvia
B.: Graphikerin, Malerin. DA. u. PA.: 1080 Wien, Schönborng. 9. G.: Wien, 19. Sept. 1945. V.: Dr. Martin. Ki.: Martina (1976), Philipp (1978). El.: Severin u. Herta Feuchter. S.: VS, HS, kfm. Berufsschule. K.: Sekretärin, Auslandsaufenthalte (England, Frankreich), Sprachstudien, 1971 Werbeagentur, Graphik, 1974 selbst. Gebrauchsgraphikerin u. Malerin, s. 1991 graf. Darstell.: "Pinguine, menschlich gesehen". BL.: Entwicklung neuer graph. Techniken u. Kunstkarten. P.: zahlr. Ausstellungen in Wien u. Umgebung mit Presse-Echo. M.: Künstlergilde St. Lukas. H.: Schutz d. Natur, insbes. d. Regenwaldes durch Ausstell. eig. Bilder u. Aktionen. (N.A.)

Wick Josef
B.: Gschf. Ges. FN.: Wick GmbH & Co KG Möbelteam Austria Wick Medizin-Ordinationseinrichtungen, Wick-Objekt, Wick-Office. DA.: 1030 Wien, Am Heumarkt 17. PA.: 3400 Klosterneuburg, Ziegelofeng. 21. G.: Linz, 15. Aug. 1939. V.: Gertrude, geb. Neissl. Ki.: Barbara (1966), Thomas (1971). El.: Josef u. Gertrude. S.: Möbelfachschule Mödling, RG Linz, Stud. Betriebswirtschaft HS f. Welthdl. Wien. K.: b. 1965 in d. Möbelbranche in Linz tätig, 1 J. in d. Konsumgüterind. Linz, b. 1967 Verkaufsltr. in d. Möbelbranche, seit 1967 selbst., Grdg. einer Handelsagentur Linz, 1971 Grdg. d. Möbelteam Austria, 1973 Standortverlegung v. Linz nach Klosterneuburg, seit 1981 Verkauf am Heumarkt. H.: Sport (Tennis, Skifahren), Tennis. (J.S.)

Wick Josef
B.: Gschf. d. Josef Wick GmbH & Co KG. DA.: 1100 Wien, Laaerbergstr. 100. PA.: 2326 Maria Enzersdorf, Dr.-Franz-Hasenörl-Str. 9. G.: 5. Sept. 1940. V.: Erika, geb. Mayer. Ki.: Andreas. El.: Josef u. Katharina. S.: HS, Berufsschule u. TGM, Mstr.Prüf. K.: 13 J. in d. Branche Verpackungsmaschinen tätig, 1971 Grdg. d. Fa. Josef Wick GmbH & Co KG. H.: Modelleisenbahn, Garten. (E.L.)

Wick Renate Dr. med.
B.: FA f. Urologie. DA.: 1100 Wien, Favoritenstr. 67. G.: Eggenburg, 29. Juni 1958. V.: Dr. Wolfgang (FA f. Psych.). Ki.: Felix (1986), Benedikt (1991). El.: Dr. Kurt u. Dr. Renate. S.: 1976 Matura Akad. Gym. Wien, Stud. Med. Univ. Wien, 1982 Prom., 1991 FA-Dipl. K.: 1 J. an d. Klinik Deutsch (Innere Med.), anschl. Turnus am Kaiser-Franz-Joseph-Spital, seit 1991 FA f. Urologie, Juli 92, Übern. einer Ordination. M.: Mtgl. d. Österr. Ges. f. Urologie u. d. Berufsurologenverb. H.: Tiere, Natur, Reisen, Tanzen, Kultur (speziell Oper u. Theater). (J.S.)

Wicke Manfred
Dr. techn. Dipl.-Ing. Univ.-Prof. Baurat h.c.
B.: Vorst d. Inst. f. Betonbau d. Univ. Innsbruck. A.: 6020 Innsbruck, Technikerstr. 13. G.: Mödling, 16. Juni 1933. V.: Gerlinde, geb. Menzel. S.: BG Linz, Stud. d. Bauing.Wesens an d. TU Wien. K.: 1957-63 Konstruktionsing., 1963-71 Chef d. Konstruktionsbüros d. Fa. Mayreder, Kraus, Wien, 1969-71 Prok. d. Reaktorbauforschungs GmbH, seit 1971 Vorst. d. Inst. f. Betonbau d. Univ. Innsbruck, 1975-77 Dekan d. Fak. f. Bauing.Wesen u. Arch. M.: CEB, IVBH, ÖIAV, Vorst. u. Mtgl. d. ÖBV, Sekt. Spannbeton, DBV, DAfStb.

von Wickenburg-Franchy Maria
B.: Schriftstellerin. PA.: 1030 Wien, Am Heumarkt 7. G.: Siebenbürgen, 12. Apr. 1919. V.: Graf Erik Wickenburg. El.: Andreas u. Elisabeth Pillmann. BV.: Großvater engl. Missionar in Afrika. S.: VS, hum. Gymn., Reinhardt-Seminar. K.: Schauspielerin, danach schriftstell. tätig, Kinderserien u. fantast. Geschichten f. ORF, Zeitungen etc., 1972-88 im P.E.N.-Club im Sekr. beschäftigt, parallel dazu schriftstell. tätig. E.: VZ f. Wiss. u. Kunst. M.: P.E.N.-Club. H.: Schwimmen. (N.A.)

de Wiczkowski Bohdan
B.: Hoteldir. FN.: Reisebüro Cosmos. GT.: Zentrum u. Hotel Abatros. DA.: 1010 Wien, Kärntner Ring 15. PA.: 3400 Klosterneuburg, Kritzendorf, Schellhammerg. 22-24. G.: Lemberg, 29. Okt. 1926. Ki.: Alexandra. El.: Julius u. Vladimira. S.: Matura, Hotelfachschule Bad Gastein. K.: 30 J. Fa. Cosmos. E.: Silbermed. Kam. d. gewerbl. Wirtschaft, Funktion Vorsteher: Fachgruppe Bäder. (P.R.)

Widauer Georg

B.: Gastronom Gasthof Kronreith. DA. u. PA.: 5761 Maria Alm, Griesbachwinkel 6. G.: Saalfelden, 29. Juli 1952. V.: Friedericke. Ki.: Dominik, Mariella. El.: Stefan u. Maria. S.: VS, Polytechn. Lehrgang, 1968 Ldw.-Lehre, Gastronomieausbild. K.: seit 1986 Führung d. Gasthof Kronreith gemeinsam m. Gattin. H.: Radfahren, Natur, Berggehen, Musik. (A.W.)

Widder Erich Dr. phil. Prof.
B.: Diözesankonservator i.R. PA.: 4020 Linz, Gruentaler Str. 39. G.: Wels, 24. Okt. 1925. V.: Dr. iur. Gertrud, geb. Bruneder. Ki.: Bernhard, Georg, Markus. El.: Franz u. Maria. S.: RG, Stud. Kunstgeschichte, Germanistik u. Geschichte Univ. Innsbruck u. Fribourg, Theol.Stud. Univ. Innsbruck. K.: ab 1955 Ltr. d. Diözesanbild.Stelle u. später auch d. Kunstreferates im Pastoralamt Linz, ab 1961 Diözesankonservator d. Diözese Linz, ab 1963 auch Kons. d. OÖ LRg. f. Kunstpflege. P.: Zeitschriftenart., Rundfunkvorträge, Bücher: "Glanz d. Ewigen. Sakrale Kunst in Österreich" (1961), "Zeichen des Heils. Kirchenkunst d Gegenwart in Österreich", "Alte Kirchen f. neue Liturgie" (1968), "Kirchenkunst d. Gegenwart in Europa" (1968), "Kirchenkunst im Osten Europas" (1987). E.: Kulturmed. d. Stadt Wels in Silber, Prof., Österr. EK f. Wiss. u. Kunst I. Kl., Silb. EZ d. Landes OÖ. M.: 1970 Obm. d. Diözesankunstver. Linz, Kath. Ak.Verb., VPräs. d. SIAC. (H.B.)

Widermann Max Dr. MedR.
B.: FA f. Zahn-, Mund- u. Kieferheilkunde. DA.: 1130 Wien, Hietzinger Hauptstr. 38E. PA.: 1130 Wien, Konrad-Duden-G. 33. G.: Wien, 24. März 1920. V.: Albina, geb. Kofler. Ki.: Maximilian (1963), Georg (1966). El.: Max u. Maria, geb. Dolezal. S.: Gymn., Stud. Univ. Wien, Prag u. Innsbruck, 1948 Prom. Univ. Innsbruck, Ausbild. z. Facharzt in Wien. K.: ab 1951 selbst., seit 1958 Ord. in d. Hietz. Hptstr. E.: Ausz. f. Verd. d. Ärztekam. Wien "Pro Merito". M.: Fédération dentaire intern., VorstMtgl. d. Zahnärztl. Interessensverb., Ver. Österr. Zahnärzte. H.: Schifahren, Segeln, Tennis, Eissegeln, Bridge. (N.A.)

Widetschek Otto Dr. phil.
B.: Branddir. d. Stadt Graz. GT.: Univ.Lektor TU Graz. DA.: 8010 Graz, Keplerstr. 23. PA.: 8053 Graz, Ulmg. 59. G.: Wien, 3. Nov. 1941. V.: Ingeborg, geb. Nicklas. Ki.: Brigitte. El.: Dipl.-Ing. Otto u. Franziska. S.: 1959 Matura, Stud. d. Physik Univ. Wien, 1968 Prom. K.: 1965-68 Vortragender u. Berater an d. Zivilschutzschule d. Innenmin., 1968 Offz. b. d. BF Wien, 1973 Ltr. d. Feuerwehr- u. Zivilschutzschule Stmk., ab 1974 Univ.Lektor f. Sicherheitsfragen TU Graz, seit 1981 Branddir. d. Stadt Graz, Mitarb. in d. Ak. f. Führungskräfte, Vors. d. Fachaussch. f. Strahlenschutz. P.: ca. 100 Fachveröff. in in- u. ausländ. Fachzeitschriften auf d. Sektor d. Brand- u. Katastrophenschutz. H.: Schwimmen.

Widhalm Andreas M.

B.: Keramikermstr., Gschf. u. Ltr. Forsch. u. Entwicklung. FN.: Wr. Email- u. Glasurfarbwerk Schauer & Co. DA.: 1231 Wien, Wiegelestr. 4. G.: Wien, 5. Aug. 1962. V.: Gerlinde, geb. Zehethofer. Ki.: Karoline (1993). El.: Willibald u. Marlies. S.: VS, RG, Landesfachschule f. Keramik Stoob, 1984 Mstr.-Prüf., Ausbild. im Betrieb. K.: 1981 Eintritt ins Unternehmen, 1982 Laborltr., 1985 Ltr. Forsch., Entwicklung u. Anwendungstechnik, 1991 Gschf., seit 1994 alleinzeichnungsberechtigter Gschf. f. d. Gesamtunternehmen. BL.: Vorlesungen an Univ. Linz u. Wien. H.: Keramik, Skifahren, Schwimmen. (J.M.)

Widhalm H. Hermann Dr.
B.: Diplomat. A.: 1070 Wien, Schottenfeldg. 93/11. G.: Wien, 4. Juni 1943. V.: Maria Eugenia, geb. Guerra. El.: Hermann u. Anna. S.: BG m. Matura, Univ. Wien, Prom. z. Dr. iur. 1966, Wirtschaftswiss.: Univ. of Kansas, USA, Univ. Paris u. Wien. K.: 1970-71 BKam. d. Gew. Wirtschaft, 1971-74 Intern. Bmtr. im Sekr. d. OECD, Paris, seit 1974 Diplomat im BMA, dzt. Botschaftsrat an d. Botschaft Moskau.

Widhalm Hans Michael
B.: Dir., Geschäftsstellenltr. v. Unitec Aceros Boehler S.A. in Medellin, Kolumbien. PA.: Kra. 30 Nr. 2-79, Medellin, Kolumbien. G.: Wien, 21. Juni 1947. V.: Marise Ines, geb. Christoudis. El.: Leopold u. Christine. S.: BRG Wien XIX, HS f. Welthdl. in Wien. K.: 1967 Stud.Aufenthalt in d. USA, 1968-71 Gschf. in d. Fremdenverkehrsbranche in Wien, 1972-75 Stabsabt. f. Revision b. Gebr. Boehler & Co AG in Wien, 1976-79 Prok., Ltr. d. Finanz- u. Rechnungswesens b. Acos Boehler do Brasil Ltda., Sao Paulo, Brasilien, 1980 Dir., Geschäftsstellenltr. d. Unitec Aceros Boehler S.A., Medellin, Kolumbien. E.: Österr. Hon.Konsul in Medellin seit 1983. H.: Tennis, Reiten, Skifahren.

Widhalm Kurt Dr. med. Univ.-Prof.
B.: FA. f. Kinderheilkunde, Dir. Mautner Markhof'sches Kinderspital. DA.: 1090 Wien, Univ. Kinderklinik, Währinger Gürtel 18-20. G.: Linz, 2. Febr. 1946. V.: Mag. pharm. Renate, geb. Baumgartner. Ki.: Georg (1976), Harald (1978), Kurt (1986). El.: OMedR. Dr. med. Kurt u. Gertraud, geb. Mader. S.: VS, Ak. Gymn. Linz, Matura 1964, Med.Stud. an d. Univ. Wien, Prom. z. Dr. med. univ. 1971. K.: 1971-73 Ass. am physiolog. Inst. d. Univ. Wien b. Prof. Auerswald, 1973 Übertritt an d. Univ.Kinderklinik Wien unter Prof. Asperger, Aufbau u. Ltg. einer Fettstoffwechselambulanz u. eines Labors f. Fettstoffwechselforsch. im Kindesalter, 1978 FA. u. OA, 1980 Habil. f. Kinderheilkunde, 1986 Univ.-Prof., 1988-92 Ltg. d. Nationalen Österr. Screeningprogramms f. angeb. Stoffwechselstörungen, 1973-92 OA an d. Univ.-Kinderklinik Wien, danach Dir. d. Mautner Markhof'schen Kinderspitals, ab 1995 wieder Univ. Kinderklinik. P.: ca. 200 Publ., davon mehrheitlich in angesehenen ausländ. Zeitschriften, eine Monographie (1979) über d. Serumlipoproteine im Kindesalter u. Einflüsse d. Ernährung, 2 Fachbücher im Alan R. Liss Verlag New York (1985, 1987), Red. v. Fachzeitschriften. E.: Clemens v. Pirquet-Preis d. Österr. Ges. f. Kinderheilkunde, National Tour Speaker d. American Ass. f. Clinical Chemistry, Konrad Lang-Preis d. Dt. u. Österr. Ges. f. Klin. Ernährung. M.: VPräs. d. Österr. Ges. f. Ernährungsforsch., Arge Künstl. Ernährung, Group of Europ. Nutritionists, Europ. Lipoprotein Club, Präs. d. Europ. Soc. of Pediatric Research, Rotary Club Wien. H.: Skifahren, Segeln, Tennis, Musik. (N.A.)

Widl Robert Dr. HofR.
B.: Bundesbediensteter. V.: Elisabeth, geb. Granitzer. Ki.: Mag. Maria, Joachim. S.: Stud. d. Psych., Anthropologie, Germanistik, Geschichte d. Neuzeit, Statistik, Prom. z. Dr. phil., Eintritt in d. Bundesdienst. P.: "Erziehst du so ?" (Eichstätt BRD), Mitarb. b. "Input-Output-Analyse d. Österr. Vw." (Wien 1972), Veröff. v. Novellen, Feuilletons, Art. in deutschsprachigen Zeitungen, Zeitschriften, Periodicals d. In- u. Auslandes. E.: Ernennung z. HofR., Verleihung d. Gr. EZ f. Verd. um d. Rep. Österr. (E.L.)

Widl Susanne

B.: Schauspielerin, Performancekünstl., Avantgardistin, Cafetier. FN.: Café Korb. GT.: Kurator f. Ausstell. PA.: 1010 Wien, Singerstr. 6. G.: Wien, 24. April. El.: Martin u. Stefanie. S.: Gymn., priv. Schauspielausbild. bei Hans Gratzer am Schauspielhaus Wien, zahlr. Kurse in Kochschule Judenplatz. K.: Beginn d. Darsteller-Karriere als Model in New York u. Rom, Mitwirk. in Filmen mit Romy Schneider, Helmut Berger, Burt Lancester, Eddi Constantin, Peter Falk u.a., Intern. Kunstfilmpreise f. Arb. mit Peter Weibel, Valie Export u. Ernst Schmidt jun., lange Zeit Muse d. legendären Wr. Gruppe (Rühm, Nitsch, Wiener) u. Attersee, Pichler, Weibel, 1970 v. Hans Gratzer f. Theater entdeckt, Beginn mit "Hausmusik" mit Otto Zykan, zahlr. Auftritte, avantgard. Theater u. Filmproj., schöpferisch tätig mit eigenen krit. Texten, zuletzt 1992 Medienoper "Stimmen aus dem Innenraum", Darstell. v. fünf versch. Frauen aus 2 Jhdt. (u.a. Mae West), zuletzt Entdeck. d. Fotografie, um selbst. Persönlichk. d. neuen Frauenbildes darzustellen. P.:" Vanilla - Ein Lokal u. seine Zeit" 1994. H.: Kunstsammlerin. (J.S.)

Widmann Anton Ing.
B.: Prok., Verkaufsltr. FN.: Austria-Draht. DA.: 8600 Bruck/Mur, Bahnhofstr. 2. PA.: 9020 Klagenfurt, Frodlg. 37. G.: Klagenfurt, 18. Apr. 1939. V.: Ingrid. Ki.: Andrea (1961), Christian (1964). S.: VS, HS, Berufschule, HTL. K.: Facharb. Werkzeugbau, Ind.-Mstr. f. Maschinenbau, Konstrukteur, Betriebsltr., Verkaufsltr., Prok. H.: Physik, Bergsteigen, Tennis, Schilaufen.

Widner Peter
B.: Unternehmer, Kfm., Gschf. Ges. FN.: Z-Plan Haustechnik Elektro Widner GmbH. DA.: 6261 Strass 7. PA.: 6263 Hart 89. G.: Zell/Ziller, 30. Aug. 1960. V.: Angela, geb. Wiege. Ki.: Verena (1982), Philipp (19879, Lukas (1990). El.: Ludwig u. Anna. S.: VS, HS, HTL Innsbruck, 1979 Matura, 1 J. Abiturientenlehrgang HAK Innsbruck, 1980/81 BH. K.: b. 1987 Ang. im elterl. Elektroinstallationsbetrieb in Hart, 1987 Übernahme d. Betriebes, 1990 Grdg. Z-Plan Haustechnik GmbH gemeinsam m. Peter Kinigadner. M.: Berater d. HK, Schützenkompanie Hart. H.: Fischen, Reisen. (A.W.)

Widrich Hans Dr.
B.: Pressechef d. Sbg. Festspiele. DA.: 5010 Salzburg, Hofstallg. 1. PA.: 5020 Salzburg, Mönchsberg 17. G.: Haberberg, 3. Febr. 1936. V.: Dr. Gerherd, geb. Kupelwieser. Ki.: Theresa, Virgil, Mechtild. S.: VS, Hum. Gymn., Matura, Stud. Phil. u. Theol. in Klagenfurt u. Graz, 1963 Prom. K.: 1961-64 Ltr. d. neu gegründeten Afro-Asiat. Inst. in Graz, 1965-71 Presseref. d. Erzdiözese Sbg. u. gschf. Schriftltr. d. Kirchenzeitung "Rupertusblatt", Korrespondent d. Kathpress, Mtgl. d. Kontaktkomitees d. Erzdiözese zu d. polit. Parteien, 1971-74 Ressortchef f. d. Wochenmagazin b. d. "Sbg. Nachrichten", ab 1968 nebenamtl., ab 1975 hpt.amtl. Pressechef d. Sbg. Festspiele, 1972-84 Hrsg. d. Magazins "Sbg. Festspiele - Informationen", 1969-73 Grdg. bzw. Ltg. d. "Galerie am Markt" in Sbg. z. Förd. mod. Kunst. P.: Verleger repräsentativer Graphikkassetten, zahlr. Art. zu kulturellen Themen sowie Einführungstexte f. Kunstkataloge, häufig Juror f. Ausstellungen u. "Kunst am Bau". E.: 1981 Gold. VZ d. Landes Sbg., 1988 Prof. M.: 1968 Sbg. Diözesansynode, 1969 PfarrgemR. Sbg. St. Blasius, 1970 Vorst.Mtgl. d. PresseR. d. Österr. Bischofskonferenz, 1974 gewählter Delegierter d. Österr. Synodalen Vorganges, 1976-79 Präs. d. Sbg. Kunstver., 1976-79 LObm. d. Elternver. an öff. Pflichtschulen, 1977-81 Mtgl. d. KunstbeiR. d. BMU, 1980 u. 1982 Österr. Rg.Kmsr. f. d. "Biennale des jeunes artistes" in Paris, 1985 deren offizieller Korrespondent, 1992 Pfarrgem.-Rat am Salzburger Dom. (A.W.)

Widtmann Georg Dr. techn. Dipl.-Ing.
B.: Gen.-Sekr. d. Österr. Ing.- u. Arch.-Ver. GT.: Zugel. Vertreter vor d. Europ. Patentamt, allgem. beeid. ger. Sachv. f. Patentwesen, Prok. d. S.E.A. Studienges. f. Energiespeicher u. Antriebssysteme GmbH, Univ.-Lektor f. Patentrecht. DA.: 1010 Wien, Eschenbachg. 9, 1090 Wien, Clusiusg. 2. PA.: 1090 Wien, Clusiusg. 2. G.: Warthenau, 27. Okt. 1942. V.: Gilda Susanne, geb. Hruby. Ki.: Henriette (1968), Ulrike (1970). El.: Dipl.-Ing. Julius u. Mag. Emilie. S.: Realschule, 1960 Matura, Stud. Techn. Chemie TH Wien, 1967 Sponsion, 1968 OLt. dhmtD d. Res., 1971 Prom. m. Ausz., 1979 Zugel. Vertreter vor d. Europ. Patentamt. K.: 1968-70 Patentanw.-Anw., 1970-72 Semperit AG Wien, Stellv. Ltr. d. Patent-Lizenzabt., 1973-79 Österr. Studienges. f. Atomenergie GmbH, Ltr. d. Patentabt., 1979-85 VEW, Ltr. d. Patentabt., 1985-86 Austria Metall AG, Ltr. d. Abt. Forsch.- u. Entwicklungskoordination, s. 1987 Österr. Ing.- u. Arch.-Ver., Gen.-Sekr. P.: zahlr. Vorträge u. Publ. z. Thema Patentrecht. E.: s. 1980 Mtgl. d. Kmsn. f. Europ. Patentpraxis d. Inst. d. b. Europ. Patentamt zugel. Vertreter, s. 1982 Präs. d. Ringes d. Ind.-Patent-Ing. Österreichs, s. 1983 Mtgl. d. Rates u. s. 1992 Mtgl. d. Vorst. d. Inst. d. zugel. Vertr. v. d.

Europ. Patentamt, 1986-93 Mtgl. d. Prüf.-Aussch. II f. d. europ. Eignungsprüf. f. d. Vertr. v. d. Europ. Patentamt, s. 1992 Vizepräs. d. Verb. d. wiss. Ges. Österr. M.: Techniker-Cercle. H.: Zeitgeschichte. (J.S.)

Widtmann Helmut Dr. techn. Dipl.-Ing. SenR. Univ.-Prof.

B.: Arch., Univ.Prof., Lehrbeauftragter an d. TU Graz u. an d. Univ. Graz, SenR.: Ltr. d. Altstadtreferates in Graz. A.: 8046 Graz, Franz-Schmidt-Weg 11. G.: Graz, 26. Apr. 1930. V.: Carin, geb. Schlayer. El.: Ing. Josef u. Edda. S.: BRG m. Matura, Stud. an d. Univ. Graz (Naturwiss.) u. an d. TU Graz (Arch.), 1954 Dipl.-Ing., 1966 Prom. z. Dr. techn., 1975 Erteilung d. Lehrbefugnis als Univ.Doz. an d. TU Graz. K.: Während d. Ausbildungszeit u. nach Studienabschluß Entwicklung einer Mehrfachtätigkeit: Stadtplaner in Graz, wiss. u. päd. tätiger HS-Prof., freier Arch. (vor allem f. Kirchenbauten), zahlr. Studienreisen u. Auslandsvorträge. F.: Komm. d. Bauuntern. Widtmann KG. P.: "Kirchenbau d. Gegenwart", "Kirchen f. d. Zukunft bauen", "Probleme d. Altstadt-Revitalisierung", Mitautor d. Buches "Funktion u. Zeichen", "Lebendige Altstadt" (mit Friedrich Panzer), "Drüben", Essayband über Osteuropa u.v.a. E.: Kardinal Innitzer-Preis, Theodor Körner-Preis, Erzh. Johann-Forschungspreis, Wissenschaftspreis d. techn. Univ. Dresden. M.: Zentr. Vereinigung d. Arch. Österr., Österr. Nat.Komitee v. ICOMOS, Österr. Ges. f. Raumforsch. u. -planung, Grdg. u. Vorst.Mtgl. d. "Künstlergruppe 77" u.v.a.

Widtmann Julius Dipl.-Ing. KommR.

B.: Vorst.-Dir. i.R. PA.: 1235 Wien, Lechthalerg. 21. G.: Wien, 16. Juli 1915. V.: Anna, geb. Till., 4 Kinder. S.: Realschule, 1932 Matura, Stud. d. techn. Chemie an d. TU Wien, 1937 Dipl.-Examen m. Ausz. K.: Ass. an d. TU, Militärdienstzeit, Tätigkeit in d. Großind. (Organ. Chemie) u. glztg. Glasind., Ltg. d. Versuchanst. f. Keramik, Email u. Glas, verbunden m. Lehrtätigkeit, Bau einer Glasfbk. f. elektrotechn. Spezialglas in Wien, Vorst.-Dir., Entwicklung d. ersten österr. Laborglases, versch. wiss. Arbeiten u. Patente auf d. Gebiet d. Glases, Fachverb.-Vorst. d. Glasind., ab 1963 techn. Dir., später Vorst.-Dir. d. Brauerei Schwechat AG, 1980 Übertritt in d. Ruhestand, Vors. d. Kmsn. d. II. u. III. Staatsprüf. an d. WU, Mtgl. d. Staatsprüfungskmsn. an d. TU Wien. M.: Präs. d. Forschungsförderungsfonds f. d. gewerbl. Wirtschaft, Wien, Turnusweise Präs. u. VPräs. d. Forschungsförderungsrats, Mtgl. d. Rats f. Wiss. u. Forschung, Mtgl. d. Kurat. d. Fonds zur Förd. d. wiss. Forschung, VPräs. d. techn. Überwachungsver., Aussch.-Mtgl. d. Versuchsstation f. d. Gärungsgew. H.: Mikroskopie, Naturwiss., anderen Menschen helfen. (J.S.)

Wied Herbert

B.: Kfm. Ang. FN.: TNT Express Worldwide. DA.: 8026 Graz, Alte Poststr. 152. PA.: 8670 Krieglach, Höllweg 1. G.: Bruck/Mur, 3. Febr. 1966. Ki.: Patrick (1992). El.: Kurt u. Cäcilia. S.: VS Krieglach, 5 J. Gymn. Mürzzuschlag, 5 J. HBLA f. Alpenländ. Ldw. Raumberg/Stmk., Lehrgang Exportkfm. Univ. Graz. K.: 1987-88 Exportsachbearb. b. Rasant in Schwanberg, 1988-92 Sped. MSG Krieglach, 1990 Konzessionsprüf. f. Güterbeförderung im Fernverkehr, 1992 Geschäftsstellenltr. TNT Express Worldwide. H.: Segeln, Skifahren, Schwimmen, Squash. (M.Gr.)

Wiedemann Manfred

B.: Inh. FN.: Wiedemann Lift Service GmbH. DA. u. PA.: 2346 Maria Enzersdorf, Donaustr. 75. G.: Ritzing/Bgld., 6. Mai 1951. V.: Gertrude, geb. Jaich. Ki.: Michael (1977). El.: Alfred u. Erna. S.: HS, 1972 Werkmstr. f. Elektrotechnik, 1973 Werkmstr. f. Industrielle Elektronik. K.: 1965-73 Elektromechaniker b. Firma OTIS, 1973-75 Ltg. d. Elektroprüffeldes b. Firma OTIS, 1975-77 Verkaufstätigkeit b. Firma OTIS, 197-78 Serviceltr. b. Firma Köberl, 1978 Mitbegrdg. u. Gschf. Ges. d. Firma Dima Liftservice, seit 1982 selbst. m. Firma Wiedemann Lift Service GmbH. (M.M.)

Wieden Paul Dr. techn. Dipl.-Ing. Univ.-Prof.

B.: Stellv. Ltr. d. Geotechn. Inst. d. BVersuchs- u. Forsch.Anst. Arsenal, Univ.-Prof. am Petrolog. Inst. d. Univ. Wien. DA.: 1190 Wien, Krottenbachstr. 307. G.: Wien, 23. Jan. 1917. V.: Emma, geb. Müller. S.: TU Wien (Techn. Chemie). K.: 1956-58 priv. Ltr. d. Mineral Inst. d. TU Wien, 1974 Lehrbeauftragter d. Univ. Wien, Ltr. d. Gruppe Straßenbautechnik d. Geotechn. Inst. d. Univ. Wien (BVFA Arsenal), seit 1976 Präs. d. Österr. Mineralog. Ges., Hpt.Tätigkeit: Angew. Mineralogie u. techn. Gesteinskunde. P.: etwa 70 Publ. in Fachzeitschriften. M.: Österr. Mineralog. Ges., Österr. Geol. Ges., Bdk. Ges., Dt. u. Ital. Mineralog. Ges., Österr. u. Dt. Ges. f. d. Straßenwesen u.v.a. H.: Sammeln v. Mineralien, Reisen, Garten, Musik.

Wiedenhofer Josef Dr. phil.

B.: Gschf. FN.: Bgld. Kulturzentren. DA.: 7000 Eisenstadt, Franz-Schubert-Pl. 6. G.: Draßmarkt, 7. Aug. 1953. V.: Gerlinde, geb. Schindler. Ki.: Eva (1977), Roman (1978). El.: Josef u. Theresia. S.: 1971 Matura in Oberpullendorf, Stud. Gesch., Geogr. u. Politikwiss. an d. Univ. Wien, 1979 Prom. z. Dr. phil. K.: Unterr.-Tätigk. an VHS Wien u. Bgld., 1981 Eintritt in d. Kulturabt. b. d. Bgld. Landesreg., 1987-91 Gschf. d. Schloßfestspiele Kobersdorf, 1989-92 Gschf. d. Seefestspiele Mörbisch, s. 1991 Gschf. d. Bgld. Kulturzentren. H.: Wandern, Kultur. (M.G.)

Wieder Friedrich Ernst Jakob Ing.

B.: Bmstr., Gschf. FN.: Hoch- u. Tiefbau Bmstr. Ing. F. Wieder GmbH. DA. u. PA.: 5101 Bergheim, Gastagweg 362. G.: Wien, 23. Mai 1931. V.: Anna, geb. Fischlmayr. Ki.: Sabine, Wolfgang, Elisabeth. El.: Friedrich u. Rosina, geb. Lantzberg. BV.: Freiherr v. Lantzberg. S.: VS, Oberschule, HTL f. Hochbau m. Matura, Bmstr.Prüf. K.: 1953-60 Ang. b. Ziviling. Eugen Salpius Sbg., 1960 Grdg. d. Einzelfa. Bmstr. Wieder in Niederneukirchen OÖ, 1960 Eröff. Hdl. m. Gemischtwaren in Sbg., 1962 Grdg. Baufa. in Sbg., 1973 Umwandlung d. Einzelfa. in eine GmbH. M.: Mtgl. d. Sbg. Bauhandelsges. seit 1981, Verb. Österr. Ing. seit 1953, TSU Bergheim, Österr. Wirtschaftsbund Bergheim, Techn. BeiR. d. Wassergen. Fischach-Bergheim. H.: Sport, Reisen, Lesen, Musik, Lyrik, Bio-Garten, Aquarelle.

Wiederkehr Eugen Dr. iur.

B.: RA. DA.: 1010 Wien, Walfischg. 1. G.: Wyschkowa/ UdSSR, 23. Juni 1944. Ki.: Florian Eugen. El.: Dr. Eugen u. Maria Margarethe. S.: VS, RG, Stud. d. Rechtswiss. K.: nach Abschluß d. Stud. Ass. an d. Univ. Wien, Inst. f. Hdls. u. Wertpapierrecht, danach Ltr. d. Rechtsabt. eines multinat. Konzerns, seit 1978 eingetragener Anw., spezialisiert auf Zivilrechtssachen, Markenschutz, Urheberrecht, Wettbewerb u. Lebensmittelrecht. H.: klass. Musik, Oper, Theater, Segeln, Lesen, Essen. (G.E.)

Wiedermann Gerhard Dr. Univ.-Prof

B.: o.Univ.-Prof., Ordinarius f. spezif. Prophylaxe u. Tropenmed. DA.: 1090 Wien, Kinderspitalg. 15. PA.: 1130 Wien, Trazerbergg. 4. G.: 13. Mai 1929. V.: Elisabeth, geb. Pichler. S.: Hum. Gymn. K.: Prom. z. Dr. med. 1954, 1960 tätig am path.anatom. Inst. u. an d. II. Med. Univ.-Klinik Wien, FA f. Innere Med., anschl. tätig am Hygieneinst. Wien, 1962-64 NYU Medical Center, New York, 1965 Habil. f. Hygiene unter bes. Berücksichtigung d. Immunologie, 1965 Ltr. d. Impfambulanz u. 1967 d. Tropenambulanz, 1972 a.o.Univ.-Prof., 1974 o.Univ.-Prof., Vorst. d. Inst. f. spezif. Prophylaxe u. Tropenmed. d. Univ. Wien, . P.: über 300

Publ., vorzugsweise auf d. Geb. d. Impfwesens, Epidemiologie, Tropenmed. u. Immunologie, mehrere Handbuchartikel, 2 Lehrbücher. E.: Kardinal Innitzer-Preis, Wander-Preis, Hoechst-Preis (2x), Ärztekammerpreis, Univ.-Preis d. Wr. Wirtschaft, Korresp. Mtgl. d. Österr. Ges. f. Kinder- u. Jugendheilkunde. M.: Dt. u. Österr. Ges. f. Tropenmed., Österr. Ges. f. Hygiene, Mikrobiol. u. Präventivmed., Dt. Ges. f. Infektiologie, Dt. u. Österr. Ges. f. Immunologie, Österr. Ges. f. Innere Med., Lions Wien Opera, BeiR. mehrerer wiss. Ges., lokaler Sekr. d. Royal Soc. Trop. Med. Hyg., Past President d. Tropmedeurop., Mtgl. d. OSR u. Vors. d. Impfaussch. d. OSR. H.: klass. Musik, Literatur, Briefmarken.

Wiedermann Gerhard Mag. Ing.

B.: Gschf. FN.: Semperdur Vertriebs GmbH, Vienna Plast Kunststoffind. GmbH. DA.: 1234 Wien, Perfektastr. 69. G.: Wien, 15. Mai 1945. V.: Rudolfine. Ki.: Clemens, Maria, Michael. S.: 1966 Matura, HTL Mödling, BH, Stud. HS f. Welthdl. K.: Ass. am Chem.-Techn. Labor an d. Versuchsanst. f. Holzind. in Mödling, 1971 Eintritt in Leykam Mürztaler Zellstoff u. Papier AG, 1980 Gschf. einer Fertigteilhausfbk., Gschf. Therme Loipersdorf u. deren Wiederaufbau nach Brand, 1986 Eintritt b. Semperdur u. in d. Auffangges. f. Unternehmenssanierung verantwortl. (H.J.)

Wiedermayer Wolfgang Peter

B.: Inh. FN.: Werbeagentur Arbeitskreis Wiedermayer & Friends Wien. DA. u. PA.: 1160 Wien, Wilhelminenstr. 60. G.: Wien, 31. Dez. 1948. Ki.: Pia-Maria. El.: Dr. Rudolf u. Melitta. BV.: Großvater Alfred C. Teumer Innenarch., mehrfacher Staatspreisträger, hat 1929 f. d. Gestaltung u. Innenausbau d. Österr. Pavillon b. d. Weltausstellung in Barcelona d. Goldmed. erhalten. S.: VS, RG, Matura, Studienaufenthalte in d. USA u. Canada, WU Wien BWL. K.: 1969-73 Kfm. u. Hdls.Reisender im elterl. Betrieb, Möbelfabrikation u. Hdl., 1973-77 Studienltr. im Marktforsch.Inst. Dr. Fessel & GfK Wien, 1977-79 Account Executive b. d. Werbeagentur D'Arcy-Mac Manus & Masius Wien, 1980 Werbeltr. b. Philips f. d. Bereich Audio, 1981-83 Etat Dir. b. d. Werbeagentur D'Arcy-Mac Manus & Masius, 1983-84 Gschf. d. Werbeagentur Publicitas, seit 1984 Inh. d. Werbeagentur Arbeitskreis Wiedermayer & Friends. P.: Publ. in Fachzeitschriften. E.: Staatspreis f. Werbung f. ges. Anliegen. M.: Österr. Werbewiss. Ges., Verb. d. Marktforscher Österr., Public Relations Verb. Austria, Initiator d. Plattform Social Communications. H.: Musik (Jazz), Literatur, Märchen. (E.L.)

Wiedner Günther Dipl.-Ing.

B.: Berater, Verantwortl. f. d. Futterlabor Rosenau d. NÖ Landes Ldw.-Kam. DA.: 1010 Wien, Löwelstr. 16. G.: Wien, 5. März 1948. V.: Gertraude, geb. Podhrasky. Ki.: Florian (1985). El.: Josef u. Maria. S.: Grundschulen Wien, 2 J. Gartenlehre, Matura, HLBVA f. Gartenbau Schönbrunn, Univ. f. Bdk.: Gärungstechnik u. Lebensmitteltechnologie, Dipl.-Prüf., Agrarökonomik m. Studienabschluß. K.: seit 1980 Berater u. Verantwortl. f. d. Futterlabor Rosenau d. NÖ Landes Ldw.-Kam. P.: Fachbuch "Eiweiß-Alternativen in d. Fütterung (1993), zahlr. Art. f. Fachzeitschriften, Veranstaltung v. österr.-weiten Seminaren u. Fachvorträg. M.: ÖAG. H.: Aquaristik, Alpinsport, Fotografie, Modellbau. (F.S.)

Wiedner Peter Dr.

B.: Ltr. u. Dir. d. Ldw.-Chem. Lebensmitteluntersuchungsanst. DA.: 9020 Klagenfurt, Lastenstr. 40. PA.: 9020 Klagenfurt, Rudolf-Kattnig-Str. 33. G.: Graz, 20. Sept. 1950. V.: Marlis. Ki.: Melanie (1976). El.: Josef u. Anna. S.: 1968 Matura, Chemiestud. Graz. K.: b. 1976 Analytiker, 1980 Dipl. als Lebensmittelgutachter, seit 1991 Dir. b. Ldw. u. Chem. Lebensmitteluntersuchungsanst., Begutachtung v. Milch u. pflanzl. Lebensmitteln, 1975 Patentanmeldung - Mitarb. Vianova Graz. P.: Vorträge. M.: Fachgruppenvors. f. Ornithologie d. Naturwiss. Ver. f. Ktn. H.: Vogelkunde, Foto, Bergsteigen, Tauchen.

Wiedner Johann

B.: Ltr. d. Pensionistenheimes Gleisdorf. DA.: 8200 Gleisdorf, Franz-Josef-Str. 27. PA.: 8181 St. Ruprecht, Hauptstr. 20A. G.: St. Ruprecht, 25. Juni 1954. V.: Veronika, geb. Herzog. Ki.: Daniela (1980), Michael (1982), Regina (1986), Hans-Peter (1993). El.: Johann u. Maria. S.: Pflichtschule, Polytechn. Lehrgang, Lehre als Koch, 1972 Lehrabschluß. K.: 14 Monate Koch in Deutschland, BH, 1975-80 Souschef b. Hotel Pfeifer Graz, 1981 Küchenchef im Pensionstenheim, 1983 Heimltr., 1984 Dienstprüf. M.: Obm. d. Sportver. St. Ruprecht, Ortsparteiobm. d. ÖVP, GemR. H.: Tennis, Hobbykoch. (F.K.)

Wiegele Franz OSR.

B.: Reg.Rat, Ltr. d. Minderheitenschulabt. b. LSR. f. Ktn. PA.: 9613 Feistritz/Gail 112. G.: Feistritz, 31. Juli 1929. V.: Maria, geb. Rogi. Ki.: Edwin, Ulrike, Evelin. El.: Michael u. Elisabeth. S.: VS Feistritz, HS Hermagor, LBA Klagenfurt, 1952 Lehramtsprüf. f. VS u. 1958-60 f. HS in dt. u. slowen. Sprache. K.: unterricht VS Vorderberg, HS Nötsch, HS-Dir Bad-Bleiberg, 1982 OSR., 1983 Schulinsp. f. d. zweisprachige Schulwesen Ktn., 1988 Ltr. d. Minderheitenschulabt. b. LSR. f. Ktn. BL.: Graphik u. Malerei, versch. Ausstellungen in Ktn. u. Wien. P.: Veröff. in Lehrerfachzeitschriften, Päd. Fachbeiträge u. statist. Erhebungen f. d. Land Ktn. u. BMU, Beiträge in dt. u. slowen. Sprache im Rundfunk u. Fernsehen. E.: Ehrenkreuz v. Schwarzen Kreuz 1978, Bronz. EZ u. Ehrennadel d. Sängerbundes, EZ d. Lehrerver., Dank u. Anerkennung d. Österr. Hydrographie, Spricevalo d. UNI Edvard Kardelj in Laibach, Dank u. Anerkennung f. d. Mitgestaltung d. Gedenkveranstaltung 1938-1988. M.: Lehrerver., AufsR. d. RAIKA, ÖGB, Gutachterkmsn. f. Schulbücher, Pädagogenkmsn. b. BMU u. Land Ktn., Expertenkmsn. f. d. Minderheitenschulwesen, Begleitkmsn. f. d. Neuregelung d. Minderheitenschulwesens, Prüf.Kmsn. f. VS u. HS f. Slowenisch. H.: Malen, Wandern. (U.A.W.)

Wiehalm Bernhard

B.: Ltr. FN.: Pensionistenheim d. Landes NÖ. DA.: 3100 St. Pölten, Trautsonstr. 1. PA.: 3140 St. Pölten-Pottenbrunn, Amtsstr. 1. G.: Vorchdorf, 26. Nov. 1944. V.: Brunhilde, geb. Hoffmann. Ki.: Bernhard, Rainer. El.: Josef u. Maria. S.: 1950-54 VS, 1954-58 HS, 1958-61 HASCH Gmunden. K.: 1961-65 Angest. d. Gem. Phyra, ab 1965 BH St. Pölten, 1968-84 Verw.-Stv. NÖ Landespensionistenheim St. Pölten, ab 1984 Verw. Landespensionistenheim, 1978-86 ÖAAB-Betriebsgruppenobm. u. Obm. d. Dienststellenpersonalvertr. Pensionistenheim St.

Pölten, s. 1979 Obm. d. Seniorenbundes, s. 1980 ÖAAB-Obm. i. Pottenbrunn, s. 1983 Parteiobm.-Stv. i. Pottenbrunn, ab 1981 Org.-Ref. d. ÖAAB St. Pölten, s. 1990 Bez.-Obm. d. ÖAAB St. Pölten, s. 1982 Gem.-Rat, s. 1991 Stadtrat St. Pölten. H.: alte Autos, Bücher, Musik. (M.G.)

Wiehart Hans Mag. rer. nat. Dipl.-Ing. HofR.

B.: Dir. i.R. PA.: 1180 Wien, Littrowg. 5/4. G.: Wien, 1. Febr. 1921. V.: Elsa, geb. Blaha. El.: Franz u. Maria. S.: RG in Wien, 1939 Matura, Stud. an d. TU Wien, 1951 Grad., Parallelstud. an d. Univ. Wien Phil. Fak., 1955 Lehramtsprüf. in Chemie, Physik, Math. u. darst. Geometrie. K.: Dt. Wehrmacht (Luftwaffe), Reichsarbeitsdienst, während d. Stud. 1947-55 Ass. an d. HTBLA f. Textilind., 1955 Betriebsing. b. Fa. Bernhard Altmann Selfix, 1956 v. d. Ak. d. Wiss. z. Forschungsschulung nach Amerika entsandt, Stud. b. Prof. Henry Ames, Rutherford in Raleigh am Textil Resarach Centers im North Carolina State College, 1958-63 Aufbau d. Textilschule in Dornbirn sowie Organ. u. Überwachung, 1959 Dir. d. Dornbirner Textilschule, 1963 Dir. d. HTBLA f. Textilind. in Wien, 1983 Pensionierung. E.: HofR., Gr. EZ f. Verd. um d. Rep. Österr. M.: Österr. Ver. f. Textilchemiker, Mjr. d. HMTD d. Res. (A.W.)

Wieland Arnold Othmar Dr.

B.: Abt; Hochmeister d. Deutschen Orden. DA. u. PA.: 1010 Wien, Singerstr. 7. G.: Lengmoos-Klobenstein-Südtirol, 1. Aug. 1940. El.: Max u. Marianne. BV.: Vater, Max Wieland war langjähr. Landespräs. d. Feuerwehrverb. Südtirol, Onkel, Pater Albert Wieland war Dekan in Lana/Südtirol. S.: Marianum in Bozen, 1959 Matura, Stud. Philosophie u. Theol. Univ. Innsbruck, 1969 Prom. K.: 1959 Eintr. in Deutschen Orden in Lana bei Meran, Kaplan u. Religionslehrer in Südtirol, s. 1988 in Wien, Generaloberer d. Brüder u. Schwestern u. Familiaren d. Deutschen Orden. P.: Art. in Zeitschriften. H.: Bergwandern, Musik. (L.S.)

Wieland Elmar Mag.

B.: Vors. d. Vorst. FN.: Schenker & Co AG Zentrale Österr. DA.: 1010 Wien, Hoher Markt 12. PA.: 1180 Wien, Pötzleinsdorferstr. 80.G.: Hallein, 28. Feb. 1948. V.: Gertraud, geb. Lechner. Ki.: Dominik (1973), Konstantin (1979). El.: Erwin u. Regina. S.: VS, HS, Stud. a. d. WU Wien, 1973 Mag. K.: Eintritt b. d. Fa. Schenker, 1974 im Finanz u. Verwaltungsbereich, Aufbau e. EDV f. d. Speditionsfachabt., 1982 Regionaldir. f. Sbg, Tirol, Vorarlberg, s. 1986 Vorst. Mtgl., ab. 1994 Vors. d. Vorst. H.: Tennis, Lesen, Theater.

Wieland Werner Dipl.-Vw. Ing.

B.: Gen.-Dir. u. Vorst. d. A. Henhapl AG. GT.: Gschf. d. Firmen: Contact Fachmessen Sbg. GmbH, Wanek Sbg. Direct Marketing GmbH, Reisebüro Renner GmbH, Graphia Werbung GmbH, Flugtouristik GmbH, Contact Fachmessen Sbg. GmbH & Co KG, System Standbau Sbg. GmbH & Co KG, A. Henhapl Direct Marketing GmbH & Co KG, System Objekt Schutz GmbH & Co KG, Graphia Druck- u. Verlagsanstalt GmbH & Co KG, Music Man Schallplattenhandels GmbH, Prok. d. Objekt Werbung Henhapl u. Lindner OHG. DA.: 5024 Salzburg, Am Ausstellungszentrum. PA.: 5026 Salzburg, Waldbergerweg 20. G.: Tamsweg, 9. Febr. 1940. V.: Elisabeth, geb. Stiefer. Ki.: Bettina, Martin, Michael u. Matthias. S.: HTL Sbg., Fachrichtung Maschinenbau, Matura 1961, Stud. an d. HS f. Welthdl. Wien u. Univ. Innsbruck, Spons. 1969. K.: 1964 Demag-Mannesmann Wien: Vertriebsing., b. 1975 Prok. in Sbg., 1976-79 Mannesmann-Demag Schweden: Gschf. f. Finanzen, Verw. u. Controller, seit 1979 b. A. Henhapl AG. E.: bEM-LHW, KmtK OSLJ, VRK OSLJ. F.: Miteigentümer d. Innberg Parfumerie Henhapl u. Wieland. M.: Ver. österr. Wirtschaftsak., Lazarus-Hilfswerk. H.: Jagd, Fischen, Segeln, Skifahren.;

Wieland Hermann

B.: Elektromstr. i.R. PA.: 5582 St. Michael, Marktstr. 280. G.: St. Michael im Lungau, 27. März 1934. V.: Dorothea. Ki.: Ulrike (1969), Christa (1971). El.: Karl u. Christine. S.: VS, HS, 1948 Elektrikerlehre. K.: 6 J. Geselle Firma Berger St. Michael, Vorbereitungskurse f. d. Mstr.-Prüf. Sbg., 1958 Mstr.-Prüf., seit 1959 selbst., 1973 Geschäftserweiterung. BL.: s. 1951 Mtgl. d. Feuerwehr davon 4J. KDT. Stellv., über 20 Leistungsabz. Bronze, Silber, Gold, Raika-Vorst., 1971 silb. EZ d. Raika, 1959 Schiedsrichter u. Kampfrichter im ÖSV Team. H.: Skifahren.

Wieland Rainer

B.: Gschf., Wirtschaftstreuhänder. FN.: Alpen Treuhand GmbH. DA.: 6900 Bregenz, Wolfeggstr. 11. G.: Lochau, 24. Okt. 1940. V.: Ilse. Ki.: 3 Söhne, 3 Töchter. El.: Karl u. Franziska. S.: 1961 Matura, Wirt.-Wiss. Univ. Innsbruck b. Prof. C.A. Andrae, 1967 Dipl., während Studentenzeit Ortsvors. d. ÖKV. K.: IBM Wien, Entw. d. DVO d. Wirtschaftstreuhänder, 1971 Rank Xerox Wien, 1976 Rückkehr n. Vlbg. m. Bruder Dr. Wolfram Wirt.-Treuhänder i. Lustenau, 1992 Berufsitzverlegung n. Bregenz. E.: Bundessieger a. Schüler Rede- u. Aufsatzwettbewerb. M.: Obm. Vlbg. Gebietskrankenkasse, Verbandskonferenz d. Hauptverb. d. Sozialversicherungsträger, Gemeinderat d. Marktgemeinde Lustenau. H.: Reisen, gepflegt essen u. trinken, klass. Musik, Eishockey, Fischen. (I.D.)

Wielath Günther Dr. med. univ.

B.: FA f. Zahn-, Mund- u. Kieferheilkunde. DA.: 6800 Feldkirch, Neustadt 11. PA.: 6811 Göfis, Funkabühel 633. G.: Feldkirch, 16. Febr. 1952. V.: Rosemarie, geb. Garber. Ki.: David (1984), Ines (1987). El.: Kurt u. Elfi. S.: Stud. Univ. Innsbruck, 1979 Prom. K.: 1980-82 FA-Ausbild. Univ.-Klinik Innsbruck u. Psych. KH Valduna in Rankweil, 1982 Zahnarztprüf., Praxiseröff. in Feldkirch Neustadt. M.: Ver. Vbg. Akademiker, Österr. Ges. f. Zahn- u. Kieferheilkunde. H.: Sport, Kultur, Theater, Reisen.;

Wielke Bernhard Dr. a.o.Univ.-Prof.

B.: Physiker. GT.: Gerichtsgutacher f. Techn. Physik. PA.: 1190 Wien, Jesseng. 2. G.: Wien, 9. Sept. 1944. V.: Dr. Nora-Maria, geb. Samec. Ki.: Tina-Maria, Lucia-Maria. El.: Dipl.-Ing. Karl u. Angela. S.: RG u. Realschule Wien, Stud. TU u. Univ. Wien, Physik, Astronomie, Psych., 1970 Prom. K.: 1971 Ass. am Inst. f. Festkörperphysik, ab 1973 Lehrbeauftragter f. Experimentalphysik, 1977 Habil. f. Festkörperphysik, Univ.Doz., 1978-79 Gastprof. am Caltech USA, seit 1985 a.o.Univ.-Prof., Tätigkeitsbereich: Tieftemperaturphysik, Metallphysik, Werkstoffwiss., Med. Implantatforsch., div. med. Entwicklungen, Forsch.: Unfallchir. P.: ca. 85 Art. f. intern. Fachzeitschriften. E.: Preis d. Theodor Körner-Stiftung. M.: Vorst. u. Grdg.Mtgl. Inst. Biomechanik. H.: Zeichnen, Malen, Foto, Film, Gartenarb. (A.K.)

Wieltsch Rainer Dipl.-Ing.

B.: Konzernkontroller. FN.: Fritz Egger Spanplattenwerk. PA.: 6380 St. Johann in Tirol, Gasteigerstr. 15/21. G.: Schärding, 5. Juli 1944. V.: Elisabeth. El.: Johann u. Karoline. S.: HS Liebenau, TU Wien. K.: 1969 IBM, 1987 Fa. Frischeis. H.: Tennis, Skifahren.

Wiener Alfred

B.: Unternehmer. FN.: Alfred Wiener (prot. Einzelfirma) u. Wiener Schmuck GmbH. DA. u. PA.: 2700 Wr. Neustadt, Maireg. 12. G.: Wien, 2. März 1958. V.: Gabriele, geb. Ogrisek. Ki.: Bianca-Susanne (1985), Birgit (1986). El.: Alfred u. Johanna. S.: VS, RG, HTL Wr. Neustadt, Elektrikerlehre, 1977 Gesellenprüf. K.: 1980 Beginn eines Getränkevertriebes m. Vater u. Dortmunder Unionsbier, seit 1987 alleiniger Bes., 1993 Hdl. m. Modeschmuck u. Barmöbel in Wiener Schmuck GmbH. M.: Lions-Club Mattersburg. H.: Segeln. (R.T.)

Wiener Heidi

B.: Sekr. d. Heim-Ltg. d. Schiller Studentenheim; Kammerrat d. AK. DA.: 8010 Graz, Elisabethstr. 85; 8020 Graz, H.-Resel-G. 8. PA.: 8010 Graz, Kreuzg. 17. G.: Graz, 8. Feb. 1948. V.: Gerd. El.: Alois u. Thusnelda Adam. S.: Lehre als Fotografin, Lehrabschluß 1965. K.: 3J. als Fotografin tätig, dann b. 1981 Hausfrau u. Pflegemutter, 1981 Rückkehr in d. Beruf als Fotografin (dzt. Gschf.); s. 1969 polit. Betätigung, s. 1989 Kammerrat d. AK, s. 1993 Bez.-Vorst.-Stv. f. d. III. Bez. in Graz. H.: Schifahren, Schwimmen, Lesen, Theater. (F.K.)

Wiener Helmut

B.: Inh. FN.: Helmut Wiener Text. DA. u. PA.: 6850 Dornbirn, Kirchg.3. G.: Dornbirn, 11. Juni 1962.V.:Stella. Ki.: Melissa (1986). El.: Helmut u. Erna. S.: VS, Gymn., fachbezogene Weiterbild. durch zahlr. Kurse u. Seminare, 1981 Militär. K.: seit frühester Jugend journalist. Tätigkeit, 1982 Mitarb. Forum f. Jugend u. Kultur "Spielboden" Dornbirn, 1984-86 Sozialforsch.-Inst. Wien, parallel a.o.Hörer Univ., 1986 Juniortexter b. Werbeagentur Dornbirn, 1988 Texter b. Werbeagentur Vaduz/Liechtenstein, 1990 selbst. als Werbetexter in Dornbirn, Texte u. Konzepte f. klass. Werbung, Public Relations, Direktwerbung, Ghostwriting, Lehrtätigkeit. H.: Psych., Literatur, Joggen, Malen, Musik, Ethnolog. Musik. (I.D.)

Wiener Johann Mag. Ing.

B.: Betriebsltr., Mtgl. d. Unternehmensgruppe f. Süßes, zu welchem die Firmen Walde, Nordpolwerk, Candita und d. Nachfolgefirma v. Mirabell, die Salzburger Schokoladen- u. Süßwaren Ges.m.b.H. gehörden. FN.: CANDITA Süßwarenfbk. GmbH & Co KG. DA.: 2120 Wolkersdorf, Johann-Galler-Str. 9. PA.: 4655 Vorchdorf, Moos 47. G.: Wels, 2. Juni 1957. El.: Johann u. Franziska. S.: HTL Maschinenbau Steyr, 1977 Matura, Stud. BWL Univ. Innsbruck. K.: 1978-88 Betriebsass., zuständig f. Technik u. Organ. in d. Tabakfbk. Schwaz/Tirol, parallel 1983-88 Stud. Univ. Innsbruck, 1989 Tätigkeit in Marketing u. Verkauf d. Süßwarenbranche, seit 1990 Betriebsltr. b. Candita. BL.: Teilnahme an Marketingpreis: Entwicklung, Umsetzung u. Verkauf einer Produktlinie, einer Präsentationslinie u. eines Verkaufskonzeptes im In- u. Ausland. H.: Tennis, Radfahren, Generalistenfunktion im Beruf. (F.S.)

Wiener Josef Mag. rer. soc. oec.

B.: Ltr. Vorst.-Büro. FN.: Post- u. Telegraphendir. f. OÖ u. Slbg. DA.: 4010 Linz, Domg. 1. G.: Eberstalzell, 26. Feb. 1951. V.: Elke, geb. Hinterleitner. Ki.: Susanne (1978), Christoph (1979), Lisa (1990). El.: Josef u. Maria. S.: VS, Berufssch., Lehre a. Fernmeldemonteur, Gymn. Abendschule, nebenberufl. 1974 Mat., 1983 Univ. BWL Linz. K.: s. 1965 b. Post tätig, 1984 Marketingkoord. Post- u. Telegraphendir. OÖ u. Slbg., 1992 nach Wien, Sek. Generaldir. Post, a. 1993 Ltr. Vorst.-Büro, Vortrag. u. Prüf. b. Grundausbild. Post, Vors. Aufnahmekomm., BFI Vortragender. P.: Fachart. Postrundschau, Unterl. f. Grundausbild., Autor "Marketingstrategie f. d. Post". M.: Obm. Postmusik Linz. H.: Familie, Tanzen, Tennis, Musik. (U.A.)

Wiener Josef Prälat

B.: Bischofsvikar f. Pastorale Dienste d. Diözese Linz. GT.: Gstl. Ass. d. kath. Frauenbewegung d. Diözese Linz. DA.: 4021 Linz, Kapuzinerstr. 84. PA.: 4020 Linz, Volksgartenstr. 18. G.: Bad Ischl, 27. März 1927. El.: Franz u. Elisabeth. S.: Gymn. in Gmunden u. Linz, 1946 Matura. K.: 1946-51 Priesterseminar in Linz, 1950 Priesterweihe, 1951-59 Kooperator in Steyr u. Gmunden, 1959-65 Diözesanseelsorger f. d. weibl. Jugend d. Diözese Linz, seit 1965 Diözesanfrauenseelsorger, 1968-74 Regens d. Priesterseminars d. Diözese Linz, seit 1974-92 Ltr. d. Pastoralamtes d. Diozöse Linz, 1974-84 Vors. d. Pastoralkmsn. Österr. u. d. Österr. Pastoralinst., 1967-86 Gstl. Ass. d. kath. Frauenbewegung Österr., ab 19. Apr. 1992 Bischofsvikar f. Pastorale Dienste d. Diözese Linz. P.: seit 1978 Hrsg. d. Linzer Kirchenzeitung u. Hrsg. d. Diözesanen Jahrbuches, div. innerkirchl. Veröff. E.: seit 1985 pästl. Ehrenprälat, 1989 Silb. EZ d. Landes OÖ. M.: Vors. d. Österr. Priesterver. H.: Betätigung in d. Natur (Schwimmen). (P.H.)

Wiener Peter Heinz
B.: freischaff. Bildhauer. DA. u. PA.: 5421 Adnet, Waidach 3c. G.: Spittal/Drau, 6. Sept. 1958. V.: Marianne. Ki.: Samuel Benedikt. El.: Peter Walter u. Maria. S.: Fachschule f. Bildhauerei Hallein, 3 J. Praktikum. K.: seit 1982 freischaff. Bildhauer, bekanntestes Werk" Vertriebenenmahnmal" in Feistritz/Drau, zahlr. freie Arb. u. Ausstellungen auf nat. u. intern. Ebene, Mai 1992 Gemeinschaftsausstellung "Der menschl. Körper" unter Organisator Dr. Dieter Schrage, Mitbegründer "EUG Freie Kunstgruppe Europa" u. Bildhauersymposium Adnet, 1992 Grdg. Bronzegießerei f. Wachsausschmelzverfahren. (M.Mo.)

Wienerroither Beate Dr. med.
B.: prakt. Ärztin. DA.: 1190 Wien, Krottenbachstr. 110/11. PA.: 1160 Wien, Agricolag. 4. G.: Linz, 1. Aug. 1955. V.: Dkfm. Franz Selwicka. El.: Dr. Gustav u. Elisabeth Wienerroither. S.: Körnerschule Linz, Stud. d. Med. an d. Univ. Wien. K.: Franz Josefs-Spital Turnus, Kinderklinik Glanzing, 1983 Praxiseröff., Schwerpunkt u. Weiterbild.: Psychosomatik. M.: Tennisclub, Ärzte z. Verhütung d. Atomkrieg IPPNW (Intern. Ärzte f. d. Verhütung d. Atomkrieges). H.: Tennis, Fernreisen, Tauchen. (E.L.)

Wienerroither Friedrich Oberst
B.: Vors. d. Zentralaussch. b. BML. DA.: 1010 Wien, Franz-Josefs-Kai 7-9. PA.: 2324 Zwölfaxing, An der Heide 18. G.: Frankenburg, 16. Febr. 1937. V.: Monika, geb. Nauza. Ki.: Christian (1962), Martin (1964), Monika (1968). El.: Martin u. Maria, geb. Zweimüller. S.: VS, HS, Berufsschule, Externistenmatura (Beamtenaufstiegsprüf.). K.: 1956 eingerückt, b. 1967 Unteroffz.-Laufbahn, Militärak. in Wr. Neustadt, 1967 Ausmusterung z. Lt., Dienst b. Truppe in Wien, Bruck Neudorf u. Kaisersteinbruch, ab 1989 Adjutant b. BML, seit 1975 Personalvertreter, ab 1991 Vors. d. Zentralaussch. E.: 1954 Erinnerungsmed. Hochwassereinsatz, BH-Dienstzeichen III., II. u. I. Kl. M.: GÖD, Alpenver., ÖAMTC, Österr. Kameradschaftsbund. H.: Bergsteigen, Radfahren, Skifahren, Tennis. (N.A.)

Wienerroither Martin Dr. Dipl.-Ing.
B.: Werksdir. A.: 8600 Bruck/Mur, Arndorf 10. G.: Frankenburg, 17. Okt. 1931. V.: Berhta, geb. Schmid. El.: Martin u. Maria. S.: VS, HS, Hum. Gymn., Montan Univ. Leoben. K.: Betriebsass., Bergbaultr., Hüttenbetriebsltr., Werksdir. i. P, Konsulent. H.: Skifahren, Schwimmen.

Wieninger Fritz Ing.
B.: Winzer; Inh. FN.: Weingut u. Heuriger Wieninger. DA.: 1210 Wien, Stammersdorfer Str. 78. G.: Wien, 16. Juli 1966. El.: Friedrich u. Ing. Barbara. S.: Gymn., 5 J. HBLVA f. Wein- u. Obstbau Klosterneuburg, Ferialpraxis in Kanada. K.: 1986-87 Auslandsaufenthalt in Kalifornien, anschl. Rückkehr in d. elterl. Betrieb in Österr., Übenahme, Auf- u. Ausbau d. Weingutes in Eigenverantwortung. BL.: zahlr. Weinpreise , Prämierungen u. Ausz. u.a. Cabernet Sauvignon (bester

Rotwein Österr./a la carte 93), Chardonnay Barrique 1992 (bester Wein d. Jahres 1993), Rotweinverkostung Österr. Rotwein, Cabernet Sauvignon 1989 - bester Rotwein Österr. E.: 1990 Bester Heuriger, 1990 Winzer d. Jahres, 1991 Aufnahme in d. Kreis d. Auserwählten, 1993 Nominierung zu Trophy Gourmet, zahlr. anerkennende Beiträge in nat. u. intern. Zeitschriften u. Magazinen. M.: Vino Veritas Austria. H.: Wein, Essen. (F.S.)

Wierer Norbert
B.: Kfm., Gschf., Ges. u. Kompl. FN.: Wierer GmbH & Co KG. DA.: 6290 Mayrhofen, Hauptstr. 443. PA.: 6290 Mayrhofen, Waldbadstr. 545a. G.: Mayrhofen, 4. Sep. 1949. V.: Marianne, geb. Wesdorp. Ki.: Armin(1983), Guido (1988). El.: Franz u. Anna. BV.: eigenes Familienwappen, aus Südtirol stammend. S.: VS, HS, Berufsschule, 4 J. Lehre Elektroinstallateur Mayrhofen, 1967 Gesellenbrief, 1968/69 BH, 1972 Werkmstr.-Schule Innsbruck, 1974 Werkmstr., 1974-75 Konzessionsprüf. f. Elektroinstallationsgewerbe. K.: seit 1976 selbst. m. Elektroinstallations- u. Hdls.-Unternehmen in Mayrhofen, 1989 Kabelfernsehen in Mayrhofen installiert. P.: PR in regionalen Printmedien. M.: Funkberatermtgl., Präs. d. Lions Club Zillertal. H.: Tennis, Skifahren, Radfahren, Fischen. (J.F.)

Wieringer Manfred Dr. phil.
B.: Personalberater. FN.: Dr. Manfred Wieringer Managementberatung. DA.: 1010 Wien, Maria-Theresien-Str. 32-34. PA.: 3411 Klosterneuburg-Weidling, Hauptstr. 340. G.: Wien, 2. Sept. 1942. V.: Brigitte, geb. Renner. Ki.: Barbara. El.: Franz u. Maria. S.: 1963 Matura in Wien, Stud. an d. phil. Fak. Psych. u. Anthropologie, 1970 Prom. K.: 1971-82 Personalberater m. intern. Geschäften betraut, 1982 Grdg. d. eigenen Fa., Partnerschaften m. Personalberatern in Linz, Graz, Innsbruck, Feldkirch, sowie intern. Kooperationen. H.: Tennis. (P.R.)

Wiesauer Hermine
B.: Inh., Gastwirtin. FN.: Hobel Tenne, Gastwirtschaft u. Unterhaltungslokal. DA.: 4820 Bad Ischl, Jainten 37. PA.: 4820 Bad Ischl, Kreutererstr. 16. G.: Bad Ischl, 22. Sept. 1928. Ki.: Karl. El.: Barbara u. Karl. S.: VS, HS, Haushalt.-Schule. K.: 1945 Eintr. in d. elterl. Gastbetrieb, 1961 Übern. d. seit 350 J. im Familienbesitz befindlichen Landgasthaus, im selben Jahr Betriebsumbau, 1972 Betriebserweit., Neubau d. "Hobel Tenne", seither Gastbetrieb in seiner Trad. weitergef. E.: 1988 EZ i. Gold verliehen durch d. Fachgruppe d. Gast-, Schank- u. Beherbergungsbetriebe OÖ. H.: Kinder. (J.F.)

Wiesauer Ludwig
B.: Kfm., Gschf. Ges. FN.: Kaufhaus Ludwig Wiesauer OHG. DA. u. PA.: 4820 Bad Ischl, Esplanade 4. G.: Bad Ischl, 20. Juli 1943. V.: Brigitte, geb. Scheb. Ki.: Oliver, Marianne, Florian, Siegfried. El.: Ludwig u. Maria. S.: Pflichtschulen Absolvent d. Lehranst. d. dt. Textileinzelhdls. (LTD) in Nagold/BRD, Praktikum in d. USA. K.: nach Volontärzeit in Wien u. Graz seit 1961 Ges. u. seit 1978 Gschf. d. Familienbetriebes Ludwig Wiesauer OHG. F.: L. Wiesauer OHG, Modenhaus Wiesauer & Stepina, Wiesauer's Jeans-Shop, Feinkost Wiesauer. M.: ehem. Obm. d. Jungen Wirtschaft Bad Ischl. H.: Sport, Theater, mod. Literatur. (Foed.)

Wiesbauer Karl

B.: Ltr. Profitcenter Innviertel, Anzeigenltr. "Braunauer Rundschau". DA.: Palmstr. 5, 5280 Braunau/Inn. PA.: Ringstr. 47, 5280 Braunau/Inn. G.: Obernberg/Inn, 1. Mai 1954. V.: Sonja. Ki.: Mario (1984), Felix (1992). El.: Karl u. Edith. S.: HASCH. K.: 1969-79 Sparkasse, seit 1979 OÖ Rundschau, seit 1982 IÖ Rundschau in Braunau, seit 1987 Anzeigenltr., seit 1992 Ltr. d. Profitcenter. H.: Fußball, Tennis, Lesen. (E.H.)

Wiesbauer Klaus Mag. Prof.

B.: Ltr. d. Bundes-ORG Wiener Neustadt. DA.: 2700 Wiener Neustadt, Herreng. 27. G.: Wiener Neustadt, 15. Juni 1942. Ki.: Thomas (1970), Eva (1972). El.: Franz u. Helene. S.: VS, HS, Lehrerbildungsanst., 1961 Matura, 1961-68 Stud. Math. u. Physik Univ., 1968 Abschl. Mag. K.: s. 1969 Lehrtätigk. Physik, Chem, Math. Musisch-Päd. BRG, s. 1979 prov. Ltr. d. ORG. M.: Komm. z. Begutachtung v. Schulbüchern, Kirchenchor Erlach, Musikgr. Stub'nmusi. H.: Baßgeige, Geige, Archäologie, Wandern, Schifahren. (I.J.)

Wiesbauer Klaus

B.: Gschf. FN.: WTW Meß- u. Analysengeräte GmbH. DA.: 1110 Wien, Simmeringer Hauptstr. 113. PA.: 1200 Wien, Heinzelmanng. 22/9. G.: Habartov/CSFR, 5. Juli 1952. V.: Kornelia, geb. Schilles. Ki.: Karin (1977), Sonja (1981). El.: Josef u. Franziska. S.: VS, Mittelschule, HBLVA f. chem. Ind., Fachrichtung Techn. Chemie Wien, 1970 Matura. K.: 3 J. Laborant TU Wien, 1973-75 Wasserchemiker Firma Ruthner, 1975-87 Abt.-Ltr. f. Meßgeräte Firma Kühnel, 1987 Übernahme d. Dr. Lange Geschäftsstelle Wien, 1989 Grdg. WTW Meß- u. Analysengeräte GmbH Wien u. seither Gschf. M.: Österr. Wasserwirtschaftsverb. H.: Fischen, Fallschirmspringen. (J.S.)

Wiesberger Eugen

B.: Dir. d. LIVA Linzer Stadt- u. Sporthalle u. d. Stadions. DA.: 4020 Linz, Ziegeleistraße. PA.: 4048 Puchenau, Sanddorngang 1. G.: Linz, 30. Dez. 1933. V.: Monika, geb. Harrer. Ki.: Lieselotte (1956). El.: Eugen u. Johanna. S.: VS, HS, Beamtenmatura. K.: 1950-65 Fleischer in Linz u. Sbg., 1965-71 Schul- u. Sportamt Linz, seit 1971 LIVA. BL.: 17x Österr. Mstr. im Ringen Halbschwergewicht, 3x Olympiateilnehmer, 1956 5. Pl. Melbourne, 1960 7. Pl. Rom, 1964 8. Pl. Tokio. H.: Alpinskifahren, Langlaufen, Tennis, Radfahren. (L.G.)

Wiesböck Gerhard

B.: Gschf. Ges. FN.: Lehar Getränke u. Feinkost. DA.: 2483 Ebreichsdorf, Sportplatzstr. 13. PA.: 2345 Brunn am Gebirge. G.: Wien, 17. Sept. 1943. V.: Christa, geb. Putz. El.: Ernst u. Margarete. S.: HS, HASCH, weitere Ausbild. im Ausland. K.: kfm. ltd. Position b. einer Handels AG d. Textilbranche in Wien, kfm. Ltr. f. d. gesamten Administrationsbereich e. Sportmodenfirma in Wien, 1976 Übernahme d. Fa. Lehar Liköre, Ausbau d. Unternehmens in d. Bereichen Nationale u. Intern. Spirituosen, Übernahme v. Intern. Markenvertretungen im Feinkostbereich. BL.: öff. Auftritte als Magier. M.: Magischer Klub. H.: Magie, Bergsteigen, Wandern, Meditation. (M.M.)

Wiesböck Martin Ing.

B.: Gschf. FN.: Walek & Co GmbH. DA.: 2700 Wr. Neustadt, Wiener Str. 125. PA.: Theresienfeld, Imsterg. 6. G.: Bruckmühl/Bayern, 15. Aug. 1943. V.: Rosemarie, geb. Hegi. Ki.: Martin. El.: Ludwig u. Anna. S.: Textilfachschule Reutlingen, Ing. 1963. K.: BH, anschl. 1 J. Fa. Schappe AG, Schweiz als Ass., 1965-67 als Ass. u. 1967-68 Abt.Ltr. b. Fa. Gerrit Van Delden (Garnerz.) in Berlin, 1969-70 Betriebsltr. b. Fa. Gerit van Gelden in Westfalen, bis 1975 Werksltr. dieser Fa. in Berlin, seit 1975 Fa. Walek & Co GmbH: vorerst als Gschf. f. d. Bereich Technik u. Einkauf, seit 1981 Gschf. d. Fa., seit 1989 Gschf. d. Spinnerei Bayreuth AG, BRD. E.: Div. Firmenausz. H.: Moderne Kunst, Reisen. (M.B.)

Wieseneder Alois Dr. iur. Mag. MinR.

B.: Ltr. d. Abt. III/5 im BMI. GT.: GemR. in Gerasdorf. DA.: 1010 Wien, Bräunerstr. 5. PA.: 2201 Gerasdorf, Sängerknabenweg 42. G.: St. Georgen/Leys, 11. Apr. 1934. V.: Ilse, geb. Fürpass. Ki.: Gabriele, Günther, Bettina. El.: Gottlieb u. Anna. S.: 4 J. Stud. an d. Ak. f. Musik u. Darst. Kunst, 1963 Ausbildungskurs an d. Univ. Wien, 1970-74 Stud. d. Rechtswiss. in Wien, Prom. 1974. K.: Zun. in d. Privatwirtschaft tätig, 1955 Eintritt in d. österr. BGendarmerie, 1957-63 Exekutivdienst, 1963-65 Offz Lehrgang (Mödling), 1965 Gendarmerie Bergführerausbild., 1966 LGendarmeriekdo. NÖ, 1967-74 Referent b. Gend.Zentr.Kdo. im BMI (Rittmeister), 1974 Übertritt in d. höheren min. Dienst, 1975 Besuch d. Verw.Ak. (Prüf. f. d. rechtskund. Verw.Dienst), seit 1975 Berichterstatter d. ZDK bzw. ZDOK b. BMI, ab 1983 Ltr. d. Abt. III/5 im BMI, Aufgaben: Legist. Maßn. u. Grundsatzangel. betr. Zivildienst u. Org. d. Grundausbild. f. Zivildiener. P.: Div. Publ. z. Thema Zivildienst u. ausführl. Kommentar z. Zivildienstgesetz 1987. E.: Gold. Verd.Med. um d. Rep. Österr. 1969, Gr. EZ f. Verd. um d. Rep. Österr. 1985, Gold. Verd.Med. d. ÖRK 1979, Gold. Verd.Med. d. Arbeitersamariterbundes Österr. 1980. H.: Musik, Sport, Wandern, Bergsteigen. (M.B.)

Wieseneder Fritz

B.: Gschf. d. WERSI-electronic GmbH. DA.: 2331 Vösendorf, Ortsstr. 18. PA.: 1140 Wien, Pachmanng. 7. G.: Wien, 8. Febr. 1943. V.: Martha, geb. Tunkl. Ki.: Angela. El.: Hans u. Ottilie. S.: Abendstud. TH Wien. K.: Konz. f. Elektrohdl., Gschf. d. Ind.Abt. Kiepe-electronic, 1976 Verkaufsmanager d. Wersi-Fil. Stuttgart u. München, 1977 Grdg. d. Wersi in Österr. u. Gschf. P.: Div. Fachart. H.: Skifahren, Schwimmen, Fotografieren, Segeln. (E.L.)

Wiesenthal Otto Ernst

B.: Hotelier. FN.: Hotel Altstadt Vienna. DA. u. PA.: 1070 Wien, Kircheng. 41. G.: Wien, 12. Juni 1949. Ki.: Camilla (1977), Saskia (1979). El.: RA Dr. Otto u. MedR. Dr. Helga, geb. Lauda. S.: 1968 Matura, b. 1972 Stud. WU Wien. K: 1973-74 Continental Bank Chicago, 1975-80 Associated Engineering Bradford UK, 1980-89 Wang Computer Wien als Controller u. Osteuropachef, 1990 Kauf d. Hotels "Altstadt Vienna", Kons. f. Maketing. M.: Ver. d. ehem. Theresianisten, Golfclub Himberg, Österr. Hotelierver. HSM. H.: klass. Musik, Theater, Wirtschaftsliteratur, mod. Arch. u. Kunst, Skifahren.

Wiesenthal Simon Dr. phil. h.c. Dipl.-Ing.

B.: Arch., Ltr. d. Jüd. Dokumentationszentrums. DA.: 1010 Wien, Salztorg. 6. G.: 31. Dez. 1908. V.: Cyla, geb. Müller. S.: Arch.Stud. an d. Univ. in Prag u. Lemberg. K.: 8 J. lang Arch., nach d. Krieg Ltr. d. Jüd. Dokumentationszentrums, Obm. d. Jüd. Zentralkomitees f. d. US-Zone, Vors. d. Verb. d. währ. d. NS-Zeit verfolgten Juden, VPräs. d. Union intern. des Resistants et Deportes, Brüssel, ehem. VPräs. d. Bundesverb. Jüd. Gemeinschaften in Österr. P.: "KZ Mauthausen", "Ich jagte Eichmann", "Doch die Mörder leben", "Max und Helen", "Die Sonnenblume", "Krystyna", "Jeder Tag ein Gedenktag", "Segel der Hoffnung", "Flucht v. d. Schicksal", "Recht, nicht Rache", zahlr. Beiträge in Zeitschriften u. Magazinen. E.: 11-facher Ehrendoktor, Goldmed. d. US-Congresses, Gr. Silb. EZ d. Stadt Wien, Ehrendipl. d. Int. Widerstandes, NL Freiheitsmed., Luxemburg. Freiheitsmed., Ehrennadel d. Österr. Widerstandsbewegung, Med. d. Franz. Resistance, Med. d. Belg. Widerstandes, Ehrendipl. d. Vereinten Nationen, Gr. EZ d. BRD, Ritter d. Ehrenlegion, Ehrenmtgl. d. HS f. Angew. Kunst Wien, Fourfreedoms-Med. d. Roosevelt-Stiftung NL u. weitere Ehrendipl., Ehrenurkunden, Ehren- u. Friedensmed., zahlr. Ehrenmitgliedschaften, Ehrendiplom d. Internationale der Resistance, Brüssel, Freiheitsmed. d. Niederlande, Freiheitsmed. von Luxemburg, Ehrennadel d. Österr. Widerstandsbewegung, Ehrendiplom d. Österr. Liga d. Vereinten Nationen, Grdg. d. Simon Wiesenthal Center for Holocaust Studies an d. Yeshiva Univ. in Los Angeles, 1977, Ausz. f. besondere Verdienste d. Decalogue Society of Lawyers, Chicago, Ill. 1978, Ehrenurkunde der Stadt Los Angeles, Ehrenurkunde d. Staates Kalifornien, Ehrendiplom d. Organisation d. Jüdischen Kriegsveteranen in den USA, Ehrendiplom d. franz. Inst. d. Recherches de Psychotherapie, Jean Moulin Medaille d. Franz. Resistance, Kaj-Munk-Med., Dänemark, Ehrenmtgl. d. Holländischen Resistance, Ehrenmtgl. d. Dänischen Freiheitskämpferverbandes, Ehrenzeichen f. d. Verdienste um d. Befreiung Österr., Commandeur des Ordens von Oranien-Nassau, Commendatore de la Republica Italiana, 1979, Ehrenbürgerschaft von Dallas, Texas, USA, 1979, Henrietta Szold Award, World WIZO Organisation, US, Ehrenbürgerschaft von Louisville, Kentucky, USA, Louis Brandeis Award, Zionistische Organisation d. USA, 1980, Ehrenmed. d. Gedenkstätte Yad Vashem, Jerusalem, Jerusalem Med., überreicht vom Stadtrat von Jerusalem, Goldmed. d. Amerikanischen Kongresses, überreicht durch Präs. Carter im Weißen Haus, Washington, 1980, Proklamation d. Stadt New York - Tag d. Solidarität mit Simon Wiesenthal, 31. März 1981, Commandeur de ordre pour le merite, Luxemburg, David-Preis d. Schweizer Judentums, Mtgl. d. Int. Rates von Yad Vashem, Jerusalem, Ehrenbürgerschaft von Miami Beach, Florida, USA, 1983, Goldmed. d. Bundesverbandes d. Israelitischen Kultusgemeinden Österr., Ehrenbürgerschaft von Memphis, Tennessee, USA, 1984, Ehrenbürgerschaft von Shelby Country, Tennessee, USA, Parlament, Senat und d. Gouverneur Mario M. Cuomo des Staates New York erklären d. 13. Juni 1984 zum "Simon Wiesenthal Tag", Großes Ehrenzeichen d. Bundesrepublik Dt., 1985, Großes Silb. Ehrenzeichen f. Verdienste um das Land Wien, Ritter d. Ehrenlegion, verliehen vom franz. Präs. 1986, Jabotinsky-Preis d. Anti-Defamation-League, 1988, Ehrenmtgl. d. HS f. angewandte Kunst in Wien, 1988, "Four Freedoms Medal" d. Roosevelt-Stiftung i Middelburg, Holland 1990, Ehrenpräsident d. Österr. Liga f. Menschenrechte, 1991, Otto-Hahn-Friedensmed., Berlin, 1991, Erasmus-Preis, Schloß Soestdijk, Holland, überreicht von Prinz Bernhard der Niederlande, 1992, Ehrenmed. d. UNESCO Paris, überreicht v. Generaldir. Federico Mayor, 1992, Ehrenmed. d. Stadt Paris 1992, LAPID-Preis, Jerusalem, 1993, Ehrenkreuz f. Wiss. u. Kunst 1. Klasse d. Republk Österr., Wien, 1993, Ehrenmtgl. d. Akad. d. Wiss., Laibach, Slowenien, 1994, Menschenrechtspreis d. Karl-Franzens-Univ. Graz 1994, Kommandeurskreuz d. Orgens Polonia Restituta, Warschau, 1994. M.: UIRD Brüssel, Mtgl. d. Franz. Ehrenlegion. H.: Sammeln v. Briefmarken u. alten Briefen.

Wieser Bernhard Dr.

B.: Richter, GemR. u. Stadtpartei- u. Frakt.-Obm. d. FPÖ. DA.: 4600 Wels, Kaiser-Josef-Pl. 12/2. PA.: 4600 Wels, Trauseneggerdamm 18. G.: Wels, 22. Mai 1949. V.: Dorit, geb. Holzer. Ki.: Johanna u. Clarina (1991). El.: Georg u. Hildegunde. S.: 1959-68 BRG Wels, anschl. Jus-Stud. in Linz u. Innsbruck, Prom. 1973. K.: Währ. d. Stud. b. ÖH (stv. Fachschaftsltr. d. Jur. Faches), 1973-75 Univ.-Ass. an d. Jur. Fak. Innsbruck am Inst. f. Zivilprozeßrecht, 1975-77 Richteramtsanw. b. versch. Gerichten in OÖ u. OGH Wien, 1977 Richteramtsprüf. u. Ern. z. Richter, seith. Richter am Kreisger. Wels, s. 1976 Mtgl. d. FPÖ Stadtparteiltg., s. 1979 Mtgl. d. Welser GemR., 1984 Stadtparteiobm. d. FPÖ Wels u. Frakt.-Obm. d. FP GemR.-Frakt., 1979-85 Obm. d. Kontrollaussch., s. 1978 Presseref. d. FPÖ. P.: Veröff. in Tages- u. Wochenzeit. M.: 1985-91 Mtgl. d. Präsid. d. Welser Messe. H.: Malerei, Jagen, Fischen, Garten. (P.H.)

Wieser Friedrich Emanuel Dr. theol.

B.: Pastor Baptistengem. Graz. DA. u. PA.: 8020 Graz, Idlhofg. 89. G.: Zell am See, 1. Nov. 1952. V.: Ilse, geb. Müller. Ki.: Tobit (1984). El.: Friedrich Karl u. Esther. S.: 1970 Matura Sbg., Stud. Klass. Gitarre u. Renaissance Laute Mozarteum Sbg., 1973 Staatsdipl., 1 J. Unterrichtstätigkeit am Mozarteum, Stud. Baptist. Theol. HS Rüschlikon/Schweiz, 1978 Bachelor of Divinity, 1981 Master of Theology, Diss., 1986 Prom. K.: 1979-87 neben Stud. Pfarrdienst Intern. Gem. Rüschlikon, seit 1988 in Graz. M.: 1. Vors. d. Ev. Allianz Graz, Mtgl. d. Bundesltg. d. Österr. Baptistengem. H.: Musik. (F.K.)

Wieser Georg Dr.

B.: Univ.-Doz. am Inst. f. Soz. d. Univ. Wien. GT.: Präs. d. Ver. Intern. Schule in Wien. DA.: 1080 Wien, Alserstr. 33. G.: Wien, 8. März 1930. V.: Phyllis, geb. Lake. Ki.: Melanie, Andreas, Janet. BV.: Großonkel Dr. Friedrich Freiherr v. Wieser war Mitbegründer d. Wiener Schule der Nationalökonomie. S.: VS, Gymn. in Wien u. Sbg., Stud. d. Staatswiss. in Wien, Stud. d. Soz. an d. Stanford Univ. in California, 1958 Prom. K.: 1963-70 Tätigkeit am Inst. f. Höhere Studien, vorerst Ass. u. anschl. Abt.Ltr., seit 1970 Ass. am Inst. f. Soz., 1985 Habil. u. anschl. Univ.Doz. M.: Österr. u. Amerikan. Ges. f. Soz., Ges. f. Arbeitsbeziehungen. (M.B.)

Wieser Hans Dir.

B.: Dir. d. Kurdion. St. Wolfgang. DA.: 5360 St. Wolfgang/Salzkammergut, Markt 28. PA.: 5350 Strobl, Weißenbach 88/104. G.: Steyr, 23. Apr. 959. El.: Johann u. Margarethe. S.: FV-Schule Bad Leonfelden. K.: 1979-86 Verkehrsamtsltr. in Au/Vbg., 1986-90 TV-Dir. in Strobl, seit 1990 Kurdir. in St. Wolfgang. M.: Vorst.-Mtgl. d. Angebotsgruppe "Wassererlebnis Österr.", Vorst.-Mtgl. d. ÖKD, Chor "Liedertafel Strobl". H.: Tauchen, Musik. (E.Hö.)

Wieser Johann Mag.

B.: Dir. FN.: BORG. GT.: s. 1980 Kulturreferent d. Stadtgemeinde Bad Radkersburg. DA.: 8490 Bad Radkersburg, Neubaustr. 9. PA.: 8490 Bad Radkersburg, Mitterling 58. G.: Oberzeiring, 17. Okt. 1944. V.: Elisabeth, geb. Markovic. Ki.: Hans Christian (1977), Roberta (1983). El.: Johann u. Rosina. S.: BG + BRG Judenburg, 1963 Matura, 1 J. BH, Reserveoff. s. 1964, Stud. Gesch. u. Geographie a. d. Univ. Wien u. Graz, 1970 Mag. K.: s. 1969 im Schuldienst in Bad Radkersburg, s. 1980 Ltg. d. BORG. E.: Wehrd.zeichen 2. Klasse. M.: Europ. Erzieherbund. H.: Marathonlauf, Bergwandern. (I.G.)

Wieser Johann
B.: Unternehmer. DA. u. PA.: 5020 Salzburg, Schmiedingerstr. 69a. G.: Klosterneuburg, 29. Juli 1939. V.: Elfriede, geb. Stöckl. Ki.: Doris (1962), Petra (1968). El.: Johann u. Anna. S.: VS, HS, Berufsschule Zimmerer, Polier. K.: 1965 10 J. Straßenmeister in Nö, seit 1975 eigener Betrieb, Schwerpunkt: Bodenmarkierungen, Verkehrszeichen, Leitschienenmontagen, eigene Patente entworfen, Autobahnerhaltung im Bgld., A4-Ostautobahn, Bereich NÖ-Bgld., Fahrbahnsanierung, BSW-Asphalt. M.: Obm.-Stellv. Sbg.-Liefernig SV, Fußball. H.: Skifahren, Fußball. (M.C.)

Wieser Leopold
B.: Wasser u. Heizungsinst., Brunnenbauer. FN.: Leopold Wieser Wasser, Brunnenbau, Heizung, Ölfeuerung. DA. u. PA.: 4770 Andorf, Hauptstr. 31. G.: Wippenham/Bezirk Ried, 10. Nov. 1939. V.: Gerlinde. Ki.: Peter (1965), Eva (1969). El.: Leopold u. Theresia. S.: 1962-64 Berufsschule u. Lehre als Wasser- u. Heizungsinst., 1954-57 Brunnenbauer, Gesellenzeit. K.: 1967 Mstr.-Prüf. als Wasserinst., 1968 selbst. als Wasserinst. u. Brunnenbauer, 1974 Mstr.-Prüf. als Brunnenbauer, s. 1976 auch Heizungsinst., 1972 Kauf eines Betriebsgebäudes incl. Tankstelle, lfd. erweitert u. umgebaut. H.: Sauna gehen, der Betrieb, Stammtisch. (J.L.)

Wieser Olaf Dr. w.HofR. Univ.-Prof
B.: Prim. d. Lungenabt. LKH Klagenfurt. DA.: 9020 Klagenfurt, St. Veiter Ring 47. PA.: 9201 Krumpendorf, Koschatweg 78. G.: Innsbruck, 20. Apr. 1927. V.: Maria, geb. Leitner. Ki.: Eva Maria, Dr. Clemens, Andris. El.: Dr. Lutz u. Anna. BV.: Dr. Glatz (Großonkel) war um d. Jhdt.-Wende ein bekannter Stadtphysikus in Innsbruck, Dr. Dietmar Wieser (Bruder) ist bekannter Rundfunk- u. Fernsehautor. S.: VS, Gymn., 1946 Matura, Med. Fak. Univ. Innsbruck. K.: 1955 Prof., Fachausbild. in Gmunden, Bremen, Heidelberg in d. Fächern Innere Med. u. Lungenerkrankungen, Dozentur 1967 in Heidelberg, ab 1970 Prim. im LKH Klagenfurt, 1974 Prof. in Heidelberg. P.: Über 140 wiss. Publ. über Krebsforsch., Herzkrankheiten, Lungenkrankheiten, 2 Bücher. M.: Präs. d. Österr. Ges. f. Lungenkrankheiten, Rotary-Club Kagenfurt-Süd. H.: Elektronic, Computer, Photographie. (D.M.)

Wieser Peter
B.: Hoteldir. d. Hotel Bellevue. DA.: 9871 Seeboden, Am Waldrand 24. PA.: 8732 Seckau, Hart 21. G.: Knittelfeld, 1. Nov. 1959. El.: Helmut u. Margaretha. S.: VS, Gymn., 3 J. Hotelfachschule Bad Gleichenberg. K.: 2 Saisonen in Lermoos als Kellner, anschl. 1 1/2 J. Hotel Wende Neusiedl/See als Chef de Rang, Wintersaison im Sporthotel Igls, ab 1982 Hotel Bellevue in Seeboden, Beginn als Barman, dann Restaurantchef, seit 1985 Hoteldir. H.: Golf, Skifahren, Autorennfahren. (M.T.)

Wieser Rudolf Dr. iur.
B.: RA. GT.: Mitbes. v. 2 Hotels in Wien, Hotel President u. Hotel Tigra. DA.: 6020 Innsbruck, Templstr. 16. G.: Ehrwald, 10. Aug. 1928. V.: Maria, geb. Kuen. Ki.: Michael, Elisabeth, Friederike. El.: Martin u. Antonia. S.: Ak. Gymn. in Innsbruck, 1946 Matura, Jusstud. an d. Univ. Innsbruck, 1951 Prom. K.: Gerichtsjahr, 7 J. Konzipiententätigkeit, seit 1959 selbst. Anw. BL.: jahrelang Präs. d. IEV u. d. Golfclubs Seefeld/Wildmoos, jetzt Ehrenpräs., dzt. LJägermstr. v. Tir. P.: Beiträge in Fachzeitschriften. H.: Jagd, Golf, Skifahren. (H.T.)

Wieser Wilhelm
B.: Gschf. FN.: Wieser Getränke GmbH. DA.: 5721 Piesendorf 350. PA.: 5721 Piesendorf 222. G.: Mittersill, 30. Dez. 1928. V.: Marlies, geb. Wemhöner. Ki.: Heidi (1955), Andrea (1957), Markus (1961). El.: Franz Rieder u. Juliane Wieser. S.: VS, HS, Arbeitsdienst, Kriegsdienst, Landarb., Schäfer in ldw. Betrieben, 1952-54 ldw. Betrieb in d. Schweiz. K.: Tätigkeit Pützler Sägewerk Taxenburg, b. 1957 Fahrverkäufer Firma Leeb Zell/See, ab1962 selbst. m. Handelsagentur in Zell/See, 1964 Großhdl. v. Wein u. Spirituosen Zell/See. M.: Obm. FVV Piesendorf, im Aussch. v. Gebietsverb. Nationalpark Hohe Tauern, Kiwanis Club Zell/See, Scal Club Zell/See. H.: Berggehen, Wandern, Skifahren. (J.F.)

Wieser Wolfgang
B.: Gschf. Ges. FN.: Autohaus Wieser Opel. DA. u. PA.: 4400 Steyr, Haratzmüllerstr. 76. G.: Steyr, 26. Sept. 1951. V.: Gertrude, geb. Fürst. Ki.: Sebastian, Elisabeth, Christina, Anastasia. El.: Walter u. Anna. S.: VS, HS, 4 J. HTL Steyr (Maschinen- u. Kraftfahrzeugbau. K.: Übernahme d. elterl. Betriebes, 1975 Kfz-Mstr.Prüf. M.: Lions-Club. H.: Tennis, Modellbau, Skifahren, Golf. (Bau.)

Wiesflecker Hermann Dr. phil. Dr. rer. pol. h.c.
B.: em. Univ.-Prof. d. Karl-Franzens-Univ. Graz. PA.: 8010 Graz, Schubertstr. 23. G.: Lienz, 27. Nov. 1913. V.: Dr. Ingeborg, geb. Friedhuber. Ki.: Heinrich (1941), Christian (1946), Maria (1948), Angelika (1960). El.: Hugo u. Theresia. S.: Hum. Gymn. Brixen u. Schwaz, Matura 1932, Univ. Innsbruck, Rom u. Wien (Gesch., German.), Prom. 1936 in Wien, Lehramtsprüf. 1937. K.: 1937-38 Prof. an versch. Wr. Gymn., 1939-43 Kriegsdienst, schwer verwundet, 1944-47 wieder Gymn.-Prof. in Wien, 1947 Habil. an d. Univ. Wien b. Prof. Santifaller, 1948 a.o. Prof. f. öst. Gesch. an d. Univ. Graz, ab 1961 o. Prof., 1964-65 Rektor d. Univ. Graz, 1984 em. P.: u.a.: Die Regesten d. Grafen v. Görz u. Tirol, Pfalzgrafen in Kärnten, 2 Bde. 957-1295 (1949, 1952), Meinhard II., Tirol, Kärnten u. ihre Nachbarländer am Ende d. 13. Jhs. (1955), Die Entsteh. d. Stadt Lienz im Mittelalter (in: Schlernschriften 98, 1952), Kaiser Maximilian I. Das Reich, Österr. u. Europa an d. Wende z. Neuzeit, 5 Bde. (1971-86), Das Gründungsdatum d. Univ. Graz. Neue Beiträge z. Gründungsgeschichte (1968), Maximilian I. Die Fundamente d. habsburg. Weltreiches (1991), Ausgewählte Regesten d. Kaiserreiches unter Maximilian I. 1. Bd. 1493-95 (Regesta Imperii XIV, 1990), 30 Einzelunters. z. Gesch. Österr., d. Reiches u. Europas unter Max. I. E.: Dr. h.c. d. Univ. Innsbruck, Hartelpreis d. Österr. Akad. d. Wiss., Öst. EZ f. Wiss. u. Kunst I. Kl., EZ d. Landes Tirol, Ehrenring d. Landes Stmk. u. d. Stadt Linz, Mozartpreis, Kard.-Innitzer-Preis, Kunschak-Preis. M.: 1969 wirkl. Mtgl. d. Österr. Akad. d. Wiss., Kath. Akad. Wien, Görres-Ges. H.: Musik, Theater. (P.M.)

Wiesgrill Peter Klaus
B.: gschf. Dir. FN.: Vereinigte Kaffee Großrösterei Arabia-Mikado. GT.: Schiedsrichter an d. Wr. Warenbörse. DA.: 1110 Wien, 7. Haidequerstr. 5. PA.: 3500 Krems, Pfarrpl. 9. G.: Meiningen-Thüringen, 13. Aug. 1940. V.: Margreth, geb. Fürtler. Ki.: Doris, Julia, Philipp. El.: Josef u. Hermine. K.: 1954 Lehrling b. Meinl AG, 1974-78 Marketing Manager, Meinl München, 1978-80 Prok. Meinl Großhdl. Wien, 1980-81 Verkaufsdir. b. Arabia, anschl. gschf. Dir. (P.R.)

Wieshammer Alfred J.

B.: alleiniger Ges. u. Gschf. FN.: W & M Praxisorientierte Computerlösungen Hdls. GmbH. DA.: 1180 Wien, Gersthoferstr. 119/2/14. PA.: 1150 Wien, Ullmannstr. 4/57. G.: Grieskirchen, 7. Aug. 1966. El.: Gottfried u. Elfriede. S.: Matura RG Ried/Innkreis, Stud. Informatik TU Wien. K.: 1989 Grdg. d. W & M GesnbR gemeinsam m. Ernst Mayer f. Computer u. Software, 1992 Grdg. d. W & M Praxisorientierte Computerlösungen Hdls. GmbH m. d. Spezialgebiet Komplettlösungen f. Zahnärzte. F.: Ges. d. Wieshammer & Mayer GesnbR 4974 Ried/Innkreis. BL.: Erstellung d. Produkts "Gem-Dent Professional", d. 1. u. einzige EDV-Komplettsystem f. Zahnärzte. P.: Art. in Fachzeitschriften. H.: Technik, Computer, Reisen. (J.S.)

Wieshofer Helmut Dipl.-Kfm.

B.: Gen.-Dir. i.R. FN.: Honeywell Trading Hdls. GmbH. DA.: 1121 Wien, Edelsinnstr. 7-11. G.: Wien, 28. Sept. 1933. V.: Regine, geb. Palfner. Ki.: Thomas, Christoph, Barbara. El.: Dipl.-Ing. Dr. Franz u. Emilie. S.: Gymn. Wien, 1953 Matura, HS f. Welthdl. Wien, 1957 Dipl., versch. Managementkurse. K.: Ang. in Wirtschaftsprüf.-Kzl., seit 1963 b. Honeywell, Dir. f. Finanz u. Verw., seit 1976 Gen.-Dir. in Österr. BL.: Ausbau d. Ostgeschäftes. P.: Fachart., Vorträge. M.: pers. Mtgl. d. Industriellenver., AufsR.-Mtgl. d. Honeywell AG, Offenbach/BRD u. d. Honeywell Austria GmbH, Wien. H.: Lesen, Skifahren, Tennis, Reisen. (H.P.)

Wieshofer Karl RgR.

B.: Amts-Dir.; Ltr. FN.: Bundesmobilienverwaltung. DA.: 1070 Wien, Mariahilfer Str. 88. PA.: 1220 Wien, Kratzmanng. 31. G.: Wien, 13. Aug. 1941. V.: Margarete, geb. Weber. Ki.: Gabriele (1962), Elisabeth (1963). El.: Karl u. Margaretha. S.: Pflichtschule, Abendmaturaschule m. Beamtenaufstiegsprüf. K.: 1963 Eintritt i. d. Verkehrsmin. als Mitarb. d. Buchhaltung, s. 1980 Ltr. d. Bundesmobilienverwaltung, s. 1991 Amtsdir., s. 1993 Regierungsrat. H.: Lesen, Fachliteratur zu Geschichte u. Stilkunde, Theater, Wandern. (E.J.)

Wieshofer Wolfgang

B.: Gschf. Ges. FN.: Wieshofer & Baumgartner Werbeagentur GmbH. DA. u. PA.: 4020 Linz, Landstr. 26. G.: Grieskirchen, 23. Okt. 1957. El.: Wolfgang u. Gertraud. S.: 1972-75 Lehre als Großhdls.Kfm., 1975-76 HAK Linz, 1976-77 Kunstausbild. Spanien b. Prof. Juan Demosteros. K.: 1978-81 Werbeltr. b. Städteverlag Stuttgart, 1982-85 Freelancer, 1986-87 L & W Werbeagentur, ab 1988 Gschf. Ges. P.: div. Veröff. in Werbejournalen. H.: Segeln, Malen. (P.H.)

Wiesinger Alexander

B.: Untern. FN.: Gastro GmbH Eichinger & Wiesinger, Pension Lex´nhof. DA./PA.: 4865 Nußdorf, Am Anger 4. G.. Vöcklabruck, 4. April 1963. V.: Veronika van der Pluym. El.: Anton u. Paula. S.: VS, HS, Kellnerlehre, 1 J. Ausb. Australien, 1979-83 Wintersaison Zürs, Sommer- Profisegler-Inter. Österr. Kadersegler, Weißes Brau - München als Gschf. 1986 Hobbycat, Eröffnung v. Im Axl. K.: 1991 Übernahme d. Erbhofes Lex´nhof, Umbau. 1992 Fusion m. Nachtlokalen, 1993 Umbau u. Renovierungen, 1985 Westaustral. Meister in Segler-Einheitsklasse, 1993 Columbus 500 J. Antlantik-regatta. M.: Union Yachtclub, Attersee, Vorst. v. Tourismusverb. Nußdorf, Feuerwehrmtgl. H.: 40 J. altes Holzschiff Dona. (S.P.)

Wiesinger Edwin

B.: Gschf. d. Safari- u. Abenteuerpark Betriebs GmbH & Co KG. DA.: 2230 Gänserndorf, Safari- u. Abenteuerpark. PA.: 2243 Matzen, Schweinbarterstr. 57. G.: Wien, 16. Juli 1934. V.: Anneliese, geb. Ottelinger. Ki.: Andreas, Thomas. El.: Franz u. Emilie. S.: Matura Wien, 4 Sem. WU. K.: 1952-58 Berufseisläufer, 1958-68 Wr. Stadthalle, Gschf. d. Gastronomiebetriebe, 1968-71 Gschf. d. Florida-Delphin-Show Deutschland, 1972 Safari-Park Gschf. BL.: Wiener Eisrevue-Tätigkeit als Solist. P.: Tierhdls.Fa. Zoo-Fauna-Intern., Sitz im Safari-Park Gänserndorf. H.: Elefantensammlung, Bierkrugsammlung. (Fels.)

Wiesinger Eleonore

B.: Kunsthändlerin d. Kunsthaus Wiesinger. DA. u. PA.: 4600 Wels, Berg 9. G.: Pregarten, 30. Okt. 1929. Ki.: Hubert (1952), Günther (1954), Astrid (1956), Petra (1963). S.: Grundschule, höhere Frauenberufsschule. K.: 1951 Tätigkeit im elterl. Betrieb, 1956 Gewerbeschein f. Antiquitäten, Kunsthdl. in Wels, 1986 Eröff. d. Kunsthauses, spezialisiert auf Möbel d. 18. u. 19. Jhdt., Besuch div. Fachseminare u. Vorträge in London, Paris, München, Amsterdam, Venedig, Rom u. Wien, Aussteller b. Kunst- u. Antiquitätenmesse Hofburg Wien, Sbg. Residenz u. Schloß Grafenegg. P.: Berichte in Fachzeitschriften. M.: Zonta-Club. H.: Kunst, Familie, Reisen, Lesen. (P.H.)

Wiesinger Franz

B.: Gschf. Ges. FN.: "Mylord" Exklusive Herrenmode, Damen- u. Kindermode. DA.: 1010 Wien, Haas Haus; 2334 Vösendorf, SCS. PA.: 1020 Wien, Ausstellungsstr. 23. G.: Gmunden, 12. Aug. 1932. V.: Ruth. Ki.: Andrew (1960), Trudy (1963), Mark (1966), Debra (1968). S.: 1951 Matura, Schneiderlehre, 1956 Meisterprüf. K.: im Verkauf im Hdl. tätig, Manipulant, 1959 tätig im Konzern MYER EMPORIUM LTD. in Australien, div. andere Tätigkeiten in d. austral. Textilind., maßgebl. an d. Firma McGregor mitgearb., nach 15 J. wieder nach Österr., Einkauf in einer Lebensmittel- u. Getränkehdl.-Firma, danach Textilind. Firma "Ganahl", Kauf eines Teiles d. Firma "Mylord", 1981 in d. SCS begonnen. H.: Familie, Wandern, Tierliebhaber, Hundefreund. (W.M.)

Wiesinger Gerhard Alois

B.: Juwelier. DA. u. PA.: 1070 Wien, Burgg. 29/1. G.: Gmünd, 1. Mai 1956. El.: Alois u. Stefanie. S.: HS in Heidenreichstein, Uhrenfachschule in Karlstein, 4 J. Lehrzeit als Uhrmacher, Feinmechaniker u. techn. Zeichner, 1975 Mstr.Prüf. K.: 1 J. Praktikum, 1 J. tätig b. d. Fa. Hoschek in Wien, 2 J. Werkstättenltr. b. Fa. Kaindl in Wien, b. 1980 Gschf. b. Fa. Teukretzbacher, seit Mai 1980 selbst., 2 Juweliergeschäfte: 1060 Wien, Mariahilferstr. 121A, 1070 Wien, Burgg. 29. BL.: Ankauf v. Schmuck in Gold u. Silber, spez. Neuanfertigung v. "antikem" Schmuck. H.: Arbeit, Lesen, Politik, Joggen, Zeitgeschichte, Burgen u. Schlösser. (M.G.)

Wiesinger Gunda

B.: Textilfbk. DA.: 3300 Amstetten, Kruppstr. 1. G.: Linz, 1. Mai 1940. Ki.: Constanze, Michaela, Philippa. El.: Franz u. Cornelia Krieger. S.: Frauenoberschule in Ischl. K.: Wiesinger Wolfgang u. Gunda starteten 1964 d. Hdl. m. Tüchern, Schals u. Krawatten in Wallsee, 8 J. nach d. Grdg. d. Unternehmens entstand in Amstetten ein Neubau m. 5 Stockwerken, d. modernsten Maschinen erleichtern d. Produktionserweiterung auf Blusen u. Röcke, 1976 wurde in Deutschland eine Zwg.Ndlg. errichtet, Markenbezeichnung: "Constanze-Creation Wiesinger" Motto: Österr. Charme m. intern. Chic.

F.: Textil Wiesinger Hdls. GmbH. M.: Ver. z. Förderung d. Trachtenmode. H.: Skifahren, klass. Musik, Zeichnen u. Malen. (Kern)

Wiesinger Günther Dr. Prim.
B.: FA f. Innere Med. A.: 1190 Wien, Neustift am Walde 24. G.: Wien, 19. Sept. 1930. V.: Dkfm. Margarete, geb. Malek. S.: Mittelschule, Univ. Wien, Prom. z. Dr. med. univ. 1954, FA-Ausbild. an d. 1. Med. Univ. Klinik unter Prof. Lauda, FA f. Innere Med. K.: Eröff. einer Praxis in Wien, ärztl. Ltr. d. Rheumaabt., 1949 Wahl in d. Zentr.Aussch. d. Österr. Hochschülerschaft, 1953-54 Vors. d. Zentr.Aussch. derselben u. Vors. d. Hauptaussch. in d. kath. Verb. u. in d. Ärztekam. Wien, 1972 gesundheitspolit. Sprecher d. ÖVP, seit 1973 im NatR. P.: Versch. Aufsätze über gesundheitspolit. Themen. M.: ÖVP, Österr. Wirtschaftsbund, Wr. Landtag, Kath. ÖHS-Verbindung Nordgau.

Wiesinger Heimo Ing.
B.: Prok., Vertriebsdir. FN.: Röhren- u. Pumpenwerk Bauer. DA.: 8570 Voitsberg, PF 47. PA.: 8570 Voitsberg, Rudolf-Bauer-G. 9. G.: Voitsberg, 9. Nov. 1954. Ki.: Dunja (1971), Doris (1981). El.: Ernst u. Friederike. BV.: Großvater Josef Wiesinger, Bgm. v. Krottendorf, Sägewerksbesitzer. S.: Gymn., HTL Maschinenbau, Abschl. 1974. K.: Fa. Bauer, Projektabt. f. gr. Fabriksproj. in Kuba, 1978 landwirtsch. Projekt in Nordafrika, 1978-90 Exportltr. f. Afrika u. Nahen Osten, seit 1991 Dir. (Vertrieb Ind.-Sparte weltweit u. Landwirtsch.-Sparte Inld., Aufb. neuer Märkte im Iran. Raum). P.: Vorträge im In- u. Ausld. M.: Präsidium Köflacher Reitsportcenter, Porsche Club. H.: Reiten (steir. Kader), Schifahren, Motorrad. (R.S.)

Wiesinger Horst A. Dipl.-Ing.
B.: Stellv. Vors. d. Vorst. FN.: VOEST ALPINE Industrieanlagenbau GmbH. GT.: Vors. Ges.-Aussch. Dt. Voest Alpine Industrieanlagenbau GmbH Düsseldorf, Vors. KCT Technologie GmbH u. KST Stahltechnik GmbH Hamburg, Mtgl. VerwR. VOEST ALPINE SpA Mailand, Mtgl. d. AufsR. Elektro Bau AG Linz, Mtgl. d. AufsR. Elin Energieanwendung GmbH Wien. DA.: 4031 Linz, Turmstr. 44. PA.: 4020 Linz, Gruentalerstr. 74. G.: Eferding, 24. März 1940. S.: VS, HS, HTLA Maschinenbau, 1959 Matura, 1960-66 Montanuniv. Leoben, 1966 Dipl.-Ing. f. Hüttenwesen. K.: 1989 Mtgl. d. Vorst. VOEST ALPINE GmbH. P.: viele Veröff. in Fachrichtung, Vortragstätigkeit an Intern. Kongressen. M.: Mtgl. d. Vorst. d. Österr. Eisenhütte. H.: Tennis, Antiquitäten, Geschichte d. Eisenhüttenkunde u.a.;

Wiesinger Jose
B.: Gschf. Ges. FN.: Magrutsch GmbH Imbiß-Wurst-Käse. GT.: Lagerltr. d. Fa. Gustana. PA.: 1220 Wien, Ziegelhofg. 3/6. G.: Helfens, 13. Juni 1947. V.: Brigitte, geb. Hahn. Ki.: Karin, Michael. S.: 1961-65 Fleischerlehre, 1979 Mstr.Prüf., 1980 Gastgewerbekonzession. K.: 1964-67 Fleischergehilfe, 1967-85 b. Fa. Magrutsch, ab 1976 Expeditltr., ab 1985 gemeinsam m. d. Schwager Übernahme d. Fa. Magrutsch GmbH, sowie Eintritt in d. Fa. Gustana als Lagerltr. H.: Sport, Basteln.

Wiesinger Kurt
B.: Kfm. FN.: Kurt Wiesinger Viehhdl.-Export. DA. u. PA.: 4722 Peuerbach, Steegen 25. G.: Linz, 27. Juli 1949. V.: Christine, geb. Hauer. Ki.: Kurt (1974), Michaela (1978), Gerald (1980). El.: Josef u. Josefine. S.: VS, HS, 1963-67 kfm. Gewerbeschule Wels. K.: 1974 Übernahme d. väterl. Betriebes, seit 1990 forciert im Osten tätig. H.: Golf, Skifahren, Tennis. (J.L.)

Wiesinger Karl

B.: Touristikkfm. FN.: See-Camping Wiesinger GmbH. PA.: 4865 Nußdorf, Am Anger 6. El.: Karl u. Johanna. S.: VS, HS, Hotelfachschule Kleßheim 1985-90, Parkhotel Pörtschach. K.: 1990 Wirschft.inform. Uni Linz, 1994 elterl. Betr. übernommen. M.: Studentenverbindung - Severina zu Linz im CV, 1992 Tourismusverband. H.: Jagen, Bergsteigen, Tourenskifahren, Campen, tauchen. (S.P.)

Wiesinger Martin Mag.
B.: Marketingltr. FN.: Lauda-Air Luftfahrt AG. DA.: Flughafen Wien, World Trade Center. PA.: 1230 Wien, Rudolf-Zeller-G. 50/9/16. G.: Wien, 30. Juni 1962. El.: Peter u. Elfriede. S.: VS, BRG, 1981 Matura, Stud. Betriebswirtschaft WU Wien, 1982-89 Mag. K.: Ref. d. Linien Leninggrad u. Kiev b. Aua Marketing, 1990 Abt.-Ltr. f. Marketing Österr., zuletzt stellv. Marketingltr., 1994 Eintritt Lauda Air als Marketingltr., ab 1973 aktiver Handballer v. Schülerliga in d. 1. Liga, danach 7 J. 1. Division u. insgesamt 50 Länderspiele als Teamtormann. E.: 1993 Wr. Mstr. im Handball, WM-Teilnahme, Europacupsemifinale. M.: WAT Floridsdorf, WAT Margareten. H.: Handball, Reisen, Sport, Natur, Kabarettbesuche, Fotografieren. (R.T.)

Wiesinger Peter Dr. phil. Univ.-Prof.
B.: o.Univ.-Prof. f. Dt. Sprache u. ältere dt. Literatur. A.: 1010 Wien, Dr.-Karl-Lueger-Ring 1. G.: Wien, 15. Mai 1938. S.: Stud. d. German., Angl. u. Volkskunde in Wien u. Marburg/Lahn, Prom. z. Dr. phil (sub auspiciis praesidentis) 1964 in Wien. K.: 1962-69 Ass. am Forsch.Inst. f. dt. Sprache in Marburg/Lahn, 1969 Habil. f. dt. Philol., 1971 Prof., 1972 Univ.-Prof. in Wien. P.: "Phonetisch-phonolog. Untersuchungen z. Vokalentwicklung in d. dt. Dialekten", "Bibliographie zur Grammatik d. dt. Dialekte", "Flexionsmorphologie d. Verbums im Bairischen", " Das österr. Deutsch.", "Ortsnamenbuch d. Landes OÖ", zahlr. Aufsätze z. dt. Dialektologie, Sprachgeschichte, Namenkunde u. Mediävistik in Sammelbänden, Fachzeitschriften u. Festschriften, Hrsg. d. "Schriften zur dt. Sprache in Österr.". M.: K. Mtgl. d. Österr. Ak. d. Wiss.

Wiesleitner Harald
B.: Fotokünstler. PA.: 5023 Salzburg, Hannakstr. 9. G.: Köflach, 4. Juni 1956. K.: Ausbild. in d. Portraitfotografie, Umstieg in d. Werbe- u. Modefotografie, seit 1978/79 freischaff. Fotokünstler, seine künstler. Arb. zeigen Fotoübermalungen hauptsächl. Mensch, Präsentation seiner Arb. auf d. "La Art 92". E.: 1987 u. 1988 Österr. Gewinner d. European Kodak Award. (N.M.)

Wiesinger Walter

B.: Installateurmeister, Techiker. FN.: Walter Wiesinger Installationen. DA.: 4793 St. Roman 52; 4793 St. Roman 18; 4793 St. Roman 13. PA.: 4793 St. Roman 52. G.: Linz, 28. März 1947. V.: Marianne, geb. Roßdorfer. Ki.: Cornelia (1970), Marianne (1973), Walter (1976), Daniela (1976), Renate (1981). El.: Karl u. Katharina. S.: 1962-65 Installateurlehre b. Firma Herbsthofer, Abendkurse Techn. Zeichner, 1971 Meisterprüf. als Installateur. K.: 1972-79 Großhdl. Weyland Schärding, seit 1978 selbst., 1978 Prüf. als Heizungsbauer. E.: Ausz. v. d. Innung f. d. Einführung d. Prüfplakette f. Heizung. M.: Wirtschaftsbundobm., Feuerwehr, Bez.-Obermeister d. Installateure. H.: Schwimmen.

Wiesler Josefa

B.: Gschf. FN.: Boutique Wiesler, Boutique ESCADA. DA.: 8010 Graz, Bischofpl. 5, 8010 Graz, Stempferg. 7. PA.: 8010 Graz, Kreng. 22. G.: Wernsee, 22. Febr. 1945. V.: Erich Wiesler. Ki.: Christian (1977). El.: Ludwig u. Maria Stelzl. S.: Pflichtschule, Lehre Einzelhdls.-Kfm., 1962 Abschluß. K.: 3 Monate Praxis, Filialltr. b. Firma Modenquell u. in d. Folge kfm. Disponentin, Gschf. einer kleineren Boutique, 1977 Firmengrdg. d. Boutique Wiesler, 1992 Eröff. Escada Geschäftes. H.: Haus, Musik, Handarb., Antiquitäten, Porzellan. (F.K.)

Wiesler Peter Christoph Dr. iur.

B.: Hotelier. A.: 8053 Graz, Robert-Fuchs-Str. 30. G.: Graz, 27. Okt. 1930. V.: Ingrid, geb. Trifter. S.: Ak. Gymn., Hotelfachschule Bad Gastein, Univ. Graz. K.: Auslandsaufenthalte (Hotelpraxis), ab 1954 im väterl. Betrieb tätig, nebenbei Jusstud. F.: Grandhotel Wiesler, Graz. P.: Div. Zeitungsart. E.: Gold. EZ d. Stadt Graz, Gr. EZ d. Landes Stmk. H.: Automobilclub.

Wiesmayr Herfried Dr. Dkfm.

B.: Steuerberater. GT.: Vorst.-Mtgl. d. ÖGWT. DA.: 4400 Steyr, Stadtpl. 15. G.: Wien, 22. Okt. 1937. V.: Gertrud, geb. Jungreithmeyer. Ki.: Mag. Ute (1965), Mag. Edda (1966). El.: Franz u. Elfriede. S.: VS, RG, 1955 Matura, WU Wien, 1958 Dkfm., 1961 Prom. K.: seit 1962 selbst. Steuerberater. E.: 1987 Gold. Sport-EZ d. Stadt Steyr. M.: Ersatzmtgl. d. Prüf.-Aussch. f. Steuerberater, Obm. d. Turnver. ÖTB Steyr, 1970 Grdg.-Mtgl. d. Lions-Club Steyr-Innerberg, Wr. Ak. Turnver., seit 1969 Gausäckelwart d. Österr. Turnerbundes. H.: klass. Musik, Fotografieren, Singen, Klavierspielen. (U.A.)

Wiesmayr Karl H. Ing.

B.: Gschf. Ges. DA.: 4020 Linz, Paul-Hahn-Str. 1 PA.: 4040 Linz, Am Sonnenhang 10. G.: Linz, 1. Febr. 1944. V.: Margarete, geb. Günterseder. Ki.: Barbara, Klaus. El.: Karl u. Edith. S.: HTL Mödling, 1963 Matura, 1 J. HAK, Zusatzmatura, halbjährl. Aufenthalt in d. USA. K.: 1964 Eintritt in d. väterl. Betrieb, beteiligt seit 1973, 1974 gschf. Ges., 1992 Bürofachmarkt GmbH, Büroland Wiesmayr, seit 1985 Vorst. d. Linzer Ausstellungsvereins LAV Linz, seit 1987 Obm. d. Wirtschaftsbundes Linz, seit 1989 Vorst. d. Kfm. Vereins Linz. P.: Artikel in Fachzeitschr. M.: Lehrlings- u. Mstr.Prüf.Kmsn., Ehrenpräs. v. Round-Table, Lionsclub. H.: Tennis, Skifahren, Mountainbaikefahren, Briefmarken. (U.A.)

Wiesmüller Erich

B.: Gschf. Ges. FN.: Wiesmüller & Partner Werbeagentur u. Marketing. DA.: 1090 Wien, Nußdorfer Str. 3/9. G.: Wien, 26. Juni 1959. El.: Franz u. Margareta. S.: HAK Wien, 1979 Matura, 2 J. Fachschule f. Wirtschaftswerbung am WIFI. K.: ab 1981 selbst. als Grafiker, zahlr. Ausstellungen u.a. im Künstlerhaus, Bez.-Ausstellungen, 1986 Konzessionsrüf. f. Werbeagenturen, seit 1986 als Agenturchef selbst., Grdg. d. Werbeagentur Wiesmüller & Partner, spezialisiert auf Handelswerbung. M.: Direct-Marketing-Verb. H.: Sport bes. Squash u. Tennis, Musik. (J.S.)

Wiesmüller Heinrich Dr. iur. KommR.

B.: Gschf. Ges. FN.: Bankhaus Carl Spängler & Co. DA.: 5020 Salzburg, Schwarzstr. 1. G.: Salzburg, 1. Juli 1936. V.: Johanna, geb. Spängler. Ki.: Markus Maximilian (1972), Maria Johanna (1974). S.: VS in Tweng/Lungau, Hum. Gymn. in Sbg., Matura 1955, Stud. Jus Univ. Innsbruck u. Wien, 1959 Prom. K.: Gerichtspraxis, ab 1960 Amt d. Sbg. Landesreg. (Vertragsbediensteter, Beamter in d. Abt. Verkehr u. Außenhdl., Wirtsch. u. Wohnungsbau sowie im Präsidialbüro als Sekr. d. LHauptmanns), seit 1965 Gschf. Ges.im Bankhaus Carl Spängler & Co., Sbg., 1964-72 Vorst.-Mtgl. d. Sbg. Kunstvereins, seit 1965 Mtgl. d. Rotary Clubs, 1980/81 Präs., seit 1967 Mtgl. d. Kuratoriums d. Intern. Stiftung Mozarteum, seit 1988 Vizepräs., seit 1970 Mtgl. d. Sekt.-Ltg. d. Sekt. Geld-, Kredit- u. Versicherungswesen in d. Kammer d. gewerbl. Wirtsch. Sbg., 1974 Gründ.-Mtgl. d. Genossenschaft Sbg. Innenstadt, seit 1975 Viezpräs. d. Ver. d. Freunde d. Salzburger Festspiele, 1976-85 Mtgl. d. Direktoriums d. Salzburger Festspiele, danach Konsulent d. Festspiele, seit 1989 wieder Mtgl. d. Direktoriums u. ab Okt. 1991 Präs., seit 1976 Mtgl. d. AufsR. d. Schmittenhöhebahn AG, Zell am See, seit 1983 Gründ.-Mtgl. d. Intern. Sbg. Assoc. u. d. Michael-Haydn-Ges., Sbg., seit 1986 Mtgl. d. Vorst. d. Verb. Österr. Banken u. Bankiers.

Wiesmüllner Mathias Dr. Dkfm

B.: Wirtschaftsprüfer u. Steuerberater, Vorst.Mtgl. A.: 1140 Wien, Baumgartenstr. 56. G.: Kittsee, 14. Dez. 1937. V.: Ada, geb. Rauchensteiner. El.: Mathias u. Katharina. S.: Oberrealschule, HS f. Welthdl. Wien (Betriebs- u. Volkswirtschaft), Abschluß 1963 Dr. rer. oec. K.: Ab 1963 Ausbild. als Wirtschaftsprüfer, 1967 Steuerberater, 1970 Buchprüfer, 1971 Wirtschaftsprüfer, ab 1974 Vorst.Mtgl. d. Süd-Ost Treuhand AG, Wien. F.: Süd-Ost Treuhand AG. P.: Div. Fachart. in versch. Fachzeitschriften. M.: Mtgl. div. Ver. u. Organ.

Wiesner Erich Dr.

B.: Gschf. d. Wienser-Hager KG u. d. Wiesner-Hager Möbel GmbH, Gschf. Ges. d. Wiesner-Hager Baugruppe GmbH. DA.: 4950 Altheim, Linzer Str. 24. PA.: 4950 Altheim, Wiesnerstr. 8. G.: Braunau, 11. Jan. 1959. V.: Mag. Dr. Elisabeth. El.: Dipl.-Ing. Dr. Erich u. Elisabeth. S.: AHS, Jusstud. Sbg., Betriebswirtschaft Linz, MBA in Amerika. K.: 1984 Ass. d. Geschäftsltg., ab 1985 in Geschäftsltg., ab 1990 Gschf. zusammen m. Dr. Markus Wiesner. M.: im Vorst. OÖ Industriellenver., Round-Table, Präs. d. Österr. Holzleimbauverb. s. 1992. H.: Kultur, Sport (Stadtmarathon Wien).

Wiesner Judith

B.: Tennisprofessional. A.: 5020 Salzburg, Ignaz-Rieder-Kai 3. G.: Hallein, 2. März 1966. V.: Heinz Wiesner. El.: Walter u. Rosi Pölzl. S.: Matura BG Hallein. K.: mehrf. Österr. Jugendmstr., 5fache Österr. Mstr. Allg. Kl., 6fache Österr. Mstr. Mannschaft, 1985 Profi, 2 Grand-Prix-Siege im Einzel, 3 Grand-Prix-Siege im Doppel, 1990 Finalistin in Key Biscayne, 1990 beste Weltranglistenpos. Nr. 13. E.: 1991 Sbg. Stier, Gold. EZ d. Sbg. Tennisverb., 1991 Sportmanship Award, 1990 Most Improved Player Award.

Wiesner Markus Dipl.-Ing. Mag.
B.: Gschf. Ges. FN.: Wiesner-Hager KG. GT.: Gschf. Wiesner-Hager Möbel GmbH, Ges. Wiesner-Hager Baugruppe GmbH. DA.: 4950 Altheim, Linzer Str. 22. PA.: 4950 Altheim, Braunauerstr. 34. G.: Wels, 19. Apr. 1956. V.: Mag. Cornelia. Ki.: Laura (1984), David (1988). El.: KommR. Dipl.-Ing. Rudolf u. Friderun. S.: Grundschule, Gymn., TU Maschinenbau Wien, Betriebswirtschaft Univ. Innsbruck Fak. f. Sozial- u. Wirtschaftswiss. K.: 1984 Eintritt in d. Fa., Prokura, 1985 Bereich Möbel, 1990 gemeinsam m. Cousin Dr. Erich Wiesner Übernahme d. elterl. Betriebes. M.: Kartellverb., Rotary. H.: Lesen, Musik, Sport.

Wiest Mario
B.: Bez.-Gschf. ÖVP Bludenz-Montafon. DA.: 6700 Bludenz, Untersteinstr. 4. PA.: 6700 Bludenz, Alte Landstr. 16. G.: Bregenz, 9. Aug. 1968. El.: Karl u. Rosmarie. S.: HS, BLVA f. Textilind., 1988 Matura, 1988-89 Militär Sbg. K.: 1989-90 Arbeitsvorbereitung in Textilbranche, 1990-91 interne Planung u. Organ. in Lustenauer Textilbetrieb, ab 1991 Bez.-Gschf. ÖVP Bludenz. H.: Squash, Lesen, Spazierengehen. (I.D.)

Wigelbeyer Werner Mag. phil. Prof.
B.: Prof. d. AHS, LAbg. PA.: 4600 Wels, Nansenstr. 14. G.: Mürzzuschlag, 1. Febr. 1937. V.: Mag. pharm. Vera, geb. Gross. El.: Viktor u. Hildegard. S.: Hum. Gymn., Stud. an d. Univ. Wien (Lehramt f. Deutsch u. Geschichte). K.: Prof. f. Deutsch u. Geschichte am BRG Braunau (1962-64), in Wels ab 1964, seit 1967 Mtgl. d. Welser GemR., 1976-91 Vize-Bgm. (ÖVP), seit 1973 Mtgl. d. OÖ Landtages.

Wihan Renate
B.: Steuerberaterin. DA. u. PA.: 5020 Salzburg, Lasserstr. 38. G.: Frankenstein, 13. Jan. 1945. El.: Lambert u. Hildegard Habersack. S.: HAK, Matura 1963 in Sbg., 1975 Steuerberaterprüf. K.: Steuerberaterausbild., Tätigkeit in d. Privatwirtschaft, 1980 Bestellung z. Steuerberater, seit 1985 eigene Kzl. H.: Tennis. (Föd.)

Wiklicky Leopold Dr. Dipl.-Ing. Dir.
B.: Gschf. d. Brucker Zuckerfbk. GmbH Wien, Bruder Zuckerfbk. Altersunterstützungseinrichtung GmbH Wien u. Zucker Packungen u. Vertrieb GmbH Wien. PA.: 3430 Tulln, Reitherstr. 15b. M.: Vorst.Mtgl. d. Tullner Zuckerfbk. AG Wien, AufsR. d. Evidenzbüro österr. Zuckerfariken GmbH Wien.

Wikturnar Heinz
B.: Gschf. FN.: Westend Color GmbH. GT.: Werbeges. "Point of Sale" 1050 Wien, Franzensg. 6. DA.: 1150 Wien, Felberstr. 82-84. G.: Wien, 21. Sept. 1946. V.: Ursula, geb. Hombert. Ki.: Nina, Martin. K.: 1962-65 Ausbild. z. Bilanzbuchhalter in einer Steuerberatungskzl., 1966 BH, 1967-70 selbst. Hdls.Vertreter, 1970-75 Fa. Mazda Automobile, Fa. Renault Autoverkäufer, später Verkaufsltr., 1975-81 Fa. Blanc & Co (Edelstahl) Verkaufsltr., 1978-81 Fa. OBV Haus- u. Küchengeräte Gschf., seit 1981 Gschf. Ges. d. Werbeagentur "Point of Sale", zusätzl. seit 1986 Dir. d. Westend Color GmbH einer Tochterfa. d. zu BAYER Leverkusen gehörenden Chemiegruppe, Fotofachlabor, Computergraphik, Messedekoration. H.: Segeln, Tennis. (C.K.)

Wilberger Hans

B.: Hotelier. FN.: Hotel Karawendlhof. DA.: 6100 Seefeld, Bahnhofstr. 124. G.: Seefeld, 16. Juli 1936. V.: Liselotte, geb. Ditter. Ki.: Bettina (1964), Claudia (1966). El.: Fritz u. Elisabeth. S.: VS, Hotelfachschule i. Luzern u. Lausanne, Auslandspraxis i. Paris u. London. K.: ab 1954 i. elterl. Betr. tät., s. 1974 Hotel übernommen. M.: ÖHV, Best Western. H.: Wandern, Foto. (J.F.)

Wilczek Gerhard
B.: Gschf. Ges. FN.: Gregor GmbH & Co KG, Tonko Computer Systeme Vertriebs GmbH. DA.: 1030 Wien, Landstraßer Hauptstr. 140. G.: Amstetten, 31. Mai 1946. Ki.: Peter, Oliver. El.: Josef u. Maria. S.: 1964 Abschluß Lehrausbild. Büromaschinenmechaniker, Militär - Jagdkdo. K.: 1968-72 Kfm. Kunststoffrohrwerk, selbst. m. EDV-Programmierung, Grdg. d. Firma Gregor GmbH & Co KG, 1979 Grdg. d. Wilcek´s Handels-GesmbH & CoKg , 1984 Betriebsdatenerfassung, 1987 Aufnahme d. Netzwerkproduktion, 1989 Export u. 1992 Übernahme d. Firma Tonko. BL.: Patent f. tragbares Röntgengerät. P.: viele Veröff. in div. Fachzeitschriften. H.: Schifahren, Gitarre, Literatur. (J.E.)

Wild Hans
B.: Gschf. FN.: Dexion Austria GmbH. DA.: 2345 Brunn/Gebirge, Industriestr. B, Nr. 16. PA.: 1220 Wien, Immergrüng. 25. G.: Wien, 18. Nov. 1940. V.: Herta, geb. Ebner. Ki.: Christian. S.: Lehre f. Werkzeug- u. Maschinenbau, Kurse f. Werkmstr. f. Maschinenbau, REFA u. Verkaufsltr., 1962 Mstr.-Prüf. K.: 1965-67 Firma Stern Dexion Vertrieb f. NÖ u. Bgld., Techniker, 1967-69 Firma Dexion Zentrale als Techniker u. Montageltr., 1969 Aufbau d. Abt. f. Fördertechnik u. industrielle Fertigung v. Förderanlagen, hdls.-rechtl. Gschf., 1975 Verkaufsltr. f. Wien, NÖ u. Bgld., ab 1979 Verkaufsltr. f. Österr., 1980 Prok. u. Veregung d. Betriebsstandsortes nach Brunn/Gebirge, seit 1994 Gschf. Dexion Austria GmbH. F.: Dexion Austria GmbH, Allclick Vertriebs- u. Produktionsges.m.b.H. P.: Fachart. über Förder- u. Lagertechnik in österr. Fachzeitschriften. E.: Konzernausz. H.: Basteln, Radfahren, Schwimmen. (I.K.)

Wild Hugo Dr. MedR.
B.: Primararzt d. Chir.-Gyn. Abt., FA f. Chir., Dir. d. KH Stockerau. DA.: 2000 Stockerau, Lenaustr. 9. PA.: 2000 Stockerau, Anton-Schlinger-Str. 9. G.: Wien, 4. Sept. 1915. V.: Hildegard, geb. Krumpholz. Ki.: Dr. Michael, Mag. Johannes. S.: Grundschule, Univ. Wien, Ausbild. an versch. österr. KH z. FA f. Chir. K.: 1939 Prom. in Wien, b. 1941 am Path.-Anat. Inst. d. Univ. Wien, b. 1945 Kriegsdienst, 1943-56 Sekundararzt u. Ass. an d. I. Chir. Univ.Klinik Wien, seit 1956 Ltr. d. Chir.-Gyn. Abt. d. KH Stockerau als Primararzt, seit 1981 im Ruhestand. P.: etwa 20 wiss. Arb. (seperata) in zahlr. Gebieten. M.: Gesangs- u. Musikver. Stockerau. H.: Bergsteigen, Skifahren, Chorgesang. (A.K.)

Wild Josef Dipl.-Ing.
B.: Gschf. FN.: Gebrüder Wild. DA.: 1010 Wien, Neuer Markt. PA.: 1040 Wien, Brahmspl. 1. G.: Neumarkt, 27. Juni 1926. V.: Uta, geb. Vogl. Ki.: Josef Andreas, Kathrin,

Sebastian, Jakob. S.: Mittelschule, HS f. Bdk., Ldw., 1950 Dipl.-Ing. K.: 1951 Ang. in väterl. Betrieb, 1962 Gschf. Ges. H.: Jagd, Sport, Skifahren. (A.W.)

Wild Josef Andreas

B.: Prok. FN.: Gebrüder Wild. DA.: 1010 Wien, Neuer Markt 10-11. PA.: 1130 Wien, Hietzinger Hauptstr. 69. G.: Wien, 5. Sept. 1953. V. Cornelia, geb. Erhart. Ki.: Theresa. El.: Dipl.-Ing. Josef u. Uta. S.: RG Wien, 1972 Matura, 1 J. BH, 1973-75 Hotelfachschule Wien. K.: 1975 Eintritt in d. elterl. Betrieb, seit 1980 Prok., seit 1988 Gschf. Ges. d. Gebrüder Wild KG. M.: Chaine des Rotisseurs, Rotary Wien Oper. H.: Sport (Surfen, Skifahren, Squash). (J.S.)

Wild Kurt Dkfm. KommR.

B.: o.Vorst.-Mtgl. FN.: Österr. Schiffswerften AG. GT.: AufsR.-Vors. Linz-Korneuburg-Brixlegg Gemeinn. Wohnungs GmbH. DA.: 4010 Linz, Hafenstr. 61. PA.: 4020 Linz, Kuefsteiner Str. 7. G.: Leonding, 10. Febr. 1936. V.: Anna. Ki.: Ulrike (1960), Gabriele (1962), Veronika (1965), Cornelia (1986). El.: Stefan u. Josefa. S.: HAK, Matura 1956, 1956-60 HS f. Welthdl., 1960 Diplom, 1960-61 Aufbaustud. f. d. Lehramt f. Mittlere u. Höhere kfm. Lehranst., 1965 Lehramtsprüf. K.: 1956-57 Berufsschullehrer, 1960-62 Vertragslehrer an HAK Linz u. Tätigk. b. Wohnungs AG Linz, 1962-64 Lehrer an priv. HASCH Bad Aussee, 1964-65 deren Ltr., 1966-74 VÖEST ALPINE AG (Stabsbereich d. Finanzdion.), 1974 Stellv. Vorst.-Mtgl. Österr. Schiffswerften AG Linz, seit 1975 o.Vorst.-Mtgl. M.: Rotary. H.: Laufen, Bergwandern, Fotografieren.

Wild Sebastian

B.: Verkaufsltr. FN.: Gebrüder Wild. DA.: 1010 Wien, Neuer Markt 10-11. PA.: 1030 Wien, Weißgerberlände 52/10. G.: Wien, 3. Nov. 1958. V.: Ulrike, geb. Geigenmüller. Ki.: Matthias, Fabian. El.: Dipl.-Ing. Josef u. Uta. S.: BRG Wien, 2 J. Lehre f. Einzelhdls.Kfm. Fa. Delikatessen Schneider Graz. K.: 1979 Eintritt in d. elterl. Fa. H.: Sport, Squash. (A.W.)

Wilda Bernd Dipl.-Ing.

B.: Arch., Prof. an d. HTBLVA Wien. DA.: 1040 Wien, Karolineng. 16a. PA.: 1223 Wien, Schüttaupl. 19. G.: Dorste, 7. Apr. 1947. V.: Elisabeth, geb. Fleissner. Ki.: Birgit-Astrid (1976), Astrid (1990). El.: Adolf u. Marga, geb. Wedemeyer. S.: VS, Realschule, HTBLVA Wien, 1967-76 TU Wien, 1966 Präsenzdienst. K.: 1964 u. 1968 Auslandstätigkeit in Arch.-Büro BRD, 1972-76 Ass. an d. HTBLVA Wien, Abt. Hochbau, 1970 freiberufl. Tätigkeit in div. Arch.-Büros, 1977-83 Ang. im Büro Arch. Prof. Dipl.-Ing. K. Hartl Wien, seit 1983 selbst. Tätigkeit als Arch., seit 1984 Lehrtätigkeit an d. HTBLVA Wien Fachrichtung Hochbau. H.: EDV, Tennis, Surfen, Studienreisen. (N.A.)

Wildauer Otto Dr. phil. Dr. iur. HofR.

B.: HofR. d. Tir. LRg., LBmtr. G.: Innsbruck, 5. Mai 1923. V.: Meta, geb. Fleck. Ki.: Dr. iur. Eva, Ruth, Andreas. BV.: Abt Wildauer "Stift-Fiecht". S.: VS, BOberrealschule, 1942 Matura, 1950 Dr. phil., 1955 Dr. iur. K.: 1951 Eintritt in d. LRg., versch. Abt., ab 1956 BH Schwaz (Strafreferat), ab 1959 Gew.Ref. in Innsbruck, seit 1966 wieder LRg. (Abt. 5D, Sozialvers.Angelegenheiten, Rechtsangelegenheiten, Arbeitsrecht), zusätzl. Aufs.Kmsr. b. d. Tir. Gebietskrankenkasse u. Vers.Anst. öff. Bediensteter, sowie b. d. Ärztekam. f. Tir. E.: Gr. EZ f. Verd. um d. Rep. Österr., Gr. EZ d. Österr. Dentistenkam., EZ d. Marktgem. Mayrhofen. H.: Reisen. (Schm.)

Wildbolz Klaus

B.: Schauspieler, Sänger. PA.: 1130 Wien, Hietzinger Hptstr. 74, 3646 Einigen/Schweiz, Tellergut. G.: Wien, 25. Aug. 1937. El.: Eduard u. Elisabeth, geb. v. Bourcy. BV.: entstammt altem Adelsgeschlecht aus d. 17. Jhdt. S.: Gymn. Schweiz, HAK Wien, Handelsdipl. Schweiz, Militärdienst b. d. Schweizer Armee, Reinhardt-Seminar b. 1960. K.: versch. Engagements in Luzern, Stuttgart, Düsseldorf, Berlin, 1965-72 Theater in d. Josefstadt Wien, 1973/74 Theater an d. Wien, freischaff. Schauspieler, Gastspiele: Theater in d. Josefstadt, Festspiele Recklinghausen, Renaissance-Theater Berlin, Sbg. Festspiele, Spielfilm "Menschenfrauen" (1975), "Permisson to kill" (1976), Mitwirkung in versch. Krimis, 1977 Quiz-Show im ARD "Schnick-Schnack", 1978-85 Mitwirkung in "Anneliese Rothenberger-Show", Moderator in "Franz Grothe-Show", "Show XZ" ARD, 1986 Langspielplatte "Drachenfliegen", 1989 Vorträge TU Wien. BL.: aktiv gegen Tierversuche, Moderator b. Veranstaltung in Hamburger Musikhalle, Hauptrolle TV-Serie "Ringstraßenpalais" Drehzeit 1982-86 ZDF-ORF, Hauptrolle TV-Serie "Hotel Paradies" 88/89 ZDF/ORF. E.: 1980 Kritikerpreis d. TZ f. hervorragende Darstellung d. Rolle d. "Bluntschli" in d. Stück Helden in München. H.: Arb., Musik, Oldtimer, Reisen (Thailand), Sport: Schwimmen, Skifahren. (M.G.)

Wildburger Eduard

B.: planender Bmstr. DA.: 6830 Rankweil, Allmendeweg 14. G.: Rankweil, 19. Sept. 1957. V.: Yasemin. Ki.: Jem (1981), Marco (1984). El.: Ing. Hans u. Christine. S.: Grundschule, Doppellehre Maurer u. Bauzeichner, Bauhandwerkerfachschule, Weiterbild. b. z. Bmstr., 1987 Bmstr.-Prüf. in Bregenz, 1977-78 Militär. K.: 1972 Anlernling b. Arch. Romersdorfer, 1974 Lehre als Maurer u. Bauzeichner b. Bmstr. Konzett, 1978 Bauzeichner Arch. Ramersdorfer, 1979 Maurer b. Polier Baufirma Pümpel & Söhne, nebenbei Bauhandwerkerschule Rankweil, 1983-84 Verkaufsberater Firma Nägele, 1984 Baultr. u. Vorbereitung z. Bmstr.-Prüf. Firma Hefel Lauterach, 1988 selbst. als planender Bmstr. in Rankweil, Revitalisierung u. Erweiterung d. Probelokales d. Bürgermusik Rankweil sowie versch. Projekte im Wohnungs- u. Bürobau. M.: Obm. d. Fußballclub Brederis. H.: Radfahren, Wandern, Reisen. (I.D.)

Wildburger Josef Mag. pharm.

B.: Apotheker Alte Spora Apotheke (seit 1734). GT.: Inh. eines Rauchfangkehrerbetriebes (seit 1751 im Familienbes.). DA.: 3100 St. Pölten, Wiener Str. 14. PA.: 3100 St. Pölten, Schulg. 4. G.: St. Pölten, 28. Dez. 1929. V.: Theres, geb. Kleiner. Ki.: Beate Steiner-Wildburger, Dipl.-Ing. Josef u. Christoph. El.: Josef u. Maria. BV.: Familienwappen läßt sich b. 1171 zurückverfolgen, Urkunde Heinrich d. Löwen. S.: 1948 Matura, Stud. d. Pharm. an d. Univ. Wien, Rauchfangkehrergesellenprüf. K.: Sponsion 1955, 2 J. einschl. Tätigkeit in Wien, ab 1958 "Alte Spora Apotheke". F.: Alte Spora Apotheke. H.: Jagd, Fischen. (Kern)

Wildburger Josef M. F. Dr. Dipl.-Ing.

B.: Gschf. Ges. FN.: KWI, Kapusta u. Wildburger, Ingenieurleistungen". DA./PA.: 3100 St. Pölten, Schulg. 4. G.: St. Pölten, 28. Feb. 1959. V.: Gabriela Maria, geb. Dornhackl. El.: Josef u. Theresia, geb. Kleiner. S.: VS, Gymn. i. St. Pölten, 1977-82 Stud. d. Techn. Chemie a. d. TU Wien, 1982-

84 BWL-Stud. a. d. WU Wien, 1983 Meister-Prüfung f. d. Rauchfangkehrergewerbe 1982-86 Doktoratsstud. d. techn. Wiss. TU Wien, K.: 1988 Ziviling.-Befugnis f. Techn. Chemie, 1983-88 Ass. a. d. TU Wien, s. 1988 Univ.-Lektor a. d. TU Wien, 1991-92 Mtgl. d. Lehrgangsltg. d. Postgradualen HS-Lehrgangs Effizientes Umweltmanagement a. d. Landesakad. i. Krems, Gschf. Ges. d. KWI, Gschf. Ges. d. KWP, Gschf. Ges. d. KWBV, Kommanditist u. Ges. d. Fa. Josef Wildburger. M.: Mtgl. d. Vorst. d. Ver. z. Errichtung u. Führung e. FHS i. St. Pölten. H.: Kunst, Kultur, Schönheit d. Dinge. (C.G.)

Wilde Heinrich

B.: HS-Lehrer, Dir. HS Fließ. PA.: 6521 Fließ 224. G.: Bielitz/Polen, 15. Aug. 1940. V.: Ingrid. El.: Kurt u. Theresia. S.: LBA Linz, 1960 Abschluß, 1963-64 BH, 1972 Lehramtsprüf. f. HS Math., Biologie, Geografie u. Wirtschaftskunde, Informatik. K.: 1965 an versch. VS in OÖ, 1965-75 Schulltr. VS Eichholz, 1975 HS Prutz, 1989 Dir. d. HS Fließ. BL.: Planung u. großteils eigene Ausführung eines Erdhauses m. Sonnenenergieversorgung. M.: Tir. Bergwacht, seit 1953 Alpenver. H.: Bergsteigen, Tourenskilauf, Imkerei, Solartechnik. (I.D.)

Wildenauer Herta

B.: Inh. Gastronomin. FN.: Hotel Restaurant Wildenauer. GT.: Kammerfunktion als Mtgl. d. Koch-Prüfungskommision. DA./PA.: 1100 Wien, Quellenstr. 120. G.. Wien, 9. Nov. 1931. V.: Karl (+). Ki.: Gabriele (1953), Georg (1966). El.: Otto u. Melanie Möslinger. BV.: Urgroßvater war Graf v. Marchetti (1. Kapitän unter Admiral Tegetthof in d. Seeschlacht v. Lissa). S.: Gymn. Wien u. Krems, Wr. Hotelfachschule. K.. 1951 selbst. als Pächter e. Gasthauses in Wien-Wieden, 1955 Erwerb e. Gasthauses in Wien 10., Quellenstr. 120 u. Eröffnung n. völliger Umgestaltung u. Renovierung, 1964 Beginn d. Erweiterung d. Betr. um e. Pension bzw. Hotel. H.: Skifahren, Tennis. (F.S.)

Wildfellner Friedrich Ing.

B.: Gschf. d. Landesverb. d. Maschinenringe OÖ, FN.: Landwirtschaftskammer v. O.Ö. FN.: 4021 Linz, Auf d. Gugl 3. PA.: 4040 Linz, Hofmannstr. 22/14. G.: Grieskirchen, 8. Jän. 1965. El.: Friedrich u. Irmgard. S.: VS, HS, HLBLA

Franzisco-Josephinum in Wieselburg, 1984 Matura, BH. K.: 1985-86 Konstrukteur bei Fa. Volke, anschl. BMW Motorenwerke in Steyr (Vorentwickl.) 1986 Landtechn. Beratung f. O.Ö., 1992 Gschf. d. Landesverb. Maschinenringe Selbsthilfeorgan. d. Bauern, s. 1994 Gschf. MR-Service kommunale Dienstleistung O.Ö. M.: Einsatzltg. d. Zivildienstes, soz. Betriebshilfe, Blindenverband, Tierschutzbereich. H.: Hochseesegeln, Reisen. (J.L.)

Wildfellner Georg Mag. phil.

B.: Inh., Kunsthistoriker. FN.: Kunsthandel-Antiquitäten Mag. phil. Georg Wildfellner. GT.: Red.-Mtgld. "Kunsthistoriker aktuell". DA./PA.: 4710 Grieskirchen, Dr. Müllnerpl. 10. G.: Linz, 12. Apr. 1965. V.: Doris, geb. Hemmers. Ki.: Anna (1993). El.: Dir. Dipl. Ing. Georg u. Erika. S.: 1985 Matura, 1985-92 Stud. Kunstgesch. Wien, 1992 Sponsion. K.: s. 1993 selbst. m. Kunsthandel, 1993 1. Ausstellung "Das Bernsteinzimmer", jährl. vier Ausst. m. versch. Themen, z.B. "Akt", "Kreuz". P.: Künstlermonografie d. Bildhauerin Anna Mahler i. Vorber. H.: Beruf. (P.H.)

Wildgatsch Johann

B.: Wirtschaftstreuhänder u. Steuerberater. FN.: Johann Wildgatsch GmbH. DA.: 1210 Wien, Pius Parsch-Pl. 2. PA.: 1210 Wien, Bichlwangeg. 24. G.: Wien, 29. Juli 1930. V.: Edith, geb. Waker. Ki.: Manfred, Elisabeth, Eva. S.: VS, HAK, HS f. Welthandel, 1964 Steuerberaterprüf. K.: 1961-69 Revisionsass. f. Dr. Burkert, 1964 eig. Steuerberatungskzl. gegr. P.: Publ. in Fachzeitschriften über Steuerrecht. M.: Burgenländ. Yacht-Club. H.: Segeln, Skifahren, Radfahren, Schwimmen. (M.B.)

Wildhaber Helmut Mag. phil.

B.: Opern- u. Kammersänger an d. Staatsoper Wien. DA.: 1010 Wien, Opernring 2. G.: Moosburg, 23. Aug. 1944. V.: Margarete, geb. Nekeh. Ki.: Gerit, Marko, Victoria. El.: Prof. Jakob u. Auguste. S.: 1964 Matura, b. 1965 Lehrer, Stud. Engl., Sport u. Sologesang in Graz, 1971 Abschluß. K.: b. 1973 Lehrauftrag an Mittelschulen u. Gymn., 1973-76 Staatsoper Braunschweig/Deutschland, 1976 St. Veit/Glan, freiberufl. als Konzert- u. Opernsänger m. Lehrauftrag, seit 1980 Solist in d. Staatsoper, Tätigkeit in intern. Konzert- u. Opernhäuser. E.: 1990 Kammersänger. H.: Sport, Tennis, Skifahren, Bergsteigen, Literatur. (J.E.)

Wildling Franz Dkfm.

B.: Gschf. Ges. FN.: Systema Daten Verarb. GmbH & Co KG, FW Leasing GmbH. DA.: 4400 Steyr, Pacherg. 4A. PA.: 4400 Steyr, Schlühslmayrstr. 111. G.: Laussa, 12. Nov. 1929. V.: Margarethe, geb. Bauer. Ki.: Mag. Johanna. El.: Franz u. Walpurga. S.: BRG Steyr, 1949 Matura, b. 1954 Stud. Welthdl. Wien. K.: Praxis Steyr-Daimler-Puch AG, 7 J. selbst. Kfm., parallel ab 1957 Berufsschullehrer, 1960-90

Prof. HAK, 1972 Grdg. d. Firma Systeme m. d. Hauptbereichen Spitalswesen u. d. Schwerpunkt Logistikbereich, Beteiligung b. Leasing Firma. M.: seit 45 J. Alpenver. H.: Bergwandern, Skifahren. (P.H.)

Wildmoser Gerhard Dr.

B.: RA. FN.: Kzl.-Gemeinschaft RA Dr. Wildmoser, Dr. Horst u. Alexander Koch, Dr. Gerhard Rothner. GT.: 4 J. Firma Angermann & Partner GmbH Wien, Firma Mitropa Inst. f. Wirtschafts- u. Sozialwiss. GmbH Wien, Firma AC GmbH. DA.: 4020 Linz, Schillerstr. 1. PA.: 4100 Ottensheim, Weingartenstr. 34. G.: Ottensheim, 3. Aug. 1946. V.: Helga, geb. Kral. Ki.: Katharina (1984). El.: Helmut u. Anneliese. S.: VS, Gymn., 1966 Externistenmatura, b. 1972 Stud. Jus u. VWL. K.: seit 1973 in heutiger Position. M.: Präs. d. Ost-West-Ak. Linz, Vorst. d. Stadt Linz u. OÖ, Ver. d. Österr. Industriellen. (U.A.)

Wildmoser Helmut Dr. iur.

B.: RA. PA.: 4020 Linz, Schillerstr. 1. GT.: AufsR.-Vors. d. Textilmaschinenfbk. Dr. Ernst Fehrer AG, Linz, d. Reformwerke Bauer & Co GmbH, Wels, u. d. Stadlbauer (gegr. 1845) GmbH, Wels, AufsR.-Mtgl. d. Miba AG (früher Mitterbauer Holding AG), d. Miba Gleitlager AG, Laakirchen, d. Miba Sintermetall AG, Laakirchen, d. Lambacher-Hitiag-Leinen AG (früher Lambacher Flachsspinnerei AG), d. Stadl-Paura u. d. Nettingsdorfer Papierfabrik AG in Nettingsdorf b. Linz.

Wildner Christoph Dr. med.

B.: Konsiliar FA f. Lungenkrkht. FN.: Hartmann Spital, Gesundheitsamt M 15 Tuberkulosebek. DA.: 2340 Mödling, Türkeng. 15. PA.: 1060 Wien, Stiegeng. 4. G.: Innsbruck, 23. Juni 1955. V.: Piroska, geb. Kovacs. Ki.: Fabian (1993). El.: Dr. med. Franz u. Renate. S.: 1973 Matura Jesuiten Kollegium Wien, 1973-81 Stud. Med. Univ. Wien, 1981 Prom. Dr. med., 1981-84 Turnusausb. Linz, 1985-89 Ausb. z. prakt. Arzt Wilhelminen Spital Wien, 1989-92 Ausb. z. FA f. Lungenkrankheiten Wilh. Spital, 1991 Ausb. z. Notarzt Wr. Ärztekammer. K.: 1992 Übernahme d. Ord. i. Mödling. P.: Publ. über Exogen allergische Allveolitis. M.: b. versch. med. Ges. H.: Skifahren, Segeln, Tennis, Tauchen, Musik. (I.K.)

Wildner Elisabeth

B.: Gschf. Ges. FN.: Friedrich Bständig GmbH & Co KG. DA.: 1010 Wien, Freyung 5. PA.: 1140 Wien, Isbaryg. 11. G.: Wien, 24. Sept. 1946. V.: Werner. El.: Friedrich u. Rosl Bständig. S.: VS, Gymn., Textilfachschule, Mstr.Prüf. f. Bandagist. K.: immer im väterl. Betrieb tätig, seit 1979 gschf. Ges. M.: KamR. H.: Kochen, Schwimmen, Tennis. (R.A.)

Wilfan Hubert Ludwig Maria Mag. art. OStR.

B.: Bildhauer u. Maler. DA.: 1190 Wien, Reimersg. 6. PA.: 1190 Wien, Paradisg. 30/12. G.: Feldkirchen/Kärnten, 11. Feb. 1922. V.: Lillian, geb. Vigrestad. Ki.: Signe-Brigitt, Heimo. El.: Hubert u. Therese. S.: RG, Matura 1941, dan. Schüler b. Prof. Wilhelm Gösser (Modellieren), 1948-52 Stud. an d. Ak. d. Bild. Künste. K.: 1941-45 Kriegsdienst, Rückkehr n. Graz, ab 1954 div. Aufträge f. d. Gem. Wien, z.B. "Pferde", 1965-81 Prof. an d. HTLVA f. alle künstler. Fächer. P.: Pastelle u. Kleinplastiken im Besitz österr. u. ausländ. öff. u. priv. Samml.: Josef, Einsam, Salome, Zyklus "Ich, Du, Wir", "Meditieren", "Daphne V", öffentl. Arbeiten u.a.: Porträts: Theodor Dahl, Leopold Rudolf, Leonard Bernstein, Prof. Dr. Karl Fellinger, Großplastiken: Christophorus, Pieta I u. II, Hl. Othmar, Große Daphne. P.: Buch Edition Tusch: Das Lebenswerk, Dr. D. Ronte. E.: 1980 OStR., 1983 Ehrenmed. d. Stadt Wien, 1992 Gold. Lorbeer d. Wiener Künstlerhauses u. Ehrenmedaille d. Österr.-Norwegischen Ges.; M.: Wiener Künstlerhaus. H.: Beruf. (M.B.)

Wilfing Gerhard E.

B.: Inh., Gschf. FN.: Modeagentur Wilfing-Textiles; K. Neumann & Co GmbH. DA.: 1010 Wien, Opernring 4. G.: Wien, 1. Nov. 1955. V.: Marina. Ki.: Anna-Katharina. El.: MedRat. Dr. Gerhart u. Herta. S.: VS, Gymn. K.: Verkaufsltr. Dentalstudio, Wechsel in d. Modebranche, Exporltr. b. Licona, Gschf. Firma Salko, seit 1982 selbst. m. Agentur Wilfing-Textiles. H.: Reitsport. (W.J.)

Wilfing Heinz Dr. phil.

B.: Dir. d. Ak. f. Sozialarb. d. Stadt Wien. GT.: Kons. b. Psychosoz. Dienst d. Stadt Wien, Lehrbeauftragter versch. päd. Einrichtungen, Univ.Lektor. DA.: 1210 Wien, Freytagg. 32. PA.: 1210 Wien, Gerasdorfer Str. 61/7. G.: Wien, 4. Aug. 1949. V.: Claudia, geb. Hinreiner. Ki.: Carina. El.: Franz u. Agnes. S.: VS, RG, 1967 Matura, BH, Lehranst. f. gehob. Sozialberufe d. Stadt Wien, Univ. Wien Psych., Päd., Phil., 1977 Prom. K.: Tätigkeit b. Gesundheitsamt d. Stadt Wien, 1975 Ltr. d. Drogenberatungsstelle d. Stadt Wien, 1981 Ltr. d. Zentralstelle f. Suchtkrankenhilfe, 1983 Lehrbeauftragter d. Ak. f. Sozialarb., 1984 Dir., Wiss. BeiR. d. L.B. Inst. f. Gesundheitspsych. d. Frau. BL.: Aufbau d. Drogenstelle d. Stadt Wien, 1. Vors. d. Arge d. Dir. d. Ak. f. Soz.Arb. in Österr., Mitarb. b. d. Reform u. Verlängerung d. Ausbild. d. Sozialarb. in Österr. P.: lfd. Fachpubl. im Bereich Sozialarb., Familientherapie, Suchtkrankenhilfe u. Sozialpolitik, u.a. Beitrag in "Familie u. seel. Krankheit". M.: Dt. Ges. f. Suchtforsch., Österr. Korr. d. dt. Zeitschrift "Soz.Arb." (Berlin), Vors. d. Inst. f. Sozialarbeitswiss., Vors. d. Ver. Wr. Sozialprojekte. H.: Literatur, Tennis, Segeln, klass. Musik. (R.J.)

Wilfing Heinz Dr. phil.

B.: Dir. d. Ak. f. Sozialarb. d. Stadt Wien. GT.: Kons. b. Psychosoz. Dienst d. Stadt Wien, Lehrbeauftragter versch. päd. Einrichtungen, Univ.-Lektor. DA.: 1210 Wien, Freytagg. 32. PA.: 1220 Wien, Schiffmühlenstr. 116/9. G.: Wien, 4. Aug. 1949. V.: Claudia, geb. Hinrainer. Ki.: Carina. El.: Franz u. Agnes. S.: VS, RG, 1967 Matura, BH, Lehranst. f. gehobene Sozialberufe d. Stadt Wien, Stud. Psych., Päd. u. Phil. Univ. Wien, 1977 Prom. K.: Tätigkeit b. Gesundheitsamt d. Stadt Wien, 1975 Ltr. d. Drogenberatungsstelle d. Stadt Wien, 1981 Ltr. d. Zentralstelle f. Suchtkrankenhilfe, 1983 Lehrbeauftragter d. Ak. f. Sozialarb., 1984 Dir., Wiss. BeiR. d. L.B. Inst. f. Gesundheitspsych. d. Frau. BL.: Aufbau d. Drogenstelle d. Stadt Wien, 2. Vors. d. Arge d. Dir. d. Ak. f. Sozialarb. in Österr., Mitarb. b. d. Reform u. Verlängerung d. Ausbild. d. Sozialarb. in Österr. P.: lfd. Fachpubl. im Bereich Sozialarb., Familientherapie, Suchtkrankenhilfe u. Sozialpolitik. M.: Dt. Ges. f. Suchtforsch., Vors. d. Inst. f. Sozialarb.-Wiss., Vors. d. Ver. Wr. Sozialprojekte. H.: Literatur, Tennis, Segeln, klass. Musik. (M.D.-H.)

Wilfing Karl

B.: Fabrikant. A.: 8010 Graz, Schönaug. 96. G.: Pöls b. Preding, 5. Apr. 1918. V.: Anna, geb. Krem. S.: Grundschule, Stud. d. Theol., Liturgie u. Med. d. Kräuterheilkunde, div. Kurse m. Abschlußprüf. u. Dipl. K.: Seit 1936 Mitarb. d. Volksliturg. Apostolates in Klosterneuburg, bis 1940 als Heilpraktiker tätig, 1940-48 Arzt f. Naturheilkunde, 1948-75 Inh. einer Reformkonditorei u. eines Nahrungsmittelgeschichte, seit 1975 freier Mitarb. d. Kräuterpfarrer Künzle Gesundheitsdienstes f. Österr., Deutschl. u. Schweiz, seit 1961 Sonderpresbyter (Bischof) d. Christl.-Apostol. Urkirche f. Österr. (auf Lebenszeit gewählt) u. Zentraldir. d. Kirche. M.: VPräs. d. Volks-Union Österr. u. Mtgl. d. Gesundheitsverb. d. natürl. Lebens. H.: Heimatfilme, Naturausflüge, Musik.

Wilfing Martin Karl Andreas

B.: Marketing- u. Vertriebsltr. FN.: Telekabel Wien GmbH. DA.: 1101 Wien, Erlachg. 116. PA.: 2344 Maria Enzersdorf, Ottensteinstr. 62/10. G.: Wien, 4. Juli 1958. V.: Dagmar, geb. Langegger. El.: Dr. Karl u. Gertraud, geb. Bierhandl. S.: Gymn. u. HS Wien, betriebsinterne Seminare, Marketing, Vertrieb, Personalführung, 1989 Marketingseminar Holland. K.: 1973 kfm. Ang. Philips Konzern, 1980 Telekabel Außendienst, Kundenberater, Gruppenltg., 1982 Gruppenltr., 1985 Gesamtvertriebsltr., 1989 Marketing- u. Vertriebsltr. BL.: Mitbegründer d. Fachjournals f. d. Med. Branche "Kabel TV News", div. Vortragstätigkeiten, Informationsreisen in ganz Europa, Organ u. Ausführung, Seminare f. Kundenberater, Gremiummtgl. b. Jurie f. Werbung 1990, aktiver Handballspieler, 1984-87 Mtgl. d. Wr. Liga - Floridsdorf WAT 21, 1986/87 Mtgl. d. Staatsliga WAT Atzgersdorf, seit 1988 Mtgl. d. WAT 21. P.: div. Fachart. M.: WAT 21, PRVA. H.: Handball, Wandern, Reisen, Lesen. (M.G.)

Wilfinger Franz

B.: Pfarrer (Pfarre Zu d. Hl. Schutzengeln.). DA.: 1040 Wien, Paulanerg. 6. G.: Steinbach/Bgld., 11. März 1943. El.: Franz u. Anna. S.: Gymn. Hollabrunn, Theolstud. an d. Univ. Wien, 1968 Priesterweihe, div. Bildungsreisen. K.: 1968-69 Kaplan in Wien Rudolfsheim, 1969-75 Kaplan in Wien Neu-Simmering, seit 1975 Kaplan d. Pfarre Wieden, seit 1984 Geistl. Ass. d. kath. Männerbeweg. KMB d. Vikariats d. Stadt Wien, seit 1988 Geistl. Ass. d. Kath. Aktion d. Vik. d. Stadt Wien, seit 1985 Vors. d. Kurat. d. Erhalter kirchl. Kindertages Heimstätten. BL.: Restaurierung d. Paulanerkirche, Mitarb. am Hist. Amt d. Gem. Wien, div. Vorträge. E.: 1985 GstlR. P.: Hrsg. u. Red. d. Kirchenblattes "Paulaner Nachrichten", ständ. Mitarb. d. Zeitschrift "Rufer". H.: Arb., Geschichte, Lesen. (M.G.)

Wilfinger Gerhard

B.: Inh., Koch. FN.: Gastro Party Service. DA.: 6850 Dornbirn, Rathauspl. 1, 6833 Weiler, Gehrerstr. 5. G.: Feldkirch, 25. Mai 1951. V.: Hannelore. Ki.: Mario (1970), Martin (1971), Bernd (1979). El.: Hans u. Mathilde. S.: VS, HS, Kochlehre, 1966 Abschluß, 1968 Militär. K.: 1968 Koch in versch. Hotels im In- u. Ausland, 10 J. Restaurantltr., danach in versch. Großküchen, 1986 Grdg. d. Gastro Party Service Dornbirn. BL.: Veranstalter d. jährl. Country Festivals in Dornbirn m. intern. Country Stars. M.: Aussch.-Mtgl. Einkaufszentrum Dornbirn. H.: Country Musik. (I.D.)

Wilfinger Herbert Ing.

B.: Filmwissenschaftler u. Reg. A.: 5723 Uttendorf 301. G.: Wien, 1. Juli 1947. V.: Gerda, geb. Andersen. Ki.: Annamaria (1979). El.: Franz u. Maria. S.: HTL Mödling. K.: 1972 "Außer Programm" (Kurzspielfilm, offiz. österr. Beitrag d. Österr. Filmfestspiele Viennale), Regie, Drehbuch, Prod. P.: 1979: Dokumentation "Neues Filmprogramm, Neuer Filmkurier" (Wien ab 1956), 1981 "Filmindex" Zeitschrift f. Filmdokumentation (Hrsg. u. Red.), Dok.Film: Das Kraftwerk Uttendorf II d. Österr. BBahnen (1989).

Wilfling Iris

B.: Kfm., Inh. d. Fa. Sporthaus Witting. DA.: 6020 Innsbruck, Maria-Theresien-Str. 39. G.: London, 16. Apr. 1931. V.: gesch., 4 Kinder. El.: Hermann u. Florence Kirchmayr. S.: VS, Gymn., HASCH. K.: Auslandspraxis in d. Schweiz, Florenz, Paris, dann im elterl. Betrieb, seit 1955 Sporthaus Witting, ab 1983 Alleininh. H.: Sprachen, Fotografieren, Skifahren, Schwimmen, Bergwandern. (Schm.)

Wilfling Johann Dir.

B.: Landesdir. f. Bgld. FN.: Merkur Versicherungs AG. DA.: 7000 Eisenstadt, Esterhazystr. 3. PA.: 7400 Oberwart, Dornburgg. 42. G.: Wilfersdorf, 19. Jan. 1941. V.: Christina (Pflum). Ki.: Sandra (1970), Katrin (1973). El.: Martin u. Anna. S.: 1955 Lehre Maler u. Anstreicher Graz, 2 Jahre Arbeits- u. Ausbild. Aufenth. Schweiz. K.: 1963 Fahrverk., 1967 Eintr. Merkur Vers., Aussend., Fachinspekt., Organisationsltr., Leiter d. LDion, 1987 Landesdir. Burgenland. M.: Ver. f. histor. Fahrzeuge, Mannschaftsf. Stockschiessen. H.: Stockschiessen, Schifahren, Tiefseetauchen, Oldtimer, Weinbau. (H.G.)

Wilhelm Anton Dr. phil.

B.: Mitarbeiter im Bundesdenkmalamt f. Vbg. GT.: gerichtl. beeid. Kunstsachv. DA.: 6900 Bregenz, Amtspl. 1. PA.: 6800 Feldkirch, Mühletorpl. 4-6. G.: Wien, 10. Jän. 1939. El.: Dr. Gustav u. Frieda. S.: Matura in Wien, Stud. Kunstgeschichte in Wien u. Innsbruck, 1966 Prom. K.: 1966-68 wiss. Bearb. d. holl. Malerei d. 17. Jhdts. an d. National Gallery of Art in Washington D.C., 1968/69 Lehrauftrag an d. Univ. of California in Los Angeles, 1969/70 Berater am Kunstauktionshaus Gabriel Fischer in Luzern, 1970-73 Lehrauftrag an d. Univ. of Sydney, Australien am Power Inst. of Fine Arts, 1974/75 Aufenth. im Südseekönigreich Tonga (Stud. über Kunst u. Kultur Polynesiens), seit 1975 b. Österr. Bundesdenkmalamt. P.: Künstlermonographien: Hans Strobl, Egon Rheinberger, Eugen Jussel, Jakob Jehly, ferner: Kunst- u. Baudenkmäler d. Marktgemeinde Götzis. H.: Iron (Südseeinsel). (A.K.)

Wilhelm Friedrich L. sen. Dipl.-Ing.

B.: Gschf. Ges. FN.: Friedrich Wilhelm GmbH & Co KG. DA.: 1010 Wien, Elisabethstr. 6/3/11. PA.: 1180 Wien, Colloredog. 18/5. G. Großwardein, 19. Nov. 1923. V.: Rosalia. Ki.: Dr. Friedrich. El.: Friedrich u. Ilona. S.: Matura Dt. Schule Bukarest, Stud. an d. Univ. Temesvár Hoch- u. Tiefbau, 1945 Grad. K.: div. Bauuntern. in Arad, Stej, Bukarest, 1961 nach Österr., Grdg. d. Fa. Friedrich Wilhelm (Export v. Textilmaschinen), 1986 Umwandlung d. Fa. H.: Beruf, Bridge. (A.W.)

Wilhelm Friedrich jun. Dr. rer. soc. oec.

B.: Gschf. Ges. FN.: Friedrich Wilhelm GmbH & Co KG. DA.: 1010 Wien, Elisabethstr. 6/3. PA.: 1190 Wien, Blaasstr. 2. G.: Großwarden, 18. Aug. 1952. V.: André, geb. Mitteräcker. Ki.: Anna, Zsolt. El.: Dipl.-Ing. Friedrich u. Rosalia. S.: BG Wien, 1971 Matura, 1971-75 Stud. an d. HS f. Welthdl., 1975 Spon., 1978 Prom. K.: 1977 Eintritt in d. väterl. Fa., 1986 Umwandlung in GmbH & Co KG, Gschf. Ges. H.: Familie, Film, Video, Meer. (A.W.)

Wilhelm Gerd Mag. rer. soc. oec.

B.: Gschf. Ges. FN.: AMROP Intern. Wilhelm & Partner Management Consulting. DA.: 5020 Salzburg, Innsbrucker Bundesstr. 75. PA.: 5084 Großgmain, Brunnhäuslstr. 145. G.: Wien, 19. Apr. 1951. V.: Luise, geb. Tiddy. Ki.: Sophie

(1978), Benedict (1979), Bastian (1981), Lucy (1982), Benjamin (1984), Barnabas (1986). El.: Friedrich u. Eleonore. S.: 1976 Stud. Betriebswirtschaft Wien. K.: Berater dann Ndlg.-Ltr. RATIO Unternehmensberatung, 1978-85 Ndlg.-Ltr. Sbg. Dr. Neumann Managementberatung, 1986 Eröff. AMROP Intern. Wilhelm & Partner. F.: Gründer, Gschf. u. Ges. d. Filialen d. Firma AMROP 1190 Wien, Gatterbugg. 6, Linz, Prag, Warschau u. Budapest, Ges. d. Firma Mayreder, Kraus & Co Bau GmbH Linz. M.: Industriellenver., WDF, Marketing Club, Grdg.-Mtgl. d. 1. Großgmainer Seefahrerver., Golfclub Mondsee, Management Club. H.: Golf, Segeln, Familie, Kinder. (M.C.)

Wilhelm Karin Ingeborg Dkfm.

B.: Hoteldir., Gschf. Ges. FN.: Fischer & Wilhelm Hotelbetriebs GmbH Hotel Thüringerhof. DA. u. PA.: 1180 Wien, Jörgerstr. 4-8. G.: Wien, 21. Mai 1947. V.: Rolf Wilhelm. Ki.: Tanja (1969), Arno (1977). El.: KommR. Hans Joachim u. Helene Fischer. S.: VS, RG, HS f. Welthdl., 1974 Dkfm. K.: 1971 Übernahme Hotel Thüringer Hof, 1984 4-Stern-Hotel. M.: Leistungsmtgl. im Wirtschaftsbund, Fachgruppenaussch.-Mtgl. in Wr. Wirtschaftskam., BezR. im 6. Bez., Fachverb.-Aussch.-Mtgl. Wirtschaftskam. Österr., 1. Schätzmstr. im Verb. d. Akademikerinnen Österr., Heeressportver. Wien. H.: Handarb., Luftdruckgewehrschießen, Pflege v. teilweise exotischen Pflanzen. (R.T.)

Wilhelm Otto E.

B.: Parfum- u. Kosmetik-Importeur. A.: 1190 Wien, Sieveringer Str. 144/3/1. G.: Wien, 17. März 1917. El.: Richard u. Albine. S.: VS, techn. Realschule. K.: 1946 selbst. als Parfumerie-Grhdl., Gen.Vertr. v. weltbekannten Parfum-Marken wie Les Parfums Worth Paris, Bourjois Paris, Houbigant Paris, Clarins Kosmetik Paris, Faberge USA-Paris usw. F.: Otto E. Wilhelm & Co, 1170 Wien, Lorenz Bayer-Pl. 9, Kosmetik Import Vienna "Imperial" Parfum-Import GmbH, 1170 Lorenz Bayer-Pl. 9. M.: Ehem. Präs. d. Wr. Galopprennver. Wien-Freudenau, Präs. d. Faustkämpferverb. Austria, The Thoroughbred Breeders' Assoc., Engl. E.: Ritter d. Hl. Konstantin-Orden.

Wilimek Eduard Prof.

B.: Komponist. DA.: 1200 Wien, Stromstr. 20/8/9, Tel. 33 87 605. G.: Wien, 8. Dez. 1904. V.: Vera (Konzertsängerin). BV.: Großonkel: Anton Bruckner. S.: Mittelschule, HS f. Musik u. Darstell. Kunst Wien. K.: Chormstr., Doz. an Wr. VHS, Programm u. Vorträge betr. Erziehung z. Musikverständnis an Allg. Bild. Schulen, 1951 Berufung als Musikref. z. Wr. Rundfunk, Werksliste: 3 Sinfonetti, Violinkonzert, Konzert f. Violoncello, Musik in C f. Orchester, Tripelkonzert als Auftragsarb. f. Jess-Trio, Rhapsodie, 2 Konzertante Symphonien, Oratorium "David", 2 Orchestersuiten, Heitere Kantate, Concertino f. Oboe u. Streichorchester bzw. Klarinette u. Streichorchester, Auftragsarb.: Konzert f. 8 Solo-Cellisten d. Wr. Symphoniker sowie einige Paradebeispiele Wr. Musik f. Konzertourneen u.v.a., Werke werden im In- u. Ausland aufgeführt insbesondere in Japan, 1985 TV-Aufzeichnung einer Sinfonietta f. Orchester in Ferrara/Italien. E.: Theodor Körner-Preis, EZ d. Landes Wien bzw. Bgld., 1965 Berufstitel Prof. M.: Österr. Komponistenbund, Österr. Ges. f. zeitgen. Musik, AKM. Ehrenmtgl. d. Lions-Club. H.: Reisen u. Gartenarb. (Sei.)

Wilk Imanuel

B.: Gschf. Ges. FN.: Body u. Golf, Wilk GmbH. DA.: 4020 Linz, Bürgerstr. 17. G.: 26. Aug. 1961. El.: Herbert u. Prof. Johanna. S.: VS, HS, Lehre als Koch, 1980 Lehrabschluß, als Balettänzer i. Linz, Ausbildung b. d. Mutter, 1. Linzer Ballettschule. K.: nach Abxhluß d. Lehre a. Barkeeper i. d. Schweiz, prof. Ballettänzer, 1989 Eröffnung d. GmbH. M.: Golf Club. H.: Golf, Tanzen, Schifahren, Paragleiten, Tauchen. (G.E.)

Wilk-Mutard Johanna Prof.

B.: Inh. 1. Linzer Ballettschule. DA.: 4020 Linz, Bethlehemstr. 24. PA.: 4040 Linz, Am Anger 35. G.: Wien, 9. Juli 1935. V.: Ing. Herbert Wilk (Kulturfilmproduzent). Ki.: Imanuel (1961), Isolde (1965), Johannes (1972). El.: Josef u. Johanna Mutard. S.: VS, HS, 1940-52 Ballettausbild. f. Bühnentanz, 1952 Reifeprüf. Graz, 1957-60 Schauspielausbild. Linz, 1960 Reifeprüf. in Schauspiel Linz, 1975 Ballett-Trainerprüf. f. Russ. Schule. K. 1952-61 Gruppentänzerin u. Halbsolistin am Grazer Opernhaus, Stadttheater Klagenfurt, Linzer Landestheater, 1958 Grdg. m. Kollegen Ernö Tamasic 1. Linzer Ballettschule, seit 1961 Alleininh. d. Schule. BL.: 1978 Verleihung d. Öff.-Rechts f. d. Balettinst., Berufsfachschule f. Bühnentanz: Klass. Ballett, Jazz-Ballett, Stepp- u. Nationaltanz sowie Ausbild. österr. Tänzer f. d. Theaterballett, Schüler wurden b. EM im Showtanz Belgien 1991 VEuropameister u. zwei 3. Pl., 1992 Österr. Meister, 1993 2x Europameister, 3x 2. Pl., 1994 2x VEuropameister, 4x 3. Pl. u. Österr. Meister. P.: Ltg. zahlr. choreograph. Einstudierungen Brucknerhaus Linz, Linzer Landestheater, Landeskulturzentrum Ursulinenhof. E.: EZ f. 10jährige Tätigkeit b. VHS, 1979 Silb. EZ d. Rep. Österr., 1983 Silb. EZ d. Landes OÖ, Kulturmed. d. Stadt Linz, 1986 Prof. M.: Tanzrat, Intern. Musikzentrum. H.: Entwürfe v. Kostümen, Arb. (G.E.)

Willburger Johannes

B.: Gschf. FN.: Willburger Musikhaus GmbH. DA.: 4020 Linz, Humboldtstr. 36. PA.: 4203 Altenberg, Raiffeisenweg 20. G.: Graz, 13. Mai 1962. V.: Gertrude, geb. Leibetseder. Ki.: Daniel (1985), Oliver (1987), Lisa (1991). El.: Adolf u. Mathilde. S.: VS Linz, 1 J. Sport-HS, 1/2 J. Wiener Sängerknaben, HS Internat Windischgarsten, 1 J. Touristik-HASCH Bad Leonfelden, 1/2 J. Lehre als Einzelhdls.-Kfm. im Musikhaus Stelzhamer Wien, 3 J. Lehre Einzelhdls.-Kfm. im Willburger Musikhaus Linz, BH. K.: 3 Mon. WIFI-Fachverkäufer d. Firma Hartlauer Linz, b. 1985 Tätigkeit Firma Willburger, ab 1987 Gschf. d. GmbH Willburger. P.: Schulungstätigkeit innerhalb d. Firma Willburger. H.: Schwimmen, Autoliebhaber, Familie. (U.E.)

Wille Heinrich Dr.

B.: RA. DA.: 1090 Wien, Ferstelg. 1. PA.: 1090 Wie, Ferstelg. 1. G.: Wien, 21. Sept. 1938. Ki.: Severin (1969), Sophie (1970). El.: Dr. Heinrich u. Leopoldine, geb. Frank. BV.: Urgroßvater Josef Wille war vor d. 1. Weltkrieg Reichsratsabg. S.: 1957-60 Auslandsstud. (Engl., Franz. u. Ital.), 1960 Prom. z. Dr. beider Rechte. K.: 1962 Mtgl. d. ÖVP (Österr. Wirtschaftsbund), ab 1968 selbst. RA, 1969-79 BezR. d. 4. Wr. Gem.Bez., 1978-79 Bez.Vorst.Stellv. d. 4. Wr. Gem.Bez., 1970-74 Kandidat f. NatR. u. f. d. Wr. Landtag, ab 1973 RA d. Wr. ÖVP, 1985-86 Sprecher d. Aktion Steuerzahleraufbegehren, Sprecher d. Bürgerforums,

1991-92 LParteiobm. d. ÖVP Wien. BL.: 1965 Bundesheer keine zweite Prüf.Kmsn. f. wehrpflichtige Studenten, 1980 Republik haftet bei mangelnder Bankaufsicht f. Einlagen b. allen österr. Banken, 1984 Erfolgreiche Bekämpfung d. Wasserrechtsbescheides f. Donaukraftwerk Hainburg, 1984 Republik haftet b. Untätigkeit f. Grundwasserverseuchung, 1986 Atomklagen gegen Wackersdorf/BRD, Tschernobyl (UdSSR) u. Bohunice (CSFR). P.: zahlr. Art. in d. Fachzeitschriften. E.: 1980 Silb. EZ f. Verd. um d. Land Wien. M.: seit 1962 ÖVP, 1987-91 Obm. d. Ver. Österr. RA. H.: Fliegen, Filme, Biergläser sammeln. (N.A.)

Wille Elisabeth

B.: Hotelerin Hotel Fließerhof. DA.: 6521 Fließ, Muttern 174. G.: Hall, 30. Mai 1939. V.: Ludwig Wille. Ki.: Regina (1960), Isabell (1962), Elisabeth (1963). S.: Internat b. d. Barmherz. Schwestern Zams, Model b. Bez.-Trachtenschauen. K.: Ldw. u. Privatzimmervermietung, 1970 Bau einer Pension, 1975 Vergrößerung auf Gasthof u. Restaurant, ständige Weiterbild. im WIFI, Inh. folgendern Konzessionen: Trachten-, Souvenir- u. Sportartikelhdl., Beherbergungsgewerbe, erweitertes Mietwagengewerbe, Skiverleih, 1980 Eröff. Hotel Fließerhof, regelmäßige Modeschauen im Hotel. P.: Film über d. 4 Jahreszeiten im Fließerhof. M.: AufsR.-Mtgl. Tourismusverb. Fließ. H.: Fachliteratur über Fremdenverkehr, Mode u. Politik, Natur, Bergwanderungen. (I.D.)

Wille Martina

B.: Gschf. FN.: Die Agentur M.H.S. Werbeges.m.b.H. DA.: 1010 Wien, Grünangerg. 7. G.: Wien, 20. Sep. 1961. V.: Mag. Philipp. Ki.: Maxine (1991). El.: Herbert u. Hedwig. S.: 1981 Modeschule Hetzendorf. K.: 1981-86 Fotomodell, Auslandsaufträgen in d. USA, England, Frankreich u. Italien für Vogue, Marie-Claire, Harper's Bazaar, Interview u.a., 1986 Grdg. d. "Die Agentur M.H.S. Werbeges.m.b.H. in d. Wr. Innenstadt, Make-up, Haare, Styling, Set-Aufbauten. H.: Allg. Sport, Musik, Lesen. (M.A.)

Wille Sepp

B.: Vors. d. Gewerkschaft Metall-Bergbau-Energie. DA.: 1017 Wien, Parlament. PA.: 1040 Wien, Plößlg. 15. G.: Landeck, 20. Aug. 1926. V.: Berta, geb. Frei. Ki.: Harald, Astrid. El.: Alois u. Maria. S.: Mechanikerlehre, 1947-49 Werkmeisterschule, 1954-55 Sozialak. K.: 1957-65 ltd. Red. d. Gewerkschaft Metall-Bergbau-Energie, 1965-80 Zentralsekr., 1980-81 Vors.Stellv., 1981 gschf. Vors., seit 1985 Vors., nebenberuflich: 1951-54 Lehrer f. Motorenkunde, 10 J. ltd. Red. v. "Welt d. Arbeit", 4 J. AufsR.Mtgl. d. "Österr. Mineralölverw. AG", 7 J. AufsR.Mtgl. d. "Österr. Vermögensschutz GmbH", 3 J. Hrsg. d. "Jahrbuch d. ÖGB", politisch: 24 J. KamR., 3 J. Vors.Mtgl. d. Kam. f. Arb. u. Ang. f. Wien, seit 1965 BVorst.Mtgl. d. ÖGB, seit 1971 Abg. z. NatR., seit 1983 Klubobm. d. soz. Abg. u. Bundesräte. M.: staatl. Wirtschaftskmsn., Ak. Rat, Reaktorsicherheitskmsn., Rat f. auswärtige Angelegenheiten, LVR. P.: Publ. über wiss., lohnpolit., kulturelle, ges. Fragen. E.: Gr. Gold. EZ m. Stern f. Verd. um d. Rep. Österr., gr. Silb. EZ f. Verd. um d. Land Wien. H.: Wandern, Skifahren, Reiten, Schwimmen. (Bauer)

Wille-Römer Gertrude Dr.

B.: Psychotherapeutin, klin. Psychologin u. Gesundheitspsychologin. DA.: 1190 Wien, Osterleiteng. 2/3. G.: Wien, 5. Feb. 1948. Ki.: Severin (1969), Sophie (1970). El.: Alfred u. Emilie Römer. S.: VS, Gymn, kfm. Ausbild. im Hdl., Stud. Psych. u. Päd., Dr. phil. K.: Psychotherapeutin auf psychosomat. Station im AKH, Gruppen- u. Familientherapieausbild., Forsch.-Projekt über Arbeitszufriedenheit u. Organ.-Analyse, 1991 aktiv im Berufsverb. d. Psychotherapeuten, im Vorst. d. Landesverb. Wien f. Psychotherapeuten, Trainerin in Managerausbild. M.: Österr. Bundesverb. f. Psychotherapeuten, Österr. QiGong-Ges. H.: Lesen, Gartenarb., Blumen züchten. (J.M.)

Willeit Rudolf Karl Anton

B.: Gschf. FN.: Willeit Autohaus GmbH & Co KG. DA.: 4690 Schwanenstadt, Salzburger Str. 37. PA.: 4690 Schwanenstadt, Stadtpl. 10. G.: Schwanenstadt, 22. Sep. 1931. V.: Edeltraud, geb. Haslinger. Ki.: Peter Michael (1959), Martina (1974). El.: Josef u. Katharina. S.: VS, HS, Staatsgewerbeschule, 1950-68 Praxis im elterl. Betrieb, 1956 Schlossermstr.-Brief, 1963 Kfz-Mstr.-Brief. K.: VW-Vertragshändler m. Kfz-Werkstätte, 1968 Alleinübernahme d. elterl. Betriebes, 1986 Umwandlung in GmbH, 1971 Eröff. Betriebsneubau Salzburger Straße, 1993 Eröff. d. Ausstellungsräume. E.: 1975 Brillantene Ehrennadel VW-Werk Wolfsburg. M.: FF Schwanenstadt, stellv. GemR. d. FPÖ, Gremium Kfz-Hdl. OÖ, MSV Schwanenstadt. H.: Arb., Skifahren, Schwimmen. (C.D.)

Willenig Georg Dr. iur.

B.: RA in d. Kzl.Gemeinschaft Dr. Piesch, Dr. Ritzberger, Dr. Willenig. GT.: Obm. d. Villacher Sportver. Sekt. Fußball. DA.: 9500 Villach, Widmanng. 43. PA.: 9524 St. Magdalen, Peter-Melcher-Str. 11. G.: Villach, 10. Sept. 1953. V.: Mag. Christa, geb. Piesch. Ki.: Georg, Christoph. El.: Georg u. Edeltraud. S.: Justud. Graz, 1978 Prom. K.: Gerichtsj., seit 1978 in d. Kzl. M.: im Vorst. d. Wohnbaugen. "Heimat", als Jugendl. in d. Österr. Junioren-Nationalmannschaft im Rudern. H.: Wirtschaft, Politik, Reisen, Lesen, Phil., Wein. (D.M.)

Willert Gerhard

B.: Chef v. Dienst FN.: OÖ Nachrichten. DA.: 4020 Linz, Promenade 23. PA.: 4223 Katsdorf, Bodendorf 52. G.: Freistadt, 8. Mai 1958. V.: Helga. Ki.: Bianca Maria (1990). El.: Franz u. Pauline Affenzeller. S.: VS, HS, Lehre als Schriftsetzer, 1978 BH. K.: 1977-82 Maschinensetzer, Red.-Layout, 1986 stv. Che-Layouter, 1993 stv. Chef v. Dienst, s. 1994 Chef v. Dienst. M.: Gewerkschaft. H.: Skating, Eishockey, Radfahren. (N.A.)

Willert Gerhard

B.: Regisseur. FN.: Schauspielhaus. GT.: Übersetzer v. Theaterstücken und von Lyrik aus dem Franz. u. Engl. DA.: 1090 Wien, Porzellang. 19. PA.: 1090 Wien, Wasag. 24/26. G.: Sünching b. Regensburg, 29. Juni 1957. V.: Sylvana Krappatsch. El.: Rudolf u. Maria. S.: Abitur i. Regensburg, Stud. d. Anglistik, Germanistik u. Romanistik a. d. Univ. Regensburg u. Freiburg. K.: Beginn d. Karriere als Schauspieler am Regensburger Studententheater, ab 1978 in Cardiff, Wales Schauspieler und Debut als Reg. am Sherman Theatre Cardiff, ab 1980 Regisseur an zahlr. Theatern in Deutschland, aber auch in d. Schweiz, Österr., Frankreich u. England, 1989-92 vorwiegend am Stadttheater Lübeck u. Stadttheater Bremen, s. 1993 in Wien, Reg. am Schauspielhaus u.a.: "Der Disney Killer", "Gelobte Länder", "Tolmezzo", u.v.a., 1995 Regie u.a. auch am Nationaltheater Mannheim. H: Beruf, Musik, Reisen u. Kochen. (J.S.)

Willhelm Michael Dr. Msgr.

B.: Sekr. d. Bischofskonferenz d. Kath. Kirche. DA.: 1010 Wien, Wollzeile 2. PA.: 1010 Wien, Habsburgerg. 7. G.: Wien, 4. März 1959. El.: Dr. Karl-Heinz u. Eleonore. S.: 1977 Matura, b. 1982 Theol.-Stud. Sbg. u. Wien, Mag., Spezialstud. Kirchenrecht, 1985 Prom. K.: 1983 Priesterweihe, 1983-85 Kaplan Pfarre Poysdorf, 1985-86 St. Brigitta Wien 20, 1986 Erzbischöfl. Sekr. u. Zeremoniär, 1989 Kanzler d. Österr. Bischofskonferenz, 1993 Domprediger b. St. Stephan, 1994 Sekr. d. Österr. Bischofskonferenz. H.: Oper, Musik, Wandern. (H.S.)

Willi Manfred Dipl.-Ing.

B.: Gschf. FN.: Condor Management Consulting GmbH. DA.: 1030 Wien, Ditscheinerg. 4/3. PA.: 1060 Wien, Fillgradeng. 5. G.: Klagenfurt, 24. Nov. 1961. V.: Mag. Elke, geb. Grobschädl. El.: Franz u. Mathilde. S.: VS, BRG, HTL f. Maschinenbau, Matura, 1 J. Audi Ingolstadt/Deutschland, 1982 Stud. Wirtschaftswesen Graz. K.: 1984-85 Entwicklung b. Steyr-Daimler Puch, 1988 Dipl.-Ing., 1990 Siemens Deutschlandsberg, Ass. d. Produktionschef, Abt.-Ltr. f. Logistik, 1990 IBB GmbH, 1992 Condor Consulting Management GmbH, 1992 Investition m. Büro in Moskau. M.: Golfclub Ebreichsdorf, Leopoldsdorf. H.: Familie, Golf, Reisen, Squash. (R.T.)

Willinger Alfred Ing.

B.: Gschf. FN.: Dynacast. DA.: 2700 Wr. Neustadt, Neunkirchnerstr. 83. PA.: 2384 Breitenfurt Laaberstr. 5. G.: Wien, 16. Apr. 1940. V.: Martha, geb. Schmid. Ki.: Ulrike (1965), Christa (1969), Alfred (1972). El.: Franz u. Maria. S.: Werkzeugmacherlehre m. Abschl. 1958, HTL Wien in Abendkursen, Matura 1966, Maschinenbau. K.: 1958-62 Werkzeugmacher b. Fa. Alfa-Laval, 1962 techn. Ang., a. 1967 Betriebsmittelkonstrukteur, 1971 Fa. Prym a. techn. Ass. d. Gschf. i. Bereich Zink u. Druckgußteile, 1978 Gschf. d. Fa. Lipp, 1980 wurde d. Fa. e. Mtgl. d. Dynacastgruppe, 1987 Umbenennung i. Dynacast. H.: Musik, Oper. (I.J.)

Willinger Peter

B.: Kfm. u. Inh. FN.: Willinger Bürotechnik Canon. DA.: 4910 Ried i. I., Bahnhofsstr. 24. PA.: 4910 Ried i. I., Langwiesen 18. G.: Ried, 18. Dez. 1959. V.: Ulrike, geb. Gittmaier. Ki.: Christoph (1989), Michael (1991). S.: Hasch, 1974-76 Berufsschule Büromaschinenmstr., 1984 Mstr.-Prüf. K.: 1984-87 i. d. Firma Schurmann, 1987 Firma übernommen, 1991 Geschäftslokal gemietet. H.: Kirchenchor singen. (M.G.)

Willingstorfer Hans-Jürgen

B.: Gschf. FN.: ÖSWAG Fördertechnik GmbH, ÖSWAG Maschinenbau GmbH. DA.: 4020 Linz, Hafenstr. 61. PA.: 4201 Gramastätten. G.: St. Gilgen, 7. Juni 1945. V.: Birgit, geb. Ehrengruber. Ki.: Sabine (1968). S.: VS, 1963 Lehrabschluß Ind.-Kfm. K.: Kundenbetreuung, Verkaufs- u. Abt.-Ltr. Schiffswerft Linz, v. Abt.-Ltr. z. Gschf. Austrian Industries, versch. Kurse u. Seminare, 1985 Verkauf v. Staplern nach Ungarn, ÖSWAG Maschinenbau GmbH, ÖSWAG Fördertechnik GmbH. E.: Med. d. Rep. Österr. "Osten öffnet sich über Ungarn". M.: BWK, HK. H.: mitverantl. Sponsor d. Handballver. d. Firma f. d. Jugend tätig, Organ. d. Linde Schülercup. (Ni.A.)

Willroider Josef Ing.

B.: Stadtbmstr. FN.: Stadtbaumeister Josef Willroider GmbH. GT.: Hoch- u. Tiefbau, Zimmerei, Bau- u. Möbeltischlerei, Sägewerk, Errichtung Stahlhallen, Mstr.Haus., Hdl. m. Immobilien. DA.: 9500 Villach, Willroiderstr. 13. PA. 9500 Villach, Draupromenade 16. G.: Villach, 18. Nov. 1941. V.: Irmgard, geb. Zilleken. Ki.: Josef (1966), Kristin (1969), Alice (1974). El.: Josef u. Anna. BV.: Landschaftsmaler Ludwig Willroider u. Josef Willdroider. S.: VS, HS, HTL-Hochbau m. Abitur, 1. Staatsprüf., Mstr.Prüf. F.: Kurbad Althofen AG, Moorheilbad Harbach GmbH & Co KG, Kurbad Groß Gerungs GmbH, Sanatorium Villach GmbH, Moorheilbad Harbach Hotelbetriebsges. mbH (Robinsonclub Ampflwang), Robinsonclub Naßfeld, Robinsonclub Katschberg, Gschf. Ges. d. Sanatorien Bauerrichtungsges. mbH, d. M.E.W. Bauträgerges. mbH, HUMANOMED Management GmbH, HUMANOMED Consult GmbH, DIATHER GmbH.

Willvonseder Robert Dr. med. Univ.-Prof. Prim.

B.: FA f. Innere Med., Vorst. d. Med. Abt. d. KH d. Barmh. Brüder in Wien. A.: 1040 Wien, Schwindg. 20, FVW Geyerhof, 2763 Feichtenbach, NÖ. G.: Wien, 4. Apr. 1939. V.: Marie-Therese, geb. Weinberger. El.: Dr. Robert u. Ernestine. S.: Schottengymn., Matura 1957, Med. Fak. d. Univ.

Wien, Prom. z. Dr. med. 1966, II. Med. Univ.Klinik, Wien: Ass.Arzt 1966-71, OA (Abt. f. Endokrinol. u. Stoffwechsel) 1972-79, Mayo Clinic Rochester Minnesota: Research Ass., Clinical Path. 1970-71. K.: FA f. Innere Med. 1973, FA f. Nuklearmed. 1976, American Board of Nuclear Med. 1971, Lehrbefugnis f. Innere Med. 1978, Vorst. d. Med. Abt. d. KH d. Barmh. Brüder Wien, 1984 a.o.Univ.-Prof. P.: 200 Publ. E.: Kardinal Innitzer-Förderungspreis 1978, Preis d. Stiftung Hoechst d. Univ. Wien 1978. M.: Ges. d. Ärzte in Wien, Wr. u. Österr. Ges. f. Innere Med., Österr. Ges. z. Erforsch. d. Knochens u. Mineralstoffwechsel, Dt. Ges. Osteologie, Präs. Österr. Ges. f. Geriatrie u. Gerontologie, 1989-1993 Direktion Ges. Musikfreunde Wien.

Wilmanns Hilde

B.: Dipl.Kosmetikerin. PA.: 1080 Wien, Blindeng. 46. G.: Radkersburg, 28. Apr. 1943. El.: Karl u. Constanze Rath. S.: HASCH, 5 J. Auslandsaufenthalt in Schweden, 1 J. Kosmetikschule, 1970 Dipl.Prüf. K.: 1970 Kosmetiksalon Jasmin, 1975 selbst. d. Kauf u. Übernahme d. Kosmetiksalons Jasmin. H.: Reisen, Sport, Musik, Literatur, Handarbeiten, Kochen..

Wilmsen Eduard Dipl.-Ing.

B.: Director, gschf. Präs. d. Panamenisch-Österr. HK. DA:: 1230 Wien, Erlaaer Str. 55-63/Stg. 20. PA.: 1020 Wien, Taborstr. 18. G.: Wien, 11. Mai 1950. V.: Doris, geb. v. Ritzendorf. Ki.: Marion. El.: Johann u. Juliane. S.:Stud. Wirtschafts-Techn. Wiss. (Schweiz). K.: Gschf. einer Juwelenfirma in Wien, 1975-77 selbst. Kfm. (Austria Juwel, 200 Mitarb.), General-Manager b. Euro-Diamant Austria, seit 1977 Handelsrat d. Panamenisch-Österr. HK, 1980 gschf. VPräs. d. Interessenverb. Hdl., Gewerbe u. Ind., ab 1984 VPräs. d. Südasiat.Inst., seit 3/1983 gschf. Präs. d. Panamenisch-Österr. HK, ab 9/1985 akkreditiert b. UNIDO im Beobachterstatus, seit 4/1985 Mitgl. d. Leitungsgremiums v. SACEP (UNO-Organ.) Hauptquartier f. Europa. E.: staatl. Ausz. aus Lateinamerika u. Südasien. H.: Reiten, Lesen, Musik. (R.A.)

Wilnitsky Boris

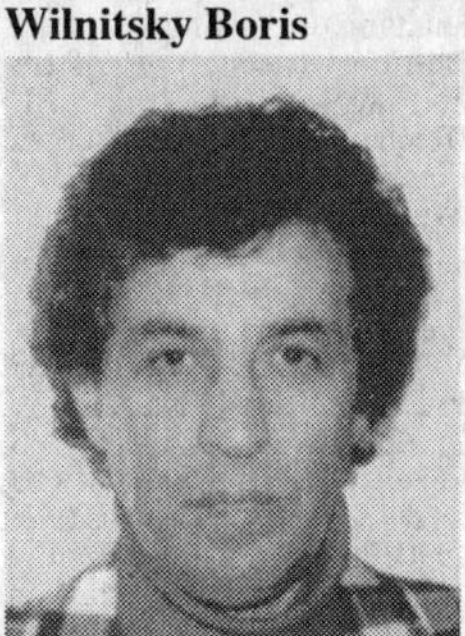

B.: Kunsthändler, Inh. d. Galerie Wilnitsky. DA.: 1010 Wien, Schulerstr. 7. G.: Vorzel b. Kiew, 7. Mai 1945. V.: Anna, geb. Zinowaja. Ki.: Milena (1971). El.: Mossej u. Gealina. S.: 1962 Matura, Physikstud. Kharkow/Ukraine, 1968 Ing. K.: b. 1970 Tätigkeit als Ing., danach Journalist u. Literat u.a. f. Fernsehen, Kunstgesch. im Selbststud., Grafik u. Malerei 16.-20. Jhdt., freiwilliger Mitarb. in zahlr. sowjet. Museen, 1981 Emigration nach Wien, 1983 Altwarenhdl., 1987 Kunsthdl., spezialisiert auf Bilder 16.-20. Jhdt. H.: Arb., Sammeln v. Kunstbüchern. (R.T.)

Wilpernig Doris

B.: Reiseberater. FN.: Extratours Reisebüro GmbH. DA.: 1070 Wien, Kaiserstr. 67. PA.: 1210 Wien, Autokaderstr. 3-7/31/12. G.: Wien, 19. Juli 1965. El.: Dietmar u. Hannelore. S.: 1975-79 Pädagog. Akad. i. Wien, 1979-84 Höhere Lehranst. f. wirtsch. Frauenberufe, 1984 Matura, 1985 Auslandsaufenth. i. F u. USA. K.: 1986 Einstieg i. Reisebüro Branche, 1986-88 bei Österr. VB, 1989-91 Dr. Degener Reisebüro, s. 1992 Extratours Reisebüro. H.: Tennis, Skifahren, Reiten, Reisen. (I.K.)

Wilschowitz Hubert Msgr.

B.: Ltr. d. Europ. Hilfsfonds d. Österr. u. Dt. Bischofskonferenz. DA.: 1090 Wien, Boltzmanng. 14. G.: Brünn, 18. Okt. 1928. El.: Hubert u. Maria. S.: 1948 Matura, b. 1954 Theol.Stud., Priesterweihe. K.: b. 1958 Kaplan in Wiesau/ Oberpfalz, b. 1979 Pfarrer d. dt.sprachigen Gemeinschaft in Istanbul, b. 1983 Missionsreferent d. Diözese Regensburg, b. 1987 Pfarrer d. dt.sprachigen Gem. Athen, seit 1987 Ltr. d. Europ. Hilfsfonds. E.: BVK 1. Kl. H.: Geige, Bratsche, Kammermusik, Schwimmen, Radsport. (J.E.)

Wilson Michael John

B.: a.o. u. bev. Botschafter d. Commonwealth Australien. DA.: 1040 Wien, Matiellistr. 2-4/III. PA.: 1190 Wien, Peter-Jordan-Str. 35. G.: 3. Apr. 1928. V.: Susan, geb. Stratigos. Ki.: Mathew (1957), Elizabeth (1960), Michael u. Daniel (1962). El.: Gordon u. Heaster. S.: Geelong Gram. School Cambridge Univ. K.: Diplomat. Dienst Amt f. Auswärtige Angelegenheiten Canberra seit 1953, Aust. Missions U.N. New York, Bankgkok, London 1955-65, Commonwealth Sekr. London 1965-69, Kabinett B. Austral. Canberra 1972-73, Zweites Königl. Komm. d. staatl. Administr. Austral. Canberra 1974, Erster Ass. d. zweit. Departm. f. Auswärtige Angelgenheiten Canberra 1975-79, Austral. Botschafter in Jugoslawien, Rumänien u. Bulgarien 1980-84, Oberster Kmsr. v. Australien in Papua Neu Guinea 1984-87. M.: ehem. Mtgl. d. "Players Theatre". H.: Schwimmen, Wandern, Bridge, Musik, Theater, mod. Kunst, Jugendstil. (M.G.)

Wiltschek Hermann Dipl.-Ing.

B.: Gen.-Dir.-Stellv. d. Österr. Bundesforste. DA.: 1031 Wien, Marxerg. 2. G.: Wien, 13. Aug. 1940. V.: Inge, geb. Heindl. Ki.: Sabine (1962), Bernd (1968). El.: Gustav u. Adolfine. S.: Externistenreifeprüf. b. Wr. StadtschulR., Stud. Forstwirtschaft HS f. Bdk., 1966 Dipl. K.: Werkstudent in einer Druckerei, 1966 Präsenzdienst, 1967 Eintritt Österr. Bundesforste, 1971 Staatsprüf. f. d. höheren Forstdienst, 1974 Sekt.-Ltr. in d. Abt. f. Forsteinrichtung u. Waldbau, 1978 Ltr. d. Referates f. Budget u. Personalplanung u. Sekr. d.

WirtschaftsR. d. Österr. Bundesforste, 1979 Mtgl. d. innerbetriebl. EDV-Kmsn., 1980 Ltg. d. Dienstrechtsabt. zusätzl. z. Ref. f. Budget u. Personalplanung, 1984 Vors. d. Zentralen Sicherheitsaussch., 1988 Mtgl. d. Vorst. d. Österr. Bundesforste f. d. kommerziellen Bereich u. Gen.-Dir.-Stellv., zuständig f. d. Holzverkauf, Grundverkehr, Budget, Buchhaltung u. EDV. H.: jede Art v. Sport, bes. Tennis, Skifahren, Leichtathletik. (J.S.)

Wimberger Christa

B.: Inh. FN.: Gasthof Restaurant Safen Hof. DA. u. PA.: 8271 Bad Waltersdorf 78. G.: Hollabrunn, 14. März 1963. El.: Karl u. Leopoldine. S.: HS Wullersdorf, Aufbaugymn. Hollabrunn, 1982 Matura, Fremdenverkehrscollege in Krems, 1985 Fachmatura. K.: 1985-86 Montreux/ Schweiz in Spezialitätenrestaurant, 1987 Wintersaison in Obergurgl, 1988-89 Bio-Hotel Willi Dungl in Gars am Kamp, 1989-1991 Hotel Thermenhof in Bad Waltersdorf, s. 1991 selbst. Restaurant Safen Hof in Bad Waltersdorf. H.: Lesen, Blumen, Garten. (I.G.)

Wimberger Gerhard o.HS-Prof.

B.: Komponist, Dirigent. PA.: 5020 Salzburg, Wallmannweg 13. G.: Wien, 30. Aug. 1923. V.: Eva, geb. Orler. Ki.: Christoph, Andreas. El.: Dr. Hans Chr. u. Margarete, geb. Seiser. S.: Matura, Musikstud. am Mozarteum - Komposition b. Johann Nepomuk David, Dirigieren b. Clemens Krauss u. Bernhard Paumgartner. K.: 1947/48 Korrepititor an d. Wr. Volksoper, 1948-51 Kapellmstr. am Sbg. LTheater, seit 1953 Lehrer an d. Ak. Mozarteum, bis 1981 Ltr. d. Dirigentenkl., 1957-67 Ltr. d. Ak.Orchesters, seit 1968-91 Kompositionskl., langjährige Mitarb. b. d. Sbg. Festspielen u. in d. Intern. Sommerak. d. Mozarteums, als Dirigent im In- u. Ausland tätig. P.: Werke - Bühne u.a. 1952/53 "Schaubudengeschichte", 1955 "Der Handschuh", 1959/60 La Battaglia oder Der rote Federbusch", !963/64 "Dame Kobold", 1967 "Das Opfer Helena", 1970/72 "Lebensregeln", Konzerte u.a. 1955 Konzert f. Klavier u. Kammerorchester, 1960 "Partita giocosa" f. kleines Orchester, 1962 "Stories" f. Bläser u. Schlagzeug, 1968/69 "Chronique" f. Orchester, 1973/74 "Memento vivere Gesänge v. Tod", 1974/75 "Short Stories" f. 11 Bläser, 1976 "Motus" f. gr. Orchester, 1978 "Programm" f. gr. Orchester, "Ausstrahlungen W.A. Mozart'scher Themen" f. Orchester, 1982 Phantasie f. 8 Spieler, 1983 Bühnenmusik zu "Jedermann" f. Sbg. Festspiele, 1985 "Paradou" Oper in 14 Bildern nach Emile Zola, 1987 "Fürst v. Salzburg - Wolf Dietrich" szenische Chronik f. Musik, 1988 "Nachtmusik Trauermusik Finalmusik" f. Orchester, "Wir hören zu atmen nicht auf" Liedzyklus nach Gedichten v. Ulla Hahn f. mittelhohe Frauenstimme u. Klavier, "Vagabondage" f. Bigband, 1989 Konzert f. Synthesizer u. Orchester, 1990 1., 2. u. 3. Sonate f. Synthesizer, Bläserquintett, 1991 "Tagebuch 1942 - Jochen Klepper - f. Baritonstimme, Chor u. Orch., "Disegni" f. Klavier, 1992 "Tanzkonzert" f. Kammerorch., "Im Namen d. Liebe", Liedzyklus n. Gedichten v. Peter Turrini f. höhere Männerstimmen u. Klavier, 1993 "Szenerie" f. Violine u. Klavier, "Ahnungen" f. Orchester, Bühnen-, Hörspiel- u. Fernsehmusik. E.: 1967 Österr. Staatspreis f. Komposition, 1969 o.HS-Prof. M.: 1971-91 Mtgl. d. Direktoriums d. Sbg. Festspiele, 1990 Präs. d. AKM Österr.

Wimberger Heinrich

B.: Hotelier. FN.: Rudolf Wimberger Hotel- u. Gaststättenbetriebe GmbH. DA.: 1070 Wien, Neubaugürtel 34-36. PA.: 3002 Purkersdorf, Wiener Str. 58. G.: Waidhofen/Thaya, 19. Mai 1945. V.: Elisabeth, geb. Schaus. Ki.: Gabriele. El.: Rudolf u. Gertraud. BV.: Gründer d. Hotels Wimberger, Karl Wimberger, Urgroßonkel GemR. d. Stadt Wien (Lueger-Zeit). S.: VS, RG, Hotelfachschule. K.: ausschließlich im elterl. Betrieb tätig. M.: Wirtschaftsbd. (aktiv in Purkersdorf, Vorst.Mtgl.). H.: Bergsteigen, Wandern. (R.A.)

Wimmer Adolf Ing.

B.: Managing Director. FN.: Tecalemit-Rieth Handelsgesellschaft m.b.H. DA.: 1232 Wien, Zetscheg. 5. G.: Stockerau, 16. Aug. 1940. V.: Christina. Ki.: Armin (1988), Birgit (1990). El.: Josef u. Franziska. S.: VS, HS, HAK, HTL, Ing. K.: 15 J. Fa. Heid AG, Arbeitsvorbereitung u. Kalkulation, HTL 2. Bildungsweg, 15 J. Fa. Hoerbiger Fluidtechnik KG, verantwortlich f. Kalkulation, Material-Disposition, Projektmanagement u. Exportgroßkunden Betreuung, 3 J. Gschf. Fa. General Oil Großhandels GmbH, 6 J. Gschf. Fa. Schlumberger-Strager Tankgerätebau GmbH, s. 1993 Gschf. Dir. Fa. Tecalemit-Rieth. E.: Gold. Verdienstzeichen d. Rep. Österreich. M.: Wirtschaftsforum der Führungskräfte Österreichs. H.: Motor- u. Segelfliegen, Reisen. (W.M.)

Wimmer Alfred

B.: Mtgl. d. Vorst. FN.: Lenzing AG. GT.: zahlr. AufsR.-Mandate: Vors.-Stellv.: Glanzstoff Austria St. Pölten, South Pacific Viscose Indonesien, Lenzing Fibers Corp. USA u. Allco Chemical Corp. USA, AufsR.-Mtgl.: Sintimid Hochleistungskunststoffe GmbH Lenzing, Austria Faserwerke GmbH Lenzing, Frankfurter Maschinen- u. Apparatebauges., Syncell GmbH BRD u. Lenzing France S.A. Paris, Vors. Gemeinn. Siedlungsges. f. d. Bez. Vöcklabruck. DA.: 4860 Lenzing. PA.: 4863 Seewalchen, Steindorferstr. 13. G.: St. Martin/Innkreis, 27. Mai 1933. V.: Michaela, geb. Andorfer. Ki.: Eva (1963). El.: Franz u. Anna. S.: Gymn., HASCH. K.: 1952 Eintritt in d. Betriebsbuchhaltung d. Lenzing AG, 1961 Ass. d. kfm. Ltr., 1969 Ltr. Betriebswirtschaft, 1974 Ltr. Rechnungswesen, Prokura, seit 1986 Mtgl. d. Vorst. M.: Obm. d. Werkskapelle Lenzing, Rechnungsprüfer Wassergen. Seewalchen, Mtgl. d. Vorst. "Finanzchefs" im ÖPWZ. H.: Musik, Malen, Mundartdichter, Wandern.

Wimmer Brigitte

B.: Ltr. d. Bereichs langfristige Finanzierungen, Veranlagungen u. Haftungen. FN.: VOEST ALPINE Stahl AG. DA.: 4031 Linz, Turmstr. 41. PA.: 4020 Linz, Kaiserg. 30. G.: Rettenberg, 7. Nov. 1949. V.: Brigitte, geb. Wolf. S.: VS, Gymn., 1969 Matura. K.: Tätigkeit b. Raiffeisenbank OÖ, nebenberufl. b. 1981 Stud. Sozial- u. Wirtschaftswiss., seit 1982 VOEST ALPINE AG, 1990 Prok., seit 1988 heutige Position. H.: Reisen, Filmen, Lesen (Wirtschaftszeitschriften, Reisebücher). (U.A.)

Wimmer Eduard Dir.

B.: Vors. d. Vorst. d. Wr. Ver. Lebens- u. Bestattungsvers. auf Gegenseitigkeit. GT.: seit 1955 Vers.Math. Sachv. d. Fa. Arithmetica Vers. u. Finanzmath. Beratung GmbH, seit 1990 Gschf. Vors. d. Sekt. Lebensvers. im Verb. d. Vers.Untern. Österr., seit 1985 Vors. d. Mathematikerkomitee. DA.: 1030 Wien, Ungarg. 41. PA.: 1030 Wien, Czapkag. 8/22. G.: Wien, 24. Apr. 1930. V.: Gerda, geb. Galinski. Ki.: Oswald, Wolfgang. El.: Franz u. Laura. S.: VS, RG, Stud. d. Vers. Math. an d. TH, 1955 Dipl. K.: 1951 Werkstudent, Bankang. b. d. "Z" u. v. 1953-55 Abt.Ltr. d. Abrechungswesen b. d. Bank, 1955 Beginn b. d. Abt. Vers.Math. b. d. Städt. Vers. als Ang Vers.Math., 1967 Prokura, 1971 Abt.Dir. u. 1972-84 Ltr. d. Lebensvers. d. Wr. Städt. Vers., seit 1984 Vorst.Mgl.

u. seit 1987 Vors. d. Vorst. d. Wr. Ver. Lebens- u. Bestattungsvers. auf Gegenseitigkeit. P.: Beiträge u. Art. in Fachzeitschriften über Altersvorsorge im allg. M.: Vorst.Mtgl. d. Österr. Artoa Ver. H.: Lesen, Natur, Skifahren, Fotografieren. (M.B.)

Wimmer Christl

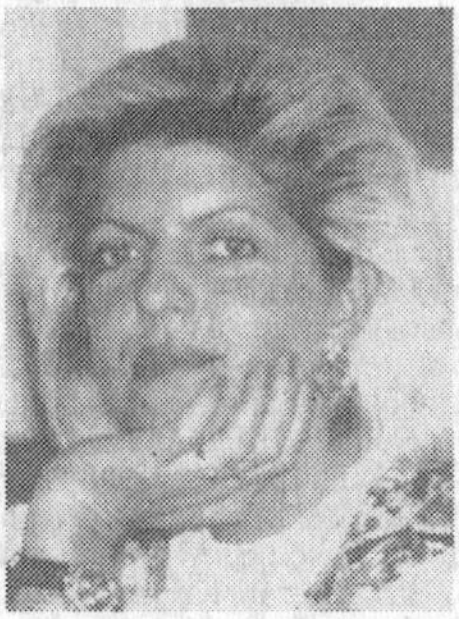

B.: Unternehmerin, Gastronomin Restaurant Hirschenwirt Wimmer Eichberger. DA.: 5020 Salzburg, Saint-Julien-Str. 21-23. PA.: 5204 Straßwalchen, Eichenweg 1. G.: Salzburg, 15. Aug. 1961. Ki.: Jürgen (1984). El.: Georg u. Paula. S.: VS, HS, Lehre als Einzelhdls.-Kfm., nebenbei Tätigkeit im Service im Hide-Park, Lehre m. Gesellenprüf. K.: 3 J. Ang. b. Hide-Park im Service, Verkäuferin im Mekka-Makt, Marktltr., Tätigkeit im Gastgewerbe, 1992 selbst.: Pacht Restaurant z. Hirschen. H.: Skifahren. (D.E.)

Wimmer Ernst Mag. iur.

B.: Gschf. FN.: Kanol Chemie. DA.: 4551 Ried/Traunkreis, Großendorf 65. G.: Wels, 23. Jän. 1963. V.: Mag. iur. Eva Maria, geb. Feicht. Ki.: Michael (1988), Christopher (1991). El.: Konsul KommR. Friedrich u. Elisabeth. S.: VS, 1982 Matura im Stiftsgymn. Kremsmünster, 1983 BH, 1983-89 Jusstud. Linz u. Sbg., b. 1990 Gerichtsj. Landes- u. Kreisgericht Wels, 1990-91 Exportlehrgang Univ. Linz. K.: ab 1991 im elterl. Betrieb Kanol Chemie als Ltr. d. Rechtsabt. sowie im Einkauf u. Verkauf tätig, seit 1991 Gschf. Fritz Wimmer GmbH. H.: Tauchen, Wasserskifahren, Skifahren, Laufen. (U.A.)

Wimmer Franz

B.: Gschf. Ges. FN.: WFK Ges.m.b.H. DA.: 7053 Hornstein, Industrieg. 1/8. G.: Hornstein, 20. Jän. 1945. V.: Judith, geb. Kuzmich. Ki.: Judith (1966). El.: Johann u. Katharina. S.: Werkzeugmacherlehre b. Fa. Siemens, 1964 Facharb.-Prüf. K.: 1965-80 Werkzeugmacher i. Kunststoffind., a. 1980 Betriebsltr. b. Fa. Kludi i. Hornstein, Aufb. d. Betriebes i. techn. u. Personalbereich, v. 1980-81 Informationsaufenthalte i. Ausland, 1989 Grdg. d. eig. Fa. WFK Werkzeug-Formenbau u. Kunststoffprod. M.: Bez.-Feuerwehrinsp. d. freiw. Feuerwehr i. Hornstein. H.: Beruf, Feuerwehr. (I.J.)

Wimmer Friedrich KommR. Konsul

B.: Chemiekfm., gschf. Dir. FN.: Kanol Chemie Austria. DA.: 4551 Ried/Traunkreis, Großendorf. PA.: 4600 Wels, Salzburger Str. 49. G.: Linz, 1. Jan. 1934. V.: Elisabeth, geb. Buttinger. Ki.: Silvia, Ernst. El.: Johann u. Anna. S.: VS, RG, Stud. Chemie. K.: nach Berufsausbild. Teilhaber einer chem.-techn. Betriebes, Betriebsltr., gschf. Dir., KommR., Konsul d. Rep. Malawi zuständig f. ganz Österr. BL.: Aufbau d. Kanol Chemie zu einem d. größten österr. Lohnfüllunternehmen. F.: Kanol Chemie GmbH, Fritz Wimmer GmbH. P.: Fachart. in Zeitschriften wie Aerosol-Report etc. E.: Gold. EZ f. Verd. um d. Rep. Österr., Gold. VZ d. OÖ LRg., Ehrenmed. d. OÖ HK, BeiR. d. Statistik d. Österr. Aerosolverb., Hon.Konsul d. Rep. Malawi, HK-Funktionär, Chaine des Rotisseur. H.: Schwimmen, Tiefseetauchen.

Wimmer Gabriele

B.: Kunsthändlerin u. Kulturmanagerin, gschf. Ges. FN.: Ulysses Kunsthandels GmbH. DA.: 1010 Wien, Opernring 21. G.: Villach, 6. Dez. 1948. El.: Karl u. Maria M. Wimmer. S.: 1967 Matura, Stud. Vw. Univ. Wien. K.: Intern. Management, Managerin v. Arnulf Rainer, Maria Lassnig, Emilio Vedova, Markus, Prachensky, Joannis Avramidis u.v.a., Abwicklung intern. Museumsausstellungen u.a. 1984 Centre Pompidou Paris f. Arnulf Rainer, 1989 Guggenheim-Museum New York f. Arnulf Rainer, 1994 Stedelijk-Museum Amsterdam f. Maria Lassnig, s. 1975 gschf. Ges. d. Ulysses Kunsthandels GmbH. P.: Hrsg. zahlr. Publ. (J.S.)

Wimmer Günter

B.: Filialdir. FN.: Die Erste Österr. Spar-Casse-Bank. DA.: 4020 Linz, Graben 16. PA.: 4020 Linz, Kaiserg. 30. G.: Linz, 11. Dez. 1946. V.: Brigitte, geb. Wolf. El.: Karl u. Charlotte. S.: 1965 Matura. K.: 1966-73 Sparkasse St. Florian, 1973-80 RZK, 1980-88 Großkundenbetreuer, seit 1988 Filialdir. H.: Segeln, Skifahren, Joggen. (H.B.)

Wimmer Günther Mag.

B.: Hotelier (Hotel Traube u. Hotel Harmonie). DA.: 9900 Lienz, Hauptpl. 14, 1090 Wien, Harmonieg. 5-7. PA.: 9900 Lienz, Probst-Weingartner-Str. 16. G.: Oberndorf, 19. Apr. 1950. V.: Darinka, geb. Rakijas. Ki.: Andrej (1976), Sonja (1978). El.: Hans u. Eleonore. S.: 1968 Matura Sbg., 1973 Spons. an d. WU. K.: Dion.-Ass. Mövenpick Deutschland, 9 J. Betriebsltr., Marketingchef, Ltr. Zentralverw. Koller & Koller Sbg., seit 1983 Pächter d. Hotel Traube, 1989 Kauf u. Umbau Hotel Harmonie, Mtgl. b. Romantikhotels Relais Cateaux. H.: Fliegenfischen, Skifahren, Lesen. (M.T.)

Wimmer Josef Dr. Dipl.-Ing. HofR.

B.: Dir. d. BAnst. f. Agrarbiologie. DA.: 4020 Linz, Wieningerstr. 8. G.: Linz, 22. Jan. 1947. V.: Dr. Christine, geb. Dobner. Ki.: Barbara (1979). El.: Josef u. Anna. S.: 1957-65 Stiftsgym. Kremsmünster, 1965 Matura m. Ausz., 1965-70 Stud. Ldw. Univ. f. Bdk., 1970 Spons. Dipl.-Ing., 1973 Prom., 1970-72 Dissert. am Inst. f. Ldw. d. Forsch. Zentr. Seibersdorf. K.: 1972-74 HS-Ass. am Inst. f. Ldw. Pflanzenschutz u. Forstl. Phytopath., 1975-88 Ltr. d. Abt. Pflanzenernährung am Inst. f. Agrarbiologie d. Ldw.-chem. B Anst. Linz, 1988-89 zusätzl. Ltr. d. Abt. Biologie am selben Inst., seit 1989 Dir. d. BAnst. f. Agrarbiologie. P.: zahlr. Publ. im Bereich Pflanzenbau u. Pflanzenern. u. d. ldw. Umweltschutzes. H.: Skifahren, Wandern, Bergsteigen. (U.A.)

Wimmer Josef

B.: Gschf. FN.: Auto Parisch GmbH & Co KG. DA.: 2170 Poysdorf, Wiener Str. 21. PA.: 2193 Erdberg, Europastr. 58. G.: Mistelbach, 5. Nov. 1951. V.: Elisabeth, geb. Gahr. Ki.: Sabine (1976), Judith (1978). El.: Josef u. Theresia. S.: VS, HS, Berufsausbild. Kfz-Mechaniker, Kfz-Mstr.-Prüf. K.: seit 1965 b. d. Firma Parisch in Poysdorf tätig, zuerst als Kfz-Mechaniker, seit 1982 Kfz-Mstr. u. seit 1988 Gschf. Ges. M.: Feuerwehr Erdberg. H.: Radfahren, Skifahren, Reisen. (F.S.)

Wimmer Josef Peter

B.: Hotelier Kurhotel Moser. DA. u. PA.: 5630 Bad Hofgastein, Kaiser-Franz-Pl. 2. G.: Spittal/Drau, 1. Okt. 1939. V.: Gerda, geb. Moser. Ki.: Christian (1969). El.: Anton u. Leopoldine. S.: VS, HS, 1954-57 Kochlehre Kurhotel Moser. K.: 10 J. Auslandspraxis (2 J. Frankreich, 2 J. Schweiz, 2 J. Düsseldorf, 2 J. GB, 2 J. Schiff), 1967 zurück nach Österr. als Restaurantdir. in d. Alten Post Fam. Ronacher-Wegscheider, 1969/70 Gschf., 1991 Inh. d. Hotels. H.: Lesen, Sport, klass. Musik. (J.F.)

Wimmer Josef jun.

B.: Gschf. FN.: Fachgesch. f. Leder-Schuh-Pelzmoden Gerberei u. Trachtenbekleidung Wimmer. DA./PA.: 9900 Lienz, Schweizerg. 12. G.: Lienz, 16. Dez. 1952. V.: Gerda. Ki.: Stefanie (1986), Antonia (1992). El.: Josef u. Michaela. S.:HASCH, Gerberlehre. K.: elterl. Betr., BH, 2 J. Westdt. Gerberschule i. Reutlingen, Abschl. m. Ledertech. u. Gerbermstr, s. 1976 elterl. Betr., Gewerbeberechtigung f. Erzeugung v. Lederhosen, s. 1993 Inh. u. Gschf. M.: Round Table Club. H.:Familie, Skifahren, Biking, Wandern.

Wimmer Karl Erhard Mag.

B.: Ltr. d. staatspoliz. Abt. G.: Wien, 4. Aug. 1940. V.: Elisabeth, geb. Weininger. Ki.: Karl, Karin. El.: Karl u. Wilhelmine. S.: RG Stubenbastei, Matura 1958, Jusstud. 1964. K.: 1965 Eintritt b. d. Polizei, 3 J. als Konzeptsbmtr. im Sicherheitsbüro, 10 J. BPolizei Flughafen Schwechat, seit 1984 off. Ltr. d. Staatspolizei, div. Reisen b. Staatsbesuchen. P.: Div. Art. in Fachzeitschriften, Vorträge u. Schulungen. E.: Silb. EZ f. bes. Dienste um d. Rep. Österr., div. Auslandsausz. Ägypten, Jordanien, Norwegen, Schweden. H.: Gartenarb., Fotographie, Reisen, Handball, Operette. (M.G.)

Wimmer Kurt Dr. phil.

B.: stellv. Chefred. d. Kleinen Zeitung. DA.: 8010 Graz, Schönaug. 64. PA.: 8010 Graz, Dr.-Robert-Graf-Str. 34. G.: Linz/Donau, 18. Dez. 1932. V.: Brigitte, geb. Schwarz. Ki.: Johannes (1961), Martina (1963). El.: Karl u. Martina. S.: Realschule Linz, 1952 Matura, Stud. Geschichte u. Franz. Univ. Graz, 1958 Prom. K.: 1958 Eintritt Kleine Zeitung, ab 1964 stellv. Chefred., s.Nov. 1994 -Chefred.,1983-85 Ltr. d. Kulturred. P.: "Liberalismus in OÖ am Beispiel d. liberalpolit. Ver. f. OÖ 1869-1909", "Damals 1938...". E.: Österr. Staatspreis f. journalist. Leistungen im Interesse d. Jugend 1964 u. 1967, Dr. Karl Renner-Preis f. Publizistik 1973, Gr. Gold. EZ d. Landes Stmk. H.: Lesen. (P.M.)

Wimmer Michael

B.: Politikwissenschafter; Gschf. FN.: Österr. Kultur-Service. DA.: 1070 Wien, Stiftg. 6/5. PA.: 1010 Wien, Himmelpfortg. 19. G.: Wien, 12. Feb.1950. El.: Joschi u. Elfriede. S.: 1970 Abschluß HBLA f. chem. Ind. (m. Ausz.), parallel Musikstud. an d. Hochschule f. Musik u. darstell. Kunst, 1970-72 Ass. an obig. Lehranst., Stud. d. Musikerziehung an d. Hochschule f. Musik u. darstell. Kunst sowie Stud. d. Chemie an d. Univ. Wien. K.: 1972-77 Lehrer an d. Höheren Lehranst. f. wirtschaftl. Berufe in Wr. Neustadt (Musikerz., Chemie, Mathem., Physik), 1977-78 Mitarb. b. österr. Jugendrat f. Entwicklungshilfe, Redakt. d. Zeitschr. "Entwicklungspolit. Nachrichten", 1979-83 Außerschul. Jugend- u. Kulturarb. im Rahmen d. Jugendzentren d. Stadt Wien, Hausltr. d. Zentren "Commune", "Mautnervilla" u. "Marco Polo", 1981-83

Postgraduate Lehrg. f. kultur. Management an d. Hochschule f. Musik u. darst. Kunst, 1983-86 Politikwiss. Stud. m. Kulturpolitik, 1984 1.Diplomprüf. (mit Ausz.), 1985 2. Diplomprüf. (mit Ausz.), Spons. "Kulturpol. in Österr.", 1986 Prom. (Diss. z. Th. "Kultur-Arbeit-Technol."), 1986-88 Scholar am Inst. f. Höh. Stud., ab 1987 Gschf. d. Österr. Kultur-Service, Kulturpol. Beratungstätigk. f. das BMU, ab 1988 Lektor am politikwiss. Inst. Wien zur österr. Kulturpol. u. Kulturpol. im intern. Vergleich, seit 1989 Projektltr. d. großang. Europastud. "Darstellung u. Analyse d. österr. Kultur u. Kulturpolitik". P.: 1992 "Darstell. u. Analyse d. österr. Kulturpolitik", 1988 "Zur Kulturpol. in Österr. zwischen 1966-85", zahlr. Veröff. in Zeitschriften, Vorträge im In- u. Ausland. M.: Doz. am Kulturmanagementlehrgang d. bfi Linz u. Krems, M. d. Österr. Unesco-Komm., Vorst.-Mtgl. versch. Kulturorgan., Durchf. v. div. Kulturveranst. H.: Musizieren (klass. Klavier u. Orgel, Lesen, Konzerte, Theater. (I.K.)

Wimmer Norbert Dr. o.Univ.-Prof.

B.: o.Univ.-Prof. am Inst. f. öff. Recht u. Politikwiss. d. Univ. Innsbruck. GT.: Ersatzmtgl. d. VerfGerH. DA.: 6020 Innsbruck, Innrain 80. PA.: 6020 Innsbruck, Hörtnaglstr. 16. G.: Linz, 5. Juli 1942. Ki.: Verena, Fiona, Florian. El.: Dr. Ludwig u. Erna. S.: VS, Gymn., Jusstud. Univ. Wien, 1966 Prom. K.: Gerichtspraxis, ab 1965 HS-Ass. d. Univ. Linz u. Innsbruck, ab 1970 Verfassungsdienst im KA, 1971 Habil., 1973 a.o.Prof. f. Umweltschutzrecht, 1978 o.Prof. f. allg. Staatslehre, Verfassungsrecht, österr. Verw.Recht, Verw.Lehre an d. Univ. Innsbruck. BL.: 1975/76 Mitwirkung an d. Verw.Reform Südtir., Mitverfasser d. bgld. LVerfassung. P.: 9 Bücher u.a. "System d. österr. Umweltschutzrechts" (1974), "Das Einmaleins d. Verwaltungsreform" (1977), "Wirtschaftsverwaltungsrecht in Österr.", 60 Aufsätze. M.: Mtgl. d. Verw.Reformkmsn. d. Bundes, Mtgl. d. Ver. dt. Staatsrechtslehrer. H.: Bergwandern, Violinespielen, Reisen. (W.G.)

Wimmer Paul Dr. phil. Prof. h.c.

B.: Schriftsteller, Literarhistoriker, Übersetzer. PA.: 1050 Wien, Krong. 3. G.: Wien, 18. Apr. 1929. S.: Gymn., Stud. Univ. Wien, 1970 Prom. K.: Theaterschriftsteller u. Literaturkritiker. P.: insgesamt 40 Bücher u.a. "Unterwegs" 1963, "Franz Werfels dramatische Sendung" 1973, "Wegweiser durch die Literatur Tirols 1945-70" 1970, "Neuer Romanführer: Das 20. Jahrhundert" 1980, "Der Dramatiker Franz Theodor Csokor" 1981, "Der Dramatiker Harald Zusanek" 1988, Mitautor zahlr. wiss. Jahrbücher u. Anthologien, Übersetzungen u.a. "Gelöbnis an Rachel", von Lampo zahlr. Rundfunksendungen u. Hörspiele, zahlr. Beiträge f. Zeitschriften im In- u. Ausland, Übersetzungen u.a. d. Romans "Gelöbnis an Rachel" v. H. Lampo, Vortragstätigkeit im In- u. Ausland. E.: 1958 Dr.-Theodor-Körner-Preis, 1963 Preis d. Kunstfonds, 1970 Förderungspreis f. Literatur d. Stadt Wien, 1987 Übersetzerprämie d. BMU, 1982 Prof. h.c., 1991 EK f. Wiss. u. Kunst. M.: Österr. P.E.N.-Club, im Vorst. d. Schriftstellerverb., Ver. v. Vlaamse Letterkundigen, Ausw. Ehrenmtgl. d. belg. "Koninklijke Academie voor Nederlandse Taal-en Letterkunde", Ges. f. Wr. Theaterforsch. H.: Zeichnen, Reisen. (A.W.)

Wimmer Peter
B.: Gschf. Ges., kfm. Dir. FN.: Neubo Unitech Gen.-Vertretungen namhafter Dt. Elektroinstallationsmaterialhersteller. DA.: 8020 Graz, Wiener Str. 253. PA.: 8047 Graz, Kainbach 189. G.: Graz, 17. Dz. 1948. V.: Walpurga, geb. Gollob. Ki.: Georg (1988), Bernhard (1991). El.: Alois u. Rosa. S.: VS, HS, Lehre z. Einzelhdls.-Kfm. K.: 10 J. ltd. Tätigkeit in d. Elektrobranche, Beschäftigung b. namhaften österr. Firmen, 1987 gemeinsam. m. Ing. Heinrich Haider Grdg. d. Unternehmens Neubo Unitech als Gen.-Vertretung Dt. Hersteller v. Elektroinstallationsmaterial, 1989 Grdg. Hager Electro Österr. H.: Wassersport, Skifahren, Tennis. (M.Gr.)

Wimmer Raimund
B.: Gen.-Dir. Grand Hotel Wiesler. PA.: 1052 Wien, Schönbrunnerstr. 16. G.: Graz, 27. Aug. 1956. V.: Renate, geb. Plematl. Ki.: Felix (1990), Max (1991). El.: Alois u. Rosa. S.: 1974 Matura, Wehrdienst, Fremdenverkehrsschule Schloß Kleßheim Sbg., 1977 Abschluß, Stud. Betriebs- u. Vw. Univ. Wien, Prüf. als Werkstudent. K.: während Studienzeit volle Berufstätigkeit, 1 J. Stmk. Sparkasse, Tätigkeit im Fremdenverkehr, 1 J. Eigentümerass. Terra Intern. Italien, div. Posten in Österr. u. Ausland, Mitbegründer d. Alba Hotels, 1978-90 Gschf. Ges., 1988 Grdg. Arcotel, 1985 Mitbesitzer d. Grand Hotel Wiesler u. versch. Restaurants in Wien. M.: Intern. VPräs. d. Hospitality Sales u. Marketing Ges. Washington, Präs. Chapters Austria, Lions Club. H.: Golf. (F.K.)

Wimmer Rainer
B.: Elektriker. GT.: Mtgl. d. BR. FN.: Parlament. DA.: 1017 Wien, Dr.-Karl-Renner-Ring 3. G.: Hallstatt, 10. Aug. 1955. S.: Lehre Elektriker, Sozialakad., als Elektr. tätig, anschl. b. ÖBB u. Österr. Salinen AG beschäftigt, s. 1984 Betriebsratsobm. u. Zentralbetriebsratvors. b. Österr. Salinen AG, s. 1984 versch. gewerkschaftl. Funktionen b. d. Gerwerkschaft Agrar-Nahrung-Genuß, 1988-93 Bgm. v. Hallstatt, s. 1993 Bezirksvors. d. SPÖ Gmunden. M.: SPÖ, s.1.12.93 Mtgl. d. BR. als Nachf. v. K. Neuwirth.

Wimmer Robert

B.: Gschf. Ges. FN.: Wiro Polypex Kunststofffabrik GmbH. DA. u. PA.: 4600 Wels, Linzer Str. 246. G.: Grieskirchen, 5. Sept. 1927. Ki.: Susanne (1958), Jutta (1959), Robert (1960), Axel (1968). El.: Stephan u. Maria. S.: Tischlerlehre Wels, 1955 Mstr.-Brief. K.: 1955 Übernahme eines Möbelgeschäftes in Wels als Inh., 1959 Bau eines Möbelhauses in Wels, ab 1962 Kunstoffbk. BL.: Erfinder d. Materials Polypex. E.: 1987 Austria Gütezeichen, 1988 staatl. Anerkennung v. Bundesmin. f. wirtschaftl. Angelegenh. M.: Ver. Kultur u. Zeitgeschichte. H.: Wandern, Skifahren, Südamerika, Besitzer einer Estanzia (Rinderzucht). (P.H.)

Wimmer-Puchinger Beate Dr. univ. med.
B.: Univ.Doz. d. Ludwig Boltzmann-Inst. f. Geburtenregelung u. Schwangerenbetreuung d. Univ. Sbg. DA.: 1180 Wien, Bastieng. 36-38/1. PA.: 1180 Wien, Ferrog. 37/9. V.: Dipl.-Ing. Albert. Ki.: Alice, Laura. El.: Dr. Walter u. Brigitte Puchinger. S.: 1975 Prom. K.: 1972-75 Mitarb. an Forsch. Projekten d. Max-Planck-Inst., 1976 Ass. am Inst. f. Tiefenpsych. u. Psychotherapie, 1976 Forsch.Projekt im Auftrag d. Ludwig Boltzmann-Inst., 1978 wiss. Ass. Ludwig Boltzmann-Inst., 1979-82 Forsch.Projekt im Auftrag d. BMW, 1983 Vortragstätigkeit in d. USA, 1985 Habil., 1986 Forsch.Projekt über "Arzt-Patient-Kommunikation", Lehrbeauftragte an d. Univ. Wien u. Sbg., Themenschwerpunkt: Psychologie d. Frau, Reproduktion d. Frau. BL.: 1. u. einzige weibl. Doz. (Psych.) an d. Univ. Sbg. E.: Nominierung z. "Prix Balzan". P.: "Schwangerschaft u. Streß", ca. 40 wiss. Arb. in med. u. psych. Zeitschriften, Mitautorin v. "Medienkoffer Sexualerziehung" d. Familienmin. M.: VPräs. seit 1982 in d. Österr. Ges. f. Psychosomatik in d. Gynäkologie u. Geburtshilfe, Vorst.Mtgl. d. Fortbild.Ak. d. Österr. Psychologen, Intern. Council of Psychologists. H.: Lesen, Kunst, Tennis, Beruf. (G.E.)

Wimmer-Wiesinger Astrid Dr. iur.

B.: Gschf. Ges. FN.: Süd-Ost Treuhand AG. DA.: 5020 Salzburg, Nonntaler Hauptstr. 49/11. PA.: 5020 Salzburg, Arenbergstr. 25. G.: Linz, 21. Okt. 1956. V.: Rupert Wimmer. Ki.: Jakob (1992). El.: Hubert u. Eleonore Wiesinger. S.: VS, Gymn., 1976 Matura, Stud. Jus, Politikwiss. u. Portugies., 1982 Prom. z. Dr. iur.K.: 1982-85 Revisionsass. b. DDr. Rösslhuber, Mitarb. b. Prüf.-Klienten, 1985-86 Auslandspraktikum Zürich, 1986-89 KPMG Alpentreuhand GmbH, seit 1989 Ltg. d. Zwg.-Ndlg. Süd-Ost Treuhand AG, 1993 Gschf. Ges. d. Süd-Ost Treuhand AG, zahlr. Kurse im In- u. Ausland. M.: Vorst. d. Österr. Ges. d. Wirtschaftstreuhänder, Fachsenat f. Steuerrecht d. Kam. d. Wirtschaftstreuhänder. H.: Antiquitäten sammeln, Lesen, Musik. (D.E.)

Wimpissinger Manfred KommR.

B.: Bgm, Kfm, Gschf. Ges. FN.: Alois Wimpissinger u. Söhne, Transportbeton GmbH & Co KG. DA.: 6300 Angath 85. G.: Angath, 29. Mai 1940. V.: Elfriede, geb. Ladinger. Ki.: Marina (1959), Manfred (1964), Alois (1977). El.: Alois u. Anna. S.: Grundschule, 3 1/2 LJ als Maschinenschlosser, 1958 Gesellenbrief. K.: 1958 i. elter. Betr. eingetreten, kfm. Schulung absolviert, 1973 OHG zu GmbH & Co KG umgewandelt, Gschf. Ges., s. 1975 Bgm. P.: 1989 Festschrift z. 50 j. bestehen d. Fa. herausgegeben, zahlr. Art. i. reg. Printmed. E.: Goldene Verdienstmedaille d. Kamaradschaftsbundes, G. Ez. d. Krippenvereins Angath, silbernes Ehrenz. d. Österr. Aeroclubs. Träger d. Verdienstkruzes d. Landes Tirol, M.: Obm. d. Überprüfungsausschußes d. KH., Mtgl. d. Sektionltg. Verkehr d. Tiroler HK., Ehrenobm. d. Modellfliegerclubs Wörgl. (J.F.)

Wind Bruno Dr.
B.: Dir. d. Tir. Landeskonservatoriums. DA.: 6020 Innsbruck, Museumstr. 17a. PA.: 6020 Innsbruck, Gutenbergstr. 4/2. G.: Wien, 25. Nov. 1933. V.: Mag. Irmgard. Ki.: Monika (1963). El.: Dr. Johann u. Berta. S.: Grundschule, 1951 Matura, Stud. Musikak. Wien, Stud. Musikwiss. Univ. Wien u. Innsbruck, Dr. phil. K.: Univ.-Ass. Innsbruck, seit 1972 Dir. d. Konser-

vatorium Innsbruck, Unterricht in Musikgesch., 14 J. Lehrbeauftragter Univ. Innsbruck. E.: VK d. Landes Tir., Gold. VZ d. Tir. Sängerverb. d. Tir. Blasumsikverb., Silb. EZ d. Österr. Sängerbundes. H.: Reisen, Kunstgeschichte, Lesen.;

Wind Gerhard Mag. art.

B.: ak. Maler. DA. u. PA.: 1050 Wien, Spengerg. 30-32. G.: Wien, 29. Juli 1938. V.: Anna, geb. Kubal. Ki.: Marcus, Lucas. S.: HS f. angew. Kunst, Ak. d. Bild. Künste, 1960 Dipl., 1960 Staatspreis, 1968 Förderungspreis d. Stadt Wien. K.: freischaff. Maler, Ölmalerei, wichtigstes Thema: Stilleben, Ausstellungen u.a.: 1973: "Ars Fantastica" Basel, Galerie St. Leger Genf, 1974: Kunstmesse Düsseldorf, Frankfurter Buchmesse, 1975: Kunstmesse Düsseldorf, 1977: Galerie Spectra Stuttgart, "Phantastischer Realismus", Galerie an d. Düssel Düsseldorf, Pariser "Salon 1979", Galerie Bawag Fondation Wien, "Art 80" Washington/USA, Art New York USA, 1988 Wr. Kunst- u. Antiquitätenmesse Hofburg Wien. M.: seit 1977 Mtgl. d. Wr. Künstlerhauses, Signatur: G.R. Wind (Gerhard Romeo Wind). (P.R.)

Wind Rudolf

B.: Inh. FN.: Studio Wind Wohndesign. DA.: 1100 Wien, Gudrunstr. 169. PA.: 2380 Perchtoldsdorf, Rudolf-Janko-Str. 9. G.: Marktneuhodis, 25. Mai 1947. V.: Roswitha, geb. Kolits. Ki.: Manuela (1970), Christian (1972). El.: Stefan u. Theresia, geb. Pauss. (N.A.)

Windbichler Hans Dkfm. KommR. Gen.-Dir.

B.: Geschäftsltr. FN.: Raiffeisenlandesbank NÖ-Wien rGenmbH. DA.: 1020 Wien, Hollandstr. 2. PA.: 1030 Wien, Löwengasse. G.: Bromberg, 14. Apr. 1940. V.: Elisabeth, geb. Buchleitner. Ki.: Jörg (1969), Johannes (1973). El.: Johann u. Hildegard, geb. Roggenburg. S.: 1958 HAK, 1963 HS f. Welthdl. K.: 1958-62 Tätigkeit b. d. Österr. Länderbank, 1964-69 Raiffeisenkassenrevision, 1969-86 Gschf. b. Raiffeisen Rechenzentrum, ab 1986 Geschäftsltg. Raiffeisenlandesbank. E.: 1989 Gold. EZ f. Verd. um d. Rep. Österr., 1989 Raiffeisenmünze in Gold. M.: AufsR. Agrana, AufsR. Raiffeisenbank Wien, Vorst.Mtgl. d. Österr. Raiffeisenverb. H.: Tennis, Lesen, Rock-Musik. (N.A.)

Windbichler Josef Adalbert Peter

B.: InspR. i.R. d. NÖ Landesregierung. DA.: 2640 Gloggnitz, Wiener Str. 32-34. PA.: 2700 Wr. Neustadt, Pöckg. 5/2. G.: Neunkirchen, 5. Okt. 1934. V.: Hélène Jocelyne, geb. Gossin. Ki.: Günter (1962), Albin (1972). El.: Josef u. Maria, geb. Schön. S.: VS, RG, 1953 Matura, 2 Sem. Radiotechnik TGM Wien. K.: 1954-57 Bankbmtr. in d. Landeshypothekenbank f. NÖ Zentrale Wien, 1957-59 BH Neunkirchen: Fürsorgeamt, ab 1959 Heimverwalter im NÖ Landespenionisten- u. Pflegeheim Gloggnitz, 1982 InspR., 1994 Eintritt in d.Ruhestand. E.: Silb. EZ d. Stadt Gloggnitz, Gr. EZ d. Landes NÖ. (M.M.)

Winder Ludwig

B.: Kfz-Mechanikermstr., Innungsmstr. f. Kfz-Mechaniker. DA.: 6850 Dornbirn, Hatlerstr. 27. G.: Dornbirn, 4. Okt. 1931. V.: Elisabeth. Ki.: Dr. Guntram (1960), Mag. Kathrin (1969), Gerhard (1964) Kfz.-Mechanikermeister. El.: Johann u. Ida. BRG Dornbirn, 1949 Abschluß, 3 J. Fachschule f. Maschinenbau, Kfz-Mechanikermstr.-Prüf., 1 J. Berufsweiterbild. durch ÖPZ Amerika. K.: 1949-53 Mercedes Schneier, 1954-56 Mstr. b. Mercedes Schneider, 1957 Übernahme d. Fahrradhdls.-Betriebes d. Onkels, Erweiterung auf Kfz-Hdl. u. Reparaturwerkstätte, 1957-1969 Fiat, 1969 Renault Händler. E.: Gold. Sportabz. Vbg. Landesrg., Gold. EZ d. Vbg. Turnerschaft, Gold. EZ d. Turnerschaft Dornbirn. M.: 20 J. Innungsmstr., 1991 Innungsmstr. d. Kfz-Mechaniker, Ehrenmtgl. u. 24 J. Oberturnwart Turnerschaft Dornbirn, 1950-56 Mtgl. d. Österr. Nationalmannschaft, 1964 Intern. Kampfrichter, Einsatz b. 14 WM, 12 EM, sowie neutraler Kampfrichter in versch. Ländern, 1992 b. Olymp. Spielen in Barcelona, Kampfrichter Obm. v. Österr. H.: Sport, Skifahren, Wandern. (I.D.)

Windhager Alfred Dr. iur.

B.: selbst. RA. DA.: 4040 Linz, Flußg. 15. PA.: 4040 Linz, Haagenstr. 9. G.: Linz, 2. März 1949. V.: Ilse, geb. Mayerhofer, 4 Kinder. El.: Max u. Hildegard. S.: VS Micheldorf, 1968 Gymn. Gmunden, 1969 BH, 1970-75 Stud. d. Rechte Univ. Linz. K.: 1975-76 Gerichtspraxis, 1976-80 Konzipient in Linz, ab 1980 Aufbau d. eigenen Kzl. f. alle Strafangelegenheiten. M.: Arminia Gmunden, Ak. Sängerschaft Nibelungen, Pernstein Kirchdorf, Freiheitl. Ak.-Verb., RFS Funktionär während d. Studentenzeit, Bundesobm. d. Berg-Isel-Bundes. H.: Tennis, Geschichte, Politik. (U.A.)

Windhofer Erwin

B.: Inh. u. Ltr. FN.: Windhofer & Partner Werbeagentur GmbH. DA. u. PA.: 5500 Bischofshofen, Bahnhofstr. 22. G.: Amstetten, 15. Jan. 1956. El.: Josef u. Maria. S.: Gymn. Linz, 1972 Lehre Lithograf, zusätzl. Lehrabschlüsse: Druckformenhersteller, Repro-Fotograf, 1976 Nebenberuf: staatl. geprüfter Skilehrer, 1985 Graph. Lehr- u. Versuchsanst. Wien. K.: Techn. Betreuer b. Repro-Firma, 1986 Grdg. d. Fa. in Bischofshofen, Schwerpunkte: Golfplatzdesign, Ski-Design, kreativer Bereich in d. Agentur. E.: sämtl. Prüf. m. Ausz., div. Ausz. f. Graphik u. Design. H.: Golf, Skifahren. (G.P.)

Windholz Teddy Gottfried

B.: Komponist, Musikarrangeur, Dirigent, freier Mitarb. d. ORF, musikal. Ltr. versch. Sendungen. PA.: 1020 Wien, Hollandstr. 1/35. G.: Bruck/Leitha, 5. Apr. 1924. S.: Matura, Stud. Med. Univ. Wien u. Musik-HS Wien, Kompositionslehre, Klarinette b. Prof. Vlach. K.: Grdg. einer Band 1949 m. Johannes Fehring, Mitwirkung ca. 150 Spielfilmen u. zahlr. Schallplatten, seit 1957 freier Mitarb. b. ORF, Lodynski's Flohmarkt, musikal. Betreuung v. zahlr. TV-

Sendungen "Tritsch-Tratsch", "Musikantenstadl", "Musikpavillon", Signations v. FS-Sendungen. M.: Vorst. d. Komponistenbund. H.: Auto, Basteln, Flugzeuge. (A.W.)

Windisch Robert

B.: Gschf. FN.: Actebis Computerhandel GesmbH. DA.: 1210 Wien, Vohburgg. 2. PA.: 2301 Groß Enzersdorf, Weingarteng. 10A. G.: Wien, 5. Apr. 1963. V.: Elisabeth, geb. Pertschi. Ki.: Matthias (1987), Katharina (1989). El.: Robert u. Christine. S.: Ausbildung zum Einzelhandelskfm. im Unterhaltungselektronikbereich. K.: bis 1984 i. erlernten Beruf i. d. Unterhaltungseektronikbranche, 1985 Wechsel i. d. Computerbranche mit Tätigk. im Einzelhandel, 1988-90 Vertriebsltr. im Computer-Großhandel, s. 1991 Gschf. b. Actebis Auslandsgründungen 1992 Schweiz, 1993 Frankreich, 1994 Belgien, Dänemark, Italien u. England. BL.: äußerst erfolgreicher Aufbau d. Unternehmens, 1991 8 Mitarb., 1994 65 Mitarb. H.: Golf, Skifahren, Wassersport. (F.S.)

von Windisch-Graetz Alfred

B.: Dir. d. Fa. Ch. Windisch-Graetz & Co KG Mineralölgroßhdl., gschf. Ges. DA.: 2320 Schwechat, Klederinger Str. 45. G.: Wien, 10. Juni 1939. V.: Monika, geb. Rasper. Ki.: Alexandra, Nathalie, Maximilian. El.: Fürst zu Windisch-Graetz Ludwig u. Christine. S.: Matura. K.: 1960-67 sieben Lokale, z. gleichen Zeit in d. Fa. gearbeitet (Innsbruck-München-Wien), 1967-69 Red. b. Burda-Verlag München, 1969 Fa. Ch. Windisch-Graetz & Co KG übernommen. M.: Golf Club Wien, Golf Club Enzesfeld. H.: Golf, Skifahren. (Fels.)

Windisch-Graetz Franz Dr. phil. HofR.

B.: Kunsthistoriker, Museumsbmtr. in Wien, s. 1978 i. R. PA.: 1030 Wien, Jacquingasse 21. G.: Zürich, 5. Jan. 1913. V.: Ida, Gräfin v. Seilern-Aspang. Ki.: Dr. Hans-Martin, Gesandt. Botschaftsrat, dzt. Österr. Botschaft Lissabon. El.: Dr. jur. Franz, Prinz zu Windisch-Graetz u. Margarethe, Gräfin v. Harrach. S.: hum. Gym. Jesuitenkolleg "Stella Matutina" Feldkirch, Stud. kath. Theol. 6 Sem., Univ. Innsbruck, Stud. Kunstgeschichte a. d. Univ. Innsbruck u. Wien, 8. Sem., Diss.: Jakob Christoph Schletterer - ein Bildhauer d. Wr. Spätbarock, Wien 1950, 1951 Prom. z. Dr. phil. K.: bis 1978 Wiss. Beamter am Österr. Museum f. angew. Kunst, Wien, Ltr. d. Möbelsammlung d. Museums, Einrichtung v. 2 Außenstellen: Kunstgewerbemuseum Schloß Petronell u. Schloßmuseum Riegersburg, 1970-84 Lektor a. d. TU Wien, Mitbegr. d. Zeitschrift "alte und moderne kunst" Wien, Red. Mtgl. 1956-78. P.: Bücher z. Geschichte d. Möbelkunst: Barock u. Rokoko, ein Möbel-Brevier; Le meuble baroque et rococo, Mémentos illustrés; Mittelalter u. Renaissance, ein Möbel-Brevier; Frühklassizismus u. Empire, ein Möbel-Brevier; Möbel Europas, Romanik - Spätgotik 1982; Möbel Europas, Renaissance - Manierismus 1983; Aufsätze: Barocke Möbelkunst in Österr., Die Möbel d. Stiftes St. Florian, Möbelkunst aus 4 Jhdten. im Stift Kremsmünster u. bis 1994 über 70 weitere Aufsätze in Zeitschriften des In- u. Ausl. sowie Beiträge in Ausstellungskatalogen u. Sachbüchern. E.: Österr. Ehrenkreuz f. Wiss. u. Kunst 1964, Offz. Kreuz d. kgl. schwed. Nordsternordens 1976, Gold. Ehrenring d. Landesinnung Wien d. Tischler 1977. M.: Ehren- u. Devotionsritter d. Souv. Malteser Ritterordens, 1970. (E.L.)

Prinzessin Windisch-Graetz Natalie Maria Lutovika

B.: Operationsschwester i.R. GT.: Initiatorin d. Ver. Sacre Coure. PA.: 1060 Wien, Laimgrubeng. 4/5. G.: Sarospatak/Ungarn, 21. Aug. 1917. El.: Windisch-Graetz Ludwig u. Maria. BV.: Feldmarschall Windisch-Graetz Ludwig Gen. Truppeninsp. d. K.u.K. S.: VS Ungarn, 1933-35 Ldw. Frauenschule in Preßbaum, 1934 Stenotypistinenprüf. Wien, 1936-39 Ausbild. als chir. Hilfspflegerin, 1940-41 Schreibkraft im Hubertus Jagdbüro in Budapest, 1941-42 Büroang. b. d. Wr. Allianz Vers.Ges., 1942-45 Einberufung z. Roten Kreuz Ungarn, Rußland, Polen, Deutschland, 1945-46 Amerikan. Militärrg. Schongau, 1947 Übersiedlung nach Paris, 1947-50 Schweiz. Botschaft, 1950-51 Dt. Korrespondentin f. Minenversorgungsges., 1951-56 Sekr. Grand Ballet du Marquis de Cuevas Paris, 1956-57 Ltr. d. Phönix Putzerei in Sbg., 1958 Austral. Mission Sbg., 1958-59 Amerikan. Konsulat Sbg., 1959-60 Reisen im Ausland, 1960-61 Sbg. Festspielhaus, 1961 Midland Nationale Lebensvers. St. Gilgen, 1961-63 Amerikan. Gen.Konsulat Sbg., seit 1963 Amerikan. Botschaft Wien. (M.B.)

Prinz zu Windisch-Graetz Philipp

B.: Ldw.Mstr., Prok. d. "Palatinus" Untern. Verw. GmbH. FN.: fürstl. Araber Vollblutgestüt Königsberg. DA.: 1060 Wien, Mariahilfer Str. 27. PA.: 3552 Drosseramt 3. G.: Salzburg, 22. Okt. 1960. V.: Andrea, geb. Krejci. Ki.: Franz Josef (1986), Maximilian (1988), Constantin (1990). El.: Windisch-Graetz Otto Prinz zu u. Hanna Bernthaler. BV.: direkte Linie Kaiser Franz Josef. S.: ldw. Ausbild. in versch. Fachschulen, Ldw.Mstr. K.: Praktikum in Österr. u. Deutschland, Südamerika, Amerika, ldw. Tierhaltung, insbes. biolog. Ldw., betreibt m. Gattin seit 1985 eines d. hochqualifiziertesten Araber Vollblutgestüte, 1988 Auflösung d. Gestüts. H.: steir. Heimatkunde, Volksmusik, Handwerk. (S.S.)

Prinz Windisch-Graetz Vincent Dkfm.

B.: Pensionist. PA.: 1030 Wien, Ziehrerpl. 4-5. G.: Sarospatak/Ungarn, 14. Sept. 1913. V.: Martha, geb. de Becsky. Ki.: Theodora. El.: Windisch-Graetz Ludwig u. Maria Gräfin Széchényí. BV.: Geschlecht aus d. 14. Jhdt. stammt aus d. slow. Stmk., Urgroßvater Alfred Windisch-Graetz (Feldmarschall) bekam d. Fürstentitel verliehen, hat Aufstand in Prag niedergeschlagen, war b. Krönung Kaiser Franz Josephs dabei u. ist gegen Ungarn gezogen. S.: Privatschule in Ungarn, 3 J. Piaristengymn. in Budapest, 5 J. im Prämonstratenserstift in Gödöllö, 1931-36 Handels-HS in Berlin, Abschluß Dkfm. K.: 1936 IG Farben Ind. in Berlin, Frankfurt u. Wiesbaden b. Kriegsausbruch, 1940 in Ungarn, 1941 in Wiesbaden u. Berlin, 1941-44 in Ungarn tätig, 4 J. in Österr. u. Holland als Flüchtling, 1948-77 ltd. Stellung in d. KLM Verw. in New Delhi, Kairo, Sudan u. Äthiopien, 1960-64 Dir. f. Italien in Rom, 1964-77 Dir. f. Österr. in Wien, 1978-85 Vertreter in Österr. f. Christie's. E.: 1985-91 Präs. d. Jockeyclubs f. Österr., Ägypt. Orden, Orden d. Königshauses Oranien-Nassau. H.: Schwimmen, Wandern, Lesen, Fremdsprachen. (E.L.)

Windisch-Spoerk Nikolaus Dr.

B.: Ltr. Max Reinhardt-Seminar, Prof. HS f. Musik u. Darstell. Kunst, Reg. DA.: Reinhardt-Seminar, 1140 Wien, Penzinger Str. 9. PA.: 1150 Wien, Karmelitenhofg. 5. G.: Kaprun, 7. Aug. 1950. V.: Dr. Flavia, geb. Foradini. S.: 1969 Matura, Stud. Politikwiss., Publizistik, Kommunikationstheorie u. Rechtswiss. Univ. Sbg., 1978 Prom., 1971-74 Stud. Schauspiel u. Regie am Mozarteum Sbg., 1974 Dipl. K.: 1973-74 Engagement in d. Josefstadt, 1974 1. Inszenierung, ab 1974 Regievertrag in d. Josefstadt, 1977 freiberufl. tätig in d. Josefstadt, München, Paris, Antwerpen, Mailand u.s.w., 1982 HS-Ass. am Max Reinhardt-Seminar in d. Kl. f. künstler. Ausbild., f. Regie u. Rollengestaltung, ab

1988 Gastprof. f. Rollengestaltung, 1989 o.HS-Prof. f. Rollengestaltung, seit 1. Dez. 1989 Ltr. Max Reinhardt-Seminar, Inszenierungen v. Genet, Camus, Cocteau, Horvath u. Ibsen, inszeniert alle 3 J. im Ausland Prag - Shakespear u. Dworak. (J.E.)

Windischbauer Andrea-Maria

B.: ak. Graphikerin, Malerin. DA. u. PA.: 5201 Seekirchen, Alter Lina-Hof, Kothgumprechting 12. G.: Salzburg, 17. Nov. 1942. Ki.: Antonia-Maria (1980). El.: Dr. phil. Karl-Alois u. Johanna Windischbauer, geb. Beer. BV.: Stadbmstr. HofR. Siegfried Beer. S.: Bundestextilgewerbeschule Sbg., Gesellenbrief f. Weben, Graf. Ak. München, Dipl., 2 J. Bühnenbildstud. Rom u. Mozarteum Sbg. K.: freiberufl. Malerin, Ateliers in Rom u. Wien, mehr als 30 Einzelausstellungen z.B. in München, Regensburg, Rom, Steyr, Wien, Sbg., Schweinfurt, Graz, Luxemburg. E.: Silbermed. d. Comune di Roma b. d. Gedächtnisausstellung Dante Alighieri in Rom. H.: Lesen, Tiere, Nichts-Tun, Canasta. (E.Hö.)

Windischbauer Gudrun

B.: Gschf. FN.: Schella Kann GmbH Erzeugung u. Vertrieb v. Damen- u. Herrnoberbekleidung. DA.: 1010 Wien, Singerstr. 6. S.: Frauenberufsschule Sbg. K.: Tätigkeit in versch. Branchen, 1984 erstmalige Teilnahme an d. U4-Modemesse, 1985 Grdg. d. Firma Schella Kann Erzeugung u. Vertrieb v. Damen- u. Herrenoberbekleidung m. Schwerpunkt Pret-à-Porter, zusätzl. Export, Ausstellungsbeteiligungen b. d. Igedo Düsseldorf u. d. Paris-sur-Mode. E.: 1984 1. Preis d. Wr. Textilkaufleute, 1989 Modepreis d. Kontaktfachmessen Sbg. IWS, 1990 Preis f. Mode v. d. Zeitschrift "Diva" in Zusammenarb. m. d. IWS. H.: Radfahren, Sport, Lesen. (J.S.).

Windner Berthold-Josef

B.: Gschf. Ges. FN.: Hans Windner GmbH Kostümverleih u. Werkstätte. DA.: 4020 Linz, Hauptpl. 15. PA.: 4040 Linz, Schmiedeg. 6. G.: Linz, 9. März 1955. V.: Elisabeth, geb. Steiner. Ki.: Stefanie (1983), Markus (1985). El.: Hans u. Anna. S.: Grundschule, 5 J. HBLA Linz, Mstr.-Prüf., 8 Sem. Kostüm- u. Bühnenbildner Sbg. K.: Firmenübernahme v. Vater, Erzeugung v. Kostümen aller Art, Kulissendekoration. H.: Theater, Film, Arch. (P.H.)

Windpassinger Reinhard

B.: Bez.-Sekr. d. SPÖ Scheibbs. DA.: 3270 Scheibbs, Uferstr. 2. PA.: 3251 Purgstall, Lagerstr. 21. G.: Scheibbsl, 21. Nov. 1950. V.: Gertraud, geb. Eßletzbichler. Ki.: Melanie (1976), Tanja (1978), Reinhard (1986). El.: Friedrich u. Theresia. S.: VS, HS, Lehre als Elektroinstallateur, 1969 Facharb.-Prüf. K.: b. 1988 Elektriker b. Busatis, 1988 Eintritt NÖGKK als Kontrollorgan, 1972 Eintritt SPÖ Purgstall, Vorst.-Mtgl. d. Soz. Jugend, 1976 Ortsvors.-Stellv., seit 1980 Ortsvors., seit 1982 GemR. u. Fraktionsvors., 1988 Bez.-Obm.-Stellv., Gem.-Vertreterverb. als Kassierstellv., seit 1993 Bez.-Sekr., seit 1994 Bez.-Vors. d. Kinderfreunde. M.: Radclub Purgstall, Kinderfreunde, ASKÖ, Naturfreunde, Sportver. Purgstall, FSG, GPA, ARBÖ, SPÖ. H.: Radfahren, Joggen, Familie, PC. (R.T.)

Windpassinger Walter

B.: Geschäftsstellenltr. FN.: Volksbank Ötscherland reg. GesmbH. DA.: 3270 Scheibbs, Hauptstr. 18. PA.: 3270 Scheibbs, Hauptstr. 30. G.: Scheibbs, 6. Okt. 1952. V.: Claudia, geb. Meister. Ki.: Petra (1973), Manuel (1980). El.: Friedrich u. Theresia, geb. Pritzl. S.: Mus.-Päd. Realgymn. in Scheibbs, 1972 Matura. K.: 1972-77 CA-BV in Wien, 1977 Eintritt in d. Volksbank Ötscherland, 1977-87 Ltr. d. Filiale Steinakirchen, s. 1987 Ltr. d. Filiale Scheibbs. M.: s. 1984 Sektionsltr. d. SV Scheibbs, s. 1992 Obmann d. Tennisklubs Scheibbs. H.: Lesen, Fußball, Tennis. (M.M.)

Windprechtinger Anna

B.: Pianistin u. Opernsängerin. PA.: 1140 Wien, Reinlg. 18. G.: Wien, 30. Nov. 1902. El.: Rudolf u. Anna Maria Windprechtinger, geb. Kelch. BV.: Urgroßvater Sebastian Kelch Bgm. u. Ortsrichter. S.: 1916-23 Stud. Klavier u. Gesang an d. Ak. f. Musik u. Darstell. Kunst, intensives Stud. b. Prof. Emil v. Sauer, Abschlußzeugnis. K.: Engagement am Opernhaus d. Stadt Wien, 1943-45 Korrepetitorin, 1963 Gastspiel in Rom. H.: Musik, Natur. (M.G.)

Winds Stephan Heinrich

B.: Gschf. Ges. FN.: Otto Winds GmbH. DA.: 1030 Wien, Franzosengraben 11. PA.: 1180 Wien, Staudtg. 3. G.: Wien, 11. Apr. 1957. V.: Mag. Scarlett, geb. Turner. Ki.: Larissa (1988), Kornelius (1990). El.: Kornelius u. Marianne. S.: VS, 1975 BRG-Matura, Jusstud., 2. Staatsprüf. K.: Einstieg in d. väterl. Betrieb. (R.T.)

Windsteig Kurt

B.: Besitzer Hotel-Restaurant am Steinberg. GT.: Catering f. ausgesuchte Kunden, Tourismusclub Werbering Zistersdorf, Vertreter d. Gastgewerbes in versch. Gremien. DA. u. PA.: 2225 Zistersdorf, Am Steinberg 1. G.: Wien, 25. Juni 1952. V.: Lenka Balazova. Ki.: Marcus u. Alexander (1975). El.: Kurt u. Anna. S.: VS, Gymn., Gastgewerbeschule Judenplatz-Wien, 1969 Abschluß als Koch u. Kellner. K.: 1 J. Demel, 8 J. Liceum in d. Liechtensteingasse als Koch, 1980 Übernahme d. väterl. Geschäftes. E.: mehrere Ausz. b. div. Kochkunstausstellungen. M.: Z-Aktiv. H.: Sport, Kochen, Kochbücher sammeln, gut Essen, Kommunikation. (R.T.)

Windtner Leopold Dr. Dkfm.

B.: Handlungsbev. Abt.-Ltr. FN.: OKA OÖ Kraftwerke AG. DA.: 4020 Linz, Böhmerwaldstr. 3. PA.: 4490 St. Florian, Brucknerstr.7. G.: Linz, 30. Aug. 1950. V.: Anna, geb. Lanz. Ki.: Astrid (1979), Barbara (1980), Gundula (1984). El.: Leopold u. Barbara. S.: 1969 HS f. Welthdl., 1974 Dipl., 1974 Arbeitsaufenthalt in Südafrika, 1977 Dr. K.: Tätigkeit in d. OÖ HK, seit 1978 OKA. E.: Gold. VK d. Landes OÖ, Sport-EZ v. OÖ. M.: Vorst. u. Obm.-Stellv. d. OÖ Wohnungs- u. Siedlergemeinschaft, Gschf. d. OVA Siedlungswerkes, Vors. d. BeiR. d. 1. Sparkasse in St. Florian, seit 1979 VBgm. u. seit 1985 Bgm. v. St. Florian, ÖVP Landesparteitg. u. Bez.-Vorst. Linz-Land, LandessportR., Landessportpräsidium, VerwR. d. Volkskreditbank v. OÖ. H.: Skifahren, Tennis. (U.E.)

Winger Axel
B.: Werbegrafiker. FN.: AWD Axel Winger Design & Grafik. DA.: 1060 Wien, Mollardg. 66/5. PA.: 1040 Wien, Margaretenstr. 50/18. G.: Wien, 27. Nov. 1949. V.: Barbara, geb. Schüberl. Ki.: Nathalie (1977), Fabrice (1979). El.: Helfried u. Gerda. BV.: Großvater Prof. Kaspar Entwickler d. neuen Theorie d. Kropfchir. S.: 1971 Externistenmatura, Stud. Werbung u. Verkauf HS f. Welthdl. Wien. K.: 1972-87 Tätigkeit im Familienbetrieb Imperial Feigenkaffee Karl Kuhlemann KG, seit 1988 selbst., Grdg. d. Fa. AWD Axel Winger Design & Grafik, Produktdesign, Werbegrafik, Entwürfe, Reinzeichnungen, Schwerpunkt: Corporate Identity. M.: Lazarus-Orden, Commander of St. Hubertus, Intern. Jagdges. St. Lazarus. H.: Golf, Fotografieren, Trial, Skifahren, Musik.

Wingert Ortwin Dr. Prof.
B.: VPräs., LSchulR. f. OÖ. GT.: Lehrbuchautor. DA.: 4020 Linz, Steing. 14. PA.: 4040 Linz, Ödwiesenstr. 10. G.: 15. Okt. 1940. V.: Edda, geb. Frei. Ki.: Edwin, Herwig, Doris. El.: Heinrich u. Anny. S.: BLBA Matura, 1959-68 Pflichtschullehrer, 1968-85 Prof. Päd. Ak. OÖ, Stud. an d. Univ. Innsbruck u. Graz, 1980 Dr. phil., Mitverwendung am Zentrum f. Schulversuche. P.: Zahlr. wiss. u. schulprakt. Veröff., Vorträge im In- u. Ausland im Rahmen d. Lehrerfortbild. u. in d. Erwachsenenbild. E.: Dank u. Anerkennung d. BMU. M.: Mtgl. d. Prüf.Kmsn. f. d. Lehramt an HS, Mtgl. d. Prüf.Kmsn. f. d. höheren schulpsych. Dienst, Mtgl. d. LLtg. d. Soz. Lehrerver. u. Vorst.Mtgl. d. BSA, Schriftltr. d. Lehrerzeitung "Der Soz. Lehrer". (Mayr)

Winischhofer Michael Dr. iur.
B.: RA. DA.: 1010 Wien, Falkestr. 6. PA.: 1160 Wien, Sprengersteig 10. G.: Wien, 25. Nov. 1943. V.: Mag. Brigitte. Ki.: Thomas (1970), Felix (1972), Franziska (1975). El.: Dr. Max u. Hedwig. S.: 1961 Matura, Stud. Rechtswiss. Wien, 1966 Prom. K.: Rechtspraktikum, einjährig Freiwilliger, Lt. d. Res., ab 1968 RA-Anw., seit 1973 eingetragener RA. M.: Österr. Juristenkmsn. H.: Fliegen, Tennis. (P.R.)

Winkel Roland
B.: Gschf., Textiltechniker. FN.: Albert Hagen GmbH. DA.: 6903 Bregenz, Brosswalderg. 12. PA.: 6971 Hard, Lehenweg 6a. G.: Bregenz, 31. Dez. 1954. V.: Doris. Ki.: Nicole (1974), Sandra (1977), Markus (1981). El.: Egon u. Anna. S.: Textilschule Dornbirn, 1973 Abschluß, 1974 Militär. K.: Schweiz Textilbereich Stricker, 1974 Eintritt Firma Hagrose Lustenau als Stricker in Stofferzeugung, 1987 Produktionsltr. Firma Giesswein Tir., 1988 Gschf. Ges. Firma Hagros. M.: Fußballclub Hard, 1. Vbg. Weinbruderschaft. H.: Wassersport, Skifahren, Radfahren. (I.D.)

Winkel-Sonntag Antonia
B.: selbst. Heilmasseurin. DA.: 6900 Bregenz, Kornmarktstr. 12a. PA.: 6842 Koblach, Müllersacker 7. G.: Hohenems, 4. Okt. 1951. V.: Wilfried Winkel. Ki.: Christian, Marion. El.: Adolf u. Maria Sonntag. S.: 1967/68 Textilschule, 1979/80 Privatschule Dr. Brandtner Villach, Massageschule, 1980/81 Dr. Felbermayer Kursanatorium Praktikum, 1989/90 HS-Lehrgang f. form. Psychotherapie, Lymphdrainageausbild., Fußreflexzonentherapie n. Marquardt, Bewegungsübung b. Dr. Lachmann. K.: 1968/70 Arb. in elterl. Stickereibetrieb, 1970-79 selbst. Kauffrau, 1981-86 UKH Böckle, seit 1986 selbst. Masseurin. M.: Soroptimisten Club Rheintal-Bregenz. H.: Wandern, Schwimmen, Skifahren, Gesundheitsliteratur, klass. Lit., Musik, Ballett. (A.K.)

Winklebauer Alois Dr. iur.
B.: Vorst.-Stv., Ltr. d. Rechtsmittelabt. FN.: Hauptzollamt Linz. DA.: 4010 Linz, Zollamtstr. 7. PA.: 4073 Wilhering, Katzingerstr. 7. G.: Leonding, 15. Feb. 1954. V.: Johanna geb. Haider. Ki.: Karin (1980), Markus (1989), Monika (1992). El.: Alois u. Paula. S.: VS, Gymn., 1972 Matura, 1972-76 Univ. Linz, 1976 Prom. Dr. jur. K.: 1976 Bez.-Ger. Linz, 1977 Finanzverw. Hauptzollamt Linz, 1980 Dienstprüfung f. höheren Finanzdienst, 1981 Finanzkommissär d. Finanzlandesdir., b. 1988 Schriftführer b. d. Finanzlandesdir. f. OÖ, 1988 Vorst.-Stv. d. Hauptzollamtes Linz, versch. Fortbildungskurse a. d. Verw.-Akad., 1993 Fortbild.-Lehrgang f. Bed. d. Verw.-Gruppe A i. Zollverw., 1989 Führungskräfte-Seminar f. Funktionäre i. d. Zollverw., Mtgl. d. Spruchsenates d. Hauptzollamtes Linz a. Finanzstrafbehörde 1. Instanz, Ersatzmtgl. d. Leistungsfeststellungskommission d. Finanzlandesltg. OÖ. E.: 1985 Oberkommissar, 1988 Rat, 1991 Oberrat. M.: Ver. d. Finanzakad. OÖ, Unterstützungsver. d. OÖ Finanzbediensteten, Obmann d. Dekanates Traun d. kath. Männerbewegung, aktives Mtgl. d. kath. Männerbewegung i. Dörnbach, Pfarrltr. d. kath. Jungschar- u. Jugend Dörnbach. P.: Berichte i. Pfarrblatt, Kirchenztg. H.: Familie, Haus, Garten, Bibliothek betreuen, Münzensammlung. (N.A.)

Winkelmayer Leopold Dkfm. Ing.
B.: Vorst.Mtgl. u. Sprecher d. Vorst. b. Austria Email AG. G.: Wien, 27. Dez. 1937. V.: Gertraude, geb. Makovicka. Ki.: Dr. Wolfgang (1964), Norbert (1968). El.: Josef u. Maria. S.: VS, HS, HTL, WU. K.: Nach HTL zu Austria Email, zuerst Arbeitsvorbereitung, Betriebsass., Betriebsltr., Werksdir., seit 1975 Vorst.Dir. H.: Skifahren, Tennis. (R.A.)

Winkelmayer Rudolf

B.: Tierarzt. DA.: 2471 Pachfurth Nr. 2. PA.: 2471 Pachfurth Nr. 24. G.: Waidhofen/Ybbs, 26. Februar 1955. V.: Marianne, geb. Einramhof. El.: Rudolf u. Zita. S.: Realgymnasium, Studium a. d. Universität Wien, Abschluß mit Diplom Mag. med. vet. u. Dr. med. vet. K.: 1980-81 Praxis-Assistent, seit 1981 Tät. im NÖ Landesdienst; seit 1982 Ausübung d. selbst. tierärztl. Tät.; seit 1989 gerichtl. beeideter Sachverständiger; seit 1983 Obmann d. Tierschutzvereins Bruck/Leitha. P.: Fachbeiträge in Fachzeitschriften. M.: Vorstandsmitglied d. Vereinigung österr. Kleintiermediziner (VÖK). (F.S.)

Winkelmüller Gabriele

B.: Gschf. Ges. FN.: JUKI - GmbH. DA.: 3580 Horn, Kirchenpl. 5. PA.: 3850 Horn, Wiener Str. 5. G.: Wien, 25. Mai 1959. Ki.: Sabine (1985). El.: Ing. Rudolf u. Elen Graf. S.:Textilschule Wien. K.: 1975-80 im Konsum, KGM Textileinkauf tätig, seit 1989 JUKI-GmbH, Spielwarengeschäft. M.: Horner Wirtschaft. H.: Reiten, Lesen, klass. Musik, Kunst u. Kultur, Musicals, Klavierspielen. (J.M.)

Winklehner Peter Dipl.-Ing.
B.: Architekt, staatl. befugt. u. beeidet. Ziviltechniker. DA. u. PA.: 1060 Wien, Mariahilfer Str. 117/1/18. G.: Wien, 4. Dez. 1950. S.: Stud. Arch. TU Wien, Diplom 1982. K.: 1977-79

Stud.-Ass. Inst. f. zeichner. u. maler. Darstellung, o.Prof. R. Goeschl TU Wien, 1982-91 Mitarbeit b. Arch. o.Prof. Dipl.-Ing. Dr. R. Rainer, Mag. arch. R. Falkner, Arch. o.Prof. Dipl.-Ing. Dr. E. Hiesmayr, Arch. Dipl.-Ing. B. Echerer, 1990 Arch.-Befugnisverleihung, seit 1991 selbst., Einzelausstell.: 1977 "Architekturfotografie" TU Wien, 1979 "Anonyme Strukturen" TU Wien, Ausstell.-Beteilig.: 1977 "Santorin" Hauptanst. E Ö-Sparcasse Wien, 1977 "Dreidimensionale Konzepte" Stadtparkausstell. d. Kulturamtes d. Stadt Wien. H.: Fotografie, Phil. u. Psych. (J.S.)

Winkler Adolf Prof.

B.: Musikschuldir., Kappelmstr., Musiker. FN.: Franz Schmidt Musikschule. DA.: 2380 Perchtoldsdorf. PA.: 2346 Maria Enzersd.-Südstadt, Donaustr. 107/1. G.: Graz, 10. Apr. 1938. V.: Ulrike, geb. Stadtherr. Ki.: Bernhard (1981). El.: Rudolf u. Leopoldine. S.: Abschl.-Prüf. Landeskonserv. Graz, 1961-64 Akademie f. Musik u. darst. Kunst Wien, Staatsprüf. Violoncello, Klavierbegl. u. Musiktheorie. K.: 1965-72 Ltr. zahlr. Chor- u. Orch.-Konz. Graz, Stmk., Blgd., s. 1972 Stadtkapellmstr. Graz, Dirigent d. Vereinigt. Bühnen Graz, 1971-81 Musiksch.-Dir. Frohnleiten, Ltg. Frohnl. Schweizerorch. u. Kirchenchor, 1975 Dirig. Oper "Rosen d. Madonna", v. R. Stolz i. USA, 1976-78 Dirig. Grazer Opernhaus, 1979-81erst. Kapellmstr. Wr. Raimundtheater, 1981-83 Stud.-Ltr. u. erst. Kapellmstr. Wr. Kammeroper, s. 1982 Dir. Musikschule Perchtoldsd., s. 1983 Mitbegründ. u. musik. Ltr. Amstettner Sommeroperette, zwei Tourneen Dtschl., s. 1988 Titel Prof., 1993 Tournee Frankr. P.: Insz. "Trois Operas minutes" v. Darius Milhaud, Komp. Kinderbalett "Traumgespenster", Konz. Perchtoldsd. Kammerorch. "Steierm. Musiklexikon", "Oper u. Operr. Graz", "Musik u. Gegenwart". E.: 1991 1. Pl. Musik-Bundeswettbew., 1993 1. Pl. Landeswettbew., 1992 Ehrenk. Silber f. Verd. Kultur u. Wiss. M.: Stmk. Tonkünstlerb., Franz Schmidt Ges., Ges. f. Munichtheater. H.: Lesen, Bergsteigen. (I.K.)

Winkler Alfred

B.: Gschf. FN.: Glastechnik-Zubehör u. Maschinen, Prod.- u. Handelsges.m.b.H. DA.: 2201 Gerasdorf, Waldg. 54-58. G.: Waidhofen a. d. Thaya, 8. Mai 1957. S.: Abschluß d. Berufsschule u. Lehre Metallbau. K.: kfm. u. techn. Ltg. im Unternehmen d. Oberflächentechnik, 1991 Grdg. Glastechnik-Zubehör u. Maschinen GesmbH u. Gschf., Schwerpunkt; Großhandel Isolierglas u. Verarbeitungsmaschinen, Entw., Prod., Handel, 14 J. Erfahrung im Osthandel, Tätigk. in Tschechien, Slowakei, Ungarn u. Slowenien. H.: Beruf. (T.T.)

Winkler Alois Peter

B.: Bgm. d. Stadtgem. Radstadt. DA.: 5550 Radstadt, Stadtpl. 17. PA.: 5550 Radstadt, Moosallee 29. G.: Radstadt, 2. Dez. 1954. V.: Rosina. Ki.: Hubert (1982), Ramona (1985). El.: Johann u. Maria. S.: VS, HS. K.: 1970 Eintritt in d. Gem. (Bauamt, 1973 Standesbmtr., 1990 Amtsltr.), 1991 Bgm., Schwerpunkt: Kommunale Bauten, FFW, Schulerweiterung, Altersheimausbau. BL.: wesentl. Beiträge z. Förd. d. Schul- u. Feuerwehrbau. P.: Veröff. in regionalen Printmedien (Stadtnachrichten), ORF Landesstud. Sbg. M.: in vielen örtl. Ver., Obm. d. Naturfreunde Radstadt. H.: Bergwandern, Skifahren, Radfahren. (G.P.)

Winkler Bernd

B.: Gschf. FN.: Hans G. Winkler KG Papiergroßhdl. GT.: 1991 Grdg. Gutnik GmbH Judenburg, 1992 Grdg. Novoleum Hdl. GmbH Sbg. DA: 8023 Graz, Eggenberger Gürtel 45. G.: Graz, 29. Apr. 1959. V.: Gabriele, geb. Klinger. Ki.: Daniela (1983), Christoph (1985). El.: Hans Gunther u. Aurelia. S.: VS, Mittelschule, HASCH. K.: Mitarb. in d. Firma, 1985 KG, 1989 Übernahme Hans G. Winkler KG. H.: Tennis, Skifahren, Segeln. (R.S.)

Winkler Brigitte

B.: Seidenmalerin u. Bes. d. Seidenmalstudios Winkler. DA.: 1080 Wien, Josefstädter Str. 16. G.: Eisenerz, 29. Juni 1949. Ki.: Jörg (1970), Dunja (1973). El.: Johann u. Stefanie Krenn. S.: Haushaltsschule Eisenerz, WIFI-Kurs f. Fremdenverkehr Kitzbühel, gleichzeitig Sprachkurse. K.: Tätigkeiten im Gastgewerbe u. Verkauf, 1989 Übernahme d. Seidenmalstudios in d. Josefstädter Straße, Schwerpunkt: bemalte Seide u. Kleidung, Ltr. d. Seidenmalkurses in d. künsterl. VHS Lazarettgasse Wien IX u. Kurse im Geschäft. Ausstellungen in Graz u. Wien. H.: Musik, Lesen, Kunst, Ausstellungen, Vernissagen, Handarb., Sammeln v. altem Geschirr im bes. alter Kaffeehäferl. (J.S.)

Winkler Bruno

B.: Unternehmer, Inh. FN.: Elektromechanik Winkler. GT.: Exportkonsulent d. Österr. Elektroindustrie. DA.: 1160 Wien, Pfenninggeldg. 21. G.: Wien, 8. Apr. 1941. El.: Franz u. Anna, geb. Zens. S.: 1955-59 Elektromechaniker, 1965 Meisterprüf. f. Elektromechanik, 1972 Meisterprüf. f. Kältetechnik, 1975 Abschluß Abendschule Elektronik, 1981 Mstr.-Prüf. Mechanik. K.: 1967 Grdg. d. eigenen Unternehmen im Bereich d. Elektromechanik u. Kälte u. Klimatechnik, 1989 Eröff. d. Repräsentanz in Prag, 1992 Grdg. einer GmbH in Prag. P.: Art. in Fachzeitschriften. E.: mehrere Ausz. v. d. Kam. d. Gewerbl. Wirtschaft u. d. Innung. M.: Berufsgruppe d. Elektromechaniker, Mtgl. d. Innungsaussch., Vors. d. Lehrabschluß- u. Mstr.-Prüf.-Kmsn. H.: Musik, Jagd, Fliegen, Holzbearbeitung, Gartengestaltung. (N.A.)

Winkler Egon

B.: Betriebsltr. FN.: Billerbeck Rheumalind-Traumalind GmbH. DA.: 1220 Wien, Meißauerg. 23. PA.: 1220 Wien, Steigenteschg. 13/2/25. G.: Radenthein, 25. Juni 1963. V.: Gerda, geb. Wohowsky. Ki.: Katrin (1993). El.: Johann u. Magdalena. S.: VS, HS, 4 J. Fachschule f. Metallbearb. u. Werkzeugbau Ferlach. K.: 1983-86 Ass. d. Betriebsltg. Firma Kühr Wr. Neudorf, 1987-90 Betriebsltr. Firma Goldeck Seeboden, seit 1990 Betriebsltr. Firma Billerbeck Wien. H.: Skifahren, Wandern, Jagd. (F.S.)

Winkler Egon Dr. iur.

B.: Ltr. d. Abt. f. Außenwirtschaft d. Bundeswirtschaftskammer Wien. DA.: 1045 Wien, Wiedner Hauptstr. 63. PA.: 1060 Wien, Hugo-Wolf-G. 1/4. G.: Feldkirch, 10. Apr. 1936. V.: Claudia, geb. Kopp. Ki.: Isabella. El.: Dr. Anselm u. Maria. S.: Hum. BG in Feldkirch, Jusstud. an d. Leopold Franzens Univ. Innsbruck, Prom. Dr. iur., Abiturientenkurs d. HAK Innsbruck. K.: 1960-61 Gerichtspraxis in BG u. LG Feldkirch, 1961-63 Bankenprakt. in versch. Abt. d. Schweizer. Bankverein in Genf, 1983 Eintritt in d. Abt. f. Handelspolitik u. Außenhandel d. BKW Wien, 1964-65

Sachbearb. an d. AHST in Hongkong, 1965-67 Sachbearb. AHST Tokyo, 1967-68 Sachbearb. im Westeuropa-Referat d. BKW in Wien, 1968-71 Sachbearb. AHST Brüssel, 1971-72 Sachbearb. im Inform.-Referat d. BKW Wien, 1972-77 Handelsdel. in Los Angeles, 1977-83 Handelsdel. in Tokio, 1983-91 Handelsdel. in New York, seit 1992 Ltr. d. Abt. f. Außenwirtsch. d. BWK Wien. P.: Div. Art. über d. japan. Wirt. u. d. japan.-österr. Handelsbez., div. Art. über d. US-Wirt. u. die US-Österr. Handelsbez. in versch. Publ. E.: Gold. VZ d. Landes Wien, Gold. EZ f. Verd. um d. Rep. Österr. H.: Klass. Musik.

Winkler Elfriede
B.: Eigentümerin. FN.: Wr. Modellblusen Elfriede Winkler. DA.: 1140 Wien, Zichyg. 8. PA.: 1130 Wien, Glorietteg. 12. G.: Wien, 9. Juli 1931. El.: Franz u. Rosina Monschein. S.: Gymn., Modeschule Wien, 1960 Mstr.-Prüf. K.: Praxis in renommierten Hause Bischitz am Graben Wien, 1962 Firmengrdg., in 1070 Wien, Kaiserstraße, Tätigkeit f. Adlmüller Wien, Sack's New York, Rinascente Mailand, 1968-88 Schaffung einer "Exklusiv Kollektion" f. Resi Hammerer, seit 1988 Verkauf d. Blusen auch in Japan. BL.: 1966 1. Auslandspräsentation v. Blusen im "Austrian Look" inspiriert v. d. Jagdbekleidung d. Landaristokratie u. traditioneller Folklorist. Handarb. H.: Beruf, Musik, Natur. (J.S.)

Winkler Erich Dr. phil. a.o.Prof.
B.: a.o.Prof. i.R. PA.: 6020 Innsbruck, Andechsstr. 17. G.: Lienz, 8. Jan. 1921. V.: Antonia, geb. Singer. S.: Matura in Wien, 1938-47 Arbeitsdienst, Wehrmacht u. russ. Kriegsgefangenschaft, 1947-52 Stud. Botanik, Zoologie, Physik u. Chemie an d. Univ. Innsbruck, Prom. 1952. K.: 1953-63 Ass. am Botan. Inst. in Innsbruck, 1964-73 Doz. am Botan. Inst. Innsbruck, 1974-81 a.o.Prof. f. angew. Botanik, 1981 Ruhestand, b. 1987 Tätigkeit am Inst. P.: Habil.-Arb. über Photosynthese versch. Kartoffelsorten, Unters. über Photosynthese v. Mais, Weizen, Fichten u. Latschen, 24 Veröff. in Planta, Flora, Wetter u. Leben, Bodenkultur, Europ. Potatoe J., Arb. über Photosynthese u. Erträge v. Nutzpflanzen im Inntal u. um Innsbruck in Abhängigkeit v. Klima, Photosynthese u. Erträge v. Ldw. Nutzpflanzen um Innsbruck u. in Rinn u. Axams in 50 J. Landesanst. f. Pflanzenzucht u. Samenprüf. in Rinn (1989). M.: Europ. Ges. f. Kartoffelforsch., Dt. Botan. Ges. u. Ges. f. angew. Botanik. H.: Botanik, physikal. Meßtechnik. (G.P.)

Winkler Ewald Prof.
B.: Mtgl. d. Wr. Staatsopernorchesters (1955-90; als Solocellist 1955-73) u. d. Wr. Philharmoniker (1957-90). PA.: 1190 Wien, Dollinerg. 5/25. G.: Wien, 11. Apr. 1925. V.: Prof. Christine (Solistin d. Wr. Kammerorchesters seit 1952), geb. Genser. Ki.: Mag. Christian (1956), Raimund (1965), Ulrich (1966). El.: Prof. Wilhlem (Solocellist in d. Volksoper, Prof. am Konservatorium d. Stadt Wien, Mtgl. d. Sedlak-Winkler-Quartetts) u. Anna, geb. Wunderer. BV.: Onkel Prof.

Alexander Wunderer Oboist, Vorst. d. Wr. Philharmoniker (1923-32). S.: Gymn., 1945/46 Beginn d. Musikstud. (Violoncello) Mozarteum Sbg., 1948-54 Stud. Ak. f. Musik b. Prof. Krotschak Wien, 1954 Reifeprüf. K.: während d. Studienzeit Substitut in d. Volks- u. Staatsoper, seit 1952 Mtgl. d. Kammerorchesters, Konzerttätigkeit m. Klaviertrio Genser Winkler: Gastspiele im In- u. ausland, Rundfunkaufnahmen, solist. Mitwirkungen, 1972-92 Prof. am Joseph Haydn-Konservatorium in Eisenstadt. P.: Schallplattenaufnahmen f. MHS. E.: 1967 Prof., 1976 EK f. Wiss. u. Kunst, 1981 Gold. VZ d. Landes Sbg., 1982 Ehrenring d. Wr. Philharmoniker f. 25 J. Mtgl. M.: 50 J. Mtgl. b. ÖAV Sekt. Edelweiß. H.: Ahnenforsch. (T.T.)

Winkler Franz
B.: Inh., Koch u. Kellner. FN.: Gasthaus Winkler. DA./PA.: 3100 St. Pölten, Mühlweg 64. G.: St. Pölten, 8. Sept. 1947. V.: Ilse, geb. Scheidinger. Ki.: Franz. El.: Franz u. Rudolfine. S.: VS, HS, 1961-63 HASCH St. Pölten, 1963-66 Hotelfachschule Wien. K.: 1967-70 Saisonarb. i. Hotels, 1970 Mitarb. i. elterl. Betrieb, 1975 Übernahme u. Umbau d. elterl. Betriebes z. Restaurant. (M.G.)

Winkler Franz KommR.
B.: gschf. Ges. d. Fa. Winkler Markt GmbH & Co KG. DA.: 4040 Linz, Auhof Altenbergerstr. 40. PA.: 4203 Altenberg, Gallneukirchnerstr. 1. G.: Altenberg, 3. Febr. 1934. V.: Maria, geb. Tschernuth. El.: Franz u. Hermine. S.: VS, HS, kfm. Berufsschule. K.: 1952 Eintritt in d. elterl. Unternehmen in Altenberg, 1961 Übernahme, 1972 Eröff. d. Winkler Marktes in Linz-Auhof, 1976 Ausweitung z. EKZ, 2. Filiale 4201 Gramastetten. F.: Winkler Markt GmbH & Co KG Altenberg u. Linz-Auhof. M.: Landes- u. Bundesgrem. f. Lebensmittelhdl. H.: Reisen, Schwimmen, Wandern. (Deu.)

Winkler Franz Mag. pharm.
B.: Präs. d. Österr. Apothekerkam. GT.: AufsR.Vors. d. Österr. Apothekerbank rGmbH Wien u. d. Herba Apotheker AG Wien, AufsR. d. Pharmazent Ind.Beteiligungs u. Datenverarb. AG Wien. A.: 6094 Axams, Georg-Bucher-Str. 35. E.: Gr. EZ f. Verd. um d. Rep. Österr., Gold. EZ f. Verd. um d. Rep. Österr.

Winkler Franz Günter Mag.
B.: Dir. FN.: BRG u. BG. DA.: 2136 Laa a. d. Thaya, Martin Wachter Pl. 6. G.: Wien, 6. Juli 1943. V.: Vladimira Sestakova. Ki.: Mag. Isabella (1964), Dipl.-Ing. Franz-Günter

(1965), Andrea (1967), Kristina (1994). El.: Franz u. Hertha W. S.: 1961 BG Hollabrunn, 1966 Lehramtsprüfung a. d. Univ. Wien. K.: 1966 Lehrer am BRG u. BG Laa a. d. Thaya, 1982 Dir. am BRG u. BG Laa a. d. Thaya mit Schwerpunkt Sprachenunterricht, EDV-Einführung in die Informatik, Techn. Ausstattung/Elektr. Medien, Schulpartnerschaft mit dem Gymn. Breclav. E.: 1991 Gr. Ehrenzeichen f. Verd. d. Landes NÖ, 1994 F. Stangler Gedächtnispreis f. Erwachsenenbildung, 1994 Titel Hofrat. M.: 1972-83 Stadtrat Kultur, 1967-93 Erwachsenenbildung/VHS, 1982-93 2. Vors. d. Verbandes d. NÖ. Volkshochschulen. H.: Modelleisenbahn. (T.T.)

Winkler Friedrich Dipl.-Ing.

B.: Arch., Ziviltechniker. DA.: 1030 Wien, Seidlg. 21. PA.: 1220 Wien, Tietzestr. 2. G.: Wien, 23. Juni 1936. V.: Gerda. Ki.: Reinhardt, Günther. El.: Friedrich u. Henriette. S.: Matura 1954, Stud. an d. TU Wien. K.: Praxis in versch. ZT-Büros, s. 1982 selbst. Arch., Schwerp.: Industrie- u. Verkehrsbau, Schul- u. Verwaltungsbau, gerichtl. beeid. Sachv. f. Fassadentechnik u. Innenarch. H.: Aquarellmalerei, Holzbildhauerei, Klass. Musik, Sporttauchen. (J.S.)

Winkler Georg

B.: Gschf. FN.: Sport Center Ellmau GmbH & Co KG. PA.: 6352 Ellmau, Dorf 90. G.: Saalfelden, 22. Jan. 1930. V.: Maria, geb. Hochfilzer. Ki.: Hannes, Georg, Christine. El.: Franz u. Anna. S.: VS, HS, Tischlerlehre m. Gesellenprüf. K.: Reisbürogewerbe, 30 J. b. TUI im In- u. Ausland, 1970 Gschf. u. Dir. Sport Center Ellmau, 1971-72 Bau d. Hartkaiserbahn, Mitbegründer d. größten Skizirkus - Wilder Kaiser b. Brixental. F.: Reisebüro, Sportgeschäft, Hotel. E.: Ehrenurkunde d. Ges. M.: 12 J. GemR., 12 J. im Verkehrsverb. u. Sportver., Ski- u. Tennisclub. H.: Lesen, Skifahren, Tennis, Schwimmen, Bergsteigen, Musik, Theater. (W.G.)

Winkler Gerhard Dr.

B.: Vorst.-Mtgl. FN.: Schlumberger AG. DA.: 1140 Wien, Scheringg. 4. G.: Schärding, 21. Juli 1950. V.: Katharina. Ki.: Johannes, Benedikt, Anna. El.: Dr. Adolf-Karl u. Irmhilt. S.: 1969 Matura, HS f. Technik, Maschinenbau u. Physik Univ. Wien, 1975 Mag., 1977 Prom. K.: b. 1980 Kunden- u. Betriebsberater b. Michelin, seit 1980 Schlumberger, 1982 Marketingltr., 1986 Mtgl. d. Vorst. H.: Golf, Skifahren, Tennis, Reisen. (J.E.)

Winkler Gerhard Prof.

B.: Akad. Maler, Kunstpädagoge, freischaff. Künstler. A.: 6850 Dornbirn, Wälderstr. 16. G.: Wien, 4. Juni 1939. V.: Lydia, geb. Grabher. El.: Winkler Franz u. Anna. S.: Gymn., Ak. d. Bild. Künste u. Univ. Wien. K.: Kunstpäd. Tätigkeit (Kinder, Studenten, Erwachsenenbild.), Ausstellungen u. Ausstellungsbeteiligungen sowie Präsentation v. Arbeiten im In- u. Ausland. E.: Preis d. Ak. d. Bild. Künste. M.: Lions-Club, Künstlerhaus Vbg.

Winkler Gottfried Dr. Prof.

B.: Ltr. d. Abt. f. Bildungspol. u. Wissensch. d. WKÖ, Hon.-Prof. f. Arbeitsrecht Univ. Wien. DA.: 1040 Wien, Wiedner Hauptstr. 63. PA.: 1190 Wien, Silberg. 45/8. G.: Wien, 21. Dez. 1939. V.: Charlotte, geb. Hagen. Ki.: Martina (1971), Peter (1974). El.: Dir. KommR. Gottfried u. Karoline, geb. Wolf. S.: Gymn., Stud. Rechtswiss. Univ. Wien. K.: 1962-64 Ass. b. Prof. Schmölz Univ. Sbg., Politikwiss., 1964 Eintritt in d. wiss. Abt. d. BWK, seit 1969 Ltr. d. Abt., seit 1975 Ltr. d. wiss. u. bild.-polit. Abt., 1981 Hon.-Prof. f. Arbeitsrecht an d. Univ. Wien, 1981-85 Lehrbeauftragter f. Wirtschaftsverw.-Recht u. Arbeitsrecht an d. WU Wien. P.: ca. 40 Veröff. auf d. Gebiet d. Arbeits-, Sozial- u. Wirtschaftsverw.-Rechtes, über 50 Buchrezensionen. M.: Österr. Juristentag, Österr. Ges. f. Arbeits- u. Sozialrecht, Österr. Forsch.-Ges. f. Arbeitsbez., Mtgl. d. FHS-Rates, Görres-Ges. (N,.A.)

Winkler Günther Dr. iur. Dr. iur. et Dr. phil. h.c. Univ.-Prof.

B.: o.Prof., Staats- u. Verwaltungsrecht, Rechts- u. Staatslehre. A.: 1030 Wien, Reisnerstr. 22/5/11. G.: Unterhaus, 15. Jan. 1929. S.: Stud. d. Rechtswiss. in Innsbruck, Dr. iur. 1951. K.: Univ.Doz. in Innsbruck 1955, Wien 1956, a.o.Prof. 1959, o.Prof. 1961, Dekan 1965-66, Rektor 1972-73, Prorektor 1973-75, seit 1973 Präs. d. Inst. f. Chinesische Kultur in Wien. P.: selbst. Publ. bzw. Monographien: "Der Bescheid" (1956, 1989), "Die absolute Nichtigkeit" (1960), "Wertbetrachtung im Recht u. ihre Grenzen" (1969), "Gesetzgebung u. Verw. im Wirtschaftsrecht" (1970), "Orientierungen im öffentl. Recht" (1979), "Die Rechtspersönlichkeit d. Universitäten" (1988), "Theorie u. Methode in d. Rechtswissenschaft" (1989), "Rechtstheorie u. Erkenntnislehre" (1990), Studien zum Verfassungsrecht (1991), Rechtswissensch. u. Rechtserfahrung (1994), Zeit u. Recht (1995), wichtigste Aufsätze: "Die Wissenschaft v. Verwaltungsrecht" (1979), "Sein u. Sollen" (1979), "Gesetzgebung u. Verwaltungsrecht" (1981 in Forsch. aus Staat u. Recht Bd. 85, Hrsg. d. Forsch. aus Staat u. Recht, Springer-Verlag Wien - New York (gegr. 1963), 1. Veröff. 1967, seither 110 Bände veröff., weitere Bände in Vorbereitung. E.: Zahlr. in- u. ausländ. Ausz. M.: Mtgl. österr.-ausländ. Ges. d. Intern. Law Assoc., d. Inst. du droit administratif (Belgien), d. intern. Vereinigungen f. Verw. Wiss., f. Politikwiss., f. Rechts- u. Sozialphil., d. Vereinigung d. dt. Staatsrechtslehrer.

Winkler Hannes Dr. med.

B.: Chir., Arbeitsmed. u. Betriebsarzt. DA.: 1180 Wien, Währinger Str. 132. G.: Wien, 5. Juni 1940. V.: Gerlinde, geb. Homann. Ki.: Michaela. S.: Externisten Reifeprüf. Wien, Med.Stud. Univ. Wien, 1971 Prom, 1986 Absolvent d. Lehrganges f. Arbeitsmed. K.: 1971-77 Turnus- u. Ass.Arzt im KH d. Barmherzigen Brüder, OA im KH d. Barmherzigen Brüder St. Veit/Glan, OA KH Schladming u. Hainburg, 1977 FA-Anerkennung f. Chir., 1979 Gefäßkurs in Amsterdam, seit 1981 allg. gerichtl. beeid. Sachv., seit 1986 ständig beeid. gerichtl. Sachv., seit 1987 Vorst.Mtgl. d. Österr. Ges. d. Gutachterärzte, chir. Tätigkeit im Sanatorium Hera Wien. P.: Ein Fall eines primären Milzsarkom 1976, 1979 Die chir. Notfall-Laparskopie im Grundversorgungs-KH. E.: Gold. Verd.Kreuz d. ARBÖ. M.: Österr. Ges. f. Chir., Österr. Ges. f. Arbeitsmed., Österr. Ges. f. Gasterenterologie seit 1987, Mtgl. d. Europ. Ges. f. Gastroenterologie (Europ. Assoc. f. Gastroenterology and Endoskopy). H.: Garten, Blumen, Tiere, Fotografie, Schwimmen, Tischtennis. (C.K.)

Winkler Hannes Dr. rer. soc. oec. Mag.

B.: Gschf. Ges. FN.: EFS & Partner Unternehmensberatungs GmbH.DA.: 1030 Wien, Ungarg. 59-61. PA.: 2361 Laxenburg, Altes Schloß. G.: Wien, 10. Sept. 1955. El.: Dr. Hans u. Stefanie. S.: 1974 Matura, Stud. d. Betriebsinformatik in Wien, 1979 Mag., Abfassung d. Diss. in Paris, 1982 Prom. in Wien, 1981-83 Stud. Stanford-Univ. in Kalifornien, 1983 MBA. K.: 1984-88 b. McKinsey & Co in San Francisko, Hong Kong, Tokyo, Sydney u. München, 1988 Gschf. Ges. d. EFS & Partner Unternehmensberatungs GmbH. H.: Fliegen, Tauchen, Segeln. (P.R.)

Winkler Hans Dr. iur.

B.: Dir. d. Landesdion. Vbg. d. EA-Generali. DA.: 6900 Bregenz, Montfortstr. 9-11. PA.: 6890 Lustenau, Rheindorferstr. 24. G.: Lustenau, 24. Okt. 1929. V.: Elsa, geb. Hofer. Ki.: Hans (1957), Klaus (1959). El.: Josef u. Christine.

S.: 1949 Matura, b. 1954 Jusstud. Wien. K.: 1954 Gerichtsj. in versch. Städten, 1955 Eintritt EA, seit 1971 Landesdir. H.: Gärnterei, Lesen, Reisen. (A.K.)

Winkler Harald

B.: Gendarmeriebmtr., Bob-Fahrer. PA.: 8010 Graz, Fischerg. 16. G.: Graz, 17. Dez. 1962. El.: Ewald u. Hedi. S.: AHS (Matura 1981), BH, Gendarmerieschule. K.: Seit 1983 Polizei, 5-Kampf, 1974 Österr.-Rekord, s. 1986 Bob-Fahrer, 1987/88 Qualifikation f. Olymp. Spiele (5. Pl. im 2er-Bob), Gesamtweltcupsieger, Weltcupsieger im 4er-Bob, 1988 steir. Rekord über 100m Sprint, 1988/89 Europameister 4er-Bob, Weltcupsieger im 4er-Bob. E.: Sport-EZ d. Stadt Graz 1989, Pro merito Med. d. Gend. M.: UNION-Sparkasse Graz, TSV-Collegialität, Gend.-Sport-Ver. H.: Reisen, Tennis, Motorcross. (C.H.S.)

Winkler Heinrich

B.: Gschf. Dir. d. Freien Wirtschaftsverb. DA.: 6800 Feldkirch, Reichstr. 175. PA.: 6922 Wolfurt, Martinsweg 7. G.: Judenburg, 9. Apr. 1942. V.: Ilse. Ki.: Heinz (1966), Carmen (1967), Günter (1968), Wolfgang (1969), Brigitte (1972). El.: Heinrich u. Maria. S.: VS, Gymn., 1961-62 BH. K.: 1963 Textilind. Dornbirn, 1974 Disponent BRD, 1974-79 Gem.-Steuerprüfer Stadt Bregenz, 1979 Eintritt Freier Wirtschaftsverb. Vbg. als Gschf. Informations- u. Servicestelle f. Selbständige. P.: Zeitung d. Landesorgan. Vbg. E.: 1992 Goldenes VZ d. Rep. Österr. M.. Mtgl. d. Aufs.-Rates d. Vlbg. Landesversicherung, SPÖ, Arbeitersamariterbund, Volkshilfe, Landesparteivorst. SPÖ Landtagsclub, Sozialvers. d. Gewerbl. Wirtschaft, Landesstellenaussch. u. Hauptversammlung. H.: Lesen, Wandern. (I.D.)

Winkler Helene

B.: Inh., Friseurmstr. FN.: Frisiersalon Helene Winkler. GT.: Besitzerin eines Miethauses i. Simmering, für das selbst d. Hausverwaltung durchgeführt wird. DA. u. PA.:: 1110 Wien, Kaiser Ebersdorferstr. 271. G.: Wien, 16. Apr. 1954. El.: Franz u. Helene. S.: Sacre Coeur, Hasch Marienanstalt. K.: 1971-84 im Sekretariat i. d. PR Abt. von NCR, 1985-87 im zweiten Bildungsweg Friseurin gelernt, 1987 Mstr.-Prüf., 1987 Übernahme d. Friseurgeschäftes d. Mutter. M.: Schatzamstr. d. IFM, Vorst.-Mtgl. u. Kassier d. Bezirkswirtschaftsbundes, Mtgl. d. Präsidiums d. Clubs marcel. H.: Ausstellungen besuchen, Kunstreisen, Konzerte, Lesen, Ausgleichssport. (F.S.)

Winkler Horst Ing.

B.: Gschf. u. VDir. FN.: Der Anker Allgem. Vers. AG. DA.: 1010 Wien, Hoher Markt 10-11. PA.: 1190 Wien, Sieveringer Str. 130. G.: Wien, 19. Mai 1936. V.: Eleonore, geb. Lurf. Ki.: Mag. Beatrix. S.: 1955 HTL-Matura, 1960 TU Wien b. z. Bmstr.-Prüf. K.: 1955-68 Tätigkeit im väterl. Betrieb, 1968 Bauabt. AnkerVers. AG, 1971 Hausverw. u. Immobilienmaklerprüf., 1972 Chef d. Immobilien- u. Bauabt., VDir., seit 1974 eigenes Sachverst.Büro , Gschf. Römertor Vers.-Makler, Immobilien u. Bau GmbH, Gschf. Marc Aurel, seit 1974 allg. beeid. gerichtl. Sachv., seit 1988 BezR. v. 19. Wr. Gem.-Bez. P.: Studentenhistor. Veröff., Art. über d. Roten Hof (1968). M.: Innungsaussch. d. Bauinnung f. Wien, Aussch. d. Innung d. Immobilientreuhänder, Bauaussch. v. 19. Wr. Gem. Bez. H.: Studentenhistor. Forsch., Skifahren, Reiten, Lesen. (M.-L.A.-M.)

Winkler Herwig Ing.

B.: Gschf. Ges. FN.: Aircom Holding. GT.: Mitarb. d. fr. Wirt.-Verb. Wien f. d. Luftfahrt zuständig. DA.: 1010 Wien, Friedrichstr. 6. PA.: 1230 Wien, Schloßgartenstr. 51. G.: Villach, 2. Apr. 1961. V.: Andrea Maria, geb. Sieder. Ki.: Daniel Matthias (1990), Elisa Sophie (1992). El.: Otto u. Josefine. S.: 1961 Matura HTL Villach, Abt. f. Hochbau. K.: 1982-94 Flugverkehrsltr. b. Austro Control, 1983 Privatpilotenschein, s. 1988 Selbst., Grdg. d. Aircom Holdung, spez. a. weltweiten Flugzeughandel u.-Leasing u.a. Vietnam, Iran etc., Ank. v. 22 Flugzeugen d. Type DV 20 Katana d. Österr. Prod. Hoac z. weltweiten Vermietung. BL.: 1. Leasingfa. d. fr. Wirt.-Verb. Wien f. d. Luftfahrt zuständig. P.: Publ. z. Thema Flugverkehrskontrolle. H.: Fliegen, Reiten, Autos, Antiquitäten, Skilehrer. (J.S.)

Winkler Josef

B.: Hotelier d. Hotel-Pension Maarhof. DA.: 9900 Lienz, Maarfeldweg 18. G.: Lienz, 20. März 1959. V.: Helga, geb. Gliba. Ki.: Thomas (1982), Michaela (1985), Marie-Christine (1991). El.: Josef u. Aloisia. S.: VS, HS, Koch- u. Kellnerlehre m. Abschluß, Konzessionsprüf. K.: 1986 Übernahme d. elterl. Betriebes, 1987 Erbau d. Skihütte Steinermandl Panorama. H.: Klettern. (M.T.)

Winkler Josef

B.: Schriftsteller. DA.: 9711 Paternion, Kamering 12. G.: Kamering, 3. März 1953. El.: Jakob u. Maria. S.: 8klassige VS in Kamering. P.: "Menschenkind", Roman, Suhrkamp 1979, "Der Ackermann aus Ktn.", Roman, Suhrkamp 1980, "Muttersprache", Roman, Suhrkamp 1982, "Der Leibeigene" Roman, Suhrkamp 1987, "Friedhof d. bitteren Orangen", Roman, Suhrkamp 1990. E.: Preis d. Jury d. Ingeborg-Bachmann-Preises 1979 in Klagenfurt, Anton-Wildgans-Preis 1980, Kranichsteiner Literaturpreis 1990 Darmstadt.

Winkler Karl Dr. iur. w.HofR.

B.: Ltr. d. Sozialhilfeabt. d. Amtes d. OÖ LRg. DA.: 4020 Linz, Altstadt 30. PA.: 4132 Lembach, Buchetwies 9. G.: Lembach, 24. Aug. 1933. V.: Theresia, geb. Birngruber. Ki.: Gudrun (1971), Ruth (1973). El.: Ignaz u. Maria. S.: VS, HS, Hum. Gymn. Linz, 1953 Matura, 5 Sem. Phil. u. Theol. an d. Univ. Linz, Stud. d. Rechtswiss. an d. Univ. Wien u. Innsbruck, Prom. 1969. K.: 1963 Eintritt in d. LDienst, 1969 Ltr. d. Aufgabengruppe Jugendwohlfahrt, 1974 Stellv. d. Ltr. d. Abt. Sozialhilfe, seit 1977 Ltr. dieser Abt. BL.: Begründer d. Sozialsprengels westl. Mühlviertel. H.: Pferdezucht, Ldw. (Deu.)

Winkler Karl KommR. KamR.

B.: Bäckermstr. DA.: 6020 Innsbruck, Pradlerstr. 53. G.: Sterzing, 25. Aug. 1931. V.: Elisabeth, geb. Welser. Ki.: Andrea, Mag. Karl. K.: seit 1958 selbst. Alleininh. d. "Bäckerei Cafe Karl Winkler KommR.", LInnungsmstr. d. Tir. Bäcker, BInnungsmstr. d. österr. Bäcker, Stellv. Sekt.Obm. d. Tir. Gewerbes, Stellv. BSekt.Obm. d. österr. Gewerbes, Vors. in mehreren Kammerfunkt. auf Landes- u. BEbene, Vors. in mehreren fachbezogenen Prüf.Kmsn., Vors.

d. ISV. E.: 1984 KommR., Sport-EZ d. Stadt Innsbruck, Gold. EZ d. T.S.V., Gold. EZ d. A.S.V.Ö., Gold. Ehrenring d. Innsbrucker Schiläuferver., Sport-EZ d. Landes Tir. H.: Skifahren, Bergwandern.

Winkler Karl

B.: Inh. FN.: Baumschule Winkler. DA.: 9871 Seeboden, Seehofstr. 36. PA.: 9871 Seeboden, Wirlsdorferstr. 15. G.: Seeboden, 22. Aug. 1947. V.: Elfriede, geb. Rindlisbacher. Ki.: Elisabeth (1973), Susanne (1974), Johanna (1974), Karl (1976), Andreas (1982). El.: Karl u. Maria. BV.: s. 16. Jh. nachwsb. i. Seeboden ansäss. Bauernfam. S.: VS, HS, BS u. Lehre-Gärtn. u. Spez.Schule: Baumsch. u. Gartengest. K.: s. 1964 Mitarb. i. 1948 gegr. elterl. Betr., Weiterbild. u. Besuch v. Sem. i. ganz Europ., 1980 Übern. d. Betr. P.: Mitarb. u. Herausg. b. Fachztschr. u. Pflanzenbüch., Vortragstät. M.: Vorst. d. Raiffeisenk. Seeboden, Obm. d. Ortsteil. Wirlsdorf/Seeboden. H.: Sport, Musik, Klavier. (G.L.)

Winkler Klaus

B.: Gschf. FN.: "interio" Möbel u. Einrichtungen Vertriebs GmbH. DA.: 2353 Guntramsdorf, Industriestr. 9. PA.: D-3384 Liebenburg, Poststr. 36. G.: Perleberg/BRD, 27. Jan. 1948. V.: Dorothea, geb. Kopietz. Ki.: Natalie (1976), Bastian (1981). El.: Rudolf u. Johanna. S.: 1967 Gymn.-Abitur, 4 J. Dt. Bundeswehr, Einzelhdls.-Lehre, Päd.-Stud. HS Braunschweig. K.: 1981-85 Lehrer an div. HS f. Math., Sport u.a. in Deutschland, 1985-89 Schulungsltr. b. Firma Möbel-Unger Deutschland, 1990 Filialltr. b. Firma Möbel Roller Braunschweig, ab 1991 Projektltr. b. Firma "interio" Deutschland, ab Nov. 1991 Landesltr. b. Firma "interio" Österr. H.: Reisen, Skifahren. (M.M.)

Winkler Kurt

B.: Gschf. FN.: Rhomberg Textil GmbH. DA.: 6850 Dornbirn, Postfach 6. PA.: 6130 Schwaz, Fiecht Pax 74. G.: Schwaz, 7. Juli 1954. V.: Susanne. Ki.: Julia (1980), Tina (1985). El.: Wilhelm u. Elisabeth. K.: 1973-80 Buchhalter b. Tirolia Schwaz, 1980-83 Ltr. kfm. Bereich im Rechenzentrum West, 1984-88 kfm. Dir. b. Kneissl Tir., 1988 Rhomberg Textil, 1991 Gschf. Rhomberg Textil GmbH. H.: Tennis, Skifahren.

Winkler Manfred W. Dkfm. KommR.

B.: Dir., Gschf. FN.: Knauf GmbH. GT.: Fachkundiger Laienrichter d. Handelsgerichtes Wien, Dir. Österr. Agrarind. AG 1967-81, Dir. OÖ Stärke & Chemie Ind. GmbH 1967-81, Gschf. Hoffenreich & Söhne Wien 1978-81, Gschf. Knauf GmbH 1981, Gschf. Knauf Dämmstoff GmbH 1988, Gschf. Knauf Vermietungs GmbH 1988, Gschf. Ges. Dkfm. Manfred Winkler Handels GmbH 1990, Gschf. KNAUF spol sro, Bratislava/Slowakei 1992, Gschf. KNAUF KFT, Budapest 1990, Gschf. Lasselsberger-Knauf Kft, Veszprem/ Ungarn 1991, Gschf. KNAUF GmbH, Laibach/Slowenien 1991. A.: 2372 Gießhübl, Hauptstr. 134. G.: Leopoldsdorf, 7. Aug. 1940. V.: Mag. Ilse, geb. Gegenbauer. El.: Walter u. Magdalena. S.: BRG, HS f. Welthdl., Univ. de Barcelona. K.: Dion.-Ass., Verkaufsltr., Marketing- u. Vertriebsdir. P.: Fachpresse. E.: Gold. VZ d. Rep. Österr. Silb. EZ d. Rep. Österr., Gold. EZ d. BLandes OÖ, Silb. EZ d. BLandes NÖ. M.: Obm.-Stellv. d. Fachgruppe Gipsind., Obm. d. Putz- u. Mörtelind. im Fachverb. Stein- u. Keramik 1991, Vorst.-Mtgl. d. Arge Gipsind. Wien 1982, Vorst.-Mtgl. d. Österr. Trockenbauer seit 1983.

Winkler Martin Mag.

B.: Verb.-Vors. d. Sozialist. Jugend Österr. DA.: 1060 Wien, Neustiftg. 3. PA.: 1220 Wien, Rugierstr. 32/6/4. G.: Katsdorf, 14. Mai 1963. El.: Johanna Winkler. S.: 1983-89 Stud. Vw. Johannes Kepler-Univ. Linz, 1989-90 Management-Trainee Programm b. d. VOEST-Alpine Holding. K.: 1989-90 Praxis b. d. VOEST-Alpine u. Austrian Industries, ab 1990 Verb.-Vors. d. Sozialist. Jugend Österr. P.: div. Art. zu Themen Neutralität, Europ. Gemeinschaft u. Österr., Veröff. in div. Zeitungen u. Zeitschriften. M.: Freidenker, SPÖ, Gewerkschaftsbund. H.: Reisen, Sport, Literatur. (N.A.)

Winkler Martin Dr. med.

B.: ltd. Arzt d. Kurzentrums Parkhotel Igls, prakt. Arzt. PA.: 6020 Innsbruck, Höhenstr. 16a. G.: Salzburg, 3. Dez. 1940. V.: Anneliese, geb. Sapelza. Ki.: Alexandra, Andreas. El.: Dr. Martin u. Katharina. S.: Gymn. Sbg., 1961 Matura, 1968 Prom., Turnus in Vöcklabruck. K.: 1971-81 Sprengelarzt in Sölden/Ötztal, seit 1982 Ltg. d. Gesundheitszentrum Sanatorium f. Regenerationstherapie nach Dr. F.X. Mayr. P.: 1) Arb. über Eiweißstoffwechsel: Ausscheidung v. Polyaminen während einer Fastenkur, 2) Auswirkungen der Mayr-Kur auf d. Bakterienflora. M.: Ärztekam. f. Tir., Mtgl. d. Vorst. d. Dt.-Österr. Mayrges. H.: Golf. (D.S.)

Winkler Peter Franz sen.

B.: Schmiede- u. Schlossermstr. FN.: 400 J. Schmiedebetrieb Peter Winkler. DA. u. PA.: 9800 Spittal/Drau, Villacher Str. 12. G.: Spittal/Drau, 26. Nov. 1914. V.: Josefine, geb. Leitner. Ki.: Peter jun. (1948). El.: Peter u. Maria. S.: VS, HS, 1929-32 Schmied- u. Schlosserlehre. K.: Mitarb. im elterl. Betrieb, 1937-39 Tätigkeit in einer Lokfbk. in Rosenheim, Kriegsdienst, 19474-9 Gschf. in d. Privatwirtschaft in Ferndorf, ab 1949 Mitarb. im elterl. Betrieb u. 1950 Übernahme. E.: EZ d. Landes Ktn. M.: 1946-56 Prüf.-Kmsn. f. Lehrlinge, Bergwacht, Vorst. Heimatmuseum Spittal/Drau u. Handwerksmuseum Baldramsdorf, Vorst. Turnver., Kameradschaftsbund, Abwehrkämpferbund. H.: Arb. (G.L.)

Winkler Reinhard

B.: Werbegrafiker (selbst.). DA.: 4020 Linz, Hessenpl. 9. PA.: 4020 Linz, Schillerstr. 54. G.: Linz, 16. Jan. 1946. V.: Ingrid, geb. Klein. Ki.: Reinhard, Johann, Birgit, Petra. El.: Anna u. Leopold. S.: Kunstschule Linz 1960-65. K.: 2J. Werbegrafiker u. Dekorateur in Linzer Kaufhaus, 2J. Werbung in Großdrogerie, 2J. Werbeagentur Düsseldorf, ab 1971 selbst. m. Grafik u. Werbegestaltung. H.: Bergsteigen. (P.H.)

Winkler Robert KommR.

B.: Hotelier, Ldw. FN.: Hotel am Sachsengang GmbH & Co KG. G.: Großenzersdorf, 13. Apr. 1927. Ki.: Mag. Susanne, Nikolaus. El.: Robert u. Anna. S.: VS, HS, Hotelfachschule Wien, 1947 Abschluß. K.: Arb. in d. elterl. Betrieben: Ldw. u. Gasthof Winkler (Spezialitätenrestaurant m. rustikaler Note), 1962 Restaurant am Sachsengang, 1973 Hotel am Sachsengang. BL.: Aufbau d. Freizeitgebietes Donau-Oberkanal. E.: 1977 Gr. EZ NÖ, 1987 Gr. Silb. HK-Ausz., 1952 KommR. M.: Präs. d. Bundes Österr. Gastlichkeit, Präs. d. Round Table Konferenzhotels, Vorst. d. Gast- u. Schankgewerbes NÖ, Obm. d. Wasser- u. Fischereigen. Großenzersdorf, Lions Club. H.: Gastronomie, Fotografie. (S.S.)

Winkler Ulrike

B.: Inh. u. Gschf. FN.: Ballettschule Ulrike Winkler. DA.:/PA.: 2344 Maria Enzersdorf-Südstadt, Donaustr. 107/1, G.: Mödling, 5. Juni 1955. V.: Adolf Prof. Ki.: Bernhard (1981). El.: Rudolf u. Anna, geb. Stadtherr. S.: 1973 Matura

Gym. Mödling, 1973-75 Stud. Theaterwiss. Univ. Wien, 1974-76 Sprach.-Stud. Engl. u. Franz. Univ. Wien, 1976-79 Stud. Tanz u. Tanzpädagogik Konservat. d. Stadt Wien, 1979 Dipl.-Prüfung. K.: 1973-75 Bankangestellte i. Wien, 1976-79 Engegements a. Tänzerin a. Volkstheater, 1979-80 Engegements a. Raimund Theater, 1981 Mutter u. Hausfrau, 1982-83 Tanzpädagogin i. versch. Ballettschulen i. Wien, 1983 lfd. selbst. Gründ. eig. Ballettschule m. Zweigstellen i. Ebreichsdorf, Perchtoldsdorf, Gumpoldskirchen, Trumau, Pottendorf u. Gramat Neusiedl, ab 1992 nurmehr Zweigstelle i. Ebreichsdorf, Unterrichtsfächer: klass. Ballett, Akrobitik, Jazz-Tanz, Steppen, Charakter Tanz, Unterr. v. Kindern ab 4 J., selbstentwerfen u. schneidern d. Kostüme, 1988 Uraufführung d. Kinderballetts "Traumgespenster", komponiert v. Gatten Prof. Winkler, Ballettaufführungen i. d. Zweigst. E.: Silberne Ausz. d. Ges. f. Musiktheater. M.: Ges. f. Musiktheater. H.: Kostüme schneidern, Lesen, Skifahren, Eislaufen, Jazz-Tanz, Steppen. (I.K.)

Winkler Volker

B.: Spenglermstr. u. Installationsunternehmer, Gschf. Ges. d. Fa. Energietechnik Winkler GmbH. PA.: 5661 Rauris, Marktstr. 39. G.: Sachsenhausen/BRD, 29. Juli 1945. Ki.: Volker, Roland, Simone. El.: Hans u. Hewig. S.: Lehre als Spengler u. Installateur, 1969 Mstr.Prüf. u. Konzessionsprüf. K.: 1970 Grdg. einer eigenen Fa. vorerst f. Zentralheizungsbau u. Spenglerei, 1986 Umstrukturierung in eine Fa. f. Energietechnik u. in eine GmbH, 1972-89 Gschf. u. Vorst.Vors. d. Rauriser Hochalmbahnen, 1974-92 Gem. Vertreter, 1984-92 LAbg., 1975-77 Mtgl. d. FPÖ-Bez.Parteiltg. Pinzgau, 1977-85 stellv. Bez.Parteiobm. Pinzgau, 1985-89 Bez.Parteiobm. Pinzgau, 1975-92 Mtgl. d. FPÖ-LParteiltg., 1987-92 LParteiobm., 1985-92 LandesR., im Okt. 1992 aus allen pol. Funktionen ausgeschieden. E.: Silb. VZ d. FVK d. Landes Sbg., Gold. EZ d. Landes Sbg. H.: Videofilm, Skifahren, Sportgewehrschießen. (M.B.)

Winkler Werner

B.: Ind.-Kfm., Geschäftsinh. FN.: Siegfried Winkler KG. DA.: 1210 Wien, Schloßhoferstr. 4. PA.: 1220 Wien, An der oberen Alten Donau 196. G.: Wien, 28. Sep. 1955. El.: Siegfried u. Elfriede. S.: VS, HS, HAK, Ind.-Kfm. K.: 1984 Fachgeschäft Schneiderzubehör, spezielle Bademoden, Handarb.-Zubehör. M.: Kam.-Mtgl., Österr. Wirtschaftsbund, D.O.G., Ö.O.G., Dt.-Österr. Orchideenges. H.: Orchideen. (W.M.)

Winkler Wilfried

B.: Tischlermstr., Untern. DA. u. PA.: 9020 Klagenfurt, Dieselg. 3. G.: Klagenfurt, 5. Okt. 1939. V.: Margrit, geb. Hronek. Ki.: Gernot, Roland. El.: Franz u. Paula. S.: Pflichtschulen, Meisterlehre, 1960 Mstr.Prüf. K.: Ab 1960 tätig im elterl. Betrieb in allen Bereichen, 1970 Übern. d. Geschäftsführung u. Einstieg in d. Schulmöbelgeschäft, 1975 Übern. d. Betriebes. BL.: Veränderung d. Produktionsmethode auf traditionsbewußtes Herstellen v. Möbeln m. zeitbezogener Formgebung, bes. Bemühungen b. organ., ideelen u. techn. Fragen. P.: Fachart. in eigener "Winkler's Tischlerpresse" sowie berufsbez. Art. in Tages- u. Fachzeitschriften. E.: Ehem. LMstr. im Oberstufen-Geräteturnen. M.: Vors. d. Mstr.Prüf.Kmsn., Obm. d. Messen- u. Werbeaussch. d. Tischler in Ktn., Bez.Innungsmstr. Klagenfurt, Sekt.Ltr. d. KTV Tennis (Klgf. Turnver.), akt. Mtgl. d. Wulfenia Chores u. Quintett Klagenfurt. H.: Fischen, Singen, Joggen, Tennis, Wandern, Hobbydichter, Kommunizieren. (Hat.)

Winkler Willibald Dr. chem. Mag. pharm.

B.: Bes. d. Apotheke "Rosenhügel". DA.: 1120 Wien, Münchenstr. 10. PA.: 1180 Wien, Buchleiteng. 32. G.: Rochlitz, 28. März 1909. V.: Anna, geb. Faltis. Ki.: Maria. S.: 1929 Matura, Stud. Wien, 1932 Mag. pharm., 1936 Dr. phil. (chem.). K.: Dienst in versch. öff. Apotheken, Militärdienst als Heeresapotheker, nach d. Krieg Ltg. einer Apotheke, 1959 Grdg. d. Rosenhügel-Apotheke.

Winkler Wolfgang

B.: Ltr. d. Musikabt. d. ORF LStudio OÖ. DA.: 4020 Linz, Franckstr. 2a. PA.: 4040 Linz, Jahnstr. 9/2. G.: Graz, 12. Juni 1945. V.: Elisabeth, geb. Polanec. Ki.: Christina. El.: Georg u. Henriette. S.: Gymn. Graz, 1963 Matura, Stud. an d. Ak. f. Musik u. darstell. Kunst Graz. b. 1970. K.: 1963 Grdg. d. IGNM (Intern. Ges. f. Neue Musik), Zweigsektion Graz, 1972 freier Mitarb. im LStudio OÖ, 1972-78 Stud. d. Musikwiss. Univ. Graz, 1978 Ltr. d. Bibl. u. d. Musikwiss. Ref. am Brucknerkonservatorium Linz, 1979 U-Musik-Ref. b. ORF OÖ, seit 1984 Ltr. Musik im LStudio OÖ, Hauptaufgabengebiet: Musik im Hörfunk u. Fernsehen, Mitarb. b. d. Gestaltung d. Festivals d. Ars Electronica v. 1979-85, 1986/87 Mitarb. b. d. Ars Electronica Computerkulturtagen, Lehraufträge an d. Grazer Univ. u. am Linzer Bruckner-Konservatorium über Medien-Ästhetik. P.: Fachaufsätze in d. Österr. Musikzeitschrift, Sendungen im ORF, Fernsehfilme wie "Anton Bruckner", "Musikland OÖ", 5 Folgen "Die schönsten Kinderlieder", "Film über Bruckners Orchester" u.a.m., Veranstalter v. Symposien z.B. zu d. Themen "Klangwelt-Lebenswelt", "Wirtschaftsfaktor Musik", "Orchester zwischen Museum u. Computer", musikal. Mitgestalter d. Linzer Klangwolke. M.: Österr. Ges. f. Musikwiss. H.: Reisen, aktives Musizieren, Sport. (H.D.)

Winner Walter Dr.

B.: beeideter Buchprüf. u. Steuerberater. DA.: 5700 Zell am See, Salfeldenerstr. 14. PA.: 5700 Zell am See, Bergstr. 15. G.: Maishofen, 25. Juni 1937. V.: Elisabeth, geb. Benetikt. Ki.: Veronika Scheu (1964), Michaela (1966), Florian (1967), Martin (1969), Lukas (1976). El.: Wilhelm u. Emma. BV.: Stammbaum b. i. 16. Jhdt. S.: VS, HS, HAK, 1955 Matura, 1J. Praktikum Steuerberatungskanzlei v. Vater, 1956 Stud. a. d. Univ. Innsbruck, rer. oec., 1959 Diplom Volkswirt., 1961 Prom. u. Eintritt in Vaters Kanzlei, s. 1964 selbst., 1969 Übersiedelung n. Zell/See. E.: 1985 Preis d. Landes SBG f. Kulturinitiative. M.: Obm. d. FVV Zell/See u. d. Singkreises Zell/See. H.: Alpinismus, Bergsteigen, Musikliebhaber. (J.F.)

Winninger Roman

B.: Untern. u. Gschf. d. Fa. Winning GmbH, AufsR.Vorst. d. Intersport Österr. DA. u. PA.: 3300 Amstetten, Linzer Str. 3. G.: Amstetten, 20. Dez. 1929. V.: Gertrude, geb. Brezovits, 2 Söhne. El.: Roman u. Maria. S.: HS, Berufsschule-Sattlerhandwerk. K.: 1950 Mstr.Prüf., 1950-55 Fachlehrer in Berufsschule. H.: Skifahren, Boxen, Tischtennis, Tennis, Jagd. (M.G.)

Winsauer Heinz

B.: Fotokfm. DA.: 6850 Dornbirn, Arlberstr. 7. G.: Dornbirn, 17. Okt. 1935. El.: Edwin u. Maria. S.: Ausbild. in Deutschland u. Wien, abgeschl. Mstr.Prüf. d. Fotografen. K.: 1963 Übernahme d. väterl. Betriebes, gschf. Ges. d. Heinz Winsauer GmbH. F.: Heinz Winsauer GmbH & Co KG in Wien. E.: EZ in Gold d. BInnung d. Fotografen, Ehrenmtgl.

d. Coulor-Art-Photo-Club Österr., Yachtclub Hard. M.: Vorsteher v. Vbg. d. Fotohändlerverb., Yachtclub, Skiverb., Alpenver., Bergrettung. H.: Segeln, Bergsteigen. (Schm.)

Winsauer Karl Johann Beda Dr. phil.

B.: Em. o.Univ.-Prof. d. Joh.-Kepler-Univ. Linz. PA.: 4060 Leonding, Ortmayrstr. 32. G.: Dornbirn, 12. Sep. 1925. V.: Dr. med. Hildegard, geb. Feierle. Ki.: Dr. med. Birgitt (1957), Dr. iur. Günther (1960). El.: Dr. iur. Karl u. Berta. S.: RG, 1943-45 Kriegsdienst, 1946-50 Stud. Chemie u. Mineralogie an d. Karl-Franzens-Univ. Graz, nebenbei tätig als Werkstud., 1956 Prom. z. Dr. phil. K.: 1950-57 Demonstrator u. Ass. am Med.-Chem. Inst. d. Univ. Graz unter Univ.-Prof. Dr. Hans Lieb, 1958-64 Analytiker b. Chemie Linz AG, 1964-76 Abt.-Ltr. d. organ. u. pharmazeut. Untersuchungslabors d. Chemie Linz AG, ab 1976 o.Univ.-Prof. f. analyt. Chemie an d. tech.-naturwiss. Fak. d. Univ. Linz, 1991 em. P.: zahlr. wiss. Arb. auf d. Geb. d. ind. angew. chem. Analytik, Entwickl. v. Analyseverfahren f. ogan.-chem. u. pharmazeut. Prod., Rückstandsanalytik v. Pestiziden (über 50 technic Reports). E.: Fritz-Bregel-Preis d. Öst. Akad. d. Wiss. 1988, Gr. Silb. EZ f. Verd. um d. Rep. Österr. 1989. M.: Mtgl. mehrerer wiss. Ges. H.: Schiffsmodellbau, Modellokomotiven. (P.H.)

Winsauer Klaus Dr. iur.

B.: Notar. DA. u. PA.: 6850 Dornbirn, Pfarrg. 3. G.: Dornbirn, 24. Juni 1944. V.: Doris. Ki.: Christoph (1976), Thomas (1979). El.: Edwin u. Maria. S.: Gymn., Matura 1962, Militärdienst 1962-63, Stud. Univ. Innsbruck, Prom. 1968. K.: 1968 Notariatskandidat in Bludenz, 1982 Notar, seitdem öff. Notar in Dornbirn. H.: Bergsteigen, Reisen, Schifahren. (I.D.)

Winsauer Siegfried

B.: Kompl., Maschinentechniker. FN.: Siegfried Winsauer KG. DA. u. PA.: 6800 Feldkirch, Schregenbergstr. 5. G.: Dornbirn, 6. Nov. 1937. V.: Luitgard, geb. Köb. Ki.: Eva (1962), Marion (1964), Regine (1968). El.: Rudolf u. Anna. S.: VS, Fachschule f. Maschinenbau, 1956 Abschluß, 1956-57 Militär. K.: 1956 Kfz-Mechaniker b. Fahrzeughdl., 1958 Außendienstmitarb. einer Landmaschinenfirma, 1959 Außendienst b. Dornbirner Eisengroßhdl., 1967 Schweizer Sanitärarmaturenfbk. Außendienst Tir. u. Vbg., 1969 selbst. in Feldkirch, Übernahme d. Generalvertretung d. schweizer Sanitärarmaturenfbk. f. ganz Österr. F.: Gasthof Eibe + Pension in Gaschurn. E.: Gold. EZ d. Vbg. Jägerschaft, Silb. EZ d. Österr. Skiverb., Gold. EZ Feldkircher Liedertafel. M.: Gremium d. Eisenhdls., Aussch. d. Pensionsvers. d. gewerbl. Wirtschaft, Wildpark Feldkirch, AufsR.-Vors.-Stellv. d. Raiba Feldkirch, 1974-77 1. Vorst. Feldkircher Liedertafel, Vbg. Jägerschaft, Bez.-Jägermstr. v. Feldkirch. H.: Alpwirtschaft, Jagd weltweit, Reisen, Pferde. (I.D.)

Winter Alfred

B.: selbst. Untern. FN.: Alfred Winter. DA.: 1210 Wien, Pragerstr. 126. G.: Korneuburg, 24. März 1949. V.: Josefine, geb. Reithofer. K.: Andreas (1971). El.: Alfred u. Hertha. S.: VS, Gymn., Lehrberuf: Kaufmann, 1968 Präsenzdienst. K.: 1969 Filialleiter b. Fa. Gerstinger, 1970-73 Außendienstmitarb. b. Fa.: "Clio-Hillers", 1973-78 b. Heiz-Bösch, b. 1982 Prokurist b. Fa. Inku-Mohr u. Manager b. Unilever, danach selbst. Untern. H.: Tennis, Wandern, Segeln. (W.J.)

Winter Andreas Ing.

B.: Prokurist. FN.: Sytech - A. Winter GmbH. DA.: 1210 Wien, Pragerstr. 126. G.: Wien, 16. Dez. 1971. El.: Alfred u. Josefine. S.: VS, Gymn., HTL, 1991 Matura. K.: selbständiger Unternehmer Fa. Sytech- A. Winter. H.: Trekking, Mountainbike, Snowboard, Tennis. (W.J.)

Winter Christian Michael

B.: Inh. FN.: Zentra Therm Zentralheizungen, Lüftungsanlagen, Klimaanlagen, Warmwasserbereitung, Gas, Wasser u. sanitäre Anlagen. DA.: 1140 Wien, Missindorfstr. 3. PA.: 1130 Wien, Hietzinger Hauptstr. 43. G.: Wien, 9. Sept. 1948. Ki.: Alexandra, Christian. El.: Franz u. Rosa. S.: Gymn. Wien, 1967 Matura. K.: Eintritt in väterl. Fa., div. Kurse, Mstr.Prüf. f. Installateur, Gewerbekonz. f. Heizung, Lüftung d. Oberstufe, Kalttechnik d. Oberstufe, Klimaanlagen d. Oberstufe, seit 1974 Gschf., seit 1987 Kaffeehaus im Sozialmed. Zentrum. BL.: Errichtung eines Ferienhauses f. d. Gefolgschaft 1987 in Mallorca-Santa Ponsa. E.: 7 x Wr. Juniorenmstr. im Tennis. M.: blau-weiß, schwarz-blau Klub, Bridge-Klub Wien, Skiklub Finkenberg/Zillertal. H.: Tennis, Bridge, Skifahren, Lesen. (M.G.)

Winter Christian Dr. iur.

B.: Mtgl. d. Vorst. FN.: Steirer Bräu Steir. Brauind. AG. DA.: 8010 Graz, Reininghausstr. 39. PA.: 8010 Graz, Obere Teichstr. 49. G.: Wien, 31. Okt. 1944. V.: Margarete, geb. Weitzendorf. Ki.: Elisabeth, Barbara. El.: Franz u. Elisabeth. BV.: Ururgroßvater Kaspar Freiherr v. Seiller Bgm. v. Wien um 1848. S.: VS, AHS Wien, Jusstud. Wien, 1970 Prom. K.: 1970-76 Österr. Unilever Wien, 1976-82 Verkaufsdir. Masterfoods Austria, 1982-84 Pedigree Petfood England, 1984-86 Gschf. FM Austria, seit 1986 Mtgl. d. Vorst. d. Steirer Bräu, s. 1992 Gschf. Ges. d. Heinrich Prokop KG, Graz. P.: Beiträge in div. Fachzeitschriften über Marketing u. Verkauf. M.: Industriellenver., Marketingclub Wien, Graz. H.: klass. Musik, Wandern, Tennis. (C.H.S.)

Winter Ernst

B.: Bmtr. im Fachdienst in d. Präsidentschaftskzl. GT.: Vors. d. SPÖ-Bez.-Organ. Horn. DA.: 1010 Wien, Hofburg, Präsidentschaftskanzlei. PA.: 3743 Röschitz 299. G.: Röschitz, 24. Juli 1958. Ki.: Claudia (1978), El.: Josef u. Maria, geb. Schübl. S.: VS, HS, 1973-77 Lehre Kfz-Mechaniker. K.: 1977-81 Kfz-Mechaniker, 1981-86 Vertragsbediensteter in d. Präsidentschaftskzl., seit 1986 Bmtr. im Fachdienst in d. Präsidentschaftskzl., polit. Funktionen: seit 1976 SPÖ-Mtgl., seit 1984 Vorst.-Mtgl. d. SPÖ-Ortsorgan. Röschitz, seit 1986 Gschf. Vors. d. SPÖ-Ortsorgan. Röschitz, seit 1989

Vors. d. SPÖ-Ortsorgan. Röschitz, seit 1990 Gschf. GemR. d. Marktgem. Röschitz, seit 1988 Mtgl. d. Bez.-Vorst. d. SPÖ-Bez.-Organ. Horn, seit 1991 Mtgl. d. Bez.-Präsidiums d. SPÖ-Bez.-Organ. Horn, seit 1991 Bez.-Vors. d. Verb. d. Sozialdemokrat. Gem.-Vertreter d. Bez. Horn, seit 1991 Mtgl. d. Landesvorst. d. Sozialdemokrat. Gem.-Vertreter d. Landes NÖ, seit 1993 Vors. d. SPÖ-Bez.-Organ. Horn, seit 1993 Mtgl. d. SPÖ-Landesparteivorst. NÖ., Nov. 1994 Bundesrat. E.: 1988 Ritterkreuz d. Jordan. Unabhängigkeitsordens, 1992 Silb. Med. f. Verd. um d. Rep. Österr. H.: Schwimmen, Radfahren, Skifahren. (N.A.)

Winter Ernst-Christian

B.: Dipl.-Sozialpäd.; Vorst.-Vors. FN.: IAB, Inst. f. Ausbild. u. Beschäftigungsberatung. DA.: 4040 Linz, Hauptstr. 81. PA.: 4020 Linz Scharitzerstr. 12. G.: Schweinfurt, 8. Juni 1954. El.: Karl-Heinz u. Anna-Theresia. S.: Gym. BRD, 1974 Abitur, 1976-80 Stud. Sozialpäd. München. K.: 1980-83 in Heilpäd. Tagesstätte München Kindertherapeut, seit 1983 freiberufl. Tätigk. im Bereich Personalentw., Organis.entw. u. Referentenausb. f. div. Inst. u. Firmen in Linz, 1983-85 Vw-Stud. Linz, 1983 BFI Votragstätigk., Mag. Weld Kindergärtnerinnenweiterbild., bis 1989 Tätigk. im Kinderschutzzentr., Honorar. als Kindertherapeut , 1989 IAB tätig im Auftr. d. Sozialmin., 1984 Gründung des IAB, Vertr. d. IAB-OÖ im Bundeskoordinationsgrem. P.: zahlr. Veröff. in Fachzeitschr., 1978-81 Mitherausg. d. Phoesiezeitschr. "Rind u. Schlegl" (Gedichte). M.: Mitbegr. u. Obmann d. Inst. f. psychosoz. Aufgaben (IPSA) Linz-München, Obm. bis 1988, seith. Stellvertr. H.: Gedichteschreiben, Tischtennis, Bergwandern, Reisen, Lesen (Krimis, Lyrik), Philosophie. (U.A.)

Winter Gerald Dr.

B.: FA f. Zahn- Mund- u. Kieferheilkunde. DA.: 8020 Graz, Volksgartenstr. 3. PA.: 8054 Graz, Kehlbergstr. 98. G.: Graz, 1. März 1956. V.: Dr. Susanne, geb. Fux. Ki.: Michael (1988). El.: Hans u. Herta. S.: Pestalozzigym. Graz, 1974 Matura, b. 1980 Stud. Med. Graz, 1980-83 Turnusarzt i. LKH Güssing, 1983-85 FA-Ausb. f. Zahn- Mund- u. Kieferheilkunde. K.: s. 1985 selbst. Praxis. M.: Tennisverein "Grazer Tennisranch". H.: Tennis. (I.G.)

Winter Günter

B.: Inh. d. Restaurant "Hauswirth". DA. u. PA.: 1060 Wien, Otto-Bauer-G. 20. G.: Leonding, 2. Nov. 1941. V.: Marija, geb. Molnar. Ki.: Alexandra, Sarah. El.: Gustav u. Anna Erlenbusch. S.: Lehre f. Koch u. Kellner in Wels Bahnhofsrestaurant.K.: 1959-61 Zell/See elterl. Betrieb, 1962-65 Schweiz Davos, Gstaad, Braunwald, 1966 Schweden, Stockholm, 1967-68 Frankreich ANTIBES Paris, 1969-76 Saalbach, Semmering Südbahnhotel, 1976 Kauf d. Restaurants "Hauswirth". P.: "Neue Wr. Küche" gemeinsam m. d. Betrieben d. Neuen Wr. Küche. E.: 1986 1 Haube v. G.M., 1984 1 Stern Micheline. M.: franz. Weinbruderschaft. (A.W.)

Winter Hannspeter Dipl.-Ing. Dr. o.Univ.-Prof.

B.: Physiker. A.: 1030 Wien, Lagerg. 6/7-8. G.: Wels, 22. Aug. 1941. V.: Mag. Renate, geb. Geyer. Ki.: Dorian (1969). El.: Ing. Josef u. Hadwig. S.: Gymn., Techn. Fachschule, HTL, Matura, Stud. d. Physik TU Wien, Sponsion 1967, Diss. Forschungszentr. Seibersdorf, Prom. 1970. K.: Univ.-Ass. 1970-72 u. 1974-76, Gastwissenschaftler u. Kons. Ges. f. Schwerionenforschung mbH, Darmstadt 1973-75, Univ. Doz. TU Wien 1976, Senior Research Scientist, FOM Inst. voor Atoom Molecuulfysica, Amsterdam 1976-77, seit 1980 a.o.Univ.-Prof. u. seit 1990 o.Univ.-Prof. Inst. f. Allg. Physik, TU Wien, Forsch.-Gebiete: Plasmaphysik, Atom- u. Molekularphysik, Oberflächenphysik. P.: Über 150 Publ. in intern. Fachzeitschriften. M.: Österr., Dt. u. Europ. Phys. Ges., Österr. Ges. f. Vakuumtechnik. H.: Etymologie, Reisen..

Winter Hans Dr. rer. soc. oec.

B.: Wirtschaftsprüfer, Steuerberater. DA. u. PA.: 8010 Graz, Mayg. 3. G.: Grasdorf, 7. Okt. 1952. V.: Mag. Angelika, geb. Wallner. Ki.: Christian Johannes (1987). El.: Hans u. Pauline. S.: VS, Hum. Gymn., Bischöfl. Gymn. Langegasse, 1972 Matura, Stud. Sozial- u. Wirtschaftswiss. Richtung Betriebswirtschaft, 1977 Mag. K.: Revisionsass. b. versch. Wirtschaftstreuhandkzl., 1981 Steuerberaterprüf., Vertragsass. am Inst. f. Finanzrecht b. Univ.-Prof. DDr. Ruppe, seit 1981 selbst., eigene Kzl. als Steuerberater, 1986 beeid. Buchprüfer, 1986 Diss., Doktorat z. Dr. rer. soc. oec., 1987 gerichtl. beeid. Sachv. f. Rechnungswesen, 1985 Kzl.-Verlegung in d. Maygasse, seit 1989 beeid. Wirtschaftsprüfer. P.: versch. Aufsätze im Fachbereich, Vortragstätigkeit. F.: Gschf. Ges. Winter & Winter Wirtschaftsprüf. u. Steuerberatungs GmbH. H.: Beruf, Familie. (M.Gr.)

Winter Hans Dr. KommR.

B.: Gen.-Dir. d. Lenzing AG. GT.: Vorst.Vors. d. Lenzing AG Lenzing, Vorst.Mtgl. d. Intern. Chemiefaserver. CIRFS Paris, Pr. of the Board of Directors: Lenzing USA Corp Alabama USA, Pr. of the Board of Commissioners: P. T. South Pacific Viscose Jakarta. A.: 4860 Lenzing. E.: Gr. Gold. EZ f. Verd. um d. Rep. Österr.

Winter Herta

B.: Sped. DA.: 4050 Traun, Obereggerstr. 7-13. PA.: 4050 Traun, Rumaerstr. 11. G.: Seekirchen, 11. Jan. 1948. V.: Hans Klaus. El.: Martin u. Gertraud Lausenhammer. S.: VS, HS, HASCH, Sped.Schule, 1971 Prüf. in Graz. K.: 1964 Eintritt in d. Untern. d. Vaters Fa. Lausenhammer Sped.- u. Transport GmbH & Co KG Vöcklabruck, 1971 Verlegung d. Betriebes nach Traun, seit 1972 Ltg. d. Untern. m. d. Ehemann, Inh. d. Gewerbeberechtigungen f. Sped. u. Mineralölhdl. P.: mehrere Art. in Fachzeitschriften. H.: Theater, Konzerte, Lesen (Sachbücher), allg. Sport, bevorzugtes Reiseziel Italien (Kultur etc.) (Deu.)

Winter Helmut Ing.

B.: Baumstr. FN.: Ing. Helmut Winter Ges.m.b.H. DA./PA.: 5112 Lamprechtshausen Nr. 44. G.: Lamprechtshausen, 10. Mai 1937. V.: Elfriede, geb. Lechner. Ki.: Gernot (1964), Astrid (1967). El.: Mathias u. Elisabeth. S.: VS, HS, 1981-57 HTL Hoch- u. Tiefbau. K.: 1957-59 Praxis in einem Arch. Büro u. Baumstr. 1962 Baumstr.-prüf. in Graz. 1959-73 im elterl. Betr. als Techniker. 1973 Betr. übern. M.: Sportverein. H.: Skifahren, Tennis, klassische Musik Konzert. (M.G.)

Winter Horst Prof.

B.: Musiker, Kapellmstr. d. Original Hoch- u. Deutschmeister, Komponist u. Texter. PA.: 1190 Wien, Grinzinger Str. 139/11. G.: Beuthen, 24. Sept. 1914. V.: Dorothea, geb. Kerber. Ki.: Wolfgang (1942). El.: Gotthard u. Elisabeth. S.: RG, 1930-33 Musikstud. an d. HS f. Musik in Berlin, Hauptfach: Violine, Nebenfach: Klarinette. K.: 1937 Soldat, 1939 Wehrmachtstourneen b. 1942, 1. Shellak-Platte, "Ich liebe d. Sonned, d. Mond u. d. Sterne", 1946 Grdg. d. "Wr. Tanzorchesters", 1947 versch. Konzerte in Wien, 1950 Grdg. "Horst Winter Tanzorchester", Gastspiele in Deutschland, d. Schweiz u. Holland, Schallplattenaufnahmen, 1955 Auflösung d. Orchesters, Solist auf Auslandstourneen, 1961 1. Platz b. Chanson Festival in Monte Carlo m. "Vogerl aus Wien", 1968 Finanzberater, 1973 Auftritt in d. USA, 1973-74 Konzerte im Wr. Konzerthaus, 1975 Prof. u. 1976 Gold. EZ, 1977 Kapellmstr. d. Hoch- u. Deutschmeister. P.: zahlr. LP u.a. m. d. Liedern: "Ich liebe d. Sonne, d. Mond u. d. Sterne", "Laß dein Herz b. mir zurück", Ich nenne alle Frauen Baby", "Abends wenn ich schlafen geh", "Ein kleiner Bär m. großen Ohren", "Es wird ja alles wieder gut", "Dreh dich noch einmal um", Filme: "Eine unerhörte Frau", "Ein Mann m. Grundsätzen", "Starparade", "Ehe f. eine Nacht", "Wienerwaldgeschichten", "Behalt mich lieb Cherie", Komponist, Texter u. Autor d. Musicals "Und mein Weg führt zu Dir" u. "Glatte Landung in Wien", Kompositionen u. Texte als Kapellmstr. d. Hoch- u. Deutschmstr. u.a. "Wir vom k.u.k. - mir san wieder da", "Wenn d. Musik kommt", Buch: "Dreh Dich noch einmal um", "Erinnerungen d. Kapellmeisters d. Hoch- u. Deutschmeister" (1989). E.: 1976 Prof. u. Gold. Verd.Zeichen d. Landes Wien, Silb. EZ. M.: Schlaraffia. H.: Natur, Heuriger, Jazzmusik v. Dixieland b. z. Swing, Lesen, Ges. (M.B.)

Winter Johann Dipl.-Ing.

B.: Arch. DA.: 1010 Wien, Marc-Aurel-Str. 3/4. PA.: 1170 Wien, Schumanng. 68. G.: Wien, 1. Okt. 1949. V.: Christa, geb. Wiedermann. Ki.: Lilli (1971), Lukas (1981). El.: Johann u. Helene. S.: 1959 Matura, Arch.Stud. an d. TU Wien, 1979 Dipl. K.: Tätigkeit b. div. Stadtteilprojekten Wien, 1985 Grdg. d. Baukünstlerkollektivs m. Peter Raab u. Josef Zapletal, seither freiberufl. m. Schwerpunkt Wohnbaumitbestimmungsprojekte. E.: 1988 Gr. Wohnbaupreis. (P.R.)

Winter Manfred

B.: Reg. d. ORF Wien. GT.: Drehbuchautor. DA.: 1136 Wien, Würzburgg. 30. PA.: 1232 Wien, Anton-Baumgartner-Str. 44/B6/013. G.: Gleisdorf, 5. Mai 1940. V.: Susanne, geb. Schneeberger. Ki.: Wolfgang, Michael. S.: BRG Graz, 1959 Matura, 1961-63 Filmak. Wien. K.: Volontär Wien Film u. ORF (1961), 1963 WDS Film Regie u. Schnittass., Ausbild. z. Cutter, 1964-65 Fernseh Filmprod. Dr. Scheiderbauer Regieass. u. Cutter, 1966-67 Bayr. Rundfunk Aufnahmeltr., Regieass., Cutter, 1967-68 Goetheinst. München Cutter, seit 1968 ORF b. 1982 freiberufl., seither ang., Regieass., Reg. f. Kindersendungen u. im Aktuellen Dienst f. Regie aktuelle Sendungen, 1976 Satel Film Spieldok. v. Ödon v. Horvath, Regie, Schnitt, 1976 Bayr. Rundfunk Studioregie f. Spielscenen "Napoleon", seit 1976 Autor, Reg. "Steckbrief", "Spiegelbilder". H.: Computeranwendung. (C.K.)

Winter Johannes

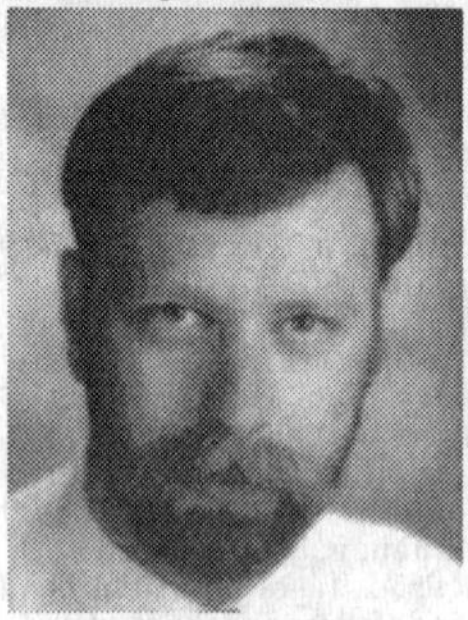

B.: Gschf. Ges. FN.: Johann Eder & Co. DA. u. PA.: 4840 Vöcklabruck, Stadtpl. 15-17. G.: Wels, 5. Sep. 1964. El.: Dkfm. Max u. Hildegard. S.: Gymn. i. Vöcklabruck, HAK, 1983 Matura, danach i. Augsburg i. Deutschland i. Textilhandel tätig, Verkauf in allen Bereichen, Gewerbe, Führung v. Personal, Ende 1985 zurück i. elterl. Betrieb. M.: Stadtparteiobmann d. FPÖ i. Vöcklabruck (Tourismusverb., Marketingbeirat d. Stadt Vöcklabruck), Schützenratmtgl. i. Schützenverein. H.: Schießen, Sportangeln. (D.E.)

Winter Maria

B.: Inh. FN.: Autohaus Winter. DA.: 8020 Graz, Wienerstr. 89. PA.: 8045 Graz, Kaltenbergstr. 35. G.: Graz, 26. Jul. 1929. Ki.: Michaela (1962) El.: Karl u. Maria Ferlin. S.: VS, 1935-43 HS Graz Elisabethschule, 1943-46 Lehre Einzelhandelskaufm. K.: 1946-60 Ang. bei Fa. Leykam, s. 1968 selbst. Kfz Werkstätte u. Handel m. NSU u. SAAB, 1971 TOYOTA. M.: Dt. Handelskammer, Club d. öst. Kfz-Händler. H.: Lesen, Theater. (I.G.)

Winter Martina

B.: Prok. FN.: E + B Winter GmbH & Co KG. DA. u. PA.: 8020 Graz, Elisabethstr. 32. G.: Graz, 17. Okt. 1958. V.: Mag. Bernd Winter. Ki.: Isabella (1982), Manuel (1984). El.: Günther u. Pauline Zmugg. S.: HAK Graz. K.: 3 J. Berufsanw. b. Steuerberater Allg. Revision u. Treuhandges. Graz, 1981 Eintritt in d. Firma d. Gatten Lee Jeans Generalvertretung, John Moss Generalvertretung, 1992 4 you Generalvertretung. H.: Skifahren, Segeln, Reiten, Tennis. (R.S.)

Winter Wilhelm

B.: Bgm. d. Marktgem. Neumarkt am Wallersee. DA.: 5202 Neumarkt am Wallersee. PA.: 5202 Neumarkt am Wallersee, Kühberg 13. G.: Kremsmünster, 4. Mai 1932. V.: Eva, geb. Kasmader. Ki.: Rainer (1971), Dr. iur. cand. Christian (1964). El.: Mathias Aichinger u. Hedwig Winter. S.: Pflichtschule, Tischlerhandwerk, 1963 Mstr.-Prüf. K.: b. Ende Mai 1992 Handelsang., seit Juni 1992 pensioniert, seit 1956 polit. tätig, 1980-89 VBgm., seit 1989 Bgm. M.: SPÖ Vors., ÖGB Ortsgruppenvors., seit 1974 in d. Gem.-Vertretung. H.: Schachspielen. (E.Hö.)

Winter-Wallner Angelika Mag.

B.: selbst. beeid. Buchprüfer u. Steuerberater. GT.: Prok. d. Winter & Winter Wirtschaftsprüf. u. Steuerberatungs GmbH. DA. u. PA.: 8010 Graz, Mayg. 3. G.: Viehhofen, 16. Okt. 1952. V.: Dr. Hans Winter. Ki.: Christian (1987). El.: Ing. Johann u. Antonia. S.: VS, HS, HAK Sbg., 1973 Matura, Stud. Betriebswirtsch. Univ. Innsbruck, 1979 Spons. K.: 1980 Berufsanw. in Steuerberatungskzl. in Zell/See, 1983 Steuerberater, 1985 selbst. in Graz, seit 1986 selbst. sowie Ang. b. Wirtschaftsprüf. u. Steuerberatungs GmbH. H.: Familie, Skifahren. (C.R.)

Winterauer Reinhard

B.: Bgm. d. Marktgem. Bad Goisern. DA.: 4822 Bad Goisern 10. PA.: 4823 Steeg, Edt 40. G.: Bad Goisern, 1. Aug. 1947. V.: Irmgard, geb. Gschwandtner. Ki.: Elke (1969), Gernot (1973), Kirsten (1975), Dominik (1987). El.: Alois u. Maria. S.: VS, HS, 3 J. HTL Elektrotechnik Sbg. K.: 1964-82 Elektrotechniker im Elektrodenwerk Steeg, seit 1993 Bgm. v. Bad Goisern, seit 1973 GemR., seit 1979 Fraktionsobm., seit 1989 Ortsparteiobm., seit 1992 Landesvors. d. Sozialdemokrat. Gem.-Vertreterverb. M.: Sportver., Armbrustschützenver., Obm. d. Tourismusorgan. Bad Goisern, Obm. d. Reinhalteverb. Hallstätter See. H.: Bergwandern, Skifahren, Armbrustschießen, Langlaufen, Rodeln, Skispringen, Eisschießen. (E.Hö.)

Wintereder Siegfried

B.: Gschf. Ges. FN.: Siegfried Wintereder GmbH & Co. DA.: 4020 Linz, Ederstr. 7. PA.: 4840 Vöcklabruck, Salzburger Str. 23. G.: Vöcklabruck, 13. Sept. 1953. V.: Brigitte, geb. Schlömer. Ki.: Tina (1975), Rene (1978), Siegfried (1981), Christa (1985). El.: Siegfried u. Susanne. S.: VS, BG, HAK, 1974 Matura. K.: 1975 Beginn in d. Firma Wintereder im Busbereich, 1979 Übernahme d. Firma, seit 1985 Zukauf d. Büros "Reisen m. Herz", Filiale in Prag, Tätigkeit im Busbereich u. Fernreisen. BL.: Konsulent f. Reisebürogewerbe, lfd. fachspezifische Seminare. P.: Berichte f. versch. Fachzeitschriften u. in versch. Regionalzeitungen, lfd. Schulungen u. Vortragstätigkeit. M.: 1987 Rotary Club. H.: Fotografieren, alte Autos sammeln. (U.E.)

Winterheller Manfred Dr. rer. soc. oec. Mag.

B.: Gschf. FN.: Winterheller Consulting GmbH. DA.: 8020 Graz, Karlauergürtel 1. G.: Bruck/Mur, 14. Juni 1954. V.: Ulrike, geb. Hofer. Ki.: Julia (1980), Michael (1982), Cornelia (1985), Katharina (1987). El.: Hans u. Christine. S.: VS, Gymn., 1972 Matura, Stud. Betriebswirtschaft Univ. Graz, 1979 Prom., 1976-77 Österr. Ak. f. Führungskräfte. K.: 1977-82 Univ.-Ass. am Inst. f. Unternehmensführung Prof. Dr. Egger Graz, seit 1982 selbst. Wissenschaftler, 1989 Wirtschaftstreuhänder u. Steuerberater, seit 1989 Gschf. d. Winterheller Consulting GmbH Graz, seit 1990 Gschf. d. Winterheller Unternehmensplanung GmbH München, seit 1989 Dir. d. WSA Expert-Systems Hongkong, Lehrbeauftragter Univ. Graz u. WU Wien, Vortragender im In- u. Ausland. P.: "Kurzfristige Unternehmensplanung" (1992), "Handbuch d. Ein- u. Ausgabenrechnung", "Handbuch d. Unternehmenspraxis", ständig Aufsätze in Fachzeitschriften d. In- u. Auslandes. H.: Musik, Sport. (M.Gr.)

Wintersberger Dieter Dr. Dkfm.

B.: Ltr. d. Hauptmünzamtes. DA.: 1030 Wien, Am Heumarkt 1. PA.: 2340 Mödling, Schillerstr. 54. G.: Berlin, 7. Okt. 1938. Ki.: Monika, Heike, Birgit. El.: TechnR. Dipl.-Ing. Fritz u. Philla. BV.: Ing. Friedrich Wintersberger war am Bau d. 1. u. 2. Wr. Hochquellenwasserleitung beteiligt, Großvater war Baudir. d. Gem. Wien. S.: VS, RG, WU Wien. K.: Gschf. am Inst. d. Rektorenkonferenz 1963-64, ab 1965 Alpini-Konzern, zuerst als Prüfer, anschl. als kfm. Ltr. bei einer Tochterfirma, 1970 Wechsel z. Höchst Austria, ab 1971 Betriebsprüfer b. Fa. Köst, ab 1977 als Gesamtltr. d. österr. Hauptmünzamtes. M.: Präs. d. Münzdir.Konferenz, Ehrenpräs. d. Traunviertler Kulturver., Obm. d. Basketballver. Landis u. Gyr, Yachtclub Mörbisch. H.: Segeln, Skifahren, Tennis, Basketball, Schwimmen, Filmen. (Kest.)

Wintersberger Erhard Dr. Prof.

B.: Vorst. u. o.Univ.-Prof. d. Inst. f. Molekularbiologie d. Univ. Wien. GT.: seit 1985 Österr. Vertreter im Rat d. EMBL u. d. EMBC. DA.: 1030 Wien, Dr.-Bohr-G. 9. PA.: 1190 Wien, Iglaseeg. 9. G.: Wien, 22. Juli 1933. V.: Dr. Ulrike, geb. Wiesbauer. Ki.: Astrid. El.: Paul u. Maria. S.: VS, RG, Stud. d. Chemie an d. Univ. Wien, 1959 Prom. K.: ab 1958 Univ.Ass. am Inst. f. Biochemie in Wien, 1961-63 Research Ass. Univ. in d. USA, 1963 Ass. Univ. Wien, 1966 Habil., 1970 a.o.Univ.-Prof., 1973-76 o.Univ.-Prof. f. Physiolog. Chemie u. Inh. d. 2. Lehrstuhls f. Physiolog. Chemie an d. Univ. Würzburg, seit 1976 o.Univ.-Prof. u. Vorst. d. Inst. f. Molekularbiologie. P.: ca. 100 wiss. Publ. in Fachzeitschriften über Biochemie u. Molekularbiologie. E.: Theodor-Körner-Preis 1965. M.: ÖBG, Präs. u. Grdg.-Mtgl. d. ÖGGGT, GBCH, EMBO. H.: Musik, Klavier spielen. (M.M.)

Wintersberger Günter

B.: Ges., Gschf. FN.: Gebrüder Wintersberger GmbH. DA.: 1160 Wien, Thaliastr. 7. PA.: 3500 Krems, Gerlg. 7. G.: Krems, 11. Nov. 1943. V.: Hermine, geb. Lorenz. Ki.: Alexander, Rene. El.: Franz u. Maria. S.: VS, HS, kfm. Ausbild., 1961 Abschluß. K.: danach Militär u. anschl. in einem Hdls.Betrieb als kfm. Ang. tätig, 1967 Eintritt in d. elterl. Betrieb, vorerst als kfm. Ang., 1971 Übernahme d. elterl. Betriebs gemeinsam m. Bruder Hermann (OHG), 1980 Grdg. d. Wr. GmbH (gschf. Ges.) u. gleichzeitig Eintritt als Ges. in d. Kremser GmbH (1980 Umwandlung), d. Wr. GmbH ist als Hdls.Betrieb eingetragen u. beschäftigt sich außer m. Sped.Geschäften m. d. Hdl. m. Waren aller Art. H.: Reisen. (G.E.)

Wintersberger Hermann

B.: Transportunternehmer, Gschf. Ges. FN.: Gebrüder Wintersberger GmbH. DA.: 3500 Krems, Lerchenfelder Str. 7a. PA.: 3500 Krems, Pointg. 17. G.: Krems, 4. März 1940. V.: Cäcilie, geb. Winkler. Ki.: Andrea, Maria, Eva. El.: Franz u. Maria. S.: VS, HS, Kfz Mechanikerlehre, 1958 Abschluß. K.: anschl. Eintritt in d. elterl. Betrieb, vorerst als LKW Fahrer im Inland tätig, 1960-61 Aufbau v. intern. Verkehren, begonnen m. BRD u. Italien, Erweiterung auf Comecon Länder, seit 1967 intern. Chemikalientransporte u. ab 1971 Übernahme d. elterl. Betriebes gemeinsam m. Bruder Günter (OHG), 1980 Umwandlung in GmbH u. seit diesem Zeitpunkt gschf. Ges. H.: Weinbau. (G.E.)

Wintersberger Ull D.

B.: Dir. FN.: Felix Austria. DA.: 7210 Mattersburg. PA.: 1030 Wien, Strohg. 13/7. G.: 26. Febr. 1942. V.: Ulrike, geb. Friedrich. El.: Dipl.-Ing. Dr. Paul u. Helga. S.: VS, Gymn., HS f. Welthdl., Intern. Seminare. K.: 1965-68 Account Executive in einer Amerikan. Werbeges., 1968-70 Marketing Koordinator in USA, Lebensmittelind., 1970-75 Marketing Werbeltr. in einem Österr. Großuntern., 1970 Ltr. v. Cederroth Österr.

Wintersberger Ulrike Dr. a.o.Univ.-Prof.

B.: Ltr. d. Abt. f. molekulare Genetik d. Tumorentstehung am Inst. f. Tumorbiologie u. Krebsforsch. DA.: 1090 Wien, Borschkeg. 8a. PA.: 1190 Wien, Iglaseeg. 9. G.: Linz, 20. Mai 1936. V.: o.Univ.-Prof. Erhard Wintersberger. Ki.: Dr. phil. Astrid (1963). El.: Karl u. Ida Wiesbauer. S.: BRG, 1954 Matura, Chemiestud. Univ. Wien, Diss., 1965 Prom., 1 J. Stud. Mikrobiologie u. Genetik Seattle/USA. K.: 1966/67

Ass. am Inst. f. Biochemie, seit 1968 Ass. am Inst. f. Krebsforsch. d. Univ. Wien, Habil., seit 1993 a.o.Prof. an d. Med. Fak. d. Univ. Wien, seit 1992 Ltr. d. Abt. f. molekulare Genetik d. Tumorentstehung am Inst. f. Tumorbiologie u. Krebsforsch. P.: über 60 Veröff. E.: Körner-Preis f. biochem. Forsch. M.: Europ. Molekularbiolog. Organ., 1989-91 Präs. d. Österr. Ges. f. Biochemie. H.: Tiere u. Pflanzen e. deren Schutz, Musik, Theater, Literatur, bld. Kunst, Wandern. (J.M.)

Wintersteiger Gerlinde

B.: Ltr. d. Schulungszentrums. DA. u. PA.: 5020 Salzburg, Fürstenallee 17. G.: Theben/CSFR, 25. Jän. 1945. Ki.: Andreas u. Christian (1970). S.: Grundschule, 1960-63 Berufsschule m. Kfm.-Gehilfenbrief, Weiterbild. Sekr.-Seminare. K.: b. 1965 Sekr. VOEST, 1965-70 IBM Linz, 1970-82 Hausfrau, 1982-85 Instruktor f. Schulungen IBM, 1985 Gewerbeschein, 1985 selbst., 1989 Übersiedlung nach Sbg., Eröff. Schulungszentrum Sbg. M.: Managerinnungsclub Westösterr. (N.M.)

Winterstein Werner Dipl.-Ing.

B.: selbst. Arch. DA. u. PA.: 1180 Wien, Pötzleinsdorferstr. 75. G.: Wien, 15. Sept. 1937. V.: Micky, geb. Klena. Ki.: Alexander (1968), Marie Christine (1980). El.: Gen.-Dir. Peter u. Maria, geb. Jehle. BV.: Urgroßvater Viktor Brausewetter Gründer d. Fa. Pittel & Brausewetter, Großvater Dr. Robert Winterstein Gen.Prokurator, StaatsR., Justizmin., Großvater d. Gattin Univ.-Prof. Ludwig Jehle bekannter Kinderarzt. S.: Schottengymn., b. 1964 Stud. TU Wien, während d. Stud. Ass. am Inst. f. Kunsthandwerk. K.: b. 1970 Praktikum, 1970 Mtgl. d. Arch.Gruppe Friedrichsstraße, Projekte: gesamte Gestaltung d. Karlsplatzes, Witgenstein-Haus, 1985-87 Wohnhausanlagen d. Stadt Wien, Geschäftslokale, Banken, Dachbodenausbau, Bürohäuser. BL.: 1985 ÖVP Innenstadt-Mandatar, spielt seit 1952 Basketball, Mtgl. d. Bundesliga. M.: seit 1956 Technikercircle, 1965 Wr. Rennver., 1965 Alter Orden St. Georg. H.: Politik, Reisen, Sport (Basketball, Bodybuilding, Tennis, Skifahren, Segeln). (M.G.)

Winzer Peter

B.: Kfm. FN.: Autohof GmbH. DA.: 5231 Schalchen, Landstr. 23. PA.: 5231 Schalchen, Römerfeld 13. G.: Braunau, 16. Jan. 1950. V.: Angela, geb. Wengler. Ki.: Andrea (1972). El.: Franz u. Johanna. S.: Weiterbild. durch versch. WIFI Kurse. K.: Kfm. Ausbild. in e. Autohaus, Ltr. d. Rechungswesens d. Autohauses, Jan. 1986 v. d. Fam. Günther gem. m. e. Partner d. Autohaus erworben, in Form e. GmbH, s. 1992 Alleininhaber d. Fa., Hauptbetr. in Schalchen, Fil. in Vöcklabruck u. Braunau. M.: Mtgl. Kiwanis-Club, in Mattighofen Mtgl. b. versch. Ver. H.: Lesen, Radfahren. (J.L.)

Winzer Werner

B.: Gen.-Dir. FN.: Lagermax Beteiligungs AG. GT.: Vorst.Mtgl. Lagermax Lagerhaus u. Speditions AG Sbg., Gschf.: Lagermax Paketdienst GmbH Sbg., Grenzservice Speditions GmbH Sbg., LL-Lager Leasing Beteiligungs GmbH Sbg., FLW Mietbau u. Speditions GmbH Sbg., ATS Service, Autohof, Transport u. Speditions GmbH Sbg., Transportservice Transport u. Speditions GmbH Sbg., Speditionsbau u. Verwertungs GmbH Villach. DA.: 5020 Salzburg, Lastenstr. 20. PA.: 5026 Salzburg, Ernst-Grein-Straße 21.

Wiplinger Peter Paul

B.: Schriftsteller u. künstler. Fotograf. DA.: 1030 Wien, Am Modenapark 8-9/6/22. G.: Haslach, 1939. BV.: Bruder Fridolin Phil., Nikolaus Wiplinger Pianist, Max Wiplinger Komponist u. Musiker. S.: Hum. Gymn. Linz, Dachsberg, Solbad Hall, ab 1960 Stud. d. Theaterwiss., Germanistik u. Phil., wiss. Arbeit (Max-Reinhardt-Nachlaß). K.: freier Schriftsteller, 1980-86 Sekr. d. Ges. d. Kunstfreunde Wien, Ltr. d. Kleinen Galerie Wien, verantwortl. Red. d. Wr. Kunsthefte, freier Mitarb. b. ORF u.a. Rundfunkanst., b. versch. Zeitschriften u. Zeitungen, vorwiegend Lyriker (in mehrere Sprachen übersetzt), Texte f. literar. Chansons, Prosa, Hörspiel, Essays zur Literatur, bild. Kunst u. Kulturpolitik. P.: Zahlr. Buchpubl. u. versch. Foto-Ausstellungen im In- u. Ausland, Fotografien u. Fotoserien im Besitz d. BMFUKS u. priv. Sammlungen. P.: Borders/Grenzen (Gedichte 1977), Abschiede (Fotogedichtband 1981), Farbenlehre (Gedichte u. Fotografien 1987), Lebenszeichen (Gedichte 1992). E.: Förderungspreis d. Wr. Kunstfonds f. Literatur Wien 1970, Theodor-Körner-Preis f. Literatur Wien 1976, 1992, Abraham-Woursell-Grant f. literature and dramatic Research New York 1975, Theodor Körner-Preis f. bild. Kunst, künstl. Fotografie Wien 1983, Anerkennungspreis d. Landes NÖ f. künstler. Fotografie 1984, 1. Preis im Bilderland-Wien-Fotowettbewerb Wien 1985, Anerkennungspreis d. Landes NÖ f. Literatur Wien 1986, Verleihung d. Berufstitels "Prof." Wien 1990, zahlr. Förderungsstipendien f. Literatur u. künstler. Fotografie v. BMFUKS, OÖ u. Bgld. LRg. u. d. Julius Raab-Stiftung, Ebentaler Literaturpreis f. Lyrik 1987, Theodor-Körner Preis f. Lit. Wien 1992, Förderungspreis d. Lds. NÖ f. Lit. Wien 1994. M.: Vorst.Mtgl. d. österr. P.E.N. Clubs, Mtgl. d. Österr. Schriftstellerverb., d. Interessengem. Österr. Autoren, Mühlviertler Künstlergilde, d. Europ. Autorenvereinigung "Die Kogge", d. Österr. Liga f. Menschenrechte.

Wippel Hellmuth Dr. HofR.

B.: HofR. d. Steir. Landesrg., Vorst. d. Rechtsabt. 6. DA.: 8010 Graz, Karmeliterpl. 2. G.: Wien, 23. Juni 1940. V.: Dr. Erni, geb. Kraft. Ki.: Bernd (1968), Georg (1971). El.: August u. Anna. S.: BRG Graz, 1958 Matura, ab 1958 Stud. Rechtswiss. Univ. Graz, Gerichtsjahr, Präsenzdienst. K.: 1966-7 Steir. HK, 1966-70 Bez.-Stellensekr. f. Bruck u. Mariazell, 1970-74 Fachgruppensekr. f. d. Gast- u. Schankgewerbe in d. Sekt. Fremdenverkehr, 1974 Eintritt in d. Land Stmk., b. 1977 Rechtsabt. 12 als Krankenanst.-Ref. f. LHK Graz u. LHK Mürzzuschlag, 1977-90 im Sekr. d. Büros v. Landeshptm.-Stellv. Jungwirth, ab 1990 Vorst. d. Rechtsabt. 6 (Naturschutz u. Kulturverw.). M.: Österr. Naturschutzbund Landesstelle Stmk. H.: Tennis, Skifahren, Musik, Bergwandern. (P.M.)

Wippel Jörg

B.: Gschf. Ges. FN.: WVG Wohnhausverbesserungs GmbH. DA.: 1040 Wien, Faulmanng. 4. PA.: 1170 Wien, Pointeng. 60. G.: Wien, 4. Okt. 1953. V.: Elfriede Ulrike, geb. Dorfinger. Ki.: Michael Erwin (1982). El.: Erwin u. Edith, geb. Wagner. S.: VS, AHS, 1973 Matura, BH. K.: 1976 Eintritt SEG Stadterneuerungs u. Eigentumswohnungs GmbH als kfm. Ang., 1976-80 Abt.-Ltr. Grunderwerb SEG, 1981 Gschf. d. amerikan. Tochterunternehmen SEG Southwest Estate Group Inc., 1984 Verkauf Beteiligung an d. SEG Stadterneuerungs u. Eigentumswohnungs GmbH, 1985 Rückkehr nach Wien, Erwerb d. elterl. Betriebe Immobilienvermittlung u. Hausverw., Übernahme d. Geschäftsführung dieser Betriebe, Grdg. WVG Wohnhausverbesserungs GmbH. H.: Familie, Beruf, Tennis, Skifahren, Wasserski, Segeln. (N.A.)

Wippel Manfred

B.: Gschf. Ges. d. Fa. SELFMAN. PA.: 4600 Wels, Wimpassinger Str. 57. G.: 6. Mai 1944. Ki.: Petra. El.: Josef u. Maria. S.: Mittelschule Graz, Matura 1963. K.: 1964-67 Fa. Humanic, 1967-69 Imp.-Exp.-Ltr. d. Fa. Wall, 1969-73 Prok. d. Fa. Hofer, seit 1973 selbst., Grdg. d. Fa. Selfman GmbH. M.: Jagdclub Wels. H.: Jagd, Musik, Sport. (A.W.)

Wipper Lilo
B.: Maskenbildnerin. FN.: Theater f. Vorarlberg. DA.: 6900 Bregenz. PA.: 6900 Bregenz, Bregenzerstr. 51. G.: Hard, 17. Jun. 1948. V.: Sternik Kurt (Lebenspartner). EL.: Erich u. Katharina. S.: Pflichts., Friseurlehre, 1965 Abschluß, Ausbild. zur Maskenbildnerin. K.: 1968 Eintritt ins Theater f. Vorarlberg a. Maskenbild., tätig b. Bregenzer Festsp., Fotostud. als Visagistin, ORF kleinere Filme u. Dokumentarfilme. H.: Lesen, Musik, Oper, Gymnastik, Tierschutz. (I.D.)

Wipplinger Hubert
B.: Vors. d. LExekutive d. ÖGB ab Dez. 1989. DA.: 4020 Linz, Volksgartenstr. 40. PA.: 4030 Linz, Heiderosenweg 16a. G.: Taufkirchen/Pram, 6. Aug. 1941. V.: Hermine, geb. Kainzlbauer. Ki.: Manfred (1965). El.: Alois Grünberger u. Theresia Höritzer. S.: 1956-59 Ausbild. als Betriebsschlosser Schärdinger Granit Ind. K.: 1956-67 Betriebsschlosser Schärdinger Granit Ind., 1965-66 Soz.-Ak. d. Kammer f. Arb. u. Angest. f. Wien besucht, 1967-75 Sekr. d. Gewerkschaft d. Bau- u. Holzarb. OÖ, seit 1975 LSekr. d. Gewerkschaft d. Bau- u. Holzarb. OÖ, seit 1974 ArbeiterkammerR. d. AKfOÖ, seit 1974 Vorst.-Mtgl. d. AKfOÖ, seit 1982 Vizepräs. d. AKfOÖ, seit 1982 Vors. Stellv. d. Gewerkschaft d. Bau- u. Holzarbeiter Österr. M.: seit 1956 ÖGB, seit 1958 SPÖ. H.: Sport, Fachliteratur. (P.H.)

Wirkowski Eugeniusz
B.: Pächter d. Restaurant "Arche Noah". DA.: 1010 Wien, Seitenstetteng. 2, 10623 Berlin, Fasanenstr. 79-80. PA.: 1020 Wien, Praterstr. 44/19. G.: Polen, 22. Dez. 1922. V.: Halina, geb. Schaina. Ki.: Henrik, Christina. El.: Leon u. Alfreda. S.: Gastronomieschule. K.: 1982 Ndlg. in Wien, Eröff. d. Lokals "Arche Noah", 1990 Eröff. d. Restaurants in Berlin. H.: Beruf.

Wirth Anton
B.: Vors. d. Geschäftsltg. FN.: Benedikt Mäser. DA.: 6850 Dornbirn, Kehlerstr. 24. G.: Andelsbuch, 11. Aug. 1949. V.: Roswitha. S.: HAK. K.: Betriebsprüfer b. Bund, Fa. Benedikt Mäser. H.: Bergsteigen, Radfahren.

Wirth Griseldis

B.: Restaurantltr. Gastronom "Goldenes Dachl", "Down-Town". DA.: 6020 Innsbruck, Hofg. 1, 6020 Innsbruck, Herzog-Friedrich-Str. 11. PA.: 6020 Innsbruck, Herzog-Friedrich-Str. 11. G.: Wien, 20. Aug. 1943. El.: Ferdinand u. Gertrude Leitgeb. S.: Grundschule, HAK, Bürokfm. K.: ab 1965 Umstieg in d. Gastronmie, seit 1977 in Innsbruck, seit 1979 Restaurantltr. d. Firma Gastronom, Aufgabenbereich "Goldenes Dachl", "Down-Town". E.: 1993 Pokal d. Österr. ÖHV f. Verd. in d. Gastronomie. H.: Lesen, Kochen, Handarb. (M.W.)

Wirth Gottfried H. Dr. iur.
B.: Wirtschaftstreuhänder. FN.: A.R.T. Allg. Wirtschaftstreuhand u. Beratungsges. Dr. Wirth & Co Kommandit-Partnerschaft. DA. u. PA.: 1040 Wien, Waagg. 12/3. G.: Graz, 12. Okt. 1957. V.: Christa, geb. Lang. El.: Dipl.-Ing. Roland u. Hertha. S.: 1975 Matura, Stud. Musiktheorie, Kunstgeschichte u. Rechtswiss. HS f. Musik u. Univ. Graz, 1981 Prom. z. Dr. iur., 1981-82 Postgrad. Studies in Irland. K.: 1983-85 Bmtr. b. FLD f. Wien, NÖ u. Bgld., 1985-90 Berufsanw. b. einer Steuerberatungskzl., 1990 Steuerberaterprüf., Eröff. d. eigenen Kzl., b. 1992 parallel dazu Ang. in einer Wirtschaftsprüf.-Kzl. P.: 1981 "Der Wandel d. staatsrechtl. Stellung d. Dt. Bundesrates v. 1867 b. Gegenwart", 1982 "Constitutional Adjudication in Ireland and Austria". H.: Musik, Literatur, Phil. (N.A.)

Wirth Günter

B.: Musiker u. Komponist. FN.: Original Vorarlberger Spatzen. DA. u. PA.: 6881 Mellau, Hinterbündt 385. G.: Andelsbuch, 5. Feb. 1963. El.: Jodok u. Laura. BV.: Jodok Fink. S.: Kunstschmiedelehre in Bezau, 1982 Abschl., Mstr.-Prüf,. 1986, 3 Jahre Musikschule Bregenzerwald. K.: 1 Jahr als Kunstschmied, 1987 Grdg. d. "Original Vbg. Spatzen" mit L. Gmeiner, Tanz- u. Unterhaltungsmusik mit großem Repotoire, jährl. über 200 Auftritte u. europaweite Tourneen, Tonträgeraufnahmen mit ausschl. Eigenkompositionen, u.a. "Gstocha Bock", "Musik ist Trumpf", "König d. Berge". M.: AKM., Austro Mechana. H.: Schifahren, Radfahren, Fischen. (I.D.)

Wirth Peter

B.: Vorst. d. Filiale Feldkirch. FN.: Die Erste Österr. Spar-Casse-Bank AG. DA.: 6800 Feldkirch, Montforg.15. PA.: 6911 Lochau, Alberlochstr. 27. G.: Bregenz, 25. Mai 1962. V.: Johanna. Ki.: Pia (1991), Mona (1994). El.: Adolf u. Gerda. S.: 1981 HAK-Matura Bregenz, 1982-83 BH. K.: 1981-87 Bankkfm. b. einer Bank in Bregenz, 1987 Eintritt Erste Österr. Spar-Casse-Bank AG Dornbirn, 1991 Vorst. d. Filiale Feldkirch. P.: Fachbeiträge in Regionalzeitungen. M.: Tennisclub Lochau, Exportclub Vbg. H.: Tennis, Skifahren, klass. Musik, Weinsammeln. (I.D.)

Wirthumer Gunter Dr. techn. Dipl.-Ing.
B.: Gschf. FN.: Alcatel Austria Forsch.-Zentrum GmbH. DA.: 1210 Wien, Ruthnerg. 1-7. PA.: 1180 Wien, Wallrißstr. 117. G.: Vöcklabruck, 20. Febr. 1958. V.: Christa, geb. Hoche. Ki.: Andreas (1985), Peter (1988). El.: AmtsR. Rudolf u. Pauline. S.: 1975 Matura, Stud. Techn. Physik TU Wien, 1980 Spons., 1984 Prom. u. Dr. d. techn. Wiss. K.: 1980-86 Univ.-Ass. am Inst. f. Theoret. Physik d. TU Wien, 1986 Eintritt Alcatel Austria - Elin Forsch.-Zentrum, Ltr. d. Projekts z. Erstellung v. fehlertoleranten Computersystemen, Aufbau d. Abt. f. Control System Architectures u. Ltg. b. 1991, seit 1992 Gschf. d. Forsch.-Zentrum. BL.: 1975 Teilnahme an d. Intern. Math. Olympiade in Bulgarien. P.: Publ. u. Vorträge als Univ.-Ass. im Bereich d. Physik, als Mitarb. Forsch.-Zentrum im Bereich d. fehlertoleranten Computersysteme. E.: Ehrenbürger d. Heimatgem. Ottnang. M.: IEEE, ACM, ÖVE. H.: Schach, Tennis, Modelleisenbahnen. (J.S.)

Wirtinger Franz

B.: staatl. gepr. Tanzlehrer. FN.: Tanzschule Schmidtschläger. DA.: 1070 Wien, Mariahilfer Str. 8. PA.: 1160 Wien, Lindauerg. 34/6. G.: Wien, 9. Feb. 1958. V.: Renate, geb. Wittmann. El.: Franz u. Friederike. S.: Volks- u. Hauptsch., 1 J. HTL, Lehre Elektromechaniker, 1976-79 Tanzlehrerausbild. m. Abschl. (staatl. gepr. Tanzlehrer). K.: Bis 1985 Tätigk. als Elektromechaniker b. versch. Firmen, zusätzl. i.d. Abendstunden Tätigk. als Tanzlehrer, 1986 Übern. d. Tanzschule Schmidtschläger, 1989 Erweiterung d. Tanzschule v. 140 m2 auf insg. 420 m2. M.: Verb. d. Tanzlehrer Wiens, Verb. d. Tanzlehrer Österr. (Dachverb.), Österr. Rock'n Roll-Verb. H.: Tanzen, Skifahren. (F.S.)

Wirtinger Renate

B.: Staatl. geprüfte Tanzlehrerin. FN.: Tanzschule Schmidtschläger. DA.: 1070 Wien, Mariahilfer Str. 8. PA.: 1160 Wien, Lindauerg. 34/6. G.: Wien, 29. Okt. 1966. V.: Franz. El.: Franz u. Margarete. S.: Gymn., HASCH m. Abschl., 3 jährige Tanzlehrerausbild. mit Abschl. (staatl. gepr. Tanzlehrerin). K.: 1985-93 Tätigk. als Sekretärin in einer Bank, ab 1986 zusätzl. Tätigk. als Tanzlehrerin in der v. Gatten übernommenen Tanzschule Schmidtschläger, ab 1994 hauptberufl. in d. Tanzschule. M.: Verb. d. Tanzlehrer Wiens (VTW), Verb. d. Tanzlehrer Österr. (VTÖ), Österr. Rock'n Roll Verband. H.: Tanzen, Lesen, Sport. (F.S.)

Wirtl Joe Hans

B.: Musiker u. Komponist i.R.. GT.: Musiker in d. Reblaus (Grinzing). PA.: 1030 Wien, Hagenmüllerg. 10/31. G.: Wien, 6. Nov. 1930. V.: Anna, geb. Heinz. Ki.: Hans. El.: Hans u. Luise. S.: Violinunterricht m. 9 J., später Akkordeonunterricht, nach VS u. Oberschule Besuch d. Konservatoriums. K.: seit 1950 Berufsmusiker in versch. Kapellen m. d. Instrumenten Schlagzeug, Klarinette u. Gitarre, auch gesangl. Interpret seiner Werke. P.: Tanz- u. Unterhaltungsmuik, Wienerlieder, zahlr. Funk- u. Schallplattenaufnahmen z.B. "Wenn d. alten Praterbäume rauschen", "A picktes Häferl", "Ich werde Dich auf Händen tragen", "Einsam u. allein", "Eine Melodie aus Wien", "A Herz u. a Gmüat", "Wenn ein Zigeuner träumt", "Laß mi net allane", "Wien, Du könntest ein Denkmal sein", "Ein Duft Parfum", "Taiga", "I werd alt", "Kinder, i zeig euch ein bißerl Hernals", "Hamweh nach Alt-Ottakring", "Wr. Erinnerungen", "Nasser Asphalt", "A jeder Weana hat sein Schau", "Ein Dankeschön für Dich", etc. E.: Lieber Augustin-Plakette, Robert Stolz-Med., Gold. Violinschlüssel, Silberpokal b. Wienerlied Wettbewerb VHS Ottakring 1974, Gold. Wienerherz, Ehrenplakette 40 J. Weltmusik. M.: Schriftführer d. VÖT, d. ÖKB, AKM, AU-ME, 1987 Obm. d. Ver. Robert Posch. (E.L.), Silb. Verdienstzeichen d. Landes Wien, Fenstergucker-Relief

Wirtner Herbert

B.: Gastronom. FN.: Gösser Stüberl. DA.: 2344 Maria Enzersdorf, Kircheng. 24. PA.: 2345 Brunn/Geb., Liechtensteinstr. 2. G.: Baden, 10. Aug. 1948. V.: Maria, geb. Medwed. Ki.: Claudia. El.: Hermann u. Margarethe. S.: VS, HS, Berufsschule. K.: Kellner, Barkeeper, Gschf., seit 1977 selbst. Gastronom. P.: Gault Millau: Österr. Guide of Gourmets 1985. H.: Erlesene Weine, Gastronomie. (R.A.)

Wisauer Franz Dir.

B.: Dir. FN.: Vers.Anst. d. Österr. Bundesländer Vers. AG. DA.: 1021 Wien, Praterstr. 1-7. PA.: 3002 Purkersdorf, Winterg. 29. G.: Wien, 10. März 1939. V.: Monika, geb. Hager. Ki.: Christian, Wolfgang, Peter. S.: BRG, 1957 Matura, Abi-Kurs. K.: 1960-86 Die Erste österr. Spar-Casse-Bank, Mitarb. in einer Filiale, Aufbau d. Außendienstes, Filialltr., Einführung Marketing u. Planung, Ltr. d. Produktentwicklung f. Privatkunden u. Firmenkunden, Gschf. d. VMG, seit 1986 Bereichsltr. Marketing in d. Bundesländer Vers. P.: Vortragender im Rahmen d. Sparkassenverb., Verkaufstraining, schriftstell. Tätigkeit f. dezentrales Marketing im Rahmen d. Sparkassenverb., div. Vorträge im In- u. Ausland. M.: Österr. Marketing Club. H.: Natur, Garten, Wandern, Skifahren, Familie, Musik. (C.K.)

Wischinka Anton Dipl.-Ing.

B.: Gschf. FN.: Fernwärme Wien GmbH. GT.: AufsR. Entsorgungsbetriebe Simmering. DA.: 1090 Wien, Spittelauerlände 45. G.: Wien, 31. März 1939. K.: Mag. Wien, Stellv. Vors. d. Fachverb. d. Gas- u. Wärmeversorgungsunternehmen, Vors. d. Berufsgruppe Fernwärme. H.: Tennis, Arbeit.

Wisleitner Raimund Dr. phil.

B.: Vorst.Dir. A.: 1120 Wien, Hasenhutg. 5-11/III/2. G.: Wien, 10. Mai 1927. V.: Germana, geb. Kaufmann. El.: Raimund u. Josefine. S.: RG, Univ. Wien (Romanistik, Anglistik). K.: 1050-51 Gebr. Böhler & Co, seit 1951 Verein. Papierind. u. Allg. Warenhdls. AG Wien. H.: Bergsteigen, Skifahren, Leichtathletik.

Wismühler Hanna-Maria Ing.

B.: akad. gepr. Werbekfm., Betriebstechnikerin, Dezernatsltr. Dezernat Dezentralisierung Mag.-Dion. Hilfsmaßnahmen. DA.: 1080 Wien, Friedrich-Schmidt-Pl. 3. PA.: 1130 Wien, Schloß Schönbrunn. G.: Wien, 9. März 1953. El.: Ing. Walter u. Margarete. S.: 1972 Matura TGM Fachrichtung Betriebstechnik. K.: 1972-74 Abt. f. techn. Organ. b. d. Firma Eumig, 1974-81 Ass. Stundenplanstelle TGM u. parallel Stud. BWL an d. WU Wien, 1981-86 Abt. Stadtplanung b. d. Stadt Wien, 1981 Abschluß als akad. gepr. Werbekfm., seit 1986 Ref. d. Abt. Dezentralisierung, seit 1992 Dezernatsltg. übernommen, Vortragstätigkeit u. Seminare z. Gebiet Dezentralisierung. BL.: 1989-92 wesntl. Mitarb. b. d. Akt. d. Stadt Wien f. Rumänien, Moskau, Kurdistan u. Jugoslawien, enge Zusammenarb. m. Caritas u. Rotem Kreuz u. BM. f. L. E.: Einsatzmed. d. Stadt Wien, Anerkennungsschreiben v. div. Organ. H.: Skifahren, Segeln, Theater, Literatur. (I.K.)

Wissmann Herbert Dkfm.

B.: Gschf. Ges. FN.: Wissmann & Brückner KG Textilveredelung. DA.: 1140 Wien, Matznerg. 7. PA.: 1140 Wien, Ameisg. 9. G.: Wien, 27. Sept. 1927. V.: Elfriede, geb. Kerschner. Ki.: Christine (1954), Wolfgang (1963). El.: Heinrich u. Johanna, geb. Heimlinger. S.: HS f. Welthdl. K.: 1949 Eintritt in d. väterl. Betrieb, seit 1961 Ges., ab 1981 Gschf. Ges., Schwerpunkt: Erzeugung v. Bucheinbandstoffen u. Kranzbänder. H.: Ldw., Wandern, Bergsteigen. (N.A.)

Wissmann Peter

B.: Choreograph. PA.: 1010 Wien, Passauerpl. 6/31. G.: St. Gallen/Schweiz, 26. Okt. 1952. V.: Susanne, geb. Gamauf. El.: Paul u. Gertrud. S.: Primarschule, Sekundarschule, Dekorateurlehre, 1 J. Andrew Hardy School of Dance London, 4 J. Andrey Glegolski u. Matt Mattox School of Dance Paris. K.: 6 Mon. Swing Boy Folies Berger Paris, 1 J. Royal Ballet de Wallonie Le Roi, 1 J. Felix Plaskas Dance Co Paris, 1 J. Theatre du Silence Paris, danach freiberufl. Tänzer am Opernhaus Zürich, verbunden m. mehreren Tourneen durch BRD, Frankreich, Italien, d. Übersiedlung nach Österr. erfolgte 1981 m. d. Bregenzer Festspielen (West Side Story), 1982 Wr. Volksoper, Mitwirkung am Choreographenwettbewerb, "junge Choreographen", Theater an d. Wien m. d. Stück "Fragezeichen". P.: "Fragezeichen" (Tanzstück), "So oder so" 1982, "Rote Lippen" 1983, "O. Padödö" 1984, "Das Vermärchen" 1986, Gastchoreographien: Cagliostro in Wien/Ronacher 1986, Auszählreim steir. Herbst 1986, Rote Lippen Volkstheater 1986. E.: Christl Zimmerl Anerkennungspreis. H.: Kostümentwürfe, Musik, Bücher, Saxophon. (G.E.)

Wisth Andrea

B.: Geschäftsinh. u. Ltr. FN.: Wisth Collection. DA.: 1180 Wien, Kutschkerg. 3. V.: Kurt Wisth. S.: Kfm. Berufsausbild. K.: 1987 Grdg. d. Firma Wisth Collection Import u. Großhdl. f. Papier-, Geschenk- u. Fancy-Artikel. (J.S.)

Wistuba Werner

B.: Unternehmer f. Sportanlagen. FN.: WIMA Sport-TechnoGym Generalvertretung f. Österr. DA.: 5400 Hallein, Oberhofg. 2. PA.: 5400 Hallein, Maraltstr. 19. G.: Hallein, 29. Apr. 1943. V.: Bruna, geb. Causero. Ki.: Werner (1975). S.: VS, HS, Friseurlehre, 1971 Mstr.-Prüf. K.: 1960 1. Fitneßstudio in Hallein, b. 1980 Wima-Sportstudio, seit 1981 selbst., lfd. Weiterbild. am Fitneßbereich, Messen im In- u. Ausland. H.: Tennis, Fitneßtraining, Schach, Skifahren, Literatur. (S.P.)

Witek Alfred

B.: Gschf. FN.: A.W. Faber-Castell GmbH. DA.: 1230 Wien, Wagner-Schönkirch-G. 9. PA.: 1030 Wien, Aspangstr. 53/28. G.: Wien, 30. Jan. 1950. V.: Annemarie Ki.: Tina (1979). El.: Alfred u. Maria. S.: VS, Realschule, 1964-67 kfm. Berufsschule f. Großhdl., 1967 Kfm.-Gehilfenprüf. K.: 1964-69 zuerst kfm. Lehrling dann kfm. Ang. Firma Schneiders, 1969-73 Kreuzer GmbH, seit 1973 Faber-Castell, ab 1985 Marketing- u. Verkaufsltr., ab 1991 Einzelprok., seit 1994 Gschf. H.: Tennis, Bergsteigen, Schifahren, Beruf. (F.S.)

Withalm Horst Albert Dipl.-Ing.

B.: Ing.-Kons. f. Vermessungswesen. DA.: 4240 Freistadt, Böhmerg. 2. PA.: 4264 Grünbach, Schlag 58. G.: Wien, 4. Dez. 1939. Ki.: Karin (1963), Roland (1966). El.: Leopold u. Berta. S.: VS, Gymn., 1957 Matura, b. 1963 TU Wien. K.: 5 J. Baudir. in Linz im Amt d. Landesrg., 1969 Übernahme d. Büros d. Vaters. M.: Lions Club, Golfpräs. b. Golfclub St. Oswald. H.: Skifahren, Segeln, Schwammerlsuchen, Kunst in jeder Form sammeln. (U.A.)

Withalm Johann Ing.

B.: Gschf. d. Ver. Färbereien Vöslau GmbH. DA.: 2540 Bad Vöslau, Falkstr. 8. PA.: 2500 Baden, Leitzenbergerstr. 9. G.: 9. Dez. 1930. V.: Erna, geb. Pilat. El.: Johann u. Elisabeth. S.: HS, Techn. Mittelschule Wien, staatl. Lehr- u. Versuchsanst. f. Textilind., 3 J. Fa. Kaulich Weberei Wien, 1951 Eintritt in Actien-Ges. d. Vöslauer Kammgarn, 1968 Handlungsbev., 1973 Prok., 1976 Grdg. d. Ver. Färbereien GmbH, Prok., 1977 Gschf., 1978 Konkurs d. Actien-Ges. d. Vöslauer Kammgarn, Übernahme durch d. Ver. Färbereien GmbH. M.: Coloristenver., WdF Wirtschaftsforum f. Führungskräfte. H.: Arb., Lesen, Wandern, klass. Musik, Theater. (M.G.)

Withoff Franz Dr. jur.

B.: RA. DA.: 3910 Zwettl, Landstr. 20. PA.: 3910 Großglobnitz 37. G.: Leoben, 20. Sep. 1910. V.: Anneliese, geb. Ferkl. Ki.: Dipl.-Ing. Brigitte (1935), Heidelinde (1941), Dr. jur. Franz (1950), Dr. jur. Martina (1961). El.: Martin u. Maria, geb. Niederl. S.: BRG-Matura 1928, Jus-Stud. a. d. Karl Franzens-Univ. Graz, 5.11.1934 Dr. jur. u. Dr. rer. pol. K.: 1934 RA-Anwärter beim KG Leoben, 1935-38 Konzipient in RA-Kanzlei Dr. Schlatzer in Kindberg, 1938-39 Jurist b. Landstelle d. BH Leoben, 1940 Einberufung z. Wehrdienst, Aug. 1945 Entlassung aus d. amerik. Kriegsgefangenschaft in Heilbronn am Neckar, 1945-56 Red. d. Zeitschrift "Obersteirische Volksztg." im Verlag d. Vaters Martin Withoff, 1957-59 Konzipient in RA-Kanzleien Dr. Branczik i. Bad Aussee Dr. Schweighofer in Wien u. Dr. Michael Stern, Dr. F.G. Aufricht in Wien, RA-Anwärter in RA Kanzlei Dr. Franz Beyde, 1960 Eröff. eig. RA-Kanzlei. (M.M.)

Witke Gertraud

B.: Ges. FN.: Ing. Witke GesmbH. DA.: 1110 Wien, Simmeringer Hauptstr. 257. PA.: 1110 Wien, Reimmichlg. 10. G.: Wien, 27. Aug. 1949. V.: Ing. Josef. Ki.: Nikola (1971), Kathrin (1974). El.: Anton u. Margarete Vilics. S.: Hasch. K.: 1966-74 Tätigk. i. Büro-Bereich b. Firmen Trösch u. Unilever, 10 J. wegen d. Kinder nicht berufstätig, 1984 Grdg. d. eig. Betriebes durch den Gatten, ab diesem Zeitpunkt wieder berufstätig u. Mitarb. i. Bereich Administration i. d. gem. Firma. H.: Lesen. (F.S.)

Witke Josef Ing.

B.: Ges. FN.: Ing. Witke GesmbH. DA.: 1110 Wien, Simmeringer Hauptstr. 257. PA.: 1110 Wien, Reimmichlg. 10. G.: Wien, 5. Dez. 1947. V.: Gertraud, geb. Vilics. Ki.: Nikola (1971), Kathrin (1974). El.: Josef u. Franziska. S.: 5 J. HTL, Mstr.-Prüf., Konzessionsprüf. f. Starkstrom u. Elektrotechnik, Sachverständigenprüf. K.: 1968-69 Radiomechanikergeselle b. Fa. Koch, 1971-83 Werkstättenltr. b. Fa. Fernseh-Kratky, die letzten 2 J. Prok., 1984 selbst. m. Grdg. einer eig. Firma. M.: aktives Kammermtgl. s. 1985. H.: die Firma. (F.S.)

Witoszynskyj Leo Dr. iur. Prof.

B.: Konzertgitarrist, Prof. f. Gitarre an d. HS f. Musik u. darst. Kunst. DA.: 8010 Graz, Leonhardstr. 15. PA.: 1040 Wien, Schlüsselg. 5. G.: Wien, 23. Juni 1941. V.: Eleonore, geb. Kujal. Ki.: Nikolaus u. Christoph. El.: Dr. Georg u. Maria. S.: Gymn., Stud. b. Luise Walker an d. Ak. f. Musik u. Darst. Kunst Wien (Dipl. 1964 m. Ausz.), Jusstud. an d. Univ. Wien u. Graz (Prom. 1966), Sommerkurse b. Andrés Segovia in Santiago de Compostela, Privatunterr. b. Narciso

Yepes. K.: 1964 Konzertdebüt in Nürnberg, s. 1974 HProf. f. Gitarre, 1980-88 Rektor-Stellv. d. HS f. Musik Graz, Konzerte u. Rundfunkaufnahmen in d. meisten Ländern Europas, d. mittl. u. fernen Ostens, Südamerika, USA, Schallplatten, Teilnahme an intern. Festspielen, Zus.Arb. m. Gottfried Hechtl (Flöte), Timothy Walker (Gitarre), Patricia Wise (Gesang), Franz Schubert Quartett u.a., Konzerte m. BBC-Concert Orch., Birmingham City Orch., Tschech. Kammersolisten, Wr. Symphoniker u.a. BL.: Uraufführ. v. Egon Wellesz, Alfred Uhl, Marcel Rubin, Wolfgang Muthspiel u.a. E.: Gewinner d. Intern. Wettbewerbs f. Gitarre (Alessandria 1968), Preisträger b. Wettbewerben in Liège u. Vercelli, Gr. EZ f. Verd. um d. Rep. Österr. P.: Beiträge d. ÖMZ, Festschrift "10 J. HS f. Musik u. darst. Kunst Graz", Laudatio f. Andrés Segovia. M.: Österr.-span. Ges., österr.-brit. Ges., Ver. z. Förd. d. Rektorenkonferenz, Ver. d. Freunde d. HS f. Musik u. darst. Kunst Graz. H.: Kunst. (C.H.S.)

Witowetz Heinrich

B.: Bundessekr. d. Österr. Kinderfreunde. DA.: 1010 Wien, Rauhensteing. 5. PA.: 1140 Wien, Felbigerg. 107 B/8. G.: Wien, 22. Okt. 1934. Ki.: Gertrud (1958) u. Alexandra (1970). El.: Heinrich u. Theresia, geb. Prugger. S.: 1961 Elektrowerkmstr. K.: 1967 Landessekr. d. Kinderfreunde NÖ, ab 1976 Organ.-Sekr. d. Bundesorgan. Österr. Kinderfreunde, s. 1987 dort Bundessekr. P.: "75 Jahre Kinderfreunde", zahlr. Artikel in Fachzeitschr., Red. d. "Elternblatt" u. d. "Sozialist. Erziehung" u. v. Bildungspolit. Nachr. E.: 1984 Silb. EZ d. Rep. Österr., 1988 EZ d. Marktgem. Guntramsdorf. H.: Lesen, Wandern, Reisen. (N.A.)

Witschka Friedrich Franz Dr.

B.: RA. DA.: 1030 Wien, Dannebergpl. 19/10. PA.: 2483 Ebreichsdorf, RCSE. G.: Wien, 12. Febr. 1927. V.: Erica, geb. v. Jents. Ki.: Madeleine. El.: Franz u. Clara. S.: Gymn., Stud. Wien, K.: Gerichtspraxis, Konzipient b. Dr. Frank Neubauer, 1958 Anw.Prüf., seit 1959 selbst. Anw. BL.: versch. wichtige Funktionen im Motorsport 1965-75. M.: Pr. v. RRC 13, Mtgl. d. Sportgerichtes u. d. OSK d. ÖAMTC, Präs. d. Österr. Automobil u. Motorsportverb., Mtgl. d. Disziplinarrates d. RA-Kam. H.: Rallye- u. Autorennfahren, Segelfliegen, Springreitsport, Rudern, Familie, Antiquitäten, Theater, Literatur. (M.G.)

de Witt Gerhard

B.: Gschf. Ges. FN.: Gerhard de Witt GmbH. DA.: Tullner Str. 39, 2000 Stockerau. PA.: Andernachstr. 5, 2000 Stockerau. G.: Stockerau, 1. Aug. 1964. V.: Brigitte, geb. Jansky. Ki.: Janine (1987). El.: Ewald u. Ilse. S.: Tischlerlehre. K.: 1983-85 div. Tischlereien, 1985-90 Filialgestalt. in Selbstbaumöbelfirma, Sept. 1990 Eröff. Fa. Gerhard de Witt GmbH. H.: Schifahren. (M.M.)

Witt Karsten

B.: Gen.-Sekr. d. Wr. Konzerthausges. DA.: 1030 Wien, Lothringerstr. 20. G.: Hamburg, 5. März 1952. V.: Anna, geb. Zeijl. Ki.: Robin (1982), Jonas (1985), Nicolas (1987). El.: Rainer u. Hilde. S.: 1971-79 Stud. Phil., Math. u. Linguistik Hamburg u. Konstanz, Staatsexamen u. Mag. K.: m. 9 J. Geigenunterricht, Mitwirkung in versch. Jugendorchestern, Stipendium f. d. World Youth Symphony Orchestra Interlochen/Michigan, Konzertmstr. u. Sprecher d. Bundesjugendorchesters, 1974 Grdg. d. Bundesstudentenorchesters Junge Dt. Philharmonie, danach dessen Sprecher bzw. gschf. Vorst.-Mtgl., b. 1980 Mitwirkung als Geiger, 1979-87 hauptamtl. Gschf. Freiburg u. ab 1984 Frankfurt, 1980 Grdg. d. Ensemble Modern u. d. Kammerorchesters d. Jungen Dt. Philharmonie, 1985 Professionalisierung d. Ensemble Modern u. 1987 d. Kammerorchesters, 1986-90 Gschf. d. Ges. f. Neue Musik e.V., 1987 Grdg. d. Dt. Ensemble Ak. e.V., b. 1991 Gschf. d. Dt. Ensemble Ak. e.V. u. b. 1989 d. Dt. Kammerphilharmonie, ab 1991 Gen.-Sekr. d. Wr. Konzerthausges. (R.J.)

Witt Peter-Jürgen

B.: Holzkfm. FN.: Ernst Kochendörfer Inh. Müllner´s Nfg. & Witt KG. DA.: 1120 Wien, Eichenstr. 7a. G.: Wien, 13. März 1942. V.: Karin, geb. Hoza. Ki.: Petra (1973), Alexandra (1975). El.: Bruno u. Katharina. S.: VS, AHS, 1961 Matura, BH. K.: 1962 kfm. Ang. Firma Kochendörfer, 1967 Übernahme d. Firma Kochendörfer gemeinsam m. Karl Müllner u. Grdg. einer OHG. H.: Tennis, Fotografieren, Lesen. (G.B.)

Wittek-Jochums Michael Dr.

B.: RA. DA.: 5020 Salzburg, Moosstr. 58C. PA.: 5302 Henndorf/Wallersee, Fenning 44. G.: Salzburg, 6. Dez. 1948. V.: Karin, geb. Prem. Ki.: Anna-Katharina, Michaela. El.: Heinrich u. Ulrike. S.: 1970 Matura, Jusstud. Univ. Sbg., 1975 Prom. K.: seit 1980 selbst. Kzl., seit 1989 VBgm. in Henndorf/Wallersee. M.: Lions-Club, Prüf.-Kmsr. f. RA-Prüf. H.: Tennis, Skifahren. (M.Mo.)

Wittenberger Alfred

B.: Flugzeugtechniker, Komponist, freier Künstler. DA. u. PA.: 1090 Wien, Schubertg. 15/10a. G.: Wien, 19. Sep. 1959. V.: Beatrix, geb. Geigenberger. El.: Alfred u. Ernestine. S.: AHS, HTL Flugtechnik, HS f. Musik m. Ausz., Segelflugschein. K.: Gründer d. Rockband "Positive" u. Kammermusikensembles Per Arte, 2000 Auftritte Europa, Saudi Arabien, Türkei, Japan. P.: 13 Schallplatten, Co-Autor d. Kindermusikanimation über Mozart, Vivaldi. M.: Obm. d. Komponistenbund Harmonia Nova. H.: Musik. (J.M.)

Witternigg Josef Franz Mag. arch. Ing.

B.: RgOBauR. i.R. b. d. LRg. Sbg. A.: 5020 Salzburg, Gen.-Arnold-Str. 4. G.: Linz, 7. Okt. 1916. V.: Margareta, geb. Herbold. El.: NatR. Josef u. Anna. S.: BRG, Höhere Staatsgewerbeschule, Reifezeugnis m. Ausz., Ing.Zeugnis, Mstr.Schule f. Arch. an d. Ak. d. Bild. Künste Wien, Staatsprüf. m. sehr gutem Erfolg, Dipl. m. Meisterschulpreis. K.: 1941-45 Wehrdienst u. Kriegsgefangenschaft, dann in den Staatsdienst, 1945-48 Bez.Ing. b. d. BH St. Johann/Pg., 1948-61 VB d. Sbg. LRg., 1961 Ziviltechnikerprüf. f. Arch. in Wien u. Verl. d. Befugnis, 1962-64 BauR. u. seit 1964 RgOBauR. b. 1981. P.: Planung u. Ltg. d. Dr. Th. Körner-Schutzhaus d. Touristenver. "Naturfreunde Österr.". E.: Sport-EZ in Silber v. Land Sbg., TVN-EZ in Gold, ASKÖ-EZ in Gold, ASKÖ-Ehrenplakette in Silber, ASKÖ-Verd.Zeichen in Gold, Silb. EZ f. Verd. um d. Rep. Österr. M.: VPräs. d. Sbg. Handball- u. Faustballverb., Sonnensport Sbg. (Gründer u. Obm.), ÖNV. H.: Freizeitsport.

Wittmann Erich Dr. iur. Mag.

B.: Sekt.-Chef d. Sekt. f. wirtschaftl. Angelegenheiten im Bundesmin. f. Öff. Wirtschaft u. Verkehr. GT.: Gschf. d. ERP-Fonds. DA.: 1010 Wien, Renng. 5. PA.: 1130 Wien, Seutterg. 19. G.: Wiesmath, 14. Apr. 1940. V.: Anna, geb. Handler. Ki.: Reinhard (1971). El.: Josef u. Maria, geb. Schier. S.: 1959 Externistenmatura, Stud. Rechts- u. Staatswiss. Univ. Wien, 1966 Prom. z. Dr. iur. K.: 1966 BKA, 1970 Abt.-Ltr., 1982 Ltr. d. Sekt. IV Wirtschaftl. Koordination u. verstaatl. Unternehmungen im BKA, gleichzeitig Gschf. d. ERP-Fonds, seit 1985 Ltr. d. Sekt. f. wirtschaftl. Angelegenheiten im Bundesmin. f. Öff. Wirtschaft u. Verkehr. E.: Gr. Gold. EZ f. Verd. um d. Rep. Österr., Gold. EZ f. Verd. um d. Rep. Österr., mehrere in- u. ausländ. Ausz. M.: AufsR. d. Österr. Ind.-Holding AG (ÖIAG) u. d. Austria Industries AG, Mtgl. d. AufsR. d. Österr. Investitionskredit AG, Vors. d. AufsR. d. ÖIAG Bergbauholding AG (ÖBAG), Vors. d. AufsR. d. Bundes f. Ind.-Polit. Maßnahmen GmbH (GBI). H.: Reisen, Lesen, Wandern. (N.A.)

Wittmann Franz

B.: Holzkfm., Rallye-Sportler. FN.: Sägewerk u. Holzhdl. Franz Wittmann GmbH. DA. u. PA.: 3172 Ramsau b. Hainfeld. G.: St. Pölten, 7. Apr. 1950. V.: Rolanda, geb. Kowald. Ki.: Franzi (1983), Julia (1988), Sebastian (1991). El.: Franz u. Cäcilia. S.: 4 J. holzkfm. Fachschule Kuchl. K.: 1966-71 Skirennläufer im NÖ-Kader, 1971-76 Skitrainer in d. Ski-HS Lilienfeld, seit 1971 Rallyesport, 1979 Übernahme d. elterl. Betriebes, 1989 Betriebserweiterung, 1993 Bau eines Golfplatzes in Ramsau, seit 1986 Züchtung schott. Hochlandrinder in eigener Ldw., zwischendurch Autotester f. versch. Zeitungen, Jagdaufsichtsorgan u. seit 1980 GemR. v. Ramsau. BL.: seit mehr als 23 J. Spitzensportler im Rallye-Sport, 11-facher Österr. Staatsmstr., 1978 VEuropamstr., 1978 als 1. Österr. einen WM-Lauf in Neuseeland gewonnen, 35 EM-Siege, insgesamt 75 Gesamtsiege b. intern. Rallyes. P.: Buch "G´schichten aus d. Grenzbereich", 1989-92 Journalist u. Gestalter d. gesamten Motorteil f. "Die ganze Woche", außerdem Autotester f. versch. Zeitungen. H.: Golf. (F.S.)

Wittmann Gerald Dkfm.

B.: Gschf. Ges. FN.: Hans Wittmann & Sohn Textilgroßhdl. Bettwäschefabrikation. DA.: 1010 Wien, Rudolfspl. 5. PA.: 1180 Wien, Hockeg. 65. G.: Wien, 7. Jan. 1945. V.: Mag. Karin, geb. Kotlowski. Ki.: Pamela, Jessica. El.: KommR. Hans u. Margarethe. S.: BRG, BLVA f. Textilind., 1964 Matura, Stud. WU, 1969 Dkfm. K.: Eintritt ins väterl. Untern., Umbau, Ausbau, seit 1984 alleiniger Gschf. M.: Außenhandelgremium d. Kammer Wien. H.: Jagd. (J.S.)

Wittmann Gerda Dr. phil.

B.: Ltr. d. Ver. Tiere als Therapie. PA.: 1170 Wien, Calvarienberggasse. G.: Wien, 18. Jan. 1928. V.: Dr. Wolfgang. S.: 1946 Matura Wien, 1946-51 Stud. Biologie Univ. Wien m. Prom. z. Dr. phil. K.: 1955-65 Aufenthalt in Australien, Tätigkeit als Biologin, 1965 Rückkehr nach Österr., 1975-88 Biolog.-Techn. Ass. im Naturhistor. Museum Wien, 1988 Beginn d. Aufbaus d. Arbeitsgruppe Tiere als Therapie. BL.: Förd. d. zwischenmenschl. Beziehungen durch Tiere in d. KH u. Pflegeheimen, Zusammenstellung d. Tiere f. Therapiezwecke. H.: Menschen u. Tiere. (N.A.)

Wittmann Helga Dr. Mag. a.o. Prof.

B.: Pensionistin. PA.: 8010 Graz, Schumanng. 27. S.: RG in Graz, Chemie-Stud. an d. Univ. Graz, 1944 Dipl.Chem., 1957 Prom. z. Dr. phil. K.: 1963 Ass. am Inst. f. Organ. u. Pharmazeut. Chemie d. Univ. Graz, 1966 Venia legendi f. Organ. Chemie, 1970 tit.a.o.Prof., 1973 a.o.Prof., Ltr. d. Abt. f. organ. Analytik. P.: Ständige wiss. Forschungsarb. u. 100 Fachveröff. in div. europ. Medien. H.: Musik, Wandern. (H.J.)

Wittmann Karl

B.: Gschf.Ges. FN.: Wittmann GesmbH m. d. Bereichen Verbindungstechnik u. Kosmetik. DA.: 1110 Wien, Pachmayerg. 2-4, u. 1110 Wien, Geiselbergstr. 41. PA.: 1140 Wien, Ulmenstr. 150. G.: Wien, 6. Jän. 1947. V.: Ingrid, geb. Hanzl . Ki.: Petra 1977, Michael 1974. El.: Otto u. Maria. S.: Realschule, Chemie-Fachschule Rosensteingasse m. Abschluß, TGM Werkmeisterkurs Meß- u. Regeltechnik. K.: 1965-71 ÖMV, Chemotechniker i. Chem. Labor d. Raffinerie

Schwechat; 1971-73 Verfahrenstechniker b. Anger-Optyl; 1973-86 Techn. Berater bei Fa. Trentini, 1982 Gründung d. Kosmetik-Institutes durch die Gattin, 1984 selbstständig mit Gründung einer eigenen Firma mit dem Unternehmensbereich Verbindungstechnik. P.: Durchführung v. Schulungen u. Seminaren im Bereich verbindungstechnik im WIFI u. anderen Instituten. H.: Skilaufen, Wasserschilaufen. (F.S.)

Wittmann Othmar Dkfm.

B.: Steuerberater. PA.: 1080 Wien, Josefstädter Str. 81/2/3/21. G.: Anger/NÖ, 30. Apr. 1924. Ki.: Martina (1971). S.: Matura 194. K.: Arbeitsdienst, Wehrmacht, russ. Kriegsgefangenschaft, 1948-51 HS f. Welthdl., teilw. selbst., teilw. ang. Steuerberater, seit 1987 i.P. H.: Geographie, Geschichte. (P.R.)

Wittmann Walter

B.: Gschf. FN.: Koflach Ski & Sport Boots GmbH & Co KG. DA.: 8580 Köflach, Alte Hauptstr. 5-7. PA.: 8580 Köflach, Finkeng. 29. G.: Graz, 23. Juni 1962. V.: Sabine, geb. Preiß. Ki.: Thomas (1967). El.: Josef u. Maria. S.: HAK, Matura, Bundesheer, Controller-Akad. Deutschld., Abschl. 1982. K.: Fa. Eberhard Graz (Einkauf), 1983 GMA-Köflach Glasformen u. Maschinen (Betriebswirt, Pers.-Ref., Pers.-Chef), 1986 Prok., Fa. Koflach als Controller, dan. kompl. techn. Bereich m. Arbeitsvorbereitg., 1990 Einzelprok., seit 1992 Gschf. H.: Schifahren, Tennis, Fachzeitschriften. (F.K.)

Wittstock Ingo

B.: Gschf. FN.: VMG Die Erste Österr. Sparcasse Vers.Makler GmbH. DA.: 1190 Wien, Heiligenstädter Lände 29. PA.: 1190 Wien, Döblinger Hauptstr. 24/6. G.: Wien, 9. Sept. 1942. Ki.: Oliver, Birgit. El.: Olga Wittstock. S.: RG, Matura. K.: 1965 Erste Österr. Sparcasse Filialbereich, alle Stationen, Kundendienstabt. Bereich Großkunden, seit 1987 Gschf. d. VMG. H.: Basketball, darstell. Kunst, Arch., Wandern. (A.K.)

Witz Karl

B.: Kfm. A.: 1060 Wien, Linieng. 46. G.: Wien, 2. Jan. 1940. V.: Gertrude, geb. Kögler. S.: Grundschule, Gewerbeschule, Mstr.Prüf. im Gürtlergew. K.: Gschf. d. Karl Witz GmbH & Co KG, Ges. d. Karl Witz GbmH, Gschf. d. Gertrude Witz GmbH, Gründung d. KAWI-Intern. GmbH, München. F.: Karl Witz GmbH, Karl Witz KG, Gertrude Witz GmbH. M.: Fachaussch.Mtgl. d. Lederwareninnung Wien, Aussch.Mtgl. d. Wr. Messe AG f. Messeangel. d. Sekt. Gew.

Witz Werner

B.: Gschf. Ges. FN.: Witz & Pichler. DA.: 1070 Wien, Neustiftg. 17-19. G.: Wien, 16. Febr. 1941. V.: Gertraud. Ki.: Susanne, Monika, Thomas. El.: Werner u. Margarita. S.: HTL

Mödling, 1959 Abschluß, Konzessionsprüf. E-Installationsgewerbe. K.: 15 J. Praxis als ltd. Ang., 1984 Grdg. Witz & Pichler m. Schwerpunkt E-Installation, Ind.-Installation f. Elite Möbel, Stastnik, Schönberg u. Cerny. M.: Segelver. Yachtclub Breitenbrunn, Vorst. d. Regattaltg. H.: Segeln. (J.E.)

Witzany Andreas Ing.

B.: Gschf. FN.: SF Business Solution GmbH. DA.: 1210 Wien, Franz-Jonas-Pl. 3/2. G.: Berndorf, 4. Juli 1961. El.: Alfred u. Gertrude. S.: VS, BRG, HTL, 1981 Matura. K.: Konstrukteur b. Philipps, Trainer u. Kundenberater Firma Analytika, Database-Marketing-Specialist b. Hewlett-Packard Österreich u. Schweiz, seit 1993 Gschf. SF Business Solution. H.: Skitouren, Tauchen, Direktmarketing. (W.J.)

Witzmann Erich Dr.

B.: Redakteur (Innen- u. Bildungspolitik). FN.: Die Presse. DA.: 1015 Wien, Parkring 12 a. PA.: 1210 Wien, Auckenthalergasse 31. G.: Wien, 21. Jan. 1945. V.: Dr. Reingard, geb. Weihs (Museumsbeamtin u. Sachbuchautorin). El.: Dr. Erich u. Elisabeth. S.: Matura 1964 am RG u. BRG, Stud. d. Gesch., Deutsch u. Jus an der Univ. Wien, Prom. 1974 im Fach Wirtschafts- u. Sozialgeschichte. K.: ÖH-Funktionär, Mandatar, im fotografischen Gewerbe im Familienbetr. tätig, ab 1973 Red. bei der "Presse", 1986-93 bei den "Salzburger Nachrichten", seit 1993 Leiter der Abt. Bildungspolitik/Innenpolitik (NÖ) der "Presse". P.: Geschichtspubl. u.a.: "1848 Biedermann auf der Barrikade", Beiträge in Schriftenreihen (z.B. Club NÖ) u. Sammelbänden (z.B. Vereinigung österr. Industrieller). E.: Kardinal Innitzer - Journalistenpreis, Staatspreis f. Wissenschaftsjournalismus des BMfWF u. mehrere Journalistenpreise. M.: Univ.-Ombudsmann der "Presse", stv. Vors. d. Clubs f. Bildungs- u. Wissenschaftsjournalisten, Gen.-Sekr. der Arbeitsgemeinschaft Mitteleuropa d. Wissenschaftsjournalisten. H.: Geschichte, Langstreckenlauf. (J.S.)

Witzmann Friedrich

B.: Gschf. Ges. FN.: Friedrich Witzmann GmbH. DA.: 1110 Wien, Zippererstr. 17. PA.: 3142 Murstetten, Obere Hauptstr. 15. G.: Wien, 20. Apr. 1940. V.: Renate, geb. Bittermann. Ki.: Manfred, Elisabeth, Friederike, Gabriela. El.: Friedrich Thomas u. Anna Maria. S.: Berufsausbild. z. Maschinenschlosser, 1979 Mstr.-Prüf. z. Maschinenschlosser- u. Elektromechanikermstr., Elektrotechnikausbild. am WIFI u. HTL Wien. K.: nach d. Ausbild. b. Gschöpf & Seletczky GmbH tätig, seit 1979 selbst. F.: Bufett Witzmann, Handelsfirma f. Waren aller Art vorwiegend Bijouterie, Kfz-Teilehdl., Mechan. Werkstätte, Produktion v. Dach- u. Magnetleuchten sowie Taxizubehörerzeugung, Alleinimporteur v. Zemco-Produkten: Autocomputer, Geschwindigkeitsregler u. Diebstahlalarmanlagen u. Einbau, Gen.-Repräsentant f. Ostösterr. v. Hale-Erzeugnissen: Taxameter, Taxialarmanlagen, Abrechnung m. Computersystemen. P.: Art. in Fachzeitschriftn. H.: Bergsteigen, Fotografieren, handwerkl. Tätigkeiten. (J.S.)

Witzmann Hanspeter Dr. Mag.

B.: Gschf. d. Martha Erdöl GmbH. DA.: 1090 Wien, Peregring. 4. PA.: 1190 Wien, Weimarerstr. 91. G.: Wien, 10. Jan. 1934. V.: Elfriede, geb. Allram. Ki.: Martin, Susanne. El.: BauR. Dipl.-Ing. Franz (1945-64 GemR. d. Stadt Wien) u. Hilde. BV.: Großvater Johann Witzmann war 1919-32 GemR. d. Stadt Wien. S.: RG, WU Wien, Univ. Wien, jur. Fak. K.: 1959-61 Gerichtsdienst Bereich OLG Wien, 1961 Hauptabt.Ltr. d. ÖMV, 1966 Prok. d. Martha Erdöl GmbH, ab 1973 Gschf. E.: Träger d. Gr. Tir. Adlerord. M.: Wr. Wirtschaftsclub. H.: Wandern, Lesen, Geschichte. (Hau.)

Wlach Günther Viktor

B.: Schauspieler, Reg., Komponist, Autor, Gründer u. Ltr. d. Theatergruppe "Mimosen" 1984. DA. u. PA.: 1040 Wien, Margaretenstr. 7/2/13. G.: Wien, 24. Apr. 1958. V.: Helga Leitner (Schauspielerin, Sängerin, Autorin, Komponistin, Mitbegründerin d. Theatergruppe "Mimosen"). Ki.: Christopher (1973), Maximilian (1982), Benjamin (1988). El.: Johann u. Margaretha, geb. Handl. BV.: Onkel KommR. Dr. Viktor Wlach Rg.Bmtr., Großmutter Theresa Wlach Laienschauspielerin, Kostümschneiderin f. Film u. Theater. S.: HS Wien, 1979-82 Schauspielunterricht im Preyner Konservatorium Wien. K.: 1976 Grdg. d. Band "Modena Art Unlimited" als Gitarrist u. Klavierspieler, eigene Kompositionen, Übergang ins Kabarett, 1978 Münchner Galderon-Spiele, Wr. Tournee-Theater Österr.-BRD, größter Erfolg m. "Charleys Tante", Mtgl. d. Jura Soyfer-Theaters, 1982-83 gemeinsam m. Gattin Helga Leitner Lesungen u. Vorträge eigener Lieder, 1984 gemeinsam m. Gattin Grdg. d. Theatergruppe "Mimosen", satirische Kleinkunst, Theaterstücke, gesellschaftskritische Lied-Lyrik-Abende, Musikshows, Themen: Jugendarbeitslosigkeit, Gastarb. Probleme, Midlife-Crisis, Gastspiele an versch. Wr. Bühnen wie Ateliertheater am Naschmarkt, Topsy Küpers "Freie Bühne Wieden", 1987 Jura Soyfer-Theater, größter Erfolg als Josef in Mitterers STIGMA, erfolgreiche Prod. u. Inszenierung wie Kabarett "Zeiterscheinungen", Uraufführung v. E. Molny "Der Turm Davids oder Die befleckte Empfängnis", Musiksatire: Noch ist die Welt in Arbeit, Mitwirkung in Fernsehfilmen wie "Sozialdemokratie", "Der Meister d. Jüngsten Tages". BL.: 1985-90 Gründer u. 1985-90 Organ. d. Initiative "Kultur in Babylon" Wien 4, Gußhausstraße, Präsentation z. Förd. Künstler, Grdg. d. Ver. VFKK. H.: Kunstfotografie, Radfahren, Schwimmen, Tischtennis, Schallplattensammler, Reisen, Schreiben v. Sketches. (M.G.)

Wladar Wolfgang

B.: Dipl.-Tierarzt; freiprakt. Tierarzt. DA. u. PA.: 1150 Wien, Weigelg. 13. G.: Lichtenberg, 21. Apr. 1947. V.: Anneliese, geb. Eibl. Ki.: Lorenz (1983), Isabella (1984), Marina (1984). El.: Prof. Josef Oskar u. Dr. Gertrud. S.: 1966 Matura, Stud. Humanmed. Univ. Wien, ab 1974 Stud. Vet.Med. Univ. Wien, 1980 Spons. z. Dipl.Tierarzt. K.: 1980-81 Mitarb. als Tierarzt in einer tierärztl. Ordination, 1982-85 Ass. an d. Klinik f. Geburtshilfe u. Andrologie an d. Tierärztl. Univ. Wien, ab 1986 freiprakt. Tierarzt. M.: VÖK. H.: Sport, Tennis, Golf. (M.M.)

Wladasch Adolf

B.: Allein. Gschf. FN.: LOBA Chemie GmbH. DA.: 1015 Wien, Scharzenbergpl. 3. PA.: 1100 Wien, Bürgerg. 6/19. G.: Baden, 24. Mai 1934. V.: Gertrude, geb. Faber. Ki.: Hannes, Ursula, Barbara. S.: VS, HAK. K.: seit 1952 Graz Fa. Puntigamer Marketingabt., 1956-84 Fa. MOBIL OIL, seit 1986 Gschf. M.: Aussch.Mtgl. im Fachverb. d. Chem. Ind. H.: Bilder sammeln, Radierungen, Skifahren, Bergklettern. (K.M.A.)

Wlasak Helmuth

B.: Int., Reg., Schauspieler. DA.: 6020 Innsbruck, Rennweg 2. G.: Wien, 26. März 1930. V.: Sonja, geb. Höfer. S.: RG, 1948 Matura, Schauspielschule m. staatl. Prüf. K.: 1950/51 Eleve am Theater in d. Josefstadt, anschl. an d. Wr. Kellerbühnen, 1952-56 Ver. Bühnen Graz, ab 1956 in Innsbruck, ab 1967 Int. d. Tir. LTheater, Lehrbeauftragter d. Städt. Konservatorium u. d. Mozarteum, seit 1949 freier Mitarb. d. ORF. E.: EZ d. Landes Tir., Kulturkreuz d. Stadt Innsbruck, Franz. "Chevalier", ital. "Cavaliere". H.: elektr. Eisenbahn, Tonband u. Schallplattensammeln, Bergwandern. (Schm.)

Wlasaty Siegfried Dr. phil. Mag. Prof. Dir.

B.: Ltr. d. Päd. Ak. d. Diözese Linz. DA.: 4020 Linz, Salesianumweg 3. PA.: 4020 Linz, Salesianumweg 5. G.: Haslach, 12. Sept. 1939. V.: Mag. Anneliese, geb. Gaheis. Ki.: Helmut (1968), Christian (1972). El.: Franz u. Hermine. S.: 1953-58 Bischöfl. Lehrerseminar Linz, Stud. Deutsch u. Geschichte Innsbruck, 1964 Prom. Dr. phil. K.: b. 1967 Unterricht am Bischöfl. Lehrerseminar, b. 1976 Unterricht am ORG Diözese Linz, ab 1976 Unterricht Päd. Ak., seit 1989 Ltr. d. Päd. Ak. P.: Zeitschriftenart., Buchbeiträge, Aufsätze, Buchbesprechungen, Lehrbuchautor. (P.H.)

Wlaschek Karl

B.: Geschäftsmann. FN.: Karl Wlaschek Privatstiftung. G.: Wien, 1917. V.: Karin, geb. Grothusen. Ki.: 2 Kinder. S.: VS, Gymn., Matura. K.: nach d. Krieg Pianist unter d. Pseudonym Charly Walker in d. Wr. Kaiserbar u. im Veldener Hotel Mösslacher, m. d. J. Imperium aufgebaut. F.: BML Finanzholding, Billa, Merkur, Mondo, Bipa, Libro, Tante Emma Läden. H.: Kochen, Klavierspielen.

Wlassak Sonja

FN.: Wlassak u. Co GesmbH Opel-Autohaus u. Reparatur-Werkstätte. Da.: 2632 Grafenbach, Bundesstr. 138. PA.: 2632 Grafenbach, Kircheng. 4. G.: Waidhofen/Ybbs, 5. April 1945. Ki.: Sigrid(1967), Birgit (1968). El.: Adolf u. dora Hladik. S.: VS, Gymn., Hauswirtschaftsschule. K.: 1962-65 Tätigkeit als Röngten-Assistentin, 1965 Heirat u. Beginn d. Mitarbeit i. Betrieb d. Schwiegereltern, einem Autohaus i. Grafenbach, 1977 Übernahme d. Betriebes durch d. Gatten, 1984 Übernahme d. Unternehmens, da Gatte tödl. verunglückte, 1994 Übergage d. Firma a. d. beiden Töchter. M.: div. Vereine. H.: Relaxen, Lesen. (F.S.)

Wlasta H.

B.: Inh. FN.: Hutsalon Wlasta. DA.: 1010 Wien, Schulerstr. 1-3. Ki.: Sylvia. El.: Raimund u. Johanna. S.: Ausb. b. Mary Klinecky, Meisterpr. m. Auszeichn. K.: n. d. Ausb. Eröffn. d. eig. Gesch. in Wien. H.: Schwimmen, Skifahren. (N.A.)

Wlcek Veronika

B.: Gschf. FN.: Landesverlag GmbH. DA.: 4402 Steyr, Stadtpl. 2. PA.: 4402 Steyr, Sierninger Str. 48. G.: Steyr, 17. Apr. 1955. Ki.: Günter (1974). El.: Josef u. Christine. S.: VS u. HS Sierning, 1 J. HBLA, 3 J. Buchhdls.-Lehre. K.: b. 1973 u. 1977-87 Sandböksche Buchhdlg., ab 1987-89 Firma Ennstahler Steyr, seit 1989 Geschäftsltr. d. Landesverlag GmbH. BL.: 1990-92 Führungsak. m. versch. Seminaren, Krisenmanagement, Kommunikationstraining. H.: Bergwandern, Lesen, Reisen. (U.A.)

Wlk Silvia

B.: Inh. FN.: Copy Service Wlk. DA.: 2340 Mödling, Wiener Str. 59-61. PA.: 2351 Wr. Neudorf, Sieglerstr. 11. G.: Wien, 1. Juli 1954. V.: Johann Wlk. Ki.: Bernhard (1987). El.: Karl u. Leopoldine. S.: 1973 BRG-Matura. K.: 1976 Grdg. d. Kopieranst. Wlk in Mödling, 1978 Eröff. eines Betriebes in Wien, 1990 Eröff. eines Betriebes in Mödling (Lichtpausen, Plandrucke, Farbkopien). (M.M.)

Wlodkowski Gerhard

B: Präs. d. Steir. Ldw.-Kam. DA.: 8010 Graz, Hamerlinggasse. PA.: 8482 Gosdorf 82. G.: Gosdorf, 17. Aug. 1948. V.: Doris, geb. Gombocz. Ki.: Vera (1972), Julia (1978), Marie Theres (1979). El.: Kurt u. Franziska. S.: VS, HS, Ldw. Fachschule Grottenhof, 1966 Abschluß. K.: 1972 Übernahme d. elterl. Betriebes, 1966-71 Bez.-Obm. v. Radkersburg u. Landesobm.-Stellv. Bund Steir. Landjugend, 1986-91 Obm. d. Steir. Geflügelmäster, Obm. d. Steir. Geflügelmast Fehring, 1986-91 LandeskamR., ab 1991 VPräs. d. Steir. Landeskam. f. Land- u. Forstwirtschaft, seit 1993 Präs. P.: Art. in versch. Fachzeitschriften über d. Geflügelwirtschaft. E.: Kam.-Med. in Silber. H.: Tennis, Skifahren, Schwimmen. (M.Gr.)

Wlzek Heinz

B.: Koch, Ges. u. Inh. FN.: Heinz Wlzek u. Edwin Schumnik OHG; Hilde Schöftner u. Heinz Wlzek GesnbR. DA.: 9020 Klagenfurt, Pfarrpl. 20. PA.: 9020 Klagenfurt, Alter Pl. 34. G.: Wien, 24. Feb. 1939. Ki.: Katrin (1975), Heinz (1961). El.: Heinz u. Olga. S.: 1958 Kochgeselle. K.: Tätigkeit in mehreren Lokalen in Wien, 1958 Kochgeselle Stadtkeller, Saisonkoch Schloß Leonstein, Saisonarb. Pörtschach, 1961 Barkeeper u. Kellner, 1963 Eröff. Playboy Disco, 1965 Scotch/Pizzeria, 1968 Werzercasino , Werzerkeller, Nautic Klagenfurt, jetzige Black & White, Beach Club Dolphin, Hausboot verpachtet, 1991 Cafe Tschau Velden. M.: Pörtschacher Golfclub. H.: Tennis, Golf, Skifahren, Radfahren, Schwimmen. (R.T.)

Wöber Harald

B.: Bäckermstr., Inh. d. Fa. Harald Wöber. DA.: 2514 Traiskirchen, Skrianzpl. 1-3. PA.: 2514 Traiskirchen, Heidestr. 17. G.: Möllersdorf, 14. Dez. 1936. V.: Ottilie, geb. Sazek. Ki.: Harald, Robert. K.: Bäckerlehre, 1959 Mstr.Prüf., 1962 Pacht eines Betr. in Pfaffstätten, 1972 Übern. eines weiteren Betriebes dort, 1980 Kauf d. Bäckerei in Traiskirchen. M.: Trabrennver. Baden. (A.W.)

Wochinz Maximilian Dipl.-Ing. OStR. Prof.

B.: Arch., Abt.Vorst. an d. HTL Villach i.R. DA.: 9500 Villach, Heidenfeldstr. 17. PA.: 9581 Ledenitzen, St. Martiner Str. 13. G.: Villach, 24. Mai 1914. V.: Margaretha, geb. Koll. Ki.: Margarethe, Angelika, Marcus, Lucia-Barbara, Nikola, Daniel. El.: Johann u. Anna. BV.: Großvater Max Brandt Hotelier u. Industrieller in Villach u. Triest. S.: Bürgerschule Feldkirch, HTL Villach, 1935 Matura, TH Graz Fak. f. Arch. K.: 1939-41 Baultr. Privatwirtschaft, 1941-45 Militärdienst (Marinefestungsbau in Norwegen), 1946-78 Lehrer an d. HTL Villach (25 J. Abt.Vorst.), 1946 Grdg. d. Zentralver. f. Arch. m. Univ.-Prof. Dr. Zotter, b. 1949 VPräs. dieser Ver., 1950 Grdg.Mtgl. d. Baugen. "Kärntnerland", 1964-68 Sekt.Obm. d. ÖVP Villach-Stadtmitte. BL.: Planung u. Baultg.: Kirche St. Josef in Villach, Kirche in Seeboden, Kolpinghaus Villach, Straßenbauhof Villach, 1200 Wohnungen in Ktn. E.: EZ f. Verd. um d. Befreiung Österr., Ehrenband f. 100 Semester Mtgl. MKV Tauriskia-Villach. M.: seit 1932 Mtgl. d. Kath. Österr. Mittelschulverb. Tauriskia-Villach, seit 1935 Mtgl. d. ÖCV Traungau-Graz,

Kath. Akademikerverb., Mtgl. d. Österr. Gemeinschaft, Mtgl. d. ÖVP-Kameradschaft d. polit. Verfolgten Ktn., Paneuropa-Union, Österr. Wirtschaftsbund. H.: Schwimmen, Eislaufen, Religiöse Literatur, Kultur d. Indianer Nord- u. Südamerikas. (S.G.)

Wochner Gerhard

B.: Prok. FN.: Teich AG Mühlhofen-Obergrafendorf. GT.: Gschf. Teich GmbH München. DA.: 3200 Obergrafendorf. PA.: 3202 Hofstetten-Grünau, Weberg. 6. G.: Kirchberg/Pielach, 13. Aug. 1938. Ki.: 2 Kinder. S.: VS, HS, Ind.Kfm. K.: Lehre, 9 J. b. Zweigwerk d. Fa. Maschinenfbk. J. M. Voith in Obergrafendorf, ab 1964 Teich AG. H.: Bergwandern, Fotografieren.

Wochner Karl

B.: Inh. FN.: Wochner & Co GmbH Sped., Transporte, Lagerei. DA.: 1100 Wien, Triester Str. 12a. PA.: 3163 Rohrbach, Kleinzeller Str. 11. G.: Lilienfeld, 3. Sep. 1936. V.: Friederike, geb. Pirkfellner. Ki.: Verena (1958), Brigitte (1959), Harald (1962), Karl-Heinz (1963). El.: Otto u. Rosina. S.: VS, HS, Lehre Handformer (Gießer). K.: b. 1959 Tätigkeit als Gießer, 1960/61 Tankwart, 1962-70 Tätigkeit im Transportgewerbe, 1971-78 Gschf. eines Transportunternehmens, seit 1978 selbst. m. eigenem Unternehmen, seit einigen J. zusätzl. Auslieferungslager f. Alsecco-Produkte. H.: Firma, Radfahren. (F.S.)

Wöckinger Florian

B.: Landessekr. FN.: Österr. Turn- u. Sportunion, Landesverb. OÖ. DA.: 4020 Linz, Honauerstr. 37/2. PA.: 4312 Ried in Riedmark 175. G.: Ried/Riedm., 2. Mai 1947. V.: Brigitte, geb. Bauer. Ki.: Katharina (1947). El.: Florian u. Johanna. S.: VS, HS, HASCH. K.: 1964 ÖBB-Bür, 1973 Bez.-Sekretariat ÖVP Perg, 1974 Sportunion OÖ - Landessekr., lfd. versch. Kurse, WIFI Kurse, selbst. Sportausbildungskurse. P.: in Sport Union Art. über Vereinsrecht, Steuerrecht, Finanzfragen (Sportver.), mehr. Pressekonferenzen. E.: 1978 Gold. EZ d. Sportunion, mehr. Ehrennadeln v. versch. Union-Sportver. u. Sportfachverb. M.: s. 1967 Vorst.-Mtgl. Sportunion Ried/Riedm., 1968/76 Bez.-Obm. Junge ÖVO Perg, s. 1982 ehrenamtl. als Sportfunktionär b. Landessportorgan., s. 1988 Raiffeisenorgan. Ried/Riedm., Funktionär Ortsparteiltg. ÖVP Ried/Riedm. H.: Laufen, Schifahren, Schwimmen, Tennis.

Wöckinger Hans Dr. iur.

B.: Ang. d. OÖ Bauernbundes, Ltr. d. Rechtsabt. u. LSekr. d. OÖ Nebenerwerbsbauern. DA.: 4020 Linz, Harrachstr. 12. PA.: 4312 Ried/Riedmark 140. G.: Ried, 8. Mai 1943. V.: Maria, geb. Fürst. Ki.: Stephan (1970), Peter (1972), Michael (1975). El.: Florian u. Johanna. S.: VS, Matura Linz, Doktorat d. Univ. Wien. K.: 1972-84 ÖVP-Ortsparteiobm. in Ried, 1973-79 VBgm. in Ried, ab 1973 Gem.Vorst., LSekr. d. OÖ Nebenerwerbsbauernbundes, ab 1990 Bundesrat, Mtgl. d. LStellenaussch. d. SV d. Bauern OÖ. P.: versch. Fachart. zu sozialrechtl. Fragen in d. OÖ Presse.

Wöckinger Josef Dr.

B.: Finanzdir. u. Ökonom d. Finanzkam. u. Diözese Linz. DA.: 4014 Linz, Hafnerstr. 18. PA.: 4020 Linz, Fritz-Lach-Weg 11. G.: Linz, 24. März 1934. V.: Margarete, geb. Höller. Ki.: Angela (1960), Ulrike (1963), Christoph (1965), Birgit (1966). El.: Josef u. Amalia. S.: 1952 Matura, 1952-56 Jurastud. Univ. Wien, 1956 Prom. K.: 1957 Gerichtspraxis, seit 1957 in Diözese, Finanzkam., seit 1970 VDir., seit 1988 Finanzdir. BL.: Gesamtverantwortl. f. Öffentl. Arb. d. österr. Finanzkam. M.: Kath. Aktion. H.: Lesen, Wandern, Familie. (H.B.)

Wodak Alfred Johann O. KommR.

B.: Inh. FN.: Briemarkenhaus Alfred Wodak. DA.: 1010 Wien, Kärntner Str. 34. G.: Schillersdorf/Schlesien, 22. Mai 1920. Ki.: Gabriella. S.: 1938 Matura, 1939-45 Militär, HS f. Welthdl., 1949-51 Cambridge school of economics. K.: 1949-59 Aufenthalt in England Exportmanager, 1959 zurück nach Österr., Eröff. d. hiesigen Briefmarkenhauses. E.: Großoffz. d. intern. Hubertusordens, Gr. Silb. Kam.Med., seit 1989 1. Ehrenpräs. d. Österr. Briefmarkenhändlerverb. H.: Jagd. (P.R.)

Woell Margarete

B.: Inh. FN.: Maria Woell. DA.: 6020 Innsbruck, Museumstr. 21. G.: Reutlingen/BRD, 7. Okt. 1947. Ki.: Philipp, Andreas. S.: VS, Gymn., Mittlere Reife. K.: seit 1965 im elterl. Textilbetrieb, seit 1969 Firma Woell Innsbruck, 1972 Mstr.-Prüf., 1977 Übernahme d. Betriebes, 1974 Landesinnungsmstr. v. Tirol. H.: Dichtung, künstler. Tätigkeiten. (B.R.)

Woess Werner

B.: Reg. DA. u. PA.: 1010 Wien, Kantg. 3/2/28. G.: Wien, 6. Mai 1944. Ki.: Oliver. El.: Kurt u. Margaretha. BV.: Karl v. Woess Kirchenmusikkomponist Ende d. 19. Jhdt. S.: amerikan. Elementarschule in Tokyo, danach Gymn. Wien, Schauspielstud., 1963 Abschluß. K.: Regieass. am Theater in d. Josefstadt, Theaterregie in München, Frankfurt, Köln, Hamburg, Graz u. Wien, Operninszenierungen in Tokyo, Boston, Houston, Barcelona u. Wien, seit 1977 spezialisiert auf Fernsehfilmregie, Kulturdokumentationen, Fernsehspiel u. Krimi. E.: Preis d. österr. Volksbild., "Grand Prix Italia" f. Kunstdokumentation, div. 1. u. Anerkennungspreise b. versch. Filmfestivals. M.: Österr. Regieverb., Oldtimerclub OTKE. H.: alte Autos, alte Leicas u. alte Armbanduhren. (G.E.)

Wögenstein Ingeborg

B.: Inh. d. Fa. Wögenstein. G.: Wien, 10. Apr. 1942. Ki.: Lisa, Io. S.: VS, Gmyn., Univ. Wien. BL.: Verbindung v. Antiquariat u. zeitgenöss. Kunst auch in d. Auslagengestaltung. H.: Verbindung v. altem Kulturgut m. d. Moderne, Sammlung zeitgenöss. Kunst. (Wist.)

Wögerbauer Adolf

B.: Unternehmer. A.: 2371 Hinterbrühl, Hauptstr. 59. G.: Wien, 5. Apr. 1944. V.: Karin, geb. Fialik. El.: Adolf u. Elisabeth. S.: Piaristengmyn., HAK, 6 Sem. HS f. Welthdl. Wien. K.: Eintritt in d. Fa. d. Eltern, seit 1967 Ges. f. Fa. Hanns Kolarz Wien-Breitenfurt. F.: Fa. Kolarz Wien, Fa. Austrolux, Elektroleuchten Vertriebs GmbH Breitenfurt. M.: Lions-Club Hinterbrühl.

Wögerbauer Karl Dr. iur. w.HofR.

B.: Ltr. d. Baurechtsabt. b. Amt d. OÖ LRg. DA.: 4020 Linz, Kärntnerstr. 12. PA.: 4701 Bad Schallerbach, Lannerstr. 4. G.: Linz, 12. März 1940. V.: Liselotte, geb. Zemlizka. Ki.: Florian. S.: VS, Ak. Gymn. Linz, 1958 Matura Univ. Wien, 1964 Prom., 1964-67 Ger.Praxis. K.: 1967 Eintritt in d. LDienst, 1979 ORgR., seit 1982 Ltr d. Baurechtsabt. d. OÖ LRg., w.HofR., seit 1971 Obm. d. OÖ LFischereiverb., Rechtsref. d. Österr. Fischereiverb. BL.: innerhalb d. OÖ LRg.: Mitwirkung an d. neuen OÖ Bauordnung u. d. OÖ Raumordnungsgesetz sowie dem Umweltschutzgesetzen, innerhalb d. OÖ Fischereiverb.: Neuordung d. Verb., Verstärkung d. Rechtsschutzes, Ausbildung d. Jungfischer, maßgebl. beteiligt am Zustandekommen d. neuen Fischereigesetzes etc. P.: "Fischerei u. Gesetz" (Broschüre), Leitfaden z. Angelfischerei, mehrere Art. in Fachzeitschriften u. Tageszeitungen über d. Fischerei. E.: Gold. EZ d. LFischereiR. H.: Angeln, Tennis, Langlauf, Reisen. (Deu.)

Wögerer Bruno Mag. phil.
B.: Vizebgm., Abg. z. bgld. Landtag, Dir. FN.: HAK-Neusiedl/See. DA.: 7100 Neusiedl/See, Seestr. 18. PA.: 7100 Neusiedl/See, Kirchbergweg 45. G.: Linz, 30. Mai 1943. V.: Mag. Elisabeth, geb. Ziegler. Ki.: Michael (1974), Wolfgang (1976), Stefan (1980). El.: Franz u. Paula. S.: VS, Hauptschule, Berufsschule Drogist, Abendgymn.,1965 Matura, Stud. Phil., Deutsch, Englisch a. d. Univ. Wien, Mag. phil. 1974. K.: 1957-60 Drogist, 1960-65 Zeitverpflichteter Soldat, 1965-67 Spitalsdienst i. England, 1967-74 Univ. Wien, a. 1968 Unterrichtstätigk. i. Deutsch u. Englisch, a. 1976 Dir. a. d. HAK Neusiedl/See. 1977-82 Gem.-Rat i. Neusiedl/See, a. 1982 Vizebgm., a. 1989 Abg. z. bgld. Landtag. H.: Lesen, Musik, Zeitgeschichte, Wassersport. (M.M.)

Wöginger Gerhard
B.: Gschf. Ges. FN.: WTA Wärmtechn. Anlagen GmbH. DA.: 1030 Wien, Fiakerpl. 8. PA.: 1030 Wien, Oberzellerg. 8. G.: Linz, 15. Dez. 1956. V.: Gabrielle, geb. Dobrovolny. El.: Franz u. Theresia. S.: VS, HS, Polytechn. Lehrgang, Lehre Elektronistallateur, 1975 Gesellenprüf. K.: durch Montagefirma aus Attnang-Puchheim nach Wien gekommen, zuletzt Montageltr., 1986 Grdg. WTA, 1988 Mstr.-Prüf. M.: Alpenver. ÖAV. H.: Bergwandern, Bewegung in d. Natur, Tennis, Skifahren. (R.T.)

Wöginger Helmut
B.: Sozialvers.Bed. GT.: Bgm. v. Golling an d. Erlauf. DA.: 3100 St. Pölten, Dr.-Karl-Renner-Promenade 14-16, 3381 Golling a.d. Erl., Rathauspl. 1. PA.: 3381 Golling a.d. Erl., Rathausg. 10/7. G.: Neuda, 20. Okt. 1937. V.: Edith, geb. Schrabauer. Ki.: Elvira, Helmut. El.: Ludwig u. Theresia. K.: 1953 Eintritt in d. Sozialvers., verantwortl. f. d. Bau- u. Liegenschafts- u. Wirtschaftwesen, seit 1965 im GemR. (SPÖ), 1975-82 VBgm., seit 1982 Bgm., stellv. Bez.Vors. d. SPÖ Melk, Vors. d. SPÖ Gem.-Vertr. Bez. Melk, seit 1987 Abg. z. NÖ Landtag, Präs. d. Sportver. "HITIAG Pöchlarn", u.a. Verein. E.: Ehrenring d. Marktgem. Golling a.d. Erlauf. P.: Verfasser d. "Chronik d. Marktgem. Golling". H.: Lesen, Wandern, Schwimmen. (Kern)

Wograndl Bernd
B.: Inh. FN.: Buch- u. Offsetdruckerei Bernd Wograndl. DA.: 7210 Mattersburg, Neubaug. 14. PA.: 7210 Mattersburg, Forchtenauerstr. 6a. G.: Wr. Neustadt, 26. Sep. 1949. V.: Marlies, geb. Novotny. Ki.: Jochen (1972), Silke (1977). El.: Josef u. Hildegard. S.: VS, Gymn., Buch- u. Druckerlehre. K.: im väterl. Betrieb tätig, 1981 Betriebsübernahme. (M.D.-H.)

Wohanka Emmy Dr. phil.
B.: ehem. Lehrerin. PA.: 1238 Wien, Alfons-Petzold-G. 6. G.: Wien, 10. Okt. 1909. S.: VS, Lehrerinnenbild.Anst., Stud. an d. Univ. Wien Germanistik u. Romanistik. K.: Lehrerin in VS u. HS in Wien. P.: Mitgearb. an Schul- u. Kinderbüchern. H.: Kunstgeschichte, Reisen, Fotografieren. (M.B.)

Wohanka Ernst Dr. Mag.
B.: Sekt.-Chef, Präsidialvorst. im BMLF. DA.: 1012 Wien, Stubenring 1. PA.: 2380 Perchtoldsdorf, Schumanng. 49. G.: Gloggnitz, 3. Okt. 1942. V.: Renate, geb. Fürst. Ki.: Erich (1967), Martin (1969). El.: Josef u. Melitta, geb. Mosheimer. S.: 1960 Matura, 1960-65 Stud. Rechtswiss. Univ. Wien m. Prom. z. Dr. iur. K.: 1966 Eintritt ins BMLF, seit 1991 Abt.-Ltr., Gruppenltr., seit 1992 Sekt.-Ltr., Sekt.-Chef, 1976-87 Staatskmsr. in d. Vieh- u. Fleischmksn. BL.: Legist. Tätigkeit im Bereich d. Forstrechtes, Ausarb. d. Weingesetzes 1985, maßgebl. Beteiligung an d. Ausarb. versch. Marktordnungsgesetz-Novellen. P.: Kommentar z. Forstgesetz 1975, Kommentar z. Weingesetz 1985. E.: Gold. EZ f. Verd. um d. Rep. Österr. H.: Skifahren, Geschichte, Gartengestaltung. (N.A.)

Wohatschek Wilhelm Ing.

B.: Abt.-Ltr. FN.: Zentralverb. d. Kleingärtner Österr. DA.: 1060 Wien, Getreidemarkt 11/1. PA.: 1100 Wien, Ada-Christen-G. 2/C/21. G.: Wien, 15. Juli 1942. V.: Christine. Ki.: Michaela, Sylvia. El.: Wilhelm u. Leopoldine. S.: VS, HS, 5 J. HTBLA, Matura, 1970 Fachrichtung Elektrotechnik. K.: 1959 Elektriker Verbundges., Abt.-Ltr.-Stellv. d. Umspannwerkes v. Leitungen, 1971 Gartenvorst., 1976 techn. Funktionär, VPräs., 1989 Präs., 1993 Intern. Präs. d. Kleingartenbewegung. E.: Gold. VZ d. Stadt Wien. M.: KamR. d. Ldw.-Kam., EuropaR. ONO. (H.S.)

Wöhl Walter Dr. phil.
B.: Gschf., Chemiker. A.: 2230 Gänserndorf, Schillerg. 1. G.: Graz, 20. Dez. 1940. V.: Wiltrud. El.: Ernst u. Hilde. S.: VS, BRealschule, Matura 1959, Chemiestud. an d. Karl Franzens-Univ. Graz, Diss. am Inst. f. Biochemie u. Inst. f. Gerichtsmed., Prom. 1968. K.: 1970-73 Product-Manager f. Gerinnungsdiagnostika Fa. Gödecke in Freiburg/Br., 1973-79 Marketingltr. u. gewerberechtl. Gschf. f. Pharmazie u. Diagnostik Fa. Substantia Wien, 1979-84 hdls. u. gewerberechtl. Gschf. d. Winthrop GmbH Wien, 1984-93 Gschf. d. Fisons GmbH Wien. P.: Veröff. in Fachliteratur. E.: Bronzemed. d. österr. Staatsmeisterschaft f. Fotografie 1963. M.: Ornitholog. Ges. H.: Musik, Sport, Fotografie.

Wohlfahrt Josef Ing.
B.: Abt.Dir. d. Winzerabt. d. Raiffeisenlandesbank Bgld. GT.: seit 1989 Kons. d. Bgld. Winzerverb., Zentralaussch.Mtgl. d. BWeinbauverb. d. Weinbautreibenden Österr., Mtgl. d. Fachaussch. d. Österr. Winzergen. d. Österr. Raiffeisenverb., Vorst.Mtgl. im Österr. Weininst., Mtgl. d. Weinbauausschuß. d. Präsidentenkonferenz. DA.: 7000 Eisenstadt, Raiffeisenstr. 1. PA.: 7202 Sauerbrunn, Wr. Neustädter Str. 37. G.: Mattersburg, 21. Juli 1933. V.: Edith, geb. Tauber. Ki.: Romana, Viviane. El.: Josef u. Maria. S.: 1951 Matura, Abiturientenlehrgang d. HAK, 1952 Matura, Stud. Welthdl. in Wien. K.: 1954 Revisor b. Raiffeisenverb., 1963-89 Gschf. d. Bgld. Winzerverb., seit 1989 Abt.Dir. d. Winzerabt. d. Raiffeisenlandesbank Bgld. P.: lfd. Publ. über Wein u. Weinwirtschaft in Fachzeitschriften. E.: Verd.Kreuz d. Landes Bgld., Silb. Ehrennadel d. Raiffeisenlandesbank, Kammermed. d. Bgld. Ldw.Kam. H.: Tennis, Skifahren. (M.B.)

Wohlfahrtstätter Franz
B.: Kfz Mechaniker Gschf. u. Inhaber. FN.: Mazda Wohlfahrtstätter. DA./PA.: 6330 Kufstein, Haspingerstr. 12. G.: Kitzbühel, 17. Aug. 1950. V.: Erika. Ki.: Elfriede u. Josef. El.: Bartolomäus u. Katharina.S.: Grundschule, 1964 Beginn d. Lehre. 1968 Gesellenprüf., 1977 Meisterprüfung. K.: 1984 selbst. (Citroen Vertr.), 1986 Mazda Vertr., 1990 eig. Fa. aufgebaut. h:: Fischen. (A.W.)

Wohlgemuth Christian Ing.

B.: Inh., selbstst. Masseur. FN.: Massage Fachinstitut Wohlgemuth. DA.: 4020 Linz, Jägerstr. 28. PA.: 4000 Linz, Aubergstr. 37. V.: Andrea, geb. Vodal. Ki.: Isabella (1987), zweites Kind Feb. 1995. El.: Sebastian u. Josefine. S.: VS, HS, HTL f. Tiefbau i. Linz, 1975 Matura, 1975-76 Milak. K.: 1976-86 Statiker i. Linz, ab 1975 Erlernung d. Gewerbes v. Vater, 1976 Ausbildung zum Masseur, 1985 Gewerbeschein Prüfung, 1986 Eröffnung eines Massage Fachinstituts i. Linz, 1987 Eröffnung einer zweiten Filiale, 1992 Eröffnung einer dritten Filiale, Pächter d. Hallenbad u. Sauna "Panhans". H.: Kampfsport, Bergsteigen, Familie (G.E.)

Wohlgemuth Gerfried

B.: Unternehmer. FN.: Wohlgemuth Gastronomie GmbH - City Cafe u. Appartmenthaus. DA.d.PA.: Münzg. 19, 9100 Völkermarkt u. Kaiserallee 14, 9201 Krumpendorf. G.: Klagenfurt, 12. April 1963. V.: Maria, geb. Steinberger. Ki.: Dominik (1990), Olivia-Maria (1992). El.: Hubert u. Gerlinde. S.: VS, HS i. Völkermarkt (1970-78), HASCH i. Klagenfurt, 1981-83 BH, Ausbildung zum allgemeinen Sportlehrer (1983-85), Tätigkeit b. d. Post (1986-88), 1988 Gründung d. eigenen Firma, Umbau d. im Familienbesitz befindlichen Hauses u. 1989 Eröffnung des City Cafes, 1993 Eröffnung d. Appartmenthauses aus d. mütterlichen Besitz, 1994 Erteilung d. Konzession, s. 1991 Gemeinderat i. Völkermarkt. B.L.: Mehrfacher Kärntner Schwimmmeister, 1983 Staatsmeister u. österr. Rekord i. Schwimmen. E.: Goldenes Ehrenzeichen i. Sport. M.: VST Völkermarkt, Werbegemeinschaft Völkermarkt. H.: Politik, Familie, Sport, Reisen u. Lesen. (G.L.)

Wohlgemuth Kurt Dr. Gen.-Dir.

B.: Gschf. d. Wr. Kabel- u. Metallwerke GmbH Wien, Felten & Guilleaume Fbk. elektr. Kabel-, Stahl- u. Kupferwerke AG Unterstützungskasse GmbH Wien u. Wr. Kabel- u. Metallwerke Felten & Guilleaume GmbH Wien, Prok. d. Siemens AG Österr. Wien. PA.: 1010 Wien, Rathausstr. 15. M.: Vorst.Vors. d. Felten & Guilleaume Fbk. elektr. Kabel-, Stahl- u. Kupferwerke AG Wien, AufsR.Vors. d. Felten & Guilleaume Stahl- u. Walzwerk Diemlach GmbH Kapfenberg-Diemlach, AufsR.Vors.Stellv. d. Austria Draht GmbH Bruck, AufsR. d. Gegenseitiger Vers.Ver. f. Montanwke., Maschinen- u. Metallfabriken Wien.

Wohlgemuth Vera Mag.

B.: Gschf. FN.: Verlag Carl Ueberreuter. GT.: Gschf. Verlag Annette Betz. DA.: 1091 Wien, Alserstr. 24. G.: Wien, 15. Feb. 1952. V.: Ing. Michael. Ki.: Nikolaus (1975), Karina (1978). El.: Kurt u. Ilse Fellner. S.: VS, BRG St. Ursula, 8 Sem. Stud. Welthandel. K.: 1976 Tätigk. i. Wirtsch.-Betr. d. HS f. Welthandel, 1977-87 parteiunabh. Mitarbeiterin i. Wirtschaftsreferat, 11/89 Eintr. Verlag Carl Ueberreuter, St. Matthäus Beteiligungsverwaltungs Ges.m.b.H., 2. J. Konzerncontroller, s. 9/92 Gschf. H.: Familie, Lesen, Skifahren. (J.M.)

Wohlhart Karl Dr. techn. Dipl.-Ing. o.Univ.-Prof.

B.: o.Univ.-Prof. am Inst. f. Mechanik d. TU Graz. DA.: 8010 Graz, Kopernikusg. 24. PA.: 8010 Graz, Schanzelg. 4. G.: Aschach, 11. Sept. 1928. V.: Hildegard, geb. Andlinger. Ki.: David-Christoph (1956), Roswitha (1958), Susanne (1960), Elisabeth u. Magdalena (1964), Michaela (1966). El.: Franz u. Theresia. S.: VS, HS, Staatl. Ing.-Schule Steyr, Techn. Zeichner Konstruktionsbüro d. Steyr-Werke, Bundesgewerbeschule Steyr, 1947 Reifeprüf., Stud. Maschinenwesen TH Graz, 1950 1. u. 1961 2. Staatsprüf. K.: wiss Hilfskraft am Inst. f. Techn. u. Allg. Mechanik, Auslandsaufenthalte in London u. Lyon, 1955 Prom. Dr. techn., 1968 Lehrbefugnis f. Allg. u. Techn. Mechanik, 1968 Lehrauftrag Dynamik d. Bauwerke TH Graz, 1969 wiss. Mitarb. b. d. Dt. Forsch. u. Versuchsanst. f. Luft- u. Raumfahrt Mülheim/Ruhr u. Porz-Wahn, 1971 Venia legendi Ruhruniv. Bochum, 1971 o.HS-Prof., Gründ. d. Inst. f. Theoret. Maschinenlehre, 1972 TU Graz, 1975 Übernahme d. Inst. f. Mechanik TU Graz. P.: ca. 30 Veröff., 1 Buch "Schwingungen elast. Seile". M.: Vors. d. Österr. Nationalkomitees d. IFTOMM. H.: Hausmusik, Gattin, Kinder, Enkelkinder. (A.-R.W.)

Wohlkönig Christine

B.: Gschf. Steir. Heimatwerk. DA.: 8010 Graz, Paulustorg. 4. PA.: 8041 Grza, Neufeldweg 165B. G.: Graz, 25. Nov. 1939. V.: Heinrich Wohlkönig. Ki.: Heinz (1960), Daniela (1966). El.: Karl u. Franziska Buchalka. S.: VS, HS, 2 J. Kunstgewerbeschule Graz, Einzelhdls.-Kfm.-Lehre, 1958 Abschluß. K.: 1958-60 Tätigkeit im elterl. Lebensmittelhdl. in Graz, 1960-70 Tätigkeit in Tapeziererei d. Ehemannes, 1970-74 selbst. m. Möbelhdl., 1974 Steir. Heimatwerk, seit 1989 Ltg. d. Steir. Heimatwerkes, Erhaltung u. Pflege d. traditionellen steir. Kunsthandwerkes u. Trachten, Teilnahme an div. Sendungen im ORF. P.: div. Broschüren über Weihnachts- u. Osterbräuche. E.: Anerkennungsurkunde b. Schaufensterwettbewerb d. HK. H.: Malen, Skifahren, Lesen, Schwimmen. (I.G.)

Wohlmann Alfred

B.: Gschf. Ges. FN.: Alfred Wohlmann GmbH System- u. Softwarehaus. DA.: 1100 Wien, Favoritner Gewerbering 6. PA.: 2344 Maria Enzersdorf, Ferdinand Georg Waldmüllerstr. 11. G.: Wien, 16. Okt. 1951. El.: Alfred u. Margarete. S.: BRG, Matura. K.: 1970-74 Fa. Ernst Katzinger AG (Ausbild. zum EDV Programierer u. Organisator), 1974 Eintritt in d. Fa. Karl Ernst Wagner & CO als Controller u. Ltr. d. internen Organisation (Schwerp. Einführung eines EDV Systems), 1978 Beginn einer teilweisen sebst. Tätigk. im EDV Bereich (Ang. Verhältnis bei Fa. Wagner wurde innerhalb v. 3 J. immer mehr reduziert u. letztlich auf Konsulententätgk.), 1980 selbst.

m. Grdg. einer Einzelfirma m. d. Schwerp. Erstellung u. Vertrieb v. EDV Progr., 1987 d. Alfred Wohlmann Ges.m.b.H. Grdg. u. Vertriebsprog. m. Hardware erweitert, Vertrieb in Österr., Schweiz, Ungarn u. Slowenien. H.: sportliche Aktivitäten. (F.S.)

Wohlmann Leopold Dr. iur.

B.: Chef d. Sekt. f. Familienangelegenheiten im Bundesmin. f. Umwelt, Jugend u. Familie. DA.: 1010 Wien, Franz-Josefs-Kai 51. G.: Wien, 12. Jän. 1927. V.: Helga, geb. Schmid. Ki.: Walter. El.: Leopold u. Franziska, geb. Chmilevsky. S.: RG, 1945 Matura, Stud. Rechtswiss. Univ. Wien, 1951 Prom. z. Dr. iur. K.: 1947 Eintritt in d. Bundesmin. f. Vermögen, Sicherung u. Wirtschaftsplanung, 1950 Sachbearb. b. BMF, 1961 Abt.-Ltr. im BMF, 1984 Sekt.-Ltr. im Bundesmin. f. Familie, Jugend u. Konsumentenschutz, seit 1987 Sekt.-Chef im Bundesmin. f. Umwelt, Jugend u. Familie. P.: Kommentar z. Familienlastenausgleich. E.: Gr. EZ f. Verd. um d. Rep. Österr., Gr. Silb. EZ f. Verd. um d. Rep. Österr., Gr. Gold. EZ f. Verd. um d. Rep. Österr. H.: Skifahren, Schwimmen, Wandern. (N.A.)

Wohlmuth Gerald Dr.

B.: prakt. Arzt. DA.: 8605 Kapfenberg, Wiener Str. 50. PA.: 8600 Bruck/Mur, Rennerstr. 22. G.: Leoben, 24. März 1955. V.: Irmgard, geb. Lenger. Ki.: Dominik. El.: Wilhelm u. Gertrude. S.: VS u. BRG Bruck/Mur, Stud. med. Univ. Graz, 1980 Prom. z. Dr. med. K.: seit 1983 eig. Praxis in Kapfenberg, bes. Arb.Gebiet Homäopathie (Fortbildungssem. Baden/Wien), Distriktsarzt. H.: Tennis, Reisen. (Trabe)

Wohlschläger Inge

B.: Dir. Fachschule d. Stadt Wien f. wirtschaftl. Berufe. DA.: 1090 Wien, Hahng. 35. G.: Baden, 13. Juli 1940. El.: Eduard u. Eva Wohlschläger. S.: VS, Gymn., höhere Lehranst f. wirtschaftl. Berufe, BLA. K.: Lehrerin, seit 1983 Dir. d. Fachschule f. wirtschaftl. Berufe, Päd. u. Wiss.-Vermittlung. H.: Gartenarb., Lesen, Handarb. (W.J.)

Wohlschlägl-Aschberger Doris Dr. iur.

B.: Dir. FN.: Akademie d. Bild. Künste. GT.: s. 1992 Vorst.-Mtgl. d. Austro-American Institute of Education. DA.: 1010 Wien, Schillerpl. 3. PA.: 1010 Wien, Hegelgasse 17/12. G.: 13. Okt. 1956. V.: Prof. Mag. Dr. Helmut Wohlschlägl. Ki.: Kathrin (15. April.1983). S.: 1975 Matura, Stud. Rechtswiss. Univ. Wien, 1980 Prom. z. Dr. iur. K.: 1980-81 Constantia Ind.-Verw. GmbH, 1981-85 Oesterreichische Kontrollbank AG Wien, 1985-86 Adria Bank AG Wien, 1987-90 Citibank (Austria) AG Wien, Gschf. d. Citibank (Austria) Kapitalanlageges.m.b.H., 1990 Royal Trust Bank (Austria) AG Wien, 1990-93 Deutsche Bank (Austria) AG Wien, Gschf. d. Deutschen Bank (Austria) Kapitalanlageges.m.b.H. u. Vorst.-Mtgl. d. Gerling Pensionskasse f. die Industrie AG, 1993-94 freiberufl. Tätigkeit im Bereich Consulting mit intern. tätigen Partnern, s. 1994 Dir. d. Ak. d. Bild. Künste. (M.N.)

Wöhrer Albert

B.: Lehrbeauftragter d. Bundesanst. f. Leibeserziehung Graz. A.: 8010 Graz, Wielandg. 22. G.: Radkersburg, 29. Mai 1925. V.: Olga, geb. Stelzl. El.: ORgR. Dr. Albert u. Martha. S.: BRG m. Matura, Univ.Stud.: Med. (Vorklin.), Phil. (Leibeserz. u. Naturgeschichte). K.: Nach Abschlußprüf. am Inst. f. Leibeserz. d. Univ. Graz Beginn als Turnlehrer, später Ltr. d. Physiotherapeut. Abt. im Rehabilitationszentr. Tobelbad. P.: versch. Veröff. in Fachzeitschriften. E.: Gold. u. Silb. VZ d. Rep. Österr., Silb. EZ f. Verd. um d. Rep. Österr., LSport-EZ d. LSportorgan. Stmk., Josef-Krainer-Preis. M.: Präs. d. Verb. d. Querschnittgelähmten Österr., Vorst.Mtgl. d. Grazer Parkklubs-Tennis, Fachref. d. Fachaussch. "Rollstuhlsport", Mtgl. d. Union Körner, Basketball.

Wöhrer Günter Ing.

B.: gschf. Ges. d. Fa. Wöhrer & Co. DA.: 1232 Wien, Richard-Strauss-Str. 17. PA.: 1120 Wien, Hohenbergstr. 48. G.: Wien, 28. Febr. 1945. El.: Robert u. Stefanie. S.: RG TGM. K.: ab 1965 väterl. Betrieb, dann Betrieb in d. 10. Bez. d. Fa. Wöhrer & Co als techn. Betriebsltr., ab 1980 gschf. Ges. d. Fa. Wöhrer & Co. (E.L.)

Wöhrer Josef Dipl.-Ing.

B.: Gen.-Dir., Alleinvorst. FN.: Salzburger Aluminium AG. DA.: 565 Lend 25. PA.: 5620 Schwarzach, Wallnerfeld 11. G.: 2. Aug. 1937. V.: Mag. phil. Waltraud, geb. Wusser. Ki.: Dieta (1968), Karin (1971). S.: VS, RG, Montanuniv. Leoben. K.: 1970 Alusuisse, seit 1982 Sbg. Aluminium AG, 1992 MBO d. Sbg. Aluminium AG, seither Alleinvorst. M.: Vorst. VÖI Österr. H.: Jagd, Fischen.

Wöhrer Josef

B.: Land-u.Gastwirt, Unternehmer. FN.: Alpengasth. Geisl u. Alm Rest. Geislhochalm. DA.: 5733 Bramberg, Obermühlbach 3 u. 4. G.: Radstadt, 26. Okt. 1955. V.: Annemarie geb. Hechenberger. Ki.: Anneliese Hechenberger (1977), Christine Hechenberger (1987), Maria Scheiber (1982), Angelika (1988), Johannes (1990). El.: Josef u. Maria. S.: VS,HS. K.: Fort-u.Weiterb. i. Gastronomieber.. K.: 3 Lehrj. a. Koch i. Rest. Stiftskeller, 1974 abgeschl., 1975 Bh., Praxisj. a. Koch i. In-u.Ausland, 1977 Konzessionspr. i. Slzbg., 1977-79 selbst. Führung e. Raststätte u. Jet-Tankstelle i. St. Johann/Pg. , s. 1979 selbst. Übernahme d. elterl. Gastronomiebetr., 1980 eigenen Fischteich erb., u. 1985 erweitert, 1984 Übern. d. elterl. Ldw. , Alm u. d. Eigenjagdt, 1983 Ldw. m. forsteigen. Sägewerk ausgestattet, 1989 Wiederaufbau d. Mittelalmhütte, 1990 Garagen u. Hallenbau f. Holzlager, 1990 Eigenheim umfunkt. zum Gästehaus, 1992 Almgasth. erweitert, s. 1994 Errichtung e. Gäste-u.Apartementhaus i. Bereich Geislhof, s.1994 Konzession f. Erdbewegung, s. 1982 Konzession f. Mietwagen. E.: Silberm. Bundeslehrlingswettbew. d. Köche. M.: Schiclub, Eisschützen, Kameradschaftsbund, Kammer Funktionärsektion FV. H.: Fischen, Schifahren, Land.-u.Forstwirtschaft, Komunialpolitik. (J.F.)

Wöhrer Walter

B.: Unternehmer/Tischlermstr. DA. u. PA.: 4201 Eldenberg 54. G.: Eidenberg, 20. März 1937. V.: Margarethe, geb. Krenmayr. Ki.: Gabriele, Dorothea, Herbert. El.: Karl u. Maria. S.: 7 J. VS, BS f. Tischler, 1954 Abschluß, 1962 Mstr.Prüf. K.: 1951 Eintritt in d. 1932 gegründete Familienunternehmen Bau- u. Möbeltischlerei Walter Wöhrer, 1960 Teilhaber, seit 1970 Alleininh., 1975 Beginn d. Produktion d. Meisterfenster, 1984 Eintragung d. Gütezeichens MF-Meisterfenster, Bez.OMstr. v. Linz, Linz-Land u. Urfahr-Umgebung, Vors. d. Mstr.Prüf.Kmsn., LInnungsmstr.Stellv., seit 24. Juni 1987 BInnungsmstr.Stellv.

M.: LInnungsaussch., GemR., Obm. d. Turn- u. Sportunion Eidenberg, Obm. d. Kulturaussch., Obm. d. Aussch. Schule u. Sport. E.: Gold. EZ d. Jungen Wirtschaft v. OÖ. H.: Jagd. (Deu.)

Wöhrer Manfred Ing.

B.: Gschf. FN.: Wöhrer Bau GmbH. DA.: 4050 Traun, Linzer Str. 84. PA.: 4050 Traun, Gartenstr. 15. G.: Linz, 27. Jan. 1948. V.: Brigitte, geb. Thallermair. Ki.: Barbara, Christoph. El.: Karl u. Rosa. S.: VS, Gymn., HTL Hochbau Krems, 1969 Matura, 1976 Bmstr.-Prüf. K.: 1969 Einstieg in väterl. Firma, ab 1976 2. Gschf., seit 1982 alleiniger Gschf. H.: Schnapsbrennen.

Wöhrer Werner

B.: Maler u. Sänger, Künstlern.: WWW. DA.: 1170 Wien, Haslingerg. 14. G.: 4. März 1944. V.: Elfriede, geb. v. Allgeyer. S.: Autodidakt. K.: surreal, Ölgemälde i. d. Techn., alter Mstr., Kunstobj.: Theatervorhang Kurtheater Reichenau; Weltneuheit: handbemalte Kunstschi; Opernballbrille, Wöhrer-Schirm, handbemalter Swakara; Maxisingles: Only You And Me (1990), Viennese Painter (1992), neue CD, künstl. Gestaltung e. Gesundheitszentrum i. NÖ. H.: Schach, Billard, Boxen, Schifahren, Bergtouren, Tischtennis, Soul, Blues. (J.S.)

Wöhri Gerhard Dr. med.

B.: Prakt. Arzt. DA.: 8230 Hartberg, Kernstockg. 3. G.: Oberwart, 18. März 1942. V.: Mag. pharm. Hermine, geb. Moczygamba. Ki.: Hermine, Annemarie. El.: Franz u. Melanie. S.: 1961 Matura, Med.Stud. in Graz, 1970 Prom. K.: 1971-75 Ausbild. z. prakt. Arzt in Leoben, 1975 Eröff. d. eigenen Praxis, seit 1976 Distrikts- u. Heimarzt, seit 1977 Bez.-FF-Arzt, seit 1978 Abt.Arzt d. RK. M.: CV Babenberg-Graz, Lions Club Hartberg, MKV Festenburg Hartberg. E.: Silb. Verd.Med. d. österr. Zivildienstverb., silb. u. bronz. Wehrerinnerungsmed., Silb. Verd.Med. d. ÖRK, LVerb. Stmk., Verd.Zeichen III u. II d. LFeuerwehrverb. Stmk. H.: Tischlern, Lesen, Musik, Kochen, Garten. (C.H.S.)

Wöhrle Christian

B.: Gschf. Ges. FN.: Typolith Rudolf Wöhrle KG. DA.: 1200 Wien, Greiseneckerg. 22. G.: Wien, 17. Sep. 1965. El.: Rudolf u. Helene. S.: VS, Gymn., Höhere Graph. BLVA, BH. K.: 1985 kfm. Ang. Typolith Rudolf Wöhrle KG, 1990 Prokura, seit 1992 Führung d. Unternehmens. P.: div. Art. H.: Sport allg., Lesen (Jame Joyes), Hundeliebhaber. (W.M.)

Wöhrle Erich Dr. iur.

B.: RA, kgl. dän. Hon.-Kons. DA.: 4020 Linz, Figulystr. 27. PA.: 4020 Linz, Duftschmidg. 2. G.: Linz, 2. Dez. 1921. V.: Lotte, geb. Stuböck. Ki.: Axel, Angela. Ki.: Karl u. Hildegard. BV.: Großvater Karl Wöhrle Kaiserl. Rat, Präs. d. OÖ Gewerbekam., LAbg. S.: ak. Gymn., 1939 Matura, Dt. Wehrmacht, Hptm. d. 5. Gebirgsdivision, Stud. an d. Univ. Innsbruck Jur. Fak., 1947 Prom. K.: 1948 Gerichtspraxis in Linz, 1951 RA-Prüf., Eröff. d. selbst. Kzl. E.: Chevallier d. Dannebrog, seit 1974 kgl. dän. Hon.Kons. M.: Präs. d. Jagd- u. Wurftaubenclub Linz, Altmstr. d. Hubertusclub Linz, 1970 Lions Grdg.Mtgl. "Linz-Nibelungen", VPräs. d. Verb. d. Österr. Hochwildjäger. H.: Jagd, Skifahren, Reiten.

Wöhrle Rudolf

B.: Alleininh. FN.: Wöhrle-Papier Papiergroßhdl., Druckerei, Hdl. m. Bedarfsart. f. d. graf. Gewerbe. DA.: 2232 Deutsch Wagram, Hamerlingstr. 23. PA.: 2232 Deutsch Wagram, Feldg. 72. G.: Wien, 23. Nov. 1955. V.: Helene, geb. Groß. Ki.: Claudia (1977), Michael (1978). El.: Rudolf u. Gerlinde. S.: VS, HS, Offsetdruckerlehre. K.: 1975-90 Außendiensttätigkeit b. gr. renommierten Papierproduzenten, Produkt- u. Marketingmanager Firma Wiggins-Teape Zug/Schweiz, seit 1991 selbst. m. eigener Firma Wöhrle-Papier. M.: IÖH. H.: Radfahren. (F.S.)

Woisetschläger Gottfried

B.: Gschf. Ges. FN.: Gottfried Woisetschläger GmbH. DA.: 4020 Linz, Prinz-Eugen-Str. 35-41. PA.: 4040 Linz, Tabergerweg 2. G.: Hohenfurth, 15. Okt. 1939. Ki.: Wolfgang (1968), Barbara (1970), Udo (1988). El.: Peter u. Maria. S.: VS, HS, b. 1958 Lehre als Sped.-Kfm. in Sped. Winkler Linz, 1958-59 BH. K.: b. 1969 Disponent in Sped. Fritsch Linz, 1969 Grdg. d. Firma Woisetschläger, 1992 GmbH. BL.: Fußball Vorwärts Steyr, LASK u. seit 1950 Gramastetten. M.: div. Ver. H.: Fußball, Skifahren, Segeln. (U.A.)

Woisetschläger Maria

B.: Inh. alle Arten f. Transporte. DA.: 1110 Wien, Simmeringer Hauptstr. 497. PA.: 1110 Wien, Simmeringer Hauptstr. 190/21/7. G.: Baden, 1. Dez. 1915. Ki.: Hans, Ernst. El.: Karl u. Anna Kutschi. S.: 1938 Mstr.Prüf. AAT. E.: 1980 Gold. Buch v. Simmering, 1979 Dipl. f. 40 J. Firmentreue. H.: Geschäft. (Fels)

Wojcik Bronislaw Mag. iur.

B.: Jurist, Restaurator u. Inh. FN.: Restauro GmbH Spezialunternehmen f. Denkmalpflege u. Restaurierungen. GT.: Gschf. Ges. EDDER GmbH. DA.: 1070 Wien, Neustiftg. 23, 2405 Hundsheim. PA.: 1200 Wien, Hellwagstr. 4/2/23. G.: Loben/Oberschlesien, 11. Aug. 1934. El.: Klemens u. Bornislawa. S.: Stud. Jagiellon. Univ. Krakau, Spons. z. Mag. iur., Nostrifikation in Wien u. München. K.: Patentanw. in Polen, seit 1977 in Österr. u. seitdem selbst., 1985 Grdg. d. Restauro GmbH, seit 1988 Werkstätte in Schloß Schönborn, seitdem zahlr. Restaurierungsarb. u.a. Kapelle d. Hl. Nepomuk v. Lukas v. Hildebrandt, Schloß Schönborn, Schloß Rosenburg, Stadtturm Korneuburg, Innenhof d. Burg Ottenstein, Nepomukkapelle Wien-Gersthof, Figurengruppe Kalvariaweg v. Jakob Seer in Retz, Fassade Schloß Grafenegg, Fassadenrestaurierung u. Instandsetzung d. Augustinerkirche in Wien. BL.: Langstreckenschwimmer: Teilnahme an 10 Marathons in d. Danzinger Bucht u. an d. WM. P.: wiss. Art. an d. schles. Univ. in Katowice u. in intern. Zeitungen u. Patentrecht. H.: Sport, Tierliebhaber (Hunde, Katzen). (J.S.)

Wojda Franz Dr. techn. Dipl.-Ing. o.Univ.-Prof.

B.: Ordinarius f. BWL, Gschf. FN.: KPMG Management Consulting GmbH, AGIPLAN Planungs GmbH. DA.: 1040 Wien, Theresianumg. 27, 1020 Wien, Große Mohreng. 2. G.: Mühldorf, 29. Okt. 1939. V.: Siegrid, geb. Knaus. Ki.: Barbara, Franz-Alexander. El.: Josef u. Hemma. S.: 1958-64 Stud. an d. TU Wien, Dipl.-Ing. K.: 1965 Techn. Ang. b. Philips Wien, 1965-73 Univ.Ass. am Arbeitswiss. Inst. d. TU Wien, Dr. techn., Habil., seit 1974 Gschf. u. Ges. d. Agiplan Planungs GmbH Wien, seit 1975 Ordinarius f. BWL, Vorst. d. Arbeitswiss. Inst. d. TU Wien, Ltr. d. interdisziplinären Forsch.Schwerpunktes d. FWFS23, Vorst. d. ÖPWZ-REFA-Arge Wien, Vorst. d. Ges. f. Arbeitswiss. e.V. Dortmund, Vorst. d. Österr. Arge f. Ergonomie Wien, seit 1989 Gschf. d. KPMG Management Consulting GmbH Wien. P.: zahlr. wiss. Publ. H.: mod. Kunst. (P.R.)

Wojik Karl Dipl.-Ing.

B.: Gschf. Motorenforsch. u. -entwicklung. FN.: AVL Ges. f. Verbrennungskraftmaschinen u. Meßtechnik mbH. DA.: 8020 Graz, Kleiststr. 48. PA.: 8045 Graz, Jaritzweg 27. G.: Traiskirchen, 21. Okt. 1942. V.: Gerlinde, geb. Kapus. Ki.: Diemo (1972), Axel (1975). El.: Karl u. Hildegard. S.: Stud. Maschinenbau TU Wien, 1968 Dipl. K.: 1968 Konstruktur b. MAN Augsburg, 1985 Techn. Dir. b. MAN, 1987 Gschf. b. AVL. P.: seit 1978 Publ. b. Kongressen wie SAE, CIMAC, FISITA u.a. M.: SAE, ÖVK. H.: Sport, Kultur, Reisen.

Wojnar Henrik

B.: Kfm. A.: 1120 Wien, Assmayerg. 32. G.: Linz, 25. Sept. 1943. V.: Christa, geb. Bruckner. El.: Josef u. Maria. S.: Fachschule f. Elektrotechnik, kfm. Lehre m. Abschluß, anschl. Ausbild. z. Molkereimstr. K.: Gschf. im elterl. Betrieb, 1966 Grdg. einer eigenen Gemüse-Konservenfbk. in Wien, Übernahme d. elterl. Betriebes u. Zusammenlegung d. beiden Betriebe, 1978 Erwerb d. Alpenland-Käse-Schmelzwerkes Wien. F.: Hauptges. d. Henrik Wojnar GmbH, Komm. d. ARBO-Chemie. M.: Bgld. Yachtclub, Rust, Tennisclub Blau-Weiß Hietzing, ASKÖ-Fliegerclub Trausdorf, Turnver. Penzing, Laserver. H.: Sammeln v. Antiquitäten, bes. Ölgemälde.

Wojnar Susanne

B.: Prok. FN.: Wojnar. DA.: 1120 Wien, Aßmeyerg. 32. G.: Wien, 19. Feb. 1966. V.: Martin Breiner. Ki.: Elena Noemi (1993). El.: Henrik u. Christa. S.: 1976-80 AHS, 1980-82 2 J. HAK Bürokfm. K.: seit 1982 i. elterl. Betrieb tätig. H.: Wasserskifahren, Tennis, Segeln, Skifahren. (Th.H.)

Wolbang Harald

B.: Inh. FN.: Harald Wolbang Kupferschmiede, Spenglerei, Apparatebau, Lüftungsanlagen. DA. u. PA.: 9020 Klagenfurt, Mondg. 6. G.: Klagenfurt, 31. Okt. 1960. V.: Elisabeth, geb. Jakobitsch. Ki.: Harald (1986). El.: Walter u. Dorothea. S.: VS, HS, Polytechn. Lehrgang, 4 J. Berufsschule, 1983 Kupferschmiedemstr.-Prüf., 1984 Spenglermstr.-Prüf. K.: 1975-

84 Tätigkeit Firma Kranzmayer Klagenfurt, zuerst Lehrling dann Geselle, 1985 selbst. m. Übernahme d. ehemaligen Firma Kranzmayer, 1985 Grdg. d. eigenen Betriebes u. Verlegung d. Standortes in d. Mondgasse. M.: seit 1976 FF Haidach, Inst. f. Design. H.: Snowboardfahren, Schwimmen. (F.S.)

Wolensky Johann

B.: Kürschnermeister. FN.: J. Wolensky. DA.: 1150 Wien, Hütteldorfer Str. 66. G.: Wien, 12. Mai 1949. V.: Ingrid geb. Unger. Ki.: Johannes (1988). El.: Johann u. Josefine. S.: Berufsausb. z. Kürschnermstr. K.: Kürschner i. renommierten Wr. Pelzfirmen, s. 1982 selbst., Eröffn. d. Pelzgeschäftes i. Wien Hütteldorf m. eig. Werkstätte für Maßarb., Reparaturen, Umarbeitungen u. Pelzaufbewahrungen. (J.S.)

Wolf Andreas

B.: Burgschauspieler. PA.: 1180 Wien, Karlweisg. 41/7. G.: München, 9. Jan. 1919. V.: Imogen, geb. v. Doderer. Ki.: Imogen (1952), Dr. med. Florian (1956), Dr. med. Michael (1960). S.: Stud. Schauspielkunst an d. Staatl. Schauspielschule München. K.: Engagements Staatstheater München, Deut. Volkstheater in Wien, Schauspielhaus Zürich (u. Oscar Welterlin u. Leopold Lindberg), Kammerspiele München (u. Hans Schweikart), Schauspielhaus Bochum (u. Hans Schalla), Schauspielhaus Düsseldorf (u. Gustaf Gründgens), Statl. Schauspielhaus Hamburg (u. Gustaf Gründgens), ab 1956 Mtgl. d. Burgtheater Wien, wichtigste Rollen: Hamlet, Tasso, Orest, Homburg, Faust, Carlos, Mortimer, Wetter vom Strahl, Rodrigo Siegesmund, Marinelli, Film- u. Funktätigk., Schallplatten, Unterrichtstätigk. am Staatl. Konservatorium. (N.A.)

Wolf Anton

B.: BetriebsR. d. Ang. d. Fa. Stollack. DA.: 2353 Guntramsdorf, Mödlinger Str. 15. PA.: 2340 Mödling, Mühlg. 13. G.: Mödling, 2. Dez. 1927. V.: Maria, geb. Mayerhofer. Ki.: Günther, Anton. El.: Anton u. Theresia. S.: VS, Fachschule f. Malerhandwerk in Abendkursen, Mstr.Prüf. K.: 11 J. in österr. Linolinwke. tätig, 25 J. b. Fa. Stollack. BL.: Prakt. Prüf. d. Produkte (Mstr. in d. Prüfstelle). M.: ÖGB Bez.Aussch. Mödling. H.: Wandern, Skifahren, Skisekt. im Hause Stollack aufgebaut. (E.L.)

Wolf Benedikt OSR.

B.: Dir. d. Kfm. Berufsschule Wörgl. DA.: 6300 Wörgl, Innsbrucker Str. 34A. PA.: 6300 Wörgl, Bahnhofstr. 4A. G.: Sellrain, 10. Dez. 1924. V.: Herta. Ki.: Reinhard (1949), Karin (1961). S.: VS, RG Kufstein, 1944 Matura Kufstein, 1944 Kriegseinsatz u. Gefangenschaft. K.: 1946 Eintritt Finanzdienst d. Finanzlandesdion. f. Tir., 1965 Eintritt in d. Schuldienst d. LSR. f. Tir. (Lehrer an d. Kfm. Berufsschule Kitzbühel), 1968 Lehramtsprüf., Lehrer u. 1978 Dir. an d. Kfm. Berufsschule Wörgl u. seit 1973 auch Ltr. d. VHS Wörgl. P.: Autor u. Initiator Bildungskalender d. VHS. E.: Verd.-Med. d. Landes Tir., VZ d. Verb. Österr. VHS. M.: Prüf.-Kmsn. d. Tir. HK f. d. Lehrabschlußprüf. Handelsberufe, Vorst.-Mtgl. d. Heimatmuseumsver. Wörgl, Mitarb. im Sozialsprengel Wörgl. H.: 20 J. aktiver Fußballer, Wandern. (G.P.)

Wolf Christian Ing.
B.: Geschf. FN.: Antoniusstadl Gastro-Marketing Handels GesmbH. DA.: 7053 Hornstein, Industriestr. II/1. PA.: 7053 Hornstein, Feldg. 3/5. G.: Wien, 13. Dez. 1961. V.: Renate, geb. Houszka. Ki.: Lariassa, Yvonne, Nicole. El.: Hans u. Brigitte. S.: HTL Fachr. Hochbau. K.: versch. Fa. als Masch.-Bauer, anschl. Schlosser Fa. Stahlbau Lipp, 1991 Ltg. Cafe-Rest. d. Bruders, 1992 gem. m.d. Fam. Fa. Gastro Marketing Handels GesmbH gegr. u. "Antoniusstadl" eröff., seith. allein. Geschf. BL.: 350 versch. Veranst. jährl. H.: Sport, aktiver Bassist d. Gruppe "Non plus Ultra". (I.J.)

Wolf Erich Martin
B.: Prok., Gschf. FN.: Herder & Co Verlag. GT.: Obm. d. Österr. Theatergem. DA.: 1010 Wien, Wollzeile 33/1. PA.: 1030 Wein, Kegelg. 43. G.: Wien, 15. Sept. 1947. S.: Ausbild. Schauspiel u. Regie. K.: 9 J. Tät. i. Steuerberatungskzl., s. 1979 b. Herder. E.: Gold. VZ d. Rep. Österr. H.: Skifahren, Tennis, Theater. (N.A.)

Wolf Erich Martin
B.: Prok., Gschf. FN.: Herder & Co Verlag. GT.: Obm. d. Österr. Theatergem. DA.: 1010 Wien, Wollzeile 33/1. PA.: 1030 Wien, Kegelg. 43. G.: Wien, 15. Sept. 1947. S.: Ausbild. Schauspiel u. Regie. K.: 9 J. Tätigkeit in Steuerberatungskzl., seit 1979 b. Herder. E.: Gold. VZ d. Rep. Österr. H.: Skifahren, Tennis, Theater. (M.M.)

Wolf Ernst Dipl.-Vw.
B.: Reisebürokfm., Repräsentant d. TUI. DA.: 6020 Innsbruck, Salurnerstr. 12. PA.: 6020 Innsbruck, Schillerstr. 8. G.: Kirchbichl, 25. Juli 1930. V.: Renate, geb. Hiesmayr. Ki.: Martina, Susanne, Marius. S.: 1950 Matura an d. LBA Innsbruck, Vw.Stud. m. Dipl.Abschluß 1962. K.: Lehrer an VS, HS u. kfm. Berufsschulen, sowie an d. Hotelfachschule "Villa Blanka", 1963 Übernahme d. Gen.Repräsentanz v. "Hummel-Reisen" f. Österr., Schweiz, Oberitalien u. franz. Alpen, ab 1975 Repräsentant d. TUI. E.: Verd.Med. d. Landes Tir., Anerkennungsdekret d. LFremdenverkehrsamt d. Länder Tir. u. Sbg., 1965 Militärord. v. San Salvador u. d. Hl. Brigitte v. Schweden: Commendatore. M.: Skal-Club, Bund d. Wirtschaftsak. H.: Reisen, Filmen, Lektüre. (Schm.)

Wolf Felix

B.: Künstler, Designer u. Grafiker. DA.: 6922 Wolfurt, Eichenstr. 33. G.: Wolfurt, 31. Dez. 1947. El.: Franz u. Adelheid. S.: VS, HS, berufsbez. Weiterbild., 1965 BH. K.: Grafikausbild. b. einer Sportartikelfirma, 1975 Eröff. d. Design Atelier in Wolfurt. E.: 1991 Skidesigner Preis in Japan. H.: Malen, Reisen, Skifahren, Tennis, Golf. (I.D.)

Wolf Franz Ferdinand Dr. iur.
B.: Gschf. FN.:Telekurier GmbH. DA.: 1070 Wien, Seideng. 11. G.: Wien, 15. Apr. 1947. V.: Roswitha, geb. Pfeiler. Ki.: Sebastian (1992), Benedikt (1994). El.: Prof. Dipl.-VW. DDDr. Franz u. Elisabeth. S.: Matura, Stud. Jus u. Politologie Univ. Wien. K.: 1976-80 Chefred. Wochenpresse, 1980-82 Pressesprecher ORF, 1982-88 Profil, ab 1987 Hrsg. d. Profil, 1988-93 Chefred. KURIER, 1993 Gschf. RPN-Radio Privat NÖ GmbH. E.: Silb. EZ f. Verd. um d. Rep. Österr.

Wolf Friedrich
B.: Dir. d. Alpotel. DA.: 6020 Innsbruck, Innrain 13. PA.: 6020 Innsbruck, Dr.-Stumpf-Str. 42a. G.: Inzing, 10. Febr. 1941. V.: Gudrun, geb. Höllrigl. Ki.: Michael (1973), Astrid (1969). El.: Johann u. Katharina. S.: Grundschule, Koch-Kellner-Lehre, 1960 Abschluß, 3 J. Kochkurs Can/Frankreich. K.: Oberkellner im Hotel Mariabrunn, Barman in Sölden, 1968 Führung d. Hotels Alpina Sölden, 1973 Grdg. eines franz. Restaurants in Innsbruck "Belle Epoque", 1983 Übernahme d. climahotel m. Restaurant, 1988 Dir. d. Alpotel Innsbruck. BL.: 1973 Grdg. 1. franz Restaurant in Innsbruck. M.: Funktionär d. Kam., Konzessionsprüfer, Mtgl. Hotel Villa Blanca. H.: Hotelbesichtigungen im Ausland, Weine, Fachliteratur. (M.W.)

Wolf Gerald
B.: Gschf. FN.: Dekor Exquisit Gertrude Wolf. DA.: 1090 Wien, Fuchsthallerg. 7. PA.: 3040 Neulengbach. G.: Wien, 14. Okt. 1936. V.: Gertrude, geb. Zaruba. Ki.: Brigitte, Elisabeth. El.: Othmar u. Stefanie. S.: 1956 Matura, Vers.Kfm. K.: 1969 Eintritt in d. Fa. Dekor Wolf. H.: Musik, Arch. (P.R.)

Wolf Gerhard Dipl.-Ing.
B.: selbst. Arch. DA. u. PA.: 6850 Dornbirn, Spinnerg. 17. G.: Dornbirn, 2. Apr. 1959. V.: Margit. Ki.: Hanna (1991). El.: Josef u. Blanka. S.: BRG Dornbirn, 1977 Matura, Stud. Univ. Innsbruck, 1986 Spons. K.: 1986 in sämtl. Bereichen in Arch.-Büro in Dornbirn, seit 1987 selbst. in Dornbirn m. Schwerpunkt Wohnbau u. Altbaurevitalisierung. M.: Handball TS Dornbirn. H.: Skifahren, Fotografieren. (I.D.)

Wolf Gerhard V. Ing.
B.: Inh. FN.: Ing. Wolf, Franz. Weinimporte. DA.: 2521 Trumau, Triestingstr. 26. PA.: 2521 Trumau, Roseggerstr. 17. G.: Wien, 14. Aug. 1940. V.: Rosemarie, geb. Nirtl. Ki.: Ing Gerhard-Peter (1965), Viktoria (1964). El.: Ing. Anton u. Hermine. S.: VS, Gymn. Mödling, Ausbild. z. Oenologen in Klosterneuburg, beendet 1962. K.: Tätigk. in versch. Branchen im In- u. Ausland in ltd. Pos. bzw. als Geschf. od. Teilhaber, Exportmanager f. österr. Weine i.d. BRD, Spezialisierung auf franz. Weine. P.: in Fachzeitr. ü. Weinbau. M.: 1994/95 Präs. d. Lions-Club v. Baden-Helenental. H.: Jagd, Teppiche, Schmuck. (I.J.)

Wolf Gery
B.: Lichtbildner, freischaff. Künstler. DA.: 8020 Graz, Prangeg. 17. PA.: 8042 Graz, St. Peter Hauptstr. 29e. G.: Graz, 28. Sept. 1949. El.: Jakob u. Erna. S.: Mittelschule, HTL, Lehre f. Fotografie, Mstr.Prüf. 1987, Stud. b. Prof. Brunner. K.: 1. Arbeit: Vulkane in Süditalien f. eine Münchner Agentur, Bildveröff. im "GEO", "MERIAN", "Stern", "BUNTE", "Die Zeit", Aufenthalte: mehrmalige Reisen durch alle Kontinente, zahlr. Beteil. an weltweiten Ausstellungen, Personalien: "Bilder aus fernen Länder", "Bilder v. unterwegs", "Menschenbilder", "Finnland", "Amerika" "Steiermark". E.: Über 100 Preise f. Fotografie. H.: Wasserskifahren. (C.H.S.)

Wolf Gottfried Anton Ing. Univ.-Prof.

B.: Dir. A.: 2380 Perchtoldsdorf, Elisabethstr. 4. G.: Wien, 6. Juli 1931. V.: Erna-Maria, geb. Supper. El.: Andreas u. Helene. S.: 10 Sem. Elektrotechnik in Wien, 1955 Ing.Diplom, 1968 Stud. d. Betriebssoziologie u. -wirtschaft an d. Univ. Wien, 1968 Univ. f. Bildungswiss. Klagenfurt, Päd., 1983 Univ.Lektor, 1990 Univ.-Prof. TU Wien, Inst. f. Rechtswiss. K.: 1951 Siemens Schuckert Werke GmbH, Einkauf u. Vertrieb, 1956 Siemens Schuckert Werke AG Regensburg, Traunreut, Berlin, Neustadt, 1957 Siemens Elektrogeräte GmbH, Ing. f. Geräteapprobationen, 1958 Marktforsch. u. Verkaufsförderung in Europa u. Übersee, 1962 Ltr. d. Auslandsaußenstelle, 1964 Wr. Starkstromwerke GmbH, Vertriebsltr. f. Elektrogeräte, 1966 Constructa Wien, Gschf., 1969 Siemens GmbH Wien, Vertriebsltr. f. Elektrogeräte, 1971 Siemens AG Österr., Ltr. d. Bereiche Revision, Unternehmenspolitik u. -planung, 1974 Techn. Gschf. d. Sicontact Budapest, 1977 Ltr. d. Bereiches Aus- u. Weiterbildung, 1989 Ltr. d. Bereiches "Gemeinsame Strategische Aufgaben" d. Siemens-Gruppe in Österr. P.: Buch: "Produktive Partnerschaft in d. Wirtschaft". E.: Silb. EZ f. Verd. u. d. Rep. Österr. 1983. M.: Ver. Österr. Ind., Wiss. Beirat d. Hernstein-Inst., Stellv. Vors. d. Aussch. f. Bildunspolitik d. Ver. Österr. Ind., Ehrenberater d. Japan Management Assoc., Vw. Ges.f. Wien u. NÖ, Kuratorium f. Wiss. u. Ind. Zusammenarb. d. Dt. HK in Österr., Europ. Ak. d. Wiss., Österr. Ges. f. Statistik u. Informatik, 1990 Mtgl. d. Direktoriums EURAS-European Advanced Studies d. Donau Univ. krems WEST-OST-Cooperationen, Fernost Fact Finding Missions.

Wolf Günter

B.: Koch, Mitinh. Gasthaus "Zur weißen Rose". DA.: 2013 Göllersdorf, Hauptpl. 41. G.: Wien, 15. Mai 1955. V.: Ulrike, geb. Kronberger. Ki.: Lisa (1986), Hanna (1987). El.: Erich u. Maria. S.: Kochlehre im Parkhotel Schönbrunn Wien, Hilton München. K.: 1974-77 Restaurant Hausboot Wien, Restaurant Salut Wien, 1978 in Iran tätig, 1981 Vegetar. Restaurant Wien, 1989 Gasthaus "Zur weißen Rose", 1990 Übernahme zus. m. Gattin. H.: Laufen, Tennis, Kabarett. (T.T.)

Wolf Günther J. Dr. h.c.

B.: Journalist. PA.: 6700 Bludenz, Unterer Illrain 36. G.: Friedrichshafen, 17. Mai 1939. El.: Ernst u. Anna. S.: Gymn. Bludenz u. Feldkirch, 1954 Abschluß, Berufslehre m. Fachschule Typograph, versch. Seminare im In- u. Ausland f. Journalistik u. Publizistik. K.: 1954 Umbruchred. in Liechtenstein, 1964 freier Journalist u. Publizist in Liechtenstein, Schweiz u. Österr., 1969 ltd. Red. u. Verlagsltr. b. Rhein-Kurier in St. Gallen, 1974 ltd. Red. Liechtensteiner Wochenspiegel, 1975 Presseref. d. Stadt Feldkirch, Pressesprecher u. PR-Manager d. Europ. Wirtschaftsinst. EWI Liechtenstein u. d. Konsulates d. Rep. Tschad, journalist. tätig f. div. Zeitungen u. Magazine, Red.-Mitarb. d. Großanzeigers Ostschweiz, seit 1978 Red. b. Anzeiger f. Bez. Bludenz u. Montafon. BL.: Aufbau u. Mitgestaltung d. kulturellen Szene u. d. grenzüberschreitenden Pressewesens im Rheintal, Schöpfer d. intern. Nachwuchsfilmfestivals Alpinale in Bludenz u. d. Bludenzer Literaturtage, Förderung literar. u. künstler. Talente. P.: Die Unruhigen (Roman, 1972), Das kleine gelbe Haus (Roman, 1973), div. Essays, Lyrik u. Prosa in d. Zeitschrift Zifferblatt. E.: Publizistikpreis Leader d'Oppinione des Centro Europeo Rom, Dr. h.c., Interamerican Univ. of Humanistic Studies, European Representation: Study and Research Center of Nations, Calvatone Cremona/Italy Verd. f. Wirtschaft, Kultur u. Publizistik zwischen Italien, Schweiz u. Liechtenstein. M.: Vbg. Pressever., Intern. Liechtensteiner Pressever., Member of Accademia Italia, Accademia Bedra/Acense, Accademia Europea Confederazione Intern. Dell'Ordine Degli Artisti Calvatone Cremona/Italy. H.: Fotografieren, Malen, Zeichnen, Trekking, Reisen, Rosenzüchten, Gartengestalten, Ernest Hemingway. (I.D.)

Wolf Gusti

B.: Schauspielerin, Mtgl. d. Wr. Burgtheaters. A.: 1010 Wien, Salztorg. 6/4/27. G.: Wien, 11. Apr. S.: VS, Bürgerschule, prakt. Theaterausbild., Lehrmeister Falkenberg. K.: 1935-36 Erstes Engagement Wr. Kammerspiele, 1936-39 2. Engagement Münchner Kammerspiel, seit 1946 am Wr. Burgtheater, Gastspiele in Hamburg (Gründgens), Hamburger Thaliatheater, Holland, Festspiele Sbg., Recklinghausen, Hersfeld, Welttournee, 48 Filme, viele Fernsehspiele, "Der alte Richter", "Kottan ermittelt", "Rosa u. Rosalinde", "Was werden d. Nachbarn sagen" (1990). P.: Div. Veröff. in Zeitungen u. Zeitschriften, Bücher. E.: Titel Kammerschauspielerin, Gr. Verd.Kreuz 1. Kl. f. Kunst u. Wiss., Burgtheaterring d. Kollegenschaft, 1986 Gr. EZ d. Rep. Österr., 1987 Ehrenmtgl. d. Wr. Burgtheaters, 1987 Ehrenmed. d. BHpt.-Stadt in Gold, 1992 Auszeichnung "Rosenhügel", 1993 Nestroy-Ring. H.: Sammeln v. Kunst jeder. (M.B.)

Wolf Hansjörg Dipl.-Ing.

B.: Ltr. d. Gruppe Tiefbau. FN.: Vorarlberger Illwerke AG. DA.: 6780 Schruns, Batloggstr. 36. PA.: 6714 Nüziders, Gartenstr. 3. G.: Bludenz, 13. Mai 1956. V.: Elisabeth, geb. Gechter. Ki.: Anna-Maria (1983), Rafaela (1985). El.: Viktor Friedl. S.: GS HTL Bregenz Exp. Feldkirch, 1975 Matura, TH Wien Bauingenieurwesen, 1982 Grad., 1975/76 Milit. K.: 1982 Eintritt Vlbg. Illwerke, 1983-85 bei Bauleitung Walgaustollen Baulos Beschling, 1985-88 Sanierungen v. bestehenden Kraftwerksanlagen, Vorbereitungsarb. u. Sondierungen f. geplante Kraftwerke, 1989-92 Bregenzerwald Kraftwerk Alberschwende, Baultr. f. Krafthaus Rückgabeanl. u. die Konvent. Stollen, 1993 Schruns Ltr. d. Gruppe Tiefbau u. verantw. Baultr. f. dz. größere Bauvorhaben. M.: SPÖ, Gemeindevertret. bei versch. Ausschüßen, Naturfreunde, Obmann d. Elternvereins. H.: Freizeit mit Fam., wandern, gepflegte Weine, gutes Essen, Lieblingsland Frankreich. (I.D.)

Wolf Helga Maria Dr. phil.

B.: Ltr. FN.: ORF Studio NÖ, Abt. Volkskultur. DA.: 1040 Wien, Argentinierstr. 30 A. G.: Wien, 29. Juli 1951. El.: Prof. Alfred u. Hilde Wolf. S.: Hak-Mat., Stud. d. Europ. Ethnol. u. Kunstgesch. a. d. Univ. Wien, Wr. Theol. Kurse m. Abschl., Grundzerti. f. Erwachsenenbildner. K.: 1976 freie Mitarb. b. ORF, 1980-84 Red.-Mtgl. "Die Presse", 1984-87 freiberufl. journ. Tät. b. versch. Med., 1988-94 Abt.-Ltr. ORF Radio Wien: Großstadtleben u. Religion, s. 1994 Abt.-Ltr. Volkskultur Studio NÖ. P.: "Alsergrund-Album", "Selbstportrait Josef Jungwirth", "Damals am Alsergrund", "Das Brauchbuch", "Unsere Stadt- 30 unbekannte Wege durch Wien" (Begleitbuch z. Fernsehserie), zahlr. Beiträge i. ethnolog. u. theolog. Fachpubl. E.: Journalistenpreis 1982 d. Ingenieurkammer Wien, Kardinal-Innitzer-Förderungspreis 1985.

Wolf Heinz

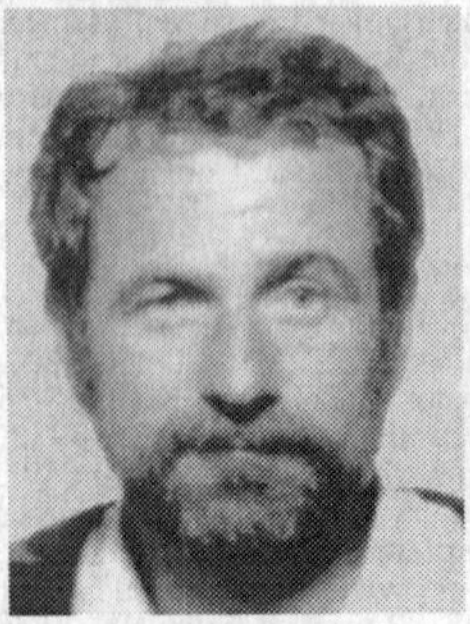

B.: Kfm., Inh. FN.: Sport Wolf. DA.: 6020 Innsbruck, Andreas-Hofer-Str. 26. PA.: 6020 Innsbruck, Sadrachstr. 38. G.: Innsbruck, 17. März 1943. V.: Renate, geb. Müller. Ki.: Hansjörg (1971), Astrid (1974). El.: Hans u. Olga. S.: VS, HS, Berufsschule, 3 J. Textilkfm.-Lehre b. Firma Hübeltuch Innsbruck, 1960 Abschluß Textilkfm. K.: b. 1964 b. Firma Hübeltuch, 1965 im Großhdl. b. Firma Herrburger-Rhomberg tätig, 1965-78 Gschf. d. Firma Sport Stenico, seit 1978 selbst. im Sportfachhdl. in Innsbruck. BL.: 20 J. aktiv Skirennläufer. E.: zahlr. Siege b. Skirennen im Tiroler C-Kader. M.: 10 J. Obm. d. SC Seegrube, 4 J. Präs. d. Tiroler Baskettballverb., Basketball-Union Innsbruck. H.: Skifahren, Bergsteigen, Basketball, Tennis. (J.F.)

Wolf Hellmut

B.: Inh. FN.: Parfumerie u. Kosmetik Wolf. DA.: 8020 Graz, Lazarettg. 32. PA.: 8010 Graz, Haydng. 11. G.: Graz, 18. Sep. 1940. Ki.: Josef (1957). El.: Hellmut u. Sophie. S.: VS, HS, 1954 Büroschule Graz, 1955-58 Drogistenausb. Fa. Schwarzberger, 1959-60 BH. K.: 1960-61 Drogist Ulm/BRD, 1961-63 Gschf. Fa. Paschke, 1963-68 selbst. m. Drogerie i. Bad Gastein, s. 1968 selbst. Graz, s. 1978 Parfumerie u. Kosmetikinst. M.: HK Graz. H.: Musik, Theater, Malen, Skifahren, Schwimmen. (I.G.)

Wolf Helmut

B.: Organ.-Ltr. d. Bildungshaus d. ÖVP Stmk. GT.: Organisator v. Hilfslieferungen in d. Ostblockländer, Fachmann f. intern. Hilfslieferungen d. Caritas. DA.: 8045 Graz, Pfeifferhofweg 28. PA.: 8051 Graz, Wiener Str. 260/9/29. G.: Graz, 15. Juli 1956. V.: Gabriele, geb. Schreiner. Ki.: Hannah Maria (1992). El.: August u. Maria. S.: VS, HS, Hum. Gymn., Stud. VWL. K.: seit 1981 Organisator. Ltr. d. Bildungshauses. P.: Dokumentation über eine Hilfslieferung f. Rotary Austria 1993. H.: Lesen, Förd. v. interkulturellen Kontakten. (R.S.)

Wolf Helmut

B.: Mtgl. d. NatR. seit 1983, Bmtr. d. ÖBB. DA.: 1017 Wien, Dr.-Karl-Renner-Ring 3. G.: Nüziders/Vbg., 15. März 1939. S.: Pflichtschule, gew. Berufsschule in Bludenz. K.: 1953-1958 im Lehrverhältnis bzw. als Elektromechaniker bschf, 1959 Präsenzdienst im Österr. BH, seit 1959 bei d. ÖBB, zuletzt a. Fahrdienstltr., im Bahnhof Bludenz tätig, seit 1965 Mtgl. d. Gem.Vertretung in Nüziders, 1972-1983 Abg. z. Vbg. Landtag, seit 1959 Mtgl. d. Bez.Vorst. Bludenz, seit 1960 Ortsobm. d. SPÖ Nüziders, seit 1964 Mtgl. d. LParteivorst. d. SPÖ Vbg., seit 1982 Mtgl. d. BParteivorst. d. SPÖ, seit 1974 AufsR. d. Vbg. LVers., seit 1978 Mtgl. d. Vorst. d. Raiffeisenkasse Nüziders. E.: Gr. Silb. EZ f. Verd. um d. Rep. Österr.

Wolf Jörg

B.: Verkaufsltr., Ndlg.-Ltr. FN.: Schäfer Shop GmbH Erlebniswelt Büro. DA.: 9020 Klagenfurt, Waidmannsdorfer Str. 46. PA.: 9020 Klagenfurt, Ulrichweg 6. G.: Klagenfurt, 20. Aug. 1943. V.: Roswitha, geb. Sihler. Ki.: Alexandra (1966), Jörg Johannes (1972). El.: Walter u. Maria. S.: VS, HS, HAK, Ausbild. Zeitstudien REFA u. Work Factor. K.: 1966-76 Ein- u. Verkauf im väterl. Betrieb Wolf Sportschuhe Klagenfurt u. Griffen, 1977-78 Aufbau Filiale einer zahntechn. Firma in München, 1979/80 Aufbau Filiale in Wien, 1981-92 Ltr. d. Filiale d. Firma Artaker Büroinformation Klagenfurt, 1992 Wechsel zu Schäfer Shop, Aufbau Filiale in Klagenfurt. BL.: aktiver Radsportler gewesen, seit d. 16. Lebensj. Judo. H.: Judover. H.: Tennis. (F.S.)

Wolf Josef

B.: Teilh. FN.: Parfumerie u. Kosmetik Wolf. DA.: 8020 Graz, Lazarettg. 32. PA.: 8010 Graz, Haydng. 11. G.: Klagenfurt, 12. März 1957. El.: Hellmut u. Theodora. S.: VS, HS, 1973-79 Gastronomieausb. Hotel Leitner Klein Walsertal, 1979-82 Drogistenausb. u. Kurse f. Massage u. Fußpflege. K.: 1979 Eintr. i. d. elterl. Betr. H.: Kochen, Lesen, Esotherik, Bergwandern, Hunde. (I.G.)

Wolf Karl

B.: Transportunternehmer. Da.: Steing. 40/8, 1030 Wien. G.: 17-02-1931, Wien. V.: Hedwig, geb. Schparbach. Ki.: Ingrid (1957). El.: Johann u. Berta, geb. Wolf. S.: Realgymn. Wien, AAK, Gastronomie. K.: 1952 selbstst., 1957 Fa. gekauft, vorw. Österreich-Verkehr, Holland u. Westeuropa, 1962 Oststaaten,. H.: Fußball, Reisen. (J.M.)

Wolf Leopold Dr. theol. Prof.

B.: Ltr. d. erzbischöfl. Amtes f. Unterricht u. Erziehung in Wien, Religionsprof. GT.: gschf. Ltr. d. Interdiözesanen Amtes f. Unterricht u. Erziehung. DA. u. PA.: 1010 Wien, Stephanspl. 3/4. El.: Leopold u. Franziska. S.: 1947 Matura

Wasa Gymn., Stud. d. Theologie, 1952 Priesterweihe in Wien, 1961 Prom. K.: Kaplan in Poysdorf u. Gersthof Wien XVIII., ab 1956 Religionsprof. an d. AHS, 1976-82 zugl. Pfarrer v. Kleinhadersdorf b. Poysdorf, 1977 Fachinsp. f. kath. Religion, 1980-82 Lehrtätigkeit "Dogmatik" an d. religionspäd. Ak. Wien, ab 1981 Ltr. d. erzbischöfl. Amtes f. Unterricht u. Erziehung, 1985 Ernennung z. HofR., 1982 Monsignore, 1986 Prälat. (P.R.)

Wolf Paul

B.: LInnungsmstr. d. Friseure Bgld. GT.: GemR. d. Freistadt Eisenstadt, Gschf. d. bgld. Ausstellungsver. DA.: 7000 Eisenstadt, Hauptstr. 24. PA.: 7000 Eisenstadt, Bahnstr. 23. G.: Eisenstadt, 9. Sept. 1935. V.: Herta, geb. Kornfeld. Ki.: Klaus-Jürgen. El.: Oskar u. Marianne. S.: VS, HS, Berufsschule, Elektrotechnik, Zahntechniker, Mstr.Prüf. K.: seit 25 J. selbst., seit 12 J. Innungsmstr., seit 1973 GemR., ab 1984 Gschf. d. bgld. Ausstellungsver. E.: Verd.Kreuz d. Landes Bgld., Julius Raab Med., bronz. Kammermed. M.: Vors. d. Ak. d. Friseure Bgld. Kam., Lions-Club Eisenstadt. H.: Garten. (E.L.)

Wolf Peter

B.: Account-Manager Radio CD, Vizeweltmeister u. Olympiasieger im Tischtennis/Versehrtensport. DA.: 1070 Wien, Kaiserstr. 45. PA.: 1140 Wien, Hackingerstr. 42-44/4/20. G.: Wien, 20. Feb. 1959. V.: Christa, geb. Wolf. Ki.: Katrin (1986). S.: Handelsschule in Wien. K.: Seit 20 J. Leistungssportler im Tischtennis: Im Versehrtensport, 9-facher Staatsmeister im Einzel, 1984 Vizeolympiasieger in England, 1986 Vizeweltmeister in Australien, 1989 Vizeeuropameister in Wien, Strebersdorf. Gleichz. Teiln. a.d. Meisterschaften d. Nichtbehinderten, 10 J. Produktionsass. bei RPV-Video, seit 1989 Account-Manager bei Radio CD, verantwortl. f. Werbekonzepte u. Werbeverkauf. M.: Österr. Behindertensportversand, Tischtennisclubs UKJ Tyrolia u. Donauturm. H.: Tischtennis, Tanzen. (J.S.)

Wolf Peter Karl Dr. iur.

B.: RA. A.: 1010 Wien, Neutorg. 12. G.: Wien, 12. März 1928. V.: Ingeborg, geb. Giesecke. El.: Ing. Carl Anton u. Elisabeth. S.: RG, 8 Sem. Jus an d. Univ. Wien. K.: 1946-50 Stud. als Werksstudent (Ger.Bmtr.), 1950-51 Gerichtsjahr, anschl. 6 J. Anw.Praxis, seit 1957 selbst. RA in Wien. P.: Div. Beiträge in Zeitschriften, Rechtslexikon u. Buchbesprechungen. M.: Freimaurer. H.: Sport-Bridge, Tennis. (J.E.).

Wolf Peter Paul Dr. iur.

B.: RA. DA.: 1030 Wien, Estepl. 7. PA.: 2301 Groß Enzersdorf, Kaiser-Franz-Josef-Str. 25. G.: Wien, 25. Mai 1951. V.: Edith, geb. Figlmüller. Ki.: Alex, Isabella-Maria. El.: Béla u. Käthe. S.: 1969 Matura, Stud. d. Rechtswiss. Univ. Wien, 1975 Prom. K.: Gerichtspraxis, RA-Praxis, seit 1980 eingetragener RA, Schwerpunkt: Zivilklagen, 1980-81 Rechtskons. d. UNIDO, Rechtskons. d. Hörer v. Blue Danube Radio-Ö3. H.: Tennis, Skifahren. (P.R.)

Wolf Ronald

B.: Gschf. FN.: "Freiraum" GmbH. GT.: DA.: 1100 Wien, Davidg. 79/6/1. PA.: 1070 Wien, Menterg. 7, G.: Wien, 15. Nov. 1957. Ki.: Moritz (1983). El.: Peter u. Herta. S.: 1976 AHS Matura, Med. Stud. K.: 1982-87 Proj.-Ltr. Österr. Kulturservice, 1987 Grdg. Fa. Freiraum, s. 1989 Gschf. d. Fa. Freiraum GmbH. BL.: "Die Schule tanzt" (Projekt z. Förd. d. Tanzes f. Kinder a. österr. Schulen), "Das bunte Dorf" (Mitbegründ. d. Feriencamps f. Kinder i. Waldviertel). H.: Klettern, Kochen, Lesen. (E.J.)

Wolf Siegfried OSR.

B.: Dir. d. Landesberufsschule f. d. Gastgewerbe Siegfried Ludwig. DA.: 2093 Geras, Am Goggitschberg. PA.: 2700 Wr. Neustadt, Steinabrückerg. 12. G.: Graz, 27. Aug. 1935. V.: Adelheid, geb. Marath. Ki.: Mercedes (1977). El.: Josef u. Berta, geb. Simmler. S.: VS, HS, Berufsschule f. d. Gastgewerbe, Lehramtsprüf. K.: 1949-52 Gastgewerbelehre in Graz, danach in renommierten Häusern Frankreichs, Deutschlands, Hollands, Österr. u. d. Schweiz sowie auf einem holländ. Passagierschiff reiche Erfahrungen im Gastgewerbe gesammelt, 1961 Eintritt Berufsschule f. d. Gastgewerbe als Servicelehrer, ab 1980 Ltr. d. Expositur d. Gastgewerbeschule Baden, 1991 OSR, ab 1992 Dir. d. neuen Landesberufsschule f. d. Gastgewerbe. BL.: Organ. v. gr. Empfängen u. Festivitäten in d. Gastronomie, Erwachsenenbild. m. Servier- u. Kochkursen in Zusammenarb. m. d. BFI NÖ, Betriebsberatung m. Spezialgebiet: Gestaltung v. Speise- u. Getränkekarten. P.: Mitautor d. Fachbuches "Tafelkultur f. alle Anlässe". H.: Schwimmen, Skifahren. (M.M.)

Wolf Sieglinde Dr. phil. (Sr. Hildegard)

B.: Dir. d. Wirtschaftskundl. RG f. Mädchen Konvent d. Ursulinen. DA. u. PA.: 6020 Innsbruck, Fürstenweg 86. G.: Innsbruck, 21. Aug. 1937. El.: Pius u. Herta. S.: Mädchen-RG Innsbruck, 1955 Matura, LBA Abit.Kurs 1956, Stud. Phil. Fak. Univ. Innsbruck, 1957 Eintritt in Ursulinen-Kloster Innsbruck, 1958/59 Noviziat, 1962 Prom. u. Lehramtsprüf. K.: 1962 Probej. Ursulinen Innsbruck, anschl. Lehrtätigkeit Ursulinen Innsbruck, seit 1975 Dir. BL.: Mitbestimmend b. Plan. u. Durchführung d. Neubaues v. Schule-Internat-Kloster. H.: Beruf.

Wolf Sigrid

B.: Ang., Ski alpin Rennläuferin. PA.: 6652 Elbigenalp 45a. G.: Breitenwang, 14. Febr. 1964. El.: Eduard u. Olga Wolf. S.: VS, HS, Ski-HASCH Stams. K.: ab d. 6. Lebensj. Rennen (Schüler-Jugend), ab. d. 17. Lebensj. Weltcup. E.: 1987 2 Weltcupsiege Abfahrt, 1988 Goldmed. Superski Calgary, 1989 Silbermed. Superski Vail, viele andere Siege u. Ausz. M.: ÖSV. H.: Lesen, Handarb., Tennis, Surfen, Wasserski.

Wolf Silvia Dr.

B.: Creativdir. FN.: HAGER KG. DA.: 1010 Wien, Seilerstätte 13. G.: Wien, 28. Apr. 1956. El.: Walter u. Maria Zamboki. S.: Gymn., Stud. Publizistik Wien u. Sbg., Prom. K.: künstler. Arb., journalist. Tätigkeiten, 2 1/2 J. Aufenthalt in Westafrika, Fotoreportage f. FREUNDIN, Konzeptionstexterin Austria 3 TBBA, freiberufl. tätig, A u. V Werbung, HAGER Werbung, Aufbau d. Creation. P.: Diss. "Was leistet Bildungsfernsehen". E.: Gold. Edward f. Direkt Mailing, Silb. Efi f. Schrom, 2. Pl. f. Leiner-Spot Top Spot. H.: Kabarett, Ausstellungen, Reisen. (J.M.)

Wolf Viktor Dr. Dkfm.

B.: 1. VGouverneur d. Österr. Postsparkasse Wien, PA.: 1130 Wien, Kirchmayerg. 5. GT.: AufsR. d. Bank d. Österr. Postsparkassen AG, d. Österr. Lotterien GmbH, AufsR.-Vors. d. P.S.K. Leasing GmbH & Co KG Wien, d. P.S.K. Versicherungsdienst GmbH, d. Bausparkasse Gemeinschaft d. Freunde Wüstenrot gemeinn. rGenmbH Sbg.

Wolf-Blumauer Doris Prof.

B.: o.HS-Prof. HS f. Musik u. darstell. Kunst Graz. DA.: 8010 Graz, Leonhardstr. 15. PA.: 8052 Graz, Oberberg 72. G.: Graz, 27. Sep. 1927. V.: Manfred Blumauer. El.: Heinrich u. Anna Wolf. S.: 1947 Matura, Musikstud. Stmk. Landeskonservatorium u. Ak. f. Musik u. darstell. Kunst Wien b. Prof. Bruno Seidlhofer u. Richard Hauser, Dipl.-Prüf. K.: Konzertreisen in d. meisten Länder Europas u. in d. Vorderen Orient, Prof. HS f. Musik u. darstell. Kunst Graz. M.: EPTA. H.: Botanik, Tiere, Tierschutz. (I.G.)

Wolf-Rubenzer Erika

B.: ak. Malerin, freisch. Künstlerin. DA.: 8010 Graz, Brockmanng. 98. PA.: 8020 Graz, Straucherg. 24. Ki.: Ursula, Alexander. El.: Karl Korjan u. Maria Rausch . BV.: Großvater Julius Rubenzer, ak. Maler. S.: Kunstgewerbeschule Graz, Mstr.Kl. (Prof. Szyszkowitz), Ak. d. bild. Künste Wien b. Paris-Gütersloh. K.: Bamberg, Darmstadt, Berlin, Lyon, Biarritz, Stadtmuseum Graz, Raiffeisenhof, Schloß St. Martin, Schladming, Bruck/Mur, Studienreisen: Deutschland, Frankreich, Tunesien, Schweiz, Jugoslawien, Griechenland, Israel, Sri Lanka Bali; Arb. in Aquarell, Email, Hinterglasbilder, Öl, Holzschnitt, Ankäufe durch Albertina, BMU, Stmk. LRg. u.a., Aufträge: antike Glasfenster f. St. Ulrich am Waasen, f. Frauenberg/Seggauberg, Glasfenster f. Missionshaus St. Severin, 1991 Glasfenster f. d. Ev. Kirche in Techendorf/Ktn., Ausstellung 1994 Künstlerhaus Graz, Glasfenster Kartause von Gaming. P.: seit 1985 Veröff. d. Werke im gr. Lady-Kalender v. Verlag Heye Hamburg, 2 Kataloge v. Breicha u. Arnold. E.: Förderungspreis d. Stadt Graz 1982, Ehrenmed. d. Stadt Graz 1988, 1990 Gr. EZ d. Landes Stmk. H.: Literatur. (C.H.S.)

Wolfenstein Hans

B.: Inh. FN.: Wolferl-Glas, Hans Wolfenstein, Glasermstr. GT.: Sponsor s. 1973 u. Präsident s.1974 d. Fußballvereins 1. SC Wolferl Glas Felixdorf, Hauptgruppenobmann NÖ-Süd. DA u. PA.: 2603 Fellixdorf, Hauptstr.11. G.: Wien, 22. März 1947. KI.: Gabriele (1975). EL.: Hans u. Maria.S.: VS, HS, Glaser - Lehre,Mstr. Prüfung. K:: s. 1971 selbst., zuerst mit Übernahme e. best. Glaserei in Felixdorf, 1978 Errichtung e. neuen Werkstatt, 1980 Errichtung e. Hauses mit Detailgesch. M.: Vorst. Mitglied d. NÖ Fußballverbandes, s. 1990 Präsident d. Fußball Nachwuchsggruppe Wr. Neustadt. E.: Silber-Gold Ehrenzeichen d. NÖ Fußballverb., silb. Sport-Ehrenzeichen d. Landes NÖ, Gold EZ. JG Wr. Neustadt, JG Pittental, 1.SC Wolferl GLAS Felixdorf, Sportförderung NÖFV. H.: Fußball. (F.S.)

Wolff Franz

B.: Fabrikant, Ges. d. Firmen Vbg. Wirkwarenfbk. Gebrüder Wolff, Hard & Johann Wolff, Formstecherei, Gschf. d. Wolff Wäsche GmbH Hard. GT.: AufsR.Vors. d. WOLFORD Textil AG Bregenz. A.: 6971 Hard, Badg. 8.

Wolff Ivar Dr. phil.

B.: Gschf. Ges. FN.: Dr. Ivan Wolf HdlsgmbH, DIW Hdls.Ges., Pamin Wert HdlsgmbH, Kunsthaus Atiquitäten, ÖKO Bilanz GmbH, M. Hirsch GmbH; PA.: 1010 Wien, Franziskanerpl. 1. G.: Bukarest, 9. Aug. 1938. V.: Elisabeth, geb. Toth. Ki.: Jens, Alina. El. Olaf u. Maria. S.: Franz. Lyzeum, 1955 Matura, Chemiestud. Wien, North-Western Univ. Chicago, Prom. K.: Ass. am Inst. f. Immunologie Univ. Wien, 1966-77 unselbst. beschäftigt, seit 1977 selbst. P.: 27 div. Publ. M.: American Concrete Inst. USA. (H.P.)

Wolff Klaus Dr. med. Univ.-Prof. FRCP

B.: Vorst. d. Univ.-Klinik f. Dermatologie. DA.: 1090 Wien, Währinger Gürtel 18-20. PA.: 1190 Wien, Saarpl. 3. G.: Hermannstadt, 4. Dez. 1935. V.: Elisabeth Dr. Univ.Doz., geb. Schreiner, 3 Kinder. El.: Dr. Helmut u. Hedda. S.: Hum. BG Linz, 1955 Matura m. Ausz., Stud. Dr. med. Univ. Wien, 1955 Prom. K.: Fachausb. 1962-65 an d. 1. Univ.Hautklinik Wien, 1965-66 Mayo Clinic USA, 1967 Venia Lengendi f. d. Fach Dermatologie u. Venerologie, Univ. Wien, 1971 a.o.Prof., 1976 Vorst. d. Univ.Klinik Innsbruck, 1981 Vorst. d. 1. Univ.Hautklinik Wien. P.: über 370 wiss. Publ., 4 Bücher. M.: Österr. Dermatolog. Ges., Dt. Ak. d. Naturforscher "Leopoldina", Österr. Akad. d. Wiss., Fellow Royal College of Physicians, London, American Academy of Dermatology, Society for Investigative Dermatology. H.: Lesen, Musik. (S.S.)

Wolff Peter

B.: Weinhauer, Inh. u. Betriebs-Ltr. FN.: Buschenschank-Weingut Wolff. DA./ PA.: 1190 Wien, Rathstr. 44-46. G.: Wien, 9. Juni 1963. V.: Gabriele, geb. Nikisch. Ki.: Katharina (1990), Elisabeth (1992). El.: Gerhard u. Irma, geb. Zeiler. S.: Hotelkfm., Weinbau u. Kellermeister gepr. Somelier, Besuch d. Weinakademie. K.: Eintritt in d. elterl Betrieb m. eigenem Weingut (zahlr. Prädikate).BL.: Wr. Wirtschaftsbd. 1 Pl bestes Kundenservice v. Döbling. M.: Obm.-Stv. d. Neustifter Kulturver., Pfarrgemeinderat. Aussch. d. Weinbauvereines, Club d. Wr. Kaffeebesitzer, Bez.-Obm. d. Kaffeesieder v. 19. Bez., Senator d. Döblinger Faschingsgilde. H.: Tauchen, Tennis, Skifahren. (N.A.)

Wolff Roland

B.: Gschf., Textiltechniker, Ltr. Konfektion u. Technik. FN.: Vbg. Wirkwarenfbk. Gebr. Wolff GmbH. DA.: 6971 Hard, Mittriedstr. 13. PA.: 6971 Hard, Badg. 8a. G.: Hard, 9. Jän. 1946. V.: Ernestine. Ki.: Lothar (1967), Oliver (1970). El.: Julius u. Anni. S.: RG, 1964 Matura, Textiltechnikum Reutlingen, 1967/68 Militär. K.: 1968 Eintritt in Familienbetrieb, Tätigkeit in sämtl. Abt. Prod. u. Technik, 1975 Ltr. d. Konfektion, 1980 Techn. Ltr. E.: 1976 Staatswappen. M.: Jägerschaft Vbg. H.: Garten, Skifahren. (I.D.)

Wolff Sven
B.: Gschf. d. Fa. Kunsttrans. DA. u. PA.: 1010 Wien, Franziskanerpl. 1. G.: Bukarest, 3. Juni 1946. V.: Deborah. Ki.: Liliana, Torger. El.: Olaf u. Maria. S.: Matura. K.: 1973 Firmengrdg., Sped. spezialisiert auf Transport v. Kunstwerken im Zusammenhang m. Ausstellungen. H.: Kunst. (Hau.)

Wolff Thomas KommR.
B.: Gschf., kfm. Ltr. FN.: Vbg. Wirkwarenfbk. Gebr. Wolff GmbH. DA.: 6971 Hard, Mittriedstr. 13. PA.: 6971 Hard, Poststr. 6. G.: Hard, 1. Dez. 1943. V.: Berghild. Ki.: Martin (1968), Tanja (1969). El.: Franz u. Wilma. S.: HS, HASCH, Textilschule Dornbirn, Matura, 1 J. Ausbild. im Textilbereich England, Militär. K.: Eintritt in Familienbetrieb, Tätigkeit in sämtl. Bereichen, 1975 zuständig f. Verkauf in England, 1976 Verkaufsltr. f. gesamten Verkauf. E.: 1976 Staatswappen, 1984 KommR. M.: Rotary Club, HK, Kuratorium d. Textilschule. H.: Wandern, Skifahren. (I.D.)

Wolfgang-Oberforcher Christine
B.: Gschf. d. Vbg. Familienverb. DA.: 6900 Bregenz, Römerstr. 12. PA.: 6900 Bregenz, Feldmoosg. 14c. G.: Bregenz, 4. Mai 1947. Ki.: Florian (1978), Philipp (1979). El.: Hans u. Marianne Oberforcher. BV.: Urgroßeltern "Reiner Sänger" verbreiteten "Stille Nacht, Heilige Nacht" in d. ganzen Welt. S.: VS, HS, 1962-65 HLWB Marienberg. K.: b. 1978 versch. Firmen als kfm. Ang., seit 1988 Gschf. d. Vbg. Familienverb. H.: Sport, Handarbeit, Nähen. (A.K.)

Wolfgruber Helmut

B.: Komponist, Musiker. DA.: 1160 Wien, Haymerleg. 36/10. G.: Bruck/Mur, 9. Apr. 1969. El.: Otto u. Ilse. BV.: Großvater mütterlicherseits Dipl.-Ing. Kus Erfinder u.a. Entwicklung d. Holzkubierungstabelle. S.: 6 J. priv. Akkordeonstud., 1987 Matura Leoben, abgebrochenes Arch.-Stud. TU Wien. K.: m. 14 J. Wechsel v. d. Akkordeon- bzw. Volksmusik z. Musikelektronik: 1. Kompositionen, kleines Heimstudio, während d. Stud. Moderator u. Beitragsgestaltung ORF Fernsehen, 1990/91 Zusammenarb. m. Klaus Biedermann u. Paul Pfab: 1. Single "How to dance", Album "The Best of Bingo Boys", 1992/93 Ausstieg b. Bingo Boys, Übersiedlung m. Partner P. Pulsinger nach Brooklyn, New York: Prod. v. Techno f. New Yorker u. Dt. Labels, Remix-Prod. v. New Yorker Künstlern, 1993 Prod. v. House-Music m. New Yorker DJ's, 1994 Rückkehr d. gesamten Studios nach Wien: Prod. v. experimenteller Computermusik, dzt. musikbezogene Ausstellungsprojekte in Galerien in Wien, Amsterdam u. New York. E.: Gold. Schallplatte in d. USA. H.: Sammlung v. elektron. Musikinstrumenten. (J.S.)

Wolfgruber Herwig Dr. med. HofR.
B.: OA u. Ltr. d. Abt. f. Plast. u. Rekonstruktive Chir. im Kopf u. Halsbereich HNO-Univ.-Klinik Graz. GT.: Privatord. DA.: 8036 Graz, Auenbruggerpl. 20. PA.: 8010 Graz, Rechbauerstr. 7. G.: Graz, 8. Dez. 1941. V.: Barbara, geb. Saler. Ki.: Marisa (1975), Mirella (1977), Stella (1988). El.: Dr. Roland u. Herlinde. S.: 1960 Matura, Med.-Stud. Univ. Graz, 1966 Prom. K.: Ass. HNO-Klinik, 1969-70 Univ.-Klinik f. Plast. u. Rekonstruktive Chir. Prof. Sanvenero-

Rosselli Mailand, 1972 New York Prof. Conley, Prof. Converse, 1978 Ernennung z. Rat, Auslandsaufenthalt in Paris Prof. Jost, 1982 Ernennung z. Oberrat, 1989 Ernennung z. HofR. als Ltr. d. Abt. f. Plast. u. Rekonstruktive Chir. im Kopf u. Halsbereich an d. Univ.-HNO-Klinik Graz. P.: wiss. Publ. im Bereich HNO-Heilkunde u. plast. Chir., Videofilme. M.: Dt. u. Österr. Ges. f. HNO-Heilkunde, Kopf- u. Halschir. H.: klass. Musik, bild. Kunst, antike Waffen, Sport. (F.K.)

Wolfgruber Rupert jun.
B.: LandesR. DA.: 5010 Salzburg, Chiemseehof. G.: 28. Sept. 1941. verh., 4 Kinder. S.: VS, HS, Ldw. Fachschule Winklhof, Fachausbild. z. Ldw.-Mstr. K.: 1973 Übernahme d. elterl. Hof "Langerbauerngut" Göming, seit 1985 Mtgl. d. Vollversammlung d. Sbg. Ldw.-Kam. in d. Funktion als Ldw.-KamR., seit 1990 Mtgl. d. Vorst. dieser bäuerl. Interessensvertretung, seit 1987 1. Landesobm.-Stellv. d. Sbg. Bauernbundes.

Wölfl-Schöflinger Ulrike Dr. phil.

B.: Ltr. Personalentwicklung. FN.: Zürich Kosmos Versicherungs AG. DA.: 1010 Wien, Schwarzenbergpl. 15. PA.: 1230 Wien, Lehmanng. 25/2/2. G.: Sbg. 8. Nov. 1959. V.: Dr.Horst Wölfl. El.: Anton u. Luise, geb. Köpfelsberger. S.: VS, Hum. Gymn. 1979 Matura, Teilstud. Rechtswiss., Germanistik, Spanisch, Stud. d. Psychologie an d. Univ. Sbg. m. Schwerpunkt Klinische Psychologie, 1986 Prom. Dr. phil. K.: 1984-86 AKH-Wien, Neurologie - Klinisches Dissertationspraktikum, 1986-89 Personalberaterin bei Dr. Pendl & Dr. Piswanger, 1989-90 DHL-Intern. Ges.m.b.H. - Training Supervisor, ab Nov. 1990 Zürich Kosmos Versicherungs AG, 1990-93 Personalmarketing, seit 1994 Ltr. Personalentwicklung - Arbeitsschwerp. Strategische Personalentwicklung, Training, Recruiting, Head Hunting. M.: WdF, Ver. "Die Meile". H.: Journalismus, Literatur, Griechenland, Skilanglauf. (M.M.)

Wölfle Matthias Ing.

B.: selbst. Pressefotograf. DA. u. PA.: 7000 Eisenstadt, Georgistr. 17a. G.: Wien, 1. Juli 1959. V.: Sigrid, geb. Hahnenkamp. Ki.: Anna-Marie (1992), Klaus-Peter (1993). El.: Arch. Dipl.-Ing. Walter u. Frieda. S.: VS, Gymn., 3 J. Fotografielehre, 8 J. Hochbautechnik. K.: seit 5 J. selbst. Pressefotograf und Filmphotograph (Werkverträge mit ORF und 16 Printmedien). BL.: 1992 Gewinner d. Fuji Film Press Awards, 1993 Österr. Vertreter in Paris, 1987 Weltrekord im

Tandemfallschirmspringen, 1992 Eintrag Guiness Buch 40 Tandemsprünge an einem Tag, 1992 Eintrag Guiness Buch Tandemsprung m. ältestem Fallschirmspringer 94 J., Fallschirmspringer f. Tiefensprünge, Lehrwartekurs, Freifallfotograf. M.: RSV, Wirtschaftsbund. H.: , Bodybuilding, mod. Musik, Kulinarik (W.M.)

Wölflingseder Helmut
B.: Steuerberater, Wirtschaftstreuhänder. DA.: 4046 Linz, J.-W.-Klein-Str. 18. PA.: 4203 Altenberg, Parzerweg 35. G.: Linz, 28. Nov. 1940. V.: Elisabeth, geb. Steinböck. Ki.: Günther, Tina, Peter. S.: LBA Linz, 1960 Matura. K.: Eintritt in d. väterl. Kzl., 1966 Steuerberaterprüf., 1970 Übernahme d. väterl. Kzl. M.: div. Sportver. H.: Musik, Theater, Konzerte, Sport (Skifahren), Reisen. (A.W.)

Wolfmayer Wilfried
B.: Prok., Gschf. FN.: Knauf GmbH Ndlg. Linz. DA.: 4020 Linz, Robert-Stolz-Str. 12. PA.: 4040 Linz, Biesenfeldweg 10. G.: Waxenberg, 27. Sep. 1944. V.: Gabriele, geb. Steiner. Ki.: Katrin (1979). El.: Anna u. Franz. K.: Lehre als Kfz-Mechaniker, Weiterbild. in d. Schweiz. K.: 1965 Umstieg in d. Baustoffhdl. m. 7jähr. Praxis, s. 1972 Führ. d. Ndlg. Linz d. Fa. Knauf GmbH. E.: Silb. EZ d. Landes OÖ. H.: Schifahren (staatl. gepr. Schilehrer), Tennis, Joggen. (P.H.)

Wolfmayr Anton Dipl.-Ing.
B.: Gschf. DA.: 1131 Wien, Hietzinger Hauptstr. 41. G.: Liezen, 20. Mai 1929. V.: Anna, geb. Malits. Ki.: Bernhard. S.: Gymn., techn. HS Fak. Bauing.Wesen. K.: Gschf. d. Bauges. NEGRELLI GmbH, Vors. d. Sozialpolit. Aussch. d. Fachverb. d. Bauind. M.: Vorst.Mtgl. d. Ver. ind. Bauuntern. Österr., Vorst.Mtgl. d. österr. Betonver., Mtgl. d. Industriellenver. (Lar.)

Wolfmayr Hans
B.: Mtgl. d. NatR., Kfm. DA.: 1017 Wien, Dr.-Karl-Renner-Ring 3. G.: Feldkirchen/Donau, 16. Mai 1944. S.: Kfm. Berufsschule. K.: s. d. Lehrzeit b. Konsum Österr. besch., 1964 Filialltr., 1973 Großmarktltr. Linz, 1982 Geschäftsltr. Konsum Großmarkt (KGM) u. s. 1988 Gebietsltr., 1968 Mtgl. d. SPÖ, Gewerkschaftsschule, Bez.-Parteischule, div. Seminare u. Fachlehrg., 1977 aktive Parteimitarb. d. SPÖ Hinzenbach, 1979 Ortsparteivors. u. Frakt.-Obm., 1979 Mtgl. d. GemR. sowie Mtgl. d. Gem.-Vorst. v. Hinzenbach, 1985 Mtgl. d. Bez.-Partei-Vorst., s. 1990 Bez.-Vors.-Stv. d. SPÖ Grieskirchen/Eferding, Mtgl. d. Landeskontrolle, in div. Verb. tätig, s. 11/1990 Abg. z. NatR., 1988 Präs. d. ASKÖ Eferding/Fraham.

Wolfmayr Ludwig
B.: Nachrichtentechniker, Ang. A.: 4121 Altenfelden 115. G.: Altenfelden, 8. Apr. 1938. V.: Thekla, geb. Neumüller. El.: Fritz u. Maria, geb. Kneidinger. S.: VS, Berufsschule, Berufsschule d. Bäcker u. Ausbild. z. Nachrichtentechniker, war längere J. im Außendienst durch d. Fa. Siemens in dt. u. österr. Städten tätig u. f. Computertechnik durch d. Fa. ITT Austria ausgebildet. M.: FF, Vorst.Mtgl. d. Sportunion u. Reitver. Altenfelden. H.: Graphologie, Karakterkunde, Psych. u. Moraltheol., Reiten, Schwimmen, Turnen u. Segeln.

Wolfram Ewald Mag. pharm.
B.: Apotheker (selbst.). FN.: Sternapotheke. DA.: 4600 Wels, Bahnhofstr. 11. PA.: 4600 Wels, Schenkelbachweg 16. G.: Wels, 12. März 1951. V.: Dr. Marie-Christine, geb. Theillet. Ki.: Veronique (1978), Philipp (1981). El.: Mag. Rudolf u. Mag. Helga. S.: 1969 Matura, Pharm.-Stud. Wien, 1976 Spons. K.: Aspirantenjahr in Klagenfurt, 1977 Fachprüf., Praxis in elterl. Apotheke, seit 1988 Inhaber Sternapotheke, 1993 Veranstalter eines Strukturprogrammseminars f. Apotheker, 1. Ersatzdel. d. Apothekerkammer d. Landes OÖ, Offz. d. Res. (Sanität). BL.: Englisch, Französisch, Holländisch. P.: div. Fachpubl. in Gesundheitsmagazinen u. Tageszeitungen. M.: Round-Table 6 Wels (Präs. 1991/92), Bezirksvorsteher d. Welser Wirtschaftsbundes. H.: Bergsteigen, Ski, Klavier, Kultur-Städtereisen, Sprachen, Fachzeitschriften. (P.H.)

Wolfram Herwig Dr. phil. Univ.-Prof.
B.: Dir. d. Inst. f. österr. Geschichtsforschung. DA.: 1010 Wien, Dr. Karl Lueger-Ring 1. S.: Stud. d. Geschichte u. d. lateinischen Philologie an d. Univ. Wien, Ausbildungskurs d. Inst. f. österr. Geschichtsforschung, 1967 Habil. K.: seit 1959 Univ.-Ass., 1968 a.o. Prof. UC Los Angeles, 1969 a.o. Univ.-Prof. Wien, 1971 o. Univ.-Prof. an d. Univ. Wien f. Mittelalterliche Geschichte u. hist. Hilfswissenschaften, 1981-83 Dekan d. geisteswissensch. Fak. d. Univ., seit1983 Dir. d. Inst. f. österr. Geschichtsforschung (Schwerp.: Gesch. d. Goten u. and. Stämme d. Völkerwanderungszeit, Salzb. Mission in Karantanien u. Pannonien usw.). M.: seit 1985 wirkl. Mitgl. d. Österr. Akademie d. Wissensch., seit 1990 Mitgl. d. Zentraldir. d. Monumenta Germaniae Historica, München u. Corresponding Fellow d. Medieval Acad. of America. (M.N.)

Wolfrum Otto Wilhelm
B.: Mtgl. d. Vorst. FN.: Mautner Markhof, Nahrungs- und Genußmittel Beteiligungs AG. DA.: 1110 Wien, Mautner Markhof Gasse 39-41. PA.: 1180 Wien, Sternwartestr. 57. G.: Wien, 21. Nov. 1935. V.: Ursula, geb. Ströbele. Ki.: Lydia, Katharina, Veronika. El.: Dipl.-Ing. Otto C. u. Barbara. BV.: Otto Wolfrum Reichsratsabg., GenR. d. k. u. k. Reichsbank. S.: Gymn., 1954 Matura, Stud. TU München. K.: 1960 -61 Praxis i. USA i. Nahrungs- u. Genußmittelberreich, 1961 Eintritt i. d. väterl. Betr. Jurany & Wolfrum, ab 1968 Mitarb. i. d. Gschftsltg. d. Hefebk. Wolfrum KG Stadlau, 1970 Fusion dieser Hefebk. m. d. Preßhefebk. Mautner Markhof zu d. "Ver. Hefefbk. Mautner Markhof u. Wolfrum GmbH, b. 1983 Gschf d. Wolfrum Handelsges., zusätzl. Mtgl. d. Sektionslt. d. Wirtsch.kammer. (W.J.)

Wolfbauer Wilhelm Dir.
B.: Manager, Engineering and Production. FAn.: Röhren- u. Pumpwerk Bauer Ges.m.b.H. DA.: 8570 Voitsberg, Kowaldstr. 2. Pa.: 8074 Raaba, Hans Koren Weg 23. G.: Graz, 9. Juli 1949. V.: Rudolfine, geb. Feldner. Ki.: Christine (1980), Eva-Maria (1984), Johanna (1990). El.: Wilhelm u. Maria. S.: VS, Gymn. Graz, Matura 1968, Studium Maschinenbauwirtschaft, Dipl. Ing. 1977. K.: 1978 Entwicklungsing. b. Fa. Bauer, 1982-84 Fa. Alpine Bauges. i. Salzburg u. Innsbruck, 1984-87 Fa. Bauer, 1987-90 Fa. Leykam, Gratkorn, s. 1990 techn. Direktor b. Fa. Bauer, s. 1991 Prokurist. H.: Familie, Sport, Theater, Wandern, Skifahren. (I.G.)

Wolfsberger Gerhard

B.: Inh.. FN.: GW-Technic Gerhard Wolfsberger GmbH. DA. u. PA.: 1220 Wien, Eipeldauerstr. 38/6. G.: St. Wolfgang Nr. 4, Waldviertel 5. Juni 1939. V.: Herta. Ki.: Arthur 1973, Stefan 1970. El.: Walter u. Juliane. S.: 4 Jahre Gymnasium Zwettl, 4 Jahre Gymnasium Gmünd, Studium a. d. WU Wien, Ausbildungsaufenthalte i. Frankreich u. Holland. K.: 1957 Tätigkeit i. d. Frachtverrechnung d. DDSG; 1958-60 Felten u. Guillome, 1961-70 Material b.

Philips, 1971-78 Mitarbeiter einer HAndeslfirma in Wien, s. 1979 selbstst. mit eigenem Unternehmen. BL.: Errichtung u. Gestaltung eines japanischen Gartens in. St. Wolfgang. P.: Japanischer Garten wurde anläßlich d. Landesausstellung 1994 i. Schloß Weitra f. öffentliche Besichtigungen zur Verfüngung gestellt u. hat sich zu einem Anziehungspkt entwickelt. H.: Japanologie, Fernostreisen. (F.S.)

Wolfsberger Johann Prof.
B.: ak. Maler. PA.: 1130 Wien, St. Veit-G. 40. G.: Wien, 22. Mai 1911. Ki.: Peter. S.: Graf. Lehr- u. Versuchsanst. Wien, Ak. d. bild. Künste Wien, staatl. Prüf. K.: 2 gewebte Wandteppiche f. d. Festlogensalon d. Burgtheaters, Landschaftsmalereien f. d. Ringturm Wien, Landschaftsmalereien f. d. NÖ Landesmuseum, d. Geburtshaus v. Joseph Haydn, d. NÖ Tonkünstlerorchester b. Konzert v. Schloß Schönbühel, Wandteppich f. d. Österr. Länderbank, Rathaus v. Ternitz, versch. Zeichnungen, Bühnenvorhang f. d. Wr. Staatsoper, Portraits f. Privatpersonen, Ausstellungen im In- u. Ausland. E.: 1934 Alfred Rethel-Preis Berlin, 1935 Preis d. Stadt Berlin, 1946 Vollmtgl. d. Wr. Künstlerhauses, 1949 Österr. Staatspreis, 1954 Kulturpreis d. Stadt Wien, 1958 Goldmed. d. Künstlerhauses, 1961 Prof., 1981 Österr. EK f. Wiss. u. Kunst. (F.S.)

Wolfsberger Peter
B.: Schauspieler im Burgtheater. DA.: 1010 Wien, Dr.-Karl-Lueger-Ring 2. G.: Wien, 6. Okt. 1949. Ki.: Maria (1985). El.: Prof. Johann u. Johanna. S.: Matura, Reinhard-Seminar. K.: 1973 Schauspielhaus Zürich, Stadttheater Klagenfurt, 1974-76 Landestheater Sbg., seit 1977 am Burgtheater, zahlr. Fernsehrollen, 1981-89 Sbg. Festspiele, 1972 u. 1973 Sommerspiele in Reichenau. M.: seit 1989 Mtgl. d. Burgtheater-BetriebsR. H.: Musik, Literatur, aktives Musizieren: Geige, Klarinette. (F.S.)

Wolfsberger Richard Ing.
B.: Gschf., selbst., Fa. f. Verpackungskisten. DA. u. PA.: 1100 Wien, Absbergg. 57. G.: Wien, 13. Aug. 1961. El.: Richard u. Stefanie. S.: Mittelschule, HTL, einige Sem. WU. K.: Übernahme d. elterl. Betriebes. E.: Staatspreis f. vorbildl. Verpackung. H.: Lesen, Sport. (E.L.)

Wolfsberger Walter Dr. Gen.-Dir.
B.: Gen.-Dir. u. Vorst.-Vors. FN.: Siemens AG Österr. GT.: AufsR.Vors.: Kabel- u. Drahtwerke AG Wien, Uher AG f. Zähler u. elektronische Geräte Wien, Wr. Kabel- u. Metallwerke AG Wien, AufsR.: Zürich Kosmos Vers. AG Wien, Steyr Nutzfahrzeuge AG Steyr, Vorst.Mtgl. d. VÖI. DA.: 1210 Wien, Siemensstr. 92.

Wolfsgruber Joachim
B.: Gschf. Ges. FN.: Kfz-Wolfsgruber GmbH. DA.: 4810 Gmunden, Kuferzeile 14-16. PA.: 4810 Gmunden, Miller-v.-Aichholz-Str. 64. G.: Gmunden, 7. Nov. 1942. V.: Inge, geb. Lehmann. Ki.: Karin (1965), Nina (1983). El.: Leopold u. Angela. S.: 1965-69 Kfz-Mechanikerlehre im elterl. Betr.. K.: seit 1959 Tätigk. im elterl. Betrieb, ab 1969 Führung d. Betriebes, 1974 Übernahme d. Betriebes, 1975 Mstr.-Prüf. im Kfz-Gewerbe, 1987 Erweiterung d. Betriebes. M.: Tennisclub Gmunden, Segelclub Altmünster. H.: Skifahren, Bergsteigen.

Wölger Herbert Dipl.-Ing. ÖkR.
B.: Vorst. (Gschf.) d. Landgenossenschaft Ennstal reg.Gen.mbH, 8950 Stainach, Gschf. d. Alpenfleisch-Kommanditges. d. Landgenossenschaft Ennstal reg. Gen. mbH u. d. Fleischergenossenschaft Ennstal reg. Gen. mbH, 8950 Stainach, d. Landmarkt KG, 8950 Stainach, d. MARESI Markenartikelvertrieb GmbH, Wien, d. Südmilch Austria Handelsges. mbH, 8950 Stainach. DA.: 8950 Steinach. G.: Hall, 23. Febr. 1928. V.: Erika. Ki.: Claudia, Herbert, Martin, Katrin, Regine, Florian.

Wolke Christian

B.: Gschf. Ges., Kompl. Kfm., Graveur. FN.: Peter Wolke "Alte Tiroler Glaskunst GmbH & Co KG. DA.: 6233 Kramsach, Seestr. 472 b. PA.: 6233 Kramsach 338 od. 436. G.: Brixlegg, 21. Apr. 1971. El.: Peter u. Ingeborg. BV.: Fam. b. ins 16 Jh. zurückreichend, aus d. Nord Böhmischen Raum stammend. S.: Pflichtschule, Glasfachschule in Kramsach, 1991-92 Stud. f. Industrialdesign in Munchen. K.: 1992 selbst. Übern. d. 1969 durch d. Vater gegründ. wurde, Betrieb seither laufend in seiner Tradition weitergeführt, 1994 Grdg. e. Ges.m.b.H & Co KG. P.: Erstellung e. eig. Kataloges. E.: Staatsauszeichnung f. Neuentwürfe in d. Glas Verwandlung. M.: Leichtatletikclub Kundl, Oldtimer Club Kufstein, Jagdverein. H.: Jagd, Fischer, Sport, Motorsport, Fotografieren. (J.F.)

Wolkenstein Evemarie Dr. med.

B.: Ltr. d. Akupunkturambulanz. FN.: Kaiserin Elisabeth Spital. DA.: 1150 Wien, Huglgasse 1-3, Ord.: 1090 Wien, Marianneng. 14. PA.: 1090 Wien, Sechsschimmelg. 22. G.: Wien, 8. Nov. 1956. Ki.: Fabio (1987). S.: 1974 Matura Wien, Dolmetsch-Stud. Franz. u. Spanisch b. z. 1. Staatsprfg. a. d. Univ. Wien, anschl. Med.-Stud. a. d. Univ. Wien, 1985 Prom. Dr. med. K.: 3 J. Ludwig Boltzmann-Inst. f. Homöopathie b. Prof. Dorcsi, KH Lainz, Akupunkturausb. a. Ludwig Boltzmann-Inst., Ausb. z. prakt. Arzt i. div. Spitälern, 1992 Eröffn. d. eig. Ord., s. 1991 Ltr. d. Akupunkturambulanz a. Kaiserin Elisabeth Spital, Lehr- u. Vortragstätigk. a. d. Lehrambulanz f. Ärzte. P.: Klinische Stud. ü. Allergien, Fachartikel z. Thema Ganzheitsmed. M.: Vorst.-Mtgl. d. Österr. Ges. f. Akupunktur. H.: Sprachen, Reisen, Theater. (J.S.)

Wolkenstein Michael Anton KommR.
B.: Filmkfm., Vorst.Mtgl., Gschf. FN.: PIB SATEL Gruppe Fernsehen- u. Filmproduktionsges. DA.: 1070 Wien, Kircheng. 19. PA.: 3400 Klosterneuburg, Josefsteig 31. G.: Wien, 16. Mai 1940. V.: Astrid, geb. Lahner. Ki.: Oswald (1968), Ulrich (1970). El.: Prof. Dr. Anton u. Dr. Martha Sophie, geb. Grammer. S.: Gymn., 8 Sem. Jur., Intern. Managementausbild. in BRD u. USA. K.: 1962-66 Dion.Ass. Schönbrunn Film, 1966 Grdg. d. MW-Film, 1967 Gschf. u. Ges. d. Sascha-Ufa-Film GmbH, 1971 Grdg. u. Gschf. d. SATEL Fernseh- u. Filmprod. GmbH, 1988 Grdg. d. COM-

TEL Bedarfsflug. P.: div. Publ. über Medien u. deren Entwicklung. M.: Ver. Österr. Industrieller, Berufsgruppenobm. d. Spielfilmproduzenten, Präs. VAM, Kurator f. Österr. Filminstitut u. Wr. Filmfinanzierungsfond. H.: Segeln. (N.A.)

Wolkenstein Willibald KommR.

B.: Dir., Logistiker. FN.: AMF Austria Milch u. Fleisch. DA. u. PA.: 4021 Linz, Sandg. 14. G.: Neuweidenbach, 26. Feb. 1940. V.: Herta, geb. Merschitzka. Ki.: Petra (1964), Andreas (1966). El.: Jakob-Wilhelm u. Rosalia. S.: VS, HS, b. 1958 Lehre als Großhdls.-Kfm. Firma Schärdinger OÖ Molkereiverb. K.: seit 1968 Gschf., ab 1974 Dir. P.: Art. in Fachzeitschr., firmeninterne Schulungen u. Referate f. Funktionäre. E.: 1990 KommR., 1992 Wirtschaftsmed. d. Stadt Linz, 1988 Gold. Ehrennadel d. Schärdinger Molkereiverb., 1979 Gold. Verd.-Med. d. Schärdinger Molkereiverb. M.: Linzer Bürger, Betreuung v. Messen u. Ausstellungen f. Schärdinger Verb. H.: Wandern, Schwimmen, Fechten, Beruf, Konzerte, Lesungen, Vernissagen. (U.A.)

Wolkerstorfer Josef KommR.

B.: selbst. Faßbindemeister., Stadtrat f. Fremdenverkehr u. Wirt. FN.: Faßbinderei u. Weinbau Josef Wolkerstorfer. DA./PA.: 2500 Baden, Habsburgerstr. 62. G.: Baden, 1. Aug. 1930. V.: Irmgard, geb. Lohner. Ki.: Josef (1972). El.: Josef u. Johanna. S.: 1944-47 Berufsschule f. Faßbinderei i. Baden, 1950 Gesellenprüfung, 1953 Mstr.-Prüfung. K.: s. 1944 i. elterl. Betrieb gearb., 1966 lfd. Übern. d. Betriebes zus. m. d. Bruder Otto Weikerstorfer, s. 1984 Komm.-Rat. E.: kl. u. gr. Silberne Kammermed. d. Wirt.-Kammer, Ausz. d. Feuerwehr. M.: Mtgl. d. Innungsmstr. v. Faßbinder a. d. Bundes- u. Landesebene, Mtgl. i. Bauaussch. i. Gem.-Rat, Laienrichter d. Arb.-Geber i. Landesgericht Wr. Neustadt, Stadtrat f. Fremdenverkehr u. Wirt., Kommandant-Stv. b. Feuerwehr i. Baden. H.: Wandern, Radfahren. (I.K.)

Wolkerstorfer Otto

B.: Bindermstr. u. Weinproduzent. FN.: Josef u. Otto Wolkerstorfer Faßbinderei u. Weinbau. DA.: 2500 Baden, Habsburgerstr. 62. G.: Baden, 22. Mai 1932. V.: Margareta, geb. Rath. Ki.: Otto (1968), Regina (1972). BV.: seit 1891 besteht dieser Betrieb in 3. Generation. S.: HS, Berufsschule: Faßbinderei, 1952 Mstr.-Prüf. K.: seit 1946 Lehrzeit u. Mitarb. im elterl. Betrieb, 1967 Übernahme d. Betriebsführung gemeinsam m. Bruder Otto Wolkerstorfer. BL.: Fachlehrer f. Faßbinder an d. Berufsschule Pöchlarn. M.: Männergesangsver., "Singende Weinhauer", OBLM d. FF Baden Weikersdorf. (M.M.)

Wolkinger Franz Dr. phil.

B.: Univ.-Prof., Ltr. d. Abt. f. Ökol. u. Naturschutz. DA.: 8010 Graz, Schubertstr. 51. PA.: 8020 Graz, Straucherg. 6. G.: St. Peter a.O., 25. Febr. 1936. V.: Helma, geb. Rumpler. El.: Franz u. Maria. S.: VS, Bischöfl. Gymn., Akad. Gymn. in Graz, 1956 Matura, 1963 Prom. Dr. phil. K.: ab 1963 Ass. am Inst. f. Anatomie u. Physiol. d. Pflanzen d. Univ. Graz, 1967-69 Ass. am Inst. f. Biol. Holzforsch. d. Univ. Freiburg in Br., 1971 Venia legendi f. Anatomie, Physiol. u. Ökol. d. Pflanzen in Graz, 1975 Univ.-Prof., 1981-83 Vorst. d. Inst. f. Pflanzenphysiol., Rücktr. wegen Gewächshausbau, s. 1974 Ltr. d. Ludwig-Boltzmann-Inst. f. Umweltwiss. u. Naturschutz, 1978 in Inst. d. Österr. Akad. d. Wiss. umgewandl., b. 1989 Gschf. Dir. P.: über 130 Publ., d. sich mit anat.-morph. u. physiol. Fragen (leb. Holzfasern, Holzstrahlen, holzbewohn. Pilzen), mit ökol.-vegetationskundl. Untersuch. (Grenzstandorten), mit stadtökol. Problemen, mit Themen d. Natur- u. Umweltschutzes u. mit Landschaftspflege befassen, 1989 Baumbuch "Wegweiser f. Menschen", 1993 "Bäume u. Sträucher Österr.". E.: Th. Körner-Preis, Eduard Paul Tratz-Med. in Gold (1983), Carolus Clusuis Med. v. Ungarn (1987), Gr. EZ d. Blgd. (1994). M.: Mtgl. zahlr. Naturschutz- u. Umweltschutzorg., b. 1990 VPräs. d. ÖGNU, Präs. d. Intern. Clusius-Forsch. Ges. Güssing, Vors. d. Sektion Graz d. ÖAV. H.: Pflanzen- u. Landschaftsphotographie, Exkurs. in Naturschutzgebieten. (P.R.)

Wöll Heribert Dr.

B.: FA f. Innere Med. DA.: 6330 Kufstein, Kemterstr. 1. PA.: 6330 Kufstein, Lasnestr. 1. G.: Hall in Tir., 5. Aug. 1931. V.: Therese, geb. Auer. Ki.: Ewald, Evelyn. S.: RG Kufstein, 1950 Matura, Med.Stud. Univ. Innsbruck, 1956 Prom. K.: Univ.Klinik Innsbruck, 2 J. USA, 3 J. BRD, 2 J. Paris, Prof. J. Lenègre, OA am KH Kufstein, 1972 Praxiseröff. H.: Literatur, Fremdsprachen, Reisen. (W.G.)

Woller Ernst

B.: Mtgl. d. Bundesrates, Ang. DA.: 1017 Wien, Dr.-Karl-Renner-Ring 3. G.: Wien, 2. März 1954. S.: BGymn., 1972 Matura, 1972 Stud. Informatik u. Rechentechnik TU Wien, 1979 Abschluß, 1979-83 Stud. Politikwiss. u. Päd. an d. Univ. Wien (im Diss.-Stadium abgebrochen). K.: s. 1979 Ang. d. Dr.-Karl-Renner-Inst. (Landesstellenltr. f. Wien), 1967-82 Mitarb. d. SJ Wien-Landstraße, 1975-82 Stv. Verb.-Vors. d. SJ Wien, s. 1971 Mtgl. d. SPÖ, s. 1978 Vors. d. Sekt. 1/2 d. SPÖ Wien-Landstraße u. s. 1991 Stv. Bez.-Partei-Vors., 1978-88 Mtgl. d. Bez.-Vertr. Wien-Landstraße, 1988-91 Abg. z. Wr. Landtag u. GemR.-Mtgl., s. 12/1991 Mtgl. d. Bundesrates.

Woller Johann

B.: Gschf. Ges. FN.: Magrutsch GmbH Imbiß-Wurst-Käse. GT.: Großhdl. m. Fleisch- u. Wurstwaren Hofer. DA.: 1010 Wien, Rauhensteing. 7. PA.: 1220 Wien, Steigenteschg. 13/3/15. G.: Lunz/See, 6. Apr. 1946. V.: Edith, geb. Hahn. Ki.: Stefan. El.: Johann u. Anna. S.: 2 J. Weinbaufachschule, 1963-69 Kellner, ab 1969 b. Fa. Magrutsch, 1969-72 Verkauf, 1972-76 Expeditltr., 1976-85 Verkaufsltr., ab 1985 Übernahme d. Fa. Magrutsch GmbH, sowie d. Vertrieb v. Fleisch- u. Wurstwaren en gros d. Fa. Fleisch-Hofer. H.: Lesen, Sport.

Wollersberger Alois

B.: Maschinenbaumeister. FN.: Wollersberger Stahlbau GmbH. DA.: 4783 Wernstein, Stöbichen 13. PA.: 4783 Wernstein, Stöbichen 11. G.: Stöbichen/Wernstein, 17. Dez. 1930. V.. Augusta, geb. Stegner. Ki.: Ing. Alois (1958), Ing. Karl (1961), Josef u. August (1969). El.: Josef u. Maria. S.: Pflichtschule, b. 1947 im elterl. Bauernhof tätig, 1947-50 Schlosserlehre. K.: 1 J. im Betrieb tätig, 1 J. Schlosserei Wernstein, b. 1954 Firma Doppermann, Monteur b. Firma Beham, ab 1958 Landmaschinengroßhdl. Firma Kollinger Passau, 1961-81 Werkmeister Firma Beham Schärding, 1966 Meisterprüf. als

Maschinenbauer in Passau, 1980 Patent f. Solaranlage angemeldet, seit 1981 selbst. in Schardenberg, 1982 Übersiedlung nach Münzkirchen, 1988 Aufbau d. Betriebes Stöbichen/ Wernstein. H.: Passionen legen. (J.L.)

Wöllert Karl

B.: Mtgl. d. Bundesrates, Landesparteisekr. DA.: 1017 Wien, Dr.-Karl-Renner-Ring 3. G.: Lundenburg/CSFR, 3. Jan. 1942. S.: Maturaschule Dr. Roland. K.: Magistratsbed., Zweigstellenltr. an d. VHS Linz, Landesparteisekr. d. SPÖ OÖ, 1957-72 versch. ltd. Funkt. b. d. Roten Falken bzw. Kinderfreunden, s. 1972 Sekt.-Obm., Mtgl. d. Bez.-Partei-Vorst. d. SPÖ Linz-Stadt u. s. 1982 Landesparteivorst., 1975-90 AR-Mtgl. d. Fa. Gutenberg, 1979-90 Mtgl. d. GemR. d. Stadt Linz, s. 12/1990 Mtgl. d. Bundesrates.

Wollinger Andreas

B.: Chefred. "Wienerin". DA.: 3400 Klosterneuburg, Donaustr. 102. G.: Wien, 28. Sep. 1957. V.: Andrea, geb. Klutz. V.: Philipp (1991), Konstantin (1994). El.: Dkfm. Friedrich u. Wilhelmine. S.: VS, Ak. Gymn., Schulbrüder Strebersdorf, HAK, Matura. K.: Bonitätsprüfer Leasingfirma, 1979 Lehrred. Trend, Motorred. Wochenpresse, Moderator u. Gestalter b. Radio Adria, 1988-92 Ltr. d. Motorressorts "Wiener", 1992 stellv. Chefred. u. Chef v. Dienst "Wienerin", 1994 Chefred. "Wienerin". E.: Verkehrssicherheitspreis d. Kuratoriums f. Verkehrssicherheit. M.: b. 1992 Präs. d. Interessengemeinschaft d. Motorjournalisten Österr. H.: Rock´n-Roll-Musik, Lesen, Weinkeller, gutes Essen. (J.M.)

Wollinger Friedrich Dr.

B.: Klinikltr., Tierarzt. FN.: Tierspital Neunkirchen. DA.: 2620 Neunkirchen, Auzeile 22. PA.: 2620 Neunkirchen, Auzeile 22. G.: Wien, 2. Nov. 1952. V.: Andrea, geb. Kreisel. Ki.: Michaela. El.: Josef u. Helene. S.: 1962-70 AHS BRG, Stud. d. vet. Med. i. Wien b. 1975, Bundesheer (Tierarzt b.d. Hundestaffel), 1976 Prom. K.: Ass.-Arzt a. Inst. f. Tierzucht- u. Haustiergenetik b. Prof. Schleger b. 1977, 1984 Ausb. in Tropenmed. a.d. FU Berlin, Klinik f. Geburtshilfe b. Prof. Arbeiter b. 1985, 1 J. freie Univ. Berlin f. Tropenmed., zwischendurch Praxiseröff. Neunkirchen, 1985 einzige Tierklinik, 1985 Eröff. d. priv. Tierspitales in Neunkirchen, wiss. Arb. a. Sektor d. Pferdezüchtung u. Kleintierchirurgie. E.: Oberleutnantveterinär b. österr. BH. H.: Wandern, Skifahren, Musik, Reisen, Tierzucht.

Wollinger Herbert Ing.

B.: Gschf. FN.: Unicam Analyt. Systeme Hdls. GmbH. DA.: 1230 Wien, Breitenfurter Str. 251. PA.: 1030 Wien, Salmg. 2B/18. G.: Wien, 13. Mai 1932. Ki.: Thomas (1968), Olivia (1972). El.: Josef u. Elfriede, geb. Wallner. S.: 1952 HTL-Matura. K.: 1953-91 Tätigkeit b. Philips, zuständig f. Analyt. Meßgeräte, 1991/92 Aufbau d. Österr. Gruppe Unicam u. Übernahme deren Ltg. H.: Bridge, Briefmarken, Schachspielen, Wandern, Radfahren. (N.A.)

Wollmersdorfer Helmut Mag.

B.: Unternehmer. FN.: Ai Management Informationssysteme. DA.: 1070 Wien, Schottenfeldg. 1. PA.: 1070 Wien, Apollog. 14. G.: Wien, 2. März 1957. V.: Dr. Anita. El.: Franz u. Ludmilla. S.: 1977 Höhere Graph. Lehr- u. Versuchsanst., 1977-84 Stud. Betriebswirtschaft WU Wien, priv. Stud. d. Malerei b. Herbert Ossberger. K.: 1978-80 Systemprogrammierer, 1980-82 Projektltr., 1983-86 EDV-Controller im Großrechenzentrum, 1984-87 Lehrer am Colleg f. EDV u. Organ., seit 1984 Beratertätigkeit f. Ai u. Expertensysteme, 1985 Grdg. d. eigenen Fa., ab 1986 Ref. f. Expertensysteme b. d. Ges. f. Elektron. Systemforsch. Deutschland, seit 1987 Seminar- u. Vortragstätigkeit b. d. Arge f. Datenverarb., ab 1988 Seminar- u. Vortragstätigkeit b. Ostbayer. Technologie-Transfer Inst. in Regensburg. F.: seit 1990 Ges. u. Finanzltr. DELTA Aufzüge GmbH, ab 1988 Controller Marzek-Etiketten GmbH. P.: Fachart. in Fachzeitschriften, Bücher: "Software engineering" (1987), "Artificial intellegence in Österreich" (1988). H.: Squash, Malen, Porzellanmalerei u. -modellieren. (N.A.)

Wollner Beatrix Dr.

B.: RA. DA.: 1020 Wien, Hollandstr. 12. G.: Wien, 16. Juli 1959. V.: Mag. Jean-Michel Wollner. Ki.: Marc Laurent (1988), Fabian Vincent (1992). El.: Heinrich Puzelik u. Dkfm. Isabella Burkert. S.: 1977 Matura, Jusstud. Univ. Wien, 1982 Prom. K.: 1987 Anw.-Prüf. u. seit 1989 selbst., spezialisiert auf Wirtschafts- u. Bestandsrecht, Insolvenzen. H.: Sport, Reisen. (J.S.)

Wolm Erich

B.: Gschf. Ges. FN.: Wohnform Gartner & Wolm GmbH. DA.: 4040 Linz, Freistädter Str. 405. PA.: 4240 Freistadt, Kubenstr. 1. G.: Freistadt, 2. Jän. 1944. V.: Juliane, geb. Burgholzer. Ki.: Claudia (1969), Sandra (1972). El.: Robert u. Maria. S.: VS, HS, b. 1962 Tischlerlehre, 1962-63 BH. K.: b. 1969 Werkmstr. in Tischlerei, b. 1989 Planung u. Verkauf Firma Karl Manzenreiter Reichental, 1989 Grdg. d. Firma Wohnform. H.: Sport, Garten, Basteln. (U.A.)

Wolner Ernst Dr. Univ.-Prof.

B.: Abt.-Ltr. f. Herz-Thoraxchir. Univ.-Klinik f. Chir. AKH. DA.: 1090 Wien, Währingergürtel 18-20; Ordination: 1200 Wien, Brigittenauer Lände 4. PA.: 1140 Wien, Waldweg 14. G.: Wien, 29. Dez. 1939. V.: Dr. Margarete, geb. Merl. Ki.: Michael (1971), Christine (1972), Stefan (1975), Ilse (1978), Katharina (1980). El.: Johann u. Christine, geb. Kellner. S.: VS, Gymn., Med.-Stud. Univ. Wien, 1963 Prom., Studienaufenthalte BRD, Schweiz, Frankreich u. USA. K.: 1963-64 Ass. am Anatom. Inst. d. Univ. Wien, 1965 Ass. Pharm. Inst. d. Univ. Wien, ab 1965 II. Univ.-Klinik Wien, seit 1968 Ltr. d. Arbeitsgruppe "Assistierte Zirkulation - Künstl. Herz" d. II. Chir. Univ.-Klinik Wien, 1972 FA f. Chir., 1973 Univ.-Doz. f. Chir., 1981 o.Prof. f. Chir. Univ. Wien, seit 1982 Ltr. d. Ludwig Boltzmann-Inst. f. herzchir. Forsch. II. Chir. Univ.-Klinik Wien, 1981-93 Vorst. d. II. Chir. Univ.-Klinik Wien, seit 1994 Abt.-Ltr. f. Herz-Thoraxchir. Univ.-Klinik f. Chir. P.: über 390 wiss. Publ. E.: 1970 Eiselsberg-Preis, 1975 Dr. Karl Renner-Preis. M.: American Ass. thor. Society, Society of Thoracic Surgery, Society of Hearttransplantation, Österr. u. Dt. Ges. f. Chir., Intern. and European Society for Artificial Organs, 1990 Präs. d. Österr. Ges. f. Chir., 1991 Präs. d. Österr. Ges. f. Kardiologie. (F.S.)

Woloszczuk Wolfgang Dr. Univ.-Doz.

B.: Doz. f. med. Chemie am Ludwig Boltzmann-Inst. f. klin. Endokrinologie, gschf. Ges. d. Biomedica GmbH. DA.: 1210 Wien, Divischg. 4. PA.: 1130 Wien, Wlassakstr. 26. G.: Wien, 6. Nov. 1947. V.: Dr. Renate, geb. Storch. Ki.: Nikolaus (1980), Nora (1983). El.: RgR. Ernst u. Rosemarie. S.: Ak. Gymn. Wien, 1965 Matura, Chemiestud., 1974 Prom. K.: Auslandsaufenthalt in Brasilien u. USA, 1986 Habil. P.: ca. 140 Veröff., Art., Bücher über d. Themen Endokrinologie, Transplantationen. E.: wiss. Ausz. M.: Society of Nuclear Medicin, Österr. Ges. f. klin. Chemie, Österr. Diagnostiker u. Geräteherstellerverb., American Assoc. of Clinical Chemistry. (R.J.)

Wöls Hans

B.: Prok. FN.: C. & H. Wöls GmbH Ind.-Bedarf. DA.: 2542 Kottingbrunn, Schulg. 24. PA.: 2540 Bad Vöslau, Badner Str. 37. G.: Wien, 3. Feb. 1943. V.: Edith, geb. Waldenström. Ki.: Claudia (1967), Claus (1968). El.: Alfred u. Margarethe. S.: VS, HS, Werkzeugmacherlehre, REFA-Ausbild., Werkmeisterschule. K.: 1957-62 zuerst Werkzeugmacherlehrling,

dann als Geselle b. versch. Firmen, 1962-65 Tätigkeit im Werkzeugbau b. d. Firmen Kapsch (4 J.) u. Garvens-Werke (1 J.), seit 1966 Mitarb. im techn. Außendienst d. Firma Blaschke & Vahl, 1989 zusätzl. Tätigkeit b. d. Firma Blaschke & Vahl, Grdg. einer eigenen Firma gemeinsam m. d. Sohn, Prok. d. Firma. H.: Beruf. (F.S.)

Wolte Robert Simon

B.: Gschf. Ges. FN.: Josef Wolte KG. DA. u. PA.: 9132 Gallizien, Wildenstein 9. G.: Klagenfurt, 18. Apr. 1952. V.: Elfriede, geb. Drobesch. Ki.: Florian (1982), Markus (1987). El.: KommR. Josef u. Magdalena, geb. Pegrin. S.: VS, Gymn., 1966-70 Private Holzfachschule Kuchl, 1970 Matura, BH, 1971 Praktikum in Nordrhein-Westfalen. K.: ab 1972 Mitarb. in d. als Sägewerk gegründeten Firma, b. 1980 Tätigkeit im Außendienst, 1980-82 innerbetriebl. Aufgabenbereiche, 1982 Übernahme als alleiniger Gschf., 1987 Rückkehr d. Bruders Siegfried aus d. USA u. Einstieg als 2. Gschf. BL.: Patente: Lattenrost in Zusammenarb. m. dt. Chiropraktiker Dr. Engel, Schwingbett ohne Metall u. Kunststoffe z. Vermeidung bzw. Verminderung d. störenden Schnarchgeräusch. E.: Silb. Med. f. Innovation. M.: Lions Club Klopeinersee-Völkermarkt. H.: Schwimmen, Bootfahren, Weinliebhaber u. -sammler, Familie, Betrieb. (G.L.)

Wolte Wolfgang Dr. iur.

B.: Botschafter d. BM f. ausw. Angel. DA.: 1014 Wien, Ballhauspl. 2. PA.: 1180 Wien, Pötzleinsdorfer Höhe 41/2. G.: Badgastein, 26. Jun. 1931. V.: Ursula, geb. Narbeshuber. Ki.: Brigitta u. Bettina (1964), Isabell (1966). El.: Lukas u. Hertha. S.: Abteigymn. Seckau, Mat. 1950, Jus.Stud. a. Uni Wien, 1951-52 Full-Bright-Stud. USA, 1954 Prom. Dr.iur., John's hopkins Univ. Bologna. K.: 1955 Eintritt i. d. österr. Außendienst, 1956-58 Österr. Vertr. b. d. Ver.Nat. i. New York. 1958-61 Österr. Botsch. i. Ottawa/Kanada, 1961-64 BM f. ausw. Angel. Wien, 1964-66 Österr. Botsch. Stockholm, 1966-68 Österr. Botsch. i. Bonn, 1968-75 Stv. Missionschef b. Ver.Nat. i. New York, 1975-80 BM f. ausw. Angel. Wien, österr. Vertr. b. UNIDO, 1980-86 Österr. Botsch. i. Peking, 1987-93 Österr. Botsch. b. europ. gemeinsch. i. Brüssel., s. 1993 Ltr. d. Sek. f. wirtsch. u. integrationspol. Angel. i. BM f. ausw. Angel. M.: Rotario-Club. H.: Musik, Schifahren, Tennis, Schwimmen, Bergwandern. (E.J.)

Woltron Felix KommR.

B.: Inh. FN.: Autohaus Woltron GmbH. DA.: 2620 Neunkirchen, Wiener Str. 64; 1120 Wien, Ruckerg. 30-32; 2630 Ternitz, Triester Str. 33. PA.: 2640 Gloggnitz, Enzenreith 35. G.: Raglitz, 5. Nov. 1940. V.: Eva, geb. Wagner. Ki.: Andre (1989). S.: VS, Ldw.-Schule Horn. K.: 1958-62 Tätigkeit in d. elterl. Ldw. m. Nutz- u.

Stechviehhaltung, 1963-64 Autoverkäufer b. Firma Orthofer Neunkirchen, seit 1964 selbst., zuerst m. Gebrauchtwagenhdl. Neunkirchen, 1972 Alfa Romeo-Vertretung Neunkirchen, 1974 Ausdehnung d. Vertretung auf d. gesamte südl. NÖ, 1980 Haupthändler f. Wien, NÖ u. Bgl., 1987 Daihatsu-Vertretung, in d. Folge Rover u. Mercedes, 1982-87 Markensprecher Kam. f. Alfa Romeo, seit 1987 Markensprecher f. Daihatsu, Vors. d. Händlerverb. Österr., div. Kam.-Funktionen. E.: 1989 KommR., 1994 Silb. EZ d. Landes NÖ. H.: Skifahren, Wandern. (F.S.)

Woltron Klaus Dr. Dipl.-Ing.

B.: GF Mimas G.m.b.H.; DA.: 1010 Wien, Singerstr. 20. PA.: 2630 Ternitz, Dopplinger Str. 24a. G.: Wels, 15. Okt. 1945. V.: Elke, geb. Swoboda. Ki.: Holger, Ute. El.: Josef u. Gertraud. S.: BRG, 1963 Matura, Stud. an d. Montan-Univ. Leoben, 1969 Grad., 1971 Prom. K.: 1968-72 Schoeller-Bleckmann-Stahlwerke Abt. Forsch. u. Entwicklung, Projektltr. f. atomtechn. Anlagen, Projektltr. eines Projektes in d. UdSSR, 1972-78 VEW stellv. Betriebsltr., 1978-81 KWU-Brasilien, Departement-Chef f. d. Know-how Transfer im Rahmen d. brasil. Nuklearprogramms, 1981-85 Mtgl. d. Vorst. d. SGP, ab 1985 Gen.-Dir. d. SGP, seit 1989 Vors. d. Vorst. d. Asea Brown Boveri AG Wien, Umweltsprecher d. Skt.Ind., AufsR.-Mtgl. Z-Trust AG, Hill Woltron Managment Partner, AR Mtgl.KSV 1870, AR Mtgl. Innovaag, AR Mtgl. Ost-Beteiligunggs. Fouds, AR Mtgl. Mazda Rainer AG. P.: Publ. in Fachzeitschriften, Vortragstätigkeiten, Buch: "Der Wald, die Bäume u. dazwischen" (Wien 1992). H.: Lesen, Wandern, Wildwasserpaddeln, Motorradfahren. (J.S.)

Wonder Harald

B.: Dir. u. Gschf. FN.: Österr. Wachdienst Chwoyka & Co KG. DA.: 8010 Graz, Schönaug. 49. G.: Graz, 28. Juli 1937. V.: Brigitta, geb. Bloder. Ki.: Steffen (1976). El.: Erich u. Erna. S.: VS, BRG, 1955 Matura, HAK, Jusstud. Karl Franzens-Univ. K.: 1962-81 Vers. u. Vers.-Makler, Schwerpunkt Auslandsgeschäft, ab 1981 Dir. u. Gschf. H.: Tennis, Skifahren, Schwimmen, Reiten. (P.M.)

Wonder Ruth

B.: Dir., Gschf. FN.: Balance Ver. f. chancengleiche Ausbild. u. Integration Körperbehinderter. DA.: 1130 Wien, Hochheimg. 1. G.: Wien, 5. Apr. 1934. V.: Roman Wonder. Ki.: Birgit (1959). El.: Rudolf u. Leopoldine Heisinger. S.: Fachausbild. als Erzieherin in Wien. K.: 35 J. im BDienst als Erzieherin im Schülerheim d. HTL u. BHS, 1976 Grdg. d. Ver. Balance, seit 1989 Gschf. d. Ver. E.: Gold. VZ d. Rep. Österr., Gold. Med. d. Rep. Österr., Julius Tandler-Orden durch d. Stadt Wien. M.: VPräs. d. Österr. Arge f. Rehabilitation. (J.S.)

Wondra Heinz Dipl.-Ing.

B.: Arch. DA.: 8010 Graz, Sackstr. 12, 5020 Salzburg, Hofhaymer Allee 20a. G.: Klagenfurt, 12. Mai 1940. V.: Helga. Ki.: Julie, Wenzel. S.: BRG, HTBLA Villach, 1959 Matura, Stud. Erdölwesen Montan HS Leoben, Architektur TH Graz, 1969 Dipl. K.: 1970 Übersiedlung nach München, Projektltr. im Büro v. Domenig u. Huth München, 1972 Organ.-Komitee f. d. Spiele d. XX. Olympiade München, 1973 Entwurfsarch. im Büro v. van den Broek en Bakema München, ab 1974 Zusammenarb. m. Rolf Müller München,

1978 Befugnis d. Arch., 1980 Übersiedlung nach Sbg., Büros in Graz u. Sbg., seither freischaff. Arch. m. Tätigkeiten im In- u. Ausland. M.: Zentralver. d. Arch. Österr. Graz, Österr. Ges. f. Arch., Amnesty Intern. H.: Musik, Literatur. (M.T.)

Wondra Johann Dr. phil.
B.: Künstl. Gen.Sekr. d. Burgtheaters. PA.: 1220 Wien, Rugierstr. 12/13. G.: Wien, 24. Apr. 1935. V.: Ursula, geb. Tischhauser. Ki.: Michael, Ulrike, Georg, Helmut. El.: Johann u. Hedwig. S.: Pflichtschulen, Schottenfelder Realschule, Stud. Univ. Wien, 1971 Prom. Dr. phil. K.: 1961-71 Regieass. am Burgtheater, 1972 Vertrauensmann d. Ensembles in d. Dion., seit 1974 Künstl. Gen.Sekr. P.: Vorträge auf d. Univ. in Houston-Texas, Cornelle Univ., Univ. of Maine, Logan Utah, Brigham Young Univ.-Provo Utah, Univ. of Utah-Salt Lake City. E.: Gold. EZ f. Verd. u. d. Rep. Österr., EK f. Wiss. u. Kunst I. Kl.

Wondrak Gerold Ing.
B.: planender Bmstr. FN.: Ing. Gerold Wondrak. GT.: Gschf. Schloßbergsiedlung u. Verw. GmbH, Teilhaber Realprojekt GmbH. DA.: 4600 Thalheim b. Wels, Europastr. 34. PA.: 4600 Wels, Trauneggsiedlung 18. G.: Laakirchen, 15. Apr. 1932. V.: Christine, geb. Hauser. S.: HTL, 1953 Matura, 1959 Bmstr.-Prüf. K.: seit 1962 Inh. eines selbst. Büros. M.: Ambassadorclub Wels. H.: Skifahren, Tennis, Schwimmen, Musik (Oper, Musical), Lesen (mod. Literatur, Fachliteratur). (U.A.)

Wondrak-Dreitler Christine

B.: Gschf. Ges. FN.: Team Work Erwachsenen-Bildungs GesmbH. DA.: 1040 Wien, Favoriten Str. 7. PA.: 3840 Waldkirchen, Fratres 26. G.: Wien, 4. Jun. 1956. V.: Wolfgang. Ki.: Eduard u. Maria, geb. Werderits. S.: 1975-85 Stud. Angl., Germ. Univ. Wien, Stud.-Aufenthalt i. England, Ausb. z. Psyhotherapeutin u. auf dem Gebiet d. Gruppendynamik. K.: Administrationsaufgaben i. d. Bereichen Sport, Export u. Recht, 1986 Mitarbeit am Forschungsprojekt f. Langzeitarbeitslose, Org. u. Druckführung e. Pilotprojektes, Grdg. Fa. "ÖGA", tätig als GF, 1989 Ausstieg bei "ÖGA" u. Grdg. Fa. "Team Work". BL.: Aufbau d. ersten Erwachsenen Bildungszentrum i. Österr. auf priv. Basis. H.: Bridge, alte Möbel, Literatur. (N.A.)

Wong Wai-Man
B.: Koch, Inh. FN.: Dim-Sam Restaurant Happy Buddha. DA.: 1150 Wien, Mariahilfer Gürtel 9. PA.: 1220 Wien, Tamariskeng. 102, Haus 106. G.: Hongkong, 7. Okt. 1952. V.: Wong Huang Tsichnann. Ki.: Fiona Chi Wah (1992), Florian Chi Thin (1994). El.: Wong Shu Yung (Vater), Tang Shu May (Mutter). S.: Grundschule in Hongkong, Koch- u. Kellnerlehre, 1974 nach Europa gekommen. K.: Koch in einem Chinarestaurant i.d. BRD, Holland u. England, 1978 Koch in einem Chinarestaurant in Österr., s. 1987 Eröff. d. Chinarestaurants in d. Kaiserstraße, 1991 Umwandlung in ein Dim-Sam Restaurant nach Hongkong art, 10/1994 Grdg. d. 2. Lokals am Mariahilfergürtel, alle Köche aus Hongkong. M.: Chinesischer Golfclub. H.: Golf, Tischtennis, Billard. (J.M.)

Wonka Wilhelm Ing.
B.: Maschinenbauing., Gschf. Werk Traun u. Wien. FN.: Optyl Brillenmode Intern. DA.: 4050 Traun, Joh.-Roithner-Str. 131. G.: Traun, 27. Febr. 1938. V.: Edith, geb. Wolfgruber. Ki.: Jauquline. S.: HS, Maschinenschlosser in Schiffswerft Linz AG, über zweiten Bildungsweg HTL Maschinenbau. K.: Maschinenschlosser Fa. Anger, Fertigungstechnik, Ltg. Produktionsplanung, Ltg. Zentrale Technik im Konzern, ab 1988 Gschf. d. Werke Traun, Wien. M.: ÖPWZ, REFA. H.: Sport (Joggen, Skifahren).

Wonnebauer Cornelia
B.: Kosmetik-Fußpflegerin, Inh. "Golden Door". DA.: 5760 Saalfelden, Bahnhofstr. 16. PA.: 5760 Saalfelden, Millerg. 11. G.: Salzburg, 5. Feb. 1965. V.: Christoph Latzer. El.: Bernd Auer u. Helga Ritsch. S.: Pflichtschule, 1983 Collegeabschluß San Francisco. K.: 6 J. Gastgewerbe v. Hausmädchen b. z. Dion., 3 J. Kosmetik-Fußpflegerin in Zell/See, 1991 Lehrbrief, seit 1992 selbst. in Saalfelden, 1995 Mstr.-Prüf. P.: Fachart. in regionalen Printmedien, Kurse in d. VHS. H.: Lesen, Reisen, Kino, Airobic, Kochen, Enduro-Motorradfahren. (J.F.)

Wopmann Alfred Dr. phil.
B.: Int. FN.: Bregenzer Festspiele GmbH. DA.: 6900 Bregenz, Platz der Wr. Symphoniker. PA.: 6911 Lochau, Bregenzer Str. 47/5. G.: Wels, 23. Nov. 1936. V.: Ingrid, geb. Ohrlinger. Ki.: Wolf (1973), Eva (1978). El.: Alfred u. Theresa. S.: 1954 Matura, 1954-60 Stud. Musikak.: Violine, Psych., Phil., Literatur u. Theaterwiss., 1962 Prom., 1966-67 Auslandsaufenthalte Italien u. Frankreich. K.: 1959-67 Substitut im NÖ Tonkünstlerorchester u. Ass., 1967-72 Regieass. an d. Wr. Staatsoper u. Sbg. Festspiele, 1972 1. selbst. Regiearb. am Opernhaus Dortmund "Der Besuch d. alten Dame", 1974-82 zahlr. Inszenierungen im In- u. Ausland, 1983-90 Künstler. Dir. d. Bregenzer Festspiele, seit 1990 Int. E.: 1963 Körnerpreis. M.: Rotary Club. H.: Arch., Design. (A.K.)

Wöran-Rolin Rolf
siehe unter Rolin Rolf

Wörgötter Johannes Dr. vet.
B.: Ltr., Tierarzt. FN.: Wr. Tierschutzhaus d. Wr. Tierschutzver. DA.: 1120 Wien, Kleslpl. 6. PA.: 1090 Wien, Grünetorg. 18/1/6. G.: Wien, 15. Dez. 1954. V.: Silvia, Geb. Opeck. Ki.: Florian, Sebastian. BV.: Prim. Dr. Johannes Wörgötter Vet.Dir. v. Tir., HofR. DDr.Franz Weber LHptm. v. Tir. S.: VS, Gymn., Vet.Stud. Wien, 1984 Prom. K.: 1982-88 Ass.Arzt Vet.Med. Univ. f. Einhufer, Fleischfresser u. Geflügel, seit 1988 Ltr. d. Wr. Tierschutzhauses. d. Wr. Tierschutzver. P.: Fachveröff. i. Fachzeitschriften u. Vorträge a. d. Univ. M.: ÖGT. H.: Sport, Oper, Musik, Theater. (M.B.)

Wörgötter Martin
B.: Kustos d. Heimatmuseums Kitzbühel, Red. d. "Kitzbüheler Anzeigers", Inh. eines Schreibbüros. DA.: 6370 Kitzbühel, Hinterstadt 17. PA.: 6370 Kitzbühel, Bergwerksweg 21. G.: St. Johann/Tir., 10. Jan. 1912. V.: Elisabeth, geb. Schwarzenbacher. Ki.: Martin, Christine, Andreas, Martha. El.: Peter u. Martha. S.: VS. K.: Postang., 1933-38 Österr. BH, 1938-45 Dt. Wehrmacht, 1945-50 kfm. Ang., seit 1950 Red., seit 1958 Kustos d. Heimatmuseums Kitzbühel. P.: zahlr. Publ. im Kitzbüheler Anzeiger,

Verfasser d. Kitzbüheler Skigeschichte im Stadtbuch v. Kitzbühel. E.: Ehrenring d. Stadt Kitzbühel, Verd.Med. d. Landes Tir. M.: 20 versch. Mtgl. H.: Schach, Musik. (W.G.)

Wörgötter Peter Dr. rer. soc. oec. Dir.

B.: Ltr. d. Ref. f. Technologiekooperat. u. Patentwesen. FN.: WIFI Innsbruck. DA.: 6020 Innsbruck, Meinhardstr. 3. PA.: 6020 Innsbruck, Höhenstr. 60a. G.: Schwoich, 16. Febr. 1946. V.: Birgit, geb. Kessler. Ki.: Christian (1983), Karin (1984), Markus (1988). El.: Simon u. Margarethe. S.: HTL, Stud. Wirtsch.wiss., 1977 Mag., 1980 Dr. K.: während d. Stud. in Gewerbe, Hdl. u. Ind. tätig. M.: Mtgl. d. Akademikerbund, Ak. Sekt. d. Bauernbund. H.: Skifahren, Tennis, Segelfliegen.

Wörle Andreas

B.: Planungsges. FN.: Atelier Wörle & Wagenhofer. DA.: 1010 Wien, Kohlmarkt 12. PA.: 2344 Maria-Enzrsdorf Südstadt, Ottensteinstr. 127. G.: Wien, 15. Juni 1960. El.: Eugen u. Hildegard. S.: HTL Mödling, Ak. d. Bild. Künste. K.: Arb. in versch. Arch.Büros, 1987 zusammen m. einem Partner Grdg. eines Arch.Büros. H.: Segeln, Tennis, Skifahren. (P.R.).

Wörle Eugen Prof.

B.: Arch. DA.: 1010 Wien, Kohlmarkt 12. G.: Bregenz, 3. Jan. 1909. Ki.: Andreas, Markus. S.: Gymn. in Mehrerau u. Innsbruck, Matura, Stud. an d. TH sowie an d. Ak. d. bild. Künste b. Prof. Clemens Holzmeister. K.: 1932-57 Partner v. Max Felderer, während d. 2. Weltkrieges b. Flugmotorenwerke Brünn u. Flugzeugwerke Heinkel, ab 1948 Gänsehäufel, 1950-57 Wiederaufbau d. Parlaments, Parkhotel Mirabell Sbg., Lugeck Wien, Ak. d. Angew. Kunst, Finanzmin., Haashaus am Stephansplatz, 1. Terrassenhaus Österr., Wohnungsanl. Kaasgraben, Retter d. "Adolf Loos Bar", MHS Mozarteum Sbg., Hotel Schloß Lehensberg Kitzbühel, Initiator d. Sommersaison in Kitzbühel, Reihenhausanl. Schloß Enzersfeld. M.: Präs. d. Zentralver. d. Arch. Österr. (P.R.)

Worm Alfred Ing.

B.: Chefred. v. News. DA.: 1020 Wien, Praterstr. 31. PA.: 1232 Wien, Akazieng. 55-57/27. G.: Gmünd, 14. Juni 1945. V.: Renate, geb. Hammer. Ki.: Birgit. El.: Alfred u. Adele. S.: HTL Mödling. K.: 1974-95 Journalist d. Zeitschrift profil, 1983-87 ÖVP-LAbg., seit 1994 Chefred. v. News. (J.M.)

Wörndl Heidelore

B.: Gschf. FN.: Tom Tailor Sportswear Textilhandelsgesmbh. DA.: 5202 Neumarkt, Pongauerstr. 1. G.: Ebenau/Salzburg, 14. Juni 1944. V.: Josef. Ki.: Wolfgang, Mathias. El.: Sigurt u. Margarethe. S.: HS i. Salzburg, Lehre Bürokauffrau i. Salzburg, während d. Arbeit Weiterbildung Bilanz- u. Buchhalterkurse, 1972 Prüf. abgelegt, danach i. d. elterl. Baubranche als kfm. Ltr. tätig, 1973 Grdg. Einzelhandelsges. i. Hallein, 1975 i. Salzburg "Der Clou" Textileinzelhandelsgeschäft eröff., 1979 Adriano i. Salzburg, 1988 Adriano Centro i. d. Getreidegasse, 1983 Großhandel m. Textilien. M.: 13 J. i. d. Gemeindevertretung, 1983-84 i. Nationalrat. H.: Sport, Skifahren, Tennis, Tischtennis. (D.E.)

Wörndl Herta

B.: Inh. FN.: Gasthaus Mayr. DA./PA.: 5112 Lamprechtshausen, Schwerting 17. G.: Schwertin/Lamprechtshausen, 6. Februar 1954. Ki.: Franz-Ferdinand, Herbert. El.: Ferdinand u. Elisabeth. S.: VS, HS, Haushaltungsschule. K.: 1 Jahr in Annahof in SBG, danach als Küchenmädchen b. SAWIF begonnen, danach im Schlachthof von 1969-78 tätig, Heirat u. Übernahme d. Gasthauses, das s. 1884 besteht. M.: Musikverein, Sportverein, aktiv in Jägerschaft, 1977 Jägerprüfung. H.: Jagen, Fußball, Skifahren, Schwimmen, Lesen. (D.E.)

Wörndle Werner Mag. Prof.

B.: Ref.Ltr. Alpin d. österr. Skiverb. (Internatsschule Stams), staatl. gepr. Skilehrer u. -trainer. S.: Gymn., Matura 1969, Stud. Biol. u. Sportwiss. an d. Univ. Innsbruck, Lehramtsprüf. 1976. K.: 1973-76 Trainer b. versch. Nationalkadern, seit 1976 an d. Internatschule f. Schisportler Stams, seit 1978 dort sportl. Ltr., seit 1987 Ref.Ltr. Ski-Alpin im ÖSV. M.: ÖSV, SV Kematen. H.: Familie, Skilauf, Radsport. (D.S.)

Worsch Wolfgang Pater

B.: Pfarrer v. St. Michael, Wien, röm.-kath. Priester. A.: 1010 Wien, Habsburgerg. 12. G.: Wien, 10. Juni 1926. S.: 6 J. Gregoriana Rom. K.: 11 J. Kaplan, 20 J. Pfarrer in Wien, beauftragter Seelsorger f. d. Künstler v. Wien. E.: Titel GstlR. M.: Obm. d. Ver. Freunde d. Michaelerkirche. H.: Musik, Kunst.

Wörtl Bernhard Maria

B.: Unternehmer. FN.: Bernhard Maria Wörtl. DA.: 8010 Graz, Petersg. 45. PA.: 8010 Graz, Stiftingtalstr. 195a. G.: Graz, 9. Nov. 1947. V.: Elfriede, geb. Sadjak. Ki.: Ursula (1969), Martina (1971, Elisabeth (1973). S.:Lehre Elektrotech. Abendschule auf d. Bulme, Lehrabschlußprüf. f. Gas, Wasser, Heizung u. Elektro, 1976 Konzessionsprüf. K.: Disponent b. einer Grazer Firma, Aufbauarb. m. einem Partner d. Firma in Voitsberg, seit 1982 selbst. Unternehmer in Graz, 1986 gerichtl. beeid. Sachv., Vors. d. GWZ HAK Graz, Prüf.-Kmsn. f. d. Lehrabschlußprüf. M.: Sportgem., Wasserrettung. H.: Sport, Segeln, Tauchen, Skilehrer.

Wörz Helmut Dipl.-Ing.

B.: Gschf. FN.: Mepura Metallpulver GmbH. DA.: 5282 Braunau-Ranshofen. PA.: 6230 Brixlegg, Herrnhauspl. 2. G.: Leoben, 2. Sep. 1935. V.: Liselott, geb. Zant. Ki.: Andreas (1962), Axel (1965). El.: Josef u. Monika. S.: VS, Gymn., 1954-60 . Montan-Univ. Leoben (Hüttenwesen). K.: 1960-70 Tech.Betriebswirtsch. zun .i. d. Fa.Bochumer Verein (BRD),später fusioniert mit Fried Krupp Hüttenwerke. Seit 1963 Abtl.f .Erzeugungsplanung,später auch f. Unternehmungsplanung. 1971-85 besch. i.d. Kupferhütte d. Montanwerke Brixlegg. 1972 Werksleitung, ab 1974 Dir.d.ges. Bereichs. Seit 1986 Gschf.d. Mepura Metallpulver g.m.b.h. Ranshofer. H.: Skifahren,Geschichte. (J.L.)

Wosatka Odo Dipl.-Ing.

B.: staatl. befugter u. beeid. Ziviltechniker, ständig gerichtl. beeid. Sachv. f. Bauwesen. DA. u. PA.: 8019 Graz, Kasernstr. 80, Postfach 1. G.: Graz, 19. Sept. 1930. V.: Margrit, geb. Rausch. Ki.: Sonja (1954), Yvonne (1957), Udo (1959), Arno (1968). El.: Otto u. Josefine. S.: VS, Gymn., 1948 Matura, Arch.-Stud. TH Graz, 1954 Dipl. K.: Tätigkeit b. versch. Arch. in Graz, 1956-65 Magistrat - Bauamt, ab 1965 eigenes Arch.-Büro in Graz m. Schwerpunkt: Tankstellen- u. Tanklagerbau, Gewerbe- u. Ind.-Bau, Betriebe aller Art, Um-

u. Ausbauten, Sanierung v. Wohngebäuden, Sachv. vor allem f. Versicherungen. M.: Schlaraffia. H.: Beruf, Reisen, Schriftstellerei, Musizieren. (M.Gr.)

Woschina Walter

B.: Gschf. Ges. d. BBO Betriebsberatungs- u. Organisations GmbH. DA.: 7000 Eisenstadt, Industriestr. 1. PA.: 7000 Eisenstadt, Lobzeile 1a. G.: Eisenstadt, 9. Dez. 1950. V.: Susanna, geb. Szenkovits. Ki.: Christian, Michaela. El.: Otto u. Katherina. S.: HASCH. K.: 3 J. tätig b. einem Steuerberater, anschl. Büroltr. eines größeren Installationsbetriebes, 1975 Grdg. d. BBO u. seither gschf. Ges. M.: BL.: Aktiver Ringer 1962-70. E.: Ca. 10x bgld. LMstr. im Freistil u. griech.-röm. Ringen. H.: Ringen. (G.E.)

Woschitz Helmut

B.: Landesbmtr. d. Ktn. Landesrg., Bgm. d. Gem. Ebental. DA.: 9020 Klagenfurt, Arnulfpl. 1; 9065 Ebental, Miegererstr. 30. PA.: 9065 Ebental, Greifenfelsstr. 12. G.: Klagenfurt, 22. Jan. 1939. V.: Gerlinde, geb. Rocnik. Ki.: Marion (1967), Helmut (1969). El.: August u. Barbara. S.: VS, Gymn., HAK, 1958 Matura, BH. K.: 1960 Eintritt in d. Landesdienst Bereich Wohnbauförd., polit. Tätigkeit seit Jugend, seit 1982 Gem - Parteiobm. d. SPÖ, seit 1985 Bgm. M.: örtl. Ver. H.: Lesen, Fischen, Politik. (G.L.)

Woschitz Karl Matthäus Dr. theol. Lic. rer. bibl. Univ.-Prof.

B.: HS-Prof. Univ. Graz, Inst. f. Relisionswissenschaft. GT.: Ltg. Personalgem. Christkönig Klagenfurt. DA.: 8010 Graz, Attemsg. 8. PA.: 8010 Graz, Geidorfgürtel 28. G.: St. Margarethen, 19. Sept. 1937. El.: Josef u. Juliana. S.: VS, AHS, 1955 Matura, Stud. Univ. Innsbruck, 1963 Prom., 1967 Lic. rer. bibl. i. Rom, 1978 Habil. K.: 1963-65 Seelsorgedienst Diözese Gurk/Klagenfurt, 1965-67 Stud. am Päpstl. Bibelinst. Rom, 1967-68 Stud. a. d. École Biblique et Archéologique Francaise in Jerusalem, 1968-71 Lehrtätigkeit Klagenfurt, 1971-78 Lehraufträge Sbg., Innsbruck, 1989/91 Dekan d. Kathl.-Theol. Fak. d. Univ. Graz, seit 1978 Vorlesungstätigkeit Univ. Graz, 1984 Lehrstuhl f. Religionswiss. Graz. P.: "Utopie" 1969, "Den Sinn entdecken" 1979, Elpis-Hoffnung. Geschichte, Philosophie. Exegese, Theologie eines Schlüpselbegriffs, 1979, "Aestetica" 1979, "Das Priestertum Jesu Christi nach dem Hebräerbrief" 1981, "Ein Zeichen sind wir, deutungslos..." 1981, "Christliche Identität" 1981, "Christliches Menschenbild" 1981, "Die christliche Glaubenswelt im 1. Jahrhundert" 1982, "Sunt lacrimae rerum" 1983, "Wahrheit und Freiheit" 1983, "De Homine" Existenzweise. Spiegelunge, Konturen, Metamorphosen d. antiken Menschenbildes, 1984, "Das manichäische Urdrama d. Lichtes" 1989, "Jesus, lux mundi (Joh 9) et Oedipus caecus (n. Sophokles). Zur Christodramatik u. Mythopoesis d. Lichtes" 1991, Das endzeitl. Siegeslied v. Offb 12, 10-12 als gesungene Theologie" 1991, Der Glaube in Andrang d. Unglaubens. Rel. Ideologiekritik am staatl. Unstaat n. d. Geheimen Offenbarung" 1993. E.: Kardinal-Innitzer-Förderungspreis 1978, Msgr., Würdigungspreis d. Landes Ktn. 1987. M.: Arge d. Österr. u. Dt. Bibelwiss., Acad. Scientiarum et Artium Europaea, Europ. Ges. f. Kath. Theologie, Österr. Ges. f. Religionsphilosophie, Paulus-Ges. H.: Musik, Bild. Kunst, Literatur, Skifahren. (H.Z.)

Woschnagg Gregor Dr. iur.

B.: Botschafter. FN.: BMfaA. DA.: 1014 Wien, Ballhauspl. 2. G.: Bern, 23. Aug. 1939. V.: Sissy geb. Handler. Ki.: Natascha (1972), Markus (1975), Georg (1976). El.: Walter u. Dora. S.: 1960-65 Jus-Stud. a. d. Univ. Wien, Grenoble u. Trinity College Cambridge, 1965-66 Postgraduate-Stud. i. Europarecht u. Nationalökonomie a. College d'Europe i. Brügge. K.: 1966 n. Ger.-Praxis Eintritt i. d. BMfaA, 1968-73

Ständ. Vertr. b. d. Vereinten Nationen New York, 1973-75 Österr. Botsch. i. Kairo, 1975-81 Ltr. d. Abt. Presse- u. Inf. i. BMfaA, 1981-86 Österr. Bot. i. Nairobi m. Amtsbereich Kenia, Tansania, Uganda, Malawi u. Seychellen, 1986-87 Ltr. d. GS i. BMfaA, s. 1987 Ltr. d. Abt. Wirt. Integration EFTA-Staaten-EG. P.: Publ. ü. wirt. u. außenpol. Fragen, u.a. Außenpol. u. Öffentlichkeit i. Österr., Außenpol. ist keine Geheimwiss., 25 J. Staatsvertrag. E.: SE, WDZ 3, ägypt. VO III, KmdK d. sp. IsO, GrVK d. d. VO, venez. FrdM II. Kl., ken. OdGH III. Kl. M.: Presseclub Concordia. H.: Bergsteigen, Skifahren. (J.S.)

Woschnak Klaus Dr.

B.: selbst. Notar. DA.: 1120 Wien, Tivolig. 34. G.: Wien, 15. März 1942. V.: Dr. Margit, geb. Finda. Ki.: Claudia (1976), Nadja (1978). El.: Josef u. Viktoria, geb. Löffler. S.: 1960 BRG Zwettl, Stud. Rechtswiss. Univ. Wien, 1965 Prom. z. Dr. iur. K.: 1966-82 Notariatskandidat, seit 1982 Notar in Wien-Meidling. M.: 1976-82 Vors. d. Kandidatengruppe in d. Notariatskam., seit 1984 Mtgl. d. Notariatskam. f. Wien, NÖ u. Bgld., ab 1991 Mtgl. d. Delegiertentages d. Österr. Notariatskam., ab 1991 Gschf. d. Österr. Ges. f. Intern. Zusammenarb. im Notariat. H.: Musik, Bücher, Sport. (N.A.)

Wospiel Leopoldine Dr. phil. Mag. rer. nat. HofR.

B.: Dir. d. Höheren Bundeslehranst. f. Wirtschaftl. Berufe. DA.: 1190 Wien, Straßerg. 37-39. PA.: 1180 Wien, Gymnasiumstr. 31. G.: Wien, 6. Mai 1940. V.: Prim. i.R. Dr. Erich W. El.: HofR. Dr. Franz u. Karoline Stangelberger. S.: Hum. Gymn., Univ. Wien (Germanistik), Prom., Lehramtsstud. (Ernährungswiss. u. Germanistik), Gesangsausbild. (Sopran). K.: 1970-79 Lehrerin, s. 1980 Dir. d. Höheren BLA f. Wirtschaftl. Berufe, 1966-91 aktives Mtgl. d. Zusatzchores d. Wr. Staatsoper, 15J. aktives Mtgl. d. Wr. Singver., zahlr. Konzertreisen unter Karajan, jahrelange Mitwirk. b. d. Sbg. u. Bregenzer Festspielen. M.: Management Club. H.: Musik, Reisen, Wandern, Literatur. (J.S.)

Wöß Christian

B.: Body Building Vize-Weltmstr. d. Junioren, Sportstudio Amstetten. PA.: 3375 Krummnußbaum, Hauptstr. 38. G.: Melk, 26. Apr. 1968. V.: Andrea. S.: HTL St. Pölten Elektrotechnik, 1988 Matura. K.: 1987 Neulings-Cupsieger u. LMstr. v. NÖ, ab 1988 Vorbereitung f. d. Junioren-Weltmeisterschaft f. Body Builder in Singapur u. Erringung d. Vize-Weltmeister-Titels 4. Dez. 1988, Teamposing-Europamstr. 1991, Teamposing-Vizeweltmstr. 1992. H.: Bio-Ernährung, Schwimmen, Radfahren, Stretching. (C.K.)

Wöss Günter Dr. iur.

B.: Ltr. d. Bezirksstelle Braunau d. HK OÖ. DA.: 5280 Braunau, Salzburger Str. 1. PA.: 5280 Braunau, Zürnstr. 1. G.: Aigen-Schlägl, 24. Sept. 1943. V.: Waltraud, geb. Huber. Ki.: Birgit (1978), Roland (1985). El.: Adolf u. Amalia. S.: Lehrerbildungsanst., Matura 1962, Stud. Jus Innsbruck, glz. Erzieher in LBerufsschule u. anschl. Heimltr., Gerichtsjahr Innsbruck. K.: 1970 HK OÖ Linz (Sekt. Fremdenverkehr, Rechtsabt.), seit 1971 dzt. Position, 1979-91 Gem.-Rat, 1985-91 Fraktionsobm., seit 1991 Gem.-Ratsersatz. M.: Volksbank Altheim-Braunau (ehrenamtl. Vorst.), Vermittlungsausschuß im Arbeitsamt. H.: Schifahren, Tennis, Kultur (Konzerte), Geselligkeit (Gedankenaustausch, Aktivitäten). (E.H.)

Wöss Günter
B.: Inh. FN.: Günter Wöss Bau- u. Kunstschlosserei. DA.: 1150 Wien, Goldschlagstr. 31. PA.: 2325 Himberg. G.: Wien, 5. Aug. 1964. V.: Martina, geb. Schmid. Ki.: Bianca Victoria (1990). El.: Erwin u. Monika, geb. Farthofer. S.: Kunstschmiedelehre, 1987 Mstr.-Prüf. K.: 1985-90 Tätigkeit in einer Wr. Werkstatt, seit 1990 selbst. H.: Segeln. (N.A.)

Wöss Günther KommR.
B.: Dir., Gschf. FN.: GUSTANA Menü-Service, WIGAST Gaststätten Betriebs GmbH, WIENERWALd Restaurant GmbH. DA.: 1030 Wien, Henneberggg.2-4. PA.: 2340 Mödling, Dr.-Ludwig-Rieger-Str. 69. G.: Bad Gastein, 11. Apr. 1945. V.: Rosemarie, geb. Müller. Ki.: Andreas, Karin. El.: Karl u. Luise. S.: Koch- u. Kellnerlehre, Tätigkeit im elterl. Betrieb, Auslandspraxis in England, Schweiz, BRD, Schweden, USA u. Jamaika, Hotelfachschule in Bad Reichenhall. K.: ab 1969 im Management b. Hilton u. Möwenpick, seit 1976 wieder in Österr., Gschf. b. d. WÖK, Unternehmensgruppe WIGAST-WIENERWALD, seit 1988 KommR. H.: Bergsteigen, Skifahren, Kultur. (P.R.)

Wöss Margareta Dr.
B.: Musikdir. d. Stadt Linz. A.: 1010 Wien, Kantg. 3/27. G.: Wien, 8. Juni 1921. V.: Prof. Kurt Wöss. El.: Ernst u. Maria Gnad. S.: VS, RG, Konservatorium d. Stadt Wien, Ak. f. Musik u. darstellende Kunst Wien, Univ. Wien. K.: Ass. d. Musikwiss. am Musikwiss. Inst. d. Univ. Wien, Gastprof. f. Germanistik u. Musikwiss. an d. Kaiserl. Univ. Tokyo, seit 1962 Musikdir. d. Stadt Linz. P.: Werkeinführungen zu d. meisten Werken d. Weltliteratur, Hrsg. u. inhaltl. Gestaltung d. period. Monatsschrift "Kunstkalendarium". E.: Kulturmed. d. Stadt Linz, EK f. Wiss. u. Kunst, Silb. Rose d. Wiener Philharmoniker.

Wöss Martin
B.: Gschf. FN.: Figaro 2000, Martin Wöss GmbH. GT.: Filiale Gallneukirchen Figaro 2000. DA.: 4020 Linz, Landgutstr. 12. PA.: 4111 Walding, Bergweg 10. G.: Niederwaldkirchen, 14. März 1956. El.: Josef u. Maria. S.: VS, HS, Installationslehre. K.: 1975 Leistungszentrum Wien d. BH, 1976-79 Intern. Werbeleiter in Wien, ab 1979 Aufbau d. Friseurgeschäftes Figaro 2000, 1981 Grdg. d. Fil. in Gallneukirchen, dzt. 20 Mitarb. BL.: 7 facher Österr. Staatsmstr. in Judo, Militärweltmstr., 2x 5. Plätze b. Europameisterschaften, div. Siege b. Intern. Turnieren. M.: div. Sportver. H.: Sport, Antiquitäten. (J.G.)

Wöss Michaela Dr.
B.: Psychologin Aids-Hilfe Sbg. DA.: 5020 Salzburg, St. Julien-Str. 31. PA.: 5020 Salzburg, Josef-Messner-Str. 32/10. G.: Linz, 19. März 1958. El.: Dr. Gerhard u. Doris Wöss. S.: VS, AHS, 1976 Matura, Stud. Psych. u. Psychiatrie Univ. Sbg., 1990 Prom. K:: 5 J. Tätigkeit b. einer Kunstzeitschrift, seit 1991 Psychologin d. Aids-Hilfe. H.: Musik, Wandern, Lesen. (D.E.)

Wöß Peter Dr. med.
B.: Präs. d. Ärztekammer f. Vbg. DA.: 6850 Dornbirn, Schulg. 11. PA.: 6830 Rankweil, Alemannenstr. 3. G.: Rankweil, 6. Mai 1949. V.: Reinhilde. Ki.: Katharina (1977), Magdalena (1979), Sebastian (1983), Johanna (1984). El.: Dr. Lothar u. Herta. S.: BGymn. Feldkirch, Matura 1967, Militär 1967/68, Univ. Innsbruck, Prom. 1975. K.: 1975-77 Turnusausbild. LKH Feldkirch, 2 J. Ausbild. z. prakt. Arzt, Intern. Abt. b. Prof. Dr. Mähr, 1979 prakt. Arzt in Rankweil, 1991 Gem.-Arzt, Sportarzt u. Umweltschutzarzt, 1976 KammerR. f. d. Land Vbg., Obm. d. Sekt. Turnusärzte, 1986 Präs. d. Ärztekammer, Ltr. d. Laborreferates. M.: KÖHV Leopoldina Innsbruck, MMV Clunia Feldkirch, Ambrassador Vbg. H.: Schifahren, Bergwandern, Sport m. Maß u. Ziel. (I.D.)

Wotawa Gerd Günter Mag. Dkfm.
B.: Steuerberater, Prof., WIFI-Kons. A.: 9020 Klagenfurt, Rosentaler Str. 76/17. G.: Klagenfurt, 15. Jan. 1943. V.: Hermine, geb. Grindling. El.: Otto u. Josefine. S.: RG, HAK, Stud. an d. WU Wien, Dipl.Prüf., Lehramtsstud., Mag.Prüf., Steuerberaterprüf., DV-Ausbild. K.: Revisions-Ass. in d. elterl. Steuerberatungskzl., Auslandspraxis b. d. Ente Autonomo del Fulmendosa in Cagliari, Sardinien, neben d. Stud. Arb. als freiberufl. Lehrer an d. HASCH, Unterr. an d. HAK Feldkirchen i. K., selbst. Kzl. in Klagenfurt, Unterr. an d. Höheren BLehranst. f. Wirtschaftl. Frauenberufe in Klagenfurt, WIFI-Kurse. E.: Dank u. Anerkennung d. Stadtgem. Feldkirchen f. d. Mitwirkung b. d. Aufbauarb. d. HAK Feldkirchen.

Wozabal Karl
B.: Unternehmer. FN.: Wozabal Großwäscherei u. chem. Reinigungsanst. GT.: Gschf. v. Rentex Austria Vertriebs Ges.m.b.H. Linz. DA. u. PA.: 4045 Linz, Freistädter Str. 230. G.: Linz, 8. Aug. 1937. V.: Rolande, geb. Riess. Ki.: Karl Hans, Claudia, Christian. El.: Karl u. Theresia. S.: Ausbild. im elterl. Betrieb u. Textilfachschule Wien u. Hohenstein. K.: Eintritt in elterl. Betrieb, 1958-71 Betriebsltr., 1971 Übernahme d. Betriebes u. Ausbau, stark geprägtes christl. soziales Leben seit Beginn der 70er Jahre. P.: div. Vorträge über christl. Lebensrichtlinien. H.: Wandern, Fotografieren, Skifahren. (J.G.)

Wrabetz Alexander Dr. iur.
B.: Gschf. FN.: VOEST-ALPINE Intertrading GmbH. DA.: 4020 Linz, Strasserau 6. G.: Wien, 21. März 1960. V.: Dr. Petra, geb. Pridun. Ki.: Niko (1988), Phillip (1991). El.: Dr. Peter u. Dr. Adelheid, geb. Unterwieser. S.: 1978 Matura, Stud. Rechtswiss. Univ. Wien m. Prom. z. Dr. iur., Gerichtspraxis, während d. Stud. 1983-84 Vors. d. Verb. Soz. Studenten Österr. K.: 1984-87 Intern. Finanzierungen b. Girozentrale u. Bank d. Österr. Sparkassen AG, 1987-89 Ass. d. Vorst.-Vors. b. d. Österr. Ind.-Holding AG (ÖIAG), 1990-92 Gen.-Sekr. d. Austrian Industries AG, seit 1993 Gschf. d. Voest Alpine Intertrading GmbH. M.: Vors. d. AufsR. d. Voest Alpine Medizintechnik GmbH, Chairman of the Board Voest Alpine Trading Corp. Houston. H.: Lesen, Oper, Politik, Geschichte, Tennis, Skifahren. (N.A.)

Wrabetz Peter Dr.

B.: RA. DA./PA.: 1010 Wien, Elisabethstr. 26. G.: Wien, 7. Apr. 1933. V.: Dr. med. Heidi, geb. Unterwieser. Ki.: Dr. Alexander (1960), Mag. Bernd (1963). El.: Dr. Franz u. Eugenie. S.: Gymn., Stud. Rechtswiss. Univ. Wien, 1958 Dr. iur. K.: Gerichts- u. Anw.-Praxis, RA-Prüf., seit 1964 RA in Wien m. Schwerpunkt Zivil-, Hdls.- u. Ges.-Recht. P.: Veröff. über rechtsgeschichtl. Themen u. Standespolitik. E.: Gr. EZ f. Verd um d. Rep. Österr., BVK 1. Kl. d. BRD, Ritter d. kgl. schwed. Nordsternordens 1. Kl., 1993 Gold. EZ f. Verd. um d. Stadt Wien. M.: Gen.-Sekr. d. Österr. RA-Kammertages, stellv. Präs. d. Österr. RA-Ver., Kuratoriumsmtgl. d. Stiftung "Hans-Kelsen-Inst.", a.o. Mtgl. d. Dt. Anw.-Ver. H.: Gartenarb., Geschichte. (J.M.)

Wran Rudolf Karl Dr.

B.: Sekt.-Chef u. Ltr. d. Abt. III Kultur- u. Kunstangelegenheiten d. BMW. DA.: 1090 Wien, Garnisong. 7. PA.: 1180 Wien, Messerschmidtg. 12. G.: Wien, 23. Feb. 1940. V.: Gertraude, geb. Brandler. Ki.: Mag. Claudia (1967), Stephan (1969), Michaela (1972). El.: Rudolf u. Friederike. S.: Stud. Rechtswiss. Univ. Wien, 1962 Prom. K.: Bmtr. in d. HS-Verw., Dienstrechtslegistik d. BKA, 1968-70 Sekr. d. VKanzlers Dr. Withalm, 1980-89 Personalchef in d. Bundestheater, später stellv. Gen.-Sekr., seit 1989 Ltr. d. Abt. Museen u. Sammlungen d. Bundes im BMWF, ab 1994 Ltr. d. Sekt. III d. BMWF, ab 1995 Sekt.-Chef. P.: Fachpubl. E.: Träger d. Gold. VZ d. Landeshauptstadt Eisenstadt. H.: Portugies. Literatur u. Kunstgeschichte. (F.S.)

Wran-Schummer Wolfgang

B.: Gschf. FN.: Select int. Fachhandel Elektro. DA.: 5101 Bergheim, Handelszentrum 7. PA.: 1236 Wien, Willergasse 22/36. G.: Leutschach, 14. Mai 1948. V.: Monika, geb. Embacher. El.: Harald u. Hildegard. S.: VS, HS, Mittelschule, 1964-68 Radio- u. Technikerlehre. K.: 1968-71 Radio u. Fernsehtechniker. 1973 Meisterprüf. 1973-76 bei Phillips in Deutschland Entwicklungsass. 1976-85 Phillips Österr. Schulungsltr. f. Techn. Training in Wien. 1985-92 Phillips intern. Wien. 1992-94 Bosch Österr. Vertriebsltg. Ein- u. Verkauf Aiwa Wien. seit 7/94 bei select in Sbg. H.: Sport, Opern Musik. (M.G.)

Wrana Raimund Karl OLt.

B.: Garnisonskdt. FN.: Österr. Bundesheer, Seekaserne Oggau. DA.: 7063 Oggau, Seeg. PA.: 7000 Eisenstadt, Ing. Hans Sylvesterstr. 18. G.: Bruck/M., 21. Juni 1964. V.: Gabriele, geb. Mirwald. El.: Raimund u. Elfriede. S.: Militärrealgymn. Wr. Neustadt, 1982-83 Bundesheer, 1983-86 Mil.-Akad. Wr. Neustadt. K.: 1986 Ausmusterung Lt., b. 1988 Ausb.-Off. Seekaserne Oggau, 1988 Übernahme der Kompanie als Kdt., 1989-91 Ausb. d. Einj.-Freiwilligen Bgld. H.: Radfahren, Schwimmen, Skifahren, Surfen. (I.J.)

Wrann Jakob KommR.

B.: GA. FN.: Wrann Hotel GmbH. GT.: Gschf. d. Anton Wrann KH. PA.: 9220 Velden, Birkenallee 6. G.: Klagenfurt, 13. Jan. 1927. V.: Isolde, geb. Porgis. Ki.: Anton, Jacob, Philipp, Alexander. El.: Anton u. Caroline. BV.: älteste Familie in Velden (300 J.), Philipp Wrann Oberrichter u. Bgm. Träger d. Maria Theresien-Ordens. S.: 1947 Matura, seit 1947 kfm. Tätigkeit in elterl. Betrieben d. Hotel u. Elektrobranche. K.: 1950 Übernahme d. Hotels Alte Post Velden, 1962 Errichtung d. Seehotels Europa in Velden, 1983 Eröff. d. Hotels Bergkristall in Oberlech. F.: Mtgl. d. Funkberaterring Fernseh-Radio-Elektro-Hdls.Verb. GenmbH. E.: 1973 Silb. VK d. Rep. Österr., Gold. EZ d. Landes Ktn., Silb. Ehrenmed. v. Union Sportverb. M.: Vorst.-Obm. d. Volksbank Velden, Fachgruppenvorst. Bäder u. Fremdenverkehr, Mtgl. d. Sekt. Fremdenverkehr Ktn., BKam. Fachverb.Vorst.Stellv. Bäder. H.: Skifahren, Tennis, Fischen. (M.B.)

Wrann Karl

B.: Firmenteilh. FN.: Antiquitäten I. u. K. Wrann. DA.: 2700 Wr. Neustadt, Brodtischg. 14. G.: Wien, 5. Aug. 1952. V.: Ingrid, geb. Buczolich. El.: Stefan J. u. Anna. S.: VS., Gymn., HASCH. K.: Eintritt i. väterl. Weinbetr., 1984 Grdg. einer Discothek u. eines Cafe i. Deutschkreuz, 1986 Gew. Schein f. Handel m. Antiquitäten u. Kunstgegenständen, 1991 Gesch. Grdg. i. Wr. Neustadt, Auflassung d. Disco. H.: Reiten, Schwimmen, Wasserschi. (I.J.)

Wrann Stefan Josef Ing.

B.: Kfm., Inh. d. Pandurenkellerei. DA. u. PA.: 7301 Deutschkreuz, Hauptstr. 14-16. G.: Deutschkreuz, 22. März 1927. V.: Anna, geb. Strehn. El.: Karl u. Josefine. S.: VS, HS, Destillatonsfachschule in Berlin, anschl. Militärdienst. K.: Auslandserf. in BRD u. Frankreich, ab 1950 ltd. Funkt. im elterl. Betrieb, 1966 Übernahme d. elterl. Betriebes, 1983 Ing. BL.: Isol. Wirkung gegen Chlorose m. Klärschlamm (Abfallprod.) E.: Über 300 Ausz. betr. Weinqualität. M.: Bis 1983: KamR. d. Bgld. LKam., Sekt.Obm.Stellv. d. Sekt. Handel, LGrem.Vorst. d. Bgld. Weinhandels, BGrem. Vorst.Stellv., VPräs. d. Österr. Weininst., Vorst.Mtgl. d. Weinwirtschaftsfonds, Kontr.-Rat d. Weinwirtschaftsfonds, Obm. d. Bgld. Weinwerb., Vorst.Mtgl. d. Häftlings-Fürs.-Ver. f. d. Bgld. H.: Komtur d. Österr. Weinbrüderschaft, Weinkoster. (War.)

Wratschko Stefan Dkfm.

B.: HR b. d. Österr. Botschaft in Berlin/DDR. A.: 1030 Wien, Oberzellerg. 8. G.: Villach, 4. Mai 1932. V.: Mag. Helga, geb. Krause. El.: Johann u. Justine. S.: HAK, HS f. Welthdl. in Wien. K.: LRef. in d. Abt. f. Hdl.-Politik u. Außenhdl. d. BKam. d. Gew. Wirtschaft Wien, seit 1975 HR b. d. Österr. Botschaft in Berlin/DDR.

Wratschko Volker

B.: Ind.-Kfm. FN.: Alpenländ. Christbaumschmuckfbk. DA. u. PA.: 8020 Graz, Wiener Str. 176. G.: Bildstock/Saarbrücken, 30. Jän. 1941. V.: Waltraud, geb. Zimmermann. Ki.: Helma (1975), Norbert (1976). El.: Josef u. Ilse. S.: VS, Gymn., Lehre als Ind.-Kfm., Volontär in Amerika u. Deutschland. K.: 1967 Übernahme d. elterl. Christbaumschmuckerzeugung Graz als Alleininh., Ausbau d. Firma m. neuer Technologie, Siebdruck u. Handarb., Spezialanfertigungen, Export Amerika, Deutschland, Spanien, Benelux, Italien, Singapur, Japan, seit 1949 Nürnberger Spielwarenmesse, Erzeugung v. Engelhaar als einzige Firma in Österr. BL.: Bezeichnung "Österr. Qualitätsware". M.: Vors. d. Fachverb. d. Glasind. H.: Sport, Musik, Reisen. (M.Gr.)

Wratzfeld Gunter Mag. arch.

B.: staatl. befugter u. beeid. Ziviltechniker. GT.: Gastref. an versch. Universitäten, Vortragstätigk. an versch. Inst. u. b. Berufsorganisationen. DA. u. PA.: 6900 Bregenz-Lochau, Klausberg 7. G.: Bregenz, 16. März 1939. V.: Margarethe, geb. Tumler. Ki.: Dipl.-Psych. Christian. El.: Dir. Siegfried u.

Hadwig. S.: 1959 HTL Matura Innsbruck, 1959-63 Ak. d. Bild. Künste Wien, Meisterschule Prof. Dr. R. Rainer (Fachgebiet Städtebau). K.: 1963-64 Praxis in Bregenz, 1964-67 Praxis in Stuttgart, 1967-68 Praxis in Wien, 1968-71 Auslandsbaustellen in Afrika u. Asien, selbst. in Wien, 1971 Übersiedl. n. Bregenz. BL.: Bauherrnpreis d. Zentralver. d. Architekten 1969 (Auslandsbaust. Kinderspital in Afr.). P.: Österr. Arch. im 20. Jhdt (Dehio Vbg.), Publ. in Fachzeitschr. u. Medien. E.: Preisträger b. einer Vielzahl v. Arch.-Wettbewerben. M.: Ing.-Kammer. (A.K.)

Wrba Heinrich DDr. Prof.
B.: Wissenschafter. PA.: 1090 Wien, Borschkeg. 8a. G.: Holleischen/Böhmen, 14. Febr. 1922. V.: Ingeburg, geb. Lohndorf. El.: Johannes u. Adolfine. S.: Univ. Heidelberg, 1951 Dr. med., 1953 Dr. rer. nat. K.: 1951-56 Ass. Univ.Klinik Heidelberg, 1956-64 Patholog. Inst. Univ. München, 1964-67 Dir. Dt. Krebsforsch.Zentrum Heidelberg, seit 1967 Vorst. d. Krebsforschungsinst. d. Univ. Wien, 1984 Vorst. d Inst. f. experimentelle u. angew. Onkologie d. Univ. Wien, 1984 Vorst. d. Inst. f. angew. u. exp. Onkologie d. Univ. Wien. P.: mehr als 300 versch. Art. in Fachzeitschriften. M.: Mtgl. mehrerer Ak. u. Ges., Mtgl. mehrerer intern. Ges. f. Med. u. Naturwiss. (E.L.)

Wrenkh Christian
B.: Gastwirt, Spezialist f. Vegetar. Küche, Beratungstätigkeit f. zeitgemäße Küche. DA.: 1010 Wien, Bauernmarkt 10, 1150 Wien, Hollerg. 9. G.: Wien, 1. März 1954. V.: Ulrike, geb. Schedle. Ki.: Karl-Eduard (1987), Leopold (1988). El.: Alois u. Anna. S.: Berufsausbild. z. Kfm. in Wr. Neustadt, autodidakt. Kochen. K.: Gschf. d. Autobahnraststätte Wienerwald Bad Fischau, seit 1978 selbst., Eröff. eines kleinen Restaurants in Wr. Neustadt, Spezialisierung auf Vollwertkost, Weiterbild. in Amerika, 1982 Eröff. d. Restaurants Wrenkh in d. Hollergasse: ein Vegetar. Altwiener Beisl, 1988 Übernahme d. ehemaligen Restaurant Cafe Grünwald am Bauernmarkt, Umwandlung in ein Vegetar. Restaurant m. Schwerpunkt Vollwertküche, 1990 Eröff. d. Bar im selben Haus. BL.: Pionier d. Vegetar. Küche, Kreation einer zeitgemäßen gesunden Küche, d. schmeckt. P.: Art. u. Rezepte in Zeitungen u. Büchern. E.: Haubenkoch. H.: Kochen, Laufen. (J.S.)

Wressnig Erhard Konsul
B.: Vorst.-Dir. d. Bank f. Handel u. Industrie, Schwed. Konsul. DA.: 8010 Graz, Herreng. 28. PA.: 8010 Graz, Hochsteing. 74. G.: Graz, 12. Feb. 1937. Ki.: Klemens, Joachim, Benedikt. El.: Heinz u. Traute. S.: 1956 Matura, HAK-Abiturientenkurs. K.: Banklehre in München, Auslandsaufenthalte, 1967 Chemical Bank New York, s. 1968 BHI in Graz, s. 1969 Vorst.-Mtgl., s. 1973 Konsul v. Schweden. E.: Ritter d. NStO, Kommandeur d. NStO. M.: Vizepräs. d. Kurat. d. Landesmuseum Joanneum. H.: Sport, Mineralogie, Wein. (P.M.)

Wright Henry Dipl.-Ing.
B.: Arch., Staatl. befugter u. beeid. Ziviltechniker. FN.: Arch. Dipl.-Ing. Henry Wright. DA.: 3100 St. Pölten, Josefstr. 9, 1030 Wien, Pettenkofeng. 1. G.: St. Pölten, 29. März 1946. V.: Brigitte, geb. Koch. Ki.: Niclas, Alice, Clemens. El.: Artur u. Gottfriede. S.: VS, RG, 1964 Matura, Stud. an d. TU Wien Arch. K.: 1972 Dipl., 1972-83 Planungsltr. v. Großprojekten in d. Sparte Bürobau, Hotelbau sowie Wohnbau, 1983 Büroeröff. in St. Pölten u. Wien, ab 1983 Architektenleistungen f. öff. u. kommerzielle sowie priv. Bauvorhaben, Ausarb. v. Bebauungsstudien, Teilnahme in Preisrängen an Arch.-Wettbewerben. M.: Lions Club St. Pölten. H.: Reisen, Skifahren, Tennis. (C.K.)

Writzmann Gerhard Mag.
B.: Wirtschaftstreuhänder, beeid. Wirtschaftsprüfer u. Steuerberater. DA.: 1120 Wien, Schönbrunner Str. 188. PA.: 2511 Pfaffstätten, Wüsteg. 36. G.: Bad-Vöslau, 26. Sept. 1958. V.: Monika, geb. Eschner. Ki.: Sandra (1992). El.: Walter u. Margarethe, geb. Köhler. S.: 1977 Matura, Stud. BWL WU Wien, 1981 Spons. K.: 1982 Eintritt Kzl. Dr. W. Zips GmbH, 1985 Steuerberaterprüf., seit 1986 selbst., seit 1988 eigene Kzl., seit 1990 Wirtschaftsprüfer. H.: Geschichte, Skifahren, Tennis. (A.W.)

Wrodnigg Max G.
B.: Gschf. Ges. FN.: FAB Finanz- u. Außenhandels Beratungs GmbH. DA.: 1010 Wien, Opernring 4 u. D-8000 München 2, Maximilianspl. 9. G.: Klagenfurt, 9. Juni 1961. V.: Karin, geb. Candussi. Ki.: Ricardo (1991). El.: Franz u. Maria-Theresia. S.: HTL Mödling (Holztechnik), 1981 Matura, WU Wien (Betriebsw.). K.: 1986 Eintritt in d. Fa. FAB u. s. 1990 gschf. Ges. d. FAB Wien u. München, 1987 Grdg. d. Einzelfa. Max G. Wrodnigg Finanz-Consult Wien. F.: Ges. d. Franz Wrodnigg GmbH (Sägeind. in Kraig, Ktn.). H.: Wintersport. (J.S.)

Wrumen Karl
B.: Gschf. d. Allg. Assekuranzagentur GmbH & Co KG. DA.: 1010 Wien, Zelinkag. 2. G.: Wien, 17. Dez. 1935. V.: Gertrude, geb. Prikril. Ki.: Doris. El.: Franz u. Wilhelmine. K.: 1951 Eintritt in d. Wr. Städt. als Praktikant, 1976 Grdg. d. Vers.Büros Karl Wrumen, 1981 Grdg. d. Allg. Assekuranz Agentur GmbH & Co KG, gleichzeitig gschf. Ges., unabhäng. Vers.Makler. M.: Präs. d. Österr. Vers.Maklerringes. H.: Lesen. (G.E.)

Wrussnig Johann Manfred
B.: Red., Ktn. Korrespondent d. Kurier. DA. u. PA.: 9500 Villach, Crusitzstr. 28. G.: Villach, 13. Febr. 1948. V.: Anita, geb. Schober. Ki.: Kerstin, Alexander, Stefan. El.: Johann u. Ida. S.: Fachschule, Kfm. Lehre. K.: seit 1973 freier Journalist, seit 1976 b. Kurier, seit 1984 Korrespondent in Ktn. F.: Beteiligung an Liftges. H.: Schach. (S.G.)

Wuchere-Huldenfeld Karl Augustinus Dr. phil. o.Univ.-Prof.
B.: Vorst. d. Inst. f. Christl. Phil. Univ. Wien, Präs. d. Österr. Ges. f. Daseinsanalyse (ÖGDA). DA.: 1010 Wien, Freyung 6/2/4. PA.: 1050 Wien, Ramperstorfferg. 65. G.: Gleinstätten, 1. Juli 1929. El.: Reichsfrhr. Otto u. Rosa, geb. Altgräfin Salm-Reifferscheidt. BV.: Marie Caroline Herzogin de Berry. S.: BRG, Stud. Phil., Psych. u. Ethnologie Univ. Wien, 1954 Dr. phil., Stud. Theol. Univ. Innsbruck, 1961 Absolutorium. K.: 1961 Priesterweihe, 1961-63 Kaplan Geras, 1964-69 a.o.Prof. f. Phil. Theol.-Phil. Studienanst. d. Augustiner Chorherrenstiftes Klosterneuburg, 1967-75 Univ.-Ass. am Inst. f. Atheismus-Forsch. u. Lehrbeauftragter an d. Kath.-Theol. Fak. d. Univ. Wien, 1973 Univ.-Doz. Phil. Fak. d. Univ. Wien, 1974 o.Univ.-Prof. f. Christl. Phil. u. Mystik sowie Vorst. d. Inst. f. Christl. Phil. P.: Die Gegensatzphil. Romano Guardinis (1968), Personales Sein u. Wort: Einführung in d. Grundgedanken Ferdinand Ebners (1985), Ursprüngliche Erfahrung u. personales Sein: ausgewählte philos. Studien, Bd. 1 (1994), zahlr. kleinere Veröff. M.: Prämonstratenserorden Abtei Geras, Intern. Studiengemeinschaft f. prä- u. perinatale Psych. u. Med., Intern. sowie Österr. Ges. f. Daseinsanalyse, Sigmund Freud-Ges., Österr. Ges. f. Phil., Ferdinand Ebner-Ges., Österr. Ges. f. Religionsphil., Martin Heidegger-Ges., Wr. Kath. Ak.

Wuchty Anna Helene
B.: Dir. d. Sonderschule Ebreichsdorf. DA.: 2483 Ebreichsdorf, Weideng. 17. G.: Bernstein, 4. Aug. 1949. V.: Friedrich Wuchty. El.: Otto u. Anna. S.: Grundschule, Matura,

Päd. Ak. K.: 1970-74 HS-Lehrerin, 1975-87 Sonderschullehrerin, 1987-91 Sonderschuldir. Pottendorf, 1991 Übernahme d. Ltg. d. Sonderschule Ebreichsdorf. M.: Greenpeace, Lebenshilfe-Sonderschule. H.: Lesen, Garten. (M.N.)

Wüger Franz

B.: Weinbauer. GT.: Bgm. v. Illmitz. DA.: 7142 Illmitz, Obere Hauptstr. 2-4. PA.: 7142 Illmitz, Untere Hauptstr. 39 (Betriebsstätte). G.: Illmitz, 20. Jan. 1948. V.: Theresia, geb. Gartner. Ki.: Michael (1970), Franz (1973). El.: Franz u. Anna. BV.: M. Wüger begr. Weinbauuntern. Mitte d. 19. Jh. S.: Weinbau-FHS Eisenstadt, Weinbau u. Kellerei-Mstr., hauptberufl. Weinbauer, nebenbei Betätig. in versch. Jugndorgan., KAth. Jug., Landjug. u.a., s. 1978 Kommunionhelfer, 1992 Direktwahl z. Bgm., nebenbei Weinbaubetr., Beherbergungsbetr. E.: Martinsorden d. Diöz. Eisenstadt. M.: Obm. Illmitzer SV, Vorst.-Stellv. im Pfarrgemeindeamt, Obm. d. Weinbauver. u.a. H.: Wein, Fußball. (J.M.)

Wührer Josef KommR.

B.: Dir. u. Besitzer (Manager). FN.: Parkhotel Bellevue Betriebs GmbH Besitzges. DA. u. PA.: 5640 Badgastein, Waggerlstr. 38. G.: 23. Okt. 1912. V.: Ursula v. Bilshausen. El.: KommR. Leopold u. Anna. BV.: aus d. Geschlecht v. d. Wühr (erstmals 1438), 2. größte Brauerei Italiens (Precia). S.: HAK Innsbruck. K.: 12 J. Tätigkeit im Ausland (Frankreich, England, Italien, USA) im Hotelfach in intern. gr. Häusern, 1938 Übernahme d. Hotels in 3. Generation. BL.: 1945 Erbauer d. ersten Sessellifts Europas in Badgastein. P.: Veröff. in Gastro-Zeitungen. M.: 1950 Gründer d. Tennisver. Badgastein, 1955 Gründer d. Kurver., 1958 Grdg. d. Reitclubs, VPräs. d. Österr. Hotelierver., Mitbegründer HGI in Genf, Mitbegründer Golfclub, Vors. v. Badgasteiner Hotelierver. H.: Urlaub am Meer (Venedig, Cannes). (G.P.)

Wührer Konrad Dipl.-Ing.

B.: Gschf. FN.: J. M. Fussenegger. GT.: Gschf.: Arido Bekleidungsind., Arido Heinz Ginzey & Co. DA.: 6850 Dornbirn, Wallenmahd 23. G.: Wien, 24. Nov. 1938. V.: Doris. Ki.: Roland, Barbara, Monika, Max. El.: Dipl.-Ing. Lambert u. Herta. S.: Grundschule, Gymn., TU Graz, 1964 Dipl.Wirtschaftsing. K.: 3 J. Praxis, 1965 zu Fussenegger, ab 1966 auch Tochterfa. Arido, 1971 Gschf. Dornbirn. M.: Vors.Stellv. Fachverb. Bekleidung Wien, Execktko VerwR. Vors.Stellv. TÜV, Vorst.Mtgl. Kreditschutzverb. 1870 in Wien.

Wührer Maximilian KommR.

B.: LInnungsmstr. FN.: Molkereien u. Käsereien OÖ. GT.: Verw.Kmsn.Mtgl. d. Milchwirtschaftsfonds, im Vorst. d. Schärdinger OÖ Molkereiverb., AufsR.Vors. d. Zentralverb. d. Molkereien u. Käsereien Österr. DA.: 4020 Linz, Hessenplatz. PA.: 4644 Scharnstein, Mühldorf 56. G.: Gaspolzhofen, 8. Dez. 1914. V.: Hermine, geb. Kramesberger. Ki.: Waltraud, Maximilian. El.: Dr. Gerhard u. Ingrid. S.: Bürgerschule, Berufsschule, Lehre f. Molkerei u. Käserei, 1960 Mstr.Prüf. K.: 1932-35 Molkereigen. Weibern, 1935-38 im elterl. Betrieb, 1938-45 Dt. Wehrmacht, 1945-63 im elterl. Molkereibetrieb tätig, 1963 Übernahme d. Betriebes, 1965 Innungsaussch.Mtgl., seit 1970 LInnungsmstr., b. 1985 Kmsn. f. Lehrabschlußprüf., b. 1985 Vors. d. Mstr.Prüf. Kmsn., AufsR.Mtgl. d. Almtaler Volksbank. E.: 1984 KommR., Schärdinger Ehrennadel in Gold. H.: Fotografieren, Basteln m. Metall. (A.W.)

Wührer Rudolf

B.: Druckermstr. FN.: Rudolf Wührer, Siebdruck, Tampondruck, Werbetechnik. DA.. 5230 Mattighofen, Breuereistr. 6. PA.: 5261 Uttendorf, Direktor-Mayrstr. 55. G.: Uttendorf, 13. Juni 1948. V.: Maria-Alina, geb. Ioannidou. Ki.: Alexandra-Brigitte (1974). El.: Johann u. Anna Windsberger. S.: VS, HS. K.: Lehre als Drucker in Braunau, 1970 in d. BRD, in München als Drucker, im Offsetdruck tätig, parallel dazu b. FDI (Führungskräfte Druckerindustrie), Kurse in versch. Betr. f. neue Maschinen u. neue Druchtechn absolv., Exkursion nach Amerika, in versch. Fa. als Ausbild. tätig,1985 nach Österr. zurück, bis 1989 in Ried in e. Druckerei tätig,1989 in Mauerkirchen in e. Druckerei tätig, 1991-93 Betr. Ltr. in dieser Druckerei, ab Okt. 1993 Druckerei in Mattighofen gekauft. M.: ehem. GemR beim Kameradschaftsbund, Mtgl., Sportwart v. ÖAMTC-Uttendorf, Berufsschullehrer in Sbg. H.: Holzarbeiten. (J.L.)

Wührleitner Hermann Mag. phil.

B.: Päd. Ltr. FN.: Interkulturelle Hotelfachschule Retz. DA.: 2070 Retz, Seeweg 2. PA.: 2070 Retz, Seeweg 2. G.: Windischgarsten/OÖ, 7. Aug. 1949. El.: Alois u. Hildegard. S.: Gymn. Stift Schlierbach, 1969 Matura, Stud. d. Germ. u. Gesch. a. d. Univ. Wien, 1983 Mag. phil. K.: 1976-83 Unterrichtstätigk. a. HAS i. Wien, a. 1983 Ltr. a. d. HBLA f. Wirt. Berufe i. Biedermannsdorf, a. 1985 Administrator d. Schule, s. 1993 Päd. Ltr. d. Interkulturellen Hotel-FS i. Retz, mehrfache Ltg. v. Schulschikursen a. Landeschilehrer, Aufb. d. Schulchores d. HBLA, s. 1988 Betreuungslehrer,Tätigk. i. d. Lehreraus- u. Fortbildung a. Seminarltr. u. Ref., s. 1990 Vors. d. Gutachterkommission z. Approbation v. Schulbüchern, Mtgl. d. Projektgruppe d. BMfUK z. Erstellung v. EG-Materialien z. Unterstützung d. Unterrichts, Mtgl. d. Kommission z. Anpassung d. Lehrpläne f. Gesch. i. Bereich d. berufsbild. mittleren u. höheren Schulen, Grdg.-u. Vorst.-Mtgl. d. Päd.-Psych. Zentrums Mödling, Vors. d. Ver. d. Administratoren a. AHS u. BMHS i. Österr. s. 1992. M.: 10 J. Chorltr. d. MGV Hinterbrühl, OÖ-NÖ Sommeliervereinigung, CV-KÖSTV Kürnberg, Kammerchor "Vox Humana" i. Gumpoldskirchen. H.: Gutes Essen u. guter Wein, Musik, Klavierspiel, Lesen, Geschichte, Reisen, Skifahren. (M.M.)

Wührleitner Josef

B.: Inh. TB Management Betriebsberatung, Gschf. Ges. TB Management Technik u. Beratungs GmbH. DA.: 4400 Steyr, Ringweg 7. PA.: 4400 Steyr, Ringweg 37. G.: Steyr, 17. Juni 1951. V.: Eva, geb. Kellermeier. Ki.: Doris (1970), Karin (1984). El.: Josef u. Theresia. S.: VS, HS, HTL, 1969 Matura. K.: 1969-74 Tätigkeit in d. Werksplanung d. Steyrer-Werken,

b. 1977 Tätigkeit Firma Beko, Betriebsltr. Firma Schukra, seit 1980 Kons. f. d. Firma Schukra, seither selbst. u. österreichweit f. namhafte Firmen auf d. Gebiet Arb.- u. Zeitwirtsch. als führendes Beratungsuntern. tätig, ab 1975 nebenberufl. Stud. BWL Univ. Linz. P.: lfd. Schulungen im WIFI, Vorträge im berufl. Rahmen. H.: Skifahren, Tennis, Wasserskifahren. (U.A.)

Wuk Peter

B.: Gschf. Ges. FN.: Peter Wuk GmbH. DA.: 1020 Wien, Heinestr. 1. PA.: 1230 Wien, Anton-Baumgartner-Str. 44. G.: Ligist, 8. Feb. 1947. V.: Ulrike. Ki.: Charlotte. El.: Anton u. Charlotte. S.: Kindheit u. Schulbeginn in USA, 1965-67 College (Gesch.), 1968 Bankfach (Kreditwesen). K.: seit 1986 selbst. Makler u. Verwalter, Betreuung v. Großver. im Maklerwesen, Auslandsgeschäfte, Export-Import USA. M.: ÖVI Ehrenschiedsgericht. H.: Modellbau, Fischen. (J.E.)

Wuketich Stefan Dr. Univ.-Doz. Prim.

B.: Vorst. d. Pathol. Inst. d. KH Lainz. PA.: 1030 Wien, Rochusg. 6. G.: Parndorf, 29. Nov. 1919. V.: Elfriede, geb. Dworak, 2 Kinder. El.: Stefan u. Hermine. S.: Hum. Gymn. Wien, Matura 1938, Med. Stud. Wien, Prom. 1947. K.: Sek - Arzt Path. Lainz, 1949 OA, 1968 Chefarzt. P.: 80 Veröff. Gesamtgeb. Path.: Schwerpunkt Tumorpath., bes. Tumormetastasen, Lungentumoren, Schwerp. Endocarditits, Beschr. eines Syndr. b. kleinzell. Lungenkarzinom m. paraneoplast. Endokrinopathie u. ac. Mestast. 1980 Pathologie d. Lungentumoren i. d. Bronch. Karz. heute. M.: Ges. d. Ärzte Wien, Österr. Ges. f. Path., Dt. Ges. f. Path., Europ. Ges. f. Path. H.: Wandern, Tennis, Autofahren, Oper, klass. Musik. (M.G.)

Wukovits Alfred

B.: Abt.Ltr.Stellv., Sozialvers.Ang. d. Bgld. Gebietskrankenkasse, Bgm. v. Draßburg-Baumgarten. DA.: 7000 Eisenstadt, Esterhazypl. 3, 7021 Draßburg, Eisenstädter Str. 7. PA.: 7021 Draßburg, Eisenstädter Str. 46. G.: Draßburg, 11. Apr. 1937. V.: Marianne, geb. Knopf. Ki.: Johannes, Anita. El.: Johann u. Paula. S.: VS, HS, HASCH. K.: seit 1955 Ang. d. BGGK, vorerst als Sachbearb. im Innendienst, 1967-88 Betriebsprüfer im Außendienst d. BGGK, seit 1989 Abt.Ltr.Stellv. d. Abt. Melde.Vers. u. Beitragsabt. d. BGGK, seit 1971 GemR., seit 1977 Gem.Vorst., seit 1987 Bgm. d. Gem. Draßburg-Baumgarten. E.: Verd.Kreuz d. Landes Bgld. 1988. M.: SPÖ, Rotes Kreuz, Präs. d. SV u. ASV Draßburg. H.: Wein- u. Obstbau. (M.B.)

Wulff-Gegenbaur Wolfgang Mag.

B.: Richter am Landesgericht f. Zivilrechtssachen. DA.: Museumstr. 12/34E, 1016 Wien. G.: Klagenfurt, 17. Sept. 1946. V.: Elisabeth. Ki.: Robert, Alexander. El.: Gerd u. Erika. S.: Matura 1965, Stud. Jus 1972, Gerichtsjahr, Richteramtsanwärter, Richteramt 1976, b. 1979 Familienrichter, seit 1979 LG f. Zivilrechtssachen, Schadensersatz-, Familienrecht. P.: Mitverf.: Schadenersatz in d. Praxis (1990), Aktuelle Musterverträge f. alle Geschäftsvorgänge, Vorträge über Gewährleistung, Familienrecht. H.: Jagd, Literatur. (J.E.)

Wulz Helmut Mag. phil. Prof.

B.: Ltr. d. Abt. Volkskultur im ORF LStudio Ktn., Gymn.Prof. f. Musikerz. DA.: 9020 Klagenfurt, Sponheimerstr. 13. PA.: 9526 Fürnitz, Bahnhofstr. 24. G.: Klagenfurt, 21. Mai 1936. V.: Uta, geb. Burda. Ki.: Waltraud, Irmgard, Gerhild. S.: Gymn. Villach, LBA Klagenfurt, Musikak. Wien, Stud. Germanistik u. Volkskunde an d. Univ. Wien, Abschl. 1961. K.: 1962-68 Prof. f. Musik u. Deutsch im Mädchengymn. Klagenfurt, 1970 Übernahme d. Ltg. d. Abt. Volkskultur im ORF (Red. u.a. Gestalt. v. "Aus d. Land f. d. Land", "Aus d. Heimat"), Sdg. im FS ü. Brauchtumstradition z.B. "Almleben in Ktn.", "Feuerbräuche in Ktn.", s. 1964 Ltr. d. a-capella-Chors in Villach (10 Schallplattenaufnahmen, Tourneen in Japan, Zypern, Italien, Deutschland, Jugoslawien). P.: Hrsg. d. Volkslieder aus d. Nachlaß Anton Anderluhs u.a. E.: Kulturpreis d. ÖVP, Walther v. d. Vogelweide Med., Anton Anderluh Plakette u.a. M.: Ltr. d. Arb.Aussch. im Ktn. Volksliedwerk, stellv. BChorltr. im Ktn. Sängerbund, Mtgl. d. wiss. Kmsn. d. österr. Volksliedwerkes, seit 1964 Ltr. d. Anton Anderluh Singwoche am Turnersee. H.: Arbeit in seiner Ldw., Hausmusik, Reisen. (D.M.)

Wulz Karl

B.: Elektriker, VBgm. v. Bad Bleiberg, ehem. Mtgl. d. Ktn. Landtages. PA.: 9531 Kreuth 348. G.: Kreuth, 25. Sept. 1930. V.: Angela, geb. Stauder. Ki.: Karin, Ruth. El.: Anton u. Susanna. S.: VS, HS, Berufsschule in Villach. K.: 1948-65 Elektriker in d. Bleibergr Bergwerksunion, 1966-86 Tätigkeit als Werkmstr., seit 1955 aktiv in d. Gewerkschaft, zuerst als ArbeiterbetriebsR., BetriebsR.Obm., stellv. Obm. d. ZentralbetriebsR., seit 1952 Mtgl. d. SPÖ, 1983-88 Bez.Obm.Stellv. in Villach, 1975-88 Abg. d. Ktn. Landtages, seit 1964 GemR. in Bad Bleiberg, Finanzref., Fremdenverkehrsref., VBgm. H.: Wandern. (D.M.)

Wunder Eveline Dr.

B.: RA, Dolm., Ltr. d. Österr.-Lateinamerika Inst. DA.: 9020 Klagenfurt, Villacher Str. 1b. G.: Klagenfurt, 22. Apr. 1935. V.: OStR. Mag. Roman. S.: Gymn., Jusstud. u. Dolm.Stud. f. Spanisch in Graz, 1958 Prom. Dr. iur. K.: RA-Praxis, Gerichtsjahr, bis 1982 in RA-Kzl. Dr. Burger-Scheidlin, 1983-87 eig. RA-Kzl., 1974 Grdg. d. Österr.-Lateinamerika Inst. (Organ. versch. Veranstalt. u. Vorträge), Lehrbeauftragte f. Spanisch an d. Univ. Klagenfurt, Unterr.-Tätigk. an d. Schule f. Ehe- u. Familienberat., aktiv in d. Sozialhilfe im Frauenhaus Klagenfurt u. im Ver. f. Betreuung u. Berat. psych. Kranker. M.: u.a. Soroptimist-Club (Red. d. "Union Nachr."). (D.M.)

Wunderer Anselm F.

B.: Verkauf, Verkaufsförd., innerbetriebl. Schulungsltr. FN.: Leitz Austria. GT.: Berater b. Werbeakt. sowie Vorträge in Form v. Tonbildschau. DA.: 1183 Wien, Bäckenbrünnlg. 76. PA.: 2532 Heiligenkreuz, Preinsfeld 31. G.: Wien, 27. Sept. 1944. Ki.: Innocence-Amadeus, Allegra-Isabell, Eliana-Udine. El.: Dipl.-Ing. Anton u. Prof. Kreszentia. BV.: Carl & Georg Teibler Maler. S.: VS, HS, Lehre als Fotokfm. b. d. Fa. Kodak. K.: 3 J. in d. Verkaufsförd. Fa. Kodak, 1966-68 Werbung u. Verkaufsförd. d. Fa. Matsushita Elektrik in Hamburg, seit 1968 im Verkauf d. Fa. Leitz, 1980 in d. Verkaufsförd. sowie Schulungsltr. b. d. Fa. Leitz. BL.: Interesse an d. Mitarb. f. Kreativität u. Umsetzung in d. Bereich Werbung, Verkaufsförd. u. Fotografie. P.: d. Leitz Info-Zeitung sowie Publ. in Fachzeitschriften über Überblendprojektion u. Fotografie. H.: Reisen um zu fotografieren, Material aufzuarb., Texten u. z. einer Tonbildschau zu verarb., Wandern. (M.Br.)

Wunderer Siegfried Dr. Univ.-Prof.

B.: Vorst. d. Klinik f. Kiefer- u. Gesichtschir. DA.: 1090 Wien, Alser Str. 4. PA.: 1190 Wien, Peter-Jordan-Str. 93. G.: Wien, 18. Mai 1917. V.: Helga, geb. Pelzl. El.: Armin u. Rosina. S.: VS, RG, Univ. Wien, 1940 Prom. K.: 1. Chir. Klinik, Klinik f. Kiefer- u. Gesichtschir., Hilfsarzt, Doz., Univ.-Prof., 1971 Vorst. BL.: Operationsmethode f. Bißanomalie, d. intern. verwendet wird. P.: ca. 110 Publ. in Fachliteratur. E.: Verdienstkreuz f. Kunst u. Wiss. 1. Kl. M.: Ehrenmtgl. d. ital. Ges. f. Stomatologie, etc. H.: Golf. (R.A.)

Wunderer Manijeh Mim

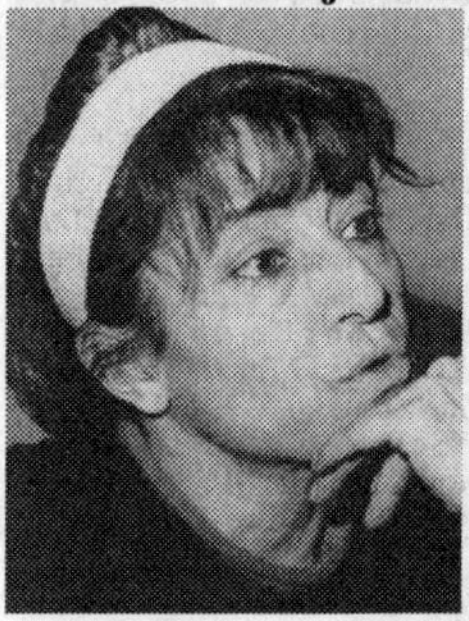

B.: Dir. FN.: Die Bühne im Hof. DA.: 3100 St. Pölten, Linzerstr. 18. PA.: 3141 Kapelln, Aufeld 25. G.: Iran, 15. Juni 1951. El.: Sharif u. Sara. S.: 1957-63 VS Teheran, 1963-69 Gymn. f. Naturwiss. Teheran, 1969 Deutschausb. i. Wien u. 2 Jahre Vorber. a. College i. Hinterbrühl, 1971-72 Boku Wien, 1972-74 Dolmetschstud., 1974-82 Stud. Publizistik, Politikwiss. u. Humanphil., 1982 Diss. K.: 1982-83 Org. u. Vorverkauf Wiener Metropol, 1983-89 Theaterarb., Betreuung von zwei Bühnen i. Wien, Schülerin v. Herwig Seeböck, 1989 Aufb. u. Idee der Bühne im Hof i. St. Pölten, 1990 Eröffnung, 1992 Ausbau d. Bühne im Hof. E.: Kulturpreis d. Stadt St. Pölten. H.: Reisen (Nordafrika, Wüstenexpeditionen). (M.G.)

Wunderl Franz Dkfm.

B.: Inh., Gschf. FN.: Schuhhaus Wunderl. DA.: 2610 Sollenau, Wr. Neustädter Str. 62, 55, 49. G.: 20. Sept. 1943. V.: Dkfm. Gerlinde. Ki.: Alexandra, Franz, Isabella. El.: Franz u. Anna. BV.: Vater 20 J. Bgm. in Sollenau, 1856 Grdg. d. Betriebes, bereits d. 5. Dynastie. S.: HS, HAK, HS f. Welthdl. Wien, gelernter Schuhmacher, 1 J. Stud. England, 1 J. Stud. Frankreich, 1/2 J. Stud. Schweden. K.: Beginn im väterl. Betrieb, 1974 Übernahme d. Betriebes. BL.: aktiver Fußballspieler b. Sportclub Vienna, UEFA-Teamteilnehmer. M.: Bez.Stellenltr d. Roten Kreuzes Sollenau. H.: Fußball, Reisen.

Wunderlich Uwe Dipl.-Ing.

B.: Verkaufsdir. u. Prok. FN.: Rohm and Haas Austria GmbH. DA.: 1150 Wien, Diefenbachg. 35-41. PA.: 3004 Ollern, Eichkogelstr. 6. G.: Hamburg, 5. Sept. 1939. V.: Dipl.-Ing. Maria-Elisabeth, geb. Mair. Ki.: Karin u. Gero. El.: Karl u. Maximiliane. S.: RG, Höhere Land- u. Bundeslehranst. Francisco Josephinum Wieselburg, Matura 1959, Stud. an d. HS f. Bdk., Grad. 1964. K.: 1964-67 Firma Ruthner Industrieanlagen f. Pflanzenbau - Kultivationstechniker, 1968 Eintritt in d. Firma Rohm and Haas Austria GmbH, seit 1979 Prok. u. Verkaufsdir. H.: Gartenarbeit, Fotografieren, Lesen. (J.S.)

Wundrak Wolfgang

B.: Entwurf u. Herstellung v. Schmuck, Restaurierung v. sakralen Gegenständen. DA. u. PA.: 5020 Salzburg, Rosseggerstr. 17. G.: Reichenberg/CSFR, 27. März 1932. V.: Gertrude, geb. Pichler. Ki.: Christoph, Rainer. El.: Emil u. Martha. S.: 1949-50 priv. Kunstschule "Rosen" Innsbruck u. Kufstein, 1950-53 Goldschmiede Kunstgewerbeschule Graz. K.: 1953-57 Praxis, ab 1957 freischaff. Künstler, Goldschmied in Sbg., zahlr. Ausstellungen im In- u. Ausland. M.: 1958-90 Vorst.-Mtgl. Berufsvereinigung freischaff. Künstler Österr., Sbg. Kunstver., 1960-90 Mtgl. d. Mstr.-Prüf.-Kmsn. Sbg. H.: Beruf, Zeichnen, Malen, Wandern, Fotografieren. (M.Mo.)

Wundsam Werner

B.: Gschf., Prok. FN.: SOLID Computer. DA.: 3002 Purkersdorf, Linzerstr. 63. G.: 29. Okt. 1937. V.: verw. Ki.: 4 Kinder. El.: Walter u. Luise. S.: VS, HS, Gymn., Lehre Buch-, Papier - u. Bürokfm. m. Prüf. abgeschl., 1957 Schulbild. abgeschl.

K.: bis 1961 kfm. Angestellter Buch-Papier-Branche, ab 1961 Filialltr. Waidhofen/Ybbs im Herold-Verlag, Hippolyt-Verlag, Hauer-Verlag, 1967-72 Einstieg in EDV-Branche Wien, Weigl Büromaschinen Handelsges., 1972-88 Tonko Büromaschinen Handelsges., ab 1988 SOLID EDV Vertriebs- u. Serviceges., vorerst Verkaufsltr., s. 1992 Gschf., Betreuung d. Großkunden u. Behörden. H.: im ÖGV tätig, Skifahren, Schwimmen. (J.M.)

Wündsch Leopold Josef Dr. phil. a.o. Univ.-Prof. Ing.

B.: Arbeitsbereichsltr. am Inst. f. Allg. u. Vergl. Physiologie. A.: 1090 Wien, Schwarzspanierstr. 17. G.: Wien, 21. Sept. 1942. El.: Leopold Karl u. Josefine. S.: HTL f. Chem. Ind. u. Gew., Univ. Wien, phil. Fak. (Zoologie, Botanik, Physiologie). K.: Pharmazeut. Ind. (Chemiker), Verl. d. Standesbez. "Ing." durch d. BM f. Bauten u. Technik 1971, Prom. z. Dr. phil. 1972, Habil. f. d. Fach "Allg. u. Vergl. Physiologie" 1976, Ernennung z. a.o.Univ.-Prof. 1983. P.: Arb. über vergl. Sinnesphysiol. u. physiol. Grundlagenforschung in versch. intern. Fachzeitschriften. M.: VPräs. d. Österr. Biophysik Ges., Stellv. Vors. d. Dienststellenaussch. d. HS-Lehrer an d. Univ. Wien, Mtgl. d. Österr. u. dt. Physiol. Ges., d. Dt. Zool. Ges.;

Wünsch Ernst Robert

B.: Schriftsteller. G.: Wien, 7. Febr. 1951. V.: Susanne, geb. Grassl. Ki.: Maximilian. El.: Ernst u. Maria. S.: hum. Gymn., 1969 Matura, Stud. Phil., Germanistik, Kunstgeschichte. K.: Theater d. Jugend Puppenspieler, Beitrag b. Steir. Herbst, 2 Theaterstücke m. Reinhard P. Gruber "Oscar", "Der Schilcher ist aus", div. Manuskriptpubl., Filme, Drehbücher Fernsehen, "Der letzte Hunt" 1975, "Beck lebt", "Mitgehangen eingegangen", 1982 ORF "Das kleine Fressen", journal. Tätigkeit Ktn. Volkszeitung, 1980 Hörspiel 7 Stücke u.a. Escalero brutal, "Die Verdauungstrilogie", "Die Fußstapfen d. Gartenzwerge", "Die Vogelscheuche, ein Flop", "Ohrwurm". E.: Anerkennungspreise f. Prosa, 1986 Otto Stoessl-Preis, 1987 Wr. Zeitung Lesezirkel Prosa Preis, Mitwirkung b. Intern. Würzburger Filmwochenende 1982, Kapfenberg Österr. Filmtage 1981-82, Künstlerhaus Wien Präsentation d. Österr. Film 1983. H.: Fußball, Reisen, Kochen, alte Schiffe. (M.G.)

Wünsch Horst Dr. iur. et Dr. rer. pol

B.: o.Univ.-Prof. DA.: 8010 Graz, Universitätspl. 3. PA.: 8010 Graz, Wegenerg. 11. G.: Graz, 29. Mai 1934. V.: Almuth, geb. Fritsch. Ki.: Herwig (1972), Gerit (1974). El.: ObstLt. a.D. Johann u. Herta. S.: Prom. z. Dr. iur 1956, Prom. z. Dr. rer. pol. 1957. K.: Nach d. Stud. Gerichtsjahr, anschl. RA-Anw. in einer d. größten Grazer RA-Kzl., seit 1960 Univ.Ass. am Inst f. Hdls.- u. Wechselrecht u. Arbeitsrecht u. am Inst. f. Zivilprozeßrecht in Graz, 1967 Univ.Doz. f. Handelsrecht an d. Univ. Graz, Suppl. einer Lehrkanzel f. Handels-, Wettbewerbs- u. Zivilprozeßrecht an d. Univ. Sbg. 1967-69, Berufung auf ein Ordinariat f. Handels-, Zivilprozeß- u. Zivilrecht an d. Univ. Sbg. u. auf ein Ordinariat f. Handels- u. Wertpapierrecht an d. Univ. Graz 1968, o.Univ.-Prof. f. Handels- u. Wertpapierrecht an d. Univ. Graz 1968 u. Vorst. d. Inst. f. Handels- u. Wertpapierrecht, Dekan d. Rechtswiss. Fak. d. Univ. Graz 1975/77, seit 1979 auch Vorst. d. Inst. f. Sparkassenwesen in Graz im

Österr. Forschungsinst. f. Sparkassenwesen, Mtgl. d. Forsch.Inst. f. Europarecht, 1983-88 Mtgl. d. GemR. d. LHpt.Stadt Graz, Mtgl. d. SparkassenR. d. Stmk. Verwaltungssparkasse in Graz, AufsR.-Mtgl. d. Landes-Hypothekenbank Stmk. P.: mehrere Bücher u. zahlr. wiss. Publ. in österr. Zeitschriften u. Sammelwerken. E.: EK f. Wiss. u. Kunst I. Kl., Körnerpreis, Kardinal-Innitzer-Preis. M.: Präs. d. Österr. Liga f. d. VN, LVerb. Stmk., Obm. d. Grazer Jur. Ges., VPräs. d. Steir. Ges. d. Musikfreunde, Vorst.Mtgl. d. Verb. d. Prof. an d. Univ. Graz, Mtgl. d. Bundesprof.-Konf., Vorst.Mtgl. d. Österr. Ges. f. bosnisch/herzegowinische Beziehungen.

Wunschheim Johannes

B.: Amtsdir., Wiss. Konsulent; Bibl. Dir. FN.: Hochschule f. künsterlische Gestaltung. DA.: 4010 Linz, Hauptplatz 8. PA.: 4490 St. Florian, Stiftstr. 12. G.: Wien, 2. Okt. 1939. V.: Christiane, geb. Rainer. Ki.: Christian, Günther, Astrid, Arrigo. El.: Eva u. Dr. Alfons. S.: HS, Gym. 1960 Matura , Akademie f. angew. Kunst Wien, Meisterkl. f. Gebrauchs- u. Druckgraphik-Kunstschule d. Stadt Linz, Abt. freie Graphik u. Abt. Metallplastik u. Formgebung, Accademia del ferro i. Mogliano di Veneto u. Treviso. K.: 1963-69 freiber. Gebrauchsgraphiker, Gießereiarb., Elektroschweisser u. Metallplastiker. 3/69 Vertragsbed. d. Rektorats d. HS f. Sozial- u. Wirtschaftswiss. Linz, 1972 Übernahme i. Bibliotheksdienst m. anschl. Ausb. u. Prfg d. österr. Nationalbibliothek Wien, 1974-78 Bundesstaatl. Studienbibliothek Linz, s. 1978 Dir. d. Bibliothek d. Kunsthochschule. P.: zahlr. Ausstellungen u. Gruppenausstellungen i. Linz, Triest, Treviso, 1976 Stadtmuseum Linz Verzeichnis d. Zeitschriften u. periodischen Durckschriften Linz, Oberösterr. Künstlerbibliographie 1966 - 1975 (1980), Oberösterr. Künstlerbibliographie 1976 - 1985 (1988), Bibliographie zu OÖ Geschichte (1980-92) u. a. E.: 1989 Konsulent f. Wiss. d. OÖ Landesregierung. (N.A.)

Wunschheim v. Lilienthal Alfons Reichsritter Dr. iur.

B.: Industrieller. A.: 4060 Leonding, Josef-Genuiter-Weg 9. G.: Innsbruck, 28. Juni 1904. V.: Eva, geb. Seidl v. Hohenveldern. S.: Hum. Gymn., Dr. iur. d. Univ. Wien. K.: 1927-45 OBmtr. d. Österr. Siemens-Schuckertwerke, Dir. d. Fbk. elektr. Apparate, Sprecher & Schuh GmbH Linz (1946-71), 1972-75 Präs. d. AufsR. d. AG d. Vöslauer Kammgarnfbk. Bad Vöslau, Vorst.Mtgl. d. Vereinigung Österr. Industrieller Wien u.a. E.: Gr. EZ f. Verd. um d. Rep. Österr., Gr. Silb. Ehrenmedaille d. Kam. d. Gew. Wirtschaft f. OÖ, EK f. Wiss. u. Kunst I. Kl., Silb. EZ d. Landes OÖ, Titel KommR., Ehrenbürger d. Markgem. St. Florian, Ehrenbürger d. Johannes-Kepler-Univ. Linz, Cratial u. Devotions Großkreuz d. Souv. Malteser-Ritterordens. M.: Mitbegründer u. Ehrenmtgl. d. Ges. f. Sozial- u. Wirtschaftspolitik, Arbeitgeberdelegierter b. d. ILO in Genf 1972-78 u.v.a. H.: Jagd.

Wuppinger Norbert

B.: selbst. Friseur. DA.: 5010 Salzburg, Sigmund-Haffner-G. 3. PA.: 5162 Obertrum, Gartenweg 13. G.: Salzburg, 6. März 1953. V.: Eva, geb. Hintermaier. Ki.: Verena (1978). E.: Johann u. Anna. S.: VS, HS, 1967-70 Friseurlehre b. Bundy + Bundy Sbg. K.: 1970 Bundy + Bundy Wien, 1971-81 Bundy + Bundy Sbg., 1 J. Coiffeur Christine Sbg., seit 1983 eigenes Geschäftslokal. M.: Ver. Kreativ. H.: Tennis, Laufen, Musik, Beruf. (M.C.)

Wurdak Walter

B.: Gschf. FN.: Zarges Leichtmetallbau GmbH. GT.: Verb. d. Sicherheitsing. u. Mitarb. im Österr. Normenaussch. DA.: 1110 Wien, Leberstr. 96. PA.: 1190 Wien, Hammerschmidtg. 18/22/2. G.: Wien, 6. Apr. 1939. V.: Hermine, geb. Kollarovics, 1 Kind. S.: RG, techn. Beruf erlernt, 2. Bildungsweg, Werkmstr.Schule, techn. kfm. Abiturentenlehrgang, 4 Sem. Werbung u. Marketing an d. HS f. Welthdl., engl., Managementausbild. (Seminare), post-graduate Managementausbild. WU Wien. K.: seit 14 J. b. Zarges Österr. davon 7 J. Gschf. H.: Segeln, Skifahren, klass. Musik, Fachliteratur. (P.R.)

Würfel Walter Dipl.-Ing.

B.: Unternehmensberater, Alleinh., Dipl.-Wirtschaftsing. FN.: Walter Würfel + Partner Intern. Consulting Group. DA.: 1010 Wien, Schotteng. 1. PA.: 5202 Neumarkt, Pfongau 29. G.: Warnsdorf, 26. Apr. 1940. V.: Brigitta, geb. Wrubel. Ki.: Christoph (1971), Matthias (1975). El.: Walter u. Erika, geb. Marady. S.: 1959-63 Stud. Textiling. Reutlingen, Württemberg u. Betriebswirtschaft in München m. Abschluß. K.: 1963-65 Dion.-Ass. u. Ltr. d. Produktivitätszentrums b. Fa. Triumph Intern. München, 1966-74 Fachberater u. Projektltr. in d. intern. Beratungsgruppe Kienbaum, 1974-85 Gschf. Kienbaum Beratungen GmbH Wien, 1985 Grdg. d. Walter Würfel + Partner Intern. Consulting Group m. Ndlg. in Wien, Neubiberg/München, Neumarkt/Sbg. u. Bregenz, Schwerpunkt: Ganzheitl. Unternehmensberatung f. Ind., Dienstleistungs- u. Handelsunternehmen, sowie f. öff. Institutionen. P.: zahlr. Art. in versch. Medien insbes. in Wirtschaftsmagazinen u. in Wirtschaftsteilen d. Tagespresse. M.: Grdg.-Präs. d. Lions Club Neumarkt. H.: Skifahren, Tennis, Radfahren, Musik. (N.A.)

Würfl Manfred Ing.

B.: Bmstr., Städt. Bmtr. A.: 6020 Innsbruck, Blasius-Hueber-Str. 12. G.: Innsbruck, 20. Okt. 1940. V.: Johanna, geb. Hotter. Ki.: Martina (1965), Andrea (1966). El.: Josef u. Alice. S.: VS, Realschule, Gewerbeschule, Matura in Tiefbau 1959, Bmstr.Prüf. 1966. K.: 2 J. Baultg. im Straßenbau, 4 J. Baultg. im Kraftwerksbau, seit 1966 b. d. Stadtgem. Innsbruck (Bau- u. Feuerpol.), seit 1972 Gerichtssachv. f. Realitätenschätzungen, seit 1972 Vortragender im WIFI. P.: Vierteljährl. Stadtteilzeitung "Reichenau Regional". M.: Ing.-Verb., Sachv.-Verb., Offz.-Ges., BSA. H.: Politik, Klass. Musik.

Würflinger Rudolf

B.: Selbst. Hafner u. Fliesenlegermeister. FN.: Rudolf Würflinger. DA.: 4810 Gmunden, Rennweg 11. PA.: 4812 Pinsdorf, Wasserfeld 7. G.: Gmunden, 17. Jun. 1949. V.: Ingeborg geb. Haringer. Ki.: Maximilian (1975), Christiane (1978), Andreas (1989). El.: Max u. Elisabeth. S.: VS., HS..K.: 1966 Lehrabschlußpr. f. beide Berufe, 1966-68 tätig i. elt. Betrieb, 1968-69 Praxis - Aufenthalt i. d. Schweiz, 1969 Meisterschule i. Stutgart, u. Ablegung d. Meisterpr. f. d. Hafnergewerbe, 1970-71 allgem. Präsenzd., 1971-81 neuerl. Mitarbeit i. elt. Betrieb a. Hafner u. Fliesenleger-Meister, 1981 Übernahme d. elt. Betriebs u. Weiterführung. H.: Reisen, Familie. (G.E.)

Würl Wilfried Dr. iur.

B.: RA, Konsulent. DA. u. PA.: 4600 Wels, Dr.-Salzmann-Str. 8. G.: Wien, 5. Sept. 1921. V.: Johanna. Ki.: Wilfried (1951), Susanne (1981). El.: Anton u. Wilhelmine. S.: Stud. Rechtswiss. Univ. Wien, 1940-45 Kriegseinsatz m. anschl. engl. Gefangenschaft, nach Entlass. Fortsetz. d. Stud. in Wien,

1947 Prom. K.: seit 1950 RA u. ab 1956 in Wels ansässig; 1981 Konsulent. P.: Lyrik: Hort d. Sehnsucht (1949), Nach Mitternacht (1959), Burg im Süden (1961), Laxenburg (1971), Unser Wels (1976), Herz u. Heimat (1980), Gotische Madonna (1985). E.: 1971 Gold. Ehrenring v. Laxenburg. M.: Schlaraffia u.a. (P.H.)

Wurm Franz Mag.
B.: Vorst.-Mtgl. FN.: Chemie Linz GmbH. GT.: Präs. d. VerwR. v. Chemie Linz Castellanza S.r.l. u. Chemie Linz (Schweiz) AG, Chairman Board of Dir. v. Chemie Linz North America Inc. u. Chemie Linz UK Ltd., Mtgl. d. Geschäftsführung Chemie Linz France S.A.R.L. DA.: 4021 Linz, St. Peterstr. 25. PA.: 4040 Linz-Plesching, Mitterleitenweg 5d. G.: Braunau, 6. Febr. 1949. V.: Vesna. Ki.: Vannina (1973), Vivien (1980). El.: Franz u. Herma. S.: Gymn., Stud. Hdls.-Wiss. HS f. Welthdl. Wien. K.: 1975 Eintritt Chemie Linz, 1986-90 Dir., Ltr. d. Bereiches Finanz- u. Rechnungswesen, seit 1990 in d. Geschäftsltg. d. Chemie Linz.

Wurm Friedrich Mag.
B.: Gschf. FN.: Mag. Friedrich Wurm GmbH Schülerhilfe. DA.: 4020 Linz, Mozartstr. 44. PA.: 4061 Pasching, Steinbruchweg 16. G.: St. Florian, 23. März 1954. V.: Rosemarie, geb. Zittmayr. Ki.: Thomas (1978), David (1981), Philip (1985). El.: Franz u. Maria. S.: VS, HS, 5 J. HBLA f. Ldw. St. Florian, 1973 Matura, Stud. Sport u. Geographie Sbg. K.: b. 1978 Unterricht BG Ramsauerstraße Linz, b. heute Sport u. Geographie nebenberufl., 1988 Grdg. d. Firma. P.: lfd. Art. über Lerntips u. über Schulprobleme in d. OÖ Nachrichten. H.: Sport, Familie, Haus u. Garten. (U.A.)

Wurm Gustav Mag.
B.: Gschf./Unternehmer. DA.: 4020 Linz, Flötzerweg 156. PA.: 4720 Neumarkt, Marktpl. 6. G.: Linz, 29. Juli 1956. V.: Dr. iur. Elisabeth, geb. Aschauer. Ki.: Gustav Maximilian, Phillip Christoph. El.: Dkfm. Gustav u. Lore. BV.: Wurmb Carl war Erbauer d. Alpenbahn. S.: Gymn. Wels, 1974 Matura, Stud. d. Betriebswirtschaft an d. Univ. Linz, Marketing u. Rechnungswesen, 1981 Mag. K.: 1981-84 Ltr. d. Detailhdls. d. Fa. Ludwig Christ, Erzeugungs- u. Hdls. GmbH, seit Juli 1983 Gschf. d. Beck & Co GmbH Neumarkt (Heimtiernahrung), seit Okt. 1984 auch Gschf. d. Fa. Lentia Schuhcouture GmbH Linz im Marketingbereich. M.: Round-Rable 34. H.: Golf (Golfclub Linz), Skifahren. (Deu.)

Wurm Helmut Dr. Univ.-Doz.
B.: Vors. d. BKonferenz d. wiss. u. künstler. Personals d. österr. Univ. u. Kunst-HS, Univ.Lehrer. DA.: 1090 Wien, Liechtensteinstr. 22a. PA.: 8010 Graz, Leonhardstr. 103. G.: Leoben, 28. Apr. 1943. V.: Dr. Annelise, geb. Kylianek. Ki.: Barbara (1972), Robert (1973), Elisabeth (1979). El.: Othmar u. Rudolfine, geb. Hammer. S.: 1960 Matura, 1961-69 Stud. d. Chemie u. Physik an d. Univ. Graz, 1969 Prom. K.: 1969-72 Univ.Ass. an d. Montan-Univ. in Leoben, 1972 wiss. Mitarb. d. österr. Ak. d. Wiss., ab 1973 Univ.Ass. am Physiolog. Inst. d. Univ. Graz, seit 1984 Doz. f. physiolog. Chemie, seit 1989 Vors. d. BKonferenz d. wiss. u. künstler. Personals d. österr. Univ. u. Kunst-HS. P.: ca. 50 wiss. Publ. in Fachzeitschriften aus d. Bereich d. physiolog. Chemie, div. HS-polit. Beiträge, Hrsg. d. Informationszeitschrift BUKO-info. M.: div. wiss. Ges., HS-Planungskmsn. b. BMin. f. Wiss. u. Forsch. H.: Tennis, Schwimmen, Schwammerl suchen. (N.A.)

Wurm Herbert Dipl.-Ing.
B.: Unternehmensberater. A.: 1190 Wien, Silberg. 18, 3400 Klosterneuburg, Weinbergg. 24. G.: Ried i.I., 19. Jan. 1940. V.: Dr. med. Helgard. El.: KommR. Dkfm. Herbert u. Maria. S.: BRG Ried, TH Wien. K.: Schlosserlehrling, Hilfstankwart, Gastarb. in Schweden, Ltd. Ang. in in- u. ausländ. "Multis", Hbv. d. Ratio Betriebs GmbH, Inh. einer d. ältesten Unternehmensbratungen Österr. (gegr. 1772). P.: Ratio-Katalog (1. Österr. Computerkatalog, 1972), Das IGF-System (1975). E.: Wehrdiensterinnerungsmed. 1959, div. sportl. Siegerurkunden. M.: ÖAMTC, Österr. Alpenver. H.: Phil., Historie, Kultur, Sport, Pfeifenrauchen.

Wurm Karl
B.: Inh. FN.: Wurm Design. DA.: 1180 Wien, Gustav-Tschermak-G. 7. PA.: 1080 Wien, Pfeilg. 14. G.: Wien, 31. Mai 1952. V.: Regina, geb. Gernot. Ki.: Anna, Karl. El.: August u. Johanna. S.: Gymn., höhere graph. BLehr- u. Versuchsanst. Bad Aussee Schloß Ramgut. K.: 12 J. Tätigkeit in d. Druckerei d. Eltern, 1984 selbst., Zeitungsprod.Sektor, auch redaktionell, Design f. wirtschaftl. Print, auch Kostenerstellung, Trouble shoulter f. gute Ideen. H.: Familie, Wurftaubenschießen.

Wurm Maximilian Anton RgR. Ing.
B.: Zentralinsp. i.R. d. Österr. Post- u. Telegrafenverw. PA.: 5500 Bischofshofen, Salzburger Str. 81. G.: Salzburg, 13. Jan. 1928. V.: Rosa, geb. Bergmüller. Ki.: Maximilian, Chrisantha, Maria. El.: Karl u. Magdalena. S.: 1942-44 Ing.-Schule Sbg., 1944-45 Dt. Wehrmacht, Wiederaufbau Ing.-Schule, 1948 Matura. K.: 1948 Österr. Post- u. Telegrafenverw. Sbg., 1949 Versetzung Bischofshofen, Techn. Betriebsführer, 1953 Ing., 1961 Ltr. d. Betriebsbez. Bischofshofen, 1980 Zentralinsp., 1982 RgR., 1988 Pension. BL.: Aufbau, Inbetriebnahme u. Umstellung d. gesamten Telefonnetzes v. OB-System auf Wählsystem, Neubau d. Fernmeldegebäudes Bischofshofen. P.: intern. Chroniken versch. Orte bezügl. Fernmeldetechnik. E.: 1988 Gold. EZ f. Verd. um d. Rep. Österr., 1982 RgR. H.: Lesen, Arb. im Haus u. Garten, Schach. (G.P.)

Wurm Maximilian
B.: Prok., Ltr. d. Finanz- u. Rechnugswesen. FN.: Landesverlag Holding. DA.: 4020 Linz, Hafenstr. 1-3. PA.: 4210 Unterweitersdorf, Nösterweg 3. G.: Linz, 8. Apr. 1955. El.: Max u. Hildegard. S.: VS, HS, HAK, 1974 Matura. K.: kfm. Verw. Firma Wertpräsent Wels, 1975 BH, ab 1976 wieder Firma Wertpräsent, seit 1984 Landesverlag Holding Linz, ab 1977 Ltr. d. Rechnungswesen b. Firma Wertpräsent, ab 1987 Ltr. d. Finanz- u. Rechnungswesen d. Landesverlaggruppe, seit 1992 zusätzl. Ltr. d. Finanz- u. Rechnungswesen d. Firma Wertpräsent, 1988 Prok. P.: Ref. z. Themen Finanz- u. Rechnungswesen. H.: Beruf, Garten, Skifahren, Fernsehfußball, Sauna. (U.A.)

Wurm Wilhelm
B.: Journalist. FN.: Media plus Verlag. DA.: 6380 St. Johann/Tirol, Niederhofen 25. PA.: 5760 Saalfelden, Auweg 23. G.: Pennewang, 19. Juni 1950. V.: Irmgard, geb. Manz. Ki.: Jürgen (1970). El.: Johann u. Maria. S.: VS, HS, Berufsschule als Konditor, 1967 Gesellenprüf., 1970 Mstr.-Prüf., fachl. Weiterbild. WIFI u. BFI. K.: 6 J. selbst. in Cafe u. Konditorei in OÖ, später b. Dt. Städteverlag, 1985-89 Chefred. v. Saalachboten in Saalfelden, selbst. eigene Zeitung Pferdeland Sbg., später Pferdeland Österr., Gründer intern. Alpenchampionat f. Kaltblutpferde. E.: 1967 Staatsmstr. Judo Leichtgewicht, 1967 Landesmstr. Judo Leichtgewicht. M.: Ver. d. Kaltblutpferde in Österr., Pferdezuchtverb., Trabrennver. H.: Gespannfahren, Reisen. (M.W.)

Wurmb Herbert Ing.
B.: Gschf. Ges. FN.: Elektronikwerkstätten Ing. Wurmb GmbH. DA.: 3032 Eichgraben, Wienerwaldstr. 2. PA.: 1140 Wien, Ludwigg. 18. G.: Wien, 20. Sep. 1951. V.: Elisabeth, geb. Hofbauer. Ki.: Bernhard (1978), Cornelia (1980). El.: Ing. Alfred u. Helene. S.: VS, Gymn., TGM Nachrichtentechnik Wien. K.: 1971 Eintritt in väterl. Betrieb, seit 1979 Gschf., Meisterprüf. f. Schlossergewerbe u. f. Radio- u. Fernsehtechnik. E.: Silb. EZ f. Verd. um d. Rep. Österr. H.: Computertechnik, Fotografie, Modellbau. (J.M.)

Wurmhöringer Franz

B.: Braumstr. FN.: Brauerei Wurmhöringer. DA. u. PA.: 4950 Altheim, Marktpl. 10. G.: Roßbach, 13. Mai 1951. V.: Gudrun geb. Haslinger. Ki.: Doris (1983), Karin (1985), Franz Klaus (1991). El.: Franz u. Johanna. S.: VS, HS, Buchhaltungskurs, 1966-69 Lehre als Brauer u. Melzer, 1969 Gesellenprüf., 1974-75 Braumeister- Schule. K.: seit 1975 im elterl. Betrieb als Braumstr. tätig, 1989 Betriebsübernahme. M.: Obm.-Stellv. Eisschützenver. H.: Betrieb. (J.L.)

Wurmhöringer Norbert Dr. HofR.
B.: Finanzbmtr. d. Finanz-LDion. Sbg. DA.: 5020 Salzburg, Kapitelg. 5. PA.: 5020 Salzburg, Alpenstr. 35. G.: Oberweißburg, 2. Juli 1930. V.: Ingrid, geb. Schlusche. Ki.: Peter. El.: Alois u. Maria. S.: Realschule, 1949 Matura, Stud. d. Rechtswiss. Univ. Innsbruck, 1955 Prom. z. Dr. iur. K.: 1949 Eintritt Finanzamt Sbg., seit 1957 Finanz-LDion. Sbg., seit 1978 Vorst. d. Geschäftsabt. 3, Vors. d. Berufungssenates in Abgabensachen, langjährige Organ.Tätigkeit im Betriebssportver. d. FLD. H.: Fotographie, Sport. (Föd.)

Wurmitzer Joachim Simon
B.: Inh. FN.: AMW Unterhaltungs- u. Veranstaltungsservice. DA. u. PA.: 5632 Dorfgastein 68. G.: Spittal/Drau, 12. Mai 1951. V.: Christine, geb. Freiberger. Ki.: Bernhard (1976), Michaela (1979), Petra (1986). S.: VS, HS, 1965-69 Lehre Elektriker in Spittal/Drau. K.: seit 1971 Fahrleitungselektriker ÖBB, 1981 Grdg. d. Agentur (Gruppenvermittlung f. Bälle u. Hotelveranstaltungen), 1985 Zusammenarb. m. Zeltverleih Stamper, Organ. f. sämtl. Groß- u. Kleinveranstaltungen, 1989 bisher größte Veranstaltung m. ca. 8000 Personen. E.: Anerkennungsmed. d. Landes Ktn. f. Katastropheneinsatz, Gold. EZ d. Roten Kreuz. M.: Aussch. Rotes Kreuz Gastein, Wasserrettung. (G.P.)

Wurnig Ernst Dr. med. univ.
B.: FA f. Zahn-, Mund- u. Kieferheilkunde. DA.: 5020 Salzburg, Plainstr. 28. PA.: 5020 Salzburg, Bergheimer Str. 47. G.: Wels, 24. Dez. 1926. V.: Waltraud, geb. Böhler. Ki.: Andrea, Ernst, Irmtraud, Leopold. El.: Dr. Leopold u. Gisella, geb. Plankensteiner. S.: VS, Gymn., Staatsgymn. Sbg., Med.-Stud. Innsbruck, 1951 Prom. K.: Fachausbild. Univ.-Zahnklinik Innsbruck, Ass. Univ.-Zahnklinik Insbruck, seit 1956 FA f. Zahn-, Mund- u. Kieferheilkunde in Sbg. M.: Österr. Alpenver. H.: Malerei, Musik, Literatur, Bergsteigen. (D.E.)

Wurnig Peter Dr. Univ.-Prof.
B.: em. Vorst. d. Abt. f. Kinderchir. d. Mautner Markhof'schen Kinderspitales u. ärztl. Ltr. A.: 1010 Wien, Schellingg. 12. G.: Innsbruck, 2. Jan. 1923. V.: Dr. Hilde, geb.

Querner. El.: Prim. Dr. Anton u. Marianne. S.: Grundschule in Bad Ischl, Gymn. in Kremsmünster u. Innsbruck (hum. Gymn.), Matura 1941, Med.Stud. in Königsberg, Ostpreußen, Würzburg, Berlin u. Innsbruck. K.: Ass. am anat. Inst. in Innsbruck 1949, 9 J. chir. Ausbild. an d. II. Chir. Klinik in Wien unter Prof. Dr. W. Denk u. Prof. Dr. Salzer, 5 J. OA an d. I. Chir. Abt. KH Lainz unter Prof. Salzer (Lungenchir., Kinderchir., Allg.Chir.), seit 1957 Konsiliarius f. Kinderchir. am NÖ Kinder-KH Speising bzw. Mödling, 1963 Übernahme d. kinderchir. Abt. im Mautner Markhof'schen Kinderspital, seither ausschl. f. Kinderchir. tätig, Habil. 1978 u. tit.a.o.Prof. 1983 f. Kinderchir., seit 1971 Organisator regelmäßiger intern. Symposien z. Thema Kinderchir. in Obergurgl. P.: ca. 150 versch. Publ. auf d. Gebiet d. Thoraxchir., Kinderchir. E.: Ehrenmtgl. d. Dt. Ges. f. Kinderchir., Ehrenmtgl. d. Ges. f. Kinderchir. d. DDR, Honorary Member of the Brit. Ass. of Ped. Surgery, Silbermed. d. Scand. Ges. f. Kinderchir. M.: Versch. ausländ. med. Ges.

Wurpes Walter

B.: Gschf. Ges. Maler Anstreicher Tapezierer Betrieb. FN.: Schwedler KG. DA.: 1180 Wien, Staudg. 40. PA.: 1160 Wien, Ottakringer Str. 33. G.: Wien, 23. Okt. 1944. V.: Renate, geb. Hausner. Ki.: Helga, Monika. El.: Josef u. Amalia. S.: HS, 3 J. Berufsschule f. Malerei u. Anstrich, 3 Sem. Mstr.Schule , 1972 Mstr.Prüf., 1976 Tapeziererzuatzprüf. K.: Fa. Riha Malerbetrieb, 1973 Fa. Schwedler Werkmstr., 1983 Gschf., seit 1984 gewerbeberechtigt. H.: Tennis, Radfahren, Wandern, Fotografieren, Musik. (A.K.)

Würschinger Wolfgang Klaus

B.: Inh. FN.: Klavierhaus Würschinger. DA. u. PA.: 8010 Graz, Bürgerg. 8-10. G.: Graz, 28. Jän. 1961. V.: Doris. Ki.: Klaus (1985), Felix (1990), Jutta (1992). El.: Klaus u. Margarete. BV.: Großvater Ivo Würschinger war d. Gründer d. Firma m. Filialen in Marburg u. Villach, Urgroßvater Ziegelfbk. Stainach u. Hotel Bahnhof. S.: VS, Gymn., versch. Jobs Senner, Müllverbrennungsanlage, Zeitungsverkäufer u.a., Lehre Firma Seisenbacher. K.: Praxis Firma Wendl & Lung Wien u. Firma Reisinger Wien, 1989 Mstr.-Prüf. Wien, 1989 Übernahme d. Betriebes. P.: Schriftsteller: Drama: Mes.m.b.H. - Messias m. beschränkter Haftung, Lyrik in Sterz, Perspektive Neue Zeit, Lesungen: Forum, Stadtmuseum, Kulturcafe Graz, Radio Stmk. M.: Schachclub Styria. H.: Schach, Literatur, Musik (Jazz). (R.S.)

Wurschy Walter Heinz Peter Dir.

B.: Alleinvorst. FN.: Investco Holding AG. GT.: Gschf. Ges. d. Firma Kommerz Invest, Prok. d. Firma Tele-Kommerz. DA.: 1100 Wien, Warneckestr. 8. G.: Wien, 17. Nov. 1940. S.: Mstr.-Schule d. Gewerbl. Wirtschaft. K.: b. 1972 selbst., 1973-81 Auslandstätigkeit in d. Investitionsbranche (BRD, England, Schweiz), ab 1984 EDV-Organisator b. einer Maklerfirma, 1985 Grdg. u. Alleininh. Invest Consulting Investitionsbeteiligung an Unternehmen. M.: seit 1985 Präs. d. Invest Club Wien. H.: Reiten, Karate. (M.M.)

Wurst Alfred Dr. iur.

B.: Dir. d. Bestattung Wien. GT.: Autor unter d. Pseudonym Alfred Warnes: Lyrik, Prosa u. Buchrezensionen für die Wiener Zeitung. DA.: 1040 Wien, Goldeggasse 19. PA.: 2391 Kaltenleutgeben, Doktor Berg-Siedlung 20/5. G.: Korneuburg, 19. Aug. 1936. V.: Erika, geb. Freund. Ki.: Therese (1975). El.: Robert u. Ida. S.: 1954 Matura, Stud. d. Rechtswissensch. an d. Univ. Wien, 1958 Prom. K.: Gerichtspraxis, 1959 Eintritt bei d. Wiener Stadtwerken, im Personalwesen tätig, seit 1992 Dir. d. Bestattung Wien. P.: 5 Buchpublikationen u.a.: "Lieder der Nüchternheit, "Training im Selbstbelauern", "Kaltenleutgebener Notizen". M.: BSA, Pen-Club, Österr. Schriftstellerverband. H.: Literatur u. Musik. (J.S.)

Würtele Christian Dir.

B.: gschf. Vorst.Mtgl. d. Tir. Hdls.- u. Gew.-Bank. DA.: 6020 Innsbruck, Sillg. 19. G.: Innsbruck, 1. Okt. 1946. V.: Rita, geb. Jöchl, 2 Kinder. S.: HAK, 1964 Matura, 1971 Bilanzbuchhalterprüf., 1981 Geschäftsltr.Prüf. K.: seit 1964 b. d. Tir. Hagebank. M.: Kiwanis-Club Innsbruck. H.: Berggehen. (Schm.)

Wurth Ernst Prof. OSR

B.: Obm., Ltr., Lehrer. FN.: Ernst Wurth Museum. DA.: 2353 Guntramsd., Schulg. 2. PA.: 2353 Guntramsd., Josefig. 27. G.: Guntramsd., 25. Jun. 1915. V.: Frieda, geb. Mühl. Ki.: Barbara (1950), Elisabeth (1958). El.: Ernst u. Marie. BV.: Urgroßv.: Johann Wurth schrieb Gedichte, Mitwirk. b. Schulref.-gesetz K. u. K., Vater: hat 1927 Museum gegr. S.: 1973 Mat. LBA f. Lehrer Wr. Neustadt, 1937-38 Bundesheer, 1938-46 Wehrmacht, Krieg u. Gefangenschaft. K.: 1947-60 Lehrer Volkss. Guntramsd., 1955-70 Gem.-Rat, s. 1969 Obers.-Rat, 1960-76 Dir. Volkss., 1972-74 Einricht. d. 1927 gegr. Heimatmuseum, umfangr. Samml. z. Ortsgesch., einige Spez.-Geb.: Urgesch., Römerz., Zeitgesch., Schulwesen, 1990 Prof. v. Bundespräs. verliehen, 1992 Gründ. Museumsver. "Ernst Wurth Heimatmus.". BL.: Ltr. Arb.-Kreis Heimatforsch. d. Südbahngeb. P.: 10 J. Schriftltr. Heimatkundl. Anl. Amtsbl. Bezirks-Hauptmannsch., "Ziegelwerk Guntramsdorf", "Alltag-Feste-Arbeitswelt", "Fürstenhof u. Mittermühle", "Unter dem Stab d. HL. Jakobus", Publ. ü. einz. Samml.-Obj. d. Museums. E.: Bronz. u. Silb. Verd.-Zeich. NÖ, Gold. Verd.-Zeich. Österr., Ehrenr. Gem. Guntramsd., Gold. Ring d. Gem. Guntramsd. M.: Weinsteuerkomm., Mtgl. Feuerwehr Ort-Bez.-Komm., Ltr. Senioren, Pionier Raika. H.: Ausgrabungen. (I.K.)

Wurth Rüdiger Dr. phil.

B.: Freier Schriftsteller. A.: 7013 Klingenbach, 1200 Wien, Pappenheimg. 24/16/II/9. G.: Sauerbrunn, 6. Aug. 1925. V.: Elisabeth, geb. Lindvay. Ki.: Judith (1948), Jürgen (1949), Agnes (1951), Rüdiger-Justus (1955), Dirk (1962). El.: Dipl.-Ing. Karl u. Christine. S.: Hum. Gymn., Milak., Univ. (Phil.). K.: Offz., 1946-49 Univ.Stud. (Diss. aus d. Bereich d. Naturrechts), danach freier Schriftsteller u. Fachjournalist m. Fachgeb. Postgeschichte, Kunst (Malerei, Plastik) sowie Philatelie u. Numismatik. P.: "Österr. Postgeschichte" (bisher 16 Bände), Handbuch "Sonderpostämter in Österr.", 1979, Fachbeiträge in div. Zeitungen u. Zeitschriften d. In- u. Auslandes. E.: Div. Kriegsausz., Silb. u. Gold. EZ f. Verd. um d. Rep. Österr., div. EZ u. Verdienstmed. in- u. ausländ. Fachorgan. M.: Intern. Posthistor. Ges., Grenoble, Dt. Altbriefsammler-Ver., Ehren- bzw. o.Mtgl. in versch. Fachvereinigungen Österr., d. BRD u. d. Schweiz. H.: Bergwandern, Philatelie.

Würtz Herwig Mag.

B.: Dir. FN.: Wr. Stadt- u. Landesbibliothek. DA.: 1081 Wien, Rathaus. G.: Linz/Donau, 29. Apr. 1937. V.: Birgit, geb. Ziervogel. Ki.: Verena (1969), Florian (1971). El.: Dr. Ferdinand u. Irmtraud, geb. Jungwith. S.: Gymn., 1956 Matura, Stud. d. Rechtswiss. Univ. Wien, 1968 Abschluß. K.: 1969 Eintritt Stadtbibl. Wien, wiss. Ref., danach Ltr. d. Druckschriftensammlung, 1991 Dir. (N.A.)

Würtz Wilhelm
B.: techn. Dir. FN.: Hansaton akust. Geräte GmbH & Co KG. DA.: 4020 Linz, Paul-Hahn-Str. 1-3. PA.: 4050 Traun, Offenbachstr. 8. G.: Glogau, 20. Jan. 1941. Ki.: Peter. El.: Martin u. Maria. S.: VS, HS, 1956-60 Elektromed. u. Rundfunkmechanikerlehre, 1963-65 Werkmstr.Schule HTL Elektrotechnik, 1966-70 Schulungen an d. Univ.Kliniken Wien, Graz, Innsbruck u. LKH Sbg. K.: ab 1964 beschäftigt b. Hansaton, 1971 Hörgeräteakustikerdipl., ab 1982 techn. Dir. u. Vertriebsltr. f. Audiolog. u. Elektromed. Geräte, Ärzte- u. Spitalsbedarf. M.: Mtgl. d. Entwicklungsteams f. andiolog. Technik im UBMed. Erlangen (Siemens), maßgebl. beteiligt b. d. Entwicklung d. kleinsten Hörgerätes d. Welt, Mtgl. d. Fachnormenaussch. f. Audimetrie d. Österr. Normeninst., Lehrbeauftragter u. Mtgl. d. Prüf.Kmsn. d. Österr. Ausbild.Zentrums f. Hörakustiker, Lehrbeauftragter d. BMU f. Ausbild. v. Lehrpersonen f. hörgeschädigte Kinder u. Jugendliche, Vortragender an d. allg. Krankenpflegeschule Schwarzach u. an d. Dipl.-Logopäden Schule im AKH Linz. H.: Garten, Fotographieren, Lesen, Sport. (J.G.)

Wurz Alexander
B.: Rennfahrer. PA.: 2380 Perchtoldsdorf, Fröhlichg. 7. G.: Waidhofen/Thaya, 15. Feb. 1974. El.: Franz u. Berta. S.: VS, HS, 3 J. HTL Kfz-Technik. K.: m. 12 J. BMX Weltmstr., seit 1994 Opel Werksteam, Dt. Formel 3 Meisterschaft. E.: 1992 Österr. Motorsportler d. J., 1986 BMX 1. Pl. WM, BMX 2. Pl. EM, BMX 1. Pl. Österr. Meisterschaft, 1987 BMX 1. Pl. Österr. Meisterschaft, 1988 BMX 1. Pl. Österr. Meisterschaft, 1989 Kart 2. Pl. Österr. Meisterschaft, 1990 Kart 6. Pl. Middle East Championship Kuwait, Kart 3. Pl. Österr. Meisterschaft, 1991 Formel Ford 1600 Österr. Juniorenmstr., Formel Ford 1600 2. Pl. Österr. Meisterschaft, Formel Ford 1600 2. Pl. Intern. Formel Ford Cup, 1992 Formel Ford 1600 1. Pl. Österr. Meisterschaft, Formel Ford 1600 1. Pl. Intern. Formel Ford Cup, Formel Ford 1600 1. Pl. Dt. Meisterschaft, Formel Ford 1600 4. Pl. Neuseeländ. Meisterschaft, Opel Lotus 4. Pl. Österr. Meisterschaft, Opel Lotus 9. Pl. Nationscup Estoril, Porsche Carrera 1. Pl. Gruppe B 24 Std. Nürburgring, Oldtimer GP 3. Pl. Salzburgring (BMW), 1993 Formel 3 1. Pl. Österr. Meisterschaft. M.: ÖAMTC. H.: Sport, CD, Swatch. (H.S.)

Wurz Ernst Dr. Mag.
B.: Ltr. Personal Raiffeisenlandesbank NÖ-Wien. DA.: 1020 Wien, Hollandstr. 2. PA.: 1020 Wien, Hollandstr. 1/6/23; 3961 Waldenstein, Groß Neusiedl 1. G.: Gmünd, 21. Apr. 1957. V.: Maria, geb. Weiss. Ki.: Julia (1989), Florian (1991). El.: Ernest u. Emma, geb. Winkler. S.:Haupts. Gmünd, Mus.-Päd. Gymn. Krems, 1976 Matura, Stud. Rechtswiss. Univ. Wien, 1982 Prom. Dr. iur. K.: Studien Vertragsass. am Inst. f. Arbeits- u. Sozialrecht, 1982 Gerichtspraxis, BH, 1982 Eintritt Personalabt. d. Raiffeisenlandesbank NÖ-Wien, seit 1990 o.g. Position, ab 1991 Prok., seit 1991 VBgm. d. Gem. Waldenstein. M.: ÖCV, ÖVP, Rotes Kreuz, Ver.-Obm. d. Waldviertel Akad. H.: Kinder, Politik, Lesen, Kultur-Management. (N.A.)

Wurz Peter
PA.: 1140 Wien, Bahnstr. 14. G.: Wien, 24. Jan. 1940. V.: Erika, geb. Pongowski. Ki.: Dipl.-Ing. Peter, Michael. El.: Alfred u. Rosa. BV.: Gattin ehem. poln. Adelsgeschlecht. S.: Matura (RG), TH Wien, techn. Physik (nicht abgeschl.). K.: Programmierer (Sperry GmbH), Computerverkäufer, Branch Manager, Project Manager, Dir. Technical Operatings, Dir. Customer & Marketing Support, Marketingdir. d. Unisys GmbH. BL.: Teilnehmer d. Yngling WM 1980 u. 1984. M.: VÖYWS, Yngling Ver., WWF. H.: Regattasegeln, Fotografie. (R.A.)

Wurz Wolfgang Dr. phil.
B.: Gschf. Ges. FN.: GMO Management u. EDV Organ.-Beratung GmbH. DA.: 1010 Wien, Himmelpfortg. 13. PA.: 1190 Wien, Sieveringerstr. 183a. G.: Wien, 2. Nov. 1931. S.: 1950 Matura, Phil.-Stud. Univ. Wien, 1955 Prom. K.: 1955-56 Entwicklungsing. Siemens-Schuckert BRD, 1956-62 wiss. Mitarb. C. Reichert Opt. Werke, 1962-68 Member of Scientific Staff BELL Telephone Laboratories New Jersey/ USA, 1968-72 Prof. Univ. of Georgia, 1972-86 Schulungsltr. Sperry Computer Wien, 1987 Bereichsltr. GMO Management u. EDV Organ.-Beratung GmbH, seit 1991 Gschf. Ges. BL.: Patentinh. im Bereich d. Metallmikroskopie. P.: 1958-62 versch. Publ. aus d. Bereich Mikroskopie, 1966-68 Metallographie Superleitfähigkeit, 1968-70 Militär. Forsch. H.: klass. Musik, Lesen, Langstreckenlauf. (M.-L.A.-M.)

Würz Franz Ing.
B.: Bmstr. u. Gschf. FN.: Gleitbau GmbH. DA.: 5033 Salzburg, Friedenstr. 1. PA.: 5020 Salzburg, Max-Reichlich-Str. 16. G.: Kubin/CSFR, 18. Okt. 1926. V.: Eleonore, geb. Pirich. Ki.: Alexander, Eugen. El.: Franz u. Gisela. S.: Gymn. m. Kriegsmatura, HTL in Graz. K.: 1948-60 f. ein Bauuntern. in Graz tätig, seit 1960 Gschf. d. Gleitbau GmbH in Sbg., einem weltweit anerkannten Spezialuntern. f. d. Entwicklung u. Ausführung hochmechanisierter Bautechnologien. P.: Beiträge in Fachzeitschriften u. b. Symposien. E.: Träger d. Österr. Staatswappens, 1986 Verleihung d. "Prix de Prom. Intern. de l'Industrie" d. "Institute de Prom. et Industrie" in Genf, Verleihung d. Titels "TechnR.". H.: Segelfliegen. (Foed.)

Wurzer Christian H.

B.: Etatdir. FN.: Vogel, Neuwirth Werbeagentur. DA.: 1080 Wien, Laudong. 12. PA.: 1180 Wien, Wallrißstr. 70. G.: St. Pölten, 15. Dez. 1962. V.: Mag. Petra, geb. Heim. El.: Helmut u. Helga. S.: Matura, Univ.-Lehrgang f. Werbung u. Verkaufsförderung, Stud. Publizistik, Gewerbeprüf. f. Werbeberater u. Werbemittler. K.: 1984-88 Kontaktgruppenltr. f. d. Österr. Bundesbahn d. Österr. Verkehrswerbung, 1988-89 Kundenberater Demner & Merlicek, 1990 Etatdir. Werbeagentur Creativ Communications, 1992/93 Etatdir. Werbeagentur GESCO, 1993 Etatdir. T/C Werbeagentur, seit 1993 Etatdir. Vogel, Neuwirth Werbeagentur. H.: schriftstell. Tätigkeit, Musik, Kabarett. (F.S.)

Wurzer Günther Dr. Dkfm.
B.: Österr. Handelsdelegierter f. Bulgarien. DA.: BG-1000 Sofia, Han Krum 3. G.: Klagenfurt, 17. Aug. 1933. V.: Renate, geb. Egger. El.: Hans u. Wilhelmine. S.: hum. Gymn., WU Wien u. Univ. Wien. K.: seit 1958 in d. Außenhdls.Abt. d. BWirtschaftskam., Hdls.-Delegierter in Colombo, Djakarta, Ankara, München u. Athen. P.: Div. Artikel über wirtschaftliche Themen, bes. über Außenhdl. E.: Gold. EZ f. Verd. um d. Rep. Österr., Kommandeurskreuz d. Griech. Phoenix-Ordens. M.: Rotary-Club. H.: Skifahren, Tennis, Archäologie u. Philosophie.

Wurzer Johannes Dr. Prof.
B.: LPA-Prof. an d. PädAk. Baden (Humanwissensch.), Landesvors. d. NÖ Bildungs- u. Heimatwerkes, Obm. d. NÖ Heimatwerkes reg.Gen.m.b.H. DA.: 1010 Wien, Wipplin-

gerstr. 13/5., 1010 Wien, Herreng. 6-8. PA.: 3542 Gföhl, Gr. Kühbergweg 18. G.: Krems, 23. Jan. 1945. V.: Lia, geb. Berger. Ki.: Michael (1969), Irene (1976). El.: Johann u. Maria. S.: 1963 Matura (Piaristengymn. Krems), Jus-Stud., Päd. Stud. K.: Lehrer f. VS, HS, PL, 1980 Prom., 1982 Stv. Landesvors. d. NÖBHW, 1984 Landesvors., 1988 Prof. an d. PädAk, 1990 Obm. d. NÖ Heimatwerk reg.Gen.m.b.H. P.: Div. Fachpubl. zu d. Themen Päd. u. Erwachsenenbildung. M.: Ltd. Mtgl. in Bundesverbänden. H.: Zeitgeschichte, Marken, Münzen. (J.E.)

Wurzer Katharina

B.: Handweberin, Gschf. FN.: Tiroler Handwebe. DA./PA.: 6306 Söll, Söll-Wies 5. G.: Wörgl, 3. März 1939. V.: Engelbert. Ki.: Mathilde, Engelbert-Johann, Franz-Josef. El.: Peter u. Anna. S.: VS, HS, 1953-56 Lehre als Handweber, Gesellenprüf., 1960 Meisterprüf. K.: 1961 Übernahme d. elterl. Betr., 1965 Heirat u. Erricht. d. Wohnhauses, 1987 Erricht. d. Gesch. H.: politisch angergiert, bewußtes Leben, Liturgie. (A.W.)

Wurzer Ludwig

B.: Gschf. FN.: Ingeborg Wurzer, Personalleasing f. Ind. u. Anlagenbau. DA.: 3002 Purkersdorf, Deutschwaldstr. 96-98. G.: St. Pölten, 5. Sept. 1953. V.: Ingeborg, geb. Gutschi. S.: Grundschule, 3 J. Berufsschule f. Bauspengler. K.: Montageltr., 1972-82 Prok. b. Fa. PARI, seit 1982 Gschf. b. Fa. Wurzer. M.: FC Purkersdorf (Trainer d. Jugendmannschaft). H.: Hunde. (G.K.)

Wurzer Manfred

B.: Gschf.: Kühnl u. Wurzer Spezialwerkstatt f. Elektromechanik/Elektronik, Gschf. Ges.: Kühnl u. Wurzer GmbH (Beschalungs- u. Tonstudiotechn.). DA.: 4020 Linz, Industriezeile 36. PA.: 4112 Rotenegg, St. Gotthard 53. G.: Walhausen, 22. Sep. 1954. V.: Marianne, geb. Zwettler. Ki.: Melanie (1982). El.: Rudolf (einer d. besten Alpinbergsteiger Österr.) u. Gertrude. S.: Abendschule, BFI, weiterbild. Kurse in Digitaltech. u. Elektrotech. K.: 10J. EGB (Projektierung), 4J. Ltr. e. Musikhauses, s. 1983 selbst., 1986 Grdg. d. Elektrotechnikfirma. H.: Schifahren. (P.H.)

Wurzer Manfred

B.: Geschäftsinh. FN.: WM Flowers. DA.: 8044 Graz, Maria Troster-Str. 207a. PA.: 8044 Graz, Frauengruberstr. 1. G.: Hartberg, 18. Apr. 1965. El.: Heribert u. Frida. S.: HS, Polytechn. Lehrgang, Lehre als Gärtner, 1983 Abschluß, 1983-86 Floristenlehre, 1986 Abschluß, 1988 Ausbildnerbefähigungsprüf. f. Floristen. K.: 1986-89 Teilhaber einer Gärtnerei, 1989-90 Gärtnermstr.-Ausbild., 1990 Mstr.-Prüf., 1990 Eröff. d. Hauptgeschäftes WM Flowers, 1991 Zeugnis f. Stage Intern. d'Art floral, 1992 Zeugnis f. Floralcollagen, seit 1990 Mtgl. d. Ver. z. Förd. u. Erhaltung d. Blumenbinderei - Blumenbindermuseum, Aktivschüler b. Top-Mstr.-Florist Nicole v. Boletzky Zürich u. Guy Martin Paris, 1992 Eröff. d. Filiale WM Flowers Gleisdorf. (F.K.)

Wurzer Margot

B.: Geschäftsinhaberin/Kosmetikerin, Damenkleidermacherin. FA.: Kosmetiksalon Margot Wurzer. DA.: 1100 Wien, Laaer Berg-Str. 34/3. G.: Feldkirchen Kärnten, 15.1.1961. V.: Helmut. Ki.: Christine (1990). El.: Dipl.Kfm. Dr. Walther Landeshauptmannstellvertreter a.D. u. Hermine Weißmann. S.: VS, HS, Frauenberufschule - Damenkleider, Abschluß Damenkleidermacherin, Privatschule f. Kosmetikerin. K.: Ausbildung zur Kosmetikerin i. Privatschulen, Kammerprüfung in versch. Salons gearbeitet, bei Hautärztin m. Kosmetiksalon als Geschäftsführerin tätig, seit 1. Juli 1988 selbstständig, Umstellung auf hochwertige Naturprodukte, vielseitige Behandlungsmethoden, Bio Epilation, dauerhafte Enthaarung. P.: div. produktbezogene Veröffentlichungen. M.: Innungsmitglied. H.: Schwimmen, Singen, Schifahren, moderne Musik, Pferde. (W.M.)

Wurzer Rudolf
Dr. techn. Dr. h.c. Dr.-Ing. e.h. Dipl.-Ing.

B.: Arch. an d. TU Wien, Poltiker, Raumplaner. PA.: 1190 Wien, Hohe Warte 7. G.: Mörtschach, 3. Mai 1920. V.: Ellen, geb. Luther. Ki.: Birgit (1953), Ralph (1958). El.: Isidor Albin u. Hermine, geb. Bergnz. S.: 1934-38 Höhere Staatsgewerbeschule Villach Abt. Hochbau, 1938-44 Arch.-Stud. TH Wien, 1947 Prom., 1959 o.-HS-Prof. f. Städtebau, Raumplanung u. -ordnung. K.: 1959-61 Konsulent d. Amtes d. Ktn. Landesrg. f. Raumplanung, 1960-62 Vors. d. FachbeiR. f. Stadtplanung d. Bundeshauptstadt Wien, 1963/64 Dekan Fak. f. Bauing.-Wesen u. Arch. TH Wien, 1966 Gastprof. TU Istanbul, 1966-71 Mtgl. d. II. Staatsprüf.-Kmsn. f. Bauing.-Wesen d. TH Wien, 1968/69 u. 1969/70 Rektor d. TH Wien, 1968/69 Aufbau d. Studienrichtung Raumplanung u. -ordnung TH Wien, 1970-74 1. Vors. d. Studienkmsn. dieser neuen Studienrichtung, 1971 Berufung z. Mtgl. d. Wiss.-Forums z. Beratung d. Bundesmin. f. Wiss. u. Forsch., 1972 Grdg. d. Camillo-Sitte-Fonds u. Bestellung z. gschf. Obm. P.: Einzelinteressen u. Raumordnung (1953), Planung u. Verwirkl. d. Wiener Ringstraßenzone (m. Mollnik u. Reining 1980), Über d. Entwickl. u. Raumpl. in Österr. (1985), Ein Stadtentwicklungsplan f. Wien (1983). E.: 1965 Gr. EZ f. Verd. um d. Rep. Österr., 1967 Fritz-Schumacher-Preis, 1970 Dank u. Anerkennung d. Bundesrg. f. hervorragende Mitarb. an d. Ausarb. d. Gutachtens über d. Aufgaben u. Ziele einer Raumordnungspolitik in Österr., 1971 Gr. Gold. EZ f. Verd. um d. Rep. Österr., 1973 Gold. Ehrenmünze d. Österr. Ing. u. Arch.-Kam., 1977 Dr. h.c. TU Budapest, 1978 Ehrenmtgl. d. Ungar. Ges. Urbanistik, 1980 Honorary-Vicepres. d. Intern. Federation for Housing and Planning Den Haag/NL, 1983 Gr. VK m. Stern d. VO d. BRD, 1984 Bürger d. Stadt Wien, Gr. Silb. EZ m. d. Stern f. Verd. um d. Rep. Österr., Gr. Gold. EZ d. Landes Ktn., 1988 Ehrenmtgl. d. Ak. f. Raumforsch. u. Landesplanung Hannover, Dr.-Ing. e.h. HS f. Arch. u. Bauwesen Weimar, 1990 Johann Joseph Ritter v. Prechtl-Med. d. TU Wien. M.: 1973 Mtgl. d. Österr. UNESCO-Kmsn., 1973 u. 1974 Vors. d. Österr. RaumordnungsbeiR., 1973-78 1. Präs. d. 2. Dipl.-Prüf.-Kmsn. d. Studienrichtung Raumplanung u. -ordnung, 1976-83 Mtgl. d. Wr. Landesrg. u. amtsführender StadtR. f. Stadtplanung, 1980-90 ständiges Mtgl. d. DenkmalbeiR. b. Bundesmin. f. Wiss. u. Forsch., 1981-83 Vors. d. Raumordnungsaussch. d. Österr. Städtebundes, b. 1988 Vors. d. Vors. d. Österr. Ges. f. Raumforsch. u. -planung, 1990 beratendes Mtgl. d. Fritz Schumacher-Preis-Kuratoriums d. Stiftung F.V.S. Hamburg, 1991 Berufung in d. Grdg.-Komitee d. Inst. f. ökolog. Raumentwicklung durch d. Sächs. Bundesmin. f. Wiss. u. Kunst. H.: Histor. Relikte, Krawatten, Anglerutensilien, Sammeln v. Pfeifen, Literatur. (N.A.)

Wurzer Siegfried

B.: Gschf. FN.: Siegfried Wurzer GmbH & Co. DA.: 9620 Hermagor, Kühwegboden 30. PA.: 9620 Hermagor, Neudorf 16. G.: Metnitz, 9. Sept. 1931. V.: Hildegard. Ki.: Christian, Astrid. El.: Valentin u. Astrid. S.: VS, HS, Holzfachschule Kuchl. K.: gelernter Holzhändler, in versch. Firmen tätig, 6 J. Kanada als Holzhändler, 1960 zurück nach Österr. u. Aufbau d. Fa. BL.: Export BRD, USA, Kanada, Skandinavien, Ostasien. P.: Fachzeitschriften, Österr. Exportkatalog. E.: Kollegium Touristikum. M.: Ktn. Jägerschaft. H.: Jagd, Reisen, Skifahren. (U.A.W.)

Wurzinger Josef Dr. iur.

B.: selbst. Uhrmachermeister. DA.: 8010 Graz, Sporg. 13. PA.: 8053 Graz, Niclas-Strobl-Weg 6. G.: Graz, 5. Mai 1930. V.: Helga, geb. Stangl. Ki.: Karin (1961), Ursula (1966). El.:

Josef u. Maria. S.: VS, Gymn., Uhrmacherlehre im elterl. Betrieb, 1948 Abschluß, 1950 Matura Abendgymn., 1951 HAK-Matura, 1951-52 Mstr.-Kl. d. Bundesfachschule f. Uhrmacherind. Karlstein, 1952 Mstr.-Prüf., 1954 Jusstud. K.: seit 1959 neues Geschäftslokal, 1963 Geschäftsübernahme, 1983 Filiale Frohnleiten; 1975-90 Landesinnungsmeister d. Uhrmacher, Gold- u. Silberschmiede, s. 1975 Vors. d. Meisterprüf.-Kmsn. f. Uhrmacher. M.: Obm. d. Unterstützungskasse f. Uhrmacher, Gold- u. Silberschmiede. (I.G.)

Wurzinger Klaus Georg Dr. med. univ.
B.: FA f. Zahn- Mund- u. Kieferheilkunde. DA.: 6973 Höchst, Kirchplatz 6. PA.: 6890 Lustenau, Mariahilfstr. 4. G.: Lustenau, 26. Dez. 1957. V.: Dr. med. univ. Ines. Ki.:Sarah (1990), Lukas (1991). El.: Franz u. Lore. S.: 1976 Matura BRG Bregenz, 1982 Prom. Univ. Ibk., 1984 BH, FA-Ausb. Universitätszahnklinik Wien, 1984 FA-Prfg. K.: 1985 Eröffng. d. Praxis i. Höchst, 1988 Stv. Ltr. d. Abt. Mund-Kiefer- u. Gesichtschirurgie am LKH Feldkirch, 1991 Fachgruppenobm. f. Vbg. M.:ÖGZMK. H.: Klass. Musik, Gartenarbeit, Radfahren. (I.D.)

Wurzinger Peter
B.: Kfm. FN.: W + F Peter Wurzinger u. Ottokar Ferk Vers.-Service. DA.: 8054 Graz, Feldkirchner Str. 4. PA.: 8020 Graz, Karlauerstr. 42a. G.: Leoben, 23. Nov. 1948. V.: Angelika, geb. Reuthner. Ki.: Lisa (1990). El.: Franz u. Margarete. S.: VS, Gymn., Kfm. Ausbild. K.: ab 1966 Tätigkeit im elterl. Textilbetrieb, 1977-79 Kaufhausltr. Moden Müller Graz, 1978-83 elterl. Betrieb, 1983-88 selbst. in Textilhdl., 1985-87 Aufbau d. Ital. Firma Bernardi Graz u. Wien, 1988 Grdg. d. Unternehmens W + F. H.: Tennis, Skifahren, Beruf. (M.Gr.)

Würzl Anton Dr.
B.: Sektionschef a. D., Intern. Tourismuskonsulent. GT.: Lehrbeauftragter f. Fremdenverkehrspolitik an d. Wirtschaftsuniv. Wien. PA.: 2500 Baden, Weichselg. 13. G.: Wien, 18. Aug. 1925. V.: Edeltraut, geb. Fischer. Ki.: Dr. Anton, Mag. Marianne, Andrea, Dr. Stefan. El.: Anton Michael u. Katharina Anna. S.: VS, RG m. Matura, Österr. Fremdenverkehrsak., Dr. iur. d. Univ. Wien. K.: Mitarb. im elterl. Betrieb: Kellner u. Barmixer, seit 1951 BMH Ref. in d. Abt. Fremdenverkehr u. Wirtschaftsförd., 1971-73 Ltr. d. Abt. "Fremdenverkehrspolitik", 1973-91Ltr. d. Gruppe "Fremdenverkehr u. Gewerbeförd.", 1953-68 Gschf. später Konsulent d. Österr. Hotelierver. P.: zahlreiche nationale, regionale u. lokale Tourismuskonzepte, Stadtleitbilder usw., viele Art. u. Veröff. über Wirtschafts-, Fremdenverkehrs- u. Umweltthemen sowie über Industrial Design. E.: Silb. EZ f. Verd. um d. Rep. Österr., Gold. Med. "pro merito" d. Österr. Hotelierver., Gold. Med. d. Bundes Österr. Gastlichkeit, Gr. EZ f. Verd. um d. Rep. Österr., Gold. EZ f. Verd. um d. Fremdenverkehr im Land Vbg., Österr. Olympia Med. 1976, Ehrennadel d. Stadt Mariazell in Gold, Med. "pro merito" Alpine Ski-WM 1982, Silb. EZ d. Collegium Touristicum Carinthia, Silb. Komturkreuz d. EZ f. Verd. um d. Bdl. NÖ, Gr. Tir. Adler Orden, Gr. EZ d. Landes Ktn., EZ d. Gem. Serfaus, Gr. Silb. EZ f. Verd. um d. Rep. Österr., Gr. Gold. EZ d. Landes Stmk., Gold. Ehrenring d. Stadt Mariazell, Gr. Verdienstkreuz d. Verdienstordens d. BRD, Gr. Silb. EZ f. Verdienste u. d. Land Wien, Gr. Verdienstzeichen d. Landes Vbg. M.: Vors. d. Hauptwahlkommission d. BK d. Gew. Wirtschaft, Vors. d. Sektion Tourismus d. österr.-ung. Regionalen Forums, Ehrenmtgl. d. Österr. Hoteliervereinigung, d. Bundes Österr. Kur- u. Tourismusdirektoren u. d. Österr. Inst. f. Formgebung, Assoc. Intern. d'Experts Scientifiques du Tourisme, Österr. Ges. f. Statistik u. Informatik, Österr. Juristentag, Österr. Alpenver., Österr. Ges. v. Gold. Kreuz, Rotary Club Baden/Past-Pr., Österr. Club. H.: Malerei d. 20. Jhdt., Musik.

Würzl Eberhard Dr. phil. Mag. art.
B.: Ltr. einer musikpäd. Lehrkanzel, em.o.HS-Prof. d. Musik-HS Wien. GT.: freier Wissenschafter, Univ.Lektor. DA.: 1030 Wien, Lothringerstr. 18. PA.: 1030 Wien, Radetzkystr. 27/20. G.: Wien, 1. Nov. 1915. V.: Gertrude, geb. Hofmann. Ki.: Alfons, Magdalena, Elisabeth, Thomas. El.: Alfons u. Maria. BV.: Mutter entstammt d. berühmten Ärztefamilie Denk. S.: Gymn., LBA, Musikak. (Lehramt, Kirchenmusik), Stud. d. Musikwiss. Univ. Wien, Spons. z. Mag. art., Prom. z. Dr. phil. K.: VS-Lehrer, Gymn.Lehrer f. Musikerziehung, Fachinsp. (StadtschulR. f. Wien), HS-Prof. f. Musikpäd., 1970-74 Stellv. d. Präs. bzw. Rektors, nebenberufl. Kirchenmusiker (Chorltr. u. Organist). P.: Mitautor v. 2 Schulliederbüchern u. einem Lehrbuch f. Musikerziehung, Diss. über Johann Strauß, 3 Bde., 1961-80 Chefred. d. Zeitschrift "Musikerziehung", 1983-86 Red. d. Zeitschrift "Österr. Orgelforum". E.: EZ f. Verd. um d. Befreiung Österr., Offizierskreuz d. Poln. Verdienstordens, 1974-80 Präs. d. Österr. Volksliedwerkes u. Mtgl. d. NÖ Kultursenates. M.: Arge d. Musikerzieher Österr. (AGMÖ), Österr. Ges. f. Musikwiss. H.: Forsch. (Johann Strauß), Bergwandern, Kunstreisen. (P.R.)

Wussow Barbara

B.: Schauspielerin. DA.: Agentur Doris Mattes, D-8000 München 22, Merzstr. 14. G.: München, 28. März 1961. V.: Albert Fortell. El.: Klaus-Jürgen Wussow u. Ida Krottendorf. S.: Gymn., 1979 Matura, Stud. Akad. d. Bild. Künste Wien, 1983 Dipl., 1J. Schauspielschule Krauss, Abschlußprüf. f. Schauspiel. K.: Engagement am Theater in d. Josefstadt, 1984-88 Schwarzwaldklinik, Stargast in Johannes Heesters Spzial, Fernsehspiele: "Tierheim" u. "Blue Blood", "Ein seltsamer Gast", 1988 Festpiele Stockerau "Helden", 1988-89 Tournee "Monpti" BRD, Schweiz, Österr., FS-Serie "Hecht u. Haie" (ARD), "Mozart" (ORF), 1991 Tournee "Himmelbett" m. A. Fortell, div. Leseabende. H.: alte Märchenbücher. (J.S.)

Wüst Michael Ing.
B.: Gschf. Ges. FN.: Ing. Michael Wüst Industrie-Elektronik GmbH. DA.: 2544 Leobersdorf, Friedhofstr. 3. PA.: 2544 Leobersdorf, Friedhofstr. 3. G.: Wien, 24. Aug. 1960. V.: Elisabeth, geb. Ecker. Ki.: Susanne (1979), Veronika (1982), Katharina (1989). El.: Johannes u. Eva. S.: Gymn., TGM (Nachrichtentechnik), Matura m. Ausz. 1979, TU Wien (Elektrotechnik). K.: 1979-81 Ass. am TGM, gleichz. freiberufl. tätig f. mehrere techn. Büros, Vortragstätigk. am WIFI f. Techn. Kurse, 1981-82 Aufbau e. Hardwareabt. f. d. Fa. Kühr GmbH, 1983-84 Entwickl.-Ltr. u. Kundendienstadmin. b. EDE Elektronik GmbH, 1985-89 Techn. Ltr. u. gewerberechtl. Gschf. b. IVM-TC Wien GmbH, 1985 Grdg. d. Ing. Michael Wüst Industrieelektronik in Leobersdorf u. s. Anf. 1990 ausschließl. selbst., 4/90 Grdg. d. EVVA Industrie-Elektronik GmbH, 4/93 Übernahme aller GmbH-Anteile i. Fam.Besitz, Umbennenung i. Ing. Michael Wüst Industrie-Elektronik GmbH. M.: MKV, Wirtschaftsbund. H.: Beruf, Familie, Umweltprojekte. (J.S.)

Wüstenhagen Axel Dr. iur.
B.: Stellv. Dir. FN.: Informationsdienst d. Vereinten Nationen in Wien. GT.: Vorst.Mtgl. d. Österr. Liga f. d. Vereinten Nationen. DA.: 1400 Wien, Internationales Zentrum Wien. G.: Hamburg, 23. Jan 1942. V.: Dr. Ulrike, geb. Wagner, 3

Kinder. El.: Gen.Int. Karl u. Emmi. S.: Stud. Rechts- u. Staatswiss., 1965 Prom. K.: 1967-73 Gen.Sekr. d. Liga f. d. Vereinten Nationen, seit 1972 im Dienst d. Vereinten Nationen. H.: klass. Musik. (P.R.)

Wüster Heinrich Ing.

B.: Gschf. Ges. d. "Mewaplast H. Wüster GmbH & Co KG". DA.: 6460 Imst, Auwerk 18. G.: Wien, 2. Apr. 1946. El.: KommR. Dipl.-Ing. Heinrich u. Dr. Irene. S.: HTL, Matura. K.: Seit 1972 gschf. Ges. M.: Lions Club Westtirol. H.: Segeln, Skifahren. (Schm.)

Wustinger Johann Ing.

B.: Wirtschafts-Ing.; Gschf. Ges. FN.: Watt Drive Antriebstechnik GmbH; Watt Trade GmbH; Watt Euro Drive GmbH; Watt Drive GmbH. DA.: 2753 Markt Piesting, Wöllersdorfer Str. 68. PA.: 2344 Maria Enzersdorf, Barmhartstalstr. 47. G.: Wien, 17. Feb. 1938. V.: Annemarie, geb. Heinreichsberger. Ki.: Hannes (1963), Annemarie (1965), Christian (1967), Andreas (1967). El.: Johann u. Elisabeth. S.: Werkstudent am TGM Wien, 1963 Matura, 1963-67 Wirt.-Stud. a. d. HS f. Welthandel, 1967 Abschl. als Wirt.-Ing. K.: Auslandsaufenthalte i. Deutschland, Schweden u. USA, 1968-72 Gschf. Ges. d. Fa. Adam Baumüller GmbH, 1972 Grdg. d. Wustinger Antriebstechnik, 1975 Grdg. v. 1. Betriebsstätte i. Wr. Neudorf, 1980 Einführung eig. Antriebsprogramm, 1985 Grdg. d. Werkes i. Piesting, 1990 Einrichtung d. Werkes i. Singapur, 1992 Grdg. d. Werkes i. Dortmund. M.: im Gremium d. BWK NÖ, i. Gremium d. HTL Wr. Neustadt. H.: Segeln, Skifahren, E-Musik, Konzerte. (I.K.)

Wüstner Bruno

B.: Landessekr. FN.: Pensionistenverband, Landesorg. Vorarlberg. DA.: 6900 Bregenz, Anton Schneiderstr. 19. PA.: 6900 Bregenz, Im Wingat 8. G.: Mellau, 18. Aug. 1953. V.: Helga-Maria, geb. Zwickle. Ki.: Doris (1974), Hans-Werner (1976), Olivia (1982), Frederic (1992). El.: August u. Berta. BV.: mütterl. Rudolf Wacker. S.: Buchdruckerlehre Bregenz, 1972 Abschl. K.: 1972 Sekr. d. Bregenzer Bürgerm. - SPÖ Bezirkssekr., 1975 Stadtvertreter, 1985-91 Stadtrat Res. Umwelt, Verkehr u. Schule, 1980 Sekr. d. Pensionistenverb. E.: Gold. Umweltnadel d. Landeshptstd. Bregenz. M.: s. 1970 SPÖ, 1992 Präs. d. Vlbg. Leichtathl. Verb., 1993 Vize-Präs. d. öst. Leichtathl.-Verb. H.: Hundesport, Leichtathletik, Singen, Lesen. (I.D.)

Wuthe Franz

B.: Inh. FN.: Franz Wuthe Kfz Auto Top Service. DA. u. PA.: 8020 Graz, Triester Str. 15-25. G.: Graz, 23. Jän. 1947. V.: Ursula, geb. Istenes. Ki.: Isabella (1981). El.: Franz u. Erna. BV.: Vorfahren de Angelis. S.: VS, HS, Fachschule Kfz-Mechaniker. K.: Versuchsabt. u. Arbeitsvorbereiter Steyer Daimler Puch, 1973 Grdg. d. Betriebes, Gerichtssachv., Schätzmstr. BL.: Entwicklung v. versch. Geräten, Konstruktion u. Werkzeuge f. techn. Betriebsbedarf. M.: Oldtimer Club, Jagdver. d. Jung- u. Aufsichtsjäger, VPräs. 1. Grazer Freizeitclub. H.: Jagd, Reisen, Skifahren. (R.S.)

von Wuthenau Michael

B.: Vors. d. Geschäftsltg. FN.: Ciby-Geigy GmbH. DA.: 1231 Wien, Breitenfurter Str. 251. G.: Halle/Saale, 8. Nov. 1938. V.: Ursula, geb. Schwörer. Ki.: Beatrice (1967), Nikolaus (1968), Theresa (1971). S.: Gymn. Biberach, b. 1966 Jurastud. an d. Univ. München, Genf u. Freiburg. K.: seit 1969 Fa. Ciba-Geigy Frankfurt, Basel u. Wehr. (M.G.)

Wutscher Harald Dipl.-Ing.

B.: Arch., staatl. befugter u. beeid. Ziviltechniker, Bausachv. DA.: 1010 Wien, Seilerstätte 5. PA.: 1130 Wien, Meytensg. 4. G.: Norwegen, 27. Mai 1943. V.: Dr. Elisabetta, geb. Moneta. El.: Dr. Konrad u. Margit, geb. Skaar. S.: 1963 Matura, Stud. TU Wien. K.: b. 1975 in versch. Büros in Wien tätig, ab 1976 selbst., div. Studienreisen nach Afrika, Asien u. Amerika. E.: 1990 1. Preis im Wettbewerb Eissporthalle Wien 22. H.: Theater, Ballett, klass. Musik, Jazz, Lesen, Reisen, Sport, Tennis, Skifahren, Fußball. (M.G.)

Wutscher Walfried

B.: Ldw., Präs. d. Ldw.-Kam. Ktn. DA. u. PA.: 9470 St. Paul/Lavanttal, Unterrain 6; 9020 Klagenfurt, Museumg. 5. G.: Unterrain, 5. Mai 1944. V.: Elfriede, geb. Niesel. Ki.: Mag. Werner (1968), Gerald (1970). El.: Paul u. Antonia. S.: VS, HS, 1962-64 Ldw. Fachschule St. Andrä/Lavanttal. K.: ständige Mitarb. im elterl. Betrieb, 1966 Übernahme d. Betriebes, 1969 ldw. Mstr.-Prüf., 1964-68 Landjugendobm., seit 1966 div. polit. Funktionen, 1970-75 Vorst.-Mtgl. d. Lagerhaus St. Paul, 1975-90 Obm. Lagerhaus St. Paul, 1977-90 AufsR. Raiffeisenverb. Ktn., 1981.90 LandeskamR. d. Ldw.-Kam. Ktn., 1982-90 AufsR.-Vors. Raiffeisenverb. Ktn., 1990-91 VPräs. Ldw.-Kam. Ktn. u. seit 1991 Präs., seit 1992 Landesobm. Ktn. Bauernbund, Obm.-Stv. Raiffeisenverb. Ktn. P.: div. Abhandlungen in fachspezif. Publ. u. Vortragstätigkeit. M.: dir. örtl. Ver. H.: Lesen, Wandern. (G.L.)

Wutte Christian Dr. phil.

B.: Hotelier Hotel Arabella, EDV-Beratung Dr. Wutte Software. DA. u. PA.: 9122 St. Kanzian/Klopeiner See, Westuferstr. 30. G.: Wien, 10. Jan. 1957. V.: Mag. Dr. Inge, geb. Korak. Ki.: Manuela (1988), Raphaela (1993). El.: Dr. med. Josef u. Dr. med. Charlotte. S.: VS, Gymn., 1975 Matura, 1975 Stud. Physik u. Math. Univ. Wien, 1983 Prom., BH. K.: 1984-86 wiss. Mitarb. am Inst. f. Hochenergie u. Physik Wien, 1986-89 Tätigkeit im Bereich d. Entwicklungen v. elektron. Zählern b. d. Firma Uher, 1987 Gastgewerbeprüf., 1989-94 Tätigkeit im Bereich Software-Entwicklung b. d. Firma Siemens, seit 1988 Software Dr. Wutte, 1994 Übernahme d. elterl. Hotels "Hormosana" u. Umbenennung, 1993 Grdg.-Mtgl. Liberales Forum. P.: Abhandlungen im Bereich Festkörperphysik u. Hochenergiephysik in intern. Fachpubl. M.: Tennisver. Stein. H.: Tennis, Skifahren, Theater, Konzerte, Reisen, Fotografieren, Filmen. (G.L.)

Wutte Jürgen Dr.

B.: Prim., FA f. Chir. im Marien-KH Vorau. DA. u. PA.: 8250 Vorau, Spitalstr. 101. G.: Gera/Thüringen, 17. Feb. 1945. V.: Margarete, geb. Ablasser. Ki.: Daniela, Alexandra.

El.: Rudolf u. Ruth. S.: BRG Pestalozzi Graz, 1972 Prom. z. Dr. med. univ. K.: 1972-75 Turnusausbild. in LKH Hartberg, anschl. Ausbild. z. FA f. Chir. an d. chir. Abt. d. LKH Hartberg, seit 1977 Stellv. d. Ltr. d. chir. Abt. d. LKH Hartberg, 1985 Ernennung z. Prim. u. Vorst. d. chir.-geburtshilfl.-gynäkol. Abt. d. Marien-KH Vorau. M.: Öst. Ges. f. Chir., Österr. Arge f. Osteosynthese. H.: Schmal- u. Videofilm, Radfahren, Tennis, Skifahren, Fußball.

Wutte Josef ÖkR.

B.: Ldw., Bgm. Gem. Gallizien. DA.: 9132 Gallizien, Gemeindeamt. PA.: 9132 Gallizien, Abriach 6. G.: Abriach, 14. Mai 1931. V.: Margarethe, geb. Olip. Ki.: Josef (1957), Margarethe (1960). El.: Josef u. Ursula. S.: VS, HS, 1945-48 ldw. Berufsschule Gallizien. K.: Mitarb. im elterl. Betrieb, 1956 Übernahme, 1970-79 VBgm. v. Gallizien (ÖVP), seit 1979 Bgm. E.: 1991ÖkR., 1991 Silb. Verd.-Abz. Raiffeisenverb. M.: Obm. d. Raiffeisenkasse Gallizien, Obm.-Stellv. d. Raiffeisenkasse Eberndorf, Obm. d. Raiffeisen Lagerhauses Eberndorf. H.: Land- u. Forstwirtschaft. (G.L.)

Wutti Richard Andreas

B.: Gschf. d. Fa. Aigner. DA.: 9500 Villach, Stefan-Moser-Str. 4. PA.: 9623 Landskron, Beethovenstr. 2 A. G.: Villach, 6. Sept. 1937. V.: Christa, geb. Bock. Ki.: Brigitte, Günther. El.: Franz u. Maria. S.: Pflichtschulen, Kfm. Lehre, 12 J. kfm. Praxis in renomiertem Unternehmen in Villach. K.: 18 J. Betriebsltr. d. Fa. Aigner, seit 1984 gschf. Ges. d. Fa. Aigner. BL.: v. 10-Mann-Betrieb z. einem leistungsf. 70-Mann-Betrieb entwickelt. P.: In d. ÖTM u. d. ÖTZ werden d. jeweiligen Kollektionen vorgestellt. M.: Mtgl. d. HK Ktn., Verb. reisender Kaufleute. H.: Tennis, Skifahren, Schwimmen. (Hat.)

Wutzer Hannes KommR. Ing.

B.: Gen.-Dir. FN.: Avanti AG. DA.: 1015 Wien, Parkring 18. G.: 1931, verh., 2 Kinder. S.: VS, Gymn., TGM. K.: Gschf. b. Avanti, seit 1972 Gen.-Dir. H.: Beruf.

Wutzl Johanna

B.: Floristin, Gschf. FN.: Schönau Blumen Rotenturm GmbH. DA.: 1010 Wien, Rotenturmstr. 29. PA.: 1210 Wien, Töllerg. 42/2/7. G.: Wien, 6. Aug. 1939. V.: Alois Wutzl. Ki.: Gabriela. Enkelki.: Robert, Manuela. El.: Plankenbüchler Johann u. Johanna, geb. Schrei. S.: VS, HS, BFS, 1956 Gesellenprüf. als Floristin, 1988 Dipl.-Prüf. WIFI St. Pölten. K.: 3 J. Lehre als Floristin Fa. Anderle, 1956-74 Floristin in d. Fa. Gearb, 1974-79 Floristin in d. Fa. Pohl, 1979-87 Gschf. in d. Fa. Pohl. E.: 2 Bronzemed. Intern. Gartenschau Oberlaa 1974. H.: Blumen u. alles Schöne, Musik, Malen u.s.w.

Wyk Helmut KommR.

B.: Optikermstr. FN.: Thomas Wyk, Optiker KG, Haus d. Optik. DA.: 1160 Wien, Hippg. 1. PA.: 3400 Klosterneuburg, Kollersteig 99. G.: Wien, 31. März 1934. V.: Elisabeth, geb. Hasil. El.: Thomas u. Gabriele. S.: Realschule, Berufsschule, Optikerlehre, Gesellenprüf., Kontaktlinsenoptiker-Lehrgang, Konzessionsprüf. K.: 1949 Beginn d. Optikerlehre im elterl. Betrieb, 1951 Praktikant in Bregenz, 1952 Gesellenprüf., 1955 Fil.Ltr., 1957 Mstr.Prüf. u. Übernahme d. elterl. Betriebes. E.: 1989 KommR. M.: Österr. Wirtschaftsbund, Ver. Dt. Kontaktlinsenanpasser. (L.B.)

Wyklicky Helmut Dr. em.o.Univ.-Prof.

B.: o.Univ.-Prof. am Inst. f. Geschichte d. Med. d. Univ. Wien, FA f. Innere Med. DA.: 1090 Wien, Währinger Str. 25. PA.: 1030 Wien, Dampfschiffg. 12. G.: Troppau/CSFR, 31. Aug. 1921. El.: Hans u. Karoline. S.: VS, 1940 Matura, Stud. d. Med. in Wien, 1947 Prom. K.: 1941-45 Kriegsdienst, FA-Ausbild. f. Innere Med. an d. Klinik Lauda, 1948-81 Rettungsarzt, seit 1960 b. Erna Lesky am Inst. f. Geschichte d. Med., ab 1960 halbtägiger Vertragsass., 1969-81 Lehrauftrag f. Geschichte d. Med. in Graz, 1975 Habil., 1979-81 Supplent u. seit 1981 Ordinarius am Inst. f. Geschichte d. Med. P.: "Das Josephinum" (1985), "Zur Geschichte d. Psychiatrie in Wien" (1984), "Zur Geschichte d. Augenheilkunde in Wien" (1984), "200 Jahre Allg. Krankenhaus" (1984), "Ges. d. Ärzte in Wien 1945-50", ca. 250 wiss. Arb. über d. Geschichte d. Med. M.: Mtgl. d. Ges. d. Ärzte in Wien. H.: klass. Musik. (M.B.)

Wysocki Josef Dr. phil. Dr. rer. pol.

B.: o.Univ.-Prof. A.: 5084 Großgmain, Hochburger Höhe 414. G.: Leienkaul, 24. März 1937. V.: Helene, geb. Greiner. El.: Willibald u. Elisabeth. S.: Abitur: Kurfürst Balduin-Schule Münstermaifeld, Stud. Geschichte u. Romanistik, VWL in Mainz. K.: Wiss. Ang. b. versch. Inst., 1971-74 o.ö.Prof. an d. Univ. Hohenheim, seitdem o.Univ.-Prof. f. Wirtschafts- u. Sozialgeschichte an d. Univ. Sbg. P.: u.a.: Infrastruktur u. wachsende Staatsausgaben, Forschungen z. Sozial- u. Wirtschaftsgeschichte, 1975, 75 Thaler sind schon ein Capital, 1975, Untersuchungen z. Wirtschafts- u. Sozialgeschichte d. dt. Sparkassen im 19. Jh. 1980 sowie Aufsätze in Fachzeitschriften. E.: Gr. Silb. EZ f. Verd. um d. Rep. Österr. M.: Korr. Mtgl. d. Ak. f. Raumforsch. u. LPlanung, Ges. f. Sozial- u. Wirtschaftsgeschichte, Ges. f. Wirtschafts- u. Sozialwiss. (Ver. f. Socialpolitik).

Xander Brigitte

B.: ORF-Red. DA.: 1040 Wien, Argentinierstr. 30A. PA.: 1190 Wien, Billrothstr. 1/7. G.: Bruck/Mur, 27. Apr. 1947. El.: Hannes u. Therese Xander, geb. Ploberger. S.: VS, Mittelschule, Stud. Dolmetsch (Engl., Franz., Russ.) u. Rechtswiss. Univ. Wien. K.: 1967 Eintritt b. ORF, seit 1969 b. Ö3, Schwerpunkte: "Wecker" u. "Hundert Tausend Schilling Quiz", lfd. im Rahmen RÖI Sendungen f. Österr. UNO-Soldaten im Ausland, seit 1970 Fernsehen zuerst "Modeboutique" dann "Dalli-Dalli", "Bitte zu Tisch ab 1988 "Wien heute". E.: Gold. Mikrophon, Voix Sympatique. H.: Tauchen, Tennis, Katzen. (N.A.)

Yampolky Georgi

B.: Inh. FN.: Textildruck & Siebdruck Zentrum Wien. DA.: 1070 Wien, Kaiserstr. 78. PA.: 1020 Wien, Obere Donaustr. 71/22. G.: Bolgrad/Ukraine, 21. Feb. 1934. Ki.: Mag. Alexander (1960), Boris (1967). S.: 1963-68 Stud. Malerei u. Grafik Ak. d. Bild. Künste Repin i. Kischinev. K.: 1968 Emigration n. Israel, 1980 Niederl. i. Österr. 1981 Grdg. Fa. Textildruck & Siebdruck Zentrum Wien; tätig als freisch. Maler, 1983 Ausst. v. Handarb. i. Novotel. H.: Fischen, Billard spielen, Musik. (N.A.)

Yi Ding
B.: 7-facher Tischtennisstaatsmeister, Gschf. FN.: Ding Yi GmbH Tischtennis-Fachshop. DA.: 1060 Wien, Gumpendorfer Str. 33. G.: Shanghai/China, 14. Jan. 1959. V.: Jie-Ru. Ki.: Simon (1991). El.: Prof. Dr. med. Ding Yu u. Li Ji Hao. S.: 2 J. Stud. Sportphysiotherapie Univ. Shanghai. K.: m. 6 J. Beginn m. Tischtennis, m. 14 J. bereits Mtgl. d. chin. Nationalmannschaft in Peking, gleichzeitig Spieler f. d. chin. Armeesportteam, 4x chin. Staatsmeister in d. Mannschaft, 1981: Nr. 3 v. China, ab 1983 in Italien, Spieler f. Sant Epidio a Maje, Ital. Meister u. Sieger d. ETTU-Cup, seit 1985 in Österr., zunächst Mtgl. b. Kuchl, seit 1987 Union TTC-Wolkersdorf, d. größten Erfolge: 1992 Olympiade 5. Pl. Einzel, 1988 Olympiade 9. Pl. Einzel, 1990 EM 3. Pl. Mix-Doppel, 1989 Europa Top 12 4. Pl. Einzel, 1991 US open 3. Pl. Einzel, 7-facher Österr. Staatsmeister, 1992 Grdg. Ding Yi GmbH. P.: "Alter Baum, immer grün". E.. zahlr. Ehrungen u. Ausz. H.: Golf. (J.S.)

Yilmaz Joe

B.: Friseumeister. FN.: Haute Coiffure Francais, Young Talents Studio, Intercoiffeur Decker. DA.: 6850 Dornbirn, Moosmahndstr. 6. PA.: 6850 Dornbirn, Marktpl. 5. G.: Püllimür (Türkei), 16.Mai 1949. El.: Yusuf, Fidam. S.: GS, Friseurlehre in Istambul, 1968 Abschluß, 1971 Meisterprüf. K.: 1971 als Friseurmeister tätig, 1972 Übersiedl. nach Österr. u. Friseurmeister in Dornbirn, 1973 Firseurmeister in London, 1974 Rückkunft nach Dornbirn, 1983 GF bei Fa. Decker in Dornbirn, 1991 Übern. d. Betriebes u. Haute Coiffure Francaise Betrieb. BL.: Frisurgestaltung bei Mißwahlen. E.: 1977 Bodenseepokal bei Preisfrisierwettbewerb, 1. Preis bei Färbewettbewerb., div. Intern. Preise M.: Vorarlberger Modebeirat u. Trainer. H.: Schwimmen, Beruf. (I.D.)

Yoo Sang-Hyun
B.: Inh. FN.: "Midori" Japan.-Korean. Restaurant. DA.: 1060 Wien, Gumpendorfer Str. 29. PA.: 1070 Wien, Stollg. 4/3. G.: Korea, 27. Jun. 1952. V.: Kyong Hee. Ki.: Sin Yeung (1982), Yong Chul (1983). S.: Kochlehre i. Korea. K.: 1984 Niederl. i. Österr.; 1984-90 Koch i. Rest. "Tokyo" Wien 1, 1991 Eröffn. d. eig. Lokals. H.: Kochen, Sport, Schwimmen. (N.A.)

Young Maggie
B.: Dir. Danube Intern. School. DA.: 1100 Wien, Gudrunstr. 184. PA.: 1180 Wien, Canong. 13/5. G.: Manchester/England, 25. Feb. 1947. V.: John Young. Ki.: Matthew, Benjamin. El.: Douglas u. Louise. S.: Bachelor of Arts. K.: 1968-71 Unterrichtstätigkeit Intern. School Wien, 1987-90 Singapur, 1990-92 Dir. Pawen Intern. Commun. School Wien, anschl. Grdg. d. Danube Intern. School. H.: Tanzen, Lesen, Kochen, Spazierengehen, Stickereien, Gartengestaltung. (N.A.)

Ypsilanti Georg Simon Johann
B.: Maler u. Skulpteur. FN.: Galerie u. Atelier Georg Ypsilanti. DA.: 1030 Wien, Weißgerberlände 12. PA.: 1030 Wien, Seidlg. 9. G.: Athen, 15. Sept. 1950. V.: Maria Anna, geb. Pusch. Ki.: Simone Helene (1985). El.: Fürst Alexander u. Fürstin Avra Ypsilanti. S.: 1954-59 Lausanne, 1959-60 Rappoltenkirchen, Künstler autodidakt. K.: Graph. Lehre u. Konditorlehre in Wien; s. 1991 Atelier, 1992 Grdg. Galerie u. Atelier, Ende 1992 erste Skulpturen, ab 1993 Arb. in St. Margarethner Sandstein u. Baustahl, zahlr. Einzelausstell. u. Ausstellungsbeteil., Open-Atelier, Mithilfe bei Fassadengestalt., u.a.: 1991 ÖKO-Schule in Wien 23., Design-Aufträge. H.: Lesen. (J.S.)

Zabransky Karl-Peter
B.: Inh. FN.: Karl-Peter Zabransky Licht Lampen. DA.: 1160 Wien, Wernhardstr. 22. PA.: 1140 Wien, Feilpl. 2. G.: Wien, 12. März 1942. Ki.: Karin (1964). El.: Karl u. Leopoldine, geb. Slepicka. S.: Starkstromtechniker. K.: 1956 Beginn d. Lehre b. d. Firma Elin, anschl. Tätigkeit als Starkstrommonteur b. Firma Elin, 1964-69 Fernmelde- u. Schwachstromtechniker b. Siemens, 1970-78 Vertreter d. Firma Sylvalux, 1978 Grdg. d. eigenen Firma - Speziallampen f. Foto-Video-Kino-Optik, Lichtplanungen sowie in- u. ausländ. Werksvertretungen, 1978-88 Gen.-Vertreter f. General Electric in Österr., seit 1989 u.a. Vertretg. d. Firma Steco Gasdichte Bleiakkumulatoren. M.: Sportschützenver. H.: Reisen, Pilze sammeln. (N.A.)

Zabransky Ludwig
B.: Prok.-Ltr., Marketing u. Vertrieb, Gschf. FN.: Fa. Datenservice org. u. Datenverarbeitungs Ges.m.b.H (DOS). DA.: 1030 Wien, Rennweg 46-50. PA.: 2201 Gerasdorf, Roseng. 21. G.: Wien, 10. März 1947. V.: Hermine, geb. Kargl. Ki.: Sonja (1978), Roman (1981). El.: Ludwig u. Rosa, geb. Stoiber. S.: 1966 Matura Bundesrealgymn., 1966-72 TH Wien, bis zur 1. Staatsprüf. Richtung Nachrichtentechnik. K.: 1972 Siemens PSE, Bundesamt f. Zivilluftfahrt, EDV-Flugverkehrskontrolle, Siemens-Data GesmbH, später Siemens AG u. Siemens-Nixdorf, System Ingenieur über Projekt Management bis Vertriebsltr. öff. Auftraggeber., 1991 April zu SPA Handeslges.m.b.H als Gschf. gleichz. s. 1994 bei DSO Prokurist Marketing u. Vertriebsltg. H.: Skifahren, Radfahren, Video. (M.A.)

Zacek Sepp Dr.
B.: Beeid. Wirtschaftsprüfer u. Steuerberater. A.: 1180 Wien, Wielemansg. 18-22/4. G.: Wien, 3. Juni 1944. El.: Franz u. Maria. S.: Grundschule, HAK, Latein, Phil. u. Stud. d. Rechtswiss. an d. Univ. Wien, Controllerseminar, Projektmanagementseminar, versch. Sprachstud., Klavierunterricht. K.: Mehrere J. tätig in einer Großbank (Devisenabt., Fil.-Betrieb, univ. Bankausbild.), Treuhandwesen in 2 renommierten Betrieben m. Schwerpunkt Prüfungswesen, Steuerberatung u. Gutachtertätigkeit, seit 1975 auch selbst. Wirtschaftsberater als Wirtschaftstreuhänder m. sehr weitgestreuter Beratungspalette. F.: Einzeluntern. M.: Inst. österr. Wirtschaftsprüfer Wien, Wr. Jur. Ges. Wien, Absolventenver. d. HAK II Wien, Kam. d. Wirtschaftstreuhänder Wien.

Zacek Thomas
B.: Steuerberater. FN.: Zacek. DA.: 8010 Graz, Schmiedg. 38. G.: Sarajevo, 10. Dez. 1933. V: Irmgard. El.: Adam u. Karoline. S.: BG in Judenburg, Stud. Welthdl. K.: Fin.Bmtr. in Judenburg, 1973 selbst. als Steuerberater. H.: Filmen, Reisen. (Lei.)

Zach Constanze Dr. med. vet.
B.: freiberufl. Tierarzt. DA.: 1020 Wien, Darwing. 26. G.: Nürnberg, 28. Okt. 1958. El.: Tierärzteehepaar Eberhard u. Barbara Zach, geb. Walter. S.: 1977 BRG, 1977-86 Tierärztl. Univ. Wien, 1987 Prom. Dr. med. vet. K.: 1987 Vertretungen, ab 1987 selbst. Tätigkeit, eigene Praxis: Pferde u. Kleintiere, seit 1991 F.E.I. Tierarzt. H.: Tiere insbes. Pferde, Trabrennsport. (N.A.)

Zach Franz Dr. techn. Dipl.-Ing.
B.: Techn. Ltr. FN.: AGIP Austria AG. DA.: 1040 Wien, Favoritenstr. 7. Pa.: 2372 Gießhübl, Eichbergstr. 17. G.: Wien, 8. Aug. 1955. V.: Roberta, geb. Degenfeld. Ki.: Katharina (1984), Matthias (1988). El.: Franz u. Emma, geb.

Blaschek. S.: 1973 Matura, Stud. Maschinenbau, 1974-76 Hochbaucollege, 1979-85 Stud. Bauing.-Wesen TU Wien, 1991 Prom. K.: 1976-77 Porr AG, 1977-79 Ing.-Büro Pauser, während d. Stud. freiberufl. Mitarb. b. div. Ing.-Büros, 1984-85 Studienass. Abt. Geologie TU Wien, 1985-90 Univ.-Ass. am Inst. f. Hoch- u. Ind.-Bau TU Wien, 1991 Eintritt AGIP Austria als Techn. Ltr. H.: Lesen, Skifahren, Tennis, Gartengestaltung. (N.A.)

Zach Johannes Dkfm.

B.: Gen.-Dir.-Stellv. u. Vorst.Vors.Stellv. FN.: Österr. Elektrizitätswirtschafts AG Wien. GT.: AufsR.Vors. Österr.-Bayer. Kraftwerke AG Simbach, 1. AufsR.Vors.Stellv. Verbundkraft E-Werke GmbH Wien, 2. AufsR.Vors.Stellv. Vbg. Illwerke AG Bregenz, 4. AufsR.Vors.Stellv. Österr. Donaukraftwerke AG Wien, AufsR.Vors.Stellv.: Ennskraftwerke AG Steyr, Österr. Draukraftwerke AG Klagenfurt, Tauernkraftwerke AG Sbg., Studienges. Westtirol GmbH Innsbruck, Verbund-Plan GmbH Wien, AufsR.: Donaukraftwerke Jochenstein AG Passau, Osttir. Kraftwerke GmbH Innsbruck, Gen.Vers.Vors. Verbundkraft E-Werke GmbH Wien, BeiR. Wr. Allianz Vers. AG Wien. DA.: 1013 Wien, Rudolfspl. 13a. E.: GrE d. Landes Bgld., GrGE d. Landes Ktn., KomtK. d. Landes Bgld., VK 1. Kl. d. VO d. BRD, Silb. KomtK. d. EZ d. Landes NÖ.

Zach Josef KommR.

B.: Fleischhauermstr. DA. u. PA.: 6020 Innsbruck, Wilhelm-Greil-Str. 11. G.: Eurasburg, 13. März 1908. Ki.: Hannelore, Hilde, Josef. S.: Oberrealschule, 1936 Mstr.Prüf. K.: Seit 1936 selbst., Gründer d. Josef Zach KG Fleischerei- u. Gastronomiebetriebe. E.: 1976 KommR., Silb. EZ f. Verd. um d. Rep. Österr., Verd.Kreuz d. Landes Tir. M.: 1945-47 LInnungsmstr., ab 1947 Mtgl. d. LInnungsaussch., Vors. d. Mstr. u. Gesellenprüf.Kmsn., sowie d. Lehrlingswettbewerbskmsn. (Schm.)

Zach Karl Dr.

B.: RA. FN.: Dr. Karl Zach. DA.: 1232 Wien, Anton-Baumgartner-Str. 44/E5. PA.: 1232 Wien, Anton-Baumgartner-Str. 44/A2/014. G.: Graz, 23. Mai 1949. Ki.: Christina, Andreas. El.: Dr. Karl u. Dr. Erika. S.: VS, hum. Gymn., 1968-73 Stud. d. Rechtswiss., 1973 Prom. K.: 1972-73 Studienass., 1973-74 Univ.Ass., 1974-76 Kmsr. u. später OKmsr. b. d. ÖBB, 1976 Gerichtspraxis, 1976-80 Ausbild. b. d. RA Braunegg, Hoffmann u. Preslmayer, seit 1980 selbst. RA. H.: Laufen, Radfahren, Segelflug. (M.B.)

Zach Kurt

B.: Tapezierer, LAbg., Obm.-Stellv. Kontrollaussch. d. Landes Bgld., Vers.-Kfm. Wr. Städt. Vers. DA.: 8380 Jennersdorf. PA.: 7572 Deutsch-Kaltenbrunn 13. G.: Deutsch-Kaltenbrunn, 11. Sep. 1942. Ki.: Amanda (1966), Gernot (1967). El.: Josef u. Theresia. S.: Grundschule, Berufsschule, VHS. E.: Gold. Ehrennadel Schiedsrichterkollegium Bgld., Ehrenmtgl. d. Österr. Kameradschaftsbund Bgld., versch. Ausz. M.: Sportver. Deutsch-Kaltenbrunn, Feuerwehr Deutsch-Kaltenbrunn, SPÖ, Vors. d. SPÖ Deutsch-Kaltenbrunn, Bez.-Vors. d. SPÖ Bez. Jennersdorf, ARBÖ-Ehrenmtgl., Kirchenchor Deutsch-Kaltenbrunn. H.: Gesang, Sport (Fußball, Tennis, Tischtennis). (W.M.)

Zach Lambert

B.: Stadtrat. DA.: 2700 Wr. Neustadt, Hauptpl. 1. PA.: 2700 Wr. Neustadt, Weinheberg. 10. G.: Eggenburg, 9. Aug. 1939. V.: Ingrid, geb. Pudwell. Ki.: Birgit (1966), Claudia (1970). El.: Lambert u. Maria. BV.: Großonkel Adrian Zach, Abt v. Stift Geras u. Reichstagsabg., Onkel Prof. Zach, Abg. zur NÖ Landtag, Bgm. u. Vizebgm. v. Wr. Neustadt. S.: VS, HS, Bäckerlehre abgeschl., 1958-60 Polizeischule, 1963 Ableg. d. Externistenmatura. K.: ab 1961 Schulungsbeamter Polizei, 1964-70 b. Wienerberger Ziegelfabrik i. Verkauf u. Betriebsratsobm. d. Angestellten, anschl. Gebietsltr., dann Organ.-Ltr. d. Bundesländer Vers. L.-Dir. NÖ. M.: 1958 Sprengelkassier d. ÖVP, 1962 Organ.-Reff. d. ÖAAB, 1964 Bez.-Obm. d. Österr. Jugendbewegung, 1968 Obm.-Stv. d. ÖAAB, 1971 Bez.-Obm. d. ÖAAB, 1976 Hauptbez.-Obm., s. 1970 Gemeinderat, s. 1975 bis dato Stadtrat f. Schul- u. Kindergartenwesen, v. 1975-91 Fraktionsobm. d. ÖVP-Gemeinderatsclub. H.: Schifahren, Radfahren, Wandern. (I.J.)

Zach Maximilian Dr.

B.: Univ.-Prof., Ltr. d. Klin. Abt. f. Pulmonologie an d. Univ.-Kinderklinik Graz. PA.: 8047 Graz, Berliner Ring 20. G.: Graz, 29. Aug. 1946. V.: Gertrude. Ki.: Johannes (1975), Paul (1977). S.: VS, Mittelschule, 1964 Matura, 1 J. Austauschstudent in d. USA, Med.-Stud. Karl Franzens-Univ. Graz, 1972 Prom. K.: Ausbild. z. prakt. Arzt, Turnus in versch. Spitälern d. Stmk., 1976 Prakt. Arzt, Ausbild. z. FA f. Kinderheilkunde an d. Kinderklinik Graz, 1976 FA, ab 1979 OA, 1983 Habil., 1987 Titularprof., 1993 a.o.Univ.-Prof. P.: 200 wiss. Arb., über 300 Vorträge. E.: 1989 Gastprof.-Preis d. Inst. of Child Health Univ. London. M.: Vors. Pädiatr. Frakt. d. Europ. Pneumologieges., Vorst.-Mtgl. European Paediatric Respiratory Society u. d. Österr. Ges. f. Lungenerkrankungen u. Tuberkulose, ATS, ESPR, EWGCF, Österr. Ges. f. Kinderheilkunde. (M.Gr.)

Zacharasiewicz Waldemar Dr. phil. Mag. phil. Univ.-Prof.

B.: o.Univ.-Prof. am Inst. f. Anglistik u. Amerikanistik. DA.: 1080 Wien, Lammg. 8. PA.: 1180 Wien, Messerschmidtg. 14. G.: Graz, 24. Sept. 1942. V.: Dr. phil. Traute, geb. Pistulka. Ki.: Angela, Andreas. El.: Josef u. Eugenie. S.: VS, Gymn., Stud. d. Anglistik u. Germanistik Graz, 1966 Mag. phil., 1967 Prom. z. Dr. phil. in Graz. K.: 1963-67 Studien-Ass. Univ. Graz, 1967-73 Ass. u. Lehrbeauftragter Univ. Graz, 1971 Visiting Fellow Univ. of Birmingham, 1973 Univ.Doz. Univ. Graz, 1973 Habil., 1974 Ruf C3-Prof. (abgelehnt) Univ. Bonn/BRD, 1979 Visiting Fellow Univ. of Virginia and Yale Univ.,1991/2 Stanford Univ., seit 1974 o.Univ.-Prof. f. Anglistik. P.: Diss.: "Die Cosmic Voyage" u. d. "Excursion" in d. engl. Dichtung d. 17. u. 18. Jhdt. (1969), Die Klimatheorie in d. Engl. Literatur u. Literaturkritik v. d. Mitte d. 16. b. z. frühen 18 Jhdt. (Habil. 1973, 1977), Encounters and Explorations: Canadian Writers and European Critics (1986), Utopian Thought in American Literature: Unters. z. Literar. Utopie u. Dystopie in d. USA (1988), Die Erzählkunst d. Amerikan Südens. Erträge d. Forschung (1990), Beiträge z. engl. u. amerikan. Literatur, Faulkner, His Contemporaries, and his Posterity. E.: 1978 u. 1984 American Council of Learned Societies Grant, 1972 Theodor Körner Stiftungsfonds, 1983 u. 1987 Canadian Studies Faculty Enrichment Award. M.: korresp. Mg. d. Österr. Akad.

d. Wiss., I.A.U.P.E., 1984-90 BeiR.Mtgl. d. Gs. f. Kanadastudien in d. dt.sprachigen Ländern, 1980/2 , 1986/7u. 1994/5 Vors. d. Österr. Ges. f. Amerikastudien. (M.B.)

Zachariah John

B.: Gschf. FN.: Alpha-Centaur Group. DA.: 1010 Wien, Opernring 1. PA.: 1220 Wien, Benndorfg. 2/5. G.: Dar-es-Salam/Tanzania, 21. Juli 1960. V.: Ruby. El.: John u. Annamna. S.: 1979-82 B.Sc., 1982-84 Post-Graduate Stud. Wirtschaftswiss. K.: 1985-88 Toshiba Anand Batteries Ltd. in Indien, seit 1988 Gschf. Alpha Centaur Reisebüro, seit 1990 Lehrtätigk. am Intern. Inst. f. Tourismus u. Management in Krems u. Semmering. E.: Shri Hardayal Hardy Award f. bes. Stud.-Leistungen 1982-84. H.: Musik, Filme, Familie, Unterrichten. (N.A.)

Zacharias Herbert Dr. med.

B.: FA f. ZMuK. DA.: 6020 Innsbruck, Salurner Str. 1. G.: Wörgl, 9. Okt. 1945. V.: Eva-Maria Elisabeth, geb. Müller. Ki.: Vera, Stefan, Michael. El.: HofR. Dipl.-Ing. Heinrich u. Margarethe. S.: BRG Reutte, 1964 Matura, Stud. an d. Univ. Innsbruck, 1970 Studienaufenthalt Cleveland, Ohio, 1975 Prom. K.: Turnusausbild. Unfallchir. Bregenz, seit 1975 FA-Ausbild. f. ZMuK in Innsbruck, seit 1977 freib. FA f. ZMuK. M.: ÖWB. H.: Segeln. (D.S.)

Zachenhofer Josef

B.: Gschf. Ges. FN.: MKT Metall Konstruktions Technik GmbH & Co KG. DA.: 8200 Albersdorf, Industriestr. 1. PA.: 8311 Markt Hartmannsdorf, Pöllau 167. G.: Feldbach, 8. Febr. 1965. V.: Petra, geb. Voppichler. El.: Karl u. Marianne. S.: Pflichtschule, Lehre als Schmied in Bad Gleichenberg, 1983 Lehrabschluß, BH, zunächst Ind.-Montage in Österr., 1986 Mstr.-Prüf. als Schlosser. K.: Werkmstr. b. Glas Metall Moisburger Lustenau, Werkmstr. Nothgasser Dornbrin, 1989 Grdg. d. Firma MKT, 1992 Bau einer neuen Produktionsstätte am bestehenden Ort, Zweigstelle in Götzis, Vbg. Wirtschaftspark. H.: Fliegen. (F.K.)

Zachhuber Rudolf Dr. iur.

B.: RA in d. Sozietät Dr. Bernd Itzlinger u. Dr. Rudolf Zachhuber. DA.: 4600 Wels, Maria-Theresia-Str. 19. PA.: 4600 Wels, Pernauerstr. 15. G.: Gmunden, 9. Apr. 1955. Ki.: Michael. El.: Franz u. Margarete. S.: Gymn., Stud. Rechtswiss. Linz, 1982 Prom. K.: seit 1987 selbst. P.: div. Buchbesprechungen zu Rechtspubl. H.: Yachting. (P.H.)

Zachmann Ernst Dipl.-Ing.

B.: Honoratkonsul v. Burundi f. Gesamtösterr., Ing.-Berater, gerichtl. beeid. Übersetzer f. Franz. u. Rumän. DA.: 1190 Wien, Schegarg. 5/17. PA.: 7202 Bad Sauerbrunn, Peter-Zauner-G. 14a. G.: Haag/NÖ, 24. Mai 1921. V.: Maria, geb. Mostbeck. Ki.: Dipl.-Ing. Gert (1954), Dipl.-Ing. Klaus (1956). El.: Anton u. Hermine, geb. Spisack. S.: 1931-38 Mittelschule Bukarest/Rumänien, Abschluß, 1940-41 u. 1945-48 TU München u. Graz, 1942-43 HS f. Übersetzer München, Offz. u. Übersetzer b. d. Dt. Wehrmacht, 1948-49 HAK Graz. K.: 1949-52 Chefing. Planungsabt. Steyr-Daimler-Puch in Steyr, 1953-54 Chefing. Planungsabt. VOEST Linz, MAN Augsburg/BRD, Stickstoffwerke Linz, 1955-63 Ltg. d. eig. landwirtsch. Betriebes in Österr. u. Landwirtsch. Berater d. Österr. Reg., 1964-74 Gen.-Dir. u. Ges. Pischinger, Wien, Gen.-Vertreter f. Rumänien, Bulgarien u. Ungarn f. Johnson/Matthey-GB, Schauer-Österr., Schönberg-Cerny-Österr., 1971-73 UNIDO-Berater in Madagaskar f. d. Süßwarenind., 1974 in Algerien, 1977 in Marokko, 1977-78 Techn. Chefberater d. UNIDO in Madagaskar, 1979 UNIDO-Berater Seychellen u. Guinea, 1980-83 Techn. Chefberater d. UNIDO in Niger, 1983-84 Projekt-Dir. d. UNIDO in Burundi, 1985 UNIDO-Berater im Kongo u. in Mali, 1986 in Burundi u. Burkina Faso, 1988-91 in Ruanda. (N.A.)

Zacke Alexander

B.: Kunstexperte. FN.: Dorotheum, Galerie Zacke, Galerie Comes. DA.: 1010 Wien, Sonnenfelsg. 15. PA.: 2380 Wien, Waldmühlg. 5. G.: Wien, 27. Februar 1966. V.: Susanne, geb. Brunner. Ki.: Maximilian Alexander (1989), Lukas Alexander (1993). El.: Wolfgang u. Irene. S.: Matura im Institut Dr. Schmidt. K.: Ankauf d. Galerie Comes; Handel mit Kunst; 1990 Berufung ins Dorotheum als Experte f. 1992 Experte f. alte Reklame; 1993 Exp. f. münzautomatisierte Spielgeräte u. Plakate; ab 1995 Übernahme d. Galerie Zacke u. d. Galerie Zacke-Studio u. Umwandlung aller Firmen in e. AG. P.: u. a. alte Reklame. H.: Fußball. (J.M.)

Zacke Irene Monika

B.: Inh. FN.: Galerie Zacke, Verlag Zacke. DA.: 1010 Wien, Schulerstr. 15. G.: Prag, 15. Juni 1944. V.: Wolfmar Zacken (Autor). Ki.: Alexander. K.: seit 1969 eig. Galerie, seit 1988 Verlag Zacke. P.: zahlr. Fachpubl. z. Thema "Asiat. Kunst". (J.S.)

Zacke Peter Mag.

B.: Beeid. Buchprüfer u. Wirtschaftstreuhänder. GT.: Gschf. Ges. d. Interrevision. DA.: 1060 Wien, Gumpendorfer Str. 65. PA.: 1050 Wien, Hamburger Str. 11/27. G.: Wien, 16. Juni 1951. V.: Renate, geb. Zott. Ki.: Gernot, Stephan. El.: Dipl.-Ing. Ernst u. Constanze. BV.: Großvater Dr. Otto Straub Veterinär (Tieroperationsmethode erfunden). S.: RG, 1969 Matura, 1 J. BH, HS f. Welthdl., 1976 Mag. K.: 1976-78 Österr. Wirtschaftsberatung intern. Treuhänderges. als Rev.Ass., 1978-80 IRW Wirtschaftsberatungsges., Lehre als Steuerberater Kzl. Mag. Krammer, 1982 selbst. Steuerberater, 1986 z. Buchprüfer bestellt. P.: Mitautor "Merkblatt d. Lohnnebenkosten". M.: Stellv. AufsR.Vors. d. Aula Verlags GmbH Graz, Mtgl. d. erweiternden Vorst. d. freiheitl. Ak.Verb. Wien, NÖ, Bgld., Burschenschaft Libertas. H.: Tennis, Skifahren. (A.K.)

Zadek Wilhelm

B.: Gschf., Kfm. FN.: Zadek GmbH. DA.: 1180 Wien, Theresieng. 47. PA.: 2500 Baden, Gymnasiumstr. 21. G.: Wien, 22. Okt. 1934. V.: Brigitte, geb. Schüller. Ki.: Günther (1961), Sabine (1968). El.: Wilhelm u. Maria, geb. Schenkapaul. S.: RG, Berufsschule, Mstr.-Prüf., Bühnenprüf. f. Operngesang. K.: 1960 Kauf d. Schlosses Schönkirchen durch d. Vater, dessen Renovierung u. Ausbau f. Betriebszwecke, m. 14 J. Eintritt in d. väterl. Betrieb, 1977-85 dessen Gschf., 1985 Grdg. d. eigenen Importfirma Lederwarengroßhdl. M.: Delegierter v. Wr. Landesgremium f. d. Lederwareneinzelhdl., Delegierter im Bundesfachaussch. f. Lederwaren, im Aussch. d. Vertreterverb. f. Lederwaren. H.: Operngesang, Schach, Bergwandern. (N.A.)

Zadrazill Silvia Mag. art.

B.: Grafik-Designer. DA.: 1020 Wien, Böcklinstr. 8. PA.: 2404 Petronell 6. G.: Wien, 12. Dez. 1954. V.: Ludwig Zadrazill. El.: KommR. Herbert u. Helga Schedl. S.: Gymn., Modeschule Hetzendorf: Modezeichnen u. Textilentwurf, HS f. Angew. Kunst: Gebrauchsgrafik u. Illustrationsgrafik, 1983 Spons. K.: 1983-85 Prof. f. Figuralzeichnen Modeschule Hetzendorf, seit 1985 selbst. als Grafik-Designer u. freie Mitarb. b. einem Grafiker, seit 1986 selbst. H.: Sport (Tennis). (J.S.)

Zadrobilek Gerhard

B.: Mountainbike-Rennfahrer, mehrfacher österr. Staatsmeister, 2. d. Gesamtweltcups, Nebenerwerbsldw. GT.: Zucht v. schott. Hochlandrindern. PA.: 2384 Breitenfurt, Promenadenweg 8. G.: Wien, 23. Juni 1961. V.: Sabine. El.: Franz u. Elisabeth. S.: Berufsausbild. z. Installateur. K.: Amateur: 1981 Sieger d. Österr.-Rundfahrt, ab 1982 Profi: 1987 14. Pl. b. d. Tour de France, 1989 Sieger d. Weltcuprennens in San Sebastian, Wechsel z. Mountainbike, 1991 2. im Gesamtweltcup. P.: Ratgeber "Mountainbiking m. Gerhard Zadrobilek". H.: Musik, Paragleiten, Kanufahren. (J.S.)

Zagavec Helmut

B.: Besitzer. FN.: Gasthof Murstüberl. GT.: Ltg. eines Kaufhauses in Radkersburg. DA. u. PA.: 8490 Bad Radkersburg, Murg. 12. G.: Bad Radkersburg, 17. Aug. 1960. El.: Walter u. Rosina. S.: Hasch Feldbach, 1977 Abschluß. K.: 1977-79 Bürokfm., 1979 BH, 1980 Eintritt in das elterl. Kaufhaus, 1981 Konzessionsprüf., 1981/82 Saison in Bad Gastein in 4-Sterne-Hotel, 1982-84 im elterl. Betrieb, s. 1984 selbst. Gasthof u. Pension mit Komfortzimmer. H.: Radfahren, Tennis. (I.G.)

Zagler Annemarie Irene

B.: Gschf. FN.: Ing. Josef LASKA Bmstr. GmbH, PIZAG-BAU GmbH. DA.: 1222 Wien, Arminenstr. 27, 1030 Wien, Landstraßer Hauptstr. 93. PA.: 1110 Wien, Ignaz-Weigl-G. 1/9. G.: Wien, 18. Juni 1957. El.: Dostal Erich u. Anna, geb. Salat. S.: HS Wien, b. 1972 Polytechn., b. 1975 Bürokfm.-Lehre b. Fa. Picek, div. Seminare. K.: b. 1988 Tätigkeit b. Fa. Picek, 1989 Eintritt als Prok. d. Ing. Josef Laska u. d. Fa. Pizag-Bau. M.: Freier Wirtschaftsverb. H.: lesen, Reiten, Gartenarb., Reisen, Theater, Sammeln v. Münzen. (M.G.)

Zagler Martin Ing.

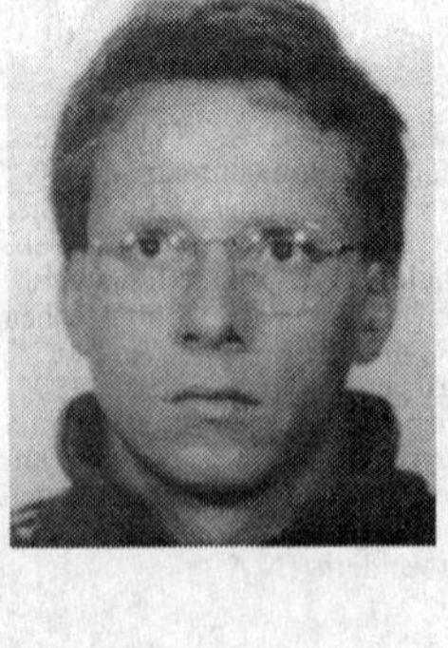

B.: Gschf. FN.: Pizag Bau. GT.: Prok. Ing. Josef Laska GmbH. DA.: 1030 Wien, Landstraßer Hauptstr. 93. G.: Wien, 19. Sep. 1969. El.: Leopold u. Inge. S.: VS, Gymn., HTL Tiefbau Wien. K.: seit 1988 im Betrieb, 1988 nach Tod d. Vaters Übernahme d. Betriebes, 1992 Geschäftsführung v. Frau Zagler übernommen, Prok. Firma Ing. Josef Laska GmbH Instandsetzungen. M.: Freier Wirtschaftsverb. H.: Klettern, Tennis, Theater. (J.M.)

Zahel Günther Dipl.-Ing.

B.: Arch., w.HofR. d. NÖ LRg. G.: Wien, 31. Jan. 1925. V.: Sieglinde, geb. Ecker. Ki.: Sabine (1970). El.: Ing. Emil u. Katharina, geb. Flassak. BV.: Großvater Emil Zahel Dipl.-Ing. f. Maschinenbau m. Tätigkeit in Amerika, Urgroßvater bekannter Arzt u. Cellist. S.: TH Wien. K.: 1955-57 Ang. in priv. Arch.Büro D.J. Norbert Mandl, seit 1958 LRg. NÖ. BL.: freie Mitarb. f. freischaff. Kollegen, Arch.Wettbewerbe, Projekte: BORG-Scheibbs, HAK-Krems, div. VS u. HS sowie Kindergärten, Erfolge in d. Fenstertechnik, Autodidakt. Maler. P.: Patentschriften in d. Fenstertechnik. H.: Entwerfen, Modellieren, Malen, Kammermusik. (N.A.)

Zaheri-Kahmeney Abdollah Dr. med. univ.

B.: Prakt. Arzt. DA.: 9342 Gurk, Wilhelmshöhe 14. PA.: 9342 Gurk, St. Peter Str. 13. G.: Babollsar/Iran, 21. Okt. 1937. V.: Birkhild, geb. Pardatscher, 1 Sohn (Sascha). El.: Hassan u. Fatime. BV.: Urgroßvater war Khan v. Kahmeney (Stammesoberhaupt). S.: Pflichtschulen, Gymn., 1958 Matura in Teheran, med. Fak. Univ. Wien, 1972 Prom. K.: Turnusausbild. in Schwarzach/St. Veit b. 1977, 1 J. Lungenheilanst. Laas, ab 1978 eigene Praxis in Gurk. M.: Ärztekam. H.: Segeln, Fußball, Tennis, Schwimmen, Handball. (Hat.)

Zahir Mir Fereydoun BotschaftsR. i.R.

B.: Ehem. Diplomat d. Kaiserl. Iran. Botschaft. A.: 1030 Wien, Gerlg. 21/19. G.: Aschkabad, 19. März 1915. S.: Staatl. Bildungsanst. Berlin Lichterfelde,, ehem. Kaiser Wilh. Kadeten Schule, Mittl. franz. Jesuitenschule in Beirut, Jesuiten Univ. Recht- u. Staatswiss. K.: 1939 Beginn d. diplomat. Laufbahn, als Attache in Beirut 1946-51, Auswärtiges Amt Teheran 1952-54, 3. Sekr. d. Kaiserl. Iran. Botschaft in Amman (Jordanien) 1954-59, Auswärtigenamt Teheran 1959-60 Belgrad als 1. Sekr., 1960-63 Prag als Legationsrat, 1963-65 Teheran, 1965-66 Wien als BotschaftsR., 1966-68 Teheran (als Stellv. v. mehreren Abt.), 1968-70 München als Stellv. Gen.Konsul, 1970-74 Teheran als Stellv. d. Informationsamt, 1975 i.R. E.: Orden Lebanon Chevalier de l'Ordre du liban, L'Ordre du Fares. H.: Alte Möbel restaurieren.

Zahlner Johann Dir.

B.: Ltr. FN.: Betriebskrankenkasse Donawitz d. VOEST Schienen GmbH. GT.: seit 1964 GemR. Hafnig b. Trofaiach. DA.: 8700 Leoben, Kerpelystr. 201. PA.: 8792 St. Peter/Freienstein, Hessenbergstr. 53A. G.: Trofaiach, 9. Dez. 1934. V.: Charlotte, geb. Wenigeder. Ki.: Gerd (1958), Ulrike (1961). El.: Anton u. Maria. S.: VS, HS, Einzelhdls.-Kfm.-Lehre, 1952 Abschluß. K.: 1954-61 Feinwalzwerk VOEST Alpine Donawitz, 1961-66 Buchhalter u. Sachbearb. b. Betriebskrankenkasse, 1966-86 stellv. Ltr., seit 1986 Ltr. H.: Sport, Lesen, Familie. (I.G.)

Zahn Herwig

B.: Gschf. FN.: CAD Studio. DA.: 8712 Niklasdorf, Leobnerstr. 94. PA.: 8712 Proleb 165. G.: Hartberg, 28. März 1968. El.: Günther u. Renate. S.: BRG Leoben, Fremdenverkehrsfachschule i. Bad Ischl, 1988 Matura, BH, 1990-92 Elektronikkolleg, 1992 HTL-Matura. K.: 1989-90 Steward auf See, 1992-93 Softwareentwickler in Graz, 1993-94 Softwareentwickler in Leoben, s. 8/94 Gschf. f. Softwareerstellung Fa. CAD Studio, Entw. u. Verk. v. Software u. Hardware f. d. Bereich d. computerunterstützten Zeichnens (CAD) f. Maschinenbau, Arch. u. Raumplanung. H.: Tennis, Reisen, Sport. (I.G.)

Zahnt Anton

B.: Gschf. Wr. Stadthalle-Kiba. DA.: 1150 Wien, Vogelweidpl. 14. G.: Wittenberg, 2. Dez. 1941. V.: Ursula. S.: HAK-Matura. K.: Sachbearb., Prüfer, Prüf.-Ltr., Ltr. d. Rechnungswesens (Prok.), Gschf.

Zahora Gerhard
B.: Prok. FN.: JAKO Ges. f. Meßtechnik GmbH. DA.: 1020 Wien, Untere Augartenstr. 30. PA.: 1030 Wien, Hohlwegg. 11. G.: 20. Nov. 1946. V.: Waltraud, geb. Schleifer. Ki.: Richard. El.: Johann u. Theresia. S.: VS, HS, Berufsschule. K.: Lehre b. Baufa., anschl. Techn. Großhdl. (kfm. Ang.), seit 1968 b. Fa. JAKO Ges. f. Meßtechnik GmbH (1973 Verkaufsltr., 1980 Prok.) f. Verkauf-Export verantwortl. H.: Schwimmen, Skilanglauf, Wandern, Radfahren. (R.A:)

Zahorka Heribert Friedrich Dr.
B.: Präs. d. Radex Intern. Paris i.R. PA.: 9500 Villach, Meerbothstr. 4. G.: Leoben, 6. Okt. 1924. V.: Mag. pharm. Helga, geb. Russheim. El.: Friedrich u. Käthe. S.: Chemiestud. an d. Univ. Graz. K.: Von d. Österr.-Amerik. Magnesit AG, Radenthein 1954 nach Paris entsandt, dort seit 1965 Dir. d. Ndlg. E.: Gold. EZ f. Verd. um d. Rep. Österr. M.: Ehrenpräs. d. Assoc. Autrichienne in Paris, Stellv. Landesobm. d. Österr. Akad., Akad. Corps "Schacht" Leoben.

Zahradnik Klaus Kapitän
B.: Konsul d. Rep. Bolivien. PA.: 1050 Wien, Pilgramg. 20. G.: Klosterneuburg, 2. Mai 1941. Ki.: 1 Sohn. BV.: alte Adelsfamilie aus d. Monarchie. K.: 1957 erstes Schiffsführerpatent, 1973 erstes Seepatent, 1975 Steuermannpatent, 1976 erstes Kapitänspatent (Jugoslawien), 1978 Kapitänspatent 1000 BRT (Jugoslawien), 1979 Kapitänspatent (Thailand), 1983 Kapitänspatent A 6, unbeschränkt (Thailand), 1964 erste Lehrbefähigung f. Schiffsführerschulen, 1981 letzterworbene Schiffsführerschulenkonzession, 1961-72 Tätigkeit in d. intern. Vers.Gruppe Erste Allg. bzw. Generali, seit 1976 Hdl. m. Schiffen u. Schiffsteilen in d. Fa. seines Vaters, ab 1981 eigene Fa., 1975 Beginn d. Tätigkeit in d. HK Panama, 1976-83 Handelsrat, danach Ehrenpräs., ab 1970 intern. Tätigkeit m. Schiffsregistrierungen, Seetüchtigkeitszeugnissen, Meßbriefen u. Flaggenzertifikaten, ab 1977 interner Sachv. d. Vers.Gruppe Interunfall Riunione, seit 1980 gerichtl. beeid. Schiffsachv. u. seit 1987 Laienrichter f. Schiffahrt, 1970 Besuch d. TU Wien, 1976-78 Vorlesungen an d. TU. P.: "Das Entstehen d. ak. Grade u. d. hohen Schulen", "Handbuch d. Ostkirchen", Co-Autor v. 2 Büchern, Art. über Schiffahrt in Tageszeitungen sowie in Magazinen. E.: 1974 Silb. Med. d. Roten Kreuzes, 1981 Commendatore v. San Marino, Belg. Orden, Stern v. Afrika, 1986 Commendatore v. Andorra. M.: Grdg.Mtgl. d. Motorbootsportverb. f. Österr., Grdg. u. Präsidialmtgl. d. BVerb. d. Österr. Bootswirtschaft.

Zahrer Leopold Dr. Dipl.-Ing.
B.: Ltr. d. Sekt. V im BM f. Umwelt, Jugend u. Familie. DA.: 1020 Wien, Untere Donaustr. 11. PA.: 1235 Wien, Korbg. 2-4/11. G.: Obernberg, 18. Jun. 1948. Ki.: Dominika (1977), Marie-Louise u. Phillip (1979). El.: Anna u. Leopold. S.: VS, Mittelschule, Matura 1967, Präsenzdienst, 1968-73 Stud. Kulturtechn. u. Wasserwirtsch. a. d. Univ. f. Bodenkult. Wien. K.: 1973-74 Inst. f. Wasserwirtsch., 1974 Prom. u. Diss. Dr.rer.nat., s. 1974 BM f. Land- u. Forstwirtsch., Ref. f. Gewässerschutzangel., s. 1988 Abteilungsltr. d. Abt. wasserwirtsch. Planung, s. 1990 BM f. Umwelt, Jugend u. Fam., Ltr. d. Sek. f. Abfallwirtsch. u. Altlastensan. u. Siedlungswasserwirtsch. P.: div. Beitr. i. Fachzeitschr. z. Thema Abfall- u. Wasserwirtsch. M.: Vors. d. Verpackungskommission, Akad. f. Umwelt u. Energie, Mitgl. d. Ing.- u. Architektenvereins, Österr. Wasser- u. Abfallwirtschaftsverb., s. 1988 Mitgl d. Altlastensan.Komm. H.: Sport, Kultur. (E.J.)

Zainer Manfred Dkfm.
B.: Gschf. Ges. FN.: INFO RESEARCH INTERN. Inst. f. Markt- u. Meinungsforsch. GmbH. GT.: Altpr. d. VMÖ. DA.: 1070 Wien, Kaiserstr. 55. PA.: 1040 Wien, Johann-Strauß-G. 28/11. G.: Klagenfurt, 5. Febr. 1941. S.: RG, HAK, 1959 Matura, 1960 Stud. HS f. Welthdl., 1964 Dkfm. K.: 1966-67 Fa. Schoeller & Bleckmann Export f. nahtlose Edelstahlrohre, 1968 Fa. Unilever Produktmanager f. Waschmittel u. Toiletteseifen, 1972 Auslandsaufenthalt Fa. Unilever BRD, 1972 Marketing Research Manager in d. INFO, seit 1987 Gschf. M.: Marketing Club Österr., Wirtschaftsforum d. Führungskräfte WdR, VMÖ, ESOMAR, CC (Club Carinthia), IAA. (C.K.)

Zaino Piero
B.: Gen.-Dir. FN.: Bankhaus Brüll & Kallmus AG. DA.: 1010 Wien, Rotenturmstr. 5-9. PA.: 1190 Wien, Nußbergg. 11b. G.: Nizza Monferrato/Italien, 11. März 1943. V.: Lilia. El.: Baudolino u. Maria. K.: b. 1962 Inst. Tecnico Nicola Pellati in Nizza Monferrato u. Ausbild. z. Dkfm., 1963-67 Istituto Bancario San Paolo di Torino, 1967-68 Commzbank AG in Düsseldorf, Hamburg u. Frankfurt, 1969-71 Stellv. Repräsentant f. d. BRD d. Istituto Bancario San Paolo di Torino in Turin, 1969-73 Bankak. b. d. Goethe-Univ. Frankfurt, 1972 Prok. d. Istituto Bancario San Paolo di Torino, 1972-77 Repräsentant f. d. BRD d. Istituo Bancario San Paolo di Torino, 1973-76 Mtgl. d. VerwR. d. Luxembourg Italien Bank in Luxemburg, 1977 stellv. Dir. d. Istituto Bancario San Paolo di Torino, 1977-78 ltd. Stellung b. d. Ndlg. Mailand, 1978 Aufbau d. Auslandsfiliale in Frankfurt, 1979 Dir. d. Istituto Bancario San Paolo di Torino, 1979-82 Gen.-Dir. d. Filialen Frankfurt u. München, 1982 Gen.Bev., 1982 Mtgl. d. Geschäftsltg. d. Filiale Mailand, 1982-84 Mtgl. d. Geschäftsltg. d. Filiale Rom, b. 1983 Ass. d. Pr. m. Sonderaufgaben, 1984 Dir. Turin, seit 1984 Gen.-Dir. Vors. d. Vorst. d. Bankhaus Brüll & Kallmus AG, 1986-89 Gen.-Dir. Vors. d. Vorst. d. Sanpaolo Bank (Austria) AG, seit 1989 Mtgl. d. AufsR. d. Sanpaolo Bank (Austria) AG u. Beauftragter f. Sonderaufgaben in Osteuropa d. Ist. Banc. San Paolo di Torino. E.: 1978 Verleihung d. Verdienstkreuzes d. ital. Rep. (R.A.)

Zaisberger Friederike Dr. phil. HofR.
B.: LArchivdir. A.: 5020 Salzburg, Schwarzstr. 33. G.: Salzburg, 24. Sept. 1940. El.: Dipl.-Ing. Thomas u. Friederike Zaisberger. S.: RG Sbg., Univ. Wien (Altphilol. u. Geschichte), Doktorat in Geschichte, Inst. f. österr. Geschichtsforsch. (Staatsprüf. 1965). K.: 1965 Eintritt in d. Sbg. LDienst (LArchiv). P.: Neben zahlr. Art. in Zeitschriften u.a.: Johann Hesel (AfÖG 128/2, Wien 1971), Burgen u. Schlösser in Sbg. 1. Bd. (Wien 1978), 2. Bd. (Wien 1992), Der Rittersaal in Schloß Goldegg (Sbg. 1981), Das Landt u. Erzstifft Salzburg (1988), Die Sbg. Landtafeln (1990), Ausstell.: Reformation - Emigration. Protestanten in Sbg. (Goldegg 1981), Österr. u. d. Vatikan (Rom 1986/87), Die alte Stadt im Gebirge (Radstadt 1989). M.: Kuratorium d. Intern. Stiftung Mozarteum, VR Sbg. Residenzgalerie, SMCA Vizepräs. Verb. österr. Archivare, Vorst. d. Ges. f. Sbg. Landeskunde, Mtgl. d. Inst. f. österr. Geschichtsforsch. u. d. Arbeitskreises f. histor. Kartographie (Münster), Vorst.-Mtgl. Verb. österr. Geschichtsvereine.

Zak Franz Dr.
B.: Emeritierter Bischof d. Diazöse St. Pölten. PA.: 3108 St. Pölten-Wagram, Unterwagramerstr. 46. E.: NÖ G Kmtk/St. Rep. Öst. Gr. gold. Ehrenz./St.; (Biographie folgt im Loseblattsystem)

Zalesak Edgar
B.: Sped.-Kfm., Prok. Sped.-Ltg. Europa. FN.: Schier, Otten & Co GmbH. DA.: 1200 Wien, Taborstr. 95. PA.: 1020 Wien, Feuerbachstr. 8/7. G.: Wien, 24. Aug. 1944. V.: Ute. El.: Anton u. Mimmi. BV.: Großvater Hans Edler v. Frankowsky Komponist. S.: VS, HS, Sped.-Kfm.-Lehre Sped. Carl Ohly Wien, BH. K.: Eintritt Sped. Kosmos als Zolldeklerant, Aufstieg z. Abt.-Ltr. Zollfreizone Wien, Wirtschaftsberater,

1978 Eintritt Firma Schier, Otten & Co, Verkehrssachbearb., Aufstieg z. Abt.-Ltr., Ndlg.-Ltr. in intern. Division Wien, 1982 Handlungsbev., 1988 Bestellung z. Prok. H.: Lesen, Musik, Sport allg. (W.M.)

Zalesky Eduard

B.: Vors. d. Beirates d. Interunfall Vers. AG. PA.: 1130 Wien, Auhofstr. 255. G.: Wien, 3. Febr. 1924. V.: Dora, geb. Just. E.: Gold. EZ Rep. Österr.; Silberne Verdienstmedaille d. Kammer d. gewerbl. Wirtschaft Wien.

Zambai Max

B.: Prok. FN.: Sporthaus Witting. DA.: 6020 Innsbruck, Maria-Theresien-Str. 39. PA.: 6020 Innsbruck, Sillufer 3. G.: Innsbruck, 21. März 1942. V.: Monika, geb. Sedelmaier. Ki.: Sabine, Barbara. S.: Pflichtschule, Kfm. Lehre. K.: seit 1957 b. Fa. Witting, ab 1984 Prok. E.: Verdienstmed. d. Roten Kreuzes in Gold, Ehrenring f. 25 J. Tätigkeit. M.: Vorst.Mtgl. d. Roten Kreuzes Bez.Stelle Innsbruck-Stadt, seit 4 J. in d. Prüf.Kmsn. d. HK, seit 3 J. verantwortl. f. d. Vorbereitungskurs f. d. Lehrabschlußprüf. d. Sportartikelhändler. H.: Sport. (J.S.)

Zambarloukos Andreas Dr. med.

B.: Prakt. Arzt. A.: 4040 Linz, Ferd.-Markl-Str. 39. G.: Nicosia, 6. Dez. 1948. V.: Dr. med. Renate, geb. Zastresek. El.: Dr. med. Thoukis u. Athina. S.: VS, Gymn. Nicosia, Präsenzdienst, Stud. an d. Med. Fak. Univ. Wien, Ausbild. z. prakt. Arzt KH Horn. K.: AKH Linz, seit 1978 Ndlg. als prakt. Arzt in Linz-Urfahr. F.: Imperial, Norica-Gruppe, Novotel, ETAP. M.: Intern. Ges. f. Neuraltherapie, Österr. Ges. f. Akupunktur, Van Swieten-Ges. H.: Lesen, Wandern, Musik, Radfahren.

Zambra Kurt L. Dr. iur. Dkfm.

B.: RA. A.: 6330 Kufstein, Josef-Egger-Str. 8. G.: Kufstein, 25. Aug. 1924. El.: Dr. Artur u. Maria. S.: VS u. RG Kufstein, HS f. Welthdl. Wien, Univ. Innsbruck, Jur. Fak. K.: RA, Mtgl. d. Kufsteiner GemR. 1956-86 (zuletzt StadtR). E.: Sport-EZ d. Landes Tir., Verdienstmed. d. Landes Tir., Sport-EZ d. Stadt Kufstein, Ehrenring d. Stadt Kufstein. M.: Grdg.-Präs. u. Präs. 1990/91 d. Rotary-Club Kufstein, Tennisclub Kufstein, Ehrenmtgl. d. Yachtclub Kufstein, 1. Vors. d. Sekt. Kufstein d. Österr. Alpenver. H.: Bergsteigen, Tennis, Fotografieren.

Zamecnik Josef Ing.

B.: Inh. d. Tischlerei. DA.: 1200 Wien, Universumstr. 42, 2460 Bruck/Leitha, Werkg. 10. PA.: 2103 Langenzersdorf. G.: Wien, 9. Aug. 1940. El.: Josef u. Hildegard. BV.: 1923 Grdg. d. großväterl. Betriebes (Tischlerei). S.: Realschule Wien II, BGewerbeschule Mödling HT, 1960 Ing. K.: 1960 Eintritt in väterl. Betrieb. M.: Tischlerchor Wien. H.: Musik, Tauchen. (Fels.)

Zand Helmut Eduard Stefan

B.: Inh. FN.: Ebener Glaserei Helmut Zand. DA.: 5531 Eben 115. PA.: 5521 Niedernfritz, Gasthofberg 95. G.: Bad Aussee, 14. Jan. 1954. V.: Burgi, geb. Gsenger. Ki.: Silke (1980), Alexandra (1986). El.: Eduard u. Elisabeth. S.: VS, HS Bad Aussee, Glaserlehre m. Gesellenprüf. Bad Aussee, BH. K.: 8 J. Glaser in Kärnten, 1981 Mstr.-Prüf. 1982-87 Glaser in Eben, ab 1987 selbst. H.: Tennis, Lesen v. Fachliteratur, Familie. (D.E.)

Zandonella Gerhard

B.: Gschf. Ges. FN.: Carl Röschnar OHG. GT.: Gschf. d. Carl Röschnar GmbH in Friesach. DA.: 9020 Klagenfurt, Renng. 3, 9360 Friesach, Hauptpl. 6. PA.: 9073 Viktring, Orionstr. 8. G.: Friesach, 1947. V.: Christine. Ki.: Claudio. S.: VS, HS, Berufsschule. K.: Tätigkeit b. Fa. Röschnar, danach graph. Betrieb Carinthia, Rückkehr zu Röschnar, 1985 Übernahme d. Fa., 1989 Filiale in Friesach. M.: Mtgl. d. Hpt.Verb. d. österr. graph. Gewerbes. H.: Reisen.

Zanetic Ilija Dkfm.

B.: Gschf. FN.: Adria-Reisen. DA.: 1070 Wien, Burgg. 23. PA.: 1040 Wien, Pressg. 17/26. G.: Dubrovnik, 6. Okt. 1939. V.: Slavica. Ki.: Branka (1961), Robert (1967). S.: Gymn., Stud. an d. HS f. Fremdenverkehr in Kroatien m. Abschluß. K.: 1964-87 Tätigkeit in d. Hotelind., ca. 20 J. Hoteldir., 1987 Ndlg. in Österr., 1988 Übernahme d. Ltg. d. Adria-Reisen. M.: IATA, ÖRBV. H.: Sport, Beruf. (N.A.)

Zanetta Hervé

B.: Präs. d. Vbg. Sportunion, Anzeigenltr. f. "Das Kleine Blatt", Kfm. DA.: 6900 Bregenz, Kornmarktstr. 18. PA.: 6850 Dornbirn, Mozartstr. 36. G.: Dornbirn, 2. Jan. 1935. B.: Herta. Ki.: Birgit (1958), Ulrike (1960). El: Johann u. Anna. S.: Realschule Dornbirn, Kfm. u. Gewerbl. Berufsschule. K.: Tätigk. im elterl. Betrieb i. Dornbirn, Verkaufsltr. b. Getränkeprod., 1986 Anzeigenakquisiteur b. Vbg. Tageszeitung, Gschf. Stellv., 1990 Eintrit b.d.Vbg. unabhäng. Wochenzeitung "Das Kleine Blatt" als Anzeigenltr. FN.: Inh. d. Schirm-Dornbirn. E.: GE d. Österr. Turn- u. Sportunion, GE d. Österr. Leichtathletikverb., GE Vbg. Schützenbund, GE d. Landes Vbg., Gr. SE f. Verd. u. d. Rep. Österr. M.: Präs. u. Grdg.-Mtgl. d. Vbg. Turn- u. Sportunion, VSM Union Bundesltr., BSO Landessportbeirat, Verw.-Aussch. d. Vbg. Landessportschule Dornbirn. H.: Reisen, Tennis, Garten, leichte Musik, Operetten, alte Schlager. (I.D.)

Zanger Georg Dr.

B.: Strafverteidiger, Gschf. Ges. FN.: Fa. Genius Künstlermanagement. DA.: 1010 Wien, Neuer Markt 1. G.: 15. Mai 1947. V.: Fijsnjtza Anna Zanger. Ki.: Sascha (21 J.), Nolle (4 J.). S.: Mittelsch.Mat., Stud. Univ. Wien. P.: Bücher üb. Urheber u. Medienber. H.: Samml. v. Bilder, Kunst, Theater, Film, Joggen.

Zangerl Erwin

B.: Obm. d. Personalaussch. Post- u. Telegraphendion. f. Tir. u. Vbg., Postbmtr. DA.: 6010 Innsbruck, Maximilianstr. 2. PA.: 6170 Zirl, Meilstr. 19. G.: Innsbruck, 13. Jan. 1958. V.: Maria, geb. Zätterström. El.: Franz u. Frieda. S.: VS, HS. K.: 1973 Hpt.Postbmtr., Personalvertretung. M.: GemR. Zirl. H.: Tennis, Skifahren.

Zangerl Karl-Heinz

B.: Inh. FN.: Hotel Central. DA.: 5651 Ischgl 20. G.: Ischgl, 14. Apr. 1958. V.: Karin. Ki.: Benjamin (1992). El.: Karl u. Katharina. S.: VS, Hotelkonzessionsprüf., 1979 staatl. geprüfter Skilehrer u. Skiführer, 1976 BH. K.: in sämtl. Bereichen im elterl. Hotelbetrieb tätig, 1992 Übernahme d. Hotels. BL.: 1993 Organisator d. 1. Snowboard-WM, seit 1974 Skilehrer u. Skiführer Skischule Ischgl. M.: seit 1992 im GemR., sämtl. örtl. Sportver. H.: Skifahren, Tennis. (I.D.)

Zangerl Josef Dr.

B.: Dienststellenltr. d. Finanzamt Lienz. GT.: Vortragender d. WIFI. DA.: 9900 Lienz, Dolomitenstr. 1. PA.: 9900 Lienz, Alleestr. 1. G.: See, 3. Mai 1953. El.: Adalbert u.Anna. S.: Gymn. Innsbruck u. Landeck, Jusstud. Innsbruck, 1979 Prom.

K.: Gerichtspraxis in Lienz, 1979 Eintritt in d. Finanzverw., ab 1983 Ltr. d. Finanzamtes Lienz. P.: div. Fachart. in Finanz-Zeitschriften u. Tageszeitungen. M.: Pastpräs. d. Rotary Club Lienz. H.: Golf, Skifahren, Segelboot. (M.T.)

Zangerle Josef

B.: Maurer- u. Zimmermstr., Gschf. Ges. FN.: Josef Zangerle Bau u. Zimmerei GmbH & Co KG. DA.: 6565 Kappl 303. G.: Kappl, 1. Okt. 1936. V.: Ehrentraud, geb. Siegele. Ki.: Hannes (1966), Konrad (1967), Peter (1968), Angela (1969), Robert (1972). El.: Johann Gottlieb u. Franziska. S.: VS, Maurer- u. Zimmererlehre, Berufsschule Halle, Zimmerermstr.-Prüf. u. Maurermstr.-Prüf. K.: 3 J. Polier in einem Baugeschäft in Thiersee, 1964 Übernahme d. Zimmerei d. Vaters u. Eröff. eines Baugeschäftes in Kappl. E.: einige Ehrungen. M.: 20 J. GemR. u. VS Bauaussch., Obm. Wirtschaftsbund, AufsR.-Vors. Wintersportver. Kappl, gerichtl. beeid. Bausachv., AufsR. Tourismusverb. H.: Skifahren, Wandern. (I.D.)

Zanin Katalin Mag.

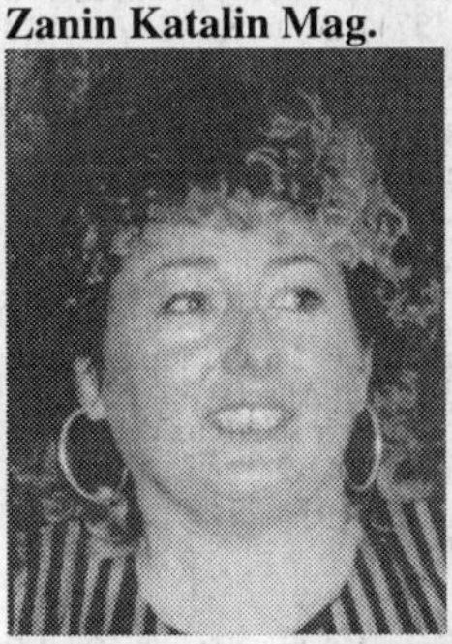

B.: Grd. u. Dir. FN.: Kulturverein "Ich bin O.K.". DA.: 1020 Wien, Kl. Pfarrg. 33. PA.: 1020 Wien, Haidg. 4/27. G.: Budapest, 16. Sept. 1948. V.: Arpad. Ki.: Bernadette (1975), Attila (1979). El.: Dipl.-Ing. Arch. Tibor u. Mag. Ilona Antonyi. S.: VS, AHS, 1967 Matura, Stud. an d. "Bewegungspäd. HS nach Petö" in Budapest, Stud. Psych., Päd. u. Theaterwiss. in Wien, 1988 Spons., div. Kurse f. Kulturmanagement u. Erwachsenenbild. im In- u. Ausland, Seminare f. Konflikt- u. Time-Management. K.: 1972-74 Heilpäd. bei Prof. Rett/Rosenhügel, 1975-89 Bewegungspäd. im Österr. Ver. f. Spastiker (Inst. Keil), Co-Ltr. d. Ausbild. "Päd. Mehrfachtherapie nach Petö-Keil, 1979 Grd. u. Ltr. d. Kulturver. "Ich bin O.K." f. behinderte u. nichtbehinderte Jugendliche, 1983-86 Intern. Mitarb. bei "arts connection" u. "Very Special Arts", Erzieh., Entwickl. u. Management in Kunst u. Kultur, 1989-93 Gschf. d. Aktion Mensch, f. bess. gegenseit. Verständnis behinderter u. nichtbehinderter Menschen; Kooperation m. Wr. Volksbild.-Verb., Gesamtltg. mehr. Theaterprod. u. Workshops im In- u. Ausland, Initiatorin d. UNO-Proj. "Schauspiel-Fortbild. nach d. Radke-Tabori-Methode", Organ. v. Proj. Wien-Budapest. P.: Co-Autorin d. Arb.-Buches "Kulturelle Integration". M.: Mitarb. Arge Rehab, Club Alpha, Managementclub, Industriellenvereinigung. H.: Familie, Kultur, Lesen, Wandern, Reisen, Sammeln v. Speisekarten. (N.A.)

Zanker Walter A.

B.: Gschf. Ges. FN.: HALLO Wien GEZA Zeitschriftenverlags GmbH. DA.: 1010 Wien, Biberstr. 10. PA.: 1180 Wien, Witthauerg. 42. G.: Wien, 4. Juni 1957. El.: Walter u. Elfriede, geb. Breindl. S.: 1977 HTL Wien, 1977-83 Auslandsaufenthalte: Sprachenstud., Berufspilotausbild. in d. USA. K.: 1984 Beginn d. journalist. Tätigkeit, 1987 Mitbegründung d. eigenen Verlages. P.: Fachart. in Fachzeitschriften. M.: Österr. Zeitschriftenverb., Club d. Luftfahrtpublizisten Österr. H.: Sport, Luftfahrt, Lesen. (N.A.)

Zankl Horst-Eduard Mag. art.

B.: freischaff. Graphik-Designer. DA.: 4600 Wels, Adlerstr. 2. PA.: 4600 Wels, Vogelweiderpl. 4. G.: Wolfsberg, 2. Dez. 1963. S.: Grundschule, BRG Villach, 1982 Matura, Stud. Phil. u. Psych. Graz, 1984-90 Kunst-HS Linz. K.: freischaff. Künstler. P.: Veröff. in Fachzeitschriften. H.: Musikinstrumente, Lesen, Radfahren. (P.H.)

Zankl Robert Mag.

B.: Wirtschaftsprüfer. GT.: Gschf. Ges. v. CONFIDA. DA.: 9500 Villach, 10.-Oktober-Str. 18. G.: Waiern, 5. Mai 1944. V.: Sigrid, geb. Hartmann. Ki.: Martin, Veronika, Maria. El.: Anton u. Christina. S.: VS, HS, Elektriker b. KELAG, HTL f. Elektrotechnik Klagenfurt, Welthdls.Stud. in Wien. K.: 3 J. berufstätig in Wien, 1977/78 selbst. F.: Gschf. Ges. v. 6 Wirtschaftstreuhandges. - CONFIDA. M.: Ktn. Golfclub. H.: Golf, Reisen. (U.A.W.)

Zankl Wilfried Mag. iur.

B.: Gschf. FN.: Seniorenreisen Pensionistenverb. Österr. GmbH. DA.: 1090 Wien, Alserbachstr. 23. PA.: 1120 Wien, Fraungruberg. 2/3/21. G.: Salzburg, 3. Juni 1947. V.: Inge, geb. Erblich. Ki.: Wilfried (1976), Wolfgang (1978). El.: Dr. Alfred u. Dr. Wilhelmine. S.: 1965 Matura, Stud. Rechtswiss. Univ. Wien, gleichzeitig Englischdolmetschstud. Univ. Wien, Päd.-Stud. Fernuniv. Hagen m. Schwerpunkt Erwachsenenbild., Doz. f. Weiterbild. im Tourismus. K.: Ass. d. Geschäftsführung d. Ges. f. Ak. Reisen Zürich, mehrjährige Tätigkeit f. versch. dt. Studienreiseveranstalter, Ausbild.-Ref. f. Wagons-Lits-Bahnservice u. seit 1993 Gschf. d. Seniorenreisen Pensionistenverb. Österr. GmbH m. Verantwortungsbereich Werbung u. EDV. H.: Kunstgeschichte, Archäologie. (J.S.)

Zankl Wilhelmine Dr. iur.

B.: Vors. im Synodalrat d. Altkath. Kirche Österr. DA.: 1010 Wien, Schottenring 17. PA.: 1120 Wien, Thunhofg. 9. G.: Wien, 5. Jan. 1914. Ki.: Mag. Wilfried (1947), Dr. Erwin (1949). S.: Mittelschule, Matura 1932, Stud. d. Rechtswiss. an d. Univ. Wien, Prom. 1938. K.: Gerichtsjahr, 1940-46 in e. Sonderstelle d. Auswärt. Amtes, 1946-57 Hausfrau u. Mutter, 1957-80 im Sekretariat d. Synodalrates bzw. d. Kirchenltg. d. Altkath. Kirche, 1981 Übern. d. Redaktion d. Altkath. Kirchenzeit., 1985 Wahl in d. Synodalrat, seit 1988 Vors. d. Synodalrates. (P.R.)

Zanon Elisabeth

B.: LandesR. FN.: Tiroler Landesreg. DA.: 6020 Innsbruck, Neues Landhaus. G.: Lienz 1955. Ki.: 1 Tochter (14 J.). BV.: Vater Fridolin Zanon, 1975-89 LandesR. S.: Mat., Med.Stud., 1982 Prom. a. d. Leopold-Franzens-Univ. K.: Turnusausb. am Bez.KH. Lienz, Facharztausb. a. d. Innsbrucker Univ.-Klinik unt. Prof. P. Wilflingseder f. plast. u. Wiederherstellungschir., Abschl. unt. Prof. H. Anderl, Fachärzt. am Landes-KH, 1993 selbst. Privatprax., bis z. Übern. d. Gesundheitsress. am von ihr gegrdt. Zentrum f. plast. Chir. d. Dr.-Pierer-Sanatoriums, dan. LandesR. f. Gesundh. i. d. Tiroler Landesreg.

Zanon Fridolin

B.: Landesrat a.D., Vors.-Stellv. d. Felbertauernstraße AG. A.: 9900 Lienz, Leisach Nr. 53. G.: Leisach, 3. März 1923. V.: Elisabeth, geb. Senfter. Ki.: Regina (1949), Christoph (1951), Fridolin (1952), Maria (1954), Elisabeth (1955), Barbara (1957), Michael (1958), Bernhard (1962). El.: Kaspar u. Anna, geb. Tabernig. S.: einklass. Volksschule Leisach, Handelssch. Lienz u. Externistenmatura. K.: Bmtr. d. Stadt Lienz, dann deren Amtsltr. 1956-75, , Mtgl. d. Tiroler LReg. 1975-89, Abg. z. Tiroler Landtag seit 1970, Mtgl. d. GemR. seit 1956, seit 1970 Abg. z. Tir. Landtag, VBgm. u. Bgm. vor 1975, 27 J. Bez.-Obm. d. ÖAAB, 10 J. Bez.-Obm. d. ÖVP. E.: Ehrenbürger d. Heimatgem., Verd.-Med. u. EZ d. Landes Tirol, Gr. Gold. EZ f. Verd. um d. Rep. Österr., Sport-EZ d. Landes Tirol u. d. Stadt Innsbruck, Ehrenring d. ÖAAB Tirol, d. Stadt Lienz, d. Marktgem. Sillian, d.Verb. d. Gemeinnütz. Wohnungswirtschaft Österr. M.: Mtgl. u. Ehrenmtgl. vieler Vereine. H.: Musik u. Dichtung (Lesen, Klassik u. Sachbücher), Schreiben.

Zanoni Luciano

B.: Gschf. Ges., Gastronom. FN.: Rest. "Am Lugeck", Gelateria Luciano Zanoni GesmbH, Zanoni & Zanoni GesmbH u. Zanoni & Faccincani GesmbH. DA.: 1010 Wien, Am Lugeck 7; 1180 Wien, Währinger Gürtel 3; 1030 Wien, Rennweg 22. G.: Riva del Garda/I., 13. März 1944. V.: Emilia, geb. Stoppini. Ki.: Tomas (1973), Mauro (1978), Claudio (1984). El.: Tullio u. Vilma. K.: tätig in d. Gastronomie, in Italien Aufbau zahlr. Gastronomie- u. Fremdenverkehrsbetriebe, s. 1970 in Österr., Beginn d. Karriere in Wien mit Eissalon am Währinger Gürtel, Grdg. d. einzelnen Ges. F.: Inh. versch. Fremdenverkehrsbetr., u.a. ein Hotel, mehr. Rest., Pizzerien, Eissalons in Riva del Garda/I. u.Hotelbeteiligungen. H.: Fußball, Musik. (J.S.)

Zanoni Peter

B.: Gschf. FN.: Automatenservice. GT.: Gschf. d. Fa. Bagast, Gschf. d. Fa. Novomatic Holland, Prok. d. Fa. Novomatik Österr. DA.: 1120 Wien, Meidlinger Hauptstr. 7-9. PA.: 2344 Maria Enzersdorf, Helferstorferstr. 6. G.: Wien, 11. Juni 1954. V.: Graziana, geb. Gortan. Ki.: Christian. El.: Erich u. Caroline. S.: VS, HS, Politechn. Lehrgang. K.: KFZ-Mechanikerlehre, 1973 Lehramtsprüf., 1977 Mstr.Prüf., 1977-78 Tätigkeit als Mechaniker, 1978-79 Vers.Kfm. b. d. Donauvers., 1980 Inkassant b. d. Fa. Automatenservice, anschl. gemeinsam m. d. Bruder d. Geschäft übernommen, seit 1981 Gschf. d. Fa. Bagast, ab 1982 Prok. b. d. Fa. Novomatik, m. d. Auftrag in Holland eine Tochterges. zu errichten, Gschf. d. Fa. in Holland. H.: Billiard, Motorradfahren. (M.Br.)

Zanot Gustav

B.: Ausbild.-Dir. FN.: Die Niederösterreichische. GT.: Schlagersänger, Texter u. Komponist als "Mister Evergreen". DA.: 1090 Wien, Roßauer Lände 47-49. G.: Obergrafendorf, 24. Feb. 1937. V.: Edeltraud, geb. Bayer. Ki.: Andreas (1962). El.: Vinzenz u. Josefa. S.: Berufsausbild. z. Bauspengler, zahlr. Kurse f. Vers.-Wesen in St. Gallen. K.: seit 1956 in d. Vers.-Branche, 20 J. Außendienst, als Führungskraft:

Fachinsp., Verkaufsltr. u. dzt. Ausbild.-Dir., Karriere als "Mister Evergreen": b. 1962 Schlagersänger m. zahlr. Auftritten in ganz Österr., 1961 Siege d. TV-Sendung "Teenager-Party", 1962 Aufgabe d. Karriere durch Unfall, 1987 Wiederbeginn als "Mister Evergreen" m. bisher 4 Singles, 2 MC, 1 CD "Für romantische Stunden" (1994), seit 1994 eigene Band. BL.: Benefizveranstaltungen. H.: Reisen, Filmen, Fotografieren. (J.S.)

Zant Johann Dr. MinR.

B.: Ltr. d. Gruppe Pers.-Org.- u. EDV-Angelegenh. u. Ltr. d. Personalabt. i. BM f. öff. Wirtsch. u. Verkehr. DA.: 1030 Wien, Radetzkystr. 2. PA.: 1100 Wien, Inzersdorfer Str. 57/12. G.: Mistelbach, 11. Okt. 1941. V.: Helga, geb. Tschochohei. Ki.: Manfred (1971), Manuela (1975). El.: Johann u. Theresia. S.: Gymn. Hollabrunn, 1960 Matura, Stud. Theol., Anglistik, Germanistik u. Jus Univ. Wien, 1968 Prom. z. Dr.iur. K.: ab 1962 Werksstudent b. d. Österr. Post- u. Telegraphenverw., zuletzt b. 1977 im Insp.-Dienst, 1977 Berufung ins BKA Abt. I/2 Personalabt., Vortrags- u. Prüf.-Tätigkeit a. d. Verw.-Akad. d. bundes, ab 1983 Ltr. d. Abt. IV/3 i. BKA, ab 1985 Abt.-Ltr. im Bundesmin. f. Öff. Wirtschaft u. Verkehr, s. 1986 Ltr. d. Personalabt. i. Präsidium, 1988 Übernahme d. Ltg. d. Gruppe Pers.- Org.- u. EDV-Angelegenheiten. H.: Tennis, Musik, Lesen, Reisen. (E.J.)

Zant Leopold Dr.

B.: Gen.-Kons. a.D. A.: 2540 Sooss, Vöslauerstr. 48. G.: 17. Juli 1935. V.: Pauline. Ki.: Gabriele, Eva, Thomas. K.: Reisender, Verkaufs- u. Betriebsdir. b. versch. europ. Firmen, Gen.-Dir. eines ital. Großkonzerns, selbst. als Ex- u. Importkfm., Gen.-Kons., Sonderbotschafter, Fin.-Berater, Teilhaber einer Import-Export-Fa. (Asien Trust Company), Buchautor d. Buches Im Auftrag d. Vatikan. E.: Großkreuz v. Burundi u. Griechenland. H.: Tennis, Schwimmen, Jagen.

Zapf Christian

B.: GF. FN.: Happy Fitneß. DA.: 6300 Wörgl, Innsbruckerstr. 62. PA.: 8380 Oberandorf, Kufsteinerstr. 3. G.: Rosenheim, 6. Juli 1972. V.: Andrea Angerer. El.: Reinhard u. Marianne. S.: VS, HS, 3 LJ als Konditor b. Fa. Rechenauer, Gesellenbrief 1991. K.: m. 15 J. aktiv Bodybuilding begonnen, m. 20 J. 2. Pl. b. d. Oberlandmeistersch. 1993 belegt, 1 Wo später Grenzlandcup Bayern/Österreich gewonnen, Oberbayerische Meisterschaft 6. Pl. belegt, s. 1994 selbst.

Führung d. 1984 gegründ. Fitneßstudios Happy Fitneß in Wörgl. P.: Artikel i. reg. Print-Medien. E.: zahlr. sportl. Ausz. u. Ehrung. H.: Sport, Fitneß, Bodybuilding. (J.F.)

Zapf Wolfgang Dr. HofR

B.: Stadthauptmann v. Hietzing. DA.: 1130 Wien, Lainzerstr. 49-51. G.: Wien, 28. Mai 1940. V.: Theresia, geb. Tschiderer. K.: Susanne (1971), Eva Maria (1977). El.: Josef u. Irene. S.: VS, Gymn., Jus. Stud. in Wien, Stud. als Werkstud. K.: währ. Stud. Hilfsarb. am Bau, später Hoteleinkäufer in d. Schweiz, Kellner in e. Fieschrestaurant a. d.donau, Barmixer in Trummelhof-Bar, Richteramtsanwärter am Landesgericht f. Strafsachen in Wien,1970 Eintritt Wr. Polizei, Kommissär in Floridsdorf, n. 2 J. definitiv. Staatspolizei (erlernen d. Serbokroatischen Sprache), BM f. Inneres, Kommissär in Floridsdorf, Berufung als Sicherheitsreferent in Ottakring, 1986 Stadthauptmann Stellv. im Kommissariat Landstr., 1990 Stadthauptmann im 13. Bez., 1991 Vors. d. Disziplinarkommission. P.: Beiträge i Fachzeitschrifen über "Krimminalstatistik". H.: Fischen, Bergsteigen, Sammeln v. Bilder aus d. Romantik, Krimminalstatistik u. techn. Weiterentw. (J.M.)

Zapletal Siegfried Friedrich Josef

B.: Filialdir. FN.: NÖ Sparkasse Marchfeld-Bank Nord. DA.: 1010 Wien, Seilerstätte 18-20, 2301 Groß-Enzersdorf, Hauptpl. 11. PA.: 2301 Groß-Enzersdorf, Lobaustr. 23/19. G.: Orth/Donau, 7. Febr. 1945. V.: Erika, geb. Doblinger. Ki.: Udo, Jutta. El.: Wladimir u. Anna. S.: Gymn., HASCH. K.: 1962 Getreideausgleichsfond, Militär, 1969 Raiffeisenkasse Orth/Donau, 1969 NÖ Sparkasse Marchfeld-Bank Nord, Filialltr. Groß-Enzersdorf, 1987 Filialltr. Süd. E.: Silb. Med. d. Österr. Kameradschaftsbund, Bronz. Med. d. Roten Kreuzes, Gr. EZ v. Schwarzen Kreuz. M.: Rotes Kreuz, Lions Club Marchfeld, Vorst.Mtgl. Österr. Fischereimuseum, Sportklub Groß-Enzersdorf, Atus Sparkasse Marchfeld. H.: Fischen, Joggen, Bergsteigen, Schießen. (M.G.)

Zapotoczky Hans Georg Dr. med. Univ.-Prof.

B.: FA f. Psychiatrie u. Neurologie, Zusatz-FA-Titel f. Kinderpsychiatrie, Vorst. d. Psychiatr. Univ.Klinik Graz. A.: 1010 Wien, Annag. 12/9 / 8040 Graz, Wenisbucherstr. 12; G.: Linz, 24. Sept. 1932. V.: Helga, geb. Dunkl. S.: Hum. Gymn. m. Matura, Med.Stud. in Wien, Prom. 1958. K.: 1961 Eintritt in d. Psychiatr.-neurolog. Univ. Klinik, 1965 Studienaufenthalt an d. Psychiatr. Univ. Klinik Burghölzli/ZH, 1967-69 Studienaufenthalt im Genesungsheim Kalksburg u. 1974 im Maudsley Hospital u. Middlesex-Hospital, 1976 Habil. P.: 220 Veröff., dar. 4 Bücher. M.: Ver. f. Psychiatrie u. Neurologie, Ges. österr. Nervenärzte u. Psychiater, Ges. d. Ärzte in Wien, Österr. Ges. z. Förd. d. Verhaltensforsch., -modifikation, -therapie (Vorst.-Mtgl.), Ver. f. Individualpsych., Österr. Arge f. Neuropsychiatrie u. Psych. d. Kindes, Van-Swieten-Ges., Ver. österr. Ärzte, Wiss. Ges. d. Ärzte in d. Stmk., Dt. Ges. f. Psychiatrie u. Nervenheilkunde (Korresp. Mtgl.), Ges. f. Ärztl. Psychotherapie d. DDR (Ehrenmtgl.), Membre corresp. de la Societe medico-psych. de Paris, Dt. Ges. f. Verhaltensmed. u. Verhaltensmodifikation e.V., Weißenauer Arge f. Psychosenforsch., Korrespondierendes Mtgl. d. Österr. Akademie d. Wissenschaften. e.V.

Zapotoczky Klaus Dr. Univ.-Prof.

B.: Vorst., Ltr. Prof. FN.: Johannes Kepler Univ., Inst. f. Soziologie. GT.: Vorst. Inst. f. Pflege.- u. Gesundh.-Systemforsch., Vorst. interdiszipl. Inst.-Entwicklung d. Uni Linz, Ltr. Abt. Soz.-Inst. f. polit. Soziologie u. Entwickl.-Forsch. DA.: 4040 Linz, Auhof-Keplergebäude. PA.: 4040 Linz, Altenbergerstr. 39. G.: Linz, 22. März 1938. V.: Elisabeth, geb. Rihs. Ki.: Michael (1974), Maria-Charlotte (1975), Maria-Susanne (1977), Johannes (1979). El.: Hans u. Gertrude. S.: VS, Gymn. Linz, 1956 Mat., b. 1961 Jus. Stud. Wien, 1961-64 Stud. Sozialwiss. Loiven/Belg. K.: Rechtsprakt. Bezirksgericht Wien, Jugendgerichtshof, 1964 Lizenziat erworben, 1964-66 Landjugendak. a. Vortragender f. Soz.- u. Entwickl.-Politik, Proj.-Entwickl.-Kreis Afrika u.Vord. Orient, 1966-71 Ass. Inst. f. Soz. d. Hochschule Linz (einer d. Gründ.-Ass.), b. 1976 i. Wien Ass. a. d. Soz. Inst. an. Phil. Fak., 1974 ordentl. Prof. f. Soz.; s. 1983 ÖFSE Österr. Forsch.-Stift. f. Entwickl.-Hilfe, Kuratoriumsvors. Wien, Zentr. Dokumentationsstätte f. Entwickl.-angewandte Dokumentation, Mtgl. Beirat Österr. Forsch.-Gem., s. 1985 Ltr. ARGE-Gesundheitspolitik Österr. Forsch.-Gem., Ltr. Wiss.-Komm. Landesverteid.-Ministerium, Mtgl. versch. wiss. Ges., Mtgl. Österr. Ges. f. Soz., Mtgl. Dtsch. Ges. f. Soz., Vorst.-Mtgl. Österr.Kollege., Kurator Int. f. kirchl. soz. Forschung. P.: Mithrsg. u. Mitautor v. Büchern: 1984 Neue Wege i. Gesundh.-Wesen, 1988 Ges.u. Gesundh., 1989 Gesundh. i. Brennpunkt Band 2, 1992 Band 3, 1993 Band 4, mehr. Publ. z. Thema: Gesundh., Entwickl.-Polit., weltw. Zusammenarb., polit. Fragen. E.: 1964 Preis Donaueurop. Inst. z. Auszeichnung d. Arbeit: "Die Frage nach dem Sinn der Arbeit", 1975 Kard. Innitzer-Förder.-Preis f. Arbeit: "Abbau Sozialkult. Distanzen". H.: Fußball, Literatur, Musik, Schiff, relig. u. weltanschaul. Fragen. (U.A.)

Zappl Ursula

B.: Gschf. FN.: Trans Tours Reisebüro, Okay-Reisen u. Reisebüro Airpost. DA.: Zentrale: 8010 Graz, Kaiser-Josef-Pl. 3. PA.: 8051 Graz, Thal 601. G.: Graz, 30. Juli 1947. V.: Otto Zappl. Ki.: Nina (1976), Caroline (1979). El.: Heinz u. Gertrud Thomann. BV.: Vater Heinz Thomann 30 J. Generali Vers.-Dir., Großvater Dr. vet. med. Alfred Thomann. S.: 1965 Matura, 2 J. Abiturientenkurs Fremdenverkehr Schloß Kleßheim/Sbg., 2 J. Aufenthalt in Amerika. K.: weitere Laufbahn im Fremdenverkehr m. Spezialisierung Reisebüro, seit 1988 selbst. M.: Reitsportcentrum Süd Graz-Gössendorf. H.: Maine-Coon-Katzen Züchterin, Hunde, Pferde, Aquarell, Seidenmalerei, Lesen, Musik. (R.S.)

Zarowskyj Bohdan

B.: freischaff. ak. Bildhauer. PA.: 5020 Salzburg, Maria-Anna-Pertl-G. 11. G.: Wien, 13. März 1921. V.: Aloisia Gabriela, geb. Leitner. El.: Theodor u. Margarethe. BV.: Bildhauer Kundmann z.B. Figuren vor d. Parlament, Tautenhein Thegendorf Denkmal, Schriftsteller Anton Langer - Charles Müller - Ballettmstr. d. Berliner Hofoper, Renate Müller Schauspielerin, Abstammung d. Familie aus d. Adelsgeschlecht seit d. 15. Jhdt. S.: HS Ak. d. Bild. Künste Wien Bildhauerei u. Arch., Diplomatenschule Meissen, Slawistik Sprachenschule, Elektrotechnik- u. Maschinenbaulehre m. Abschluß. K.: seit 1954 Sbg. als freischaff. Ak. Bildhauer. P.: Arbeiten: Weinbergarbeitergruppe in d. Weinberggasse Wien-Döbling, Gutenhirten in Siebenhirten an d. Kirche Hochrelief in Stein, 1. Darstellung d. Hl. Domenicus Savio an d. Kirche Hochrelief in Stein, versch. Arb. in Bronze f. d. Diözese Wien, 3 Kreuzwege f. d. Dombauamt Wien, Sakrale Kunst, Tabernakel, Vortragskreuze, viele Porträts im In- u. Ausland, 1988 Weihnachtsausstellung im Museum. H.: Physik, Chemie, Kunstsammler, Malerei, Geschichte, Garten, Phil. (M.T.)

Zaruba Johann
B.: Firmeninh. d. Fa. Johann Zaruba u. Gschf. b. Zaruba GmbH. DA.: 2351 Wr. Neudorf, Industriezentrum NÖ Süd, Str. 14, Obj. 19. G.: Wien, 31. Aug. 1946. V.: Ingrid, geb. Traunmüller. Ki.: Petra, Oliver, Sandra. El.: Johann u. Franziska. S.: HAK, Matura in Wien. K.: 1964 Eintritt in d. väterl. Betrieb, 1967 Prok., 1971 Alleininh. d. Fa. Zaruba, 1982 Gschf. d. Fa. Zaruba GmbH. H.: Musik (E-Musik), Literatur. (Fels.)

Zaruba Nikolaus Mag. rer. soc. oec.
B.: Gschf. Ges. FN.: Hermann Zaruba Verpackung. GT.: fachkundiger Laienrichter, Gschf. d. Fa. Zarex Hermann Zaruba Export Import u. Hdls.Agentur GmbH & Co KG. DA.: 5020 Salzburg, Gnigler Str. 63a. PA.: 5302 Henndorf, Fenning 86. G.: Eggerding, 9. Nov. 1947. V.: Brigitte, geb. Gmachl. El.: Hermann u. Maria. S.: HAK Matura 1969, kfm. Lehre im elterl. Betrieb, Stud. an d. HS f. Welthdl. Hdls.-Wiss., 1974 Spons. K.: 1976 gschf. Ges. in d. elterl. Fa., 1981 Gschf. d. Fa. Zarex. E.: Silb. EZ d. VÖWA. M.: Wirtschaftsbund, Verb. Österr. Wirtschaftsak., Aussch.Mtgl. d. HK Sbg. H.: Sport (Skifahren, Tennis), Oldtimer (Teilnahme an Rennen), Kunst, Antiquitäten, Reisen. (A.W.)

Zass Johanna
B.: Musikschulltr. DA.: 6250 Kundl, Franz-Stumpf-Str. 16. PA.: 6361 Hopfgarten, Gruberberg 7. G.: 25. Juni 1968. El.: Mattäus u. Maria Johanna Zass. S.: Grundschule, 1982-84 Mädchenpensionat, 1984-86 Ausbild. Konservatorium Innsbruck, 4 J. Stud., 1990 Abschluß. K.: bereits während d. Stud. Musik unterrichtet in Kundl, 1 J. Vertretung d. Musikschulltr., 1992 Musikschulltr. d. Musikschule Kundl, Unterricht Zither, Gitarre, Hackbrett u. Ensemblestunden. H.: Musik, Big Band, Schwimmen, Wandern. (M.W.)

Zatecky Walter

B.: Graveur. FN.: Eremit Gravieranstalt. DA.: 1050 Wien, Laurenzg. 3. PA.: 1030 Wien, Trubelg. 9/15. G.: 30. Nov. 1955. El.: Alfred u. Hertha. S.: VS, HS, 1971-74 Lehrling, 1974-83 Geselle, 1975 BH, 1983 Mstr.-Prüf. K.: 1985 Übern. d. Betriebes, Graveur m. Auszeichnung. BL.: Beis. d. Gesellen- u. Mstr.-Prüf.-Kmsn., Mtgl. d. europ. Graveurvereinigung. E.: mehr. Auszeichnungen f. Modellflug, ehrenamtl. Fluglehrer, Mtgl. d. Ver.-Vorst. M.: FMBC-Vienna. H.: Air-Brush, Flugmodellbau, Zinnfiguren. (R.T.)

Zaubek Edwin Dipl.-Ing.
B.: Pensionist, freischaff. Ziviling. DA. u. PA.: 4020 Linz, Industriezeile 4. G.: Schrems, 7. Sept. 1904. V.: Katharina, geb. Sighard. Ki.: Birgit (1944), Ulli (1949). El.: Theodor u. Friederike. S.: VS, Gymn., 1929 Matura, 1933 TU f. Schiffsmaschinenbau. K.: Hilfsarb. Schiffswerft Korneuburg, 1934 Großschiffswerft Danzig, b. 1939 Schiffswerft Linz, 1939-41 b. Prof. Eckert TU Wien f. Sonderkonstruktionen im Schiffbau u. schwimmende Panzer f. Flußüberquerung, 1944 Gschf. Hermann Göring Schiffswerk AG, 1946-52 Konstrukteur Schiffswerft Linz, 1962 Übernahme d. Konstruktionsbüros u. Prok., 1960-70 zusätzl. Übereinnahme d. Konstruktionsbüros f. Maschinenbau, 1970 Pensionist, 1968 Befugnis als Ziviling. u. freischaff. tätig. M.: Musikkmsn., Ing. u. Arch.-Ver H.: Konzerte, Beruf, Autos- u. Tankstellenbegutachter. (U.A.)

Zaufal Alfred Dr. iur. Mag. rer. pol.
B.: RA. DA.: 1020 Wien, Heinestr. 43/Praterstern 1. PA.: 1190 Wien, Obersteinerg. 9. G.: Wien, 30. Apr. 1922. V.: Herta, geb. Ambichl. Ki.: Werner, Claudia. El.: Karl u. Maria. S.: 1940 Matura, Stud. d. Rechtswiss. in Wien, 1949 Prom., 1951 Absolutorium in Staatswiss., Gerichtsjahr in Wien, 1957 Anw.Prüf. K.: 1957 Eröff. d. Kzl. in Wien. P.: Seminararbeiten über Prof. Lederer. M.: AufsR.-Vors. d. Johann Ehrlich AG in Imbach b. Krems, Alpenver. H.: Wandern, Skifahren, Schwimmen, Violine spielen. (A.W.)

Zaunbauer Franz Dipl.-Ing. HofR.
B.: Ltr. d. Fachabt. Landesforstdion. im Amt d. Sbg. Landesrg., Landesforstdir. DA.: 5026 Salzburg, Aignerstr. 85. PA.: 5582 St. Michael im Lungau 378. G.: Klagenfurt, 30. Mai 1948. V.: Marlies, geb. König. Ki.: Maria (1975), Franz-Xaver (1977), Johann-Ambros (1980). BV.: Großvater Alois Zaunbauer Gründer d. Aufbaugymn. Horn. S.: VS, Gymn., 1966 Matur, 1966/67 Präsenzdienst, 1967-68 Arch.-Stud. Wien, 1968-73 Stud. Forstwirtschaft Univ. f. Bdk. Wien. K.: 1972-77 Univ.-Ass. am Inst. f. forstl. Wirtschaftslehre Wien, seit 1977 Amt d. Sbg. Landesrg., 1977-86 Landesforstdion., 1987 Ltr. d. Bez.-Forstinsp. Tamsweg, 1987 Stellv. d. Landesforstdir., 1990 Landesforstdir. BL.: Mannschaftsführer d. europ. forstl. nord. Skiwettkämpfe (1986 Wasa-Lauf), Kdt. d. Österr. Forstflotte b. Ressl-Tagung in Porto Roz 1993. P.: zahlr. Art. in Fachzeitschriften f. Forstwirtschaft. H.: Segeln, Skilanglauf, Tennis, aktiv Musik (Singen).

Zauner Alois
B.: Bgm., Landwirt. FN.: Marktgem. Hofkirchen a. d. Trattnach. DA.: 4716 Hofkirchen a. d. Trattnach. PA.: 4716 Hofkirchen a. d. Trattnach, Schallbach 8. G.: Grieskirchen, 1. Okt. 1962. V.: Christine-Maria, geb. Schauer. Ki.: Christian (1990), Maritna (1992). El.: Alois u. Gertrude. S.: VS, HS, Fachschule f. Landwirtschaft, 1984 Mstr. Prüf. f. Landwirtschaft. K.: s. 1980 Mitarb. in d. elterl. Betr., 1992 Übern. d. elterl. Betr.; s. 1985 im GemR. tätig, s. 1991 Bürgermstr. d. Marktgem. M.: freiwillige Feuerwehr in Ruhringsdorf. H.. Bergsteigen. (G.E.)

Zauner Alois Dr. phil. w.HofR.
B.: Landesarchivdir. a.D. DA.: 4020 Linz, Anzengruberstr. 19. PA.: 4020 Linz, Greilstr. 8. G.: Haag, 25. Apr. 1925. V.: Elfriede, geb. Weigl. Ki.: Peter, Wolfgang. S.: Oberschule Ried/Innkreis, 1943 Matura, Stud. Geographie u. Geschichte an d. Univ. Innsbruck, 1949 Prom. z. Dr. phil, 1950 Staatsprüf. am Inst. f. österr. Geschichtsforsch., Studienaufenthalt in Italien. K.: 1950 Eintritt in d. OÖ Landesarchiv, ArchivR., OArchivR., 1979-89 Dir. d. Inst., nebenbei wiss. Arb. über Stadtgeschichte u. Urkundenuntersuchungen. P.: Der Rechtsinhalt d. älteren Garstener Urkunden, Königsherzogsgut in OÖ, Das älteste Tir. Kzl.-Register 1308-1315 (Fontes rerum Austriacarum II/78), Vöcklabruck u. d. Attergau - Stadt u. Grundherrschaft in OÖ b. 1620, Ottokar II. Premysl u. OÖ, Die Anfänge d. Zisterze Wilhering, Die Beschwerden d. oö Bauern 1511/12 u. 1525. M.: Inst. f. österr. Geschichtsforsch. H.: Beruf, Geschichte, Schwimmen, Skifahren. (Deu.)

Zauner Franz

B.: Unternehmer. FN.: Franz Zauner. DA.: 4070 Eferding, Wörth 21. PA.: 4074 Mitterstroheim 3. G.: Linz, 1. Okt. 1959. V.: Ingrid, geb. Danninger. Ki.: Astrid (1986), Brigit (1987), Wolfgang (1989). El.: Franz u. Rosa. S.. VS, HS. K.: Lehre als Schlosser in elterl. Betr., 1979 Geselleprüf., 1985 Mstr. Prüf. Schlosser, 1989 Mstr. Prüf. Schmied, 1989 Schweißermstr. Prüf., laufend im elterl. Betr. tätig, 1985 Übern. d. Betr. H.: Familie, Beruf. (G.E.)

Zauner Franz

B.: gschf. Ges. d. Fa. INTEGRAL Montage. DA.: 1040 Wien, Große Neug. 8. G.: Wallern, 28. Febr. 1935. V.: Aloisia, geb. Dengg. Ki.: Gabriele, Manfred, Peter. El.: Franz u. Karoline. S.: Fachschule f. Maschinenbau Linz. K.: 1954-59 Fa. Rumpel AG, Wels, 1959-61 Biochemie, 1961-69 Fa. Rumpel Wien, 1969 Grdg. d. Fa. Integral Montage. H.: Tennis, Motorboot. (Fels.)

Zauner Franz Salesius

B.: Bischof. DA.: 4020 Linz, Herrenstr. 19. G.: Tollet, 11. Dez. 1904. S.: Matura, Stud. Rom, 1928 Dr. phil., 1932 Dr. theol. K.: 1931 Priesterweihe, Seelsorger Mondsee, Kooperator Linz, 1934 Gen.-Präfekt Kollegium Petrinum, 1940-42 Kirchenbeitragsref. in d. Finanzkam., 1942 Lehrauftrag f. Kirchenrecht Phil.-Theol. Lehranst. Linz, 1946 Regens d. Priesterseminars, 1946 Prof. f. Kirchenrecht, 1949 Titularbischof v. Fata u. Bischofkoadjutor, 1949 Bischofsweihe, 1956 Bischof Linz, 1980 Apostol. Administrator, 1982 Übergabe d. Ltg. d. Diözese Linz an Diözesanbischof Maximilian Aichern. H.: Technik.

Zauner Friedrich Ch. Dr.

B.: Freier Schriftsteller. A.: 4791 Rainbach. G.: Rainbach, 19. Sept. 1936. V.: Roswitha. S.: Mittelschule Linz, Univ. Wien: Theaterwiss., Germ., Phil., Prom. 1961. K.: Prakt. Arbeit am Theater u. am Rundfunk als Autor, Regisseur u. Schauspieler, 1 J. in Rom als Hospitant an d. Cinecittà, seit 1965 freier Schriftsteller. P.: Theater: "Spuk", "Kobe Beef", "Fiktion", "Kidnapping", "Aller Tage Abend", "Mirakel Mirakel" u.a., Fernsehen: "Job f. Kutschera", "Wegen Renovierung geschlossen", "Menschenskinder", "Xander Vrüpp macht Geschäfte" u.a., Bücher: "Dort oben im Wald bei diesen Leuten", "Archaische Trilogie", "Ypsilon", "Schard ae", "Lieben u. Irren d. Martin Kummanz", "Bulle", Romanfolge "Das Ende d. Ewigkeit": Bd. 1 "Im Schatten d. Maulwurfshügel", Bd. 2 "Und dl Fische sind stumm" u.a. M.: Präs. d. OÖ P.E.N.-Club.

Zauner Gärdi

B.: Inh. Zauner Café-Konditorei. DA. u. PA.: 4820 Bad Ischl, Pfarrg. 7. Ki.: Josef. El.: Franz u. Anna Reitinger. BV.: Café Zauner seit 1832, k.u.k. Hofkonditorei. S.: 1942 Sportlehrerausbild. beendet. K.: b. 1962 Sportlehrerin Stuttgart, seit 1962 in Bad Ischl, seit 1972 alleinige Geschäftsführung. M.: Tierheim Stockerau u. Bad Ischl. H.: Dekoration, Schwimmen, Entspannung, Theater. (E.Hö.)

Zauner Helmut Wolfgang

B.: Ltr. d. Vertriebsdion. Linz. FN.: Alcatel Austria AG Vertriebsdion. OÖ. DA.: 4020 Linz, Wiener Str. 322. PA.: 4060 Leonding, Hammerlweg 27. G.: Linz, 5. Aug. 1960. V.: Elke Gabriela, geb. Ulm. Ki.: Michael Helmut (1988), Melanie Elke (1992). El.: Helmut Johann u. Frieda. S.: kfm. Ausbild. K.: 5 J. Xerox, anschl. Alcatel, über Verkaufsltg. zu Vertriebsltg. 1990. H.: Reisen, Wintersport, Familie. (P.H.)

Zauner Josef

B.: Gschf. Ges. FN.: Zauner Druck GmbH & Co KG. DA. u. PA.: 4650 Lambach, Schubertstr. 2. G.: Lambach, 18. Jän. 1944. V.: Gertraud, geb. Seifriedsberger. Ki.: Anita (1967). El.: Karl u. Gerda. S.: Ausbild. z. Buchdrucker im OÖ Landesverlag Ried, BH. K.: Eintritt in elterl. Betrieb Buch- u. Offsetdruck, seit 1982 Gschf. H.: Bücher (Geschichte), Reiten, Reisen. (E.Hö.)

Zauner Manfred Dr. med.

B.: prakt. Arzt u. ärztl. Ltr. d. selbst. Ambulatoriums im Bio-Trainingszentrum Gars/Kamp - Dungl-Zentrum. DA.: 3571 Gars/Kamp, Hauptpl. 58. PA.: 3571 Gars/Kamp, Gföhler Straße NB. G.: Wien, 20. Mai 1960. V.: Dr. med. Andrea, geb. Dungl. Ki.: Alexander (1987), Florian (1990). El.: Karl u. Eleonore, geb. Wechselberger. S.: VS, 1989 BRG-Matura, Med.-Stud. Univ. Wien, 1986 Prom. z. Dr. med. K.: 1987 Turnusdienst UKH Lorenz Böhler u. UKH Meidling, Chir. Abt. Laserchir. KH Rudolfsstiftung, 1989 UKH Meidling, 1989 Turnusausbild. u. ärztl. Tätigkeit Hanusch-KH, seit 1992 ärztl. Tätigkeit u. seit 1993 ärztl. Ltr. im Dungl Zentrum Gars/Kamp. M.: Ges. f. Akupunktur u. Aurikulotherapie, Ges. f. Neurotherapie, Ges. f. Manuelle Med., Ges. f. Elektroakupunktur. H.: Computer, Elektronik, Lesen, Tennis, Radfahren, Schwimmen, Skifahren. (M.M.)

Zauner Martin

B.: Bgm., Ldw. DA.: 4792 Münzkirchen. PA.: 4792 Münzkirchen, Eisenbirn 11. G.: Eisenbirn, 31. Jan. 1931. V.: Mathilde, geb. Haas. El.: Martin u. Maria. S.: Pflichtschule, ldw. Fachschule. K.: seit 1960 im GemR., 12 J. Ortsbauern- u. Bauernbundobm., seit 1973 Bgm. M.: seit 1946 Mtgl. d. FF Eisenbirn, seit 1956 Mtgl. d. Fleckviehzuchtverb. H.: seit 1945 Imkerei.

Zaunrieth Fritz

B.: Werbegrafiker. FN.: Graphmulti. DA.: 1070 Wien, Neustiftg. 32/11. PA.: 1150 Wien, Neubaugürtel 37. G.: Attnang-Puchheim, 5. März 1959. El.: Fritz u. Gertraud. S.: Matura, Stud. Werbegrafik HS f. künstler. u. industrielle Gestaltung Linz. K.: Grafiker im Arch.-Büro Prof. Domenig Wien, seit 1991 selbst., Schwerpunkt: Entwurf, Gestaltung u. Ausführung v. Zeitschriften u. Katalogen, Plakaten u. Anzeigen, Uhren- u. Brillendesign, Airbrush-Arb. f. Arch.-Grafik. EL.: Entwurf u. Design gemeinsam m. Hr. Embacher "Die BANK-O-MAT" einer gebührenpflichtigen Sitzbank m. ausfahrbarer Sitzfläche. E.: 1984 Preis f. Uhrendesign. H.: Handwerken. (J.S.)

Zaunstöck Friedrich

B.: Gschf. FN.: Pfaff-silberblau GesmbH. DA.: 2552 Hirtenberg, Enzesfelder Str. 1. PA.: 2371 Hinterbrühl, Parkstr. 11. G.: Muschau/Südmähren, 26. Nov. 1942. KI.: Katharina (1969), Elisabeth (1972). EL. .Friedrich u. Leopoldine. S.: VS, HS, HASCH. K.: 1958-60 Mitarb. e. Textilfirma am graben in wien, 1960-65 Schmiermittel u. Maschinenbaubranche, 1965-77 Tätigk. i. d. Mineralölbranche, s. 1977 Gschf. d. Fa. Pfaff - silberblau, Unternehmen f. Hebezeuge u. Fördergeräte. M.: Gesangsver. H.: Tennis, Skifahren, Schwimmen. (F.S.)

Zausner Harald Ernst Dr.

B.: seit 1982 Vorst.Stellv. d. Rechtsbüros d. Oesterr. Nationalbank. DA.: 1090 Wien, Otto-Wagner-Pl. 3. PA.: 1030 Wien, Seidlg. 41. G.: Wien, 29. Apr. 1932. V.: Maria, geb. Bauer. Ki.: Mag. Martin (1962), Ing. Thomas (1969). El.: Ernst u. Irma, geb. Teindl. BV.: Großvater Ernst Zausner war Bankinh. S.: 1950 Matura, Stud. Jura Univ. Wien, 1971 Sprachstud. in England. K.: Gerichtsjahr, seit 1956 in Oesterr. Nationalbank. P.: div. Fachart. u.a. in Notariatszeitung. H.: Antiquitäten, Reisen, Musik. (M.G.)

Zavadil Heinz-Karl

B.: Gschf. u. Ges. A.: 1160 Wien, Maderspergerg. 1/I/II. G.: Wien, 19. Febr. 1949. V.: Majorie Margret, geb. Meecaleef. El.: Karl u. Margarethe. S.: Grundschule, Berufsschule f. Großhandelskfm., HK-Prüf., fachl. Weiterbild. m anschl. Gastgew.-Konzessions-Prüf. K.: 10 J. Verkäufer in versch. Zweigen d. Kfz-Branche, Besuch einführender u. weiterbild. Kurse f. d. Gastgew., 1974 Eröff. d. Spezialitäten-Restaurants BANGKOK in Wien, 1976 Eröff. d. Spezialitätenrestaurants SIAM in Wien. F.: Bangkok Rest. Betr. GmbH, Siam Restaurants u. Handels GmbH. H.: Tennis, Skifahren, Wasserski, Lesen, Fremdsprachen.

Zavecz Heinz August Mag. rer. soc. oec.

B.: Textilkfm. FN.: Perfekt Fashion. DA.: 8010 Graz, Reitschulg. 22, 8010 Graz, Dietrichsteinpl. 16. PA.: 8010 Graz, Burgfriedweg 23A. G.: Graz, 30. Mai 1946. V.: Christine, geb. Winkler. Ki.: Barbara (1974), Ursula (1975). El.: Josef u. Emmy. S.: VS, Stiftskonvent St. Paul/Lavanttal, Pestalozzi-Gymn. Graz, 1966 Matura, Ausbild. z. Res.-Offz., 1967/68 Abitur.-Kurs HAK Graz, Stud. BWL, 1973 Dipl.-Arb. "Die Struktur d. Einzelhdls. in Österr.", 1974 Spons. z. Mag. rer. soc. oec., Studienaufenthalte in Amerika u. Rußland. K.: Textilausbild. in Nagold, parallel ständige Mitarb. in d. elterl. Firma, 1979 Übernahme d. Firma, 1990 Ausbau d. Betriebes, seit 1990 KommR., 1980 Vorst.-Stellv. im Gremium d. Textilhdls., gleichzeitig ins Bundesgremium Textilhdl. berufen, 1982 Vorst. d. Textilhdl., 1985 Sekt.-Ltg.-Stellv. Hdl., seit 1987 Mtgl. d. Bundessekr. Hdl. u. Delegierter z. Bundeskammertag. M.: Berufungssenat d. Finanz- u. Landesdion., Strafsenat d. Zollamtes, ab 1990 Aussch.-Vors. d. Rechts- u. Gewerbepolit. Aussch. in d. Landeskam. Stmk., Vors. d. Berufsbild.-Aussch. d. Bundessekt. Hdl., seit 1990 fachmänn. Laienrichter im OLG Graz in Hdls.-Sachen. H.: alte Passagierschiffe, Wandern, Klettern. (M.Gr.)

Zavesky Hans Dkfm. Ing.

B.: Vorst.-Mtgl. FN.: Ericsson Schrack. DA.: 1121 Wien, Pottendorferstr. 25-27. PA.: 3413 Kirchbach, Talg. 4. G.: Wien, 30. Okt. 1947. V.: Susanne, geb. Zöhrer. Ki.: Karin (1985). El.: Josef u. Emilie Maria. S.: RG, TGM Abt. Nachrichtentechnik, Stud. Univ. f. Welthdl., Abschluß m. Dipl., 1971 Präsenzdienst. K.: 1972-73 Simmering-Graz-Pauker AG, b. 1977 Regionalmanager f. Spanien, Portugal u. Mittlerer Osten b. Schrack Elektrizitäts AG, 1977-81 Exportltr. Kohmaier GmbH, ab 1981 Schrack Elektronik AG, 1984 Dir. u. Erteilung d. Prokura, 1989 Vorst. d. Schrack Telecom AG, seit 1991 Vorst. d. Schrack Elektronik AG, 1992 Vorst. d. Schrack Telecom AG jetzt Ericsson Schrack. M.: Technologenverb. Donau-Europ. Inst., WDF. H.: Tennis, Skifahren, Geländelauf, Lesen v. polit. u. wirtschaftl. Berichten aus aller Welt, Musik. (I.J.)

Zavesky Hans Dkfm. Ing.

B.: Vorst.-Dir. FN.: Schrack Telecom AG. DA.: 1121 Wien, Pottendorfer Str. 25-27. PA.: 3413 Oberkirchbach, Talg. 4. G.: Wien, 30. Okt. 1947. V.: Susanne, geb. Zöhrer. Ki.: Karin (1985). El.: Josef u. Emilie. S.: VS, RG, 1961-66 TGM Nachrichtentechnik, 1966 Matura, 1966-70 Stud. Univ. f. Welthdl., 1970 Dipl., 1971/72 BH. K.: 1972-73 Vertrieb f. Kraftwerke in Österr. u. auch Intern. d. Simmering-Graz-Pauker AG, 1973-77 Regionalmanager f. Spanien, Portugal, Naher u. Mittlerer Osten d. Schrack Elektrizitäts AG, 1977-81 Exportltr. F. Kohmaier GmbH, seit 1981 Aufbau d. Exportabt. f. Telekommunikation d. Schrack Elektronik AG, 1984 Dir. u. Erteilung d. Prokura, seit 1989 Vorst. d. Schrack Telecom AG, seit 1991 Vorst. d. Schrack Elektronik AG (Holding), seit 1992 Vorst. d. Schrack Telecom AG. H.: Sport (Tennis, Skifahren, Geländelauf), Kultur (Oper, Konzerte, Musical).

Zavodsky Alfred

B.: freisch. Maler u. Bildhauer. PA.: 2344 Ma. Enzersdorf/NÖ, Siedlungsstr. 44. G.: Ma. Enzersdorf, 26. Jan. 1944. V.: Hildegard. Ki.: Martin (1965), Manfred (1968), Brigitte (1971), Barbara (1984). El.: Rudolf u. Helene. S.: 1960 Abschl. d. HASCH in Wien. K.: 1960-68 im elterl. Betrieb als techn. Ang., s. 1988 freisch. Künstler. BL.: Erfindung u. Vergabe v. Lizenzen (weltweit) f. Produktionsautomaten f. Bürsten- u. Pinselind.; Präger d. heiteren bis skurilen Malerei. P.: s. 1976 über 100 Einzelausstell.; Werke im öff. u. priv. Besitz im In- u. Ausland. E.: 1977 1. Preis im österr. Wettbewerb v. Sonntagsmalern, 1984 1. Preis d. Mödlinger Künstlerbundes im Plakatwettb., 1985 Dr.-Ernst-Koref-Preis, Linz, in

Fassadengestaltung, mehrf. Wettbewerbspreisträger f. Malerei u. künstler. Werbeentwürfe. M.: s. 1977 Mödlinger Künstlerbund u. Club d. Begegnung im Kulturzentrum Linz, s. 1991 Museum M - Weinviertel. H.: Bauen v. Blechspielzeugen, Malen. (I.K.)

Zavodsky Rudolf jun.

B.: Gschf. Ges., gelernter Bürsten- u. Pinselmacher. FN.: Rudolf Zavodsky KG, Pinselfabrik. DA/PA.: 2344 Maria Enzersdorf, Siedlungsstr. 42. G.: Wien, 22. Apr. 1940. V.: Helga, geb. Huber. Ki.: Elisabeth (1963), Susanne (1964), Eva (1967), Peter (1975). El.: Rudolf u. Helene. BV.: Adelsfamilie in Groß Ungarn s. 1569. S.: 1954-57 Berufslehre f. Bürsten- u. Pinselmacher in Wien, 1958-60 HAS in Wien, 1961 Mstr.-Prüf. K.: 1961-83 Ang. im elterl. Betrieb, s. 1983 Gschf. d. Fa. F.: Fleischhauerei in Tschechien. M.: Grdg.-Mtgl. d. Ver. Taurchbahn GmbH., ehrenamtlich aktiver Mtgl. d. Innung. H.: Sammeln von alten Ztg., Gesch. u. Wirt.-Historie, Eisenbahnliebhaber. (I.K.)

Zbonek Edwin

B.: künstl. Ltr., Regisseur d. Theater d. Jugend. GT.: Opernhaus Graz (Regie), Volksoper Wien (Regie). DA.: 1070 Wien, Neubaug. 36. PA.: 1020 Wien, Vorgartenstr. 162. G.: Linz, 28. März 1928. V.: Christa, geb. Irrall. Ki.: Thomas, Marcus. El.: Stefan u. Ebba. S.: VS, hum. Gymn. Reinhardt-Seminar. K.: 1. Engagement am "Avantgarde Theater d. Courage" in Wien, 1960-76 Hausregisseur am Wr. Theater in d. Josefstadt, ab 1966 Volksoper Wien, Gastregiearb. am Wr. Volkstheater, Burgtheater, Opernhaus Graz, b. d. Bregenzer Festspielen, Schiller Theater Berlin, Opernhaus Zürich, Ernst Deutsch-Theater Hamburg usw., seit 1973 künstler. Ltr. d. Theaters d. Jugend in Wien. P.: 1960 1. Spielfilm "Am Galgen hängt d. Liebe", 8 weitere Spielfilme u. zahlr. Fernseharb. M.: Mtgl. d. Intern. Jury in Cannes. H.: Film, Lesen, Theater, Kochen. (R.A.)

Zdarzil Herbert Dr. et Mag. phil.

B.: o.Univ.-Prof. A.: 1180 Wien, Wallrißstr. 62. G.: Wien, 1. Okt. 1928. V.: Gertraud, geb. Breisch. El.: Philipp u. Maria. S.: VS, RG Wien, Stud. d. Phil., Päd. u. Geschichte an d. Univ. Wien. K.: 1954-63 wiss. Bmtr. an d. Univ.-Bibl. Wien, 1963-71 Ass. u. Lehrbeauftragter d. Univ. Bonn (hier auch Habil.), ab 1971 Prof. d. Päd. (m. bes. Berücksichtigung d. Erwachsenenbild. u. außerschul. Erz.) an d. Univ. Wien. P.: Zus. m. R. Olechowski: Anthropologie u. Psychologie d. Erwachsenen, Stuttgart 1976, Päd. Anthropologie, 2. Aufl. Graz 1978. M.: Korresp. Mtgl. d. Österr. Ak. d. Wiss.

Zdrahal Franz Dr. Prim.

B.: Vorst. d. Abt. f. Anästhesie u. Schmerztherapie d. Krankenanst. d. Göttl. Heilandes. GT.: Ordination f. Schmerztherapie 1150 Wien, Schuselkag. 4, ärztl. Ltr. d. Hospiz-Teams d. Caritas Wien: Betreuung v. Krebskranken zu Hause, Ltr. d. Hospiz-Station im KH d. Göttl. Heilandes. DA.: 1170 Wien, Dornbacher Str. 20-26. PA.: 1080 Wien, Florianig. 42/15. G.: Wien, 6. März 1947. V.: Johanna, geb. Reckziegel. Ki.: Julia (1976), Bernhard (1979). El.: Franz u. Emilie. S.: BRG Wien, 1965 Matura, Stud. Maschinenbau TU Wien, 1968 Med.-Stud. Univ. Wien, 1976 Doktorat. K.: Ausbild. u. Tätigkeit in d. KH Korneuburg, Lainz u. AKH, FA f. Anästhesie, seit 1981 Schmerztherapie, seit 1985 Prim., 1989 Mitbegründer d. Hospiz-Teams. H.: Byzantinistik, Musik. (J.S.)

Zdrahal Peter Dr. Mag.

B.: Mtgl. d. Dir. d. Oesterr. Nationalbank. DA.: 1090 Wien, Otto-Wagner-Pl. 3. PA.: 2344 Maria Enzersdorf, Barmhartstalweg 14. G.: Wien, 19. März 1938. V.: Roswitha, geb. Lichtenthäler. Ki.: Pia, Eva, Christoph. El.: Dr. Josef u. Katharina. S.: Pflichtschule, RG, Univ. Wien, Stud. d. Soz. u. Wirtschaftswiss. K.: 1972 Mag., 1978 Dr., seit 1956 in versch. Abt. d. Oesterr. Nationalbank tätig, seit Okt. 1982 Dir. u. Mtgl. d. Direktoriums, Ltr. d. Druckerei f. Wertpapiere, Kassen- u. Sicherheitswesen d. Oesterr. Nationalbank. (Lar.)

Zdrazil Karl

B.: Gschf. Ges. FN.: A.S.P. Arbeits-Sicherheits-Produkte Handels GmbH. GT.: im Vorst. d. Verb. z. Förd. d. Arbeitssicherheit Österr. DA.: 7082 Donnerskirchen, Johnstr. 49. PA.: 1020 Wien, Czerning. 3-5/5. G.: Wien, 21. Aug. 1941. El.: Karl u. Maria, geb. Novak. S.: VS, HS, Lehre als Damenkleidermacher. K.: 1960-63 Tätigkeit in Konfektionsbranche u. im Außendienst, 1963 Eintritt in d. Arbeitsschutzbekleidungsbranche, b. 1969 im Außendienst tätig, anschl. Grdg. d. eigenen Firma. M.: Grdg.-Mtgl. d. Verb. z. Förd. d. Arbeitssicherheit Österr. u. seit d. Grdg. im Vorst. tätig. H.: Wein, Musik. (N.A.)

Zebisch Walter Dr. iur. Mag. HofR.

B.: LAmtsdir. Stellv. im Amt d. Tir. LRg. GT.: Protokollchef d. Landes, LKdt. d. Bundes d. Tir. Schützenkompanie. DA.: 6020 Innsbruck, Neues Landhaus. PA.: 6020 Innsbruck, Gerhart-Hauptmann-Str. 22. G.: Zams, 13. Juli 1926. V.: Edith, geb. Probst. Ki.: Verena, Claudia, Christa. El.: Franz u. Maria. BV.: Eugen Zebisch Feldpilot d. 1. Weltkrieges, Träger d. Gold. Tapferkeitsmed. S.: hum. Gymn. K.: Fronteinsatz, Gefangenschaft, Jusstud. an d. Univ. Innsbruck, 1949 Prom., Gerichtspraxis, 1950 Eintritt in d. LDienst, BH Schwaz u. Landeck, 1958 Berufung in d. Amt d. Tir. LRg. u. 1959 m. d. Sachgebiet Presse, Ausz. u. Repräsentationsangelegenheiten betraut, 1966 Vorst. d. Präsidialabt. III, 1968 Vorst. d. Präsidialabt. I, 1969 Stellv. Vorst. d. Gruppe Präsidium, 1971 HofR., 1975 Präsidialvorst., 1982 Bestellung z. LAmtsdir. Stellv. BL.: 1971 LKdt. d. Tir. Schützenkompanien, Beziehungen z. Südtir. Schützenbund u. z. Bund Bayr. Gebirgsschützen wurden vertieft, Initiator d. Alpenregion d. Schützen. E.: Gr. Gold. EZ f. Verd. um d. Rep. Österr., EZ d. Landes Tir., Komturritter d. Päpstl. Sylvesterordens, Commander of the Order of the British Empire, Träger d. Commandeurkreuzes 1. Kl. d. Schwed. Nordsternordens, höchste Ausz. d. Tir. LSchützenbundes u. d. in d. Alpenregion ver. Schützenbund v. ganz Tir. u. Bayern. H.: Literatur, vorwiegend Landesgeschichte Tir. (Schm.)

Zech Herbert

B.: Gschf. Ges. FN.: Zech Kies GmbH. DA.: 6714 Nüziders, Industriezone. PA.: 6714 Nüziders, Im Hag 6. G.: Nenzing, 3. Nov. 1937. Ki.: Herbert, Michaela. El.: August u. Regine. S.: VS, Ldw.Schule. K.: Tätigkeit im elterl. Fuhrunternehmen, 1958 Beginn maschinelle Produktion v. Kies. BL.: Umweltschonender u. kostengünstiger Transport d. Rohmaterials durch d. Bau d. ersten unterirdischen Förderbandanlage Europas. E.: SV HK Vbg. M.: BBerufsgruppenobm. d. Berufsgruppe Sand u. Kies, Kiwanis-Club Rätikon. H.: schöne schnelle Autos.

Zech Herbert Dr. med. Univ.-Doz.

B.: FA f. Gynäkologie u. Geburtshilfe. DA.: 6900 Bregenz, Römerstr. 2 PA.: 6900 Bregenz, Belrupstr. 32. G.: Nenzing, 9. Nov. 1948. V.: Annerose. Ki.: Isemene (1972), Nicolas (1973), Mathias (1984). El.: Adolf u. Elisabeth. S.: RG, 1968

Matura, Med.-Stud. Univ. Innsbruck, 1975 Prom. K.: 1975-82 FA-Ausbild. Univ.-Klinik Graz u. Innsbruck, 1982-83 Grundlagenforsch. b. Prof. Dr. Wittliff USA, Fulbright Stipendium, 1983-85 OA Frauenklinik Innsbruck, 1985 freipraktizierender Gynäkologe in Bregenz, 1977 Grdg. d. Inst. f. IVF Bregenz, 1. IVF Schwangerschaften in Vbg., Ostschweiz u. Südtir., 1993 Habil., Univ.-Doz. Fachrichtung Gynäkologie u. Geburtshilfe. M.: Vorst.-Mtgl. d. Österr. Ges. f. IVF, Endocrine-Society USA, American Infertility Society. H.: Musik, Radfahren, Bergwandern m. Familie. (I.D.)

Zecha Fritz Prof.

B.: Regisseur u. Schauspieler. DA. u. PA.: 1190 Wien, Döblinger Hauptstr. 39. G.: Wien, 6. Jan. 1925. V.: Jutta, geb. Brandau. Ki.: Sabrina (1963). El.: Friedrich u. Elisabeth. BV.: Jakob Prandtauer Bmstr. v. Stift Melk. S.: 1943 Kriegsmatura, Kriegsdienst, 1945-46 Kriegsgefangenschaft in Frankreich, 1946-47 Reinhardtseminar u. Konservatorium Wien. K.: 1947-53 Schauspieler an mehreren Wr. Bühnen (Scala, Josefstadt, Volkstheater u. Burgtheater), seit 1953 Vereinigte Bühnen Graz Schauspieler, Regisseur u. Oberspielltr., b. 1965 ca. 50 Inszenierungen am Opernhau, Schauspielhaus u. d. Kammerspielen in Graz, zahlr. Hörspielinszenierungen am ORF in Graz u. Wien, Gastinszenierungen in d. BRD, Schweiz u. an Wr. Bühnen, 1965-70 1. Spielltr. am Staatstheater in Hannover, Schaubühne Berlin, Lübeck, Bastel etc., 1970-72 Schauspieldir. in Graz, 1972-76 an d. Staatstheatern Stuttgart, Darmstadt u. Schauspielhaus Düsseldorf, Inszenierungen in Wien am Burgtheater u. Berlin am Schillertheater, Fernsehinszenierungen b. ZDF u. ORF, 3 Fernsehfilme: "Der landläufige Tod" v. G. Roth, "Der Vorhang fällt" v. Ambesser, "Meister Eckehardt" v. Georg Lotzky, 1976 Rückkehr nach Österr., seit 1977 im Jahresengagement d. Volkstheaters u. d. Theaters in d. Josefstadt in Wien, ständiger Mitarb. auf Grund v. Gastinszenierungen in Graz. E.: 1973 Silb. EZ f. Verd. um d. Stadt Graz, 1981 Prof., 1985 Gr. Gold. EZ d. Landes Stmk., 1986 Kainz-Med. H.: Kochen, Asiat. Küche, Teneriffa. (J.S.)

Zechmann Wolfgang Dr. Univ.-Doz.

B.: Prim. d. Inst. f. Nuklearmed. u. Schilddrüsendiagnostik d. LKH Innsbruck in Wörgl. GT.: Doz., Lehrtätigkeit Univ. Innsbruck. DA.: 6300 Wörgl, Innsbrucker Str. 5. PA.: 6091 Birgitz, Zwischenwegen 2. G.: Steyr, 3. März 1948. V.: Hedwig. Ki.: Eva Maria (1975), Michael (1978). El.: Adolf u. Gertrude. S.: 1966 Matura, 1966-72 Med.-Stud. Innsbruck, 1972 Prom. K.: Ausbild. z. FA f. Radiologie u. Nuklearmed. an d. Klinik Innsbruck, 1988 FA-Prüf., 1988 Doz. an d. Klinik Innsbruck, wiss. Tätigkeit an d. Univ.-Klinik Innsbruck, OA Univ.-Klinik f. Nuklearmed. Innsbruck, seit 1989 Vorst. d. Inst. f. Nuklearmed. Wörgl. P.: zahlr. wiss. Arb. z. Thema Nuklearmed. u. Schilddrüsendiagnostik. M.: spez. med. Fachverb. H.: Garten, Skifahren, Bergsteigen, Familie. (G.P.)

Zechmeister Kurt

B.: Red. GT.: Kons. im Wr. Trabrennver. DA.: 1010 Wien, Nibelungeng. 3. PA.: 1090 Wien, Rotenlöweng. 5. G.: 7. Okt. 1925. V.: Gertraut, geb. Rapp. Ki.: Birgit, Karin. El.: Dr. Franz u. Amalia. S.: hum. Gymn., Militärdienst, 1947 Stud. Welthdl. K.: ab 1949 Mitarb. div. Zeitungen, ab 1952 Red. d. "Weltpresse" danach "Express", 1962-68 "Hör zu", ab 1969 Pressechef b. Galopprennver., 1974-1980 Exekutivdir., ab 1981 z. Trabrennver., daneben stets journal. Tätigkeiten. P.: Kompositionen (Kürmusik f. Eiskunsteuropamstr. Nepela), 1968 Österr. b. Schlagerfestival in Athen vertreten. H.: Sport u. Musik, Schmetterling sammeln, Schwammerl suchen.

Zechmeister Sabine Mag.

B.: Dipl. Dolmetsch, Übersetzungen u. Sprachtraining. DA.:/PA.: 1160 Wien, Liebhartsg. 41. G.: Wien, 16. Mai 1965. El.: Herbert u. Edeltraud, geb. Handler. S.: 1983 Matura, 1983-90 Dolmetschstud. Dt., Engl., Franz., Russ., Spanisch u. Italienisch. K.: n. d. Stud. i. div. Sprachinstituten u. Übersetzungsbüros tätig, a. 1992 Selbst. H.: Schwimmen, Tanzen (Eröff. v. Opernball), Reisen, insb. Amerika, Theater, Literatur, Musik, Romane Schreiben. (N.A.)

Zechner Franz

B.: Lebzelter-Wachszieher, Gastwirt Gasthof Torwirt. DA. u. PA.: 9400 Wolfsberg, Am Weiher 4; 9400 Wolfsberg, Elsenweg 22. G.: Wolfsberg, 15. Dez. 1945. Ki.: Gabriele (1965), Michaela (1966), Franz (1976), Patrizia (1994). El.: Franz u. Maria. S.: VS, HS, 1959-62 Berufsschule u. Lehre Lebzelter u. Wachszieher, 1965 Mstr.-Prüf. K.: Mitarb. im elterl. Betrieb u. Ausbild. z. Masseur in Bad Vöslau, 1969 staatl. geprüfter Masseur, Tätigkeit in Bad Vöslau u. Kuranst. Dr. Reichl Klagenfurt, 1965 Übernahme d. elterl. Betriebes u. 1977 Bau d. Tennis Centers Neudau. M.: Prüf.-Kmsn. d. Mstr.-Prüf. Lebzelter u. Wachszieher, Aussch.-Mtgl. d. Hotel- u. Beherbergungsbetriebe, Wirtschaftskam. Ktn., seit 1989 Obm. Fremdenverkehrsver. Wolfsberg, div. örtl. Ver. H.: Tennis, Reiten. (G.L.)

Zechner Georg

B.: Gschf. FN.: Garvens Service GmbH. DA.: 1020 Wien, Handelskai 130. G.: Wien, 8. Juli 1946. El.: Anton u. Elisabeth. S.: 4 J. Mittelschule, Elektrikerlehre. K.: 1964-70 Tätigkeit in Elektro- u. Heizungsbranche, 1970-72 Servicetechniker Firma Garvens, 1973-75 Administration Firma Garvens, 1975-83 Serviceltg. Ost Firma Garvens, 1983-90 Serviceltg. Österr. Firma Garvens, ab 1991 Gschf. H.: Tennis, Lesen, Garten. (M.M.)

Zechner Gerd Dr. med. Univ.-Prof. Prim.

B.: Vorst. d. HNO-Abt. d. KH d. Stadt Wien-Lainz. DA.: 1130 Wien, Wolkersbergenstr. 1. PA.: 1130 Wien, Anatourg. 74. G.: Graz, 5. Juni 1933. V.: Barbara, geb. Moser. Ki.: Kathrin, Stefan. El.: OMedR. Dr. med. Walther u. Marianne. S.: Matura, Univ. Graz, 1957 Dr. med., 1966 Doz., 1971 Prof. K.: 1964-65 Helsinki Univ., 1967-68 Columbia Univ. New York, 1974 Prim. in Wien-Lainz. BL.: patholog. Histolog. d. Felsenbeines. P.: 125 Publ. in Fachzeitschriften. E.: Rothline-Preis Univ. Graz, 2x Höchstpreis f. Österr., 1x Wanderpreis. M.: korresp. Mtgl. d. Dt. Ges. f. HNO-Heilkunde, Kopf- u. Halschir., d. Schweizer Ges. f. Oto-Rhino-Laryngologie, Kopf- u. Halschir., ARO (amerik. Ges. f. Forsch. im HNO-Bereich), Rotarier. H.: Skifahren, Bergsteigen, Tennis, Archäologie, Architekturfotografie, E-Musik. (Fels.)

Zechner Gerhard Dr. phil.

B.: Landtagsclubsekr. d. SPÖ, Stadtparteivors. Bregenz. DA.: 6900 Bregenz, Römerstr. 15. PA.: 6900 Bregenz, Belruptstr. 3. G.: Bad Gastein, 18. Apr. 1957. V.: Margit, geb. Kraßnitzer. El.: Josef u. Berta. S.: 1976 HAK Sbg. Matura, 1977-84 Stud. Politikwiss., Publ., Psych. Univ. Sbg. K.: seit 1984 Clubsekr. P.: Rote Perspektiven (1985). H.: Lesen, Reisen.

Zechner Liebreich

B.: Inh., Fleischermstr. FN.: Fleischerei Zechner. GT.: Vorst.Mtgl. d. Stmk. Fleischerver. seit 1985, Vorst.Mtgl. d. Raiffeisenkasse Voitsberg seit 1966. DA. u. PA.: 8572 Bärnbach, Voitsberger Str. 1. G.: Voitsberg, 18. Okt. 1929. V.: Hedwig, geb. Schödl. Ki.: Helga. El.: Thomas u. Anna. S.: VS, HS, Berufsschule, Fleischerfachschule Braunau, 1950 Mstr.Prüf. K.: 1943-50 im elterl. Betrieb tätig, 1954-56 Fleischwarenfirmen Stuttgart, Erding, ab 1957 wieder elterl. Betrieb, 1964 Übernahme d. Betriebes, Modernisierung u. Vergrößerung d. Betriebes, Erweiterung durch mehrere Filialen u. Versand d. Steir. Spezialitäten. E.: mehrmalige Ausz. d. Produkte b. Intern. Wettbewerben, mehrere Gold-, Silber- u. Bronzemed., Ehrenring d. FF Bärnbach, Verd.-Kreuz III. Stufe. M.: Hptm.Stellv. FF Bärnbach, Obm. Turnunion Voitsberg, Sekt. Gymnastik. H.: eigene Fleischerei, Skifahren, Wandern, Lesen. (H.Z.)

Zechner Michael

B.: Juwelier, Gold- u. Silberschmiedemstr. FN.: Gold- u. Silberschmiede Zechner. DA. u. PA.: 8010 Grza, Mandelstr. 4. G.: Graz, 28. Dez. 1960. V.: Monika, geb. Reicher. Ki.: Daniel (1987), Bianca (1988). S.: VS, HS, Maturaschule, 1976-79 Goldschmiedelehre, 1979-85 Europareisen, 1985-87 BH, 1988 Abschluß Goldschmiedelehre, 1991 Mstr.-Prüf. K.: seit 1991 selbst. Beratung, Planung u. Ausführung. H.: Kinder, Beruf. (I.G.)

Zechner Othmar Dr. med. Univ.-Prof.

B.: Vorst. d. Urolog. Abt. im Wilhelminenspital. DA.: 1160 Wien, Montleartstr. 37; FA-Praxis in 1090 Wien, Spitalg. 1. PA.: 3400 Klosterneuburg-Weidling, Elisabethg. 12. G.: Lienz, 8. Mai 1947. V.: Dr. Roswitha, geb. Kamitz. Ki.: Veronika (1977), Michael (1980). El.: Othmar u. Erna, geb. Fritzer. S.: Gymn., 1965 Matura, Med.-Stud. Univ. Wien, 1972 Prom. K.: 1973-79 FA-Ausbild. f. Urologie Univ.-Klinik am AKH, 1979-88 OA am AKH, 1984 Habil., 1988-90 suppl. Ltr. d. Urolog. Univ.-Klinik, ab 1991 Vorst. d. Urolog. Abt. Wilhelminenspital. P.: 150 wiss. Publ. M.: Intern. u. Europ. Ges. f. Urologie, Dt. Ges. f. Urologie. H.: Natur, Jagd, Phil.

Zederbauer Christine

B.: Foto-Künstlerin. FN.: Fotoatelier "Christine". DA./PA: 1130 Wien, Speisinger Str. 81 G.: Sierning, 19. Sep. 1953. Ki.: Esther Adana (1971). El.: Josef u. Rosa, geb. Hack. S.: VS, HS, HAK, Fotografenlehre m. Mstr.-Prüfung. K.: 2 Jahrzehnte a. Fotokünstlerin tätig, Schwerpunkt Portraits, Mode- u. Werbeaufnahmen, Tätigk. i. Europa u. Amerika, Organ. v. Ausstellungen i. Atelier Christine. E.: Preise b. div. Ausstellungen. H.: Lesen, Psychologie. (N.A.)

Zederbauer Johann Dr. Dir.

B.: Gschf. d. "Zentrum am Stadtpark" Errichtungs u. Betriebs GmbH Wien, Floridsdorf am Spitz Wohnungseigentums GmbH Wien, Mercur Bauträger GmbH Wien, Porr Donaustadtstraße Revitialisierung GmbH Wien u. Einkaufszentrum Innsbruck Neu-Arzl Planungs u. Errichtungs GmbH Innsbruck, Dir. d. Allg. Bauges. A. Porr AG Wien, Prok. d. Projektierungsbüro f. Ind. Hoch- u. Tiefbauten GmbH Wien, Ges. z. Schaffung v. Wohnungseigentum GmbH Wien, Geschäftszentrum Freidensbrücke Planungs u. Bau GmbH Wien u. "Gorma" Wohnungseigentums GmbH Wien. PA.: 1060 Wien, Morizg. 2/2/16. M.: Vorst.-Mtgl. d. Union Baumaterialien Ges. Wien.

Zedka Vera

B.: Unternehmerin. FN.: Zedka Zeitschriftenverlags GmbH. DA.: 1030 Wien, Gärtnerg. 15/22. PA.: 1190 Wien, Sommerhaidenweg 134c. G.: Garmisch-Partenkirchen, 29. Okt. 1948. El.: Dr. Martin u. Cecilie. S.: 1967 Abitur, 1967-70 Stud. d. Phil. u. Polit. Wiss. an d. Univ. München u. a. "Institute for Advanced Studies" in Princeton, USA, Journalisten-Ausbild. b. "Augsburger Allgem.", Abschluß als Redakteur u. Ressortchef. K.: 1970 Korresp. d. "Augsburger Allgem." u. deren Korresp.-Pool in Moskau Bericht ü. Deutsch-Sowjet. Friedensverträge), 1971 Ang. b. "Augsburger Allgem." als Ressortchefin f. "Polit. Hintergründe", 1974-78 Ang. b. "Kronen-Zeitung" Wien (Aufbau d. Reiseteils gem. m. Reinhold Hübl), 1978-80 Ang. b. "Kurier" Wien (Betreuung d. Reiseteils m. Lore Kasbauer), 1981 Chefred. im Thiel-Fachzeitschriftenverl. u. Aufbau d. Fachzeit. f. Reisebüros "Traveller", 10/87 Übern. d. Zeitschr. "Traveller" u. gleichz. Grdg. d. Fa. Zedka Zeitschriftenverl. GmbH. P.: Zahlr. Artikel in Publikumsmagazinen. M.: Skal-Club. H.: Reiten. (M.M.)

Zedlacher Franz Josef

B.: Inh. d. Fa. Franz Zedlacher Herrenmoden - Maßkleidung. DA.: 9300 St. Veit/Glan, Erlg. 19. G.: St. Veit, 5. Okt. 1935. V.: Josefine, geb. Thurner. Ki.: Irene (UBW Absolv.), Ing. Winfried, Rotraud (Stud. Betriebswiss.). El.: Leopold u. Anna Elisabeth. S.: Berufsschule f. Kleidermacher. K.: Nach Lehrabschluß Eintritt in d. väterl. Betrieb, 1955 Mstr.Prüf., 1956 Übernahme d. Fa., aktiver Funktionär b. d. Innung, seit 1976 Innungsmstr., seit 1973 Vors. d. Mstr.Prüf.Kmsn. f. d. Gewerbe d. Herrenkleiderm., Vors. d. Lehrabschlußprüf.-Kmsn. E.: Silb. Med. d. BInnung, Anerkennungsschreiben v. Weltkongress d. Kleidermacher. M.: 15 J. in d. St. Veiter Trabanten Garde. H.: Skifahren, Tennis, Kunst, Musik. (D.M.)

Zednik Heinz

B.: Tenor d. Wr. Staatsoper. DA.: 1010 Wien, Opernring 1. G.: Wien, 21. Febr. 1940. V.: Christl. El.: Walter u. Leopoldine. S.: 1958 Matura, BH. K.: b. 1964 elterl. Betrieb, 1964 1. Ang. in Graz, seit 1965 Staatsoper Wien, Gesangstud. b. Marga Wissmann, begann m. Buffo Tenor u. Lyrischer Tenor, später ins mittlere u. schwere Charakterfach, 1970-80 Wagner Festspiele Bayreuth, seit 1981 Sbg. Festspiele, 1980 Österr. Kammersänger, Tätigkeit in New York, Chikago, Mailand, London, Paris, Rom, Florenz, München, Hamburg u. Zürich. P.: b. sämtl. intern. Tonträgerverlagen, Diss. "Heinz Zednik Rollengestaltung", Eigenprod. im TV "Portraits f. Musikkollegen". H.: Sport, Tennis, Schwimmen, Wandern, Lesen, Theater- u. Konzertbesuche, Kulturreisen, Sport. (J.E.)

Zedrosser Gudrun
B.: Gastwirtin. FN.: Gasthaus Kreuz. GT.: Frauen Bez.-Vors. d. SPÖ Bez. Bregenz. DA.: 6974 Gaissau 15. G.: Bürs, 20. Aug. 1940. Ki.: Iduna (1960), Bragi (1961), Monja (1963), Daniela (1965). El.: Max u. Maria Schaller. S.: Pflichtschule, Kochlehre Bludenz, 1957 Abschl. Hotelfachschule Lochau. K.: 1957-59 u. ab. 1969 Köchin i. versch. Hotels i. Österr., s. 1975 selbst.m. Gasthaus Kreuz Gaissau; 1980 Grdgs.-Mtgl. SPÖ Gaißau, s. 1989 Frauen Bez.Vors. Bez. Bregenz, Landesparteivors. H.: Politik. (I.D.)

Graf Zedtwitz Paul Dr.
B.: Botschafter in Pension. PA.: 1040 Wien, Brahmspl. 1/4. G.: Wien, 17. Dez. 1911. V.: Renate, geb. Zacharias. Ki.: Alexander (1948). El.: Graf Alexander u. Mathilde, geb. Baronin v. Gautsch. BV.: Großvater Baron Gautsch Unterrichtsmin. u. mehrmaliger Min.Präs., Vater VPräs. in NÖ, Großmutter Helene v. Gautsch berühmte Schlumberger-Sekt-Dynastie Bad Vöslau. S.: Gymn. Theresianum, Stud. Jura Wien. K.: Eintritt in BPolizei Wien, 1939-45 Kriegsdienst Unteroffz., 1945 BPolizei, 1946 Finanzmin., 1947 Außenamt, 1948 1. Sekr. in Ankara, 1949-52 Geschäftsträger in Athen, 1952-54 Außenamt, 1954-56 Generalkonsul in Triest, 1956-58 Legationsrat in Washington, 1958-62 Botschafter in Chile, 1962-64 Protokoll-Chef, 1964-68 Botschafter in Äthiopien, 1968-72 Botschafter in Südafrika (Lesotho, Swaziland, Botswana), 1972-73 Botschafter in Algerien, 1974-76 Botschafter in Peru. BL.: völkerrechtl. Arb. im Staatsarchiv Wien. E.: Gr. Ehrenkreuz v. Chile, Peru u. Deutschland, Großoffz. Norwegen, Dänemark, Liberia u. Thailand, Malteser-Bandorden, Offz.Kreuz v. Griechenland u. Belgien, 1973 Gr. Silb. EZ f. Verd. um d. Rep. Österr. H.: Lesen. (M.G.)

Zeh Karl
B.: Berufsschuldir. d. Landesberufsschule 2 f. Kfz-Mechaniker u. Kfz-Techniker. DA.: 2000 Stockerau, Weg zur Marienhöhe 3. PA.: 3430 Tulln, Wiener Str. 12. G.: Tulln, 12. Juni 1939. V.: Helmtraud, geb. Hausl. Ki.: Dr. Bernhard (1962), Senta (1965). El.: Theodor u. Maria. S.: BRG, Matura 1958, Päd. Ak. Lehramtsprüf. 1968. K.: 1959-65 Erzieher in d. Erziehungsanst. Korneuburg, ab 1965 Lehrer f. Betriebswirtsch. Unterr. an d. LBS 2, 1986 Berufsschuldir.-Stellv., 1988 Dir. BL.: 1959/60 Staatl. Sportlehrerausbild. BAfL m. Diplom, zahlr. Staatsmstr.- u. Landesmstr.-Titel Speerwerfen, Kugelstoßen, Hochsprung u. Diskus, Superliga Tennis, Staatsliga A Basketball u. Handball b. 42. Lebensj. M.: Obm. Tulnner Tennisklub. H.: Musik, Segeln, Tennis, Motorboot. (M.M.)

Zeh Rudolf
B.: Gschf. Ges. FN.: ORTEGRO GmbH. DA.: 1190 Wien, Boschstr. 54. PA.: 3100 St. Pölten, Schöpferstr. 5. G.: St. Pölten, 29. Juni 1939. V.: Elisabeth, geb. Schmatz. Ki.: Mag. Andreas (1965). El.: Rudolf u. Anna, geb. Waldher. S.: VS, HS, Großhdls.-Kfm. K.: 1958-72 kfm. Ang. b. Leiner, 1972-87 Filialltr., Filialinsp., Prok., Vorst.-Dir. b. Litega, 1988-91 kfm. Ang. b. ICT, 1991 Übernahme d. Fa. ORTEGRO Orient-Teppiche. H.: Lesen, Sport. (N.A.)

Zeh Theodor Dr. iur.
B.: Dir. d. HK NÖ. DA.: 1010 Wien, Herreng. 10. G.: Tulln, 9. Sep. 1935. V.: Mag. pharm. Edith, geb. Sikora. Ki.: Maria, Theodor, Martin, Florian, Elisabeth. El.: Theodor u. Maria, geb. Stigler. S.: BRG Tulln, 1952 Matura in d. USA, 1953 Matura, Stud. Jur. Fak. Wien, 1957 Prom. K.: 1957-62 Präsidial- u. Personalabt. d. Bundeswirtschaftskam., seit 1962 HK NÖ, seit 1991 Dir. M.: AufsR.-Mtgl. d. NEWAG, Präs. d. NÖ Tonkünstlerorchesters, Vorst.-Mtgl. d. NÖ Ges. f. Kunst u. Kultur, Vors. d. Landesparteikontrollaussch. d. ÖVP NÖ, Vors. d. BundessportfachR., Mtgl. d. Olymp. Komitee, Mtgl. d. Vorst. d. Raiffeisenlandesbank NÖ-Wien. H.: Musik, Sport. (N.A.)

Zehentleitner Peter
B.: Gschf. d. Ver. f. Bewegungsspiele Mödling. DA.: 2340 Mödling, Dursmagasse 11. PA.: 2521 Trumau, Leopold-Figl-Str. 7. G.: Leoben, 28. Apr. 1959. V.: Helga, geb. Hufnagel. Ki.: Oliver (1982). El.: Kurt u. Hildegard. S.: 1979 Matura HTL Mödling Maschinenbau. K.: 1981 Kontrukteur b. Firma Klinger, 1982-85 freiberufl. Mitarb. im Anlagenbau in d. BRD, 1985-87 Werksvertrag: Projektltr. f. Großbauvorhaben d. Firma ÖMV u. Tochterunternehmen, seit 1989 Gschf. d. Ver. f. Bewegungsspiele Mödling. H.: Fußball. (M.M.)

Zehentner Traude
B.: Schriftstellerin, Ang. b. Austria Tabak. DA.: 1090 Wien, Porzellang. 51. PA.: 1030 Wien, Erdbergstr. 12-14/2/13. G.: Lilienfeld, 7. Aug. 1950. Ki.: Petra (1973), Sabine (1977). El.: Johann u. Luise Wutti. S.: VS, HS, kfm. Lehre. K.: seit 1970 Austria Tabak, 1978 Selbsterfahrungsgruppe im Frauenforum Urania, dadurch wurden d. vorhandenen Fähigkeiten z. Schreiben freigelegt, seit 1982 versch. Lesungen gehalten, versch. Beiträge in Literatur- u. Frauenzeitschriften. BL.: Idee u. Organ. d. ersten u. zweiten Lila Matinee im Tabakmuseum 1985 u. 1986, feminist. Aktivitäten. P.: Beiträge z. Revue "Lauter Emmis", 1983 Broschüre "Hoffnungsentzündungen", "Bauchgedanken - Kopfgefühle" ein Gedichtband (1988), Gedichte in d. Dt.-Engl. Anthologie "Wortweben. Webs of Words" (1991). E.: Anerkennungspreis d. Landes NÖ f. Literatur 1986, Porträt in einer Rundfunksendung. M.: EGALIA, Österr. P.E.N.-Club, Literaturkreis Podium. H.: Bachblüten- u. Aromatherapie, Psycholog. Astrologie. (N.A.)

Zehetbauer Georg Anton Dr. Univ.-Prof.
B.: Prim., FA f. Augenheilkunde. A.: 1180 Wien, Max-Emanuel-Str. 7. G.: Wien, 19. Febr. 1929. V.: Ulrike, geb. Engelhart. El.: Dr. Josef u. Margarete. S.: VS, Oberschule, med. Fak. d. Univ. Wien. K.: 1947 Matura, 1953 Dr. med. univ., 1970 Univ.Doz., 1978 Univ.-Prof., 1961-80 OA d. II. Univ.Augenklinik Wien, seit 1980 Vorst. d. Augenabt. d. Krankenanst. Rudolfstiftung Gem. Wien. P.: 57 wiss. Arb. aus d. Gebiet d. Ophthalmologie u. Randgebieten, 2 Handbuchart. M.: 1978 Präs. d. Ophthalmolog. Ges. in Wien, Präs. d. Österr. Ophthalmolog. Ges.1994/95, Oxford Ophthalmological Congress. H.: Arch.

Zehetmair Helmut Dr. o.Prof.
B.: Prof. HS f. Musik u. Darstell. Kunst Mozarteum Sbg. DA.: 5020 Salzburg, Mirabellplatz 1. G.: Attnang-Puchheim, 16. Juni 1935. V.: Erika. Ki.: Thomas, Martina. El.: Heinrich u. Barbara. S.: Ausbild. z. Pflichtschullehrer Linz, Musikstud. Sbg. Mozarteum, Univ.-Stud. Innsbruck, Doktorat aus Musikwiss., Diss. über Kammermusikwerke d. "Salzburger Haydn". K.: 1955-70 Mtgl. d. Camerata Academica d. Mozarteums unter B. Paumgartner u. A. Janigro, 1961-73 Musikerzieher u. Bratschist Sbg. Streichquartett, seit 1974 Prof. Mozarteum Sbg., 1973-83 Ltr. d. Inst. f. Vergleichende Musikpäd. am Mozarteum, Gründer u. Künstler. Ltr. d. Kammerorch. "Salzburger Musici". P.: Publ. musikpäd. u.

fachdid. Provenienz, Hörerziehung u. Gehörbild. (1972), Violinunterricht in Kleingruppen, Instrumentalspiel u. Musikerziehung (1973), Zur Praxis koordinierter u. kooperativer Musikerziehung (1976), Spezielle Aufgaben d. Gehörbildung im Violinunterricht (1978), Hören u. Geigen nach Suzuki (1982), Zur Transzendenz in d. Violinpädagogik (1985), Hrsg. d. Streichquartette u. -quintette v. M. Haydn, d. Streichtrios v. J.G. Albrechtsberger (Doblinger 1972-88). (M.Mo.)

Zehetmair Thomas

B.: Geiger. DA.: 5400 Hallein-Taxbach, Föhrenweg 14. G.: Elsbethen, 23. Nov. 1961. El.: o.Prof. Dr. Helmut u. Erika. S.: Violine b. Helmut Zehetmair, Kurse b. Samohyl, Rostal, Milstein u. Vegh, Aufführungspraxis b. Harnoncourt. K.: 1977 1. Auftritt b. Sbg. Festspielen, 1978 1. Preis im Intern. Mozart-Wettbewerb Sbg., 1979 Debut im Wr. Musikver., erste Schallplatte m. Werken v. W.A. Mozart, Konzerte in d. Musikmetropolen aller Kontinente, Zus.-Arb. m. bedeutenden Dirigenten u. Orchestern (Chicago-, Cleveland-, S. Frisco Symphony-, London Philharmonia-, Tokyo NHK-, Leipziger Gewandhaus- u. Amsterdamer Concertgebouw Orchester), Kammermusik m. G. Kremer, H. Schiff, M. Frager, O. Mustonen u.a., 1991 o.Prof. HS d. Künste Berlin, neuerdings auch Dirigententätigkeit. Schallplatten- u. CD-Veröff. b. Teldec m. d. Viol.-Konzerten v. Haydn, Mozart, Mendelssohn, Dvorak, Schumann, Sibelius, Brahms, Berg u. Hartmann, d. 6 Soli v. J.S. Bach, d. 24 Capricen v. Paganini u.a. (M.Mo.)

Zehetmayer Hans Oberst

B.: Regimentskommandant d. Jägerregiments 4. DA.: 4033 Linz-Ebelsberg, Schloßstr. 28 (Hillerkaserne). G.: Wien, 3. Jan. 1939. V.: Helga, geb. Sailer. Ki.: Doris (1965), Birgit (1966). El.: Johann u. Katharina. BV.: Vater war als einziger Amateurboxer Europameister v. Österr. (Budapest 1934). S.: Gymn., 1957 Matura, 1J. Stud. Leibeserz. u. Naturgesch. K.: b. versch. Firmen tätig, u.a. Kontrollbank, Tullner Zuckerfabrik, Gem. Wien als Verw.-Bmtr., 1960 z. BH, als 1jährig Freiwilliger, 1961-64 Militärak., 1964 Atillerie-Offz. i. Panzerattillerieabt. 4 i. Steyr als Feurleitoffz. b. 1966, 1966-78 Kommandant, 1979 Umgliederung, Landswehrstammregiment 71 f. Mobilmachungsangelegenh. als Stabsoffz., 1982 heutige Pos. LW 42 als stellv. Regimentskomm., s. 1993 Regimentskomm. P.: Art. i. Fachzeitschr. E.: u.a.: 1976 Silb. EZ d. Landes OÖ, 1991 Silb. EZ f. Verd. um d. Rep. Österr. M.: Handball- u. Schwimmver., 1962 im Handballnationalkader i. Wien b. Wr. Sportathl, anschl. 12 J. Sportverein - Gande, Sekt.-Ltr. u. Trainer, 1977 Trainer b. Schwimmclub Steyr bis 1982. H.: Sport, Wandern, Bergwandern. (U.A.)

Zehetmayer Hans Mag. phil. OStR. Prof.

B.: Abt.Ltr. im d. BAnst. f. Leibeserz. Wien. A.: 1020 Wien, Rustenschacher Allee 30/5/10. G.: 18. März 1927. S.: RG, 8 Sem. Stud. Deutsch, Leibeserz. an d. Univ. Wien. K.: 1951-61 Lehrer f. Deutsch u. Leibesübungen an einem RG, 1961-64 im Organisationskomitee d. Olymp. Winterspiele Innsbruck, 1964-65 versch. Organisationsarb. b. intern. Kongressen, ab 1964 in d. BAnst. f. Leibeserz. Wien, Ltr. d. Skilehrerausbild., Lehraufträge: Schilehrerausbild. an d. Univ. Wien, Ausbild. d. Turnstudenten im Skilauf. P.: Skripten, Mitarb. an Fachzeitschriften f. Skilauf. E.: Silb. Verd.-Zeichen d. Rep. Österr. M.: Österr. Touristenklub, Verb. d. Leibeserz. Österr., Verb. d. Skilehrwarte Österr., Intern. Verb. f. Skiinstrukteure u. Skilehrwarte. H.: Filmen, Musik.

Zehetmayr Walter

B.: Gschf. Ges. FN.: ABA System GmbH. DA.: 1160 Wien, Neumayrg. 6. PA.: 3430 Tulln, Müllerg. 13. G.: Wien, 14. Dez. 1938. V.: Erika, geb. Atzler. Ki.: Gabriele, Martina. El.: Ignaz u. Anna. S.: Berufschule, Lehre f. Installation, Gesellenprüf. K.: Fa. W. Grämmer, 1963 Fa. Hentz Ltr. d. Techn. Abt., 1972 Fa. ABA gründete in Österr. eine Tochterfa., 1975 Übernahme d. Generalvertr. d. Fa. Harting in Österr. durch ABA, 1980 Gschf. d. ABA, 1982 Erwerb d. Geschäftsanteile d. ABA u. Vertretung d. Fa. in Österr., ebenso d. Fa. Harting. H.: Sport. (A.W.)

Zehetmeyer Peter

B.: Dir. FN.: Ferosped GmbH. DA.: 1100 Wien, Sonnwendg. 21. PA.: 1140 Wien. G.: Wien, 5. Okt. 1941. V.: Anne, geb. Thien. Ki.: Rainer (1964), Sabina (1966), Andreas (1972). El.: Karl u. Emmy. S.: VS, Mittels. K.: Sped.-Lehre Fa. Intercont, 1963-64 Fa. Danzas-Buchs Schweiz, 1965 Lep-Landon, 1965-69 in Wien Fa. Intercont, 1969 USA Sherburne-Corperation, Besuch d. Plymouth State Collage, Physical Adjucation, Loon Mtm. Corp.-Dir. of Board, 1976 Lehrbeauftr. d. Bundeslehranst. f. Leibeserzieh. in Innsb. u. Wien, 1982 Sped. Gärtner Wien, 1990 Grdg. Fa. Ferosped, Ges. u. Dir. BL.: Bahntransp. u. Marketing, Großtransp. H.: Sport, Bergsteigen, Schifahren, Marathonlauf. (I.J.)

Zehetner Franz Dr. iur. Univ.-Prof.

B.: Univ.-Prof. DA.: 4020 Linz, Jungmairstr. 5. G.: Vöcklabruck, 31. Jan. 1949. V.: Dr. Sylvia, geb. Tomschi. El.: Franz u. Ernestine. S.: Matura an d. BErziehungsanst. f. Knaben in Saalfelden, 1971 Prom. z. Dr. iur. Univ. Linz. K.: 1970 Studienass., 1971 Univ.Ass., 1972 Univ.Lektor f. Völkerrecht, 1977 Univ.Doz. Venia f. Völkerrecht unter bes. Berücksichtigung d. Intern. Währungs- u. Wirtschaftsrechts, 1978 Univ.-Prof., 1980 Vorst. d. Inst. f. Völkerrecht u. Intern. Beziehungen, ab 1983 Ltr. d. Abt. Intern. Währungs- u. Wirtschaftsrecht. P.: Die Suspendierung d. Goldkonvertibilität d. Dollars, Geldwertklauseln im grenzüberschreitenden Wirtschaftsverkehr, Rechtliche Maßnahmen z. Abwehr grenzüberschreitender Umweltbeeinträchtigungen, Völkerrechtliche Modelle f. d. Kooperation im Bundesstaat, Aufsätze u. Berichte in in- u. ausländ. Zeitschriften zu Problemen d. öff. Rechts, d. Völkerrechts, Europarechts, Recht intern. Organ., Wirtschafts- u. Währungsrechts, Umweltrechts, Devisenrechts u. Notenbankenrechts, Rechtsprobleme grenzüberschreitende Raumplanung, Rechtsprobleme b. grenzüberschreitender Umweltbeeinträchtigungen, Reformen d. Kammern u. Regionen in Europa. E.: 1977 Talentförderungsprämie d. Landes OÖ, 1980 Walther Kastner-Preis. M.: Österr. Bankwiss. Ges., Österr. Ges. f. Außenpolitik u. Intern. Bez. 1974, Centre Intern. de Formation Européenne 1975, Intern. Law Assoc., Committee on Intern. Monetary Law, Dt. Ges. f. Völkerrecht 1977. Rotary Linz, Arbeitskreis europ. Integration, Kons. f. öff. Recht, Kons. f. Intern. Wirtschaftsrecht b. ÖIAG/Austrian Industries, Kons. f. Umweltrecht b. Österr. Fachverb. d. Bergwerke u. Eisenerz. Ind. H.: Sport. (J.G.)

Zehetner Franz

B.: Inh., Tischlermstr. FN.: Franz Zehetner Tischlerei u. Laborbau. DA. u. PA.: 3363 Ulmerfeld-Hausmening, Bahnhofstr. 45. G.: Hilm/Sonntagsberg, 1. Nov. 1934. V.: Irmgard, geb. Singer. Ki.: Franz. El.: Stefan u. Cäcilia. K.: 1962 Mstr.Prüf., 1971 Betriebsareal in Ulmerfeld-Hausmening angekauft, Expansion, m. 50 spez. Mitarb. werden Labor- u. Spezialeinrichtungen f. Univ., TU, Museen, KH usw. hergestellt, Aufgrund d. Besuche v. Fachmessen u. d. ständigen Weiterentwicklung auch führend am Bautischlersektor, Auftraggeber: öff. u. halböff. Hand wie: TU, Univ. in Wien u. Graz, Nationalbank, Parlament, Sozialvers. d. gewerbl. Wirtschaft, Ver. Nationen in Wien usw. u. d. Ind. M.: Vors. d. Lehrabschlußkmsn. f. d. Tischlergewerbe (seit 1963), im Normenaussch., Obm. v. Musikver. Ulmerfeld-Hausmening. H.: Blasmusik. (Kern)

Zehetner Gerhard

B.: Gschf. Ges. FN.: ZETA Engineering, Zehetner Tabor Anlagenbau. DA.: 8010 Graz, Raiffeisenstr. 46. PA.: 8020 Graz, Wiener Str. 46. G.: Sierning, 30. Nov. 1962. El.: Alois u. Marianne. S.: AHS, 1981 Matura, BH, 1982 Stud. Wirtschaftsing.-Wesen f. Maschinenbau. K.: 1988 Projekting. Firma Thalhammer Graz, freier Mitarb. b. div. Planungsbüros, 1989/90 Projekting. Leopold Pharma, 1990/91 Grdg. ZETA Engineering u. Zehetner Tabor Anlagenbau. H.: Sport (Tennis, Squash, Skifahren). (F.K.)

Zehetner Gerhart

B.: Gschf., Landesdir. f. Österr. FN.: ADIA Interim GmbH Österr. DA.: 4053 Pucking, Pinguinweg 5; 1010 Wien, Rotenturmstr. 5-9. G.: Rottenmann, 16. Okt. 1960. V.: Karin, geb. Tritschel. Ki.: Katharina (1989), Christoph (1992). El.: Herbert u. Christina. S.: Berufsschule f. Maschinenschlosser, div. Weiterbild.-Seminare, 8 J. Auslandstätigkeit, 1989 als erster in Österr. d. Konzessionsprüf. f. Arbeitskräfteüberlassung abgelegt, 1993/94 WU Wien: PGM-Lehrgang absolviert, 1987 Privatpilotenlizenz. K.: 1980-81 Mtgl. d. UNO-Friedenstruppe Golan-Höhen, 1982-84 Tätigkeit im Anlagenbau in d. ehem. DDR, 1984 Baultr. Ingolstadt sowie NATO-Flughafen Erdingen, 1984-85 Tätigkeit in d. Schweiz, 1985-86 f. d. Firma Overhoff in Lybien f. Montage, Betriebnahme u. Wartung v. biolog. Trinkwasseraufbereitungsanlagen tätig, 1986 Rückkehr nach Österr., ab 1987 Montage-Einsatzltr. b. Firma Roman Brandl, 1988 Prokura, 1990 Verkauf d. Firma Brandl an ADIA Interim GmbH u. Übern. d. Geschäftsltg., 1991 zusätzl. Geschäftsltg. ADIA. M.: Berufsgruppenobm. d. Arbeitskräfteüberlasser v. OÖ, Sachv.-Nominierung v. LG Linz. H.: Fliegen, Tennis, Skifahren. (F.S.)

Zehetner Josef

B.: Gschf. Ges. FN.: SANTEX Innenausbau GmbH. DA.: 1120 Wien, Tivolig. 70. G.: Sierning, 10. Febr. 1965. El.: Josef u. Rosina. S.: 1983 Matura, Stud. Elektrotechnik. K.: Vertriebstätigkeit u. später Filialltr. b. Stadlauer, 1989 Grdg. d. GmbH, Bmstr.-Tätigkeit u. Nebengewerbe. H.: Skifahren, Tennis, Literatur. (J.E.)

Zehetner Karl Heinz Dr. iur.

B.: Senatspräs. d. OGH. GT.: Mtgl. d. Obersten Berufungs- u. Disziplinarkmsn. f. RA u. RA-Anw., Ersatzmtgl. d. Obersten Agrarsenates im BMLF. DA.: 1016 Wien, Museumstr. 12. G.: Wien, 15. Sep. 1931. V.: Dr. iur. Brigitte, geb. Mersich. Ki.: Mag. iur. Martin (1960), Mag. iur. Eva (1962), Mag. iur. Elvira (1966). El.: KommR. Karl Hermann u. Marianne, geb. Edelmayer. S.: 1949 Matura, Stud. Rechtswiss. Wien, Mitarb. im väterl. Hdls.-Unternehmen, 1958 Prom. z. Dr. iur. K.: Gerichtspraxis u. richterl. Vorbereitungsdienst in Wien, NÖ u. Bgld., Laufbahn als Richter im BMJ, b. BG Fünfhaus u. BG Purkersdorf, Richter u. Senatsvors. d. LG f. Zivilrechtssachen Wien, Präsidialsekr. (Bau- u. Butgereferent) u. Senatsrat d. Oberlandesgerichtes Wien, 1963-75 Stellv.d.Vorsitzenden d. Schiedsgerichtes d. Sozialvers. f. Wien, 1977-84 Stellv. d. Vorsitzenden. d. Zivildienstkmsn. u. d. Zivildienstoberkmsn., Prüf.-Kmsr. d. Richteramtsprüf.-Kmsn. b. OLG Wien, 1981-93 Hofrat d. OGH, seit 1994 Senatspräs. d. OGH. BL.: Mitwirkung an Verhandlungen d. Unteraussch. d. Justizaussch. d. NatR. im Wohnrechtsbereich als Sachv. im Sinne d. Geschäftsordnung d. NatR. (1974, 1975), Vorsitzender d. Volksbegehrens d. Aktion Leben z. Schutz d. menschl. Lebens i. d. Erzdioziöse Wien, Mitarb. im jurist. Arbeitskreis d. Kath. Familienverb. Österr. M.: Ver. d. Österr. Richter, Gewerkschaft Öff. Dienst, Richter u. Staatsanw., Juristenverb., Wr. Jurist. Ges., Wr. Kath. Ak., Prorektor d. Erzbruderschaft an d. Wallfahrtskirche St. Leonhard zu Tamsweg, Triathlon-Sportunion Wien. H.: Malerei, Musik, Fotografie, Sport (Skifahren, Schwimmen). (N.A.)

Zehetner Reinhard

B.: selbst. Trainer f. Mitarb. u. Führungskräfte. DA. u. PA.: 6921 Kennelbach, In der Telle 1. G.: Hard, 8. Mai 1957. V.: Elisabeth, geb. Bliem. Ki.: Bettina. El.: Walter u. Erna. S.: b. 1975 HASCH. K.: Jugendarb., Bank- u. Vers.-Wesen u. intensive Seminarbesuche, 1987-90 Personalref. u. -entwickler Hilti, seit 1990 selbst. Trainer in ca. 50 Vbg. Betrieben. P.: "Ich muß bei mir selbst beginnen" (1992). M.: Obm. d. Miteinander statt Gegeneinander, Österr. Suggestopädenverb., Lebens- u. Sozialberater. H.: Menschen zuhören, Familie, Freunde, Literatur, Fußball, Tennis, Squash, Skifahren. (A.K.)

Zehetner Siegfried

B.: Hoteldir. Arcotel Satori Gmunden. DA. u. PA.: 4810 Gmunden, Satoristr. 18. G.: Wien, 2. Sep. 1948. V.: Renate, geb. Waldhauser. Ki.: Sabine (1975), Thorsten (1976), Sabine (1979). El.: Franz u. Stefanie. S.: VS, HS, 1962-65 Kellnerlehre Hotel Imperial Wien, Berufsschule f. Gastgewerbe, 1965 Lehrabschlußprüf. K.: 1965-66 Commis de rang Hotel Imperial, 1966-67 Commis de rang Hotel Die Postkutsche Kitzbühel, 1967 Station waiter Hotel Le Chalet Jersey Channel Island, 1967 Commis de rang Hotel Imperial, 1968 BH, 1968-71 Chef de rang Hotel Imperial, 1972-73 Chef de rang u. Oberkellnerstellv. Parkhotel Baden, 1973-76 Restaurantchef Hotel Gutenbrunn Baden, 1976-77 Gschf. Dreier Restaurant Shopping City Süd Firma Lembacher, 1977-78 Gschf. Schwechater Hof Firma Lembacher, 1978-82 Oberkellner Tourotel Wien, Aufstieg z. Restaurantchef, Aufstieg z. Wirtschaftsltr., 1982-83 F. & B. Manager Senegambia Beach Hotel Gambia/Westafrika, 1983 Betriebsltr.-Stellv. Erholungszentrum Laxenburg Firma Wigast, 1983-84 Betriebsltr. Thermenrestaurant Oberlaa Firma Wigast, 1984 Eintritt 5-Sterne Luxushotel Eldorado als Restaurantltr., 1985-86 F. & B. Manager, 1986-87 F. & B. Manager Hotel Biedermeier Wien, 1987-88 Restaurantltr. Hotel Ananas Wien, 1988-89 F. & B. Manager Hotel Scandic Crown Wien, 1989-90 Restaurantdir. Hotel Alba Palace Wien, 1990-91 stellv. Dir. Arcotel Wien Wimberger, 1991 Übernahme eines 4-Sterne de Lux Hotel in OÖ als Dir. E.: Ausz. v. Confrerie de la Chaine des Rotisseurs im Skandic Crown erhalten. M.: Skal-Gruppe Bad Ischl, "Weinritter", Prüf.-Aussch. d. Prüf.-Kmsn. d. Lehrabschlußprüf. H.: Radfahren, Schwimmen, Modelleisenbahn. (J.L.)

Zehetner Wolfgang Dipl.-Ing. Arch.

B.: Dombaumstr. FN.: Dombaumstr. zu St. Stephan. DA.: 1010 Wien, Stephanspl. 3. PA.: 3034 Maria Anzbachö, Rehgarten. G.: Viehdorf b. Amstetten, 12. Dez. 1953. V.: Mag. Elisabeth, geb. Peter. El.: Dr. med. vet. Franz u. Hedy Zehetner. S.: 1971 Graduation an Kalifornischer Highschool, USA, 1972 Matura in Amstetten, Arch.-Stud. a. d. TU Wien, 1979 Sponsion bei Prof. Hiesmayr, gleichzeitig Violoncello-Stud. bei Prof. Matuschka-Eisenstein, Konservatorium d. Stadt Wien. K.: während d. Stud. Croupier b. d. Casino Austria AG, Praxis im Architekturbüro Dr. Simlinger u. Atelier Prader & Fehringer, 1980-81 bei Arch. Dr. Weinberger in Sao Paulo, Brasilien, ab 1983 Diözesanbauamt St. Pölten, Ltr. v. zahlr. Bauten, Umbauten, Restaurierungen, Denkmalpflege, s. 1993 Dombaumstr. zu St. Stephan und freischaffender Architekt. M.: SIAC Sociéte Internationale des Artistes Chrétiens, Mtgl. d. Amstettner Symphonieorchesters, Künstlerhaus, Kunstbeirat d. Erzdiözese Wien. E.: Gold. Ehrenzeichen d. Hl. Hippolyt. H.: Musik, Reisen, Literatur. (J.S.)

Zehndorfer Karl Dipl.-Ing. BauR. h.c.

B.: Konsulent d. EVN Energie-Versorgung NÖ AG. DA.: 2344 Maria Enzersdorf am Gebirge, Johann-Steinböck-Str. 1. G.: Wien, 16. Jan. 1928, verh., 3 Kinder. S.: Stud. an d. HTBLA Wien 1, Tiefbau, 1947 Matura, Stud. an d. TU Wien Fak. f. Bauing.Wesen, 1953 II. Staatsprüf. K.: 1954 Eintritt in d. Baudienst b. Land NÖ, Abt. Flußbau u. Hochwasserschutz, 1973 Dir. Ltg. d. Abt. Hoch- u. Tiefbau d. EVN, Handlungsvollmacht, 1979-1993 Ltr. d. Hpt.Abt. Bauwesen u. Leitungsbau d. EVN, Prokura. P.: Regulierung d. Traisen, Restaurierung d. Burg Ottenstein, div. Veröff. über Kraftwerksbauten u. Bauvorhaben d. EVN. E.: 1976 Ausz. f. Verd. um d. Denkmalschutz, 1978 BauR. h.c., Komturkreuz d. Hl. Silvesterordens m. Stern. M.: Vors. d. Vorst. d. NÖ Ges. f. Regionalforsch. u. Regionalplanung u. d. Inst. REGIO Forschungsges., Mtgl. d. Vorst. d. Ver. f. Ökologie u. Umweltforsch., o.Mtgl. d. Ak. f. Umwelt u. Energie, Mtgl. d. Hpt.-Aussch. d. Österr. Wasserwirtschaftsverb., Präs. d. BMTC - Die NÖ, Brühl Mödlinger Tennis Club. H.: Zeitgeschichte, Bergsteigen, Tennis, Radfahren. (Ch.K.)

Zehndorfer Peter Dr. HofR.

B.: Vizepräs. d. Österr. Jungarbeiterbew. (ÖJAB), Hon.-Konsul v. Burkina Faso (früher Obervolta). DA.: 1060 Wien, Mittelg. 16. G.: Wien, 13. Feb. 1926. V.: Mag. Gertraud. Ki.: Jakob (1972), Clemens (1974). El.: Karl u. Anna. S.: 1943 Matura, Stud. Theol., 1950 Prom., 1962 Dr. theol. K.: ab 1950 Prof. an BRG Mödling u. an d. Päd. Akad. d. Bundes in Baden/NÖ, s. 1972 s. 1972 Heimltr. d. Ausbildungszentr. f. Entwicklungshilfe, s. 1972 auch Dir. d. Berufspäd. Inst. u. Inst. f. Brufsausbild. d. ÖJAB (BPI Mödling), s. 1972 als Vizepräs. d. ÖJAB zuständ. f. Entwicklungsarb., s. 1987 Hon.-Konsul v. Burkina Faso, 1991 Ausscheiden aus d. Schuldienst. E.: 1978 Officier de l'Ordre Nationale de Haute Volta, 1986 u. 87 Dank u. Anerk. d. LSR f. NÖ, 1986 Gr. EZ f. Verd. u. d. Land NÖ, 1988 Gold. Ehrenschild d. ÖJAB. M.: Mtgl. d. Beirats f. Entwicklungszusammenarb. am BKA, Gen.-Sekr. d. Union d. Consular. Corps in Österr. H.: Reisen, Schifahren. (M.M.)

Zehndorfer Petrus Dr. HofR.

B.: VPräs. d. Österr. Jungarbeiterbewegung, Konsulent d. Berufspäd. Inst. Mödling, Hon.-Konsul von Burkina Faso in Österr. DA.: 1060 Wien, Mittelg. 16. PA.: 2380 Perchtoldsdorf, Lindenweg 5. G.: Wien, 13. Febr. 1926. V.: Mag. Gertraud, geb. Marzi. Ki.: Jakob (1972), Clemens (1974). El.: Karl u. Anna, geb. Hipp. S.: 1943 Matura, 1946-50 Stud. Phil. u. Theol. Univ. Wien, 1963 Prom. z. Dr. theol. K.: 1950-71 Pfarrer in Wien-Rodaun u. Prof. f. Religionspäd. an d. Päd. Ak. d. Bundes in Baden, 1971-91 Dir. d. Berufspäd. Inst. d. Österr. Jungarbeiterbewegung in Mödling, seit 1989 Hon.-Konsul von Burkina Faso f. Österr. M.: BeiR. f. Entwicklungspolitik b. BKA, Gen.-Sekr. d. Union d. Konsular. Corps in Österr. H.: Wandern, Skifahren, Schwimmen, Basteln. (N.A.)

Zehrer Roland

B.: Inh., Kfz-Mechaniker. FN.: Roland Zehrer Reifen, Batterie, Service. DA.: 6804 Altenstadt, Naflastr. 20. G.: Leipzig, 1. Juli 1942. V.: Antonia. Ki.: Uwe (1977), Markus (1983). El.: Hans u. Irma. BV.: Großvater Kaiserjäger Offz. S.: Grundschule, 1956-59 Berufsschule, 1967 Militär. K.: 1959-61 Kfz- u. Motorradmechaniker Leipzig, 1961-64 Mechaniker in Liechtenstein, 1963 Grdg. gemeinsam m. Schwester Batterie u. Service Geschäft Feldkirch, 1966 alleiniger Inh. M.: Ehrenmtgl. Motorradclub, Sponsor Gocart-Club Vbg. H.: Motorradfahren, schnelle Autos, gepflegt Essen u. Trinken. (I.D.)

Zeibig Ernst Prof. Dr. techn. Dipl.-Ing.

B.: Abt.Vorst., Univ. Lektor TU Wien, Ing.Kons. f. Maschinenbau u. f. Wirtschaftsing.Wesen im Maschinenbau. GT.: seit 1987 Abt.Vors. d. Höheren Abt. f. Maschinenbau KFZ-Technik am TGM. DA.: 1190 Wien, Kreindlg. 4. G.: Wien, 1. Jan. 1936. V.: Dipl.Dolm. Helga, geb. Lackner. El.: Prof. Dipl.-Ing. Ernst u. Maria. S.: VS, Mittelschule, TU. K.: Tätigkeit im In- u. Ausland, seit 1964 selbst. als Ziviltechniker, Ing.Kons. f. Maschinenbau u. Ing.Kons. f. Wirtschaftsing.-Wesen im Maschinenbau, Univ.Lektor an d. TU Wien, seit 1965 auch Lehrer, seit 1968 Prof., ab 1970 Abt.Vorst. d. Höheren Abt. f. Maschinenbau-Flugtechnik d. HTL Wien I, seit 1987 Abt.-Vorst. am Technolog. Gewerbemuseum Wien, Fluglehrer, Motorflug 1969, Segelflug 1973, Aufzugssachv. 1974, Autorisierter Sachv. d. BMB im Sinne d. Dampfkesselvorschriften, Sachv. f. d. Einzelprüf. v. Kfz., Vors. d. Fachaussch. Technik d. Österr. Aero-Clubs seit 1962, Rat d. Obersten Patent- u. Markensenates seit 1975, Mtgl. d. Prüf.Kmsn. b. BKA f. d. mittleren u. höhreren Dienst (Flugwesen u. Kfz-Wesen), allg. ger. beeid. Sachv. F.: Inh. d. Kzl. Dr. Zeibig, Ing.Kons. f. Maschinenbau u. Wirtschaftsing.-Wesen im Maschinenbau u. d. dazugeh. maschinenbaul. u. flugzeutechn. staatl. autor. Prüfanstalt, d. Schätzstelle f. Luftfahrzeuge (SL) Wien d. DSL e.V., d. Versuchsanst. f. Luftfahrt Wien. P.: Untersuchung d. Flattersicherheit eines Flugzeuges unter bes. Berücksichtigung d. Standschwingungversuches, Probleme d. Mineralölproduktenverteilung, Forschung zielgerichtet od. empirisch, Die Messung d. Druckverlaufes in einem Stollen nach d. Detonation eines Munitionslagers unter Tage, Ölbindemittel-Anforderungen u. Prüfmethoden, Das Österr. Kfz-Recht. ADR, GGSt Gefahrguthandbuch. E.: Silb. EZ f. Verd. um d. Rep. Österr., Gold. EZ f. Verd. um d. Österr. Sportluftfahrt. M.: Techn.-Cercle, Aero-Club, Österr. Ing.- u. Arch.-Ver., American Inst. of Aeronautics and Astronautics, The Soaring Soc. of America Inc., Aircraft owners and Pilots Assoc., Intern. Soc. of Air-Safety Investigators ISASIA, Ing.Kam. H.: Solingsegeln. (E.L.)

Zeichen Gerfried Dr. Dipl.-Ing. Univ.-Prof.

B.: Ordinarius a. d. TU Wien. FN.: Techn. Univ. Wien. DA.: 1040 Wien, Gußhauserstr. 27-29. PA.: 1130 Wien, Amalienstr. 75/4. G.: Wien, 25. Jul. 1934. V.: Marlies, geb. Uhlich. Ki.: Johannes (1964), Christine (1961), Clara (1963). El.: Rudolf u. Gertrud. S.: VS, Gymn., Matura 1951, 1951-58 Stud. Maschinenbau u. Elektrotechn., 1958 Dipl.Ing., 1963 Promotion. K.: 1963-73 Entwicklungsleiter b. Fa. Carl Zeiss/BRD; 1974-84 Dir. d. Steyr-Daimler-Puch AG Graz-Thondorf f. Geländewagenentw. u. Prod.; s. 1984 Ordinarius a. d. Fakultät Elektrotechn., TU Wien., s. 1989 Vorst. d. Inst. f. felx. Automation. B.L.: Kooperation Steyr-Daimler-Benz, Stuttg., u. Steyr-Daimler-Puch, Graz a. d. Geländewagensektor. P.: 1990 "Evolution der Industriegesellschaft"; 1991 "Flexible computerintegrierte Produktion f. Klein- u. Mittelbetriebe"; 1991 "Intelligente Produktionssysteme"; "Weitwinkelkonzepte i. d. industriellen Produktion". E.: 1984: Ehrenmed. d. HK Stmk.; 1991: Award d. JIRA. M.: Mitgl. d. Ver. dt. Ing.; Mitgl. d. Österr. Rates f. Wissensch. u. Forsch. H.: Familie, Beruf. (E.J.)

Zeichen Rudolf Dr. Univ.-Doz.

B.: Primar. FN.: LKH, med. Abt. DA.: 8112 Gratwein, Hörgas 68. PA.: 8010 Graz, Auerspergg. 7. G.: Berlin, 21. Nov. 1930. V.: Lieselotte, geb. Csaki. Ki.: Sigrid, Birgit. S.: Gymn. Graz, 1949 Matura, Med.-Stud. i. München u. Graz, 1956 Prom. K.: Turnus b. Barmherzige Brüder Graz u. LKH Univ.-Klinik Graz, zwischenzeitlich Ausbildung interne Med. u. Labormed. i. Ulm u. München, Hab.: 1984 Schwerpunkt Hepathologie u. Diabethologie. P.: 40 Publ. über Diabetes u. Lebererkrankungen. BL.: Grdg. d. steir. Diabetes Ges. H.: Sammeln v. alten Metallspielzeug, Landwirtschaft. (I.G.)

Zeidler Eduard

B.: Techn. FN.: LUDWIG GesmbH, Wasseraufbereitung u. Wärmetechn. Anl. DA.: 4020 Linz, Unionstr. 110. PA.: 4060 Leonding, Im Weideland 31. G.: Asch in Böhmen, 22. Nov. 1935. V.: Daniela, geb. Dolezal. Ki.: Thomas (1970). El.: Robert u. Agnes. BV.: Ururgroßv.: Johann Zeidler, Altarschnitzer in Böhmen, Oberfranken u. Vogtland, Großv.: Karl Zeidler, um die Jhdt.-Wende bei d. Wr. Philharmonikern, Musiker in d. Leitkapelle d. Kaisers. S.: Grunds., Mittels., Berufss., Techn. Lehranstalt. K.: 10J. Westböhm. E-Werke, 23J. Fa. Thyssen, s. 1989 Teilhaber d. Fa. Ludwig. H.: Sport, Musik, Philosophie. (K.-J.M.)

Zeidler Franz Dr. Mag. pharm. KommR.

B.: Vors. d. Vorst. FN.: Herba Apotheker AG. GT.: Vors. d. AufsR. Chemosan Union. DA.: 1090 Wien, Michelbeuerngasse. 9A.

Zeidler Hermann

B.: Kfm., Gschf. FN.: Zeidler GmbH. DA.: 2331 Vösendorf, Schönbrunner Allee 28. PA.: 1190 Wien, Telekyg. 3/6. G.: Wien, 22. Apr. 1939. V.: Mag. Gerda, geb. Eichinger. Ki.: Dr. med. Claudia (1968). El.: Hermann u. Valerie. K.: n. Realschule i. Wien Einstieg i. berufl. Leben, 1958-66 Ausarb. u. Beratung v. Offerten f. Gabelstaplereinsatz b. Fa. Büll & Ertel Tansporttechn. i. Wien, 1966-78 Ausb. e. Org. f. d. USA-Konzern Eaton Yale Town i. Purkersdorf u. a. Gschf. verantw. f. Verk. u. Service d. Yale Gabelstapler i. Österr., 1978 Eintritt i. Strobl Gruppe, 1979 Grdg. Fa. Zeidler GmbH. & Co KG, 1989 Übern. d. Jumbo Gabelstapler Prod. i. Perg u. Gschf., 1992 Fusion d. Fa. Jumbo m. Zeidler GmbH, s. 1993 Gschf. d. Niederlassung i. Ungarn. H.: Familie, Beruf, Sport, Oper, Musik, Lesen. (I.K.)

Zeihsel Gerhard

B.: Chemiker, LAbg. u. GemR. d. Stadt Wien (FPÖ). DA.: 1010 Wien, Rathaus. PA.: 1110 Wien, Lindenbauerg. 72/3/21. G.: Wien, 21. Dez. 1939. Ki.: Gernot (1969), Birgit (1971). El.: Cyrill u. Stefanie, geb. Kubesch. S.: VS, Realschule, HTL Rosensteingasse. K.: 1957 Eintritt als Chemiker b. "Österr. Unilever", BetriebsR., BetriebsR.-Vors.-Stellv., 10 J. KamR. d. Wr. AK, Polit. Werdegang: Ring Freiheitl. Jugend u. Sudetendt. Jugend, 1973-87 BezR. d. Simmeringer Bez.-Vertretung, danach LAbg. u. GemR., Bundespresseref. d. Sudetendt. Landsmannschaft in Österr. P.: Fachart. in "Sudetenpost", "Neue Freie Zeitung" u. in Bez.-Zeitungen. E.: 1990 Gold. VZ d. Stadt Wien. M.: d. Österr. Turnerbund, Österr. Alpenverein - Sektion Reichenberg, Landesparteivorst.-Mtgl. d. Wr. FPÖ. H.: Sport (Turnen, Bergsteigen, Leichtathletik, Skifahren, Schwimmen), Lesen. (N.A.)

Zeilberger Anton

B.: Gschf. FN.: Printissimo Druck u. Verlags GmbH. DA.: 5280 Braunau, Palmpl. 2. PA.: 4963 St. Peter/Hart. G.: Esternberg, 18. Jan. 1956. V.: Margaretha, geb. Hintermaier. Ki.: Verena Maria (1979), Eva Maria (1983). S.: VS, Polytechn. Lehrgang, Berufsschule Passau, 1971-74 Buchdruckerlehre Firma Passavia Passau, 1974 Lehrabschlußprüf. K.: 1 J. Geselle Firma Passavia Passau, 1975-76 Firma Hutter St. Johann, BH, 1976-80 Drucker b. Innviertler Verlag, 1981 Gesellenprüf. als Flachdrucker, 1981-87 Drucker u. Lehrlingsausbilder Landesverlag, ab 1982 Abt.-Ltr. f. Druck u. Endfertigung, 1988 Druck u. Endfertigung Firma Printissimo, 1988 erfolgr. Befähigungsprüfg. d. Drucker, seit 1991 Ges. u. Gschf. M.: Freiwillige Feuerwehr St. Peter. H.: Wassersport, Bergwandern. (S.P.)

Zeileis Valentin R. Dr. MedR.

B.: FA f. physikal. Med. am Inst. Zeileis. DA.: 4713 Gallspach, Valentin-Zeileis-Straße. PA.: 4713 Gallspach, Schloß Gallspach. G.: Gallspach, 25. Juni 1934. V.: Hedwig

geb. Frank. Ki.: Georg (1962), Dr. Martin (1964), Ruth (1966). El.: MedR. Dr. Fritz u. Maria Louise. BV.:Großvater Valentin Zeileis, Erfinder d. Hochfrequenztherapie. S.: VS, Gymn., Med.-Stud. Innsbruck u. München, 1958 Prom. K.: Ausbild. z. FA f. physikal. Med. an d. Univ.-Klinik Wien, seit 1964 Inst. Zeileis Gallspach, seit 1977 ärztl. Ltr. E.: Ehrenring d. Gemeinde Gallspach. M.: Ärztekam., Akademikerbund, Touringclub, Yachtclub. H.: klass. Musik, Wassersport. (J.L.)

Zeiler Gerhard

B.: Generalintendant d. ORF. DA.: 1130 Wien, Würzburgg. 30a. PA.: 1140 Wien, Hütterg. 2/10. G.: Wien, 20. Juli 1955. V.: Ingrid, geb. Eisenkolb. El.: Hans u. Dorothea. S.: 1973 Matura, Univ. Wien Psych., Päd. u. Soz. K.: 1976 ÖIBF freier Mitarb., ab 1978 ang. Projektltr., Arb. an einer Lehrberufsentwicklung, 1979 Journalist im Partei Pressedienst SPÖ, 1979 Pressesprecher Unterrichtsmin. Dr. Fred Sinowatz, 1983 Pressesprecher d. BKanzlers, 1986 Gen.Sekr. ORF, s. 1994 ORF-Generalintendant. H.: Tennis, Fußball, Wandern, Sport allg., Politik, mod. engl. Literatur. (P.R.)

Zeilhofer Manfred Otto Rudolf Ing.

B.: Gschf. Ges. FN.: Bauges. Vindobau Ges.m.b.H. DA.: 1170 Wien, Palffyg. 25. G.: Wien, 5. März 1941. V.: Hannelore, geb. Barenth. Ki.: Michael (1961). El.: Dr. med. Hans u. Maria, geb. Kainz. S.: Mittelschule, HTL b. 1962, Arch.-Stud. b. 1968. K.: Praktikum in Schweden, dann Arch.-Büro Dr. Twerdy (Baultg.) b. 1971, 1971 Einkauf in Fa. M.: seit 1961 Mtgl. b. Sportver. Basketball "Erster KSC". H.: Baskettball, Tennis, Haus u. Familie, Reisen, Briefmarken sammeln. (M.G.)

Zeilinger Anton Dr. phil.

;A.: 5020 Salzburg, Brunnhausg. 22. G.: Ried/I., 30. Mai 1905. V.: Jacoba Hendrika, geb. Valkenburg. El.: Anton u. Theresia. S.: VS, Hum. Gymn., Matura 1924, Univ. Wien, phil. Fak. (Chemie), Prom. 1932. K.: LMolkerei-Instruktor (Bmtr.) Linz 1933-38, selbst. Molkerei-Untern. Ried 1938-39, Wehrmacht, dann Chemiker b. I.G. Farben 1939-45, Chemiker Stickstoffwerke Linz 1945-46, BLehr- u. Versuchsanst. f. Milchw. Wolfpassing 1946-54, Univ.-Prof. f. Milchwirtschaft, Molkereiwesen u. ldw. Mikrobiologie Univ. f. Bdk. Wien 1954-72, Rektor d. Univ. f. Bdk. 1969-71, seit 1972 em. P.: Zahlr. wiss. Arb., Fachbuchübersetzung, red. Tätigkeit, mehrfach fachl. Chefred. E.: Ehrenkreuz f. Wiss. u. Kunst I. Kl.

Zeilinger Franz Dr. theol. lic. rer. bibl. Univ.-Prof.

B.: Rektor d. Karl-Franzens-Univ. Graz, Vorst. d. Inst. f. Neutestamentl. Bibelwiss. DA.: 8010 Graz, Universitätspl. 3. PA.: 8010 Graz, Froschaug. 7/55. G.: Eggenburg, 16. Sept. 1934. El.: Friedrich u. Philomena. S.: 1955 Matura, 1955-61 Stud. Theol. K.: 1960 Priesterweihe, 1962-64 päpstl. Bibelinst. in Rom, 1964-65 Ecole biblique et archeologique francaise in Jerusalem, 1965-68 Lehrbeauftragter f. Neutestamentl. Bibelwiss. an d. TH Mautern, 1968 Univ.-Ass. an d. Univ. Graz, 1972 Habil., 1973 a.o.Univ.-Prof. Neutestamentl. Bibeltheol., 1981 o.Univ.-Prof. f. Neutestamentl. Bibelwiss., 1987-89 Dekan. P.: 3 Monographien, Mitarb. an Sammelwerken, 45 Fachart., Gutachtertätigkeit, Vortragstätigkeit b. wiss. u. kirchl. Veranstaltungen, Studienreisen. M.: Studiorum Novi Testamenti Societas, Arge d. deutschsprach. kath. Neutestamentler.

Zeilinger Markus Mag.

B.: Gschf. FN.: Master Management. DA.: 1210 Wien, Franz-Jonas-Pl. 3/2. G.: 11. März 1965. Ki.: Marlene Eva (1985). El.: Dr. Roberto Zeilinger u. Sigrid Seltsam. BV.: Großvater Dr. Erich Zeilinger Botschaft d. Rep. Costa Rica in Wien. S.: Matura, Gesellenprüf. Maschinenschlosser, Stud. Hdls.-Wiss. WU Wien, Spons. z. Mag. phil., Politikwiss. K.: 1988 Ltg. Marketing u. Unternehmenskommunikation Wr. Softwarehaus, Aufbau Telemarketingabt., 1990 Accountmanager f. Vertriebscontrolling, 1991 Einstieg Master Management Unternehmensgruppe, 1993 Gschf. Telemarketing u. Datenbankmanagement. P.: Fachvorträge Telefonmarketing, zahlr. Art. H.: Reisen, Skifahren, Fußball, Wandern. (W.M.)

Zeilinger Olga

B.: Prok. FN.: AWAS. GT.: ISTA Haustechnik GmbH. DA.: 1030 Wien, Veithg. 6. PA.: 1110 Wien, Hauffg. 44/6/20, 3375 Krummnußbaum, Magazinstr. 3. G.: Wien, 2. Febr. 1944. V.: Michael Zeilinger. El.: Franz u. Olga Lender. S.: VS, HS, HASCH. K.: 2 J. Stenotypistin AEG, anschl. 7 J. Hausverw. (Kontoristin, Buchhalterin), 7 J. Fa. Bayer Personalbüro, 2 J. Gustana Personalchefin, seit 1980 Fa. AWAS. H.: Lesen, Radfahren, klass. Musik. (R.A.)

Zeilinger Ralph Dir.

B.: Gschf. Ges. FN.: PROSQUILL Agentur f. Marktkommunikation. GT.: Hrsg. d. Zeitschrift Sport u. Toto, Verlagsltr. d. ÖLZ Österr. Lesezirkelwerbung u. Verlagsges. DA.: 1080 Wien, Piaristeng. 16. G.: Wien, 14. Dez. 1948. V.: Heide-Marie, geb. Eigner. Ki.: Florian (1981), Viktoria (1983), Moritz (1989). El.: Gerhard u. Hildegard, geb. Prosquill-Prosky. S.: 1967 Matura, Stud. WU Wien. K.: 1970 Kundenbetreuer im ÖLZ Verlag, 1978 Verlagsltg., 1980 Ankauf Sport u. Toto Zeitungs GmbH u. deren Hrsg., 1984 Gschf. Ges. d. Agentur PROSQUILL, d. Vienna Medienges., Osteuropa Marketing u. d. VISION Werbeges. M.: Österr. Hrsg.-Verb. H.: Golf, Skifahren. (M.M.)

Zeilinger Roman Dr. phil.

B.: Intendant am Landestheater. DA.: 4020 Linz, Promenade 39. G.: Wien, 4. Febr. 1938. V.: Margareta. Ki.: Romana, Clemens. S.: 1956 Matura, Univ. Wien Germanistik, Musikwiss., Geschichte, Psych., 1961 Prom. in Phil., Konservatorium d. Stadt Wien, Staatsprüf. f. Klavier u. Kapellmstr.-Reifeprüf. K.: 1961-62 Dirigent d. Wr. Sängerknaben, 1964 Eintritt in d. Landestheater Linz als Korrepetitor, 1966 Operettenkapellmstr., 1969 1. Kapellmstr., seit 1974 auch Stellv. d. Chefdirigenten d. Brucknerorchesters, 1974-75 interimistisch Chefdirigent, 1983-85 Chefdirigent, 1985 Gastprof. an d. HS f. Musik Wien, ab 1986 Int. d. Landestheaters Linz. Liedbegleiter, Gastdirigent b. in- u. ausl. Orchestern. H.: Beruf, Skifahren, Wandern, Reisen. (Deu.)

Zeillinger Erich Dr. Dkfm. KommR.

B.: Lehrbeauftragter d. WU Wien. DA.: 1010 Wien, Wipplingerstr. 2. M.: Vorst.-Mtgl. d. Landes Hypothekenbank NÖ Wien, AufsR. d. NÖ Sportstätte Klosterneuburg u. Appartementhäuser in Rohrmoos Betriebs u. Verw. GmbH Wien u. Liegenschaftsverwertungs u. Verw. GmbH Wien, VerwR. d. Pfandbriefstelle d. österr. Landes Hypotehekenbanken Wien.

Zeilmayr Alfred Dr. iur.

B.: Mag.-Dir. im Mag. Wels. DA.: 4600 Wels, Stadtpl. 1. PA.: 4600 Wels, Hamerlingstr. 7. G.: Wels, 3. Jän. 1937. V.: Marianne. Ki.: Dieter (1968), Christian (1971). El.: Josef u. Paula, geb. Eigner. S.: VS, BRG, 1955 Matura, Stud. Rechts- u. Staatswiss. Univ. Wien, 1961 Prom. z. Dr. iur. K.: Gerichtspraxis Bez. u. LG Wels, 1962/62 Präsenzdienst, 1963 Eintritt Mag. d. Stadt Wels, 1964 MA2, seit 1965 Ltr. d. Mag.-Abt. 11, 1982 Mag.-Dir.-Stellv., 1989 Ltr. d. Abt.-Gruppe Bez.-Verw., 1993 Mag.-Dir., Feuerwehr: 1951 Eintritt Freiwillige Feuerwehr d. Stadt Wels, 1958 Aufbau d. Taucherdienstes b. Landes-Feuerwehrverb. OÖ, 1962 Ausbild.-Ltr., ab 1967 Delegierter d. LFV OÖ, 1968 1. Kdt.-Stellv., 1970 Techn. Sachv. d. OÖ Landes-Feuerwehrltg., 1973-93 Kdt. d. FF Wels, ab 1976 Ref. f. d. Referat 2 im ÖBFV, ab 1991 VPräs. d. Intern. Techn. Komitees f. Vorbeugenden Brandschutz u. Brandbekämpfung, zahlr. Seminare u. Fortbild.-Lehrgänge f. Feuerwehr-Führungsdienstgr. P.: ca. 300 Veröff. in Fachliteratur. E.: 1981 Feuerwehr-VK d. Landes OÖ, 1984 Steckkreuz d. Feuerwehr-EZ d. Freistaates Bayern, 1985 Silb. EZ d. Landes OÖ, 1985 Gold. EZ f. Verd. um d. Rep. Österr., 1989 Feuerwehr-Verd.-Med. d. Stadt Wels in Gold, 1993 Verd.-Med. d. Stadt Wels in Gold, 1973 VZ d. Tschech. Feuerwehrverb. 1. Stufe, 1976 Dt. Feuerwehr-EK in Gold, 1977 Gr. Silb. VZ d. LFV Stmk., 1978 VZ d. LFV NÖ 1. Kl., 1981 Feuerwehr-Verd.-Med. d. LFV Sbg. 1. Stufe, 1985 Schweizer Ehrenmed., 1985 Gold. EZ am Band d. Ktn. LFV, 1986 VK d. ÖBFV, 1986 VK d. Wr. LFV, 197 Strahlenschutz-VZ in Gold, 1981 Gold. Verd.-Med. d. Österr. Roten Kreuzes. H.: Wandern, Langlaufen, Alpinski, Radfahren. (P.H.)

Zeilner Wilhelm

B.: Bmstr. DA. u. PA.: 4823 Steeg am Hallstätter See, Untersee 126. G.: Bad Goisern, 19. Mai 1946. V.: Elfriede, geb. Pilz. Ki.: Gerhard (1969), Thomas (1972). El.: Wilhelm u. Katharina. S.: 1960-64 Holzfachschule Hallstatt, anschl. Tätigkeit in Tischlerei, BH, 3 J. Ausbild. f. Bauhandwerker an HTL Linz, 1977 Bmstr.-Prüf. K.: 1972-89 Ang. Firma Dipl.-Ing. Peter Brandl u. zusätzl. selbst., seit 1990 selbst. H.: Sport (Skifahren), Ldw. (Zucht v. Schott. Hochlandrindern), Bergwandern. (E.Hö.)

Zeininger Josef

B.: Bischofsvikar f. d. Stadt Wien. DA.: 1010 Wien, Wollzeile 2. PA.: 1170 Wien, Waldegghofgasse. G.: Eferding, 5. Febr. 1916. El.: Josef u. Anna. S.: VS Eferding, Gymn., Matura, 6 J. Univ. Freiburg/Schweiz Zürich Ost. K.: Kaplan in Wien, Pfarre Krim, 1950 Jugendseelsorger in Wien, 1964-74 Ltr. d. Pastoralamtes, seit 1974 Bischofsvikar d. Vikariats. P.: Art. in kath. Zeitschriften, Furche u. Presse. H.: Wandern, Bergsteigen, theol. u. geschichtl. Literatur, Geselligkeit m. Mitbrüdern (Gedankenaustausch). (E.L.)

Zeinler Peter Dr. rer. oec. Dkfm.

B.: Beeid. Wirtschaftsprüfer u. Steuerberater, gschf. Ges. d. Fa. EXACTA Wirtschaftsprüfungs GmbH. PA.: 1010 Wien, Vorlaufstr. 3. G.: Wien, 19. Apr. 1934. V.: Gertrud, geb. Zaritsch. El.: Friedrich u. Maria. S.: 1951 Matura, während d. Schule 1-jähriger Stud.-Aufenthalt in d. USA, HS f. Welthdl., 1959 Prom. K.: 1964 Steuerberaterprüf., 1973 Prüf. z. beeid. Wirtschaftsprüfer. (Bau.)

Zeiringer Heide

B.: Gschf. Ges. FN.: Zeiringer GmbH Installationen. DA.: 8811 Scheifling, Murauer Landesstr. 227. PA.: 8850 Murau, Lederwaschg. 14. G.. Scheiflling, 8. Feb. 1964. El.: Gottfried u. Adelheid Zeiringer. S.: VS, HS, RG, kfm. Lehre im elterl. Betrieb, 1982 Abschluß. K.: 1982-83 Firma Odörfer Graz, 1983-84 Berufsschule Gas-, Wasser- u. Zentralheizungsbau m. Lehrabschlußprüf., 1986 Mstr.-Prüf., b. 1989 Tätigkeit im elterl. Betrieb, 1989 Grdg. Zeiringer GmbH Scheifling, Zeiringer KG Hdl. m. Sanitärart. M.: Vorst.-Vors. d. Tourismusverb. Scheifling. H.: Seglen, Kunst, Kultur. (I.G.)

Zeisel Charlotte

B.: Steuerberater. DA. u. PA.: 1180 Wien, Hofstattg. 16/5. G.: Wien, 24. Sept. 1927. El.: Edmund u. Maria Chumer. S.: K.: 1943 als Steuerberater dienstverpflichtet, 1954 Prüf., seither selbst. Wirtschaftstreuhänder u. Steuerberater. BL.: Seit 20 J. im Tierschutz aktiv, Schatzmeister d. Tierschutzliga z. Schutz d. Versuchstiere, Kassier im Zentralverb. d. Österr. Tierschutzverb. im Kuratorium d. Tierpflegeschule, aktive Mitarb. b. d. Grdg. d. Tierpflegeschule. H.: Reisen, Oper. (S.S.)

Zeisel Magdalena

B.: bild. Künstlerin. DA.: 1040 Wien, Blechturmg. 26/11, Tel. 5044414. G.: Budapest, 14. Aug. 1949. V.: Laszlo Gyemant. Ki.: Erwin (1977). El.: Ing. Alajos Zeisel. BV.: anerkannte Kunstsammler (u.a. Ignácz Czeizel) u. Freskomaler (18. Jhdt.) S.: Gymn. f. bild. Kunst (Schwerpunkt d. künsterl. Ausbild.: d. Technik Cézanne's), anschl. Stud. an d. Kunstak. in Zebegeny (Tendenz: Holbein sowie d. holländ. Maler d. 16. u. 17. Jhts.) K.: mehrere Ausstellungen in Ungarn, zusammen m. progressiven jungen Malern u. Bildhauern, eine künstl. Trendwende erfolgt während d. Londoner Jahre 1970-76, zyklische Themen: Meer u. Himmel als Äquivalent f. Menschlichkeit u. Freiheit, Ausstellungen: u.a. in d. Galerie v. Annely Juda Fine Art, Galerie v. Intern. Bedeutung (Ausstellungen v. Christo, Max Ernst, David Hockney, Picasso), seit 1976 in Wien, ihre Werke in dieser Periode (Zeichnungen m. Farbstift u. Mischtechnik m. Zeichenstift-Kohle) zeigen vorwiegend Amorph wirkende Frauenportraits, seit 1988 Arb. m. neuen Themen "Sound of Movement", Ausstellungen: Baukunst Galerie, Köln, Galerie Sazenhofen in Sbg., Le Salon d. Nations a Paris, Centre Intern. d'Art Contemporain in Paris, 1988 CA Stephansplatz, 1990 Galerie in d. Dominikanerbastei. H.: Bridge, Tanz. (J.S.)

Zeissl Anton Dr. iur. MinR.

B.: Abt.Ltr. i.R.; im BMB. PA.: 1210 Wien, Siegfriedg. 64. G.: 7. Juni 1934. S.: BRG, Matura, Univ., Rechtsstud. K.: 1959-62 BH Hollabrunn, 1966 im BMH tätig, dann BMB, zuletzt BMWA, seit 1975 Referatsltr., seit 1983 Abt.Ltr., Mtgl. v. Dienstprüf.Kmsn. im KA. P.: div. jur. Publ. in GdZ sowie JBL, insb. über d. Bedeutung d. europ. Menschenrechtskonv. f. d. Bau- u. Liegenschaftsrecht sowie Verwaltungreform. Themen. E.: Gold. u. Gr. Silb. EZ f. d. Verd. um d. Rep. Österr. (E.L.)

Zeitelberger Johannes

B.: Gschf. Ges. FN.: Missing-Link Projekt u. System Entwicklungs GmbH. DA.: 1080 Wien, Wickenburgg. 14. G.: 4. Sep. 1963. El.: Leopold u. Rosamaria. S.: VS, Privatgymn., HTL Nachrichtentechnik Mödling. K.: Praxis in Firma f. Beschallungs- u. Videoanlagen, 1982 Eintritt Firma Mannesmann-Talli, 1983 Weltreise, 1984 Eröff. d. Jazzlokals "Schmafu" Wien, Gschf. in einem Innenstadtrestaurant (El Pulpo), 1990 Grdg. Missing Link Projekt u. System Entwicklungs GmbH. M.: VÖSI . H.: Musik, Gastronomie, allg. Kunstinteresse, Kommunikation, Psych.

Zeithammel Rainer

B.: Ltr. d. Rechnungswesens. FN.: Ernst Dolenz. DA.: 1170 Wien, Beheimg. 1-3. G.: Linz, 9. Mai 1954. V.: Gerda, geb. Knollmayer. Ki.: Jürgen. El.: Gert u. Elfriede. S.: VS, Mittelschule, HAK, Bilanzbuchhalterprüf. K.: Pensionsvers.-Anst., VOEST Alpine (Rohstoffhdl.), seit 1985 Fa. Dolenz. M.: Vorst.Mtgl. d. Wr. Bilanzbuchhalterclub. H.: Schach, Tennis. (E.L.)

Zeitlberger Ralf Dr.

B.: Prok., stellv. Ltr. d. Rechtsabt., Gschf. d. S-Consult. FN.: Giro Credit AG d. Sparkassen. DA.: 1030 Wien, Traung. 14. G.: Wien, 7. Apr. 1959. V.: Brigitte, geb. Schmid. Ki.: Lukas (1990), Anna (1992). El.: Leopold u. Aloisia, geb. Ridmüller. S.: 1977 Matura, Stud. Rechtswiss. Univ. Wien, 1982 Prom., 1982-83 Gerichtsj. K.: 1983-85 Volksbanken AG, danach Eintritt Giro Credit, ab 1983 in o.g. Position. M.: Golfclub "Schönfeld". H.: Tennis, Golf, Radfahren, Lesen, Rechtswiss. (N.A.)

Zeitler Manfred

B.: Selbst. Büchsenmacher. FN.: Ischler Waffen. DA.: 4820 Bad Ischl, Schröpferpl. 4. PA.: 4820 Bad Ischl, Brandenbergweg 13. G.: Bad Ischl. 19. Dez. 1969. V.: Brigitte geb. Weidner. El.: Ferdinand u. Hilde. S.: VS.,HS.. K.: Fachschule f. Büchsenmacher u. Schäfter i. Ferlach, 1988 Ablegung d. Jagdprf., 1989 Ablegung d. Konzessionsprf. f. d. Handel nicht-Militärischer Waffen, 1988-89 tätig bei renommierten Betrieben, 1990 Übernahme d. bereits bestehenden Waffenhandels i. Bad Ischl. Bl.: jüngster Büchsenmacher Ö.. M.: S.S.V. Sponheim (P.P.S.). H.: Jagd, Pistolen schießen. (G.E.)

Zeitlhofer Hubert Dr. iur.

B.: Wirtschaftskons., Gschf. d. VLW, Univ.Lektor an d. Univ. Linz. DA.: 4020 Linz, Humboldtstr. 49. G.: Linz, 13. Okt. 1927. V.: Waltraud, geb. Prager. Ki.: Brigitte. S.: RG, 1947 Matura, Stud. an d. Univ. Wien, 1952 Prom. K.: Gerichtspraxis am LG u. BG Linz, 1952-69 Mag. Linz, ltd. Funktion, Finanzdir., seit 1965 Gschf., 1966-83 Vorst.Mtgl. d. österr. Verb. gemeinn. Bauver. Wien, 1970-80 Vorst.Dir. d. Stadtbetriebe Linz, 1980-84 Gen.-Dir., 1974-83 Vorst. d. intern. Genossenschaftsbd. ICA London/Genf, seit 1979 Univ.Lektor, seit 1985 Wirtschaftskons. P.: 1977 Wohnungspolitik in Europa, 1980 Die Österr. Wohnungspolitik im Spannungsfeld v. Gesellschaft u. Wirtschaft, 1981 Wohnungspolitik in Österr., 1985 Krise d. Eliten, 1987 Ökonomie u. Ethik. E.: 1955 Silb. EZ f. Verd. um d. Rep. Österr., 1970 Ehrenring d. HS f. Sozial- u. Wirtschaftswiss. Linz, 1970 Gr. Gold. EZ d. Österr. Verb. gemeinn. Bauver. Revisionsverb., 1975 Silb. EZ d. Landes OÖ, 1980 Gold. EZ d. Landes OÖ, 1980 Gold. Verd.Med. d. Stadt Braunau, 1983 Ehrenring d. Österr. Verb. gemeinn. Bauver. Revisionsverb. M.: 1959-72 Gschf. d. HS-Fons, 1959-84 Grdg.Mtgl. u. Vorst.Mtgl. bzw. Obm. d. Ver. Wirtschaftshilfe d. Studenten OÖ, 1966-83 Vorst.Mtgl. d. Österr. Verb. gemeinn. Bauver. Revisionsverb., 1972-83 stellv. Vors. d. OÖ Wohnbauförderungsbeir., 1974-83 Vorst.Mtgl. im Intern. Genossenschaftsbund ICA London/Genf, gschf. Vorst.Mtgl. d. Intern. Aussch. f. Wohnungswesen d. ICA, Vertreter d. ICA b. d. ECE. H.: Gesellschaftspolitik, Studienreisen (Asien), Sport. (A.W.)

Zeitlhuber Andrea Mag. art.

B.: Visuelle Designerin. FN.: ad hoc. DA.: 1060 Wien, Webg. 11/18. PA.: 1070 Wien, Westbahnstr. 31/11. G.: St. Pölten, 26. Nov. 1958. El.: Friedrich u. Ingeborg. S.: BRG Krems, Matura, HS f. angewandte Kunst, Stud. f. Gebrauchs-, Illustrations- u. Fotographiedesign mit Diplom abgeschlossen, Zusatzausb.: Werkerziehung b. Prof. Köb a. d. Akad. d. bild. Künste, Werkerziehung b. Prof. Weibl a. d. Akad. f. angew. Kunst. K.: immer als free lancer gearb.i. Bereich Kultur u. Kunst a. kleinen Theatern bis hin zu Museum f. angew. Kunst, Themen: Ökologie, Frauen, Sozialabereich u. Designbereich, s. 1991 Atelier ad hov; Visuelles Design, Prototypen bis hin zur bild. Kunst, Schwerpunkt i. visuellen Bereich. H.: Beruf, Schwimmen, Reisen. (J.M.)

Zeitlinger Andrea

B.: Sozialarbeiterin, Berufs- u. Sozialpädagogin u. NLP-Practicioner; Projekt-Ltr. am Arbeitstrainingszentrum f. psych. beeinträchtigte Menschen. DA.: 8020 Graz, Babenbergerstr. 104. PA.: 8010 Graz, Neufeldweg 44. G.: Klagenfurt, 1. Apr. 1957. Ki.: Maja (1981). El.: Uli u. Erich. S.: 1975 Matura, 1975-80 Stud. d. Med. in Graz. K.: Mitarb. b. LUM, 1980-81 Sozialakad. Graz, Mitarb. im Jugendzentrum TREFF, freie Mitarb. im ORF, 1981-82 Karenz, 1982-84 Med.-Stud., 1984-85 Sozialakad. Graz, 1985 Dipl., Mitarb. am Aufbau d. Krebsinformationsstelle f. Frauen, 1985-86 VB b. Landesinvalidenamt f. Stmk., Aufbau d. mobilen Beratungsteams f. behinderte Kinder u. Jugendl. in d. Stmk., 1986-87 Ang. b. Ver. f. behind. Kinder u. Jugendl., Unterr.-Tätigk. am LKH Graz, 1987-88 Aufbau d. Sozial- u. Kulturproj. Fraueninit. "Fabrik", Ausbild. z. Berufs- u. Sozialpäd., 1988-89 Aufbau d. Proj. Arbeitstrainingszentr. Graz u. s., 1993 Mitbegr. d. Frauengesundheitszentrum Graz (Konzept u. Projektvorbereitungsphase), 1989 Ltr. H.: Reiten, Spazieren gehen, Malen (Aquarell u. Mischtechnik), Klavier- u. Saxophonspielen, Lesen. (F.K.)

Zekely Ernst Dr. iur.

B.: Managing Dir. FN.: Lintas Werbeagentur GmbH. DA.: 1040 Wien, Prinz-Eugen-Str. 8. PA.: 1180 Wien, Eckperg. 43. G.: Schärding, 2. Nov. 1935. V.: Liselotte, geb. Hannazeder. Ki.: Alexandra, Florian, Felix. El.: Waldemar u. Franziska. S.: 1954 Matura, Stud. an d. Univ. Wien, 1959 Prom. K.: 1959 Gerichtspraxis, 1960 Unilever Management Trainee, 1961-64 Ass. d. Personaldir., zuständig f. Auswahl ak. Nachwuchskräfte u. Managementplanung, 1964-69 Lintas Wien, 1969 Lintas London, 1970 Lintas Wien, 1982-86 Gschf. Lintas Hamburg, 1986 Gschf. Lintas Wien. M.: IAA Intern. Advertising Assoc. H.: Musik, Literatur, Zeitungen. (A.W.)

Zekl Franz Dipl. Ing. S.R.
B.: Ltr. d. Dezernates Prod. in d. MD-ADV im Mag. d. Stadt Wien. DA.: 1010 Wien, Rathausstr. 1. PA.: 1150 Wien, Zollernspergg. 8. G.: Wien, 7. Dez. 1941. V.: Helga, geb. Deutner. Ki.: Karin (1971), Helga (1973). El.: Franz u. Hildegard, geb. Polaschek. S.: VS, RG-Mat. 1959, Stud. d. Nachrichtentechn. a. d. TU Wien, 1971 Spons. Dipl. Ing. K.: 1969-72 Fa. ITT - Austria, ab 1972 EDV Organisator in d. MD-BOD im Mag. d. Stadt Wien, ab Nov. 1989 Ltr. d. Dezernates Prod. in d. MD-ADV u. Sept. 1990 Ernennung zum Senatsrat. H.: Theater, Wandern, Skifahren, Langlaufen. (M.M.)

Zelber Siegfried Dr. phil. Mag. phil.
B.: Univ.-Lektor, freiberufl. Managementberater u. Trainer, Berater u. Trainer in Organ.Entwicklung, Vortragender Verw.Ak. d. Bundes, Kons. d. Hpt.Verb. d. Österr. Sparkassen, planender Mitarb. d. päd. Inst. d. Bundes f. NÖ, Lehrbeauftragter f. Berufs- u. Betriebspäd. d. Univ. Klagenfurt. DA.: 1220 Wien, Auhirschenweg 8. G.: Eitzing, 6. Juni 1944. V.: Elfriede, geb. Suttner. El.: Maria Zelber. S.: 1963 Matura, gelernter Bankkfm., nebenbei Stud. d. Päd. u. päd. Psych., 1977 Spons., 1979 Prom. K.: ab 1977 prakt. Berater u. Trainer f. d. Bereiche d. Aus- u. Weiterbild. d. Organ. u. Managemententwicklung u. Personalwesen in Wirtschaft, Schulwesen u. öff. Verw., zusätzl. Auslandstätigkeit. P.: 5 Buchpubl., 7 wiss. Abhandlungen, 12 Beiträge in Wirtschaftszeitungen, Mithrsg. d. Reihe: Betriebspäd. u. berufl. Praxis. (P.R.)

Zelenka Anton Dr.
B.: Richter am LG f. Strafsachen Wien. DA.: 1080 Wien, Landesgerichtsstr. 11. G.: Wien, 24. Febr. 1944. V.: Dr. Christine, geb. Kafka. El.: Johann u. Anna. S.: Kollegium Kalksburg, 1963 Matura, Jusstud. Univ. Wien, 1968 Prom. K.: Gerichtsj., 1972 Richteramtsprüf., 1972 Eintritt LG f. Strafsachen Wien. M.: Richterver., Röm. Kath. Kirche. (J.S.)

Zelenka Hans

B.: Tanzlehrer, Bes. Dick Roy Tanzschule. DA.: 1010 Wien, Reichsratsstr. 3. PA.: 1020 Wien, Machstr. 10. G.: Wien, 21. Mai 1941. V.: Rosa, geb. Walli. Ki.: Harald (1967). El.: Johann u. Maria. K.: m. 15 J. d. Liebe z. Tanz entdeckt, 1958-65 Amateurturniere in Standart u. Lateinamerikan. Tänzen, 1965-73 Profitänzer zusammen m. Gattin Rosa, 1973 Übernahme d. Tanzschule Dick Roy Wien u. seither als Tanzlehrer tätig. H.: Garten, Tennis. (I.K.)

Zelenka Linda

B.: Gschf. FN.: Dahlke & Partner GmbH. DA.: 1010 Wien, Bösendorferstr. 9. PA.: 1130 Wien, Schloß Schönbrunn. G.: Wien, 10. Juni 1963. V.: Mag. Paul Zelenka. Ki.: Pia (1994). El.: Dipl.-Ing. Dr. Fritz u. Elfriede Sippl. S.: Matura, Stud. Hdls.-Wiss. WU Wien, seit 1987 zahlr. Seminare. K.: 1987-89 Produktmanager 3M Österr., 1989-93 CATPO GmbH, seit 1994 Dahlke & Partner. P.: Mitautor "Sinnorientierte Leistungsmotivation". M.: Junge Ind. H.: Reisen, fremde Kulturen, Psych., Esoterik, Fotografie. (J.M.)

Zelfel Margarete Mag. phil. Dr. phil.

B.: Dir., Lehrerin. FN.: Bundesgymn. u. Bundesrealgymn. Mödling. DA.: 2340 Mödling, Franz Keim G. 3. PA.: 2340 Mödling, Weißes Kreuz G. 14; 1100 Wien, Siccardsburgg. 49. G.: Wien, 25. Sept. 1945. V.: Dr. phil. Hans Peter. Ki.: Eva Maria (1973). El.: Wilhelm u. Margarete, geb. Bucek. S.: 1963 Matura, 1963-68 Univ. Wien, Stud. Latein u. Geschichte, 1968 Doktorat, 1968-70 Lehramtstud. K.: 1970 Probejahr an d. Bundesgymn. Klosterneuburg, später Lehrerin, 1973-86 Bundesgymn. Mödling als Lehrerin, 1986 Dir. P.: wiss. Beiträge f. Fachliteratur. M.: Lehrerpersonalvertr. auf Bundes- u. Landesebene, Arb.-Gem.-Ltr. d. klass. Philologen d. NÖ, Mtgl. d. Lehrbuchkmsn. b. BM, Dir.-Sprecherin d. Dir. NÖ, Frauenvorsitz. d. Bez.-Gewerks. H.: Lesen, Volkskunde, Musik, Schwimmen, Beruf. (I.K.)

Zelger Josef Karl Ulrich Dr. med. a.o.Univ.-Prof.
B.: Prim., Vorst. d. Dermatolog. Abt. d. LKrankenanst. Sbg. A.: 5020 Salzburg, Müllner Hauptstr. 48. G.: Innsbruck, 8. Okt. 1926. S.: Hum. Gymn., Med.Stud. Prom. 1952 Innsbruck. K.: 1964 Habil., 1970 tit.a.o.Univ.-Prof., 1973-76 a.o.Univ.-Prof. u. Abt.Ltr. (Ltr. d. Abt. f. Berufsdermatosen u. Allergie an d. Univ.Klinik f. Dermatologie u. Syphilidologie in Innsbruck), Prim.Arzt u. Vorst. d. Dermatolog. Abt. an d. LKrankenanst. Sbg. (1976). P.: 110 wiss. Publ. E.: Kardinal Innitzer-Preis, Unilever-Preis. M.: Österr. Dermatolog. Ges., Dt. Dermatolog. Ges., Dt. Ges. f. Allergie- u. Immunitätsforsch. H.: Zeichnen.

Zelger-Alten Gertrud
B.: Schriftstellerin. PA.: 7311 Neckenmarkt, Josefsweg 2. G.: St. Georgen/Leys, 27. Febr. 1922. V.: Dr. Peter Alten, Tierarzt i.P. Ki.: Sylvia, Eva, Peter, Andreas. S.: Zahntechnikerlehre, Englischstud. m. Lehrbefähigungsprüf. K.: bereits als Kind Vorliebe zum Schreiben, 14 J. hindurch Ltr. einer Kinderspielgruppe m. Theaterstücken f. Laienspielgruppen in d. bgld. ui-Mundart, Mitarb. im ORF Hörfunk u. Fernsehen, Lesungen, Mitarb. b. d. Zeitung "Volk u. Heimat", Volksbildungswerk Lyrik. P.: gemeinsames Buch m. Rolf Deneke "Ruf und Antwort", 1960 "Wie ein Ackerland ist meine Seele", 1986 "Mein Herbst ist leer" (Lyrik), div. Kurzgeschichten in Prosa in Anthologien (Bayr. Burgschreiber),

Anthologie (d. bgld. Schriftsteller) "Der alte Mensch im Dorf", Anthologie in schwed., tschech. u. ungar. Übersetzung. E.: Verd.Abz. d. Landes Bgld., Silb. Max Mell-Med. f. d. Theaterarb., 1986 Würdigungspreis d. Bgld. f. literar. Arb. M.: Österr. Schriftstellerverb., Kath. Schriftstellerverb. H.: Musik, Malerei, Literatur, Wandern. (C.K.)

Zell Hannes

B.: Reg. u. künstler. Ltr. b. Degn-Film Sbg., Inh. d. Polypol-Film. DA. u. PA.: 1180 Wien, Messerschmiedg. 48/6. G.: Wien, 7. Sept. 1941. V.: Karola, geb. Hackl. Ki.: Katharina, Sebastian, Magdalena, Stefan. El.: Max u. Maria. S.: Absolvent d. Ak. f. Musik u. Darstell. Kunst Abt. Film u. Fernsehen, Abschluß m. Mag. K.: seit 1964 freier Reg. u. Drehbuchautor, Dokumentarfilmarb. f. Fernsehanst. im deutschsprachigen Raum, mehrere Spielfilmproduktionen, Teilnahme m. mehreren Produktionen an intern. Festivals, Abhaltung v. Regieseminaren im ORF. E.: 1968 Volksbild.-Preis ORF gemeinsam m. Kameramann Dieter Wittich. (M.Mo.)

Zellan Peter

B.: Gschf. Ges. FN.: Zellan GmbH. DA.: 4020 Linz, Stadlerstr. 34. PA.: 4462 Reichraming, Arzberg 161. G.: Steyr, 30. Aug. 1956. V.: Ilse, geb. Schaupp. El.: Anton u. Katharina. S.: VS, HS, 1971-76 Lehre als Installateur Firma Schützner, 1976-77 BH. K.: 1978 Sanitär- u. Heizungsgroßhdl. Firma Impex Steyr, b. 1992 Ltr. d. Kundendienstes f. Gasgeräte, 1992 Kauf d. Firma Trinkl. H.: Skifahren, Tennis, Beruf. (U.A.)

Zeller Bernd Dipl.-Ing.

B.: Arch., ltd. OBauR., Referatsltr. f. hochbaul. Planung im Amt d. Sbg. Landesreg. DA.: 5020 Salzburg, Michael-Pacher-Str. 36. PA.: 5081 Anif 338. G.: Salzburg, 4. Mai 1944. V.: Margaret, geb. Sutherland. Ki.: Georg (1979), Fiona (1981), Anna (1984). El.: Erich u. Karola. S.: VS, HS, Holzfachschule Hallein, HTBLA f. Hochbau Krems, 1966 Matura, Stud. Arch. TH in Wien, 1975 Dipl.-Ing. K.: 1/2 J. in Australien, b. 1977 Tätigkeit im Arch.-Büro, 1977 Hochbausachv. in d. Landesreg., 1988 Ltr. d. Referates f. hochbaul. Planungen u. Sachv.-Dienst. BL.: 14 J. GemR. Anif. M.: Lions Club, Feuerwehr. H.: Skifahren, Familie, Reiten, Laufen. (D.E.)

Zeller Bibiana

B.: Schauspielerin am Burgtheater Wien. DA.: 1010 Wien, Dr.-Karl-Lueger-Ring 2. PA.: 1080 Wien, Pfeilg. 29. G.: Wien-Mauer, 25. Feb. 1928. V.: Eugen Stark. Ki.: Jakob (1959), Fabian (1963). El.: Wilhelm u. Anna Zeller. S.: Gymn., private Schauspielausbild. K.: 1950 1. Engagement Theater in d. Josefstadt, ab 1952 20 J. lang in allen gr. Städten Deutschlands gespielt u. zwischendurch immer wieder Gastspiele am Theater in d. Josefstadt Wien, seit 1972 Burgtheater, mehr als 50 Film- u. Fernsehproduktionen im In- u. Ausland. E.: Gr. Gold. VZ d. Rep. Österr. M.: Ital. Ges., Dt.-Franz. Kulturver. H.: Malen, Tennis. (F.S.)

Zeller Ewald Dipl.-Ing.

B.: Arch., staatl. befugter u. beeid. Ziviltechniker. DA.: 1040 Wien, Schönburgstr. 5/29. G.: Finsternau, 13. Febr. 1956. El.: Ewald u. Almuth. S.: VS, HS, HTL Mödling Hochbau, 1975 Matura, TU Wien, 1990 staatl. beeid. Ziviltechniker, 1992 Projektmanagement an WU/TU Wien, ab 1992 freischaff. Arch. (R.J.)

Zeller Kurt Wolfgang Mag.

B.: Dir. Keltenmuseum Hallein, Gschf. u. wiss. Ltr. d. Österr. Forsch.-Zentrum Dürrnberg Hallein. DA.: 5400 Hallein, Pflegerpl. 5. PA.: 5400 Hallein, Wallmannhofstr. 1. G.: Hallein, 25. Juli 1945. V.: Helga, geb. Maiwald. Ki.: Andreas, Bernhard, Thomas. El.: Josef u. Josefa. S.: Fachschule f. Maschinenbau, Gymn. f. Berufstätige, 1969 Matura, Stud.Vor-Frühgeschichte u. Volkskunde Univ. Wien, München, Marburg/Lahn. K.: Auslandsgrabungen frühchristl. Arch., 1985 Grdg. u. Aufbau Forsch.-Zentrum Dürrnberg, seit 1988 zusätzl. Dir. d. Keltenmuseum Hallein, Lehrauftrag Univ. Innsbruck, Intern. Vorträge. P.: zahlr. Bücher u. Beiträge in Fachzeitschriften zu d. Themen Kelten u. Bajuwaren, Landesausstellungen. E.: Silb. Wappenplakette d. Stadt Hallein. M.: Lions Club. H.: Sport, Reisen. (M.Mo.)

Zeller-Zellenberg Gert Ing.

B.: Gschf. FN.: Büll & Co. GT.: Ltr. Baumaschinenabt. Intropa Ind. u. Hdls. GmbH. DA.: 2355 Wr. Neudorf, IZ-Süd, Str. 14, Objekt M24. PA.: 2340 Mödling, Höflerg. 7. G.: Graz, 6. Apr. 1941. V. Doris, geb. Dykiert. Ki.: Christoph, Ulrike, Sabine. El.: Wolfram u. Gerhild. BV.: Viktor v. Hohenburger letzter Justizmin. d. Monarchie. S.: VS, AHS, HTL Holztechnik. K.: 1964-71 tätig im Holzbereich, 1972-80 ltd. Funktion im Vertrieb v. Fiat-Baumaschinen, 1980 Kauf Firma Austrolux, 1988 Verkauf d. Firmenanteile an d. Geschäftspartner, seither Gen.-Importeur u. Gen.-Vertretung v. Fiat u. Hitachi, seit 1994 ltd. Position Firma Intropa. M.: Österr. Pan Europa Bewegung. H.: Segeln, Skifahren, Surfen. (G.B.)

Zellhofer Helmuth Dipl.-Ing.

B.: freischaff. Arch., staatl. bef. u. beeid. Ziviltechniker u. allg. beeid. gerichtl. Sachv. f. Arch., Hochbau, Liegenschaften u. Wohnungseigentum. PA.: 2500 Baden, Hochstr. 7a. G.: Baden, 31. März 1942. V.: Mag. Gerlinde, geb. Scholda. Ki.: Katharina (1968), Georg (1974), Andreas (1975), Michael (1980). El.: Dr. iur. Walter u. Breda. S.: Matura Realgymn. Baden,1960-68 Stud. Arch. TH Wien. K.: 1969-75 b. Prof. Schwanzer in Wien, 1973 Ziviltechnikerprüf., ab 1975 Befugnis z. Ausübung selbst. Tätigk. (Planung u. Bauaufsicht f. priv. u. öffentl. Aufträge), ab 1985 Bestell. z. allg. beeid. gerichtl. Sachv. H.: Familie, Musik, Tennis. (I.K.)

Zellhofer Klaus

B.: Chefred. u. Publizist d. Zeitschrift ACADEMIA. DA.: 1080 Wien, Lerchenfelderstr. 4. PA.: 1090 Wien, Lazarettg. 32/4. G.: Wien, 3. Mai 1967. El.: Karl u. Elisabeth. S.: Gymn., Matura, Stud. Soz. K.: Pressesprecher d. Hochschülerschaft WU Wien, Chefred. ACADEMIA. H.: Reisen, Lesen.

Zellinger Alfred Dr. iur.

B.: Autor, Publizist, Bankmanager. PA.: 1238 Wien, Kaserng. 10. G.: Perg, 27. Nov. 1945. El.: Ing. Alfred u. Charlotte. S.: 1964 Matura, Stud. Univ. Wien, 1969 Prom. K.: Unilever, Philips, seit 1980 im Bankwesen, Ltr. d. Abt. Öffentlichkeitsarbeit. P.: "Zur Ästhetik d. industriellen Systems - Die Sinnlichkeit d. Theorie" 1983, "Spiel der Konzerne - Unternehmenskulturen als Welttheater" 1985, "Liebe als fatale Strategie gegen d. iron. Spiel d. Verführung" 1986, "Stadtwolf/Downtown" 1987, "Das eine Leben im anderen" 1989, "Die Medienmaschine" 1992.

Zellinger Alois Dr. iur. Mag. rer. soc. oec. HofR.

B.: Vorst. d. BG Vöcklabruck i.R.; PA.: 4840 Vöcklabruck, Hans-Hatschek-Str. 25. G.: Vöcklabruck, 26. Apr. 1929. V.: Erika, geb. Neyder. Ki.: Andrea (1955), Dr. iur. Thomas

(1960). El.: Leopold u. Aloisia. S.: 1947 Matura, Jusstud. Univ. Innsbruck, 1951 Prom. K.: 1952-56 richterl. Vorbereitungsdienst, 1956-62 Richter in Wels, Sbg., Frankenmarkt u. Vöcklabruck, 1962-63 Gerichtsvorst. Lambach, 1964-94 Gerichtsvorst. Vöcklabruck, 1967-89 zusätzl. Lehrtätigkeit f. Staatsbürgerkunde HAK u. HASCH Vöcklabruck, 1971-72 2 Sem. Wirtschaftspäd. WU Wien, 1972 Lehramtsprüf. f. Lehramt an höheren kfm. Schulen, Mag. soc. oec. E.: 1989 HofR., 1991 Gold., 1994 Gold.EZ f. Verdienste um die Rep. Österr., Ehrenring d. Stadt Vöcklabruck, 1992 Gold. VZ d. Landes OÖ. M.: 1961-91 Mtgl. d. GemR. d. Stadt Vöcklabruck, 1970 StadtR., seit 1979 VBgm. d. Stadt Vöcklabruck. H.: Wandern, Bergsteigen, Schwimmen, Lesen (Zeitgeschichte), Briefmarken sammeln, Stud. d. Zeitgeschichte Univ. Sbg. (E.Hö.)

Zellinger Franz
B.: Inh. FN.: Franz Zellinger GmbH. DA.: 4400 Steyr, Schuhmeierstr. 27. PA.: 4400 Steyr, Schuhmeierstr. 25. G.: Ternberg, 22. Dez. 1940. V.: Gertrude, geb. Garscha. Ki.: Gerald (1962), Doris (1968), Manuela (1972), Patrick (1979). El.: Josef u. Therese. S.: VS, HS, b. 1957 Lehre im elterl. Betrieb, 1962 Mstr.-Prüf. K.: 1972 Übernahme d. Firma Zellinger. P.: Art. in Fachzeitschriften. E.: 56x Gold, 32x Silber u. 8x Bronze b. Intern. Fachwettbewerb Welser Messe. H.: Skifahren, Tennis, Laufen, Hundesport. (U.A.)

Zellinger Klaus Dipl.-Ing. HofR. Prof.
B.: staatl. bef. u. beeid. Arch. DA.: 4020 Linz, Goethestr. 7. PA.: 4040 Linz, Donauweg 16. G.: Linz, 9. Sep. 1941. V.: Dipl.-Ing. Edith, geb. Mittelbacher. Ki.: Marion (1969). El.: Gottfried u. Erna. S.: RG Linz, HTL (Hochbau), Matura, TU Wien 1960-65. K.: 1965-71 Ass., s. 1971 selbst. Arch., Schwerp.: Bankenbau im In- u. Ausland, Ind.-Bauten, s. 1971 Prof. an HTL, s. 1983 Dir. d. HTL Linz, Mtgl. d. Prüf.-Kmsn. f. d. Baumeistergewerbe. P.: Mitautor v. "Besser wohnen in OÖ", 1987, u. Veröff. im Rahmen d. Linzer Planungsinst. E.: 1991 HofR., Gold. VZ d. Landes OÖ 1989. M.: Ing.-Kammer f. OÖ u. Sbg., Ing.- u. Arch.-Ver. H.: Tennis, Schifahren, Segeln, Modelleisenbahnbau. (P.H.)

Zellner Rainer Dipl.-Ing.
B.: Gen.-Dir. u. Vors. d. Vorst. FN.: Semperit AG Wien. DA.: 1031 Wien, Modecenterstr. 22. G.: Tirol, 1947. V.: Mag. Andrea. Ki.: Stephan, Martin. S.: Stud. an d. TU Graz Maschinenbau u. Wirtschaftsing. K.: 1975-83 Industrie-Konzernbüro d. Credtanstalt-Bankverein, Ltr. d. Referates Chemie u. Hdl. m. techn. u. betriebswirtschaftl. Problemen, 1983 Vorst. d. Semperit AG. E.: Deuber-Preis 1990.

Zeltman Yadja
B.: Gschf. FN.: Intern. Helsinki Federation for Human Rights. DA.: 1090 Wien, Rummelhardtg. 2/18. PA.: 1180 Wien, Messerschmidtg. 41. G.: Molotov/UdSSR, 24. Sept. 1941. El.: Israel u. Dora Zeltman. S.: 1977 M.A., 1967 B.A., 1964 Certificat d'études Univ. de Paris. K.: 1967-80 YIVO Inst. f. Jüd. Forsch. u. Columbia Univ. New York, 1968-80 Dir. f. d. Uriel Weinreich Programm f. jüd. Litratur u. Kultur auf d. Abt. f. Linguistik d. Columbia Univ., 1969-80 Dir. f. ak. Programme d. Max Weinreich-Centers v. YIVO f. jüd. Studien, 1980 Dir. f. Öff.Arb., 1981-86 Neuhaus (USA) Inc. New York, VPräs., Dir. f. Entwicklung einer Import- u. Vertriebsges. v. Luxuslebensmittel, 1986-88 Galerie de France Inc. Dale City Virginia, VPräs. u. Dir. einer Import- u. Vertriebsges. v. Porzellan (Limoges) u. Besteck, seit 1989 Intern. Helsinki Federation f. Menschenrechte, Gschf. Dir., verantwortl. f. Management, Organ. u. Koordination d. Mtgl.Komitees. M.: Amnesty Intern., Soviet - Koordinationsgruppe f. polit. Gefangene, 1982-89 Mtgl. u. Schatzmstr. d. Felicia Bernstein Fund. H.: Gärtnerei. (J.S.)

Zeman Dietmar
B.: Mtgl. d. Wr. Staatsoper, Wr. Philharmoniker. A.: 1130 Wien, Wattmanng. 3. G.: Wien, 31. März 1932. V.: Ingrid, geb. Teufelhart. El.: Alois u. Mathilde. S.: RG, Musik-Ak. m. Reifeprüf. 1953. K.: 1953-55 Mtgl. d. Radio- Symphonie-Orchesters Johannesburg, 1955 Engagement in d. Orchester d. Wr. Staatsoper, seit 1967 erster Fagottist d. Wr. Philharmoniker. P.: Zahlr. Kammermusikaufnahmen im Rahmen d. "Bläservereinig. d. Wr. Philharm." u. d. "Neuen Wr. Oktetts", als Solist unter d. Ltg. v. Karl Böhm "Sinfinia Concertante" v. J. Haydn u. Fagottkzt. v. Mozart, seit 1983 o.HS-Prof. f. Fagott an d. HS f. Musik u. darst. Kunst in Wien. E.: 1978 Verl. d. Ehrenkreuzes f. Wiss. u. Kunst, 1983 Verleihung d. Gold. Verd.Zeichen d. Landes Sbg. M.: Seit 1980 Prof. am Konservatorium d. Stadt Wien.

Zeman Günter Dipl.-Ing. Prof.

B.: Arch. DA.: 1030 Wien, Radetzkystr. 25/2/15. PA.: 1030 Wien, Arsenal Objekt 12. G.: Graz-Eggenberg, 17. Juli 1929. V.: Erna. Ki.: Mag. Christl, Georg. El.: Jaro u. Hedwig. S.: VS, RG, 1947 Matura, b. 1953 TH f. Arch. K.: Baufirma:Lorenz, b. 1956 Atelier Prof. Poltenstern u. Wachberger, b. 1965 Bundesbaudienst Wien, HS f. angew. Kunst als Prof. u. gleichzeitig Eröff. eines eigenen Arch.-Büros, seit 1971 Vorst. d. Lehrkanzel f. techn. Ausbau, seit 1991 Ltr. d. Abt. Arch. E.: Gr. EZ f. Verd. um d. Rep. Österr. M.: allg. beeid. Gerichtssachv., Orden d. Kaballieros, Reiterorden Prinz Eugen, HSV Wien u. NÖ, Prüf.-Kmsn. f. Ziviltechniker. H.: Reiten, Zeichnen. (H.S.)

Zeman Günther

B.: Gastwirt, Inh. "Günther, das kleine Lokal". DA.: 1140 Wien, Hadikg. 156. PA.: 3970 Weitra, Reinprechts 48. G.: Linz, 31. Aug. 1962. V.: Ilona, geb. Toifelhart. Ki.: Florian (1984), Stefanie (1986), Mathias (1988), Laura (1990). El.: Dr. Walter u. Maria. BV.: Ururgroßv. Wilhelm Schaupp: Gründer d. Brauer Zipfer. S.: VS, Gymn., 1980 Matura, 6 Sem. Med.-Stud., BH, 2 J. Abiturientenlehrgang Hotel Modul, 1986 Matura. K.: 1986-89 Ang. Party-Service Kamp, 1989 Grdg. "Günther, das kleine Lokal" m. Party-Service u. Catering. H.: Briefmarken, Lesen, Skifahren, Familie. (J.M.)

Zeman Herbert Dr. phil. o.Univ.-Prof.
B.: Univ.-Prof. A.: 1130 Wien, Auhofstr. 77/8/3. G.: Pernitz, 4. Juni 1940. V.: Ursula, geb. Schmidt. S.: RG, Univ. Wien, Fächer German., Angl., Prom. z. Dr. phil. 1966, Habil. 1972. K.: 1972 Univ.Doz. d. Univ. Wien f. Neuere Deutsche Sprache u. Literatur, 1973-75 Lehrstuhlvertr. an d. Univ. Erlangen u. Bonn, 1975 a.o.Univ.-Prof. an d. Univ. Wien, 1976 o.Univ.-Prof. an d. Univ. Wien f. Neuere Deutsche Literatur m. bes. Berücksichtigung d. Österr. Literatur, 1976-78 Vorst. d. Inst. f. Germanistik, 1977 Gastprof. Kairo, 1979 Gastprof. Standford University, 1985 Ann Arbor University

of Michigan, seit 1988 Gastprof. an d. HS f. Musik u. darstell. Kunst f. Kulturgeschichte u. Textinterpretation. P.: Die deutsche anakreont. Dichtung, Joseph Haydn u. d. Literatur seiner Zeit, Die österr. Literatur (5 Bände), Autographen d. Sbg. Anton Dermota, Wege zu Mozart: Don Giovanni, 30 Essays u. wiss. Abhandlungen in Zeitschriften u. Sammelwerken, seit 1984 Hrsg. d. Jahrbuches d. Wr. Goethevereins, 3 Bücher 1989:Die Jahreszeiten in d. Dichtung, Musik u. bild. Kunst, Die Alt-Wiener Volkskomödie, Die österr. Literatur (7 Bände). E.: Theodor Körner-Preis, Förderungspreis d. Stadt Wien. M.: Präs. d. Wr. Goethe-Ver. H.: Bibliophilie, Musik (Gesang), Sport: Skifahren, Tennis.

Zeman Mathilde Dr. phil.

B.: Ltr. d. Abt. V, Schulpsychologie-Bildungsberatung b. StadtschulR. GT.: Lektorin am Psych. Inst. d. Univ. Wien. DA.: 1080 Wien, Strozzig. 2. G.: Wien, 13. Dez. 1950. El.: Leo u. Maria Ondrey, geb. Duszipiva. S.: RG, 1969 Matura, Stud. Psych. u. Päd. Univ. Wien, 1977 Prom. z. Dr. phil. K.: 1977-78 Psychologin im Sozialpäd. Bereich in einem Sonderkindergarten, 1978 Eintritt in d. Schulpsych. Dienst, zuerst als Schulpsychologin an d. Beratungsstelle f. Allg.-Bild. Pflichtschulen, 1983 Übernahme d. Ltg. dieser Beratungsstelle, seit 1992 Ltr. d. gesamten Abt. f. Schulpsych., seit 1985 Lektorin an d. Univ. Wien. P.: zahlr. Publ. in psych. Fachzeitschriften, 2 Bücher "Effektivität d. schulinternen Legastenikerkurse" (1978), "Schulschwierigkeiten erkennen u. lösen" (1986). M.: Berufsverb. Österr. Psychologen. H.: Fotografieren vor allem Landschaften u. Menschen, techn. Literatur. (N.A.)

Zeman Walter OAmtsR. RegR.

B.: Verw.-Bmtr., Abt.-Ltr. Pensionsabt. d. Wr. Stadtwerke. DA.: 1031 Wien, Erdbergstr. 202/5018. PA.: 1110 Wien, Kaiser-Ebersdorfer-Str. 222/2/17. G.: Wien, 24. Juli 1939. V.: Roswitha. El.: Walter u. Erna. S.: VS, Mittelschule, 1954-57 Ind.-Kfm. K.: 1958 Mittelschulprüf. f. Beamte, 1960/61 Dienstprüf. f. d. Verw.-Dienst, 1961 Verw. Bmtr. d. Pensionabt., Prüfer, Verbindungsbmtr. z. EDV, 1973-82 Referatsltr. u. Abt.-Ltr.-Stellv., 1982 Abt.-Ltr., 1993 RegR. H.: Lesen, Schwimmen, Bergwandern. (M.D.-H.)

Zemanek Heinz Dr. techn. Dipl.-Ing. Prof.

B.: o.Prof. an d. TU Wien. DA.: 1040 Wien, Gußhausstr. 27-29. PA.: 1010 Wien, Blutg. 3. G.: Wien, 1. Jan. 1920. V.: Maria Assumpta, geb. Lindebner. Ki.: Georg Veit (1953), Benedicta (1955). El.: Ferdinand u. Therese, geb. Renner. S.: 1937-44 Stud. d. Nachrichtentechnik an d. TU Wien, 1948-49 Stipendium d. Franz. Rg., 1951 Dr. techn., 1959 Univ.Doz., 1963 a.o.Prof., 1984 o.Prof., 1955-59 Initiator u. Ltr. d. Forsch.-Gruppe f. d. Entwicklung d. digitalen Rechenautomaten "Mailüfterl", 1956-61 Forsch. u. Entwicklungsaufträge d. Österr. Post, 1959-61 Forsch.Projekte f. d. Rg. d. USA, 1960-61 Kons. d. IBM, 1961-67 Forsch. u. Entwicklungsaufgaben auf d. Gebieten d. Programmiersprachen u. d. Vocoders. K.: 1947-61 Univ.Ass. an d. TU Wien, 1961-76 Dir. d. IBM Laboratoriums Wien, 1976-85 IBM Fellow, zeitweise IBM Laboratorien Böblingen/BRD. P.: über 400 Arb. in Fachzeitschriften u. Zeitungen, 11 Bücher, Ausstellungswand "Computer-Geschichte" im Wr. Techn. Museum, Aufsätze: Entwurf u. Verantwortung (1978), Abstract Architecture Lecture Notes in Computer Sciences (1980), Al-Khorezmi Lecture Notes in Computer Science (1981), Otto Schäffler Blätter f. Technikgeschichte (1983), Mailüfterl - eine Retrospektive Elektronische Rechenanlagen (1983), Wird d. Computer d. Technik vermenschlichen? Elektrotechnik u. Maschinenbau (1983), Logische Informationsprozesse (1991), Informationstechnik f. d. Verkehr (1991), Why Should the Brain be a Machine? (1991), Der Computer - ein unoriginelles Gerät? (1991), Ehrenfest u. Schaltalgebra (1993), Bücher: Elementare Informationstheorie (1959), Computer, Werkzeug d. Information (1971), Kalender u. Chronologie (5.A. 1990), The Skyline of Information Processing - Tenth Anniversary of IFIP (1972), A Quarter Century of IFP - 25th Anniversary of IFIP (1986), Ausgewählte Beiträge (1988), Weltmacht Computer - Weltreich d. Information (1991), Das geistige Umfeld d. Informationstechnik (1992). E.: 1960 Preis d. NTG, 1969 Gold. Stefan-Ehrenmed. d. Österr. Verb. f. Elektrotechnik (PVE), 1970 Fellow IEEE, Fellow BCS, 1971 o.Mtgl. d. Ak. d. Künste zu Westberlin, 1972 Exnermed. d. Österr. Gewerbever., 1972 Ehrenmtgl. d. Computerges. v. Südafrika, 1974 Gr. EZ f. Verd. um d. Rep. Österr., 1975 Ehrenmtgl. d. Ges. f. Informationsverarb. v. Japan, 1975 Ehrenmtgl. d. Österr. Studienges. f. Kybernetik, 1976 IBM Fellow, 1977 Ehrenmtgl. d. IFIP, 1978 Prechtl-Med. d. TU Wien, 1979 korresp. Mtgl. d. Österr. Ak. d. Wiss., 1980 EZ d. Bulgar. Ak. d. Wiss., 1980 IBM Programming Series Award, 1980 Silb. Ehrennadel d. VDE, 1982 Ehrendoktorat d. Johannes Kepler-Univ. Linz, 1984 ADV-Preis f. Verd. um d. Informationsverarb. in Österr., 1984 w.Mtgl. d. Österr. Ak. d. Wiss., 1984 Mtgl. d. Wr. Kath. Ak., 1984 Leonardo da Vinci-Med. d. Europ. Ges. f. Ing.Ausbild. Nürnberg-Erlangen, 1984 tit.o. Prof. d. TU Wien, 1985 OCG verleiht z. ersten Mal d. Heinz Zemanek-Preis, weiters 1986, 1987, 1990, 1992, 1986 korresp. Mtgl. d. Span. Ak. d. Wiss., 1986 Gold. EZ f. Verd. um d. Land Wien, 1986 IEEE Computer Pioner Medal, 1986 Dr.Ing. e.h. d. Friedrich Alexander-Univ. Erlangen-Nürnberg, 1986 10 Congresses Participation Certificate d. IFIP, 1987 Zweite Verleihung d. Heinz Zemanek-Preises, 1987 Ehrung z. 50. Maturajubiläum, 1988 Oskar v. Miller-Plakette d. Dt. Museums n München, 1989 John v. Neumann-Med. d. John v. Neumann Ges. Ungarn, 1991 Gedenktafel am RG 6 in Wien-Marchettigasse, 1992 Benennungstafel e. Seminarruams Mgmt Data, Wien IX, 1992 Korr. Mtgl. d. Bayer. Akad. d. Wiss. M.: seit 1959 Mtgl. d. Redaktionsaussch. d. "Elektronischen Rechenanlagen", 1961-64 VPräs. d. Österr. Ges. f. Biophysik, 1964-68 Vors. d. Fachaussch. 6 d. NTG "Informationsverarb.", 1961-68 Vors. d. Techn. Komitees Nr. 2 "Programmiersprachen d. IFIP", 1964-74 Österr. Vertreter in d. IFIP, 1968-71 VPräs. d. IFIP, 1971-74 Präs. d. IFIP, 1973-75 Vors. d. FIACC, 1975-76 Grdg.Präs. d. Österr. Computerges., 1968-85 Mtgl. d. Herausgeberkomitees d. IBM Buchreihe, seit 1982 Mtgl. d. Hrsg.-Komitees d. MIT Reprint Series History of Computing. H.: Computer-Kunst, Automat. Musik, Geschichte d. Automaten. (M.G.)

Zemanek Karl Dr. o.Univ.-Prof.

B.: Vorst. d. Inst. f. Völkerrecht u. Intern. Beziehungen an d. Univ. Wien, Kons. im BMAA. A.: 1090 Wien, Marianneng. 28. G.: Wien, 18. Nov. 1929. V.: Christine, geb. Conrath. S.: Univ. Wien, Oxford, Paris, Saarbrücken, Dr. iur. Univ. Wien 1952. K.: 1954 Ass. an d. rechtswiss. Fak. d. Univ. d. Saarlandes, 1957 Doz., 1958 a.o.Prof., 1964 o.Prof. f. Völkerrecht u. intern. Organ. an d. rechtswiss. Fak. d. Univ. Wien. P.: Das Vertragsrecht d. intern. Organisationen, Völkerrecht, Die Schiffahrsfreiheit auf d. Donau u. d. künftige Regime d. Rhein-Main-Donau-Großschiffahrtsstraße, L'Estatut Internacional d'Andorra, Responsabilité intern., 110 Beiträge in völkerrechtl. u. außenpolit. Zeitschriften u. Sammelwerken. E.: Gr. Gold. EZ f. Verd. um d. Rep. Österr., Komturkreuz m. Stern d. Sylvesterordens, Groß-Offz.-Kreuz "Pro Merito Melitensi". M.: Haager Schiedshof, Inst. de Droit intern., Intern. Acad. of Astronautics, Intern. Advisory Council of the Center f. Europ. Policy Studies (Brüssel), VPräs. d. Österr. Ges. f. Außenpolitik. H.: Sammeln moderner Grafiken.

Zemann Gerhard
B.: Schauspieler, Reg., Kabarettist. A.: 5020 Salzburg, Rainerstr. 2. G.: Wien, 21. März 1940. El.: Benno u. Alma. S.: HS f. Musik u. Darstell. Kunst Mozarteum. K.: Seit 1964 Schauspieler, ab 1974 Reg., in Österr., Deutschland u. d. Schweiz, Grdg. d. Kabarettensembles "Die Grenzgänger" in Sbg. 1980. E.: Österr. Kleinkunstpreis 1981.

Zemann Josef Dr. o.Prof.
B.: em. Univ.-Prof. A.: 1090 Wien, Universitätsstr. 10/16. G.: Wien, 25. Mai 1923. V.: Dr. Anna, geb. Hedlik. El.: Josef u. Maria. S.: Mittelschule, Stud. an d. Univ. Wien, 1946 Dr. phil. (Mineralogie u. Petrographie), 1951 Priv.Doz. (Mineralogie u. Petrographie). K.: 1946-51 Ass. an d. Univ. Wien, 1951-52 Stipendiat am Massachusetts Inst. of Technology, 1953 pl.a.o.Prof. u. Dir. d. Mineralog.- kristallograph. Inst. d. Univ. Göttingen, o.Prof. d. Univ. Göttingen 1962, 1967-89 o.Prof. d. Univ. Wien u. Vorst. d. Inst. f. Mineralogie u. Kristallographie. P.: Zahlr. Art. in Fachzeitschriften, Mithrsg. v. Fachzeitschriften. E.: Tschermak-Preis u. Schrödinger-Preis d. Österr. Ak. d. Wiss., A.G. Werner, Med. d. Dt. Mineralog. Ges., Silbermed. Univ. Brno, Goldmed. Naturwiss. Fak. Univ. Bratislava. M.: w.Mtgl. d. Österr. Ak. d. Wiss., korresp. Mtgl. d. Ak. d. Wiss. z. Göttingen, w.Mtgl. Accad. Mediterranea Sci. datania, Ehrenmtgl. Ungar. Ak. Wiss., Mtgl. Ak. Dt. Naturforscher Leopoldina, Life-Fellow d. "Mineralogical Soc. of America", Ehrenmtgl. Österr., Russ.,Poln. u. Deutsche Mineralog. Ges., Mtgl. mehrerer wiss. Vereinigungen.

Zeme Sergio
B.: Vors. d. Vorst. u. Gen.-Dir. FN.: Sanpaolo Bank (Austria) AG. DA.: 1090 Wien, Türkenstr. 9. PA.: 1010 Wien, Kärntner Ring 3. G.: Torino, 22. Dez. 1944. V.: Giancarla, geb. Travia. Ki.: Carlo Alberto (1970). El.: Giuseppe u. Elena, geb. Semola. S.: kfm. Ausbild., Stud. VWL u. Politikwiss. Univ. Torino. K.: 1964 Eintritt Istituto Bancario San Paolo di Torino, 1973 Studienaufenthalt in London, 1976 Prokura, Zentralcreditabt. d. Zentrale in Torino, 1978-85 VDir. d. 1. Auslandsfiliale d. Bank in Frankfurt, 1985 Dir. d. Filiale in München, 1987 Mitgeschäftsltr. d. gesamten dt. Aktivitäten d. Bank, Senior Manager, seit 1989 in Wien als Vorst.-Vors. d. Sanpaolo Bank (Austria) AG tätig. H.: Literatur, Schwimmen, Skifahren, Radfahren. (N.A.)

Zemek Rudolf Ing. Oberst
B.: Kdt. d. Fernmeldetruppenschule. PA.: 1140 Wien, Hernstorfer Str. 22/1. G.: Wien, 31. März 1929. V.: Elisabeth, geb. Manhart. Ki.: Rudolf, Erich. S.: 1947 Matura HTL Mödling, Höhere Abt. f. Elektronik. K.: 1947-50 Techniker in d. Privatwirtschaft, 1950-56 Polizeischule, BPolizei "Motorisierte Verkehrsabt." in Wien, nach Absolvierung d. Militärak. 1958 Ausmusterung z. Lt. d. Fernmeldetruppe, 1958-66 BrigTelOffz. d. 9. PzGrenBrig. u. KpKdt. d. PzTelkp. 9 in Götzendorf, 1964 Versetzung z. TelB 1 als KpKtd. FuKp/TelB 1 u. FuRV Kp/TelB 1, 1969 19. Stabsoffz.Kurs, 1969 Absolvent d. 1. Bataillonskdt.Kurses, 1971-73 stellv. Bataillonskdt. d. FMB 1/S4, 1973 Kdt. d. TelB 1, 1974-75 Kdt. d. III/HFMR, 1975-78 Kdt. d. TelB 1 u. Divisionsfernmeldeoffz. d. 1. PzGrenDiv., 1978-81 Kdt. d. FMB 1 u. Divisionsfernmeldeoffz. d. 1. PzGrenDiv., 1981-82 Ref. u. stellv. Ltr. d. Abt. AK/FM im Armeekdo, gleichzeitig stellv. Armeefeldoffz., seit 1982 Kdt. d. Fernmeldetruppenschule, Schwimmlehrer b. BH. E.: Gold. Med. f. Verd. um d. Rep. Österr. (1964), Gold. EZ f. Verd. um d. Rep. Österr. (1985). H.: Schwimmen, Skifahren, Tennis. (P.R.)

Zemler Willibald Dipl.-Ing.
B.: Ziviling. f. Bauwesen. FN.: Ing.-Büro Zemler + Raunicher. DA.: 1020 Wien, Taborstr. 75/5. PA.: 1040 Wien, Mozartg. 7/5. G.: Weikertschlag, 18. Juni 1937. El.: Willibald u. Valerie. S.: 1955 Matura, Stud. Bauing.-Wesen TU Wien, 1964 Dipl. K.: seit 1969 selbständiger Ziviling. in Bürogemeinschaft m. Dipl.-Ing. Albert P. Raunicher, Tätigkeitsbereich: Statik u. Konstruktion, Bauaufsicht, Project Management, Controlling, Spezialgebiete: Flächentragwerke u. Spannbetonbrücken, Großbauvorhaben: Hilton-Hotel Wien, TU Freihausgründe Wien, Großhangar Amman/Jordanien, Überdachung Wiener Stadion, Brückenbauten. BL.: Patent: CONZEM - Knoten f. räuml. Stabwerke. E.: Europ. Stahlbaupreis 1981 u. 1989. M.: Ing.-Kam. f. Wien, NÖ u. Bgld. H.: Reisen, Bergwandern. (J.S.)

Zemlicka Hermann Mag.
B.: Gesch. Ges. FN.: MENTOR GesmbH. Management, Entwicklung, Organisation. DA.: 4020 Linz, Scharerstr. 18. PA.: 4810 Gmunden, Freiwilliger Schützenstr. 13. G.: Gmunden, 5. Aug. 1956. V.: Gertraud, geb. Friedl. El.: Jakob u. Paula. S.: b. 1976 HAK, Erzieher im Jesuiten-Kollegum, 1982 Wirtschaftspäd. Linz. K.: 1982-85 HAK-Lehrer Wels, ab 1985 BFI, kfm. Programmverantwortl., 1990-92 stellv. Gschf., Tätigkeit in d. Gem.Politik v. Gmunden. P.: div. Veröff. in Zeitungen u. Zeitschriften. M.: SPÖ, Bez.Vorst. d. BSA Gmunden, versch. Mtgl. in Sport u. Kultur, Obm. d. Schachver. Gmunden. H.: Schach, Reisen, Fußball. (P.H.)

Zemmer-Plank Liselotte Dr. phil. Univ.-Doz.
B.: Kustos Ferdinandeum Tir. Landesmuseum, Archäologin, Prähistorikerin. DA.: 6020 Innsbruck, Museumstr. 15. PA.: 6020 Innsbruck, Universitätsstr. 22. G.: Innsbruck, 23. Nov. 1931. S.: 1948-51 Kunstgewerbeschule Innsbruck, Stud. Graphik Innsbruck u. München, 1956 Stud. Vor- u. Frühgeschichte, Archäologie u. Kunstgeschichte Innsbruck, 1958 Matura Innsbruck, 1963 Prom. K.: 1956 Ass. Ferdinandeum, seit 1963 Kustos Ferdinandeum, Redaktion, Betreuung d. Veröff. d. Tir. Landesmuseum Ferdinandeum. P.: wiss. u. populärwiss. Arb. E.: Theodor Körner-Preis. M.: Vorst.-Mtgl. d. Archäolog. Ges. Innsbruck. H.: Urgesch., Feldforsch., Jagd, Garten. (G.P.)

Zenaty Wolf-Dieter

B.: Werbeunternehmer, Inh. FN.: Fashion Show-Service. DA.: 1030 Wien, Sebastianpl. 6/Stg. IV/1. G.: Hallein, 16. Nov. 1944. Ki.: Mario (1969), Marcus (1971), Michael (1975), Verena (1993). El.: Friedrich u. Gisela. S.: Hauptsch., Ausbild. z. Verkäufer in Sportartikelgsch., 1962 Abschluß. K.: 1962-68 väterl. Untern., 1969 Gründ. d. eig. Werbebüros (b. 1979), 1965-79 parall. Dressman, 1979 Gründ. Fashion Show-Service, 1994 erste österr. Brautmodeschau in d. Votivkirche/Wien. BL.: 1986 Konzept u. Durchführ. d. ersten Modeschau f. Große Größen in Österr. H.: Joggen, Fitness, Lit. (N.A.)

Zenegg-Scharffenstein Hilli Mag. art.
B.: Graphikerin. PA.: 1130 Wien, Auhofstr. 12/7. G.: Klagenfurt, 19. Okt. 1923. El.: Emmerich u. Hermine. BV.: Jakob Zenegg Hptm. 30 jähriger Krieg, Vater RegR. Landesarchivar v. Ktn. S.: Matura, AK f. angew. Kunst, 1948 Dipl., Fachkl. f. Gebrauchs-, Mode-, u. Illustrationsgraphik, 2 Sem. Kunstgewerbeschule Graz (Prof. Wagula), 2 Sem. Ak.

d. bild. Kunst (Prof. Gütersloh), 1950 Stipendium d. Inst. Francais Paris. K.: 2 J. Amerika Haus Wien, Graphikerin freie Mitarb. b. Amerikanern, b. 1961 Konzerngraphikerin b. Molden, Cover f. 22 Bücher Paul Zsolnay Verlag, Ind.-Verlag Peter Linde, 1962-71 Vorwärts Verlag Konzerngraphikerin, freie Mitarb. Amerika Haus u. Presse, 1976 Presse Farbbeilage Schaufenster u. Illustrationen. BL.: 1957 Gesamtgestaltung d. Graphik d. Westdeutschen Repräsentationspav. auf intern. Messe Mailand. P.: 1955 u. 1958 Ausstellung d. Arb. im Foyer Konzerthaus, Ankauf d. Zeichnungen durch Albertina Wien. E.: 1946 1. Preis Plakatwettbewerb Grazer Festwochen, 1952 2. Preis Plakatwettbewerb Katholikentag, 1954 monatsbestes Plakat "Atome in d. Medizin", 1955 Staatspreis f. Plakat Fotoausstellung Okamoto, 1955 Preis d. Stadt Wien Plakat Fotoausstellung Okamoto. H.: Lesen, Zeichnen, Gärtnerin, Schwimmen, Kunstgeschichte. (J.S.)

Zenker Barbara

B.: Malerin, Graphikerin. DA. u. PA.: 5323 Ebenau, Hinterwinkl 26. G.: Schreckenstein/CSFR, 5. Sept. 1930. V.: Ottheinrich Zenker, Schriftsteller. Ki.: Petra (1961), Andreas (1967). El.: Rudolf u. Maria Bouzek, geb. Storch. S.: VS, HS, LBA Lobositz, 1945-48 Max-Klinger-Schule Leipzig, 1948 Abitur, 1948-51 Fachschule f. Angew. Kunst Leipzig. K.: 1951 Theater d. Altmark Stendal, 1953 v. Stendal über Berlin nach München, 1969 Übersiedlung nach Ebenau, seit 1953 freiberufl. Tätigkeit als Malerin u. Graphikerin, seit 1980 Österr. Staatsbürgerschaft. H.: Beruf, Garten, Blumen, Stricken, Nähen, Sammeln. (E.Hö.)

Zenker Gerald Dieter Dr. Univ.-Doz. Prim.

B.: Prim., FA F. Innere Med. u. Kardiologie d. LKH Mürzzuschlag. DA.: 8680 Mürzzuschlag, Grazer Str. 63. PA.: 8642 St. Lorenzen, Festwiesenweg 23. G.: Bruck/Mur, 25. Mai 1954. V.: Astrid, geb. Lautner. Ki.: Moritz (1992), Martin (1994). El.: Theodor u. Hannelore. S.: 1972 Matura, Stud. Graz, 1978 Prom., 1988 Habil., Studienaufenthalt USA u. BRD. K.: 2 1/2 J. Ltr. d. Herz-Kreislaufzentrum Groß Gerungs, ab 1991 LKH Mürzzuschlag. M.: Präs. d. Viktor Kaplan-Ges. Mürzzuschlag, American Heart Assoc., American College of Cardiology, Österr. Ges. f. Innere Med., Österr. Kardiolog. Ges. H.: Tennis, Golf, Bergsteigen, Jagd. (K.K.)

Zenkl Walter

B.: Steuerberater, Gschf. d. Zenkl & Dr. Szücz Wirtschaftstreuhand GmbH. DA.: 9020 Klagenfurt, Fromillerstr. 40. PA.: 9073 Viktring, Kaplang. 4. G.: Klagenfurt, 22. Sept. 1939. V.: Helga, geb. Streiner. Ki.: Walter, Claudia (war d. jüngste Klavierspielerin Österr. m. 4 1/2 J.). S.: HAK. K.: Nach Schulabschluß in Wirtschaftstreuhandbüros u. einer Privatfa. tätig, 1968 Steuerberaterprüf. u. Eröff. d. eig. Kzl., 1983 Erwerb d. Kzl. Dr. Liegl, 1986 Grdg. d. GmbH, ab 1989 beg. m. einer Reihe v. Vorträgen: Was erwartet d. Wirtschaft v. einem Akademiker. M.: Mtgl. d. Ver. d. Österr. WT, ehem. Mtgl. d. Wulfenia Chores. H.: Tennis, Skifahren, Gesang, Kunst. (D.M.)

Zens Herwig Mag. o.Prof.

B.: o.Prof. an d. Ak. d. Bild. Künste, freischaff. Maler. DA.: 1010 Wien, Schillerpl. 3. PA.: 1080 Wien, Pfeilg. 5/20. G.: Himberg, 5. Juni 1943. V.: Dr. Gerda, geb. Wagner. El.: LSchulinsp. Dr. Klemens u. Maria, geb. Schwarz. S.: Gymn. Wien, b. 1966 Stud. an d. Ak. d. Bild. Künste Wien, Lehramtsdipl. K.: 1966-87 Unterrichtstätigkeit an AHS Wien, 1975 Lehrbeauftragter an d. Ak. d. Bild. Künste, Päd. Ak. Strebersdorf, freischaff. Maler, seit 1966 Ausstellungen im In- u. Ausland. P.: div. Fachart., 2 Lehrbücher f. Oberstufe AHS (gem. m. Prof. W. Stach), "Strukturen d. Kunst" (gem. m. Prof. W. Stach), Katalog "Basler Totentanz", Videofilme f. ORF: Beethoven im Rucksack (1984), f. London (1986), Zens-Vienna, f. Schweiz. Fernsehen "Und nun muß er tanzen" (1990). E.: 1972 Förderungspreis d. Landes Nö, 1982 Förderungspreis d. Landes Wien, 1986 Theodor Körner-Preis. H.: Reisen, Bergsteigen, Lesen, Musik. (M.G.)

Zenz Gerhard Dr.

B.: RA. DA. u. PA.: 5310 Mondsee, Rainerstr. 5. G.: Wien, 14. Sept. 1951. V.: Rafaela, geb. Zajc. Ki.: Raphael (1989), Bernhard (1990), Magdalena (1991). El.: Karl u. Leopoldine. S.: VS, Mittelschule, Matura in Wien, Stud. Wien, 1975 Prom., Militär. K.: Gerichtsj. in Wien, seit 1977 RA-Anw. in Vöcklabuck, seit 1. März 1982 selbst. Anw. in Mondsee. M.: Rotary Club Mondsee. H.: klass. Musik, Oldtimer. (M.T.)

Zenz Gunter Dr. med.

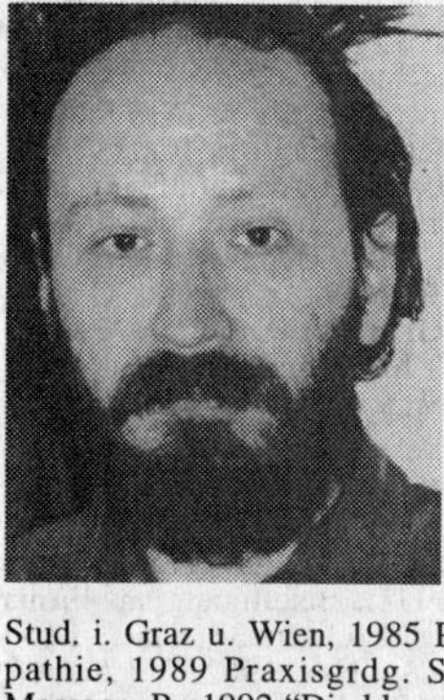

B.: Arzt f. Allgemeinmed. FN.: Praxis Dr. Zenz. GT.: Unterricht i. Massagetechn. b. Dr. Reinisch, med. techn. Fachdienst i. LKH Graz, Vortragstätigk. b. Kneippverein, Vortragstätigk. b. Arbeiterkammer i. Lebring. DA.: 8010 Graz, Hauptpl. 5. PA.: 8010 Graz, Ruckerlberggürtel 19. G.: Graz, 7. Apr. 1956. Ki.: Myriel (1982). El.: Dr. Wilfried u. Margarete. S.: neusprachl. Gymn. Graz, 1974 Matura. K.: 1977-82 Führung e. veget. Restaurants i. Graz, Auslandsreise u. Massageausb., Med.-Stud. i. Graz u. Wien, 1985 Prom., s. 1980 Ausb. i. Homöopathie, 1989 Praxisgrdg. Schwerpunkt Homöopathie u. Massage. P.: 1992 "Die klass. Heilmassage", 1993 "Lehrbuch d. Reflexzonentherapie a. Fuß", "Älter werden m. Homöopathie", 1994 "Ganzheitliche Säuglings- u. Kindermassage". M:: Ges. f. Homöopathie, Kneippärztebund. H.: Tochter, Fortbildung, Radfahren, Fotografieren, künstl. Design. (I.G.)

Zenz Günter Ing.

B.:Gschf. Techniker. FN.: Fisher-Rosemount AG. DA.: 2351 Wr. Neustadt, Industrie-Zentrum NÖ Süd Straße 2a, Objekt M29. PA.: 2603 Felixdorf, Bahnstr. 2. G.: Wr. Neustadt, 9. Apr. 1954. V.: Gabriele, geb. Deisenberger. Ki.: Michael (1987). El.: Robert u. Erika. S.: 1969-73 Berufslehre f. Radio- u. Fernsehmechaniker Baden, 1973 BH. K.: 1974-80 Elektroniker u. Entwicklungstechniker im Prüfgerätebau b. Eumig Wr. Neudorf, 1973-78 parallel Stud. d. Elektrotechnik HTL Wr. Neustadt, 1980-84 Verkaufsing. f. Automatisierungsgeräte ASEA Österr., 1985-87 Verkaufsltr. f. Österr. b. Bauer Sound, 1988 Vertriebsltr. f. Österr. b. d. Industrial Automation Group Gould Electronics Wien n. Übernahme durch AEG-Konzern, 1988-90 Gschf. MODICO Hdls. GmbH, 1990-93 Abt.-Ltr. f. Automatisierungsgeräte AEG Austria, seit Juli 1993 Gschf. d. österr. Ndlg. v. Fisher-Rosemount. (I.K.)

Zenz Martin Dr. iur.

B.: RA. DA.: 1040 Wien, Graf-Starhemberg-G. 22/9. G.: Steyr, 22. Dez. 1956. V.: Susanne, geb. Schwarz. Ki.: Philipp (1987). Florian (1989). El.: Hubert u. Lieselotte. S.: VS, AHS, 1975 Matura, Jusstud. Unv. Wien, 1980 Prom. z. Dr.

iur. K.: 1978-80 Praktikum in Wirtschaftstreuhandkzl. in Wien, 1981-86 RA-Anw., 1986 Eintragung in d. Liste d. RA u. seither selbst. m. eigener RA-Kzl. m. Schwerpunkt Wirtschaftsrecht. (M.M.)

Zenz Oliver Dr. iur.

B.: Marketingmanager, Manager Financial Lines. FN.: AIG Europe S.A., Vers. Dir. f. Österr. DA.: 1014 Wien, Renng. 1. PA.: 1180 Wien, Gersthofer Str. 118/3/5. G.: Graz, 5. Okt. 1960. V.: Judith, geb. Hickmann. Ki.: Nicolas (1990). El.: Dr. Franz u. Irene. S.: 1979 Matura Graz, Stud. d. Rechtswiss. Univ. Graz, 1984 Prom., gleichz. Stud. Dolmetsch: engl. u. franz. Univ. Graz. K.: Ausl.-Aufenth. u. a. Trainees b. 3 versch. Banken in Paris, Gerichtsjahr in Graz, 1985-89 im Ausl.-Gesch. Länderbank Wien, 1989-93 Großkundenbetr. West LB Austria AG, HBV, s. Nov. 1993 Marketingmanager u. Prok. d. Dir. f. Österr. d. AIG Europe S.A. M.: CV. H.: Reisen, Wein, Sport. (J.S.)

Zenz Rudolf

B.: Gschf. Ges. FN.: TMT Textildruck-Werbemittel Hdls. GmbH, TMT Vertriebs GmbH. GT.: Beteiligung an Firma Aquasan. DA.: 5023 Salzburg, Eichstr. 33. PA.: 5163 Mattsee, Aug. 468. G.: Salzburg, 14. Nov. 1962. V.: Andrea, geb. Schram. Ki.: Eva Maria, Carina. El.: Johann u. Monika Grof. S.: 1977 Abschluß Ldw.-Schule, Berufsausbild. Fotokfm., 1980 Abschluß, Ausbild. Fotograf, 1983 Abschluß. K.: b. 1986 Filialltr. Fotohdl., b. 1990 Außendienst Canon-Kopiergeräte, 1990 Grdg. u. Aufbau d. o.g. Firmen. P.: Veröff. in versch. Zeitschriften. (M.Mo.)

Zeravsky Kathrin

B.: Gschf. Ges. FN.: Diamond Agency. DA.: 1060 Wien, Loquaipl. 12/9A. PA.: 3400 Klosterneuburg, Hauserg. 22. G.: Klosterneuburg, 5. März 1961.V.: Franz Zeravsky. El.: Johann u. Leopoldine Geißler. S.: Fremdenverkehrsschule d. Gewerbl. Wirtschaft Wien. K.: 1979-82 Intern. Reiseservice d. CA-BV, 1983-89 Reisebüro "Cosmos", 1990 Grdg. Diamond Agency. P.: lfd. Art. in Business Travel Magazine "Arrivals". M.: AIA CD-Children-Foundation. H.: Reisen, Leben. (N.A.)

Zerbs Kurt TechnR. Ing.

B.: Techn. Berater, allg. beeid. gerichtl. Sachv. DA.: 2344 Maria Enzersdorf, Südstadtzentrum 1/24. G.: Budapest, 10. Febr. 1928. V.: Anneliese, geb. Mayr. El.: Ludwig u. Katharina. BV.: Vater war Kapitän d. k.u.k. Marine. S.: VS, HS, Externistenmatura in Innsbruck, TU Wien. K.: Lehre als techn. Zeichner. Während d. Studienzeit Projektant u. Baultr., später Dir., seit 1968 selbst., Ing.Büro f. Techn. Gebäudeausrüstung. M.: Vors. d. Fachnormenaussch. "Klimatechn.". H.: Wein, Segeln. (R.A.)

Zerdik Michael Dr.

B.: Notar. DA.: 1010 Wien, Naglerg. 9. PA.: 1180 Wien, Gentzg. 129. G.: 24. Juni 1943. V.: Gerhild, geb. Schmidt. Ki.: Cora (1971), Thomas (1973), Cosima (1978). El.: Dr. Kurt u. Margarethe. BV.: Großvater Dipl.-Ing. Johann Zerdik Handelsmin. in d. 1. Rep. S.: Wasagymn. Wien, 1961 Matura, Jusstud. Univ. Wien, 1966 Doktorat. K.: Gerichtsj., Notarsubstitut, b. 1984 in d. Notariatskzl. Dr. Kurt Zerdik u. Dr. Jungmair tätig, ab 1985 selbst. Notar. H.: Segelsport, Skifahren. (J.S.)

Zerga Manuela

B.: Musikverlegerin. FN.: Music Publishing Zerga (MPZ). DA.: 1030 Wien, Erdbergstr. 25-27. G.: Wien, 5. März 1939. V.: Dr. Joseph E. Zerga. Ki.: Roman Emanuel (1960). El.: Paul u. Martha Lossack. S.: Stud. Klavierspiel Musikak. Wien b. Prof. Wild-Volek, Ballettschule Wien b. Prof. Willy Fränzl. K.: m. 3 3/4 J. erstmals im Stadttheater Wien unter Ltg. v. Friedl Czepa aufgetreten, Europatourneen m. eig. Musik- u. Tanzshows folgten, 1968 Grdg. eigener Musikverlag, Prod. m. österr. Nachwuchskünstlern, 1980 Erweiterung d. Musikproduktionen auf Instrumentalmusik f. d. amerikan. u. japan. Markt, seit 1976 Repräsentatin d. UFA-Musikverlage in Österr. M.: seit 1980 im AufsR. AKM. H.: klass. Musik, Literatur, Reisen in d. Fernen Osten. (M.-L.A.-M.)

Zerlauth Ekkehard Paul Josef Dr. med.

B.: Sprengelarzt d. Sanitätssprengels Pfunds/Spiss. DA.: 6542 Pfunds 45, Gemeindehaus. PA.: 6542 Pfunds, Vogelweide 608. G.: Zams, 20. März 1951. V.: Martina. Ki.: Martin (1978), Thomas (1982). El.: Ekkehard u. Berta. S.: 1970 Matura, Med. Stud. Univ. Innsbruck, 1980 Prom. K.: 1981 Turnusausbild. in Scheibbs, 1984-86 FA-Ausbild. Chir. u. Unfallchir., 1986 Sprengelarzt in Pfunds, Dipl.-Notarzt, sportärztl. Betreuung v. Spitzenradfahrern, 1990-94 Bez. Ärztevertret. Bez. Landeck. P.: Fachart. über Radsport. M.: Sternkorona Hall, Mannschaftsarzt d. RV Innsbrucker Schwalben, Grdg. Mtgl. d. "Pfundser Radler". H.: Klass. Musik, Lesen, Fotografieren, Sport, bes. Radfahren. (I.D.)

Zerlauth Helmut Dipl.-Ing.

B.: Vorst. d. Straßenbauabt. im Amt d. Vbg. Landesrg. DA.: 6901 Bregenz, Römerstr. 15. PA.: 6923 Lauterach, Flötzerweg 12. G.: Wien, 11. Okt. 1940. V.: Helga, geb. Welte. Ki.: Thomas, Alexander. El.: Dipl.-Ing. Otto u. Olivia. S.: 1959 BORG-Matura, 1959-68 Stud. Bauing.-Wesen TH Wien. K.: seit 1968 Techniker Straßenplanungsstelle, seit 1987 Ltr. d. Abt. VII6. M.: TC Hard. H.: Tennis, Skifahren, Reisen. (A.K.)

Zerlauth Rita

B.: Ltr. d. Zentralen Werbung. FN.: Verlagsanst. Tyrolia GmbH. DA.: 6020 Innsbruck, Exlg. 20. PA.: 6020 Innsbruck, Gumppstr. 1. G.: Steinach am Brenner, 17. Juni 1949. El.: Dr. Gilbert u. Elisabeth Zerlauth. S.: VS, HS, 1963-66 Ferrarischule Kufstein, 1966-69 Buchhdl.-Lehre Fa. Tyrolia, 1969 Buchhdls.-Prüf. K.: Tätigkeit in allen Bereichen d. Fa. Tyrolia, Betreuung d. Filialen, 1973 Paris, Dipl., Incoming im Tir. Landesreisebüro, Betreuung d. ausländ. Studenten, Österr. Fremdenverkehrswerbung Berlin, Paris, 6 J. Herder Wien, Herold

Verlag, Fa. Tyrolia, Aufbau d. Buchabt. in Reutte, gesamte werbl. Betreuung d. Hauses u. d. Filialen u. Buchhdlg. BL.: Übersetzerin f. Kinderbücher v. Franz. ins Deutsche. H.: Lesen, Reisen, klass. Musik. (A.W.)

Zerlauth Siegfried Dr. med. univ. OMedR.
B.: FA f. Orthopädie u. Orthopäd. Chir. GT.: ständig gerichtl. beeid. Sachv. DA.: 9020 Klagenfurt, St. Veiter Str. 62. G.: Feldkirch, 21. Nov. 1924. V.: Dr. Marlies, geb. Steinwenter. El.: Stefan u. Maria. S.: VS in Bludenz, Gymn. in Bregenz, Med.Stud. in Innsbruck, Prom. 1951. K.: 1 J. Univ.Ass. am Anatom. Inst. d. Univ. Innsbruck, anschl. Fachausbild. Valduna, Unfallkrankenhaus Graz, Univ.Klinik Graz, Orthopäd. Klinik Altdorf/Nürnberg, seit 1959 eigene Praxis in Klagenfurt, seit 1. Dez. 1984 MedR., seit 1989 OMedR. P.: Mehrere wiss. Publ. aus Anatomie u. Unfallchir. M.: seit 1983 Gutachterref. d. Ärztekam. f. Ktn., seit 1986 Vorst.-Mtgl. d. Ges. d. Gutachterärzte Österr., seit 1990 Stellv. Obm. d. Ges. d. Gutachterärzte Österr. H.: Jagen, fallweise Reiten, Wurftaubenschießen.

Zernatto Christof
B.: LHptm. v. Ktn. DA.: 9020 Klagenfurt, Arnulfpl. 1. G.: Wolfsberg, 11. Juni 1949. V.: Sigrid, geb. Weiss. Ki.: Rosanna (1981). El.: Elmar u. Grete. BV.: alte Kärntner Industriellenfamilie, Großonkel Dichter Guido Zernatto. S.: Jusstu. K.: GemR., 1986 NatR., 1988-91 Gesundheitssprecher d. ÖVP, 1989 Landesparteiobm. d. ÖVP Ktn., 1989 LHptm.-Stllv., 1991 LHptm. v. Ktn., seit 1994 als LHptm. auch LFinanzreferent. M.: Österr. Segelnationalmannsch. u. in d. Jugend Teilnahme an Europa u. Weltmeistersch. H.: geprüfter Skilehrer, Golf, Tennis, Familie, politische Arbeit. (G.L.)

Zernig Manfred Dipl.-Ing.
B.: Arch. DA.: 8010 Graz, Sackstr. 22/2. PA.: 8046 Graz, Andritzer Reichstr. 162. G.: Villach, 16. Aug. 1952. V.: Ingrid, geb. Pegger. Ki.: Katrin (1978), Mariel (1981). El.: Eduard u. Elisabeth. S.: HTL Hochbau Villach, 1971 Matura, Wehrdienst, Stud. Arch. TU Graz, 1978 Abschluß. K.: 1984 selbst. Arch., Ausstellungen: 1982 Paris, 1983 Neue Galerie Graz, 1987 Europalia Brüssel, Budapest u. Berlin, 1988 Wohnbau Stmk., Berlin, Stuttgart u. Hamburg, 1990 u. 1992 Arch.-Tage Piran, 1992 Ausstellungsbeteiligung Weltausstellung Sevillia, 1992 Ausstellung in Sevillia, Großvorträge u. Seminare, Preise u. Realisierungen: 1984-92 6 1. Preise b. öff. Wettbewerben, 4 2. Preise, 1990 Österr. Bauherrenpreis f. Umbau Bäckerei Strohmayer Graz, 1985 Österr. Holzbaupreis, 1992 Ausz. f. Schloß St. Gotthard Graz-Andritz, Gestaltung d. Schloßbergplatzes Graz. M.: Vorst.-Mtgl. d. Zentralver. d. Arch. Österr. u. d. Ing.-Kam. f. Stmk. u. Ktn. H.: Beruf. (F.K.)

Zerrmayr Carl
B.: Inh. FN.: "Schmuckwaren Zerrmayr". DA.: u. PA.: 4020 Linz, Promenade 3. G.: Linz, 22. Dez. 1960. El.: Hubert u. Felicitas. K.: Gschf. in Juwelierhäusern Sbg., Wien, München, St. Moritz, seit 1993 selbst. H.: Segeln, Tennis, Skifahren. (L.G.)

Zerunian Levon
B.: Gschf. Ges. v. "A & L Zerunian OHG", "Zerunian u. Höberter GesnbR" gerichtl. beeid. Sachv. DA.: 1080 Wien, Josefstädterstr. 27. PA.: 1190 Wien, Döblinger Hauptstr. 70. G.: Wien, 1. Juni 1930. Ki.: Aram, Nadja. El.: Aram u. Fortune. BV.: Großvater: Nazarian Abraham Dr., Chir., oberster Militärarzt d. Türkei. S.: HASCH, K.: 1933 Grdg. d. Fa. durch d. Vater, 1948 Eintritt in d. väterl. Betrieb, 1960 Übernahme d. Geschäftsführung. BL. Experte f. alte Teppiche. P.: Vorträge über antike Teppiche. M.: Lazarus-Orden, Lions-Club. H.: Jagd, Sammeln. (Bauer)

Zerzan Ludwig
B.: Bezirksvorsteher v. Wien-Josefstadt i.R. DA.: 1080 Wien, Schlesingerpl. 4. PA.: 1080 Wien, Kochg. 34. G.: Wien, 18. Aug. 1932. V.: Edith, geb. Janitschek. El.: Ludwig u. Elisabeth, geb. Strauß. S.: Bundeslehr- u. Versuchsanst. f. Textilindustrie, Kfm. Lehre. K.: Ab 1951 Ang. im med.-techn. Bereich, 1954 Eintritt z. Österr. Wirtschaftsbund (Landesgr. Wien), 1954-90 Verwend. als Bez.-Sekr. in versch. Bez. in Wien, 1964-69 Fürsorgerat im 8.Bez., ab 1969 Bez.-Rat d. 8.Bez., 1973-83 Club-Obm. d. ÖVP Bez.-Räte, 1978-90 Bez.-Vorst.-Stv., ab 1990 Bez.-Vorst. v. Wien-Josefstadt, s. 1994 i.R. E.: Silb. VZ d. Stadt Wien (1981), Silb. EZ f. Verd. um d. Land Wien (1989), Verleih. Gold. EZ f. Verd. um d. Land Wien. M.: ÖVP (s. 1954), ÖAAB, ÖWB, SHW, Seniorenbund. H.: Lesen, Musik hören, Malerei, Tennis, Schwimmen, Wandern, Gartengestaltung. (N.A.)

Zeßner-Spitzenberg Carl-Matthias
B.: Buchhalter i.R. PA.: 1140 Wien, Penzinger Str. 66. G.: Dobritschan, 9. Jan. 1921. V.: Dr. Brigitta, geb. Cornaro. El.: Josef u. Elisabeth. BV.: Fürst Andrée Raznosky Mäzeen Ludwig van Beethovens. S.: 1936-39 Musikak., Flöte b. Prof. Niedermayer, Kriegsdienst, Gefangenschaft b. 1947, weitere Studien am Konservatorium Wien. K.: 1950-81 b. d. Fa. ÖSPAG zunächst als Lagerarb., Fahrer u. dann als Buchhalter. E.: Ehren- u. Grazialritter d. souv. Malteser-Ritterordens. H.: Musik, Komposition, Malerei.

Zeszner-Spitzenberg Karl-Pius RgR. Amtsdir.
B.: Pensionist. PA.: 3400 Klosterneuburg, Weidlinger Str. 61. G.: Wien, 31. Dez. 1925. V.: Amelie, geb. Ferstel. Ki.: Johannes Mag., Marie-Therese, Bianca. El.: Zeszner-Spitzenberg Hans-Karl DDr. Prof. gestorben am 1. Aug. 1938 im KZ Dachau u. Elisabeth. BV.: Graf Boquoi Sieger d. Schlacht am Weißen Berg (1620), Fanny Arnstein (1758-1818). S.: VS, RG K.: 1943-45 Kriegsdienst, Matura, 1951 zu Finanzamt, ab 1983 Amtsdir., seit 1972 Diakon d. Kath. Kirche (Taufen, Trauungen, Begräbnisse, Sonntagspredigten, Krankenkommunion, etc.) u. Organist, seit 1989 Pensionist. E.: 1987 RgR. H.: Tennis, Fußball. (R.A.)

Zethofer Hans
B.: Firmeninh., Radio- u. Fernsehtechniker. FN.: Cedra-Software. DA. u. PA.: 1229 Wien, Maurichg. 27/1/10. G.: Wien, 11. Jän. 1960. V.: Ulrike, geb. Trebin. Ki.: Rafaela (1982), Patricia (1987). El.: Hans u. Gertrude. S.: Lehre Radio- u. Fernsehtechniker. K.: Einstieg in EDV 1982, Ausb. i. versch. Programmiersprachen an Abendschule, Projektltr. u. Softwareentwickler im Instandhaltungsmanagmentbereich, 1993 selbst. mit EDV-Firma, Spezialist für Softwareentwicklungen, Hardware-Service, Beratung und Durchführung von EDV-Projekten. H.: Modellfliegen, Tennis, Fußball, EDV, Literatur, Weiterbildung. (W.M.)

Zethofer Helmut
B.: Steuerberater. DA.: 1160 Wien, Neulerchenfelder Str. 65. G.: Wien, 3. Feb. 1945. V.: Irene. Ki.: Gregor u. Martina. S.: HAK-Matura in Wien. K.: 1jähr. Tätigk. b. einer Handelsges., Praxis in div. Steuerberatungskanzleien, 1976 Steuerberaterprüf. u. Aufbau d. eig. Kzl. H.: Jagd, Skifahren. (H.J.)

Zettel Christa
B.: freiberufl. Journalist u. Schriftstellerin. PA.: 1030 Wien, Kegelg. 34-38. G.: Wien, 15. Nov. 1944. S.: VS, HS, HAK, 1965 Matura, 1970-72 Schauspielschule Krauss. K.: 1 J. Sekr. Fa. Görz, 1967-68 Aufenthalt in Südafrika, 1968-70 Fremdsprachenkorrespondentin Fa. Semperit, 1970-82 Sekr. ORF, 1972 Beginn als Schriftstellerin, seit 1985 freiberufl. als Red. f. Hörfunk u. FS, Moderatorin v. Studio Wien, Gestalterin u. Autorin f. d. ORF, Autorin f. Diners Club Magazin, Gastautorin Wochenpresse usw. P.: Hörspiele im

ORF, Lieder, Chansons, Kabarett, Geheimnis der Zahl (1988), Schwarze Witwen leben einsam (1983), Filmdrehbuch: "Mögen Sie Uhren?". M.: Litera Mechana, Jura Soyfer Ges. H.: AKM, Musik. (M.B.)

Zettinig Wolfgang Ing.

B.: Inh. FN.: Ing. Zettinig GmbH, Estriche u. Industriefußböden, Secco Trockentechnik GmbH. DA.: 9500 Villach, Franz Jonas Str. 3. PA.: 9210 Pörtschach, Blütenweg 1. G.: Villach, 23. Mai 1954. V.: Susan Mary, geb. Milne. Ki.: Alina Claire (1982), Luisa Mariella (1984). El.: Herbert u. Elisabeth. S.: VS, HS, HTL Villach, Matura. K.: 1975-79 Abt.-Ltr. Dachdeckerfa., 1980-85 Gschf. Estrichfa., 1986 selbst. m. eigener Fa., 1989 Estrichfa. übernommen und ausgebaut; Anwend. neuer Technologien, Schul. u. Ausbild. d. Mitarb.; akt. Leist.-Sportler Eishockey u. Faustball (Mtgl. Österr. Nationalmannschaft). F.: Beteil. u. Gschf. Fa. Estrich Service, Kooperation v. 4 Estrichfirmen, Zweck: gem. Maschinenwart., Ersatzteilwart., Einkauf. M.: ASKÖ SGS Spittal/Drau. H.: Skifahren, Radfahren, Tennis, Gartenarb. (F.S.)

Zettl Franz

B.: freischaff. Musiker. DA. u. PA.: 8410 Wildon, Im Langfeld 33. G.: Labuttendorf, 12. März 1947. V.: Josefine, geb. Kornhäusl. Ki.: Sabine (1967), Astrid (1978). El.: Franz u. Maria. S.: Pflichtschule, Musik-HS Wien u. Graz, 1976 Abschluß, BH, Mtgl. d. Luxenburg Singers. K.: 1974-77 Kapellmstr. d. Blasmusik Arnfels u. Bez.-Kapellmstr.-Stellv., seit 1976 freier Mitarb. in div. Tonstudios f. Komposition u. Arrangement, Mitbegründer u. Mitarb. d. Jungbläserseminars in Retzhof, 1972-78 Musiklehrer in Leibnitz, 1978-82 Musiklehrer in Feldbach, 1983-86 Musikschuldir. in Wildon. M.: AKM. H.: Musik. (F.K.)

Zezula Thomas Dr. phil.

B.: Gschf. FN.: M + Z Werbeagentur. GT.: Gschf. MAM Music GesnbR u. MAM Austria Verlag. DA.: 5020 Salzburg, Steing. 1. PA.: 5101 Bergheim, Gitzenweg 10. G.: Zell am See, 8. Febr. 1958. V.: Andrea, geb. Schweitzer. Ki.: Philipp, David. El.: Eduard u. Margot. S.: 1977 Matura, Stud. Publizistik u. Psych. Univ. Sbg., 1986 Prom. K.: 1986-88 PCS/Lintas Werbeagentur zuständig f. Konzept u. Text, 1988 Grdg. d. M + Z Werbeagentur gemeinsam m. Partner Dr. Klaus Moser. P.: Fachvortrag b. Werbewirtschaftstagung 1986 in Baden "Musik in d. Werbung ", div. Musikstücke auf Schallplatten u.a. Ski-WM-Song 1991. H.: Musik, Sport, Familie. (M.Mo.)

Zgaga Norbert Dr. MedR.

B.: FA f. Psychiatrie u. Neurologie im Pflegeheim d. Stadt Wien Baumgarten. GT.: ständig beeid. gerichtl. Sachv. DA.: 1140 Wien, Hütteldorfer Str. 188. PA.: 1140 Wien, Cumberlandstr. 16. G.: Graz, 5. Juni 1926. Ki.: Andrea. El.: Dkfm. Othmar u. SchulR. Kamilla. S.: Kriegsmatura 1944, Sanitäter an d. Ostfront, Gefangenschaft, Med.Stud. Innsbruck, 1959 Prom. K.: Ass. Innsbrucker Univ. Nervenklinik, 1963-67 Ass. Neurolog. KH d. Stadt Wien Rosenhügel, seit 1967 Pflegeheim Baumgarten, seit 1967 eigene Praxis. BL.: Sachv. Sozialgerichtsbarkeit. P.: Fachart. E.: 1954 1. Preis Literaturwettbewerb Innsbruck. M.: Ges. Österr. Nervenärzte, Österr. Geriatrische Ges., Ges. f. Zelltherapie, Ges. f. Ozontherapie. H.: Interesse an Esoterik, Bogenschießen. (A.K.)

Zheden Peter R. Dr.

B.: Dir. f. Personal- u. Sozialwesen. FN.: ÖAF Gräf u. Stift AG. DA.: 1231 Wien, Brunner Str. 44-50. G.: Klagenfurt, 17. Okt. 1955. V.: Heike, geb. Malo. Ki.: Christian (1984), Alexander (1985). El.: Roman u. Luise. S.: 1975 Matura, 1979 Stud. Rechtswiss. Univ. Slbg., Stud. Betriebswiss. Univ. Linz, 1981 Stud. Univ. Wien, 1994 MBA Stud. an City Univ. Washington. K.: 1985 Rechtsabtl. Universale Hoch- u. Tiefbau, 1986 Personalabtl. ÖAF Gräf u. Stift AG, 1993 Prok. AC AustroCar Wien. M.: Soz.-polit. Ausschuß d. Ind.-Verein., Arb.-Kreis Verkehr u. Wirts. d. Ind.-Verein. H.: Jagd, Schifahren, Tennis. (T.T.)

Zhuber-Okrog Günther Dr. techn. Dipl.-Ing.

B.: a.o.Univ.-Prof. A.: 8043 Graz, Am Rehgrund 18. G.: Graz, 28. Juni 1932. V.: Dr. Irmgard, geb. Gottlich. S.: RG, Maschinenbaustud. an d. TH Graz, Postgraduate-Stud. (Gasturbinen) am Imperial College, London. K.: 1955-62 wiss. Hilfskraft, 1962-68 HS-Ass. an d. TH Graz, 1958 Dipl. of the Imperial College (DIC), 1965 Prom., 1966-68 Stipendiat d. Alexander v. Humboldt- Stiftung an d. Dt. Versuchsanst. f. Luft- u. Raumfahrt in Köln-Port/BRD, 1968-70 Lehrauftrag f. Strahlantriebe, 1975 Habil. f. Therm. Strömungsmasch., 1977 Ernennung z. a.o.Univ.-Prof. an d. TU Graz, seit 1993 i.R. P.: Arb. über trägheitslose Gastemperaturmessung, instationäre Strömung u. Strahlrohre m. pulsierender Verbrennung. E.: Theodor Körner-Preis. M.: Dt. Ges. f. Luft- u. Raumfahrt, Österr. Ing.- u. Arch.-Ver.

Zich Otto DDipl.-Ing.

B.: Chairman European Operations Sony Music, Vorst.-Vors. Sony Software Technology AG. A.: 5081 Anif, Niederalm 282. G.: Linz, 26. Dez. 1942. V.: Inge, geb. Menschik. S.: BRealschule, Dipl.-Ing. f. Bauwesen an d. TH Graz 1965, Dipl.-Ing. f. Wirtschaftswesen d. Univ. Graz 1966. K.: 1967 Eintritt in d. Voest, ab 1972 Ltr. d. DV, Automation u. Organ. d. Voest-Alpine AG, 1983-85 Ltr. d. Vorst.Bereiches Elektronik u. Automation, Stellv. Vorst.Mtgl. d. Voest Alpine AG, 1971-72 Lehrbeauftragter an d. Univ. Linz f. Systemplanung. P.: Consideration of human factors during the development of ind. computer systems, The social and economical responisibility of EDP Experts, The partnership spirit between buyers and sellers of technology u.a. M.: Grdg.Mtgl. d. Vorst. d. Österr. Computer-Ges., Mtgl. d. Arbeitskreises "Social Effects of Automation" d. IFAC, Österr. Delegierter b. d. IFIP, 1978-91 Sekr. d. IFIP.

Ziegelbecker Johannes Dr.

B.: Vorst.-Vors., Gschf., Vorst. FN.: ÖPAG Pensionskassen AG; Planpension Vorsorgeberatung GmbH; Pensionskassenfachverb. DA.: 1200 Wien, Treustr. 35-43. G.: Graz, 5. Apr. 1959. V.: Mag. Sonja, geb. Collin. Ki.: Janina (1982), Jasmin (1990), Oswin (1993). El.: Ing. Rudolf u. Mag. Anna. S.: VS, Gymn., 1977 Matura, Stud. Rechts- u. VWL, 1982 Mag. rer. soc. oec., 1983 Mag.Dr.iur. K.: ab 1983 in d. Raiffeisenzentralbank, seit 1990 Vorst.-Vors. d. ÖPAG, ab 1989 Vorst.-Mtgl. in d. ÖPAG Pensionskassen AG, 1990 Gschf. d. Planpension Vorsorgeberatung GmbH, seit 1992 Vorst. d. Fachverb. H.: Sport, Lesen, Familie. (W.J.)

Ziegelböck Franz

B.: Dir. d. HS; Bürgermstr. d. Gem. Haag am Hausruck. DA.: 4680 Haag am Hausruck, Lambachstr. 29a. PA.: 4680 Haag am Hausruck, Bahnhofstr. 20. G.: Wels, 7. Nov. 1942. V.: Rosemarie, geb. Burgstaller. Ki.: Barbara (1968), Elisabeth (1971), Maria (1972), Christa (1973). El.: Franz u. Anna. BV.: Landtagsabg. Josef Hörtenhuber - Großvater. S.: VS, HS, 1956-61 Lehrerbild.-Anstalt, 1963 Lehrbefähigungsprüf., 1968 Lehramtsprüf. Geschichte, 1969 Dt., 1971 Musik. K.: 1961-66 VS-Lehrer in Haag, 1966-87 HS-Lehrer, ab 1987 Dir. d. HS in Haag, s. 1973 Bgm. d. Gem. Haag. M.: 1970-84 ÖAAB Obm., 1980-90 ÖVP Obm., Freiw. Feuerwehr, Fußballver. H.: Konzertbesuche, Lesen, Wandern. (G.E.)

Ziegelböck Herbert

B.: Vorst.-Vors. FN.: Palfinger AG. DA.: 5101 Bergheim, Franz-W.-Scherer-Str. 24. G.: Vorchdorf, 25. Jän. 1937. K.: seit 1972 im Unternehmen Palfinger. (N.M.)

Ziegelböck Hermine

B.: Abg. z. Landtag. FN.: Bauernbund Linz, Landesstelle OÖ. DA.: 4020 Linz, Harrachstr. 12. PA.: 4652 Steinerkirchen, Hammersedt 16. G.: Fischlham, 11. Nov. 1947. V.: Johann. Ki.: Andreas (1968), Christine (1969), Johann (1976), Thomas (1977). El.: Josef u. Maria Einsiedler. S.: 1967 Matura HBLA Elmberg, Mstr.-Prfg. ländl. Hauswirtsch. K.: Bäuerin, tätig. b. Bauernbund, 1978 Wahl i. Ortsbauernausschuß, 1985 Bezirksbäuerin, s. 1991 Landesbäurin u. Abg. z. Landtag. M.: Obfrau d. Kulturaussch. Sport, Gem.-Rat Steinerkirchen. H.: Wandern, Natur betrachten, Lesen, Musik, Umgang m. Leuten. (N.A.)

Ziegelwanger Herbert Mag. Dr. iur.

B.: Sektionschef, Ltr. d. Rechtssekt. i.R. FN.: BMLF. DA.: 1010 Wien, Stubenring 1. PA.: 1130 Wien, Seutterg. 19. G.: Wien, 29. Okt. 1927. Ki.: Ute (1968), Vera (1969), Peter (1972), Petra (1982). El.: Ignaz u. Anna. S.: VS, Oberschule (Internat d. Wr. Sängerknaben), Univ. Wien, 1952 Prom. K.: 10 J. Polizeijurist, 10 J. Bmtr. BMI, Motorpilotenschein, 10 J. Abt.Ltr. im Bundeskanzleramt, 1980-92 Ltr. d. Rechtssekt. d. BMLF, Pensionierg. per 12/1992. P.: einige Publ. über Fragen d. umfassenden Landesverteidigung, Kommentar z. Marktordnungsgesetz 1985. E.: Gr. EZ f. d. Verd. um d. Rep. Österr., Gr. Gold. EZ f. d. Verd. um d. Rep. Österr., Gr. Silb. EZ m. d. Stern. M.: BSA. H.: Reisen. (J.S.)

Ziegler Albert

B.: Gschf. FN.: Wohnregion Hdls. GmbH. DA.: 2700 Wr. Neustadt, Pottendorfer Str. 62. PA.: 2700 Wr. Neustadt, Zehnerg. 20/C/8. G.: Eggenburg, 23. Juli 1951. Ki.: Alexander Boris (1973), Bianca Lucia (1985). El.: Friedrich u. Anna. S.: VS, HS, Tischlerlehre, 1968 Gesellenprüf. K.: 1970 Verkäufer Elite Möbel, 1988 Verkäufer b. Kika, 1988 stellv. Gschf. Michelfeit, seit 1991 Gschf. Wohnregion GmbH 2700 Wr. Neustadt. H.: Radfahren, Skifahren, Badminton, Squash, Bodybuilding, Segeln. (R.T.)

Ziegler Alfred Ing.

B.: Bmstr., gerichtl. beeid. Schätzmstr. u. Sachv. DA. u. PA.: 5400 Hallein, Dr.-Carl-Kellner-Str. 4. G.: Saalfelden, 30. Nov. 1928. V.: Brigitte. Ki.: Michaela, Barbara. El.: Ingomar u. Auguste. S.: Staatsgewerbeschule Sbg., Bmstr.-Prüf. Sbg. K.: seit 1976 selbst., Projekte: FFW-Rüsthaus Oberalm, Großgaragenanlage, Fabrikshallen, Bürogebäude, Generalsanierungen v. Wohnhäusern. BL.: 1970 f. Pro Juventute-Kinderdorfhaus Planung, Baultg. u. Organ. kostenlos als Spende durchgeführt, kostenlose Baultg. b. ASKÖ-Sporthalle. M.: Obm. Halleiner Turnver. 1866. (M.Mo.)

Ziegler Anton

B.: Gastwirt d. Gasthof Schorn. DA. u. PA.: 5083 St. Leonhard, St. Leonhard Str. 1. G.: Salzburg, 12. Sept. 1947. V.: Veronika, geb. Kampl. Ki.: Thomas, Robert, Angelika. El.: Anton u. Johanna. S.: HS, Gastgewerbefachschule Kleßheim, Praxis im In- u. Ausland. K.: 1978 Übernahme d. seit 1880 in Familienbesitz befindl. Gasthofes Schorn, erste urkundl. Erwähnung d. Anwesens im 13. Jhdt. als Jägerhaus d. Schloßes Gartenau, nachweisl. seit 1612 Gasthof u. somit einer d. traditionsreichsten Betriebe in d. Umgebung v. Sbg., Umbau in jüngerer Zeit, Fremdenzimmer, Gastgarten, traditionelle einheimische Küche. M.: Ortsvertrauensobm. d. Sbg. HK. H.: Familie. (Foed.)

Ziegler Bruno Dkfm.

B.: Vorst.Vors. FN.: Reisebüro RUEFA GmbH. GT.: AufsR. d. Ktn. Reisebüro. DA.: 1010 Wien, Fleischmarkt 1. G.: Taiskirchen, 7. Febr. 1931. Ki.: Christine, Claudia. El.: Rudolf u. Aloisia. S.: Grundschule, Hum. Gymn., WU Wien. K.: 8 J. Pädagogik, 1964-70 BAWAG, 1970-74 Gschf. Factoring Ges., 1974-77 BAWAG, seit 1977 Ruefa.

Ziegler Christian

B.: Reisebüroass. FN.: Otto-Reisen GmbH. DA./PA.: 8051 Graz, Wienerstr. 229. G.:Graz, 21. Feb. 1975. El.: Manfred u. Brigitte. S.: Pflichtschule, s. 1990 Lehre als Reisebüroass. im väterl. Betrieb. H.: Skifahren, Tennis. (I.K.)

Ziegler Christine OSR.

B.: Schuldir. Polytechnikum. DA.: 1150 Wien, Benedikt-Schellinger-G. 1-3; 1230 Wien, Wohnpark Alterlaa. PA.: 1030 Wien, Landstraßer Gürtel 85/2/7. G.: Wien, 11. Juli 1930. V.: Dkfm. Bruno Ziegler. Ki.: Dr. Christine (1954), Claudia (1967). El.: Johann u. Anna Mayr. S.: VS, Gymn., 1949 Matura, LBA. K.: seit 1953 Lehrerin an HS u. Polytechniken, seit 1975 Dir., Förderin u. Mitarb. an div. Schulversuchen. P.: Schul- u. Reisbücher "Du u. d. Hauswirtschaft", "Du u. d. Berufskunde", "Reise durch Albanien". H.: Reisen, Kinder. (W.J.)

Ziegler Erika Dr. Dir.

B.: Dir. d. Parktheaters "Hietzing". DA.: 1130 Wien, Hietzinger Hauptstr. 22. G.: Wien, 16. Okt. 1945. El.: Leopold u. Hildegard, geb. Marz. S.: Stud. Theaterwiss. Univ. Wien, Praxis als Regieass. K.: Tätigkeit als Regieass. u. Beraterin b. Film, Fernsehen u. Theater in Deutschland u. im Ausland (Amerika, Südkorea, Japan, Frankreich), Ltg.

eines Kleinkunstbetriebes u. zwei Galerien in Hannover, 1991 Grdg. d. Parktheaters "Hietzing" u. Übernahme dessen Ltg. H.: Literatur, Musik, Malerei. (N.A.)

Ziegler Franz Dr. techn. Dipl.-Ing. Prof.

B.: o.Univ.-Prof., Vorst. d. Inst. f. Allg. Mechanik an d. Fak. f. Bauing.Wesen d. TU Wien. GT.: Ing.Kons. DA.: 1040 Wien, Karlspl. 13. PA.: 1180 Wien, Peter-Jordan-Str. 145. G.: Wr. Neustadt, 12. Dez. 1937. V.: Dr. Waltraud, geb. Eberlein. Ki.: Dipl.-Ing. Robert, Mag. Eva. El.: August u. Elisabeth. S.: VS, BRealschule, HTL, 1956 Matura, Stud. Maschinenbau an d. TU Wien, 1961 Spon., 1964 Dr. techn., 1969 Habil. K.: 1972 o.Prof., 1983 korr. Mtgl. d. Ak. d. Wiss., seit 1961 an d. TVFA, 1962 Ass. v. Prof. Heinz Parkus, zahlr. Aufenthalte u. Gastprof. an amerikan. & deutschen Univ. BL.: Gebiet Baudynamik, wiss. Arb. auf d. Gebiet d. Wärmespannungen. P.: hauptsächl Publ. in d. Fachzeitschriften d. Mechanik, Lehrbücher "Techn. Mechanik d. festen u. flüssigen Körper" 1985, "Mechanics of solids and Huids", 1991,Diss., Mithrsg. d. wiss. Zeitschriften "Acta Mechanica", "Zamm", "Intern. Journal of solids and structures", "Mechanics of Structures and Machines", "Probabilistic Engineering Mechanics". E.: Caroline u. Guido Krafft-Med. f. bes. Studienleistung. M.: Ges. f. angew. Math. u. Mechanik, Österr. math. Ges., Fellow American Society of Mechanical Engineers, Vorst.Vors. d. Österr. Ges. f. Erdbebening, Wesen, General-Sekr. d. Intern. Union f. Theoret. & Angewandte Mechanik (IUTAM). H.: Segeln, Skifahren, Tennis. (G.E.)

Ziegler Herbert Dr. Dkfm. KommR.

B.: Gen.-Dir. i.R. PA.: 1238 Wien, Maurer-Lange-G. 125. G.: Klagenfurt, 16. Juli 1928. V.: Erika, geb. Klobas. Ki.: Andrea (1966), Robert (1967). El.: Siegfried u. Maria. S.: 1946 Matura, Stud. Welthdl., 1949 Dkfm., 1950-51 Stud. of Business Adminstration an d. Michigan State Univ. in d. USA, 1951 Master of Arts, 1952 Diss. an d. HS f. Welthdl., 1952 Prom. K.: 1952-54 Dion.Ass. b. d. Fa. Socony Vacuum Oil Company, 1955 Disponent b. d. Österr. VW Organ., 1956 Exportkfm. b. d. Fa. SGP Simmeringer Graz Pauker AG, Abt.Ltr. u. Prok., ab 1975 im Vorst. stellv. Gen.-Dir., ab 1988 Vorst.-Vors. d. Simmering Graz Pauker AG, ab 1989 Gen.-Dir. d. SGP Verkehrstechnik GmbH, 1992 Ruhestand. P.: Publ. in Fachzeitschriften u. Tageszeitungen über d. Eisenbahnwesen u. über Schienenfahrzeuge. M.: Laienrichter b. HG in Wien. H.: Lesen, Musik, Geschichte. (M.B.)

Ziegler Hermann

B.: Dir. FN.: Bank f. Arbeit u. Wirtschaft AG. DA.: 1011 Wien, Seitzerg. 3-4. PA.: 1130 Wien, Bossig. 71. G.: 21. Dez. 1935. Ki.: Christian, Armin, Birgit. El.: Johann u. Maria. S.: AHS, 1955 Matura, Stud. HS f. Welthdl. K.: 2 J. Länderbank, 1959 Eintritt BAWAG, 1963 Zweigstellenltr., Organ., Innenrevision, seit 1967 Bilanzabt., 1969 Prokura, 1971 Abt.-Ltr., seit 1974 Dir.Stellv., 1976 Abt.Dir. M.: ÖBG, SPÖ. H.: Tennis, Golf, Wandern, Musik (Jazz u. Klassik). (A.W.)

Ziegler Josef Mag.

B.: Akad. Restaurator, freisch. Metallrestaurator. PA.: 1150 Wien, Schwenderg. 21. G.: Wien, 5. Mai 1946. El.: Josef u. Katharina, geb. Toby. S.: 1968-75 Stud. d. Metallrestaurierung an d. HS f. angew. Kunst in Wien b. Prof. Tasquill, Netbal u. Hagenauer, Diplom m. Ausz. u. Preis d. Stadt Wien. K.: 1976 Beginn d. Tätigk. als freisch. Metallrestaurator in d. Kapuzinergruft, weitere Restaurierungsarb.: Pestsäule am Graben, Musikverein (Zinkkaratyden im Goldenen Saal), Otto-Wagner-Brücke, Mozart-Denkmal im Burggarten, Austria-Brunnen auf d. Freyung, Palais Ferstl, Savoy'sches Damenstift in d. Himmelpfortgasse sowie div. Arb. in d. Bundesländern in Zusammenarb. m. d. BDA. P.: zahlr. Fachartikel. M.: Österr. Restauratorenverb., Berufsvereinig. Bild. Künstler Österr. H.: Polizeisportvereinig. Wien (Sekt. Boxen). (N.A.)

Ziegler Josef Wolfgang Prof.

B.: Musiker, Chorkomponist. PA.: 2352 Gumpoldskirchen, Friedrich-Schiller-Str. 17. G.: Kottingbrunn, 23. Nov. 1906. V.: Auguste, geb. Pree. Ki.: Elisabeth, Wolfgang. S.: Gymn. Wien, Stud. an d. MH. K.: 1932-43 Kapellmstr. d. "Sängerknaben v. Wienerwald", 1937-71 Musikprof. Gymn. Wien, Baden u. Berndorf, 1949 Grdg. d. "Gumpoldskirchner Singschule" u. d. Chors "Anninger Spatzen" (Kinder- u. Jugendchor), 1953 1. Deutschlandtournee, 1958 Konzerttournee m. d. Wr. Deutschmeistern in d. USA, Umben. d. Chores in "Gumpoldskirchner Spatzen", jährl. 1 große Deutschlandtournee, 1966 1. Auftritt in d. Wr. Staatsoper, 1966 Grdg. d. Chors "Vox humana", 1987 1. große Japantournee. E.: 1986 Kulturpreis d. Landes NÖ, 1965 Prof. h.c., Ehrenbürger v. Gumpoldskirchen, Ehrenmtgl. div. ausl. Chöre. P.: Kompositionen vor allem f. Chöre, Klaviermusik. H.: Bilder, Briefmarken, Lesen. (A.W.)

Ziegler Klaus Rudolf Dr.

B.: Österr. Botschafter in Luxenburg. DA.: 28, rue des bains, 1212 Luxemburg. E.: OffK d. jap. hl. SchO.

Ziegler Ludwig Mag.

B.: Kfm. Ltr. FN.: Dachstein Sportschuh GmbH. DA.: 4591 Molln 44. G.: Salzburg, 14. Nov. 1947. V.: Eva. Ki.: Michael, Markus. El.: Ludwig u. Anna. S.: Grundschule, RG, HAK, Betriebswirtschaftsstud. in Linz. K.: 1974-76 Spar AG, 1977-81 Porsche AG, 1981-88 Fa. Akzo, ab 1989 b. Dachstein. H.: Fußball.

Ziegler Manfred

B.: Inh. FN.: Otto-Reisen Ges.m.b.H. DA./PA.: 8051 Graz, Wienerstr. 229. G.: Graz, 23. Nov. 1951. V.: Brigitte, geb. Egger. Ki.: Christian (1975), Birgit (1981). El.: Otto u. Josefa. S.: Pflichtschule, Lehre als Kfz-Mechaniker, Werkmeisterprüfg. f. Masch.-Bau, 1972 Eintr. i. d. elterl. Betr., Busuntern. K.: 1980 Übern. d. elterl. Betr., 1986 zus. Reisebüro f. Eigenveranstaltg. u. intern. Reiseangebote. E.: 1 Million km v. 1979-1991, Urkunde v. Mercedes. M.: Kameradschaftsbund. H.: Harmonikaspielen. (I.G.)

Ziegler Paul Ing.

B.: Gschf. Verkaufsltr. FN.: Metallschornsteinbau GmbH & Co MSB. GT.: Gschf. d. Kraftfahrzeug Service u. Vertriebs GmbH KSV. DA.: 1030 Wien, Schlachthausg. 46, 1180 Wien, Standg. 29. G.: Wien, 21. Okt. 1940. V.: Ernestine, geb. Jarosch. Ki.: Sabine, Birgit. El.: Paul u. Maria. S.: Grundschule, HTL, WIFI Mstr.Kurs, 1973 Spenglermstr. K.: Tiefbautechniker, Praxis in Schweden Baufa. Michler, Übernahme einer Abt. f. Rauchfangbau, 1966 Grdg. d. MSB, ab 1974 Gschf., 1976 Grdg. d. KSV. P.: Vortragender in Schulen, Berufsschulen, Seminare an d. TU. M.: Arge Qualitätsarb. H.: Sport. (E.L.)

Ziegler Stefan

B.: Gschf. Ges. FN.: Dienstleistungsservice Stefan Ziegler. DA.: 1180 Wien, Staudg. 67. G.: Wien, 16. Dez. 1959. V.: Johanna, geb. Valenta. El.: Stefan u. Erika. S.: VS, BRG,

HTL. K.: Ass. Verkaufsltg. u. Marketing in d. Autobranche, Ass. d. Geschäftsltg. u. Marketing in Markenartikelunternehmen, seit 1983 selbst. M.: VIP-Vorst.Mtgl. (Intern. Verb. f. Interimsarbeit u. Personal bereitstellung), Fachgr.-Aussch. Personalbereitstell. d. Wr. HK. H.: Sport. (R.A.)

Ziegler Wolfgang

B.: Inh. FN.: M & T Musik u. Technik Ziegler. DA. u. PA.: 5026 Salzburg, Aigner Str. 70. G.: Salzburg, 14. Mai 1955. V.: Edeltraud, geb. Binder. Ki.: Wolfgang (1982). El.: Ludwig u. Anna. S.: VS, HS, HASCH, sämtl. Gewerbescheine. K.: 14 J. Pensionsberater b. d. Sozialvers., z. gleichen Zeit im Lautsprecherbau tätig, Aufbau Geschäft HIFI, TV u. Video, nebenbei Küchenstudios u. Transportunternehmen, 1986 Eröff. d. Geschäftes. H.: Beruf, Computer. (D.E.)

Ziegler Wolfram Ernst

B.: Prok. b. Allgem. Sparkasse. DA.: 4040 Linz, Sparkassenpl. 2. G.: Linz, 30. Okt. 1933. V.: Gisela, geb. Fritz. Ki.: Alexander (1964), Thomas (1975), Sabine (1968), Wolfram-Helmut (1970). El.: Ernst u. Helene. S.: Gymn., 1953 Matura. K.: Eintritt in d. Sparkasse, div. interne Schulungen u. Prüf., 1980 Abt. Jugend u. Schule, Initiator d. S-Club, ab 1988 Prok., Abhaltung div. Kurse an Berufssch., VHS-Vorträge, musikal. Laufb.: Msch. Linz u. Brucknerkonservat., s. 40J. ausübendes Mtgl. d. Linzer Konzertvereins u. s. 23J. auch dessen Obm., zahlr. Aufführ. u.a. Oratorium "Christus" v. Liszt u. 9. Sinfonie v. Beethoven. E.: 1978 VZ d. Landes OÖ, 1983 Kulturmed. d. Stadt Linz, 1983 Titel "Konsulent f. Musikpflege", 1990 Gold. Bruckner-Plak. P.: "Abhandlung über Wechselgeschäft". M.: Stelzhamerbund, Tierschutzver. H.: Pfeife, Fischen, Garten. (P.H.)

Zieglmayer Heinz

B.: Gschf. Ges., Ind.Kfm., Prok. A.: 5412 Adnet 192a. G.: Klosterneuburg, 8. Febr. 1941. V.: Gertraud, geb. Weiss, 3 Töchter. El.: Gustav u. Gertraud. S.: VS, HS, HASCH, abgeschl. Bilanzbuchhalterprüf., div. fortbildende Fachkurse. K.: 1958 Beginn als Ind.Kfm. b. Dr. Best, Hallein, 1970 Einzelprok. b. obigen Untern., 1967 Einzelprok. b. M + C Schiffer OHG, gl. Unternehmensgruppe, 1977 gschf. Ges. d. M + C Schiffer GmbH, Adnet, seit 1984 GemR. in Adnet. F.: 25 % Ges. d. M + C Schiffer GmbH. P.: Zahlr. Veröff. in Tauch-Fachzeitschriften in Bild u. Text. M.: Adneter Sportklub, Tauchclub Sbg., Kiwanis Hallein. H.: Tauchen, Langlauf, Alpinschi, Tischtennis, UW-Fotografie (Auszeichnungen).

Ziehaus Siegfried L.

B.: Kfm., Gschf. FN.: GASTRO Ziehaus & Bruckberger GmbH. DA.: 2514 Traiskirchen, Badener Str. 27. PA.: 2540 Bad Vöslau, Tattendorfer Str. 66. G.: Bad Vöslau, 21. März 1944. V.: Lydia, geb. Vlcek. Ki.: Tanja (1985), Stefan (1990), Marion (1991). El.: Leopold u. Hildegard. S.: Kfm. Lehre im Lebensmitteleinzelhdl., Kam.-Prüf., 4 J. Militär. K.: Tätigkeit im Verkauf in versch. Branchen, Metro Vösendorf, Langenzersdorf u. Graz, 1977 Übernahme eines Zustellgroßhdls. in Baden, Grdg. Firma GASTRO, 1979 Übersiedlung nach

Traiskirchen, 1980 Eröff. GASTRO WR. Neustadt, 1987 Verkauf Gastro Wr. Neustadt an ADEG, Gschf., 1988 Eröff. AGM Gastro Katzelsdorf, 1989 als Gschf. ausgeschieden, 1989-92 Barter Geschäfte, 1992 restl. Anteile v. GASTRO Traiskirchen erworben u. seither Alleinges. u. Gschf. P.: ÖGZ Gastro-Plaudereien. M.: Kam. d. gewerbl. Wirtschaft, BRK Baden, Officier Ordre des Coteux de Champagne, 1975 Jagdprüf. H.: Musik, Menschen, Motorsport, Jagd. (F.S.)

Zierer Johannes Dr.

B.: Gschf. Ges. FN.: Unternehmensberatung Johannes Zierer GmbH. DA.: 1070 Wien, Kaiserstr. 37. G.: Wien, 29. Aug. 1948. V.: Simone, geb. Richter. Ki.: Michael (1993). El.: Dipl.-Kfm. Hans u. Edith. S.: 1967 Matura, 1967-73 WU Handelswiss., 1971 Mag., 1973 Dr., "Darstell. u. Analyse d. Entwickl. d. Qualitätsbegriffes unter d. Aspekt d. Entstehung d. Absatzes u.d. Konsums v. Gütern". K.: 1973-74 Fa. Burroughs EDV, 1974-84 Kfm. Dir. Schömer/Bau Max, 1984 selbst. Grdg. d. Unternehmensberat., Schwerp. Betriebswirts. Fachberat., Sanierungsberat., EDV-Berat. BL.: 1966 Österr. Jugendmstr. in Tennis. F.: Akt. d. Rieger Bank AG, Ges. d. Alpenblick Appartments GmbH. H.: Familie, Tennis, Schifahren, Reisen, Freunde treffen. (M.L.-A.)

Zieritz Gustav Dr.phil.

B.: Gschf. FN.: Rohrbeck's Nfg. DA.: 1050 Wien, Wehrg. 18. G.: Wien, 4. Juli 1938. S.: RG St. Pölten, 1956 Matura, Chemiestud. an d. Univ. Wien, 1969 Prom. K.: 1964 Gschf. d. Fa. W. J. Rohrbeck's Nfg., Apparate u. Geräte f. Labors im Bereich d. Ind. u. Wiss., Vertragshändler d. Heraeus-Firmengruppe (Wärme- u. Trockenschränke, Rohrwerke, Thermostate) u. d. Fa. Merck (Feinchemikalien u. Reagenzien), chem.-techn. Apparaturen. M.: Kam.Mtgl., Ver. österr. Chemiker, Österr. Phys. Ges., Österr. Biochem. Ges. H.: Kunst- u. Kulturgeschichte, intern. Sportstatistik, Tennis. (Sei.)

Zierl Herbert Dr. techn. Dipl.-Ing. Prof.

B.: Ing.-Kons. f. Bauwesen. DA.: 6700 Bludenz, Mühlg. 21. PA.: 6714 Nüziders, Im Daneu 26. G.: Rohrbach, 5. Mai 1925. V.: Dipl.-Vw. Dorothea. Ki.: Dipl.-Ing. Gunther (1955), Dipl.-Ing. Dietmar (1958). El.: Karl u. Ludmilla. S.: HTL f. Tiefbau Wien, TU Wien, 1950 Dipl.-Ing., TU Graz, 1969 Dr. techn., 1942-46 Kriegsmarine, 1946-50 Stud. Wien. K.: 1950-62 ÖBB, Bauing., Ob.Baurat Streckenltg. Selzthal u. Bludenz, 1980 Hon.-Prof. am Inst. f. Verkehrswesen d. Boku Wien, 1962 Ziviltechnikerprüf. f. Bauwesen Wien, Ing.-Kons. f. Bauwesen Bludenz, 1962-85 Prof. u. Abt.-Vorst. f. Bautechnik HTL Rankweil, 1984 Partnerschaft Ing.-Büro m. Sohn Dipl.-Ing. Gunther Grdg. d. Büros in Weingarten u. seit 1991 in Chemnitz. P.: Veröff. in Fachzeitschriften über Verkehr - Eisenbahnwesen. M.: Dt. Hochseesportver. HANSA, weltweit Sachv. f. Eisenbahnfragen, Sachv. f. Europ. Verkehrsmin.-Konferenz CEMT. H.: Musik, Segeln, Skifahren, Kulturreisen, Gartengestalten, Azaleenzüchten. (I.D.)

Zierl Walter

B.: Prok., Kfm. FN.: La Strada. DA.: 1140 Wien, Hütteldorfer Str. 90, 1170 Wien, Hernalser Hauptstr. 68. PA.: 1140 Wien, Hütteldorfer Str. 90. G.: Mährisch Trübau, 15. Juni 1945. El.: Dr. Karl u. Irmgard. S.: HTL Hoch- u. Tiefbau, Sped.Kfm. K.: selbst. Hdls.Kfm. in Deutschland u. Amerika, 1980 La Strada, 1983 als GmbH übernommen. F.: Teilhaber an Filiale Hütteldorfer Straße. H.: Skifahren, Tennis, Fliegen. (A.K.)

Zierleyn Hans Dipl.-Ing.

B.: Gschf. FN.: Walek & Co GmbH. GT.: Vors. d. AufsR. d. Neuen Spinnerei in Bayreuth. DA.: 2700 Wr. Neustadt, Wiener Str. 125. G.: Nordhorn, 9. Jan. 1933, verh., 1 Sohn. G.: Textiltechnikum in Reutlingen. K.: 1970 Fa. Walek, zuerst Prok., Gschf. in BRD, 1981 nach Konkurs d. Mutterfa. Gschf. in Österr. M.: versch. Fachverb. H.: Kunstliebhaber.

Zierlinger Axel

B.: Gschf. FN.: Transportunternehmen Knabl GmbH & Co KG. DA.: 8600 Bruck/Mur, Mürzg. 1. PA.: 8600 Bruck/Mur, Mürzg. 2. G.: Hofheim/BRD, 15. Juni 1958. S.: Pflichtschule Frankfurt, höhere HASCH Wiesbaden, 1976 Abitur. K.: Ausbild. Steuerberater, Praxis Datenverarb., seit 1979 Gschf. d. Fa. Knabl. H.: Waffensammeln, Skisport, Musik, Literatur. (Tra.)

Ziermann Peter Prof.

B.: Mr. theol., ev. Religionslehrer, Mitarb. in d. ev. Pfarre Innsbruck-Reichenau. DA. u. PA.: 6020 Innsbruck, Gutshofweg 8. G.: Zalaegerszeg/Ungarn, 26. Apr. 1940. V.: Katharina, geb. Ohler. Ki.: Michael, Bernd. El.: Dr. Paul u. Margarethe. S.: Matura, Stud. Theol. Wien, Berlin, Zürich u. Heidelberg. K.: 1 J. priv. kirchl. Inst. in Bensheim, seit 1965 in Innsbruck, Vikariat-, Amtsprüf., seit 1967 Schulpfarrer u. Studentenseelsorger in Innsbruck. M.: Initiator d. ev. Bild.-Werkes, Verwalter d. ev. Jugendheimes b. Gries/Brenner, Mitarb. im Ev. Arbeitskreis f. Weltmission, Mitarb. in versch. ökumen. Initiativgruppen. H.: Kochen, Skifahren, Radfahren, Schwimmen, Literatur. (W.G.)

Ziervogel Josef Dr.

B.: FA f. Innere Med. GT.: Ltr. d. arbeitsmed. Zentralstelle d. VÖEST f. Stmk. DA.: 8700 Leoben, Kaiserfeldg. 10. PA.: 8700 Leoben, Bachg. 14. G.: Graz, 25. Aug. 1937. V.: Ingrid, geb. Perz. Ki.: Karin, Ute. El.: Josef u. Benediktine. S.: Mittelschule Graz u. Leoben, 1955 Matura, Stud. Med. in Graz, 1961 Prom. K.: Turnus im LKH Leoben, Fachausbild. Univ.Klinik Graz u. LKH Rottenmann, Ass.Arzt in Rottenmann u. Knittelfeld, 1973 eigene Praxis in Leoben. M.: Mtgl. div. mediz. Fachges., Round Table bzw. Club 41. H.: Polit. Wiss., Sport. (Tra.)

Ziesel Günther Dr. iur.

B.: Ltd. Red. d. ORF-Fernsehen. DA.: 8042 Graz, Marburger Str. 20, 1136 Wien, Würzburgg. 30. PA.: 8020 Graz, Grieskai 56. G.: Graz, 7. Juli 1941. V.: Heidemarie, geb. Rauch. Ki.: Cosima (1977). El.: Dipl.-Ing. Paul u. Erika. S.: Hum. Gymn., Stud. d. Rechtswiss. an d. Univ. Graz, Prom. z. Dr. iur. K.: Seit 1960 freier Mitarb. im LStudio Stmk., seit 1965 Red. im LStudio, seit 1970 regelm. Mitarb. in d. innenpolit. Red. d. Fernsehens in Wien, 1973-79 Vors. d. gesamtösterr. Red.Aussch., Mitarb. in d. Rundfunkreformkmsn. d. BKanzlers Dr. Kreisky, wesentl. Mitarb. am Red.Statut d. ORF, d. 1973 in Kraft getreten ist, Lehrauftrag f. Medienrecht an d. Univ. Graz, 1973-74 Mitarb. im Arbeitskreis z. Beratung d. Grundlagen f. ein modernes Recht d. Massenmedien im BMJ, 1974 Präsentation d. Eurovisionssendung "TIP" (Koprod. d. ZDF, ORF, SRG), 1975-80 Moderator d. ORF-Informationssendung "Zeit im Bild 2", seit 1977 Chefred. d. Aktuellen Dienstes im LStudio Stmk. d. ORF, 1980 Initiator d. Zusammenarbeit d. journalistischen Radioredaktionen im Alpen Adria Raum, Österr., Italien, Jugoslawien, seit 1982 verantwortl. Gestalter u. Präsentator d. Alpen-Adria-Magazins im Fernsehen, eine Coprod. d. ORF mit TV-Anstalten in Oberital., Slowenien, Kroatien, Ungarn, Bayern u. Tessin, Fernsehanstalten, seit 1984 Gastmoderator d. ersten deutschsprachigen Satellitenprogramms 3-SAT v. ZDF, ORF u. SRG in Mainz, 1990-94 Landesintendant ORF-Stmk. P.: Publ. z. medienpolit. u. medienpädag. Themen in Fachbüchern u. Fachzeitschriften. E.: 1976 Goldene Kamera d. Fernsehzeitschrift "Hör Zu" f. d. Moderation d. Sendungen "Zeit im Bild 2" u. "10 vor 10", 1982 Gold. EZ d. Landes Stmk., 1984 Ehrenplaketten v. RTV Ljubljana f. Verd. um Zusammenarbeit im Alpen Adria Raum, 1984 Johannes XXIII-Preis f. Fernsehfilm über Priesterberufe, 1984 Preis d. stmk. LRg. f. d. Berichterstattung über die Probleme d. 3. Welt. M.: Präs. d. steir. Ges. d. Musikfreunde in Graz.

Ziesel Wolfdietrich Dr. techn. Dipl.-Ing. Prof.

B.: Ziviling. f. Bauwesen, HS-Prof. f. Statik- u. Tragwerkslehre. A.: 1190 Wien, Hackhoferg. 5. G.: München, 20. Apr. 1934. V.: Ursula, geb. Stadlinger. El.: Kurt u. Annemarie. S.: Matura 1952, Dipl. Bauwesen an d. TU Wien 1957, Doktor d. techn. Wiss. an d. TU Wien 1958. K.: Seit 1962 Inh. eines Konstruktionsbüros, seit 1977 HS-Prof. u. Vorst. d. Inst. f. Statik, Stahlbeton-, Stahl- u. Leichtbau an d. Ak. d. bild. Künste in Wien. P.: Art. z. Fragen v. Baukunst u. Bautechn. in sämtl. Baufachzeitschriften, Veröffentl. v. mehreren städtebaul. Studien u. Generalplanungen, Mappe "Planung, Statik, Konstruktion" 1973, Mappe "Konstruktion, Gestaltung, Lehre" 1982. E.: Ausz. Olympiade 1968 in Mexiko f. Sportbauten, Europ. Stahlbaupreis 1976. M.: Intern. Vereinigung f. Brückenbau u. Hochbau, Ges. f. d. Bauwesen (BRD), Bundesing.Kam. Österr. usw. H.: Kunst, Literatur, Arch., aktiver Sport.

Zieser Gernot Dr. phil.

B.: Gründer u. wiss. Ltr. d. Inst. f. Grundlagenforschung (IGF), seit 1985 Dir. d. Paracelsus-Kurhauses Sbg. A.: 5020 Salzburg, Fürbergstr. 14. G.: Wien, 27. Dez. 1945. V.: Rauthgundis, geb. Mastnak. S.: Stud. d. Publizistik- u. Kommunikationswiss. bzw. Politologie an d. Univ. Wien u. Sbg. K.: Vor Grdg. d. IGF (1972) Gastdoz. an d. Soziologieinst. (Dept. Kommunikationsforschung) d. Univ. Uppsala u. Lund (Schweden) bzw. Ltr. d. Marktforschungsabt. d. Werbeagentur M. Reinartz, Sbg., F.: Inh. d. Inst. f. Grundlagenforschung (IGF), Marktforschung, Meinungs- u. Absatzforschung. P.: Die Propagandastrategie Biafras im nigerian. Bürgerkrieg (in Publizistik), Präsentation einer Modellstudie über den "Kosten-Nutzen-Effekt d. Anzeigenwerbung" auf d. "Intern. Vortragsreihe f. Führungskräfte" in Berlin. M.: Europ. Soc. for Opinion and Marketing Research (ESOMAR), Verb. d. Marktforscher Österr. (VMÖ), BVerb. dt. Marktforscher e.V. (BVM), Dt. HK in Österr. H.: Zeitgeschichte, Literatur, Sport.

Zieserl Friedrich

B.: Inh. FN.: Transportunternehmen Zieserl. DA. u. PA.: 8052 Graz, Abstallerstr. 45. G.: Pölfing-Brunn, 26. März 1960. V.: Friederike, geb. Knoll. Ki.: Marcel (1989). El.: Friedrich u. Sieglinde. S.: Pflichtschule, Lehre als Kfz-Mechaniker, 1980 Abschluß. K.: 1980-87 Fernverkehr (LKW u. Autobus), 1988 Grdg. Zustelldienst, 1989 Konzessionsprüf. f. d. intern. Fernverkehr, Partner f. Großsped. im Inlandsverkehr, 1993 Geschäftsgrdg. f. Hdl. m. Waren aller Art, Schwerpunkt Elektronik. H.: EDV. (F.K.)

Zigart Günther Mag.

B.: Apotheker. FN.: Apotheke z. Hl. Josef. DA./PA.: 8680 Mürzzuschlag, Wiener Str. 27. G.: Kapfenberg, 3. Dez. 1955. V.: Ingrid, geb. Krammer. Ki.: Jürgen (1989), Tanja (1991). El.: Karl u. Henriette. S.: VS, Gymn., Pharm. Stud. Graz, Sponsion 1982. K.: 1984 Ang. i. Apotheke, 1993 Übernahme. P.: Dipl.-Arbeit. H.: Sport, Sportkegeln. (J.M.)

Zihlarsch Michael

B.: Gschf. FN.: A. u. K. Zihlarsch GmbH & Co KG. DA. u. PA.: 2560 Berndorf, Kleinfelderstr. 3. G.: Bad Vöslau, 21. März 1965. V.: Katrin, geb. Kutiak. Ki.: Michael (1993). El.: Anton u. Margarete. S.: VS, HS, Formenbaulehre. K.: seit d. Lehrzeit im väterl. Betrieb (Kunstharzspritzerei u. Formenbau), 1993 Übernahme d. Geschäftsführung. H.: schöne Autos (Jaguar). (F.S.)

Zilcher Eva Kammerschauspielerin

B.: Schauspielerin. DA.: 1040 Wien, Taubstummeng. 13/10. G.: Würzburg, 25. Nov. 1920. S.: Gymn., Schauspielschule I. Grüning - L. Höflich, Berlin. K.: Engagements in Köln, Graz, Wien, Zürich, Schauspielhaus, Basel, Komödie, 2x Gastspiel Berlin Volksbühne, seit 1960 festes Mtgl. d. Burgtheaters Wien. E.: Titel Kammerschauspielerin, Ehrenkreuz f. Wiss. u. Kunst I. Kl., Ehrenmed. d. Stadt Wien, Gr. EZ f. Verd. um d. Rep. Österr. H.: Musik (Klavier), Handwerkliches, Bildhauerei, Sprachen. (A.K.)

Zilk Helmut Dr.

B.: LHptm. u. Bgm. d. BHpt.Stadt Wien bis 1994, seitdem freier Journalist. DA.: 1082 Wien, Rathaus. G.: Wien, 9. Juni 1927. V.: Dagmar Koller. Ki.: Thomas (1958). El.: Franz u. Stefanie Winter. S.: LBA, Stud. Phil., Psych., Päd. u. Germanistik an d. Univ. Wien, Prom. 1951, Lehramtsprüf. f. Päd. 1955. K.: ab 1955 freier Mitarb. d. ORF f. Erziehungsfragen u. aktuelle Sendungen (Stadtgespräche), Lehrer am Päd. Inst. d. Stadt Wien, 1956-66 Prof. f. Päd. an d. LBA Wien 1, Hegelgasse, 1967-74 Programmdir. d. Österr. Fernsehens (Sendung "In eigener Sache"), 1974-79 Red. d. Neue Kronenzeitung, 1979 Amtsführender StadtR. f. Kultur u. Bürgerdienst, 1983 BMin. f. Unterricht u. Kunst, 1984 LHptm. u. Bgm. d. BHpt.Stadt Wien. P.: 1951-65 zahlr. Arb. auf d. Gebiet d. theoret. Päd. u. d. Didaktik in Fachzeitschriften u. Büchern. E.: Ehrendoktor f. Politologie d. Tokai Univ. Tokyo, Gr. Gold. EZ am Bande d. Rep. Österr., Gr. Verd.Kreuz m. Stern d. BRD, Orden v. Hl. Schatz m. Schulterband (Japan). M.: seit 1946 Mtgl. d. Sozialist. Lehrerver., seit 1950 Mtgl. d. SPÖ. H.: Reisen, Lesen.

Zillner Christian Dr. phil.

B.: Maler u. Schriftsteller. DA.: 1080 Wien, Pfeilg. 28/7. G.: Dornbirn, 19. Sept. 1959. El.: Prof. Benedikt u. Christine. S.: Matura 1978, Theol. u. Phil. Stud. in Wien, Prom. 1987. K.: Ausstellungen in Wien, NÖ, Vorarlberg, Publikationen in österr. Medien (ORF, Printmedien), seit 1989 Red. "Falter".

Zima Peter V. Dr. phil.

B.: o.Univ.-Prof. am Inst. f. Literaturwiss. d. UWB Klagenfurt. DA.: 9020 Klagenfurt, Universitätsstr. 65-67. PA.: 9020 Klagenfurt, Beethovenstr. 48. G.: Prag, 11. März 1946. V.: Univ.-Ass. Veronica, geb. Smith. El.: Miroslaw u. Anna. S.: Dt. Gymn. in Den Haag, 1965-69 Stud. d. Politol., Soziol. u. span. Literatur an d. Univ. Edinburg (M.A.), 1969-71 Doktoratsstud. an d. Ecole Pratique des Hautes Etudes b. Prof. Goldmann u. J. Cassou, 1973 Prom. K.: Ab 1972 Autor u. Renzensent f. "Les Lettres Nouvelles" u. "La Quinzaine Littèraire", 1975-76 Gastdoz. u. Verw. einer Ass.Stelle an d. Univ. Bielefeld, zunächst an d. Soziol. Fak., dann an d. Fak. f. Lingiustik u. Literaturwiss., 1976-83 Ass. am Inst. f. Allg. Literaturwiss. d. Univ. Groningen, seit 1983 o.Univ.-Prof. f. Vergl. Literaturwiss. d. UWB Klagenfurt, 1985 Gastprof. am Instituto Universitario Orientale in Neapel, 1987 Gastprof. Katholieke Univ. Leuven. P.: u.a. "L`Ambivalence romanesque. Proust, Kafka, Musil" (Paris 1980), "Textsoziologie. Eine krit. Einführung" (Stuttg. 1980), "Der gleichgültige Heid. Textsoziol. Untersuchungen zu Sartre, Moravia u. Camus" (Stuttg. 1983), "Roman u. Ideologie. Zur Sozialgeschichte d. mod. Romans" (München 1986), "Ideologie u. Theorie. Eine Diskurskritik" (Tübingen 1989). M.: Intern. Ver. f. Literaturwiss., intern. Ver. f. Komparatistik, verantwortl. f. Partnerschaftsabkommen Klagenfurt-Udine. H.: Arb., Reisen, Wandern. (D.M.)

Zimansl Peter

B.: Objekteinrichtungen. DA.: 9020 Klagenfurt, Lidmanskyg. 49. PA.: 9026 Klagenfurt, Akazienhofstraße. G.: Wien, 17. Jän. 1943. V.: Regine, geb. Errath. Ki.: Iris (1972), Simone (1975). El.: Alois u. Anna. S.: VS, Kfm.-Lehre, 1961 Matura, 1962 HAK-Matura, BH. Stud. Med., Naturwiss. u. Maschinenbau. K.: Exportstellv. Firma Eibl Teppiche, Foto u. Buchhaltung Labor Firma Huber, 5 J. Vertrieb u. Information Firma Schröder, Gschf. v. Fotogeschäft, ab 1975 selbst. m. Objekteinrichtungen f. Kindergärten, Schulen, Seminarräume u. Fachgesch. f. Spielzeug u. didakt. Materialien. M.: Investment Club, Management, ÖAMTC. H.: Kultur, Naturheilkunde u. Malerei. (K.K.)

Zimanzl-Ziska Andreas

B.: Hörgeräte-Akustiker b. Viennatone Hörgeräte, Schriftsteller. DA.: 1164 Wien, Fröbelg. 28-32. PA.: 1050 Wien, Blechturmg. 13/4/2/7. V.: Andrea. Ki.: Beatrice-Irene (1991), Markus (1992). El.: Rudolf Franz u. Maria Antonia. BV.: Jan Ziska: ehem. Hussitenführer. S.: HASCH, Einzelhdls.Kfm. Lehre, Hörgeräte Akustikerprüf. K.: seit 1980 Hörgeräte Akustiker b. Fa. Viennatone, seit 1983 schriftsteller. Tätigk. P.: "Sehenswertes - Liebenswertes im südl. Waldviertel", Mitautor v. "Die Geschichte d. Feste Peigarten", "Waldviertler Sagen", "Kultur im Herzen Kärntens", Leseübungsheft f. VS: "Ich lese - Andersen Märchen", seit 1984 Vortragstätigk. an d. VHS. E.: seit 1986 Archivar d. Österr. Albert-Schweitzer Ges., 1987 Ritterkreuz v. schott. Templerorden, 1988: Orden v. Hl. Lazarus v. Jerusalem, EZ f. Wiss. u. Kunst d. Albert Schweitzer Ges., EK d. österr. Albert Schweitzer Ges., Ausz. v. österr. blauen Kreuz, Robert-Burns-Med. f. schriftstell. Tätigk. 1991 u.a. M.: Vorst.Mtgl. d. Ver. d. Kulturgem. "Der Kreis", Vorst.Mtgl. d. Ver. d. Geistig Schaffenden Österr., Mtgl. Kiwanis Club Wien-Central. H.: Antiquar. Bücher sammeln, Literatur, Natur, Reiten. (M.B.)

Zimmer Franz KommR.

B.: Inhaber d. Restaurants "Schuberstüberl´n". DA.u. PA.: 1010 Wien, Schreyvogelg. 4-6 u. Schottengasse 3. G.: Willendorf, 6. Sept 1934. V.: Irmgard, geb. Punz. Ki.: Gabriele, Renate, Marie, Irmgard, Franziska. El.: OInsp. Franz u. Marie. S.: Konditor. K.: Heiner Wien, Küchenchef im Grand Hotel Wien, Flughafenrestaurant, Pachtgeschäfte: Theodor-Körner-Schiff, Stiftskeller Melk, Rundfunksaal AEZ, seit 1970 Hörfunk u. 1974 im Fernsehen tätig gewesen, erlebniswürd. Restaurant u. Prominentenbeisl, seit 1961 geöff. u. vorher als Wr. Kochschule geführt - seine Wiener "Schubert Stüberl´n".

E.: Stallmeister f. Österr. u. Küchenmayor d. Solidas Hominis Subtilis Palati Widukind; Bouteiller de la chaine Rotisseur Autriche; Ehrennadel d. Verb. d. Köche Österr. u. d. Köche Deutschlands; Gold. Eugen-Lacroix-Nadel; ehem. VPräs d. Weltbundes d. Köcheverb., sowie d. Österr. Köcheverband; Commandeur de la Commanderei des Cordon Bleus de France, jahrzehntelang gastronomischer Botschafter Österreichs in der ganzen Welt. H.: Familie, Orgelspiel, Beruf u. Familie. (W.M.)

Zimmer Gerhard

B.: Leit. Redakteur f. Sportsendungen. FN.: ORF. DA.: 1136 Wien, Würzburgg. 30. PA.: 2653 Reichenau, Schneedörfer Str. 38. G.: Wien, 16. FEb. 1939. V.: Brigitte, geb. Racz. Kl.: Christian (1966), Birgit (1969). EL.: Dr.iur.Dkfm. Peter u. Adele, geb. Dzurzinski. S.: VS, RG, 1957 Matura, 2 Jurid. Staatsprüfung. K.: 1959 Ausb. z. Journalist bei "Die Presse", anschl. 20 J. als Sportredakteur, Ltr. d. Sportabt., zul. als leit. Redakteur u. Chef v. Dienst dieser Zeitung tätig, Mitwirk. an graf. u. inhaltl. Gestaltung d. Zeitung, ab 1966 freier Mitarb. b. ORF, s. 1980 Ang. Redakteur, s. 1991 leit. Redakteur u. Stv. Hauptabtltr. P.: Mitwirk. an Fachbüchern über Olympische Spiele, Ski u. Fußballmstrschaft. H.: Tennis, Theater, Karten spielen. (N.A.)

Zimmer Klaus

B.: Gschf. FN.: Sport u. Concept Hdls. GmbH & Co KG. DA.: 4061 Pasching, Schärdinger Str. 5. PA.: 4600 Wels, Forststraße Neubau. G.: Innsbruck, 23. März 1961. V.: Silvia, geb. Bartl. Ki.: Dominik (1990). El.: Othmar u. Hermine. S.: VS, AHS Innsbruck, 1970-74 kfm. Lehre Innsburck. K.: 1970-81 Ass. b. Textilgroßhdl. Alois Wild Innsbruck, 1981-89 Intersport Wels, Kreation d. Marke Capricio, Produktmanager f. Österr. u. Ausland (Schweiz, BRD, Schweden, Norwegen), 1990 selbst. u. Grdg. d. Firma Sport u. Concept GmbH & Co KG. E.: 1982 6. Pl. d. WM im Fallschirmspringen, 1982 u. 1983 1. Pl. Staatsmeisterschaft im Fallschirmspringen, mehrfacher Tir. Mstr. im Fallschirmspringen. H.: Tauchen, Fallschirmspringen.

Zimmer Norbert Dr. iur. et rer. pol. KommR.

B.: Honorarkonsul von Tunesien für Österr., Gen.-Dir. i.R., Senator h.c. DA.: 1010 Opernring 1. PA.: 1040 Wien, Paniglg. 20/18. G.: Linz, 17. Sept. 1911. V.: Dr. Anneliese, geb. Kuna. Ki.: HofR. Dr. Gernot (1938), Dr. Heinz (1941). El.: Hans u. Elisabeth, geb. Kahn. S.: Mittelsch., Stud. Rechtswiss. Univ. Wien u. Innsbruck, Staatswiss. Univ. Innsbruck, Versicherungstechnik TU Wien. K.: 1932 Gerichtsdienst, 1933-39 Vers.-Ges. in Graz, 1939 Gen.-Dir. v. Vers.-Ges. in Wien, 1946 Handelsunternehmen, 1948 in d. Ind. tätig, 1958 Landesdir. Vers.-Wirtschaft, Wiener Allianz, 1960 Vorst.-Mtgl., 1966 Gen.-Dir., seit 1968 Hon.-Konsul v. Tunesien. E.: zahlr. Ausz. u.a. Gr. EZ f. Verd. um d. Rep. Österr., 1974 Kommandeurkreuz d. Rep.-Ordens Tunesien, 1976 Gr. Silb. EZ f. Verd. um d. Rep. Österr., 1992 Großbandorden Rep. Tunesien. M.: Rotary Club. H.: Musik, Kunst, Tennis. (N.A.)

Zimmerhackl Wilhelm

B.: Grafiker, Maler, Komponist, Videokünstler, Multimediakünstler, Berufung: Yogi. A.: 3390 Melk, Albrechtsberger Str. 22. G.: Melk, 17. Juni 1942. V.: Dr. med. Eva Maria, geb. Loserth. El.: Wilhelm u. Elfriede. S.: VS, HS, 4 J. Grafik- u. Malereistud. (Priv.Stud.) b. Prof. Fritz Riedl, weitere Lehrer: Prof. Fritz Wotruba, Prof. Ernst Fuchs, Kompositionsunterricht b. Prof. Heinrich Gattermayr. K.: Nat. u. intern. Ausstellungen v. Ölgemälden, Originalzeichnungen, Aquarellen, Radierungen in Sbg., Wien, Mailand, Cannes, BRD, Melk, Aufführungen v. Eigenkompositionen u. Sendungen im ORF, Bayr. Rundfunk, eigenes Atelier u. Galerie in Melk. P.: Prod. d. Farbvideokunstfilms "ROTATION UND ACHT VISIONEN" u. Sendung desselben im ORF, Eigenkomposit. im ORF, mehrmaliges persönl. Auftreten im ORF (Interviews). E.: 1977 Filmpreis d. Stadt Wien f. Farbvideokunstkassette "Rotation und Acht Visionen". M.: A.K.M. u. Austro Mechana, Österr. zeitgen. Komponisten, Gem. d. Selbstverwirklichung (Self-Realization-SRF), Gründer: Paramahansa Yogananda. H.: Lebensziel: Selbstverwirklichung durch Meditation.

Zimmermann Adelheid

B.: Herrenkleidermacherin, Unternehmerin. FN.: Adelheid Zimmermann. DA.: 8010 Graz, Reitschulg. 14. PA.: 8041 Graz, Neudorfer Str. 30. G.: Scheibbs, 8. Okt. 1951. V.: Erich Zimmermann. Ki.: Andreas (1981). El.: Oskar u. Gertrude. S.: VS, HS, Lehre z. Herrenkleidermacher, Abschluß. K.: Beginn d. Tätigkeit in d. Lederkonfektion, 1975-84 Ltr. d. Leder- u. Pelzwerkstätte d. Firma Soral, 1979 Mstr.-Prüf., Teilnahme an versch. Fortbild.-Kursen z. Technikverbesserung u. Aktualisierung, ab 1984 selbst. Grdg. eines Ateliers f. Lederbekleidung, 1991 Eröff. eines Stadtgeschäftes in Graz f. exclusive Lederbekleidung. BL.: 1986 Junge Mstr. machen Mode, 1988 1. Preis, 1989 2. Preis. H.: Beruf. (M.Gr.)

Zimmermann Anton Dr. MedR. w.HofR.

B.: Sanitätsdir. i.R., BR-Mtgl. i.R. PA.: 7350 Oberpullendorf, Bahng. 17. G.: Stotzing, 11. Aug. 1912. V.: Ingeborg, geb. Schneider. El.: Karl u. Theresia. S.: BRG, Univ. Wien (Phil. u. Med.), Prom. in Wien. K.: 1939-45 Truppenarzt b. d. Luftwaffe, 1945 als Stabsarzt entlassen, 1946 Physikatsprüf. d. Amtsärzte in Wien, seit 1947 Amtsarzt b. d. BH Oberpullendorf, 1964-68 Mtgl. d. BR, 1976-77 Sanitätsdir. f. Bgld., seit 1978 prakt. Arzt in Oberpullendorf. E.: Viktor Adler-Plakette, Gr. u. Kl. EZ f. Verd. u. d. Bgld., mehrere Kriegsausz., Silb. Verd.Kreuz f. d. Rote Kreuz. M.: Obm. d. Sekt. Bgld. d. österr. Krebsliga, Obm. d. ärztl. Funkdienstes.

Zimmermann Bernd Otto

B.: Ind.-Kfm., Ges. u. Kons. FN.: Zimmermann Fitness Europ Sport-Center GmbH in 1970 Wien, Kaiserstr. 43. und Zimmermann Fitness "Lady Style" in 1180 Wien, Kreuzg. 18. G.: Würzburg, 8. Jän. 1943. El.: Otto u. Rita Zimmermann. S.: Ausbild. zum Ind.-Kfm. in München. K.: 1963 Grdg. d. I. Münchner Karate-Clubs, 1965 Grdg. u. Präs. d. Österr. Karate-Sports (AKA), 1966-67 Training im Münchner Body-Building Studio "Universum" mit

Arnold Schwarzenegger, 1967 Eröff. 1. Österr. Fitnessclub in 1180 Wien, Kreuzg. 18, Hauptwohnsitz in USA, bringt die neuesten Trends auf dem Fitness-Sektor nach Europa, wurde so zum Trendsetter, i.d. Folge Know-How-Geber für einige Fitness- und Schlankheits-Clubs Österr. und 1994 Verleihung d. silb. Medaille d. Parlaments ald Wegbereiter d. Fitness in Österreich.

Zimmermann Charlie

B.: Graphikdesigner u. Inh. FN.: Graphik u. Design Zimmermann. DA.: 6020 Innsbruck, Defregger Str. 20. G.: Innsbruck, 11. Apr. 1959. El.: Fritz u. Rosina. S.: VS, HS, Lehre Bürokfm., 1977 Lehre Druckformenhersteller, 1978 Aufenthalt in Frankreich u. BRD, BH. K.: 1981 Mitarb. in einem Werbeverlag, 1987 Grdg. d. eigenen Firma, Schwerpunkte: Wirtschaftsförd., Firmenvorstellungen, Erstellung v. CD-Programmen. P.: Vorträge an d. HAK. E.: zahlr. Preise f. Wirtschaftsprospekte, Plakate, CD-Programm/Firmenzeichen. (G.P.)

Zimmmermann Edmund Dr. phil. HofR. Prof.

B.: LSchulinsp. f. AHS Bgld., LSR. f. Bgld., seit 1976 Präs. d. Bgld. Roten Kreuzes. DA.: 7000 Eisenstadt, Henri-Dunant-Str. 4. PA.: 7210 Mattersburg, Seminarg. 5. G.: Mogersdorf, 13. März 1925. V.: Elsa, geb. Wuscher. El.: Johann u. Margarete. S.: S.: Gymn., Univ. Graz. K.: Prof. f. Latein u. Geschichte am Gymn. in Mattersburg, seit 1971 LSchulinsp. f. AHS Bgld., 1970-88 LLtr. d. Volksbild.Werkes, seit 1988 Ehrenvors. d. Volksbild.-Werkes, 1964-88 LObm. d. Europ. Erzieherbundes u. d. Europ. Föderalist. Bewegung, seit 1988 Ehrenvors. P.: Burgenland - ein Wegweiser durch österr. Grenzland im Osten, Im Spiegel d. Zeit - ein zeitgeschichtl. Werk über d. Geschichte d. Bgld., Lyrik, Nachdichtungen v. Horaz, histor. u. kulturgeschichtl. Veröff. u. Aufsätze, Schulbuchautor, Bücher: "Burgenland f. jedermann", "Schule zwischen Tradition u. Fortschritt", "Carmina Translata" (1986), "Orbis Rome" (1980), seit 1980 Chefred. v. Volk u. Heimat d. Bgld. Kulturzeitschrift. E.: Kompturkreuz f. Verd. um d. Bgld., Orden d. Sterns d. ital. Solidarität, höchste Ausz. d. Roten Kreuzes, Ehrenring d. Volksbild.Werkes. M.: seit 1971 Präs. d. Österr.-Ital. Ges. Dante Alighieri Eisenstadt, Mtgl. d. Exekutivkomitees d. Österr. UNESCO-Kmsn., VPräs. d. Sekt. Österr. d. Europ. Erzieherbundes, LObm. d. Inst. f. Österr.Kunde, LObm.Stellv. d. Österr.-Sowjet. Ges. (M.B.)

Zimmermann Egon

B.: ehem. Skirennläufer, Inh. Hotel Kristberg, DA.: 6764 Lech 316. G.: Lech, 8. Feb. 1939. V.: Charlotte, geb. Klingspor. El.: Oskar u. Eugenia. S.: Kochlehre, 1956 Abschluß, Hotelfachschule Schloß Hofen, staatl. geprüfter Skilehrer, 1956/57 BH. K.: 1952 2 Saisonen Restaurant in Paris, Mitarb. in elterl. Pension u. Taxibetrieb in Lech, als Schüler Teilnahme an versch. Jugendrennen, 1966 Beginn m. Barbetrieb in Lech, 1968 Eröff. einer Pension u. Ausbau z. Hotel Kristberg, BL.: 3facher Juniorenmstr., Hahnenkammsieger, Lauberhornsieg, 1962 Goldmed. Riesenslalom WM Charmonix, 1964 Olympiade Innsbruck Goldmed. Abfahrt, 1964 schwerer Autounfall, 1968 letztmalige Teilnahme an d. Olymp. Spielen in Grenoble dann Rückzug v. aktiven Rennsport, 1963 Gold. Skifahrer Skiclub Arlberg-Eichenlaub. M.: ÖHV, Bruderschaft St. Christoph/Skiclub Arlberg, Ehrenmtgl. Golfclub Weißenberg, Golfclub Lidköping Schweden. H.: Golf, Wassersport, Jagd, Pilze sammeln, Kochen, klass. Musik. (I.D.)

Zimmermann Franz

B.: Musiker, Tourismuskonulent. DA./PA.: 5360 St. Wolfgang, Markt 97. G.: 26. Dez. 1937. Ki.: Markus (1968), Simon (1969). El.: Franz u. Maria. S.: VS, Mittelschule, Violinunterr., 1954 Beitritt Musikverein St. Wolfgang, 1958 HAK Matura, 1958-59 BH, 1963 Abschluß d. staatl. Skilehrerausb. m. Ausz., 1964 Heirat, 1964-66 Skilehrer in Vail, USA, 1967-68 u. 1971-72 Ausbildung Japan. Skilehrer in Japan, 1972 Gründ. d. Intern. Laufes "Rund um den Wolfgangsee", 1970-88 Gschf. Ges. Fa. Trachten Perfaller, s. 1978 Obm. d. Musikvereins St. Wolfgang, 1985 Gründung d. Salzkammergut Salonquintettes, s. 1989 Obmann bzw. Vors. d. Kurverbandes St. Wolfgang. P.: Öffentl.arbeit, Initiator u. Organisator kultureller u. sportlicher Veranstaltungen. M.: Kurverb. -Vorst.-mtgl. Obm. Musikverein, Wintersportverein, Vorst. d. Verb. Reg. Entwick. inneres Salzkammergut. H.: Musik, Bergwandern, Skifahren, Radfahren. (S.P.)

Zimmermann Franz

B.: Zahntechniker, Gschf. FN.: Franz Zimmermann GmbH Zahntechn. Labor. DA.: 1020 Wien, Untere Augartenstr. 39. PA.: 1100 Wien, Ada-Christen-G. 2. G.: Wien, 6. Juli 1951. El.: Fritz u. Helene, geb. Drescher. S.: VS, Mittelschule, 1966-70 Fachausbild. K.: 1970-80 Ausbild. z. Kieferorthopäden in einer Dentistenordination, 1981 Grdg. d. Kieferorthopäd. Labors. H.: Kynologie. (N.A.)

Zimmermann Friedrich Dipl.-Ing. MinR.

B.: Gen.-Dir. b. Radio Austria AG. DA.: 1010 Wien, Renng. 14. G.: Perchtoldsdorf, 27. Dez. 1923. V.: Edeltrudis, geb. Henke. Ki.: Petra. El.: Friedrich u. Karoline. BV.: Großonkel Heinrich Zimmermann war Schriftsteller u. Theaterdir., Onkel Otto Zimmermann war Aquarell-Maler. S.: RG Mödling, TU Wien, 1951 Prom. K.: 1951 Eintritt b. Österr. Post in Höherem techn. Dienst, 1959 Gen.Postdion., Abt.Ltr., 1980 b. Radio Austria AG. P.: Div. Art. in Fachzeitschriften, Österr. Postrundschau, "Vom Funktelegramm z. weltweiten Textkommunikation". E.: Gr. EZ f. Verd. um d. Rep. Österr. M.: Österr. Alpenver. H.: Familie, Bergsteigen, Fotografie, Philatelie, Musik. (M.G.)

Zimmermann Gerhard Dr. med. Univ.-Prof. Prim.

B.: Prim.Arzt d. Chir. Abt. am LKH Feldkirch. A.: 6807 Feldkirch, Landeskrankenhaus. G.: Teplitz, 28. März 1939. V.: Dr. Jutta, geb. Strolz. S.: GB, Dr. med. 1963 an d. Univ. Innsbruck. K.: 1964 Ausbild. in Anästhesiologie, Interner Med. an d. Univ. Kliniken Innsbruck, 1965-78 Ausbild. in Chir. u. zul. OA an d. I. Chir. Abt. d. LKrankenanst. Sbg., 1969-70 Research Fellow am Dept. of Surgery, Tulane Univ. New Orleans, USA, 1974 Venia legendi f. Chir. an d. Univ. Innsbruck, 1978-86 Ltr. d. Chir. Abt. d. Stadtspitals Dornbirn, 1982 titl.a.o.Univ.-Prof., seit 1986 Ltr. d. Chir. Abt. am LKH Feldkirch. P.: 170 Publ. in deutsch-, engl.- u. franz.-sprachigen med. Zeitschriften über Gallenwegs-, Leber-, Pankreas-, Transplantations-, Mamma- u. Strumachir. E.: Von Langenbeck-Preis d. Dt. Ges. f. Chir., Austrotransplantpreis d. Österr. Ges. f. Transplantation, Transfusion u. Genetik, Jahrespreis 1973 d. Sbg. Ärzteges. M.: Österr. Ges. f. Chir., Dt. Ges. f. Chir., European Surgical Research Soc., Sekt. Experimentelle Chir. d. Dt. Ges. f. Chir., Ehrenmtgl. d. Österr. Ges. f. Experimentelle Chir., Präs. 1990/91 d. Österr. Ges. f. Chir. u.a.

Zimmermann Gert-Walter
B.: Fotograf. FN.: Foto Zimmermann GmbH. DA.: 1170 Wien, Neuwaldegger Str. 1. PA.: 1130 Wien, Preindlg. 29. G.: Wien, 22. Aug. 1954. El.: Karl u. Friederike, geb. Jandl. S.: 1969-73 Berufsausbild. als Fotograf u. Kfm. im väterl. Betrieb. K.: ab 1973 Tätigkeit als Fotograf im väterl. Betrieb, 1983 Grdg. d. eigenen Fa., ab 1990 gewählter Kammerfunktionär (Innungsaussch. d. Wr. Fotografen). P.: Fotos in d. Österr. Presse. H.: Reisen, fremde Länder. (N.A.)

Zimmermann Gunter Ing.
B.: Gschf. FN.: P.L.U.S. Marketing GmbH. DA.: 4020 Linz, Hebenstreitstr. 5. G.: Linz, 26. Juli 1939. Ki.: Andreas Michael (1962), Mona Maria (1965), Anna Sophia (1987). S.: VS, Realschule, HTL Maschinenbau, 1959 Matura. K.: 2 J. Konstruktionsbüro Ostwaldwerk Linz, 1961-81 VOEST ALPINE in versch. Abt.: Instandhaltung, Maschinenbau, Industrieanlagenbau (Sachbearb., Projekt-Ing., Abt.-Ltr., Baustellenltr./Saudi-Arabien, Gsch.-Stellen-Ltr./Australien), 1984-88 Konstrukteur u. Entwicklungsltr. f. Panzer Saudi-Arabien, 1988 Firmengrdg. H.: Hobbymechaniker, Sport, Kartenspiele, Billard. (U.A.)

Zimmermann Heinz Ing.
B.: Gschf. FN.: Bauges. Negrelli mbH. DA.: 1220 Wien, Polgarstr. 30. (V)

Zimmermann Herbert
B.: Public Relations. FN.: RUF-Datensysteme GmbH. DA.: 1011 Wien, Stock-im-Eisen-Pl. 3. PA.: 1140 Wien, Bujattig. 12. G.: Wien, 16. Juni 1956. V.: Brigitte, geb. Moser. Ki.: Barbara. El.: RgR. Amtsdir. Herbert u. Erika. S.: Gymn., 1974 Matura, 1974-78 Fachschule f. Wirtschaftswerbung, 1977-79 Univ.Lehrgang f. Werbung u. Verkauf, Juli 1981 - Okt. 1981 Cambridge, Hdls.Korrespondenz-Zertifikat. K.: 1978-81 Generali Lebensvers. Bereich Werbung, 1982-86 Generali zust. Referat f. Öff.Arb., 1986 Fa. Ruf, Ltr. Abt. Presse u. Öff.Arb. M.: Arbeitskreis Medium Wirtschaft, PR-Verb. H.: Reisen, Sport, Fischen, Hundesport. (E.L.)

Zimmermann Herwig
B.: Gschf. Otafuku-Austria, Flamex Feuerlöschgeräte GmbH. FN.: Zimmermann & Co OHG. DA. u. PA.: 9500 Villach, Nikolaig36. G.: Hermagor, 11. Aug. 1940. V.: Elisabeth, geb. Kopeinig. Ki.: Herwig. El.: Alois u. Elisabeth. S.: Pflichtschule, 1954-57 Lehre. K.: 1957-67 tätig im Vertriebsbereich b. div. dt. Firmen, 1967 Aufbau einer eigenen Fa.

Zimmermann Ingo Dr.
B.: Ltr. d. Geschäftsbereiches Elektr. Zentralbetrieb. FN.: VOEST ALPINE Stahl Linz GmbH. GT.: Ziviling. f. Gas- u. Feuerungstechnik, Ständ. gerichtl. beeid. Sachv. f. Gas- u. Feuerungstechnik. DA.: 4031 Linz, Turmstr. 45. PA.: 4060 Leonding, Haltestellenweg 19B. G.: Bad Hall/OÖ, 29. Nov. 1944. V.: Helene Maria, geb. Mayr. Ki.: Maria (1973). El.: Ing. Ingo u. Paula. S.: VS, BRG Wels, 1964 Matura, Stud. Experimentalphysik u. Math. Univ. Wien, 1967 Praktikum b. Hawarden Bridge Steelworks, John Summers & Sons, Shotton/UK, 1968 Praktikum am Eidg. Inst. f. Reaktorforschung, Würlingen/CH, 1969 Praktikum b. d. Österr. Studienges. f. Atomenergie, Wien, 1970-72 Diss. ("Untersuchung d. Mangankonzentration in d. freien Atmosphäre v. Wien im J. 1970"), Prom. Univ. Wien. K.: 1971/72 wiss. Hilfskraft am Inst. f. Med. Physik Univ. Wien m. Analyse-

tätigk. im Reaktorzentrum Seibersdorf b. Wien, 1972 Eintritt als Techniker f. Energie- u. Wärmetechnik in d. VOEST ALPINE Konzern, Ausbild. in Meß- u. Regeltechnik durch Seminare u. Praktika in Frankfurt/M., Hannover u. Minden, 1978 Abt.-Ltr. f. Meß- u. Regeltechnik b. VOEST Linz, 1985 Ltg. Elektr. Zentralbetrieb b. VOEST Linz, 1983 Prüf. f. d. Befugnis als Ziviling. f. Gas- u. Feuerungstechnik, 1985 Prüf. f. Gerichtl. beeid. Sachv., 1990 Bestell. z. Ständ. gerichtl. beeid. Sachv. f. Gas- u. Feuerungstechnik. M.: Ver. Eisenhütte Österr., Mitarb. im Fachaussch. MR 65 im Österr. Verb. f. Elektrotechnik (ÖVE), Wien, Mitarb. im Fachnormenaussch. FNA 070 im Österr. Normungsinst. (ON), Wien. H.: Familie, Garten, Reisen, Wirtschaftspol., Musik, Kunst u.v.m. (N.A.)

Zimmermann Jürgen Klaus
B.: Gschf. Ges. d. J + H Zimmermann GmbH & Co. DA.: 6901 Bregenz, Scheffelstr. 1. G.: Leipzig, 21. Okt. 1941. V.: Hannelore, geb. Schneeweiß. Ki.: Gunther (1966), Sybille (1968). El.: Adolf u. Ilse. BV.: Großvater Franz Z.: Bahnbau-Techniker in d. Monarchie, Vorfahren waren Klavierbauer, Pelzhändler u. Bahntechniker. S.: Lehre als Zahntechniker in Bregenz u. als Grafiker in Schwarzach. K.: Hausgrafiker in versch. Ind.Betrieben im In- u. Ausland b. 1959, b. 1962 Bata-Schuh Schweiz, ab 1964 selbst. Bauuntern. in d. Schweiz, 1967 Grdg. einer Handelsagentur in Bregenz, 1977 Grdg. d. Handelsuntern. Maschinenelemente f. Automation u. Robotik. BL.: Bau v. histor. Dampfschiffen n. original-histor. Vorbildern, Bau d. "Bildsteiner Lokalbahn" (priv. Dampfeisenbahn m. Personenbeförd.). M.: Präs. d. Faschingsges. Bregenz. H.: Fahrrad, Musik, Jazz. (M.G.)

Zimmermann Karl Dr. iur.
B.: Prok. FN.: Grazer Stadtwerke AG. DA.: 8010 Graz, Andreas-Hofer-Platz. PA.: 8061 St. Radegund, Eggerstr. 13. G.: Graz, 29. Aug. 1940. V.: Ingeborg, geb. Pichelmayer. Ki.: Carl Michael (1971), Stefan Markus (1972). El.: Karl u. Elisabeth. S.: VS, Gymn., HAK, 1960 Matura. K.: Eintritt als kfm. Ang. in d. Stmk. Bank, Militärdienst, 1964 Eintritt in d. Grazer Stadtwerke AG, ab 1966 Jusstud., 1971 Prom. z. Dr. iur., b. 1978 kfm. Abt. d. Grazer Stadtwerke, Mitarb. d. kfm. Dir., 1978 kfm. Ltr., 1990 Übernahme d. Bereiches Betriebswirtschaft, 1978 Gschf. d. Grazer Schleppbahn GmbH, 1987 Gschf. d. Fernwärme Service GmbH, 1986 Gschf. d. Zentralwasserversorgung d. Hochschwab-Süd GmbH. H.: Steir. Astronomenver. H.: Beruf. (M.Gr.)

Zimmermann Karl Wolfgang Dipl.-Ing.
B.: Architekt. DA.: 1230 Wien-Kalksburg, Breitenfurter Str. 518/2. G.: Wien, 27. Okt. 1947. V.: Anne-Monique. Ki.: Marie-Claire, Carsten-Pieter. El.: KommR. Karl Rudolf u. Friederike. S.: Realschule, 1966 Matura, Stud. Arch. TU Wien, 1977 Dipl.-Ing. K.: Anstellung b. Ziviltechniker, 1982 Ziviltechnikerprüf., Befugnis f. Arch., seit 1987 eig. Atelier, Golfclub St. Pölten, Innenraumgestaltung Radio Austria AG, Studie f. Reisezentrum Philadelphia-Brücke, NÖ HK-Messen, Sportstättenbau, Gutachtertätigkeiten im Wohnungsbau u. Einfamilienhäuser. E.: Ausz. f. Messegestaltung im Rahmen d. WIFI "Dornbirner Messe". H.: Radfahren, Schwimmen, Segeln. (J.E.)

Zimmermann Kurt Dr. iur.

B.: Notariatssubstitut. GT.: Vizebgmstr. d. Gem. Höchst. DA.: 6900 Bregenz, Deuringstr. 5. PA.: 6973 Höchst, Kapellenstr. 14. G.: Lustenau, 1. Jan. 1957. V.: Monika. Ki: Mathias (1985), Patricia (1988). El.: Emil u. Helga. S.: 1975 Matura BRG Bregenz, 1975/76 BH, 1981 Prom. Univ. Ibk. K.: 1981 Gerichtspraxis Bregenz u. Feldkirch, 1982 Notariatssubstitut b. Notar Dr. Huter Bregenz, 1985 Notariatsprfg.; 1984 Gem.-Vertr. d. gem. Höchst, s. 1990 Gem.-Rat u. Vizebgmstr., Obmann d. Verkehraussch., Obm. Vbg. Wirtschaftsbund, Ortsgruppe Höchst. H.: Schifahren, Lesen, Wassersport, Autos, Politik. (I.D.)

Zimmermann Martin

B.: Inh. d. Heurigenrestaurant Zimmermann GmbH. DA.: 1190 Wien, Armbrusterg. 5. G.: Wien, 17. Aug. 1954. V.: Sylvia, geb. Schluge. Ki.: Nina-Christina, Antonia-Stefanie. El.: Rudolf u. Gertrude. S.: Wasa-Gymn. K.: 1974 Eintritt in d. väterl. Betrieb, weiterer Ausbau d. Heurigenbetriebes, 1978 Übern. desselben. H.: Skifahren, Tennis, Wasserski. (P.R.)

Zimmermann Norbert

B.: Vorst. FN.: Berndorf AG. DA.: 2560 Berndorf, Leobersdorfer Str. 26. G.: Bludenz, 13. Apr. 1947. V.: Sylvia. Ki.: Sonja. El.: Bernhard u. Therese. S.: Grundschule, HAK, WU. K.: 1971 IBM, 1974-78 Spar, 1978-86 Böhm GmbH, seit 1987 Berndorf AG. F.: Berndorfer AG, Zima GmbH, Redler GmbH. P.: Autor eines Sachbuches. M.: Vereinigung Österr. Industrieller. H.: Sport, Musik.

Zimmermann Rudolf

B.: Weingutsbes. DA.: 3400 Klosterneuburg, Agnesstr. 46. G.: Wien, 1. Aug. 1940. V.: Ruth Marie, geb. Roschütz. Ki.: Martin. El.: Rudolf u. Gertrude. BV.: Vorfahren waren Heurigenbes., Vinothek, Galerie in d. Agnesstraße. K.: 1945 Grdg. d. Fam.Betriebes, 1966 selbst., Weingut, Sekt u. Spirituosen, qualitativ hochwertiger Wein u. Sekt, Verkauf im In- u. Ausland. M.: Lions-Club Klosterneuburg-Babenberg. H.: Wein, Sekt, Tennis, Jagen. (Fels.)

Zimmermann Rupert Dr. MinR. i.R. Prof.

B.: MinR., Abt.Ltr. u. Gen.Sekr. i.R. A.: 1080 Wien, Trautsong. 3/2/4. G.: Fohnsdorf, 15. Dez. 1918. V.: Prof. Dkfm. Dr. Edith, geb. Reich. El.: Matthäus u. Maria. S.: VS, Selbststud. f. RG, Einführungslehrgang in d. Bmtn.Laufbahn, Berufsreifeprüf., Univ.Stud. d. Staatswiss., Managementlehrgänge. K.: Arb., Soldat, Ltr. eines Mittelschülerheimes, Kons. u. Univ.Ass., Ref. u. Ltr. d. Personal- u. Sozialabt. f. d. verstaatl. Ind. Österr., Ltr. d. kommerz. Abt., d. Koordinationsabt. u. Gen.Sekr. d. ÖIAG, Vorst.Mtgl. d. Ver. f. mod. Unternehmensführung d. ÖIAG, Mtgl. d. AufsR. d. ÖIAG u. verstaatl. Untern. P.: Die betriebl. Sozialpolitik d. verstaatl. Ind., Der arbeitende Mensch als Mitarb., Verstaatlichung in Österr., ihre Aufgaben u. Ziele, Legende u. Wahrheit über die betr. Sozialleistungen in d. verstaatl. Industrie, Bilder u. Begegnungen , Das andere Leben (Lyrik), viele Art. in sozial- u. wirtschaftspolit. Zeitschriften. E.: Gold. Verdienstz. d. Rep. Österr., Gr. EZ f. Verd. um d. Rep. Österr., Gr. Gold. EZ f. bes. Verd. um d. Stmk., Gold. EZ f. Verd. um d. Land Wien Bulgar. Kulturorden Kyril u. Metod I. Kl. M.: gschf. Präs. d. Österr.-Bulgar. Ges., Gen.Sekr. d. Österr. Nationalkomitees 1300 Jahre Bulgarien, Vorst.Mtgl. d. Wr. Volksbildungsver. H.: Lyriker, Sammler mod. Kunst.

Zimmermann Thomas Mag.

B.: Werbe- u. Verlagsmanager. DA.: 5020 Salzburg, Rupertg. 23. PA.: 5020 Salzburg, Karl-Adrian-Str. 12. G.: Salzburg, 13. Apr. 1963. El.: Rudolf u. Erika. S.: VS, HS, Kochlehre, 1981 Gesellenprüf., Gymn. f. Berufstätige, 1988 Studienberechtigungsprüf., 1988-92 Stud. d. Politikwiss., Publizistik u. Kommunikationswiss. K.: freier Journalist in versch. Agenturen, Ass. d. Geschäftsltg., Ltr. PR u. Prod. u. Mediaplanung. P.: 1989 1. Sbg. Bauhandbuch, 1990/91 Sbg. Jugendkalender. E.: 1988 Staatspreis f. Jugendzeitungen. H.: Mountainbike, Sport allg.

Zimolin Johannes

B.: Prälat, Domkapitular. DA.: 9020 Klagenfurt, Pernhartg. 6. G.: Schabs, 14. Aug. 1912. El.: Johann u. Anna. S.: Hum. Gymn., theol. Lehranst. Klagenfurt, Abschluß 1937. K.: Kaplan u. Pfarrer in versch. Kirchen, Ltr. d. Seelsorgeamtes in Klagenfurt, 1960-84 Fin.Kam.Dir., seit 1980 Verw. d. Gurker Domkapitels, Examinator b. d. Priesterprüf., Visitator d. Dekante Klagenfurt-Land, St. Andrä, St. Leonhard, Wolfsberg, w.KonsR. seit 1960. E.: 1982 Päpstl. Ehrenprälat (Msgr.). M.: Mtgl. d. Domkapitels Gurk, d. Diözesan Wirtschaftsrates, Sekt. Kirchl. Kunst in d. liturg. Kmsn. H.: Reisen, Schach. (D.M.)

Zimolo Renato

B.: Gastronom, Inh. Enoteca Frizzante u. Ristorante Carpaccio. DA.: 1010 Wien, Kumpfg. 3, 1040 Wien, Paniglg. 22. G.: Udine/Italien, 24. Juli 1950. V.: Elene, geb. Blaha. Ki.: Patric (1982). El.: Italo u. Caterina. S.: Gastronomielehre in Lignano, weltweite Praxis in Hotelketten u.a. b. "Hilton", "Steigenberger" Frankreich u. Deutschland. K.: 1968-75 Tätigkeit in d. Gastronomiebranche in versch. Positionen zuletzt als Maitre d'hotel im Bundeshaus BRD, 1975-78 div. Restaurants in Italien, 1978 Ndlg. in Österr., 1978-80 Maitre im Restaurant Coque d'or Wien 1, 1981-82 Aufbau d. ersten eigenen Lokals Tavernetta im 7. Wr. Bez., 1983 Eröff. d. Lokals Carpaccio Wien 4, 1992 Eröff. Enoteca Frizzante. BL.: Angebot v. ca. 80 versch. Weinen aus Italien, Mitgründer d. 1. österr. Club Ciao Italia, Verb. d. Ital. Restaurants. H.: Segeln, Tennis, Tauchen. (N.A.)

Zimprich Hans Dr.

B.: Prim., Vorst. d. kinderinternen Abt. m. Psychosomatik d. Wilhelminenspital d. Stadt Wien. DA.: 1160 Wien, Montleartstraße, 1090 Wien, Nußdorfer Str. 57. PA.: 3413 Oberkirchbach 73. G.: Wien, 5. März 1932. V.: Vera, geb. Vukovich. Ki.: Nora, Sonja, Marco. El.: Dr. Hans u. Grete Dr. S.: Kremser Piaristengymn., 1950 Matura, anschl. Stud. Univ. Wien, 1 Sem. in Lyon, 1956 Prom. K.: 1 J. Seattle USA, anschl. Gastarzt an d. Kinderklinik Wien, Ausbild. z. Kinder-FA, danach Mautner'sches Kinderspital, 1968 als Prim. im Karolinenkinderspital d. Stadt Wien, dazwischen Gastprof. an d. Cornell Univ. New York, spezialisiert auf Kinderendokrinologie, Forsch.Tätigkeit am Boltzmann-Inst., danach Beginn m. Kinderpsychosomatik u. nach Wechsel an d. Wilhelminenspital anschl. Beschäftigung m. allg. Pädiatrie, Schwerpunkt Psychosomatik. P.: "Kind u. Umwelt" 1980, "Kinderpsychosomatik" 1984, "Ökologie d. Perinatalzeit" 1983, Beiträge in vielen weiteren Psychosomatikbüchern u. -zeitschriften, viele Fachartikel in einschlägigen med. Büchern u. Zeitschriften über endokrinolog. u. psychosomatische Themen. M.: Obm. d. Ver. "Kind, Familie, Umwelt", Österr. Ges. f. Kinderheilkunde, Österr. psychosomatische Ges., Österr. Ges. f. Krisenintervention u. Suizidverhütung, Österr. Ges. f. Individualpsych., Österr. Ges. f. Tanztherapie. H.: Ornithologie, Klavierspielen. (G.E.)

Zinggl Walter

B.: Gschf. FN.: Bozell Publicitas Werbeagentur GmbH. DA.: 1010 Wien, Hoher Markt 12. G.: Vorau, 20. Jän. 1962. V.: Elisabeth, geb. Cizek. Ki.: Katharina (1991). El.: Walter u. Hildegard. S.: BRG Wien, 1979 Matura, Univ.-Lehrgang an d. WU f. Wirtschaftswerbung u. Verkauf, gleichzeitig Ausbild. z. Kapellmstr. K.: 1981 Eintritt Firma Publicitas, ab 1985 Etatdir., seit 1989 Gschf. M.: Pfadfinder, Ltr. d. Altersgruppe 17-23, musikal. Ltr. d. Pfadfindermusik. H.: Musik. (J.S.)

Zingl Reinhold

B.: Prok. FN.: Elin Energieversorgung GmbH. DA.: 8160 Weiz, Eling. 3. PA.: 8160 Weiz, Raas 50. G.: Graz, 16. März 1947. V.: verh. S.: Hauptsch., Maschinenschlosserlehre Elin Weiz, BULME Graz-Gösting (Maschinenbau), 1977 Staatsprüf. Schweißtechnologie an d. SZA Wien, 1981 Betriebsleiterprüf. f. Anschlußbahn FWS. K.: 1965 Eintritt b. Elin Weiz, Facharb., Vorrichtungskonstrukteur, Mittelmaschinenkonstr. u. schweißtechn. Mittelsmann Konstruktion-Werkstätte, 1976 Ing., 1978-82 Schweißtechnologie im Stahl- u. Maschinenbau, 1983-90 Ltr. Werk Weiz Süd d. Elin, Fertigungsltr. Vorfertigg., Schweißtechnologe, Stellv. d. Geschäftsbereichltr. im Maschinen- u. Stahlbau d. Elin Energieversorgg. GmbH, ab 10/90 Handlungsvollmacht, 1991 Geschäftsbereichsltr., ab 1/91 Gesamtprokura. H.: Tennis, Radfahren, Schifahren, Malen, Musik. (M.G.)

Zingl Wolfgang

B.: Gschf. FN.: Wollers Komet-Woller GmbH. DA.: 1120 Wien, Schönbrunnerstr. 230. G.: Mürzzuschlag, 22. Aug. 1942. Ki.: Paul, Gerald. El.: Johann u. Anna. S.: VS, HS, HASCH. K.: Coca-Cola in Wien, Sbg. u. München, seit 1968 Komet. BL.: Berufspilotenschein. H.: Fliegen, Radfahren.

Zingler Hubert Ing.

B.: Ang., Bgm. d. Bez.-Hauptstadt Deutschlandsberg. DA.: 8530 Deutschlandsberg, Hauptpl. 35. PA.: 8530 Deutschlandsberg, Burgeggerstr. 38. G.: Bärnbach, 22. Nov. 1934. V.: Melitta, geb. Nechutny. Ki.: Alice (1970), Nicole (1972). El.: Hubert u. Josefa. S.: 1953 Matura, Stud. Elektrotechnik Wien, Studienabbruch. K.: ab 1964 Techn. Ang. in d. STEWEAG, 1970 VBgm. v. Deutschlandsberg, seit 1972 Bgm. E.: Gr. EZ d. Landes Stmk., Floriani-Plakette d. Landes Stmk. M.: Obm. d. Wasserverb., d. Raumordnungsgemeinschaft, d. Abwasserverb. u. d. Wirtschafts- u. Entwicklungsver., Sparkassenrat Stmk. Spark., AufsR. STEWAG. H.: Sport. (M.Gr.)

Zingrosch Ingrid

B.: Gschf. FN.: Hotel Prinz Eugen. DA.: 1040 Wien, Wiedner Gürtel 14. PA.: 3421 Höflein/Donau, Donaustr. 65. G.: Waiern/Ktn., 25. Sept. 1955. V.: Hannes. Ki.: Tanja (1977). El.: Walter u. Elisabeth, geb. Obersteiner. S.: Matura in Ktn. 1974, Abiturientenlehrgang "Modul" f. Fremdenverkehr Wien, Abschluß 1976. K.: 1976-80 Rezeptionistin "Hotel de France" (Austria-Hotel-Kette), 1980-82 Reservierungszentrale "Dial-Austria", 1982-85 Gschf. Hotel Alpha, seit 1985 Gschf. Hotel Prinz Eugen. BL.: Führung d. Hotels Prinz Eugen. H.: Sport, Musik. (N.A.)

Zink Hansjörg Dr.

B.: RA. GT.: Präs. d. Sparkasse Kufstein. DA.: 6330 Kufstein, Unterer Stadtpl. 24. PA.: 6330 Kufstein, August-Scherl-Str. 13. G.: Kufstein, 11. Aug. 1935. V.: Wieske, geb. Rohringer. El.: Dr. Fritz u. Maria. S.: VS, Gymn., 1954 Matura, Jusstud. Univ. Innsbruck, 1958 Prom. K.: 1959-60 Gerichtspraxis, 1960 Konzipient in Kzl. Dr. H. Gogl Kufstein, 1967-68 Kzl.Gemeinschaft m. Dr. H. Gogl, 1968 selbst. Kzl., seit 1973 Kzl.Gemeinschaft m. Dr. Petzer, seit 1983 zusätzl. Kzl.Gemeinschaft m. Dr. Marschitz. BL.: seit 1968 Präs. u. Vors. d. SparkassenR. d. Sparkasse Kufstein. E.: Gold. Sparkassennadel, Bronz. Ehrennadel d. Tir. Tennisverb., Gold. EZ d. Sportclubs Kufstein. M.: seit 1954 in versch. Funktionen im Aussch. d. Tennis Club Kufstein, 1976-88 Obm. d. Tennis Club Kufstein, Familiare d. "Dt. Ordens". H.: Tennis, Wandern, Opernmusik. (W.G.)

Zinkanell Josef

B.: LObm. d. Pensionistenverb. Österr./Stmk. DA.: 8010 Graz, Elisabethinerg. 20A. PA.: 8035 Graz, Haferfeldweg 14. G.: Steyr, 21. Jan. 1917. V.: Anni, geb. Prach. Ki.: Ilse, Christina, Bruno, Robert. K.: 1931-38 Landarb., 1938-45 Wehrdienst, Bez.Sekr. d. SPÖ in Knittelfeld, Gebietssekr., 1948-57 LSekr. d. Landes Sbg. d. Gewerkschaft d. Land- u. Forstarb., VPräs. d. LArbeiterkam., 3. Obm. in d. LStelle Sbg. d. land- u. forstwirtschaftl. Sozialvers., 1958-77 LSekr. d. soz. Bauernorgan. d. Stmk., 1961-82 LAbg. Agrarsprecher, 1965-80 Mtgl. d. ERP-Fonds f. Land- u. Forstwirtschaft, 1948-80 Funktionen d. Sozialvers. d. Land- u. Forstwirtschaft, 1968-71 BSekr. d. Soz. Bauernbundes, seit 1982 Obm. d. Pensionistenverb. H.: Lesen, Schreiben v. Gedichten, Wandern, Musik.

Zinkanell Robert Dr. iur.

B.: Vors. d. Zentralaussch. d. Personalvertr. d. Stadt Graz, gschf. Bezirksobm. d. Gew. d. Gem.Bediensteten. DA.: 8010 Graz, Rathaus. PA.: 8053 Graz, Grottenhofstr. 34. G.: Graz, 5. Apr. 1960. El.: Josef u. Anna. S.: Matura 1979, Stud. in Graz, Prom. 1984. K.: Organ.Ref. einer Werbeagentur, 1981-82 Studienass., 1982-84 Kursltr. d. Österr. Ak. f. Führungskräfte, Gerichtsjahr, 1985 Eintritt in d. MA Graz, 1986 stellv. Obm. d. Personalvertr., danach stellv. Bez.Obm. d. Gew. d. Gem.Bediensteten, Obm. d. SPÖ Sekt. Graz-Ries, seit 1987 gschf. Bez.Obm., Mtgl. d. ÖGB-Präsidiums in Graz u. d. Grazer Parteivorst., seit 1988 Vors. d. Zentralaussch. H.: Bergsteigen, Skitouren, Malen, Reisen. (P.R.)

Zinkl Herbert

B.: Schriftsteller, Journalist, Gschf. Ragnitzbad. GT.: ständ. freier Mitarb. ORF. DA. u. PA.: 8047 Graz, Pesendorferweg 7. G.: Kapfenberg, 30. Okt. 1929. El.: Anton u. Aloisia. S.: VS, HS, Ausbild. z. Metalldreher, Kurse z. Erweiterung d. allg. Bild. K.: 1946-55 Metalldreher in Schwerind., 1955-65 Journalist, 1962 Gschf. Ragnitzbad, freier Mitarb. f. versch. Tageszeitungen, Reiseberichte ORF, schriftstell. Tätigkeit seit 1946. P.: Anker im Dasein (1973), Alle Träume dampfen südwärts (1978), Asyl bei den Ikonen (1982), Zypern lyrisch (1987), Lausige Zeiten (1988), Abgängig (1991), Der letzte Gast trank nicht (1994), Prosa in Anthologien u. Literaturzeitschriften, Hörspiele ORF. E.: Lyrikpreis d. Stadt Graz 1957, LLiteraturstipendium 1974, Förd.Preis d. Stadt Graz 1975, Theodor Körner-Preis 1978, Jugendbuchpreise, Lyrikpreis d. Ernst Koref-Stiftung 1983. M.: P.E.N.-Club. H.: Reisen. (H.Z.)

Zinnagl Norbert Dr. med.

B.: FA f. Dermatologie/Angeologie d. LKH Sbg. DA.: 5020 Salzburg, Müllner Hauptstr. 48. PA.: 5084 Großgmain, Bayernweg 435. G.: Hall/Tir., 29. März 1940. V.: Brigitte, geb. Wickmann. Ki.: Christian, Claudia, Michael. El.: Eduard u. Eleonora. S.: Gymn. Innsbruck, 1958 Matura, Stud. Univ. Innsbruck u. Wien, 1964 Prom. K.: 1969-74 FA-Ausbild. an d. Dermatolog. Abt. d. LKH Sbg., OA d. Abt., seit 1974 Ltr. d. konservativ. angeolog. Station d. Dermatolog. Abt., seit 1978 FA-Ordination in Sbg. Dr.-Franz-Rehrl-Platz 2. P.: div. Art. M.: Lions-Club Großgmain, Österr. Weinbruderschaft, Vorst.-Mtgl. d. österr. angeolog. Ges., Österr. Ges. f. Dermatologie, Dt. Ges.f. Phlebologie u. Proktologie. (A.W.)

Zinnbauer Bernd Dr. med.

B.: FA f. Urologie; Primarius DA.: Ordin.: 2500 Baden, Josefspl. 9; KH: 2500 Baden, Wimmerg. 19. PA.: 2512 Traiskirchen, Dr.-Probst-Pl. 6. G.: Baden, 29. März 1940. El.: Dr. Max u. Simílde. S.: Hum. Gymn. Baden, 1958 Matura, Stud. an d. Univ. Wien, Prom. 1964. K.: 1965-74 Urolog. Univ.-Klinik Wien (Prof. Übelhör), 1975-82 KH Barmh. Brüder Wien, s. 1983 Prim. d. Urolog. Abt. d. KH Baden. P.: Div. wiss. Arb. aus d. Gebiet d. Urologie. M.: Österr. Ges. f. Urologie, Ges. d. Ärzte Wiens, s. 1986 Mtgl. d. Dt. Ges. f. Urologie. H.: Musik, Reisen. (I.K.)

Zinnbauer Maximilian Horst Dr. med. vet.

B.: Veterinärmediziner. DA. u. PA.: 2514 Traiskirchen, Melker G. 11. G.: Baden, 13. Juli 1935. V.: Ingrid, geb. Heilinger. Ki.: Clemens (1989), Katja (1992). El.: Dr. med. vet. Maximilian u. Simílde. S.: 1953 Matura am Gymn. Baden, 1953-59 Stud. an d. Tierärztl. Univ. Wien. K.: 1960-64 Ass. an d. geburtshilfl. u. gynäk. Abt. d. Vet.-Med.-Univ. Wien, 1965 Übern. d. väterl. Kleintierpraxis in Traiskirchen; s. 1985 Tierärzte-Vertreter im Bez. Baden, amtl. beauftr. f. d. Vieh- u. Fleischbeschau im Bez. Baden. P.: Verfasser v. mehreren wiss. Arb. auf d. Geb. d. Geburtshilfe u. Gynäk. E.: Gold. EZ d. Stadtgem. Traiskirchen u. d. Sängerbundes NÖ, Gold. Ehrenring d. Faschingsgilde Traiskirchen. M.: 1961-92 Männergesangs-Ver. Traisk., 1977-92 Faschingsgilde Traisk. H.: Garten, Natura, Gesang u. Musik. (I.K.)

Zinner Heinz Dr. Dkfm.

B.: Vorst.Dir., Gschf. A.: 2345 Brunn, Anton-Seidl-G. 42. G.: Hengstererben/CSFR, 2. Mai 1941. V.: Annemarie. El.: Franz u. Anna. S.: VS, RG, HS f. Welthdl. K.: 1963-68 Raccolta (Tochterges. v. Bunzl & Biach), 1968-81 Ekman GmbH, ab 1981 Wilfried Heinzel AG.

Zinnhobler Rudolf Dr. theol. Mag. phil.

B.: Univ.-Prof. f. Kirchengeschichte. A.: 4040 Linz, Petrinumstr. 12. G.: Buchkirchen, 18. Febr. 1931. S.: Gymn. Wels, Theol. Linz, Stud. d. Angl. u. German. in Wien, London, Graz u. Innsbruck. K.: Dr. theol. Graz 1957, Mag. phil. Innsbruck 1964, Habil. f. Kirchengeschichte Graz 1968, o.Prof. f. Kirchengeschichte u. Vorst. d. Inst. f. Kirchengeschichte u. Diözesangeschichte Linz 1969, Dir. d. Diözesanarchivs 1974, Dekan d. Phil.-Theol. HS Linz 1974-78. P.: Die Passauer Bistumsmatrikeln, Der heilige Wolfgang, Beiträge z. Geschichte d. Bistums Linz, Der heilige Severin, Kirche in Linz. E.: Bischöfl. KnsR., Monsignore, österr. Ehrenkreuz f. Wiss. u. Kunst I Klasse. M.: Vorst.Mtgl. d. OÖ Musealver., Mtgl. d. Intern. Kmsn. f. Vergl. Kirchengeschichte.

Zinsler Gerhard Dr. iur.

B.: RA, Hon.Kons. d. Rep. Togo. A.: 1070 Wien, Siebenstr. 19/III. G.: Wien, 24. Aug. 1923. V.: Varpu Heimolainen. El.: Dr. Engelbert u. Annemarie. S.: Matura, Stud. d. Rechtswiss. an d. Univ. in Wien. K.: Eigene RA-Praxis. H.: Reisen, Sprachen (Engl., Franz. u. Span.), Pferdezucht.

Zintzen Herbert Dr. Dipl.-Ing.

B.: Prok., Ltr. d. Regionalorg. f. Vitamine u. Chemikalien. FN.: Hoffmann-La Roche Wien GmbH. DA.: 1030 Wien, Jacquing. 16-18. G.: Aachen, 27. Aug. 1937. V.: Marlene, geb. Krisch. Ki.: Sandra (1964), Christiane (1966), Andreas (1967). El.: Josef u. Elisabeth. S.. VS, Gymn., Stud. Tiermed. Univ. München, Dr. med. vet., Stud. Landwirt. TH München, Dipl. Ing. agr. K.: 1969 Eintritt Fa. Hoffmann-La Roche i. Basel. P.: Fachpub. i. Rahmen d. Roche - Publikationsprogramms. E.: div. Ministerien f. erfolgreiche Projektarb. d. Fa. Hoffmann La Roche i. Osteuropa, verliehen an Roche. H.: Reiten, Lesen. (J.M.)

Zipfel Ernst

B.: Gschf. FN.: Konrad Popp GmbH & Co KG. DA.: 1060 Wien, Schmalzhofg. 17. G.: Mistelbach, 16. Aug. 1950. V.: Eva-Maria, geb. Havlik. Ki.: Sabine (1982), Ernst (1985), Elisabeth (1993). E.: Anna und Ernst. BV.: Dt. Handwerksfamilie, seit 1760 in Südmähren (Wostitz), s. dem Brünner Todesmarsch i. Jahre 1946 i. Österr seßhaft. S.: Pflichtschule, 1964-70 Berufsschule, 4 J. Lehre Konrad Popp GmbH, div. Kurse, 1983 Konzessions- u. Mstr.-Prüf., 1989 Konzession f. Errichtung v. Alarmanlagen. K.: 1985 Übernahme d. Betriebes. M.: Pan-Europa Bewegung. H.: Familie, Beruf, k.u.k. Geschichte, alte Schriften. (M.-L.A.-M.)

Zippe Gernot Dr. phil.

B.: Selbst. Physiker. A.: 1030 Wien, Hintzerstr. 2/15. G.: Warnsdorf, 13. Nov. 1917. V.: Emilia, geb. Fuchs. Ki.: Rainer (1970). El.: Anton u. Maria. V.: VS, RG, Univ. Wien (Physik, Meteorologie, Phil.) K.: Prom. Dr. phil. 1939, 1939-44 Dt. Luftwaffe, Lt., Flugzeugführerschule, Blindflugschule, Fluglehrerschule, Gruppenfluglehrer, Flugplatzkdt., 1944-45 Radarforschung als Rü-Funk-Urlauber, 1945-56 Sowjet. Kriegsgefangenschaft, dort 1946-54 Gaszentrifugenforsch. u. Entwicklung, 1958-60 Gaszentrifungendemonstration an d. Univ. of Virginia, Charlottesville, USA, seit 1960 Gaszentrifugenforsch. u. Entwicklung z. Uranisotopentrennung f. d. Bau v. Anreicherunsanl. z. Herst. v. Brennstoff f. Kernkraftwerke. F.: DEGUSSA, Dt. Gold u. Silberscheideanst., Frankfurt, GKT, Ges. f. Kernverfahrenstechn., Jülich, Beratung: URANIT, Uranisotopentrennungsges. mbH, Jülich,

M.A.N., München, Urenco-Centec, Dt.-engl.-holl. Ges. z. gem. Bau u. Betrieb v. Urananreicherungsanl. mittels Gaszentrifugen. P.: Patente u. Berichte unterl. seit Aug. 1960 d. Geheimhaltung um Mißbrauch v. Gaszentrifugen z. Herst. hochanger. Urans z. unkontr. Kernwaffenherst. z. verhindern, bekannteste Veröffentl. USAEC-Report ORO-315. E.: 1977 Alfried Krupp v. Bohlen u. Halbach-Preis f. Energieforsch. (BRD), 1978 Aufstellung einer Orginal-Zippe-Zentrifuge im Dt. Museum in München, 1978 Österr. Ehrenkreuz f. Wiss. u. Kunst 1. Kl., 1979 Verd.Kreuz 1. Kl. d. Verd.Ordens d. BRD, 1990 Gold. Doktordipl. d. Univ. Wien, 1190 Wilhelm Exner-Med. d. Österr. Gewerbever. (ÖGV). M.: Dt. Atomforum, Österr. Physikal. Ges., Wr. Ak. Turnver., Ak. Fliegerschaft Wien. H.: Segel- u. Motorflug, Skifahren, Tennis, Windsurfen, Schmalfilmen.

Zips Artur Dr.

B.: Prim., Vorst. d. dermatolog. Abt. d. Pflegeheim Lainz. DA.: 1140 Wien, Hütteldorfer Str. 117. PA.: 1140 Wien, Parkg. 7/3/2. G.: Wien, 20. Juni 1936. V.: Gerda, geb. Mayer. Ki.: Renate. El.: Artur u. Berta. S.: RG, 1954 Matura, Med.Stud. Univ. Wien, 1961 Prom. K.: Ausbild. z. FA im KH Lainz u. Turnus, OA im KH Lainz, 1979 Prim. im Pflegeheim Lainz, 1971 Praxiseröff., Schwerpunkt Altersdermatologie. P.: Art. in Fachzeitschriften. M.: Österr. dermatolog. Ges., Ges. d. Primarärzte Österr. H.: Musik, Skifahren, Bergsteigen. (E.L.)

Zips Manfred Karl Dr. phil.

B.: WissOR. d. Inst. f. Germanistik d. Univ. Wien. PA.: 1150 Wien, Dreihausg. 40/4/10. G.: Wien, 30. Aug, 1939. V.: Christiana, geb. Jaschke. Ki.: Astrid, Silvia. El.: Alfred u. Rosa. S.: BLBA Wien I m. Matura 1958, Stud. d. Germanistik u. Anglistik an d. Univ. Wien, 1966 Prom. Dr. phil. K.: Lehrtätigkeit an d. Pflichtschule sowie an d. AHS, 1966 Studienass., 1967 Univ.Ass., 1976 wiss. Bmtr. am Inst. f. Germanistik d. Univ. Wien, seit 1967 Lehrtätigkeit als Univ.-Lektor f. ältere dt. Sprache u. Literatur. P.: König Laurin u. sein Rosengarten 1972, Frauendienst als ritterl. Weltbewältigug 1976, Göttl. Heilsplan u. menschl. Handeln 1977, Bemerkungen z. Verfasserfrage d. "Sächs. Weltchronik" 1983, Prosagestalt u. Sagenbetrachtung als mittelalterl. Strategien d. Vertiefung historiograph. Thesen (in Festschrift f. O. Gschwantler 1990), Publ. u. Art. in Fachzeitschriften sowie Lexika, dzt. v.a. über dt.-ital. Literaturbezieh. im Mittelalter. E.: Theodor-Körner-Preis f. Wiss. u. Kunst. M.: Arbeitskreis d. Wr. Altgermanisten, Wr. Sprachges., Intern. Artus-Ges., Österr. Ges. f. Germanistik, Wolfram-v.-Eschenbach-Ges., Wr. Goethe-Ver., Società Dante Alighieri, Österr.-Italien Ges.; H.: Musik, Wandern. Skilanglauf. (J.E.)

Zirknitzer Gerald

B.: Filialltr. d. Billa Kuchl. DA.: 5431 Kuchl, Salzachtal Bundesstraße. PA.: 5600 St. Johann/Pongau, Stöcklhubstr. 9. G.: St. Johann/Pongau, 5. Juli 1972. V.: Rosalinde, geb. Leitner. Ki.: Nicole (1968). El.: Peter u. Maria. S.: VS, HS, 1988-91 Lehre b. Billa St. Johann. K.: Stellv. d. Billafiliale Bischofshofen, seit 1992 Filialltr. d. Billa Kuchl. H.: Radfahren, Lesen. (J.L.)

Zirsch Peter Ing.

B.: Gschf. FN.: Grosser C. & E. GmbH & Co KG, RTL-Reproteam Linz Druckformen GmbH. DA.: 4021 Linz, Wiener Str. 290. PA.: 4623 Gunskirchen, Irisweg 6. G.: Graz, 8. Mai 1947. V.: Ursula, geb. Apath. Ki.: Tobias-Clemens (1979), Julia Barbara (1984). El.: Ulrich u. Anna. S.: Schriftsetzer, 1968-71 Höhere Graph. Bundeslehr- u. Versuchsanst. Wien. K.: versch. Druckereien, b. 1984 techn. Ltr. u. Einkäufer im Format Werk Gunskirchen, 1986-90 Techn. Ltr. u. Einkäufer Wimmer, 1990 Gschf. b. Grosser, 1991 Gschf. b. RTL. P.: div. Veröff. in Fachzeitschriften. M.: Lions, Kammer. H.: Segeln. (P.H.)

Zischg Kurt

B.: Dipl.-Betriebswirt, Dir. d. Arbeitskreis f. Vorsorge u. Sozialmed. DA.: 6901 Bregenz, Rheinstr. 61. PA.: 6972 Fußach, Mahd 39. G.: St. Johann/Tirol, 19. Febr. 1955. V.: Astrid, geb. Schlugi. Ki.: Alexandra (1977). Olivia (1979), Julia (1984). S.: kfm. Lehre, im 2. Bild.-Weg Reifeprüf., Univ. Hagen u. Ak. HS f. Berufstätige in Rendsburg, 1987 Dipl.-Betriebswirt. K.: freier Unternehmensberater in Vbg., viele J. Praxis in Ind. u. Hdl., 1987 gschf. Dir. Arbeitskreis f. Vorsorge u. Sozialmed., 1985 Unternehmensberaterprüf., 1989 Postgraduate Management Ausbild. WA Wien, 1990-91 Moderatorenausbild., 1992 systemat. Beraterweiterbild., seit 1993 systemat. OE-Aus/Weiterbild., Lehrbeauftragter d. Ak. HS f. Berufstätige Lahr. P.: Framework IV. M.: Ak. d. Freundeskreises Stuttgart. H.: wiss. Literatur, Skifahren, Tischtennis, Schwimmen, langj. aktiver Berufsmusiker (Gitarre). (I.D.)

Zischka Gert A. Dr. med.

B.: prakt. Arzt i.R., wiss. Schriftsteller. PA.: 3425 Langenlebarn, Dreifaltigkeitsstr. 9. G.: Linz, 30. Jan. 1923. V.: Christine, geb. Plakolb. Ki.: Dr. Alexander, Eva. El.: Franz u. Luise. S.: RG Linz, Stud. d. Med. an d. Univ. Wien, Berlin, Danzig, Prag, Graz u. Innsbruck, Stud. d. Kunstgeschichte in Berlin u. Innsbruck, 1954 Prom. Dr. med. in Innsbruck. K.: 1954-59 KH-Arzt in Steyr u. Schärding, anschl. 1 J. KH-Arzt Heilanst. Littenheid/Thurgau, 1960-63 Ltr. d. Med. Abt. d. Fa. Cilag in Schaffhausen, 1962-63 Chefred. im Bibliograph. Inst. Mannheim, 1963-75 Ltr. d. wiss. Informationsdienstes d. Fa. Sandoz in Nürnberg, 1975-87 eigene Praxis als prakt. Arzt in Schwarzenbruck/Nürnberg, 1987 Rückkehr nach Österr., seit 1958 als wiss. Schriftsteller tätig. P.: Index Lexicorum (1959), Gelehrtenlexikon (1961), Kleine Geschichte d. Privatbibliothek (1968), Lexikon d. Diagnostik nach Leitsymptomen (1968), Goethe. Tageskonkordanz d. Begebenheiten, Tagebücher, Briefe u. Gespräche in 8 Bänden (1980ff), über 20 wiss. Publ. in Fachzeitschriften. M.: Goethe Ges., History of Science Society. H.: Sammeln v. Handschriften, Erstausgaben u. Bücher v. Goethe. (M.B.)

Zisser Alois

B.: Inh. FN.: Maschinenhdl. DA. u. PA.: 3400 Klosterneuburg, Kierlinger Str. 9. G.: Klosterneuburg, 30. Sep. 1942. V.: Christine, geb. Marian. Ki.: Susanne (1965), Doris (1969), Barbara (1979), Christoph (1980). El.: Alois u. Rosina. S.: VS, HS, 1956-59 Lehre Instrumentenbau, 1959-61 HASCH, 1971 Meisterprüf. K.: 1963-65 Tätigkeit b. einer Sozialvers., 1966 Reisemonteur, 1967 Grdg. Einzelfirma Maschinenhdl., 1957 Grdg.-Mtgl. d. Stadtkapelle Klosterneuburg, 1985 Grdg. d. Jugendkapelle, musikal. Auftritte b. versch. Anlässen. E.: hohe Ausz. d. Blasmusikverb. NÖ, Gold. Staatswappen d. Stadtgem. Klosterneuburg. H.: Blasmusik, Camping, Wandern. (M.-L.A.-M.)

Zitta Franz Ing.

B.: Gschf. FN.: Kunststoffwerk Zitta GmbH. DA.: 4061 Pasching, Industriepark 22. PA.: 4050 Traun, Schulstr. 81. G.: Linz, 26. Sept. 1960. V.: Andrea, geb. Kuster. Ki.:

Roman, Thomas. El.: Franz u. Elisabeth. S.: VS, Gymn., HTL. H.: Beginn im elterl. Betrieb im Kunststoffwerk Zitta, vorerst als Produktionsltr., seit 1989 Gschf. M.: seit 1989 Vorst.-Mtgl. d. Trauner Ausstellungsver., seit 1989 Vorst.-Mtgl. d. Raiffeisenkassa Traun. H.: Segeln, Wandern, Skifahren. (M.B.)

Zitta Rainer Dr. phil

B.:Pensionist. A.: 1238 Wien, Meyrinkg. 6/4. G.: Gmunden, 27. Dez. 1932. V.: Annelies, geb. Bernsteiner. S.: Doktorat d. Theaterwiss. d. Univ. Wien. K.: Univ.Ass., Chefred. d. Österr. HS-Zeitung, Gen.Sekr. d. Verb. d. wiss. Ges. Österr., s. April 1994 i. Pens.. P.: Zahlr. Art. in Zeitungen u. Zeitschriften. E.: Österr. Staatspreis f. journalist. Leistungen im Interesse v. Wiss. u. Forsch., Förderungspreis f. wiss. fundierte Publizistik d. Kardinal Innitzer-Studienfonds. M.: Mtgl. d. Kur. d. HS-Jubiläumsstiftung d. Stadt Wien.

Zitter Armin Maximilian

B.: Gschf. FN.: Rein Elektronik. DA.: 1150 Wien, Mariahilferstr. 136. G.: St. Veit/Glan, 28. März 1949. V.: Andrea Maria. Ki.: Gernot, Armin, Matthias, Adrian. El.: RgR. Maximilian u. Lydia. S.: 1968 Elektrotechniker KELAG, 1974 Externistenmatura. Div. Ausbild.: Musikstud. Konzertfach Klarinette, bereits ab 14 J. öff. Auftritte in versch. Orchestern, 1968/69 Brigademusik Militärkdo Ktn., Intern. Managementausbild. in Cincinnatti/USA. K.: 1973 Landis & Gyr, 1974-85 Verkaufsrepräsentant IBM Österr., 1985-88 CINCOM Systems BRD Geschäftsstellenltr. Österr., ab 1989 Gschf. REIN Elektronik. H.: Bergsteigen, Familie, Musik. (J.E.)

Zitter Herbert Dr. Dipl.-Ing. o.Prof.

B.: o.Univ.-Prof., Vorst. d. Inst. f. Analyt. u. Allg. Chemie i. R.; A.: 8605 Kapfenberg, Josef-Stanek-G. 16. G.: Bruck/Mur, 12. März 1929. El.: Herbert u. Maria. S.: Techn. Chemie an d. TU Graz. K.: Vorst. d. chem. Laboratorien Gebr. Böhler & Co AG, Kapfenberg. P.: Arb. auf d. Geb. d. Korrosion u. d. Analyt. Chemie. M.: Ver. Dt. Eisenhüttenleute, Ver. Österr. Chemiker, Eisenhütte Österr.

Zittmayr Hermann Dr. Dipl.-Ing.

B.: Gen.-Dir. i.R. PA.: 4782 Schärding, Allerheiligenweg 76. G.: Enns, 19. Sept. 1926. V.: Martha, geb. Held. El.: Leopold u. Maria, geb. Klausner. S.: AHS Francisco Josephinum in Wieselburg, HS f. Bdk. Wien, 1951 Prom. K.: 1951 Harrach`sche Güterdion. Bruck/Leitha, Wirtschaftsberater Ldw.Kam. O.Ö., 1952 Wirtschaftsberater Bauernkam. Gmunden, 1954 Sekr., 1959 Betriebswirtschaftsabtl. d. Ldw.-Kam. O.Ö., 1961-93 Gschf. Schärdinger Molkereiverb., 1966-86 Abg. z. NatR. ÖVP, 1968 Gen.-Dir., 1974-86 Mtgl. Milchwirtschaftsfond, ab 1989 Vorst.-Vors. d. Schärdinger Milch AG, Schärdinger Molkerei AG, Schärdinger Beteil. AG, AufsR.-Vors. MVS, AufsR.-Mtgl. Vieh Fleisch, Landhof Linz, Ungarn, Lacto Prot Budweis, 1990-93 Vorst.-Vor. AMF Linz 1993 Schärding, ab 1993 Gschf. d. Schärdinger Betriebs- u. Handeslges., BL.: Aufbau d. Schärdinger Molkereiverb., Beteil. Schöller Eis, Fleischsparte Grd. u. Aufbau, Fusion Molkereiverb. Mauerkirchen, 1986 Priv. Stiftung zur Förderung d. Nachwuchses Molkerei u. Vieh. E.: Gr. VK d. VO d. BRD, Raiffeisen-VM in Gold, Silb. EZ d. Landes O.Ö., Gold. EZ d. Verd. O.Ö. in Wien, Gold. Giebelkreuz d. O.Ö. Raiffeisenzentrale, Gold. VM d. ÖVP, Gold. EZ d. Landes O.Ö., Raiffeisenplakette u. Nadel in Gold. M.: Lionsclub "Schärding", Stelzhamer Bund, Kameradschaftsbund, Schärd. Wasserschutzverb. H.: Pendeln, Wünschelrute, Augendiagnostik, Fußreflexzonen. (C.D.)

Zitzenbacher Walter Dr. phil. Prof.

B.: Schriftsteller, o.HS-Prof. an d. HS f. Musik u. darst. Kunst Graz. DA.: 8010 Graz, Leonhardstr. 15. PA.: 8054 Seiersberg, Kramerweg 9. G.: Langenwang, 26. Apr. 1928. V.: Dr. Ingrid, geb. Legenstein. El.: Anton u. Maria. S.: AHS, Stud. an d. Univ. Graz, Prom. 1952. K.: Freier Schriftsteller, Rundfunk- u. Bühnenautor, 1959-64 Dramaturg u. Presseref. d. Vereinigten Bühnen Graz, 1964 Ltr. d. belletrist. Abt. d. Stiasny Verlags, Lektor im Verlag Styria, Lehrbeauftr. f. Theater- u. Literaturgesch. an d. HS f. Musik u. darst. Kunst, seit 1984 o.HS-Prof. BL.: Einrichtung d. Peter Rosegger Dokumentation am Alpl. P.: "Hoffnung auf Atome" 1949, "Jeder lügt in Baratario" 1959, "Raben im blauen Feld" 1964, "Hanswurst u. d. Feenwelt" 1965, "Das Schachspiel d. Doktor Wa-Tsi" 1969, "...unserem guten Kaiser Franz" 1971, "Grazer Barockprediger" 1973, "Peter Rosegger - sein Leben im Roman" 1978, "Das große Steiermarkbuch" 1980, "Balladen aus d. Stmk." (Zeitungsserie 1980), u.a. E.: 1952 Preis d. VHS Linz, 1959 Dramatikerpreis d. Stadt Knittelfeld, 1961 Enrica v. Handel-Mazzeti-Preis d. Landes OÖ, 1974 Literaturpreis d. Stadt Graz, 1987 EZ d. LHpt.Stadt Graz in Gold. M.: P.E.N.-Club, Stmk. Kunstver. Werkbund. (C.H.S.)

Zivy Felix

B.: Gschf. FN.: Prohaska & Cie. DA.: 1014 Wien, Graben 14. verh., 4 Kinder. S.: AHS, Matura. K.: 1949 Grdg. d. Fa.

Zizala Erika

B.: Erste Maskenbildnerin d. ORF. DA.: 1130 Wien, Würzburgg. 30. PA.: 1080 Wien, Piaristeng. 16. G.: Wien, 29. Okt. 1942. V.: Ing. Karl Z. Ki.: Monika (1963), Alexander (1967). El.: Ludwig u. Maria Krumal. S.: Friseurlehre, Meisterprüf., Ausbild. z. Auslangenarrangeur, Stud. Päd. u. Psych. an d. Univ. Wien. K.: 1975-80 Maskenbildnerin b. d. Volksoper, 1980 z. ORF als Schminkmeisterin, ab 1982 Maskenbildnerin, s. 1984 1. Maskenbildnerin. M.: Delegierte d. Österr. Theatertechn. Ges., Verb. Masken. H.: Päd., Psych., Schifahren. (N.A.)

Zizala Karl Ing.

B.: Gschf. Ges. FN.: Neuruhrer & Gruber GmbH (Großhdl. m. Fahrrädern u. Kfz- u. Zweiradzubehör). DA.: 1220 Wien, Percostr. 15. G.: Wien, 27. Jan. 1947. V.: Erika. Ki.: Karin, Thomas, Philip. El.: KommR. Karl Zizala. Tel.: 38 86 17. S.: Gymn., HTL (Maschinenbau). K.: 1968 techn. u. wirtschaftl. Koordination d. 4 Produktionsbetriebe d. Neuruhrer & Gruber GmbH, seit 1973 gschf. Ges. d. Fa., glztg. b. 1980 Produktions- u. Vertriebsltr. v. ZKW (KG f. Kfz-Zubehör). (N.A.)

Zizka Johann

B.: Inh. d. ISPA Werbung. DA.: 1150 Wien, Diefenbachg. 35. PA.: 2371 Hinterbrühl, Eichbergstr. 41. G.: Mödling, 24. Sep. 1943. V.: Margot, geb. Wölfel. Ki.: Martina (1975), Andreas (1989). El.: Johann u. Berta. S.: Lehre als Installateur, Akkordeonstud. b. Prof. Meinhold in Musikschule Mödling. K.: 1957-67 Monteur in Install.-Firma, 1967-70 Musiker (Akkordeon), 1970-84 Mitarb. in Verlag u. Werbeagentur, 1983 Grdg. u. Alleininh. d. Fa. ISPA, 1989 Grdg. d. ISPA Bratislava. H.: Reisen, Jagd. (M.M.)

Zlabinger Werner

B.: Inh. FN.: Textil Zlabinger. DA.: 3812 Groß-Siegharts, Rudolf-Hohenberg-G. 1-3. PA.: 3812 Groß-Siegharts, Geyerweg 13. G.: Waidhofen/Thaya, 9. Feb. 1947. V.:

Monika, geb. Mautner. Ki.: Michaela (1971). El.: Johann u. Hermine, geb. Altschach. S.: VS, HS, 1961-64 kfm. Lehre. K.: 1965-70 Filialltr. b. Konsum Gmünd, 1970-72 Außendienst Firma Knorr, 1982-85 Verkaufsltr. Firma Amazone Strumpffabriken, 1972-85 Verkaufsltr. "Mowii Intern.", seit 1985 eigene Textilgroßhdls.-Firma, Eigenmarke "Mowii Intern." u. Gen.-Vertrieb v. "Calze Levante". M.: SparkassenR. Groß-Siegharts. H.: Jagd, Tennis. (M.M.)

Zlamala Nelly Dr. MedR.
B.: Prakt. Ärztin. DA. u. PA.: 3400 Klosterneuburg, Wiener Str. 120. G.: Polen, 23. Okt. 1913. V.: Dr. Oskar. K.: Oskar, Walter. BV.: Großonkel Prof. Dr. Kassowitz war Arzt f. Kinderheilkunde, Denkmal in Aula d. Univ. S.: Lyzeum, RG, Matura in Klosterneuburg, Stud. an d. Univ. Wien, 1940 Prom. K.: 1940 tätig in d. Poliklinik f. HNO b. Prof. Dr. Marschik, 1940-45 Lilienfeld, ab 1945 eigene Praxis, 1965 MedR. E.: 1979 Ausz. f. Verd. um d. Stadt Klosterneuburg u. deren Bewohner. M.: Jagdclub Klosterneuburg, Ver. österr. Ärzte, Jagdhundeclub. H.: Tennis, Lesen, Tiere. (Fels.)

Zloklikovits Hans
B.: Wirtschaftstreuhänder, Kfm. FN.: Zloklikovits Hans GmbH. DA.: 1070 Wien, Breite Gasse 9. PA.: 1020 Wien, Böcklinstr. 59. G.: Sulz, 3. Okt. 1928. V.: Gerta, geb. Wasserbauer. Ki.: Hans (1954), Ernst (1957), Martin (1968). El.: Karl u. Maria. S.: Hauptsch., HAK, 1948 Matura. K.: 3 J. Praxis b. Wirtschaftstreuhänder u. weitere 3 J. Erweiterung d. Praxis in versch. Branchen, 1954 selbst. als Finanz- u. Wirtschaftsberater u. Helfer in Steuersachen, 1955-58 Beteiligung an Waschmaschinen- u. Haushaltsgerätevertrieb, seit 1969 Führ. d. Werbebüros WAF u. Beteiligung an ÖMGE Möbel, 1982 Gründ. d. Zloklikovits GmbH, welche d. Eigenbetriebe "Design u. Wohnen Dorkahof", Wasicky Möbel u. seit 1983 Hotel Dorkahof führt, seit 1988 Führ. Garant-Möbel. E.: div. Med. u. EZ. M.: div. Mtgl. u. Ehrenmtgl. b. versch. gemeinn. Ver. H.: Kontak m. Menschen, angew. Psych., Kochen. (N.A.)

Zmatlo Wilhelm Mag.
B.: Wirtschaftsprüfer u. Steuerberater. FN.: Mag. Wilhelm Zmatlo. DA.: 1190 Wien, Billrothstr. 29. G.: Wien, 1. Jan. 1954. V.: Elisabeth, geb. Siebert. Ki.: Stefan, Teresa. El.: Franz u. Luise. S.: HAK, WU Wien (Wirtschaftspäd.), Spons. 1978. K.: 1977-80 Lehrer an einer HASCH u. HAK, 1979 beg. als Berufsanw. b. d. Fa. Consultatio, 1983 Eröff. einer eig. Kzl. H.: Lesen, Radfahren, Wandern. (M.Br.)

Zmugg Josef Ing.
B.: Vorst.Vors.Stellv., Fachschullehrer, Ldw. FN.: Steir. Beerenobstgen. rGenmbH. GT.: Fachschullehrer Ldw. Fachschule Silberberg, Beerenobstldw., Reserveoffz. DA.: 8504 Preding. PA.: 8544 St. Ulrich, Greith 12. G.: St. Ulrich, 21. Okt. 1950. V.: Anna, geb. Wechtitsch. Ki.: Joachim, Sebastian, Franziska. El.: Josef u. Ida. S.: VS, HS, HBLV f. Obst u. Weinbau, Päd. BSeminar Wien/Ober St. Veit. K.: 1970-71 BH, 1971-72 Auslandspraxis Tunesien, 1972 eigener Betrieb Beerenobst, 1976-82 Fachschullehrer Ldw. Fachschule Stainz, seit 1982 Fachschullehrer Ldw. Fachschule Silberberg, seit 1971 Mtgl. Beerenobstgen., 1973 Gebietsvertreter, seit 1976 Mtgl. d. Vorst., seit 1982 Vorst.-Vors.-Stellv. BL.: 1982 Beginn Umschulung auf Holunder. P.: Fachliteratur. E.: BHDZ 3. Kl. M.: AufsR. Raika Wies, Vorst.-Mtgl. d. ANOGEV in Koblenz. H.: Blasmusik, Radfahren, Lesen. (H.Z.)

Zmugg Peter Dr. med.
B.: FA f. Chir., Ärztl. Ltr. d. Sanatoriums d. Kreuzschwestern Graz. DA.: 8010 Graz, Kreuzg. 35. PA.: 8053 Graz, Peter-Rosegger-Str. 20. G.: Weiten/Melk, 6. Febr. 1945. V.: Dr. med. Ingrid, geb. Fuchs. Ki.: Roland, Andreas. El.: Dr. med. Fritz u. Dr. iur. Stefanie. S.: VS, AHS Klagenfurt, 1963 Matura, Stud. d. Med. Univ. Graz, 1970 Prom. K.: Ausbild. am Inst. f. path. Anatomie Graz, Med. Univ.Klinik Graz, 1972-85 2. Chir. Abt. LKH Graz, seit 1985 Ärztl. Ltr. d. Sanatoriums d. Kreuzschwestern. BL.: Bauchchir. P.: 10 Publ. u.a. über Dickdarm- u. Unfallchir., Path., 1 Lehrbuchbeitrag. M.: Österr. Ges. f. Chir., Dt. Ges. f. Chir., Ver. d. Primarärzte Österr. H.: Skifahren, Tennis, Zeichnen, Basteln, Reisen, Fotografieren. (C.H.S.)

Zöberer Wilhelm Ing.

B.: Gschf. Ges. FN.: Ing. W. Zöberer & Co OHG. DA.: 1140 Wien, Kendlerstr. 18. PA.: 1210 Wien, Lebnerg. 12/4. G.: Wien, 21. Mai 1944. V.: Margareta, geb. Köhler. Ki.: Michaela (1971). El.: Wilhelm u. Katharina. S.: 1964 Matura am TGM Wien (Nachrichtentechnik). K.: Export-Ltr. in d. Medizintechnik m. Schwerpunkt Osteuropa, s. 1980 selbst. BL.: Eigenentwickl. v. rechnergestützten Sondermaschinen. H.: Segeln, Videofilmen, Reisen. (J.S.)

Zobl Engelbert Mag. MA
B.: Arch., staatl. befugter u. beeid. Ziviltechniker. DA. u. PA.: 2380 Perchtoldsdorf, Herbert-Böckl-Weg 8. G.: Zams, 1. Nov. 1936. V.: Dipl.-Ing. Hertha A., geb. Brenner. Ki.: Thomas (1967), Marcus (1971). S.: 1957 HTL-Matura, Hochbau- u. Arch.-Stud. Ak. d. Bild. Künste Wien, Mstr.-Schule b. Prof. Roland Rainer, 1961 Dipl., 1966-68 Univ. of Southern California Los Angeles, MA (Master of Architecture and Urban Design). K.: Tätigkeit in Intern. Arch.-Büros in Basel, Kopenhagen, Wien u. Los Angeles, seit 1979 eigenes Arch.-Büro, seit 1982 zahlr. Bauten gemeinsam m. Arch. Gerhard Leipold, vorwiegend Bauten im Bereich d. Bürohausbaues, Wohnungshausbau u. Heime in NÖ u. Wien. P.: zahlr. Fachart. in in- u. ausländ. Fachzeitschriften, 1978 Reiseführer: Holzbaukunst in d. Slowakei, 1992 Reiseführer: Holzbaukunst in Moramures NW-Rumänien. E.: mehrfache Ausz. u. Wettbewerbserfolge in Österr., Schweiz u. USA, Mtgl. d. Teams Cesar Pelli: 1. Preis UN-City Wien. (M.M.)

Zobl Gerhard Mag.
B.: Arch. A.: 5201 Seekirchen, Am Schreiberg 35, 5020 Salzburg, Heinrich-Kiener-Str. 1. G.: Zams, 11. Juni 1942. V.: Ingrid-Elsbeth, geb. Thuma. El.: Benjamin u. Maria. S.: VS, HS, Staatsgewerbeschule (HTBLA), HS (Ak. d. bild. Künste). K.: Arch.Stud. an d. Ak. d. Bild. Künste in Wien - Mstr.Schule Prof. Dr. R. Rainer, Dipl. 1965, 1966-70 Mitarb. b. Prof. Dr. G. Garstenauer in Sbg., 1971 Ziviltechnikerprüf. u. Ziviltechnikerbefugnis d. BMB, seit 1971 selbst. Arch. in Sbg., zahlr. Wettbewerbserfolge, Preis- u. Gutachtertätigkeit, Schul- u. Verwaltungsbauten, Hallenbäder, Wohnbauten, Kindergärten, Hotelbau, Banken, Jugendwohnheime u. Jugendzentren, Industriebau. P.: In in- u. ausländ. Arch.-Zeitschriften, wie DBZ, db, Bauwelt, a+u, Domus, architek-

tur akutell u.a., Beitrag f. d. Wanderausstellung "Österr. Arch. 1945-75" in d. USA u. Europa, Zeitentwicklungsübersicht - Beispielh. Obj., Beitrag f. d. Lexikon "Österr. Arch. im 20. Jhdt.", Beitrag f. d. Anthologie über d. "Zeitgen. Österr. Arch.", Beitrag z. modernen Wohnen Sbg.-Landessymposium. E.: Meisterschulpreis 1965 d. Prof.Kolleg. d. Ak. d. bild. Künste in Wien, Lebensrettungsmed. d. Landes Sbg. f. d. unter Einsatz d. eigenen Lebens erbrachte Rettungstat, Wehrdiensterinnerungsmed. v. BMLV 1966. M.: Ing.Kam. f. OÖ u. Sbg., BIng.Kam., Zentralvereinigung d. Arch. Österr., Präs. d. 1. Tennisclub Seekirchen. H.: Tennis, Skilaufen, Radfahren u. Segeln.

Zobl Hanspeter Dr.
B.: Öff. Notar. DA.: 6020 Innsbruck, Maria-Theresien-Str. 21-23. G.: Schattwald, 25. Jan. 1940. V.: Brigitte, geb. Heinz, 3 Kinder. S.: VS, 1951 Paulinum in Schwaz, 1959 Matura. K.: Fähnrich d. Res., 7 J. Ang. d. Österr. Post- u. Telegrafenverw., nebenbei Jusstud., 1968 m. 3 Staatsprüf. abgeschlossen, Prom., 1969 Eintritt in Notariat, seit 1983 öff. Notar in Innsbruck. M.: Cartellverb. H.: Musik, Lesen, Sport. (Schm.)

Zobl Helmut Mag. art.
B.: Medailleur. DA.: 1070 Wien, Mariahilfer Str. 58/1/11. G.: Schwarzach/St. Veit, 6. Mai 1941. V.: Ingrid, geb. Svejda. Ki.: Ingmar (1971), Simone (1975). El.: Friedrich u. Maria. S.: Kunstgewerbeschule Steyr, Ak. d. Bild. Künste Wien, 1965 Mag. art. K.: seit 1970 freischaff. Künstler, Medaillenkunst incl. Münzkunst, Ölbilder, Aquarelle, Grafiken, Reliefs, Skulpturen, Glasfenster, zahlr. Auftragsarb. sowie freie Arb., Gestaltung v. österr. Silbermünzen, Med. u. Medaillenzyklen, Zobl-Welttaler I-VII (1972-92), Mozart-Taler, zahlr. Ausstellungen im In- u. Ausland u.a. 1969 Helsinki, 1974 Basel, Düsseldorf, 1975 Paris, Linz, 1977 Rom, Wien, 1978 Tel Aviv, 1983 Florenz, 1985 Stockholm, 1992 Wien. E.: 1973 Förderungspreis d. BMU. M.: Verwertungsges. Bild. Künstler, Wr. Sezession. H.: Kunst, Literatur, Theater. (M.M.)

Zobl Margit
B.: Friseurin Salon Stefanie. DA. u. PA.: 5753 Saalbach, Dorfstr. 233. G.: Namibia, 15. Dez. 1971. El.: Jürgen u. Irmtraud Zobl. S.: VS, HS, 1 J. Fachschule f. wirtschaftl. Frauenberufe, Friseurlehrling im elterl. Betrieb, 3 J. Berufsschule. K.: während d. Lehre m. d. Preisfrisieren begonnen, teilgenommen an nat. u. intern. Wettbewerben, zahlr. Kurse u. Ausbild., Friseurschule Niessner München, Schwarzkopfausbild., Mtgl. d. Ak. d. Friseure Sbg., seit 1994 Funktion im ModebeiR. BL.: Teilnahme an EM im Jugendteam Antwerpen, Teilnahme Österr. Staatsmeisterschaft im Damenfach, Teilnahme London Olympic Tropy , 1994 Gesellenprüf., Stipendium in Frankreich, Teilnahme an d. Bundesmeisterschaft d. Lehrlinge (Gesamtsieger).

Zobl Zeno Dipl.-Ing.
B.: Ltr. d. techn. Entwicklung. FN.: Gepard Ges. f. parallele Datenverarb. mbH. DA.: 1110 Wien, Am Kanal 27. PA.: 1110 Wien, Weldeng. 19. G.: Ötztal, 18. Juli 1962. V.: Mag. Roswitha. El.: Josef u. Adelinde, geb. Kranebitter. S.: 1980 Matura in Imst, 1980-89 Stud. d. techn. Math. an d. TU Wien. K.: 1985-88 Österr. Bundesinst. f. Gesundheitswesen, 1988 Mitbegr. v. Gepard. BL.: Aufbau v. maßgeschneiderten Hochleistungscomputern u. Satellitenbildverarb. H.: Drachenfliegen, Natur, fremde Länder kennenlernen. (N.A.)

Zöchling Gertrude
B.: Ltr. d. Filiale Melk. FN.: Wr. Domverlag GmbH. DA.: 3390 Melk, Rathauspl. 10. PA.: 3390 Melk, Kienastg. 7. G.: Melk, 10. Okt. 1944. V.: Hermann Zöchling. Ki.: Georg (1972), Günter (1974). El.: Josef u. Paula. S.: VS, HS, Hauswirtschaftsschule. K.: 1964 Eintritt als Buch- u. Papierhändlerin in d. Zweigstelle Melk d. Wr. Domverlages, seit 1988 Filialltr. H.: Stricken, Lesen. (M.M.)

Zöckl Elisabeth Dr. iur.
B.: Kommunikationsberaterin, Partnerin. FN.: TSM-Consulting. DA.: 1150 Wien, Mariahilfer Str. 134. PA.: 1040 Wien, Fleischmanng. 3/15. G.: Wien, 6. Nov. 1944. El.: Dr. Franz u. Gertrud Zöckl, geb. Rohna. S.: RG, Matura, 1962-67 Stud. Rechtswiss. Univ. Wien m. Prom. z. Dr. iur. K.: Studienaufenthalte in Europa, 1969-91 Tätigkeit b. "Iberia" Verkaufsabt., Planung u. Marketing, PR, 1991 Eintritt in TSM. P.: lfd. journalist. Tätigkeit m. Schwerpunkt Reisen. H.: Reisen, Oper, Fotografieren. (N.A.)

Zoderer Harald Dkfm.
B.: Gschf. u. Einzelprok. DA.: 1031 Wien, Ungarg. 20. PA.: 3400 Klosterneuburg, Sachseng. 19. G.: Klosterneuburg, 1. Sept. 1936. V.: Dr. Gertraud, geb. Haag. S.: VS, Gymn. in Klosterneuburg, Welthdl.Stud. in Wien. K.: 1959 Mitarb. d. Wirtschaftsgeographik an d. HS f. Welthdl., 1960 kfm.-techn. Ausbild. b. IBM, 1960-68 Litton-Industries-Sweda als Vertreter mitaufgebaut, 1969-73 Unilever, Fa. Apollo Waschmittel u. Seifen in Österr., Key-Account-Manager, 1973-76 Verkaufsltr. b. Porsche-Österr., Abtlg. PORTEX, 1976-79 Gschf. d. Fa. Numeral, Geldzähl- u. Geldverpackungsmaschinen, 1979-81 stellv. Ltr. d. Österr. Brau AG, Abt. Ostösterr., 1981 Gschf. M.: 25 J. Basketball-Ver. Klosterneuburg. H.: Tennis, Basketball, Skifahren, Musik. (Sei.)

Zodl Franz Dir.

B.: Päd. Ltr. d. Gastgewerbefachschule d. Wr. Gastwirte-Spezialrichtung Küche u. Service. GT.: s. 1987 Lehrbeauftragter u. Veranstaltungsltr. d. Päd. Inst. d. Bundes. DA.: 1010 Wien, Judenpl. 3-4. G.: Mödling, 14. Aug. 1944. El.: Franz u. Anna. K.: 1958 Lehre als Zuckerbäcker Konditorei Rötzer Mödling, 1961-63 Lehre als Koch Hotel Sacher Wien, 1963-75 Jungkoch, Stellv. Küchenchef Hotel Sacher, 1975-76 Küchenchef Club Hotel Baden, 1976-79 Vertragslehrer d. Fond d. Wr. Kaufmannschaft an d. Fremdenverkehrsschulen d. Wr. HK, Unterricht in d. Lehrfächern Küchenwirtschaft u. Kochen, Speisen- u. Nahrungsmittelkunde, 1979-80 Vertragslehrer d. Bundes, 1980 Fachlehrer, s. 1977 Sous -chef Restaurant Leupold, 1967-76 Kunstltr. Gastronom. Inst., 1978 Lehramtsprüf. f. d. gewerbl. Fachunterricht an Berufsbild.mittleren u. höheren Schulen, 1978 Konzessionsprüf. f. d. Gastgewerbe, 1984 provisor Ltr. d. Gastgewerbefachschule Wien am Judenpl., 1985 Dir. d. Gastgewerbefachschule. E.: 1991 Gold. EZ d. Rep. Österr. M.: s. 1968 Mtgl. d. Prüf.-Kmsn. u. Vors. b. Lehrabschlußprüf. f. Köche, s. 1986 Prüf. Vors. d. Prüf.-Kmsn. f. d. Abschlußprüf. d. Hotelfachschüler, s. 1989 Ltr. u. Organisator d. Küchenmeisterkurses v. WIFI f. Wien, NÖ u. Bgld., VPräs. u. sekt.-Obm. v. Wien d. Verb. d. Köce Österr., Confrerie de la Chaine d. Rotisseurs, Österr. Weinbruderschaft, EUHOFA. H.: Theater, Oper, Aquarien. (M.M.)

Zodl Manfred
B.: Ltr. u. Prok. d. Unternehmensbereiches Finanzen u. Administr. d. Fa. Quester Baustoffe. DA.: 1190 Wien, Heiligenstädter Str. 24. PA.: 1140 Wien, Mauerbachstr. 42/8/2. G.: Wilhelmsburg, 9. Jan. 1945. V.: Waltraud, geb.

Schwaiger. Ki.: Manfred, Claudia. El.: Franz u. Johanna. K.: Kfm. Lehrling, dan. betriebswirtschaftl. Tätigkeit in Wilhelmsburg, 1975-79 b. Porsche Austria (Controlling), 1979-83 GF einer Tochterfirma v. Porsche, seit 1984 b. Fa. Quester. M.: Lions Club. H.: Natur, Skifahren. (P.R.)

Zoebl Heinz Dr.
A.: 1190 Wien, Beethovengang. 4a. G.: Wien, 17. Dez. 1915. V.: Mathilde, geb. Gümperlein. El.: Dr. Franz u. Rita. S.: RG, TH Wien. K.: 5 J. BMW München, 10 J. Hoerbiger-Ventilwerke AG Wien, seit 1962 selbst. Unternehmer. F.: 25 % Dipl.-Ing. Dr. Heinz Zoebl, Ein- u. Ausfuhrhdls. GmbH, 100 % Dipl.-Ing. Dr. Heinz Zoebl GmbH. P.: Pneumatikfibel, Schaltpläne d. Ölhydraulik, Oelhydraulik, Strömung durch Rohre u. Ventile. M.: Management Club Wien.

Zoglauer Franz
B.: Ressortltr. F4, Theater u. Musik d. ORF. DA.: 1136 Wien, Würzburgg. 30. G.: Wien, 25. Feb. 1947. V.: Christiana, geb. Buchegger. Ki.: Nora (1977), Arthur (1979). El.: Arthur u. Lotte, geb. Bundschuh. S.: Stud. Theaterwiss. K.: Ass. u.a.v. Reg. wie Kurt Meisel u. Wolfgang Glück b. Theater, Film u. TV-Prod., Mitarb. b. div. Kulturzeitschriften, Autor u. Gestalter v. Hörfunk- u. TV-Sendungen, Ressortltr. f. Theater u. Musik in d. F4, Themenauswahl u. Storygestaltung f. Kulturjournal, ZiB, Präsentator d. Sendung Kulturjournal. M.: ständiges Mtgl. b. d. Kulturzeitschrift "Parnas". H.: Literatur, Musik, Theater, Skifahren. (N.A.)

Zoglauer Kurt Ing.
B.: Gschf. d. Fa. Nicola Bostelmann & Sohn, Ges. f. Elektroinstallationen. DA.: 1232 Wien, Gorskistr. 19. PA.: 1070 Wien, Neubaug. 34. G.: Wien, 9. Mai 1937. V.: Inge, geb. Fränzl. Ki.: Brigitte, Paul, Markus, Lukas. El.: Karl u. Grete. S.: Mittelschule, HTL Wien. K.: 1957-69 beschäftigt b. AEG Union, 1959-61 tätig b. d. Fa. Elin, 1961 Techniker b. Fa. Bostelmann, 1961 Gschf. E.: 1981 Staatswappen. H.: Skifahren, Reiten. (Fels.)

Zoglauer Martin
B.: Ges., Controller u. Mtgl. d. Gschltg. FN.: Nicola Bostelmann & Sohn, Elektroinstallationen GmbH. DA.: 1232 Wien, Gorskistr. 19. PA.: 1040 Wien, Taubstummeng. 2. G.: Wien, 12. März 1965. El.: Ing. Peter u. Elisabeth. S.: Gymn., 1979-84 HAK. K.: 1984 Eintritt i. elterl. Betrieb u. mehrere Stud.-Reisen i. Ausland, 1987-88 Marketing u. Verk.-Lehrgang a. d. WU Wien, s. 1990 als Controller u. Mtgl. d. Gschltg. tätig. GT.: Ges. u. Gschf. d. "Gebrüder Zoglauer GmbH." P.: Fachartikel i. versch. Medien. M.: Präs. u. Grdg. d. Ver. f. Gerechtigkeit i. Österreich. H.: Sport, Skifahren, Segeln. (I.K.)

Zoglauer Peter Ing.
B.: Ges. u. Prok. d. Fa. Nicola Bostelmann & Sohn, Ges. f. Elektroinstallationen. DA.: 1232 Wien, Gorskistr. 19. PA.: 1120 Wien, Hasenhutg. 7. G.: Wien, 14. Apr. 1940. V.: Elisabeth, geb. Brand. Ki.: Michael, Martin, Georg. El.: Karl u. Margarete. S.: Mittelschule, HTL, HS f. Welthdl. K.: Eintritt in d. Fam.-Betrieb, 1961 Übernahme d. kfm. Ltg., 1984 Prok., 1975 Zoglauer GmbH Mitges. u. Ges. E.: 1981 Staatswappen. M.: Funkberaterring, Vorst., Gschf., Präs. d. VRF. H.: Computer, Skifahren, Bergsteigen, Wandern, Schwimmen. (Fels.)

Zöhrer Anton
B.: Inh. d. Weingutes in d. Kremser Sandgrube, Weinbau- u. Kellermstr. DA.: 3500 Krems, Sandgrube 1. G.: Weinzierl, 1. Juli 1954. V.: Ursula, geb. Enzinger. Ki.: Anton, Martin. BV.: Fam. Zöhrer geht zurück b. 1300. S.: VS, HS, Weinbauschule Krems, Mstr.Prüf. K.: 1983 Eröff. d. Heurigen, prämierte Weine (Goldmed.) anläßlich d. Weinmessen, vertreten im Gault Millau 1985. E.: Gold. Ehrenbuch d. Bauernbundes. M.: Weinbruderschaft, Kremser Hauerinnung, div. Ver. d. Österr. Weinwirtschaft. H.: Skifahren, Weinbau. (Hau.)

Zöhrer Daniela
B.: Gschf. Ges. FN.: LOFT Design. DA.: 1060 Wien, Mariahilfer Str. 19. G.: Villach, 15. Apr. 1968. El.: Franz u. Friederike Zöhrer. S.: RG, Jusstud. Univ. Wien. K.: 1968 Eröff. LOFT Design. H.: Snowboard, Tennis, Wasserski, Musik, Stadtrundfahrten, fremde Kulturkreise. (J.M.)

Zöhrer Franz
B.: Landw., Bgmstr. FN.: Vlg. Laure, Marktgemeindeamt Eberstein. DA. u. PA.: 9372 Eberstein, Hochfeistritz 6. G.: St. Veit a. d. Glan, 10. Sep. 1940. V.: Christine, geb. Ratheiser. Ki.: Susanne (1963), Christine (1965), Franz (1967), Uwe (1969). El.: Maria u. Christian (+). S.: VS, HS, 1959-60 Landwirtsch. Scg. Treibach-Althofen, Weiterbild. im Bereich Waldwirtsch., ständ. Mitarb. u. 1970 Übern. d. elterl. Hofes, Waldwirtsch., Wildgehege, s. 1981 Ferienhäus., 1979-93 GemR. Eberstein SPÖ, s. 1993 VBgmstr. M.: Obm. Jagdges. s. 1985 u. Obm. Straßengenoss. s. 1970. H.: Jagd. (G.L.)

Zöhrer Josef

B.: Unternehmer. FN.: Schweighofer & Zöhrer Ges.mbH & Co KG. DA.: 5020 Salzburg, Vogelweiderstr. 43. G.: Slb., 4. Sept. 1946. V.: Irmgard, geb. Böhm. Ki.: Daniel (1969), Charlotte (1974). El.: Josef u. Elisabeth. S.: 1950-62 High School in Canada. K.: 2 Jahre b. Ruefa in Salzburg tätig, 6 Jahre b. British-Leyland, 1974 Eintritt in elterl. Betrieb, Gschf., seit 1935 Familienbetrieb, Autobusreisen im In- u. Ausland, Zusammenarbeit mit intern. Reisebüros, spezialisiert auf Staatsbesuche, Incentives, Incoming. M.: Skalclub., Fachgruppenvorsteher Stellvertreter b. Gew. Kammer. H.: Eishockey, Tennis, Schifahren. (D.E.)

Zöhrer Karl-Heinz Ing.
B.: Ltr. Controlling. FN.: Grass AG. DA.: 6973 Höchst, Bundesstr. 10. PA.: 6850 Dornbirn, Josef-Ganahl-Str. 24. G.: Dornbirn, 30. März 1964. V.: Elisabeth, geb. Gönter. El.: Werner u. Elfriede. S.: HS, HTL Textil Dornbirn, 1983

Matura, 1983/84 BH. K.: 1984-90 Betriebswirtschaft u. Kostenrechnung Textilunternehmen Dornbirn, 1990-91 Ltr. Betriebswirtschaft u. Einkauf Textilbetrieb Hard, 1991 Eintritt Grass AG Höchst als Ltr. Betriebswirtschaft, z.Zt. Stud. Betriebswirtschaft, Steuerrcht, Revision u. Controlling. H.: Basteln, Skifahren, Reisen, Wasserskifahren. (I.D.)

Zoidl Helmut-Christian Mag.

B.: AHS-Prof., Ltr. d. Forums Kirche u. Sport d. Diözese Linz. DA.: 4020 Linz, Kapuzinerstr. 84. PA.: 4020 Linz, Landstr. 16. G.: Ulrichsberg, 7. Feb. 1947. El.: Alois u. Eleonore. S.: VS, Hum. Gymn., Stud. Phil. u. Sport Univ. Innsbruck, 1975 Mag. K: seit 1975 Schuldienst. M.: Kath. Aktion Österr., VPräs. DSG OÖ, stellv. Landeskulturwart d. Union OÖ, Geistl. Ass. DSGÖ. H.: Beruf, Sport (Fußball, Leichtathletik, Radfahren, Bergwandern, Schwimmen, Tennis), Gartenarb. (K.-J.M.)

Zoihsl Viktor Dr. techn. Dipl.-Ing. Ing.

B.: Verkaufsltr., -manager. A.: 2500 Baden, Kraftg. 11/1. G.: Voitsberg, 2. Okt. 1945. V.: Brigitte, geb. Lederer. El.: Viktor u. Helene. S.: VS, Mittelschule, HTL, Wirtschafts-Dipl.-Ing., Doktorat d. techn. Wiss. K.: Univ. Ass., Betriebsberater, Ref. an Management-Inst. in Österr., Schweiz, Deutschl., Italien, Kons. in Fragen Führungskräfteausbildung, Verkaufsmanager, Lehrbeauftragter an d. Managment Univ. in Bratislava f. Produktdesign u. Verkaufsdesign. P.: Kreativitäts-Training f. Ing., Gruppendynamik - nur ein Modewort?. M.: WIV, MC. H.: Reiten, Jagen, Tennis, jegl. Art v. Sport.

Zojer Hanne Dr.

B.: freie Journalistin u. Autorin. GT.: freie Mitarb. d. ORF. DA.: 1190 Wien, Hackhoferg. 11A/Block VI, 24. G.: Wien, 21. Dez. Ki.: Niklas, Mathis. El.: Karl u. Maria Holub. BV.: Karl Holub Aquarellmaler, Afrikaforscher Dr. Emil Holub. S.: Matura, Stud. an d. Univ. Wien Theaterwiss., Germanistik, Phil., 1967 Prom. K.: Tätigkeit als freiberufl. Dramaturgin im ORF, freie Kulturred. f. Zeitungen u. TV, Drehbücher u. Regiearb. f. d. ORF, 1986 45 Min. Dok. über Kinder in d. Großstadt: Gschrappn, Gfrasta, Großstadtkinder, Tätigkeit als freie Autorin, Konzeptionistin u. Werbetexterin (Römerquelle belebt d. Sinne). P.: Übersetzungen indianischer Lyrik: Die Erde liebt uns, div. Kulturessays in Magazinen, Artikel über kulturelle Themen in div. Publ. E.: Werbe-Effies. M.: Literar-Mechana. (M.B.)

Zojer Hans Dr. phil. Univ.-Prof.

B.: Wissenschafter d. Forsch.-Ges. Joanneum. DA.: 8010 Graz, Elisabethstr. 16. PA.: 8010 Graz, Macherstr. 29. G.: Mauthen, 22. Jän. 1945. V.: Marion, geb. Tramschek. Ki.: Egbert (1972), Hartmut (1974). El.: Thomas u. Maria. S.: VS, LBA Klagenfurt, 1964 Matura, Stud. Geologie u. Geographie Graz, 1971 Prom. K.: 1971-75 Forsch.-Ang. b. d. Ver. f. Hydrogeolog. Forsch. TU Graz, 1975 Eintritt Forsch.-Zentrum Graz, 1987 Übernahme d. Forsch.-Ges. Joanneum GmbH, seit 1988 Ltr. d. Inst. f. Geothermie u. Hydrogeologie in dieser Ges., 1989 Prof. f. Hydrogeologie TU Graz, Ausbild. v. Studenten TU Graz, Postgraduiertenausbild. f. Spezialisten aus Entwicklungsländern, UN-Experte f. Grundwasserressoursen u. Trinkwasserschutz, Keyspeaker versch. intern. Fachsymposien, Experte f. Umweltstrategien z. Grundwasserschutz, Exporte f. d. Umweltauswirkungen v. Wasserkraftwerken u. Deponien, Beurteilung v. Umweltprojekten in intern. Gremien, Gastvorlesungen an d. Univ. Mexiko-City, Ankara u. Prag. P.: Groundwater characteristics and problems in carbonate rock aquifers (1989), Bedrohtes Wasser - Einführung in d. Thematik (1990), Groundwater response in multi aquifer flow systems (1990), Schadstofftransport im Sicker- u. Grundwasser (1991), Identifications of paleowaters by means of environmental isotope correlation (1991). M.: I.A.H., UNESCO-Arbeitsgruppe über wasserbezogene Wiss. H.: Skifahren, Reisen. (M.Gr.)

Zöller Wolfgang Ing.

B.: Firmeninh.; Managing Dir. FN.: Contech Electonics Handelsges.m.b.H. DA.: 1220 Wien, Hirschstettnerstr. 21. G.: Wien, 24. März 1962. El.: Johann u. Gertrude. S.: VS, Gymn., Matura, College f. Nachritentechn. u. Elektronik am TGM, techn. Matura. K.: Service Techn. b. Schrack, Erstellung d. ersten Kataloges f. Datenkommunikation f. Black Cox (Fa. SAT-Schrack), Anlagentechn., Techniker u. Projektltr. (NL, I) f. Fa. Grone, 2 J. i. d. Schweiz als Productmanager f. Data-Box (Datenkommunikation), zurück in Österr. Managing b. Glasgal-Data- Communikation. H.: Tauchen, Teppiche, Malerei. (W.J.)

Zolles Helmut Dr. Dkfm. KommR.

B.: Gen.-Dir. FN.: DDSG Donaureisen GmbH. DA.: 1020 Wien, Handelskai 265, Tel. 21750-0. G.: Wien, 10. März 1943. V.: Isolde. Ki.: Maria-Christine, Katharina. S.: 1961 Matura, Stud. an d. HS f. Welthdl., 1965 Dipl., 1968 Prom. K.: während d. Stud. als Reiseltr. tätig, 1968-71 Ltr. d. Referates "Verkaufswerbung" d. österr. Fremdenverkehrswerbung, 1971-74 Ltr. d. Abt. Werbung u. Public Relations, 1974-1987 gschf. Dir., ab 1987 Gen.-Dir. d. DDSG, seit 1. Sept. 1991 DDSG Donaureisen GmbH. BL.: Vorlesungen: Ökologisch bedingte Verhaltensweisen im Tourismus, Kommunikation im Tourismus, Marketing im Fremdenverkehr u.a. P.: Bedarfsanalyse d. österr. Fremdenverkehrswirtschaft, Mitautor d. Fremdenverkehrskonzeptes d. österr. Bundesrg. 1970, Marketingpraxis im Fremdenverkehr, Festschrift z. 70. Geburtstag v. Prof. Bernecker u.a. E.: Commendatore del Estato Italiano, Silb. EZ f. Verd. um d. Land Wien. M.: Vorst-.Mtgl. d. ÖRV sowie d. SKAL-Club Wien, Mtgl. d. AIEST. H.: Tennis, Skifahren, Lesen. (J.S.)

Zolles Manfred

B: Landessek. FN.: Gewerkschaft Hotel Gastgewerbe, persönl. Dienst. DA.: 4010 Linz, Wiener Str.20. PA.: 4030 Linz, Dieselstr. 20. G.: Raiding, 2. Juni 1954. V.: Christiane, geb. Pretroczy. Ki.: Harry (1976), Patrick (1985). El.: Paul u. Marta. S.: VS, HS, 1972 Lehre a. Einzelhandelskfm. b. Julius Meinl, 1973 Manipulant b. d. Zentralsparkasse Wien, 1975 AHS, 1977 B-Matura, 1988-89 Soz.-Akad., Spez.-Kurs f. Schalterdienst. K.: 1978 z. GÖB Wien, 1978 Bundesjugendsekr. - Frisöre, 1981 OÖ Sekr. Bereich Hotel, Gastgewerbe, a. 1993 Landessekr. OÖ d. HGPD, 1984 Ersatzmtgl. b. d. Kammer f. Arb.- u. Ang., 1993 ord. Kammerrat, Mtgl. OÖ Tourismusrat. M.: s. 1970 ÖGB, s. 1974 SPÖ. H.: Tennis, Skifahren. (N.A.)

Zöllinger Rene

B.: konz. Direktor. FN.: Internat. Tourneetheater "Leobener Ensemble". DA.u. PA.: 8700 Leoben, Hammerwiesenstr. 13. G.: Leoben, 24. Juni 1946. Ki.: Susanne 1966, thomas 1979. El.: Richard Rene u. Aloisia. S.: Vs, HS Leoben, Fachschule f. allgemeine Elektrotechnik b. 1964, 1973-77 Aubildung z. Meister f. allgemeine Elektrotechnik, 1963-71 Schauspiellehre b. Prof. Elisabeth Mossberger-Fuchs u. b. Prof. Theo Frisch-Gerlach. K.: 1961-86 Elektrotechniker b. Voest Alpine, nebenberufl. Schauspieler u. Regisseur, 1979-85 Leiter d. Friesacher Märchensonntage, 1983-84 Regisseur d. Friesacher Sommerspiele, s. 1974 konzessionierter Direktor d. Intern. Tourneetheaters "Leobener Ensemble", 1989 Festspiele i.d. Gaul´schen Felsenschlucht Meran mit "Scapin" v. Moliere, ab. 1992 künstlerische Leitung u. Durchführung d. Gmundener Märchentage, 1988-92 Inszenierung v. 47 Kinder u. Jugendstücken, 5 Tragödien u. Problemstücken u. 2 Boulevardstücken. E.: Literaturpreis d. Voest Alpine Konzern f.d. sozial-kritische Stücke "Leise rieselt d. Schnee..". BL.: 1966 Landessieger v. Salzburg u. 3 Preise v. Österr. b. Redewettbewerb d. Liga d. vereinten Nationen. M.: 1968-72 TFG Tourneetheater. H.: Lesen, Fußball, Tanzen.

Zöllner Peter Dr.

B.: Gen.-Sekr. FN.: Bundeskam. d. Arch. u. Ing.-Kons. GT.: Gschf. BIK-Verlagsges. DA.: 1040 Wien, Karlsg. 9. PA.: 1090 Wien, Porzellang. 7a. G.: Wien, 26. Juni 1941. V.: Renate. Ki.: Andreas (1973). El.: Dr. Franz u. Hilde. BV.: Vater war v. 1950-72 Kammeramtsdir. d. Wr. HK u. damit d. längstdienende Kammeramtsdir. S.: Schulbrüder Strebersdorf, Matura, Jusstud. Univ. Wien. K.: 1964-67 Sekr. d. Creditanst., 1967-72 BWK, 1972-92 Kammeramtsdir. d. Ing.-Kam. Wien, seit 1992 Gen.-Sekr. d. BK d. Arch. u. Ing.-Kons. Wien. M.: Lions-Club. H.: Tennis, Jagd, Fischen. (F.S.)

Zöllner Erich Dr. o.Univ.-Prof.

B.: em.Univ.-Prof. PA.: 1180 Wien, Haizingerg. 26. G.: Wien, 25. Juni 1916. V.: Maria, geb. Flamm. Ki.: Rupert. El.: Karl u. Stefanie. BV.: Großv. d. Gattin: Ludwig Boltzmann. S.: RG, Univ. Wien, 1938 Prom., 1940 Staatspr. Inst. f. Österr. Gschf. K.: 1953 a.o.Prof., 1962 o.Prof., korr. Mtgl. d. Österr. Ak. d. Wiss. 1967, w.Mtgl. 1972, korr. Mtgl. bayer. Ak. d. Wiss. 1971, Vors. Kmsn. f. neuere Geschichte Österr. 1967-84, Vors. Inst. f. Österr.Kde. 1974-85, Geschichte d. Mittelalters, Österr. Geschichte. P.: Die polit. Stellung d. Völker im Frankenreich 1950, Geschichte Österr. v. d. Anfängen b. z. Gegenwart 1961 (8. Aufl. 1990, franz. u. chines. Übersetzung), Probleme u. Aufgaben d. österr. Geschichtsforsch. 1984, Der Österreichbegriff, Formen u. Wandlungen 1988, Historikeranekdoten aus Österreich 1989, Das Werden Österreichs (1990 7.A. m. Therese Schüssel). E.: Kardinal-Innitzer-Würdigungspreis f. Geisteswiss., Würdigungspreis d. Landes NÖ f. Geisteswiss. 1986, Ehrenmed. d. Stadt Wien in Gold, Wilh.-Hartel-Preis d. Österr. Ak. d. Wiss., Gr. Gold. EZ d. Landes Ktn. 1987, Preis d. Stadt Wien f. Geistes- u. Sozialwiss. 1991. (J.S.)

Zolotar Alexander Dr. med.

B.: FA f. Frauenheilkunde u. Geburtshilfe. DA.: 1100 Wien, Ada-Christen-g. 1/135/1. PA.: 1020 Wien, Vorgartenstr. 188/7. G.: Przemysl/Polen, 1. März 1923. V.: Ida, geb. Smuszkin. Ki.: Elias (1980), Meira (1982), Tatjana (1985). El.: Dr. pharm. Elias u. Dr. chem. Tatjana. S.: Med.-Stud. Univ. Lemberg, 1954 Prom. K.: 2 J. Chefarzt d. Gynäkolog. Abt. d. KH Presnovka in West-Sibirien, 1956/57 1 J. Univ.-Klinik Lemberg, 1957 Auswanderung nach Israel, b. 1962 OA Kaplan Hospital Rehovoth Tel Aviv, 1962 Aufbau Gynäkolog. Abt. Eilat, 1964-85 OA KH Tel Aviv m. Privatordination, 2 J. OA Deutschland, seit 1985 in Österr., 1986 Nostrifizierung, b. 1989 OA an versch. KH in Österr., 1989 Eröff. d. eigenen Ordination in Wien. P.: wiss. Arb. u. Publ. im amerikan. u. israel. Fachjournalen m. Reaktionen aus d. ganzen Welt. E.: Ausz. v. Min. f. Kunst u. Kultur Rußlands f. Aktivität im Gesang u. Mithilfe an d. Entwicklung d. Opernkultur, Ausz. d. Univ. München. H.: Sport (Schwimmen, Tennis, Skifahren), Singen. (J.S.)

Zolotar Ida

B.: ehem. Opernsängerin u. Schönheitskönigin, dzt. Ordinationshilfe. FN.: Ordination Dr. Zolotar. DA.: 1100 Wien, Ada-Christen-G. 1/135/1. PA.: 1020 Wien, Vorgartenstr. 188/7. G.. Sibirien, 24. Apr. 1944. V.: Dr. med. Alexander Zolotar. Ki.: Elias (1980), Meira (1982), Tatjana (1985). El.: Israel u. Pola Smuszkin. S.: als Wunderkind m. 5 1/2 J. am Konservatorium in Litauen aufgenommen, Prüf. m. Ausz., Geschenk: eine Geige, anschl. Ausbild. Geige u. Klavier. K.: 1957 Auswanderung nach Polen, Ausbild. am Konservatorium Waldenburg, Stud. Geige, Klavier u. Gesang, 1961-85 Israel, Weiterstud. am Konservatorium Tel Aviv, 1967 Aufnahme in d. Nationaloper Tel Aviv, zahlr. Auftritte, seit 1985 in Österr., dzt. Ordinationshilfe in d. Privatordination f. Frauenheilkunde u. Geburtshilfe d. Ehemannes Dr. Alexander Zolotar. BL.: 1970 Schönheitskönigin in Israel. E.: Ausz. als Sängerin u. Schönheitskönigin. H.: Fotografieren, Videoaufnahmen, Musik, Oper. (J.S.)

Zonschits Johann

B.: Kfm. FN.: Abholmarkt Eisenstadt GmbH. DA.: 7000 Eisenstadt, Industriestr. 8. PA.: 7051 Großhöflein, Wienerstr. 82. G.: Unterfrauenhaid, 25. März 1950. V.: Martha, geb. Koller. Ki.: Claudia (1976). El.: Josef u. Justine. S.: VS, HS, Kfm. Lehre. K.: Lehre i. e. Lebensmittelgesch., Verkäufer n. Lehre 1 1/2 Jahre, BH 2 J., 1972 Eintritt Fa. Wenzel, 1977 Einkauf u. Vertrieb i. Großhandelsuntern., 1990-91 Neugründ. Abholmarkt Eisenstadt. H.: Haus, Garten Self-Mademan, kl. Musik. (W.M.)

Zopp Johannes Mag. rer. nat. Prof.

B.: Prof. an AHS i.R., freiberufl. Journalist. A.: 1030 Wien, Arsenal 9A/5/9. G.: Mödling, 4. Febr. 1928. V.: Emmi, geb. Vollnhofer. S.: BRG, Univ. Wien, Lehramtsprüf. u. Mag. rer. nat. K.: Seit 1954 im Schuldienst, 1965-74 an d. BStaatl. Hauptstelle f. Lichtbild u. Bildungsfilm, 1974-83 an d. BBildungsanst. f. Kindergärtnerinnen, seither i.R., seit 1946 journalist. Tätigkeiten, zahlr. Auslandsreisen, Vorträge. P.: Div. Publ. vor allem in Fachpresse, Spezialgeb. Aktuelles, Luftfahrt, Reise, Mitarb. b. "Airline Data News", "Flight International", T.I.P., "austroflug", "World Airline Fleets", div. Bildagenturen u.a. H.: Reisen, Luftfahrt, Fotografie.

Zorn Georg Ing.

B.: Gschf. Ges. FN.: Lendvay GesmbH. & Co. KG. DA.: 1210 Wien, Scheydg. 30. PA.: 1230 Wien, Am Spiegeln 20. G.: Wien, 6. Jän. 1961. V.: Daniela, geb. Frtyal. Ki.: Dominik (1981), Mario (1983), Maximilian (1993). El.: Dkfm. Georg u. Ing. Lilian, geb. Weymelka. S.: MS, HTL, HAK, 1981 Absch. K.: 1982 Eintritt i. d. Fa. Lendvay i. versch. Positionen (4. Generation d. Familie i. d. Fa. tätig), ab 1988 Dir., 1990 Prok., s. 1991 Gschf. d. Fa. M.: Fachverb. H.: Surfen, Schwimmen, Katamaran fahren, Tauchen, Tennis, Skifahren. (N.A.)

Zorn Günther Ing.

B.: Gschf. FN.: TELEDATA Consulting u. Systemmanagement GmbH. DA.: 6840 Götzis, Vorarlberger Wirtschaftspark. PA.: 6840 Götzis, Erlach 1. G.: Bregenz, 22. Juli 1961. V.: Monika, geb. Dell-Osbel. El.: Klaus u. Christl. S.: 1981 Matura HTL Elektrotechnik, versch. Weiterbild.-Kurse. K.: Auslandstätigkeit, 1985 Innsbruck b. Kassenfirma, 1986-88 Gschf. Ruf Bregenz, 1989-92 Ndlg.-Ltr. Telenorma Feldkirch, seit 1992 b. Teledata. H.: Reisen, Lesen, Sport. (A.K.)

Zorn Heinz Dr. Dipl.-Vw.

B.: Bankltr. A.: 1180 Wien, 3100 Waitzendorf 7. G.: Wien, 21. Sept. 1934. V.: Ingeborg, geb. Bungardt. Ki.: Guido, Monika, Ingo. El.: Prof. Heinrich u. Antonia. S.: Matura HAK Wien, Absolv. d. betriebswirtschaftl. u. vw. Stud. an d. jur. Fak., vw. Inst. d. Univ. Innsbruck. K.: Auslandsstud. in Paris u. Rouen, 22 J. Berufspraxis im österr. Bankwesen, zuletzt Vorst.Dir., gerichtl. beeid. Sachv. f. Betriebswirtschaft u. Unternehmensberatung, Gschf. d. Finanz-, Industrieberatung Dr. H. Zorn Ges. u. Immobilien Ges. P.: Dipl.Arb.: "Die österr. Erdölindustrie", Diss.: "Liquidität u. Rentabilität d. Kreditbanken", mehrere Veröff. in in- u. ausländ. Fachzeitschriften. H.: Jagd, Skilauf, Tennis, Musik.

Zorn Wilhelm HofR. Prof.

B.: SenatsR. i.R., Lektor d. WU Wien, Doz. an VHS Wien. PA.: 1190 Wien, Hartäckerstraße. G.: 13. Apr. 1913. Ki.: Helga. S.: RG, Matura, 1935 Prüf. Lehramt f. Kurzschrift. K.: 1948 Gründer d. AG f. Stenografie, 1950 Aufbau u. Organ. d. Verw.-Akad. d. Stadt Wien, seither Vortragender, 1951 Gründ. d. Österr. Stenogr. Verbandes, 1952 Initiator d. Tel. Diktates-Kurznr. 1517, seit 1952 gerichtl. beeid. Sachv. f. Kurzschrift, 1952 Organ. d. Ausstell. "Stenografie u. Schreibmaschine", 1948-76 Vortragender f. Kzl.-Bed. d. St. Wien, sowie Fachprüfer, Gründ.-Mtgl. d. Intersteno in d. Schweiz, ab 1958 Ltr. d. Dienststelle Mag.-Dion.-Pers. Eins., 1959 Präs. d. Intersteno u. Ltr. d. 3. WM in Maschinschr. in Wien, 1961-68 Mtgl. d. Sachv.-Aussch. d. Kultusmin.-Konf. f. Kurzschriftfragen in Bonn, 1962 Ernenn. z. Mtgl. u. Fachprüf. d. Bundesstaatl. Prüf.-Kmsn. in Kurzschr. u. Maschinschr. an öff. mittl. Lehranstalten. P.: 1950-67 Chefred. d. Fachzeitschrift "Der Österr. Stenograf", Mitverf. v. Fach- u. Lehrbüchern, 1968-75 Red. d. "Österr. Steno- u. Maschinschreib-Illustrierten", 1966 Enthüllung d. Gabelsbergerdenkmals u. Initiator v. Straßenverkehrsflächen-Benennungen in Wien, wie Brabbeéstr., Levasseurstr., Stenografengasse. E.: 1971 Gr. VK d. BRD, 1970 Gold. EZ d. Rep. Österr., 1978 Gr. Silb. EZ f. Verd. um d. Land Wien. H.: Steno, Spanisch.

Zorn Wolfgang Ing.

B.: Gschf. Ges. FN.: Luzira u. Wolfgang Zorn GmbH Juweliergeschäft u. Ind.-Hallenbau. DA.: 1020 Wien, Taborstr. 17B. PA.: 1210 Wien, Sandrockg. 58. G.: Wien, 6. Nov. 1960. V.: Gerlinde, geb. Jägersberger. Ki.: Angela (1985), Christian (1989). El.: Rudolf u. Luzia, geb. Fischer. S.: 1976-81 HTL Maschinenbau, Ausbild. z. Juwelier im elterl. Betrieb. K.: 1982-88 Verkaufsing. u. -techniker SGB u. Konstrukteur Zeman & Co, 1989 Grdg. d. eigenne Firma, Erweiterung d. elterl. Betriebes - Juweliergeschäft, Übernahme dessen Führung, Schwerpunkt: Entwurf eigener Produktion, Organ. v. Ausstellungen, Teilnahme an d. Messen. BL.: Aufbau einer Ind.-Hallenfirma. M.: Sport, Antike Möbel, Schmuck kreieren, Zeichnen. (N.A.)

Zorn-Schnötzinger Jutta Dr. rer. soc. oec.

B.: Gschf. FN.: Brain Pool Zorn & Schwab KEG. DA.: 6911 Lochau, Neue Schanze 18/4. G.: Bregenz, 14. Mai 1960. V.: Dr. Michael Zorn. Ki.: Manuel (1993). El.: Dr. Franz u. Charlotte. S.: Gymn. Bregenz, 1978 Matura, Stud. BWL an d. WU Wien, 1987 Prom. K.: CA-BV Wien: Abt. Marketing u. Marktforsch., 3J. Unilever: Produktmanagerin, 1990 Grdg. d. Fa. Brain Pool m. Mag. Schwab; WIFI-Referentin, Kurs-Ltr. f. Marketing in Fachakad. E.: 1984 Eduard Haas-Preis d. Kepler-Univ. Linz. M.: Marketing Club Vbg., Junge Wirtschaft Vbg., WWG Wien, Tennisclub Bregenz. H.: Tennis, Lesen, Schifahren, Schwimmen, Reisen, Barmixen, Weinsammeln. (I.D.)

Zörrer Ferdinand Dipl.-Ing.

B.: Freischaff. Arch. DA.: 1060 Wien, Gumpendorfer Str. 63. PA.: 1130 Wien, Neukräfteng. 38, 3924 Schloß Rosenau, Jägerhaus. G.: Wien, 7. Mai 1929. V.: Helga, geb. Schäfer.

El.: Dipl.-Ing. Basilius u. Auguste. S.: TU Wien. K.: eigene Kzl. seit Dez. 1965, vornehml. Laden- u. Kaufhausbauten, Ausstellungs- u. Museumsgestaltungen, Denkmalschutzarb., Revitalisierungen, Altbausanierungen. E.: EZ f. Verd. um d. Denkmalschutz, Silb. EZ f. Verd. um d. BLand NÖ.

Zörrer Helga

B.: Mitarb. FN.: Arch.-Büro Dipl.-Ing. Ferd. Zörrer. DA.: 1130 Wien, Neukräfteng. 38. G.: Wien, 21. Aug. 1938. V.: Arch. Dipl.-Ing. Ferd. Zörrer; 3 Kinder. El.: Anton u. Marion Schäfer. S.: VS, HS, HASCH. K.: Tätigkeit in Arch.-Büro, Filmfirma, seit 1965 Mitarb. im Arch.-Büro d. Mannes. M.: VPräs. d. Ges. d. berufstätigen Frauen Club Wien, Club Alpha, seit 1988 Wr. Hilfswerk. H.: Familie, Kochen, Kunst, Spazierengehen m. Hund. (J.M.)

Zörrer Monika

B.: Tänzerin, Pädagogin, Ltr. u. Inh. d. Ballettschule Monika Zörrer. GT.: Sekr. d. Österr. Tanzrates, Gründerin u. Mtgl. d. "Vienna Dans Company", Mtgl. d. Jazztanzgruppe "Dynamik Dancer" Mtgl. u. Tanzpädagogin d. Jugendchorak. Andorf/OÖ. DA.: 1070 Wien, Mariahilferstr. 66. PA.: 1070 Wien, Hermanng. 31. G.: Wien, 18. Sep. 1969. El.: Arch. Dipl.-Ing. Ferdinand u. Helga. S.: AHS-Unterstufe, Musikgymn. Oberstufe, 1976-84 priv. Ballettunterricht, 1984-89 Ballettabt. im Konservatorium d. Stadt Wien, Teilnahme an zahlr. Tanzseminaren, Ballettpäd.: 1990 u. 1991 Dipl. K.: Auftritte: Theater im Künstlerhaus, Tanztheater Susanne Hajdu, Stückverträge b. Musicals, Soloauftritte, "Hofdanzer", Oper "Dido u. Aeneas", "The Fairy-Queen", Jazztanzgruppen, 1991 Kauf d. Ballettschule Marta Plamenac. BL.: Choreographie div. Veranstaltungen. H.: Beruf. (J.S.)

Zorzi Rudolf

B.: Kfm. FN.: Getränkevertrieb-Import Transporte. DA. u. PA.: 6100 Seefeld, Lautascherstr. 686. G.: Innsbruck, 12. Sep. 1942. V.: Lore Prantl. Ki.: Hannes u. Manfred. El.: Josef u. Rosa. S.: Bäckerlehre, 1959 Gesellenprüf. K.: 1964 bei der Olympiade als Gepäcksträger tätig, ins Fremdenverkehrsgeschehen eingestiegen, Beginn mit VW-Transporter, 1969 Frächterkonzession, 1967 Heirat, 1969 Aufbau d. Getränkehandels, 1974 Importeur i. Tirol, 1974 Handelsschein f. Getränkegroßhandel erworben, 1980 Übernahme d. Brauerei Gösser, 1977 Bau einer Lagerhalle in Seefeld, 1980-85 Übernahme d. Weißbieres "Spaten", 1992 Beginn d. Handels von exklusiven Weinen. H.: Jagd, Feuerwehr. (A.W.)

Zötsch Johann Ing.

B.: Unternehmer. FN.: Ing. Johann Zötsch GmbH. DA. u. PA.: 8043 Graz, Josefweg 35b. G.: Graz, 10. April 1950. V.: Monika, geb. Ostrowski. Ki.: Margit (1977). El.: Johann u. Maria. S.: VS, HS, HTL, 1969 Matura, BH. K.: 1970 Eintritt in eine Baufirma als Techniker, 1972-85 Baultr. Firma Langmann Graz, 1983 Übernahme väterl. Brunnenbaufirma, seit 1985 selbst. Tätigkeit, seit 1988 Umwandlung in GmbH u. Bauunternehmung. BL.: 1989/90 u. 1992 Staatsmstr. Präzisions-Motorflug, Mtgl. d. Österr. Nationalmannschaft. M.: Vorst.-Mtgl. d. Raiffeisenbank Graz-Maria Trost, Aussch.-Mtgl. d. Landesinnung Bauhilfsgewerbe, Berufsgruppenobm. d. Stmk. d. Brunnenbmstr. H.: Fliegen. (M.Gr.)

Zott Lutz Dr. Dkfm.

B.: Gschf. Ges., Komm. FN.: Zotti & Co GmbH Alois Zotti. DA.: 1060 Wien, Gumpendorfer Str. 10. PA.: 1130 Wien, Gheleng. 13a. G.: Wien, 6. Dez. 1941. V.: Dr. Irmtraud, geb. Kowald. Ki.: Herwig, Georg. El.: Alois u. Leopoldine. S.: 1959 Matura. K.: 1962 Dkfm., 1963 BH, 1964 Eintritt in d. Fa. Alois Zotti, 1969 Dr. d. Hdls.Wiss. H.: Rudern, Bergsteigen. (N.A.)

Zotter Anton

B.: Gschf. FN.: Anton Zotter GmbH. DA.: 1150 Wien, Clementineng. 10. G.: Waidhofen/Thaya, 12. Juli 1959. El.: Anton u. Rosa, geb. Haller. S.: 1974-78 Elektroinstallateurlehre, 1978 Abschluß. K.: 1978-81 Elektriker ÖMV, Elin Union, 1983-85 Verkaufsrepräsentant Firma Heba, 1989-94 selbst. Anton Zotter GmbH, Sonnenschutz. H.: Sport, Naturfreund. (M.W.)

Zotter Friedrich Ing.

B.: Gschf. Ges., Wirtschafts.-Ing. FN.: ETS Untern.-Beratung. DA.: 6840 Götzis, Vorarlberger Wirtschaftspark. PA.: 6971 Hard, Bommenweg 17. G.: Dornbirn, 30. Apr. 1964. V.: Ilona, geb. Heimpel; 1 Kind. El.: Friedrich u. Sylvia. S.: Lehre als Werkzeugmacher Fa. Grass in Höchst, 1983 Abschl. m. Auszeichnung, 1983 BH, 1984-85 Arb.-Planer, 1985-88 Ing. Stud. Buchs. K.: 1989-90 Proj.-Ltr. u. 1990-92 Verkaufsltr. Fa. Wagner in d. Schweiz, par. Ausbild. z. Wirtschafts-Ing. in Zürich u. St. Gallen, 1992 Selbst. m. Fa. ETS Untern.-Beratung. E.: Förderpreis d. Fa. Hilti. M.: Junge Wirtschaft Vlbg. H.: Börse, Pop-Klassik, Fachliteratur. (I.D.)

Zotter Otto Mag.
B.: Dir. f. d. Bereich Zweigstellen d. Kreditschutzverb. v. 1870. DA.: 4020 Linz, Mozartstr. 11. PA.: 4020 Linz, Am Lerchenfeld 43. G.: Deutschlandsberg, 7. Febr. 1953. V.: Waldtraud, geb. Ehmann. Ki.: Christian (1991). El.: Otto u. Christine. S.: 1967-72 HAK Graz, 1973-78 Stud. Sozial- u. Wirtschaftswiss. Univ. Graz. K.: 1978 Eintritt in d. Kreditschutzverb. in Wien, 1979-91 Zweigstellenltr. d. Zweigstelle Linz, seit 1991 Dir. BL.: 1975 Autorennsport, 1985 u. 1987 Staatsmstr. im Automobilslalom, 4x Teilnahme an d. Jänner-Ralley. P.: Aufsätze im "Jahrbuch d. Rechnungswesen", Vortragender b. div. Vorträge u. Seminare z. Thema "Gläubigerschutz". M.: Verb. Österr. Wirtschaftsakademiker. H.: Skifahren, Familie. (P.H.)

de Zotti Giovanni Dr.
B.: Gschf. FN.: Eni Chem GmbH. DA.: 1150 Wien, Diefenbachg. 35/4. PA.: Bad Homburg, Kaiser-Friedrich-Promenade 80. G.: Mailand, 22. Sept. 1929. V.: Maria Magdalena, geb. Uthemann. El.: Carlo u. Guiseppina, geb. Torre. S.: 1947 Matura, Stud. industrielle Chemie Univ. Mailand, 1954 Prom., Weiterbild. Univ. Basel. K.: Tätigkeit in d. Forsch., 1961 Übersiedlung nach Deutschland, b. 1982 Gschf. Firma Montedison, dzt. im Vorst. d. Eni Chem AG Deutschland u. Gschf. d. Eni Chem GmbH Austria. P.: Fachart. in Fachmedien. E.: Cavaliere Ufficiale della Repubblica Italiana. M.: Präs. d. Ital. Kam. f. Deutschland, im BeiR. d. Dt.-Ital. Ver. in Frankfurt. H.: Lesen, Golf. (N.A.)

Zotti Herbert Ing.
B.: Gschf. Ges. FN.: Alois Zotti Maschinen u. Ind.Bedarf. DA.: 1060 Wien, Gumpendorfer Str. 10. PA.: 1160 Wien, An d. Scheibenwiese 6/3. G.: Wien, 5. Sept. 1951. V.: Christine, geb. Korinek, 2 Kinder. El.: Alois u. Leopoldine. (P.R.)

Zotti Sepp Dipl.-Ing.
B.: Vorst.-Mtgl. FN.: Zürich Kosmos Vers. AG. PA.: 1180 Wien, Dürwaringstr. 42. G.: Wien, 18. Aug. 1942. V.: Dr. Herta, geb. Feymann. El.: Dipl.-Ing. Josef u. Margarete. S.: TU Wien Nachrichtentechnik. K.: Software Entwicklung Siemens AG München, 1971 Rank Xerox System Analytiker, später Marketingltr: Bereich Computer Service, 1974-81 EDV-Ltr. Rank Xerox Wien, 1981 Marketing Dir., 1983 Gschf. Rank Xerox Austria, dzt. Vorst.-Mtgl. Zürich Kosmos. E.: Rank Xerox Staatswappenträger. M.: Vorst. American Chamber of Commerce. H.: Segeln, Tauchen. (Kas.)

Zottl Anton Dr. Univ.-Prof.
B.: Ordinarius f. Pastoraltheologie, Kath. Priester, Mtgl. d. Kongregation d. Oblaten d. Hl. Franz v. Sales, Univ.-Prof. an d. Theol. Fak. d. Univ. Eichstätt (D), Präs. d. Heimträgerver. "Salzburger Studentenwerk" in Sbg., Pastorale Mitarb. am Dom in Freising München. DA.: 5020 Salzburg, Robert-Preussler-Str. 11, Franz Sales Kolleg. PA.: D-8050 Freising/München, Domberg 26b. G.: Wien, 4. Aug. 1933. El.: Leopold u. Josefine. S.: Hum. Gymn. Wien, HS-Stud. (Phil. u. Theol.) Bischöfl. HS Eichstätt, Mag. theol. Univ. Eichstätt (1962), Dr. theol. Univ. Sbg. (1972), Habil. (f. Rel.-Päd.) Univ. Sbg. (1978). K.: Priesterweihe 1957, Kaplan 1958, Gymn.-Lehrer 1957-66, Diözesanseelsorger f. d. stud. Jugend 1958-66, Gründ. d. "Sbg. Studentenzentrums" f. Gymnasiasten als Haus d. Offenen Türe 1959, Ltr. desselben bis 1965, Gründ. d. Heimträgerver. "Sbg. Studentenwerk" z. Erricht. u. Führ. v. Hochschülerheimen aller Univ.-Fak., Gastprof. Univ. Fribourg/Ue 1979-80, Übernahme d. Lehrstuhls f. Pastoraltheologie Univ. Eichstätt, Vors. d. Kath.-Theol. Fak.-Tages v. Deutschld. , Veranstalter d. Ersten Europ. Kongresses f. Theologie, Mtgl. d. Europ. Ges. f. Theol., d. Konf. deutschspr. Pastoraltheologen, d. Konf. d. bayr. Pastoraltheologen, d. Kongregation d. Oblaten d. Hl. Franz v. Sales. P.: Skizzen in d. Himmel (1976), Management d. Geistes - Menschenführ. u. Seelsorge (1979), Erfahr. u. Gegenwärtigkeit - Dialog. Folien über d. Anthropologie v. C.R. Rogers (1980), Erzieh. z. Übermenschen (1980), Otto Rank. Das Lebenswerk eines Dissidenten d. Psychoanalyse (1982), Die Leidenschaft d. Liebe. Salesian. Meditationen (1983), Menschwerden durch Gottesliebe (1986), Wege d. Pastoraltheologie (Hrsg. m. W. Schneider, 3 Bd. 1986-88), Nicht mehr leben wollen (1993), Heilende Pastoral (1994).

Zottl Bertram Dr. Mag. Prof.

B.: Inh. Filmstudio VIP & TB f. Marketingfilme, Übersetzungsbüro u. Sprachschulungscenter in 1060 Wien, Mollardg. 40, Administrator an d. BHAK u. BHAS Baden. GT.: seit 1977 Prof. f. Engl. u. Geographie, seit 1991 Honorary Secretary of Local Centre of the London Chamber of Commerce and Industry BHAK u. BHASCH Baden, Approbationsmtgl. d. Approbationskmsn. Engl. f. audiovisuelle Medien, seit 1987 Engl. Arge-Ltr. f. HAK u. HAS in NÖ u. zuständig f. Fortbild.-Seminare f. Engl.-Lehrer an kfm. Schulen, Sachv. b. Lehrplandiskussionen, freiberufl. Autorentätigkeit f. Engl. Lehrmaterial, Hauptautor d. Lehrbuchserie "Intern. Business - A Challenge in English". PA.: 2500 Baden, Radetzkystr. 94/4. G.: Neunkirchen, 7. Sept. 1954. V.: Mag. Sylvia, geb. Dorfmeister. Ki.: Elisabeth (1984), Bernhard (1987). El.: Johann u. Elfriede. S.: BRG Wr. Neustadt, Univ. Wien, 1982 Doktorat. K.: seit 1977 Lehrtätigkeit. BL.: Referententätigkeit b. intern. ELT-Seminaren, Awardwinner of American Studies Program. (J.S.)

Zottl Thomas Dr. Mag.
B.: RA. FN.: Heller, Löber, Bahn & Partner. DA.: 1010 Wien, Seilerg. 16. PA.: 1040 Wien, Lambrechtg. 13. G.: Wörgl, 27. Juni 1961. V.: Mag. Sabine geb. Rhomberg. El.: Dr. Peter u. Agathe, geb. Kaars-Seypesteyn. S.: 1979 Matura, Stud. d. Rechtswiss. u. d. Betriebswirt. a. d. Univ. Ibk., 1984 Prom. Dr. jur., 1986 Sponsion z. Mag. d. Sozial- u. Wirt.-Wiss. K.: 1986 Ass. a. Inst. f. Zivilrecht a. d. Univ. Ibk., 1987 Gerichtspraxis, 1988-91 RA-Anwärter, s. 1992 eingetragener RA. H.: Moderne Kunst, Musik, Jogging. (N.A.)

Zrenner Walter Dr. phil. Mag. OStR.
B.: OStR. i.R., Schriftsteller. GT.: Mitarb. b. d. Reihe "Wiener Neudrucke" d. Germ. Inst., sowie b. phil. Arbeitskreis "Österr. Philos.", beide Univ. Wien. PA.: 1050 Wien, Gießaufg. 34/18. G.: Wien, 5. Mai 1914. S.: Matura 1933, Lehramtsprüf. aus L, F, E u. Dr. phil. Univ. Wien 1939. K.: Eingez. z. Dt. Wehrmacht 1940 b. Mai 1945, 1945-46 Dolmetsch b. Mag.Dir. Sbg., 1946 Wiedereintritt in d. Schuldienst in Sbg., ab 1959 wieder in Wien, Austauschlehrer in England 1956-57, in Frankreich 1958-59 u. 1973-74, em. 1974. P.: 1968: MA v. "Tafeln u. Blätter" (Lyrik, hrsg. v. Theresianum Wien), 1977 A. v. "Im Strahlungsfeld" (Essays u. Erzählungen), "Akkorde - Dissonanzen" (Lyrik), beide b. Österr. Verl.Anst., 1989: "La Machine de Marly - Aspekte d. Zeitgeistwandels" (essayist. Betrachtungen), zahlr. kulturphilos. u. philolog. Art. in Zeitungen u. Zeitschriften, Lyr. u. Prosasend. im ORF, in Vorb. f. "Wiener Neudrucke": Nachdichtung, Übers. u. Kommentierung des gesamten lyr. Werks d. österr. barocklateinischen Dichters Simon Rettenbacher. E.: 1957 Georg Trakl-Preis f. Lyrik, 1975 Förd.Preis d. Wr. Kunstfonds, 1987 Österr. Ehrenkreuz f. Wiss. u. Kunst. M.: Österr. Schriftstellerverb. (C.K.)

Zronek Wolfgang Dr.
B.: Steuerberater. FN.: ABG Accountancy Buchführungsges.m.b.H.; DA.: 1010 Wien, Börsepl. 4. PA.: 1140 Wien, Ullmenstr. 149. G.: Wien, 8. Mai 1956. V.: Helga, geb. Horvath. Ki.: Michael (1990). El.: Helmut u. Elfriede, geb. Wokac. S.: 1975 HAK Matura, 1975-81 Stud. Rechtswiss. Univ. Wien m. Prom. K.: 1975-85 Betriebsprüfer Finanzlandesdion. Wien, NÖ u. Bgld., 1985-89 Steuersachbearb. in d. Kzl. Dr. Gruber, ab 1989 selbst. m. Schwerpunkt Intern. Steuerberatung, lfd. Vortragstätigkeit im Rahmen d. ITPA. M.: ITPA. H.: Sport allg. (N.A.)

Zschiegner Walter jun.
B.: Gschf., LInnungsmstr.Stellv. FN.: Hermann Zschiegner GmbH. DA.: 6020 Innsbruck, Bachlechnerstr. 21-23. PA.: Neugötzens, Rungges 1. G.: Innsbruck, 22. Jan. 1942. V.: Gerda, geb. Claesen. Ki.: Christine, Barbara, Hermann. El.: Hermann u. Konradine. S.: Realschul-Matura, HAK-Matura, Dachdecker-Ausbild. K.: 1961 Eintritt in väterl. Betrieb, 1974 Gschf. P.: div. Fachzeitschriften. M.: Wirtschaftsbund. H.: Bergsteigen, Skifahren, Musik. (W.G.)

Zsemle Paul
B.: Gschf. Ges. FN.: Betriebsberatung f. Sicherheitsfragen, Organ. u. Logistik I.V.A. GmbH. DA.: 1170 Wien, Gschwandnerg. 26/E07. G.: Györ/Ungarn, 4. Febr. 1964. El.: Paul u. Juliana. S.: Bautechn. FH Györ m. Abschluß als Ing., seit 1983 in Österr., 6 Sem. Welthdl. WU Wien, 1989 Abbruch d. Stud. K.: 1989 Grdg. d. Fa. Betriebsberatung f. Sicherheitsfragen, Organ. u. Logistik I.V.A. GmbH u. seitdem Gschf. Ges. m. Partnerin Sabina Gimpl, dzt. Aufbau einer Fa. in Ungarn. H.: Sport, Literatur, Sprachen. (J.S.)

Zsifkovits Beate
B.: Mitltr. d. Hotel Lizumerhof. DA. u. PA.: 6094 Axamer Lizum 3. G.: Kirn/BRD, 17. Febr. 1958. V.: Ferdinand. El.: Joachim u. Ingrid Schäfermeier. S.: Grundschule, BTechn. Lehranst. f. wirtschaftl. Frauenberufe. K.: Praktikum in versch. 5-Sterne Hotels in d. versch. Sparten, seit 1983 Führung d. Hotel Lizumerhof. H.: Beruf, Skifahren. (H.T.)

Zsifkovits Ferdinand
B.: Bes. d. Hotel Lizumerhof. DA. u. PA.: 6094 Axamer Lizum 3. G.: Stinatz, 12. Apr. 1950. V.: Beate, geb. Schäfermeier. El.: Philipp u. Anna. S.: HS, Koch- u. Kellnerlehre. K.: Auslandspraktiken auf Schiffen, in London, Schweiz, Seefeld/Tir., 8 J. Oberkellner, 4 J. Führung d. Hotel Lizumerhof, seit 1987 Bes. d. Hotel Lizumerhof. H.: Tennis, Skifahren. (H.T.)

Zsifkovits Rainer

B.: Gschf. Ges. FN.: T S G Transport & Spedition GmbH. DA.: 8740 Zeltweg, Hauptstr. 138. PA.: 8600 Bruck/Mur, Paulahofstr. B2. G. Bruck/Mur, 28. Jan. 1961. V.: Maria, geb. Walzer. Ki.: Daniel (1992). El.: Dir. Johann u. Dr. Hedwig. S.: VS, HS, HAK, 1980 Matura. K.: 1981-82 Volontär Bankhaus Krentschker & Co, 1982-86 verantwortl. f. Maschinenpark, Einkauf u. Bankkfm. Tiefbauges. Bruck/Mur, 1986-88 Installation d. kfm. Verw. Druckerei Allanova, 1989-90 Sped.-Schule Mitterdorf, 1990-92 Sped. Gebr. Weiss als Spediteur LKW-Verkehr, Flughafen u. Überseefracht, 1992 Grdg. T S G In- u. Ausland, 1994 neue Betriebsliegenschaft in Leoben. H.: Familie, Fischen, Natur, Snowboard. (I.G.)

Zubaty Otto Dr. iur. HofR.

B.: Vorst. d. Informationsdienstes u. d. Pressestelle d. Bundespolizeidion. Wien. DA.: 1010 Wien, Schottenring 7-9. PA.: 1130 Wien, Josef-Lister-G. 3. G.: Wien, 19. März 1950. V.: Birgit, geb. Zierhut. Ki.: Katharina (1985), Alexandra (1986). El.: Dkfm. Dr. Otto u. Anna. S.: Matura, Stud. Rechtswiss. Univ. Wien, 1972 Prom. z. Dr. iur. K.: Gerichtsj., ab 1974 Konzeptsbmtr. b. d. Polizei, 1987 Stadthptm.-Stellv. in Währing, ab 1989 stellv. Vorst. d. Pressestelle u. seit 1993 Vorst. d. Informationsdienstes u. d. Pressestelle d. Bundespolizeidion. Wien. P.: Art. u. Vortragstätigkeit zu PR-Themen. E.: Gold. EZ f. Verd. um d. Rep. Österr. M.: Vorst.-Mtgl. im Ver. d. Alt-Hietzinger. H.: Reisen, Tennis, Fußball, Skifahren, Sammlung span. Rotweine. (J.S.)

Zuber Heinz
B.: Schauspieler Burgtheater u. ORF. DA.: 1010 Wien, Dr.-Karl-Lueger-Ring 2, 1130 Wien, Würzburgg. 30. G.: Lörrch, 7. Apr. 1941. El.: Heinrich u. Lina. S.: Mittelschule in Deutschland, Kfm. Lehre, Höhere HASCH, Pantomimenschule le couke, Reinhardt-Seminar. K.: Schauspieler am Burgtheater, Tätigk. im ORF. H.: Schwimmen, Joggen,, Stereo, Fotografie, Fallschirmspringen, Surfen.

Zucha Rudolf O. Dr.
B.: wiss. Ltr. d. Psych. Inst. f. Personal- u. Organ. Entwicklung. GT.: Hrsg. d. Zeitschrift f. Sozialpsych. u. Gruppendynamik, Lehrbeauftragter an d. Univ. Wien f. Sozialpsych. u. TU Wien. PA.: 1120 Wien, Frauengruberg. 4/5/3, 9500 Villach, Viktor-Kaplan-Str. 45. G.: Wien, 14. Okt. 1940. V.: Dr. Sigrun, geb. Schlick. Ki.: Alexander, Birgit. El.: Rudolf u. Maria. BV.: Großonkel Jaroslav Hasek "Abenteuer d. braven Soldaten Schwejk". S.: 1964 Matura, 1964-69 Stud. in Wien Psych., Phil., Antropologie, 1970 Prom. K.: wiss. Mitarb. an d. psych. Univ.Klinik 1969 Prof. Hof, 1969-72 Mag. d. Stadt Wien, 1972-80 Zentralsparkasse u. Kommerzialbank Wien, Ltr. d. Bild.Abt., seit 1980 wiss. Ltr. d. Psych. Inst. f. Personal- u. Organ.Entwicklung. P.: 1980 "Sozialpsych. d. Unterrichts", 1979 "Päd. Psych.", div. Fachveröff. vor allem in d. Zeitschrift f. Sozialpsych. u. Gruppendynamik. E.: 1977 Erwachsenenbild.Preis. M.: Vors. d. Ver. f. Psych. u. Päd., Vorst.Mtgl. d. Berufsverb. Österr. Psychologen, Grdg.Vors. d. Arbeitskreises f. Sozialpsych. u. Gruppendynamik. H.: Segeln, Literatur, Musik, Theater. (M.B.)

Zuck-Geissler Josef
B.: freischaff. Künstler; erlernter Beruf: Lithograph. G.: Wien, 23. Jan. 1944. P: Beiträge i. Kulturzeitschriften, Anthologien u. ORF-Wien/Slzb/Vlbg. Hörspiele: ORF-Wien/Graz, im BR und HR (BRD). Bücher: "guten morgen", Gedichte-Eigenverlag 1975, "hianschwaunga", Gedichte-Eigenverlag 1986, "Wir haben noch alle Trümpfe im Glas", Prosa-Eigenverlag 1993, "Wiener Splitter", Prosa-Eigenverlag 1993. Lesungen bei Literaturveranstaltungen in ganz Österr., i. Deutschland u. in d. Schweiz. Graphische Arbeite-Actionen-Lackbilder-Objekte-Bühnenbilder-Beleuchtung-Blindzeichnungen. M.:

Gründungsmtgl. d. "Vienna Art Orchestra" u. d. Literaturgruppe "felix aus tria", s. 1983 Grazer Autorenversammlung.

Zuckermann Elke Dr. phil.

B.: PR-Beraterin. FN.: PRO & CO Public Relations GmbH & Co KG. DA.: 1180 Wien, Pötzleinsdorfer Str. 18. G.: Graz, 12. Apr. 1953. V.: Ronny Zuckermann. Ki.: Alexandra (1988), Paul (1990). El.: Rudolf u. Margareta Nemec, geb. Eliaschek. S.: Sacre Coeur Preßbaum, 1972 Matura, 1972-80 Stud. Hdls.-Wiss. WU u. Publizistik u. Geschichte Univ. Wien m. Prom. z. Dr. phil. K.: 1980-83 freischaff. Journalistin in Wien, 1982-86 Aufbau u. Ltg. d. PR-Abt. in d. Werbeagentur Promota, anschl. Grdg. d. eigenen Agentur PRO & CO Schwerpunkte: PR in d. Sektoren EDV, Umwelt, Lobbying, Kultur u. Lifestyle. M.: VPräs. d. Österr. PR-Verb. (PRVA). H.: Geschichte, Literatur, Spazierengehen. Q.V.: Firma PRO & CO Public Relations GmbH & Co KG siehe Wirtschaftsteil. (J.S.) Siehe Unternehmensprofil.

Zuckermann Ronny D.W. Ing.

B.: Gschf. Ges. FN.: PRO & CO Public Relations GmbH & Co KG. DA.: 1180 Wien, Pötzleinsdorfer Str. 18. G.: Wien, 22. Okt. 1952. V.: Dr. Elke, geb. Nemec. Ki.: Alexandra (1988), Paul (1990). El.: Ing. Otto u. Edith, geb. Stern. S.: 1970 Matura, Stud. Dipl.-Wirtschaftsing.-Wesen Univ. München, 1974 Dipl.-Wirtschaftsing. K.: Maschinenfbk. Zuckermann Wien, Zuckermann America Inc. Export Ind.-Anlagen u. Spezialmaschinen b. 1982, 1982-84 Kulturmanagement in Partnerschaft m. Joram Harel, 1984-88 Gschf. GCS Vertriebs u. Produktionsges. GCS USA u. GCS Canada, seit 1988 PRO & CO f. Strategie- Entwicklung, Kommunikationsberatung, Event-Marketing, Marketing- u. Vertriebsberatung. M.: Golfclub Schloß Schönborn, CTP, American Society for Industrial Security ASIS. H.: Theater, Film, bild. Kunst. Q.V.: Firma PRO & CO Public Relations GmbH & Co KG siehe Wirtschaftsteil. (J.S.) Siehe Unternehmensprofil.

Zuckerstätter Heinz

B.: ORF-Redakteur. DA.: 1040 Wien, Argentinier Str. 30 a. G.: Strobl/Wolfgangsee, 11. Juli 1950. V.: Ines Maria, geb. Schwandner. Ki.: Lisa u. Lena (1987). El.: Josef u. Margaretha. S.: VS, HS, MS, Stud. Publ. Angl. u. Germanistik an der Univ. in Salzburg. K.: 1979 Eintritt beim ORF Radio-Holiday, ab 1984 Producer, seit 1991 Chef Radio-Holiday, "Wecker", ab 1991 Ressortleiter Ö3 Wortsendungen: "Wecker" über "Holiday" u. "Week-End" bis hin zu "One o´clock" u. "Small Talk" (Schwerpunkte: Aussenaktionen wie "Hahnenkamm-Rennen" mit Reinhard Mildner, Ö3 Grossaktionen, Gemeinschaftsaktionen m. SDR 3. E.: FM-Incoming-Preis. H.: Weltreisen u. Wein sammeln. (N.A.)

Zückert Rupert Dipl.-Ing.

B.: Gschf. FN.: Zementwerk Leube GmbH. DA.: 5083 Gartenau. G.: Gartenau, 24. Sept. 1932 Ki.: 2 Kinder. S.: RG, HAK, Montanuniv. Leoben. K.: 1958 Fa. Leube, 3 J. BRD b. Fa. Glöckner-Humboldt-Deutz, 1965 Fa. Leube Prok., Gschf. M.: Vereinigung Industrieller, Kam. Sekt. Ind., Rotary. H.: Skifahren, Jagd.

Zugmayer Christa Mag.

B.: Dipl.Graphikerin, Künstlerin, gschf. Ges. FN.: ZMV Marketing u. Vertriebs GmbH. DA. u. PA.: 2754 Waldegg, Hauptstr. 51. G.: Felixdorf, 22. Febr. 1941. V.: Ing. Christian Zugmayer. Ki.: Michael, Constantin, Florentine. El.: Alois u. Paula Jachyra. S.: 1962 Dipl. f. Gebrauchsgraphik an d. Ak. f. angew. Kunst in Wien, 1986 Beginn m. Malerei, Ausstellungen in Wr. Neustadt u. Wien, 1982 Eintritt in d. Familienunternehmen ZMV Marketing u. Vertrieb GmbH. F.: ZMV Marketing u. Vertriebs GmbH Waldegg. H.: Gartenarb., Auto. (Kern)

Zügner Michael Dr.

B.: selbst. Augenarzt. DA.: 8700 Leoben, Timmersdorferg. 14/1. PA.: 8793 Trofaiach, Montanstr. 23. G.: Wien, 4. Juli 1959. Ki.: Dominik (1988). El.: Alfred u. Karoline. S.: 1977 Matura, Med.-Stud. Univ. Wien, 1984 Prom. K.: b. 1990 Ausbild. 1. Univ.-Augenklinik Wien, seit 1991 eigene Praxis, 1984 Ludwig Boltzmann-Inst. f. Herzchir. Forsch., Ausbild. am Elektronenmikroskop, 1985/86 Vorträge Krankenpflegeschule AKH Augenheilkunde. P.: versch. Publ. in intern. Zeitschriften. H.: Klettern, Mountainbike, Skifahren. (K.K.)

Zügner Michael

B.: Fotosatz. GT.: Filmverleih, Hdls.Betrieb. DA. u. PA.: 1010 Wien, Himmelpfortg. 20. G.: Wien, 4. Apr. 1956. V.: Renate. El.: Friedrich u. Stefanie. S.: VS, hum. Gymn. Kalksburg, 1974 Matura, 2 J. Jusstud. Univ. Wien, anschl. höhere graph. BLehr- u. Versuchsanst. K.: Eintritt in d. Fa. Alpine Werbeuntern. GmbH als Hersteller in d. Druckproduktion, 1983-86 Gschf., parallel dazu Grdg. d. eigenen Fotosatzstudios 1981 und seit 1987 hauptsächl. damit beschäftigt, 1986-87 Erweiterung auf Hdl. u. Filmverleih, spezialisiert auf Aufträge v. Werbeabt. u. Graphikern u. viele Aufträge in Fremdsprachen, wie auch in arab., russ. u. griech. M.: Hpt.-Verb. d. graph. Untern. Österr. (G.E.)

Zukrigl Kurt Dr. nat. techn. Dipl.-Ing.

B.: pens. a.o.Univ.-Prof. am Botan. Inst. d. Univ. f. Bdk. A.: 1130 Wien, Gheleng. 34/4/12. G.: Wien, 28. Juni 1931. V.: Ilse, geb. Aflenzer. El.: Ludwig u. Berta. S.: Matura, 1950, 1950-52 Stud. d. Bauing.Wesens an d. TH Wien, 1952-57 Stud. d. Forstwirtschaft an d. Univ. f. Bdk. Wien, Prom. z. Dr. nat. techn. 1961. K.: 1957-66 am Inst. f. Standort d. Forstl. BVA Wien, 1966-72 Ass. am Waldbauinst. d. Univ. f. Bdk., 1972-74 am Waldbauinst. d. Forstl. BVA, 1974-92 am Botan. Inst. d. Univ. f. Bdk., pens. 1992 P.: Montane u. subalpine Waldgesellschaften am Alpenostrand, ca. 50 weitere Arbeiten. E.: 1973 Kardinal Innitzer-Förderungspreis f. Naturwiss. M.: Intern. Ver. f. Vegetationskunde, Arge forstl. Vegetations- u. Standortskunde u. a. Fachver., VPräs. d. Österr. Naturschutzbundes u. d. LGruppe Wien, Mtgl. d. Wr. Naturschutzbeirates bis 1991. H.: Garten.

Zuliani Leo

B.: Hpt.-Abt.-Ltr. Werbung u. Öffentlichkeitsarb. FN.: Rank Xerox Austria GmbH. DA.: 1191 Wien, Nußdorfer Lände 29-33. PA.: 1010 Wien, Habsburgerg. 6. G.: Wien, 2. März 1941. V.: Elisabeth, geb. Niklasch. Ki.: Markus, Christa, Florian, Katharina. El.: Leo u. Hermine. S.: Gymn., Lehre Ind.-Kfm. b. NEWAG, 1959 Prüf. K.: 1959-60 Präsenzdienst b. Gardebataillon, b. NEWAG techn. Ltg. Bau, lernt in Abendkursen techn. Zeichner, techn. Ltg.-Bau u. Vermessungstechnik, 1962 zu Triumph Intern. als Kalkulant, 1965 Übern. d. Abt. Betriebsabrechnung u. Kalkulation, ab 1966 Rank Xerox, 1967 Repräsentant, 1969-75 Verkaufsltr., 1975-77 Produktmanager, Hpt.-Abt.-Ltr., 1977 Verkaufsltr. f. Österr., s. 1983 Hpt.-Abt.-Ltr. Werbung u. Öffentlichkeitsarb. BL.: Initiator d. Wr. Stadtmarathons. M.: Präs. d. Lions Club Wien Laudon, Pressekomitee d. Amerikan. HK. H.: Tennis, Skifahren, Haus am See, Fischen, Fachliteratur. (A.K.)

Zumpfe Dieter Dr. Dkfm.

B.: Wirtschaftstreuhänder u. Steuerberater. DA.: 1120 Wien, Breitenfurter Str. 91/21. PA.: 2340 Mödling, R.-Wagner-G. 24. G.: Wien, 21. Nov. 1940. V.: Eva, geb. Mladek. Ki.: Priska, Sonja, Tanja, Barbara. El.: MedR. Dr. Hans u. Dr. Margarete. BV.: Großvater mütterlicherseits war Kapellmstr. b. d. Deutschmeistern 1935. K.: StadtR. f. Jugend, Schulen u. Kindergartenwesen in Mödling. H.: Sport: Tennis u. Skifahren, Kunst: Musik u. Literatur. (J.S.)

Zumtobel Fritz Dipl.-Ing.
B.: Vorst.-Mtgl. d. Zumtobel AG. A.: 6850 Dornbirn, Kellenbühel 7. G.: Frauenfeld, 22. Sep. 1939. V.: Ricci, geb. Amann. El.: Senator Dipl.-Ing. Dr. Walter u. Gertrud. S.: Realschule Dornbirn, Stud. Wirtschaftsing.-Wesen an d. TU Graz. F.: Teilhaber d. Zumtobel AG Austria u. d. Gruppe Zumtobel Leuchten u. deren Tochterbetriebe. M.: Rotary-Club Vbg., Österr. Industriellenver. H.: Skifahren, Tennis, Literatur.

Zumtobel Martin Dipl.-Kfm.
B.: Kfm. DA.: 6851 Dornbirn, Wallenmahd 46. G.: Dornbirn, 14. März 1947. V.: Ursula, geb. Hämmerle. Ki.: Stefan (1981), Marie Therese (1983), Maximilian (1985). El.: Dr. Franz Martin u. Berta, geb. Rhomberg. S.: Realschule, 1965-69 HS f. Welthdl., 1970-71 Post Graduate Study am Europ. Inst. f. Unternehmensführ. (INSEAD) in Fontainebleau m. Abschluß MBA, Stud.-Aufenth. in Deutschld., GB u. Frankr. K.: 1971 Eintritt in elterl. Betrieb Fa. Zumtobel, 1975 Eröff. erster FAMILIA Verbrauchermarkt in Dornbirn, Eröff. DOGRO C & C Abholgroßmarkt in Dornbirn, 1981 Übernahme d. Gschf. u. Ges.-Mehrheit, 1982 Eröff. erster FAMILIA-discount-Markt in Tirol, es folgen weitere in Ostösterr., 1985 Eröff. erster DOGRO in Wels sowie weitere in Ostösterr., 1988 Übern. v. 100% d. Ges.-Anteile d. F.M. ZUMTOBEL Gruppe, 1989 Erwerb d. Elektrohandelskette KÖCK, 1993 Übernahme d. Zumtobel-Gruppe durch MIGROS, dort beratende Funktion. M.: 1992 Mitbegründer "Die Wirtschaftspartei", Parteisprecher, Rotary Club. H.: Skifahren, Schwimmen, Bergsteigen. (W.R.)

Zumtobel Uli
B.: Inh., Kauffrau. FN.: August Zumtobel Exklusives Modehaus. DA. u. PA.: 6850 Dornbirn, Marktstr. 15. G.: Dornbirn, 25. Apr. 1950. Ki.: Philipp (1978). El.: August u. Lydia. S.: VS, RG, Lehre im elterl. Betrieb. K.: 1968 sämtl. Bereiche im elterl. Betrieb, 1983 Übernahme d. Geschäftes. H.: Tanzen, Schwimmen, Kunst, Kultur, Lesen. (I.D.)

Zumtobel-Schertler Marlies
B.: Inh., Bürokfm. FN.: Hotel Katharinenhof. DA. u. PA.: 6850 Dornbirn, Franz-Michael-Felder-Str. 2. G.: 13. März 1940. V.: Gernot. Ki.: Catrin (1969), Philipp (1975). El.: Franz-Anton u. Maria Schertler. S.: HASCH Bregenz, Abschluß 1957, fachbezog. Fortbildungskurse. K.: 1957-62 Büroang. im elterl. Betrieb, 1962 Ltg. gem. m. Vater d. neuerbauten Hotels Katharinenhof, nach Pensionierg. d. Vaters Übernahme d. Hotels, ehem. LMeisterin im Reiten, mehrmal. LMeisterin im Schießen, 2 x Vizestaatsmeisterin. H.: Musik, Kunst, Kultur, Lesen, Wandern, Gymnastik, Laufen. (I.D.)

Zünd Richard Günter
B.: Gschf. FN.: Foto Video Rhomberg. DA.: 6850 Dornbirn, Bahnhofstr. 5. PA.: 6850 Dornbirn, Tobelg. 19. G.: Dornbirn, 20. Dez. 1961. S.: Realgymn. Dornbirn, Kfm. Lehre, Abschl 1980. K.: 1980 Filialltr.-Stv. in Drogeriebetrieb, 1981-82 Fotofachgeschäft, 1982 Eintr. b. Foto Rhomberg i. Dornbirn als Filialltr. f. Bereich Einkauf, Verk., Adm., s. 1989 Gschf. M.: Greminalvorst. d. Fotohandels, AR-Mtgl. EZ Dornbirn, Tennisclub Dornbirn. H.: Tennis, Schifahren, Cabriofahren.

Zupanac Erwin
B.: Bereichsltr. f. Varta-Geräte-Batterie. FN.: Varta GmbH. DA.: 1230 Wien, Siebenhirtenstr. 12. PA.: 1235 Wien, Lehmanng. 27. G.: Wien, 25. Jän. 1943. K.: 1964 Eintritt Firma Varta, seit 1987 Bereichsltr. (N.A.)

Zupancic Alfred Dr.
B.: Gen.-Dir.-Stellv. FN.: Raiffeisenbank Wien. DA.: 1010 Wien, Michaelerpl. 3, Looshaus. PA.: 1190 Wien, Sieveringerstr. 20. G.: Wien, 4. Feb. 1943. V.: Susanne, geb. Köttner. Ki.: Stephanie. El.: Alfred u. Juliane. S.: 1962 Matura, Stud. Rechtswiss. Univ. Wien, 1969 Mag., 1993 Dr. K.: 1965-68 Bankang. CA, seit 1968 Raiffeisenbank Wien, b. 1972 Zweigstellenltr. Wien, Prok. u. Abt.-Ltr., 1986 Gschf. f. personelle Organ., EDV, Zweigstellenplanung d. gesamten Zweigstellen, seit 1993 Gen.-Dir.-Stellv. E.: 1986 Silb. EZ f. Verd. um d. Rep. Österr. M.: Obm. d. Kulturkreises Looshaus. H.: Skifahren, Tennis, Laufen. (F.S.)

Zupancic Alfred Dr. iur. Mag.
B.: Gen.-Dir.-Stellv. FN.: Raiffeisenbank Wien. DA.: 1010 Wien, Michaelerpl. 3. PA.: 1190 Wien, Sieveringer Str. 20. G.: Wien, 4. Feb. 1943. V.: Susanne, geb. Köttner. Ki.: Stephanie (1983). El.: Alfred u. Juliane, geb. Kleedorfer. S.: 1962 Matura, Stud. Rechtswiss. Univ. Wien, 1969 Mag., 1992 Prom. z. Dr. iur. K.: 1965-68 Bankang. CA, seit 1968 b. d. Raiffeisenbank Wien, b. 1972 Zweigstellenltr. in Wien, Prod. u. Abt.-Ltr., seit 1986 Gschf. d. Personal, Organ. u. EDV, Zweigstellenplanung d. gesamten Zweigstelle, seit 1991 Gen.-Dir.-Stellv. E.: 1986 Silb. EZ f. Verd. um d. Rep. Österr. H.: Skifahren, Tennis, Laufen. (N.A.)

Zupanz Daniela
B.: Vogelzüchterin. FN.: Vogelpark Turner See. DA. u. PA.. 9123 St. Primus/Turner See 47. G.: 8. Juli 1948. V.: Franz Zupanz. Ki.: Emanuel (1968), Daniel (1969). El.: Johann u. Josefine Wutte. S.: VS St. Primus. K.: Mitarb. im elterl. Tourismusbetrieb, 1981 Eröff. d. Vogelparks, Schwerpunkt: Zucht v. exot. Vogelarten aus d. ganzen Welt. M.: 1. Ktn. Großsittich u. Papageien Club. H.: Vogel, Vogelzucht, Handaufzucht, Handarb. (G.L.)

Zupanz Franz

B.: Vogelzüchter. FN.: Vogelpark Turner See. DA. u. PA.: 9123 St. Primus/Turner See 47. G.: Eisenkappel, 4. Feb. 1942. V.: Daniela, geb. Wutte. Ki.: Emanuel (1968), Daniel (1969). El.: Ernst u. Stefanie. S.: VS. K.: Mitarb. im elterl. ldw. Betrieb, 1966-88 selbst. durch Grdg. eines Erd- u. Materialbewegungsunternehmen, seit frühester Jugend Interesse u. Erfahrung m. exot. Vögeln, seit 1970 konstanter Aufbau eines Vogelparks, 1981 Eröff., Schwerpunkt: Zucht v. exot. Vogelarten aus d. ganzen Welt. BL.: mehrere Erstzuchten in Österr. P.: Zuchtberichte in versch. Publ. E.: div. Ausz. f. Erstzuchten u. b. Ausstellungen in Österr. M.: seit 1985 Obm. d. 1. Ktn. Großsittich u. Papageien Club. H.: Vögel, Vogelzucht. (G.L.)

Zurek Manfred
B.: Prok. FN.: Dipl.-Ing. Wilhelm Sedlak GmbH. DA.: 1100 Wien, Quellenstr. 163. PA.: 2531 Gaaden, Wasserg. 25. G.: Fürth/Bayern, 21. Juni 1943. V.: Christine, geb. Harnisch. Ki.: Karin. El.: Wilhelm u. Luise. S.: VS, 5 J. Gymn., 3 Lehrj. Kfm., 3 J. Bilanzbuchhalterkurs m. Prüf. K.: 1958 Fa. Sedlak, seit 1972 Prok., Ltr. d. Rechnungswesen. H.: Lesen, Skifahren, Tennis, Fotolabor, Fotografieren, Garten. (E.L.)

Zuschrader Harald Prof.
B.: Komponist, Computer-Musiker. DA. u. PA.: 4020 Linz, Wüstenrotstr. 11. G.: Freistadt, 5. März 1944. Ki.: Christian-Harald (1966), Astrid (1968). El.: Rosa u. Karl. S.: Mittelschule Linz, Ausbild. am Bruckner-Konservat. Linz, 1972-79 Stud. (Konzertgitarre u. Kompos.). K.: Schuldienst, anschl. freiberufl. Komponist u. Musiker, spielte 2J. b. Waterloo &

Robinson u. 10J. b. Ela Graig, arb. f. Bilgeri, Luis Fernandez u.v.a., eig. Studio f. elektron. Musik, Werke: 1980 1. Computersymphonie "Erdenklang", 1984 Bergpredigt (Linzer Dom), 1987 St. Florian Blue Chip Orch. "Hohe Lied d. Liebe" im Rahmen d. Ars Electronica. P.: div. Veröff. in Fachzeitschr. M.: AKM. (P.H.)

Zuson Horst

B.: Hotelier, Koch d. Hotel Tiger. GT.: Vors. d. Prüf.Kmsn. f. Köche. DA.: 9020 Klagenfurt, Schilfweg 7. G.: Klagenfurt, 9. Jan. 1942. V.: Angela, geb. Viehbeck. Ki.: Horst, Robert. El.: Leopold u. Jolanda. S.: VS, Mittelschule, Lehre als Koch. K.: 1959-65 Koch in d. Schweiz, BRD u. Skandinavien, 1965-69 Führung eines Gasthauses in d. BRD, 1969-74 Restaurant Maiernig gepachtet, 1970-86 Restaurant Tigerwirt in Klagenfurt gepachtet, 1983-84 Grdg. u. Bau eines eigenen Hotels, 1984 Eröff. d. eigenen Hotel Tiger. M.: Kam.Mtgl. H.: Lesen, Schwammerl suchen, Sammeln u. restaurieren v. alten Militärfahrzeugen. (M.B.)

Zussner Charlotte M. phil. per.

B.: Meisterin d. Philosophia Perennis (Zen-Meisterin), Bewußtseins- u. Erkenntniswissenschafterin, Gründerin u. Ltr. d. 1. Österr. kontemplativ-erkenntniswiss. Univ., Lipizach/Klft. DA. u. PA.: 9065 Ebental, Lipizach. G.: Gendorf/Ktn., 1945. S.: 1963 Matura (HBLA f. Wirtsch. Frauenberufe), Arbeit u. glzt. Sprachstud. in England u. Frankreich m. Dipl.-Abschluß. K.: Ass. in d. Forsch.-Bibl. e. pharmazeut. Betriebes in Tir. (Organ., In- u. Ausld.-Korr.), Besuch e. Sem. f. Sozialarb. in Übersee in Freiburg/Brsg., 5 J. Entwicklungshelfereinsatz als Schulltr., Klassenlehrerin u. Sozialarb. im Projekt Mang/Kandep, Papua-Neuguinea, Lehrbefähig. f. VS u. High Schools u. Schulltr.-Befähig. nach austral. Schulsystem, angewandt in PNG, schulinterne u. ext. Lehrerfortbild.- u. Supervisionstätigk., Beginn anthrop., ethnolog. u. phylogenet.-psycholog..-pol. Sozialgeistessystemforsch., Entwicklungspol. Studienreisen in Asien, Amerika u. Afrika, 2 J. Erziehertätigk. in e. Schülerinnenheim in Österr., Erziehungswiss. Fortbild., Ausbild. in kath. Rel.-Päd. an d. Rel.-päd. Akad. Graz m. Lehramtsprüf., kath. Rel.-Unterr. in HS u. Sonderschule, HS-Lehrgang an d. Univ. Graz: Ausbild. in Integrat. Gestaltberatg. u. Pastoraltherapie (Selbsterfahrg., Theorie-Praxis, Einzelanalyse, Supervision, 5 J.), 6 J. hauptamtl. Tätigk. in d. Tel.-Seelsorge Graz (Gestaltberatg., Suicidprophylaxe, Pastoraltherapie, Mitarbeiteraus- u. -fortbildg.). BL.: Universal- u. system. Soz.-Geistesforsch. u. Entdeckg. d. phylogenet.- bzw. generativitätsphil.-psycholog.-pol. Unbewußten u. Unerkannten (bzw. d. pol.-psych.-existentiell system. Sozialsuchterkrankungen) in d. weibl. u. männl. Rel.- u. Weltanschauungssystemen u. mögl. ges.-pol. gesunde Auswege aus systempol. selbstzerstör. Teufelskreisen, Erfahr. d. soz. kl. u. großen myst. Todes, univ. Volltransformation, Zen-Erfahrg. (Buch darüber in Vorbereitg.), 1985 Gründ. d. kontempl.-erkenntniswiss. Univ. in Graz, seither kontempl.-erkenntniswiss. Ausbild.-Tätigk. (M.Gr.)

Zutz Franz

B.: Gas- u. Wasserleitungsinstallateurmstr. FN.: Franz Zutz. DA./PA.: 5061 Elsbethen, Halleiner Landesstr. 29. G.: Elsbethen, 6. Okt. 1940. V.: Monika, geb. Harant. Ki.: Renate (1965), Franz (1967), Christine (1970), Maria (1974). El.: Franz u. Maria. S.: VS, HS. Besuch d. Mstr. Klasse in

Abendschule. K.: Lehre als Installateur, 1959 Gesellenprüf., 1966 selbst. als Installateur durch Grdg. e. OHG, 1970 Neubau in Elsbethen, 1971 OHG aufgelöst, Einzeluntern., alleiniger Inh., 1933 Erweiterung d. Betr., während s. 30 J. selbst. Lehrlinge Ausgebild.; 1974-84 Vizebürgermstr. v. Elsbethen. E.: Träger d. Gold. Verdienstz. d. Gem. Elsethen, neben div. kl. Ausz. M.: s. 1989 Obm. d. Kameradschaft Elsbethen, ehem. Funtionär beim Sportverein Ski-Club Elsbethen. H.: Skifahren, Radfahren, Bergsteigen. (J.L.)

Zuzak Eleonore

B.: Schriftstellerin. PA.: 1130 Wien, Hietzinger Kai 23/1/10. G.: Wien, 16. Okt. El.: Marianne Zuzak. K.: 1945-82 Vers.-Ang. (Dion.Sekr.) b. Wr. Städtische Vers., seit 1982 freischaff. Schriftstellerin. P.: Lyrikband "Zwischen zwei Zäunen", Kinderbuch "Die Lesekiste", Mitarb. in 40 Anthologien, darunter "5 Tage hat d. Woche", "Wir werden immer größer", "Arbeite Frau, die Freude kommt von selbst", "Geschichten aus d. Arbeitswelt", Hörspiele: "24 mal Na", "Die Kratochwil", "Die Tauschzentrale", Texte auf Telefonband 1580, "Heiteres österr. Autoren", Traummännleingesch., 1993 Lyrikband "Leih mir Dein Ohr", 1993 Text "Die Polizei" auf CD "no secret" (ges. v. d. City Cops). E.: 1976 Arbeiter Zeitung 1. Preis, 1977/78 LStudio Wien f. Hörspiele, 1978 AK OÖ. Publikumspreis f. Dialoge, 1980 ÖGB Jury-Preis f. "Lied d. Arbeit", 1981 BMU 2. Preis f. Puppenspiel, 1983 Stmk. LRg. Anerkennungspreis f. Kinderbuchmanuskript, 1984 Th. Körner-Preis f. Literatur, 1984 2. Preis im Anton Krutisch-Wettbewerb, 1986 SPÖ OÖ Jury-Preis f. Texte zum Muttertag, 1993 Bettina-v.-Arnim-Wettbew., 1994 Anerk.-Preis Bene-Wettbew. M.: Vorst.-Mtgl. d. Österr. Schriftstellerverb., Mtgl. mehrerer literar. u. kultureller Ver.

Zuzzi Aldo Guiseppe Francesco

B.: Kfm., gschf. Ges. u. Alleininh. d. Fa. Valentin di Lenardo GmbH & Co KG. DA.: 9020 Klagenfurt, Rampenstr. 23. G.: Klagenfurt, 24. Jan. 1957. El.: Aldo u. Ernestine. S.: VS, RG, HAK, Matura 1977, BWL-Univ. Klagenfurt. K.: seit 1981 selbst. Unternehmer u. Alleininh. d. Fa. Valentin de Lenardo in Klagenfurt. F.: Filialen in Klagenfurt u. Velden. P.: Lfd. Publ. in d. Ktn. Wirtschafts- u. anderen Tageszeitungen. H.: Skifahren, Tennis, Squash, klass. Literatur. (Hat.)

Zver Josef

B.: Inh. FN.: Josef Zver Einzelhdl. u. Montage. DA. u. PA.: 2230 Gänserndorf, Lessingg. 8. G.: Tallesbrunn, 23. Okt. 1944. Ki.: Liane (1972). El.: Josef u. Josefine. S.: Berufsschule, Lehre Allg.-Mechanik m. Abschluß. K.: 1962-67 Tätigkeit im Maschinenbau, 1. Juli 1964 - Ende März 1965 Wehrdienstzeit, 1968-75 Drucker im Graf. Gewerbe, 1975-84 Tätigkeit im Hdl. m. Fenster u. Türen, zuerst als Monteur, dann als Vertreter, 1984 selbst. u. Grdg. d. eigenen Firma. M.: zahlr. Sportver. H.: Hunde, Sauna, Fußball. (F.S.)

Zvonik Robert

B.: Geschf. Ges. FN.: R. u. L. Zvonik Ges.m.b.H., Gas- u. Wasserinstallationen, Zentralheizungen, Ölfeuerungen, Bioanlagen, Fliesenhandel. DA. u. PA.: 3345 Göstling/ Ybbs 165. G.: Wien, 7. Jänner 1948. V.: Leopoldine, geb. Kastenberger. Ki.: Angela (1978), Dorothea (1983), Sandra (1988). S.: VS, HS, Installationslehre, WIFI-Kurse f. Konzession. K.: 1963-72 Lehrzeit u. Monteur in Fa. Dipl.-Ing. Pescheck Wien, 1973 selbst. mit eig. Installationsfirma in Göstling, 1982 Neubau in Göstling. H.: Fernreisen, Radfahren, Sportschießen, Skifahren. (M.M.)

Zwach Andreas

B.: gschf. Ges. d. WAERAG, Zwach WR-Anlagen & Co GmbH, SYMO Heizungs- u. Lüftungstechnik Vertriebs GmbH. DA.: 2514 Traiskirchen, Gürtelstr. 31-33. G.: Wien, 22. Jan. 1958. V.: Andrea, geb. Brandstetter. Ki.: Julia. El.: T.R.-Insp. Albin u. Käthe. S.: Gymn., HAK. K.: 3 J. Länderbank Zentrale Wien, 1980 Eintr. in d. väterl. Untern., 1984 Ges., 1988 Grdg. d. Fa. SYMO. M.: Lions-Club Hinterbrühl, Motoryachtclub Salzkammergut, Junge Ind. H.: Motorboot, Motorrad, Seglen, Skifahren, Tennis. (A.W.)

Zwanowetz Georg Dr. phil.

B.: a.o.Univ.-Prof. i.R., tit.o.Univ.-Prof. PA.: A-6020 Innsbruck, Noldinstr. 4. G.: Janowitz/Römerstadt, 14. Febr. 1919. V.: Herta, geb. Frechinger. Ki.: Günter, Michael, Gerhard. El.: Dr. Eduard u. Maria. S.: 1937 Matura in Wien, 1937-39 u. 1950-54 Stud. Geschichte, Germanistik, Phil. (Wien, Kiel, Innsbruck), 1939-46 Wehrdienst bzw. Lazarett, 1954 Prom. z. Dr. phil., 1964 Habil. Wirtschaftsgeschichte. K.: ab 1955 Univ.Ass. am Histor. Inst. Univ. Innsbruck, 1973 a.o.Univ.-Prof. u. Ltr. d. Arbeitsbereiches Wirtschafts- u. Sozialgeschichte d. Alpenländer, 1984 Ruhestand, tit.o.Univ.-Prof. BL.: Mithrsg. u. -red.: 1. Festschrift Franz Huter z. 60. bzw. 70. Geburtstag, 2. Festschrift Herbert Hassinger z. 65. Geburtstag. P.: Bücher: Die Anfänge d. Tir. Eisenbahngeschichte (1962), Das Straßenwesen Tirols seit d. Eröff. d. Eisenbahn Innsbruck-Kufstein (1986), ca. 40 Beiträge in wiss. Zeitschriften u. Nachschlagewerken, z.B. Zur Geschichte d. Österr. Bodenseeschiffahrt in d. ersten Hälfte d. 19. Jhdt., Der Österr. Merkantilismus bis 1740, Die Industrialisierung Tirols u. Vorarlbergs bis etwa 1914. E.: Festschrift anläßl. d. 65. Geburtstags ("Exportgewerbe u. Außenhdl. vor d. Industriellen Revolution" 1984). M.: Innsbrucker Ges. z. Pflege d. Geisteswiss., Ges. f. Sozial- u. Wirtschaftsgeschichte, Österr. Verkehrswiss. Ges. H.: Lesen. (D.S.)

Zwazl Sonja

B.: Inh. FN.: Schönes & Rahmen. DA.: 3400 Klosterneuburg, Agnesstr. 1. G.: Weitra, 10. Juli 1946. Ki.: Judith (1969), Stefan (1979). K.: 1992 Grdg. Schönes & Rahmen, Rahmenfachgeschäft u. Werkstatt. M.: 1984 Landesvors. d. Arge Frau in d. Wirtschaft,1990 VPräs. d. NÖ Wirtschaftskam., Finanzref. d. HK NÖ, Landesgruppenobm.-Stellv, 1994 Obm. d. Ver. Betriebshilfe NÖ. H.: Hund. (T.T.)

Zweidick Franz Dir.

B.: LSekr. d. Österr. Roten Kreuzes Stmk., LRettungskdt. Stmk., BRettungsR. A.: 8020 Graz, Leuzenhofg. 17. G.: Trollitsch, 23. Sept. 1922. V.: Rosina Charlotte, geb. Scherberl. El.: Franz u. Cäcilia. S.: Mittelschulmatura, Ausbild. z. Fachlehrer f. kfm. Berufsschulen. K.: 1945 nach Rückkehr aus norweg.-engl. Gefangenschaft Berufsschullehrer u. Bez.Sekr. d. Roten Kreuzes in Radkersburg, 1959 Kdt. d. Rettungs- u. Krankentransportdienstes d. Stadt Graz, 1966 LSekr. u. LRettungskdt. d. Steir. Roten Kreuzes, 1978 BRettungsrat. E.: Gr. EZ d. Landes Stmk., Verd.Kreuz f. bes. Leistungen auf d. Geb. d. Feuerwehr- u. Rettungswesens d. Stmk., Pro Merito m. Brillanten, verl. v. Kurat. f. Verkehrssicherheit, Rotkreuz-Verd.Med. in Bronze, Silber u. Gold, Rotkreuz-EZ in Gold d. Jugoslaw. Roten Kreuzes, Rotkreuz-Verd.Med. in Silber d. Ungar. Roten Kreuzes, div. Ausz. d. ÖKB, d. FF u. d. Rettungshundebrigade. M.: Österr. Rotes Kreuz Stmk., ÖKB, Vorst.Mtgl. d. ÖAMTC Stmk., Fremdenverkehrsver. Bad Radkersburg, Musikver., Ehrenmtgl. d. Unterstützungsver. d. FF u. Rettungsabt., Jagdschutzver. Stmk. H.: Wandern, aktiver Weidmann, Weinbau.

Zweimüller Franz

B.: Niederlassungsltr. FN.: Handwerks- u. Induöstriebedarfs GmbH, Filiale Fritz Racher. DA.: 4910 Ried, Riedauer Str. 54. PA.: 4874 Pramet, Großpiesenham 34. G.: Ried, 8. Sep. 1955. V.: Elfriede, geb. Seiler. Ki.: Daniela (1976), Thomas (1979). El.: Johann u. Anna. S.: kfm. Lehre b. Fa. Racher als Großhandelskfm., 1974 Abschluß. K.: in d. Firma Racher tägi, 1978/79 Abt.-Ltr. f. Bau- u. M;obelbeschläge bei Fa. Racher, s. 1992 Niederlassungsltr. H.: Schwimmen, Radfahren, Bergwandern. (J.L.)

Zweimüller Rudolf

B.: Gschf. u. Inh. FN.: Zweimüller Gas Wasser Heizung GesmbH. DA. u. PA.: 4910 Neuhofen, Grillnau 24. G.: Kochreith, 12. Okt. 1962. V.: Christa, geb. Fostel. Ki.: Marco (1980), Jessica (1984). El.: Johann u. Berta. S.: 1977-81 Berufsschule Installateur, 1982-84 Techniker, 1983-85 Mstr.-Prüf. f. Wasser, Gas u. Heizung, 1985 selbst. geworden, 1987 GesmbH, 1991 u. 1992 2 Filialbetriebe gegründet. M.: Vizepräs. im Sportverein Neuhofen, Vizepräs. i. Landesverband OÖ d. Bogenschützen. H.: Bogenschießen, Skifahren, Fußball. (M.G.)

Zwettler Johann Dkfm. o.Dir.

B.: Dir. d. Bank f. Arb. u. Wirtschaft. GT.: Gschf.: Bawag Leasing GmbH Wien, "Ingebe" Ind. u. Gew. Beteiligungs GmbH Wien, Ziegelwerk Stillfried GmbH, Gara RPK Grundstücksverw. GmbH, ÖKK Holding GmbH Wien, ÖVKB Holding GmbH Wien, Kabak Holding GmbH Wien, Board Mtgl.: Bawag Intern. Finance Dublin, Vorst.-Mtgl.: Bawag Immobilien AG Wien, Wr. Spar- u. Kreditinst., Prok.: RVG Realitätenverwertungs GmbH Wien, Garage am Domplatz Betriebs GmbH Klagenfurt, AufsR.: Gara Real- u. Personalkreditbank AG Wien, Österr. Konsumbank AG Wien, Bawag Vers. AG Wien, Sparda Bank AG Wien, Steyrermühl Papierfabriks u. Verlags AG Steyrermühl. DA.: 1010 Wien, Seitzerg. 2-4. PA.: 1210 Wien, Sandrockg. 97. G.: Wien, 27. Sept. 1941. V.: Maria, geb. Doppler. Ki.: Martin (1969). El.: Johann u. Friederike. S.: HAK, Stud. Revisions- u. Treuhandwesen HS f. Welthdl. Wien, 1964 Dipl. K.: Tätigkeit in d. Lebensmittelind., 1966 Eintritt in d. BAWAG, zunächst Abt. Kreditrevision, später Beteiligungsverw. u. Sonderfinanzierungen. H.: Wandern, Bergwandern, Skifahren, klass. Musik, Reisen. (J.S.)

Zwettler Robert Ing.

B.: Gschf., Film- u. Fernsehproduzent. FN.: pre tv Ges. f. Videoproduktion mbH. GT.: Lehrbeauftragter an d. Univ. Graz (Medienkundl. Lehrgang). DA.: 1040 Wien, Favoritenstr. 20; 8054 Graz, Ankerstr. 4. PA.: 8054 Graz, Martinhofstr. 6B. G.: Graz, 30. Jan. 1953. V.: Johanna, geb. Castellani. Ki.: Daniela (1979). El.: Karl u. Frieda. S.: HTL Nachrichtentechnik Graz, 1973 Abschluß. K.: ab 1973 Funktechniker b. d. Firma Kapsch Graz, im Vertrieb d. Firma ITT Nachrichtentechn. Produkte, Verkaufsltr. d. Firma Elbak Ind.-Batterien u. b. d. Firma Grothusen Kabelfernsehprojekte, seit 1980 pre tv, Schwerpunkt: Fernsehproduktionen vorwiegend f. d. ORF (u.a. Bravissimo, Count Down, Treffpunkt Natur, Der lange Ritt d. Sioux, etc.) u.a. intern. Fernsehanst., Ind.- u. Wirtschaftsfilme, Eigenproduktionen am Kultur- u. Dokumentationssektor. P.: Fachart., Messebereichterstattungen. M.: Marketingclub. H.: Skifahren, Tennis, d. schönen Dingen d. Lebens zugetan. (N.A.)

Zwettler Silvia Stefanie

B.: Inh. d. Hotel Attache. DA.: 1040 Wien, Wiedner Hauptstr. 75. PA.: 1040 Wien, Johann-Strauss-G. 10-14. G.: Wien, 26. März 1957. V.: Otto. El.: Herbert u. Maria Brandstätter. S.: HS Wien, Berufsschule, Ind.Kfm.Lehre, div. Abendkurse, Matura nachgeholt in Abendschule. K.: im Hotel d. Eltern mitgearbeitet, seit 1980 eigenes Hotel. BL.: bes. Eigenschaft d. Hotels ist d. persönl. Betreuung. M.: Österr. Hotelver. H.: Arb., Tennis, Schwimmen. (M.G.)

Zwettler Werner

B.: Inh. FN.: La Traviata Eissalon Zwettler KG. DA.: 1100 Wien, Neilreichg. 23. PA.: 1110 Wien, Bleriotg. 21/12/4/13. G.: Wien, 12. Feb. 1968. V.: Andrea, geb. Propper. El.: Wolfgang u. Helene. K.: Großhandels-Kfm. f. Kfz-Sektor spezialisiert auf amerk. Autos, Wechsel in d. Computerbranche, Ltr. d. Computerisierten Lagerverwaltung b. Lauda Air, Verantwortlich f. alle Stationen im In- u. Ausland, s. 1994 selbst., Eröff. Eiscafés Zwettler. H.: Reisen, fernöstliche Kulturen. (J.S.)

Zwetzbacher Karl

B.: Unternehmer. DA.: 3106 St. Pölten, Anton-Scheiblin-Str. 4. G.: St. Pölten, 4. Juni 1936. V.: Waltraud, geb. Binder. Ki.: Karl, Thomas, Paul. El.: Karl u. Maria. BV.: Großvater väterlicherseits war LHptm.Stellv., Bauernbunddir., erster Präs. d. NÖ LLdw.Kam. S.: Grundschule, Mühlenlehre in Krems u. Herzogenburg, Sägefachschule in Kuchl, HAK. K.: Praxisj. in Frankreich u. Südtir., 1959 Einstieg in d. Eisenwarenhdl., 1961 Eröff. eines Betriebes in St. Pölten, 1972 Betriebsgrundstück erworben, 1973 Eröff. d. Betriebsstätte, 1982 Erweiterung d. Betriebsstätte, Programm umfaßt: Tür- u. Fensterbeschläge, Möbelzierbeschläge, Kücheneinbaugeräte, Briefkastenanlagen, Tresoranlagen, Werkzeuge, Holzbearbeitungsmaschinen. F.: Karl Zwetzbacher. M.: Gremialaussch. d. Eisenwarenhändler, BGremialaussch., Eisenwarenverb., Management-Club. H.: Berufsverbundenheit, Lesen, Wandern, Skifahren. (Kern)

Zweymüller Ernst Dr. med. univ. Prof.

B.: em. o.Univ.-Prof., FA f. Kinderheilkunde PA.: 1010 Wien, Gonzagag. 2. G.: Baden, 8. Juni 1917. V.: Erna, geb. v. Kossar. Ki.: Alfhild. El.: Carl u. Flora, geb. Mörl. BV.: Stammt aus Südtiroler Adelsgeschlecht (bis 1085 zurückreichend). S.: Hum. Gymn. Baden, Matura 1935 m. Ausz., 1935-40 Med.Stud. Univ. Wien, Prom. 1940. K.: 1940-45 Dienst b. d. Dt. Luftwaffe, 1945-46 Ausbild. am Pathol.-Anatom. Inst. d. Univ. Innsbruck, 1946-49 weitere Ausbild. z. FA f. Kinderheilkunde an d. Univ.Kinderklinik Innsbruck, 1950 Univ.Kinderklinik Wien, 1959 Univ.Doz., 1966 a.o. Univ.-Prof., 1973 o.Univ.-Prof. u. Vorst. d. Univ.-Kinderklinik Graz, 1977 Vorst. d. Univ.Kinderklinik Wien, seit 1987 em., 1957-58 Forschungstätigkeit in Cambridge (Untersuch. d. Wasser-, Elektrolyt- u. Nierenstoffwechsels v. d. Geburt), 1960 Eröff. d. eig. FA-Praxis in Wien. P.: 180 wiss. Publ. u. zahlr. Buchbeiträge sowie Mithrsg. v. Büchern. E.: 1968 Clemens v. Pirquet-Preis. M.: Österr. Ges. f. Kinderheilkunde (1975-76 u. 1987-88 Präs.), Ehrenmtgl. d. Ges. d. Ärzte Wiens, European Soc. f. Pediatric Research, korresp. Mtgl. d. Dt. Ges. f. Kinderheilkunde, d. Dt. Ges. f. Kinderchir., d. Österr. Ges. f. Kinderchir., d. Schweizer Ges. f. Pädiatrie, Ehrenmtgl. d. Schwed. Ges. f. Kinderheilkunde, Vd. Med. Ges. f. Oberösterr. em. Mtgl. d. Obersten Sanitätsrates. (P.R.)

Zwiauer Karl Dr. Univ.-Doz.

B.: Vorst.-Arzt.d. Abtl. f. Kinder- u. Jugendheilkunde. FN.: Krankenhaus St. Pölten. DA.: 3100 St. Pölten, Dr. Adolf Schärf-Str. 4. G.: Niedernondorf/NÖ, 18. März 1955. V.: Gabriele, geb. Frantsich. Ki.: Valentina Laura (1990), Victoria Anna (1993). El.: Karl u. Herta. S.: 1974 Mat., 1975 Stud. Med. Univ. Wien, mehr. Ausl.-Famulaturen, 1980 Prom., Gastarzt u. Univ.-Arzt a.d. Univ. Kinderklinik Wien, 1988 Fachausbild. zum FA abgeschl., Ausl.-Aufenth. in Cleveland/USA am Biochem. Inst., 1991 Max-Kade-Stip. in Phoenix, s. 1991 Ltr. d. Kinderabtl. KH St. Pölten, s. 1992 def. Ltr., Venia Docendi, Vorles. u. Üb. a.d. Kinderklin. Univ. Wien. P.: Wiss. Unters. über Auswirk. v. Reduktionsdiäten auf Stoffwechsel v. Kindern, Vor- u. Nachteile versch. Diäten übergewicht. Kinder, Arb. über Fettstoffwechsel u. Untersuch. v. Energiestoffwechsel v. Kindern u. Jugendl. E.: 1991 ESPEN-Fellowship, Förderpr. d. dt. Akad. f. Ern. u. Arb.-Gem. f. klin. Ern., Forsch.-Förderpr. d. EÖ Sparkasse. M.: Ernährungskom. d. Öst. Ges., Akad. f. Ern.-Med., dt. Ges. f. Adipositasforsch., Präs. d. ECOG., u.v.a. H.: Tauchen, Bergsteigen, Skifahren, Golf. (J.M.)

Zwick Richildis

B.: Dir. VS Groß Enzersdorf. DA.: 2301 Groß Enzersdorf, Kaiser-Franz-Josef-Str. 8. G.: Sulzbach/BRD, 26. Sep. 1940. Ki.: Astrid (1964), Ernst Bernhard (1965). El.: Otto u. Richilde Stöhr. S.: 1974 Päd. Ak. K.: 1984 VS Spillern, 1991 Ltg. Schulverb. Oberhaus/Probsdorf, 1994 Ltg. VS Groß Enzersdorf. H.: Malen, Reisen, Lesen, alte Geschichte. (T.T.)

Zwick Walter
B.: Kfm. (Eisengroßhdl.) u. GemR. d. Stadt Klagenfurt. DA.: 9020 Klagenfurt, Alter Pl. 29. G.: Klagenfurt, 25. Mai 1941. V.: Gertraud, geb. Pibal. Ki.: Christof, Oliver. El.: Vinzenz u. Anna. S.: VS, Gymn., HAK, 1959 Matura. K.: ab 1959 Volonteur in d. BRD, 1964 Betriebsübernahme in Klagenfurt, b. 1984 4 Zwick-Filialen in Ktn. u. Stmk. m. 35 Mitarb., seit 1985 StadtR., seit 1990 Gremialvorsteher d. Eisenhdls. P.: Gastkommentare in Tageszeitungen. E.: Sportehrenabz. d. Stadt Klagenfurt in Silber. M.: Obm. d. Ruderclubs "Albatros". H.: Theater, Tennis, Langlauf, Rudern. (Hat.)

Zwicker Alois RgR.
B.: DionR. i.R. PA.: 1120 Wien, Hetzendorferstr. 78/6/3. G.: Herzogenburg, 9. Apr. 1927. V.: Margit, geb. Plotzer. Ki.: Andrea. El.: Alois u. Anna. S.: Mittelschule München. K.: 1945 Eintritt in d. ÖBB, Außendienst in Krems u. St. Pölten, 4 Fachprüf., seit 1955 in Wien, zunächst im Verw.-Dienst d. ÖBB, später im Rechnungs- u. Finanzdienst tätig, zuständig f. d. Zentralisierung d. Lohn- u. Gehaltsverrechnungen, f. d. Umstellung auf EDV u. f. d. Liquidierung d. Bezüge, zuletzt Ref. f. Liquidierung, gleichzeitig Personalvertreter, Obm. d. Dienststellenaussch. in d. Gewerkschaft d. Eisenbahner, Kontrollobm. d. Zentraldienst, 1987 Pensionierung. P.: Art. in Fachzeitschriften. M.: Verb. d. Philatelisten Österr., Verb. d. Mineralienfreunde. H.: Sammeln v. Mineralien, Fotografieren, Reisen. (J.S.)

Zwicker Otto
B.: Gschf. u. ltd. Dir. d. Kongresshauses Innsbruck. A.: 6020 Innsbruck, Bertha-v.-Suttner-Weg 9/23. G.: 28. März 1914. V.: Margarethe, geb. Niederreiter. S.: Maschinenbau, VwAk. K.: Zentr.Sekr. d. Zentr.Kmsn. d. Öff. Dienstes, Gen.Sekr. d. Österr. Kulturorgan., Gschf. u. Dir. v. Wirtschaftsunternehmungen, Gschf. u. Dir. d. Kurhausbetriebe Sbg., Kons.Büro f. Touristik u. Kongreßwesen, Gschf. u. Dir. d. Kongreßhauses Innsbruck. F.: Eigenes Kons.Büro f. Tourismus u. Kongreßwesen. P.: Zahlr. Abhandlungen über Tourismus u. Kongreßwesen. E.: Ehrenring d. Stadt Sbg., Silb. Kam.Med. d. HK Sbg., Ehrenmtgl. zahlr. Organ. M.: Präs. d. Kiwanis-Club Innsbruck, gschf. VPräs. d. wiss. Inst. Kongreßwesen, zahlr. Mtgl. intern. Kongreßorgan.

Zwickl Albert
B.: Holzkfm. FN.: Sägewerk Schnittholz Land- u. Forstwirtschaft. DA. u. PA.: 3820 Raabs/Thaya, Hauptstr. 3-5. G.: Raabs/Thaya, 30. März 1931. V.: Elfriede, geb. Raffetseder. Ki.: Angelika (1955), Karl (1957), Gertraud (1958), Gerhard (1960), Margit (1960), Renate (1965). El.: Ludwig u. Antonia, geb. Stransky. S.: VS, HS, Sägefachschule Kuchl, 1954 Müllermstr.-Ausbild. m. Mstr.-Prüf. Wien. K.: 1945-54 Müllerlehrling, Gehilfe u. Mstr. im elterl. Betrieb Raabs/Thaya, 1954-70 Müllermstr. u. Betriebsführer, 1970 Übernahme d. elterl. Betriebes, seit 1965 GemR. ÖVP Raabs/Thaya, seit 1990 VBgm. M.: SparkassenR. Waldviertler Sparkasse v. 1842, 27 J. Vorst. d. Gesangs- u. Musikver. Raabs/Thaya, 40 J. aktiver Musiker: Tenor-Horn, 1978 Gründer u. Obm. d. Raabser Wanderver., Sänger im Kirchenchor u. Raabser Gesangs- u. Musikver. E.: Ehrenring d. Stadtgem., Hyppolit-Orden d. Diözese St. Pölten. H.: Singen, Wandern. (M.M.)

Zwicknagl Helmut Dkfm.
B.: Ltr. Finanz u. Personal. FN.: ADIDAS Austria AG. DA.: 9073 Klagenfurt, Adi-Dassler-G. 2. PA.: 9020 Klagenfurt, Bahnhofpl. 2. G.: Wegscheid/BRD, 23. Juli 1955. V.: Doris, geb. Sandreuter. Ki.: Anja (1981). S.: 1974 Matura, b. 1981 Stud. Betriebswirtschaft, BH. K.: b. 1981 Adidas, Mitarb. b. Controlling, 1985 Abt.-Ltr., 1986 Gruppencontroller, seit 1990 Klagenfurt. H.: Lesen, Musik, Sport, Segeln, Fotografieren. (K.K.)

Zwiffl Matthias Ing.
B.: Gschf. FN.: Hans Kolbe GmbH FUBA-Communication. DA.: 1232 Wien Pfarrg. 79. PA.: 2353 Guntramsdorf, Burgunderstr. 9. G.: Salzburg, 15. Mär. 1963. V.: Elke, geb. Neuhauser. Ki.: Sara (1987), Eva (1988), El.: Matthias u. Helga. S.: 1982 HTL-Matura. K.: ab 1983-85 Vertriebstechn. b. versch. Firmen, 1986 Vertriebsltr. Österr., 1989 Gschf. Fa. Kolbe H.: Fotografie, Squash.(N.A.)

Zwilling David

B.: Gschf. Ges. FN.: 2F Leuchten Zwilling, Gschwandtner GmbH & Co KG. GT.: Gschf. Club Zwilling, Gschf. Golf Ak. Abtenau, Ges. Innova Licht, Textil Accessoires GmbH & Co KG. DA.: 5441 Abtenau, Pichl 118. G.: Abtenau, 24. Aug. 1949. V.: Margarethe, geb. Gsenger. Ki.: Patricia (1973), Mike (1974). El.: David u. Elisabeth. S.: VS, HS, Tischlerlehre Firma Voglauer m. Gesellenbrief 1967 abgeschlossen. K.: aktiver Skifahrer, Schülerkader, ÖSV Jugendkader, Nationalkader, 1969-75 Österr. Nationalmannschaft, 1975 staatl. Skilehrerprüf. m. Ausz., zugleich Grdg. 2F Leuchten. BL.: 1. Pl. Abfahrt u. 2. Pl. Slalom WM St. Moritz, 1973 2. Pl. Gesamtweltcup, Kandaharsieger, Lauberhornsieger. E.: Sportler d. J. 1974, zahlr. Siege. M.: Grdg. Gesunder Mensch, Gesunder Sport, Gesunde Wirtschaft. H.: Firma, Sport. (J.F.)

Zwilling Josef
B.: Gschf. (Techn. Ltr.). FN.: Voglauer Möbelwerk KG. DA.: 5441 Abtenau, Pichl 55. PA.: 5441 Abtenau, Pichl 115. G.: Abtenau, 5. Dez. 1946. V.: Friederike. Ki.: David, Josef, Elisabeth. El.: David u. Elisabeth. S.: Fachschule f. Tischler. K.: seit 1963 b. Fa. Voglauer, 1966/67 Meisterklasse Hallein. F.: Pitztaler Gletscherbahn. H.: Skifahren, Reiten, Wandern.

Zwink Eberhard Prof.
B.: Journalist. DA. u. PA.: 5020 Salzburg, General-Keyes-Str. 21. G.: Salzburg, 23. Mai 1928. V.: Maria, geb. Kienast. Ki.: Dr. Martina Mayer, geb. Zwink u. Eberhard. El.: Hans u. Johanna. S.: VS, RG, ab 1949 als Verlagsanst. Red.Volontär, Red., 1953-74 Sbg. Nachrichten an Lokalchef, ab 1974 Chefred., Pressesprecher d. LRg. u. Ltr. d. LPressebüros (Presse- u. Informationszentrum d. Landes Sbg.), Amt d. Sbg. LRg. Chiemseehof Sbg. P.: Buchausgabe: Salzburg wo? (1969 Salzburgführer) in Zusammenarbeit m. Gerhard Neurister, Hrsg. d. Schriftenreihe d. LPressebüros, b. 1974 lfd. Publ. in Zeitungen, vorwiegend Sbg. Nachrichten. E.: 1984 Prof., Ausz. d. Landes Sbg., Presseclub Concordia, Sbg. M.: Presseclub, Präs. d. Gruber-Mohr-Forschungsver. "Stille Nacht" Ges., Lions-Club Hohensalzburg. H.: Schreiben u. Lesen. (Hat.)

Zwirchmaier Wolfgang jun.

B.: Gschf. FN.: Heinrich Zwirchmaier Ges.m.b.H. & CO KG. DA.: 4651 Stadl-Paura, Johann Straußstr. 15. PA.: 4650 Lambach, Bahnhofstr. 9. G.: Wels, 20. Dez. 1961. V.: Dagmar, geb. Sauer. Ki.: Regina, Barbara, Clemens. EL.: Heinrich, Bernadette. S.: HAS Lambach, HTL Vöcklabruck, prakt. Lehre, 1984 Abschluß, 1988 Meisterprüf., 1989 Grdg. d. Fa. Wolfgang Zwirchmaier in Edt b. Lambach, 1993 Fusion m. d. väterl. Unternehmen, seit 1994 Gschf. u. Eigentümer der KG. H.: Tischtennis, Segeln, Reiten. (W.B.)

Zwirchmayr Karin

B.: Geschäftsfrau d. Galerie del Manifesto. DA.: 5020 Salzburg, Alpenstr. 114. PA.: 5020 Salzburg, Heuberg 35. G.: St. Johann am Walde, 25. Mai 1965. V.: Josef Zwirchmayr. Ki.: Antoinette (1989). El.: Ludwig u. Maria Baumkirchner. S.: kfm. Lehre. K.: durch Auslandsaufenthalte Kunstinteresse geweckt u. bereichert insbes. auf d. Gebiet d. Kunstplakate, 1990 Grdg. d. Galerie in Sbg., Beteiligung an einer Galerie in Linz. H.: Malen, spez. Seidenmalerei, Kunst. (K.K.)

Zwischenberger Hedwig Mag.

B.: Steuerberater. DA.: 9900 Lienz, Schweizer G. 23a. PA.: 9991 Dölsach, Gödnach 37. G.: Lienz, 11. Dez. 1954. El.: Jakob u. Anna Zwischenberger. S.: VS, HS, 1975 Matura HAK Lienz, Praxis als Berufsanw. b. Dr. Walter Messing in Innsbruck, 1980 Spons. Mag. rer. soc. oec. K.: 1986 Steuerberaterprüf., seit dieser Zeit im Büro Mag. Hedwig Zwischenberger selbst. tätig, seit 12 J. Mtgl. d. GemR. Dölsach. H.: Berg- u. Skitouren, Tennis, klass. Musik. (M.T.)

Zwischenberger Johannes Dr. med. MedR.

B.: FA f. Neurologie u. Psychiatrie. A.: 1060 Wien, Fillgraderg. 9/10. G.: Wien, 30. Mai 1941. El.: Johann u. Stefanie. S.: Hum. Gymn., Matura 1959, Med.Stud. an d. Univ. Wien, Prom. z. Dr. med. 1966. K.: Eintritt in d. dam. Psychiatr.-Neurol. Univ. Klinik Wien 1967 als Ass.Arzt, dort Ausbild. z. FA f. Neurol. u. Psych., FA-Anerkennung 1974, Ausbild. z.EEG-Spez. b. Prof. Pateisky, Tätigkeit als OA an d. Neurol. Univ. Klinik Wien b. 1978, Forsch. über Mikrovibration, Mikrofingertremor, EEG-Veränderungen b. Drogenmißbrauch sowie Ausbild. v. FA auf d. Geb. d. Elektroencephalographie, dan. Tätigkeit als Psychotherapeut, seit 1978 freiprakt. FA, Schwerpunkte: Behandlg. v. Neurosen, insbes. Phobien, Depressionen, sex. Störungen, als Psychotherapeut ständiger Kontakt m. Prof. Frankl, Besch. m. Psychopharmakologie u. Homäopathie in d. Psychiatrie. P.: EEG Untersuchungen b. Drogenmißbrauch, EEG Untersuchungen im Längschnitt b. d. Entwöhnung v. jugendl. Polytoxikomanen, Der Mikrofingertremor. M.: Ver. f. Psychiatrie u. Neurologie, Österr. EEG Ges., Vereinigung österr. Gutachterärzte, Liga gegen Epilepsie. H.: Astronomie, Botanik.

Zwitkowits Kurt

B.: Installateur- u. Heizungsmstr. DA. u. PA.: 1080 Wien, Josefstädterstr. 76. G.: Stuttgart, 29. Okt. 1940. V.: Erika, geb. Wabek. Ki.: Christa. El.: Karl u. Agnes. S.: Pflichtschulen. K.: 1970 Konzessionsprüf. f. Sanitär u. Heizung, 1970 Grdg. d. Fa. M.: Interessentenverb. f. Hdl., Gewerbe u. Ind. H.: Tennis. (Lar.)

Zwitter Miran Dr. iur.

B.: RA, gerichtl. beeid. Dolm. f. Slowenisch. DA.: 9020 Klagenfurt, Karfreitstr. 3. G.: Klagenfurt, 11. Apr. 1951. V.: Dr. Mirjam, geb. Slemic. Ki.: Dejan, Deva. El.: Dr. Martin (Neubegr. d. Verb. Slow. Gen., Reorgan. d. Slow. Kulturverb., Initiator d. Galerie "Aula Slovenica") u. Danica. S.: Slow. Gymn. in Klagenfurt, Jusstud. in Sbg., 1973 Prom., anschl. Stud. Alte u. Neue Geschichte. K.: 1979-85 Gerichtspraxis, dann Konzipient b. Dr. Schally u. Dr. Knees, seit 1985 selbst., seit 1979 gerichtl. beeid. Dolm. f. Slowenisch, 1974-85 Führung d. Galerie "Aula Slovenica" u. Hrsg. d. 3sprach. Kalenders, 1973-79 freier Mitarb. b. ORF. P.: viele histor. u. jurist. Art. in div. Zeitungen u. Zeitschriften u. Vorträge, hpts. z. Thema d. Slow. Minderheit, Ktn. LVerfassung u. Regionalgeschichte. H.: Bild. Kunst. (D.M.)

Zwittnig Peter Dr. med.

B.: FA f. Kiefer- u. Gesichtschirurgie. DA. u. PA.: 8111 Straßengel, Plankenwarter Str. 6. G.: Graz, 23. März 1956. V.: Dr. Elisabeth, geb. Fähringer. Ki.: Dino (1990), Lisa (1993). El.: HofR. i.R. Dipl.-Ing. Leopold u. Gertraud. BV.: Normungsaussch. f. gefährl. Güter. S.: Matura 1974. Prom. Univ. Graz 1981, FA-Ausbild. Mund-, Kiefer- u. Gesichtschir., FA-Ausbild. Zahn-, Mund- u. Kieferheilkunde. K.: 1985-91 Ass. Univ. Graz, seit 1989 eig. Praxis, Lehrauftrag Univ.-Klinik f. Zahn-, Mund- u. Kieferheilkunde Graz, zahnärztl. Praxis Wildon., Kiefer- u. Gesichtschir. Praxis Straßengel. P.: Gefäßgestielte Nerventransplantation im Gesicht (1987) u. weitere wiss. fachspez. Arb. E.: Posterpreis d. Österr. Ges. f. Chir. M.: Österr. Ges. f. Chir., Österr. Ges. f. Zahn-, Mund- u. Kieferheilkunde, Österr. Ges. f. experimentalle Chir. Dt. Krebsges., Österr. Ges. f. Implantatchir. H.: Familie, Arbeit. (R.S.)

Zwittnig Wilfried

B.: Gschf., Inh. FN.: Documenta Werbe GmbH Nfg. KG. DA.: 8041 Graz, Lortzingg. 14. PA.: 8010 Graz, Plüddemanng. 75E. G.: Graz, 2. Jän. 1952. V.: Andrea, geb. Naderer. Ki.: Sarah (1984). El.: Ferdinand u. Josefine. S.: Pflichtschule, HTL, Lehre als Fotograf, 1972 Abschluß, Auslandsreisen. K.: freie Mitarb. b. Tageszeitungen, 1974 Mstr.-Prüf., b. 1978 selbst. Fotograf, 1978 Grdg. Documenta GmbH u. Einstieg als Ges., 1986 Umwandlung in KG. M.: Präs. d. Tisches 13 b. Round Table. H.: Bergsteigen, Marathonlauf. (F.K.)

Zykan Otto M.

B.: Komponist u. Schriftsteller. PA.: 1030 Wien, Hainburger Str. 47/1. G.: Wien, 29. April 1935. V.: Siegrid, geb. Schuster. Ki.: Okki. El.: Otto u. Käthe. BV.: Onkel Dr. Josef Zykan Kunsthistoriker. S.: Matura, Absolvent d. Musik-HS Wien. K.: Konzertkomponist, ab 1970 Komponist u. Texter - Filme, Opernwerke, Konzertstücke erschienen im Eigenverlag. BL.: TV-Produktion pol. Inhalts Staats- operette (Skandal). P.: Ein Porträt Zykan 1985 v. Karin Piessner. E.: Genfer Klavierwettbewerb, 1. Preis Darmstädter Klavierwettbewerb f. Neue Musik, Österr. Staatspreis f. Komposition. H.: Tennis. (A.K.)

Zyla Hans

B.: Präs., gschf. Ges. i.R. FN.: Norica Hotelbetriebsges. Sbg. DA.: 5020 Salzburg, Faberstr. 17. PA.: 5020 Salzburg, Rehlingenstr. 14. G.: Schwechat, 5. Sept. 1919. V.: Else-Maria, geb. Wolf. Ki.: Dr. Klaus, Mag. Dr. Joachim. El.: Nikolaus u. Barbara. S.: Mittelschule, HS, Linguist. K.: Lehrer, Sekr. d. Kam. f. Arb. u. Ang. in d. Land- u. Forstwirtschaft, Untern. im Bau-, Realitäten- u. Vermögensberatungsgew. F.: Beteiligung an sämtl. Untern., d. z. Unternehmensgruppe Wohnungseigentum-Bautreuhand gehören. P.: Polit. u. wirtschaftspolit. Themen in versch. Zeitschriften. E.: Gr. Gold. EZ d. Rep. Österr. m. Stern, Gr. Gold. EZ v. Sbg. M.: AufsR.Vors. d. Sbg. Flughafenbetriebsges., AufsR.-Vors. d. Ytong Austria, AufsR. in versch. Untern., d. z. Unternehmensgruppe Wohnungseigentum-Bautreuhand gehören, Vorst. d. Ver. d. selbst. Tätigen in Österr. H.: Golf. (A.W.)

Zyman Eva Dr.

B.: FA f. Augenheilkunde. DA.: 1090 Wien, Währinger Str. 72. PA.: 1190 Wien, Weimarer Str. 97. G.: Budapest, 21. Juli 1937. V.: Dr. Otto. Ki.: Andreas, Daniela. El.: Michael u. Rosa Zyman. S.: Gymn. Budapest, 1955 Matura, Stud. Med. Wien. K.: 3 J. Rudolfstiftung, II. Univ.Klinik f. Augen, 1973 FA, 1973 Eröff. eigener Praxis, seit 1980 Inst. f. Kontaktlinsen. H.: Lesen, Musik, Theater. (M.G.)

VERZEICHNIS DER ORDEN UND EHRENZEICHEN

Ehrenzeichen für Verdienste um die Republik Österreich (1952)

GrSt Großstern des Ehrenzeichens
GrGE/B Großes Goldenes Ehrenzeichen am Bande
GrSE/B Großes Silbernes Ehrenzeichen am Bande
GrGE/St Großes Goldenes Ehrenzeichen mit dem Stern
GrSE/St Großes Silbernes Ehrenzeichen mit dem Stern
GrGe Großes Goldenes Ehrenzeichen
GrSE Großes Silbernes Ehrenzeichen
GrE Großes Ehrenzeichen
GE Goldenes Ehrenzeichen
SE Silberens Ehrenzeichen
GV Goldenes Verdienstzeichen der Republik Österreich
SV Silbernes Verdienstzeichen der Republik Österreich
GM Goldene Medaille
SM Silberne Medaille
BM Bronzene Medaille
GMarB Goldene Medaille am roten Bande (Lebensrettungsmedaille, ab 1968)
SMarB Silberne Medaille am roten Bande (bis 1968)

Sonstige Ehrenzeichen

EZBefrÖ Ehrenzeichen für Verdienste um die Befreiung Österreichs
BHDZ 1, 2, 3 Bundesheerdienstzeichen 1., 2., 3. Klasse
GrubEZ Grubenwehrehrenzeichen
ÖOlympM Österreichische Olympiamedaille
GStrSchVZ Goldenes Strahlenschutzverdienstzeichen
SStrSchVZ Silbernes Strahlenschutzverdienstzeichen
WdErinM Wehrdiensterinnerungsmedaille

Ehrenzeichen und Ehrenkreuz für Wissenschaft und Kunst (1955)

EZWuK Ehrenzeichen für Wissenschaft und Kunst
EKWuK 1. Kl. Ehrenkreuz für Wissenschaft und Kunst 1. Klasse
EKWuK Ehrenkreuz für Wissenschaft und Kunst

Österreichischer Verdienstorden, Österreichische Verdienstzeichen und Österreichische Verdienstmedaillen (1934)

Großst Großstern
GrKl/Adl Großkreuz 1. Klasse mit dem Adler
GrKl Großkreuz 1. Klasse
GrK Großkreuz
KomtKl/St Komturkreuz 1. Klasse mit dem Stern
KomtKl Komturkreuz 1. Klasse
KomtK Komturkreuz
OffzK Offizierskreuz
RitKl Ritterkreuz 1. Klasse
RitK Ritterkreuz
gVZ Goldenes Verdienstzeichen
sVZ Silbernes Verdienstzeichen
gVM Goldene Verdienstmedaille
grsVM Große Silberne Verdienstmedaille
sVM Silberne Verdienstmedaille
bVM Bronzene Verdienstmedaille

Ehrenzeichen für Verdienste um die Republik Österreich (1923)

GrSt2 Großstern des Ehrenzeichens
grGE/B2 Großes Goldenes Ehrenzeichen am Bande
grGE/St2 Großes Goldenes Ehrenzeichen mit dem Stern
GrE/St2 Großes Ehrenzeichen mit dem Stern
GrGE2 Großes Goldenes Ehrenzeichen
GrSE2 Großes Silbernes Ehrenzeichen
GrE2 Großes Ehrenzeichen
SE2 Silbernes Ehrenzeichen
GE2 Großes Ehrenzeichen
GV2 Goldenes Verdienstzeichen
SV2 Silbernes Verdienstzeichen
GM(a) Goldene Medaille
grSM(a) Große Silberne Medaille
SM(a) Silberne Medaille
BM(a) Bronzene Medaille

Ehrenzeichen und Verdienstkreuz für Kunst und Wissenschaft (1934)

EZKuW Ehrenzeichen für Kunst und Wissenschaft
VKKuWIKI Verdienstkreuz für Kunst und Wissenschaft 1. Klasse
VKKuW Verdienstkreuz für Kunst und Wissenschaft

Sonstige Ehrenzeichen der Republik und des Bundesstaates Österreich

öMVK 1, 2, 3 Öst. Militärverdienstkreuz 1., 2., 3. Klasse
ÖMVM Öst. Miltiärverdienstmedaille
EM40 Ehrenmedaille für 40jährige treue Dienste
VSt-RK Verdienststern vom Roten Kreuz
EZ1-RI Ehrenzeichen vom Roten Kreuz
OffzEZ-RK Offiziersehrenzeichen vom Roten Kreuz
EZ2-RK Ehrenzeichen 2. Klasse des Roten Kreuzes
gEM-RK Goldene Ehrenmedaille des Roten Kreuzes
sEM-RK Silberne Ehrenmedaille des Roten Kreuzes
bEM-RK Bronzene Ehrenmedaille des Roten Kreuzes
gVM-RK Goldene Verdienstmedaille des Roten Kreuzes
KrErinM Öst. Kriegserinnerungsmedaille
ÖSK Öst. Schwarzes Kreuz

Dekorationen, Ehren- und Erinnerungszeichen der Bundesländer

Bgl KomtK/St Komturkreuz mit dem Stern des Landes Burgenland
Bgl KomtK Komturkreuz des Landes Burgenland
Bgl GrEZ Großes Ehrenzeichen des Landes Burgenland
Bgl EZ Ehrenzeichen des Landes Burgenland
Bgl VK Verdienstkreuz des Landes Burgenland
Bgl GM Goldene Medaille des Landes Burgenland
Bgl SM Silberne Medaille des Landes Burgenland
Bgl BEM Ehrenmedaille für vieljährige Tätigkeit auf dem Gebiete des Feuerwehr- und Rettungswesens in Bronze
Bgl SEM Ehrenmedaille für vieljährige Tätigkeit auf dem Gebiete des Feuerwehr- und Rettungswesens in Silber
Bgl FVZ Feuerwehrverdienstzeichen des Landes Burgenland
Bgl RM Rettungsmedaille des Landes Burgenland
K BM Kärntner Medaille für Verdienste für Feuerwehr- und Rettungswesen in Bronze
K SM Kärntner Medaille für Verdienste für Feuerwehr- und Rettungswesen in Silber
K EK Kärntner Ehrenkreuz für besondere Leistungen auf dem Gebiete des Feuerwehr- und Rettungswesens
K EMK Kärntner Erinnerungsmedaille für Katastropheneinsatz
K GSpEZ Sportehrenzeichen in Gold
K SSpEZ Sportehrenzeichen in Silber
NÖ SKmtK/St Silbernes Komturkreuz mit dem Stern des Ehrenzeichens für Verdienste um das Bundesland Niederösterreich
NÖ GKmtK Goldenes Komturkreuz des Ehrenzeichens für Verdienste um das Bundesland Niederösterreich
NÖSKmtK Silbernes Komturkreuz des Ehrenzeichens für Verdienste um das Bundesland Niederösterreich
NÖ GrGEZ Großes Goldenes Ehrenzeichen für Verdienste um das Bundesland Niederösterreich
NÖ GrEZ Großes Ehrenzeichen für Verdienste um das Bundesland Niederösterreich

NÖ GEZ Goldenes Ehrenzeichen für Verdienste um das Bundesland Niederösterreich
NÖ SEZ Silbernes Ehrenzeichen für Verdienste um das Bundesland Niederösterreich
NÖ BEZ Bronzenes Ehrenzeichen für Verdienste um das Bundesland Niederösterreich
NÖ VZ Verdienstzeichen des Bundeslandes Niederösterreich
NÖ GM Goldene Medaille des Ehrenzeichens für Verdienste um das Bundesland Niederösterreich
NÖ SM Silberne Medaille des Ehrenzeichens für Verdienste um das Bundesland Niederösterreich
NÖ BM Bronzene Medaille des Ehrenzeichens für Verdienste um das Bundesland Niederösterreich
NÖ RM Rettungsmedaille des Bundeslandes Niederösterreich
NÖ SpEZ Sportehrenzeichen
NÖ SEM Ehrenmedaille für vieljährige Tätigkeit auf dem Gebiete des Feuerwehr- und Rettungswesens in Silber
NÖ BEM Ehrenmedaille für vieljährige Tätigkeit auf dem Gebiete des Feuerwehr- und Rettungswesens in Bronze
NÖ FVZ Feuerwehrverdienstzeichen des Bundeslandes Niederösterreich
OÖ GrEZ Großes Ehrenzeichen des Landes Oberösterreich
OÖ GEZ Goldenes Ehrenzeichen des Landes Oberösterreich
OÖ SEZ Silbernes Ehrenzeichen des Landes Oberösterreich
OÖ GVZ Goldenes Verdienstzeichen des Landes Oberösterreich
OÖ SVZ Silbernes Verdienstzeichen des Landes Oberösterreich
OÖ LRM Oberösterreichische Lebensrettungsmedaille
OÖ EMK Oberösterreichische Erinnerungsmedaille für Katastropheneinsatz
OÖ BFM Oberösterreichische Feuerwehrverdienst-Medaille in Bronze
OÖ SFM Oberösterreichische Feuerwehrverdienst-Medaille in Silber
OÖ GFVK Oberösterreichisches Feuerwehr-Verdienstkreuz in Gold
OÖ SFVK Oberösterreichisches Feuerwehr-Verdienstkreuz in Silber
OÖ BFVK Oberösterreichisches Feuerwehr-Verdienstkreuz in Bronze
S GrEZ Großes Ehrenzeichen des Landes Salzburg
S GEZ Goldenes Ehrenzeichen des Landes Salzburg
S SEZ Silbernes Ehrenzeichen des Landes Salzburg
S GVZ Goldenes Verdienstzeichen des Landes Salzburg
S SVZ Silbernes Verdienstzeichen des Landes Salzburg
S VM Verdienstmedaille des Landes Salzburg
S Ring Ring des Landes Salzburg
S LRM Lebensrettungsmedaille des Landes Salzburg
S BEZF Ehrenzeichen für eifrige und ersprießliche Tätigkeit auf dem Gebiete des Feuerwehr- und Rettungswesens in Bronze
S SEZF Ehrenzeichen für eifrige und ersprießliche Tätigkeit auf dem Gebiete des Feuerwehr- und Rettungswesens in Silber
S MK Medaille des Landes Salzburg für Katastrophenhilfe
S GSpEZ Salzburger Sport-Ehrenzeichen in Gold
S SSpEZ Salzburg Sport-Ehrenzeichen in Silber
S GEL Ehrenlorbeer des Salzburger Sportes in Gold
S SEL Ehrenlorbeer des Salzburger Sportes in Silber
S BEL Ehrenlorbeer des Salzburger Sportes in Bronze
S GLMAbz Salzburger Abzeichen für Landesmeister in Gold
S SLMAbz Salzburger Abzeichen für Landesmeister in Silber
S BLMAbz Salzburger Abzeichen für Landesmeister in Bronze
St GrGEZ/St Großes Goldenes Ehrenzeichen des Landes Steiermark mit dem Stern
St GrGEZ Großes Goldenes Ehrenzeichen des Landes Steiermark
St GrEZ Großes Ehrenzeichen des Landes Steiermark
St GEZ Goldenes Ehrenzeichen des Landes Steiermark
St GMF Medaille für vieljährige eifrige und ersprießliche Tätigkeit auf dem Gebiete des Feuerwehr- und Rettungswesens in Gold
St SMF Medaille für vieljährige eifrige und ersprießliche Tätigkeit auf dem Gebiete des Feuerwehr- und Rettungswesens in Silber
St BMF Medaille für vieljährige eifrige und ersprießliche Tätigkeit auf dem Gebiete des Feuerwehr- und Rettungswesens in Bronze
St GVKF Verdienstkreuz für besondere Leistungen oder hervorragende Verdienste auf dem Gebiete des Feuerwehr- und Rettungswesens in Gold des Landes Steiermark
St SVKF Verdienstkreuz für besondere Leistungen oder hervorragende Verdienste auf dem Gebiete des Feuerwehr- und Rettungswesens in Silber des Landes Steiermark
St BVKF Verdienstkreuz für besondere Leistungen oder hervorragende Verdienste auf dem Gebiete des Feuerwehr- und Rettungswesens in Bronze des Landes Steiermark
St VKF Verdienstkreuz für besondere Leistungen oder hervorragende Verdienste um das Feuerwehr und Rettungswesen
St ERing Ehrenring des Landes Steiermark
St HochwassM Medaille für Verdienste beim Hochwassereinsatz 1958
St BHM Steirische Hochwassermedaille in Bronze
St SHM Steirische Hochwassermedaille in Silber
St GHM Steirische Hochwassermedaille in Gold
T Ring Ring des Landes Tirol
T EZ Ehrenzeichen des Landes Tirol
T VK Verdienstkreuz des Landes Tirol
T VM Verdienstmedaille des Landes Tirol
T LRM Tiroler Lebensrettungsmedaille
T EMK Tiroler Erinnerungsmedaille für Katastropheneinsatz
T BMF Medaille für ersprießliche Tätigkeit auf dem Gebiete des Feuerwehr- und Rettungswesens in Bronze
T SMF Medaille für ersprießliche Tätigkeit auf dem Gebiete des Feuerwehr- und Rettungswesens in Silber
T GMF Medaille für ersprießliche Tätigkeit auf dem Gebiete des Feuerwehr- und Rettungswesens in Gold
T LSpEZ Tiroler Landessportehrenzeichen
T GrAO Großer Tiroler Adlerorden
T GAO Tiroler Adlerorden in Gold
T SAO Tiroler Adlerorden in Silber
V GEZ Goldenes Ehrenzeichen des Landes Vorarlberg
V SEZ Silbernes Ehrenzeichen des Landes Vorarlberg
V GrVZ Großes Verdienstzeichen des Landes Vorarlberg
V VZ Verdienstzeichen des Landes Vorarlberg
V GSpVZ Ehrenzeichen für Verdienste um den Vorarlberger Sport in Gold
V SSpVZ Ehrenzeichen für Verdienste um den Vorarlberger Sport in Silber
V GSpEZ Ehrenzeichen für sportliche Leistungen in Gold
V SSpEZ Ehrenzeichen für sportliche Leistungen in Silber
V RM Vorarlberger Rettungsmedaille
V BFM Feuerwehrmedaille des Landes Vorarlberg in Bronze
V SFM Feuerwehrmedaille des Landes Vorarlberg in Silber
Wr GrGEZ/St Großes Goldenes Ehrenzeichen für Verdienste um das Land Wien mit dem Stern
Wr GrGEZ Großes Goldenes Ehrenzeichen für Verdienste um das Land Wien
Wr GrSEZ Großes Silbernes Ehrenzeichen für Verdienste um das Land Wien
Wr GEZ Goldenes Ehrenzeichen für Verdienste um das Land Wien
Wr SEZ Silbernes Ehrenzeichen für Verdienste um das Land Wien
Wr GVZ Goldenes Verdienstzeichen des Landes Wien
Wr SVZ Silbernes Verdienstzeichen des Landes Wien
Wr EinsM Einsatzmedaille des Landes Wien
Wr RM Rettungsmedaille des Landes Wien
Wr SpEZ Sportehrenzeichen des Landes Wien
Wr BM Medaille für Verdienste im Wiener Feuerwehr- und Rettungswesen in Bronze

ABKÜRZUNGSVERZEICHNIS

B ... Position/Beruf
FN ... Firmenname/Dienststelle
GT ... Sonstige geschäftl. Tätigkeiten
DA ... Dienstadresse
PA ... Privatadresse
G ... Geburtsort, -datum
V ... Verheiratet mit
Ki ... Kinder
El ... Eltern
BV ... Bedeutende Vorfahren
S ... Schul-/Ausbildung
K ... Karriere/Laufbahn
BL ... Besondere Leistungen
F ... Firmenbeteiligungen
P ... Veröffentlichungen
E ... Auszeichnungen
M ... Mitgliedschaften
H ... Hobbies

A

AB ... Augsburger Bekenntnis
Abg. ... Abgeordnete(r)
Abs. iur ... absolutus iuris - absolvierter Jurist
Abt. ... Abteilung
a.D. ... außer Dienst
Adm. ... Administration, Administrator
Agr. ... Agrar
AHS ... Allgemeinbildende Höhere Schule
Ak./ak. ... Akademie/akademisch(e, er)
AK ... Kammer für Arbeiter und Angestellte
allg. ... allgemein
Ang. ... Angestellte, -r
anschl. ... anschließend
Anst. ... Anstalt
Anw. ... Anwärter, Anwalt, -schaft
a.o. ... außerordentlich
Arb. ... Arbeit, -en, -er
Arch. ... Architekt, -ur
Ass. ... Assistent
AufsR. ... Aufsichtsrat
Aussch. ... Ausschuß
aut. ... autorisiert

B

b. ... bei, beim, bis
BAfEV ... Bundesamt für Eich- u. Vermessungswesen
Bmstr. ... Baumeister
BB ... Bundesbahnen
BDkmA ... Bundesdenkmalamt
Bdk. ... Bodenkultur
Beis. ... Beisitzer
Bes. ... Besitzer
bes. ... besonders
betr. ... betraut, betreffend
Bev./bev. ... Bevollmächtigter, bevollmächtigt
Bez. ... Bezirk
BG ... Bezirksgericht
Bgdr. ... Brigadier
Bgld./bgld. ... Burgenland/burgenländisch
Bgm. ... Bürgermeister
BH ... Bezirkshauptmannschaft, Bundesheer
Bibl. ... Bibliothek, -ar
biol. ... biologisch
BKA ... Bundeskanzleramt
BMA ... Bundesministerium für Auswärtige Angelegenheiten
BMB ... Bundesministerium für Bauten und Technik
BMF ... Bundesministerium für Finanzen
BMG ... Bundesministerium für Gesundheit und Umweltschutz
BMH ... Bundesministerium für Handel, Gewerbe und Industrie
BMI ... Bundesministerium für Inneres
BMJ ... Bundesministerium für Justiz
BMLF ... Bundesministerium für Land- und Forstwirtschaft
BMLV ... Bundesministerium für Landesverteidigung
BMS ... Bundesministerium für Soziale Verwaltung
BMU ... Bundesministerium für Unterricht und Kunst
BMV ... Bundesministerium für Verkehr
BMW ... Bundesministerium für Wissenschaft und Forschung
Bmtr. ... Beamte(r)
BWK ... Bundeswirtschaftskammer
BR ... Betriebsrat, Bundesrat
bzw. ... beziehungsweise

C

ca. ... circa
Chir./chir. ... Chirurg, Chirurgie/chirurgisch

D

d. ... der, die, das, dem, den, des
Dion. ... Direktion
Dipl. ... Diplom, -iert
Dipl.Arch. ... Diplom-Architekt
Dipl.Dolm. ... Diplom-Dolmetsch
Dipl.HdlL. ... Diplom-Handelslehrer
Dipl.Ing. ... Diplomingenieur
Dkfm. (Dipl.Kfm.) ... Diplomkaufmann
Dir. ... Direktor
div. ... diverse
Dolm. ... Dolmetsch, -er
Doz. ... Dozent
Dr. ... Doktor
Dr. hc. ... Ehrendoktor
Dr. iur. ... Doktor der Rechte
Dr. med. univ. ... Doktor der gesamten Heilkunde
Dr. med. vet. ... Doktor der Tierheilkunde
Dr. mont. ... Doktor der montanistischen Wissenschaften
D. nat. techn. ... Doktor der Bodenkultur
Dr. phil. ... Doktor der Philosophie
Dr. rer. comm. ... Doktor der Handelswissenschaften
Dr. rer. nat. ... Doktor der Naturwissenschaften
Dr. rer. pol. ... Doktor der Staatswissenschaften
Dr. rer. soc. oec. ... Doktor der Sozial- und Wirtschaftswissenschaften
Dr. techn. ... Doktor der technischen Wissenschaften
Dr. theol. ... Doktor der Theologie
Dt./dt. ... Deutsch/deutsch
dzt. ... derzeit

E

EDV ... Elektronische Datenverarbeitung
eh. ... ehrenhalber
em. ... emeritiert
Engl./engl. ... England/englisch
ev. ... evangelisch/eventuell
e.V. ... eingetragener Verein
Exz. ... Exzellenz

F

f. ... für
Fa. ... Firma
FA. ... Facharzt
Fak. ... Fakultät
Fin. ... Finanz
FPÖ ... Freiheitliche Partei Österreichs
Frankr./franz. ... Frankreich/französisch
Frhr. ... Freiherr

G

GmbH ... Gesellschaft mit beschränkter Haftung
Gen. ... General, Genossenschaft
geol. ... geologisch
gest. ... gestorben
Ger./ger. ... Gericht/gerichtlich
Ges. ... Gesellschaft, -er
Gew./gew. ... Gewerbe/gewerblich

gr.-orthod	griechisch-orthodox
grad.	graduiert
Gschf./gschf	Geschäftsführer/geschäftsführend, -er
GStbOffz	Generalstabsoffizier
Gstl.	Geistlich, -er
Gymn.	Gymnasium

H

HAK.	Handelsakademie
HASCH	Handelsschule
HB	Helvetisches Bekenntnis
hc.	honoris causa
Hdl.	Handel
HG	Handelsgericht
histor.	historisch
HK	Handelskammer
Hon.	Honorar
Hpt.	Haupt-
Hptm.	Hauptmann
HS	Hochschule
Hrsg.	Herausgeber
HTBL	Höhere Technische Bundeslehranstalt
HTL	Höhere Technische Lehranstalt
hum.	humanistisch, -es

I

Ind.	Industrie
Ing.	Ingenieur
Inh.	Inhaber
Insp.	Inspektor
Inst.	Institut
Int.	Intendant
intern.	international
i.R.	in Ruhe

J

jun.	junior
Jur./jur	Jurist/juristisch

K

Kam.	Kammer
Kap.	Kapitel, Kapitular
kath.	katholisch
Kdo.	Kommando
Kdt.	Kommandant
Kfm.	Kaufmann
kgl.	königlich
Kl.	Klasse
klin.	klinisch(e)
Kmsn.	Kommission
Kmsr.	Kommissar
KnsR.	Konsistorialrat
KommR.	Kommerzialrat
Kons.	Konsul, -ent
korresp.	korrespondierend
KPÖ	Kommunistische Partei Österreichs
Ktn.	Kärnten
Kur.	Kurat (kath), Kurator (ev.)
Kurat.	Kuratorium
Kzl.	Kanzlei

L

L	Land(es)
Lab.	Laboratorium
Ldw./ldw	Landwirt, -schaft/landwirtschaftlich
LAbg.	Landtagsabgeordneter
LG	Landesgericht
LHptm.	Landeshauptmann
Lt.	Leutnant
ltd.	leitend, -er
Ltg.	Leitung
Ltr.	Leiter
LV	Landesverteidigung
lyr.	lyrisch

M

m.	mit
M.A.	Master of Arts
Mag.	Magister, Magistrat
Mag. arch.	Magister der Architektur
Mag. pharm.	Magister der Pharmazie
Mag. phil.	Magister der Philosophie
Mag. rer. nat.	Magister der Naturwissenschaften
Mag. rer. soc. oec.	Magister der Sozial- und Wirtschaftswissenschaften
Mag. theol.	Magister der Theologie
Math.	Mathematik
Med./med.	Medizin/medizinisch
MedR.	Medizinalrat
MinR.	Ministerialrat
Mjr.	Major
Msgr.	Monsignore
Mstr.	Meister
Mtgl.	Mitglied

N

Nat./nat.	Nation/national
NÖ/nö	Niederösterreich, -isch

O

O	Ober-
OA	Oberarzt
o.	ordentlich, -er
OLt.	Oberleutnant
Obm.	Obmann
ObstLt.	Oberstleutnant
öff.	öffentlich
ÖGB	Österreichischer Gewerkschaftsbund
Ök./ök.	Ökonomie/ökonomisch
Organ.	Organisation
organ.	organisch
Österr.	Österreich, -isch
ÖVP	Österreichische Volkspartei
Offz.	Offizier
OGH	Oberster Gerichtshof
OLG	Oberlandesgereicht
OMR	Obermedizinalrat
OÖ	Oberösterreich, -isch
OSR	Oberschulrat
OStR.	Oberstudienrat

P

Päd./päd.	Pädagoge/pädagogisch
päpstl.	päpstlich, -er
Pat.	Patent
Path./path.	Pathologie/phathologisch
pers.	persönlich
Pharm.	Pharmazie
Phil./phil.	Philosophie/philosophisch
Philol./philol.	Philologie/philologisch
Phys.	Physikat, Physikus
Pol.	Polizei
poln.	polnisch
Präs.	Präsident
PR	Public Relations
prakt.	praktisch, -er
Prim.	Primarius
priv.	privat
Prof.	Professor
Prok.	Prokura, Prokurist
Prom.	Promotion
prov.	provisorisch
Psych./psych.	Psychologie/psychologisch
Publ.	Publikationen

R

R .... Rat
RA .... Rechtsanwalt
RA-Anw. .... Rechtsanwaltsanwärter
Red. .... Redakteur, Redaktion
Ref. .... Referat, Referent
Reg. .... Regierung
reg. .... registriert
Res. .... Reserve
Rev. .... Revident, Revier
röm.-kath. .... römisch-katholisch

S

Sachbearb. .... Sachbearbeiter
Sachv. .... Sachverständiger
Sbg. .... Salzburg
Sekr. .... Sekretär(in), Sekretariat
Sekt. .... Sektion
Sen. .... Senator
span. .... spanisch
SPÖ .... Sozialistische Partei Österreichs
StA. .... Staatsanwalt, -schaft
Stellv. .... Stellvertreter
Stmk. .... Steiermark

T

Techn./techn. .... Technik, -er/technisch, -er
TGM .... Technologisches Gewerbemuseum
Theol./theol. .... Theologie/theologisch
Tir. .... Tirol
tit. .... tituliert
TU .... Technische Universität

U

u. .... und
u.a. .... und andere
u.v.a. .... und viele andere
Univ. .... Universität
usw. .... und so weiter

V

v. .... vom, von
Vbg. .... Vorarlberg
Ver. .... Verein, Vereinigung
Verb. .... Verband
verh. .... verheiratet
Verw. .... Verwaltung
versch. .... verschiedene
VetR. .... Veterinärrat
VfGerH. .... Verfassungsgerichtshof
Vors. .... Vorsitzende, -r
Vorst. .... Vorstand, Vorsteher
VPräs. .... Vizepräsident
VwGerH. .... Verwaltungsgerichtshof

W

Wiss./wiss. .... Wissenschaft/wissenschaftlich
Wr. .... Wiener
WU .... Wirtschaftsuniversität

Z

z. .... zum, zur
zahlr. .... zahlreich, -e
z.B. .... zum Beispiel
Zentr./zentr. .... Zentral, -e/zentral
zw. .... zwischen
z.T. .... zum Teil
z.Z. .... zur Zeit

ÖSTERREICHISCHE VERTRETUNGSBEHÖRDEN IM AUSLAND

Afghanistan
(Islamischer Staat Afghanistan)
siehe Pakistan

Ägypten
Kairo, El Nile Street/Corner 5
Mag. Dr. Heinrich Querner , ao. u. bev. Botschafter

Algerien
(Demokratische Volksrepublik Algerien)
Algier, Les Vergers, Rue No. 2, Villa 9
DZ 16330 Birkhadem
Mag. Dr. Christian Berlakovits,
ao. u. bev. Botschafter

Andorra
(Fürstentum Andorra)
siehe Frankreich

Angola
(Republik Angola)
siehe Simbabwe

Antigua und Barbuda
siehe Venezuela

Äquatorial-Guinea
siehe Nigeria

Argentinien
Buenos Aires 1000, Casilla Correo Central 4889
Dr. iur. Gerhard Heible, ao. u. bev. Botschafter

Armenien
(Republik Armenien)
siehe Rußland

Aserbaidschan
(Aserbaidschanische Repulik)
siehe Rußland

Äthiopien
Addis Abeba, P.O.Box 1219
Mag. Klaus Derkowitsch , ao. u. bev. Botschafter

Australien
Canberra, P.O.Box 3375, Manuka, A.C.T.2603
Mag. Dr. iur. Stephan Toth , ao. u. bev. Botschafter

Bahamas
(Commonwealth der Bahamas)
siehe Amerika

Bahrain
siehe Kuwait

Bangladesh
(Volksrepublik Indien)
siehe Pakistan

Barbados
siehe Venzuela

Belarus
(Republik Belarus)
siehe Rußland

Belgien
(Königreich)
1050 Brüssel, Rue del ´Abbaye 47
Mag. Dr. iur. Erich Hochleitner ,
ao. u. bev. Botschafter

Belize
siehe Mexiko

Benin
(Republik Benin)
siehe Côte d'Ivoire

Bhutan
(Königreich Bhutan)
siehe Indien

Birma
siehe Myanmar

Bolivien
(Republik Bolivien)
siehe Peru

Bosnien-Herzegowina
(Republik Bosnien-Herzegowina)
Sarajewo, Botschaft mit Sitz in Wien,
1010, Wien, Ballhausplatz 2
Dr. iur. Franz Bogen , ao. u. bev. Botschafter

Botswana
(Republik Botswana)
siehe Südafrika

Brasilien
Brasilia, Av. das Nacoes, lote 40
Dr. rer. pol. Manfred Ortner , ao. u. bev. Botschafter

Brunei
(Brunei Darussalam)
siehe Malaysia

Bulgarien
(Republik Bulgarien)
Sofia, Zar Oswoboditel 13
Dr. rer. comm. Erich Kristen , ao. u. bev. Botschafter

Burkina-Faso
siehe Cote d´Ivoire

Burundi
(Republik Burundi)
siehe Kenia

Chile
(Republik Chile)
Santiago de Chile, Barros Errazuriz 1968, 3 piso
Mag. Dr. iur. Horst-Dieter Rennau , ao. u. bev. Botschafter

China
(Volksrepublik China)
Peking, Jian Guo Men Wai,
Xiu Shui Nan Jie 5
Dr. iur. Dietrich Bukowski, ao. u. bev. Botschafter

Costa Rica
(Republik Costa Rica)
siehe Guatemala

Côte d'Ivoire
(Republik Cote d´ Ivoire)
Abidjan, Immeuble NZarama, Stiege A, 6. Stock
Dr. iur. Ewald Jäger , ao. u. bev. Botschafter

Dänemark
(Königreich Dänemark)
2100 Kopenhagen, Solundsvej 1
Dr. iur. Franz Schmid, ao. u. bev. Botschafter

Deutschland
(Bundesrepublik Deutschland)
Bonn, Johanniterstr. 2
Mag. Dr. iur. Friedrich Hoess, ao. u. bev. Botschafter

Dominica
(Commonwealth Dominica)
siehe Venezuela

Dominikanische Republik
siehe Venezuela

Dschibuti
siehe Äthiopien

Ecuador
siehe Kolumbien

Elfenbeinküste
siehe Côte d'Ivoire

El Salvador
(Republik El Salvador)
siehe Guatemala

Eritrea
(s. Äthiopien)

Estland
(Republik Estland)
siehe Finnland

Fidschi
(Republik Fidschi)
siehe Australien

Finnland
(Republik Finnland)
00100-Helsinki, Keskuskatu 1A
Mag. Dr. iur. Wendelin Ettmayer,
ao. u. bev. Botschafter

Frankreich
(Französische Republik)
75007-Paris, 6, Rue Fabert
Dr. phil. Eva Nowotny,
ao. u. bev. Botschafterin

Gabun
(Gabunische Republik)
siehe Nigeria

Gambia
(Republik Gambia)
siehe Senegal

Georgien
(Republik Georgien)
siehe Rußland

Ghana
(Republik Ghana)
siehe Cote d 'Ivoire

Grenada
siehe Venezuela

Griechenland
(Hellenische Republik)
10683-Athen, 26, Leoforos Alexandras
Mag. Dr. iur. Georg Calice,
ao. u. bev. Botschafter

Großbritannien und Nordirland
(Vereinigtes Königreich Großbritannien u. Nordirland)
London, 18 Belgrave Mews West
Mag. Dr. iur. Georg Henning , ao. u. bev. Botschafter

Hongkong
Hongkong, 2201 Emperor House, 34-37 Connaught Road
Mag. Dr. iur. Günther Gallowitsch , Gen.-Konsul

Guatemala
(Republik Guatemala)
Guatemala, 6 Avenida 20-25, Zona 10 Edif. Pl. Maritima
Dr. iur. Klaus Daublebsky,
ao. u. bev. Botschafter

Guinea
(Republik Guinea)
siehe Senegal

Guinea-Bissau
(Republik Guinea-Bissau)
siehe Senegal

Guyana
(Cooperative Republik Guyana)
siehe Venezuela

Haiti
(Republik Haiti)
siehe Venezuela

Heiliger Stuhl
Rom, Via Reno 9
Dr. iur. Corano Christoph, ao. u. bev. Botschafter

Honduras
(Republik Honduras)
siehe Guatemala

Indien
(Republik Indien)
New Delhi, Ep-13, Chandergupt Marg, Chanakyapuri
Dr. rer. comm. Karl Peterlik,
ao. u. bev. Botschafter

Indonesien
(Republik Indonesien)
Jakarta, 44 Jalan Diponegoro,
P.O.B. 2746, Jakarta 10001
Dr. iur. Johann Demel ,
ao. u. bev. Botschafter

Irak
(Republik Irak)
Bagdad, 929/2/5 Hay Babil
(vorübergehend geschlossen, zuständig BMfaA, Abt. II.4,
Wien I, Ballhausplatz 2, Tel. 53115/0

Iran
(Islamische Republik Iran)
Teheran, Argentine Square No. 78, 3rd Floor
Dr. iur. Erich Buttenhauser,
ao. u. bev. Botschafter

Irland
Dublin, 91 Ailesbury Rd.
Dr. Michael Breisky, ao. u. bev. Botschafter

Island
(Republik Island)
siehe Dänemark

Israel
(Staat Israel)
Tel Aviv, 11 Hermann Cohen-Str.
P.O.B. 11 095 Tel Aviv
Dr. rer. comm. Herbert Kröll , ao. u. bev. Botschafter

Italien
(Italienische Republik)
Rom, Via Pergolesi 3
Dr. iur. Emil Staffelmayr, ao. u. bev. Botschafter

Jamaica
siehe Venezuela

Japan
Tokio, 1-1-20 Moto Azabu,
Minato-ku
Dr. iur. Erich Maximilian Schmid, ao. u. bev. Botschafter

Jemen
(Republik Jemen)
siehe Saudi-Arabien

Jordanien
(Haschemitisches Königreich Jordanien)
Amman, Mithqual Al-Fayez Str., Bldg. No. 36
Dr. Michael Stigelbauer, ao. u. bev. Botschafter

Kambodscha
(Königreich Kambodscha)
siehe Thailand

Kamerun
(Republik Kamerun)
siehe Nigeria

Kanada
Ottawa-Ontario KIN 6M7, 445 Wilbrod Street
Dr. iur. Walther Lichem , ao. u. bev. Botschafter

Kap Verde
(Republik Kap Verde)
siehe Senegal

Kasachstan
(Republik Kasachstan)
siehe Rußland

Katar
(Staat Katar)
siehe Kuwait

Kenia
(Republik Kenia)
Nairobi, 2nd fl., City House,
Corner Wabera Street./Standard Street.
Dr. iur. Paul Hartig, ao. u. bev. Botschafter

Kirgisistan
(kirgisische Republik)
siehe Rußland

Kiribati
siehe Australien

Kolumbien
(Republik Kolumbien)
Santa Fe de Bogota, Carrera 11, No. 75-29
Dr. iur. Franz Irbinger,
ao. u. bev. Botschafter

Komoren
(Islamische Republik Komoren)
siehe Kenia

Kongo
(Republik Kongo)
siehe Nigeria

Korea
(Republik Korea)
Seoul, Kyobo-Bldg., 19th floor, Room 1913, 1-1,
1-Ka, Chong-ro Ku
Dr. rer. comm. Horst Mezei , ao. u. bev. Botschafter

Korea
(Demokratische Volksrepublik Korea)
siehe VR China

Kroatien
(Republik Kroatien)
Zagreb, Jabukovac 39,
Andreas Berlakovich, ao. u. bev. Botschafter

Kuba
(Republik Kuba)
Havanna, Calle 4, No. 101, e/1ra y 3ra, Miramar
Dr. iur. Yuri Standenat , ao. u. bev. Botschafter

Kuwait
(Staat Kuwait)
Kuwait, Daiyah, Area No. 3, Shawki Street, House No. 10
Dr. iur. Johann Demel, ao. u. bev. Botschafter

Laos
(Demokratische Volksrepublik Laos)
siehe Thailand

Lesotho
(Königreich Lesotho)
siehe Südafrika

Lettland
(Republik Lettland)
siehe Schweden

Libanon
(Libanesische Republik)
Beirut, Rue Sadat-Ras, Sadat Tower Block No. 2342
vorübergehend geschlossen

Liberia
(Republik Liberia)
siehe Cote d'Ivoire

Libysch-Arabische Dschamahirija
(Sozialistische Libysch-Arabische Volks-Dschamahirija)
Tripolis, Shara Khalid Ben Walid/Shara Arismondi,
Dahra Area, Garden City
Dr. iur. Wilfried Almoslechner,
ao. u. bev. Botschafter

Liechtenstein
(Fürstentum Liechtenstein)
1014 Wien, Ballhauspl. 2
Dr. iur. Johannes Paul Kyrle,
ao. u. bev. Botschafter

Litauen
(Republik Litauen)
siehe Dänemark

Luxemburg
(Großherzogtum Luxemburg)
1212 Luxemburg, 3 rue des bains
Dkfm. Dr. rer. comm. Johann Legtmann, ao. u. bev. Botschafter

Madagaskar
(Republik Madagaskar)
siehe Äthiopien

Malawi
(Republik Malawi)
siehe Simbabwe

Malaysia
50250 Kuala Lumpur, 7th Fl., MUI Plaza Bldg.,
Jalan P. Ramlee
Dr. rer. comm. Udo Ehrlich-Adam, ao. u. bev. Botschafter

Malediven
(Republik Malediven)
siehe Indien

Mali
(Republik Mali)
siehe Senegal

Malta
(Republik Malta)
siehe Italien

Malteser Ritterorden, souveräner
siehe Heiliger Stuhl

Marokko
(Königreich Marokko)
Rabat, 2 Zankat Tiddas
Mag. Dr. iur. Tassilo Ogrinz , ao. u. bev. Botschafter

Marshall-Inseln
(Republik Marshall-Inseln)
siehe Australien

Mauretanien
(Islamische Republik Mauretanien)
siehe Marokko

Mauritius
(Republik Mauritius)
siehe Äthiopien

Mexiko
(Vereinigte Mexikanische Staaten)
11000 Mexico, Siierra Tarahumara 420,
Colonia Lomas de Chapultepec
Dr. iur. Klaus Hengl, ao. u. bev. Botschafter

Mikronesien
(Förderierte Staaten v. Mikronesien)
siehe Australien

Moldau
(Republik Moldau)
siehe Rumänien

Monaco
(Fürstentum Monaco)
siehe Frankreich

Mongolei
(Republik Mongolei)
siehe China

Mosambik
(Republik Mosambik)
siehe Simbabwe

Myanmar
(Union Myanmar)
siehe Thailand

Namibia
(Republik Namibia)
siehe Südafrika

Nauru
(Republik Nauru)
siehe Australien

Nepal
(Königreich Nepal)
siehe Indien

Neuseeland
siehe Australien

Nicaragua
(Republik Nicaragua)
siehe Guatemala

Niederlande
(Königreich der Niederlande)
2597 AS Den Haag, Van Alkemadelaan 342
Dr. iur. Otto Maschke, ao. u. bev. Botschafter

Niger
(Republik Niger)
siehe Côte d'Ivoire

Nigeria
(Bundesrepublik Nigeria)
Lagos, 3B Ligali Ayorinde Av., Fabac House
Dr. iur. Johannes Werner Druml, ao. u. bev. Botschafter

Norwegen
(Königreich Norwegen)
0244 Oslo, Thomas Heftyes Gate 19-21
Mag. Dr. iur. Harald Wiesner, ao. u. bev. Botschafter

Oman
(Sultanat Oman)
Maskat, Moosa Complex, Building No. 477, 2nd Floor
Way 3109, Ruwi
Dr. rer. comm. Dkfm. Rudolf Bogner, ao. u. bev. Botschafter

Pakistan
(Islamische Republik Pakistan)
Islamabad, 13,1st Street, Shalimar 6/3
Dr. iur. Friedrich Posch , ao. u. bev. Botschafter

Panama
(Republik Panama)
siehe Kolumbien

Papua Neuguinea
siehe Australien

Paraguay
(Republik Paraguay)
siehe Argentinien

Peru
(Republik Peru)
Lima, Avenida Central 643, piso 5, San Isidro
Mag. Dr. iur. Artur Schuschnigg , ao. u. bev. Botschafter

Philippinen
(Republik Philippinen)
Manila, 4th Fl., Prince-Bldg., 117 Rada St.,
Legaspi Village, Makati
Dr. phil. Heide Keller , ao. u. bev. Botschafterin

Polen
(Republik Polen)
00-748 Warschau, ul Gagarina 34
Dr. iur. Norbert Pramberger, ao. u. bev. Botschafter

Portugal
(Portugiesische Republik)
Lissabon, Rua das Amoreiras 70, 3 andar
Dr. iur. Alfred Missong, ao. u. bev. Botschafter

Ruanda
(Republik Ruanda)
siehe Kenia

Rumänien
Bukarest, Dumbrava Rosie 7
Dr. iur. Paul Ullmann , ao. u. bev. Botschafter

Rußland
(Russische Föderation)
119034 Moskau, Starokonjuschennyi Per 1
Dr. iur. Friedrich Bauer, ao. u. bev. Botschafter

Salomonen
siehe Australien

Sambia
(Republik Sambia)
siehe Simbabwe

Samoa
(Unabhängiger Staat Western Samoa)
siehe Australien

San Marino
(Republik San Marino)
siehe Heiliger Stuhl

St. Kitts und Nevis
siehe Venezuela

St. Lucia
siehe Venezuela

St. Vincent und die Grenadinen
siehe Venezuela

Sao Tomé und Principe
(Demokratische Republik Sao Tomé u. Principe)
siehe Nigeria

Saudi-Arabien
(Königreich Saudi-Arabien)
Riyadh, P.O. Box 94 373
Dr. iur. Marius Calligaris, ao. u. bev. Botschafter

Schweden
(Königreich Schweden)
58 Stockholm, Kommendörsgatan 35/V
Dr. iur. Franz Parak, ao. u. bev. Botschafter

Schweiz
(Schweizerische Eidgenossenschaft)
3005 Bern, Kirchenfeldstr. 28
Dr. iur. Markus Lutterotti,
ao. u. bev. Botschafter

Senegal
(Republik Senegal)
Dakar, 24 Boulevard El Hadj Djily Mbaye
Dr. iur. Hans Kogler, ao. u. bev. Botschafter

Seychellen
(Republik Seychellen)
siehe Kenia

Sierra Leone
(Republik Sierra Leone)
siehe Indonesien

Simbabwe
(Republik Simbabwe)
Harare, 30 Samora Machel Avenue, Rm. 216
Dr. iur. Felix Mikl , ao. u. bev. Botschafter

Singapur
(Republik Singapur)
1 Scotts Road Nr. 22-04, Shaw Centre
Dr. iur. Erich Binder,
ao. u. bev. Botschafter

Slowakei
(Slowakische Republik)
81103 Pressburg, Holubyho 11
Mag. Dr. iur. Maximilian Pammer, ao. u. bev. Botschafter

Slowenien
(Republik Slowenien)
Laibach, Strekljeva 5,6000 Ljubljana
Dr. iur. Gerhard Wagner,
ao. u. bev. Botschafter

Somalia
(Demokratische Republik Somalia)
siehe Äthiopien

Spanien
(Königreich Spanien)
28046 Madrid, Paseo de la Castellana 91
Dr. iur. Richard Wotava ,
ao. u. bev. Botschafter

Sri Lanka
(Demokratische Sozialistische Republik Sri Lanka)
siehe Indien

Südafrika
(Republik Südafrika)
Pretoria, 1109, Duncanstreet, Momentum Office Park
0011 Brooklyn, Pretoria
Dr. iur. Franz Palla, ao. u. bev. Botschafter

Sudan
(Republik Sudan)
siehe Ägypten

Suriname
(Republik Suriname)
siehe Venezuela

Swasiland
(Königreich Swasiland)
siehe Südafrika

Syrien
(Arabische Republik Syrien)
Damaskus, Rawda Rue Chafik Mou'ayad,
Immeuble Sabri Malki
Dr. phil. Robert Karas, ao. u. bev. Botschafter

Tadschikistan
(Republik Tadschikistan)
siehe Rußland

Tansania
(Vereinigte Republik Tansania)
siehe Kenia

Thailand
(Königreich Thailand)
10120 Bangkok, 14 Soi Nadha off Soi Attakarnprasit
Sathorn Tai Road
Dr. iur. Nikolaus Scherk ,
ao. u. bev. Botschafter

Togo
(Republik Togo)
siehe Côte d'Ivoire

Tonga
(Königreich Tonga)
siehe Australien

Trinidad und Tobago
(Republik Trinidad und Tobago)
siehe Venezuela

Tschad
(Republik Tschad)
siehe Nigeria

Tschechische Republik
22543 Prag, 5 Viktoria Huga 10
Dr. iur. Peter Nieser, ao. u. bev. Botschafter

Tunesien
(Tunesische Republik)
Tunis, 16 rue ibn Hamdis, El Menzah 1
Dr. iur. Karl Diem,
ao. u. bev. Botschafter

Türkei
06680 Ankara, Atatürk Bulvari 189
Dr. rer. comm. Johann Plattner,
ao. u. bev. Botschafter

Turkmenistan
siehe Rußland

Tuvalu
siehe Australien

Uganda
(Republik Uganda)
siehe Kenia

Ukraine
252030 Kiew, Ivana Franka 33
Dr. iur. Georg Weiss, ao. u. bev. Botschafter

Ungarn
(Republik Ungarn)
1068 Budapest, Benczúr utca 16
Dr. iur. Erich Kussbach, ao. u. bev. Botschafter

Uruguay
(Republik Östlich des Uruguay)
siehe Argentinien

USA
siehe Vereinigte Staaten

Usbekistan
(Republik Usbekistan)
siehe Rußland

Vanuatu
(Republik Vanuatu)
siehe Australien

Vatikanstadt
(Staat Vatikan)
siehe Heiliger Stuhl

Venezuela
(Republik Venezuela)
Caracas, Avenida La Estancia,
Edificio Torre las Mercedes, piso 4, Chuao
Gerhard Erdely , 2. BotschaftsSekr. u. VKonsul

Vereinigte Arabische Emirate
Abu Dhabi, Adnic Building, 6. Stock, sheikh Khalifa Street
Dr. iur. Marius Callgaris , ao. u. bev. Botschafter

Vereinigte Staaten
(Vereinigte Staaten v. Amerika)
Washington D.C. 20008, 3524 International Court N.W.
Dr. iur. Helmut Türk, ao. u. bev. Botschafter

Vietnam
(Sozialistische Republik Vietnam)
siehe Indonesien

Zaire
(Republik Zaire)
(s. Kenia)
Kinshasa, Botschaft vorübergehend geschlossen

Zentralafrikanische Republik
siehe Nigeria

Zypern
(Republik Zypern)
siehe Griechenland

Andere Vertretungsbehörden

"Jugoslawien"
11000-Belgrad, Sime Markovica 2
Mag. Dr. phil. Michael Weninger, Geschäftsträger

AUSLÄNDISCHE VERTRETUNGSBEHÖRDEN IN ÖSTERREICH

DIPLOMATISCHE MISSIONEN

Afghanistan
(Botschaft des Islamischen Staates Afghanistan)
1080 Wien, Friedrich Schmidt-Platz 3/3/25
S.E. Herr Said Ibrahim Gailani, ao u. bev. Botschafter

Ägypten
(Botschaft der Arabischen Republik Ägypten)
1190 Wien, Kreindlg. 22
Abdel Hamid Onsy, ao. u. bev. Botschafter

Albanien
(Botschaft der Republik Albanien)
1190 Wien, Blaasstr. 24
Albert Alickaj, ao. u. bev. Botschafter

Algerien
(Botschaft der Demokratischen Volksrepublik Algerien)
1190 Wien,Rudolfinerg. 18
Halim Benattallah, ao. u. bev. Botschafter

Albanien
(Botschaft der Republik Albanien)
1190 Wien, Blaasstr. 24
Albert Alickaj, ao. u. bev. Botschafter (10.9.92)

Angola
(Botschaft der Volksrepublik Angola)
D-53111 Bonn, Kaiser-Karl-Ring 20c
Maria Elizabeth A. Simbrao de Cavalho, Botschaftsrätin

Argentinien
(Argentinische Botschaft)
1010 Wien, Goldschmiedg. 2/I
Andrés Guillermo Pesci Bourel, ao. u. bev. Botschafter

Armenien
(Botschaft der Republik Armenien)
1020 Wien, Kleine Stadtgutgasse 14
Arman Navassardian, ao. u. bev. Botschafter

Aserbaidschan
(Botschaft der Aserbaidschanischen Republik)
D-53179 Bonn, Utestraße 47
Husein-aga Ssadigow, ao. u. bev. Botschafter

Äthiopien
(Botschaft von Äthiopien)
1080 Wien, Friedrich-Schmidt Platz 3/3
Fr. Saba Gebre-Hiwot, Botschaftsrätin

Australien
(Australische Botschaft)
1040 Wien, Matiellistr. 2-4/III
Ronald Alfred Walker, ao. u. bev. Botschafter

Bahrain
(Botschaft des Staates Bahrain)
31, Chemin William Barbey, CH-1292 Genf
Ahmeda Haddad, ao. u. bev. Botschafter

Bangladesh
(Botschaft der Volksrepublik Bangladesh)
D-53173 Bonn, Bonner Str. 48
A.H. Mahmoody Ali, ao. u. bev. Botschafter

Barbados
(Botschaft von Barbados)
B-1180 Bruxelles, 24, Avenue du Prince d 'Orange
Rashid Orlando Marville, ao. u. bev. Botschafter

Belarus
(Botschaft der Republik Belarus)
1220 Wien, Erzherzog-Karl-Str. 182
Alexander N. Buben, Geschäftsträger a. i.

Belgien
(Botschaft von Belgien)
1040 Wien, Wohllebeng. 6
S.E. Luc. Ceyssens, ao. u. bev. Botschafter

Benin
(Botschaft der Republik Benin)
D-53179 Bonn, Rüdigerstr. 10
Saturnin Koaovi Soglo, ao. u. bev. Botschafter

Bhutan
(Botschaft des Königreiches Bhutan)
CH-1209 Genf, 17-19, chemin du champ d´Anier
Dasho Jigmi yoeser Thinley, ao. u. bev. Botschafter

Bolivien
(Botschaft der Republik Bolivien)
1040 Wien, Waagg. 10/4
Maria Tamayo de Arnal, Gesandte-Botschaftsrätin

Bosnien-Herzegowina
(Botschaft der Republik Bosnien-Herzegowina)
A-1040 Wien, Argentinierstr. 36
S.E. Hadzo Efendic, ao. u. bev.Botschafter

Brasilien
(Botschaft der Förderativen Republik Brasilien)
1010 Wien, Lugeck 1/V/15
Thereza Maria Machado Quintella, ao. u. bev. Botschafter

Bulgarien
(Botschaft der Republik Bulgarien)
1040 Wien, Schwindg. 8
S.E. Michail Atanassov Srebrev, ao. u. bev. Botschafter

Burkina-Faso
(Botschaft von Burkina Faso)
D-53179 Bonn, Wendelstadtallee 18
Sophie Sow, ao. u. bev. Botschafterin

Burundi
(Botschaft der Republik Burundi)
D-53343 Wachtberg/Niederbayern, Drosselweg 2
S.E. Albert Mbonerane, ao. u. bev. Botschafter

Chile
(Botschaft von Chile)
1010 Wien, Lugeck 1/II/9
S.E. Osvaldo Puccio Huidobro, ao. u. bev. Botschafter

China
(Botschaft der Volksrepublik China)
1030 Wien, Metternichg. 4
Wang Yanyi, ao. u. bev. Botschafter

Costa Rica
(Botschaft der Republik Costa Rica)
A.-1030 Wien, Seidelg. 22/1
Univ.-Prof. Dr. Manuel Constenla, Geschäftsträger a.i.

Côte d'Ivoire
(Botschaft der Republik Côte d'Ivoire)
D-53115 Bonn, Königsstr. 93
Siméon Ake, ao. u. bev. Botschafter

Dänemark
(Königlich Dänische Botschaft)
1015 Wien, Führichg. 6, Postfach 298
S.E. Jörgen Böjer, ao. u. bev. Botschafter

Deutschland
(Botschaft der Bundesrepublik Deutschland)
1030 Wien, Metternichg. 3
Dr. Philipp Jenninger, ao. u. bev. Botschafter

Dominikanische Republik
(Botschaft der Dominikanischen Republik)
CH-1202 Genf, 65 rue de Lausanne
Angelina Bonetti Herrera, ao. u. bev. Gesch.Träger

Ecuador
(Botschaft von Ecuador)
1010 Wien, Goldschmiedg. 10/II/24
Oswaldo Ramirez Landazuri, ao. u. bev. Botschafter

El Salvador
(Botschaft von El Salvador)
D-53179 Bonn , Adenauerallee 238
José Saguer-Saprissa, ao. u. bev. Botschafter

Eritrea
(Botschaft des Staates Eritrea)
D-50986 Köln, Markstr. 8
Dr. Wolde-Miriam Goyton, ao. u.bev. Botschafter

Estland
(Botschaft der Republik Estland)
1030 Wien, Marokkanerg. 22/6
Sven Jürgenson, Geschäftsträger

Finnland
(Botschaft von Finnland)
1020 Wien, Gonzagag. 16
Alec Aalto, ao. u. bev. Botschafter

Frankreich
(Französische Botschaft)
1040 Wien, Technikerstr. 2
André Lewin, ao. u. bev. Botschafter

Gabun
(Botschaft der Gabunischen Republik)
F-75016 Paris, 26 Avenue Raphael
Sylvestre Qyouomii, ao. u. bev. Botschafter

Gambia
(Botschaft der Republik Gambia)
GB-London W8 5DG, 57 Kensington Court
lhaji Muhammadou Njack Bobb, ao. u. bev. Botschafter

Georgien
(Botschaft der Republik Georgien)
1080 Wien, Friedrich-Schmidt-Platz 3
Nodar K. Giorgadze, Geschäftsträger

Ghana
(Botschaft der Republik Ghana)
CH-3001 Bern, Belpstr. 11
Kojo Amoo-Gottfried, ao. u. bev. Botschafter

Grenada
(Botschaft von Grenada)
B-1040 Brüssel,Rue des Aduatiques 100
Samuel Orgias, Botschaftsrat, Geschäftsträger a. i.

Griechenland
(Griechische Botschaft)
1040 Wien, Argentinierstr. 14
Panayotis Tsounis, ao. u. bev. Botschafter

Großbritannien und Nordirland
(Königlichbritische Botschaft)
1030 Wien, Jaurésg. 12
Terence C. Wood, ao. u. bev. Botschafter

Guatemala
(Botschaft der Republik Guatemala)
1030 Wien, Reisnerstr. 20/1/4
Lic. Mario Juárez Toledo, ao. u. bev. Botschafter

Guinea
(Botschaft der Republik Guinea)
D-53129 Bonn, Rochusweg 50
Lamine Bolivogui, ao. u. bev. Botschafter

Guinea-Bissau
(Botschaft der Republik Guinea-Bissau)
B-1050 Brüssel, Avenue F. Roosevelt 70
Pedro Abraao Tavares, ao. u. bev. Gesch. Botschaftsrat

Guyana
(Botschaft der Kooperativen Republik Guyana)
B-1050 Brüssel, Ruedu Bresil 12
Samuel Mann, 1. Sekretär, Geschäftsträger a.i

Haiti
(Botschaft der Republik Haiti)
CH-1201 Genf, 12, Boulevard James-Fazy
Joseph Philippe Antonio, Ges.-BotschaftsR., Geschäftsträger a.i.

Heiliger Stuhl
(Apostolische Nuntiatur)
1040 Wien, Theresianumg. 31
DDr. Donato Squicciarini, Titularerzbischof v. Tiburina

Honduras
(Botschaft von Honduras)
D-53173 Bonn, Ubierstr. 1
Lic Rafael Aguilar-Paz Cerrato, ao. u. bev. Botschafter

Indien
(Indische Botschaft)
1015 Wien, Kärntner Ring 2A
Kamal Nain Bakshi, ao. u. bev. Botschafter

Indonesien
(Botschaft der Republik Indonesien)
1180 Wien, Gustav-Tschermak-G. 5-7
Agus Tarmidizi, ao. u. bev. Botschafter

Irak
(Botschaft der Republik Irak)
1010 Wien, Johannesg. 26, P.O. Box 599
Dr. Rahim Abid Alkital, ao. u. bev. Botschafter

Iran
(Botschaft der Islamischen Republik Iran)
1030 Wien, Jauresg. 9
Dipl.-Ing. Mehdi Safari, ao. u. bev. Botschafter

Irland
1030 Wien, Hilton Center, 16. Stock
Joseph Small, ao. u. bev. Botschafter

Botschaft der Republik Island
D-53173 Bonn, Kronprinzenstr. 6
William Declan Connolly, ao. u. bev. Botschafter

Island
(Botschaft von Island)
D-53173 Bonn, Kronprinzenstr. 6
Hjalmar W. Hannesson, ao. u. bev. Botschafter

Israel
(Botschaft des Staates Israel)
1180 Wien, Anton-Frank-G. 20
Dr. Yosef Govrin, ao. u. bev. Botschafter

Italien
(Italienische Botschaft)
1030 Wien, Rennweg 27
Dr. Alessandro Grafini, ao. u. bev. Botschafter

Jamaika
(Botschaft von Jamaika)
CH-1201 Genf, 36 rue de Lausanne
Richard Antonio Pierce, ao. u. bev. Botschafter

Japan
(Japanische Botschaft)
1040 Wien, Argentinierstr. 21
Tsuyoshi Kurkawa, ao. u. bev. Botschafter

Jemen
(Botschaft der Republik Jemen)
1090 Wien, Alserstr. 28/1712
Dr. Saeed Sharaf Badr Muqbil, ao. u. bev. Botschafter

Jordanien
(Botschaft des Haschemitischen Königreichs Jordanien)
1010 Wien, Doblhoffg. 3/2
Husam Kazim Abu Ghazaleh, ao. u. bev. Botschafter

Kambodscha
(Botschaft Kambodscha)
F.-75007 Paris, 11 avenue Charles-Floquet
Hor Namhong ao. u. bev. Botschafter (Agrément erteilt)

Kamerun
(Botschaft der Republik Kamerun)
D-53173 Bonn, Rheinallee 76
Jean Melaga, ao. u. bev. Botschafter

Kanada
(Kanadische Botschaft)Schubert Ring 10-12/VI
Peter Francis Walker, ao. u. bev. Botschafter

Kap Verde
(Botschaft der Republik Kap Verde)
D-53115 Bonn, Meckenheimer Allee 113
Antonio Rodrigues Pires, ao. u. bev. Botschafter

Katar
(Botschaft der Staates Katar)
1090 Wien, Strudelhofg. 10, Postfach 308
Jasim Yousof Jamal, ao. u. bev. Botschafter

Kenia
(Botschaft der Republik Kenia)
D-53177 Bonn, Villichg. 17
Vincent John Oguto-Obare, ao. u. bev. Botschafter

Kirgisistan
(Botschaft der Republik Kirgisistan)
1010 Wien, Naglerg. 25
Omar a. Soultanov, Geschäftsträger

Kolumbien
(Botschaft von Kolumbien)
1010 Wien, Stadiong. 6
Dr. Jorge Garcia Gonzalez, ao. u. bev. Botschafter

Kongo
(Botschaft der Republik Kongo)
D-53173 Bonn, Rheinallee 45
Gilbert Malapet, Gesandter-Botschaftsrat

Korea
(Botschaft der Republik Korea)
1180 Wien, Gregor-Mendel-Straße 25
See-Young Lee, ao. u. bev. Botschafter

Demokratischen Volksrepublik Korea
(Botschaft der Demokratischen Volksrepublik Korea)
1140 Wien, Beckmanng. 10-12
Kim Gwang Sop, ao. u. bev. Botschafter

Kroatien
(Botschaft der Republik Kroatien)
1170 Wien, Heubergg. 10
Prof. Dr. Milan Ramljak, ao. u. bev. Botschafter

Kuba
(Botschaft der Republik Kuba)
1130 Wien, Himmelhofg. 40a-c
Alberto Velyzco San Jose, ao. u. bev. Botschafter

Kuwait
(Botschaft des Staates Kuwait)
1010 Wien, Universitätsstr. 5
Faisal R. Al-Ghais, ao. u. bev. Botschafter

Laos
(Botschaft der Laoitschen Volksdemokratischen Republik)
F-75116 Paris, Avenue R. Poincaré
Heuang Chantho, 2. Sekr. Geschäftsträger ad interim

Lesotho
(Botschaft des Königreiches Lesotho)
D-53175 Bonn, Godesberger Allee 50
Reginald Mokheseng Tekateka, ao. u. bev. Botschafter

Lettland
(Botschaft der Republik Lettland)
A-1010 Wien, Salzgries 19-23
Ivars Pundurs, Geschäftsträger a.i

Libanon
(Libanesische Botschaft)
1010 Wien, Schwedenpl. 2/15
Najib Hobeica, ao. u. bev. Botschafter

Liberia
(Botschaft der Republik Liberia)
D-53179 Bonn, Mainzer Str. 259
Nathaniel Eastman, ao. u. bev. Botschafter

Libyen
(Volksbüro (Dipl. Mission) der Sozialistischen
Libysch-Arabischen Volks-Dschamhirjian)
1170 Wien, Dornbacher Str. 27
Ahmed Abd Alkarim Salem Own, Volksbürorat

Liechtenstein
(Botschaft des Fürstentums Liechtenstein)
FL-9490 Vaduz
Graf Mario von Ledebur-Wicheln, ao. u. bev. Botschafter

Litauen
(Botschaft der Republik Litauen)
1190 Wien, Gallmeyergasse 6/1/2
Aidas Puklevicius, Geschäftsträger a.i

Luxemburg
(Botschaft des Großherzogtums Luxemburg)
1190 Wien, Hofzeile 27
Jacquer Reuter, ao. u. bev. Botschafter

Malawi
(Botschaft der Republik Malawi)
D-53179 Bonn, Mainzer Str. 124
Ronald Norman Levi Nkomba, ao u. bev. Botschafter

Malaysia
(Botschaft v. Malaysia)
1040 Wien, Prinz-Eugen-Str. 18
Dato`Tan Koon San, ao. u. bev. Botschafter

Mali
(Botschaft der Republik Mali)
D-53173 Bonn, Basteistr. 86
Modibo Keita, ao. u. bev. Botschafter

Malta
(Botschafter der Republik Malta)
D-53173 Bonn, Viktoriastr. 1
Richard G. Lapira, ao. u. bev. Botschafter

Souveränen Malteser Ritterordens
(Botschaft des Souveränen Malteser Ritterordens)
1010 Wien, Johannesg. 2
Baron Gioacchino Malfatti di Montetretto,
ao. u. bev. Botschafter

Marokko
(Botschaft des Königreiches Marokko)
1020 Wien, Untere Donaustr. 13-15/6
Mohamed El Habib Fassi Fihri, ao. u. bev. Botschafter

Mauretanien
(Botschaft der Islamischen Republik Mauretanien)
D-53173 Bonn, Bonner Str. 48
Dr. Youssouf Diagana, ao. u. bev. Botschafter

Mexiko
(Mexikanische Botschaft)
1090 Wien, Türkenstraße 15
Claude Heller Roussant, ao. u. bev. Botschafter

Moldau
(Botschaft der Repulik Moldau)
1030 Wien, Dißlerg. 10/3
Aurelian Danila ao u. bev. Botschafter

Mongolei
(Botschaft der Mongolei)
H-1022 Budapest, Bogár utca
Delgerdalain Shambashanzan, ao. u. bev. Botschafter

Mosambik
(Botschaft der Republik Mosambik)
B-1040 Brüssel, Bd Saint Michael 97
Frances Vitoria Velho Rodrigues,
ao. u. bev. Botschafter

Myanmar
(Botschaft der Union Myanmar)

Namibia
(Botschaft der Republik Namibia)
D-53179 Bonn, Mainzer Str. 47
Nora Schimming, ao u. bev. Botschafterin

Nepal
(Königliche Nepalesische Botschaft)
D-53179 Bonn, Im Hag 15
Gopal Prasad Sharma, ao. u. bev. Botschafter

Neuseeland
(Neuseeländische Botschaft)
D-53113 Bonn, Bundeskanzlerpl- 2-10
Dr. Richard S. Grand, ao. u. bev. Botschafter

Nicaragua
(Botschaft der Republik Nicaragua)
1010 Wien, Ebendorferstr. 10/3/2
Xavier Argüello Hurtado, ao. u. bev. Botschafter

Niederlande
(Königliche Niederländische Monarchie)
1020 Wien, Untere Donaustr. 13-15
Johan Theodor Herman Cornelis von Ebbenhorst,
ao. u. bev. Botschafter

Niger
(Botschaft der Republik Niger)
B-1050 Brüssel, 78 Avenue Fr. Roosevelt
Dadouda Ibrahim, Botschaftsrat

Nigeria
(Botschaft der Bundesrepublik Nigeria)
1030 Wien, Rennweg 25
Simeon Adenate Adekanye, ao. u. bev. Botschafter

Norwegen
(Königliche Norwegische Botschaft)
1030 Wien, Bayerng. 3
Kaare Daehlen, ao. u. bev. Botschafter

Oman
(Botschaft des Sultanats Oman)
1090 Wien, Währinger Str. 2-4
Mohammed bin Yousuf bin Quassim Al-Zarafy,
ao. u. bev. Botschafter

Pakistan
(Botschaft der Islamischen Republik Pakistan)
1190 Wien, Hofzeile 13
Samuel Thomas Joshua, ao. u. bev. Botschafter

Panama
(Botschaft der Republik Panama)
1010 Wien, Elisabethstr. 4/5/3/9
Dr. Jorge Enrique Haphen Pérez, Botschaftsrat,
Geschäftsträger a.i

Paraguay
(Botschaft der Republik Paraguay)
1040 Wien, Schmöllerlg. 5/1
Carlos Peyrat, ao. u. bev. Botschafter

Peru
(Botschaft der Republik Peru)
1030 Wien, Gottfried-Keller-G. 2
Igor Velazquez, ao. u. bev. Botschafter

Philippinen
(Botschaft der Philippinen)
1190 Wien, Billrothstr. 2/2/21
Reynaldo O. arcilla, ao. u. bev. Botschafter

Polen
(Botschaft der Republik Polen)
1130 Wien, Hietzinger Hauptstr. 42c
Prof. Wladyslaw Bartoszewski, ao. u. bev. Botschafter

Portugal
(Botschaft von Portugal)
1040 Wien, Operng. 20b
Octavio Neto Valerio, ao. u. bev. Botschafter

Rumänien
(Botschaft von Rumänien)
1040 Wien, Prinz-Eugen-Str. 60
Petru Forna, ao. u. bev. Botschafter

Russische Föderation
(Botschaft der Russischen Föderation)
1030 Wien, Reisnerstr. 45-47
Valerij N. Popow, ao. u. bev. Botschafter

Rwanda
(Botschaft der Republik Rwanda)
CH-3012 Bern, Gesellschaftsstr. 30
Augustin Karamage, ao. u. bev. Botschafter

Sambia
(Botschaft der Republik Sambia)
17-19 Chemin Du Champ-D´Anier, 1209 Le Petit Saconnex CH Geneva
E.D. Kaliba, 1. Sekretär

San Marino
(Botschaft der Republik San Marino)
1090 Wien, Getreidemarkt 12
Giovanni Vito Marucci, ao. u. bev. Botschafter

Saudi-Arabien
(Saudi-Arabische Botschaft)
1190 Wien, Formanekg. 38
Essa A Al-Nowaiser, ao. u. bev. Botschafter

Schweden
(Schwedische Botschaft)
1025 Wien, Obere Donaustr. 49-51
Anita Gradin, ao. u. bev. Botschafterin

Schweiz
(Schweizer Botschaft)
1030 Wien, Prinz-Eugen-Str. 7
Francois Pictet, ao. u. bev. Botschafter

Senegal
(Botschaft der Republik Senegal)
D-53115 Bonn, Argelanderstr. 3
Moussa Toure, ao. u. bev. Botschafter

Sierra Leone
(Botschaft der Republik Sierra Leone)
D-53173 Bonn, Rheinallee 20
Sarah A.A. Lewis, Botschaftsrätin

Simbabwe
(Botschaft der Republik Simbabwe)
Botschaftskanzlei: CH-1292 Chambésy-Geneva
Tichaona Joseph Benjamin Jokonya, ao. u. bev. Botschafter

Singapur
(Botschaft der Republik Singapur)
Botschaftskanzlei: c/o Singapore International Abitrtion Centre1, Coleman Street # 05-08
Singapore 0617
S.E. Tan Boon Teik, ao. u. bev. Botschafter

Slowakei
(Botschaft der Slowakischen Republik)
1190 Wien, Armbrusterg. 24
Prof. Dr. Dipl.-Ing. Milan Bucek, Gesandter-Botschaftsrat

Slowenien
(Botschaft der Republik Slowenien)
1010 Wien, Nibelungeng. 13/3
Dr. Katja Boh, ao. u. bev. Botschafterin

Somalia
(Botschaft der Demokratischen Republik Somalia)
D-53173 Bonn, Hohenzollernstr. 12
Dr. Hassan Abshir Farah, ao. u. bev. Botschafter

Spanien
(Spanische Botschaft)
1040 Wien, Argentinierstr. 34
Dr. Miguel Angel Ochoa Brun, ao. u. bev. Botschafter

Sri Lanka
(Botschaft der Demokratischen Sozialistischen Republik Sri Lanka)
D-53111 Bonn, Noeggerathstr. 15
Karu Jayasuriya, ao. u. bev. Botschafter

St. Vincent und die Grenadinen
(Botschaft von Sankt Vincent und die Grenadinen)
GB-London, W8 5 DL, 10 Kensington Court
Alan Richard Gunn, ao. u. bev. Botschafter

Südafrika
(Botschaft der Republik Südafrika)
1190 Wien, Sandg. 33
S.E. Dr. Johannes P. Roux, ao. u. bev. Botschafter

Sudan
(Botschaft der Republik Sudan)
1080 Wien, Friedrich-Schmidt-Platz 3
Dr. Ali Khalid El Hussein, ao. u. bev. Botschafter

Swasiland
(Botschaft der Königreiches Swasiland)
DK-Kopenhagen, Kastelsvej 19
Mpumelelo Joseph Ndlumiso Hlophe, ao. u. bev. Botschafter

Syrien
(Botschaft der Arabischen Republik Syrien)
Mohamed Saleh, Ges., Geschäftsträger a.i.

Tadschikistan
(Botschaft der Republik Tadschikistan)
1030 Wien, Strohg. 11/13
Jusupov Dodoschon, Geschäftsträger a.i

Tansania
(Botschaft der Vereinigten Republik Tansania)
D-53177 Bonn, Theaterpl. 26
James L. Kateka, ao. u. bev. Botschafter

Thailand
(Königlich Thailändische Botschaft)
1180 Wien, Weimarer Str. 68
Somboon Sangiambut, ao. u. bev. Botschafter

Togo
(Botschaft der Republik Togo)
D-53173 Bonn, Beethovenallee 13
S.E. Fousséni Mamah, ao. u. bev. Botschafter

Trinidad und Togabo
(Botschaft der Republik Trinidad und Tobago)
CH-1202 Genf, 37-39 rue de Vermont
S.E. Trevor C. Spencer ao. u. bev. Botschafter

Tschad
(Botschaft der Republik Tschad)
D-53173 Bonn, Basteistr. 80
S.E. Lossimian Mbailaou Naimbaye, ao. u. bev. Botschafter

Tschechien
(Botschaft der Tschechischen Republik)
1140 Wien, Penzinger Str. 11-13
Dipl.Ing. Pavel Jajtner, ao. u. bev. Botschafter

Tunesien
(Botschaft der Republik Tunesien)
1030 Wien, Ghegastr. 3
Habib Ammar, ao. u. bev. Botschafter

Türkei
(Türkische Botschaft)
1040 Wien, Prinz-Eugen-Str. 40
Filiz Dincmen, ao. u. bev. Botschafterin

Turkmenistan
(Botschaft von Turkmenistan)
1010 Wien, Friedrich-Schmidt-Pl. 3
Batyr Berdyew, Geschäftsträger a.i

Uganda
(Botschaft der Republik Uganda)
D-53173 Bonn, Dürenstr. 44
Freda Lule Blick, ao. u. bev. Botschafterin

Ukraine
(Botschaft der Ukraine)
1220 Wien, Erzherzog-Karl-Str. 182
Yuri V. Kostenko, ao. u. bev. Botschafter

Ungarn
(Botschaft der Republik Ungarn)
1010 Wien, Bankg. 4-6
Prof. Dr. Dénes Hunkár, ao. u. bev. Botschafter

Uruguay
(Botschaft von Uruguay)
1010 Wien, Krugerstr. 3/1/4-6
Dr. Josè D. Lissidini, ao. u. bev. Botschafter

Usbekistan
(Botschaft der Republik Usbekistan)
1080 Wien, Friedrich-Schmidt-Pl. 3/1/18
Sadyk Safajev, ao. u. bev. Botschafter

Venezuela
(Botschaft der Republik Venezuela)
1030 Wien, Marokkanergasse 22
Univ.-Prof. Santiago Ochoa Antioh, ao. u. bev. Botschafter

Vereinigte Arabische Emirate
(Botschaft der Vereinigten Arabischen Emirate)
1190 Wien, Peter-Jordan-Str. 66
Abdul Aziz Al Owais, ao. u. bev. Botschafter

Vereinigte Staaten von Amerika
(Botschaft der Vereinigten Staaten von Amerika)
1090 Wien, Boltzmanng. 16
Swanee Hunt, ao. u. bev. Botschafterin

Vietnam
(Botschaft der Sozialistischen Republik Vietnam)
1130 Wien, Anton-Langer-G. 26
Nguyen Truong Thanh, ao. u. bev. Botschafterin

Zentralafrika
(Botschaft der Zentralafrikanischen Republik)
D-53225 Bonn, Rheinaustr. 120
Jean-Claude Dongopandji, I. Botschaftsrat, Geschäftsträger

Zypern
(Botschafter der Republik Zypern)
D-53173 Bonn, Kronprinzenstr. 58
Andros A. Nicolaides, ao. u. bev. Botschafter

EUROPÄISCHE UNION
(Delegation der Kommission der Europäischen Union in der Republik Österreich)
1040 Wien, Hoyosg. 5
Dr. Corrado Pirzio-Brioli, Botschafter

KONSULARISCHE VERTRETUNGEN

Afghanistan
Konsularabteilung der Botschaft

Arabische Republik Ägypten
Konsularabteilung der Botschaft

Algerien
Konsularabteilung der Botschaft

Vereinigte Staaten von Amerika
Konsularabteilung der Botschaft

5020 Salzburg, Giselakai 51
Gen. Konsul John Bauman, Amtsleiter

Angola
1040 Wien, Linke Wienzeile 38/Klöstlerg. 1
Dr., KommR., Univ.Doz. Hon.-Konsul Walter H. Neubauer

Argentinien
Konsularabteilung der Botschaft

Australien
Konsularabteilung der Botschaft

Bangladesh
1190 Wien, Probusg. 1
KommR., Hon.-Gen.-Konsul
Senator hc. Reinhard F. Grünberger

Barbados
1040 Wien, Brucknerstr. 4
Univ.Prof., Hon.-Gen.-Konsul Dr. Kurt Mach

Belgien
8020 Graz, Kepplerstr. 105
Hon.-Konsul Dipl.-Ing. Gerhard Franz

6020 Innsbruck, Gilmstr. 6
Hon.-Konsul Dr. Dipl.-Kfm Otto Kaspar

4020 Linz, Roseggerstr. 38/1
Hon.-Konsul Dr. Dipl.-Kfm Klaus Czempirek

5023 Salzburg, Drei-Eichen-Weg 33
Hon.-Konsul Ing. Hannes Erhardt

Benin
1040 Wien, Mühlgasse 30/3
Hon.-Gen.-Konsul Dipl.-Ing. Anton Traunfellner

Bolivien
Wien, Konsularabteilung der Botschaft

4020 Linz, Spittelwiese 3
Hon.-Konsul Cecilia Baldivieso Pardo de Witzany

8020 Graz, Plüddemanng. 73
Hon.-Konsul KommR. Leopold Heimlich

Botswana
1060 Wien, Wienzeile 4
Hon.-Konsul Dr. Dipl.-Ing. Harald Meixner

Brasilien
8010 Graz, Glacisstr. 67/I
Hon.-Konsul Dr. iur. Rudolf Griss

4010 Linz, Kaiserg. 17
Hon.-Konsul Dr. Roland M. Goblirsch-Urban

5081 Salzburg-Anif 175
Hon.-Konsul Dipl.-Arch. Gotelinde Nekola

6020 Innsbruck, Museumstr. 28
Hon.-Konsul Hansjörg Kröll

Bulgarien
Konsularabteilung der Botschaft

Burkina-Faso
1060 Wien, Mittelg. 16
Hon.-Gen.-Konsul Dkfm. Dr. rer. comm. Bruno Buchwieser

Chile
Konsularabteilung der Botschaft

1190 Wien, Blaasstr. 13
Hon.-Konsul Dkfm. Armin Fehle

9010 Klagenfurt, Bahnhofstr. 2/V
Hon.-Konsul Ing. Sepp Prugger

4020 Linz, Kaplanhofstr. 3
Hon.-Konsul KommR. Dieter Fuchshuber

5020 Salzburg, Bärengasse 11
Hon.-Konsul Dkfm. Dr. Hans Günther

China
Konsularabteilung der Botschaft

Côte d'Ivoire
Konsularagenden werden von der Botschaft wahrgenommen

1190 Wien, Geweyg. 9
Hon.-Gen.-Konsul Dipl.-Ing. Peter Landesmann

Dänemark
1090 Wien, Ferstelg. 3/4
Hon.-Vize-Konsul, Mag. Richard Kwizda

8011 Graz, Grieskai 12-14
Hon.-Konsul Dipl.-Ing. Dr. Hans Weitzer

6020 Innsbruck, Maria-Theresien-Str. 42
Hon.-Konsul Dr. Markus Purtscher

4020 Linz, Fugulystr. 27
Hon.-Konsul Dr. Erich Wöhrle

5020 Salzburg, Imbergstr. 15
Hon.-Konsul Dr. Normann Dick Norman

Bundesrepublik Deutschland
Rechts- und Konsularabteilung der Botschaft

8011 Graz, Hamerlingg. 6/I
Gen.-Konsul Karl Bellmann

6020 Innsbruck, Adamg. 5/V
Gen.-Konsul, Dr. Richard Louis

5020 Salzburg, Bürgerspitalpl. 1
Gen.-Konsul Karl Reinhard Marks

6900 Bregenz, Kaspar-Hagen-Str. 2
Hon.-Konsul Heinz Walter Rhomberg

7000 Eisenstadt, Hauptstr. 52A
Hon.-Konsul Eugen Horvath

9020 Klagenfurt, Miestalerstr. 14
Hon.-Konsul Dieter Kern

4020 Linz, Schillerstr. 53/III
Hon.-Konsul Dkfm. Dr. Hermann Bell

Dominikanische Republik
1040 Wien, Mommsengasse 31
Hon.-Konsul Alon Shlomo

Ecuador
Konsularabteilung der Botschaft

El Salvador
1010 Wien, Singerstr. 6/3
Emmerich Deutsch

Estland
5020 Salzburg, Reichenhaller Str. 10a
Univ.-Prof., Dr. Henn-Juri Uibopuu

Finnland
1070 Wien, Richterg. 1
Hon.-Gen.-Konsul KommR. Walter Kollin

7000 Eisenstadt, Rochusstr. 7
Hon.-Konsul Prof. Dr. Dipl.-Ing. Egon Presoly

8021 Graz, Waagner-Birò-Str. 39-41
Hon.-Konsul KommR. Johannes Hornig

5400 Hallein, Am Weinberg 1
Hon.-Konsul Mag. Jan Wessel Cappelen

6020 Innsbruck, Bozener Pl. 6
Hon.-Konsul Dkfm. Dr. Ferruccio Mario Stedile-Foradori

9020 Klagenfurt, Villacher Str. 1
Hon.-Konsul Ernst Goess

6961 Bregenz/Wolfurt, Rickenbacherstr. 11
Doppelmayr Artur Dipl.Ing. KommR., Hon.-Konsul

Frankreich
Konsularabteilung der Botschaft

6020 Innsbruck, Rennweg 23-25
Frau Raimonde Preyer

9020 Klagenfurt, Hirschstr. 5
Hon.-Konsul Hermann Hirsch

8522 Graz- Groß St. Florian, Gussendorf 5
Hon.-Konsul Günter Müller

4020 Linz, Landstr. 49/1
Hon.-Konsul Dr. Ute Rastl-Hippmann

6850 Dornbirn, Höchster Str. 8
Hon.-Konsul Dipl.-Ing. Jürg Zumtobel

Gabun
1010 Wien, Rudolfsplatz 5/28
Hon.-Konsul Dr. Wilhelm Hendricks

Gambia
1130 Wien, Larocheg. 30
Hon.-Gen.-Konsul Johanna Huber

Griechenland
Konsularabteilung der Botschaft

5016 Salzburg, Reichenhaller Str. 7
Hon.-Gen.-Konsul Dimitri Pappas

Großbritannien
Konsularabteilung der Botschaft

6021 Innsbruck, Matthias-Schmied-Str. 12
Hon.-Konsul Hellmut Buchroithner

8010 Graz, Schmiedg. 8-12
Hon.-Konsul Kurt David Brühl

5020 Salzburg, Alter Markt 4
Hon.-Konsul Martin-Matthias Kaindl

6923 Bregenz-Lauterach, Bundesstr. 110
Hon.-Konsul Dipl.-Ing. Paul Senger-Weiss

Guatemala
1010 Wien, Kantgasse 3
Hon.-Konsul., Dr. Harald Svoboda

Guinea-Bissau
2334 Wien-Vösendorf, SCS-Bürohaus
Hon.-Konsul KommR. Kurt Nejezchleba

Haiti
1010 Wien, Schottengasse 6
Hon.-Konsul Nikolaus Dreihann-Holenia

9010 Klagenfurt, Dr.-Franz-Palla-G. 4
Hon.-Konsul Walter Rossmann

Honduras
1235 Wien, Breitenfurter Str. 380
Hon.-Konsul Dr. Ewald Kloser

Indien
Konsularabteilung der Botschaft

Indonesien
Konsularabteilung der Botschaft

Irak
Konsularabteilung der Botschaft

Iran
Konsularabteilung der Botschaft

Irland
Konsularabteilung der Botschaft

Island
1010 Wien, Naglerg. 2/5
Hon.-Gen.-Konsul Dkfm. Dr. Cornelia Schubrig

5021 Salzburg, Ursulinenpl. 4
Hon.-Konsul Erich Eibl

Israel
Konsularabteilung der Botschaft

Italien
1030 Wien, Ungarg. 43
Konsul Ridolfi Marco Del Panta

6020 Innsbruck, Conradstr. 9
Gen.-Konsul, Dr. Silvestro Scimonelli

9010 Klagenfurt, Karfreitstr. 24/6
Gen.-Konsul Dr. Nicola Di Tullio

8010 Graz, Herrengasse 18
Hon.-Konsul Dr. Heinrich Kammerlander

6900 Bregenz, Mauracherg. 19
Hon.-Vize-Konsul, Dr. Ivo Fischer

7000 Eisenstadt, Haydng. 17
Hon.-Vize-Konsul Margarete Gati

4010 Linz, Hessenpl. 19
Hon.-Vize-Konsul, Dr. Norbert Beinkofer

5020 Salzburg, Alpenstr. 102
Hon.-Konsul Nicola Nicolelli Fulgenzi

Jamaika
1050 Wien, Rüdigerg. 22
Hon.-Konsul Herbert Haberl

Japan
Konsularabteilung der Botschaft

5020 Salzburg, Ernest-Thun-Str. 8
Hon.-Gen.-Konsul Thomas Wassibauer

Jemen
1090 Wien, Alser Str. 28/1/12
BotschaftsR., Dr. Abdul Qawi Al-Eryani

Jordanien
1010 Wien, Rotenturmstr. 25
Hon.-Gen.-Konsul Prof. Hannes Lintl

Jugoslawien
Konsularabteilung der Botschaft

8010 Graz, Hilmteichstr. 10
Gen.-Konsul Velimir Slana

5020 Salzburg, Widmannstr. 11
Konsul Zlatomir Zivkovic

Kanada
Konsularabteilung der Botschaft

Kap Verde
1060 Wien, Linke Wienzeile 4
Hon.-Konsul Dipl.-Ing. Wolfgang Meixner

Katar
Konsularabteilung der Botschaft

Kenia
1190 Wien, Hohe Warte 7A
Hon.-Konsul Ingrid Seeman-Pelicon

Kolumbien
Konsularabteilung der Botschaft

Republik Korea
Konsularabteilung der Botschaft

5020 Salzburg, Getreideg. 2
Hon.-Konsul Dipl.-Ing. Peter Malata

Demokratische Volksrepublik Korea
Konsularabteilung der Botschaft

Kroatien
Konsularabteilung der Botschaft

Kuba
Konsularabteilung der Botschaft

Kuwait
Konsularabteilung der Botschaft

Libanon
Konsularabteilung der Botschaft

Liberia
1030 Wien, Reisnerstr. 20
Hon.-Konsul Christine Knoblich

Libyen
Konsularabteilung des Volksbüros der Sozialistischen Libysch-Arabischen Volks-Dschamahirija

Luxemburg
1210 Wien, Divischg. 4
Hon.-Gen.-Konsul Dr. Georg Fürstenberg

6020 Innsbruck, Falkstr. 1
Hon.-Konsul Univ.-Prof., Dr. Herbert Braunsteiner

5020 Salzburg, Kleingmainerstr. 19
Hon.-Konsul Dr. Dieter Usner

Madagaskar
1184 Wien, Pötzleinsdorfer Str. 94/96
Hon.-Gen.-Konsul Prof. Dr. Robert Krapfenbauer

Malawi
1190 Wien, Saarplatz 17
Hon.-Konsul KommR. Friedrich Wimmer

Malaysia
Konsularabteilung der Botschaft

Malediven
1190 Wien, Weimarer Str. 104
Hon.-Konsul KommR. Gerald Weidler

Mali
1060 Wien, Mariahilfer Str. 5
Hon.-Konsul Dkfm. Heinz Ruckendorfer

Malta
1140 Wien, Kienmayerg. 15
Hon.-Konsul KommR. Dr. Alfred Klima

5020 Salzburg, Getreidegasse 37
Hon.-Konsul Dipl.-Vw. Johannes Walderdorff

6029 Innsbruck, Amraser See-Str. 56 a
Hon.-Konsul Walter Hess

Marokko
Konsularabteilung der Botschaft

5020 Salzburg, Sterneckstr. 55
Hon.-Konsul Dipl.-Ing. Günter Fleischmann

Mauretanien
1010 Wien, Opernring 21/9
Hon.-Konsul Franz A. Mejchar

Mexiko
Konsularabteilung der Botschaft

6020 Innsbruck, Südtiroler Pl. 6/VI
Hon.-Konsul KommR. Manfred Swarovsky

3100 St. Pölten, Klosterg. 5/1
Hon.-Konsul Dipl.-Vw. Hans Hofer

Monaco
1180 Wien, Khevenhüllerstr. 9a
Hon.-Gen.-Konsul Isabelle Hild I

Neuseeland
1190 Wien, Springsiedlg. 28
Hon.-Gen.-Konsul Basil Franklin Bolt

Nicaragua
Konsularabteilung der Botschaft

Niederlande
Konsularabteilung der Botschaft

6700 Bludenz, Herreng. 23
Hon.-Konsul Dipl.-Vw., Dr., Ing. Josef Bertsch

8020 Graz, Lastenstr. 11
Hon.-Konsul Dr. Michaela Mayer-Rieckh

6020 Innsbruck, Salurner Str. 1
Hon.-Konsul Dipl.-Ing. Andreas Trentini

9020 Klagenfurt, Alter Pl. 1
Hon.-Konsul Heinrich Orsini-Rosenberg

4020 Linz, Kapuzinerstr. 84
Hon.-Konsul Ing. Hugo Wagner

5020 Salzburg, Lastenstr. 20
Hon.-Konsul KommR. Werner Winzer

Nigeria
Konsularabteilung der Botschaft

Niger
1040 Wien, Fleischmanng. 9/7
Hon.-Konsul Hermann Mörtendorfer

Norwegen
1010 Wien, Dr.-Karl-Lueger-Ring 6
Hon.-Gen.-Konsul Dkfm., Dr. Johann Kwizda

8010 Graz, Geidorfgürtel 20/11
Hon.-Konsul Dr. Heinz Scheidbach

5020 Salzburg, Alter Markt 10
Hon.-Konsul Dipl.Ing. Dr., Herbert Vogel

6020 Innsbruck, Erlerstr. 9
Hon.-Konsul Dr. Gerhard Moser

6840 Götzis, Breite 12
Hon.-Konsul KommR. Herwig Rhomberg

1010 Wien, Schotteng. 6
Hon.-Konsul Dr. Rudolf Schneider

Oman
Konsularabteilung der Botschaft

Pakistan
Konsularabteilung der Botschaft

6020 Innsbruck, Schneeburgg. 74
Hon.-Gen.-Konsul Anwer Azeem Ahmed

Panama
5020 Salzburg, Ziegeleistr. 26
Hon.-Gen.-Konsul KommR. Dr. Leonhard Voithofer

Paraguay
1080 Wien, Trautsong. 6
Hon.-Konsul Mag. Arch. Josef Moser

Peru
Konsularabteilung der Botschaft

5020 Salzburg, Linzer G. 42
Hon.-Gen.-Konsul Erwin Apfler

Philippinen
Konsularabteilung der Botschaft

5016 Salzburg, Moosstr. 195
Hon.-Gen.-Konsul Ing. Peter Franz Wagner

Polen
Konsularabteilung der Botschaft

Portugal
Konsularabteilung der Botschaft

4020 Linz, Mozarstr. 11/31
Hon.-Konsul KommR. Rudolf Ungar

5020 Salzburg, Faberstr. 2b
Hon.-Konsul Dr. Hans Werner Ebner

Rumänien
Konsularabteilung der Botschaft

Russische Föderation
Konsularabteilung der Botschaft

5020 Salzburg, Bürglsteinstr. 2
Gen.-Konsul Genrich Lapine .

Rwanda
1070 Wien, Burgg. 60
Hon.-Konsul Viktor Wagner

San Marino
1090 Wien, Spitalg. 17A
Hon.-Gen.-Konsul Dr. Helmut Petsch

Saudi-Arabien
Konsularabteilung der Botschaft

Schweden
Konsularabteilung der Botschaft

6850 Dornbirn, Oberndorfer Str. 2
Hon.-Konsul Dkfm. Ing. Hanno Hämmerle

7000 Eisenstadt, Ing.-Julius-Raab-Str. 1
Hon.-Konsul Dr. Hans Hahnenkamp

8010 Graz, Beethovenstr. 19
Hon.-Konsul Erhard Wressnig

6020 Innsbruck, Andreas-Hofer-Str. 43
Hon.-Konsul Dkfm., Dr. Helmut Marsoner

9020 Klagenfurt, Neuer Platz 7
Hon.-Konsul Maximilian Meran

4020 Linz, Hessenpl. 3
Hon.-Konsul Dr. Arnold Richter

5020 Salzburg, Max-Otto-Pl. 6
Hon.-Konsul Othmar Horwath

Schweiz
Konsularabteilung der Botschaft

6900 Bregenz, Seegalerie, Bahnhofstr. 10
Konsul Ernst Bänzinger

6020 Innsbruck, Höhenstr. 107
Hon.-Konsulin Josephine Berger

4020 Linz, Eisenhandstr. 15
Hon.-Konsul Dr. L. Dionys Lehner

5020 Salzburg, Alpenstr. 85
Hon.-Konsul Rudolf Frey

9100 Völkermarkt, Wildstr. 4
Hon.-Konsul Hanspeter Brutschy

Senegal

1010 Wien, Postgasse 16
Hon.-Konsul Kurt Konrad Rajer

6020 Innsbruck, Kapuzinerg. 10
Hon.-Gen.-Konsul Dir. Helmut P. Lerch

5020 Salzburg, Getreideg. 22
Hon.-Gen.-Konsul Ing. Fritz Kutscha

4020 Linz, Bethlehemstr. 3
Hon.-Konsul Bernhard Lobnig

Seychellen
1040 Wien, Gußhausstr. 12
Hon.-Konsul Dr. Dkfm Karl Pisec

Sierra Leone
1070 Wien, Sigmundg. 16
Hon.-Gen.-Konsul Hans Harrer

Singapur
1030 Wien, Am Stadtpark 9
Hon.-Konsul Gen.-Dir., Dr. Klaus Liebscher

Slowakei
Konsularabteilung der Botschaft
Gesch.Botschaftsrat, Peter Kollariki

Slowenien
Konsularabteilung der Botschaft

Spanien
Konsularabteilung der Botschaft

5024 Salzburg, Schwarzstr. 19
Hon.-Konsul Dipl.-Ing. Günther Daghofer

4060 Linz-Leonding, Kremstal-Bundesstraße
Hon.-Vize-Konsul, KommR. Carl Rosenauer

6832 Feldkirch, Muntlix 181
Hon.-Konsul Ing. Franz Bischof

6010 Innsbruck, Adamgasse 15
Hon.-Konsul DDr. Hubert Fuchshuber

Südafrika
Konsularabteilung der Botschaft

5020 Salzburg, Erzabt-Klotz-Str. 4
Hon.-Konsul Dr. Reinhold Moebius

6010 Innsbruck, Adamg. 15
Hon.-Honsul, DDr. Hubert Fuchshuber

4010 Linz, Hessenplatz 3
Hon.-Konsul Dr. Gerhard E. Mayr

8020 Graz, Villefortg. 13/II
Hon.-Konsul Ing. Herbert Depisch

Sudan
Konsularabteilung der Botschaft

Syrien
1015 Wien, Kärntner Ring 4
Hon.-Konsul KommR. Nabil Kuzbari

Thailand
Konsularabteilung der Botschaft

1190 Wien, Formanekg. 12-14
Hon.-Gen.-Konsul Claudius Walter

6850 Dornbirn, Bahnhofstr. 28
Hon.-Konsul Peter Ambros Fritz

6020 Innsbruck, Bozner Pl. 2
Hon.-Konsul Dkfm., Dr. Armin Sautter

5020 Salzburg, Arenbergstr. 2
Hon.-Konsul Alfons Coreth

Togo
1070 Wien, Siebensterng. 19
Hon.-Konsul Dr. Gerhard Zinsler

Türkei
Konsularabteilung der Botschaft

6900 Bregenz, Annastr. 1
Gen.-Konsul Yüksel Tamtekin

5020 Salzburg, Rudolfskai 54
Gen.-Konsul Fazli Kesmir

Tunesien
Konsularabteilung der Botschaft

1030 Wien, Gheghag. 3
Habib Ammar

4010 Linz, Promenade 11-13
Hon.-Konsul KommR., Dr. Hansjörg Rigele

7000 Eisenstadt, Ing.-Julius-Raab-Pl. 1
Hon.-Konsul Dr., Dipl.-Ing. Karl Heinz Jeschko

6134 Vomp 51
Hon.-Konsul KommR. Dipl.-Ing. Fritz Heiss

3100 St. Pölten, Wiener Str. 92
Hon.-Konsul KommR. Ernst Leopold Gruber

Ungarn
Konsularabteilung der Botschaft

5020 Salzburg, Ernest-Thun-Str. 8
Hon.-Konsulin Elisabeth Wassibauer

Uruguay
Konsularabteilung der Botschaft

5033 Salzburg, Alpenstr. 75
Hon.-Konsul DDr. Artur Weilinger

Venezuela
Konsularabteilung der Botschaft

Vereinigte Arabische Emirate
Konsularabteilung der Botschaft

Vietnam
Konsularabteilung der Botschaft

Zaire
Konsularabteilung der Botschaft

Zypern
1010 Wien, Singerstr. 27
Hon.-Gen.-Konsul Dr. Werner Masser

WHO IS WHO IN ÖSTERREICH
SÜDTIROLTEIL

Das Wappen des Landes Südtirol

Das Land Südtirol führt im Sinne des Artikels 3 des neuen Autonomiestatutes (Verfassungsgesetz vom 10. November 1971, Nr. 1, veröffentlicht im Gesetzesanzeiger der Republik Italien vom 5. Jänner 1972, Nr. 3) ein eigenes Wappen. Das von der Südtiroler Landesregierung am 30. Juli 1982 einstimmig beschlossene Landeswappen ist durch das Dekret des Präsidenten der Republik vom 21. März 1983 genehmigt worden. Die heraldische Beschreibung lautet: »Auf Silbergrund alter roter (Tiroler) Adler, goldbewehrt mit roter Zunge und goldenen Flügelspangen«. Es ist der rote Tiroler Adler aus dem Jahre 1370, so wie er auf dem Altar der Kapelle von Schloß Tirol abgebildet ist.

Historische Erklärung:
Landeswappen werden erfahrungsgemäß aus dem Wappen jener Herrscherdynastien gewählt, die in früheren Zeiten diese Länder beherrscht haben. So rührt das Tiroler Wappen vom Wappen jener Dynastien her, die in diesem Lande um das Jahr 1150 auftauchten und ihren eigenen Namen von der Ortschaft Tirol bei Meran, wo sie ihr Stammschloß erbauten, ableiteten. Die erste Dynastie der Grafen von Tirol breitete nach und nach ihre Herrschaft aus und erlosch in der männlichen Linie mit Albert III. im Jahre 1253. Die Grafen von Tirol haben bereits in der Zeit von 1190 den roten Adler zu ihrem Wappen erwählt. Dies geht aus dem Siegel Alberts III. (1190-1253) hervor und die Farbe des Adlers ist bereits im »Cliperius Teutonicorum« (1242-1249) des Züricher Kanonikers Konrad von Mure in Versform festgehalten:

»Fert aquilam Tyrolis clipeus prestante rubore
Que nigri pedis alias albente colore«.

Das Wappen der ersten Herrscherfamilie ging durch die Heirat der Tochter Alberts III. Adelheid, mit Meinhard IV., dem Grafen von Görz, auf die Grafen von Tirol-Görz über. Unter den Grafen von Tirol-Görz hat der rote Tiroler bereits den Charakter eines territorialen Kennzeichens angenommen, mit dem Übergang der Grafschaft Tirol an die Habsburger (1363) wurde der Adler zum Wappentier des Landes an Etsch, Eisack und Inn. Das Wappen blieb zwar im wesentlichen unverändert, machte aber in der graphischen Darstellung die stilistische Entwicklung der Zeiten mit.

Der rote Adler mit goldenen Waffen, roter Zunge und den charakteristischen goldenen Flügelspangen, gekrönt oder ungekrönt, versinnbildlichte in den Jahrhunderten die Grafschaft Tirol, später die gefürstete Grafschaft und kam immer im großen Siegel der Kaiser des Hl. Römischen Reiches und Österreichs vor. Die Grafschaft genoß im Rahmen der Erbländer des Hauses Österreich und nachher im österreichischen Kaiserreich eine besondere Eigenständigkeit.

SÜDTIROLER LANDTAG 1948-1998

1948-1952

Landeshauptmann
Dr. Karl Erckert (SVP)

Landesräte
Dr. Alfons Benedikter (SVP)
Dr. Friedrich Teßmann (SVP)
Paul Mayr (SVP)
ab 1950 Dr.-Ing. Alois Pupp (SVP)
Dr.-Ing. Guido Dorna (PRI)
Sandro Panizza (CD)

Landtagspräsidenten
Dr. Silvius Magnago (SVP) (alternierend Präs., Vizepräs.)
Luigi Negri (DC) (alternierend Vizepräs., Präs.)

Abgeordnete
Erich Amonn (SVP)
Alfons Benedikter (SVP)
Karl Erckert (SVP)
Albuin Forer (SVP)
Silvius Magnago (SVP)
Paul Mayr (SVP)
Josef Menz-Popp (SVP)
Ernst Muther (SVP)
Leo von Pretz (SVP)
Alois Pupp (SVP)
Franz Strobl (SVP)
Friedrich Teßmann (SVP)
Georg Thaler (SVP)
Luigi Negri (DC)
Sandro Panizza (DC)
Marcello Caminiti (PSI)
Silvio Bettini-Schettini (PCI)
Andrea Mitolo (MSI)
Guido Dorna (PRI)
Rolando Toma (Unabhängiger)

1952-1956

Landeshauptmann
Dr. Karl Erckert (SVP) bis 1956
ab 1956 Dr.-Ing. Alois Pupp

Landeshauptmannstellvertreter
Dr.-Ing. Alois Pupp (SVP)

Landesräte
Dr. Robert von Fioreschy (SVP)
Dr. Peter Brugger (SVP)
Dr. Albino Dell'Antonio (DC)
Sandro Panizza (DC)

Ersatzlandesräte
Dr. Anton Schatz (SVP)
Hans Mayr (SVP)

Landtagspräsidenten
Dr. Silvius Magnago (SVP) (alternierend Präs., Vizepräs.)
Prof. Decio Molignoni (PSDI) Vizepräs.
Dr. Armando Bertorelle (DC) Präs.

Abgeordnete
Walther Amonn (SVP)
Alfons Benedikter (SVP)
Peter Brugger (SVP)
Hans Dietl (SVP)
Karl Erckert (SVP)
Robert von Fioreschy (SVP)
Albuin Forer (SVP)
Josef Graber (SVP)
Hans Kiem (SVP)
Silvius Magnago (SVP)
Hans Mayr (SVP)
Alois Pupp (SVP)
Anton Schatz (SVP)
Vinzenz Stötter (SVP)
Heinrich Theiner (SVP)
Marius Günther von Unterrichter (SVP)
Armando Bertorelle (DC)
Albino Dell'Antoni (DC)
Sandro Panizza (DC)
Decio Molignoni (PSDI)
Marcello Caminiti (PSI)
Ettore Nardin (PCI)
Andrea Mitolo (MSI)

1956-1960

Landeshauptmann
Dr.-Ing. Alois Pupp (SVP)

Landeshauptmannstellvertreter
Dr. Robert von Fioreschy (SVP)

Landesräte
Dr. Peter Brugger (SVP)
Dr. Anton Schatz (SVP)
Sandro Panizza (DC)
Dr. Giovanni Rizzi (DC)

Ersatzlandesräte
Hans Mayr (SVP)
Dr. Joachim Dalsass (SVP)
Dr. Armando Bertorelle (DC)

Landtagspräsidenten
Dr. Silvius Magnago (SVP) (alternierend Präs., Vizepräs.)
Dr. Armando Bertorelle (DC) (alternierend Vizepräs., Präs.)

Abgeordnete
Alfons Benedikter (SVP)
Peter Brugger (SVP)
Joachim Dalsass (SVP)
Hans Dietl (SVP)
Eduard Dorfer (SVP)
Robert von Fioreschy (SVP)
Anton Kapfinger (SVP)
Silvius Magnago (SVP)
Hans Mayr (SVP)
Hermann Nicolussi-Leck (SVP)
Hans Plaikner (SVP)
Alois Pupp (SVP)
Anton Schatz (SVP)
Heinrich Theiner (SVP)
Marius Günther von Unterrichter (SVP)
Armando Bertorelle (DC)
Sandro Panizza (DC)
Giovanni Rizzi (DC)
Decio Molignoni (PSDI)
Pietro Arbanasich (PSI)
Ettore Nardin (PCI)
Andrea Mitolo (MSI)
Maurizio Lorandi (MSI)

1960-1964

Landeshauptmann
Dr. Silvius Magnago (SVP)
Landeshauptmannstellvertreter
Dr. Alfons Benedikter (SVP)

Landesräte
Dr. Peter Brugger (SVP)
Dr. Joachim Dalsass (SVP)
Dr. Robert von Fioreschy (SVP)
Sandro Panizza (DC)
Lino Ziller (DC)

Ersatzlandesräte
Dr. Franz Wahlmüller (SVP)
Dr. Anton Zelger (SVP)
Dr. Armando Bertorelle (DC)

Landtagspräsidenten
Ing. Alois Pupp (SVP) (alternierend Präs., Vizepräs.)
Rag. Silvio Nicolodi (PSI) (alternierend Vizepräs., Präs.)

Abgeordnete
Alfons Benedikter (SVP)
Peter Brugger (SVP)
Joachim Dalsass (SVP)
Hans Dietl (SVP)
Robert von Fioreschy (SVP)
Anton Kapfinger (SVP)
Silvius Magnago (SVP)
Hans Mayr (SVP)
Hans Plaikner (SVP)
Alois Pupp (SVP)
Franz Runge (SVP)
Anton Schatz (SVP)
Hans Stanek (SVP)
Friedl Volgger (SVP)
Franz Wahlmüller (SVP)
Anton Zelger (SVP)
Josef Ziernhöld (SVP)
Armando Bertorelle (DC)
Sandro Panizza (DC)
Lino Ziller (DC)
Giuseppe Avancini (PSDI)
Decio Molignoni (PSDI)
Silvio Nicolodi (PSI)
Ettore Nardin (PCI)
Andrea Mitolo (MSI)

1964-1968

Landeshauptmann
Dr. Silvius Magnago (SVP)

Landeshauptmannstellvertreter
Dr. Alfons Benedikter (SVP)

Landesräte
Dr. Peter Brugger (SVP) bis 1967
ab 1967 Dr. Heinold Steger (SVP)
Dr. Joachim Dalsass (SVP)
Dr. Robert von Fioreschy (SVP)
Dr. Armando Bertorelle (DC)
Dr. Lidia Menapace (DC)

Ersatzlandesräte
Waltraud Gebert-Deeg (SVP)
Dr. Anton Zelger (SVP)
Prof. Decio Molignoni (PSDI) bis 1967
ab 1967 Giuseppe Sfondrini (PSDI)

Landtagspräsidenten
Ing. Alois Pupp (SVP) (alternierend Präs., Vizepräs.)
Rag. Silvio Nicolodi (PSI) Vizepräs.
Prof. Decio Molignoni (PSDI) Präs.

Abgeordnete
Alfons Benedikter (SVP)
Arnold Bernhart (SVP)
Peter Brugger (SVP)
Joachim Dalsass (SVP)
Robert von Fioreschy (SVP)
Waltraud Gebert-Deeg (SVP)
Egmont Jenny (SVP)
Anton Kapfinger (SVP)
Silvius Magnago (SVP)
Pepi Posch (SVP)
Alois Pupp (SVP)
Franz Spögler (SVP)
Heinold Steger (SVP)
Ignaz Stocker (SVP)
Adolf Unterpertinger (SVP)
Friedl Volgger (SVP)
Franz Wahlmüller (SVP)
Anton Zelger (SVP)
Armando Bertorelle (DC)
Lidia Menapace (DC)
Valentino Pasqualin (DC)
Decio Molignoni (PSDI)
Giuseppe Sfondrini (PSDI)
Silvio Nicolodi (PSI)
Tullio Agostini (PLI)
Anselmo Gouthier (PCI)
Andrea Mitolo (MSI)
Josef Raffeiner (THP)

1968-1973

Landeshauptmann
Dr. Silvius Magnago (SVP)

Landeshauptmannstellvertreter
Dr. Alfons Benedikter (SVP)

Landesräte
Dr. Joachim Dalsass (SVP)
Dr. Franz Spögler (SVP)
Dr. Heinold Steger (SVP) bis 1973
Dr.-Ing. Karl Vaja (SVP) ab 1973
Prof. Dr. Anton Zelger (SVP)
Dr. Armando Bertorelle (DC)
Dr.-Ing. Giorgio Pasquali (DC)
Rag. Valentino Pasqualin (DC)

Ersatzlandesräte
Waltraud Gebert-Deeg (SVP)
Amerigo Finato (DC) bis 1972
Rag. Valentino Pasqualin (DC) ab 1972

Landtagspräsidenten
Dr. Robert von Fioreschy (SVP) (altern. Präs., Vizepräs.)
Rag. Silvio Nicolodi (PSI) (altern. Vizepräs., Präs.)

Abgeordnete
Alfons Benedikter (SVP)
Joachim Dalsass (SVP)
Valerius Dejaco (SVP)
Franz Demetz (SVP)
Robert von Fioreschy (SVP)
Waltraud Gebert-Deeg (SVP)
Silvius Magnago (SVP)
Sepp Mayr (SVP)
Erich Müller (SVP)
Hans Karl Neuhauser (SVP)
Hermann Nicolussi-Leck (SVP)
Franz-Josef Plaikner (SVP)
Pepi Posch (SVP)
Franz Spögler (SVP)
Heinold Steger (SVP)
Karl Vaja (SVP)

Anton Zelger (SVP)
Tullio Agostini (PLI)
Armando Bertorelle (DC)
Amerigo Finato (DC)
Alessandro Leurini (DC)
Giorgio Pasquali (DC)
Valentino Pasqualin (DC)
Andrea Mitolo (MSI)
Anselmo Gouthier (PCI-PSIUP)
Silvio Nicolodi (PSI)
Giuseppe Sfondrini (PSI)

1973-1978

Landeshauptmann
Dr. Silvius Magnago (SVP)

Landeshauptmannstellvertreter
Dr. Alfons Benedikter (SVP)
Rag. Valentino Pasqualin (DC)

Landesräte
Dr. Joachim Dalsass (SVP)
Waltraud Gebert-Deeg (SVP)
Dr. Hans Rubner (SVP)
Dr. Franz Spögler (SVP)
Prof. Dr. Anton Zelger (SVP)
Dr.-Ing. Giorgio Pasquali (DC)
Giuseppe Sfondrini (PSI) bis 1976
Gaetano Marcon (DC) ab 1976

Ersatzlandesräte
Sepp Mayr (SVP)
Karl Oberhauser (SPV)
Fabio Rella (DC).

Landtagspräsidenten
Ing. Karl Vaja (SVP) Präs.
Prof. Decio Molignoni (PSDI) (altern. Vizepräs., Präs.)
Dr. Luis Durnwalder (SVP) Vizepräs.

Abgeordnete
Erich Achmüller (SVP)
Alfons Benedikter (SVP)
Maria Bertolini (SVP)
Joachim Dalsass (SVP)
Franz Demetz (SVP)
Klaus Dubis (SVP)
Alois Durnwalder (SVP)
Rosa Franzelin-Werth (SVP)
Hugo Gamper (SVP)
Waltraud Gebert-Deeg (SVP)
Anton Kiem (SVP)
Mathias Ladurner-Parthanes (SVP)
Silvius Magnago (SVP)
Sepp Mayr (SVP)
Erich Müller (SVP)
Hans Karl Neuhauser (SVP)
Karl Oberhauser (SVP)
Hans Rubner (SVP)
Franz Spögler (SVP)
Karl Vaja (SVP)
Anton Zelger (SVP)
Armando Bertorelle (DC)
Gaetano Marcon (DC)
Giorgio Pasquali (DC)
Valentino Pasqualin (DC)
Fabio Rella (DC)
Decio Molignoni (PSDI)
Silvio Nicolodi (PSI)
Giuseppe Sfondrini (PSI)

Anselmo Gouthier (PCI)
Josef Stecher (PCI)
Willi Erschbaumer (SPS)
Hans Dietl (SPS)
Alfons Rigott (SPS)
Egmont Jenny (SFP)
Pietro Mitolo (MSI)

1978-1983

Landeshauptmann
Dr. Silvius Magnago (SVP)

Landeshauptmannstellvertreter
Dr. Alfons Benedikter (SVP)
Rag. Valentino Pasqualin (DC) bis 1983
Ing. Giorgio Pasquali (DC) ab 1983

Landesräte
Dr. Alois Durnwalder (SVP)
Waltraud Gebert-Deeg (SVP)
Dr. Hans Rubner (SVP)
Dr. Franz Spögler (SVP)
Dr. Anton Zelger (SVP)
Ing. Giorgio Pasquali (DC)
Dr. Decio Molignoni (PSDI)
Dr. Remo Ferretti (DC) ab 1983

Ersatzlandesräte
Sepp Mayr (SVP)
Karl Oberhauser (SVP)
Dr. Remo Ferretti (DC) bis 1983
Fabio Rella (DC) ab 1983

Landtagspräsidenten
Dr. Joachim Dalsass (SVP) Präs. bis 1979
Dr. Erich Achmüller (SVP) Präs. ab 1979
Comm. Aldo Balzarini (DC) Vizepräs.
Giuseppe Sfondrini (PSI) Präs.
Mathias Ladurner-Parthanes (SVP) Vizepräs.

Abgeordnete
Erich Achmüller (SVP)
Alfons Benedikter (SVP)
Maria Bertolini (SVP)
Erich Buratti (SVP)
Joachim Dalsass (SVP)
Klaus Dubis (SVP)
Luis Durnwalder (SVP)
Rosa Franzelin-Werth (SVP)
Waltraud Gebert-Deeg (SVP)
Robert Kaserer (SVP)
Mathias Ladurner-Parthanes (SVP)
Silvius Magnago (SVP)
Sepp Mayr (SVP)
Siegfried Messner (SVP)
Erich Müller (SVP)
Karl Oberhauser (SVP)
Oskar Peterlini (SVP)
Hans Rubner (SVP)
Franz Spögler (SVP)
Hugo Valentin (SVP)
Anton Zelger (SVP)
Alois Zingerle (SVP)
Aldo Balzarini (DC)
Remo Ferretti (DC)
Giorgio Pasquali (DC)
Valentino Pasqualin (DC)
Fabio Rella (DC)
Gaetano D'Ambrosio (PCI-KPI)
Grazia Barbiero-De Chirico (PCI-KPI)
Anselmo Gouthier (PCI-KPI)

Josef Stecher (PCI-KPI)
Luigi Costalbano (NL-NS)
Alexander Langer (NL-NS)
Giuseppe Sfondrini (PSI-SPI)
Pietro Mitolo (MSI-DN)
Decio Molignoni (PSDI)
Willi Erschbaumer (SPS bzw. später USD)
Hans Lunger (PDU)

1983-1988

Landeshauptmann
Dr. Silvius Magnago (SVP)

Landeshauptmannstellvertreter
Dr. Alfons Benedikter (SVP)
Dr. Remo Ferretti (DC)

Landesräte
Dr. Erich Achmüller (SVP) ab 1987
Dr. Luis Durnwalder (SVP)
Dr. Hans Rubner (SVP) bis 1987
Dr. Otto Saurer (SVP)
Dr. Franz Spögler (SVP)
Dr. Hugo Valentin (SVP)
Dr. Anton Zelger (SVP)
Dr. Giancarlo Bolognini (DC)
Giuseppe Sfondrini (PSI)

Ersatzlandesräte
Sepp Mayr (SVP)
Dr. Siegfried Messner (SVP)
Comm. Aldo Balzarini (DC)

Landtagspräsidenten
Dr. Erich Achmüller (SVP) Präs. bis 1984
1984-86 Waltraud Gebert-Deeg (SVP) Präs.
Dr. Giancarlo Bolognini (DC) Vizepräs. bis 1984
1984-86 Rag. Rolando Boesso (PRI) Vizepräs.
ab 1986 Rag. Rolando Boesso (PRI) Präs.
ab 1986 Waltraud Gebert-Deeg (SVP) Vizepräs.

Abgeordnete
Erich Achmüller (SVP)
Alfons Benedikter (SVP)
Maria Bertolini (SVP)
Alois Durnwalder (SVP)
Alexander von Egen (SVP)
Hubert Frasnelli (SVP)
Rosa Franzelin-Werth (SVP)
Waltraud Gebert-Deeg (SVP)
Bruno Hosp (SVP)
Robert Kaserer (SVP)
Mathias Ladurner-Parthanes (SVP)
Silvius Magnago (SVP)
Sepp Mayr (SVP)
Siegfried Messner (SVP)
Karl Oberhauser (SVP)
Franz Arthur Pahl (SVP)
Oskar Peterlini (SVP)
Hans Rubner (SVP)
Otto Saurer (SVP)
Franz Spögler (SVP)
Hugo Valentin (SVP)
Anton Zelger (SVP)
Alois Zingerle (SVP)
Aldo Balzarini (DC)
Giancarlo Bolognini (DC)
Remo Ferretti (DC)
Pietro Mitolo (MSI-DN)
Luigi Montali (MSI-DN)
Grazia Barbiero (PCI/KPI)
Gaetano D'Ambrosio (PCI/KPI)
Andreina Ardizzone-Emeri (ALFAS)
Alexander Langer (ALFAS)
Arnold Tribus (ALFAS)
Giuseppe Sfondrini (PSI)
Eva Klotz (WdH)
Gerold Meraner (PDU)
Rolando Boesso (PRI)

1988 - 1993

Landeshauptmann
Dr. Silvius Magnago (SVP) bis 1989
Dr. Luis Durnwalder (SVP) seit 1989

Landeshauptmannstellvertreter
Dr. Alfons Benedikter (SVP) bis 1989
Dr. Otto Saurer (SVP) seit 1989
Dr. Remo Ferretti (DC)

Landesräte
Dr. Erich Achmüller (SVP)
Franz Alber (SVP)
Dr. Giancarlo Bolognini (DC)
Dr. Werner Frick (SVP)
Dr. Bruno Hosp (SVP)
Dr. Alois Kofler (SVP)
Sepp Mayr (SVP)
Giuseppe Sfondrini (PSI)

Landtagspräsidenten
Rosa Franzelin-Werth (SVP) Präs.
Comm. Aldo Balzarini (DC) Vizepräs.

Abgeordnete
Erich Achmüller (SVP)
Franz Alber (SVP)
Aldo Balzarini (DC)
Franz Bauer (SVP)
Alfons Benedikter (SVP)
Ruggero Benussi (MSI-DN)
Giancarlo Bolognini (DC)
Siegfried Brugger (SVP)
Luis Durnwalder (SVP)
Alexander von Egen (SVP)
Arthur Feichter (SVP)
Remo Ferretti (DC)
Rosa Franzelin-Werth (SVP)
Hubert Frasnelli (SVP)
Werner Frick (SVP)
Zeno Giacomuzzi (SVP)
Giorgio Holzmann (MSI-DN)
Bruno Hosp (SVP)
Robert Kaserer (SVP)
Eva Klotz (SHB)
Alois Kofler (SVP)
Josef Kußtatscher (SVP)
Alexander Langer (GAL-LVA)
Sepp Mayr (SVP)
Gerold Meraner (FPS)
Pietro Mitolo (MSI-DN)
Luigi Montali (MSI-DN)
Karl Oberhauser (SVP)
Franz Pahl (SVP)
Oskar Peterlini (SVP)
Otto Saurer (SVP)
Giuseppe Sfondrini (PSI)
Arnold Tribus (GAL-LVA)
Hugo Valentin (SVP)
Romano Viola (PCI-KPI)

1994-1998

Landeshautmann
Dr. Luis Durnwalder (SVP)

Landeshauptmannstellvertreter
Dr. Otto Sauer (SVP)
Dr. Michele Di Puppo (PPI)

Landesräte
Dr. Erich Achmüller (SVP)
Dr. Luigi Cigolla (PPI)
Dr. Werner Frick (SVP)
Dr. Bruno Hosp (SVP)
Dr. Alois Kofler (SVP)
Dr. Michl Laimer (SVP)
Sepp Mayr (SVP)
Dr. Romano Viola (PDS)

Landtagspräsidenten
Dr. Sabine Kasslatter-Mur (SVP), Präsidentin
Dr. Michele Di Puppo (PPI), Vizepräsident
(vom 14. Dezember 1993 - bis 11. Februar 1994)
Dr. Alessandra Zendron (G. A. L. - L. V. A. Grüne-Verc)
Vizepräsidentin (ab 12. Februar 1994)

Abgeordnete:
Erich Achmüller (SVP)
Roland Atz (SVP)
Alfons Benedikter (Union für Südtirol)
Ruggero Benussi (MSI-DN)
Hans Berger (SVP)
Marco Bolzonello (MSI-DN)
Luigi Cigolla (DC-Part.Pop)
Herbert Denicoló (SVP)
Michele Di Puppo (DC-Part.Pop)
Luis Durnwalder (SVP)
Arthur Feichter (SVP)
Hubert Frasnelli (SVP)
Werner Frick (SVP)
Giorgio Holzmann (MSI-DN)
Bruno Hosp (SVP)
Sabine Kasslatter-Mur ((SVP)
Eva Klotz (Union für Südtirol)
Alios Kofler (SVP)
Christina Kury (Verdi-Grüne-Verc)
Michl Laimer (SVP)
Pius Leitner (Die Freiheitlichen)
Armando Magnabosco (Unione Centro Alto Adige)
Christine Mayr (SVP)
Sepp Mayr (SVP)
Siegfried Messner (SVP)
Mauro Minniti (MSI-DN)
Umberto Montefiori (Lega Nord A.A.-S.)
Hanspeter Munter (SVP)
Franz Pahl (SVP)
Oskar Peterlini (SVP)
Otto Saurer (SVP)
Romano Viola (PDS)
Christian Waldner (Die Freiheitlichen)
Carlo Willeit (Ladins)
Alessandra Zendron (Verdi-Grüne-Verc)

BIOGRAPHIEN

Achmüller Erich Dr. phil.

B.: Mtgl. d. Südtir. Landesreg., LR. f. Landschafts- u. Umweltschutz, Personalwesen u. Jugendarb.; Vertr. d. Arb. u. Ang. d. SVP. DA.: 39100 Bozen, Crispistr. 5. PA.: 39100 Bozen, Nicolodistr. 29. G.: Sand in Taufers, 30. Juni 1946. V.: Frieda, geb. Tribus. Ki.: Margit, Barbara. El.: Sylvester u. Rosa. S:: Gymn. Brixen, Vinzentinum, LBA Meran, 1965 Matura, Stud. mod. Sprache Univ. Verona, 1968-71 Sprachstud. England, 1972 Prom. K.: Lehrtätigkeit, seit 1971 Mtgl. d. Landesltg. d. ASGB, 1973 in d. Landtag, 1979-81 u. 1983-84 Präs. d. Südtir. Landtages, 1986-87 Präs. d. RegR., 1987-88 LR. f. Personalwesen, Feuerwehrdienst u. Zivilschutz, seit 1989 LR. f. Landschafts- u. Umweltschutz, Personalwesen u. Jungendarb. P.: div. Art. in d. "Arbeitnehmermitteilungen". M.: Kath. Verb., Obm. d. Ortsgruppe Haslach. H.: Bergwandern, Reisen, Musik. (M.G.)

Adang Günther

B.. Bürgermstr., Bankkfm.. PA.: 39031 Bruneck, An d. Kaiserwarte 4. G.: Bruneck, 1. Nov. 1938. V.: Herlinde geb. Seyr. El.: Hermann u. Johanna. S.: HASCH i. Meran, MD 1960-61. K.: 1956 Sparkasse Bruneck a. Bankangestellter, 1973 Gemeinderat i. Bruneck Ressor Sport u. Soziales, 1980-90 Vizebgm., 1990 Bgm.. BL.: Einsatz f. d.Erhaltung u. Restaurierung d. hystorisch wertv. Ragenhauses, Bau d. Altersheimes, offene Altenhilfe, Bau d. Eisstadion. M.: 25 j. Präs. d. Alpenver. Bruneck, Ehrenmitglied Kolpingver., Grdg. Mitglied d. Schieclubs,Vorst. Mitglied Stiftung Südtiroler Sparkassen, Leiter versch. Hilfsaktionen. H.: Schitouren, Bergsteigen, Jazzmusik. (I.D.)

Agostini Alois

B.: Gastronom d. Restaurant Kaiserkron. DA.: 39100 Bozen, Musterpl. 1. PA.: 39100 Bozen, Brennerstr. 7. G.: Eppan, 21. Juni 1973. Ki.: Philip, Thomas, Luis, Martin. El.: Alois u. Maria. S.: Lehrlingsausbild. Gastronomie u. Berufschule Genf, Praktikum in d. Schweiz. K.: Hotelfachschule Lausanne, Englandaufenthalt, 1960 Errichtung eines Hotels in Völs am Schlern, 1980 Kauf d. "Kaiserkron". H.: Rezeptesammeln, Bergwandern, Golf. (P.R.)

Alber Franz

B.: LR. f. öff. Bauarb. u. Gebietskörperschaften. Da.: 39100 Bozen, Crispistr. 5. PA.: 39012 Meran, Katzensteinstr. 2. G.: Meran, 24. Juli 1935. V.: Christine, geb. Steiner. Ki.: Margot, Verena. E.: Franz u. Maria. S.: LBA Meran, 1952 Matura. K.: 28 J. Lehrer d. VS Hafling u. Meran, 1969 Wahl in d. GemR. v. Meran, 1973 StadtR., 1974-80 u. 1983-85 VBgm. u. 1980-83 u. 1985-88 Bgm. v. Meran, seit 1988 im Südtir. Landtag, seit 1989 LR. f. öff. Bauarb. u. Gebietskörperschaften. H.: Bergsteigen, Skifahren, Segelfliegen. (P.R.)

Alber Walter Dr.

B.: Schulinsp. im Schulamt d. Dt. Schule Bozen. DA.: 39100 Bozen, Siegespl. 48. PA.: 39012 Meran, Focolostr. 13. G.: Meran, 12. Feb. 1937. V.: Christl, geb. Erb. Ki.: Birgit (1965), Renate (1970). El.: Franz u. Maria. S.: VS, Mittelschule, LBA u. Univ. Padua, 1967 Prom. u. Dr. päd. K.: ab 1954 Lehrer in Sekundar- u. Grundschulen,1969-85 Grundschuldir. u.a. in Meran, ab 1985 Insp. im Schulamt Bozen, zuständig f. alle Grundschulen in Südtir. P.: Autor v. Schulbüchern m. Schwerpunkt Math., zahlr. Fachart. u. Vortäge im In- u. Ausland Fachgebiet Schulische Integration d. Behinderten, allg. Didaktik, Lehrplanentw. u. Lehrerfortbild. M.: 1975-88 Vors. d. Päd. Inst. Bozen, 1960-69 Ltr. d. Bergrettungsdienstes Meran, Bergführerprüf. H.: Bergsteigen, Skifahren, Segeln, Surfen, Musizieren (Flöte , Gitarre), Lesen. (M.M.)

Albertini Augusto

B.: Präs. d. Nat. Arbeitsinvalidenverb. (ANMIL) Zweigstelle Meran. DA.: 39100 Bozen, Vittorio-Veneto-Str. 15. PA.: 39100 Bozen, Reschenstr. 84. G.: Rovereto, 4. Feb. 1912. V.: Anna, geb. Giovannini. Ki.: Carola, Amadeo. El.: Umberto u. Imelda. S.: Oberschule Rovereto. K.: selbst. Kfm., b. 1938 Parfümerie in Rovereto, tätig als kfm. Ang. in Aluminium Werke, 1954 Eintritt in d. ANMIL, seit 1977 Präs. BL.: 1945 Grdg. d. Pfadfinder Bozen, 1936-37 Gewinner eines Wettbewerbes im Schwimmen, Grdg. U.I.L., Besuch v. Kongressen im polit. u. soz. Bereich. P.: Art. in Form v. Berichten d. Verb. M.: seit 1944 Parteimtgl., Ehrenmtgl. d. Pfadfinger Bozen. H.: Bergsteigen, Bergführen, klass. Musik, Oper, Geschichte. (M.G.)

Amor Helmuth Dr. med.

B.: Prim. d. Regional-KH Bozen. DA.: 39100 Bozen, Lorenz-Böhler-Str. 5. PA.: 39100 Bozen, Prinz-Eugen-Allee 24. G.: Bozen, 2. Nov. 1938. V.: Eva, geb. Aufschneiter. Ki.: Karin, Verena, Martin. El.: Konrad u. Josefine. S.: 1957 Matura, Med.-Stud. Univ. Wien, 1963 Prom. K.: b. 1967 Militärdienst u. Turnuspraxis, b. 1974 Ass. d. med. Klinik Innsbruck u. Ausbild., ab 1975 OA, 1978 Habil. in Innsbruck, 1980 Prim. P.: ca. 40 Publ. H.: Sport, Musik, Lesen. (P.R.)

Amplatz Marianne

B.: Präs. d. Gen. Lebenshilfe f. Leistungsbehinderte seit 1985. GT.: seit 1978 Sozialarb. im Vintschgau. DA.: 39100 Bozen, Dreihiligeng. 1. PA.: 39100 Bozen, Col-di-Lana-Str. 24. G.: Truden, 31. Dez. 1939. Ki.: Claudia. El.: Alfons u. Philomena Amplatz. K.: b. 1961 in div. VS, 1971-77 Mitarb. Lebenshilfe, Nat. Hilfswerk f. Mutter u. Kind, b. 1977 f. Behindertenbetreuung an d. Schule, div. Betreuungen f. Waisenkindern, außerehel. Kindern in d. autonomen Provinz Bozen, seit 1978 Sozialarb. im Vintschgau. H.: Theater, Musik (Gitarre), Garten- u. Feldarb., Langlaufen, Kochen.

Andergassen Günther Dr. phil.

B.: pers. Ref. d. LHptm.-Stellv. Dr. Otto Sauer in d. Südtir. Landesverw. DA.: 39100 Bozen, Horazstr. 4D. PA.:39052 Kaltern, Heppenheimerstr. 20. G.: Kaltern, 25. Nov. 1948. El.: Anton u. Rosa, geb. Anderlan. S.: Franziskaner Gymn. Bozen, 1969 Matura, 1969-76 Stud. Erziehungswiss. u. Psych. Univ. Innsbruck m. Prom. K.: 1972-83 Heimltr. u. Lehrer Ldw.-Schule Fürstenburg, ab 1984 pers. Ref. d. LHptm.-Stellv. M.: GemR. in Kaltern, VPräs. d. Verb. d. Sportver. Südtir., Grdg.- u. Vorst.-Mtgl. d. Südtir. Sporthilfe, Mitbegründer u. Vorst.-Mtgl. d. Südtir. Medienver., Vorst.-Mtgl. d. Südtir. Volksmusikkreis. H.: Sport, klass. Musik.

Anesi Paul

B.: Innenarch., Inh.; Gen.-Vertr. d. Firma Complus f. Südtir. FN.: Anesi Einrichtungszentrum. DA.: u. PA.: 39100 Bozen, Galileistr. 4. G.: Trient, 27. Dez. 1946. V.: Renate. Ki.: Alessandra, Claudia. BV.: Urgroßvater Michael Anesi 1863 Firmengründer in Trient. S.: techn. Schule, 1967 Matura, Ak. Cultura Moderna Rom, 1969 Dipl. als Innenarch. K.: 1970 Eintritt in d. väterl. Firma, Militärdienst, 1974 Umwandlung d. Firma in KG, 1987 Anteile d. Vaters übernommen. P.: div. Art. in Fachzeitschriften. H.: Jagd, Hobbybauer. (A.W.)

Aschbacher Anna

B.: Dir.. FN,.: Stadtbibliothek Bruneck. DA.: 39031 Bruneck, Stadtgass 63. PA.: 39031 Bruneck, Taufererstr. 4. G.: Bruneck, 3. Feb. 1955. El: August u. Stefanie. S.: Kfm.

Lehrausbildung i. Brixen, 1978 Matura, i. Kursen u. Seminaren Ausb. z. Bibliothekarin. K.: 1973-79 i. Gemeindedienst, 1979 Eintritt i. d. Stadtbibliothek, 1982 ern. z. Leiterin, d. erste öffentliche v. Land geförderte Bibliothek, BL.: Veranst. v. Dichterlesungen . M.: Aufbau Filmclub Bruneck. H.: Lesen, Wandern, Musik, Geselligkeit pflegen. (I.D.)

Aspmair Othmar
B.: Kfm. FN.: Tecno Almar Italien, Elekta, Aspo Österreich. DA.: 39055 Bozen-Leifers, Nobelstr. 18. PA.: 39010 Tiesens, Gfrill 5. G.: Tiesens, 12. Juli 1953. El.: Josef u. Theresia. S.: Grundschule, mittlere Oberschule, Maschinenbautechnik, 1972 Abschluß, 1975 Ausbild. im Hdl., Militär, K.: 4 J. Prof. Mittelschule Meran, 1976 Einstieg in d. Hdl., 1980 Grdg. d. Firma "Tecno Almar", 1988 Grdg. Firma Aspo, 1990 Einstieg Ästhetik u. Schlankheitsbranche, Zweitbetrieb in Meran, 1991 Übernahme d. Firma Elekta Innsbruck. E.: 1992 Italia Che Lavora. M.: Handelsverb. Südtir., Intern. V.I.P. Club, Avedisco, Sportver. H.: Münzensammler, Autorennen, Skifahren, Segeln. (M.W.) ;

Atz Roland
B.: Kfm. DA.: 39100 Bozen, Crispistr.6. G.: Bozen, 11. Juli 1946, verh., 2 Kinder. K.: Ausb. als Elektriker, mit 19 J. in d. Hdl. eingetr. u. s. 1975 als selbst. Kfm. tätig, s, 1948 SVP-Ortsausschußmtgl. in Gries/Bozen u. in Folge Mtgl. im Koordinierungausschuß d. Stadt Bozen,1989-1993 Stadtrat f. Verkehrswesen, Hdl. u. Fremdenverkehr i. d. Bozner Gem.verw., bes. Einsatz f. d. Bozner Verkehrspplan (farbige Zonen), Handelsplan, Christkindlmarkt, Taxieglement, Reglement f. d. Obstmarkt, s. 1993 im Südtir. Landtag. M.: Landtagspräs., SVP Fraktionsspecher im Regionalrat.

Atzwanger Peter
B.: Gschf. FN.: Atzwanger AG. DA.: 39100 Bozen, Drususallee 29-33. G.: Bozen, 16. Jan. 1934. V.: Margret, geb. Bacher. Ki.: Dr. Martin (1961), Dipl.-Ing. Ursula (1964), Dr. Michael (1965). El.: Luis u. Hedwig, geb. Metz. S.: Faching.-Lehre m. Abschluß 1951. K.: 1951 Eintritt in d. elterl. Betrieb, 1970 Übernahme, Aufbau v. Schwesternfirmen in Sbg. u. München. BL.: Wasseraufbereitungsanlagen f. Thermalbäder u. kommunale Bäder, Fernheizanlage Bozen, Wärmekoppelung KH Meran, Filteranlage f. Aquarium Genova f. 500 J.-Feier v. Christoph Columbus. H.: Segeln, Skifahren. (N.A.)

Auer Robert
B.: Gschf. Ges. FN.: Hedera Natur GmbH. DA.: 39100 Bozen, Bozner Bodenweg 17. PA.: 39100 Bozen, Selig-Heinrich-Str. 28. G.: Linz, 6. Dez. 1950. V.: Waltraud, geb. Kranebitter. Ki.: Bärbel (1989). El.: Robert u. Maria, geb. Hefner. S.: Kfm. Lehre, EDV. K.: 1986 Grdg. d. eigenen Firma, Vertrieb im Großhdl. u. Detailgeschäft v. umweltfreundl. u. gesunderhaltenen Produkten u.a. Wasch- u. Reinigungsmittel "Almaco Bio". M.: Obm. d. Haslacher Singkreises, Vors. d. Öff. Bibl. Haslach-Oberau. H.: Lesen, Musik, Wandern. (N.A.)

von Aufschnaiter Werner Dr. jur.
B.: Amtsdir. im Amt f. Sprachangelegenheiten. DA.: 39100 Bozen, Leonardo-da-Vinci-Str. 20. PA.: 39100 Bozen, St. Anton Str. 2. G.: Bozen, 14. Mai 1943. V.: Ursula, geb. Ende. Ki.: Maja, Florian. El.: Friedrich u. Maria. S.: 1963 Matura, 1965-72 Stud. in Innsbruck, Padua u. Modena, 1972 Prom. K.: während d. Stud. tätig in d. RA-Kzl. d. Vaters, 1972 Eintritt in d. Südtir. Landesverw./Personalamt, 1978 Übersetzungsamt, seit 1981 Ltr. d. Amtes f. Sprachangelegenheiten. P.: "Zur Situation d. Deutschen in Südtirol", "Germanistische Mitteilungen". H.: Musik, Chorsänger, Tischlern, Lesen. (P.R.)

Bagnara Bruno
B.: Steinmetz, Inh. FN.: Nikolaus Bagnara OHG. DA.: 39057 Eppan, Maria-Rast-Weg 34. G.: Sulzberg/Vbg., 20. Apr. 1947. V.: Ida, geb. Christoph. Ki.: Philipp, Daniela, Niko. El.: Nikolaus u. Maria. S.: Gewerbeschule Bozen. K.: 1971 Eintritt in d. väterl. Firma, 1976 Übernahme d. Firma. M.: Obm. d. Fußballver. Eppan. H.: Fußball, Skifahren, Bergsteigen. (A.W.)

Balzarini Aldo
B.: Handelsbetriebsltr., VPräs. d. Südtir. Landtages. DA.: 39100 Bozen, Crispistr. 5. PA.: 39012 Meran, Winkelweg 11. G.: Meran, 7. Juli 1930. V.: Maria-G., geb. Marzoli. Ki.: Donatella, Anna, Georgo. K.: 1960-65 DC-Fraktionssprecher im Meraner GemR.,1966-73 Bgm. v. Meran, 1973-76 u. seit 1978 im Landtag, 1978-81 VPräs. d. Landtages, 1984-89 Südtir. Landesreg., LR f. Finanzen u. Vermögen, seit 1984 VPräs. d. Südtir. Landtages, Präs. d. 4. Gesetzgebungskmsn. u. Mtgl. d. DC-Landesltg., Vors. d. DC-Stadtkomitees v. Meran, VPräs. d. Volksbank Meran. (P.R.)

Barchetti Franco
B.: Gschf., Inh. FN.: Barchett AG Bozen. DA.: 39100 Bozen, Pacinottistr. 4. PA.: 39100 Bozen, Wenterg. 8. G.: Bozen, 3. Sep. 1937. V.: Ingrid, geb. Hofmann. Ki.: Andreas, Ivo. S.: wiss. Lyzeum, 1956 Matura. K.: 1956 Eintritt in d. elterl. Firma, 1964 Gesamtübernahme d. Firmenltg., 1974 Grdg. d. Firma Gimur AG, 1982 Erwerb d. Troger Papierwerke AG Lana. H.: Klass. Musik, Bergwandern, Garten, Tennis. (P.R.)

Barducci Giacomo Dr. arch.
B.: Amtsdir. im Amt f. Lanschaftsplanung. GT.: Gutacher f. Rekurse im Fall d. Ablehnung aus Landschaftsschutzgründen. DA.: 39100 Bozen, Cesare-Battisti-Str. 21. PA.: 39100 Bozen-Gries, Mühlbach-Promenade 6. G.: Bozen, 12. Juli 1945. V.: Ingrid, geb. Fischnaller. Ki.: Armin, Martina. S.: wiss. Lyzeum Bozen, 1964-69 Polytechnikum Univ. Mailand, 1969 Prom., 1970 Staatsprüf. K.: b. 1971 priv. Tätigkeit m. einer Planergruppe f. Raumplanung u. d. Planung v. Sportanlagen, 1971 Amt f. Landschaftsschutz Bozen, 1980 Amtsdir. f. d. Landschaftsplanung, 1973-82 Planung u. Etablierung d. Landschaftsplanung auf Gem.-Ebene d. Provinz Bozen. P.: Ital. Fassung d. Ausgaben über d. Naturparks u. Naturdenkmäler Südtir., Autor u. Red. d. Zeitschrift "Pagine di Ocologia" (seit 1980), dt. Art. f. d. Europ. Bulletin "Natur- u. Nationalparks", div. Art. in div. Fachzeitschriften, Veröff. über Landschaftsschutz u. d. Umwelt Südtir., Min. f. Kultur u. Ecologie. M.: ital. Inst. f. Städteplanung, BeiR. in einigen Baukmsn. u. in d. Raumordnungskmsn. H.: Sammeln v. Mineralien, Briefmarken, Reisen. (C.K.)

Bassetti Mariano Ing.
B.: Gschf. Ges.; intern. Bergtouren-Radrennfahrer. FN.: RAM - Büroservice. DA.: 39100 Bozen, Mazzinipl. 15. PA.: 39100 Bozen, Weineggstr. 8 G.: Bozen, 8. Dez. 1953. El.: Alfons u. Angela. S.: Gewerbeschule in Bozen, 1974 Matura, Stud. Univ. Trient, 1975 Ing., div. Fachkurse f. techn. Büromaschinen u. Computer, Jährl. Beteiligung an Fachsem. d. Herstellerfirmen in Mailand, Florenz u. Rom. K.: Techn. Ass. Firma A. M. s.a.s. Bozen, Firma BOPAM s.a.s. Bozen, 1987 Grdg. d. Firma RAM Büroservice. BL.: seit J. Beteiligung an Intern. Bergtouren-Fahrradrennen, "Dolomiten Bergtour". E.: ca. 10 Pr. versch. Plazierung im Bergtouren-Rennsport, 1980 1. Pl. Mendelpaß. M.: Renn-Radfahrerclub Südtir., Südtir. Alpenver. H.: Radrennen, Bergsteigen, Fotografieren, Musik, Sammeln alter u. ausländ. Münzen. (M.G.)

Battistata Ivano
B.: Brennertechniker u. Elektriker. FN.: CALOR SNC. DA.: 39100 Bozen, Alessandriastr. 23/A. PA.: 39100 Bozen, Via-del-Ronco. G.: Bozen, 13. März 1946. V.: Ileana, geb. Dainese. Ki.: Andrea. El.: Bruno u. Natalia. S.: VS, Mittelschule, Kurse, Seminare. K.: 25 J. Ang. b. Firma Piazzi, seit 1986 selbst., Übernahme d. Lamborghini Agentur. M.: Armateurmannschaft (Radrennsport). H.: Radfahren. (M.G.)

Battistata Lorenz Ing.
B.: Vertragshändler f. Lamborghini. FN.: CALOR OHG; Ivano Battistata & Co. DA.: 39100 Bozen, Alessandriastr. 23/a; 39012 Meran, Leopardistr. 39. PA.: 39100 Bozen, Mailandstr. 123. G.: Bozen, 18. Dez. 1964. El.: Umberto u. Laura. S.: Gewerbeoberschule f. Maschinenbau, 1985 Matura, Militär, während d. Stud. als Hydrauliker praktiziert. K.: 1986 gemeinsam m. Onkel Ivano Battistata Geschäft eröff. E.: Silb. Med. Schwimmeisterschaften Bozen. M.: Kollegium d. Faching. Provinz Bozen. H.: Skifahren, Windsurfen, sportl. u. fachl. Interesse .(M.G.)

Battisti Fedele
FN.: Fedel Battisti Reparaturwerkstätte. DA.: 39100 Bozen, Dolomitenstr. 19. PA.: 39100 Bozen, Via Palermo 40. G.: 5. Okt. 1937. V.: Christina. Ki.: Luca. S.: Ind.-Schule, Mechanikerlehre. K.: seit 25 J. selbst. H.: Sport (P.R.)

Bauer Franz Dr. Ing.
B.: Politiker, Mtgl. d. Regionalreg. Trentino Südtir. (Ressort: Grundbuch- u. Katasterwesen), Mtgl. d. RegionalR. d. Südtir. Landtages. DA.: 39100 Bozen, Duca-d'Aosta-Str. 40. PA.: 39020 Goldrain, Graf-Hendel-Str. 39. G.: Latsch, 4. Dez. 1936. V.: Elisabeth, geb. Mayr. Ki.: Stephan, Beda, Ulrich. S.: Hum. Gymn. Meran, 1956 Matura, 1961 Dipl. Kulturtechnik Wien, Militär, Praktikum, 1967 weiteres Dipl. d. Forstwirtschaft. K.: seit 1967 in d. SVP aktiv, seit 1969 im GemR. v. Latsch, 1977-88 Bgm. d. Gem. Latsch, Landesobm.-Stellv. im Dachverb. d. Südtir. Sportver., Mitarb. d. Südtir. Sportstättenleitplanes, b. 1988 Präs. d. Abwasserverb. v. Mittel-Vintschgau, Mtgl. d. VerwR. d. Talgemeinschaft v. Vintschgau, ab 1968 als Forstinsp. im Landesdienst, 1970-88 Gebietsbaultr. f. Wildbachverbauung im Burggrafenamt u. Vintschgau, seit 1988 LAbg. im Südtir. Landtag, stellv. Vors. d. II. Gesetzgebungskmsn. P.: einige Veröff. M.: Kiwanis-Club Vintschgau. H.: Skifahren, Jagd. (M.M.)

Bauer Markus
B.: Hotelkfm.; Sekr. d. Führungsaussch. f. d. Naturparks in Südtir. Landesverw. PA.: 39020 Jenesien, Dorf 252. G.: Brixen, 8. Okt. 63. V.: Anita, geb. Senoner. S.: 2 J. Kursus f. Reisebüroang., Sekr. in Skischule Wolkenstein, 1984 Reifeprüf. als Hotelkfm., dzt. Stud. Rechtswiss. Univ. Trient. K.: 1984 Eintritt in d. Landesverw. H.: Leichtathletik, Skilanglauf. (C.K.)

Baumgartner Eduard
B.: Präs. FN.: FERCAM Sped.; GONDRAND Sped. GT.: Mercedes Ndlg. Vertragshändler f. Provinz Bozen. DA.: 39100 Bozen, Galvanistr. 43. PA.: 39050 Völs. G.: Völs, 29. Mai 1923. V.: Hedwig, geb. Damian. Ki.: Jakob, Alois, Thomas, Markus, Konrad. S.: dt. Militär, v. 1947 Gefangenschaft. K.: viele J. m. LKW unterwegs, zunächst Nah- dann Fernverkehr, 1963 Grdg. d. FERCAM Sped., 1974 Vertragshändler f. Daimler Benz, 1986 Übernahme d. Sped. GONDRAND, Sped. GASPERAT. H.: Sport. (P.R.)

Baur Günther Dipl.-Päd.
B.: Gen.-Sekr. d. Südtir. Gewerkschaftsbund CISI. DA.: 39100 Bozen, Amba-Alagi-Str. 14. PA.: 39042 Brixen, Vintlerweg 6.G.: Mals/Vintschgau, 21. Sep. 1955. V.: Lioba, geb. Sperber. Ki.: Christoph, Helene. S.: kfm. Lehranst. Brixen, Betriebssekr., 1975 IB Matura in UWC Atlantic College Südwales/GB, 1979 Philips Univ. Marburg Dipl.-Päd. K.: 1978-79 Päd. Aktion München Päd. Mitarb., 1980 Zivildienst Bozen, erste Kontakte z. Gewerkschaft, ab 1981 Bez.-Sekr. in Brixen, ab 1985 Gen.-Sekr. auf Landesebene. M.: Ver. f. Kinderspielplätze, Vors. d. Ver. Jugendhaus Kassianeum, gewerkschaftsnahe Ver., Einkaufsver., Konsumentenschutzver., AufsR. in 2 Gen., Gen.-Förderungsinst., Handballver. H.: Handball, Gartenbau. (C.K.)

Baur Siegfried Dr. phil. Dir.
B.: Grundschuldir. DA.: 39100 Bozen, Kuepachweg 11/B. PA.: 39100 Bozen, Oswaldweg 73/B. G.: Wels, 24. Apr. 1943. V.: Dr. Martina, geb. Felder. Ki.: Andres, Isabella. El.: Johann u. Katharina. S.: 1961 Matura in Meran, Stud. Päd., Psych. Univ. Innsbruck u. Urbino, 1969 Prom. K.: Grundschullehrer, Mittelschullehrer, ab 1972 Grundschuldir. zunächst in Sarnthein u. dann Bozen, 1975-82 Erprobung eines Lehrplanes f. d. Unterr. d. zweiten Sprache an d. Grundschulen in Südtir., 1982-85 Schulref. am ital. Gen.-Konsulat in München. P.: Publ. in Fachzeitschriften. H.: Schach. (P.R.)

Beccaro Gino Dr.
B.: Jurist, Fachmann f. Verkehrsunfallwesen u. Vers.-Recht. DA.: 39100 Bozen, Mendelstr. 34. PA.: 39100 Bozen, Garibaldistr. 36/151. G.: Pordenone, 18. Aug. 1920. V.: Dora. Ki.: Dr. Roberto, Dr. Franco (RA). S.: 1938 Matura Bozen, Stud.: Padua, Bologna, Urbino, Neapel, Mailand u. Rom. K.: Offz. d. Luftwaffe u. Pilot, Zivilluftfahrt, 1952 Eröff. eigener Kzl., Präs. Forsch. Komitees f. intern. Verkehrsrecht, Ref. b. intern. Kongressen v. Rom, Stresa, Wien, München, Staßburg u. Washington, 8 J. Doz. in Mailand. P.: Veröff. mehrerer Bücher, Sutdientexte u. eines Komentars z. ital. Straßenverkehrsordnung. M.: Touring Club Italiano, ÖAMTC, ADAC u. Touring Club Suisse, Jurist. Journalist u. Kommentator v. Rechtsurteilen, b. versch. intern. Ak. H.: Bergwandern, Flug, Skifahren. (P.R.)

Bellini Stefano
B.: Gschf. FN.: Club del Viaggiatore Agenzia Reisen ohne Grenzen. DA.: 39100 Bozen, Leonardo-da-Vinci-Str. 20. PA.: 38068 Roveretto, Corso Rosmino 52. G.: Roveretto, 16. März 1961. El.: Virgilio u. Anna Maria, geb. Zanghellini. S.: Oxford College Trient Fachrichtung Tourismus. K.: 1980-86 Agenzia Atierce Roveretto, 1986-87 Orbiter tour operator in Verona, 1987-79 Schio Agenzia Viaggi Cello azurro, 1989-91 Lehrbeauftrager am Inst. provinciale professionale u. Academia superiora per il turismo de la provincic Trients, 1991 Eröff. d. Agentur Reisen ohne Grenzen Bozen, Zweigstelle v. Club del Viaggiatore. H.: Reisen, Fotografieren, Sport. (N.A.)

Bellutti Alessandra
B.: Journalistin d. Tiroler Tageszeitung Südtir. Redaktion. DA.: 39100 Bozen, Dominikanerpl. 35. PA.: 39100 Bozen, Guntschnastr. 27. G.: Bozen, 28. März 1951. El.: Theodor u. Elfriede Bellutti, geb. Kofler. S.: kfm. Lehre. K.: 1971 Einstieg in d. Zeitungswesen zuerst als Praktikantin, dann als Redakteurin, ab 1984 in d. Südtir. Redaktion d. Tiroler Tageszeitung, zuständig f. Berichterstattung aus Südtir., lfd. Mitarb. b. Radio Tir. in Dorf Tirol. M.: Berufskam. d. Journalisten, Kath. Ver. d. Publizisten in Österr. H.: Lesen, Schwimmen, Langlaufen, Theater, Konzerte. (N.A.)

Benedikter Alfons Dr.
B.: seit 1948 Abg. z. Südtir. Landtag, 1960-89 LHptm.-Stellv. u. LR. f. Raumordnung u. soz. Wohnbau. PA.: Frangart, Weinstr. 60. G.: Pettneu, 14. März 1918. V.: Waltraud, geb. Noldin. Ki.: Rudolf, HEinz, Thomas, Susanne, Eva, Armin. El.: Josef u. Kreszenz. S.: Vizentinum Brixen, Franzis-

kanergymn. Bozen, staatl. klass. Lyzeum Meran, 1936 Matura, Stud. d. Rechtswiss. u. d. eng. u. russ. Sprachen am Oriental. Inst. in Neapel, 1940-45 ital. dann dt. Militär, Russisch-Dolm. u. Kriegsgefangenschaft, 1945 1. Bez.-Sekr. d. SVP in Schlanders, 1946 Bmtr. d. staat. Arbeitsamtes in Bozen, 1948-53 Landesass. f. Handwerk u. gew. Berufschulwesen, 1953-59 Regionalass. f. Gem.-Ordnung, Grundbuch u. Feuerwehr, 1959 Landesass. f. Raumordnung u. gefördeten Wohnbau, seit 1972 Mtgl. paritätische Kmsn. in Rom f. Durchführungsbestimmungen Autonomiestatut. P.: unzähl. Art. im pol. Tageblatt d. Südtir. sowie Broschüren in Auseinandersetzung über Südtirolfragen u. Landschaftsschutz. M.: 1989 Grdg. d. Union f. Südtir. u. deren Obm. H.: Bergwandern, Natur- u. Umweltschutz. (M.G.)

Benedikter Hans Dr.

B.: Journalist, Publizist, Politiker, Parlamentarier. DA.: 39100 Bozen, Brennerstr. 7A. PA.: St. Pauls-Eppan, Feldweg 11. G.: Prettau im Ahrntal, 27. Jan. 1940. V.: Elfriede, geb. Kainzwalder. Ki.: Barbara, Sabine, Jonas, Lukas. S.: hum. Stiftsgymn. Seitenstetten, 1958 Matura, 1958-62 Stud. d. mod. polit. Geschichte Univ. Wien, 1962 Prom. K.: 1958-61 Die Presse Lokal- u. Kulturred., 1961-72 Aufbau d. Pressestelle in d. Südtir. LReg., seit 1961 polit.Tätigkeit, 1963 Wahl z. stellv. Bez.-Obm. d. Pustertales, 1968-72 Bgm. d. Gem. Prettau, seit 1967 im SVP-Parteiaussch., 1970-76 1. Landesjugendref. d. SVP u. Aufbau d. SVP Jugendorgan., 1970 Mtgl. d. Parteiltg. P.: Bücher "Rebell im Land Tirol" (1970), Eurokommunismus: "Der große Bluff" (1978), Biografie "Silvius Magnago - ein Leben f. Südtirol" (1983), Veröff. in d. Tageszeitung "Dolomiten" Jeanne d'Arc. (C.K.)

Benussi Ruggero Dr.

B.: ltd. Ang., VSekr. d. MSI/DN. G.: Fiume, 21. Okt. 1924. verh.; 1 Kind. K.: 1969-74 im GemR. v. Bozen, seit 1988 im Südtir. Landtag, Sekr. d. 3. Gesetzgebungskmsn., 1966-72 Landessekr. (Obm.) d. MSI/DN, z.Zt. VSekr.

Benvenuti Benno Dr.

B.: VPräfekt/Vikar - Reg.-Kommissariat f. d. Provinz Bozen. DA.: 39100 Bozen, Prinz-Eugen-Allee 11. G.: Brixen, 3. Okt. 1927. V.: Juliana, geb. Stovanni. Ki.: Michaela, Carlo. S.: 1946 Matura, Jusstud. in Bologna, 1951 Prom. K.: Prokurator, RA-Prüf., 1953 Laufbahn d. Präfekten, 1982 Vikar. E.: Commendatore Ordine al Merito della Repubblica. H.: Sport, Literatur, Reisen. (P.R.)

Benvenuti Gianfranco

B.: Dir. d. Stadthotels Citta. DA.: 39100 Bozen, Waltherpl. 21. PA.: 39100 Bozen, Via Weggenstein 19B. G.: Reggio Emilia, 30. März 1936. V.: Gabriella, geb. Baldi. Ki.: Guliano, Gulia. S.: Stud. Wirtschaft u. Hdl. Univ. Parma. K.: Tätigkeit in d. ldw. Ind., Dir. d. Handeslabt., anschl. Ltg. eines Hotels u. renom. Restaurants in San Remo, Übersiedlung nach Bozen, Vors. d. S.p.A. Esercizio Alberghi, seit 1974 Dir. d. HotelsCitta, Berater d. Kurverw. P.: versch. Vorlesungen in Hotelfachschulen, Abhaltung eines Kurses an d. Abend-Univ.: "Phantasie d. Küche". E.: Großmeister d. Orden d. Bagnacauda v. Nizza Menferrato. M.: im R. d. USEB, versch. Kmsn. f. d. Reglementierung öff. Aufgaben. H.: Die regionale Küche Italiens.

Berger Albert Dr.

B.: Dion.-Berater. FN.: Organ. System GmbH. GT.: Freie Dozententätigkeit über Informatik u. Prgan. b. einem Univ.-Konsortium f. Managerausbild. in . Region Veneto. DA.: 39100 Bozen, Raing. 14/5. PA.: 39100 Bozen, Amba-Alagi-Str. 28. G.: Bozen, 16. Mai 1954. V.: Fernanda, geb. Nicolodi. Ki.: Christian, Elisa. S.: wiss. Lyzeum, 1973 Matura, 1973-76 Ing.-Stud., 1976-79 Wahl d. ökonom. Richtung, Besuch d. Univ. in Verona. 1979 Prom. K.: 1979-83 Arb. in d. väterl. Möbeleinrichtungsfirma u. Aufbau d. Organ. u. Informatiksystems, 1983-85 Studio Dr. Berger Betriebsberatung u. Planung v. Informationssystemen, seit 1985 Umwandlung d. Studios zunächst in eine OHG, dann in eine GmbH. M.: Mitbegründer einer Forschungsgruppe f. Informatik, Krebshilfe-Zentr. H.: Sport, Fotografie, Elektronik. (C.K.)

Berger Hans

B.: Gastgew. Untern. DA.: 39100 Bozen. Crispistr.6. G.: Mühlwald, 4. Dez. 1947., verh. K.: 1974-93 im GemR. von Sand in Taufers, ab 1979 Gem. Assessor f. Tourismus (ab 1990 auch f. Sport), s. 1980 Obmann d. HGV-Bez. Pustertal, s. 1985 Vizepräs. d. Südtir. Hotelier-u. Gastwirteverb. (HGV), 1988-93 Präs. d. Naturparkes"Rieserferner", s. 1993 im Südtir. Landtag, Präs. d. 3. Gesetzgebungskmsn. u. Mtgl. d. Landtagspräsid., Mtgl. d. Wohnbaukomitees.

Berger Josef Franz Dr. phil.

B.: Sachbearb. f. Bibl.-Wesen, Grdg. u. Vorst.-Mtgl. d. Bibl.-Verb. Südtir. DA.: 39100 Bozen, Crispistr. 8. PA.: 39100 Bozen, Kuepachweg 7a. G.: Ulten, 8. Okt. 1943. V.: Inge, geb. Huber. Ki.: Alexander, Claudia. El.: Franz u. Maria. S.: 1962 Matura, Stud. Phil., Theol., Päd. Brixen, Würzburg, Bamberg, Innsbruck, 1975 Prom. K.: 1974-75 Volksbibl. Ausbild. in Österr., seit 1975 in d. Kulturabt. Südtir. H.: Lesen, Wandern, Skifahren, Gartenarbeit. (P.R.)

Bernard Robert

B.: Gschf. FN.: COMPUT Electronic KGSAS. DA.: 39100 Bozen, Drususstr. 277. PA.: 39012 Meran, Lorbeerg. 1. G.: Meran, 23. Sep. 1955. V.: Isabella, geb. Holzner. El: Josef u. Waltraud. S.: HASCH. K.: 15 J. Tätigkeit in einer Raiffeisenbank, davon 7 J. Abt.-Ltr., ab 1983 Gschf. v. COMPUT KG. M.: im Aussch. v. Skiclub Meran. H.: Skifahren, Tennis. (P.R.)

Bernardi Walter

B.: ltd. Landessekr. FN.: AGB CGIL Allg. Gewerkschaftsbund. DA.: 39100 Bozen, Trieststr. 78. PA.: 39042 Brixen, Oswald-v.-Wolkenstein-Str. 29/8. G.: Lienz/Osttir., 17. Feb. 1943. V.: Anna, geb. Meardi. Ki.: August, Michaela. S.: Hdls.-Oberschule St. Ulrich, Gröden. K.: 1961-67 SAD Schaffner, 1967 Eintritt in d. Gewerkschaft als hauptamtl. Funktionär, Bez.-Sekr. d. Bez. Brixen, Brunneck, 1986 Wahl z. ltd. Landessekr. d. AGB. P.: Beiträge in d. "Arbeiterzeitung", d. "Voce dei laboratori", ital. Tageszeitungen. M.: seit 1967 im Leistungsaussch., im BundesR. d. CGIL in Rom, im WirtschaftsR. d. Provinz Bozen, im Landeskomitee d. NIDF-INPS. H.: Sport, Miniaturbahnen. (C.K.)

Bertoldi Lionello

B.: Geometer. G.: Levico Terme, 31. Aug. 1928. verh.; 2 Kinder. K.: seit 1963 in d. Gem.-Politik tätig, zunächst im GemR. f. Leifers, anschl. im Bozner GemR., dort ab 1968 Frakt.-Sprecher d. PSI/KPI-GemR.-Frakt., seit 1964 Mtgl. d. PCI/KPI-Landesltg., z.Zt. im PCI/KPI-Regionalkomitee u. im Aussch. d. aut. Landesorgan., 1987 Wahl in d. Senat, Sekr. d. Finanz- u. Schatzaussch. im Senat, Mtgl. d. Zweikammeraussch. f. regionale Fragen u. d. Untersuchungskmsn. f. Anschläge u. Terrorismus.

Bertolini Maria

B.: Fachlehrerin f. Hauswirtschaft; LAbg. FN.: SVP Landtagsfraktion im Landtag. GT.: Landesltg. d. SVP Frauenschaft, VerwR. d. Musikinst. in dt.-latin. Sprache, Mtgl. d. 1. Gesetzgebungskmsn. Schule, Kultur, Sport, Personal. DA.: 39100 Bozen, Crispistr. PA.: 39100 Bozen, Kapuzinerg. 4. G.: Meran, 17. Sep. 1931. S.: dt. VS, HS, HASCH, Höhere BLA f. ländl. Frauenberufe, 1959 Matura. K.: 1948-54 Arb. in d. Hotelbranche (Service, Küche), 1960-61 Hauswirtschaftslehrerin in Dietenheim, 1961-73 AssR. f.

Ldw., Landjugendberatung u. Hauswirtschaftl. Beratung, Zuständigkeit f. Hauswirtschaftsschulen, seit 1972 polit. Laufbahn: LAbg., ab 1978 stellv. Fraktionssprecherin, 1978-83 Mtgl. d. Wohnbaukomitees, 1983-87 Dir. d. ländl.-hauswirtschaftl. Bild.-Zentr. "Frankenberg", 1987 wieder Nachrückung in d. Landtag. M.: 1975-85 Vors. d. PfarrgemR. Bozen, 1980-84 Vors. d. Arge im Heimatpflegeverb. "Lebendige Tracht". H.: Wandern, Bergsteigen, Musik, Kochen. (C.K.)

Biamino Alexander Dr. jur.
B.: RA. DA.: 39100 Bozen, Leonardo-da-Vinci-Str. 16. PA.: 39037 Mühlbach, Stöckelweg 147. G.: Bozen, 10. März 1956. V.: Eva, geb. Rogen. Ki.: Sophie, Moriz. S.: Klass. Lyzeum Bozen, 1975 Matura, Jusstud. an d. Univ. Bologna, 1983 Prom. K.: 1985-86 Praktikant Dr. Paolo Fava Bozen Strafrechtskzl., seit 1986 gemeinsam m. Vater Dr. Bruno Biamino in d. eigenen Kzl. in Bozen. H.: Skifahren, Hunde. (C.K.)

Biasi Franco Dr.-Ing.
B.: Industrieller. FN.: COMIN GmbH. DA.: 39100 Bozen, Drususallee 56; 39100 Bozen, Siemenstr. 4 PA.: 39100 Bozen, Via Max Vallier. G.: Cles, 14. März 1953. V.: Marina, geb. Bolzan. S.: Mittelschule, Gymn., 1972 Matura, TU in Padua, 1977 Prom. K.: Militärdienst als OLt. in Aosta u. Bozen, 1979 Übernahme d. väterl. Autosalons u. Führung d. Betriebes gemeinsam m. d. Bruder, 1963 Konzessionär f. Renault in Bozen, 1984 Grdg. d. Firma NUOVA AUTOTREN Konzessionär f. Renault in Bozen. M.: Industriellenverb., Organ. v. Konzessionären in Italien. H.: Sport, bes. Skifahren, Langlaufen, Schwimmen, Bergsteigen, Tennis, Fahrradfahren. (C.K.)

Biasi Vinicio Dr. oec.
B.: Industrieller. FN.: COMIN GmbH. DA.: 39100 Bozen, Drususallee 56. PA.: 39100 Bozen, Guntschnerstr. 21. G.: Cles, 14. März 1953. V.: Monika, geb. Widmann. S.: Mittelschule, Gymn., 1973 Matura, WU Bologna, 1978 Prom. K.: 1979 Übernahme d. väterl. Autosalons u. Führung d. Betriebes m. d. Bruder, 1963 Konzessionär f. Renault in Bozen, 1984 Grdg. d. Firma NUOVA AUTOTREN, Konzessionär f. Renault in Bozen. M.: Industriellenverb., Organ. v. Konzessionären in Italien. (C.K.)

Blaas Reinhard Dkfm.
B.: Amtsdir. u. Ltr. d. Amtes f. Rechnungswesen. GT.: Präs. d. AufsR. d. Kurverw. Meran, Präs. d. Kollegiums d. Rechnungsprüfer d. Südtir. Landesmuseums f. Volkskunde, Vertr. f. d. Autonome Prov. Bozen-Südtir. im Garantieaussch. d. Landesgarantiekonsortiums f. Betriebskredite. DA.: 39100 Bozen, Amba-Alagi-Str. 10. PA.: 39100 Bozen, Rittnerstr. 33/B. G.: Tisens, 14. Feb. 1939.V.: Christine, geb. Rauter. Ki.: Marion. S.: 3 J. Mittelschule im Johanneum, Dorf Tirol, Hdls.-Oberschule Bozen, 1959 Dkfm. K.: seit 1961 im Dienste d. Landesverw., 1961-68 Verw.-Sekr. b. Inspektorat f. Berufsschulen, 1969-75 Ltr. d. Besoldungsamtes in d. Landesverw., seit 1976 Ltr. d. Amtes f. Rechnungswesen im Schulamt f. d. dt. Schule. M.: Vorst. d. Südtir. Krebshilfe. H.: Sport.

Blasinger Karlheinz Dr.-Ing.
B.: Amtsdir. im Amt f. gemeinsame techn. Dienste. DA.: 39100 Bozen, Untermagdalena 4. PA.: 39100 Bozen, Oswaldweg 20. G.: Innsbruck, 27. Mai 1950. V.: Augusta, geb. Aichner. Ki.: Thomas (1977), Andreas (1980). El.: Franz u. Ilsegard, geb. Reider. S.: Gew.-Oberschule Bozen (Maschinenbau), 1969 Matura, Univ. Bologna Bauing.-Wesen, 1978 Prom., Ausbild. EDV Manager. K.: seit 1980 b. d. autonomen Provinz Bozen, zunächst Straßenbauprojektierung, ab 1981 Amtsdir. M.: DECUS Ver. f. Anwender v. DEC-Rechner, Sportver. H.: Fußball, Skifahren, Schwimmen, Schach. (C.K.)

Bocher Guido Dr.
B.: Amtsdir. im Landesbetrieb f. Forst- u. Domänenverw. DA.: 39100 Bozen, Michael-Pacher-Str. 13. PA.: 39034 Toblach, Romstraße. G.: Toblach, 14. Juli 1947. V.: Klara, geb. Hofer. Ki.: Manuel. El.: Serafin u. Maria. S.: 1966 Matura, Stud. Forstwirtschaft in Padua, 1970 Prom. K.: 1970-72 zugeteilt zu d. Forstbez. Welsberg u. Bruneck, 1972-73 Einrichtungsamt in Bozen, 1973-79 verantw. f. allg. Angelegenheiten b. Landesforstinsp., ab 1979 Amtsdir. P.: Studie über Waldfunktionen in Südtir. M.: in versch. Gremien u. Kmsn. tätig. H.: Jagd, Bergwandern. (P.R.)

Bollani Paolo
B.: Manager u. Prok. d. Grand Hotel Bristol Meran. DA.: 39012 Meran, Otto-Huber-Str. 14. PA.: 39012 Meran, Schafferstr. 74. G.: Mailand, 25. Feb. 1944. V.: Anneliese, geb. Waltl. Ki.: Tania. S.: Hotelfachschule Mailand, 1962 Matura. K.: 1960-66 Hotelpächter Hotel Gambrinus Bellaria b. Rimini, 1966- 70 Pacht d. Restaurants "Centrale" in Borgomanero Prov. Novara, 1971-87 Hoteldir. Hotel Emma, seit 1987 Grand Hotel Bristol Meran. M.: ADA, Assoziatione Dirretori Albergo. H.: klass. Musik, Fotografie. (C.K.)

Bolognini Giancarlo Dr.
B.: LR. f. Transportwesen, Wohnbau u. Fürsorge. GT.: Gruppenführer d. Democratia Christiana (DC) im Landtag, Mtgl. d. RegionalR. d. Region. DA.: 39100 Bozen, Cesare-Battisti-Str. 21. PA.: 39100 Bózen, Cappuccinistr. 2. G.: Giacciano con baruchella, 11. Aug. 1938. V.: Giovanna, geb. Tasin. Ki.: Laura u. Michele. S.: 1956-63 Unterr.-Tätigkeit in div. Mittelschulen, 1963-68 Berufsberater, 1965 GemR. d. Gem. Bozen, 1967 Gruppenführer d. DC im GemR. Bozen, 1968-83 Bgm. v. Bozen, in d. Zeit div. Aktivitäten wie d. Erarb. d. Bauleitplanes v. Bozen 1974 u. d. Gestaltung u. Begrünung d. Areals berderseits d. Talfer, 1983 Wahl in d. Südtir. Landtag, 6 Mon. VPräs. d. Landtages, 1984-89 LR. f. Transportwesen, geförderten Wohnbau u. Fürsorge. M.: seit 1968 Parteiaussch. d. DC, Lions Club Bozen, 1974-80 Präs. d. Fußballver. AC Bozen, seit 1971 VPräs. d. Hockeyclubs Bozen. H.: Lesen, Sport. (C.K.)

Bolzonello Marco
B.: Geometer. DA.: 39100 Bozen, Crispistr.6. G.: Bozen, 22. Mai 1958, verh., 1 Kind. K.: Mitglied d. MSI Landesparteiltg., 1985-89 MSI Gem.R. in Bozen , s. Sep. 1989 im Südtir. Landtag, Sekr. d. 2. Gesetzgebungskmsn. d. Landtages.

Bontadi Oskar
B.: Kfm. FN.: Bontadi SAS (KG). DA.: u. PA.: 39100 Bozen, Verdi-Pl. 15. G.: Roveretto, 11. Aug. 1932. V.: Daniella. Ki.: Valeriano, Roberto. K.: Techniker b. Olivetti, seit 1967 selbst. m. Büromaschinen, Computer, Möbel. H.: Skifahren, Tennis, Schwimmen. (P.R.)

Boscard Mauro Dr.
B.: Gschf. FN.: SiGe Systeme f. Informatik. DA.: 39100 Bozen, Drususallee 33.PA.: Andrian, Wolfsturmstr. 46. G.: Bozen. 10. Feb. 1947. V.: Loredana. Ki.: Silvia. S.: Treviso wiss. Lyzeum, 1967 Matura, Math.-Stud. Univ. Padua, 1973 Prom. K.: Doz. an d. Univ. Trient f. Informatik, 2 J. Ass. an d. Univ. Trient, 1977 Doz., seit 1987 Gschf. d. SiGe, Kons. d. Firma Olivetti u. d. Firma Muzzio Editore Padua. P.: Hrsg. u. Mitautor d. Serie Infromatica, Hrsg. d. Serien: Il piacere del computer u. Manuale Scientifici, sowie zahlr. anderer Serien. M.: Unione Mathematica Italiana, Assoc. Italiana Informatica, American Mathematic Society AMS, Ass. f. Computer Mashinerie ACM u. div. andere. H.: Musik. (A.W.)

Boschetti Daniela Dr. jur.
B.: Lehrer an d. Landesberufsschule Bozen f. Hdl. u.Tourismus. DA.: 39100 Bozen, St. Gertraud Weg 3. PA.: 39100 Bozen, Via Thuille 17. G.: Bologna, 15. Feb. 1944. V.: Renzo Boschetti. Ki.: Alex, Andrea. S.: Hum. Gymn. Bologna, 1962 Matura, Univ. Bologna Jur. Fak., 1968 Prom. K.: 1969-71 Oberschule Bozen, ab 1972 Unterr. in d. Berufsschule, 1980-85 Dir.-Stellv., 1985-86 Amtsdir. H.: Lesen (C.K.)

Brantsch Dieter Dr. jur.
B.: Repräsentant f. Italien d. Landes-Hypotheken Bank Tir. DA.: 39100 Bozen, Leonardo-da-Vinci-Str. 4. PA.: 39012 Meran, Speckbacherstr. 17. G.: Meran, 14. Aug. 1959. V.: Dr. phil. Veronika, geb. Stirner. El.: Roland u. Maria, geb. Mair. S.: 1977 Matura RG Meran, Stud. Rechtswiss. Univ. Bologna, 1983 Prom. K.: 2 J. Tätigkeit im väterl. Vers.-Büro, 1987-89 Aufbau u. Ltg. d. Rechtsabt. d. Raiffeisenkasse Algund, 1989 Eintritt in d. Hypo-Bank Bozen als Rapräsentant f. Italien d. Landes -Hypotheken Bank Tir. BL.: Mitaufbau d. Repräsentanz, 1989-91 Vervielfachung d. Creditvolumens, Erarb. eines umfassenden Now-How. M.: Volleyballmannschaft d. Sportclubs Meran. H.: Volleyball, Skifahren, Weinanbau, Literatur. (N.A.)

Braun Hans
B.: Dekan, Ev. Pfarrer. DA.: u. PA.: 39012 Meran, Carduccistr. 31. G.: Weil/Rhein, 14. Nov. 1931. V.: Traudl, geb. Büttner. Ki.: Stephan (1959), Christine (1961), Ulrike (1965). El.: Fritz u. Erna. S.: 1951 Abitur, Theol.-Stud. Neuendettelsau, Tübingen u. Erlangen, 1957 1. u. 1960 2. Theol. Examen. K.: Vikar in München, Pfarrer in Bernstein u. Weißenstadt, Pfarrer in Kepten, Dekan in Memmingen, seit 1985 Pfarrer in Meran, 1946 Mitbegründer d. Ev. Gem.-Jugend in Kaufbeuren, Jugendpfarrer in Oberfranken, Diakoniebeauftragter in Kempten, Aufbau eines Gem.-Zentr. in Kempten, Vors. d. Organ.-Aussch. d. Bayer. Landessynode. H.: Bergwandern, Musik. (M.M.)

Braun Luis Dr. jur.
B.: Amtsdir. d. Südtir. Lanmdesverw. im Amt f. Verw. d. Kindergartens. DA.: 39100 Bozen, Crispistr. 3. PA.: 39043 Klausen, Leitach 56. G.: Latzfons, 24. März 1951. V.: Hedwig, geb. Moser. Ki.: Christian (1981), Anita (1983), Michael (1986), Daniel (1988). El.: Franz u. Frieda, geb. Meraner. S.: 1971 klass. Lyzeum, 1971-76 Stud. Rechtswiss. Univ. Innsbruck m. Prom. z. Dr. jur. K.: 1978 Eintritt in d. Landesdienst, Tätigkeit im kulturellen Bereich, 1991 Übernahme d. Verw. d. Kindergartenpersonals aller 3 Sprachgruppen in Südtir. M.: seit 1978 Grdg.-Hptm. d. Schützenkompanie P. Haspinger Klausen, 1980-81 Bundesjungschützenbetreuer f. Südtir., 1980-84 GemR., seit 1990 Bez.-Mjr.-Stellv. v. Schützenbez. Brixen. H.: Lesen, Wandern. (N.A.)

Brenner-Knoll Alexander Dr.
B.: Schulinsp. Schulamt Bozen. DA.: 39100 Bozen, Siegespl. 47. PA.: 39050 St. Pauls, Paulserstr. 47. G.: Innsbruck, 14. Mai 1940. V.: Rita-Verena, geb. Mariani. Ki.: Andreas (1969). El.: Friedrich u. Gertrud, geb. Brenner. BV.: Tobias Brenner Baumeister in Meran v. d. 1. Weltkrieg, nach ihm wurde eine Straße in Meran benannt. S.: Hdls.-Oberschule Bozen, 1960 Matura, 1961-65 Stud. Wirtschaftswiss. Univ. Florenz m. Prom. u. Dr. wirt. K.: 1966-67 im Marketingbereich d. Firma Nestle Schweiz u. Österr., 1968-91 Unterr.-Tätigkeit an versch. Oberschulen, seit 1991 Schulinsp. f. berufsbild. Fächer an d. Dt. Oberschulen Südtir. P.: Autor v. Schulbüchern über Arbeits- u. Steuerrecht, Einführung in d. Ital. Einkommenssteuerverordnung, regelmäßige Mitarb. in d. Wirtschaftsbeilage d. Tageszeitung "Dolomiten" u. Beiträge zu Wirtschaftsfragen im RAI-Sender Bozen. M.: Mitbegründer u. Vertr. im GemR. d. Stadt Bozen d. SPS. H.: Freizeitobstbauer, Schwimmen, Geländelauf, Bergsteigen, Lesen, klass. Musik. (N.A.)

Brida Renzo Dr.-Ing.
B.: Bauuntern. FN.: Brida GmbH. DA. u. PA.: 39100 Bozen, St. Quireiner-Str. 34. G.: Bozen, 2. März 1943. V.: Annemarie. Ki.: Barbara. El.: Anton u. Aloisia Brida. S.: 1962 Matura, Stud. an d. TH Graz, 2. Staatsprüf. in Trient, 1970 Prom., anschließend Militär. K.: 1971 Eintritt in d. väterl. Betrieb (Hoch-u. Tiefbau), Gschf. zusammen m. d. Bruder. M.: in versch. Gremien d. Industriellenverb., 1983-85 Präs. d. Jungindustriellen. H.: Skifahren, Segeln. (P.R.)

Bridi Günther
B.: Gschf. Ges. FN.: BRIDI GmbH Intern. Möbel- u. Kleidertransport. DA.: 39100 Bozen, Penegalstr. 17/B. PA.: 39100 Bozen, Penegalstr. 21/C. G.: Ebingen/Deutschland, 17. Mai 1943. V.: Margarethe, geb. Forte. Ki.: Marisa. E.: Josef u. Caroline. S.: b. 1958 HASCH Bozen, div. Fortbild.-Sem. im Sped.-Wesen. K.: Sped.-Kfm., b. 1967 Firma Transalpe Albarelli Bozen, Militär, 1969-71 Sped. Birkhard Deutschland, 1971-78 Gschf. Sped. Tress Bozen u. Mailand. P.: Fachart. in Fachzeitschriften. M.: Südtir. Spediteurverb. H.: Skifahren, Surfen, Fußball, Theater, Fachliteratur. (M.G.)

Brugger Heinrich Dr. Dipl.-Ing.
B.: Amtsdir. am Amt f. Seilbahntechn. Dienst. GT.: Vorst. d. Sekr. O.I.T.A.F. DA.: 39100 Bozen, Cesare-Battisti-Str. 23. PA.: 39100 Bozen, Claudia-de-Medici-Str. 19. G.: Wien, 10. Aug. 1942. V.: Brigitte. Ki.: Lorenz, Michaela. S.: HTL Innsbruck, 1963 Matura, Stud. Wirtschaft u. Maschinenbau an d. TH Graz, 1972 Grad., 1975 Prom. in Bologna. K.: 1973 Eintritt in d. Landesdienst in Trient, 1873 Versetzung nach Bozen Amt f. Seilbahnen, Zonenltr., 1979 Amtsdir. BL.: im Organ.-Komitee f. d. Seilbahnkongreß in Grenoble 1987. P.: Art. u. Berichte in d. "Intern. Seilbahnrundschau". M.: Exekutivkomitee u. d. IV Studienaussch. d. O.I.T.A.F., Ing. u. Arch.-Ver. Südtir., Seilbahnkmsn. im Ital. Transportmin. Rom, Österr. Normungsaussch., Mitarb. b. CEN - Europ. Normungskomitee. H.: Skifahren, E-Musik. (A.W.)

Brugger Siegfried Dr. jur.
B.: RA. DA.: 39100 Bozen, Sparkassenstr. 6. G.: Trient, 22. Mai 1953. V.: Utta, geb. Steinkeller. Ki:: Johanna (1983), Jakob (1985), Peter (1988). El.: Dr. Peter u. Liuse, geb. Zingerle. S.: klass. Gymn. Franziskaner Bozen, 1972 Matura, Jusstud. Innsbruck, Padua u. Rom. K.: b. 1979 Kzl. Dr. Gamper, 1980 Übernahme d. Kzl., Advokatenprüf., 1979-82 Landesjugendref. d. JGin d. SVP, 1985-88 Frakt.-Sprecher d. SVP im Bozner GemR., seit 1988 Mtgl. d. Parteiaussch. d. SVP, seit 1988 im Südtir. Landtag, Mtgl. d. Landtagspräs. u. 3. u. 4. Gesetzgebungskmsn., seit 1989 SVP-Frakt.-Führer im RegionalR., seit 1992 Parteiobm. d. SUP, Teilnahme an Intern. Kongressen u. Tagungen. H.: Lesen, Sport, Musik. (N.A.)

Brunner Joser
B.: Inh. FN.: Meraner REPRO-Studio. DA.: 39012 Meran, Luis-Zuegg-Str. 24/B. G.: Meran, 19. Feb. 1948. V.: Agnes, geb. Santer. Ki.: Michaela, Alexandra. El.: Ludwig u. Anna. S.: Techn. Oberschule. K.: 3 J. Praktikum in Optik u. Densitometrie, Lithographielehre, 1976 Eröff. d. eigenen Firma, weltweite Reproduktionen. H.: Musik, Photografie. (P.R.)

Candela Pietro
B.: Amtsdir. im Arbeitsinspektorat. DA.: 39100 Bozen, Via Leonardo da Vinci 7. PA.: 39100 Bozen, Horazstr. 4. G.: Palermo, 6. Aug. 1930. V.: Marisa, geb. Rossi. Ki.: Kilian. El.: Roberto u. Fulvia. S.: 1949 Matura, Stud. Wirtschafts-

wiss. K.: Arb. in priv. Frima, ab 1952 Staatsmeister in Mailand u. 1964-72 Trient, ab 1972 Amtsdir. in Bozen. H.: Antiquitäten, Zimmerpflanzen. (P.R.)

Capara Raffaelo Dr.-Ing.
B.: Regionaldir. FN.: SIP Ital. Telefonges. DA.: 39100 Bozen, Italienstr. 13N. PA.: 39100 Bozen, Wegensteinstr. 63. G.: Verona, 31. Juli 1936. V.: Anita, geb. Pasquotto. Ki.: Frederico, Stefano, Tommaso. S.: 1949-56 Gymn. Verona, 1956 Matura, 1956-62 Stud. Elektronik Univ. Padua. K.: 1963 Firma Pignone Sud Bari, ab 1964 SIP, zunächst in Venedig b. 1983, dann als Regionaldir. in Bozen. (C.K.)

Capelli Claudio Dr.
B.: Landesvet.-Dir. d. Landesvet.-Amt. DA.: 39100 Bozen, Brenner Str. 6. PA.: 39100 Bozen, Alte Mendelstr. 80D. G.: Manciano/Toskana, 25.Juli 1940. V.: Maria Gabriella, geb. Costoloni. Ki.: Laura (1969), Silvia (1972). El.: Clorando u. Lia. S.: VS, 1958 Matura, med.-vet.-Stud. Pisa, 1965 Dr. med. vet., 1966 Staatsprüf. f. Tierarztbefugnis. K.: 1967 Landesvet.-Dir.-Stellv. in Bozen, seit 1992 Landesvet.-Dir. P.: zahlr. Fachart. über d. Organ. d. Tierärztl. Dienstes in Südtir. E.: 1966 Sieger eines Wettbewerbes auf nat. Ebene in Rom. H.: Radfahren, Jagd, Tennis. (M.M.)

Cappadozzi Paolo Dr.
B.: Steuer- u. Wirtschaftsberater. DA.: 39100 Bozen, Sernesigalerie 9/III. PA.: St. Ulrich, Palmerstr. 17. G.: Meran, 26. Mai 1958. V.: Roberta, geb. Perathoner. El.: Erildo u. LAura. S.: Mittelschule Rom, Lyceum Treviso, 1977 Matura, Militärdienst, Sutd. MAiland, Sem. Cambridge. K.: ab 1984 Praktikum im Betrieb d. Vaters u. 1986-88 im Büro Doblander, 1988 Staatsprüf., seit 1989 Bgm., Dres. Doblander, Furgler, Cappadozzi. H.: Skifahren (Skilehrer), Segelfliegen. Musik, Reisen. (M.G.)

Cappelletti Franco
B.: Inh. FN.: ATEF KG Techn. Art. DA.: 39100 Bozen, Binderg. 2. PA.: 39100 Bozen, Ravigostr. 34. G.: St. Jakob, 30. Nov. 1938. V.: Lidia, geb. Schiro. Ki.: Andreas, Marco. El.: Leopold u. Domenica. S.: VS St. Jakob, kfm. Abendschule. K.: Praktikum als kfm. Ang. in ATEF KG. P.: Art. u. Dokumentarberichte d. Chortätigkeit. M.: Aussch.-Gremium f. Eisenhandel, VPräs. d. Rosalpina Bergsteiger-Chores Bozen. H.: Skifahren, Langlaufen, Familie. (M.G.)

Carbuciccio Marino Pietro Raimondo Dr.
B.: RA. DA.: 39100 Bozen, Italiastr. 10. PA.: 39100 Bozen, Rosministr. 44. G.: Meran, 13. Nov. 1926. V.: Ingrid, geb. Schaefer. Ki.: Corrado (1963). El.: Riccardo u. Rainelda. S.: Lyzeum Meran, 1947-55 Jusstud. Mailand u. Bologna, 1955 Praktikum Kzl. d. Vaters Meran, 1957 Anw.-Prüf. K.: 1957-61 Kzl. m. Emanuele Solenni, dann eigene Kzl. P.: einige Art. in Fachzeitschriften. E.: Orden Giordano Bruno Klasse Aphrodite. M.: seit 1951 Freimaurer, Großorient v. Italien, Palazzo Giustiniani Rom u. 33. Schott. Ritual. H.: Jagd, Schwimmen, Segelboot, alte Waffen sammeln. (M.G.)

Cattani Luigi Dr. med.
B.: FA f. Zahnheilkunde u. Anästhesie. DA.: 39100 Bozen, Südtiroler Str. 49. PA.: 39100 Bozen, Fagenstr. 15. G.: Tropea, 17. Aug. 1930. V.: Stefania, geb. Angeleri. Ki.: Federica, Fabiana, Luca. El.: Ferdinand u. Maria. S.: Hum. Gymn. u. Lyzeum Bozen, 1949 Matura, Med.-Stud. Univ. Mailand, 1957 Prom. K.: 2 J. Chir. Abt. KH Bozen, 7 J. als Ass.-Arzt, gleichzeitig Spezialisierung auf d. Fachrichtung Anästhesie in Bologna u. Stomatologie in Modena, 1964 Ordinationseröff. als Stomatologe in Bozen, gleichzeitig Tätigkeit als Zahnarzt f. d. Sanitätseinheit Mitte Süd d. Provinz Bozen, 1985 Mitbegründer d. Bozener Zentr. f. Psychosynthese. P.: Chir. Broschuüre f. spez. chir. Materien. H.: Psychiatrie, Psychologie, Hypnose. (C.K.)

Cavosi Riccardo
B.: Ak. Maler. DA. u. PA.: 39012 Meran, O.-Huber-Str. 35/1. G.: Agadier/Marokko, 8. Mai 1937. V.: Laura. Ki.: Roberto, Maria, Riccardo. El.: Riccardo u. Lucia. S.: Kindheit in Afrika u. Italien, 1950-55 Santo Domingo, ab 1955 Meran. K.: zahlr. eigene Ausstellungen in vielen Ländern auch in Übersee. P.: Gedichte, Prosa. E.: Maggio Romano, Gold. VIP in Rom, Citta Eterna, Marina Ravenna, mehrere Werke finden sich in d. v. Hl. Vater Johannes Paul II. erläuterten Hl. Schrift, Werke befinden sich in öff. u. priv. Sammlungen. H.: Fotografie, Tennis, Theater, Lesen. (P.R.)

Ceccato Luigi Dipl.-Ing.
B.: Industrieller. FN.: EURORICAMBI. DA.: 39100 Bozen, Pfarrhofstr. 62. PA.: 39100 Bozen, Via Max Vallier 18. G.: Verona-San Bonifacio, 26. Jan. 1941. V.: Loretta, geb. Viali. Ki.: Erika, Kathia. S.: Mittelschule, 1958 Matura, Techn. Schule in Verona, 1958 Dipl. perito tecnico industrial. K.: 1958-71 Firma Sansol Verona Autoersatzteile, zunächst Ang., später Insp. u. Gschf., 1963-68 Ltg. d. Filiale Bozen, ab 1968 Ndlg. Bozen, 1972 Eröff. d. eigenen Autoersatzteilfirma, seit 1984 Marelli, seit 1985 Fiat Vertr. u. Verkauf d. Marken Cavis, Borletti, Weber, Solex, Altecna-Diesel, Radiatori, Lucas, Siem, Carello. H.: Skifahren, Motorbootfahren. (C.K.)

Ceschia Luciano
B.: Dir. FN.: Alto Adige. DA.: 39100 Bozen Wassemauerpromenade 26. PA.: 39100 Bozen, Weggensteinstr. 69. G.: Triest, 12. Dez. 1934. V.: Maria Grazia, geb. Villi. Ki.: Pierluigi, Alessandro, Maria Teresa. El.: Cesare u. Lucia. S.: wiss. Lyzeum Triest, 1954 Matura, Stzud. Politikwiss. Univ. Triest. K.: 1955-66 Journalist b. Tageszeitung "Il Gazze Ttino" Triest, 1966-70 Journalist b. RAIRed. Triest, 1970-80 Chefred. in Rom Nachrichtenwesen, 1980-83 Dir. b. Tageszeitung "Il Piccolo" Triest, 1984 Dir. "Alto Adige" Bozen. BL.: versch. Sem. im Nachrichtenwesen in ganz Italien. P.: versch. Abhandlungen im Rahmen d. Teilnahme an Kongressen in ganz Italien. E.: 1967 Commendatore de La Rep. f. bes. Verd., mehrere Ausz. u. versch. Preise. M.: 1954-64 Demokrat. Partei, 1966-70 Gem.-Ass. u. GemR. in Triest, 1970-80 VerwR. d. "Fürsorge" f. ital. Jouralisten, VerwR. d. Ente Cellulosa Carta, Präs. versch. Organ. H.: klass. Musik, Klavier, Oper, Lyrik, Theater, mod. Malerei, Skifahren, Tennis. (M.G.)

Cescutti Marjan Dr. phil.
B.: Dir. d. Bymn. Walther v. d. Vogelweide. DA.: 39100 Bozen, Waltherhaus. PA.: 39100 Bozen, Quireiner Str. 26. G.: Bozen, 22. Sep. 1037. V.: Paula, geb. Alber. Ki.: Eva, Sylvia. El.: Johann u. Silvia. S.: Franziskanergymn. Bozen, 1961 Prom. K.: seit 1961 Unterr. an d. Oberschulen d. Fächer d. klass. Philol., 1972 Dir. d. RG Raimund v. Klebelsberg u. 1980 Dir. d. Hum. Gymn. Walther v. d. Vogelweide in Bozen. E.: VK d. Landes Tir. M.: seit 1963 Aussch. d. Südtir. Kulturinst., seit 1969 VPräs. (P.R.)

Ceska Markus
B.: Kfm. FN.: Meraner Tauschhalle Markus Ceska. DA.: 39012 Meran, Passeirerg. 23. PA.: 39012 Meran, Lauben 124. G.: Meran, 23. Sep. 1961. El.: Helmut u. Brigitte. S.: Mittelschule, HASCH, Tischlerlehre. K.: 1984-85 Mitarb. im elterl. Elektrofachhdl. INTERFUNK, 1985 Eröff. d. Trödlerladens Meraner Tauschhdl., An- u. Verkauf v. Altwaren. H.: Bergwandern, Wassersport. (P.R.)

Chiogna Gianni Dr.
B.: Amtsdir. im Amt f. Bodenverbesserung u. Flurbereinigung. DA.: 39100 Bozen, Brennerstr. 6. PA.: 39100 Bozen, Schießstandweg 3. G.: Meran, 18. Sep. 1944.V.: Luise, geb. Aberham. Ki.: Sylvia, Manuela. S.: Franziskaner Gymn., 1958 Matura, Techn. Oberschule in Bozen, Univ. f. Kulturtechnik/Ldw. in Padua, 1969 Prom. K.: 1970 Univ.-Ass. Stuttgart Hohenheim, Militärdienst, 1971-72 Techn. Oberschule Bozen Unterr.-Tätigkeit, 1972-73 Arb. b. d. EG-Kmsn., 1973 Eintritt in d. Landesdienst, Bearb. v. Projekten bzg. Bau v. Ostmagazinen, Kellereien u. Hochstrukturen, Bau v. Trinkwasserleitungen u. Beregnungsanlagen, 1986 Ernennung z. Amtsdir. P.: Broschüre "Anwendung d. EG-Richtlinien b. ldw. Betrieben in Südtirol". M.: WWF. H.: Skifahren, Tennis, Computerprogrammierung. (C.K.)

Chronst Josef
B.: Dekan, Priester, Seelsorger. DA.: 39040 Tramin, Hans-Feur-Str. 8. G.: Gargazon, 19. März 1924. El.: Johann u. Josefine Chronst. S.: Gymn. in Bozen, Lyzeum in Schwaz/Tirol, Theol.-Stud. in Trient. K.: 1948 Priesterweihe, 1948-55 Cooperator in Margreit, Nals, Andrian u. Schenna, 1955-76 Pfarrer in Algund b. Meran, 1976 Dekan f. Tramin, 1978-81 Initiator d. Restaurierung d. Kirche in St. Jakob u. St. Valenitin, 1982-88 Initiator u. Obm, d. Turmkomitees f. d. Restaurierung d. Pfarrkirche u. d. Traminer Pfarrturmes. E.: Ehrenbürger v. Algund, Ehrenurkunde v. Bischof Wilhelm Egger. H.: Musik, Gitarre. (M.Br.)

Cicala Giovanni
B.: Ltr. d. Staatsbauamtes im Min. f. öff. Arb. DA.: 39100 Bozen, Dantestr. 3. PA.: 39012 Meran, Innerhoferstr. 1. G.: Caserta, 10. Mai 1930. V.: Eleonora, geb. Stockhove. El.: Marco u. Maria. S.: 1949 Matura, Stud. Neapel u. Padua. K.: 1962-65 Dienst in Siena, 1965-66 Beluno, ab 1966 Bozen, Abt.-Ltr. f. Flußregulierung, ab 1973 Kasernenbau, ab 1983 Übernahme d. Ltg. d. Staatsbauamtes.H.: Reisen. (P.R.)

Cigolla Luigi Dr.
B.: Landesbmtr. DA.: 39100 Bozen, Crispistr. PA.: 39100 Bozen, Rosenstr. 49. G.: Fassatal, 7. Aug. 1942. V.: Rosanna, geb. Janeselli. Ki.: Elisabeth. S.: Mittelschule, klass. Gymn., 1962 Matura, 1962-65 Lehrer im Fassatal, 1970 Univ. Bologna, Fak. f. Politikwiss., 1971 Prom., 1970 Vorbereitungskurs f. d. Diplomat. Karriere an d. John Hopkins Univ. in Bologna. K.: Militärdienst in Rom, Übersetzer b. d. ital. Luftwaffe, 1972-76 Bankang. in Rom, Meran u. Bozen, pers. Ref. d. LR Fabiorella, 1979 Berufung als pers. Ref. d. LR Balzerini. P.: "Ortsnamenkunde d. Einwohner d. Fassatals", Rundfunksprecher b. ladin. Sendungen, lokale Sendungen in ladin. Sprache. H.: Skifahren, Fahrradfahren, Tischtennis, Tennis, Bergsteigen. (C.K.)

Comploj Siegfried Dr.-Ing.
B.: freischaff. Hochbauing. FN.: Studio Arge Plan Bozen. DA.: 39100 Bozen, Runkelsteinerstr. 3. PA.: St. Ulrich-Gröden, Stufanstr. 65, G.: St. Ulrich, 29. Jan. 1947. V.: Rita, geb. Mahlknecht. Ki.: Igor, Martina. El.: Adolf u. Maria. S.: Wiss. Lyezeum Bozen, 1967 Matura, 1967-73 Bauing.-Stud. Bologna, 1974 Befähigungsprüf. Bologna. K.: Ferialpraxis b. Arch. Zingerle in Brixen, 1973-76 als Siedlungsplaner b. d. Südtir. Landesverw. Amt f. Raumordnung, seit 1976 freischaff. Ing. im Zusammenarb. m. Arch. Trebo u. Arch. Riffesser im Studio Arge Plan Bozen. M.: Naturschutzver. Lia per Naturay Usanzes St. Ulrich-Gröden. H.: Sportbetätigung. (C.K.)

Corazzola Carlo Dr.
B.: Dir. d. Senders Bozen. DA.: 39100 Bozen, Mazzinipl. 13. PA.: 39100 Bozen, Via Diaz 20. G.: Meran, 20. Okt. 1947. V.: Mariangela. S.: HOB Bozen, 1966 Matura, Stud. Sozialwiss. Univ. Trient, 1971 Prom. K.: 1968 Eintritt in d. Landesdienst Amt f. Finanzverw., 1981 Amtsdir., seit 1990 Dir. d. Senders Bozen. P.: Mitarb. an d. Ämterordnung d. Provinz Bozen, Mitarb. b. d. Erstellung v. Programmen f. d. Weiterbild. v. Landesbedienst. u. div. Broschüren. M.: seit 1972 Vors. d. autonomen Gewerkschaft d. Landesbedienst. in ital. Muttersprache, seit 1980 Vors. d. Theatro stabile Bozen, seit 1986 Vorst.-Mtgl. d. Landesmuseum f. moderne Kunst , seit 1984 Landesltg. d. DC Ref. f. Presseangelegenheiten, seit 1988 Ltr. d. Abt. VII "Betreuung, Fürsorge u. Gesundheitswesen". H.: Skifahren, Sport, Bergwandern, Tennis, Lesen, Theater, Kunst, Musik. (A.W.)

Corvetta Sergio Dr.
B.: Amtsdir. im Amt f. Umstrukturierung, Umstellung, Forschung u. Entw. DA.: 39100 Bozen, Raiffeisenstr. 5. PA.: 39100 Bozen, Talferg. 6. G.: Bozen, 25. Okt. 1946. V.: Carla, geb. Filippi. Ki.: Daisy. El.: Bruno u. Pia. S.: Gew.-Oberschule, 1965 Matura, Stud. Soz. u. Wirtschaft Univ. Trient, 1970 Prom. K.: Unterr.-Tätigkeit Ancona an d. Wiss. Schule v. Olivetti, 1972-75 Prof. am Lyzeum Bozen (Mth.), 1975-80 Ldw.-Min., seit 1980 Amtsdir. P.: div. Art. in Magazinen (Ind. u. Wirtschaft in Südtir.). H.: Skifahren, Tauchen, Tennis. (A.W.)

Covi Bruno
B.: Inh. FN.: Elektro Bruno Covi. DA.: 39012 Meran, Kuperonstr. 6. PA.: 39012 Meran, Etschmannstr. 18. G.: Meran, 25. Juni 1938. S.: Gew.-Schule Meran, Lehrzeit im Betrieb d. Vaters. K.: seit 1968 selbst., Weiterführung d. Betriebes, seit 1980 im neu errichteten Betrieb in d. Handwerkerzone Untermais. M.: VPräs. d. Landeshandwerkskam. Bozen, Aussch.-Mtgl. d. HK Bozen, Exekutivaussch. d. Landesverb. d. Handwerker, Obm. d. Berufsgemeinschaft Elektriker, Landesberufsgruppenvorst. d. Installateure, AufsR. d. Volksbank Meran. (P.R.)

Cristafoletti Walter Dr.
B.: Dir. d. Mittelschule Blumau. DA.: 39050 Blumau, Hauptstr. 42. PA.: 39044 Neumarkt, Villnerstr. 30. G.: Salurn, 26. Sep. 1948. Ki.: Manuela (1977), Barbara (1981). El.: Gottfried u. Franziska. S.: VS, Mittelschule, Klass. Lyzeum, Matura, Stud. Dt. Sprache u. Lit. Padua, 1979 Prom. z. Dr. phil. K.: 1968 Eintritt in d. Schuldienst als Supplent an d. Mittelschule Tramin, 1983 Stammrolle an d. Mittelschule Tramin, f. literare Fächer, 1988 erfolgreiche Teilnahme an einem Dir.-Wettbewerb, 1989 Dir. an d. Mittelschule Partschins, 1990 Dir. Blumau. BL.: seit 1980 VBgm. v. Salurn: Ref. f. Schule u. Kultur d. Dt. Volksgruppe, Ortsobm. d. SVP Salurn. M.: in einer Arbeitsgruppe im Päd. Inst. Bozen, Kapellmeister d. Musikkapelle Salurn, Schützenkompanie Salurn. H.: Musizieren (Klavier, Trompete). (M.M.)

D'Amato Raffaele
B.: KFm. FN.: Radiomarket. DA.: 39100 Bozen, Rosministr. 8. PA.: 39100 Bozen, Drususstr. 5. G.: Bozen, 20. Nov. 1942. S.: techn.- elektron. Schule, 3 J. Fachkurs. K.: 1964 Eröff. eines eigenen Radio- u. Fernsehgeschäftes m. Reparatur, Bestandteile en gros - en detail, elektronische Bauteile versch. Marken. H.: Skifahren, Segeln. (P.R.)

D'Onofrioa Francesco
B.: Gschf. d. Hotel Alpi-European Hotels Club. DA. u. PA.: 39100 Bozen, Südtiroler Str. 35. G.: Neapel, 28. März 1946. V.: Hannelore, geb. Scharmacher. Ki.: Sandra (1977), Fabio (1987). El.: Saverio u. Domenica, geb. Pulerano. S.: Hotelfachschule. K.: 1966-68 Tätigkeit im Hotelbereich in Deutschland, 1968-70 in Frankreich u. England, 1970-77 Dir. v. versch. Hotels d. Agip-Kette, 1977-80 Dir. v. Lloyd's Baia Hotel an d. Sorrento Halbinsel, seit 1980 Dir. Hotel Alpi, ab 1988 Gschf. H.: Wandern, Fotografieren. (N.A.)

Da Col Nillo
B.: Gschf. FN.: ARCOBALENO. DA.: 39100 Bozen, Via Sorranto 11. PA.: 39100 Bozen, Via Parma. G.: 24. Juni 1946. V.: Di Maria Grazia, geb. Tosetto. Ki.: Michela, Donatella. S.: HASCH, 3 J. Lehre in d. Lederwarenbranche. K.: zunächst Tätigkeit in d. fabriksmäßigen Fertigung v. Kleidungsstücken, seit 1980 Gschf. d. ARCOBALENO. (P.R.)

Dalsass Joachim Dr.
B.: Abg. z. Europ. Parlament i. Pension. G.: Leifers, 3. Dez. 1926. V.: Irmtraud, geb. Demattio. El.: Joachim u. Luise. S.: Dr. jur. K.: 1956 Wahl Südtir. Landtag, 1956-60 LR f. soz. Fürsorge, 1956-78 Ref. f. d. Feuerwehrwesen, 1960-72 LR f. öff. Arb. u. Straßenbau, 1972-78 LR f. Ldw., Forstwesen, Jagd u. Fischerei, 1978-79 Präs. d. Südtir. Landtages, 1979 Direktwahl in d. Europ. Parlament, dort Mtgl. d. Ldw.-Aussch. u. d. Aussch. f. Wirtschaft u. Währung. E.: EZ d. Landes Tirol, Bayer. VO, Gr. BVK d. BRD, Dt. Feuerwehrehrenkreuz, VK d. Europ. Frontkämpferverb. (C.K.)

Dander Elioanda Dr. jur.
B.: Dir. Kfm. Lehranst., Hdls.-Oberschule, Frauenfachschule. DA.: 39042 Brixen, Fischzuchtweg. PA.: 39042 Brixen, Tratteng. 19. G.: Brixen, 9. Juni 1936. v.: Dr. Ernst Kammerer. Ki.: Andreas (1973), Sylvia (1974), Martin (1977). El.: Dr. Natalis u. Antonia. S.: Hum. Gymn. Brixen, 1954 Matura, Jusstud. Univ. Padua, 1959 Prom. K.: 1959 Praktikantin in d. Anw.-Kzl. d. Vaters, 1962 RA-Prüf., in d. Sozietät m. Dr. Dander, 1965 Eintritt in d. Schule als Lehrkraft f. Recht u. Wirtschaft, b. 1977 parallel RA-Kzl., 1977 Dir. d. Schule, Einführung versch. Fachrichtungen u. Ausbau d. Fachschulen b. z. Matura, 7 J. Unterrichtstätigkeit am Theol. Inst. Brixen, Jurist. Beratung b. "Frauen helfen Frauen". M.: Kulturver. Brixen. H.: Lesen, Langlaufen, Schwimmen, Bergwandern, Musik, Kunst u. Kultur. (I.D.)

Dander-Gutmann Roswitha Dr. phil.

B.: Dir. FN.: Mittelschule Brixen II. DA.: 39042 Brixen, Dantestr. 39. PA.: 39042 Brixen, Tratteng. 19. G.: Brixen, 23. Sep. 1942. V.: Helmut Gutmann. KI.: Renate (1967), Michael (1969). EL.: Natale u. Antonia. S.: wissensch. Lyzeum, 1965 Matura, Uni Innsbruck u. Padua Neue Philologie 1975 Promotion. K.: 1965-88 Prof. an d. Mittelschule "Oswald v. Wolkenstein" f. lierar. Fächer, 1988 Wettbewerb Pädagog. Inst.,. Leiterin d. Dienststelle Lehrerfortbild., 1994 Dir. Mittelschule Blumau, 1994 Dir. Mittelschule "Oswald v. Wolkenstein" in Brixen. H.: Wandern, Langlaufen, Reisen. (I.D.)

Debeljak Hans
B.: Hotelier Hotel Pension Angelika i. P., Buchautor. PA.: 39012 Meran, Alfieristr. 2. G.: Meran, 18. Dez. 1910. V.: Irma, geb. Piffer. Ki.: Sylvia, Christa. S.: Bürgerschule Meran, 1924-26 Kochlehre im Habsburgerhof, Kochprüf. m. Ausstellung im Meraner Kurhaus (2. Pr.), Metzgerlehre in Gröden. K.: 1927 Insel Brioni, Konditor Gardasee, Bozen, 1929-35 Hotel Greif, Militär, Grandhotel Meranerhof Meran, 1936 Chefkoch Posthotel Bozen, Hotel Stigl Bozen, b. 1943 Sanatorium Stefanie Meran, 1943-45 im Lazarett gearb., 1945-48 Sanatorium Stefanie, 1946 Am Ritten, Hotel Oswald Gröden, Grandhotel Sulden, Praxis i. versch. gr. Häuser, während dieser Zeit Autor versch. Kochbücher, Ausbild. v. mehr als 400 Lehrlingen, 1959-75 Pacht eines Hotel-u. Pensionsbetriebes (Dir.). (P.R.)

Deflorian Ernst Dr. jur.
B.: Amtsdir. im Amt f. d. Personal d. Gesundheitsdienstes. DA.: 39100 Bozen, Horazstr. 4d. PA.: 39100 Bozen, Segantinistr. 18. G.: Brixen, 21. Juni 1943. V.: Gertrude, geb. von Fäckl. S.: wiss. Lyceum Brixen, 1962 Matura, Stud. Univ. Padua, 1967 Prom. K.: RA-Praktikum, 1973 Eintritt in d. wechselseitigen Landeskrankenkasse, 1981 Landesverw., seit 1988 Amtsdir. M.: Bridgeclub, Alpenver. H.: Bridge, Bergsteigen, klass. Musik. (A.W.)

Dejori Alois Dr.Phil.
B.: Dir. FN.: Mittelschule "Arthur March". DA.: 39042 Brixen, Dantestr. 27. PA.: 39042 Brixen, In der Klosterwiese 14. G.: Welschnofen, 20. Mai 1937. KI.: Susanne (1968), Dagmar u. Dieter (1972). EL.: Franz u. Maria. S.: Gym. Neustift, 1955 Matura, Uni Innsbruck, Germanistik u. Geschichte, 1962 Prom., 1965 Lehrbef. K.: Prof. an Mittelschulen in Stering u. Brixen, 1965 beauftr. Dir. d. Mittelschule Vintl u. Mühlbach, 1975 Wettbewerb als Dir. d. Mittelschule, 1975 Dir. in Vintl, 1977 Dir. d. Mittelschule "Arthur March" in Brixen. M.: CV Rheno Danubia Innsbruck. H.: Lesen, Musik. (I.D.)

Dell'Antonio Hansjörg Dr. jur.
B.: Amtsdir. im Amt f. Statistische Erhebungen. DA.: 39100 Bozen, Duca-d' Aosta-Str. 59. PA.: 39100 Bozen, Rovigostr. 13. G.: Bozen, 15. Dez. 1944. V.: Patrizia, geb. Nogler. El.: Adolf u. Maria. S.: 1963 Matura, Stud. Innsbruck u. Padua, 1970 Prom. K.: 1969 Vors. d. Sütir. Hochschülerschaft, während d. Stud. Lehrtätigkeit, 1972 Eintritt in d. Landesdienst, AssR. f. Ldw. u. Forstwesen, ab 1982 in d. Landesinst. f. Statistik, ab 1986 Amtsdir. P.: Studie über Textverarbeitung in d. Landesverw. H.: Sport. (P.R.)

Deluggi Eugen Heinz
B.: Gschf. Ges. FN.: Deluggi & Dielov. DA.: 39042 Brixen, Lauben 27. PA.: 39042 Brixen, Elvaserstr. 4. G.: Bozen, 11. Juli 1951. Ki.: Sigrid (1978), Axel (1982). El.: Heinz u. Irene. S.: Mittelschule Bozen, 3 J. Kunstschule Trient, 3 J. Werbegrafik Urbino, 1970 Abschluß, 1971 Militärdienst. K.: 1976 Grdg. d. Werbeagentur. P.: Unterrichtstätigkeit an d. Schule f. Werbegrafik Bozen. E.: 1. Preis b. einem intern. Wettbewerb f. Touristikplakate. M.: Südtir. Dachverb. f. Werbegrafik. H.: Lesen, Tennis, Schwimmen, Sport allg., Musik, Theater. (I.D.)

Demetz Alfonso
B. :Inh., Grafiker. FN. : Kreis f. Kunst u. Kultur. DA.: 39046 St. Ulrich, St. Antoniuspl.102. G.: Bozen, 17. Mär. 1962. EL.: Caroline u. Titta. S.: Kunstschule u. Kunstakademie in Wien, ab 1983 berufsbez. Weiterb. K.: 1 J. als Grafiker in Wien Atelier Badian, 1989 Grdg. mit Partner Gruppe Gut - Grafik Design. M.: Präs. Kreis f. Kunst u. Kultur in St. Ulrich, Vizepräs. Filmclub Bozen. H.: Kunst u. Kultur, Skifahren, Radfahren. (I.D.)

Demetz Franz

B.: Bgm., Hotelier. FN.: Hotel Villa Pallua. DA.: 39047 St. Christina, Palluastr.16. G.: St. Christina, 24. Jan. 1939. V.: Ingeborg Scharinger. KI.: Dr. Karin (1960), Brigitte (1961), Pauli (1963), Thomas (1972). EL.: Franz u. Elisabeth. S.: HASCH Bozen Abitur 1948. K.: Auslandspraxis im Gastgewerbe in d. Schweiz u. BRD, 1957 Bau d. Hotels Villa Pallua, 1961 Ortsvorsteher d. SVP - Talvertreter, 1972-94 Obmann Stv. unter Dr. Silvius Magnano, 1962-68 Gem.R., 1968-78 Südtir. Landtagsabgeordn. u. Vertreter d. LAdiner, 1980-85 Finanzkämmerer, 1985 Bgm. d. Gem. St. Christina, Bau d. Trinkwasseranlagen u. Nutzung z. Energieumwandlung. M.: AS MG Handwerker Bozen, AS MG Sparkasse Bozen, AS MG Tourismusver.Gröden, 1973 Grdg. d. Ladinischen Kulturinst. langj. Präs. H.: Skifahren, Bergsteien, Wandern. (I.D.)

Demetz Josef Dr. mat.

B.: Dir. FN.: Mittelschule Wolkenstein u. St. Christina. DA. :39048 Wolkenstein, Palluastr.16. PA.: 39048 Wolkenstein, Ruacia 6. G.: Wolkenstein, 14. Dez. 1944. V. :Veronika Colli. KI.: Elisabeth (1986), Christian (1990). EL.: Franz u. Karoline. S.: Klas. Lyzeum in Meran, 1965 Matura, Uni Badua, Mathematik u. Physik, Prom. 1970, 1972 Lehrbefähigung Mathematik u. Physik f. d. Oberstufe. K.: Unterrichtstät. an d. Mittelschule St. Ulrich u. Kunstschule Wolkenstein, 1980 Dir. d. Mittelschule Wolkenstein. P.: Beiträge in Südtir. Ländern, Usc di Ladins-mehr REspekt vor d. Eigentum, Grdg. d. BürgerinitiativePistendienstbarkeiten u. Oberflächenrechte. M. :20 J. :Gruppensprecher d. Sella Liste im Gem.R. u. Mtgl. d. Baukommission. H.: Bergsteigen, Wandern, Natur-u. Landwirtschaft. (I.D.)

Demetz Karl

B.: Holzbildhauermstr. FN.: Demetz Karl. DA.: 39047 St. Christina, Paluastr.10. G.: Gröden, 16. Nov. 1943. V.: Margerethe, geb. Runggaldier. KI.: Evelyn (1974), Sybille (1976), Michael (1983). EL.: Johann u. Maria. S.: Kunstschule St. Ulrich, Lehre u. Ausb. in versch. Mstrwerkst. in Gröden, 1971 Mstr. Prüfung. K.: Grdg. e. Holzbildhauerei - Holzschnitzerei u. Faßmalerei in St. Christina Gröden. M.: Grödner Kunsthandwerker, 5 J. bei Mstr.Prüfungskommision. H. :Skifahren, Bergsteigen. (I.D.)

Denicolo Herbert Georg

B.: Amtsdir. im Amt f. Jugendarb., Abt. II. öff. Unterr. u. Kultur f. d. dt. u. ladin. Volksgruppe d. Autonomen Provinz Bozen-Südtir. DA.: 39100 Bozen, Dantestr. 11. PA.: Olang, Kriendl 126. G.: Bruneck, 9. Okt. 1945. V.: Annelies, geb. Wieand. Ki.: Hannes, Julia, Maria. El.: Josef u. Hildegard. S.: LBA Meran, 1965 Matura, div. Weiterbild. u. Komm.-Sem. K.: b. 1972 Lehrtätigkeit Mittelschule Mals, 1967-72 stellv. Dir. Mittelschule Mals, 1972 Eintritt in Landesverw., Amt f. Weiterbild. Bozen, 1976 im Auftrag d. Landesreg. Aufbau d. Amtes f. Jugendarb. BL.: 1967-70 Grdg. u. Aufbau d. "Ober-Vinschgauer Jugend", Zusammenarb. m. bayer. Jugendring u. allen Bdl. Österr., Teilnahme an Sem. u. Tagungen. P.: div. Art. in Fachzeitschriften, Mitarb. b. div. Broschüren. M.: Intern. Arge f. Kommunikationspäd., Experten-Konferenz d. beamteten Jugendref., Jugendhaus Josef Maldin Salurn, Jugendhaus Cassianeum Brixen, PfarrgemR. Pustertal, SVP Ortsaussch. Olang, Jugendtreffpunkt Olang, Schulgem. Olang, Mitbegründer d. Filmclubs Bozen, Mtgl. u. berat. Funktion d. Südtir. Jungendringes, ehem. Mtgl. d. SVP Bez.-Ltg. Pustertal, 1965-79 aktives Mtgl. d. Volksbühne Schluderns, 1985-87 Ehrenrichter b. Jugendgericht in Trient. H.: Skifahren, Schwimmen, Tennis, Bergwandern, Theater, Musik, Lesen, Psych., ges.-polit. Interessen, Lyrik.

Devalier Paul Peter Ing.

B.: Gschf. Ges. FN.: ARREDOTEAM OHG. DA.: 39100 Bozen, Weintraubeng. 32. PA.: Tramin, Mindelheimstr. 57. G.: Castello di Fiemme, 16. Feb. 1953. El.: Josef u. Angela. BV.: franz. Adel Duvalier aus d. 18. Jhdt. S.: Mittelschule Tramin, Gew.-Schule Bozen, Stud. Malerei, 3 J. Maschinenbau, b. 1972 Gew.-Oberschule im Abendkurs Bozen. K.: Metallfirma Ambach Kaltern, techn. Zeichner, Planung, 1974 Militär, b. 1977 Firma Aman Bozen, Großhdl., Bereicheinrichtungen v. Banken, Ladenbau, Wohnungsbereich, 1978 Firma Arredoteam. M.: AIPI. H.: Tischtennis (Trainer), Skifahren, Malen, Tennis, Joggen, Tanzen, Gourmet. (M.G.)

Di Puppo Michele Dr.

DA.: 39100 Bozen, Landhaus 3 Crispistr. 8. G.: Bozen, 23. Nov. 1945, verh., 3 Kinder. S.:Doktorat in Soziologie an d. Univ. Trient. K.: Managertätigk. im Industriebereich, Mtgl. d. Landesvorst. d. Sozialwerkes ACLI, Mtgl. d. Landes- u. Regionalltg. d. DC u. d. neugegr. PPI (Partitio Popolare Italiano), s. 1993 im Südtir. Landtag, Dez.1993 -Feb.1994 Vizepräs. d. Landtages, s. Feb. 1994 in d. Landesregierung, zweiter Ldhptm.Stv. u. LdR f. Finanzen u. Verkehr.

Di Spazio Pietro Dr. jur.

B.: Int. d. Finanzintendantur Bozen. DA.: 39100 Bozen, Gerichtspl. 2. PA.: 39100 Bozen, Virgilstr. 8. G.: Roma, 2. Jan. 1932. V.: Luise, geb. Leiher. Ki.: Vincenzo, Alessandro. El.: Vincenzo u. Laura. S.: 1951 Matura, Jusstud. Roma, 1957 Prom. K.: 1960 Finanzintendantur Bozen, FinR., Abt.-Ltr., Sekt.-Chef, VInt., Chef d. gesamten Finanzämter d. Landes Südtir. P.: Wegweiser durch die Literatur Südtirols. H.: Schriftsteller. (P.R.)

Dianin Vittorio

B.: Inh. FN.: Druckerei Presel. DA.: 39100 Bozen, Romstr. 69. PA.: 39100 Bozen, Montellostr. 27. G.: Padua, 25. Apr. 1944. V.: Carla, geb. Adani. Ki.. Matteo. S.: Mittelschule Bozen, Ausbild. als Grafiker u. Drucker, 1982 Meisterprüf. in Bozen. K.: seit 1959 b. Guido Presel beschäftigt, 1959-64 Ausbild., seit 1964 Dir. d. Firma, seit 1980 Inh. (C.K.)

Doblander Karl Dr.

B.: Steuer- u. Wirtschaftsberater. DA.: 39100 Bozen, Sernesigalerie 9/III. PA.: 39100 Bozen, Eisachstr. 11a. G.: Meran, 2. Jan. 1923. V.: Mella Giovanna. El.: Josef u. Maria. S.: Mittelschule, kfm. Ausbild., Stud. Univ. Bologna. K.:

Praktikum in Bologna, ab 1947 selbst. in Bozen, seit 1989 Studio Doblander (Gemeinschaftsstudio Dres. Doblander, Furgler, Cappadozi), seit 1950 Sachv. f. d. LG Bozen. M.: SOS Kinderdorf, Männergesangsver. Bozen. H.: Skifahren, Tennis, Schwimmen, Reisen, Theater, Marken sammeln. (M.G.)

Dosser Hans Dr. soc.

B.: Amtsdir. f. Werbung u. Auskunft im Landesverkehrsamt Südtir. DA.: 39100 Bozen, Pfarrpl. 11-12. PA.: 39012 Meran, Grabmayerstr. 21. G.: Meran, 8. Sep. 1947. V.: Maria Luise. Ki.: Michael, Klaus. S.: Mittelschule in Meran, 1967 Matura, Soz.-Stud. in Trient, 1972 Prom. K.: 1973 Eintritt in d. Landesdienst im WirtschaftsassR. in Bozen, seit 1977 Werbeltr. d. Landesverkehrsamtes Südtir., ab 1981 Amtsdir. M.: VPräs. Skol Club Südtir. H.: Fotografie, Bergwandern, Skifahren, Surfen. (C.K.)

Ducati Franco Dr.-Ing.

B.: Amtsdir. im Amt f. Bodenschutz u. Abfallwirtschaft. DA.: 39100 Bozen, Cesare-Battisti-Str. 21. PA.: 39100 Bozen, Heinrichstr. 14/B. G.: Casez, 17. Dez. 1944. V.: Giovanna, geb. Fellin. Ki.: Andrea. El.: Silvio u. Elena. S.: wiss. Lyzeum in Trient, Univ. Pavia u. Padua Elektrotechnik. K.: Tätigkeit b. einer dt. Firma in Mailand, seit 1972 im Amt f. Umweltschutz, Bmtr., seit 1983 Amtsdir. H.: Skifahren, Tennis. (P.R.)

Duregger Peter Dr. rer. nat.

B.: Dir. Gymn. Jakob Philipp Fallmerayer. DA.: 39042 Brixen, Dantestr. 39E. PA.: 39042 Brixen, In der Klosterwiese 29. G.: Prettau, 28. Juni 1946. Ki.: Thomas (1977), Verena (1980). El.: Thomas u. Maria. S.: Hum. Gymn. Vinzentinum Brixen u. Bruneck, 1966 Matura, Stud. Biologie Univ. Padua, 1972 Prom., 1972/73 Militärdienst. K.: 1973 Prof. am Hum. Gymn. Bruneck, 1986 Dir. d. Gymn., 1990 Dir. Gymn. Brixen, Grdg. Lyzeum f. mod. Sprachen. P.: versch. Art. in Fachzeitschriften. M.: Vors. d. Lehrergewerkschaft ASGB, Bez.-Obm. d. ASGB im Pustertal, VPräs. d. LSR. H.: zukunftsorientierter Schulhausbau, Wandern, Musik. (I.D.)

Durnwalder Luis Dr.

B.: LHptm. DA.: 39100 Bozen, Crispistr. 3. PA.: 39030 Pfalzen, Lupwaldstr. 17. G.: Pfalzen, 23. Sep. 1941. V.: Gerda, geb. Furlan. Ki.: Sigrid, Hannes. El.: Johann u. Anna. S.: HS f. Bdk. Wien u. Rechtswiss. Univ. Wien u. Innsbruck. K.: 1968-79 Dir. d. Südtir. Bauernbundes u. Präs. d. Bauernkrankenkasse, 1969-73 Bgm. v. Pfalzen, seit 1973 im Landtag, 1973-78 Regionalass. f. d. Grundbuch, 1976-78 VPräs. d. Südtir. Landtages, 1979-89 LR. f. Land- u. Forstwirtschaft, Jagd u. Fischerei, seit 1984 LHptm. v. Südtir. E.: EZ d. Landes Tir., Ehrenmtgl. d. Tir. u. Südtir. Bauernbundes, Bayer. VO, Landesoberschützenmeister. M.: Vors. Südtir. Hochschülerschaft. H.: Jagd, Hobbygärtner, Wandern, Karten spielen.

Ebner Michl Dr. jur.

B.: Journalist, Verleger, Politiker, Abg. z. röm. Kam. FN.: Athesia Buch- u. Zeitungsverlag. DA.: 39100 Bozen, Laubeng. 41. G.: Bozen, 20. Sep. 1952. V.: Dr. Edith, geb. Pernter. S.: Mittelschule b. d. Franziskanern Bozen, Oberschule u. wiss. Lyzeum Brixen, 1971 Matura, Stud. d. Rechte Univ. Bologna u. Innsbruck, 1977 Prom. K.: 1970 Eintritt in d. SVP, 1971 Eintritt in d. Athesia Verlag, Redaktion, Tageszeitung "Dolomiten", 1973 Journalistenprüf., 1977 Übertritt in d. Personalltg. d. Verlages, 1972 Ref. d. Jungen Generation d. SVP Bozen, 1979 Wahl ins Röm. Abg.-Haus, 1983-87 Wiederwahl, 1979 Mtgl. d. SVP Landesparteiltg., 1987 Mtgl. d. Präsidiums d. Abg.-Hauses, Sprecher d. Südtir. Abg. in Rom. M.: Präs. d. Bürgerinitiative z. Rettung u. Erhaltung d. Bozener Pfarrturms, Präs. d. Hockeyclubs Bozen. (C.K.)

Eccel Günter Dr. oec. soc.

B.: VPräs. FN.: Brenner Garage AG. DA.: 39100 Bozen, Lanciastr. 3. PA.: 39100 Bozen, Weggensteinstr. 18/C. G.: Bozen, 9. März 1937. V.: Renata. Ki.: Katrin, Florian. El.: Marius u. Marianne. S.: 1955 Matura, Stud. Wirtschafts- u. Hdls.-Wiss. in Mailand u. Bologna, 1974 Prom. K.: 1975 Eintritt in d. väterl. Betrieb. H.: Fliegen, Wandern, Bergsteigen. (P.R:)

Eccel Wilhelm

B.: Textilkfm. FN.: M. Eccel AG Textilgroßhdls.-Firma. DA.: 39100 Bozen, Weggensteinstr. 45. PA.: 39100 Bozen, Weggensteinstr. 51. G.: Bozen, 19. Aug. 1918. V.: Christine, geb. Stampfl. Ki.: Peter, Renate. S.: klass. Gymn., 1938 Abitur. K.: Ausbild. in d. Textilfbk. Riedlinger in Augsburg, Großhdls.-Ausbild. in Fürth/Bayern, 1942-45 Wehrdienst, seit 1945 im väterl. Textilgroßhdls.-Betrieb tätig, ab 1965 selbst., Präs. d. M. Eccel AG. P.: Jubiläumsschrift "70 Jahre M. Eccel" (1977). M.: Nat. Textilgroßhdls.- Verb. Mailand, seit 1958 Lions Club. H.: Jagd, Wandern, Skifahren. (C.K.)

Eccher Alessandro Cav.

B.: Dir. d. Bank f. Trient u. Bozen. DA.: 39100 Bozen, Musterg. 7a. PA.: 39031 Bruneck, Dantestr.11. G.: Trient, 29. Jan. 1940. V.: Gabriella, geb. Callegari. Ki.: Dr. Roberta (1967). El.: Pado u. Alessandra. S.: VS, Mittelschule, Oberschule, 1959 Matura, 2 J. Jusstud. Univ. Parma, Kurse Univ. Bocconi Mailand. K.: 1962-64 Bank f. Trient u. Bozen in St. Ullrich, 1964-76 Ang. in d. Bank f. Trient u. Bozen in Bruneck, 1976 Dir. in Brixen, 1977 Dir. in Bruneck, 1980 Dir. in Meran, 1981 VDir. in Bozen, 1982 Dir. in Riva del'Garda, 1983 Dir. Cortina d'Ambezzo m. Kompetenz in Belluno u. Treviso, seit 1986 Dir. d. Sitzes Bozen u. verantw. f. d. gesamte Provinz Bozen m. 21 Filialen, 1990 Cavaliere della Repubblica. M.: Panathlon Club, Yachtverb. Bozen, Finanz- u. Disziplinarkmsn., Yachtprüf.-Kmsn. f. Provinz Bozen. H.: Yacht, Tennis, Skifahren. (M.M.)

Eccher Pietro Dr.

B.: FA f. Augenheilkunde. DA.: 39100 Bozen, Rosministr. 44. PA.: 39031 Bruneck, Herzog-Sigmund-Str. 1. G.: Bruneck, 22. Okt. 1953. V.: Anna, geb. Sughi. El.: Paolo u. Alessandro. S.: Mittelschule Bozen, 1973 Matura, Med.-Stud. Padua, 1980 Prom., 1984 Augen-FA Padua, Teilnahme an div. Fortbild.-Kursen in Innsbruck u. Heidelberg. K.: Praktikum KH Padua, Bozen u. Bruneck, 1984 Eröff. d. Praxis in Bruneck, 1988 Eröff. d. Praxis in Bozen. BL.: div. Vorträge u. Seminare in Italien, Deutschland, Südtir. u. Österr. P.: Fachart. in Fachzeitschriften. M.: APIMO, Ital. Ges. d. Augenärzte. H.: Skifahren, Langlaufen, Tennis, Schwimmen, Theater, Lesen, Kunst. (M.G.)

Eder Josef Dr. phil.

B.: Priester, Regens am Knabenseminar Vinzentinum. DA.: 39042 Brixen, Brennerstr. 37. G.: Ahrntal, 30. März 1936. S.: VS, hum. Gymn., 1955 Matura, Theol.-Stud. in Brixen, 1959 Priesterweihe in Brixen, Germanistikstud. in Bonn, Stud. in München u. Innsbruck, 1966 Prom. K.: 1966-75 Lehrer am Vinzentinum, 1975-87 Studiendir. d. Vinzentinums v. Brixen, seit 1987 Regens d. Vinzentinums. H.: Wandern, Bergsteigen. (M.Br.)

von Egen Alexander Dr. jur.

B.: Präs. FN.: Institut f. geförderten Wohnbau. DA.: 39100 Bozen, Duca-D'Aosta-Str. 51. PA.: 39052 Kaltern, Europastr. 11; 6020 Innsbruck, Hunoldstr. 3/2. G.: Bozen, 26. Juni 1952. El.: Alois u. Anna. BV.: von Egen: alte Tiroler Adelsfam. S.: hum. Gymn. Franziskaner Bozen, 1971 Matura, Stud. Rechtswiss. u. Musik (Klavier) in Padua u. Innsbruck, 1978 Prom. K.: Univ.-Ass. Inst. f. Rechtsgeschichte u. Dt. Recht Univ. Innsbruck, RA-Pratktikum Bozen, seit 1980 Dir. d. Südtir. Wirtschaftsringes, 1980-83 Mtgl. d. Verw.-Rates d. Verkehrsamtes Kaltern, seit 1983 Abg. z. Südtir. Landtag, seit 1984 Regionalss. f. Grundbuch u. Kataster, bis 1994 VPräs. d. Regionalreg., s. 1994 Präs. d. Inst. f. geförd. Wohnbau.; intensive Vortrags- u. Sem.-Tätigkeit. P.: versch. Referate, Aufsätze u. wiss. Beiträge u.a. "Die Rechsstellung in Italien", "Nationalität b. Gericht im alten Österr.", "Das Kellenamt in Meran - eine rechtsgesch. Studie", "Starker Mittelstand - stabile Politik". M.: Souveräner Malteser Ritterorden, versch. Ver. u. Organ. H.: Musik (insbes. Klavier), Briefmarken, Schwimmen, Surfen. (N.A.)

Egger Vinzenz

B.: Untern. FN.: Vinzenz Egger Heizungssysteme. DA.: 39100 Bozen, Schlachthofstr. 28. PA.: 39100 Bozen, Penegalstr. 17B. G.: Als, 1. Dez. 1931. V.: Helene, geb. Stampfl. Ki.: Christine, Margit. S.: kfm. Vorbild., Verkäufer. K.: 1966 Gschf. einer Firma Hdl. v. Ölbrenner u. Heizkessel, ab 1974 selbst. H.: Bergsteigen, Skifahren. (P.R.)

Egger Wilhelm Dr. Prof.

B.: Bischof v. Bozen-Brixen, Kapuzinerpater. DA.: 39100 Bozen, Pfarrpl. 31. G.: Innsbruck, 14. Mai 1940. S.: 1951 Kapuzinerschule Salern, 1956 Eintritt Kapuzinerorden u. Lyzeum d. Vinzentinums, 1960 Matura, Phil.- u. Theol.-Stud., 1965 Priesterweihe, 1 J. Theol.-Stud. Fribourg/Schweiz, Päpstl. Bibel-Inst. Rom, 1 J. Ecole biblique Jerusalem, 1972 Prom.. K.: 1971-86 Prof. f. Neues Testament an d. Phil.-Theol. HS in Brixen, zeitweise Vorlesungen in Rom, Erfurt u. Innsbruck, 1981 Habil., 1982 Dekan d. Phil.-Theol. HS Brixen, Vorträge, Kurse u. Exerzitien über Bibelfragen in Südtir., Österr., BRD, Kamerun, Tansania, Madagaskar, Indonesien, Seychellen, Ltr. d. Inst. Brixner Theol. Kurse, 1986 Berufung durch Papst Johannes Paul II. als Bischof v. Bozen-Brixen. P.: 35 Veröff. (C.K.)

Eisenkeil Arthur

B.: Hotelier, Industrieller. FN.: Eisenkeil Hotels: Palace, Riz-Stefanie u. Meranerhof, Hotel Miramonti in Hafling, Leuchtenfbk. Lichtstudio Eisenkeil in Marling, Vomp, Reisebüro Alpina Meran. GT.: 1973-88 Präs. d. Volksbank Meran, 1959-84 Hotelier- u. Gastwirteverb. Südtir., 1976 Gründer u. 1976-80 Präs. d. Südtir. Wirtschaftsring. DA. u. PA.: 39012 Meran, Cavourstr. 2/4. G.: Partschins, 4. Apr. 1931. V.: Ehrentraud, geb. Wallner. Ki.: Claudia, Astrid, Alexander, Andreas. S.: Mittelschule, HASCH Meran. K.: 1948 Mieter eines Schutzhauses d. Südtir. Alpenver., im Winter Praktikum in kfm. Berufen u. Hotelberuf b. 1952 z. Militärdienst, 1954 Holzhdl. Meran, 1955 Bau d. Hotels Marlinger Hof, gleichzeitig Eröff., d. Lichtstudios in Meran, 1962 Grdg. d. Esterglas, Schwimmbeckenbau in Schlanders, 1966 Kauf d. Hotels Continental in Meran u. Renovierung u. Eröff. als Meranerhof, 1968 Reisebüro Alpina, 1972 Übernahme d. Palace Hotels u. Renovierung, 1973 Übernahme d. Hotels Riz, gleichzeitig Mercedes-Vertr. f. Südtir., 1975 Bau d. Lichtstudios Vomp, 1979 Lichtstudio in Marling. P.: Redaktionelle Beiträge in d. Österr., Schweizer, Ital. u. Südtir. Gastwirtezeitung, d. Südtir. Wirschaftszeitung u. d. Nordtir. Wirtschaft. E.: Commendatore 1978. M.: 15 J. im GemR. v. Marling, davon 8 J. als VBgm. H.: Jagd. (C.K.)

Ellmenreich Helmut

B.: Kfm. FN.: Pfitscher Ellmenreich Tabaktrafik, Lederwaren. DA.: 39012 Meran, Laubeng. 361. PA.: 39012 Meran-Algund, Laurinstr. 271. G.: Niederdorf, 22. Aug. 1920. V.: Helga, geb. Pfitscher. Ki.: Wolfgang, Friedrich, Joachim. El.: Oskar u. Maria. S.: Mittelschule Meran, Buchhändler, Lehranst. Leipzig, 1938 Abschluß, Volontär Wagner'sche Buchhdlg. Innsbruck. K.: 1940-45 Kriegsdienst dt. Wehrmacht, 1946-59 Auftragsbearb. im väterl. Druckereibetrieb, 1959 Kauf Firma Pfitscher, seither Führung als Trafik u. Lederwarenbetreib, 1949 Eitnritt Alpenver. Innsbruck, 1946 Wiedergrdg. Alpenver. Südtir. u. Sekt. Meran, seit 1962 Vorst. Sekt. Meran. BL.: Initiator Naturpark Texelgruppe (1976) u. d. 120 km langen Meraner Höhenweges (über d. Alpenver. Südtir., Sekt. Meran). P.: Gestalter v. alpiner Literatur u. Kartenwerke, Beiträge in alpinen Zeitschriften. E.: Gold. VM d. Landes Tir. 1987. M.: 1939 Alpenver., Gründer Kiwanis-Club Meran. H.: Vorbereitung u. Durchführung v. Tagestouren u. Wanderungen, Lichtbildervortäge, Fotografieren, Bergsteigen, Tennis, Radfahren, Schwimmen. (C.K.)

Enderle Luis Dr.

B.: Koordinator d. Organ.-Abt. d. Inst. f. geförderten Wohnbau d. Provinz Bozen. DA.: 39100 Bozen, Horazstr. 14. PA.: 39055 Leifers, Bahnhofstr. 8. G.: Eppan, 2. Juni 1941. El.: Franz u. Theres. S.: Handelsabendschule St. Ulrich/Gröden, 1963 Matura. K.: 1959 Eintritt in d. Landesverw., Ass. f. Wohnbau, 1972-77 Betriebswirtschaftstud. Univ. Innsbruck, 1977 Spons., 1979 Inst. f. förderten Wohnbau, seit 1982 Koordinator. M.: SVP. H.: Gartenarb., Lesen, Reisen, Wandern. (A.W.)

Endrizzi Tito Dr.

B.: Amtsdir. im Amt f. Landmaschinenwesen. DA.: 39100 Bozen, Brennerstr. 6. PA.: 39100 Bozen, Gaismairstr. 17. G.: Brixen, 28. Nov. 1937. V.: Rosa, geb. Lovato. Ki.: Mario, Carlo. El.: Dr. Leone u. Getrud. BV.: Atoming. Adriano Endrizzi, Ltr. d. Computerabt. d. Atomzentr. Ispro Prov. Verese. S.: Mittelschule Bozen, wiss. Lyzeum, Univ. Bologna, Dr., Studienreisen, Seminare in ganz Europa. K.: Praktikum Mäckmüll Stuttgart, 1963-64 Firma Agria Deutschland, 1965 Militär, 1965 Eintritt Landesreg. BL.: div. Vorträge über Südtir. u. Italien, Einsatz Landmaschinen in d. Ldw. P.: Fachart. in Fach- u. Tageszeitungen, einige Broschüren. M.: seit 1981 Verb. Eltern behinderter Kinder u. seit 1987 VPräs. H.: Sport, klass. Musik, Briefmarkensammeln, Münzensammeln. (M.G.)

Engl Christoph Dr. jur.

B.: Dir. d. Südtir. Hotel- u. Gastwirteverb. DA.: 39100 Bozen, Delaistr. 16. PA.: 39100 Bozen, Oswaldweg 20. G.: Bozen, 9. Mai 1961. V.: Gerlinde, geb. Plattner. Ki.: Barbara, Alexander. El.: Hanns u. Eva. S.: Hum. Gymn., 1980-84 Jusstud. Univ. Innsbruck u. Padua, 1976-83 Musikstud. Fach Gitarre am Konservatorium Bozen, 1982 Kl. Musikdipl., 1984 Prom. z. Dr. jur. an d. Univ. Innsbruck, 1983 Doppelsprachigkeitsprüf. f. d. ltd. Laufbahn. K.: 1984-85 verantw. Schriftltr. d. Jungendzeitschrift "daFür", ab 1986 Ang. d. Ind.-Verb., seit 1984 stellv. Landesltr. d. SKJ, seit 1986 AufsR. d. Oberalp AG, seit 1987 Präs. d. "Gen. werktätiger Behinderter", seit 1989 Dir. d. Hotel- u. Gastwirteverb. P.: div. Art. in Fachzeitschriften über Wirtschaftsethik, Touristik u. Gästeverhalten. H.: Bergsteigen, Skifahren u. -touren, Musik, Kochen, Fotografieren, Reisen. (A.W.)

Engl Hanns

B.: Werkzeugmacher, Präs. d. Landeshandwerkskmsn. DA.: 39100 Bozen, Garibaldistr. 4. PA.: 39100 Bozen, Gscheibter Turmweg 5. G.: Bozen, 3. Feb. 1932. V.: Eva, geb. Pfeiler. Ki.: Christoph, Ulrike, Johannes. El.: Max u. Martha. BV.: seit 1733 alte Handwerksfamilie, Wegscheider Schmiede. S.: Gew.-Schule, Werkzeugmacherlehre im väterl. Betrieb, Weiterbild. auf Kursen u. Seminaren im Ausland. K.: Ausweitung d. väterl. Betriebes, 1959 Übernhame d. Betriebes. M.: seit 1976 Landeshandwerks-Kmsn., seit 1977 Exek. Aussch. d. Landesverb. d. Handwerker, seit 1981 Präs., VerwR., im Wifo, VerwR. im Wifi. E.: Gr. Gold. Abz. d. Bayer. Mechanikerinnung, EZ d. Kammerchors "Leonhard Lechner", Gold. EZ d. Landesverb. d. Handwerker. H.: Musik. (P.R.)

Erckert Karlheinz Dr. jur. Mag.

B.: Gen.-Sekr. d. Südtir. Landtages a. D., Präs. d. Inst. f. Musikerziehung in dt. u. ladin. Sprache, Präs. d. Diözesaninst. f. d. Unterhalt d. Klerus. DA.: 39100 Bozen, Schlernstr. 1; 39100 Bozen, Marconistr. 7. PA.: 39100 Bozen, Zum Talfergries 18. G.: Meran, 1. Jan. 1936. V.: Waltraud, geb. Wein. Ki.: Dipl.-Ing. Dr. Christof (1964), Mag. Brigitte (1966), Monika (1975). El.: Dr. Karl u. Anna, geb. Gruber. BV.: Vater Dr. Karl Erckert 1. Hptm. v. Südtir. S.: 1954 Matura, Stud. Jus. u. Vw. in Padua u. Innsbruck, 1960 Prom. in Innsbruck. K.: seit 1960 im Landesdienst Abt. Gem.-Aufsicht, seit 1975 Abt. Sanität, seit 1980 Denkmalamt, 1981 Rechtsamt d. Landtages, 1982 beauftragter Gen.-Sekr. d. Landtag, ab 1983 Gen.-Sekr., seit 1990 in Pension, seit 1984 Präs. d. Diözesaninst. f. d. Unterhalt d. Klerus, zeitweiliger Lehrauftrag f. Sondergesetzgebung im ital. Verw.-Recht an d. Univ. Innsbruck. E.: Gold. EZ d. Südtir. Sängerbundes, Tir. Sängerbundes u. d. MGV Bozen. M.: im VerwR. d. Inst. f. Musikerziehung, 1966-84 Obm. d. Männergesangsver. Bozen, langjähr. Mitarb. im Vorst. d. Südtir. Sängerbundes, Mtgl. d. Diözesan VermögensverwR. d. Diözese Bozen/Brixen, ÖCV, Verbindung Austria-Innsbruck, CV Verbindung Tuiskonia München, seit 1992 Mtgl. d. Vorst. d. Südtir. Kinderdorfes. (N.A.)

Erhard Heinrich Dr.

B.: Amtsdir. im Amt f. Jagd u. Fischerei. DA.: 39100 Bozen, Brennerstr. 6. PA.: 39020 Marling, Peter-Mitterhofer-Str. 5/2. G.: Laatsch, 15. Apr. 1949. V.: Christel, geb. Häfner. Ki.: Silke (1983), Gunther (1986). El.: Alois u. Kreszenz, geb. Paulmichl. S.: hum. Gymn., 1970 Matura, Stud. Wien, 1975 Dipl. Forstwirtschaft. K.: Unterricht in Glurns, seit 1976 im Landesdienst, seit 1979 Amtsdir. E.: Gold. Forelle. H.: Jagd u. Fischen. (P.R.)

Erspamer Helmut Josef Hubert Dr.-Ing.

B.: alleiniger Gschf. u. Präs. d. VerwR. FN.: LINEL GmbH. GT.: seit 1978 Tochterges. Electrounion, seit 1987 LINEL GmbH Rosenheim. DA.: 39100 Bozen, Piavestr. 29. PA.: 39039 Sterzing, Thuinerweg 2. G.: Innsbruck, 3. Mai 1943. V.: Yvonne, geb. Costa. Ki.: Claudia, Iris. El.: Josef u. Elfriede. S.: kfm. Vorbild.-Schule in Sterzing, Stud. HTL Innsbruck Elektrotechnik, 1963 Matura, 1972-76 Werkstudent Stud. an d. Univ. Innsbruck Soz.- u. Wirtschaftswiss. K.: 1963-64 Seilbahnbau Hölzl Meran, b. 1968 Starkstromanlagen Ges. SAG Frankfurt, b. 1969 Firma Kummler & Matter Zürich, Auslandsaufenthalte u.a. Lybien, b. 1970 techn. Ltr. Firma LINEL GmbH Bruneck, ab 1970 Mtgl. in d. Geschäftsltg., ab 1983 alleiniger Gschf. BL.: ital., dt., engl., Teilnahme an d. Univ. Absolventen. P.: Dipl.-Arb.: Führungsprobleme in d. Elektrowirtschaft, Raumspezifische u. rechtl. Rahmenbedingungen aus d. Bereich Südtir. M.: Verb. d. Industiellen, Studentenverb. Ambronia Innsbruck, Ferazione Nazional Dirigents Aziende Indistriali seit 1971. H.: Bergsteigen, Skifahren, Leichtathletik, Tennis, Lesen, klass. Musik. (M.G.)

Esposito Giovanni

B.: Chef d. Radarkontrolle am Flughafen St. Jakob, Bozen. DA.: 39050 Bozen, Flughafen. PA.: Verona, Via Alboretti 7. G.: Pomigliano-d'Arco, Napoli 3. Jan. 1950. V.: Elena, geb. Pisapia. Ki.: Alina, Livio. S.: Gewerbeschule Pomigliano, ab 1968 Militärschule f. Fluglotsen u. div. Fortbild.-Kurse u. engl. Sprachkurse. K.: b. 1981 Radarkontrolle f. Militär auf zivilen Flughäfen, ab 1981 Chef d. zivilen Radarkontrolle f. Bozen. M.: Schiedsrichter d. ital. Fußballverb. H.: Fußball. (C.K.)

Falk Karl Dir.

B.: Dir. FN.: Hotel Elephant GmbH. DA.: 39042 Brixen, Weisslanstr. 4. PA.: 39042 Brixen, St. Josefstr. 50A. G.: Brixen, 28. Apr. 1952. V.: Elisabeth, geb. Heiss. Ki.: Michael. El.: Johann u. Hilda. S.: VS, MS, HFS. K.: 1966-67 Liftboy im Hotel Adler in St. Ulrich, 1968-71 Portier Grand Hotel Continental in Mailand, 1972-73 BH, 1973-74 Empfangssekr. Hotel Medison in Mailand, 1975-76 Empfangschef Hotel Elephant in Brixen, 1977 in d. Verw.-Abt. B. Marx & Spencer in London, 1977 Empfangschef Hotel Savoy in Meran, 1978 Empfangssekr. Hotel Dominik in Brixen, 1978-82 Dion.-Ass. Hotel Elephant, 1985-87 VerwR. d. Kurverw., seit 1982 Dir. Hotel Elephant, ab 1989 Gschf. d. Hotel. M.: Scal Club. H.: Malen, Zeichnen, Arch., Kunst. (M.Br.)

Favale Paolo

B.: Akustikberater. DA.: 39100 Bozen, Turinstr. 91. G.: Cerea, 11. Apr. 1949. V.: Sonia, geb. Pavan. El.: Giuseppe u. Rita. S.: Akustiker Dipl. BL.: 1977 Premium Stadt Verona, Mani d'Oro, Dom de Milan, Region Lombardai. F.: Istituo Protesico Veneto, Zentr. Taubheit Südtir. M.: versch. Ver. u. Organ., Präs. einer gr. Ges. H.: Lesen, Skifahren. (C.K.)

Feichter Arthur

B.: Landwirt, Mtgl. d. SVP-Parteiltg. G.: Taisten, Welsberg, 12. Aug. 1943. verh.; 6 Kinder. K.: ldw. Weiterbild., seit d. 60er J. in d. Bauernjugend u. im Bauernbund auf Orts-, Bez.- u. Landesebene tätig, seti 1987 Landesobm. d. Südtir. Bauernbundes, seit 1979 Präs. d. Höfekmsn. d. oberen Pustertales, 1980-88 Bgm. d. Gem. Welsberg, Mtgl. d. VSP-Parteiltg. u. Vors. d. SVP-Ldw.-Aussch., seit 1988 im Südtir. Landtag, Präs. d. 2. Gesetzgebungskmsn., Vertr. d. Bauernbundes.

Feichter Walter

B.: Hotelier. Koch. FN.: Hotel Majestic. DA.: 39031 Bruneck, Im Gelände Reischach 20. G.: St. Lorenzen, 18. Okt. 1935. V.: Olga geb. Zingerle. Ki.: Gabi (1969), Martina (1972). El.: Josef u. Gisella. K .: Kochlehre i. Bruneck Abschl. 1953, Praktikum i. versch. Hotels i. Südtirol, Bau d. Hotel Majestic. M.: langj. Mitgl. d. Gastwirtenverb. Bruneck. H.: Schifahren, Bergwandern. (I.D.)

Felder Hans

B.: persönl. Ref. v. LR. Dr. Franz Spögler. DA.: 39100 Bozen, Raiffeisenstr. 5. PA.: 39046 St. Ulrich, Raetiastr. 77. G.: Bruneck, 2. Feb. 1953. V.: Luisa, geb. Seelaus. Ki.: Daniella. El.: Florian u. Rosa. S.: Hdls.-Oberschule St. Ulrich, 1973 Matura, Militär. K.: 1975 Eintritt in d. Landesdienst, Bereich Fremdenverkehr, 1980 Wirtschaftsabt., seit 1985 persönl. Ref. d. Wirtschafts-LR. M.: seit 1980 im Führungsaussch. d. Südtir. Landesverb. f. Wintersport, Ski-Alpin-Kmsn. H.: Wandern. (P.R.)

Ferrari Karl Dr. jur.

B.: Präs. d. VerwR. am Inst. f. geförderten Wohnbau. GT.: Dir.-Stellv. d. Etschwerke, Elektrizitätsuntern. DA.: 39100 Bozen, Zwölfmalgreiner Str. 8. PA.: 39100 Bozen, St. Johannweg 11. G.: Salurn, 31. Mai 1934. V.: Annemarie, geb. Trenta. Ki.: Barbara, Lukas. El.: Johann u. Maria. S.: 1955 Matura, Univ. Padua jur. Fak., 1959 Prom., 1959-60 Stipendium, danach Fulbright-Stipendium USA. K.: 1960 Eintritt in d. Etschwerke Bozen, Personalchef, VDir., seit 1972 Präs. d. Inst. f. geförderten Wohnbau. P.: wiss. Publ. bezügl. Arbeitsrecht, Fragen d. Organ. u. Strukturen d. öff.-rechtl. Anst. H.: engl. Sprache, Lesen. (P.R.)

Ferrari Marcello Dr. rer. pol.

B.: Bgm. d. Stadtgem. Bozen. DA.: 39100 Bozen, Rathauspl. 1. PA.: 39100 Bozen, Neustifter Weg 8. G.: Bozen, 16. Nov. 1935. V.: Iris, geb. Beguri. Ki.: Christian. S.: wiss. Lyzeum Bozen, 1955 Matura, Stud. Polit. Wiss. Univ. Mailand, 1960 Prom. K.: Sekr. wiss. Lyzeum, 1977 Dir. d. Schule, 1980 Schulinsp. aller ital.-sprachigen Berufsschullehrer d. Provinz Bozen, polit. Laufbahn: ab 1969 als GemR. in Bozen, 1974 KulturstadtR. in Bozen, 1980 StadtR. in d. Urbanistik, 1985-89 u. ab 1990 Bgm. v. Bozen, gleichzeitig im Wartestand d. Tätigkeit als Insp. d. ital.-sprachigen Berufsschulen. M.: VerwR. d. Brenner Auobahn, VerwR. d. Flughafenges., Teilnehmer an d. WM 1987 in Rom als Startrichter, Präs. d. Obstgroßmarkthalle in Bozen. H.: Fotografieren, Skifahren, (mehrmals ital. Meister im Veteranenskilauf), Tauchen (mehrfache Preise in Leistungstauchen). (M.M.)

Ferrari Mario Otto

B.: Kältetechniker f. Kühlanlagenbau f. Ind. u. Gewerbe. FN.: Ferrari. DA.: 39100 Bozen, Galvanistr. 13. PA.: Leifers, Rennerhofstr. 13. G.: Bozen, 18. Feb. 1937. V.: Augusta, geb. Pomarolli. Ki.: Robert, Marina. S.: Gewerbeoberschule Bozen, Beginn als Lehrling. K.: Lehrkurse f. Kältetechnik in Mailand u. Deutschland, 1960-66 Werkstattmeister, 1. Firmensitz im elterl. Haus in Leifers, 1975-80 zusätzl. GemR. in Leifers, 1985 Eröff. d. jetzigen Betriebes in d. Hdls.-Zone Bozen-Süd, Untern. heute als eines d. führenden Kälteind.-Betriebe in d. Provinz Bozen, Betriebszweck: Planung, Lieferung, Montage u. Kundendienst v. Spezialkühlanlagen f. Lebensmittel, Obstkonservierung, Wein u. Gastgewerbe, sowie Spezialkühlanlagen f. Tiefkühlprodukte u. -lebensmittel, b. jetzt bereits zahlr. ausgeführte Anlagen in öff. Ämtern, Gen. sowie Privatbetrieben, Tätigkeit im gesamten Gebiet Italien, vorwiegend jedoch Provinz Trentino-Südtir. P.: Fachart. über Wärmerückgewinnungsanlagen. H.: Tennis, Skifahren. (C.K.)

Ferretti Remo Dr.

B.: 2. LHptm.-Stellv., LR. f. Hdl., Unterricht, Schulfürsorge u. Kultur f. d. ital. Sprachgruppe.DA.: 39100 Bozen, Raiffeisenstr. 5. PA.: 39100 Bozen, Guntschnastr. 33a. G.: Bozen, 23. Mai 1936. V.: Luisa, geb. Spagnolli. Ki.: Paola, Carlo, Cristina. S.: Dr. phil. K.: Schuldir., Publizist u. Journalist, VPräs. u. LR. f. Kultur u. Schule d. ital. Sprachgruppe. P.: mehrere Publ. über d. Schule u. über d. Situation in Südtir. M.: DC. H.: Tennis, Schwimmen, Skifahren, Wandern, Reisen. (P.R.)

Ferretti Saverio Dr.

B.: Amtsdir. im Amt f. Hdl. DA.: 39100 Bozen, Raiffeisenstr. 5. PA.: 39040 Laag b. Neumarkt, Mittelstr. 4. G.: Laag, 18. Dez. 1942. E.: Giovani u. Gisela. S.: klass. Lyzeum Trient, 1962 Matura, Sozialwiss.-Stud. Univ. Trient, 1967 Prom. K.: 1967-69 Marktforsch.-Inst. Mailand, 1970 Sekr. d. Abg. Pasqualin Valtentina, 1970-72 Kreditanst. Banca di Trento e di Bolzano in Bruneck, 1973 Eintritt in d. Landesreg., Amt f. Hdl., seit 1982 Amtsdir. P.: div. Art. in Tageszeitungen u. Fachzeitschriften über intern. Hdl. u. Werbung f. Südtir. Prod. M.: im Aussch. v. div. Sportver. in Laag. H.: Tennis, Skifahren, Windsurfen, Reiten, Segeln, Fotografieren, Reisen. (A.W.)

Ferretti Silvio Ing.

B.: Regionaldir. SIP Fernwesen. DA.: 39100 Bozen, Italienstr. 13/IV. PA.: 39100 Bozen, Fagenstr. 5D. G.: Parma, 29. Juli 1938. V.: Carla, geb. Rastelli. Ki.: Massimo (1968), Silvia (1971), Anna (1974). S.: Polytechn. Inst. Mailand. K.: 1965-83 Network SIP, 1983 verantw. d. Vermittlungszentrale in d. Lombardei, 1987-92 Agenturdir. Mailand-Süd, seit 1992 Regionaldir. Bozen. (M.M.)

Ferretti-Asta Gianfranca

B.: Wirtschafts- u. Steuerberater. GT.: Journalistin, Publizistin. DA.: 39100 Bozen, Verdipl. 12. PA.: 39100 Bozen, Siegespl. 48. G.: Bozen, 14. Juni 1941. V.: Roberto Aste. Ki.: Marianna, Niccolo, Jacopo. El.: Alberto u. Angrolina Ferretti. S.: 1961 Matura Bozen, 1961-63 Stud. Vw. Köln, Paris u. Bozen. K.: 1963-83 Dir. d. Steuerkmsn. in Bozen, ab 1983 selbst. Wirtschafts- u. Steuerberaterin.P.: in Lokalzeitung "Alto Adige" über Steuerrecht. (P.R.)

Figel Margarita

B.: Inh. FN.: Reformhaus ZEA MAYS. DA.: 39012 Meran, Freiheitsstr. 182/d. G.: Trient, 31. Juli 1948. V.: Andreatta. Ki.: Daniele. El.: Heinrich u. Erna Figel. S.: Matura, Stud. Univ. Veraona. Dipl.-Abschluß f. Heilkräuterkunde Univ. Urbino. K.: seit 1971 in Meran, seit 1984 gut situiertes Fachgeschäft m. Beratung über Reformprod. u. Heilkkräuter, sowie Naturkosmetik. H.: Lesen, Schwimmen, Naturliebhaberin. (P.R.)

von Fioreschy Robert Dr. jur. Dr. rer. pol.

B.: RA, Präs. d. Hdls.-, Ind.-, Handwerks- u. Ldw.-Kam. Bozen. GT.: VPräs. d. EMSU. DA.: 39100 Bozen, Museumstr. 41; 39100 Bozen, Garibaldistr. 4. PA.: 39040 Auer/Bozen, Schloß Auer, Kirchplatz. G.: Auer/Bozen, 16. Okt. 1919. V.: Hermine, geb. Mayer. Ki.: Ingrid, Gerlinde, Monika, Rüdiger. S.: Stud. an d. Univ. Berlin, Wien, Innsbruck u. Genua. Jusstud. Univ. Innsbruck, 1948 Prom., Stud. Polit. Wiss. Univ. Genua, 1949 Prom. K.: 1948-50 Kanzler d. Österr. Konsulats in Genua, 1950 RA, 1952 RegionalR. Trentino-Südtir., 1952-68 Mtgl. d. Südtir. Landesreg., 1952-73 Mtgl. d. Südtir. Landtages, seit 1968 Präs. d. Südtir. Landtages u. RegionalR., 1972 VPräs. v. Itas Trient, seit 1973 Präs. d. Hdls.-, Ind.-, Handwerks- u. Ldw.-Kam. Bozen, VPräs. d. SIEC, Mtgl. d. Eurochamber. E.: Großoffz. d. ital. VO, EZ d. Landes Tir., Bayer. VO, BVK 1. Kl. BRD, Senator h.c. d. Univ. Innsbruck, Gr. Gold. EZ m. Stern f. Verd. um d. Rep. Österr. M.: Rotary Club Bozen. H.: Briefmarken. (C.K.)

Fiorucci Alfio

B.: Industrieller. FN.: S.a.s. Motor di A. Fiorucci & Co, BRIXINMOTOR S.r.l. Produzent u. Exporteur v. exclusiven Chianti Classico Poggiolo m. eigenem Weinanbaugebiet u. Weinbauhof, Immobiliengeschäft. DA.: 39100 Bozen, Schlachthofstr. 53. PA.: 39100 Bozen, Mendelstr. 84. G.: Fondo/Trient, 12. Mai 1932. V.: Luigina, geb. Bonveccio. Ki.: Roberto, Mauro. K.: 1953-55 Firma Fiat Bozen Verw., 1955-72 Konzessionär v. Innoccenti, Rover, British Leyland u.

Jaguar in Bozen, 1967 Übernahme d. BMW Kfz-Konzession, 1961 Aufbau d. neuen Firmengeländes f. d. PKW-Verkauf, 1972-80 m. d. Zusatzprod. BMW erstaunlich hohe Steigerungen, 1978 Entschluß z. Aufbau einer Filiale in Brixen, 1980 Aufnahme d. Verkaufs in d. Filiale Brixen, 1982 als gr. Weinliebhaber Aufnahme d. Weinprod. in Siena/Toskana, heute umfaßt d. Gruppe Fiorucci d. beiden PKW-Firmen, d. Qualitätswein-Prod. u. d. Immobilientätigkeit. H.: Arb., Wein, Sport, Lesen, Literatur, Finanzsektor. (C.K.)

Graf Firmian Hans Dr. jur.

B.: RA. DA.: 39100 Bozen, Obstpl. 47. PA.: 39057 Eppan, Bergweg 69. G.: Triest, 12. Sep. 1914. V.: 1. Ehe: Dr. Eva Lutz. Ki.: Elisabeth, Johannes, Bernhard; 2. Ehe Elly, geb. Peemöller. Ki.: Patrick, Hilpold. El.: Hans u. Olga. BV.: Familie d. Grafen Firmian gehören z. Tir. Uradel, Gründer d. Tir. Matrikelordens; Leopold Firmian Erzbischof v. Sbg., Karl Firmian Stadthalter d. Lombardei unter Maria Theresia. S.: 1934 Matura Görz, Jusstud. Padua, Freiwilliger im Span. Bürgerkrieg, 1940 Prom. K.: 1040-43 Militärdienst, ab 1949 selbst. RA. H.: Ldw., Bergsteigen, Skifahren. (P.R.)

Fischer Maria Luise Dr. phil.

B.: Insp. f. d. sprachl.-expressiven Bereich b. Deutschen Schulamt. DA.: 39100 Bozen, Siegespl. 47. PA.: 39012 Meran, Heiligkreuzstr. 7. G.: Bozen, 27. Sep. 1936. El.: Georg u. Martha, geb. Jost. S.: LBA Meran, 1954 Matura, 1954-59 Sprachenstud. Univ. Venedig, 1962 Prom. K.: 1959 Lehrtätigkeit LBA Meran (Lit. Fächer), dann Mittelschule, daneben Mittelschuldir. v. Naturns Ulten, b. 1988 Terlan, seit 1988 dzt. Position, zustänig f. Lehrerfortbild. u. Schulversuche; aktive Vortragstätigkeit. H.: Literatur, Kunstgeschichte, Archäologie, klass. Musik, Reisen. (N.A.)

Fischnaller Heinz Karl

B.: Gschf. Ges. FN.: Sped. Oberhammer GmbH. DA.: 39100 Bozen, Eisackstr. 11A. PA.: 39100 Bozen, Italienstr. 19. G.: Kirchdorf/Tir., 13. März 1944. V.: Stefanie, geb. Schleich. Ki.: Patrick. El.: Arnold u. Frieda. S.: Hdls.-Oberschule Bozen, div. Fortbild.-Kurse. K.: 1960-63 kfm. Ang. Großmarkt Nürnberg/Deutschland, 1967-80 kfm. Ang. Firma Kukla in Bozen, seit 1980 Gschf. Ges. Sped. Oberhammer GmbH. H.: Sport, Skifahren, Wandern, Theater, Reisen. (M.G.)

Fleischmann Gerald Dr. phil.

B.: Chefred., Ltr. d. Priv. Rundfunksender Radio Tirol. DA.: 39019 Dorf Tirol, Hauptstr. 32. PA.: 39019 Dorf Tirol, Hauptstr. 7. G.: Wien, 22. Dez. 1940. V.: Marialuise, geb. Geyer. Ki.: Sabrina, Bettina, Beatrix. S.: RG, 1959 Matura in Wien, Stud. Publizistik an d. Univ. Wien, 1967 Prom. K.: 1967-77 Tageszeitung Dolomiten in Bozen als Red., 1977 Grdg. v. Radio Tirol GmbH, innerhalb v. 10 J. Ausweitung auf einen 3-Länder Sender m. Ausstrahlung nach Bayern u. in d. Schweiz, ausgedehnte Informationsblöcke m. Schwerpunkt auf lokaler Information. (C.K.)

Fontana Pio Dr. soc.

B.: Amtsdir. im Amt f. Weiterbild. u. Bibl. GT.: Koordiantor versch. Pfadfindergruppen d. Region Südtir., Vertr. d. Landesreg. Südtir. b. d. Oberschule f. Soz.-Fürsorge in Trient, Doz. b. d. Landesschule, Vertr. d. Landes Südtir., Landesschule, Berufsschule f. Alten- u. Familenhelfer in Bozen. DA.: 39100 Bozen, Europagalerie 15. PA.: 39100 Bozen, Gaismairstr. 11. G.: Bozen, 22. Dez. 1945. V.: Elda, geb. Cipollone. Ki.: Marco, Claudio. S.: Liceo Classico Brixen, 1966 Matura, 1967 Theol. u. Phil. in Brixen, zunächst Aufbau d. neuen Sektors Soz.-Fürsorge, 1975 Unterricht im Polytechnikum Mailand, 1981 Ernennung z. Amtsdir. P.: 1981 Mitarb. an d. Buch "Die Sozialdienste für alte Menschen in Südtirol". M.: A.G.E.S.C.I. H.: Bergwandern, Kunst, insbes. klass. Kunst, Mechanik, Pfadfinder. (C.K.)

Foradori Paolo

B.: Weinprod. Händler, Inh. FN.: Hofstätter Weingut u. Weinkellerei. GT.: Aussch. d. Weinhändlerverb. DA. u. PA.: 39040 Tramin, Rathauspl. 5. G.: Bozen, 23. Juni 1935. V.: Sieglinde, geb. Oberhofer. Ki.: Britta, Martin. El.: Viktor u. Helena.BV.: Ezio Foradori Lodenfabrikant v. Innsbruck u. Gründer d. Seilbahn v. St. Anton. S.: Stud., Weinbauschule in Geissenheim/Rhein. K.: BH, 1959 Tätigkeit im elterl. Betrieb, 1980 Übernahme d. elterl. Betriebes Firma Hofstätter Weingut u. Weinkellerei. M.: Rotary Club v. Bozen, Kmsr. f. Weinverkostungen. H.: Skifahren, Fliegen, Schwimmen, Radioamateur (IN3EEU). (M.Br.)

Forer Heinrich

B.: Weihbischof. G.: Taufers, 2. Nov. 1913. S.: Stud. am Vinzentinum, Priesterseminar in Brixen. K.: 1938 Priesterweihe in Bruneck, dann Kaplan an d. ldw. Schule in Dietenheim, 1947 Sekr. d. Kath. Aktion d. Diözese Brixen, 1948 Mitbegründer d. KVW u. 1. geistl. Ass., 1951 Dekan v. Cortina d'Ampezzo, 1956 Ernennung z. Weihbischof d. Erzdiözese Trient, Titularbischof v. Memphis/Ägyten, 1956 Bischofsweihe in Cortina, seit 1964 Weihbischof d. Diözese Bozen-Brixen, seit 1989 i.R. E.: 1977 EZ d. Landes Tir., 1981 Ehrenbürger d. Heimatgem. Sand in Taufers.

Franceschini Enzo Dr. Dipl.-Ing.

B.: Dir. FN.: ENEL. DA.: 39100 Bozen, Dantestr. 32. PA.: 33170 Pordenone, Via San Quirino 11. G.: Castello Tesino, 22. Juli 1940. V.: Erika, geb. Fattore. Ki.: Lisa, Anna. El.: Romolo u. Fanny. S.: Polytechnicum Mailand, Dipl.-Ing., Spezialgebiet: Elektromaschinenbau. K.: Brown Boveri AG Baden, 1967 Eintritt in d. Firma Enel, zunächst in Triest, ab 1986 in Bozen. (P.R.)

Frasnelli Hubert Ernst Maria Dr. Dipl.-Chem.

B.: Abg. z. Südtir. Landtag, Mtgl. d. 1. u. 4. Gesetzgebungskmsn. d. Landtages u. d. Interregionalen Landtagskmsn., Frakt.-Vors. d. SVP im Landtag v. Südtir., stellv. Parteivors. DA.: 39100 Bozen, Landhaus IV, Crispistr. 9. PA.: 39022 Algund, Dr.-Josef-Weingartner-Str. 39a. G.: Meran, 2. Nov. 1944. V.: Renate Elsbeth, geb. Holliger. Ki.: Johannes, Matthias, Andreas. El.: Ernst u. Antonie. S.: hum. Gymn., 1963 Matura, Stud. Chemie in Göttingen, Musikinst.: Zieharmonika u. Trompete. K.: 1972-73 Militärdienst, 1973-79 Abt.-Ltr. f. Arbeitshygiene u. Arbeitsmed. b. Arbeitsinspektorat Bozen, seit 1978 Mtgl. d. SVP Parteiltg., 1979-83 Abg. z. röm. Kam., seit 1983 im Südtir. Landtag Frakt.-Vors. BL.: Besuch v. Intern. Fachmessen u. Seminaren, versch. Referate, 1982 Amerikaaufenthalt als Abg. z. röm. Parlament, Schwerpunkt Arbeitsmarktverw. P.: "Neuorganistion d. Arbeitsschutzes". M.: Grdg.-Mtgl. d. Arbeitnehmer in d. SVP, im Dachverb. f. Umwelt u. Naturschutz, 1957-63 Meraner Sportclub, div. ehrenamtl. parteipolit. Funktionen. H.: Musik, Natur, Skifahren, Wandern, Auslandsreisen. (M.G.)

Frauscher Reinhard Mag. rer. soc. oec.

B.: Journalist im ORF Büro Bozen. DA.: 39100 Bozen, Leonardo-da-Vinci-Str. 1E. G.: Innsbruck, 16. Nov. 1946. V.: Angelika, geb. Hein. Ki.: Florian, Kathrin. El.: Otto u. Hanna. S.: 1966 Matura, Stud. d. Wirtschaftswiss. an d. HS f. Welthdl. Wien, gleichzeitig ständiger Mitarb. d. ORF, 1972 Spon. K.: 1 J. Frankreichaufenthalt, 1975 Eintritt in d. ORF Wirtschaftsred., 1976-82 Inlandsred. d. "Zeit im Bild", 1982 Bestellung z. Südtir. Korrespondenten in Bozen. E.: "Mobil"-Preis f. Wirtschaftsjournalistik 1978. H.: Lesen Skifahren. (P.R.)

Frei Mathias Dr. phil.

B.: Dir. d. Landesbibl. "Dr. Friedrich Tessmann" i.R. GT.: Vorst. bzw. BeiR.-Mtgl. versch. kultureller Ver. wie z.B. Künstlerbund, Museum f. mod. Kunst, Mtgl. d. dt. LandeskulturbeiR. in Südtir. DA.: 39100 Bozen, Armando-Diaz-Str. 8. PA.: 39100 Bozen, Schießstandweg 22. G.: Gargazon, 28. Okt. 1934. V.: Erika, geb. Abart. Ki.: Leonore. S.: hum. Gymn. Lyzeum in Dorf Tirol, 1953 Abitur in Meran, 1953-57 Univ. Padua, 1957 Prom., Inst. f. Geschichtsforsch. Univ. Wien, 1960 Staatsprüf. K.: ab 1960 wiss. Ltr. d. "Dr. Friedrich Tessmann Sammlung" d. ÖAW b. Südtir. Kulturinst., Prof. f. Kunstgeschichte am hum. Lyzeum in Bozen u. Meran (b. 1977), ab 1982 Dir. d. Landesbibl. Dr. Friedrich Tessmann in Bozen, 1992 Eintritt in d. Ruhestand. P.: aus d. Bereich Kunstgeschichte, Mitarb. an d. 17. Aufl. d. Brockhaus-Enzyklopädie, Mitarb. b. Österr. Biograph. Lexikon, "Jahrbücher d. Südtir. Kulturinst.", selbst. Veröff.: Gröden und sein Heimatmuseum (1964), Farbkunstführer Südtirol, Kunstreise durch Südtirol (1980), Hans Prünster Maler u. Grafiker (1981), Guido A. Muss Bildhauer u. Maler. E.: 1981 EZ d. Univ. Innsbruck. H.: Geschichte, Kunstgeschichte, Musik (Klavier), Bergsteigen, Skifahren. (C.K.)

Frei Rudolf Dr. jur.
B.: Ltr. d. Rechts- u. Vertragsamtes d. Stadtgem. Meran. DA.: 39012 Meran, Laubeng. 192/1731. PA.: 39012 Meran, Pflanzensteinstr. 5/B. G.: Lana, 23. Nov. 1948. V.: Anna-Maria, geb. Lercher. Ki.: Martina, Elisa. El.: Anton u. Anna. BV.: Maler Rudolf Oberkofler. S.: 1968 Matura Meran, Stud. Rechtswiss. Innsbruck, Padua, Modena u. Florenz, 1973 Prom. K.: Anw.-Praktikum in Bozen, 1974 Eintritt in d. öff. Verw., 1982 Gem. Meran. H.: Sport (Tennis, Leichtathletik), Klavier, Schwimmen. (P.R.)

Frenes Alfred Dr.
B.: Ltr. d. Katechet. Amtes, Priester Bischöfl. Ordinariat. GT.: Prof. f. Katechetik an d. Phil. HS Brixen. DA.: 39100 Bozen, Marconistr. 31. PA.: 39100 Bozen, Guntscherstr. 35. G.: Bruneck, 12. Aug. 1928. S.: VS, Gymn., Stud. Theol. in Brixen, Prom. K.: 1952-59 Kaplan u. Heimltr. in Cortina u. Brixen, 1959-62 Stud. Päd. in München, 1962-69 Heimltr. in versch. Heimen, seit 1969 Ltr. d. Katechet. Amtes u. Prof. f. Katechetik, 1984-87 Insp. f. Religionsunterricht am Staatl. Schulamt in Bozen. P.: Religiöse Fachpubl. H.: Lesen, Angeln. (M.B.)

Frezza Francesco Dr. jur.
B.: Oberzollbez.-Ltr. FN.: Oberzollbezirksamt Bozen-Trient. DA.: 39100 Bozen, Drususallee 281/B. PA.: 39100 Bozen, Sparkassenstr. 21. G.: Cerignola, 11. Sep. 1930. V.: Mafalda, geb. Pasquadibisceglie. Ki.: Silvana, Lorella, Alessandra. S.: klass. Lyzeum Cerignola, 1948 Matura, Univ. Bari, jur. Fak., 1955 Prom. K.: 1952 Eintritt in d. Zollwesen Zollamt Ponte Chiasso, Provinz Como, später Zollamt Bari u. Oberzollbez. Bari u. Bozen, 1983 Ernennung z. Oberzollbez.-Ltr. v. Bozen. E.: 1984 Offz. d. Ordens "Al Merito della Repubblica Italiana". M.: Komitee f. Förd. d. Brenner-Verkehrs, Arb.-Gruppe u. Beschleunigung d. Brenner-Verkehrs, Präs. d. Oberzollbezirksrat d. Zollspediteure d. Oberzollbez. Bozen, Kmsn. f. d. intern. Verkehr in d. Autonomen Provinz Bozen. H.: Geschichtslektüre, Münzen sammeln. (C.K.)

Frick Bruno Dr. med.
B.: Arzt, Präs. d. Südtir. Ges. f. phys. Hygiene. DA.: 39100 Bozen, Südtiroler Str. 13. PA.: 39100 Bozen, Guntschnastr. 17a. G.: Bozen, 10. Aug. 1920. V.: Dr. Else, geb. Klein. Ki.: Raimund, Werner, Helga. S.: 1940 Matura Berlin, b. 1945 b. d. Dt. Wehrmacht, Beginn d. Stud. während dieser Zeit, 1948 Prom. in Innsbruck. K.: Weiterbild. in d. Univ.-Nervenkliniken Graz, Wien u. Bologna, 1952 FA f. Neurol. u. Psychiatrie in Rom, 1960 FA f. Hygiene in Pavia, 1952-63 freiberufl. Tätigkeit in Bozen u. Ltr. einer heilpäd. Beratungsstelle, 1963-85 Ltr. einer Rehabilitationsabt. f. psych. Kranke. P.: etwa 50 wiss. Arb. (P.R.)

Frick Werner Dr.
B.: RA, Präs. d. Landesverkehrsamtes. G.: Bozen, 12. Mai 1955. verh.; 1 Kind. S.: Jusstud. Univ. Innsbruck u. Padua, Diss. über d. Südtir. Autonomie. K.: während d. Studienzeit Vors. d. Südtir. Jugendringes u. stellv. Vors. d. SVP-Jugend, nach d. Stud. Anw.-Praktikum b. RA Dr. Roland Riz u. Univ.-Prof. Guarino in Rom, später freiberufl. RA in Bozen u. anschl. über mehrere J. Dir. d. Südtir. Hotelier- u. Gastwirteverb. (HGV) u. VPräs. d. Ldw.- u. SozialbeiR., Mtgl. d. SVP Bez.-Ltg. Bozen Stadt u. Land u. d. SVP-Koordinierungsaussch. d. Landeshauptstadt, seit 1988 im Südtir. Landtag, seit 1989 LR. f. Handwerk, Fremdenverkehr u. Wirtschaftsprogrammierung.

Fritz Helmut
B.: Programmierer u. Gschf. FN.: Ratio KG. DA.: 39012 Meran, Leopardistr. 3. PA.: 39012 Meran, Schafflerstr. 68. G.: Meran, 7. Nov. 1953. V.: Rosmarie, geb. Kössler. Ki.: Marion. El.: Norbert u. Lydia. S.: Mittelschule, Hotelfachschule, Kochlehrling, während d. Ausbild. Fernlehrgang auf Computersektor, Fortbild. in Mailand, Verona u. Rom. K.: seit 1970 in d. Computerbranche tätig, zunächst in Bozen ab 1971 in Meran, ab 1976 selbst. m. d. Firma Ratio KG. H.: Theater. (P.R.)

Fröhlichsthal Friedrich Dr.
B.: Österr. Botschafter in Italien. DA.: I-00198 Rom, Via Pergolesi 3. E.: GrSE, KmtK d. belg. KrO, KmdK d. ital. VO, KmdK d. sanmar. SAO, GrVK d. d. VO, iran. HO IV, OffK d. kamb. SabiO, RK d. frz. EL, GrK d. ung. BO, GrK d. jord. VO, GrK d. norw. StOO, Gr VK/St d. d. VO, KmdK I. d. dän. DO, GrK d. schw. NStO, GrK. d. sp. ISO, gr. VO, KmdK d. frz. EL, GrOffK d. port. ChrO, GrOffk d. jug. FO, GrOffK d. gr. VO, GrK d. Malt. VO. (Biographie folgt im Loseblattsystem)

Fundneider Othmar
B.: Bmtr. im Standesamt Meran. DA.: 39012 Meran, Laubeng. 192. PA.: 39012 Meran, Vergiestr. 55. G.: Brixen, 13. Juni 1951. El.: Georg u. Maria. S.: Mittelschule, HASCH. K.: Büroang. b. Ölhändler, seit 1972 Bmtr. im Standesamt Meran. H.: Sport, Bergsteigen, Skilanglauf, Photographie, Musik, Blockflöte. (P.R.)

Furgler Norbert Dr.
B.: Steuer- u. Wirtschaftsberater. DA.: 39100 Bozen, Sernesigalerie 9/III. PA.: 39100 Bozen, Eisenkellerweg 10. G.: Kastelruth, 11. Apr. 1948. V.: Dr. jur. Barbara, geb. Leiter. El.: Franz u. Paula. S.: Handelsvorbereitungsschule, Lehranst. f. kfm. Berufe, Univ.-Stud. Padua, Fil. Verona (Fachrichtung Wirtschaft). K.: 1974 Staatsprüf. f. Steuer- u. Wirtschaftsberater, seit 1976 selbst., seit 1977 Repräs. d. Tir. Sparkasse Bank AG, techn. Berater b. LG Bozen, seit 1989 Partner d. Steuer- u. Wirtschaftsberatungsgem. Dres. Doblander, Furgler, Cappadozzi. M.: b. 1988 Round Table 15 (1986-87 Präs.), seit 1990 Lions Club Bozen. H.: Skifahren, Musik, Wandern, Reisen. (M.G.)

Furlan Bruno Dr.-Ing.
B.: Amtsdir. im Amt f. Arbeitssicherheit. DA.: 39100 Bozen, Andreas-Hofer-Str. 9. PA.: Leifen, Venediger Str. 1. G.: Borgo, 30. Juni 1938. V.: Juliana. Ki.: Elise, Ingrid. S.: LBA in Trient, 1956 Matura, klass. Lyzeum in Trient, 1959 Matura, ab 1959 Stud. Ing.-Wesen an d. Univ. Padua, Fachrichtung Elektrotechnik, 1980 Prom. K.: 1962 München techn. Zeichner, Trient u. Chioggia Unterrichtstätigkeit an LBA u. Gewerbeoberschule, 1966-67 Wiederaufnahme d. Studiums, 1970-73 Auslandsaufenthalt in Nürnberg (Firma Siemens), 1973 Eintritt in d. Staatsdienst Arbeitsinspektorat, 1984 Wechsel in d. Landesdienst Amtsdir. H.: Computer. (A.W.)

Furlan Italo Dr. Dr.-Ing.
B.: Amtsdir. d. Bergbauamt. DA.: 39100 Bozen, Cesare Battisti 21. PA.: 39100 Bozen, Cesare Battisti 3. G.: Bozen, 21. Mai 1946. V.: Maria, geb. Dalle Mule. El.: Ottorino u. Paola. S.: VS, Mittelschule, Oberschule f. Geometer, 1964 Matura, Stud. Ziviling. f. Tiefbau Padua, 1974 Prom. Dr.-Ing., Stud. Ziviling. f. Geotechnik Padua, 1991 Prom. Dr. K.: 1974-75 Lehrer an d. Oberschule f. Geometer f. Physik u. Techn. Konstruktion in Bozen, parallel dazu private Konsulententätigkeit, 1975 Eintritt in d. Landesdienst Abt. 9 Finanz u. Vermögen, 1977 Wechsel z. Abt. 5 Bergbau, seit 1978 verantw. Ltr. d. Bergbauamtes, seit 1981 Amtsdir. E.: Ritter v. Orden d. Hl. Georg in Ktn. M.: VerwR. d. Landesbergbaumuseums, seit 1974 Mtgl. u. Pilot in Aero-Club Bozen. H.: Flugzeuge, Archäologie, klass. Musik. (M.M.)

Gabloner Herthilde
B.: Arch. DA.: 39100 Bozen, Obstmarkt 47. PA.: 39100 Bozen, Leonardo-da-Vinci-Str. 2A.: G.: Bozen, 30. Jan. 1920. El.: Ignaz u. Hedwig Gabloner. BV.: Vater Ignaz Gabloner Bildhauer. K.: Hauptdarstellerin im Film "Ho visto brillara le stelle", Filme m. De Sica, 1952 Matura, Arch.-Stud. in Rom, 1958 Prom., danach selbst. m. Büros in Rom u. Bozen, Außen- u. Innen- sowie Gartenarch. E.: 1982 Confirmato Magna de Laboris fide d. Ital. Ak. (P.R.)

Galastri Pio Dr.
B.: Dir. d. Amtes f. Allg. Angelegenheiten Abt. XIV Dir. d. Grundschulen. DA.: 39100 Bozen, Mendelstr. 33. PA.: 39100 Bozen, Vittario-Veneto-Str. 36. G.: Borgo Va Lugana, 7. März 1946. V.: Dr. Daniela, geb. Pellegrini. Ki.: Sarah. El.: Domizio u. Emma. S.: Mittelschule, hum. Gymn. Bozen, 1968 Matura, Phil.-Stud. Florenz, 1976 Prom., Studienaufetnhalt in München, Besuch v. Seminaren, Seminare d. Admin. f. d. Landesreg. K.: 1974-75 Lehrtätigkeit an ital. Oberschulen f. dt. Sprache u. an dt. Schulen, 1975 Eintritt Amt d. Landesreg., Bmtr. d. Finanzabt., Berufinsp., Ltr. d. Allg. Amtes, 1980 Dir. d. Amtes f. Grundschulen, seit 1988 Dir. d. Amtes f. Allg. Angelegenheiten u. Stellv. d. HS-Amtsltr. BL.: div. Kurse u. Seminare im jur. u. administrativen Bereich. P.: Buch "Imparare a Dialogare", div. Art. über d. Schulbereich. M.: 1978-81 im Europ. Inst. f. Berufsausbild., Intern. Seminare in München u. Paris, 1984 Grdg.-Mtgl. I.A.C.C., Inst. f. kulturelle Koordination in Südtir. Bozen. H.: Lesen, Reisen. (A.W.)

Gallo Luciano
B.: Gschf. Ges. FN.: Speditrans S.A.S. di Roso Irma & Co. DA.: 39100 Bozen, Macello-Str. 29. PA.: 39100 Bozen, Via Montello 1. G.: Bozen, 18. Dez. 1942. Ki.: Roberta. El.: Adolfo u. Franca. S.: Mittelschule Bozen. K.: 1969 Zolldeklerantenprüf. Bozen, tätig b. Mario Carta Bozen, b. 1975 Firma Tast Bozen, Grdg. eigener Zollabt. m. Brüdern Mario u. Franco, 1975-86 QUATTRO ESSE Bozen, 1986 Gschf. Ges. Speditrans. BL.: Teilnahme an Seminaren u. intern. Kongressen. M.: Präs. d. Zolldeklaranten Trient u. Bozen, OZollbezR. d. Zollspediteure Bozen, Präs. d. Zollamt Bozen u. Trient. H.: Tennis, Reiten, Reisen, Lesen, Musik. (M.G.)

Gamper Heinrich Dr. med.
B.: Prim. f. Gynäkologie u. Geburtshilfe KH Meran. DA.: 39012 Meran, Goethestr. 50. PA.: 39012 Meran, Vergilstr. 19. G.: Ulten, 19. Okt. 1938. V.: Franziska, geb. Mittermaier. Ki.: Petra, Gunar. BV.: RA Gamper Verteidiger in allen Südtir. Sprengstoffprozessen. S.: 1957 Matura, Stud. d. Med. in Padua, Innsbruck, Freiburg u. Bonn, 1963 Prom. K.: 1968 FA Padua, 1968-76 OA, seit 1976 Prim. im KH Meran, seit 1988 Sanitätsdir. H.: Bergsteigen, Skifahren, Surfen. (P.R.)

Ganner Armin Dr.
B.: VBgm. v. Meran. DA.: 39012 Meran, Meraner Lauben 192. PA.: 39012 Meran, Dantestr. 44. G.: Tramin, 9. Nov. 1940. verh.; 3 Kinder. S.: VS, Mittelschule, 1960 Matura, Stud. Rechts- u. Wirtschaftswiss., 1971 Prom. K.: ab 1972 Lehrer f. Wirtschaftskunde an d. HASCH in Meran, 1990-93 Bgm. in Meran, ab 1993 VBgm. H.: Berge, Meer. (M.M.)

Gargitter Joseph Dr.
B.: Altbischof. G.: Lüsen, 27. Jan. 1917. S.: Gymn. Brixen, Theol.-Stud. an d. Gregoriana Rom, 1942 Priesterweihe in Rom, 1944 Prom. K.: Koopertator in Bozen, Regens d. Studentenkonvikts Kassianeum u. Relionsprof. am Gymn., Ltr. d. Seelsorgeamtes u. Akademieseelsorger, 1950 Prof. f. Dogmatik am Priesterseminar, 1952 Bischof v. Brixen, 1961-63 apostol. Administrator d. Erzdiözese Trient, ab 1964 Bischof d. Diözese Bozen-Brixen, 1972 Übersiedlung nach Bozen, Mitverfasser d. Dekretes "Über d. Bischöfe u. d. Ltg. d. Diözesen" b. 2. Vatikan, Konzil 1962-65, Rücktritt 1986 u. Administrator b. z. Weihe seines Nachfolgers Wilhelm Egger. E.: 1975 Südtir. Pressepreis, 1976 Gold. EZ d. Landes Tir.

Garzena Carlo Dr.
B.: Amtsdir. im Pflanzenschutzamt. GT.: Rechnungsrevisor d. Bundes Südtir. Baumschulen, Mtgl. d. Kam. d. Agronomen v. Bozen. DA.: 39100 Bozen, Brennerstr. 6. PA.: 39100 Bozen, Münzbankweg 17. G.: Meran, 6. Dez. 1927. V.: Barbara, geb. Bartoli. Ki.: Piero. S.: Hum. Lyzeum Meran, 1946 Matura, Stud. d. ldw. Wiss. an d. Univ. Bologna u. Pisa, 1951 Prom. K.: 1953-58 Assessorat f. Ldw. u. Forstwesen d. Region Trentino-Südtir., 1958-63 ldw. Hauptgen. Bruneck Dir. einer Saatkartoffelerz.-Gen., glz. Führung v. 2 ldw. Betrieben in Bruneck, 1963 Versuchsanst. Sektor Grünland, Almen, Saatkartoffelbau in St. Michele Aladige, seit 1973 Dir. d. Pflanzenschutzamtes Bozen. P.: Fachart. über Saatkartoffel, Grünland u. Almbewirtschaftung. H.: Skifahren, Schwimmen, Wandern. (C.K.)

Gatscher Siegfried Dr.
B.: Amtsdir. im Amt f. Allg. Angelegenheiten u. Gesundheitswesen. DA.: 39100 Bozen, Crispistr. 8. PA.: 39100 Bozen, Defreggerstr. 3. G.: Bozen, 25. Mai 1053. V.: Laura, geb. Nicolussi. K.: Barbara (1983), Moritz (1992). El.: Erich u. Barbara, geb. Kasbar. S.: Franziskanergymn. u. Lyzeum Bozen, 1972 Matura, Univ. f. Rechtswiss. Wien, Innsbruck u. Padua, 1978 Prom., 1976 Sportlehrerdipl. K.: 1976-79 Sportlehrer an d. HS Bozen, 1979 Eintritt in d. Landesdienst, zuerst Gem.-Aufsicht dann Ref. f. Soz.- u. Gesundheitswesen, seit 1984 Dir. im Amt f. Gesundheitswesen. H.: Sport, insbes. Eishockey, Skifahren, Leichtathletik, Volleyball. (C.K.)

Gebhard Johann

B.: Inh. FN.: Exkl. Trachtenmode Lederhosenerzeugung. DA.: 39042 Brixen, Kreuzg.4. PA.: 39042 Brixen, Feldthurnserstr. 14. G.: Feldthurns, 4. Apr. 1946. V.: Irmgard, geb. Leiter. KI.: Irene (1973), Thomas, Carmen (1981). EL.: Franz u. Maria. BV.: Johann Gebhard Barockmaler im 17. Jhdt. in Regensburg. S.: Lehre als Schneider und Lederhosenerzeuger ab 1967. K.: Mitarb. im väterl. Betrieb - Lederhosenschneiderei, 1968 Gschf. Ges. Vergrößerung u. Rationalisierung f. Wiederverk., 1976 spez. auf Bayrische u. Tiroler Lederhosenerz.,

1986 Erw. auf exkl. Trachtenmode. P.: Über die Geschichte d. Lederhose. M.: Tanzverein Brixen. H.: Tanzen, Antiquitäten sammeln, Reisen, Seewasseraquarium. (I.D.)

Gelmi Rita Dr.

B.: Insp. f. d. Unterricht d. zweiten Sprache ital. an dt. Schulen im Schulamt f. d. Dt. Schule. DA.: 39100 Bozen, Siegespl. 47. PA.: 39100 Bozen, Rittnerstr. 33c. G.: Sarnthein, 23. Aug. 1942. El.: Urbaldo u. Maria Gelmi. S.: LBA BOzen, 1960 Matura, 1961 Lehramtstätigkeit, Stud. mod. Sprachen. K.: b. 1969 Cesenatico Heimltr., 1969-70 Mittelschule Sarnthein, 1970-71 RG Bozen, 1985-86 Insp. BL.: als Übersetzerin tätig, Abhaltung v. Seminaren, Teilnahme an Kongressen in Italien, Deutschland, Österr. u. Schweiz. P.: div. fachl. Art. H.: Lesen, klass. Musik, Reisen, Handarb. (M.G.)

Gelmo Paolo

B.: Verwalter. FN.: PRISMA GmbH. GT.: Kameramann f. Video- u. Filmaufnahmen. DA.: 39100 Bozen, Dantestr. 24. PA.: 39100 Bozen, Claudia-Augusta-Str. 50. G.: Bozen, 27. Nov. 1951. El.: Remo u. Agnese. S.: Mittelschule, Filmprod.-Kurs, Regieass., Auslandserfahrung in Südamerika, Engagement f. 3. Welt in Richtung Soz.-Arb., Mitarb. im Bozener Gen.-Wesen, 1981 Grdg. d. PRISMA Gen., diese beschäftigt sich m. d. Prod. v. audio-visuellen Programmen, Videofilmen, Multimediashows, Dokumentarfilme, Werbeaufnahmen. (P.R.)

Georgi Susy Dr. pol. wiss.

B.: Hotelierin. FN.: Hotel Aaritz. DA.: 39048 Wolkenstein, Meisulestr.229. PA.: 39048 Wolkenstein, Cirstr.12. G.: Brixen, 22. Juli 1950. V. :Herbert Insam. KI.: Daniel (1989). EL.: Tomaso u. Rosa. S.: OberHS St. Ulrich, 1969 Matura, Uni Mailand Politwissenschaftu. Rechtskunde, 1979 Prom. K.: 1985 Gschf. im elterl. Hotel Laurin in Wolkenstein, 1985-86 Mitarbeit im Transportbetireb d. Gattenm 1986 Mitbesitzerin d. Hotel Aaritz in Wolkenstein. F.: Appartement Haus Soel in Wolkenstein. M.: AS MG HGV, Tourismusverb. Wolkenstein, Scoll Club. H.: Skifahren, Lesen, Reisen, Innenarchitektur. (I.D.)

Ghirigato Italo Dr. soc.

B.: Gen.-Sekr. d. Südtir. Gewerkschaftsbund CISL. GT.: Präs. d. Ldw. u. SozialbeiR., LR. Bozen. DA.: 39100 Bozen, Amba-Alagi-Str. 14. PA.: 39100 Bozen, Vittorio-Veneto-Str. 34. G.: Bozen, 15. Apr. 1949. V.: Patrizia, geb. Bernardi. S.: Ing.-Schule Bozen, 1969 Matura, Univ. Trient Soz. u. Sozialwiss., Suspendierung d. Stud. wegen soz. Engagement b. d. Gewerkschaft, erneutes Stud. u. Prom. 1985. K.: 1974-81 Gen.-Sekr. d. Gewerkschaft Holz- u. Bauarb., Gen.-Sekr. d. SGB-CISL Bez. Bozen, 1984 Gen.-Sekr.-Stellv., 1985 Gen.-Sekr. d. Landes Südtir., verantw. f. gewerkschaftl. Organ., gewerkschaftl. Ausbild. P.: Buch "Die Gewerkschaft u. d. ethnische Frage" (1986). H.: Lesen, Schreiben, Sport insbes. Skifahren, Langlaufen. (C.K.)

Ghiro Claudio Dr.-Ing.

B.: Amtsdir. im Amt f. Beförderungswesen Techn. Dienst. DA.: 39100 Bozen, Freiheitsstr. 58. PA.: 39100 Bozen, Montellostr. 11A/3. G.: Cologno Veneta, 14. Mai 1947. El.: Carlo u. Nora. S.: Gewerbe-Oberschule Bozen, 1966 Matura, Stud. an d. TH Padua, 1972-73 Berufsfachunterricht Topographie. K.: 1973 Ang. d. Landesassessorat f. Umweltschutz u. Troansportwesen, b. 1979 Amt f. Seilbahnen, b. 1981 Amt f. Beförderungswesen, 1981 Ltr. Amt f. Beförderungswesen Techn. Dienst. BL.: Veranstalten v. Tagungen u. Kongressen Teilnahme an intern. Tagungen. P.: div. Art. in Fachzeitschriften, Fotobeiträge f. Geograph. Archäologie. H.: Tennis, Skifahren, Schwimmen, Fußball, Reisen, Fotographieren, Literatur. (M.G.)

Giacomuzzi Zeno Dr.

B.: Abg. z. Südtir. Landtag, Regionalassessor f. Accordino u. Aufenthaltssteuer. DA.: 39100 Bozen, Crispistr. PA.: 39042 Brixen, Riezdamm 10. G.: Neumarkt, 20. Apr. 1932. Ki.: Zeno (1957),Manuela (1958).El.: Zeno u. Marianne. S.: Gymn., Wirtschaftsstud. Florenz, 1958 Prom. K.: 1958-69 Unterricht an d. Lehranst. f. kfm. Berufe, 1962-68 Präs. d. Kurverw. Brixen, 1963-68 Präs. d. Plose Seilbahnunternehmung, 1970-77 Präs. d. Landesfremdenverkehrsamtes, 1961-80 AufsR. u. anschl. AufsR.-Präs. in d. Volksbank Brixen, 1980-92 Präs. d. VerwR. in d. Volksbank Brixen, ab 1992 nach Fusion Präs. d. VerwR. in d. Südtir. Volksbank, 1983-88 Präs. d. Seilbahn AG, 1969-88 Bgm. v. Brixen, seit 1988 im Südtir. Landtag, seit 1989 Regionalassessor, seit 1992 AufsR.-Mtgl. d. Brenner Autobahn. E.: EK d. Landes Tir. H.: Jagd, Fischerei, Skifahren, Bergsteigen, Wandern. (M.M.)

Gibboni Massimo

B.: FA f. Zahn-, Mund- u. Kieferheilkunde. DA.: 39012 Meran, Freiheitsstr. 106. PA.: 39012 Meran, Rennweg 33. G.: Padula, 24. Apr. 1956. V.: Maria-Luigia. Ki.: Francesca, Tommaso. S.: klass. Lyzeum, 1974 Matura, Stud. in Neapel, 1980 Prom. K.: 1984 FA-Ausbild. in Pavia, 1986 Eröff. d. eigenen Praxis in Meran. H.: Fußball.

Giovanazzi Enrico

B.: Maler. DA.: 39012 Meran, Rennweg 129. PA.: 39012 Meran, Alpinistr. 42. G.: Kaltern, 10. Juni 1934. V.: Liliane, geb. Scherlin. Ki.: Robert, Stefan. S.: Grundschule, Militär. K.: 1959-80 Bmtr. d. Stadtgem. Meran, seit d. Jungendzeit autoditakt. Beschäftigung m. Malerei, Grafik u. Skulptur, zahlr. Ausstellungen im In- u. Ausland. E.: versch. Preise, 1. u. 2. Preis d. Stadt Florenz. H.: Sammeln v. Bilder, Münzen u. Uhren. (P.R.)

Giovanazzi Robert

B.: Keramiker. DA.: 39012 Meran, Rennweg 127. PA.: 39012 Meran, Rennweg 125. G.: Meran, 24. Juni 1964. El.: Enrico u. Liliane. S.: Keramiklehre b. Meister Morelli in Bellaria, Kunstschule Bassano del Grappa, versch. Seminare über Keramik, div. Ausstellungen im Raume Meran u. Rom. K.: 1982 1. Werkstätte in einem Kellerlokal in Meran, 1982-84 1-Raum-Lokal in Meran-Rennweg. P.: Fachbeitrag im Handwerkerkatalog 1988, Art. über Keramikausstellungen in Tageszeitungen, Ausstellungen in Bozen, Schlanders, Weilgund , Lana , Meran, Florenz, Faenau, Rom. H.: Keramik, Keramikpuppen, Sport, insbes. Schwimmen, Skifahren, Reisen. (C.K.)

Girotto Michele

B.: Verw.-Sekr. im Amt f. Jungendarb. DA.: 39100 Bozen, Europagalleise 15. PA.: 39100 Bozen, Ischiastr. 22. G.: Bozen, 4. Okt. 1961. S.: Mittelschule Bozen, Hdls.-Oberschule Bozen. K.: nach Militärdienst 1981-84 im Amt f. d. Förd. d. Zweisprachigkeit, seit 1984 im Amt f. Jungendarb., Aufbau d. Amtes, Hauptaufgabe: Finanzierung u. Förd. im Jugendbereich. H.: Bergsteigen, Skifahren, Reisen, Natur. (C.K.)

Gliera Peter Dr.
B.: Wirtschaftsprüfer. GT.: Präs. d. Rechnungsrevisoren d. HK Bozen, Präs. d. AufsR.: d. Autoindustriale AG, d. GONDRAND AG, d. IDEM FERCAM GmbH, d. Zentralauto AG u.v.a. DA.: 39100 Bozen, Musterg. 3. G.: Bozen, 14. Apr. 1950. V.: Antonietta. Ki.: Elisabeth, Leonharth. S.: Franziskanergymn. Bozen, 1969 Matura, Stud. an d. Univ. Mailand, 1974 Prom. K.: 1975 Staatsprüf. f. Wirtschaftsprüf., seit 1976 selbst. M.: Lions Club Bozen, Präs. d. Gen. werktätiger Behinderter, im VerwR. d. Kam. d. Wirtschaftsprüfer. H.: Sport, Lesen, Literatur. (A.W.)

Gojer Peter
B.: Inh. u. Gschf. FN.: Koch OHG u. Löffel GmbH. DA. u. PA.: 39100 Bozen, Negrellistraße. G.: Leifers, 6. Mai 1953. V.: Ingrid. Ki.: Barbara, Martin. El.: Heinrich u. Maria. S.: Kochlehre, Ausbild. b. Chefkoch Lesser Gran Hotel Regina Grindlwald/Schweiz, Kochpraxis in Frankreich, Spanien, Österr., Süditalien, BRD. K.: ab 1980 kleine Anfänge, 1982-84 Umzug wegen Betriebsvergrößerung, 1985 Bau u. Einzug in neuer eigener Prod.-Stätte, d. mittlerweile 28 Mitarb. beschäftigt u. auch exportiert. (P.R.)

Gostner Erwin
B.: Gschf. FN.: NOG Obstgen. Naturns GmbH.DA. u. PA.: 39025 Naturns, Dammstr. 2. G.: Schlanders, 21. Juli 1947. V.: Lucia, geb. Baguara. Ki.: Christian, Gregor. S.: Mittelschule Bozen, Hdls.-Oberschule Bozen. K.: Lehrlingsausbild. im Fruchthof Bremen, Hameiko Frankfurt, 1970 Rückkehr nach Bozen u. Arb. b. Firma Cadsky im Ein- u. Verkauf, 1 J. Süditalien, 1972-73 Firma Edeka Fruchtkontor in Bologna Einkauf, Verkauf, 3 J. Verona, 1973-78 Firma Cadsky, seit 1981 im Gen.-Wesen als Gschf. b. d. Lana-Frucht Provinz Bozen, seit 1984 in Naturns. H.: Skilanglaufen, Wandern, Reisen, Lesen.

Gozza Sabino
B.: Ltr. d. LG Bozen. DA.: 39100 Bozen, Italienstraße, Plazza del Tribunale. PA.: 39100 Bozen, Via Capri 34. G.: Frigento, 8. Jan. 1936. V.: Ernestina. Ki.: Adele, Paula. El.: Vinzenz u. Adele. S.: Univ., 1975 Prom. K.: Zuteilung an d. LG Bozen f. 9 J., ab 1974 BG Kaltern, ab 1971 Sekt.-Dir., seit 1985 Ltr. d. LG Bozen. M.: Kmsn. f. öff. Wettbewerbe. H.: Sport, Skifahren, Schwimmen, Radfahren, (P.R.)

von Grebmer Haymo

B.: Inh. FN.: Hotel Post Bruneck. DA.: 39031 Bruneck, Graben 9. G.: Bruneck, 31. Okt. 1925. V.: Edith, geb. Marina. KI.: Eduard (1959), Dietrich (1960), Robert (1965), Johanna (1968). EL.: Eduard u. Berta. S.: 1936-38 Stella Matutina Feldkirch, Gym., Matura 1943. K.: Mitarbeit im elterl. Betrieb, welcher 1948 übern. wurde, 1956-64 Gem.R. Bruneck - Assesor f. d. Finanzwesen, 1974-90 Bgm. d. Stadt Bruneck. M.: 1969-84 Obmann d. Aufsichtsrates, s. 1948 Feuerwehr, 1949-88 AS MG Hotelierverb. Bozen, 1950-91 AS MG Obmann d. Aufsichtsrates, 1952-92 Fremdenverkehrsamt Bruneck, 1954-91 Raiffeisenverb. Südirol, 1980-90 Präs. d. Abwasserverb., 1986-90 Präs. Konsortium Bezirksaltersheime. E.: Verdienstkreuz d. Landes Tirol, Frontflugspange, gold. Ehrenz. d. Raiffeisen Südtirol. M.: Rotary Club Brixen, Scol Club Südtirol. H.: Jagd, Bergsteigen. (I.D.)

Greco-Gallippi Maria Jole
B.: RA. DA.: 39100 Bozen, Freiheitsstr. 36. PA.: 39100 Bozen, Via Mancistr. 5. G.: 18. Jan. 1934. V.: Domenico Gallippi. Ki.: Patricia, Sandra, Alberto. El.: Lorenzo u. Rosa Greco. S.: Lyzeum, Univ. Neapel, Stud. Phil. u. Jura, 1972 Advokatenprüf. K.: Lehrtätigkeit Bozen, einige J. wiss. Lyzeum, Lehrtätigkeit an Techn. Schule Bozen, Rechtskunde, seit 1971 als öff. RA tätig, 1972 Kzl.-Eröff. BL.: Soziales Bildungswerk 1979 MESOCOPS. M.: 1980-85 StadtR. in Gem. Bozen, seit 1985 GemR. Bozen, seit 1978 Intern. Klub f. d. berufstätige Frau. H.: Lesen, Stud. d. Psych., Phil., soz. Aktivitäten. (M.G.)

Griesser Hans Paul Dr.
B.: Gschf. FN.: OILCONTROL. DA.: 39100 Bozen, Crispistr. 33. PA.: 39100 Bozen, Mendelstr. 84. G.: Bozen, 30. März 1955. V.: Dr. Monika, geb. Brunner. El.: Dipl.-Ing. Otto u. Selma. S.: 1975 Matura, Stud. d. Wirtschaftswiss. in Verona, 1984 Prom. K.: Übernahme d. elterl. Betriebes. H.: Fachliteratur. (P.R.)

Gruber Heinrich
B.: Buchdrucker. FN.: H. Gruber KG. DA. u. PA.: 39011 Lana, Gampenstr. 20. G.: Lana, 7. Jan. 1037. V.: Maria, geb. Frontull. Ki.: Walter, Roland, Petra. El.: Josef u. Anna. S.: HASCH in Meran, Berufsschule in Bozen, Militär. K.: 1951 Eintritt ins väterl. Unternehmen, 1974 Gschf. d. H. Gruber KG. H.: Bergwandern, Radfahren. (P.R.)

Gruber Josef
B.: Kfm. i. P., Obm. d. Raiffeisenzentralkasse Südtir. seit 1976. GT.: Obm. d. Raiffeisenkasse Lana, Vorst.-Mtgl. d. ICCREA Rom, Medio Credito Trient, Raiffeisenverb. Südtir. DA.: 39100 Bozen, Crispistr. 15. PA.: 39011 Lana, Gampstr. 16. G.: Lana, 18. Aug. 1907. V.: Anna, geb. Kröss. Ki.: Heinrich, Hubert. S.: HASCH Meran. K.: 1925-70 Buchhdl. u. Buchdruckerei in Lana, 1943-45 Kriegsdienst b. d. Dt. Wehrmacht, b. 1946 Kriegsgefangenschaft, ab 1952 VBgm., 1956-74 Bgm. v. Lana, in dieser Zeit Anfang u. Ausbau d. Ind.-Zone in Lana, Einweihung d. Kulturhauses (1972), Bau d. Filiale d. RAIKA Lana in Dscherms, Niederlana u. Gargacon u. Beginn d. Neubaues d. Sitzes d. Raiffeisen Zentralkasse in Bozen, seit 1962 Vors. d. AufsR. d. RAIKA Lana, seit 1964 Obm., seit 1972 im Vorst. d. Federcasse (Verb. d. ital. Raiffeisenkassen). P.: Heimatbuch von Lana (1981). E.: 1978 VK d. Landes Tir. M.: Lions Club Meran, Präs. d. Musikkapelle Lana. H.: Briefmarken sammeln, Fotografie. (C.K.)

Gruber Klaus Dr.
B.: Dir. d. RAS Rundfunk-Anst. Südtir. DA.: 39100 Bozen, Europaallee 164/A. PA.: 39018 Terlan, Reichsstr. 44. G.: Bozen, 21. Juni 1940. V.: Grete, geb. Deflorian. Ki.: Barbara,Thomas. El.: Hermann u. Franziska. S.: VS, Mittelschule, Franziskanergymn. Bozen, Stud. Staatswiss. an d. Univ. Innsbruck, 1972 Prom. K.: 1972 Eintritt in d. Landesdienst im Amt f. Raumordnung u. Wirtschaftsprogrammierung, Mitarb. am Landesentwicklungsprogramm d. Autonomen Provinz Bozen-Südtir., 1974 Sondersekr. d. Regionalassessors Dr. Klaus Dubis, 1977 Dir. d. RAS. BL.: Vorst. d. Südtir. Hochschülerschaft, 1964-71 wesentl. beteiligt am Aufbau d. Jungen Generation d. SVP, 1. Landesjugendsekr. d. SVP. M.: im VerwR. d. RAS, Alpenver. Südtir. AVS, Tennisclub Terlan, Sportver. Terlan, PfarrgemR. Terlan. H.: Familie, Skifahren, Tennis, Fotografieren, klass. Musik, Interesse an Problemen d. Minderheiten. (M.G.)

Gruber Paul
B.: Ges., Alleininh., Prok. FN.: Paul & Josef Gruber OHG, DOLOMITI CAR Allradcenter. DA. u. PA.: 39100 Bozen, Drususstr. 299/a. G.: Jenesien, 9. Juli 1941. V.: Sieglinde,

geb. Untermarzana. Ki.: Angelika, Christina. El.: Heinrich u. Maria. BV.: entstammt einer Bauern- u. Gastwirtsgeneration aus d. Sarnthal. S.: Berufsschule f. Kfz-Mechaniker Bozen, Marco Polo Schule in Bozen, div. Fortbild.-Kurse, ldw. Traktoren-Schule Aschaffenburg/Deutschland, Schulung d. Rapid Werke Ldw. Maschinen Schweiz, Schulungen Firma Mercedes Deutschland, Schulungen Daimler Puch Graz, Schulungen SAME Traktoren Werke in Hallein. K.: Ldw. Gen. Hpt.-Verb. Bozen, 1961-65 Arb., 1965-69 Werkmeister, 1969 Unternehmen gegründet gemeinsam m. Bruder Josef Gruber, mechan. Werkstätte, 1973 Grdg. d. Dolomiti Car Konzession Daihatsu, 1977 Neubau, 1981 Konzession Subaru u. Pony, 1982 Konzession Hyundai, 1987 Konzession Bremach, nunmehr Import v. Mitsubishi u. Toyota. BL.: 1970-71 Teilnehmer an Geländerennen in Italien f. Steyr Puch. M.: Berufsaussch. d. Kfz-Mechaniker Bozen, Mtgl. d. Prüf.-Aussch. d. Kfz-Mechaniker Bozen, Gen.-Mtgl. d. Gemeinschaftszentrum Mariaheim. H.: Musik, Lesen, Jagd. (M.G.)

Gufler Josef
B.: Elektromeister. FN.: Elektro Gufler Elektroinstallationen u. Reparaturen. DA. u. PA.: 39012 Meran, Petrarcarstr. 45. G.: Meran, 27. Mai 1928. V.: Antonia, geb. Habbacher. Ki.: Georg, Marlene, Peter, Karlheinz, Monika, Florian. El.: Josef u. Katharina. S.: Lehre Elektromonteur. K.: 1945-57 Ang., 1957 Eröff. d. eigenen Firma, 1961 Meisterbrief, Lehrlingsausbild., Reparaturwerkstätte u. Elektroinst. H.: Garten, Funken. (P.R.)

von Guggenberg Gertraud

B.: Gschf. Ges. FN.: Kurhaus Privatklinik Dr. v. Guggenberg. DA: 39042 Brixen, Unterdrittelg. 17. G.: St. Johann/Arntal, 31. Dez. 1939. V.: Dr. Markus v. Guggenberg. Ki.: Laurentius (1962), Franz Josef (1963), Johanna (1964), Athanas (1966), Camilla (1967), Valerie (1972). El.: Ludovico u. Maria Mitteruzner. S.: Mittelschule, HASCH, 1958 Abschluß. K.: sämtl. Bereiche im Gasthof Rose in Boxen, 1959-62 Kurhaus u. Privatklinik Dr. v. Guggenberg, 1961-62 Praktikum in einem Labor in Bozen, Kindererziehung u. ständige Mitarb. im Kurhaus. E.: Silbermed. f. Kneippkurhaus, intern. Anerkennungen v. Kneippverb. H.: Jagd, Berg- u. Gletscherwandern. (I.D.)

von Guggenberg-Varrese Renate Dr. jur.
B.: Amtsdir. im Amt f. Rechts- u. Gesetzgebung. DA.: 39100 Bozen, Crispistr. 3. PA.: 39100 Bozen, Raing. 14. G.: Bozen, 5. Juli 1957. V.: Vito Varrese. Ki.: Claudia. El.: Joachim v. u. Barbra v. Guggenberg. BV.: Otto v. Guggenberg Kammerabg. S.: 1976 Matura, Stud. in Padua u. Modena, 1981 Prom. K.: RA-Praxis, Berufschulinsp. in d. Südtir. Landesverw., dann Amt f. Rechts- u. Gesetzgebung. H.: Fotographie. (P.R.)

Guiliani Lino Msgr.
B.: Gen.-Vikar d. Diözese Bozen-Brixen. DA.: 39100 Bozen, Marconistr. 9. PA.: 39100 Bozen, Wendelstein 1. G.: Mazzolombardo, 11. Dez. 1915. S.: Priesterseminar, 1943 Priesterweihe in Trient. K.: 4 J. Kaplan in Fondo u. Tassulo (Trient), 10 J. Pfarren am Mandelpaß, 10 J. in Bozen, Grdg. einer Pfarrei "Königin d. Friedens", 1964 Gen.-Vikar. H.: Bergsteigen. (P.R.)

Gulli Giuseppe Dr. jur.
B.: Dir. d. Provinzialen Mehrwertsteueramtes. DA.: 39100 Bozen, Horazstr. 49. PA.: 39044 Neumarkt, Bozner Str. 12. G.: Reggio Calabria, 7. Dez. 1934. V.: Nicosia Concetta Maria. Ki.: Antonio, Miriam, Giosue. S.: Gymn. u. Lyzeum Genua, 1953 Matura, Univ. Pisa, Jur. Fak., 1957 Prom., Stud. d. polit. Wiss. Univ. Pisa. K.: 1958 Eintritt in d. Staatsdienst, Registeramt Recco, Genua, 1966 Registeramt Neumarkt, 1967 Ernennung z. Dir., 1972 Insp. b. Bez.-Bozen, 1973 Inspektorat in Bozen, 1986 Dir. d. Mehrwertsteueramtes in Bozen. H.: Fotografie, histor. Publ. (C.K.)

Gunsch Reinhard Dr. phil.
B.: Dir. d. Sozialzentrum Bozen u. Umgebung. DA.: 39100 Bozen, Guntschnastr. 54. PA.: 39100 Bozen, St. Antonweg 14. G.: Schlanders, 27. Feb. 1957. Ki.: Benjamin (1987). El.: Anton u. Josefine, geb. Reich. S.: wiss. Lyzeum, 1976 Matura, Päd.-Stud. Fachrichtung Psych. Univ. Bologna, 1982 Prom. u. Dr. phil. K.: 1981-83 Psychologe in d. Wohngemeinschaften d. schwererziehbaren Jugendlichen in Bologna, danach frei Mitarb. Univ. Bologna, Rückkehr nach Südtir., Lehrer f. behinderte Kinder an d. Mittelschule Ritten, 4 J. Sachbearb. im Inspektorat f. d. Berufsausbild. Deutsch u. Ladinisch. Muttersprachen,seit 1989 Dir. d. Sozialzentrums Bozen u. Umgebung. M.: 2 J. Präs. d. Verb. d. Leichtathletikver. Südtir. H.: Sport, Literatur, Familie, Reisen. (N.A.)

Hackhofer Maria Klara
B.: Schulltr. d. Kinderkrankenpflegeschule d. dt. Sprachgruppe. DA.: 39100 Bozen, Gscheibter Turmweg 18. PA.: 39100 Bozen, Reschenstr. 86/10. G.: Aufkirchen, 14. Sep. 1959. El.: Michael u. Anna Hackhofer. S.: wiss. Lyzeum Bruneck, Kinderkrankenpflegeschule Bozen, 1976-79 Dipl. K.: b. 1985 Kinderchir. Bozen, 1985 Schulltr., seit 1987 Ak. f. Höhere Fortbild. in Krankenpflege Mödling/Wien. M.: Berufsverb. d. Krankenschwestern Rom, Filmclub Bozen. H.: Handarb., Malen, Kochen, Backen, Reisen, Musik, Bergsteigen, Skifahren. (M.G.)

Haller Franz Dr. med.
B.: FA f. Frauenkrankheiten u. Geburtshilfe. PA.: 39012 Meran, Freiheitsstr. 192. G.: Meran, 12. Mai 1894. Ki.: Rosemarie, Sabina, Dr. Franz-Josef. BV.: Valentin Haller 30 J. Bgm. v. Meran, Gründer d. Kurortes Meran. S.: 1913 Matura, Med.-Stud. in Wien, Militärdienst, Stud. Univ. Innsbruck, 1920 Prom. K.: Arzt b. d. Kreuzschwestern in Innsbruck, II. Frauenklinik in Wien, Maria Theresien-Hospital in Wien, 1923 Frauenklinik in Dresden, Rückkehr nach Meran, Eröff. d. eigenen Praxis. P.: Die Welt der Felsbilder in Südtirol. (P.R.)

Haller Luis Dr.
B.: Landesforstinspektor. DA.: 39100 Bozen, Brennerstr. 6. PA.: 39012 Meran, Piavestr. 49/A. G.: St. Leonhard, 1. Nov. 1944. V.: Dr. Traudl, geb. Gamper. Ki.: Klaus, Hannes. El.: Alois u. Rosa. BV.: Kardinal Haller Fürsterzbischof v. Salzburg. S.: 1965 Matura, BOKU Wien, 1972 Prom. K.: Unterricht an d. Peter Rosegger-Mittelschule in Meran, 1973 Eintritt in d. Landesdienst, 1973-79 Forsteinrichtung, Landesforstinsp. Bozen, ab 1979 in Meran, 1987-94 Amtsdir. im Bezirksforstamt Meran, s. 1994 Landesforstinspektor; 1973-78 GemR. in d. Gem. Schenna. H.: Briefmarkensammeln. (P.R.)

Haller Rudolf
B.: Holzkfm., Untern. FN.: Rudolf Haller GmbH. DA.: 39012 Meran, Gampenstr. 101. PA.: 39012 Meran, Karl-Wolf-Str. 103. G.: Algund, 10. Aug. 1934. V.: Sylvia, geb. Dalpiaz. Ki.: Thomas, Andreas. S.: HS, Ldw.-Schule, 1951 Dipl. K.: 1957 Kauf d. v. Vater Josef Haller ursprüngl. 1928 gegründeten Sägewerkes in Algund, 1957 Zukauf eines Zweitbetriebes in

Meran, 1961 gemeinsame Führung beider Betriebe m. d. Bruder Franz Haller, 1982 Weiterführung d. Betriebe m. d. beiden Söhnen. H.: Jagd. (C.K.)

Hapkemeyer Andreas Dr. phil.

B.: Dir.-Stellv. d. Museum f. Mod. Kunst. DA.: 39100 Bozen, Raffaello-Sernesi-Str. 1. PA.: 39100 Bozen, Deffreggerstr. 11. G.: Osnabrück, 23. Aug. 1955. El.: August Heinrich u. Grete, geb. Müller. S.: Stud. Germanistik u. Kunstgeschichte. K.: 1981-82 teaching assistant an d. Univ. of Waterloo Canada, 1983-88 Lektor Univ. Messina, 1992 Lehrauftrag am Kunsthistor. Inst. d. Univ. Innsbruck, seit 1988 Museum f. Mod. Kunst Bozen, Kurator d. Ausstellung "Denkräume, Heinz Gappmayr, Maurizio Nannucci, Lawrence Weiner". P.: Germanist. Publ. über I. Bachmann, F. Dürrematt, B. Brecht u.a., sowie über visualisierten Einsatz v. Sparche in d. Kunst, Hrsg. v. Publ. über Heinz Gappmayr (1991) u. über Peter Fellin (1992). (N.A.)

Hausbrandt Fritz Dr. Dr. med. Prof.

B.: FA f. Innere Med., Röntgen, Doz. f. gerichtl. u. soz. Med. PA.: 39100 Bozen, Cavourstr. 26. G.: Triest, 8. Feb. 1906. V.: Ursula, geb. Meyer. Ki.: Fritz-Rainer, Peter, Inge. S.: RG Graz, 1924 Matura, Med.-Stud. Univ. Graz, 1930 Prom., 1980 Gold. Dr.-Jubiläum u. Verleihung d. 2. Dr.-Titels. K.: ab 1930 Arzt f. Kinderheilkunde, anschl. 3 J. Path. Anatomie Univ.-Kliniken Wien u. Graz, b. 1937 Ass. d. Dermatologie u. Med. Univ.-Klinik Graz, OA Inst. f. gerichtl. u. soz. Med. Univ. Königsberg/Preußen, 1940 Habil., 1. Gerichtsarzt v. Königsberg, b. 1945 Kriegsdienst, b. 1946 Gefangenschaft, seit 1948 Prim. in Friesach/Ktn., anchl. 1948 in Bozen u. Eröff. d. Praxis als Internist u. Röntgenologe. P.: 80 wiss. Arb. u. d. Handbuch "Störwirkungen d. Pharmaka" (1976 u. 1978), Bücher: "Besinnliches" (1990) u. "Kleine Viechereien u. Humorsalat" (1990). E.: Ehrenring d. Stadt Graz f. 1000 Rettungsausfahrten, Ehrennadel d. Südtir. Ärzteschaft. M.: Intern. Ges. f. Blut- u. Geschwulstkrankheiten, Accademia Abruzzi f. Wiss. u. Künste, o.Ak.-Mtgl. v. zwei anderen ital. wiss. Ak. (C.K.)

Havlik Renigius M.J.

B.: Gen.-Dir. d. Parkhotel Laurin. DA.: 39100 Bozen, Laurinstr. 4. G.: Liebenstein b. Eger/CSFR, 12. Juli 1943. V.: Anna-Maria. Ki.: Philipe. El.: Karl Franz u. Marianne. S.: Lehre als Koch in d. BRD. K.: Koch in Stuttgart u. München, Grand Hotel Göteborg, dann Swedish American Line, 1966 Hotelfachschule Zürich, dann Grand Hotel Leysin u. Hostellerie Jean Gacques Rouseeau, 1969-71 Steigenberger Airport-Hotel Frankfurt, 1972 Einführung d. Schulungsabt. in d. Steigenberger Hotelges., 1973-74 Personalchef Airport Hotel, 1975 Eröff. d. Robinson Club Calabria, stellv. Dir., 1977 Fachlehrer Hotelfachschule in Alexandrien, 1978 stellv. Dir. Steigenberger Hotel Kurhaus, ab 1979 in d. Schweiz, 1980 Ltg. d. Umbaus d. Steigenberger Hotel in Davos, 1981-89 Gen.-Dir., seit 1990 Gen.-Dir. d. Parkhotel Laurin Bozen. M.: Gastronom. Ak. Deutschland. H.: Golf, Segeln, Zen-Buddhismus. (A.W.)

Heinz Othmar Dr. phil. Dr. lit.

B.: Schuldir. "Albert Schweitzer" Bozen. GT.: Präs. d. Gesangsver. "Runkelsteiner Singkreis". DA.: 39100 Bozen, Europaallee 5. PA.: 39049 Sterzing, Lahn 9. G.: Sterzing, 9. Juli 1950. S.: Oberschule Bruneck, 1969 klass. Matura, Univ. -Stud. in Padua Phil u. Literatur, 1975 Prom. K.: 1976-83 Mittelschule "Adalbert Stifter" literar. Fächer, ab 1985/86 "Albert Schweitzer", ab 1987 o.Dir. BL.: Belebung d. Schultheaters, Schreiben u. Regie d. Theaterstücke. P.: Art. in Zeitungen u. Zeitschriften zu div. polit.-kulturellen Themen, Mitarb. b. RAI Deutschsendungen. H.: Theater, Belletristik, Schwimmen, Laufen, Langlaufen. (C.K.)

von Hellberg Peter Dr. Dr. jur.

B.: Bankdir. Raiffeisen-Kasse Bozen. DA.: 39100 Bozen, De Laistr. 2. PA.: 39057 Eppan/Berg, Kronhof. G.: Bad Reichenhall, 14. Sep. 1937. V.: Maria Annunziata, geb. von Inama-Sternegg. Ki.: Alexandra (1968), Konstantin (1971), Philipp (1976). El.: Dr. jur. Alexander (gef. 1944) u. Dipl.-Vw. Helga, geb. Lüth. S.: 1955 Matura, Stud.-Rechtswiss. Univ. München, Würzburg u. Rom, 1964 RA-Prüf. München, 1966 Prom. z. Dr. jur. Würzburg, 1976 Prom. z. Dottore giurisprudenza Rom. K.: 1965-73 Prok. d. Volksbank Brixen, 1973-88 Syndicus b. d. Raiffeisenzentralkasse Bozen, seit 1989 Dir. d. Raiffeisenbank Bozen, ab 1986 RA-Kzl. in Sozietät München. P.: Schrift: "Die Steuern u. d. Denkmalschutz in Italien". E.: VK III. Kl. BRD. M.: seit 1979 AufsR.-Vors. d. Obstgen. Eppan, seit 1977 AufsR. f. Burgeninst. Südtir., seit 1973 Mtgl. d. Beratungsaussch. f. Umsiedlungsgeschädigte in Bozen, seit 1980 Rotary Club Bozen, Tir. Matrikel-Gen. H.: Kunstsammlung, Numismatik. (N.A.)

Hendrich Helmuth

B.: Fernsehtechniker. FN.: Eletkroradio Henrich. GT.: Präs. d. Runkfunkanst. Südtir. RAS. DA.: 39100 Bozen, Europaallee 164A. PA.: 39012 Meran, Kirchsteig 3. G.: Meran, 12. Dez. 1939. V.: Hiltrud, geb. Platter. Ki.: Christian, Theo. S.: Fachschule f. Elektrotechnik in Bozen, gleichzeitig Stud. Radio- u. Fernsehtechnik. K.: 1955 Eintritt in d. Firma d. Vaters, inzwischen Firmenltr. d. Hdl. u. Handwerkbetriebes, 1969 Auftrag d. Südtir. Landesreg. z. Ausarb. eines Gutachtens über Runkfunk- u. Fernsehenempfang in Südtir. aus d. dt. u. ladin. Kulturraum, 1975 Grdg. d. RAS in Bozen, VPräs., ab 1979 Präs. d. RAS. M.: Kiwanis-Club. (P.R.)

Hilpold Ermanno

B.: Ltr. d. Bozener Nachrichtenagentur "Italia". GT.: Korrespondent v. Il Gazzettino Venezia. DA.: 39100 Bozen, Mazzinipl. 2. PA.: 39100 Bozen, Romstr. 74. G.: Bozen, 4. Aug. 1933. V.: Loredana, geb. Ferrari. Ki.: Verena. S.: HBO, 1951 Matura. K.: im Außendienst einer schwed. Firma tätig, 1960 Mitarb. d. RAI, 1961 Agentur Italia, seit 1986 Ltr. H.: Lesen, Bergsteigen, Skifahren. (A.W.)

Hoefler Stefania

B.: Geschäftsfrau. FN.: Haus d. Gesundheit. DA.: 39012 Meran, Freiheitsstr. 180C. PA.: 39012 Meran, Wolkensteinstr. 19. G.: Meran, 11. Dez. 1951. El.: Josef u. Stefania Hoefler. K.: 1967-78 zahntechn. Assistentin, danach Verkäuferin, 1986 Grdg. zusammen m. Partnerin d. Fachgeschäftes Haus d. Gesundheit. H.: Kochen. (P.R.)

Hoert Herbert

B.: Amtsdir. im Amt f. Handwerk. DA.: 39100 Bozen, Raiffeisenstraße. PA.: 39100 Bozen, Penegalstr. 17. G.: Schlanders, 21. Mai 1938. V.: Maria, geb. Perathoner. Ki.: Andreas, Martin. El.: Hans u. Elisabeth. S.: 1958 Matura. K.: 1969 Eintritt in d. Landesdienst, 1961 Amt f. Handwerk, ab 1974 Ltr. d. Amtes, 1964 Grdg.u. dann Aufbau d. Gerantiegen f. d. Handwerk, Aufgabenbereich im Amt: Ausarb. d. gesetzl. Verordnungsbestimmungen, sowie deren Durchführung, Meisterausbild., Fortbild., Förderung. H.: Briefmarken sammeln, einige Sportarten, Skifahren, Bergsteigen. (P.R.)

Hofer Albuin Dr. rer. oec.

B.: Dir. d. Landesberufsschule f. Handwerk u. Ind. Bozen. DA.: 39100 Bozen, Romstr. 20. Pa.: 39100 Bozen, Im Dorf 3. G.: Niederdorf, 6. Feb. 1935. V.: Olga, geb. Parschalk. Ki.: Ingeborg (1964), Monika (1966), Stephan (1967), Georg (1969). El.: Georg u. Maria, geb. Obermair. S.: Mittelschule im Seminar Salern, 1956 Matura an d. HOB Bozen, Einstieg in d. Unterrichtstätigkeit an d. ehem. HASCH in Bozen, Stud. an d. Univ. Florenz Betriebswiss., 1962 Abschluß. K.: Arbeiten im öffentl. Bereich im Kath. Verb. d. Werktätigen in

d. Südtir. Hochschülerschaft als Finanzref. u. Präs., Aufbau u. Führung d. Arbeitsstelle f. Südtir. Heimatferne f. ca. 10 J., 1965 Präs. d. Wechselseitigen Landeskrankenkasse in Bozen, seit 1974 kommissar. Ltr., b. z. Auflösung u. Übergang in d. Vereinheitl. Santiätsreform (1979), seit 1957 Teilbeauftragter Lehrer im Berufsschulwesen u. Übernahme 1968 d. Dion. d. Landesberufsschule f. Handwerk u. Ind. P.: Lehrbücher f. Handelskunde, "Handelskunde f. Berufsschulen", Skripten f. d. Vorbereitungen auf d. Meisterprüf. H.: Sport, angewandte Didaktik in d. Berufausbild., Gartenarbeit. (A.W.)

Hofer Arno Dr. arch. Dipl.-Ing.

B.: Arch. DA.: 39100 Bozen, Waltherpl. 8. PA.: 39100 Bozen, St. Johann-G. 11. G.: Bozen, 21. März 1923. V.: Helga, geb. Ehall. Ki.: Markus, Sylvia, Ilona. S.: 1943 Kriegsmatura in Schwaz/Tirol, Militärdienst m. Gefangenschaft, Stud. an d. TU Graz, 1953 Dipl.-Ing., Ergänzungsstud. Univ. Rom, 1956 Dr. arch. K.: seit 1956 freiberufl. Tätigkeit in Bozen, öffentl. sowie Privatbauten u. Urbanistik. H.: Sport, Malerei, Reisen. (P.R.)

Hofer Helga Dr. arch. Dipl.-Ing. arch.

B.: Arch. DA.: 39100 Bozen, Waltherpl. 8. PA.: 39100 Bozen, St. Johann-G. 11. G.: Graz, 18. Feb. 1928. V.: Dipl.-Ing. Dr. Arno Hofer. Ki.: Markus, Sylvia, Ilona. El.: Anton Ehall u. Gottfrieda Weitzer. S.: 1946 Matura in Bad Reichenhall, Stud. an d. TU Graz, 1954 Dipl.-Ing. K.: b. 1956 Praxis in Rom, seit 1956 freiberufl. Tätigkeit in Bozen, öffentl. sowie Privatbauten, Innengestaltungen u. Urbanistik. H.: Sport, Grafik, Reisen, Botanik, Kunstgeschichte. (P.R.)

Hofer Johann

B.: Inh. FN.: Jonotron. DA.: 39100 Bozen, Kravoglstr. 18. PA.: 39100 Bozen, Taramelli 23. G.: St. Lorenzen, 20. Feb. 1952. Ki.: Claudia (1974), Kevin (1982). El.: Ludwig u. Magdalena, geb. Ploner. S.: 3 J. Ausbild. z. Lebensmittelverkäufer, 1972-76 Ausbild. u. Praxis b. Firma Nixdorf Computer im Softwarebereich Deutschland. K.: 1976-79 Programmierer in Deutschland m. Einsatz im Ausland, 1979 Rückkehr nach Südtirol, Grdg. d. eigenen Firma m. Schwerpunkt Unternehmensberatung im Bereich EDV u. Softwareproduktion. H.: Reisen, Wassersport, Skifahren, Wandern. (N.A.)

Hofer Josef

B.: Gschf. FN.: Information Consulting GmbH. DA.: 39100 Bozen, Goethestr. 34. PA.: Klausen, Romstr. 2. G.: Wiesen, 1. Nov. 1947. Ki.: Simon, Valentin. S.: Mittelschule in Sterzing. K.: 1965-69 Tätigkeit in d. Verw., 1970-79 Nirma NIXDORF v. Programmierer. b. z. Systeming., 1980 Grdg. u. Gschf. d. Computer Consulting GmbH Beratung, Softwareentwicklung, Programmierung. M.: Tennisclub Klausen. H.: Paragleiten, Bergsteigen, Tennis. (C.K.)

Hofer Josef

B.: Inh. FN.: TANZER Intern. Transporte. DA. u. PA.: 39011 Lana, Bozner Str. 55. G.: Lana, 13. Nov. 1945. V.: Maria Rosa, geb. Boschetti. Ki.: Roland, Elmar, Peter, Tanja. S.: HASCH Bozen. K.: zunächst Mithilfe im väterl. Ldw.-Betrieb, ab 1970 Betätigung als Fernfahrer, 1972 Übernahme v. Geschäftsanteilen d. Firma Tanzer. H.: Bergsteigen, Skifahren.

Hofer Josef

B.: Dir. FN.: Serenissima Hardware Software S.p.a. d. Filiale Bozen. DA.: 39100 Bozen, Pfarrhofstr. 50. PA.: 39100 Bozen, Europaallee 124. G.: St. Lorenzen, 21. Jan. 1949. V.: Monika. Ki.: Pietro, Roberto, Sandro, Chiara. S.: italienische Mittelschule, kaufmännische Privatschule "Marco Polo". K.: 1966-68 Firma B. Demetz, 1969 Militärdienst, 1970 B. Demetz, Firma Nixdorf Computer in Paderborn /BRD, 1971 Nixdorf Computer in d. Schweiz, 1972-77 Nixdorf Filiale in Bozen, Grdg. u. Aufbau Serenissima Hardware Software S.p.a., Werksvertretung v. Nixdorf. H.: Skifahren, Bergwandern, Reisen. (A.W.)

Hofer Maria

B.: Kunstgewerblerin. DA. u. PA.: 39100 Bozen, Walterpl. 8. G.: Chyby/Polen, 8. Sep. 1896. V.: Prof. Anton Hofer. Ki.: Arno. S.: Stud. Ak. f. Angew. Kunst 1920. K.: freischaff. in Bozen, Malerei, Applikationen, Email, Ausstellungen in Bozen, Florenz, Linz u. Innsbruck. (P.R.)

Hofer Wilhelm

B.: Sekr. d. Kmsn. f. Gutachten in d. Bereichen Ldw., Forstwesen, Jagd, Fischerei, Wildbach- u. Flußverbauung sowie Elektrifizierung ländl. Gebiete. GT.: Sekr. d. Landeskam. f. Gen.-Wesen. Ltr. d. Gen.-Register. DA.: 39100 Bozen, Brennerstr. 6. PA.: 39100 Bozen, Ladernastr. 13. G.: Bozen, 17. März 1940. V.: Paula, geb. Eccli. Ki.: Doris, Irene. El.: Herbert u. Rosa. S.: Lyzeum Bozen, 1959 Matura, Stud. an d. Univ. Florenz. K.: 1968-74 Sekr. b. Hpt.-Verb. Ldw. Gen. Bozen, 1974 Eintritt in d. Landesdienst, 1979 Sekr. M.: Grdg.-Mtgl. u. Vorst.-Mtgl. b. Elternverb. hörgeschädigter Kinder Bozen, Mtgl. d. Alpenver. Südtir. H.: Bergwandern, Skifahren, Eislaufen, Musik, Theater, Politik, Reisen. (M.G.)

Hoffer Max

B.: Inh. FN.: Hüsler Nest, Das Schweizer Naturbett. DA.: 39100 Bozen, Vintler Durchgang 11. PA.: 39100 Bozen, Weggensteinstr. 5. G.: Cortina d'Ampezzo, 14. Mai 1945. Ki.: Laura (1974), Gerda (1975). El.: Max u. Erika, geb. Defant. S.: HASCH, kfm. Ausbild. in d. Praxis. K.: seit 1976 selbst. Kfm. H.: Musik, Reisen, Fotografieren. (N.A.)

Freiherr v. Hohenbühel Bernhard Dr.

genannt Heufler zu Rasen Gr. Uff. B.: RA i.R., Präs. v. Südtir. Burgeninst. DA.: 39100 Bozen, Silberg. 6. PA.: 39057 St. Michael-Eppan, St. Anna Str. 32, Ansitz Gleifheim. G.: Ansitz Gleifheim-Eppan, 18. Dez. 1922. V.: Elisabeth, geb. Reichsfreiin v. Eyrl v. Waldgries u. Liebenaich. Ki.: Maria Michaela (1956), Carl Philipp (1957), Hedwig (1958), Heinrich (1961), Hans Christoph (1964), Alexander (1972). El.: Josef u. Waltraud v. Kathrein Andersill. BV.: Johannes v. Hohenbühel 1270 Ministeriale d. Herren v. Schöneck, Dietrich v. Heufler zu Rasen Richter u. Pfleger v. Altrasen 1575, eingetragen in Tir. Adelsmatrikel 1519, Carl u. Ludwig Freiherren v. Hohenbühel 1865 in d. Freiherrenstand erhoben. S.: Stud. Rechtswiss. Univ. Modena, 1947 Prom. z. Dr. jur. K.: 1950-79 RA b. d. Südtir. Landessparkasse, dann Dir. d. Rechtsabt., 1963 Grdg. d. Südtir. Burgeninst., Mitbegründer u. Präs. P.: Hrsg. d. Zeitschrift "Arx". E.: Verd.-Med. in Silb. d. Ital. Roten Kreuzes, Paul Harris Fellows, Grande Ufficiale al Merito della Repubblica Italiana, Ehren- u. Devotionsritter d. Souv. Malteser Ritterorden, Herr- u. Landmann in Tir. M.: seit 1952 Friedensrichter in Eppan, Mtgl. d. Steuerkmsn. III. Grades 1982-88, Mtgl. d. Kollegiums d. Tiroler Matrikel-Stiftung, vormals Adelsmatrikel, Obm. v. Girlaner Obstgen. 1979-89, Präs. v. Sanitätsass.-Schule d. Roten Kreuzes, 1968-78 Präs. d. Roten Kreuzes Bozen, Präs. v. Freizeitclub d. Südtir. Sparkasse, Mtgl. d. VI. u. XII. Kmsn. f. d. Durchführungsbestimmungen d. Südtir. Abkommens m. Italien 1984-88, 1979 Präs. v. Rotaryclub Bozen. H.: Burgen, Bienen. (N.A.)

Holzmann Giorgio

B.: Vers.-Insp., Abg. d. Südtir. Landtages. DA.: 39100 Bozen, Crispistr. 9. PA.: 39100 Bozen, Sassaristr. 83. G.: Bozen, 21. Jan. 1957. El.: Mario u. Letitia. BV.: Großvater Ferdinando Holzmann Erfinder d. Holklebers "Vinavil". S.: LBA, 1976 Matura. K.: 3 J. im Außendienst in d. Lebensmittelbranche, 1981 Lloyd Adriatico, 1982-83 Mediolanum, 1983-86 Phönic

Soleil, 1986-89 Abeille, polit. Laufbahn: 1972-74 Sekr. d. "Fronte della Gioventu", 1983-87 Sekr. d. MSI Sekt. Bozen, 1985-88 GemR. in Bozen, seit 1988 Abg. im Südtir. Landtag, Mtgl. d. 4. Gesetzgebungskmsn. d. Südtir. Landesparlaments, stellv. Landessekr. u. Mtgl. d. Zentralkomitees d. MSI-DN. H.: Sport, Lesen, Autorennfahren. (M.M.)

Hosp Bruno Dr.
B.: LAbg., LR. f. Schule u. Kultur f. d. dt. u. ladin. Sprachgruppe. DA.: 39100 Bozen, Brennerstr. 7a. PA.: 39054 Klobenstein am Ritten, Gebrach 157. G.: Ritten, 21. Okt. 1938. V.: Dr. Ina, geb. Schmidt. Ki.: Julia, Matthias. D.: LBA Meran, Stud. d. Staatswiss. an d. Univ. Marburg, Münster u. Wien, 1967 Prom. Wien. K.: 1967-78 Lehrer an d. Mittelschule Ritten, 1974-84 Bgm. Gem. Ritten, 1972-83 Präs. Talgemeinschaft Salten-Schlern, 1978-89 SVP-Sekr., seit 1983 LAbg., seit 1989 LR. f. Schule u. Kultur f. d. dt. u. ladin. Sprachgruppe. E.: VK d. Landes Tir., 1973 Mitgbegründer u. seither Obm. d. "Rittner Sommerspiele", seit 1984 Landeskdt. d. Südtir. Schützenbundes. H.: Bergsteigen, Bergwandern, Laientheater, Bücher.

Huber Hanns Johann Anton
B.: Gschf. Ges. u. Gen. Manager. FN.: EUROTECNO KG, Ital-Office KG, Rebu KG, FINI Finanz- u. Beteiligungsges. IBK Finni-Financial Intern. GmbH Bozen. DA.: 39100 Bozen, Verdipl. 43. PA.: 39100 Bozen, Neubruchweg 35/16. G.: St. Martin/Gsiesertal, 15. Feb. 1947. V.: Christine, geb. Falser. BV.: Johann u. Hans Huber waren Kirchenbauer, Besucher d. Donauschule, alte Familie aus Feldkirch deren Geschichte b. z. XIII Jhdt. reicht. S.: Mittelschule Meran, Berufsschule f. Bauhandwerk Bozen, Bau- u. Zimmermeister b. 1966, Hochbauschule f. Technik Zürich. K.: 1969 selbst. m. Zimmereibetrieb Brixen, 1973 1. Bauges. Bozen gegründet. BL.: Errichtung v. 250 Ind.-Gebäuden, Seminare Zürich. E.: 1979 Papstempfang, 1966 3. Rang Staatsmeisterschaft Kunstbahnrodeln. M.: seit 1987 Präs. d. Sportclub Gsiersertal, 1990 Präs. d. OK WM Rodeln auf Naturbahn im Gsiersertal, gew. GemR. im Gsiesertal. H.: Skifahren, Wandern, Bergwandern, Musik. (N.A.)

Huber Martin
B.: Gschf.Ges. FN.: Hotel Pacher. DA.: 39040 Vahren, Pustertalerstr.46. G.: Brixen, 8. Feb. 1959. V.: Annres, geb. Moser. KI.: Franziska (1994), Johanna (1990), Michael (1988). EL.: Wilhelm u. Maria. S.: HASCH Brixen, Gastgew. Berufsschule Brixen Abschl 1977. K.: Hotel Silvretta Hus in st. moritz im Service, London Hotel Royal u. Horse gard in Küche u. Rezeption, sowie in einigen Hotels in Südtirol in Küche u. Service, 1985 Eintr, in d. elterl. Betrieb als Gschf.Ges., Hotel Pacher in Brixen. M.: Ortsobm. HGV Vahren, Landesverb. HGV. H.: Bergsteigen, Tennis, Skifahren, Musik, Wein. (I.D.)

Huber Walter Dr. chem. ind.
B.: Dir. d. agrikulturchem. Laboratoriums am Versuchszentrum f. Land- u. Forstwirtschaft Laimburg, Amtsdir. im Amt f. Allg. Angelegenheiten. DA.: 39040 Auer, Laimburg; 39100 Bozen, Brennerstr. 6. PA.: 39052 Kaltern, Gunganoweg 13. G.: St. Lorenzen, 25. Sep. 1943. V.: Doria, geb. Kostnik. S.: Franziskanergymn. Bozen, 1963 Matura, Stud. d. techn. Chemie TU Wien, 1972 Spon., v. 1974 Ass. am Inst. f. Mikrobiologie u. Biochem. Technologie TU Wien. K.: 1974 Eintritt in d. Landesdienst Chem. Landeslaboratorium Bozen, Abt. Luft, 1977 Wechsel z. Versuchszentrum Laimburg u. Neugrdg. u. Aufbau d. agrikulturchem. Laboratoriums, Aufbau d. Rechenzentrums Laimburg, seit 1986 Amtsdir., spezielle Forsch.-Einrichtungen: Waldsterben: Nadel- u. Bodenuntersuchungen, Pflanzenanalyse als Diagnose-Hilfsmittel u. Einführung in d. ldw. Praxis. P.: Fachart. bzgl. Forst- u. Ldw. in Fachzeitschriften. M.: ALVE Arge Ldw. Versuchsanst. Österr., VD-LUVA Ver. Dt. Ldw. Untersuchungs- u. Forsch.-Anst., IAG, GIL. H.: Reisen. (C.K.)

Hübler Enzo Giovanni Dr.-Ing.
B.: Amtsdir. im Amt f. Straßenbau. DA.: 39100 Bozen, Crispistr. 3. PA.: 39100 Bozen, Fagenstr. 34B. G.: Abbazzia, 8. Sep. 1932. V.: Rosanna, geb. Schinella. Ki.: Paula, Luca. S.: Mittelschule in Messina u. Neapel, Lyzeum in Neapel, 1951 Matura, Univ. Neapel, später Rom, Stud. Hoch- u. Tiefbau, 1958 Prom. K.: Militärdienst, Offz.-Stud. in Artillerie, 1960 Eitnritt in d. Verw. d. Provinz Bozen aufgrund eines gewonnenen Wettbewerbes, zunächst Projektierung, dann Baultg., dann Amtsdir. f. Instandhaltung, 1978 Amtsdir. f. Straßenbau. P.: Art. in einem Fachmagazin "Einfache Trassierung d. Kurven u. Gegenkurven b. Bergstraßen", Art. "Angleichung d. Straßen aus Gelände z. Landschaftsschutz". M.: Segelverb., ital. Alpenver. H.: Segeln, Bergwandern, Fotografie. (C.K.)

Ifland Karl
B.: Alleingschf. FN.: ALUMIT. DA.: 39100 Bozen, Obstpl. 37. PA.: 39100 Bozen, Claudia-d'Medica-Str. 19. G.: Bozen, 26. Mai 1950. V.: Dietlind, geb. Riccabona. Ki.: Magdalena, Andreas, Katharina. El.: Otto u. Margarethe. BV.: Bischof Riccabona. S.: Gewerbeoberschule, Militär. K.: 1971-76 Ltr. d. Grafikabt. u. 1977-78 Ltr. d. Betriebsorgan. einer Skifbk., 1979-81 Ltr. d. AV sowie selbst. Untern., ab 1982 Gschf. b. ALUMIT. H.: Klettern, Skifahren, Reisen. (P.R.)

Innerhofer Josef Dr. theol.
B.: Chefred. d. Kath. Sonntagsblattes. DA. u. PA.: 39100 Bozen, Guntschnastr. 35. G.: Sand in Taufers, 21. Juli 1931. El.: Josef u. Stefania, geb. Beikircher. S.: 1952 Matura, Theol.-Stud. Univ. Brixen u. Innsbruck, 1964 Prom. z. Dr. theol. Univ. Sbg. K.: 1957 Priesterweihe Brixen, b. 1963 Kooperator, Praktikant b. d. Münchner Kirchenzeitung, ab 1964 Brixen Sub-Regens Prof., ab 1967 Kirchenzeitung, 1970-92 Chefred. d. Diözesaner Presseamtes, seit 1991 Ltr. d. Inst. z. Förd. Publizist. Nachwuchses in München, lfd. freier Mitarb. b. Rundfunk u. Fernsehen. P.: Bücher: "Taufers-Ahrn-Prettau", "Die Kirche in Südtirol", "Südtiroler Blutzeugen", "Tiroler Pioniere in Kamerun", "Südtirol unter einem Hirtenstab". H.: Skifahren, Bergsteigen, Musik, Lesen. (N.A.)

Innerhofer Josef Ernst
B.: Hotelier d. Hotel Augusta. DA.: 39012 Meran, O.-Huber-Str. 2. PA.: 39012 Meran, Freiheitsstr. 184a. G.: Sulden/Stilfs, 6. Sep. 1926. V.: Maria, geb. Mederle. Ki.: Werner (1960), Karlheinz (1963), Ulrich (1970). BV.: seit 1484 als Bauernfamilie in Meran ansäßig, Familienwappen aus d. Jahr 1593. S.: VS, Mittelschule, Gymn. Lyzeum, Matura, Kurse im Alliance Francaise Paris, Strallside English School Margate, English School Worthing, English Corum Coms Cambridge. K.: seit 1957 Hotelier Hotel Augusta Meran. BL.: 1973-88 Präs. d. Meraner Hotelier- u. Gastgewerbeverb., seit 1967 VerwR. d. Volksbank Meran, seit 1973 VPräs., seit 1976 VPräs. d. Ital. Roten Kreuzes Meran, 1972-87 VerwR. u. Mtgl. d. Finanzkmsn. d. Kurverw. Meran, 1956-88 VerwR. d. Hotelfachschule Meran, b. 1982 VerwR. u. Mtgl. d. Direktoriums d. FAIAT Rom, VPräs. d. Skal-Club Südtirol, seit 1974 Mtgl. b. Lions-Club Meran. H.: Skifahren. (M.M.)

Innerhofer Walter Dr. phil.
B.: Dir. d. Grundschule Lana II, Präs. d. LSR., Bgm.-Stellv. v. Schenna. DA.: 39011 Lana, Andreas-Hofer-Str. 27. PA.: 39017 Schenna, Wiesenweg 3. G.: Schenna, 11. Apr. 1943. V.: Rosemarie, geb. Höfler. El.: Franz u. Maria. S.: VS, Mittelschule, Staatl. LBA in Meran, 1961 Reifeprüf. K.: 1961 Lehrer in VS Mörre, Militär, Univ. Innsbruck, seit 1976 Dir. d. Dt. Grundschlue, 1981 Dr. phil., seit 1988 Präs. d. LSR.,

seit 1980 Bgm.-Stellv. in Schenna, seit 1972 Präs. d. Sportclubs v. Schenna. P.: Heimat- u. Umweltkunde, Neues Rechnen 5 f. Südtir. Grundschulen. H.: Gärtner, Bergwandern, Skifahren, Radfahren. (P.R.)

Innerkofler Josef Dr. arch.

B.: Amtsdir. im Zentralamt f. Raumordnung. DA.: 39100 Bozen, Cesare-Battisti-Str. 21. PA.: 39100 Bozen/Gries, Gscheibter-Turm-Weg 5. G.: Bruneck, 16. Apr. 1926. V.: Cäcilia, geb. Pranter. Ki.: Verena, Ursula. S.: Oberschule Chorherrnstift Neustift, ab 1940 Oberschule Rufach im Elsaß, Abschluß d. Gymn. in Brixen, 1947 Matura, TH Wien, 1961 Dipl.-Ing. f. Arch. K.: seit 1962 b. d. Landesreg. d. auotnomen Provinz Bozen zunächst als Mitarb. im Amt f. Landschaftsschutz tätig, ab 1965 Ltr. dieses Amtes, 1981 Ernennung z. Amtsdir., 1983 Beauftragung m. d. Koordinierungsfunktion f. d. Bereich Raumordnung. M.: SIAV Südtir. Ing. u. Arch.-Ver. H.: Bergsteigen, Filmen. (C.K.)

Insam Willy Dr. med. vet.

B.: Sprengeltierarzt i.P., Präs. d. Tierärztekam. Bozen. DA.: 39100 Bozen, Amba-Alagi-Str. 6. PA.: 39100 Bozen, Brennerstr. 2. G.: St. Ulrich, 30. Apr. 1918. V.: Helene, geb. d'Andria. Ki.: Christine, Irene, Sonia, Walter, Susanne. S.: Ital. Gymn. Bozen, Meran 1939 Matura, 1939-40 Univ. Bologna, Vet.-Med. Fak., infolge d. Optionen Stud. an d. Tierärztl. HS Wien, 1941 Dienstverpflichtung Dt. Wehrmacht berittene Artillerie, 1943 Abkommandierung z. Stud. an d. Vet.-Ak. Berlin, 1944 Prom. u. Abkommandierung an d. Ostfront. K.: 1945 Amerikan. Kriegsgefangenschaft in Tir., 1947 Ital. Dipl. Nostrifizierung in Mailand, 1948 Übernahme d. Tierarztsprengels Doblach im Pustertal, 1949-53 Sprengeltierarzt Gardatal u. Tenneberg, 1953-80 Sprengel Karneid b. Bozen, 1968-79 Sekr. d. Syndikates d. Sprengeltierärzte, seit 1979 Präs. d. Tierärztekam. d. Provinz Bozen, 1980 i.P. als Privattierarzt, seither Beratungstierarzt b. Senat d. Südtir. Molkereigen. P.: Übersetzung dt./ital. d. Buches "Lexikon d. prakt. Therapie u. Prophylaxe f. Tierärzte", Fachart. in "Der Südtiroler Landwirt". E.: Friedensrichter in d. Gem. Karneid. H.: Sport, insbes. Skifahren, als Student Langläufer in d. ital. Nationalmannschaft. (C.K.)

Isotti Gianguido Dr. jur.

B.: Notar. DA.: 39100 Bozen, A.-Diaz-Str.18. PA.: 39100 Bozen, Kreuzg. 4.G.: Bozen, 5. Juli 1940. Ki.: Federica, Alessandro. El.: Dr. jur. Arturo u. Vittoria. BV.: Großvater Dr. Carlo Isotti: Richter Cassazione am OGH in Rom. S.: klass. Lyzeum Bozen, 1959 Matura, Stud. Univ. Mailand, 1964 Prom. K.: 1964-69 Notariatspraxis in d. väterl. Kzl., 1965-66 Notariatsschule Mailand, 1969-77 selbst. RA, 1977-79 Notar in Turin, seit 1979 in Bozen. P.: div. Art. in Fachzeitschriften. M.: Ak. Skiclub Italien (im Vorst.). H.: Skifahren, Golf, Musik. (A.W.)

Jellici Gianfranco Dr.

B.: Amtsdir. f. Bergwirtschaft. DA.: 39100 Bozen, Landhaus VI, Brennerstr. 6. PA.: 39100 Bozen, Schießstandweg 16. G.: Tesero, 6. Nov. 1946. V.: Maria-Christina. Ki.: Stephan, Lorenza. BV.: Vater Gabriele Jellici 1946-61 Bgm. in Tesero. S.: Geometeroberschule Bozen, 1966 Matrua, Stud. Ldw. u. Forstwesen an d. Univ. Padua, 1971 Prom. Dipl. als Forsting., 1979 Staatsprüf. in Florenz f. Selbst. K.: 1971-75 Lehrtätigkeit an d. Geometeroberschule in Bozen: Schätzungswesen, 1976 Eintritt in d. Landesdienst als Forstinsp., b. 1981 Amt f. Angelegenheiten d. Forstwesen, 1981-85 Amtsdir., seit 1986 Amtsdir. im Amt f. Bergwirtschaft. P.: div. Art. u. Berichte über Lawinenverbauung, Skipisten u. Raumordnungs- u. Landschaftsschutzprobleme. M.: Präs. d. Endas-Sportver. H.: Sport, Lesen, Kultur, Politik. (A.W.)

Jenny Egmont Dr. med.

B.: FA f. Urologie u. Chir. GT.: Belegarzt an d. Marienklinik Bozen. DA.: 39100 Bozen, Sparkassenstr. 6. PA.: 39019 Dorf Tirol, Zenoberg 17. G.: Rankweil/Vbg., 7. Okt. 1924. V.: Eva, geb. Forget de Barst. Ki.: Egmont, Christoph, Charlotte. S.: Gymn. Meran, 1942 Matura, Univ.-Stud. Innsbruck, 1948 Prom., FA-Ausbild. 2. Chir. Univ.-Klinik u. Polikum in Wien. K.: seit 1956 als FA in Bozen, 1964-68 als Freiberufler. P.: Hrsg. u. Red. d. Südtir. Nachrichten. M.: 1973-78 im Südtir. Landtag, Mitbegründer u. langj. Vors. d. Soz. Fortschrittspartei Südtir. H.: Publizist. Tätigkeit. (C.K.)

Jochberger Hans Dipl.-Ing.

B.: selbst. Bauing., Baumeister. DA.: 39100 Bozen, Rentschnerstr. 4. G.: Stilfs, 20. Juli 1929. V.: Maria-Theresia. Ki.: Mag. Dr. Wolfgang. El.: Siegfried (Gem.-Sekr. in Stilfs). S.: 1953 Matura an d. HTL Innsbruck, 1954 Baumeisterprüf., Stud. an d. Univ. München (Bauing.-Wesen, Hochbau), 1958 Grad. K.: 1958-63 Landesbauamt Bozen, seit 1963 selbst. als Bauing. u. Baumeister f. Planung u. stat. Berechnungen. H.: Reisen, Bergwandern. (A.W.)

Joppi Guiseppe Dr.

B.: Gen.-Sekr., Sekr. d. Vollversammlung d. Konsort. d. Städte Bozen u. Meran, Sekr. d. Vollversammlung d. Verkehrsbundes Gem. Leifen. DA.: 39100 Bozen, Rathauspl. 2. PA.: 39100 Bozen, Mantellastr. 21. G.: Marling, 4. Feb. 1929. V.: Maria Theresia, geb. Girandi. Ki.: Reberta, Tullius. El.: Tullius u. Fortunata. BV.: entstammt Generation v. Nordtir. Ldw., b. Mitte d. 18 Jhdt.-Jobstraibitzer. S.: hum. Lyzeum Meran, 1948 Matura, Stud. Staatswiss. Triest. K.: 1952-55 Praktikum b. Notar Dr. Andreis Meran, 1955-60 Ang. Sparkasse Bozen, 1960 Eintritt Stadtgem. Bozen, Sekr.-Ltr., Abt.-Ltr., VSekr., 1975-78 amtsf. Sekr., seit 1978 Gen.-Sekr. BL.: Teilnahme am Kongreß d. Gem. Europas 1975, Teilnahme an d. Welt-Energie-Konferenz München 1980, Teilnahme an einigen anderen Kongressen in Palermo, Sizilien, Mailand u. Tagungen d. Gem.-Sekr., Teilnahme European Conference of the problems of local and regional Gouverment Stoff in Bournemouth/England 1985. P.: einige Art. über Probleme d. öff. Verw. H.: Heimwerker, Bergwandern, Familie, Malerei, klass. Musik, Theater, Oper. (M.G.)

Kaneider Albert Dr.

B.: ang. Jurist. FN.: Notar Augusto Donna. GT.: ehem. Bgm. v. Lüsen. DA.: 39042 Brixen, Altenmarktg. 1. PA.: 39031 Bruneck, Roststr. 51. G.: Lüsen, 31. Aug. 1945. V.: Clara, geb. Künig. Ki.: Michael, Sabine. El.: Anton u. Rosa. S.: VS, MS, Stud. Innsbruck, 1971 Prom. K.: seit 1972 Jurist, 1972-74 Jurist in Sterzing, 1973-75 Unterricht an d. HASCH in Sterzing, 1974-80 Bgm. v. Lüsen, seit 1975 Jurist in Brixen. H.: Wandern, Lesen. (M.Br.)

Karner Alois Dr. rer.

B.: Amtsdir. f. Forstwirtschaft im Amt d. Südtir. Landesreg. DA.: 39100 Bozen, Brennerstr. 6. PA.: 39057 St. Michael/Eppan, Bergstr. 6. G.: Meran, 14. Sep. 1945. V.: Maria-Luisa, geb. Habicher. Ki.: Eva. El.: Ambros u. Nelly. S.: Matura, wiss. Lyzeum Brixen, 1964-66 Univ. Mailand, Militär, 1968-73 Stud. Forstwirtschaft Wien. K.: seit 1979 Landesdienst. H.: Jagd, Freizeitsport. (P.R.)

Kaser Josef

BV.: Inh., Mechaniker u. Schlosser. DA. u. PA.: 39042 Brixen, Venetostr. 45. G.: Brixen, 27. Apr. 1928. V.: Paula, geb. Frizzi. Ki.: Rupert, Günther, Christian, Anna. S.: VS, Lehre als Dreher. K.: 1957 Aufbau d. eigenen Firma, anschl. Beginn m. d. ersten Glashausbauten, 1962-63 Grundkauf u. Bau sowie Grdg. d. dzt. Geschäftsgebäude, b. 1984 Führung u. Ltg. d. Firma Kaser. P.: Handwerksreg. H.: Skifahren, Wandern, (M.Br.)

Kaser Rupert

B.: Gschf., Geometer. DA.: 39042 Brixen, Venetostr. 45. G.: Brixen, 20. Okt. 1961. El.: Josef u. Paula. S.: VS, Mittelschule, Techn. Oberschule, 1981 Matura. K.: 1981-82 versch. Tätigkeiten im elterl. Betrieb, seit 1985 Gschf. d. Firma Kaser. M.: Vorst. d. Handwerker d. Gemiums v. Brixen, Funktionär b. SV Brixen Sekt. Handball. H.: Skifahren, Radfahren, Federball, Musik, Reisen. (M.Br.)

Kaserer Robert Franz

B.: Abg. z. Südtir. Landtag, Stellv. Landesvors. d. Lebenshilfe f. Menschen m. Behinderung. DA.: 39100 Bozen, Crispistr. 9. PA.: 39020 Tschars/Vinschgau, Raslweg 3. G.: Tschars, 29. Jan. 1937. V.: Luise, geb. Tageiner. Ki.: Martin, Ilse. El.: Josef u. Anna. S.: LBA Meran, 1955 Matura. K.: b. 1978 Lehrtätigkeit an VS, 1978 Eintritt in Südtir. Landtag. BL.: 1967-87 aktives Mtgl. d. Lebenshilfe Vinschgau: Errichtung d. Sonderkindergartens u. d. Werkstätte f. Behinderte m. Heim. E.: Silb. u. Gold. Abz. d. SVP, 1982 VK d. Landes Tir. M.: 1958-68 Mitbegründer d. Sekt. Unter Vinschgau d. AVS, 1968-85 Bez.-Obm. d. SVP, 1967-68 Bez.-Jugendref. SVP Ortsobm. 1975-78 GemR., 1975-78 Mtgl. d. VerwR. d. KH Meran, VerwR. d. Gem. Fürsorgestelle. H.: Bergsteigen, Wandern, Fotografieren, Musik. (M.G.)

Kaslatter Erwin Wilhelm

B.: Hotelier. FN.: Hotel Olympia, Wolkenstein. DA.: 39048 Wolkenstein, Nivesstr. 41. G.: Bozen, 3. Okt. 1951. V.: Annemarie Costa. Ki.: Stephan (1985), Sybille (1988). EL.: Rudolf u. Edeltraud. S.: HAK Bozen, 1969 Matura, Uni Innsbruck, 2 Sem,. BWL, Uni Verona Sprachen (Ital., Dtsch., Franz., Latein, Russisch, Englisch, Spanisch). K.: Gastgewerbepraxis in Holland, 1974 Eintr. ins elterl. Hotel als Gschf. M.: GM Hockeyclub Wolkenstein, 10 J. AS MG HGV, 15 J. Mitarbeit im Weltcup Komitee, Mitarb. b. Luis trenker Marsch, Ehrenmtgl. Lia di Ciombonts Gröden. H.: Reisen, Sprachen, Kochen. (I.D.)

Kasslatter Emmy

B.: Inh. d. Hotel "Emmy". DA. u. PA.: 39050 Völs/Schlern. G.: Girlan /Eppan, 7. Apr. 1934. V.: Ivo Kasslatter. El.: Anton u. Emma, geb. Hinterhuber. S.: HASCH, Handelsoberschule. K.: Mitarb. im elterl. Betrieb, 1964 Eröff. d. Hotels "Emmy", BL.: erstes ital. Sauerstoffzentrum nach Prof. v. Ardenne, 1991 Einführung einer neuen amerik. Checkup-Methode. H.: Sport, Reisen. (N.A.)

Kasslatter Ivo

B.: Gschf. Ges. Hotel "Emmy". DA. u. PA.: 39050 Völs/ Schlern. G.: Bozen, 1. Feb. 1965. El.: Alois u. Emma, geb. Koppstätter. S.: HASCH, Hotelfachschule. K.: 1984 Eintritt in d. elterl. Betrieb. H.: Auto, Sport, Reisen. (N.A.)

Kasslatter Walter Dr.

B.: Gschf. FN.: OILCONTROL. DA.: 39100 Bozen, Crispistr. 33. PA.: Lein, Freins 1. G.: Bozen, 1. Mai 1955. V.: Barbara, geb. Obletter. El.: Rudolf u. Edeltraud. S.: 1974 Matura, Stud. d. Wirtschaftswiss. in Verona, 1984 Prom. K.: Einstieg in d. Firma OILCONTROL. H.: Skifahren. (P.R.)

Kasslatter-Mur Sabine Dr.

B.: Journalistin. DA.: 39100 Bozen, Crispistr.6.G.: Brixen, 18. Juni 1963, verh., 2 Töchter. S. :Stud. d. Geschichte u. Germanistik a. d. Univ. Innsbruck, Journalistenprüf. K.: 1988-93 Redakteurin, zul. Ressorltr.Stv. bei d. Tageszeitung "Dolomiten", 1990-1993 im GemR. von Barbian zust. f. d. Res. Umwelt, Jugend u. Information, SVP- Bez. Frauenref. d. Eisacktales u. SVP Ortsobfrau von Kollmann, s. Nov. 1993 im Südtir. Landtag, s. 14: Dez. 1993 Präs. d. Südtir. Landtages, Arbeitnehmervertreterin.

Kauer Georg Dr.-Ing.

B.: Bauing., Präs. d. Ing.-Kam. d. autonomen Provinz Bozen. DA.: 39100 Bozen, Sparkassenstr. 15; 39100 Bozen, Leonardo-da-Vinci-Str. 1E. PA.: 39100 Bozen, Weggensteinstr. 33. G.: Vintl, 24. Sep. 1936. V.: Reinhild, geb. Brigl. Ki.: Martin (1968), Birgit (1969), Ulrich (1976). El.: Raimund u. Maria, geb. Rieper. S.: 1955 Matura, Stud. Bauing.-Wesen an d. HS Padua, 1961 Prom. u. Staatsprüf., 1961-63 Fachausbild. Konstruktiver Ing.-Bau u. Straßenbau an d. HS München. K.: ab 1963 freiberufl. Tätigkeit in Bozen, Schwerpunkt: Tief- u. Straßenbau u. Hochbaustatik, 1983-85, 1987-89 u. 1991-93 Präs. d. Ing.-Kam., seit 1972 Prüf.-Ing. f. öff. u. priv. Bauten. M.: Forsch.-Ges. f. Straßen-. u. Verkehrswesen Köln. H.: Skifahren, Tennis, klass. Musik. Lesen. (N.A.)

Keifl Anton Dr. phil.

B.: Dir. d. Gewerbeoberschule Max Valier. DA.: 39100 Bozen, Cardonastr. 12. PA.: 39100 Bozen, Vicenzastr. 9. G.: Brixen, 9. Feb. 1934. V.: Ingrid, geb. Plattner. Ki.: Sabine (1965), Ulrike (1967). El.: Franz u. Rosa, geb. Lageder. S.: 1954 Matura, Stud. Math. u. Physik Univ. Padowa u. Innsbruck, 1965 Prom. z. Dr. phil. K.: 1956 Unterrichtstätigkeit an versch. Mittelschulen Südtir., seit 1963 an d. Gewerbeoberschule Max Valier, ab 1991 Dir., 1976-78 Dir. d. Lehranst. f. Ind. u. Handwerk, 1978-79 Dir. RG Bozen, 1979-81 Unterricht am Hum. Gymn. BL.: 1975-89 Mitarb. an d. Werkstudentenkursen an d. Univ. Innsbruck. H.: Wandern. (N.A.)

Keitsch Johann Gottfried

B.: Buchhändler en gros u. detail. FN.: Frasnelli Keitsch d. Johann Keitsch. DA.: 39100 Bozen, Dantestr.10B. PA.: 39100 Bozen, Aurelio-Nicolodi-Str. 28-62. G.: Brixen, 27. Mai 1957. V.: Rosa, geb. Nussbaumer. Ki.: Ulrike, Matthias. S.: Seminar Salern b. Farn, Brixen, kfm. Lehranst. in Bozen. K.: 1977-87 Ital. Staatspolizei Fahndungsbereich, 1987 selbst. Vertr. am Büchersektror, 1988 Übernahme d. Buchhdls.-Firma, 1988 Eröff. d. Papier- u. Buchhdlg. in Haslach/Bozen, Kuepachweg 37. M.: Landesvors. d. Südtir. Pfadfinderschaft, Schelmbacher Viergesang. H.: Singen, Fotografie, Malerei, Musizieren. (C.K.)

Kemenater Klaus Dr. jur.

B.: Gschf. FN.: SAD Südtir. Autobusdienst. GT.: Gschf. VerwR. d. Rittner Seilbahn AG. DA.: 39100 Bozen, Gerberg. 60. PA.: 39100 Bozen, Pacherstr. 18. G.: Bozen, 23. Sep. 1941. V.: Heidi, geb. Küffer. Ki.: Peter, Barbara. El.: Dr. Franz u. Amalie. S.: 1959 Matura, Jusstud. in Innsbruck, 1965 Prom., einige Sem. Vw. in Florenz. K.: Rechtspraktikant in Bozen, Unterricht u. 1 J. Dion. einer Mittelschule 1966/67, 1967-76 Personalchef b. d. Etsch Werken in Bozen, seit 1976 Betriebsltr. d. Städt. Verkehrsbetriebe Bozen, Meran, Leifers, seit 1983 Gschf. d. SAD. H.: Skifahren, Wandern, Schwimmen. (P.R.)

Khuen Georg Dr. med.

B.: HNO-FA. DA.: 39100 Bozen, Leonardo-da-Vinci-Str. 16. PA.: 39100 Bozen, Hörtenbergstr. 5. G.: Bozen, 28. Apr. 1953. S.: Klass. Lyzeum Franziskanergymn., 1972 Matura, Med.-Stud. Univ. Innsbruck u. Wien, 1978 Prom. K.: 1978-79

KH Brixen Ass. f. Innere Med. u. allg. Chir., 1979-84 OA f. HNO an d. Univ.-Klinik Innsbruck, anschl. 3 Mon. Neurochir. an d. Univ.-Klinik in Innsbruck, seit 1984 Ordination f. HNO als Freiberufler in Bozen, seit 1984 Belegarzt an d. Marienklinik in Bozen, seit 1987 Konsiliararzt am KH Bruneck. M.: Österr. Ärztkam. f. HNO, A.I.D.O., Organ. z. Unterstützung v. Organtransplantationen in Italien. H.: Skifahren, Bergsteigen, Wandern, Reisen, Lesen. (C.K.)

Kiem Erwin

B.: Gschf. Gen.-Dir. FN.: Leasingges. Südtir.-Trentino. DA.: 39100 Bozen, De-Lai-Str. 4. PA.: 39100 Bozen, Quireiner Wassermauer 8. G.: Kastellbell-Tschars, 27. Okt. 1932. V.: Waltraud, geb. Mayrhofer. Ki.: Verena, Dagmar, Gabriele, Bernhard. El.: Johann u. Barbara. S.: Mittelschule Schlanders, Höhere BLA f. alpenländ. Ldw. in Seefeld/Tir., 1953 Matura, 1954-55 Militär. K.: Inst. Tecnico Agraria in Retio Emila, 1957 Aufnahme in d. Stammrolle Südtir. Landesreg., 1959-79 Sondersekr. d. LR. f. Ldw., Forst, Jagd u. Fischerei, 1964-72 Ltr. d. Gen.-Registeramtes sowie d. Amtes d. delegierten regionalen Förderungsgesetze, 1977-79 Dir. d. Amtes f. Jagd u. Fischerei, Präs. d. AufsR. d. Untervintschgauer Obstgen. UVO, 1968-79 Präs. d. AufsR. d. obstgen. Verwertungsbetriebes VOG in Leifers, 1965-79 Mtgl. d. Parteiaussch. d. SVP, Bez.-Aussch. Vintschgau, 1980-85 Landesjägermeister Südtir., seit 1979 Aufbau d. Leasingges. E.: 1961 Ing. H.: Jagd, Langlaufen, Bergwandern, Fischen, Lesen, Fotografieren. (P.R.)

Kirchler Josef Dr. jur.

B.: Amtsdir. im Amt f. öff. Bauwirtschaft. GT.: Bgm. d. Gem. Ahrntal. DA.: 39100 Bozen, Crispistr. 3. PA.: 39100 Bozen, Nicolodistr. 47/49. G.: Ahrntal, 24. März 1949. V.: Rosa-Anna, geb. Oberkofler. Ki.: Philipp (1977), Christine (1980). EL.: Karl u. Katharina, geb. Voppichler. S.: 1968 Matura Brixen, Stud. in Innsbruck, Padua u. Modena, 1973 Prom. K.: RA-Praxis in Bozen, 1974 Eintritt in d. Landesverw., Ressortltr., 1980 Amtsdir. H.: Wandern, Bergsteigen, Schwimmen, Lesen. (P.R.)

Klammer Alois Dr. jur.

B.: Stellv. Staatsanw. b. d. Staatsanwaltschaft Bozen. DA.: 39100 Bozen, Gerichtspalast 1. G.: St. Johann/Ahrntal, 4. März 1946. S.: Stud. Univ. Padua, 1977 Prom. K.: seit 1980 stellv. Staatsanw. an d. Staatsanw. Bozen. (C.K.)

Klammer Josef Pater Bruno Dr. phil. Lic. theol.

B.: Mtgl. d. Franziskanerordens, Schuldir. DA.: 39100 Bozen, Vintler Str. 23. PA.: 39100 Bozen, Franziskanerg. 1. G.: St. Johann/Ahrntal, 22. Juli 1938. El.: Thomas u. Maria, geb. Bacher. BV.: Familie Klammer war seit d. XVIII. Jhdt. Mühlenbauer in Südtir., Abstammung Burg Klamm (XIII. Jhdt.), Wappen existiert seit 1506. S.: Mittelschule Meran, Hum. Gymn., 1956 externe Matura, Stud. d. Phil. u. Theol. München, 1964 Lizenziat in Rom, 1964-69 Stud. d. Germanistik u. Romanistik an d. Univ. Innsbruck, 1970 Prom. K.: seit 1959 f. d. Fächer Deutsch u. Religion an d. Oberschulen in Bozen, glz. Jugendseelsorger, ab 1981 Dir. d. Franziskanergymn. Bozen, 1982 Grdg. d. Gymn.-Ver., 1987 Grdg. u. Vors. d. Arge f. d. dt.-sprachigen Privatschulen, Südtir., Ltr. d. Abend-Ak. am Franziskanergymn. Bozen, (gegr. 1988), 1985-88 Restaurierungsarb. d. Schule u. Ausbau d. bestehenden Bibl. zu einer mod. Zentralbibl., Aufbau einer hum. Projektschule. P.: Lyrische Splitter, Gedichte (1980); "Therapeutische Briefe an Lukas"; "Das Wagnis einer neuzeitl. Ethik"; "Törless u. d. Ausscheiden aus d. mitbürgerl. Reflexion"; Die Bozner Passion 1495 (1986), Dramatisches Sprechen im Bozener Passionsspiel 1495. Die Rolle Jesu. Die Rolle d. abhängigen judei, milites, testes u. d. dyaboli (1983), P.J. Ladurner's Chronik v. Bozen 1844 (1982), Art. u. Beiträge in div. Zeitschriften, Mitverfasser u. Hrsg. "Jahresberichte Franziskandergymn. Bozen", "200 Jahre Franziskanergymnasium Bozen 1781-1981" 1982, M.: CV-Verb., Mitbegründer Kiwanis-Club Bozen, Südtir. Künstlerbund. (C.K.)

Klammsteiner Günther

B.: Kfm. FN.: Südtiroler Schuh GmbH. DA.: 39100 Bozen, Cavourstr. 11. PA.: 39100 Bozen, Oswaldweg 55b. G.: Bozen, 17. Juni 1942. V.: Antje, geb. Helm. Ki.: Elke, Astrid. S.: kfm. HASCH Bozen, Lehre in Schuhfbk. in Nürnberg, Ausbild. im Einzel- u. Großhdl. in München. K.: ab 1964 Arb. als Vertreter, 1979 Übernahme d. elterl. Schuhgeschäftes u. 1980 Beginn d. Tätigkeit d. Trachtenschuhherstellung, Großhdls.-Tätigkeit im In- u. Ausland. H.: Skifahren, Segeln, Kochen. (C.K.)

von Klebelsberg Hanns Dr. arch.

B.: Ges. FN. Planunion. DA. u. PA.: 39100 Bozen, Heinrichstr. 31. G.: Innsbruck, 27. Dez. 1923. V.: Alexandra, geb. Calza. Ki.: Wolfgang, Urban. El.: Univ.-Prof. Raimund u. Martha. S.: Realschule Innsbruck, 1946-51 Arch.-Stud. an d. TH Wien. K.: Praktikum in Bozen, freiberufl. Mitarb. b. versch. Arch., seit 1957 selbst. P.: Der Parrturm von Tramin, Die Restaurierung des Bozner Pfarrturms (1985), Zur Erhaltung und Erneuerung alter Städte und Dörfer Südtirol. M.: Arbeitskreis f. Umweltgestaltung, seit 1985 Ver. f. Altbausanierung Bozen, Rotary Club Bozen. H.: klass. Musik, Literatur. (M.G.)

Kleewein Harald Dr.

B.: Notar. DA.: 39100 Bozen, Kapuzinerg. 8. PA.: 39100 Bozen, Urbanweg 45. G.: Meran, 17. Juni 1938. V.: Brigitte, geb. Bartel. Ki.: Philipp (1979). El.: Dr. Karl u. Dr. Johanna. S.: Franziskanergymn. Bozen, 1958 Matura, b. 1960 Jusstud. Padua, b. 1962 Militär, 1962-64 Stud. Perugia. K.: b. 1966 Gerichtspraxis, 1966-68 past Univ.-Stud. Leiden/Holland f. europ. u. intern. Privatrecht, 1968-71 b. Aral Mailand-Den Hag, 1971-78 Landesverw. Bozen, Amt f. Urbanistik (Rechtsbüro), 1978-83 Richter f. Zivilrecht am LG Bozen, seit 1983 Notar. P.: Abhandlung über d. histor. Entwicklung d. Grundbuches gemeinsam m. Dr. Zancan (1984). M.: seit 1985 Vors. d. Disziplinärkmsn. f. d. Eissport; Alpenver. Südtir. Sekt. B. H.: Langlaufen, Skitouren, mod. Kunst, Reisen. (M.G.)

Klotz Eva Dr. phil.

B.: Oberschullehrerin, Clubsprecherin d. Union f. Südtir. im Südtir. Landtag. DA.: 39100 Bozen, Crispistr. 6. G.: Walten in Passeier, 4. Juni 1951. El.: Georg u. Rosa Klotz, geb. Pöll. BV.: Urgroßonkel Alexander Klotz Mtgl. d. 1. k.u.k. Nordpolexpedition. S.: Stud. Geschichte, Volkskunde u. Phil. Univ. Innsbruck. K.: seit 1975 im Schuldienst an versch. Südtir. Oberschulen tätig, 1976 Lehrbefähigung f. literar. Fächer, 1980-83 im GemR. v. Bozen, seit 1983 im Südtir. Landtag, Mtgl. d. 1. Gesetzgebungskmsn. u. d. Interreg. Landtagskmsn. Tir.-Südtir., Schwerpunkt d. Tätigkeit: Engagement f. Völker- u. Volksgruppenrecht m. bes. Berücksichtigung d. Interessen femdbestimmter Völker u. Minderheiten, im Sinne d. Selbstbestimmungsrechtes.

Knoll Dieter Dr.

B.: Betriebs- u. Unternehmensberater; Ges. u. Verw. d. Interconsult GmbH Datenverarb.-Zentrum; Ges. d. Knoma OHG. DA.: 39100 Bozen, Sparkassenstr. 18; 39100 Bozen, Schlachthofstr. 4. PA.: Völs am Schlern 97. G.: Bozen, 6. Mai 1952. El.: Georg u. Eva. S.: Mittelschule, Gymn., Lyzeum, Franziskandergymn. Bozen, 1971 Matura, Stud. Handelswiss. u. BWL WU Wien u. Innsbruck, Abschluß 1976 in BWL, 1977 Prom. Univ. Venedig. K.: Praktikum b. Bozner Wirtschaftsberater, 1978 Grdg. Firma Knoma OHG, 1979 Grdg. Interconsult GmbH. M.: seit 1986 Vorst.-Mtgl. d. Ital.

Eishockey-Clubs HC Bozen, Alt-Präs. d. Jugendstammtisches im "Roten Adler". H.: Eishockey, Wassersport, Politik, Lesen, Tennis, Wandern, Musik. (M.G.)

Knoll Elmar Dr.-Ing.
B.: Amtsdir. im Amt f. Zivilschutz d. Südtir. Landesreg. DA.: 39100 Bozen, Alte Mendelstr. 5. PA.: 39012 Meran, T.-Brenner-Str. 17. G.: Meran, 30. Juli 1956. El.: Wilhelm u. Maria. BV.: Großvater Alois Prischl: GemR. v. Meran. S.: Hum. Lyzeum Meran, 1975 Matura, Stud. Bauing.-Wesen u. Arch. Univ. Innsbruck, 1983 Grad., 1984 Staatsprüf. K.: 1984-85 freiberufl. Tätigkeit, 1985 Eintritt in d. Landesdienst, 1987 Zivilschutzbeauftragter, seit 1988 Dir. d. Amtes f. Zivilschutz; Sekr. d. Landeszivilschutzkmsn. BL.: Entwicklung neuer Abdichtungssysteme b. Bau v. Abfalldeponien; 2 J. Mtgl. in d. ital. Wildwasser Nationalmannschaft. P.: div. Art. in Fachzeitschriften über Umweltschutz, Abfallwirtschaft u. Katasrophenschutz. M.: Vors. d. Südtir. Ing.- u. Arch.-Ver., Mtgl. d. Abfallvermeidungskmsn., Vors. d. Fachaussch. "gefährl. Stoffe", Gruppenobm. b. d. FF Meran, aktives Mtgl. d. Bergrettungsdienstes Meran, intern. gepüfter Kampfrichter f. Wildwasserslalom u. -abfahrt. H.: Wildwasserpaddeln, Bergsteigen, Skifahren u. -touren, Radfahren. (A.W.)

Knoll Josef Dr. agr.
B.: Abt.-Dir. im Inspektorat f. bäuerl. Berufsertüchtigung. DA.: 39100 Bozen, Brennerstr. 6. G.: Tisens, 17. März 1936. S.: HS f. Bdk. in Wien, 1964 Prom. K.: 1964-74 Ltr. einer Beratungsstelle f. Obst- u. Weinbau, ab 1974 in d. Landesverw., Dir. d. Amtes f. allg. Angelegenheiten d. Gen.-Dion., seit 1985 Gen.-Inspektor d. Inspektorates f. bäuerl. Berufsertüchtigung. (C.K.)

Knoll Paul Dr. jur.
B.: RA.DA.: 39100 Bozen, Kornpl. 10. G.: Bozen, 3. März 1023. K.: zugelassener RA b. obersten Kasationsgerichtshof in Rom, ehem. VBgm. v. Bozen. (P.R.)

Kofler Alois Dr.
B.: Jurist. G.: Bozen, 23. Sep. 1950. S.: HS-Stud. Wien u. Padua. K.: nach kurzer Tätigkeit in d. Landesverw. b. 1988 freiberufl. tätig, gleichzeitig Sekr. d. Bodenverbesserungskonsortiums Sarntal, 1985-88 Bgm. d. Gem. Sarntal, 1983-88 VPräs. d. Talgemeinschaft Salten-Schlern, seit 1982 Mtgl. d. SVP-Parteiaussch., seit 1988 im Südtir. Landtag, seit 1989 in d. Landesreg. als LR. f. Raumordnung, Urbanistik, Wasser- u. Energiewirtschaft.

Kofler Jakob Dr.
B.: Amtsdir. im Amt f. Viehzucht. DA.: 39100, Brennerstr. 6. PA.: 39100 Bozen, Roenstr. 51/27. G.: Bozen, 7. Juli 1941. V.: Veronika, geb. Trockner. Ki.: Christian (1971). El.: Josef u. Anna, geb. Schmittner. S.: 1962 Matura, Reifeprüf. an d. HBLA Raumberg, Weiterbild.- Kurs in Reggio Emilia m. Abschlußprüf., 1972-77 Stud. Betriebswirtschaft Univ. Innsbruck. K.: 1965-68 Privatwirtschaft, 1968 öff. Dienst, ab 1986 Amtsdir. M.: Intern. Arbeitskreis ldw. Berater (IALB). H.: Bergwandern, Langlaufen. (N.A.)

Köllensperger Hans Jürgen Dr. jur.
B.: RA. DA.: 39100 Bozen, Silberg. 23. PA.: 39100 Bozen, Cavourstr. 21. G.: Innsbruck, 9. Dez. 1943. V.: Irma, geb. v. Guggenberg. Ki.: Martin, Verena, Arthur. S.: Gymn. Bozen, 1962 Matura, Jusstud. Univ. Florenz, 1967 Prom. K.: 1967-74 RA-Kzl. Prof. Dr. Riz, Praktikant , dann Mitarb., 1974 Kzl. u. Sozietätgrdg., 1975-78 Friedensrichter in Bozen, 1976-80 Mtgl. d. Anw.-Kam. Bozen, 1980-85 Fraktionsführer im Bozener GemR. d. SVP, 1982-85 Obm. d. Koordinierungsaussch. d. SVP Bozen. H.: Dipl. Cellist, Musik, Bergsteigen, Langlauf, Skifahren, Radfahren, Jagd, Fischen. (C.K.)

Kompatscher Markus Lukas
B.: Gschf. Ges. FN.: Transeuropa GmbH. DA. u. PA.: 39100 Bozen, Hörtenbergstr. 1/C. G.: Bozen, 21. Mai 1961. El.: Josef u. Gertrud. S.: Mittelschule Bozen, Musikkonservatorium Bozen. K.: 1975-80 Sittam Sped., 1980-84 Sped. Gruber, 1984 Grdg. d. Sped. Transeuropa GmbH, 1988 Masca Stimpfl. M.: FC Rentsch. H.: Sport, Musik, Malen, Afrika-Fan, Reisen. (M.G.)

Konder Norbert Dr.
B.: Dir. Gewerbeoberschule Max Valier. DA.: 39100 Bozen, Cadornastr. 121. PA.: 39100 Bozen, Zum Talfergries 20/2. G.: Bozen, 30. Juni 1028. V.: Ricki, geb. Schöpfer. Ki.: Hannes, Barbara. El.: Friedrich u. Clara. S.: ital. Gewerbeoberschule, Fachrichtung Elektrotechnik, 1951 Matura, 1952 Matura am wiss. Lyzeum (in ital. Sprache). K.: 1952-57 Math.-Unterricht an d. ehem. Vorbild.-Schule f. Ind. u. Handwerk, 1957-61 Firma Siemens Abt. Starkstrom, Stud. an d. TH Graz, 1966 Grad., seit 1967 Dir. d. Gewerbeoberschule u. 1976-77 Dir. d. Lehranst. f. Ind. u. Handwerk. E.: Cavalliere della Rep. Italiana. M.: Grdg.-Mtgl. d. Kurt. f. techn. Kulturgüter, AIA (Ital. Ges. f. Akustik). H.: Fotografieren. (A.W.)

Konder Renato Dr. agr.
B.: Agronom, Ldw. DA.: 39100 Bozen, Obstpl. 46. PA.: 39100 Bozen, St. Johanng. 31. G.: Triest, 3. Jan. 1932. V.: Waltraud, geb. Weisenegger. Ki.: Stephan, Nora. S.: 1953 Matura Bozen, 1957 Prom. K.: Berater einer Spritzmittelfirma, ab 1967 freischaff. Agronom, seit 1982 Präs. d. Agronomen u. Forstwirte d. Provinz Bozen. H.: Natur, Skifahren, Tennis, Wandern. (P.R.)

Kopfsguter Hans Dr. phil.
B.: Abt.-Dir. d. Abt. III Öff. Unterricht u. Kultur f. d. dt. u. latin. Volksgruppe. DA.: 39100 Bozen, Crispistr. 8. PA.: 39100 Bozen, Heinrichstr. 34. G.: Niederdorf, 6. Sep. 1935. V.: Margret, geb. Tschol. Ki.: Matthias, Thomas. S.: VS, Schneiderhandwerk, 1959 Meisterprüf. in München, 2 J. Berufsschullehrer, Jugendführer d. 1. Diözesanjugendführer Brixen, ab 1961 Stud. am Abendgymn. f. Berufstätige in Innsbruck, 1965 Reifeprüf., 1965 Stud. d. Phil., Theol. u. Päd. an d. Univ. Innsbruck u. Sbg., 1970 Mag. theol. u. Prom. Dr. phil. K.: 1971 Eintritt in d. Südtir. Landesverw. in d. Abt. Schule u. Kultur, 1971 Auf- u. Ausbau d. Erwachsenenbild. in Südtir., ab 1979 Dir. d. Abt., 1979-84 Präs. d. Kath. Familienverb. f. Südtir., 1977 Mitbegründer d. Ehe- u. Erziehungsberatung, starkes Engagement im Auf- u. Ausbau d. Elternbild. P.: zahlr. einschlägige Art. in Fachzeitschriften. M.: Vertreter in d. Kulturkmsn. d. Gem. Alpenländer. (C.K.)

Kosta Norbert-Alois Dr. Ing.
B.: Dir. FN.: Elektrizitätswerk Bruneck. DA.: 39031 Bruneck, Nordring 19. G.: Bruneck, 12. Jun. 1951. V.: Gabriela geb. Altung. Ki.: Philipp (1991), Florian (1994). El.: Friedrich u. Anna. S.: Gewerbeschule i. Bozen , TU Graz Elektrotechn. TU Bologna prom. 1983. K.: 1982-84 Lehrer a. d. Berufsschule i. Bruneck, 1984 Eintritt i. d. städt. Elektritäts-u. Wasserwerk a. Techniker, 1989 Dir.. M.: Kiwanis Club Bruneck. H.: Radfahren, Musik, Schifahren. (I.D.)

Kräuter Christa Dr.
B.: Sekr. d. Kmsn. f. Sanitätsstruktur im Amt d. Planung u. Koordinierung im Gesundheitswesen. DA.: 39100 Bozen, Horazstr. 4D. G.: Tscherms, 2. März 1944. S.: 1964 Matura, 1964-67 Schauspielschule Wien Horak Konservatorium, Stud. d. Betriebswirtschaft in Innsbruck, 1977 Spon. K.: 1975-78 HK, 1978 Eintritt in d. Südtir. Landesverw., Übersetzungsbüro, ab 1982 Sekr. d. Kmsn. f. Sanitätsstruktur. H.: Theaterspielen, Sommelier, Tennis, Skifahren, Reisen. (P.R.)

Kripp Franz
B.: Dir. d. Caritas-Diözese Bozen-Brixen. DA.: 39100 Bozen, Talferg. 4. PA.: 39012 Meran, Dantestr. 30. G.: Meran, 2. Feb. 1964. El.: Dr. Martin u. Magdalena, geb. Stolberg. S.: 1985 Matura, HASCH, 2 J. Jusstud., Militärdienst. K.: 1988-91 Gschf. d. Südtir. Kath. Jugend, ab 1991 Dir. d. Diözesan Caritas Bozen-Brixen, 1979-83 Jungscharltr., 1983-89 Pfarrverantw. d. Kath. Jugend u. Jungschar, seit 1980 im PfarrgemR. H.: Skifahren, Schwimmen, Reisen, Lesen. (N.A.)

Kuen Rita Dr. phil.
B.: Kfm. FN.: F. Kuen Brennstoffe GmbH. DA.: 39012 Meran, Kasernenstr. 15. PA.: 39012 Meran, St. Kathrinastr. 33. G.: Partschins, 20. Jan. 1937. Ki.: Michael, Barbara. S.: Stud. d. Zeitungswiss. Univ. Wien, 1961 Prom. K.: 1961-64 Pressereferat f. d. Olymp. Spiele in Innsbruck, 1964 Heirat u. Eintritt in seine Heizölfirma in Meran als Mitarb., 1965 Grdg. einer Ndlg. in Bozen, seit 1966 Alleinkonzessionär d. Firma AGIP Petrali, 1979 Übernahme d. Betriebes, 1986 Grdg. einer Filiale in Niederdorf Pustertal. F.: Firma Tecnoservice Ind.-Abfallverwertungsbetrieb in Bozen. H.: Skifahren, Joggen. (C.K.)

Kury Cristina Dr.
B.: Oberschullehrerin. DA.: 39100 Bozen, Crispistr 6. G.: Tscherms, 16. Jan. 1949. S.: Stud. d. modernen Sprachen a. d. Univ. Padua. K.: s. 1973 imSchuldienst u. bei versch. Initiativen im Bereich Kultur u.Ökologie tätig, 1990-93 Mtgl. d. Meraner Gem.R. f. d. Grüne Alternative Liste, s. 1993 im Südtir. Landtag.

Kusstatscher Karl
B.: Gold- u. Silberschmied, Gemologe d. Dt. Gemolog. Ges. DA.: 39100 Bozen, Museumsstr. 46. PA.: 39100 Bozen-Gries, Mühlbachpromenade 15. G.: Bozen, 1. März 1929. V.: Margarethe, geb. Atzwanger. Ki.: Dr. Kurt (1955), Armin (1961), Jutta (1965), Benno (1970). El.: Josef u. Maria, geb. Stafler. S.: 1945-50 Goldschmiedelehre b. d. Wr. Goldschmied Schubert, 1950-56 Meisterschule an d. Tagesfachschule f. Gold- u. Silberschmiede München m. Meisterprüf. K.: 1956-60 Gehilfe b. Goldschmied Grabmeier in Bozen, ab 1960 selbst., 1. im Auftrag d. Landes Südtir. landesverpflichtende Gold- u. Silberschmied u. Gemologe. BL.: Gestaltung u. Erzeugung d. Reliquienschreine f. d. Herz d. Kaisers Karl u. Kaiserin Zita, 2 Kelche f. d. Papst Paul VI, Bgm.-Ketten f. alle Bgm. d. Landes Südtir. E.: Goldmed. d. Handwerkmesse München, 2 Goldmed. d. Kunsthandwerkmesse Bozen, 2 Silbermed. d. Region Trentino, zahlr. andere Ausz. M.: im Aussch. d. Südtir. Goldschmiedeinnung. H.: Waldhorn spielen, Natur. (N.A.)

Kußtatscher Sepp Mag.
B.: Abg. u. Südtiroler Landtag. DA.: 39100 Bozen, Crispistr. 9. G.: Villanders, 17. März 1947. verh.; 2 Kinder. S.: VS, Mittelschule, klass. Gymn. Lyzeum, 1967 Matura, Stud. Phil. u. Theol. an d. HS Brixen u. Univ. Innsbruck, 1964 Spons. z. Mag. theol., Stud. Päd. in Innsbruck u. Klagenfurt. K.: 1969-70 u. 1973-76 Lehrer an Mittel- u. Oberschulen, ab 1976 Tätigkeit im Berufsbildungsbereich: Verw., 1979-88 Dir. d. Berufsschule Brixen, seit 1988 Abg. z. Südtir. Landtag. BL.: 1973-74 Vors. d. Südtir. Hochschülerschaft, 1974-85 Bgm. v. Villanders, Grdg.-Obm. d. Abwasserverb. Unteres Eisacktal u. d. Bodenverbesserungskonsortium Villanders, Vertreter d. Arb. u. Ang. in d. SVP, Mtgl. d. Landessozialaussch., seit 1989 Vors. d. Landessozialaussch. d. SVP, seit 1989 Präs. d. 1. Gesetzgebungskmsn. d. Region Trentino Südtir. (M.M.)

Laconi Guido
B.: Gen.-Sekr. FN.: Südtir. Gewerkschaftskam. (UIL-SGK). DA.: 39100 Bozen, Duca-d' Aosta-Str. 64. PA.: 39100 Bozen, Drusussallee 289. G.: S. Donigala, 4. Jan. 1945. V.: Paula, geb. Schiavon. Ki.: Thomas. S.: Ind.-Schule, 1964 Matura. K.: 1965-67 Auslandsaufenthalt in d. BRD, Militärdienst, 1968-73 Firma FIAT-IVECO Bozen BetriebsR., Funktionen in d. Gewerkschaft Metall auf Betriebs- u. Landesebene, Jungendsekr., 1973-78 Fachgewerkschaft Bau- u. Holzarb., Funktionär, später Gen.-Sekr., seit 1975 Zentralkomitee, seit 1978 Gen.-Sekr. d. Südtir. Gewerkschaftskam. (UIL-SGK). M.: 1978-82 HK, Vertreter d. Ldw. u. SozialbeiR., Arge ALP (Grdg.-Mtgl.), PSI, Landesvorst. in Südtir. H.: Wandern, Musik, Fußball. (A.W.)

Ladurner Gudrun Dr.
B.: Schulltr., Fachlehrerin d. Hauswirtschaftsschule Haslach. DA.: 39100 Bozen, Knepachweg 40. PA.: 39012 Meran, Verdistr. 66. G.: Meran, 23. Mai 1961. S.: 1975-77 Frauenoberschule Meran, 1977-81 Höhere BLA f. Ldw. Frauenberufe Kematen, Innsbruck, 1981 Matura, 1981 Univ. Innsbruck Volkskunde u. Päd. K.: 1981-84 Lehrtätigkeit im Amt f. Berufsertüchtigung f. d. bäuerl. Haushalt an d. Hauswirtschaftsschule in Kortsch b. Schlanders, Vintschgau, 1984 Versetzung an d. Hauswirtschaftsschule Haslach in Bozen als Schulltr. M.: Arge "Lebendige Tracht". H.: Sport, insbes. Skifahren, Klettern, Jazztanz, Malen, Zeichnen, Musik, Kunst. (C.K.)

Ladurner Hellmuth Dr. phil.
B.: Amtsdir. im Amt f. Organisation u. Weiterbildung d. Bediensteten. DA.: 39100 Bozen, Gerberg. 69. PA.: 39012 Meran, Katharinastr. 2. G.: Meran, 4. Juli 1942. V.: Dr. phil. Helga, geb. Sapelza. Ki.: Michael. S.: HASCH, Handelsoberschule Bozen, 1961 Reifeprüf. K.: 1961-63 Ang. Volksbank Meran, 1963-64 Militärdienst, 1964-65 Unterrichtstätigkeit in Deutsch, Geschichte, Geographie u. Turnen in d. Mittelschule in Lana, 1965 Reifeprüf. d. LBA in Meran, 1965 Univ. Wien, 1971 Prom., 1967 Ref., 1968 Vors. d. Südtir. Hochschülerschaft, 1971 Beauftragung v. d. Südtir. Landesverw. z. Vergleich d. HS-Titel Österr.-Italien u. Betreuung d. Bildungsplanung in Südtir., 1975 Aufnahme in d. Stammrolle, 1978 Mitarb. b. Sonderprogramm f. Schulbauten, 1979 Entwurf f. d. 1. Phase d. Ämterordnung d. Landesverw., 1981 Beauftragung z. Ltg. d. Amtes f. Organ. u. Weiterbild. d. Bediensteten. M.: Südtir. Hochschülerschaft, Südtir. Kulturinst., seit 1987 Vors. d. Südtir. Medienver., seit 1983 wiss. BeiR. d. ISAPREL in Venedig. H.: Skifahren, Wandern, Lesen. (C.K.)

Ladurner Josef Dr.-Ing.
B.: Landesfeuerwehrinsp., Kdt. d. Berufsfeuerwehr d. Provinz Bozen. DA.: 39100 Bozen, Drususallee 116. PA.: 39020 Marling, Gampenstr. 38. G.: Marling, 28. Jan. 1932. V.: Anna, geb. Tischler. Ki.: Christa, Klaus, Eva. S.: 1941-49 Besuch d. Höheren Mittelschule, 1949 Matura, Stud. Maschinenbau TH Graz, 1965 Prom. K.: Tätigkeit b. einer Seilbahnbaufirma als Techniker, 1967 Eintritt in d. öff. Verw. durch d. Gewinn eines Wettbewerbes, seit 1981 personalmäßiger Übergang auf d. Provinz Bozen. E.: div. nat. u. intern. VZ. (C.K.)

Ladurner-Parthanes Mathias
B.: Bauer. G.: Meran, 29. Juni 1927. K.: seit 1963 Bez.-Obm. d. Südtir. Bauernbundes, seit 1971 Obm. d. Obstgen. Algund, seit 1973 im Südtir. Landtag, zeitweise Präs. 3. Gesetzgebungskmsn., VPräs. d. Landtages u. d. RegionlR., seit 1978 Präs. 2. Gesetzgebungskmsn., Mtgl. d. Intern. Landtagskmsn. Tir.-Südtir., seit 1984 Regionalassessor f. d. Kreditwesen.

Lageder Albert Dr. Prof.
B.: Provinzial d. Südtir. Franziskaner Provinz. DA.: 39100 Bozen, Franziskanerg. 1. G.: Bozen, 12. Dez. 1919. El.: Johann u. Anna. S.: Franziskanergymn. Bozen, 1 J. Novizitat, 3 J. Lyzeum im Pristerseminar Trient, 4 J. Stud. Theol. HS d. Franziskaner in Bozen, 1943 Priesterweihe in Bozen, 1945-49

Stud. d. Aptphilol. Klassica an d. Univ. Bologna, 1951 Prom. K.: 1952 Habil., seit 1948 Lehrer u. ab 1952 Prof. in Latein, Griechisch u. röm. Geschichte, 1955-81 Dir. d. Franziskanergymn., seit 1981 Prof. am Gymn., seit 1984 Provinzial d. Südtir. Franziskaner Provinz, P.: Publ. in Büchern, u. Fachzeitschriften. E.: 1976 VK d. Landes Tir., 1985 EZ d. Landes Tir. M.: ASM, FIDAE, SKS Südtir., PriesterR. H.: Wandern, Lesen, Reisen. (M.B.)

Laimer Alois

B.: Geschäftsmann.FN.: GPM Alois Laimer & Co. GT.: Hdl. m. Pumpen, Motoren u. Stromgeneratoren u. deren Zubehörteilen. DA.: 39100 Bozen, Zwölfmagreiner Str. 8. G.: Lana, 24. Juni 1921. V.: Elisabeth, geb. Kompagnon. Ki.: Margit, Karin, Petra. S.: Lehre als Mechaniker. K.: 1946 Fahrzeugbau u. Werkstätte in Meran, 1948 Übersiedlung nach Bozen, Bahnhofsplatz, 1973 Übersiedlung in d. Zwölfmagreiner Straße, neuerster Vertriebszweig: UV- Anlagen d. Firma Hölzli z. Entkeimung d. Trinkwassers. E.: Prov. Bozen, Ausz. 40 J. Treue z. Hdl. 1986. H.: Ldw., Fischerei. (C.K.)

Laimer Michl Dr.

DA.: 39100 Bozen, Cesare Battisti Str. 21. G.: 8. März 1965. S.: Stud. d. Rechtswissenschaften a. d. Universität Innsbruck. K.: 1991-93 Verwaltunginsp. d. Landesregierung, s. 1989 Bezirksref. d. Jungen Generation i. d. SVP d. Burggrafenamtes u. Mtgl. d. SVP Parteiausschusses, s. 1993 im Südtir. Landtag, s. 2/1994 LandesR f. Wasserwirtschaft u. Energie.

Langer Alexander Dr.

B.: Gymn.-Lehrer, Journalist, Übersetzer. G.: Sterzing, 22. Feb. 1946. S.: Univ.-Stud. Florenz, Bonn u. Trient. K.: Seit Mitte d. 60er J. polit. u. publizist. tätig, in d. 70er J. in d. außerparlamentar. Linken in Italien u. Deutschland, Mithrsg. "brücke", 1978 Mitbegründer d. Liste "Neue Linke/Nuova Sinistra", 1978-81 im Landtag, 1983 f. d. "alternative Liste" u. 1988 f. d. "grüne alternative Liste f. andere Südtir." u. LAbg. gewählt, GAL-LVA-Frakt.-Sprecher, Mtgl. d. Interreg. Kmsn. Nord-Süd-Tir. u. d. 4. Gesetzgebungskmsn. d. Landtages, 1989 Wahl ins Europaparlament.

Lantschner Michael (Pater Peter)

B.: Deutschordenspriester, Dekan d. Dekanates Lana, Pfarrer v. Lana, Prior d. Deutschordensprov. Südtir. DA. u. PA.: 39011 Lana, Erzherzog-Eugen-Str. 1. G.: Steinegg. 11. Nov. 1935. El.: Johann u. Barbara. S.: 1958 Matura, Stud. Trient. K.: Kaplan in Lana, Jugendseelsorger d. Dekanates, 1968-69 Wien, Kaplan in Sarnthein, Mitbetreuung d. Pfarre Durnholz, Heimltr. in Schlanders, Berufsschulkatechet, 1981 Pfarrer u. Dekan v. Lana, 1. ProvinzR. d. Prov. Südtir., 1984 Prior d. Deutschordensprov., 1987 Wiederwahl. H.: Bauen, Restaurieren, Bergsteigen. (P.R.)

Lanzinger Gianni Dr. jur.

B.: RA, Abg. d. Abg.-Kam. in Rom Grüne Liste Italien. DA.: 39100 Bozen, Romstr. 78. PA.: 39100 Bozen, Lageder Str.1. G.: Bozen, 29. Sep. 1941. S.: Franziskanergymn., Lyzeum Bozen, 1960 Matura, Jusstud. Kath. Univ. Mailand, 1965 Prom. K.: seit 1966 RA in Bozen, spez. auf Arbeitsrecht, seit 1980 GemR. d. Stadt Bozen als Mtgl. d. Alternativen Liste, seit 1987 Sekr. d. Abg.-Kam. d. Grünen Liste Rom, Mtgl. d. Kmsn. f. Verfassungsrecht, Mtgl. d. Kmsn. f. regionale Angelegenheiten. M.: Vorst. d. Kmsn. über d. Reform d. Ital. Strafrechtl. Codex. (C.K.)

Larch Wilfried

B.: Inh. FN.: Willy's Nr. 3 Boutique. DA.: 39049 Sterzing, Neustadt Nr. 3. PA.: Pfitsch. Fraktion Flains 211. G.: Sterzing, 25. Sep. 1946. V.: Jolanda, geb. Rolser. KI.: Olivia (1976), Michael (1979), Benjamin (1986). EL.: Leopold u. Rosa. S.: Kfm. Fortbildungsschule in Sterzing, ab 1963 Schneiderlehre mit Berufsschule in Brixen. K.: im elterl. Betrieb in sämtl. Bereichen tätig, 1972 Verkaufsausb. in München, 1974 Eröffn. e. Boutique, 1991 zus. Eröffn. einer Produktionsschneiderei. M. :Kaufleuter Vereinig., Handwerksverb. H.: Skifahren, Garten. (I.D.)

Larcher-Schwienbacher Maria Dr. jur.

B.: RA, Amtsdir. d. Südtir. Landesreg. DA.: 39100 Bozen, Crispistr. 3. PA.: 39100 Bozen, Cadornastr. 8. G.: Natz, 8. Sep. 1949. V.: Karl. Ki.: Barbara, Stefan. El.: Alois u. Kreszenz. S.: 1970 Matura Bozen, 1970-75 kath. Univ. Mailand, 1975 Prom. K.: 1 J. Rechtspraxis in Mailand, 1975 Eintritt in d. Südtir. Landesreg., seit 1978 eingetragener Anw., 1981 Amtsdir. d. Landesverw. f. Vertragswesen. P.: "Konkursrecht - Vergleichsrecht Österreich - Italien". (P.R.)

Lauggas Dieter Dipl.-Ing.

B.: Gschf. Ges. FN.: aedes-isol KG. DA.: 39100 Bozen, Schlachthofstr. 75. G.: Bozen, 5. Apr. 1941. V.: Jette, geb. Christiansen. Ki.: Meike, Ingo. El.: Ferdinand u. Berta. BV.: Großonkel Hermann Lauggas war 40 J. Bgm., Vater Ferdinand Lauggas Gründer u. Inh. d. Firma. S.: Mittelschule Bozen, RG Brixen, 1961 Matura, HS f. Bdk. Wien, Kulturtechnik, Stud. Trier, Hannover, Ludwigshaven, div. Kurse. K.: Militär, 1970-71 Mittelschullehrer Bozen, in väterl. Betrieb eingetreten u. übernommen. BL.: Ref. auf div. Tagungen, spricht ital., dt. u. dänisch, versch. Trimm-Dich-Pfade in ganz Südtir. gemeinsam m. Fremdenverkehrsver., 1. Trimm-Dich-Pfad Kohlern 1973. P.: Geschichte d. Kohlerner Seilbahn, "Der Schlern" (1966). M.: Südtir. Sportver., Südtir. Alpenver. H.: Tischtennis, Heimwerker, Theater, Skifahren, Bergsteigen, Reisen. (M.G.)

Laurentia Waltner Martha

B.: Ltr. d. Caritas Sociales. DA.: 39100 Bozen. G.: Maching, 19. Sep. 1023. BV.: Franz Innerhofer. S.: VS, Oberschule, Haushaltungsschule Innsbruck. K.: 1946 Beginn d. Caritas Sociales, 2 J. Noziviat. 1 J. Postilat, 1950 Schwesterweihe. K.: 1951-55 Ltg. Bild.-Schule Lichtenstein, 1955-57 Sozialarb.-Ausbild. in Wien, 1957-58 Sozalarb., 1958-64 Oberin d. Caritas Sociales Bozen, 1964-70 GeneralR. d. Gem. d. Caritas Sociales, 1970 Gen.-Ass. in Wien, 1977-78 Ltg. d. HHS d. Caritas, seit 1978 Oberin d. Mädchenheimes Caritas Sociales. M.: Frauen helfen Frauen. H.: Bauernmalerei, Musik. (M.B.)

Lavarra Vittorio Dr. jur.

B.: Zolldir. f. d. Bez. Bozen. DA.: 39100 Bozen, Sparkassenstr. 21. G.: Pozznole/Neapel, 28. Sep. 1931. V.: Katharina, geb. Rubelli. Ki.: Assia, Tatjana. S.: klass. Lyzeum Neapel, 1949 Matura, Stud. an d. Univ. Neapel, 1955 Prom., div. Prüf. K.: 1959 Eintritt in d. Zollbehörde Bozen VInsp., 1970 VDir., 1970 Dir. II. Kl., 1973 OInsp., 1976 stellv. Dir., 1981 Dir. E.: Cavalliere la Rep. Italiana. M.: Kmsn.-Mtgl. d. österr.-ital. Expertenkmsn., ACCORDINO. H.: Tischtennis, Theater, TV, Kultur. (A.W.)

Lechner Gaudenz Dr. phil.

B.: Dir. FN.: Michael Pacher Mittelschule Brixen. DA.: 39042 Brixen, Fischzuchtweg 5. PA.: 39042 Milland, Don Bosco Str. 3. G.: Terenten, 24. Aug. 1938. V.: Regina, geb. Oberhofer. KI.: Judith (1968), Ruth (1969), Renate (1970). EL.: Andreas u. Maria. S.: Vizantinum Brixen, 1959 staatl. Matura in Bozen, VNI Innsbruck, phil. Fakultät, Naturwissenschaft Promotion 1970. K.: 1970 unterrrichtstät. a. d. Mittelschule, paral. Lehrerfortbild. Naturwissensch., 1974 Lehrbefähiungswettbewerb f. Unter- u. Oberstufe, Lehrer a. d. Mittelschule Brixen u. LBA Meran, 1982 Direktorwettbewerb, Dir. a. d. Albert Schweitzer Mittelsch. in Bozen, 1985 Eintr. als Dir. i. d. Michael Pacher Mittelsch. P.: Heimatbuch Vintl-Pustertal. M.: Alpenverein Südtirol, Ltr. d. Schulbibliothek. H.: Bergsteigen, Klettern, Skitouren. (I.D.)

Lechner Walter

B.: Gschf. FN.: AIRONCAR snc. DA.: 39100 Bozen, Dr.-Streiter-G. 7. PA.: 39100 Bozen, Kastanienweg 31. G.: Bozen, 23. Mai 1960. El.: Alois u. Regina. S.: Mittelschule Bozen, kfm. Lehranst. 1974-77. K.: Ang. d. Domotec Bozen, Ang. d. Danzas Sped. Basel/Schweiz, 1983-84 Danzas Sped. München, E.: Div. Preise im Skilanglauf. M.: Haslacher Sportver. H.: Langlaufen, Fußball, Skifahren, Joggen, Tennis, Reisen, Sprachen, Sauna. (M.G.)

Leiter Max

B.: Inh. Realitätenbüro. DA. u. PA.: 39100 Bozen, Europaallee 48. G.: Doblach/Pustertal, 6. Sep. 1948. V.: Annelies, geb. Oberkofler. Ki.: Philipp (1982), Judith (1984), Elisabeth (1985). El.: Oskar u. Paula, geb. Ploner. BV.: Großvater Johann Leiter war Bgm. v. Bruneck. S.: Geometerschule, 1967 Matura. K.: 1967-89 Bankang. dann Bankfunktionär im Immobilienbüro, seit 1989 selbt. m. Schwerpunkt Immobilienschätzungen u. deren Vermittlungen. H.: Tennis, Wandern, Langlaufen, Skifahren, Bergradfahren. (N.A.)

Leitner Pius

B.: Mittelschullehrer. DA.: 39100 Bozen, Crispistr. 6. G.: Vals, 12. Juni 1954, verh. K.: 1972-76 Mittelschullehrer in Brixen, 1977-92 Zollbeamter in Franzenfeste, versch. Funktionen in d. SVP u. in Vereinen von Vals u. Vahrn (Ortsjugendref. , Bez.Jugendref., Mtgl. d. SVP Parteiaussch.), 1987-89 Ldskomm.Stv. , 1989-93 Ldskomm. d. Südtir. Schützenbundes.Mtgl. d. Promotorenkomitees " Nachdenken über Tirol" , Präs. d. Kulturver. Vahrn, s. 1993 im Südtir. Landtag, Mtgl. d. 2. Gesetzgebungskmsn.

Lenhart Franz Josef Prof.

B.: Ak. Maler, Porträtist, Grafiker. GT.: ab 1922 Kunsterzieher an ital. Oberschulen in Meran u. Bozen. PA.: 39012 Meran, Winkelweg 11. G.: Bad Häring/Nordtir., 7. Jan. 1898. V.: Banka Maria. S.: 1915 Matura, Ak. in Wien, 1916-18 freiwilliger Kriegsdienst, 1921 Abschluß d. Ak. Wien. K.: 1 J. Ak. Bella Arts Florenz, Lehramtsprüf., Kunstunterricht Meran, 1922-36 Staatsgewerbeschule Bozen, 1936-49 Porträtmalerei, 2 J. in Fernost, Ausstellungen. E.: Kunstpreise. M.: mehrere Ak. (P.R.)

Lorenz Giuseppe

B.: selbst. Kunstrestaurator. DA.: 39100 Bozen, Genuastr. 12. PA.: 39100 Bozen, Heinrichstr. 5. G.: Vigo di Fassa, 12. Sep. 1937. V.: Gerda, geb. Delladio. Ki.: Andreas (1970, Weltmeister in Bogenschießen). El.: Luigi u. Maria, geb. Florian. S.: Stud. Kunst am Instituto d'arte in Vigo di Fassa. K.: Restaurator in d. Werkstatt Sepp Roßbacher Bozen, ab 1964 selbst., Schwerpunkt: Restauration v. Ölgemälden u. d. bemalten Möbel. E.: 1989 EZ f. langjährige Verd. im Kunsthandwerk. M.: Handwerkerver. Bozen. H.: Malen v. Stilleben u. Landschaften, Bogenschießen. (N.A.)

de Lorenzo Adolf

B.: Dir. d. Landesverb. d. Südtir. Kaufleutever. DA.: 39100 Bozen, Cavourstr. 23/C. PA.: 39100 Bozen, Armando-Diaz-Str. 35. G.: Bozen, 22. Sep. 1940. V.: Maria Resa, geb. Donati. Ki.: Claudia, Sabina. S.: Hdls.-Oberschule Bozen, div. Fortbild.-Kurse u. Seminare. K.: 1960-62 Bmtr. d. Landesverw. "Amt f. Schule u. Kultur", Verw.-Ltr. in Ind.-Betrieben u. Gastronomieketten "Wienerwald" u. f. diese als Verw.-Ltr. b. 1981 tätig, 1981-84 Verw.-Ltr. d. Kunststoff-Betriebes Rehan, 1984 Landesverb. Südtir. Kaufleutever. als VDir., seit 1987 Dir. BL.: lfd. Vorträge f. Kaufleute Südtir., Informationsreisen ins Ausland. M.: Vorst.-Mtgl. d. Michael Gamper Verb. H.: Bergwandern, Skifahren, Sport, Musik.

Lorenzoni Giancarlo Cipriano Dr.

B.: Amtsdir. im Amt f. d. chem. Laboratorium, Abt. Wasser d. autonomen Provinz Bozen. GT.: Assessorat f. Sozial- u. Gesundheitswesen. DA.: 39100 Bozen, Spitalg. 6. PA.: Trient, Spiazzo Rendena, San Vigilio 10. G.: Triest, 12. Okt. 1942. V.: Carla, geb. Binelli. Ki.: Giuliano, Michele. El.: Augusto u. Ernesta. S.: Mittel- u. Oberschlue Bozen, wiss. Lyzeum, 1961 Matura, Univ. Padua. K.: Militär, 1970-71 Repr. f. eine dt. Firma in Mailand, 1971 Eintritt in Landesreg., b. 1983 Ass., seit 1986 Südtir. Bild.-Zentrum. BL.: Besuch div. Kongresse. H.: Holzarb., Schnitzen, Malen, Skifahren. (M.G.)

Lösch Georg Dr. jur.

B.: Betriebs- u. Personalorgan. FN.: Personal KG. DA.: 39100 Bozen, Musterg. 10. PA.: Lana, Am Gries 1. G.: Lana, 3. Mai 1941. V.: Dr. Maria Grazia, geb. Rigobello. Ki.: Philipp. El.: Leo u. Maria. S.: Matura, Stud. Univ. Wien, Padua u. Ferrara, berufl. Ausbild. in Mailand. K.: 5 J. Personalwesen Sandoz u. Boehringer Mannheim, mehrere J. Personalschef in Südtir. Betrieben, seit 1981 freiberufl., Personalsuche f. Firmen im In- u. Ausland, Koordinator d. Sekt. Südtir. d. ital. Verb. d. Personalschefs, Mtgl. in öff. Kmsn. im Arbeitsbereich. H.: Lokalgeschichte, Forsch. u. Veröff., Sammlung histor. Dokumente, Briefmarken. (P.R.)

Lunger Hans Dr.

B.: RA. GT.: Obm. d. FPS. DA.: 39100 Bozen, Silberg. 23. PA.: Vahrn, Unterdorf 51. G.: Leifers, 3. Aug. 1938. V.: Edeltraud, geb. Pfeifer. Ki.: Elisabeth, Maria Theresia, Leonhard, Adelheid. El.: Josef u. Rosa. S.: VS, Mittelschule, priv. Maturaschule Dr. Roland, 1964 Matura, 1964-68 Jura, Prom. K.: 1969-70 Bmtr. im Südtir. Kulturinst. Bozen, b. 1973 Praxis unterrichtet an d. kfm. Lehranst. Bozen, 1973 Kzl. eröff., 1978-83 LAbg. P.: div. Art. "Der Pfeil". M.: kath. Familienverb., Imkerbund. H.: Imker, Schwimmen, Wandern, klass. Musik. Theater. (M.G.)

Lunz Reimo Dr. phil.

B.: Archäologe, Dir. d. Bozner Stadtmuseum. DA.: 39100 Bozen, Sparkassenstr. 14. PA.: 39031 Bruneck, Rienzweg 13. G.: Innsbruck, 10. Apr. 1943. V.: Waltraud, geb. Degasper. S.: Mittelschule Bruneck, wiss. Lyzeum Brixen, 1963 Matura, 1964 Stud. d. Ur- u.Frühgeschichte, klass. Archäologie, 1962-66 Mitarb. b. d. Ausgrabung d. hallstätt. Gräberfeldes v. Niederrasen, 1965-66 Teilnahme an Grabungen v. Dr. L.

Plank in Nordtir., 1966 wiss. Mitarb. f. Grabungen in Strassenheim u. Schwetzingen, Grabungsltr. in Ampaß auf d. Mensboden b. Innsbruck, 1968 Stud. Univ. Marburg, 1971 Prom. K.: zahlr. Grabungen, 1971 Berufung ans Bozner Stadtmuesum, ab 1976 VDir. , 1981 Dir. d. Bozner Stadtmuseums. BL.: Bes. Wichtige Ausgrabungen: 1973 Innichen, 1974-75 Sonnenburg, 1975-77 St. Peter b. Meran, 1980 Kalterersee, 1985 Siebeneich, 1986 Terenten. P.: zahlr. Publ. in Fachzeitschriften. E.: 1977 Förderungspreis Walther v. d. Vogelweide. M.: Veneto di scienze, lettere ed arti Venedig, Accademia degli Agati Rovereto. H.: Sammler v. Grafik über Bruneck, Bücher sammeln u. lesen, Wandern. (C.K.)

Lusser Enrico Heinrich Dr.

B.: Freischaff. Arch. u. Urbanist. DA. u. PA.: 39042 Brixen, Hofg. 4. G.: Bassano del Grappa, 16. Juli 1944. S.: 1964 Geometeroberschule Bozen, 1964-67 Stud. Phil. u. Theol. Brixen, 1980 Stud. Arch. IUAVA Venedig, 1989 Stud. Urbanikstik u. Gebietsplanung Venedig. K.: seit 1969 freiberufl. tätig, 1976-90 Gschf. u. Verw. Prichsna Bau KG & GmbH, div. Wohnanlagen, Wiederherstellung Orangerie Hofburg Brixen, Umbau landesfürstl. Amtshaus Brixen, Restaurierung u. Erweiterung Stadtfriedhof Brixen, Wiedergewinnungsplan Innichen, Landessachv. f. Landschaftschutz u. Urbanistik, Landesbeauftragter in Gem.-Bau-Kmsn. M.: AIC (Ass. Ital. Cartografi), SIAV. H.: Reisen, Lesen. (M.Br.)

Luzi Vincenzo Dr.

B.: Stellv. Staatsanw. DA.: 39100 Bozen, Gerichtspalast 1. PA.: 39100 Bozen, Marconistr. 8. G.: Camerino, 24. Feb. 1944. Ki.: Luigi, Francesca. El.: Luigi u. Lydia. S.: Gymn., 1962 Matura, Stud. Univ. Camerina. K.: b. 1969 Ass. Univ. Camerino Strafrecht, 1969-70 Richter Gericht Ancona, b. 1980 Bez.-Richter Klausen, seit 1980 stellv. Staatsanw. P.: Art. in Fachzeitschriften. H.: Skifahren, Tennis, Kino, Theater, Literatur. (M.G.)

Maffei Walter

B.: Bildhauer. DA. u. PA.: 39040 Tramin, Schneckenthalerstr. 4. G.: Bozen, 22. Aug. 1958. El.: Franz u. Marianne. S.: VS, Mittelschule, 3 J. Fachschule f. Kunstschnitzerei in Arntal, 1976 Fachbrief f. Kunstschnitzerei. K.: m. 11 J. bereits z. schnitzen begonnen, 1976-77 m. 2 Kunstschnitzern selbst., 1978-85 selbst., seit 1985 eigene Schnitzerei eröff. in d. Schneckenthalerstr. 4, Entgegennahme v. Aufträgen aller Art v. Schnitzereien. BL.: Das letzte Abendmahl innerhalb v. 14 Tagen geschnitzt. E.: Eintragung ins Gold. Buch v. Südtir. M.: Sportver. H.: Fußball, Volleyball. (M.Br.)

Magnabosco Armando Dr.

B.: Lehrer f. Recht u. Wirtschaftskunde. DA.: 39100 Bozen, Crispistr.6. G.: Brentonico, 13. Juli 1930, verh. S.: Doktorat d. Rechtswissenschaften. K.: Lehrer f. Rechts- u. Wirtschaftskunde, 1966-85 DC Gem.R. in Bozen, Mitbegr. d. "Unione di Centro", s. 1993 im Südtir. Landtag, Mitglied d. 1. Gesetzgebungskmsn.

Magnago Silvius Dr.

B.: Jurist, LHptm. i.R. G.: Meran, 5. Feb. 1914. S.: Jusstud. Bologna, Schwerkiregsversehrter d. 2. Weltkrieges. K.: 1946-48 Bmtr. d. Provinzialamtes f. Nachkriegsfürsoge bzw. d. Sparkasse Bozen, 1947-52 u. 1956-80 VBgm. bzw. SVP-Gruppensprecher im Bozner GemR., seit 1948 im Südtir. Landtag, 1948-60 abwechslungsweise Landtags- bzw. RegionalR.-Präs., 1960-89 LHptm. v. Südtir., seit 1957 Obm. d. SVP. BL.: entscheidender Anteil an d. Verhandlungen f. d. neue Autonomiestatut ("Vater d. Paketes"). E.: Träger zahlr. höchster Ausz.

Mahlknecht Andreas Christian Dr.

B.: Arch. FN.: Arch.-Büro Mahlknecht. DA.: 39042 Brixen, Dompl. 9. PA.: 39042 Brixen, Köstleinstr. 24. G.: Brixen, 29. Nov. 1948. V.: Maria, geb. Steinkasser. Ki.: Lukas, Martina, Peter. E.: Paul u. Adolfine. S.: Techn. Oberschule f. Geometer, Arch.-Stud. Innsbruck, 1975 Prom. K.: 1974-75 Arch. b. Arch.-Büro Barth, seit 1976 eigenes Arch.-Büro. H.: Wandern, Kunst, Theater. (M.B.)

Mahlknecht Raffael Dr. jur.

B.: Persönl. Ref. d. LR. Dr. Hugo Valentin. PA.: St. Christina, Dursanstr. 18. G.: Brixen, 23. Mai 1953. S.: HOB St. Ulrich, 1973 Matura, Stud. an d. Univ. Parma, 1979 Prom. K.: 1979 Eintritt in d. Südtir. Landesverw., seit 1985 Persönl. Ref. M.: Gem.-Aussch. St. Christina. (A.W.)

Mair Peter

B.: Büroang. FN.: Arge d. Zweiten Bildungswesen. DA.: 39012 Meran, Rennweg 147. PA.: 39025 Naturns, Kompatscherstr. 10. G.: Schlanders, 25. Aug. 1962. El.: Gustav u. Rosa. S.: HASCH, Zivildienst. K.: Büroltr. d. AZB. H.: Tennis, Fußball. (P.R.)

Mair-Pircher Annelies

B.: Geschäftsfrau. FN.: Elektro-Radio Mair. GT.: Hotel Reischacher Hof. DA.: 39031 Bruneck, Stadtg. 70. PA.: 39031 Bruneck, Gebirgsjägerstr. 2. G.: Bruneck, 06. Sep. 1941. V.: Robert. Ki.: Wolfgang (1968), Brigitte (1971), Andreas (1977). El.: Maria u. August. S.: HASCH i. Brixen. K.: Mitarbeit i. Geschäft d. Eltern Elektro-u.Instalationhndl., 1970 Kau d. Hauses i. d. Stadtg., Ausbau u. Erweiterung d. Gesch., 1980 Führung d. Hotels Reischacher Hof, 1989 Erweit. d. Hotels auf Sauna m. Massageabt. u. Solarium. M.: Gastwirteverb. Pustertal. H.: Reisen, Kunst, Kultur, Vernissagen. (I.D.)

von Malfer Albert Dr. med.

B.: FA f. Neurologie u. Psychiatrie. GT.: 1963-84 Neurologe u. Psychiater Allg. Krankenkasse Bozen. DA. u. PA.: 39100 Bozen, Freiheitsstr. 65. G.: Lang/Stmk., 8. Okt. 1914. V.: Dorothea, geb. Widmann. Ki.: Marialuise, Martin. El.: Robert u. Hilda. S.: Gymn. Kalksburg b. Wien, Franziskanergymn. Bozen, 1932 Matura in Trient, Med.-Stud. Univ. Padua, 1938 Prom.,Option f. d. dt. Staatsbürgerschaft. K.: 1940-45 Kriegsdienst, 1945-47 russ. Kriegsgefangenschaft, 1947-51 KH Rosenhügel, Wien als Gastarzt, Fachausbild. als Neurologe u. Psychiater, 1951 Wiedererlangung d. ital. Staatsbürgerschaft, seit 1952 Freiberufler in Bozen, seit 1960 gemeinsame Führung m. d. Frau eines Obst- u. Weinbaubetriebes in Auer u. Salurn. P.: "Splitter u. Späne" (Gedichte). E.: Gr. VK f. Arbeitsverd. M.: CV Austria, Innsbruck, Südtir. Ges. f. Psychische Hygiene. H.: Philatelie. (C.K.)

Mandolesi Rolf

B.: Dentist. FN.: Prof. Singer Zahnärztl. Inst. GT.: Filmemacher. DA.: 39012 Meran, Speckbacher Str. 5. PA.: 39012 Meran, Piavestr. 8. G.: Mailand, 29. Okt. 1933. V.: Viale, geb. Novina. Ki.: Benno. El.: Fritz u. Elfriede. S.: RG, Zahntechnikerlehre in Mailand 1957. K.: Dentistentätigkeit b. Prof. Singer in Meran, 1960 Eintritt in d. Filmclub Meran unter Ltg. d. H. Deghinghi, 1965 u. 1988 Staatsmeister. P.: ca. 30 Filme. E.: ca. 700 intern. Ausz. M.: Rat im nat. Filmverb., Senatsmtgl. d. Intern. Alpenländ. Film- u. Autorenak., Gründer u. Vorst. d. Super 8-Club Meran, Jury-Mtgl., Organisator versch. Film Festivals. H.: Skifahren, Tennis, Kegeln. (P.R.)

Marastoni Antonello Dr. arch.
B.: Arch., Illustrator. GT.: seit 1973 Präs. d. ACI Südtir., Governeur d. Rotary Clubs 1984/85. DA. u. PA.: 39100 Bozen, Fagenstr. 15. G.: Como, 28. Jan. 1939. V.: Gloria. Ki.: Andreas, Lucas. S.: Gymn. Bozen, Matura, Arch.-Stud. Univ. Florenz, Prom. K.: seit 1969 selbst. als freischaff. Arch. m. einem Büro in Bozen, Schwerpunkt Techn. Arch. m. vorfabrizierten Elementen, Mitarb. d. Bauind. in d. Lombardei, Verona u. Deutschland, viele intern. Auftäge, Plan. v. 4 Postämtern in Bagdad, ein Hochhaus in Alexandria, mittlere u. kleine Projekte in Bozen in versch. Materialausführungen, Illustrator versch. Zeitungen z.B. "Der Rotarier". M.: Rotary Club, Präs. d. ACI, in d. Gen.-Versammlung u. d. Pannenhilfeges. in Rom. H.: Rotary Club, Skifahren, Surfen, Segeln, Blumen, bes. Orchideen züchten. (C.K.)

March Josef Dr. arch.

B.: Arch. Landesbaudir., Chef d. Abt. f. öff. Bauarb. b. d. Südtir. Landesreg. DA.: 39100 Bozen, Crispistr. 3. PA.: 39040 Natz-Schabs, Schabs 45. G.: Schabs, 7. März 1949. V.: Maria, geb. Lanz. Ki.: Barbara, Elisabeth, Christoph, Magdalena. El.: Andreas u. Paula, geb. Reifer. S.: hum. Gymn. Vinzentinum Brixen, 1968 Matura, TU Wien Fachrichtung Arch., 1973 Prom. K.: 1975 Eintritt in d. Landesverw. d. Provinz Bozen, Amt f. Hochbau A, seit 1981 Amtsdir., Hauptaufgabe: Durchführung u. Koordinierung d. 1977 v. d. Landesverw. beschlossenen Schulbauprogramms in d. Provinz Bozen, Projektierung u. Baultg. versch. Baumaßnahmen landeseigener Bauten, seit 1988 Landesbaudir., zusätzl. Bgm. v. Natz-Schabs. P.: Broschüre "Schulbaurichtlinien f. Südtirol". (N.A.)

Marcon Gaetano
B.: Verwalter, wirtshaftl. Unternehmer. FN.: Generalpol GmbH Wachinst, Edil Center Baumaterialien. GT.: Mtgl. d. VerwR. d. Investizion-Bank Trentino-Südtir. DA.: 39100 Bozen, Ortlerstr. 29; 39100 Bozen, Palermostr. 10. G.: Pederobba, 18. Jan. 1932. K.: Bauarb., 1963 Grdg. Firma EDIL CENTER, 1983 einer d. Gründer d. Firma Generalpol, 1976-79 LR. f. Ind. d. autonomen Prov. Bozen, 1965-69 GemR. in Bozen. H.: Skifahren, Tennis, Segeln, Schwimmen, Wandern. (P.R.)

Market Nora
B.: Gschf. Ges. FN.: Möbel Market OHG Einrichtungshaus. DA.: 39100 Bozen, Leonardo-da-Vinci-Str. 4. PA.: 39100 Bozen, Venediger Allee 7. G.: Bozen, 25. Juni 1961. Ki.: Marc. El.: Fritz u. Marianne Market. BV.: Großvater Franz Market gründete d. Firma 1906. S.: Hdls.-Oberschule Bozen, 1980 Matura, 1980 Sprachstud. England. K.: 1981 Eintritt ins väterl. Geschäft, 1983 Ges., div. Seminare. BL.: Besuch v. intern. Fachmessen in Köln, Mailand u. b. regionalen Skimeisterschaft. M.: 1980-85 div. Sportver. H.: Skifahren, Sport jeder Art. (M.G.)

Market Sylvia
B.: Gschf. Ges. FN.: Möbel Market OHG Einrichtungshaus. DA.: 39100 Bozen, Leonardo-da-Vinci-Str. 4. PA.: 39100 Bozen, Fagenstr. 44. G.: Bozen, 21. März 1956. V.: Peter Wenter. El.: Frietz u. Marianne Market. BV.: Großvater Franz Market gründete Firma 1906. S.: Hdls.-Oberschule Bozen, 1975 Matura, Sprachstud. in England, div. Fortbild.-Kurse. K.: 1977 Eintritt in väterl. Betrieb. BL.: Besuch v. intern. Messen u. Fachmessen d. Herstellerfirmen. E.: 3. Pl. b. Regionalmeisterschaften Südtir. M.: Natura E Vita Club f. gesundes Wesen, ABC. H.: Skifahren, Bergsteigen, Aerobic, Vollwerkost, Backen, Lesen. (M.G.)

Market-Schrott Sonja
B.: Gschf. Ges. FN.: Möbel Market OHG Einrichtungshaus. DA.: 39100 Bozen, Leonardo-da-Vinci-Str. 4. PA.: 39100 Bozen, Venediger Allee 7. G.: Bozen, 14. Dez. 1957. V.: Günther Schrott. El.: Fritz u. Marianne Market. BV.: Großvater Franz Market gründete d. Firma 1906. S.: Hdls.-Oberschule, 1977 Matura, Sprachstud. in England. K.: Eintritt in väterl. Unternehmen, div. Fortbild.-Kurse, 1983 Ges., Arbeitsbereich Koordinierung, Administration. BL.: Beteiligung an regionalen Skimeisterschaften. H.: Skifahren, Wasserskifahren, Surfen, Eislaufen, Lesen, Zeichnen. (M.G.)

Marsoner Reinhold Walter Dr.
B.: Dir. d. Bozner Messe Ges. DA.: 39100 Bozen, Romstr. 18. PA.: 39052 Kaltern, Oberplanitzing 29. G.: Mitterfels/ Deutschland, 7. Juli 1952. V.: Maria, geb. Gaiser. Ki.: Ulrich (1985), Thomas (1986). El.: Walter u. Martha, geb. Gaiser. S.: Mittelschule, hum. Gymn., Lyzeum, Franziskanergymn. Bozen, 1971 Matrua, Stud. WU Wien Hdls.-Wiss. u. Betriebswiss., 1976 Abschluß in BWL in Innsbruck, 1977 Dr. Univ. Venedig. K.: seit 1977 Mtgl. d. Red. Tageszeitung "Dolomiten" Bozen, seit 1980 Ressortltr. f. Lokales, Dir. d. Bozner Messe Ges. BL.: in d. Jugend aktiver Musiker, 1980-81 Vors. d. SVP Stadt Jugend Kmsn. Bozen, div. Vorträge regional u. intern., Öff.-Arb. VHS Deutschland, aktiv tätig in EMSU. P.: polit. Leitart. z. Südtir.-Frage. H.: Lesen, Geschichte, Politik, Geselligkeit, Wandern, Teppich sammeln. (M.G.)

Massari Giancarlo Dr.
B.: selbst. RA. DA.: 39100 Bozen, Mazzinipl. 49. PA.: 39100 Bozen, Prinz-Eugen-Allee 22. G.: Bruneck, 16. Dez. 1951. V.: Gloria, geb. Quarantelli. El.: Dr. Saverio u. Raffaella. BV.: Urgroßvater Dr. Saverio Massari war hoher Offz. u. Arzt während d. Monarchie. S.: Mittelschule, klass. Lyzeum Bozen u. 1971 Matura, Stud. Jura Padua, Stud. Ökonomie Univ. Verona. K.: während d. Stud. wiss. Hilfskraft, 1976 Konzipient in Kzl. d. Vater, 1978 Advokatenprüf., 1984 freie Advokaten-Tätigkeit, ab 1987 Kzl. gemeinsam m. Vater. BL.: Preise b. div. Wettbewerben f. Fotographie, 1987 Organisator u. Initiative f. d. "Telefono azzurro", 1979 u. 1988 Gesandter d. Round Table. P.: Rechtliche Vertragsbedingungen bei Schenkungen. M.: seit 1978 Mtgl. d. Round Table, 1984-85 Präs. d. Round Table Bozen, 1987-88 National-VPräs. u. 1988-89 National-Präs. Round Table Italien. H.: Skifahren, Tennis, Reisen, Unterwasserfotografie, Filmen, Tauchen, Segeln, Theater, Film. (M.G.)

Massimo Otto Dkfm.
B.: Firmenchef. FN.: Otto Massimo KG Zoepritz Italia. DA.: 39100 Bozen, Siemensstr. 4. PA.: 39057 Eppan, Kalterer Str. 15. G.: Bozen, 29. Okt. 1925. V.: Christine, geb. Langer. Ki.: Stephan, Peter, Verena. S.: Mittelschule Bozen, 1944 Matura. K.: 1945 Firmengrdg. in Bozen gemeinsam m. d. Vater Julius Massimo, seit d. Tod d. Vaters 1958 Alleinführung d. Betriebes, 1968-70 Neubau d. Firmengebäudes, 1980 Detailverkaufsgeschäft u. 1983 Ausbau d. Verkaufsgallerie m. etwa 5 jährl. Ausstellungen v. Kunsthandwerk. M.: Aussch.-Mtgl. d. Eishockeyclubs Bozen. H.: Eishockey.(C.K.)

Massimo Peter Dkfm.
B.: Kfm., Ltr. d. Großhdl. FN.: Otto Massimo KG Zoepritz Italia. DA.: 39100 Bozen, Siemensstr. 4. PA.: 39052 Eppan, Kalterer Str. 15. G.: Bozen, 26. Dez. 1959. S.: Franziskanergymn. Bozen, Hdls.- Oberschule Bozen, 1978 Matura, 1979 Praktikum in München, Nagold im Schwarzwald, HS f. Textileinzelhdl., 1982 Abschluß als Textilbetriebswirt. K.: 1982 Eintritt in d. väterl. Betrieb als Ltr. d. Großhdls. H.: Tennis, Skifahren, Bergwandern, Lesen, Jazzmusik. (C.K.)

Massimo Stephan Dkfm.
B.: Kfm., Ltr. d. Detailshdls. FN.: Otto Massimo KG Zoepritz Italia. DA.: 39100 Bozen, Siemensstr. 4. PA.: 39057 Eppan, Kalterer Str. 15. G.: Bozen, 12. Juni 1957. S.: Franiskanergymn., Geometerschule in Bozen, 1976 Matura, Nagold im Schwarzwald, HS f. Textileinzelhdl., 1978 Abschluß Textilbetriebswirt. K.: 1978 Eintritt in d. väterl. Betrieb als Ltr. d. Detailhdls. H.: Kunst, Reisen, Sport (Skifahren). (C.K.)

Matscher Martha Elisabeth Anna Dr. jur.
B.: Kabinettchef d. Regierungskomissariat f. d. Provinz Bozen. DA.: 39100 Bozen, Prinz-Eugen-Allee 11. PA.: Prissian, Gem. Tiesens, Zehenter Hof 59. G.: Bozen, 6. Apr. 1953. El.: Franz u. Elisabeth, geb. Tribus. BV.: Großnichte d. Kanonikus Michael Gamper. S.: VS, Mittelschule, 1973 Matrua Klass. Lyzeum Meran, 1973-78 Stud. Rechtswiss. Univ. Bologna m. Prom. z. Dr. jur. K.: 1979-82 Tätigkeit in einem Wirtschaftsbüro Bologna, zuständig f. ausw. Angelegenheiten, 1983-86 Ausbild. z. Notar Rom, parallel dazu Tätigkeit im Fremdenverkehrssektor, 1987-88 VDir. b. Bez.-Steueramt Bozen, 1988 Eintritt Min. f. Inneres, ab 1991 Kabinettchef. H.: aktiv Sport im allg., Kunst, Musik, ldw. Arb. (N.A.)

Mattivi Armand Dr. jur.
B.: Amtsdir. im Amt f. d. Verw. d. Kindergartenpersonals. DA.: 39100 Bozen, Crispistr. 3. PA.: 39100 Bozen, Europaallee 18. G.: Montan, 12. Feb. 1943. V.: Maria, geb. Bergmeister. Ki.: Christian, Markus, Doris. S.: HOB Bozen, 1963 Matura, Stud. an d. Univ. Innsbruck, 1977 Prom. K.: 1963 Eintritt in d. Südtir. Landesverw., 1965 off. Wettbewerb bestanden, Planstelle, 1979 in d. A-Laufbahn, seit 1981 Amtsdir. M.: seit 1981 im Vorst. d. Gemeinschaft Maria Heim, seit 1977 Obm. d. Kindergartenver. Maria Heim, seit 1973 in d. Verw., seit 1984 Obm. d. SVP Ortsgruppe Bozen-Neustift. H.: Wandern, Philatelie. (A.W.)

Matzneller Peter Dr. jur.
B.: Gen.-Insp. b. d. Südtir. Landesreg. DA.: 39100 Bozen, Crispistr. 3. PA.: 39100 Bozen, Montellostr. 23. G.: Aldain, 28. Okt. 1923. V.: Christine, geb. Reinstadler. Ki.: Brigitte, Isolde, Dietrich. El.: Albert u. Filomena. S.: 1947 Matrua, Stud. Innsbruck, 1952 Prom. K.: 1964-68 Trienter Regionalverw. als Ressortltr., 1972 Gen.-Insp. im Gen.-Inspektorat f. Personal- u. allg. Angelegenheiten, ab 1973 Überstellung an d. Landesreg. d. Landes Südtir. nach Bozen, Ausarb. v. Personalgesetzen, allg. Personalverordnungen, Ltg. u. Überwachung, sowie Koordinierung d. Personalwesens. H.: Politik allg., bes. d. Österr. u. BRD, Lesen. (P.R.)

Mayer Oskar
B.: Dipl.-Psych. DA.: 39012 Meran, Romstr. 102. PA.: 39012 Meran, Romstr. 104. G.: Meran, 31. Jan. 1946. V.: Eva-Maria, geb. Tappeino; 4 Kinder. S.: Stud. TH Wien, Stud. Dt. Sport-HS Köln, Dipl., Stud. Psych. Univ. Köln, Dipl. K.: 1974-77 prakt. Tätigkeit in d. BRD, Studienreise Ferner Osten, ab 1978 Ltr. d. Sozialmed. Beratungsstelle Meran, 1979-84 Gran Canaria, 1984-86 Arb. im Zentrum f. Psychotherapie in Meran, 1986-87 päd. Ltr., seit 1988 selbst., 1985-88 Nat.-Trainer f. Eisstockweitschießen. H.: Schriftstellerei.

Mayr Anton
B.: Gschf. Ges. d. Gasthof Figl. DA.: 39100 Bozen, Kornpl. 9; 39019 Dorf Tirol, Haupstr. 16, Hotel Tiroler Hof. G.: St. Johann/Tirol, 15. Juli 1953. V.: Helga, geb. Palfinger. El.: Anton u. Katharina, geb. Hager. BV.: Ururgroßonkel Peter Mayr: Freiheitskämpfer, erschossen 20. 2. 1810. S.: Hotelfachschule Innsbruck. K.: ab 1977 Gschf. Ges. "Gasthof Figl" u. "Tiroler Hof". H.: Tennis, Skifahren, Reisen, Lesen. (N.A.)

Mayr Christine Dr.
B.: Rechtsanw. DA.: 39100 Bozen, Crispistr.6. G.: Bozen, 14. Aug. 1956. S.: Stud. d. Rechtswissensch. in Florenz u. München, Promotion 1980 in Florenz. K.: nach Praktikum in versch. Anwaltskanzleien 1988 Eröffng. eig. Anwaltskanzlei in Bozen, s. 1991 Landesfrauenref. d. SVP-Frauenbewegung, s. Apr. 1991 SVP-Parteiobm.Stv., s. 1993 im Südtir. Landtag-Präs. d. 4. Gesetzgebungskmsn. u. Mtgl. d. 2. Gesetzgebungskmsn. d. Landtages.

Mayr Erich Dr.
B.: Gen.-Dir. d. Südtir. Sparkasse AG. DA.: 39100 Bozen, Sparkassenstr. 12/B. PA.: 39100 Bozen, Talfergries 14. G.: Cannes/Frankreich, 16. Mai 1936. V.: Ingrid, geb. Schenk. Ki.: Dr. Michael (1967), Caroline (1970). El.: Franz u. Paula. S.: VS, Mittelschule, Handelsoberschule, Stud. Wirtschafts- u. Handelswiss. Mailand u. Parma, 1963 Prom. K.: 1963 Eintritt in d. Sparkasse als Ang., Arb. in versch. Zwg.-Stellen u. Dienstbereichen d. Gen.-Dir.., 1972-74 Dir. d. Filiale Brixen, 1974-78 Dir. d. Filiale Bruneck, 1978-90 Oberbuchhalter in d. Gen.-Dion. Bozen, ab 1990 VGen.-Dir., seit 1991 Gen.-Dir. M.: Gen.-Dir. d. Südtir. Sparkasse AG, VerwR. d. Hypotheken-Bank Trentino Südtir., VPräs. d. Argentea AG Trient, VerwR. d. Privatinvest Bank AG Sbg., Mtgl. d. Techn. Kmsn. d. Bankenunion Frankfurt, VerwR. d. Sadobre AG Autobahn Zollstation Sterzing, Rotary Club Bozen. H.: Segeln, Botanik, Fischen, Leichtathletik, Skifahren. (M.M.)

Mayr Herbert
B.: VBgm. d. Stadt Bozen. DA.: 39100 Bozen, Rathausplatz. G.: Bozen, 28. Apr. 1943. V.: Sylvia, geb. Hofer. Ki.: Lisa (1976), Ingo (1982), Kordula (1990), Hemma (1992). El.: Alois u. Marianne. S.: Mittelschule, 1966 HS-Dipl. Bologna f. Leibeserziehung u. Sport. K.: 1966-80 Oberschullehrer an Gewerbeoberschule Bozen, 1976-80 zusätzl. Lehrauftrag Univ. Innsbruck, ab 1980 StadtR. f. Jugend, Schule u. Sport Bozen, 1985-88 zusätzl. VBgm. in Bozen, ab 1989 abermals VBgm. u. StadtR. f. Öff. Arb. M.: Parteiltg. d. SVP, Aussch. d. Südtir. Gem.-Verb., zahlr. andere polit. Funktionen. (M.M.)

Mayr Josef
B.: Mtgl. d. SVP Parteiltg., Abg. z. Südtir. Landtag, LR. f. Ldw. DA.: 39100 Bozen, Cesare-Batisti-Str. 23. PA.: 39057 St. Michael-Eppan, Josef-Innerhofer-Str- 28. G.: Perdonig, 19. Jan. 1935. V.: Gretl, geb. Untergassmair. Ki.: Georg, Barbara, Peter. El.: Josef u. Philomena. S.: Lyzeum Meran, 1954 Matrua, Klavier- u. Orgelunterricht, div. polit. Seminare. K.: Ang. d. Hauptverb. ldw. Gen., Bmtr. d. Südtir. Landesbauernkrankenkasse, seit 1968 Abg. z. Südtir. Landtag, 1973-74 Regionalassessor f. allg. Angelegenheiten, 1974-89 LR. f. Wasser. u. Energiewirtschaft u. Wildbachverbauung, seit 1989 LR. f. Ldw., SVP-Bez.-Obm. v. Bozen, Vertreter d. Bauernbundes. P.: Fachart. im Rahmen d. Tätigkeit, div. Vorträge im In- u. Ausland. M.: Sportschützengilde Eppan, Ehrenschütze d. Kompanie Eppan, Ehrenobm. d. Singkreises Runkelstein. H.: polit. Interessen, Lesen, Volksmusik, Sportschütze.

Mayr Josef
B.: Bildhauer, Steinmetzmeister. DA. u. PA.: 39023 Laas, Vintschgaustr. 89. G.: Laas, 21. Aug. 1935. V.: Christine, geb. Tembl. Ki.: Thomas, Renate-Maria. S.: Abendmittelschule

Marco Polo Bozen, Steinmetz- u. Bildhauerlehre im väterl. Betrieb, 1971 Meisterbrief. K.: seit 1968 im v. Vater Josef Mayr gegründeten Betrieb tätig, 1961 Betriebsübernahme, 1971 Meisterprüf., Ausweitung d. Betriebes auf Bauarb. u. Dreharb. f. Geschenkart., vorwiegend Erz. aus Laaser Marmor, wie Figuren, Altären, Brunnen, Grabdenkmälern, Böden, Stufen u. Fensterbänken. M.: seit 1970 Obm. d. Raiffeisenkasse Laas. H.: Jagd, Fischen, Schachspielen, Skifahren. (C.K.)

Mayr Josef-Jakob

B.: Grafiker, Verpackungsspezialist. DA. u. PA.: 39011 Lana, Falschauer Damm 3. G.: Lana, 26. März 1950. V.: Anna-Maria. Ki.: Raphael-Alexander. El.: Reimund u. Maria. BV.: Oberkofler Maler, Oberkofler Schriftsteller. S.: HS Lana, 1967-71 Kunstgewerbeschule HTL Innsbruck, 1971-76 HS f. angew. Kunst in Wien. K.: 1976-80 Arb. in versch. Agenturen bzw. Grafikateliers in Wien, ab 1981 Aufnahme d. selbst. Tätigkeit in Lana, Spezialisierung: Verpackung. H.: Fotografieren, Illustration. (C.K.)

Mayr Walter

B.: Landessekr. d. Freiheitlichen Partei Südtir. GT.: seit 1980 GemR. in Eppan, seit 1978 Mtgl. d. Parteivorst. u. Hauptaussch. DA.: 39100 Bozen, Poststr. 16. G.: Eppan, 13. Jan. 1942. S.: Zeichnerlehrling in einem Arch.-Büro, HS-Abschluß in Innsbruck. K.: Zeichner in Arch.-Büro, 1963-64 Militärdienst, b. 1978 Arb. in einem Planungsbüro in Bozen, 1978-80 Ltg. d. Betriebes d. verstorbenen Bruders, 1981 Eintritt in d. FPS als Landessekr., polit. Stationen: 1957 Teilnahme an d. Massenkundgebung auf Schloß Sigmundskron, 10 J. Mtgl. d. SVP Ortsaussch. u. d. Gebiets- u. später Koordinierungsaussch. in Eppan, 1969 Delegierter b. d. SVP Landesversammlung in Meran, 1972 Austritt aus d. SVP, 1970 Wahl z. Schützenmjr. u. Mtgl. d. Südtir. Schützenbundes, Delegationsmtgl. d. PDU in Wien, 1983 Einbau d. Selbstbestimmungsrechtes ins Parteiprogramm. (C.K.)

Menini Alberto Dr.

B.: Amtsdir. im Amt f. Gesundheitsinformationssystem. DA.: 39100 Bozen, Amba-Alagi-Str. 29. PA.: 39100 Bozen, Taramellistr. 35. G.: 10. Feb. 1939. V.: Pirina, geb. Gardelli. Ki.: Aldo, Lucia. S.: techn. HOB Bozen, 1958 Matura, Univ.-Stud. Verona, 1965 Prom. K.: seti 1966 in d. damaligen wechselseitigen Landeskrankenkasse, nach ital. Sanitätsreform Auflösung aller Krankenkassen u. Übergang in diese Sanitätseinheiten, Herauslösung d. EDV Dienstes d. Krankenkassen u. Integrierung im Land, seit 1985 Amtsdir. d. Landes. H.: Bergsteigen, Skifahren, Langlauf, Mundharmonika, Lesen, eintreten in fremde Mentalitäten. (C.K.)

Menschik Stefan Wolfgang

B.: Gschf. Ges. FN.: Mendola KG, Import-Export-Großhdl. DA.: 39100 Bozen, St. Vigilstr. 108/110. PA.: 39100 Bozen, Michael-Pacher-Str. 2H. G.: Sofia/Bulgarien, 9. Mai 1939. V.: Luciana, geb. Prighel. El.: Stefan Heinrich u. Milka, geb. Konstantinowa. BV.: Familie geht zurück b. 1545, Großvater Gottlieb Franz Bohumil war Dr. Konsul in Bulgarien. S.: HOB m. Abschluß. K.: 1959 Eintritt elterl. Großhandelsfirma Mendola, Aufbau d. neuen Firmensektores m. Schwerpunkt Souvenirs u. Geschenkart., 1970 Übernahme d. Firmenführung. BL.: Gestaltung v. ital.-alpinengeprägten Souvenir. u. Werbeart. u. Erweiterung d. Handelstätigkeit auf nat. u. intern. Ebene. H.: Tauchen, Bergsteigen, Skifahren, Fotografie. (N.A.)

Meraner Gerold

B.: Textilkfm., Abg. z. Südtir. Landtag. DA. u. PA.: 39087 Eppan, Bozner Str. 8. G.: Eppan, 9. März 1940. V.: Adelheid, geb. Oberrauch. Ki.: Ulrike, Dagmar, Gerlinde, Johanna. El.: Alois u. Philomena. S.: wiss. Lyzeum Brixen, 1963 Abitur, Jurastud. Innsbruck u. Padua. K.: Tankwart u. Hilfslehrer, Ausbild. im kfm. Beruf, seit 1974 selbst. Textilkfm., Grdg.- u. Vorst.-Mtgl. d. PDU u. 1978-83 deren Obm., 1983-89 Obm.-Stellv., 1974-83 im GemR. v. Eppan, seit 1983 LAbg., seit 1987 Vertreter d. RegionalR., seit 1989 Landesparteiobm. d. FPS. M.: 5 J. Obm. eines Privatsender. H.: Angeln, Photo, Briefmarken. (P.R.)

Messner Fritz Karl Dr.

B. Bgm. FN.: Stadtgem. Sterzing. DA.: 39049 Sterzing, Neustadt 21. PA.: 39049 Sterzing, Frundsbergstr. 6. G.: Sterzing, 15. Jul. 1957. V.: Dr.phil. Grazia, geb. Mick. KI.: Heiner (1985), Moritz (1989). EL.: Karl u. Augusta. S.: Gym. Brixen, 1976 Matura, Univ. Innsbruck, Studienber. 1981, Zweisprrachigkeitsprüfung 1982. K. 5 J. Unterrichtstätigk. an HASCH Sterzing, 1989 Führung d. Gesch. Porzellan Mach, 1990 Gem.R. - StadtR. u. Bgm. d. Stadtgem. Sterzing. M.: Vizepräs. d. Bez.-Gem. Wipptals, Landesausschuß d. SVP. H.: Ski Alpin, Windsurfen, Mountainbike. (I.D.)

Messner Helmut Dr.

B.: Dir. am Pädagogischen Institut f. d. deutsche Sprachgruppe. DA.: 39100 Bozen, Binderg. 29. PA.: 39040 Villnöß, St. Magdalena 115. G.: Brixen, 5. Jan. 1943. V.: verw. Ki.: Christof (1973), Philipp (1975). El.: Josef u. Maria. S.: Mittelschule, LBA Meran, 1963 Matura, Stud. Pädagogik u. Psychologie an d. Univ. Konstanz. K.: b. 1966 VS-Lehrer in St. Michael-Eppan, b. 1976 Ass. am Päd. Institut d. Univ. Bern, 1976-89 Ausbildner f. VS-Lehrer an d. Päd. Ak. Zofingen, seit 1989 Dir. d. Päd. Institut f. d. deutsche Sprachgruppe Bozen. P.: Buch "Unterrichten - lernen", "Wissen - anwenden", Art. in div. Fachzeitschriften. H.: Bergsteigen, Skifahren, Lesen, Reisen. (M.G.)

Messner Reinhold

B.: Alpinist. DA. u. PA.: 39020 Staben, Burg Juval. G.: Brixen, 17. Sep. 1944. Ki.: Láyla, Magdalena. El.: Josef u. Maria. S.: Mittelschule, Geometer, Stud. Hoch- u. Tiefbau an d. Univ. Padua. K.: zahlr. Expeditionen, seit 1970 freiberufl. Alpinist., Vortragsredner. BL.: u.a. 1989-90 Antarktisdurchquerung, 2.800 km in 92 Tagen zu Fuß. P.: zahlr. Buchveröff. E.: 1975 ITAS, 1968 Primi Monti, 1976/79 D A V, Hohe Ausz. in Italien, Nepal u. Pakistan. (P.R.)

Messner Siegfried Dr.

B.: Mittelschulehrer. DA.: 39100 Bozen, Crispistr.6. G.: Brixen, 26. Mai 1947, verh., 4 Kinder. S.: Stud. Geschichte a. d. Univ. Innsbruck.K.: 1974-78 GemR in Villnößß, 1977-83 Jugendref. d. "Jungen Generation i. d. SVP" d. Bez. Brixen, s. Apr. 1989 SVP Bez.Obm. d. Bez. Eisacktal, s. Apr. 1991 SVP Parteiobmannsstv., Sep. 1990 - Mai 1994 Präs. d. Bez.Gem. Eisacktal, 1978-88 im Südtir. Landtag, 1979-84 Regionalassesor f. d. Grundbuch, 1984-89 LdR. f. Gebietskörpersch. u. Jugendarbeit, s. 18. März 1994 wieder im Südtir. Landtag, Regionalassesor f. Grundbuch u. Katasterwesen.

Mian Peter Dr. med.
B.: OA d. Infektionsabt. im LKH Bozen. GT.: Verantw. d. Dienstes f. Öff. Hygiene d. Sanitätseinheit Mitte-Süd. DA.: 39100 Bozen, Lorenz-Böhler-Str. 5. PA.: 39100 Bozen, Dolomitenstr. 5. G.: Bozen, 20. Mai 1952. V.: Cecilia, geb. Lobis. Ki.: Michael (1980), Stephanie (1985), Elisabeth (1986). El.: Valentin u. Rosa, geb. Gasser. S.: 1971 Matura, Med.-Stud. Univ. Innsbruck, 1977 Prom. z. Dr. med., Ausbild. z. FA f. Innere Med. Parma, 1986 Abschluß, Ausbild. z. FA f. Infektionskrankheiten in Modena, 1989 Abschluß. K.: 1977-85 Ass.-Arzt an d. Med. Abt. LKH Bozen, ab 1985 OA d. Abt. f. Infektionskrankheiten, seit 1988 verantw. d. Dienstes f. Öff. Hygiene. P.: Fachpubl. in Fachzeitschriften im In- u. Ausland. M.: div. Ärztever. in Italien u. Österr. H.: Jagd, Fischen, Wandern. (N.A.)

Michaeler Josef Dr.
B.: Gen.-Vikar, Prof. f. Verw.-Recht. DA.: 39100 Bozen, Marconistr. 9. PA.: 39042 Brixen, Hofburgpl. 1. G.: Natz, 24. Mai 1927. El.: Franz u. Stefania. BV.: aus einer alten Bauernfamilie 16. Jhdt. S.: Mittelschule, Lyzeum Brixen, Vinzentinum, 1949-54 Theol.-Stud. Brixen, Gregoriana Päpstl. Univ. in Rom Kirchenrecht m. Doktor. K.: 1958-66 Privatsekr. d. Bischof Dr. Josef Gargitter, 1956-71 Ltr. d. Diözesanvermögensverw.-Amtes, seit 1971 Gen.-Vikar. BL.: Teilnahme an jähr. Fortbild.-Seminaren, Intern. Tagungen, Kanonistenkongresse, Teilnahme an d. Treffen d. deutschsprachigen Gen.-Vikare, div. Vorträge. P.: Die rechtliche Natur d. Heiligkreuzspitals in Brixen, Zwölfapostelspital in Klausen u. ihr Verhältnis z. Domkapitel, div. Art. in Fachzeitschriften. E.: 1985 EZ d. Landes Tir. M.: PriesterR., PastoralR., Diözesan VermögensverwR. H.: Lesen, Schwimmen, Wandern. (M.G.)

Mier Erich Dr. arch.
B.: Arch., Dir. im Amt f. d. Landesraumordnungplanung. DA.: 39100 Bozen, Caesare-Battisti-Str. 21. PA.: 39100 Bozen, Fagenstr. 56. G.: Mailand, 12. Feb. 1936. V.: Giovanna, geb. Rossi. Ki.: Marco (1967), Andrea (1972). El.: Walter u. Anna, geb. Pachner. S.: 1955 Matura Mailand, Arch.-Stud. Univ. Mailand, 1961 Prom. K.: 1963-64 Ass. im Elementi di Architettura Mailand, 1967-68 Stipendium USA, 1968 Master in Arch. and Urban Design, 1961-62 Büro-Arch. Krämer BRD, 1962-65 eigenes Büro in Mailand, 1965-66 Büro Mayerovitch in Montreal, 1966-67 Baultr. b. d. EXPO 67 Montreal, ab 1968 Landesverw. Südtir., zuständig f. d. Raumordnungsplanung. P.: mehrere Publ. über Landes- u. Ortsplanung in Südtir. H.: Tennis, Skifahren. (P.R.)

Minniti Mauro
B.: Publizist. DA.: 39100 Bozen, Crispistr.6. G.: Foligno, 16. Aug. 1963, verh. K.: Dipl. d. Handelsschule "L. Einaudi" in Meran, Angest. d. Amtes f. d. Einheitbeiträge i. d. Landwirtschaft (SCAU), s. 1977 i. d. MSI - Jugendbewegung "Fronte della Gioventü", 1985 Ldsvorst., Mtgl. d. Meraner MSI-Ltg, Regionalverantwortl. d. Umweltbewegung "Fare Verde", 1989-94 MSI Gem.R. in Bozen, s. 19. Apr.1994 im Südtir. Landtag.

Misfatto Oskar Dr.
B.: Amtsdir. im Amt f. öff. Gewässer. DA.: 39100 Bozen, Cesare-Battisti-Str. 23. PA.: 39100 Bozen, Eisackstr. 11. G.: Bozen, 22. Mai 1950. V.: Maria-Theresia, geb. Abancini. Ki.: Ingrid, Jan. El.: Ferdinand u. Ruth. S.: wiss. Lyzeum, 1969 Matura in Bozen, Stud. Physik Univ. Bologna, 1974 Prom. K.: 1975 Eintritt in d. Dienst d. Landesreg., Aufbau d. Amtes f. öff. Gewässer, 1978 Amtsdir., 1983 Aufbau d. Amtes f. Energiequellen, Experte f. Wasserkraftwerke. P.: Mitarb. b. mehreren Publ. M.: VPräs. im LandesbeiR. f. öff. Gewässer. H.: Fotographie, Jagd, Reisen. (P.R.)

Mitolo Pietro Dr.-Ing.
B.: Abg. d. Landtages, Regionalsekr. MSI DN, Sekr. d. MSI Provinz Bozen. DA.: 39100 Bozen, Crispistr. 9; 39100 Bozen, Corso Italia 10. PA.: 39100 Bozen, Mendelstr. 52. G.: Bozen, 27. Apr. 1921. V.: Paula, geb. Grecchi. Ki.: Maria-Grazia, Alfredo. El.: Alfredo u. Theresa. S.: 1939 Matura, Stud. Chemie in Padua. K.: Mtgl. d. Fliegerstaffel im II. Weltkrieg, 1948-53 GemR. in Bozen, seit 1973 Abg. z. Landtag, seit 1974 Sekr. d. MSI Provinz Bozen, seit 1982 Regionalsekr. d. MSI DN, Mtgl. d. 1. Gesetzgebungskmsn. d. Landtages. P.: div. Art. in parteipolit. Fachzeitschriften. M.: 1950 Grdg.-Mtgl. d. Aussch. d. Basket Fiamma Bozen, Mtgl. Parität. Kmsn. f. d. Regelung d. Militärservitute, Mtgl. d. Kam. f. d. Geschäftsordnung d. Landtages, Gruppensprecher d. MSI DN im Landtag. H.: Bergsteigen, Interesse f. Fußball, klass. Musik, Lesen. (M.G.)

Mitterdorfer Alfred
B.: Kfm. FN.: Tecnomag KG. DA.: 39100 Bozen, Brennerstr. 2. PA.: 39100 Bozen, Penegalstr. 12. G.: Bozen, 15. Nov. 1953. V.: Ingrid, geb. Leimgruber. Ki.: Kathrin, Julia. S.: wiss. Lyzeum Bozen, 1974 Matura. K.: Eröff. d. Betriebes m. techn. Art. 1952 durch d. Vater, 1978 Übernahme d. Geschäftes, Verkauf techn. Art. f. Ind. u. Handwerk. (C.K.)

Mitterdorfer Karl Dr. rer. pol. Dipl. Vw.
B.: Bankkfm. d. Südtir. Landessparkasse i.R. GT.: seit 1968 Vertreter d. Südtir. Volksgruppe im Parlament in Rom, Präs. d. Südtir. Kulturinst. DA.: 39100 Bozen, Schlernstr. 1; 00100 Roma, Via Nomantan 421. PA.: 39100 Bozen, Penegalstr. 17a. G.: Bozen, 28. Jan. 1920. V.: Maria-Luise, geb. Lochmann; 3 Kinder. El.: Georg u. Maria. S.: 1938 Matura, nach d. Option d. Vaters 1940-45 Militärdienst, Stud. an d. Univ. Innsbruck, 1947 Prom. K.: Tätigkeit b. d. Österr. Länderbank, Filiale Innsbruck u. Tir. Landesreisebüro, 1953 Rückkehr nach Südtir., Tätigkeit b. d. Südtir. Landessparkasse, 1958 1. Wahl in d. Abg.-Kam. d. röm. Parlaments, 1963, 1968, 1972 Wiederwahl, ab 1976 in d. Senat gewählt, 1979, 1983 Wiederwahl. P.: Beiträge in versch. Fachschriften über d. Minderheitenproblematik. M.: 1961-84 Landeskdt. d. Südtir. Schützenbundes, seit 15 J. Präs. d. Südtir. Kulturinst., 1969-76 Mtgl. d. Europaparlamentes, 1984-87 Mtgl. d. parl. Versammlung d. EuropaR., Aaroclub Bozen, Südtir. Alpenver. (P.R.)

Mitterhofer Hermann
B.: Sped.-Kfm. FN.: BRIGL GmbH Intern. Sped. DA.: 39100 Bozen, Schlachthofstr. 18. PA.: 39012 Meran, Winkelweg. G.: Schabs, 1. Apr. 1939. V.: Brigitte. Ki.: Evi. S.: Gymn. Brixen. K.: Tätigkeit in versch. Sped., 1962 Eröff. Ndlg. Brigl am Reschen, 1972 Übernahme d. gesamten Brigl Sped.-Gruppe als Inh. H.: Skifahren, Wandern. (P.R.)

Mitterrutzner Georg Dr.
B.: Amtsdir. im Bez.-Forstamt Bozen II. DA.: 39100 Bozen, Brennerstr. 3. PA.: Vahrn/Brixen. G.: Klausen, 6. März 1954. V.: Angelika, geb. Weichsel. Ki.: Barbara, Elisabeth. El.: Anton u. Anna. BV.: entstammt bäuerl. Familie. S.: hum. Gymn., Vinzentinum Brixen, 1973 Matura, Militär, 1975-81 HS f. Bdk. Wien. K.: Feldkirchen b. München Prof. Hährer DFS, b. 1981 Forsteinrichter, 1982 Eintritt in d. Landesreg., b. 1984 Amt f. Forstplanung, 1985 beauftragter Ltr. Bez.-Forstamt B. II. M.: Südtir. Forstver. Bozen. H.: Natur, Fotografieren, Schwimmen, Laufen, Langlaufen, klass. Musik. (M.G.)

Mohr Franz
B.: Gschf. FN.: AIRONCAR snc. DA.: 39100 Bozen, Dr.-Streiter-G. 7. PA.: 39100 Bozen, Gumerstr. 12. G.: Bozen, 1. Juli 1959. V.: Benja, geb. Thipprasert. El.: Alfred u. Hedwig. S.: Mittelschule Bozen, 1974-77 kfm. Lehranst. Bozen. K.: b. 1984 Ang. d. Gamma Sped. Bozen, 1985 Gschf. AIRONCAR. H.: Familienleben, Skifahren, Reisen. (M.G.)

Molon Valter
B.: Sachv. f. d. öff. Verkehr im Amt f. Transportwesen/Techn. Dienst. DA.: 39100 Bozen, Freiheitsstr. 58. PA.: 39100 Oberbozen 268. G.: Bozen, 31. Mai 1954. V.: Margarethe, geb. Rinner. Ki.: David. El.: Clementa u. Irene. S.: 1973 Matura. K.: 1973-79 Labortechniker im Stahlwerk Bozen, 1979-82 b. d. Nationalbank, seit 1982 Bmtr. b. d. Südtir. Landesverw. H.: Klettern, Bergwandern. (P.R.)

Monaco Giorgio Dr. rer. soc. oec.
B.: Dir. d. Staatl. Telefondienstes im Ministerium f. Post- u. Fernwesen. PA.: 39100 Bozen, Triester Allee 68. G.: Tripolis/Libyen, 24. Mai 1934. V.: Anita, geb. Pellicciotti. Ki.: Paula, Silvia. BV.: Offz.-Familie, Vater Oberstarzt b. libyschen Militär. S.: Gymn. Turin, Stud. Wirtschaftswiss. an d. Univ. Turin, 1967 Dir. in Bozen. P.: div. Lehrbücher f. interne Wettbewerbe. E.: Cavaliere al Merito della Rep. Italiana. M.: Rotary Bozen. H.: Segeln, Tennis, Skifahren, Bergsteigen. (A.W.)

Montali Luigi
B.: Vors. MSI-DN Movimento Sociale Italiano. DA.: 39100 Bozen, Perathoner Str. 10. PA.: 39012 Meran, Katzensteinstr. 3. G.: Tricesimo/Udine, 24. Nov. 1921. V.: Gianna, geb. Gallo. Ki.: Sandra (1948), Bruno (1949). S.: VS, Mittelschule, Hum. Lyzeum, 1939 Matura, 1940-45 Offz. K.: 1946-62 Tätigkeit im Transportwesen, 1962-86 Vers.-Agent, 1947 Mitbegrdg. d. MSI in Meran, 1951-83 GemR. in Meran. E.: Stella d'argento al merito sportivo. M.: seit 1983 Mtgl. u. Fraktionssprecher seiner Partei im Südtir. Landtag u. im RegionalR., MSI Regional- u. Provinzialltg., seit 30 J. Präs. versch. Meraner Sportverb., Grdg.-Präs. d. Fogolar Furaln v. Meran. H.: Dichten (3 Poesiebände), Malen, Sport. (M.M.)

Montefiori Umberto Dr.
DA.: 39100 Bozen, Crispistr. 6. G.: Vezzano Ligure, 3. Dez. 1946, verh., 3 Kinder. S.: Doktorat d. Rechtswissenschaften a. d. Univ. v. Turin. K.: s. 1968 Carabinieri-Offizier, s. 1990 in Pension (mit d. Dienstgrad e. Majors), s. Feb. 1993 Landesekr. d. Lega Nord, s. 1993 im Südtir. Landtag d. 2. u. 3. Gestzgebungskmsn.

Morandell Arnold
B.: Kunst- u. Antiquitätenhändler. FN.: Kunsthandlung Morandell. DA.: 39100 Bozen, Museumstr. 16. G.: Kaltern, 26. Juli 1938. S.: VS, Mittelschule, Fortbild.-Kurse. K.: Tätigkeit in div. grafischen Betrieben u.a. Firma Athesia Bozen, danach 2 J. Fortbild. in München, 1966 Eröff. eines Geschäftes in Bozen, mehrere Ausstellungen. M.: Grdg.-Mtgl. d. Bozener Anitquitätenmesse. H.: Beruf, Wandern, Skifahren. (M.M.)

Morello Giuseppe Dr.-Ing.
B.: Amtsdir. im Amt f. Tiefbau. DA.: 39100 Bozen, Crispistr. 3. PA.: 39100 Bozen, Duca-d'Aosta-Str. 70. G.: Bruneck, 5. Feb. 1945. V.: Raffaella, geb. Borsani. Ki.: Enrico, Eugenio, Vincenco. S.: RG Bozen, 1963 Matura, Politechniko Mailand, 1970 Prom. K.: 1970-72 Centro di Documentazione Mailand, Forsch.-Arb. im Hochbau, 1972-74 Berufung ins Landhaus, Tätgikeit im Hochbau, seit 1974 im Tiefbau, seit 1981 Amtsdir. M.: Amt f. Naturhaushalt, SV f. Heizanlagen, Gerichtssachv., Landesverzeichnis d. Abnhameprüfer f. öff. Arb., Abt. Hochbauten, Straßenbauten, sanitäre Anlagen u. Abwasserbeseitigung. H.: Sport, insbes. Skifahren, Tennis. (C.K.)

Morin Josef Dr.
B.: Amtsdir. im Amt f. Allg. Angelegenheiten u. Schulgesetzgebung. DA.: 39100 Bozen, Crispistr. 8. PA.: 39100 Bozen, Schmiedg. 5a. G.: Bozen, 27. Feb. 1942. V.: Gerda, geb. Pürnbacher. Ki.: Ralph (1971), Britta (1974). El.: Alois u. Maria, geb. Prader. S.: Mittelschule Brixen, Matura, b. 1971 Stud. Soz. in Trient. K.: 1962 Eintritt in d. Landesdienst, 1962-65 Konzeptbmtr., 1965-70 Unterrichtstätigkeit, ab 1973 in d. Landesverw., seit 1981 Amtsdir. P.: "Das Schulwesen in Südtirol nach Inkrafttreten d. Pakets", div. Art. in Fachzeitschriften. H.: Tennis, Skifahren, Reisen. (M.G.)

Moroder Laura
B.: Arch. DA.: 39100 Bozen, Mazzinipl. 12. PA.: 39100 Bozen, Lagederweg 1. G.: Brixen, 12. Feb. 1953. El.: Arnold u. Rita Moroder. S.: 1972 Matura Bozen, Arch.-Stud. in Florenz. K.: 1978 Arb. in einem Arch.-Büro in Bozen, seit 1980 freiberufl. tätig, Gewinnerin d. Wettbewerbes Schulzentrum Enneberg, Privatbauten, Innenarch., Handwerksbetriebe. H.: Lesen, Reisen, Wintersport, Antiquitäten. (P.R.)

Moroder Maximilian Dr.-Ing.
B.: Amtsdir. im Amt f. landwirtschaftl. Bewilligung u. Kontrolle b. d. Südtir. Landesreg. Bozen. DA.: 39100 Bozen, Cesare-Battisti-Str. 21. PA.: 39100 Bozen, Dr.-Streiter-G. 28. G.: St. Ulrich, 16. Juli 1926. V.: Dr. Gertrud, geb. Grasiec. Ki.: Claudia (1958), Alexandra (1959), Patrizia (1963). El.: Gottfried u. Anna, geb. Knotter. S.: Gymn im Elsaß, Oberschule Brixen, 1946 Matura, TU Graz, 1955 Prom. K.: 1955-56 Volontär Ak. f. Raumforsch. in Hannover, seit 1956 als Angehöriger d. ladin. Sprachgruppe b. d. Südtir. Landesverw. tätig, 1956-66 Amt f. Landschaftsschutz, 1966-73 Ltr. d. Amtes f. Landesplanung, seit 1973 Ltr. d. Amtes f. Landschaftsschutz, seit 1973 Präs. d. Landeskmsn. f. Landschaftsschutz, seit 1959 VPräs. M.: o.Mtgl. d. Landesskipistenkmsn., d. LandesbergbaubeiR. u. d. Landesseilbahnbeir. H.: Schwimmen, Wandern, Tennis, klass. Musik, Lesen. (M.G.)

Moroder Paul
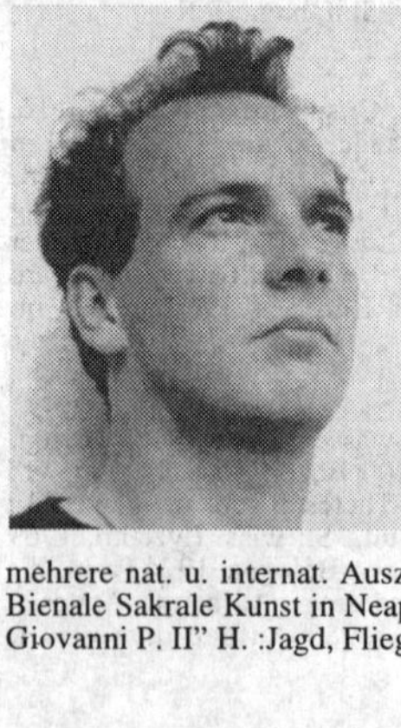
B.: Bildhauermstr. FN. Studio Doss. DA.: 39046 St. Ulrich, Snetonstr. 71. G.: St. Ulrich, 13. Lun. 1964. V.: Renate. El.: Heinrich u. Melitta. S.: 1981 Hasch in Bozen, 1986 Bildhauerlehre, 1989 Bildhauermstr., 1986-87 Studienaufenthalt in Amerika. K.: 1987 Grdg. eig. Bildhauerwerkstatt in St. Ulrich, versch. Arbeiten in Rom, Ravenna, Vicenca, Neapel, München, FLorida, Verein. Staaten. E.: 1974 Preis d. Kollektivausstellung St. Ulrich, 1988 1. Preis int. Welt Skulpturen im Schnee, sowie mehrere nat. u. internat. Ausz., 1991 1. Preis b. Wettbewerb Bienale Sakrale Kunst in Neapel, 1993 Vatkanmedaille "Papst Giovanni P. II" H. :Jagd, Fliegen, Skifahren. (I.D.)

Moroder Robert
B.: Bildhauer. FN.: Museum de Gherdeina. DA.: 39046 St.Ulrich, Reziastr. 83. PA.: 39046 St. Ulrich, Muredastr.25. G. :St.Ulrich, 29. Apr.1926. V.: Antonia, geb. Moroder. KI.: Paula, Bernadette, Matthias, Emerich. EL.: Christian u. Katharina. S.: Kunstschule in St. Ulrich, Weiterbild. Abendkurse. K.: 1944-45 Kriegsdienst, Bildhauer im väterl. Betrieb, 1952 Grdg. e. Baustoffhandelfirma, 1987 Übergabe an den Sohn Matthias, 1957 Grdgmtgl. u. Präs. d. Museums de Gherdeina, Aufbau u. ständ. Erweiterung. P.: über d. Museum de Gherdeina, Bildhauer. E.: Cavalier de Republica, gold. Ehrenring d. Gem. St. Ulrich. M.: Präs. d. Museums, Kirchenchor, Verwaltungsrat in mehr. Komissionen. H.: Wandern, Sammeln v. Dokumenten über Grödner Kulturgut. (I.D.)

Moroni Hans Peter Dipl.-Ing.
B.: Fahrschulbes. u. Lehrer. DA.: 39031 Bruneck, Großgerau-Promenade 1. PA.: 39031 Bruneck, Harrasserstr. 15. G.: Bibbiena, 3. Jan. 1935. V.: Maria, geb. Busin. Ki.: Patricia, Alexander, Manuela, Claudia. El.: Giuseppe u. Adele. S.: Mittelschule, Berufsschule f. Elektrotechnik Bozen. K.: 1956 Ang. Fahrschule Adige, Militär, seit 1960 selbst. P.: Autofahrschule u. Quiz, Übungsfragen z. Erlangen d. Führerscheines in dt. Sprache. M.: FC Bruneck, Philatelistenclub Bruneck. H.: Briefmarken sammeln, Münzen sammeln, Reisen, Fußball, Skifahren, Lesen, Geschichte, Natur, Oper. (M.G.)

Mosna Paul Dr. jur.
B.: RA. DA.: 39100 Bozen, Duca-d'Aosta-Str. 76. PA.: 39100 Bozen, Roenstr. 23. G.: Bozen, 12. März 1943. El.: Maximilian u. Berta. S.: 1962 Matura, Stud. Bologna, 1976 Prom. K.: kurze Zeit Lehrer, danach selbst. RA, 1978 Prokuratorprüf. H.: Computer, Radfahren, Sport. (P.R.)

Müller Reinhold
B.: Ordenspriester, Guardian. DA.: Franziskanerkloster, 39042 Brixen, Runggadg. 27. G.: St. Bankratz-Ulten, 8. März 1938. S.: VS, Gymn., Stud. Theol. München u. Brixen, 1969 Abschluß f. kath. Theol. in Brixen. K.: 1969 Priesterweihe, 1969-84 Kaplan in d. Pfarrei St. Georgen-Obermais, 1984 Superior in Cortino d'Ampezzo, seit 1985 Guardian im Franziskanerkloster in Brixen. E.: Ehrenurkunde f. bes. Verd. f. d. Ver. z. Pflege d. Dt.-Österr.-Ungar. Kiregsgräber in Meran. H.: Musik, Pflege d. mitmenschl. Kommunikation. (M.Br.)

Mumelter Erwin Dr.-Ing.
B.: Inh. d. Ing.-Büro Erwin Mumelter. DA.: 39100 Bozen, Beder-Weber-Str. 1. PA.: 39100 Bozen, Brennerstr. 9. G.: Bozen, 24. Juni 1942. V.: Barbara, geb. Kastowsky. Ki.: Georg, Jakob. El.: Hugo u. Melitta. S.: Mittelschule, Franziskanergymn. Bozen, 1961 Matura, Ing.-Stud. an d. TH Graz, Fachrichtung Allg. Maschinenbau, 1968 Grad., 1972 Prom. K.: 1968-72 Firma Brown Boveri & Cie Baden/ Schweiz, Entwicklungsing. f. Gasturbinen, 1972-74 Firma Sybron Projektierung u. Anlagenbau b. d. chem.-pharm. Ind. Mailand, 1974-79 Techn. Dir. d. Firma Palbox AG, 1979 selbst. m. Planungsbüro in Bozen. P.: versch. Fachref. M.: Südtir. A-Liga Spieler b. Schachclub Kaltern, Tennisver. TC-Gries, Gymn.-Ver., SIAV. H.: erfolgreiche, wettkampfmäßige Beteilgung an Schachturnieren, Tennis, Skifahren, Leichtathletik. (C.K.)

Munter Hanspeter Dr.
DA.: 39100 Bozen, Crispistr.6. G.: Brixen, 8. Dez. 1960. K.: nach d. Matura Einstieg in die Malerlehre bis zum Handwerksmstr., zugl. Stud. d. Betriebswirtsch. in Innsbruck, Diplomarbeit über d. Struktur d. Südtir. Handwerks, 1989 Eintritt in d. Landesverb. d. Handwerker u. s. 1991 Dir. d. Verb., s. 1993 im Südtir. Landtag. M.: Mtgl. d. 3. u. 4. Gesetzgebungskmsn. d. Landtages.

Muraro Eugenia
B.: VDir. d. Provinzialarbeits.- u. Vollbeschäftigungsamt Bozen im Min. f. Arbeit u. Soziale Fürsorge. DA.: 39100 Bozen, Südtiroler Str. 49. G.: Bozen, 27. Juli 1942. Ki.: Antonia (1973). El.: Johann u. Annaviola. S.: kfm. Oberschule, 1962 Dkfm. K.: seit 1963 Tätigkeit im Arbeitsamt in Bozen, zunächst Abt.-Ltr., seit 1979 VDir. M.: VPräs. d. "Zonta" Bozen. H.: Lesen, Wandern. (M.M.)

Mureda Karlheinz Dir.Prof.
B.: Dir. FN.: Kunstlehranstalt. DA.: 39046 St. Ulrich, Reziastr.293. G.: St. Ulrich, 5.Dez. 1944. V.: Anni, geb. Paris. KI.: Andrea (1977). EL.: Raimund u. Maria. S.: Kunstlehranst. Florenz, Kunstlehrbef. 1965. K.: 1967 Prof. a. d. Kunstlehranst. f. darst. Geometrie, 1976 im Auftrag d. Ltg., 1981 Dir., 1992 zus. Dir. Kunstschule Wolkenstein. P.: 100 J. Kunstlehranst. St. Ulrich, Reihe Südtiroler Künstler. M.: AS MG Museumsverein. H.: Bergwandern, Skifahren. (I.D.)

Mutschlechner Josef
B.: Pater, Superior d. Eucharistiner Kloster. GT.: Beauftragter f. Ökumene in d. Diözese Bozen-Brixen. DA. u. PA.: 39012 Meran, Winkelweg 6. G.: Mühlen, 10. März 1938. El.: Vinzenz u. Paula. S.: Ordensjuvenat in Meran, 1956 Eintritt b. d. Eucharistinern, in versch. ordenseigenen Seminaren Phil. u. Theol.-Stud., Lizenz in Theol. an d. Gregoriana in Rom, 1965 Priesterweihe in Wien, 1980 Beauftragter d. Ökumene in d. Diözese. (P.R.)

Nicolodi Luigi Dr.
B.: Amtsdir. im Amt f. Kultur d. Autonomen Provinz Bozen. DA.: 39100 Bozen, Europa-Galerie 15. PA.: 39100 Bozen, Andreas-Hofer-Str. 4. G.: Bozen, 4. Mai 1949. V.: Maria Cristina, geb. Morara. El.: Romano u. Irma. S.: Hdls.-Oberschule Bozen, Stud. Verw. u. Hdl. an d. Univ. Verona u. Padua, 1974 Dr. K.: Militär, 1976-79 Bmtr. in d. Verw. d. Landesreg. f. Hdl. u. Ind., 1980-85 Landessekr. b. LR. VPräs. Valentino Pasqualin u. LR. Fabio Rella. BL.: Vortragender u. Besucher v. Intern. Kongressen im Rahmen d. Organ. ARGE-ALP. P.: Broschüre "Bozner Messe", 1981 Historische Entwicklung d. letzten 30 J. in Südtir. (1981), div. Fachart. M.: ehem. Mtgl. d. BeiR. f. Handwerk Bozen, seit 1984 Sekr. d. BeiR. f. Kultur f. ital. Sprachgruppe. H.: Sport (Fußball, Langlaufen, Skifahren, Bergwandern, Eishockey), Theater, Ausstellungen, Graphik u. Malerei, klass. Musik, Reisen. (M.G.)

Nicolussi-Leck Karl
B.: Präs. d. Südtir. Bildungszentrum, Präs. d. Museums f. Moderne Kunst in Bozen. GT.: Vors. d. Beratungsaussch. f. Umsiedlungsgeschädigte. DA.: 39100 Bozen, Dr.-Streiter-G. 20/2. OA.: 39057 Eppan, Bozener Str. 54. G.: Pfatten, 14. März 1917. V.: Maria, geb. Troy. Ki.: Reinhild, Isolde. S.: Franziskanergymn. u. Staatl. Lyzeum, anschl. Stud. d. Rechts- u. Staatswiss. an d. Univ. Padua. K.: 1940-45 Kriegsdienst, b. 1947 Kriegsgefangenschaft, v. Beginn an unternehm. Tätigkeit u. Aufbau versch. Landtechnik-Firmen, enge Zusammenarb. m. d. Firma Mannesmann, 3 J. Aufenthalt in Nord- u. Südamerika u. Einsetzung als Projektltr. u. Fachmann auf d. Gebiete d. landtechn. Erneuerung, Gschf. d. Firma Agrotechnika, sehr frühe Hinwendung z. Kunst in allen ihren Bereichen, 1976 Herauslösung d. Firmen u. anschl. Widmung künstler. Vorhaben u. d. Bild.-Wesen, Organ. u. Aufbau d. Südtir. Bild.-Werkes in d. Künstler aller Richtungen Schulung u. Werkstatt finden, parauniversitäre Ausbild. u. Examen in Videokunst, Fotografie, Stimmenbild., Freskenschule, Mosaikschule u. Schmiedekünste,

Liedinterpretationsseminare u. Symposien u. Gestaltung d. gebauten Umwelt, ferner Werkstätten f. d. Restauration v. röm. u. got. Strukturen u. Fresken-Auftragsarb., Initiativen u. Behelfe daß d. dt. Sprache b. Gericht u. Verw. verwendet wird, Schaffung v. Lehrbehelfen f. Schulen, Übersetzung d. ital. Zivilprozeßordnung in d. dt. Sprache, 1987 Eröff. d. Museums f. Mod. Kunst in Bozen, seit 1960 Berater d. Landesreg. in Fragen d. Raumordnung u. Umwelt, starkes Engagement f. d. Psitionierung v. Kunstwerken im öff. Raum. P.: Art. in Fachzeitschriften, Vertragstätigkeit in Spanien, BRD, Argentinien, Frankreich u. Italien, 3 Kataloge d. Museums f. Mod. Kunst. E.: BVK 1. Kl. Cavaliere. (C.K.)

Niederfriniger Albert

B.: Spengler. FN.: Niederfriniger OHG. DA.: 39100 Bozen, Brennerstr. 32. PA.: 39100 Bozen, Weggensteinstr. 18. G.: Bozen, 15. Juli 1937. B.: Irmhild, geb. Dorfmann. Ki.: Ute, Karin, Pauli. S.: Gewerbeschule Bozen, autodidakt. Ausbild. in d. Lüftungsbranche. K.: Lehre b. Vater u. Aufbau d. Zweiges d. Lüftungstechnik, 1975 Übernahme d. Betriebes, Aufbau d. neuen Firmenstandortes in d. Brennerstraße u. Ausbau d. Betriebes zu einem d. führenden in Südtir. H.: Bergsteigen, Motorradfahren. (C.K.)

Niederkofler Edelfriede Berda Oberin

B.: Heimltr., Krankenschwester. DA.: 39040 Tramin, Schneckenthalerstr. 22. G.: Brixen, 27. Jan. 1923. El.: Otto u. Margarethe Aschbacher. S.: Mittelschule, Krankenpflegeschule im Kloster Meran. K.: m. 17 J. in Kloster eingetreten, Fachausbild. als Krankenschwester im Kloster Meran, 1945-56 Krankenschwester im Privatsanatorium Martinsbrunn in Meran, 1956-62 Oberin einer Privatklinik in Cortina d'Ambezzo, 1963-70 Oberin im Privatsanatorium Martinsbrunn, 1970-71 Provinzoberin im Kloster Meran, 1977-82 Oberin im Altersheim Bürgerheim in Brixen, seit 1983 Oberin im Altersheim St. Anna in Tramin. H.: Basteln. (M.Br.)

Niederkofler Hans

B.: Gschf. FN.: Reisen + Freizeit GmbH Srl. DA.: 39100 Bozen, Delaistr. 12. PA.: 39043 Klausen, Pardell 58. G.: 23. Okt. 1941. V.: Christl, geb. Klausner. Ki.: Johanna (1980), Gregor (1982), Benjamin (1984). El.: Vinzenz u. Paula, geb. Leimecker. BV.: Großvater Johann Leimecker war Pionier f. d. tourist. Erschließung d. Ahrntales. S.: VS, Mittelschule, Lyzeum Brixen, 1961 Matura Meran, 1961-64 Werkstudent Staatswiss. Wien u. Innsbruck, 1967-68 tourist. Fachausbild. am Instituto Tambosi Trient, 1975-78 Stud. BWL/Touristik Neapel, 1978 Prom., 1979-89 Weiterbild. m. didakt. u. päd. Schwerpunkten. K.: 1962-67 Lehrer an mehreren Mittelschulen, 1968-71 Reisebürokfm. Bruneck, 1971-88 Gschf. Ges. d. Reisebüros Eisacktal-Reisen Brixen, 1976-89 Lehrer f. Tourismus-Marketing u. -Management an d. Lehranst. f. kfm. Berufe Brixen, seit 1989 Gschf. d. Reisebüros Reisen + Freizeit Bozen. M.: 1987-89 Präs. d. Incoming-Südtirol-Verb. H.: Familie, Wandern, Lesen, Radfahren, Musik. (N.A.)

Niederstaetter Anton Dr. jur.

B.: Gem.-Sekr. d. Stadtgem. Meran. DA.: 39012 Meran, Laubeng. 192. G.: Villanders, 8. Jan. 1943. V.: Monika. Ki.: Jutta, Klaus. El.: Jakob u. Barbara. S.: 1963 Matura, Stud. d. Rechtswiss. in Wien u. Padua, 1968 Prom. K.: Eintritt in d. Stadtgem. Meran, seit 1976 Gem.-Sekr.

Nigro Ottone

B.: Kmsr. d. Nat. Zivilinvalidenverb. GT.: Bmtr. in d. Lancia Werken i.R., VPräs. d. geförderten Wohnbauamt d. Provinz Bozen. DA.: 39100 Bozen, Amba-Alagi-Str. 26. PA.: 39100 Bozen, Kastell Weineckstr. 8. G.: Torino, 24. Sep. 1928. V.: Rita, geb. Marchetti. Ki.: Graciella, Maria Pia. S.: Techn. Oberschule. K.: 1943-83 Firma Lancia Bozen, Einkaufsabt., 1983 Pension, seit 1983 ehrenamtl. Führung als Präs. d. Ver. d. Zivilinvaliden u. Versehrten, 1974 Eintritt in d. Amt d. geförderten Wohnbaus VPräs. E.: 1984 Cavalliere de la Rep. durch Staatspräs. Cossiga, 1983 Goldmed. Firma Lancia f. 40-jähr. Berufsjubiläum, HK Goldmed. f. 40-jähr. Tätigkeit. M.: 1965-70 Präs. d. Fußballclubs Bozen, Aktiver Mitarb. in d. Democratia Chrstiana, StadtvierelR. d. Zone Oberau, Kons. b. div. Ver. f. Behinderte, Blinde, Taubstumme u. Arbeitsinvaliden. H.: Lesen, Politik, Fußball, Skifahren, Leichtathletik. (C.K.)

Nolet Claudio

B.: Schuldir. d. Hum. Gymn. f. ital. Sprache, Assessor f. Kulturwesen d. Gem. Bozen, Sekr. d. Landesorgan. d. Soz. Partei Italiens. DA.: 39100 Bozen, Maneistr. 8. PA.: 39100 Bozen, Dantestr. 19. G.: Triest, 25. März 1928. V.: Adele, geb. Da Ronch. Ki.: Maria. El.: Maria Pia. S.: 1946 Matura, 1952 Prom. Dr. phil. K.: Ass. d. Inst. f. Phil. an d. Univ. Padua, 1955-62 Prof. d. Phil. u. Geschichte am RG Bozen, seit 1962 Dir. d. Hum. Gymn. f. ital. Sprache in Bozen. P.: Mitarb. d. Kulturzeitschrift "Comprendre" Venedig, Red. d. Kulturzeitschtift "Il Cristallo", Buch "La Provincia Difficile" (1983). E.: Ehrensenator d. Univ. Innsbruck. H.: Fliegen, Musik, Bergsteigen. (P.R.)

Norzi Giovanni Umberto

B.: Geometer, Dir. d. Sozialzentrums Bozen Stadt. DA.: 39100 Bozen, Fagenstr. 14. PA.: 39100 Bozen, Parmastr. 3. G.: Cles/Trient, 19. Okt. 1946. V.: Ernestina, geb. Magagna. Ki.: Andrea (1974). El.: Umberto u. Carmela. S.: VS, Mittelschule, Geometerschule m. Dipl., 1975 zahlr. Weiterbild.-Kurse im Managementbereich. K.: 1971-76 Tätigkeit als Behindertenbetreuer im Landesdienst d. Autonomen Provinz Bozen, 1976-83 Behindertenerzieher, 1983-88 verantw. Ltr. d. Sozialzentrum Bozen Stadt, ab 1988 Dir. M.: Gremiumsmtgl. in d. Gen. f. Soz. Solidarität "casa haus". H.: Fotografieren, Hifi, Geologie. (M.M.)

Noselli Carlo

B.: Kfm. FN.: Noselli fratalli Snc. DA.: 39100 Bozen, Schlachtfhofstr. 31. PA.: 39100 Bozen, Triester Str. 14. G.: Bozen, 28. Nov. 1946. V.: Michaela. Ki.: Sara, Roberta. S.: Faching.-Ausbild. in Bozen, 3 J. Stud. Univ. Mailand. K.: 1968 Eintritt in d. väterl. Betrieb, Erweiterung d. Betriebes, d. m. Gastronomie-Einrichtung beschäftigt ist. H.: Bergsteigen. (P.R.)

Nössing Josef Dr. phil.

B.: Dir. d. Südtir. Landesarchiv. DA.: 39100 Bozen, Armando-Diaz-Str. 8. PA.: 39100 Bozen, Nicolodistr. 24. G.: Kastelruth, 30. Jan. 1043. V.: Martha, geb. Valersi. Ki.: Barbara (1977), Albert (1980), Elisabeth (1990). El.: Johann u. Franziska, geb. Hofer. S.: 1963 Matura, Stud. Geschichte u. Germanistik Univ. Marburg u. Innsbruck, 1971 Prom. z. Dr. phil., 1971-74 Stud. Inst. f. Österr. Geschichtsforsch. Wien. K.: 1974 Archivar Bozen, ab 1985 Dir. d. Landesarchiv. Bl.: Aufbau d. Südtir. Landesarchivs. P.: div. Publ. z. Thema Landesgeschichte, Red. v. Dorfbücher. M.: div. fachbezogene Ver. H.: Wandern, Skifahren. (N.A.)

Nössing Reinhold

B. Dir. FN.: Tourismusver. Brixen. DA.: 39042 Brixen, Bahnhofstr. 9. PA.: 39042 Brixen, Unterdrittelg. 7. G.: Meran, 6. Sep. 1939. EL.: Johann u. Frieda. S.: HASCH Meran, 1956 Abitur. K.: 1956 in e. dt. Reisebüro als Reiseltr., Fa. Siemens im techn. Büro u. Personalbüro-Betreuung d. Gastarbeiter,1964-71 Reiseltr. bei versch. Reisebüros in d. BRD, 1971 Eintr. Kurverw. Brixen als Ang., 1974 Dir. Tourismusver. Brixen. P.: "Eisacktaler Gastlichkeit", Werbebroschüren u. Magazine. M.: 20 J. Sekr. Touristikkomitee Eisacktal, AD MG Geschichteverein Brixen. H.: Kunst, Kultur, Musik. (I.D.)

Oberhammer Anton
B.: Gschf. Ges. FN.: Sped. Oberhammer GmbH. DA.: 39100 Bozen, Eisackstr. 11/A. PA.: 39100 Bozen, Münzbankweg 20. G.: Niederdorf-Pustertal, 9. Okt. 1920. El.: Albert u. Johanna. S.: VS Niederdorf. K.: Konditor, 1949 Grdg. Transportfirma Albert Oberhammer in Bozen, Transporte Österr.-Deutschland, spez. Sped. v. Wein u. Obst, 1980 Gschf. Ges. Sped. Oberhammer GmbH. M.: 1960-75 Intern. Transportverb. Union Rom. H.: Skifahren, Wandern, Theater. (M.G.)

Oberhammer Konrad Dr. phil.
B.: Fachinsp. f. Math. u. Naturwiss. an d. Mittel- u. Oberschulen Südtir. DA.: 39100 Bozen, Siegespl. 47. PA.: 39100 Bozen, Europaallee 32. G.: Prags, 25. Nov. 1936. V.: Irmgard, geb. Anhaus. Ki.: Georg (1969). El.: Georg u. Anna, geb. Schuster. S.: Aufbaugymn. Stams/Tir., 1955 Matura hum. Gymn. Bregenz, Stud. Math. u. Physik an d. Univ. Innsbruck, 1968 Prom. K.: 1960-61 HOB Bozen, 1967-71 Militärdienst, 1971-72 HOB Bozen, 1984-85 Dir. d. kfm. Lehranst. Bozen "Robert Gasteiner", seit 1985 Fachinsp. M.: Aussch. f. Schule u. Kultur in d. SVP, Aussch. d. Südtir. Kulturinst. H.: Wandern, Skifahren, Gartenarb. (A.W.)

Oberhauser Karl
B.: Abg. z. Südtir. Landtag, VPräs. d. Regionalreg. Trentino Südtir. GT.: VerwR.: SADOBRE-Autobahnzollstation, Volksbank Brixen, Brenner-Autobahn. DA.: 39100 Bozen, Duca-d'Aosta-Str. 40; 38100 Trient, Regionalgebäude. PA.: 39049 Sterzing, Thuinerweg 4. G.: Pfalzen, 9. Dez. 1932. V.: Thea, geb. Wieser. Ki.: Astrid, Elmar, Meinhard. S.: LBA Meran, 1954 Matura, einige Sem. Stud. Staatswiss. Univ. Innsbruck. K.: B. 1957 Grundschullehrer Telfes, b. 1973 Sterzing, ab 1960 GemR. in Sterzing, 1963-73 Bgm. v. Sterzing, 1968-73 Präs. Bez.-KH Sterzing, 1968-83 NatR. Berggem. Italiens, 1969-73 Präs. d. Konsortiums d. Gem. d. Prov. Bozen f. d. Wassereinzugsgebiet d. Etsch sowie f. alle Gem. Südtir., 1973 Abg. z. Südtir. Landtag, 1973-76 VPräs. d. RegionalR., 1974-84 LR. f. Gebietskörperschaften in d. Südtir. Landesreg., seit 1984 VPräs. d. Regionalaussch. u. Regionalassessor f. d. HK u. d. Accordino. P.: fachl. Art. in Fachzeitschriften. E.: VK d. Landes Tir., Gold. EZ d. Stadt Sterzing, Gold. Ehrenring d. Südtir. Gem.-Verb. M.: Alpenver. Spüdtir., Schützenver. Kompanie Sterzing. H.: Bergsteigen, Wandern, Holzhacken, klass. Musik, Lesen, Reisen. (M.G.)

Oberhofer Monika Dr.phil.

B.: Dir. FN.: Mittelschule Konrad Fischnaler. DA.: 39049 Sterzing, Eduard Ploner Str.27. PA.: 39040 Tramin, Söll 8. G.: Tramin, 3. Jun. 1950. EL.: Erich u. Hilde. S.: Frauenoberschule Meran, 1969 Matura, Univ. Innsbruck, Germanistik, Angelistik Promotion 1981, Studienaufenthalt in England. K.: 12 J. Prof. a. d. Mittelschule Tramin Liter. Fächer, 2 J. Direktorenauftrag in Tramin, 1992 Dir. d. Konrad fischnaler Mittelschule in Sternitz. P.: Schulfunksendungen. M.: AS MG Verein f. Kultur u. Heimpflege, Ltrin. d. Bibliothekenrates, AS MG Alpenverein. H. : Garrten, Reisen. (I.D.)

Oberkofler Norbert Dr. med.
B.: FA f. Dermatologie u. Venerologie an Marienklinik u. Grieserhof in Bozen. DA.: 39100 Bozen, Leonardo-da-Vinci-Str. 3/2. PA.: 39100 Bozen, Egger-Lienz-Str. 1A. G.: St. Johann/Ahrntal, 22. Feb. 1947. V.: Dr. Margaret, geb. Zuegg. Ki.: Martin (1979), Christian (1981). El.: Franz Xaver u. Johanna, geb. Müller. S.: Franziskanergymn. Bozen, 1967 Matrua, Med.-Stud. Univ. Innsbruck, 1973 Prom. K.: 1974 KH Sterzing, 1975 KH Innichen, Univ.-Hautklinik Innsbruck, 1980 FA f. Dermatologie u. Venerologie in Innsbruck, 1975 Doktoratanerkennung in Bologna, 1978 Fachprüf. in Ferrara, 1981 Praxiseröff. in Bozen. M.: Österr. Dermatolog. Ges., Münchner Dermatolog. Ges., Ital. Dermatolog. Ges., Ges. deutschsprach. Lymphologen, Societá di chirurgia dermatologica, S.I.D.E.V., A.D.O.I. H.: Bergwandern, Skifahren, Schwimmen, Tennis. (C.K.)

Obermair Franz Dr. Dkfm.
B.: Gen.-Dir. d. Südtiroler Landessparkasse. DA.: 39100 Bozen, Sparkassenstr. 12/b. PA.: 39100 Bozen, Michael-Pacher-Str. 4. G.: Sand in Taufers, 27. Mai 1928. V.: Maria. Ki.: Dr. Hannes, Dr. Markus, Christine. BV.: Vater Johann Obermair Mitbegründer d. SVP. S.: Matura Brixen, Stud. an d. HS f. Welthdl. Wien u. Univ. Innsbruck, Dkfm. Wien, 1954 Prom. Innsbruck. K.: 1854 Eintritt in d. Südtir. Landessparkasse, 1958 Ltr. d. Agrarkreditabt., 1964-72 Filialdir. in Schlanders, Brixen, Bruneck, 1972-74 VGen.-Dir. d. Bodenkreditanst. Trentino-Südtir., 1975 VGen.-Dir. d. Südtir. Landessparkasse, seit 1978 Gen.-Dir. P.: div. Art. u. Berichte in Fachzeitschriften, Schwerpunkt: Kredit- u. Finanzwesen. E.: Commendatore d. ital. Rep. M.: VerwR. d. Ges. Sadobre, d. Allg. Lagerhauses, b. d. Bodenkreditanst. Trentino-Südtir. d. Wirtschaftsforsch.-Inst. Südtir., in div. Techn. Kmsn. d. ital. Sparkassenverb., Fachaussch. d. intern. Sparkassenverb. in Genf. H.: Sport (Tennis, Skifahren). (A.W.)

Oberrauch Walter
B.: Küchenchef, Restaurantpächter d. Restaurant Andrea. DA.: 39012 Meran, Gallileistr. 44. PA.: 39012 Meran, Bellinistr. 3. G.: Tscherms, 21. Feb. 1953. El.: Heinrich u. Anna. S.: Berufsschule, Kochlehre in versch. Hotels in Südtir. K.: 1984 Übernahme d. Restaurantbetriebes Andrea. H.: Gourmetreisen. (P.R.)

Oberexer Edda Dr.
B.: RA. DA.: 39100 Bozen, Sernesie-Galerie 9. PA.: 39100 Bozen, Triester Str. 42. G.: Bozen, 8. Jan. 1937. S.: Lyzeum Bozen, Jusstud. Ferrara. K.: seit 1978 eigene Kzl., bekannter Strafverteidiger in div. gr. Prozessen. BL.: 1980-85 Ehrenrichterin b. BG Bozen, seit 1974 Richterin f. Steuerwesen. H.: Theater, Fische, Wandern. (M.G.)

Obexer Konrad Mag.
B.: Dir. Cusanus-Ak. Brixen. DA.: 39042 Brixen, Seminarpl. 2. PA.: Villnöß, St. Peter 103. G.: Villnöß, 14. Jan. 1944. V.: Paula, geb. Vontavon. Ki.: Klaus (1969), Astrid (1974). El.: Peter u. Rosalia. S.: Gymn. Dorf Tirol, 1965 Matura, Stud. Theol., Päd. u. Psych. Univ. Innsbruck, 1972 Spons., 1972-73 Militärdienst. K.: Prof. in Payerdorf, 1973 Mitarb. Cusanus-Ak., 1976 Übernahme d. Verw. u. Personalführung, 1994 Dir. d. Cusanus-Ak. M.: 10 J. Gschf. Ges. Gärtnerei Planta KG, 15 J. PfarrgemR. Villnöß, einige J. Präs. Alpenver. Villnöß. H.: Wandern, Bergsteigen, Skifahren, Musik, Konzerte. (I.D.)

Obkircher Hans
B.: Schulltr. d. Musikschulen Meran. DA.: 39012 Meran, 30.-April-Str. 23. PA.: 39012 Meran, Vergilstr. 36. G.: Völser Aicha, 28. Nov. 1939. V.: Rosalinde, geb. Furlan. Ki.: Susanne, Rupert. S.: 1954-61 Musikkonservatorium Bozen, zunächst Kirchenmusik, dann Klarinette u. Komposition, 1961-62 Ak. f. Musik u. Darstell. Kunst in Sbg., 1962 Künstler. Reife, Ausbild. als Dirigent. K.: ab 1962 Tätigkeit als Musiklehrer in d. Musikschule Schlanders, anschl. Ltr. d. Musikschule Lana, 1968 Aufbau u. Ltg. d. Musikschule Meran, seit 1980 Insp. f. d. Musikschulen West am Inst. f.

Musikerziehung, 1963 Grdg. d. Meraner Orchesters d. Musikfreunde, seit 10 J. Ltr. d. Südtir. Orchesterwoche. E.: Verd.-Med. d. Landes Tir. H.: Lesen. (C.K.)

Obrist Heinz
B.: Untern. FN.: Hobby 2000. DA.: 39100 Bozen, Drususstr. 17/D. PA.: 39150 Bannzoll, Göllersiedlung 3C. G.: Bozen, 4. Mai 1937. V.: Rita, geb. Cofler. El.: Heinz u. Rosi. S.: 1951-55 Verkäuferlehre, 1955-59 Auslandsaufenthalt Schweiz. K.: 1959-63 Verkäufer/Einkäufer in Bozen, 1963-75 Magazinenltr. d. Rechenzentrum Firma Azwanger Bozen, 1975-87 Abt.-Ltr. Warentransporte Firma Seeber/Leifers, seit 1987 selbst. Firma, d. sich m. Aquarienpflanzen u.-tieren, sowie Zubehör u. Futter beschäftigt. H.: Tiere. (P.R.)

Obwexer Arthur Silvio
B.: Sonderschullehrer i.R., Präs. d. Landesverb. Lebenshilfe f. Menschen m. Behinderung. DA.: 39100 Bozen, Dreiheiligeng. 1. PA.: 39100 Bozen, Fagenstr. 17A. G.: Kurtatsch, 8. Aug. 1928. V.: Anneluise, geb. Höller. Ki.: Christian, Wolfgang, Dieter. El.: Dominikus u. Anna. S.: LBA Innsbruck u. Meran, 1961 Lehrgang f. Sonderschullehrer. K.: 1947-57 Lehrtätigkeit, 1957 Amt f. Jugendbetreuung, 1964 in Zusammenarb. m. Lehrerbund Organ. v. Kursen z. Ausbild. v. Lehrern f. behinderte Kinder in Südtir., 1978-82 Berater d. Schulamtsltr. in Behindertenfragen, 1975 Eintritt in d. Landesverb. BL.: Abhaltung div. Seminare, Organ. d. "Sonnenzuges". P.: Hrsg. eigener Zeitung Information "Lebenshilfe", div. Art. M.: im Vorst. d. Südtir. Ges. f. Psych.-Hygiene, 1972-75 Vors. d. Radsportver. d. Tir. Radler, Vorst.-Mtgl. im LandesbeiR. f. Behindertenhilfe, im Techn. LandesbeiR. f. Behindertenfragen, in d. Arge z. Förd. d. behinderten Kindes im Schulamt f. d. dt. Schule. H.: Wandern, Skifahren, Garten, Theater, Fotografieren. (M.G.)

Ochsenreiter Georg Dr.-Ing.
B.: Amtsdir. im Landesamt f. Stromversorgung d. Provinz Bozen. DA.: 39100 Bozen, Dantestr. 3. S.: Stud. d. Elektrotechnik an d. TH Graz u. Univ. Rom, 1972 Prom. K.: seit 1973 im Amt f. Stromversorgung. (C.K.)

Ortner Peter Dr. phil.
B.: Oberschuldir. am RG "Raimund v. Klebelsberg". DA.: 39100 Bozen, Fagenstr. 10. PA.: 39100 Bozen, Beda-Weber-Str. 6. G.: Sexten, 16. Juli 1934. V.: Emma, geb. Lercher. Ki.: Stephan (1964), Veronika (1966), Barbara (1981). El.: Franz u. Franziska, geb. Lanzinger. S.: Vinzentinum Brixen, Hum. Gymn., 1955 Matrua, 1961 Prim. Univ. Innsbruck. K.: seit 1969 fortwährender Unterricht als Lehrer f. Biologie, Chemie u. Geographie an div. Oberschulen, seit 1970 Dir. d. deutschsprachigen RG "Raimund v. Klebelsberg" Bozen. BL.: Die auf unzähligen Exkursionen Fachkenntnisse über Ornithologie, sowie Probleme d. Natur- u. landschaftsschutzes in Südtir. haben in d. Tagespresse, in Vorträgen u. in wiss. Zeitschriften Gestalt gewonnen. Als Mtgl. d. Arbeitsgruppe f. Landschaftsschutz wesentl. Mitarb b. Inventarisierung d. Naturkostbarkeiten d. Provinz Bozen, u. b. d. Festlegung d. Naturparks in Südtir. P.: mehrere Bücher u.a. Tierwelt d. Südalpen (1978), Südtiroler Naturführer (1984), Lebenraum Wald in Südtirol (1991), Naturdenkmäler in Südtirol (1991). E.: 1974 Förderpreis "Walther v. d. Vogelweide", 1989 Ehrenmtgl. d. Accademia Roveritana degli Agrati. M.: Arbeitsgruppe f. Landschaftsschutz, Landesverb. f. Heimatpflege, seit 1976 Landesjagdkmsn., Raumordnungkmsn. H.: Wandern, Natur erleben u. beobhachten, Kontakt m. naturverbundenen Menschen. (N.A.)

Ortsingher Claudio
B.: Amtsdir. im Amt f. Grundfürsorge u. Altenbetreuung. DA.: 39100 Bozen, Horazstr. 4. PA.: 39100 Bozen, Pfarrhofstr. 84. G.: Rom, 24. Juli 1938. S.: Sozialschule, Matura, Fachkurse in Tiefenpsych., Arbeitsorgan. K.: 1959-64 Betreuung d. ital. u. span. Gastarb. in Frankfurt, DAS Mailand, Aufbau d. Auslandsschadenbüros, Sozialamt d. Region Trient, Studien über Aufbau u. Entwicklung d. Sozialfürsorgedienstes d. Region Trentino-Südtir., 1965-72 Organ. d. soz. Diense u. d. soz. Forsch. u. Doz. b. d. Sozialschule Trient sowie b. Politecnicum Mailand, seit 1986 Amtsdir. (C.K.)

Pahl Franz Arthur Dr.
B.: seit 1983 Abg. z. Landtag, Jugendvertreter, Präs. d. 1. Gesetzgebungkmsn. f. Schule u. Kultur. GT.: Publizist. DA.: 39100 Bozen, Crispistr. PA.: Taisten/Pustertal, Simon-v.-Taisten-Str. 12. G.: Taisten, 15. Nov. 1949. El.: Josef u. Agnes. BV.: Großvater Jakob Pahl 1912-22 Bgm. v. Taisten. S.: hum. Gymn. Bruneck, Vinzentinum Brixen, 1971 Matura, b. 1972 Stud. mod. Sprachen, Geschichte, Phil. an d. Univ. Venedig, b. 1976 Univ. Verona, b. 1979 Univ. Padua, außerdem Stud. in Lausanne, Grenoble, Barcelona, Paris, Oxford, Cambridge, außerdem div. Tätigkeiten in Paris während d. Schulzeit. K.: 1965-75 kath. Judendarb., 1973-75 Diözesanführer d. Kath. Jugend u. Pfadfinder, HS-Lehrer in Bruneck, 1976 stellv. Bez.-Jungendobm. d.SVP d. Pustertales, 1977-79 Gen.-Sekr. d. SVP Jugend, 1979-83 ital. RG f. Deutsch in Bozen, seit 1981 Dir. d. Tir. Verlages Lana, 1981-85 stellv. Landesjugendobm. d. SVP, 1983 Jugendvertreter im Landtag, Präs. d. 1. Gesetzgebungskmsn. f. Schule u. Kultur, seit 1983 Dir. einer Musikagentur, seit 1977 verantw. Dir. f. 2 Rundfunkstationen: Radio Oberland (Vintschgau), Radio Holiday (Bruneck), "News" Lana. BL.: Gruppenarb. b. d. Kath. Organ. Paris "Cite des Jeunes", Vorträge in Südtir., Österr. u. Deutschland über Dt. Geschichte, Dt. Vertragsrecht, Österr.-Südtir., Dt. Sprache, Phil., polit. Betrachtungen, Teilnahme an Seminaren f. Deutschlandforsch. Berlin. P.: Broschüre "Schicksal Südtirol 1945-79" (1979), "Politisches Denken d. Südtiroler" (1984), "Arbeitskreis f. Soziales u. Volkstum" (1987). H.: Theaterspielen, Phil., Geschichte, völkerkundl. Verfassungsrecht, klass. Musik, ldw. Betätigung, Gartenarb., Herstellung v. Salben u. Tinkturen aus Naturmittel.

Palermo Mario Dr. techn. Ing.
B.: Dir. d. Landesdion. Südtirol d.Telefonges. DA.: 39100 Bozen, Pfarrpl. 19. PA.: 39100 Bozen, Oswaldweg 49. G.: Pignola, 19. Mai 1945. V.: Lena, geb. Vigliane. Ki.: Maria-Theresa, Francesco. S.: klass. Lyzeum Padua, 1954 Matura, Stud. Elektrotechnik an d. Univ. Padua, 1960 Prom. K.: 1062 Eintritt in d. SIP Venedig, Chef d.Telefon, zuständig f. Venito, Friaul, Südtir., Chef d. Dienstes d. Zentralen, 1969-79 Versetzung nach Bozen, Chef d. Techn. Dienstes, seit 1979 Dir. d. Agentur. P.: Gedichtband, div. Art. in Fachzeitschrift "Elektrotechnik". M.: Lions Club Bozen, Ital. Elektrotechn. Ver., Management Club. H.: Schach, Malen. (A.W.)

Pallozzi Osvaldo Dr.
B.: Dir. d. Abt. f. öff. Unterricht u. Kultur in ital. Sprache b. d. Landesreg. DA.: 39100 Bozen, Europagalerie 15. PA.: 39100 Bozen, Segantinistr. 18. G.: Astra, 7. Aug. 1935. V.: Hannelore, geb. Nienhaus. Ki.: Tiziano. S.: Gymn., 1955 Matura, Stud. Univ. Florenz, 1959 Prom. K.: 1960 Verb. d. Ind., 1961-62 Agip Wien, 1962 Eintritt in d. Landesreg. Bozen, b. 1975 im Amt f. öff. Arb., seit 1975 im Amt f. öff. Unterricht u. Kultur in ital. Sprache. P.: 3 Bände über d. Jagdwesen, Codex m. d. Gesetzgebung über Schulwesen u. Kulturs. M.: VerwR. d. Museums f. Archäologie Schloß Tirol, Mtgl. d. Kmsn. f. histor. Archive u. Bibl., im Vorst. d. Tierschutzringes. H.: Briefmarken, Reisen, Lesen, Musik, Theater, Bergwandern, Birdwatching. (A.W.)

Pantozzi Paolo Dr. jur.
B.: Notar. DA.: 39100 Bozen, Südtiroler Str. 13. PA.: 39100 Bozen, Weggensteinstr. 15. G.: Bozen, 16. Apr. 1962. V.: Daniela. Ki.: Flamninia, Eugenie, Claudio. El.: Dr. Aldo u. Dr. Gabriella. S.: klass. Lyzeum Bozen, 1972-76 Jusstud. Univ. Padua. K.: 1977-78 Wehrdienst b. d. Arma degli Alpini, 1978-80 Notariatspraxis u. Besuch d. Notariatsschule in Rom u. Neapel, Notariatsexamen, seit 1981 Notar in Bozen. M.: Round Table Bozen (1990-91 Präs.) H.: Skifahren, Fußball, Reiten, Tennis. (A.W.)

Pappalardo Gaetano
B.: ltd. Dir. d. Gerichtskanzlei d. Staatsanwaltschaft Bozen. DA.: 39100 Bozen, Gerichtspl. 1. G.: Motta S. Anastasia Catania, 14. Feb. 1926. V.: Johanna Pia, geb. Oberhammer. Ki.: Andreas, Luciana. S.: Gymn., wiss. Lyzeum, 1943 Matura, Lehrbefähigung f. VS. K.: 1947-53 Kriminialpolizei in Rom, Kzl.-Vorst., 1953-54 im BG v. Paterno, 1954 Versetzung z. LG Bozen, Ltr. d. Strafsekt. u. d. Schwurgerichte, seit 1971 Ltg. d. Staatsanw. P.: div. Zeitungsart. E.: div. Sportausz., 1952 ital. Staatsmeister im Rettungsschwimmen. M.: NatR. d. Gewerkschaft, Verantwortl. f. d. Region Bozen, Blutspenderver., Richter d. Disziplinarkmsn. d. Fußballver., Region Trient-Bozen, Schiedrichter d. Provinz Bozen (Fußball), Richter d. Steuerkmsn., 11 J. Präs. d. Fußballver. Südtir. H.: Fotografieren, Wandern, Lesen. (A.W.)

Pardatscher Paul Dr. theol.
B.: röm.-kath. Pfarrer u. Dekan St. Nikolaus in Meran. GT.: Religionslehrer. DA. u. PA.: 39012 Meran, Passeierg. 3. G.: Eppan, 22. Nov. 1921. El.: Josef u. Barbara. S.: 1940 Matura Trient, 1940-49 Stud. Theol. in Trient u. Rom, 1949 Prom., 1946 Priesterweihe. K.: 2 J. Kaplan in Villnöß, 1 J. Kaplan in Schlanders, 3 J. Präfekt u. Deutschlehrer am bischöfl. Seminar Johanneum im Dorf Tirol, 1955-60 Kaplan in Meran, Religionslehrer, 1960 Pfarrer u. Dekan in Meran. H.: Bücher. (P.R.)

Parteli Egon Dr.-Ing.
B.: Techn. Dir. am Inst. f. d. geförderten Wohnbau. DA.: 39100 Bozen, Horazstr. 14. PA.: 39040 Kurtatsch, Oberg. 10. G.: Meran, 8. Apr. 1934. El.: Konrad u. Adelheid. S.: Franziskanergymn. Bozen, 1954 Matura, Stud. Hoch- u. Tiefbau Univ. Padua. K.: div. Tätigkeiten u.a. Dolmetscher am Industriellenverb., Privatunterrichtstätigkeit in Padua, 1971 Eintritt b. Stadtgem. Bozen, Ing. f. Tiefbau, seit 1973 Chefing., 1981 Aufenthalt in Amerika, seit 1983 Techn. Dir. M.: 1974-80 Mtgl. d. Gem.-Aussch. Kurtatsch, Baukmsr. d. Gem.-Verw. Kurtatsch, Mtgl. d. Friedhofskomitees z. Restaurierung d. Friedhofes Kurtatsch. H.: Bergwandern, Reisen, klass. Musik. (M.G.)

Parteli Othmar Dr. phil.
B.: Amtsdir. im Amt f. Kultur u. Erziehungswesen im Allg. u. f. Kindergartenwesen. DA.: 39100 Bozen, Crispistr. 8. PA.: 39100 Bozen, Quireinerstr. 30. G.: Tramin, 31. Mai 1950. V.: Renate. Ki.: Elisabeth, Johanna, Katharina. El.: Josef u. Luise. S.: 1969 Matura Meran, Stud. Geschichte u. Germanistik Univ. Innsbruck, 1974 Prom. K.: 1975-81 Privatsekr. d. Kulturref. Südtir., ab 1981 Amtsdir., Gschf. d.Tir. Landesinst. (Einrichtung z. Förd. d. geistigen Einheit Tir.). P.: Mitverfasser d. 4-bandigen Werkes über d. "Geschichte d. Landes Tirol". E.: Gold.EZ d. Stadt Wien. M.: Mtgl. d. Kulturkmsn. d. Arge ALP. (P.R.)

Pattis Erich Dr. arch.
B.: Arch. DA.: 39100 Bozen, Obstpl. 37a. PA.: 39100 Bozen, St. Oswald, Streitergrund. G.: Bozen, 7. Okt. 1902. V.: Therese, geb. Stolz. Ki.: Dr. Markus, Dr. Eva, Magdalena. S.: RG Bozen, Matura, Gewerbeschule Innsbruck m. Ausbild. z. Hochbau, TH Wien, Abschlußdipl. K.: Stadtbauamt in Mühlheim/BRD, Übersiedlung nach Innsbruck u. Einrichtung eines eigenen Ateliers, 1933 Rückkehr nach Bozen u. Eröff. eines eigenen Büros, Dt. Wehrmacht, nach 1945 Mitarb. b. Wiederaufbau d. bombardierten Bozen, Arch.-Stud. in Venedig u. 1955 Prom., Beginn einer intensiven schöpf. Phase nicht nur als Arch. sondern auch als Schriftsteller, Maler, Graphiker u. Kunsthistoriker, bes. Vorliebe f. Sakralbauten od. Friedhöfe, Bau v. Schulen, Gem.-Häusern, Villen, Planung f. Wettbewerbe u. städtebaul. Projekte. P.: Veröff. v. Beiträge in Zeitungen u. Zeitschriften. E.: 1927 Prof. Clemens Holzmeister-Preis,1967 Walther v. d. Vogelweide-Preis, 1972 Ehrenpräs. d. Südtir. Künslerbundes, 1977 korr. Mtgl. d. Bayer. Ak. d. Schönen Künste, 1981 EZ d. Landes Tir. (C.K.)

Paulmichl Herbert Prof.
B.: Musiker Konservatorium Claudio Monteverdi. PA.: 39100 Bozen, Eisackstr. 2. G.: Stilfs, 18. Juni 1935. V.: Zita, geb. Tapeiner. Ki.: Martin (1968), Thomas (1971). El.: Leonhard u. Anna Katharina, geb. Tschenet. BV.: Großvater Nikolaus Paulmichl: Kunstschmied, ausgezeichnet. v. Kaiser Franz Josef; Großvater Peter Tschenet: berühmter Zimmermeister.; Vater Leonhard: Volksschuldir., Kapellmeister u. Organist; Mutter Anna Katharina: Sopransolistin; Bruder Leonhard: Int. d. ORF Vbg. S.: VS, klass. Gymn. Vinzentinum Brixen, 1956 Matura, 1956-59 Stud. Theol. HS Brixen, 1959-61 Stud. Kirchenmusik an d. Musikak. Regensbrug, 1961-67 Stud. Orgel, Dirigieren, Kompostion u. Kirchenmusik HS f. Musik München. K.: Chorltr. u. Organist in Deutschland, seit 1965 Unterrichtstätigkeit am Konservatorium Claudio Monteverdi, Kapellmeister u. Organist am Bozner Dom, lfd. Konzerttätigkeit als Solist u. Dirigent, Gründer u. künstler. Ltr. d. Bozner Jugendorchesters. P.: Werke f. Chor, Orgel, Kammermusik, Chor u. Orchester. E.: mehrere Kompositionswettbewerbe, 1971 Verleihung d. Förderpreises f. künstler. Leistungen in Südtir., Orlando di Lasso Med. f. Verd. um d. Kirchenmusik, 1985 Gewinner d. Wettbewerbes um d. Domkapellmeisterstelle am Sbg. Dom, 1989 Titel Cavaliere f. Verd. um d. Rep. Italien. M.: Diözesane Kirchenmusik u. Orgelkmsn. H.: Geschichte, Weinkultur, Malen, Wandern. (N.A.)

Paulmichl Josef Dr. med.
B.: FA f. Lungenheilkunde u. Röntgenologie i.R. GT.: Didakt. Ltr. d. Sanitätsass.-Schule d. ital. Roten Kreuzes. PA.: 39100 Bozen, Mendelstr. 80C. G.: Mals/Vintschgau, 24. Juli 1922. V.: Maria Carla, geb. Riva. Ki.: Andrea, Luca. S.: Gymn. Bologna, 1943 Matura, Med.-Stud. an d. Univ. Bologna, 1952 Prom., FA-Ausbild. f. Lungenheilkunde in Bologna u. Röntgenologoie in Pisa. K.: Volontär am KH in Bruneck, 10 J. Privatsanatorium in Arco, Provinz Trient, 1964-75 OA b. d. Fürsorgestelle Bozen f. Tuberkulosebekämpfung, 1975-87 Sanitätsdir. d. Landeskonsortiums z. Tuberkulosebekämpfung, glz. verantwortl. f. d. Fürsorgestelle Bozen, ab 1981 Landeskonsortium aufgelöst u. Zuteilung d. Landesgesundheitsdienstes, ab 1985 Zugehörigkeit z. d. Sanitätseinheiten, päd. Laufbahn: 1964-77 Doz. b. d. Sanitätsass.-Schule d. ital. Roten Kreuzes, 1977-87 Dir. d. Schule, glz. Mtgl. d. VerwR. d. Schule, seit 1987 in Pension. P.: div. Publ. auf d. Gebiet d. Pneumologie. M.: Ges. f. Pneumologie. H.: Fotografie, Geschichte u. Archäologie. (C.K.)

Peintner Hubert Dr. jur.
B.: Gen.-Sekr. d. Südtiroler Landtages. DA.: 39100 Bozen, Landhaus 2, Crispistr. 6. PA.: 39100 Bozen, A.-Nicolodi-Str. 24. G.: Schabs/Brixen, 10. Sep. 1949. V.: Judith, geb. Kofler. Ki.: Christian (1982), Julia (1984). El.: Josef u. Anna, geb. Schacher. S.: Gymn. Vinzentinum Brixen, 1968 Matura, Stud. Jura Univ. Innsbruck, Padua u. Modena, Militär. K.: 1973 RA-Praxis Brixen, 1974 Landesreg. Personalwesen, 1976 Ak. f. öff. Verw. Königswinter, 1976 Sekt.-Ltr., 1980 Ressorltr.,

1981 Amtsdir., Inspektorat f. Personalwesen, 1990 Gen.-Sekr. d. Südtiroler Landtages. M.: SV Schabs. H.: Bergsteigen, Sport, Lesen, Wandern. (N.A.)

Pellegrini Alessandro

B.: seit 1991 Präs. d. Südtir. Landtages. GT.: VPräs. d. Regionalaussch. u. Regionalassessor f. Finanzen. DA.: 39100 Bozen, Crispistr. 6, Landhaus II. PA.: 39100 Bozen, Vittorio-Veneto-Str. 70. G.: Mezzolombardo, 4. Juli 1938. V.: Livia, geb. Endrizzi. Ki.: Irene (1966), Martina (1968), Sara (1980). El.: Francesco u. Francesca, geb. de Viglili. S.: ldw. Fachschule. K.: Tätigkeit im Ldw.-Inspektorat, 1975-888 Bozener GemR., zuerst StadtR., dann DC-Fraktionssprecher, seit 1990 im Südtir. Landtag. P.: div. Publ. z. Thema Ldw. M.: DC-Landesltg., 1970-82 Präs. d. ital. Gen.-Verb., seit 1976 Präs. d. ital. Sportverb. USSA. H.: Tennis, Tauchen, Literatur.(N.A.)

Pellegrini Gennaro Dr.

B.: Gen.-Dir. d. Abt. Finanzen u. Vermögen Landesverw. DA.: 39100 Bozen, Crispistr. 6. PA.: 39100 Bozen, St. Johanng. 9. G.: Mezzocorona, 29. Mai 1933. V.: Lisette, geb. Peeters. Ki.: Ines, Marco. El.: Mario u. Anna. S.: Mittelschule, Stud. Hdl. u. Vw. Univ. Mailand, Teilnahme an jährl. HS-Kursen Univ. Innsbruck, 1977 Ref. K.: seit 1956 Landesdienst, 1956 Sekr., 1965 Sekt.-Ltr., 1969-80 Abt.-Dir., Teilnahme an intern. Kongressen u. Vorträgen. P.: Art. in intern. Fachzeitschriften. M.: in versch. Prüf.-Kmsn., wiss. Komitee d. Forsch.-Inst. d. HK Bozen, VerwR. d. Südtir. Krebshilfe, Landesforstkomitee, Präs. d. Kmsn. f. Abnahme d. Fischerprüf. H.: Bergwandern, Musik. (M.G.)

Perathoner Christian

B.: Präs. FN.: Tourismusver. St. Christina. DA.: 39047 St. Christian, Chemunstr. 9. PA.: 39047 St. Christina, Chemunstr. 64. G: :Bozen, 18. Apr. 1968. EL. :Karl u. Ingeborg. S.: HASCH Brixen, Abitur 1985, MD 1987-88. K.: Praxis in Hotelbetrieben, 1989 Ang. in e. Caming Reisebüro, 1991 Gschf. im elterl. Garni Gardena, 1994 Eintr. in d. Tourismusver. St. Christina als Präs. F.: Garni Gardena. M.: Tourismusverb. Gröden, AS MG Weltcup Comitee, Trachtenver. St. Christina, AS MG Parapendio Club Ghardenia, Lizenz Kommission Gastgewerbe, AS MG Ges. f. Tourist. Förderungen. H.: Skifahren, Wandern, Paragleiten, Reisen.(I.D.)

Perathoner Ivo Michel Dr. med.

B.: FA f. Chir., eh. OA d. Chir. Univ.-Klinik Innsbruck, Belegarzt in d. Marienklinik u. Grieserhof Bozen. DA.: 39100 Bozen, Wangerg. 11. PA.: 39100 Bozen, Hörtenbergstr. 10. G.: Bozen, 13. Apr. 1925. V.: Kathrin, geb. Wilhelm. Ki.: Sabine, Ulrich, Klaudia, Astrid. S.: Franziskanergymn. Bozen, 1943 Matura in Schwaz/Tir., Med.-Stud. an d. Univ. Innsbruck, 1951 Prom. K.: 1943-45 Militärdienst b. d. Luftwaffe, 1951-60 Ass.-Arzt Univ.-Klinik Innsbruck, später OA, 1960 Eröff. d. Privatpraxis in Bozen, als FA f. Chir., sehr starke Verbundenheit zu Österr. im Zuge seiner außerberufl. Tätigkeit u. im Rahmen seiner Möglichkeiten, starke Verwendung f. d. Verwirklichung d. Menschenrecht u. f. d. Zustandekommen d. vereinten Europas d. Völker u. Regionen. (C.K.)

Perini Uberto

B.: Bez.-Ltr. d. Bez.-Inspektorat f. Gebühren u. indirekte Rechtsgeschäftssteuern. DA.: 39100 Bozen, Italienallee 13/M. PA.: 39100 Bozen, Mariaheimweg 72. G.: Terragnolo, 20. Okt. 1922. V.: Silvana, geb. Cristoforetti. Ki.: Elisabeth, Luciana. S.: Mittelschule, 5 J. klass. Lyzeum in Rovereto, 1941 Matura. K.: 1941 Registeramt Rovereto Trient, seit 1953 Dir. Registeramt Sterzing, 1956 Dir. Registeramt Bruneck, seit 1969 Registeramt Bozen, 1973 Dir. d. MWST-Amtes Bozen, seit 1986 Bez.-Ltr. d. Bez.-Inspektorates f. Gebühren u. indirekte Steuern d. Prov. Bozen, seit 1987 im Ruhestand. H.: Bergwandern, Reisen, Kino, Musik, Theater. (C.K.)

Pernstich Arthur Dr. jur.

B.: Amtsdir. im Amt f. Oberschulen im Schulamt f. d. Dt. Sprache. DA.: 39100 Bozen, Amba-Alagi-Str. 10. PA.: 39100 Bozen, Semesistr. 24. G.: Tramin, 3. Aug. 1950. V.: Agnes, geb. Bergmann. Ki.: Angelika (1990), Alexandra (1990). El.: Karl u. Emma. S.: VS, Mittelschule, Hum. Gymn. Lyzeum, 1969 Matura, Jusstud. Univ. Innsbruck, 1975 Prom. z. Dr. jur. K.: 1977 Eintritt in d. Landesdienst: Schulamt f. d. dt. Schule, 1988-89 Amtsdir. im Pensionsamt im Dt. Schulamt, seit 1989 Amtsdir. im Amt f. Oberschule. P.: Broschüre über d. Pensionsrecht d. Lehrer, zalhr. Referententätgikeit b. Fortbild.-Kursen u. -Seminaren f. d. Schulverw.-Personal. M.: Präs. einer Autonomen Gewerkschaft d. Schulverw.-Personals, Präs. d. Tennisclub Tramin. H.: Tennis, Musik, Klettern, Wandern. (M.M.)

Peterlini Oskar Norbert Anton Dr.

B.: Präs. d. RegionalR. d. autonomen Region Trentino Südtir. u. Präs. d. Haushalts- u. Wirtschaftskmsn. d. Südtir. Landtages. DA.: 39100 Bozen, Crispistr. 9. PA.: 39100 Bozen, A.-Nicolodi-Str. 17. G.: Bozen, 19. Sep. 1950. V.: Annemarie, geb. Cortelletti. Ki.: Michael (1973), Sylvia (1987), Elisabeth (1989). El.: Eduard u. Anni. S.: Hum. Gymn. Bozen, 1970 Matura, Sozial- u. Wirtschaftstud. Modena u. Innsbruck. K.: tätig b. div. Zeitungen, Rundfunk u. Fernsehen, 1972-79 Landessekr., dann Vors. d. Jungen Generation in d. Südtir. Volkspartei, 1978 als jüngster Abg. in d. RegionalR. Trentino Südtir. u. d. Südtir. Landtag gewählt, 1983-88 wieder bestätigt, seit 1983 Präs. d. Haushalts- u. Wirschaftskmsn., 1988 zuerst VPräs. d. Landtages u. d. RegionalR. u. seit Juni 1991 Präs. d. Regionalparlaments Trentino Südtir. BL.: Mtgl. d. Einvernehmenskomitees zwischen d. Land u. Staat u. d. Wohnbaukomitees, d. f. d. Wohnbauprogramme zuständig ist. P.: Der ethnische Proporz (1980), 20 J. Sigmundskron (1977), Fernsehen in Südtirol (1975), weitere Bücher, Monographie u. Vortäge über Fragen d. Autonomie, d. ethn. Proporzes, d. Gestaltung d. Landeshaushaltes u. d. Wirtschaftspolitik. M.: Dachverb. f. Natur- u. Umweltschutz, Südtir. Tierschutzring, WWF, Wirtschaftsclub, Sportclub. H.: Fotografiere, Kulturreisen, Sammeln v. klass. Büchern, Camping, Wandern, Schwimmen, Skifahren. (M.M.)

Pezzei Rosa Rita Dr.

B.: Amtsdir. im Amt f. d. Förderung d. Zweisprachigkeit u. d. Fremdsprachen. DA.: 39100 Bozen, Europagalerie 15 Abt. X. PA.: 39100 Bozen, Fagenstr. 1. G.: Corvara, 1. Sep. 1949. S.: Sprachgymn., 1968 Matura, Stud. an d. Univ. Venedig Deutsch u. Englisch, 1975 Prom. K.: 1976 Eintritt in d. Landesdienst, seit 1983 Amtsdir. P.: Beiträge im Bereich d. Zweisprachigkeit. H.: Sport (Skifahren, Wandern), Natur, Lesen. (A.W.)

Pfeifer Peter

B.: Bez.-Sekr. d. Autonomen Südtir. Gewerkschaftsbundes. DA.: 39012 Meran, Lauben 250. PA.: 39012 Meran, Texelstr. 16. G.: Stilfs, 7. Apr. 1933. V.: Theresia, geb. Heel. Ki.: Siegfried, Norbert, Andreas. S.: Mittelschule Stilfs. K.: ab

1970 Sekr. d. ASBG Sekt. Hotel- u. Gastgewerbe, ab 1974 GemR. d. Stadtgem. Meran, 1975 im VerwR. d. Provinz-KH v. Meran, seit 1981 im VerwR. d. Sanitätseinheit West, Mtgl. d. Konsortialversammlung d. Etsch-Werke Bozen-Meran. H.: Langlaufen, Radfahren, Bergwandern. (P.R.)

Piazzo Konrad

B.: Bgm., Bildhauer. FN.: Marktgem. St. Ulrich. DA.: 39046 St. Ulrich Marktgem. PA.: 39046 St. Ulrich, Scironstr.21. G.: St. Ulrich, 21.Feb. 1943. V.: Eva Maria, geb. Prucher. KI.: Christoph (1971), Barbara (1973). EL.: Engelbert u. Anna. S..: Bildhauerlehre, Berufsschule, Kunstschule St. Ulrich, berufsbez. Weiterb. K.: 1963 Grdg. e. Bildhauerwerkst., 1967-94 leit. Bildhauer i. e. Betrieb f. sakrale Kunst, 1975 f. Gem.R. kandidiert, 1980 Gem.R. zust. f. Mülldeponienüberwachung, 1985 Vertr. d. Gem. im Konsortium öffentl. Dienste, 1990 Bgm., Schulbau- u. Turnhallenfertigbau, Abwasser-u. Kanalisation, Verkehrsberuhigung. M.: in frühen Jahren Jungschar-Organ. u. Betr., AS MG d. Theaterver., z.Z. Präs. d. UmweltschutzgmbH, Vorst. d. Ladinischen Bgm. H.: Philatelie, Bergsteigen, Schwimmen, Skifahren. (I.D.)

Pichler Klaus

B.: Mitinh. FN.: ALESSI. DA.: 39100 Bozen, Dalmatinerstr. 103. PA.: 39100 Bozen, Fagenstr. 5/c. G.: Bozen, 6. Feb. 1955. V.: Maria-Gracia, geb. Dissegna. BV.: Großvater Advokat August Pichler VBgm. v. Bozen u. Präs. d. Sparkasse Bozen. S.: wiss. Lyzeum, 1974 Matura, Stud. Wirtschaft an d. Univ. Verona. K.: Eintritt in d. väterl. Firma Sellmair & Pichler Klimaanlagen, 2 J. Banca Commerciale, 1978 Grdg. d. Firma Coindra, Gen.-Vertreter Poggenphol Italien, 1979 Ausscheiden aus d. Firma Coindra, 1980 Eintritt in d. Firma Alessi, seit 1987 Mitbesitzer. H.: Autos, Fotografieren, Skifahren. (A.W.)

Pichler Walter Dr. arch.

B.: Inh., Ges. d. Pichler & Co Stahlbau Techn. Büro, WALNO & Co OHG Immobilienges., Gschf. Indummetall. DA.: 39100 Bozen, Pfarrpl. 4. PA.: 39100 Bozen, Claudia-de-Medici-Str. 29. G.: Deutschnofen, 8. Sep. 1948. V.: Martina, geb. Pichler. Ki.: Sylvia, Tanja, Peter. El.: Eugen u. Karoline. S.: Mittelschule Bozen, Gewerbeschule dt., 1966 Maschinenbau, 1966-68 Gewerbeoberschule ital., 1969 Priv.-Schule Antonelli, 1970 ital. Geometerschule u. Matura, 1975 Univ. Polytechn. Arch. Mailand. K.: 1976-77 Praktikum in div. Arch.-Büros Bozen. BL.: 1967 Landesmeister SSV Bozen Langlauf, div. Preise. P.: Forum f. d. Gestaltung verbauter Umwelt (1983), div. Seminare, Vorträge, Studienreisen d. Arch.-Kam. im In- u. Ausland. E.: 1984 Retaurierung v. "Gasthaus zum Steinbock" ausgez. durch Landesdenkmalamt Tir. H.: Leichtathletik, Skifahren, Wandern, Schwimmen, Radfahren, Sauna, Kunst, Antiquitäten. (M.G.)

Pichler-Rolle Elmar

B.: Journalist, Chefred. d. "Zett" (Die Zeitung am Sonntag). DA.: 39100 Bozen, Weinbergweg 7. PA.: 39018 Terlan, Silberleitenweg 26. G.: Bozen, 26. Feb. 1960. El.: Rudolf u. Gisella. S.: 1979 Handelsoberschule m. Abschluß. K.: 1979-91 Red. b. d. Tageszeitung "Dolomiten", seit 1991 Chefred. d. "Zett"; seit 1985 Mtgl. d. Bozener GemR., ab 1989 Fraktionssprecher d. SVP im GemR., Vertreter d. Stadt Bozen, im SVP-Parteiaussch.; seit 1989 VPräs. d. Etschwerke, Vorst.-Mtgl. d. Stromverbundes d. Städte Meran u. Bozen. M.: ab 1987 Präs. d. Bozener Silvesterlaufes. H.: Sport, Lesen. (N.A.)

Pircher Christian

B.: Hotelkfm., Inh. d. Hotel Chrys. DA.: 39100 Bozen, Mendelstr. 100. G.: Gozen, 21. Jan. 1955. V.: Mathilde. Ki.: Michael, Alexander. El.: Albert u. Margareth. S.: 3 J. Hotelfachschule Villach. K.: 1976 Übernahme d. elterl. Betriebes. M.: im Vorst. d. Eishockey Club Bozen, HBV. H.: Eishockey. (A.W.)

Pircher Josef

B.: Präs. FN.: Südtir. Kriegsopfer u. Frontkämpferverb. (SKFV). DA.: 39100 Bozen, Garibaldistr. 6. PA.: 39100 Bozen, Jenesienweg 5. G.: Bozen, 15. Feb. 1920. V.: Elisabeth, geb. Stieler. Ki.: Brigitta, Klaus. K.: 1940-45 Militärdienst, techn. Bmtr. d. Etsch Werke, 1968-72 Maturaschule, 1972-81 Bez.-Obm. d. SKFV, 1982 Übernahme d. Landesltg. d. SKFV. E.: versch. Ausz. u.a. Komturkreuz d. Radetzky-Ordens. (P.R.)

Pircher Oswald

B.: Inh. u. Gschf. d. Klosterkellerei O. Pircher & Co Lana. DA. u. PA.: 39011 Lana, Feldgatterweg 4. G.: Lana, 2. Juli 1930. S.: HASCH Meran, Ldw. Schule in Gries u. St. Michaele. K.: 1948 Grdg. d. Klosterkellerei, Beginn im Deutsch-Ordenskloster, 1972 Übersiedlung in d. Neubau Feldgatterweg, 1977 neue Brennerei wurde in Lana gebaut, Weine u. Spirituosen. H.: Tennis, Skilanglaufen, Bergwandern. (P.R.)

Pisetta Fulvio Dr. techn. Ing.

B.: Amtsdir. im Amt f. Straßenbau. DA.: 39100 Bozen, Crispistr. 6. PA.: Auer 13. G.: Albiano, 12. März 1942. V.: Carla, geb. Job. Ki.: Anna. S.: 1960 Matura, Stud. in Padua, 1967 Prom. K.: 1 J. Univ.-Ass. in Padua, 2 J. b. IBM, 1971 Eintritt in d. Südtir. Landesverw., ab 1976 Ressortltr., seit 1981 Amtsdir. H.: Archäologie, Mineralogie. (P.R.)

Plaikner Konrad

B.: Musiker, Musikprod. FN.: REKON KG. DA.: 39012 Meran, Romstr. 50. G.: Meran, 3. Apr. 1938. Ki.: Alexander, Christine, Richard. K.: Frühzeitiges Interesse f. Musik u. Autodiakt in d. Bereichen Komposition u. Instrumentierung, 1952-78 selbst., 1975 Aufbau d. Rekon KG. M.: a.o. Mtgl. b. d. S.I.A.E. als Verleger u. Kompionist. H.: Musik. (C.K.)

Plangger Andreas Dr.

B.: FA f. Urologie. DA.: 39100 Bozen, Zwölfmagreiner Pl. 5. PA.: 39100 Bozen, Untermagdalena 16. G.: Bozen, 14. Aug. 1948. V.: Ingrid, geb. Maier. Ki.: Michael, Julia, Patricia, Peter. BV.: Prof. Gelmo Erfinder d. Sulfanomide, Kardinal Franzelin. S.: Hum. Gmyn. d. Franziskaner Bozen, 1969 Matura, Univ.-Stud. Innsbruck, 1981 Prom., FA-Ausbild. Univ. Würzburg, Städt. KH Landshut, 1986 FA-Prüf. München, b. 1986 in Landshut. K.: ab 1987 priv. FA in Bozen m. Belegarzttätigkeit im Grieserhof, Konsiliarius in d. Sanitätseinheit Nord, KH Brixen u. KH Sterzing. P.: 60 Publ. im Bereich d. Urolog. Sonographie. M.: Dt. Ges. f. Urologie. H.: Musik, Bergsteigen, Fischen, Literatur, Malerei. (N.A.)

Plaschke Max

B.: Gschf. Ges. FN.: Musikinstrumente Intern. Import. DA.: 39100 Bozen, Binderg. 20; 39100 Bozen, Schlachthofstr. 18. PA.: 39100 Bozen, Claudio-de-Medici-Str. 33. G.: Bozen, 8. Juni 1934. V.: Magdalena, geb. Maseon. Ki.: Dieter, Thomas. El.: Josef u. Anna. S.: HASCH Bozen, erlerntes Musikinstrument Waldhorn. K.: kfm. Praxis, Baumwoll-Spinnerei Firma Durst Bozen, Ausbild. im väterl. Betrieb als Instrumentenbauer, 1971 Meisterprüf. f. Holzblas- u. Blechblasinstrumente, 1960 Geschäftsübernahme als Alleininh., 1969 Übernahme d. alten traditionellen Klaviergeschäftes "Clement", seit 1978 angechlossen an d. Einkaufsgen. "Music-Pool". BL.: Revisor b. Music-Pool, Besuche b. Intern. Messen u. Ausstellungen. E.: Ehrung d. Stadt Bozen. H.: Sport (Skifahren, Wandern), Kunstliebhaber. (M.G.)

Platter Marco Dr. jur.
B.: Marketingdir. f. Italien im Landesverkehrsamt. DA.: 39100 Bozen, Pfarrpl. 11. PA.: 39100 Bozen, Claudia-de-Medici-Str. 5. G.: Covalese, 27. Apr. 1945. V.: Nevia, geb. Richer. Ki.: Mauro (1971), Diego u. Marzio (1972). El.: Remo u. Dolores, geb. Moreschini. S.: Klass. Lyzeum Bozen, 1964 Matura, Stud. Jur. Fak. Univ. Padua, 1969 Prom. K.: 1969 Landesfremdenverkehrsamt, 1977 Übertritt in d. Landesverkehrsamt, seit 1988 dessen Ltr. H.: Sport, Lesen. (A.W.)

Plattner Christian Dr. arch.
B.: selbst. Arch. DA.: 39100 Bozen, Sernesiplatz. G.: Bozen, 16. Mai 1950. V.: Ingeborg, geb. Müller. El.: Dr. Luis u. Felicitas, geb. Arlanch. S.: Industrial-Design-Ausbild. in Mailand, 1976 Matura, Stud. Arch. Univ. Innsbruck u. Venedig, 1983 Prom. K.: ab 1988 Arge m. Arch. Heinz Plattner, Schwerp.: Hochbau. P.: div. Art. in Fachzeitschriften. H.: Segelfliegen. (N.A.)

Plattner Erwin Dr.
B.: Alleininh. eines Arch.-Büros, Arch. DA.: 39100 Bozen, Leonardo-da-Vinci-Str. 8. PA.: 39100 Bozen, Runkelsteinerstr. 14. G.: Bozen, 27. Feb. 1941. V.: Maria Christina, geb. Kirchlechner. Ki.: Martin, Peter. El.: Dr. Luis u. Felizitas. S.: Mittelschule, Gymn., 1959 Matura, Arch.-Stud., 1969 Prom. K.: 1970-72 Arch. Fred Achkammer Innsbruck, 1973-74 Ang. im väterl. Arch.- Büro, 1975 Grdg. Arge d. Arch., 1984 Grdg. d. eigenen Büros. P.: div. Fachart. in Fachzeitchriften. M.: Delegierter d. Landes Südtir., seit 1974 Sachv. f. Urbanistik u. Landschaftsschutz, Vorst. d. Landesverb. f. Heimatpflege, Mtgl. d. Südtir. Künslerbundes. H.: Skifahren, Wandern, Tennis, Musik, Reisen, Kunstliebhaber. (M.G.)

Plattner Heinz Dr. arch.
B.: selbst. Arch. DA.: 39100 Bozen, Sernesiplatz. PA.: 39100 Bozen, Claudia-d'Medici-Str. 1. G.: Bozen, 25. Feb. 1943. V.: Roswitha, geb. Meyerhoff. Ki.: Stefan (1968), Verena (1971), Christina (1988). El.: Dr. Luis u. Felicitas, geb. Arlanch. S.: Stud. Arch. TH Graz, 1972 Prom. K.: 1974-84 Arge m. Arch. Ewin Plattner, 1985-88 selbst. Tätigkeit, ab 1988 Arge m. Arch. Christian Plattner, mehrere Einzel- u. öff. Bauten sowie urbanist. Tätigkeit; Sachv., Landesbeauftragter f. Urbanistik in versch. Baukmsn. P.: div. Veröff. in Fachzeitschriften. M.: Aussch. SKB (Südtir. Kunstbund), Aussch. Heimatschutzver. Bozen. H.: Skifahren, Tennis, Wandern, Kunst, Musik. (N.A.)

Plattner Max
B.: Inh. FN.: Standard OHG. DA. u. PA.: 39100 Bozen, Schlachthofstr. 41. G.: Bozen, 17. Apr. 1940. V.: Lydia, geb. Foppfi. Ki.: Robert, Martin. El.: Josef u. Anna. S.: Mittelschule, Feinmechanikerklehre, Marco-Polo Privat-HASCH. K.: Übernahme einer Landmaschinenvertriebsfirma, 1971 zusätzl. Übernahme einer Werkstatt, d. mittlerweile 9 Mitarb. beschäftigt. (P.R.)

Plattner Peter
B.: Dir. u. VPräs. d. Verlagsanst. "Athesia", Alleinverw. d. Ges. "Athesia Druck" u. "Athesia Buch". DA.: 39100 Bozen, Lauben 41. PA.: 39100 Bozen, Quireiner Promenade 24. G.: Bozen, 6. Feb. 1930. V.: Waltraud, geb. Gruber. Ki.: Brigitte, Gerlinde, Chrsitoph, Georg, Irmgard. El.: Peter u. Theresia. S.: HASCH. K.: 1946 Eintritt als Lehrling in d. Zeitungsverw. d. Verlagsanst. "Athesia", Buchhalter, Dion.-Sekr., VDir., seit 1981 Dir. H.: Bergwandern. (P.R.)

Platzer Erik Dr.
B.: Dir. d. Landeshotelfachschule Kaiserhof Meran. DA.: 39012 Meran, Freiheitsstr. 155. G.: Reschen, 26. Juni 1938. V.: Hildegard, geb. Schwarzenberger. Ki.: Monika (1969), Christine (1970). S.: VS, Mittelschule, LBA Matura Meran, Absolvent d. Hotelfachschule Meran, Dr. phil. Innsbruck. K.: geprüfter Sommelier, Grundschullehrer, Lehrer an d. Fachlehranst. f. kfm. Berufe in Bozen u. an d. Gastgewerbl. Berufsschule Bozen, seit 1970 Dir. d. Landeshotelfachschule Kaiserhof Meran. M.: Ref. b. d. Kursen d. Südtir. Somelierver., Ehrenmtgl. d. Südtir. Hotelier- u. Gastwirteverb., d. Südtir. Köcheverb. u. d. Ital. Köcheverb., Südtir. Skal-Club. (M.M.)

Platzer Roland
B.: seit 1987 Gschf. d. DATOR-Zweigstelle Meran. FN.: DATOR GmbH (IBM Vertragshändler). DA.: 39012 Meran, Patrarcastr. 4/A. PA.: 39010 Hafling, Hotel Viktoria 11. G.: Tscherms, 25. Jan. 1963. S.: Mittelschule, Hdls.-Oberschule Meran, Weiterbild.-Kurse, Seminare. K.: 1986 Eintritt in d. Computerbranche, Sekr., Buchhaltung, Systemist. H.: Sport, Wandern, Tischtennis, Skifahren, Lesen. (P.R.)

Plitzner Albert Dr. jur.
B.: Amtsdir. Abt. Schule u. Kultur. DA.: 39100 Bozen, Andreas-Hofer-Str. 18. PA.: 39057 Eppan, Bergstr. 4. G.: Toblach, 5. Jan. 1951. V.: Helga, geb. Moser. Ki.: Marion (1981), Sabine (1983). El.: Josef u. Maria, geb. Klauzner. S.: 1973 Matura, Jusstud. in Innsbruck u. Padua, 1978 Prom. K.: während d. Stud. Vers.-.Kfm., 1979-80 Gschf. im Familenverb., seit 1980 Amtsdir., 1980 Gewerkschaftstätigkeit, vortragender Ref. in Familienrecht, allg. Familienangelegenheiten. M.: Präs. d. Bild.-Aussch. in Eppan, Mtgl. d. Diözesankmsn. über "Die Welt der Arbeit", VPräs. d. Kath. Familienverb. Südtir. H.: Tennis. (P.R.)

Ploner Maria-Augusta
B.: Amtsdir. im Amt d. Berufsertüchtigung f. d. bäuerl. Haushalt im Assessorat f. Land- u. Forstwirtschaft d. Aut. Provinz Bozen. DA.: 39100 Bozen, Brennerstr. 6. PA.: 39050 Tiers, St. Georgstr. 128. G.: Tiers, 4. Aug. 1939. El.: Josef u. Filomena Ploner. S.: Mittelschule, Fachlehrer f. Hauswirtschaft, Stud. Bozen u. Bologna. K.: 1960-62 Lehrtätigkeit in d. Haushaltungsschule Dietenheim, 1962-66 in GLEN b. Montan, 1966-83 Ltr. d. Haushaltungsschule Dietenheim, 1983 Amtsdir. d. Amtes d. Berufsertüchtigung für d. bäuerl. Haushalt, Präs. d. PfarrgemR. in Tiers. M.: Kirchenchorsängerin, Mtgl. d. katechetischen Kmsn. f. d. Berufsschule, PastoralR. d. Diözese Bozen-Brixen, Mtgl. d. Südtir. Alpenver. (AVS). H.: Bergwandern, Skifahren, Reisen. (P.R.)

Ploner-Bernard August Dr. chem.
B.: Dir. d. Fachlehranst. f. Ind. u. Handwerk. GT.: Vors. d. VerwR. d. Landesbibl. Dr. Friedrich Tessmann. DA.: 39100 Bozen, Cadornastr. 12. PA.: 39100 Bozen, Egger-Lienz-Str. 1. G.: Sterzing, 30. Nov. 1932. V.: Dr. Eva, geb. Pretl. Ki.: Lukas (1978), Helmuth (1980). El.: Leo u. Regina, geb. Bernard. S.: 1952 Matura Bozen, Chemiestud. Padua u. Bologna, 1958 Prom. K.: 1958-65 Privatwirtschaft, 1965-81 Prof. d. Chemie an d. Gewerbeoberschule Bozen, seit 1981 Dir. d. Fachlehranst. f. Ind. u. Handwerk. (N.A.)

Plörer Roland Dr. med. vet.
B.: Tierarzt, Kleintierpraktiker. DA.: 39020 Marling, Gampenstr. 30a. PA.: 39022 Algund, Oberplas 5. G.: Lana, 8. Juli 1938. V.: Dr. Gertrud, geb. Kapfinger. Ki.: Philipp, Joachim. S.: Gymn., Lyzeum Meran, 1958 Matura, Stud. Vet.-Med. in Bologna, 1965 Prom. K.: 1966 Militärdienst b. d. Artilleria Montagna in Toblach, 1967 Ausbild. in Braunschweig/BRD b. Dr. Reinke als Ass. in d. Kleintierpraxis in

Lana, stufenweises umsteigen v. d. Schulmed. auf d. biolog. Med. (Homöopathie, Zytoplasmat. Therapie, Enzymtherapie u. Farbakupunktur). M.: Ges. f. biolog. Med. (C.K.)

Plörer Werner Antonio Dr. jur.
B.: Notar. DA.: 39028 Schlanders, Dantestr. 4. PA.: 39012 Meran, Freiheitsstr. 184a. G.: Innichen, 22. Nov. 1932. V.: Giusi, geb. Kofler. El.: Anton u. Gisella. S.: Staatl. Gymn. Feldkirch, 1952 Matura am Beda Weber Gymn. in Meran, 1952-56 Jusstud. an d. Univ. Florenz, 1965 Notariatsprüf. in Rom, 1966 Notar. K.: 1940-51 nach Österr. z. Notariat d. Vaters in Feldkirch, seit 1967 als Notar d. Vintschgau m. einem Notariatsgebiet v. Staden b. Naturns b. z. Österr. u. Schweiz. Grenze in Schlanders. H.: Sport (Leichathletik, Tennis).

Pobitzer Hansjörg Dr. jur.
B.: RA, Präs. d. Anw.-Kam. Südtir. DA.: 39100 Bozen, Carducci Str. 3. G.: Bozen, 21. Mai 1942. V.: Annemarie, geb. Gotter. Ki.: Alexa, Lorenz. S.: Franziskanergymn. Bozen, 1960 Matura, Jusstud. Univ. Florenz, 1965 Prom. K.: ab 1970 RA, zugelassen zu d. Obersten Gerichten, polit. Tätigkeit: 6 J. Mtgl. d. Steuerkmsn. 1. Grades, Mitarb. in versch. Fachkmsn. auf Landes- u. Regionalebene, 1973-79 Mtgl. d. GemR. Bozen, 1970-74 Mtgl. d. Anw.-Kam., 1984-86 Sekr., seit 1986 Präs. d. Südtir. Anw.-Kam. M.: Lions Club Bozen, ÖCV Austria Innsbruck. H.: Skifahren, Bergsteigen. (C.K.)

Pöder Paul
B.: VPräs. d. VerwR. u. Verwalter d. Alpen Werbung Südtir. DA.: 39100 Bozen, Dominikanerpl. 35. G.: Bozen, 27. Feb. 1953. V.: Karin, geb. March. Ki.: David (1986),Philipp (1989). El.: Josef u. Magdalena, geb. Forstinger. S.: 1973 Matura Kunstlyzeum, Stud. Szenographie Ak. Mailand u. Venedig, Stud. Kunstgeschichte Univ. Innsbruck. K.: parallel z. Stud. Lehrtätigkeit am Hum. Gymn. Bozen u. Meran (Kunstgeschichte), 1978 Einstieg in d. Werbebranche als selbst. Mitarb. b. d. Südtir. Werbeagentur Contact, 1980 Aufbau d. Alpen Werbung als Tochterges. v. Schlüsselwerbung Moser & Co Innsbruck, Schwerpunkt d. heutigen Tätigkeit: effektive Fullservice Leistungen im Dienstleistungsbereich u. Ind. M.: Copräs. d. Südtir. Werbefachverb. H.: Gastronomie, Literatur, Natur. (N.A.)

Pollo Helmut
B.: selbst. Goldschmied u. Graveur. DA.: 39100 Bozen, Weintraubeng. 28. PA.: 39100 Bozen, Beda-Weber-Str. 5. G.: Bozen, 31. Okt. 1940. V.: Edith, geb. Pfaffstaller. Ki.: Heike (1968), Jürgen (1971). El.: Luis u. Luise. S.: Goldschmied- u. Graveurlehre m. Meisterprüf. K.: 1954-58 Lehrzeit b. d. Firma Schubert, 1958-66 Ang. b. 2. Juwelierfirmen, danach selbst., Scherpunkt: Erzeugung nach individuellen Entwürfen u. Reparatur v. Schmuck. M.: Goldschmiedeinnung Südtir., Gesangsver. Bozen. H.: Skifahren, Tennis, Golf, Musik, Theater. (N.A.)

Pomella Norbert
B.: Gastwirt d. Traminer Weinklause. DA. u. PA.: 39040 Tramin, Josef-v.-Zallinger-Str. 11. G.: Kurtatsch, 27. Feb. 1942. V.: Christa, geb. Vale. Ki.: Marion, Ariane. El.: Josef u. Luise. S.: VS, Mittelschule, HASCH. K.: 2 J. Buchhalterpraxis Tramin, anschl. BH, 1965 Übernahme d. Traminer Weinklause gemeinsam m. Gattin. M.: Gastwirteverb. M. & A.J.S. (Associazione Italiana Sommeliers). H.: Familie, Schwimmen, Wandern, Lesen, Schachspielen. (M.Br.)

Pontalti Max Dr. med.
B.: Nervenarzt, Psychiater. DA.: 39100 Bozen, Drususallee 27. G.: Cles, 16. Apr. 1937. S.: Franziskanergymn. Bozen, Staatl. Oberschule, 1957 Matura, Med.-Stud. Univ. Padua, 1963 Prom., Fachausbild. f. Neurologie u. Psychiatrie Univ. Bologna, 1976 Prom., 1967-68 Gastarzt an d. Univ. Heidelberg, Klinik f. Neurologie u. Psychiatrie, anschl. Fachausbild. f. Kinderneurologie u. -psychiatrie an d. Univ. Pisa, 1971 Prom., Ausbild. f. Hypnose, Psychosomat. Med. u. Autogenes Training b. Inst. Bernheim Verona, 1973-75 Absolvierung d. Chin. Med. im Zentrum f. Akupunktur in Mailand, 1976-78 Kurse f. Homöopathie b. Dt. Zentralver. Homöopath. Ärzte, 1978 Kurse f. Iridologie in d. BRD. K.: 1969 Ordinationseröff. als Nervenarzt. M.: Dt. Zentralver. Homöopath. Ärzte d. Landes Bayern. H.: Musik, Fotografie, Reisen, (C.K.)

Posch Krista
B.: Schauspielerin. PA.: 8000 München 90, Eduard-Schmid-Str. 35. G.: Bozen, 10. Jan. 1948. Ki.: Martin. E.: Pepi u. Elisabeth Posch. S.: Klass. Gymn. Bozen, 1967 Matura. K.: 1967-79 RAI Bozen als Rundfunksprecherin, 1979 Reinhardt Seminar Wien m. Abschlußprüf., Berufung an d. Theater in d. Josefstadt Wien, Sommerspiele in Perchtoldsdorf u. Tirol: "Urfaust", "Die 7 Todsünden", "Stigma"; TV-Filme u.a. "Der Weg ins Freie", Berufung an das Schauspielhaus Düsseldorf, Residenztheater München. E.: Kultrueller Förderungspreis f. Literatur d. Stadt Düsseldorf 1982. H.: Gesang, Tanz. (C.K.)

Posch-Goldmann Ursula
B.: Journalistin, Schriftstellerin. FN.: Bayer. Sonntagsblatt München. PA.: 8080 Fürstenfeldbruck, Stadelbergerstr. 7. G.: Bozen, 26. Apr. 1949. V.: Peter Goldmann, Journalist b. d. Augsburger Allgemeinen. Ki.: Philip. El.: Pepi u. Elisabeth Posch. S.: Sprachenlyzeum Bozen, 1968 Matura, seit 1970 in Deutschland, Journalistenschule, Redakteurin b. "Die Welt" u. "Weltbild". P.: Tagebuch einer Depression (1985), Unheilige Ehen (1985), Wenn Mütter trauern (1988). H.: Psych., Katzen. (C.K.)

Postal Danilo Dipl.-Ing.
B.: Arch., Landessekr. d. Christl. Demokrat. Partei Italiens in d. Provinz Südtir. DA.: 39100 Bozen, Eisachstr. 11b. PA.: 39100 Bozen, Guntschnastr. 29. G.: Trient, 24. Sep. 1946. V.: Adriana, geb. de Stefani. Ki.: Verena, Dorothea, Eugenia. S.: wiss. Lyzeum Bozen, 1964 Matura, Parallelstud. am Konservatorium Bozen Geige, Stud. an d. Univ. Bologna Hoch- u. Tiefbau, 1971 Grad. Dipl.-Ing., Militärdienst, Weiterstud. Arch. an d. Univ. Venedig, 1975 Grad. K.: seit 1973 selbst. Baumeister, 1979 Eintritt in d. Partei, 1980 Wahl in d. regionale Parteiltg., 1984 Landessekr. M.: Vorst.-Mtgl. d. Arch.-Kam. H.: Sport (Langlaufen, Radfahren), Familie, Musik (Geige u. Klavier). (A.W.)

Prader Sigrid
B.: Lehrerin, Jungenddienstltr. DA.: 39012 Meran, Lauben 243. PA.: 39012 Meran, Enrico-Fermi-Str. 20. G.: Bruneck, 4. März 1959. El.: Josef u. Martha Prader. S.: LBA Meran, 1977 Matura. K.: seither Lehrerin an d. Grundschule, mehrere Fortbild.-Kurse im Bereich Jugendarb., nebenher Päd.-Stud. an Univ. Verona. H.: Jugenddienst. (P.R.)

Prando Marino
B.: Verwalter. FN.: INOXMEC s.r.l. DA. u. PA.: 39100 Bozen, Via d'Prand'Isarco 6. G.: Verona, 16. Dez. 1932. V.: Dolores, geb. Stecca. Ki.: Andrea, Elonore, El.: Sante u. Anna. S.: Mittelschule Bozen, Installateurlehre, Dipl., Meisterprüf. K.: seit 1979 selbst., Serienerz. v. Luftfilter u. Ventilatoren, H.: Sport, Fischen, Fußball, Boxen. (P.R.)

Prinoth Alexander Dr.jur.
B.: Dir. FN.: Handelsoberschule "Raetia". DA.: 39046 St. Ulrich, Raetiastr.295. PA.: 39046 St. Ulrich, Rumanonstr.1. G.: St. Ulrich, 20 Apr. 1955. V.: Lidia, geb. Insam. KI.: Irene (1992), Marion (1994). EL.: Oswald u. Frieda. S.: Handelsoberschule, 1974 Matura, Uni Florenz Jus, Promotion

1980. K.: 1982-83 im Präsidium d. Landesregierung, 1983 Eintr. Handelsoberschule als Prof. f. Rechtskunde in St. ULrich, 1993 Dir. d. Schule. P.: Ladinische Radiosendungen. M.: 1985-90 Gem.R., Assesor f. Schule u. Jugend, AS MG Bibliotheksrat. H.: Skifahren, Lesen, Schwimmen, klass. Musik. (I.D.)

Prosch Peter Dr. jur.

B.: Amtsdir. im Amt f. Förderung d. bäuerl. Eigentums. DA.: 39100 Bozen, Brennerstr. 6. PA.: 39100 Bozen, Guntschnastr. 1B. G.: St. Leonhard b. Brixen, 19. Nov. 1935. V.: Gertraud, geb. Ehrensberger. Ki.: Angelika (1967), Astrid (1969). El.: Alois u. Theresia, geb. Priller. S.: Knabenseminar Vinzentinum Brixen, klass. Lyzeum, 1956 Matura, Stud. Phil. u. Theol. Jusstud. Univ. Innsbruck, Staatsprüf., 1967 Prom. Univ. Padua. K.: Militärdienst, 1963-65 Unterrichtstätigkeit an d. Mittelschule in Klausen, 1966-68 Mittelschule Brixen, 1968 Hdls.-Oberschule Bozen, 1969 Eintritt in d. Landesdienst, Sachgebiet: geschlossenen Höfe, Nutzungsrechte, Agrargemeinschaften, Steuer- u. Gebührenbegünstigungen b. Förderung d. bäuerl. Eigentums u. Sekr. d. Landeshöfekmsn. M.: Obm. d. Domchors Bozen. H.: Musik, Singen, Wandern, Skifahren. (N.A.)

Pugneth Helmuth

B.: Inh. FN.: 4x4 Adventure Car OHG/SNC. DA.: 39052 Kaltern, Brunnenweg 29; 39100 Bozen, Claudia-Augusta-Str. 116. PA.: 39052 Kaltern, Brunnenweg 29. G.: Kaltern, 20. Apr. 1955. V.: Maria, geb. Hell. Ki.: Thomas, Katrin, Marion. El.: Franz u. Hildegard, geb. Pichler. K.: Tätigkeit als Betriebsbuchhalter, 1977 Grdg. d. ersten eigenen Firma, 1984 Eröff., d. Tankstelle, ab 1987 exklusive Autovermietung - Ferrari, Porsche, Mercedes, BMW, Geländewagen u. Motorräder. H.: Skifahren, Segeln. (N.A.)

Rainer Paul Dr. phil.

B.: Priester, Dir. Hum. Gymn. "Vinzentinum". DA.: 39042 Brixen, Brennerstr. 37. G.: Innerpflersch, 25. Juni 1936. El.: Leopold u. Regina Mader. S.: Gymn. Vinzentinum, 1956 Matura, 1956-61 Brixner Priesterseminar, 1960 Priesterweihe, Kooperator in Lüsen u. Prad am Stilfserjoch, 1963-68 Stud. Geschichte, Germanistik u. Phil. Univ. Wien u. Bonn, 1968 Prom. K.: 1968-73 Prof. Mittelschule Vinzentinum, seit 1974 Prof. f. Dt., Geschichte u. Phil. am Gymn. Vinzentinum, seit 1987 Dir. P.: Fachveröff. u. Mitarb. in einschlägigen Publ. E.: 1986 Verd.-Med. d. Landes Tir. H.: Vortragstätigkeit, Tir. Geschichte, Habsburger Geschichte, Österr.-Geschichte, Predigttätigkeit, Jugenderziehung. (I.D.)

Rampold Josef Dr. phil.

B.: Chefred. d. Tageszeitung "Dolomiten", Schriftsteller. DA.: 39100 Bozen, Weinbergweg 7. PA.: 39100 Bozen, Claudia-d'Medici-Str. 17. G.: Innsbruck, 18. Jan. 1925. V.: Waltraud, geb. Walch. Ki.: Dr. Martin, Dr. Verena, Dr. Sabine. S.: 1943 Matura, Gebirgsjäger, russ. Gefangenschaft, Stud. Germanistik, 1950 Prom. K.: Gymn.- Lehrer in Bozen, seit 1969 freier Schriftsteller u. Journalist, seit 1981 Chefred. d. "Dolomiten". P.: ca. 10 Werke zu Alpinismus u. Landeskunde in Südtirol. E.: 1972 Ehrenmtgl. d. Univ. Innsbruck, 1973 Kulturpreis Walther v. d. Vogelweide, seit 1979 Ehrenmtgl. d. Sekt. Bozen, d. Südtir. Alpenver., 1980 Bayer. VO, 1983 Gold. Verd.-Abz. f. bes. Einsatz z. Wohl d. Bergbauern, 1987 Österr. Kunschak-Pressepreis, 1993 EZ d. Landes Tirol. H.: Bersteigen, Volks. u. Landeskunde. (N.A.)

Rangone Piercesare Dr.-Ing.

B.: Dir. d. reg. Gebietsltg. f. Trentino Südtir., Verw. f. d. Post- u. Fernmeldewesen i.R. DA.: 39100 Bozen, Dominikanerpl. 3. PA.: 39100 Bozen, Mendelstr. 54/c. G.: Voglena, 7. Jan. 1923. V.: Maria-Madalena. Ki.: Francesco, Rita. S.: Gymn. Bologna, Matura 1940 in Foligno, Stud. TU Turin, einige Sem. Univ. Rom, 1950 Abschluß Turin. K.: Fiat Ing., 1951 Eintritt in d. Postverw. Turin Kreisbaultg., 1959 Dir. d. Kreisbaultg. Bozen, 1981 Dir. d. Verw. d. Post- u. Fernmeldewesens. M.: Rotary-Club Bozen. H.: Wandern. (A.W.)

Rauch Günther

B.: ldt. Landessekr. d. AGB CGIL. GT.: Landeskmsn. f. Arbeitsmarktpolitik, Kulturver. Bert Brecht, VerwR. d. Vers.-Anst. Unipol. DA.: 39100 Bozen, Trieststr. 78. Pa.: 39018 Vilpian, Waldweg 158. G.: Bozen, 13. Sep. 1951. V.: Brigitte, geb. Erschbaumer. Ki.: Thomas, Benjamin. S.: Oberschule Bozen. K.: seit 1969 b. d. Gerwerkschaft, b. 1972 Bez..-Sekr. AK Bruneck, 1973-76 Berufung z. Burggrafenamt Meran, Bez.-Sekr., 1976-79 Landessekr. d. Gewerkschaft Bau u. Holz u. d. einheitl. Landesföderation d. Bauarb. Gewerkschaft, Zusammenarb. m. CGIL Rom u. d. europ. Gewerkschaftsbundes EGB, 1979 Gen.-Sekr. d. AGB CGIL, 1982 Mitbegründer d. Arge d. Gew. d. Alpenländer. P.: Jugend in Südtirol, Die schwarzen Jahre, Die Gewerkschaftsbewegung in Südtirol, Die verkannte Gefahr - Rechtsextremismus in Südtirol, Art. u. Aufsätze in lokalen u. intern. Zeitschriften, Mithrsg. d. Südtir. Arbeiterstimme, Red. Mtgl. d. Südtir. Arbeiterzeitung, Mitarb. d. Zeitung "Alternative". M.: Kulturver. Arci, Berthold, Brecht, Rincita, Südtir. Kulturzentrum, Widerstandsver., Sportver. (C.K.)

Recla Marco Dr.

B.: Amtsdir. im Amt f. Jugendarb. in d. autonomen Provinz Bozen. DA.: 39100 Bozen, Europagalerie 15. PA.: 39100 Bozen, Oswaldweg 67. G.: Ronzone, 3. Apr. 1942. V.: Marta. Ki.: Alexa, Petra, Silvia. S.: HOB Bozen, 1961 Matura, Stud. Jur. Fak. Univ. Modena, 1981 Prom. K.: Eintritt in d. Landesdienst, b. 1975 Nat. Hilfswerk f. Mutter u. Kind, 1976-83 Sanitätsabt. (im Rahmen d. vorbeugenden Med.), 1983 Dir. d. Amtes f. Kultur in ital. Sprache, seit 1987 Dir.d. Amtes f. Jugendarb. in ital. Sprache. P.: Art. u. Beiträge in Tageszeitungen u. in d. Fachzeitschrift "Giovanni". H.: Theater, Musik, Sport. (A.W.)

Regele Reinhold Dr. med.

B.: FA f. Orthopädie. GT.: Belegarzt in d. Marienklinik u. Grieserhof Bozen. DA.: 39100 Bozen, Leonardo-da-Vinci-Str. 18. PA.: 39100 Bozen, Talfergries 8. G.: Bozen, 24. Jan. 1948. V.: Eva Dorothea, geb. v. Ach. Ki.: Lorenz, Magdalena. S.: Franziskanergymn. Bozen, 1967 Matura, Med.-Stud. an d. Univ. Wien, 1974 Prom. K.: 1974-75 Ass.-Arzt am KH in Brixen, 1976-77 Militärdienst Militärarzt, 1977-82 FA f. Orthopädie an d. Univ.-Klinik Gießen/BRD, 1982 Privatpraxis in Bozen. M.: Süddt. Orthopäden. H.: Bergsteigen, Skifahren, Reisen. (C.K.)

Reichegger Josef

B.: Kfm. FN.: Josef Reichegger. DA.: 39100 Bozen, Schlachthausstr. 61. PA.: 39100 Bozen, Italienallee 12/6. G.: Lappach, 16. Nov. 1936. V.: Anna, geb. Dipoli. Ki.: Irmgard, Christoph, Stephan, Johannes. El.: Josef u. Cezilia. K.: b. z. Militär am elterl. Bauernhof gearb., 1958-60 Militär, 1960-63 Disponent, 1963 selbst., zunächst Auslieferung, 1965 Erweiterung auf alkoholfreie Getränke, ab 1978 Importbier aus d. BRD. H. Jagd. (P.R.)

Reiterer Josef
B.: Kellertechniker. FN.: Sektkellerei Arnunda OHG, Sektkellerei Vivaldi GmbH. GT.: Berater f. Weintechnologie. DA. u. PA.: Mölten 53. G.: Mölten, 9. Aug. 1946. V.: Marianne, geb. Maurer-Huber. Ki.: Michael. S.: Kfm. Schule, Höhere Weinbauschule Bad Kreuznach. K.: 1967-80 Berater f. Verfahrenstechnik Firma Seitz, b. heute als freier Berater tätig, 1979 Grdg. d. höchstgelegenen Flaschengär-Sektkellerei Europas. P.: Vorträge u. Betriebsberatung über Weißweine d. gehobenen Qualität z. Erreichung bekömml. Weine. H.: Gourmet. (C.K.)

Resch Bernhard Maria Dr.
B.: Wirtschaftsberater. DA.: 39100 Bozen, Piazza Marzine 12/b/II. PA.: 39100 Bozen, Eisenkellerweg 2/E/3. G.: Tiers, 9. Aug. 1946. V.: Burgi, geb. Maier. Ki.: Claudia (1976), Nadja (1979). El.: Ignaz u. Johanna. S.: Gymn., HS f. Welthdl. Wien, Studienaufenthalt in Deutschland, Schweiz u. England. K.: 1979 Eintritt in d. Landesverw. Bozen, (Fremdenverkehr), seit 1981 selbst., daneben Unterrichtstätigkeit an d. kfm. Lehranst. Bozen. M.: "Argus" Arbeitskreis Süddt. Unternehmer, AR-Mtgl. im Dachverb. f. Natur. u. Umweltschutz, Schulratspräs. 1987-90 Rosmini-Schule Bozen. H.: Radfahren, Skifahren, Bergwandern, Lesen, Musik. (M.G.)

Resch Erika
B.: Hotelier d. Hotel Goldene Krone. DA. u. PA.: 39042 Brixen, Stadelg. 4. G.: Brixen, 16. März 1941. V.: Josef Resch. Ki.: Alexander, Angelika, Andreas. S.: VS, HS, HAS, HFS. K.: 1964 Übernahme d. elterl. Betrieb "Hotel Goldene Krone". H.: Schwimmen, Handarbeiten, Wandern. (M.Br.)

Rifesser Theodor Dr. phil.
B.: Dir. d. Ladin.-Päd. Inst. DA.: 39100 Bozen, Binderg. 29. PA.: 39046 St. Ulrich, Reziastr. 94. G.: St. Ulrich/Gröden, 13. März 1947. V.: Margith , geb. Bonell. Ki.: Sabine (1979). El.: Luis u. Olivia. S.: VS, Mittelschule, Klass. Gymn. Lyzeum, 1967 Matura Meran, Stud. Theol. u. Phil. Univ. Innsbruck, 1974 Spons. z. Mag. phil., Stud. Päd. Univ. Padua, 1978 Prom. Dr. päd. K.: 1973-78 Unterrichtstätigkeit an d. Handelsoberschule St. Ulrich/Gröden, 1978-83 Schulpsychologe am Schulpsych. Dienst Bozen, 1983-89 Dir. d. Sozialzentrums Bozen-Umgebung, ab 1989 Dir. d. Ladin.-Päd. Inst. BL.: Ausbild. in Klavier u. Orgel, Chorltr. u. Organist in St. Ulrich/Gröden. P.: zahlr. Art. in Fachzeitschriften über Schule u. Mehrsprachigkeit. H.: Musik, Video, Computer, Skifahren. (M.M.)

Riffeser Karl Dr. arch.
B.: freischaff. Arch. DA.: 39100 Bozen, Runkelsteiner Str. 3. PA.: 39057 Eppan, Bergstr. 26. G.: Eppan, 11. Apr. 1943. V.: Friederike, geb. Zuber. Ki.: Arno, Nora. El.: Otto u. Maria. S.: Franziskanergymn. Bozen, 1962 Matura, 1962-69 TH Graz, 1969 Prom., Befähigungsprüf. TH Venedig. K.: Ferialpraxis in Bozen, 2 J. Mitarb. im Arch.-Büro Barth in Brixen, seit 1972 freischaff. Arch. in Zusammenarb. m. Arch. Trebo u. seit 1976 m. Ing. Comploj im Studio Arge Plan Bozen. P.: "Baumeister", 1984 Arch. in Südtirol u. in d. Zeitschrift Arunda u. in Arch.-Zeitschrift d. Arch. in Südtir. u. in Turris Babel. H.: Tennis, Bergsteigen, Skifahren, Eissport. (C.K.)

Riffeser Ralph Anton Dipl.-Kfm.
B.: Hotelier. FN.: Hotel Posta Cavallino Bianco. DA.: 39046 St. Ulrich, Reziastr.22. G.: Bozen, 28. Feb. 1966. V.: Petra, geb. Callegari. EL.: Klaus u. Lea. S.: Handelsoberschule St. Ulrich, 1985 Matura. K.: im elterl. Hotelbetrieb sämtl. Bereich durchlaufen, 1993 Übern. desselben. F.: durch Fam. Holding an mehreren Firmen beteiligt. M.: Ortsausschuß HVG, GM Tourismusver. St. Ulrich, Eishockey Jugend-Nat.Mannschaft, mehrmals Ital. Jugend Mstr. H.: Eishockey, Fischen, Segeln. (I.D.)

Ritter Albert
B.: Unternehmer. DA.: 39100 Bozen, Vicenzastr. 10. G.: Meran, 9. Aug. 1925. V.: Elisabeth. Ki.: Dr. Ernst, Dr. Heinrich, Dr. Christine, Michael, Dipl.-Vw. Andreas. S.: Oberschule f. Volksdeutsche, Kriegsmatura Ruflach/Elsaß, 2 J. Kriegsdienst, Gefangenschaft. K.: 1946 Eintritt väterl. Firma, 1948 Übernahme nach Tod d. Vaters, 1985 Übergabe v. Anteilen an d. Sohn. M.: Grdg.-Mtgl. d. Südtir. Seniorenver. H.: Wandern, Schwimmen, Reisen (Reiseltg.). (A.W.)

Riz Roland Dr. jur. Prof.
B.: RA, Strafverteidiger. DA.: 39100 Bozen, Dominikanerpl. 35. G.: Bozen, 12. Mai 1927. V.: Verena, geb. v. Walther, 7 Kinder. S.: 1948 Prom. Dr. jur. Univ. Mailand, 1949-50 Praktikum Rom u. Red. d. jur. Fachzeitschrift "Il Foro amministrativo". K.: seit 1951 in Bozen als freier RA tätig, Strafverteidiger in wichtigen polit. Prozessen, 1957-61 VBgm. v. Bozen, 1958-63 u. 1968-87 Abg. z. Ital. Parlament, seit 1987 Senator in Rom, 1972-76 u. 1979-83 Präs. d. Verfassungsaussch. d. Ital. Abg.-Hauses, 1983-87 Präs. d. Justizaussch. d. Ital. Abg.-Hauses, 1976-78 Abg. z. Europ. Parlament, seit 1992 Präs. d. Justizaussch. d. Ital. Senats, seit 1987 Sprecher d. gemischten Fraktion u. d. SVP im Senat, 1971-87 Obm.-Stellv. u. seit 1991 Obm. d. Südtir. Volkspartei, o.Univ.-Prof. f. Strafrecht Univ. Modena, Prof. f. Öff. Recht Univ. Innsbruck u. an d. Pontificia Universitas Lateranensis. P.: zahlr. Bücher, Veröff. im Bereich d. Strafrechts u. d. öff. Rechts. E.: EZ d. Landes Tir. u. d. Bayer. VO, Senator d. Piontificia Univ. Lateranensis, Ehrensenator d. Univ. Innsbruck. (M.M.)

Roed Heinrich Dr. jur.
B.: Amtsdir. im Amt f. Gehälter d. Südtiroler Landesreg. GT.: Rechnungsprüfer b. Verw.-Körperschaften. DA.: 39100 Bozen, Museumstr. 43. PA.: Sand in Taufers, Drittelsand 3. G.: Sand in Taufers, 10. Juni 1946. El.: Josef u. Maria, geb. Stifter. BV.: Josef Roed Gründer d. ersten deutschsprachigen Mittelschule im Raum Pustertal. S.: 1966 Matura, Stud. histor. Fächer Innsbruck, Jusstud. Padua, Militär, 1975 Prom. K.: 1975 Eintritt in d. Landesverw., Amtsdir. H.: Bergsteigen, Wandern, Lesen, Feldarb., Konzerte, Theater. (N.A.)

Röggla Franz Dr. med.
B.: Frauenarzt. DA.: 39042 Brixen, Pfarrpl. 4. PA.: 39042 Brixen, Weinbergstr. 43. G.: Bozen, 13. Nov. 1922. V.: Lieselotte, geb. Wenter. Ki.: Benno, Peter, Sonja, Maximilian. El.: Franz u. Grete. S.: VS, hum. Gymn. Bozen, Stud. Florenz u. Mailand, 1948 Prom. K.: 1955-61 FA-Ausbild. Univ.-Frauenklinik Innsbruck, 1962 OA KH Brixen, 1973-88 Chefarzt KH Brixen, seit 1988 eigene Privatordination. P.: Fachveröff. in Fachzeitschriften. M.: Rotary Club Brixen. H.: Musik, Wandern. (M.Br.)

Rohrer Gerhard Dr.-Ing.
B.: Bauing. GT.: Sekr. d. Ing.-Kam. d. autonomen Provinz Bozen. DA.: 39100 Bozen, Rosministr. 65; 39100 Bozen, Sparkassenstr. 15. PA.: 39100 Bozen, Rosministr. 65. G.: Meran, 23. März 1945. V.: Sigrid, geb. Lang. Ki.: Christian (1978), Hannes (1980). El.: Bert u. Hildegard, geb. Waldner. S.: 1964 Matura Oberschule f. Geometer, Stud. Bauwesen Univ. Padua, 1971 Prom. K.: 1971-.73 Baultg. einer Hochbaustelle während d. Olympiazeit in München, 1973-79 Prof. Oberschule f. Geometer, seit 1979 freiberufl. Ing. Bereich Planung, Statik u. Hochbau. M.: seit 1984 Ing.-Kam., 1989-91 VPräs., 1987-89 u. 1991-93 Sekr. d. Kam. H.: Skifahren, Tennis, Reisen. (N.A.)

Romen Anton Dr. jur.
B.: Gen.-Dir. u. Sekr. d. Landesreg. DA.: 39100 Bozen, Crispistr. 3. PA.: 39100 Bozen, Quireinerpromenade 8. G.: Bozen, 30. Aug. 1923. V.: Johanna. Ki.: Christa, Paul, Heidi,

Georg, Evi. S.: klass. Gymn. Bozen, 1942 Matura, Stud. an d. Univ. Florenz, Weiterstud. an d. Univ. Padua, 1948 Prom. K.: Anw.-Praxis, 1949 Eintritt in d. öff. Verw. Sachbearb.: Gebiet Gem.-Aufsicht, 1959 3. VGen.-Dir., seit 1960 Gen.-Dir. u. Sekr. d. Südtir. Landesreg. P.: div. Art. u. Beiträge in Fachzeitschriften. M.: Mtgl. d. Obersten Rates f. öff. Verw. in Rom, Vors. d. Landesinst. f. Statistik u. versch. Beratungsorgane d. Landesverw., VerwR. d. nat. Fürsorgeinst. (I.N.P.S.). H.: Bergsteigen, Skifahren, Lesen. (A.W.)

Rondelli Roberto Oscar Dr.
B.: Marketing Manager. FN.: IBM Italia spa. DA.: 39100 Bozen, Neubruchweg 5. PA.: 35124 Padua, Via Siracusa 13. G.: Genua, 17. Juni 1949. S.: Techn. Inst. f. Geometer in Genua, 1968 Matura, Stud. Math. Univ. Genua, 1974 Prom. K.: Militärdienst, Offz. in d. Gebirgsartillerie, 1976 Banco di Sicilia Turin, als Korrespondent, später im Verkauf, seit 1977 b. Firma IBM Mailand, 1977-82 Systeming., 1982-87 Verkaufsbeauftragter b. Ital. Großbanken, 1987 verantw. Ltr. d. Systeming. IBM Filiale, Banken u. Vers. Padua, 1988 Marketing Manager d. Verkaufsbüros Bozen-Trient. H.: Jogging, Tennis, Skifahren, Fußball. (C.K.)

Rossi Guiseppe
B.: Bgm. d. Stadt Meran. GT.: Dir. d. Thermalbades. DA.: 39012 Meran, Laubeng. 192. PA.: 39012 Meran, Goethestr. 19. G.: Aldano, 29. Nov. 1944. V.: Anna-Maria. Ki.: Claudia. El.: Amalia, geb. di Sanvito. S.: HASCH. K.: einige J. Sekt. d. Bgm., 1977 Dir. d. Thermalbades v. Meran, 1980 Beginn d. polit. Karriere, 1983 StadtR., seit 1986 VBgm., ab 1988 Bgm. P.: Hobbyjournalist. H.: Skifahren, Marathonlauf, Tennis. (P.R.)

Rossi Josef
B.: Inh. u. Gschf. FN.: Rossi Mineral GmbH. DA.: 39012 Meran, Romstr. 202-204. PA.: 39012 Meran, Romstr. 206. G.: Dresden, 8. Juni 1944. V.: Theresia, geb. Nußbaumer. Ki.: Sabine, Petra, Renate. El.: Prof. August u. Anna. S.: Fachschule Bozen, Germolog. Schule in Idar-Oberstein BRD. K.: 1969-71 Firma Anri-Merito Meran, 1971 Eröff. d. Firma in Meran, Beginn m. Hdl. v. Mineralien u. Bauernmöbel, ab 1975 Erweiterung auf Hdl. m. Schmuck- u. Edelsteinen. E.: 1979 Auz. d. HK Rom. M.: Auslands-HK Rom, Germolog. Inst. H.: Sport. (C.K.)

Rössler Gernot Dr. jur.
B.: RA. GT.: Präs. d. Bozner Messe. DA.: 39100 Bozen, Perathonerstr. 31; 39100 Bozen, Romstr. 18. PA.: 39100 Bozen, Weggensteinstr. 31. G.: Bozen, 26. Apr. 1953. V.: Krista, geb. Romen. Ki.: Matthias (1985), Fabian (1987). El.: Josef u. Edith, geb. Marini. S.: 1972 Matura, Stud. Rechtswiss. Innsbruck, Padua u. Rom, 1977 Prom. z. Dr. jur. Rom, Militärdienst. K.: RA-Praktikum in d. Kzl. Dr. Roland Riz, 1989 Eröff. d. eigenen Kzl. m. Schwerpunkt Zivil- u. Verw.-Recht, 1985-88 StadtR. Gem. Bozen, zuständig f. d. Lizenz- u. Verkehrswesen, seit 1990 Präs. d. Messekörperschaft Bozen. M.: Rotary Club Bozen. H.: Bergwandern, Skifahren. (N.A.)

Rovelli Vincenzo Dr. jur.
B.: Dir. d. Bez.-Steueramtes f. direkte Steuern in Bozen. DA.: 39100 Bozen, Romstr. 79. PA.: 39100 Bozen, Weintraubenstr. 9. G.: Catania, 5. Sep. 1931. V.: Irma, geb. Errico. Ki.: Maurizo, Gloria, Linda. El.: Calogero u. Concetta. S.: Mittelschule, klass. Lyzeum, Jusstud., 1957 Prom., während d. Stud. Tätigkeit an d. Steuerbehörde Legnano/Mailand, b. 1972 als Funktionär in diesem Steueramt, ab 1972 Dienst in Bozen Ang. - Abt.-Ltr., ab 1980 Dir. H.: Lesen, Fußball. (P.R:)

Ruatti Adelio Dr. vet.
B.: Landesveterinärdir. d. Landesveterinäramtes. DA.: 39100 Bozen, Brennerstr. 6. PA.: 39100 Bozen, Fagenstr. 34. V.: Maria-Theresia. Ki.: Rosina, Marina. S.: 1943 Matura, Militär, Stud. Univ. Mailand, 1950 Prom. K.: Tätigkeit in einer künstl. Besamungsstation in Cles, Gem.-Tierarzt in Trient, 1959 Eintritt ins Gesundheitsmin., b. 1967 stellv. Landesvet.-Dir., seit 1967 Landesvet.-Dir. in Bozen. P.: versch. Publ. H.: Musik (Klavierspielen). (P.R.)

Rubner Hans Dr.
B.: Berufsschuldir. G.: Kiens, 24. Apr. 1932. S.: Stud. Wirtschaftswiss. an d. Univ. Florenz u. an d. HS f. Welthdl. in Wien. K.: 1960-66 Oberschullehrer, 1961-62 Gschf. d. SVP, 1963-66 SVP-Landessekr., 1966-73 Dir. d. Berufsschule v. Bruneck, 1972-73 Präs. d. KH-Körperschaft Bruneck, 1973-87 im Südtir. Landtag u. LR. f. Öff. Arb., Feuerwehrwesen u. Zivilschutz, seit 1987 im Röm. Senat.

Rubner Maria Theresia

B.: Gschf.Ges. FN.: Rubner Hotel Theresia. DA.: 39031 Reischach - Bruneck. G.: Vahrn, 10. Okt. 1937. KI.: Mag. Peter (1961), Dr.Med. Martin (1963), Christof (1966), Joachim (1968). EL.: Peter u. Maria Putzer. S.: Kfm. Ausb. bei d. Engl. Fräulein in Brixen. K.: Mitarb. im elterl Betrieb, 1960 nach Heirat Mitarb. im Betrieb d. Gatten, 1985 Übern. d. Rubner Hotel in Bruneck. H.: Geschichte, Kunst, Kultur, Reisen, Modellieren, Seidenmalerei. (I.D.)

Runggatscher Luis Stefan Dr. jur.
B.: Amtsdir. im Amt f. d. Verwaltungspersonal d. Schulen. DA.: 39100 Bozen, Crispistr. 3, Landhaus 1. PA.: 39100 Bozen, Fagenstr. 3/7. G.: Lajen, 10. Dez. 1945. El.: Anton u. Barbara, geb. Runggatscher. S.: 1966 Matura, 1970-76 Stud. Rechtswiss. Univ. Padua m. Prom. z. Dr. jur. K.: 1966-70 Unterrichtstätigkeit u. Militärdienst, 1977 Eintritt in d. Landesdienst, Tätigkeit in d. Personalabt., ab 1989 Amtsdir. M.: ab 1969 Vors. d. Jungen Generation in d. SVP v. Lajen, 1978-91 Ortsobm. SVP Lajen, 1980-90 GemR. Lajen, 1984-92 VerwR. d. Sanitätseinheit Nord (Brixen), seit 1987 Landesverb. f. Heimatpflege. H.: Heimatpflege, Bergsteigen, Fischen, Kartenspielen. (N.A.)

Rungger Heinz Dr. jur.
B.: RA, Verantw. d. Rechtsabt. im Bauteninst. PA.: 39040 Seis, Burgfrieden 15. G.: Kastelruth, 17. März 1942. V.: Bernadette, geb. Teissl. Ki.: Sylvia, Matthias. S.: Franziskanergymn. Bozen, Univ.-Stud. in Innsbruck, Univ. Padua, Prom. im Strafrecht. K.: 1970-74 RA Prof. Dr. Riz, zunächst als Praktikant, dann als Mitarb. 1974 Sozietäts- u. Kzl.-Grdg., seit 1990 verantw. d. Rechsabt. im einheim. Bauteninst.; 1970-80 GemR. in Kastelruth, davon 5 J. im Gem.-Aussch. H.: Skifahren, Kunst, Malerei. (C.K.)

Russo Edoardo Dr.
B.: Dir. d. Provinzalarbeits- u. Vollbeschäftigungsamt Bozen im Min. f. Arb. u. Soziale Fürsorge. DA.: 39100 Bozen, Talferg. 2/5. G.: Reggio Calabria, 7. Dez. 1936. V.: Josefine, geb. Ötll-Gegele. Ki.: Raffaela (1971), Emanuela (1974). S.: Techn. Oberschlue, 1955 Matura, Stud. Hdls.-Wiss. in Messina, 1966 Prom. K.: seit 1958 Tätigkeit in d. Verw., zuerst Arbeitsamt Reggio Calabria, 1966-71 Arbeitsmin. in

Rom, 1971 u. 1979 VDir. Arbeitsamt in Bozen, seit 1979 Dir. E.: Verd. um d. Rep. Italien. H.: klass. u. mod. Musik, Tennis. (M.M.)

Sadei Norbert
B.: Holzbildhauer. FN.: Norbert Sadei KG. DA.: 39100 Bozen, Obstmarkt 25. PA.: 39100 Bozen, Palermostr. 5a. G.: Bludenz, 4. Okt. 1953. V.: Anna, geb. Bräuer. Ki.: Carmen, Christoph, Sabina. El.: Engelbert u. Maria. S.: Lehre als Gärtner, BH, Lehre Bildhauerei im Grödnertal, Abendkurse. K.: 1975 1. eigenes Geschäft Wanderhdl., Marktverkaufstätigkeit, dann intern. Messen, Schnitzvorführung in Tokyo. H.: Eishockey, Judo. (P.R.)

Santer Claudia Dr.
B.: Leiterin d. Kath. Bildungswerkes u. Ref. f. Kath. Erwachsenenbild. am Bischöfl. Ordinariat d. Diözese Bozen/Brixen. DA.: 39100 Bozen, Marconistr. 9. PA.: 39011 Lana, Pichlweg 6. G.: Meran, 19. Juni 1966. El.: Hans u. Marisa Santer, geb. Amerio. S.: 1985 Matura Meran, Stud. Päd. Univ. Innsbruck, 1989 Abschluß, 2 J. Stud. Ital. Recht Univ. Innsbruck. K.: 1991 Verw.-Insp. am Schulamt f. Dt. Schule Bozen, seit 1992 Ltr. d. Kath. Bildungswerkes. H.: Wandern, Skifahren, Musikhören, Reisen, Tanzen. (N.A.)

Saracino Giulio Dr. oec. comm.
B.: Dir. FN.: BNL Banca Nazionale del Lavoro. DA.: 37100 Verona, Via Mazzini 18. PA.: 31050 Treviso, Olmi/Veneto 5. G.: Vicenza, 6. Mai 1942. V.: Gabriella, geb. Giordani. Ki.: Laura, Beatrice, Giovanni, Giovanna. S.: HOB Vicenza, 1961 Matura, Fak. Hdls.-Wirtschaft Univ. Padua, 1979 Prom. K.: 1962-64 Ang. Vicenza, Militär, 1965 Ang. BNL Vicenza, 1970-72 Ausbild.-Zeit BNL Bozen, 1972 BNL Novara, 1971-73 Prok. BNL Verona, 1973-80 Prok. BNL Bozen, 1980-81 BNL Dir.-Stellv. Treviso, seit 1987 Dir. BNL Bozen, seit 1988 Dir. d. BNL Verona. M.: seit 1960 Mitarb. b. d. MFE Brüssel "Movimento Federalista Europeo". H.: Computer, Basketball, Schwimmen. (C.K.)

Saracino Ugo Dr. Cav. Uff.
B.: Dir. d. Provinzialrechnungsamtes, Ref. b. versch. Staatl. Inst. in Italien. DA.: 39100 Bozen, Gerichtspl. 2. PA.: 39100 Bozen, Duca-d'Aosta-Str. 84. G.: Salerno, 8. Sep. 1924. V.: Diana, geb. Armondini. Ki.: Dario, Stefania. El.: Prof. Salvatore u. Costanze. S.: Mittelschule u. Oberschule Salerno, 1949 Matura, Stud. in Padua. K.: 1952-53 Gewinner d. Wettbewerbes f. Sekr. Florenz, 1956-60 Obere Beamtenlaufbahn in Bozen, 1960-73 VDir. in Bozen, 1973-82 Dir., 1983 Gen.-Dir. H.: kalss. Musik, Bergwandern, Schwimmen, Fußball, Kochen, Familie.

Saurer Otto Dr. jur.
B.: LHptm.-Stellv., LR. f. d. Bereiche Gesundheit u. Soziales, Arbeitswesen, Berufsausbild. f. d. dt. Sprachgruppe. GT.: Dir. d. Inst. f. geförderten Wohnbau. DA.: 39100 Bozen, Horazstr. 4. PA.: 39100 Bozen, Sparkassenstr. 4. G.: Prad, 25. Jan. 1943. V.: Erika, geb. Zagler. Ki.: Saskia (1971), René (1975), Judith (1986). El.: Alois u. Maria, geb. Habicher. S.: Hum. Gymn., Vizentinum Brixen, 1962 Matura, Jusstud. Univ. Innsbruck u. Padua, 1967 Prom. K.: 1967-70 RA.-Praktikum b. Dr. Hugo Gamper, 1970-73 Landesverw. Kultur u. Schule, 1973-83 VDir. u. Dir. d. Inst. f. geförderten Wohnbau, Polit. Laufbahn: 1966-67 Präs. d. Südtir. Hochschülerschaft, 1969-74 GemR. Prad-Stilfserjoch, 1975 Mitbegründer d. Arbeitnehmer in d. SVP, seit 1983 im Südtir. Landtag, seit 1984 LR. f. d. Bereiche Gesundheit u. Soziales, Arbeitswesen, Berufsausbild. f. d. dt. Sprachgruppe, seit 1989 LHptm.-Stellv. d. Auton. Provinz Bozen. E.: 1992 EZ d. Landes Tir. M.: seit 1973 SVP, Mitbegründer u. Mtgl. d. Forums f. Bild. u. Wiss. u. d. Südtir. Medienver. (C.K.)

Saveria Gremes
B.: Dir. d. Majense Inst. d. Engl. Fräulein. DA. u. PA.: 39012 Meran, Priamiweg 2. G.: Caldonazza/Trient, 11. Sep. 1919. S.: LBA. K.: m. 18 J. Eintritt ins Kloster, Lehrtätigkeit, Bau einer Zweigstelle d. Inst. v. Sandplatz, 1974 Eröff. derselben, seit diesem Zeitpunkt Dir. H.: Blumen. (P.R.)

Scannavini Giancarlo
B.: Bgm. d. Gem. Salurn, Inh. d. Firma Frasca OHG. DA.: 39040 Salurn, Rathauspl. 1. PA.: 39040 Salurn, Via Nazionale 19. G.: Salurn, 31. Juli 1939. V.: Maria Teresa, geb. Cortella. Ki.: Monica, Dunja, Andrea. S.: VS. K.: 1964 Grdg. Firma Frasca OHG, seit 1985 Bgm. d. Gem. Salurn. M.: 1968-73 Präs. d. Sportver. v. Salurn, 1980-85 Mtgl. d. Gem.-Aussch. H.: Tennis, Kegeln, Langlaufen, Wandern. (M.Br.)

Scarpa Christian Dr. soc. oec.
B.: Ressortltr. Inspektorat f. Berufsausbild. in dt. u. ladin. Sprache. DA.: 39100 Bozen, Dantestr. 11. PA.: 39012 Meran, Leichterg. 2. G.: Meran, 30. Sep. 1939. V.: Carla, geb. Zoppis. Ki.: Michael. El.: Dr. Marius u. Helga. BV.: Emil Scarpa Dir. d. österr. Lloyd in Bombay. K.: 1959 Matura, Stud. in Perugia, Padua, 1967 Prom. K.: während d. Stud. Unterricht an Mittelschule, 1969-71 Landessparkasse, 1971-88 Inspektorat f. Berufsausbild., ab 1988 Schulhotel Savoy Meran. H.: Skifahren, Bergsteigen, Reisen. (P.R.)

Scarperi Ernesto
B.: VPräs., Sachbearb. im Amt f. Gewässerschutz Bozen. DA.: 39100 Bozen, Cesare-Battisti-Str. 21. PA.: 39057 Eppan, Rittsteinweg 26. G.: Bozen, 24. Nov. 1955. V.: Lucana, geb. Mariz. Ki.: Sara, Daniel. El.: Albino u. Friede. S.: Geometerschule Bozen, 1974 Matura, 1987 Staatsprüf. f. Geometer. K.: Eintritt in d. Landesdienst, Beauftragter f. Erhebung Wasserltg., Kanalisierung, Militär, 1977-81 Sachbearb. f. Müllbeseitigung, 1980 VPräs. d. Fachaussch. f. Umwelthygiene, 1981 Sachbearb. Trinkwasserltg. BL.: Beteiligung an div. Kongressen u. Seminaren in Österr. M.: Umweltschutzgruppe Eppan, Alpenver. CAI. H.: Langlaufen, Bergwandern, Familie. (M.G.)

Scartezzini Helmuth Dr.
B.: Amtsdir. im Amt f. Obst- u. Weinbau u. Sonderkulturen. DA.: 39100 Bozen, Brennerstr. 6. PA.: 39100 Bozen, Zwölfmalgreinerstr. 11. G.: Bozen, 4. Apr. 1948. V.: Rosmarie, geb. Fischnaller. Ki.: Florian, Christian. S.: Oberschule f. Geometer, 1968 Matura, HS f. Bdk. Wien, 1974 Prom. K.: 1976 Berufseintritt in d. Landesstelle f. ländl. Bauwesen, Förd.-Tätigkeit, ab 1983 Amt f. Obst- u. Weinbau als Amtsdir. P.: Fachart. in div. Zeitschriften. M.: Alpenver., Verb. d. Agronomen. H.: Bergsteigen, alpine Skitouren, Wandern, Natur, Ldw. (C.K.)

Schaller Christian Dr. oec. soc.
B.: Amtsdir. im Amt f. Beherbungswesen. DA.: 39100 Bozen, Pfarrpl. 11. PA.: 39044 Neumarkt. G.: Schlanders, 6. Juli 1947. V.: Hildegard, geb. Pernter. El.: Josef u. Katharina. S.: 1967 Matura, Stud. Soz. in Trient, 1972 Prom. K.: 1967-69 Unterricht an d. Lehranst. f. kfm. Berufe in Mals, 1973 Eintritt in d. Landesdienst, seit 1981 Amtsdir. H.: Lesen. (P.R.)

Schaller Engelbert Dr. jur.
B.: Amtsdir. im Amt f. allg. Angelegenheiten d. Sekr. d. Landesaussch. DA.: 39100 Bozen, Crispistr. 3. PA.: 39040 Auer, Feldhüttenweg 17. V.: Margit, geb. Giacomozzi. Ki.: Manfred, Simon. El.: Johann u. Filomena. S.: klass. Lyzeum Bruneck, 1969 Matrua, Stud. Rechtshistorik Innsbruck u. Padua, 1977 Prom. K.: 1977 Eintritt in d. Landesverw., 1982-86 Vorst. d. Rechtsamtes, ab 1986 Amtsdir. d. Amtes f. allg. Angelegenheiten. H.: Lesen, Sport. (P.R.)

Scherer Robert
B.: Ak. Maler. DA.: 39052 Kaltern, Altenburg. G.: Kortsch, 7. Juni 1928. V.: Johanna, geb. Pinggera. El.: Johann u. Anna. S.: Grundschulen, 1943 kfm. Fortbild.-Schule in Schweikelberg/Bayern, Moosbach, Heidelberg (Mittlere Reife), Militärdienst, 1947-49 Lehre als Dekorationsmaler in Schlanders b. Virma Wielander u. Firma Peskoller, 1951-58 Stud. an d. Ak. d. Bild. Künste in Wien, 1959 Studienreisen nach Deutschland, Frankreich u. England. K.: 1960-66 Lehrtätigkeit an d. Mittelschulen in Brixen, Klausen, Bruneck u. Bozen, 1966-69 freischaff. Maler u. Graphiker in Bozen, 1970-71 Studienaufenthalt in Spanien, 1974 Ankauf in Altenburg ob Kaltern, 1976-80 Grdg. d. Freskoschule u. Lehrer f. Wandmalerei an d. Intern. Sommerak. in Sbg., 1978-85 versch. Studienreisen nach Israel, Mexiko, USA, Nordafrika-Sahara, Sri Lanka u. Griechenland, 1985-86 1. Intern. Symposium f. Steinbildhauer in Laas, 1986 Beteiligung Künstlersymposium Arge Alp in Wattwill, 1987 große Kunstausstellung im Schloß-Hambach/Bad Dürkheim, 1987 Ltr. d. Arge ALp Symposiums in Glurns, 1988 Übersiedlung in d. neue Atelier in Eppan, 1988 Ausstellung z. 60. Geburtstag im Schloß Gandesgg. P.: Ausstellungskatalog Meran (1969), Ausstellung Hofgarten Innsbruck (1970-71), Robert Scherer - Ein Mann aus dem Vintschgau, Das Gültige in der Kunst verwirklichen (1988), Farbe und Form. E.: 1984 Merito Cav. Ufficiale della Rep. Italiana, 1988 EZ v. Land Tir. (C.K.)

Schiovon Luigi
B.: Mitinh., Dir. FN.: CEA GmbH Elektro En gros u. Detail. DA.: 39100 Bozen, Europaallee 28. PA.: 39100 Bozen, Kuepachweg 7. G.: Padua, 8. Feb. 1927. V.: Dina, geb. Balzan. Ki.: Matteo, Annalisa. S.: höhere kfm. Ang. in d. Metallind. in Bozen, 1973 Übernahme in eine GmbH, 1983 Übersiedlung d. Firma u. glz. Vergrößerung. (C.K.)

Schmid Josef Dr. phil.
B.: Dir. d. Mittelschule "Josef von Aufschnaider". DA.: 39100 Bozen, Leonardo-da-Vinci-Str. 13. PA.: 39100 Bozen, Max Valier 16. G.: Welsberg, 1. März 1936. V.: Gerta, geb. Brugger. Ki.: Michael (1969), Birgit (1972), Cornelia (1981). El.: Franz u. Regina, geb. Gatterer. S.: klass. Gymn. Meran, 1957 Matura, 1 J. Stud. HS f. Welthdl. Wien, 1959-65 Stud. Germanistik, Geschichte u. Phil. Univ. Wien, 1974 Prom. z. Dr. phil. in Padua. K.: 1967-89 Unterrichtstätigkeit in Mittelschulen, 1986 Dion.-Aufträge, 1989-90 Lehrauftrag f. Phil. u. Geschichte am Hum. Gymn. Bozen, seit 1992 Dir. d. Mittelschule "Josef von Aufschnaider". O.: 1967-70 Mithrsg. d. Zeitschrift "Die Brücke". H.: Lesen, Sport, Skifahren, Schwimmen. (N.A.)

Schmid Karl
B.: Industrieller. FN.: Karl Schmid AG, Schloßkellerei Rametz, Sektkellerei Castel Monreale, Kaiserspeck AG, Hotel Villa Eden Mera, Sporthotel Obereggen in Deutschenofen. DA.: 39012 Meran-Burgstall, Romstr. 116. PA.: 39012 Meran, Labers 4. G.: Meran, 26. Mai 1942. V.: Germana, geb. Seyr. Ki.: Brigitte, Nikolaus, Angelika, Stanislaus. S.: Oberschule in Bozen. K.: seit 1963 selbst. Kfm., ab 1965 Grdg. d. Spirituosenind., 1969 Schloßkellerei Rametz, 1972 Kaiserspeck AG, 1976 Sektkellerei Castel Monreale, 1978 Hotel Villa Eden Meran, 1979 Sporthotel Obereggen Deutschenofen. H.: Skifahren. (C.K.)

Schmid-Vieider Helga Dr. med.
B.: FA f. Neurologie u. Psychiatrie. DA.: 39012 Meran, G.-Galilei-Str. 62. PA.: 39012 Meran, St. Franziskus Str. 24. G.: Bruneck, 11. Nov. 1951. V.: Dr. Josef Vieider. Ki.: Vera Maria. S.: Hum. Gymn. Bruneck, 1971 Matura, Med.-Stud. Univ. Innsbruck, 1979 Prom. K.: 1979 Ausbild.-Ärztin KH Sterzing, 1978 Heirat, 1979 Ital. Staatsexamen in Bologna, 1980-85 FA-Ausbild. am Bez.-KH Regensburg BRD, Zusatzausbild. in Gesprächspsychotherapie, seit 1985 FA f. Neurologie u. Psychiatrie in d. Gemeinschaftspraxis m. d. Mann in Meran. H.: Schwimmen, Lesen. (C.K.)

Schmidl Fritz Dr. oec. soc.
B.: Abt.-Dir. d. Abt. VII Handwerk, Industrie, Handel u. Fremdenverkehr. DA.: 39100 Bozen, Landhaus V, Raiffeistenstr. 5. PA.: 39052 Kaltern, Firedhofweg 12. G.: Kaltern, 7. Sep. 1939. V.: Waltraud, geb. Peterlin. El.: Otto u. Albina. S.: Mittelschule, 1958 Matura. K.: 1958-65 Verwaltungsang. in einem Textilbetrieb in d. Lombardei, ab 1963 Prom., 1968-77 ltd. Bmtr. b. d. HK Bozen, seit 1978 Abt.-Dir. d. Wirtschaftsabt. d. Südtir. Landesverwaltung. M.: 1976-78 Gschf. d. Südtir. Wirtschaftsringes, mehrere Jahre Schriftführer d. Hauptabt. d. Südtir. Alpenver. H.: Tennis, Bergsteigen, Skifahren. (P.R.)

Schmidt Albert
B.: Kfm. u. Spenglermeister. DA. u. PA.: 39100 Bozen, Binderg. 17. G.: Bozen, 20. Feb. 1923. V.: Marianne, geb. Waldboth. Ki.: Andreas, Walter. El.: Andreas u. Anna. S.: Gewerbeschule, Spenglerlehre. K.: 1946 Übernahme d. väterl. Betriebes, d. 1893 gegründet wurde u. Haushaltsart. führt. H.: Wandern, Skifahren. (P.R.)

Schnabl Dieter Dr. med.
B.: Prim. d. Regional-KH Bozen, Abt. HNO. DA.: 39100 Bozen, Lorenz-Böhler-Str. 5. PA.: 39100 Bozen, Winklerg. 2. G.: Bozen, 15. Dez. 1939. V.: Elke, geb. Ströle. El.: Adolf u. Helene, geb. Rieper. S.: 1957 Matura, Med.-Stud. Univ. Wien u. Pavia, 1965 Prom. z. Dr. med., FA-Ausbild. an d. Univ.-Kliniken in Pavia u. Parma, 1970 FA-Dipl. HNO. K.: 1968 Eintritt ins Regional-KH Bozen als Ass.-Arzt, 1975 OA, seit 1981 Prim., Schwerpunkt: Mikrochir. d. Ohres, seit 1980 Ltr. d. Schule f. Logopädie. P.: div. Fachpubl. im In- u. Ausland. M.: Ital. Ges. f. HNO. H.: div. Sportarten, Geschichte. (N.A.)

Schönberg Herbert
B.: Obergrundbuchführer, Amtsdir. d. Grundbuchamtes Meran. DA.: 39012 Meran, Goethestr. 7. PA.: 39012 Meran, Andreas-Hofer-Str. 3. G.: Tarvis, 17. Aug. 1928. V.: Olga, geb. Zöschg. Ki.: Dietmar, Dagmar. El.: Rudolf u. Kreszenz. S.: Handelsoberschule Meran. K.: seit 1947 im Grundbuchamt, Wettbewerb, Praxis, seit 1951 Ltr. d. Grundbuches Meran. H.: Tennis, Skifahren, Schwimmen, Scheibenschießen, Bergwandern. (P.R.)

Schönweger Herbert
B.: Maler. DA.: 39012 Meran, Rennstallweg 7. PA.: Partschins, Stachelburgweg 6. G.: Bartschins, 29. Aug. 1946. Ki.: Andreas, Simon, Maria, Roland, Leander. S.: VS, HS, Gewerbeschule d. dekorativen Malerei u. Ausbild. in Sbg. K.: 1965 Beginn m. d. Wandmalerei, Farbberatungen u. Farbgestaltungsaufträge, seit 1976 Farbgestaltung d. Stadt Glurns, versch. öff. Aufträge f. Wandbilder, versch. Wandmalereien in Banken u. Hotels. P.: Publ. in Fachzeitschriften. M.: Heimatpflege. H.: Wander, Reisen. (M.B.)

Schönweger Norbert Franz Dr.
B.: Amtsdir. in d. Landesverw. b. Amt f. Schulverwaltungsangelegenheiten. GT.: Sekr. Mädcheninst. Elisabethinum Bozen, Cavourstraße. G.: Meran, 9. Dez. 1941. V.: Rosa, geb. Schwemm. Ki.: Astrid (1968). El.: Josef u. Hildegard, geb. Baumann. S.: Hdls.-Oberschule Bozen, div. Seminare, 1962 Reifedipl. f. Rechnungswesen u. Hdl., 1972-77 Arb.-Stud. Jura Univ. Innsbruck, 1977 Prom. z. Dr. jur. K.: Wehrdienst, Buchhalter in d. Privatwirtschaft, 1966 Eintritt in d. Landesdienst, Bmtr. d. höheren Laufbahn, Schulverw. BL.: Einsatz f. d. Behinderten im Sozialbereich u. in d. Freizeitgestaltung. P.: Seminare im Rahmen d. Fortbild. d. Landesbedienst., Einführung v. Schulsekr. in Buchhaltung u. Verw.,

Seminare f. Privatinst. z. Vorbereitung f. Stellenwettbewerbe u. Verfasser d. dementsprechenden Unterlagen, Besuch v. Messen im In- u. Ausland bezügl. Einrichtung u. Ausstattung v. Schule. E.: 1957-58 Leistungsabz. in Leichtathletik. M.: Fischereiver. Meran, Behindertenver. H.: mod. Musik, Jazz, Zeichnen, Malen. (M.G.)

Schraffl Johanna Dr. phil.

B.: Psychologin, Lehrerin. PA.: 39012 Meran, Zandonaistr. 1. G.: Innichen, 21. Okt. 1957. El.: Kandidus u. Hilde Schraffl. S.: klass. hum. Gymn. Bruneck, 1976 Matura, Stud. Univ. Innsbruck, 1983 Prom. K.: ab 1982 im Landesdienst f. Heilpäd. u. Rehabilitation, ab 1984 serafisches Liebeswerk Fürsorgeheim, ab 1985 im Schuldienst. H.: Chorsingen, Musik, Literatur. (P.R.)

Schüttlöffel Henning

B.: Pfarrer d. Ev. Kirche A.B. DA. u. PA.: 39100 Bozen, Coldi-Lana-Str. 10. G.: Leopoldshall, 30. Juni 1043. V.: Doris, geb. Kapp. Ki.: Daniel (1973), Regula (1976). El.: Johannes u. Erika, geb. Henning. S.: 1963 Matura Corvinianum zu Nordheim, Stud. Ev. Theol, Univ. Göttingen, Zürich u. Hamburg, 1968 1. Theol. Staatsexamen, 1968-70 Prakt. Ausbild.: 1 J. Auslandsvikariat Mailand, 1 J. Predigerseminar Erichsburg/Hannover. K.: 1971-78 Pastor Hemmendorf b. Hameln, 1978-88 Pastor in Gifhorn, seit 1988 Pfarrer in Bozen. BL.: 1971-88 Tätigkeit in d. Intern. Jugendbegegnung. H.: Kunstgeschichte, Fotografieren. (N.A.)

Schweiggl Martin Dr. agr.

B.: Amtsdir. im Amt f. Landschaftsplanung. DA.: 39100 Bozen, Cesare-Battisti-Str. 21. PA.: 39050 St. Jacob/Bozen, Jacobstr. 19. G.: Kurtatsch, 18. Apr. 1948. El.: Anton u. Anna, geb. Sartori. S.: 1968 Matura, Stud. Ldw. BOKU Wien, 1974 Prom. K.: 1976 Eintritt in d. Landesverw. Südtir., ab 1991 Amtsdir. zuständig f. Planung v. Landschaftsschutzgebieten u. Umweltgutachten. P.: zahlr. Art., mehrer Bücher u.a. "Unterland" (1988), "Zeugen aus Stein" (1991), "Die Südtiroler Naturparks" (1993). H.: Landeskunde, Umweltbereich. (N.A.)

Schwienbacher Brunhilde Maria

B.: Präs. d. Multiple Sklerose Ver. GT.: Logopädin im Rehabilitationszentrum d. Sanitätseinheit Mitte Süd Bozen. DA.: 39100 Bozen, Drei-Heiligen-G. 1. PA.: 39100 Bozen, Weintraubeng. 50. G.: Ulten, 6. Juni 1955. El.: Oswald u. Margret Schwienbacher. BV.: alte Familie aus d. 14. Jhdt., Gastwirt Egg-Wirt St. Walburg Tir., Ultental b. Meran. S.: Mittelschule Meran, Frauenoberschule "Engl. Fräulein" Meran, 1974 Matura, b. 1979 Stud. Sprachwiss. an d. Univ. Padua, 1980-82 Logopäd. Ausbild. Bozen, 1985-86 Teilnahme am Neuro-Lingupädie-Kurs in München. K.: Ver. "Lebenshilfe" Bozen, b. 1983 VS Dr. Aufschneider, Abt. Sanitätseinheit Bozen, b. 1984 Ambulatorium, 1984 AKH Bozen HNO-Ambulatorium, seit 1987 Präs. d. Multiple Sklerose Ver. Bozen. BL.: spricht ital., dt. u. engl. M.: Lebenshilfe Bozen, Arge f. Behinderte Meran. H.: klass. Musik, Volksmusik, Lesen, vielseitige Interessen. (M.G.)

Schwienbacher Karl Benedikt Dr. jur.

B.: RA. GT.: seit 1979 Stellv. Friedenrichter in Bozen. DA.: 39100 Bozen, Laubeng. 8. PA.: 39100 Bozen, Cadornerstr.8. G.: St. Walpurg/Uldental, 15. Juli 1947. V.: Dr. Maria Kreszenz, geb. Larcher. Ki.: Barbara, Stefan. S.: Mittelschule u. RG Brixen, 1968 Matura, Jusstud. Univ. Wien, geltendes Recht an d. Univ. Padua, 1974 Prom. K.: 1974-79 Zivilrecht Kzl. Dr. Gottfried Gluderer, 1980 Übernahme d. RA-Kzl. v. Dr. Günther v. Vintschger, 1975-85 Mtgl. d. GemR. in Ulten. P.: Verfassungsvergleichende Arb. u. unterschiedl. Verfassungspraxis in Italien u. Österr.: "Der österr. Bundespräs. im Vergleich z. ital. Staatspräs." Univ. Padua 1972-73. H.: Bergwandern, Musik. (C.K.)

Schwienbacher Werner Richard

B.: Gschf. FN.: Werbecompany Meran. DA.: 39012 Meran, Petracastr. 7A. PA.: 39011 Lana, Weimgartner Str. 2. G.: Lana, 18. Sep. 1959. El.: Josef u. Edith. S.: wiss. Lyzeum Meran. K.: 1978-80 Tätigkeit b. Rundfunk als Kreativer, 1981 Firmengrdg. d. Werbecompany Meran zusammen m. Josef Jacob Mayr, Aufgabengebiet: Gschf., Kundenkontakt, Koordination d. Prod.-Ablaufes, Spezialgebiet: Ind. u. Hdls.-Werbung. H.: Fotographieren, Motorradfahren, Skifahren. (P.R.)

Scrinzi Luz

B.: Amtsdir. im Amt f. Personalverw. d. Südtir. Landesreg. DA.: 39100 Bozen, Crispistr. 3. PA.: 39051 Branzoll, Alte Kirchstr. 13. G.: Branzoll, 12. Dez. 1939. V.: Maria-Theresia, geb. Turini. Ki.: Norbert, Elke, Christian. El.: Rudolf u. Anna. S.: 1970 Abendmatura in Bozen. K.: Ang. in einigen Privatfirmen, 1961 Eintritt in d. Stadtgem. Bozen (Standesamt, Meldeamt), 1971 Eintritt in d. Südtir. Landesreg. (Personalinspektorat), seit 1981 Amtsdir., seit 1969 im GemR. v. Branzoll, seit 1974 VBgm. v. Branzoll. H.: Ski-Langlauf, Fußball. (P.R.)

Seebacher Klaus

B.: Bgm., Kfm. FN.: Stadtgem. Brixen. DA.: 39040 St. Andrä/Brixen. PA.: St.Andrä 11i. G.: Bozen, 23. Apr. 1939. V.: Ingrid, geb. Beer. KI.: Ulrike (1966), Dr.phil. Alexa (1967). EL.: Otto u. Paula. S.: Handelsoberschule, 1958 Matura, Fachschule d. Dt. Lebensmittelhdl. Neuwied/Rhein ab 1961. K.: 1958 Eintr. i. d. Landesdienst in Bozen, 1962 Mitarb. im elterl. Betrieb, 1964 Übern. desselben, 1975 zusd. Verbrauchermarkt u. Hotelservice, 1969 Stadtrat d. Stadtgem. Brixen - Wirtschaft u. Sport, 1980-85 Vizebgm., 1988 Bgm. d. Stadt Brixen. M.: seit 1964 Präsident d. Südtiroler Sportvereins Brixen, langj. Lenkungs AS MG Kaufleutervereinigung, GM d. Verb. Südtiroler Sportvereine, Bezirksvertreter. E.: gold. Verbandsabzeichen d. Südtiroler Sportver. H.: Bergwandern, Skifahren.(I.D.)

Seeburger Kurt Dr. Dipl.-Ing.

B.: Amtsdir. im Amt f. Hochbau d. autonomen Provinz Bozen. DA.: 39100 Bozen, Landhaus I, Crispistr. 3. PA.: 39100 Bozen, Quirainer Wassermauer 10. G.: Bozen, 22. Nov. 1027. V.: Angela. S.: dt. Privatschule, 1941-43 Oberschule in Rufach/Elsaß Brixen, wiss. Lyzeum Brixen, 1947 Matura, Stud. an d. TH Graz Bauing.-Wesen, 1955 Grad. K.: b. 1968 im Konstruktionsbüro einer Baufirma in Graz, 1960-61 STEW AG, 1961 Eintritt in d. Landesdienst Bozen Amt f. Hochbau, seit 1981 Amtdir. M.: Ver. d. Ing. u. Arch. Südtir. (SIAV). H.: Eisenbahn, Sport. (A.W.)

Seibstock Michael

B.: Gastwirt. FN.: Meraner Kurhausbetriebe. DA.: 39012 Meran, Freiheitsstr. 33. PA.: 39012 Meran, Winkelweg 5. G.: Meran, 8. Juni 1957. El.: Walter u. Maria. S.: Hotelfachschule Meran. K.: 1977 Gschf. d. Meraner Weinkost, 1982 Übernahme d. Gastronomiebetriebe d. Kurhauses, 1987 zusätzl. Führung d. "Forsterbräu" Meran. H.: Skifahren, Radfahren, Schwimmen. (P.R.)

Seibstock Walter
B.: Kfm. FN.: Walter Seibstock Delikatessen. GT.: seit 1976 Präs. d. Kaufleutever. Meran, seit 1976 AR. d. VB-Meran, seit 1968 Bez.-Vertreter d. Dachverb. d. Sportver. Südtir. DA.: 39012 Meran, Laubeng. 227. PA.: 39012 Meran, Winkelweg 5. G.: Meran, 14. Sep. 1923. V.: Maria, geb. Biasi. Ki.: Peter, Michael. S.: HASCH, Berlitz Schule Bozen. K.: 1942-45 Kriegsdienst, 1946 Wiederaufbau u. Verpachtung d. väterl. Delikatessengeschäftes u. 1947 selbst. Führung d. Geschäftes, 1946 Sekt.-Ltr. d. SC Meran, seit 1947 VPräs., seit 1970 Präs. d. SC Meran. E.: 1981 Verd.-Med. d. Landes Tir., 1983 Cavalliere u. 1986 Cav. Uff. M.: seit 1945 Alpenver., Sekt. Meran u. div. andere Ver.-Zugehörigkeiten. H.: Skifahren, Aquarellmalerei. (C.K.)

Seno Aldo Dr. arg.
B.: Wirtschaftsberater, Präs. d. Kam. d. Wirtschafts. u. Hdls.-Doktoren. DA.: 39100 Bozen, Corso Italia 32. G.: Venedig, 13. März 1925. Ki.: Arno. El.: Narciso u. Olga. S.: m. 16 J. Übersiedlung v. Venedig nach Bozen, 1934 Matura Bozen, nach d. Krieg Stud. in Venedig u. Bologna, 1951 Prom. K.: seit 1953 selbst. Wirtschaftsberater, Schwerpunkt: Masseverwalter, Ges.-Berater. H.: Reisen, Musik, Segeln, Skifahren. (P.R.)

Senoner Helmut Dr. phil.

B.: Dir. FN.: Ladinische Mittelschule. DA.:39046 St. ULrich, Reziastr.301. PA.: Wolkenstein, Puetzstr.41. G. :Wolkenstein, 27. Mär. 1944. EL.: Johann u. Maria. S. :Mittelschule im Priesterseminar, Lehrbildungsanst. Meran, 1963 Matura, Uni Venedig u. Padua - Werksstudent, Promotion 1975, Philosophie, Geografie, Geschichte. K:: Lehramtsprüfung in Bozen, 1964 Lehrer Mittelschule Wolkenstein u. Kunstlehranst. , 1967 Eintr. als Prof. a. d. Ladinische Mittelschule St. Ulrich, Ital. Geschichte, Geografie, 1976 Dir. d. Schule - Einführng, Englischunterr. u. EDV. M.: AS MG Grdgmtgl. u. 2 J. Präsident Theaterver. Wolkenstein, Kirchenchor, Ladinischen Pädag. Inst. Bozen. H.: Musik, Tennis, Reisen. (I.D.)

Senoner Livio

B.: Holzfigurenherst. FN.: Lise di Senoner Livio & S.N.C. DA.: 39047 St. Christina, Gherdeinastr.17. G. St. Christina, 23. Apr. 1960. V.: Klara Nogler. KI.: Giulia (1992), Diana (1994). EL .: Roberto u. Annamaria. BV.: Großvater bek. Kunstmaler u. Kirchenrestaurator. S.: HASCH Brixen, MD 1980-81. K.: ab 1978 Mitarb. in d. Holzschnitzerei d. Vaters, 1990 Übern. d. väterl. Betriebes, Profane u. Sakrale Schnitzerei, Führung zus. mit Gattin. M.: Obmann d. Vereinig. d. Maschinenschnitzer, AS MG d. Handwerker St. Christina. H.: Skifahren, Tennis, Musik. (I.D.)

Seyr Dietmar
B.: Buchhändler. FN.: Der Bücherwurm. DA.: 39042 Brixen, Plosestr. 38. PA.: 39042 Brixen, Mahr 114. G.: Brixen, 23. März 1952. V.: Cäcilia, geb. Überegger. Ki.: Madlen, Yvonne. El.: Ernst u. Hildegard. S.: VS, Gymn., 1971 Matura, Stud. Med. u. Literatur in Padua. K.: seit 1976 freier Mitarb. b. Rundfunk, 1979-82 Buchhdlg. Weger in Brixen, zuletzt Ltg. d. Buchabt., 1982 Grdg. eigener Buchhdlg. "Der Bücherwurm". P.: Rezensionen in versch. Zeitschriften. H.: Lesen, Schwimmen, Wandern. (M.Br.)

Sfondrini Giuseppe
B.: LR. d. Landesreg. Südtir.i.R. PA.: 39100 Bozen, Via L. Cadorna 15. G.: Mezzana bigli, Pavia, Lombardei, 28. März 1923. V.: Armida, geb. Stimamiglio. S.: LBA u. RG Bozen, 1942 Matura, 2 J. Ing.-Stud. Univ. Padua. K.: 1952-84 Führung eines Kinos in Bozen, 1946-52 Mittelschullehrer in Bozen, 1943 ital. Kriegsdienst, Wehrdienst in Griechenland, Beurlaubung nach Italien, m. d. Waffenstillstand 1944 Verhaftung wegen antifaschistischer Äußerungen gegen d. neue Rep. u. d. dt. Besatzung, Anschluß an eine Partisanengruppe, 1952 Kandidat b. d. GemR.-Wahlen in Bozen, Assessor, 1967 RegionalR.-Abg., LR., 1968, 1973, 1978 u. 1983 Wiederwahl, 1981-83 Landtagspräs., starkes polit. Engagement f. d. soz. Bewegung auf lokaler Ebene m. d. Ziel d. Erreichung d. gegenseitigen Anerkennung u. Achtung vor d. Kultur u. Geschichte d. drei Südtir. Volksgrppen. P.: Art., Beiträge in d. soz. Presse. M.: Partisanenver. Italien. H.: Zeitgeschichte, klass. Musik, Leichtathletik. (C.K.)

Siebenförcher Max
B.: Fleischhauer. FN.: Max Siebenförcher & Co Meraner Wurstwaren OHG.DA.: 39012 Meran, Laurinstr. 59. PA.: 39012 Meran, Schönblickstr. 22. G.: Meran, 27. Juni 1932. V.: Margoth, geb. Unterreiner. Ki.: Brigitte, Peter, Andreas. BV.: k.u.k Hoflieferant Peter Siebenförcher.S.: HASCH, bayer. Fleischerschule in Landshut. K.: 1954 Volontärzeit in Kempten, Tätigkeit im elterl. Betrieb, 1970 Meisterprüf., Übernahme d. Betriebes, Bez.-Innungsmeister, Obm.-Stellv. d. Landesinnung d. Berufsgemeinschaft d. Südtir. Fleischhauer. H.: Bergsteigen, Obstbau. (P.R.)

Siegmund Franz Dr.
B.: Forstinsp. FN.: Bez.-Forstamt. DA.: 39042 Brixen, Villa Adele. PA.: 39042 Brixen, Am Schalderer Bachl 64. G.: Lüsen, 23. Sep. 1954. V.: Margit, geb. Breitwieser. El.: Siegfried u. Frieda. S.: HAK Brixen, 1975 Matura, Stud. Forstwirtschaft HS f. Bdk. Remo u. Foretti, 1985 Prom. K.: 1985-87 Land- u. Forstwirtschaftl. Versuchsanst. Laimburg, 1 J. Unterricht an d. Ldw. Oberschule Auer, 1988 Eintritt in d. Landesdienst b. Amt f. Forstplanung in Bozen, Erstellung v. Wald- u. Wirtschaftsplänen, 1992 stellv. Amtsltr. Brixen, Verwalter d. Landesgebäudes Villa Adele. P.. Fortbild.-Vorträge an Schulen. M.: AufsR.-Mtgl. d. Naturparks Schlern, Bez.-Zivilschutzkomite, Höfe-Kmsn., Abnahmeprüfer öff. Arb. H.: Bergsteigen, Skitouren. (I.D.)

Siena Pier Luigi
B.: Künstler, Kunstkritiker, Ltr. d. Bozner Museums f. Mod. Kunst. DA.: 39100 Bozen, Raffaelo-Sernesu-Str. 1. G.: Castelbelforte/Mantua, 27. Apr. 1912. Ki.: Loretta, Maurizio. El.: Evaristo u. Lucia, geb. Menini. S.: Stud. Kunstgeschichte Kunstak. Venedig. K.: zahlr. Einzel-. u. Gruppenausstellungen, Organ. zahlr. Ausstellungen in Zusammenarb. m. d. staatl. Radio u. d. öff. Verw., seit 1987 Ltr. d. Bozner Museums f. Mod. Kunst. P.: Fachart. in Fachzeitschriften u. Tageszeitungen. M.: Ital. Avantgarde-Gruppierungen. (N.A.)

Silbernagl Paul Dr. jur.
B.: Amtsdir. im Amt f. Allg. Angelegenheiten, Vertreter d. Dt. Schulamtsltr. DA.: 39100 Bozen, Amba-Alagi-Str. 10. PA.: 39042 Brixen, Am Rosslauf 17. G.: Kastelruth, 9. Juni 1947. V.: Hannelore, geb. Gruber. ki.: Michael (1975), Patrick (1977). El.: Josef u. Philomena, geb. Jaider. S.: bischöfl. Knabenseminar Johanneum Dorf Tirol, Franziskanergymn. Bozen, 1967 Matura, 1968-69 u. 1969-70 Unterricht literar. Fächer in d. Mittelschule Kastelruth, 1968-69 Militärdienst, 1970 Jusstud. Univ. Padua, 1975 Prom. K.: 1975 Einstellung in d. Schulamt als ltd. Bmtr., 1981 Ernennung z. Amtsdir. d. Amtes f. Mittelschulen. M.: Kath. Verb. d. Werktätigen, Kath. Familienverb., Gemischter Chor Brixen. H.: Sport, insbes. Skifahren, Bergwandern, Chorgesang. (C.K.)

Siller Paul Josef
B.: Inh., Buchhändler. DA.: 39049 Sterzing, Dantestr.3. G.: Sterzing, 6. Apr. 1950. V.: Elisabeth, geb. Obermüller. KI.: David (1975), Lukas (1980, Sarah (1982). EL.: Martha u. Maximilian. S.: Mittelschule Bruneck, Buchhändlerlehre in Brixen 1969. K.: 10 J: im Staatsdienst (Zollamt), 11 J. Prokurist in e. Baufirma in Sterzing, 1989 Grdg. d. Fa. Realitätenbüro - Immobilienvermittlung. H.: Familie, Musik, Kunst, Kultur. (I.D.)

Simeone Ennio Dr.
B.: Dir., Chefred. d. Tageszeitung "Alto Adige". DA.: 39100 Bozen, Voltag. 10. PA.: 39057 Eppan, Unterrain 42. G.: Avellino, 9. Aug. 1936. V.: Gaetana, geb. Giordano. Ki.: Monica (1964), Luca (1965). El.: Mariangelo u. Anna, geb. Battisti. S.: klass. Lyzeum, 1954 Matura, Stud. Politikwiss. Univ. Neapel, 1958 Prom. K.: 1954-58 Korrespondent d. Tageszeitung "Unita" aus Avellino, 1958-60 Korrespondent f. "Unita" aus Provinz Abruzzen, 1961-62 Red. in Neapel f. "Unita", 1963-65 Red. in Rom f. "Unita" zuständig f. Innenpolitik, 1963 Chefred. in Neapel f. "Paese Sera", 1977-82 Chefred. in Rom f. "Paese Sera", 1984-85 Dir. eines Privatfernsehsenders NTV Bologna, 1986 VDir. d. Tageszeitung "Il Giornale di Napoli", 1987 Chefred. d. Tageszeitung "Il Tirreno" in Livorno, 1988 VDir. u. seit 1989 Dir. b. "Alto Adige" Bozen. (M.M.)

Singer Benno Dr. med.
B.: FA f. ZMuK. DA.: 39012 Meran, Piavestr. 8. PA.: 39012 Meran, Dantestr. 47. G.: Meran, 24. Sep. 1935. Ki.: Susanne, Sabine, Benjamin. El.: Prof. Fritz u. Eva. S.: 1953 Matura, Med.-Stud. Bologna, 1961 Prom., FA-Ausbild., Fachausbild. Kieferchir. in Stuttgart, Fachausbild. in Boston. K.: seit 1964 Arb. in d. väterl. Praxis. E.: 30 wiss. Veröff., Vorträge u. Kurse im In- u. Ausland. M.: Zahnärztl. Ver. (P.R.)

Singer Benno Dr. med.
B.: FA f. ZMuK. DA.: 39012 Meran, Piavestr. 8. PA.: 39012 Meran, Theodor-Christomanes-Str. 8. G.: Meran, 30. Juni 1934. V.: Marisa. Ki.: Roland, Guido. El.: Prof. Fritz u. Eva. S.: 1952 Matura, Med.-Stud. Bologna, 1959 Prom., 1961 FA-Ausbild. Bologna. K.: Ass. in Österr., BRD, Schweiz, 1964 Zusammenarb. m. d. Vater, Onkel u. Bruder, Vorlesungen Univ. Innsbruck u. Genua. P.: ca. 20 Publ., Kongresse. E.: Cavaliere merito della Repubblia italiana. M.: Malteser-Orden, Lions-Club, einige Zahnärztever., Neue Gruppe Deutschland, intern. College of dentist. (P.R.)

Singer-Rumerskirch Johann Dr. med. Dr. med. dent. Prof.
B.: FA f. ZMuK., Dir. d. Zahnärztl. Inst. DA.: 39012 Meran, Piavestr. 8. PA.: 39019 Dorf Tirol, Hauptstr. 57. G.: 4. Juni 1912. V.: Waltraud, geb. Schützenhuber. Ki.: Astrid. El.: Eduard u. Flora Singer. S.: 1934 Med. Fak. Univ. Bologna, 1940 Dr. med., 1941 Staatsexamen, 1946 FA f. Zahnheilkunde u. Prothetik an d. Univ. Bologna, 1942-44 Militärdienst. K.: 1950 Univ.-Ass. an ital. u. ausländ. Univ., 1950-58 Interner Ass. an d. Univ.-Zahnklinik v. Bologna m. Organ.-Tätigkeit f. Zusammenkünfte dt. u. ital. Zahnärzte, 1958-60 Lehrauftrag an d. Humboldt-Univ. Berlin, b. 1959 Lehramt f. Prothetik an d. Univ.-Zahnklinik Bologna, 1960 Priv.-Doz. u. Prof. an d. Staatl. Univ. Rom. P.: 3 Monographien, 112 wiss. Veröff. E.: Gr. VK d. VO d. BRD, Groß-Offz. d. VO d. Ital. Rep., Groß-Kreuz-Träger d. Ritterordens d. Hl. Grabmals, Ritter d. Souveränen Malteser Ordens. (C.K.)

Sinn Helmuth Dr. jur.
B.: Amtsdir. im Amt f. Arbeitsmarkt. DA.: 39100 Bozen, Leonardo-da-Vinci-Str. 7. PA.: 39052 Kaltern, Oberplanitzing 72. G.: Kaltern, 12. Jan. 1956. V.: Jutta, geb. Sitzberger. Ki.: Josef, Helga. El.: Josef u. Ida. S.: 1975 Matura, Stud. Rechtswiss. Bologna u. Padua, 1980 Prom. z. Dr. jur. K.: 1975 Eintritt in d. Südtir. Landesreg., Tätigkeit in d. Landesverw., seit 1982 Dir. d. Amtes f. Arbeitsmarkt. H.: Natur, Reisen. (N.A.)

Sinn Paul
B.: Hotelier d. Hotel Schloß Rundegg Health-Beauty-Farm. GT.: Designer. DA. u. PA.: 39012 Meran, Schennastr. 2. G.: Niederdorf, 26. Juli 1931. V.: Hertha. Ki.: Norman, Jul. El.: Paul u. Maria. S.: 1949-52 Schreinerlehre Meran, Gesellenj. K.: 1955 selbst. Schreiner, aus diesem Schreinerbetrieb entstand eine Serienprod. aus Holzlampen u.-leuchten, Enstehung einer Kristalleuchtenfbk. m. angeschl. Metallverarb.-Betrieb, 1972 Verkauf dieser Betriebe, Grdg. d. Ges. "Lichtstudio", Aufbau v. Prod. u. Detailhdl. in Meran u. Vomp b. Innsbruck, gleichzeitig Kauf einer Schloßruine, d. nach 3 jähriger Bauzeit als Schloßhotel eröffnet wurde (1978), 1982 Eröff. d. eigenen Kurbetriebes im Schloßhotel. H.: Fliegen. (P.R.)

Sitzmann Anton Dr. phil.
B.: Dir. d. Landesbibl. Dr. Friedrich Tessmann. DA.: 39100 Bozen, Armando-Diaz-Str. 8. G.: Onach/St. Lorenzen, 30. Juni 1940.V.: Zilli, geb. Ellemunter. Ki.: Günther (1971), Martin (1972). El.: Elias u. Anna. S.: VS, Mittelschule, Hum. Gymn. Lyzeum Vinzentinum Brixen, 1960 Matura Meran, Stud. Geschichte u. Geographie Univ. Innsbruck, 1965 Prom. Dr. phil., Ausbild. f. d. Höheren Bibl.-Dienst an d. Univ.-Bibl. Innsbruck u. an d. Österr. Nationalbibl., 1969 Abschluß. K.: ab 1966 Ang. im Südtir. Kulturinst. als Bibl. d. Dr. Friedrich Tessmann Sammlung d. ÖAW, ab 1982 OBibl. d. Landesbibl. Dr. Friedrich Tessmann Bozen, ab 1992 Dir. BL.: Mitarb. b. d. Dt.-Tir. Bibliographie (1966-70), Buchlandschaft Südtir. (1970-80), Verleihung d. Titels Erbhof im Auftrag d. Südtir. Landesreg., Referententätigkeit b. d. Aus- u. Weiterbild. d. Südtir. Bibl., 1978-85 Vors. d. Unteraussch. Kultur im Aussch. f. Schule u. Kultur in d.SVP, 1981 Mitbegründer u. 1. Vors. d. Bibl. Verb. Südtir. H.: Lesen, Höfe-Geschichte, Wandern, Reisen, Bergbauernarb. (M.M.)

Solderer Gottfried Dr. phil.
B.: Dir. d. FF Südtiroler Illustrierter, Chefred. d. Editione "Raetia". DA.: 39100 Bozen, Raing. 3. PA.: 39100 Bozen, Schlachthofstr. 71. G.: Brixen, 1. März 1949. V.: Edith, geb. Unterhofer. Ki.: Moritz, Katja. S.: Gymn. in Dorf Tirol, 1969 Matura in Meran, Stud. an d. Univ. Sbg. Publizistik u. Politwiss. an d. Ak. f. Publizistik in Hamburg, 1980 Prom. K.: 1970-75 freier Mitarb. d. Senders Bozen d. RAI, b. 1980 Mitarb. d. DPA f. d. Raum Südtir. u. Trentino, 1975-80 aktueller Dienst d. RAI, 1980 Grdg. d. FF, 1975 Journalistenprüf. in Rom, versch. Rundfunkanst. z.B. Bayr. Rundfunk u. ORF, freier Mitarb. Tir. Tageszeitung. P.: Mitarb. am Buch "Medienlandschaft Südtirol", Diss.: Rundfunk im Überlebenskampf einer Minderheit Fallstudie Südtir. M.: Amnesty Intern., Südtir. Medienver. H.: Lesen, Reisen, Gartenarb., Weinkultur, Kunst. (A.W.)

Sölva Martin Dr. phil.
B.: Dir. im Amt f. audiovisuelle Medien. DA.: 39100 Bozen, Andreas-Hofer-Str. 18. PA.: 39052 Kaltern, Mendelstr. 1. G.: Bozen, 13. Dez. 1950. V.: Christina, geb. Thöny. Ki.: Eleonora (1974), Mathias (1979). El.: Siegfried u. Imma, geb. Morandell. S.: 1968 Matura, LBA, Stud. in Innsbruck, 1975 Prom. K.: Eintritt in d. Landesverw., Kulturabt., 1981 Dir. d. Amtes f. Kultur u. Landesfilmstelle, 1983-90 Amt f. Bibl.-Wesen, seit 1990 Dir. d. Amtes f. audiovisuelle Medien. P.: mehrere Art. z. Thema Heimatgeschichte u. div. Buchbeiträge. H.: Betreuung d. histor. Gem.-Archivs v. Kaltern, Heimatgeschichte, Sport, Fotografieren. (N.A.)

Spitaler Adolf Dr. jur.
B.: Abt.-Dir. d. Abt. V, Wirtschaftsprogramm, Raumordnung u. geförd. Wohnbau. DA.: 39100 Bozen, Cesare-Battisti-Str. 21. PA.: 39057 Eppan, Max-Sparer-Str. 94. G.: Eppan, 5. Juli 1940. El.: Karl u. Elfriede, geb. Holzner. S.: Gymn. Dorf Tirol b. Meran, 1963 Matura, Stud. Univ. Innsbruck u. Padua, 1972 Prom. K.: seit 1972 im Landesdienst d. Südtir. Landesreg., 1972 beschäftigt m. d. Baulandbeschaff. f. d. Wohnungsbau, Gesetzgebung f. Raumordnung, Wohbauförderung, seit 1984 Abt.-Dir. f. d. Abt. V, Vors. d. Landesraumordungskmsn., Stellv. Vors. d. 1. Landschaftsschutzkmsn. M.: seit 1987 im Parteiaussch. d. SVP. H.: Wandern. (N.A.)

Spögler Franz Dr. med. vet.
B.: LR. f. Handwerk, Fremdenverkehr u. Gastgewerbe, Lehrlingswesen, gastgewerbl. Berufsertüchtigung, Sport u. Freizeit i.R. DA.: 39100 Bozen, Landhaus V, Raiffeisenstr. 5. PA.: 39012 Meran, Feldweg 5. G.: Ritten, 5. Jan. 1927. V.: Dr. Hanni; 5 Kinder. S.: Johanneum im Dorf Tirol, klass. Lyzeum, Stud. Vet.-Med. an d. Univ. Parma, 1952 Prom. K.: 1953-64 Tierarzt im Burggrafenamt, seit 1964 Mtgl. d. Landtages, 1960-64 Obm. d. SVP Bez. Meran, seit 1969 Mtgl. d. Landesreg. E.: Ehrendr. d. Southern Univ. of Florida, Ehrenmtgl. d. Südtir. Hotel- u. Gastwirteverb., Gold. Ehrennadel d. Landesverb. d. Südtir. Verkehrsver., Gold. Verd.-Abz. d. Verb. d. Südtir. Musikkapellen, Gold. Ehrennadel d. Verb. d. Südtir. Sportver., Träger d. bayer. VO, Gold. EZ d. Landesverb. d. Handwerke, Gold. Ehrennadel d. Südtir. Kriegs- u. Frontkämpferverb., EZ d. Landes Tir. M.: Präs. d. Landesverkehrsamtes f. Südtir., Präs. d. LandesbeiR. f. Fremdenverkehr, VerwR. d. Brenner Autobahnges., VerwR. d. ENIT Rom. (A.W.)

Spolaore Paolo Dr.
B.: Amtsdir. im Verwaltungsamt d. Behindertendienstes. DA.: 39100 Bozen, Guntschnastr. 54. PA.: 39100 Bozen, Taramellistr. 8. G.: Bozen, 27. Mai 1948. V.: Franca. El.: Giovanni u. Angela. S.: Gewerbeoberschule Bozen, 1967 Matura, Stud. Soz. u. Psych. an d. Univ. Trient, 1972 Prom. K.: 1 J. BRD-Aufenthalt, 1973 Eintritt in d. Landesreg., b. 1981 Amt f. Allg. Angelegenheiten d. Gesundheitswesens, 1981-83 Landesdienst f. Heilpäd. u. Rehabilitation, Verw.-Dir., 1983-84 Amt f. allg. Angelegenheiten d. Gesundheitswesen, seit 1984 Amtsdir. Verwaltungsamt d. Behindertendienstes. M.: Sekr. d. Ver. "La strada - der Weg". H.: Langlaufen, Tennis. (A.W.)

Stadler Alois Dr.-Ing.
B.: Amtsdir. im Amt f. Tiefbau. DA.: 39100 Bozen, Landhaus I, Crispistr. 3. PA.: Eppan, St. Pauls, Missianerweg 4B. G.: Villnöß, 28. März 1939. V.: Ursula, geb. Rimat. Ki.: Thomas (1971), Andreas (1972), Evelin (1975). El.: Alois u. Maria, geb. Profanter. S.: hum. Gymn., 1958 Matura, 1959-65 Stud. Bauing.-Wesen München. K.: 1959 VS-Lehrer, 1966-67 Militär, 1967-72 Ing.-Büro München Dipl.-Ing. Werner Abelein, 1972 Eintritt in d. Landesreg. BL.: Seminare Deutschland, Österr. u. Schweiz. M.: 1975-88 Sekr. Ing.-Kam. Bozen, seit 1984 Mtgl. d. St. Paulsner Kirchenchor. H.: Singen, Musik, Literatur, Kunst, Bergsteigen. (M.G.)

Staffler Hugo Dr. jur.
B.: Amtsdir. im Verw.-Amt f. Sprengel u. Zonale Dienste im Assessorat f. Gesundheitswesen d. Landesreg. Südtir. DA.: 39100 Bozen, Horazstr. 4d. PA.: 39100 Bozen, Talferg. 3. G.: Bozen, 30. Sep. 1945. V.: Elisabeth, geb. Kompatscher. Ki.: Kathrin (1979), Vera (1983). El.: Richard u. Gertraud. BV.: Großvater Richard Staffler war Richter u. Schriftsteller. S.: VS, Mittelschule, RG, 1965 Matura, Jusstud. Univ. Innsbruck u. Ferrara, 1974 Prom. z. Dr. jur. K.: 1975-80 Funktionär d. Wechselseitigen Landeskrankenkasse Bozen, 1980 Eintritt in d. Dienst d. Landesverw., seit 1988 Amtsdir. im Verw.-Amt f. Sprengel u. Zonale Dienste. H.: Lesen, Tennis, Reisen. (M.M.)

Staffler Max
B.: Präs. FN.: IFI AG Hotels, Hdl., Ldw., Finanzierungen u. Leasing. DA.: 39100 Bozen, Perathonerstr. 10. G.: Bozen, 11. Jan. 1921. V.: Helga, geb. Perathoner. Ki.: Franz, Sabine, Eva. El.: Max u. Anna, geb. Brenner. BV.: Staffler eine bekannte südtir. Familie d. z. ersten Mal 1330 erwähnt wurde. S.: RG. K.: 1945 Eintritt in d. IFI Gruppe, seit Mitte d. 60er J. deren Präs., 1948 Wahl z. GemR. Bozen, 9 J. Tätigkeit in d. Gem., zuständig f. d. Finanzen, lfd. Vortragstätigkeit. M.: seit 1955 Rotary Club. H.: Malerei. (N.A.)

Staffler Peter Dr. med.
B.: FA f. Gynäkologie u. Geburtshilfe. GT.: seit 1983 in d. Privatkliniken Marienklinik u. Grieserhof tätig. DA.: 39100 Bozen, Rauschertorg. 26. PA.: 39100 Bozen, Wangerg. 8. G.: Tscherms, 21. Juni 1948. V.: Gabriele, geb. Erb. Ki.: Alexander, Stephan. S.: Klass. Lyzeum Franziskanergymn. Bozen, 1967 Matura, Med.-Stud. in Innsbruck, 1975 Prom. K.: b. 1977 in div. KH in Südtir. tätig, 1977-83 Univ.-Frauenklinik Erlangen BRD FA f. Gynäkologie u. Geburtshilfe, seit 1983 als Freiberufler in Beleg-KH, 1983 Praxiseröff. P.: wiss. Tätigkeit bes. auf d. Gebiet d. Mikrochir. u. IVF an d. Univ.-Frauenklinik in Erlangen. (C.K.)

Stampfer Helmut Dr. phil.
B.: Landeskonservator. DA.: 39100 Bozen, Armando-Diaz-Str. 8. G.: Meran, 15. Okt. 1948. S.: Franziskanergymn. Bozen, 1967 Matura, 1967-71 Stud. d. Kunstgeschichte, Geschichte u. Phil. an d. Staatl. Univ. Maliand, 1971 Prom. K.: 1974 Eintritt ins Landesdenkmalamt als Kunsthistoriker, seit 1983 Landeskonservator f. Südtirol. P.: Vortragstätigkeit in Südtirol u. im benachbarten Ausland zu Themen d. Denkmalpflege u. Kunstgeschichte, zahlr. Beiträge in in- u. ausländ. Fachzeitschriften u. Sammelbänden z. Südtiroler Kunst- u. Kulturgeschichte sowie Denkmalpflege, zahlr. Bücher. M.: seit 1985 Verw.-Aussch. d. Tiroler Landesmuseums Ferdinandeum. (C.K.)

Stampfl Josef Dr. phil.
B.: Priester, Insp. f. d. Religionsunterricht am Schulamt f. d. deutsche Schule in Bozen. DA.: 39100 Bozen, Siegespl. 47. PA.: 39100 Bozen, Zum Talfergries 34. G.: Radeneck, 10. Nov. 1941. El.: Johann u. Kreszenz. S.: Hum. Gymn., Vinzentinum, 1961 Matura, Stud. am Priesterseminar in Brixen. K.: 1965 Priesterweihe, 1966-68 Kooperator in Schluderns, 1968-70 Stud. am Inst. f. Kathechetik u. Predigtkunst in München, 1970-71 Kooperator in Bruneck, 1971-75 Ltr. d. Schülerheims St. Josef in Bruneck, 1974.-81 Stud. Psychologie u. Erziehungswiss. an d. Univ. Innsbruck, 1981 Prom., 1980-85 Religionslehrer in St. Ulrich/Gröden, 1985-87 Religionslehrer an d. Handelsoberschule Bozen, seit 1987 Insp. f. Reli-

gionsunterricht, zusätzl. Referent f. Weltanschauungsfragen u. Sekten im bischöflichen Ordinariat Bozen. H.: Wandern, Sport, Schwimmen. (A.W.)

Stapf Georg Martin
B.: Hotelier. DA. u. PA.: 39012 Meran-Labers, Labersstraße. G.: Innsbruck, 15. Juli 1938. Ki.: Alexandra. El.: KommR. Thomas u. Felicitas, geb. Neubert. S.: HASCH in Innsbruck, Handelsdiplom in Lausanne u. Hotelfachschule in Innsbruck. K.: seit 1969 Burgherr auf Schloß Labers Meran, Praktikum im Stuttgarter Fernsehturmrestaurant, Fiat-Agnelli-Hotel Ducci d'Aosta in Sestriere, Londoner Berkeley-Hotel u. im Paris Riz, 1964-89 Dir. Hotel Aquila, Ortisei. P.: Art. in Fremdenverkehrsbüchern, Romanen, Tageszeitungen u. Touristikzeitungen. M.: Skal-Club. H.: Tennis, Tourenskifahren, klass. Musik, Konzerte u. Klavierabende, Veranstaltung v. Freilichttheateraufführungen. (C.K.)

Staschitz Konrad
B.: Unternehmer. FN.: Fotocolor 77 Konrad Staschitz & Co KG, Staschitz OHG. DA.: 39012 Meran, Ugo-Foscolo-Str. 1 PA.: 39015 St. Leonhard im Passeier, Raiffeisenpl. 7. G.: St. Leonhard im Passeier, 7. Juli 1932. V.: Sofia, geb. Holzer. Ki.: Martina, Kurt, Carmen, Günter, Gregor, Wolfgang. El.: Konrad u. Paula. S.: 1946-50 Uhrmacherlehrling Firma Anton Fauner in Saalfelden, 1956 Meisterprüf. in Bozen. K.: 1950-52 Geselle in Sterzing, ab 1952 Gschf. im gleichen Uhr- u. Juweliergeschäft, 1956 selbst. Uhrmachermeister Sterzing, 1958 Aktivierung d. Uhrmachergeschäftes d. Mutter, 1958 Geschäftseröff. als Uhrmacher, Juwelier u. Souveniergeschäft in St. Leonhard, 1960 Übersiedlung nach St. Leonhard im Passeier u. Auflösung d. Geschäftes in Sterzing, 1970 Eröff. einer Filiale in Schenna f. Uhren, Juwelier. u. Fotoart. incl. Werkstätte, 1977 Grdg. d. Fotocolor 77 in Meran, 1977-78 Übernahme eines Fotogeschäftes in Bozen, 1984 Grdg. Staschitz OHG als Dachges. f. d. anderen Betriebe, 1988 Verkauf d. Fotogeschäftes in Schenna an d. Sohn Kurt Staschitz. M.: Verschönerungsver. St. Leonhard, 1960-64 Obm., Delegierter b. Handwerkerverb. u. b. d. Kaufleutever. H.: Fotographie, Modellflieger, Modellbau v. Eisenbahnen u. Segelflugzeugen. (C.K.)

Stefani Paolo Dr.
B.: Notar. DA.: 39100 Bozen, Mazzinipl. 39. PA.: 39100 Bozen, Defregger Str. 2A. G.: Castelfranco, 8. März 1952. V.: Dr. Elisabetta, geb. Scaramellino. Ki. Valentina (1984), Manuela (1988). El.: Dr. Carlo u. Dr. Maria. BV.: altes ital. Adelsgeschlecht. S.: Gstl. Privatlyzeum Trient, 1971 Matura, Jusstud. in Padua, 1979 Notariatsprüf. K.: 1976-78 Praktikum b. Notar Dr. Fiordiliso Bozen, 1980 Notar b. Dr. Finelli Bozen, 1981 Eröff. d. eigenen Kzl. BL.: Beteiligung an jährl. Kongressen f. Notare in Venetien, Südtir. u. Österr. H.: Segeln, Skifahren, Reisen, Theater. (M.G.)

Steinegger Ernst
B.: Inh. FN.: Ernst Steinegger KG S.A.S. DA.: 39100 Bozen, Bonzer Bodenweg 1/b. PA.: 39100 Bozen-Gries, Glaningerweg 2A. G.: Bozen, 8. Apr. 1935. V.: Edith, geb. Mark. Ki.: Petra, Sabine, Martin. El.: Johann u. Josefine. S.: kfm. Vorbereitungsschule, gelernter Textilkfm., b. 1970 Lehrling u. Ang. b. Firma Vinatzer Bozen. K.: 1971 Grdg. eines eigenen Geschäftes, Import aus Österr. u. Deutschland. M.: Tennisklub Gries-Bozen. H.: Skifahren, Bergsteigen, Tennis, Garten, Heimwerker. (M.G.)

Steiner Alfons
B.: Dir. d. Landesberufsschlue f. Handel u. Grafik. DA.: 39100 Bozen, Romstr. 20. PA.: 39010 Nals, Andreas-Hofer-Str. 12. G.: St. Martin/Gries, 23. Juli 1946. V.: Gabriele, geb. Bolner. Ki.: Evi (1976), Margit (1984), Klaus (1990). El.: Balthasar u. Margereth, geb. Steinmair. S.: LBA, Erzieherausbild., Heilpäd. K.: 1970-73 Lehrer an d. Mittelschule Josef Wenter, glz. Heimltr. im Erzherzog-Johann-Heim in Meran, 1 J. Landeshotelfachschule Meran, Aufbau d. Heimweses, 1974-87 Lehrer in d. Landesberufsschule f. Handwerk u. Ind. in Bozen, seit 1987 Dir. dzt. Position; Mitbegründer d. Kath. Studierenden Jugend Südtir., viele J. in d. Landesltg. d. Jungen Generation SVP, Gründer u. Ltr. d. Oberschulorgan. P.: zahlr. Publ. zu d. Themen Schule, Jugend, Bekämpfung d. Drogenproblems, Außenseiter, Umwelt. H.: Musik, Singen, Lesen, Wandern, Reisen. (N.A.)

Steinhaus Federico Dr. rer. pol.
B.: Präs. d. jüd. Kultusgem., Aussch. d. nat. Verb. d. ital.-jüd. Kultusgem. GT.: LPräs. d. Verb. d. Selbst., Inh. d. Firma Alligator GmbH Lederwaren. DA.: 39012 Meran, Freiheitsstr. 14. PA.: 39012 Meran, Franziskusstr. 26. G.: Meran, 12. Nov. 1937. V.: Gabriella. Ki.: Patrizia, Roberto, Alessandro. El.: Alfredo u. Lotti. S.: 1958 Matura, Stud. Florenz, 1964 Prom. K.: Eintritt in d. väterl. Firma in Meran, 10 J. GemR. v. Meran, Sachv. f. Tourismus in d. Kurverw. Meran, HK-Rat,verssch. kulturelle Tätigkeiten. P.: Bücher über d. Geschichte d. Juden im mittelalterl. Spanien, Geschichte d. Nahen Osten, Beiträge in geschichtl. u. polit. Fachveröff. E.: 1987 Südtir. Pressepreis, 1968 Literaturpreis. M.: MENSA. (P.R.)

Steinkellner Hermann Dr.
B.: Dir. d. Mittelschule Mühlbach. DA.: 39100 Bozen, Kuepachweg 14. PA.: 39042 Brixen, St. Leonhard Str. 135. G.: Kastelbell, 18. Apr. 1940. V.: Aloisia. Ki.: Aron, Christian, Stefan. S.: Franziskanergymn., 1964 Matura, Stud. Dt. Literatur, Engl. u. Ital. Univ. Padua, 1972 Prom. K.: Unterrichtstätigkeit an div. Mittelschulen, 1972-80 beauftragter Dir. d. Mittelschule Bozen III, 1975 Lehramtsprüf. f. Mittelschulen u. Höhere Schule, 1980-82 beauftragter Dir. d. Mittelschule St. Felix, 1982-89 Stammrollendir. d. Mittelschule Mühlbach u. 1989-90 d. Mittelschule Bozen,III, 1990-91 Dir. in Mühlbach. BL.: 1976-78 eigene Sendung über "Lyrik d. Weltliteratur" im Rundfunk. P.: Übersetzung eines Standardwerkes d. ital. Soziologen Ferrarotti f. d. Univ. Essen, Diss. über Grillparzers "Hero u. Leander". M.: Mitbegründer d. Südtir. Ges. f. Gesundheitsfragen. H.: Schreiben, Tennis, Musik. (A.W.)

Stifter Walter Dr.
B.: Schulamtsdir. am Deutschen Schulamt. DA.: 39100 Bozen, Amba-Alagi-Str. 10. PA.: 39020 Marling, Nörderstr. 41. G.: Luttach, 16. Apr. 1941. V.: Maria, geb. Hölzl. Ki.: Martin, Klaus. S.: Lehrerbildungsanst. Meran, 1960 Matura, 1960-62 Supplent an d. kfm. Vorbild.-Schule in Bruneck, 1962-63 VS-Lehrer in St. Johann im Ahrntal, 1966 Prom. K.: 1966-77 Lehrer f. Biologie u. Chemie an d. Lehrerbild.-Anst. Meran, daneben Mittelschuldir. v. Ulten, später v. Algund u. Partschins, 1977-81 Dir. d. Mittelschule Naturns, 1981-82 Dir. d. hum. Gymn. in Bozen, 1982-83 Dir. d. hum. Gymn. in Meran, 1983-87 Dir. d. RG in Meran, 1987 Schulamtsltr. u. Nfg. Dr. David Kofler, bes. Anliegen: Päd. u. strukturelle Erneuerung d. Schule, Lehrerfortbild. u. Schulversuche, Einführung d. Informatik, d. modernen Computertechnik in d. allgemeinbild. Oberschulen, Erkämpfung autonomer Mitbestimmungsbefugnisse auf versch. Ebenen. P.: Veröff. v. lehrerfortbildungsspezifischen Broschüren. M.: Lehrerverb., Arbeitskreis Südtir., Mittelschullehrer. H.: Bergsteigen, Lesen, Musik, Natur erleben. (C.K.)

Stingel Ursula
B.: Grafiker. DA.: 39012 Meran, Freiheitsstr. 106. PA.: 39012 Meran, Cavourstr. 62. G.: Meran, 6. Apr. 1958. El.: Egon u. Martha Stingel. S.: HASCH Meran, Lehrinst. f. graf. Gestaltung in München. K.: graf. Tätigkeit in Bozen, seit 1983 selbst., Schwerpunkt: Plakatwerbung, Entwurf d. Plakates f. d. Meraner Musikwochen. H.: Sport. (P.R.)

Stocker Stefan Dr. phil.
B.: Chemiker im Chem. Landeslaboratorium d. Amtes f. Boden u. Lebensmittel. DA.: 39100 Bozen, Amba-Alagi-Str. 5. PA.: 39050 Deutschnofen, Hauptstr. 26. G.: Bozen, 28. Juni 1936. V.: Hanni, geb. Herbst. Ki.: Urgan, Hugo. S.: hum. Gymn. Bozen, 1957 Matura, Stud. Chemie Univ. Bonn, 1962 Univ. Innsbruck, 1970 Prom. K.: seit 1971 Chemiker im Chem. Landeslaboratorium, seit 1981 Teilung in 3 Abt., ab 1986 Ltr. d. Amtes f. Boden u. Lebensmittel. M.: Ges. d. dt. Chemiker. (C.K.)

Stockner Josef
B.: Telefonist. GT.: Präs. d. Ital. Blindenverb. d. Landesgruppe Südtirol. DA.: 39100 Bozen, Garibaldistr. 6/34. PA.: 39100 Bozen, Taramellistr. 5/128. G.: Feldthurns, 20. Feb. 1940. V.: Maria, geb. Kerschbaumer. Ki.: Martin (1966), Florian (1967), Erich (1974). El.: Johann u. Anna, geb. Kerschbaumer. S.: Berufsausbild. als Telefonist in Brescia. K.: 1963-77 Anstellung in Bozen im Regional-KH, seit 1978 in einer lokalen Bank in Bozen als Telefonist beschäftigt, seit 1968 Präs. d. Landesgruppe Südtirol. P.: div. Art. in Fachzeitschriften. M.: im VerwR. d. Blindenzentrums St. Raphael in Bozen, Regionalvorst. d. Blindenverb., Koordinator Blindensportgruppe Sekt. Torball, Obm.-Stellv. d. Vorst. KVW Ortsgruppe Neugries. H.: Sport, Wandern. (N.A.)

Stofner Alois Dr. Dr. Dipl.-Vw. Prof.
B.: Dir. d. Handelsoberschule u. Oberschule f. Geometer. DA.: 39100 Bozen, Guntschnastr. 1. PA.: 39100 Bozen, Reinswald 92. G.: Sarnthein, 28. Apr. 1932. V.: Dr. Renate, geb. Dahl. Ki.: Wolfgang (1963), Dr. Christiane (1964), Oliver (1966). El.: Johann u. Rosa, geb. Oberhöller. S.: ldw. Arb., Zimmermann, Aufbaumittelschule Lambach/OÖ, 1960 Matura, Stud. Wirtschaftswiss. Univ. Köln u. Innsbruck, 1965 Spons., Stud. Staatswiss. Innsbruck, 1972 Mag. d. Wirtschaftswiss. K.: seit 1965 Lehramt Wirtschaftswiss. u. Rechtslehre, 1976 Dir. Mittelschule Tramin, 1987-90 Dir. Lehranst. f. Ind. u. Handelsoberschule f. Geometer, Aufbau u. 1. Dir. d. Oberschule f. Ldw. in Auer. H.: Musik, Lesen. (N.A.)

Stuflesser Werner Dr.
B.: Dir. am Landesinst. f. Statistik d. Autonomen Provinz Bozen-Südtir. DA.: 39100 Bozen, Duca-d'Aosta-Str. 59. G.:ST. Ulrich/Gröden, 2. Jan. 1949. V.: Marina. Ki.: David, Lukas. S.: Franziskanergymn. Bozen, 1968 Matura, Stud. Math., Statistik u. Vw. Univ. Wien, 1977 Prom. K.: 1977-78 Lehrtätigkeit an d. HOB St. Ulrich, 1977 Eintritt in d. Landesdienst, seit 1980 Dir. P.: Mitarb. an div. wiss. Arb., Beiträge im Bereich d. angew. Statistik. M.: Präs. d. Europ. Ak. Bozen. H.: Skifahren, Wandern, Lesen, Fotografieren. (A.W.)

Stuppner Hubert Dr. phil. Prof.
B.: Künstler. Ltr. d. Haydn-Orchesters v. Bozen u. Trient. DA.: 39100 Bozen, Dominikanerpl. 19. PA.: 39100 Bozen, Brennerstr. 6a. G.: Truden, 9. Jan. 1944. Ki.: Sigmund (1972), Hanno (1973). El.: Heinrich u. Anna, geb. Unterhauser. S.: Stud. Klavier u. Komposition am Konservatorium v. Bozen, Literaturwiss. an d. Univ. Padua. K.: Teilnehmer an d. Ferienkursen f. Neue Musik in Darmstadt, Mitarb. an Analyse-Projekten d. "Instituto Musicale Canneti" v. Vicenza u. d. Publ.-Reihe "Musikkonzepte", Mitbegründer u. Ltr. d. Festivals zeitgenöss. Musik in Bozen, Künstler. Ltr. d. Intern. Pianistenwettbewerbes F. Busoni, 1983-84 DAAD-Stipendiat in Berlin, Dir. d. Musikkonservatoriums "Claudio Monteverdi", seit 1990 Künstler. Ltr. d. Haydn-Orchesters v. Bozen, u. Trient; Kompositionsaufträge v. Südwestfunk Baden-Baden, v. d. Warschauer Kammeroper u. v. Haydn-Orchester Bozen, d. ORF-Orchester Wien, d. Biennale v. Venedig, d. Toscanini-Orchester Parma, d. Maggio Musicale Florenz, d. Sbg. Festspielen u.a. Konzertaufführung d. Oratoriums Passion f. d. Papst in Castel Gandolfo in Rom. P.: zahlr. Werke u.a.: Totentanz, Pierrot u. Pierrette, Minetti, Cafe Eros, Palinodie I-IV, Tristan - Ein Deutsches Nirwana, Vogelsang, Ballettmusik "Exatis u. Nirvana" (1989), Musical "Professor Unrat" (1992). E.: 1976 1. Preis Intern. Kompositionswettbewerb f. d. Schnittger-Orgel in Zwolle/NL, 2. Preis intern. Koompositionswettbewerb f. Ballett d. Schweiz. Fernsehens d. Suisse Romande, 1. Preis Intern. Wettbewerb d. "Filarmonica Umbra" f. Kammeropern (1979), Kulturpreis f. Musik d. Stadt Innsbruck (1980) f. d. ZDF-Fernsehfilm "Die Stimmen der Sylphiden". (P.R.)

Sulzenbacher Josef Dr. phil.
B.: Bez.-Obm. d. Verb. f. Heimatpflege Südtir., Präs. Dir. d. Führungsaussch. f. d. Naturpark Fanes-Sennes-Prags, seit 1975 Mittelschuldir. Welsberg. DA.: 39035 Welsberg, Schloßweg 14. PA.: 39035 Welsberg, Klosterweg 2. G.: Innichen, 15. Nov. 1929. V.: Adelinde, geb. Pattis. Ki.: Gerold, Dr. Gudrun, Gislar, Gerlind. El.: Josef u. Anna. BV.: entstammt aus einer Generation v. Schmieden b. 1551 zurück, Urhof aus d. 13. Jhdt. Kartitsch Osttir. S.: ital. u. dt. VS, HS Salern, 1945-49 Hilfsarb., kfm. Ang. u.v.a. Tätigkeiten, 1949-52 LBA Meran, 1952 Matura. K.: 1956-58 Lehrer u. Schulltr. VS Taisten, 1958-62 Lehrer u. Schulltr. VS Welsberg, 1962-63 kfm. Vorbild.-Schule Welsberg, 1963-75 Einheitsmittelschule Welsberg, 1970-75 Univ.-Stud. als Werkstudent, Germanistik, mittelalterl. Volksschauspiel, d. Pragser-Nikolaus-Spiel d. Alpenländ. Volksschauspieler, 1975 Dr., 1975-81 beauftragter Dir. Mittelschule Welsberg, 1981-87 o.Dir. Mittelschule Welsberg, 1958-61 Bez.-Vertreter b. kulturellen u. gewerkschaftl. Lehrerver., 1961-66 Ortsobm. d. SVP in Welsberg, 1964-69 GemR.-Mtgl. Welsberg, 1969-81 Mtgl. versch. Kmsn. im Oberpustertal, 1981-84 Mtgl. im Führungsaussch. Naturpark Fanes-Sennes-Prags, 1984-87 Präs. d. Naturparkkmsn. BL.: dt., ital., engl., lat., Vorträge u. Beratungen im Rahmen Naturschutz u. Heimatpflege, Grdg. folgender Schulen: 1959 kfm. Vorbild.-Schule, 1987 Grundlehrgang f. Gastgewerbe Berufsschule Welsberg. E.: 1967 Silb. EZ d. Volkstumverb. Osttir., 1974 EZ in Gold. d. Landesverb. f. Heimatpflege in Südtir., 1978 EZ in Gold d. Österr. Naturschutzbundes Sbg., 1987 Heimatpreis d. Kulturwerkes f. Südtir. e. V. München. M.: Alpenver. AUS Südtir. (Ref.) ARGENUP. H.: Langlauf, Gartenarb., Lesen, volkskundl. Forsch., Volksbild. (M.G.)

Tabarelli-Dalponte Lidia
B.: Amtsdir. im Amt f. Buchhaltung. DA.: 39100 Bozen, Mendelstr. 33. PA.: 39100 Bozen, Rovigostr. 19. G.: Salorno, 11. Juni 1935. V.: Angelo. Ki.: Paolo, Nicola, Angela. El.: Paolo u. Ester. S.: 1955 Matura in Trient. K.: 1959-75 Staatl. Büro f. Buchhaltung, 1972 Amtsdir. H.: Bergwandern. (P.R.)

Tacchella Marco
B.: Flugkapitän, Dir. d. Filiale Bozen. FN.: ELI ALPI. DA.: 39100 Bozen, Flughafen Francesco, Baraccastraße. PA.: Girlan, Marktstr. 36. G.: Genua, 4. Dez. 1946. El.: Luigi u. Ines. S.: Ind.-Schule, 1965 Matura, Militär, 1967 Hubschrauberpilotenschule, 1977 Zivilpilotenschein. K.: b. 1980 Offz.-Laufbahn, dann Pilot d. Firma ELI ALPI, 1984 Grdg. d. Filiale Bozen, 1987 Dir. d. Filiale Bozen Eli Alpi. H.: Musik, Computer. (P.R.)

Tarfusser Cuno Jakob Dr.
B.: Staatsanw. DA.: 39100 Bozen, Gerichtspl. 1. G.: Meran, 11. Aug. 1954. El.: Dr. Rudolf u. Luise. S.: Oberschule, klass. Lyzeum Meran, 1973 Matura, Jusstud. Univ. Innsbruck u. Padua. K.: Anw.-Praktikum in Padua, 1984-85 Richter Wettbewerb Rom, 1985 Richter inBozen, seit 1987 Staatsanw. in Bozen. P.: div. Vorträge in Bozen, div. Vorbereitungsseminare in Rom. M.: Präs. d. 1. Zensurkmsn. f. Filme in dt. Sprache. H.: Arb., klass. Musik, Skifahren, Lesen, Kochen. (M.G.)

Tasser Rudolf Dr. phil.
B.: Dir. FN.: Landesbergbaumuseum. DA.: 39049 Sterzing, Frundsbergstr.20. PA.: 39031 Bruneck, Sternbachstr. 26. G.: St. Johann im Arntal. V.: Josefine, geb. Reichegger. KI.: Barbara (1973). EL.: Matthias u. Anna. S.: hum. Gym., 1961 Matura Univ. Innsbruck, phil. Fakultät, Philosophie, Geschichte, Germanistik Promotion 1971. K.: 25 J. Prof. an Mittel- u. Oberschulen f. liter. Fächer, 1990 Eintr. i. d. Landesbergbaumuseum in Sterzing als Dir. P.: Das Kupferwerk von Prettau, Das Bergwerk am Südtiroler Schneeberg, Führer durch das Südtiroler Landesbergbaumuseum, Mitarb. an Lehrbüchern, Fachart. in Zeitschriften. H.: Bücher, Musik. (I.D.)

Tatz Luis
B.: Sägewerkbesitzer. DA. u. PA.: 39057 Eppan, Handwerkerstr. 3. G.: Eppan, 2. Jan. 1939. V.: Monika, geb. Frötscher. Ki.: Magdalena, Florian. S.: Mittelschule Eppan u. Brixen, Forstschule Edolo Brescia. K.: 1958 Eintritt in d. väterl. Betrieb, 1968 Übernahme d. Betriebes; Mtgl. d. Parteiltg. d. SVP Ortsaussch. Eppan, Obm. d. Trinkwasserversorgung Eppan. H.: Langlaufen (u.a. Teilnahme am Wasa-Lauf in Schweden 1980 u. Dolomitenlauf), Radfahren. (A.W.)

Terzer Walter Dr. jur.
B.: Amtsdir. im Amt f. Fremdenverkehrsorganisation u. -förderung. DA.: 39100 Bozen, Pfarrpl. 11. PA.: 39012 Meran, Kirchsteig 3. G.: Meran, 23. Jan. 1937. V.: Evi, geb. Zwischenbrucker. Ki.: Sabine (1965), Irene (1967), Stefan (1971). El.: Ernst u. Maria, geb. Dubis. S.: 1955 Matura, Jusstud. Bologna, 1962 Prom., Militär. K.: Praxis in einem RA-Büro in Bozen, ab 1964 Landesfremdenverkehrsamt, seit 1975 im Landesdienst Ressortltr., ab 1981 Amtsdir. H.: Wandern, Basteln, klass. Musik. (P.R.)

Thaler Hansjörg
B.: Hotelier d. Temelhof. DA. u. PA.: 39042 Brixen, Elvaserstr. 76. G.: Brixen, 2. Apr. 1943. V.: Christine, geb. Mayer. Ki.: Patric, Mathias. El.: Alois u. Johanna. S.: VS, MS, HFS. K.: 1963 Grdg. u. Bau d. Hotels Temelhof, 1966 Eröff. d. Hotels u. seit dieser Zeit Ltg. u. Führung d. Hotels Temelhof. P.: Veröff. in Fachzeitschriften über Gastronomie. M.: HGV Südtir., HGV Brixen, Schützenver. H.: Skifahren, Tennis, Bergsteigen. (M.Br.)

Tinkhauser Josef Dr. phil.
B.: Amtsdir. im Amt f. Statist. Datenverarb. DA.: 39100 Bozen, Duca-d'Aosta-Str. 59. PA.: 39100 Bozen, Schmiedg. 15. G.: Bruneck, 26. März 1953. V.: Christine, geb. Staffler. Ki.: Felix (1986), Georg (1989). S.: hum. Gymn. Bruneck, 1972 Matura, Stud. Math. u. Informatik Univ. Wien u. Innsbruck, 1978 Prom. K.: 2 jähr. Tätigkeit in einem Privatbetrieb als Systemanalytiker, seit 1981 b. d. Landesverw., Aufbau d. Rechenzentrums f. Statist. Datenverarb. in Bozen, Ernenn. z. Amtsdir., Mtgl. d. EDV-Koordinierungskmsn. d. Landesverw., Aufgabe: Durchführung v. Großzählungen u. period. Erhebungen, Ausarb. f. d. Statist. Jahrbuch Südtirol. (N.A.)

Tischler Josef
B.: Tischler. DA.: 39012 Meran, Kuperianstr. 26. PA.: 39012 Meran, Mayrhoferstr. 4. G.: Latsch, 25. Juli 1942. V.: Walburg, geb. Bauer. Ki.: Ulrike, Georg, Susanne, Barbara. El.: Jakob u. Rosa. S.: gewerbl. Fortbild.-Schule Meran, Tischlerlehre im väterl. Betrieb. K.: 1960 Übernahme d. Betriebes, Militär, Ausbau d. Tischlereibetriebes, 1974 Eröff. eines Möbelhdls.-Betriebes m. europ. Marktenprod., 1978 Neubau d. heutigen Firmensitzes in d. Handwerkerzone, seit diesem Zeitpunkt Spezialisierung auf handwerkl. Massivholzverarb. P.: Karikaturzeichnungen f. d. Tagblatt "Dolomiten" u. versch. Kulturzeitungen. E.: mehrere Dipl. u. Goldmed. f. Massivholzarb. H.: Langlaufen, Tennis, Zeichnen. (P.R.)

Töchterle Anton Dr. phil.
B.: Dir. d. Frauenoberschule. DA.: 39012 Meran, Carl-Wolf-Str. 36. PA.: 39012 Meran, Leo-Putz-Str. 7. G.: Olang, 28. Dez. 1934. V.: Rotraut, geb. Wirtz. Ki.: Wolfgang, Christian, Niklas. El.: Anton u. Rosa. S.: Vinzentinum, 1955 Matura, Univ. Padua, Saarbrücken, Freiburg i. Br., 1962 Prom. K.: Unterricht in lit. Fächern, Wettbewerb, Lehrer, 1976 prov. Dir. RG Meran, 1979 Dir. d. Frauenoberschule. H.: Sport, Skifahren, Tennis. (P.R.)

di Tomas Karla
B.: Floristin. FN.: Blumen Lisa. DA.: 39100 Bozen, Venediger Allee 60; 39100 Bozen, Freiheitsstr. 54. PA.: Leifers, Kennedystr. 25. G.: Leifer, 18. Mai 1955. V.: Nicolasi. Ki.: Monika (1974). El.: Guisto u. Maria di Tomas, geb. Berger. S.: Mittelschule, Floristenlehre. K.: zuerst im Verkauf tätig, dann Büroang., seit 1982 selbst. H.: Lesen. (N.A.)

Tomasi Leonhard Dipl.-Ing.
B.: Arch., Amtdir. im Bezirksamt f. Raumordnung. DA.: 39100 Bozen, Cesare-Battisti-Str. 21. PA.: 39100 Bozen, Siegespl. 23a. G.: Bozen, 26. Juni 1943. V.: Alice-Barbara. Ki.: Ester, Raffaello. S.: wiss. Lyzeum Brixen, 1963 Matura, Arch.-Stud. an d. TH Graz, 1976 Grad. K.: 1976 Eintritt in d. Landesdienst in Bozen als Siedlungsplaner, 1981 Amtsdir. H.: Arch., Kunst. (A.W.)

Tomasi Robert
B.: Untern. FN.: Mayr & Tomasi. DA. u. PA.: 39012 Meran, Romstr. 284. G.: Meran, 22. Feb. 1930. V.: Maria, geb. Ferin. Ki.: Rudolf, Anita, Heinrich. El.: Anton u. Gisella. BV.: Vater war Adamello Kämpfer 1915-18 als Kaiserjäger. S.: Ital. VS, zusätzl. Katakombendeutschunterricht, 1939 Obdant f. Deutschland, b. 1953 dt. Staatsbürgerschaft, 1945 Mechanikerlehre in Lazarettstadt Meran in Heeresetappenkfz.-Werkstatt, 1951 ital. Heerespflichtdienst, ab 1952 b. Firma Aedes Bozen (Generalimporteur d. Porsche Diesel Traktoren f. Italien) als Werkstattltr. u. Kundendienstorganisator u. dessen Durchführung, 1959 Grdg. d. Firma Mayr & Tomasi OHG in Meran, seit 1960 Handwerksmeister in Kfz, seit 1964 Perkinsdieselkonzessionär f. Provinz Bozen u. Trient, zusätzl. Vertragswerkstätte f. Gabelstapler, Konzessionär f. Antriebs. u. Stationärbatterien (Fiamm Montecchio), Vertrieb d. Reinigungsmaschinen Hako Oldeslohe /Norddeutschland, Spezialisation f. Pumpen- sowie Strom- u. Dieselaggregate. (P.R.)

Trafojer Florian Dr.-Ing.
B.: Bauing. DA.: 39100 Bozen, Sparkassenstr. 13. PA.: 39100 Bozen, Runkelsteinerstr. 30. G.: Bozen, 20. Apr. 1941. V.: Brigitte, geb. Erlacher. S.: Franziskanergymn. Bozen, wiss. Lyzeum Brixen, 1960 Matura, Bauing.-Stud. TH München, 1966 Dipl., 1967 Staatsexamen Univ. Padua. K.: 1967-69 Arb.-Aufenthalt in München, 1970 Eröff. d. Ing.-Büros in Bozen. H.: Reisen, Sport, Golf, Skifahren, Segeln.

Graf Trapp Johannes J.
B.: Bankdir., Repräsentant d. CA-BV f. d. Trentino/Südtirol. DA.: 39100 Bozen, Musterg. 3. PA.: Churburg, Schluderns; 6020 Innsbruck, Palais Trapp, Maria-Theresien-Str. 38. G.: Meran, 11. Juni 1946. V.: Cecily, geb. D'Harnoncourt. Ki.: Gaudenz (1972), Isabelle (1974), Valerie (1975). El.: Dr. Oswald u. Marie-Leopoldine, geb. Bossi-Fedrigotti. BV.: Familie Graf Trapp seit 1504 in Südtir. ansässig, Großvater Gotthard war k.u.k. Kämmerer. S.: Hum. Gymn. m. Matura Wien, Stud. Vw. K.: 1972 Eintritt in d. Creditanst. Innsbruck,

1976 Midlandbank London, seit 1990 Repräsentant d. CA-BV f. d. Trentino/Südtirol. E.: Ehren- u. Devotionsritter d. Souveränen Malteser Ritterordens in Österr., Herr u. Landmann in Tirol. (N.A.)

Travan Franco Dr.-Ing.
B.: Amtsdir. im Amt f. Bauten u. Gesundheitsdienst. DA.: 39100 Bozen, Waltherpl. 22. PA.: 39100 Bozen, Mazzinipl. 49. G.: Cremona, 5. Aug. 1949. S.: Mittelschule Bozen, wiss. Lyzeum Bozen, 1968 Matura, Stud. Univ. Pisa, 1973 Prom., 1974 Gasthörer d. TU München. K.: freiberufl. Tätigkeit m. einigen Arch. u. Technikern in Bozen, 1977 Eintritt in d. öff. Amt d. Provinz Bozen, 1982 Schaffung d. Spez. Amtes f. Bauten d. Gesundheitsdienstes, glz. Dir. d. Amtes. H.: Sport, Reisen, Theater, Ausstellungen, bild. u. darstell. Kunst. (C.K.)

Trebo Hermann Dr.
B.: Arch. FN.: Studio Arge Plan. DA.: 39100 Bozen, Runkelsteiner Str. 3. PA.: 39100 Bozen, Talfergriesg. 26. G.: Bozen, 7. Okt. 1940. S.: Franziskanergymn. Bozen, Arch.-Stud. TH Graz, 1970 Prom. K.: seit 1970 freiberufl. Tätigkeit als Arch., Realisierungen im soz. Wohn- u. Schulbau. (C.K.)

Trenker Ferdinand Dr. jur.
B.: Amtsdir. in d. Abt. IV öff. Bauarb. d. Autonomen Provinz Bozen. DA.: 39100 Bozen, Raiffeisenstraße. PA.: 39100 Bozen. G.: Berlin, 6. Apr. 1933. V.: Marita, geb. Vieth. Ki.: Notgburga, Luis. El.: Arch. Dipl.-Ing. Luis Trenker u. Hilda, geb. von Bleichert. BV.: Vater Arch. Dipl.-Ing. Luis Trenker bekannter Bergsteiger, Schauspieler, Reg., Schriftsteller, Fernsehautor u. Erzähler, Großvater Paul v. Bleichert war Großindustrieller in Leipzig, geadelt v. König August v. Sachsen. S.: wiss. Lyzeum Bozen, 1954 Matura, 1955 Matura Hum. Gymn. Meran, Stud. Univ. Florenz, 1960 Prom., 2 Sem. Univ. Göttingen, 1964 Staatsprüf. in Florenz als RA, 1970-71 Dipl.-Abschluß. K.: Praktikum b. 3 Anw. in Bozen, 1965 Eintritt in d. Landesreg. Amt f. Verträge u. allg. Verw.-Angelegenheiten, seit 1972 Amtsdir. P.: 1980-83 Mitarb. an d. Übersetzung d. ital. Zivilprozeßordnung, seit 1976/77 Vortragstätigkeit u. Ltg. v. Kursen f. d. Südtir. Bildungszentrum. M.: Grdg.-Mtgl. u. langjähr. Mtgl. d. Südtir. Hochschülerschaft, Vorst.-Mtgl. d. Freiwilligen Blutspenderver., Grdg.-Mtgl. u. langjähr. Vorst.-Mtgl. d. Sekt. Bozen, d. Gesamtstaatl. Ver. d.Zinvilinvaliden, Mtgl. d. LandesbeiR. f. Archivwesen. H.: Schiffsmodelle. (N.A.)

Trevisani Gianrolando Dr. phil.
B.: Amtsdir. im Amt f. d. Laboratorium Abt. Luft u. Lärm. DA.: 39100 Bozen, Amba-Alagi-Str. 5. PA.: 39012 Meran, Hageng.8. G.: Meran, 22. Juli 1943. V.: Sieglinde. Ki.: Sonja, Sabine. S.: Gymn. Meran, 1963 Matura, Stud. an d. Univ. Bologna, 1969 Prom. z. Dr. phil., Fachrichtung Chemie, 1970-71 Militärdienst. K.: 1971 Eintritt in d. Landesdienst, Abt. f. Lebensmittelchemie, 1981-86 Ltr. d. Abt., seit 1986 Ltr. d. Abt. Luft u. Lärm. P.: zahlr. Veröff. auf d. Gebiet d. Rückstandsanalytik, Lebensmittelchemie u. Umweltschadtstoffe. E.: 1984 "Premio Gazzi" f. Arb. auf d. Gebiet d. Rückstandsanalytik. M.: Ital. Ges. d. Lebensmittel- u. Umweltchemiker, wiss. Kmsn. f. Rückstandsanalytik, Gesundheitsmin. (A.W.)

Troger Christian
B.: Gewerkschafter. DA.: 39012 Meran, Galileistr. 24. PA.: 39022 Algund, Alte Landstr. 10. G.: Kastelruth, 26. März 1938. El.: Ferdinand u. Klara. S.: Techn. Oberschule Bozen. K.: Zivildienst, seit 1981 zuerst Kellner, dann Gewerkschaftsfreistellung, Verhandlungsführung auf Landes-, Bezirks- u. Betriebsebene, Schlichtungskomission f. Arbeitsstreitfälle, Betriebsversammlungen. H.: Wandern, Radfahren, Schwimmen, Lesen, Musik, Basteln. (P.R.)

Trojer Karl Dr.-Ing.
B.: Beratender Ing., Gen.-Sekr. d. Beratenden Ing. Italiens. FN.: Ind. Team Planungsgruppe Terlan. GT.: Mtgl. d. NatR. d. Ing.-Syndikats. DA.: 39018 Terlan, Nationalstr. 43. OA.: 39018 Terlan, Nationalstr. 62. G.: Schlanders, 26. Dez. 1938. V.: Gertrud, geb. Reger. Ki.: Stefan, Hans, Katja. El.: Karl u. Maria. S.: VS, Mittelschule, Oberschule f. Maschinenbau, TH München, Stud. Maschinenbau Univ. Padua, Staatsexamen, Dr.-Ing., 1985-87 Ausbild. z. Gruppentrainer. K.: 1963-64 Betriebstätigkeit b. Krauss Maffei AG München, 1964-65 Steinböck, Moosburg Entwicklung v. Prüfstand u. Betriebseinrichtungen, 1965-66 Militärdienst, 1966-69 Mitarb. in d. Führung d. Inbetriebname d. M & K Trojer Schlanders Fahrzeugbau, 1969-72 Berater d. Südtir. Landesreg., seit 1972 Ltr. d. Ind. Team, seit 1984 Sekr. d. Aici Rom, 1975 Grdg. Protella AG, 1975 Grdg. d. Südtir. Refa Verb. M.: Grdg.-Mtgl. d. Südtir. Ing. u. Arch.- Verb., Mtgl. d. NatR., Mtgl. d. Vost. d. freiberufl. Ing.-Verb. Italiens, Planer v. ATT (Automatic Tunnel Transport). H.: Tanz, Bergsteigen, Reisen, Dichten. (M.B.)

Trompedeller Isidor Dr. soc. oec.
B.: Amtsdir. Abt. öff. Unterricht u. Kultur f. d. dt. u. ladin. Volksgruppe. DA.: 39100 Bozen, Andreas-Hofer-Str. 18. PA.: 39050 Tiers 62. G.: Tiers, 7. Dez. 1942. V.: Johanna, geb. Resch. Ki.: Georg (1981), Kathrin (1983), Margit (1985). El.: Andreas u. Martha, geb. Lageder. S.: 1963 Matura, Theol.-Stud. in Brixen u. London, Stud. d. Vw. in Innsbruck u. Soz. in Linz, 1973 Prom. in Linz. K.: Vertragsass. am Inst f. Agrarsoz. Linz, 1973 Eintritt in d. Amt f. Weiterbild., seit 1979 Ltr. dieses Amtes. E.: 1971 Österr. Volksbild.-Preis. M.: Chorltr. u. Organist in Tiers, GemR. d. Freiheitl. Partei Südtir. in Tiers, GemR. d. Bürgerliste in Tiers. H.: Reisen, Wandern, Schwimmen, Musik. (N.A.)

Tullio Orler
B.: Dir. d. Inst. Rainerum Salesianer Don Boscos. DA.: 39100 Bozen, Carduzzistr. 7. G.: 29. Dez. 1947.

Turin Josef
B.: Dir. FN.: Tourismusverein Sterzing. DA.: 39049 Sterzing, Stadtplatz 3. PA.: 39049 Sterzing, Brennerstr. 9. G.: Sterzing, 28. Aug. 1954. V.: Marlene. KI.: Peter (1984), Carmen (1986), Birgit (1986). EL.: Josef u. Edith. S.: HASCH Sterzing, ab 1975 Hotelfachschule in Stresa. K. Studienaufenthalt in England Hotel Hilton, Kaufhaus Harrods in London, beg. als Tellerwäscher ausgesch. als Restaurantltr., 1976-80 Kfm. Ang. i. e. Reisebüro in Brixen, 1980 Eintr. Tourismusver. Sterzing als Sekretär, 1992 Dir. u. Gschf. d. Tourismusver. Wipptal Sterzing. M.: Dachverb. f. Tirol u. Südtirol, 1980-85 Gem,R. u. Gruppenspr. d. SVP. H.: Tennis, Schwimmen, Reisen. (I.D.)

Turker Harold
B.: Kfm. FN.: Turker Großküchen KG Einrichtungen, Planungen. DA.: 39100 Bozen, St. Quireinerstr. 6. PA.: 39052 Oberplanitzing, Kalterer Str. 7. G.: Bozen, 19. Okt. 1949. V.: Susanne, geb. Gasser. Ki.: Peter, Sabine, Elisabeth. El.: Johann u. Anna. S.: Geometerschule Bozen, 1970 Matura, Militärdienst. K.: Hdls.-Vertretungen f. Großküchen u. Hoteleinrichtungen, 1975 Grdg. d. eigenen Firma, d. sich m. Planung, Rationalisierung u. Erstellung v. Großküchen, Konditor- u. Bäckereieinrichtungen, sowie Hotels beschäftigt. H.: Fliegen, Filmen, Fotografieren. (P.R.)

Turra Piercarlo Dr.
B.: Amtsdir. d. Rechnungsamt, Amt f. Haushalt d. autonomen Provinz Bozen. DA.: 39100 Bozen, Landhaus II, Crispistr. 6. PA.: 39100 Bozen, Fagenstr. 13/B. G.: Monselice, 28. Okt. 1943. V.: Renata, geb. Zatelli. Ki.: Alessandro, Francesca. S.: Mittelschule, wiss. Lyzeum Bozen, 1962 Matura, Stud.

Staatswiss. in Padua. K.: Militär, 1969 Lehrtätigkeit Mittelschule Bozen, 1970 Eintritt Landesverw., 1986 Teilnahme am Informationsaustausch über Finanzprobleme d. Verw. in Nord-Südtir., seit 1986 Rechnungsprüfer d. Museums f. mod. Kunst Bozen, seit 1980 Rechnungsprüfer d. Kurverw. Sterzing. P.: interne Broschüren. H.: Skifahren, Bergwandern, Schwimmen, Familie, Reisen, Kunstschmied. (M.G.)

Turra Vittore

B.: Präs. d. Nationalverb. d. Kriegsversehrten (ANMIG). DA.: 39100 Bozen, Italienstr. 30. PA.: 39100 Bozen, Via Claudia de Medici 31. G.: Lomaso/Trient, 3. März 1911. V.: Franciska, geb. Sosi. Ki.: Gabriella. El.: Angelo u. Paulina. BV.: Vater Stabsmeister in Innsbruck. S.: 1933 Matura in Novara, Univ.-Stud. in Bologna, 1940 Prom. K.: b. 1952 RA, b. 1974 VGen.-Sekr. d. Südtir. Landesreg., Ltr. d. Rechtsabt., 1950-55 Ltr. d. ANMIG, ab 1980 deren Präs., 1955 Delegierter z. Behandlung d. Kriegsversehrten in Wien, 1957 in Berlin. E.: Silb. Tapferkeitsmed. M.: Mtgl. d. CEAC. (P.R.)

Überbacher Hans Peter Dr. med.

B.: FA f. Augenheilkunde. DA.: 39100 Bozen, Talferg. 2. PA.: 39100 Bozen, Glaninger Weg 2a. G.: Brixen, 22. Apr. 1951. V.: Dr. Eva, geb. Gratl. Ki.: Cosima, Julia. S.: Bischöfl. Vinzentinum Brixen, Franziskanergymn. Bozen, 1970 Matura, Med.-Stud. Univ. Innsbruck, 1977 Prom. K.: 1978 KH Brixen als Ass.-Arzt f. Anästhesie, seit 1978 in Frankfurt im Bürgerhospital, 1979-83 an d. Univ.-Augenklinik München, seit 1983 freiberufl. als Augenarzt in Bozen. H.: Fotografie.

Überbacher Walter Dr. med.

B.: FA f. Hals-, Nasen- u. Ohrenheilkunde. GT.: seit 1977 als Belegarzt an d. Marienklinik u. Grieserhof tätig. DA.: 39100 Bozen, Leonardo-da-Vinci-Str. 20. PA.: 39042 Brixen, Elvaser Str. 34. G.: Bozen, 27. März 1943. V.: Jolanda, geb. Lunz. Ki.: Alexandra, Philipp. S.: Mittelschule in Brixen, Gymn., Franziskanergymn. Bozen, 1963 Matura, Med.-Stud. Univ. Innsbruck u. Wien, 1969 Prom. K.: 1970 KH Brixen Chir., 1971-75 HNO-Ausbild. in Basel, 1975-76 Plast. Chir. in Düsseldorf, dazwischen Studienaufenthalte in Finnland, England u. USA, 1977 Praxiseröff. in Bozen. M.: Rotary Club Brixen, Dt. Ges. f. HNO u. Joseph Society f. Plast. Chir. H.: Musik, Literatur. (C.K.)

Überbacher Wilhelm Dr.

B.: Bgm. d. Gem. Vahrn. DA.: 39040 Vahrn, Voitsbergstr. 1. PA.: Neustift, Seiserleite 33. G.: Natzschaps, 2. Sep. 1951. V.: Martha, geb. Oberhammer. El.: Anton u. Anna. S.: wiss. Lyzeum Brixen, HS f. Bdk. Wien, 1978 Prom., 1978-80 Offz.-Schule Asto, 1 J. Lt., OLt. K.: 1980 Eintritt in d. Landesdienst, 1985 Bez.-Amt f. Ldw., 1990 Bgm. d. Gem. Vahrn. P.: Art. in Fachzeitschriften, Informationsschrift d. Gem. Vahrn "Vahrn Info", Vorträge b. Versammlungen, Beratung d. Südtir. Bergbauern. M.: VPräs. d. Bodenverbesserungsges. Natz u. Umgebung, Obm. Imkerver. Brixen, 5 J. Bez.-Obm.-Stellv. d. Südtir. Imker. H.: Imkerei, Bergwandern, Langlaufen, Alpenländ. u. klass. Musik. (I.D.)

Unterberger Sebastian Dr. rer. soc. oec. Mag.

B.: Bmtr. im Amt f. Wirtschaftsprogrammierung, Sekr. d. Landeswirtschafts- u. SozialbeiR. DA.: 39100 Bozen, Caesare-Battisti-Str. 21. G.: Bruneck, 11. Mai 1951. S.: Hdls.-Oberschule Bozen, 1970 Matura, 1 J. Berufstätigkeit in Mailand, Militärdienst, Stud. d. Soz. in Wien, 1978 Spon. K.: 1979 Eintritt in d. Landesdienst, zunächst Ass. f. Gesundheitswesen, seit 1981 im Amt f. Wirtschaftsprogrammierung. H.: Musik, Heimwerken. (P.R.)

Unterholzner Leo Dr. phil.

B.: Biologe, Vors. d. Landeskmsn. f. Landschaftsschutz, Mitarb. d. Amtes f. Naturparks. DA.: 39100 Bozen, Cesare-Battisti-Str. 21. PA.: 39011 Lana, Probst-Wiese-Weg 24a. G.: Tscherns, 29. Aug. 1951. V.: Helene, geb. Bachmann. Ki.: Tobias. El.: Alois u. Elisabeth. S.: LBA Meran, 1970 Matura, Stud. Botanik u. Zoologie Univ. Innsbruck, 1980 Prom. K.: Prof. an d. Mittelschule Lana (Math. u. Naturkunde). 1981 Mitarb. am Amt f. Naturparks, Naturschutz u. Landschaftspflege. P.: Mitarb. an 2 Bänden "Lebensräume in Südtirol", "Planzenwelt", "Tierwelt", Öff.-Arb. im Rahmen d. berufl. Tätigkeit, Lehrerseminare f. Umwelterz. M.: Alpenver. Südtirol, Dachverb. f. Natur- u. Umweltschutz, Arge f. Vogelkunde u. Vogelschutz. H.: Fotografieren, Vogelkunde. (A.W.)

Unterkalmsteiner Gebhard

B.: Schuldir. DA.: 39100 Bozen, Martin-Knoller-Str. 7. PA.: 39058 Sarnthein, Bachweg 6. G.: Sarnthein, 24. Mai 1937. V.: Rosa, geb. Kienzl Ki.: Isolde, Linde, Elisabeth. El.: Jakob u. Ida. BV.: Josef Kienzl Reichstags- u. LAbg. in d. k.u.k. Monarchie. S.: Mittelschule Meran, 1956 Matura, 4 J. LBA K.: Lehrer in Turnholz u. Sarnthein, Öff.-Arb., 24 J. in Sarnthein, ab 1981 Dir. zuerst in St. Pankraz/Ulten, Goethe-Schule Bozen, Pestallozischule, seit 4 J. Dir. an d. Rosnini-schule. H.: klass. Musik, Bastler, Lesen. (P.R.)

Unterrichter Mario Günther Dr. comm. et rer. oec. et Dr. jur.

B.: Präs. d. Ldw. Hauptgen. d. Provinz Bozen. DA.: 39100 Bozen, Siemensstr. 10. PA.: 39042 Brixen, Sarns Hof Kampan. G.: Wiesengrund, 23. Juni 1906. V.: Bruna, geb. Weger. Ki.: Rudolf. S.: Hum. Gymn. in Feldkirch, Stella Matutina u. Brixen, 1926 Matura, Univ.-Stud. Hdl. u. Vw. in Florenz, 1930 Prom., Jusstud. an d. Kath. Univ. Mailand, 1934 Prom. K.: 1931-36 Schweizer Treuhandbüro u. Chemie Konzern Montecatni Mailand, 1937-39 Anw.-Kzl. Brixen, 1940-43 dt.-ital. Wertfestsetzung d. Optantenvermögens, Ltr. Fachgruppe Ldw. u. VObm. in Brixen, 1943-45 Dr. Verw.-Berater f. Ernährung u. Ldw. b. Präfekten v. Trient, ab 1945 Aufbau u. Bewirtschaftung d. Hofes Kampan, ab 1946 versch. gen. Tätigkeiten, 1949-51 Mtgl. d. Schiedsgerichtes Stausee Reschen/Graun, seit 1951 Präs. d. Ldw. Hauptgen. d. Provinz Bozen, 1945 Grdg.-Mtgl. d. SVP, 1949-53 GemR. Brixen, 1952-60 Abg. d. SVP, 1970-74 GemR. Brixen u. Assessor f. d. Fraktionen, Mtgl. d. VerwR. d. Lagerhaus Bozen, b. 1987 Mtgl. d. VerwR. d. Konsortiums f. Unwetterschäden. E.: Gr. Silb. EZ f. Verd. um d. Rep. Österr. (C.K.)

Untersulzner Stefan Dr. jur.

B.: Amtsdir. im Recht- u. Rechnungsamt d. Südtir. Landtag. DA.: 39100 Bozen, Crispistr. 9. PA.: 39018 Terlan, Steindlweg 1. G.: Bozen, 29. Aug. 1958. V.: Barbara, geb. Partaner. Ki.: Christa (1986), Petra (1989). El.: August u. Beatrix, geb. Borser. S.: 1977 Matura, Franziskanergymn., Stud. Rechtswiss. Univ. Innsbruck, 1982 Prom. z. Dr. jur. K.: 1983 Eintritt in d. Landesdienst, Insp. f. Rechtsangelegenheiten, parallel dazu RA-Praxis, 1985 Assessorat f. Gebietskörperschaften, 1987 Übertritt z. Südtir. Landtag, als Amtsdir. tätig. H.: Tennis, Bergwandern, Lesen, Musik. (N.A.)

Unterweger Hubert

B.: Dekan, Priester. FN.: Dekanalamt Sterzing. DA.: 39049 Sterzing, Hochstr.20. G.: Algund, 22. Apr. 1933. EL.: Josef u. Maria. S.: Johanneum Lyzeum Matura 1954, Theologiestud. im Seminario Maggiore in Trient, 1959 Priesterweihe in Gries/Bozen. K.: 1 J. Kaplan in Schenna, 3 J. Kaplan in Margreid, 1963 Ern. z. Präfekt, 5 J. Johanneum Dorf Tirol, 1968-78 Pfarrer in Schluderns, 1978-94 Dekan in Mals, 1994 Dekan in Sterzing. E.: Verdienstkreuz d. Landes Tirol, Ehrenmtgl. d. Klosters Marienberg. M.: AS MG Priesterrat - Dekanenkonferenz, Personalkomission, Konsultoren Kollegium. H.: Fotografieren, Filmen, Langlaufen, Wandern. (I.D.)

Urthaler Josef Dr. jur.

B.: Amtsdir. im Amt f. Mittelschulen, stellv. Amtsdir. d. Amtes f. Rechnungswesen. DA.: 39100 Bozen, Amba-Alagi-Str. 10. PA.: 39040 Percha 2. G.: Bruneck, 7. Mai 1949. S.: Hum. Gymn. Bruneck, 1970 Matura, Stud. Univ. Innsbruck u. Padua, 1977 Prom. K.: 1977 Eintritt in d. Landesdienst, b. 1988 Amt f. Rechnungswesen, seither Amtsdir. im Amt f. Mittelschulen, Vortragstätigkeit im Rahmen d. Lehrerfortbild. M.: Musikkapelle Percha. (M.M.)

Urzi Mario Dr. jur.

B.: Rg.-Kmsr. d. Provinz Bozen. DA. u. PA.: 39100 Bozen, Prinz-Eugen-Allee 11. G.: Piazza Armerina, 1. Juli 1928. S.: Matura, Jusstud. in Bologna. K.: seit 1954 am Rg.-Kommissariat in Bozen tätig, zunächst d. Sekr. d. VRg.-Kmsr. zugeteilt, dann persönl. Sekr. u. Kabinettschef, ab 1976 VPräfekt, 1982 Ernennung z. Präfekten u. Rg.-Kmsr. d. autonomen Provinz Bozen u. Rg.-Kmsr. d. Provinz Bozen. P.: einige Veröff. sowie Vorträge in Verw.- u. Verfassungsrecht f. angeh. Gem.-Sekr. E.: Commendatore Ordine al Merito della Pepublica. (P.R.)

Vaja Karl Dr.

B.: Argonom. PA.: 39044 Neumarkt, Bahnhofstr. 42. G.: 22. Feb. 1925. V.: Edtih, geb. Hayden. Ki.: Dr. Georg, Irene, Markus. El.: Georg u. Anna. S.: Vinzentinum Brixen, ital. Staatsgymn. Bozen, Matura Innsbruck, ab 1943 Reichsarbeitsdienst, Wehrmacht u. Kriegsgefangenschaft, 1946 Rückkehr, b. z. Beginn d. HS-Stud. im elterl. Betrieb, 1952 Grad. an d. HS f. Bdk. Wien, (Dipl.-Ing. agr.). K.: Eintritt in d. Ldw.-Inspektorat Bozen, ca. 3 J. als Weinbauref. tätig, während d. Zeit Nostrifizierung Univ. Florenz, Fachberater u. Verkaufsltr. im Außendienst d. chem. Ind. u. Gschf. einer Obstgen. in Neumarkt, Vors. d. örtl. Höfekmsn. im Unterland, 1960-70 SVP-Ortsobm. v. Neumarkt, 1963-68 Abg. d. SVP im röm. Parlament u. dort Mtgl. d. Ldw.-, Handels-, Handwerks- u. Ind.-Kmsn., 1968 Wahl in d. Südtir. Landtag, 1970-73 Regionalassessor f. Bergwirtschaft, Forste, Wildbachverbauung, Jagd u. Fischerei, Mtgl. d. Südtir. Landesreg. als LR. f. öff. Arb., 1973-78 Landtagspräs. u. dann Regionalpräs., in diese Zeit fällt seine Schirmherrschaft f. Erstbesteigung d. Hiddenpeak Garshebrum 2 im Himalajagebirge durch Reinhold Messner u. Peter Habeler, 1978-85 Berater eines im intern. Bereich tätigen Unternehmen in Deutschland, 1985-90 Präs. d. Bozner Messekörperschaft. H.: Bergsteigen, Schwimmen, Chorgesang. (A.W.)

Valentin Hugo Dr.

B.: LR. f. öff. Bauarb. sowie f. Unterricht u. Kultur d. ladin. Volksgruppe. A.: 39030 Pfalzen/Issing, Dorfstr. 5. G.: Abtei/Gaderal, 28. Apr. 1938. B.: Marianne, geb. Kosta. El.: Angel u. Theresia Irsara. S.: VS in Abtei, Hum. Gymn. in Bozen, Agronomiestud. Wien u. Florenz. K.: seit 1965 b. d. Regional- u. Landesverw. tätig, 1978 Abg. z. Südtir. Landtag bzw. z. RegionalR., 1978-83 Präs. d. Finanzkmsn. im Südtir. Landtag, seit 1978 Mtgl. d. RegionalR.-Präsidiums, 1984-87 LR. f. Personalwesen, ab 1984 LR. f. Schule, Kultur, Berufsberatung u. Jugendarb. f. d. ladin. Volksgruppe, seit 1987 LR. f. öff. Bauarb. u. f. d. vorgenannten ladin. Angelegenheiten, seit 1979 Vors. d. Ladin. Kulturinst. "Micurà de Rü", seit 1985 Präs. d. Europ. Ver. d. Fleckviehzüchter. M.: seit 1965 b. versch. Tierzuchtorgan., seit 1979 Mtgl. d. SVP Landesltg. H.: Wandern, Reiten, Skifahren, Bergsteigen, Theater u. Familie. (C.K.)

Valentini Paolo Dr. Dipl.-Ing.

B.: Amtsdir. im Hydrograph. Amt, Lawinenwarndienst. DA.: 39100 Bozen, Alte Mendelstr. 24. PA.: 39100 Bozen, Col-di-Lana-Str. 5. G.: Bozen, 4. Juli 1947. V.: Paola, geb. Foffani. Ki.: Martina. S.: Oberschule in Bozen, 1967 Matura, Hoch- u. Tiefbaustud. Univ. Padua, 1973 Prom. K.: 1974 Math. u. Physikunterricht an d. Bozener Oberschule, 1973 Firma Benkiser Italiana s.r.l. Techn. Kons., ab 1974 b. d. Verw. d. Autonomen Provinz Bozen, Hydrograph. Amt, Lawinenwarndienst, Amtsdir. P.: Hydrolog. Jahrbücher, Winterberichte, Buch "Gletscher", techn. Art. in Fachzeitschriften. M.: Mtgl. d. Techn. Komitees d. A.I.N.E.VA., Mtgl. d. ital. Gletscherkomitees. (C.K.)

Vallazza Erika

B.: Gastwirtin, Inh. FN.: Albergo Vallazza. DA.: 39030 Palmschoss/Brixen. G.: Brixen, 23. Nov. 1946. V.: Ezio Bartolomucci. Ki.: Marzia, Tanja. El.: Karl u. Martha Vallazza. S.: Hotelfachschule in Meran. K.: Praktikum im Hotel Bristol Meran, anschl. Lehre im Büro d. Hotel Adler, 1965-66 Tätigkeit in d. Patisserie d. Hotel Savoy in Cortiana, 1969 Übernahme d. elter. Betriebes. H.: Skifahren, Schwimmen, Wandern. (M.Br.)

Vasak Artur

B.: Inh. FN.: M. Hutter. DA.: 39012 Meran, Laubeng. 16. PA.: 39012 Meran, Beda-Weber-Str. 12. G.: Meran, 5. Aug. 1920. V.: Emmy. S.: Hutmacherlehre im väterl. Betrieb. K.: 2 J. Mailand Praktikum in Damen- u. Herrenhutfbk., Florenz Strohhutfbk., Anton Pichler Graz Stumpen- u. Hutfbk., IDA-Wien, Kriegsdienst, 3 1/2 J. Gefangenschaft in USA, Ausbau d. väterl. Betriebes, Aufnahme d. Hutprod., sowie Verkauf engros u. detail, Spezialität: Trachtenhüte, Sporthüte f. Damen u.Herren. E.: Hutmachertrophäe 1966, Gold. Med. HK Bozen, Eintrag in d. Gold. Album d. Unternehmer Italiens, Preis d. Stadt Bozen, Urkunde in Anerkennung 50 J. Hutmachertätigkeit. M.: Lions Club Meran, VerwR. d. Volksbank Meran. (P.R.)

Vassallo-Bombardelli Elettra Dr.

B.: Dir. d. Inst. f. Musikerziehung in ital. Sprache, Lehrerin f. Klavier u. Theorie, Mitarb. b. d. Tageszeitung "Alto Adige" Sparte Musik. DA.: 39100 Bozen, Leonardo-da-Vinci-Str. 20/I. PA.: 39100 Bozen, Via Carduci 2. G.: Bozen, 19. Nov. 1953. V.: Dr. Bruno Bombardelli. Ki.: Elena. El.: Dr. Vito u. Carmen Vassallo. S.: Mittelschule in Bozen, Musikkonservatorium Klavier, 1976-80 Stud. Literatur u. Phil. an d. Univ. Padua. K.: Konservatorium in Bozen, Lehrtätigkeit Musikerziehung, 1976 künstler. Landessekr. Konservatorium, 1979 Lehrtätigkeit Klavier u. Theorie, seit 1986 Dir. am Inst. f. Musikerziehung in Ital. Sprache. BL.: Mitarb. b. Rundfunkanst. RAI seit 1987, Landeskonservatorium f.

Provinz Bozen, seit 1986 div. Vorträge u.a. Die Kunst Musik richtig zu hören. H.: Wandern, Lesen, Theater, Kino, Langlaufen, Schwimmen. (M.G.)

Vasselai Silvano
B.: Dir. FN.: Maggiore. DA.: 39100 Bozen, Garibaldistr. 32. PA.: Steinmannwald, Via San Giovanni Bosco 3. G.: Bozen, 11. März 1947. V.: Erika. Ki.: Vania. S.: 3 J. Spezialkurs f. Baultr. K.: 6 J. Baultr. b. d. Autobahn Klausen, seit 1973 Firma Maggiore, 1975 Dir. H.: Skifahren, Radfahren, Tauchen. (A.W.)

Veneri Roland Dr.
B.: Arch. DA.: 39100 Bozen, Museumstr. 50. PA.: 39100 Bozen, Beda-Weber-Str. 3. G.: Branzoll, 31. Jan. 1927. V.: Brunamaria, geb. Dal Lago. Ki.: Petra, Robert, Nora, Richard. El.: Richard u. Maria. BV.: Familien Generationen v. Flössern. S.: ital. RG Meran, 1948 Matura, Stud. Venedig, 1959 Arch. K.: 1952 selbst. Arch.-Arb., 1956 Arch. Prof. Scarpa Venedig, 1959 Eröff. Büro; div. Kindergärten, 1976-77 Inst. f. geförd. Wohnbau, 1977 Schwimmhalle St. Vigil im Enneberg. E.: 1961 1. Preis Volksschule M.L. King in Bozen, 1962 2. Preis HK Bozen, 1969/70 1. Preis Schülerinnenheim Michael Gamperwerk Meran, 1971 1. Preis Mittelschule Haslach, 1986 1. Preis Gem.-Zentrum u. Sportanlage Villanders, 1987 2. Preis Ideenwettbewerb Innichen m. Arch. M. Thun 1987. M.: 1965 Mtgl. d. Kam. f. Landschaftsschutz, seit 1985 Baukmsn. Bozen. H.: Skifahren, Tauchen, Bergsteigen, Lesen, Musik, Sammeln, Griechenland. (M.G.)

Venturini Josef
B.: Buchdrucker. FN.: Josef Venturini & Co OHG. DA.: 39100 Bozen, Museumstr. 23. PA.: 39100 Bozen, Prinz-Eugen-Allee 10. G.: Bozen, 15. Mai 1936. V.: Virginia. Ki.: Reneé, Yanira, Wiliam, Monika, Markus. S.: Durckereilehre, Berufsschule. K.: Firma Athesia, Abt.-Ltr. b. Firma La Commerciale, Sachbearbeiter einer Druckerei, Betriebsltr. Firma Typak, seit 1973 selbst. H.: Fotographie, Kunst. (P.R.)

Veralli Francesco Dr. jur.
B.: Landespostdir. DA.: 39100 Bozen, Dominikanerpl. 3. PA.: 39100 Bozen, Freiheitsstr. 58. G.: Albano di Lucania, 9. Juli 1927. V.: Ada, geb. Giudice. Ki.: Alessandro, Piergiorgio. S.: hum. Gymn. u. klass. Lyzeum in Tarent, 1947 Matura, 1948-49 Univ. Rom, 1950-52 Univ. Neapel, 1952 Prom. K.: 1952-54 RA-Anw., 1954 Anw.-Prüf., 1954-60 RA in Potenza, 1960 Übersiedlung nach Bozen als VerwR. d. Post, 1969-71 Landespostinsp., b. 1979 Ltr. d. Verw.-Abt., seit 1979 Landespostdir. M.: Kath. Aktion. (C.K.)

Verginer Lidwana
B.: Maler. DA. u. PA.: 39040 Barbian. G.: Barbian, 19. März 1967. Ki.: Martina. El.: Walter u. Ottilia. S.: Mittelschule Klausen, Schnitzerei- u. Malereiprivatlehre. K.: seit 1985 im väterl. Holzschnitzereibetrieb beschäftigit. H.: Tennis, Sport.

Verginer Walter
B.: Holzschnitzer. DA. u. PA.: 39040 Barbian. G.: Bozen, 5. Jan. 1938. V.: Ottilia. Ki.: Lidwana, Christian, Oskar. El.: Lois u. Stefania. S.: Holzschnitzer- u. Bildhauerschule Gröden. K.: hauptberufl. im Gastgwerbe, nebenberufl. Tierschnitzereien, seit 1962 selbst.

Verra Roland Dr.
B.: Schulamtsdir. f. d. Schulen d. Ladin. Ortschaften. DA.: 39100 Bozen, Amba-Alagi-Str. 10. PA.: 39042 Brixen, Ortnerweg 14. G.: Brixen, 25. Dez. 1956. V.: Margit, geb. Oberhofer. Ki.: Verena (1990). El.: Carlo u. Christine. BV.: Großvater Bigil Pescosta war Bildhauer u. Künstler in Monza, Ass. b. Bildhauer Arturo Martini. S.: VS, Mittelschule St. Ulrich, 1975 Matura, Stud. Mod. Sprachen, Anglistik u. Germanistik Padua, 1980 Prom. K.: ab 1976 Unterricht Literar. Fächer an Mittel- u. Oberschule, 1992 Schulamtsltr. f. d. Schulen d. Ladin. Ortschaften. P.: Lyrikbände in ladin. Sprache, Kommentator d. Zeitschrift "La Usc di Ladins". E.: Cortina-Preis f. ladin. Literatur u. weitere Ausz. im Zusammenhang m. ladin. Kultur. M.: Aussch.-Mtgl. in d. Union Generela di Ladins dls Dolomites, Vorst.-Mtgl. im Ladin. Kulturinst. u. Ladin.-Päd. Inst. H.: Schreiben, Lesen, Musik. (M.M.)

Vieider Josef Dr. med.
B.: FA f. Orthopädie. DA.: 39012 Meran, G.-Galilei-Str. 62. PA.: 39012 Meran, St. Franziskus Str. 24. G.: Dorf Tirol, 2. Jan. 1951. V.: Dr. Helga, geb. Schmid. Ki.: Vera Maria. S.: Hum. Gymn. Dorf Tirol, 1970 Matura, Med.-Stud. Univ. Innsbruck, 1977 Prom., 1977-78 Ausbild.-Arzt KH Sterzing, 1978 ital. Staatsexamen Univ.-Bologna, 1978 Heirat. K.: 1979 Ass.-Arzt Reha-Zentrum Bad Häring/Tir., 1979-85 Rheumazentrum Bad Abbach b. Regensburg, 1984 FA-Prüf. Ärztekam. München, 1985 Ausbild. Chiropraktik am Ackermann-Inst. Stockholm, seit 1985 FA in Meran. P.: wiss. Arb. über Fenamatkonzentration im Plasma, Synovialflüssigkeit u. Synovialgewebe b. Polyarthritikern nach Rheumon Gel-Applikation in d. Fachzeitschrift Aktuelle Rheumatologie (1984), Referate über Synovektomie d. Fingergelenke (1984/85). M.: Ver. Süddt. Orthopäden. H.: Tanzen, Tennis, Bergsteigen. (C.K.)

Vinatzer Alexander

B.: Hotelier. FN.: Hotel Alpenheim. DA.: 39046 St. Ulrich, Grohmannstr. 54. G.: St. Ulrich, 22. Feb. 1933. V.: Jona, geb. Perathoner. KI.: Hans Peter (1963), Georg (1960), Christoph (1967). EL.: Alfons u. Josefa. BV.: Vinatzer - das älteste in St. Ulrich Gröden ansäßige Familiengeschlecht.. S.: 1957 Schneiderlehre in St. Ulrich, ab 1978 Modeschule in München Schwabing, 1960 Bau e. Garni, 1989 Vergrößerung auf Hotel in St. Ulrich, sowie 23 J. selbst. mit Schneiderei. M.: AS MG Schwimmbad AG, 15 J. AS MG Tourismusverein u. Kurzentrum, 5 J. Präs. d. Tenniscentrums, Obmann SVP Ortsgruppe St. ULrich. H.: Gartenarbeit. (I.D.)

Vinatzer Dieter Dr. arch.
B.: Amtsdir. am Bezirksamt f. Raumordnung, Bez. Burggrafenamt Vinschgau. DA.: 39100 Bozen, Cesare-Battisti-Str. 21. PA.: 39012 Meran, Schafferstr. 41. G.: Lana, 13. März 1941. V.: Sibylle, geb. Kranen. Ki.: Christoph (1965), Markus (1966), isabella (1976), Anna (1984). El.: Hans u. Edith, geb. Hildebrandt. BV.: Urgroßvater (mütterlicherseits) Dr. Hildebrandt: Gem.-Arzt, väterlicherseits: berühmte Holzschnitzer, bekannt unter d. Namen "Vinatzer-Schule". S.: 1961 Matura Hum. Gymn., Stud. Arch. TH Graz, 1970 Staatsprüf. Univ. Venedig. K.: 1970 Eintritt in d. Landesdienst als ltd. Beamter, zuständig f. Siedlungsplanung, Mtgl. v. div. Kmsn. auf Gemeinde- u. Landesebene in Sachen Raumpordnung, Landschafts- u. Umweltschutz. P.: aktive Vortragstägigk. H.: Gartengestaltung, Skifahren. (N.A.)

Vinatzer-Mattuzzi Ingeborg Maria Dr.
B.: VPräs. d. Apothekerkam. Bozen. GT.: Apothekerin Madonna-Apotheke Bozen. DA.: 39100 Bozen, Dr.-Streiter-G. 28. PA.: 39100 Bozen, Alte Mendelstr. 54/B/3. G.: Lana/Etsch, 8. Sep. 1930. V.: Franco Mattuzzi. El.: RA Dr.

Hans Vinatzer u. Edith Hillebrandt. BV.: Johann-Baptist Vinatzer Schuldir. am dt. Gymn. Trient, viele Juristen in d. Familie. S.: ital. VS, priv. Mittelschule Auer-Meran, Oberschule St. Christina Gröden, wiss. Lyzeum Brixen: Juli 1948 Matura, LBA Meran: Sep. 1948 Matura, b. 1953 Stud. d. Pharm. Univ. Innsbruck. K.: b. 1954 Zentralapotheke Meran, 1956 Dr., 1954-64 St. Georgs Apotheke Obermais-Meran, seit 1964 Madonna-Apotheke Bozen. BL.: spricht dt., ital., engl. u. franz. M.: Kmsn.-Mtgl. f. Wettberbsprüf. f. Verteilung v. neuen Lizenzen, in div. Prüf.-Kmsn. f. Wettbewerbsprüf. f. Gem.-Apotheken, seit 1986 Disziplinarkam. H.: klass. Musik, Malen, Nähen, Skifahren, Schwimmen, Reisen, alte Familienschriften. (M.G.)

Violo Romano Dr.

B.: Oberschullehrer. G.: Villadossola, 20. Apr. 1941. S.: Dr.phil. an d. Univ. Padua. K.: Lehrer f. Geschichte und Phil. an mehreren Oberschulen in Südtirol, zul. am klass. Lyzeum "G. Carducci" in Bozen, in den 70er J. Landessekr. d. Schulgewerkschaft in d. CGIL/AGB, 1976-84 Präs. d. Kulturver. "Rinascita" Bozen, s. 1961 in d. komun. Partei , s. 2/1991 Präsident d. Landesltg. d. "Sinistra Democratia aderente al PDS / Demokratische Linke angeschlossenen an den PDS", 1980-85 PCI Gemeinderat in Bozen, s. 1988 im Südtiroler Landtag,2/1993-12/1993 Präs. d. Südtir. Landtages, s. 1988 im Südtiroler Landtag Sekr. d. 1. Gesetzgebungskmsn. s. 2/1994 in d. Landesregierung als Landesrat f. Industrie, Personal u. Berufsausbildung in ital. Sprache,

Violo Romano Dr.

B.: Oberschullehrer. G.: Villadossola, 20. Apr. 1941. S.: Dr. phil. an d. Univ. Padua. K.: Lehrer f. Geschichte u. Phil. an mehreren Oberschulen in Südtir., zuletzt am ital. klass. Lyzeum "G. Carducci" Bozen. M.: in d. 70er J. Landessekr. d. Schulgewerkschaft in d. CGIL/AGB, 1976-84 Präs. d. Kulturver. "Rinascita" Bozen, seit 1974 in d. kommunist. Partei, Mtgl. d. Parteiaussch. u. d. Landesltg. d. PCI/KPI, seit 1988 im Südtir. Landtag, Sekr. d. 1. Gesetzgebungskmsn.

Visentini Toni Dr. jur.

B.: Ltr. d. Korrespondenzbüros. FN.: A.N.S.A. Presseagentur. GT.: Korresp. aus Trient u. Südtir. d. Tageszeitung "La Rebublica". DA.: 39100 Bozen, Musterpl. 2. PA.: 39100 Bozen, Dominikanerpl. 9. G.: Bozen, 23. Dez. 1946. V.: Barbara, geb. Repetto. Ki.: Irene, Claudio, Alessandro. S.: klass. Gymn. Padua, 1965 Matura, Univ. Padua u. Ferrara, jur. Fak., 1972 Dr. K.: 1969-72 Tageszeitung "Il Giorno" Res., 1973-75 Tageszeitung "Il Faglio" Modena, seit 1975 A.N.S.A. Ltr. d. Korrespondenzbüros, seit 1976 Sekr. d. Journalisten Gewerkschaft Trentino Südtir. M.: NatR. d. Journalisten Gewerkschaft Italiens. (C.K.)

Vittur Franz Dr. phil.

B.: Dir., Schulamtsltr. f. d. Schule d. ladin. Ortschaften d. Provinz Bozen. DA.: 39100 Bozen, Amba-Alagi-Str. 10. PA.: 39100 Bozen, Betraces Abtei 21. G.: Badia, 4. Okt. 1928. V.: Agnes, geb. Valentin; 4 Kinder. El.: Karl u. Scholastica. S.: 1946 Matura, Grundschullehrer in Badia u. glz. Stud. Päs. u. Phil. an d. Univ. Florenz, 1965 Dr. K.: 1958-75 Grundschuldir. in Gardatal, ab 1970 Insp., ab 1975 Schulamtsltr. P.: Red.-Dir., Publizist mehrerer ladin. Zeitschriften z.B. "REZIA". E.: Ehrenbürger d. Univ. Innsbruck. M.: Mtgl. mehrere ladin. Ver. (P.R.)

Volgger Franz Dr. phil.

B.: Chefred., Ltr. d. Amtes f. Pressewesen u. Öff.-Arb. d. Südtir. Landesreg. DA.: 39100 Bozen, Crispistr. 3. PA.: 39100 Bozen, Claudia-de-Medici-Str. 1. G.: Sterzing, 26. Mai 1947. V.: Maria, geb. Dalla Torre. Ki.: Verena, Peter. S.: Franziskanergymn. Bozen, 1966 Matura, Stud. an d. Univ. Innsbruck, 1971 Prom. K.: 1972 Eintritt in d. Südtir. Landesreg., Pressestelle, seit 1983 Ltr. P.: Südtir. Handbuch, Südtir. Behördenführer, Südtirol Themen, Das Land Südtirol, Informantionsschriften verantwortl. Schriftltr. H.: Wandern, Skifahren. (A.W.)

Volgger Reinhart Dr. jur.

B.: RA. DA.: 39100 Bozen, Leonardo-da-Vinci-Str. 1/E. PA.: 39052 Kaltern, Altenburger Str. 17. G.: Kiens, 12. Dez. 1952. V.: Claudia. Ki.: Veronika, Isabella. S.: 1971 Matura Bozen, Jusstud. in Bologna, 1975 Prom. K.: Praxis b. Ex-Finanzmin. Trabucchi in Verona, postuniv. Stud. am Sektor Arbeitsrecht, 1976-80 Praktikum b. Prof. Riz, anschl. selbst., 1979-82 Lehrbeauftragter d. Univ. Innsbruck. P.: 4 Publ. im Rahmen d. Schriftenreihe d. Raiffeisenverb. H.: Reiten, Skifahren. (P.R.)

Vonmetz Luis Viktor

B.: Gschf. Ges. FN.: Laurin KG, Vonmetz & Mayrhofer OHG. DA.: 39100 Bozen, St. Vigilstr. 37. PA.: 39100 Bozen, Capristr. 22. G.: Bozen, 23. Dez. 1938. V.: Maria, geb. Ranzi. Ki.: Marialuise, Michael, Bärbel. El.: Luis u. Anna. S.: Mittelschule Bozen. K.: Textilhdl. Großbetrieb Birma Eccel Bozen, Großhdls.-Kfm., Verkäufer u. Reisender b. 1967, 1967 Grdg. d. eigenen Betriebes. BL.: 1977 Bergexpedition Ladakh, spricht dt. u. ital. P.: div. Art. u. Berichte, seit 1984 Hrsg. d. AVS-Bildkalenders, Liederbuch d. Bergsteigerjugend, in Zusammenarb. m. ÖAV u. DAV als Co-Autor Handbuch f. d. Jugendarb. im Alpenver. im Rahmen d. Natur- u. Umweltschutzes in Südtir. E.: 1986 VK d. Landes Tir., Leistungsabz. 25 J. Bergrettungsdienst. M.: 1972-87 Landesjugendführer Alpenver. Südtir., LandessportbeiR. u. LandesjugendbeiR. Südtir., Bergrettungsdienst Bozen, Hochtouristengruppe Bozen. H.: Bergsteigen, Fotografieren, Kochen, Skifahren, Antiquitäten. (M.G.)

Waldmüller Andreas

B.: Kfm. FN.: Marketti KG. DA.: 39100 Bozen, Lauben 36-38. PA.: 39100 Bozen, Fagenstr. 22. G.: Kastelruth, 19. März 1944. V.: Christine. Ki.: Hannes, Martin, Florian. El.: Erwin u. Charlotte. S.: HASCH Brixen. K.: 10 J. Hdls.-Betriebe in Bozen u. München, 1969 Übernahme d. väterl. Betriebes, Erweiterung, 1983 En-gros-Betrieb m. Importen, Verkauf v. Schulart. f. ganz Italien. H.: Skifahren, Segeln, Tennis, Teppiche. (P.R.)

Waldner Christian Dr.

B.: Wirtschaftakad., Hotelkfm., Untern., ehem. Univ. Assist. f. BWL Steuerlehre. G.: Bozen, 8. Okt. 1959. K.: ehem. SVP Ortsjugendref. u. SVP Landesjugendref. sowie Vors. d. Jungen Europ. Studenteninitiative Südtirols (JES). P.: Initiator u. Promotor d. Großkundgebung "Nachdenken über Tirol" M.: Großgrdgsmtgl. d. Freiheitlichen Südtirols, s. 7. Dez. 1992 Landesparteiobmann, s. 1993 im Südtir. Landtag, Mtgl. d. 3. Gesetzgebungskmsn.

Waldner Franz Dr. med.

B.: FA f. Hals-, Nasen- u. Ohrenheilkunde. DA. u. PA.: 39100 Bozen, Col-di-Lana-Str. 4 u. 6. G.: Bozen, 10. Dez. 1924. V.: Josefine, geb. Nicolussi-Leck. Ki.: Astrid, Christian, Petra, Andreas, Franz Xaver, Rupert. S.: Ital. Mittelschule, 1941 Matura, Med.-Stud. Univ. Bologna, 1947 Prom., 1950 FA. K.: 1939-45 Bild. u. Führung einer Widerstandsgruppe d. Kath. Jugend, ab 1947 KH-Praxis in Venedig u. Wien, b. 1965 Kons. in Brixen u. Bruneck, 1960-64 Auf- u. Umbau d. Villa Melitta u. 1969-70 d. Paracelsus Inst., seitdem Sanitätsdir. dieser Klinik u. d. Inst. f. Körper- u. Gesundheitspflege, 1966 Grdg.-Präs. d. Kath. Familienverb. Südtir., 1977-78 Renovierung d. Hotels Reichrieglerhof in Guntschna. M.: 1986 Eröff. d. Hauses d. Familie am Ritten, Liechtensternmtgl. d. Leitungsaussch., Stille Hilfe f. Südtir. München. H.: Skifahren, Schwimmen, Wandern, Reisen. (C.K.)

Wallnöfer Adolf Dr. med.
B.: FA f. Augenheilkunde. DA.: 39012 Meran, Carduccistr. 22. PA.: 39012 Meran, St. Franziskusstr. 26. G.: Prad, 25. Apr. 1933. V.: Hella, geb. Grassberger. Ki.: Florian, Susanne, Wolfgang, Karin, Hannes. S.: Vinzentinum in Brixen, 1954 Matura, Med.-Stud. Univ. Innsbruck, 1961 Prom. K.: FA-Ausbild. an d. Univ. Saarbrücken, 1966 Dipl., 1967 Eröff. d. eigenen Ordination in Meran, b. 1968 operative Tätigkeit in eineim Beleg-KH in Meran. BL.: ab 1968 Einführung d. mod. Schielbehandlung in Südtir. m. Eröff. einer priv. Sehschule in Meran. P.: Aufklärungs- u. Informationsvorträge im Südtir. Rundkfunk u. in d. Lokalzeitung. M.: Kirchenvorst. d. Ev. Kirchengem. in Meran. H.: Bergsteigen, Skifahren, Langlaufen, Wandern. (C.K.)

Walzl Siglinde
B.: Geschäftsfrau. FN.: Haus d. Gesundheit. DA.: 39012 Meran, Freiheitsstr. 180C. PA.: 39012 Meran, Wolkensteinstr. 23. G.: Meran, 28. Aug. 1965. S.: Verkäuferlehre, Verkäuferin. K.: 1989 zusammen m. Partnerin Grdg. d. Fachgeschäftes Haus d. Gesundheit. H.: Sport, Musik. (P.R.)

Watschinger Ernst Dr. Dipl.-Ing.
B.: Gen.-Insp. d. Sonderbetrieb f. Bodenschule Wildbach- u. Lawinenverbauung. DA.: 39100 Bozen, Cesare-Battisiti-Str. 23; 39100 Bozen, Montellostr. 11/a. G.: Sexten, 28. Jan. 1926. V.: Christine, geb. Oberdorfer. Ki.: Martin, Pauli, Margit. S.: Inst. Technico Rovereto, Realschule in Rufach im Elsaß, Matura in Wolkenstein, Univ. Innsbruck, Dipl.-Ing. f. Forstwirtschaft Univ. Wien, 1950 Prom., Nostrifiziert in Florenz, 1952 Prom. K.: 1951 Eintritt z. Wildbachverbauung, Aufbau d. Amtes in Südtir., damals Region Tir. Etschland, 1970 Ernennung z. Gen.-Insp. d. Region, 1972 v. d. Region auf Grund v. neuen Autonomiestatuts als Sonderbetriebe in d. Land übergeführt, b. 1961 Baultr. im Pustertal, später Ltr. d. Sonderbetriebs f. Südtir. P.: Österr. Forstzeitung, Monti et bosci. H.: Skifahren, Jagd. (C.K.)

Weber Helmuth Dr. oec. soc.
B.: Amtsdir. im Amt f. Baulandbeschaff. d. Südtir. Landesreg. DA.: 39100 Bozen, Cesare-Battisiti-Str. 21. PA.: 39044 Neumarkt. G.: Neumarkt, 16. Aug. 1942. V.: Edith, geb. Lorenzi. Ki.: Claudia (1976). El.: Dr. Fritz u. Gertrud, geb. Carli. S.: 1961 Matura, anschl. Stud. Med. an d. Univ. Innsbruck u. Soz. an d. Univ. Trient, 1971 Prom. K.: ab 1972 Tätigkeit im Amt f. Statistik, seit 1975 Amt f. Baulandbeschaff., ab 1985 Ltr. dieses Amtes. P.: versch. wiss. Arb. H.: Zeichnen. (N.A.)

Wegleiter Norbert
B.: Leichmetallbauer. FN.: Wegleiter Metallbau. DA. u. PA.: 39011 Lana, Am Gries 30. G.: Tscherms, 26. Nov. 1958. El.: Franz u. Hilda. S.: Gewerbeoberschule Bozen, Berufsschule Meran, Lehre im väterl. Betrieb. K.: 1983 Meisterbrief, seither Gschf. H.: Malen, Basteln, Sport. (P.R.)

Weis Herbert
B.: Präs. d. Landesverb. d. Südtir. Kaufleutever., KamR. d. HK Bozen, VerwR. d. Lagerhausesges. u. d. Bozner Messe, Vorst.-Mtgl. d. Ind.- Wirtschaftsringes, VerwR. d. Südtir. Landessparkasse, VerwR. d. Wirtschaftsförd.-Inst. u. VerwR. d. Wirtschaftsforsch.-Inst., VerwR. d. Vers.-Ges. Edera Vita, VerwR. d. Autobahnzollstation Sadobre. DA.: 39100 Bozen, Cavourstr. 23/C. PA.: 39100 Bozen, Oswaldweg 13. G.: Bozen, 20. Juli 1023. V.: Walpurga, geb. Behrer. Ki.: Peter, Dr. Irene. El.: Hans u. Hilde. S.: HASCH Bozen, 1 J. Seminar f. Klebestoffverfahren Deutschland. K.: b. 1940 Volontär b. Firma Eccel-Textil, Militär, 1946 Eintritt in Textilgeschäft d. Vaters, 1953-57 Firma Henkel & Co GmbH Düsseldorf, Ausbild. in d. Technik d. Klebestoffverfahrens u. dazugehöriges Praktikum, 1954-57 ital. Gen.-Vertreter d. Firma Henkel in Bologna, 1957-62 Übernahme d. väterl. Betriebes. BL.: Beteiligung an intern. Kongressen. E.: 1983 VK d. Landes Tir., 1986 Auz. Gr. Uff. M.: Organisator versch. Mineraliensammlerklubs u. Grdg.-Mtgl. u. Vorst. d. Landesverb. f. Mineralogie 1974-86, Mtgl. versch. Kmsn., 1958-88 Schlaraffia, 1976-80 GemR. Bozen. H.: Mineralogie, Weinbau, Musik, Lesen, Reisen. (M.G.)

Weissensteiner Robert Dr. phil.
B.: Chefred. d. "Südtiroler Wirtschaftszeitung". DA.: 39100 Bozen, Silberg. 18. PA.: Deutschnofen, Eggen, Dorf 19. G.: Deutschnofen, 4. Jan. 1954. V.: Helga, geb. Niedermair. Ki.: Philipp (1981). El.: Anton u. Rosa, geb. Mittich. S.: RG Bozen, 1973 Matura, Stud. Univ. Innsbruck Geschichte, Publizistik, Germanistik, 1979 Prom. K.: 1980-85 Journalist d. Tageszeitung "Dolomiten", 1985 dzt. Position. H.: Sport (Skifahren, Bergsteigen), Lesen, Musik. (N.A.)

Weissteiner Evelyn Dr. phil. Dr. med. vet.
B.: Tierärztin. DA.: 39042 Brixen, Altenmarktg. 24. PA.: 39042 Brixen, Weißlanstr. 7. G.: Meran, 7. Sep. 1955. S.: VS, Gymn., Stud. mod. Sprachen in Verona, 1980 Dr. phil., Stud. Vet.-Med. Wien, 1985 Dr. vet. K.: Ass.-Ärztin b. versch. Tierärzten in d. BRD, seit 1986 eigene Ordination, Ass.-Tierärztin f. Tiermed. M.: Zonta-Club, Eisacktaler Freunde d. Kleintiere. H.: Tennis, Skifahren, Wandern, Lesen. (M.Br.)

Weithaler Johann
B.: Präs. d. Gundfürsorgekonsortium Südtir., Vors. d. Südtir. Buchklub d. Jugend. DA.: 39100 Bozen, Südtiroler Str. 28; 39100 Bozen, Rosengartenstr. 8. PA.: 39050 Jenessien 173. G.: Kastelbell, 5. Okt. 1931. V.: Helga, geb. Wieser. Ki.: Roland, Sabine, Christian. S.: VS, LBA, 1952 Matura. K.: 1952-83 Grundschullehrer, seit 1987 Präs. d. Grundfürsorge Konsortiums Südtir., seit 1983 Vors. d. Buchklub d. Jugend, Präs.-Stellv. v. Bibl.-Verb. Südtir. u. Verwalter d. Ortschaft Jenessien. E.: Verd.-Med. d. Landes Tir. M.: Feuerwehr, Alpenver., KVW, Ortsobm. d. SVP, im Vorst. d. Raiffeisenkassa Bozen, Ltr. d. öff. Bibl. H.: klass. Musik, Lesen. (M.B.)

Wenger Josef
B.: Eucharistinerpater, Priester, Provinzial. DA.: 39100 Bozen, Sparkassenstr. 1b. G.: Sand in Taufers, 6. März 1934. S.: VS, Gymn., Stud. Phil. Freiburg, Stud. Theol. Rom, 2 J. Spiritualität, 1963 Dipl. in Spiritualität. K.: 1960 Priesterweihe Rom, 1967-78 Religionsunterricht u. Pfarrer, 1970-84 Katechet, 1972-78 Superior in Bozen, 1981-86 Superior in Meran, 1972-84 im ProvinzR., 1984 Provinzial d. Südtiroler Ordensprovinz, seit 1987 Superior in Bozen. P.: zahlr. Fachpubl. H.: Spazierengehen, Schwimmen, Langlaufen. (M.G.)

Wenter Siegfried Dr. rer. oec.
B.: Gen.-Dir. d. Landesverkehrsamt Südtir. DA.: 39100 Bozen, Pfarrpl. 11-12. PA.: 39012 Meran, Carl-Wulf-Str. 20. G.: Meran, 22. März 1926. V.: Sylvia, geb. Dabra. Ki.: Christian, Verena, Andreas. S.: Mittelschule Hall/Tir., 1945 Abitur in Brixen, Hdls.-HS St. Gallen/Schweiz, 1950 Liz.oec., 1952 Prom. K.: Arb. im elterl. Hdls.-Betrieb, ab 1956 Mtgl. d. Kurverw. Meran, ab 1964 Präs. d. Kurverw., 1970 Eintritt in d. Landesreg., 1976 Dir. d. Landesverkehrsamtes. P.: Tourist. Publ. "Ferienland Südtirol". E.: VK d. Landes Tir., EZ d. Bundesärztekam. u. d. Bundeszahnärztekam. M.: Präs. d. Skol Club Südtir., Lions Club. H.: Fremdenverkehrsgeschichte d. Landes Südtir. (C.K.)

Werner Martha
B.: Sekr. im Amt f. Fremdenverkehrsorgan. d. Südtir. Landesverw. DA.: 39100 Bozen, Pfarrpl. 11. PA.: 39100 Bozen, Dolomitenstr. 85. G.: Deutschnofen, 2. Dez. 1953. El.: Josef u. Johanna Werner. S.: HASCH. K.: 1970 Sekr. b. einer Vers., 1974 Eintritt in d. Landesverw. H.: Lesen, Sport. (P.R.)

Widmair Anton Dr. jur.
B.: Schulamtsdir.-Stellv. im Schulamt f. d. Dt. Schule. DA.: 39100 Bozen, Amba-Alagi-Str. 10. PA.: 39019 Dorf Tirol, Haslach 118. G.: Olang, 30. Mai 1937. V.: Friederike, geb. Gamper. Ki.: Karl-Heinz, Eva. S.: 1958 klass. Matura Franziskanergymn. Bozen, Stud. Rechtswiss. an d. Univ. Padua, 1964 Prom. K.: 1964-68 Aufnahme m. öff. Wettbewerb in d. Dienst d. Landesreg. im Wirtschaftsressort Tourismus, 1968-71 Ltr. d. Amtes f. Berufsertüchtigung, 1971-72 Ltr. d. Rechtsbüros im Inspektorat f. d. Berufsausbild., 1973-75 Abbestellung z. Schulamt f. Gesetzgebungs- u. Verw.- Maßnahmen, 1975 Schulamtsdir.-Stellv. u. Amtsdir. f. Allg. Angelegenheiten im Dt. Schulamt, 1987 Beauftragung als Schulamtsltr., seit 1988 Schulamtsltr.-Stellv.; Mtgl. d. VerwGerH f. d. Provinz Bozen. M.: seit 1966 Schlaraffia. H.: Hausmusik, Opern, Konzerte, Theater, Israel, Bibelstud. (A.W.)

Widmann Hans
B.: Kammerabg. d. SVP. DA.: 39100 Bozen, Verdipl. 43. PA.: Ridnaun, Maiern 19/A. G.: Brixen, 27. Dez. 1948. V.: Juliane, geb. Kruselburger. Ki.: Simone (1981), Ulrich (1983). El.: Georg u. Zita, geb. Rieder. S.: HASCH, Militär. K.: ab 1970 ASGB, Bez.-Sekr. v. Brixen, 1971-74 Landessekr. d. ASGB in Bozen, 1974-75 im Dienste d. KH Bozen, 1976-92 Vors. d. Leitungsaussch. d. Autonomen Südtir. Gewerkschaftsbundes, seit 1992 Kammerabg. d. SVP. E.: Verd.-Med. d. Landes Tir. H.: Schreiben. (P.R.)

Widmann Thomas Dr. Dipl.-Ing.
B.: Dir. d. SBB Südtir. Bauernbund. DA.: 39100 Bozen, Brenner Str. 7a. PA.: 39100 Bozen, Claudia-de-Medici-G. 43. G.: Bozen, 16. Sep. 1959. V.: Alberta, gb. Malgara. Ki.: Nikolaus (1992). El.: Franz u. Pia. S.: VS, Mittelschule, Gewerbeoberschule, Maschinenbau Bozen, 1979 Matura, Stud. Ldw. Univ. f. Bdk. Wien, 1989 Spons. z. Dipl.-Ing., 1991 Staatsprüf. f. Dr. ag. Florenz. K.: 1985 Grdg. u. Gschf. Ges. einer Kunststoffsanierungs- u. Beschichtungsfirma, 1986 Mitbegründer einer Konstruktionsfirma, seit 1988 freie journalist. Tätigkeit in versch. Fachbereichen, 1989 Eintritt in d. Südtir. Bauenrbund, sämtl. Diensleistungen u. Dienst f. d. bäuerl. Bevölkerung, seit 1991 Dir. BL.: Leistungssportler im Skilauf: Ak. -Meister im Slalom, mehrjährige Tätigkeit als Skilehrerausbilder Leistungssportler im Radsport. M.: VPräs. d. Kuratoriums f. Wirtschaftsforsch. in d. HK, Vorst.-Mtgl. d. Verbandsmanager-Verb. (VMV) m. Sitz in Zürich. H.: Lesen, Musik, Bergsteigen, Skifahren. (M.M.)

Willeit Bonifazio Dr.
B.: Sekt.-Ltr. am Landeslaboratorium f. Hygiene Prophylaxe. GT.: Unterrichtstätigkeit an d. MTA-Schule, Hygiene- u. Umweltinspektorenschule (Chemie, Meßtechnik). DA.: 39100 Bozen, Spitalg. 6. PA.: 39100 Bozen, Cavourstr. 11. G.: Enneberg, 4. Juni 1941. V.: Elyse, geb. Cohen. S.: 1961 Matura klass. Lyzeum Bozen, Stud. an d. Univ. Padua, 1968 Prom. K.: Unterrichtstätigkeit an d. Univ. Iulm v. Feltre, 1970 Eintritt in d. Landesdienst, seit 1983 Sekt.-Ltr., 1981-87 Präs. d. ladin. Gemeinschaft in Bozen. P.: div. wiss. Arb. auf d. Gebiet d. Luftverschmutzung. M.: Ortsaussch.-Mtgl. d. SVP d. Ortsgruppe Gries, Chorltr. u. Sänger d.Chor d. ladin. Gemeinschaft. H.: Bergwandern, Musik. (A.W.)

Willeit Ferdinand Dr. jur.
B.: Präs. d. ital. Brennerautobahn, Gschf. d. Gem.-Verb. d. Provinz Bozen. DA.: 39100 Bozen, Quireiner Wassermauer 10. PA.: 39100 Bozen, Küepachweg 59. G.: 14. Sep. 1938. V.: Mathilde, geb. Tötsch. Ki.: Andreas, Martin, Carmen. El.: Ferdinand u. Anna. BV.: aus einer alten Bauernfamilie. S.: staatl. Mittelschule Brixen, Vinzentinum Brixen, Gymn. Bozen, 1959 Matura, Jusstud. Univ. Innsbruck u. Padua. K.: Tageszeitung Dolomiten, 1965 Landesreg. Bmtr., 1971 Abt..-Ltr. Landschaftsschutz u. geförderten Wohnbau, 1971 Dir. d. Konsortiums f. d. Wassereinzugebiet d. Etsch, 1981 Präs. d. Sanitätseinheit d. Mitte-Süd Bozen. P.: Art. in Fachzeitschriften u. Vorträge im Rahmen d. div. Tätigkeiten. M.: Mtgl. d. Nat. Aussch. d. Ver. d. Berggem. Italiens, Mtgl. d. Nat. Aussch. d. Nat. Ver. d. Wassereinzugsgebiete. H.: Bergsteigen, Skifahren. (M.G.)

Willeit Hans Dr. jur.
B.: Verw.-Dir. am KH Sterzing. GT.: Gen.-Dir. d. Sanitätseinheit Nord. DA.: 39042 Brixen, Dantestr. 51. Pa.: 39049 Sterzing, St. Margarethenstr. 46. G.: Pfalzen, 13. Mai 1943. V.: Katharina, geb. Trojer. Ki.: Hannes, Michaela. El.: Alois u. Rosina. S.: VS, Gymn., 1963 Matura, Stud. Rechtswiss., 1967 Prom. K.: 1967-72 Tätigkeit als Konzipient, ab 1973 Verw.-Dir. d. KH, seit 1982 Gen.-Dir. d. Sanitätseinheit Nord, 1968-73 GemR. in Pfalzen u. Aussch.-Mtgl., 1968-73 Friedensrichter d. Gem. Pfalzen, 1974-78 Mtgl. d. GemR. v. Sterzing, 1974-78 Fraktionssprecher, 1985-88 Obm. d. VP in Sterzing, seit 1986 setllv. Bez.-Obm. d. Südtir. VP im Bez. Wippertal. H.: Jagd, Wandern, Fischen, Bergsteigen, Münzensammeln. (M.Br.)

Willeit Karl Dr. jur.
B.: Amtsdir. im Amt f. Städtebauwesen u. Öff. Bauwesen d. autonomen Provinz Bozen. DA.: 39100 Bozen, Crispistr. 8. PA.: Wolkenstein, Gröden, Dauneistr. 17. G.: Enneberg, 8. Nov. 1942. S.: Gymn., 1963 Matura, Stud. in Padua. K.: Anw.-Praxis Bozen, 1971 Eintritt in d. Landesreg. P.: versch. Art., versch. kleine Handbücher. H.: Natur, Berge, Lesen, Skifahren, Musik, Gesang. (M.G.)

Winkler Siegmund Dr. jur.
B.: Amtsdir. f. Oberschulen. DA.: 39100 Bozen, Amba-Alagi-Str. 10. PA.: 39012 Meran, Marlingerstr. 1. G.: Margreit, 25. Juni 1944. Ki.: Sabrina. S.: klass. Matura 1965 Franziskanergymn. Bozen, 1965-66 Stud. an d. Uinv. Innsbruck, Übertritt an d. Univ. Padua, 1971 Prom. K.: Anw.-Praxis, 1972-74 ltd. Stelle in d. Gem. Meran, Gem.-Verb. d. Provinz Bozen, 1975 Schulamt f. d. Dt. Schule, Personalrechtl. Bereich, Sekundarschulen, 1981 Dir. d. Amtes f. Oberschulen. M.: 1980-85 GemR. v. Meran, SVP Gremien Meran, Heimatschutzver., Gremien auf Orts-, Bez.- u. Landesebene d. KVW. H.: Radfahren. (A.W.)

Zambolo Jolanda Dr.
B.: Arch. DA. u. PA.: 39100 Bozen, Via Del Vanga 61. G.: Nata a Talmezzo, Provinz Udine, 21. März 1927. V.: Dr. Gigi Dalla Bona. Ki.: Lucio (1958). El.: Fiorello u. Maria Cacitti. S.: b. 1947 wiss. Lyzeum Udine, b. 1952 Arch.-Stud. in Venedig. K.: Eröff. eines Arch.-Büros gemeinsam m. d. Gatten, 7. Preis b. nat. Wettbewerb f. d. Haus d. Rg. in Trient, 1962 1. Preis b. Wettbewerb d. HK, 1970 1. Preis b. Wettbewerb f. d. klass. Lyzeum Bozen, Projekte: u.a. 150 Appartements, Bürozentrum in Bozen. H.: Gartenarb. (M.G.)

Zamboni Bruno
B.: Präs. d. Tabakhändlerver. DA.: 39100 Bozen, Marconistr. 5. PA.: 39100 Bozen, Similaunstr. 42. G.: Bozen, 27. Feb. 1939. V.: Maria-Gracia. Ki.: Carlo, Aldo, Patrizia, Monika. K.: 1940 Übernahme einer Tabak-Trafik, ab 1969 Präs. d.

Ver. ital. Tabakhändler Provinz Bozen, Delegierter f. Provinz Beluno u. Trient. M.: Mtgl. d. Nat.-Konziliums ital. Tabakhändler in Rom. (P.R.)

Zambotto Paolo Dr.
B.: Landesvet. d. Landesvet.-Amtes. DA.: 39100 Bozen, Brenner Str. 6. PA.: 39100 Bozen, Claudia-Augusta-Str. 73. G.: Bozen, 30. März 1961. El.: Antonio u. Teresa. S.: VS, Mittelschule, Wiss. Lyzeum Stud. Vet.-Med. Univ. Parma, 1991 Dr. vet. med. K.: 1981-91 Ass. u. Doz. Inst. f. Anatomie d. Haustiere, 1991 Staatsprüf. f. Tierärztl. Befugnis, ab 1992 Tätigkeit im Versuchsinst. f. Tierseuchebekämpfung Bozen, ab 1992 Sieger im Wettbewerb f. Landestierarzt u. seit Juli Anstellung als Landestierarzt am Landesvet.-Amt Bozen. P.: Buch "Notizen über Parasitologie u. Parasitolog. Krankheiten", zahlr. Arb. u. Art. über "Biomaterialien u. Histologie". BL.: Musiker u. Orchesterdirigent. H.: Musik, Lesen, Skifahren. (M.M.)

Zand Josef Ignaz
B.: Koch, Hotelier Hotel Brückenwirt. DA.: 39040 Vahrn/Brixen, Neustift. G.: Gaflenz, 30. Okt. 1941. V.: Annemarie, geb. Schwärzer. Ki.: Eva (1970), Margit (1972), Irene (1985). El.: Alois u. Emma. S.: Kochlehre in Bozen, 1960 Abschluß, 1964/65 Militärdienst. K.: Praxis in Venedig, Rom, Mailand u. Bozen, 1962 Gardemanager auf Touristenkreuzer Triest-Griechenland, Koch in Koblenz, Küchenchef im Meran, 1967 Gschf. u. Koch Klosterneustift, 1970 Pacht d. Gastbetriebes, 1973 Kauf d. Gasthauses u. Ausbau z. Hotel. E.: Silb. Ehrennadel d. Heimatschutzes, mehrere Ehrungen v. Gesangsver. M.: Grdg.-Mtgl. u. Präs. d. Werbe- u. Wirtschaftsgemeinschaft Neustift. H.: Musik, Innenarch., Planen u. Gestalten, Kunst allg. (I.D.)

Zangerle Karl Hans Dr.
B.: RA. DA.: 39100 Bozen, Weintraubeng. 50/38. PA.: Terlan, Kirchg. 53. G.: Meran, 22. Mai 1928. V.: Eleonora, geb. Mumelter. Ki.: Dr. Klaus, Elisabeth, Nora. El.: Carl u. Elfriede. S.: RG Lienz/Osttir. u. Innsbruck. K.: b. 1952 Praktikum Lienz, Bruneck, Meran u. Innsbruck, g. 1954 Hdls.-Praxis, Anw.-Praktikum Bruneck u. Meran. H.: Radioamateur, Musik, Theater, Lesen. (M.G.)

Zani Arnold
B.: Steuerberater. DA.: 39100 Bozen, Lauben 66. Tel.: 0471/ 97-80-89. PA.: 39052 Kaltern, Unterplanitzing 27. G.: Kaltern, 1. Juli 1958. V.: Barbara, geb. Damian. S.: Mittelschule Kaltern, HOB Bozen. K.: 3 J. Bankpraxis, 1981-83 Gschf. eines Südtir. Verb., Praktikum b. Steuerberater, seit 1984 freiberufl. als Steuerberater tätig, nebenher Stud. d. Wirtschaftswiss. in Trient. H.: Skifahren, Bergwandern, Ldw. (P.R.)

Zelger Anton Franz Valentin Dr.
B.: LAbg. u. LR. f. Schule u. Kultur d. Dt. Volksgruppe b. 1989. PA.: 39100 Bozen, Alte Mendelstr. 59B. G.: Deutschnofen, 14. Feb. 1914. V.: Anna, geb. Gibitz. Ki.: Christl, Monika, Martin. El.: Anton u. Rosa. S.: Franziskanergymn. Bozen, staatl. Lyzeum, 1935 Matura, 1935-39 Stud. Geisteswiss. u. Germanistik Kath. Univ. Mailand, 1940-41 Stud. Deutsch, Ital. u. Geschichte Univ. Innsbruck, Stud.-Abschluß m. Lehramt, Doktorat Univ. Padua. K.: 1941-47 Dt. Wehrmacht u. Kriegsgefangenschaft in Jugoslawien; 1947-57 Lehrtätigkeit Mittelschule Bozen; 1955-60 Sekr. d. Südtir. Kulturinst., 1957-61 Lehrtätigkeit hum. Gymn. Bozen, seit 1960 Mtgl. d. Südtir. Landesreg., 1960-83 LR. f. Dt. u. Ladin. Sprachgruppe, 1983-89 LR. f. Schule u. Kultur d. Dt. Volksgruppe. BL.: Vorträge in Südtir., Österr. u. Deutschland. E.: EZ d. Landes Tirol, Gr. Silb. EZ f. Vers. um d. Land Wien, Bayer. VO Ehrensenator d. Univ. Innsbruck, Ver.,-Stern d. Verb. Südtir. Musikkapellen, Mozart-Jubiläumspreis d. J. W. v. Goethe-Stiftung zu Basel, Ehrenbürger d. Heimatgem. Deutschnofen. H.: Wandern, Fußball-Fan, Markensammler, klass. Musik, Theater, Literatur. (M.G.)

Zelger Hans Dr. jur.
B.: Präs. d. Südtir. Gem.-Verb. DA.: 39100 Bozen, Quireiner Wassermauer 10. PA.: Deutschnofen, Kammerlandstr. 8. G.: Bozen, 2. Nov. 1942. V.: Marta, geb. Pichler. Ki.: Florian (1975), Martin (1977). El.: Anton u. Johanna, geb. Zelger. S.: 1966 HOB, Stud. Rechtswiss. Univ. Modena, 1976 Prom. z. Dr. jur. K.: 1966-67 Unterrichtstätigkeit an d. Mittelschule in Deutschnofen, 1967-68 Revisor b. Raiffeisenverb. Südtir. Abt. Raiffeisenkassen, 1968-83 Gem.-Sekr. in Deutschnofen, 1984-91 Gem.-Sekr. d. Gem. Leifers, ab 1991 Präs. d. Südtir. Gem.-Verb., seit 1985 Bgm. d. Gem. Deutschnofen, ab 1990 Revisor d. Santitätseinheit Mitte Süd. P.: Diss. "Die Beteiligung d. Gem. b. d. Feststellung d. Steuern". M.: Präs. d. AufsR. d. Südtir. Informatik AG, seit 1991 im Aussch. d. UNCEM. H.: Reiten, Skifahren, Wandern. (N.A.)

Zelger Heinrich
B.: Akustiker, Mitinh., Gschf. FN.: Zentrum Taubheit Südtirol. DA.: 39100 Bozen, Turinstr. 91. PA.: 39057 Eppan, Bahnhofstr. 125. G.: Leifers, 4. Juni 1946. V.: Maria, geb. Ölgartner. Ki.: Roland. S.: Abendmittelschule in Bozen, Abschluß div. Fachkurse in Hörgeräteakustik im In- u. Ausland. K.: 1970 Allg. Vers. Vers.-Berater, 1979 Eintritt in d. Hörgerätefirma als Akustikberater, 1982 Grdg. d. Firma Zentrum Taubheit Südtir. gemeinsam m. T. Favale, Auf- u. Ausbau d. Untern. auf dzt. 31 Außenstellen in Südtir. (Apotheken, Optiker, etc.). M.: Eppaner Sportfischerver. H.: Fischen, Garten. (C.K.)

Zelger Peter
B.: Seelsorgeamtsltr. am Bischöfl. Ordinariat. DA.: 39100 Bozen, Marconistr. 9/2. PA.: 39100 Bozen, Gunschnastr. 35. G.: Eggen, 24. Okt. 1933. S.: hum. Gymn., Stud. in Trient, 1959 Priesterweihe in Bozen. K.: 1963-65 Kaplan, 1965-67 Red. b. d. Tageszeitung Dolomiten, 1967 Journalistenprüf. in Rom, 1967-69 Theol.-Stud. in München, 1969-73 Dekr. d. Diözesansynagoge, 1969-74 Sekr. d. Synagoge, seit 1975 Seelsorgeamtsltr. P.: Publ. in versch. Zeitschriften. H.: Bergsteigen, Skifahren, Wandern. (M.B.)

Zendron Alessandra Dr.
G.: Bozen, 10. Aug. 1951. S.: Doktorat d. Literaturwissensch. an d. Univ. Padua. K.:1974-79 Unterricht d. 2. Sprache (ital.) an dtschen.Schulen, Tätigkeit in d. Gewerkschaft UIL/SGK - Abteilung Schule, s. 1979 am RAI - Sitz Bozen als Programmgestalterin u. Regisseurin tätig, nebenbei publ. Tätigk., Mitbegrdg. d. Filmschule "Zeilig" u. d. interalp. Komitees "SOS-Transit", s. 20. Sep.1989 im Südtir. Landtag, Vize-Präs. d. Südtir. Landtages.

von Zieglauer Imma Dr. phil.
B.: Landesinsp. a. D., Dir. d. Kindergärtnerinnenschule. DA.: 39100 Bozen, Wangerg. 91. PA.: 39100 Bozen, Fargenstr. 2A. G.: Trient, 20. Dez. 1922. V.: Hugo v. Zieglauer. Ki.: Uta (1953), Elisabeth (1956), Markus (1963). El.: Jacob u. Ida, geb. Segatta. S.: LBA in ital. Sprache Bozen, Abitur Berlin, HS Venedig, 1950 Prom. z. Dr. phil. K.: 1953 Unterricht in Deutsch, Geschichte, Erdkunde in mehreren Höheren

Mittelschulen, ab 1953 beauftragte Ltr. d. Kindergärtnerinnenschule in Bozen, ab 1971 beauftragte Insp. im Rahmen d. Landesver. Südtir. Kindergärtnerinnen, 1977 Berufung als Landesinsp. f. d. dt. Kindergärten in Südtir. P.: Aufsätze in Zeitschriften, Tageszeitungen, Buch: Deutsche u. Ladinische Kindergärten in Südtirol (1982). H.: Musik, Literatur, Kunst, Natur erleben. (N.A.)

Zingerle Luis Dr.

B.: Landesberufsschuldir. PA.: Raas, Natz/Schabs 54. G.: Schalders, 11. Aug. 1933. V.: Josefine, gb. Eisenmann. Ki.: Alois, Christine, Margarethe, Elisabeth. S.: Stud. d. Phil. an d. Univ. Innsbruck, 1963 Prom. K.: seit 1960 Unterricht an d. kfm. Lehranst. Brixen, 1965-79 Berufsschuldir. in Brixen, seit 1964 in d. SVP tätig, 1964-70 SVP Bez.-Sekr. in Brixen, seit 1976 Bez.-Obm. d. SVP Bez. Brixen u. Mtgl. d. SVP Parteiltg., 1969-79 StadtR. d. Gem. Brixen, seit 1979 im Südtir. Landtag, Mtgl. d. 2. u. 3. Gesetzgebungskmsn. d. Landtages u. Wohnbaukomitees, seit 1987 RegionlR.-Präs. M.: seit 1960 SVP, Bundeskulturref. d. Südtir. Schützenbundes, Kath. Familienverb., Eisenbahnver. Brixen, MGV Brixen. H.: kulturelle Veranstaltungen, Landesausstellungen, Lesen geschichtl. u.kulturgeschichtl. Werke, Bergwandern, Skifahren. (C.K.)

Zingerle Paul Peter Dr.

B.: Amtsdir. im Amt f. d. Ausbild. d. Sanitätspersonals u. f. d. Gesundheitserziehung. DA.: 39100 Bozen, Horazstr. 4/A. PA.: 39100 Bozen, Mühlbach-Promenade 10. G.: Bruneck, 18. Feb. 1946. V.: Antonia, geb. Hopfgartner. Ki.: Tobias, Peter. El.: Josef u. Aloisia. BV.: Bauernfamile aus d. 16. Jhdt. S.: hum. Gymn. Brixen, 1968 Matura, Päd.-Stud. Sbg., div. Seminare im Rahmen d. Berufsschulwesen. K.: 1972-85 Berufsschullehrer f. Lehrlinge u. Berufsschulinsp. Bozen, 1983-84 Amt f. Organ. f. d. Weiterbild. d. Personals. BL.: im Rahmen d. Kath. Verb. d. Werktätigen Vorträge bezügl. Ausbild., Gesundheitsbew., Berufsberatung. P.: Fachart. H.: Familie, Schwimmen, Fußball, Musik, Politik. (M.G.)

Zocchio Pier Giorgio

B.: Dekan u. Pfarrer. DA. u. PA.: 39012 Meran, Romstr. 1/1. G.: Rovereto/Trient, 10. Aug. 1935. El.: Guiseppe u. Valeria, geb. Rizzi. S.: klass. Lyzeum, Matura, 1955 Rovereto, Priesterseminar Trient, 1960 Priesterweihe. K.: Kaplan in Trient, Bozen u. Meran, Seelsorger ital. Pfarrkinder einer dt. Pfarre in Bozen, seit 1979 Dekan u. Pfarrer d. Hl. Geist-Pfarre v. Meran. M.: Intern. Ökumen. Bewegung "Focolare". (P.R.)

Zoeggeler Oswald Dr.

B.: Arch., Univ.-Prof. am Lehrstuhl f. architekton. Entwerfen d. Univ. Florenz. DA.: 39100 Bozen, Laubeng. 66. PA.: 39100 Bozen, Dantestr. 28. G.: Meran, 4. Aug. 1944. V.: Bianca, geb. Marabini. Ki.: Alexander u. Katharina. S.: Franziskanergymn. Bozen, 1963 Matura, TH Wien, 1963-65 Arch.-Stud., 1965-68 Univ. Venedig, 1969 Doktorarb. b. Prof. Carlo Scarpa. K.: Praxis: 1969-72 in London b. Prof. James Stirling, James Cubitt, Dennis Lasdon, 1972-74 in Amsterdam b. Prof. W. Holzbauer, 1974 eigenes Arch.-Büro in Meran, ab 1975 in Bozen, 1974-76 Doz. d. HS f. Arch. in Venedig als Ass. v. Prof. Carlo Scarpa, 1976-80 Ass. v. Prof. Gino Valle, 1980-85 Prof. Inciano Semerani, 1981 Prof., 1987 Lehrstuhl an d. Univ. Florenz; ausgeführte Projekte: Gen. Klausen, VS Klausen, Athesia Sterzing, Roen Schule, Gasteiner Schule, Schinkel-Ausstellung in Venedig u. Rom. BL.: Teilnahme an zahlr. Konferenzen, Austellungen u. Arch.-Wettbewerben. P.: Fachart. in versch. Architekturzeitschriften u. Büchern. E.: 1972 Städtebaupreis Mailand, 1987 Teilnahme an d. Trienale Mailand, 1988 Biennale Venedig. (C.K.)

Zorzi Renzo Dr. med.

B.: FA f. allg. Chir., Gynäkologie u. Önokologie. GT.: Chir. in d. Neuen Wr. Privatklinik 1090 Wien, Pelikangasse. DA.: 39100 Bozen, Wangerg. 49. PA.: 39100 Bozen, Wangerg. 41. G.: Trient, 5. Apr. 1923. V.: Brigitte, geb. Kirchhofer. S.: Erzbischöfl. LyzeumTrient, 1941 Matura, Med.-Stud. an d. Univ. Florenz u. Mailand, 1947 Prom. K.: 1951-53 GemR. Stellv. inTrentino, seit 1953 Gynäkologe in Bozen, 1953 FA f. Geburtshilfe u. Frauenheilkunde in Mailand, 1961 Fertigstellung d. Studien f. Önkologie u. Fachtitel Önkologe, 1965-67 Vertragsass. f. prakt. Chir. an d. 1. Chir. Univ.-Klinik in Wien u. am Arbeitsunfall-KH Wien-Meidling, 1970 FA f. Allg. Chir., 1969-74 Freiberufler inTrient u. Wien, in dieser Zeit Befürworter f. d. Geburtenkontrolle unter Anwendung v. Schwangerschaftsverhütungsmittel unter Aufsicht eines FA, dadurch Konflikte m. d. damaligen ital. Gesetzen u. Auswanderung nach Venezuela/Südamerika, nach 1 J. Lehrtätigkeit an d. Univ. Los Andes in Mérida, Revalidierung d. med. Titels, 2. Doktorat in Mérida, Ausbild. f. Tropenmed., anerk. Experte f. Behandlung d. Drogensucht, 1982 Dipl. f. Doppelsprachigkeit f. gehobene u. höhere Laufbahn (Bozen), Sprachen: Ital., Deutsch, Span., Engl.; anschl. Berufung nach Caracas als Chir. bzw. Konsiliarchir. an 3 Privatkliniken, 1982 Rückkehr nach Italien u. 1984 Praxiseröff. in Bozen in enger Zusammenarb. m. d. 1. Chir. Univ.-Klinik in Wien. M.: Dt. Ges. f. Chir., I.F.A., Ass. Italiana Gin. H.: Bergsteigen, Skifahren, Tenns, Musik, Literatur. (C.K.)

Zuegg Elmar

B.: Innenarch., Designer. FN.: Studio 2, Vertpark GmbH Packsysteme. DA.: 39100 Bozen, St. Anton Str. 2A. PA.: 39100 Bozen, Wangerg. 16A. G.: Lana, 18. Mai 1937. V.: Filomena, geb. Gruber. Ki.: Winfrid, Gernot, Ditmar, Stefan, El.: Ernst u. Paula. BV.: Ing. Luis Zuegg Seilbahnpionier. S.: Gewerbeschule f. Maschinenbau, Geometerschule, Polytechnikum in München, Stud. Arch. in Venedig. K.: 1970 Studioeröff. in Bozen, 1970-80 m. Partner ab 1980 Vollinh. d. "Studio 2". (P.R.)